여러분의 합격을 응원하는
해커스공무원의 특별 혜택

FREE 공무원 행정법 특강

해커스공무원(gosi.Hackers.com) 접속 후 로그인 ▶ 상단의 [무료강좌] 클릭하여 이용

회독용 답안지(PDF)

해커스공무원(gosi.Hackers.com) 접속 후 로그인 ▶ 상단의 [교재·서점 → 무료 학습 자료] 클릭 ▶
본 교재의 [자료받기] 클릭하여 이용

▲ 바로가기

해커스공무원 온라인 단과강의 **20% 할인쿠폰**

83382E64DC28FBDN

해커스공무원(gosi.Hackers.com) 접속 후 로그인 ▶ 상단의 [나의 강의실] 클릭 ▶
좌측의 [쿠폰등록] 클릭 ▶ 위 쿠폰번호 입력 후 이용

* 등록 후 7일간 사용 가능(ID당 1회에 한해 등록 가능)

합격예측 **온라인 모의고사 응시권 + 해설강의 수강권**

AE8784E66CD6C4DT

해커스공무원(gosi.Hackers.com) 접속 후 로그인 ▶ 상단의 [나의 강의실] 클릭 ▶
좌측의 [쿠폰등록] 클릭 ▶ 위 쿠폰번호 입력 후 이용

* ID당 1회에 한해 등록 가능

쿠폰 이용 관련 문의 **1588-4055**

해커스공무원

함수민
행정법총론

단원별 기출문제집 | 1권

해커스공무원

함수민

약력
제56회 사법시험 합격
제32회 법원행정고등고시 합격

현 | 해커스공무원 행정법 강의
전 | 노량진 윌비스고시학원 전임교수

저서
해커스공무원 함수민 행정법총론 기본서
해커스공무원 함수민 행정법총론 단원별 기출문제집
해커스공무원 함수민 행정법총론 진도별 모의고사
해커스공무원 함수민 행정법총론 실전동형모의고사
해커스공무원 함수민 행정법총론 단권화 노트

공무원 시험의 해답
행정법총론 시험 합격을 위한 필독서

방대한 기출문제의 학습을 앞두고 막막할 수험생 여러분을 위해 해커스가 쉽고 명료하게 풀어내고 암기할 수 있는 기출문제집을 만들었습니다.

행정법총론 학습에 기본이 되는 기출문제를 효과적으로 학습할 수 있도록 다음과 같은 특징을 가지고 있습니다.
첫째, 각 단원별로 재출제 가능성이 높은 기출문제를 엄선하여 수록하였습니다.
둘째, 상세한 해설과 다회독을 위한 다양한 장치를 수록·제공하였습니다.
셋째, 각 선지의 내용을 빠르게 정리하기 위한 '함께 정리하기'를 문제 옆에 수록하였습니다.

최소한의 시간으로 최대한의 학습 효과를 낼 수 있는 다음의 학습 방법을 추천합니다.
첫째, 단원별 학습을 통해 각 단원에 맞는 기본 이론을 확인하고 쉽게 복습할 수 있습니다.
둘째, 정답이 아닌 선지까지 모두 학습함으로써 다채로운 문제 유형에 대처할 수 있는 능력을 기를 수 있습니다.
셋째, 본문의 주요 내용을 간단하게 요약·정리한 '함께 정리하기'로 핵심만을 빠르게 학습할 수 있습니다.

더불어, 공무원 시험 전문 사이트인 해커스공무원(gosi.Hackers.com)에서 교재 학습 중 궁금한 점을 나누고 다양한 무료 학습 자료를 함께 이용하여 학습 효과를 극대화할 수 있습니다.

부디 <해커스공무원 함수민 행정법총론 단원별 기출문제집>과 함께 공무원 행정법총론 시험의 고득점을 달성하고 합격을 향해 한걸음 더 나아가시기를 바랍니다.

함수민

차례

1권

제1편 행정법 통론

제1장 행정법의 의의 ... 10
- 제1절 행정법의 개념 ... 10
- 제2절 행정법의 법원(法源) ... 54
- 제3절 행정법의 일반원칙 ... 60
- 제4절 행정법의 효력 ... 136

제2장 행정상의 법률관계 ... 146
- 제1절 당사자 ... 146
- 제2절 공권과 공의무 ... 153
- 제3절 행정상 법률관계의 종류 ... 163

제3장 행정상의 법률요건과 법률사실(행정법관계의 변동) ... 167
- 제1절 행정법상 사건 ... 167
- 제2절 공법상의 행위 ... 179

제2편 행정작용법

제1장 행정입법 ... 232
- 제1절 개설 ... 232
- 제2절 법규명령 ... 234
- 제3절 행정규칙 ... 305

제2장 행정행위 ... 329
- 제1절 행정행위의 개념 ... 329
- 제2절 행정행위의 분류 ... 330
- 제3절 기속행위와 재량행위, 불확정 개념과 판단여지 ... 338
- 제4절 행정행위의 내용 ... 361
- 제5절 행정행위의 부관 ... 446
- 제6절 행정행위의 성립요건·적법요건·효력발생요건 ... 495
- 제7절 행정행위의 효력 ... 515
- 제8절 행정행위의 하자(흠) ... 551
- 제9절 행정행위의 취소·철회·실효 ... 620

제3장 그 밖의 행정의 주요 행위형식 ... 662
- 제1절 확약 ... 662
- 제2절 행정계획 ... 668
- 제3절 공법상 계약 ... 708
- 제4절 행정상 사실행위 ... 746
- 제5절 행정지도 ... 752
- 제6절 그 밖의 행정작용 ... 774

2권

제3편 행정절차와 행정정보

제1장 행정절차 ... 784
- 제1절 행정절차법 내용 ... 784
- 제2절 처분절차 ... 802
- 제3절 처분 이외의 절차 ... 880
- 제4절 행정절차의 하자 ... 884
- 제5절 민원 처리에 관한 법률 ... 895

제2장 행정정보공개와 개인정보 보호제도 ... 896
- 제1절 행정정보공개 ... 896
- 제2절 개인정보 보호법 ... 977

제4편 행정의 실효성 확보수단

제1장 행정강제 ... 1014
- 제1절 행정상 강제집행 ... 1014
- 제2절 행정상 즉시강제 ... 1124

제2장 행정조사 ... 1139

제3장 행정벌 ... 1177
- 제1절 행정형벌의 특수성 ... 1177
- 제2절 행정질서벌(과태료)의 특수성 ... 1194

제4장 새로운 실효성 확보수단 ... 1232

3권

제5편 행정상 손해배상

제1장 국가배상   1270
- 제1절 공무원의 직무상 불법행위로 인한 손해배상(제2조)   1270
- 제2절 영조물의 설치·관리의 하자로 인한 손해배상   1339
- 제3절 배상책임자   1360
- 제4절 이중배상금지(청구권자의 제한)   1363
- 제5절 손해배상의 범위   1374
- 제6절 국가배상의 청구절차   1375

제2장 행정상 손실보상   1379
- 제1절 손실보상청구권의 요건   1379
- 제2절 손실보상의 내용   1386
- 제3절 그 밖의 손실보상제도   1445

제6편 행정쟁송

제1장 행정심판 일반론   1452

제2장 행정심판청구의 요건   1468
- 제1절 행정심판의 당사자 및 관계인   1468
- 제2절 행정심판의 대상   1471
- 제3절 행정심판기관   1472
- 제4절 행정심판청구의 절차   1477
- 제5절 가구제(잠정적 권리보호)   1479

제3장 행정심판의 심리·재결   1482
- 제1절 행정심판의 심리   1482
- 제2절 행정심판의 재결   1486

제4장 행정소송 일반론   1522

제5장 항고소송 1(취소소송)   1528
- 제1절 취소소송의 의의   1528
- 제2절 소송요건   1528
- 제3절 소의 변경   1682
- 제4절 가구제   1686
- 제5절 취소소송의 심리   1702
- 제6절 취소소송의 판결   1721
- 제7절 취소소송의 불복절차[상소, 항고(재항고, 재심)]   1757

제6장 항고소송 2(무효등 확인소송)   1759

제7장 항고소송 3(부작위위법확인소송)   1773

제8장 당사자소송   1788

제9장 객관소송   1817

제10장 기타의 권리구제   1827
- 제1절 헌법소송   1827
- 제2절 부패방지 및 국민권익위원회의 설치와 운영에 관한 법률   1829

이 책의 활용법

문제해결 능력 향상을 위한 단계별 구성

STEP 1 기출문제로 문제해결 능력 키우기

주요 7·9급 국가직, 지방직, 국회직, 서울시, 경찰 및 소방 공무원 시험 등의 행정법총론 기출문제 중 재출제 가능성이 높은 문제들을 엄선하여 학습 흐름에 따라 단원별로 배치하였습니다. 이를 통해 문제해결 능력을 키우고 학습한 이론을 점검할 수 있습니다.

▼

STEP 2 상세한 해설을 통한 이론 학습

문제풀이와 동시에 행정법총론의 이론을 요약·정리할 수 있도록 상세한 해설을 수록하였습니다. 이를 통해 방대한 분량의 행정법총론 내용 중 시험에서 주로 묻는 핵심 개념들이 무엇인지 확인하고, 이론을 다시 한 번 복습할 수 있습니다.

▼

STEP 3 함께 정리하기를 통한 핵심정리

각 선지의 주요 내용을 키워드로 간단하게 요약·정리하여 함께 정리하기에 수록하였습니다. 이를 통해 핵심 내용만을 빠르게 효과적으로 학습할 수 있으며, 스스로 요약 노트를 정리하며 복습할 때에도 유용하게 활용할 수 있습니다.

정답의 근거와 오답의 원인, 관련 이론까지 짚어 주는 정답 및 해설

❶ 014 ☐☐☐

행정상 실효성 확보수단에 대한 설명으로 가장 적절하지 않은 것은? (다툼이 있는 경우 판례에 의함)

① 행정상 강제집행의 수단은 대집행, 집행벌, 직접강제, 행정상 강제징수 등이 있다.
② 즉시강제에서 영장주의가 적용되는가의 여부에 대하여 판례는 국민의 권익보호를 위하여 예외 없이 영장주의가 적용되어야 한다는 영장필요설의 입장을 취하고 있다.
③ 불법 게임물에 대한 폐기처분에 대하여 판례는 이를 행정상 즉시강제로 보고 있다.
④ 술에 취한 상태로 인하여 자기 또는 타인의 생명·신체와 재산에 위해를 미칠 우려가 있는 피구호자에 대한 보호조치는 경찰행정상 즉시강제에 해당한다는 것이 판례의 입장이다.

❷ | 2013년 경찰

① (○) '행정상 강제집행'이란 행정법상의 의무불이행에 대하여 행정주체가 장래를 향하여 그 의무를 이행시키거나 또는 의무이행이 있는 것과 같은 상태를 실현시키는 작용을 의미한다. 행정상 강제집행수단은 다시 비금전적 의무의 강제집행수단으로서 대집행, 이행강제금, 직접강제가 있고 금전적 의무의 강제집행수단으로서 강제징수가 있다.
② (×) 대법원은 원칙적으로 영장주의가 적용되어야 하나, 행정목적 달성을 위하여 불가피한 경우에는 예외적으로 영장주의가 적용되지 않는다고 한다(절충설). 한편 헌법재판소는 급박성을 본질로 하는 즉시강제에는 원칙적으로 영장주의가 적용되지 않는다는 입장이다(영장불요설).

> 「행정대집행법」 제4조 【대집행의 실행 등】 ① 행정청(제2조에 따라 대집행을 실행하는 제3자를 포함한다. 이하 이 조에서 같다)은 해가 뜨기 전이나 해가 진 후에는 대집행을 하여서는 아니 된다. 다만, 다음 각 호의 어느 하나에 해당하는 경우에는 그러하지 아니하다.
> 1. 의무자가 동의한 경우(①)
> 2. 해가 지기 전에 대집행을 착수한 경우(②)
> 3. 해가 뜬 후부터 해가 지기 전까지 대집행을 하는 경우에는 대집행의 목적 달성이 불가능한 경우

경찰관 직무집행법 제4조 제1항 제1호에서 규정하는 술에 취한 상태로 인하여 지기 또는 타인의 생명·신체와 재산에 위해를 미칠 우려가 있는 피구호자에 대한 보호조치는 경찰 행정상 즉시강제에 해당하므로, 그 조치가 불가피한 최소한도 내에서만 행사되도록 발동·행사 요건을 신중하고 엄격하게 해석하여야 한다(대판 2012.12.13. 2012도11162).

❹ 📘 **관련 이론** 국·공립·사립학교 교원 징계처분

구분	국·공립학교 교원	사립학교 교원
징계의 성격	처분○	처분×
소청위원회 결정	행정심판재결	처분○
항고소송 대상	징계처분, 예외적 소청위원회 결정	소청위원회 결정

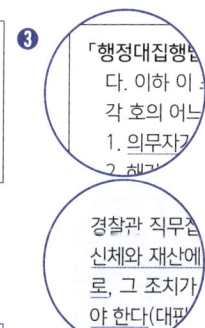

---

❶ 회독 체크박스

3회독 이상 반복 학습할 수 있는 회독 체크박스를 수록하여 본인의 학습 과정에 맞게 교재를 활용할 수 있습니다.

❷ 상세한 해설

정답 지문의 해설 외에도 오답 지문의 원인과 함정 요인을 확인할 수 있는 모든 선지의 해설까지 수록하여 이론을 다시 한 번 복습할 수 있습니다.

❸ 관련 법령 및 관련 판례

문제 풀이에 필요한 관련 법령 및 관련 판례를 수록하여 별도의 법령집과 판례집 없이 해설만으로도 심도 있는 학습이 가능합니다.

❹ 관련 이론

문제와 관련되거나 알아두면 좋은 핵심 이론 등을 통해 하나의 개념을 다양한 시각에서 폭넓게 학습할 수 있습니다.

제1편

행정법 통론

제1장   행정법의 의의
제2장   행정상의 법률관계
제3장   행정상의 법률요건과 법률사실(행정법관계의 변동)

제1장 행정법의 의의

제1절 | 행정법의 개념

I 행정의 개념

001 ☐☐☐

행정법의 대상인 행정에 대한 설명으로 가장 옳지 않은 것은?

① 행정은 적극적·미래지향적 형성작용이다.
② 국가행정과 자치행정은 행정주체를 기준으로 행정을 구분한 것이다.
③ 행정법의 대상이 되는 행정은 실질적 행정에 한한다.
④ 행정은 그 법 형식을 기준으로 하여 공법형식의 행정과 사법형식의 행정으로 구분할 수 있다.

2018년 서울시 9급

① (○) 개념징표설에 의하면 행정의 징표로서 ㉠ 사회형성작용, ㉡ 공익실현작용, ㉢ 적극적·미래지향적 형성작용, ㉣ 구체적 조치 등을 들고 있다.
② (○) 행정은 행정의 주체에 따라 국가행정과 지방자치행정으로 구분할 수 있다.
③ (×) 실질적 의미의 입법에 속하는 행정입법 및 성질상 실질적 의미의 사법에 속하는 행정심판도 행정법의 연구대상이 된다. 따라서 행정법의 연구대상은 실질적 의미의 행정을 중심으로 하면서도 아울러 형식적 의미의 행정을 포함한다고 할 것이다.
④ (○) 행정은 행정작용의 근거가 되는 법과 관련하여 공법상의 행정과 사법상의 행정으로 구분할 수 있다. 공법행정이란 공법의 규율을 받아 공법의 형식에 따라 이루어지는 행정을 말하고, 사법행정은 사법(私法)의 규율을 받아 사법의 형식에 따라 이루어지는 행정을 말한다.

답 ③

002 ☐☐☐

실질적 의미의 행정에 해당하는 것으로만 묶인 것은?

ㄱ. 비상계엄의 선포	ㄴ. 집회의 금지통고
ㄷ. 행정심판의 재결	ㄹ. 일반법관의 임명
ㅁ. 대통령령의 제정	ㅂ. 통고처분

① ㄱ, ㄷ
② ㄴ, ㄷ
③ ㄴ, ㄹ
④ ㅁ, ㅂ

문제 DATA
출제가능 지수 ▶▷▷
난이도 지수 ★☆☆

함께 정리하기

행정의 개념

행정의 개념징표
▷ 사회형성작용, 공익 실현작용, 적극적·미래지향적 형성작용, 구체적 조치

행정주체에 따른 분류
▷ 국가행정, 자치행정

행정법의 대상으로서의 행정
▷ 실질적○, 형식적○

법적 형식에 따른 분류
▷ 공법행정, 사법행정

문제 DATA
출제가능 지수 ▶▷▷
난이도 지수 ★☆☆

2015년 지방직 7급

실질적 의미의 행정이란 국가가 법질서 아래서 국가목적을 실현하기 위하여 행하는 작용이므로 공익상 필요한 결과를 실현함을 목적으로 하는 기술적·정신적·법률적 사무의 전체를 의미한다(결과실현설).

ㄱ. (×) 통치행위에 해당한다.
ㄴ. (○) 실질적 의미의 행정, 형식적 의미의 행정에 해당한다.
ㄷ. (×) 실질적 의미의 사법, 형식적 의미의 행정에 해당한다.
ㄹ. (○) 실질적 의미의 행정, 형식적 의미의 사법에 해당한다.
ㅁ. (×) 실질적 의미의 입법, 형식적 의미의 행정에 해당한다.
ㅂ. (×) 실질적 의미의 사법, 형식적 의미의 행정에 해당한다.

답 ③

함께 정리하기

실질적 의미의 행정
▷ 비상계엄의 선포×
▷ 집회의 금지통고○
▷ 행정심판의 재결×
▷ 일반법관의 임명○
▷ 대통령령의 제정×
▷ 통고처분×

003 □□□

다음 중 실질적 의미의 행정에는 속하나 형식적 의미의 행정이 아닌 것은?

① 대통령령의 제정
② 국회사무총장의 직원 임명
③ 행정심판의 재결
④ 지방공무원 임명

문제 DATA
출제가능 지수 ▶▷▷
난이도 지수 ★☆☆

2010년 경찰 1차

형식적 의미의 행정이란 국가기관이 분장하고 있는 권한을 기준으로 행정부에 의하여 행하여지는 일체의 작용을 의미하고, 실질적 의미의 행정이란 국가가 법질서 아래서 국가목적을 실현하기 위하여 행하는 작용이므로 공익상 필요한 결과를 실현함을 목적으로 하는 기술적·정신적·법률적 사무의 전체를 의미한다(결과실현설).

① (○) 실질적 의미의 입법, 형식적 의미의 행정에 해당한다.
② (×) 실질적 의미의 행정, 형식적 의미의 입법에 해당한다.
③ (○) 실질적 의미의 사법, 형식적 의미의 행정에 해당한다.
④ (○) 실질적 의미의 행정, 형식적 의미의 행정에 해당한다.

답 ②

함께 정리하기

형식적·실질적 의미의 행정

대통령령의 제정
▷ 형식○/실질×

국회사무총장의 직원 임명
▷ 형식×/실질○

행정심판의 재결
▷ 형식○/실질×

지방공무원 임명
▷ 형식○/실질○

💡 ALL KILL 기출 제1절 행정법의 개념 ❮ Ⅰ 행정의 개념

01 국회의원의 징계는 실질적 의미의 행정에 해당한다.   10. 경북교행 ( )
02 대법원의 규칙 제정은 실질적 의미의 행정에 해당한다.   10. 경북교행 ( )
03 예산의 편성·집행은 실질적 의미의 행정에 해당한다.   10. 경북교행 ( )

정답 및 해설
01 × 통치행위에 해당
02 × 형식적 의미의 사법, 실질적 의미의 입법에 해당
03 ○ 형식적 의미의 행정, 실질적 의미의 행정에 해당

문제 DATA
출제가능 지수 ▶▶▷
난이도 지수 ★★☆

함께 정리하기
행정의 분류
주체
▷ 직접/간접/위임
목적
▷ 질서/급부/유도/공과/조달/계획
효과
▷ 침해/수익/복효적
기속
▷ 기속/재량
형식
▷ 공법(권력·비권력)
▷ 사법(국고·행정사법)

Ⅱ 행정의 분류

004 ☐☐☐

행정의 주체·대상·상대방에 대한 효과·수단 또는 형식 등에 의한 분류에 있어서 같은 분류 기준에 의한 종류끼리만 묶인 것은?

① 복효(적) 행정 - 위임(적) 행정 - 국고(적) 행정
② 권력(적) 행정 - 자치(적) 행정 - 위임(적) 행정
③ 권력(적) 행정 - 공과(적) 행정 - 국고(적) 행정
④ 수익(적) 행정 - 침익(적) 행정 - 복효(적) 행정

2006년 국가직 9급

① (×) 효과 - 주체 - 형식
② (×) 형식 - 주체 - 주체
③ (×) 형식 - 목적 - 형식
④ (○) 효과 - 효과 - 효과

답 ④

문제 DATA
출제가능 지수 ▶▶▷
난이도 지수 ★★☆

함께 정리하기
통치행위
서훈수여
▷ 통치행위○
서훈취소
▷ 통치행위×
계엄선포의 요건구비 여부, 선포의 당·부당
▷ 사법심사대상×
계엄의 선포·확대의 범죄행위 해당 여부
▷ 사법심사대상○
남북정상회담 개최과정 송금행위
▷ 사법심사대상○
긴급재정경제명령
▷ 통치행위○
▷ But 기본권침해와 직접 관련되는 경우: 사법심사대상○

Ⅲ 통치행위

005 ☐☐☐

통치행위에 대한 판례의 태도로 옳은 것을 모두 고른 것은?

ㄱ. 「상훈법」에 따른 서훈의 수여는 통치행위에 해당하나 서훈의 취소는 통치행위에 해당하지 않는다.
ㄴ. 사법부는 계엄선포의 요건 구비 여부나 선포의 당·부당을 판단할 수 있으며, 비상계엄의 선포나 확대가 국헌문란의 목적을 달성하기 위하여 행하여진 경우 그 자체가 범죄행위에 해당하는지의 여부에 관하여 심사할 수 있다.
ㄷ. 남북정상회담 개최 과정에서 이루어진 대북송금행위는 고도의 정치적 행위로서 사법심사의 대상으로 하는 것은 적절하지 않다.
ㄹ. 긴급재정경제명령은 고도의 정치적 결단에 의해서 이루어지는 국가작용이나 그것이 국민의 기본권 침해와 직접 관련되는 경우에는 법원 또는 헌법재판소의 심판대상이 된다.

① ㄱ
② ㄱ, ㄴ
③ ㄴ, ㄹ
④ ㄱ, ㄴ, ㄷ, ㄹ

2025년 경찰간부

ㄱ. (○) 서훈취소는 서훈수여의 경우와는 달리 이미 발생된 서훈대상자 등의 권리 등에 영향을 미치는 행위로서 관련 당사자에게 미치는 불이익의 내용과 정도 등을 고려하면 사법심사의 필요성이 크다. 따라서 기본권의 보장 및 법치주의의 이념에 비추어 보면, 비록 서훈취소가 대통령이 국가 원수로서 행하는 행위라고 하더라도 법원이 사법심사를 자제하여야 할 고도의 정치성을 띤 행위라고 볼 수는 없다(대판 2015.4.23. 2012두26920).

ㄴ. (×) 대통령의 비상계엄의 선포나 확대 행위는 고도의 정치적·군사적 성격을 지니고 있는 행위라 할 것이므로, 그 계엄선포의 요건 구비 여부나 선포의 당·부당을 판단할 권한이 사법부에는 없다고 할 것이나, 이 사건과 같이 비상계엄의 선포나 확대가 국헌문란의 목적을 달성하기 위하여 행하여진 경우에는 법원은 그 자체가 범죄행위에 해당하는지의 여부에 관하여 심사할 수 있다(대판 1997.4.17. 96도3376 전합).

ㄷ. (×) 남북정상회담의 개최는 고도의 정치적 성격을 지니고 있는 행위라 할 것이므로 특별한 사정이 없는 한 그 당부를 심판하는 것은 사법권의 내재적·본질적 한계를 넘어서는 것이 되어 적절하지 못하지만, 남북정상회담의 개최과정에서 재정경제부장관에게 신고하지 아니하거나 통일부장관의 협력사업 승인을 얻지 아니한 채 북한측에 사업권의 대가 명목으로 송금한 행위 자체는 헌법상 법치국가의 원리와 법 앞에 평등원칙 등에 비추어 볼 때 사법심사의 대상이 된다(대판 2004.3.26. 2003도7878).

ㄹ. (×) 대통령의 긴급재정·경제명령은 국가긴급권의 일종으로서 고도의 정치적 결단에 의하여 발동되는 행위이고 그 결단을 존중해야 할 필요성이 있는 행위라는 의미에서 이른바 통치행위에 속한다고 할 수 있으나, 통치행위를 포함하여 모든 국가작용은 국민의 기본권적 가치를 실현하기 위한 수단이라는 한계를 반드시 지켜야 하는 것이고, 헌법재판소는 헌법의 수호와 국민의 기본권 보장을 사명으로 하는 국가기관이므로 비록 고도의 정치적 결단에 의하여 행해지는 국가작용이라고 할지라도 그것이 국민의 기본권 침해와 직접 관련되는 경우에는 당연히 헌법재판소의 심판대상이 된다(헌재 1996.2.29. 93헌마186).

답 ①

006

통치행위에 대한 설명으로 가장 옳지 않은 것은? (다툼이 있는 경우 판례에 의함)

① 대법원은 남북정상회담의 개최는 고도의 정치적 성격을 지니고 있는 행위라 할 것이므로 특별한 사정이 없는 한 그 당부를 심판하는 것은 사법권의 내재적·본질적 한계를 넘어서는 것이 되어 적절하지 못하다고 보았다.

② 헌법재판소는 대통령 등에 의한 일련의 행위로 이루어진 개성공단 전면중단조치는 북한이 핵실험과 장거리 미사일 발사로 초래된 동북아시아 안보지형의 변화, 개성공단 내 우리 국민의 신변안전 등을 복합적으로 고려하여 내린 고도의 정치적 결단에 기한 조치라 할 것이므로 사법심사의 대상이 될 수 없다고 보았다.

③ 헌법재판소는 신행정수도건설이나 수도이전의 문제가 정치적 성격을 가지고 있는 것은 인정할 수 있지만, 그 자체로 고도의 정치적 결단을 요하여 사법심사의 대상으로 하기에는 부적절한 문제라고까지는 할 수 없다고 보았다.

④ 대법원은 통치행위의 개념을 인정한다고 하더라도 과도한 사법심사의 자제가 기본권을 보장하고 법치주의 이념을 구현하여야 할 법원의 책무를 태만히 하거나 포기하는 것이 되지 않도록 그 인정을 지극히 신중하게 하여야 하며, 그 판단은 오로지 사법부만에 의하여 이루어져야 한다고 보았다.

2025년 군무원 7급

① (○) 남북정상회담의 개최는 고도의 정치적 성격을 지니고 있는 행위라 할 것이므로 특별한 사정이 없는 한 그 당부를 심판하는 것은 사법권의 내재적·본질적 한계를 넘어서는 것이 되어 적절하지 못하지만, 남북정상회담의 개최과정에서 재정경제부장관에게 신고하지 아니하거나 통일부장관의 협력사업 승인을 얻지 아니한 채 북한측에 사업권의 대가 명목으로 송금한 행위 자체는 헌법상 법치국가의 원리와 법 앞에 평등원칙 등에 비추어 볼 때 사법심사의 대상이 된다(대판 2004.3.26. 2003도7878).

② (×) 개성공단 전면중단 조치는 북한의 핵실험과 장거리 미사일 발사로 초래된 동북아시아 안보지형의 변화, 국익 차원에서 북한의 핵무력 완성을 저지하기 위한 대응 조치의 필요성, 관련 국제 공조에 있어서 우리나라의 지위와 역할, 개성공단 내 우리 국민의 신변안전 등을 복합적으로 고려하여 내린 정치적 결단에 기한 조치로서 이른바 통치행위에 해당하므로, 사법심사의 대상이 될 수 없는 것이 아닌가 하는 의문이 있을 수 있다. 그러나 우리 헌법의 기본원리인 법치주의의 원리상 대통령, 국회 기타 어떠한 공권력도 법의 지배를 받아야 하고, 모든 국가작용은 국민의 기본권적 가치를 실현하기 위한 수단이라는 데에서 나오는 한계를 반드시 지켜야 하며, 헌법재판소는 헌법의 수호와 국민의 기본권 보장을 사명으로 하는 국가기관이므로, 비록 고도의 정치적 결단에 의하여 행해지는 국가작용이라고 할지라도 그것이 국민의 기본권침해와 직접 관련되는 경우에는 당연히 헌법재판소의 심판대상이 될 수 있다.
<u>이 사건 중단조치가 북한의 핵무기 개발로 인한 위기에 대처하기 위한 조치로서 국가안보와 관련된 대통령의 의사 결정을 포함하고 그러한 의사 결정이 고도의 정치적 결단을 요하는 문제이기는 하나, 그 의사 결정에 따른 조치 결과 투자기업인 청구인들의 영업의 자유 등 기본권에 제한이 발생하였다. 그리고 국민의 기본권 제한과 직접 관련된 공권력의 행사는 고도의 정치적 고려가 필요한 대통령의 행위라도 헌법과 법률에 따라 정책을 결정하고 집행하도록 함으로써 국민의 기본권이 침해되지 않도록 견제하는 것이 국민의 기본권 보장을 사명으로 하는 헌법재판소 본연의 임무이므로, 그 한도에서 헌법소원심판의 대상이 될 수 있다고 보아야 한다</u>(헌재 2022.1.27. 2016헌마364).

③ (○)

[1] <u>신행정수도건설이나 수도이전의 문제가 정치적 성격을 가지고 있는 것은 인정할 수 있지만, 그 자체로 고도의 정치적 결단을 요하여 사법심사의 대상으로 하기에는 부적절한 문제라고까지는 할 수 없다.</u> 더구나 이 사건 심판의 대상은 이 사건 법률의 위헌여부이고 대통령의 행위의 위헌여부가 아닌바, 법률의 위헌여부가 헌법재판의 대상으로 된 경우 당해 법률이 정치적인 문제를 포함한다는 이유만으로 사법심사의 대상에서 제외된다고 할 수는 없다.

[2] 신행정수도건설이나 수도이전의 문제를 국민투표에 붙일지 여부에 관한 대통령의 의사결정이 사법심사의 대상이 될 경우 위 의사결정은 고도의 정치적 결단을 요하는 문제여서 사법심사를 자제함이 바람직하다고 할 수 있고, 이에 따라 그 의사결정에 관련된 흠을 들어 위헌성이 주장되는 법률에 대한 사법심사 또한 자제함이 바람직하다고는 할 수 있다. 그러나 대통령의 위 의사결정이 국민의 기본권침해와 직접 관련되는 경우에는 헌법재판소의 심판대상이 될 수 있고, 이에 따라 위 의사결정과 관련된 법률도 헌법재판소의 심판대상이 될 수 있다.
우리 헌법은 선거권(헌법 제24조)과 같은 간접적인 참정권과 함께 직접적인 참정권으로서 국민투표권(헌법 제72조, 제130조)을 규정하고 있으므로 국민투표권은 헌법상 보장되는 기본권의 하나이다. <u>그러므로 대통령의 의사결정이 국민의 국민투표권을 침해한다면, 가사 위 의사결정이 고도의 정치적 결단을 요하는 행위라고 하더라도 이는 국민의 기본권침해와 직접 관련되는 것으로서 헌법재판소의 심판대상이 될 수 있고, 따라서 이 사건 법률의 위헌성이 대통령의 의사결정과 관련하여 문제되는 경우라도 헌법소원의 대상이 될 수 있다</u>(헌재 2004.10.21. 2004헌마554·556).

④ (○) 입헌적 법치주의국가의 기본원칙은 어떠한 국가행위나 국가작용도 헌법과 법률에 근거하여 그 테두리 안에서 합헌적·합법적으로 행하여질 것을 요구하며, 이러한 합헌성과 합법성의 판단은 본질적으로 사법의 권능에 속하는 것이다. 다만, 국가행위 중에는 고도의 정치성을 띤 것이 있고, 그러한 고도의 정치행위에 대하여 정치적 책임을 지지 않는 법원이 정치의 합목적성이나 정당성을 도외시한 채 합법성의 심사를 감행함으로써 정책결정이 좌우되는 일은 결코 바람직한 일이 아니며, 법원이 정치문제에 개입되어 그 중립성과 독립성을 침해당할 위험성도 부인할 수 없으므로, 고도의 정치성을 띤 국가행위에 대하여는 이른바 통치행위라 하여 법원 스스로 사법심사권의 행사를 억제하여 그 심사대상에서 제외하는 영역이 있다. 그러나 이와 같이 <u>통치행위의 개념을 인정한다고 하더라도 과도한 사법심사의 자제가 기본권을 보장하고 법치주의 이념을 구현하여야 할 법원의 책무를 태만히 하거나 포기하는 것이 되지 않도록 그 인정을 지극히 신중하게 하여야 하며, 그 판단은 오로지 사법부만에 의하여 이루어져야 하는 것이다</u>(대판 2004.3.26. 2003도7878).

답 ②

007

통치행위에 대한 설명으로 옳지 않은 것은? (다툼이 있는 경우 판례에 의함)

① 서훈취소가 대통령이 국가원수로서 행하는 행위라고 하더라도 법원이 사법심사를 자제하여야 할 고도의 정치성을 띤 행위라고 볼 수는 없다.
② 남북정상회담의 개최와 그 개최과정에서 재정경제부장관에게 신고하지 아니하거나 통일부장관의 협력사업 승인을 얻지 아니한 채 북한 측에 사업권의 대가 명목으로 송금한 행위는 사법심사의 대상이 될 수 없다.
③ 국민의 기본권 제한과 직접 관련된 공권력의 행사는 고도의 정치적 고려가 필요한 행위라도 헌법과 법률에 따라 결정되고 집행되어야 하므로 개성공단 전면중단 조치는 헌법소원심판의 대상이 될 수 있다.
④ 법률의 효력을 가지는 긴급재정경제명령은 국민의 기본권 침해와 직접 관련되므로 헌법재판소의 심판대상이 될 수 있다.
⑤ 외국에의 국군의 파견결정은 그것이 헌법과 법률이 정한 절차를 지켜 이루어진 것이라면 대통령과 국회의 판단은 존중되어야 하고 사법적 기준만으로 심판하는 것은 자제되어야 한다.

2025년 변호사

① (○) 구 상훈법 제8조는 서훈취소의 요건을 구체적으로 명시하고 있고 그 절차에 관하여 상세하게 규정하고 있다. 그리고 서훈취소는 서훈수여의 경우와는 달리 이미 발생된 서훈대상자 등의 권리 등에 영향을 미치는 행위로서 관련 당사자에게 미치는 불이익의 내용과 그 정도 등을 고려하면 사법심사의 필요성이 크다. 따라서 기본권의 보장 및 법치주의의 이념에 비추어 보면, 비록 서훈취소가 대통령이 국가원수로서 행하는 행위라고 하더라도 법원이 사법심사를 자제하여야 할 고도의 정치성을 띤 행위라고 볼 수는 없다(대판 2015.4.23. 2012두26920).

② (×) 남북정상회담의 개최는 고도의 정치적 성격을 지니고 있는 행위라 할 것이므로 특별한 사정이 없는 한 그 당부를 심판하는 것은 사법권의 내재적·본질적 한계를 넘어서는 것이 되어 적절하지 못하지만, 남북정상회담의 개최과정에서 재정경제부장관에게 신고하지 아니하거나 통일부장관의 협력사업 승인을 얻지 아니한 채 북한측에 사업권의 대가 명목으로 송금한 행위 자체는 헌법상 법치국가의 원리와 법 앞에 평등원칙 등에 비추어 볼 때 사법심사의 대상이 된다(대판 2004.3.26. 2003도7878).

③ (○) 개성공단 전면중단조치가 북한의 핵무기 개발로 인한 위기에 대처하기 위한 조치로서 국가안보와 관련된 대통령의 의사 결정을 포함하고 그러한 의사 결정이 고도의 정치적 결단을 요하는 문제이기는 하나, 그 의사 결정에 따른 조치 결과 투자기업인 청구인들의 영업의 자유 등 기본권에 제한이 발생하였다. 그리고 국민의 기본권 제한과 직접 관련된 공권력의 행사는 고도의 정치적 고려가 필요한 대통령의 행위라도 헌법과 법률에 따라 정책을 결정하고 집행하도록 함으로써 국민의 기본권이 침해되지 않도록 견제하는 것이 국민의 기본권 보장을 사명으로 하는 헌법재판소 본연의 임무이므로, 그 한도에서 헌법소원심판의 대상이 될 수 있다고 보아야 한다(헌재 2022.1.27. 2016헌마364).

④ (○) 대통령의 긴급재정·경제명령은 국가긴급권의 일종으로서 고도의 정치적 결단에 의하여 발동되는 행위이고 그 결단을 존중해야 할 필요성이 있는 행위라는 의미에서 이른바 통치행위에 속한다고 할 수 있으나, 통치행위를 포함하여 모든 국가작용은 국민의 기본권적 가치를 실현하기 위한 수단이라는 한계를 반드시 지켜야 하는 것이고, 헌법재판소는 헌법의 수호와 국민의 기본권 보장을 사명으로 하는 국가기관이므로 비록 고도의 정치적 결단에 의하여 행해지는 국가작용이라고 할지라도 그것이 국민의 기본권 침해와 직접 관련되는 경우에는 당연히 헌법재판소의 심판대상이 된다(헌재 1996.2.29. 93헌마186).

문제 DATA
출제가능 지수 ▶▶▷
난이도 지수 ★★☆

함께 정리하기

통치행위

서훈취소
▷ 통치행위 ×

남북정상회담 개최과정 송금행위
▷ 사법심사대상 ○

개성공단 전면중단 조치
▷ 통치행위 ○
▷ But 기본권제한과 직접 관련: 사법심사대상 ○

긴급재정경제명령
▷ 통치행위 ○
▷ But 기본권침해와 직접 관련되는 경우: 사법심사대상 ○

해외파병결정
▷ 사법심사 자제

⑤ (○) 외국에의 국군의 파견결정은 파견군인의 생명과 신체의 안전뿐만 아니라 국제사회에서의 우리나라의 지위와 역할, 동맹국과의 관계, 국가안보문제 등 궁극적으로 국민 내지 국익에 영향을 미치는 복잡하고도 중요한 문제로서 국내 및 국제정치관계 등 제반상황을 고려하여 향후 우리나라의 바람직한 위치, 앞으로 나아가야 할 방향 등 미래를 예측하고 목표를 설정하는 등 고도의 정치적 결단이 요구되는 사안이다. 따라서 그와 같은 결정은 그 문제에 대해 정치적 책임을 질 수 있는 국민의 대의기관이 관계분야의 전문가들과 광범위하고 심도 있는 논의를 거쳐 신중히 결정하는 것이 바람직하며 우리 헌법도 그 권한을 국민으로부터 직접 선출되고 국민에게 직접 책임을 지는 대통령에게 부여하고 그 권한행사에 신중을 기하도록 하기 위해 국회로 하여금 파병에 대한 동의여부를 결정할 수 있도록 하고 있는바, 현행 헌법이 채택하고 있는 대의민주제 통치구조하에서 대의기관인 대통령과 국회의 그와 같은 고도의 정치적 결단은 가급적 존중되어야 한다. 따라서 이 사건과 같은 파견결정이 헌법에 위반되는지의 여부 즉 세계평화와 인류공영에 이바지하는 것인지 여부, 국가안보에 보탬이 됨으로써 궁극적으로는 국민과 국익에 이로운 것이 될 것인지 여부 및 이른바 이라크전쟁이 국제규범에 어긋나는 침략전쟁인지 여부 등에 대한 판단은 대의기관인 대통령과 국회의 몫이고, 성질상 한정된 자료만을 가지고 있는 우리 재판소가 판단하는 것은 바람직하지 않다고 할 것이며, 우리 재판소의 판단이 대통령과 국회의 그것보다 더 옳다거나 정확하다고 단정짓기 어려움은 물론 재판결과에 대하여 국민들의 신뢰를 확보하기도 어렵다고 하지 않을 수 없다. 기록에 의하면 이 사건 파병은 대통령이 파병의 정당성뿐만 아니라 북한 핵 사태의 원만한 해결을 위한 동맹국과의 관계, 우리나라의 안보문제, 국·내외 정치관계 등 국익과 관련한 여러 가지 사정을 고려하여 파병부대의 성격과 규모, 그리고 파병기간을 국가안전보장회의의 자문을 거쳐 결정한 것으로, 그 후 국무회의 심의·의결을 거쳐 국회의 동의를 얻음으로써 헌법과 법률에 따른 절차적 정당성을 확보했음을 알 수 있다. 살피건대, 이 사건 파견결정은 그 성격상 국방 및 외교에 관련된 고도의 정치적 결단을 요하는 문제로서, 헌법과 법률이 정한 절차를 지켜 이루어진 것임이 명백하므로, 대통령과 국회의 판단은 존중되어야 하고 우리 재판소가 사법적 기준만으로 이를 심판하는 것은 자제되어야 한다. 오랜 민주주의 전통을 가진 외국에서도 외교 및 국방에 관련된 것으로서 고도의 정치적 결단을 요하는 사안에 대하여는 줄곧 사법심사를 자제하고 있는 것도 바로 이러한 취지에서 나온 것이라 할 것이다. 이에 대하여는 설혹 사법적 심사의 회피로 자의적 결정이 방치될 수도 있다는 우려가 있을 수 있으나 그러한 대통령과 국회의 판단은 궁극적으로는 선거를 통해 국민에 의한 평가와 심판을 받게 될 것이다. 그렇다면 이 사건 파견결정에 대한 사법적 판단을 자제함이 타당하다(헌재 2004.4.29. 2003헌마814).

답 ②

008 ☐☐☐

통치행위에 대한 설명으로 옳은 것은? (다툼이 있는 경우 판례에 의함)

① 개성공단 전면중단 조치는 고도의 정치적 결단을 요하는 문제이므로 기본권 제한이 발생하더라도 헌법소원심판의 대상이 될 수 없다.
② 비상계엄의 선포나 확대가 국헌문란의 목적을 달성하기 위하여 행하여진 경우 법원은 그 자체가 범죄행위에 해당하는지의 여부에 관하여 심사할 수 있다.
③ 「상훈법」 제8조의 서훈취소는 대통령이 국가원수로서 행하는 행위이므로 법원이 사법심사를 자제하여야 할 고도의 정치성을 지니는 행위이다.
④ 사면은 형의 선고의 효력 또는 공소권을 상실시키거나 형의 집행을 면제시키는 것으로 사법부의 판단을 변경하는 제도이므로 권력분립의 원리에 반한다.

2024년 경찰간부

① (×) 개성공단 전면중단 조치가 고도의 정치적 결단을 요하는 문제이기는 하나, 조치 결과 개성공단 투자기업인 청구인들에게 기본권 제한이 발생하였고, 국민의 기본권 제한과 직접 관련된 공권력의 행사는 고도의 정치적 고려가 필요한 행위라도 헌법과 법률에 따라 결정하고 집행하도록 견제하는 것이 헌법재판소 본연의 임무이므로, 그 한도에서 헌법소원심판의 대상이 될 수 있다(헌재 2022.1.27. 2016헌마364).
② (○) 대통령의 비상계엄의 선포나 확대 행위는 고도의 정치적·군사적 성격을 지니고 있는 행위라 할 것이므로, 그 계엄선포의 요건 구비 여부나 선포의 당·부당을 판단할 권한이 사법부에는 없다고 할 것이나, 이 사건과 같이 비상계엄의 선포나 확대가 국헌문란의 목적을 달성하기 위하여 행하여진 경우에는 법원은 그 자체가 범죄행위에 해당하는지의 여부에 관하여 심사할 수 있다(대판 1997.4.17. 96도3376 전합).
③ (×) 구 상훈법 제8조는 서훈취소의 요건을 구체적으로 명시하고 있고 절차에 관하여 상세하게 규정하고 있다. 그리고 서훈취소는 서훈수여의 경우와는 달리 이미 발생된 서훈대상자 등의 권리 등에 영향을 미치는 행위로서 관련 당사자에게 미치는 불이익의 내용과 정도 등을 고려하면 사법심사의 필요성이 크다. 따라서 기본권의 보장 및 법치주의의 이념에 비추어 보면, 비록 서훈취소가 대통령이 국가원수로서 행하는 행위라고 하더라도 법원이 사법심사를 자제하여야 할 고도의 정치성을 띤 행위라고 볼 수는 없다(대판 2015.4.23. 2012두26920).
④ (×) 사면은 형의 선고의 효력 또는 공소권을 상실시키거나, 형의 집행을 면제시키는 국가원수의 고유한 권한을 의미하며, 사법부의 판단을 변경하는 제도로서 권력분립의 원리에 대한 예외가 된다(헌재 2000.6.1. 97헌바74).

답 ②

함께 정리하기

통치행위

개성공단 전면중단 조치
▷ 통치행위○
▷ But 기본권제한과 직접 관련: 사법심사 가능

비상계엄의 선포·확대의 범죄행위 해당 여부
▷ 사법심사가능

서훈취소
▷ 통치행위×

사면
▷ 권력분립의 예외(통치행위○)

009 □□□

통치행위에 대한 설명으로 옳은 것(○)과 옳지 않은 것(×)을 <보기>에서 바르게 조합한 것은? (다툼이 있는 경우 판례에 의함)

<보기>
ㄱ. 한미연합 군사훈련의 일종인 2007년 전시증원연습을 하기로 한 대통령이 결정은 사법심사를 자제해야 하는 통치행위가 아니다.
ㄴ. 외국에의 국군의 파견결정은 고도의 정치적 판단이 요구되는 사안이므로 원칙적으로 사법심사는 자제되어야 한다.
ㄷ. 남북정상회담 개최와 대북송금 행위는 고도의 정치적 행위이므로 사법심사의 대상은 아니다.
ㄹ. 서훈취소는 법원이 사법심사를 자제해야 하는 고도의 정치성을 띤 행위가 아니다.
ㅁ. 통치행위로 인정되면 그에 관한 사법심사는 불가능하다.

① ㄱ(○), ㄴ(×), ㄷ(○), ㄹ(×), ㅁ(○)
② ㄱ(×), ㄴ(×), ㄷ(○), ㄹ(○), ㅁ(○)
③ ㄱ(×), ㄴ(○), ㄷ(○), ㄹ(○), ㅁ(×)
④ ㄱ(○), ㄴ(○), ㄷ(×), ㄹ(○), ㅁ(×)
⑤ ㄱ(○), ㄴ(○), ㄷ(×), ㄹ(×), ㅁ(×)

문제 DATA

출제가능 지수 ▶▶▷
난이도 지수 ★★☆

함께 정리하기

통치행위 해당 여부
▷ 전시증원연습결정 ✕
▷ 해외파병결정 ○
▷ 남북정상회담 개최 ○
▷ 대북송금 행위 ✕
▷ 국민의 기본권 침해와 직접 관련: 사법심사대상 ○

2020년 소방간부

ㄱ. (○) 한미연합 군사훈련은 1978. 한미연합사령부의 창설 및 1979.2.15. 한미연합연습 양해각서의 체결 이후 연례적으로 실시되어 왔고, 특히 전시증원연습은 대표적인 한미연합 군사훈련으로서, 대통령이 2007.3.경에 한 이 사건 연습결정이 새삼 국방에 관련되는 고도의 정치적 결단에 해당하여 사법심사를 자제하여야 하는 통치행위에 해당된다고 보기 어렵다(헌재 2009.5.28. 2007헌마369).

유제 11. 경찰 1차 대통령이 한미연합 군사훈련의 일종인 2007년 전시증원연습을 하기로 한 결정은 국방에 관련되는 고도의 정치적 결단에 해당하여 사법심사를 자제하여야 하는 통치행위에 해당한다. (✕)

ㄴ. (○) 외국에의 국군의 파견결정은 성격상 국방과 외교에 관련된 고도의 정치적 결단이 요구되는 사안이다. 따라서 현행 헌법이 채택하고 있는 대의민주제 통치구조 하에서 대의기관인 대통령과 국회의 그와 같은 고도의 정치적 결단은 가급적 존중되어야 하고 헌법재판소가 사법적 기준만으로 이를 심판하는 것은 자제되어야 한다(헌재 2004.4.29. 2003헌마814).

유제 22. 군무원 7급 국군을 외국에 파견하는 결정은 통치행위로서 고도의 정치적 결단이 요구되는 사안에 대한 대통령과 국회의 판단은 존중되어야 하고 헌법재판소가 사법적 기준만으로 이를 심판하는 것은 자제되어야 한다. (○)
20. 경찰 2차 일반사병의 이라크파병에 대한 헌법소원사건에서 외국에의 국군의 파견결정은 파견군인의 생명과 신체의 안전뿐만 아니라 국제사회에서의 우리나라의 지위와 역할, 동맹국과의 관계, 국가안보문제 등 궁극적으로 국민 내지 국익에 영향을 미치는 복잡하고도 중요한 문제로서 통치행위로 보고 있다. (○)
19. 행정사 이라크 파병결정은 통치행위에 해당한다. (○)

ㄷ. (✕) 남북정상회담의 개최는 고도의 정치적 성격을 지니고 있는 행위라 할 것이므로 특별한 사정이 없는 한 그 당부를 심판하는 것은 사법권의 내재적·본질적 한계를 넘어서는 것이 되어 적절하지 못하지만, 남북정상회담의 개최과정에서 재정경제부장관에게 신고하지 아니하거나 통일부장관의 협력사업 승인을 얻지 아니한 채 북한측에 사업권의 대가 명목으로 송금한 행위 자체는 헌법상 법치국가의 원리와 법 앞에 평등원칙 등에 비추어 볼 때 사법심사의 대상이 된다(대판 2004.3.26. 2003도7878).

유제 20. 경찰 2차, 18. 경찰 3차, 17. 경찰 2차 남북정상회담의 개최과정에서 재정경제부장관에게 신고하지 아니하거나 통일부장관의 협력사업 승인을 얻지 아니한 채 북한측에 사업권의 대가 명목으로 송금한 행위 자체는 헌법상 법치국가의 원리와 법 앞에 평등원칙 등에 비추어 볼 때 사법심사의 대상이 된다. (○)
19. 군무원 9급 남북정상회담의 개최는 고도의 정치적 성격을 지니고 있는 행위라 할 것이므로 특별한 사정이 없는 한 그 당부를 심판하는 것은 사법권의 내재적·본질적 한계를 넘어서는 것이 되어 적절하지 못하다. (○)
16. 경찰 2차, 14. 경찰 2차 남북정상회담의 개최과정에서 재정경제부(현 기획재정부)장관에게 신고하지 아니하거나 통일부장관의 협력사업 승인을 얻지 아니한 채 북한 측에 사업권의 대가 명목으로 송금한 행위 자체는 고도의 정치적 성격을 지니고 있는 행위라 할 것이므로 사법심사의 대상이 되지 않는다. (✕)

ㄹ. (○) 서훈취소는 서훈수여의 경우와는 달리 이미 발생된 서훈대상자 등의 권리 등에 영향을 미치는 행위로서 관련 당사자에게 미치는 불이익의 내용과 정도 등을 고려하면 사법심사의 필요성이 크다. 따라서 기본권의 보장 및 법치주의의 이념에 비추어 보면, 비록 서훈취소가 대통령이 국가원수로서 행하는 행위라고 하더라도 법원이 사법심사를 자제하여야 할 고도의 정치성을 띤 행위라고 볼 수는 없다(대판 2015.4.23. 2012두26920).

유제 20. 경찰 2차 대법원은 대통령의 서훈 취소행위를 통치행위로 보고 있다. (✕)
19. 군무원 9급 대통령의 독립유공자 서훈취소는 법원이 사법심사를 자제하여야 할 고도의 정치성을 띤 행위라고 볼 수는 없다. (○)
19. 행정사, 16. 교행 대통령의 서훈취소는 통치행위에 해당하지 않는다. (○)

ㅁ. (✕) 비록 고도의 정치적 결단에 의하여 행해지는 국가작용이라고 할지라도 그것이 국민의 기본권 침해와 직접 관련되는 경우에는 당연히 헌법재판소의 심판대상이 된다(헌재 1996.2.29. 93헌마186).

유제 20. 군무원 9급 국민의 기본권 침해와 직접 관련되는 경우라도 그 국가작용이 고도의 정치적 결단에 의하여 행해진다면 당연히 헌법재판소의 심판대상이 되지 않는다. (✕)
13. 경찰 2차 통치행위는 고도의 정치적 결단에 의하여 행해지는 국가작용이므로 그것이 국민의 기본권 침해와 직접 관련되는 경우에도 헌법재판소의 심판대상에서 제외된다. (✕)
13. 서울시 7급 통치행위가 국민의 기본권 침해와 직접 관련이 있는 경우는 헌법소원의 대상이 될 수 있다. (○)

답 ④

010

1993년 8월 12일에 발하여진 대통령의 금융실명거래 및 비밀보장에 관한 긴급재정·경제명령(이하 '긴급재정·경제명령'이라 한다)에 관한 위헌확인소원에서 헌법재판소가 내린 결정 내용으로 옳지 않은 것은? (다툼이 있는 경우 판례에 의함)

① 대통령의 긴급재정·경제명령은 국가긴급권의 일종으로서 고도의 정치적 결단에 의하여 발동되는 행위이다.
② 대통령의 긴급재정·경제명령은 이른바 통치행위에 속한다고 할 수 있다.
③ 통치행위를 포함하여 모든 국가작용은 국민의 기본권적 가치를 실현하기 위한 수단이라는 한계를 반드시 지켜야 한다.
④ 국민의 기본권 침해와 직접 관련되는 경우라도 그 국가작용이 고도의 정치적 결단에 의하여 행해진다면 당연히 헌법재판소의 심판대상이 되지 않는다.

2020년 군무원 9급

④ (×) 대통령의 긴급재정·경제명령은 국가긴급권의 일종으로서 고도의 정치적 결단에 의하여 발동되는 행위(①)이고 그 결단을 존중해야 할 필요성이 있는 행위라는 의미에서 이른바 통치행위에 속한다(②)고 할 수 있으나, 통치행위를 포함하여 모든 국가작용은 국민의 기본권적 가치를 실현하기 위한 수단이라는 한계를 반드시 지켜야 하는 것(③)이고, 헌법재판소는 헌법의 수호와 국민의 기본권 보장을 사명으로 하는 국가기관이므로 비록 고도의 정치적 결단에 의하여 행해지는 국가작용이라고 할지라도 그것이 국민의 기본권 침해와 직접 관련되는 경우에는 당연히 헌법재판소의 심판대상이 된다(④)(헌재 1996.2.29. 93헌마186).

유제 20. 경찰 2차, 17. 경찰 2차 대통령의 긴급재정·경제명령은 국가긴급권의 일종으로서 고도의 정치적 결단에 의하여 발동되는 행위이고 그 결단을 존중하여야 할 필요성이 있는 행위라는 의미에서 이른바 통치행위에 속한다고 할 수 있으나, 그것이 국민의 기본권 침해와 직접 관련되는 경우에는 당연히 헌법재판소의 심판대상이 된다. (○)
18. 소방직 통치행위를 포함하여 모든 국가작용은 국민의 기본권적 가치를 실현하기 위한 수단이라는 한계를 반드시 지켜야 하는 것은 아니다. (×)

답 ④

함께 정리하기

통치행위(금융실명제 사건)

대통령의 긴급재정경제명령
▷ 고도의 정치적 결단
▷ 통치행위○

통치행위 포함 모든 국가작용
▷ 국민의 기본권적 가치 실현수단이라는 한계○

통치행위라도 국민의 기본권 침해와 직접 관련
▷ 사법심사대상○

011

통치행위에 대한 설명으로 가장 옳지 않은 것은? (다툼이 있는 경우 판례에 의함)

① 대통령의 긴급재정·경제명령은 국가긴급권의 일종으로서 고도의 정치적 결단에 의하여 발동되는 행위이고 그 결단을 존중하여야 할 필요성이 있는 행위라는 의미에서 이른바 통치행위에 속한다고 할 수 있으나, 그것이 국민의 기본권 침해와 직접 관련되는 경우에는 당연히 헌법재판소의 심판대상이 된다.
② 남북정상회담의 개최과정에서 재정경제부장관에게 신고하지 아니하거나 통일부장관의 협력사업 승인을 얻지 아니한 채 북한측에 사업권의 대가 명목으로 송금한 행위 자체는 헌법상 법치국가의 원리와 법 앞에 평등원칙 등에 비추어 볼 때 사법심사의 대상이 된다.
③ 대법원은 대통령의 서훈취소행위를 통치행위로 보고 있다.
④ 일반사병 이라크파병에 대한 헌법소원사건에서 외국에의 국군의 파견결정은 파견군인의 생명과 신체의 안전뿐만 아니라 국제사회에서의 우리나라의 지위와 역할, 동맹국과의 관계, 국가안보문제 등 궁극적으로 국민 내지 국익에 영향을 미치는 복잡하고도 중요한 문제로서 통치행위로 보고 있다.

함께 정리하기

통치행위

긴급재정경제명령
▷ 통치행위○
▷ But 기본권침해와 직접 관련되는 경우: 헌법재판소 심판대상○

남북정상회담 개최과정 송금행위
▷ 사법심사대상○

서훈취소
▷ 통치행위×

해외파병결정
▷ 통치행위○

문제 DATA

출제가능 지수 ▶▶▷
난이도 지수 ★★☆

2020년 경찰 2차

① (○) 헌재 1996.2.29. 93헌마186
② (○) 대판 2004.3.26. 2003도7878
③ (×) 서훈취소는 서훈수여의 경우와는 달리 이미 발생된 서훈대상자 등의 권리 등에 영향을 미치는 행위로서 관련 당사자에게 미치는 불이익의 내용과 정도 등을 고려하면 사법심사의 필요성이 크다. 따라서 기본권의 보장 및 법치주의의 이념에 비추어 보면, 비록 <u>서훈취소가 대통령이 국가원수로서 행하는 행위라고 하더라도 법원이 사법심사를 자제하여야 할 고도의 정치성을 띤 행위라고 볼 수는 없다</u>(대판 2015.4.23. 2012두26920).
④ (○) 헌재 2004.4.29. 2003헌마814

답 ③

---

012 □□□

통치행위에 대한 설명으로 옳지 않은 것은? (다툼이 있는 경우 판례에 의함)

① 금융실명제에 관한 대통령의 긴급재정·경제명령은 통치행위에 해당하지만, 그것이 국민의 기본권 침해와 직접 관련되는 경우에는 헌법재판소의 심판대상이 된다.
② 대통령의 독립유공자 서훈취소는 법원이 사법심사를 자제하여야 할 고도의 정치성을 띤 행위라고 볼 수는 없다.
③ 통치행위는 고도의 정치적 작용에 해당하므로 사법적 통제·정치적 통제로부터 자유롭다.
④ 남북정상회담의 개최는 고도의 정치적 성격을 지니고 있는 행위라 할 것이므로 특별한 사정이 없는 한 그 당부를 심판하는 것은 사법권의 내재적·본질적 한계를 넘어서는 것이 되어 적절하지 못하다.

2019년 군무원 9급

① (○) 헌재 1996.2.29. 93헌마186
② (○) 대판 2015.4.23. 2012두26920
③ (×) 통치행위가 비록 고도의 정치적 작용에 해당하여 사법심사로부터 제외될 수 있다고 하더라도 선거를 통한 국민의 평가와 심판(정치적 통제)까지 면제되는 것이 아니다.

> 통치행위에 대하여는 설혹 사법적 심사의 회피로 자의적 결정이 방치될 수도 있다는 우려가 있을 수 있으나 그러한 <u>대통령과 국회의 판단은 궁극적으로는 선거를 통해 국민에 의한 평가와 심판을 받게 될 것이다</u> (헌재 2004.4.29. 2003헌마814).

④ (○) 대판 2004.3.26. 2003도7878

답 ③

함께 정리하기

통치행위

긴급재정경제명령
▷ 통치행위○
▷ 기본권침해와 직접 관련: 사법심사가능

서훈취소
▷ 통치행위×

남북정상회담 개최
▷ 통치행위○

013

통치행위에 대한 설명으로 옳지 않은 것은? (다툼이 있는 경우 판례에 의함)

① 통치행위는 정부에 의해 이루어지는 것이 일반적이며, 국회에 의해 이루어질 수도 있다.
② 일반사병의 이라크 파견 결정은 성격상 국방 및 외교에 관련된 고도의 정치적 결단을 요하는 문제이다.
③ 판례는 대통령의 금융실명거래 및 비밀보장에 관한 긴급재정·경제명령의 발령을 통치행위로 보았다.
④ 통치행위를 포함하여 모든 국가작용은 국민의 기본권적 가치를 실현하기 위한 수단이라는 한계를 반드시 지켜야 하는 것은 아니다.

2018년 소방직

① (○) 통치행위는 주로 정부(대통령)에 의해 이루어지는 것이 일반적이나 국회의원의 징계, 제명 등 국회의 자율권 행사와 관련하여 국회도 통치행위의 주체가 될 수 있다.
② (○) 헌재 2004.4.29. 2003헌마814
③ (○), ④ (×) ③ 대통령의 긴급재정·경제명령은 국가긴급권의 일종으로서 고도의 정치적 결단에 의하여 발동되는 행위이고 그 결단을 존중해야 할 필요성이 있는 행위라는 의미에서 이른바 통치행위에 속한다고 할 수 있으나, ④ 통치행위를 포함하여 모든 국가작용은 국민의 기본권적 가치를 실현하기 위한 수단이라는 한계를 반드시 지켜야 하는 것이고 … (헌재 1996.2.29. 93헌마186).

답 ④

함께 정리하기
통치행위

주체
▷ 정부 또는 국회

해외파병결정
▷ 통치행위○

통치행위 포함 모든 국가작용
▷ 국민의 기본권적 가치 실현수단이라는 한계○

014

통치행위에 대한 설명으로 가장 옳지 않은 것은? (다툼이 있는 경우 판례에 의함)

① 비상계엄의 선포나 확대가 국헌문란의 목적으로 행하여진 경우에 법원은 그 자체가 범죄행위에 해당하는지의 여부에 관하여 심사할 수 있다.
② 외국에의 국군의 파견결정은 현행 헌법이 채택하고 있는 대의민주제 통치구조 하에서 대의기관인 대통령과 국회의 고도의 정치적 결단이므로 가급적 존중되어야 한다.
③ 남북정상회담의 개최과정에서 재정경제부장관에게 신고하지 아니하거나 통일부장관의 협력사업 승인을 얻지 아니한 채 북한 측에 사업권의 대가 명목으로 송금한 행위는 사법심사의 대상이 된다.
④ 사면은 형의 선고의 효력 또는 공소권을 상실시키거나 형의 집행을 면제시키는 것으로 사법부의 판단을 변경하는 제도이므로 권력분립의 원리에 반한다.

2018년 경찰 3차

① (○) 대통령의 비상계엄의 선포나 확대 행위는 고도의 정치적·군사적 성격을 지니고 있는 행위라 할 것이므로, 그것이 누구에게도 일견하여 헌법이나 법률에 위반되는 것으로서 명백하게 인정될 수 있는 등 특별한 사정이 있는 경우라면 몰라도, 그러하지 아니한 이상 그 계엄선포의 요건 구비 여부나 선포의 당·부당을 판단할 권한이 사법부에는 없다고 할 것이나, 비상계엄의 선포나 확대가 국헌문란의 목적을 달성하기 위하여 행하여진 경우에는 법원은 그 자체가 범죄행위에 해당하는지의 여부에 관하여 심사할 수 있다(대판 1997.4.17. 96도3376 전합).

유제 15. 국가직 9급, 14. 경찰 2차 대통령의 비상계엄의 선포나 확대행위가 국헌문란의 목적을 달성하기 위하여 행하여진 경우에는 법원은 그 자체가 범죄행위에 해당하는지의 여부에 관하여 심사할 수 있다. (○)
11. 국회직 9급 대법원은 계엄선포의 요건 구비 여부나 선포의 당·부당에 대한 판단을 통치행위로 보고 있다. (○)

함께 정리하기
통치행위

비상계엄의 선포·확대의 범죄행위 해당 여부
▷ 사법심사가능

해외파병결정
▷ 통치행위○

남북정상회담 개최과정 송금행위
▷ 통치행위×(사법심사대상○)

사면
▷ 권력분립의 예외(통치행위○)

② (○) 헌재 2004.4.29. 2003헌마814
③ (○) 대판 2004.3.26. 2003도7878
④ (×) 사면은 권력분립의 원리에 대한 예외가 된다.

> 사면은 형의 선고의 효력 또는 공소권을 상실시키거나, 형의 집행을 면제시키는 국가원수의 고유한 권한을 의미하며, 사법부의 판단을 변경하는 제도로서 권력분립의 원리에 대한 예외가 된다. 사면제도는 역사적으로 절대군주인 국왕의 은사권(恩赦權)에서 유래하였으며, 대부분의 근대국가에서도 유지되어 왔고, 대통령제 국가에서는 미국을 효시로 대통령에게 사면권이 부여되어 있다. 사면권은 전통적으로 국가원수에게 부여된 고유한 은사권이며, 국가원수가 이를 시혜적으로 행사한다(헌재 2000.6.1. 97헌바74).

유제 19. 행정사 사면은 통치행위에 해당한다. (○)
16. 교행 대통령의 특별사면은 통치행위에 해당한다. (○)
14. 경찰 2차 사면은 형의 선고의 효력 또는 공소권을 상실시키거나 형의 집행을 면제시키는 국가원수의 고유한 권한을 의미하며, 사법부의 판단을 변경하는 제도로서 권력분립의 원리에 대한 예외가 된다. (○)

답 ④

ALL KILL 기출   제1절 행정법의 개념 < Ⅲ 통치행위

01 통치행위의 주체는 통상 정부가 거론되나 국회와 사법부에 의한 통치행위를 인정하는 것이 일반적이다.   13. 서울시 7급 ( )

02 통치행위는 고도의 정치적 결단에 의한 국가의 행위로 사법심사의 대상으로 할 수 있는가에 대하여 논란이 있다.   13. 서울시 7급 ( )

03 통치행위에 관한 사법자제설은 사법심사가 가능함에도 사법의 정치화를 방지하기 위하여 법원 스스로 자제한다는 견해이다.   13. 서울시 7급 ( )

04 통치행위는 각 국가마다 실체법에 의해 성립·발전하였다.   10. 경북교행 ( )

05 프랑스는 통치행위론의 탄생지라고 할 수 있다.   10. 경북교행 ( )

06 이는 행정소송 사항에 대한 열기주의에서만 인정이 가능하다.   10. 경북교행 ( )

07 조약의 체결, 이라크 파병 결정, 남북정상회담 개최과정에서 이루어진 대북 송금행위 등이 해당된다.   10. 경북교행 ( )

정답 및 해설

01 × 사법부는 통치행위의 주체가 아니라 판단의 주체
02 ○ 통치행위 인정여부에 관하여 견해대립 있음
03 ○ 사법자제설은 통치행위 긍정설 중 하나임
04 × 통치행위 개념은 학설 또는 판례에 의해 성립·발전함
05 ○ 프랑스 최고 행정재판소인 꽁세유데따(Conseil d'Etat)의 판례를 통해 성립함
06 × 통치행위는 국민의 권리·의무와 관계되는 국가의 작용에 대해 일반적으로 사법심사가 가능하다는 개괄주의의 전제 하에, 사법심사가 제한되는 예외적인 영역을 설명하기 위한 이론임
07 × 조약의 체결이나 이라크 파병 결정은 대통령의 외교·군사에 관한 행위로서 통치행위에 해당하나, 남북정상회담 개최과정에서 이루어진 대북 송금행위는 통치행위에 해당하지 않음

Ⅳ 행정에 관한 '공법'

015 ☐☐☐

행정상 법률관계에 대한 설명으로 옳지 않은 것은? (다툼이 있는 경우 판례에 의함)

① 「국유재산법」상 일반재산의 무단사용자에 대한 변상금의 부과는 그 관리청이 행하는 행정처분에 해당하며 이에 따라 발생하는 변상금납부의무는 공법상 의무이다.
② 납세의무자에 대한 국가의 부가가치세 환급세액 지급의무는 부가가치세법령에 의하여 그 존부나 범위가 구체적으로 확정되고 조세 정책적 관점에서 특별히 인정되는 공법상 의무이다.
③ 「국가를 당사자로 하는 계약에 관한 법률」에 따른 입찰보증금의 국고귀속조치는 행정청의 일방적 조치로서 행정처분에 해당하며 그에 의한 법률관계는 공법관계이다.
④ 「도시 및 주거환경정비법」에 따른 재건축정비사업조합은 관할 행정청의 감독 아래 재건축사업을 시행하는 공법인으로서, 그 목적 범위 내에서 법령이 정하는 바에 따라 일정한 행정작용을 행하는 행정주체의 지위를 갖는다.
⑤ 공익사업을 위한 토지 등의 취득 및 보상에 관한 법령에 근거한 공익사업시행지구 밖에서의 영업손실에 대한 보상청구권은 공법상의 권리에 해당한다.

| 2025년 소방간부

① (○) 국유재산의 무단점유자에 대한 변상금 부과는 공권력을 가진 우월적 지위에서 행하는 행정처분이고, 그 부과처분에 의한 변상금 징수권은 공법상의 권리인 반면, 민사상 부당이득반환청구권은 국유재산의 소유자로서 가지는 사법상의 채권이다(대판 2014.7.16. 2011다76402 전합).
② (○) 부가가치세법령이 환급세액의 정의 규정, 그 지급시기와 산출방법에 관한 구체적인 규정과 함께 부가가치세 납세의무를 부담하는 사업자(이하 '납세의무자'라 한다)에 대한 국가의 환급세액 지급의무를 규정한 이유는, 입법자가 과세 및 징수의 편의를 도모하고 중복과세를 방지하는 등의 조세 정책적 목적을 달성하기 위한 입법적 결단을 통하여, 최종 소비자에 이르기 전의 각 거래단계에서 재화 또는 용역을 공급하는 사업자가 그 공급을 받는 사업자로부터 매출세액을 징수하여 국가에 납부하고, 그 세액을 징수당한 사업자는 이를 국가로부터 매입세액으로 공제·환급받는 과정을 통하여 그 세액의 부담을 다음 단계의 사업자에게 차례로 전가하여 궁극적으로 최종 소비자에게 이를 부담시키는 것을 근간으로 하는 전단계세액공제 제도를 채택한 결과, 어느 과세기간에 거래징수된 세액이 거래징수를 한 세액보다 많은 경우에는 그 납세의무자가 창출한 부가가치에 상응하는 세액보다 많은 세액이 거래징수되게 되므로 이를 조정하기 위한 과세기술상, 조세 정책적인 요청에 따라 특별히 인정한 것이라고 할 수 있다. 따라서 이와 같은 부가가치세법령의 내용, 형식 및 입법 취지 등에 비추어 보면, 납세의무자에 대한 국가의 부가가치세 환급세액 지급의무는 그 납세의무자로부터 어느 과세기간에 과다하게 거래징수된 세액 상당을 국가가 실제로 납부받았는지와 관계없이 부가가치세법령의 규정에 의하여 직접 발생하는 것으로서, 그 법적 성질은 정의와 공평의 관념에서 수익자와 손실자 사이의 재산상태 조정을 위해 인정되는 부당이득 반환의무가 아니라 부가가치세법령에 의하여 그 존부나 범위가 구체적으로 확정되고 조세 정책적 관점에서 특별히 인정되는 공법상 의무라고 봄이 타당하다. 그렇다면 납세의무자에 대한 국가의 부가가치세 환급세액 지급의무에 대응하는 국가에 대한 납세의무자의 부가가치세 환급세액 지급청구는 민사소송이 아니라 행정소송법 제3조 제2호에 규정된 당사자소송의 절차에 따라야 한다(대판 2013.3.21. 2011다95564 전합).
③ (×) 구 예산회계법에 따라 체결되는 계약은 사법상의 계약이라고 할 것이고 동법 제70조의5의 입찰보증금은 낙찰자의 계약체결의무이행의 확보를 목적으로 하여 그 불이행시에 이를 국고에 귀속시켜 국가의 손해를 전보하는 사법상의 손해배상 예정으로서의 성질을 갖는 것이라고 할 것이므로 입찰보증금의 국고귀속조치는 국가가 사법상의 재산권의 주체로서 행위하는 것이지 공권력을 행사하는 것이거나 공권력 작용과 일체성을 가진 것이 아니라 할 것이므로 이에 관한 분쟁은 행정소송이 아닌 민사소송의 대상이 될 수밖에 없다고 할 것이다(대판 1983.12.27. 81누366).

◉ 문제 DATA
출제가능 지수 ▶▶▷
난이도 지수 ★★☆

함께 정리하기

행정상 법률관계

변상금납부의무
▷ 공법상 의무

부가가치세 환급세액 지급의무
▷ 공법상 의무

입찰보증금 국고귀속조치
▷ 사법행위

「도시 및 주거환경정비법」에 따른 재건축정비사업조합
▷ 행정주체

공익사업시행지구 밖 영업손실에 대한 보상청구권
▷ 공법상 권리

④ (O) 도시 및 주거환경정비법에 따른 주택재건축정비사업조합은 관할 행정청의 감독 아래 위 법상의 주택재건축사업을 시행하는 공법인(위 법 제18조)으로서, 그 목적 범위 내에서 법령이 정하는 바에 따라 일정한 행정작용을 행하는 행정주체의 지위를 갖는다(대판 2009.10.15. 2008다93001).

⑤ (O) 「공익사업을 위한 토지 등의 취득 및 보상에 관한 법률」(이하 '토지보상법'이라고 한다) 제79조 제2항의 위임에 따른 같은 법 시행규칙(이하 '시행규칙'이라고 한다) 제64조 제1항 제2호에 의하면, 공익사업시행지구 밖에서 영업손실의 보상대상이 되는 영업을 하고 있는 자가 공익사업의 시행으로 인하여 '진출입로의 단절, 그 밖의 부득이한 사유로 인하여 일정한 기간 동안 휴업하는 것이 불가피한 경우'에 해당하는 경우 그 영업자의 청구에 의하여 당해 영업을 공익사업시행지구에 편입되는 것으로 보아 보상하여야 한다. 이러한 보상청구권은 공익사업의 시행이라는 적법한 공권력의 행사로 발생한 재산상 특별한 희생에 대하여 전체적인 공평부담의 견지에서 공익사업의 주체가 보상하여 주는 손실보상의 일종으로서 공법상 권리에 해당하므로 그에 관한 쟁송은 민사소송이 아닌 행정소송 절차에 의하여야 한다(대판 2019.11.28. 2018두227).

답 ③

016

다음 중 공법관계에 해당하는 것을 모두 고른 것은? (다툼이 있는 경우 판례에 의함)

ㄱ. 「국가를 당사자로 하는 계약에 관한 법률」에 의한 입찰참가자격의 제한조치
ㄴ. 「국가를 당사자로 하는 계약에 관한 법률」에 의한 입찰보증금의 국고귀속조치
ㄷ. 국유 일반재산의 대부료가 납부기한까지 납부되지 아니한 경우 「국세징수법」 규정 준용에 의한 대부료의 징수
ㄹ. 한국공항공사가 행정재산 관리청으로부터 국유재산관리사무의 위임을 받거나 국유재산관리의 위탁을 받지 아니한 행정재산을 정부로부터 무상사용허가를 받아 이를 다시 전대한 행위

① ㄱ, ㄷ
② ㄱ, ㄴ, ㄷ
③ ㄴ, ㄹ
④ ㄱ, ㄴ, ㄷ, ㄹ

| 2025년 경찰간부

ㄱ. (O)

1. 예산회계법 제70조의 4, 제70조의 18, 동법 시행령 제88조, 제89조의 각 규정에 비추어 볼때 예산회계법상의 입찰참가자격제한조치는 오히려 공권력 작용과 일체성을 갖는 것으로 봄이 상당하다(서울고법 1982.6.8. 81구610).
2. 주식회사가 조달청과 물품구매계약을 체결하고 국가종합전자조달 시스템인 나라장터 종합쇼핑몰 인터넷 홈페이지를 통해 요구받은 제품을 수요기관에 납품하였는데, 조달청이 계약이행 내역 점검 결과 일부 제품이 계약 규격과 다르다는 이유로 물품구매계약 추가특수조건 규정에 따라 甲 회사에 대하여 6개월의 나라장터 종합쇼핑몰 거래정지 조치를 한 사안에서, 위 거래정지 조치는 항고소송의 대상이 되는 행정처분에 해당한다(대판 2018.11.29. 2015두52395).
3. 국가를 당사자로 하는 계약에 관한 법률(이하 '국가계약법'이라 한다) 제2조는 그 적용 범위에 관하여 국가가 대한민국 국민을 계약상대자로 하여 체결하는 계약 등 국가를 당사자로 하는 계약에 대하여 위 법을 적용한다고 규정하고 있고, 제3조는 국가를 당사자로 하는 계약에 관하여는 다른 법률에 특별한 규정이 있는 경우를 제외하고는 이 법에서 정하는 바에 의한다고 규정하고 있으므로, 국가가 수익자인 수요기관을 위하여 국민을 계약상대자로 하여 체결하는 요청조달계약에는 다른 법률에 특별한 규정이 없는 한 당연히 국가계약법이 적용된다.

그러나 위 법리에 의하여 요청조달계약에 적용되는 국가계약법 조항은 국가가 사경제 주체로서 국민과 대등한 관계에 있음을 전제로 한 사법관계에 관한 규정에 한정되고, 고권적 지위에서 국민에게 침익적 효과를 발생시키는 행정처분에 관한 규정까지 당연히 적용된다고 할 수 없다. 특히 요청조달계약에 있어 조달청장은 수요기관으로부터 요청받은 계약 업무를 이행하는 것에 불과하므로, 조달청장이 수요기관을 대신하여 국가계약법 제27조 제1항에 규정된 입찰참가자격 제한 처분을 할 수 있으려면 그에 관한 수권의 근거 또는 수권의 취지가 포함된 업무 위탁에 관한 근거가 법률에 별도로 마련되어 있어야 한다(대판 2017.12.28. 2017두39433).

ㄴ. (×) 구 예산회계법에 따라 체결되는 계약은 사법상의 계약이라고 할 것이고 동법 제70조의5의 입찰보증금은 낙찰자의 계약체결의무이행의 확보를 목적으로 하여 그 불이행시에 이를 국고에 귀속시켜 국가의 손해를 전보하는 사법상의 손해배상 예정으로서의 성질을 갖는 것이라고 할 것이므로 입찰보증금의 국고귀속조치는 국가가 사법상의 재산권의 주체로서 행위하는 것이지 공권력을 행사하는 것이거나 공권력작용과 일체성을 가진 것이 아니라 할 것이므로 이에 관한 분쟁은 행정소송이 아닌 민사소송의 대상이 될 수밖에 없다고 할 것이다(대판 1983.12.27. 81누366).

ㄷ. (○) 국유재산법 제42조 제1항, 제73조 제2항 제2호에 따르면, 국유 일반재산의 관리·처분에 관한 사무를 위탁받은 자는 국유 일반재산의 대부료 등이 납부기한까지 납부되지 아니한 경우에는 국세징수법 제23조와 같은 법의 체납처분에 관한 규정을 준용하여 대부료 등을 징수할 수 있다. 이와 같이 국유 일반재산의 대부료 등의 징수에 관하여는 국세징수법 규정을 준용한 간이하고 경제적인 특별구제절차가 마련되어 있으므로, 특별한 사정이 없는 한 민사소송의 방법으로 대부료 등의 지급을 구하는 것은 허용되지 아니한다(대판 2014.9.4. 2014다203588).

ㄹ. (×) 한국공항공단이 정부로부터 무상사용허가를 받은 행정재산을 구 한국공항공단법(2002.1.4. 법률 제6607호로 폐지) 제17조에서 정한 바에 따라 전대하는 경우에 미리 그 계획을 작성하여 건설교통부장관에게 제출하고 승인을 얻어야 하는 등 일부 공법적 규율을 받고 있다고 하더라도, 한국공항공단이 그 행정재산의 관리청으로부터 국유재산관리사무의 위임을 받거나 국유재산관리의 위탁을 받지 않은 이상, 한국공항공단이 무상사용허가를 받은 행정재산에 대하여 하는 전대행위는 통상의 사인간의 임대차와 다를 바 없고, 그 임대차계약이 임차인의 사용승인신청과 임대인의 사용승인의 형식으로 이루어졌다고 하여 달리 볼 것은 아니다(대판 2004.1.15. 2001다12638).

답 ①

017

공법관계와 사법관계에 대한 설명으로 옳은 것만을 모두 고르면?

> ㄱ. 산림청장이 구 「산림법」 등에서 정하는 바에 따라 국유임야를 대부하거나 매각 또는 양여하는 행위는 사경제주체로서 하는 사법상의 행위이다.
> ㄴ. 사립대학이 공립대학으로 설립자 변경이 되었다고 할지라도 새롭게 신분관계의 설정행위가 없는 이상 기존 사립대학 교원의 신분관계는 사법관계로 인정된다.
> ㄷ. 택지개발사업 시행자가 설치한 공공시설에 시공상 하자나 재료상 하자가 있더라도 그 공공시설을 무상으로 원시취득한 국가 등은 뚜렷한 법령상 및 계약상 근거가 없는 한 택지개발사업 시행자에게 사법상의 하자담보책임을 물을 수 없다.
> ㄹ. 구 「예산회계법」에 따른 입찰보증금 국고귀속조치는 공권력의 행사로서 공권력 작용과 일체성을 가진 것이므로 이에 관한 분쟁은 행정소송의 대상이 된다.

① ㄱ, ㄴ
② ㄱ, ㄷ
③ ㄴ, ㄷ
④ ㄴ, ㄹ
⑤ ㄷ, ㄹ

함께 정리하기

공법관계와 사법관계

국유임야 대부·매각·양여
▷ 사법상 계약

사립대학이 공립대학으로 설립자변경
▷ 기존 사립대학 교원의 신분관계: 당연종료

무상의 원시취득으로 형성되는 국가 등과 택지개발사업 시행자의 관계
▷ 공법관계(사법상 하자담보책임 추궁×)

입찰보증금 국고귀속조치
▷ 사법행위

2025년 국회직 8급

ㄱ. (○) 산림청장이나 그로부터 권한을 위임받은 행정청이 산림법 등이 정하는 바에 따라 국유임야를 대부하거나 매각하는 행위는 사경제적 주체로서 상대방과 대등한 입장에서 하는 사법상 계약이지 행정청이 공권력의 주체로서 상대방의 의사 여하에 불구하고 일방적으로 행하는 행정처분이라고 볼 수 없으며 이 대부계약에 의한 대부료부과 조치 역시 사법상 채무이행을 구하는 것으로 보아야지 이를 행정처분이라고 할 수 없다(대판 1993.12.7. 91누11612).

ㄴ. (×) 공립대학의 교원은 사립대학의 교원과는 달리 그 신분관계가 공법관계로서 임용권자, 임용절차 등에서 다른 취급을 받고 있는 점, 교육법, 교육공무원법 등의 관련 법령에 설립자변경의 경우 새로운 설립자로 하여금 종전 사립대학 교원에 대한 임용의무를 지우거나 그 임용절차 및 요건 등에 관하여 아무런 근거규정을 두고 있지 않은 점 등에 비추어, 사립대학 교원의 신분관계는 구 교육공무원법 제11조 제3항의 신규채용이나 제12조 제1항 제5호의 특별채용에 의한 새로운 신분관계의 설정행위가 없는 이상 설립자변경으로 인하여 당연히 종료되는 것이고, 이러한 경우 임용권자가 종전 사립대학 교원을 공립대학 교원으로 다시 임용할 것인가의 여부는 결국 임용권자의 판단에 따른 재량행위에 속한다. 또한, 구 사립학교법(1997.1.13. 법률 제5274호로 개정되기 전의 것) 제56조 제1항 및 교원지위향상을위한특별법 제6조 소정의 교원에 대한 신분보장 규정이 사립대학에서 공립대학으로 설립자변경이 된 경우까지 적용되는 것은 아니다. 따라서, 사립대학에서 공립대학으로 설립자변경이 되었다고 하여 사립대학 교원에게 교육공무원으로서의 임용을 요구할 법규상 또는 조리상의 권리가 있다 할 수 없다(대판 1997.4.25. 96누3654).

ㄷ. (○) 구 택지개발촉진법(1997.12.13. 법률 제5454호로 개정되기 전의 것) 제25조 제1항, 구 도시계획법(1995.12.29. 법률 제5115호로 개정되기 전의 것) 제83조에 의하면, 택지개발사업 시행으로 공공시설이 설치되면 사업완료(준공검사)와 동시에 택지개발사업 시행자가 새로 설치한 공공시설을 구성하는 토지와 시설물의 소유권은 시설을 관리할 국가 또는 지방자치단체에 원시적으로 귀속된다. 이러한 무상의 원시취득을 인정한 취지는 택지개발사업과정에서 필수적으로 요구되는 공공시설의 원활한 확보와 그 시설의 효율적인 유지·관리를 위한다는 공법상 목적을 달성하는 데 있으므로, 이러한 무상의 원시취득으로 형성되는 국가 등과 택지개발사업 시행자의 관계는 공법관계라고 보아야 하고, 공법관계의 당사자 사이에서는 뚜렷한 법령상 및 계약상 근거 없이 사법상 하자담보책임을 인정할 수는 없다. 따라서 비록 택지개발사업 시행자가 설치한 공공시설에 시공상 하자나 재료상 하자가 있더라도 공공시설을 무상으로 원시취득한 국가 등은 뚜렷한 법령상 및 계약상 근거가 없는 한 택지개발사업 시행자에게 사법상 하자담보책임을 물을 수 없다(대판 2011.12.27. 2009다56993).

ㄹ. (×) 구 예산회계법(현 국가를 당사자로 하는 계약에 관한 법률)에 따라 체결되는 계약은 사법상의 계약이라고 할 것이고 동법 제70조의5의 입찰보증금은 낙찰자의 계약체결의무이행의 확보를 목적으로 하여 그 불이행시에 이를 국고에 귀속시켜 국가의 손해를 전보하는 사법상의 손해배상 예정으로서의 성질을 갖는 것이라고 할 것이므로 입찰보증금의 국고귀속조치는 국가가 사법상의 재산권의 주체로서 행위하는 것이지 공권력을 행사하는 것이거나 공권력작용과 일체성을 가진 것이 아니라 할 것이므로 이에 관한 분쟁은 행정소송이 아닌 민사소송의 대상이 될 수밖에 없다고 할 것이다(대판 1983.12.27. 81누366).

답 ②

018

행정상 법률관계에 대한 설명으로 가장 옳지 않은 것은? (다툼이 있는 경우 판례에 의함)

① 국·공유재산의 매각 또는 대부행위는 사법상 계약이지만, 미납된 대부료의 징수행위는 행정처분에 해당한다.
② 시립합창단원의 위촉계약은 공법상 계약이지만, 재위촉 신청을 거부하는 것은 항고소송의 대상이 되는 행정처분이다.
③ 한국산업단지공단의 산업단지 입주자에 대한 입주계약 해지는 항고소송의 대상인 행정처분이다.
④ 행정주체와 사인 간의 입찰계약은 사법상 계약이지만, 행정기관의 입찰참가자격제한은 항고소송의 대상이 되는 행정처분이다.

문제 DATA
출제가능 지수 ▶▶▷
난이도 지수 ★★☆

| 2024년 군무원 9급

① (○)
  1. 산림청장이나 그로부터 권한을 위임받은 행정청이 산림법 등이 정하는 바에 따라 국유임야를 대부하거나 매각하는 행위는 사경제적 주체로서 상대방과 대등한 입장에서 하는 사법상 계약이지 행정청이 공권력의 주체로서 상대방의 의사 여하에 불구하고 일방적으로 행하는 행정처분이라고 볼 수 없다(대판 1993.12.7. 91누11612).
  2. 국유 일반재산의 관리·처분에 관한 사무를 위탁받은 자는 국유 일반재산의 대부료 등이 납부기한까지 납부되지 아니한 경우에는 국세징수법 제23조와 같은 법의 체납처분에 관한 규정을 준용하여 대부료 등을 징수할 수 있다. 이와 같이 국유 일반재산의 대부료 등의 징수에 관하여는 국세징수법 규정을 준용한 간이하고 경제적인 특별구제절차가 마련되어 있으므로, 특별한 사정이 없는 한 민사소송의 방법으로 대부료 등의 지급을 구하는 것은 허용되지 아니한다(대판 2014.9.4. 2014다203588).

② (×) 광주광역시문화예술회관장의 단원 위촉은 광주광역시문화예술회관장이 행정청으로서 공권력을 행사하여 행하는 행정처분이 아니라 공법상의 근무관계의 설정을 목적으로 하여 광주광역시와 단원이 되고자 하는 자 사이에 대등한 지위에서 의사가 합치되어 성립하는 공법상 근로계약에 해당한다고 보아야 할 것이므로, 광주광역시립합창단원으로서 위촉기간이 만료되는 자들의 재위촉 신청에 대하여 광주광역시문화예술회관장이 실기와 근무성적에 대한 평정을 실시하여 재위촉을 하지 아니한 것을 항고소송의 대상이 되는 불합격처분이라고 할 수는 없다(대판 2001.12.11. 2001두7794).

③ (○) 구 산업집적법활성화 및 공장설립에 관한 법률의 규정들에서 알 수 있는 피고의 지위, 입주계약해지의 절차, 그 해지통보에 수반되는 법적 의무 및 그 의무를 불이행한 경우의 형사적 내지 행정적 제재 등을 종합적으로 고려하면, 이 사건 국가산업단지 입주계약해지통보는 단순히 대등한 당사자의 지위에서 형성된 공법상 계약을 계약당사자의 지위에서 종료시키는 의사표시에 불과하다고 볼 것이 아니라 행정청인 관리권자로부터 관리업무를 위탁받은 피고가 우월적 지위에서 원고에게 일정한 법률상 효과를 발생하게 하는 것으로서 항고소송의 대상이 되는 행정처분에 해당한다(대판 2011.6.30. 2010두23859).

④ (○)
  1. 국가를 당사자로 하는 계약에 관한 법률에 따라 국가가 당사자가 되는 이른바 공공계약은 사경제 주체로서 상대방과 대등한 위치에서 체결하는 사법상 계약으로서 본질적인 내용은 사인 간의 계약과 다를 바가 없으므로, 그에 관한 법령에 특별한 정함이 있는 경우를 제외하고는 사적 자치와 계약자유의 원칙 등 사법의 원리가 그대로 적용된다(대판 2020.5.14. 2018다298409).
  2. 주식회사가 조달청과 물품구매계약을 체결하고 국가종합전자조달 시스템인 나라장터 종합쇼핑몰 인터넷 홈페이지를 통해 요구받은 제품을 수요기관에 납품하였는데, 조달청이 계약이행 내역 점검 결과 일부 제품이 계약 규격과 다르다는 이유로 물품구매계약 추가특수조건 규정에 따라 甲 회사에 대하여 6개월의 나라장터 종합쇼핑몰 거래정지 조치를 한 사안에서, 위 거래정지 조치는 항고소송의 대상이 되는 행정처분에 해당한다(대판 2018.11.29. 2015두52395).

답 ②

함께 정리하기

행정상 법률관계

국·공유재산 대부행위
▷ 사법행위

대부료징수
▷ 행정처분

시립합창단원 위촉
▷ 공법상 계약

시립합창단원에 대한 재위촉거부
▷ 당사자소송

산업단지 입주계약 해지통보
▷ 행정처분

행정주체와 사인 간의 입찰계약
▷ 사법상 계약

행정기관의 입찰참가자격제한
▷ 행정처분

문제 DATA

출제가능 지수 ▶▶▷
난이도 지수 ★★☆

함께 정리하기

행정법관계

국유재산무단점유자 변상금 부과처분
▷ 행정처분

변상금 징수권
▷ 공법상 권리

부가가치세 환급
▷ 공법상 의무: 당사자소송

개발부담금부과처분 취소 후 과오납금반환
▷ 사법관계

조합을 상대로 관리처분계획안에 대한 조합총회결의의 효력을 다투는 소송
▷ 공법관계: 당사자소송

중학교 의무교육 위탁관계
▷ 공법관계

019 □□□

행정법관계에 관한 설명으로 옳지 않은 것은? (다툼이 있는 경우 판례에 의함)

① 국유재산의 무단점유자에 대한 변상금 부과는 공권력을 가진 우월적 지위에서 행하는 행정처분이고, 그 부과처분에 의한 변상금 징수권은 공법상의 권리이다.
② 납세의무자에 대한 국가의 부가가치세 환급세액 지급의무는 부가가치세법령에 의하여 그 존부나 범위가 구체적으로 확정되고 조세 정책적 관점에서 특별히 인정되는 공법상 의무라고 봄이 타당하다.
③ 개발부담금 부과처분이 취소된 이상 그 후의 부당이득으로서의 과오납금 반환에 관한 법률관계는 단순한 민사 관계이다.
④ 주택재건축정비사업조합을 상대로 관리처분계획안에 대한 조합 총회결의의 효력을 다투는 소송은 사법상 법률관계에 관한 소송이다.
⑤ 중학교 의무교육의 위탁관계는 공법적 관계이다.

2024년 소방간부

① (O) 국유재산의 무단점유자에 대한 변상금 부과는 공권력을 가진 우월적 지위에서 행하는 행정처분이고, 그 부과처분에 의한 변상금 징수권은 공법상의 권리인 반면, 민사상 부당이득반환청구권은 국유재산의 소유자로서 가지는 사법상의 채권이다. 또한 변상금은 부당이득 산정의 기초가 되는 대부료나 사용료의 120%에 상당하는 금액으로서 부당이득금과 액수가 다르고, 이와 같이 할증된 금액의 변상금을 부과·징수하는 목적은 국유재산의 사용·수익으로 인한 이익의 환수를 넘어 국유재산의 효율적인 보존·관리라는 공익을 실현하는 데 있다. 그리고 대부 또는 사용·수익허가 없이 국유재산을 점유하거나 사용·수익하였지만 변상금 부과처분은 할 수 없는 때에도 민사상 부당이득반환청구권은 성립하는 경우가 있으므로, 변상금 부과·징수의 요건과 민사상 부당이득반환청구권의 성립 요건이 일치하는 것도 아니다. 이처럼 구 국유재산법 제51조 제1항, 제4항, 제5항에 의한 변상금 부과·징수권은 민사상 부당이득반환청구권과 법적 성질을 달리하므로, 국가는 무단점유자를 상대로 변상금 부과·징수권의 행사와 별도로 국유재산의 소유자로서 민사상 부당이득반환청구의 소를 제기할 수 있다(대판 2014.7.16. 2011다76402 전합).
② (O) 부가가치세법령의 내용, 형식 및 입법 취지 등에 비추어 보면, 납세의무자에 대한 국가의 부가가치세 환급세액 지급의무는 그 납세의무자로부터 어느 과세기간에 과다하게 거래징수된 세액 상당을 국가가 실제로 납부받았는지와 관계없이 부가가치세법령의 규정에 의하여 직접 발생하는 것으로서, 그 법적 성질은 정의와 공평의 관념에서 수익자와 손실자 사이의 재산상태 조정을 위해 인정되는 부당이득 반환의무가 아니라 부가가치세법령에 의하여 그 존부나 범위가 구체적으로 확정되고 조세 정책적 관점에서 특별히 인정되는 공법상 의무라고 봄이 타당하다. 그렇다면 납세의무자에 대한 국가의 부가가치세 환급세액 지급의무에 대응하는 국가에 대한 납세의무자의 부가가치세 환급세액 지급청구는 민사소송이 아니라 행정소송법 제3조 제2호에 규정된 당사자소송의 절차에 따라야 한다(대판 2013.3.21. 2011다95564 전합).
③ (O) 개발부담금 부과처분이 취소된 이상 그 후의 부당이득으로서의 과오납금 반환에 관한 법률관계는 단순한 민사 관계에 불과한 것이고, 행정소송 절차에 따라야 하는 관계로 볼 수 없다(대판 1995.12.22. 94다51253).
④ (X) 도시 및 주거환경정비법상 행정주체인 주택재건축정비사업조합을 상대로 관리처분계획안에 대한 조합 총회결의의 효력 등을 다투는 소송은 행정처분에 이르는 절차적 요건의 존부나 효력 유무에 관한 소송으로서 그 소송결과에 따라 행정처분의 위법 여부에 직접 영향을 미치는 공법상 법률관계에 관한 것이므로, 이는 행정소송법상의 당사자소송에 해당한다(대판 2009.9.17. 2007다2428 전합).
⑤ (O) 중학교 의무교육의 위탁관계는 초·중등교육법 제12조 제3항, 제4항 등 관련 법령에 의하여 정해지는 공법적 관계로서, 대등한 당사자 사이의 자유로운 의사를 전제로 사익 상호간의 조정을 목적으로 하는 민법 제688조의 수임인의 비용상환청구권에 관한 규정이 그대로 준용된다고 보기도 어렵다(대판 2015.1.29. 2012두7387).

답 ④

020

행정상 법률관계에 대한 설명으로 옳지 않은 것만을 <보기>에서 모두 고르면?

<보기>
ㄱ. 주한미군 한국인 직원의료보험조합 직원의 근무관계는 공법관계에 속하는 것이다.
ㄴ. 국유의 일반재산 대부료 납부고지는 사법상 이행청구에 해당하고, 이를 행정처분이라고 할 수 없다.
ㄷ. 「공익사업을 위한 토지 등의 취득 및 보상에 관한 법률」상 협의취득은 공법상 당사자소송의 대상이다.
ㄹ. 국가종합전자조달시스템인 '나라장터' 종합쇼핑몰을 통한 물품구매계약체결시, 구매계약에 계약위반시 거래를 정지한다는 등의 '추가특수조건'을 포함시킨 후, 이 '추가특수조건'에 근거하여 조달청이 거래정지를 한 조치는 행정처분에 해당한다.

① ㄱ
② ㄱ, ㄷ
③ ㄴ, ㄷ
④ ㄴ, ㄹ
⑤ ㄴ, ㄷ, ㄹ

2024년 국회직 8급

ㄱ. (×) 주한미군 한국인 직원의료보험조합직원의 근무관계는 사법관계에 속하는 것이므로 동조합 직원에 대한 위 조합의 징계면직처분은 항고소송의 대상이 되는 행정처분이 아니고 사법상의 법률행위라고 보아야 한다(대판 1987.12.8. 87누884).

ㄴ. (○) 국유재산법 제31조, 제32조 제3항, 산림법 제75조 제1항의 규정 등에 의하여 국유잡종재산(일반재산)에 관한 관리 처분의 권한을 위임받은 기관이 국유잡종재산(일반재산)을 대부하는 행위는 국가가 사경제 주체로서 상대방과 대등한 위치에서 행하는 사법상의 계약이고, 행정청이 공권력의 주체로서 상대방의 의사 여하에 불구하고 일방적으로 행하는 행정처분이라고 볼 수 없으며, 국유잡종재산(일반재산)에 관한 대부료의 납부고지 역시 사법상의 이행청구에 해당하고, 이를 행정처분이라고 할 수 없다(대판 2000.2.11. 99다61675).

ㄷ. (×) 공익사업을 위한 토지 등의 취득 및 보상에 관한 법령(이하 '공익사업법령'이라고 한다)에 의한 협의취득은 사법상의 법률행위이므로 당사자 사이의 자유로운 의사에 따라 채무불이행책임이나 매매대금 과부족금에 대한 지급의무를 약정할 수 있다(대판 2012.2.23. 2010다91206).

ㄹ. (○) 조달청이 계약상대자에 대하여 나라장터 종합쇼핑몰에서의 거래를 일정기간 정지하는 조치는 전자조달의 이용 및 촉진에 관한 법률, 조달사업에 관한 법률 등에 의하여 보호되는 계약상대자의 직접적이고 구체적인 법률상 이익인 나라장터를 통하여 수요기관의 전자입찰에 참가하거나 나라장터 종합쇼핑몰에서 등록된 물품을 수요기관에 직접 판매할 수 있는 지위를 직접 제한하거나 침해하는 행위에 해당하는 점 등을 종합하면, 위 거래정지 조치는 비록 추가특수조건이라는 사법상 계약에 근거한 것이지만 행정청인 조달청이 행하는 구체적 사실에 관한 법집행으로서의 공권력의 행사로서 그 상대방인 甲 회사의 권리·의무에 직접 영향을 미치므로 항고소송의 대상이 되는 행정처분에 해당한다(대판 2018.11.29. 2015두52395).

답 ②

함께 정리하기

행정상 법률관계

주한미군 한국인 직원의료보험조합 직원 근무관계
▷ 사법관계

일반재산 대부료 납부고지
▷ 사법관계

토지보상법상 협의취득
▷ 사법관계(매매): 민사소송

조달청장의 나라장터 종합쇼핑몰 거래 정지조치
▷ 공법관계(행정처분)

문제 DATA

출제가능 지수 ▶▶▷
난이도 지수 ★★☆

함께 정리하기

공법관계와 사법관계

서울시 지하철공사 임직원 근무관계
▷ 사법관계

공기업이나 준정부기관의 입찰참가자격 제한
▷ 법에 따른 경우 처분O
▷ 계약에 근거한 경우 처분X

행정재산 사용·수익 허가
▷ 공법관계(강학상 특허)

기부채납받은 공유재산 무상사용승낙
▷ 사법관계
▷ 연장신청 거부도 사법상 행위

---

021 ☐☐☐

공법관계와 사법관계에 대한 판례의 입장으로 옳지 않은 것은?

① 서울특별시 지하철공사의 사장이 소속 직원에게 한 징계처분에 대한 불복절차는 민사소송에 의하여야 한다.
② 공기업·준정부기관이 계약에 근거한 권리 행사로서 입찰참가자격 제한조치를 하였더라도 입찰참가자격 제한조치는 행정처분이다.
③ 국유재산 등의 관리청이 하는 행정재산의 사용·수익에 대한 허가는 관리청이 특정인에게 행정재산을 사용할 수 있는 권리를 설정하여 주는 강학상 특허로서 공법관계이다.
④ 기부자가 기부채납한 부동산을 일정기간 무상사용한 후에 한 사용허가기간 연장신청을 거부한 지방자치단체의 장의 행위는 사법상의 행위이다.

▎2023년 군무원 9급

① (O) 서울특별시지하철공사의 임원과 직원의 근무관계의 성질은 사법관계에 속할 뿐만 아니라, 위 지하철공사의 사장이 소속 직원에 대한 징계처분을 한 경우 위 사장은 행정청에 해당되지 않으므로 공권력 발동주체로서 위 징계처분을 행한 것으로 볼 수 없고, 따라서 이에 대한 불복절차는 민사소송에 의할 것이지 행정소송에 의할 수는 없다(대판 1989.9.12. 89누2103).

유제 19. 국회직 8급 서울특별시 지하철공사 임원 및 직원에 대한 징계처분은 위 공사 사장이 공권력 발동주체로서 행정처분을 행한 것으로 볼 수 없으므로 이에 대한 불복절차는 민사소송절차에 의하여야 할 것이지 행정소송에 의할 수는 없는 것이다. (O)
17. 교행, 11. 경찰 1차 판례에 의하면 서울특별시 지하철공사 사장이 소속직원에 대한 징계처분을 한 경우는 공법관계에 해당한다. (×)
15. 경찰 1차, 13. 지방직 7급 판례에 의하면 서울특별시지하철공사의 임원과 직원의 근무관계의 성질은 공법상 특별권력관계에 해당한다. (×)

② (×) 입찰참가자격제한이 법적 근거에 따른 경우 처분에 해당한다. 다만, 입찰참가자격제한조치가 계약상의 의사표시인 경우에는 항고소송의 대상이 되는 처분이 아니다.

> 공기업·준정부기관이 법령 또는 계약에 근거하여 선택적으로 입찰참가자격 제한 조치를 할 수 있는 경우, 계약상대방에 대한 입찰참가자격 제한 조치가 법령에 근거한 행정처분인지 아니면 계약에 근거한 권리행사인지는 원칙적으로 의사표시의 해석 문제이다. 이때에는 공기업·준정부기관이 계약상대방에게 통지한 문서의 내용과 해당 조치에 이르기까지의 과정을 객관적·종합적으로 고찰하여 판단하여야 한다. 그럼에도 불구하고 공기업·준정부기관이 법령에 근거를 둔 행정처분으로서의 입찰참가자격 제한 조치를 한 것인지 아니면 계약에 근거한 권리행사로서의 입찰참가자격 제한 조치를 한 것인지가 여전히 불분명한 경우에는, 그에 대한 불복방법 선택에 중대한 이해관계를 가지는 그 조치 상대방의 인식가능성 내지 예측가능성을 중요하게 고려하여 규범적으로 이를 확정함이 타당하다(대판 2018.10.25. 2016두33537).

③ (O) 공유재산의 관리청이 행정재산의 사용·수익에 대한 허가는 순전히 사경제주체로서 행하는 사법상의 행위가 아니라 관리청이 공권력을 가진 우월적 지위에서 행하는 행정처분으로서 특정인에게 행정재산을 사용할 수 있는 권리를 설정하여 주는 강학상 특허에 해당한다(대판 1998.2.27. 97누1105).

유제 21. 군무원 7급 행정재산의 목적 외 사용·수익허가의 법적 성질은 특정인에게 행정재산을 사용할 수 있는 권리를 설정하여 주는 강학상 특허에 해당한다. (O)
21 국회직 8급 행정재산의 사용·수익허가는 강학상 특허로서 공법관계의 일종에 해당한다. (O)
20. 국가직 7급 공유재산의 관리청이 행하는 행정재산의 사용·수익에 대한 허가는 순전히 사경제주체로서 행하는 사법상의 법률행위이다. (×)
19. 행정사 「국유재산법」상 행정재산의 사용허가는 사법상 계약의 성질을 가진다. (×)
17. 5급 승진 공유재산 관리청의 행정재산 사용·수익 허가는 사경제주체로서 행하는 사법상의 행위에 해당한다. (×)

④ (○) 지방자치단체가 구 지방재정법 시행령 제71조의 규정에 따라 기부채납받은 공유재산을 무상으로 기부자에게 사용을 허용하는 행위는 사경제주체로서 상대방과 대등한 입장에서 하는 사법상 행위이지 행정청이 공권력의 주체로서 행하는 공법상 행위라고 할 수 없으므로, 사용허가기간 연장신청을 거부한 행정청의 행위도 단순한 사법상의 행위일 뿐 행정처분 기타 공법상 법률관계에 있어서의 행위는 아니다 (대판 1994.1.25. 93누7365).

유제 21. 국회직 8급 지방자치단체가 일반재산인 부동산을 무상으로 기부자에게 사용을 허용하는 행위는 사경제주체로서 상대방과 대등한 입장에서 하는 사법상 행위이지만 기부자가 그 부동산을 일정기간 무상사용한 후에 한 사용허가기간 연장신청을 지방자치단체가 거부한 경우, 당해 거부행위는 단순한 사법상의 행위가 아니라 행정처분에 해당한다. (×)

15. 서울시 9급 구「지방재정법 시행령」제71조의 규정에 따라 기부채납받은 공유재산을 무상으로 기부자에게 사용을 허용하는 행위(는 사법관계에 해당한다). (○)

답 ②

022 □□□

행정상 법률관계에 대한 설명으로 옳지 않은 것은? (다툼이 있는 경우 판례에 의함)

① 국유재산의 관리청이 그 무단점유자에 대하여 하는 변상금부과처분은 순전히 사경제 주체로서 행하는 사법상의 법률행위라 할 수 없고, 이는 관리청이 공권력을 가진 우월적 지위에서 행한 것으로서 행정소송의 대상이 되는 행정처분이다.

② 국가나 지방자치단체에 근무하는 청원경찰은「국가공무원법」이나「지방공무원법」상의 공무원은 아니지만, 다른 청원경찰과는 달리 그 임용권자가 행정기관의 장이고, 국가나 지방자치단체로부터 보수를 받으므로, 그 근무관계는 사법상의 고용계약관계로 보기는 어려우므로 그에 대한 징계처분의 시정을 구하는 소는 행정소송의 대상이지 민사소송의 대상이 아니다.

③ 조세채무는 법률의 규정에 의하여 정해지는 법정채무로서 당사자가 그 내용 등을 임의로 정할 수 없고, 조세채무관계는 공법상의 법률관계이고 그에 관한 쟁송은 원칙적으로 행정사건으로서「행정소송법」의 적용을 받는다.

④ 개발부담금 부과처분이 취소된 이상 그 후의 부당이득으로서의 과오납금 반환에 관한 법률관계는 단순한 민사관계라 볼 수 없고, 행정소송 절차에 따라야 하는 행정법관계로 보아야 한다.

문제 DATA
출제가능 지수 ▶▶▷
난이도 지수 ★★☆

2023년 군무원 9급

① (○) 국유재산의 관리청이 그 무단점유자에 대하여 하는 변상금부과처분은 순전히 사경제 주체로서 행하는 사법상의 법률행위라 할 수 없고 이는 관리청이 공권력을 가진 우월적 지위에서 행한 것으로서 행정소송의 대상이 되는 행정처분이라고 보아야 한다(대판 1988.2.23. 87누1046·1047).

유제 23. 국회직 8급 국유재산 무단점유자에 대한 변상금 부과는 관리청이 공권력을 가진 우월적 지위에서 행한 것으로서 행정소송의 대상이 되는 행정처분이다. (○)

23. 지방직·서울시 9급 (행정청 甲은 국가 소유의 땅을 무단점유하여 사용하고 있는 丙에게 변상금 100만원 부과처분을 하였다) 甲은 대부료를 납부하지 않은 乙을 상대로 민사소송을 제기하여 대부료 지급을 구해야 한다. (×)

21. 군무원 7급 국유재산의 무단점유자에 대한 변상금 부과는 관리청이 공권력을 가진 우월한 지위에서 행한 것으로 항고소송의 대상이 되는 행정처분의 성격을 갖는다. (○)

20. 군무원 7급「국유재산법」상 국유재산의 무단점유자에 대한 변상금 부과는 공권력을 가진 우월적 지위에서 행하는 행정처분이다. (○)

15. 지방직 9급, 13. 지방직 9급 판례에 의하면「국유재산법」상 국유재산무단사용에 대한 변상금부과처분은 사법관계에 해당한다. (×)

함께 정리하기

행정상 법률관계

국유재산무단점유자 변상금 부과처분
▷ 처분

국가나 지자체 청원경찰의 근무관계
▷ 공법관계
▷ 징계처분은 행정소송 대상

조세채무관계
▷ 공법관계

개발부담금부과처분 취소 후 과오납금반환
▷ 사법관계(처분×)

② (○) 국가나 지방자치단체에 근무하는 청원경찰은 국가공무원법이나 지방공무원법상의 공무원은 아니지만, 그 근무관계를 사법상의 고용계약관계로 보기는 어려우므로 그에 대한 징계처분의 시정을 구하는 소는 행정소송의 대상이지 민사소송의 대상이 아니다(대판 1993.7.13. 92다47564).

유제 20. 경찰 2차 국가나 지방자치단체에 근무하는 청원경찰은 「국가공무원법」이나 「지방공무원법」상의 공무원이므로, 그 근무관계를 사법상의 고용계약관계로 보기는 어려워 그에 대한 징계처분의 시정을 구하는 소는 행정소송의 대상이지 민사소송의 대상이 아니다. (×)

20. 군무원 7급 국가나 지방자치단체에 근무하는 청원경찰은 「국가공무원법」이나 「지방공무원법」상의 공무원은 아니므로 그 근무관계는 사법상의 고용계약관계로 볼 수 있다. (×)

19. 군무원 9급 국가 또는 지방자치단체에 근무하는 청원경찰의 근무관계는 공법관계에 해당한다. (○)

17. 국가직 7급 국가나 지방자치단체에 근무하는 청원경찰의 근무관계는 사법상의 고용계약관계이므로, 그에 대한 징계처분의 시정을 구하는 소는 민사소송으로 한다. (×)

17. 5급 승진, 15. 서울시 9급 판례에 따를 때 지방자치단체에 근무하는 청원경찰의 근무관계는 사법관계에 해당한다. (×)

③ (○) 조세채무가 금전채무라는 사실에서 사법상의 채무와 공통점을 갖지만, 조세채무는 법률의 규정에 의하여 정해지는 법정채무로서 당사자가 그 내용 등을 임의로 정할 수 없고, 조세채무관계는 공법상의 법률관계이고 그에 관한 쟁송은 원칙적으로. 행정사건으로서 행정소송법의 적용을 받는다(대판 2007.12.14. 2005다11848).

유제 20. 군무원 7급 조세채무관계는 공법상의 법률관계이고 그에 관한 쟁송은 원칙적으로. 행정사건으로서 「행정소송법」의 적용을 받는다. (○)

④ (×) 개발부담금 부과처분이 취소된 이상 그 후의 부당이득으로서의 과오납금 반환에 관한 법률관계는 단순한 민사 관계에 불과한 것이고, 행정소송 절차에 따라야 하는 관계로 볼 수 없다(대판 1995.12.22. 94다51253).

유제 20. 국가직 7급 개발부담금 부과처분이 취소된 후의 부당이득으로서의 과오납금 반환에 관한 법률관계는 공법상 법률관계이다. (×)

20. 5급 승진 개발부담금 부과처분이 취소된 경우, 그 과오납금 반환에 대한 법률관계는 단순한 민사 관계에 해당하는 것으로 볼 수 없다. (×)

19. 군무원 9급 개발부담금 부과처분이 취소된 이상 그 후의 부당이득으로서의 과오납금 반환에 관한 법률관계는 단순한 민사 관계에 불과한 것이 아니므로, 행정소송절차에 따라 반환청구를 하여야 한다. (×)

18. 지방직 9급 「개발이익환수에 관한 법률」상 개발부담금 부과처분이 취소된 경우 그 과오납금의 반환을 청구하는 소송은 행정소송에 해당하지 않는다. (○)

18. 서울시 9급, 15. 국회직 8급 개발부담금 부과처분이 취소된 경우, 그 과오납금에 대한 부당이득반환청구의 법률관계는 사법관계이다. (○)

17. 국가직 7급 개발부담금 부과처분의 직권취소를 이유로 한 부당이득반환청구는 공법관계이다. (×)

답 ④

023

다음 각 사례에 대한 설명으로 옳은 것만을 모두 고르면? (다툼이 있는 경우 판례에 의함)

- 행정청 甲은 국유 일반재산인 건물 1층을 5년간 대부하는 계약을 乙과 체결하면서 대부료는 1년에 1억으로 정하였고 6회에 걸쳐 분납하기로 하였다. 甲은 乙이 1년간 대부료를 납부하지 않자, 체납된 대부료를 납부할 것을 통지하였다. 「국유재산법」에 따르면 국유재산의 대부료 등이 납부기한까지 납부되지 아니한 경우에는 「국세징수법」상의 강제징수에 관한 규정을 준용하고 있다.
- 행정청 甲은 국가 소유의 땅을 무단점유하여 사용하고 있는 丙에게 변상금 100만원 부과처분을 하였다.

ㄱ. 甲이 乙에게 대부하는 행위는 공권력의 주체로서 상대방의 의사 여하에 불구하고 일방적으로 행하는 행정처분이 아니다.
ㄴ. 甲은 대부료를 납부하지 않은 乙을 상대로 민사소송을 제기하여 대부료 지급을 구해야 한다.
ㄷ. 변상금 부과처분은 순전히 사경제주체로서 행하는 사법상의 법률행위이므로, 丙은 그 처분에 대해 민사소송을 제기하여 다툴 수 있다.

① ㄱ
② ㄴ
③ ㄱ, ㄴ
④ ㄱ, ㄴ, ㄷ

2023년 지방직·서울시 9급

ㄱ. (○) 국유잡종재산(일반재산)에 관한 관리 처분의 권한을 위임받은 기관이 국유잡종재산을 대부하는 행위는 국가가 사경제 주체로서 상대방과 대등한 위치에서 행하는 사법상의 계약이고, 국유잡종재산에 관한 대부료의 납부고지 역시 사법상의 이행청구에 해당하고, 이를 행정처분이라고 할 수 없다(대판 2000.2.11. 99다61675).

유제 22. 국회직 8급 국유일반재산의 대부행위(는 공법상 계약에 해당한다). (×)
21. 군무원 7급 산림청장이 산림법령이 정하는 바에 따라 국유임야를 대부하는 행위는 사경제주체로서 하는 사법상의 행위이다. (○)
19. 5급 승진 「국유재산법」상의 일반재산을 대부하는 행위는 사법상의 계약이다. (○)
18. 행정사 일반재산인 국유림의 대부관계는 공법상 법률관계에 해당한다. (×)
17. 교행 국유일반재산의 대부료 납입고지는 사법관계에 해당한다. (○)

ㄴ. (×) 국유 일반재산의 대부료 등의 징수에 관하여는 국세징수법 규정을 준용한 간이하고 경제적인 특별 구제절차가 마련되어 있으므로, 특별한 사정이 없는 한 민사소송의 방법으로 대부료 등의 지급을 구하는 것은 허용되지 아니한다(대판 2014.9.4. 2014다203588).

유제 19. 5급 승진 공유 일반재산의 대부료와 연체료를 납부기한까지 내지 아니한 경우, 특별한 사정이 없는 한 민사소송으로 공유 일반재산의 대부료의 지급을 구하는 것은 허용되지 아니한다. (○)
18. 국가직 7급 국유 일반재산의 대부료 등의 징수에 관하여 「국세징수법」 규정을 준용한 간이하고 경제적인 특별구제절차가 마련되어 있으므로, 특별한 사정이 없는 한 민사소송의 방법으로 대부료 등의 지급을 구하는 것은 허용되지 아니한다. (○)

ㄷ. (×) 국유재산의 무단점유자에 대한 변상금 부과는 공권력을 가진 우월적 지위에서 행하는 행정처분이고, 그 부과처분에 의한 변상금 징수권은 공법상의 권리인 반면, 민사상 부당이득반환청구권은 국유재산의 소유자로서 가지는 사법상의 채권이다. … 국가는 무단점유자를 상대로 변상금 부과·징수권의 행사와 별도로 국유재산의 소유자로서 민사상 부당이득반환청구의 소를 제기할 수 있다(대판 2014.7.16. 2011다76402 전합).

함께 정리하기

사례분석

국유일반산 대부행위
▷ 사법행위

국유일반산 대부료징수
▷ 민사소송×

국유재산 무단사용 변상금부과처분
▷ 행정처분(공법관계)

유제 19. 서울시 7급 「국유재산법」에 의한 변상금 부과·징수권은 민사상 부당이득반환청구권과 법적 성질을 달리하므로, 국가는 무단점유자를 상대로 변상금 부과·징수권의 행사와 별도로 국유재산의 소유자로서 민사상 부당이득반환청구의 소를 제기할 수 있다. (○)

18. 국가직 7급 국유재산의 무단점유와 관련하여 「국유재산법」에 의한 변상금 부과·징수가 가능한 경우에는 변상금 부과·징수의 방법에 의해서만 국유재산의 무단점유·사용으로 인한 이익을 환수할 수 있으며, 그와 별도로 민사소송의 방법으로 부당이득반환청구를 하는 것은 허용되지 않는다. (×)

17. 5급 승진 국유재산의 무단점유자에 대한 변상금 부과·징수권은 민사상 부당이득반환청구권과 법적 성질을 달리하므로 국가는 무단점유자를 상대로 변상금 부과·징수권의 행사와 별도로 국유재산의 소유자로서 민사상 부당이득반환청구의 소를 제기할 수 있다. (○)

16. 서울시 7급 국가는 국유재산의 무단점유자에 대하여 변상금 부과·징수권의 행사와는 별도로 민사상 부당이득반환청구의 소를 제기할 수 없다. (×)

답 ①

024 ☐☐☐

공법과 사법의 관계에 대한 설명으로 옳은 것만을 <보기>에서 모두 고르면? (다툼이 있는 경우 판례에 의함)

<보기>
ㄱ. 구 「한국공항공단법」에 의하여 한국공항공단이 정부로부터 무상사용허가를 받은 행정재산을 전대(轉貸)하는 행위는 행정소송의 대상이 되는 행정처분이다.
ㄴ. 서울특별시립무용단 단원의 위촉은 공법상 계약에 해당하므로 그 단원의 해촉에 대하여는 공법상 당사자소송으로 그 무효확인을 청구할 수 있다.
ㄷ. 지방자치단체가 사인과 체결한 자원회수시설에 대한 위탁운영협약은 사법상 계약에 해당하므로 그에 관한 다툼은 민사소송의 대상이 된다.
ㄹ. 「국가를 당사자로 하는 계약에 관한 법률」에 의한 입찰보증금의 국고귀속조치는 국가가 공권력을 행사하거나 공권력작용과 일체성을 가진 것으로서 이에 대한 분쟁은 행정소송의 대상이 된다.
ㅁ. 국유재산 무단점유자에 대한 변상금 부과는 관리청이 공권력을 가진 우월적 지위에서 행한 것으로서 행정소송의 대상이 되는 행정처분이다.

① ㄱ, ㄴ, ㄷ
② ㄱ, ㄴ, ㄹ
③ ㄴ, ㄷ, ㄹ
④ ㄴ, ㄷ, ㅁ
⑤ ㄷ, ㄹ, ㅁ

| 2023년 국회직 8급

ㄱ. (×) 한국공항공단이 정부로부터 무상사용허가를 받은 행정재산을 구 한국공항공단법 제17조에서 정한 바에 따라 전대하는 경우에 미리 그 계획을 작성하여 건설교통부장관에게 제출하고 승인을 얻어야 하는 등 일부 공법적 규율을 받고 있다고 하더라도, 한국공항공단이 그 행정재산의 관리청으로부터 국유재산관리사무의 위임을 받거나 국유재산관리의 위탁을 받지 않은 이상, 한국공항공단이 무상사용허가를 받은 행정재산에 대하여 하는 전대행위는 통상의 사인 간의 임대차와 다를 바가 없다(대판 2004.1.15. 2001다12638).

유제 23. 국가직 9급 국유재산 중 행정재산의 사용허가는 공법관계이나, 한국공항공단이 무상사용허가를 받은 행정재산에 대하여 하는 전대행위는 사법관계이다. (○)

ㄴ. (○) 서울특별시립무용단 단원의 위촉은 공법상의 계약이라고 할 것이고, 따라서 그 단원의 해촉에 대하여는 공법상의 당사자소송으로 그 무효확인을 청구할 수 있다(대판 1995.12.22. 95누4636).

유제 22. 소방간부 서울특별시립무용단 단원의 위촉은 공법상 계약에 해당하며, 따라서 그 단원의 해촉에 대하여는 공법상 당사자소송으로 그 무효확인을 청구할 수 있다. (○)
　21. 소방간부 서울특별시립무용단 단원의 위촉은 공법상 계약에 해당한다. (○)
　19. 서울시 9급 시립무용단원의 해촉은 행정소송의 대상이다. (○)
　17. 서울시 7급 시립무용단원의 채용계약과 공중보건의사 채용계약은 공법상 계약에 해당한다. (○)
　16. 교행 시립무용단원의 해촉에 대해서는 항고소송으로 다투어야 하고 당사자소송으로 다툴 수는 없다. (×)

ㄷ. (○) 甲 지방자치단체가 乙 주식회사 등 4개 회사로 구성된 공동수급체를 자원회수시설과 부대시설의 운영·유지관리 등을 위탁할 민간사업자로 선정하고 乙 회사 등의 공동수급체와 위 시설에 관한 위·수탁 운영 협약을 체결하였는데, … 위 협약은 甲 지방자치단체가 사인인 乙 회사 등에 위 시설의 운영을 위탁하고 그 위탁운영비용을 지급하는 것을 내용으로 하는 용역계약으로서 상호 대등한 입장에서 당사자의 합의에 따라 체결한 사법상 계약에 해당한다(대판 2019.10.17. 2018두60588).

유제 22. 지방직·서울시 9급 지방자치단체가 A주식회사를 자원회수시설과 부대시설의 운영·유지관리 등을 위탁할 민간사업자로 선정하고 A주식회사와 체결한 위 시설에 관한 위·수탁운영협약은 사법상 계약에 해당한다. (○)
　21. 소방간부·군무원 7급 지방자치단체와 사인 간 체결한 자원회수시설위탁운영협약은 공법상 계약에 해당한다. (×)
　21. 경찰 2차 지방자치단체가 자원회수시설과 부대시설의 운영·관리 등을 위탁하고 그 위탁운영비용을 지급하는 것을 내용으로 하는 용역계약을 사인과 체결한 경우, 이러한 위탁운영에 관한 협약의 법적 성질은 공법상 계약에 해당한다. (×)
　20. 지방직 7급 지방자치단체가 사인과 체결한 자원회수시설에 대한 위탁운영협약은 사법상 계약에 해당하므로 그에 관한 다툼은 민사소송의 대상이 된다. (○)

ㄹ. (×) 예산회계법에 따라 체결되는 계약은 사법상의 계약이라고 할 것이고 동법 제70조의5의 입찰보증금은 낙찰자의 계약체결의무이행의 확보를 목적으로 하여 그 불이행시에 이를 국고에 귀속시켜 국가의 손해를 전보하는 사법상의 손해배상 예정으로서의 성질을 갖는 것이라고 할 것이므로 입찰보증금의 국고귀속조치는 국가가 사법상의 재산권의 주체로서 행위하는 것이지 공권력을 행사하는 것이거나 공권력작용과 일체성을 가진 것이 아니라 할 것이므로 이에 관한 분쟁은 행정소송이 아닌 민사소송의 대상이 될 수밖에 없다(대판 1983.12.27. 81누366).

유제 23. 국가직 9급 조달청장이 「예산회계법」에 따라 계약을 체결하거나 입찰보증금 국고귀속조치를 취하는 것은 사법관계에 해당한다. (○)
　20. 지방직 9급 입찰보증금의 국고귀속조치는 국가가 사법상의 재산권의 주체로서 행위하는 것이지, 공권력을 행사하는 것이거나 공권력작용과 일체성을 가진 것이 아니라 할 것이다. (○)
　20. 군무원 7급 구 「예산회계법」상 입찰보증금의 국고귀속조치는 국가가 사법상의 재산권의 주체로서 행위하는 것이다. (○)
　19. 군무원 9급 입찰보증금 국고귀속조치는 공법관계에 해당한다. (×)
　17. 교행, 16. 경찰 2차 구 「예산회계법」에 의한 입찰보증금의 국고귀속조치는 공법관계로 인정된다. (×)

ㅁ. (○) 국유재산의 관리청이 그 무단점유자에 대하여 하는 변상금부과처분은 순전히 사경제 주체로서 행하는 사법상의 법률행위라 할 수 없고 이는 관리청이 공권력을 가진 우월적 지위에서 행한 것으로서 행정소송의 대상이 되는 행정처분이라고 보아야 한다(대판 1988.2.23. 87누1046·1047).

답 ④

025

공법관계와 사법관계의 구별에 대한 설명으로 옳지 않은 것은? (다툼이 있는 경우 판례에 의함)

① 국유재산 중 행정재산의 사용허가는 공법관계이나, 한국공항공단이 무상사용허가를 받은 행정재산에 대하여 하는 전대행위는 사법관계이다.
② 조달청장이 「예산회계법」에 따라 계약을 체결하거나 입찰보증금 국고귀속조치를 취하는 것은 사법관계에 해당한다.
③ 국유재산의 무단점유에 대한 변상금부과는 공법관계에 해당하나, 국유 일반재산의 대부행위는 사법관계에 해당한다.
④ 조달청장이 법령에 근거하여 입찰참가자격을 제한하는 것은 사법관계에 해당한다.

> 2023년 국가직 9급

① (○)
  1. 국유재산 등의 관리청이 하는 행정재산의 사용·수익에 대한 허가는 순전히 사경제주체로서 행하는 사법상의 행위가 아니라 관리청이 공권력을 가진 우월적 지위에서 행하는 행정처분으로서 특정인에게 행정재산을 사용할 수 있는 권리를 설정하여 주는 강학상 특허에 해당한다(대판 2006.3.9. 2004다31074).
  2. 한국공항공단이 정부로부터 무상사용허가를 받은 행정재산을 구 한국공항공단법 제17조에서 정한 바에 따라 전대하는 경우에 미리 그 계획을 작성하여 건설교통부장관에게 제출하고 승인을 얻어야 하는 등 일부 공법적 규율을 받고 있다고 하더라도, 한국공항공단이 그 행정재산의 관리청으로부터 국유재산관리사무의 위임을 받거나 국유재산관리의 위탁을 받지 않은 이상, 한국공항공단이 무상사용허가를 받은 행정재산에 대하여 하는 전대행위는 통상의 사인 간의 임대차와 다를 바가 없다(대판 2004.1.15. 2001다12638).

② (○) 예산회계법에 따라 체결되는 계약은 사법상의 계약이라고 할 것이고 동법 제70조의5의 입찰보증금은 낙찰자의 계약체결의무이행의 확보를 목적으로 하여 그 불이행시에 이를 국고에 귀속시켜 국가의 손해를 전보하는 사법상 손해배상예정의 성질을 갖는 것이므로 입찰보증금의 국고귀속조치는 국가가 사법상 재산권의 주체로서 행위하는 것이지 공권력을 행사하는 것이거나 공권력작용과 일체성을 가진 것이 아니므로 이에 관한 분쟁은 행정소송이 아닌 민사소송의 대상이 될 수밖에 없다고 할 것이다(대판 1983.12.27. 81누366).

③ (○)
  1. 국유재산의 관리청이 그 무단점유자에 대하여 하는 변상금 부과처분은 순전히 사경제주체로서 행하는 사법상의 법률행위라 할 수 없고 이는 관리청이 공권력을 가진 우월적 지위에서 행한 것으로서 행정소송의 대상이 되는 행정처분이라고 보아야 한다(대판 1988.2.23. 87누1046·1047).
  2. 국유잡종재산에 관한 관리 처분의 권한을 위임받은 기관이 국유잡종재산을 대부하는 행위는 국가가 사경제 주체로서 상대방과 대등한 위치에서 행하는 사법상의 계약이고, 국유잡종재산에 관한 대부료의 납부고지 역시 사법상의 이행청구에 해당하고, 이를 행정처분이라고 할 수 없다(대판 2000.2.11. 99다61675).

④ (×) 판례는 「국가를 당사자로 하는 계약에 관한 법률」 또는 「지방자치 단체를 당사자로 하는 계약에 관한 법률」에 의하여 국가의 각 중앙관서의 장(예 조달청장) 또는 지방자치단체의 장이 행한 부정당업자의 입찰참가자격 제한조치는 제재적 성격의 권력적 사실행위로서 처분성을 인정하고 있다(대판 2000.10.13. 99두3201 ; 대판 1986.3.11. 85누793 ; 대판 1994.6.24. 94누958 등).

답 ④

문제 DATA

출제가능 지수 ▶▶▷
난이도 지수 ★★☆

함께 정리하기

공법관계와 사법관계

행정재산의 사용허가
▷ 공법관계

한국공항공단의 무상사용허가 받은 행정재산 전대행위
▷ 사법관계

입찰보증금 국고귀속조치
▷ 사법관계

변상금부과
▷ 공법관계

일반재산 대부행위
▷ 사법관계

조달청장의 입찰참가자격 제한
▷ 공법관계(행정처분)

026 ☐☐☐

행정상 법률관계에 대한 설명으로 옳지 않은 것은? (다툼이 있는 경우 판례에 의함)

① 국가가 사경제의 주체로서 상대방과 대등한 지위에서 체결하는 계약의 본질적인 내용은 사인 간의 계약과 다를 바가 없으므로 사적 자치와 계약자유의 원칙을 비롯한 사법의 원리가 원칙적으로 적용된다.
② 국가가 수익자인 수요기관을 위하여 국민을 계약상대자로 하여 체결하는 요청조달계약에는 다른 법률에 특별한 규정이 없는 한 당연히 「국가를 당사자로 하는 계약에 관한 법률」이 적용된다.
③ 요청조달계약에 적용되는 「국가를 당사자로 하는 계약에 관한 법률」 조항은 국가가 사경제 주체로서 국민과 대등한 관계에 있음을 전제로 한 사법관계에 대한 규정뿐만 아니라, 고권적 지위에서 국민에게 침익적 효과를 발생시키는 행정처분에 대한 규정까지 적용된다.
④ 한국자산관리공사가 국유재산 중 일반재산에 관하여 그 처분을 위임받아 매도하는 것은 행정청이 공권력의 주체라는 우월적 지위에서 행하는 공법상의 행정처분이 아니라 사경제 주체로서 행하는 사법상의 법률행위에 해당하여 헌법소원심판의 대상이 되는 공권력의 행사에 해당하지 않는다.

문제 DATA
출제가능 지수 ▶▶▷
난이도 지수 ★★★

함께 정리하기
행정상 법률관계

국가나 지방자치단체의 공공계약
▷ 사법상 계약
▷ 사법원리 그대로 적용

요청조달계약
▷ 국가계약법 중 사법관계에 관한 규정 적용

한국자산관리공사의 일반재산 매도
▷ 사법행위

2023년 소방직

① (O) 국가를 당사자로 하는 계약이나 공공기관운영에 관한 법률의 적용대상인 공기업이 일방 당사자가 되는 계약(이하 편의상 '공공계약'이라 한다)은 국가 또는 공기업(이하 '국가 등'이라 한다)이 사경제주체로서 상대방과 대등한 위치에서 체결하는 사법상 계약으로서 본질적인 내용은 사인 간의 계약과 다를 바가 없으므로, 법령에 특별한 정함이 있는 경우를 제외하고는 서로 대등한 입장에서 당사자의 합의에 따라 계약을 체결하여야 하고 당사자는 계약의 내용을 신의성실의 원칙에 따라 이행하여야 하는 등[구 국가를 당사자로 하는 계약에 관한 법률(이하 '국가계약법'이라 한다) 제5조 제1항] 사적 자치와 계약 자유의 원칙을 비롯한 사법의 원리가 원칙적으로 적용된다(대판 2017.12.21. 2012다74076 전합).

> **유제** 23. 소방간부 국가를 당사자로 하는 계약이나 「공공기관의 운영에 관한 법률」의 적용대상인 공기업이 일방 당사자가 되는 모든 계약은 공법상 계약으로 본다. (×)
> 23. 소방직 국가가 당사자가 되는 이른바 공공계약은 사경제 주체로서 상대방과 대등한 위치에서 체결하는 사법상 계약이다. (O)
> 22. 국가직 9급 「국가를 당사자로 하는 계약에 관한 법률」에 따라 국가가 당사자가 되는 이른바 공공계약에 관한 법적 분쟁은 원칙적으로 행정법원의 관할 사항이다. (×)
> 21. 국회직 8급 「국가를 당사자로 하는 계약에 관한 법률」상 국가가 당사자가 되는 공공계약은 국가가 사경제의 주체로서 상대방과 대등한 위치에서 체결하는 사법상의 계약에 해당한다. (O)
> 19. 사복직 국가계약의 본질적인 내용은 사인 간의 계약과 다르므로 법령에 특정한 규정이 있는 경우에 한하여 사법의 규정 내지 법원리가 적용된다. (×)

② (O), ③ (×)

[1] 국가를 당사자로 하는 계약에 관한 법률(이하 '국가계약법'이라 한다) 제2조는 그 적용 범위에 관하여 국가가 대한민국 국민을 계약상대자로 하여 체결하는 계약 등 국가를 당사자로 하는 계약에 대하여 위 법을 적용한다고 규정하고 있고, 제3조는 국가를 당사자로 하는 계약에 관하여는 다른 법률에 특별한 규정이 있는 경우를 제외하고는 이 법에서 정하는 바에 의한다고 규정하고 있으므로, 국가가 수익자인 수요기관을 위하여 국민을 계약상대자로 하여 체결하는 요청조달계약에는 다른 법률에 특별한 규정이 없는 한 당연히 국가계약법이 적용된다(②).
[2] 그러나 위 법리에 의하여 요청조달계약에 적용되는 국가계약법 조항은 국가가 사경제 주체로서 국민과 대등한 관계에 있음을 전제로 한 사법관계에 관한 규정에 한정되고, 고권적 지위에서 국민에게 침익적 효과를 발생시키는 행정처분에 관한 규정까지 당연히 적용된다고 할 수 없다(③)(대판 2017.12.28. 2017두39433).

④ (○) 한국자산관리공사가 국유재산 중 일반재산에 관하여 그 처분을 위임받아 매도하는 것은 행정청이 공권력의 주체라는 우월적 지위에서 행하는 공법상의 행정처분이 아니라 사경제 주체로서 행하는 사법상의 법률행위에 해당하여 헌법소원심판의 대상이 되는 공권력의 행사에 해당하지 않는바, 그와 관련한 처분가격의 기준을 규정한 심판대상조항은 계약의 한쪽 당사자인 국가 혹은 처분기관의 처분가격 결정의 재량을 제한하는 것일 뿐이지 상대방인 청구인의 계약체결이나 그 내용결정의 자유를 제한하는 것은 아니다(헌재 2020.6.23. 2020헌마785).

답 ③

027

폐기물처리업의 허가를 받은 甲은 A시 시장 乙과 「지방자치단체를 당사자로 하는 계약에 관한 법률」에 따라 재활용품의 수집·운반 업무를 대행하는 계약을 체결하였다. 이에 대한 설명으로 옳은 것을 모두 고른 것은? (다툼이 있는 경우 판례에 의함)

> ㄱ. 甲이 乙과 체결한 계약은 공법상 계약에 해당한다.
> ㄴ. 甲이 乙과 체결한 계약에 대해서는 법령에 특별한 규정이 없는 한 사적 자치와 계약자유의 원칙 등 사법의 원리가 그대로 적용된다.
> ㄷ. 甲이 乙과 체결한 계약은 「국가배상법」상 국가배상청구의 요건인 공무원의 '직무'에 포함되지 않는다.
> ㄹ. 甲이 乙과 체결한 계약의 효력에 대해 무효확인을 구하는 소송을 제기하는 경우에는 즉시확정의 이익 내지 확인의 이익이 요구되지 않는다.

① ㄱ, ㄴ
② ㄱ, ㄷ
③ ㄴ, ㄷ
④ ㄱ, ㄴ, ㄷ
⑤ ㄴ, ㄷ, ㄹ

2023년 변호사

ㄱ. (×), ㄴ. (○) 지방재정법에 의하여 준용되는 국가계약법에 따라 지방자치단체가 당사자가 되는 이른바 공공계약은 사경제의 주체로서 상대방과 대등한 위치에서 체결하는 사법상의 계약으로서(ㄱ) 그 본질적인 내용은 사인 간의 계약과 다를 바가 없으므로, 그에 관한 법령에 특별한 정함이 있는 경우를 제외하고는 사적 자치와 계약자유의 원칙 등 사법의 원리가 그대로 적용된다 할 것이다(ㄴ)(대결 2006.6.19. 2006마117).

ㄷ. (○) 甲이 乙과 체결한 계약은 사법상 계약이므로(ㄱ 참조) 국가배상청구의 요건인 공무원의 '직무'에 포함되지 않는다.

> 국가배상법이 정한 배상청구의 요건인 '공무원의 직무'에는 권력적 작용만이 아니라 행정지도와 같은 비권력적 작용도 포함되며 단지 행정주체가 사경제주체로서 하는 활동만 제외된다(대판 1998.7.10. 96다38971).

ㄹ. (×) 甲이 乙과 체결한 계약은 사법상 계약으로서 이에 대한 분쟁은 민사소송의 대상이다. 민사소송으로 무효확인을 구하는 경우 즉시확정의 이익 내지 확인의 이익이 요구된다.

답 ③

문제 DATA
출제가능 지수 ▶▶▶
난이도 지수 ★★★

함께 정리하기

공공계약 사례

국가나 지방자치단체의 공공계약
▷ 사법상 계약
▷ 사법원리 그대로 적용

사법행위
▷ 「국가배상법」상 직무 ×

민사소송으로 무효확인
▷ 즉시확정의 이익 要

028

행정법관계에 대한 설명으로 옳지 않은 것은? (다툼이 있는 경우 판례에 의함)

① 군인연금법령상 급여를 받으려고 하는 사람이 국방부장관에게 급여지급을 청구하였으나 거부된 경우, 곧바로 국가를 상대로 한 당사자소송으로 급여의 지급을 청구할 수 있다.
② 법무사가 사무원을 채용할 때 소속 지방법무사회로부터 승인을 받아야 할 의무는 공법상 의무이다.
③ 사무처리의 긴급성으로 인하여 해양경찰의 직접적인 지휘를 받아 보조로 방제작업을 한 경우, 사인은 그 사무를 처리하며 지출한 필요비 내지 유익비의 상환을 국가에 대하여 민사소송으로 청구할 수 있다.
④ 「공익사업을 위한 토지 등의 취득 및 보상에 관한 법률」상 환매권의 존부에 관한 확인을 구하는 소송 및 환매금액의 증감을 구하는 소송은 민사소송이다.

문제 DATA
출제가능 지수 ▶▶▶
난이도 지수 ★★☆

2022년 국가직 9급

① (×) 국방부장관 등이 하는 급여지급결정은 단순히 급여수급 대상자를 확인·결정하는 것에 그치는 것이 아니라 구체적인 급여수급액을 확인·결정하는 것까지 포함한다. 구 군인연금법령상 급여를 받으려고 하는 사람은 우선 관계 법령에 따라 국방부장관 등에게 급여지급을 청구하여 국방부장관 등이 이를 거부하거나 일부 금액만 인정하는 급여지급결정을 하는 경우 그 결정을 대상으로 항고소송을 제기하는 등으로 구체적 권리를 인정받은 다음 비로소 당사자소송으로 그 급여의 지급을 구해야 한다. 이러한 구체적인 권리가 발생하지 않은 상태에서 곧바로 국가를 상대로 한 당사자소송으로 급여의 지급을 소구하는 것은 허용되지 않는다(대판 2021.12.16. 2019두45944).

② (○) 법무사 사무원 채용승인은 본래 법무사에 대한 감독권한을 가지는 소관 지방법원장에 의한 국가사무였다가 지방법무사회로 이관되었으나, 이후에도 소관 지방법원장은 지방법무사회로부터 채용승인 사실의 보고를 받고 이의신청을 직접 처리하는 등 지방법무사회의 업무수행 적정성에 대한 감독을 하고 있다. 또한 법무사가 사무원 채용에 관하여 법무사법이나 법무사규칙을 위반하는 경우에는 소관 지방법원장으로부터 징계를 받을 수 있으므로, 법무사에 대하여 지방법무사회로부터 채용승인을 얻어 사무원을 채용할 의무는 법무사법에 의하여 강제되는 공법적 의무이다(대판 2020.4.9. 2015다34444).

③ (○) 사무처리의 긴급성으로 인하여 해양경찰의 직접적인 지휘를 받아 보조로 방제작업을 한 경우는 공법상 사무관리에 해당하고, 이 경우 사인은 국가에 대하여 그 사무를 처리하며 지출한 필요비 내지 유익비의 상환을 청구할 수 있다. 공법상 사무관리는 특별한 규정이 없는 한 「민법」상 사무관리에 관한 규정이 준용되므로 이에 근거한 비용상환청구는 민사소송에 의한다.

> 甲 주식회사 소유의 유조선에서 원유가 유출되는 사고가 발생하자 해상 방제업 등을 영위하는 乙 주식회사가 피해 방지를 위해 해양경찰의 직접적인 지휘를 받아 방제작업을 보조한 사안에서, 甲 회사의 조치만으로는 원유 유출사고에 따른 해양오염을 방지하기 곤란할 정도로 긴급방제조치가 필요한 상황이었고, 위 방제작업은 乙 회사가 국가를 위해 처리할 수 있는 국가의 의무 영역과 이익 영역에 속하는 사무이며, 乙 회사가 방제작업을 하면서 해양경찰의 지시·통제를 받았던 점 등에 비추어 乙 회사는 국가의 사무를 처리한다는 의사로 방제작업을 한 것으로 볼 수 있으므로, 乙 회사는 사무관리에 근거하여 국가에 방제비용을 청구할 수 있다(대판 2014.12.11. 2012다15602).

④ (○) 구 공익사업을 위한 토지 등의 취득 및 보상에 관한 법률 제91조에 규정된 환매권은 상대방에 대한 의사표시를 요하는 형성권의 일종으로서 재판상이든 재판 외이든 위 규정에 따른 기간 내에 행사하면 매매의 효력이 생기는 바, 이러한 환매권의 존부에 관한 확인을 구하는 소송 및 구 공익사업법 제91조 제4항에 따라 환매금액의 증감을 구하는 소송 역시 민사소송에 해당한다(대판 2013.2.28. 2010두22368).

유제 16. 국회직 8급 환매권의 존부에 관한 확인을 구하는 소송은 민사소송의 방식으로 제기하여야 한다. (○)

답 ①

함께 정리하기

행정법관계

군인연금
▷ 지급결정에 항고소송을 제기하는 등 구체적 권리를 인정받은 다음 당사자소송 제기

법무사사무원 채용 시 지방법무사회로부터 승인을 받을 의무
▷ 공법상 의무

사인이 보조로 방제작업
▷ 공법상 사무관리
▷ 비용상환청구는 민사소송

문제 DATA

출제가능 지수 ▶▶▷
난이도 지수 ★★☆

029 □□□

행정상의 법률관계와 소송형태 등에 대한 설명으로 옳지 않은 것은? (다툼이 있는 경우 판례에 의함)

① 「도시 및 주거환경정비법」상 주택재건축정비사업조합을 상대로 관리처분계획안에 대한 조합 총회결의의 무효확인을 구하는 소는 공법관계이므로 당사자소송을 제기하여야 한다.
② 「국가를 당사자로 하는 계약에 관한 법률」에 따라 국가가 당사자로 되는 입찰방식에 의한 사인과 체결하는 이른바 공공계약은 국가가 사경제의 주체로서 상대방과 대등한 위치에서 체결하는 사법상의 계약이다.
③ 「국유재산법」에 따른 국유재산의 무단점유자에 대한 변상금 부과·징수권은 민사상 부당이득반환청구권과 법적 성질을 달리하므로, 국가는 무단점유자를 상대로 변상금 부과·징수권의 행사와 별개로 국유재산의 소유자로서 민사상 부당이득반환청구의 소를 제기할 수 있다.
④ 2020년 4월 1일부터 시행되는 전부개정 「소방공무원법」 이전의 경우, 지방소방공무원의 보수에 관한 법률관계는 사법상의 법률관계이므로 지방소방공무원이 소속 지방자치단체를 상대로 초과근무수당의 지급을 구하는 소송은 행정소송상 당사자소송이 아닌 민사소송절차에 따라야 했다.

함께 정리하기

행정상의 법률관계와 소송형태

조합을 상대로 관리처분계획안에 대한 조합총회결의의 효력을 다투는 소송
▷ 당사자소송

공공계약
▷ 사법상 계약

국유재산무단점유
▷ 변상금부과와 별도로 부당이득반환청구 可

지방소방공무원의 보수에 관한 법률관계
▷ 공법상의 법률관계
▷ 당사자소송

2021년 소방직

① (○) 도시 및 주거환경정비법상 행정주체인 주택재건축정비사업조합을 상대로 관리처분계획안에 대한 조합 총회결의의 효력 등을 다투는 소송은 공법상 법률관계에 관한 것이므로, 이는 행정소송법상의 당사자소송에 해당한다(대판 2009.9.17. 2007다2428 전합).

유제 21. 소방간부 「도시 및 주거환경정비법」상 재건축조합을 상대로 관리처분계획안에 대한 조합총회결의의 효력 등을 다투는 소송은 공법상 법률관계로 이는 「행정소송법」상 당사자소송에 해당한다. (○)
17. 국가직 7급 「도시 및 주거환경정비법」상의 주택재건축정비사업조합이 수립한 관리처분계획안에 대한 조합총회결의는 사법관계에 해당한다. (×)

② (○) 국가를 당사자로 하는 계약에 관한 법률에 따라 국가가 당사자가 되는 이른바 공공계약은 사경제 주체로서 상대방과 대등한 위치에서 체결하는 사법상 계약으로서 본질적인 내용은 사인 간의 계약과 다를 바가 없으므로, 그에 관한 법령에 특별한 정함이 있는 경우를 제외하고는 사적 자치와 계약자유의 원칙 등 사법의 원리가 그대로 적용된다(대판 2020.5.14. 2018다298409).

유제 21. 국회직 8급 「국가를 당사자로 하는 계약에 관한 법률」상 국가가 당사자가 되는 공공계약은 국가가 사경제의 주체로서 상대방과 대등한 위치에서 체결하는 사법상의 계약에 해당한다. (○)

③ (○) 국유재산의 무단점유자에 대한 변상금 부과는 공권력을 가진 우월적 지위에서 행하는 행정처분이고, 그 부과처분에 의한 변상금 징수권은 공법상의 권리인 반면, 민사상 부당이득반환청구권은 국유재산의 소유자로서 가지는 사법상의 채권이다. … 국가는 무단점유자를 상대로 변상금 부과·징수권의 행사와 별개로 국유재산의 소유자로서 민사상 부당이득반환청구의 소를 제기할 수 있다(대판 2014.7.16. 2011다76402 전합).

④ (×) 지방자치단체와 그 소속 경력직 공무원인 지방소방공무원 사이의 관계, 즉 지방소방공무원의 근무관계는 사법상의 근로계약관계가 아닌 공법상의 근무관계에 해당하고, 그 근무관계의 주요한 내용 중 하나인 지방소방공무원의 보수에 관한 법률관계는 공법상의 법률관계라고 보아야 한다. … 지방소방공무원의 초과근무수당 지급청구권은 법령의 규정에 의하여 직접 그 존부나 범위가 정하여지고 법령에 규정된 수당의 지급요건에 해당하는 경우에는 곧바로 발생한다고 할 것이므로, 지방소방공무원이 자신이 소속된 지방자치단체를 상대로 초과근무수당의 지급을 구하는 청구에 관한 소송은 행정소송법 제3조 제2호에 규정된 당사자소송의 절차에 따라야 한다(대판 2013.3.28. 2012다102629).

유제 18. 경찰 3차 지방자치단체와 그 소속 경력직 공무원인 지방소방공무원은 공법관계에 해당한다. (○)
14. 지방직 7급 지방소방공무원이 자신이 소속된 지방자치단체를 상대로 초과근무수당의 지급을 구하는 청구에 관한 소송은 당사자소송의 절차에 따라야 한다. (○)

답 ④

030

공법관계와 사법관계에 대한 설명으로 옳지 않은 것은? (다툼이 있는 경우 판례에 의함)

① 국립의료원 부설주차장에 대한 위탁관리용역운영계약은 공법관계로서 이와 관련한 가산금지급채무부존재에 대한 소송은 행정소송에 의하여야 한다.
② 산림청장이나 그로부터 권한을 위임받은 행정청이 「산림법」 등이 정하는 바에 따라 국유임야를 대부하거나 매각하는 행위는 사경제적 주체로서 상대방과 대등한 입장에서 하는 사법상 계약이라는 것이 판례의 입장이다.
③ 「도시 및 주거환경정비법」상의 재건축조합을 상대로 관리처분계획안에 대한 조합총회결의의 효력 등을 다투는 소송은 공법상 법률관계에 관한 것이므로 이는 「행정소송법」상의 당사자소송에 해당한다.
④ 구 「예산회계법」(현 「국가를 당사자로 하는 계약에 관한 법률」)에 따라 체결되는 계약에 있어서 입찰금액의 착오기재를 주장하고 공사계약 체결에 불응한 사업자에 대한 입찰참가자격정지처분은 민사소송의 대상이 된다.
⑤ 한국마사회가 조교사 및 기수의 면허를 부여하거나 취소하는 것은 일반 사법상의 법률관계에서 이루어지는 단체 내부에서의 징계 내지 제재처분이다.

문제 DATA
출제가능 지수 ▶▶▷
난이도 지수 ★★☆

함께 정리하기
공법관계와 사법관계

국립의료원주차장 위탁운영계약
▷ 공법관계(강학상 특허)
▷ 행정소송

국유임야 대부·매각
▷ 사법상 계약

주택재건축정비사업조합을 상대로 관리처분계획안에 대한 조합총회결의의 효력을 다투는 소송
▷ 당사자소송

조달청장의 입찰참가자격정지
▷ 처분O
▷ 항고소송

한국마사회의 조교사 및 기수 면허 부여·취소
▷ 사법행위

2021년 소방간부

① (O) 국립의료원 부설주차장에 관한 위탁관리용역운영계약의 실질은 행정재산인 부설주차장에 대한 국유재산법 제24조 제1항에 의한 사용·수익 허가로서 이루어진 것임을 알 수 있으므로, 이는 위 국립의료원이 원고의 신청에 의하여 공권력을 가진 우월적 지위에서 행한 행정처분으로서 특정인에게 행정재산을 사용할 수 있는 권리를 설정하여 주는 강학상 특허에 해당한다 할 것이고 순전히 사경제주체로서 원고와 대등한 위치에서 행한 사법상의 계약으로 보기 어렵다고 할 것이다. 따라서 원고가 그 주장과 같이 이 사건 가산금 지급채무의 부존재를 주장하여 구제를 받으려면, 적절한 행정쟁송절차를 통하여 권리관계를 다투어야 할 것이지, 이 사건과 같이 피고에 대하여 민사소송으로 위 지급의무의 부존재확인을 구할 수는 없는 것이다(대판 2006.3.9. 2004다31074).

유제 15. 경찰 1차 국립의료원 부설주차장에 관한 위탁관리용역운영계약은 사법상의 계약으로 보기 어렵다 할 것이다. (O)
15. 국회직 8급 국립의료원 부설주차장에 관한 위탁관리용역운영계약은 공법관계로서 이와 관련한 가산금지급채무부존재에 대한 소송은 행정소송에 의해야 한다. (O)
12. 지방직 7급 국립의료원 부설주차장에 관한 위탁관리용역운영계약은 사경제주체로서 대등한 위치에서 행한 사법상의 계약에 해당한다. (×)
11. 국회직 8급 판례에 의할 때 국립의료원 부설주차장에 관한 위탁관리용역운영계약은 공법관계에 해당한다. (O)

② (O) 산림청장이나 그로부터 권한을 위임받은 행정청이 산림법 등이 정하는 바에 따라 국유임야를 대부하거나 매각하는 행위는 사경제적 주체로서 상대방과 대등한 입장에서 하는 사법상 계약이지 행정처분이라고 볼 수 없으며 이 대부계약에 의한 대부료 부과 조치 역시 행정처분이라고 할 수 없다(대판 1993.12.7. 91누11612).

유제 21. 군무원 7급 산림청장이 산림법령이 정하는 바에 따라 국유임야를 대부하는 행위는 사경제주체로서 하는 사법상의 행위이다. (O)
14. 서울시 7급 산림청장의 국유임야 대부에 따른 대부료 부과행위는 사법관계에 해당한다. (O)

③ (O) 대판 2009.9.17. 2007다2428 전합

④ (×) 입찰보증금의 국고귀속조치는 국가가 사법상 재산권의 주체로서 행하는 것이므로 그 분쟁은 민사소송의 대상이 되나, 조달청장의 입찰참가자격정지는 처분성이 인정되므로 항고소송으로 다투어야 한다.

> 원고의 대리인이 입찰금액을 60,780,000원으로 기재한다는 것이 착오로 금 6,078,000원으로 잘못 기재한 것은 시설공사 입찰유의서 제10조 제10호 소정의 입찰서에 기재한 중요부분의 착오가 있는 경우에 해당되어 이를 이유로 즉시 입찰취소의 의사표시를 한 이상 피고(조달청장)는 본건 입찰을 무효로 선언함이 마땅하므로 원고가 이 사건 공사계약체결에 불응하였음에는 정당한 이유가 있다고 할 것이니 원고를 부정당업자로서 6월간 입찰참가자격을 정지한 피고의 처분은 재량권을 일탈하여 위법하다(대판 1983.12.27. 81누366).

유제 16. 지방직 7급 구 「예산회계법」에 따라 체결되는 계약에 있어서 입찰보증금의 국고귀속조치에 관한 분쟁은 민사소송의 대상이 되지만, 입찰자격정지에 대해서는 항고소송으로 다투어야 한다. (○)

⑤ (○) 한국마사회가 조교사 또는 기수의 면허를 부여하거나 취소하는 것은 경마에서의 일정한 기능과 역할을 수행할 수 있는 자격을 부여하거나 이를 박탈하는 것에 지나지 아니하므로, 이는 국가 기타 행정기관으로부터 위탁받은 행정권한의 행사가 아니라 일반 사법상의 법률관계에서 이루어지는 단체 내부에서의 징계 내지 제재처분이다(대판 2008.1.31. 2005두8269).

답 ④

031

공법관계와 사법관계에 대한 설명으로 옳지 않은 것은? (다툼이 있는 경우 판례에 의함)

① 산림청장이 산림법령이 정하는 바에 따라 국유임야를 대부하는 행위는 사경제주체로서 하는 사법상의 행위이다.
② 건축물의 소재지를 관할하는 허가권자인 지방자치단체의 장이 국가의 건축협의를 거부한 행위는 항고소송의 대상인 거부처분에 해당한다.
③ 지방자치단체가 일반재산을 「지방자치단체를 당사자로 하는 계약에 관한 법률」에 따라 입찰이나 수의계약을 통해 매각하는 것은 지방자치단체가 우월적 공행정 주체로서의 지위에서 행하는 행위이다.
④ 국가가 당사자가 되는 공사도급계약에서 부정당업자에 대한 입찰참가자격 제한조치는 항고소송의 대상이 되는 처분에 해당한다.

> 2021년 군무원 7급

① (○) 대판 1993.12.7. 91누11612
② (○) 허가권자인 지방자치단체의 장이 한 건축협의 거부행위는 비록 그 상대방이 국가 등 행정주체라 하더라도, 행정청이 행하는 구체적 사실에 관한 법집행으로서의 공권력 행사의 거부 내지 이에 준하는 행정작용으로서 행정소송법 제2조 제1항 제1호에서 정한 처분에 해당한다고 볼 수 있고, 이에 대한 법적 분쟁을 해결할 실효적인 다른 법적 수단이 없는 이상 국가 등은 허가권자를 상대로 항고소송을 통해 그 거부처분의 취소를 구할 수 있다고 해석된다(대판 2014.3.13. 2013두15934).
③ (×) 지방자치단체가 일반재산을 입찰이나 수의계약을 통해 매각하는 것은 기본적으로 사경제주체의 지위에서 하는 행위이므로 원칙적으로 사적 자치와 계약자유의 원칙이 적용된다(대판 2017.11.14. 2016다201395).
④ (○) 국가가 당사자가 되는 공사도급계약에서 부정당업자에 대한 입찰참가자격 제한조치는 항고소송의 대상이 되는 처분에 해당한다.

> 중앙관서의 장인 국토교통부장관으로부터 국가계약법 제6조 제3항에 따라 요청조달계약의 형식으로 계약에 관한 사무를 위탁받은 피고(조달청장)는 국가계약법 제27조 제1항에 따라 입찰참가자격제한 처분을 할 수 있는 권한이 있다(대판 2019.12.27. 2017두48307).

답 ③

032

행정법관계에 대한 설명으로 가장 옳은 것은? (다툼이 있는 경우 판례에 의함)

① 육군3사관학교의 구성원인 사관생도는 학교 입학일부터 특수한 신분관계에 놓이게 되므로 법률유보 원칙은 적용되지 아니한다.
② 지방자치단체가 학교법인이 설립한 사립중학교에 의무교육대상자에 대한 교육을 위탁한 때에 그 학교법인과 해당 사립중학교에 재학 중인 학생의 재학관계는 기본적으로 공법상 계약에 따른 법률관계이다.
③ 불이익한 행정처분의 상대방은 직접 개인적 이익을 침해당한 것으로 볼 수 없으므로 처분취소소송에서 원고적격을 바로 인정받지 못한다.
④ 공무원연금 수급권은 법률에 의하여 비로소 확정된다.

문제 DATA
출제가능 지수 ▶▷▷
난이도 지수 ★★☆

2021년 군무원 7급

① (×) 사관생도는 군 장교를 배출하기 위하여 국가가 모든 재정을 부담하는 특수교육기관인 육군3사관학교의 구성원으로서, 학교에 입학한 날에 육군 사관생도의 병적에 편입하고 준사관에 준하는 대우를 받는 특수한 신분관계에 있다. 따라서 그 존립 목적을 달성하기 위하여 필요한 한도 내에서 일반 국민보다 상대적으로 기본권이 더 제한될 수 있으나, 그러한 경우에도 법률유보원칙, 과잉금지원칙 등 기본권 제한의 헌법상 원칙들을 지켜야 한다(대판 2018.8.30. 2016두60591).

② (×) 사법인(私法人)인 학교법인과 학생의 재학관계는 사법상 계약에 따른 법률관계에 해당한다. 지방자치단체가 학교법인이 설립한 사립중학교에 의무교육대상자에 대한 교육을 위탁한 때에 그 학교법인과 해당 사립중학교에 재학 중인 학생의 재학관계도 기본적으로 마찬가지이다(대판 2018.12.28. 2016다33196).

유제 20. 5급 승진 지방자치단체가 학교법인이 설립한 사립중학교에 의무교육대상자에 대한 교육을 위탁한 때에 그 학교법인과 해당 사립중학교에 재학 중인 학생의 재학관계는 기본적으로 공법상 계약에 따른 법률관계이다. (×)

③ (×) 항고소송은 처분 등의 취소 또는 무효확인을 구할 법률상 이익이 있는 자가 제기할 수 있고, 불이익처분의 상대방은 직접 개인적 이익의 침해를 받은 자로서 원고적격이 인정된다(대판 2018.3.27. 2015두47492).

④ (×) 공무원연금 수급권은 법률에 의해서 직접 확정되는 것이 아니라 연금을 받으려고 하는 자가 신청하는 바에 따라 공무원연금관리공단이 지급결정을 함으로써 비로소 구체적 권리가 발생한다. 4번 지문은 이의신청에 의해 옳지 않은 지문으로 처리되었다.

1. 헌법 제34조 제1항은 "모든 국민은 인간다운 생활을 할 권리를 가진다."고 하고, 제2항은 "국가는 사회보장·사회복지의 증진에 노력할 의무를 진다."고 규정하고 있는바, 이 법상의 연금수급권과 같은 사회보장수급권은 이 규정들로부터 도출되는 사회적 기본권의 하나이다. 이와 같이 사회적 기본권의 성격을 가지는 연금수급권은 국가에 대하여 적극적으로 급부를 요구하는 것이므로 헌법규정만으로는 이를 실현할 수 없고, 법률에 의한 형성을 필요로 한다. 연금수급권의 구체적 내용, 즉 수급요건, 수급권자의 범위, 급여금액 등은 법률에 의하여 비로소 확정된다(헌재 1999.4.29. 97헌마333).
2. 구 공무원연금법 제26조 제1항·제3항, 제83조 제1항, 구 공무원연금법 시행령 제19조의3 등의 각 규정을 종합하면, 구 공무원연금법에 의한 퇴직수당 등의 급여를 받을 권리는 법령의 규정에 의하여 직접 발생하는 것이 아니라 위와 같은 급여를 받으려고 하는 자가 소속하였던 기관장의 확인을 얻어 신청함에 따라 공무원연금관리공단이 그 지급결정을 함으로써 구체적인 권리가 발생한다. 여기서 공무원연금관리공단이 하는 급여지급결정의 의미는 단순히 급여수급 대상자를 확인·결정하는 것에 그치는 것이 아니라 구체적인 급여수급액을 확인·결정하는 것까지 포함한다(대판 2010.5.27. 2008두5636).

정답 없음

함께 정리하기

행정법관계

육군사관생도
▷ 특수한 신분관계
▷ But 기본권 제한의 헌법상 원칙은 적용

사법인인 학교법인과 학생의 재학관계
▷ 사법상 계약(지방자치단체가 의무교육대상자 교육을 위탁한 경우도 마찬가지)

불이익처분의 상대방
▷ 원고적격 곧바로 인정

연금수급권의 구체적 내용
▷ 법률에 의하여 형성, 공단의 지급결정에 의해 구체적 권리 발생

문제 DATA

출제가능 지수 ▶▶▷
난이도 지수 ★★★

033 ☐☐☐

공법과 사법의 관계에 대한 설명으로 옳은 것만을 모두 고르면? (다툼이 있는 경우 판례에 의함)

> ㄱ. 「국가를 당사자로 하는 계약에 관한 법률」상 국가가 당사자가 되는 공공계약은 국가가 사경제의 주체로서 상대방과 대등한 위치에서 체결하는 사법상의 계약에 해당한다.
> ㄴ. 「국가를 당사자로 하는 계약에 관한 법률」상 국가기관에 의한 입찰참가자격제한행위는 사법상 관념의 통지에 해당한다.
> ㄷ. 공기업이나 준정부기관의 입찰참가자격제한은 계약에 근거할 수도 있고, 행정처분에 해당할 수도 있다.
> ㄹ. 사립학교 교원의 징계는 사립학교의 공적 성격을 고려할 때 행정처분에 해당한다.
> ㅁ. 행정재산의 사용·수익 허가는 강학상 특허로서 공법관계의 일종에 해당한다.

① ㄱ, ㄴ, ㄷ
② ㄱ, ㄷ, ㅁ
③ ㄴ, ㄷ, ㄹ
④ ㄴ, ㄹ, ㅁ
⑤ ㄱ, ㄷ, ㄹ, ㅁ

함께 정리하기

공법과 사법의 관계

공공계약
▷ 사법상 계약

국가기관에 의한 입찰참가자격제한
▷ 행정처분

입찰참가자격 제한조치
▷ 법에 따른 경우 처분○
▷ 계약에 근거한 경우 처분×

사립학교 교원 징계
▷ 사법관계

행정재산의 사용·수익에 대한 허가
▷ 공법관계(강학상 특허)

2021년 국회직 8급

ㄱ. (○) 대판 2020.5.14. 2018다298409

ㄴ. (×) 국가를 당사자로 하는 계약에 관한 법률 제27조 제1항에 의하면, 각 중앙관서의 장은 대통령령이 정하는 바에 의하여 경쟁의 공정한 집행 또는 계약의 적정한 이행을 해칠 염려가 있거나 기타 입찰에 참가시키는 것이 부적합하다고 인정되는 자에 대하여서는 일정기간 입찰참가자격을 제한하여야 한다라고 규정하고, … 입찰참가자격제한처분은 국민의 권리나 이익을 박탈하거나 제재를 가하는 침해적 행정처분으로서 법치행정의 원리상 엄격한 법적 근거를 필요로 하고 또한 그 근거규정의 해석에 있어서도 엄격성을 요하며 그 침해의 범위를 넓히는 방향으로 함부로 유추해석이나 확장해석을 하여서는 아니 된다(대판 2000.10.13. 99두3201).

유제 20. 5급 승진 「국가를 당사자로 하는 계약에 관한 법률」에 의하여 국가의 각 중앙관서의 장이 부정당업자의 입찰참가자격을 제한하는 것은 사법상 행위에 해당한다. (×)

ㄷ. (○) 공기업·준정부기관이 법령 또는 계약에 근거하여 선택적으로 입찰참가자격 제한 조치를 할 수 있는 경우, 계약상대방에 대한 입찰참가자격 제한 조치가 법령에 근거한 행정처분인지 아니면 계약에 근거한 권리행사인지는 원칙적으로 의사표시의 해석 문제이다. 이때에는 공기업·준정부기관이 계약상대방에게 통지한 문서의 내용과 해당 조치에 이르기까지의 과정을 객관적·종합적으로 고찰하여 판단하여야 한다. 그럼에도 불구하고 공기업·준정부기관이 법령에 근거를 둔 행정처분으로서의 입찰참가자격 제한 조치를 한 것인지 아니면 계약에 근거한 권리행사로서의 입찰참가자격 제한 조치를 한 것인지가 여전히 불분명한 경우에는, 그에 대한 불복방법 선택에 중대한 이해관계를 가지는 그 조치 상대방의 인식가능성 내지 예측가능성을 중요하게 고려하여 규범적으로 이를 확정함이 타당하다(대판 2018.10.25. 2016두33537).

ㄹ. (×) 사립학교 교원은 학교법인 또는 사립학교 경영자에 의하여 임면되는 것으로서 사립학교 교원과 학교법인의 관계를 공법상의 권력관계라고는 볼 수 없으므로 사립학교 교원에 대한 학교법인의 해임처분을 취소소송의 대상이 되는 행정청의 처분으로 볼 수 없고, 따라서 학교법인을 상대로 한 불복은 행정소송에 의할 수 없고 민사소송절차에 의할 것이다(대판 1993.2.12. 92누13707).

유제 20. 5급 승진 사립학교 교원과 학교법인의 관계를 공법상의 권력관계라고 볼 수 없으므로 사립학교 교원에 대한 학교법인의 해임처분을 취소소송의 대상이 되는 행정청의 처분으로 볼 수 없다. (○)

ㅁ. (○) 대판 1998.2.27. 97누1105

답 ②

034

공법관계와 사법관계에 대한 설명으로 옳은 것은? (다툼이 있는 경우 판례에 의함)

① 구 「예산회계법」에 따른 입찰보증금의 국고귀속조치는 국가가 공법상의 재산권의 주체로서 행위하는 것으로 그 행위는 공법행위에 속한다.
② 공유재산의 관리청이 행하는 행정재산의 사용·수익에 대한 허가는 순전히 사경제주체로서 행하는 사법상의 법률행위이다.
③ 개발부담금 부과처분이 취소된 후의 부당이득으로서의 과오납금반환에 관한 법률관계는 공법상 법률관계이다.
④ 공익사업을 위한 토지 등의 취득 및 보상에 관한 법령에 의한 협의취득은 사법상의 법률행위이다.

문제 DATA
출제가능 지수 ▶▶▷
난이도 지수 ★★☆

2020년 국가직 7급

① (×) 입찰보증금의 국고귀속조치는 국가가 사법상의 재산권의 주체로서 행위하는 것이지 공권력을 행사하는 것이거나 공권력작용과 일체성을 가진 것이 아니라 할 것이므로 이에 관한 분쟁은 행정소송이 아닌 민사소송의 대상이 될 수밖에 없다(대판 1983.12.27. 81누366).
② (×) 공유재산의 관리청이 행정재산의 사용·수익에 대한 허가는 순전히 사경제주체로서 행하는 사법상의 행위가 아니라 관리청이 공권력을 가진 우월적 지위에서 행하는 행정처분으로서 특정인에게 행정재산을 사용할 수 있는 권리를 설정하여 주는 강학상 특허에 해당하고 … (대판 1998.2.27. 97누1105).
③ (×) 개발부담금 부과처분이 취소된 이상 그 후의 부당이득으로서의 과오납금 반환에 관한 법률관계는 단순한 민사 관계에 불과한 것이고, 행정소송 절차에 따라야 하는 관계로 볼 수 없다(대판 1995.12.22. 94다51253).
④ (○) 공익사업을 위한 토지 등의 취득 및 보상에 관한 법령에 의한 협의취득은 사법상의 법률행위이므로 당사자 사이의 자유로운 의사에 따라 채무불이행책임이나 매매대금 과부족금에 대한 지급의무를 약정할 수 있다(대판 2012.2.23. 2010다91206).

유제 19. 소방직「공익사업을 위한 토지 등의 취득 및 보상에 관한 법률」에 따른 협의취득은 공법관계에 해당한다. (×)
18. 지방직 7급 사업시행자가 공익사업에 필요한 토지를 협의취득하는 행위는 사경제주체로서 행하는 사법상의 법률행위이다. (○)
17. 행정사, 16. 교행, 13. 국회직 8급 판례에 따르면「공익사업을 위한 토지 등의 취득 및 보상에 관한 법률」에 따른 협의취득은 사법관계에 속한다. (○)
16. 국회직 8급·지방직 7급 공익사업을 위한 토지 등의 취득 및 보상에 관한 법령에 의한 협의취득은 사법상의 법률행위이므로 당사자 사이의 자유로운 의사에 따라 채무불이행책임이나 매매대금 과부족금에 대한 지급의무를 약정할 수 있다. (○)

답 ④

함께 정리하기

공법관계와 사법관계

입찰보증금 국고귀속조치
▷ 사법행위

행정재산의 사용·수익에 대한 허가
▷ 공법관계(강학상 특허)

개발부담금 부과처분 취소 후 과오납금 반환
▷ 사법관계(처분×)

협의취득
▷ 사법행위

035

공법관계와 사법관계에 대한 설명으로 옳은 것은? (다툼이 있는 경우 판례에 의함)

① 「행정절차법」은 공법관계는 물론 사법관계에 대해서도 적용된다.
② 공법관계는 행정소송 중 항고소송의 대상이 되며, 사인 간의 법적 분쟁에 관한 사법관계는 행정소송 중 당사자소송의 대상이 된다.
③ 법률관계의 한쪽 당사자가 행정주체인 경우에는 공법관계로 보는 것이 판례의 일관된 입장이다.
④ 입찰보증금의 국고귀속조치는 국가가 사법상의 재산권의 주체로서 행위하는 것이지, 공권력을 행사하는 것이거나 공권력작용과 일체성을 가진 것이 아니라 할 것이다.

문제 DATA
출제가능 지수 ▶▶▷
난이도 지수 ★★☆

함께 정리하기

공법관계와 사법관계

「행정절차법」
▷ 공법관계에만 적용

공법관계
▷ 행정소송의 대상

사법관계
▷ 민사소송의 대상

공법관계 여부
▷ 관계법령을 1차적 기준, 종합 판단

입찰보증금 국고귀속조치
▷ 사법행위

2020년 서울시·지방직·교육행정직 9급

① (×)「행정절차법」은 공법상 행정작용에 관한 일반법으로, 사법작용과는 무관하다.
② (×) 공법관계는 행정소송의 대상이 되며, 사법관계는 민사소송의 대상이 된다.
③ (×) 법률관계의 한쪽 당사자가 행정주체인 경우에 공법관계로 보는 것은 구주체설의 입장이다. 판례는 관계 법령을 1차적 기준으로 보고, 부차적으로 법률관계의 목적과 성질 등 여러 가지 사정을 고려하여 사안마다 개별적으로 판단하는 입장이다.

> 구 도시 및 주거환경정비법상 재개발조합이 공법인(행정주체)이라는 사정만으로 재개발조합과 조합장 또는 조합 임원 사이의 선임·해임 등을 둘러싼 법률관계가 공법상의 법률관계에 해당한다거나 그 조합장 또는 조합임원의 지위를 다투는 소송이 당연히 공법상 당사자소송에 해당한다고 볼 수는 없고, 구 도시 및 주거환경정비법의 규정들이 재개발조합과 조합장 및 조합임원과의 관계를 특별히 공법상의 근무관계로 설정하고 있다고 볼 수도 없으므로, 재개발조합과 조합장 또는 조합임원 사이의 선임·해임 등을 둘러싼 법률관계는 사법상의 법률관계로서 그 조합장 또는 조합임원의 지위를 다투는 소송은 민사소송에 의하여야 할 것이다(대결 2009.9.24. 2009마168).

④ (○) 대판 1983.12.27. 81누366

답 ④

---

036 ☐☐☐

공법과 사법의 구별에 대한 설명으로 옳지 않은 것은? (다툼이 있는 경우 판례에 의함)

① 「국유재산법」상 국유재산의 무단점유자에 대한 변상금 부과는 공권력을 가진 우월적 지위에서 행하는 행정처분이다.
② 국가나 지방자치단체에 근무하는 청원경찰은 「국가공무원법」이나 「지방공무원법」상의 공무원은 아니므로 그 근무관계는 사법상의 고용계약 관계로 볼 수 있다.
③ 구 「예산회계법」상 입찰보증금의 국고귀속조치는 국가가 사법상의 재산권의 주체로서 행위하는 것이다.
④ 조세채무관계는 공법상의 법률관계이고 그에 관한 쟁송은 원칙적으로 행정사건으로서 「행정소송법」의 적용을 받는다.

문제 DATA

출제가능 지수 ▶▶▷
난이도 지수 ★★☆

2020년 군무원 7급

① (○) 대판 1988.2.23. 87누1046·1047
② (×) 국가나 지방자치단체에 근무하는 청원경찰은 국가공무원법이나 지방공무원법상의 공무원은 아니지만, 그 근무관계를 사법상의 고용계약관계로 보기는 어려우므로 그에 대한 징계처분의 시정을 구하는 소는 행정소송의 대상이지 민사소송의 대상이 아니다(대판 1993.7.13. 92다47564).
③ (○) 대판 1983.12.27. 81누366
④ (○) 조세채무가 금전채무라는 사실에서 사법상의 채무와 공통점을 갖지만, 조세채무는 법률의 규정에 의하여 정해지는 법정채무로서 당사자가 그 내용 등을 임의로 정할 수 없고, 조세채무관계는 공법상의 법률관계이고 그에 관한 쟁송은 원칙적으로 행정사건으로서 행정소송법의 적용을 받는다(대판 2007.12.14. 2005다11848).

답 ②

함께 정리하기

공법과 사법의 구별

무단점유자에 대한 변상금 부과
▷ 행정처분

국가나 지자체 청원경찰의 근무관계
▷ 공법관계
▷ 징계처분은 행정소송 대상

입찰보증금 국고귀속조치
▷ 사법행위

조세채무관계
▷ 공법관계

037

대법원 판례의 입장과 다른 것은? (다툼이 있는 경우 판례에 의함)

① 일정한 자격을 갖추고 소정의 절차에 따라 국립대학의 장에 의하여 임용된 조교는 법정된 근무기간동안 신분이 보장되는 「교육공무원법」상의 교육공무원 내지 「국가공무원법」상의 특정직공무원 지위가 부여되지만, 근무관계는 공법상 근무관계가 아닌 사법상의 근로계약관계에 해당한다.
② 행정규칙의 내용이 상위법령에 반하는 것이라면 법치국가원리에서 파생되는 법질서의 통일성과 모순금지 원칙에 따라 그것은 법질서상 당연무효이고, 행정내부적 효력도 인정될 수 없다.
③ 계약직공무원에 관한 현행 법령의 규정에 비추어 볼 때, 계약직공무원 채용계약해지의 의사표시는 일반공무원에 대한 징계처분과는 달라서 항고소송의 대상이 되는 처분 등의 성격을 가진 것으로 인정되지 아니한다.
④ 「국가공무원법」상 당연퇴직은 결격사유가 있을 때 법률상 당연히 퇴직하는 것이지, 공무원관계를 소멸시키기 위한 별도의 행정처분을 요하는 것이 아니며, 당연퇴직의 인사발령은 법률상 당연히 발생하는 퇴직사유를 공적으로 확인하여 알려주는 이른바 관념의 통지에 불과하고 공무원의 신분을 상실시키는 새로운 형성적 행위가 아니므로 행정소송의 대상이 되는 독립한 행정처분이라고 할 수 없다.

2020년 군무원 9급

① (×) 국가공무원법에 의하면, 일정한 자격을 갖추고 소정의 절차에 따라 대학의 장에 의하여 임명된 조교는 법정된 근무기간 동안 신분이 보장되는 교육공무원법상의 교육공무원 내지 국가공무원법상의 특정직공무원 지위가 부여되고, 근무관계는 사법상의 근로계약관계가 아닌 공법상 근무관계에 해당한다 (대판 2019.11.14. 2015두52531).
② (○) 상급 행정기관이 소속 공무원이나 하급 행정기관에 대하여 세부적인 업무처리절차나 법령의 해석·적용 기준을 정해 주는 '행정규칙'은 상위법령의 구체적 위임이 있지 않는 한 행정조직 내부에서만 효력을 가질 뿐 대외적으로 국민이나 법원을 구속하는 효력이 없다. 다만 행정규칙이 이를 정한 행정기관의 재량에 속하는 사항에 관한 것인 때에는 그 규정 내용이 객관적 합리성을 결여하였다는 등의 특별한 사정이 없는 한 법원은 이를 존중하는 것이 바람직하다. 그러나 행정규칙의 내용이 상위법령에 반하는 것이라면 법치국가원리에서 파생되는 법질서의 통일성과 모순금지 원칙에 따라 그것은 법질서상 당연무효이고, 행정내부적 효력도 인정될 수 없다(대판 2019.10.31. 2013두20011).
③ (○) 계약직공무원에 관한 현행 법령의 규정에 비추어 볼 때, 계약직공무원 채용계약해지의 의사표시는 일반공무원에 대한 징계처분과는 달라서 항고소송의 대상이 되는 처분 등의 성격을 가진 것으로 인정되지 아니하고, 일정한 사유가 있을 때에 국가 또는 지방자치단체가 채용계약 관계의 한쪽 당사자로서 대등한 지위에서 행하는 의사표시로 취급되는 것으로 이해되므로, 이를 징계해고 등에서와 같이 그 징계사유에 한하여 효력 유무를 판단하여야 하거나, 행정처분과 같이 행정절차법에 의하여 근거와 이유를 제시하여야 하는 것은 아니다(대판 2002.11.26. 2002두5948).
④ (○) 국가공무원법상 당연퇴직은 결격사유가 있을 때 법률상 당연히 퇴직하는 것이지 공무원관계를 소멸시키기 위한 별도의 행정처분을 요하는 것이 아니며, 당연퇴직의 인사발령은 법률상 당연히 발생하는 퇴직사유를 공적으로 확인하여 알려주는 이른바 관념의 통지에 불과하고 공무원의 신분을 상실시키는 새로운 형성적 행위가 아니므로 행정소송의 대상이 되는 독립한 행정처분이라고 할 수 없다(대판 1995.11.14. 95누2036).

답 ①

문제 DATA
출제가능 지수 ▶▶▷
난이도 지수 ★★☆

함께 정리하기

판례 정리

「교육공무원법」 등에 따라 임용된 조교의 근무관계
▷ 공법관계

행정규칙이 상위법령 위반
▷ 당연무효
▷ 행정내부적 효력도 ×

계약직공무원 채용계약해지
▷ 행정처분 ×

당연퇴직 인사발령
▷ 행정처분 ×

문제 DATA

출제가능 지수 ▶▶▷
난이도 지수 ★★★

038 □□□

공법관계와 사법관계에 대한 설명으로 옳은 것만을 <보기>에서 모두 고른 것은? (다툼이 있는 경우 판례에 의함)

<보기>
ㄱ. 조달청이 국가종합전자조달시스템인 나라장터 종합쇼핑몰에 거래정지조치를 하는 것은 처분으로서 공법관계에 속한다.
ㄴ. 「초·중등교육법」상 사립중학교에 대한 중학교 의무교육의 위탁관계는 사법관계에 속한다.
ㄷ. 공용수용의 목적물이 불필요하게 된 경우 피수용자가 다시 수용된 토지의 소유권을 회복할 수 있도록 하는 환매권은 일종의 공권이다.
ㄹ. 사립학교 교원에 대한 징계는 사법관계이나 그에 대해 교원소청심사가 제기되어 그에 대한 결정이 있으면 그 결정은 공법의 문제가 된다.

① ㄱ, ㄴ
② ㄱ, ㄷ
③ ㄱ, ㄹ
④ ㄴ, ㄹ
⑤ ㄴ, ㄷ, ㄹ

2020년 국회직 8급

ㄱ. (○) 甲 주식회사가 조달청과 물품구매계약을 체결하고 국가종합전자조달시스템인 나라장터 종합쇼핑몰 인터넷 홈페이지를 통해 요구받은 제품을 수요기관에 납품하였는데, 조달청이 계약이행내역 점검 결과 일부 제품이 계약 규격과 다르다는 이유로 물품구매계약 추가특수조건 규정에 따라 甲 회사에 대하여 6개월의 나라장터 종합쇼핑몰 거래정지 조치를 한 사안에서, 위 거래정지 조치는 항고소송의 대상이 되는 행정처분에 해당한다(대판 2018.11.29. 2015두52395).

ㄴ. (×) 중학교 의무교육의 위탁관계는 초·중등교육법 제12조 제3항·제4항 등 관련 법령에 의하여 정해지는 공법적 관계로서, 대등한 당사자 사이의 자유로운 의사를 전제로 사익 상호간의 조정을 목적으로 하는 민법 제688조의 수임인의 비용상환청구권에 관한 규정이 그대로 준용된다고 보기도 어렵다(대판 2015.1.29. 2012두7387).

유제 18. 교행 「초·중등교육법」상 사립중학교에 대한 중학교 의무교육의 위탁관계는 사법관계에 속한다. (×)
19. 군무원 9급 중학교 의무교육 위탁관계는 공법관계에 해당한다. (○)

ㄷ. (×) 징발재산정리에 관한 특별조치법 제20조 소정의 환매권은 일종의 형성권으로서 그 존속기간은 제척기간으로 보아야 할 것이며, 위 환매권은 재판상이든 재판외든 그 기간 내에 행사하면 이로써 매매의 효력이 생기고, 위 매매는 같은 조 제1항에 적힌 환매권자와 국가 간의 사법상의 매매라 할 것이다 (대판 1992.4.24. 92다4673).

유제 16. 경찰 2차 「징발재산정리에 관한 특별조치법」 제20조 소정의 환매권의 행사는 공법관계에 해당한다. (×)
15. 서울시 9급 판례에 따를 때, 환매권의 행사는 사법관계에 해당한다. (○)

ㄹ. (○) 사립학교 교원에 대한 징계 기타 불이익 처분은 행정처분이 아닌 사법상의 행위이고 이에 대해 교원소청심사가 제기되어 소청심사위원회의 결정이 있으면 그 결정이 행정처분이 된다.

사립학교 교원에 대한 징계처분의 경우에는 학교법인 등의 징계처분은 행정처분성이 없는 것이고 그에 대한 소청심사청구에 따라 위원회가 한 결정이 행정처분이고 교원이나 학교법인 등은 그 결정에 대하여 행정소송으로 다투는 구조가 되므로, 행정소송에서의 심판대상은 학교법인 등의 원 징계처분이 아니라 위원회의 결정이 되고, 따라서 피고도 행정청인 위원회가 되는 것이며, 법원이 위원회의 결정을 취소한 판결이 확정된다고 하더라도 위원회가 다시 그 소청심사청구사건을 재심사하게 될 뿐 학교법인 등이 곧바로 위 판결의 취지에 따라 재징계 등을 하여야 할 의무를 부담하는 것은 아니다(대판 2013.7.25. 2012두12297).

답 ③

함께 정리하기

공법관계와 사법관계

조달청장의 나라장터 종합쇼핑몰 거래 정지조치
▷ 공법관계(행정처분)

중학교 의무교육 위탁관계
▷ 공법관계

환매권 행사
▷ 사법관계

사립학교 교원 징계
▷ 사법관계

039

공법관계와 사법관계에 대한 설명으로 가장 옳지 않은 것은? (다툼이 있는 경우 판례에 의함)

① 국유재산의 관리청이 그 무단점유자에 대하여 하는 변상금부과처분은 순전히 사경제 주체로서 행하는 사법상의 법률행위라 할 수 없고 이는 공권력을 가진 우월적 지위에서 행한 행정처분이다.
② 국가나 지방자치단체에 근무하는 청원경찰은 「국가공무원법」이나 「지방공무원법」상의 공무원이므로, 그 근무관계를 사법상의 고용계약관계로 보기는 어려워 그에 대한 징계처분의 시정을 구하는 소는 행정소송의 대상이지 민사소송의 대상이 아니다.
③ 행정재산의 사용·수익허가처분의 성질에 비추어 국민에게는 행정재산의 사용·수익허가를 신청할 법규상 또는 조리상의 권리가 있다고 할 것이므로 공유재산의 관리청이 행정재산의 사용·수익에 대한 허가 신청을 거부한 행위 역시 행정처분에 해당한다.
④ 국가의 철도운행사업은 국가가 공권력의 행사로서 하는 것이 아니고 사경제적 작용이라 할 것이므로, 이로 인한 사고에 공무원이 간여하였다고 하더라도 국가배상법을 적용할 것이 아니고 일반 「민법」의 규정에 따라야 한다.

> 2020년 경찰 2차

① (○) 대판 1988.2.23. 87누1046·1047
② (×) 국가나 지방자치단체에 근무하는 청원경찰은 국가공무원법이나 지방공무원법상의 공무원은 아니지만, 다른 청원경찰과는 달리 그 임용권자가 행정기관의 장이고, 국가나 지방자치단체로부터 보수를 받으며, 산업재해보상보험법이나 근로기준법이 아닌 공무원연금법에 따른 재해보상과 퇴직급여를 지급받고, 직무상의 불법행위에 대하여도 민법이 아닌 국가배상법이 적용되는 등의 특질이 있으며 그외 임용자격, 직무, 복무의무 내용 등을 종합하여 볼 때, 그 근무관계를 사법상의 고용계약관계로 보기는 어려우므로 그에 대한 징계처분의 시정을 구하는 소는 행정소송의 대상이지 민사소송의 대상이 아니다 (대판 1993.7.13. 92다47564).
③ (○) 공유재산의 관리청이 행정재산의 사용·수익에 대한 허가는 순전히 사경제주체로서 행하는 사법상의 행위가 아니라 관리청이 공권력을 가진 우월적 지위에서 행하는 행정처분으로서 특정인에게 행정재산을 사용할 수 있는 권리를 설정하여 주는 강학상 특허에 해당하고, 이러한 행정재산의 사용·수익허가처분의 성질에 비추어 국민에게는 행정재산의 사용·수익허가를 신청할 법규상 또는 조리상의 권리가 있다고 할 것이므로 공유재산의 관리청이 이러한 신청을 거부한 행위 역시 행정처분에 해당한다고 할 것이다(대판 1998.2.27. 97누1105).
④ (○) 국가 또는 지방자치단체라 할지라도 공권력의 행사가 아니고 단순한 사경제의 주체로 활동하였을 경우에는 그 손해배상책임에 국가배상법이 적용될 수 없고 민법상의 사용자책임 등이 인정되는 것이고 국가의 철도운행사업은 국가가 공권력의 행사로서 하는 것이 아니고 사경제적 작용이라 할 것이므로, 이로 인한 사고에 공무원이 간여하였다고 하더라도 국가배상법을 적용할 것이 아니고 일반 민법의 규정에 따라야 한다(대판 1999.6.22. 99다7008).

답 ②

공법관계와 사법관계

국유재산무단점유자 변상금 부과처분
▷ 처분

국가나 지자체 청원경찰
▷ 공무원×
▷ But 근무관계는 공법관계(징계처분은 행정소송 대상)

행정재산의 사용·수익에 대한 허가
▷ 공법관계(강학상 특허)

국가의 철도운행사업
▷ 사경제적 작용
▷ 「민법」 적용(「국가배상법」×)

040

다음 중 공법관계에 해당하지 않는 것은? (다툼이 있는 경우 판례에 의함)

① 「공익사업을 위한 토지 등의 취득 및 보상에 관한 법률」에 따른 협의취득
② 공공하수도의 이용관계
③ 시립합창단원의 위촉
④ 미지급된 공무원 퇴직연금의 지급청구

📋 **함께 정리하기**

공법관계
▷ 토지보상법상 협의취득✕
▷ 공공하수도의 이용관계○
▷ 시립합창단원 위촉○
▷ 미지급된 공무원 퇴직연금의 지급청구○

2019년 소방직

① (✕) 공익사업을 위한 토지 등의 취득 및 보상에 관한 법령에 의한 협의취득은 사법상의 법률행위이므로 당사자 사이의 자유로운 의사에 따라 채무불이행책임이나 매매대금 과부족금에 대한 지급의무를 약정할 수 있다(대판 2012.2.23. 2010다91206).

② (○) 공공하수도의 이용관계는 공법관계라고 할 것이다(대판 2003.6.24. 2001두8865).

유제 09. 지방직 7급 판례에 의할 때 공공하수도의 이용관계는 사법관계에 해당한다. (✕)

③ (○) 광주광역시문화예술회관장의 광주광역시립합창단원 위촉은 공법상의 근무관계의 설정을 목적으로 하여 광주광역시와 단원이 되고자 하는 자 사이에 대등한 지위에서 의사가 합치되어 성립하는 공법상 근로계약에 해당한다(대판 2001.12.11. 2001두7794).

유제 13. 국회직 8급 판례에 따르면 시립합창단원의 위촉은 공법관계에 해당된다. (○)

13. 국가직 7급 (A는 B광역시 시립합창단의 단원으로 3년간 위촉되어 활동하는 내용의 계약을 B광역시 문화예술회관장 C와 체결하였다. 시립합창단원의 지위는 지방공무원의 지위와 거의 유사한 것으로 규정되어 있다. A는 위촉기간인 3년이 만료되면서 합창단원 재위촉신청을 하였으나, C는 A의 실기와 근무성적에 대한 평정을 실시한 후 재위촉을 하지 않은 사안에서) 위촉은 공법상의 근무관계의 설정을 목적으로 하여 B광역시와 A사이에 대등한 지위에서 의사가 합치되어 성립되는 공법상 근로계약이다. (○)

④ (○) 공무원연금관리공단이 퇴직연금 중 일부 금액에 대하여 지급거부의 의사표시를 하였다고 하더라도 그 의사표시는 사실상·법률상 의견을 밝힌 것일 뿐이어서, 이를 행정처분이라고 볼 수는 없고, 이 경우 미지급퇴직연금에 대한 지급청구권은 공법상 권리로서 그의 지급을 구하는 소송은 공법상의 법률관계에 관한 소송인 공법상 당사자소송에 해당한다(대판 2004.7.8. 2004두244).

답 ①

📊 **문제 DATA**

출제가능 지수 ▶▶▷
난이도 지수 ★★☆

041 □□□

다음 중 공법관계에 해당하는 것을 모두 고른 것은?

> ㄱ. 국유일반재산에 대한 대부료 납입고지
> ㄴ. 입찰보증금 국고귀속조치
> ㄷ. 창덕궁 비원 안내원의 채용계약
> ㄹ. 국유재산 무단점유자에 대한 변상금 부과
> ㅁ. 국가 또는 지방자치단체에 근무하는 청원경찰의 근무관계

① ㄱ, ㄴ   ② ㄱ, ㄹ
③ ㄷ, ㅁ   ④ ㄹ, ㅁ

📋 **함께 정리하기**

공법관계와 사법관계

일반재산 대부료 납부고지
▷ 사법행위

입찰보증금 국고귀속조치
▷ 사법행위

창덕궁 비원 안내원의 채용계약
▷ 사법행위

국유재산무단점유자 변상금 부과처분
▷ 공법관계(처분)

국가나 지자체 청원경찰의 근무관계
▷ 공법관계(징계처분은 행정소송 대상)

2019년 군무원 9급

ㄱ. (✕) 국유잡종재산에 관한 관리 처분의 권한을 위임받은 기관이 국유잡종재산을 대부하는 행위는 국가가 사경제 주체로서 상대방과 대등한 위치에서 행하는 사법상의 계약이고, 국유잡종재산에 관한 대부료의 납부고지 역시 사법상의 이행청구에 해당하고, 이를 행정처분이라고 할 수 없다(대판 2000.2.11. 99다61675).

ㄴ. (✕) 입찰보증금의 국고귀속조치는 국가가 사법상의 재산권의 주체로서 행위하는 것이지 공권력을 행사하는 것이거나 공권력작용과 일체성을 가진 것이 아니라 할 것이므로 이에 관한 분쟁은 행정소송이 아닌 민사소송의 대상이 될 수밖에 없다(대판 1983.12.27. 81누366).

ㄷ. (✕) 판례는 창덕궁 비원 안내원들의 근무관계를 사법관계로 보았다(대판 1995.10.13. 95다184).

ㄹ. (○) 대판 1988.2.23. 87누1046·1047

ㅁ. (○) 대판 1993.7.13. 92다47564

답 ④

042 ☐☐☐

행정상 법률관계에 대한 설명으로 옳은 것을 <보기>에서 고른 것은?

<보기>
ㄱ. 공법관계와 사법관계는 1차적으로 관계법령의 규정 내용과 성질 등을 기준으로 구별한다.
ㄴ. 행정상 법률관계를 공법관계와 사법관계로 구분하는 것은 각각의 소송절차와도 관련된다.
ㄷ. 「초·중등교육법」상 사립중학교에 대한 중학교 의무교육의 위탁관계는 사법관계에 속한다.
ㄹ. 행정사법(行政私法) 영역에서는 사법이 적용되며, 공법원리는 추가로 적용될 수 없다.

① ㄱ, ㄴ
② ㄱ, ㄷ
③ ㄴ, ㄹ
④ ㄷ, ㄹ

2018년 교육행정직

ㄱ. (○) 공법관계와 사법관계의 구별은 1차적으로 실정법상 명문규정에 따라 관계법령의 규정 내용과 성질 등을 기준으로 구별하고, 2차적으로 당해법규가 규율하고 있는 목적과 내용에 따라 법률관계의 성질을 기준으로 구별한다.

ㄴ. (○) 공법관계에 대한 소송은 행정법원에서의 행정소송으로 진행하지만, 사법관계에 대한 소송은 일반법원에서 민사소송으로 진행하는 점 등 소송절차와 관련하여서도 구별의 실익을 가진다.

ㄷ. (×) 중학교 의무교육의 위탁관계는 초·중등교육법 제12조 제3항·제4항 등 관련 법령에 의하여 정해지는 공법적 관계로서, 대등한 당사자 사이의 자유로운 의사를 전제로 사익 상호간의 조정을 목적으로 하는 민법 제688조의 수임인의 비용상환청구권에 관한 규정이 그대로 준용된다고 보기도 어렵다(대판 2015.1.29. 2012두7387).

ㄹ. (×) 행정사법관계란 행정주체가 공행정작용을 수행하는데 그 수단으로 사법적 형식을 빌려오는 것을 말한다. 철도사업, 우편사업, 시영버스사업 등이 여기에 포함된다. 수단이 사법적 형식이므로 사법규정이 적용되며 그 분쟁 역시 민사소송에 의한다. 다만, 이른바 '사법으로의 도피' 방지를 위하여 공법규정이나 공법원리에 의하여 기속을 받게 되므로 공법원리가 추가적으로 적용될 수 있다.

답 ①

함께 정리하기
공법관계와 사법관계

공법관계와 사법관계의 구별
▷ 1차적으로 관계법령 규정 내용과 성질에 따라 구별
▷ 2차적으로 법률관계 성질에 따라 구별

공법관계소송
▷ 행정소송

사법관계소송
▷ 민사소송

중학교 의무교육 위탁관계
▷ 공법관계

행정사법관계
▷ 사법규정에 공법원리 추가적 적용

043 ☐☐☐

공법상 법률관계에 해당하는 것을 모두 고른 것은? (다툼이 있는 경우 판례에 의함)

ㄱ. 재개발조합과 조합임원사이의 해임에 관한 법률관계
ㄴ. 국가의 부가가치세 환급세액 지급관계
ㄷ. 국가에서 근무하는 청원경찰의 근무관계
ㄹ. 일반재산인 국유림의 대부관계

① ㄱ, ㄴ
② ㄱ, ㄷ
③ ㄱ, ㄹ
④ ㄴ, ㄷ
⑤ ㄷ, ㄹ

ㄱ. (×) 구 도시 및 주거환경정비법상 재개발조합이 공법인이라는 사정만으로 공법상 당사자소송에 해당한다고 볼 수는 없고, 재개발조합과 조합장 또는 조합임원 사이의 선임·해임 등을 둘러싼 법률관계는 사법상의 법률관계로서 그 조합장 또는 조합임원의 지위를 다투는 소송은 민사소송에 의하여야 할 것이다(대결 2009.9.24. 2009마168).

ㄴ. (○) 납세의무자에 대한 국가의 부가가치세 환급세액 지급의무는 그 납세의무자로부터 어느 과세기간에 과다하게 거래징수된 세액 상당을 국가가 실제로 납부받았는지와 관계없이 부가가치세법령의 규정에 의하여 직접 발생하는 것으로서, 그 법적 성질은 부당이득 반환의무가 아니라 부가가치세법령에 의하여 그 존부나 범위가 구체적으로 확정되고 조세 정책적 관점에서 특별히 인정되는 공법상 의무라고 봄이 타당하다. 그렇다면 국가에 대한 납세의무자의 부가가치세 환급세액 지급청구는 민사소송이 아니라 당사자소송의 절차에 따라야 한다(대판 2013.3.21. 2011다95564 전합).

유제 17. 행정사 판례에 의하면 국가에 대한 납세의무자의 부가가치세 환급세액 지급청구는 공법상 법률관계에 해당한다. (○)

ㄷ. (○) 대판 1993.7.13. 92다47564

ㄹ. (×) 국유잡종재산에 관한 관리 처분의 권한을 위임받은 기관이 국유잡종재산을 대부하는 행위는 국가가 사경제 주체로서 상대방과 대등한 위치에서 행하는 사법상의 계약이고, 국유잡종재산에 관한 대부료의 납부고지 역시 사법상의 이행청구에 해당하고, 이를 행정처분이라고 할 수 없다(대판 2000.2.11. 99다61675).

답 ④

044

공법과 사법의 구별에 대한 설명으로 옳지 않은 것을 <보기>에서 모두 고르면? (다툼이 있는 경우 판례에 의함)

<보기>
ㄱ. 공법과 사법의 구별기준에 대한 신주체설은 국가나 지방자치단체 등의 행정주체가 관련되는 법률관계를 공법관계로 보고 사인 간의 법률관계는 사법관계로 본다.
ㄴ. 대법원은 국가나 지방자치단체가 당사자가 되는 공공계약(조달계약)은 상대방과 대등한 관계에서 체결하는 공법상의 계약으로 본다.
ㄷ. 대법원은 행정재산의 목적 외 사용에 해당하는 사인에 대한 행정재산의 사용·수익 허가를 강학상 특허로 보고 있다.
ㄹ. 대법원은 석탄가격안정지원금 지급청구권은 석탄산업법령에 의하여 정책적으로 당연히 부여되는 공법상 권리이므로 지원금의 지급을 구하는 소송은 공법상 당사자소송의 대상이 된다고 본다.
ㅁ. 대법원은 지방자치단체가 공공조달계약 입찰을 일정 기간 동안 제한하는 부정당업자 제재는 사법상의 통지행위에 불과하다고 본다.

① ㄴ, ㅁ
② ㄷ, ㄹ
③ ㄱ, ㄴ, ㅁ
④ ㄱ, ㄷ, ㄹ
⑤ ㄱ, ㄴ, ㄷ, ㅁ

| 2017년 국회직 8급

ㄱ. (×) 신주체설(귀속설)은 공권력 주체로서의 행정주체에게만 배타적으로 권리·의무를 종속시키는 경우에는 공법관계, 그 외에 모든 권리주체에게 권리·의무를 귀속시키는 것을 사법관계라고 하는 견해이다. 지문은 구주체설에 대한 설명에 해당한다.

관련 이론 공법 및 사법 구별에 관한 학설

이익설	• 법이 규율하는 목적에 기준을 두어 전적으로 또는 우선적으로 공익에 봉사하는 법을 공법이라 하고 사익에 봉사하는 법을 사법이라 한다. • 그러나 공익과 사익의 구별기준이 모호하고 상당수의 공법규정들이 공익뿐만 아니라 사익보호를 목적으로 하고 있으며, 사법규정 중에서도 공익보호를 목적으로 하는 규정이 있을 수 있다는 비판을 받고 있다.
종속설 (복종설, 성질설)	• 법률관계의 당사자들의 관계가 상하관계(지배복종관계)인가 대등관계인가에 따라 공·사법을 구별하는데 상하관계에 적용되는 법을 공법이라 하고 대등관계에 적용되는 법을 사법이라고 한다. • 그러나 사법관계에서도 친자관계나 사용자 관계 같은 복종관계가 있고 공법관계에도 공법상의 계약과 같이 대등관계가 있다는 비판을 받고 있다.
구주체설	• 법률관계의 주체를 기준으로 하여 적어도 한 당사자가 국가 또는 기타의 행정주체로 되어 있는 법률관계를 규율하는 법이 공법이고 사인 상호간의 법률관계를 규율하는 법이 사법이라고 한다. • 그러나 행정주체도 사인의 지위(국고적 지위)에서 활동할 때에는 사법의 적용을 받으며 사인도 공권을 부여받으면 행정주체의 지위에서 활동할 수 있다는 비판을 받는다.
귀속설 (신주체설)	• 공권력 주체로서의 행정주체에게만 배타적으로 권리·의무를 종속시키는 경우에는 공법관계, 모든 권리주체에게 권리·의무를 귀속시키는 것을 사법관계라고 하는 견해로서 볼프(Wolff)에 의해 주장되었다. • 그러나 귀속설 역시 국가의 행정작용이 법집행작용이 아닌 사실행위인 경우 공사법의 구별에 어려움이 있다.
생활관계설	• 국민으로서의 생활관계와 사인으로서의 생활관계로 나누어 전자를 규율하는 것을 공법, 후자를 규율하는 것을 사법이라 한다. • 그러나 그 구별기준이 불명확하고 국민과 사인의 구별을 위하여 다시 논의가 필요하여 논리의 순환에 빠지게 된다는 비판을 받고 있다.

ㄴ. (×) 지방재정법에 의하여 준용되는 국가계약법(국가를 당사자로 하는 계약에 관한 법률)에 따라 지방자치단체가 당사자가 되는 이른바 공공계약은 사경제의 주체로서 상대방과 대등한 위치에서 체결하는 사법상의 계약으로서 사적 자치와 계약자유의 원칙 등 사법의 원리가 그대로 적용된다 할 것이다(대판 2001.12.11. 2001다33604).

유제 17. 국가직 7급 「지방자치단체를 당사자로 하는 계약에 관한 법률」에 따라, 지방자치단체가 당사자가 되는 이른바 공공계약은 본질적인 내용이 사인 간의 계약과 다를 바가 없다. (○)

ㄷ. (○) 대판 1998.2.27. 97누1105

ㄹ. (○) 석탄가격안정지원금은 국가정책적 차원에서 지급하는 지원비의 성격을 갖는 것이고, 지원금지급청구권은 석탄사업법령에 의하여 정책적으로 당연히 부여되는 공법상의 권리이므로, 석탄광업자가 석탄산업합리화사업단을 상대로 지원금의 지급을 구하는 소송은 공법상의 법률관계에 관한 소송인 공법상의 당사자소송에 해당한다(대판 1997.5.30. 95다28960).

ㅁ. (×) 대법원은 지방자치단체의 부정당업자에 대한 입찰 참가 제한에 대하여 처분에 해당한다는 점을 전제로 판시한 바 있다.

> 지방자치단체의 장인 피고가 행하는 부정당업자에 대한 입찰참가자격 제한 … 위와 같은 침익적 행정처분의 근거가 되는 행정법규는 엄격하게 해석·적용하여야 하고 행정처분의 상대방에게 불리한 방향으로 지나치게 확장해석하거나 유추해석 하여서는 안 되며, 그 입법 취지와 목적 등을 고려한 목적론적 해석이 전적으로 배제되는 것은 아니라 하더라도 그 해석이 문언의 통상적인 의미를 벗어나서는 안 될 것이다(대판 2008.2.28. 2007두13791·13807).

답 ③

함께 정리하기

공·사법의 구별

신주체설
▷ 권리·의무 귀속주체에 따라 구별

공공계약
▷ 사법상 계약

행정재산 사용·수익 허가
▷ 공법관계(강학상 특허)

석탄가격안정지원금청구권
▷ 공법상 권리

지방자치단체의 부정당업자 입찰참가제한
▷ 처분

제2절 | 행정법의 법원(法源)

001 ☐☐☐

행정법의 법원(法源)에 대한 설명으로 옳지 않은 것은? (다툼이 있는 경우 판례에 의함)

① 대법원의 판례가 법률해석의 일반적인 기준을 제시한 경우에 유사한 사건을 재판하는 하급심법원의 법관은 판례의 견해를 존중하여 재판하여야 하는 것이기 때문에, 판례가 사안이 서로 다른 사건을 재판하는 하급심법원도 직접 기속하는 효력이 있다.

② 만일 법률에 따른 개인의 행위가 단지 법률이 반사적으로 부여하는 기회의 활용을 넘어서 국가에 의하여 일정 방향으로 유인된 것이라면 특별히 보호가치가 있는 신뢰이익이 인정될 수 있고, 원칙적으로 개인의 신뢰보호가 국가의 법률개정이익에 우선된다고 볼 여지가 있다.

③ 지방식품의약품안전청장이 수입 녹용 중 전지 3대를 절단부위로부터 5cm까지의 부분을 절단하여 측정한 회분함량이 기준치를 0.5% 초과하였다는 이유로 수입 녹용 전부에 대하여 전량 폐기 또는 반송처리를 지시한 처분은 재량권의 일탈·남용에 해당하지 않는다.

④ 국가공무원이 「국가공무원법」상 정치운동의 금지 규정을 위반한 경우에 징역형과 자격정지형을 필요적으로 병과하는 「국가공무원법」 제84조 제1항이 헌법상 평등원칙, 비례원칙에 위반된다고 볼 수 없다.

2025년 소방직

① (×) 대법원의 판례가 법률해석의 일반적인 기준을 제시한 경우에 유사한 사건을 재판하는 하급심법원의 법관은 판례의 견해를 존중하여 재판하여야 하는 것이나, 판례가 사안이 서로 다른 사건을 재판하는 하급심법원을 직접 기속하는 효력이 있는 것은 아니다(대판 1996.10.25. 96다31307).

② (○) 개인의 신뢰이익에 대한 보호가치는 법령에 따른 개인의 행위가 국가에 의하여 일정방향으로 유인된 신뢰의 행사인지, 아니면 단지 법률이 부여한 기회를 활용한 것으로서 원칙적으로 사적 위험부담의 범위에 속하는 것인지 여부에 따라 달라진다. 만일 법률에 따른 개인의 행위가 단지 법률이 반사적으로 부여하는 기회의 활용을 넘어서 국가에 의하여 일정 방향으로 유인된 것이라면 특별히 보호가치가 있는 신뢰이익이 인정될 수 있고, 원칙적으로 개인의 신뢰보호가 국가의 법률개정이익에 우선된다고 볼 여지가 있다. 그런데, 이 사건 법률조항의 경우 국가가 입법을 통하여 개인의 행위를 일정방향으로 유도하였다고 볼 수는 없고, 따라서 청구인의 징집면제연령에 관한 기대 또는 신뢰는 단지 법률이 부여한 기회를 활용한 것으로서 원칙적으로 사적 위험부담의 범위에 속하는 것이다(헌재 2002.11.28. 2002헌바45).

③ (○) 지방식품의약품안전청장이 수입 녹용 중 전지 3대를 절단부위로부터 5cm까지의 부분을 절단하여 측정한 회분함량이 기준치를 0.5% 초과하였다는 이유로 수입 녹용 전부에 대하여 전량 폐기 또는 반송처리를 지시한 경우, 녹용 수입업자가 입게 될 불이익이 의약품의 안전성과 유효성을 확보함으로써 국민보건의 향상을 기하고 고가의 한약재인 녹용에 대하여 부적합한 수입품의 무분별한 유통을 방지하려는 공익상 필요보다 크다고는 할 수 없으므로 위 폐기 등 지시처분이 재량권을 일탈·남용한 경우에 해당하지 않는다(대판 2006.4.14. 2004두3854).

④ (○) 국가공무원의 투표권유운동을 금지·처벌하는 국가공무원법 제65조 제2항 제1호, 제84조 제1항과 국가공무원의 선거운동을 금지·처벌하는 공직선거법 제60조 제1항 제4호, 제255조 제1항 제2호가 과잉금지원칙을 위반하여 공무원의 정치적 표현의 자유를 침해한다고 볼 수 없다. 국가공무원법 제65조를 위반한 경우에 징역형과 자격정지형을 필요적으로 병과하는 같은 법 제84조 제1항이 헌법상 평등원칙, 비례원칙에 위반된다고 볼 수도 없다(대판 2024.8.29. 2021도11919).

문제 DATA

출제가능 지수 ▶▶▷
난이도 지수 ★★☆

함께 정리하기

행정법의 법원(法源)

대법원 판례
▷ 다른 사건에 대한 직접적 기속력 無

법률에 따른 개인의 행위가 단지 법률이 부여한 기회를 활용
▷ 신뢰이익 인정 ×

기준치 0.5% 초과 이유로 수입 녹용 전량 폐기
▷ 재량권 일탈·남용 ×

국가공무원이 정치운동 금지규정 위반시 징역형과 자격정지형을 필요적으로 병과
▷ 합헌

> 「국가공무원법」 제84조【정치 운동죄】① 제65조를 위반한 자는 3년 이하의 징역과 3년 이하의 자격정지에 처한다.
> 제65조【정치 운동의 금지】① 공무원은 정당이나 그 밖의 정치단체의 결성에 관여하거나 이에 가입할 수 없다.
> ② 공무원은 선거에서 특정 정당 또는 특정인을 지지 또는 반대하기 위한 다음의 행위를 하여서는 아니 된다.
> 1. 투표를 하거나 하지 아니하도록 권유 운동을 하는 것
> 2. 서명 운동을 기도(企圖)·주재(主宰)하거나 권유하는 것
> 3. 문서나 도서를 공공시설 등에 게시하거나 게시하게 하는 것
> 4. 기부금을 모집 또는 모집하게 하거나, 공공자금을 이용 또는 이용하게 하는 것
> 5. 타인에게 정당이나 그 밖의 정치단체에 가입하게 하거나 가입하지 아니하도록 권유 운동을 하는 것
> ③ 공무원은 다른 공무원에게 제1항과 제2항에 위배되는 행위를 하도록 요구하거나, 정치적 행위에 대한 보상 또는 보복으로서 이익 또는 불이익을 약속하여서는 아니 된다.
> ④ 제3항 외에 정치적 행위의 금지에 관한 한계는 대통령령등으로 정한다.

답 ①

002

판례의 입장으로 옳지 않은 것은?

① 입학전형 이의신청을 거부하는 경우 국립대학교 총장은 공권력을 행사하는 주체이자 기본권 수범자로서의 지위를 갖는다.
② '환경오염 발생 우려'와 같이 장래에 발생할 불확실한 상황과 파급효과에 대한 예측이 필요한 요건에 관한 행정청의 재량적 판단은 그 내용이 현저히 합리성을 결여하였다거나 상반되는 이익이나 가치를 대비해 볼 때 형평이나 비례의 원칙에 뚜렷하게 배치되는 등의 사정이 없는 한 폭넓게 존중하여야 한다.
③ WTO 협정에 따른 회원국 정부의 반덤핑부과처분이 WTO 협정위반이라는 이유만으로 사인이 직접 국내 법원에 회원국 정부를 상대로 그 처분의 취소를 구하는 소를 제기할 수 있다.
④ 행정처분은 그 근거 법령이 개정된 경우에도 경과규정에서 달리 정함이 없는 한 처분 당시 시행되는 개정 법령과 거기에서 정한 기준에 의하는 것이 원칙이고, 그러한 개정 법령의 적용과 관련하여서는 개정 전 법령의 존속에 대한 국민의 신뢰가 개정 법령의 적용에 관한 공익상의 요구보다 더 보호가치가 있다고 인정되는 경우에 그러한 국민의 신뢰를 보호하기 위하여 그 적용이 제한될 수 있는 여지가 있다.

2024년 지방직 7급

① (O)

[1] 국립대학교 총장은 공권력을 행사하는 주체이자 기본권 수범자로서의 지위를 갖는다. 그 결과 사적 단체 또는 사인의 경우 차별처우가 사회공동체의 건전한 상식과 법감정에 비추어 볼 때 도저히 용인될 수 있는 한계를 벗어난 경우에 한해 사회질서에 위반되는 행위로서 위법한 행위로 평가되는 것과 달리, 국립대학교 총장은 헌법상 평등원칙의 직접적인 구속을 받고, 국민의 기본권을 보호 내지 실현할 책임과 의무를 부담하므로, 그 차별처우의 위법성이 보다 폭넓게 인정된다.
[2] 국립대학교 법학전문대학원에 입학원서를 제출한 제칠일안식일예수재림교 신자 甲이 1단계 서류전형 평가 합격 통지와 함께 토요일 오전반으로 면접고사 일정이 지정되자, 토요일 일몰 전에 세속적 행위를 금지하는 안식일에 관한 종교적 신념을 지키기 위해 면접 일정을 토요일 오후 마지막 순번으로 변경해 달라는 취지의 이의신청서를 제출했으나, 총장이 이를 거부하고 면접평가에 응시하지 않은 甲에게 불합격 통지를 한 사안에서, 甲의 면접일시 변경을 거부함으로써 甲이 종교적 신념을

문제 DATA

출제가능 지수 ▶▶▷
난이도 지수 ★★☆

함께 정리하기

판례

입학전형 이의신청 거부
▷ 국립대학교 총장: 공권력행사의 주체 & 기본권 수범자

'환경오염 발생 우려'와 같은 미래예측결정에 관한 요건 판단
▷ 재량행위

WTO 협정 위반
▷ 사인은 제소 불가
▷ 독립된 취소사유로 주장 불가

구법 존속에 대한 국민의 신뢰 > 신법 적용에 관한 공익상 요구
▷ 신법적용 제한 可

이유로 받게 된 중대한 불이익을 방치한 총장의 행위는 헌법상 평등원칙을 위반한 것으로 위법하고, 위법하게 지정된 면접일정에 응시하지 않았음을 이유로 한 불합격처분은 취소되어야 한다고 한 사례 (대판 2024.4.4. 2022두56661)

② (○) 국토계획법 제56조 제1항에 의한 개발행위허가는 허가기준 및 금지요건이 불확정개념으로 규정된 부분이 많아 그 요건에 해당하는지 여부는 행정청의 재량판단의 영역에 속한다. 특히 환경의 훼손이나 오염을 발생시킬 우려가 있는 개발행위에 대한 행정청의 허가와 관련하여 재량권의 일탈·남용 여부를 심사할 때에는, 해당 지역 주민들의 토지이용실태와 생활환경 등 구체적 지역 상황과 상반되는 이익을 가진 이해관계자들 사이의 권익 균형 및 환경권의 보호에 관한 각종 규정의 입법 취지 등을 종합하여 신중하게 판단하여야 한다. '환경오염 발생 우려'와 같이 장래에 발생할 불확실한 상황과 파급효과에 대한 예측이 필요한 요건에 관한 행정청의 재량적 판단은 그 내용이 현저히 합리성을 결여하였다거나 상반되는 이익이나 가치를 대비해 볼 때 형평이나 비례의 원칙에 뚜렷하게 배치되는 등의 사정이 없는 한 법원은 이를 존중하는 것이 바람직하다(대판 2020.8.27. 2019두60776).

③ (✕) 우리나라가 1994.12.16. 국회의 비준동의를 얻어 1995.1.1. 발효된 '1994년 국제무역기구 설립을 위한 마라케쉬협정'(Marrakesh Agreement Establishing the World Trade Organization, WTO 협정)의 일부인 '1994년 관세 및 무역에 관한 일반협정(General Agreement on Tariffs and Trade, GATT 1994) 제6조의 이행에 관한 협정' 중 그 판시 덤핑규제 관련 규정을 근거로 이 사건 규칙의 적법 여부를 다투는 주장도 포함되어 있으나, 위 협정은 국가와 국가 사이의 권리·의무관계를 설정하는 국제협정으로, 그 내용 및 성질에 비추어 이와 관련한 법적 분쟁은 위 WTO 분쟁해결기구에서 해결하는 것이 원칙이고, 사인에 대하여는 위 협정의 직접 효력이 미치지 아니한다고 보아야 할 것이므로, 위 협정에 따른 회원국 정부의 반덤핑부과처분이 WTO 협정위반이라는 이유만으로 사인이 직접 국내 법원에 회원국 정부를 상대로 그 처분의 취소를 구하는 소를 제기하거나 위 협정위반을 처분의 독립된 취소사유로 주장할 수는 없다(대판 2009.1.30. 2008두17936).

④ (○) 행정처분은 그 근거 법령이 개정된 경우에도 경과 규정에서 달리 정함이 없는 한 처분 당시 시행되는 개정 법령과 그에서 정한 기준에 의하는 것이 원칙이고, 그 개정 법령이 기존의 사실 또는 법률관계를 적용대상으로 하면서 종전보다 불리한 법률효과를 규정하고 있는 경우에도 그러한 사실 또는 법률관계가 개정 법률이 시행되기 이전에 이미 종결된 것이 아니라면 이를 헌법상 금지되는 소급입법이라고 할 수는 없으며, 그러한 개정 법률의 적용과 관련하여서는 개정 전 법령의 존속에 대한 국민의 신뢰가 개정 법령의 적용에 관한 공익상의 요구보다 더 보호가치가 있다고 인정되는 경우에 그러한 국민의 신뢰보호를 보호하기 위하여 그 적용이 제한될 수 있는 여지가 있을 따름이다(대판 2010.3.11. 2008두15169).

답 ③

003

행정법의 법원(法源)에 해당하지 않는 것은? (다툼이 있는 경우 판례에 의함)

① 대한민국헌법
② 건축법 시행규칙
③ 서울특별시 성동구 조례
④ 헌법재판소규칙
⑤ 사실인 관습

> 2022년 행정사

⑤ (✕) 행정법의 법원(法源)은 성문법원과 불문법원으로 나뉜다. 성문법원에는 헌법, 법률, 명령(법규명령, 행정규칙), 자치법규(조례, 규칙), 헌법에 의해 체결·공포된 조약, 일반적으로 승인된 국제법규가 있고 불문법원에는 관습법(행정선례법, 민중적 관습법)과 판례법, 조리가 있다. 이 중 불문법원으로서의 관습법은 오랜 관행이 사회의 법적 확신을 얻어 법적 규범으로 승인된 것을 의미하며 사회의 법적 확신에 이르지 못한 사실인 관습과는 구별된다.

관습법이란 사회의 거듭된 관행으로 생성한 사회생활규범이 사회의 법적 확신과 인식에 의하여 법적 규범으로 승인·강행되기에 이른 것을 말하고, 사실인 관습은 사회의 관행에 의하여 발생한 사회생활규범인 점에서 관습법과 같으나 사회의 법적 확신이나 인식에 의하여 법적 규범으로서 승인된 정도에 이르지 않은 것을 말하는 바, 관습법은 바로 법원으로서 법령과 같은 효력을 갖는 관습으로서 법령에 저촉되지 않는 한 법칙으로서의 효력이 있는 것이며, 이에 반하여 사실인 관습은 법령으로서의 효력이 없는 단순한 관행으로서 법률행위의 당사자의 의사를 보충함에 그치는 것이다(대판 1983.6.14. 80다3231).

답 ⑤

004 ☐☐☐

행정법의 법원(法源)에 대한 설명으로 옳지 않은 것은? (다툼이 있는 경우 판례에 의함)

① 지방자치단체가 제정한 조례가 헌법에 의하여 체결·공포된 조약에 위반되는 경우 그 조례는 효력이 없다.
② 행정소송에 관하여 「행정소송법」에 특별한 규정이 없는 사항에 대하여는 「법원조직법」과 「민사소송법」 및 「민사집행법」의 규정을 준용한다.
③ 평등원칙은 일체의 차별적 대우를 부정하는 절대적 평등을 의미하는 것이 아니라 입법과 법의 적용에 있어서 합리적인 근거가 없는 차별을 배제하는 상대적 평등을 뜻한다.
④ 개정 법령이 기존의 사실 또는 법률관계를 적용대상으로 하면서 국민의 재산권과 관련하여 종전보다 불리한 법률효과를 규정하고 있는 경우, 그러한 사실 또는 법률관계가 개정 법률이 시행되기 이전에 이미 완성 또는 종결된 것이 아니라면 소급입법금지원칙에 위반된다.

2021년 국가직 9급

① (O) '1994년 관세 및 무역에 관한 일반협정'(General Agreement on Tariffs and Trade 1994. 이하 'GATT'라 한다)은 1994.12.16. 국회의 동의를 얻어 같은 달 23. 대통령의 비준을 거쳐 같은 달 30. 공포되고 1995.1.1. 시행된 조약인 '세계무역기구(WTO) 설립을 위한 마라케쉬협정'(Agreement Establishing the WTO)의 부속 협정이고, '정부조달에 관한 협정'(Agreement on Government Procurement, 이하 'AGP'라 한다)은 1994.12.16. 국회의 동의를 얻어 1997.1.3. 공포시행된 조약으로서 각 헌법 제6조 제1항에 의하여 국내법령과 동일한 효력을 가지므로 지방자치단체가 제정한 조례가 GATT나 AGP에 위반되는 경우에는 그 효력이 없다(대판 2005.9.9. 2004추10).

유제 17. 국가직 9급 지방자치단체가 제정한 조례가 1994년 관세 및 무역에 관한 일반 협정(General Agreement on Tariffs and Trade 1994)이나 정보 조달에 관한 협정(Agreement on Government Procurement)에 위반되는 경우, 그 조례는 무효이다. (O)
17. 교행 '1994년 관세 및 무역에 관한 일반협정'에 위반되는 조례는 무효이다. (O)
15. 경찰 3차, 14. 지방직 9급 '1994년 관세 및 무역에 관한 일반협정(GATT)'이나 '정부조달에 관한 협정(AGP)'에 위반되는 조례는 그 효력이 없다. (O)

② (O)

> 「행정소송법」 제8조【법적용예】② 행정소송에 관하여 이 법에 특별한 규정이 없는 사항에 대하여는 「법원조직법」과 「민사소송법」 및 「민사집행법」의 규정을 준용한다.

③ (O) 헌법 제11조 제1항의 평등의 원칙은 일체의 차별적 대우를 부정하는 절대적 평등을 의미하는 것이 아니라 입법과 법의 적용에 있어서 합리적 근거 없는 차별을 하여서는 아니된다는 상대적 평등을 뜻하고 따라서 합리적 근거 있는 차별 내지 불평등은 평등의 원칙에 반하는 것이 아니다. 그리고 합리적 근거 있는 차별인가의 여부는 그 차별이 인간의 존엄성 존중이라는 헌법원리에 반하지 아니하면서 정당한 입법목적을 달성하기 위하여 필요하고도 적정한 것인가를 기준으로 판단되어야 한다(헌재 1994.2.24. 92헌바43).

문제 DATA
출제가능 지수 ▶▶▷
난이도 지수 ★★☆

함께 정리하기

행정법의 법원(法源)

조약에 위반한 조례
▷ 무효

행정소송 준용규정
▷ 「법원조직법」/「민사소송법」/「민사집행법」

평등원칙
▷ 절대적 평등 ✕
▷ 상대적 평등 ○

진행 중 사실에 대해 신법적용
▷ 소급입법금지원칙 위반 ✕

④ (×) 행정처분은 그 근거 법령이 개정된 경우에도 경과규정에서 달리 정함이 없는 한 처분 당시 시행되는 개정 법령과 그에 정한 기준에 의하는 것이 원칙이고, 그 개정 법령이 기존의 사실 또는 법률관계를 적용대상으로 하면서 국민의 재산권과 관련하여 종전보다 불리한 법률효과를 규정하고 있는 경우에도 그러한 사실 또는 법률관계가 개정법령이 시행되기 이전에 이미 완성 또는 종결된 것이 아니라면 이를 헌법상 금지되는 소급입법에 의한 재산권 침해라고 할 수는 없다(대판 2009.9.10. 2008두9324).

답 ④

005

행정법의 법원에 대한 설명으로 옳지 않은 것은?

① 행정법은 그 대상인 행정의 다양성과 전문성 등으로 인하여 단일법전화되어 있지 않다.
② 독일의 법학자인 프리츠 베르너(Fritz Werner)는 '행정법은 구체화된 헌법'이라고 표현하였다.
③ 대통령은 법률에서 구체적으로 범위를 정하여 위임받은 사항과 법률을 집행하기 위하여 필요한 사항에 관하여 대통령령을 발할 수 있다.
④ 지방자치단체는 법률의 위임이 있는 경우에 자치사무에 관한 사항을 조례로 정할 수 있다.

2020년 군무원 7급

① (○) 행정법의 규율 대상인 행정은 매우 복잡하고 다양하기 때문에 행정에 관한 단일법전을 만드는 것이 매우 어렵다. 이런 점 때문에 행정법에는 단일법전이 존재하지 않고 수많은 법령으로 이루어져 있다.
② (○) Fritz Werner는 "구체화된 헌법으로서의 행정법"이라는 논문에서 "행정법은 헌법의 구체화 법이다", "헌법이 변하면 행정법도 변한다."고 하여 행정법의 가변성을 강조하였다.
③ (○)

> 헌법 제75조 대통령은 법률에서 구체적으로 범위를 정하여 위임받은 사항과 법률을 집행하기 위하여 필요한 사항에 관하여 대통령령을 발할 수 있다.

④ (×) 지방자치단체의 조례는 민주적 정당성이 있는 지방의회가 제정하므로 지방자치단체는 법률의 위임이 없더라도 자치사무에 관한 사항을 조례로 정할 수 있다. 다만, 주민의 권리 제한 또는 의무 부과에 관한 사항이나 벌칙을 정할 때에는 법률의 위임이 있어야 한다.

> 「지방자치법」 제28조 【조례】 ① 지방자치단체는 법령의 범위에서 그 사무에 관하여 조례를 제정할 수 있다. 다만, 주민의 권리 제한 또는 의무 부과에 관한 사항이나 벌칙을 정할 때에는 법률의 위임이 있어야 한다.

답 ④

006

행정법의 법원(法源)에 대한 설명으로 가장 옳은 것은? (다툼이 있는 경우 판례에 의함)

① 인간다운 생활을 할 권리와 같은 헌법상의 추상적인 기본권에 관한 규정은 행정법의 법원이 되지 못한다.
② 국제법규도 행정법의 법원이므로, 사인이 제기한 취소소송에서 WTO 협정과 같은 국제협정 위반을 독립된 취소사유로 주장할 수 있다.
③ 위법한 행정관행에 대해서도 신뢰보호의 원칙이 적용될 수 있다.
④ 행정의 자기구속의 원칙은 처분청이 아닌 제3자 행정청에 대해서도 적용된다.

2019년 서울시 9급

① (×) 헌법은 국민적 합의를 기초로 한 국가의 최고법규범으로서 헌법에 위배된 국가작용은 인정될 수 없다. 헌법은 하위 법규범의 해석기준이 되고, 헌법에 위반되는 법률은 효력이 없으므로 추상적 기본권에 관한 규정도 행정법의 법원이 된다.

② (×) 우리나라가 1994.12.16. 국회의 비준동의를 얻어 1995.1.1. 발효된 '1994년 국제무역기구 설립을 위한 마라케쉬협정'의 일부인 '1994년 관세 및 무역에 관한 일반협정 제6조의 이행에 관한 협정'은 국가와 국가 사이의 권리·의무관계를 설정하는 국제협정으로, 그 내용 및 성질에 비추어 이와 관련한 법적 분쟁은 위 WTO 분쟁해결기구에서 해결하는 것이 원칙이고, 사인에 대하여는 위 협정의 직접 효력이 미치지 아니한다고 보아야 할 것이므로, 위 협정에 따른 회원국 정부의 반덤핑 부과처분이 WTO 협정위반이라는 이유만으로 사인이 직접 국내 법원에 회원국 정부를 상대로 그 처분의 취소를 구하는 소를 제기하거나 위 협정위반을 처분의 독립된 취소사유로 주장할 수는 없다 할 것이다((대판 2009.1.30. 2008두17936).

유제 17. 국가직 9급 회원국 정부의 반덤핑부과처분이 WTO협정 위반이라는 이유만으로 사인이 직접 국내 법원에 회원국 정부를 상대로 그 처분의 취소를 구하는 소를 제기할 수 있다. (×)
11. 지방직 9급 사인은 (회원국 정부의) 반덤핑부과처분이 세계무역기구(WTO) 협정위반이라는 이유로 직접 국내 법원에 회원국 정부를 상대로 그 처분의 취소를 구하는 소를 제기할 수 있다. (×)

③ (○) 상대방인 국민에게 신뢰를 주는 행정청의 선행조치에는 적법한 행정작용뿐만 아니라 위법한 행정작용도 포함될 수 있다. 다만, 무효인 행정행위는 포함되지 않는다.

④ (×) 행정의 자기구속의 원칙은 개념상 동일한 행정청에 대해서 적용되는 원칙이므로 제3자 행정청에 대해서는 적용되지 않는다.

답 ③

함께 정리하기
행정법의 법원(法源)

헌법상 추상적 기본권
▷ 법원○

WTO협정위반
▷ 사인은 제소 불가
▷ 독립된 취소사유로 주장 불가

위법한 행정관행
▷ 신뢰보호원칙 적용 가

자기구속원칙
▷ 제3자 행정청에 적용×

---

007 □□□

행정법의 법원(法源)에 대한 설명으로 옳지 않은 것은? (다툼이 있는 경우 판례에 의함)

① 처분적 법률은 형식적 의미의 법률에 해당한다.
② 일반적으로 관습법은 성문법에 대하여 개폐적 효력을 가진다.
③ 행정규칙이 법규성을 가지는 경우에는 법원성을 인정할 수 있다.
④ 법원(法院)은 보충적 법원으로서의 조리에 따라 재판할 수 있다.

문제 DATA
출제가능 지수 ▶▷▷
난이도 지수 ★★☆

2018년 교육행정직

① (○) 처분적 법률은 집행행위의 매개 없이 직접 적용되는 법률로서, 실질적 의미에서는 '처분'에 해당하지만 형식적 의미에서는 '법률'에 해당한다.

② (×) 관습법의 효력에 대하여 개폐적 효력설과 보충적 효력설의 대립이 있으나 통설과 판례는 관습법은 제정법에 대해 열후적·보충적 성격을 갖는다고 하여 보충적 효력설의 입장이다.

가족의례준칙 제13조의 규정과 배치되는 관습법의 효력을 인정하는 것은 관습법의 제정법에 대한 열후적, 보충적 성격에 비추어 민법 제1조의 취지에 어긋나는 것이다(대판 1983.6.14. 80다3231).

유제 15. 경찰 3차 관습법은 성문법의 결여시에 성문법을 보충하는 범위에서 효력을 갖는다. (○)
11. 국회직 9급 행정관습법은 성문법의 규정이 불비된 경우에 그것을 보충하는 효력을 가질 뿐이므로 성문법과 저촉되는 행정관습법은 인정될 수 없다. (○)

③ (○) 행정규칙은 행정조직 내부에서의 사무처리 기준 등을 정하는 것으로 법규성이 없으나, 예외적으로 법규성을 갖게 되는 경우에는 재판규범으로서의 법원성을 갖는다.

④ (○) 조리는 실정법이나 관습법이 존재하지 않는 경우에 최종적으로 의지하여야 할 법원으로 기능한다. 「민법」에서는 법률과 관습법을 보충하는 법원으로서 조리를 인정하고 있다. 따라서 조리는 민사사건에 있어서 법 해석과 재판의 기준이 되고 있다. 행정법 또한 입법의 불비, 법의 흠결이 있는 경우에는 조리의 보충적 법원성을 인정할 수 있다.

답 ②

함께 정리하기
행정법의 법원(法源)

처분적 법률
▷ 형식적 의미의 법률에 해당

관습법
▷ 성문법에 대하여 보충적 효력

행정규칙이 법규성을 가지는 경우
▷ 법원성 인정○

보충적 법원으로서의 조리에 따라 재판○

제3절 | 행정법의 일반원칙

I 법치행정의 원칙

001 □□□

법치행정에 대한 설명으로 옳지 않은 것은?

① 자치조례에 대한 법률의 위임은 법규명령에 대한 법률의 위임과 같이 반드시 구체적으로 범위를 정하여야 할 필요가 없으며 포괄적인 것으로 족하다.
② 구 「여객자동차 운수사업법」 및 동법 시행령상 개인택시운송사업자의 운전면허가 취소된 때에는 그의 개인택시운송사업면허를 취소할 수 있도록 규정되어 있으므로, 개인택시운송사업자 甲이 운전면허취소사유인 음주운전 교통사고로 사망하였다면 그 운전면허취소처분이 없더라도 관할관청은 甲에 대한 개인택시운송사업면허를 취소할 수 있다.
③ 고도의 정치성을 띤 국가행위에 대하여는 이른바 통치행위라 하여 법원 스스로 사법심사권의 행사를 억제하여 그 심사대상에서 제외하는 영역이 있을 수 있으나, 이와 같이 통치행위의 개념을 인정하더라도 과도한 사법심사의 자제가 기본권을 보장하고 법치주의 이념을 구현하여야 할 법원의 책무를 태만히 하거나 포기하는 것이 되지 않도록 그 인정을 지극히 신중하게 하여야 한다.
④ 법률의 시행령은 모법인 법률에 의하여 위임받은 사항이나 법률이 규정한 범위 내에서 법률을 현실적으로 집행하는 데 필요한 세부적인 사항만을 규정할 수 있을 뿐, 법률에 의한 위임이 없는 한 법률이 규정한 개인의 권리·의무에 관한 내용을 변경·보충하거나 법률에 규정되지 아니한 새로운 내용을 규정할 수는 없다.

| 2025년 지방직 9급

① (○) 조례의 제정권자인 지방의회는 선거를 통해서 그 지역적인 민주적 정당성을 지니고 있는 주민의 대표기관이고, 헌법이 지방자치단체에 대해 포괄적인 자치권을 보장하고 있는 취지로 볼 때, 조례에 대한 법률의 위임은 법규명령에 대한 법률의 위임과 같이 반드시 구체적으로 범위를 정하여 할 필요가 없으며 포괄적인 것으로 족하다(헌재 1995.4.20. 92헌마264 등).
② (×) 구 여객자동차운수사업법에는 관할관청은 개인택시운송사업자의 운전면허가 취소된 때에 그의 개인택시운송사업면허를 취소할 수 있도록 규정되어 있을 뿐 그에게 운전면허 취소사유가 있다는 사유만으로 개인택시운송사업면허를 취소할 수 있도록 하는 규정이 없으므로, 관할관청으로서는 비록 개인택시운송사업자에게 운전면허 취소사유가 있다 하더라도 그로 인하여 운전면허 취소처분이 이루어지지 않은 이상 개인택시운송사업면허를 취소할 수는 없다 할 것이다(대판 2008.5.15. 2007두26001).
③ (○) 고도의 정치성을 띤 국가행위에 대하여는 이른바 통치행위라 하여 법원 스스로 사법심사권의 행사를 억제하여 그 심사대상에서 제외하는 영역이 있으나, 이와 같이 통치행위의 개념을 인정한다고 하더라도 과도한 사법심사의 자제가 기본권을 보장하고 법치주의 이념을 구현하여야 할 법원의 책무를 태만히 하거나 포기하는 것이 되지 않도록 그 인정을 지극히 신중하게 하여야 하며, 그 판단은 오로지 사법부만에 의하여 이루어져야 한다(대판 2004.3.26. 2003도7878).
④ (○) 법률의 시행령은 모법인 법률에 의하여 위임받은 사항이나 법률이 규정한 범위 내에서 법률을 현실적으로 집행하는 데 필요한 세부적인 사항만을 규정할 수 있을 뿐, 법률에 의한 위임이 없는 한 법률이 규정한 개인의 권리·의무에 관한 내용을 변경·보충하거나 법률에 규정되지 아니한 새로운 내용을 규정할 수는 없다(대판 2020.9.3. 2016두32992 전합).

답 ②

● 문제 DATA

출제가능 지수 ▶▶▷
난이도 지수 ★★☆

☑ 함께 정리하기

법치행정

자치조례에 대한 위임
▷ 포괄적인 것으로 족함

운전면허 취소사유(음주운전)만으로 개인택시운송사업면허취소의 법적 근거 無
▷ 개인택시운송사업면허 취소 불가

통치행위의 인정
▷ 지극히 신중

법률의 시행령
▷ 법률위임 없이 법률이 규정한 개인의 권리·의무에 관한 내용을 변경·보충하거나 새로운 내용을 규정 ×

002

행정의 법원칙에 대한 설명으로 옳지 않은 것은? (다툼이 있는 경우 판례에 의함)

① 법률유보의 원칙은 '법률에 근거한' 규율을 요청하는 것이 아니라 '법률에 의한' 규율을 뜻하는 것이므로, 기본권 제한의 형식은 반드시 법률의 형식이어야 한다.
② 신뢰보호의 원칙은 행정청이 공적인 견해를 표명할 당시의 사정이 그대로 유지됨을 전제로 적용되는 것이 원칙이므로, 공적인 견해표명 후에 사정이 변경되었다면 특별한 사정이 없는 한 행정청이 그 견해표명에 반하는 처분을 하더라도 신뢰보호의 원칙에 위반되지 않는다.
③ 위법한 행정처분이 수차례에 걸쳐 반복적으로 행하여졌다 하더라도 그러한 처분이 위법한 것인 때에는 행정청에 대하여 자기구속력을 갖게 된다고 할 수 없다.
④ 비록 잘못된 해석 또는 관행이라도 비과세의 관행이 특정 납세자가 아닌 불특정한 일반 납세자에게 정당한 것으로 이의 없이 받아들여져 납세자가 그와 같은 해석 또는 관행을 신뢰하는 것이 무리가 아니라고 인정될 정도에 이르렀다면 그 비과세의 관행은 존중되어야 한다.
⑤ 재량권행사의 준칙인 규칙이 그 정한 바에 따라 되풀이 시행됨으로써 행정관행이 이루어지게 되어 행정기관이 그 상대방에 대한 관계에서 그 규칙에 따라야 할 자기구속을 당하게 되는 경우에는 당해 규칙은 헌법소원의 대상이 될 수도 있다.

2025년 소방간부

① (×) 국민의 기본권은 헌법 제37조 제2항에 의하여 국가안전보장, 질서유지 또는 공공복리를 위하여 필요한 경우에 한하여 이를 제한할 수 있으나 그 제한은 원칙적으로 법률로써만 가능하며, 제한하는 경우에도 기본권의 본질적 내용을 침해할 수 없고 필요한 최소한도에 그쳐야 한다. 이러한 법률유보의 원칙은 '법률에 의한' 규율만을 뜻하는 것이 아니라 '법률에 근거한' 규율을 요청하는 것이므로 기본권 제한의 형식이 반드시 법률의 형식일 필요는 없고 법률에 근거를 두면서 헌법 제75조가 요구하는 위임의 구체성과 명확성을 구비하기만 하면 위임입법에 의하여도 기본권 제한을 할 수 있다 할 것이다(헌재 2005.2.24. 2003헌마289).
② (○) 신뢰보호의 원칙은 행정청이 공적인 견해를 표명할 당시의 사정이 그대로 유지됨을 전제로 적용되는 것이 원칙이므로, 사후에 그와 같은 사정이 변경된 경우에는 그 공적 견해가 더 이상 개인에게 신뢰의 대상이 된다고 보기 어려운 만큼, 특별한 사정이 없는 한 행정청이 그 견해표명에 반하는 처분을 하더라도 신뢰보호의 원칙에 위반된다고 할 수 없다(대판 2020.6.25. 2018두34732).
③ (○) 평등의 원칙은 본질적으로 같은 것을 자의적으로 다르게 취급함을 금지하는 것이고, 위법한 행정처분이 수차례에 걸쳐 반복적으로 행하여졌다 하더라도 그러한 처분이 위법한 것인 때에는 행정청에 대하여 자기구속력을 갖게 된다고 할 수 없다. 피고가 소외 2측 추진위원회의 승인신청을 반려할 당시 100인 이상의 위원으로 추진위원회를 구성할 것을 요구하고, 날짜가 기재되지 아니한 동의서들을 효력이 없는 것으로 간주한 선례가 있다 하더라도 피고가 참가인 추진위원회에 대하여 승인심사를 할 때에도 그러한 기준을 따라야 할 의무가 없는 점 등에 비추어, 피고가 평등의 원칙이나 신뢰보호의 원칙 또는 자기구속의 원칙 등에 위배하고 재량권을 일탈·남용하여 자의적으로 이 사건 승인처분을 하였다고 볼 수 없다(대판 2009.6.25. 2008두13132).
④ (○) 국세기본법 제18조 제3항이 규정하고 있는 '일반적으로 납세자에게 받아들여진 세법의 해석 또는 국세행정의 관행'이란 비록 잘못된 해석 또는 관행이라도 특정 납세자가 아닌 불특정한 일반 납세자에게 정당한 것으로 이의 없이 받아들여져 납세자가 그와 같은 해석 또는 관행을 신뢰하는 것이 무리가 아니라고 인정될 정도에 이른 것을 말하고, 그와 같은 비과세관행이 성립하려면, 상당한 기간에 걸쳐 과세하지 아니한 객관적 사실이 존재할 뿐만 아니라, 과세관청 자신이 그 사항에 관하여 과세할 수 있음을 알면서도 어떤 특별한 사정 때문에 과세하지 않는다는 의사가 있어야 하므로, 위와 같은 공적 견해의 표시는 비과세의 사실상태가 장기간에 걸쳐 계속되는 경우에 그것이 그 사항에 대하여 과세의 대상으로 삼지 아니하는 뜻의 과세관청의 묵시적인 의향의 표시로 볼 수 있는 경우 등에도 이를 인정할 수 있다(대판 2009.12.24. 2008두15350).

문제 DATA

출제가능 지수 ▶▶▷
난이도 지수 ★★☆

함께 정리하기

행정의 법원칙

법률유보 원칙
▷ '법률에 근거한' 규율 요청

기본권 제한 형식
▷ 반드시 법률형식 不要

사정변경
▷ 공적 견해표명에 반하는 처분을 하더라도 신뢰보호원칙 위반×

위법한 선례
▷ 자기구속력 無

비과세 관행
▷ 불특정 일반납세자에게 적용

관행이 성립된 재량준칙
▷ 헌법소원의 대상○

⑤ (○) 행정규칙은 일반적으로 행정조직 내부에서만 효력을 가지는 것이나, 행정규칙이 법령의 규정에 의하여 행정관청에 법령의 구체적인 내용을 보충할 권한을 부여한 경우, 또는 재량권행사의 준칙인 규칙이 그 정한 바에 따라 되풀이 시행되어 행정관행이 이룩되게 되면, 평등의 원칙이나 신뢰보호의 원칙에 따라 행정기관은 그 상대방에 대한 관계에서 그 규칙에 따라야 할 자기구속을 당하게 되고, 그러한 경우에는 대외적인 구속력을 가지게 되는바(헌재 1990.9.3. 90헌마13), 이러한 경우에는 헌법소원의 대상이 될 수도 있다(헌재 2001.5.31. 99헌마413).

답 ①

003 □□□

다음 중 법치행정의 원칙에 대한 설명으로 가장 옳지 않은 것은? (다툼이 있는 경우 판례에 의함)

① 법률유보원칙에서 법률이란 형식적 의미의 법률뿐만 아니라 법률상 위임에 따른 법규명령이나 조례의 경우도 포함한다.
② 법률유보원칙은 단순히 행정작용이 법률에 근거를 두기만 하면 충분한 것이 아니라, 국민의 기본권 실현과 관련된 영역에 있어서는 국민의 대표자인 입법자가 그 본질적 사항에 대해서 스스로 결정하여야 한다는 요구까지 내포하고 있다.
③ 법률우위의 원칙은 공법적 행위에만 적용되고 사법적(私法的) 행위에는 적용되지 않는다.
④ 법률우위의 원칙은 행정행위와 같은 구체적인 규율은 물론 법규명령이나 조례와 같은 행정입법에도 적용된다.

| 2024년 군무원 9급

① (○) 법률유보의 원칙에서 '법률'이란 형식적 의미의 법률뿐만 아니라 법률에 근거를 두고 위임요건을 충족한 법규명령이나 조례의 경우도 이에 해당된다.
법률유보의 원칙은 '법률에 의한' 규율만을 뜻하는 것이 아니라 '법률에 근거한' 규율을 요청하는 것이므로 기본권 제한의 형식이 반드시 법률의 형식일 필요는없고 법률에 근거를 두면서 헌법 제75조가 요구하는 위임의 구체성과 명확성을 구비하기만 하면 위임입법에 의하여도 기본권 제한을 할 수 있다 할 것이다(헌재 2005.2.24. 2003헌마289).
② (○) 오늘날 법률유보원칙은 단순히 행정작용이 법률에 근거를 두기만 하면 충분한 것이 아니라, 국가공동체와 그 구성원에게 기본적이고도 중요한 의미를 갖는 영역, 특히 국민의 기본권실현과 관련된 영역에 있어서는 국민의 대표자인 입법자가 그 본질적 사항에 대해서 스스로 결정하여야 한다는 요구까지 내포하고 있다(의회유보원칙)(헌재 1995.5.27. 98헌바70).
③ (×), ④ (○) 법률우위의 원칙은 제한 없이 행정의 모든 영역에 적용된다(공법적 행위·사법적 행위, 수익적 행위·침익적 행위, 법적 행위·사실적 행위 등).

답 ③

문제 DATA
출제가능 지수 ▶▶▷
난이도 지수 ★★☆

함께 정리하기

법치행정의 원칙

법률유보원칙에서 법률
▷ 법규명령, 조례 포함○

법률유보원칙
▷ 의회유보원칙 내포
▷ 국민의 기본권실현 관련 영역은 입법자가 본질적·사항을 스스로 결정하여야 함

법률우위원칙
▷ 합헌적 법률에의 위반 금지
▷ 행정의 모든 영역에 적용
▷ 공법적·사법적 행위에 모두 적용○

법률우위원칙
▷ 행정행위·행정입법에도 적용○

004

법률유보의 원칙에 관한 설명으로 옳지 않은 것은? (다툼이 있는 경우 판례에 의함)

① 법률유보원칙은 단순히 행정작용이 법률에 근거를 두기만 하면 충분한 것이 아니라, 국가공동체와 그 구성원에게 기본적이고도 중요한 의미를 갖는 영역, 특히 국민의 기본권 실현과 관련된 영역에 있어서는 국민의 대표자인 입법자가 그 본질적 사항에 대해서 스스로 결정하여야 한다는 요구까지 내포한다.
② 자치조례에 대한 법률의 위임은 법규명령에 대한 법률의 위임과 같이 반드시 구체적으로 범위를 정하여 할 필요가 없으며 포괄적인 것으로 족하다.
③ 토지 등 소유자가 도시환경정비사업을 시행하는 경우, 사업시행인가 신청 시 필요한 토지 등 소유자의 동의요건을 정하는 것은 국민의 권리와 의무의 형성에 관한 기본적이고 본질적인 사항이 아니므로 국회의 법률로써 규정해야 할 사항이 아니다.
④ 수신료 징수업무를 한국방송공사가 직접 수행할 것인지 제3자에게 위탁할 것인지, 위탁한다면 누구에게 위탁하도록 할 것인지, 위탁받은 자가 자신의 고유업무와 결합하여 징수업무를 할 수 있는지는 징수업무 처리의 효율성 등을 감안하여 결정할 수 있는 사항으로서 국민의 기본권 제한에 관한 본질적인 사항이 아니다.

2024년 소방직

① (○) 오늘날 법률유보원칙은 단순히 행정작용이 법률에 근거를 두기만 하면 충분한 것이 아니라, 국가공동체와 그 구성원에게 기본적이고도 중요한 의미를 갖는 영역, 특히 국민의 기본권실현에 관련된 영역에 있어서는 행정에 맡길 것이 아니라 국민의 대표자인 입법자 스스로 그 본질적 사항에 대하여 결정하여야 한다는 요구까지 내포하는 것으로 이해하여야 한다(이른바 의회유보원칙)(헌재 2008.2.28. 2006헌바70).
② (○) 조례의 제정권자인 지방의회는 선거를 통해서 그 지역적인 민주적 정당성을 지니고 있는 주민의 대표기관이고 헌법이 지방자치단체에 포괄적인 자치권을 보장하고 있는 취지로 볼 때, 조례에 대한 법률의 위임은 법규명령에 대한 법률의 위임과 같이 반드시 구체적으로 범위를 정하여 할 필요가 없으며 포괄적인 것으로 족하다(헌재 1995.4.20. 92헌마264등).
③ (×) 토지등소유자가 도시환경정비사업을 시행하는 경우 사업시행인가 신청시 필요한 토지등소유자의 동의는 개발사업의 주체 및 정비구역 내 토지등소유자를 상대로 수용권을 행사하고 각종 행정처분을 발할 수 있는 행정주체로서의 지위를 가지는 사업시행자를 지정하는 문제로서 그 동의요건을 정하는 것은 토지등소유자의 재산권에 중대한 영향을 미치고, 이해관계인 사이의 충돌을 조정하는 중요한 역할을 담당한다. 그렇다면 사업시행인가 신청시 요구되는 토지등소유자의 동의정족수를 정하는 것은 국민의 권리와 의무의 형성에 관한 기본적이고 본질적인 사항으로 법률유보 내지 의회유보의 원칙이 지켜져야 할 영역이다(헌재 2011.8.30. 2009헌바128).
④ (○) 수신료 징수업무를 한국방송공사가 직접 수행할 것인지 제3자에게 위탁할 것인지, 위탁한다면 누구에게 위탁하도록 할 것인지, 위탁받은 자가 자신의 고유업무와 결합하여 징수업무를 할 수 있는지는 징수업무 처리의 효율성 등을 감안하여 결정할 수 있는 사항으로서 국민의 기본권제한에 관한 본질적인 사항이 아니라 할 것이다(헌재 2008.2.28. 2006헌바70).

답 ③

문제 DATA

출제가능 지수 ▶▶▷
난이도 지수 ★★☆

함께 정리하기

법률유보의 원칙

법률유보원칙
▷ 의회유보원칙 내포
▷ 국민의 기본권실현 관련 영역은 입법자가 본질적 사항을 스스로 결정하여야 함

자치조례
▷ 포괄위임 可

토지등소유자의 사업시행인가 신청시 토지등소유자 동의요건
▷ 의회유보사항○(헌법재판소)

TV수신료 징수자 결정
▷ 의회유보사항×

문제 DATA

출제가능 지수 ▶▶▷
난이도 지수 ★★★

005 □□□

법률유보원칙에 대한 설명으로 옳지 않은 것은?

① 법률유보원칙은 입법자 스스로 국민의 기본권 실현에 본질적인 사항을 직접 정해야 하는 의회유보와는 별개의 원칙이다.
② 헌법상 법률유보원칙은 법률에 의한 규율만을 요청하는 것이 아니라 법률에 근거한 규율을 요청하는 것이기 때문에 기본권 제한의 형식이 반드시 법률의 형식일 필요는 없다.
③ 법률의 위임범위를 벗어난 하위법령에 의한 기본권 제한은 법률의 근거가 없는 것이 되고 이는 법률유보원칙에 위반된다.
④ 헌법상 법치주의의 한 내용인 법률유보원칙은 기본권규범과 관련 없는 경우에까지 준수되도록 요청되는 것은 아니다.
⑤ 헌법재판소는 초등교원 임용 시 지역가산점의 배점비율, 최종합격자 결정방식은 직접 법률에 규정되어야 할 본질적인 사항으로 보기 어렵다고 판시하였다.

2024년 국회직 8급

① (×) 헌법은 법치주의를 그 기본원리의 하나로 하고 있으며, 법치주의는 행정작용에 국회가 제정한 형식적 법률의 근거가 요청된다는 법률유보를 그 핵심적 내용으로 하고 있다. 그런데 오늘날 법률유보원칙은 단순히 행정작용이 법률에 근거를 두기만 하면 충분한 것이 아니라, 국가공동체와 그 구성원에게 기본적이고도 중요한 의미를 갖는 영역, 특히 국민의 기본권실현에 관련된 영역에 있어서는 행정에 맡길 것이 아니라 국민의 대표자인 입법자 스스로 그 본질적 사항에 대하여 결정하여야 한다는 요구까지 내포하는 것으로 이해하여야 한다(이른바 의회유보원칙)(헌재 2008.2.28. 2006헌바70).
② (○) 국민의 기본권은 헌법 제37조 제2항에 의하여 국가안전보장, 질서유지 또는 공공복리를 위하여 필요한 경우에 한하여 이를 제한할 수 있으나 그 제한은 원칙적으로 법률로써만 가능하며, 제한하는 경우에도 기본권의 본질적 내용을 침해할 수 없고 필요한 최소한도에 그쳐야 한다. 이러한 법률유보의 원칙은 '법률에 의한' 규율만을 뜻하는 것이 아니라 '법률에 근거한' 규율을 요청하는 것이므로 기본권 제한의 형식이 반드시 법률의 형식일 필요는 없고 법률에 근거를 두면서 헌법 제75조가 요구하는 위임의 구체성과 명확성을 구비하기만 하면 위임입법에 의하여도 기본권 제한을 할 수 있다 할 것이다(헌재 2005.2.24. 2003헌마289).
③ (○) 기본권 제한에 관한 법률유보원칙은 '법률에 근거한 규율'을 요청하는 것이므로, 그 형식이 반드시 법률일 필요는 없다 하더라도 법률상의 근거는 있어야 한다. 따라서 모법의 위임범위를 벗어난 하위법령은 법률의 근거가 없는 것으로 법률유보원칙에 위반된다(헌재 2016.4.28. 2012헌마630).
④ (○) 헌법상 법치주의의 한 내용인 법률유보의 원칙은 국민의 기본권 실현에 관련된 영역에 있어서 국가 행정권의 행사에 관하여 적용되는 것이지, 기본권규범과 관련 없는 경우에까지 준수되도록 요청되는 것은 아니라 할 것인데, 청원경찰은 근무의 공공성 때문에 일정한 경우에 공무원과 유사한 대우를 받고 있는 등으로 일반 근로자와 공무원의 복합적 성질을 가지고 있지만, 그 임면주체는 국가 행정권이 아니라 청원경찰법상의 청원주로서 그 근로관계의 창설과 존속 등이 본질적으로 사법상 고용계약의 성질을 가지는바, 청원경찰의 징계로 인하여 사적 고용계약상의 문제인 근로관계의 존속에 영향을 받을 수 있다 하더라도 이는 국가 행정주체와 관련되고 기본권의 보호가 문제되는 것이 아니어서 여기에 법률유보의 원칙이 적용될 여지가 없으므로, 그 징계에 관한 사항을 법률에 정하지 않았다고 하여 법률유보의 원칙에 위반된다 할 수 없다(헌재 2010.2.25. 2008헌바160).
⑤ (○) 초등교원 임용 시 지역가산점의 배점비율, 최종합격자 결정방식이 법률에 직접 규정되어야 할 본질적 사항으로 보기 어렵고, 구 교육공무원법 제11조의2는 지역가산점 배점비율에 관한 기본적인 사항을 규정하고 있으며, 최종합격자 결정을 위한 제1, 2, 3차 시험성적의 총점에 지역가산점을 포함하도록 규정하고 있는 '교육공무원 임용후보자 선정경쟁시험규칙' 제17조 제2항은 구 교육공무원법 제11조 제2항 및 '교육공무원 임용령' 제11조 제3항의 위임에 따른 것이므로, 이 사건 지역가산점규정은 법률유보원칙에 위배되지 아니한다(헌재 2014.4.24. 2010헌마747).

답 ①

함께 정리하기

법률유보원칙

의회유보원칙 내포(별개×)
▷ 국민의 기본권실현 관련 영역은 입법자가 본질적 사항을 스스로 결정하여야 함

기본권제한 형식
▷ 반드시 법률형식 不要

위임범위 벗어난 하위법에 의한 기본권 제한
▷ 법률유보원칙 위반

국민의 기본권실현 영역에서 국가행정권 행사에 적용
▷ 기본권보호와 관련없는 경우 준수되도록 요청×

초등교원 임용 시 지역가산점 배점비율, 최종합격자 결정방식
▷ 의회유보사항×

006

법치행정에 관한 설명 중 옳지 않은 것은? (다툼이 있는 경우 판례에 의함)

① 법률이 공법적 단체 등의 정관에 자치법적 사항을 위임한 경우 헌법 제75조가 정하는 포괄적인 위임입법의 금지가 원칙적으로 적용되며, 위임을 하더라도 그 사항이 국민의 권리·의무에 관련되는 것일 경우 적어도 국민의 권리·의무에 관한 기본적이고 본질적인 사항은 국회가 정하여야 한다.

② 오늘날의 법률유보원칙은 단순히 행정작용이 법률에 근거를 두기만 하면 충분한 것이 아니라, 국가공동체와 그 구성원에게 기본적이고도 중요한 의미를 갖는 영역에 있어서는 국민의 대표자인 입법자 스스로 그 본질적 사항에 대하여 결정하여야 한다는 요구까지 내포하는 것으로 이해되고 있다.

③ 법외노조 통보는 적법하게 설립된 노동조합의 법적 지위를 박탈하는 중대한 침익적 처분으로서 원칙적으로 국민의 대표자인 입법자가 스스로 형식적 법률로써 규정하여야 할 사항이고, 행정입법으로 이를 규정하기 위하여는 반드시 법률의 명시적이고 구체적인 위임이 있어야 한다.

④ 법인세, 종합소득세와 같이 납세의무자에게 조세의 납부의무뿐만 아니라 스스로 과세표준과 세액을 계산하여 신고하여야 하는 의무까지 부과하는 경우에는 신고의무 이행에 필요한 기본적인 사항과 신고의무 불이행 시 납세의무자가 입게 될 불이익 등은 납세의무를 구성하는 기본적, 본질적 내용으로서 법률로 정하여야 한다.

⑤ 육군3사관학교 생도는 일반 국민보다 상대적으로 기본권이 더 제한될 수 있으나, 그러한 경우에도 법률유보원칙, 과잉금지원칙 등 기본권 제한의 헌법상 원칙들이 지켜져야 한다.

2024년 변호사

① (×) 법률이 공법적 단체 등의 정관에 자치법적 사항을 위임한 경우에는 헌법 제75조가 정하는 포괄적인 위임입법의 금지는 원칙적으로 적용되지 않는다고 봄이 상당하고, 그렇다 하더라도 그 사항이 국민의 권리·의무에 관련되는 것일 경우에는 적어도 국민의 권리·의무에 관한 기본적이고 본질적인 사항은 국회가 정하여야 한다(대판 2007.10.12. 2006두14476).

② (○) 오늘날 법률유보원칙은 단순히 행정작용이 법률에 근거를 두기만 하면 충분한 것이 아니라, 국가공동체와 그 구성원에게 기본적이고도 중요한 의미를 갖는 영역, 특히 국민의 기본권실현과 관련된 영역에 있어서는 국민의 대표자인 입법자가 그 본질적 사항에 대해서 스스로 결정하여야 한다는 요구까지 내포하고 있다(의회유보원칙)(헌재 1999.5.29. 98헌바70).

③ (○) 법외노조 통보는 적법하게 설립된 노동조합의 법적 지위를 박탈하는 중대한 침익적 처분으로서 원칙적으로 국민의 대표자인 입법자가 스스로 형식적 법률로써 규정하여야 할 사항이고, 행정입법으로 이를 규정하기 위하여는 반드시 법률의 명시적이고 구체적인 위임이 있어야 한다. 그런데 노동조합 및 노동관계조정법 시행령(이하 '노동조합법 시행령'이라 한다) 제9조 제2항은 법률의 위임 없이 법률이 정하지 아니한 법외노조 통보에 관하여 규정함으로써 헌법상 노동3권을 본질적으로 제한하고 있으므로 그 자체로 무효이다. 구체적인 이유는 아래와 같다.

> 법외노조 통보는 이미 법률에 의하여 법외노조가 된 것을 사후적으로 고지하거나 확인하는 행위가 아니라 그 통보로써 비로소 법외노조가 되도록 하는 형성적 행정처분이다. 이러한 법외노조 통보는 단순히 노동조합에 대한 법률상 보호만을 제거하는 것에 그치지 않고 헌법상 노동3권을 실질적으로 제약한다. 그런데 노동조합 및 노동관계조정법(이하 '노동조합법'이라 한다)은 법상 설립요건을 갖추지 못한 단체의 노동조합 설립신고서를 반려하도록 규정하면서도, 그보다 더 침익적인 설립 후 활동 중인 노동조합에 대한 법외노조 통보에 관하여는 아무런 규정을 두고 있지 않고, 이를 시행령에 위임하는 명문의 규정도 두고 있지 않다. 더욱이 법외노조 통보 제도는 입법자가 반성적 고려에서 폐지한 노동조합 해산명령 제도와 실질적으로 다를 바 없다. 결국 노동조합법 시행령 제9조 제2항은 법률이 정하고 있지 아니한 사항에 관하여, 법률의 구체적이고 명시적인 위임도 없이 헌법이 보장하는 노동3권에 대한 본질적 제한을 규정한 것으로서 법률유보원칙에 반한다(대판 2020.9.3. 2016두32992 전합).

문제 DATA
출제가능 지수 ▶▶▷
난이도 지수 ★★★

함께 정리하기

법치행정

정관에 자치법적 사항 위임
▷ 포괄위임금지 적용×
▷ 의회유보원칙 적용○

법률유보원칙
▷ 본질적 사항은 국회가 결정(의회유보원칙 내포)

법외노조 통보
▷ 법률유보원칙 적용○

과세표준과세액 신고의무 불이행시 불이익
▷ 법률로 정할 사항

육군사관학교 생도
▷ 특수한 신분관계: 일반국민보다 기본권 더 제한○
▷ But 기본권 제한의 헌법상 원칙은 적용

④ (○) 법인세, 종합소득세와 같이 납세의무자에게 조세의 납부의무뿐만 아니라 스스로 과세표준과 세액을 계산하여 신고하여야 하는 의무까지 부과하는 경우에는 신고의무 이행에 필요한 기본적인 사항과 신고의무불이행 시 납세의무자가 입게 될 불이익 등은 납세의무를 구성하는 기본적, 본질적 내용으로서 법률로 정하여야 한다(대판 2015.8.20. 2012두23808 전합).

⑤ (○) 사관생도는 군 장교를 배출하기 위하여 국가가 모든 재정을 부담하는 특수교육기관인 육군3사관학교의 구성원으로서, 학교에 입학한 날에 육군 사관생도의 병적에 편입하고 준사관에 준하는 대우를 받는 특수한 신분관계에 있다(육군3사관학교 설치법 시행령 제3조). 따라서 그 존립 목적을 달성하기 위하여 필요한 한도 내에서 일반 국민보다 상대적으로 기본권이 더 제한될 수 있으나, 그러한 경우에도 법률유보원칙, 과잉금지원칙 등 기본권 제한의 헌법상 원칙들을 지켜야 한다(대판 2018.8.30. 2016두60591).

답 ①

007

법치행정의 원칙에 대한 설명으로 옳지 않은 것은? (다툼이 있는 경우 판례에 의함)

① 규율대상이 국민의 기본권 및 기본적 의무와 관련한 중요성을 가질수록 그리고 그에 관한 공개적 토론의 필요성 또는 상충하는 이익 사이의 조정 필요성이 클수록, 그것이 국회의 법률에 의해 직접 규율될 필요성은 더 증대된다고 보아야 한다.

② 법률의 시행령은 법률에 의한 위임 없이도 법률이 규정한 개인의 권리·의무에 관한 내용을 변경·보충하거나 법률에 규정되지 아니한 새로운 내용을 규정할 수 있다.

③ 법률유보의 원칙은 '법률에 의한 규율'만을 요청하는 것이 아니라 '법률에 근거한 규율'을 요청하는 것이기 때문에 기본권의 제한에는 법률의 근거가 필요할 뿐이고 기본권제한의 형식이 반드시 법률의 형식일 필요는 없다.

④ 행정작용은 법률에 위반되어서는 아니 되며, 국민의 권리를 제한하거나 의무를 부과하는 경우와 그 밖에 국민생활에 중요한 영향을 미치는 경우에는 법률에 근거해야 한다.

| 2023년 지방직·서울시 9급

① (○) 어떠한 사안이 국회가 형식적 법률로 스스로 규정하여야 하는 본질적 사항에 해당되는지는, 구체적 사례에서 관련된 이익 내지 가치의 중요성, 규제 또는 침해의 정도와 방법 등을 고려하여 개별적으로 결정하여야 하지만, 규율대상이 국민의 기본권 및 기본적 의무와 관련한 중요성을 가질수록 그리고 그에 관한 공개적 토론의 필요성 또는 상충하는 이익 사이의 조정 필요성이 클수록, 그것이 국회의 법률에 의해 직접 규율될 필요성은 더 증대된다(대판 2020.9.3. 2016두32992 전합).

유제 22. 소방직 국회가 형식적 법률로 직접 규율해야 할 필요성은 규율대상이 기본권 및 기본적 의무와 관련된 중요성을 가질수록, 그에 관한 공개적 토론의 필요성 또는 상충하는 이익 사이의 조정 필요성이 클수록 더 증대된다. (○)

19. 국회직 8급 공개적 토론의 필요성과 상충하는 이익 사이의 조정 필요성이 클수록 국회의 법률에 의하여 직접 규율될 필요성은 증대된다. (○)

② (×) 법률의 시행령은 모법인 법률에 의하여 위임받은 사항이나 법률이 규정한 범위 내에서 법률을 현실적으로 집행하는 데 필요한 세부적인 사항만을 규정할 수 있을 뿐, 법률에 의한 위임이 없는 한 법률이 규정한 개인의 권리·의무에 관한 내용을 변경·보충하거나 법률에 규정되지 아니한 새로운 내용을 규정할 수는 없다(대판 2020.9.3. 2016두32992 전합).

③ (○) 법률유보의 원칙은 '법률에 의한' 규율만을 뜻하는 것이 아니라 '법률에 근거한' 규율을 요청하는 것이므로 기본권제한의 형식이 반드시 법률의 형식일 필요는 없고 법률에 근거를 두면서 헌법 제75조가 요구하는 위임의 구체성과 명확성을 구비하기만 하면 위임입법에 의하여도 기본권제한을 할 수 있다 할 것이다(헌재 2005.2.24. 2003헌마289).

문제 DATA

출제가능 지수 ▶▶▷
난이도 지수 ★★☆

함께 정리하기

법치행정의 원칙

형식적 법률에 의한 규율 필요성
▷ 기본권 및 기본적 의무 관련 중요성 클수록 증대

법률의 시행령
▷ 법률위임 없이 법률이 규정한 개인의 권리·의무에 관한 내용을 변경·보충하거나 새로운 내용을 규정×

법률유보원칙
▷ 법률에 '근거한' 규율(반드시 법률형식 불요)

행정작용
▷ 법률에 위반 불가

권리제한·의무부과 또는 국민생활 중요 영향
▷ 법률에 근거해야 함

유제 18. 경찰 2차 기본권제한에 관한 법률유보원칙은 '법률에 근거한 규율'을 요청하는 것이 아니라 '법률에 의한 규율'을 요청하는 것이다. (×)
　17. 교행 기본권제한의 형식이 반드시 법률의 형식일 필요는 없다. (○)
　17. 국가직 9급 헌법재판소는 법률에 근거를 두면서 헌법 제75조가 요구하는 위임의 구체성과 명확성을 구비하는 경우에는 위임입법에 의하여도 기본권을 제한할 수 있다고 한다. (○)
　17. 지방직 9급 헌법재판소는 법률유보의 형식에 대하여 반드시 법률에 의한 규율만이 아니라 법률에 근거한 규율이면 되기 때문에 기본권제한의 형식이 반드시 법률의 형식일 필요는 없다고 하였다. (○)

④ (○)

> 「행정기본법」제8조【법치행정의 원칙】행정작용은 법률에 위반되어서는 아니 되며, 국민의 권리를 제한하거나 의무를 부과하는 경우와 그 밖에 국민생활에 중요한 영향을 미치는 경우에는 법률에 근거하여야 한다.

답 ②

008 □□□

행정의 법원칙에 대한 판례의 내용이다. (　)에 들어갈 것은?

> 텔레비전방송수신료 금액의 결정은 수신료에 관한 본질적인 중요한 사항이므로 국회가 스스로 행하여야 하는 사항에 속하는 것임에도 불구하고「한국방송공사법」에서 국회의 결정이나 관여를 배제한 채 한국방송공사로 하여금 수신료금액을 결정해서 문화관광부장관의 승인을 얻도록 한 것은 (　)원칙에 위반된다.

① 비례
② 평등
③ 신뢰보호
④ 법률유보
⑤ 부당결부금지

| 2023년 행정사

④ (○) 텔레비전방송수신료는 대다수 국민의 재산권 보장의 측면이나 한국방송공사에게 보장된 방송자유의 측면에서 국민의 기본권실현에 관련된 영역에 속하고, 수신료금액의 설성은 납부의무자의 범위 등과 함께 수신료에 관한 본질적인 중요한 사항이므로 국회가 스스로 행하여야 하는 사항에 속하는 것임에도 불구하고 한국방송공사법 제36조 제1항에서 국회의 결정이나 관여를 배제한 채 한국방송공사로 하여금 수신료금액을 결정해서 문화관광부장관의 승인을 얻도록 한 것은 <u>법률유보원칙</u>에 위반된다(헌재 1999.5.27. 98헌바70).

유제 19. 서울시 9급 수신료금액 결정은 수신료에 관한 본질적인 사항이 아니므로 국회가 반드시 스스로 행하여야 할 필요는 없다. (×)
　19. 경찰 2차 텔레비전방송수신료의 금액은 납부의무자의 범위 등과 함께 수신료에 관한 본질적인 중요한 사항이므로 국회가 스스로 결정·관여하여야 한다. (○)
　10. 국회직 8급 텔레비전방송수신료는 국민의 기본권실현에 관련된 영역에 속하고, 수신료금액의 결정은 수신료에 관한 본질적 중요한 사항이므로,「한국방송공사법」에서 국회의 결정이나 관여를 배제한 채 한국방송공사로 하여금 수신료금액을 결정하게 한 것은 법률유보원칙에 위반된다. (○)

답 ④

문제 DATA
출제가능 지수 ▶▶▷
난이도 지수 ★★☆

함께 정리하기
법치행정
국회의 관여를 배제한 한국방송공사의 TV수신료금액 결정
▷ 법률유보원칙 위반

문제 DATA

출제가능 지수 ▶▶▷
난이도 지수 ★★☆

함께 정리하기

법치행정

형식적 법률에 의한 규율 필요성
▷ 기본권·기본의무 관련 중요성 클수록 증대

국가계약법상 요건과 절차를 거치지 아니한 계약
▷ 무효

지방의회의원에 대하여 유급보좌인력 두는 것
▷ 법률로 규정해야 함

과세표준과세액 신고의무 불이행시 불이익
▷ 법률로 정할 사항

009 □□□

법치행정의 원리에 대한 설명으로 옳지 않은 것은? (다툼이 있는 경우 판례에 의함)

① 국회가 형식적 법률로 직접 규율해야 할 필요성은 규율대상이 기본권 및 기본적 의무와 관련된 중요성을 가질수록, 그에 관한 공개적 토론의 필요성 또는 상충하는 이익 사이의 조정 필요성이 클수록 더 증대된다.
② 국가계약의 본질적인 내용은 사인 간의 계약과 다를 바가 없어 법령에 특별한 규정이 있는 경우를 제외하고는 사법의 규정 내지 법원리가 그대로 적용되므로, 국가와 사인 간의 계약은 국가계약법령에 따른 요건과 절차를 거치지 않더라도 유효하다.
③ 지방의회의원에 대하여 유급보좌인력을 두기 위해서는 법률의 근거가 필요하다.
④ 납세의무자에게 조세의 납부의무뿐만 아니라 스스로 과세표준과 세액을 계산하여 신고하여야 하는 의무까지 부과하는 경우에는 신고의무불이행에 따른 불이익의 내용을 법률로 정하여야 한다.

2022년 소방직

① (○) 어떠한 사안이 국회가 형식적 법률로 스스로 규정하여야 하는 본질적 사항에 해당되는지는, 구체적 사례에서 관련된 이익 내지 가치의 중요성, 규제 또는 침해의 정도와 방법 등을 고려하여 개별적으로 결정하여야 하지만, 규율대상이 국민의 기본권 및 기본적 의무와 관련한 중요성을 가질수록 그리고 그에 관한 공개적 토론의 필요성 또는 상충하는 이익 사이의 조정 필요성이 클수록, 그것이 국회의 법률에 의해 직접 규율될 필요성은 더 증대된다(대판 2015.8.20. 2012두23808 전합).

유제 19. 국가직 9급 국회가 형식적 법률로 직접 규율하여야 하는 필요성은 규율대상이 기본권 및 기본적 의무와 관련된 중요성을 가질수록, 그에 관한 공개적 토론의 필요성 또는 상충하는 이익 사이의 조정 필요성이 클수록 더 증대된다. (○)
19. 국회직 8급 공개적 토론의 필요성과 상충하는 이익 사이의 조정 필요성이 클수록 국회의 법률에 의하여 직접 규율될 필요성은 증대된다. (○)

② (×) 국가계약의 본질적인 내용은 사인 간의 계약과 다를 바 없어 법령에 특별한 규정이 있는 경우를 제외하고는 사법의 규정 내지 법원리가 그대로 적용된다(대판 2016.6.10. 2014다200763·200770). 국가가 사인과 계약을 체결할 때에는 국가계약법령에 따른 계약서를 따로 작성하는 등 요건과 절차를 이행하여야 할 것이고, 설령 국가와 사인 사이에 계약이 체결되었더라도 이러한 법령상 요건과 절차를 거치지 아니한 계약은 효력이 없다(대판 2015.1.15. 2013다215133).

유제 19. 서울시 9급 국가가 사인과 계약을 체결할 때에는 「국가를 당사자로 하는 계약에 관한 법률」에 따른 계약서를 따로 작성하는 등 그 요건과 절차를 이행하여야 한다. (○)
19. 서울시 9급 「국가를 당사자로 하는 계약에 관한 법률」에 따른 계약서를 따로 작성하는 등 그 요건과 절차를 거치지 않고 체결된 계약이라고 해서 무효가 되는 것은 아니다. (×)

③ (○) 지방의회의원에 대하여 유급보좌인력을 두는 것은 지방의회의원의 신분·지위 및 그 처우에 관한 현행 법령상의 제도에 중대한 변경을 초래하는 것으로서, 이는 개별 지방의회의 조례로써 규정할 사항이 아니라 국회의 법률로써 규정하여야 할 입법사항이다(대판 1996.12.10. 96추121).

유제 18. 서울시 9급 지방의회의원에 대하여 유급보좌인력을 두는 것은 개별 지방의회의 조례로서 규정할 사항이 아니라 국회의 법률로써 규정하여야 할 입법사항이다. (○)
17. 지방직 7급·국가직 9급 대법원은 지방의회의원에 대하여 유급보좌인력을 두는 것은 지방의회의원의 신분·지위 및 그 처우에 관한 현행 법령상의 제도에 중대한 변경을 초래하는 것으로서, 이는 개별 지방의회 조례로써 규정할 사항이 아니라 국회의 법률로써 규정하여야 할 입법사항이라고 한다. (○)
18. 교행 지방의회의원에 대하여 유급보좌인력을 두는 것은 지방의회의 조례로 규정할 사항이다. (×)

④ (○) 국민에게 납세의 의무를 부과하기 위해서는 조세의 종목과 세율 등 납세의무에 관한 기본적, 본질적 사항은 국민의 대표기관인 국회가 제정한 법률로 규정하여야 하고, 법률의 위임 없이 명령 또는 규칙 등의 행정입법으로 과세요건 등 납세의무에 관한 기본적, 본질적 사항을 규정하는 것은 헌법이 정한 조세법률주의 원칙에 위배된다. 특히 법인세, 종합소득세와 같이 납세의무자에게 조세의 납부의무뿐만 아니라 스스로 과세표준과 세액을 계산하여 신고하여야 하는 의무까지 부과하는 경우에는 신고의무 이행에 필요한 기본적인 사항과 신고의무불이행 시 납세의무자가 입게 될 불이익 등은 납세의무를 구성하는 기본적, 본질적 내용으로서 법률로 정하여야 한다(대판 2015.8.20. 2012두23808 전합).

유제 17. 국가직 7급 납세의무자에게 조세의 납부의무뿐만 아니라 스스로 과세표준과 세액을 계산하여 신고하여야 하는 의무까지 부과하는 경우에 신고의무불이행에 따른 납세의무자가 입게 될 불이익은 법률로 정하여야 한다. (○)

답 ②

010

법률유보와 법률의 위임에 대한 설명으로 옳지 않은 것은? (다툼이 있는 경우 판례에 의함)

① 자격이나 신분 등을 취득 또는 부여할 수 없거나 인가, 허가, 지정, 승인, 영업등록, 신고 수리 등을 필요로 하는 영업 또는 사업 등을 할 수 없는 사유는 법률로 정하여야 한다.
② 텔레비전방송수신료금액의 결정은 납부의무자의 범위와는 달리 수신료에 관한 본질적인 중요한 사항이 아니므로 국회가 스스로 결정할 필요는 없다.
③ 토지등소유자가 도시환경정비사업시행인가 신청시 요구되는 토지등소유자의 동의정족수를 정하는 것은 법률유보 내지 의회유보의 원칙이 지켜져야 할 영역이다.
④ 헌법재판소에 따르면 지방자치단체의 조례에 대한 법률의 위임은 법규명령에 대한 위임과 달리 반드시 구체적으로 범위를 정하여야 할 필요가 없고 포괄적인 것으로 족하다.
⑤ 헌법재판소에 따르면 법률이 자치적인 사항을 공법적 단체의 정관으로 정하도록 위임한 경우에는 포괄위임입법금지원칙이 적용되지 않는다.

🔵 문제 DATA
출제가능 지수 ▶▶∑
난이도 지수 ★★☆

2022년 국회직 8급

① (○)

> 「행정기본법」 제16조【결격사유】① 자격이나 신분 등을 취득 또는 부여할 수 없거나 인가, 허가, 지정, 승인, 영업등록, 신고 수리 등(이하 "인·허가"라 한다)을 필요로 하는 영업 또는 사업 등을 할 수 없는 사유(이하 이 조에서 "결격사유"라 한다)는 법률로 정한다.

② (×) 텔레비전방송수신료는 대다수 국민의 재산권 보장의 측면이나 한국방송공사에게 보장된 방송자유의 측면에서 국민의 기본권실현에 관련된 영역에 속하고, 수신료금액의 결정은 납부의무자의 범위 등과 함께 수신료에 관한 본질적인 중요한 사항이므로 국회가 스스로 행하여야 하는 사항에 속하는 것임에도 불구하고 한국방송공사법 제36조 제1항에서 국회의 결정이나 관여를 배제한 채 한국방송공사로 하여금 수신료금액을 결정해서 문화관광부장관의 승인을 얻도록 한 것은 법률유보원칙에 위반된다(헌재 1999.5.27. 98헌바70).

③ (○) 토지등소유자가 도시환경정비사업을 시행하는 경우 사업시행인가 신청시 필요한 토지등소유자의 동의는 개발사업의 주체 및 정비구역 내 토지등소유자를 상대로 수용권을 행사하고 각종 행정처분을 발할 수 있는 행정주체로서의 지위를 가지는 사업시행자를 지정하는 문제로서 그 동의요건을 정하는 것은 국민의 권리와 의무의 형성에 관한 기본적이고 본질적인 사항이므로 국회가 스스로 행하여야 하는 사항에 속하는 것임에도 불구하고 사업시행인가 신청에 필요한 동의정족수를 토지등소유자가 자치적으로 정하여 운영하는 규약에 정하도록 한 것은 법률유보원칙에 위반된다(헌재 2011.8.30. 2009헌바128 등).

유제 20. 소방간부 헌법재판소는 구「도시 및 주거환경정비법」상 도시환경정비사업의 사업시행인가 신청 시의 동의요건을 '토지등소유자가 자치적으로 정하여 운영하는 규약'에 정하도록 한 것(동의요건조항)은 법률유보원칙 내지 의회유보원칙에 위배된다고 판단했다. (○)
18. 서울시 9급 토지등소유자가 도시환경정비사업을 시행하는 경우 사업시행인가 신청에 필요한 토지등소유자의 동의정족수를 토지등소유자가 자치적으로 정하여 운영하는 규약에 정하도록 한 것은 법률유보원칙에 위반된다. (○)
17. 국가직 9급, **14.** 경찰 2차 헌법재판소는 토지등소유자가 도시환경정비사업을 시행하는 경우, 사업시행인가 신청시 필요한 토지등소유자의 동의정족수를 정하는 것은 국민의 권리와 의무의 형성에 관한 기본적이고 본질적인 사항으로 법률유보 내지 의회유보의 원칙이 지켜져야 할 영역이라고 한다. (○)

📋 함께 정리하기

법률유보

결격사유
▷ 법률로 정해야 함(기본법)

텔레비전수신료금액
▷ 의회유보사항

토지등소유자의 사업시행인가 신청시 토지등소유자 동의요건
▷ 의회유보사항○(헌법재판소)

형식적 법률에 의한 규율 필요성
▷ 기본권·기본의무 관련 중요성 클수록 증대

정관에 자치법적 사항 위임
▷ 포괄위임금지 적용×
▷ 의회유보원칙 적용○

제1장 행정법의 의의 **69**

[비교판례]
조합의 사업시행인가 신청시의 토지 등 소유자의 동의요건이 비록 토지 등 소유자의 재산상 권리·의무에 영향을 미치는 사업시행계획에 관한 것이라고 하더라도, 그 동의요건은 사업시행인가 신청에 대한 토지 등 소유자의 사전 통제를 위한 절차적 요건에 불과하고 토지 등 소유자의 재산상 권리·의무에 관한 기본적이고 본질적인 사항이라고 볼 수 없으므로 법률유보 내지 의회유보의 원칙이 반드시 지켜져야 하는 영역이라고 할 수 없고, 따라서 개정된 도시 및 주거환경정비법 제28조 제4항 본문이 법률유보 내지 의회유보의 원칙에 위배된다고 할 수 없다(대판 2007.10.12. 2006두14476).

④ (O) 조례의 제정권자인 지방의회는 선거를 통해서 그 지역적인 민주적 정당성을 지니고 있는 주민의 대표기관이고 헌법이 지방자치단체에 포괄적인 자치권을 보장하고 있는 취지로 볼 때, 조례에 대한 법률의 위임은 법규명령에 대한 법률의 위임과 같이 반드시 구체적으로 범위를 정하여 할 필요가 없으며 포괄적인 것으로 족하다(헌재 1995.4.20. 92헌마264·279).

⑤ (O) 법률이 공법적 단체 등의 정관에 자치법적 사항을 위임한 경우에는 헌법 제75조가 정하는 포괄적인 위임입법의 금지는 원칙적으로 적용되지 않는다고 봄이 상당하고, 그렇다 하더라도 그 사항이 국민의 권리·의무에 관련되는 것일 경우에는 적어도 국민의 권리·의무에 관한 기본적이고 본질적인 사항은 국회가 정하여야 한다(대판 2007.10.12. 2006두14476).

답 ②

011

행정의 법률적합성에 대한 설명으로 옳지 않은 것은? (다툼이 있는 경우 판례에 의함)

① 기본권 제한에 관한 법률유보원칙은 '법률에 근거한 규율'을 요청하는 것이므로, 그 형식이 반드시 법률일 필요는 없다 하더라도 법률상의 근거는 있어야 한다는 것이 헌법재판소의 입장이다.
② 어떠한 사안이 국회가 형식적 법률로 스스로 규정하여야 하는 본질적 사항에 해당되는지는 구체적 사례에서 관련된 이익 내지 가치의 중요성, 규제 또는 침해의 정도와 방법 등을 고려하여 개별적으로 결정하여야 한다는 것이 대법원의 입장이다.
③ 지방의회에서 근로자를 두어 의정활동을 지원하는 것은 개별 지방의회에서 정할 사항이 아니라 국회의 법률로 규정하여야 할 입법사항에 해당한다는 것이 대법원의 입장이다.
④ 조합의 사업시행인가 신청 시의 토지 등 소유자의 동의요건은 토지 등 소유자의 재산상 권리·의무에 관한 본질적인 사항으로 법률유보의 원칙이 반드시 지켜져야 하는 영역이라는 것이 대법원의 입장이다.
⑤ 구「한국방송공사법」상 국회의 결정이나 관여를 배제한 채 한국방송공사로 하여금 수신료금액을 결정해서 문화관광부장관의 승인을 얻도록 한 것은 법률유보원칙에 위반된다는 것이 헌법재판소의 입장이다.

2021년 소방간부

① (O) 국민의 기본권은 헌법 제37조 제2항에 의하여 국가안전보장·질서유지 또는 공공복리를 위하여 필요한 경우에 한하여 이를 제한할 수 있으나, 그 제한의 방법은 원칙적으로 법률로써만 가능하고 제한의 정도도 기본권의 본질적 내용을 침해할 수 없으며 필요한 최소한도에 그쳐야 한다. 여기서 기본권제한에 관한 법률유보원칙은 '법률에 근거한 규율'을 요청하는 것이므로, 그 형식이 반드시 법률일 필요는 없다 하더라도 법률상의 근거는 있어야 한다 할 것이다(헌재 2006.5.25. 2003헌마715).

유제 19. 서울시 9급 기본권제한에 관한 법률유보원칙은 '법률에 근거한 규율'을 요청하는 것이므로, 그 형식이 반드시 법률일 필요는 없다 하더라도 법률상의 근거는 있어야 한다. (O)

② (O) 어떠한 사안이 국회가 형식적 법률로 스스로 규정하여야 하는 본질적 사항에 해당되는지는, 구체적 사례에서 관련된 이익 내지 가치의 중요성, 규제 또는 침해의 정도와 방법 등을 고려하여 개별적으로 결정하여야 하지만, 규율대상이 국민의 기본권 및 기본적 의무와 관련한 중요성을 가질수록 그리고 그에 관한 공개적 토론의 필요성 또는 상충하는 이익 사이의 조정 필요성이 클수록, 그것이 국회의 법률에 의해 직접 규율될 필요성은 더 증대된다(대판 2015.8.20. 2012두23808 전합).

③ (O) 지방의회에서 근로자를 두어 의정활동을 지원하는 것은 지방의회의원이 담당하고 있는 의정 자료의 수집·연구 및 이를 위한 보조활동에 대하여 의정활동비를 지급하는 것에서 더 나아가 실질적으로 유급보좌인력을 두는 것과 마찬가지로 봄이 상당하며, 이 사건 근로자가 기간제근로자라고 하여 달리 볼 것은 아니다. 따라서 이는 개별 지방의회에서 정할 사항이 아니라 국회의 법률로써 규정하여야 할 입법사항에 해당하는데, 지방자치법은 물론 다른 법령에서도 이 사건 근로자를 지방의회에 둘 수 있는 법적 근거를 찾아볼 수 없다(대판 2013.1.16. 2012추84).

④ (×) 조합의 사업시행인가 신청시의 토지 등 소유자의 동의요건이 비록 토지 등 소유자의 재산상 권리·의무에 영향을 미치는 사업시행계획에 관한 것이라고 하더라도, 그 동의요건은 사업시행인가 신청에 대한 토지 등 소유자의 사전 통제를 위한 절차적 요건에 불과하고 토지 등 소유자의 재산상 권리·의무에 관한 기본적이고 본질적인 사항이라고 볼 수 없으므로 법률유보 내지 의회유보의 원칙이 반드시 지켜져야 하는 영역이라고 할 수 없다(대판 2007.10.12. 2006두14476).

⑤ (O) 텔레비전방송수신료는 대다수 국민의 재산권 보장의 측면이나 한국방송공사에게 보장된 방송자유의 측면에서 국민의 기본권실현에 관련된 영역에 속하고, 수신료금액의 결정은 납부의무자의 범위 등과 함께 수신료에 관한 본질적인 중요한 사항이므로 국회가 스스로 행하여야 하는 사항에 속하는 것임에도 불구하고 한국방송공사법 제36조 제1항에서 국회의 결정이나 관여를 배제한 채 한국방송공사로 하여금 수신료금액을 결정해서 문화관광부장관의 승인을 얻도록 한 것은 법률유보원칙에 위반된다(헌재 1999.5.27. 98헌바70).

답 ④

012

법률유보의 원칙에 대한 설명으로 옳지 않은 것은? (다툼이 있는 경우 판례에 의함)

① 법률유보의 원칙은 단순히 행정작용이 법률에 근거를 두기만 하면 충분한 것이 아니라, 국민의 기본권 실현과 관련된 영역에 있어서는 입법자가 그 본질적 사항에 대해서 스스로 결정하여야 한다는 것이다.

② 법률유보의 원칙은 법률에 근거한 규율을 요청하는 것이기 때문에 기본권제한의 형식은 반드시 법률의 형식이어야 한다.

③ 법률에 개인택시운송사업자의 운전면허가 취소된 때에 그의 개인택시운송사업면허를 취소할 수 있도록 규정되어 있더라도, 관할관청은 개인택시운송사업자에게 운전면허 취소사유가 있다는 사유만으로 개인택시운송사업면허를 취소할 수 없다.

④ 산림훼손은 국토 및 자연의 유지와 수질 등 환경의 보전에 직접적으로 영향을 미치는 행위이므로, 허가관청은 국토 및 자연의 유지와 환경의 보전 등 중대한 공익상 필요가 있다고 인정될 때에는 산림훼손허가를 거부할 수 있고, 그 경우 법규에 명문의 근거가 없더라도 거부처분을 할 수 있다.

⑤ 헌법재판소는 구 「도시 및 주거환경정비법」상 도시환경정비사업의 사업시행인가 신청시의 동의요건을 '토지등소유자가 자치적으로 정하여 운영하는 규약'에 정하도록 한 것(동의요건조항)은 법률유보원칙 내지 의회유보원칙에 위배된다고 판단했다.

함께 정리하기

법률유보의 원칙

의회유보원칙
▷ 국민의 기본권실현 관련 영역은 입법자가 본질적 사항을 스스로 결정하여야 함

기본권제한 형식
▷ 반드시 법률형식 不要

운전면허취소사유만으로 개인택시운송사업면허 취소 不可

산림형질변경허가
▷ 명문근거 없이 중대한 공익 들어 거부 可

토지등소유자의 사업시행인가 신청시 토지등소유자 동의요건
▷ 의회유보사항O(헌법재판소)

2020년 소방간부

① (○) 오늘날 법률유보원칙은 단순히 행정작용이 법률에 근거를 두기만 하면 충분한 것이 아니라, 국가공동체와 그 구성원에게 기본적이고도 중요한 의미를 갖는 영역, 특히 국민의 기본권실현과 관련된 영역에 있어서는 국민의 대표자인 입법자가 그 본질적 사항에 대해서 스스로 결정하여야 한다는 요구까지 내포하고 있다(의회유보원칙)(헌재 1999.5.27. 98헌바70).

유제 19. 국가직 9급, 18. 경찰 2차, 10. 지방직 7급 우리 헌법재판소는 오늘날 법률유보원칙은 특히 국민의 기본권실현과 관련된 영역에 있어서는 국민의 대표자인 입법자가 그 본질적 사항에 대해서 스스로 결정하여야 한다는 요구까지 내포하는 것은 아니라고 판시한 바 있다. (×)
19. 서울시 9급 법치행정의 원칙상 국민의 기본권 실현과 관련된 영역에 있어서는 입법자가 본질적인 사항에 대해서 스스로 결정해야 한다. (○)
16. 사복직 법률유보의 적용범위는 행정의 복잡화와 다기화, 재량행위의 확대에 따라 과거에 비해 점차 축소되고 있으며 이러한 경향에 따라 헌법재판소는 행정유보의 입장을 확고히 하고 있다. (×)

② (×) 법률유보의 원칙은 '법률에 의한' 규율만을 뜻하는 것이 아니라 '법률에 근거한' 규율을 요청하는 것이므로 기본권 제한의 형식이 반드시 법률의 형식일 필요는 없고 법률에 근거를 두면서 헌법 제75조가 요구하는 위임의 구체성과 명확성을 구비하기만 하면 위임입법에 의하여도 기본권 제한을 할 수 있다 할 것이다(헌재 2005.2.24. 2003헌마289).

③ (○) 구 여객자동차운수사업법에는 관할관청은 개인택시운송사업자의 운전면허가 취소된 때에 그의 개인택시운송사업면허를 취소할 수 있도록 규정되어 있을 뿐 그에게 운전면허 취소사유가 있다는 사유만으로 개인택시운송사업면허를 취소할 수 있도록 하는 규정은 없으므로, 관할관청으로서는 비록 개인택시운송사업자에게 운전면허 취소사유가 있다 하더라도 그로 인하여 운전면허 취소처분이 이루어지지 않은 이상 개인택시운송사업면허를 취소할 수는 없다(대판 2008.5.15. 2007두26001).

유제 19. 국가직 9급 개인택시운송사업자의 운전면허가 아직 취소되지 않았더라도 운전면허 취소사유가 있다면 행정청은 명문규정이 없더라도 개인택시운송사업면허를 취소할 수 있다. (×)
12. 국회직 9급 관할관청은 비록 개인택시운송사업자에게 운전면허 취소사유가 있다 하더라도 그로 인하여 운전면허 취소처분이 이루어지지 않은 이상 개인택시운송사업면허를 취소할 수 없다. (○)

④ (○) 산림훼손은 국토 및 자연의 유지와 수질 등 환경의 보전에 직접적으로 영향을 미치는 행위이므로, 법령이 규정하는 산림훼손 금지 또는 제한 지역에 해당하는 경우는 물론 금지 또는 제한 지역에 해당하지 않더라도 허가관청은 산림훼손허가신청 대상토지의 현상과 위치 및 주위의 상황 등을 고려하여 국토 및 자연의 유지와 환경의 보전 등 중대한 공익상 필요가 있다고 인정될 때에는 허가를 거부할 수 있고, 그 경우 법규에 명문의 근거가 없더라도 거부처분을 할 수 있다(대판 2003.3.28. 2002두12113).

유제 17. 국가직 7급 법규에 명문의 근거가 없음에도 환경보전이라는 중대한 공익상의 이유로 산림훼손허가를 거부하는 것은 법률유보의 원칙에 비추어 허용되지 않는다. (×)
08. 국가직 9급 법규에 명문의 근거가 없는 경우에 환경보전을 이유로 산림훼손허가를 거부하는 것은 비례원칙에 반한다. (×)

⑤ (○) 헌재 2011.8.30. 2009헌바128 등

답 ②

문제 DATA

출제가능 지수 ▶▶▷
난이도 지수 ★★☆

013 □□□

법치행정원리에 대한 설명으로 옳은 것은?

① 법률우위의 원칙에서 말하는 법률은 국회가 제정한 형식적 의미의 법률만을 말한다.
② 법률우위의 원칙은 사법형식의 행정작용에는 적용되지 않는다.
③ 법률우위의 원칙에 위반한 행정행위는 무효이다.
④ 법률유보의 원칙에서 말하는 법률에는 법률의 위임에 의해 제정된 법규명령도 포함된다.
⑤ 법률유보의 범위와 관련하여 본질성설에 따르는 경우 행정입법에의 위임은 금지된다.

2020년 행정사

① (×) 법률우위의 원칙에서의 '법률'은 헌법, 형식적 의미의 법률, 법규명령과 불문법을 포함한 모든 법규를 의미한다. 그러나 법규성이 부정되는 행정규칙은 포함되지 않는다.

유제 19. 서울시 7급 법률우위의 원칙에서 법은 형식적 법률뿐 아니라 법규명령과 관습법 등을 포함하는 넓은 의미의 법이다. (○)

② (×) 법률우위의 원칙은 제한 없이 행정의 모든 영역에 적용된다. 공법형식의 국가작용뿐만 아니라 사법형식의 국가작용에도 적용되며 사실행위에도 적용된다.

유제 21. 지방직 9급 공법상 계약에는 법률우위의 원칙이 적용된다. (○)
18. 교행 법률우위의 원칙은 행정의 모든 영역에 적용된다. (○)
17. 교행 법률우위의 원칙은 침해적 행정에만 적용된다. (×)
16. 서울시 7급 조례는 행정입법의 성격을 갖기 때문에 법률우위의 원칙은 적용되지 않는다. (×)

③ (×) 법률우위의 원칙에 위반한 행정행위는 위법한 행정행위가 되는데, 위법의 정도에 따라 무효 또는 취소의 대상이 된다.

④ (○) 법률유보의 원칙에서 말하는 법률에는 형식적 의미의 법률뿐만 아니라 법규명령도 포함되나 예산이나 불문법원(관습법)은 포함되지 않는다.

유제 19. 서울시 7급 법률유보원칙에서 '법률의 유보'라고 하는 경우의 '법률'에는 국회에서 법률제정의 절차에 따라 만들어진 형식적 의미의 법률뿐만 아니라 국회의 의결을 거치지 않은 명령이나 불문법원으로서의 관습법이나 판례법도 포함된다. (×)
19. 군무원 9급 법률유보의 원칙은 법률에 근거한 규율을 의미한다. 따라서 법규명령을 통한 규율도 인정한다. (○)
16. 서울시 9급, 14. 경찰 2차 법률유보원칙에서의 '법률'에는 국회가 제정하는 형식적 의미의 법률뿐만 아니라 법률의 위임에 따라 제정된 법규명령도 포함된다. (○)

⑤ (×) 중요사항유보설(본질성설)은 공동체에 매우 중요한 사항 및 국민의 권리·의무에 관한 기본적이고 본질적인 사항은 행정입법에 위임할 수 없고 법률로 정해야 한다는 이론으로, 이는 위임입법의 한계가 된다. 중요사항 이외의 사항에 대해서는 행정입법에의 위임이 허용된다.

답 ④

함께 정리하기

법치행정원리

법률우위원칙의 법률
▷ 모든 법규

법률우위원칙
▷ 행정의 모든 영역에 적용

법률우위원칙 위반 행정행위
▷ 무효

법률유보원칙의 법률
▷ 법규명령도 포함

중요사항유보설(본질성설)
▷ 중요사항 아니면 행정입법 위임허용

---

014 □□□

법률유보의 원칙에 대한 설명으로 옳지 않은 것은? (다툼이 있는 경우 판례에 의함)

① 법률유보의 원칙에서 요구되는 법적 근거는 작용법적 근거를 의미한다.
② 개인택시운송사업자의 운전면허가 아직 취소되지 않았더라도 운전면허 취소사유가 있다면 행정청은 명문 규정이 없더라도 개인택시운송사업면허를 취소할 수 있다.
③ 법률유보의 원칙은 국민의 기본권실현과 관련된 영역에 있어서는 입법자가 그 본질적 사항에 대해서 스스로 결정하여야 한다는 요구까지 내포하고 있다.
④ 국회가 형식적 법률로 직접 규율하여야 하는 필요성은 규율대상이 기본권 및 기본적 의무와 관련된 중요성을 가질수록, 그에 관한 공개적 토론의 필요성 또는 상충하는 이익 사이의 조정 필요성이 클수록 더 증대된다.

문제 DATA
출제가능 지수 ▶▶▶
난이도 지수 ★☆☆

함께 정리하기

법률유보원칙

법률유보원칙에서의 법적근거
▷ 작용법적 근거

운전면허취소사유만으로 개인택시운송사업면허
▷ 취소 불가

국민의 기본권실현관련영역
▷ 입법자가 그 본질적 사항에 대해서 스스로 결정하여야 한다는 요구까지 내포

형식적 법률에 의한 규율 필요성
▷ 기본권·기본의무 관련 중요성 클수록 증대

2019년 국가직 9급

① (O) 조직법적 근거(조직규범, 직무규범)는 모든 행정권 행사에 있어서 반드시 필요하므로 법률유보원칙에서 요구되는 법적 근거는 조직법적 근거 외에 작용법적 근거를 의미한다.

유제 19. 서울시 7급 법률유보의 원칙은 행정권의 발동에 있어서 조직규범의 근거가 필요하다는 것을 말한다. (X)

18. 서울시 9급 법률유보원칙에서 요구되는 법적 근거는 작용법적 근거를 의미하며, 조직법적 근거는 모든 행정권 행사에 있어서 당연히 요구된다. (O)

18. 교행 법률유보의 원칙은 행정권의 발동에 있어서 조직규범 외에 작용규범이 요구된다는 것을 의미한다. (O)

② (X) 구 여객자동차운수사업법에는 관할관청은 개인택시운송사업자의 운전면허가 취소된 때에 그의 개인택시운송사업면허를 취소할 수 있도록 규정되어 있을 뿐 그에게 운전면허 취소사유가 있다는 사유만으로 개인택시운송사업면허를 취소할 수 있도록 하는 규정은 없으므로, 관할관청으로서는 비록 개인택시운송사업자에게 운전면허 취소사유가 있다 하더라도 그로 인하여 운전면허 취소처분이 이루어지지 않은 이상 개인택시운송사업면허를 취소할 수는 없다(대판 2008.5.15. 2007두26001).

③ (O) 헌재 1999.5.27. 98헌바70

④ (O) 대판 2015.8.20. 2012두23808 전합

답 ②

문제 DATA

출제가능 지수 ▶▶▷
난이도 지수 ★★☆

---

015 □□□

법치행정의 원리에 대한 설명으로 가장 옳은 것은?

① 법우위의 원칙에서 법은 형식적 법률뿐 아니라 법규명령과 관습법 등을 포함하는 넓은 의미의 법이다.

② 법치행정원리의 현대적 의미는 실질적 법치주의에서 형식적 법치주의로의 전환이다.

③ 법률유보원칙에서 '법률의 유보'라고 하는 경우의 '법률'에는 국회에서 법률제정의 절차에 따라 만들어진 형식적 의미의 법률뿐만 아니라 국회의 의결을 거치지 않은 명령이나 불문법원으로서의 관습법이나 판례법도 포함된다.

④ 법률유보의 원칙은 행정권의 발동에 있어서 조직규범의 근거가 필요하다는 것을 말한다.

함께 정리하기

법치행정의 원리

법우위의 원칙에서 법
▷ 넓은 의미의 법

형식적 법치주의에서 실질적 법치주의로 전환

법률유보원칙에서 법률
▷ 불문법원은 포함 X

법률유보원칙에서의 법적 근거
▷ 작용법적 근거 O
▷ 조직법적 근거 X

2019년 서울시 7급

① (O) 법률우위의 원칙이란 모든 행정작용은 법률에 위배되어서는 안 된다는 것을 의미하는바(소극적 의미), 여기서의 법률에는 헌법, 형식적 의미의 법률, 법규명령과 불문법을 포함한 모든 법규를 의미한다.

② (X) 종래 법치주의는 국가권력의 행사는 의회가 제정한 법률에 따라야 한다는 형식적 법치주의를 의미하였으나, 오늘날의 법치주의는 법률의 제정뿐만 아니라 그 내용의 적용에 있어서도 국민의 권리·의무를 최대한 보장할 수 있어야 한다는 실질적 법치주의를 의미한다.

③ (X) 법률유보의 원칙이란 일정한 행정권의 발동에는 법률의 근거가 필요하다는 것을 의미하는바(적극적 의미), 여기서의 법률이란 형식적 의미의 법률뿐만 아니라 법규명령도 포함되나 예산이나 불문법원(관습법)은 포함되지 않는다.

유제 16. 서울시 9급 관습법은 성문법령의 흠결을 보충하기 때문에 법률유보원칙에서 말하는 법률에 해당한다. (X)

13. 국회직 9급 법률유보의 원칙에 있어서 법률은 형식적 의미의 법률을 의미하므로 관습법은 포함되지 않는다. (O)

④ (X) 조직법적 근거(조직규범, 직무규범)는 모든 행정권 행사에 있어서 반드시 필요하므로 법률유보원칙에서 요구되는 법적 근거는 조직법적 근거 외에 작용법적 근거를 의미한다.

답 ①

016

법률유보원칙에 대한 설명으로 가장 옳은 것은? (다툼이 있는 경우 판례에 의함)

① 헌법재판소 결정에 따를 때 기본권 제한에 관한 법률유보원칙은 법률에 근거한 규율을 요청하는 것이므로 그 형식이 반드시 법률일 필요는 없더라도 법률상의 근거는 있어야 한다.
② 행정상 즉시강제는 개인에게 미리 의무를 명할 시간적 여유가 없는 경우를 전제로 하므로 그 긴급성을 고려할 때 원칙적으로 법률적 근거를 요하지 아니한다.
③ 헌법재판소는 법률이 공법적 단체 등의 정관에 자치법적 사항을 위임하는 경우에는 의회유보원칙이 적용될 여지가 없다고 한다.
④ 헌법재판소는 국회의 의결을 거쳐 확정되는 예산도 일종의 법규범이므로 법률과 마찬가지로 국가기관뿐만 아니라 국민도 구속한다고 본다.

| 2019년 서울시 9급

① (○) 헌재 2006.5.25. 2003헌마715
② (×) 행정상 즉시강제는 전형적인 침해행정의 일종이므로 엄격한 실정법적 근거가 필요하다고 보는 것이 일반적이다.
③ (×) 법률이 자치적인 사항을 정관에 위임할 경우 원칙적으로 헌법상의 포괄위임입법금지 원칙이 적용되지 않는다 하더라도, 그 사항이 국민의 권리 의무에 관련되는 것일 경우에는, 적어도 국민의 권리와 의무의 형성에 관한 사항을 비롯하여 국가의 통치조직과 작용에 관한 기본적이고 본질적인 사항은 반드시 국회가 정하여야 한다는 법률유보 내지 의회유보의 원칙이 지켜져야 할 것이다(헌재 2001.4.26. 2000헌마122).
④ (×) 예산은 일종의 법규범이고 법률과 마찬가지로 국회의 의결을 거쳐 제정되지만 법률과 달리 국가기관만을 구속할 뿐 일반국민을 구속하지 않는다. 국회가 의결한 예산 또는 국회의 예산안 의결은 헌법소원의 대상이 되지 아니한다(헌재 2006.4.25. 2006헌마409).

유제 13. 지방직 9급 헌법재판소는 예산도 일종의 법규범이고, 법률과 마찬가지로 국회의 의결을 거쳐 제정되며, 국가기관뿐만 아니라 일반 국민도 구속한다고 본다. 따라서 법률유보원칙에서 말하는 법률에는 예산도 포함된다. (×)

답 ①

문제 DATA
출제가능 지수 ▶▶▷
난이도 지수 ★★☆

함께 정리하기
법률유보원칙

기본권 제한에 관한 법률유보원칙
▷ 법률에 근거한 규율

행정상 즉시강제
▷ 엄격한 실정법적 근거 필요

정관에 자치법적 사항 위임
▷ 포괄위임금지 적용×
▷ 의회유보원칙 적용○

예산
▷ 국민 구속×
▷ 법률유보원칙에서의 법률×

017

법률유보원칙에 대한 판례의 입장으로 가장 옳지 않은 것은?

① 법령의 규정보다 더 침익적인 조례는 법률유보원칙에 위반되어 위법하며 무효이다.
② 법률유보원칙에서 요구되는 법적 근거는 작용법적 근거를 의미하며, 조직법적 근거는 모든 행정권 행사에 있어서 당연히 요구된다.
③ 지방의회의원에 대하여 유급보좌인력을 두는 것은 개별 지방의회의 조례로써 규정할 사항이 아니라 국회의 법률로서 규정하여야 할 입법사항이다.
④ 토지등소유자가 도시환경정비사업을 시행하는 경우 사업시행인가 신청에 필요한 토지등소유자의 동의정족수를 토지등소유자가 자치적으로 정하여 운영하는 규약에 정하도록 한 것은 법률유보원칙에 위반된다.

문제 DATA
출제가능 지수 ▶▶▷
난이도 지수 ★★☆

함께 정리하기

법률유보원칙

법령규정보다 침익적인 조례
▷ 법률우위원칙 위반으로 무효

법률유보원칙에서의 법적 근거
▷ 작용법적 근거

지방의회의원에 대하여 유급보좌인력 두는 것
▷ 법률로 규정해야 함

토지등소유자의 사업시행인가 신청시 토지등소유자 동의요건
▷ 의회유보사항O(헌법재판소)

문제 DATA

출제가능 지수 ▶▶▷
난이도 지수 ★☆☆

함께 정리하기

지방의회의원에 대하여 유급보좌인력 두는 것
▷ 법률로 규정해야 함

법률유보원칙에서의 법적근거
▷ 작용규범

법률우위원칙
▷ 모든 영역에 적용
▷ 합헌적 법률에의 위반 금지

| 2018년 서울시 9급

① (×) 법령의 규정보다 더 침익적인 조례는 법률우위원칙 위반으로 무효이다.

> 차고지확보 대상을 자가용자동차 중 승차정원 16인 미만의 승합자동차와 적재정량 2.5t 미만의 화물자동차까지로 정하여 <u>자동차운수사업법령이 정한 기준보다 확대</u>하고, 차고지확보 입증서류의 미제출을 자동차등록 거부사유로 정하여 <u>자동차관리법령이 정한 자동차 등록기준보다 더 높은 수준의 기준을 부가하고 있는</u> 차고지확보제도에 관한 조례안은 비록 그 법률적 위임근거는 있지만 그 내용이 차고지 확보기준 및 자동차등록기준에 관한 <u>상위법령의 제한범위를 초과하여 무효이다</u>(대판 1997.4.25. 96추251).

② (O) 행정은 모든 경우에 소관 사무 내에서만 가능하므로 조직법적 근거(조직규범, 직무규범)는 모든 행정권 행사에 있어서 당연히 요구된다. 따라서 법률유보의 원칙에서 요구되는 법적 근거는 조직법적 근거가 아니라 작용법적 근거(작용규범, 근거규범, 수권규범)를 의미한다.
③ (O) 대판 1996.12.10. 96추121
④ (O) 헌재 2011.8.30. 2009헌바128

답 ①

018 □□□

법치행정에 대한 설명으로 옳지 않은 것은? (다툼이 있는 경우 판례에 의함)

① 지방의회의원에 대하여 유급보좌인력을 두는 것은 지방의회의 조례로 규정할 사항이다.
② 법률유보의 원칙은 행정권의 발동에 있어서 조직규범 외에 작용규범이 요구된다는 것을 의미한다.
③ 법률우위의 원칙은 행정의 모든 영역에 적용된다.
④ 법률우위의 원칙이란 국가의 행정은 합헌적 절차에 따라 제정된 법률에 위반되어서는 아니 된다는 것을 말한다.

| 2018년 교육행정직

① (×) (지방의회의원에 대하여 유급보좌인력을 두는 것은) … 개별 지방의회의 조례로써 규정할 사항이 아니라 국회의 법률로써 규정하여야 할 입법사항이다(대판 1996.12.10. 96추121).
② (O) 법률유보의 원칙은 일정한 행정권의 발동에 있어서는 그 내용이 명확하고 예견 가능하도록 미리 법률에 적극적인 근거가 있어야 한다는 것이다. 법률유보는 행정조직이 아닌 행정작용에 관한 것이고 행정작용은 조직법적 근거가 반드시 필요하므로 법률유보원칙에서의 '법률'은 조직규범이 아닌 작용규범을 의미한다.
③ (O) 법률우위의 원칙은 모든 행정작용(사법적 작용, 수익적 작용, 공법상 계약, 법규명령, 조례 등)에 적용된다.
④ (O) 법률우위의 원칙이란 모든 행정작용은 법률에 위배되어서는 안 된다는 것을 의미한다(소극적 의미). 이는 행정에 국한되는 원칙이라기 보다는 최고법인 헌법을 정점으로 하는 우리 법체계상 당연한 내용이다.

답 ①

019

법치행정에 대한 설명으로 가장 옳지 않은 것은? (다툼이 있는 경우 판례에 의함)

① 기본권 제한에 관한 법률유보원칙은 '법률에 근거한 규율'을 요청하는 것이 아니라 '법률에 의한 규율'을 요청하는 것이다.
② 「지방자치법」에 의하면 지방자치단체가 조례로 주민의 권리 제한 또는 의무 부과에 관한 사항이나 벌칙을 정할 때에는 법률의 위임이 있어야 한다.
③ 오늘날 법률유보원칙은 국민의 기본권실현과 관련된 영역에 있어서 국민의 대표자인 입법자가 그 본질적 사항에 대해서 스스로 결정하여야 한다는 요구까지 내포하고 있다.
④ 집회나 시위 해산을 위한 살수차 사용은 집회의 자유 및 신체의 자유에 대한 중대한 제한을 초래하므로 살수차 사용요건이나 기준은 법률에 근거를 두어야 한다.

2018년 경찰 2차

① (×) 법률유보의 원칙은 '법률에 의한' 규율만을 뜻하는 것이 아니라 '법률에 근거한' 규율을 요청하는 것이므로 기본권 제한의 형식이 반드시 법률의 형식일 필요는 없고 법률에 근거를 두면서 헌법 제75조가 요구하는 위임의 구체성과 명확성을 구비하기만 하면 위임입법에 의하여도 기본권 제한을 할 수 있다 할 것이다(헌재 2005.2.24. 2003헌마289).
② (○)

> 「지방차지법」 제22조【조례】 지방자치단체는 법령의 범위 안에서 그 사무에 관하여 조례를 제정할 수 있다. 다만, 주민의 권리 제한 또는 의무 부과에 관한 사항이나 벌칙을 정할 때에는 법률의 위임이 있어야 한다.

③ (○) 헌재 1999.5.27. 98헌바70
④ (○) 물포는 국민의 생명이나 신체에 중대한 위해를 가할 수 있는 경찰장비이므로, 구체적인 사용 근거와 기준 등에 관한 중요한 사항이 법률 자체에 직접 규정되어야 한다. 그런데 구 경찰관직무집행법은 아무런 규정을 두고 있지 않으므로, 이를 근거로 행한 이 사건 물포발사행위는 법률유보원칙에 위배된다(헌재 2014.6.26. 2011헌마815).

답 ①

문제 DATA
출제가능 지수 ▶▷▷
난이도 지수 ★☆☆

함께 정리하기

법치행정

법률유보원칙
▷ 법률에 근거한 규율 ○
▷ 법률에 의한 규율 ×

주민의 권리 제한·의무 부과, 벌칙 조례
▷ 법률위임 필요

국민기본권실현 관련영역
▷ 입법자가 본질적 사항을 스스로 결정하여야 함(의회유보원칙)

살수차 사용요건·기준
▷ 법률근거 필요

Ⅱ 평등의 원칙

020 □□□

행정법의 일반원칙에 대한 설명으로 옳지 않은 것은?

① 폐기물처리업에 대하여 사전에 관할 관청으로부터 사업계획 적합통보를 받고 막대한 비용을 들여 허가요건을 갖춘 다음 허가신청을 하였음에도 다수 청소업자의 난립으로 안정적이고 효율적인 청소업무의 수행에 지장이 있다는 이유로 한 불허가처분은 신뢰보호의 원칙 및 비례의 원칙에 반하는 것으로서 재량권을 남용한 위법한 처분이다.

② 지방자치단체장이 사업자에게 주택사업계획승인을 하면서 그 주택사업과는 아무런 관련이 없는 토지를 기부채납하도록 하는 부관을 주택사업계획승인에 붙인 경우, 그 부관은 부당결부금지의 원칙에 위반되어 위법하다.

③ 지방의회의 조사·감사를 위해 채택된 증인의 불출석 등에 대한 과태료를 그 사회적 신분에 따라 차등 부과할 것을 규정한 조례안은 과태료를 부과하는 목적에 비추어 볼 때 그 합리성을 인정할 수 있어서 헌법에 규정된 평등의 원칙에 위배되지 않는다.

④ 과세관청이 납세의무자에게 부가가치세 면세사업자용 사업자등록증을 교부한 행위는 그가 영위하는 사업에 관하여 부가가치세를 과세하지 아니함을 시사하는 언동이나 공적인 견해를 표명한 것으로 볼 수 없다.

2025년 국가직 9급

① (○) 폐기물처리업에 대하여 사전에 관할 관청으로부터 적정통보를 받고 막대한 비용을 들여 허가요건을 갖춘 다음 허가신청을 하였음에도 다수 청소업자의 난립으로 안정적이고 효율적인 청소업무의 수행에 지장이 있다는 이유로 한(당해 폐기물처리업에 대한) 불허가처분은 신뢰보호의 원칙 및 비례의 원칙에 반하는 것으로서 재량권을 남용한 위법한 처분이다(대판 1998.5.8. 98두4061).

② (○) 지방자치단체장이 사업자에게 주택사업계획승인을 하면서 그 주택사업과는 아무런 관련이 없는 토지를 기부채납하도록 하는 부관을 주택사업계획승인에 붙인 경우, 그 부관은 부당결부금지의 원칙에 위반되어 위법하지만, 부관의 하자가 중대하고 명백하여 당연무효라고는 볼 수 없다(대판 1997.3.11. 96다49650).

③ (×) 조례안이 지방의회의 감사 또는 조사를 위하여 출석 요구를 받은 증인이 5급 이상 공무원인지 여부, 기관(법인)의 대표나 임원인지 여부 등 증인의 사회적 신분에 따라 미리부터 과태료의 액수에 차등을 두고 있는 경우, 그와 같은 차별은 증인의 불출석이나 증언 거부에 대하여 과태료를 부과하는 목적에 비추어 볼 때 그 합리성을 인정할 수 없고 지위의 높고 낮음만을 기준으로 한 부당한 차별대우라고 할 것이어서 헌법에 규정된 평등의 원칙에 위배되어 무효이다(대판 1997.2.25. 96추213).

④ (○) 부가가치세법상의 사업자등록은 과세관청이 부가가치세의 납세의무자를 파악하고 그 과세자료를 확보하는 데 입법 취지가 있고, 이는 단순한 사업사실의 신고로서 사업자가 소관 세무서장에게 소정의 사업자등록신청서를 제출함으로써 성립하며, 사업자등록증의 교부는 이와 같은 등록사실을 증명하는 증서의 교부행위에 불과한 것으로 과세관청이 납세의무자에게 부가가치세 면세사업자용 사업자등록증을 교부하였다고 하더라도 그가 영위하는 사업에 관하여 부가가치세를 과세하지 아니함을 시사하는 언동이나 공적인 견해를 표명한 것으로 볼 수 없으며, 구 부가가치세법 시행령 제8조 제2항에 정한 고유번호의 부여도 과세자료를 효율적으로 처리하기 위한 것에 불과한 것이므로 과세관청이 납세의무자에게 고유번호를 부여한 경우에도 마찬가지이다(대판 2008.6.12. 2007두23255).

답 ③

문제 DATA

출제가능 지수 ▶▶⏵
난이도 지수 ★★☆

함께 정리하기

행정법의 일반원칙

폐기물처리업 적정통보 후 다수 청소업자 난립을 이유로 한 폐기물처리업 본허가 거부
▷ 신뢰보호원칙 위반

주택건설사업계획승인처분을 하면서 주택사업과 무관한 토지를 기부채납토록 하는 부관
▷ 부당결부금지원칙 위반

증인의 사회적신분에 따른 과태료액수의 차등 조례안
▷ 평등원칙 위반

부가세 면세사업자용 사업자등록증 교부 또는 고유번호 부여
▷ 비과세 공적 견해표명 ×

021

다음 사례에 대한 설명으로 옳은 것은? (다툼이 있는 경우 판례에 의함)

> 갑(甲)이 동성(同性)인 을(乙)과 교제하다가 서로를 동반자로 삼아 함께 생활하기로 합의하고 동거하던 중 결혼식을 올린 뒤 국민건강보험공단에 건강보험 직장가입자인 을(乙)의 '사실혼 배우자'로 피부양자 자격취득 신고를 하자, 국민건강보험공단은 「국민건강보험법」 제5조 제2항 제1호의 '배우자'를 「자격관리업무지침」에 따라 '사실상 혼인관계에 있는 사람'도 인우보증서*를 제출할 것을 조건으로 피부양자에 포함하는 것으로 해석·적용하여 갑(甲)을 피부양자로 등록하였다. 그런데, 이 사실이 언론에 보도되자 국민건강보험공단은 갑(甲)을 피부양자로 등록한 것이 '착오 처리'였다며 별도의 사전통지 없이 갑(甲)의 피부양자 자격을 소급하여 상실시키고 지역가입자로 갑(甲)의 자격을 변경한 후 그동안의 지역가입자로서의 건강보험료 등을 납입할 것을 고지하였다.
>
> * 인우보증서: 가까운 관계에 있는 사람이 특정 사실에 대하여 증명하기 위해 기록하는 서류

① 국민건강보험공단은 사회보장제도인 건강보험의 보험자로서 가입자와 피부양자의 자격 관리 등의 업무를 집행하는 공익법인으로서 기본권 보장의 수범자로서의 지위를 갖는다고 할 수 있으나, 공권력을 행사하는 주체로서의 지위까지 갖는 것은 아니다.

② '배우자'를 피보험자로 정한 법률 규정을 국민건강보험공단이 내부준칙에 따라 '사실혼 관계에 있는 사람'도 피부양자에 포함한 것은 위법한 해석·적용이다.

③ 국민건강보험공단이 직장가입자와 사실상 혼인관계에 있는 사람, 즉 이성(異性) 동반자와 달리 동성(同性) 동반자인 갑(甲)을 피부양자로 인정하지 않고 처분을 한 것은 헌법상 평등원칙 위반에 해당한다.

④ 갑(甲)의 피부양자 자격을 소급하여 상실시킨 처분은 「행정절차법」에 따른 사전통지 대상에 해당하므로 국민건강보험공단이 그 처분에 앞서 갑(甲)에게 그 사실을 통지하거나 의견제출 기회를 주지 않은 것은 실체적 하자로써 위법하다.

2025년 소방직

① (✕) 국가와 지방자치단체는 국가 발전수준에 부응하고 사회환경의 변화에 선제적으로 대응하며 지속가능한 사회보장제도를 확립하고 매년 이에 필요한 재원을 조달하여야 하고(사회보장기본법 제5조 제3항), 사회보장제도의 급여 수준과 비용 부담 등에서 형평성을 유지할 의무가 있다(제25조 제2항). 사회보장제도인 건강보험의 보험자로서 가입자와 피부양자의 자격 관리 등의 업무를 집행하는 특수공익법인인 국민건강보험공단은 공권력을 행사하는 주체이자 기본권 보장의 수범자로서의 지위를 갖는다. 그 결과 사적 단체 또는 사인의 경우 차별처우가 사회공동체의 건전한 상식과 법감정에 비추어 볼 때 도저히 용인될 수 없는 경우에 한해 사회질서에 위반되는 행위로서 위법한 행위로 평가되는 것과 달리, 국민건강보험공단은 평등원칙에 따라 국민의 기본권을 보호 내지 실현할 책임과 의무를 부담하므로, 그 차별처우의 위법성이 보다 폭넓게 인정될 수 있다(대판 2024.7.18. 2023두36800 전합).

② (✕), ③ (○)

> [1] 행정청이 내부준칙을 제정하여 그에 따라 장기간 일정한 방향으로 행정행위를 함으로써 행정관행이 확립된 경우, 그러한 내부준칙이나 확립된 행정관행을 통한 행정행위에 대해서도 헌법상 평등원칙이 적용된다.
>
> [2] ① 국민건강보험법 제5조 제2항 제1호(이하 '쟁점 규정'이라 한다)의 '배우자'에서 사실상 혼인관계에 있는 사람을 배제한다면 평등원칙에 반하는 위헌적 결과가 발생할 수 있기 때문에 국민건강보험공단이 배우자를 피보험자로 정한 쟁점 규정을 국민건강보험공단의 '자격관리 업무지침'에 따라 '사실상 혼인관계에 있는 사람'도 인우보증서를 제출할 것을 조건으로 피부양자에 포함하는 것으로 해석·적용하는 것은 적법하고, ② 국민건강보험공단이 위 처분을 통하여 사실상 혼인관계 있는 사람 집단에 대하여는 피부양자 자격을 인정하면서도, 동성 동반자 집단에 대해서는 피부양자 자격을 인정하지 않음으로써 두 집단을 달리 취급하고 있는데, 동성 동반자는 직장가입자와 단순히 동거하는 관계를 뛰어넘어 동거·부양·협조·정조의무를 바탕으로 부부공동생활에 준할 정도의 경제적 생활

문제 DATA

출제가능 지수 ▶▶▷
난이도 지수 ★★★

함께 정리하기

사례

국민건강보험공단
▷ 공권력 행사의 주체 & 기본권 보장의 수범자

공단이 내부준칙에 따라 '사실혼 관계에 있는 사람'도 피부양자에 포함
▷ 적법

동성 동반자를 피부양자로 인정하지 않고 처분
▷ 평등원칙 위반

피부양자 자격을 소급적으로 상실시키는 처분시 사전통지·의견제출 기회✕
▷ 절차적 하자

공동체를 형성하고 있다는 점에서 차이가 없는 점, 자격관리 업무지침에 따르면 '사실상 혼인관계에 있는 사람'의 경우 피부양자로 인정받기 위해서는 인우보증서를 제출해야 하는데, 동성 동반자도 이러한 내용의 인우보증서를 제출할 수 있다는 점에서 차이가 없는 점, 국민건강보험공단이 사실상 혼인관계에 있는 사람을 피부양자로 인정하는 이유는 그가 직장가입자의 동반자로서 경제적 생활공동체를 형성하였기 때문이지 이성 동반자이기 때문이 아닌 점 등에 비추어, 이러한 취급은 성적 지향을 이유로 본질적으로 동일한 집단을 차별하는 행위에 해당하며, ③ 건강보험제도와 피부양자제도의 의의, 취지와 연혁 등을 관련 법리와 기록에 비추어 살펴보면, 국민건강보험공단이 직장가입자와 사실상 혼인관계에 있는 사람, 즉 이성 동반자와 달리 동성 동반자인 甲을 피부양자로 인정하지 않고 위 처분을 한 것은 합리적 이유 없이 甲에게 불이익을 주어 그를 사실상 혼인관계에 있는 사람과 차별하는 것으로 헌법상 평등원칙을 위반하여 위법하다(대판 2024.7.18. 2023두36800 전합).

④ (×) 甲이 동성인 乙과 교제하다가 서로를 동반자로 삼아 함께 생활하기로 합의하고 동거하던 중 결혼식을 올린 뒤 국민건강보험공단에 건강보험 직장가입자인 乙의 사실혼 배우자로 피부양자 자격취득 신고를 하여 피부양자 자격을 취득한 것으로 등록되었는데, 이 사실이 언론에 보도되자 국민건강보험공단이 甲을 피부양자로 등록한 것이 '착오 처리'였다며 甲의 피부양자 자격을 소급하여 상실시키고 지역가입자로 甲의 자격을 변경한 후 그동안의 지역가입자로서의 건강보험료 등을 납입할 것을 고지한 사안에서, 위 처분은 국민건강보험공단의 자격변경 처리에 따라 甲의 피부양자 자격을 소급하여 박탈하는 내용을 포함하므로, 국민건강보험공단이 위 처분에 앞서 甲에게 행정절차법 제21조 제1항에 따라 사전통지를 하거나 의견 제출의 기회를 주어야 함에도 이를 하지 않은 절차적 하자가 있다(대판 2024.7.18. 2023두36800 전합).

답 ③

022

행정의 법원칙에 대한 내용으로 옳지 않은 것은? (다툼이 있는 경우 판례에 의함)

① 행정작용은 행정작용으로 인한 국민의 이익 침해가 그 행정작용이 의도하는 공익보다 크지 아니하여야 한다.
② 평등의 원칙에 따라 본질적으로 같은 것은 같게 취급할 것이 요구되므로, 위법한 행정처분이더라도 수차례에 걸쳐 반복적으로 행하여졌다면 그러한 위법한 처분은 행정청에 대하여 자기구속력을 갖게 된다.
③ 행정청은 법령등의 해석 또는 행정청의 관행이 일반적으로 국민들에게 받아들여졌을 때에는 공익 또는 제3자의 정당한 이익을 현저히 해칠 우려가 있는 경우를 제외하고는 새로운 해석 또는 관행에 따라 소급하여 불리하게 처리하여서는 아니 된다.
④ 행정청은 행정작용을 할 때 상대방에게 해당 행정작용과 실질적인 관련이 없는 의무를 부과해서는 아니 된다.

| 2024년 경찰간부

① (○)

> 「행정기본법」 제10조 【비례의 원칙】 행정작용은 다음 각 호의 원칙에 따라야 한다.
>   1. 행정목적을 달성하는 데 유효하고 적절할 것
>   2. 행정목적을 달성하는 데 필요한 최소한도에 그칠 것
>   3. 행정작용으로 인한 국민의 이익 침해가 그 행정작용이 의도하는 공익보다 크지 아니할 것

② (×) 평등의 원칙은 본질적으로 같은 것을 자의적으로 다르게 취급함을 금지하는 것이고, 위법한 행정처분이 수차례에 걸쳐 반복적으로 행하여졌다 하더라도 그러한 처분이 위법한 것인 때에는 행정청에 대하여 자기구속력을 갖게 된다고 할 수 없다(대판 2009.6.25. 2008두13132).

> 「행정기본법」 제9조 【평등의 원칙】 행정청은 합리적 이유 없이 국민을 차별하여서는 아니 된다.

③ (○)

> 「행정절차법」 제4조【신의성실 및 신뢰보호】② 행정청은 법령등의 해석 또는 행정청의 관행이 일반적으로 국민들에게 받아들여졌을 때에는 공익 또는 제3자의 정당한 이익을 현저히 해칠 우려가 있는 경우를 제외하고는 새로운 해석 또는 관행에 따라 소급하여 불리하게 처리하여서는 아니 된다.

④ (○)

> 「행정기본법」 제13조【부당결부금지의 원칙】 행정청은 행정작용을 할 때 상대방에게 해당 행정작용과 실질적인 관련이 없는 의무를 부과해서는 아니 된다.

답 ②

023 ☐☐☐

대법원 판례의 입장으로 옳지 않은 것은?

① 기업의 비업무용 부동산 보유실태에 관한 감사원의 감사보고서의 내용은 직무상 비밀에 해당하지 않는다.
② 같은 정도의 비위를 저지른 자들 사이에 있어서 그 직무의 특성 등에 비추어, 개전의 정이 있는지 여부에 따라 징계의 종류의 선택과 양정에 있어서 차별적으로 취급하는 것은, 자의적 취급이라고 할 수 있어서 평등원칙 내지 형평에 반한다.
③ 「국가공무원법」상 직무상 비밀이라 함은 국가 공무의 민주적, 능률적 운영을 확보하여야 한다는 이념에 비추어 볼 때 당해 사실이 일반에 알려질 경우 그러한 행정의 목적을 해할 우려가 있는지 여부를 기준으로 판단하여야 한다.
④ 수 개의 징계사유 중 일부가 인정되지 않더라도 인정되는 다른 징계사유만으로도 당해 징계처분의 타당성을 인정하기에 충분한 경우에는 그 징계처분을 유지하여도 위법하지 아니하다.

| 2023년 군무원 9급

①, ③ (○) 국가공무원법상 직무상 비밀이라 함은 국가 공무의 민주석, 능률적 운영을 확보하여야 한다는 이념에 비추어 볼 때 당해 사실이 일반에 알려질 경우 그러한 행정의 목적을 해할 우려가 있는지 여부를 기준으로 판단하여야 하며(③), 구체적으로는 행정기관이 비밀이라고 형식적으로 정한 것에 따를 것이 아니라 실질적으로 비밀로서 보호할 가치가 있는지, 즉 그것이 통상의 지식과 경험을 가진 다수인에게 알려지지 아니한 비밀성을 가졌는지, 또한 정부나 국민의 이익 또는 행정목적 달성을 위하여 비밀로서 보호 필요성이 있는지 등이 객관적으로 검토되어야 한다. 기업의 비업무용 부동산 보유실태에 관한 감사원의 감사보고서의 내용은 직무상 비밀에 해당하지 않는다(①)(대판 1996.10.11. 94누7171).

② (×) 같은 정도의 비위를 저지른 자들 사이에 있어서도 그 직무의 특성 등에 비추어, 개전의 정이 있는지 여부에 따라 징계의 종류의 선택과 양정에 있어서 차별적으로 취급하는 것은, 사안의 성질에 따른 합리적 차별로서 이를 자의적 취급이라고 할 수 없는 것이어서 평등원칙 내지 형평에 반하지 아니한다(대판 1999.8.20. 99두2611).

④ (○) 수개의 징계사유 중 일부가 인정되지 않더라도 인정되는 다른 징계사유만으로도 당해 징계처분의 타당성을 인정하기에 충분한 경우에는 그 징계처분을 유지하여도 위법하지 아니하다(대판 2002.9.24. 2002두6620).

답 ②

📋 문제 DATA

출제가능 지수 ▶▶▶Σ
난이도 지수 ★★☆

📋 함께 정리하기

평등의 원칙

기업의 비업무용 부동산 보유실태 감사보고서
▷ 직무상 비밀×

개전의 정에 따라 징계양정 차별취급
▷ 자의적 차별×

「국가공무원법」상 직무상 비밀 판단기준
▷ 일반에 알려질 경우 행정목적을 해할 우려가 있는지 여부

수개의 징계사유 중 일부가 위법, 다른 징계사유만으로 처분의 타당성 인정
▷ 처분 위법×

024

평등원칙에 대한 설명으로 옳지 않은 것은? (다툼이 있는 경우 판례에 의함)

① 국가기관이 채용시험에서 국가유공자의 가족에게 10%의 가산점을 부여하는 규정은 평등권과 공무담임권을 침해한다.
② 평등원칙은 동일한 것 사이에서의 평등이므로 상이한 것에 대한 차별의 정도에서의 평등을 포함하지 않는다.
③ 재량준칙이 공표된 것만으로는 행정의 자기구속의 원칙이 적용될 수 없고, 재량준칙이 되풀이 시행되어 행정관행이 성립한 경우에 적용될 수 있다.
④ 행정의 자기구속의 원칙이 인정되는 경우에는 행정관행과 다른 처분은 특별한 사정이 없는 한 위법하다.

2021년 군무원 9급

① (○) 국가유공자 등 예우 및 지원에 관한 법률은 명시적인 헌법적 근거 없이 국가유공자의 가족들에게 만점의 10%라는 높은 가산점을 부여하고 있는바 일반 공직시험 응시자들의 평등권과 공무담임권을 침해하는 것이다. 다만, 이 사건 조항의 위헌성은 국가유공자 등과 그 가족에 대한 가산점 제도 자체가 입법정책상 전혀 허용될 수 없다는 것이 아니고, 그 차별의 효과가 지나치다는 것에 기인한다(헌재 2006.2.23. 2004헌마675 등).

유제 20. 군무원 7급 헌법재판소는 국·공립학교 채용시험에 국가유공자와 그 가족이 응시하는 경우 만점의 10퍼센트를 가산하도록 했던 구「국가유공자등 예우 및 지원에 관한 법률」 및 「5·18 민주유공자 예우에 관한 법률」의 규정이 일반 응시자들의 평등권을 침해한다고 보았다. (○)
12. 국회직 9급 국가유공자 등과 그 가족에 대한 가산점제도는 입법정책상 전혀 허용될 수 없다. (×)

② (×) 평등원칙이란 행정작용을 함에 있어서 합리적인 사유가 없는 한, 상대방인 국민을 차별하여서는 안 된다는 원칙을 말한다. 여기서 평등원칙은 동일한 것 사이에서의 평등뿐만 아니라 상이한 것에 대한 차별의 정도에서의 평등도 포함한다.

③, ④ (○) '행정규칙이나 내부지침'은 일반적으로 행정조직 내부에서만 효력을 가질 뿐 대외적인 구속력을 갖는 것은 아니므로 행정처분이 그에 위반하였다고 하여 그러한 사정만으로 곧바로 위법하게 되는 것은 아니다. 다만, 재량권 행사의 준칙인 행정규칙이 그 정한 바에 따라 되풀이 시행되어 행정관행이 이루어지게 되면 평등의 원칙이나 신뢰보호의 원칙에 따라 행정기관은 그 상대방에 대한 관계에서 그 규칙에 따라야 할 자기구속을 받게 되므로, 이러한 경우에는 특별한 사정이 없는 한 그를 위반하는 처분은 평등의 원칙이나 신뢰보호의 원칙에 위배되어 재량권을 일탈·남용한 위법한 처분이 된다(대판 2009.12.24. 2009두7967).

유제 21. 군무원 7급 (甲은 청소년에게 주류를 제공하였다는 이유로 A구청장으로부터 6개월 이내에서 영업정지처분을 할 수 있다고 규정하는 「식품위생법」 제75조, 총리령인 「식품위생법 시행규칙」 제89조 및 별표 23[행정처분의 기준]에 근거하여 영업정지 2개월 처분을 받았으며 甲은 처음으로 단속된 사람이었다) A구청장이 유사 사례와의 형평성을 고려하지 않고 3개월의 영업정지처분을 하였다면 甲은 행정의 자기구속원칙의 위반으로 위법함을 주장할 수 있다. (○)
20. 지방직 9급, 19. 군무원 9급, 16. 국가직 7급, 13. 경찰 2차 재량권행사의 준칙인 행정규칙이 그 정한 바에 따라 되풀이 시행되어 행정관행이 이루어지게 되면 평등의 원칙이나 신뢰보호의 원칙에 따라 행정기관은 그 상대방에 대한 관계에서 그 규칙에 따라야 할 자기구속을 받게 된다. (○)
20. 서울시 7급 행정규칙의 일종인 재량준칙이 되풀이 시행되어 행정관행이 이루어지게 되면 행정기관은 그 상대방에 대한 관계에서 그 규칙에 따라야 할 자기구속을 받게 된다. (○)
19. 서울시 7급 재량권 행사의 준칙인 행정규칙이 있으면 그에 따른 관행이 없더라도 평등의 원칙에 따라 행정기관은 상대방에 대한 관계에서 그 규칙에 따라야 할 자기 구속을 받게 된다. (×)

답 ②

문제 DATA

출제가능 지수 ▶▶▷
난이도 지수 ★★☆

함께 정리하기

평등원칙

국가유공자의 가족에게 10% 가산점
▷ 평등권과 공무담임권 침해

동일한 것 사이에서의 평등뿐만 아니라 상이한 것에 대한 차별의 정도에서의 평등도 포함

자기구속 원칙
▷ 재량준칙 되풀이 시행 要

025

평등의 원칙에 대한 설명으로 가장 옳지 않은 것은? (다툼이 있는 경우 판례에 의함)

① 행정규칙의 일종인 재량준칙이 되풀이 시행되어 행정관행이 이루어지게 되면 행정기관은 그 상대방에 대한 관계에서 그 규칙에 따라야 할 자기구속을 받게 된다.

② 중앙부처 지방조직 개편지침의 일환으로 청원경찰의 인원감축을 위한 면직처분대상자를 선정함에 있어서 초등학교 졸업 이하 학력소지자 집단과 중학교 중퇴 이상 학력소지자 집단으로 나누어 각 집단별로 같은 감원비율 상당의 인원을 선정한 것은 평등의 원칙에 위배되어 무효사유에 해당한다.

③ 개인택시운송사업면허의 우선순위 기준으로 무사고운전 등의 성실의무를 반드시 동일회사에서 이행하였을 것을 정하고 있는 지방자치단체의 개인택시운송사업면허 사무처리규정은 평등의 원칙에 반한다.

④ 법령이 정신병원 등의 개설에 관하여는 허가제로, 정신과의원 개설에 관하여는 신고제로 각각 규정하고 있는 것은 각 의료기관의 개설 목적 및 규모 등 차이를 반영한 합리적 차별로서 평등의 원칙에 반하지 않는다.

2020년 서울시 7급

① (O) 대판 2009.12.24. 2009두7967

② (X) 행정자치부의 지방조직 개편지침의 일환으로 청원경찰의 인원감축을 위한 면직처분대상자를 선정함에 있어서 초등학교 졸업 이하 학력소지자 집단과 중학교 중퇴 이상 학력소지자 집단으로 나누어 각 집단별로 같은 감원비율 상당의 인원을 선정한 것은 합리성과 공정성을 결여하고, 평등의 원칙에 위배하여 그 하자가 중대하다 할 것이나, 그렇게 한 이유가 시험문제 출제 수준이 중학교 학력 수준이어서 초등학교 졸업 이하 학력소지자에게 상대적으로 불리할 것이라는 판단 아래 이를 보완하기 위한 것이었으므로 그 하자가 객관적으로 명백하다고 보기는 어렵다(대판 2002.2.8. 2000두4057).

유제 08. 국가직 9급 청원경찰의 인원감축을 위하여 초등학교 졸업 이하 학력소지자 집단과 중학교 중퇴 이상 학력소지자 집단으로 나누어 각 집단별로 같은 감원비율의 인원을 선정한 것은 위법한 재량권 행사이다. (O)

③ (O) 개인택시운송사업면허의 우선순위 기준으로 무사고운전 등의 성실의무를 반드시 동일회사에서 이행하였을 것을 정하고 있는 지방자치단체의 개인택시운송사업면허 사무처리규정은, 평등의 원칙에 반하고 직장선택의 자유를 침해하는 것으로서 재량권의 한계를 일탈하였다(대판 2007.2.8. 2006두13886).

④ (O) 관련 법령이 정신병원 등의 개설에 관하여는 허가제로, 정신과의원 개설에 관하여는 신고제로 각각 규정하고 있는 것은 각 의료기관의 개설 목적 및 규모 등 차이를 반영한 합리적 차별로서 평등의 원칙에 반한다고 볼 수 없다(대판 2018.10.25. 2018두44302).

답 ②

문제 DATA

출제가능 지수 ▶▶▷
난이도 지수 ★★☆

함께 정리하기

평등원칙

재량준칙 되풀이 시행
▷ 자기구속

청원경찰 인원감축시, 학력을 기준
▷ 평등원칙 위배O
▷ But 무효X

개인택시면허 우선순위 기준으로 무사고운전을 동일회사에서 이행하였을 것 요구
▷ 평등원칙 위배O

정신병원 개설은 허가제, 정신과의원 개설은 신고제로 규정
▷ 평등원칙 위배X

Ⅲ 행정의 자기구속의 원칙

026 ☐☐☐

행정법의 법원(法源)에 대한 설명으로 옳지 않은 것은?

① 재량권 행사의 준칙인 행정규칙이 그 정한 바에 따라 되풀이 시행되어 행정관행이 이루어지게 되면 평등의 원칙이나 신뢰보호의 원칙에 따라 행정기관은 그 상대방에 대한 관계에서 그 규칙에 따라야 할 자기구속을 받게 된다.
② 위법한 행정처분이 수차례에 걸쳐 반복적으로 행하여졌다 하더라도 그러한 처분이 위법한 것인 때에는 행정청에 대하여 자기구속력을 갖게 된다고 할 수 없다.
③ 구 농림수산식품부에 의하여 공표된 「2008년도 농림사업시행 지침서」가 되풀이 시행되어 행정관행이 이루어졌다거나 그 공표만으로 신청인이 보호가치 있는 신뢰를 갖게 되었다고 볼 수 없다면, 이 지침에 명시되지 않은 기준을 충족하지 못하였다는 이유를 들어 신청인의 사업자 인정신청을 반려한 처분은 행정의 자기구속의 원칙에 위배되지 않는다.
④ 세무조사가 과세자료의 수집 또는 신고내용의 정확성 검증이라는 본연의 목적이 아니라 부정한 목적을 위하여 행하여졌다고 하더라도, 이러한 세무조사에 의하여 수집된 과세자료를 기초로 한 과세처분은 위법하지 않다.

2025년 지방직 9급

① (○) 재량준칙이 정한 바에 따라 되풀이 시행되어 행정관행이 이루어지게 되면 평등의 원칙이나 신뢰보호의 원칙에 따라 행정기관은 상대방에 대한 관계에서 그 규칙에 따라야 할 자기구속을 받게 되므로, 이러한 경우에는 특별한 사정이 없는 한 그에 반하는 처분은 평등의 원칙이나 신뢰보호의 원칙에 어긋나 재량권을 일탈·남용한 위법한 처분이 된다(대판 2013.11.14. 2011두28783).
② (○) 위법한 행정처분이 수차례에 걸쳐 반복적으로 행하여졌다 하더라도 그러한 처분이 위법한 것인 때에는 행정청에 대하여 자기구속력을 갖게 된다고 할 수 없다(대판 2009.6.25. 2008두13132).
③ (○) 시장이 농림수산식품부에 의하여 공표된 '2008년도 농림사업시행지침서'에 명시되지 않은 '시·군별 건조저장시설 개소당 논 면적' 기준을 충족하지 못하였다는 이유로 신규 건조저장시설 사업자 인정신청을 반려한 사안에서, 위 지침이 되풀이 시행되어 행정관행이 이루어졌다거나 그 공표만으로 신청인이 보호가치 있는 신뢰를 갖게 되었다고 볼 수 없고, 쌀 시장 개방화에 대비한 경쟁력 강화 등 우월한 공익상 요청에 따라 위 지침상의 요건 외에 '시·군별 건조저장시설 개소당 논 면적 1,000ha 이상' 요건을 추가할 만한 특별한 사정을 인정할 수 있어, 그 처분이 행정의 자기구속의 원칙 및 행정규칙에 관련된 신뢰보호의 원칙에 위배되거나 재량권을 일탈·남용한 위법이 없다고 한 사례(대판 2009.12.24. 2009두7967)
④ (×) 세무조사가 과세자료의 수집 또는 신고내용의 정확성 검증이라는 본연의 목적이 아니라 부정한 목적을 위하여 행하여진 것이라면 이는 세무조사에 중대한 위법사유가 있는 경우에 해당하고 이러한 세무조사에 의하여 수집된 과세자료를 기초로 한 과세처분 역시 위법하다(대판 2016.12.15. 2016두47659).

답 ④

문제 DATA
출제가능 지수 ▶▶Σ
난이도 지수 ★★☆

함께 정리하기

행정법의 법원(法源)

재량준칙이 되풀이 시행되어 행정관행
▷ 자기구속○

위법한 선례
▷ 자기구속력 無

재량준칙 공표만으로
▷ 자기구속 위반×

부정한 목적 위한 세무조사에 기초한 과세처분
▷ 위법

027

행정법의 일반원칙에 대한 설명으로 옳지 않은 것은? (다툼이 있는 경우 판례에 의함)

① 「행정기본법」은 비례의 원칙을 명문으로 규정하고 있다.
② 행정처분이 수차례에 걸쳐 반복적으로 행하여졌다면 그 처분이 위법한 것인 때에도 행정청에 대하여 자기구속력을 갖게 된다.
③ 공적 견해표명 당시의 사정이 사후에 변경된 경우 특별한 사정이 없는 한 행정청이 그 견해표명에 반하는 처분을 하더라도 신뢰보호원칙에 위반된다고 할 수 없다.
④ 주택사업계획승인을 하면서 그 주택사업과 아무 관련이 없는 토지를 기부채납하도록 하는 부관을 붙인 경우, 그 부관은 부당결부금지원칙에 위반되어 위법하다.

문제 DATA
출제가능 지수 ▶▶▷
난이도 지수 ★☆☆

함께 정리하기

행정법의 일반원칙

비례의 원칙
▷ 「행정기본법」에 명문 규정 ○

위법한 선례
▷ 자기구속 ✕

사정변경
▷ 공적 견해표명에 반하는 처분을 하더라도 신뢰보호원칙 위반 ✕

주택사업과 무관한 토지기부채납부관
▷ 부당결부금지원칙위반

2022년 국가직 7급

① (○) 「행정기본법」은 비례의 원칙을 명문으로 규정하고 있다.

> 「행정기본법」 제10조【비례의 원칙】 행정작용은 다음 각 호의 원칙에 따라야 한다.
> 1. 행정목적을 달성하는 데 유효하고 적절할 것
> 2. 행정목적을 달성하는 데 필요한 최소한도에 그칠 것
> 3. 행정작용으로 인한 국민의 이익 침해가 그 행정작용이 의도하는 공익보다 크지 아니할 것

② (✕) 평등의 원칙은 본질적으로 같은 것을 자의적으로 다르게 취급함을 금지하는 것이고, 위법한 행정처분이 수차례에 걸쳐 반복적으로 행하여졌다 하더라도 그러한 처분이 위법한 것인 때에는 행정청에 대하여 자기구속력을 갖게 된다고 할 수 없다(대판 2009.6.25. 2008두13132).

유제 21. 국가직 9급 행정청이 조합설립추진위원회의 설립승인 심사에서 위법한 행정처분을 한 선례가 있는 경우에는, 행정청에 대해 자기구속력을 갖게 되어 이후에도 그러한 기준에 따라야 한다. (✕)
20. 군무원 7급 행정의 자기구속의 원칙을 적용함에 있어 종전 행정관행의 내용이 위법적인 경우에는 위법인 수익적 내용의 평등한 적용을 요구하는 청구권은 인정될 수 없다. (○)
19. 군무원 9급 수차례에 걸쳐 반복적으로 행하여진 위법한 행정처분은 행정청에 대하여 자기구속력을 가지게 된다. (✕)
19. 국회직 8급 반복적으로 행하여진 행정처분이 위법한 것일 경우 행정청은 자기구속의 원칙에 구속되지 않는다. (○)

③ (○) 대판 2020.6.25. 2018두34732

④ (○) 지방자치단체장이 사업자에게 주택사업계획승인을 하면서 그 주택사업과는 아무런 관련이 없는 토지를 기부채납하도록 하는 부관을 주택사업계획승인에 붙인 경우, 그 부관은 부당결부금지의 원칙에 위반되어 위법하지만, … 부관의 하자가 중대하고 명백하여 당연무효라고는 볼 수 없다(대판 1997.3.11. 96다49650).

유제 21. 서울시 7급, 19. 지방직 9급, 13. 국가직 9급 지방자치단체장이 사업자에게 주택사업계획승인을 하면서 그 주택사업과는 아무런 관련이 없는 토지를 기부채납하도록 하는 부관을 주택사업계획승인에 붙인 경우, 그 부관은 부당결부금지의 원칙에 위반되어 위법하다. (○)
19. 군무원 9급 주택사업계획승인을 하면서 주택사업계획승인과 무관한 토지를 기부채납 하도록 한 부관은 부당결부금지원칙에 위반된다. (○)
16. 국가직 7급 지방자치단체장이 사업자에게 주택사업계획승인을 하면서 그 주택사업과는 아무런 관련이 없는 토지를 기부채납하도록 하는 부관은 부당결부금지의 원칙에 위반되어 위법하지만 당연무효라고 볼 수 없다. (○)
15. 국가직 9급 주택사업계획승인을 발령하면서 주택사업계획승인과 무관한 토지를 기부채납하도록 부관을 붙인 경우는 부당결부금지원칙에 반해 위법하다. (○)

답 ②

028

행정법의 일반원칙에 대한 설명으로 옳은 것만을 모두 고르면? (다툼이 있는 경우 판례에 의함)

ㄱ. 비례의 원칙은 법치국가원리에서 당연히 파생되는 헌법상의 기본원리이다.
ㄴ. 평등의 원칙은 본질적으로 같은 것을 자의적으로 다르게 취급함을 금지하는 것이므로, 위법한 행정처분이 수차례에 걸쳐 반복적으로 행하여졌다면 행정청에 대하여 자기구속력을 갖게 된다.
ㄷ. 국가가 임용결격사유가 있는 자에 대하여 결격사유가 있는 것을 알지 못하고 공무원으로 임용하였다가 나중에 결격사유가 있음을 발견하고 그 임용행위를 취소하는 경우 신의칙이 적용된다.
ㄹ. 지방자치단체장이 사업자에게 주택사업계획승인을 하면서 그 주택사업과는 아무런 관련이 없는 토지를 기부채납하도록 하는 부관을 주택사업계획승인에 붙인 경우, 그 부관은 부당결부금지의 원칙에 위반되어 위법하다.

① ㄱ, ㄴ
② ㄱ, ㄹ
③ ㄴ, ㄷ
④ ㄷ, ㄹ

2022년 지방직 9급

ㄱ. (○) 비례의 원칙은 법치국가원리에서 당연히 파생되는 헌법상의 기본원리로서, 모든 국가작용에 적용된다(대판 2019.7.11. 2017두38874).
ㄴ. (×) 평등의 원칙은 본질적으로 같은 것을 자의적으로 다르게 취급함을 금지하는 것이고, 위법한 행정처분이 수차례에 걸쳐 반복적으로 행하여졌다 하더라도 그러한 처분이 위법한 것인 때에는 행정청에 대하여 자기구속력을 갖게 된다고 할 수 없다(대판 2009.6.25. 2008두13132).
ㄷ. (×) 국가가 공무원임용결격사유가 있는 자에 대하여 결격사유가 있는 것을 알지 못하고 공무원으로 임용하였다가 사후에 결격사유가 있는 자임을 발견하고 공무원 임용행위를 취소하는 것은 당사자에게 원래의 임용행위가 당초부터 당연무효이었음을 통지하여 확인시켜 주는 행위에 지나지 아니하는 것이므로, 그러한 의미에서 당초의 임용처분을 취소함에 있어서는 신의칙 내지 신뢰의 원칙을 적용할 수 없고 또 그러한 의미의 취소권은 시효로 소멸하는 것도 아니다(대판 1987.4.14. 86누459).
ㄹ. (○) 대판 1997.3.11. 96다49650

답 ②

029

행정법의 일반원칙에 대한 설명으로 옳은 것은? (다툼이 있는 경우 판례에 의함)

① 국가가 국민의 생명·신체의 안전에 대한 보호의무를 다하지 않았는지 여부를 헌법재판소가 심사할 때에는 국가가 이를 보호하기 위하여 적어도 적절하고 효율적인 최소한의 보호조치를 취하였는가 하는 '과소보호 금지원칙'의 위반 여부를 기준으로 삼는다.
② 행정청이 조합설립추진위원회의 설립승인 심사에서 위법한 행정처분을 한 선례가 있는 경우에는, 행정청에 대해 자기구속력을 갖게 되어 이후에도 그러한 기준에 따라야 한다.
③ 공무원 임용신청 당시 잘못 기재된 호적상 출생연월일을 생년월일로 기재하고, 임용 후 36년 동안 이의를 제기하지 않다가, 정년을 1년 3개월 앞두고 정정된 출생연월일을 기준으로 정년연장을 요구하는 것은 신의성실의 원칙에 반한다.
④ 일반적으로 행정청이 폐기물처리업 사업계획에 대한 적정통보를 한 경우 이는 토지에 대한 형질변경신청을 허가하는 취지의 공적 견해표명까지도 포함한다.

2021년 국가직 9급

① (○) 국가가 국민의 생명·신체의 안전에 대한 보호의무를 다하지 않았는지 여부를 헌법재판소가 심사할 때에는 국가가 이를 보호하기 위하여 적어도 적절하고 효율적인 최소한의 보호조치를 취하였는가 하는 이른바 '과소보호 금지원칙'의 위반 여부를 기준으로 삼아, 국민의 생명·신체의 안전을 보호하기 위한 조치가 필요한 상황인데도 국가가 아무런 보호조치를 취하지 않았든지 아니면 취한 조치가 법익을 보호하기에 전적으로 부적합하거나 매우 불충분한 것임이 명백한 경우에 한하여 국가의 보호의무의 위반을 확인하여야 하는 것이다(헌재 2008.12.26. 2008헌마419·423·436).

② (×) 위법한 행정처분이 수차례에 걸쳐 반복적으로 행하여졌다 하더라도 그러한 처분이 위법한 것인 때에는 행정청에 대하여 자기구속력을 갖게 된다고 할 수 없다(대판 2009.6.25. 2008두13132).

③ (×) 생년월일 기재에 대하여 처음 임용된 때부터 약 36년 동안 전혀 이의를 제기하지 않다가, 정년을 1년 3개월 앞두고 호적상 출생연월일을 정정한 후 그 출생연월일을 기준으로 정년의 연장을 요구하는 것이 신의성실의 원칙에 반하지 않는다(대판 2009.3.26. 2008두21300).

유제 18. 5급 승진 지방공무원 임용신청 당시 잘못 기재된 호적상 출생연월일을 근거로 한 공무원인사기록카드의 생년월일 기재에 대해 처음 임용된 후 약 36년 동안 전혀 이의를 제기하지 않다가, 정년을 1년 3개월 앞두고 호적상 출생연월일을 정정한 후 그 출생연월일을 기준으로 정년의 연장을 요구하는 것은 신의성실의 원칙에 반하지 않는다. (○)

18. 소방간부 호적상 잘못 기재된 생년월일에 따라 임용된 공무원이 36년이 지난 후, 정년이 임박해서 호적정정 및 정년연장을 신청하는 것은 본인의 귀책사유가 있는 경우로서 신의칙에 반하는 것이다. (×)

15. 서울시 7급 공무원 임용신청 당시 잘못 기재된 호적상 출생연월일을 생년월일로 기재하고, 임용 후 36년 동안 이의를 제기하지 않다가, 정년을 1년 3개월 앞두고 정정된 출생연월일을 기준으로 정년연장을 요구하는 것은 신의성실의 원칙에 반한다. (×)

④ (×) 일반적으로 폐기물처리업 사업계획에 대한 적정통보에 당해 토지에 대한 형질변경허가신청을 허가하는 취지의 공적 견해표명이 있는 것으로는 볼 수 없다고 할 것이고, 더구나 토지의 지목변경 등을 조건으로 그 토지상의 폐기물처리업 사업계획에 대한 적정통보를 한 경우에는 위 조건부적정통보에 토지에 대한 형질변경허가의 공적 견해표명이 포함되어 있었다고 볼 수 없다(대판 1998.9.25. 98두6494).

답 ①

함께 정리하기

행정법의 일반원칙

보호의무반심사
▷ 과소보호금지원칙 기준

위법한 선례
▷ 자기구속×

지방공무원이 정년을 1년 3개월 앞두고 호적정정 후 정년연장요구
▷ 신의성실원칙 위반×

폐기물처리업 적정통보
▷ 토지형질변경허가 공적 견해표명×

030 □□□

甲은 청소년에게 주류를 제공하였다는 이유로 A구청장으로부터 6개월 이내에서 영업정지처분을 할 수 있다고 규정하는 '식품위생법」 제75조, 총리령인 「식품위생법 시행규칙」 제89조 및 [별표 23] 행정처분의 기준에 근거하여 영업정지 2개월 처분을 받았다. 甲은 처음으로 단속된 사람이었다. 이에 대한 설명으로 가장 옳은 것은? (다툼이 있는 경우 판례에 의함)

① 위 영업정지처분은 기속행위이다.
② 위 별표는 법규명령이다.
③ A구청장은 2개월의 영업정지처분을 함에 있어서 가중 감경의 여지는 없다.
④ A구청장이 유사 사례와의 형평성을 고려하지 않고 3개월의 영업정지처분을 하였다면 甲은 행정의 자기구속원칙의 위반으로 위법함을 주장할 수 있다.

문제 DATA

출제가능 지수 ▶▶▷
난이도 지수 ★★☆

함께 정리하기

영업정지처분 사례
「식품위생법」상 영업정지처분
▷ 재량행위

총리령 or 부령형식 제재적 처분기준
▷ 행정규칙

재량준칙
▷ 사안을 고려하여 가중·감경 가

유사사례와의 형평을 고려하지 않고 과중한 영업정지처분
▷ 자기구속원칙 위반

2021년 군무원 7급

① (×) 「식품위생법」 제75조는 "6개월 이내에 영업정지처분을 할 수 있다."고 규정하고 있으므로 영업정지처분은 재량행위에 해당한다.

② (×) 판례는 총리령이나 부령형식으로 정해진 제재적 처분기준은 행정규칙의 성질을 가지는 것으로 본다.

> 구 식품위생법 시행규칙 제53조에서 [별표 15]로 식품위생법 제58조에 따른 행정처분의 기준을 정하였다고 하더라도 이는 형식만 부령으로 되어 있을 뿐, 그 성질은 행정기관 내부의 사무처리준칙을 정한 것으로서 행정명령의 성질을 가지는 것이고, 대외적으로 국민이나 법원을 기속하는 힘이 있는 것은 아니므로 같은 법 제58조 제1항에 의한 처분의 적법 여부는 같은 법 시행규칙에 적합한 것인가의 여부에 따라 판단할 것이 아니라 같은 법의 규정 및 그 취지에 적합한 것인가의 여부에 따라 판단하여야 한다(대판 1995.3.28. 94누6925).

③ (×) 재량준칙은 각 사안의 특수성을 개별적으로 고려하여 그 준칙과 다른 결정을 할 가능성을 유보하고 있으므로 A구청장은 영업정지처분을 함에 있어서 사안을 고려하여 가중·감경이 가능하다.

④ (○) A구청장이 유사 사례와의 형평성을 고려하지 않고 3개월의 영업정지처분을 하였다면 행정의 자기구속원칙의 위반에 해당하여 위법한 처분이 된다(대판 2009.12.24. 2009두7967).

답 ④

문제 DATA

출제가능 지수 ▶ΣΣ
난이도 지수 ★☆☆

031 □□□

행정의 법원칙 중 「행정기본법」에 명문으로 규정하고 있는 것이 아닌 것은?

① 행정의 자기구속의 원칙
② 부당결부금지의 원칙
③ 성실의무 및 권한남용금지의 원칙
④ 비례의 원칙
⑤ 평등의 원칙

2021년 행정사

① (×) 「행정기본법」은 행정의 자기구속의 원칙에 대해서는 직접적 규정을 두고 있지 않다.

② (○)
> 「행정기본법」 제13조 【부당결부금지의 원칙】 행정청은 행정작용을 할 때 상대방에게 해당 행정작용과 실질적인 관련이 없는 의무를 부과해서는 아니 된다.

③ (○)
> 「행정기본법」 제11조 【성실의무 및 권한남용금지의 원칙】 ① 행정청은 법령등에 따른 의무를 성실히 수행하여야 한다.
> ② 행정청은 행정권한을 남용하거나 그 권한의 범위를 넘어서는 아니 된다.

④ (○)
> 「행정기본법」 제10조 【비례의 원칙】 행정작용은 다음 각 호의 원칙에 따라야 한다.
> 1. 행정목적을 달성하는 데 유효하고 적절할 것
> 2. 행정목적을 달성하는 데 필요한 최소한도에 그칠 것
> 3. 행정작용으로 인한 국민의 이익침해가 그 행정작용이 의도하는 공익보다 크지 아니할 것

⑤ (○)
> 「행정기본법」 제9조 【평등의 원칙】 행정청은 합리적 이유 없이 국민을 차별하여서는 아니 된다.

답 ①

함께 정리하기

「행정기본법」상 행정의 법원칙
▷ 행정의 자기구속의 원칙 ×
▷ 부당결부금지의 원칙 ○
▷ 성실의무 및 권한남용금지의 원칙 ○
▷ 비례의 원칙 ○
▷ 평등의 원칙 ○

032

행정법의 일반원칙에 대한 설명으로 옳은 것은? (다툼이 있는 경우 판례에 의함)

① 비례의 원칙은 행정에만 적용되는 원칙이므로 입법에서는 적용될 여지가 없다.
② 신뢰보호의 원칙이 적용되기 위한 요건인 행정권의 행사에 관하여 신뢰를 주는 선행조치가 되기 위해서는 반드시 처분청 자신의 적극적인 언동이 있어야만 한다.
③ 동일한 사항을 다르게 취급하는 것은 합리적 이유가 없는 차별이므로, 같은 정도의 비위를 저지른 자들은 비록 개전의 정이 있는지 여부에 차이가 있다고 하더라도 징계 종류의 선택과 양정에 있어 동일하게 취급받아야 한다.
④ 재량권행사의 준칙인 행정규칙이 그 정한 바에 따라 되풀이 시행되어 행정관행이 이루어지게 되면 평등의 원칙이나 신뢰보호의 원칙에 따라 행정기관은 그 상대방에 대한 관계에서 그 규칙에 따라야 할 자기구속을 받게 된다.

2020년 서울시·지방직·교육행정직 9급

① (×) 비례의 원칙은 행정뿐만 아니라 입법작용에도 적용된다(과잉금지의 원칙). 비례의 원칙의 이론적 근거는 헌법에서 찾을 수 있고 헌법재판소는 헌법상의 법치국가원리, 기본권제한에 관한 헌법 제37조에서 찾고 있다.

> 국가작용 중 특히 입법작용에 있어서의 과잉입법금지의 원칙이라 함은 국가가 국민의 기본권을 제한하는 내용의 입법활동을 함에 있어서 준수하여야 할 기본원칙 내지 입법활동의 한계를 의미하는 것으로서, … 우리 헌법은 제37조 제1항에서 "국민의 자유와 권리는 헌법에 열거되지 아니한 이유로 경시되지 아니한다." 제2항에서 "국민의 모든 자유와 권리는 국가안전보장, 질서유지 또는 공공복리를 위하여 필요한 경우에 한하여 법률로써 제한할 수 있으며, 제한하는 경우에도 자유와 권리의 본질적인 내용을 침해할 수 없다."라고 선언하여 입법권의 한계로서 과잉입법금지의 원칙을 명문으로 인정하고 있으며 이에 대한 헌법위반여부의 판단은 헌법 제111조와 제107조에 의하여 헌법재판소에서 관장하도록 하고 있다(헌재 1992.12.24. 92헌가8).

② (×) 국민에게 신뢰를 주는 행정청의 선행조치는 적극적 언동뿐만 아니라 소극적 언동일 수도 있다.
③ (×) 같은 정도의 비위를 저지른 자들 사이에 있어서도 그 직무의 특성 등에 비추어, 개전의 정이 있는지 여부에 따라 징계의 종류의 선택과 양정에 있어서 차별적으로 취급하는 것은, 사안의 성질에 따른 합리적 차별로서 이를 자의적 취급이라고 할 수 없는 것이어서 평등원칙 내지 형평에 반하지 아니한다(대판 1999.8.20. 99두2611).

유제 23. 군무원 9급 같은 정도의 비위를 저지른 자들 사이에 있어서 그 직무의 특성 등에 비추어, 개전의 정이 있는지 여부에 따라 징계의 종류의 선택과 양정에 있어서 차별적으로 취급하는 것은, 자의적 취급이라고 할 수 있어서 평등원칙 내지 형평에 반한다. (×)
20. 군무원 7급 같은 정도의 비위를 저지른 자들임에도 불구하고 그 직무의 특성 등에 비추어 개전의 정이 있는지 여부에 따라 징계 종류의 선택과 양정에서 다르게 취급하는 것은 평등의 원칙에 반하지 않는다. (○)
14. 사복직·경찰 1차 같은 정도의 비위를 저지른 자들에 대해 그 직무의 특성 및 개전의 정이 있는지 여부에 따라 징계의 종류 및 양정에 있어서 차별적으로 취급하는 것은 합리적 차별로서 평등의 원칙에 반하지 않는다. (○)

④ (○) 대판 2009.12.24. 2009두7967

답 ④

문제 DATA
출제가능 지수 ▶▶▷
난이도 지수 ★★☆

함께 정리하기
행정법의 일반원칙

비례의 원칙
▷ 모든 국가작용에 적용

선행조치
▷ 반드시 처분청 자신의 적극적인 언동 不要

개전의 정 여부에 따라 징계 종류 등 차별
▷ 평등원칙 위배×

재량준칙 되풀이 시행 행정관행
▷ 평등원칙이나 신뢰보호원칙에 따라 자기구속○

문제 DATA

출제가능 지수 ▶▶▶
난이도 지수 ★☆☆

033 □□□

행정법의 일반원칙에 대한 설명으로 옳지 않은 것은? (다툼이 있는 경우 판례에 의함)

① 제1종 보통면허로 운전할 수 있는 차량을 음주운전한 경우에 이와 관련된 면허인 제1종 대형면허와 원동기장치자전거 면허까지 취소할 수 있다.
② 재량권 행사의 준칙인 행정규칙이 그 정한 바에 따라 되풀이 시행되어 행정관행이 이루어지게 되면 평등의 원칙이나 신뢰보호의 원칙에 따라 행정기관은 그 상대방에 대한 관계에서 그 규칙에 따라야 할 자기구속을 받게 된다.
③ 수차례에 걸쳐 반복적으로 행하여진 위법한 행정처분은 행정청에 대하여 자기구속력을 가지게 된다.
④ 주택사업계획승인을 하면서 주택사업계획승인과 무관한 토지를 기부채납 하도록 한 부관은 부당결부금지원칙에 위반된다.

▎2019년 군무원 9급

① (○) 한 사람이 여러 종류의 자동차운전면허를 취득하는 경우뿐 아니라 이를 취소 또는 정지하는 경우에 있어서도 서로 별개의 것으로 취급하는 것이 원칙이기는 하나, 세 종류의 운전면허는 서로 관련된 것이라고 할 것이므로 제1종 보통면허로 운전할 수 있는 차량을 음주운전한 경우에 이와 관련된 면허인 제1종 대형면허와 원동기장치자전거면허까지 취소할 수 있는 것으로 보아야 한다(대판 1994.11.25. 94누9672).

유제 15. 국가직 9급 제1종 보통면허로 운전할 수 있는 차량을 음주운전한 경우 제1종 보통면허의 취소 외에 동일인이 소지하고 있는 제1종 대형면허와 원동기장치자전거면허는 취소할 수 없다. (×)
12. 사복직 제1종 보통면허로 운전할 수 있는 차량을 음주운전한 경우에 이와 관련된 면허인 제1종 대형면허와 원동기장치자전거면허까지 취소할 수 있는 것으로 보아야 한다. (○)
10. 국회직 8급 제1종 보통면허로 운전할 수 있는 차량을 음주운전한 경우에 제1종 대형면허와 원동기장치자전거면허도 취소할 수 있다. (○)

② (○) 대판 2009.12.24. 2009두7967
③ (×) 위법한 행정처분이 수차례에 걸쳐 반복적으로 행하여졌다 하더라도 그러한 처분이 위법한 것인 때에는 행정청에 대하여 자기구속력을 갖게 된다고 할 수 없다(대판 2009.6.25. 2008두13132).
④ (○) 대판 1997.3.11. 96다49650

답 ③

함께 정리하기

행정법의 일반원칙

1종보통차량 음주운전
▷ 1종대형 & 원동기면허도 취소 可

재량준칙 되풀이 시행 행정관행
▷ 평등원칙이나 신뢰보호원칙에 따라 자기구속○

위법한 행정관행
▷ 자기구속×

주택사업과 무관한 토지기부채납부관
▷ 부당결부금지원칙 위반

문제 DATA

출제가능 지수 ▶▶▷
난이도 지수 ★★☆

034 □□□

행정의 자기구속의 원칙에 대한 설명으로 옳지 않은 것은? (다툼이 있는 경우 판례에 의함)

① 헌법재판소는 평등의 원칙이나 신뢰보호의 원칙을 근거로 행정의 자기구속의 원칙을 인정하고 있다.
② 반복적으로 행해진 행정처분이 위법하더라도 행정의 자기구속의 원칙에 따라 행정청은 선행처분에 구속된다.
③ 행정의 자기구속의 원칙은 법적으로 동일한 사실관계, 즉 동종의 사안에서 적용이 문제되는 것으로 주로 재량의 통제법리와 관련된다.
④ 재량준칙이 공표된 것만으로는 행정의 자기구속의 원칙이 적용될 수 없고, 재량준칙이 되풀이 시행되어 행정관행이 성립한 경우에 행정의 자기구속의 원칙이 적용될 수 있다.

2018년 국가직 9급

① (O) 행정규칙이 법령의 규정에 의하여 행정관청에 법령의 구체적인 내용을 보충할 권한을 부여한 경우, 재량권 행사의 준칙인 규칙이 그 정한 바에 따라 되풀이 시행되어 행정관행이 이룩되게 되면, 평등의 원칙이나 신뢰보호의 원칙에 따라 행정기관은 그 상대방에 대한 관계에서 그 규칙에 따라야 할 자기구속을 당하게 되고, 그러한 경우에는 대외적인 구속력을 가지게 된다 할 것이다(헌재 1990.9.3. 90헌마13).

유제 19. 행정사, 12. 지방직 7급 헌법재판소는 재량준칙의 대외적 구속력 인정과 관련한 행정의 자기구속의 법리의 근거를 평등의 원칙이나 신뢰보호의 원칙에서 찾고 있다. (O)
18. 서울시 7급 행정규칙이 법령의 규정에 의하여 행정관청에 법령의 구체적 내용을 보충할 권한을 부여한 경우, 평등의 원칙이나 신뢰보호의 원칙에 따라 행정기관은 그 상대방에 대한 관계에서 그 규칙에 따라야 할 자기구속을 당하게 된다. (O)
18. 소방직 행정의 자기구속의 원칙은 평등원칙 및 신뢰보호의 원칙과 밀접한 관련을 지니고 있다. (O)
17. 경찰 2차 재량권 행사의 준칙인 규칙이 그 정한 바에 따라 되풀이 시행되어 행정관행이 이루어지게 되면 평등의 원칙이나 신뢰보호의 원칙에 따라 행정기관은 그 상대방에 대한 관계에서 그 규칙에 따라야 할 자기구속을 당하게 되는 경우에는 대외적인 구속력을 가지게 된다. (O)
14. 국가직 9급 재량권 행사의 준칙인 규칙이 그 정한 바에 따라 되풀이 시행되어 행정관행이 이루어지면 평등의 원칙에 따라 행정기관은 그 상대방에 대한 관계에서 그 규칙에 따라야 할 자기구속을 당하게 되고, 그러한 경우에는 대외적인 구속력을 가지게 된다는 것이 판례의 입장이며, 자기구속의 원칙은 신뢰보호의 원칙과는 무관하다고 한다. (X)

② (X) 위법한 행정처분이 수차례에 걸쳐 반복적으로 행하여졌다 하더라도 그러한 처분이 위법한 것인 때에는 행정청에 대하여 자기구속력을 갖게 된다고 할 수 없다(대판 2009.6.25. 2008두13132).
③ (O) 자기구속의 원칙이 적용되기 위해서는 ㉠ 재량의 영역 ㉡ 동종의 사안·동일한 행정청 ㉢ 행정선례가 존재해야 하는 바, 재량행위의 통제와 관련이 있다.
④ (O) 대판 2009.12.24. 2009두7967

답 ②

> **함께 정리하기**
>
> **자기구속의 원칙**
>
> **헌재**
> ▷ 평등원칙·신뢰보호원칙 근거로 인정
>
> **위법한 처분 반복**
> ▷ 자기구속×
>
> **동종의 사안이 요건**
> ▷ 재량행위의 통제
>
> **재량준칙 되풀이 시행되어 행정관행 성립해야(공표만으로는×)**

035 □□□

행정법의 일반원칙에 대한 설명으로 가장 옳지 않은 것은? (다툼이 있는 경우 판례에 의함)

① 평등의 원칙에 의할 때, 위법한 행정처분이 수 차례에 걸쳐 반복적으로 행하여졌다면 설령 그러한 처분이 위법하더라도 행정청에 대하여 자기구속력을 갖게 된다.
② 지방자치단체의「세자녀 이상 세대 양육비 등 지원에 관한 조례안」은 저출산 문제의 국가적·사회적 심각성을 십분 감안하여 향후 지방자치단체의 출산을 적극 장려토록 하여 인구정책을 보다 전향적으로 실효성 있게 추진하고자 세자녀 이상 세대 중 세 번째 이후 자녀에게 양육비 등을 지원할 수 있도록 하는 것으로서, 위와 같은 사무는 지방자치단체 고유의 자치사무이므로 그 제정에 있어서 반드시 법률의 개별적 위임이 따로 필요한 것은 아니다.
③ 재량준칙이 정한 바에 따라 되풀이 시행되어 행정관행이 이루어지게 되면 평등의 원칙이나 신뢰보호의 원칙에 따라 행정청은 상대방에 대한 관계에서 그 규칙에 따라야 할 자기구속을 받게 되므로, 이러한 경우에는 특별한 사정이 없는 한 그에 반하는 처분은 평등의 원칙이나 신뢰보호의 원칙에 어긋나 재량권을 일탈·남용한 위법한 처분이 된다.
④ 병무청 담당부서의 담당공무원에게 공적 견해의 표명을 구하는 정식의 서면질의 등을 하지 아니한 채 총무과 민원팀장인 공무원이 민원봉사차원에서 상담에 응하여 안내한 것을 신뢰한 경우, 신뢰보호원칙이 적용되지 아니한다.

> **문제 DATA**
>
> 출제가능 지수 ▶▶▷
> 난이도 지수 ★★☆

함께 정리하기

자기구속의 원칙

위법한 처분의 반복
▷ 자기구속×

세자녀 이상 세대 양육비 등 지원에 관한 조례안
▷ 법률의 개별적 위임 不要

재량준칙 되풀이 시행 행정관행
▷ 자기구속
▷ 그에 반하는 처분은 재량권 일탈·남용 위법처분

민원봉사원의 안내
▷ 공적 견해표명×

문제 DATA

출제가능 지수 ▶▶▷
난이도 지수 ★★☆

함께 정리하기

지방공무원이 정년을 1년 3개월 앞두고 호적정정 후 정년연장요구
▷ 신의성실원칙 위반×

사실상의 장애사유가 있는 휴업급여 미청구에 대한 근로복지공단의 소멸시효 항변
▷ 신의성실원칙 위반○

개발사업 시행 전 민원예비심사로서 '저촉사항 없음' 기재
▷ 개발부담금 면제의 공적 견해표명×

위법한 행정처분 반복
▷ 자기구속력×

행정처분이 행정규칙에 위반
▷ 곧바로 위법×

2018년 서울시 7급

① (×) 위법한 행정처분이 수차례에 걸쳐 반복적으로 행하여졌다 하더라도 그러한 처분이 위법한 것인 때에는 행정청에 대하여 자기구속력을 갖게 된다고 할 수 없다(대판 2009.6.25. 2008두13132).
② (○) 지방자치단체는 그 내용이 주민의 권리의 제한 또는 의무의 부과에 관한 사항이거나 벌칙에 관한 사항이 아닌 한 법률의 위임이 없더라도 그의 사무에 관하여 조례를 제정할 수 있는바, 지방자치단체의 세자녀 이상 세대 양육비 등 지원에 관한 조례안은 저출산 문제의 국가적·사회적 심각성을 십분 감안하여 향후 지방자치단체의 출산을 적극 장려토록 하여 인구정책을 보다 전향적으로 실효성 있게 추진하고자 세 자녀 이상 세대 중 세 번째 이후 자녀에게 양육비 등을 지원할 수 있도록 하는 것으로서, 위와 같은 사무는 지방자치단체 고유의 자치사무 중 주민의 복지증진에 관한 사무를 규정한 지방자치법 제9조 제2항 제2호 라목에서 예시하고 있는 아동·청소년 및 부녀의 보호와 복지증진에 해당되는 사무이고, 또한 위 조례안에는 주민의 편의 및 복리증진에 관한 내용을 담고 있어 그 제정에 있어서 반드시 법률의 개별적 위임이 따로 필요한 것은 아니다(대판 2006.10.12. 2006추38).
③ (○) 대판 2013.11.14. 2011두28783
④ (○) 대판 2003.12.26. 2003두1875

답 ①

036 □□□

판례의 입장으로 옳지 않은 것은?

① 지방공무원 임용신청 당시 잘못 기재된 호적상 출생연월일을 근거로 한 공무원인사기록카드의 생년월일 기재에 대해 처음 임용된 후 약 36년 동안 전혀 이의를 제기하지 않다가, 정년을 1년 3개월 앞두고 호적상 출생연월일을 정정한 후 그 출생연월일을 기준으로 정년의 연장을 요구하는 것은 신의성실의 원칙에 반하지 않는다.
② 근로복지공단의 요양불승인처분의 적법 여부는 사실상 휴업급여청구권 발생의 전제가 되기에 근로자가 요양불승인 취소소송의 판결확정시까지 근로복지공단에 휴업급여를 청구하지 않았던 것은 이를 행사할 수 없는 사실상의 장애사유가 있었기 때문이므로, 근로복지공단의 그 소멸시효 항변은 신의성실의 원칙에 반하여 허용될 수 없다.
③ 「개발이익환수에 관한 법률」에서 정한 개발사업 시행 전에, 예식장을 건축하는 것이 관계 법령상 가능한지를 질의하는 민원예비심사에 대해 행정청이 관련부서 의견으로 「개발이익환수에 관한 법률」에 '저촉사항 없음'이라고 기재한 것은, 이후 개발부담금부과처분에 관해 신뢰보호의 원칙상 신뢰의 대상이 되는 공적 견해표명을 한 것으로 볼 수 없다.
④ 평등의 원칙은 본질적으로 같은 것을 자의적으로 다르게 취급함을 금지하는 것이고, 위법한 행정처분이라도 수차례에 걸쳐 반복적으로 행하여지는 경우에는 그 처분은 행정청에 대하여 자기구속력을 갖게 된다.
⑤ 상급 행정기관이 하급 행정기관에 대하여 법령의 해석적용에 관한 기준을 정하여 발하는 이른바 '행정규칙이나 내부지침'은 일반적으로 대외적인 구속력을 갖는 것은 아니므로 행정처분이 그에 위반하였다는 사정만으로 곧바로 위법하게 되는 것은 아니다.

2018년 5급 승진

① (○) 대판 2009.3.26. 2008두21300
② (○) 근로복지공단의 요양불승인처분의 적법 여부는 사실상 근로자의 휴업급여청구권 발생의 전제가 된다고 볼 수 있는 점 등에 비추어, 근로자가 요양불승인에 대한 취소소송의 판결확정시까지 근로복지공단에 휴업급여를 청구하지 않았던 것은 이를 행사할 수 없는 사실상의 장애사유가 있었기 때문이라고 보아야 하므로, 근로복지공단의 소멸시효 항변은 신의성실의 원칙에 반하여 허용될 수 없다(대판 2008.9.18. 2007두2173).

③ (○) 대판 2006.6.9. 2004두46
④ (×) 위법한 행정처분이 수차례에 걸쳐 반복적으로 행하여졌다 하더라도 그러한 처분이 위법한 것인 때에는 행정청에 대하여 자기구속력을 갖게 된다고 할 수 없다(대판 2009.6.25. 2008두13132).
⑤ (○) 상급 행정기관이 하급 행정기관에 대하여 업무처리지침이나 법령의 해석적용에 관한 기준을 정하여 발하는 이른바 '행정규칙이나 내부지침'은 일반적으로 행정조직 내부에서만 효력을 가질 뿐 대외적인 구속력을 갖는 것은 아니므로 행정처분이 그에 위반하였다고 하여 그러한 사정만으로 곧바로 위법하게 되는 것은 아니다(대판 2009.12.26. 2009두7976).

답 ④

Ⅳ 비례의 원칙

037

「행정기본법」에 대한 설명으로 옳은 것만을 모두 고른 것은?

> ㄱ. 행정은 공공의 이익을 위하여 적극적으로 추진되어야 한다.
> ㄴ. 행정작용은 법률에 위반되어서는 아니 되며, 국민의 권리를 제한하거나 의무를 부과하는 경우와 그 밖에 국민생활에 중요한 영향을 미치는 경우에는 법률에 근거하여야 한다.
> ㄷ. 행정청은 합리적 이유 없이 국민을 차별하여서는 아니 된다.
> ㄹ. 행정청은 행정작용을 할 때 상대방에게 해당 행정작용과 실질적인 관련이 없는 의무를 부과해서는 아니 된다.
> ㅁ. 행정청은 처분에 재량이 있는 경우에는 부관(조건, 기한, 부담, 철회권의 유보 등을 말한다)을 붙일 수 있다.

① ㄱ, ㄴ, ㄷ
② ㄱ, ㄴ, ㄷ, ㄹ
③ ㄴ, ㄷ, ㄹ, ㅁ
④ ㄱ, ㄴ, ㄷ, ㄹ, ㅁ

2021년 군무원 9급

ㄱ. (○)
> 「행정기본법」 제4조 【행정의 적극적 추진】 ① 행정은 공공의 이익을 위하여 적극적으로 추진되어야 한다.

ㄴ. (○)
> 「행정기본법」 제8조 【법치행정의 원칙】 행정작용은 법률에 위반되어서는 아니 되며, 국민의 권리를 제한하거나 의무를 부과하는 경우와 그 밖에 국민생활에 중요한 영향을 미치는 경우에는 법률에 근거하여야 한다.

ㄷ. (○)
> 「행정기본법」 제9조 【평등의 원칙】 행정청은 합리적 이유 없이 국민을 차별하여서는 아니 된다.

ㄹ. (○)
> 「행정기본법」 제13조 【부당결부금지의 원칙】 행정청은 행정작용을 할 때 상대방에게 해당 행정작용과 실질적인 관련이 없는 의무를 부과해서는 아니 된다.

ㅁ. (○)
> 「행정기본법」 제17조 【부관】 ① 행정청은 처분에 재량이 있는 경우에는 부관(조건, 기한, 부담, 철회권의 유보 등을 말한다. 이하 이 조에서 같다)을 붙일 수 있다.

답 ④

함께 정리하기

「행정기본법」 조문

행정의 적극적 추진
▷ 행정은 공공의 이익을 위하여 적극적으로 추진되어야 함

법치행정 원칙
▷ 법률우위원칙, 법률유보원칙

부당결부금지 원칙
▷ 행정청은 해당 행정작용과 실질적인 관련이 없는 의무 부과 불가

부관
▷ 행정청은 처분에 재량이 있는 경우에는 부관을 붙일 수 있음

038

다음 중 옳지 않은 것은? (다툼이 있는 경우 판례에 의함)

① 원고가 단지 1회 훈령에 위반하여 요정출입을 하다가 적발된 정도라면, 면직처분보다 가벼운 징계처분으로서도 능히 위 훈령의 목적을 달성할 수 있다고 볼 수 있는 점에서 이 사건 파면처분은 이른바 비례의 원칙에 어긋난 것으로 위법하다고 판시하였다.

② 수입 녹용 중 일정성분이 기준치를 0.5% 초과하였다는 이유로 수입 녹용 전부에 대하여 전량 폐기 또는 반송처리를 지시한 처분은 재량권을 일탈·남용한 경우에 해당한다고 판시하였다.

③ 청소년유해매체물로 결정·고시된 만화인 사실을 모르고 있던 도서대여업자가 그 고시일로부터 8일 후에 청소년에게 그 만화를 대여한 것을 사유로 그 도서대여업자에게 금 700만원의 과징금이 부과된 경우, 그 과징금 부과처분은 재량권을 일탈·남용한 것으로서 위법하다고 판시하였다.

④ 사법시험 제2차 시험에 과락제도를 적용하고 있는 구 사법시험령 제15조 제2항은 비례의 원칙, 과잉금지의 원칙, 평등의 원칙에 위반되지 않는다고 판시하였다.

2021년 소방직

① (O) 원고가 단지 1회 훈령에 위반하여 요정 출입을 하다가 적발된 것만으로는 공무원의 신분을 보유케 할 수 없을 정도로 공무원의 품위를 손상케 한 것이라 단정키 어려운 한편, 원고를 면직에 처함으로서만 위와 같은 훈령의 목적을 달할 수 있다고 볼 사유를 인정할 자료가 없고, 오히려 원고의 비행정도라면 이보다 가벼운 징계처분으로서도 능히 위 훈령의 목적을 달할 수 있다고 볼 수 있는 점, … 등에 비추어 생각하면 이 사건 파면처분은 이른바 비례의 원칙에 어긋난 것으로서 심히 그 재량권의 범위를 넘어서 한 위법한 처분이라고 아니할 수 없다(대판 1967.5.2. 67누24).

유제 18. 소방직 비례의 원칙에 의할 때 공무원이 단지 1회 훈령에 위반하여 요정 출입을 하였다는 사유만으로 한 파면처분은 위법하다. (O)

② (×) 지방식품의약품안전청장이 수입 녹용 중 전지 3대를 절단부위로부터 5cm까지의 부분을 절단하여 측정한 회분함량이 기준치를 0.5% 초과하였다는 이유로 수입 녹용 전부에 대하여 전량 폐기 또는 반송처리를 지시한 경우, 녹용 수입자가 입게 될 불이익이 의약품의 안전성과 유효성을 확보함으로써 국민보건의 향상을 기하고 고가의 한약재인 녹용에 대하여 부적합한 수입품의 무분별한 유통을 방지하려는 공익상 필요보다 크다고는 할 수 없으므로 위 폐기 등 지시처분이 재량권을 일탈·남용한 경우에 해당하지 않는다(대판 2006.4.14. 2004두3854).

유제 19. 소방간부 행정청이 수입 녹용 중 전지 3대를 측정한 회분함량이 기준치를 0.5% 초과하였다는 이유로 수입 녹용 전부에 대하여 전량 폐기 또는 반송처리를 지시한 처분은 비례원칙에 위반한 재량권을 일탈·남용한 경우에 해당한다. (×)

13. 국회직 9급 지방식품의약품안전청장이 수입 녹용 중 전지 3대를 절단부위로부터 5cm까지의 부분을 절단하여 측정한 회분함량이 기준치를 0.5% 초과하였다는 이유로 수입 녹용 전부에 대하여 전량 폐기 또는 반송처리를 지시한 처분이 재량권을 일탈·남용한 경우에 해당한다. (×)

③ (O) 청소년유해매체물로 결정·고시된 만화인 사실을 모르고 있던 도서대여업자가 그 고시일로부터 8일 후에 청소년에게 그 만화를 대여한 것을 사유로 그 도서대여업자에게 금 700만원의 과징금이 부과된 경우, 그 도서대여업자에게 청소년유해매체물인 만화를 청소년에게 대여하여서는 아니된다는 금지의무의 해태를 탓하기는 가혹하므로 그 과징금부과처분은 재량권을 일탈·남용한 것으로서 위법하다 (대판 2001.7.27. 99두9490).

④ (O) 국가 등이 시험을 시행함에 있어 과락제도 등 합격자의 선정에 대한 방법의 채택은 그것이 헌법이나 법률에 위반되지 않고 지나치게 합리성이 결여되지 않는 이상 시험시행자의 고유한 정책판단에 맡겨진 것으로서 폭넓은 재량의 영역에 속하는 사항이라 할 것이다. … 사법시험령 제15조 제2항이 사법시험의 제2차시험에서 '매과목 4할 이상'으로 과락 결정의 기준을 정한 것을 두고 과락점수를 비합리적으로 높게 설정하여 지나치게 엄격한 기준에 해당한다고 볼 정도는 아니므로, 비례의 원칙 내지 과잉금지에 위반하였다고 볼 수 없다. 한편, 사법시험령 제15조 제2항에서 규정한 사법시험 제2차시험의 과락제도와 그 점수의 설정은 제2차시험을 치루는 응시자들 모두를 대상으로 차별 없이 적용되는 것이고,

---

문제 DATA

출제가능 지수 ▶▶▷
난이도 지수 ★★☆

함께 정리하기

비례의 원칙 관련 판례

훈령 1회 위반의 요정출입에 대한 파면처분
▷ 비례원칙 위반 O

기준치 0.5% 초과 이유로 수입 녹용 전부 폐기
▷ 재량권 일탈·남용 ×

청소년유해매체물인 줄 모르고 만화대여에 700만원 과징금부과
▷ 재량권 일탈·남용 O

사법시험 과락제도
▷ 비례원칙 위반 ×

그 시행이 위에서 본 바와 같이 합리적인 정책판단하에서 이루어진 것이므로, 사법시험 제2차시험에 적용되는 위 규정을 사법시험 제1차시험의 과락제도와 점수의 설정과 비교하여 정의의 원칙, 평등의 원칙, 기회균등의 원칙 등에 반한다고 할 수는 없는 것이다(대판 2007.1.11. 2004두10432).

답 ②

039 □□□

자동차운전면허 및 운송사업면허에 대한 설명으로 옳지 않은 것은? (다툼이 있는 경우 판례에 의함)

① 운전면허취소처분에 대한 취소소송에서 취소판결이 확정되었다면 운전면허취소처분 이후의 운전행위를 무면허운전이라 할 수는 없다.
② 음주운전 여부에 대한 조사 과정에서 운전자 본인의 동의를 받지 아니하고 법원의 영장도 없이 채혈조사가 행해졌다면, 그 조사 결과를 근거로 한 운전면허취소처분은 특별한 사정이 없는 한 위법하다.
③ 개인택시운송사업의 양도·양수에 대한 인가가 있은 후에 그 양도·양수 이전에 있었던 양도인에 대한 운송사업면허취소사유를 들어 양수인의 사업면허를 취소할 수 있다.
④ 음주운전으로 인해 운전면허를 취소하는 경우의 이익형량에서 음주운전으로 인한 교통사고를 방지할 공익상의 필요가 취소의 상대방이 입게 될 불이익보다 강조되어야 하는 것은 아니다.

⊙ 문제 DATA
출제가능 지수 ▶▶▷
난이도 지수 ★★☆

2020년 국가직 7급

① (○) 피고인이 행정청으로부터 자동차 운전면허취소처분을 받았으나 나중에 그 행정처분 자체가 행정쟁송절차에 의하여 취소되었다면, 위 운전면허취소처분은 그 처분시에 소급하여 효력을 잃게 되고, 피고인은 위 운전면허취소처분에 복종할 의무가 원래부터 없었음이 후에 확정되었다고 봄이 타당할 것이고, 행정행위에 공정력의 효력이 인정된다고 하여 행정소송에 의하여 적법하게 취소된 운전면허취소처분이 단지 장래에 향하여서만 효력을 잃게 된다고 볼 수는 없다(대판 1999.2.5. 98도4239).
② (○) 음주운전 여부에 대한 조사 과정에서 운전자 본인의 동의를 받지 아니하고 또한 법원의 영장도 없이 채혈조사를 한 결과를 근거로 한 운전면허 정지·취소 처분은 도로교통법 제44조 제3항을 위반한 것으로서 특별한 사정이 없는 한 위법한 처분으로 볼 수밖에 없다(대판 2016.12.27. 2014두46850).
③ (○) 구 「여객자동차 운수사업법」 제14조 제4항에 의하면 개인택시운송사업을 양수한 사람은 양도인의 운송사업자로서의 지위를 승계하므로, 관할 관청은 개인택시 운송사업의 양도·양수에 대한 인가를 한 후에도 그 양도·양수 이전에 있었던 양도인에 대한 운송사업면허 취소사유를 들어 양수인의 사업면허를 취소할 수 있다(대판 2010.11.11.2009두14934).
④ (×) 자동차가 대중적인 교통수단이고 그에 따라 자동차운전면허가 대량으로 발급되어 교통상황이 날로 혼잡해짐에 따라 교통법규를 엄격히 지켜야 할 필요성은 더욱 커지는 점, 음주운전으로 인한 교통사고 역시 빈번하고 그 결과가 참혹한 경우가 많아 대다수의 선량한 운전자 및 보행자를 보호하기 위하여 음주운전을 엄격하게 단속하여야 할 필요가 절실한 점 등에 비추어 보면, 음주운전으로 인한 교통사고를 방지할 공익상의 필요는 더욱 중시되어야 하고 운전면허의 취소는 일반의 수익적 행정행위의 취소와는 달리 그 취소로 인하여 입게 될 당사자의 불이익보다는 이를 방지하여야 하는 일반예방적 측면이 더욱 강조되어야 한다(대판 2019.1.17. 2017두59949).

답 ④

📋 함께 정리하기

자동차운전면허 및 운송사업면허 판례

운전면허취소처분의 취소
▷ 무면허운전 불성립(∵소급효 有)

음주운전조사과정 운전자 동의·법원 영장 없이 채혈조사하고 운전면허 정지·취소
▷ 위법한 처분

양도 인가 후, 양도 전 사유로 양수인 면허 취소 可

음주운전 면허취소
▷ 교통사고방지 공익상필요가 취소상대방 불이익보다 강조됨

문제 DATA

출제가능 지수 ▶▶▷
난이도 지수 ★☆☆

040 □□□

행정법의 일반원칙 중 비례의 원칙에 대한 설명으로 옳은 것은? (다툼이 있는 경우 판례에 의함)

① 필요성의 원칙은 최소침해의 원칙이라고도 하며 목적달성을 위한 많은 적합한 수단 중 공중이나 개인에게 최소한의 침해를 가져오는 수단의 선택을 요구한다.
② 비례의 원칙에 반하는 행정행위는 항고소송의 대상이 되지 아니한다.
③ 적합성의 원칙과 필요성의 원칙이 충족된 경우에는 상당성의 원칙은 고려하지 않아도 된다.
④ 비례의 원칙을 위반한 경우 국가배상책임은 성립하지 아니한다.
⑤ 비례의 원칙에 반하는 행정행위는 단지 원칙을 위반한 것일 뿐이므로 위법은 아니다.

2019년 5급 승진

① (○) 필요성의 원칙이란 적합성이 인정되는 수단 중에서도 상대방에게 최소한의 피해를 주는 수단을 선택하여야 함을 의미한다. 이를 최소침해의 원칙이라고도 한다.

유제 08. 국가직 7급 위험한 건물에 대하여 개수명령으로써 목적을 달성할 수 있음에도 불구하고 철거명령을 발령하는 것은 비례원칙의 내용 중 필요성원칙에 반한다. (○)

②, ④, ⑤ (×) 적합성·필요성·상당성의 요건을 갖추지 못한 행정작용은 비례의 원칙 위반으로 위법하며, 위법한 행정작용은 행정쟁송, 국가배상청구소송의 대상이 된다.
③ (×) 비례의 원칙은 ㉠ 적합성의 원칙, ㉡ 필요성의 원칙, ㉢ 상당성의 원칙을 그 내용으로 한다. 이는 단계적·순차적으로 판단하게 되므로, 적합성의 원칙과 필요성의 원칙이 충족된 경우라도 상당성의 원칙을 고려하여야 한다.

답 ①

함께 정리하기

비례의 원칙

필요성의 원칙
▷ 최소한의 피해를 주는 수단을 선택

비례의 원칙 위반 행정작용
▷ 위법
▷ 행정쟁송, 국가배상청구소송의 대상

내용
▷ 적합성, 필요성, 상당성의 원칙
▷ 단계적·순차적으로 판단

문제 DATA

출제가능 지수 ▶▶▷
난이도 지수 ★★☆

041 □□□

행정법의 일반원칙에 대한 설명으로 가장 옳은 것은? (다툼이 있는 경우 판례에 의함)

① 「행정규제기본법」과 「행정절차법」은 각각 규제의 원칙과 행정지도의 원칙으로 비례원칙을 정하고 있다.
② 위법한 행정규칙에 의하여 위법한 행정관행이 형성되었다 하더라도 행정청은 정당한 사유 없이 이 관행과 달리 조치를 할 수 없는 자기구속을 받는다.
③ 신뢰보호의 원칙과 관련하여, 행정청의 선행조치가 신청자인 사인의 사위나 사실은폐에 의해 이뤄진 경우라도 행정청의 선행조치에 대한 사인의 신뢰는 보호되어야 한다.
④ 지방의회의 감사 또는 조사를 위하여 출석요구를 받은 증인이 출석하지 않을 경우 증인의 사회적 지위에 따라 과태료의 액수에 차등을 두는 것을 내용으로 하는 조례안은 헌법에 규정된 평등의 원칙에 위배된다고 볼 수 없다.

2017년 서울시 9급

① (O) 「행정규제기본법」과 「행정절차법」은 각각 규제의 원칙과 행정지도의 원칙으로 비례원칙을 정하고 있으며, 최근 제정된 「행정기본법」도 행정법의 일반원칙으로 비례원칙에 대해 규정하고 있다.

> 「행정규제기본법」 제5조 【규제의 원칙】 ③ 규제의 대상과 수단은 규제의 목적 실현에 필요한 최소한의 범위에서 가장 효과적인 방법으로 객관성·투명성 및 공정성이 확보되도록 설정되어야 한다.
> 「행정절차법」 제48조 【행정지도의 원칙】 ① 행정지도는 그 목적 달성에 필요한 최소한도에 그쳐야 하며, 행정지도의 상대방의 의사에 반하여 부당하게 강요하여서는 아니 된다.
> 「행정기본법」 제10조 【비례의 원칙】 행정작용은 다음 각 호의 원칙에 따라야 한다.
>   1. 행정목적을 달성하는 데 유효하고 적절할 것
>   2. 행정목적을 달성하는 데 필요한 최소한도에 그칠 것
>   3. 행정작용으로 인한 국민의 이익 침해가 그 행정작용이 의도하는 공익보다 크지 아니할 것

유제 13. 국가직 9급 「행정절차법」은 행정지도의 원칙으로 비례원칙을 규정하고 있다. (O)

② (X) 위법한 행정처분이 수차례에 걸쳐 반복적으로 행하여졌다 하더라도 그러한 처분이 위법한 것인 때에는 행정청에 대하여 자기구속력을 갖게 된다고 할 수 없다(대판 2009.6.25. 2008두13132).

③ (X) 처분의 하자가 당사자의 사실은폐나 기타 사위의 방법에 의한 신청행위에 기인한 것이라면 당사자는 그 처분에 의한 이익이 위법하게 취득되었음을 알아 그 취소가능성도 예상하고 있었다고 할 것이므로, 그 자신이 위 처분에 관한 신뢰이익을 원용할 수 없음은 물론 행정청이 이를 고려하지 아니하였다고 하여도 재량권의 남용이 되지 아니한다(대판 1996.10.25. 95누14190).

④ (X) 조례안이 지방의회의 감사 또는 조사를 위하여 출석요구를 받은 증인이 5급 이상 공무원인지 여부, 기관(법인)의 대표나 임원인지 여부 등 증인의 사회적 신분에 따라 미리부터 과태료의 액수에 차등을 두고 있는 경우, 그와 같은 차별은 합리성을 인정할 수 없고 지위의 높고 낮음만을 기준으로 한 부당한 차별대우라고 할 것이어서 헌법에 규정된 평등의 원칙에 위배되어 무효이다(대판 1997.2.25. 96추213).

답 ①

함께 정리하기

행정법 일반원칙

「행정규제기본법」·「행정절차법」
▷ 비례원칙 명문규정 有

위법한 행정관행
▷ 자기구속×

자신의 부정행위로 인한 선행조치
▷ 신뢰이익원용 불가

사회적 지위에 따른 과태료차등 조례안
▷ 평등원칙위반

---

042 □□□

행정법의 일반원칙에 대한 설명으로 옳은 것을 <보기>에서 모두 고르면? (다툼이 있는 경우 판례에 의함)

<보기>
ㄱ. 비례원칙은 적합성의 원칙, 필요성의 원칙, 상당성의 원칙(협의의 비례원칙)으로 구성된다고 보는 것이 일반적이며 헌법재판소는 과잉금지원칙과 관련하여 위 세가지에 목적의 정당성을 더하여 판단하고 있다.
ㄴ. 행정청의 공적 견해표명이 있은 후에 사실적·법률적 상태가 변경되었을 때 그와 같은 공적 견해표명이 실효되기 위하여서는 행정청의 의사표시가 있어야 한다.
ㄷ. 대법원은 행정청의 공적 견해표명이 있었는지 여부를 판단함에 있어서 행정조직상의 형식적 권한분장에 따른 권한을 갖고 있는지 여부를 중시하고 있다.
ㄹ. 우리나라 「행정절차법」에서는 취소권을 1년 이상 행사하지 아니하면 실권되는 것으로 명문의 규정을 두고 있다.

① ㄱ
② ㄴ
③ ㄱ, ㄴ
④ ㄱ, ㄹ
⑤ ㄱ, ㄷ, ㄹ

문제 DATA

출제가능 지수 ▶▶▷
난이도 지수 ★★★

함께 정리하기

행정법 일반원칙

비례원칙
▷ 적합성원칙 + 필요성원칙 + 상당성원칙

과잉금지원칙
▷ 적 + 필 + 상 + 목적의 정당성

사실적·법률적 상태변경
▷ 공적 견해표명 당연실효

공적 견해표명
▷ 실질에 의해 판단

「행정절차법」상 취소권 제척기간 無

2017년 국회직 8급

ㄱ. (○) 헌법재판소는 위헌심사에 있어 (입법)목적의 정당성, 수단의 적합성(방법의 적정성), 필요성의 원칙(피해의 최소성), 상당성의 원칙(법익의 균형성)에 위배되는지 여부를 판단한다(과잉금지원칙).

> 과잉금지의 원칙이라 함은 국민의 기본권을 제한함에 있어서 국가작용의 한계를 명시한 것으로서 목적의 정당성·방법의 적정성·피해의 최소성·법익의 균형성 등을 의미하며 그 어느 하나에라도 저촉이 되면 위헌이 된다는 헌법상의 원칙을 말한다(헌재 1997.3.27. 95헌가17).

유제 18. 경찰 2차 과잉금지의 원칙이라 함은 국민의 기본권을 제한함에 있어서 국가작용의 한계를 명시한 것으로서 목적의 정당성·방법의 적정성·피해의 최소성·법익의 균형성 등을 의미하며 그 어느 하나에라도 저촉이 되면 위헌이 된다는 헌법상의 원칙을 말한다. (○)

ㄴ. (✕) 행정청이 상대방에게 장차 어떤 처분을 하겠다고 확약 또는 공적인 의사표명을 하였다고 하더라도, 확약 또는 공적인 의사표명이 있은 후에 사실적·법률적 상태가 변경되었다면 그와 같은 확약 또는 공적인 의사표명은 행정청의 별다른 의사표시를 기다리지 않고 실효된다고 할 것이다(대판 1996.8.20. 95누10877).

ㄷ. (✕) 행정청의 공적 견해표명이 있었는지의 여부를 판단함에 있어서는, 반드시 행정조직상의 형식적인 권한분장에 구애될 것은 아니고, 담당자의 조직상의 지위와 임무, 당해 언동을 하게 된 구체적인 경위 및 그에 대한 상대방의 신뢰가능성에 비추어 실질에 의하여 판단하여야 한다(대판 1997.9.12. 96누18380).

ㄹ. (✕) 우리나라 「행정절차법」에는 취소권을 일정기간 행사하지 않으면 실권되는 것으로 보는 제척기간에 관한 규정이 존재하지 않는다.

답 ①

Ⅴ 신뢰보호의 원칙

043 ☐☐☐

신뢰보호의 원칙에 대한 설명으로 가장 옳은 것은? (다툼이 있는 경우 판례에 의함)

① 서면질의가 아닌 경우 지방병무청 총무과 민원팀장의 민원봉사차원의 상담은 공적견해표명이 아니다.
② 신뢰보호의 원칙은 불문법상의 원칙으로 「행정기본법」에 명문의 근거규정은 존재하지 않는다.
③ 신뢰보호의 원칙은 행정청의 적극적 언동을 전제하므로 행정청의 소극적 부작위에 대해서는 적용되지 않는다.
④ 신뢰보호의 대상은 특정 개인에 대한 공적견해표명이어야 하며 법률에 대한 신뢰는 대상이 되지 않는다.

함께 정리하기

신뢰보호의 원칙

민원봉사차원의 안내
▷ 공적견해표명 ✕

「행정기본법」
▷ 명문 규정 ○

소극적 부작위
▷ 적용 ○

법률에 대한 신뢰
▷ 보호의 대상 ○

2025년 군무원 9급

① (○) 병무청 담당부서의 담당공무원에게 공적 견해의 표명을 구하는 정식의 서면질의 등을 하지 아니한 채 총무과 민원팀장에 불과한 공무원이 민원봉사차원에서 상담에 응하여 안내한 것을 신뢰한 경우, 신뢰보호 원칙이 적용되지 아니한다(대판 2003.12.26. 2003두1875).

② (✕) 「행정기본법」에 명문의 근거규정이 있다.

> 「행정기본법」 제12조【신뢰보호의 원칙】① 행정청은 공익 또는 제3자의 이익을 현저히 해칠 우려가 있는 경우를 제외하고는 행정에 대한 국민의 정당하고 합리적인 신뢰를 보호하여야 한다.

③ (×) 소극적 부작위에 대해서도 적용된다.

> 국세기본법 제18조 제2항에서 정한 일반적으로 납세자에게 받아들여진 국세행정의 관행이 있으려면 반드시 과세관청이 납세자에 대하여 불과세를 시사하는 명시적인 언동이 있어야만 하는 것은 아니고 묵시적인 언동 다시 말하면 비과세의 사실상태가 장기간에 걸쳐 계속되는 경우에 그것이 그 사항에 대하여 과세의 대상으로 삼지 아니하는 뜻의 과세관청의 묵시적인 의향표시로 볼 수 있는 경우 등에도 이를 인정할 수 있다(대판 1985.11.12. 85누549).

④ (×) 신뢰보호의 대상이 되는 공적 견해표명은 특정 개인에 대한 것일 필요가 없고 법률에 대한 신뢰도 신뢰보호의 대상이 될 수 있다.

> 법률의 개정 시 구법 질서에 대한 당사자의 신뢰가 합리적이고도 정당하며, 법률의 개정으로 야기되는 당사자의 손해가 극심하여 새로운 입법으로 달성하고자 하는 공익적 목적이 당사자의 신뢰의 파괴를 정당화할 수 없다면 새로운 입법은 신뢰보호의 원칙 등에 비추어 허용될 수 없다(대판 2016.11.9. 2014두3228).

답 ①

044

신뢰보호의 원칙에 대한 설명으로 옳은 것만을 모두 고르면?

> ㄱ. 행정입법에 관여한 공무원이 입법 당시의 상황에서 다양한 요소를 고려하여 나름대로 합리적인 근거를 찾아 경과규정을 두는 등의 조치 없이 새 법령을 그대로 적용하였다면, 그와 같은 공무원의 판단이 나중에 대법원이 내린 판단과 같지 않아 결과적으로 시행령 등이 신뢰보호의 원칙에 위배되는 결과가 되었다고 하더라도,「국가배상법」제2조 제1항에서 정한 국가배상책임의 성립요건인 공무원의 과실이 있다고 할 수는 없다.
> ㄴ. 법령에 근거하여 실시되는 시험과 관련하여, 시험 실시를 불과 2개월밖에 남겨놓지 않은 시점에서 시험방식을 절대평가제에서 상대평가제로 변경하는 내용으로 시행령을 개정하여 즉시 시행하였다면, 이로 인하여 수험생들의 신뢰이익이 침해되었다고 볼 수 있으나, 변경 사항이 응시 수험생들에게 일률적으로 적용된 이상 개정 시행령을 즉시 시행하도록 한 부칙 조항이 헌법에 위반된다고 볼 수는 없다.
> ㄷ. 1945.8.9. 이후 성립된 거래를 전부 무효로 한 재조선미국육군사령부군정청 법령 제2호(1945.9.25. 공포) 제4조 본문은 진정소급입법에 해당하나, 신뢰보호의 요청에 우선하는 중대한 공익상의 사유가 소급입법을 정당화하므로 헌법 제13조 제2항에 반하지 않는다.
> ㄹ. 퇴직하는 경우「군인연금법」에 따라 장차 받게 될 퇴직연금급여액의 산정기초를 '퇴직 당시의 보수월액'에서 '최종 3년간 평균보수월액'으로 변경한 것은 부진정소급입법에 해당되는 것이어서 예외적으로 허용되므로, 이 경우 신뢰보호의 원칙에 위배된다.

① ㄱ, ㄴ
② ㄱ, ㄷ
③ ㄴ, ㄷ
④ ㄴ, ㄹ
⑤ ㄷ, ㄹ

2025년 국회직 8급

ㄱ. (○) 법령의 개정에서 입법자의 광범위한 재량이 인정되는 경우라 하더라도 구 법령의 존속에 대한 당사자의 신뢰가 합리적이고도 정당하며 법령의 개정으로 야기되는 당사자의 손해가 극심하여 새로운 법령으로 달성하고자 하는 공익적 목적이 그러한 신뢰의 파괴를 정당화할 수 없다면 입법자는 경과규정을 두는 등 당사자의 신뢰를 보호할 적절한 조치를 하여야 하며 이와 같은 적절한 조치 없이 새 법령을 그대로 시행하거나 적용하는 것은 허용될 수 없는바, 이는 헌법의 기본원리인 법치주의 원리에서 도출되는 신뢰보호의 원칙에 위배되기 때문이다. 그러나 입법자가 이러한 신뢰보호 조치가 필요한지를 판단하기

위하여는 관련 당사자의 신뢰의 정도, 신뢰이익의 보호가치와 새 법령을 통해 실현하고자 하는 공익적 목적 등을 종합적으로 비교·형량하여야 하는데, 이러한 비교·형량에 관하여는 여러 견해가 있을 수 있으므로, 행정입법에 관여한 공무원이 입법 당시의 상황에서 다양한 요소를 고려하여 나름대로 합리적인 근거를 찾아 어느 하나의 견해에 따라 경과규정을 두는 등의 조치 없이 새 법령을 그대로 시행하거나 적용하였다면, 그와 같은 공무원의 판단이 나중에 대법원이 내린 판단과 같지 아니하여 결과적으로 시행령 등이 신뢰보호의 원칙 등에 위배되는 결과가 되었다고 하더라도, 이러한 경우에까지 국가배상법 제2조 제1항에서 정한 국가배상책임의 성립요건인 공무원의 과실이 있다고 할 수는 없다(대판 2013.4. 26. 2011다14428).

ㄴ. (×) 법령의 개정에 있어서 구 법령의 존속에 대한 당사자의 신뢰가 합리적이고도 정당하며, 법령의 개정으로 야기되는 당사자의 손해가 극심하여 새로운 법령으로 달성하고자 하는 공익적 목적이 그러한 신뢰의 파괴를 정당화할 수 없다면, 입법자는 경과규정을 두는 등 당사자의 신뢰를 보호할 적절한 조치를 하여야 하며, 이와 같은 적절한 조치 없이 새 법령을 그대로 시행하거나 적용하는 것은 허용될 수 없는 바, 이는 헌법의 기본원리인 법치주의 원리에서 도출되는 신뢰보호의 원칙에 위배되기 때문이다. 이러한 신뢰보호 원칙의 위배 여부를 판단하기 위하여는 한편으로는 침해받은 이익의 보호가치, 침해의 중한 정도, 신뢰가 손상된 정도, 신뢰침해의 방법 등과 다른 한편으로는 새 법령을 통해 실현하고자 하는 공익적 목적을 종합적으로 비교·형량하여야 한다.

규제개혁위원회의 방침에 따라 변리사 등 전문자격사의 인원을 확대하기 위한 일환으로 변리사 제1, 2차 시험을 종전의 '상대평가제'에서 '절대평가제'로 전환하는 내용의 2002.3.25. 개정 전 구 변리사법 시행령(2002.3.25. 대통령령 제17551호로 개정되기 전의 것, 이하 '개정 전 시행령'이라 한다)이 절대평가제를 도입한 목적과 그 경위, 이전 수년간 상대평가제에 의하여 시행된 제1차 시험의 합격점수, 개정 전 시행령의 공포 후 유예기간, 그 후 제1차 시험을 '절대평가제'에서 '상대평가제'로 환원하는 내용의 2002.3.25. 대통령령 제17551호로 개정된 변리사법 시행령(이하 '개정 시행령'이라 한다)의 입법예고와 개정·공포 및 그에 따른 시험공고 등에 관한 일련의 사실관계에 비추어 보면, 합리적이고 정당한 신뢰에 기하여 절대평가제가 요구하는 합격기준에 맞추어 시험준비를 한 수험생들은 제1차 시험 실시를 불과 2개월밖에 남겨놓지 않은 시점에서 개정 시행령의 즉시 시행으로 합격기준이 변경됨으로 인하여 시험준비에 막대한 차질을 입게 되어 위 신뢰가 크게 손상되었고, 특히 절대평가제에 의한 합격기준인 매 과목 40점 및 전과목 평균 60점 이상을 득점하고도 불합격처분을 받은 수험생들의 신뢰이익은 그 침해된 정도가 극심하며, 그 반면 개정 시행령에 의하여 상대평가제를 도입함으로써 거둘 수 있는 공익적 목적은 개정 시행령을 즉시 시행하여 바로 임박해 있는 2002년의 변리사 제1차 시험에 적용하면서까지 이를 실현하여야 할 합리적인 이유가 있다고 보기 어려우므로, 결국 개정 시행령의 즉시 시행으로 인한 수험생들의 신뢰이익 침해는 개정 시행령의 즉시 시행에 의하여 달성하려는 공익적 목적을 고려하더라도 정당화될 수 없을 정도로 과도하다. 나아가 개정 시행령에 따른 시험준비 방법과 기간의 조정이 2002년의 변리사 제1차 시험에 응한 수험생들에게 일률적으로 적용되었다는 이유로 위와 같은 수험생들의 신뢰이익의 침해를 정당화할 수 없으며, 또한 수험생들이 개정 시행령의 내용에 따라 공고된 2002년의 제1차 시험에 응하였다고 하더라도 사회통념상 그것만으로는 개정 전 시행령의 존속에 대한 일체의 신뢰이익을 포기한 것이라고 볼 수도 없다. 따라서 변리사 제1차 시험의 상대평가제를 규정한 개정 시행령 제4조 제1항을 2002년의 제1차 시험에 시행하는 것은 헌법상 신뢰보호의 원칙에 비추어 허용될 수 없으므로, 개정 시행령 부칙 중 제4조 제1항을 즉시 2002년의 변리사 제1차 시험에 대하여 시행하도록 그 시행시기를 정한 부분은 헌법에 위반되어 무효이다(대판 2006.11.16. 2003두12899 전합).

ㄷ. (○) 심판대상조항은 '구 법령 정리에 관한 특별조치법'에 따라 폐지된 조항이지만 계쟁 토지가 귀속재산인지 여부와 관련하여 현재까지도 여전히 유효한 재판규범으로서 적용되고 그 위헌 여부가 당해 사건의 재판의 전제가 되어 있으므로 헌법소원의 대상이 된다. 심판대상조항은 진정소급입법에 해당하지만 진정소급입법이라 할지라도 예외적으로 법적 상태가 불확실하고 혼란스러웠거나 하여 보호할 만한 신뢰의 이익이 적은 경우나 신뢰보호의 요청에 우선하는 심히 중대한 공익상의 사유가 소급입법을 정당화하는 경우에는 허용될 수 있다. 1945.8.9.은 일본의 패망이 기정사실화된 시점으로, 그 이후 남한 내에 미군정이 수립되고 일본인의 사유재산에 대한 동결 및 귀속조치가 이루어지기까지 법적 상태는 매우 불확실하고 혼란스러웠으므로 1945.8.9. 이후 조선에 남아 있던 일본인들이 일본의 패망과 미군정의 수립에도 불구하고 그들이 한반도 내에서 소유하거나 관리하던 재산을 자유롭게 거래하거나 처분할 수 있다고 신뢰하였다 하더라도 그러한 신뢰가 헌법적으로 보호할 만한 가치가 있는 신뢰라고 보기 어렵다. 일본인들이 불법적인 한일병합조약을 통하여 조선 내에서 축적한 재산을 1945.8.9. 상태 그대로 일괄 동결시키고 그 산일과 훼손을 방지하여 향후 수립될 대한민국에 이양한다는 공익은, 한반도 내의 사유재산을 자유롭게 처분하고 일본 본토로 철수하고자 하였던 일본인이나, 일본의 패망 직후 일본인으로부터 재산을 매수한 한국인들에 대한 신뢰보호의 요청보다 훨씬 더 중대하다. 심판대상조항은

소급입법금지원칙에 대한 예외로서 헌법 제13조 제2항에 위반되지 아니한다(헌재 2021.1.28. 2018헌바88).

ㄹ. (×) 20년 이상 군인으로 복무하면서 퇴역연금에 대한 기여금을 납입해온 사람이 퇴직하는 경우 장차 받게 될 퇴역연금에 대한 기대는 재산권의 성질을 가지고 있으나 확정되지 아니한 형성 중에 있는 권리이므로, 퇴역연금급여액의 산정기초를 종전의 '퇴직 당시의 보수월액'에서 '최종 3년간 평균보수월액'으로 변경한 것은 부진정소급입법에 해당되는 것이어서 원칙적으로 허용된다. 다만 종래의 법적 상태의 존속을 신뢰한 청구인들에 대한 신뢰보호만이 문제될 뿐인데, 퇴역연금의 산정을 평균보수월액에 기초하도록 개정한 것은 종국적으로 군인연금재정의 악화를 개선하여 연금제도의 유지·존속을 도모하려는 데에 목적이 있고, 그와 같은 입법목적의 공익적 가치는 매우 크다고 하지 않을 수 없으므로 신뢰보호의 원칙에 위배된다고 보기 어렵다(헌재 2003.9.25. 2001헌마194).

답 ②

045

행정법상 신뢰보호의 원칙에 대한 설명으로 옳은 것(○)과 옳지 않은 것(×)을 올바르게 조합한 것은? (다툼이 있는 경우 판례에 의함)

> ㄱ. 신뢰보호의 원칙이 적용되기 위하여는 행정청의 견해표명이 정당하다고 신뢰한 데에 대하여 그 개인에게 귀책사유가 없어야 하는데, 여기서 귀책사유의 유무는 견해표명의 상대방과 그로부터 일정한 행위를 위임받은 수임인 등 관계자 모두를 기준으로 판단하여야 한다.
> ㄴ. 행정청은 권한 행사의 기회가 있음에도 불구하고 장기간 권한을 행사하지 아니하여 국민이 그 권한이 행사되지 아니할 것으로 믿을 만한 정당한 사유가 있는 경우에는 그 권한을 행사해서는 아니 되며, 이는 제3자의 이익을 현저히 해칠 우려가 있는 경우에도 마찬가지이다.
> ㄷ. 법령을 개정할 때 입법자의 광범위한 재량이 인정되는 경우라 하더라도 구 법령의 존속에 대한 당사자의 신뢰가 합리적이고도 정당하며 법령의 개정으로 야기되는 당사자의 손해가 극심하여 새로운 법령으로 달성하고자 하는 공익적 목적이 그러한 신뢰의 파괴를 정당화할 수 없다면, 입법자는 경과규정을 두는 등 당사자의 신뢰를 보호할 적절한 조치를 하여야 한다
> ㄹ. 법적으로 혼인한 상태가 아닌 대한민국 국적인 부와 중화인민공화국 국적인 모 사이에 출생한 甲에게 출생신고에 따라 행정청에 의해 주민등록번호와 이에 따른 주민등록증이 부여되었더라도, 행정청에 의해 '외국인 모와의 혼인외자 출생신고'라며 가족관계등록부가 말소된 이상, 법무부장관이 대한민국 국적 보유자가 아니라는 이유로 甲에게 국적비보유판정을 한 것은 정당화될 수 있다.
> ㅁ. 행정청이 공적인 견해를 표명한 뒤에 그 사정이 변경되었다면 그 공적 견해가 더 이상 개인에게 신뢰의 대상이 된다고 보기 어렵기 때문에, 특별한 사정이 없는 한 행정청은 그 견해표명에 반하는 처분을 할 수 있다.

① ㄱ(○), ㄴ(○), ㄷ(×), ㄹ(×), ㅁ(×) ② ㄱ(○), ㄴ(×), ㄷ(○), ㄹ(○), ㅁ(×)
③ ㄱ(○), ㄴ(×), ㄷ(○), ㄹ(×), ㅁ(○) ④ ㄱ(×), ㄴ(○), ㄷ(×), ㄹ(○), ㅁ(○)
⑤ ㄱ(×), ㄴ(×), ㄷ(○), ㄹ(○), ㅁ(○)

함께 정리하기

신뢰보호의 원칙

귀책사유의 유무
▷ 수임인 등 관계자 모두를 기준으로 판단

실권의 법리
▷ 장기간 권한 불행사, 정당한 사유 있는 경우 권한 행사 주의(단, 공익 또는 제3자 이익 현저히 해칠 우려 있는 경우 제외)

법령 개정으로 야기되는 당사자의 손해 극심
▷ 입법자는 경과규정 두는 등 적절한 신뢰보호조치 要

주민등록번호, 주민등록증 발급
▷ 국적취득의 공적견해표명 O

국적비보유판정
▷ 신뢰보호원칙 위배

사정변경
▷ 공적견해표명에 반하는 처분 可

2025년 변호사

ㄱ. (○) 일반적으로 행정상의 법률관계에 있어서 행정청의 행위에 대하여 신뢰보호의 원칙이 적용되기 위하여는, 첫째 행정청이 개인에 대하여 신뢰의 대상이 되는 공적인 견해표명을 하여야 하고, 둘째 <u>행정청의 견해표명이 정당하다고 신뢰한 데에 대하여 그 개인에게 귀책사유가 없어야 하며</u>, 셋째 그 개인이 그 견해표명을 신뢰하고 이에 상응하는 어떠한 행위를 하였어야 하고, 넷째 행정청이 그 견해표명에 반하는 처분을 함으로써 그 견해표명을 신뢰한 개인의 이익이 침해되는 결과가 초래되어야 하며, 마지막으로 위 견해표명에 따른 행정처분을 할 경우 이로 인하여 공익 또는 제3자의 정당한 이익을 현저히 해할 우려가 있는 경우가 아니어야 하는바, 둘째 요건에서 말하는 <u>귀책사유라 함은 행정청의 견해표명의 하자가 상대방 등 관계자의 사실은폐나 기타 사위의 방법에 의한 신청행위 등 부정행위에 기인한 것이거나 그러한 부정행위가 없다고 하더라도 하자가 있음을 알았거나 중대한 과실로 알지 못한 경우 등을 의미한다고 해석함이 상당하고, 귀책사유의 유무는 상대방과 그로부터 신청행위를 위임받은 수임인 등 관계자 모두를 기준으로 판단하여야 한다</u>(대판 2002.11.8. 2001두1512).

ㄴ. (×) 실권의 법리는 제3자의 이익을 현저히 해할 우려가 있는 경우에는 적용되지 않는다.

> 「행정기본법」제12조【신뢰보호의 원칙】② 행정청은 권한 행사의 기회가 있음에도 불구하고 장기간 권한을 행사하지 아니하여 국민이 그 권한이 행사되지 아니할 것으로 믿을 만한 정당한 사유가 있는 경우에는 그 권한을 행사해서는 아니 된다. 다만, 공익 또는 제3자의 이익을 현저히 해칠 우려가 있는 경우는 예외로 한다.

ㄷ. (○) <u>법령의 개정에 있어서 구 법령의 존속에 대한 당사자의 신뢰가 합리적이고도 정당하며, 법령의 개정으로 야기되는 당사자의 손해가 극심하여 새로운 법령으로 달성하고자 하는 공익적 목적이 그러한 신뢰의 파괴를 정당화할 수 없다면, 입법자는 경과규정을 두는 등 당사자의 신뢰를 보호할 적절한 조치를 하여야 하며, 이와 같은 적절한 조치 없이 새 법령을 그대로 시행하거나 적용하는 것은 허용될 수 없는바, 이는 헌법의 기본원리인 법치주의 원리에서 도출되는 신뢰보호의 원칙에 위배되기 때문이다.</u> 이러한 신뢰보호 원칙의 위배 여부를 판단하기 위하여는 한편으로는 침해받은 이익의 보호가치, 침해의 중한 정도, 신뢰가 손상된 정도, 신뢰침해의 방법 등과 다른 한편으로는 새 법령을 통해 실현하고자 하는 공익적 목적을 종합적으로 비교·형량하여야 한다(대판 2006.11.16. 2003두12899 전합).

ㄹ. (×) <u>법적으로 혼인한 상태가 아닌 대한민국 국적인 부와 중화인민공화국 국적인 모 사이에 출생한 甲과 乙이 출생신고에 따라 주민등록번호를 부여받고 가족관계등록부에 등록되었으며 각각 17세 때 주민등록증을 발급받았는데, 관할 행정청이 '외국인 모와의 혼인외자 출생신고'라며 가족관계등록부를 말소하고 출입국관리 행정청이 부모들에게 甲과 乙에 대한 국적 취득 절차를 안내했음에도 이를 진행하지 않다가 성년이 된 후 국적법 제20조에 따라 국적보유판정을 신청했으나, 법무부장관이 대한민국 국적 보유자가 아니라는 이유로 甲과 乙에게 국적비보유 판정을 한 사안에서, 주민등록번호와 주민등록증은 외부에 공시되어 대내외적으로 행정행위의 적법한 존재를 추단하는 중요한 근거가 되는 점에 비추어 행정청이 공신력 있는 주민등록번호와 이에 따른 주민등록증을 부여한 행위는 甲과 乙에게 대한민국 국적을 취득하였다는 공적인 견해를 표명한 것인 점</u>, 미성년자였던 甲과 乙이 자신들이 대한민국 국적을 보유하고 있음을 전제로 반복적으로 이루어진 행정행위를 신뢰하여 국적법 제3조 및 제8조에 따른 국적 취득 절차를 진행하지 않은 채 성인이 된 점, 성인이 된 甲과 乙은 위 판정으로 이제는 국적법 제3조, 제8조에 따라 간편하게 국적을 취득할 기회를 상실하게 되었고, 평생 보유했다고 여긴 대한민국 국적이 부인되고 국적의 취득 여부가 불안정한 상황에 놓이게 된 결과 자신들이 출생하고 성장한 대한민국에 체류할 자격부터 변경되는 등 평생 이어온 생활의 기초가 흔들리는 중대한 불이익을 입게 된 점, 출입국관리 행정청으로부터 부모가 아닌 갑과 을에 대하여도 국적 취득이 필요하다는 안내가 이루어졌다고 볼 만한 자료가 없는 이상 <u>甲과 乙이 대한민국 국적을 취득하였다고 신뢰한 데에 귀책사유가 있다고 보기 어려운 점을 종합하면, 위 판정은 甲과 乙의 신뢰에 반하여 이루어진 것으로 신뢰보호의 원칙에 위배된다</u>(대판 2024.3.12. 2022두60011).

ㅁ. (○) 신뢰보호의 원칙은 행정청이 공적인 견해를 표명할 당시의 사정이 그대로 유지됨을 전제로 적용되는 것이 원칙이므로, 사후에 그와 같은 사정이 변경된 경우에는 그 공적 견해가 더 이상 개인에게 신뢰의 대상이 된다고 보기 어려운 만큼, 특별한 사정이 없는 한 행정청이 그 견해표명에 반하는 처분을 하더라도 신뢰보호의 원칙에 위반된다고 할 수 없다(대판 2020.6.25. 2018두34732).

답 ③

046

신뢰보호의 원칙에 대한 설명으로 옳지 않은 것은?

① 개발사업을 시행하기 전에 사건 토지 지상에 예식장 등을 건축하는 것이 관계 법령상 가능한지 여부를 질의하여 민원 부서로부터 '저촉사항 없음'이라고 기재된 민원예비심사 결과를 통보받았다면, 이는 이후의 개발부담금부과처분에 관하여 신뢰보호의 원칙을 적용하기 위한 공적인 견해표명을 한 것에 해당한다.

② 시의 도시계획과장과 도시계획국장이 도시계획사업의 준공과 동시에 사업부지에 편입한 토지에 대한 완충녹지 지정을 해제함과 아울러 당초의 토지소유자들에게 환매하겠다는 약속을 했음에도 이를 믿고 토지를 협의매매한 토지소유자의 완충녹지지정해제 신청을 거부한 것은 신뢰보호의 원칙을 위반하거나 재량권을 일탈·남용한 위법한 처분이다.

③ 국회에서 일정한 법률안을 심의하거나 의결한 적이 있다고 하더라도 그것이 법률로 확정되지 아니한 이상 국가가 이해관계자들에게 위 법률안에 관련된 사항을 약속하였다고 볼 수 없으며, 이러한 사정만으로 어떠한 신뢰를 부여하였다고 볼 수도 없다.

④ 헌법재판소의 위헌결정은 행정청이 개인에 대하여 신뢰의 대상이 되는 공적인 견해를 표명한 것이라고 할 수 없으므로 그 결정에 관련한 개인의 행위에 대하여는 신뢰보호의 원칙이 적용되지 아니한다.

2024년 국가직 9급

① (×) 개발이익환수에 관한 법률에 정한 개발사업을 시행하기 전에, 행정청이 토지 지상에 예식장 등을 건축하는 것이 관계 법령상 가능한지 여부를 질의하는 민원예비심사에 대하여 관련부서 의견으로 개발이익환수에 관한 법률에 '저촉사항 없음'이라고 기재하였다고 하더라도, 이후의 개발부담금부과처분에 관하여 신뢰보호의 원칙을 적용하기 위한 요건인, 개인에 대하여 신뢰의 대상이 되는 공적 견해표명을 한 것이라고는 보기 어렵다(대판 2006.6.9. 2004두46).

② (○) 시의 도시계획과장과 도시계획국장이 도시계획사업의 준공과 동시에 사업부지에 편입한 토지에 대한 완충녹지 지정을 해제함과 아울러 당초의 토지소유자들에게 환매하겠다는 약속을 했음에도, 이를 믿고 토지를 협의매매한 토지소유자의 완충녹지지정해제신청을 거부한 것은, 행정상 신뢰보호의 원칙을 위반하거나 재량권을 일탈·남용한 위법한 처분이다(대판 2008.10.9. 2008두6127).

③ (○) 헌법 제53조에 따라서 국가가 의결한 법률안을 대통령이 공포하는 등의 절차를 거쳐서 법률이 확성되면 그 규정 내용에 따라시 국민의 권리·의무에 관한 새로운 법규가 형성될 수 있지만, 이아 같이 법률이 확정되기 전에는 기존 법규를 수정·변경하는 법적 효과가 발생할 수 없고, 다원적 의견이나 각가지 이익을 반영시킨 토론과정을 거쳐 다수결의 원리에 따라 통일적인 국가의사를 형성하는 국회에서 일정한 법률안을 심의하거나 의결한 적이 있다고 하더라도, 그것이 법률로 확정되지 아니한 이상 국가가 이해관계자들에게 위 법률안에 관련된 사항을 약속하였다고 볼 수 없으며, 이러한 사정만으로 어떠한 신뢰를 부여하였다고 볼 수도 없다(대판 2008.5.29. 2004다33469).

④ (○) 헌법재판소의 위헌결정은 행정청이 개인에 대하여 신뢰의 대상이 되는 공적인 견해를 표명한 것이라고 할 수 없으므로 그 결정에 관련한 개인의 행위에 대하여는 신뢰보호의 원칙이 적용되지 아니한다(대판 2003.6.27. 2002두6965).

답 ①

문제 DATA

출제가능 지수 ▶▶▷
난이도 지수 ★★☆

함께 정리하기

신뢰보호의 원칙

개발사업 시행 전 민원예비심사로서 '저촉사항 없음' 기재
▷ 개발부담금 면제의 공적 견해표명×

완충녹지지정해제약속 후 해제거부
▷ 신뢰보호원칙위반○

법률안을 심의하거나 의결
▷ 법령안에 관련된 사항 공적 견해표명×

헌재 위헌결정
▷ 공적 견해표명×

047

신뢰보호의 원칙에 대한 설명으로 옳지 않은 것은?

① 행정청의 공적 견해의 표명 후 그 견해표명 당시의 사정이 변경된 경우에도 행정청이 공적 견해표명에 반하는 처분을 하는 경우에는 특별한 사정이 없는 한 신뢰보호의 원칙에 위반된다.
② 신뢰보호의 원칙에서 개인의 귀책사유라 함은 행정청의 견해표명의 하자가 상대방 등 관계자의 사실은폐나 기타 사위의 방법에 의한 신청행위 등 부정행위에 기인한 것이거나 그러한 부정행위가 없더라도 하자가 있음을 알았거나 중대한 과실로 알지 못한 경우 등을 의미한다.
③ 행정청의 공적 견해표명이 있었는지 여부를 판단함에 있어서는, 반드시 행정조직상의 형식적인 권한분장에 구애될 것은 아니고, 담당자의 조직상의 지위와 임무, 당해 언동을 하게 된 구체적인 경위 및 그에 대한 상대방의 신뢰가능성에 비추어 실질에 의하여 판단하여야 한다.
④ 행정청은 권한 행사의 기회가 있음에도 불구하고 장기간 권한을 행사하지 아니하여 국민이 그 권한이 행사되지 아니할 것으로 믿을 만한 정당한 사유가 있는 경우에는 그 권한을 행사해서는 아니 되지만, 공익 또는 제3자의 이익을 현저히 해칠 우려가 있는 경우는 예외이다.

> 2024년 지방직 9급

① (×) 신뢰보호의 원칙은 행정청이 공적인 견해를 표명할 당시의 사정이 그대로 유지됨을 전제로 적용되는 것이 원칙이므로, 사후에 그와 같은 사정이 변경된 경우에는 그 공적 견해가 더 이상 개인에게 신뢰의 대상이 된다고 보기 어려운 만큼, 특별한 사정이 없는 한 행정청이 그 견해표명에 반하는 처분을 하더라도 신뢰보호의 원칙에 위반된다고 할 수 없다(대판 2020.6.25. 2018두34732).
②, ③ (○) 행정청의 공적 견해표명이 있었는지의 여부를 판단함에 있어서는, 반드시 행정조직상의 형식적인 권한분장에 구애될 것은 아니고, 담당자의 조직상의 지위와 임무, 당해 언동을 하게 된 구체적인 경위 및 그에 대한 상대방의 신뢰가능성에 비추어 실질에 의하여 판단하여야 하고(③), 그 개인의 귀책사유라 함은 행정청의 견해표명의 하자가 상대방 등 관계자의 사실은폐나 기타 사위의 방법에 의한 신청행위 등 부정행위에 기인한 것이거나 그러한 부정행위가 없더라도 하자가 있음을 알았거나 중대한 과실로 알지 못한 경우 등을 의미한다고 해석함이 상당하고, 귀책사유의 유무는 상대방과 그로부터 신청행위를 위임받은 수임인 등 관계자 모두를 기준으로 판단하여야 한다(②)(대판 2008.1.17. 2006두10931).
④ (○)

> 「행정기본법」 제12조【신뢰보호의 원칙】② 행정청은 권한 행사의 기회가 있음에도 불구하고 장기간 권한을 행사하지 아니하여 국민 그 권한이 행사되지 아니할 것으로 믿을 만한 정당한 사유가 있는 경우에는 그 권한을 행사해서는 아니 된다. 다만, 공익 또는 제3자의 이익을 현저히 해칠 우려가 있는 경우는 예외로 한다.

답 ①

문제 DATA

출제가능 지수 ▶▶∑
난이도 지수 ★★☆

함께 정리하기

신뢰보호의 원칙

사정변경
▷ 공적 견해표명에 반하는 처분을 하더라도 신뢰보호원칙 위반×

신뢰보호원칙 '귀책사유'
▷ 부정행위, 악의, 중과실 포함

공적인 견해표명
▷ 형식 아닌 실질에 따라 판단

실권의 법리
▷ 장기간 권한 불행사, 행사되지 아니할 것으로 믿을 정당한 사유 있는 경우, 공익 또는 제3자 이익 현저히 해칠 우려 있는 경우 제외 그 권한 행사 불가

048

다음 중 행정상 신뢰보호원칙에 관한 설명으로 가장 옳지 않은 것은? (다툼이 있는 경우 판례에 의함)

① 도시관리계획결정만으로는 기존의 계획을 앞으로도 계속하겠다는 공적인 견해표명을 한 것으로 볼 수 없다.
② 대법원과 헌법재판소는 신뢰보호원칙이 헌법상 법치주의원리에서 도출된다고 한다.
③ 신뢰보호원칙은 법률적·사실적 사정이 변경된 경우 그 적용이 제한될 수 있다고 보는 것이 판례의 태도이다.
④ 행정기관의 선행행위를 명시적 또는 묵시적 공적 견해의 표명에 국한시키지 않고, 추상적 질의에 대한 일반적 견해표명도 이러한 공적 견해의 표명으로 볼 수 있다.

2024년 군무원 9급

① (○) 도시관리계획을 고시한 것만으로는 피고가 이 사건 도시관리계획의 유지나 원고들의 이 사건 사업시행에 관한 공적인 견해를 표명하였다고 보기 어렵다(대판 2018.10.12. 2015두50382).
② (○) 헌법상 법치국가의 원칙으로부터 신뢰보호의 원리가 도출된다(헌재 1995.10.26. 94헌바12).
③ (○) 신뢰보호의 원칙은 행정청이 공적인 견해를 표명할 당시의 사정이 그대로 유지됨을 전제로 적용되는 것이 원칙이므로, 사후에 그와 같은 사정이 변경된 경우에는 그 공적 견해가 더 이상 개인에게 신뢰의 대상이 된다고 보기 어려운 만큼, 특별한 사정이 없는 한 행정청이 그 견해표명에 반하는 처분을 하더라도 신뢰보호의 원칙에 위반된다고 할 수 없다(대판 2020.6.25. 2018두34732).
④ (×) 국세기본법 제15조, 제18조 제3항의 규정이 정하는 신의칙 내지 비과세관행이 성립되었다고 하려면 장기간에 걸쳐 어떤 사항에 대하여 과세하지 아니하였다는 객관적 사실이 존재할 뿐만 아니라 과세관청 자신이 그 사항에 대하여 과세할 수 있음을 알면서도 어떤 특별한 사정에 의하여 과세하지 않는다는 의사가 있고 이와 같은 의사가 대외적으로 명시적 또는 묵시적으로 표시될 것임을 요한다고 해석되며, 특히 그 의사표시가 납세자의 추상적인 질의에 대한 일반론적인 견해표명에 불과한 경우에는 위 원칙의 적용을 부정하여야 한다(대판 1993.7.27. 90누10384).

답 ④

문제 DATA
출제가능 지수 ▶▶▷
난이도 지수 ★★☆

함께 정리하기
신뢰보호원칙
도시관리계획결정
▷ 기존 계획의 유지·존속에 관한 공적인 견해표명 ×
신뢰보호원칙의 근거
▷ 법치주의원리 내용인 법적안정성
사정변경
▷ 신뢰보호원칙 적용 제한 가
추상적 질의에 대한 일반적 견해표명
▷ 공적 견해표명 ×

049

신뢰보호원칙에 관한 설명으로 옳지 않은 것은? (다툼이 있는 경우 판례에 의함)

① 행정청의 공적 견해 표명이 있다고 인정하기 위해서는 적어도 담당자의 조직상 지위와 임무, 당해 언동을 하게 된 구체적인 경위 등에 비추어 그 언동의 내용을 신뢰할 수 있는 경우이어야 한다.
② 특정 사항에 관하여 신뢰보호원칙상 행정청이 그와 배치되는 조치를 할 수 없다고 할 수 있을 정도의 행정관행이 성립되었다고 하려면 상당한 기간에 걸쳐 그 사항에 관하여 동일한 처분을 하였다는 객관적 사실이 존재하는 것으로 족하다.
③ 행정청은 공익 또는 제3자의 이익을 현저히 해칠 우려가 있는 경우를 제외하고는 행정에 대한 국민의 정당하고 합리적인 신뢰를 보호하여야 한다.
④ 행정청이 공적인 견해를 표명할 당시의 사정이 사후에 변경된 경우에는 그 공적 견해가 더 이상 개인에게 신뢰의 대상이 된다고 보기 어려운 만큼, 특별한 사정이 없는 한 행정청이 그 견해표명에 반하는 처분을 하더라도 신뢰보호원칙에 위반된다고 할 수 없다.

문제 DATA
출제가능 지수 ▶▶▷
난이도 지수 ★★☆

함께 정리하기

신뢰보호원칙

공적 견해표명
▷ 형식 아닌 실질에 따라 판단/언동 내용을 신뢰할 수 있어야 함

선행조치로서의 행정관행
▷ 상당기간 동일처분+주관적 의사표시 필요

공익 또는 제3자 이익 현저 해칠 우려 있는 경우 제외하고 신뢰보호

사정변경
▷ 공적 견해표명에 반하는 처분을 하더라도 위반×

문제 DATA

출제가능 지수 ▶▶∑
난이도 지수 ★★☆

2024년 소방직

① (○) 신뢰보호원칙의 적용 요건인 행정청의 공적 견해표명이 있었는지를 판단할 때 행정조직상의 형식적인 권한분장에 구애될 것은 아니지만, 공적 견해표명이 있다고 인정하기 위해서는 적어도 담당자의 조직상 지위와 임무, 당해 언동을 하게 된 구체적인 경위 등에 비추어 그 언동의 내용을 신뢰할 수 있는 경우이어야 한다(대판 2021.12.30. 2021두45671).

② (×) 행정상 법률관계에 있어서 특정의 사항에 대해 신뢰보호의 원칙상 처분청이 그와 배치되는 조치를 할 수 없다고 할 수 있을 정도의 행정관행이 성립되었다고 하려면 상당한 기간에 걸쳐 그 사항에 대해 동일한 처분을 하였다는 객관적 사실이 존재할 뿐만 아니라, 처분청이 그 사항에 관해 다른 내용의 처분을 할 수 있음을 알면서도 어떤 특별한 사정 때문에 그러한 처분을 하지 않는다는 의사가 있고 이와 같은 의사가 명시적 또는 묵시적으로 표시되어야 한다 할 것이므로, 단순히 착오로 어떠한 처분을 계속한 경우는 이에 해당되지 않는다 할 것이고, 따라서 처분청이 추후 오류를 발견하여 합리적인 방법으로 변경하는 것은 위 원칙에 위배되지 않는다(대판 1993.6.11. 92누14021).

③ (○)

> 「행정기본법」 제12조 【신뢰보호의 원칙】 ① 행정청은 공익 또는 제3자의 이익을 현저히 해칠 우려가 있는 경우를 제외하고는 행정에 대한 국민의 정당하고 합리적인 신뢰를 보호하여야 한다.

④ (○) 신뢰보호의 원칙은 행정청이 공적인 견해를 표명할 당시의 사정이 그대로 유지됨을 전제로 적용되는 것이 원칙이므로, 사후에 그와 같은 사정이 변경된 경우에는 그 공적 견해가 더 이상 개인에게 신뢰의 대상이 된다고 보기 어려운 만큼, 특별한 사정이 없는 한 행정청이 그 견해표명에 반하는 처분을 하더라도 신뢰보호의 원칙에 위반된다고 할 수 없다(대판 2020.6.25. 2018두34732).

답 ②

050 ☐☐☐

신뢰보호원칙에 관한 설명으로 옳지 않은 것은? (다툼이 있는 경우 판례에 의함)

① 신뢰의 대상이 되는 선행조치는 공적인 견해표명에 국한되지 않는다.
② 법령의 개정에서 신뢰보호원칙의 위배 여부를 판단하기 위해서는 침해된 이익의 보호가치, 침해의 중한 정도, 신뢰가 손상된 정도, 신뢰침해의 방법 등과 새 법령을 통해 실현하고자 하는 공익적 목적을 종합적으로 비교·형량하여야 한다.
③ 행정청의 행위에 대한 신뢰보호원칙의 적용 요건 중 하나인 '행정청의 견해표명이 정당하다고 신뢰한 데에 대하여 그 개인에게 귀책사유가 없을 것'을 판단함에 있어, 귀책사유의 유무는 상대방과 그로부터 신청행위를 위임받은 수임인 등 관계자 모두를 기준으로 판단하여야 한다.
④ 행정청은 확약을 한 후에 확약의 내용을 이행할 수 없을 정도로 법령등이나 사정이 변경된 경우에는 확약에 기속되지 아니한다.
⑤ 국민이 가지는 모든 기대 내지 신뢰가 권리로서 보호될 것은 아니고, 그 보호 여부는 기존의 제도를 신뢰한 자의 신뢰를 보호할 필요성과 새로운 제도를 통하여 달성하려고 하는 공익을 비교·형량하여 판단하여야 한다.

2024년 소방간부

① (×) 신뢰보호원칙이 적용되기 위해서는 신뢰의 대상이 되는 행정청의 '선행조치'가 있어야 하고, 판례는 '공적인 견해표명'이라는 용어를 사용한다.

> 일반적으로 행정상의 법률관계 있어서 행정청의 행위에 대하여 신뢰보호의 원칙이 적용되기 위하여는 <u>행정청이 개인에 대하여 신뢰의 대상이 되는 공적인 견해표명(☞ 선행조치를 의미함)을 하였다는 점이 전제되어야 한다</u>(대판 2009.6.25. 2008두13132).

② (○) 법령의 개정에서 신뢰보호원칙이 적용되어야 하는 이유는, 어떤 법령이 장래에도 그대로 존속할 것이라는 합리적이고 정당한 신뢰를 바탕으로 국민이 그 법령에 상응하는 구체적 행위로 나아가 일정한 법적 지위나 생활관계를 형성하여 왔음에도 국가가 이를 전혀 보호하지 않는다면 법질서에 대한 국민의 신뢰는 무너지고 현재의 행위에 대한 장래의 법적 효과를 예견할 수 없게 되어 법적 안정성이 크게 저해되기 때문이고, 이러한 신뢰보호는 절대적이거나 어느 생활영역에서나 균일한 것은 아니고 개개의 사안마다 관련된 자유나 권리, 이익 등에 따라 보호의 정도와 방법이 다를 수 있으며, 새로운 법령을 통하여 실현하고자 하는 공익적 목적이 우월할 때에는 이를 고려하여 제한될 수 있으므로, 이 경우 <u>신뢰보호원칙의 위배 여부를 판단하기 위해서는 한편으로는 침해된 이익의 보호가치, 침해의 중한 정도, 신뢰가 손상된 정도, 신뢰침해의 방법 등과 다른 한편으로는 새 법령을 통해 실현하고자 하는 공익적 목적을 종합적으로 비교·형량하여야 한다</u>(대판 2007.10.29. 2005두4649 전합).

③ (○) 일반적으로 행정상의 법률관계에 있어서 행정청의 행위에 대하여 신뢰보호의 원칙이 적용되기 위하여는, 첫째 <u>행정청이 개인에 대하여 신뢰의 대상이 되는 공적인 견해표명을 하여야 하고, 둘째 행정청의 견해표명이 정당하다고 신뢰한 데에 대하여 그 개인에게 귀책사유가 없어야 하며, 셋째 그 개인이 그 견해표명을 신뢰하고 이에 상응하는 어떠한 행위를 하였어야 하고, 넷째 행정청이 그 견해표명에 반하는 처분을 함으로써 그 견해표명을 신뢰한 개인의 이익이 침해되는 결과가 초래되어야 하며,</u> 마지막으로 위 견해표명에 따른 행정처분을 할 경우 이로 인하여 공익 또는 제3자의 정당한 이익을 현저히 해할 우려가 있는 경우가 아니어야 하는바, 둘째 요건에서 말하는 귀책사유라 함은 행정청의 견해표명의 하자가 상대방 등 관계자의 사실은폐나 기타 사위의 방법에 의한 신청행위 등 부정행위에 기인한 것이거나 그러한 부정행위가 없다고 하더라도 하자가 있음을 알았거나 중대한 과실로 알지 못한 경우 등을 의미한다고 해석함이 상당하고, <u>귀책사유의 유무는 상대방과 그로부터 신청행위를 위임받은 수임인 등 관계자 모두를 기준으로 판단하여야 한다</u>(대판 2002.11.8. 2001두1512).

④ (○)

> 「행정절차법」 제40조의2【확약】 ④ 행정청은 다음 각 호의 어느 하나에 해당하는 경우에는 확약에 기속되지 아니한다.
> 1. 확약을 한 후에 확약의 내용을 이행할 수 없을 정도로 법령등이나 사정이 변경된 경우
> 2. 확약이 위법한 경우
> ⑤ 행정청은 확약이 제4항 각 호의 어느 하나에 해당하여 확약을 이행할 수 없는 경우에는 지체 없이 당사자에게 그 사실을 통지하여야 한다.

⑤ (○) 법률의 개정 시 구법 질서에 대한 당사자의 신뢰가 합리적이고도 정당하며, 법률의 개정으로 야기되는 당사자의 손해가 극심하여 새로운 입법으로 달성하고자 하는 공익적 목적이 그러한 당사자의 신뢰의 파괴를 정당화할 수 없다면 새로운 입법은 신뢰보호의 원칙 등에 비추어 허용될 수 없다. 다만 사회환경이나 경제여건의 변화에 따른 필요성에 의하여 법률은 신축적으로 변할 수밖에 없고, 변경된 새로운 법질서와 기존의 법질서 사이에는 이해관계의 상충이 불가피하므로 <u>국민이 가지는 모든 기대 내지 신뢰가 헌법상 권리로서 보호될 것은 아니고, 보호 여부는 기존의 제도를 신뢰한 자의 신뢰를 보호할 필요성과 새로운 제도를 통해 달성하려고 하는 공익을 비교형량하여 판단하여야 한다</u>(대판 2016.11.9. 2014두3235).

답 ①

함께 정리하기

신뢰보호원칙

선행조치
▷ 공적인 견해표명에 국한

법령개폐에 있어 신뢰보호원칙 위배 여부
▷ 종합적으로 비교형량

귀책사유의 유무
▷ 수임인 등 관계자 모두를 기준으로 판단

확약 후 사정변경으로 확약내용 이행불가능
▷ 행정청 기속×

법령개정과 신뢰보호
▷ 구법 존속에 대한 신뢰이익 vs 신법이 추구하는 공익 비교형량

051

종교법인 甲은 A시의 도시계획구역 내 생산녹지로 답(畓)인 토지에 대하여 종교회관 건립을 이용목적으로 하는 사업계획서를 제출하였고 A시장으로부터 토지거래계약의 허가를 받았다. 그리고 甲은 A시 담당공무원에게 문의하여 "관계 법령을 검토한 결과 해당 토지에 대하여는 토지형질변경이 가능하며 A시 조례에 의하여 종교시설의 건축이 가능하다."라는 답변(이하 '담당공무원의 답변'이라 한다)을 들었다. 그 후 甲은 이를 신뢰하고 건축준비를 하였으나 A시장은 甲의 토지형질변경허가신청에 대해 불허가 하였다. 이 사안과 관련한 설명 중 옳지 않은 것은? (다툼이 있는 경우 판례에 의함)

① 담당공무원의 공적 견해표명이 있었는지를 판단할 때 행정조직상의 형식적인 권한분장에 구애될 것은 아니다.

② 담당공무원의 답변이 외부적으로 표명된 후, 표명될 당시의 사정이 사후 변경되었다면 특별한 사정이 없는 한 그 견해표명에 반하는 처분을 하더라도 신뢰보호의 원칙에 위반된다고 할 수 없다.

③ 甲은 담당공무원의 답변내용에 하자가 있음을 알았거나 중대한 과실로 알지 못한 경우에도 신뢰보호원칙을 원용할 수 있다.

④ A시장은 공익 또는 제3자의 이익을 현저히 해칠 우려가 있는 경우를 제외하고는 행정에 대한 甲의 정당하고 합리적인 신뢰를 보호하여야 한다.

> 2024년 경찰간부

① (○) 대판 1997.9.12. 96누18380

② (○) 대판 2020.6.25. 2018두34732

③ (×) 일반적으로 행정상의 법률관계에 있어서 행정청의 행위에 대하여 신뢰보호의 원칙이 적용되기 위하여는, 첫째 행정청이 개인에 대하여 신뢰의 대상이 되는 공적인 견해표명을 하여야 하고, 둘째 행정청의 견해표명이 정당하다고 신뢰한 데에 대하여 그 개인에게 귀책사유가 없어야 하며, 셋째 그 개인이 그 견해표명을 신뢰하고 이에 상응하는 어떠한 행위를 하였어야 하고, 넷째 행정청이 그 견해표명에 반하는 처분을 함으로써 그 견해표명을 신뢰한 개인의 이익이 침해되는 결과가 초래되어야 하며, 마지막으로 위 견해표명에 따른 행정처분을 할 경우 이로 인하여 공익 또는 제3자의 정당한 이익을 현저히 해할 우려가 있는 경우가 아니어야 하는바, 둘째 요건에서 말하는 귀책사유라 함은 행정청의 견해표명의 하자가 상대방 등 관계자의 사실은폐나 기타 사위의 방법에 의한 신청행위 등 부정행위에 기인한 것이거나 그러한 부정행위가 없다고 하더라도 하자가 있음을 알았거나 중대한 과실로 알지 못한 경우 등을 의미한다고 해석함이 상당하고, 귀책사유의 유무는 상대방과 그로부터 신청행위를 위임받은 수임인 등 관계자 모두를 기준으로 판단하여야 한다(대판 2002.11.8. 2001두1512).

④ (○)

> 「행정기본법」제12조【신뢰보호의 원칙】① 행정청은 공익 또는 제3자의 이익을 현저히 해칠 우려가 있는 경우를 제외하고는 행정에 대한 국민의 정당하고 합리적인 신뢰를 보호하여야 한다.

답 ③

052

법령의 개정과 신뢰보호원칙에 대한 설명으로 옳지 않은 것은?

① 법령의 개정에 있어서 구 법령의 존속에 대한 당사자의 신뢰가 합리적이고도 정당하며, 법령의 개정으로 야기되는 당사자의 손해가 극심하여 새로운 법령으로 달성하고자 하는 공익적 목적이 그러한 신뢰의 파괴를 정당화할 수 없다면, 입법자는 경과규정을 두는 등 당사자의 신뢰를 보호할 적절한 조치를 하여야 한다.
② 신뢰보호는 절대적이거나 어느 생활영역에서나 균일한 것은 아니고 개개의 사안마다 관련된 자유나 권리 등에 따라 보호의 정도와 방법이 다를 수 있으며, 새로운 법령을 통하여 실현하고자 하는 공익적 목적이 우월한 때에는 이를 고려하여 제한될 수 있다.
③ 신뢰보호원칙의 위배 여부를 판단하기 위하여는 한편으로는 침해받은 이익의 보호가치, 침해의 중한 정도, 신뢰가 손상된 정도, 신뢰침해의 방법 등과 다른 한편으로는 새 법령을 통해 실현하고자 하는 공익적 목적을 종합적으로 비교·형량하여야 한다.
④ 진정소급입법이라 하더라도 예외적으로 국민이 소급입법을 예상할 수 있었거나 신뢰보호의 요청에 우선하는 심히 중대한 공익상의 사유가 소급입법을 정당화하는 경우 등에는 허용될 수 있다.
⑤ 새로운 법령에 의한 신뢰이익의 침해는 새로운 법령이 과거의 사실 또는 법률관계에 소급적용되는 경우에 한하여 문제된다.

2024년 국회직 8급

① (O) 법령의 개정에서 입법자의 광범위한 재량이 인정되는 경우라 하더라도 구 법령의 존속에 대한 당사자의 신뢰가 합리적이고도 정당하며 법령의 개정으로 야기되는 당사자의 손해가 극심하여 새로운 법령으로 달성하고자 하는 공익적 목적이 그러한 신뢰의 파괴를 정당화할 수 없다면 입법자는 경과규정을 두는 등 당사자의 신뢰를 보호할 적절한 조치를 하여야 하며 이와 같은 적절한 조치 없이 새 법령을 그대로 시행하거나 적용하는 것은 허용될 수 없는바, 이는 헌법의 기본원리인 법치주의 원리에서 도출되는 신뢰보호의 원칙에 위배되기 때문이다(대판 2013.4.26. 2011다14428).
② (O) 신뢰보호는 절대적이거나 어느 생활영역에서나 균일한 것은 아니고 개개의 사안마다 관련된 자유나 권리, 이익 등에 따라 보호의 정도와 방법이 다를 수 있으며, 새로운 법령을 통하여 실현하고자 하는 공익적 목적이 우월한 때에는 이를 고려하여 제한될 수 있다(대판 2006.11.16. 2003두12899 전합).
③ (O) 신뢰보호 원칙의 위배 여부를 판단하기 위하여는 한편으로는 침해받은 이익의 보호가치, 침해의 중한 정도, 신뢰가 손상된 정도, 신뢰침해의 방법 등과 다른 한편으로는 새 법령을 통해 실현하고자 하는 공익적 목적을 종합적으로 비교·형량하여야 할 것이다(대판 2006.11.16. 2003두12899 전합).
④ (O) 기존의 법에 의하여 형성되어 이미 굳어진 개인의 법적 지위를 사후입법을 통하여 박탈하는 것 등을 내용으로 하는 진정소급입법은 개인의 신뢰보호와 법적안정성을 내용을 하는 법치국가원리에 의하여 특단의 사정이 없는 한 헌법적으로 허용되지 아니하는 것이 원칙이며, 진정소급입법이 허용되는 예외적인 경우로는 일반적으로 국민이 소급입법을 예상할 수 있었거나 법적상태가 불확실하고 혼란스러웠거나 하여 보호할만한 신뢰의 이익이 적은 경우와 소급입법에 의한 당사자의 손실이 없거나 아주 경미한 경우, 그리고 신뢰보호의 요청에 우선하는 심히 중대한 공익상의 사유가 소급입법을 정당화하는 경우 등을 들 수 있다(헌재 1998.9.30. 97헌바38).
⑤ (×) 새로운 법령에 의한 신뢰이익의 침해는 새로운 법령이 과거의 사실 또는 법률관계에 소급적용되는 경우에 한하여 문제되는 것은 아니고, 과거에 발생하였지만 완성되지 않고 진행중인 사실 또는 법률관계 등을 새로운 법령이 규율함으로써 종전에 시행되던 법령의 존속에 대한 신뢰이익을 침해하게 되는 경우에도 신뢰보호의 원칙이 적용될 수 있다(대판 2006.11.16. 2003두12899 전합).

답 ⑤

함께 정리하기

법령개정과 신뢰보호원칙

법령의 개정으로 야기되는 당사자의 손해 극심
▷ 입법자는 경과규정 두는 등 적절한 신뢰보호조치 要

신뢰보호의 정도 및 방법
▷ 신법을 통해 실현하려는 공익적 목적이 우월한 경우 제한 可

법령개폐에 있어 신뢰보호원칙 위배 여부
▷ 종합적으로 비교형량

진정소급입법 예외적 허용
▷ 예상가능/경미한 신뢰이익/경미한 손실/중대한 공익

신법에 의한 신뢰이익의 침해
▷ 부진정소급입법에서도 문제될 수○
▷ 이익형량과정에서 신뢰보호의 관점이 입법자의 형성권에 제한

053

「행정기본법」상 법 원칙에 대한 설명으로 옳지 않은 것은?

① 「의료법」 등 관련 법령이 정신병원 등의 개설에 관하여는 허가제로, 정신과의원 개설에 관하여는 신고제로 각 규정하고 있는 것은 합리적 차별로서 평등의 원칙에 반하지 않는다.
② 재량준칙이 공표된 것만으로는 행정의 자기구속의 원칙이 적용될 수 없고, 재량준칙이 되풀이 시행되어 행정관행이 성립한 경우에 행정의 자기구속의 원칙이 적용될 수 있다.
③ 상대방에게 귀책사유가 있어 그 신뢰의 보호가치가 인정되지 않는다면 신뢰보호의 원칙이 적용되지 않는데, 이때 귀책사유의 유무는 상대방을 기준으로 판단하여야 하고, 상대방으로부터 신청행위를 위임받은 수임인 등의 귀책사유 유무는 고려하지 않는다.
④ 음주운전으로 인한 운전면허취소처분의 재량권 일탈·남용 여부를 판단할 때, 운전면허의 취소로 입게 될 당사자의 불이익보다 음주운전으로 인한 교통사고를 방지하여야 하는 일반예방적 측면이 더 강조되어야 한다.

2023년 지방직 7급

① (○) 헌법상 평등원칙은 본질적으로 같은 것을 자의적으로 다르게 취급함을 금지하는 것으로서, 일체의 차별적 대우를 부정하는 절대적 평등을 뜻하는 것이 아니라 입법을 하고 법을 적용할 때에 합리적인 근거가 없는 차별을 하여서는 아니 된다는 상대적 평등을 뜻하므로, 합리적 근거가 있는 차별 또는 불평등은 평등의 원칙에 반하지 아니한다. 또한 헌법상 기본권 보호의무란 기본권적 법익을 기본권 주체인 사인에 의한 위법한 침해 또는 침해의 위험으로부터 보호하여야 하는 국가의 의무를 말하며, 주로 사인인 제3자에 의한 개인의 생명이나 신체의 훼손에서 문제 되는 것이다. 이러한 법리에 비추어 살펴보면, 관련 법령이 정신병원 등의 개설에 관하여는 허가제로, 정신과의원 개설에 관하여는 신고제로 각 규정하고 있는 것은 각 의료기관의 개설 목적 및 규모 등 차이를 반영한 합리적 차별로서 평등의 원칙에 반한다고 볼 수 없다. 또한 신고제 규정으로 사인인 제3자에 의한 개인의 생명이나 신체 훼손의 위험성이 증가한다고 할 수 없어 기본권 보호의무에 위반된다고 볼 수도 없다(대판 2018.10.25. 2018두44302).

② (○) 대판 2009.12.24. 2009두7967

③ (×) 귀책사유 유무는 수임인 등 관계자까지 포함시켜 판단한다.

> 귀책사유라 함은 행정청의 견해표명의 하자가 상대방 등 관계자의 사실은폐나 기타 사위의 방법에 의한 신청행위 등 부정행위에 기인한 것이거나 그러한 부정행위가 없다고 하더라도 하자가 있음을 알았거나 중대한 과실로 알지 못한 경우 등을 의미한다고 해석함이 상당하고, 귀책사유의 유무는 상대방과 그로부터 신청행위를 위임받은 수임인 등 관계자 모두를 기준으로 판단하여야 한다. 건축주와 그로부터 건축설계를 위임받은 건축사가 상세계획지침에 의한 건축한계선의 제한이 있다는 사실을 간과한 채 건축설계를 하고 이를 토대로 건축물의 신축 및 증축허가를 받은 경우, 그 신축 및 증축허가가 정당하다고 신뢰한 데에 귀책사유가 있다(대판 2002.11.8. 2001두1512).

④ (○) 자동차가 대중적인 교통수단이고 그에 따라 자동차운전면허가 대량으로 발급되어 교통상황이 날로 혼잡해짐에 따라 교통법규를 엄격히 지켜야 할 필요성은 더욱 커지는 점, 음주운전으로 인한 교통사고 역시 빈번하고 그 결과가 참혹한 경우가 많아 대다수의 선량한 운전자 및 보행자를 보호하기 위하여 음주운전을 엄격하게 단속하여야 할 필요가 절실한 점 등에 비추어 보면, 음주운전으로 인한 교통사고를 방지할 공익상의 필요는 더욱 중시되어야 하고 운전면허의 취소는 일반의 수익적 행정행위의 취소와는 달리 그 취소로 인하여 입게 될 당사자의 불이익보다는 이를 방지하여야 하는 일반예방적 측면이 더욱 강조되어야 한다(대판 2019.1.17. 2017두59949).

답 ③

문제 DATA
출제가능 지수 ▶▶▷
난이도 지수 ★★☆

함께 정리하기

「행정기본법」상 법 원칙

병원개설허가제, 의원개설신고제
▷ 평등원칙에 반하지 ×

재량준칙 공표만으로
▷ 자기구속원칙 적용 ×

재량준칙에 행정관행 성립
▷ 자기구속원칙 적용 ○

귀책사유 유무
▷ 수임인 등 관계자 모두를 기준으로 판단

음주운전 면허취소
▷ 일반예방적 측면 강조
▷ 교통사고방지 공익상 필요가 취소 상대방의 불이익보다 강조됨

054

다음 사례에 대한 설명으로 옳지 않은 것은?

> 甲은 폐기물처리업을 경영하기 위하여 폐기물처리업 사업계획서를 제출하여 관할 도지사 乙로부터 사업계획 적합통보를 받았다. 그 후 甲은 폐기물처리시설의 설치가 허용되지 않는 용도지역을 허용되는 용도지역으로 변경하기 위하여 「국토의 계획 및 이용에 관한 법률」에 따라 乙에게 국토이용계획변경신청을 하였으나, 乙은 위 신청을 거부하였다.

① 만약 乙이 甲에게 사업계획 부적합통보를 하였다면 이는 항고소송의 대상이 되는 행정처분에 해당한다.
② 폐기물처리업 사업계획에 대한 적합통보와 국토이용계획변경은 각기 그 제도적 취지와 결정단계에서 고려해야 할 사항들이 다르다.
③ 乙이 폐기물처리업 사업계획에 대하여 적합통보를 한 것은 그 사업부지 토지에 대한 국토이용계획변경신청을 승인하여 주겠다는 취지의 공적인 견해표명을 한 것으로 볼 수 있다.
④ 甲이 국토이용계획변경신청의 승인을 받을 것으로 신뢰하였더라도 乙의 거부처분이 신뢰보호의 원칙에 위배된다고 할 수 없다.

2023년 지방직 7급

① (○) 폐기물관리법 관계 법령의 규정에 의하면 폐기물처리업의 허가를 받기 위하여는 먼저 사업계획서를 제출하여 허가권자로부터 사업계획에 대한 적정통보를 받아야 하고, 그 적정통보를 받은 자만이 일정기간 내에 시설, 장비, 기술능력, 자본금을 갖추어 허가신청을 할 수 있으므로, 결국 부적정통보는 허가신청 자체를 제한하는 등 개인의 권리 내지 법률상의 이익을 개별적이고 구체적으로 규제하고 있어 행정처분에 해당한다(대판 1998.4.28. 97누21086).

②, ④ (○), ③ (×) 사업계획에 대한 적정통보를 국토이용계획변경승인의 공적견해표명으로 볼 수 없다.

> [1] 폐기물관리법령에 의한 폐기물처리업 사업계획에 대한 적정통보와 국토이용관리법령에 의한 국토이용계획변경은 각기 그 제도적 취지와 결정단계에서 고려해야 할 사항들이 다르므로(②), 피고가 위와 같이 폐기물처리업 사업계획에 대하여 적정통보를 한 것만으로 그 사업부지 토지에 대한 국토이용계획변경신청을 승인하여 주겠다는 취지의 공적인 견해표명을 한 것으로 볼 수 없고(③), 그럼에도 불구하고 원고가 그 승인을 받을 것으로 신뢰하였다면 원고에게 귀책사유가 있다 할 것이므로, 이 사건 처분이 신뢰보호의 원칙에 위배된다고 할 수 없다(④).
> [2] 폐기물처리업을 위한 국토이용계획변경신청을 폐기물처리시설이 들어설 경우 수질오염 등으로 인근 주민들의 생활환경에 피해를 줄 우려가 있다는 등의 공익상의 이유를 들어 거부한 경우, 그 거부처분이 재량권의 일탈·남용이 아니라고 한 사례(대판 2005.4.28. 2004두8828)

답 ③

문제 DATA
출제가능 지수 ▶▶▷
난이도 지수 ★★☆

함께 정리하기
사례해결

폐기물처리업 사업계획 부적합통보
▷ 행정처분○

폐기물처리업 사업계획 적합통보
▷ 국토이용계획변경과 제도의 취지, 결정단계에서 고려할 사항 상이
▷ 국토이용계획변경승인취지의 공적견해표명 ✕

국토이용계획변경승인 거부처분
▷ 신뢰보호원칙에 반하지 ✕

055

신뢰보호의 원칙에 대한 설명으로 옳지 않은 것은? (다툼이 있는 경우 판례에 의함)

① 「행정기본법」에 의하면 행정청은 공익 또는 제3자의 이익을 현저히 해칠 우려가 있는 경우를 제외하고는 행정에 대한 국민의 정당하고 합리적인 신뢰를 보호하여야 한다.

② 「행정기본법」에 의하면 행정청은 권한 행사의 기회가 있음에도 불구하고 장기간 권한을 행사하지 아니하여 국민이 그 권한이 행사되지 아니할 것으로 믿을 만한 정당한 사유가 있는 경우에는, 공익 또는 제3자의 이익을 현저히 해칠 우려가 있는 경우를 제외하고는 그 권한을 행사해서는 아니 된다.

③ 신법의 효력발생일까지 진행 중인 사건에 대하여 신법을 적용하는 것은 법률의 소급적용에 해당하므로 원칙적으로 허용될 수 없다.

④ 헌법재판소의 위헌결정은 행정청이 개인에 대하여 신뢰의 대상이 되는 공적인 견해를 표명한 것이라고 할 수 없으므로 그 결정에 관련한 개인의 행위에 대하여는 신뢰보호의 원칙이 적용되지 아니한다.

| 2023년 국가직 7급, 2019년 지방직 9급

① (O)

> 「행정기본법」 제12조 【신뢰보호의 원칙】 ① 행정청은 공익 또는 제3자의 이익을 현저히 해칠 우려가 있는 경우를 제외하고는 행정에 대한 국민의 정당하고 합리적인 신뢰를 보호하여야 한다.

② (O)

> 「행정기본법」 제12조 【신뢰보호의 원칙】 ② 행정청은 권한행사의 기회가 있음에도 불구하고 장기간 권한을 행사하지 아니하여 국민이 그 권한이 행사되지 아니할 것으로 믿을 만한 정당한 사유가 있는 경우에는 그 권한을 행사해서는 아니 된다. 다만, 공익 또는 제3자의 이익을 현저히 해칠 우려가 있는 경우는 예외로 한다.

③ (X) 소급적용금지의 원칙은 진정소급적용에만 적용될 뿐 부진정소급적용에는 적용되지 않는다. 따라서 신법의 효력발생일에 진행 중인 사건에는 신법을 적용함이 원칙이다.

> 법령불소급의 원칙은 그 법령의 효력발생 전에 완성된 요건사실에 대하여 당해 법령을 적용할 수 없다는 의미일 뿐, 계속 중인 사실이나 그 이후에 발생한 요건사실에 대한 법령적용까지를 제한하는 것은 아니라고 할 것이다(대판 2014.4.24. 2013두26552).

유제 21. 군무원 9급 법률불소급의 원칙은 그 법률의 효력발생 전에 완성된 요건사실 뿐만 아니라 계속 중인 사실이나 그 이후에 발생한 요건사실에 대해서도 그 법률을 소급적용할 수 없다. (X)

20. 군무원 9급 법령불소급의 원칙은 법령의 효력발생 전에 완성된 요건사실에 대하여 당해 법령을 적용할 수 없다는 의미일 뿐, 계속 중인 사실이나 그 이후에 발생한 요건사실에 대한 법령적용까지를 제한하는 것은 아니다. (O)

④ (O) 헌법재판소의 위헌결정은 행정청이 개인에 대하여 신뢰의 대상이 되는 공적인 견해를 표명한 것이라고 할 수 없으므로 그 결정에 관련한 개인의 행위에 대하여는 신뢰보호의 원칙이 적용되지 아니한다(대판 2003.6.27. 2002두6965).

유제 16. 경찰 2차, 14. 국회직 8급 헌법재판소의 위헌결정은 행정청이 개인에 대하여 신뢰의 대상이 되는 공적인 견해를 표명한 것이라고 할 수 없으므로 그 결정에 관련한 개인의 행위에 대하여는 신뢰보호의 원칙이 적용되지 아니한다. (O)

15. 서울시 7급, 13. 경찰 2차 헌법재판소의 위헌결정은 행정청이 개인에 대하여 신뢰의 대상이 되는 공적인 견해를 표명한 것이므로 그 결정에 관련한 개인의 행위에 대하여는 신뢰보호의 원칙이 적용된다. (X)

12. 경찰 1차·국회직 8급 헌법재판소의 위헌결정은 신뢰보호 원칙의 적용요건 중 하나인 공적 견해표명에 해당한다. (X)

답 ③

문제 DATA

출제가능 지수 ▶▶▷
난이도 지수 ★★☆

함께 정리하기

신뢰보호의 원칙

신뢰보호의 원칙
▷ 「행정기본법」 규정 有
▷ 공익 또는 제3자의 이익 현저 해칠 우려 있는 경우 제외 국민의 정당·합리 신뢰 보호

실권의 법리
▷ 「행정기본법」 규정 有
▷ 장기간 권한 불행사, 행사되지 아니할 것으로 믿을만한 정당한 사유 있는 경우, 공익 또는 제3자 이익 현저히 해칠 우려 있는 경우 제외 그 권한 행사 不可

헌재 위헌결정
▷ 공적 견해표명 ✕

법령불소급의 원칙
▷ 계속 중인 사실이나 이후에 발생한 사실에는 적용 ✕

056

「행정기본법」상 행정의 법 원칙에 대한 설명으로 옳지 않은 것은?

① 행정청은 행정작용을 할 때 상대방에게 해당 행정작용과 실질적인 관련이 없는 의무를 부과해서는 아니 된다.
② 행정청은 합리적 이유 없이 국민을 차별하여서는 아니 된다.
③ 행정청은 공익을 현저히 해칠 우려가 있는 경우라도 행정에 대한 국민의 정당하고 합리적인 신뢰를 보호하여야 한다.
④ 행정청은 법령 등에 따른 의무를 성실히 수행하여야 한다.

2023년 군무원 9급

① (○)
> 「행정기본법」 제13조【부당결부금지의 원칙】 행정청은 행정작용을 할 때 상대방에게 해당 행정작용과 실질적인 관련이 없는 의무를 부과해서는 아니 된다.

② (○)
> 「행정기본법」 제9조【평등의 원칙】 행정청은 합리적 이유 없이 국민을 차별하여서는 아니 된다.

③ (✕)
> 「행정기본법」 제12조【신뢰보호의 원칙】 ① 행정청은 공익 또는 제3자의 이익을 현저히 해칠 우려가 있는 경우를 제외하고는 행정에 대한 국민의 정당하고 합리적인 신뢰를 보호하여야 한다.

④ (○)
> 「행정기본법」 제11조【성실의무 및 권한남용금지의 원칙】 ① 행정청은 법령 등에 따른 의무를 성실히 수행하여야 한다.

답 ③

함께 정리하기

「행정기본법」상 행정의 법원칙

부당결부금지원칙
▷ 해당 행정작용과 실질적 관련 없는 의무 부과 불가

평등원칙
▷ 합리적 이유 없는 차별 불가

신뢰보호원칙
▷ 공익 또는 제3자 이익을 현저히 해칠 우려가 있는 경우 제외하고 행정에 대한 국민의 정당하고 합리적인 신뢰 보호

성실의무
▷ 행정청은 법령 등에 따른 의무를 성실히 수행하여야 함

문제 DATA

출제가능 지수 ▶▶▶
난이도 지수 ★★☆

057 □□□

신뢰보호원칙에 대한 설명으로 옳지 않은 것만을 <보기>에서 모두 고르면? (다툼이 있는 경우 판례에 의함)

<보기>
ㄱ. 행정청의 공적 견해표명이 있었는지를 판단할 때 행정조직상의 형식적인 권한분장에 구애될 것은 아니다.
ㄴ. 행정청의 공적 견해표명이 있다고 인정하기 위해서는 적어도 담당자의 조직상 지위와 임무, 당해 언동을 하게 된 구체적인 경위 등에 비추어 그 언동의 내용을 신뢰할 수 있는 경우이어야 한다.
ㄷ. 「행정기본법」에 따르면, 행정청은 공익 또는 제3자의 이익을 현저히 해칠 우려가 있는 경우에도 행정에 대한 국민의 정당하고 합리적인 신뢰를 보호하여야 한다.
ㄹ. 특정 사항에 관하여 신뢰보호원칙상 행정청이 그와 배치되는 조치를 할 수 없다고 할 수 있을 정도의 행정관행이 성립되었다고 하려면 상당한 기간에 걸쳐 그 사항에 관하여 동일한 처분을 하였다는 객관적 사실이 존재하는 것으로 족하다.
ㅁ. 행정청이 공적 견해를 표명할 당시의 사정이 사후에 변경된 경우에는 그 공적 견해가 더 이상 개인에게 신뢰의 대상이 된다고 보기 어려운 만큼, 특별한 사정이 없는 한 행정청이 그 견해표명에 반하는 처분을 하더라도 신뢰보호원칙에 위반된다고 할 수 없다.

① ㄱ, ㄴ
② ㄱ, ㅁ
③ ㄴ, ㄹ
④ ㄷ, ㄹ
⑤ ㄷ, ㅁ

2023년 국회직 8급

ㄱ. (○) 행정청의 공적 견해표명이 있었는지의 여부를 판단하는 데 있어 반드시 행정조직상의 형식적인 권한분장에 구애될 것은 아니고 담당자의 조직상의 지위와 임무, 당해 언동을 하게 된 구체적인 경위 및 그에 대한 상대방의 신뢰가능성에 비추어 실질에 의하여 판단하여야 한다(대판 1997.9.12. 96누18380).

유제 21. 지방직 9급, 12. 사복직 행정청의 공적 견해표명이 있었는지의 여부를 판단하는 데 있어 반드시 행정조직상의 형식적인 권한분장에 구애될 것은 아니다. (○)
20. 국가직 9급, 18. 서울시 7급 행정청의 공적 견해표명이 있었는지의 여부를 판단하는 데 있어 반드시 행정조직상의 형식적인 권한분장에 구애될 것은 아니고 담당자의 조직상의 지위와 임무, 당해 언동을 하게 된 구체적인 경위 및 그에 대한 상대방의 신뢰가능성에 비추어 실질에 의하여 판단하여야 한다. (○)
17. 국가직 9급 신뢰보호의 원칙이 적용되기 위한 요건의 하나인 행정청의 공적 견해표명이 있었는지의 여부를 판단함에 있어서는 반드시 행정조직상의 형식적인 권한분장에 따라야 한다. (×)
16. 사복직, 12. 경찰 1차 판례에 의하면, 행정기관의 공적 견해표명 여부를 판단할 때는 반드시 행정조직상의 형식적인 권한분장에 의하여 담당자의 조직상 지위와 임무 등에 비추어 형식적으로 판단하여야 한다. (×)
14. 국회직 8급 신뢰보호원칙의 성립요건인 공적인 견해의 표명은 행정조직법상 권한을 가진 처분청에 의해 행해져야 하며, 처분청이 아닌 다른 기관에 의해 행해진 경우에는 신뢰보호의 대상이 될 수 없다. (×)

ㄴ. (○) 신뢰보호원칙의 적용 요건인 행정청의 공적 견해표명이 있었는지를 판단할 때 행정조직상의 형식적인 권한분장에 구애될 것은 아니지만, 공적 견해표명이 있다고 인정하기 위해서는 적어도 담당자의 조직상 지위와 임무, 당해 언동을 하게 된 구체적인 경위 등에 비추어 그 언동의 내용을 신뢰할 수 있는 경우이어야 한다(대판 2021.12.30. 2021두45671).

ㄷ. (×)

「행정기본법」 제12조 【신뢰보호의 원칙】 ① 행정청은 공익 또는 제3자의 이익을 현저히 해칠 우려가 있는 경우를 제외하고는 행정에 대한 국민의 정당하고 합리적인 신뢰를 보호하여야 한다.

함께 정리하기

신뢰보호원칙

공적 견해표명
▷ 형식 아닌 실질에 따라 판단/언동 내용을 신뢰할 수 있어야 함

기본법 규정
▷ 공익 또는 제3자 이익을 현저히 해칠 우려가 있는 경우 제외하고 행정에 대한 국민의 정당하고 합리적인 신뢰를 보호

선행조치로서의 행정관행
▷ 상당기간 동일처분 + 주관적 의사표시 필요

사정변경
▷ 공적 견해표명에 반하는 처분을 하더라도 위반×

ㄹ. (✕) 행정상 법률관계에 있어서 특정의 사항에 대해 신뢰보호의 원칙상 처분청이 그와 배치되는 조치를 할 수 없다고 할 수 있을 정도의 행정관행이 성립되었다고 하려면 상당한 기간에 걸쳐 그 사항에 대해 동일한 처분을 하였다는 객관적 사실이 존재할 뿐만 아니라, 처분청이 그 사항에 관해 다른 내용의 처분을 할 수 있음을 알면서도 어떤 특별한 사정 때문에 그러한 처분을 하지 않는다는 의사가 있고 이와 같은 의사가 명시적 또는 묵시적으로 표시되어야 한다 할 것이므로, 단순히 착오로 어떠한 처분을 계속한 경우는 이에 해당되지 않는다 할 것이고, 따라서 처분청이 추후 오류를 발견하여 합리적인 방법으로 변경하는 것은 위 원칙에 위배되지 않는다(대판 1993.6.11. 92누14021).

ㅁ. (○) 신뢰보호의 원칙은 행정청이 공적인 견해를 표명할 당시의 사정이 그대로 유지됨을 전제로 적용되는 것이 원칙이므로, 사후에 그와 같은 사정이 변경된 경우에는 그 공적 견해가 더 이상 개인에게 신뢰의 대상이 된다고 보기 어려운 만큼, 특별한 사정이 없는 한 행정청이 그 견해표명에 반하는 처분을 하더라도 신뢰보호의 원칙에 위반된다고 할 수 없다(대판 2020.6.25. 2018두34732).

유제 23. 변호사 행정청이 공적인 견해를 표명한 이후에 사정이 변경되었다고 하여 그 공적 견해가 더 이상 신뢰의 대상이 된다고 볼 수 없는 것은 아니므로, 특별한 사정이 없는 한 행정청이 그 견해표명에 반하는 처분을 하였다면 신뢰보호의 원칙에 위반된다. (✕)

22. 국가직 7급 공적 견해표명 당시의 사정이 사후에 변경된 경우 특별한 사정이 없는 한 행정청이 그 견해표명에 반하는 처분을 하더라도 신뢰보호원칙에 위반된다고 할 수 없다. (○)

21. 국회직 8급 신뢰보호의 원칙은 행정청이 공적인 견해를 표명할 당시의 사정이 그대로 유지됨을 전제로 적용되는 것이 원칙이므로, 사후에 그와 같은 사정이 변경된 경우에는 특별한 사정이 없는 한 행정청이 그 견해표명에 반하는 처분을 하더라도 신뢰보호의 원칙에 위반된다고 할 수 없다. (○)

답 ④

058

신뢰보호의 원칙에 대한 설명으로 옳은 것은? (다툼이 있는 경우 판례에 의함)

① 「행정절차법」은 처분의 방식으로 문서주의를 표방하고 있으므로, 행정청의 공적 견해표명은 묵시적으로 표시되어서는 안 된다.
② 신뢰보호의 원칙은 공익 또는 제3자의 정당한 이익을 현저히 해칠 우려가 있는 경우에도 부정되어야 하는 것은 아니다.
③ 실권의 법리는 법의 일반원리인 신의성실의 원칙에 바탕을 둔 파생원칙이므로 권력관계에는 적용되지 않는다.
④ 병무청 담당부서의 담당공무원에게 공적 견해의 표명을 구하는 정식의 서면질의 등을 하지 아니한 채 총무과 민원팀장에 불과한 공무원이 민원봉사 차원에서 상담에 응하여 안내한 것을 신뢰한 경우, 신뢰보호의 원칙이 적용되지 아니한다.

2023년 소방직

① (✕) 공적 견해표명(선행조치)에는 법령·행정행위·확약·행정계획·행정지도 등 사실행위, 기타 국민이 신뢰를 가지게 될 일체의 조치가 포함되며 명시적·묵시적 표시, 적극적·소극적 조치를 불문한다는 것이 다수의 견해이다.

② (✕)

> 「행정기본법」 제12조 【신뢰보호의 원칙】 ① 행정청은 공익 또는 제3자의 이익을 현저히 해칠 우려가 있는 경우를 제외하고는 행정에 대한 국민의 정당하고 합리적인 신뢰를 보호하여야 한다.

③ (✕) 실권 또는 실효의 법리는 법의 일반원리인 신의성실의 원칙에 바탕을 둔 파생원칙인 것이므로 공법관계 가운데 관리관계는 물론이고 권력관계에도 적용되어야 함을 배제할 수는 없다(대판 1988.4.27. 87누915).

문제 DATA

출제가능 지수 ▶▶▷
난이도 지수 ★★☆

함께 정리하기

신뢰보호원칙

공적 견해표명
▷ 형식 아닌 실질에 따라 판단/언동 내용을 신뢰할 수 있어야 함

공익 또는 제3자 이익 현저히 해칠 경우 신뢰보호✕

실권의 법리
▷ 신의성실원칙의 파생원칙(判)
▷ 권력관계에도 적용

민원봉사차원의 안내
▷ 공적 견해표명✕

유제 20. 군무원 9급 대법원은 실권의 법리를 신뢰보호원칙의 파생원칙으로 본다. (×)
15. 사복직 실권의 법리는 일반적으로 신뢰보호원칙의 적용영역의 하나로 설명되고 있으나, 판례는 신의성실원칙의 파생원칙으로 보고 있다. (○)
14. 국가직 9급 실효의 원칙은 신의성실원칙에서 파생된 원칙으로서 공법관계 가운데 권력관계뿐 아니라 관리관계에도 적용되어야 함을 배제할 수는 없다. (○)

「행정기본법」 제12조【신뢰보호의 원칙】② 행정청은 권한행사의 기회가 있음에도 불구하고 장기간 권한을 행사하지 아니하여 국민이 그 권한이 행사되지 아니할 것으로 믿을 만한 정당한 사유가 있는 경우에는 그 권한을 행사해서는 아니 된다. 다만, 공익 또는 제3자의 이익을 현저히 해칠 우려가 있는 경우는 예외로 한다.

④ (○) 병무청 담당부서의 담당공무원에게 공적 견해의 표명을 구하는 정식의 서면질의 등을 하지 아니한 채 총무과 민원팀장에 불과한 공무원이 민원봉사차원에서 상담에 응하여 안내한 것을 신뢰한 경우, 신뢰보호 원칙이 적용되지 아니한다(대판 2003.12.26. 2003두1875).

유제 22. 국가직 9급 병무청 담당부서의 담당공무원에게 공적 견해의 표명을 구하지 아니한 채 민원봉사 담당공무원이 상담에 응하여 안내한 것을 신뢰한 경우에도 신뢰보호의 원칙이 적용된다. (×)
18. 지방직 9급 서울지방병무청 총무과 민원팀장이 국외영주권을 취득한 사람의 상담에 응하여 법령의 내용을 숙지하지 못한 채 민원봉사차원에서 현역입영대상자가 아니라고 답변하였다면 그것이 서울지방병무청장의 공적인 견해표명이라 할 수 없다. (○)
18. 서울시 7급, 17. 경찰 2차, 16. 국가직 7급, 13. 국가직 9급 판례에 의하면 병무청 담당부서의 담당공무원에게 공적 견해의 표명을 구하는 정식의 서면질의 등을 하지 아니한 채 총무과 민원팀장에 불과한 공무원이 민원봉사차원에서 상담에 응하여 안내한 것을 신뢰한 경우, 신뢰보호의 원칙이 적용되지 않는다. (○)
15. 경찰 3차 병무청 총무과 민원팀장에 불과한 공무원이 민원봉사차원에서 상담에 응하여 안내한 것을 신뢰한 경우, 신뢰보호 원칙이 적용되지 아니한다. (○)
12. 국회직 9급 담당공무원에게 공적 견해의 표명을 구하는 정식의 서면질의 등을 하지 아니한 채 총무과 민원팀장이 민원봉사차원에서 상담에 응하여 안내한 것을 신뢰한 경우 신뢰보호 원칙이 적용된다. (×)

답 ④

059 ☐☐☐

신뢰보호원칙에 대한 설명으로 옳은 것(○)과 옳지 않은 것(×)을 올바르게 조합한 것은? (다툼이 있는 경우 판례에 의함)

ㄱ. 행정청은 공익 또는 제3자의 이익을 현저히 해할 우려가 있는 경우를 제외하고는 행정에 대한 국민의 정당하고 합리적인 신뢰를 보호하여야 한다.
ㄴ. 신뢰보호원칙 위배 여부를 판단하기 위하여, 한편으로는 침해받은 이익의 보호가치, 침해의 중한 정도, 신뢰가 손상된 정도, 신뢰침해의 방법 등과 다른 한편으로는 새 입법을 통해 실현하고자 하는 공익적 목적 등을 종합적으로 비교·형량하여야 한다.
ㄷ. 행정청이 단순한 착오로 어떠한 처분을 계속한 경우, 신뢰보호원칙상 행정청이 그와 배치되는 조치를 할 수 없는 행정관행이 성립하므로, 행정청이 추후 오류를 발견하여 합리적인 방법으로 변경하더라도 신뢰보호원칙에 위배된다.
ㄹ. 헌법적 신뢰보호는 개개의 국민이 어떠한 경우에도 실망하지 않도록 하는 데까지 미칠 수는 없지만, 입법자는 구법질서가 더 이상 그 법률관계에 적절하지 못하고 합목적적이지 않더라도 그 수혜자 집단을 위하여 이를 계속 유지할 의무를 부담한다.

	ㄱ	ㄴ	ㄷ	ㄹ
①	○	○	○	○
②	○	○	×	○
③	○	○	×	×
④	×	×	○	×
⑤	×	○	×	×

2023년 변호사

ㄱ. (O)
> 「행정기본법」제12조【신뢰보호의 원칙】① 행정청은 공익 또는 제3자의 이익을 현저히 해칠 우려가 있는 경우를 제외하고는 행정에 대한 국민의 정당하고 합리적인 신뢰를 보호하여야 한다.

ㄴ. (O) 신뢰보호원칙의 위배 여부를 판단하기 위하여는 한편으로는 침해받은 이익의 보호가치, 침해의 중한 정도, 신뢰가 손상된 정도, 신뢰침해의 방법 등과 다른 한편으로는 새 법령을 통해 실현하고자 하는 공익적 목적을 종합적으로 비교·형량하여야 한다(대판 2006.11.16. 2003두12899 전합).

ㄷ. (X) 행정상 법률관계에 있어서 특정의 사항에 대해 신뢰보호의 원칙상 처분청이 그와 배치되는 조치를 할 수 없다고 할 수 있을 정도의 행정관행이 성립되었다고 하려면 상당한 기간에 걸쳐 그 사항에 대해 동일한 처분을 하였다는 객관적 사실이 존재할 뿐만 아니라, 처분청이 그 사항에 관해 다른 내용의 처분을 할 수 있음을 알면서도 어떤 특별한 사정 때문에 그러한 처분을 하지 않는다는 의사가 있고 이와 같은 의사가 명시적 또는 묵시적으로 표시되어야 한다 할 것이므로, 단순히 착오로 어떠한 처분을 계속한 경우는 이에 해당되지 않는다 할 것이고, 따라서 처분청이 추후 오류를 발견하여 합리적인 방법으로 변경하는 것은 위 원칙에 위배되지 않는다(대판 1993.6.11. 92누14021).

ㄹ. (X) 헌법적 신뢰보호는 개개의 국민이 어떠한 경우에도 '실망'을 하지 않도록 하여 주는 데까지 미칠 수는 없는 것이며, 입법자는 구법질서가 더 이상 그 법률관계에 적절하지 못하며 합목적적이지도 아니함에도 불구하고 그 수혜자군을 위하여 이를 계속 유지하여 줄 의무는 없다(헌재 2008.11.27. 2007헌마389).

답 ③

함께 정리하기

신뢰보호원칙

기본법 규정
▷ 공익 또는 제3자 이익을 현저히 해칠 우려가 있는 경우 제외하고 행정에 대한 국민의 정당하고 합리적인 신뢰를 보호

판단
▷ 종합적으로 비교·형량

단순 착오 처분계속
▷ 추후 오류발견 합리적 방법으로 변경하더라도 위배×

부적절한 구법질서 유지의무 부담×

060

행정법의 일반원칙에 대한 설명으로 옳은 것은? (다툼이 있는 경우 판례에 의함)

① 국가가 임용결격자에 대하여 결격사유가 있는 것을 알지 못하고 공무원으로 임용하였다가 사후에 결격사유가 있음을 발견하고 당초의 임용처분을 취소하는 것은 신의칙 내지 신뢰의 원칙에 위반된다.

② 법령의 잘못된 해석이나 행정청의 관행에 대하여도 그것이 평균적인 납세자로 하여금 합리적이고 정당한 기대를 가지게 할 만한 것이면 신의성실의 원칙이나 신뢰보호의 원칙 또는 비과세 관행 존중의 원칙이 적용될 수 있는데, 그러한 해석 또는 관행의 존재 여부에 대한 증명책임은 법치행정에 대한 의무를 지는 행정청에 있다.

③ 평등의 원칙에 따라 본질적으로 같은 것은 같게 취급할 것이 요구되므로, 위법한 행정처분이더라도 수차례에 걸쳐 반복적으로 행하여졌다면 그러한 위법한 처분은 행정청에 대하여 자기구속력을 갖게 된다.

④ 행정청이 권한 행사의 기회가 있음에도 불구하고 장기간 권한을 행사하지 아니하여 국민이 그 권한이 행사되지 아니할 것으로 믿을 만한 정당한 사유가 있더라도, 행정청이 그 권한을 행사하지 않으면 공익 또는 제3자의 이익을 현저히 해칠 우려가 있을 경우에는 행정청은 그 권한을 행사할 수 있다.

⑤ 행정청이 공적인 견해를 표명한 이후에 사정이 변경되었다고 하여 그 공적 견해가 더 이상 신뢰의 대상이 된다고 볼 수 없는 것은 아니므로, 특별한 사정이 없는 한 행정청이 그 견해표명에 반하는 처분을 하였다면 신뢰보호의 원칙에 위반된다.

문제 DATA

출제가능 지수 ▶▶▷
난이도 지수 ★★★

함께 정리하기

신뢰보호원칙

임용결격자에 대한 임용취소처분
▷ 신뢰원칙 적용×(임용행위가 당초 무효)

위배여부 판단
▷ 종합 비교·형량

위법한 선례
▷ 자기구속×

실권의 법리
▷ 공익 또는 제3자의 이익을 현저히 해칠 우려가 있을 경우 적용×

사정변경
▷ 공적 견해표명 반하는 처분 하더라도 신뢰보호원칙 위반×

2023년 변호사

① (×) 국가가 공무원임용결격사유가 있는 자에 대하여 결격사유가 있는 것을 알지 못하고 공무원으로 임용하였다가 사후에 결격사유가 있는 자임을 발견하고 공무원 임용행위를 취소하는 것은 당사자에게 원래의 임용행위가 당초부터 당연무효이었음을 통지하여 확인시켜 주는 행위에 지나지 아니하는 것이므로, 그러한 의미에서 당초의 임용처분을 취소함에 있어서는 신의칙 내지 신뢰의 원칙을 적용할 수 없고 또 그러한 의미의 취소권은 시효로 소멸하는 것도 아니다(대판 1987.4.14. 86누459).

유제 16. 경찰 2차 국가가 공무원임용 결격사유가 있는 자에 대하여 결격사유가 있는 것을 알지 못하고 공무원으로 임용하였다가 사후에 결격사유가 있는 자임을 발견하고 공무원임용행위를 취소함은 당사자에게 원래의 임용행위가 당초부터 당연무효이었음을 통지하여 확인시켜 주는 행위에 지나지 아니하는 것이므로, 그러한 의미에서 당초의 임용처분을 취소함에 있어서는 신의칙 내지 신뢰의 원칙을 적용할 수 없다. (○)
15. 국가직 7급 임용 당시 공무원임용 결격사유가 있었더라도 국가의 과실로 임용결격자임을 밝혀내지 못하였다면 신뢰보호의 원칙이 적용되고 임용취소권은 시효로 소멸된다. (×)

② (×) 조세법률관계에 있어서 신의성실의 원칙이나 신뢰보호의 원칙 또는 비과세 관행 존중의 원칙은 합법성의 원칙을 희생하여서라도 납세자의 신뢰를 보호함이 정의에 부합하는 것으로 인정되는 특별한 사정이 있을 경우에 한하여 적용되는 예외적인 법 원칙이다. 그러므로 과세관청의 행위에 대하여 신의성실의 원칙 또는 신뢰보호의 원칙을 적용하기 위해서는, 과세관청이 공적인 견해표명 등을 통하여 부여한 신뢰가 평균적인 납세자로 하여금 합리적이고 정당한 기대를 가지게 할 만한 것이어야 한다. 비록 과세관청이 질의회신 등을 통하여 어떤 견해를 표명하였다고 하더라도 그것이 중요한 사실관계와 법적인 쟁점을 제대로 드러내지 아니한 채 질의에 따른 것이라면 공적인 견해표명에 의하여 정당한 기대를 가지게 할 만한 신뢰가 부여된 경우라고 볼 수 없다. 또한 비과세 관행 존중의 원칙도 비과세에 관하여 일반적으로 납세자에게 받아들여진 세법의 해석 또는 국세행정의 관행이 존재하여야 적용될 수 있는 것으로서, 이는 비록 잘못된 해석 또는 관행이라도 특정 납세자가 아닌 불특정한 일반 납세자에게 정당한 것으로 이의 없이 받아들여져 납세자가 그와 같은 해석 또는 관행을 신뢰하는 것이 무리가 아니라고 인정될 정도에 이른 것을 의미하고, 단순히 세법의 해석기준에 관한 공적인 견해의 표명이 있었다는 사실만으로 그러한 해석 또는 관행이 있다고 볼 수는 없으며, 그러한 해석 또는 관행의 존재에 대한 증명책임은 그 주장자인 납세자에게 있다(대판 2013.12.26. 2011두5940).

③ (×) 위법한 행정처분이 수차례에 걸쳐 반복적으로 행하여졌다 하더라도 그러한 처분이 위법한 것인 때에는 행정청에 대하여 자기구속력을 갖게 된다고 할 수 없다(대판 2009.6.25. 2008두13132).

④ (○)

> 「행정기본법」제12조【신뢰보호의 원칙】② 행정청은 권한행사의 기회가 있음에도 불구하고 장기간 권한을 행사하지 아니하여 국민이 그 권한이 행사되지 아니할 것으로 믿을 만한 정당한 사유가 있는 경우에는 그 권한을 행사해서는 아니 된다. 다만, 공익 또는 제3자의 이익을 현저히 해칠 우려가 있는 경우는 예외로 한다.

⑤ (×) 신뢰보호의 원칙은 행정청이 공적인 견해를 표명할 당시의 사정이 그대로 유지됨을 전제로 적용되는 것이 원칙이므로, 사후에 그와 같은 사정이 변경된 경우에는 그 공적 견해가 더 이상 개인에게 신뢰의 대상이 된다고 보기 어려운 만큼, 특별한 사정이 없는 한 행정청이 그 견해표명에 반하는 처분을 하더라도 신뢰보호의 원칙에 위반된다고 할 수 없다(대판 2020.6.25. 2018두34732).

답 ④

061

신뢰보호의 원칙에 대한 설명으로 옳지 않은 것은? (다툼이 있는 경우 판례에 의함)

① 건축주와 그로부터 건축설계를 위임받은 건축사가 관계 법령에서 정하고 있는 건축한계선의 제한이 있다는 사실을 간과한 채 건축설계를 하고 이를 토대로 건축물의 신축 및 증축허가를 받은 경우, 그 신축 및 증축허가가 정당하다고 신뢰한 데에는 귀책사유가 있다.
② 행정청이 상대방에게 장차 어떤 처분을 하겠다고 공적 견해표명을 하였더라도 그 후에 그 전제로 된 사실적, 법률적 상태가 변경되었다면, 그와 같은 공적 견해표명은 효력을 잃게 된다.
③ 수강신청 후에 징계요건을 완화하는 학칙개정이 이루어지고 이어 시험이 실시되어 그 개정학칙에 따라 대학이 성적 불량을 이유로 학생에 대하여 징계처분을 한 경우라면 이는 이른바 부진정소급효에 관한 것으로서 특별한 사정이 없는 한 위법이라고 할 수 없다.
④ 병무청 담당부서의 담당공무원에게 공적 견해의 표명을 구하지 아니한 채 민원봉사 담당공무원이 상담에 응하여 안내한 것을 신뢰한 경우에도 신뢰보호의 원칙이 적용된다.

문제 DATA
출제가능 지수 ▶▶▷
난이도 지수 ★★☆

2022년 국가직 9급

① (○) 귀책사유라 함은 행정청의 견해표명의 하자가 상대방 등 관계자의 사실은폐나 기타 사위의 방법에 의한 신청행위 등 부정행위에 기인한 것이거나 그러한 부정행위가 없다고 하더라도 하자가 있음을 알았거나 중대한 과실로 알지 못한 경우 등을 의미한다고 해석함이 상당하고, <u>귀책사유의 유무는 상대방과 그로부터 신청행위를 위임받은 수임인 등 관계자 모두를 기준으로 판단하여야 한다. 건축주와 그로부터 건축설계를 위임받은 건축사가 상세계획지침에 의한 건축한계선의 제한이 있다는 사실을 간과한 채 건축설계를 하고 이를 토대로 건축물의 신축 및 증축허가를 받은 경우, 그 신축 및 증축허가가 정당하다고 신뢰한 데에 귀책사유가 있다</u>(대판 2002.11.8. 2001두1512).

유제 11. 국가직 9급 (건축주 甲은 건축사 乙에게 건축설계와 신청행위를 의뢰하였는데 乙의 귀책사유로 건축한계선을 위반하였고 이로써 철거명령을 받게 된 사안에서) 甲과 그로부터 신청행위를 위임받은 수임인 乙 등 관계자 모두를 기준으로 판단할 때 甲에게 귀책사유가 있다고 볼 수 있으므로 甲은 신뢰보호원칙에 의해 보호받을 수 없다. (○)
08. 국가직 9급 건축설계를 위임받은 건축사가 건축한계선의 제한이 있다는 사실을 간과한 채 건축설계를 하고 이를 토대로 건축물의 신축허가를 받은 경우, 신축허가에 대한 건축주의 신뢰는 보호되어야 한다. (×)

② (○) <u>행정청이 상대방에게 장차 어떤 처분을 하겠다고 확약 또는 공적인 의사표명을 하였다고 하더라도, 그 자체에서 상대방으로 하여금 언제까지 처분의 발령을 신청을 하도록 유효기간을 두었는데도 그 기간 내에 상대방의 신청이 없었다거나 확약 또는 공적인 의사표명이 있은 후에 사실적·법률적 상태가 변경되었다면, 그와 같은 확약 또는 공적인 의사표명은 행정청의 별다른 의사표시를 기다리지 않고 실효된다</u>(대판 1996.8.20. 95누10877).

유제 21. 지방직 9급 행정청이 공적인 의사표명을 하였다면 이후 사실적·법률적 상태의 변경이 있더라도 행정청이 이를 취소하지 않는 한 여전히 공적인 의사표명은 유효하다. (×)
20. 국가직 9급, 18. 국가직 7급, 15. 서울시 9급 행정청의 확약 또는 공적 견해표명이 있은 후에 사실적·법률적 상태가 변경되었다면, 그와 같은 확약 또는 공적 의사표명은 행정청의 별다른 의사표시를 기다리지 않고 실효된다. (○)
17. 국회직 8급 행정청의 공적 견해표명이 있은 후에 사실적·법률적 상태가 변경되었을 때, 그와 같은 공적 견해표명이 실효되기 위하여서는 행정청의 의사표시가 있어야 한다. (×)
14. 경찰 1차 신뢰보호의 원칙에서 행정청이 상대방에 대하여 장차 어떤 처분을 하겠다는 공적인 견해를 표명하였다면 공적인 견해표명 후에 그 전제가 된 사실적·법률적 상태가 변경되었다고 하더라도 그러한 견해표명은 효력을 유지한다. (×)

③ (○) 소급효는 이미 과거에 완성된 사실관계를 규율의 대상으로 하는 이른바 진정소급효와 과거에 시작하였으나 아직 완성되지 아니하고 진행과정에 있는 사실관계를 규율대상으로 하는 이른바 부진정소급효를 상정할 수 있는 바, 대학이 성적불량을 이유로 학생에 대하여 징계처분을 하는 경우에 있어서 <u>수강신청이 있은 후 징계요건을 완화하는 학칙개정이 이루어지고 이어 당해 시험이 실시되어 그 개정학칙에 따라 징계처분을 한 경우</u>라면 이는 이른바 <u>부진정소급효에 관한 것으로서</u> 구 학칙의 존속에 관한 학생의 신뢰보호가 대학당국의 학칙개정의 목적달성보다 더 중요하다고 인정되는 <u>특별한 사정이 없는 한 위법이라고 할 수 없다</u>(대판 1989.7.11. 87누1123).

함께 정리하기

신뢰보호원칙

건축한계선 간과한 건축사의 과실
▷ 건축주에게 귀책사유 有

사실적·법률적 상태변경
▷ 공적의사표명 실효

학기 중 징계요건 완화하는 학칙개정 후 개정학칙에 따른 징계처분
▷ 원칙적 허용(∵부진정 소급)

민원봉사차원의 안내
▷ 공적 견해표명 ×

④ (×) 병무청 담당부서의 담당공무원에게 공적 견해의 표명을 구하는 정식의 서면질의 등을 하지 아니한 채 총무과 민원팀장에 불과한 공무원이 민원봉사차원에서 상담에 응하여 안내한 것을 신뢰한 경우, 신뢰보호 원칙이 적용되지 아니한다(대판 2003.12.26. 2003두1875).

답 ④

062

신뢰보호의 원칙에 대한 설명으로 옳지 않은 것은? (다툼이 있는 경우 판례에 의함)

① 행정청이 공적인 견해에 반하는 행정처분을 함으로써 달성하려는 공익이 행정청의 공적 견해표명을 신뢰한 개인이 그 행정처분으로 인하여 입게 되는 이익의 침해를 정당화할 수 있을 정도로 강한 경우에는 그 행정처분은 위법하지 않다.
② 과세관청이 질의회신 등을 통하여 어떤 견해를 대외적으로 표명하였더라도 그것이 중요한 사실관계와 법적인 쟁점을 제대로 드러내지 아니한 채 질의한 데 따른 것이라면, 공적인 견해표명에 의하여 정당한 기대를 가지게 할 만한 신뢰가 부여된 경우로 볼 수 없다.
③ 폐기물처리업에 대하여 관할 관청의 사전 적정통보를 받고 막대한 비용을 들여 요건을 갖춘 다음 허가신청을 한 경우, 행정청이 청소업자의 난립으로 효율적인 청소업무의 수행에 지장이 있다는 이유로 불허가처분을 하였다 할지라도 신뢰보호의 원칙에 반하지 아니한다.
④ 법원이「질서위반행위규제법」에 따라서 하는 과태료 재판은 원칙적으로 행정소송에서와 같은 신뢰보호의 원칙 위반 여부가 문제되지 아니한다.

> 2022년 소방직

① (○) 행정청이 앞서 표명한 공적인 견해에 반하는 행정처분을 함으로써 달성하려는 공익이 행정청의 공적 견해표명을 신뢰한 개인이 그 행정처분으로 인하여 입게 되는 이익의 침해를 정당화할 수 있을 정도로 강한 경우에는 신뢰보호의 원칙을 들어 그 행정처분이 위법하다고는 할 수 없다(대판 1998.11.13. 98두7343).

유제 12. 국회직 8급 행정청이 공적인 견해표명에 반하는 처분을 함으로써 달성하려는 공익이 행정청의 공적 견해표명을 신뢰한 개인이 그 행정처분으로 인하여 입게 되는 이익의 침해를 정당화할 수 있을 정도로 강한 경우에는 신뢰보호의 원칙을 들어 그 행정처분이 위법하다고는 할 수 없다. (○)

② (○) 과세관청의 행위에 대하여 신의성실의 원칙 또는 신뢰보호의 원칙을 적용하기 위해서는, 과세관청이 공적인 견해표명 등을 통하여 부여한 신뢰가 평균적인 납세자로 하여금 합리적이고 정당한 기대를 가지게 할 만한 것이어야 한다. 비록 과세관청이 질의회신 등을 통하여 어떤 견해를 표명하였다고 하더라도 그것이 중요한 사실관계와 법적인 쟁점을 제대로 드러내지 아니한 채 질의한 데 따른 것이라면 공적인 견해표명에 의하여 정당한 기대를 가지게 할 만한 신뢰가 부여된 경우라고 볼 수 없다(대판 2013.12.26. 2011두5940).

③ (×) 폐기물처리업에 대하여 사전에 관할 관청으로부터 적정통보를 받고 막대한 비용을 들여 허가요건을 갖춘 다음 허가신청을 하였음에도 다수 청소업자의 난립으로 안정적이고 효율적인 청소업무의 수행에 지장이 있다는 이유로 한 불허가처분이 신뢰보호의 원칙 및 비례의 원칙에 반하는 것으로서 재량권을 남용한 위법한 처분이다(대판 1998.5.8. 98두4061).

유제 18. 경찰 3차 폐기물처리업에 대하여 사전에 관할 관청으로부터 적정통보를 받아 이를 믿고 법정허가요건을 갖추고, 상당한 자금과 노력을 투자하여 허가신청을 하였으나 불허가한 사안에서 업체의 난립 및 과당경쟁방지, 생활폐기물의 적정하고도 안정적인 처리라는 제반사항을 고려하여 불허가한 것이라면 신뢰보호원칙에 반하지 않는다. (×)

17. 서울시 9급 폐기물처리업에 대하여 관할 관청의 사전 적정통보를 받고 막대한 비용을 들여 허가요건을 갖춘 다음 허가신청을 하였음에도 청소업자의 난립으로 효율적인 청소업무의 수행에 지장이 있다는 이유로 한 불허가처분이 신뢰보호의 원칙에 반하여 재량권을 남용한 위법한 처분이다. (○)

문제 DATA
출제가능 지수 ▶▶▷
난이도 지수 ★★☆

함께 정리하기

신뢰보호원칙

공익 > 개인의 신뢰보호이익
▷ 신뢰보호원칙 위반×

중요사실관계와 법적쟁점을 제대로 드러내지 아니한 채 질의
▷ 정당한 신뢰×

폐기물처리업 적정통보 후 막대한 비용 지출해 신청한 허가거부
▷ 신뢰보호원칙위반○

과태료 재판
▷ 신뢰보호원칙 위반 여부 문제×(∵법원이 직권으로 개시·결정)

11. 국가직 9급 (甲은 폐기물처리업에 대하여 사전에 관할 관청으로부터 적정통보를 받고 막대한 비용을 들여 허가요건을 갖춘 다음, 허가신청을 하였으나 다수 청소업자의 난립으로 안정적이고 효율적인 청소업무의 수행에 지장이 있다는 이유로 불허가처분을 받은 사안에서) 甲은 위 불허가처분이 신뢰보호의 원칙에 위반되므로 위법한 처분이라고 주장할 수 있다. (○)

④ (○) 법원이 비송사건절차법에 따라서 하는 과태료 재판은 관할 관청이 부과한 과태료처분에 대한 당부를 심판하는 행정소송절차가 아니라 법원이 직권으로 개시·결정하는 것이므로, 원칙적으로 과태료 재판에서는 행정소송에서와 같은 신뢰보호의 원칙 위반 여부가 문제로 되지 아니하고, 다만 위반자가 그 의무를 알지 못하는 것이 무리가 아니었다고 할 수 있어 그것을 정당시할 수 있는 사정이 있을 때 또는 그 의무의 이행을 그 당사자에게 기대하는 것이 무리라고 하는 사정이 있을 때 등 그 의무 해태를 탓할 수 없는 정당한 사유가 있는 때에는 이를 부과할 수 없다(대결 2006.4.28. 2003마715).

답 ③

063 □□□

신뢰보호의 원칙에 대한 설명으로 옳은 것은? (다툼이 있는 경우 판례에 의함)

① 납세자에게 신뢰의 대상이 되는 공적인 견해가 표명되었다는 사실은 과세처분의 적법성에 대한 증명책임이 있는 과세관청이 주장·입증하여야 한다.
② 「국세기본법」 제18조 제3항에서 말하는 비과세관행이 성립하려면 상당한 기간에 걸쳐 과세를 하지 않은 객관적 사실이 존재하면 충분하고, 나아가 과세관청 자신이 그 사항에 관하여 과세할 수 있음을 알면서도 어떤 특별한 사정 때문에 과세하지 않는다는 주관적인 의사까지 요구되는 것은 아니다.
③ 폐기물관리법령에 따른 관할 관청의 폐기물처리업 사업계획에 대한 적정통보는 그 사업부지 토지에 대한 국토이용계획변경신청을 승인하여 주겠다는 취지의 공적인 견해표명을 한 것으로 볼 수 있다.
④ 행정청이 착오로 인하여 국적이탈을 이유로 주민등록을 말소한 행위를 법령에 따라 국적이탈이 처리되었다는 견해를 표명한 것으로 볼 수는 없으며, 상대방이 이러한 주민등록말소를 통하여 자신의 국적이탈이 적법하게 처리된 것으로 신뢰하였다고 하더라도 이는 보호할 가치 있는 신뢰에 해당하지 않는다.
⑤ 담당 공무원으로부터 국립공원 인근 자연녹지지역에서 토석채취허가가 법적으로 가능할 것이라는 말을 듣고 관련 토지를 매수하는 등 많은 비용을 투자하고 형질변경 및 토석채취허가를 신청한 사람에 대해 관할 행정청이, 해당 토지에서 토석채취작업을 하면, 주변의 환경·풍치·미관 등이 크게 손상될 우려가 있다는 이유를 들어 이를 불허가처분하는 것은 신뢰보호원칙에 반한다고 볼 수 없다.

| 2022년 소방간부

① (✕) "과세관청이 납세자에게 신뢰의 대상이 되는 공적인 견해를 표명하였다"는 사실은 납세자(원고)가 주장·입증하여야 한다고 보는 것이 상당하다(대판 1992.3.31. 91누9824).
② (✕) 국세기본법 제18조 제3항에서 말하는 비과세관행이 성립하려면 상당한 기간에 걸쳐 과세를 하지 아니한 객관적 사실이 존재할 뿐만 아니라 과세관청 자신이 그 사항에 관하여 과세할 수 있음을 알면서도 어떤 특별한 사정 때문에 과세하지 않는다는 의사가 있어야 하며 위와 같은 공적 견해나 의사는 명시적 또는 묵시적으로 표시되어야 하지만, 묵시적 표시가 있다고 하기 위하여는 단순한 과세 누락과는 달리 과세관청이 상당기간 불과세 상태에 대하여 과세하지 않겠다는 의사표시를 한 것으로 볼 수 있는 사정이 있어야 하고, 이 경우 특히 과세관청의 의사표시가 일반론적인 견해표명에 불과한 경우에는 위 원칙의 적용을 부정하여야 한다(대판 2001.4.24. 2000두5203).

문제 DATA
출제가능 지수 ▶▶∑
난이도 지수 ★★★

함께 정리하기
신뢰보호원칙

과세관청의 공적 견해 표명사실
▷ 납세자(원고) 주장·입증

비과세관행
▷ 상당기간 비과세 관행 & 알면서 비과세 의사 要(묵시포함)

폐기물처리업 적정통보
▷ 국토이용계획변경신청에 대한 공적 견해표명✕

국적이탈을 사유로 주민등록 말소한 것 신뢰하여 뒤늦게 국적이탈신고
▷ 보호가치○

한려해상국립공원 인근 자연녹지지역 토석채취허가 가능성에 대한 신뢰 < 환경상 공익
▷ 신뢰보호원칙 위반✕

유제 18. 5급 승진 「국세기본법」상 비과세관행이 성립하려면, 상당한 기간에 걸쳐 과세를 하지 아니한 객관적 사실이 존재할 뿐만 아니라 과세관청이 불과세 상태에 대하여 과세하지 않겠다는 명시적 또는 묵시적 의사표시가 있어야 한다. (○)

13. 국가직 7급 비과세관행이 성립되었다고 하려면 상당한 기간에 걸쳐 과세를 하지 않은 객관적 사실이 존재하여야 한다. (○)

13. 국가직 7급 비과세관행의 성립을 위해서는 과세관청 스스로 과세할 수 있음을 알면서도 어떤 특별한 사정 때문에 과세하지 않는다는 의사가 있고, 이와 같은 의사는 명시적 또는 묵시적으로 표시되어야 한다. (○)

③ (×) 폐기물관리법령에 의한 폐기물처리업 사업계획에 대한 적정통보와 국토이용관리법령에 의한 국토이용계획변경은 각기 그 제도적 취지와 결정단계에서 고려해야 할 사항들이 다르므로, 피고가 위와 같이 폐기물처리업 사업계획에 대하여 적정통보를 한 것만으로 그 사업부지 토지에 대한 국토이용계획변경신청을 승인하여 주겠다는 취지의 공적인 견해표명을 한 것으로 볼 수 없고 … 이 사건 처분이 신뢰보호의 원칙에 위배된다고 할 수 없다(대판 2005.4.28. 2004두8828).

유제 21. 서울시 7급 폐기물관리법령상 폐기물처리업 사업계획에 대한 적정통보를 한 것만으로도 그 사업부지 토지에 대한 국토이용계획변경신청을 승인하여 주겠다는 공적인 견해 표명을 한 것이므로 사업계획에 대한 적정통보에 반하는 국토이용계획변경신청 승인거부는 신뢰보호원칙에 반한다. (×)

20. 국가직 9급, 18. 서울시 7급, 17. 지방직 7급, 12. 사복직 관할관청이 폐기물처리업 사업계획에 대하여 적정통보를 하였다면, 이것은 당해 사업을 위해 필요한 그 사업부지 토지에 대한 국토이용계획변경신청을 승인하여 주겠다는 취지의 공적인 견해표명을 한 것으로 볼 수 있다. (×)

19. 지방직 9급, 17. 서울시 9급 폐기물처리업 사업계획에 대하여 적정통보를 한 것만으로 그 사업부지 토지에 대한 국토이용계획변경신청을 승인하여 주겠다는 취지의 공적인 견해표명을 한 것으로 볼 수 없다. (○)

18. 경찰 3차 폐기물관리법령에 의한 폐기물처리업 사업계획에 대한 적정통보와 국토이용관리법령에 의한 국토이용계획변경은 각기 그 제도적 취지와 결정단계에서 고려해야 할 사항들이 다르므로 폐기물처리업 사업계획에 대하여 적정통보를 한 것만으로는 그 사업부지 토지에 대한 국토이용계획변경신청을 승인하여 주겠다는 취지의 공적인 견해표명을 한 것으로 볼 수 없다. (○)

11. 국가직 9급 (甲은 폐기물처리업 사업계획에 대하여 적정통보를 받은 상태에서 사업부지 토지에 대한 국토이용계획변경신청을 승인하여 주겠다는 취지의 공적인 견해표명이 없었음에도 불구하고 승인 받을 것을 신뢰하고 그에 기해 일정한 처리를 하였다. 그러나 그 후 甲이 국토이용계획변경 승인을 거부당한 사안에서) 폐기물관리법령에 의한 폐기물처리업 사업계획에 대한 적정통보와 국토이용관리법령에 의한 국토이용계획변경은 각기 그 제도적 취지와 결정단계에서 고려해야 할 사항들이 다르다. 따라서 甲은 신뢰보호원칙에 의해 보호받을 수 없다. (○)

④ (×) 행정청이 대외적으로 공신력 있는 주민등록표상 국적이탈을 이유로 원고의 주민등록을 말소한 행위는 원고에게 간접적으로 국적이탈이 법령에 따라 이미 처리되었다는 견해를 표명한 것이라고 보아야 하고, 나아가 행정청의 주민등록말소는 주민등록표등·초본에 공시되어 대내·외적으로 행정행위의 적법한 존재를 추단하는 중요한 근거가 되는 점에 비추어 원고가 위와 같은 주민등록말소를 통하여 자신의 국적이탈이 적법하게 처리된 것으로 신뢰한 것에 대하여 귀책사유가 있다고 할 수 없는바, 따라서 원고는 위와 같은 신뢰를 바탕으로 만 18세가 되기까지 별도로 국적이탈신고 절차를 취하지 아니하였던 것이므로, 피고가 원고의 이러한 신뢰에 반하여 원고의 국적이탈신고를 반려한 이 사건 처분은 신뢰보호의 원칙에 반하여 원고가 만 18세 이전에 국적이탈신고를 할 수 있었던 기회를 박탈한 것으로서 위법하다(대판 2008.1.17. 2006두10931).

⑤ (○) 한려해상국립공원지구 인근의 자연녹지지역에서의 토석채취허가가 법적으로 가능할 것이라는 행정청의 언동을 신뢰한 개인이 많은 비용과 노력을 투자하였다가 불허가처분으로 상당한 불이익을 입게 된 경우, 위 불허가처분에 의하여 행정청이 달성하려는 주변의 환경·풍치·미관 등의 공익이 그로 인하여 개인이 입게 되는 불이익을 정당화할 만큼 강하다는 이유로 불허가처분이 재량권의 남용 또는 신뢰보호의 원칙에 반하여 위법하다고 할 수 없다(대판 1998.11.13. 98두7343).

답 ⑤

064

행정상 신뢰보호 원칙의 적용요건에 대한 설명으로 옳은 것은? (다툼이 있는 경우 판례에 의함)

① 공적 견해표명은 묵시적으로 할 수 없다.
② 신뢰보호의 대상은 특정 개인에 대한 행정작용에 한정되며, 법률에 대한 신뢰는 신뢰보호 대상이 되지 않는다.
③ 행정청이 공적 견해표명을 한 후, 사정변경이 있는 경우에는 특별한 사정이 없는 한 행정청이 그 견해표명에 반하는 처분을 하더라도 신뢰보호 원칙에 위반된다고 할 수 없다.
④ 귀책사유의 유무는 상대방을 기준으로 판단하며 상대방으로부터 신청행위를 위임받은 수임인 등 관계자는 고려하지 않는다.
⑤ 단순히 착오로 어떠한 처분을 계속하다가 처분청이 추후 오류를 발견하여 합리적인 방법으로 변경할 경우 신뢰보호 원칙에 위배된다.

2022년 행정사

① (×) 국세기본법 제18조 제3항에서 말하는 비과세관행이 성립하려면 상당한 기간에 걸쳐 과세를 하지 아니한 객관적 사실이 존재할 뿐만 아니라 과세관청 자신이 그 사항에 관하여 과세할 수 있음을 알면서도 어떤 특별한 사정 때문에 과세하지 않는다는 의사가 있어야 하며 위와 같은 공적 견해나 의사는 명시적 또는 묵시적으로 표시되어야 하지만, 묵시적 표시가 있다고 하기 위하여는 단순한 과세 누락과는 달리 과세관청이 상당기간 불과세 상태에 대하여 과세하지 않겠다는 의사표시를 한 것으로 볼 수 있는 사정이 있어야 하고, 이 경우 특히 과세관청의 의사표시가 일반론적인 견해표명에 불과한 경우에는 위 원칙의 적용을 부정하여야 한다(대판 2001.4.24. 2000두5203).

<u>유제</u> 19. 소방직 행정기관의 선행조치로서의 공적인 견해 표명은 반드시 명시적인 언동이어야 한다. (×)
13. 경찰 2차 신뢰보호의 원칙에서 공적 견해나 의사는 반드시 명시적으로 표시되어야 한다. (×)

② (×) 신뢰보호원칙의 요건인 공적인 견해표명은 반드시 특정 개인에 대한 것일 필요는 없으며 법령에 대한 신뢰도 경우에 따라 보호될 수 있다.

③ (○) 신뢰보호의 원칙은 행정청이 공적인 견해를 표명할 당시의 사정이 그대로 유지됨을 전제로 적용되는 것이 원칙이므로, 사후에 그와 같은 사정이 변경된 경우에는 그 공적 견해가 더 이상 개인에게 신뢰의 대상이 된다고 보기 어려운 만큼, 특별한 사정이 없는 한 행정청이 그 견해표명에 반하는 처분을 하더라도 신뢰보호의 원칙에 위반된다고 할 수 없다(대판 2020.6.25. 2018두34732).

④ (×) 귀책사유라 함은 행정청의 견해표명의 하자가 상대방 등 관계자의 사실은폐나 기타 사위의 방법에 의한 신청행위 등 부정행위에 기인한 것이거나 그러한 부정행위가 없다고 하더라도 하자가 있음을 알았거나 중대한 과실로 알지 못한 경우 등을 의미한다고 해석함이 상당하고, 귀책사유의 유무는 상대방과 그로부터 신청행위를 위임받은 수임인 등 관계자 모두를 기준으로 판단하여야 한다(대판 2002.11.8. 2001두1512).

<u>유제</u> 21. 국가직 7급 신뢰보호의 원칙이 적용되기 위한 요건 중 귀책사유의 유무는 상대방과 그로부터 신청행위를 위임받은 수임인 등 관계자 모두를 기준으로 판단하여야 한다. (○)
19. 국가직 7급 신뢰보호원칙의 적용에 있어서 귀책사유의 유무는 상대방을 기준으로 판단하여야 하며, 상대방으로부터 신청행위를 위임받은 수임인 등 관계자까지 포함시켜 판단할 것은 아니다. (×)
18. 지방직 9급 신뢰보호원칙에서 행정청의 견해표명이 정당하다고 신뢰한 데에 대한 개인의 귀책사유의 유무는 상대방뿐만 아니라 그로부터 신청행위를 위임받은 수임인 등 관계자 모두를 기준으로 판단하여야 한다. (○)
17. 국회직 8급 만약 甲으로부터 건축허가신청을 위임받은 乙이 건축허가를 신청한 경우라면, 사실은폐나 기타 사위의 방법에 의한 건축허가 신청행위가 있었는지 여부는 甲과 乙 모두를 기준으로 판단하여야 한다. (○)
15. 사복직 귀책사유의 유무는 상대방과 그로부터 신청행위를 위임받은 수임인 등 관계자 모두를 기준으로 판단한다. (○)

함께 정리하기

신뢰보호원칙의 적용요건

공적 견해표명
▷ 명시적 또는 묵시적 可

신뢰보호의 대상
▷ 법령에 대한 신뢰 포함

사정변경
▷ 공적 견해표명에 반하는 처분을 하더라도 신뢰보호원칙 위반 ×

귀책사유의 유무
▷ 수임인 등 관계자 모두를 기준으로 판단

단순 착오로 처분계속
▷ 추후 오류발견 합리적 방법으로 변경하더라도 신뢰보호원칙 위반 ×

⑤ (×) 행정상 법률관계에 있어서 특정의 사항에 대해 <u>신뢰보호의 원칙상 처분청이 그와 배치되는 조치를 할 수 없다고 할 수 있을 정도의 행정관행이 성립되었다고 하려면 상당한 기간에 걸쳐 그 사항에 대해 동일한 처분을 하였다는 객관적 사실이 존재할 뿐만 아니라, 처분청이 그 사항에 관해 다른 내용의 처분을 할 수 있음을 알면서도 어떤 특별한 사정 때문에 그러한 처분을 하지 않는다는 의사가 있고 이와 같은 의사가 명시적 또는 묵시적으로 표시되어야 한다 할 것이므로, 단순히 착오로 어떠한 처분을 계속한 경우는 이에 해당되지 않는다 할 것이고, 따라서 처분청이 추후 오류를 발견하여 합리적인 방법으로 변경하는 것은 위 원칙에 위배되지 않는다</u>(대판 1993.6.11. 92누14021).

답 ③

065 □□□

신뢰보호의 원칙에 대한 설명으로 옳지 않은 것은? (다툼이 있는 경우 판례에 의함)

① 「개발이익환수에 관한 법률」에 정한 개발사업을 시행하기 전에 행정청이 민원예비심사에 대하여 관련부서 의견으로 '저촉사항 없음'이라고 기재한 것은 공적인 견해표명에 해당한다.
② 행정청이 공적 견해를 표명하였는지를 판단할 때는 반드시 행정조직상의 형식적인 권한 분장에 구애될 것은 아니다.
③ 행정청은 공익 또는 제3자의 이익을 현저히 해칠 우려가 있는 경우를 제외하고는 행정에 대한 국민의 정당하고 합리적인 신뢰를 보호하여야 한다.
④ 신뢰보호의 원칙이 적용되기 위한 요건 중 귀책사유의 유무는 상대방과 그로부터 신청행위를 위임받은 수임인 등 관계자 모두를 기준으로 판단하여야 한다.

> 2021년 국가직 7급

① (×) <u>개발이익환수에 관한 법률에 정한 개발사업을 시행하기 전에, 행정청이 토지 지상에 예식장 등을 건축하는 것이 관계 법령상 가능한지 여부를 질의하는 민원예비심사에 대하여 관련부서 의견으로 개발이익환수에 관한 법률에 '저촉사항 없음'이라고 기재하였다고 하더라도, 이후의 개발부담금부과처분에 관하여 신뢰보호의 원칙을 적용하기 위한 요건인, 개인에 대하여 신뢰의 대상이 되는 공적인 견해표명을 한 것이라고는 보기 어렵다</u>(대판 2006.6.9. 2004두46).

유제 16. 경찰 2차, 13. 국가직 9급 「개발이익환수에 관한 법률」에 정한 개발사업을 시행하기 전에, 행정청이 민원예비심사로서 관련부서 의견으로 '저촉사항 없음'이라고 기재한 것은 공적인 견해표명에 해당한다. (×)
18. 5급 승진 「개발이익환수에 관한 법률」에서 정한 개발사업을 시행하기 전에, 예식장을 건축하는 것이 관계 법령상 가능한지를 질의하는 민원예비심사에 대하여 행정청이 관련부서 의견으로 「개발이익환수에 관한 법률」에 '저촉사항 없음'이라고 기재한 것은, 이후의 개발부담금부과처분에 관하여 신뢰보호의 원칙상 신뢰의 대상이 되는 공적 견해표명을 한 것으로 볼 수 없다. (○)
10. 국가직 9급 「개발이익환수에 관한 법률」에 정한 개발사업을 시행하기 전에, 행정청이 민원예비심사에 대하여 관련부서 의견으로 '저촉사항없음'이라고 기재하였다는 사정만으로 신뢰의 대상이 되는 공적인 견해표명을 한 것이라고는 보기 어렵다. (○)

② (○) <u>행정청의 공적 견해표명이 있었는지의 여부를 판단하는 데 있어 반드시 행정조직상의 형식적인 권한분장에 구애될 것은 아니고 담당자의 조직상의 지위와 임무, 당해 언동을 하게 된 구체적인 경위 및 그에 대한 상대방의 신뢰가능성에 비추어 실질에 의하여 판단하여야 한다</u>(대판 1997.9.12. 96누18380).

③ (○)

> 「행정기본법」 제12조【신뢰보호의 원칙】① 행정청은 공익 또는 제3자의 이익을 현저히 해칠 우려가 있는 경우를 제외하고는 행정에 대한 국민의 정당하고 합리적인 신뢰를 보호하여야 한다.

④ (○) 대판 2002.11.8. 2001두1512

답 ①

문제 DATA
출제가능 지수 ▶▶▷
난이도 지수 ★★☆

함께 정리하기

신뢰보호원칙
민원예비심사에서 '저촉사항없음' 기재
▷ 공적 견해표명 ×

공적 견해표명
▷ 형식 아닌 실질에 따라 판단

공익 또는 제3자 이익 현저 해칠 우려 있는 경우 제외하고 신뢰보호

귀책사유
▷ 관계자 전부를 기준

066

행정법의 일반원칙에 대한 설명으로 옳지 않은 것은? (다툼이 있는 경우 판례에 의함)

① 계속 중인 사실이나 그 이후에 발생한 요건사실에 대한 법률적용을 인정하는 부진정 소급입법의 경우 개인의 신뢰보호와 법적 안정성을 내용으로 하는 법치국가 원리에 의하여 허용되지 않는 것이 원칙이다.

② 재건축조합에서 일단 내부 규범이 정립되면 조합원들은 특별한 사정이 없는 한 그것이 존속하리라는 신뢰를 가지게 되므로, 내부 규범을 변경할 경우 내부 규범 변경을 통해 달성하려는 이익이 종전 내부 규범의 존속을 신뢰한 조합원들의 이익보다 우월해야 한다.

③ 신뢰보호의 원칙은 행정청이 공적인 견해를 표명할 당시의 사정이 그대로 유지됨을 전제로 적용되는 것이 원칙이므로, 사후에 그와 같은 사정이 변경된 경우에는 특별한 사정이 없는 한 행정청이 그 견해표명에 반하는 처분을 하더라도 신뢰보호의 원칙에 위반된다고 할 수 없다.

④ 근로복지공단의 요양불승인처분의 적법 여부는 사실상 근로자의 휴업급여청구권 발생의 전제가 된다고 볼 수 있는 점 등에 비추어, 근로자가 요양불승인에 대한 취소소송의 판결확정시까지 근로복지공단에 휴업급여를 청구하지 않았던 것에 대한 근로복지공단의 소멸시효 항변은 신의성실의 원칙에 반하여 허용될 수 없다.

⑤ 관할관청이 위법한 직업능력개발훈련과정 인정제한처분을 하여 사업주로 하여금 제때 훈련과정 인정신청을 할 수 없도록 하였음에도, 인정제한처분에 대한 취소판결 확정 후 사업주가 인정제한기간 내에 실제로 실시하였던 훈련에 관하여 비용지원신청을 한 경우에, 사전에 훈련과정 인정을 받지 않았다는 이유만을 들어 훈련비용 지원을 거부하는 것은 신의성실 원칙에 반하여 허용될 수 없다.

문제 DATA
출제가능 지수 ▶▶▷
난이도 지수 ★★☆

2021년 국회직 8급

① (×) 소급입법은 새로운 입법으로 이미 종료된 사실관계 또는 법률관계에 작용케 하는 진정소급입법과 현재 진행 중인 사실관계 또는 법률관계에 작용케 하는 부진정소급입법으로 나눌 수 있는바, 부진정소급입법은 원칙적으로 허용되지만 소급효를 요구하는 공익상의 사유와 신뢰보호의 요청 사이의 교량과정에서 신뢰보호의 관점이 입법자의 형성권에 제한을 가하게 된다(헌재 1999.7.22. 97헌바76 등).

② (○) 재건축조합에서 일단 내부 규범이 정립되면 조합원들은 특별한 사정이 없는 한 그것이 존속하리라는 신뢰를 가지게 되므로, 내부 규범 변경을 통해 달성하려는 이익이 종전 내부 규범의 존속을 신뢰한 조합원들의 이익보다 우월해야 한다(대판 2020.6.25. 2018두34732).

③ (○) 대판 2020.6.25. 2018두34732

④ (○) 근로복지공단의 요양불승인처분의 적법 여부는 사실상 근로자의 휴업급여청구권 발생의 전제가 된다고 볼 수 있는 점 등에 비추어, 근로자가 요양불승인에 대한 취소소송의 판결확정시까지 근로복지공단에 휴업급여를 청구하지 않았던 것은 이를 행사할 수 없는 사실상의 장애사유가 있었기 때문이라고 보아야 하므로, 근로복지공단의 소멸시효 항변은 신의성실의 원칙에 반하여 허용될 수 없다(대판 2008.9.18. 2007두2173).

⑤ (○) 관할관청이 위법한 직업능력개발훈련과정 인정제한처분을 하여 사업주로 하여금 제때 훈련과정 인정신청을 할 수 없도록 하였음에도, 인정제한처분에 대한 취소판결 확정 후 사업주가 인정제한 기간 내에 실제로 실시하였던 훈련에 관하여 비용지원신청을 한 경우에, 관할관청은 단지 해당 훈련과정에 관하여 사전에 훈련과정 인정을 받지 않았다는 이유만을 들어 훈련비용 지원을 거부할 수는 없음이 원칙이다. 이러한 거부행위는 위법한 훈련과정 인정제한처분을 함으로써 사업주로 하여금 제때 훈련과정 인정신청을 할 수 없게 한 장애사유를 만든 행정청이 사업주에 대하여 사전에 훈련과정 인정신청을 하지 않았음을 탓하는 것과 다름없으므로 신의성실의 원칙에 반하여 허용될 수 없다(대판 2019.1.31. 2016두52019).

함께 정리하기

행정법의 일반원칙

부진정소급입법
▷ 원칙적 허용
▷ 공익과 신뢰보호요청 이익형량

재건축조합 내부규범 변경
▷ 변경을 통해 달성하려는 이익이 종전규범 존속을 신뢰한 조합원들의 이익보다 우월해야

근로자가 요양불승인에 대한 취소소송의 판결확정시까지 휴업급여를 청구하지 않았던 것에 대한 근로복지공단의 소멸시효 항변
▷ 신의성실원칙 위반

사정변경
▷ 공적 견해표명에 반하는 처분을 하더라도 신뢰보호원칙 위반×

답 ①

문제 DATA

출제가능 지수 ▶▶Σ
난이도 지수 ★★☆

067

신뢰보호의 원칙에 대한 설명으로 옳지 않은 것은? (다툼이 있는 경우 판례에 의함)

① 관할관청이 폐기물처리업 사업계획에 대하여 적정통보를 한 것만으로도 그 사업부지 토지에 대한 국토이용계획변경신청을 승인하여 주겠다는 취지의 공적인 견해표명을 한 것으로 볼 수 있다.

② 행정청의 확약 또는 공적인 의사표명이 있은 후에 사실적·법률적 상태가 변경되었다면, 그와 같은 확약 또는 공적인 의사표명은 행정청의 별다른 의사표시를 기다리지 않고 실효된다.

③ 행정청의 공적 견해표명이 있었는지 여부를 판단하는 데 있어 반드시 행정조직상의 형식적인 권한분장에 구애될 것은 아니고 담당자의 조직상의 지위와 임무, 당해 언동을 하게 된 구체적인 경위 및 그에 대한 상대방의 신뢰가능성에 비추어 실질에 의하여 판단하여야 한다.

④ 입법 예고를 통해 법령안의 내용을 국민에게 예고한 적이 있다고 하더라도 그것이 법령으로 확정되지 아니한 이상 국가가 이해관계자들에게 그 법령안에 관련된 사항을 약속하였다고 볼 수 없으며, 이러한 사정만으로 어떠한 신뢰를 부여하였다고 볼 수도 없다.

2020년 국가직 9급

① (×) 폐기물관리법령에 의한 폐기물처리업 사업계획에 대한 적정통보와 국토이용관리법령에 의한 국토이용계획변경은 각기 그 제도적 취지와 결정단계에서 고려해야 할 사항들이 다르므로, 피고가 위와 같이 폐기물처리업 사업계획에 대하여 적정통보를 한 것만으로 그 사업부지 토지에 대한 국토이용계획변경신청을 승인하여 주겠다는 취지의 공적인 견해표명을 한 것으로 볼 수 없고 … 이 사건 처분이 신뢰보호의 원칙에 위배된다고 할 수 없다(대판 2005.4.28. 2004두8828).

② (○) 대판 1996.8.20. 95누10877

③ (○) 대판 1997.9.12. 96누18380

④ (○) 정책의 주무부처인 중앙행정기관이 그 소관 사항에 대하여 입안한 법령안은 법제처 심사 등의 절차를 거쳐 공포함으로써 확정되므로, 법령이 확정되기 이전에는 법적 효과가 발생할 수 없다. 따라서 입법예고를 통해 법령안의 내용을 국민에게 예고한 적이 있다고 하더라도 그것이 법령으로 확정되지 아니한 이상 국가가 이해관계자들에게 위 법령안에 관련된 사항을 약속하였다고 볼 수 없으며, 이러한 사정만으로 어떠한 신뢰를 부여하였다고 볼 수도 없다(대판 2018.6.15. 2017다249769).

답 ①

함께 정리하기

신뢰보호원칙

폐기물처리업 적정통보
▷ 국토이용계획변경신청에 대한 공적 견해표명×

사실적·법률적 상태변경
▷ 공적 의사표명 실효

공적 견해표명
▷ 형식 아닌 실질에 따라 판단

입법예고
▷ 법령안에 관련된 사항 공적 견해표명×

068

신뢰보호원칙에 대한 설명으로 옳지 않은 것은? (다툼이 있는 경우 판례에 의함)

① 신뢰보호의 원칙과 행정의 법률적합성의 원칙이 충돌하는 경우 국민보호를 위해 원칙적으로 신뢰보호의 원칙이 우선한다.
② 수익적 행정처분의 하자가 당사자의 사실은폐에 의한 신청행위에 기인한 것이라면 당사자는 그 처분에 관한 신뢰이익을 원용할 수 없다.
③ 면허세의 근거법령이 제정되어 폐지될 때까지의 4년 동안 과세관청이 면허세를 부과할 수 있음을 알면서도 수출확대라는 공익상 필요에서 한 건도 부과한 일이 없었다면 비과세의 관행이 이루어졌다고 보아도 무방하다.
④ 행정청이 상대방에게 장차 어떤 처분을 하겠다고 공적인 의사표명을 하면서 상대방에게 언제까지 처분의 발령을 신청하도록 유효기간을 둔 경우, 그 기간 내에 상대방의 신청이 없었다면 그 공적인 의사표명은 행정청의 별다른 의사표시를 기다리지 않고 실효된다.

문제 DATA
출제가능 지수 ▶▶▷
난이도 지수 ★★☆

함께 정리하기
신뢰보호원칙

신뢰보호원칙과 행정의 법률적합성원칙 충돌
▷ 이익형량으로 해결

수익적 행정처분의 하자가 당사자의 사실은폐나 사위에 의한 것
▷ 신뢰이익 원용×

4년간 면허세 미부과
▷ 비과세 관행○

신청기간 내에 신청이 없었다면
▷ 공적 의사표명 실효

2020년 지방직 7급

① (×) 법률적합성의 원칙과 신뢰보호의 원칙은 모두 법치국가원리의 구성요소이므로 서로 동등한 가치를 갖는다. 따라서 '공익'과 '사익'을 구체적으로 비교형량하여 결정해야 한다는 이익형량설이 통설과 판례이다(대판 2008.4.24. 2007두25060).

유제 14. 경찰 신뢰보호의 원칙과 행정의 법률적합성의 원칙이 충돌하는 경우 법률적합성의 원칙이 우선한다. (×)
09. 국가직 7급 신뢰보호의 원칙은 행정의 적법성원칙과 갈등관계가 형성될 수 있으며, 후자의 원칙을 배제할 만한 우월한 사정이 있을 때 그 효력을 인정할 수 있게 된다. (○)

② (○) 수익적 행정처분의 하자가 당사자의 사실은폐나 기타 사위의 방법에 의한 신청행위에 기인한 것이라면, 당사자는 처분에 의한 이익을 위법하게 취득하였음을 알아 취소가능성도 예상하고 있었을 것이므로, 그 자신이 처분에 관한 신뢰이익을 원용할 수 없음은 물론, 행정청이 이를 고려하지 않았다 하여도 재량권의 남용이 되지 않고, 이 경우 당사자의 사실은폐나 기타 사위의 방법에 의한 신청행위가 제3자를 통하여 소극적으로 이루어졌다고 하여 달리 볼 것이 아니다(대판 2008.11.13. 2008두8628).

유제 19. 소방직 수익적 행정행위가 수익자의 귀책사유가 있는 신청에 의해 행하여졌다면 그 신뢰의 보호가치성은 인정되지 않는다. (○)
17. 서울시 9급 신뢰보호의 원칙과 관련하여, 행정청의 선행조치가 신청자인 사인의 사위나 사실은폐에 의해 이뤄진 경우라도 행정청의 선행조치에 대한 사인의 신뢰는 보호되어야 한다. (×)
15. 국회직 8급 수익적 행정처분의 하자가 당사자의 사실은폐 기타 사위의 방법에 의한 신청행위에 기인한 것이라면, 당사자는 처분에 의한 이익을 위법하게 취득하였음을 알아 취소가능성도 예상하고 있었을 것이므로, 그 자신이 처분에 관한 신뢰이익을 원용할 수 없다. (○)
14. 경찰 1차 수익적 행정처분의 하자가 당사자의 사실은폐에 의한 신청행위에 기인한 것이라면 행정청이 당사자의 신뢰이익을 고려하지 않고 취소하였다 하더라도 재량권 남용이 되지 않는다는 것이 판례의 입장이다. (○)
13. 서울시 7급 판례는 당사자가 부당한 방법에 의해 수익적 행정행위를 발급받은 경우에도 그 신뢰는 보호된다고 한다. (×)

③ (○) 국세기본법 제18조 제2항의 규정은 납세자의 권리보호와 과세관청에 대한 납세자의 신뢰보호에 그 목적이 있는 것이므로 이 사건 용산구청장의 보세운송면허세의 부과근거이던 지방세법 시행령이 1973.10.1 제정되어 1977.9.20에 폐지될 때까지 4년 동안 그 면허세를 부과할 수 있는 점을 알면서도 피고가 수출확대라는 공익상 필요에서 한 건도 이를 부과한 일이 없었다면 납세자인 원고는 그것을 믿을 수밖에 없고 그로써 비과세의 관행이 이루어졌다고 보아도 무방하다(대판 1980.6.10. 80누6).

④ (○) 행정청이 상대방에게 장차 어떤 처분을 하겠다고 확약 또는 공적인 의사표명을 하였다고 하더라도, 언제까지 처분의 발령을 신청을 하도록 유효기간을 두었는데도 그 기간 내에 상대방의 신청이 없었다거나 확약 또는 공적인 의사표명이 있은 후에 사실적·법률적 상태가 변경되었다면, 그와 같은 확약 또는 공적인 의사표명은 행정청의 별다른 의사표시를 기다리지 않고 실효된다(대판 1996.8.20. 95누10877).

답 ①

문제 DATA

출제가능 지수 ▶▶▷
난이도 지수 ★★☆

069 □□□

행정법의 일반원칙에 대한 설명으로 옳지 않은 것은? (다툼이 있는 경우 판례에 의함)

① 신뢰보호원칙에 위반하는 경우 그 행정행위는 위법하며, 판례는 이 경우 취소사유로 보지 않고 무효로만 보았다.
② 행정주체가 행정작용을 함에 있어서 상대방에게 이와 실질적 관련이 없는 의무를 부과하거나 그 이행을 강제하여서는 아니 된다.
③ 「행정절차법」상 규정이 없는 경우에도 행정권 행사가 적정한 절차에 따라 행해지지 아니하면 그 행정권 행사는 적법절차의 원칙에 반한다.
④ 자기구속의 원칙이 인정되는 경우 행정관행과 다른 처분은 특별한 사정이 없는 한 위법하다.

> 2020년 소방직

① (×) 신뢰보호원칙에 위반하는 경우 그 행정행위는 위법하며, 위법이 중대·명백한지 여부에 따라 무효 또는 취소할 수 있는 행정행위가 된다.
② (○) 부당결부금지의 원칙이란 행정주체가 행정작용을 함에 있어서 상대방에게 이와 실질적인 관련이 없는 의무를 부과하거나 그 이행을 강제하여서는 아니 된다는 원칙을 말한다(대판 2009.2.12. 2005다65500).

> 「행정기본법」 제13조 【부당결부금지의 원칙】 행정청은 행정작용을 할 때 상대방에게 해당 행정작용과 실질적인 관련이 없는 의무를 부과해서는 아니 된다.

③ (○) 헌법은 제12조에서 적법절차의 원칙을 규정하고 있는데 이러한 헌법 규정의 취지는 형사사법절차뿐만 아니라 행정절차에도 적용될 수 있다는 것이 통설이다. 따라서 「행정절차법」상 규정이 없는 경우에도 행정권 행사가 적정한 절차에 따라 행해지지 아니하면 그 행정권 행사는 적법절차의 원칙에 반한다.
④ (○) 재량권 행사의 준칙인 행정규칙이 그 정한 바에 따라 되풀이 시행되어 행정관행이 이루어지게 되면 평등의 원칙이나 신뢰보호의 원칙에 따라 행정기관은 그 상대방에 대한 관계에서 그 규칙에 따라야 할 자기구속을 받게 되므로, 이러한 경우에는 특별한 사정이 없는 한 그를 위반하는 처분은 평등의 원칙이나 신뢰보호의 원칙에 위배되어 재량권을 일탈·남용한 위법한 처분이 된다(대판 2009.12.24. 2009두7967).

답 ①

함께 정리하기

행정법의 일반원칙

신뢰보호원칙위반 행정행위
▷ 위법하나 중대·명백 여부에 따라 무효 또는 취소

부당결부금지원칙
▷ 행정작용과 실질적 관련 없는 의무부과·이행 강제 ×

「행정절차법」상 규정이 없는 경우에도 행정권 행사는 적정한 절차에 따라 행해져야 함

자기구속의 원칙이 인정되는 행정관행과 다른 처분
▷ 특별한 사정이 없는 한 위법

문제 DATA

출제가능 지수 ▶▷▷
난이도 지수 ★★☆

070 □□□

신뢰보호 원칙에 대한 설명으로 옳지 않은 것은? (다툼이 있는 경우 판례에 의함)

① 신뢰보호 원칙의 법적 근거로는 신의칙설 또는 법적 안정성을 드는 것이 일반적인 견해이다.
② 신뢰보호원칙의 실정법적 근거로는 「행정절차법」 제4조 제2항, 「국세기본법」 제81조 제3항 등을 들 수 있다.
③ 대법원은 실권의 법리를 신뢰보호 원칙의 파생원칙으로 본다.
④ 조세법령의 규정내용 및 행정규칙 자체는 과세관청의 공적 견해표명에 해당하지 아니한다.

2020년 군무원 9급

① (○) 사법(私法)으로부터 발달한 신의성실의 원칙이 행정법관계에도 적용된다는 신의칙설과, 헌법상의 법치국가원리인 법적안정성에서 신뢰보호 원칙의 이론적인 근거를 찾을 수 있는 견해가 있다.
② (○) 실정법적으로는 「행정절차법」 제4조 제2항과 「국세기본법」 제18조 제3항 등에서 신뢰보호 원칙을 규정하고 있다. 또한 최근 제정된 「행정기본법」은 신뢰보호의 원칙을 행정의 법원칙으로 명문화하고 있다.

> 「행정절차법」 제4조 【신의성실 및 신뢰보호】 ② 행정청은 법령등의 해석 또는 행정청의 관행이 일반적으로 국민들에게 받아들여졌을 때에는 공익 또는 제3자의 정당한 이익을 현저히 해칠 우려가 있는 경우를 제외하고는 새로운 해석 또는 관행에 따라 소급하여 불리하게 처리하여서는 아니 된다.
> 「국세기본법」 제18조 【세법 해석의 기준 및 소급과세의 금지】 ③ 세법의 해석이나 국세행정의 관행이 일반적으로 납세자에게 받아들여진 후에는 그 해석이나 관행에 의한 행위 또는 계산은 정당한 것으로 보며, 새로운 해석이나 관행에 의하여 소급하여 과세되지 아니한다.
> 「행정기본법」 제12조 【신뢰보호의 원칙】 ① 행정청은 공익 또는 제3자의 이익을 현저히 해칠 우려가 있는 경우를 제외하고는 행정에 대한 국민의 정당하고 합리적인 신뢰를 보호하여야 한다.
> ② 행정청은 권한 행사의 기회가 있음에도 불구하고 장기간 권한을 행사하지 아니하여 국민이 그 권한이 행사되지 아니할 것으로 믿을 만한 정당한 사유가 있는 경우에는 그 권한을 행사해서는 아니 된다. 다만, 공익 또는 제3자의 이익을 현저히 해칠 우려가 있는 경우는 예외로 한다.

유제 19. 소방직, 18. 국가직 7급 신뢰보호의 원칙은 판례뿐만 아니라 「국세기본법」과 「행정절차법」에 실정법적 근거가 있다. (○)
18. 지방직 9급 「행정절차법」과 「국세기본법」에서는 법령 등의 해석 또는 행정청의 관행이 일반적으로 국민에게 받아들여졌을 때와 관련하여 신뢰보호의 원칙을 규정하고 있다. (○)

③ (×) 실권 또는 실효의 법리는 법의 일반원리인 신의성실의 원칙에 바탕을 둔 파생원칙인 것이므로 공법관계 가운데 관리관계는 물론이고 권력관계에도 적용되어야 함을 배제할 수는 없다(대판 1988.4.27. 87누915).
④ (○) 일반적으로 조세법률관계에서 과세관청의 행위에 대하여 신의성실의 원칙이 적용되기 위하여는, 첫째, 과세관청이 납세자에게 신뢰의 대상이 되는 공적인 견해 표명을 하여야 하고, 둘째, 납세자가 과세관청의 견해 표명이 정당하다고 신뢰한 데 대하여 납세자에게 귀책사유가 없어야 하며, 셋째, 납세자가 그 견해 표명을 신뢰하고 이에 따라 무엇인가 행위를 하여야 하고, 넷째, 과세관청이 위 견해 표명에 반하는 처분을 함으로써 납세자의 이익이 침해되는 결과가 초래되어야 할 것이고, 한편, 조세법령의 규정내용 및 행정규칙 자체는 과세관청의 공적 견해 표명에 해당하지 아니한다(대판 2003.9.5. 2001두403).

답 ③

함께 정리하기

신뢰보호원칙

법적 근거
▷ 법적 안정성

실정법적 근거
▷ 「행정기본법」, 「행정절차법」, 「국세기본법」 등

실권의 법리
▷ 신의성실원칙의 파생원칙(判)

조세법령의 규정내용 및 행정규칙 자체
▷ 과세관청의 공적 견해표명 ×

071

신뢰보호의 원칙에 대한 설명으로 옳은 것은? (다툼이 있는 경우 판례에 의함)

① 처분청이 착오로 행정서사업 허가처분을 한 후 20년이 다 되어서야 취소사유를 알고 행정서사업 허가를 취소한 경우, 그 허가취소처분은 실권의 법리에 저촉되는 것으로 보아야 한다.
② 법령이나 비권력적 사실행위인 행정지도 등은 신뢰의 대상이 되는 선행조치에 포함되지 않는다.
③ 신뢰보호원칙의 적용에 있어서 귀책사유의 유무는 상대방을 기준으로 판단하여야 하며, 상대방으로부터 신청행위를 위임받은 수임인 등 관계자까지 포함시켜 판단할 것은 아니다.
④ 당초 정구장시설을 설치한다는 도시계획결정을 하였다가 정구장 대신 청소년 수련시설을 설치한다는 도시계획 변경결정 및 지적 승인을 한 경우 당초의 도시계획결정만으로는 도시계획사업의 시행자 지정을 받게 된다는 공적 견해를 표명했다고 할 수 없다.

문제 DATA
출제가능 지수 ▶▶▷
난이도 지수 ★★☆

함께 정리하기

신뢰보호원칙

행정서사업 운영한지 20년 지나서 허가자격 없다는 이유로 행정서사업허가처분 취소
▷ 실권의 법리 위반 ✕

선행조치
▷ 법령·행정행위·행정계획·확약·행정지도를 비롯한 사실행위 포함
▷ 명시·묵시, 적극·소극 불문

귀책사유
▷ 관계자 전부를 기준

(정구장시설설치)도시계획결정
▷ 사업시행자 지정의 공적 견해표명 ✕

2019년 국가직 7급

① (✕) 행정서사업허가를 받은 때로부터 20년이 다 되어 피고 행정청이 그 허가를 취소한 것이기는 하나 피고 행정청이 취소사유를 알고서도 그렇게 장기간 취소권을 행사하지 않은 것이 아니고 행정서사업허가를 한 후 19년 2개월이 지난 후 비로소 취소사유를 알고 그에 관한 법적 처리방안에 관하여 다각도로 연구검토가 행해졌고 그러한 사정은 취소처분의 상대방인 원고도 알고 있었음이 기록상 명백하여 이로써 본다면 상대방인 원고에게 취소권을 행사하지 않을 것이란 신뢰를 심어준 것으로 여겨지지 않으니 피고 행정청의 처분이 실권의 법리에 저촉된 것이라고 볼 수 없다(대판 1998.4.27. 87누915).

② (✕) 선행조치에는 법령·행정행위·행정계획·확약·행정지도를 비롯한 사실행위 등이 포함되며 명시적 표시·묵시적 표시, 적극적·소극적 조치를 불문한다.

유제 14. 국회직 8급 법적 효과를 수반하는 행정행위만이 신뢰보호원칙의 적용대상이 되며, 행정지도와 같은 사실행위는 이에 포함되지 않는다. (✕)

③ (✕) 귀책사유의 유무는 상대방과 그로부터 신청행위를 위임받은 수임인 등 관계자 모두를 기준으로 판단하여야 한다(대판 2002.11.8. 2001두1512).

④ (O) 당초 정구장 시설을 설치한다는 도시계획결정을 하였다가 정구장 대신 청소년 수련시설을 설치한다는 도시계획 변경결정 및 지적승인을 한 경우, 당초의 도시계획결정만으로는 도시계획사업의 시행자 지정을 받게 된다는 공적인 견해를 표명하였다고 할 수 없다는 이유로 그 후의 도시계획 변경결정 및 지적승인이 도시계획사업의 시행자로 지정받을 것을 예상하고 정구장 설계비용 등을 지출한 자의 신뢰이익을 침해한 것으로 볼 수 없다(대판 2000.11.10. 2000두727).

유제 18. 경찰 3차 당초 정구장 시설을 설치한다는 도시계획결정을 하였다가 정구장 대신 청소년 수련시설을 설치한다는 도시계획 변경 결정 및 지적승인을 한 경우, 당초의 도시계획결정에 따른 도시계획사업의 시행자로 지정받을 것을 예상하여 상당한 비용 등을 지출하였다면 정구장 대신 청소년 수련시설을 설치한다는 내용의 도시계획 변경결정 및 지적승인을 한 것은 신뢰이익을 침해한 것이다. (✕)

12. 지방직 7급 정구장시설 설치의 도시계획결정을 청소년수련시설 설치의 도시계획으로 변경한 경우, 사업시행자로 지정받을 것을 예상하고 정구장 설계비용 등을 지출한 자의 신뢰이익을 침해한 것으로 볼 수 없다. (O)

답 ④

072

신뢰보호원칙에 대한 설명으로 옳지 않은 것은? (다툼이 있는 경우 판례에 의함)

① 신뢰보호원칙은 판례뿐만 아니라 실정법상의 근거를 가지고 있다.
② 수익적 행정행위가 수익자의 귀책사유가 있는 신청에 의해 행하여졌다면 그 신뢰의 보호가치성은 인정되지 않는다.
③ 행정기관의 선행조치로서의 공적인 견해 표명은 반드시 명시적인 언동이어야 한다.
④ 처분청 자신의 공적 견해 표명이 있어야만 하는 것은 아니며, 경우에 따라서는 보조기관인 담당 공무원의 공적인 견해 표명도 신뢰의 대상이 될 수 있다.

문제 DATA
출제가능 지수 ▶▶▷
난이도 지수 ★★☆

함께 정리하기

신뢰보호원칙

실정법상 근거 有

수익적 행정처분이 당사자의 귀책사유가 있는 신청에 의한 것
▷ 신뢰이익 원용 ✕

공적 견해표명
▷ 명시적 또는 묵시적 可
▷ 처분청 자신의 공적 견해표명 필요 ✕

2019년 소방직

① (O) 신뢰보호원칙은 다수의 판례에서 인정하고 있고, 실정법상의 근거도 가지고 있다. 최근 제정된 「행정기본법」은 신뢰보호원칙을 행정의 법원칙으로 명문화하고 있으며 「행정절차법」 제4조 제2항 및 「국세기본법」 제18조 제3항도 신뢰보호원칙을 규정하고 있다.

> 「행정기본법」 제12조 【신뢰보호의 원칙】 ① 행정청은 공익 또는 제3자의 이익을 현저히 해칠 우려가 있는 경우를 제외하고는 행정에 대한 국민의 정당하고 합리적인 신뢰를 보호하여야 한다.
> 「행정절차법」 제4조 【신의성실 및 신뢰보호】 ② 행정청은 법령등의 해석 또는 행정청의 관행이 일반적으로 국민들에게 받아들여졌을 때에는 공익 또는 제3자의 정당한 이익을 현저히 해칠 우려가 있는 경우를 제외하고는 새로운 해석 또는 관행에 따라 소급하여 불리하게 처리하여서는 아니 된다.

> 「국세기본법」 제18조【세법 해석의 기준 및 소급과세의 금지】 ③ 세법의 해석이나 국세행정의 관행이 일반적으로 납세자에게 받아들여진 후에는 그 해석이나 관행에 의한 행위 또는 계산은 정당한 것으로 보며, 새로운 해석이나 관행에 의하여 소급하여 과세되지 아니한다.

② (○) 대판 2008.11.13. 2008두8628
③ (×) 국세기본법 제18조 제3항에서 말하는 비과세관행이 성립하려면 상당한 기간에 걸쳐 과세를 하지 아니한 객관적 사실이 존재할 뿐만 아니라 과세관청 자신이 그 사항에 관하여 과세할 수 있음을 알면서도 어떤 특별한 사정 때문에 과세하지 않는다는 의사가 있어야 하며 위와 같은 공적 견해나 의사는 명시적 또는 묵시적으로 표시되어야 하지만…(대판 2001.4.24. 2000두5203).
④ (○) 구청장의 지시에 따라 그 소속직원이 적극적으로 나서서 대체 부동산 취득에 대한 취득세 면제를 제의함에 따라 그 약속을 그대로 믿고 구에 대하여 그 소유 부동산에 대한 매각의사를 결정하게 되었다면, 구청장은 과세관청의 지위에 있으므로 부동산 매매계약을 체결함에 있어 표명된 취득세 면제약속은 과세관청의 지위에서 이루어진 것이라고 볼 여지가 충분하고, 또한 위 직원이 비록 총무과에 소속되어 있다고 하더라도 그가 한 언동은 구청장의 지시에 의한 것으로 이 역시 과세관청의 견해표명으로 못 볼 바도 아니다(대판 1995.6.16. 94누12159).

답 ③

073

신뢰보호의 원칙에 대한 설명으로 옳지 않은 것은? (다툼이 있는 경우 판례에 의함)

① 개정 법령이 기존의 사실 또는 법률관계를 적용대상으로 하면서 종전보다 불리한 법률효과를 규정하고 있는 경우에도 그러한 사실 또는 법률관계가 개정 법률이 시행되기 이전에 이미 종결된 것이 아니라면 이를 헌법상 금지되는 소급입법이라고 할 수는 없다.
② 법률에 따른 개인의 행위가 국가에 의하여 일정 방향으로 유인된 신뢰의 행사가 아니라 단지 법률이 부여한 기회를 활용한 것이라 하더라도, 신뢰보호의 이익이 인정된다.
③ 확약이 있은 후에 사실적·법률적 상태가 변경되었다면, 그 확약은 행정청의 별다른 의사표시를 기다리지 않고 실효된다.
④ 「행정절차법」에 명문의 근거가 있다.

2018년 국가직 7급

① (○) 행정처분은 그 근거 법령이 개정된 경우에도 경과 규정에서 달리 정함이 없는 한 처분 당시 시행되는 개정 법령과 그에서 정한 기준에 의하는 것이 원칙이고, 그 개정 법령이 기존의 사실 또는 법률관계를 적용대상으로 하면서 종전보다 불리한 법률효과를 규정하고 있는 경우에도 그러한 사실 또는 법률관계가 개정 법률이 시행되기 이전에 이미 종결된 것이 아니라면 이를 헌법상 금지되는 소급입법이라고 할 수는 없다(대판 2010.3.11. 2008두15169).
② (×) 개인의 신뢰이익에 대한 보호가치는 법령에 따른 개인의 행위가 국가에 의하여 일정 방향으로 유인된 신뢰의 행사인지, 아니면 단지 법률이 부여한 기회를 활용한 것으로서 원칙적으로 사적 위험부담의 범위에 속하는 것인지 여부에 따라 달라진다. 만일 법률에 따른 개인의 행위가 단지 법률이 반사적으로 부여하는 기회의 활용을 넘어서 국가에 의하여 일정 방향으로 유인된 것이라면 특별히 보호가치가 있는 신뢰이익이 인정될 수 있고, 원칙적으로 개인의 신뢰보호가 국가의 법률개정이익에 우선된다고 볼 여지가 있다. 그런데, 이 사건 법률조항의 경우 국가가 입법을 통하여 개인의 행위를 일정 방향으로 유도하였다고 볼 수는 없고, 따라서 청구인의 징집면제연령에 관한 기대 또는 신뢰는 단지 법률이 부여한 기회를 활용한 것으로서 원칙적으로 사적 위험부담의 범위에 속하는 것이다(헌재 2002.11.28. 2002헌바45).

유제 16. 지방직 9급 법령개정에 대한 신뢰와 관련하여, 법령에 따른 개인의 행위가 국가에 의하여 일정 방향으로 유인된 것이라면 특별히 보호가치가 있는 신뢰이익이 인정될 수 있다. (○)

③ (○) 대판 1996.8.20. 95누10877

문제 DATA
출제가능 지수 ▶▶▶∑
난이도 지수 ★★☆

함께 정리하기

신뢰보호원칙

부진정소급입법
▷ 헌법상 금지되는 소급입법×

법률에 따른 개인의 행위가 단지 법률이 부여한 기회를 활용
▷ 신뢰이익 인정×

확약 후 사실적·법률적 상태 변경
▷ 확약 당연실효

「행정절차법」
▷ 명문근거○

④ (○) 「행정절차법」 제4조 제2항에 근거 규정을 두고 있다.

> 「행정절차법」 제4조【신의성실 및 신뢰보호】② 행정청은 법령등의 해석 또는 행정청의 관행이 일반적으로 국민들에게 받아들여졌을 때에는 공익 또는 제3자의 정당한 이익을 현저히 해칠 우려가 있는 경우를 제외하고는 새로운 해석 또는 관행에 따라 소급하여 불리하게 처리하여서는 아니 된다.

답 ②

074

신뢰보호원칙에 대한 설명으로 옳지 않은 것은? (다툼이 있는 경우 판례에 의함)

① 건축허가 신청 후 건축허가기준에 관한 관계 법령 및 조례의 규정이 신청인에게 불리하게 개정된 경우, 당사자의 신뢰를 보호하기 위해 처분 시가 아닌 신청 시 법령에서 정한 기준에 의하여 건축허가 여부를 결정하는 것이 원칙이다.
② 「행정절차법」과 「국세기본법」에서는 법령 등의 해석 또는 행정청의 관행이 일반적으로 국민에게 받아들여졌을 때와 관련하여 신뢰보호의 원칙을 규정하고 있다.
③ 신뢰보호원칙에서 행정청의 견해표명이 정당하다고 신뢰한 데에 대한 개인의 귀책사유의 유무는 상대방뿐만 아니라 그로부터 신청행위를 위임받은 수임인 등 관계자 모두를 기준으로 판단하여야 한다.
④ 서울지방병무청 총무과 민원팀장이 국외영주권을 취득한 사람의 상담에 응하여 법령의 내용을 숙지하지 못한 채 민원봉사차원에서 현역입영대상자가 아니라고 답변하였다면 그것이 서울지방병무청장의 공적인 견해표명이라고 할 수 없다.

2018년 지방직 9급

① (×) 건축허가기준에 관한 관계 법령의 규정이 개정된 경우, 새로이 개정된 법령의 경과규정에서 달리 정함이 없는 한 처분 당시에 시행되는 개정 법령에서 정한 기준에 의하여 건축허가 여부를 결정하는 것이 원칙이고, 그러한 개정법령의 적용과 관련하여서는 개정 전 법령의 존속에 대한 국민의 신뢰가 개정 법령의 적용에 관한 공익상의 요구보다 더 보호가치가 있다고 인정되는 경우에 그러한 국민의 신뢰를 보호하기 위하여 그 적용이 제한될 수 있는 여지가 있을 따름이다(대판 2007.11.16. 2005두8092).
② (○) 「행정절차법」 제4조 제2항 및 「국세기본법」 제18조 제3항에서 신뢰보호의 원칙을 규정하고 있다.

> 「행정절차법」 제4조【신의성실 및 신뢰보호】② 행정청은 법령등의 해석 또는 행정청의 관행이 일반적으로 국민들에게 받아들여졌을 때에는 공익 또는 제3자의 정당한 이익을 현저히 해칠 우려가 있는 경우를 제외하고는 새로운 해석 또는 관행에 따라 소급하여 불리하게 처리하여서는 아니 된다.
> 「국세기본법」 제18조【세법 해석의 기준 및 소급과세의 금지】③ 세법의 해석이나 국세행정의 관행이 일반적으로 납세자에게 받아들여진 후에는 그 해석이나 관행에 의한 행위 또는 계산은 정당한 것으로 보며, 새로운 해석이나 관행에 의하여 소급하여 과세되지 아니한다.

③ (○) 대판 2002.11.8. 2001두1512
④ (○) 대판 2003.12.26. 2003두1875

답 ①

075

신뢰보호의 원칙에 대한 설명으로 옳지 않은 것은? (다툼이 있는 경우 판례에 의함)

① 행정청이 지구단위계획을 수립하면서 그 권장용도를 판매·위락·숙박시설로 결정하여 고시하였다 하더라도 당해 지구 내에서 공익과 무관하게 언제든지 숙박시설에 대한 건축허가가 가능하다는 취지의 공적 견해를 표명한 것으로 볼 수 없다.
② 행정관청이 폐기물처리업 사업계획에 대하여 폐기물관리법령에 의한 적정통보를 한 경우에는, 그 사업부지 토지에 대한 국토이용계획변경신청을 승인하여 주겠다는 취지의 공적 견해를 표명한 것으로 볼 수 있다.
③ 과세관청이 납세의무자에게 부가가치세 면세사업자용 사업자등록증을 교부하거나 고유번호를 부여하였다고 하더라도 그가 영위하는 사업에 관하여 부가가치세를 과세하지 않겠다는 언동이나 공적 견해를 표명한 것으로 볼 수 없다.
④ 「국세기본법」에 따른 비과세관행의 성립요건인 공적 견해나 의사의 묵시적 표시가 있다고 하기 위해서는 과세관청이 상당기간의 불과세 상태에 대하여 과세하지 않겠다는 의사표시를 한 것으로 볼 수 있는 사정이 있어야 한다.

2017년 지방직 7급

① (○) 행정청이 지구단위계획을 수립하면서 그 권장용도를 판매·위락·숙박시설로 결정하여 고시한 행위를 당해 지구 내에서는 공익과 무관하게 언제든지 숙박시설에 대한 건축허가가 가능하리라는 공적 견해를 표명한 것이라고 평가할 수는 없다(대판 2005.11.25. 2004두6822).

유제 21. 국회직 8급 행정청이 지구단위계획을 수립하면서 그 권장용도를 판매·위락·숙박시설로 결정하여 고시하였다 하더라도 당해 지구 내에서 공익과 무관하게 언제든지 숙박시설에 대한 건축허가가 가능하다는 취지의 공적 견해를 표명한 것으로 볼 수 없다. (○)
15. 서울시 7급 행정청이 지구단위계획을 수립하면서 권장용도를 숙박시설로 하였다 해도, 항상 숙박시설에 대한 건축허가가 가능하리라는 공적 견해를 표명한 것으로 볼 수는 없다. (○)

② (✕) 폐기물관리법령에 의한 폐기물처리업 사업계획에 대한 적정통보와 국토이용관리법령에 의한 국토이용계획변경은 각기 그 제도적 취지와 결정단계에서 고려해야 할 사항들이 다르므로, 피고가 위와 같이 폐기물처리업 사업계획에 대하여 적정통보를 한 것만으로 그 사업부지 토지에 대한 국토이용계획변경신청을 승인하여 주겠다는 취지의 공적인 견해표명을 한 것으로 볼 수 없다(대판 2005.4.28. 2004두8828).

③ (○) 사업자등록증의 교부는 등록사실을 증명하는 증서의 교부행위에 불과한 것으로 과세관청이 납세의무자에게 부가가치세 면세사업자용 사업자등록증을 교부하였다고 하더라도 부가가치세를 과세하지 아니함을 시사하는 언동이나 공적인 견해를 표명한 것으로 볼 수 없으며, 고유번호의 부여도 과세자료를 효율적으로 처리하기 위한 것에 불과한 것이므로 과세관청이 납세의무자에게 고유번호부여한 경우에도 마찬가지이다(대판 2008.6.12. 2007두23255).

④ (○) 국세기본법 제18조 제3항에 규정된 비과세관행이 성립하려면, 상당한 기간에 걸쳐 과세를 하지 아니한 객관적 사실이 존재할 뿐만 아니라, 과세관청 자신이 그 사항에 관하여 과세할 수 있음을 알면서도 어떤 특별한 사정 때문에 과세하지 않는다는 의사가 있어야 하며, 위와 같은 공적 견해나 의사는 명시적 또는 묵시적으로 표시되어야 하지만 묵시적 표시가 있다고 하기 위하여는 단순한 과세누락과는 달리 과세관청이 상당기간의 불과세 상태에 대하여 과세하지 않겠다는 의사표시를 한 것으로 볼 수 있는 사정이 있어야 한다(대판 2003.9.5. 2001두7855).

답 ②

함께 정리하기

공적 견해표명 인정여부

지구단위계획 수립시 시설의 권장용도 고시
▷ 언제든지 건축허가가 가능하다는 공적 견해표명✕

폐기물처리업 적정통보
▷ 국토이용계획변경신청에 대한 공적 견해표명✕

부가가치세 면세사업자용 사업자등록증 교부 or 고유번호부여
▷ 부가가치세 면제의 공적 견해표명✕

상당기간 불과세 상태에 대하여 행정청의 과세하지 않겠다는 의사표시
▷ 묵시적 공적 견해표명○

VI 부당결부금지원칙

076 □□□

행정의 법원칙에 대한 설명으로 가장 옳지 않은 것은? (다툼이 있는 경우 판례에 의함)

① 행정작용은 법률에 위반되어서는 아니 되며, 국민의 권리를 제한하거나 의무를 부과하는 경우와 그 밖에 국민생활에 중요한 영향을 미치는 경우에는 법률에 근거하여야 한다.
② 재량준칙은 일반적으로 행정조직 내부에서만 효력을 가질 뿐 대외적인 구속력을 갖는 것은 아니므로 행정처분이 이를 위반하였다고 하여 그러한 사정만으로 곧바로 위법하게 되는 것은 아니다. 다만, 그 재량준칙이 정한 바에 따라 되풀이 시행되어 행정관행이 이루어지게 되면 평등의 원칙이나 신뢰보호의 원칙에 따라 행정기관은 상대방에 대한 관계에서 그 규칙에 따라야 할 자기구속을 받는다.
③ 행정청은 공익 또는 제3자의 이익을 현저히 해칠 우려가 있는 경우를 제외하고는 행정에 대한 국민의 정당하고 합리적인 신뢰를 보호하여야 한다.
④ 고속국도의 관리청이 고속도로 부지와 접도구역에 송유관 매설을 허가하면서 상대방과 체결한 협약에 따라 송유관 시설을 이전하게 될 경우 상대방에게 그 비용을 부담하도록 한 부관은 행정작용과 실질적 관련성이 없는 의무를 부과하는 것으로서 부당결부금지원칙에 위반된다.

| 2021년 경찰 2차

① (O)

> 「행정기본법」 제8조 【법치행정의 원칙】 행정작용은 법률에 위반되어서는 아니 되며, 국민의 권리를 제한하거나 의무를 부과하는 경우와 그 밖에 국민생활에 중요한 영향을 미치는 경우에는 법률에 근거하여야 한다.

② (O) 재량준칙은 일반적으로 행정조직 내부에서만 효력을 가질 뿐 대외적인 구속력을 갖는 것은 아니므로 행정처분이 이를 위반하였다고 하여 그러한 사정만으로 곧바로 위법하게 되는 것은 아니고, 다만 재량준칙이 정한 바에 따라 되풀이 시행되어 행정관행이 이루어지게 되면 평등의 원칙이나 신뢰보호의 원칙에 따라 행정기관은 상대방에 대한 관계에서 그 규칙에 따라야 할 자기구속을 받게 되므로, 이러한 경우에는 특별한 사정이 없는 한 그에 반하는 처분은 평등의 원칙이나 신뢰보호의 원칙에 어긋나 재량권을 일탈·남용한 위법한 처분이 된다(대판 2013.11.14. 2011두28783).

유제 18. 서울시 7급 재량준칙이 정한 바에 따라 되풀이 시행되어 행정관행이 이루어지게 되면 평등의 원칙이나 신뢰보호의 원칙에 따라 행정청은 상대방에 대한 관계에서 그 규칙에 따라야 할 자기구속을 받게 되므로, 이러한 경우에는 특별한 사정이 없는 한 그에 반하는 처분은 평등의 원칙이나 신뢰보호의 원칙에 어긋나 재량권을 일탈·남용한 위법한 처분이 된다. (O)

③ (O)

> 「행정기본법」 제12조 【신뢰보호의 원칙】 ① 행정청은 공익 또는 제3자의 이익을 현저히 해칠 우려가 있는 경우를 제외하고는 행정에 대한 국민의 정당하고 합리적인 신뢰를 보호하여야 한다.

④ (X) 고속국도 관리청이 고속도로 부지와 접도구역에 송유관 매설을 허가하면서 상대방과 체결한 협약에 따라 송유관시설을 이전하게 될 경우 그 비용을 상대방에게 부담하도록 하였고, 그 후 도로법 시행규칙이 개정되어 접도구역에는 관리청의 허가 없이도 송유관을 매설할 수 있게 된 사안에서, 위 협약이 효력을 상실하지 않을 뿐만 아니라 위 협약에 포함된 부관이 부당결부금지의 원칙에도 반하지 않는다(대판 2009.2.12. 2005다65500).

유제 19. 국회직 8급, 14. 사복직 고속국도 관리청이 고속도로 부지와 접도구역에 송유관 매설을 허가하면서 상대방과 체결한 협약에 따라 송유관 시설을 이전하게 될 경우 그 비용을 상대방에게 부담하도록 한 부관은 부당결부금지원칙에 반하지 않는다. (O)

답 ④

문제 DATA
출제가능 지수 ▶▶▷
난이도 지수 ★★☆

함께 정리하기
행정의 법원칙

법치행정 원칙
▷ 행정작용은 법률에 위반되어서는 아니 되며, 국민의 권리를 제한하거나 의무를 부과하는 경우와 그 밖에 국민생활에 중요한 영향을 미치는 경우에는 법률에 근거하여야 함

재량준칙 되풀이 시행 행정관행
▷ 평등의 원칙이나 신뢰보호의 원칙에 따라 자기구속

신뢰보호의 원칙
▷ 행정청은 공익 또는 제3자의 이익을 현저히 해칠 우려가 있는 경우를 제외하고는 행정에 대한 국민의 정당하고 합리적인 신뢰를 보호하여야 함

고속도로 부지와 접도구역에 송유관 매설 허가시 협약에 따라 송유관시설 이전비용 상대방에게 부담
▷ 부당결부금지원칙 위반 X

077

행정법의 일반원칙에 대한 설명으로 옳지 않은 것은? (다툼이 있는 경우 판례에 의함)

① 헌법재판소는 국·공립학교 채용시험에 국가유공자와 그 가족이 응시하는 경우 만점의 10퍼센트를 가산하도록 했던 구 「국가유공자등 예우 및 지원에 관한 법률」 및 「5·18 민주유공자 예우에 관한 법률」의 규정이 일반 응시자들의 평등권을 침해한다고 보았다.
② 헌법재판소는 납세자가 정당한 사유 없이 국세를 체납하였을 경우 세무서장이 허가, 인가, 면허 및 등록과 그 갱신이 필요한 사업의 주무관서에 그 납세자에 대하여 허가 등을 하지 않을 것을 요구할 수 있도록 한 「국세징수법」상 관허사업 제한 규정이 부당결부금지원칙에 반하여 위헌이라고 판단하였다.
③ 행정의 자기구속의 원칙을 적용함에 있어 종전 행정관행의 내용이 위법적인 경우에는 위법인 수익적 내용의 평등한 적용을 요구하는 청구권은 인정될 수 없다.
④ 같은 정도의 비위를 저지른 자들임에도 불구하고 그 직무의 특성 등에 비추어 개전의 정이 있는지 여부에 따라 징계 종류의 선택과 양정에서 다르게 취급하는 것은 평등의 원칙에 반하지 않는다.

| 2020년 군무원 7급

① (○) 헌재 2006.2.23. 2004헌마675 등
② (×) 구 국세징수법 제7조는 국세 체납 시 체납된 국세와 직접 관련이 없는 사업에 대하여도 관허사업을 제한할 수 있도록 규정하여 부당결부금지의 원칙에 반한다는 비판이 있었으나 이를 이유로 위헌으로 판단한 헌법재판소의 결정은 없다. 이후 법률의 변경으로 체납국세와 관련된 사업에 대해서만 관허사업을 제한할 수 있도록 함으로써 이러한 문제를 해결하였다.

> 구 「국세징수법」 제7조【관허사업의 제한】① 세무서장(지방국세청장을 포함한다. 이하 이 조 및 제7조의2 제1항에서 같다)은 납세자가 대통령령으로 정하는 사유 없이 국세를 체납하였을 때에는 허가·인가·면허 및 등록과 그 갱신(이하 "허가등"이라 한다)이 필요한 사업의 주무관서에 그 납세자에 대하여 그 허가등을 하지 아니할 것을 요구할 수 있다.
> 「국세징수법」 제7조【관허사업의 제한】① 세무서장(지방국세청장을 포함한다. 이하 이 조 및 제7조의2 제1항에서 같다)은 납세자가 허가·인가·면허 및 등록(이하 "허가등"이라 한다)을 받은 사업과 관련된 소득세, 법인세 및 부가가치세를 대통령령으로 정하는 사유 없이 체납하였을 때에는 해당 사업의 주무관서에 그 납세자에 대하여 허가등의 갱신과 그 허가등의 근거 법률에 따른 신규 허가등을 하지 아니할 것을 요구할 수 있다.

③ (○) 대판 2009.6.25. 2008두13132
④ (○) 대판 1999.8.20. 99두2611

답 ②

함께 정리하기

행정법의 일반원칙

국가유공자의 가족에게 10% 가산점
▷ 평등권과 공무담임권 침해

구 「국세징수법」상 관허사업제한규정
▷ 부당결부금지원칙에 반한다는 비판 有 (판례는 無)

위법한 행정관행
▷ 자기구속 ✕

개전의 정 여부에 따라 징계 종류 등 차별
▷ 평등원칙 위배 ✕

제4절 | 행정법의 효력

001 □□□

행정법의 효력에 대한 설명으로 옳은 것은? (다툼이 있는 경우 판례에 의함)

① 법령, 조례, 행정규칙은 특별한 규정이 없는 한 공포한 날부터 20일이 경과함으로써 효력을 발생한다.
② 「법령 등 공포에 관한 법률」은 공포일에 대하여 관보가 관보판매소에 도달하여 누구든지 관보를 구독할 수 있는 최초의 날이라고 규정하고 있다.
③ 법령 등을 공포한 날부터 일정 기간이 경과한 날부터 시행하는 경우 기간계산에 관한 초일불산입의 원칙이 적용된다.
④ 당사자의 신청에 따른 처분은 처분 당시의 법령에 따라야 할 것이므로, 설령 개정 전 법령의 존속에 대한 국민의 신뢰가 개정 법령의 적용에 관한 공익상 요구보다 더 보호가치가 있다고 인정되는 경우라도 개정 법령의 적용을 제한할 여지는 없다.

| 2025년 경찰간부

① (X) 법령(법률, 대통령령, 총리령, 부령)과 조례, 규칙은 특별한 규정이 없는 한 공포한 날부터 20일이 경과함으로써 효력을 발생한다는 것은 맞지만, 행정규칙은 법령과 달리 공포의 형식을 요하지 않으며, 특별한 규정이 없는 한 수범자에게 도달됨으로써 효력이 발생한다.

> 「법령 등 공포에 관한 법률」 제13조 【시행일】 대통령령, 총리령 및 부령은 특별한 규정이 없으면 공포한 날부터 20일이 경과함으로써 효력을 발생한다.
> 「지방자치법」 제32조 【조례와 규칙의 제정 절차 등】 ⑧ 조례와 규칙은 특별한 규정이 없으면 공포한 날부터 20일이 지나면 효력을 발생한다.

② (X) 법령공포법은 공포일을 '해당 법령 등을 게재한 관보 또는 신문이 발행된 날'로 규정하고 있고, 지문에서 언급한 '관보가 관보판매소에 도달하여 누구든지 관보를 구독할 수 있는 최초의 날'은 법률 조문의 내용이 아니라 판례와 통설이 채택하고 있는 '최초구독가능시설'에 해당한다.

> 「법령 등 공포에 관한 법률」 제12조 【공포일·공고일】 제11조의 법령 등의 공포일 또는 공고일은 해당 법령 등을 게재한 관보 또는 신문이 발행된 날로 한다.

이른바 '관보 게재일'이란 관보에 인쇄된 발행일자를 뜻하는 것이 아니고 관보가 전국의 각 관보보급소에 발송 배포되어 이를 일반인이 열람 또는 구독할 수 있는 상태에 놓이게 된 최초의 시기를 뜻한다(대판 1969.11.25. 69누129).

③ (O)

> 「행정기본법」 제7조 【법령등 시행일의 기간 계산】 법령등(훈령·예규·고시·지침 등을 포함한다. 이하 이 조에서 같다)의 시행일을 정하거나 계산할 때에는 다음 각 호의 기준에 따른다.
> 1. 법령등을 공포한 날(훈령·예규·고시·지침 등은 고시·공고 등의 방법으로 발령한 날을 말한다. 이하 이 조에서 같다)부터 시행하는 경우에는 공포한 날을 시행일로 한다.
> 2. 법령등을 공포한 날부터 일정 기간이 경과한 날부터 시행하는 경우 법령등을 공포한 날을 첫날에 산입하지 아니한다.
> 3. 법령등을 공포한 날부터 일정 기간이 경과한 날부터 시행하는 경우 그 기간의 말일이 토요일 또는 공휴일인 때에는 그 말일로 기간이 만료한다.

문제 DATA
출제가능 지수 ▶▶▷
난이도 지수 ★★☆

함께 정리하기

행정법의 효력
법령, 조례
▷ 공포 후 20일 효력 발생
행정규칙
▷ 공포 불요
공포일
▷ 관보 또는 신문이 발행된 날(규정O)
발행된 날
▷ 최초구독가능시설(통설·판례)
법령등을 일정 기간 경과한 날부터 시행
▷ 공포한 날을 첫날에 산입×(초일불산입)
구법 존속에 대한 국민의 신뢰
▷ 신법 적용에 관한 공익상 요구
▷ 신법 적용 제한 가

④ (×) 행정처분은 그 근거 법령이 개정된 경우에도 경과규정에서 달리 정함이 없는 한 처분 당시 시행되는 법령과 그에 정한 기준에 의하는 것이 원칙이다. 개정 법령이 기존의 사실 또는 법률관계를 적용대상으로 하면서 국민의 재산권과 관련하여 종전보다 불리한 법률효과를 규정하고 있는 경우에도 그러한 사실 또는 법률관계가 개정 법령이 시행되기 이전에 이미 완성 또는 종결된 것이 아니라면 개정 법령을 적용하는 것이 헌법상 금지되는 소급입법에 의한 재산권 침해라고 할 수는 없다. 다만 개정 전 법령의 존속에 대한 국민의 신뢰가 개정 법령의 적용에 관한 공익상의 요구보다 더 보호가치가 있다고 인정되는 경우에 그러한 국민의 신뢰를 보호하기 위하여 그 적용이 제한될 수 있는 여지가 있을 따름이다. 법령불소급의 원칙은 그 법령의 효력발생 전에 완성된 요건 사실에 대하여 당해 법령을 적용할 수 없다는 의미일 뿐, 계속 중인 사실이나 그 이후에 발생한 요건 사실에 대한 법령적용까지를 제한하는 것은 아니라고 할 것이다(대판 2014.4.24. 2013두26552).

> 「행정기본법」 제14조 【법 적용의 기준】 ② 당사자의 신청에 따른 처분은 법령등에 특별한 규정이 있거나 처분 당시의 법령등을 적용하기 곤란한 특별한 사정이 있는 경우를 제외하고는 처분 당시의 법령등에 따른다.

답 ③

002 □□□

행정법의 효력에 대한 설명으로 옳지 않은 것은? (다툼이 있는 경우 판례에 의함)

① 「법령 등 공포에 관한 법률」상 관보의 내용 해석 및 적용 시기 등에 대하여 종이관보와 전자관보는 동일한 효력을 가진다.
② 「헌법재판소법」에 따르면 형벌에 관한 법률 또는 법률의 조항이 헌법재판소에서 위헌으로 결정되는 경우에는 소급하여 그 효력을 상실한다. 다만, 해당 법률 또는 법률의 조항에 대하여 종전에 합헌으로 결정한 사건이 있는 경우에는 그 결정이 있는 날의 다음 날로 소급하여 효력을 상실한다.
③ 법률불소급의 원칙은 그 법률의 효력발생 전에 완성된 요건사실에 대하여 그 법률을 적용할 수 없다는 의미일 뿐, 계속 중인 사실이나 그 이후에 발생한 요건사실에 대한 법률 적용까지를 제한하는 것은 아니다.
④ 구 「개발제한구역의 지정 및 관리에 관한 특별조치법」 제11조 제3항 및 같은 법 시행규칙 관련 조항의 신설로 허가나 신고 없이 개발제한구역 내 공작물 설치행위를 할 수 있도록 법령이 개정된 경우, 그 법령의 시행 전에 이미 범하여진 공작물 설치행위에 대한 가벌성은 소멸한다.

| 2025년 소방직

① (○)

> 「법령 등 공포에 관한 법률」 제11조 【공포 및 공고의 절차】 ① 헌법개정·법률·조약·대통령령·총리령 및 부령의 공포와 헌법개정안·예산 및 예산 외 국고부담계약의 공고는 관보(官報)에 게재함으로써 한다.
> ② 「국회법」 제98조 제3항 전단에 따라 하는 국회의장의 법률 공포는 서울특별시에서 발행되는 둘 이상의 일간신문에 게재함으로써 한다.
> ③ 제1항에 따른 관보는 종이로 발행되는 관보(이하 "종이관보"라 한다)와 전자적인 형태로 발행되는 관보(이하 "전자관보"라 한다)로 운영한다.
> ④ 관보의 내용 해석 및 적용 시기 등에 대하여 종이관보와 전자관보는 동일한 효력을 가진다.

② (○)

> 「헌법재판소법」 제47조 【위헌결정의 효력】 ① 법률의 위헌결정은 법원과 그 밖의 국가기관 및 지방자치단체를 기속(羈束)한다.
> ② 위헌으로 결정된 법률 또는 법률의 조항은 그 결정이 있는 날부터 효력을 상실한다.
> ③ 제2항에도 불구하고 형벌에 관한 법률 또는 법률의 조항은 소급하여 그 효력을 상실한다. 다만, 해당 법률 또는 법률의 조항에 대하여 종전에 합헌으로 결정한 사건이 있는 경우에는 그 결정이 있는 날의 다음 날로 소급하여 효력을 상실한다.
> ④ 제3항의 경우에 위헌으로 결정된 법률 또는 법률의 조항에 근거한 유죄의 확정판결에 대하여는 재심을 청구할 수 있다.

③ (○) 법령불소급의 원칙은 법령의 효력발생 전에 완성된 요건 사실에 대하여 당해 법령을 적용할 수 없다는 의미일 뿐, 계속 중인 사실이나 그 이후에 발생한 요건 사실에 대한 법령적용까지를 제한하는 것은 아니다(대판 2014.4.24. 2013두26552).

④ (△) 과거 판례에 따르면 틀린 지문이다. 그러나 위 지문은 이하 2. 대판 2022.12.22. 2020도16420 전합 판결(동기설이 폐지됨)에 따라 더 이상 유지될 수 없는 법리를 담고 있는 판례이다(이하 1. 대법원 2007도4197 판결의 법리). 현재의 법리에 따르면, 개발제한구역법 제11조 제3항 및 시행규칙 관련 조항의 신설로 허가나 신고 없이 개발제한구역 내 공작물 설치행위를 할 수 있게 된 경우, 그 법령의 시행 전에 이미 범해진 공작물 설치행위에 대한 가벌성은 소멸한다.

1. 2005.1.27. 법률 제7383호로 개정된 개발제한구역의 지정 및 관리에 관한 특별조치법에서 신설한 제11조 제3항은 "건설교통부령이 정하는 경미한 행위는 허가 또는 신고를 하지 아니하고 행할 수 있다."고 규정하고 있고 그 부칙에 의하여 공포 후 6개월이 경과한 날부터 시행되었으며, 2005.8.10. 건설교통부령 제464호에서 신설한 같은 법 시행규칙 제7조의2와 [별표 3의2]는 그러한 경미한 행위들을 열거하여 규정하고 있으나, 이와 같이 종전에 허가를 받거나 신고를 하여야만 할 수 있던 행위의 일부를 허가나 신고 없이 할 수 있도록 법령이 개정되었다 하더라도 이는 법률 이념의 변천으로 과거에 범죄로서 처벌하던 일부 행위에 대한 처벌 자체가 부당하다는 반성적 고려에서 비롯된 것이라기보다는 사정의 변천에 따른 규제 범위의 합리적 조정의 필요에 따른 것이라고 보이므로, 위 개발제한구역의 지정 및 관리에 관한 특별조치법과 같은 법 시행규칙의 신설 조항들이 시행되기 전에 이미 범하여진 개발제한구역 내 비닐하우스 설치행위에 대한 가벌성이 소멸하는 것은 아니다(대판 2007.9.6. 2007도4197).

2. 범죄 후 법률이 변경되어 그 행위가 범죄를 구성하지 아니하게 되거나 형이 구법보다 가벼워진 경우에는 신법에 따라야 하고(형법 제1조 제2항), 범죄 후의 법령 개폐로 형이 폐지되었을 때는 판결로써 면소의 선고를 하여야 한다(형사소송법 제326조 제4호). 이러한 형법 제1조 제2항과 형사소송법 제326조 제4호의 규정은 입법자가 법령의 변경 이후에도 종전 법령 위반행위에 대한 형사처벌을 유지한다는 내용의 경과규정을 따로 두지 않는 한 그대로 적용되어야 한다.
따라서 범죄의 성립과 처벌에 관하여 규정한 형벌법규 자체 또는 그로부터 수권 내지 위임을 받은 법령의 변경에 따라 범죄를 구성하지 아니하게 되거나 형이 가벼워진 경우에는, 종전 법령이 범죄로 정하여 처벌한 것이 부당하였다거나 과형이 과중하였다는 반성적 고려에 따라 변경된 것인지 여부를 따지지 않고 원칙적으로 형법 제1조 제2항과 형사소송법 제326조 제4호가 적용된다. 형벌법규가 대통령령, 총리령, 부령과 같은 법규명령이 아닌 고시 등 행정규칙·행정명령, 조례 등(이하 '고시 등 규정'이라고 한다)에 구성요건의 일부를 수권 내지 위임한 경우에도 이러한 고시 등 규정이 위임입법의 한계를 벗어나지 않는 한 형벌법규와 결합하여 법령을 보충하는 기능을 하는 것이므로, 그 변경에 따라 범죄를 구성하지 아니하게 되거나 형이 가벼워졌다면 마찬가지로 형법 제1조 제2항과 형사소송법 제326조 제4호가 적용된다.
이와 달리 형법 제1조 제2항과 형사소송법 제326조 제4호는 형벌법규 제정의 이유가 된 법률이념의 변경에 따라 종래의 처벌 자체가 부당하였다거나 또는 과형이 과중하였다는 반성적 고려에서 법령을 변경하였을 경우에만 적용된다고 한 앞서 1.의 라.에서 본 대법원판결을 비롯한 같은 취지의 대법원판결들은 이 판결의 견해에 배치되는 범위 내에서 모두 변경하기로 한다(대판 2022.12.22. 2020도16420 전합).

> 「행정기본법」 제14조 【법 적용의 기준】 ③ 법령등을 위반한 행위의 성립과 이에 대한 제재처분은 법령등에 특별한 규정이 있는 경우를 제외하고는 법령등을 위반한 행위 당시의 법령등에 따른다. 다만, 법령등을 위반한 행위 후 법령등의 변경에 의하여 그 행위가 법령등을 위반한 행위에 해당하지 아니하거나 제재처분 기준이 가벼워진 경우로서 해당 법령등에 특별한 규정이 없는 경우에는 변경된 법령등을 적용한다.

답 없음

003

행정법의 효력에 관한 설명으로 옳지 않은 것은?

① 대통령령, 총리령 및 부령은 특별한 규정이 없으면 공포한 날부터 20일이 경과함으로써 효력을 발생한다.
② 법령 등의 공포일 또는 공고일은 해당 법령 등을 게재한 관보 또는 신문이 발행된 날로 한다.
③ 당사자의 신청에 따른 처분은 법령등에 특별한 규정이 있거나 처분 당시의 법령등을 적용하기 곤란한 특별한 사정이 있는 경우를 제외하고는 신청 당시의 법령등에 따른다.
④ 상위 법령등의 단순한 집행을 위한 법령을 제정하려는 경우에는 입법예고를 하지 않을 수 있다.
⑤ 국민의 권리 제한 또는 의무 부과와 직접 관련되는 대통령령, 총리령 및 부령은 긴급히 시행하여야 할 특별한 사유가 있는 경우를 제외하고는 공포일부터 적어도 30일이 경과한 날부터 시행되도록 하여야 한다.

| 2024년 소방간부

문제 DATA
출제가능 지수 ▶▶▷
난이도 지수 ★★☆

①, ②, ⑤ (○)

> 「법령 등 공포에 관한 법률」 제12조 【공포일·공고일】 제11조의 법령 등의 공포일 또는 공고일은 해당 법령 등을 게재한 관보 또는 신문이 발행된 날로 한다(②).
> 제13조 【시행일】 대통령령, 총리령 및 부령은 특별한 규정이 없으면 공포한 날부터 20일이 경과함으로써 효력을 발생한다(①).
> 제13조의2 【법령의 시행유예기간】 국민의 권리 제한 또는 의무 부과와 직접 관련되는 법률, 대통령령, 총리령 및 부령은 긴급히 시행하여야 할 특별한 사유가 있는 경우를 제외하고는 공포일부터 적어도 30일이 경과한 날부터 시행되도록 하여야 한다(⑤).

③ (✕)

> 「행정기본법」 제14조 【법 적용의 기준】 ② 당사자의 신청에 따른 처분은 법령등에 특별한 규정이 있거나 처분 당시의 법령등을 적용하기 곤란한 특별한 사정이 있는 경우를 제외하고는 처분 당시의 법령등에 따른다.

④ (○)

> 「행정절차법」 제41조 【행정상 입법예고】 ① 법령등을 제정·개정 또는 폐지(이하 "입법"이라 한다)하려는 경우에는 해당 입법안을 마련한 행정청은 이를 예고하여야 한다. 다만, 다음 각 호의 어느 하나에 해당하는 경우에는 예고를 하지 아니할 수 있다.
> 1. 신속한 국민의 권리 보호 또는 예측 곤란한 특별한 사정의 발생 등으로 입법이 긴급을 요하는 경우
> 2. 상위 법령등의 단순한 집행을 위한 경우
> 3. 입법내용이 국민의 권리·의무 또는 일상생활과 관련이 없는 경우
> 4. 단순한 표현·자구를 변경하는 경우 등 입법내용의 성질상 예고의 필요가 없거나 곤란하다고 판단되는 경우
> 5. 예고함이 공공의 안전 또는 복리를 현저히 해칠 우려가 있는 경우

답 ③

함께 정리하기

행정법의 효력

대통령령, 총리령 및 부령
▷ 공포 후 20일 효력 발생

법령의 공포일
▷ 해당 법령을 게재한 관보 또는 신문이 발행된 날

신청에 따른 처분
▷ 처분 당시의 법령 적용(원칙)

상위 법령등의 단순한 집행을 위한 경우
▷ 행정상 입법예고의 예외

국민의 권리 제한 또는 의무 부과와 직접 관련되는 법령
▷ 공포일부터 적어도 30일이 경과한 날부터 시행

문제 DATA

출제가능 지수 ▶▶▷
난이도 지수 ★★☆

004 □□□

행정법의 효력에 관한 설명으로 옳은 것만을 <보기>에서 있는 대로 고른 것은? (다툼이 있는 경우 판례에 의함)

<보기>
ㄱ. 처분은 무효인 경우를 제외하고, 권한이 있는 기관이 취소 또는 철회하거나 기간의 경과 등으로 소멸되기 전까지는 유효한 것으로 통용된다.
ㄴ. 조례와 규칙은 특별한 규정이 없으면 공포한 날부터 20일이 지나면 효력을 발생한다.
ㄷ. 개정 법령이 기존의 사실 또는 법률관계를 적용대상으로 하면서 국민의 재산권과 관련하여 종전보다 불리한 법률효과를 규정하고 있는 경우에도 그러한 사실 또는 법률관계가 개정 법령이 시행되기 이전에 이미 완성 또는 종결된 것이 아니라면 개정 법령을 적용하는 것이 헌법상 금지되는 소급입법에 의한 재산권 침해라고 할 수는 없다.
ㄹ. 어떠한 법률조항에 대하여 헌법재판소가 헌법불합치결정을 하여 그 법률조항을 합헌적으로 개정 또는 폐지하는 임무를 입법자의 형성 재량에 맡긴 이상, 그 개선입법의 소급 적용 여부와 소급적용의 범위는 원칙적으로 입법자의 재량에 달린 것이다.

① ㄱ
② ㄴ, ㄹ
③ ㄱ, ㄴ, ㄷ
④ ㄱ, ㄴ, ㄷ, ㄹ

함께 정리하기

행정법의 효력

공정력
▷ 처분이 위법하더라도 무효가 아닌 한 취소되기 전까지 유효한 것으로 통용되는 효력

조례·규칙
▷ 공포 후 20일 효력 발생

진행 중 사실에 대해 신법적용
▷ 소급입법금지원칙 위반×

헌법불합치 개선입법의 소급적용 여부 & 범위
▷ 입법자의 재량

2024년 소방직

ㄱ. (O)

> 「행정기본법」제15조【처분의 효력】처분은 권한이 있는 기관이 취소 또는 철회하거나 기간의 경과 등으로 소멸되기 전까지는 유효한 것으로 통용된다. 다만, 무효인 처분은 처음부터 그 효력이 발생하지 아니한다.

ㄴ. (O)

> 「지방자치법」제32조【조례와 규칙의 제정 절차 등】⑧ 조례와 규칙은 특별한 규정이 없으면 공포한 날부터 20일이 지나면 효력을 발생한다.

ㄷ. (O) 행정처분은 그 근거 법령이 개정된 경우에도 경과규정에서 달리 정함이 없는 한 처분 당시 시행되는 개정 법령과 그에 정한 기준에 의하는 것이 원칙이고, 그 개정 법령이 기존의 사실 또는 법률관계를 적용대상으로 하면서 국민의 재산권과 관련하여 종전보다 불리한 법률효과를 규정하고 있는 경우에도 그러한 사실 또는 법률관계가 개정법령이 시행되기 이전에 이미 완성 또는 종결된 것이 아니라면 이를 헌법상 금지되는 소급입법에 의한 재산권 침해라고 할 수는 없으며, 그러한 개정 법령의 적용과 관련하여서는 개정 전 법령의 존속에 대한 국민의 신뢰가 개정 법령의 적용에 관한 공익상의 요구보다 더 보호가치가 있다고 인정되는 경우에 그러한 국민의 신뢰를 보호하기 위하여 그 적용이 제한될 수 있는 여지가 있을 따름이다. 그리고 이러한 신뢰보호의 원칙 위배 여부를 판단하기 위해서는 한편으로는 침해받은 이익의 보호가치, 침해의 중한 정도, 신뢰가 손상된 정도, 신뢰침해의 방법 등과 다른 한편으로는 개정 법령을 통해 실현하고자 하는 공익적 목적을 종합적으로 비교·형량하여야 한다(대판 2009.9.10. 2008두9324).

ㄹ. (O) 어떠한 법률조항에 대하여 헌법재판소가 헌법불합치결정을 하여 입법자에게 법률조항을 합헌적으로 개정 또는 폐지하는 임무를 입법자의 형성 재량에 맡긴 이상, 개선입법의 소급적용 여부와 소급적용의 범위는 원칙적으로 입법자의 재량에 달린 것이다(대판 2015.5.29. 2014두35447).

답 ④

005 □□□

다음 중 「행정기본법」상 법 적용의 기준에 대한 설명으로 가장 옳지 않은 것은?

① 새로운 법령 등은 법령 등에 특별한 규정이 있는 경우를 제외하고는 그 법령 등의 효력 발생 전에 완성되거나 종결된 사실관계 또는 법률관계에 대해서는 적용되지 아니한다.
② 당사자의 신청에 따른 처분은 법령 등에 특별한 규정이 있거나 신청 당시의 법령 등을 적용하기 곤란한 특별한 사정이 있는 경우를 제외하고는 신청 당시의 법령 등에 따른다.
③ 법령 등을 위반한 행위의 성립과 이에 대한 제재처분은 법령 등에 특별한 규정이 있는 경우를 제외하고는 법령 등을 위반한 행위 당시의 법령 등에 따른다.
④ 법령 등을 위반한 행위 후 법령 등의 변경에 의하여 그 행위가 법령 등을 위반한 행위에 해당하지 아니하거나 제재처분 기준이 가벼워진 경우로서 해당 법령 등에 특별한 규정이 없는 경우에는 변경된 법령 등을 적용한다.

| 2024년 군무원 7급

② (✗) 당사자의 신청에 따른 처분은 원칙적으로 처분시법에 따른다.

> 「행정기본법」 제14조【법 적용의 기준】① 새로운 법령등은 법령등에 특별한 규정이 있는 경우를 제외하고는 그 법령등의 효력 발생 전에 완성되거나 종결된 사실관계 또는 법률관계에 대해서는 적용되지 아니한다(①).
> ② 당사자의 신청에 따른 처분은 법령등에 특별한 규정이 있거나 처분 당시의 법령등을 적용하기 곤란한 특별한 사정이 있는 경우를 제외하고는 처분 당시의 법령등에 따른다(②).
> ③ 법령등을 위반한 행위의 성립과 이에 대한 제재처분은 법령등에 특별한 규정이 있는 경우를 제외하고는 법령등을 위반한 행위 당시의 법령등에 따른다(③). 다만, 법령등을 위반한 행위 후 법령등의 변경에 의하여 그 행위가 법령등을 위반한 행위에 해당하지 아니하거나 제재처분 기준이 가벼워진 경우로서 해당 법령등에 특별한 규정이 없는 경우에는 변경된 법령등을 적용한다(④).

답 ②

함께 정리하기

「행정기본법」상 법 적용의 기준

새로운 법령
▷ 소급적용 금지 원칙 적용

당사자의 신청에 따른 처분
▷ 처분 당시 법령에 따름이 원칙

법령위반행위 성립과 제재처분
▷ 위반행위 당시 법령에 따름이 원칙
▷ 단, 유리한 경우 변경된 법령 적용

006 □□□

행정법의 시간적 효력에 대한 설명으로 가장 옳지 않은 것은? (다툼이 있는 경우 판례에 의함)

① 조례와 규칙의 공포는 해당 지방자치단체의 공보에 게재하는 방법으로 한다. 다만, 「지방자치법」 제32조 제6항 후단에 따라 지방의회의 의장이 조례를 공포하는 경우에는 공보나 일간신문에 게재하거나 게시판에 게시한다.
② 법령과 조례·규칙은 그 시행일에 관하여 특별한 규정이 없으면, 공포한 날로부터 30일을 경과함으로써 효력을 발생한다.
③ 새로운 법령 등은 법령 등에 특별한 규정이 있는 경우를 제외하고는 그 법령 등의 효력 발생 전에 완성되거나 종결된 사실관계 또는 법률관계에 대해서는 적용되지 아니한다.
④ 당사자의 신청에 따른 처분은 법령 등에 특별한 규정이 있거나 처분 당시의 법령 등을 적용하기 곤란한 특별한 사정이 있는 경우를 제외하고는 처분 당시의 법령 등에 따른다.

함께 정리하기

행정법의 시간적 효력

조례와 규칙의 공포
▷ 해당 지방자치단체의 공보에 게재

지방의회의장의 공포
▷ 공보 or 일간신문 or 게시판 게시

법령과 조례·규칙
▷ 공포 후 20일 효력 발생

새로운 법령
▷ 그 법령 등의 효력발생 전에 완성되거나 종결된 사실관계 또는 법률관계에 대해서는 적용 ×

당사자의 신청에 따른 처분
▷ 처분 당시의 법령 등에 따름이 원칙

2022년 서울시 7급

① (○)

> 「지방자치법」제33조【조례와 규칙의 공포 방법 등】① 조례와 규칙의 공포는 해당 지방자치단체의 공보에 게재하는 방법으로 한다. 다만, 제32조 제6항 후단에 따라 지방의회의 의장이 조례를 공포하는 경우에는 공보나 일간신문에 게재하거나 게시판에 게시한다.

② (×)

> 「법령 등 공포에 관한 법률」제13조【시행일】대통령령, 총리령 및 부령은 특별한 규정이 없으면 공포한 날부터 20일이 경과함으로써 효력을 발생한다.
> 「지방자치법」제32조【조례와 규칙의 제정 절차 등】⑧ 조례와 규칙은 특별한 규정이 없으면 공포한 날부터 20일이 지나면 효력을 발생한다.

③ (○)

> 「행정기본법」제14조【법적용의 기준】① 새로운 법령 등은 법령 등에 특별한 규정이 있는 경우를 제외하고는 그 법령 등의 효력발생 전에 완성되거나 종결된 사실관계 또는 법률관계에 대해서는 적용되지 아니한다.

④ (○)

> 「행정기본법」제14조【법적용의 기준】② 당사자의 신청에 따른 처분은 법령 등에 특별한 규정이 있거나 처분 당시의 법령 등을 적용하기 곤란한 특별한 사정이 있는 경우를 제외하고는 처분 당시의 법령 등에 따른다.

답 ②

문제 DATA

출제가능 지수 ▶▶▷
난이도 지수 ★★☆

007 □□□

행정법의 법원(法源)의 효력에 대한 설명으로 옳지 않은 것은?

① 헌법개정·법률·조약·대통령령·총리령 및 부령의 공포는 관보에 게재함으로써 한다.
② 「국회법」에 따라 하는 국회의장의 법률 공포는 서울특별시에서 발행되는 둘 이상의 일간신문에 게재함으로써 한다.
③ 법령의 공포일은 해당 법령을 게재한 관보 또는 신문이 발행된 날로 한다.
④ 관보의 내용 해석 및 적용 시기 등에 대하여 종이관보가 전자관보보다 우선적 효력을 가진다.

2021년 지방직 9급

① (○)

> 「법령 등 공포에 관한 법률」제11조【공포 및 공고의 절차】① 헌법개정·법률·조약·대통령령·총리령 및 부령의 공포와 헌법개정안·예산 및 예산 외 국고부담계약의 공고는 관보(官報)에 게재함으로써 한다.

유제 20. 경찰 2차, 18. 경찰 2차 헌법개정·법률·조약·대통령령·총리령 및 부령의 공포와 헌법개정안·예산 및 예산 외 국고부담계약의 공고는 관보(官報)에 게재함으로써 한다. (○)

② (○)

> 「법령 등 공포에 관한 법률」제11조【공포 및 공고의 절차】② 「국회법」제98조 제3항 전단에 따라 하는 국회의장의 법률공포는 서울특별시에서 발행되는 둘 이상의 일간신문에 게재함으로써 한다.

유제 20. 경찰 2차 「국회법」제98조 제3항 전단에 따라 하는 국회의장의 법률 공포는 수도권에서 발행되는 둘 이상의 일간신문에 게재함으로써 한다. (×)
15. 지방직 9급 국회의장에 의한 법률 공포는 반드시 관보에 게재할 사항에 해당된다. (×)

함께 정리하기

행정법의 법원(法源)의 효력

헌법개정·법률·조약·대통령령·총리령 및 부령의 공포
▷ 관보에 게재

국회의장의 법률 공포
▷ 서울특별시 발행 2 이상의 일간신문 게재

법령의 공포일
▷ 해당 법령을 게재한 관보 또는 신문이 발행된 날

종이관보와 전자관보
▷ 동일한 효력

③ (○)

> 「법령 등 공포에 관한 법률」 제12조【공포일·공고일】 제11조의 법령 등의 공포일 또는 공고일은 해당 법령 등을 게재한 관보 또는 신문이 발행된 날로 한다.

유제 20. 군무원 9급 법령의 공포일은 해당 법령을 게재한 관보 또는 신문이 발행된 날로 한다. (○)
18. 경찰 2차 법률의 공포일은 해당 법률을 게재한 관보 또는 신문이 발행된 날로 한다. (○)
09. 국가직 9급 대통령령·총리령 및 부령의 공포일은 그 법령 등을 게재한 관보 또는 신문이 발행된 날로 한다. (○)

④ (×)

> 「법령 등 공포에 관한 법률」 제11조【공포 및 공고의 절차】 ④ 관보의 내용 해석 및 적용 시기 등에 대하여 종이관보와 전자관보는 동일한 효력을 가진다.

유제 18. 경찰 2차 관보의 내용 해석 및 적용 시기는 전자관보를 우선으로 하며, 종이관보는 부차적인 효력을 가진다. (×)

답 ④

008

행정법의 효력에 대한 설명으로 옳지 않은 것은? (다툼이 있는 경우 판례에 의함)

① 조례와 규칙은 특별한 규정이 없으면 공포한 날부터 20일이 경과함으로써 효력을 발생한다.
② 행정법령은 특별한 규정이 없는 한 시행일로부터 장래에 향하여 효력을 발생하는 것이 원칙이다.
③ 법령을 소급적용하더라도 일반국민의 이해에 직접 관계가 없는 경우에는 법령의 소급적용이 허용된다.
④ 법률불소급의 원칙은 그 법률의 효력발생 전에 완성된 요건사실 뿐만 아니라 계속 중인 사실이나 그 이후에 발생한 요건사실에 대해서도 그 법률을 소급적용할 수 없다.

2021년 군무원 9급

① (○)

> 「지방자치법」 제32조【조례와 규칙의 제정 절차 등】 ⑧ 조례와 규칙은 특별한 규정이 없으면 공포한 날부터 20일이 지나면 효력을 발생한다.

유제 13. 행정사 조례는 특별한 규정이 없으면 공포한 날부터 20일이 지나면 효력을 발생한다. (○)

② (○) 법령은 일반적으로 장래 발생하는 법률관계를 규율하고자 제정되는 것이므로 그 시행 후의 현상에 대하여 적용되는 것이 원칙이다(대판 2005.5.13. 2004다8630).

유제 09. 국가직 9급 새 법령이 시행되기 전에 종결된 사실에 대하여는 당해 법령을 적용하지 않는 것을 원칙으로 한다. (○)

③ (○) 법령의 소급적용, 특히 행정법규의 소급적용은 일반적으로는 법치주의의 원리에 반하고, 개인의 권리·자유에 부당한 침해를 가하며, 법률생활의 안정을 위협하는 것이어서, 이를 인정하지 않는 것이 원칙이고(법률불소급의 원칙 또는 행정법규불소급의 원칙), 다만 법령을 소급적용하더라도 일반 국민의 이해에 직접 관계가 없는 경우, 오히려 그 이익을 증진하는 경우, 불이익이나 고통을 제거하는 경우 등의 특별한 사정이 있는 경우에 한하여 예외적으로 법령의 소급적용이 허용된다(대판 2005.5.13. 2004다8630).

문제 DATA

출제가능 지수 ▶▶▷
난이도 지수 ★★☆

함께 정리하기

행정법의 법원(法源)의 효력

조례·규칙의 효력발생
▷ 공포 후 20일

행정법령 시행
▷ 장래효 원칙

일반국민의 이해에 직접 관계가 없는 경우
▷ 소급적용 허용

법령불소급의 원칙
▷ 계속 중인 사실이나 이후에 발생한 사실에는 적용×

유제 15. 사복직, 12. 사복직 일반 국민의 이해에 직접 관계가 없는 경우나 오히려 그 이익을 증진하는 경우, 불이익이나 고통을 제거하는 경우 등의 특별한 사정이 있는 경우에 한하여 예외적으로 법령의 소급적용이 허용된다. (○)

④ (×) 법령불소급의 원칙은 그 법령의 효력발생 전에 완성된 요건사실에 대하여 당해 법령을 적용할 수 없다는 의미일 뿐, 계속 중인 사실이나 그 이후에 발생한 요건사실에 대한 법령적용까지를 제한하는 것은 아니라고 할 것이다(대판 2014.4.24. 2013두26552).

답 ④

009 □□□

행정법의 효력에 대한 설명으로 가장 옳지 않은 것은? (다툼이 있는 경우 판례에 의함)

① 행정처분의 근거 법률이 개정된 경우, 국민의 재산권과 관련하여 종전보다 불리한 법률효과를 규정하고 있더라도, 당해 사실 또는 법률관계가 이미 완성 또는 종결된 것이 아니라면, 헌법상 금지되는 소급입법에 의한 재산권 침해라고 할 수는 없다.
② 개정 법률이 부진정소급입법에 해당하더라도, 개정 전 법률의 존속에 대한 국민의 신뢰가 개정 법률의 적용에 관한 공익상의 요구보다 더 보호가치가 있다고 인정되는 경우, 그러한 국민의 신뢰를 보호하기 위하여 개정 법률의 적용이 제한될 수 있다.
③ 개정 법률이 진정소급입법에 해당하더라도, 국민이 소급입법을 예상할 수 있었거나 신뢰보호의 요청에 우선하는 심히 중대한 공익상의 사유가 소급입법을 정당화하는 경우 등에는 소급입법이 허용될 수 있다.
④ "친일재산은 그 취득·증여 등 원인행위시에 국가의 소유로 한다."고 정한 「친일반민족행위자 재산의 국가귀속에 관한 특별법」 제3조 제1항의 규정은 부진정소급입법에 해당하므로 원칙적으로 허용된다.

| 2019년 경찰 2차

①, ② (○) 행정처분은 그 근거 법령이 개정된 경우에도 경과규정에서 달리 정함이 없는 한 처분 당시 시행되는 개정 법령과 그에 정한 기준에 의하는 것이 원칙이고, 그 ① 개정 법령이 기존의 사실 또는 법률관계를 적용대상으로 하면서 국민의 재산권과 관련하여 종전보다 불리한 법률효과를 규정하고 있는 경우에도 그러한 사실 또는 법률관계가 개정 법령이 시행되기 이전에 이미 완성 또는 종결된 것이 아니라면 이를 헌법상 금지되는 소급입법에 의한 재산권 침해라고 할 수는 없으며, ② 그러한 개정 법령의 적용과 관련하여서는 개정 전 법령의 존속에 대한 국민의 신뢰가 개정 법령의 적용에 관한 공익상의 요구보다 더 보호가치가 있다고 인정되는 경우에 그러한 국민의 신뢰를 보호하기 위하여 그 적용이 제한될 수 있는 여지가 있을 따름이다(대판 2009.4.23. 2008두8918).
③ (○) 헌재 1999.7.22. 97헌바76 등
④ (×) 친일재산은 취득·증여 등 원인행위 시에 국가의 소유로 한다고 정한 '친일반민족행위자 재산의 국가귀속에 관한 특별법' 제3조 제1항 본문은 진정소급입법에 해당하지만, 진정소급입법이라 하더라도 친일재산의 소급적 박탈은 일반적으로 소급입법을 예상할 수 있었던 예외적인 사안이고, 진정소급입법을 통해 침해되는 법적 신뢰는 심각하다고 볼 수 없는데 반해 이를 통해 달성되는 공익적 중대성은 압도적이라고 할 수 있으므로 진정소급입법이 허용되는 경우에 해당하고, 따라서 위 귀속조항이 진정소급입법이라는 이유만으로 헌법 제13조 제2항에 위배된다고 할 수 없다(대판 2011.5.13. 2009다26831).

답 ④

문제 DATA
출제가능 지수 ▶▶▷
난이도 지수 ★★☆

함께 정리하기
행정법의 효력
진행 중 사실에 대해 신법적용
▷ 소급입법금지원칙 위반×
부진정소급입법
▷ 공익과 신뢰보호 이익형량
진정소급입법 예외적 허용
▷ 예상가능/경미한 신뢰이익/경미한 손실/중대한 공익
친일반민족행위자 재산 국가귀속
▷ 진정소급입법의 예외적 허용(∵ 예상가능, 중대한 공익)

010

「법령 등 공포에 관한 법률」에 대한 설명으로 옳지 않은 것을 모두 고른 것은? (다툼이 있는 경우 판례에 의함)

ㄱ. 헌법개정·법률·조약·대통령령·총리령 및 부령의 공포와 헌법개정안·예산 및 예산 외 국고부담 계약의 공고는 관보(官報)에 게재함으로써 한다.
ㄴ. 관보의 내용 해석 및 적용 시기는 전자관보를 우선으로 하며, 종이관보는 부차적인 효력을 가진다.
ㄷ. 법률의 공포일은 해당 법률을 게재한 관보 또는 신문이 발행된 날로 한다.
ㄹ. 대통령령, 총리령 및 부령은 특별한 규정이 없으면 공포한 날부터 20일이 경과함으로써 효력을 발생한다.
ㅁ. 국민의 권리 제한 또는 의무 부과와 직접 관련되는 법률, 대통령령, 총리령 및 부령은 긴급히 시행하여야 할 특별한 사유가 있는 경우를 제외하고는 공포일부터 적어도 90일이 경과한 날부터 시행되도록 하여야 한다.

① ㄱ, ㄷ
② ㄱ, ㄹ
③ ㄴ, ㄹ
④ ㄴ, ㅁ

문제 DATA
출제가능 지수 ▶▶▷
난이도 지수 ★★☆

2018년 경찰

ㄱ. (○)

> 「법령 등 공포에 관한 법률」 제11조【공포 및 공고의 절차】① 헌법개정·법률·조약·대통령령·총리령 및 부령의 공포와 헌법개정안·예산 및 예산 외 국고부담계약의 공고는 관보(官報)에 게재함으로써 한다.

ㄴ. (×)

> 「법령 등 공포에 관한 법률」 제11조【공포 및 공고의 절차】④ 관보의 내용 해석 및 적용 시기 등에 대하여 종이관보와 전자관보는 동일한 효력을 가진다.

ㄷ. (○)

> 「법령 등 공포에 관한 법률」 제12조【공포일·공고일】제11조의 법령 등의 공포일 또는 공고일은 해당 법령 등을 게재한 관보 또는 신문이 발행된 날로 한다.

ㄹ. (○)

> 「법령 등 공포에 관한 법률」 제13조【시행일】대통령령, 총리령 및 부령은 특별한 규정이 없으면 공포한 날부터 20일이 경과함으로써 효력을 발생한다.

유제 21. 행정사 대통령령은 특별한 규정이 없으면 공포한 날부터 10일이 경과함으로써 효력을 발생한다. (×)
16. 교행 대통령령은 특별한 규정이 없으면 공포한 날부터 20일이 경과함으로써 효력을 발생한다. (○)
14. 국가직 9급 대통령령, 총리령, 부령은 특별한 규정이 없는 한 공포한 날로부터 20일이 경과함으로써 효력을 발생한다. (○)

ㅁ. (×)

> 「법령 등 공포에 관한 법률」 제13조의2【법령의 시행유예기간】국민의 권리 제한 또는 의무 부과와 직접 관련되는 법률, 대통령령, 총리령 및 부령은 긴급히 시행하여야 할 특별한 사유가 있는 경우를 제외하고는 공포일부터 적어도 30일이 경과한 날부터 시행되도록 하여야 한다.

답 ④

함께 정리하기

「법령 등 공포에 관한 법률」

헌법개정·법률·조약·대통령령·총리령 및 부령의 공포
▷ 관보에 게재

종이관보와 전자관보
▷ 동일한 효력

법령의 공포일
▷ 관보 또는 신문이 발행된 날

대통령령, 총리령 및 부령
▷ 공포한 날부터 20일이 경과함으로써 효력 발생

국민의 권리 제한 또는 의무 부과와 직접 관련 법령
▷ 공포일부터 적어도 30일이 경과한 날부터 시행

제2장 행정상의 법률관계

제1절 | 당사자

001 □□□

행정주체에 대한 설명으로 옳은 것은? (다툼이 있는 경우 판례에 의함)

① 공공단체인 공법인에는 지방자치단체, 영조물법인, 공공재단이 있으며, 공공조합은 공공단체에 해당하나 공법인은 아니다.
② 국립중앙의료원, 서울대학교, 한국은행, 한국방송공사, 상공회의소는 영조물법인에 해당한다.
③ 견인업무를 대행하는 자동차견인업자, 표준지의 적정가격의 조사 내지 평가 및 개별공시지가의 타당성 여부를 검증하는 감정평가사는 공무수탁사인에 해당한다.
④ 사인에 대한 행정권한의 위탁은 직접 법률에 의하거나 법률에 근거한 행정행위에 의해서도 할 수 있고, 공법상 계약에 의해서도 할 수 있다.

| 2025년 경찰간부

① (×) (협의의) 공공단체는 국가와 지방자치단체를 제외한 공법인을 의미하고, 공법인은 공익목적사업을 위해 공법에 따라 설립된 법인을 말한다. 공공단체에는 공공조합(공법상 사단), 영조물법인, 공법상 재단이 포함된다. 공공조합도 공공단체에 해당하며 공법인에 해당한다.
② (×) 국립중앙의료원, 서울대학교, 한국은행, 한국방송공사는 영조물법인에 해당하지만 상공회의소는 공공조합에 해당한다.
③ (×) 견인업무를 대행하는 자동차견인업자, 표준지의 적정가격의 조사 내지 평가 및 개별공시지가의 타당성 여부를 검증하는 감정평가사는 단순히 행정사무를 대행하는 것으로, 공무수탁사인이 아닌 행정보조자 또는 행정대행자에 해당한다.
④ (○) 사인은 법률, 계약, 행정행위의 형식으로 공무를 수탁받을 수 있다. 공무위탁계약은 국가적 공권을 부여하므로 그 법적 성질은 공법상 계약에 해당하고, 공무를 위탁하는 행정행위는 통상 공무수행권을 사인에게 부여하므로 특허에 해당한다.

답 ④

문제 DATA
출제가능 지수 ▶▶▷
난이도 지수 ★★☆

함께 정리하기

행정주체

(광의의) 공공단체인 공법인
▷ 지방자치단체, 공공조합, 공공재단, 영조물법인

국립중앙의료원, 서울대학교, 한국은행, 한국방송공사
▷ 영조물법인

상공회의소
▷ 공공조합

자동차견인업자, 표준지의 적정가격 조사 평가 및 개별공시지가의 타당성 검증하는 감정평가사
▷ 공무수탁사인×

공무수탁 형식
▷ 법률, 계약, 행정행위 可

002

행정법관계에서의 행정주체 및 행정청에 관한 설명 중 옳은 것(○)과 옳지 않은 것(×)을 올바르게 조합한 것은? (다툼이 있는 경우 판례에 의함)

ㄱ. 「도시 및 주거환경정비법」상의 주택재건축정비사업조합은 관할 행정청으로부터 조합설립인가를 받은 후 등기함으로써 법인으로 성립할 경우 주택재건축사업을 시행하는 목적 범위 내에서 법령이 정하는 바에 따라 일정한 행정작용을 행하는 행정주체로서의 지위를 갖는다.

ㄴ. 서울주택도시공사는 「지방공기업법」에 따라 서울특별시가 전액 출자하여 설립한 공공단체로서, 그 설립행위 등을 통해 서울특별시로부터 서울특별시의 개발사업 시행 권한을 위임받은 행정청으로 볼 수 있다.

ㄷ. 한국마사회가 조교사 또는 기수의 면허를 부여하거나 취소하는 것은 국가 기타 행정기관으로부터 위탁받은 행정청으로서의 권한 행사이다.

ㄹ. 지방법무사회는 법무사 감독 사무를 수행하기 위하여 법률에 의하여 설립과 법무사의 회원 가입이 강제된 공법인으로서 법무사 사무원 채용승인에 관한 한 공권력 행사의 주체라고 보아야 한다.

ㅁ. 한국토지공사는 「공익사업을 위한 토지 등의 취득 및 보상에 관한 법률」, 구 「한국토지공사법」 및 동법 시행령의 위탁에 의하여 대집행을 수권받은 자로서 공무인 대집행을 실시함에 따르는 권리·의무 및 책임이 귀속되는 행정주체의 지위에 있다고 볼 것이지 지방자치단체 등의 기관으로서 「국가배상법」 제2조 소정의 공무원에 해당한다고 볼 것은 아니다.

① ㄱ(○), ㄴ(○), ㄷ(○), ㄹ(×), ㅁ(×)
② ㄱ(○), ㄴ(○), ㄷ(×), ㄹ(×), ㅁ(×)
③ ㄱ(○), ㄴ(×), ㄷ(○), ㄹ(○), ㅁ(○)
④ ㄱ(○), ㄴ(○), ㄷ(×), ㄹ(○), ㅁ(○)
⑤ ㄱ(×), ㄴ(×), ㄷ(○), ㄹ(×), ㅁ(○)

문제 DATA
출제가능 지수 ▶▶▷
난이도 지수 ★★★

2024년 변호사

ㄱ. (○) 도시 및 주거환경정비법(이하 '도시정비법'이라 한다)상의 주택재건축정비사업조합(이하 '재건축조합'이라고 한다)은 정비구역 안에 있는 토지와 건축물의 소유자 등으로부터 조합설립의 동의(이하 '조합설립결의'라 한다)를 받는 등 관계 법령에서 정한 요건과 절차를 갖추어 관할 행정청으로부터 조합설립인가를 받은 후 등기함으로써 법인으로 성립한다(도시정비법 제16조 제2항, 제5항, 제18조). 그리고 이러한 절차를 거쳐 설립된 재건축조합은 관할 행정청의 감독 아래 정비구역 안에서 도시정비법상의 '주택재건축사업'을 시행하는 목적 범위 내에서 법령이 정하는 바에 따라 일정한 행정작용을 행하는 행정주체로서의 지위를 갖는다(대판 2009.9.24. 2008다60568).

ㄴ. (○) 국토의 계획 및 이용에 관한 법률(이하 '국토계획법'이라 한다) 제65조 제1항, 제2항, 제3항 본문, 제99조의 문언 및 내용, 체계에 비추어 다음과 같은 사정을 아울러 살펴보면, 서울주택도시공사가 새로 공공시설을 설치하거나 기존의 공공시설에 대체되는 공공시설을 설치하기 위하여 개발행위허가를 받거나 도시·군계획시설사업의 실시계획인가를 받아 개발사업의 시행자가 된 경우에는 국토계획법 제65조 제1항에서 정한 '개발사업의 시행자가 행정청인 경우'로 볼 수 있다.
서울주택도시공사는 지방공기업법에 따라 서울특별시가 전액 출자하여 설립한 공공단체(지방공사)로서, 그 설립행위 등을 통해 서울특별시로부터 서울특별시의 개발사업 시행 권한을 위임받은 행정청으로 볼 수 있다(대판 2019.8.30. 2016다252478).

ㄷ. (×) 한국마사회가 조교사 또는 기수의 면허를 부여하거나 취소하는 것은 경마를 독점적으로 개최할 수 있는 지위에서 우수한 능력을 갖추었다고 인정되는 사람에게 경마에서의 일정한 기능과 역할을 수행할 수 있는 자격을 부여하거나 이를 박탈하는 것에 지나지 아니하므로, 이는 국가 기타 행정기관으로부터 위탁받은 행정권한의 행사가 아니라 일반 사법상의 법률관계에서 이루어지는 단체 내부에서의 징계 내지 제재처분이다(대판 2008.1.31. 2005두8269).

함께 정리하기
행정주체 및 행정청

주택재건축정비사업조합
▷ 공공단체(공법상 사단)로서 행정주체

서울주택도시공사
▷ 공공단체(지방공사)로서 행정주체, 개발사업 시행 권한을 위임받은 행정청

한국마사회의 조교사 및 기수면허 부여·취소
▷ 국가등 행정기관으로부터 위탁받은 행정권한의 행사×(사법행위)

지방법무사회
▷ 법무사 사무원 채용승인에 관한 공권력 행사의 주체

대집행권한 위탁받은 한국토지공사
▷ 행정주체(공무원×)

ㄹ. (○) 법무사 사무원 채용승인 제도의 법적 성질 및 연혁, 사무원 채용승인 거부에 대한 불복절차로서 소관 지방법원장에게 이의신청을 하도록 제도를 규정한 점 등에 비추어 보면, 지방법무사회의 법무사 사무원 채용승인은 단순히 지방법무사회와 소속 법무사 사이의 내부 법률문제라거나 지방법무사회의 고유사무라고 볼 수 없고, 법무사 감독이라는 국가사무를 위임받아 수행하는 것이라고 보아야 한다. 따라서 지방법무사회는 법무사 감독 사무를 수행하기 위하여 법률에 의하여 설립과 법무사의 회원 가입이 강제된 공법인으로서 법무사 사무원 채용승인에 관한 한 공권력 행사의 주체라고 보아야 한다(대판 2020.4.9. 2015다34444).

ㅁ. (○) 한국토지공사는 구 한국토지공사법 제2조, 제4조에 의하여 정부가 자본금의 전액을 출자하여 설립한 법인이고, 같은 법 제9조 제4호에 규정된 한국토지공사의 사업에 관하여 공익사업을 위한 토지 등의 취득 및 보상에 관한 법률 제89조 제1항, 위 한국토지공사법 제22조 제6호 및 같은 법 시행령 제40조의3 제1항의 규정에 의하여 본래 시·도지사나 시장·군수 또는 구청장의 업무에 속하는 대집행권한을 한국토지공사에게 위탁하도록 되어 있는바, 한국토지공사는 이러한 법령의 위탁에 의하여 대집행을 수권받은 자로서 공무인 대집행을 실시함에 따르는 권리·의무 및 책임이 귀속되는 행정주체의 지위에 있다고 볼 것이지 지방자치단체 등의 기관으로서 국가배상법 제2조 소정의 공무원에 해당한다고 볼 것은 아니다(대판 2010.1.28. 2007다82950·82967).

답 ④

문제 DATA

출제가능 지수 ▶▶▶
난이도 지수 ★★☆

003 □□□

공무수탁사인에 대한 설명으로 가장 옳지 않은 것은? (다툼이 있는 경우 판례에 의함)

① 공무수탁사인은 특별한 사정이 없는 한 권한을 부여받은 법령의 범위 내에서 행정주체의 지위를 가진다.
② 공무수탁사인의 업무수행으로 인하여 권리가 침해당한 사인은 공무수탁사인을 상대로 행정소송을 제기할 수 있다.
③ 공무수탁사인의 위법한 공무집행으로 손해를 입은 사인은 국가나 지방자치단체를 상대로 국가배상을 청구할 수 있다.
④ 공무수탁사인으로 공증업무를 수행하는 공증인, 사법상 계약에 의하여 주차위반차량을 견인하는 민간사업자, 교통사고현장에서 경찰의 지시에 따라 경찰을 돕는 보조자 등을 들 수 있다.

| 2022년 서울시 지적 7급

①, ② (○) 공무수탁사인은 수탁받은 공무를 수행하는 범위 내에서는 행정주체이고, 「행정절차법」이나 「행정심판법」과 「행정소송법」상으로는 행정청이기도 하다. 즉, 공무수탁사인이 공무를 수행한 경우 그 행위의 법적 효과는 공무수탁사인에게 귀속된다. 또한 행정소송의 피고도 공무를 위임한 행정청이 아니라 공무수탁사인이 된다(「행정소송법」 제2조, 제13조).
③ (○) 공무수탁사인의 위법한 침해로 사인이 손해를 입은 경우 「국가배상법」에 따라 손해배상을 청구할 수 있다. 이때 손해배상의 상대방이 누구인지에 대해서 학설이 대립하나, 다수설은 공무를 위탁한 국가 또는 지방자치단체를 상대로 손해배상을 청구할 수 있다고 한다.
④ (×) '공증업무를 수행하는 공증인'은 공무수탁사인이다. 그러나 '사법상 계약에 의하여 주차위반차량을 견인하는 민간사업자'는 경찰과의 내부계약상 견인업무를 사실상 수행하는 것에 불과하고 독자적으로 국민과의 관계에서 행정권을 행사하는 것이 아니므로 공무수탁사인과는 구별된다. 또한 교통사고현장에서 경찰의 지시에 따라 경찰을 돕는 보조자도 행정을 자기책임하에 수행하는 것이 아니라 행정청을 위하여 단순히 보조역할을 하는 행정보조인으로서, 역시 공무수탁사인이 아니다.

답 ④

함께 정리하기

공무수탁사인

행정주체○
행정소송의 피고적격○
공무수탁사인의 위법한 침해로 사인이 손해를 입은 경우
▷ 국가 또는 지방자치단체를 상대로 국가배상 청구

공증인○, 자동차견인업자×, 경찰의 지시에 따라 경찰을 돕는 보조자×

004 □□□

다음 중 행정주체가 아닌 것은?

① 대한민국
② 강원도의회
③ 「도시 및 주거환경정비법」상의 주택재건축정비사업조합
④ 한국토지주택공사

> 2019년 군무원 9급

① (○) 국가로서 행정주체에 해당한다.
유제 16. 서울시 9급 국가와 지방자치단체(서울특별시, 대구광역시)는 행정주체이다. (○)

② (✕) 의결기관에 해당한다.

③ (○) 공공단체 중 공공사단(조합)으로 행정주체에 해당한다.

> 도시 및 주거환경정비법에 따른 주택재건축정비사업조합은 관할 행정청의 감독 아래 위 법상의 주택재건축사업을 시행하는 공법인으로서, 그 목적 범위 내에서 법령이 정하는 바에 따라 일정한 행정작용을 행하는 행정주체의 지위를 갖는다(대판 2009.10.15. 2008다93001).

유제 17. 서울시 9급 「도시 및 주거환경정비법」에 따른 주택재건축정비조합은 공법인으로서 행정주체의 지위를 가진다고 보기 어렵다. (✕)
17. 사복직 「도시 및 주거환경정비법」상 주택재건축정비사업조합은 공법인으로서 목적 범위 내에서 법령이 정하는 바에 따라 일정한 행정작용을 행하는 행정주체의 지위를 갖는다. (○)

④ (○) 공공단체 중 영조물법인으로 행정주체에 해당한다.
유제 16. 서울시 9급 서울대학교는 행정주체의 지위를 갖는다고 할 수 없다. (✕)

답 ②

문제 DATA
출제가능 지수 ▶▷▷
난이도 지수 ★★☆

함께 정리하기
행정주체
▷ 대한민국○
▷ 강원도의회✕(의결기관)
▷ 주택재건축정비사업조합○
▷ 한국토지주택공사○

---

005 □□□

공무수탁사인에 해당하지 않는 것은?

① 「도로교통법」상 견인업무를 대행하는 자동차견인업자
② 「민영교도소 등의 설치운영에 관한 법률」상 교정업무를 수행하는 민영교도소
③ 「항공안전 및 보안에 관한 법률」상 경찰임무를 수행하는 항공기의 기장
④ 「공익사업을 위한 토지 등의 취득 및 보상에 관한 법률」상 토지수용권을 행사하는 사인

> 2018년 서울시 7급

① (✕) 자동차견인업자는 사법상 계약에 의하여 단순한 경영위탁을 받은 사인에 불과하다.
유제 17. 서울시 7급·사복직 경찰과의 계약을 통해 주차위반차량을 견인하는 민간사업자도 공무수탁사인에 해당한다. (✕)
11. 국회직 9급 사법상의 계약에 의하여 단순히 경영위탁을 받은 사인은 공무수탁사인이 아니다. (○)

②, ③, ④ (○) 공무수탁사인은 공행정사무를 위탁받아 자신의 이름으로 그 사무를 처리할 수 있는 권한을 갖는 행정주체의 지위에 있는 사인을 말하는데 교정업무를 수행하는 민영교도소, 경찰임무를 수행하는 항공기의 기장, 「공익사업을 위한 토지 등의 취득 및 보상에 관한 법률」상 공공사업시행자로서 토지수용권을 행사하는 사인 등이 이에 해당한다.
유제 17. 서울시 9급 「민영교도소 등의 설치 운영에 관한 법률」상의 민영교도소는 행정보조인(행정보조자)에 해당한다. (✕)

답 ①

문제 DATA
출제가능 지수 ▶▶▷
난이도 지수 ★☆☆

함께 정리하기
공무수탁사인
▷ 자동차견인업자✕
▷ 민영교도소○
▷ 항공기 기장○
▷ 토지수용권을 행사하는 사인○

문제 DATA

출제가능 지수 ▶▷▷
난이도 지수 ★★☆

006 □□□

다음 중 행정주체에 해당하는 것으로서 그에 대한 법적 성격에 대한 설명으로 옳은 것을 <보기>에서 모두 고르면? (다툼이 있는 경우 판례에 의함)

<보기>
ㄱ. 재개발조합 - 공공조합
ㄴ. 한국연구재단 - 공법상 재단법인
ㄷ. 대한변호사협회 - 공법상의 사단법인
ㄹ. 국립의료원 - 공법상의 사단법인
ㅁ. 한국방송공사 - 영조물법인

① ㄱ, ㄴ
② ㄱ, ㄷ
③ ㄴ, ㄷ, ㅁ
④ ㄱ, ㄴ, ㄷ, ㅁ
⑤ ㄱ, ㄴ, ㄹ, ㅁ

함께 정리하기

행정주체의 법적 성격

재개발조합
▷ 공공조합

한국연구재단
▷ 공법상 재단법인

대한변호사협회
▷ 공법상 사단법인

국립의료원
▷ 영조물법인

한국방송공사
▷ 영조물법인

2018년 국회직 8급

ㄱ. (O) 공공조합이란 특수한 사업을 수행하기 위하여 일정한 자격을 가진 사람들이 모여 구성한 공법상의 법인을 의미하는바, 재개발조합은 공공조합으로 행정주체성이 인정된다.

ㄴ. (O) 공법상 재단법인이란 특정한 행정목적에 제공된 재산을 관리하기 위하여 설립된 법인을 의미하는바, 한국연구재단이 이에 해당하여 행정주체성이 인정된다.

> 재단법인 한국연구재단이 甲 대학교 총장에게 연구개발비의 부당집행을 이유로 2단계 두뇌한국(BK)21 사업' 협약을 해지하고 연구팀장 乙에 대한 국가연구개발사업의 3년간 참여제한 등을 명하는 통보를 하자 乙이 통보 취소를 청구한 사안에서, 乙은 위 협약 해지 통보의 효력을 다툴 법률상 이익이 있다(대판 2014.12.11. 2012두28704).

ㄷ. (O) 공법상 사단법인이란 특수한 사업을 수행하기 위하여 일정한 자격을 가진 사람들이 모여 구성한 공법상의 법인을 의미하는바, 대한변호사협회는 이에 해당하여 행정주체성이 인정된다.

> 변호사회는 공법상의 사단법인이고, 변호사회의 사무 중 변호사의 지도, 감독 등의 사무에 관하여는, 국가가 이를 공행정의 일부로 인정하고, 그 사무에 대한 감독과 통제를 실시하면서, 지방변호사회에게 이와 관련하여 소속 변호사에 대한 공권을 부여하고 있는 점에 비추어 볼 때 지방변호사회는 행정주체의 하나인 공공조합에 해당한다고 봄이 상당하고, … 지방변호사회의 겸직허가행위는 항고소송으로 그 위법 여부를 다툴 수 있는 행정소송법상의 처분에 해당한다(서울행법 2003.4.16. 2002구합32964).

ㄹ. (X) 영조물법인은 특정한 행정목적에 제공된 인적·물적 시설의 종합체인 영조물에 법인격이 부여된 공공단체를 의미하는바, 국립의료원은 영조물법인에 해당하여 행정주체성이 인정된다.

ㅁ. (O) 한국방송공사는 특정한 행정목적에 제공된 인적·물적 시설의 종합체이므로 영조물법인에 해당하여 행정주체성이 인정된다.

답 ④

007 □□□

공무수탁사인에 대한 설명으로 옳은 것을 모두 고른 것은?

> ㄱ. 공무수탁사인은 행정주체이면서 동시에 행정청의 지위를 갖는다.
> ㄴ. 경찰과의 계약을 통해 주차위반차량을 견인하는 민간사업자도 공무수탁사인에 해당한다.
> ㄷ. 중앙관서장뿐만 아니라 지방자치단체장도 자신의 사무 중 조사·검사·검정·관리업무 등 주민의 권리·의무와 직접 관련되지 아니하는 사무를 개인에게 위탁할 수 있다.
> ㄹ. 국가가 공무수탁사인의 공무수탁사무수행을 감독하는 경우 수탁사무수행의 합법성뿐만 아니라 합목적성까지도 감독할 수 있다.

① ㄱ, ㄴ
② ㄱ, ㄷ
③ ㄱ, ㄷ, ㄹ
④ ㄴ, ㄷ, ㄹ

| 2017년 서울시 7급

ㄱ. (O) 공무수탁사인이란 공행정사무를 위탁받아 자신의 이름으로 처리하는 권한을 갖고 있는 행정주체이면서 동시에 행정청이 되는 사인을 말한다.

유제 17. 사복직 공무수탁사인은 수탁받은 공무를 수행하는 범위 내에서 행정주체이고, 「행정절차법」이나 「행정소송법」에서는 행정청이다. (O)

ㄴ. (X) 사법상 계약에 의해 위탁을 받은 민간위탁자(예 견인하는 민간사업자, 쓰레기수거인 등)는 공무수탁사인과는 구별되는 개념으로 사법상 계약의 내용에 따른 업무를 하는 것에 불과하다.
ㄷ. (O)

> 「정부조직법」 제6조 【권한의 위임 또는 위탁】 ③ 행정기관은 법령으로 정하는 바에 따라 그 소관사무 중 조사·검사·검정·관리 업무 등 국민의 권리·의무와 직접 관계되지 아니하는 사무를 지방자치단체가 아닌 법인·단체 또는 그 기관이나 개인에게 위탁할 수 있다.
> 「지방자치법」 제104조 【사무의 위임 등】 ③ 지방자치단체의 장은 조례나 규칙으로 정하는 바에 따라 그 권한에 속하는 사무 중 조사·검사·검정·관리업무 등 주민의 권리·의무와 직접 관련되지 아니하는 사무를 법인·단체 또는 그 기관이나 개인에게 위탁할 수 있다.

ㄹ. (O) 행정주체와 공무수탁사인의 관계는 공법상 위임관계로서 공무를 위임한 행정주체는 공무수탁사인에 대하여 지휘·감독권을 가진다(특별감독관계). 국가가 공무수탁사인의 공무수탁사무수행을 감독하는 경우 수탁사무수행의 합법성뿐만 아니라 합목적성까지도 감독할 수 있다.

답 ③

함께 정리하기

공무수탁사인
▷ 행정주체 & 행정청
▷ 사법상 계약에 의한 민간위탁자 ×
▷ 지자체장도 위탁 가
▷ 합목적성도 감독 가

008 □□□

행정상 법률관계의 당사자에 대한 설명으로 옳은 것은? (다툼이 있는 경우 판례에 의함)

① 국가나 지방자치단체는 행정청과는 달리 당사자소송의 당사자가 될 수 있고 국가배상책임의 주체가 될 수 있다.
② 법인격 없는 단체는 공무수탁사인이 될 수 없다.
③ 「도시 및 주거환경정비법」에 따른 주택재건축정비조합은 공법인으로서 행정주체의 지위를 가진다고 보기 어렵다.
④ 「민영교도소 등의 설치 운영에 관한 법률」상의 민영교도소는 행정보조인(행정보조자)에 해당한다.

함께 정리하기

행정상 법률관계의 당사자

국가·지자체
▷ 당사자소송 당사자 ○
▷ 국가배상책임 주체 ○

법인격 없는 단체
▷ 공무수탁사인 가

주택재건축정비조합
▷ 행정주체 ○

민영교도소
▷ 공무수탁사인

2017년 서울시 9급

① (○) 당사자소송의 당사자는 권리의무의 귀속주체인 행정주체이어야 한다. 따라서 시원적 행정주체인 국가와 전래적 행정주체인 지방자치단체는 당사자소송의 당사자가 될 수 있다. 또한 「국가배상법」상 국가배상책임의 주체도 될 수 있다.

> 「행정소송법」 제39조 【피고적격】 당사자소송은 국가·공공단체 그 밖의 권리주체를 피고로 한다.
> 「국가배상법」 제2조 【배상책임】 ① 국가나 지방자치단체는 공무원 또는 공무를 위탁받은 사인(이하 "공무원"이라 한다)이 직무를 집행하면서 고의 또는 과실로 법령을 위반하여 타인에게 손해를 입히거나, 「자동차손해배상 보장법」에 따라 손해배상의 책임이 있을 때에는 이 법에 따라 그 손해를 배상하여야 한다. 다만, 군인·군무원·경찰공무원 또는 예비군대원이 전투·훈련 등 직무 집행과 관련하여 전사·순직하거나 공상을 입은 경우에 본인이나 그 유족이 다른 법령에 따라 재해보상금·유족연금·상이연금 등의 보상을 지급받을 수 있을 때에는 이 법 및 「민법」에 따른 손해배상을 청구할 수 없다.

② (×) 공무수탁사인이란 국가 또는 지방자치단체로부터 법령에 의하여 공적 임무를 위탁받은 사인을 말하며, 공무수탁사인은 자연인일 수도 있고 법인일 수도 있으며 법인격 없는 공공단체일 수도 있다.
③ (×) 대판 2009.10.15. 2008다93001
④ (×) 교정업무를 위탁받은 민영교도소는 공무수탁사인에 해당한다.

답 ①

문제 DATA

출제가능 지수 ▶▶▷
난이도 지수 ★★☆

009 □□□

행정주체에 대한 설명으로 옳지 않은 것은? (다툼이 있는 경우 판례에 의함)

① 「도시 및 주거환경정비법」상 주택재건축정비사업조합은 공법인으로서 목적 범위 내에서 법령이 정하는 바에 따라 일정한 행정작용을 행하는 행정주체의 지위를 갖는다.
② 공무수탁사인은 수탁받은 공무를 수행하는 범위 내에서 행정주체이고, 「행정절차법」이나 「행정소송법」에서는 행정청이다.
③ 경찰과의 사법상 용역계약에 의해 주차위반차량을 견인하는 민간사업자는 공무수탁사인이 아니다.
④ 지방자치단체는 행정주체이지 행정권 발동의 상대방인 행정객체는 될 수 없다.

함께 정리하기

행정주체

주택재건축정비사업조합
▷ 행정주체

공무수탁사인
▷ 행정주체 & 행정청

민간위탁자
▷ 공무수탁사인 ×

지자체
▷ 행정객체지위 가

2017년 사회복지직

① (○) 대판 2009.10.15. 2008다93001
② (○) 공무수탁사인이란 공행정사무를 위탁받아 자신의 이름으로 처리하는 권한을 갖고 있는 행정주체이면서 동시에 행정청이 되는 사인을 말한다.

> 「행정절차법」 제2조 【정의】 이 법에서 사용하는 용어의 뜻은 다음과 같다.
> 1. "행정청"이란 다음 각 목의 자를 말한다.
>   나. 그 밖에 법령 또는 자치법규에 따라 행정권한을 가지고 있거나 위임 또는 위탁받은 공공단체 또는 그 기관이나 사인
> 「행정소송법」 제2조 【정의】 ② 이 법을 적용함에 있어서 행정청에는 법령에 의하여 행정권한의 위임 또는 위탁을 받은 행정기관, 공공단체 및 그 기관 또는 사인이 포함된다.

③ (○) 사법상 계약에 의해 위탁을 받은 민간위탁자(예 견인하는 민간사업자, 쓰레기수거인 등)는 공무수탁사인과는 구별되는 개념으로 사법상 계약의 내용에 따른 업무를 하는 것에 불과하다.
④ (×) 지방자치단체는 행정주체일 뿐만 아니라, 국가나 다른 공공단체와의 관계에서 행정객체도 될 수 있다.

답 ④

제2절 | 공권과 공의무

001 □□□

개인적 공권에 대한 설명으로 옳지 않은 것은?

① 환경영향평가 대상지역 밖의 주민이라 할지라도 공유수면매립면허처분 등으로 인하여 그 처분 전과 비교하여 수인한도를 넘는 환경피해를 받거나 받을 우려가 있는 경우에는, 공유수면매립면허처분 등으로 인하여 환경상 이익에 대한 침해 또는 침해우려가 있다는 것을 입증함으로써 그 처분 등의 무효확인을 구할 원고적격을 인정받을 수 있다.
② 공무원연금수급권과 같은 사회보장수급권은 헌법규정만으로는 이를 실현할 수 없어 법률에 의한 형성이 필요하고, 그 구체적인 내용 즉 수급요건 등은 법률에 의하여 비로소 확정된다.
③ 행정처분에 있어서 수익처분의 상대방은 그의 권리나 법률상 보호되는 이익이 침해되었다고 볼 수 없으므로 달리 특별한 사정이 없는 한 그 수익처분의 취소를 구할 이익이 없다.
④ 행정계획은 행정기관 내부의 행동 지침에 불과하므로, 도시계획구역 내 토지 등을 소유하고 있는 주민은 입안권자에게 도시계획입안을 요구할 수 있는 법규상 또는 조리상의 신청권이 없다.

2024년 지방직 9급

① (○) 환경영향평가 대상지역 밖의 주민이라 할지라도 공유수면매립면허처분 등으로 인하여 그 처분 전과 비교하여 수인한도를 넘는 환경피해를 받거나 받을 우려가 있는 경우에는, 공유수면매립면허처분 등으로 인하여 환경상 이익에 대한 침해 또는 침해우려가 있다는 것을 입증함으로써 그 처분 등의 무효확인을 구할 원고적격을 인정받을 수 있다(대판 2006.3.16. 2006두330 전합).
② (○) 연금수급권은 국가에 대하여 적극적으로 급부를 요구하는 것이므로 헌법규정만으로는 이를 실현할 수 없고 법률에 의한 형성을 필요로 하며, 그 구체적 내용, 즉 수급요건, 수급권자의 범위, 급여금액 등은 법률에 의하여 비로소 확정된다(헌재 2012.5.31. 2009헌마553).
③ (○) 행정처분이 수익적인 처분이거나 신청에 의하여 신청 내용대로 이루어진 처분인 경우에는 처분 상대방의 권리나 법률상 보호되는 이익이 침해되었다고 볼 수 없으므로 달리 특별한 사정이 없는 한 처분의 상대방은 그 취소를 구할 이익이 없다고 할 것이나(대판 1995.5.26. 94누7324).
④ (×) <u>도시계획구역 내 토지 등을 소유하고 있는 사람과 같이 당해 도시계획시설결정에 이해관계가 있는 주민으로서는 도시시설계획의 입안권자 내지 결정권자에게 도시시설계획의 입안 내지 변경을 요구할 수 있는 법규상 또는 조리상의 신청권이 있고</u>, 이러한 신청에 대한 거부행위는 항고소송의 대상이 되는 행정처분에 해당한다(대판 2015.3.26. 2014두42742).

답 ④

함께 정리하기

개인적 공권

환경영향평가대상지역 밖 주민
▷ 수인한도 넘는 피해 or 우려 입증하면 법률상 이익 인정

사회권적 기본권
▷ 헌법규정만으로 실현 불가

수익적 처분 상대방
▷ 특별한 사정이 없는한 원고적격×

도시계획구역내 이해관계 주민
▷ 도시관리계획입안요구 신청권○

문제 DATA

출제가능 지수 ▶▶⊃
난이도 지수 ★★☆

함께 정리하기

개인적 공권

무하자재량행사청구권
▷ 재량권이 영(0)으로 수축하는 경우 행정개입청구권으로 전환

사회권적 기본권
▷ 헌법규정만으로 실현 불가

재량행위에서도 성립 可
▷ 무하자재량행사청구권

생태·자연도 1등급 권역의 인근 주민들이 가지는 이익
▷ 법률상의 이익 ×

002 ☐☐☐

개인적 공권에 대한 설명으로 옳지 않은 것은? (다툼이 있는 경우 판례에 의함)

① 재량권이 영으로 수축하는 경우에는 무하자재량행사청구권은 행정개입청구권으로 전환되는 특성이 존재한다.
② 사회적 기본권의 성격을 가지는 연금수급권은 국가에 대하여 적극적으로 급부를 요하는 것이므로 헌법규정만으로는 이를 실현할 수 없고, 법률에 의한 형성을 필요로 한다.
③ 행정청에게 부여된 공권력 발동권한이 재량행위인 경우, 행정청의 권한행사에 이해관계가 있는 개인은 행정청에 대하여 무하자재량행사청구권을 가진다.
④ 환경부장관의 생태·자연도 등급결정으로 1등급 권역의 인근 주민들이 가지는 환경상 이익은 법률상 이익이다.

| 2023년 군무원 9급

① (○) 재량행위의 경우에는 원칙적으로 하자 없는 재량행사를 청구할 수 있을 뿐, 특정처분을 청구할 수 있는 권리가 인정되는 것은 아니다. 그런데 이 경우에도 재량권이 영(0)으로 수축되는 경우에는 특정처분을 청구할 수 있는 행정개입청구권이 인정될 수 있다. 즉, ㉠ 사람의 생명, 신체 및 재산 등 중요한 법익에 급박하고 현저한 위험이 존재하고, ㉡ 그러한 위험이 시정명령 등 행정권의 발동에 의해 제거될 수 있는 것이며, ㉢ 피해자의 개인적인 노력만으로는 권익침해를 막기 어려운 경우라는 요건들이 충족되면 재량권이 영(0)으로 수축되어 행정청은 특정한 내용의 처분을 하여야 할 의무를 지게 된다.

② (○) 공무원연금 수급권과 같은 사회보장수급권은 '모든 국민은 인간다운 생활을 할 권리를 가지고, 국가는 사회보장·사회복지의 증진에 노력할 의무를 진다.'고 규정한 헌법 제34조 제1항 및 제2항으로부터 도출되는 사회적 기본권 중의 하나로서, 이는 국가에 대하여 적극적으로 급부를 요구하는 것이므로 헌법규정만으로는 이를 실현할 수 없어 법률에 의한 형성이 필요하고, 그 구체적인 내용 즉 수급요건, 수급권자의 범위 및 급여금액 등은 법률에 의하여 비로소 확정된다(헌재 2013.9.26. 2011헌바272).

유제 18. 경찰 2차 공무원연금 수급권은 국가에 대하여 적극적으로 급부를 요구하는 것이므로 헌법규정만으로는 이를 실현할 수 없어 법률에 의한 형성이 필요하다. (○)
17. 지방직 9급 사회권적 기본권의 성격을 가지는 연금수급권은 헌법에 근거한 개인적 공권이므로 헌법규정만으로도 실현할 수 있다. (×)
17. 국회직 8급 공무원 연금수급권은 헌법규정만으로는 이를 실현할 수 없고 그 수급요건, 수급권자의 범위 및 급여금액은 법률에 의하여 비로소 확정된다. (○)

③ (○) 재량이 부여되어 있는 경우 행정청에게 특정한 행위를 할 의무는 없으나 적어도 재량권을 행사함에 있어 자의적인 결정 등을 내려서는 안 되는 의무, 즉 하자 없이 재량권을 행사하여야 할 의무는 존재한다. 이러한 행정청의 의무를 고려해 볼 때 국민은 행정청으로 하여금 특정의 행정행위를 반드시 하도록 요구할 수는 없으나, 적어도 하자 없이 재량행사를 할 것을 요구할 권리는 가진다. 이러한 권리가 바로 무하자재량행사청구권이다.

④ (×) (환경부장관이 생태·자연도 1등급으로 지정되었던 지역을 2등급 또는 3등급으로 변경하는 내용의 생태·자연도 수정·보완을 고시하자, 인근주민 甲이 생태·자연도 등급변경처분의 무효확인을 청구한 사안에서) 1등급 권역의 인근주민들이 가지는 이익은 환경보호라는 공공의 이익이 달성됨에 따라 반사적으로 얻게 되는 이익에 불과하므로, 인근주민에 불과한 甲은 생태·자연도 등급권역을 1등급에서 일부는 2등급으로, 일부는 3등급으로 변경한 결정의 무효확인을 구할 원고적격이 없다(대판 2014.2.21. 2011두29052).

답 ④

003

「대기환경보전법」상 개선명령에 대한 다음 조문에 대한 설명으로 옳지 않은 것은? (다툼이 있는 경우 판례에 의함)

> 제1조【목적】이 법은 대기오염으로 인한 국민건강이나 환경에 관한 위해를 예방하고 대기환경을 적정하고 지속가능하게 관리·보전하여 모든 국민이 건강하고 쾌적한 환경에서 생활할 수 있게 하는 것을 목적으로 한다.
> 제33조【개선명령】환경부장관은 제30조에 따른 신고를 한 후 조업 중인 배출시설에서 나오는 오염물질의 정도가 제16조나 제29조 제3항에 따른 배출허용기준을 초과한다고 인정하면 대통령령으로 정하는 바에 따라 기간을 정하여 사업자(제29조 제2항에 따른 공동방지시설의 대표자를 포함한다)에게 그 오염물질의 정도가 배출허용기준 이하로 내려가도록 필요한 조치를 취할 것(이하 '개선명령'이라 한다)을 명할 수 있다.

① 환경부장관은 위 법률 제33조에서 위임한 사항을 규정한 대통령령을 입법예고를 할 때와 개정하였을 때에는 10일 이내에 이를 국회 소관 상임위원회에 제출하여야 한다.
② 환경부장관이 인근 주민의 개선명령 신청에 대해 거부한 행위가 항고소송의 대상이 되는 처분이 되기 위해서는 인근 주민에게 개선명령을 발할 것을 요구할 수 있는 신청권이 있어야 한다.
③ 인근 주민이 배출시설에서 나오는 대기오염물질로 인하여 생명과 건강에 심각한 위협을 받고 있다면, 환경부장관의 개선명령에 대한 재량권은 축소될 수 있다.
④ 환경부장관에게는 하자 없는 재량행사를 할 의무가 인정되므로, 위 개선명령의 근거 및 관련 조항의 사익보호성 여부를 따질 필요 없이 인근 주민에게는 소위 무하자재량행사청구권이 인정된다.

2022년 지방직 7급

① (○)
> 「국회법」 제98조의2【대통령령 등의 제출 등】① 중앙행정기관의 장은 법률에서 위임한 사항이나 법률을 집행하기 위하여 필요한 사항을 규정한 대통령령·총리령·부령·훈령·예규·고시 등이 제정·개정 또는 폐지되었을 때에는 10일 이내에 이를 국회 소관 상임위원회에 제출하여야 한다. 다만, 대통령령의 경우에는 입법예고를 할 때(입법예고를 생략하는 경우에는 법제처장에게 심사를 요청할 때를 말한다)에도 그 입법예고안을 10일 이내에 제출하여야 한다.

② (○) 국민의 적극적 행위 신청에 대하여 행정청이 그 신청에 따른 행위를 하지 않겠다고 거부한 행위가 항고소송의 대상이 되는 행정처분에 해당하는 것이라고 하려면, 그 신청한 행위가 공권력의 행사 또는 이에 준하는 행정작용이어야 하고, 그 거부행위가 신청인의 법률관계에 어떤 변동을 일으키는 것이어야 하며, 그 국민에게 그 행위발동을 요구할 법규상 또는 조리상의 신청권이 있어야 하는바, 여기에서 '신청인의 법률관계에 어떤 변동을 일으키는 것'이라는 의미는 신청인의 실체상의 권리관계에 직접적인 변동을 일으키는 것은 물론, 그렇지 않다 하더라도 신청인이 실체상의 권리자로서 권리를 행사함에 중대한 지장을 초래하는 것도 포함한다(대판 2007.10.11. 2007두1316).
③ (○) 재량행위의 경우에는 행정청에 선택 또는 결정의 자유가 인정됨이 원칙이나 예외적으로 재량행위임에도 불구하고 행정청이 하나의 결정만을 하여야 하는 특별한 경우가 있다. 이를 재량권의 영(0)으로의 수축(또는 1로의 수축)이론이라고 한다. 사람의 생명, 신체 및 재산 등 중요한 법익에 급박하고 현저한 위험이 존재하고, 그러한 위험이 시정명령 등 행정권의 발동에 의해 제거될 수 있는 것이며, 피해자의 개인적인 노력만으로는 권익침해를 막기 어려운 경우라면 재량권이 영(0)으로 수축된다. 사안과 같이 인근 주민이 배출시설에서 나오는 대기오염물질로 인하여 생명과 건강에 심각한 위협을 받고 있다면, 환경부장관의 개선명령에 대한 재량권은 축소될 수 있다.

함께 정리하기

재량행위 관련사례

대통령령
▷ 제정·개정·폐지 시 10일 내 소관상임위에 제출
▷ 입법예고안도 10일 이내에 제출

거부행위
▷ 법규상 또는 조리상의 신청권이 있어야 항고소송 대상

재량사항이라도 생명·신체·재산 등 중대한 법익이 위험
▷ 재량권 영으로 수축

무하자재량행사청구권 성립요건
▷ 강행법규의 존재 + 사익보호

④ (×) 개인적 공권이 성립하기 위해서는 관련법규가 개인의 사익보호를 목적으로 하는 것이어야 한다. 즉, 법규가 특정인의 이익을 보호하는 경우는 물론 공익과 더불어 특정인의 이익보호(사익보호)를 목적으로 하는 경우에도 사익보호목적은 존재하는 것이 되어 공권이 성립할 수 있다. 무하자재량행사청구권도 개인적 공권이라는 점에서 사익보호성 요건을 충족해야 하므로, 재량법규가 단순한 공익실현이라는 목적 외에 사익의 보호를 의도하고 있어야만 개인에게 무하자재량행사청구권이 성립한다.

답 ④

004

문제 DATA
출제가능 지수 ▶▶▷
난이도 지수 ★★☆

개인적 공권에 대한 설명으로 옳지 않은 것은? (다툼이 있는 경우 판례에 의함)

① 한의사들이 가지는 한약조제권을 한약조제시험을 통하여 약사에게도 인정함으로써 감소하게 되는 한의사들의 영업상 이익은 법률에 의하여 보호되는 이익이라 볼 수 없다.
② 합병 이전의 회사에 대한 분식회계를 이유로 감사인 지정제외 처분과 손해배상공동기금의 추가적립의무를 명한 조치의 효력은 합병 후 존속하는 법인에게 승계될 수 있다.
③ 당사자 사이에 「석탄산업법 시행령」 제41조 제4항 제5호 소정의 재해위로금에 대한 지급청구권에 관한 부제소합의가 있는 경우 그러한 합의는 효력이 인정된다.
④ 석유판매업 허가는 소위 대물적 허가의 성질을 갖는 것이어서 양수인이 그 양수 후 허가관청으로부터 석유판매업허가를 다시 받았다 하더라도 이는 석유판매업의 양수도를 전제로 한 것이어서 이로써 양도인의 지위승계가 부정되는 것은 아니므로 양도인의 귀책사유는 양수인에게 그 효력이 미친다.

▎2021년 군무원 9급

① (○) 한의사 면허는 경찰금지를 해제하는 명령적 행위(강학상 허가)에 해당하고, 한약조제시험을 통하여 약사에게 한약조제권을 인정함으로써 한의사들의 영업상 이익이 감소되었다고 하더라도 이러한 이익은 사실상의 이익에 불과하고 약사법이나 의료법 등의 법률에 의하여 보호되는 이익이라고는 볼 수 없다(대판 1998.3.10. 97누4289).
② (○)

[1] 회사합병이 있는 경우에는 피합병회사의 권리·의무는 사법상의 관계나 공법상의 관계를 불문하고 그의 성질상 이전을 허용하지 않는 것을 제외하고는 모두 합병으로 인하여 존속한 회사에게 승계되는 것으로 보아야 할 것이고, 공인회계사법에 의하여 설립된 회계법인 간의 흡수합병이라고 하여 이와 달리 볼 것은 아니다.
[2] 구 주식회사의 외부감사에 관한 법률 제4조의3에 규정된 감사인 지정 및 같은 법 제16조 제1항에 규정된 감사인 지정제외와 관련한 공법상의 관계는 감사인의 인적·물적 설비와 위반행위의 태양과 내용 등과 같은 객관적 사정에 기초하여 이루어지는 것으로서 합병으로 존속하는 회계법인에게 승계된다.
[3] 구 주식회사의 외부감사에 관한 법률 제17조의2에 정해진 손해배상공동기금 및 같은 법 시행령 제17조의9에 정해진 손해배상공동기금의 추가적립과 관련한 공법상의 관계는 감사인의 감사보수총액과 위반행위의 태양 및 내용 등과 같은 객관적 사정에 기초하여 이루어지는 것으로서 합병으로 존속 회계법인에게 승계된다(대판 2004.7.8. 2002두1946).

③ (×) 당사자 사이에 석탄산업법 시행령 제41조 제4항 제5호 소정의 재해위로금에 대한 지급청구권에 관한 부제소합의가 있었다고 하더라도 그러한 합의는 무효라고 할 것이다(대판 1999.1.26. 98두12598).
④ (○) 석유판매업(주유소)허가는 소위 대물적 허가의 성질을 갖는 것이어서 그 사업의 양도도 가능하고 이 경우 양수인은 양도인의 지위를 승계하게 됨에 따라 양도인의 위 허가에 따른 권리의무가 양수인에게 이전되는 것이므로 만약 양도인에게 그 허가를 취소할 위법사유가 있다면 허가관청은 이를 이유로 양수인에게 응분의 제재조치를 취할 수 있다 할 것이고, 양수인이 그 양수 후 허가관청으로부터 석유판매업허가를 다시 받았다 하더라도 이는 석유판매업의 양수도를 전제로 한 것이어서 이로써 양도인의 지위승계가 부정되는 것은 아니므로 양도인의 귀책사유는 양수인에게 그 효력이 미친다(대판 1986.7.22. 86누203).

답 ③

함께 정리하기

개인적 공권
한의사들의 영업상 이익
▷ 법률상 이익×

회사합병
▷ 피합병회사의 권리·의무는 합병으로 인하여 존속한 회사에 승계

재해위로금 지급청구권에 관한 부제소합의
▷ 무효

석유판매업 허가
▷ 대물적 허가
▷ 양도인의 제재사유·위법사유 승계○

005

개인적 공권에 대한 설명으로 옳지 않은 것은? (다툼이 있는 경우 판례에 의함)

① 공무원연금 수급권은 국가에 대하여 적극적으로 급부를 요구하는 것이므로 헌법규정만으로는 이를 실현할 수 없어 법률에 의한 형성이 필요하고, 그 구체적인 내용 즉 수급요건, 수급권자의 범위 및 급여금액 등은 법률에 의하여 비로소 확정된다.

② 행정처분에 있어서 불이익처분의 상대방은 직접 개인적 이익의 침해를 받은 자로서 원고적격이 인정되지만, 수익처분의 상대방은 그의 권리나 법률상 보호되는 이익이 침해되었다고 볼 수 없으므로 달리 특별한 사정이 없는 한 취소를 구할 이익이 없다.

③ 청구인의 주거지와 건축선을 경계로 하여 인접하고 있는 건축물이 건축법을 위반하여 청구인의 일조권을 침해하는 경우, 피청구인에게 건축물에 대하여 「건축법」 제79조, 제80조에 근거한 시정명령을 하여 줄 것을 청구했으나, 피청구인이 시정명령을 하지 아니한 경우 피청구인의 시정명령 불행사는 위법하다.

④ 경찰관이 그 권한을 행사하여 필요한 조치를 취하지 아니하는 것이 현저하게 불합리하다고 인정되는 경우에는 그러한 권한의 불행사는 직무상의 의무를 위반한 것이 된다.

2019년 군무원 9급

① (O) 공무원연금 수급권과 같은 사회보장수급권은 "모든 국민은 인간다운 생활을 할 권리를 가지고, 국가는 사회보장·사회복지의 증진에 노력할 의무를 진다."고 규정한 헌법 제34조 제1항 및 제2항으로부터 도출되는 사회적 기본권 중의 하나로서, 이는 국가에 대하여 적극적으로 급부를 요구하는 것이므로 헌법규정만으로는 이를 실현할 수 없어 법률에 의한 형성이 필요하고, 그 구체적인 내용 즉 수급요건, 수급권자의 범위 및 급여금액 등은 법률에 의하여 비로소 확정된다(헌재 2013.9.26. 2011헌바272).

② (O) 행정처분에 있어서 불이익처분의 상대방은 직접 개인적 이익의 침해를 받은 자로서 원고적격이 인정되지만 수익처분의 상대방은 그의 권리나 법률상 보호되는 이익이 침해되었다고 볼 수 없으므로 달리 특별한 사정이 없는 한 취소를 구할 이익이 없다(대판 1995.8.22. 94누8129).

유제 17. 국가직 9급 행정처분에 있어서 불이익처분의 상대방은 직접 개인적 이익의 침해를 받은 자로서 취소소송의 원고적격이 인정되지만 수익처분의 상대방은 그의 권리나 법률상 보호되는 이익이 침해되었다고 볼 수 없으므로 달리 특별한 사정이 없는 한 취소를 구할 이익이 없다. (O)

③ (×) 건축법 제79조는 시정명령에 대하여 규정하고 있으나, 동법이나 동법 시행령 어디에서도 일반국민에게 그러한 시정명령을 신청할 권리를 부여하고 있지 않을 뿐만 아니라, 피청구인에게 건축법 위반이라고 인정되는 건축물의 건축주등에 대하여 시정명령을 할 것인지와, 구체적인 시정명령의 내용을 무엇으로 할 것인지에 대하여 결정할 재량권을 주고 있으며, 달리 이 사건에서 시정명령을 해야 할 법적 의무가 인정된다고 볼 수 없다(헌재 2010.4.20. 2010헌마189).

④ (O) 경찰관직무집행법 제5조는 경찰관은 인명 또는 신체에 위해를 미치거나 재산에 중대한 손해를 끼칠 우려가 있는 위험한 사태가 있을 때에는 그 각 호의 조치를 취할 수 있다고 규정하여 형식상 경찰관에게 재량에 의한 직무수행 권한을 부여한 것처럼 되어 있으나, 경찰관에게 그러한 권한을 부여한 취지와 목적에 비추어 볼 때 구체적인 사정에 따라 경찰관이 그 권한을 행사하여 필요한 조치를 취하지 아니하는 것이 현저하게 불합리하다고 인정되는 경우에는 그러한 권한의 불행사는 직무상의 의무를 위반한 것이 되어 위법하게 된다(대판 1998.8.25. 98다16890).

유제 17. 지방직 9급 경찰은 국민의 생명, 신체 및 재산의 보호 등과 기타 공공의 안녕과 질서유지도 직무로 하고 있고 그 직무의 원활한 수행을 위한 권한은 일반적으로 경찰관의 전문적 판단에 기한 합리적인 재량에 위임되어 있는 것이나, 그 취지와 목적에 비추어 볼 때 구체적인 사정에 따라 경찰관이 그 권한을 행사하여 필요한 조치를 취하지 아니하는 것이 현저하게 불합리하다고 인정되는 경우에는 그러한 권한의 불행사는 직무상의 의무를 위반한 것이 되어 위법하게 된다. (O)

17. 국가직 7급 「경찰관 직무집행법」 제5조가 형식상 경찰관에게 재량에 의한 직무수행의 권한을 부여한 것처럼 되어 있으나, 경찰관이 그 권한을 행사하여 필요한 조치를 취하지 않은 것이 현저히 불합리하다고 인정되는 경우에 그러한 권한의 불행사는 위법하다. (O)

답 ③

문제 DATA

출제가능 지수 ▶▶▷
난이도 지수 ★★☆

함께 정리하기

개인적 공권

공무원연금 수급권
▷ 헌법규정만으로 실현 불가

불이익처분 상대방
▷ 원고적격 O

수익처분 상대방
▷ (원칙적으로) 원고적격 ×

「건축법」상 시정명령 신청권 ×

현저히 불합리한 재량 불행사
▷ 위법

문제 DATA

출제가능 지수 ▶▷▷
난이도 지수 ★★☆

함께 정리하기

공권

경업자, 경원자
▷ 법률상 이익이 인정되는 경우 개인적 공권 인정

무하자재량행사청구권
▷ 부담적 행정행위도 인정 가

행정개입청구권
▷ 자치경찰제 도입까지 의미 ×

연탄공장 건축허가
▷ 인근주민의 원고적격 ○

006 □□□

공권(公權)에 대한 설명으로 옳은 것은? (다툼이 있는 경우 판례에 의함)

① 대법원은 경업자(競業者)에게는 개인적 공권을 인정하면서도, 경원자(競願者)에게는 이를 부인하였다.
② 무하자재량행사청구권은 수익적 행정행위뿐만 아니라 부담적 행정행위에도 적용될 수 있다.
③ 개인적 공권으로서의 경찰권은 주민에 의한 자치경찰제의 도입까지 의미하는 것으로 이해된다.
④ 주거지역 내에서 법령상의 제한면적을 초과하는 연탄공장의 건축허가처분으로 불이익을 받고 있는 인근주민은 당해 처분의 취소를 소구할 법률상 자격이 없다.

2018년 교육행정직

① (×) 대법원은 경업자이든 경원자이든 관계없이 법률상 이익이 인정되는 경우 개인적 공권을 인정한다.

1. 경업자인 경우
   일반적으로 면허나 인·허가 등의 수익적 행정처분의 근거가 되는 법률이 해당 업자들 사이의 과당경쟁으로 인한 경영의 불합리를 방지하는 것도 그 목적으로 하고 있는 경우, 미리 같은 종류의 면허나 인·허가 등의 수익적 행정처분을 받아 영업을 하고 있는 기존의 업자는 경업자에 대하여 이루어진 면허나 인·허가 등 행정처분의 상대방이 아니라 하더라도 당해 행정처분의 취소를 구할 당사자적격이 있다. 시외버스 운송사업계획변경인가처분으로 인하여 기존의 시내버스운송사업자의 노선 및 운행계통과 시외버스운송사업자들의 그것들이 일부 중복되게 되고 기존업자의 수익감소가 예상된다면, 기존의 시내버스운송사업자와 시외버스운송사업자들은 경업관계에 있는 것으로 봄이 상당하다 할 것이어서 기존의 시내버스운송사업자에게 시외버스 운송사업계획변경인가처분의 취소를 구할 법률상의 이익이 있다(대판 2002.10.25. 2001두4450).

2. 경원자인 경우
   액화석유가스충전사업의 허가기준을 정한 전라남도 고시에 의하여 고흥군 내에는 당시 1개소에 한하여 L.P.G. 충전사업의 신규허가가 가능하였는데, 원고가 한 허가신청은 관계 법령과 위 고시에서 정한 허가요건을 갖춘 것이고, 피고보조참가인(이하 '참가인'이라 한다)들의 그것은 그 요건을 갖추지 못한 것임에도 피고는 이와 반대로 보아 원고의 허가신청을 반려하는 한편 참가인들에 대하여는 이를 허가하는 이 사건 처분을 하였다는 것인 바, 그렇다면 원고와 참가인들은 경원관계에 있다 할 것이므로 원고에게는 이 사건 처분의 취소를 구할 당사자적격이 있다고 하여야 함은 물론 나아가 이 사건 처분이 취소된다면 원고가 허가를 받을 수 있는 지위에 있음에 비추어 처분의 취소를 구할 정당한 이익도 있다고 하여야 할 것이다(대판 1992.5.8. 91누13274).

② (○) 무하자재량행사청구권은 주로 수익적 행정행위를 대상으로 하는 것이지만, 부담적 행정행위에도 인정된다. 이 때 그 실현수단으로서, ㉠ 수익적 행정처분을 신청한 개인에게 행정청이 거부처분을 한 경우, 개인은 무하자재량행사청구권을 전제로 의무이행심판을 제기하거나 취소소송을 제기할 수 있으며, ㉡ 행정청이 개인에게 행한 재량행위의 내용이 부담적 행정처분인 경우에는 당사자는 행정청에게 적법한 재량행사를 요구하는 취소심판이나 취소소송을 제기할 수 있다.

③ (×) 행정개입청구권은 행정개입을 청구하는 국민의 생명, 신체 및 재산을 보호하기 위하여 인정되는 것이므로 경찰행정(질서행정) 분야에서 주로 인정된다. 그러나 자치경찰제의 도입까지 의미하는 것은 아니다.

④ (×) 주거지역 내에 위 법조 소정 제한면적을 초과한 연탄공장 건축허가처분으로 불이익을 받고 있는 제3거주자는 비록 당해 행정처분의 상대자가 아니라 하더라도 그 행정처분으로 말미암아 위와 같은 법률에 의하여 보호되는 이익을 침해받고 있다면 당해 행정처분의 취소를 소구하여 그 당부의 판단을 받을 법률상의 자격이 있다(대판 1975.5.13. 73누96).

답 ②

007

개인적 공권에 대한 설명으로 가장 옳지 않은 것은? (다툼이 있는 경우 판례에 의함)

① 상수원보호구역 설정의 근거가 되는 규정이 보호하고자 하는 것은 상수원의 확보와 수질보전일 뿐이고, 그 상수원에서 급수를 받고 있는 지역주민들이 가지는 상수원의 오염을 막아 양질의 급수를 받을 이익은 상수원의 확보와 수질보호라는 공공의 이익이 달성됨에 따라 반사적으로 얻게 되는 이익에 불과하다.
② 공무원연금수급권은 국가에 대하여 적극적으로 급부를 요구하는 것이므로 헌법규정만으로는 이를 실현할 수 없어 법률에 의한 형성이 필요하다.
③ 제소기간이 이미 도과하여 불가쟁력이 생긴 행정처분에 대하여는 개별 법규에서 그 변경을 요구할 신청권을 규정하고 있거나 관계 법령의 해석상 그러한 신청권이 인정될 수 있는 등 특별한 사정이 없는 한 국민에게 그 행정처분의 변경을 구할 신청권이 있다 할 수 없다.
④ 도시계획구역 내 토지 등을 소유하고 있는 주민은 입안권자에게 도시계획입안을 요구할 수 있는 법규상 또는 조리상의 신청권이 없다.

2018년 경찰 2차

① (○) 상수원보호구역 설정의 근거가 되는 수도법 제5조 제1항 및 동 시행령 제7조 제1항이 보호하고자 하는 것은 상수원의 확보와 수질보전일 뿐이고, 그 상수원에서 급수를 받고 있는 지역주민들이 가지는 상수원의 오염을 막아 양질의 급수를 받을 이익은 직접적이고 구체적으로는 보호하고 있지 않음이 명백하여 위 지역주민들이 가지는 이익은 상수원의 확보와 수질보호라는 공공의 이익이 달성됨에 따라 반사적으로 얻게 되는 이익에 불과하므로 지역주민들에 불과한 원고들에게는 위 상수원보호구역변경처분의 취소를 구할 법률상의 이익이 없다(대판 1995.9.26. 94누14544).

유제 17. 국가직 9급 상수원보호구역 설정의 근거가 되는 규정은 상수원의 확보와 수질보전일 뿐이고, 그 상수원에서 급수를 받고 있는 지역주민들이 가지는 이익은 상수원의 확보와 수질보호라는 공공의 이익이 달성됨에 따라 반사적으로 얻게 되는 이익에 불과하다. (○)

② (○) 헌재 2013.9.26. 2011헌바272
③ (○) 행정청이 국민의 신청에 대하여 한 거부행위가 항고소송의 대상이 되는 행정처분으로 되려면, 행정청의 행위를 요구할 법규상 또는 조리상의 신청권이 국민에게 있어야 하고, 제소기간이 이미 도과하여 불가쟁력이 생긴 행정처분에 대하여는 개별 법규에서 그 변경을 요구할 신청권을 규정하고 있거나 관계 법령의 해석상 그러한 신청권이 인정될 수 있는 등 특별한 사정이 없는 한 국민에게 그 행정처분의 변경을 구할 신청권이 있다 할 수 없다(대판 2007.4.26. 2005두11104).

유제 13. 국가직 7급 판례에 따르면 불가쟁력이 발생한 행정행위에 대해 그것의 변경을 구할 국민의 신청권은 특별한 사정이 없는 한 인정되지 않고 있다. (○)

④ (✕) 구 도시계획법과 헌법상 개인의 재산권 보장의 취지에 비추어 보면, 도시계획구역 내 토지 등을 소유하고 있는 주민으로서는 입안권자에게 도시계획입안을 요구할 수 있는 법규상 또는 조리상의 신청권이 있다고 할 것이고, 이러한 신청에 대한 거부행위는 항고소송의 대상이 되는 행정처분에 해당한다고 할 것이다(대판 2004.4.28. 2003두1806).

유제 12. 국회직 9급 도시계획구역 내 토지 등을 소유하고 있는 주민은 입안권자에게 도시계획입안을 요구할 수 있는 법규상 또는 조리상의 신청권이 있다. (○)
10. 국가직 9급 도시계획구역 내 토지소유자는 도시계획시설변경입안 요구신청권이 있다. (○)

답 ④

문제 DATA
출제가능 지수 ▶▶▷
난이도 지수 ★★☆

함께 정리하기

개인적 공권

상수원보호지역주민의 이익
▷ 반사적 이익

공무원연금 수급권
▷ 헌법규정만으로 실현 不可

불가쟁력발생 행정행위
▷ 원칙적으로 처분변경 신청권 無

도시계획구역 내 토지 등 소유 주민
▷ 도시관리계획입안요구 신청권 有

문제 DATA

출제가능 지수 ▶▶Σ
난이도 지수 ★★☆

008 ☐☐☐

개인적 공권에 대한 설명으로 옳지 않은 것은? (다툼이 있는 경우 판례에 의함)

① 환경영향평가에 관한 자연공원법령 및 환경영향평가법령들의 취지는 환경공익을 보호하려는 데 있으므로 환경영향평가 대상지역 안의 주민들이 수인한도를 넘는 환경침해를 받지 아니하고 쾌적한 환경에서 생활할 수 있는 개별적 이익까지 보호하는 데 있다고 볼 수는 없다.

② 행정처분에 있어서 불이익처분의 상대방은 직접 개인적 이익의 침해를 받은 자로서 취소소송의 원고적격이 인정되지만 수익처분의 상대방은 그의 권리나 법률상 보호되는 이익이 침해되었다고 볼 수 없으므로 달리 특별한 사정이 없는 한 취소를 구할 이익이 없다.

③ 상수원보호구역 설정의 근거가 되는 규정은 상수원의 확보와 수질보전일 뿐이고, 그 상수원에서 급수를 받고 있는 지역 주민들이 가지는 이익은 상수원의 확보와 수질보호라는 공공의 이익이 달성됨에 따라 반사적으로 얻게 되는 이익에 불과하다.

④ 개인적 공권이 성립하려면 공법상 강행법규가 국가 기타 행정주체에게 행위의무를 부과해야 한다. 과거에는 그 의무가 기속행위의 경우에만 인정되었으나, 오늘날에는 재량행위에도 인정된다고 보는 것이 일반적이다.

함께 정리하기

개인적 공권

환경영향평가법령
▷ 대상지역 안 주민들의 개별이익보호

수익처분의 상대방
▷ 취소 구할 이익 無

상수원보호지역주민의 이익
▷ 반사적 이익

재량행위에서도 성립 可

2017년 국가직 9급

① (×) 환경영향평가에 관한 구 자연공원법령 및 구 환경영향평가법령상의 관련 규정의 취지는 환경영향평가 대상지역 안의 주민들이 개발 전과 비교하여 수인한도를 넘는 환경침해를 받지 아니하고 쾌적한 환경에서 생활할 수 있는 개별적 이익까지도 이를 보호하려는 데에 있다(대판 2011.9.8. 2009두6766 등).

② (○) 대판 1995.8.22. 94누8129

③ (○) 대판 1995.9.26. 94누14544

④ (○) 오늘날에는 재량영역에도 무하자재량행사청구권과 행정개입청구권 등 개인적 공권이 성립된다고 본다. 판례 역시 검사의 임용을 재량사항으로 보면서도 임용신청자에게 적법한 응답을 요구할 권리를 인정한 바 있다.

> 검사의 임용에 있어서 임용권자가 임용여부에 관하여 어떠한 내용의 응답을 할 것인지는 임용권자의 자유재량에 속하므로 일단 임용거부라는 응답을 한 이상 설사 그 응답내용이 부당하다고 하여도 사법심사의 대상으로 삼을 수 없는 것이 원칙이나, 적어도 재량권의 한계 일탈이나 남용이 없는 위법하지 않은 응답을 할 의무가 임용권자에게 있고 이에 대응하여 임용신청자로서도 재량권의 한계 일탈이나 남용이 없는 적법한 응답을 요구할 권리가 있다(대판 1991.2.12. 90누5825).

답 ①

009

법률상 이익에 대한 판례의 입장으로 옳은 것은?

① 사회권적 기본권의 성격을 가지는 연금수급권은 헌법에 근거한 개인적 공권이므로 헌법 규정만으로도 실현할 수 있다.
② 소극적 방어권인 헌법상의 자유권적 기본권은 법률의 규정이 없다고 하더라도 직접 공권이 성립될 수도 있다.
③ 인·허가 등 수익적 처분을 신청한 여러 사람이 상호 경쟁관계에 있다면, 그 처분이 타방에 대한 불허가 등으로 될 수밖에 없는 때에도 수익적 처분을 받지 못한 사람은 처분의 직접 상대방이 아니므로 원칙적으로 당해 수익적 처분의 취소를 구할 수 없다.
④ 「환경정책기본법」 제6조의 규정 내용 등에 비추어 국민에게 구체적인 권리를 부여한 것으로 볼 수 없더라도 환경영향평가 대상지역 밖에 거주하는 주민에게 헌법상의 환경권 또는 「환경정책기본법」에 근거하여 공유수면매립면허처분과 농지개량사업 시행인가처분의 무효확인을 구할 원고적격이 있다.

2017년 지방직 9급

① (×) 공무원연금 수급권과 같은 사회보장수급권은 '모든 국민은 인간다운 생활을 할 권리를 가지고, 국가는 사회보장·사회복지의 증진에 노력할 의무를 진다.'고 규정한 헌법 제34조 제1항 및 제2항으로부터 도출되는 사회적 기본권 중의 하나로서, 이는 국가에 대하여 적극적으로 급부를 요구하는 것이므로 헌법규정만으로는 이를 실현할 수 없어 법률에 의한 형성이 필요하고, 그 구체적인 내용 즉 수급요건, 수급자의 범위 및 급여금액 등은 법률에 의하여 비로소 확정된다(헌재 2013.9.26. 2011헌바272).
② (○) 구체적 내용을 갖고 있는 자유·평등권·재산권 등의 헌법상 기본권(구체적 기본권)은 법률에 의해 따로 구체화되지 않더라도 개인적 공권으로 인정될 수 있다.
③ (×) 행정소송법 제12조는 취소소송은 처분 등의 취소를 구할 법률상의 이익이 있는 자가 제기할 수 있다고 규정하고 있는바, 인·허가 등의 수익적 행정처분을 신청한 수인이 서로 경쟁관계에 있어서 일방에 대한 허가 등의 처분이 타방에 대한 불허가 등으로 귀결될 수밖에 없는 때 허가 등의 처분을 받지 못한 자는 비록 경원자에 대하여 이루어진 허가 등 처분의 상대방이 아니라 하더라도 당해 처분의 취소를 구할 당사자적격이 있다 할 것이고, 다만 구체적인 경우에 있어서 그 처분이 취소된다 하더라도 허가 등의 처분을 받지 못한 불이익이 회복된다고 볼 수 없을 때에는 당해 처분의 취소를 구할 정당한 이익이 없다고 할 것이다(대판 1992.5.8. 91누13274).
④ (×) 헌법 제35조 제1항에서 정하고 있는 환경권에 관한 규정만으로는 그 권리의 주체·대상·내용·행사방법 등이 구체적으로 정립되어 있다고 볼 수 없고, 환경정책기본법 제6조도 그 규정 내용 등에 비추어 국민에게 구체적인 권리를 부여한 것으로 볼 수 없다. 따라서 환경영향평가 대상지역 밖에 거주하는 주민에게 헌법상의 환경권 또는 환경정책기본법에 근거하여 공유수면매립면허처분과 농지개량사업 시행인가처분의 무효확인을 구할 원고적격이 없다(대판 2006.3.16. 2006두330 전합).

유제 10. 지방직 7급 환경영향평가 대상지역 밖에 거주하는 주민에게 헌법상의 환경권 또는 「환경정책기본법」에 근거하여 공유수면매립면허처분과 농지개량사업 시행인가처분의 무효확인을 구할 원고적격은 인정되지 아니한다. (○)
08. 국회직 8급 환경영향평가 대상지역 밖의 주민은 헌법상 환경권 또는 「환경정책기본법」상 쾌적한 환경에서 생활할 권리에 근거하여 공유수면매립면허처분의 무효확인을 구할 법률상 이익이 있다. (×)

답 ②

문제 DATA

출제가능 지수 ▶▶Σ
난이도 지수 ★★☆

함께 정리하기

법률상 이익

사회권적 기본권
▷ 헌법규정만으로 실현 불가

자유권적 기본권
▷ 직접 공권 성립

경원관계의 타방
▷ 당사자적격 有

환경권
▷ 구체적 권리 ×
▷ 환경권에 근거하여 원고적격 ×

문제 DATA

출제가능 지수 ▶▶Σ
난이도 지수 ★★☆

함께 정리하기

개인적 공권

공법상 계약으로 성립 可
재량 영(0) 수축이론
▷ 개인적 공권 확대이론
포기
▷ 원칙적 불가
헌법상 구체적 기본권
▷ 도출 可
추상적 기본권
▷ 도출 불가

010 ☐☐☐

개인적 공권에 대한 설명으로 옳은 것은? (다툼이 있는 경우 판례에 의함)

① 공법상 계약을 통해서는 개인적 공권이 성립할 수 없다.
② 재량권의 영으로의 수축이론은 개인적 공권을 확대하는 이론이다.
③ 개인적 공권은 사권처럼 자유롭게 포기할 수 있는 것이 원칙이다.
④ 헌법상의 기본권 규정으로부터는 개인적 공권이 바로 도출될 수 없다.

2017년 교육행정직

① (×) 개인적 공권은 성문법령 외에도 조리·관습법 등 불문법으로도 성립될 수 있으며, 행정행위나 공법상 계약을 통해서도 성립가능하다.

유제 12. 국가직 9급 개인적 공권은 공법상 계약을 통해서는 성립할 수 없다. (×)

② (○) 원칙적으로 재량행위의 경우 일탈·남용이 없는 재량행사로 족하고, 개인은 이에 대하여 특정한 행위를 요구할 공권이 인정되지 않는다. 그러나 재량권이 영(0)으로 수축하는 경우 무하자재량행사청구권은 특정한 행위를 요구할 수 있는 행정개입청구권으로 전환된다. 따라서 재량권의 영으로의 수축이론은 개인적 공권을 확대하는 이론이라고 볼 수 있다.

③ (×) 개인적 공권은 공익적 목적으로 인정된 것인 만큼 원칙적으로 포기할 수 없다. 그러나 불행사는 가능하다.

유제 09. 국가직 9급 개인적 공권은 공익적 성질을 가지므로 임의로 포기할 수 없는 것이 원칙이다. (○)

④ (×) 구체적 내용을 갖고 있는 자유권·평등권·재산권 등의 헌법상 기본권(구체적 기본권)은 법률에 의해 따로 구체화되지 않더라도 개인적 공권으로 인정될 수 있다. 다만, 환경권 등 사회적 기본권이나 청구권적 기본권과 같이 법률에 의해 그 내용 등이 구체화될 필요가 있는 기본권(추상적 기본권)은 법률에 규정됨으로써 비로소 개인적 공권이 도출된다.

1. 구속된 피고인 또는 피의자의 타인과의 접견권은 헌법상의 기본권으로서 형사소송법의 규정에 의하여 비로소 창설되는 것은 아니다(대판 1992.5.8. 91부8).
2. 헌법상의 사회보장권은 그에 관한 수급요건, 수급자의 범위, 수급액 등 구체적인 사항이 법률에 규정됨으로써 비로소 구체적인 법적 권리로 형성되는 것이다(헌재 2000.6.1. 98헌마216).

답 ②

제3절 | 행정상 법률관계의 종류

I 행정작용법관계

001 ☐☐☐

행정법관계에 대한 설명으로 옳지 않은 것은?

① 행정상의 법률관계 가운데 공법의 규율을 받는 관계이다.
② 권력관계란 행정주체에게 개인에게는 인정되지 않는 우월적 지위가 인정되는 법률관계이다.
③ 관리관계는 공법관계에 속하므로 전면적으로 공법규정 내지 공법원리가 적용된다.
④ 특별권력관계에 있어서 권리를 침해당한 자는 행정소송을 제기할 수 있다.

문제 DATA
출제가능 지수 ▶▷▷
난이도 지수 ★★☆

| 2011년 사회복지직

① (○) 행정법관계는 행정상의 법률관계 중 공법의 적용을 받는 법률관계를 말한다.
② (○) 권력관계란 행정주체가 우월적 지위에서 사인에 대하여 일방적으로 명령·강제하는 법률관계를 의미한다. '본래적 공법관계'라고도 한다. 권력관계에는 공정력 등 우월한 효력이 인정되며 원칙적으로 사법규정의 적용이 배제되나, 「민법」상의 일반적인 규정은 적용될 수도 있다.
③ (×) 관리관계란 행정주체가 공권력주체가 아니라 공적 재산 또는 사업의 관리주체로서 국민과 대등한 법적 지위를 갖는 관계를 말한다. '전래적 공법관계'라고도 한다. 관리관계는 비권력적 관계이므로 원칙적으로 사법규정이 적용되며, 공익목적달성에 필요한 한도 내에서 특별한 공법적 규율을 받는다.
④ (○) 특별권력관계에 있어서도 권리를 침해당한 자는 행정소송을 제기할 수 있다.

> 동장과 구청장과의 관계는 이른바 행정상의 특별권력관계에 해당되며 이러한 <u>특별권력관계에 있어서도 위법한 특별권력의 발동으로 말미암아 권리를 침해당한 자는 행정소송법 제1조의 규정에 따라 그 위법한 처분의 취소를 구할 수 있다</u>(대판 1982.7.27. 80누86).

답 ③

함께 정리하기

행정법관계
공법의 규율
권력관계
▷ 우월적 지위 인정
관리관계
▷ 사법적용이 원칙
특별권력관계
▷ 행정소송 제기 可

II 특별권력관계(특별행정법관계)

002 ☐☐☐

특별권력관계를 기본관계와 경영수행관계로 분류할 경우, 기본관계에 대한 설명으로 옳지 않은 것은?

① 기본관계는 공법관계로서 법치행정원리가 적용된다.
② 기본관계가 성립하기 위해서는 상대방의 동의를 필요로 한다.
③ 특별권력관계 자체의 성립·변경·종료와 관련된 경우는 기본관계에 해당한다.
④ 기본관계에서 이루어지는 법률관계의 변동은 행정처분으로서 행정소송의 대상이 된다.

문제 DATA
출제가능 지수 ▶▷▷
난이도 지수 ★★☆

| 2015년 국가직 7급

울레(Ule)는 특별권력관계를 기본관계와 경영수행관계로 나누어 판단하였다.
① (○) 기본관계는 공법관계로서 경영수행관계와는 달리 법치행정원리가 적용된다.
② (×) 기본관계가 성립하기 위해서 상대방의 동의를 반드시 필요로 하는 것은 아니다. 예컨대 교도소 입소와 같은 경우 특별권력관계의 성립으로서 기본관계에 해당함에도 불구하고 상대방의 동의를 필요로 하지 않는다.

함께 정리하기

울레(Ule)의 기본관계
▷ 공법관계, 법치주의 적용
▷ 상대방 동의 필수×
▷ 특별권력관계의 성립·변경·종료
▷ 사법심사 대상

제2장 행정상의 법률관계 163

③ (○) 기본관계는 특별권력관계의 성립(예 공무원 임명, 국립학교 입학), 변경(예 공무원의 승진, 학생의 상급반 진학), 종료(예 공무원의 면직과 퇴직, 학생의 제적·졸업) 등 구성원의 법적 지위의 본질적 사항에 해당하는 관계인 반면, 경영수행관계는 특별권력관계 내부의 경영수행질서를 규율하는 관계(예 공무원의 직무수행, 학생의 수업)를 의미한다.

④ (○) 울레(Ule)의 이론에 의하면 기본관계는 사법심사의 대상이 되나, 경영수행관계는 원칙적으로 사법심사의 대상이 되지 않는다. 다만, 경영수행관계도 예외적으로 군복무관계와 폐쇄적 영조물관계(예 재소자관계, 전염병환자 강제입원관계)에 있어서는 구성원의 권리침해의 가능성이 매우 크다는 이유에서 사법심사의 대상이 되어야 한다고 하였다.

유제 11. 국회직 9급 특별권력관계를 기본관계와 경영수행관계로 나누는 견해에 따르면, 공무원에 대한 직무상 명령에 대해서 사법심사가 가능하게 된다. (×)
05. 서울시 9급 울레(Ule)의 수정설에 따르면 군인의 입대·제대와 같은 기본관계에 대해서는 사법심사가 허용되지 않는다. (×)

답 ②

003 □□□

특별행정법관계(특별권력관계)에 대한 설명으로 가장 옳지 않은 것은? (다툼이 있는 경우 판례에 의함)

① 국립교육대학 학생에 대한 퇴학처분은 행정처분으로서 행정소송의 대상이 된다.
② 서울특별시지하철공사의 임·직원의 근무관계의 성질은 공법상의 특별권력관계라고 볼 수 있다.
③ 농지개량조합과 그 직원의 관계는 공법상 특별권력관계이다.
④ 특별행정법관계(특별권력관계)의 종류에는 공법상의 근무관계, 공법상의 영조물이용관계, 공법상의 특별감독관계, 공법상의 사단관계가 있다.

> 2015년 경찰 1차

① (○) 국립교육대학 학생에 대한 퇴학처분은, 학칙 위반자인 재학생에 대한 구체적 법집행으로서 국가공권력의 하나인 징계권을 발동하여 학생으로서의 신분을 일방적으로 박탈하는 국가의 교육행정에 관한 의사를 외부에 표시한 것이므로, 행정처분임이 명백하다(대판 1991.11.22. 91누2144).

유제 13. 지방직 7급 판례에 의하면 국립교육대학 학생에 대한 퇴학처분은 사법심사의 대상이 되는 행정처분이다. (○)
10. 국가직 9급 ○○교육대학 학생에 대한 퇴학처분은 국립대학교의 내부질서유지를 위해 학칙 위반자인 재학생에 대한 구체적 법집행으로서 「행정소송법」상의 처분에 해당한다. (○)
09. 국회직 9급 국립대학에 재학 중인 대학생이 퇴학처분을 받은 경우 특별권력관계 내에서의 행위이므로 이에 대하여 사법심사를 청구할 수 없다. (×)

② (×) 서울특별시지하철공사의 임원과 직원의 근무관계의 성질은 사법관계에 속할 뿐만 아니라, 위 지하철공사의 사장이 소속직원에 대한 징계처분을 한 경우 위 사장은 행정청에 해당되지 않으므로 공권력발동주체로서 위 징계처분을 행한 것으로 볼 수 없고, 따라서 이에 대한 불복절차는 민사소송에 의할 것이지 행정소송에 의할 수는 없다(대판 1989.9.12. 89누2103).

유제 09. 국회직 9급 서울특별시 지하철공사의 임·직원의 근무관계의 성격은 공법상의 특별권력관계라고 보는 것이 대법원의 입장이다. (×)

③ (○) 농지개량조합과 그 직원과의 관계는 사법상의 근로계약관계가 아닌 공법상의 특별권력관계이고, 그 조합의 직원에 대한 징계처분의 취소를 구하는 소송은 행정소송사항에 속한다(대판 1995.6.9. 94누10870).

문제 DATA
출제가능 지수 ▶▷▷
난이도 지수 ★☆☆

함께 정리하기
특별권력관계
국립교대학생 퇴학처분
▷ 행정소송대상
서울시 지하철공사 임·직원 근무관계
▷ 특별권력관계 ×
농지개량조합직원 근무관계
▷ 특별권력관계 ○
특별권력관계
▷ 근무/영조물이용/특별감독/사단

④ (○) 특별권력관계의 종류로는 공무원관계, 군복무관계처럼 포괄적인 근무의무를 내용으로 하는 ㉠ 공법상 근무관계, 국·공립학교 재학관계, 교도소 수감관계 등 영조물을 이용하는 관계 중 윤리적 성격을 가진 ㉡ 공법상 영조물 이용관계, 국가와 공공단체, 국가와 공무수탁사인간의 관계처럼 국가적 목적을 위하여 국가로부터 특별한 감독을 받는 ㉢ 특별감독관계, 공법상 사단(공공조합)이 조합원에 대한 특별한 권력을 갖는 ㉣ 공법상 사단관계가 있다.

유제 12. 경찰 1차 전염병환자의 강제수용, 국립대학과 재학생과의 관계는 특별권력관계(특별행정법관계)이다. (○)

답 ②

004 □□□

다음 사례에 대한 설명으로 가장 옳은 것은? (다툼이 있는 경우 판례에 의함)

> 국립 ○○교육대학 교수회는 학칙에 의거해 징계권자인 학장(피고)의 요구에 따라 교내·외의 과격시위 등에 가담한 甲(원고) 외 학생들에게 무기정학과 퇴학처분 등의 징계의결을 하였다. 피고가 위 징계의결의 내용이 미흡하다는 이유로 재심을 요청하여 다시 교수회가 개최되었는데, 그 자리에서 피고는 자신에게 위 징계의결내용을 직권으로 조정할 권한을 위임하여 줄 것을 요청하여 찬반토론을 거쳤으나 표결은 하지 않았다. 이에 피고는 같은 일자로 원고에 대한 위 교수회의 징계의결내용을 변경하여 원고에 대하여 퇴학처분을 하였다.

① 오늘날 특별권력관계의 특수성은 여전히 인정되므로, 특별권력관계의 목적달성을 위하여는 법률의 근거가 없는 경우에도 당연히 기본권이 제한된다.
② 학생에 대한 징계권의 발동이나 징계의 양정은 징계권자인 ○○교육대학 학장의 교육적 재량에 맡겨져 있지만, 교수회의 의결을 요건으로 하므로 위 징계처분은 기속행위로 보아야 한다.
③ 효과재량설의 입장에서 보면 징계처분은 재량행위라고 보게 되므로, 관계 법령 또는 학칙상 징계사유가 존재하더라도 반드시 징계를 하여야 하는 것은 아니다.
④ ○○교육대학 학생에 대한 퇴학처분은 국립대학교의 내부질서유지를 위해 학칙 위반자인 재학생에 대한 구체적 법집행으로서 「행정소송법」상의 처분에 해당한다.

2010년 국가직 9급

① (×) 전통적 특별권력관계는 법률유보의 원칙이 배제되며 기본권이 적용되지 않고, 사법심사가 인정되지 않는 관계로 보았으나, 오늘날에는 법치주의의 예외나 사법심사의 배제가 인정되는 특별권력관계는 인정되지 않고 있다. 따라서, 오늘날 실질적 법치주의 국가에서는 특별권력관계도 법치주의가 적용되어 원칙적으로 법률에 의해서만 기본권의 제한이 가능하다.
② (×) 교수회의 의결을 요건으로 하는 징계처분 또한 재량행위로 본다.

> 학생에 대한 징계권의 발동이나 징계의 양정이 징계권자의 교육적 재량에 맡겨져 있다 할지라도 법원이 심리한 결과 그 징계처분에 위법사유가 있다고 판단되는 경우에는 이를 취소할 수 있는 것이고, 징계처분이 교육적 재량행위라는 이유만으로 사법심사의 대상에서 당연히 제외되는 것은 아니다(대판 1991.11.22. 91누2144).

유제 08. 국가직 9급 판례에 의하면 학생에 대한 징계권의 발동이나 징계의 양정(量定)이 징계권자의 교육적 재량에 맡겨져 있다 할지라도 법원이 심리한 결과 그 징계처분에 위법한 사유가 있다고 판단되는 경우에는 이를 취소할 수 있다. (○)

문제 DATA
출제가능 지수 ▶▷▷
난이도 지수 ★★☆

함께 정리하기
국립대학생 퇴학처분 사례
기본권제한
▷ 법률상 근거 要
징계처분
▷ 재량행위
효과재량설
▷ 침익적 행정행위: 기속행위
▷ 징계처분: 기속행위
국립교대학생 퇴학처분
▷ 「행정소송법」상 처분

③ (×) 효과재량설은 재량행위인지 기속행위인지의 구별기준은 법률에 특정한 규정이 있는 경우를 제외하고는 당해 행위의 성질이 기준이 된다는 견해로서 침익적 행정행위는 기속행위이고, 수익적 행정행위 또는 국민의 권리·의무와 관련이 없는 행위는 재량행위로 보는 견해이다. 효과재량설에 의하면 징계처분은 침익적 행정행위로서 기속행위에 해당하므로 징계사유가 존재하는 경우 반드시 징계하여야 한다.
④ (○) 대판 1991.11.22. 91누2144

답 ④

005

특별권력관계에 대한 설명으로 옳은 것은? (다툼이 있는 경우 판례에 의함)

① 국립대학에 재학 중인 대학생이 퇴학처분을 받은 경우 특별권력관계 내에서의 행위이므로 이에 대하여 사법심사를 청구할 수 없다.
② 서울특별시 지하철공사의 임·직원의 근무관계의 성격은 공법상의 특별권력관계라고 보는 것이 대법원의 입장이다.
③ 특별권력관계에서도 헌법 제37조 제2항의 기본권제한의 원칙에 따라 법률의 근거 하에 기본권 제한이 인정된다.
④ 특별권력관계에서는 특별권력에 따른 명령권과 형벌권이 인정된다.
⑤ 특별권력관계의 성립은 직접 법률에 의거하는 경우와 상대방의 동의에 의하는 경우가 있는데, 상대방의 동의는 자유로운 의사에 기한 자발적인 동의만을 인정한다.

| 2009년 국회직 9급

① (×) 국립교육대학 학생에 대한 퇴학처분은, … 행정처분임이 명백하다. … 징계처분이 교육적 재량행위라는 이유만으로 사법심사의 대상에서 당연히 제외되는 것은 아니다(대판 1991.11.22. 91누2144).
② (×) 서울특별시지하철공사의 임원과 직원의 근무관계의 성질은 사법관계에 속할 뿐만 아니라, 위 지하철공사의 사장이 소속직원에 대한 징계처분을 한 경우 … 불복절차는 민사소송에 의할 것이지 행정소송에 의할 수는 없다(대판 1989.9.12. 89누2103).
③ (○) 오늘날 법치주의의 예외나 사법심사의 배제가 인정되는 특별권력관계는 인정되지 않고 있다. 따라서 오늘날 실질적 법치주의 국가에서는 특별권력관계도 법치주의가 적용되어 원칙적으로 법률에 의해서만 기본권의 제한이 가능하다.
④ (×) 특별권력관계에서 형벌권은 인정되지 않고, 포괄적인 명령권과 그 위반에 대한 징계권이 인정된다.
⑤ (×) 특별권력관계는 「병역법」에 근거한 병역의무자의 군입대와 같이 법률의 규정에 의해 성립할 수도 있고, 상대방의 동의에 의해 성립할 수도 있다. 동의에 의하는 경우, 공무원임용과 같이 자발적 동의에 의하는 경우뿐만 아니라 학령아동의 초등학교 입학과 같이 강제적 동의에 의해서도 특별권력관계가 성립될 수 있다.

답 ③

문제 DATA
출제가능 지수 ▶▷▷
난이도 지수 ★★☆

함께 정리하기

특별권력관계
국립대학생 퇴학처분
▷ 사법심사 可
서울시 지하철공사임·직원 근무관계
▷ 특별권력관계 ×
기본권제한
▷ 법률상 근거 要
특별권력관계
▷ 형벌권 인정 ×
상대방동의
▷ 강제적 동의 포함

제3장 행정상의 법률요건과 법률사실(행정법관계의 변동)

제1절 | 행정법상 사건

001 □□□

「행정기본법」상 기간의 계산에 대한 설명으로 가장 옳은 것은?

① 「행정기본법」에 특별한 규정이 없는 경우 「민원 처리에 관한 법률」에 따른다.
② 甲에게 의무를 부과하는 처분이 3개월로 정해진 경우에는 첫날을 산입하지 않는다.
③ 법령에서 乙의 권익을 제한하는 처분의 기간 말일이 토요일인 경우에는 그 날로 만료한다.
④ 법령등을 공포한 날부터 일정 기간이 경과한 날부터 시행하는 경우 법령등을 공포한 날을 첫 날에 산입한다.

2025년 군무원 9급

◎ 문제 DATA

출제가능 지수 ▶▶▷
난이도 지수 ★★☆

①, ② (×), ③ (○)

> 「행정기본법」 제6조【행정에 관한 기간의 계산】① 행정에 관한 기간의 계산에 관하여는 이 법 또는 다른 법령등에 특별한 규정이 있는 경우를 제외하고는 「민법」을 준용한다(①).
> ② 법령등 또는 처분에서 국민의 권익을 제한하거나 의무를 부과하는 경우 권익이 제한되거나 의무가 지속되는 기간의 계산은 다음 각 호의 기준에 따른다. 다만, 다음 각 호의 기준에 따르는 것이 국민에게 불리한 경우에는 그러하지 아니하다.
> 1. 기간을 일, 주, 월 또는 연으로 정한 경우에는 기간의 첫날을 산입한다(②).
> 2. 기간의 말일이 토요일 또는 공휴일인 경우에도 기간은 그 날로 만료한다(③).

④ (×) 첫 날을 산입하지 않는다.

> 「행정기본법」 제7조【법령등 시행일의 기간 계산】 법령등(훈령·예규·고시·지침 등을 포함한다. 이하 이 조에서 같다)의 시행일을 정하거나 계산할 때에는 다음 각 호의 기준에 따른다.
> 1. 법령등을 공포한 날(훈령·예규·고시·지침 등은 고시·공고 등의 방법으로 발령한 날을 말한다. 이하 이 조에서 같다)부터 시행하는 경우에는 공포한 날을 시행일로 한다.
> 2. 법령등을 공포한 날부터 일정 기간이 경과한 날부터 시행하는 경우 법령등을 공포한 날을 첫날에 산입하지 아니한다.
> 3. 법령등을 공포한 날부터 일정 기간이 경과한 날부터 시행하는 경우 그 기간의 말일이 토요일 또는 공휴일인 때에는 그 말일로 기간이 만료한다.

답 ③

함께 정리하기

「행정기본법」상 기간의 계산

행정에 관한 기간의 계산
▷ 특별규정 없으면 「민법」 적용

권익제한, 의무부과 기간의 계산
▷ 일, 주, 월, 연으로 정한 경우 기간의 첫날을 산입
▷ 기간의 말일이 토요일 또는 공휴일인 경우에도 기간은 그 날로 만료

법령등을 일정 기간이 경과한 날부터 시행하는 경우
▷ 공포한 날을 첫날에 산입×

문제 DATA

출제가능 지수 ▶▶▷
난이도 지수 ★★☆

002 □□□

「행정기본법」의 내용으로 옳지 않은 것은?

① 대통령령의 위임을 받아 중앙행정기관의 장이 정한 훈령·예규 및 고시 등 행정규칙은 '법령'에 포함되지 않는다.
② 법령등을 공포한 날부터 일정 기간이 경과한 날부터 시행하는 경우 법령등을 공포한 날을 첫날에 산입하지 아니한다.
③ 법령등 또는 처분에서 국민의 권익을 제한하거나 의무를 부과하는 경우 권익이 제한되거나 의무가 지속되는 기간의 계산은 기간을 일, 주, 월 또는 연으로 정한 경우에는 기간의 첫날을 산입하지만 국민에게 불리한 경우에는 그러하지 아니하다.
④ 행정에 관한 나이는 다른 법령등에 특별한 규정이 있는 경우를 제외하고는 출생일을 산입하여 만(滿) 나이로 계산하고, 연수(年數)로 표시한다. 다만, 1세에 이르지 아니한 경우에는 월수(月數)로 표시할 수 있다.

| 2025년 소방직

함께 정리하기

「행정기본법」

법령보충규칙
▷ 법령

법령등을 일정 기간이 경과한 날부터 시행하는 경우
▷ 공포한 날을 첫날에 산입×

권익제한, 의무부과 기간의 계산
▷ 일, 주, 월, 연으로 정한 경우 기간의 첫날을 산입(단, 불리한 경우 제외)

나이 계산
▷ 출생일 산입, 만(滿) 나이 계산[단, 1세 미만: 월수(月數) 표시 가]

① (×)

「행정기본법」 제2조【정의】 이 법에서 사용하는 용어의 뜻은 다음과 같다.
1. "법령등"이란 다음 각 목의 것을 말한다.
  가. 법령: 다음의 어느 하나에 해당하는 것
    1) 법률 및 대통령령·총리령·부령
    2) 국회규칙·대법원규칙·헌법재판소규칙·중앙선거관리위원회규칙 및 감사원규칙
    3) 1) 또는 2)의 위임을 받아 중앙행정기관(「정부조직법」 및 그 밖의 법률에 따라 설치된 중앙행정기관을 말한다. 이하 같다)의 장, 국회의장, 대법원장, 헌법재판소장, 중앙선거관리위원회위원장, 감사원장 등이 정한 훈령·예규 및 고시 등 행정규칙
  나. 자치법규: 지방자치단체의 조례 및 규칙

② (○)

「행정기본법」 제7조【법령등 시행일의 기간 계산】 법령등(훈령·예규·고시·지침 등을 포함한다. 이하 이 조에서 같다)의 시행일을 정하거나 계산할 때에는 다음 각 호의 기준에 따른다.
1. 법령등을 공포한 날(훈령·예규·고시·지침 등은 고시·공고 등의 방법으로 발령한 날을 말한다. 이하 이 조에서 같다)부터 시행하는 경우에는 공포한 날을 시행일로 한다.
2. 법령등을 공포한 날부터 일정 기간이 경과한 날부터 시행하는 경우 법령등을 공포한 날을 첫날에 산입하지 아니한다.
3. 법령등을 공포한 날부터 일정 기간이 경과한 날부터 시행하는 경우 그 기간의 말일이 토요일 또는 공휴일인 때에는 그 말일로 기간이 만료한다.

③ (○)

「행정기본법」 제6조【행정에 관한 기간의 계산】 ② 법령등 또는 처분에서 국민의 권익을 제한하거나 의무를 부과하는 경우 권익이 제한되거나 의무가 지속되는 기간의 계산은 다음 각 호의 기준에 따른다. 다만, 다음 각 호의 기준에 따르는 것이 국민에게 불리한 경우에는 그러하지 아니하다.
1. 기간을 일, 주, 월 또는 연으로 정한 경우에는 기간의 첫날을 산입한다.
2. 기간의 말일이 토요일 또는 공휴일인 경우에도 기간은 그 날로 만료한다.

④ (○)

「행정기본법」 제7조의2【행정에 관한 나이의 계산 및 표시】 행정에 관한 나이는 다른 법령등에 특별한 규정이 있는 경우를 제외하고는 출생일을 산입하여 만(滿) 나이로 계산하고, 연수(年數)로 표시한다. 다만, 1세에 이르지 아니한 경우에는 월수(月數)로 표시할 수 있다.

답 ①

003

공법상의 시효와 제척기간에 대한 설명으로 가장 옳지 않은 것은? (다툼이 있는 경우 판례에 의함)

① 변상금 부과처분에 대한 취소소송이 진행중 이라도 그 부과권자로서는 위법한 처분을 스스로 취소하고 그 하자를 보완하여 다시 적법한 부과처분을 할 수도 있는 것이어서 그 권리행사에 법률상의 장애사유가 있는 경우에 해당한다고 할 수 없으므로, 그 처분에 대한 취소소송이 진행되는 동안에도 그 부과권의 소멸시효가 진행된다.

② 변상금 부과처분이 당연무효인 경우에 이 변상금 부과처분에 의하여 납부자가 납부하거나 징수당한 오납금은 지방자치단체가 법률상 원인 없이 취득한 부당이득에 해당하고, 이러한 오납금에 대한 납부자의 부당이득반환청구권의 소멸시효는 변상금부과처분의 부과 시부터 진행한다.

③ 당연무효인 1차 변상금부과처분을 비롯하여 여러 차례에 걸친 변상금부과처분과 이에 의한 각 납부 또는 징수가 있은 후에 이와 같이 여러 차례에 걸쳐 부과되었던 변상금의 부과대상, 점유기간, 적용요율 등에 오류 또는 누락이 있다는 이유로 변상금 총액을 새로이 산정하여 그동안 납부 또는 징수된 금원과의 차액에 관하여 추가로 변상금부과 처분이 이루어졌다고 하더라도, 당연무효인 1차 변상금부과처분에 의하여 납부 또는 징수당한 오납금에 대한 부당이득반환청구권의 소멸시효의 기산일이 달라진다고 할 수 없다.

④ 추상적 권리행사에 관한 제척기간은 권리자의 권리행사 태만 여부를 고려하지 않으며, 또 당사자의 신청만으로 추상적 권리가 실현되므로 기간 진행의 중단·정지를 상정하기 어렵다.

2025년 군무원 7급

① (○) 소멸시효는 객관적으로 권리가 발생하여 그 권리를 행사할 수 있는 때로부터 진행하고 그 권리를 행사할 수 없는 동안만은 진행하지 아니하는데, 여기서 권리를 행사할 수 없는 경우라 함은 그 권리행사에 법률상의 장애사유가 있는 경우를 말하는데, 변상금 부과처분에 대한 취소소송이 진행중이라도 그 부과권자로서는 위법한 처분을 스스로 취소하고 그 하자를 보완하여 다시 적법한 부과처분을 할 수도 있는 것이어서 그 권리행사에 법률상의 장애사유가 있는 경우에 해당한다고 할 수 없으므로, 그 처분에 대한 취소소송이 진행되는 동안에도 그 부과권의 소멸시효가 진행된다(대판 2006.2.10. 2003두5686).

② (×), ③ (○)

> [1] 지방재정법 제87조 제1항에 의한 변상금부과처분이 당연무효인 경우에 이 변상금부과처분에 의하여 납부자가 납부하거나 징수당한 오납금은 지방자치단체가 법률상 원인 없이 취득한 부당이득에 해당하고, 이러한 오납금에 대한 납부자의 부당이득반환청구권은 처음부터 법률상 원인이 없이 납부 또는 징수된 것이므로 납부 또는 징수시에 발생하여 확정되며, 그 때부터 소멸시효가 진행한다(②).
>
> [2] 당연무효인 1차 변상금부과처분을 비롯하여 여러 차례에 걸친 변상금부과처분과 이에 의한 각 납부 또는 징수가 있은 후에 이와 같이 여러 차례에 걸쳐 부과되었던 변상금의 부과대상, 점유기간, 적용 요율 등에 오류 또는 누락이 있다는 이유로 변상금 총액을 새로이 산정하여 그 동안 납부 또는 징수된 금원과의 차액에 관하여 추가로 변상금부과처분이 이루어졌다고 하더라도, 당연무효인 1차 변상금부과처분에 의하여 납부 또는 징수당한 오납금에 대한 부당이득반환청구권의 소멸시효의 기산일이 달라진다고 할 수 없다(③)(대판 2005.1.27. 2004다50143).

④ (○) 제척기간은 권리자로 하여금 권리를 신속하게 행사하도록 함으로써 그 권리를 중심으로 하는 법률관계를 조속하게 확정하려는 데에 그 제도의 취지가 있는 것으로서, 소멸시효가 일정한 기간의 경과와 권리의 불행사라는 사정에 의하여 그 효과가 발생하는 것과는 달리 관계 법령에 따라 정당한 사유가 인정되는 등 특별한 사정이 없는 한 그 기간의 경과 자체만으로 곧 권리 소멸의 효과를 발생시킨다. 따라서 추상적 권리행사에 관한 제척기간은 권리자의 권리행사 태만 여부를 고려하지 않으며, 또 당사자의 신청만으로 추상적 권리가 실현되므로 기간 진행의 중단·정지를 상정하기 어렵다. 이러한 점에서 제척기간은 소멸시효와 근본적인 차이가 있다(대판 2021.3.18. 2018두47264 전합).

답 ②

문제 DATA
출제가능 지수 ▶▶Σ
난이도 지수 ★★★

함께 정리하기

공법상의 시효와 제척기간

변상금부과처분에 대한 취소소송의 진행되는 동안
▷ 그 부과권의 소멸시효는 중단×

오납금에 대한 납부자의 부당이득반환청구권의 소멸시효 기산점
▷ 납부 또는 징수시

당연무효인 1차 변상금부과처분 후 여러 차례 변상금부과처분
▷ 최초 납부 또는 징수시부터 시효 진행

추상적 권리행사(사회보장수급권 행사기간, 급여지급신청기간)에 관한 제척기간
▷ 기간 진행의 중단·정지×

문제 DATA

출제가능 지수 ▶▶▶
난이도 지수 ★★☆

004 □□□

「행정기본법」상 기간의 계산에 대한 설명으로 옳지 않은 것은?

① 행정에 관한 기간의 계산에 관하여는 「행정기본법」 또는 다른 법령등에 특별한 규정이 있는 경우를 제외하고는 「민법」을 준용한다.
② 법령등을 공포한 날부터 일정 기간이 경과한 날부터 시행하는 경우 그 기간의 말일이 토요일 또는 공휴일인 때에는 그 말일로 기간이 만료한다.
③ 법령등을 공포한 날부터 일정 기간이 경과한 날부터 시행하는 경우 법령등을 공포한 날을 첫날에 산입한다.
④ 법령등 또는 처분에서 국민의 권익을 제한하거나 의무를 부과하는 경우 권익이 제한되거나 의무가 지속되는 기간을 계산할 때에 기간을 일, 주, 월 또는 연으로 정한 경우에는 기간의 첫날을 산입한다. 다만, 그러한 기준을 따르는 것이 국민에게 불리한 경우에는 그러하지 아니하다.

| 2024년 국가직 9급

①, ④ (○)

「행정기본법」 제6조【행정에 관한 기간의 계산】① 행정에 관한 기간의 계산에 관하여는 이 법 또는 다른 법령등에 특별한 규정이 있는 경우를 제외하고는 「민법」을 준용한다(①).
② 법령등 또는 처분에서 국민의 권익을 제한하거나 의무를 부과하는 경우 권익이 제한되거나 의무가 지속되는 기간의 계산은 다음 각 호의 기준에 따른다. 다만, 다음 각 호의 기준에 따르는 것이 국민에게 불리한 경우에는 그러하지 아니하다.
1. 기간을 일, 주, 월 또는 연으로 정한 경우에는 기간의 첫날을 산입한다(④).
2. 기간의 말일이 토요일 또는 공휴일인 경우에도 기간은 그 날로 만료한다.

② (○), ③ (✕) 공포한 날을 첫날에 산입하지 아니한다.

「행정기본법」 제7조【법령등 시행일의 기간 계산】법령등(훈령·예규·고시·지침 등을 포함한다. 이하 이 조에서 같다)의 시행일을 정하거나 계산할 때에는 다음 각 호의 기준에 따른다.
1. 법령등을 공포한 날(훈령·예규·고시·지침 등은 고시·공고 등의 방법으로 발령한 날을 말한다. 이하 이 조에서 같다)부터 시행하는 경우에는 공포한 날을 시행일로 한다.
2. 법령등을 공포한 날부터 일정 기간이 경과한 날부터 시행하는 경우 법령등을 공포한 날을 첫날에 산입하지 아니한다(③).
3. 법령등을 공포한 날부터 일정 기간이 경과한 날부터 시행하는 경우 그 기간의 말일이 토요일 또는 공휴일인 때에는 그 말일로 기간이 만료한다(②).

유제 21. 서울시 7급 법령 등을 공포한 날부터 일정 기간이 경과한 날부터 시행하는 경우 그 기간의 말일이 토요일 또는 공휴일인 때에는 그 말일로 기간이 만료한다. (○)

답 ③

함께 정리하기

「행정기본법」상 기간의 계산

행정에 관한 기간 계산
▷ 특별규정 없으면 「민법」 적용

법령등을 일정 기간이 경과한 날부터 시행하는 경우
▷ 기간의 말일이 토요일 또는 공휴일인 경우에도 기간은 그 날로 만료
▷ 공포한 날을 첫날에 산입✕

권익제한, 의무부과 기간의 계산
▷ 일, 주, 월, 연으로 정한 경우 기간의 첫날을 산입(단, 불리한 경우 제외)

005

「행정기본법」상 기간에 대한 설명으로 옳지 않은 것은? (단, 여기서의 '법령 등'은 훈령·예규·고시·지침 등을 포함한다)

① 행정에 관한 기간의 계산에 관하여는 이 법 또는 다른 법령 등에 특별한 규정이 있는 경우를 제외하고는 「민법」을 준용한다.
② 행정청은 이 법에서 정한 예외사항을 제외하고는 법령 등의 위반행위가 종료된 날부터 5년이 지나면 해당 위반행위에 대하여 제재처분을 할 수 없다.
③ 국민의 권익을 제한하거나 의무를 부과하는 경우, 국민에게 불리하지 않는 한, 그 기간의 말일이 토요일 또는 공휴일인 경우에 기간은 그 날로 만료한다.
④ 법령 등을 공포한 날부터 일정 기간이 경과한 날부터 시행하는 경우 법령 등을 공포한 날을 첫날에 산입한다.

2024년 경찰간부

① (O), ③ (O)

> 「행정기본법」 제6조 【행정에 관한 기간의 계산】 ① 행정에 관한 기간의 계산에 관하여는 이 법 또는 다른 법령등에 특별한 규정이 있는 경우를 제외하고는 「민법」을 준용한다(①).
> ② 법령 등 또는 처분에서 국민의 권익을 제한하거나 의무를 부과하는 경우 권익이 제한되거나 의무가 지속되는 기간의 계산은 다음 각 호의 기준에 따른다. 다만, 다음 각 호의 기준에 따르는 것이 국민에게 불리한 경우에는 그러하지 아니하다.
> 1. 기간을 일, 주, 월 또는 연으로 정한 경우에는 기간의 첫날을 산입한다.
> 2. 기간의 말일이 토요일 또는 공휴일인 경우에도 기간은 그 날로 만료한다(③).

② (O)

> 「행정기본법」 제23조 【제재처분의 제척기간】 ① 행정청은 법령등의 위반행위가 종료된 날부터 5년이 지나면 해당 위반행위에 대하여 제재처분(인허가의 정지·취소·철회, 등록 말소, 영업소 폐쇄와 정지를 갈음하는 과징금 부과를 말한다. 이하 이 조에서 같다)을 할 수 없다.
> ② 다음 각 호의 어느 하나에 해당하는 경우에는 제1항을 적용하지 아니한다.
> 1. 거짓이나 그 밖의 부정한 방법으로 인허가를 받거나 신고를 한 경우
> 2. 당사자가 인허가나 신고의 위법성을 알고 있었거나 중대한 과실로 알지 못한 경우
> 3. 정당한 사유 없이 행정청의 조사·출입·검사를 기피·방해·거부하여 제척기간이 지난 경우
>
> **유제** 24. 군무원 7급 정당한 사유 없이 행정청의 조사·출입·검사를 기피·방해·거부하여 제척기간이 지난 경우에는 행정청은 법령 등의 위반행위가 종료된 날부터 5년이 지난 후에도 해당 위반행위에 대하여 인허가의 정지·취소·철회, 등록 말소, 영업소 폐쇄와 정지를 갈음하는 과징금 부과의 제재처분을 할 수 있다. (O)
>
> 4. 제재처분을 하지 아니하면 국민의 안전·생명 또는 환경을 심각하게 해치거나 해칠 우려가 있는 경우
> ③ 행정청은 제1항에도 불구하고 행정심판의 재결이나 법원의 판결에 따라 제재처분이 취소·철회된 경우에는 재결이나 판결이 확정된 날부터 1년(합의제행정기관은 2년)이 지나기 전까지는 그 취지에 따른 새로운 제재처분을 할 수 있다.
> ④ 다른 법률에서 제1항 및 제3항의 기간보다 짧거나 긴 기간을 규정하고 있으면 그 법률에서 정하는 바에 따른다.
>
> **유제** 24. 군무원 7급 다른 법률에서 5년 기간보다 짧은 기간을 규정하고 있으면 그 법률에서 정하는 바에 따르고, 다른 법률에서 긴 기간을 규정하고 있으면 5년으로 한다. (×)

문제 DATA

출제가능 지수 ▶▶▶
난이도 지수 ★★☆

함께 정리하기

「행정기본법」상 기간

행정에 관한 기간 계산
▷ 특별규정 없으면 「민법」 적용

제재처분의 제척기간
▷ 위반행위 종료일부터 5년

권익제한, 의무부과 기간의 만료일
▷ 국민에게 불리하지 않는 한, 말일이 토요일 또는 공휴일인 경우에도 그 날로 만료

법령 등 시행일의 기간 계산
▷ 공포한 날부터 일정 기간 경과한 날부터 시행: 공포한 날을 첫날에 산입×

④ (X) 공포한 날은 첫날에 산입하지 아니한다.

> 「행정기본법」 제7조 【법령 등 시행일의 기간 계산】 법령등(훈령·예규·고시·지침 등을 포함한다. 이하 이 조에서 같다)의 시행일을 정하거나 계산할 때에는 다음 각 호의 기준에 따른다.
> 1. 법령등을 공포한 날(훈령·예규·고시·지침 등은 고시·공고 등의 방법으로 발령한 날을 말한다. 이하 이 조에서 같다)부터 시행하는 경우에는 공포한 날을 시행일로 한다.
> 2. 법령등을 공포한 날부터 일정 기간이 경과한 날부터 시행하는 경우 법령등을 공포한 날을 첫날에 산입하지 아니한다.
> 3. 법령등을 공포한 날부터 일정 기간이 경과한 날부터 시행하는 경우 그 기간의 말일이 토요일 또는 공휴일인 때에는 그 말일로 기간이 만료한다.

답 ④

006

행정상의 법률관계에 있어 소멸시효와 제척기간에 대한 설명으로 옳지 않은 것은?

① 공법상의 소멸시효는 법률에 특별한 규정이 없으면 「민법」의 규정이 유추 적용되는데, 공법상 금전채권의 소멸시효 기간을 정하는 이유는 사법관계와 마찬가지로 공법관계에서도 법률관계를 오래도록 미확정인 채로 방치하여 두는 것이 타당하지 않기 때문이다.

② 제척기간은 권리자로 하여금 권리를 신속하게 행사하도록 함으로써 그 권리를 중심으로 하는 법률관계를 조속하게 확정하려는 데에 그 제도의 취지가 있는 것으로서, 관계 법령에 따라 정당한 사유가 인정되는 등 특별한 사정이 없는 한 그 기간의 경과 자체만으로 곧 권리 소멸의 효과를 발생시킨다.

③ 제척기간은 권리관계를 조속히 확정시키기 위하여 권리의 행사에 중대한 제한을 가하는 것이므로, 모법인 법률에 의한 위임이 없는 한 시행령이 함부로 제척기간을 규정할 수는 없다고 할 것이다.

④ 제척기간에 있어서는 그 성질에 비추어 소멸시효와 같이 기간의 중단이나 정지는 있을 수 없다.

⑤ 소멸시효는 권리가 발생한 때를 기산점으로 하지만, 제척기간은 권리를 행사할 수 있는 때를 기산점으로 한다.

2024년 국회직 8급

① (O) 시효는 원래 사법상의 제도로 발달되어 왔으나 오늘날 공법에도 타당한 일반적인 법리로 파악되고 있고, 공법상의 소멸시효에 관하여 법률에 특별한 규정이 없으면 민법의 규정이 유추 적용된다. 이렇듯 공법상 금전채권의 소멸시효기간을 정하는 이유는 공법관계에서도 법률관계를 오래도록 미확정된 채로 방치하여 두는 것이 타당하지 않다는 데 있는 것으로 이해된다(헌재 2012.11.29. 2011헌마814).

② (O), ④ (O) 제척기간은 권리자로 하여금 권리를 신속하게 행사하도록 함으로써 그 권리를 중심으로 하는 법률관계를 조속하게 확정하려는 데에 그 제도의 취지가 있는 것으로서, 소멸시효가 일정한 기간의 경과와 권리의 불행사라는 사정에 의하여 그 효과가 발생하는 것과는 달리 관계 법령에 따라 정당한 사유가 인정되는 등 특별한 사정이 없는 한 그 기간의 경과 자체만으로 곧 권리 소멸의 효과를 발생시킨다(②). 따라서 추상적 권리행사에 관한 제척기간은 권리자의 권리행사 태만 여부를 고려하지 않으며, 또 당사자의 신청만으로 추상적 권리가 실현되므로 기간 진행의 중단·정지를 상정하기 어렵다(④). 이러한 점에서 제척기간은 소멸시효와 근본적인 차이가 있다(대판 2021.3.18. 2018두47264 전합).

문제 DATA
출제가능 지수 ▶▷▷
난이도 지수 ★★★

함께 정리하기

소멸시효와 제척기간

공법상의 소멸시효
▷ 「민법」 규정 유추 적용

제척기간
▷ 권리의 존속기간, 법률관계 조속 확정, 기간 경과로 권리소멸의 효과 발생

제척기간
▷ 법률의 위임이 없는 한 시행령이 제척기간 규정 불가

제척기간
▷ 소멸시효처럼 중단·정지제도 없음

기산점
▷ 소멸시효: 권리를 행사할 수 있는 때 / 제척기간: 권리가 발생한 때

③ (○) 일정한 권리에 관하여 법률이 규정한 존속기간을 뜻하는 제척기간은 권리관계를 조속히 확정시키기 위하여 권리의 행사에 중대한 제한을 가하는 것이어서 모법인 법률에 의한 위임이 없는 한 시행령이 함부로 제척기간을 규정할 수는 없다고 할 것이므로, 구 근로기준법(1989.3.29. 법률 제4099호로 개정되기 전의 것) 제38조가 그 단서에서 사용자가 노동위원회의 승인을 받아 휴업수당을 지급하지 않을 수 있는 예외를 규정하고 있을 뿐 그 승인을 받을 수 있는 기간을 제한하는 데 관하여 직접 규정하지 않고 있음은 물론 시행령에 위임하지도 아니하였음에도 불구하고, 같은 법 시행령 제21조가 정하고 있는 사용자의 노동위원회에 대한 휴업수당지급의 예외 승인신청기간은 제척기간으로 볼 수는 없고 훈시규정으로 보아야 한다(대판 1990.9.28. 89누2493).

⑤ (×)

[1] 소멸시효는 객관적으로 권리가 발생하고 그 권리를 행사할 수 있는 때로부터 진행하고 그 권리를 행사할 수 없는 동안에는 진행하지 아니한다. 여기서 '권리를 행사할 수 없다'라고 함은 그 권리행사에 법률상의 장애사유, 예컨대 기간의 미도래나 조건불성취 등이 있는 경우를 말하는 것이고, 사실상 그 권리의 존부나 권리행사의 가능성을 알지 못하였거나 알지 못함에 과실이 없다고 하여도 이러한 사유는 법률상 장애사유에 해당한다고 할 수 없다(대판 2010.9.9. 2008다15865).

[2] 제척기간은 권리자로 하여금 당해 권리를 신속하게 행사하도록 함으로써 법률관계를 조속히 확정시키려는 데 그 제도의 취지가 있는 것으로서, 소멸시효가 일정한 기간의 경과와 권리의 불행사라는 사정에 의하여 권리 소멸의 효과를 가져오는 것과는 달리 그 기간의 경과 자체만으로 곧 권리 소멸의 효과를 가져오게 하는 것이므로 그 기간 진행의 기산점은 특별한 사정이 없는 한 원칙적으로 권리가 발생한 때이고, 당사자 사이에 매매예약 완결권을 행사할 수 있는 시기를 특별히 약정한 경우에도 그 제척기간은 당초 권리의 발생일로부터 10년간의 기간이 경과되면 만료되는 것이지 그 기간을 넘어서 그 약정에 따라 권리를 행사할 수 있는 때로부터 10년이 되는 날까지로 연장된다고 볼 수 없다(대판 1995.11.10. 94다22682·22699).

답 ⑤

007

「행정기본법」상 기간의 계산에 대한 설명으로 옳지 않은 것은?

① 행정에 관한 기간의 계산에 관하여는 「행정기본법」 또는 다른 법령 등에 특별한 규정이 있는 경우를 제외하고는 「민법」을 준용한다.
② 법령 등 또는 처분에서 국민의 권익을 제한하거나 의무를 부과하는 경우 권익이 제한되거나 의무가 지속되는 기간을 일, 주, 월 또는 연으로 정한 경우에는 국민에게 불리한 경우가 아니라면 기간의 첫날을 산입한다.
③ 법령 등 또는 처분에서 국민의 권익을 제한하거나 의무를 부과하는 경우 권익이 제한되거나 의무가 지속되는 기간의 말일이 토요일 또는 공휴일인 경우에는 국민에게 불리한 경우가 아니라면 기간은 그 익일로 만료한다.
④ 법령 등의 시행일을 정하거나 계산할 때에는 법령 등을 공포한 날부터 시행하는 경우 공포한 날을 시행일로 한다.
⑤ 법령 등의 시행일을 정하거나 계산할 때에는 법령 등을 공포한 날부터 일정 기간이 경과한 날부터 시행하는 경우 법령 등을 공포한 날을 첫날에 산입하지 아니한다.

2023년 소방간부

① (○)

「행정기본법」 제6조【행정에 관한 기간의 계산】① 행정에 관한 기간의 계산에 관하여는 이 법 또는 다른 법령 등에 특별한 규정이 있는 경우를 제외하고는 민법을 준용한다.

② (○), ③ (×)

> 「행정기본법」 제6조 【행정에 관한 기간의 계산】 ② 법령 등 또는 처분에서 국민의 권익을 제한하거나 의무를 부과하는 경우 권익이 제한되거나 의무가 지속되는 기간의 계산은 다음 각 호의 기준에 따른다. 다만, 다음 각 호의 기준에 따르는 것이 국민에게 불리한 경우에는 그러하지 아니하다.
> 1. 기간을 일, 주, 월 또는 연으로 정한 경우에는 기간의 첫날을 산입한다(②).
> 2. 기간의 말일이 토요일 또는 공휴일인 경우에도 기간은 그 날로 만료한다(③).

유제 21. 서울시 7급 법령 등 또는 처분에서 국민의 권익을 제한하거나 의무를 부과하는 경우 권익이 제한되거나 의무가 지속되는 기간의 계산에 있어서 기간을 일, 주, 월 또는 연으로 정한 경우에는 원칙적으로 기간의 첫날은 산입하지 아니한다. (×)

④, ⑤ (○)

> 「행정기본법」 제7조 【법령 등 시행일의 기간 계산】 법령 등(훈령·예규·고시·지침 등을 포함한다. 이하 이 조에서 같다)의 시행일을 정하거나 계산할 때에는 다음 각 호의 기준에 따른다.
> 1. 법령 등을 공포한 날(훈령·예규·고시·지침 등은 고시·공고 등의 방법으로 발령한 날을 말한다. 이하 이 조에서 같다)부터 시행하는 경우에는 공포한 날을 시행일로 한다(④).
> 2. 법령 등을 공포한 날부터 일정 기간이 경과한 날부터 시행하는 경우 법령 등을 공포한 날을 첫날에 산입하지 아니한다(⑤).
> 3. 법령 등을 공포한 날부터 일정 기간이 경과한 날부터 시행하는 경우 그 기간의 말일이 토요일 또는 공휴일인 때에는 그 말일로 기간이 만료한다.

유제 21. 서울시 7급 법령 등을 공포한 날부터 일정 기간이 경과한 날부터 시행하는 경우 법령 등을 공포한 날을 첫날에 산입하지 아니한다. (○)

답 ③

008

행정법상 법률요건과 법률사실에 대한 설명으로 옳지 않은 것은? (다툼이 있는 경우 판례에 의함)

① 「국유재산법」상 변상금부과처분에 대한 취소소송이 진행되는 동안에는 그 부과권의 소멸시효는 진행하지 아니한다.
② 금전의 급부를 목적으로 하는 국가의 권리의 경우 소멸시효의 중단·정지 그 밖의 사항에 관하여 다른 법률의 규정이 없는 때에는 「민법」의 규정을 적용한다.
③ 조세채권의 소멸시효기간이 완성된 후에 부과된 과세처분은 당연무효이다.
④ 특별시장 등이 거짓이나 부정한 방법으로 화물자동차 유가보조금(부정수급액)을 교부받은 운송사업자 등으로부터 부정수급액을 반환받을 권리에 대해서는 「지방재정법」에서 정한 5년의 소멸시효가 적용된다.
⑤ 제3자가 체납자가 납부해야 할 체납액을 체납자 명의로 완납한 경우, 제3자는 국가에 대하여 부당이득반환을 청구할 수 없다.

> 2022년 소방간부

① (×) 소멸시효는 객관적으로 권리가 발생하여 그 권리를 행사할 수 있는 때로부터 진행하고 그 권리를 행사할 수 없는 동안만은 진행하지 아니하는데, 여기서 권리를 행사할 수 없는 경우라 함은 그 권리행사에 법률상의 장애사유가 있는 경우를 말하는데, 변상금 부과처분에 대한 취소소송이 진행중이라도 그 부과권자로서는 위법한 처분을 스스로 취소하고 그 하자를 보완하여 다시 적법한 부과처분을 할 수도 있는 것이어서 그 권리행사에 법률상의 장애사유가 있는 경우에 해당한다고 할 수 없으므로, 그 처분에 대한 취소소송이 진행되는 동안에도 그 부과권의 소멸시효가 진행된다(대판 2006.2.10. 2003두5686).

문제 DATA
출제가능 지수 ▶▶▷
난이도 지수 ★★☆

함께 정리하기

행정법상 법률요건과 법률사실

변상금부과처분에 대한 취소소송의 진행되는 동안
▷ 그 부과권의 소멸시효는 중단×

공법상 시효중단·정지
▷「민법」 규정 준용

소멸시효 완성 후의 과세처분
▷ 당연무효

유가보조금 부정수급액을 반환받을 권리
▷ 5년의 소멸시효

제3자가 체납자명의로 체납액 납부
▷ 부당이득반환청구 불가

유제 17. 국가직 9급 변상금부과처분에 대한 취소소송이 진행 중이면 변상금부과권의 권리행사에 법률상의 장애사유가 있는 경우에 해당하므로 그 부과권의 소멸시효는 진행되지 않는다. (×)
11. 국가직 7급 「국유재산법」상 변상금부과처분에 대한 취소소송이 진행되는 동안에도 그 부과권의 소멸시효가 진행된다. (○)

② (○)

> 「국가재정법」 제96조【금전채권·채무의 소멸시효】③ 금전의 급부를 목적으로 하는 국가의 권리의 경우 소멸시효의 중단·정지 그 밖의 사항에 관하여 다른 법률의 규정이 없는 때에는 「민법」의 규정을 적용한다. 국가에 대한 권리로서 금전의 급부를 목적으로 하는 것도 또한 같다.

유제 20. 소방직 공법의 특수성으로 인해 소멸시효의 중단·정지에 관한 「민법」 규정은 적용되지 않는다. (×)
19. 군무원 9급 행정법상 시효의 중단과 정지에 관해서는 다른 법령에 특별한 규정이 없는 한 「민법」의 규정이 준용된다. (○)
16. 경찰 2차 금전의 급부를 목적으로 하는 국가의 권리에 있어서는 소멸시효의 중단·정지 그 밖의 사항에 관하여 「민법」의 규정이 적용될 수 없다. (×)
09. 지방직 9급 공법상 시효의 중단과 정지에 대해서는 다른 법률에서 특별한 규정이 없는 한 「민법」의 규정이 준용된다. (○)

③ (○) 조세에 관한 소멸시효가 완성되면 국가의 조세부과권과 납세의무자의 납세의무는 당연히 소멸한다 할 것이므로 소멸시효완성후에 부과된 부과처분은 납세의무 없는 자에 대하여 부과처분을 한 것으로서 그와 같은 하자는 중대하고 명백하여 그 처분의 효력은 당연무효이다(대판 1985.5.14. 83누655).

유제 16. 지방직 9급 조세에 관한 소멸시효가 완성된 후에 부과된 조세부과처분은 위법한 처분이지만 당연무효라고 볼 수는 없다. (×)
16. 경찰 2차 소멸시효 완성 후에 부과된 조세부과처분은 납세의무 없는 자에 대하여 부과처분을 한 것으로서 그와 같은 하자는 중대하고 명백하여 그 처분의 효력은 당연무효이다. (○)
11. 국가직 7급 판례에 의하면 조세채권의 소멸시효기간이 완성된 후에 부과된 과세처분은 무효이다. (○)

④ (○) 특별시장 등이 거짓이나 부정한 방법으로 화물자동차 유가보조금(이하 '부정수급액'이라 한다)을 교부받은 운송사업자 등으로부터 부정수급액을 반환받을 권리에 대해서는 지방재정법 제82조 제1항에서 정한 5년의 소멸시효가 적용된다(대판 2019.10.17. 2019두33897).

⑤ (○) 제3자가 체납자가 납부하여야 할 체납액을 체납자의 명의로 납부한 경우에는 원칙적으로 체납자의 조세채무에 대한 유효한 이행이 되고, 이로 인하여 국가의 조세채권은 만족을 얻어 소멸하므로, 국가가 체납액을 납부받은 것에 법률상 원인이 없다고 할 수 없고, 제3자는 국가에 대하여 부당이득반환을 청구할 수 없다(대판 2015.11.12. 2013다215263).

유제 16. 서울시 7급 제3자가 「국세징수법」에 따라 체납자의 명의로 체납액을 완납한 경우 국가에 대하여 부당이득반환을 청구할 수 있다. (×)

답 ①

009

공법상 시효에 대한 설명으로 옳지 않은 것은? (다툼이 있는 경우 판례에 의함)

① 「관세법」상 납세자의 과오납금 또는 그 밖의 관세의 환급청구권은 그 권리를 행사할 수 있는 날부터 5년간 행사하지 아니하면 소멸시효가 완성된다.
② 판례는 공법상 부당이득반환청구권은 사권(私權)에 해당되며, 그에 관한 소송은 민사소송절차에 따라야 한다고 보고 있다.
③ 소멸시효에 대해 「국가재정법」은 국가의 국민에 대한 금전채권은 물론이고 국민의 국가에 대한 금전채권에도 적용된다.
④ 공법의 특수성으로 인해 소멸시효의 중단·정지에 관한 「민법」 규정은 적용되지 않는다.

문제 DATA
출제가능 지수 ▶▶▷
난이도 지수 ★★☆

함께 정리하기

공법상 시효

「관세법」에 의한 관세과오납금반환청구권 소멸시효
▷ 5년

공법상 부당이득반환청구권
▷ 사권(私權)
▷ 그에 관한 소송은 민사소송

소멸시효에 대한 「국가재정법」
▷ 국민의 국가에 대한 금전채권에도 적용○

공법상 시효중단 · 정지
▷ 「민법」 규정 적용

2020년 소방직

① (○)

> 「관세법」 제22조【관세징수권 등의 소멸시효】② 납세자의 과오납금 또는 그 밖의 관세의 환급청구권은 그 권리를 행사할 수 있는 날부터 5년간 행사하지 아니하면 소멸시효가 완성된다.

유제 09. 지방직 9급 「관세법」에 의한 관세과오납금반환청구권의 소멸시효도 5년이다. (○)

② (○) 조세부과처분이 당연무효임을 전제로 하여 이미 납부한 세금의 반환을 청구하는 것은 민사상의 부당이득반환청구로서 민사소송절차에 따라야 한다(대판 1995.4.28. 94다55019).

유제 21. 국가직 7급 조세부과처분의 당연무효를 전제로 하여 이미 납부한 세금의 반환을 청구하는 것은 민사상 부당이득반환청구로서 당사자소송이 아니라 민사소송절차에 따른다. (○)
19. 군무원 9급 조세부과처분이 무효임을 전제로 하여 이미 납부한 세금의 반환을 청구하는 것은 민사상의 부당이득반환청구로서 민사소송절차에 따라야 한다. (○)
16. 서울시 7급 무효인 조세부과처분에 기하여 납부한 세금의 반환을 구하는 것은 무효확인소송절차에 따라야만 한다. (✕)
09. 국회직 9급 판례는 공법상 부당이득반환청구권은 사권(私權)에 해당되며, 그에 관한 소송은 민사소송절차에 따라야 한다고 보고 있다. (○)

③ (○)

> 「국가재정법」 제96조【금전채권 · 채무의 소멸시효】① 금전의 급부를 목적으로 하는 국가의 권리로서 시효에 관하여 다른 법률에 규정이 없는 것은 5년 동안 행사하지 아니하면 시효로 인하여 소멸한다.
> ② 국가에 대한 권리로서 금전의 급부를 목적으로 하는 것도 또한 제1항과 같다.

④ (✕) 공법상 소멸시효의 중단과 정지에 대해서는 다른 법률에 특별한 규정이 없는 한 「민법」의 규정이 준용된다. 「국가재정법」 역시 소멸시효의 중단 · 정지에 관하여 다른 법률의 규정이 없는 때에는 「민법」에 의하도록 하고 있다.

> 「국가재정법」 제96조【금전채권 · 채무의 소멸시효】③ 금전의 급부를 목적으로 하는 국가의 권리에 있어서는 소멸시효의 중단 · 정지 그 밖의 사항에 관하여 다른 법률의 규정이 없는 때에는 「민법」의 규정을 적용한다. 국가에 대한 권리로서 금전의 급부를 목적으로 하는 것도 또한 같다.

답 ④

문제 DATA

출제가능 지수 ▶▶▷
난이도 지수 ★★☆

010 □□□

공법상 부당이득에 대한 설명으로 옳지 않은 것은?

① 개발부담금 부과처분이 취소된 이상 그 후의 부당이득으로서의 과오납금 반환에 관한 법률관계는 단순한 민사 관계에 불과한 것이고, 행정소송 절차에 따라야 하는 관계로 볼 수 없다.
② 조세환급금은 조세채무가 처음부터 존재하지 않거나 그 후 소멸하였음에도 불구하고 국가가 법률상 원인 없이 수령하거나 보유하고 있는 부당이득에 해당하고, 환급가산금은 그 부당이득에 대한 법정이자로서의 성질을 가진다.
③ 당연무효인 변상금부과처분에 의하여 납부한 오납금에 대한 납부자의 부당이득반환청구권은 처음부터 법률상 원인이 없이 납부된 것이므로 납부시에 발생하여 확정된다.
④ 국가는 국유재산의 무단점유자를 상대로 구 「국유재산법」에 따른 변상금 부과 · 징수권을 행사해야 하고, 이와 별도로 국유재산의 소유자로서 민사상 부당이득반환청구의 소를 제기할 수는 없다.

2025년 국가직 9급

① (○) 개발부담금 부과처분이 취소된 이상 그 후의 부당이득으로서의 과오납금 반환에 관한 법률관계는 단순한 민사 관계에 불과한 것이고, 행정소송 절차에 따라야 하는 관계로 볼 수 없다(대판 1995.12.22. 94다51253).

② (○) 조세환급금은 조세채무가 처음부터 존재하지 않거나 그 후 소멸하였음에도 불구하고 국가가 법률상 원인 없이 수령하거나 보유하고 있는 부당이득에 해당하고, 환급가산금은 그 부당이득에 대한 법정이자로서의 성질을 가진다(대판 2009.9.10. 2009다11808).

③ (○) 지방재정법 제87조 제1항에 의한 변상금부과처분이 당연무효인 경우에 이 변상금부과처분에 의하여 납부자가 납부하거나 징수당한 오납금은 지방자치단체가 법률상 원인 없이 취득한 부당이득에 해당하고, 이러한 오납금에 대한 납부자의 부당이득반환청구권은 처음부터 법률상 원인이 없이 납부 또는 징수된 것이므로 납부 또는 징수시에 발생하여 확정되며, 그때부터 소멸시효가 진행한다(대판 2005.1. 27. 2004다50143).

④ (×) 국유재산의 무단점유자에 대한 변상금 부과는 공권력을 가진 우월적 지위에서 행하는 행정처분이고, 그 부과처분에 의한 변상금 징수권은 공법상의 권리인 반면, 민사상 부당이득반환청구권은 국유재산의 소유자로서 가지는 사법상의 채권이다. … 구 국유재산법 제51조 제1항·제4항·제5항에 의한 변상금 부과·징수권은 민사상 부당이득반환청구권과 법적 성질을 달리하므로, 국가는 무단점유자를 상대로 변상금 부과·징수권의 행사와 별도로 국유재산의 소유자로서 민사상 부당이득반환청구의 소를 제기할 수 있다(대판 2014.7.16. 2011다76402 전합).

답 ④

함께 정리하기

공법상 부당이득

개발부담금 부과처분 취소 후 과오납금반환(부당이득반환)
▷ 사법관계

조세환급금
▷ 부당이득

환급가산금
▷ 법정이자로서의 성질

오납금에 대한 부당이득반환청구권의 확정 및 소멸시효 기산점
▷ 납부시 또는 징수시

국유재산의 무단점유자에 대한 변상금 부과
▷ 변상금 부과·징수와 별도로 민사상 부당이득반환청구 可

011 □□□

공법상 부당이득에 대한 설명으로 옳지 않은 것은? (다툼이 있는 경우 판례에 의함)

① 공법상 부당이득이란 법률상 원인 없이 타인의 재산 또는 노무로 인하여 이득을 얻고 타인에게 손해를 가한 자에 대하여 그 이득의 반환의무를 과하는 것을 말한다.

② 개발부담금 부과처분이 취소된 이상 그 후의 부당이득으로서의 과오납금 반환에 관한 법률관계는 단순한 민사관계에 불과한 것이 아니므로, 행정소송절차에 따라 반환청구를 하여야 한다.

③ 원천징수의무자가 원천납세의무자로부터 원천징수대상이 아닌 소득에 대하여 세액을 징수·납부하였거나 징수하여야 할 세액을 초과하여 징수·납부하였다면, 국가는 원천징수의무자로부터 이를 납부받는 순간 아무런 법률상의 원인 없이 보유하는 부당이득이 된다.

④ 조세부과처분이 무효임을 전제로 하여 이미 납부한 세금의 반환을 청구하는 것은 민사상의 부당이득반환청구로서 민사소송절차에 따라야 한다.

2019년 군무원 9급

① (○) 공법상 부당이득이란 공법 분야에서 행정주체나 사인이 법률상 원인 없이 타인의 재산 또는 노무로 인하여 이득을 얻고 이로 인하여 타인에게 손해가 발생하는 것을 말한다. 이러한 경우 이득자는 원칙적으로 손실을 받은 자에 대하여 이익을 반환하는 의무를 진다.

② (×) 개발부담금 부과처분이 취소된 이상 그 후의 부당이득으로서의 과오납금 반환에 관한 법률관계는 단순한 민사 관계에 불과한 것이고, 행정소송 절차에 따라야 하는 관계로 볼 수 없다(대판 1995.12.22. 94다51253).

함께 정리하기

공법상 부당이득

부당이득
▷ 법률상 원인 없이 타인의 재산 또는 노무로 인하여 이득을 얻고 이로 인하여 타인에게 손해가 발생하는 것

개발부담금 부과처분 취소 후 과오납금 반환
▷ 사법관계(처분×)

원천징수의무자가 초과 징수·납부
▷ 국가가 이를 납부받는 순간 부당이득

무효인 세금납부의 반환
▷ 부당이득반환청구: 민사소송

③ (○) 원천징수의무자가 원천납세의무자로부터 원천징수대상이 아닌 소득에 대하여 세액을 징수·납부하였거나 징수하여야 할 세액을 초과하여 징수·납부하였다면, 국가는 원천징수의무자로부터 이를 납부받는 순간 아무런 법률상의 원인 없이 보유하는 부당이득이 된다(대판 2002.11.8. 2001두8780).
④ (○) 대판 1995.4.28. 94다55019

답 ②

012

공법상 부당이득에 대한 설명으로 옳지 않은 것은? (다툼이 있는 경우 판례에 의함)

① 공법상 부당이득에 관한 일반법은 없으므로 특별한 규정이 없는 경우, 「민법」상 부당이득반환의 법리가 준용된다.
② 부가가치세법령에 따른 환급세액 지급의무 등의 규정과 그 입법취지에 비추어 볼 때 부가가치세 환급세액 반환은 공법상 부당이득반환으로서 민사소송의 대상이다.
③ 잘못 지급된 보상금에 해당하는 금액의 징수처분을 해야 할 공익상 필요가 당사자가 입게 될 불이익을 정당화할 만큼 강한 경우, 보상금을 받은 당사자로부터 오지급금액의 환수처분이 가능하다.
④ 공법상 부당이득반환에 대한 청구권의 행사는 개별적인 사안에 따라 행정주체도 주장할 수 있다.

2017년 지방직 9급

① (○) 공법상 부당이득에 관한 일반법은 없으며 법령에 특별한 규정이 없는 한 「민법」 규정이 직접 또는 유추 적용된다. 공법상 부당이득에 관한 특별규정으로는 「국세기본법」 제51조(국세환급금의 충당과 환급), 제54조(국세환급금의 소멸시효), 「지방세기본법」 제60조(지방세환급금의 충당과 환급)와 제64조(지방세환급금의 소멸시효) 등이 있다.
② (×) 납세의무자에 대한 국가의 부가가치세 환급세액 지급의무는 그 납세의무자로부터 어느 과세기간에 과다하게 거래징수된 세액 상당을 국가가 실제로 납부받았는지와 관계없이 부가가치세법령의 규정에 의하여 직접 발생하는 것으로서, 그 법적 성질은 부당이득 반환의무가 아니라 부가가치세법령에 의하여 그 존부나 범위가 구체적으로 확정되고 조세 정책적 관점에서 특별히 인정되는 공법상 의무라고 봄이 타당하다. 그렇다면 국가에 대한 납세의무자의 부가가치세 환급세액 지급청구는 민사소송이 아니라 당사자소송의 절차에 따라야 한다(대판 2013.3.21. 2011다95564 전합).

유제 19. 서울시 7급 부가가치세법령상 확정된 부가가치세의 환급세액의 지급 청구는 당사자소송의 대상이다. (○)
16. 서울시 7급 부가가치세 환급세액지급청구는 당사자소송을 통해 다투어야 한다. (○)
14. 지방직 7급 납세의무자가 국가에 대해 부가가치세 환급세액 지급을 청구하는 것의 법적 성질은 부당이득반환청구이므로 민사소송절차에 따라야 한다. (×)

③ (○) 잘못 지급된 보상금 등에 해당하는 금액을 징수하는 처분을 통하여 달성하고자 하는 공익상 필요의 구체적 내용과 처분으로 말미암아 당사자가 입게 될 불이익의 내용 및 정도와 같은 여러 사정을 두루 살펴, 잘못 지급된 보상금 등에 해당하는 금액을 징수하는 처분을 해야 할 공익상 필요와 그로 인하여 당사자가 입게 될 기득권과 신뢰의 보호 및 법률생활 안정의 침해 등의 불이익을 비교·교량한 후, 공익상 필요가 당사자가 입게 될 불이익을 정당화할 만큼 강한 경우에 한하여 보상금 등을 받은 당사자로부터 잘못 지급된 보상금 등에 해당하는 금액을 환수하는 처분을 하여야 한다(대판 2014.10.27. 2012두17186).
④ (○) 가령 수익적 처분의 상대방이 법률상 원인 없이 이득을 얻은 경우에는 행정주체도 공법상 부당이득반환청구권을 행사할 수 있다.

답 ②

문제 DATA

출제가능 지수 ▶▶▷
난이도 지수 ★★☆

함께 정리하기

공법상 부당이득
일반법 ×
▷ 「민법」 법리 준용
부가가치세 환급
▷ 부당이득 ×
▷ 공법상 의무: 당사자소송
보상금 오지급금 환수
▷ 공익상 필요가 강한 경우 可
부당이득반환청구
▷ 행정주체도 可

제2절 | 공법상의 행위

001 □□□

사인의 공법행위에 대한 설명으로 옳은 것을 모두 고른 것은?

> ㄱ. 투표에는 「민법」상 착오 규정이 적용되지 않는다.
> ㄴ. 사인의 공법행위에는 부관을 붙일 수 없는 것이 원칙이다.
> ㄷ. 판례는 신청에 필요한 서류의 제출의무가 협력의무의 성질을 갖는 경우 그 신청서류를 제출하지 않았다고 하여 신청을 거부할 수는 없다고 한다.
> ㄹ. 판례는 법규상 또는 조리상 신청권이 없는 경우 거부행위의 처분성 및 부작위를 인정하지 않는다.

① ㄱ, ㄴ
② ㄷ, ㄹ
③ ㄱ, ㄴ, ㄷ
④ ㄱ, ㄴ, ㄷ, ㄹ

문제 DATA
출제가능 지수 ▶▶▷
난이도 지수 ★★☆

함께 정리하기

사인의 공법행위

투표
▷ 「민법」상 착오취소 규정 적용×

사인의 공법행위
▷ 부관을 붙일 수 없음 원칙

서류 제출의무가 협력의무의 성질
▷ 서류 미제출만으로는 신청거부 불가

법규상 또는 조리상 신청권 無
▷ 거부행위의 처분성 및 부작위의 성립 부정

2025년 경찰간부

ㄱ. (○) 투표행위는 개별적인 사인의 공법행위가 일단 성립된 후에는 개인의 행위가 독자성을 상실하고 다른 사람들의 행위와 합성하여 별도의 법률효과를 내는 합성행위이다. 투표와 같이 정형적·단체적 성질이 강한 이러한 합성행위에는 「민법」상 착오 규정이 적용되지 않는다.

> 「민법」 제109조 【착오로 인한 의사표시】 ① 의사표시는 법률행위의 내용의 중요부분에 착오가 있는 때에는 취소할 수 있다. 그러나 그 착오가 표의자의 중대한 과실로 인한 때에는 취소하지 못한다.

ㄴ. (○) 행정법관계의 명확성·안정성·조속 확정의 필요성으로 인해 사인의 공법행위에는 부관을 붙일 수 없음이 원칙이다.

ㄷ. (○) 신청에 필요한 서류의 제출의무가 협력의무의 성질을 갖는 경우에는 그 신청서류를 제출하지 않았다고 하여 신청을 거부할 수 없다.

> 구 조세특례제한법(2018.12.24. 법률 제16009호로 개정되기 전의 것, 이하 '구 조특법'이라 한다) 제66조 제1항·제8항, 조세특례제한법 시행령 제63조 제7항, 구 농어업경영체 육성 및 지원에 관한 법률(2020.2.11. 법률 제16965호로 개정되기 전의 것, 이하 '구 농어업경영체법'이라 한다) 제16조 제3항, 제4소 제1항의 내용, 체계, 취지 및 개정 경과 등을 고려하면, 구 농어업경영체법에 따른 영농조합법인의 식량작물재배업소득 등에 대해서는 법인세 면제에 관한 구 조특법 제66조 제1항이 적용되고, 면제 신청 절차에 관한 규정인 구 조특법 제66조 제8항 및 조세특례제한법 시행령 제63조 제7항은 납세의무자로 하여금 면제 신청에 필요한 서류를 관할 세무서장에게 제출하도록 협력의무를 부과한 것이므로, 영농조합법인이 법인세 면제 신청을 하면서 조세특례제한법 시행령 제63조 제7항이 정한 농업경영체 등록확인서를 제출하지 않았다고 하여 과세 관청이 해당 법인세 면제를 거부할 수는 없다(대판 2023.3.30. 2019두55972).

ㄹ. (○) 국민의 적극적 행위신청에 대하여 행정청이 그 신청에 따른 행위를 하지 않겠다고 거부한 행위가 항고소송의 대상이 되는 행정처분에 해당하는 것이라고 하려면, 그 신청한 행위가 공권력의 행사 또는 이에 준하는 행정작용이어야 하고 그 거부행위가 신청인의 법률관계에 어떤 변동을 일으키는 것이어야 하며, 그 국민에게 그 행위발동을 요구할 법규상 또는 조리상의 신청권이 있어야만 한다(대판 1998.7.10. 96누14036).

> 부작위위법확인의 소는 행정청이 당사자의 법규상 또는 조리상의 권리에 기한 신청에 대하여 상당한 기간 내에 신청을 인용하는 적극적 처분 또는 각하하거나 기각하는 등의 소극적 처분을 하여야 할 법률상 응답의무가 있음에도 불구하고 이를 하지 아니하는 경우 그 부작위가 위법하다는 것을 확인함으로써 행정청의 응답을 신속하게 하여 부작위 또는 무응답이라고 하는 소극적 위법상태를 제거하는 것을 목적으로 하는 제도이고, 이러한 소송은 처분의 신청을 한 자로서 부작위가 위법하다는 확인을 구할 법률상의

이익이 있는 자만이 제기 할 수 있는 것이므로, 당사자가 행정청에 대하여 어떠한 행정처분을 하여 줄 것을 요청할 수 있는 법규상 또는 조리상의 권리를 갖고 있지 아니하거나 부작위의 위법확인을 구할 법률상의 이익이 없는 경우에는 항고소송의 대상이 되는 위법한 부작위가 있다고 볼 수 없거나 원고적격이 없어 그 부작위법확인의 소는 부적법하다(대판 2000.2.25. 99두11455).

답 ④

문제 DATA
출제가능 지수 ▶▶▷
난이도 지수 ★☆☆

002 □□□

사인의 공법행위에 대한 설명으로 옳지 않은 것은? (다툼이 있는 경우 판례에 의함)

① 사인의 공법상 행위는 명문으로 금지되거나 성질상 불가능한 경우가 아닌 한 그에 따른 행정행위가 행하여질 때까지 자유로이 철회할 수 있다.
② 수리를 요하는 신고에서 행정청의 수리행위에 신고필증 교부의 행위가 반드시 필요한 것은 아니다.
③ 「식품위생법」에 의하여 허가영업의 양도에 따른 지위승계신고를 수리하는 허가관청의 행위는 사업허가자의 변경이라는 법률효과를 발생시키는 행위이다.
④ 사인의 공법행위에 적용되는 일반규정은 없으며, 특별한 규정이 없는 한 「민법」상 비진의 의사표시의 무효에 관한 규정은 사인의 공법행위에 적용된다.

| 2021년 지방직 7급

① (O) 대판 2014.7.10. 2013두7025
② (O) 납골당설치 신고는 이른바 '수리를 요하는 신고'라 할 것이므로, 납골당설치 신고가 구 장사법 관련 규정의 모든 요건에 맞는 신고라 하더라도 신고인은 곧바로 납골당을 설치할 수는 없고, 이에 대한 행정청의 수리처분이 있어야만 신고한 대로 납골당을 설치할 수 있다. 한편 수리란 신고를 유효한 것으로 판단하고 법령에 의하여 처리할 의사로 이를 수령하는 수동적 행위이므로 수리행위에 신고필증 교부 등 행위가 꼭 필요한 것은 아니다(대판 2011.9.8. 2009두6766).

유제 19. 서울시 9급 수리란 신고를 유효한 것으로 판단하고 법령에 의하여 처리할 의사로 이를 수령하는 적극적 행위이므로 수리행위에는 신고필증의 교부와 같은 행정청의 행위가 수반되어야 한다. (×)
18. 지방직 7급 수리를 요하는 신고의 경우, 수리행위에 신고필증 교부 등 행위가 꼭 필요한 것은 아니다. (O)
18. 국회직 8급 신고의 수리행위에 신고필증 교부가 필요하다. (×)

③ (O) 구 식품위생법 제25조 제1항, 제3항에 의하여 영업양도에 따른 지위승계신고를 수리하는 허가관청의 행위는, 단순히 양도·양수인 사이에 이미 발생한 사법상의 사업양도의 법률효과에 의하여 양수인이 그 영업을 승계하였다는 사실의 신고를 접수하는 행위에 그치는 것이 아니라, 실질에 있어서 양도자의 사업허가를 취소함과 아울러 양수자에게 적법히 사업을 할 수 있는 권리를 설정하여 주는 행위로서 사업허가자의 변경이라는 법률효과를 발생시키는 행위라고 할 것이다(대판 2001.2.9. 2000도2050).

유제 19. 지방직 9급 「식품위생법」에 의한 영업양도에 따른 지위승계신고를 수리하는 허가관청의 행위는 단순히 양도·양수인 사이에 이미 발생한 사법상의 사업양도의 법률효과에 의하여 양수인이 그 영업을 승계하였다는 사실의 신고를 접수하는 행위에 그치는 것이 아니라, 영업허가자의 변경이라는 법률효과를 발생시키는 행위이다. (O)
18. 지방직 9급 (甲은 「식품위생법」 제37조 제1항에 따라 허가를 받아 식품조사처리업 영업을 하고 있던 중 乙과 영업양도계약을 체결하였다. 당해 계약은 하자있는 계약이었음에도 불구하고, 乙은 같은 법 제39조에 따라 식품의약품안전처장에게 영업자지위승계신고를 한 사안에서) 식품의약품안전처장이 乙의 신고를 수리한다면, 이는 실질에 있어서 乙에게는 적법하게 사업을 할 수 있는 권리를 설정하여주는 행위이다. (O)
18. 국회직 8급 지위승계신고는 영업허가자의 변경이라는 법률효과를 발생시키는 행위이다. (O)
17. 사복직 「식품위생법」에 의해 영업양도에 따른 지위승계신고를 수리하는 행정청의 행위는 단순히 양수인이 그 영업을 승계하였다는 사실의 신고를 접수한 행위에 그친다. (×)
15. 국가직 7급 「식품위생법」상 신고요건을 갖춘 적법한 신고가 있었다면, 관할 행정청의 수리 여부와 관계없이 영업양도는 효력을 발생한다. (×)

함께 정리하기
사인의 공법행위

사인의 공법행위
▷ 명문으로 금지되거나 불가능한 경우 아닌 한 행정행위 전까지 철회·보정 可

수리를 요하는 신고
▷ 신고필증의 교부 불요

지위승계신고수리
▷ 사업허가자의 변경이라는 법률효과 발생
▷ 행정처분O

사인의 공법행위
▷ 일반법×
▷ 「민법」상 비진의 의사표시 규정 적용×

④ (×) 사인의 공법행위에 대한 일반법은 없고 개별법(예 행정절차법, 민원처리에 관한 법률)에서 규정을 두고 있다. 민법상 비진의 의사표시의 무효에 관한 규정은 사인의 공법행위에는 적용되지 않는다(대판 1997.12.12. 97누13962).

유제 14. 서울시 9급 현재 사인의 공법행위에 관한 전반적인 사항을 규율하는 일반법은 없다. (○)

답 ④

003

사인의 공법행위에 대한 설명으로 옳은 것(○)과 옳지 않은 것(×)을 올바르게 조합한 것은? (다툼이 있는 경우 판례에 의함)

> ㄱ. 의사능력이 없는 자의 공법행위는 무효이다.
> ㄴ. 「민법」의 비진의 의사표시에 관한 규정은 사인의 공법행위에 적용되지 않는다.
> ㄷ. 행정법관계의 안정성과 정형성을 위해 사인의 공법행위에는 부관을 붙이지 않는 것이 적합하다.
> ㄹ. 사인의 공법행위는 행정행위의 공정력, 집행력 등 특수한 효력이 인정되지 않는다.
> ㅁ. 공무원이 한 사직의 의사표시는 그것을 철회하는 것이 신의칙에 반한다고 인정되는 특별한 사정이 있는 경우에는 철회가 허용되지 아니한다.

	ㄱ	ㄴ	ㄷ	ㄹ	ㅁ
①	○	○	○	○	○
②	○	○	○	×	×
③	○	○	×	×	×
④	×	×	○	○	×
⑤	×	×	×	○	○

문제 DATA
출제가능 지수 ▶▶▶
난이도 지수 ★★☆

함께 정리하기
사인의 공법행위
의사능력이 없는 자의 공법행위는 무효
「민법」상 비진의 의사표시 규정 적용×
부관을 붙일 수 없음 원칙
구속력·공정력·존속력·집행력×
공무원 사직의사표시 철회
▷ 의원면직처분 때까지 가능
▷ 다만, 신의칙에 반하는 경우는 허용×

2020년 국회직 9급

ㄱ. (○) 의사능력이란 자신의 행위에 대한 결과를 인식하고 판단할 수 있는 능력을 뜻한다. 의사능력이 없는 자의 공법행위는 「민법」을 적용하여 무효로 본다.

유제 11. 국회직 9급 의사능력이 없는 자의 행위라 하더라도 사인의 공법행위에 있어서는 유효하다. (×)

ㄴ. (○) 공무원이 사직의 의사표시를 하여 의원면직처분을 하는 경우 그 사직의 의사표시는 그 법률관계의 특수성에 비추어 외부적·객관적으로 표시된 바를 존중하여야 할 것이므로 비록 사직원제출자의 내심의 의사가 사직할 뜻이 아니었다고 하더라도 진의 아닌 의사표시에 관한 민법 제107조는 그 성질상 사직의 의사표시와 같은 사인의 공법행위에는 준용되지 아니하므로 그 의사가 외부에 표시된 이상 그 의사는 표시된 대로 효력을 발한다(대판 1997.12.12. 97누13962).

유제 21. 지방직 7급 사인의 공법행위에 적용되는 일반규정은 없으며, 특별한 규정이 없는 한 「민법」상 비진의 의사표시의 무효에 관한 규정은 사인의 공법행위에 적용된다. (×)
18. 5급 승진 사직원제출자의 내심의 의사가 사직할 뜻이 아니었다고 하더라도 사직의 의사가 외부에 표시된 이상 그 의사는 표시된 대로 효력을 발생한다. (○)

ㄷ. (○) 행정법관계의 법적 안정성과 정형성을 위해 사인의 공법행위에는 부관을 붙일 수 없음이 원칙이다.

유제 22. 소방간부, 19. 소방간부 사인의 공법행위에는 부관을 붙일 수 없다. (○)
10. 국가직 7급, 07. 국가직 9급·서울시 9급 사인의 공법행위에는 원칙적으로 부관을 붙일 수 있다. (×)

ㄹ. (○) 사인의 공법행위는 공법관계에서 공법적 효과의 발생을 목적으로 하는 행위라는 점에서 행정행위와 동일하나, 공정력, 존속력, 집행력 등의 우월적 효력을 인정할 수 없다는 점에서 행정행위와 구별된다.

유제 19. 소방간부 사인의 공법행위는 행정행위가 갖고 있는 구속력·공정력·존속력·집행력을 갖고 있지 않다. (O)
15. 지방직 7급 사인의 공법행위에는 행정행위에 인정되는 공정력, 존속력, 집행력 등이 인정되지 않는다. (O)
10. 국가직 7급 사인의 공법행위도 공정력과 집행력을 갖는다. (X)

ㅁ. (O) 공무원이 한 사직의 의사표시는 그에 터잡은 의원면직처분이 있을 때까지는 원칙적으로 이를 철회할 수 있는 것이지만, 다만 의원면직처분이 있기 전이라도 사직의 의사표시를 철회하는 것이 신의칙에 반한다고 인정되는 특별한 사정이 있는 경우에는 그 철회는 허용되지 아니한다(대판 1993.7.27. 92누16942).

답 ①

문제 DATA
출제가능 지수 ▶▶▷
난이도 지수 ★★☆

004 □□□

사인의 공법행위에 대한 설명으로 옳지 않은 것은? (다툼이 있는 경우 판례에 의함)

① 사인의 공법행위는 행정법관계에서 사인의 행위로서 공법적 효과를 발생시키는 일체의 행위를 말한다.
② 사인의 공법행위는 명문으로 금지되거나 성질상 불가능한 경우가 아닌 한, 그에 따른 행정행위가 행하여질 때까지 자유로이 철회하거나 보정할 수 있다.
③ 사인의 공법행위는 행정행위가 갖고 있는 구속력·공정력·존속력·집행력을 갖고 있지 않다.
④ 사인의 공법행위에는 부관을 붙일 수 없음이 원칙이다.
⑤ 전입신고자가 거주목적 이외에 다른 이해관계에 관한 의도를 가지고 있는지 여부도 주민등록 전입신고 수리 여부에 대한 심사 시 고려되어야 한다.

| 2019년 소방간부

함께 정리하기

사인의 공법행위
행정법관계에서 사인의 행위로서 공법적 효과를 발생시키는 일체의 행위

사인의 공법행위
▷ 명문으로 금지되거나 불가능한 경우 아닌 한 행정행위 전까지 철회·보정 可

구속력·공정력·존속력·집행력×

부관을 붙일 수 없음 원칙

개발행위허가의제 건축신고
▷ 개발행위허가기준 충족 要

주민등록신고의 심사범위
▷「주민등록법」의 입법목적 범위 내로 제한

① (O) 사인의 공법행위란 행정법관계에서 사인이 행하는 행위로서 공법적 효과를 발생시키는 일체의 행위를 말한다. 사인의 공법행위는 법적 행위인 점에서 공법상 사실행위와 구별되고, 사인의 행위라는 점에서 행정주체의 공권력 발동행위인 행정행위와 구별되며, 공법적 효과를 발생시킨다는 점에서 사법행위와도 구별된다.
② (O) 사인의 공법행위는 그에 근거한 공법행위(주로 행정행위)가 행해질 때까지는 자유로이 철회·보정할 수 있음이 원칙이다. 그러나 합성행위 및 합동행위 등에 있어서는 집단성과 형식성 때문에 그의 철회·보정이 제한된다. 즉, 선거·투표행위·수험행위 등은 철회·보정이 불가하다.

사인의 공법상 행위는 명문으로 금지되거나 성질상 불가능한 경우가 아닌 한 그에 따른 행정행위가 행하여질 때까지 자유로이 철회하거나 보정할 수 있다(대판 2014.7.10. 2013두7025).

유제 21. 지방직 7급 사인의 공법상 행위는 명문으로 금지되거나 성질상 불가능한 경우가 아닌 한 그에 따른 행정행위가 행하여질 때까지 자유로이 철회할 수 있다. (O)
21. 서울시 7급, 14. 지방직 9급 사인의 공법상 행위는 명문으로 금지되거나 성질상 불가능한 경우가 아닌 한, 그에 의거한 행정행위가 행하여질 때까지는 자유로이 철회나 보정이 가능하다. (O)
20. 지방직 7급 (자영업에 종사하는 甲은 일정 요건의 자영업자에게는 보조금을 지급하도록 한 법령에 근거하여 관할 행정청에 보조금 지급을 신청하였으나 1차 거부되었고, 이후 다시 동일한 보조금을 신청하였다) 명문으로 금지되거나 성질상 불가능한 경우가 아닌 한, 甲은 신청에 대한 관할 행정청의 처분이 있기 전까지 신청의 내용을 변경할 수 있다. (O)
11. 국회직 9급 대법원은 명문으로 금지되거나 성질상 불가능한 경우가 아닌 한 사인의 공법행위는 그에 의거한 행정행위가 성립할 때까지 자유로이 보정이나 철회를 할 수 있다고 보았다. (O)

③ (O) 사인의 공법행위는 행정행위의 특수한 효력인 구속력·공정력·존속력·집행력 등이 인정되지 않는다.
④ (O) 행정법관계의 법적 안정성을 위해 사인의 공법행위에는 부관을 붙일 수 없음이 원칙이다.

⑤ (×) 전입신고의 심사는 30일 이상 거주목적 유무에 제한된다.

주민들의 거주지 이동에 따른 주민등록전입신고에 대하여 행정청이 이를 심사하여 그 수리를 거부할 수 있다고 하더라도, 그러한 행위는 자칫 헌법상 보장된 국민의 거주·이전의 자유를 침해하는 결과를 가져올 수도 있으므로, 시장·군수 또는 구청장의 주민등록전입신고 수리 여부에 대한 심사는 주민등록법의 입법 목적의 범위 내에서 제한적으로 이루어져야 한다. 전입신고를 받은 시장·군수 또는 구청장의 심사 대상은 전입신고자가 30일 이상 생활의 근거로 거주할 목적으로 거주지를 옮기는지 여부만으로 제한된다고 보아야 한다. 따라서 전입신고자가 거주의 목적 이외에 다른 이해관계에 관한 의도를 가지고 있는지 여부, 무허가 건축물의 관리, 전입신고를 수리함으로써 당해 지방자치단체에 미치는 영향 등과 같은 사유는 주민등록법이 아닌 다른 법률에 의하여 규율되어야 하고, 주민등록전입신고의 수리 여부를 심사하는 단계에서는 고려 대상이 될 수 없다(대판 2009.6.18. 2008두10997 전합).

유제 20. 소방간부 주민등록 전입신고를 받은 시장, 군수 또는 구청장의 심사대상은 전입신고자가 30일 이상 생활의 근거로 거주할 목적으로 거주지를 옮기는지 여부만으로 제한된다고 보아야 한다. (○)
17. 지방직 7급 주민등록전입신고의 수리 여부와 관련하여서는, 전입신고자가 거주의 목적 외에 다른 이해관계에 관한 의도를 가지고 있었는지 여부, 무허가건축물의 관리, 전입신고를 수리함으로써 당해 지방자치단체에 미치는 영향 등도 고려하여야 한다. (×)
17. 사복직, 14. 서울시 9급 행정청은 전입신고자가 거주의 목적 이외에 다른 이해관계를 가지고 있는지 여부를 심사하여 「주민등록법」상 주민등록 전입신고의 수리를 거부할 수 있다. (×)
13. 국가직 7급 전입신고자가 거주의 목적 이외에 다른 이해관계에 관한 의도를 가지고 있는지 여부, 전입신고를 수리함으로써 당해 지방자치단체에 미치는 영향 등과 같은 사유는 주민등록전입신고의 수리여부를 심사하는 단계에서는 고려 대상이 될 수 없다. (○)
13. 국회직 8급 주민등록전입신고 수리여부에 대한 심사는 「주민등록법」의 입법목적과 법률효과 이외에 「지방자치법」 및 지방자치의 이념까지 고려하여 실질적으로 판단해야 한다. (×)

답 ⑤

005 □□□

사인의 공법행위에 대한 설명으로 옳은 것을 모두 고른 것은? (다툼이 있는 경우 판례에 의함)

> ㄱ. 1980년의 공직자숙정계획의 일환으로 일괄사표의 제출과 선별수리의 형식으로 공무원에 대한 의원면직처분이 이루어진 경우, 비진의 의사표시의 무효에 관한 「민법」 제107조 제1항 단서 규정을 적용하여 그 의원면직처분을 당연무효라고 주장할 수 있다.
> ㄴ. 공무원이 한 사직 의사표시의 철회나 취소는 그에 터잡은 의원면직처분이 있을 때까지 할 수 있는 것이고, 일단 면직처분이 있고 난 이후에는 철회나 취소할 여지가 없다.
> ㄷ. 사직서의 제출이 감사기관이나 상급관청 등의 강박에 의한 경우, 그 정도가 의사결정의 자유를 제한하는 정도에 그친다면 그 성질에 반하지 아니하는 한 의사표시에 관한 「민법」 제110조의 사기나 강박에 의한 의사표시 규정을 준용하여 그 효력을 따져보아야 할 것이다.
> ㄹ. 「건축법」 제14조 제2항에 의한 인·허가의제 효과를 수반하는 건축신고는 특별한 사정이 없는 한 행정청이 그 실체적 요건에 관한 심사를 한 후 수리하여야 하는 이른바 '수리를 요하는 신고'이다.
> ㅁ. 「국토의 계획 및 이용에 관한 법률」상의 개발행위허가로 의제되는 건축신고가 개발행위허가의 기준을 갖추지 못하더라도, 「건축법」상 적법한 요건을 갖춘 신고만 하면 건축을 할 수 있고 행정청의 수리 등 별단의 조처를 기다릴 필요는 없다.

① ㄱ, ㄴ, ㄹ
② ㄱ, ㄴ, ㅁ
③ ㄴ, ㄷ, ㄹ
④ ㄴ, ㄷ, ㅁ

◎ 문제 DATA
출제가능 지수 ▶▶▶
난이도 지수 ★★★

> **함께 정리하기**
>
> **사인의 공법행위**
>
> **공직자숙정계획의 일환으로 공무원에 대한 의원면직처분이 이루어진 경우**
> ▷ 비진의 의사 표시 준용 ✕
>
> **공무원 사직의사표시**
> ▷ 의원면직처분 전까지 철회·취소 可
>
> **사인의 공법행위**
> ▷ 사기·강박에 의한 의사표시(「민법」 제110조) 준용 ○
>
> **인·허가의제 효과 수반하는 건축신고**
> ▷ 수리를 요하는 신고
>
> **개발행위허가로 의제되는 건축신고**
> ▷ 개발행위허가기준 준수 要

2019년 경찰 2차

ㄱ. (✕) 1980년의 공직자숙정계획의 일환으로 일괄사표의 제출과 선별수리의 형식으로 공무원에 대한 의원면직처분이 이루어진 경우, 사직원 제출행위가 강압에 의하여 의사결정의 자유를 박탈당한 상태에서 이루어진 것이라고 할 수 없고 민법상 비진의 의사표시의 무효에 관한 규정은 사인의 공법행위에 적용되지 않는다는 등의 이유로 그 의원면직처분을 당연무효라고 할 수 없다(대판 2001.8.24. 99두9971).

유제 21. 지방직·서울시 7급 사인의 공법행위에 적용되는 일반규정은 없으며, 특별한 규정이 없는 한 「민법」상 비진의사표시의 무효에 관한 규정은 사인의 공법행위에 적용된다. (✕)
19. 경찰 2차 1980년의 공직자숙정계획의 일환으로 일괄사표의 제출과 선별수리의 형식으로 공무원에 대한 의원면직처분이 이루어진 경우, 비진의사표시의 무효에 관한 「민법」 제107조 제1항 단서 규정을 적용하여 그 의원면직처분을 당연무효라고 주장할 수 있다. (✕)
16. 지방직 7급 사직원제출자의 내심의 의사가 사직할 뜻이 없었더라도 「민법」상 비진의 의사표시의 무효에 관한 규정이 적용되지 않으므로 그 사직원을 받아들인 의원면직처분을 당연무효라 볼 수는 없다. (○)
14. 서울시 7급 공무원의 사직의 의사표시는 사인의 공법행위이므로 「민법」상의 비진의 의사표시의 무효에 관한 규정은 적용되지 않는다. (○)

ㄴ. (○) 공무원이 한 사직 의사표시의 철회나 취소는 그에 터잡은 의원면직처분이 있을 때까지 할 수 있는 것이고, 일단 면직처분이 있고 난 이후에는 철회나 취소할 여지가 없다(대판 2001.8.24. 99두9971).

ㄷ. (○) 사직서의 제출이 감사기관이나 상급관청 등의 강박에 의한 경우에는 그 정도가 의사결정의 자유를 박탈할 정도에 이른 것이라면 그 의사표시가 무효로 될 것이고 그렇지 않고 의사결정의 자유를 제한하는 정도에 그친 경우라면 그 성질에 반하지 아니하는 한 의사표시에 관한 민법 제110조의 규정을 준용하여 그 효력을 따져보아야 할 것이다(대판 1997.12.12. 97누13962).

유제 14. 국가직 7급 권고사직의 형식을 취하고 있더라도 사직의 권고가 공무원의 의사결정의 자유를 박탈할 정도의 강박에 해당하는 경우에는 당해 권고사직은 무효이다. (○)

ㄹ. (○) 인·허가의제 효과를 수반하는 건축신고는 일반적인 건축신고와는 달리, 특별한 사정이 없는 한 행정청이 그 실체적 요건에 관한 심사를 한 후 수리하여야 하는 이른바 '수리를 요하는 신고'로 보는 것이 옳다(대판 2011.1.20. 2010두14954 전합).

ㅁ. (✕) 일정한 건축물에 관한 건축신고는 건축법 제14조 제2항, 제11조 제5항 제3호에 의하여 국토의 계획 및 이용에 관한 법률 제56조에 따른 개발행위허가를 받은 것으로 의제되는데, 국토의 계획 및 이용에 관한 법률 제58조 제1항 제4호에서는 개발행위허가의 기준으로 주변 지역의 토지이용실태 또는 토지이용계획, 건축물의 높이, 토지의 경사도, 수목의 상태, 물의 배수, 하천·호수·습지의 배수 등 주변환경이나 경관과 조화를 이룰 것을 규정하고 있으므로, 국토의 계획 및 이용에 관한 법률상의 개발행위허가로 의제되는 건축신고가 위와 같은 기준을 갖추지 못한 경우 행정청으로서는 이를 이유로 그 수리를 거부할 수 있다고 보아야 한다(대판 2011.1.20. 2010두14954 전합).

답 ③

006

사인의 공법행위에 대한 설명으로 옳지 않은 것은?

① 「체육시설의 설치·이용에 관한 법률」상의 신고체육시설업에 있어서 적법한 요건을 갖춘 신고의 경우에는 행정청의 수리처분 등 별단의 조처를 기다릴 필요 없이 그 접수시에 신고로서의 효력이 발생하는 것이므로 그 수리가 거부되었다고 하여 무신고 영업이 되는 것은 아니다.
② 허가대상 건축물의 양수인이 구 「건축법 시행규칙」에 규정되어 있는 형식적 요건을 갖추어 시장·군수 등 행정관청에 적법하게 건축주의 명의변경을 신고한 때에는 행정관청은 그 신고를 수리하여야지 실체적인 이유를 내세워 신고의 수리를 거부할 수는 없다.
③ 인허가의제 효과를 수반하는 건축신고는 일반적인 건축신고와는 달리 특별한 사정이 없는 한 행정청이 그 실체적 요건에 관한 심사를 한 후 수리하여야 하는 이른바 '수리를 요하는 신고'에 해당한다.
④ 구 「장사 등에 관한 법률」상 납골당설치 신고는 수리를 요하지 않는 자기완결적 신고에 해당하므로, 형식적 요건을 갖춘 신고서가 접수기관에 도달한 때 곧바로 효력이 발생한다.

문제 DATA
출제가능 지수 ▶▶▷
난이도 지수 ★★☆

2025년 국가직 9급

① (○) 체육시설의 설치·이용에 관한 법률 제10조, 제11조, 제22조, 같은 법 시행규칙 제8조 및 제25조의 각 규정에 의하면, 체육시설업은 등록체육시설업과 신고 체육시설업으로 나누어지고, 당구장업과 같은 신고 체육시설업을 하고자 하는 자는 체육시설업의 종류별로 같은 법 시행규칙이 정하는 해당 시설을 갖추어 소정의 양식에 따라 신고서를 제출하는 방식으로 시·도지사에 신고하도록 규정하고 있으므로, 소정의 시설을 갖추지 못한 체육시설업의 신고는 부적법한 것으로 그 수리가 거부될 수밖에 없고 그러한 상태에서 신고체육시설업의 영업행위를 계속하는 것은 무신고 영업행위에 해당할 것이지만 <u>적법한 요건을 갖춘 신고의 경우에는 행정청의 수리처분 등 별단의 조처를 기다릴 필요 없이 그 접수시에 신고로서의 효력이 발생하는 것이므로 그 수리가 거부되었다고 하여 무신고 영업이 되는 것은 아니다</u>(대판 1998.4.24. 97도3121).

② (○) 구 건축법(2014.1.14. 법률 제12246호로 개정되기 전의 것) 제16조 제1항 본문과 구 건축법 시행령(2012.12.12. 대통령령 제24229호로 개정되기 전의 것) 제12조 제1항 제3호, 제4항 및 구 건축법 시행규칙(2012.12.12. 국토해양부령 제522호로 개정되기 전의 것, 이하 같다) 제11조 제1항·제3항의 내용에 비추어 보면, 구 건축법 시행규칙 제11조의 규정은 단순히 행정관청의 사무집행의 편의를 위한 것이 아니라, 허가대상 건축물의 양수인에게 건축주의 명의변경을 신고할 수 있는 공법상의 권리를 인정함과 아울러 행정관청에게는 그 신고를 수리할 의무를 지게 한 것으로 봄이 타당하므로, <u>허가대상 건축물의 양수인이 구 건축법 시행규칙에 규정되어 있는 형식적 요건을 갖추어 시장·군수 등 행정관청에 적법하게 건축주의 명의변경을 신고한 때에는 행정관청은 그 신고를 수리하여야지 실체적인 이유를 내세워 신고의 수리를 거부할 수는 없다</u>(대판 2014.10.15. 2014두37658).

③ (○)

  [1] 건축법에서 인·허가의제 제도를 둔 취지는, 인·허가의제 사항과 관련하여 건축허가 또는 건축신고의 관할 행정청으로 그 창구를 단일화하고 절차를 간소화 하며 비용과 시간을 절감함으로써 국민의 권익을 보호하려는 것이지, 인·허가의제 사항 관련 법률에 따른 각각의 인·허가 요건에 관한 일체의 심사를 배제하려는 것으로 보기는 어렵다. 따라서 인·허가의제 효과를 수반하는 건축신고는 일반적인 건축신고와는 달리, 특별한 사정이 없는 한 행정청이 그 실체적 요건에 관한 심사를 한 후 수리하여야 하는 이른바 '수리를 요하는 신고'로 보는 것이 옳다.
  [2] 국토의 계획 및 이용에 관한 법률상의 개발행위허가로 의제되는 건축신고가 위와 같은 기준을 갖추지 못한 경우 행정청으로서는 이를 이유로 그 수리를 거부할 수 있다고 보아야 한다(대판 2011.1.20. 2010두14954 전합).

함께 정리하기

사인의 공법행위

적법한 신고체육시설업 신고 후 영업행위
▷ 수리가 거부되었다고 하여 무신고 영업×

건축주명의변경신고의 형식적 요건이 갖춰진 경우
▷ 실체적인 이유로 수리거부×

인허가가 의제되는 건축신고
▷ 행위요건적 신고

납골당설치신고
▷ 행위요건적 신고(수리처분이 있어야 효력 발생)

④ (×) 구 장사 등에 관한 법령상 납골당 설치신고는 이른바 '수리를 요하는 신고'라 할 것이므로, 납골당 설치신고가 구 장사법 관련 규정의 모든 요건에 맞는 신고라 하더라도 신고인은 곧바로 납골당을 설치할 수는 없고, 이에 대한 행정청의 수리처분이 있어야만 신고한 대로 납골당을 설치할 수 있다. 한편 수리란 신고를 유효한 것으로 판단하고 법령에 의하여 처리할 의사로 이를 수령하는 수동적 행위이므로 수리행위에 신고필증 교부 등 행위가 꼭 필요한 것은 아니다(대판 2011.9.8. 2009두6766).

답 ④

007

사인의 공법행위에 대한 설명으로 옳지 않은 것은? (다툼이 있는 경우 판례에 의함)

① 인·허가의제 효과를 수반하는 건축신고는 일반적인 건축신고와는 달리, 특별한 사정이 없는 한 행정청이 그 실체적 요건에 관한 심사를 한 후 수리하여야 하는 이른바 '수리를 요하는 신고'로 보는 것이 옳다.

② 행정청이 구 「식품위생법」 규정에 의하여 영업자지위승계신고를 수리하는 처분을 함에 있어서는 「행정절차법」 규정 소정의 당사자에 해당하는 종전의 영업자에 대하여 「행정절차법」 규정 소정의 행정절차를 실시하고 처분을 하여야 한다.

③ 구 「유통산업발전법」에 따라 영업시간 제한 등 규제 대상이 되는 대형마트에 해당하는지는, 일단 대형마트로 개설등록되었다면 특별한 사정이 없는 한, 개설 등록된 형식에 따라 대규모점포를 일체로서 판단할 것이 아니고, 대규모점포를 구성하는 개별 점포의 실질이 대형마트의 요건에 부합하는지를 다시 살펴야 한다.

④ 구 「체육시설의 설치·이용에 관한 법률」에 따른 당구장업의 신고요건을 갖춘 자라 할지라도 구 「학교보건법」상의 학교환경 위생정화구역 내에서는 구 「학교보건법」에 의한 별도 요건을 충족하지 아니하는 한 적법한 신고를 할 수 없다고 보아야 한다.

| 2025년 소방직

① (○) 건축법에서 인·허가의제 제도를 둔 취지는, 인·허가의제사항과 관련하여 건축허가 또는 건축신고의 관할 행정청으로 그 창구를 단일화하고 절차를 간소화하며 비용과 시간을 절감함으로써 국민의 권익을 보호하려는 것이지, 인·허가의제사항 관련 법률에 따른 각각의 인·허가 요건에 관한 일체의 심사를 배제하려는 것으로 보기는 어렵다. 왜냐하면, 건축법과 인·허가의제사항 관련 법률은 각기 고유한 목적이 있고, 건축신고와 인·허가의제사항도 각각 별개의 제도적 취지가 있으며 그 요건 또한 달리하기 때문이다. 나아가 인·허가의제사항 관련 법률에 규정된 요건 중 상당수는 공익에 관한 것으로서 행정청의 전문적이고 종합적인 심사가 요구되는데, 만약 건축신고만으로 인·허가의제사항에 관한 일체의 요건 심사가 배제된다고 한다면, 중대한 공익상의 침해나 이해관계인의 피해를 야기하고 관련 법률에서 인·허가 제도를 통하여 사인의 행위를 사전에 감독하고자 하는 규율체계 전반을 무너뜨릴 우려가 있다. 또한 무엇보다도 건축신고를 하려는 자는 인·허가의제사항 관련 법령에서 제출하도록 의무화하고 있는 신청서와 구비서류를 제출하여야 하는데, 이는 건축신고를 수리하는 행정청으로 하여금 인·허가의제사항 관련 법률에 규정된 요건에 관하여도 심사를 하도록 하기 위한 것으로 볼 수밖에 없다. 따라서 인·허가의제 효과를 수반하는 건축신고는 일반적인 건축신고와는 달리, 특별한 사정이 없는 한 행정청이 그 실체적 요건에 관한 심사를 한 후 수리하여야 하는 이른바 '수리를 요하는 신고'로 보는 것이 옳다(대판 2011.1.20. 2010두14954 전합).

② (○) 행정절차법 제21조 제1항, 제22조 제3항 및 제2조 제4호의 각 규정에 의하면, 행정청이 당사자에게 의무를 과하거나 권익을 제한하는 처분을 함에 있어서는 당사자 등에게 처분의 사전통지를 하고 의견제출의 기회를 주어야 하며, 여기서 당사자라 함은 행정청의 처분에 대하여 직접 그 상대가 되는 자를 의미한다 할 것이고, 한편 구 식품위생법(2002.1.26. 법률 제6627호로 개정되기 전의 것) 제25조 제2항·제3항의 각 규정에 의하면, 지방세법에 의한 압류재산 매각절차에 따라 영업시설의 전부를 인수함으로써 그 영업자의 지위를 승계한 자가 관계 행정청에 이를 신고하여 행정청이 이를 수리하는 경우에는 종전의 영업자에 대한 영업허가 등은 그 효력을 잃는다 할 것인데, 위 규정들을 종합하면 위 행정청이 구 식품위생법 규정에 의하여 영업자지위승계신고를 수리하는 처분은 종전의 영업자의 권익을 제한하는 처분이라 할 것이고 따라서 종전의 영업자는 그 처분에 대하여 직접 그 상대가 되는 자에 해당한다고 봄이 상당하므로, 행정청으로서는 위 신고를 수리하는 처분을 함에 있어서 행정절차법 규정 소정의 당사자에 해당하는 종전의 영업자에 대하여 위 규정 소정의 행정절차를 실시하고 처분을 하여야 한다(대판 2003.2.14. 2001두7015).

③ (×) 구 유통산업발전법(2013.1.23. 법률 제11626호로 개정되기 전의 것, 이하 같다) 제2조 제3호, 제3의2호, 제8조 제1항, 제12조의2 제1항·제2항·제3항, 구 유통산업발전법 시행령(2013.4.22. 대통령령 제24511호로 개정되기 전의 것, 이하 같다) 제3조 제1항 [별표 1], 제7조의2의 내용과 체계, 구 유통산업발전법의 입법 목적 등과 아울러, 구 유통산업발전법 제12조의2 제1항·제2항·제3항은 기존의 대규모점포의 등록된 유형 구분을 전제로 '대형마트로 등록된 대규모점포'를 일체로서 규제 대상으로 삼고자 하는 데 취지가 있는 점, 대규모점포의 개설 등록은 이른바 '수리를 요하는 신고'로서 행정처분에 해당하고 등록은 구체적 유형 구분에 따라 이루어지므로, 등록의 효력은 대규모점포가 구체적으로 어떠한 유형에 속하는지에 관하여도 미치는 점, 따라서 대규모점포가 대형마트로 개설 등록되었다면 점포의 유형을 포함한 등록내용이 대규모점포를 개설하고자 하는 자의 신청 등에 따라 변경등록되지 않는 이상 대규모점포를 개설하고자 하는 자 등에 대한 구속력을 가지는 점 등에 비추어 보면, 구 유통산업발전법 제12조의2 제1항·제2항·제3항에 따라 영업시간 제한 등 규제 대상이 되는 대형마트에 해당하는지는, 일단 대형마트로 개설 등록되었다면 특별한 사정이 없는 한, 개설 등록된 형식에 따라 대규모점포를 일체로서 판단하여야 하고, 대규모점포를 구성하는 개별 점포의 실질이 대형마트의 요건에 부합하는지를 다시 살필 것은 아니다(대판 2015.11.19. 2015두295 전합).

④ (○) 학교보건법과 체육시설의 설치·이용에 관한 법률은 그 입법목적, 규정사항, 적용범위 등을 서로 달리 하고 있어서 당구장의 설치에 관하여 체육시설의 설치·이용에 관한 법률이 학교보건법에 우선하여 배타적으로 적용되는 관계에 있다고는 해석되지 아니하므로 체육시설의 설치·이용에 관한 법률에 따른 당구장업의 신고요건을 갖춘 자 할지라도 학교보건법 제5조 소정의 학교환경 위생정화구역 내에서는 같은 법 제6조에 의한 별도 요건을 충족하지 아니하는 한 적법한 신고를 할 수 없다고 보아야 한다(대판 1991.7.12. 90누8350).

답 ③

문제 DATA

출제가능 지수 ▶▶▷
난이도 지수 ★★☆

008 □□□

사인의 공법행위로서 신고에 대한 설명으로 옳은 것은? (다툼이 있는 경우 판례에 의함)

① 납세의무자가 취득세를 신고·납부한 경우, 신고에 하자가 있다면 그 신고는 당연무효이므로 취득세의 신고에 하자가 있다는 사실만으로도 이미 납부하여 국가가 보유하고 있는 취득세액은 부당이득에 해당한다.

② 수리를 요하는 신고에서 수리란 신고를 유효한 것으로 판단하고 법령에 의하여 처리할 의사로 이를 수령하는 수동적 행위이므로 수리행위가 효력을 발생하기 위하여 신고필증 교부가 꼭 필요한 것은 아니다.

③ 「지방세법」에 의한 압류재산 매각절차에 따라 영업시설의 전부를 인수한 양수자가 「식품위생법」상의 영업자지위승계신고를 하는 경우 이를 수리하는 행정청의 처분은 양수자에게 적법히 사업을 할 수 있는 권리를 설정하여 주는 행위이므로 종전의 영업자는 「행정절차법」상 당사자에 해당되지 않는다.

④ 사업양도·양수에 따른 허가관청의 지위승계신고의 수리가 있는 경우 사업의 양도행위가 무효라고 주장하는 양도자는 민사쟁송으로 양도·양수행위의 무효를 구하여야 하고 막바로 허가관청을 상대로 하여 행정소송으로 신고수리처분의 무효확인을 구할 법률상 이익이 없다.

⑤ 구 「산림법」상 채석허가자의 지위가 양도·양수된 경우, 양도·양수에 따른 명의변경신고가 수리되기 전에 행정청이 양도인에 대하여 채석허가를 취소하는 처분을 하였다면 양수인은 처분의 직접 상대방에 해당하지 아니하므로 채석허가취소처분의 취소를 구할 법률상 이익이 없다.

2025년 소방간부

① (×) 취득세와 등록세는 신고납세방식의 조세로서 이러한 유형의 조세에 있어서는 원칙적으로 납세의무자가 스스로 과세표준과 세액을 정하여 신고하는 행위에 의하여 납세의무가 구체적으로 확정되고, 그 납부행위는 신고에 의하여 확정된 구체적 납세의무의 이행으로 하는 것이며 지방자치단체는 그와 같이 확정된 조세채권에 기하여 납부된 세액을 보유하는 것이므로, 납세의무자의 신고행위가 중대하고 명백한 하자로 인하여 당연무효로 되지 아니하는 한 그것이 바로 부당이득에 해당한다고 할 수 없고, 여기에서 신고행위의 하자가 중대하고 명백하여 당연무효에 해당하는지의 여부에 대하여는 신고행위의 근거가 되는 법규의 목적, 의미, 기능 및 하자 있는 신고행위에 대한 법적 구제수단 등을 목적론적으로 고찰함과 동시에 신고행위에 이르게 된 구체적 사정을 개별적으로 파악하여 합리적으로 판단하여야 한다 (대판 2006.1.13. 2004다64340).

② (○) 납골당설치 신고의 처리절차 및 구 장사법의 관계 규정을 종합하면, 납골당설치 신고는 이른바 '수리를 요하는 신고'라 할 것이므로, 납골당설치 신고가 구 장사법 관련 규정의 모든 요건에 맞는 신고라 하더라도 신고인은 곧바로 납골당을 설치할 수는 없고, 이에 대한 행정청의 수리처분이 있어야만 신고한 대로 납골당을 설치할 수 있게 된다. 한편 수리란 신고를 유효한 것으로 판단하고 법령에 의하여 처리할 의사로 이를 수령하는 수동적 행위이므로 수리행위에 신고필증 교부 등의 행위가 꼭 필요한 것은 아니다(대판 2011.9.8. 2009두6766).

③ (×) 행정절차법 제21조 제1항, 제22조 제3항 및 제2조 제4호의 각 규정에 의하면, 행정청이 당사자에게 의무를 과하거나 권익을 제한하는 처분을 함에 있어서는 당사자 등에게 처분의 사전통지를 하고 의견제출의 기회를 주어야 하며, 여기서 당사자라 함은 행정청의 처분에 대하여 직접 그 상대가 되는 자를 의미한다 할 것이고, 한편 구 식품위생법(2002.1.26. 법률 제6627호로 개정되기 전의 것) 제25조 제2항·제3항의 각 규정에 의하면, 지방세법에 의한 압류재산 매각절차에 따라 영업시설의 전부를 인수함으로써 그 영업자의 지위를 승계한 자가 관계 행정청에 이를 신고하여 행정청이 이를 수리하는 경우에는 종전의 영업자에 대한 영업허가 등은 그 효력을 잃는다 할 것인데, 위 규정들을 종합하면 위 행정청이 구 식품위생법 규정에 의하여 영업자지위승계신고를 수리하는 처분은 종전의 영업자의 권익을 제한하는 처분이라 할 것이고 따라서 종전의 영업자는 그 처분에 대하여 직접 그 상대가 되는 자에 해당한다고 봄이 상당하므로, 행정청으로서는 위 신고를 수리하는 처분을 함에 있어서 행정절차법 규정 소정의

함께 정리하기

사인의 공법행위로서 신고

신고납부방식 조세
▷ 신고행위에 중대하고 명백한 하자가 있어 무효인 경우에만 부당이득

수리를 요하는 신고
▷ 수리행위에 신고필증 교부 不要

지위승계신고 수리
▷ 종전 영업자의 권익을 제한하는 처분
▷ 행정절차법상 당사자

사업의 양도행위가 무효
▷ 양도자는 막바로 지위승계신고수리처분의 무효확인을 구할 법률상 이익○

명의변경신고 수리 전 채석허가취소처분 시 양수인
▷ 채석허가취소처분의 취소를 구할 법률상 이익○

당사자에 해당하는 종전의 영업자에 대하여 위 규정 소정의 행정절차를 실시하고 처분을 하여야 한다 (대판 2003.2.14. 2001두7015).

④ (×) 사업양도·양수에 따른 허가관청의 지위승계신고의 수리는 적법한 사업의 양도·양수가 있었음을 전제로 하는 것이므로 그 수리대상인 사업양도·양수가 존재하지 아니하거나 무효인 때에는 수리를 하였다 하더라도 그 수리는 유효한 대상이 없는 것으로서 당연히 무효라 할 것이고, 사업의 양도행위가 무효라고 주장하는 양도자는 민사쟁송으로 양도·양수행위의 무효를 구함이 없이 막바로 허가관청을 상대로 하여 행정소송으로 위 신고수리처분의 무효확인을 구할 법률상 이익이 있다(대판 2005.12.23. 2005두3554).

⑤ (×) 산림법 제90조의2 제1항, 제118조 제1항, 같은 법 시행규칙 제95조의2 등 산림법령이 수허가자의 명의변경제도를 두고 있는 취지는, 채석허가가 일반적·상대적 금지를 해제하여 줌으로써 채석행위를 자유롭게 할 수 있는 자유를 회복시켜 주는 것일 뿐 권리를 설정하는 것이 아니어서 관할 행정청과의 관계에서 수허가자의 지위의 승계를 직접 주장할 수는 없다 하더라도, 채석허가가 대물적 허가의 성질을 아울러 가지고 있고 수허가자의 지위가 사실상 양도·양수되는 점을 고려하여 수허가자의 지위를 사실상 양수한 양수인의 이익을 보호하고자 하는 데 있는 것으로 해석되므로, 수허가자의 지위를 양수받아 명의변경신고를 할 수 있는 양수인의 지위는 단순한 반사적 이익이나 사실상의 이익이 아니라 산림법령에 의하여 보호되는 직접적이고 구체적인 이익으로서 법률상 이익이라고 할 것이고, 채석허가가 유효하게 존속하고 있다는 것이 양수인의 명의변경신고의 전제가 된다는 의미에서 관할 행정청이 양도인에 대하여 채석허가를 취소하는 처분을 하였다면 이는 양수인의 지위에 대한 직접적 침해가 된다고 할 것이므로 양수인은 채석허가를 취소하는 처분의 취소를 구할 법률상 이익을 가진다(대판 2003.7.11. 2001두6289).

답 ②

009

사인의 공법행위로서의 신고에 대한 설명으로 옳지 않은 것은?

① 행정청은 주민등록전입신고의 수리 여부를 심사하는 단계에서 전입신고자가 거주의 목적 이외에 다른 이해관계에 관한 의도를 가지고 있는지 여부 및 전입신고를 수리함으로써 해당 지방자치단체에 미치는 영향이 있는지 등과 같은 사유를 고려하여야 한다.

② 「식품위생법」상 행정청이 영업양도에 따른 지위승계 신고를 수리하는 행위는 양도자에 대한 영업허가 등을 취소함과 아울러 양수자에게 적법하게 영업을 할 수 있는 지위를 설정하여 주는 행위로서 영업허가자 등의 변경이라는 법률효과를 발생시키는 행위로 보아야 한다.

③ 주민등록의 신고는 행정청에 도달하기만 하면 신고로서의 효력이 발생하는 것이 아니라 행정청이 수리한 경우에 비로소 신고의 효력이 발생한다.

④ 「행정기본법」에 따르면 법령등으로 정하는 바에 따라 행정청에 일정한 사항을 통지하여야 하는 신고로서 법률에 신고의 수리가 필요하다고 명시되어 있는 경우에는 행정청이 수리하여야 효력이 발생한다.

⑤ 수리를 요하는 신고의 경우 신고행위에 하자가 있다고 하더라도 행정청이 이를 수리한 경우에는 그 수리행위가 당연무효가 아닌 한 신고의 효력은 일단 발생하며, 그 효력을 부인하기 위해서는 권한 있는 기관에 의하여 수리행위가 취소되어야 한다.

함께 정리하기

사인의 공법행위로서의 신고

주민등록전입신고의 심사 범위
▷ 「주민등록법」의 입법목적 범위 내로 제한

지위승계신고 수리의 법적 성질
▷ 양도자의 사업허가취소와 양수자에 대한 권리설정행위의 성격을 아울러 갖는 복효적 행정행위(사업허가자 변경이라는 법적 효과 발생)

주민등록신고
▷ 수리를 요하는 신고

법률에 신고의 수리가 필요하다고 명시되어 있는 경우
▷ 수리하여야 효력 발생

수리를 요하는 신고
▷ 부적법한 신고에 대해 수리
▷ 취소되기 전까지 신고의 효력 유지

2025년 국회직 8급

① (×) 주민들의 거주지 이동에 따른 주민등록전입신고에 대하여 행정청이 이를 심사하여 그 수리를 거부할 수는 있다고 하더라도, 그러한 행위는 자칫 헌법상 보장된 국민의 거주·이전의 자유를 침해하는 결과를 가져올 수도 있으므로, 시장·군수 또는 구청장의 주민등록전입신고 수리 여부에 대한 심사는 주민등록법의 입법 목적의 범위 내에서 제한적으로 이루어져야 한다. 한편, 주민등록법의 입법 목적에 관한 제1조 및 주민등록 대상자에 관한 제6조의 규정을 고려해 보면, 전입신고를 받은 시장·군수 또는 구청장의 심사 대상은 전입신고자가 30일 이상 생활의 근거로 거주할 목적으로 거주지를 옮기는지 여부만으로 제한된다고 보아야 한다. 따라서 전입신고자가 거주의 목적 이외에 다른 이해관계에 관한 의도를 가지고 있는지 여부, 무허가 건축물의 관리, 전입신고를 수리함으로써 당해 지방자치단체에 미치는 영향 등과 같은 사유는 주민등록법이 아닌 다른 법률에 의하여 규율되어야 하고, 주민등록전입신고의 수리 여부를 심사하는 단계에서는 고려 대상이 될 수 없다(대판 2009.6.18. 2008두10997 전합).

② (○) 구 식품위생법(1995.12.29. 법률 제5099호로 개정되기 전의 것) 제25조 제1항·제3항에 의하여 영업양도에 따른 지위승계신고를 수리하는 허가관청의 행위는, 단순히 양도·양수인 사이에 이미 발생한 사법상의 사업양도의 법률효과에 의하여 양수인이 그 영업을 승계하였다는 사실의 신고를 접수하는 행위에 그치는 것이 아니라, 실질에 있어서 양도자의 사업허가를 취소함과 아울러 양수자에게 적법히 사업을 할 수 있는 권리를 설정하여 주는 행위로서 사업허가자의 변경이라는 법률효과를 발생시키는 행위이다. 그러므로 구 식품위생법 제25조 제1항·제3항에서 정한 영업의 양도에는 문언의 의미상으로나 성질상으로나 영업의 임대차가 포함될 수 없다(대판 1996.10.25. 96도2165).

③ (○) 주민등록은 단순히 주민의 거주관계를 파악하고 인구의 동태를 명확히 하는 것 외에도 주민등록에 따라 공법관계상의 여러 가지 법률상 효과가 나타나게 되는 것으로서, 주민등록의 신고는 행정청에 도달하기만 하면 신고로서의 효력이 발생하는 것이 아니라 행정청이 수리한 경우에 비로소 신고의 효력이 발생한다. 따라서 주민등록 신고서를 행정청에 제출하였다가 행정청이 이를 수리하기 전에 신고서의 내용을 수정하여 위와 같이 수정된 전입신고서가 수리되었다면 수정된 사항에 따라서 주민등록 신고가 이루어진 것으로 보는 것이 타당하다(대판 2009.1.30. 2006다17850).

④ (○)

> 「행정기본법」 제34조【수리 여부에 따른 신고의 효력】 법령등으로 정하는 바에 따라 행정청에 일정한 사항을 통지하여야 하는 신고로서 법률에 신고의 수리가 필요하다고 명시되어 있는 경우(행정기관의 내부 업무 처리 절차로서 수리를 규정한 경우는 제외한다)에는 행정청이 수리하여야 효력이 발생한다.

⑤ (○) 구 유통산업발전법에 따른 대규모점포의 개설등록 및 구 재래시장법에 따른 시장관리자 지정은 행정청이 실체적 요건에 관한 심사를 한 후 수리하여야 하는 이른바 '수리를 요하는 신고'로서 행정처분에 해당한다. 그러므로 이러한 행정처분에 당연무효에 이를 정도의 중대하고도 명백한 하자가 존재하거나 그 처분이 적법한 절차에 의하여 취소되지 않는 한 구 유통산업발전법에 따른 대규모점포개설자의 지위 및 구 재래시장법에 따른 시장관리자의 지위는 공정력을 가진 행정처분에 의하여 유효하게 유지된다고 봄이 타당하다(대판 2019.9.10. 2019다208953).

답 ①

010

행정법상 신고에 대한 설명으로 옳지 않은 것은? (다툼이 있는 경우 판례에 의함)

① 임시도로 개설 목적으로 법령에 규정되어 있는 요건을 갖추어 산지일시사용신고를 한 경우, 신고서 또는 첨부서류에 흠이 있거나 거짓 또는 그 밖의 부정한 방법으로 신고를 한 것이 아닌 한, 행정청은 그 신고를 수리하여야 하고, 법령에서 정한 사유 이외의 다른 사유를 들어 신고 수리를 거부할 수 없다.

② 허가를 받거나 신고를 한 건축물의 공사를 착수하려는 건축주가 법령으로 정하는 바에 따라 공사계획의 신고(착공신고)를 하였는데 행정청이 이를 반려한 경우, 건축주는 이 반려를 항고소송으로 다툴 수 있다.

③ 법률에 의해 다른 법률상 허가가 의제되는 「건축법」상 건축신고에서, 행정청은 그 신고가 다른 법령이 정하는 허가기준을 갖추지 못한 경우에 이를 이유로 수리를 거부할 수 있다.

④ 당초 옥외집회를 개최하겠다고 신고하였지만 신고 내용과 달리 옥외집회는 개최하지 아니한 채 신고한 장소와 인접한 건물에서 신고한 옥외집회의 범위와 동일성이 인정되는 옥내집회만을 개최한 경우, 신고범위의 일탈로 처벌되지 않는다.

⑤ 수리를 필요로 하는 신고에서 신고서 위조 등의 사유가 있어 신고행위 자체가 효력이 없는데도 불구하고 행정청이 신고를 수리한 경우, 그 수리행위는 단순 위법에 그칠 뿐 당연무효라고 할 수는 없다.

문제 DATA

출제가능 지수 ▶▶▷
난이도 지수 ★★★

2025년 변호사

① (○) 산지일시사용신고의 법적 성격 및 산지일시사용신고에 관한 구 산지관리법 제15조의2 제4항 내지 제6항, 산지관리법 시행령 제18조의3 제4항, [별표 3의3] 규정의 형식과 내용 등에 비추어 보면, 산지일시사용신고를 받은 군수 등은 신고서 또는 첨부서류에 흠이 있거나 거짓 또는 그 밖의 부정한 방법으로 신고를 한 것이 아닌 한, 그 신고내용이 법령에서 정하고 있는 신고의 기준, 조건, 대상시설, 행위의 범위, 설치지역 및 설치조건 등을 충족하는 경우에는 그 신고를 수리하여야 하고, 법령에서 정한 사유 외의 다른 사유를 들어 신고 수리를 거부할 수는 없다. 자신이 소유한 임야에서 샘물 개발 가허가를 받은 甲 유한회사가 환경영향조사를 실시하기 위해 임시도로 개설을 목적으로 구 산지관리법 제15조의2에 따른 산지일시사용신고를 하였으나 군수가 가허가 조건이 이행되지 않았다는 이유로 甲 회사에 산지일시사용신고 수리 불가 통지를 한 사안에서, 甲 회사의 경우 환경영향조사를 하기 위해 필요한 범위에서 임시도로 개설을 위한 산지일시사용을 구할 수 있고, 군수가 정당한 이유 없이 '사전 주민 설명과 민원 해소' 등 가허가증에 기재된 내용을 제대로 이행하지 않았다는 사정을 들어 이를 거부할 수 없음에도, 이와 달리 본 원심판결에 법리오해의 잘못이 있다고 한 사례(대판 2022.11.30. 2022두50588)

② (○) 구 건축법(2008.3.21. 법률 제8974호로 전부 개정되기 전의 것)의 관련 규정에 따르면, 행정청은 착공신고의 경우에도 그 신고 없이 착공이 개시될 경우 건축주 등에 대하여 공사중지·철거·사용금지 등의 시정명령을 할 수 있고(제69조 제1항), 그 시정명령을 받고 이행하지 아니한 건축물에 대하여는 당해 건축물을 사용하여 행할 다른 법령에 의한 영업 기타 행위의 허가를 하지 않도록 요청할 수 있으며(제69조 제2항), 그 요청을 받은 자는 특별한 이유가 없는 한 이에 응하여야 하고(제69조 제3항), 나아가 행정청은 그 시정명령의 이행을 하지 아니한 건축주 등에 대하여는 이행강제금을 부과할 수 있으며(제69조의2 제1항 제1호), 또한 착공신고를 하지 아니한 자는 200만 원 이하의 벌금에 처해질 수 있다(제80조 제1호, 제9조).
이와 같이 건축주 등으로서는 착공신고가 반려될 경우 당해 건축물의 착공을 개시하면 시정명령, 이행강제금, 벌금의 대상이 되거나 당해 건축물을 사용하여 행할 행위의 허가가 거부될 우려가 있어 불안정한 지위에 놓이게 된다. 따라서 착공신고 반려행위가 이루어진 단계에서 당사자로 하여금 반려행위의 적법성을 다투어 그 법적 불안을 해소한 다음 건축행위에 나아가도록 함으로써 장차 있을지도 모르는 위험에서 미리 벗어날 수 있도록 길을 열어 주고, 위법한 건축물의 양산과 그 철거를 둘러싼 분쟁을 조기에 근본적으로 해결할 수 있게 하는 것이 법치행정의 원리에 부합한다. 그러므로 이 사건 착공신고 반려행위는 항고소송의 대상이 된다고 보는 것이 옳다(대판 2011.6.10. 2010두7321).

함께 정리하기

행정법상 신고

법령상 요건 갖추어 산지일시사용신고
▷ 요건 외 사유로 수리거부×

착공신고 반려행위
▷ 항고소송의 대상○

타법상 허가가 의제되는 건축신고가 타법상 허가요건을 충족하지 못한 경우
▷ 수리거부 可

옥외집회 신고와 동일성이 인정되는 옥내집회 개최
▷ 신고범위의 일탈로 처벌×

수리를 요하는 신고
▷ But 신고가 무효이면 수리행위는 당연무효

③ (○) 일정한 건축물에 관한 건축신고는 건축법 제14조 제2항, 제11조 제5항 제3호에 의하여 국토의 계획 및 이용에 관한 법률 제56조에 따른 개발행위허가를 받은 것으로 의제되는데, 국토의 계획 및 이용에 관한 법률 제58조 제1항 제4호에서는 개발행위허가의 기준으로 주변 지역의 토지이용실태 또는 토지이용계획, 건축물의 높이, 토지의 경사도, 수목의 상태, 물의 배수, 하천·호소·습지의 배수 등 주변 환경이나 경관과 조화를 이룰 것을 규정하고 있으므로, 국토의 계획 및 이용에 관한 법률상의 개발행위허가로 의제되는 건축신고가 위와 같은 기준을 갖추지 못한 경우 행정청으로서는 이를 이유로 그 수리를 거부할 수 있다고 보아야 한다(대판 2011.1.20. 2010두14954 전합).

④ (○) 집회 및 시위에 관한 법률(이하 '집시법'이라 한다)은 옥외집회나 시위에 대하여는 사전신고를 요구하고 나아가 그 신고범위의 일탈행위를 처벌하고 있지만, 옥내집회에 대하여는 신고하도록 하는 규정 자체를 두지 않고 있다. 따라서 당초 옥외집회를 개최하겠다고 신고하였지만 신고 내용과 달리 아예 옥외집회는 개최하지 아니한 채 신고한 장소와 인접한 건물 등에서 옥내집회만을 개최한 경우에는, 그것이 건조물침입죄 등 다른 범죄를 구성함은 별론으로 하고, 신고한 옥외집회를 개최하는 과정에서 그 신고범위를 일탈한 행위를 한 데 대한 집시법 위반죄로 처벌할 수는 없다(대판 2013.7.25. 2010도14545).

⑤ (×) 장기요양기관의 폐업신고와 노인의료복지시설의 폐지신고는, 행정청이 관계 법령이 규정한 요건에 맞는지를 심사한 후 수리하는 이른바 '수리를 필요로 하는 신고'에 해당한다. 그러나 행정청이 그 신고를 수리하였다고 하더라도, 신고서 위조 등의 사유가 있어 신고행위 자체가 효력이 없다면, 그 수리행위는 유효한 대상이 없는 것으로서, 수리행위 자체에 중대·명백한 하자가 있는지를 따질 것도 없이 당연히 무효이다(대판 2018.6.12. 2018두33593).

답 ⑤

문제 DATA

출제가능 지수 ▶▶▷
난이도 지수 ★★☆

011 □□□

건축신고에 대한 설명으로 옳지 않은 것은?

① 「건축법」상 수리를 요하지 않는 건축신고에 있어서는 원칙적으로 적법한 요건을 갖춰 신고하면 행정청의 수리 등 별도의 조치를 기다릴 필요 없이 건축행위를 할 수 있다고 보아야 한다.

② 「건축법」상 건축신고가 다른 법률에서 정한 인·허가 등의 의제효과를 수반하는 경우에는 일반적인 건축신고와는 달리 특별한 사정이 없는 한 수리를 요하는 신고에 해당한다.

③ 건축신고 반려행위가 이루어진 단계에서 당사자로 하여금 반려행위의 적법성을 다투어 그 법적 불안을 해소한 다음 건축행위에 나아가도록 함으로써 장차 있을지도 모르는 위험에서 벗어날 수 있도록 길을 열어주기 위하여 건축신고 반려행위는 항고소송의 대상이 된다.

④ 인·허가의 근거 법령인 건축법령에서 절차간소화를 위하여 관련 인·허가를 의제 처리할 수 있는 근거 규정을 둔 경우, 주된 인·허가를 신청하려는 사업시행자는 반드시 관련 인·허가 의제 처리를 동시에 신청해야 한다.

| 2024년 국가직 7급

① (○) 구 건축법(1996.12.30. 법률 제5230호로 개정되기 전의 것) 제9조 제1항에 의하여 신고를 함으로써 건축허가를 받은 것으로 간주되는 경우에는 건축을 하고자 하는 자가 적법한 요건을 갖춘 신고만 하면 행정청의 수리행위 등 별다른 조치를 기다릴 필요 없이 건축을 할 수 있는 것이므로, 행정청이 위 신고를 수리한 행위가 건축주는 물론이고 제3자인 인근 토지 소유자나 주민들의 구체적인 권리 의무에 직접 변동을 초래하는 행정처분이라 할 수 없다(대판 1999.10.22. 98두18435).

함께 정리하기

건축신고

일반적인 건축신고
▷ 수리를 요하지 않는 신고

인허가의제 효과 수반하는 건축신고
▷ 수리를 요하는 신고

건축신고 반려 행위
▷ 항고소송의 대상○

주된 인허가 신청시 사업시행자
▷ 반드시 관련 인·허가의제처리 동시 신청의무 無

② (○) 건축법에서 인·허가의제 제도를 둔 취지는, 인·허가의제사항과 관련하여 건축허가 또는 건축신고의 관할 행정청으로 그 창구를 단일화하고 절차를 간소화하며 비용과 시간을 절감함으로써 국민의 권익을 보호하려는 것이지, 인·허가의제사항 관련 법률에 따른 각각의 인·허가 요건에 관한 일체의 심사를 배제하려는 것으로 보기는 어렵다. 왜냐하면, 건축법과 인·허가의제사항 관련 법률은 각기 고유한 목적이 있고, 건축신고와 인·허가의제사항도 각각 별개의 제도적 취지가 있으며 그 요건 또한 달리하기 때문이다. 나아가 인·허가의제사항 관련 법률에 규정된 요건 중 상당수는 공익에 관한 것으로서 행정청의 전문적이고 종합적인 심사가 요구되는데, 만약 건축신고만으로 인·허가의제사항에 관한 일체의 요건 심사가 배제된다고 한다면, 중대한 공익상의 침해나 이해관계인의 피해를 야기하고 관련 법률에서 인·허가 제도를 통하여 사인의 행위를 사전에 감독하고자 하는 규율체계 전반을 무너뜨릴 우려가 있다. 또한 무엇보다도 건축신고를 하려는 자는 인·허가의제사항 관련 법령에서 제출하도록 의무화하고 있는 신청서와 구비서류를 제출하여야 하는데, 이는 건축신고를 수리하는 행정청으로 하여금 인·허가의제사항 관련 법률에 규정된 요건에 관하여도 심사를 하도록 하기 위한 것으로 볼 수밖에 없다. 따라서 <u>인·허가의제 효과를 수반하는 건축신고는 일반적인 건축신고와는 달리, 특별한 사정이 없는 한 행정청이 그 실체적 요건에 관한 심사를 한 후 수리하여야 하는 이른바 '수리를 요하는 신고'로 보는 것이 옳다</u>(대판 2011.1.20. 2010두14954 전합).

③ (○) 건축주 등은 신고제하에서도 건축신고가 반려될 경우 당해 건축물의 건축을 개시하면 시정명령, 이행강제금, 벌금의 대상이 되거나 당해 건축물을 사용하여 행할 행위의 허가가 거부될 우려가 있어 불안정한 지위에 놓이게 된다. 따라서 <u>건축신고 반려행위가 이루어진 단계에서 당사자로 하여금 반려행위의 적법성을 다투어 그 법적불안을 해소한 다음 건축행위에 나아가도록 함으로써 장차 있을지도 모르는 위험에서 미리 벗어날 수 있도록 길을 열어 주고, 위법한 건축물의 양산과 그 철거를 둘러싼 분쟁을 조기에 근본적으로 해결할 수 있게 하는 것이 법치행정의 원리에 부합한다. 그러므로 건축신고 반려행위는 항고소송의 대상이 된다고 보는 것이 옳다</u>(대판 2010.11.18. 2008두167 전합).

④ (×) 어떤 개발사업의 시행과 관련하여 여러 개별 법령에서 각각 고유한 목적과 취지를 가지고 요건과 효과를 달리하는 인허가 제도를 각각 규정하고 있다면, 그 개발사업을 시행하기 위해서는 개별 법령에 따른 여러 인허가 절차를 각각 거치는 것이 원칙이다. 다만 어떤 인허가의 근거 법령에서 <u>절차간소화를 위하여 관련 인허가를 의제 처리할 수 있는 근거 규정을 둔 경우에는, 사업시행자가 인허가를 신청하면서 하나의 절차 내에서 관련 인허가를 의제 처리해줄 것을 신청할 수 있다. 관련 인허가 의제 제도는 사업시행자의 이익을 위하여 만들어진 것이므로, 사업시행자가 반드시 관련 인허가 의제 처리를 신청할 의무가 있는 것은 아니다</u>(대판 2020.7.23. 2019두31839).

답 ④

012

사인의 공법행위에 대한 설명으로 옳지 않은 것은? (다툼이 있는 경우 판례에 의함)

① 공무원이 한 사직 의사표시는 그에 터잡은 의원면직처분이 있고 난 이후라도 철회나 취소할 수 있다.
② 자기완결적 신고의 경우 적법한 요건을 갖춘 신고를 하면 신고의 대상이 되는 행위를 적법하게 할 수 있고, 별도로 행정청의 수리를 기다릴 필요가 없다.
③ 「건축법」에 의한 인·허가 의제 효과를 수반하는 건축신고는 특별한 사정이 없는 한 행정청이 그 실체적 요건에 관한 심사를 한 후 수리하여야 하는, 수리를 요하는 신고에 해당한다.
④ 구 「유통산업발전법」에 따른 대규모점포의 개설등록 및 구 「재래시장 및 상점가 육성을 위한 특별법」에 따른 시장관리자 지정은 행정청이 실체적 요건에 관한 심사를 한 후 수리하여야 하는, 수리를 요하는 신고로서 행정처분에 해당한다.

함께 정리하기

사인의 공법행위

공무원 사직의사표시
▷ 의원면직처분 전까지 철회·취소可

자기완결적 신고
▷ 적법한 신고가 있으면 수리처분 조처 없이 효력 발생

인·허가의제 수반 건축신고
▷ 수리를 요하는 신고

대규모점포의 개설등록 및 시장관리자 지정
▷ 수리를 요하는 신고

2023년 국가직 7급, 2019년 지방직 9급

① (×) 공무원이 한 사직 의사표시의 철회나 취소는 그에 터잡은 의원면직처분이 있을 때까지 할 수 있는 것이고, 일단 면직처분이 있고 난 이후에는 철회나 취소할 여지가 없다(대판 2001.8.24. 99두9971).

유제 22. 소방간부 공무원이 한 사직 의사표시의 철회나 취소는 그에 터잡은 의원면직처분이 있을 때까지 할 수 있는 것이고, 일단 면직처분이 있고 난 이후에는 철회나 취소할 여지가 없다. (○)
20. 소방간부, 17. 5급 승진 공무원의 사직 의사표시는 그에 따른 면직처분 전까지 철회할 수 없다. (×)
17. 국가직 9급(추), 13. 국회직 8급 공무원이 제출한 사직원은 그에 따른 면직처분이 있을 때까지는 철회할 수 있지만 일단 면직처분이 있고 난 이후에는 철회할 수 없다. (○)
14. 국가직 7급 공무원의 사직의 의사표시는 상대방에게 도달한 후에는 철회할 수 없다. (×)

② (○) 자기완결적 신고의 경우 요건을 갖춘 신고가 있으면 행정청의 수리여부와 무관하게 신고서가 접수기관에 도달한 때 신고의무가 이행된 것으로 보므로 신고의 대상이 되는 행위를 적법하게 할 수 있고, 별도로 행정청의 수리를 기다릴 필요가 없다.

> 자기완결적 신고의 경우 요건미비의 신고를 한 후 영업행위를 하는 것은 무신고영업에 해당할 것이지만 적법한 요건을 갖춘 신고를 한 후에는 행정청의 수리 등 별도의 조치를 기다릴 것 없이 신고의 효과가 발생하므로 행정청의 수리가 거부되었다고 하여 무신고영업이 되는 것은 아니다(대판 1998.4.24. 97도3121).

유제 22. 국회직 8급 수리를 요하지 아니한 신고에 있어서 적법한 요건을 갖춘 신고의 경우에는 행정청의 수리처분 등 별단의 조처를 기다릴 필요 없이 그 접수시에 신고로서의 효력이 발생하는 것이므로 그 수리가 거부되었다고 하여 무신고영업이 되는 것은 아니다. (○)

③ (○) 인·허가의제 효과를 수반하는 건축신고는 일반적인 건축신고와는 달리, 특별한 사정이 없는 한 행정청이 그 실체적 요건에 관한 심사를 한 후 수리하여야 하는 이른바 '수리를 요하는 신고'로 보는 것이 옳다(대판 2011.1.20. 2010두14954 전합).

유제 23. 소방간부, 22. 지방직 7급 인·허가의제의 효과를 수반하는 건축신고는 일반적인 건축신고와는 달리 특별한 사정이 없는 한 행정청이 그 실체적 요건에 관한 심사를 한 후 수리하여야 하는 신고이다. (○)
21. 지방직 9급 「건축법」에 의한 인·허가의제 효과를 수반하는 건축신고는 건축을 하고자 하는 자가 적법한 요건을 갖춘 신고만 하면 건축을 할 수 있고, 행정청의 수리 등 별단의 조처를 기다릴 필요가 없다. (×)
21. 군무원 9급 「건축법」상의 건축신고가 다른 법률에서 정한 인가·허가 등의 의제효과를 수반하는 경우라도 특별한 사정이 없는 한 수리를 요하는 신고로 볼 수 없다. (×)
20. 국가직 9급, 19. 경찰 2차 등 「건축법」제14조 제2항에 의한 인·허가의제 효과를 수반하는 건축신고는 행정청이 그 실체적 요건에 관한 심사를 한 후 수리하여야 하는 이른바 수리를 요하는 신고이다. (○)
19. 국회직 8급 구 「건축법」에 의한 인·허가의제 효과를 수반하는 건축신고는 일반적인 건축신고와는 달리 특별한 사정이 없는 한 행정청이 그 형식적 요건에 관한 심사를 한 후 수리하여야 한다. (×)

④ (○) 구 유통산업발전법에 따른 대규모점포의 개설 등록 및 구 재래시장법에 따른 시장관리자 지정은 행정청이 그 실체적 요건에 관한 심사를 한 후 수리하여야 하는 이른바 '수리를 요하는 신고'로서 그 수리는 행정처분에 해당한다. 그러므로 이러한 행정처분에 당연무효에 이를 정도의 중대하고도 명백한 하자가 존재하거나 그 처분이 적법한 절차에 의하여 취소되지 않는 한 구 유통산업발전법에 따른 대규모점포개설자의 지위 및 구 재래시장법에 따른 시장관리자의 지위는 공적력을 가진 행정처분에 의하여 유효하게 유지된다고 봄이 타당하다(대판 2019.9.10. 2019다208953).

답 ①

013

행정법상 신고와 수리에 대한 설명으로 옳은 것은? (다툼이 있는 경우 판례에 의함)

① 법률에 행정기관의 내부업무 처리절차로서 수리를 규정한 경우에도 수리를 요하는 신고로 보아야 한다.
② 주민등록의 신고는 행정청에 도달하기만 하면 신고로서의 효력이 발생하는 것이 아니라 행정청이 수리한 경우에 비로소 신고의 효력이 발생한다.
③ 대규모점포의 개설 등록은 자기완결적 신고이다.
④ 시·도지사 등에 대한 체육시설인 골프장회원모집계획서 제출은 자기완결적 신고이다.

문제 DATA
출제가능 지수 ▶▶▷
난이도 지수 ★★☆

2023년 군무원 7급

① (×) 「행정기본법」은 수리를 요하는 신고를 규정하고 있는데 행정기관의 내부업무처리절차로서 수리를 규정한 경우는 제외하고 있다.

> 「행정기본법」 제34조【수리 여부에 따른 신고의 효력】 법령 등으로 정하는 바에 따라 행정청에 일정한 사항을 통지하여야 하는 신고로서 법률에 신고의 수리가 필요하다고 명시되어 있는 경우(행정기관의 내부업무 처리절차로서 수리를 규정한 경우는 제외한다)에는 행정청이 수리하여야 효력이 발생한다.

② (○) 주민등록은 단순히 주민의 거주관계를 파악하고 인구의 동태를 명확히 하는 것 외에도 주민등록에 따라 공법관계상의 여러 가지 법률상 효과가 나타나게 되는 것으로서, 주민등록의 신고는 행정청에 도달하기만 하면 신고로서의 효력이 발생하는 것이 아니라 행정청이 수리한 경우에 비로소 신고의 효력이 발생한다(대판 2009.1.30. 2006다17850).

유제 21. 지방직 9급 주민등록의 신고는 행정청에 도달하기만 하면 신고로서의 효력이 발생한다. (×)
21. 국가직 7급, 20. 국가직 9급, 19. 서울시 9급 주민등록(전입)의 신고는 행정청에 도달하기만 하면 신고로서의 효력이 발생하는 것이 아니라 행정청이 수리한 경우에 비로소 신고의 효력이 발생한다. (○)
17. 국가직 7급 「주민등록법」상 전입신고를 적법하게 하였으나, 관할 행정청이 수리를 거부한 경우 신고의 효과가 발생하지 않는다. (○)
15. 지방직 7급 주민등록의 신고는 행정청이 수리한 경우에 효력이 발생하는 것이 아니라, 행정청에 도달하기만 하면 신고로서의 효력이 발생한다. (×)
13. 경찰 2차 주민등록은 단순히 주민의 거주관계를 파악하고 인구의 동태를 명확히 하는 것으로서, 주민등록의 신고는 행정청에 도달하기만 하면 신고로서의 효력이 발생한다. (×)

③ (×) 구 유통산업발전법 제12조의2 제1항, 제2항, 제3항은 기존의 대규모점포의 등록된 유형 구분을 전제로 '대형마트로 등록된 대규모점포'를 일체로서 규제 대상으로 삼고자 하는 데 취지가 있는 점, 대규모점포의 개설 등록은 이른바 '수리를 요하는 신고'로서 행정처분에 해당하고 등록은 구체적 유형 구분에 따라 이루어진다(대판 2015.11.19. 2015두295).

유제 23. 소방직, 19·18. 지방직 7급, 17. 5급 승진 「유통산업발전법」상 대규모점포의 개설 등록은 수리를 요하는 신고로서 행정처분에 해당한다. (○)
19. 국회직 8급 구 「유통산업발전법」은 기존의 대규모점포의 등록된 유형 구분을 전제로 '대형마트로 등록된 대규모점포' 일체를 규제 대상으로 삼고자 하는 것이 그 입법 취지이므로 대규모점포의 개설 등록은 이른바 '수리를 요하는 신고'로서 행정처분에 해당한다. (○)

④ (×) 체육시설의 회원을 모집하고자 하는 자의 시·도지사 등에 대한 회원모집계획서 제출은 수리를 요하는 신고에서의 신고에 해당하며, 시·도지사 등의 검토결과 통보는 수리행위로서 행정처분에 해당한다(대판 2009.2.26. 2006두16243).

유제 20. 국가직 7급 구 「체육시설의 설치·이용에 관한 법률」의 규정에 따라 체육시설의 회원을 모집하고자 하는 자의 '회원모집계획서 제출'은 수리를 요하는 신고이며, 이에 대하여 회원모집계획을 승인하는 시·도지사 등의 검토결과 통보는 수리행위로서 행정처분에 해당한다. (○)
20. 경찰 2차 판례에 따르면 체육시설의 회원을 모집하고자 하는 자의 시·도지사 등에 대한 회원모집계획서 제출은 수리를 요하는 신고에 해당한다. (○)
12. 경찰 1차 타인의 행위를 유효한 행위로 받아들이는 행정행위를 수리라 하며, 이러한 수리 중 '체육시설업자 등이 제출한 회원모집계획서에 대한 시·도지사의 검토 결과 통보'의 경우 대법원은 법적 효과를 발생하지 아니하는 수리행위로서 처분성이 인정되지 않는다고 보았다. (×)

답 ②

함께 정리하기

신고

행정기관의 내부업무처리절차로서 수리를 규정한 경우
▷ 수리를 요하는 신고×

주민등록 신고
▷ 수리를 요하는 신고

대규모점포의 개설 등록
▷ 수리를 요하는 신고

골프장 회원모집계획서 제출
▷ 수리를 요하는 신고

문제 DATA

출제가능 지수 ▶▶▶
난이도 지수 ★★☆

014 ☐☐☐

사인의 공법행위에 대한 설명으로 옳지 않은 것은? (다툼이 있는 경우 판례에 의함)

① 국민의 적극적 행위신청에 대한 행정청의 거부행위가 항고소송의 대상이 되는 행정처분에 해당하기 위하여는 국민이 행정청에 대하여 그 행위발동을 요구할 법규상 또는 조리상의 신청권이 있어야 한다.

② 「건축법」상의 건축신고가 다른 법률에서 정한 인가·허가 등의 의제효과를 수반하는 경우, 행정행위의 효율적 측면을 고려하여 수리를 요하지 않는 신고로 볼 수 있다.

③ 건축주 등은 건축신고가 반려될 경우 건축물의 건축을 개시하면 시정명령, 이행강제금, 벌금의 대상이 되거나 당해 건축물을 사용하여 행할 행위의 허가가 거부될 우려가 있어 불안정한 지위에 놓이게 되므로, 건축신고에 대한 반려처분은 항고소송의 대상이 된다.

④ 건축주명의변경신고는 형식적 요건을 갖추어 시장, 군수에게 적법하게 건축주의 명의변경을 신고한 때에는 시장, 군수는 그 신고를 수리하여야 실체적인 이유를 내세워 그 신고의 수리를 거부할 수는 없다.

> 2023년 군무원 7급

함께 정리하기

사인의 공법행위

거부행위의 처분성 인정
▷ 법규상 또는 조리상 신청권 要

인·허가의제 효과 수반하는 건축신고
▷ 수리를 요하는 신고

건축신고 반려 행위
▷ 항고소송의 대상○

건축주명의변경신고의 형식적 요건이 갖춰진 경우
▷ 실체적인 이유로 수리거부×

① (○) 국민의 적극적 행위 신청에 대하여 행정청이 그 신청에 따른 행위를 하지 않겠다고 거부한 행위가 항고소송의 대상이 되는 행정처분에 해당하는 것이라고 하려면, 그 신청한 행위가 공권력의 행사 또는 이에 준하는 행정작용이어야 하고, 그 거부행위가 신청인의 법률관계에 어떤 변동을 일으키는 것이어야 하며, 그 국민에게 그 행위발동을 요구할 법규상 또는 조리상의 신청권이 있어야 하는바, 여기에서 '신청인의 법률관계에 어떤 변동을 일으키는 것'이라는 의미는 신청인의 실체상의 권리관계에 직접적인 변동을 일으키는 것은 물론, 그렇지 않다 하더라도 신청인이 실체상의 권리자로서 권리를 행사함에 중대한 지장을 초래하는 것도 포함한다(대판 2007.10.11. 2007두1316).

② (×)

> [1] 인·허가의제 효과를 수반하는 건축신고는 일반적인 건축신고와는 달리, 특별한 사정이 없는 한 행정청이 그 실체적 요건에 관한 심사를 한 후 수리하여야 하는 '수리를 요하는 신고'로 보는 것이 옳다.
> [2] 일정한 건축물에 관한 건축신고는 건축법 제14조 제2항, 제11조 제5항 제3호에 의하여 국토의 계획 및 이용에 관한 법률 제56조에 따른 개발행위허가를 받은 것으로 의제되는데, 국토의 계획 및 이용에 관한 법률 제58조 제1항 제4호에서는 개발행위허가의 기준으로 주변 지역의 토지이용실태 또는 토지이용계획, 건축물의 높이, 토지의 경사도, 수목의 상태, 물의 배수, 하천·호소·습지의 배수 등 주변 환경이나 경관과 조화를 이룰 것을 규정하고 있으므로, 국토의 계획 및 이용에 관한 법률상의 개발행위허가로 의제되는 건축신고가 위와 같은 기준을 갖추지 못한 경우 행정청으로서는 이를 이유로 그 수리를 거부할 수 있다고 보아야 한다(대판 2011.1.20. 2010두14954 전합).

③ (○) 건축주 등으로서는 신고제 하에서도 건축신고가 반려될 경우 당해 건축물의 건축을 개시하면 시정명령, 이행강제금, 벌금의 대상이 되거나 당해 건축물을 사용하여 행할 행위의 허가가 거부될 우려가 있어 불안정한 지위에 놓이게 된다. 따라서 건축신고 반려행위가 이루어진 단계에서 당사자로 하여금 반려행위의 적법성을 다투어 그 법적 불안을 해소한 다음 건축행위에 나아가도록 함으로써 장차 있을지도 모르는 위험에서 미리 벗어날 수 있도록 길을 열어 주고, 위법한 건축물의 양산과 그 철거를 둘러싼 분쟁을 조기에 근본적으로 해결할 수 있게 하는 것이 법치행정의 원리에 부합한다. 그러므로 이 사건 건축신고 반려행위는 항고소송의 대상이 된다고 보는 것이 옳다(대판 2010.11.18. 2008두167 전합).

> **유제** 22. 서울시 7급 「건축법」상 신고는 자기완결적 신고로 적법한 신고행위가 있는 경우 그 효력이 발생하게 되므로, 비록 해당 신고에 대해 반려행위가 있더라도 침해되는 법률상 이익이 없어 항고소송의 대상이 되지 않는다. (×)
> 20. 지방직 9급, 19. 서울시 7급 다른 법령에 의한 인·허가가 의제되지 않는 일반적인 건축신고는 자기완결적 신고이므로 이에 대한 수리 거부행위는 항고소송의 대상이 되는 처분이 아니다. (×)
> 19. 지방직 9급, 15. 경찰 3차 「건축법」상 건축신고 반려행위는 항고소송의 대상이 되는 행정처분에 해당한다. (○)
> 19. 국가직 9급 「건축법」 제14조 제2항에 의한 인·허가의제 효과를 수반하는 건축신고에 대한 수리거부는 처분성이 인정되나, 동 규정에 의한 인·허가의제 효과를 수반하지 않는 건축신고에 대한 수리거부는 처분성이 부정된다. (×)

19. 5급 승진 건축신고 반려행위가 이루어진 단계에서 당사자로 하여금 반려행위의 적법성을 다툴 수 있도록 허용하는 것은 단지 장차 있을지도 모르는 위험에서 벗어날 수 있도록 길을 열어 주는 것에 불과하여, 건축신고 반려행위는 항고소송의 대상이 될 수 없다. (×)

④ (○) 허가대상 건축물의 양수인이 구 건축법 시행규칙에 규정되어 있는 형식적 요건을 갖추어 시장·군수에게 적법하게 건축주의 명의변경을 신고한 때에는 시장·군수는 그 신고를 수리하여야지 실체적인 이유를 내세워 신고의 수리를 거부할 수 없다. 그러나 건축물의 소유권을 둘러싸고 소송이 계속중이어서 판결로 소유권의 귀속이 확정될 때까지 건축주명의변경신고의 수리를 거부함이 상당하다(대판 1993.10.12. 93누883).

유제 22. 국회직 8급, 20. 국가직 7급, 17. 지방직 7급 허가대상건축물의 양수인이 형식적 요건을 갖추어 시장, 군수에게 적법하게 건축주의 명의변경을 신고한 때에는 시장, 군수는 그 신고를 수리하여야지 실체적인 이유를 내세워 그 신고의 수리를 거부할 수는 없다. (○)

15. 국회직 8급 건축물의 소유권을 둘러싸고 소송이 계속 중이어서 판결로 소유권의 귀속이 확정될 때까지 건축주명의변경신고의 수리를 거부함은 상당하다. (○)

답 ②

015

사인의 공법행위에 대한 설명으로 옳은 것은? (다툼이 있는 경우 판례에 의함)

① 공무원에 의해 제출된 사직원은 그에 터잡은 의원면직처분이 있을 때까지 철회될 수 있고, 일단 면직처분이 있고 난 이후에도 자유로이 취소 및 철회될 수 있다.
② 시장 등의 주민등록전입신고 수리 여부에 대한 심사는 「주민등록법」의 입법목적의 범위 내에서 제한적으로 이루어져야 하는바, 전입신고자가 30일 이상 생활의 근거로서 거주할 목적으로 거주지를 옮기는지 여부가 심사대상으로 되어야 한다.
③ 행정청은 신청에 구비서류의 미비 등 흠이 있는 경우 원칙상 형식적·절차적인 요건만을 보완요구하여야 하므로 실질적인 요건에 관한 흠이 민원인의 단순한 착오나 일시적인 사정 등에 기인한 경우에도 보완을 요구할 수 없다.
④ 사인의 공법행위는 원칙적으로 발신주의에 따라 그 효력이 발생한다.

2023년 지방직·서울시 9급

① (×) 공무원이 한 사직 의사표시의 철회나 취소는 그에 터잡은 의원면직처분이 있을 때까지 할 수 있는 것이고, 일단 면직처분이 있고 난 이후에는 철회나 취소할 여지가 없다(대판 2001.8.24. 99두9971).
② (○) 대판 2009.6.18. 2008두10997 전합
③ (×) 보완의 대상이 되는 흠은 흠결이 보완 또는 보정할 수 있는 경우이어야 하고, 원칙적으로 형식적, 절차적인 요건만을 보완의 대상으로 하지만, 실질적 요건에 대한 경우라도 그것이 민원인의 단순한 착오나 일시적인 사정 등에 기한 경우라면 보완의 대상이 된다.

> 민원사무 처리에 관한 법률상 행정기관은 민원사항의 신청이 있는 때에는 다른 법령에 특별한 규정이 있는 경우를 제외하고는 그 접수를 보류하거나 거부할 수 없으며, 민원서류에 흠이 있는 경우에는 보완에 필요한 상당한 기간을 정하여 지체 없이 민원인에게 보완을 요구하고 그 기간 내에 민원서류를 보완하지 아니할 때에는 7일의 기간 내에 다시 보완을 요구할 수 있으며, 위 기간 내에 민원서류를 보완하지 아니한 때에 비로소 접수된 민원서류를 되돌려 보낼 수 있도록 규정되어 있는바, 위 규정 소정의 보완의 대상이 되는 흠은 보완이 가능한 경우이어야 함은 물론이고, 그 내용 또한 형식적·절차적인 요건이거나, 실질적인 요건에 관한 흠이 있는 경우라도 그것이 민원인의 단순한 착오나 일시적인 사정 등에 기한 경우 등이라야 한다(대판 2004.10.15. 2003두6573).

④ (×) 사인의 공법행위는 법률에 특별한 규정이 없는 한 「민법」과 마찬가지로 발신주의가 아니라 도달주의에 의함이 원칙이다.

답 ②

문제 DATA
출제가능 지수 ▶▶▷
난이도 지수 ★★☆

함께 정리하기

사인의 공법행위

공무원 사직의사표시
▷ 의원면직처분 전까지 철회·취소 可

주민등록신고의 심사범위
▷ 「주민등록법」의 입법목적 범위 내로 제한

실질적인 요건 흠(민원인의 단순한 착오나 일시적인 사정 등에 기한 경우)
▷ 보완대상 ○

도달주의 적용

문제 DATA

출제가능 지수 ▶▶▷
난이도 지수 ★★☆

016 □□□

신고에 대한 설명으로 옳지 않은 것은? (다툼이 있는 경우 판례에 의함)

① 법령 등에서 행정청에 일정한 사항을 통지함으로써 의무가 끝나는 신고를 규정하고 있는 경우, 신고가 법령 등에 규정된 형식상의 요건에 적합하면 신고서가 접수기관에 도달된 때에 신고의무가 이행된 것으로 본다.
② 「행정절차법」에서는 수리를 요하는 신고를 규정하고 있고, 「행정기본법」에서는 수리를 요하지 않는 신고를 규정하고 있다.
③ 법령 등으로 정하는 바에 따라 행정청에 일정한 사항을 통지하여야 하는 신고로서 법률에 신고의 수리가 필요하다고 명시되어 있는 경우에는 행정청이 수리하여야 효력이 발생한다.
④ 「유통산업발전법」상 대규모점포의 개설 등록은 수리를 요하는 신고로서 행정처분에 해당한다.

2023년 소방직

① (○) 법령상 요건을 갖춘 적법한 신고서가 접수기관에 도달된 때에 신고의 의무가 이행된 것으로 본다.

> 「행정절차법」제40조【신고】① 법령 등에서 행정청에 일정한 사항을 통지함으로써 의무가 끝나는 신고를 규정하고 있는 경우 신고를 관장하는 행정청은 신고에 필요한 구비서류, 접수기관, 그 밖에 법령 등에 따른 신고에 필요한 사항을 게시(인터넷 등을 통한 게시를 포함한다)하거나 이에 대한 편람을 갖추어 두고 누구나 열람할 수 있도록 하여야 한다.
> ② 제1항에 따른 신고가 다음 각 호의 요건을 갖춘 경우에는 신고서가 접수기관에 도달된 때에 신고의무가 이행된 것으로 본다.
> 1. 신고서의 기재사항에 흠이 없을 것
> 2. 필요한 구비서류가 첨부되어 있을 것
> 3. 그 밖에 법령 등에 규정된 형식상의 요건에 적합할 것

유제 15. 국회직 8급, 10. 지방직 7급 법령 등에서 행정청에 일정한 사항을 통지함으로써 의무가 끝나는 신고는 그 기재사항에 흠이 없고, 필요한 구비서류가 첨부되어 있으며, 그 밖에 법령 등에 규정된 형식상의 요건에 적합할 때에는 신고서가 접수기관에 도달된 때에 신고의무가 이행된 것으로 본다. (○)
13. 국회직 8급 수리를 요하지 않는 신고의 경우 신고의 적법여부나 수리여부와는 관계없이 신고서가 접수기관에 도달하면 신고의무가 이행된 것으로 본다. (×)

② (×) 「행정절차법」과 「행정기본법」에 대한 서술이 서로 바뀌어 있다. 「행정절차법」제40조는 수리를 요하는 신고가 아니라 수리를 요하지 않는 신고를 규정하고 있고, 「행정기본법」제34조는 수리를 요하는 신고에 대해 규정하고 있다.

③ (○)

> 「행정기본법」제34조【수리 여부에 따른 신고의 효력】법령 등으로 정하는 바에 따라 행정청에 일정한 사항을 통지하여야 하는 신고로서 법률에 신고의 수리가 필요하다고 명시되어 있는 경우(행정기관의 내부업무 처리절차로서 수리를 규정한 경우는 제외한다)에는 행정청이 수리하여야 효력이 발생한다.

④ (○) 대판 2015.11.19. 2015두295

답 ②

함께 정리하기

신고

자기완결적 신고
▷ 신고서 도달시 신고의무이행

「행정절차법」
▷ 수리를 요하지 않는 신고 규정

「행정기본법」
▷ 수리를 요하는 신고 규정

법률에 신고의 수리가 필요하다고 명시되어 있는 경우
▷ 수리하여야 효력이 발생

대규모점포의 개설 등록
▷ 수리를 요하는 신고

017

신고에 대한 설명으로 옳은 것은? (다툼이 있는 경우 판례에 의함)

① 「체육시설의 설치·이용에 관한 법률」상 당구장업은 적법한 요건을 갖춘 신고를 접수한 행정청의 수리행위가 있어야 신고로서의 효력이 발생한다.
② 인·허가의제의 효과를 수반하는 건축신고는 일반적인 건축신고와는 달리 특별한 사정이 없는 한 행정청이 그 실체적 요건에 관한 심사를 한 후 수리하여야 하는 신고이다.
③ 봉안시설 설치 신고가 「장사 등에 관한 법률」 관련규정의 모든 요건에 맞는 신고라 하더라도 신고인은 봉안시설을 곧바로 설치할 수는 없고 행정청의 수리행위가 있어야 하며 신고필증 교부행위가 필요하다.
④ 사업양도·양수에 따른 허가관청의 지위승계신고의 수리에서 수리대상인 사업양도·양수가 존재하지 않거나 무효라 하더라도 수리행위가 당연무효는 아니라 할 것이므로 양도자는 허가관청을 상대로 위 신고수리처분의 무효확인소송을 제기할 수 없다.
⑤ 「수산업법」 소정의 어업의 신고는 이른바 자기완결적 신고라 할 것이므로 관할관청의 적법한 수리가 없었다 하더라도 적법한 어업신고가 있는 것으로 볼 수 있다.

2023년 소방간부

① (×) 체육시설의 설치·이용에 관한 법률 제10조, 제11조, 제22조, 같은 법 시행규칙 제8조 및 제25조의 각 규정에 의하면, 체육시설업은 등록체육시설업과 신고체육시설업으로 나누어지고, 당구장과 같은 신고체육시설업을 하고자 하는 자는 체육시설업의 종류별로 같은 법 시행규칙이 정하는 해당 시설을 갖추어 소정의 양식에 따라 신고서를 제출하는 방식으로 시·도지사에 신고하도록 규정하고 있으므로, 소정의 시설을 갖추지 못한 체육시설업의 신고는 부적법한 것으로 그 수리가 거부될 수밖에 없고 그러한 상태에서 신고체육시설업의 영업행위를 계속하는 것은 무신고 영업행위에 해당할 것이지만 적법한 요건을 갖춘 신고의 경우에는 행정청의 수리처분 등 별단의 조처를 기다릴 필요 없이 그 접수시에 신고로서의 효력이 발생하는 것이므로 그 수리가 거부되었다고 하여 무신고 영업이 되는 것은 아니다(대판 1998.4.24. 97도3121).

유제 17. 국가직 7급 「체육시설의 설치·이용에 관한 법률」상 신고체육시설업에 대한 변경신고를 적법하게 하였으나, 관할 행정청이 수리를 거부한 경우 신고의 효과가 발생한다. (○)
16. 행정사 적법한 요건을 갖추어 당구장 영업신고를 한 경우 행정청이 그 신고에 대한 수리를 거부하였음에도 영업을 하면 무신고 영업이 된다. (×)
13. 국회직 9급 판례는 자기완결적 신고에서 부적법한 신고에 대하여 행정청이 일단 수리하였다면, 그 후의 영업행위는 무신고영업행위에는 해당하지 않는다고 한다. (×)
11. 국가직 9급 「체육시설의 설치·이용에 관한 법률」 제20조에 의한 신고는 적법하게 요건을 갖추어 신고하였을지라도 도지사의 수리 행위가 있어야 유효하다. (×)

② (○) 대판 2011.1.20. 2010두14954 전합
③ (×) 납골당설치 신고는 이른바 '수리를 요하는 신고'라 할 것이므로, 행정청의 수리처분이 있어야만 신고한 대로 납골당을 설치할 수 있다. 한편 수리란 신고를 유효한 것으로 판단하고 법령에 의하여 처리할 의사로 이를 수령하는 수동적 행위이므로 수리행위에 신고필증 교부 등 행위가 꼭 필요한 것은 아니다 (대판 2011.9.8. 2009두6766).
④ (×) 사업양도·양수에 따른 허가관청의 지위승계신고의 수리는 적법한 사업의 양도·양수가 있었음을 전제로 하는 것이므로 그 수리대상인 사업양도·양수가 존재하지 아니하거나 무효인 때에는 수리를 하였다 하더라도 그 수리는 유효한 대상이 없는 것으로서 당연히 무효라 할 것이고, 사업의 양도행위가 무효라고 주장하는 양도자는 민사쟁송으로 양도·양수행위의 무효를 구함이 없이 막바로 허가관청을 상대로 하여 행정소송으로 위 신고수리처분의 무효확인을 구할 법률상 이익이 있다(대판 2005.12.23. 2005두3554).

문제 DATA
출제가능 지수 ▶▶▷
난이도 지수 ★★☆

함께 정리하기

신고

당구장업신고(신고체육시설업)
▷ 자기완결적 신고

인·허가의제 수반 건축신고
▷ 수리를 요하는 신고

수리를 요하는 신고
▷ 신고필증의 교부 불요

사업의 양도행위가 무효
▷ 양도자는 막바로 지위승계신고수리처분의 무효확인을 구할 법률상 이익○

「수산업법」상 어업신고
▷ 수리를 요하는 신고

유제 22. 소방간부 사업양도·양수에 따른 허가관청의 지위승계신고의 수리는 사업양도·양수가 존재하지 않거나 무효인 때에는 당연히 무효이고, 사업의 양도행위가 무효라고 주장하는 양도자는 민사쟁송으로 양도·양수행위의 무효를 구하여야지 허가관청을 상대로 하여 행정소송으로 위 수리처분의 무효확인을 구할 법률상 이익은 인정되지 않는다. (×)
22. 국회직 8급 기본행위인 사업의 양도·양수 계약이 무효인 경우, 기본행위의 무효를 구함이 없이 곧바로 영업자지위승계신고수리처분에 대한 무효확인소송을 제기할 법률상 이익이 없다. (×)
20. 행정사, 19. 서울시 9급, 14. 사복직 (대물적 허가를 받아 영업을 하는 甲이 자신의 영업을 乙에게 양도하고자 乙과 영업의 양도·양수계약을 체결하고 관련법에 따라 관할 A행정청에 지위승계신고를 한 사안에서) 甲과 乙 사이의 영업양도·양수계약이 무효라면 지위승계신고가 수리되더라도 乙에게 영업양수의 효과가 발생하지 않는다. (○)
20. 국회직 8급, 17. 5급 승진 사업의 양도행위가 무효임을 주장하는 양도자는 양도·양수행위의 무효를 구함이 없이 사업양도·양수에 따른 허가관청의 지위승계신고수리처분의 무효확인을 구할 법률상 이익은 없다. (×)
18. 국회직 8급 수리대상인 사업양도·양수가 없음에도 지위승계신고를 수리한 경우에는 먼저 민사쟁송으로 양도·양수가 무효임을 구한 이후에 신고수리의 무효를 다툴 수 있다. (×)

⑤ (×) 어업의 신고에 관하여 유효기간을 설정하면서 그 기산점을 '수리한 날'로 규정하고, 나아가 필요한 경우에는 그 유효기간을 단축할 수 있도록 까지 하고 있는 수산업법 제44조 제2항의 규정 취지 및 어업의 신고를 한 자가 공익상 필요에 의하여 한 행정청의 조치에 위반한 경우에 어업의 신고를 수리한 때에 교부한 어업신고필증을 회수하도록 하고 있는 구 수산업법 시행령 제33조 제1항의 규정 취지에 비추어 보면, 수산업법 제44조 소정의 어업의 신고는 행정청의 수리에 의하여 비로소 그 효과가 발생하는 이른바 '수리를 요하는 신고'라고 할 것이다(대판 2000.5.26. 99다37382).

유제 22. 지방직 7급 「수산업법」상 신고어업을 하려면 법령이 정한 바에 따라 관할행정청에 신고하여야 하고, 행정청의 수리가 있을 때에 비로소 법적 효과가 발생하게 된다. (○)
22. 행정사 판례에 따르면 「수산업법」상 어업의 신고는 수리를 요하는 신고에 해당한다. (○)
19. 서울시 9급 「수산업법」상의 어업의 신고는 행정청의 수리에 의하여 비로소 그 효과가 발생하는 이른바 '수리를 요하는 신고'에 해당한다. (○)
17. 국가직 7급 「수산업법」상 어업신고를 적법하게 하였으나, 관할 행정청이 수리를 거부한 경우 신고의 효과가 발생하지 않는다. (○)
17. 서울시 9급 「수산업법」 제44조 소정의 어업의 신고는 행정청의 수리에 의하여 비로소 그 효과가 발생하는 수리를 요하는 신고이다. (○)

답 ②

018

사인의 공법행위에 대한 설명으로 옳지 않은 것은? (다툼이 있는 경우 판례에 의함)

① 「수산업법」상 신고어업을 하려면 법령이 정한 바에 따라 관할행정청에 신고하여야 하고, 행정청의 수리가 있을 때에 비로소 법적 효과가 발생하게 된다.
② 「민법」상 비진의의사표시의 무효에 관한 규정은 그 성질상 공무원이 한 사직(일괄사직)의 의사표시와 같은 사인의 공법행위에 적용되지 않는다.
③ 행정청은 사인의 신청에 구비서류의 미비와 같은 흠이 있는 경우 신청인에게 보완을 요구하여야 하는바, 이때 보완의 대상이 되는 흠은 원칙상 형식적·절차적 요건뿐만 아니라 실체적 발급요건상의 흠을 포함한다.
④ 인·허가 의제 효과를 수반하는 건축신고는 일반적인 건축신고와는 달리, 특별한 사정이 없는 한 행정청이 그 실체적 요건에 관한 심사를 한 후 수리를 하여야 한다.

2022년 지방직 7급

① (○) 대판 2000.5.26. 99다37382
② (○) 대판 2001.8.24. 99두9971
③ (×) 보완의 대상이 되는 흠은 흠결이 보완 또는 보정할 수 있는 경우이어야 하고, 그 내용도 원칙적으로 형식적, 절차적인 요건이어야 한다. 실질적 요건에 대하여는 원칙적으로 보완요구를 하여야 하는 것은 아니지만, 실질적 요건에 대한 경우라도 그것이 민원인의 단순한 착오나 일시적인 사정 등에 기한 경우라면 보완의 대상이 되므로 보완을 요구하여야 한다.

> 민원사무 처리에 관한 법률상 행정기관은 민원사항의 신청이 있는 때에는 다른 법령에 특별한 규정이 있는 경우를 제외하고는 그 접수를 보류하거나 거부할 수 없으며, 민원서류에 흠이 있는 경우에는 보완에 필요한 상당한 기간을 정하여 지체 없이 민원인에게 보완을 요구하고 그 기간 내에 민원서류를 보완하지 아니할 때에는 7일의 기간 내에 다시 보완을 요구할 수 있으며, 위 기간 내에 민원서류를 보완하지 아니한 때에 비로소 접수된 민원서류를 되돌려 보낼 수 있도록 규정되어 있는바, 위 규정 소정의 보완의 대상이 되는 흠은 보완이 가능한 경우이어야 함은 물론이고, 그 내용 또한 형식적·절차적인 요건이거나, 실질적인 요건에 관한 흠이 있는 경우라도 그것이 민원인의 단순한 착오나 일시적인 사정 등에 기한 경우 등이라야 한다(대판 2004.10.15. 2003두6573).

④ (○) 대판 2011.1.20. 2010두14954 전합

답 ③

함께 정리하기

사인의 공법행위

「수산업법」상 어업신고
▷ 수리를 요하는 신고

「민법」상 비진의의사표시 규정
▷ 사인의 공법행위에 적용×

보완대상
▷ 흠결이 보완 또는 보정할 수 있는 경우, 그 내용 또한 형식적·절차적인 요건에 限

인·허가의제 효과 수반하는 건축신고
▷ 수리를 요하는 신고

---

019 □□□

신고에 대한 설명으로 가장 옳지 않은 것은? (다툼이 있는 경우 판례에 의함)

① 사업양수에 의한 지위승계신고를 수리하는 허가관청의 행위는 그 실질에 있어서 사업허가자의 변경이라는 법률효과를 발생시키므로 수리의 거부는 항고소송으로 다툴 수 있다.
② 수리를 요하는 신고는 행정청이 수리함으로써 비로소 신고의 법적 효과가 발생한다.
③ 「건축법」상 신고는 자기완결적 신고로 적법한 신고행위가 있는 경우 그 효력이 발생하게 되므로, 비록 해당 신고에 대해 반려행위가 있더라도 침해되는 법률상 이익이 없어 항고소송의 대상이 되지 않는다.
④ 인·허가의제 효과를 수반하는 건축신고는 일반적인 건축신고와 달리 특별한 사정이 없는 한 수리를 요하는 신고에 해당한다.

2022년 서울시 지적 7급

① (○) 지위승계신고는 수리를 요하는 신고이고, 수리를 요하는 신고의 경우 신고의 수리 또는 거부는 항고소송의 대상이 되는 처분이다.

> 구 액화석유가스의 안전 및 사업관리법 제7조 제2항에 의한 사업양수에 의한 지위승계신고를 수리하는 허가관청의 행위는 실질에 있어서 양도자의 사업허가를 취소함과 아울러 양수자에게 적법히 사업을 할 수 있는 법규상 권리를 설정하여 주는 행위로서 사업허가자의 변경이라는 법률효과를 발생시키는 행위이므로 허가관청이 법 제7조 제2항에 의한 사업양수에 의한 지위승계신고를 수리하는 행위는 항고소송의 대상이 되는 행정처분에 해당한다(대판 1993.6.8. 91누11544).

② (○) 수리를 요하는 신고는 법령 등에서 행정청에 대하여 일정한 사항을 통지하고 행정청이 이를 수리함으로써 법적 효과가 발생하는 신고를 말한다.
③ (×) 일반적인 건축신고는 자기완결적 신고이지만 이에 대한 수리 거부행위는 항고소송의 대상이 되는 처분이다(대판 2010.11.18. 2008두167 전합).
④ (○) 대판 2011.1.20. 2010두14954

답 ③

함께 정리하기

신고

지위승계신고
▷ 수리를 요하는 신고
▷ 신고의 수리 또는 거부는 항고소송의 대상○

수리를 요하는 신고
▷ 수리함으로써 법적 효과 발생

건축신고
▷ 자기완결적 신고
▷ But 반려행위는 항고소송 대상○

인·허가의제 수반 건축신고
▷ 수리를 요하는 신고

문제 DATA

출제가능 지수 ▶▶▷
난이도 지수 ★★☆

020 ☐☐☐

영업의 양도와 영업자지위승계에 대한 설명으로 옳지 않은 것은? (다툼이 있는 경우 판례에 의함)

① 「식품위생법」상 허가영업자의 지위승계신고수리처분을 하는 경우 「행정절차법」 규정 소정의 당사자에 해당하는 종전의 영업자에게 행정절차를 실시하여야 한다.
② 관할 행정청은 여객자동차운송사업의 양도·양수에 대한 인가를 한 후에도 그 양도·양수 이전에 있었던 양도인에 대한 운송사업면허 취소사유를 들어 양수인의 사업면허를 취소할 수 있다.
③ 영업양도행위가 무효임에도 행정청이 승계신고를 수리하였다면 양도자는 민사쟁송이 아닌 행정소송으로 신고수리처분의 무효확인을 구할 수 있다.
④ 사실상 영업이 양도·양수되었지만 승계신고 및 수리처분이 있기 전에 양도인이 허락한 양수인의 영업 중 발생한 위반행위에 대한 행정적 책임은 양수인에게 귀속된다.

> 2022년 지방직 9급

함께 정리하기

영업의 양도와 영업자지위승계

「식품위생법」상 지위승계신고수리
▷ 종전 영업자에게 행정절차 실시 要

운송사업면허 양도·양수 인가 후
▷ 양도인의 면허취소사유로 양수인 면허취소 可

사업의 양도행위가 무효임에도 수리
▷ 행정소송으로 지위승계 신고수리처분의 무효확인

영업승계신고수리 前 양수인의 위반행위
▷ 양도인에 책임귀속

① (○) 행정절차법 제21조 제1항, 제22조 제3항 및 제2조 제4호의 각 규정에 의하면, 행정청이 당사자에게 의무를 과하거나 권익을 제한하는 처분을 함에 있어서는 당사자 등에게 처분의 사전통지를 하고 의견제출의 기회를 주어야 하며, 여기서 당사자라 함은 행정청의 처분에 대하여 직접 그 상대가 되는 자를 의미한다 할 것이고, … 행정청이 구 식품위생법 규정에 의하여 영업자지위승계신고를 수리하는 처분은 종전의 영업자의 권익을 제한하는 처분이라 할 것이고 따라서 종전의 영업자는 그 처분에 대하여 직접 그 상대가 되는 자에 해당한다고 봄이 상당하므로, 행정청으로서는 위 신고를 수리하는 처분을 함에 있어서 행정절차법 규정 소정의 당사자에 해당하는 종전의 영업자에 대하여 위 규정 소정의 행정절차를 실시하고 처분을 하여야 한다(대판 2003.2.14. 2001두7015).

유제 21. 서울시 7급 행정청이 영업자지위승계신고를 수리하는 처분은 종전 영업자의 권익을 제한하는 처분이므로, 행정청이 그 신고를 수리하는 처분을 할 때에는 행정절차법 규정에서 정한 당사자에 해당하는 종전 영업자에 대하여 행정절차를 실시하고 처분을 하여야 한다. (○)
20. 국가직 9급 행정청이 구 「식품위생법」상의 영업자지위승계신고 수리처분을 하는 경우, 행정청은 종전의 영업자에 대하여 「행정절차법」 소정의 행정절차를 실시하여야 한다. (○)
18. 국가직 9급 「행정절차법」상 사전통지의 상대방인 당사자는 행정청의 처분에 대하여 직접 그 상대가 되는 자를 의미하므로, 「식품위생법」상의 영업자지위승계신고를 수리하는 행정청은 영업자지위를 이전한 종전의 영업자에 대하여 사전통지를 할 필요가 없다. (×)
17. 지방직 7급 (甲은 「여객자동차 운수사업법」상 일반택시운송사업면허를 받아 사업을 운영하던 중, 자신의 사업을 乙에게 양도하고자 乙과 양도·양수계약을 체결하고 관련 법령에 따라 乙이 사업의 양도·양수 신고를 하였다) 사업의 양도·양수에 대한 신고를 수리하는 행위는 「행정절차법」의 적용대상이 된다. (○)

② (○) 구 여객자동차 운수사업법 제15조 제4항에 의하면 개인택시 운송사업을 양수한 사람은 양도인의 운송사업자로서의 지위를 승계하는 것이므로, 관할관청은 개인택시 운송사업의 양도·양수에 대한 인가를 한 후에도 그 양도·양수 이전에 있었던 양도인에 대한 운송사업면허 취소사유를 들어 양수인의 사업면허를 취소할 수 있는 것이고, 가사 양도·양수 당시에는 양도인에 대한 운송사업면허 취소사유가 현실적으로 발생하지 않은 경우라도 그 원인되는 사실이 이미 존재하였다면, 관할관청으로서는 그 후 발생한 운송사업면허 취소사유에 기하여 양수인의 사업면허를 취소할 수 있는 것이다(대판 2010.4.8. 2009두17018).

③ (○) 사업양도·양수에 따른 허가관청의 지위승계신고의 수리는 적법한 사업의 양도·양수가 있었음을 전제로 하는 것이므로 그 수리대상인 사업양도·양수가 존재하지 아니하거나 무효인 때에는 수리를 하였다 하더라도 그 수리는 유효한 대상이 없는 것으로서 당연히 무효라 할 것이고, 사업의 양도행위가 무효라고 주장하는 양도자는 민사쟁송으로 양도·양수행위의 무효를 구함이 없이 막바로 허가관청을 상대로 하여 행정소송으로 위 신고수리처분의 무효확인을 구할 법률상 이익이 있다(대판 2005.12.23. 2005두3554).

④ (×) 사실상 영업이 양도·양수되었지만 아직 승계신고 및 그 수리처분이 있기 이전에는 여전히 종전의 영업자인 양도인이 영업허가자이고, 양수인은 영업허가자가 되지 못한다 할 것이어서 행정제재처분의 사유가 있는지 여부 및 그 사유가 있다고 하여 행하는 행정제재처분은 영업허가자인 양도인을 기준으로 판단하여 그 양도인에 대하여 행하여야 할 것이고, 한편 양도인이 그의 의사에 따라 양수인에게 영업을 양도하면서 양수인으로 하여금 영업을 하도록 허락하였다면 그 양수인의 영업 중 발생한 위반행위에 대한 행정적인 책임은 영업허가자인 양도인에게 귀속된다고 보아야 할 것이다(대판 1995.2.24. 94누9146).

유제 14. 국가직 9급 양도인이 자신의 의사에 따라 양수인에게 영업을 양도하면서 양수인으로 하여금 영업을 하도록 허락하였다면 영업승계신고 및 수리처분이 있기 전에 발생한 양수인의 위반행위에 대한 행정적 책임은 양도인에게 귀속된다. (○)

답 ④

021 □□□

사인의 공법행위에 대한 설명으로 옳지 않은 것은? (다툼이 있는 경우 판례에 의함)

① 주민등록신고는 행정청이 수리한 경우에 비로소 신고의 효력이 발생한다.
② 장기요양기관의 폐업신고와 노인의료복지시설의 폐지신고는 행정청이 그 신고를 수리한 경우, 신고서 위조 등의 사유가 있더라도 그대로 유효하다.
③ 「의료법」에 따라 정신과의원을 개설하려는 자가 법령에 규정되어 있는 요건을 갖추어 개설신고를 한 경우 행정청은 원칙적으로 이를 수리하여 신고필증을 교부하여야 하고, 법령에서 정한 요건 이외의 사유를 들어 의원급 의료기관 개설신고의 수리를 거부할 수는 없다.
④ 가설건축물 존치기간을 연장하려는 건축주 등이 법령에 규정되어 있는 제반 서류와 요건을 갖추어 행정청에 연장신고를 한 때에는 행정청은 원칙적으로 이를 수리하여 신고필증을 교부하여야 하고, 법령에서 정한 요건 이외의 사유를 들어 수리를 거부할 수는 없다.

문제 DATA

출제가능 지수 ▶▶▷
난이도 지수 ★★☆

2022년 소방직

① (○) 주민등록은 단순히 주민의 거주관계를 파악하고 인구의 동태를 명확히 하는 것 외에도 주민등록에 따라 공법관계상의 여러 가지 법률상 효과가 나타나게 되는 것으로서, 주민등록의 신고는 행정청에 도달하기만 하면 신고로서의 효력이 발생하는 것이 아니라 행정청이 수리한 경우에 비로소 신고의 효력이 발생한다(대판 2009.1.30. 2006다17850).
② (×) 장기요양기관의 폐업신고와 노인의료복지시설의 폐지신고는, 행정청이 관계 법령이 규정한 요건에 맞는지를 심사한 후 수리하는 이른바 '수리를 필요로 하는 신고'에 해당한다. 그러나 행정청이 그 신고를 수리하였다고 하더라도, 신고서 위조 등의 사유가 있어 신고행위 자체가 효력이 없다면, 그 수리행위는 유효한 대상이 없는 것으로서, 수리행위 자체에 중대·명백한 하자가 있는지를 따질 것도 없이 당연히 무효이다(대판 2018.6.12. 2018두33593).

유제 22. 소방간부 노인의료복지시설의 폐지신고는 수리를 필요로 하는 신고로서 행정청이 그 신고를 수리하였더라도 위조 등의 사유가 있어 신고행위 자체가 효력이 없다면, 그 수리행위는 수리행위 자체에 중대·명백한 하자가 있는지를 따질 것도 없이 당연히 무효이다. (○)
22. 행정사 판례에 따를 때 「노인장기요양보험법」상 장기요양기관의 폐업신고는 수리를 요하는 신고에 해당한다. (○)
20. 국가직 7급 장기요양기관의 폐업신고 자체가 효력이 없음에도 행정청이 이를 수리한 경우, 그 수리행위가 당연무효로 되는 것은 아니다. (×)

함께 정리하기

사인의 공법행위

주민등록 신고
▷ 수리를 요하는 신고

장기요양기관 및 노인의료복지시설의 폐지신고
▷ 수리를 요하는 신고
▷ But 신고가 무효이면 수리행위는 당연무효

정신과의원 개설신고
▷ 법령상 요건 외 사유로 수리거부×

가설건축물 존치기간 연장신고
▷ 법령상 요건 외 사유로 수리거부×

③ (○) 의료법이 의료기관의 종류에 따라 허가제와 신고제를 구분하여 규정하고 있는 취지는, 신고 대상인 의원급 의료기관 개설의 경우 행정청이 법령에서 정하고 있는 요건 이외의 사유를 들어 신고 수리를 반려하는 것을 원칙적으로 배제함으로써 개설 주체가 신속하게 해당 의료기관을 개설할 수 있도록 하기 위함이다. 정신과의원을 개설하려는 자가 법령에 규정되어 있는 요건을 갖추어 개설신고를 한 때에, 행정청은 원칙적으로 이를 수리하여 신고필증을 교부하여야 하고, 법령에서 정한 요건 이외의 사유를 들어 의원급 의료기관 개설신고의 수리를 거부할 수는 없다(대판 2018.10.25. 2018두44302).

유제 19. 지방직 7급「의료법」에 따라 정신과의원을 개설하려는 자가 법령에 규정되어 있는 요건을 갖추어 개설신고를 한 경우라도 관할 시장·군수·구청장은 법령에서 정한 요건 이외의 사유를 들어 의원급 의료기관 개설신고의 수리를 거부할 수 있다. (×)

④ (○) 가설건축물 존치기간을 연장하려는 건축주 등이 법령에 규정되어 있는 제반 서류와 요건을 갖추어 행정청에 연장신고를 한 때에는 행정청은 원칙적으로 이를 수리하여 신고필증을 교부하여야 하고, 법령에서 정한 요건 이외의 사유를 들어 수리를 거부할 수는 없다. 따라서 행정청으로서는 법령에서 요구하고 있지도 아니한 '대지사용승낙서' 등의 서류가 제출되지 아니하였거나, 대지소유권자의 사용승낙이 없다는 등의 사유를 들어 가설건축물 존치기간 연장신고의 수리를 거부하여서는 아니 된다(대판 2018.1.25. 2015두35116).

유제 19. 지방직 7급 가설건축물 존치기간을 연장하려는 건축주 등이 법령에 규정되어 있는 제반 서류와 요건을 갖추어 행정청에 연장신고를 한 경우, 행정청으로서는 법령에서 요구하고 있지도 아니한 '대지사용승낙서' 등의 서류가 제출되지 아니하였거나, 대지소유권자의 사용승낙이 없다는 등의 사유를 들어 가설건축물 존치기간 연장신고의 수리를 거부하여서는 아니 된다. (○)

답 ②

022

사인(私人)의 공법행위에 대한 설명으로 옳지 않은 것은? (다툼이 있는 경우 판례에 의함)

① 사인의 공법행위의 특수한 성격과 어긋나지 않는 범위에서는「민법」상의 법률행위에 관한 규정이 적용될 수 있다.
② 사인의 공법행위에는 부관을 붙일 수 없다.
③ 공무원이 한 사직 의사표시의 철회나 취소는 그에 터잡은 의원면직처분이 있을 때까지 할 수 있는 것이고, 일단 면직처분이 있고 난 이후에는 철회나 취소할 여지가 없다.
④ 노인의료복지시설의 폐지신고는 수리를 필요로 하는 신고로서 행정청이 그 신고를 수리하였더라도 위조 등의 사유가 있어 신고행위 자체가 효력이 없다면, 그 수리행위는 수리행위 자체에 중대·명백한 하자가 있는지를 따질 것도 없이 당연히 무효이다.
⑤ 사업양도·양수에 따른 허가관청의 지위승계신고의 수리는 사업양도·양수가 존재하지 않거나 무효인 때에는 당연히 무효이고, 사업의 양도행위가 무효라고 주장하는 양도자는 민사쟁송으로 양도·양수행위의 무효를 구하여야지 허가관청을 상대로 하여 행정소송으로 위 수리처분의 무효확인을 구할 법률상 이익은 인정되지 않는다.

| 2022년 소방간부

① (○) 사인의 공법행위에는 성질상 허용될 수 있는 범위 내에서는「민법」의 규정이 유추적용 될 수 있다.
② (○) 행정법관계의 법적 안정성을 위해 사인의 공법행위에는 부관을 붙일 수 없음이 원칙이다.
③ (○) 대판 2001.8.24. 99두9971
④ (○) 대판 2018.6.12. 2018두33593
⑤ (×) 대판 2005.12.23. 2005두3554

답 ⑤

023

사인의 공법행위로서 신고에 대한 설명으로 옳지 않은 것은? (다툼이 있는 경우 판례에 의함)

① 수리를 요하지 아니한 신고에 있어서 적법한 요건을 갖춘 신고의 경우에는 행정청의 수리처분 등 별단의 조처를 기다릴 필요 없이 그 접수 시에 신고로서의 효력이 발생하는 것이므로 그 수리가 거부되었다고 하여 무신고 영업이 되는 것은 아니다.

② 기본행위인 사업의 양도·양수 계약이 무효인 경우, 기본행위의 무효를 구함이 없이 곧바로 영업자지위승계신고수리처분에 대한 무효확인소송을 제기할 법률상 이익이 없다.

③ 주민등록전입신고자가 30일 이상 생활의 근거로 거주할 목적 이외에 다른 이해관계에 관한 의도를 가지고 있는지 여부, 무허가건축물의 관리, 전입신고를 수리함으로써 당해 지방자치단체에 미치는 영향 등과 같은 사유는 「주민등록법」이 아닌 다른 법률에 의하여 규율되어야 하고, 주민등록전입신고의 수리 여부를 심사하는 단계에서는 고려 대상이 될 수 없다.

④ 허가대상 건축물의 양수인이 형식적 요건을 갖추어 시장, 군수에게 적법하게 건축주의 명의변경을 신고한 때에는 시장, 군수는 그 신고를 수리하여야지 실체적인 이유를 내세워 그 신고의 수리를 거부할 수는 없다.

⑤ 인·허가의제 효과를 수반하는 건축신고는 일반적인 건축신고와는 달리, 특별한 사정이 없는 한 행정청이 그 실체적 요건에 관한 심사를 한 후 수리하여야 하는 이른바 '수리를 요하는 신고'로 보는 것이 옳다.

2022년 국회직 8급

① (O) 대판 1998.4.24. 97도3121
② (X) 대판 2005.12.23. 2005두3554
③ (O) 주민들의 거주지 이동에 따른 주민등록전입신고에 대하여 행정청이 이를 심사하여 그 수리를 거부할 수는 있다고 하더라도, 그러한 행위는 자칫 헌법상 보장된 국민의 거주·이전의 자유를 침해하는 결과를 가져올 수도 있으므로, 시장·군수 또는 구청장의 주민등록전입신고 수리 여부에 대한 심사는 주민등록법의 입법 목적의 범위 내에서 제한적으로 이루어져야 한다. 한편, 주민등록법의 입법 목적에 관한 제1조 및 주민등록 대상자에 관한 제6조의 규정을 고려해 보면, 전입신고를 받은 시장·군수 또는 구청장의 심사 대상은 전입신고자가 30일 이상 생활의 근거로 거주할 목적으로 거주지를 옮기는지 여부만으로 제한된다고 보아야 한다. 따라서 전입신고자기 거주의 목적 이외에 다른 이해관계에 관한 의도를 가지고 있는지 여부, 무허가 건축물의 관리, 전입신고를 수리함으로써 당해 지방자치단체에 미치는 영향 등과 같은 사유는 주민등록법이 아닌 다른 법률에 의하여 규율되어야 하고, 주민등록전입신고의 수리 여부를 심사하는 단계에서는 고려 대상이 될 수 없다(대판 2009.6.18. 2008두10997 전합).
④ (O) 구 건축법 시행규칙 제11조의 규정은 단순히 행정관청의 사무집행의 편의를 위한 것이 아니라, 허가대상 건축물의 양수인에게 건축주의 명의변경을 신고할 수 있는 공법상의 권리를 인정함과 아울러 행정관청에게는 그 신고를 수리할 의무를 지게 한 것으로 봄이 타당하므로, 허가대상 건축물의 양수인이 구 건축법 시행규칙에 규정되어 있는 형식적 요건을 갖추어 시장·군수 등 행정관청에 적법하게 건축주의 명의변경을 신고한 때에는 행정관청은 그 신고를 수리하여야지 실체적인 이유를 내세워 신고의 수리를 거부할 수는 없다(대판 2014.10.15. 2014두37658).

유제 20. 국가직 7급, 17. 지방직 7급·5급 승진 허가대상 건축물의 양수인이 구 「건축법 시행규칙」에 규정되어 있는 형식적 요건을 갖추어 시장·군수 등 행정관청에 적법하게 건축주의 명의변경을 신고한 경우, 행정관청은 그 신고를 수리하여야지 실체적인 이유를 내세워 신고의 수리를 거부할 수는 없다. (O)
20. 소방간부 행정관청에 적법하게 건축주의 명의변경을 신고하더라도 행정관청은 그 신고의 수리를 거부할 수 있다. (X)

⑤ (O) 대판 2011.1.20. 2010두14954 전합

답 ②

함께 정리하기

신고

수리를 요하지 아니한 신고에서 적법한 신고 후 한 영업행위
▷ 그 수리가 거부되었다고 하여 무신고 영업 X

사업양도행위 무효임에도 신고수리
▷ 막바로 수리처분 무효확인소송 제기 법률상 이익 O

주민등록신고의 심사범위
▷ 「주민등록법」의 입법목적 범위 내로 제한

적법한 건축주 명의변경신고
▷ 실체적 이유로 수리거부 불가

인·허가의제 수반 건축신고
▷ 수리를 요하는 신고

문제 DATA

출제가능 지수 ▶▶▷
난이도 지수 ★★☆

024 ☐☐☐

신고에 대한 설명으로 옳은 것은? (다툼이 있는 경우 판례에 의함)

① 구「관광진흥법」에 의한 지위승계신고를 수리하는 허가관청의 행위는 사실적인 행위에 불과하여 항고소송의 대상이 되지 않는다.
② 정보통신매체를 이용하여 학습비를 받고 불특정 다수인에게 원격 평생교육을 실시하기 위해 구「평생교육법」에서 정한 형식적 요건을 모두 갖추어 신고한 경우, 행정청은 신고 대상이 된 교육이나 학습이 공익적 기준에 적합하지 않는다는 등의 실체적 사유를 들어 신고 수리를 거부할 수 없다.
③ 「건축법」에 의한 인·허가의제 효과를 수반하는 건축신고는 건축을 하고자 하는 자가 적법한 요건을 갖춘 신고만 하면 건축을 할 수 있고, 행정청의 수리 등 별단의 조처를 기다릴 필요가 없다.
④ 주민등록의 신고는 행정청에 도달하기만 하면 신고로서의 효력이 발생한다.

2021년 지방직 9급

① (×) 구 관광진흥법 제8조 제4항에 의한 지위승계신고를 수리하는 허가관청의 행위는 단순히 양도·양수인 사이에 이미 발생한 사법상의 사업양도의 법률효과에 의하여 양수인이 그 영업을 승계하였다는 사실의 신고를 접수하는 행위에 그치는 것이 아니라, 영업허가자의 변경이라는 법률효과를 발생시키는 행위라고 할 것이다(대판 2012.12.13. 2011두29144).

② (○) 정보통신매체를 이용하여 학습비를 받지 아니하고 원격평생교육을 실시하고자 하는 경우에는 누구든지 아무런 신고 없이 자유롭게 이를 할 수 있고, 다만 위와 같은 교육을 불특정 다수인에게 학습비를 받고 실시하는 경우에는 이를 신고하여야 하나, 법 제22조가 신고를 요하는 제2항과 신고를 요하지 않는 제1항에서 '학습비' 수수 외에 교육 대상이나 방법 등 다른 요건을 달리 규정하고 있지 않을 뿐 아니라 제2항에서도 학습비 금액이나 수령 등에 관하여 아무런 제한을 하고 있지 않은 점에 비추어 볼 때, 행정청으로서는 신고서 기재사항에 흠결이 없고 정해진 서류가 구비된 때에는 이를 수리하여야 하고, 이러한 형식적 요건을 모두 갖추었음에도 공익적 기준에 적합하지 않는다는 등 실체적 사유를 들어 신고 수리를 거부할 수는 없다(대판 2011.7.28. 2005두11784).

유제 20. 5급 승진 불특정 다수인을 대상으로 학습비를 받고 정보통신매체를 이용하여 원격평생교육을 실시하기 위해 구「평생교육법」제22조 제2항에 따라 형식적 요건을 모두 갖추어 신고하였으나 그 신고대상이 된 교육이나 학습이 공익적 기준에 적합하지 않는다는 등의 실체적 사유를 들어 신고의 수리를 거부하는 것은 위법하다. (○)
19. 국회직 8급 불특정 다수인을 대상으로 학습비를 받고 정보통신매체를 이용하여 원격평생교육을 실시하고자 하는 경우에는 누구든지 관계 법령에 따라 이를 신고하여야 하나 신고서의 기재사항에 흠결이 없고 소정의 서류가 구비된 때에는 이를 수리하여야 한다. (○)
16. 지방직 9급 정보통신매체를 이용하여 원격평생교육을 불특정 다수인에게 학습비를 받고 실시하기 위해 인터넷 침·뜸 학습센터를 평생교육시설로 신고한 경우 관할 행정청은 신고서 기재사항에 흠결이 없고 형식적 요건을 모두 갖추었더라도 신고대상이 된 교육이나 학습이 공익적 기준에 적합하지 않는다는 등의 실체적 사유를 들어 신고수리를 거부할 수 있다. (×)

③ (×) 인·허가의제 효과를 수반하는 건축신고는 일반적인 건축신고와는 달리, 특별한 사정이 없는 한 행정청이 그 실체적 요건에 관한 심사를 한 후 수리하여야 하는 이른바 '수리를 요하는 신고'로 보는 것이 옳다(대판 2011.1.20. 2010두14954 전합).

④ (×) 주민등록의 신고는 행정청에 도달하기만 하면 신고로서의 효력이 발생하는 것이 아니라 행정청이 수리한 경우에 비로소 신고의 효력이 발생한다(대판 2009.1.30. 2006다17850).

답 ②

함께 정리하기

신고

지위승계신고 수리
▷ 항고소송 대상 ○

형식적 요건을 모두 갖추어 원격평생교육 신고
▷ 실체적 사유 들어 수리거부 불가

인·허가의제 수반 건축신고
▷ 수리를 요하는 신고

주민등록 신고
▷ 수리를 요하는 신고

025

사인의 공법행위에 대한 설명으로 가장 옳지 않은 것은? (다툼이 있는 경우 판례에 의함)

① 사인의 공법상 행위는 명문으로 금지되거나 성질상 불가능한 경우가 아닌 한 그에 따른 행정행위가 행하여질 때까지 자유로이 철회하거나 보정할 수 있다.
② 「행정절차법」 제17조는 행정청으로 하여금 신청에 대하여 거부처분을 하기 전에 신청인에게 신청의 내용이나 처분의 실체적 발급요건에 관한 사항을 보완할 기회를 부여하여야 할 의무를 정하고 있다.
③ 인·허가의제 효과를 수반하는 건축신고는 일반적인 건축신고와는 달리, 특별한 사정이 없는 한 행정청이 그 실체적 요건에 관한 심사를 한 후 수리하여야 하는 '수리를 요하는 신고'로 보아야 한다.
④ 행정청이 영업자 지위승계신고를 수리하는 처분은 종전 영업자의 권익을 제한하는 처분이므로, 행정청이 그 신고를 수리하는 처분을 할 때에는 「행정절차법」 규정에서 정한 당사자에 해당하는 종전 영업자에 대하여 행정절차를 실시하고 처분을 하여야 한다.

문제 DATA
출제가능 지수 ▶▶▷
난이도 지수 ★★☆

2021년 서울시 7급

① (○) 대판 2014.7.10. 2013두7025
② (✕) 행정절차법 제17조가 '구비서류의 미비 등 흠의 보완'과 '신청 내용의 보완'을 분명하게 구분하고 있는 점에 비추어 보면, 행정절차법 제17조 제5항은 신청인이 신청할 때 관계 법령에서 필수적으로 첨부하여 제출하도록 규정한 서류를 첨부하지 않은 경우와 같이 쉽게 보완이 가능한 사항을 누락하는 등의 흠이 있을 때 행정청이 곧바로 거부처분을 하는 것보다는 신청인에게 보완할 기회를 주도록 함으로써 행정의 공정성·투명성 및 신뢰성을 확보하고 국민의 권익을 보호하려는 <u>행정절차법의 입법 목적을 달성하고자 함이지, 행정청으로 하여금 신청에 대하여 거부처분을 하기 전에 반드시 신청인에게 신청의 내용이나 처분의 실체적 발급요건에 관한 사항까지 보완할 기회를 부여하여야 할 의무를 정한 것은 아니라고 보아야 한다</u>(대판 2020.7.23. 2020두36007).

> 「행정절차법」 제17조【처분의 신청】⑤ 행정청은 신청에 구비서류의 미비 등 흠이 있는 경우에는 보완에 필요한 상당한 기간을 정하여 지체 없이 신청인에게 보완을 요구하여야 한다.

③ (○) 대판 2011.1.20. 2010두14954 전합
④ (○) 대판 2003.2.14. 2001두7015

답 ②

함께 정리하기
사인의 공법행위

사인의 공법행위
▷ 명문으로 금지되거나 불가능한 경우 아닌 한 행정행위 전까지 철회·보정 可

「행정절차법」상 보완요구 규정
▷ 신청내용이나 실체적요건 사항까지 보완기회를 부여할 의무를 정한 것✕

인·허가의제 수반 건축신고
▷ 수리를 요하는 신고

「식품위생법」상 지위승계신고수리
▷ 종전 영업자에게 행정절차 실시 要

문제 DATA

출제가능 지수 ▶▶Σ
난이도 지수 ★★☆

026 ☐☐☐

사인의 공법행위에 대한 설명으로 옳지 않은 것은? (다툼이 있는 경우 판례에 의함)

① 국민이 어떤 신청을 한 경우에 그 신청의 근거가 된 조항의 해석상 행정발동에 대한 개인의 신청권을 인정하고 있다고 보이면 그 거부행위는 항고소송의 대상이 되는 처분으로 보아야 하고, 구체적으로 그 신청이 인용될 수 있는가 하는 점은 본안에서 판단하여야 할 사항이다.
② 민원사항의 신청서류에 실질적인 요건에 관한 흠이 있더라도 그것이 민원인의 단순한 착오나 일시적인 사정 등에 기한 경우에는 행정청은 보완을 요구할 수 있다.
③ 건축주 등은 건축신고가 반려될 경우 건축물의 건축을 개시하면 시정명령, 이행강제금, 벌금의 대상이 되거나 당해 건축물을 사용하여 행할 행위의 허가가 거부될 우려가 있어 불안정한 지위에 놓이게 되므로, 건축신고 반려행위는 항고소송의 대상성이 인정된다.
④ 「건축법」상의 건축신고가 다른 법률에서 정한 인가·허가 등의 의제효과를 수반하는 경우라도 특별한 사정이 없는 한 수리를 요하는 신고로 볼 수 없다.

> 2021년 군무원 9급

① (○) 국민이 어떤 신청을 한 경우에 그 신청의 근거가 된 조항의 해석상 행정발동에 대한 개인의 신청권을 인정하고 있다고 보이면 그 거부행위는 항고소송의 대상이 되는 처분으로 보아야 하고, <u>구체적으로 그 신청이 인용될 수 있는가 하는 점은 본안에서 판단하여야 할 사항이다</u>(대판 2009.9.10. 2007두20638).
② (○) 민원사무 처리에 관한 법률상 행정기관은 민원사항의 신청이 있는 때에는 다른 법령에 특별한 규정이 있는 경우를 제외하고는 그 접수를 보류하거나 거부할 수 없으며, <u>민원서류에 흠이 있는 경우에는 보완에 필요한 상당한 기간을 정하여 지체 없이 민원인에게 보완을 요구하고 그 기간 내에 민원서류를 보완하지 아니할 때에는 7일의 기간 내에 다시 보완을 요구할 수 있으며, 위 기간 내에 민원서류를 보완하지 아니한 때에 비로소 접수된 민원서류를 되돌려 보낼 수 있도록 규정되어 있는바, 위 규정 소정의 보완의 대상이 되는 흠은 보완이 가능한 경우이어야 함은 물론이고, 그 내용 또한 형식적·절차적인 요건이거나, 실질적인 요건에 관한 흠이 있는 경우라도 그것이 민원인의 단순한 착오나 일시적인 사정 등에 기한 경우 등이라야 한다</u>(대판 2004.10.15. 2003두6573).
③ (○) 대판 2010.11.18. 2008두167 전합
④ (×) 대판 2011.1.20. 2010두14954 전합

답 ④

함께 정리하기

사인의 공법행위

거부처분
▷ 법규상 or 조리상 신청권 要
▷ 신청인용이라는 결과 얻을 것을 의미 ✕

민원인의 단순착오나 일시사정 등에 기한 실질적인 요건 흠
▷ 보완대상 ○

건축신고 반려 행위
▷ 항고소송 대상 ○

인·허가의제 수반 건축신고
▷ 수리를 요하는 신고

027

다음 사례에 대한 설명으로 옳지 않은 것은? (다툼이 있는 경우 판례에 의함)

- 甲은 주택을 건축하기 위하여 관할 행정청에 「건축법」에 따라 건축신고를 하였다.
- 甲의 건축행위는 「국토의 계획 및 이용에 관한 법률」에 따른 개발행위허가가 필요한 경우이다.
- 「건축법」은 건축신고가 이루어진 경우 개발행위허가가 의제되는 것으로 규정하고 있다.

① 甲의 건축신고가 부적법한데도 행정청이 이를 수리하였다고 하여 신고에 어떠한 법적 효과가 발생하는 경우는 없다.
② 甲의 건축신고를 관할 행정청이 수리하지 않는 경우 그 거부행위에 대해 甲은 취소소송을 제기하여 다툴 수 있다.
③ 甲이 적법한 건축행위를 할 수 있는 시점은 적법한 신고서를 행정청에 제출한 시점이 아니고 행정청이 이를 수리한 시점이다.
④ 甲의 건축신고가 개발행위허가에 필요한 요건을 충족하지 못한 경우 행정청은 이를 이유로 甲의 건축신고수리를 거부할 수 있다.
⑤ 甲의 건축신고는 행정청이 그 실체적 요건에 관한 심사를 한 후 수리하여야 하는 이른바 '수리를 요하는 신고'에 해당한다.

2021년 국회직 9급

① (×) 개발행위허가가 의제되는 건축신고는 수리를 요하는 신고이고, 수리를 요하는 신고의 경우 부적법한 신고에도 불구하고 행정청이 이를 수리하였다면, 그 수리행위는 하자 있는 행정행위가 된다. 그 하자가 중대·명백하다면 수리행위는 무효가 되고 아무런 법적 효과가 발생하지 않는다. 그러나 수리행위의 하자가 취소사유에 불과한 경우에는 행정행위의 공정력에 의해 취소 전까지는 일단 유효하므로 일정한 법적 효과가 발생한다. 다만, 신고가 무효이면 수리대상이 없으므로 신고수리행위도 당연무효이다.
② (○) 수리를 요하는 신고의 경우 행정청의 수리거부는 처분에 해당한다. 따라서 甲의 건축신고를 관할 행정청이 수리하지 않는 경우 그 거부행위에 대해 甲은 취소소송을 제기하여 다툴 수 있다.
③ (○) 수리를 요하는 신고의 경우에는 적법한 신고가 있더라도 행정청의 수리행위가 있어야 비로소 신고의 효력이 발생한다. 따라서 甲이 적법한 건축행위를 할 수 있는 시점은 적법한 신고서를 행정청에 제출한 시점이 아니고 행정청이 이를 수리한 시점이다.
④ (○) 행정청은 주된 인·허가요건뿐만 아니라 의제되는 인·허가 요건까지 모두 구비한 경우에 주된 신청에 대한 허가를 할 수 있다. 따라서 甲의 건축신고가 개발행위허가에 필요한 요건을 충족하지 못한 경우 행정청은 이를 이유로 甲의 건축신고수리를 거부할 수 있다.

> 일정한 건축물에 관한 건축신고는 건축법 제14조 제2항, 제11조 제5항 제3호에 의하여 국토의 계획 및 이용에 관한 법률 제56조에 따른 개발행위허가를 받은 것으로 의제되는데, 국토의 계획 및 이용에 관한 법률 제58조 제1항 제4호에서는 개발행위허가의 기준으로 주변 지역의 토지이용실태 또는 토지이용계획, 건축물의 높이, 토지의 경사도, 수목의 상태, 물의 배수, 하천·호소·습지의 배수 등 주변 환경이나 경관과 조화를 이룰 것을 규정하고 있으므로, <u>국토의 계획 및 이용에 관한 법률상의 개발행위허가로 의제되는 건축신고가 위와 같은 기준을 갖추지 못한 경우 행정청으로서는 이를 이유로 그 수리를 거부할 수 있다고</u> 보아야 한다(대판 2016.8.24. 2016두35762).

⑤ (○) <u>인·허가의제 효과를 수반하는 건축신고는 일반적인 건축신고와는 달리, 특별한 사정이 없는 한 행정청이 그 실체적 요건에 관한 심사를 한 후 수리하여야 하는 이른바 '수리를 요하는 신고'로 보는 것이 옳다</u>(대판 2011.1.20. 2010두14954 전합).

답 ①

함께 정리하기

인·허가의제 건축신고 사례

수리를 요하는 신고에서 부적법한 신고를 행정청이 수리한 경우
▷ 하자 있는 행정행위
▷ 중대명백설에 따라 판단

수리를 요하는 신고의 수리거부
▷ 항고소송 대상○

수리를 요하는 신고
▷ 수리가 있어야 효력발생

개발행위허가의제 건축신고
▷ 개발행위허가기준 충족 要

인·허가의제 수반 건축신고
▷ 수리를 요하는 신고

문제 DATA

출제가능 지수 ▶▶Σ
난이도 지수 ★★☆

028 ☐☐☐

사인의 공법행위로서의 신고에 대한 설명으로 옳지 않은 것은? (다툼이 있는 경우 판례에 의함)

① 「부가가치세법」상 사업자등록은 단순한 사업사실의 신고에 해당하므로, 과세관청이 직권으로 등록을 말소한 행위는 항고소송의 대상인 행정처분에 해당하지 않는다.

② 허가대상 건축물의 양수인이 건축법령에 규정되어 있는 형식적 요건을 갖추어 행정청에 적법하게 건축주 명의변경 신고를 한 경우, 행정청은 실체적인 이유를 들어 신고의 수리를 거부할 수 없다.

③ 구 「체육시설의 설치·이용에 관한 법률」의 규정에 따라 체육시설의 회원을 모집하고자 하는 자의 '회원모집계획서 제출'은 수리를 요하는 신고이며, 이에 대하여 회원모집계획을 승인하는 시·도지사 등의 검토결과 통보는 수리행위로서 행정처분에 해당한다.

④ 장기요양기관의 폐업신고 자체가 효력이 없음에도 행정청이 이를 수리한 경우, 그 수리행위가 당연무효로 되는 것은 아니다.

함께 정리하기

신고

「부가가치세법」상 사업자등록 직권말소 행위
▷ 행정처분 ×

적법한 건축주 명의변경신고
▷ 실체적 이유로 수리거부 불가

골프장 회원모집계획서 제출
▷ 행위요건적 신고

시·도지사 등의 검토결과 통보
▷ 행정처분

노인의료복지시설의 폐지신고
▷ 수리를 요하는 신고
▷ But 신고가 무효이면 수리행위는 당연무효

2020년 국가직 7급

① (○) 부가가치세법상의 사업자등록은 과세관청으로 하여금 부가가치세의 납세의무자를 파악하고 그 과세자료를 확보하게 하려는 데 제도의 취지가 있는바, 이는 단순한 사업사실의 신고로서 사업자가 관할 세무서장에게 소정의 사업자등록신청서를 제출함으로써 성립하는 것이고, 사업자등록증의 교부는 이와 같은 등록사실을 증명하는 증서의 교부행위에 불과한 것이다. 나아가 구 부가가치세법 제5조 제5항에 의한 과세관청의 사업자등록 직권말소행위도 폐업사실의 기재일 뿐 그에 의하여 사업자로서의 지위에 변동을 가져오는 것이 아니라는 점에서 항고소송의 대상이 되는 행정처분으로 볼 수 없다. 이러한 점에 비추어 볼 때, 과세관청이 사업자등록을 관리하는 과정에서 위장사업자의 사업자명의를 직권으로 실사업자의 명의로 정정하는 행위 또한 당해 사업사실 중 주체에 관한 정정기재일 뿐 그에 의하여 사업자로서의 지위에 변동을 가져오는 것이 아니므로 항고소송의 대상이 되는 행정처분으로 볼 수 없다(대판 2011.1.27. 2008두2200).

유제 15. 국회직 8급 과세관청이 사업자등록을 관리하는 과정에서 위장사업자의 사업자명의를 직권으로 실사업자의 명의로 정정하는 행위는 항고소송의 대상이 되는 행정처분이 아니다. (○)
13. 국가직 7급 「부가가치세법」상의 사업자등록은 과세관청으로 하여금 부가가치세의 납세의무자를 파악하고 그 과세자료를 확보케 하려는데 입법취지가 있는 것으로써, 이는 단순한 사업사실의 신고로 사업자가 소관 세무서장에게 소정의 사업자등록신청서를 제출함으로써 성립되는 것이다. (○)

② (○) 대판 2014.10.15. 2014두37658

③ (○) 체육시설의 회원을 모집하고자 하는 자의 시·도지사 등에 대한 회원모집계획서 제출은 수리를 요하는 신고에서의 신고에 해당하며, 시·도지사 등의 검토결과 통보는 수리행위로서 행정처분에 해당한다(대판 2009.2.26. 2006두16243).

④ (×) 장기요양기관의 폐업신고와 노인의료복지시설의 폐지신고는, 행정청이 관계 법령이 규정한 요건에 맞는지를 심사한 후 수리하는 이른바 '수리를 필요로 하는 신고'에 해당한다. 그러나 행정청이 그 신고를 수리하였다고 하더라도, 신고서 위조 등의 사유가 있어 신고행위 자체가 효력이 없다면, 그 수리행위는 유효한 대상이 없는 것으로서, 수리행위 자체에 중대·명백한 하자가 있는지를 따질 것도 없이 당연히 무효이다(대판 2018.6.12. 2018두33593).

답 ④

029

신고에 대한 설명으로 옳지 않은 것은? (다툼이 있는 경우 판례에 의함)

① 「건축법」상 인·허가의제 효과를 수반하는 건축신고는 특별한 사정이 없는 한 행정청이 그 실체적 요건에 관한 심사를 한 후 수리하여야 하는 이른바 '수리를 요하는 신고'이다.
② 「건축법」상의 착공신고의 경우에는 신고 그 자체로서 법적 절차가 완료되어 행정청의 처분이 개입될 여지가 없으므로, 행정청의 착공신고 반려행위는 항고소송의 대상인 처분에 해당하지 않는다.
③ 주민등록의 신고는 행정청에 도달하기만 하면 신고로서의 효력이 발생하는 것이 아니라 행정청이 수리한 경우에 비로소 신고의 효력이 발생한다.
④ 행정청이 구 「식품위생법」상의 영업자지위승계신고 수리처분을 하는 경우, 행정청은 종전의 영업자에 대하여 「행정절차법」 소정의 행정절차를 실시하여야 한다.

문제 DATA
출제가능 지수 ▶▶▷
난이도 지수 ★★☆

2020년 국가직 9급

① (O) 대판 2011.1.20. 2010두14954 전합
② (X) 건축주 등으로서는 착공신고가 반려될 경우, 당해 건축물의 착공을 개시하면 시정명령, 이행강제금, 벌금의 대상이 되거나 당해 건축물을 사용하여 행할 행위의 허가가 거부될 우려가 있어 불안정한 지위에 놓이게 된다. 따라서 착공신고 반려행위가 이루어진 단계에서 당사자로 하여금 반려행위의 적법성을 다투어 법적 불안을 해소한 다음 건축행위에 나아가도록 함으로써 장차 있을지도 모르는 위험에서 미리 벗어날 수 있도록 길을 열어 주고, 위법한 건축물의 양산과 철거를 둘러싼 분쟁을 조기에 근본적으로 해결할 수 있게 하는 것이 법치행정의 원리에 부합한다. 그러므로 행정청의 착공신고 반려행위는 항고소송의 대상이 된다고 보는 것이 옳다(대판 2011.6.10. 2010두7321).

유제 17. 지방직 9급 「건축법」상 착공신고가 반려될 경우 당사자에게 그 반려행위를 다툴 실익이 없는 것이므로 착공신고 반려행위의 처분성이 인정되지 않는다. (×)
17. 서울시 9급 「건축법」에 따른 착공신고를 반려하는 행위는 당사자에게 장래의 법적 불이익이 예견되지 않아 이를 법적으로 다툴 실익이 없으므로 항고소송의 대상이 될 수 없다. (×)
17. 국가직 7급 구청장의 건축물 착공신고 반려행위는 처분성이 인정된다. (O)
16. 행정사 「건축법」에 따른 착공신고가 반려되었음에도 당해 건축물의 착공을 개시하면 시정명령, 이행강제금, 벌금 등의 대상이 될 우려가 있으므로 행정청의 착공신고 반려행위는 항고소송의 대상이 된다. (O)

③ (O) 대판 2009.1.30. 2006다17850
④ (O) 대판 2003.2.14. 2001두7015

답 ②

함께 정리하기
신고

인·허가의제 수반 건축신고
▷ 수리를 요하는 신고

착공신고 반려행위
▷ 항고소송의 대상O

주민등록 신고
▷ 수리를 요하는 신고

「식품위생법」상 지위승계신고수리
▷ 종전 영업자에게 행정절차실시 要

문제 DATA

출제가능 지수 ▶▶▷
난이도 지수 ★★☆

030

신고와 수리에 대한 설명으로 옳지 않은 것은? (다툼이 있는 경우 판례에 의함)

① 다른 법령에 의한 인·허가가 의제되지 않는 일반적인 건축신고는 자기완결적 신고이므로 이에 대한 수리 거부행위는 항고소송의 대상이 되는 처분이 아니다.
② 「국토의 계획 및 이용에 관한 법률」상의 개발행위허가가 의제되는 건축신고는 특별한 사정이 없는 한 행정청이 그 실체적 요건에 관한 심사를 한 후 수리하여야 하는 이른바 '수리를 요하는 신고'로 보아야 한다.
③ 「행정절차법」은 '법령등에서 행정청에 일정한 사항을 통지함으로써 의무가 끝나는 신고'에 대하여 '그 밖에 법령 등에 규정된 형식상의 요건에 적합할 것'을 그 신고의무 이행 요건의 하나로 정하고 있다.
④ 「식품위생법」에 따른 식품접객업(일반음식점영업)의 영업신고의 요건을 갖춘 자라고 하더라도, 그 영업신고를 한 당해 건축물이 「건축법」 소정의 허가를 받지 아니한 무허가 건물이라면 적법한 신고를 할 수 없다.

> 2020년 서울시·지방직·교육행정직 9급

① (×) 인·허가의제 효과를 수반하지 않는 일반적인 건축신고는 수리를 요하지 않는 신고이나 수리거부에 처분성이 인정된다(대판 2010.11.18. 2008두167 전합).
② (○) 대판 2011.1.20. 2010두14954 전합
③ (○)

> 「행정절차법」 제40조【신고】 ① 법령등에서 행정청에 일정한 사항을 통지함으로써 의무가 끝나는 신고를 규정하고 있는 경우 신고를 관장하는 행정청은 신고에 필요한 구비서류, 접수기관, 그 밖에 법령등에 따른 신고에 필요한 사항을 게시(인터넷 등을 통한 게시를 포함한다)하거나 이에 대한 편람을 갖추어 두고 누구나 열람할 수 있도록 하여야 한다.
> ② 제1항에 따른 신고가 다음 각 호의 요건을 갖춘 경우에는 신고서가 접수기관에 도달된 때에 신고 의무가 이행된 것으로 본다.
> 1. 신고서의 기재사항에 흠이 없을 것
> 2. 필요한 구비서류가 첨부되어 있을 것
> 3. 그 밖에 법령등에 규정된 형식상의 요건에 적합할 것

④ (○) 식품위생법과 건축법은 그 입법 목적, 규정사항, 적용범위 등을 서로 달리하고 있어 식품접객업에 관하여 식품위생법이 건축법에 우선하여 배타적으로 적용되는 관계에 있다고는 해석되지 않는다. 그러므로 식품위생법에 따른 식품접객업(일반음식점영업)의 영업신고의 요건을 갖춘 자라고 하더라도, 그 영업신고를 한 당해 건축물이 건축법 소정의 허가를 받지 아니한 무허가 건물이라면 적법한 신고를 할 수 없다(대판 2009.4.23. 2008도6829).

유제 16. 지방직 9급, 14. 사복직, 12. 국회직 8급 「식품위생법」에 따른 식품접객업(일반음식점영업)의 영업신고의 요건을 갖춘 자라고 하더라도, 그 영업신고를 한 당해 건축물이 「건축법」 소정의 허가를 받지 아니한 무허가 건물이라면 적법한 신고를 할 수 없다. (○)
16. 국가직 9급, 15. 국회직 8급 식품접객업 영업신고에 대해서는 「식품위생법」이 「건축법」에 우선 적용되므로, 영업신고가 「식품위생법」상의 신고요건을 갖춘 경우라면 그 영업신고를 한 해당 건축물이 「건축법」상 무허가건축물이라도 적법한 신고에 해당된다. (×)

답 ①

함께 정리하기

신고와 수리

건축신고
▷ 자기완결적 신고
▷ But 수리거부는 항고소송 대상○

인·허가의제 수반 건축신고
▷ 수리를 요하는 신고

「행정절차법」상 신고(자기완결적 신고)의 요건
▷ 기재사항에 흠이 없을 것
▷ 필요한 구비서류 첨부
▷ 그 밖에 법령 등에 규정된 형식상의 요건에 적합

식품접객업의 영업신고의 요건에 적합하나 영업신고를 한 당해 건축물이 무허가 건물인 경우
▷ 부적합 신고

031

사인의 공법행위에 대한 설명으로 옳은 것을 모두 고른 것은? (다툼이 있는 경우 판례에 의함)

ㄱ. 공무원의 사직 의사표시는 그에 따른 면직처분 전까지 철회할 수 없다.
ㄴ. 납골당설치 신고는 수리를 요하는 신고이므로 신고필증의 교부가 필요하다.
ㄷ. 주민등록 전입신고를 받은 시장, 군수 또는 구청장의 심사대상은 전입신고자가 30일 이상 생활의 근거로 거주할 목적으로 거주지를 옮기는지 여부만으로 제한된다고 보아야 한다.
ㄹ. 행정관청에 적법하게 건축주의 명의변경을 신고하더라도 행정관청은 그 신고의 수리를 거부할 수 있다.
ㅁ. 구「체육시설의 설치·이용에 관한 법률」제18조에 의한 체육시설의 이용료 또는 관람료 변경신고는 행정청의 수리를 요하지 않는다.

① ㄱ, ㄴ
② ㄱ, ㄹ
③ ㄴ, ㅁ
④ ㄷ, ㄹ
⑤ ㄷ, ㅁ

문제 DATA
출제가능 지수 ▶▶▷
난이도 지수 ★★☆

2020년 소방간부

ㄱ. (✗) 공무원이 한 사직 의사표시의 철회나 취소는 그에 터잡은 의원면직처분이 있을 때까지 할 수 있는 것이고, 일단 면직처분이 있고 난 이후에는 철회나 취소할 여지가 없다(대판 2001.8.24. 99두9971).

ㄴ. (✗) 납골당설치 신고는 이른바 '수리를 요하는 신고'라 할 것이므로, 행정청의 수리처분이 있어야만 신고한 대로 납골당을 설치할 수 있다. 한편 수리란 신고를 유효한 것으로 판단하고 법령에 의하여 처리할 의사로 이를 수령하는 수동적 행위이므로 수리행위에 신고필증 교부 등 행위가 꼭 필요한 것은 아니다(대판 2011.9.8. 2009두6766).

유제 20. 경찰 2차 판례는 납골당설치 신고를 수리를 요하는 신고로 본다. (○)
19. 서울시 9급, 17. 5급 승진 납골당설치 신고가 구「장사법」관련 규정의 모든 요건에 맞는 신고라 하더라도 신고인은 곧바로 납골당을 설치할 수는 없고, 이에 대한 행정청의 수리처분이 있어야만 신고한 대로 납골당을 설치할 수 있다. (○)
19. 국회직 8급 납골당설치 신고는 이른바 '수리를 요하는 신고'이므로 납골당설치 신고가 관련 법령 규정의 모든 요건을 충족하는 신고라 하더라도 행정청의 수리처분이 있어야만 그 신고한 대로 납골당을 설치할 수 있다. (○)
19. 행정사 (행정청이 '상사 등에 관한 법령'에 따른 납골당설치 신고를 한 甲에게 관계법령에 따른 준수사항을 이행하여야 한다는 것 등을 내용으로 하는 납골당설치 신고사항 이행통지를 한 사안에서) 甲에 대한 신고필증 교부는 신고의 필수요건이다. (✗)
19. 행정사 (행정청이 '장사 등에 관한 법령'에 따른 납골당설치 신고를 한 甲에게 관계법령에 따른 준수사항을 이행하여야 한다는 것 등을 내용으로 하는 납골당설치 신고사항 이행통지를 한 사안에서) 신고가 위 법령의 모든 요건을 충족한다면 甲은 수리 전에 납골당을 설치할 수 있다. (✗)

ㄷ. (○) 대판 2009.6.18. 2008두10997 전합

ㄹ. (✗) 구 건축법 시행규칙 제11조의 규정은 단순히 행정관청의 사무집행의 편의를 위한 것이 아니라, 허가대상 건축물의 양수인에게 건축주의 명의변경을 신고할 수 있는 공법상의 권리를 인정함과 아울러 행정관청에게는 그 신고를 수리할 의무를 지게 한 것으로 봄이 타당하므로, 허가대상 건축물의 양수인이 구 건축법 시행규칙에 규정되어 있는 형식적 요건을 갖추어 시장·군수 등 행정관청에 적법하게 건축주의 명의변경을 신고한 때에는 행정관청은 그 신고를 수리하여야지 실체적인 이유를 내세워 신고의 수리를 거부할 수는 없다(대판 2014.10.15. 2014두37658).

ㅁ. (○) 행정청에 대한 신고는 일정한 법률사실 또는 법률관계에 관하여 관계행정청에 일방적으로 통고를 하는 것을 뜻하는 것으로서 법에 별도의 규정이 있거나 다른 특별한 사정이 없는 한 행정청에 대한 통고로서 그치는 것이고 그에 대한 행정청의 반사적 결정을 기다릴 필요가 없는 것이므로, 체육시설의 설치·이용에 관한 법률 제18조에 의한 변경신고서(이용료변경신고서)는 그 신고 자체가 위법하거나 그 신고에 무효사유가 없는 한 이것이 도지사에게 제출하여 접수된 때에 신고가 있었다고 볼 것이고, 도지사의 수리행위가 있어야만 신고가 있었다고 볼 것은 아니다(대결 1993.7.6. 93마635).

함께 정리하기

사인의 공법행위

공무원 사직의사표시
▷ 의원면직처분 전까지 철회·취소 可

납골당설치 신고
▷ 수리를 요하는 신고 → 신고필증 교부 不要

주민등록신고의 심사범위
▷ 「주민등록법」의 입법목적 범위 내로 제한

적법한 건축주 명의변경신고
▷ 실체적 이유로 수리거부 不可

「체육시설의 설치·이용에 관한 법률」상 체육시설 이용료 변경신고
▷ 자기완결적 신고

유제 18. 경찰 3차 골프장이용료 변경신고와 같은 구 「체육시설의 설치·이용에 관한 법률」(1993.3.6. 법률 제4541호로 개정된 것) 제18조에 의한 신고는 행정청의 수리를 요한다. (×)

17. 국가직 7급 「체육시설의 설치·이용에 관한 법률」상 신고체육시설업에 대한 변경신고를 적법하게 하였으나, 관할 행정청이 수리를 거부한 경우 판례에 따르면 신고의 효과가 발생한다. (○)

15. 경찰 1차 「체육시설의 설치·이용에 관한 법률」 제20조에 의한 변경신고서는 도지사의 수리행위가 있어야만 신고가 있었다고 볼 것이다. (×)

14. 국가직 9급 구 「체육시설의 설치·이용에 관한 법률」에 의한 골프장이용료 변경신고서는 행정청에 제출하여 접수된 때에 신고가 있었다고 볼 것이고, 행정청의 수리행위가 있어야만 하는 것은 아니다. (○)

답 ⑤

032 □□□

다음 사인의 공법행위 중, 수리를 요하는 신고로 본 판례는 모두 몇 개인가? (다툼이 있는 경우 판례에 의함)

> ㄱ. 「의료법」 제33조 제3항에 따른 정신과의원 개설신고
> ㄴ. 체육시설의 회원을 모집하고자 하는 자의 시·도지사 등에 대한 회원모집계획서 제출
> ㄷ. 「노동조합 및 노동관계조정법」상 노동조합설립신고
> ㄹ. 「수산업법」 제44조 소정의 어업신고
> ㅁ. 납골당설치 신고

① 1개 ② 2개
③ 3개 ④ 5개

문제 DATA
출제가능 지수 ▶▶▷
난이도 지수 ★★☆

함께 정리하기
수리를 요하는 신고
정신과의원 개설신고
▷ 수리를 요하는 신고
체육시설 회원모집계획서 제출
▷ 수리를 요하는 신고
노동조합설립신고
▷ 수리를 요하는 신고
「수산업법」상 어업신고
▷ 수리를 요하는 신고
납골당설치 신고
▷ 수리를 요하는 신고

2020년 경찰 2차

ㄱ. (○) 대법원은 정신과의원 개설신고를 수리를 요하는 신고로 보았다.

> 정신과의원을 개설하려는 자가 법령에 규정되어 있는 요건을 갖추어 개설신고를 한 때에, 행정청은 원칙적으로 이를 수리하여 신고필증을 교부하여야 하고, 법령에서 정한 요건 이외의 사유를 들어 의원급 의료기관 개설신고의 수리를 거부할 수는 없다. … 원심판결 이유 중 원고의 개설신고가 '수리를 요하지 않는 신고'라는 취지로 판시한 부분은 적절하지 않으나, 피고가 법령에서 정하지 않은 사유를 들어 위 개설신고 수리를 거부할 수 없다고 보아 이 사건 반려처분이 위법하다고 판단한 원심의 결론은 정당하다(대판 2018.10.25. 2018두44302).

ㄴ. (○) 대판 2009.2.26. 2006두16243

ㄷ. (○) 노동조합 및 노동관계조정법(이하 '노동조합법'이라 한다)이 행정관청으로 하여금 설립신고를 한 단체에 대하여 같은 법 제2조 제4호 각 목에 해당하는지를 심사하도록 한 취지가 노동조합으로서의 실질적 요건을 갖추지 못한 노동조합의 난립을 방지함으로써 근로자의 자주적이고 민주적인 단결권 행사를 보장하려는 데 있는 점을 고려하면, 행정관청은 해당 단체가 노동조합법 제2조 제4호 각 목에 해당하는지 여부를 실질적으로 심사할 수 있다. 다만 행정관청에 광범위한 심사권한을 인정할 경우 행정관청의 심사가 자의적으로 이루어져 신고제가 사실상 허가제로 변질될 우려가 있는 점 등을 고려하면, 행정관청은 일단 제출된 설립신고서와 규약의 내용을 기준으로 노동조합법 제2조 제4호 각 목의 해당 여부를 심사하되, 설립신고서를 접수할 당시 그 해당 여부가 문제된다고 볼 만한 객관적인 사정이 있는 경우에 한하여 설립신고서와 규약 내용 외의 사항에 대하여 실질적인 심사를 거쳐 반려 여부를 결정할 수 있다(대판 2014.4.10. 2011두6998).

ㄹ. (○) 대판 2000.5.26. 99다37382

ㅁ. (○) 대판 2011.9.8. 2009두6766

답 ④

033

건축허가와 건축신고에 대한 설명으로 옳지 않은 것만을 모두 고르면? (다툼이 있는 경우 판례에 의함)

> ㄱ. 「건축법」 제14조 제2항에 의한 인·허가의제 효과를 수반하는 건축신고에 대한 수리거부는 처분성이 인정되나, 동 규정에 의한 인·허가의제 효과를 수반하지 않는 건축신고에 대한 수리거부는 처분성이 부정된다.
> ㄴ. 「국토의 계획 및 이용에 관한 법률」에 의해 지정된 도시지역 안에서 토지의 형질변경행위를 수반하는 건축허가는 재량행위에 속한다.
> ㄷ. 건축허가권자는 중대한 공익상의 필요가 없음에도 관계 법령에서 정하는 제한사유 이외의 사유를 들어 건축허가 요건을 갖춘 자에 대한 허가를 거부할 수 있다.
> ㄹ. 건축허가는 대물적 허가에 해당하므로, 허가의 효과는 허가대상 건축물에 대한 권리변동에 수반하여 이전되고 별도의 승인처분에 의하여 이전되는 것은 아니다.

① ㄱ, ㄴ
② ㄱ, ㄷ
③ ㄴ, ㄷ
④ ㄷ, ㄹ

문제 DATA
출제가능 지수 ▶▶▷
난이도 지수 ★★☆

2019년 국가직 9급

ㄱ. (×) 인·허가의제 효과를 수반하는 건축신고는 수리를 요하는 신고에 해당하므로 이에 대한 수리거부는 처분성이 인정된다. 인·허가의제 효과를 수반하지 않는 일반적인 건축신고는 수리를 요하지 않는 신고이나 수리거부에 처분성이 인정된다(대판 2011.1.20. 2010두14954 전합 ; 대판 2010.11.18. 2008두167 전합).

ㄴ. (○) 국토의 계획 및 이용에 관한 법률 제56조 제1항 제2호의 규정에 의한 <u>토지의 형질변경허가는 그 금지요건이 불확정개념으로 규정되어 있어 그 금지요건에 해당하는지 여부를 판단함에 있어서 행정청에게 재량권이 부여되어 있다고 할 것이므로,</u> 같은 법에 의하여 지정된 <u>도시지역 안에서 토지의 형질변경행위를 수반하는 건축허가는 결국 재량행위에 속한다</u>(대판 2005.7.14. 2004두6181).

유제 19. 서울시 7급 토지의 형질변경허가는 금지요건이 불확정개념으로 규정되어 있어 그 금지요건에 해당하는지 여부를 판단함에 있어서 행정청에게 재량권이 부여되어 있다고 할 것이므로, 같은 법에 의하여 지정된 도시지역 안에서 토지의 형질변경행위를 수반하는 건축허가는 결국 재량행위에 속한다. (○)

ㄷ. (×) <u>건축허가권자는</u> 건축허가신청이 건축법 등 관계 법규에서 정하는 어떠한 제한에 배치되지 않는 이상 당연히 같은 법조에서 정하는 건축허가를 하여야 하므로, <u>중대한 공익상의 필요가 없는데도 관계 법령에서 정하는 제한사유 이외의 사유를 들어 요건을 갖춘 자에 대한 허가를 거부할 수는 없다</u>(대판 2009.9.24. 2009두8946).

ㄹ. (○) <u>건축허가는 대물적 허가의 성질을 가지는 것으로 그 허가의 효과는 허가대상 건축물에 대한 권리변동에 수반하여 이전되고, 별도의 승인처분에 의하여 이전되는 것이 아니며,</u> 건축주 명의변경은 당초의 허가대장상 건축주 명의를 바꾸어 등재하는 것에 불과하므로 행정소송의 대상이 될 수 없다(대판 1979.10.30. 79누190).

답 ②

함께 정리하기

건축허가와 건축신고

인·허가의제 수반하는 건축신고와 수반하지 않는 건축신고 수리거부
▷ 모두 처분성○

토지의 형질변경행위를 수반하는 건축허가
▷ 재량행위

건축허가
▷ 중대한 공익상 필요가 없는데도 법령의 제한사유 외 사유로 허가거부✕

건축허가
▷ 대물적 허가
▷ 허가의 효과는 건축물 권리변동에 함께 이전
▷ 별도 승인처분 불요

034

사인의 공법행위로서 신고에 대한 판례의 입장으로 옳지 않은 것은?

① 「유통산업발전법」상 대규모점포의 개설 등록은 이른바 '수리를 요하는 신고'로서 행정처분에 해당한다.
② 「의료법」에 따라 정신과의원을 개설하려는 자가 법령에 규정되어 있는 요건을 갖추어 개설신고를 한 경우라도 관할 시장·군수·구청장은 법령에서 정한 요건 이외의 사유를 들어 의원급 의료기관 개설신고의 수리를 거부할 수 있다.
③ 인·허가의제 효과를 수반하는 건축신고는 일반적인 건축신고와는 달리, 특별한 사정이 없는 한 행정청이 그 실체적 요건에 관한 심사를 한 후 수리하여야 하는 이른바 '수리를 요하는 신고'에 해당한다.
④ 가설건축물 존치기간을 연장하려는 건축주 등이 법령에 규정되어 있는 제반 서류와 요건을 갖추어 행정청에 연장신고를 한 경우, 행정청으로서는 법령에서 요구하고 있지도 아니한 '대지사용승낙서' 등의 서류가 제출되지 아니하였거나, 대지소유권자의 사용승낙이 없다는 등의 사유를 들어 가설건축물 존치기간 연장신고의 수리를 거부하여서는 아니 된다.

2019년 지방직 7급

① (○) 대판 2015.11.19. 2015두295
② (×) 대판 2018.10.25. 2018두44302
③ (○) 대판 2011.1.20. 2010두14954 전합
④ (○) 대판 2018.1.25. 2015두35116

답 ②

문제 DATA
출제가능 지수 ▶▶▷
난이도 지수 ★★☆

함께 정리하기
신고

대규모점포의 개설 등록
▷ 수리를 요하는 신고

정신과의원 개설신고
▷ 수리를 요하는 신고

요건을 갖추어 개설신고를 한 경우
▷ 요건 외 사유 수리거부×

인·허가의제 수반 건축신고
▷ 수리를 요하는 신고

가설건축물 존치기간 연장신고
▷ 법령상 요건 외 사유로 수리거부×

035

사인의 공법행위에 대한 설명으로 옳지 않은 것은? (다툼이 있는 경우 판례에 의함)

① 부동산 투기나 이주대책 요구 등을 방지할 목적으로 주민등록전입신고를 거부하는 것은 「주민등록법」의 입법 목적과 취지 등에 비추어 허용될 수 없다.
② 구 「의료법 시행규칙」 제22조 제3항에 의하면 의원개설 신고서를 수리한 행정관청이 소정의 신고필증을 교부하도록 되어있기 때문에 이와 같은 신고필증의 교부가 없으면 개설신고의 효력이 없다.
③ 「건축법」상 건축신고 반려행위는 항고소송의 대상이 되는 행정처분에 해당한다.
④ 「식품위생법」에 의한 영업양도에 따른 지위승계신고를 수리하는 허가관청의 행위는 단순히 양도·양수인 사이에 이미 발생한 사법상의 사업양도의 법률효과에 의하여 양수인이 그 영업을 승계하였다는 사실의 신고를 접수하는 행위에 그치는 것이 아니라, 영업허가자의 변경이라는 법률효과를 발생시키는 행위이다.

문제 DATA
출제가능 지수 ▶▶▶
난이도 지수 ★☆☆

2019년 지방직 9급

① (○) 전입신고를 받은 시장·군수 또는 구청장의 심사 대상은 전입신고자가 30일 이상 생활의 근거로 거주할 목적으로 거주지를 옮기는지 여부만으로 제한된다고 보아야 한다. 따라서 무허가 건축물을 실제 생활의 근거지로 삼아 10년 이상 거주해 온 사람의 주민등록 전입신고를 거부한 사안에서, 부동산투기나 이주대책 요구 등을 방지할 목적으로 주민등록전입신고를 거부하는 것은 주민등록법의 입법 목적과 취지 등에 비추어 허용될 수 없다(대판 2009.6.18. 2008두10997 전합).

유제 20. 5급 승진 무허가 건축물을 실제 생활의 근거지로 삼아 10년 이상 거주해 온 사람의 주민등록전입신고를 부동산투기나 이주대책 요구 등을 방지할 목적으로 수리를 거부하는 것은 위법하다. (○)
16. 국가직 9급 주민등록전입신고는 수리를 요하는 신고에 해당하지만, 이를 수리하는 행정청은 거주의 목적에 대한 판단 이외에 부동산 투기 목적 등의 공익상의 이유를 들어 주민등록전입신고의 수리를 거부할 수는 없다. (○)
14. 지방직 9급 주민등록전입신고는 수리를 요하는 신고이므로, 전입신고자가 거주의 목적 이외에 부동산 투기나 이주대책의 요구 등 다른 이해관계에 관한 의도를 가지고 있는지의 여부를 고려하여 신고의 수리 여부를 심사할 수 있다. (×)

② (×) 의료법 시행규칙 제22조 제3항에 의하면 신고필증을 교부하도록 되어있다 하여도 이는 신고사실의 확인행위로서 신고필증을 교부하도록 규정한 것에 불과하고 그와 같은 신고필증의 교부가 없다 하여 개설신고의 효력을 부정할 수 없다 할 것이다(대판 1985.4.23. 84도2953).

유제 15. 지방직 7급 「의료법」에 따른 의원개설신고에 대하여 신고필증의 교부가 없더라도 의원개설신고의 효력을 부정할 수는 없다. (○)
12. 국가직 9급 「의료법」상 의원, 치과의원 개설신고의 경우 그 신고필증의 교부행위는 신고사실의 확인행위에 해당한다. (○)

③ (○) 대판 2010.11.18. 2008두167 전합
④ (○) 대판 2001.2.9. 2000도2050

답 ②

함께 정리하기
사인의 공법행위

주민등록신고의 심사범위
▷「주민등록법」의 입법목적 범위 내로 제한(부동산투기나 이주대책요구 등 방지 이유로 수리거부 불가)

의원개설신고
▷ 자기완결적신고
▷ 신고필증의 교부가 없어도 개설신고 효력 有

건축신고 반려행위
▷ 항고소송의 대상○

영업양도에 따른 지위승계신고 수리
▷ 영업허가자의 변경이라는 법률효과를 발생시키는 행위

036 □□□

건축허가와 건축신고에 대한 설명으로 가장 옳지 않은 것은? (다툼이 있는 경우 판례에 의함)

① 건축허가는 원칙상 기속행위이지만 중대한 공익상 필요가 있는 경우 예외적으로 건축허가를 거부할 수 있다.
② 건축신고는 자기완결적 신고이므로 신고반려행위 또는 수리거부행위는 항고소송의 대상이 되지 않는다.
③ 신고대상인 건축물의 건축행위를 하고자 할 경우에는 관계 법령에 정해진 적법한 요건을 갖춘 신고만을 하면 그와 같은 건축행위를 할 수 있고, 행정청의 수리처분 등 별도의 조처를 기다릴 필요가 없다.
④ 토지의 형질변경허가는 금지요건이 불확정개념으로 규정되어 있어 그 금지요건에 해당하는지 여부를 판단함에 있어서 행정청에게 재량권이 부여되어 있다고 할 것이므로, 같은 법에 의하여 지정된 도시지역 안에서 토지의 형질변경행위를 수반하는 건축허가는 결국 재량행위에 속한다.

문제 DATA
출제가능 지수 ▶▶▷
난이도 지수 ★★☆

함께 정리하기

건축허가와 건축신고

건축허가
▷ 기속행위이지만 중대한 공익상의 필요 있으면 예외적으로 거부 可

건축신고 반려행위
▷ 항고소송의 대상 O

건축신고
▷ 자기완결적 신고
▷ 적법한 신고가 있으면 수리처분 없이도 효력 발생

토지의 형질변경행위를 수반하는 건축허가
▷ 재량행위

2019년 서울시 7급

① (○) 건축허가는 기속행위이지만 중대한 공익상의 필요가 있으면 예외적으로 거부할 수 있다.

> 건축법 소정의 건축허가권자는 심사 결과 그 신청이 법정요건에 합치하는 경우에는 특별한 사정이 없는 한 이를 허가하여야 하며, 공익상 필요가 없음에도 불구하고 요건을 갖춘 자에 대한 허가를 관계 법령에서 정하는 제한사유 이외의 사유를 들어 거부할 수 없다(대판 1995.6.13. 94다56883).

② (×) 건축신고 반려행위가 이루어진 단계에서 당사자로 하여금 반려행위의 적법성을 다투어 그 법적 불안을 해소한 다음 건축행위에 나아가도록 함으로써 장차 있을지도 모르는 위험에서 미리 벗어날 수 있도록 길을 열어 주고, 위법한 건축물의 양산과 그 철거를 둘러싼 분쟁을 조기에 근본적으로 해결할 수 있게 하는 것이 법치행정의 원리에 부합한다. 그러므로 건축신고 반려행위는 항고소송의 대상이 된다고 보는 것이 옳다(대판 2010.11.18. 2008두167 전합).

③ (○) 신고대상인 건축물의 건축행위를 하고자 할 경우에는 그 관계 법령에 정해진 적법한 요건을 갖춘 신고만을 하면 그와 같은 건축행위를 할 수 있고, 행정청의 수리처분 등 별단의 조처를 기다릴 필요가 없다고 할 것이며, 또한 이와 같은 신고를 받은 행정청으로서는 그 신고가 같은 법 및 그 시행령 등 관계 법령에 신고만으로 건축할 수 있는 경우에 해당하는 여부 및 그 구비서류 등이 갖추어져 있는지 여부 등을 심사하여 그것이 법규정에 부합하는 이상 이를 수리하여야 하고, 같은 법 규정에 정하지 아니한 사유를 심사하여 이를 이유로 신고수리를 거부할 수는 없다(대판 1999.4.27. 97누6780).

유제 18. 경찰 3차 구「건축법」(1996.12.30. 법률 제5230호로 개정되기 전의 것) 제9조 제1항에 의하여 신고를 함으로써 건축허가를 받은 것으로 간주되는 경우에는 건축을 하고자 하는 자가 적법한 요건을 갖춘 신고만 하면 행정청의 수리행위 등 별다른 조치를 기다릴 필요 없이 건축을 할 수 있다. (○)

18. 지방직 7급 자기완결적 신고에 있어 적법한 신고가 있는 경우, 행정청은 법 규정에 정하지 아니한 사유를 심사하여 이를 이유로 신고수리를 거부할 수 있다. (×)

④ (○) 대판 2005.7.14. 2004두6181

답 ②

문제 DATA

출제가능 지수 ▶▶▷
난이도 지수 ★★☆

037 □□□

사인의 공법상의 행위로서 신고에 대한 판례의 입장으로 옳지 않은 것은?

① 「주민등록법」상 주민등록의 신고는 행정청에 도달하기만 하면 신고로서의 효력이 발생하는 것이 아니라 행정청이 수리한 경우에 비로소 신고의 효력이 발생한다.

② 납골당설치 신고가 구 「장사법」 관련 규정의 모든 요건에 맞는 신고라 하더라도 신고인은 곧바로 납골당을 설치할 수는 없고, 이에 대한 행정청의 수리처분이 있어야만 신고한 대로 납골당을 설치할 수 있다.

③ 수리란 신고를 유효한 것으로 판단하고 법령에 의하여 처리할 의사로 이를 수령하는 적극적 행위이므로 수리행위에는 신고필증의 교부와 같은 행정청의 행위가 수반되어야 한다.

④ 「수산업법」상의 어업의 신고는 행정청의 수리에 의하여 비로소 그 효과가 발생하는 이른바 '수리를 요하는 신고'에 해당한다.

함께 정리하기

신고

주민등록 신고
▷ 수리를 요하는 신고

납골당설치 신고
▷ 수리를 요하는 신고

수리를 요하는 신고
▷ 신고필증 교부 不要

어업신고
▷ 수리를 요하는 신고

2019년 서울시 9급

① (○) 대판 2009.1.30. 2006다17850

② (○), ③ (×) 납골당설치 신고는 이른바 '수리를 요하는 신고'라 할 것이므로, 행정청의 수리처분이 있어야만 신고한 대로 납골당을 설치할 수 있다. 한편 수리란 신고를 유효한 것으로 판단하고 법령에 의하여 처리할 의사로 이를 수령하는 수동적 행위이므로 수리행위에 신고필증 교부 등 행위가 꼭 필요한 것은 아니다(대판 2011.9.8. 2009두6766).

④ (○) 대판 2000.5.26. 99다37382

답 ③

038

사인의 공법행위로서 신고에 대한 설명으로 옳지 않은 것은? (다툼이 있는 경우 판례에 의함)

① 구 「건축법」에 의한 인·허가의제 효과를 수반하는 건축신고는 일반적인 건축신고와는 달리 특별한 사정이 없는 한 행정청이 그 형식적 요건에 관한 심사를 한 후 수리하여야 한다.
② 불특정 다수인을 대상으로 학습비를 받고 정보통신매체를 이용하여 원격평생교육을 실시하고자 하는 경우에는 누구든지 관계 법령에 따라 이를 신고하여야 하나 신고서의 기재사항에 흠결이 없고 소정의 서류가 구비된 때에는 이를 수리하여야 한다.
③ 구 「유통산업발전법」은 기존의 대규모점포의 등록된 유형 구분을 전제로 '대형마트로 등록된 대규모 점포' 일체를 규제 대상으로 삼고자 하는 것이 그 입법 취지이므로 대규모점포의 개설 등록은 이른바 '수리를 요하는 신고'로서 행정처분에 해당한다.
④ 시장·군수·구청장은 건축신고를 받은 날부터 5일 이내에 신고수리 여부 또는 민원 처리 관련 법령에 따른 처리기간의 연장 여부를 신고인에게 통지하여야 한다.
⑤ 납골당설치 신고는 이른바 '수리를 요하는 신고'이므로 납골당설치 신고가 관련 법령 규정의 모든 요건을 충족하는 신고라 하더라도 행정청의 수리처분이 있어야만 그 신고한 대로 납골당을 설치할 수 있다.

2019년 국회직 8급

① (×) '형식적 요건'이 아니라 '실체적 요건'에 관한 심사를 한 후 수리하여야 한다(대판 2011.1.20. 2010두14954 전합).
② (○) 대판 2011.7.28. 2005두11784
③ (○) 대판 2015.11.19. 2015두295 전합
④ (○)

> 「건축법」 제14조 【건축신고】 ③ 특별자치시장·특별자치도지사 또는 시장·군수·구청장은 제1항에 따른 신고를 받은 날부터 5일 이내에 신고수리 여부 또는 민원 처리 관련 법령에 따른 처리기간의 연장 여부를 신고인에게 통지하여야 한다. 다만, 이 법 또는 다른 법령에 따라 심의, 동의, 협의, 확인 등이 필요한 경우에는 20일 이내에 통지하여야 한다.

⑤ (○) 대판 2011.9.8. 2009두6766

답 ①

함께 정리하기

신고

인·허가의제 효과 수반하는 건축신고
▷ 수리를 요하는 신고 → 실체적 요건 심사

형식적 요건을 모두 갖추어 원격평생교육 신고
▷ 실체적 사유 들어 수리거부 불가

대규모점포의 개설 등록
▷ 수리를 요하는 신고

시장·군수·구청장
▷ 건축신고를 받은 날부터 5일 이내에 신고수리 여부 또는 민원처리 관련 법령에 따른 처리기간의 연장 여부를 신고인에게 통지하여야 함

납골당설치 신고
▷ 수리를 요하는 신고

문제 DATA

출제가능 지수 ▶▶▷
난이도 지수 ★★☆

039 □□□

신고에 대한 설명으로 옳은 것은? (다툼이 있는 경우 판례에 의함)

① 신고는 사인이 행하는 공법행위로 행정기관의 행위가 아니므로 「행정절차법」에는 신고에 관한 규정을 두고 있지 않다.
② 신고의 수리는 타인의 행위를 유효한 행위로 받아들이는 행정행위를 말하며, 이는 강학상 법률행위적 행정행위에 해당한다.
③ 「행정절차법」상 사전통지의 상대방인 당사자는 행정청의 처분에 대하여 직접 그 상대가 되는 자를 의미하므로, 「식품위생법」상의 영업자지위승계신고를 수리하는 행정청은 영업자지위를 이전한 종전의 영업자에 대하여 사전통지를 할 필요가 없다.
④ 숙박업을 하고자 하는 자가 법령이 정하는 시설과 설비를 갖추고 행정청에 신고를 하면 행정청은 공중위생관리법령의 규정에 따라 원칙적으로 이를 수리하여야 하므로, 새로 숙박업을 하려는 자가 기존에 다른 사람이 숙박업 신고를 한 적이 있는 시설 등의 소유권 등 정당한 사용권한을 취득하여 법령에서 정한 요건을 갖추어 신고하였다면, 행정청으로서는 특별한 사정이 없는 한 이를 수리하여야 하고, 기존의 숙박업 신고가 외관상 남아있다는 이유로 이를 거부할 수 없다.

2018년 국가직 9급

① (×) 「행정절차법」에는 신고에 관한 규정을 두고 있다.

> 「행정절차법」 제40조 【신고】 ① 법령등에서 행정청에 일정한 사항을 통지함으로써 의무가 끝나는 신고를 규정하고 있는 경우 신고를 관장하는 행정청은 신고에 필요한 구비서류, 접수기관, 그 밖에 법령등에 따른 신고에 필요한 사항을 게시(인터넷 등을 통한 게시를 포함한다)하거나 이에 대한 편람을 갖추어 두고 누구나 열람할 수 있도록 하여야 한다.

② (×) 신고의 수리는 강학상 준법률행위적 행정행위에 해당한다. 이는 '수리를 요하는 신고'에서의 '수리'를 의미하고, '수리를 요하지 않는 신고'에 있어서의 '수리'는 단순한 접수행위에 불과한 사실행위이므로 이에 해당하지 않는다.
③ (×) 「식품위생법」상의 영업자지위승계신고 수리는 종전의 영업자에 대해서는 침익적 처분에 해당하므로 사전통지를 필요로 한다(대판 2003.2.14. 2001두7015).
④ (○) 숙박업을 하고자 하는 자가 법령이 정하는 시설과 설비를 갖추고 행정청에 신고를 하면, 행정청은 공중위생관리법령의 위 규정에 따라 원칙적으로 이를 수리하여야 한다. 행정청이 법령이 정한 요건 이외의 사유를 들어 수리를 거부하는 것은 위 법령의 목적에 비추어 이를 거부해야 할 중대한 공익상의 필요가 있다는 등 특별한 사정이 있는 경우에 한한다. 기존에 다른 사람이 숙박업 신고를 한 적이 있더라도 새로 숙박업을 하려는 자가 그 시설 등의 소유권 등 정당한 사용권한을 취득하여 법령에서 정한 요건을 갖추어 신고하였다면, 행정청으로서는 특별한 사정이 없는 한 이를 수리하여야 하고, 단지 해당 시설 등에 관한 기존의 숙박업 신고가 외관상 남아있다는 이유만으로 이를 거부할 수 없다(대판 2017.5.30. 2017두34087).

유제 20. 5급 승진 기존에 다른 사람이 숙박업 신고를 한 적이 있는 건물에 새로 숙박업을 하려는 자가 그 시설 등의 소유권 등 정당한 사용권한을 취득하여 법령에서 정한 요건을 갖추어 신고하였으나 특별한 사정이 없음에도 해당 시설 등에 관한 기존의 숙박업 신고가 외관상 남아있다는 이유만으로 수리를 거부하는 것은 위법하다. (○)

답 ④

함께 정리하기

신고

신고
▷ 「행정절차법」상 규정 有

신고의 수리
▷ 준법률행위적 행정행위

「식품위생법」상 지위승계신고수리
▷ 종전 영업자에게 사전통지 要(∵「행정절차법」 적용)

요건 갖춘 숙박업신고
▷ 기존 숙박업신고 있더라도 거부 不可

040

사인의 공법행위로서 신고에 대한 설명으로 옳지 않은 것은? (다툼이 있는 경우 판례에 의함)

① 자기완결적 신고에 있어 적법한 신고가 있는 경우, 행정청은 법 규정에 정하지 아니한 사유를 심사하여 이를 이유로 신고수리를 거부할 수 있다.
② 주민등록의 신고는 행정청에 도달하기만 하면 신고로서의 효력이 발생하는 것이 아니라 행정청이 수리한 경우에 비로소 신고의 효력이 발생한다.
③ 수리를 요하는 신고의 경우, 수리행위에 신고필증 교부 등 행위가 꼭 필요한 것은 아니다.
④ 「유통산업발전법」상 대규모점포의 개설 등록은 이른바 '수리를 요하는 신고'로서 행정처분에 해당한다.

| 2018년 지방직 7급

① (×) 자기완결적 신고의 경우 신고의 요건을 갖춘 적법한 신고가 있으면 행정청의 수리여부와 상관없이 신고서가 접수기관에 도달된 때에 신고의무가 이행된 것으로 본다. 행정청은 법 규정에 정하지 아니한 사유를 심사하여 그 사유를 이유로 신고수리(접수)를 거부할 수 없다.
② (○) 대판 2009.1.30. 2006다17850
③ (○) 대판 2011.9.8. 2009두6766
④ (○) 대판 2015.11.19. 2015두295

답 ①

문제 DATA
출제가능 지수 ▶▶▷
난이도 지수 ★★☆

함께 정리하기
신고
자기완결적 신고
▷ 법에 없는 사유로 수리거부 불가
주민등록 신고
▷ 수리를 요하는 신고
수리를 요하는 신고
▷ 신고필증 교부 불요
대규모점포의 개설 등록
▷ 수리를 요하는 신고

041

다음 사례에 대한 설명으로 옳지 않은 것은? (다툼이 있는 경우 판례에 의함)

> 甲은 「식품위생법」 제37조 제1항에 따라 허가를 받아 식품조사처리업 영업을 하고 있던 중 乙과 영업양도계약을 체결하였다. 당해 계약은 하자 있는 계약이었음에도 불구하고, 乙은 같은 법 제39조에 따라 식품의약품안전처장에게 영업자지위승계신고를 하였다.

① 식품의약품안전처장이 乙의 신고를 수리한다면, 이는 실질에 있어서는 乙에게는 적법하게 사업을 할 수 있는 권리를 설정하여 주는 행위이다.
② 식품의약품안전처장이 乙의 신고를 수리하는 경우에 甲과 乙의 영업양도계약이 무효라면 위 신고수리처분도 무효이다.
③ 식품의약품안전처장이 乙의 신고를 수리하기 전에 甲의 영업허가처분이 취소된 경우, 乙이 甲에 대한 영업허가처분의 취소를 구하는 소송을 제기할 법률상 이익은 없다.
④ 甲은 민사쟁송으로 양도·양수행위의 무효를 구함이 없이 막바로 식품의약품안전처장을 상대로 한 행정소송으로 위 신고수리처분의 무효확인을 구할 법률상 이익이 있다.

문제 DATA
출제가능 지수 ▶▶▷
난이도 지수 ★★☆

함께 정리하기

지위승계신고 사례

지위승계신고수리
▷ 양수인 사업할 권리 설정

영업양도계약무효
▷ 지위승계신고수리도 무효

수리 전 영업허가취소
▷ 양수인 취소 법률상이익 有

양도인
▷ 막바로 신고수리처분 무효확인 법률상 이익 有

2018년 지방직 9급

① (○) 대판 2001.2.9. 2000도2050
②, ④ (○) 대판 2005.12.23. 2005두3554
③ (×) <u>수허가자의 지위를 양수받아 명의변경신고를 할 수 있는 양수인의 지위는</u> 단순한 반사적 이익이나 사실상의 이익이 아니라 산림법령에 의하여 보호되는 직접적이고 구체적인 이익으로서 <u>법률상 이익</u>이라고 할 것이고, 채석허가가 유효하게 존속하고 있다는 것이 양수인의 명의변경신고의 전제가 된다는 의미에서 <u>관할 행정청이 양도인에 대하여 채석허가를 취소하는 처분을 하였다면 이는 양수인의 지위에 대한 직접적 침해가 된다고 할 것이므로 양수인은 채석허가를 취소하는 처분의 취소를 구할 법률상 이익을 가진다</u>(대판 2003.7.11. 2001두6289).

유제 18. 국회직 8급 양도계약이 있은 후 신고 전에 행정청이 종전의 영업자(양도인)에 대하여 영업허가를 위법하게 취소한 경우에, 영업자의 지위를 승계한 자(양수인)는 양도인에 대한 영업허가취소처분을 다툴 원고적격을 갖지 못한다. (×)

답 ③

문제 DATA

출제가능 지수 ▶▶▷
난이도 지수 ★★☆

042 □□□

사인의 공법행위에 대한 설명으로 옳지 않은 것은? (다툼이 있는 경우 판례에 의함)

① 적법한 사인의 공법행위가 있는 경우에 발생하는 효과는 개별법규가 정한 바에 따르며, 행정청에 가해지는 기본적인 효과는 처리기간 내에 특별한 사유가 없는 한 처리 하여야 할 의무가 발생한다.
② 수리를 요하지 아니하는 신고의 경우에 신고에 하자가 있다면 보정되기까지는 신고의 효과가 발생하지 않는다.
③ 사인의 공법행위로서 신고는 사인이 공법적 효과의 발생을 목적으로 행정주체에 대하여 일정한 사실을 알리는 행위로서 행정청에 의한 실질적 심사가 요구되는 행위를 말한다.
④ 판례는 대물적 영업의 양도의 경우 명시적인 규정이 없는 경우에도 양도 전에 존재하는 영업정지사유를 이유로 양수인에 대해서도 영업정지처분을 할 수 있다고 보고 있다.

2018년 소방직

① (○) 적법한 사인의 공법행위가 있는 경우에 발생하는 효과는 개별법규가 정한 바에 따르며 행정청은 처리기간 내에 이를 심사하여 처리할 의무를 갖게 된다.
② (○) 행정청은 요건을 갖추지 못한 신고서가 제출된 경우에는 지체 없이 상당한 기간을 정하여 신고인에게 보완을 요구하여야 한다(「행정절차법」제40조 제3항). 신고가 보완되기까지는 신고의 효과가 발생하지 않는다.
③ (×) 수리를 요하지 않는 신고는 형식적 심사만 행해지므로 옳지 않은 지문이다.
④ (○) 영업정지나 영업장폐쇄명령 모두 대물적 처분으로, … 양수인이 그 양수 후 행정청에 새로운 영업소개설통보를 하였다 하더라도, 그로 인하여 영업양도·양수로 영업소에 관한 권리의무가 양수인에게 이전하는 법률효과까지 부정되는 것은 아니라 할 것인바, 만일 어떠한 <u>공중위생영업에 대하여 그 영업을 정지할 위법사유가 있다면, 관할 행정청은 그 영업이 양도·양수되었다 하더라도 그 업소의 양수인에 대하여 영업정지처분을 할 수 있다고 봄이 상당하다</u>(대판 2001.6.29. 2001두1611).

유제 13. 국가직 7급 대물적 영업양도의 경우, 명시적 규정이 없는 경우에도 양도 전에 존재하는 영업정지 사유를 이유로 양수인에 대해서도 영업정지처분을 할 수 있다. (○)

답 ③

함께 정리하기

사인의 공법행위

적법한 사인의 공법행위의 효과
▷ 개별법규 정한 바에 따름
▷ 행정청은 처리기간 내에 특별한 사유 없는 한 처리 의무 발생

하자있는 수리를 요하지 아니하는 신고
▷ 보정되기까지는 효과 발생×

수리를 요하지 않는 신고
▷ 형식적 심사

대물적 영업양도
▷ 양도 전 사유로 양수인에 대한 영업정지 可

043

법령 등에서 행정청에 일정한 사항을 통지함으로써 의무가 끝나는 신고를 규정하고 있는 경우에 행정청이 신고인에게 보완을 요구하고 상당한 기간 내에 보완을 하지 않을 경우 되돌려 보낼 수 있는 경우가 아닌 것은?

① 신고서의 기재사항에 흠이 있는 경우
② 신고의 내용이 현저히 공익을 해친다고 판단되는 경우
③ 필요한 구비서류가 첨부되어 있지 아니한 경우
④ 그 밖에 법령 등에 규정된 형식상의 요건에 부합하지 아니한 경우

2018년 소방직

문제 DATA
출제가능 지수 ▶▷▷
난이도 지수 ★☆☆

② (×)

> 「행정절차법」제40조【신고】① 법령등에서 행정청에 일정한 사항을 통지함으로써 의무가 끝나는 신고를 규정하고 있는 경우 신고를 관장하는 행정청은 신고에 필요한 구비서류, 접수기관, 그 밖에 법령등에 따른 신고에 필요한 사항을 게시(인터넷 등을 통한 게시를 포함한다)하거나 이에 대한 편람을 갖추어 두고 누구나 열람할 수 있도록 하여야 한다.
> ② 제1항에 따른 신고가 다음 각 호의 요건을 갖춘 경우에는 신고서가 접수기관에 도달된 때에 신고 의무가 이행된 것으로 본다.
> 1. 신고서의 기재사항에 흠이 없을 것
> 2. 필요한 구비서류가 첨부되어 있을 것
> 3. 그 밖에 법령등에 규정된 형식상의 요건에 적합할 것
> ③ 행정청은 제2항 각 호의 요건을 갖추지 못한 신고서가 제출된 경우에는 지체 없이 상당한 기간을 정하여 신고인에게 보완을 요구하여야 한다.
> ④ 행정청은 신고인이 제3항에 따른 기간 내에 보완을 하지 아니하였을 때에는 그 이유를 구체적으로 밝혀 해당 신고서를 되돌려 보내야 한다.

답 ②

함께 정리하기
「행정절차법」상 신고(자기완결적 신고)의 요건

▷ 기재사항에 흠이 없을 것
▷ 필요한 구비서류 첨부할 것
▷ 그 밖에 법령 등에 규정된 형식상의 요건에 적합할 것
▷ 위 요건 미비시 보완을 요구하고 상당한 기간 내 보완을 하지 않을 경우 되돌려 보낼 수 있음

문제 DATA

출제가능 지수 ▶▷▷
난이도 지수 ★★☆

044 □□□

신청에 대한 기술 중 옳은 것은? (다툼이 있는 경우 판례에 의함)

① 행정청에 대하여 처분을 구하는 신청은 문서로 하여야 하지만, 일반민원의 신청은 구술이나 전화로 할 수 있다.
② 신청에 대해 서류 등이 미비할 경우, 바로 접수를 거부할 수 있다.
③ 흠결된 서류의 보완이 주요서류의 대부분을 새로 작성함이 불가피하게 되어 사실상 새로운 신청으로 보아야 할 경우, 접수를 거부하거나 반려할 수 있다.
④ 신청인은 신청서가 일단 접수되면, 신청한 내용을 보완하거나 변경 또는 취하할 수 없다.

| 2018년 소방직

① (×) 행정청에 처분을 구하는 신청은 문서로 하여야 한다. 민원의 신청도 문서로 하여야 하나, 기타민원은 구술 또는 전화로 할 수 있다.

> 「행정절차법」 제17조【처분의 신청】① 행정청에 처분을 구하는 신청은 문서로 하여야 한다. 다만, 다른 법령등에 특별한 규정이 있는 경우와 행정청이 미리 다른 방법을 정하여 공시한 경우에는 그러하지 아니하다.
> 「민원 처리에 관한 법률」 제8조【민원의 신청】민원의 신청은 문서(「전자정부법」 제2조 제7호에 따른 전자문서를 포함한다. 이하 같다)로 하여야 한다. 다만, 기타민원은 구술(口述) 또는 전화로 할 수 있다.

② (×)

> 「행정절차법」 제17조【처분의 신청】⑤ 행정청은 신청에 구비서류의 미비 등 흠이 있는 경우에는 보완에 필요한 상당한 기간을 정하여 지체 없이 신청인에게 보완을 요구하여야 한다.

③ (○) 흠결된 서류의 보완 또는 보정을 하면 이미 접수된 주요서류의 대부분을 새로 작성함이 불가피하게 되어 사실상 새로운 신청으로 보아야 할 경우에는 그 흠결서류의 접수를 거부하거나 그것을 반려할 정당한 사유가 있는 경우에 해당하여 이의 접수를 거부하거나 반려하여도 위법이 되지 않는다(대판 1991.6.11. 90누8862).

④ (×)

> 「행정절차법」 제17조【처분의 신청】⑧ 신청인은 처분이 있기 전에는 그 신청의 내용을 보완·변경하거나 취하(取下)할 수 있다. 다만, 다른 법령등에 특별한 규정이 있거나 그 신청의 성질상 보완·변경하거나 취하할 수 없는 경우에는 그러하지 아니하다.

답 ③

함께 정리하기

신청

신청방식
▷ 처분을 구하는 신청 및 민원신청은 문서 要
▷ 기타민원은 구술 또는 전화로 可

서류 등 미비할 경우
▷ 보완 요구 要
▷ 바로 접수 거부 不可

흠결된 서류의 보완이 사실상 새로운 신청으로 보아야 할 경우
▷ 접수를 거부하거나 반려 可

처분이 있기 전
▷ 신청내용 보완·변경 취하 可

045

판례의 입장에 따를 때 신고의 효과가 발생하는 것(○)과 발생하지 않는 것(×)을 바르게 나열한 것은?

> ㄱ. 「체육시설의 설치·이용에 관한 법률」상 신고체육시설업에 대한 변경신고를 적법하게 하였으나, 관할 행정청이 수리를 거부한 경우
> ㄴ. 「수산업법」상 어업신고를 적법하게 하였으나, 관할 행정청이 수리를 거부한 경우
> ㄷ. 「주민등록법」상 전입신고를 적법하게 하였으나, 관할 행정청이 수리를 거부한 경우
> ㄹ. 「축산물 위생관리법」상 축산물판매업에 대한 부적법한 신고가 있었으나, 관할 행정청이 이를 수리한 경우

	ㄱ	ㄴ	ㄷ	ㄹ
①	○	×	×	×
②	×	○	○	×
③	○	○	○	×
④	○	○	○	○

문제 DATA
- 출제가능 지수 ▶▶▷
- 난이도 지수 ★★☆

2017년 국가직 7급

ㄱ. (○) 신고체육시설업에 대한 변경신고는 자기완결적 신고에 해당하므로 적법한 요건을 갖춘 신고가 있으면 관할 행정청의 수리처분 등 별단의 조치를 기다릴 필요 없이 그 접수시에 신고의 효과가 발생한다(대판 1998.4.24. 97도3121).

ㄴ. (×) 어업신고는 수리를 요하는 신고에 해당하므로 어업신고를 적법하게 하였더라도 관할 행정청이 수리를 거부한 경우 신고의 효과가 발생하지 않는다(대판 2000.5.26. 99다37382).

ㄷ. (×) 주민등록신고는 수리를 요하는 신고에 해당하므로 전입신고를 적법하게 하였더라도 관할 행정청이 수리를 거부한 경우 신고의 효과가 발생하지 않는다(대판 2009.1.30. 2006다17850).

ㄹ. (×) 축산물판매업신고는 자기완결적 신고에 해당하나, 신고가 부적법하므로 행정청이 이를 수리하였더라도 신고의 효과가 발생하지 않는다.

> 축산물판매업법 제21조 제1항 제6호, 제24조 제1항에 의하면, 축산물판매업을 하고자 하는 자는 농림부령이 정하는 기준에 적합한 시설을 갖추고 시장·군수·구청장에게 신고하여야 한다고만 규정하고 있는 바, 이러한 법령에 비추어 볼 때 행정관청으로서는 위 법령에서 규정하는 시설기준을 갖추어 축산물판매업 신고를 하는 경우 당연히 그 신고를 수리하여야 하고, 적법한 요건을 갖춘 신고의 경우에는 행정관청의 수리처분 등 별단의 조치를 기다릴 필요 없이 그 접수시에 신고로서의 효력이 발생하는 것이므로 그 수리가 거부되었다고 하여 미신고 영업이 되는 것은 아니라고 할 것이다(대판 2010.4.29. 2009다97925).

답 ①

함께 정리하기
신고

신고체육시설업의 신고
▷ 자기완결적 신고

「수산업법」상 어업신고
▷ 수리를 요하는 신고

주민등록신고
▷ 수리를 요하는 신고

축산물판매업신고
▷ 자기완결적 신고
▷ 부적법한 신고 수리하여도 효력발생×

문제 DATA

출제가능 지수 ▶▶▶
난이도 지수 ★☆☆

046

사인의 공법행위에 대한 설명으로 옳지 않은 것은? (다툼이 있는 경우 판례에 의함)

① 주민등록전입신고는 행정청에 도달하기만 하면 신고로서의 효력이 발생하는 것이 아니라 행정청이 수리한 경우에 비로소 신고의 효력이 발생한다.
② 수리를 요하는 신고의 경우, 수리행위에 신고필증의 교부가 필수적이므로 신고필증 교부의 거부는 「행정소송법」상 처분으로 볼 수 있다.
③ 공무원이 한 사직의 의사표시는 그에 터잡은 의원면직처분이 있을 때까지 철회나 취소할 수 있는 것이고, 일단 면직처분이 있고 난 이후에는 철회나 취소할 수 없다.
④ 행정청은 법령상 규정된 형식적 요건을 갖추지 못한 신고서가 제출된 경우에는 지체 없이 상당한 기간을 정하여 신고인에게 보완을 요구하여야 한다.

| 2017년 국가직 9급

① (○) 대판 2009.1.30. 2006다17850
② (×) 납골당설치 신고는 이른바 '수리를 요하는 신고'라 할 것이므로, 행정청의 수리처분이 있어야만 신고한 대로 납골당을 설치할 수 있다. 한편 수리란 신고를 유효한 것으로 판단하고 법령에 의하여 처리할 의사로 이를 수령하는 수동적 행위이므로 <u>수리행위에 신고필증 교부 등 행위가 꼭 필요한 것은 아니다</u> (대판 2011.9.8. 2009두6766).
③ (○) 대판 2001.8.24. 99두9971
④ (○)

> 「행정절차법」 제40조【신고】① 법령등에서 행정청에 일정한 사항을 통지함으로써 의무가 끝나는 신고를 규정하고 있는 경우 신고를 관장하는 행정청은 신고에 필요한 구비서류, 접수기관, 그 밖에 법령등에 따른 신고에 필요한 사항을 게시(인터넷 등을 통한 게시를 포함한다)하거나 이에 대한 편람을 갖추어 두고 누구나 열람할 수 있도록 하여야 한다.
> ② 제1항에 따른 신고가 다음 각 호의 요건을 갖춘 경우에는 신고서가 접수기관에 도달된 때에 신고 의무가 이행된 것으로 본다.
> 1. 신고서의 기재사항에 흠이 없을 것
> 2. 필요한 구비서류가 첨부되어 있을 것
> 3. 그 밖에 <u>법령등에 규정된 형식상의 요건에 적합할 것</u>
> ③ <u>행정청은 제2항 각 호의 요건을 갖추지 못한 신고서가 제출된 경우에는 지체 없이 상당한 기간을 정하여 신고인에게 <u>보완</u>을 요구하여야 한다.</u>

답 ②

함께 정리하기

사인의 공법행위

주민등록신고
▷ 수리를 요하는 신고

수리를 요하는 신고
▷ 신고필증의 교부 불요

공무원 사직의사표시
▷ 의원면직처분 전까지 철회·취소 可

형식적요건 흠결한 신고
▷ 보완요구 해야 함

047

사인의 공법행위에 대한 설명으로 옳지 않은 것은? (다툼이 있는 경우 판례에 의함)

① 주민등록전입신고의 수리 여부와 관련하여서는, 전입신고자가 거주의 목적 외에 다른 이해관계에 관한 의도를 가지고 있었는지 여부, 무허가건축물의 관리, 전입신고를 수리함으로써 당해 지방자치단체에 미치는 영향 등도 고려하여야 한다.
② 허가대상 건축물의 양수인이 구 「건축법 시행규칙」에 규정되어 있는 형식적 요건을 갖추어 행정관청에 적법하게 건축주의 명의변경을 신고한 경우, 행정관청은 실체적인 이유를 내세워 신고의 수리를 거부할 수는 없다.
③ 신고행위의 하자가 중대·명백하여 당연무효에 해당하는지에 대하여는 신고행위의 근거가 되는 법규의 목적, 의미, 기능 및 하자 있는 신고행위에 대한 법적 구제수단 등을 목적론적으로 고찰함과 동시에 신고행위에 이르게 된 구체적 사정을 개별적으로 파악하여 합리적으로 판단하여야 한다.
④ 인·허가의제 효과를 수반하는 건축신고는 특별한 사정이 없는 한 행정청이 그 실체적 요건에 관한 심사를 한 후 수리하여야 하는 이른바 '수리를 요하는 신고'에 해당한다.

2017년 지방직 7급

① (×) 대판 2009.6.18. 2008두10997 전합
② (○) 대판 2014.10.15. 2014두37658
③ (○) 납세의무자의 신고행위가 중대하고 명백한 하자로 인하여 당연무효로 되지 아니하는 한 그것이 바로 부당이득에 해당한다고 할 수 없고, 여기에서 <u>신고행위의 하자가 중대하고 명백하여 당연무효에 해당하는지에 대하여는 신고행위의 근거가 되는 법규의 목적, 의미, 기능 및 하자 있는 신고행위에 대한 법적 구제수단 등을 목적론적으로 고찰함과 동시에 신고행위에 이르게 된 구체적 사정을 개별적으로 파악하여 합리적으로 판단하여야 한다</u>(대판 2014.4.10. 2011다15476).
④ (○) 대판 2011.1.20. 2010두14954 전합

답 ①

함께 정리하기

사인의 공법행위

주민등록전입신고
▷ 30일 이상 거주목적 여부만 심사

적법한 건축주 명의변경신고
▷ 실체적 이유로 수리거부 불가

신고가 당연무효인지 판단
▷ 법규의 목적·의미·기능·구제수단 & 신고에 이른 구체적 사정 고려

인·허가의제 수반 건축신고
▷ 수리를 요하는 신고

048

甲은 「여객자동차 운수사업법」상 일반택시운송사업면허를 받아 사업을 운영하던 중, 자신의 사업을 乙에게 양도하고자 乙과 양도·양수계약을 체결하고 관련 법령에 따라 乙이 사업의 양도·양수신고를 하였다. 이와 관련한 설명으로 옳지 않은 것은? (다툼이 있는 경우 판례에 의함)

① 甲에 대한 일반택시운송사업면허는 원칙상 재량행위에 해당한다.
② 사업의 양도·양수에 대한 신고를 수리하는 행위는 「행정절차법」의 적용대상이 된다.
③ 甲과 乙 사이의 사업양도·양수계약이 무효이더라도 이에 대한 신고의 수리가 있게 되면 사업양도의 효과가 발생한다.
④ 사업의 양도·양수신고가 수리된 경우, 甲은 민사쟁송으로 양도·양수행위의 무효를 구함이 없이 곧바로 항고소송으로 신고수리의 무효확인을 구할 법률상 이익이 있다.

함께 정리하기

영업양도·양수 신고

일반택시운송면허
▷ 재량

신고수리
▷ 「행정절차법」 적용

계약 무효
▷ 사업양도효과 발생×

신고수리
▷ 무효확인 可

2017년 지방직 7급

① (○) 자동차운수사업법에 의한 개인택시운송사업면허는 특정인에게 특정한 권리나 이익을 부여하는 행정행위로서 법령에 특별한 규정이 없는 한 재량행위이고, 그 면허를 위하여 필요한 기준을 정하는 것도 역시 행정청의 재량에 속하는 것이므로 그 설정된 기준이 객관적이고 합리적이 아니라거나 타당하지 않다고 볼 만한 다른 특별한 사정이 없는 이상 행정청의 의사는 가능한 존중되어야 하나, 당해 신청이 면허발급의 우선순위에 해당함이 명백함에도 불구하고 이를 제외시켜 면허거부처분을 하였다면, 특별한 사정이 없는 한, 그 거부처분은 재량권을 남용한 위법한 처분이다(대판 1997.9.26. 97누8878).

② (○) 대판 2003.2.14. 2001두7015

③ (×), ④ (○) 사업양도·양수에 따른 허가관청의 지위승계신고의 수리는 적법한 사업의 양도·양수가 있었음을 전제로 하는 것이므로 그 수리대상인 사업양도·양수가 존재하지 아니하거나 무효인 때에는 수리를 하였다 하더라도 그 수리는 유효한 대상이 없는 것으로서 당연히 무효라 할 것이고, 사업의 양도행위가 무효라고 주장하는 양도자는 민사쟁송으로 양도·양수행위의 무효를 구함이 없이 막바로 허가관청을 상대로 하여 행정소송으로 위 신고수리처분의 무효확인을 구할 법률상 이익이 있다(대판 2005.12.23. 2005두3554).

답 ③

문제 DATA

출제가능 지수 ▶▶▷
난이도 지수 ★★☆

049 □□□

행정상 법률관계에 대한 설명으로 옳지 않은 것은? (다툼이 있는 경우 판례에 의함)

① 공법관계에 있어서 자연인의 주소는 주민등록지이고, 그 수는 1개소에 한한다.
② 특별한 규정이 없는 경우, 「민법」의 법률행위에 관한 규정 중 의사표시의 효력발생시기, 대리행위의 효력, 조건과 기한의 효력 등의 규정은 행정행위에도 적용된다.
③ 주민등록의 신고는 행정청에 도달하기만 하면 신고로서의 효력이 발생하는 것이 아니라 행정청이 수리한 경우에 비로소 신고의 효력이 발생한다.
④ 「건축법」상 착공신고가 반려될 경우 당사자에게 그 반려행위를 다툴 실익이 없는 것이므로 착공신고 반려행위의 처분성이 인정되지 않는다.

함께 정리하기

행정상 법률관계

공법상 주소
▷ 1개(주민등록지)

「민법」상 법률행위규정
▷ 성질상 허용되면 적용 可

주민등록신고
▷ 행위요건적 신고

건축법착공신고반려
▷ 행정처분○

2017년 지방직 9급

① (○) 자연인의 주소는 「민법」상으로는 생활의 근거가 되는 곳이 주소가 되지만, 행정법상으로는 주민등록지가 주소가 된다. 그리고 「민법」에 따르면 주소는 동시에 두 곳 이상 있을 수 있지만(제18조 제2항), 행정법상 주소의 경우에는 이중의 신고를 금하고 있으므로(「주민등록법」제10조 제2항) 원칙적으로 1개소에 한한다.

② (○) 「민법」의 법률행위에 관한 규정 중 의사표시의 효력발생시기, 대리행위의 효력, 조건과 기한의 효력 등의 일반 법원리적 규정은 행정행위와 같은 권력적 행정작용에도 적용된다.

③ (○) 대판 2009.1.30. 2006다17850

④ (×) 건축주 등으로서는 착공신고가 반려될 경우, 당해 건축물의 착공을 개시하면 시정명령, 이행강제금, 벌금의 대상이 되거나 당해 건축물을 사용하여 행할 행위의 허가가 거부될 우려가 있어 불안정한 지위에 놓이게 된다. 따라서 착공신고 반려행위가 이루어진 단계에서 당사자로 하여금 반려행위의 적법성을 다투어 법적 불안을 해소한 다음 건축행위에 나아가도록 함으로써 장차 있을지도 모르는 위험에서 미리 벗어날 수 있도록 길을 열어 주고, 위법한 건축물의 양산과 철거를 둘러싼 분쟁을 조기에 근본적으로 해결할 수 있게 하는 것이 법치행정의 원리에 부합한다. 그러므로 행정청의 착공신고 반려행위는 항고소송의 대상이 된다고 보는 것이 옳다(대판 2011.6.10. 2010두7321).

답 ④

050

신고에 대한 설명으로 가장 옳지 않은 것은? (다툼이 있는 경우 판례에 의함)

① 「건축법」에 따른 착공신고를 반려하는 행위는 당사자에게 장래의 법적 불이익이 예견되지 않아 이를 법적으로 다툴 실익이 없으므로 항고소송의 대상이 될 수 없다.
② 「건축법」에 따른 건축신고를 반려하는 행위는 장차 있을지도 모르는 위험에서 미리 벗어날 수 있도록 길을 열어주고 위법한 건축물의 양산과 그 철거를 둘러싼 분쟁을 조기에 근본적으로 해결할 수 있게 하여야 한다는 점에서 항고소송의 대상이 된다.
③ 인·허가의제 효과를 수반하는 건축신고는 행정청이 그 실체적 요건에 관한 심사를 한 후 수리하여야 하기 때문에 수리를 요하는 신고이다.
④ 「수산업법」 제44조 소정의 어업의 신고는 행정청의 수리에 의하여 비로소 그 효과가 발생하는 수리를 요하는 신고이다.

2017년 서울시 9급

① (×) 건축주 등으로서는 착공신고가 반려될 경우, 당해 건축물의 착공을 개시하면 시정명령, 이행강제금, 벌금의 대상이 되거나 당해 건축물을 사용하여 행할 행위의 허가가 거부될 우려가 있어 불안정한 지위에 놓이게 된다. 따라서 착공신고 반려행위가 이루어진 단계에서 당사자로 하여금 반려행위의 적법성을 다투어 법적 불안을 해소한 다음 건축행위에 나아가도록 함으로써 장차 있을지도 모르는 위험에서 미리 벗어날 수 있도록 길을 열어 주고, 위법한 건축물의 양산과 철거를 둘러싼 분쟁을 조기에 근본적으로 해결할 수 있게 하는 것이 법치행정의 원리에 부합한다. 그러므로 행정청의 착공신고 반려행위는 항고소송의 대상이 된다고 보는 것이 옳다(대판 2011.6.10. 2010두7321).
② (○) 대판 2010.11.18. 2008두167 전합
③ (○) 대판 2011.1.20. 2010두14954 전합
④ (○) 대판 2000.5.26. 99다37382

답 ①

문제 DATA
출제가능 지수 ▶▶▶
난이도 지수 ★★☆

함께 정리하기
신고

건축물착공신고반려
▷ 처분성○

건축신고반려
▷ 처분성○

인·허가의제 건축신고
▷ 행위요건적신고

「수산업법」상 어업신고
▷ 수리를 요하는 신고

제2편

행정작용법

제1장   행정입법
제2장   행정행위
제3장   그 밖의 행정의 주요 행위형식

제1장 행정입법

제1절 | 개설

001 ☐☐☐

「행정기본법」상 행정의 입법활동에 대한 설명으로 옳지 않은 것은?

① 국가나 지방자치단체가 법령 등을 제정·개정·폐지하고자 하거나 그와 관련된 활동을 할 때에는 헌법과 상위 법령을 위반해서는 아니 되며, 헌법과 법령 등에서 정한 절차를 준수하여야 한다.
② 행정의 입법활동은 일반 국민 및 이해관계자로부터 의견을 수렴하고 관계 기관과 충분한 협의를 거쳐 책임 있게 추진되어야 한다.
③ 법령 등의 내용과 규정은 다른 법령 등과 조화를 이루어야 하고 법령 등 상호간에 중복되거나 상충되지 아니하여야 한다.
④ 법령 등은 일반 국민이 그 내용을 쉽고 명확하게 이해할 수 있도록 알기 쉽게 만들어져야 한다.
⑤ 행정의 입법활동의 절차 및 정부입법계획의 수립에 관하여 필요한 사항은 정부의 법제업무에 대한 사항을 규율하는 부령으로 정한다.

| 2023년 소방간부

① (○)

> 「행정기본법」 제38조【행정의 입법활동】① 국가나 지방자치단체가 법령등을 제정·개정·폐지하고자 하거나 그와 관련된 활동(법률안의 국회 제출과 조례안의 지방의회 제출을 포함하며, 이하 이 장에서 "행정의 입법활동"이라 한다)을 할 때에는 헌법과 상위 법령을 위반해서는 아니 되며, 헌법과 법령등에서 정한 절차를 준수하여야 한다.

② (○)

> 「행정기본법」 제38조【행정의 입법활동】② 행정의 입법활동은 다음 각 호의 기준에 따라야 한다.
> 1. 일반 국민 및 이해관계자로부터 의견을 수렴하고 관계 기관과 충분한 협의를 거쳐 책임있게 추진되어야 한다.

③ (○)

> 「행정기본법」 제38조【행정의 입법활동】② 행정의 입법활동은 다음 각 호의 기준에 따라야 한다.
> 2. 법령등의 내용과 규정은 다른 법령등과 조화를 이루어야 하고, 법령등 상호간에 중복되거나 상충되지 아니하여야 한다.

④ (○)

> 「행정기본법」 제38조【행정의 입법활동】② 행정의 입법활동은 다음 각 호의 기준에 따라야 한다.
> 3. 법령등은 일반 국민이 그 내용을 쉽고 명확하게 이해할 수 있도록 알기 쉽게 만들어져야 한다.

⑤ (×)

> 「행정기본법」 제38조【행정의 입법활동】④ 행정의 입법활동의 절차 및 정부입법계획의 수립에 관하여 필요한 사항은 정부의 법제업무에 관한 사항을 규율하는 대통령령으로 정한다.

답 ⑤

문제 DATA
출제가능 지수 ▶▷▷
난이도 지수 ★★☆

함께 정리하기
「행정기본법」상 행정의 입법활동
헌법과 상위법령 위반×, 절차 준수
의견을 수렴하고 관계 기관과 충분한 협의 거쳐 책임 있게 추진
다른 법령 등과 조화되고 상호 중복·상충되지 아니하여야 함
행정의 입법활동의 절차 및 정부입법계획의 수립에 관하여 필요한 사항
▷ 대통령령으로 定

002

행정입법에 대한 설명으로 가장 옳지 않은 것은? (다툼이 있는 경우 판례에 의함)

① 헌법이 인정하고 있는 위임입법의 형식은 예시적인 것이다.
② 행정각부가 아닌 국무총리 소속의 독립기관은 독립하여 법규명령을 발할 수 있다.
③ 행정규칙인 고시가 법령의 수권에 의해 법령을 보충하는 사항을 정하는 경우에는 근거 법령규정과 결합하여 대외적으로 구속력 있는 법규명령의 효력을 갖는다.
④ 재량권 행사의 기준을 정하는 행정규칙을 재량준칙이라 한다.

2019년 서울시 9급

① (O) 헌법이 인정하고 있는 위임입법의 형식은 예시적인 것으로 보아야 할 것이고, 그것은 법률이 행정 규칙에 위임하더라도 그 행정규칙은 위임된 사항만을 규율할 수 있으므로, 국회입법의 원칙과 상치되지도 않는다(헌재 2004.10.28. 99헌바91).

유제 21. 경찰, 20. 군무원 9급 헌법이 인정하고 있는 위임입법의 형식은 예시적인 것으로 보아야 할 것이고, 법률이 행정규칙에 위임하더라도 그 행정규칙은 위임된 사항만을 규율할 수 있으므로 국회입법의 원칙과 상치되지 않는다. (O)
19. 사복직 헌법이 인정하고 있는 위임입법의 형식은 예시적인 것으로 보아야 한다. (O)

② (X) 헌법 제95조는 부령의 발령권자를 행정각부의 장으로 규정하고 있으므로 행정각부의 장에 해당하지 않는 국무총리 소속의 독립기관은 독립하여 법규명령을 발할 수 없다.

> 헌법 제95조 국무총리 또는 행정각부의 장은 소관사무에 관하여 법률이나 대통령령의 위임 또는 직권으로 총리령 또는 부령을 발할 수 있다.

유제 15. 서울시 9급 국민안전처장·인사혁신처장과 같은 국무총리 직속기관은 부령제정권을 가진다. (X)

③ (O) 행정규칙인 부령이나 고시가 법령의 수권에 의하여 법령을 보충하는 사항을 정하는 경우에는 그 근거 법령규정과 결합하여 대외적으로 구속력이 있는 법규명령으로서의 성질과 효력을 가진다(대판 2007.5.10. 2005도591).

④ (O) 재량준칙이란 행정기관에 재량권이 인정될 경우, 통일적이고 평등한 재량권행사의 확보를 위해 그 기준을 정하는 행정규칙을 의미한다.

답 ②

문제 DATA
출제가능 지수 ▶▷▷
난이도 지수 ★☆☆

함께 정리하기

행정입법

헌법상 위임입법형식
▷ 예시적

부령의 발령권자
▷ 행정각부의 장

법령보충규칙(행정규칙이 법령의 수권에 의해 법령을 보충하는 사항을 정하는 경우)
▷ 법령과 결합하여 대외적 구속력 有

재량준칙
▷ 재량권 행사의 기준을 정하는 행정규칙

제2절 | 법규명령

001 □□□

행정입법에 대한 설명으로 옳지 않은 것은?

① 행정규칙의 내용이 상위법령에 반하는 것이라면 법치국가원리에서 파생되는 법질서의 통일성과 모순금지 원칙에 따라 그것은 법질서상 당연무효이고, 행정내부적 효력도 인정될 수 없다.
② 행정처분이 법규성이 없는 내부지침 등의 규정에 위배된다고 하더라도 그 이유만으로 처분이 위법하게 되는 것은 아니고, 또 내부지침 등에서 정한 요건에 부합한다고 하여 반드시 그 처분이 적법한 것이라고 할 수도 없다.
③ 행정관청 내부의 사무처리규정에 불과한 전결규정에 위반하여 원래의 전결권자 아닌 보조기관 등이 처분권자인 행정관청의 이름으로 행정처분을 하였다면 그 처분은 권한 없는 자에 의하여 행하여진 무효의 처분이다.
④ 행정소송에 대한 대법원판결에 의하여 명령·규칙이 헌법 또는 법률에 위반된다는 것이 확정된 경우에는 대법원은 지체 없이 그 사유를 행정안전부장관에게 통보하여야 한다.

> 2025년 국가직 9급

① (O) 상급행정기관이 소속 공무원이나 하급행정기관에 대하여 세부적인 업무처리절차나 법령의 해석·적용 기준을 정해 주는 '행정규칙'은 상위법령의 구체적 위임이 있지 않는 한 조직 내부에서만 효력을 가질 뿐 대외적으로 국민이나 법원을 구속하는 효력이 없다. 행정규칙이 이를 정한 행정기관의 재량에 속하는 사항에 관한 것인 때에는 그 규정 내용이 객관적 합리성을 결여하였다는 등의 특별한 사정이 없는 한 법원은 이를 존중하는 것이 바람직하다. 그러나 행정규칙의 내용이 상위법령이나 법의 일반원칙에 반하는 것이라면 법치국가원리에서 파생되는 법질서의 통일성과 모순금지 원칙에 따라 그것은 법질서상 당연무효이고, 행정내부적 효력도 인정될 수 없다. 이러한 경우 법원은 해당 행정규칙이 법질서상 부존재하는 것으로 취급하여 행정기관이 한 조치의 당부를 상위법령의 규정과 입법 목적 등에 따라서 판단하여야 한다(대판 2020.5.28. 2017두66541 ; 대판 2019.10.31. 2013두20011).
② (O) 어떤 행정처분이 그와 같이 법규성이 없는 시행규칙 등의 규정에 위배된다고 하더라도 그 이유만으로 처분이 위법하게 되는 것은 아니라 할 것이고, 또 그 규칙 등에서 정한 요건에 부합한다고 하여 반드시 그 처분이 적법한 것이라고 할 수도 없다. 이 경우 처분의 적법 여부는 그러한 규칙 등에서 정한 요건에 합치하는지 여부가 아니라 일반 국민에 대하여 구속력을 가지는 법률 등 법규성이 있는 관계법령의 규정을 기준으로 판단하여야 한다(대판 2015.6.23. 2012두2986 ; 대판 2018.6.15. 2015두40248).
③ (X) 전결과 같은 행정권한의 내부위임은 법령상 처분권자인 행정관청이 내부적인 사무처리의 편의를 도모하기 위하여 그의 보조기관 또는 하급 행정관청으로 하여금 그의 권한을 사실상 행사하게 하는 것으로서 법률이 위임을 허용하지 않는 경우에도 인정되는 것이므로, 설사 행정관청 내부의 사무처리규정에 불과한 전결규정에 위반하여 원래의 전결권자 아닌 보조기관 등이 처분권자인 행정관청의 이름으로 행정처분을 하였다고 하더라도 그 처분이 권한 없는 자에 의하여 행하여진 무효의 처분이라고는 할 수 없다(대판 1998.2.27. 97누1105).
④ (O)

> 「행정소송법」제6조【명령·규칙의 위헌판결등 공고】① 행정소송에 대한 대법원판결에 의하여 명령·규칙이 헌법 또는 법률에 위반된다는 것이 확정된 경우에는 대법원은 지체 없이 그 사유를 행정안전부장관에게 통보하여야 한다.
> ② 제1항의 규정에 의한 통보를 받은 행정안전부장관은 지체 없이 이를 관보에 게재하여야 한다.

답 ③

문제 DATA
출제가능 지수 ▶▶▷
난이도 지수 ★★☆

함께 정리하기

행정입법

행정규칙의 내용이 상위법령이나 법의 일반원칙에 위반
▷ 당연무효(행정내부적 효력도 인정×)

처분이 법규성 없는 행정규칙에 위배
▷ 그 이유만으로 처분 위법×

처분이 법규성 없는 행정규칙에서 정한 요건에 부합
▷ 반드시 처분 적법×

전결규정에 위반하여 원래의 전결권자 아닌 보조기관 등이 처분권자인 행정관청의 이름으로 한 행정처분
▷ 무효×

명령·규칙이 헌법 또는 법률에 위배
▷ 대법원은 행정안전부장관에 통보하고, 행정안전부장관은 관보에 게재

002

포괄위임금지원칙에 대한 설명으로 가장 옳지 않은 것은? (다툼이 있는 경우 판례에 의함)

① 조례가 규정하고 있는 사항이 그 근거 법령 등에 비추어 볼 때 자치사무나 단체위임사무에 관한 것이라면 이는 자치조례로서 위임조례와 같이 국가법에 적용되는 일반적인 위임입법의 한계가 적용될 여지는 없다.
② 「헌법」 제95조는 부령에의 위임근거를 마련하면서 '구체적으로 범위를 정하여'라는 문구를 사용하고 있지는 않지만, 법률의 위임에 의한 대통령령에 가해지는 「헌법」상의 제한은 당연히 법률의 위임에 의한 부령의 경우에도 적용된다.
③ 법률에서 위임받은 사항을 전혀 규정하지 않고 재위임하는 것은 복위임금지 원칙에 반할 뿐 아니라 위임명령의 제정 형식에 관한 수권법의 내용을 변경하는 것이 되므로 허용되지 않으나 위임받은 사항에 관하여 대강을 정하고 그 중의 특정사항을 범위를 정하여 하위법령에 다시 위임하는 경우에는 재위임이 허용된다.
④ 구 「도시정비법」에서 사업시행인가 신청시의 동의요건을 조합의 정관에 포괄적으로 위임하고 있는 것은 「헌법」 제75조가 정하는 포괄위임입법금지의 원칙에 위배된다.

2025년 군무원 7급

① (○) 지방자치법 제9조 제1항과 제15조 등의 관련 규정에 의하면 지방자치단체는 원칙적으로 그 고유사무인 자치사무와 법령에 의하여 위임된 단체위임사무에 관하여 이른바 자치조례를 제정할 수 있는 외에, 개별 법령에서 특별히 위임하고 있을 경우에는 그러한 사무에 속하지 아니하는 기관위임사무에 관하여도 그 위임의 범위 내에서 이른바 위임조례를 제정할 수 있지만, 조례가 규정하고 있는 사항이 그 근거 법령 등에 비추어 볼 때 자치사무나 단체위임사무에 관한 것이라면 이는 자치조례로서 지방자치법 제15조가 규정하고 있는 '법령의 범위 안'이라는 사항적 한계가 적용될 뿐, 위임조례와 같이 국가법에 적용되는 일반적인 위임입법의 한계가 적용될 여지는 없다(대판 2000.11.24. 2000추29).
② (○) 헌법 제75조는 위임입법의 근거를 마련하는 한편 대통령령으로 입법할 수 있는 사항을 법률에서 구체적으로 범위를 정하여 위임받은 사항으로 한정함으로써 위임입법의 범위와 한계를 제시하고 있다. 그리고 헌법 제95조는 부령에서의 위임근거를 마련하면서 '구체적으로 범위를 정하여'라는 문구를 사용하고 있지는 않지만 법률의 위임에 의한 대통령령에 가해지는 헌법상의 제한은 당연히 법률의 위임에 의한 부령의 경우에도 적용된다. 따라서 법률로 부령에 위임을 하는 경우라도 적어도 법률의 규정에 의하여 부령으로 규정될 내용 및 범위의 기본사항을 구체적으로 규정함으로써 누구라도 당해 법률로부터 부령에 규정될 내용의 대강을 예측할 수 있도록 하여야 한다(헌재 2022.9.29. 2021헌바3).
③ (○) 법률에서 위임받은 사항을 전혀 규정하지 않고 재위임하는 것은 복위임금지 원칙에 반할 뿐 아니라 위임명령의 제정 형식에 관한 수권법의 내용을 변경하는 것이 되므로 허용되지 않으나 위임받은 사항에 관하여 대강을 정하고 그 중의 특정사항을 범위를 정하여 하위법령에 다시 위임하는 경우에는 재위임이 허용된다. 이러한 법리는 조례가 지방자치법 제22조 단서에 따라 주민의 권리제한 또는 의무부과에 관한 사항을 법률로부터 위임받은 후, 이를 다시 지방자치단체장이 정하는 '규칙'이나 '고시' 등에 재위임하는 경우에도 마찬가지이다(대판 2015.1.15. 2013두14238).
④ (×)
  [1] 법률이 공법적 단체 등의 정관에 자치법적 사항을 위임한 경우에는 헌법 제75조가 정하는 포괄적인 위임입법의 금지는 원칙적으로 적용되지 않는다고 봄이 상당하고, 그렇다 하더라도 그 사항이 국민의 권리·의무에 관련되는 것일 경우에는 적어도 국민의 권리·의무에 관한 기본적이고 본질적인 사항은 국회가 정하여야 한다.
  [2] 구 도시 및 주거환경정비법(2005.3.18. 법률 제7392호로 개정되기 전의 것)상 사업시행자에게 사업시행계획의 작성권이 있고 행정청은 단지 이에 대한 인가권만을 가지고 있으므로 사업시행자인 조합의 사업시행계획 작성은 자치법적 요소를 가지고 있는 사항이라 할 것이고, 이와 같이 사업시행계획의 작성이 자치법적 요소를 가지고 있는 이상, 조합의 사업시행인가 신청시의 토지 등 소유자의 동의요건 역시 자치법적 사항이라 할 것이며, 따라서 2005.3.18. 법률 제7392호로 개정된 도시 및 주거환경정비법 제28조 제4항 본문이 사업시행인가 신청시의 동의요건을 조합의 정관에 포괄적으로 위임하고 있다 하더라도 헌법 제75조가 정하는 포괄위임입법금지의 원칙이 적용되지 아니하므로

문제 DATA
출제가능 지수 ▶▶▷
난이도 지수 ★★☆

함께 정리하기

포괄위임금지원칙

자치조례
▷ 위임조례와 달리 위임입법 한계 적용×

헌법상 구체적 위임의 요구
▷ 대통령령뿐만 아니라 부령의 경우에도 적용○

재위임
▷ 대강 정하고 특정사항 범위 정해야 可

조합의 사업시행인가 신청시 동의요건을 정관에 포괄적 위임
▷ 포괄위임금지원칙 위배×

이에 위배된다고 할 수 없다. 그리고 조합의 사업시행인가 신청시의 토지 등 소유자의 동의요건이 비록 토지 등 소유자의 재산상 권리·의무에 영향을 미치는 사업시행계획에 관한 것이라고 하더라도, 그 동의요건은 사업시행인가 신청에 대한 토지 등 소유자의 사전 통제를 위한 절차적 요건에 불과하고 토지 등 소유자의 재산상 권리·의무에 관한 기본적이고 본질적인 사항이라고 볼 수 없으므로 법률유보 내지 의회유보의 원칙이 반드시 지켜져야 하는 영역이라고 할 수 없고, 따라서 개정된 도시 및 주거환경정비법 제28조 제4항 본문이 법률유보 내지 의회유보의 원칙에 위배된다고 할 수 없다(대판 2007.10.12. 2006두14476).

답 ④

003

행정입법에 대한 설명으로 옳은 것만을 고른 것은? (다툼이 있는 경우 판례에 의함)

ㄱ. 제재적 행정처분의 기준이 부령 형식으로 규정되어 있더라도 그것은 행정청 내부의 사무처리준칙을 규정한 것에 지나지 않아 대외적으로 국민이나 법원을 기속하는 효력이 없다.
ㄴ. 일반적으로 법률의 위임에 따라 효력을 갖는 법규명령의 경우에 그 위임의 근거가 없어 무효였더라도 나중에 법 개정으로 위임의 근거가 부여되면 그때부터는 유효한 법규명령으로 볼 수 있다.
ㄷ. 재량준칙은 일반적으로 행정조직 내부에서 효력을 가지므로 행정처분이 이를 위반하였다면 그러한 사정만으로 곧바로 위법하게 된다.
ㄹ. 행정규칙이 이를 정한 행정기관의 재량에 속하는 사항에 관한 것인 때에는 그 규정 내용이 객관적 합리성을 결여하였다는 등의 특별한 사정이 없는 한 법원은 이를 존중하는 것이 바람직하다.
ㅁ. 행정 각부의 장이 정하는 특정 고시가 법령에 근거를 둔 것이라면, 설령 그 규정 내용이 법령의 위임 범위를 벗어난 것이더라도 법규명령으로서의 대외적 구속력을 인정할 수 있다.

① ㄱ, ㄴ, ㄹ
② ㄱ, ㄴ, ㅁ
③ ㄱ, ㄷ, ㄹ
④ ㄴ, ㄷ, ㅁ
⑤ ㄷ, ㄹ, ㅁ

| 2025년 소방간부

ㄱ. (○) 제재적 행정처분의 기준이 부령의 형식으로 규정되어 있더라도 그것은 행정청 내부의 사무처리준칙을 정한 것에 지나지 아니하여 대외적으로 국민이나 법원을 기속하는 효력이 없고, 당해 처분의 적법 여부는 위 처분기준만이 아니라 관계 법령의 규정 내용과 취지에 따라 판단되어야 하므로, 위 처분기준에 적합하다 하여 곧바로 당해 처분이 적법한 것이라고 할 수는 없다(대판 2007.9.20. 2007두6946).
ㄴ. (○) 일반적으로 법률의 위임에 의하여 효력을 갖는 법규명령의 경우, 구법에 위임의 근거가 없어 무효였더라도 사후에 법개정으로 위임의 근거가 부여되면 그 때부터는 유효한 법규명령이 되나, 반대로 구법의 위임에 의한 유효한 법규명령이 법개정으로 위임의 근거가 없어지게 되면 그 때부터 무효인 법규명령이 되므로, 어떤 법령의 위임 근거 유무에 따른 유효 여부를 심사하려면 법개정의 전·후에 걸쳐 모두 심사하여야만 그 법규명령의 시기에 따른 유효·무효를 판단할 수 있다(대판 1995.6.30. 93추83).

ㄷ. (×) 재량준칙은 일반적으로 행정조직 내부에서만 효력을 가질 뿐 대외적인 구속력을 갖는 것은 아니므로 행정처분이 이를 위반하였다고 하여 그러한 사정만으로 곧바로 위법하게 되는 것은 아니고, 다만 그 재량준칙이 정한 바에 따라 되풀이 시행되어 행정관행이 이루어지게 되면 평등의 원칙이나 신뢰보호의 원칙에 따라 행정기관은 그 상대방에 대한 관계에서 그 규칙에 따라야 할 자기구속을 받게 되므로, 이러한 경우에는 특별한 사정이 없는 한 그에 반하는 처분은 평등의 원칙이나 신뢰보호의 원칙에 어긋나 재량권을 일탈·남용한 위법한 처분이 된다(대판 2013.11.14. 2011두28783).

ㄹ. (○) 상급행정기관이 소속 공무원이나 하급행정기관에 대하여 세부적인 업무처리절차나 법령의 해석·적용 기준을 정해 주는 '행정규칙'은 상위법령의 구체적 위임이 있지 않는 한 행정조직 내부에서만 효력을 가질 뿐 대외적으로 국민이나 법원을 구속하는 효력이 없다. 다만 행정규칙이 이를 정한 행정기관의 재량에 속하는 사항에 관한 것인 때에는 그 규정 내용이 객관적 합리성을 결여하였다는 등의 특별한 사정이 없는 한 법원은 이를 존중하는 것이 바람직하다(대판 2019.10.31. 2013두20011).

ㅁ. (×) 행정 각부의 장이 정하는 고시가 비록 법령에 근거를 둔 것이라고 하더라도 그 규정 내용이 법령의 위임 범위를 벗어난 것일 경우에는 법규명령으로서의 대외적 구속력을 인정할 여지는 없다(대결 2006.4.28. 2003마715).

답 ①

004 □□□

행정입법에 대한 설명으로 가장 옳지 않은 것은? (다툼이 있는 경우 판례에 의함)

① 「헌법」이 인정하고 있는 위임입법의 형식은 예시적인 것으로 보아야 할 것이고, 그것은 법률이 행정규칙에 위임하더라도 그 행정규칙은 위임된 사항만을 규율할 수 있으므로, 국회입법의 원칙과 상치되지 않는다.

② 법원이 구체적 규범통제를 통해 위헌·위법으로 선언할 심판대상은, 해당 규정의 전부가 불가분적으로 결합되어 있어 일부를 무효로 하는 경우 나머지 부분이 유지될 수 없는 결과를 가져오는 특별한 사정이 없는 한, 원칙적으로 해당 규정 중 재판의 전제성이 인정되는 조항에 한정된다.

③ 입법자에게 상세한 규율이 불가능한 것으로 보이는 영역이라면 행정부에게 필요한 보충을 할 책임이 인정되고 극히 전문적인 식견에 좌우되는 영역에서는 행정기관에 의한 구체화의 우위가 불가피하게 있을 수 있다고 할 수 있지만, 그러한 영역이라도 행정규칙에 대한 위임입법은 제한적으로도 인정될 수 없다.

④ 행정규칙은 법규명령과 같은 엄격한 제정 및 개정절차를 요하지 아니하므로, 재산권 등과 같은 기본권을 제한하는 작용을 하는 법률이 입법위임을 할 때에는 대통령령 등 법규명령에 위임함이 바람직하다.

함께 정리하기

행정입법

헌법이 인정하는 위임입법 형식
▷ 예시적
▷ 법령보충규칙 가

구체적 규범통제대상
▷ 재판의 전제성이 인정되는 조항에 한정

입법자가 상세한 규율이 불가능한 전문적 사항
▷ 행정규칙에 대한 위임 제한적으로 인정

재산권 등과 같은 기본권을 제한하는 입법위임
▷ 법규명령에 위임함이 바람직

문제 DATA

출제가능 지수 ▶▶▷
난이도 지수 ★★☆

2025년 군무원 9급

①, ④ (○) 오늘날 의회의 입법독점주의에서 입법중심주의로 전환하여 일정한 범위 내에서 행정입법을 허용하게 된 동기가 사회적 변화에 대응한 입법수요의 급증과 종래의 형식적 권력분립주의로는 현대사회에 대응할 수 없다는 기능적 권력분립론에 있다는 점 등을 감안하여 헌법 제40조와 헌법 제75조, 제95조의 의미를 살펴보면, 국회입법에 의한 수권이 입법기관이 아닌 행정기관에게 법률 등으로 구체적인 범위를 정하여 위임한 사항에 관하여는 당해 행정기관에게 법정립의 권한을 갖게 되고, 입법자가 규율의 형식도 선택할 수 있다 할 것이므로, <u>헌법이 인정하고 있는 위임입법의 형식은 예시적인 것으로 보아야 할 것이고, 그것은 법률이 행정규칙에 위임하더라도 그 행정규칙은 위임된 사항만을 규율할 수 있으므로, 국회입법의 원칙과 상치되지도 않는다</u>(①). 다만 행정규칙은 <u>법규명령과 같은 엄격한 제정 및 개정절차를 요하지 아니하므로, 재산권 등과 같은 기본권을 제한하는 작용을 하는 법률이 입법위임을 할 때에는 대통령령, 총리령, 부령 등 법규명령에 위임함이 바람직하고</u>(④), 고시와 같은 형식으로 입법위임을 할 때에는 적어도 행정규제기본법 제4조 제2항 단서에서 정한 바와 같이 법령이 전문적·기술적 사항이나 경미한 사항으로서 업무의 성질상 위임이 불가피한 사항에 한정된다 할 것이고, 그러한 사항이라 하더라도 포괄위임금지의 원칙상 법률의 위임은 반드시 구체적·개별적으로 한정된 사항에 대하여 행하여져야 한다(헌재 2006.12.28. 2005헌바59).

② (○) 법원이 법률 하위의 법규명령, 규칙, 조례, 행정규칙 등(이하 '규정'이라 한다)이 위헌·위법인지를 심사하려면 그것이 '재판의 전제'가 되어야 한다. 여기에서 '재판의 전제'란 구체적 사건이 법원에 계속 중이어야 하고, 위헌·위법인지가 문제 된 경우에는 규정의 특정 조항이 해당 소송사건의 재판에 적용되는 것이어야 하며, 그 조항이 위헌·위법인지에 따라 그 사건을 담당하는 법원이 다른 판단을 하게 되는 경우를 말한다. 따라서 <u>법원이 구체적 규범통제를 통해 위헌·위법으로 선언할 심판대상은, 해당 규정의 전부가 불가분적으로 결합되어 있어 일부를 무효로 하는 경우 나머지 부분이 유지될 수 없는 결과를 가져오는 특별한 사정이 없는 한, 원칙적으로 해당 규정 중 재판의 전제성이 인정되는 조항에 한정된다</u>(대판 2019.6.13. 2017두33985).

③ (×) <u>헌법이 인정하고 있는 위임입법의 형식은 예시적인 것으로 보아야 할 것이고, 그것은 법률이 행정규칙에 위임하더라도 그 행정규칙은 위임된 사항만을 규율할 수 있으므로, 국회입법의 원칙과 상치되지도 않는다.</u> 다만, 형식의 선택에 있어서 규율의 밀도와 규율영역의 특성이 개별적으로 고찰되어야 할 것이고, 그에 따라 입법자에게 상세한 규율이 불가능한 것으로 보이는 영역이라면 행정부에게 필요한 보충을 할 책임이 인정되고 극히 전문적인 식견에 좌우되는 영역에서는 행정기관에 의한 구체화의 우위가 불가피하게 있을 수 있다. 그러한 영역에서 행정규칙에 대한 위임입법이 제한적으로 인정될 수 있다(헌재 2004.10.28. 99헌바91).

답 ③

005 ☐☐☐

법규명령의 사법적 통제에 대한 설명으로 옳은 것은? (다툼이 있는 경우 판례에 의함)

① 우리나라는 「지방자치법」에 따른 조례에 대한 사전적·구체적 규범통제가 예외적으로 인정되는 것 외에 원칙적으로 추상적 규범통제가 인정되고 있다.
② 구체적 규범통제는 원칙적으로 사전적 통제, 직접적 통제가 되고 추상적 규범통제는 원칙적으로 사후적 통제, 간접적 통제가 된다.
③ 헌법소원심판과 처분적 법규명령에 대한 취소소송은 간접적 통제에 속한다.
④ 헌법 제107조 제2항은 명령·규칙의 위헌·위법성 여부에 대한 최종심사권을 대법원에 부여하고 있으나 헌법재판소는 헌법소원심판을 통하여 법규명령에 대한 위헌심판권을 인정하고 있다.

2025년 경찰간부

① (✕) 우리나라는 헌법 제107조 제2항에 따라 명령·규칙에 대한 구체적 규범통제를 원칙으로 하고 있고, 지방자치법에 따른 조례에 대한 규범통제는 사전적·추상적 규범통제가 예외적으로 인정되는 것이지, 사전적·구체적 규범통제가 인정되는 것이 아니다.
② (✕) 구체적 규범통제와 추상적 규범통제가 반대로 설명되어 있다. 구체적 규범통제는 원칙적으로 사후적 통제, 간접적 통제의 성격을 가지고, 추상적 규범통제는 원칙적으로 사전적 통제, 직접적 통제의 성격을 가진다. 즉 구체적 규범통제는 법규명령이 이미 시행된 후에 그 법규명령에 근거한 처분 등에 대한 소송에서 부수적으로 법규명령의 위법성을 다투는 형태이고, 추상적 규범통제는 구체적 사건에 대해 재판이 개시되지 않은 상태에서 하위법이 상위법에 위반되는지 여부를 심사하는 것이다.
③ (✕) 헌법소원심판은 공권력의 행사 또는 불행사로 인하여 헌법상 보장된 기본권을 침해받은 자가 청구하는 것으로, 법규명령에 대한 헌법소원은 직접적 통제에 해당하고, 처분적 법규명령에 대한 취소소송도 법규명령 자체를 직접 소송의 대상으로 하는 것이므로 직접적 통제에 해당한다.
④ (○) 헌법재판소는 헌법소원심판을 통해 법규명령에 대한 위헌심사권을 인정하고 있다.

> 헌법 제107조 ② 명령·규칙 또는 처분이 헌법이나 법률에 위반되는 여부가 재판의 전제가 된 경우에는 대법원은 이를 최종적으로 심사할 권한을 가진다.

[구 법무사법 시행규칙 제3조 제1항(법원행정처장이 법무사를 보충할 필요가 없다고 인정하면 법무사 시험을 실시하지 아니하여도 된다)에 대한 헌법소원사건에서] 헌법 제107조 제2항이 규정한 명령·규칙에 대한 대법원의 최종심사권이란 구체적인 소송사건에서 명령·규칙의 위헌여부가 재판의 전제가 되었을 경우 법률의 경우와는 달리 헌법재판소에 제청할 것 없이 대법원의 최종적으로 심사할 수 있다는 의미이며, 명령·규칙 그 자체에 의하여 직접 기본권이 침해되었음을 이유로 하여 헌법소원심판을 청구하는 것은 위 헌법규정과는 아무런 상관이 없는 문제이다. 따라서 입법부·행정부·사법부에서 제정한 규칙이 별도의 집행행위를 기다리지 않고 직접 기본권을 침해하는 것일 때에는 모두 헌법소원심판의 대상이 될 수 있는 것이다 … 법령자체에 의한 직접적인 기본권침해 여부가 문제되었을 경우 그 법령의 효력을 직접 다투는 것을 소송물로 하여 일반 법원에 구제를 구할 수 있는 절차는 존재하지 아니하므로 이 사건에서는 다른 구제절차를 거칠 것 없이 바로 헌법소원심판을 청구할 수 있는 것이다. 법무사법 시행규칙 제3조 제1항은 법원행정처장이 법무사를 보충할 필요가 없다고 인정하면 법무사 시험을 실시하지 아니해도 된다는 것으로서 상위법인 법무사법 제4조 제1항에 의하여 모든 국민에게 부여된 법무사 자격취득의 기회를 하위법인 시행규칙으로 박탈한 것이어서 평등권과 직업선택의 자유를 침해한 것이다(헌재 1990.10.15. 89헌마178).

답 ④

함께 정리하기

법규명령의 사법적 통제

원칙
▷ 사후적·구체적 규범통제

예외
▷ 조례: 사전적·추상적 규범통제

구체적 규범통제
▷ 사후적·간접적 통제

추상적 규범통제
▷ 사전적·직접적 통제

헌법소원심판과 처분적 법규명령에 대한 취소소송
▷ 직접적 통제

헌법 제107조 제2항
▷ 최종심사 대법원

법령 헌법소원심판
▷ 헌법재판소

006 □□□

행정입법에 대한 설명으로 옳은 것은?

① 「법령 등 공포에 관한 법률」에 의하면 총리령 및 부령은 특별한 규정이 없으면 공포한 날부터 14일이 경과함으로써 효력을 발생한다.
② 헌법은 위임입법의 형식을 한정적으로 열거하고 있으므로 헌법에서 예정하고 있지 않은 규율 형식을 선택하여 법령을 제정할 수는 없다.
③ 법률에서 "중대한 교통사고로 많은 사상자를 발생하게 한 경우 운송사업 정지명령을 할 수 있다."라고 하면서, "중대한 교통사고의 범위는 대통령령으로 정한다."라고 규정한 경우 대통령령에서 '1건의 교통사고로 인하여 2인 이하가 중상을 입은 때'를 중대한 교통사고의 하나로 규정하였다면 해당 대통령령의 규정은 위임범위를 벗어나 무효이다.
④ 감사원규칙은 행정기관의 장이 제정한 행정규칙으로서 대외적인 구속력이 없다.
⑤ 「행정기본법」에 의하면 법령등을 공포한 날부터 일정 기간이 경과한 날부터 시행하는 경우 그 기간의 말일이 토요일 또는 공휴일인 때에는 그 익일로 만료한다.

문제 DATA

출제가능 지수 ▶▶▷
난이도 지수 ★★★

함께 정리하기

행정입법

총리령 및 부령
▷ 공포 후 20일 효력 발생

헌법상 위임입법의 형식
▷ 예시

중대한 교통사고에 1인이 중상을 입은 때 포함한 시행령
▷ 위임범위를 벗어나 무효

감사원규칙
▷ 대외적인 구속력 O

법령등을 일정 기간이 경과한 날부터 시행하는 경우
▷ 기간의 말일이 토요일 또는 공휴일인 경우에도 기간은 그 날로 만료

2025년 국회직 8급

① (×)

> 「법령 등 공포에 관한 법률」 제13조【시행일】대통령령, 총리령 및 부령은 특별한 규정이 없으면 공포한 날부터 20일이 경과함으로써 효력을 발생한다.

② (×) 오늘날 의회의 입법독점주의에서 입법중심주의로 전환하여 일정한 범위 내에서 행정입법을 허용하게 된 동기가 사회적 변화에 대응한 입법수요의 급증과 종래의 형식적 권력분립주의로는 현대사회에 대응할 수 없다는 기능적 권력분립론에 있다는 점 등을 감안하여 헌법 제40조와 헌법 제75조, 제95조의 의미를 살펴보면, 국회입법에 의한 수권이 입법기관이 아닌 행정기관에게 법률 등으로 구체적인 범위를 정하여 위임한 사항에 관하여는 당해 행정기관에게 법정립의 권한을 갖게 되고, 입법자가 규율의 형식도 선택할 수 있다 할 것이므로, 헌법이 인정하고 있는 위임입법의 형식은 예시적인 것으로 보아야 할 것이고, 그것은 법률이 행정규칙에 위임하더라도 그 행정규칙은 위임된 사항만을 규율할 수 있으므로, 국회입법의 원칙과 상치되지도 않는다(헌재 2006.12.28. 2005헌바59).

③ (○) 구 화물자동차 운수사업법(2011.6.15. 법률 제10804호로 개정되기 전의 것, 이하 '구 화물자동차법'이라고 한다)과 구 화물자동차 운수사업법 시행령(2010.11.24. 대통령령 제22502호로 개정되기 전의 것, 이하 '구 화물자동차법 시행령'이라고 한다)의 규정 형식과 내용 등에 의하면 구 화물자동차법 제19조 제1항 제11호에 규정된 "중대한 교통사고 또는 빈번한 교통사고로 많은 사상자를 발생하게 한 경우"는 빈번한 교통사고뿐 아니라 중대한 교통사고에도 '많은 사상자'의 발생을 요건으로 하고 있다고 보아야 한다. 그리고 여기에 규정된 '많은'은 문언상 복수(복수), 즉 적어도 2인 이상을 의미하므로 1인은 포함되지 않는다고 해석하는 것이 타당하다. 나아가 위와 같이 1인의 중상자가 발생한 경우를 구 화물자동차법상 제재 대상에서 제외하더라도 화물자동차의 교통사고로 인한 인명의 사상(사상)을 억제함으로써 화물자동차 운수사업을 효율적으로 관리하고 건전하게 육성하여 공공복리의 증진에 기여하려는 구 화물자동차법의 목적에 반한다고 보기는 어렵다. 그럼에도 구 화물자동차법 시행령 제6조 제1항 [별표 1] 제12호 (가)목은 '1건의 교통사고로 인하여 2인 이하가 중상을 입은 때'를 위반차량 운행정지 처분의 대상으로 규정함으로써 결과적으로 1인의 중상자가 발생한 경우도 구 화물자동차법상 제재 대상으로 삼고 있다. 앞서 본 '많은'의 문언적 의미를 비롯하여 구 화물자동차법의 입법 목적, 규정 내용, 규정 체계 등을 종합하면, 구 화물자동차법 시행령 제6조 제1항 [별표 1] 제12호 (가)목에 규정된 '2인 이하가 중상을 입은 때' 중 '1인이 중상을 입은 때' 부분은 모법인 구 화물자동차법 제19조 제1항 및 제2항의 위임범위를 벗어난 것으로서 무효이다(대판 2012.12.20. 2011두30878 전합).

④ (×) 헌법이 명시적으로 규정한 행정입법의 법형식은 예시적인 것으로 볼 수 있으므로, 법률에 근거한 다른 형태의 법규명령도 가능하다는 견해에 따라 통설은 감사원규칙을 감사원법 제52조에 근거를 둔 법규명령으로 보고 있다.

> 「감사원법」 제52조【감사원규칙】감사원은 감사에 관한 절차, 감사원의 내부 규율과 감사사무 처리에 관한 규칙을 제정할 수 있다.

⑤ (×)

> 「행정기본법」 제7조【법령등 시행일의 기간 계산】법령등(훈령·예규·고시·지침 등을 포함한다. 이하 이 조에서 같다)의 시행일을 정하거나 계산할 때에는 다음 각 호의 기준에 따른다.
> 1. 법령등을 공포한 날(훈령·예규·고시·지침 등은 고시·공고 등의 방법으로 발령한 날을 말한다. 이하 이 조에서 같다)부터 시행하는 경우에는 공포한 날을 시행일로 한다.
> 2. 법령등을 공포한 날부터 일정 기간이 경과한 날부터 시행하는 경우 법령등을 공포한 날을 첫날에 산입하지 아니한다.
> 3. 법령등을 공포한 날부터 일정 기간이 경과한 날부터 시행하는 경우 그 기간의 말일이 토요일 또는 공휴일인 때에는 그 말일로 기간이 만료한다.

답 ③

007

위임입법에 대한 설명으로 옳지 않은 것은? (다툼이 있는 경우 판례에 의함)

① 법률이 행정부가 아니거나 행정부에 속하지 않는 공법적 기관의 정관에 특정 사항을 정할 수 있다고 위임하는 경우에는 권력분립의 원칙을 훼손할 여지가 없으므로 헌법 제75조, 제95조가 정하는 포괄위임입법의 금지는 원칙적으로 적용되지 않는다.

② 헌법 제95조는 부령에의 위임근거를 마련하면서 헌법 제75조와 같이 '구체적으로 범위를 정하여'라는 문구를 사용하고 있지는 않지만, 법률의 위임에 의한 대통령령에 가해지는 헌법상의 제한은 당연히 법률의 위임에 의한 부령의 경우에도 적용된다.

③ 「국군포로의 송환 및 대우 등에 관한 법률」은 등록포로 등을 대통령령에 따라 예우할 수 있도록 규정하고 있을 뿐 예우의 내용이나 방식 등에 관하여 아무런 규정을 두고 있지 아니하여 대통령령의 제정 없이 상위법령의 규정만으로는 집행 가능하다고 볼 수 없으므로, 대통령은 등록포로 등의 예우에 관한 대통령령을 제정 또는 개정할 의무가 있다.

④ 헌법이 인정하고 있는 위임입법의 형식은 예시적인 것으로 보아야 할 것이고, 법률이 일정한 사항을 행정규칙에 위임하더라도 그 행정규칙은 위임된 사항만을 규율할 수 있으므로, 국회입법의 원칙과 상치되지 않는다.

⑤ 위임입법의 법리는 헌법의 근본원리인 권력분립주의와 의회주의 내지 법치주의에 바탕을 두는 것이기 때문에 행정부에서 제정된 대통령령에서 규정한 내용이 정당한 것인지 여부와 위임의 적법성은 직접적인 관계가 있다.

2025년 변호사

① (O) 헌법 제75조, 제95조의 문리해석상 및 법리해석상 포괄적인 위임입법의 금지는 법규적 효력을 가지는 행정입법의 제정을 그 주된 대상으로 하고 있다. 위임입법을 엄격한 헌법적 한계 내에 두는 이유는 무엇보다도 권력분립의 원칙에 따라 국민의 자유와 권리에 관계되는 사항은 국민의 대표기관이 정하는 것이 원칙이라는 법리에 기인한 것이다. 즉, 행정부에 의한 법규사항의 제정은 입법부의 권한 내지 의무를 침해하고 자의적인 시행령 제정으로 국민들의 자유와 권리를 침해할 수 있기 때문에 엄격한 헌법적 기속을 받게 하는 것이다. 그런데 법률이 행정부가 아니거나 행정부에 속하지 않는 공법적 기관의 정관에 특정 사항을 정할 수 있다고 위임하는 경우에는 그러한 권력분립의 원칙을 훼손할 여지가 없다. 이는 자치입법에 해당되는 영역이므로 자치적으로 정하는 것이 바람직하다. 따라서 법률이 정관에 자치법적 사항을 위임한 경우에는 헌법 제75조, 제95조가 정하는 포괄적인 위임입법의 금지는 원칙적으로 적용되지 않는다고 봄이 상당하다(헌재 2006.3.30. 2005헌바31).

② (O) 헌법 제75조는 위임입법의 근거를 마련하는 한편 대통령령으로 입법할 수 있는 사항을 법률에서 구체적으로 범위를 정하여 위임받은 사항으로 한정함으로써 위임입법의 범위와 한계를 제시하고 있다. 그리고 헌법 제95조는 부령에의 위임근거를 마련하면서 '구체적으로 범위를 정하여'라는 문구를 사용하고 있지는 않지만, 법률의 위임에 의한 대통령령에 가해지는 헌법상의 제한은 당연히 법률의 위임에 의한 부령의 경우에도 적용된다(헌재 2023.7.20. 2020헌바330)

③ (O) 국군포로법 제15조의5 제2항은 같은 조 제1항에 따른 예우의 신청, 기준, 방법 등에 필요한 사항은 대통령령으로 정한다고 규정하고 있으므로, 피청구인은 등록포로, 등록하기 전에 사망한 귀환포로, 귀환하기 전에 사망한 국군포로(이하 '등록포로 등'이라 한다)에 대한 예우의 신청, 기준, 방법 등에 필요한 사항을 대통령령으로 제정할 의무가 있다. 국군포로법 제15조의5 제1항이 국방부장관으로 하여금 예우 여부를 재량으로 정할 수 있도록 하고 있으나, 이것은 예우 여부를 재량으로 한다는 의미이지, 대통령령 제정 여부를 재량으로 한다는 의미는 아니다. 이처럼 피청구인에게는 대통령령을 제정할 의무가 있음에도, 그 의무는 상당 기간 동안 불이행되고 있고, 이를 정당화할 이유도 찾아보기 어렵다. 그렇다면 이 사건 행정입법부작위는 등록포로 등의 가족인 청구인(북한이탈주민)의 명예권을 침해하는 것으로서 헌법에 위반된다(헌재 2018.5.31. 2016헌마626, 대한민국으로 귀환하기 전에 사망한 국군포로에 대한 대우와 지원에 관한 입법조치를 취하지 않은 국회의 입법부작위 및 '국군포로의 송환 및 대우에 관한 법률' 제15조의5 제2항에 따른 대통령령을 제정하지 않은 행정입법부작위).

문제 DATA

출제가능 지수 ▶▶▷
난이도 지수 ★★★

함께 정리하기

위임입법

정관에 자치법적 사항 위임
▷ 포괄위임금지 적용×

헌법상 구체적 위임의 요구
▷ 대통령령뿐만 아니라 부령의 경우에도 적용○

국군포로에 대한 예우의 내용이나 방식 등에 관한 대통령령 입법부작위
▷ 위헌

헌법이 인정하는 위임입법 형식
▷ 예시적
▷ 법령보충규칙 可

대통령령의 내용이 정당한 것인지 여부와 위임의 적법성
▷ 직접적인 관계×

④ (○) 오늘날 의회의 입법독점주의에서 입법중심주의로 전환하여 일정한 범위 내에서 행정입법을 허용하게 된 동기가 사회적 변화에 대응한 입법수요의 급증과 종래의 형식적 권력분립주의로는 현대사회에 대응할 수 없다는 기능적 권력분립론에 있다는 점 등을 감안하여 헌법 제40조와 헌법 제75조, 제95조의 의미를 살펴보면, 국회입법에 의한 수권이 입법기관이 아닌 행정기관에게 법률 등으로 구체적인 범위를 정하여 위임한 사항에 관하여는 당해 행정기관에게 법정립의 권한을 갖게 되고, 입법자가 규율의 형식도 선택할 수도 있다 할 것이므로, 헌법이 인정하고 있는 <u>위임입법의 형식은 예시적인 것으로 보아야 할 것이고, 그것은 법률이 행정규칙에 위임하더라도 그 행정규칙은 위임된 사항만을 규율할 수 있으므로, 국회입법의 원칙과 상치되지도 않는다</u>(헌재 2004.10.28. 99헌바91).

⑤ (×) <u>위임입법의 법리는 헌법의 근본원리인 권력분립주의와 의회주의 내지 법치주의에 바탕을 두는 것이기 때문에 행정부에서 제정된 대통령령에서 규정한 내용이 정당한 것인지 여부와 위임의 적법성은 직접적인 관계가 없다. 따라서 대통령령으로 규정한 내용이 헌법에 위반될 경우라도 그 대통령령의 규정이 위헌으로 되는 것은 별론으로 하고 그로 인하여 정당하고 적법하게 입법권을 위임한 수권법률조항까지 위헌으로 되는 것은 아니다</u>(헌재 2010.12.28. 2009헌바145등).

답 ⑤

008 □□□

행정입법에 대한 설명으로 옳은 것은?

① 법률의 위임에 의해 유효하게 성립된 법규명령은 이후 법개정으로 위임의 근거가 없어지더라도 법규명령의 효력에 영향이 없다.
② 행정권의 행정입법 등 법집행의무는 헌법적 의무라고 보아야 할 것이므로, 하위 행정입법의 제정 없이 상위 법령의 규정만으로 집행이 이루어질 수 있는 경우라도 하위 행정입법을 하여야 할 헌법적 작위의무는 인정된다.
③ 법률조항의 위임에 따라 대통령령으로 규정한 내용이 헌법에 위반되는 경우에는 그로 인하여 모법인 해당 수권(授權) 법률조항도 위헌이 된다.
④ 법률이 행정부가 아니거나 행정부에 속하지 않는 공법적 기관의 정관에 자치입법적 사항을 위임하는 경우 헌법에서 정한 포괄적인 위임입법의 금지는 원칙적으로 적용되지 않는다.

| 2024년 국가직 7급

① (×) 일반적으로 법률의 위임에 의하여 효력을 갖는 법규명령의 경우, 구법에 위임의 근거가 없어 무효였더라도 사후에 법개정으로 위임의 근거가 부여되면 그 때부터는 유효한 법규명령이 되나, 반대로 구법의 위임에 의한 유효한 법규명령이 법개정으로 위임의 근거가 없어지게 되면 그 때부터 무효인 법규명령이 된다(대판 1995.6.30. 93추83).
② (×) 삼권분립의 원칙, 법치행정의 원칙을 당연한 전제로 하고 있는 우리 헌법하에서 행정권의 행정입법 등 법집행의무는 헌법적 의무라고 보아야 할 것이다. 그런데 이는 행정입법의 제정이 법률의 집행에 필수불가결한 경우로서 행정입법을 제정하지 아니하는 것이 곧 행정권에 의한 입법권 침해의 결과를 초래하는 경우를 말하는 것이므로, 만일 하위 행정입법의 제정 없이 상위 법령의 규정만으로도 집행이 이루어질 수 있는 경우라면 하위 행정입법을 하여야 할 헌법적 작위의무는 인정되지 아니한다(헌재 2005.12.22. 2004헌마66).
③ (×) 대통령령으로 규정한 내용이 헌법에 위반될 경우라도 그 대통령령의 규정이 위헌으로 되는 것은 별론으로 하고 그로 인하여 정당하고 적법하게 입법권을 위임한 수권법률조항까지 위헌으로 되는 것은 아니다(헌재 1997.9.25. 96헌바18).

문제 DATA
출제가능 지수 ▶▶▷
난이도 지수 ★★☆

함께 정리하기

행정입법

법 개정으로 위임의 근거 소멸
▷ 그때부터 무효인 법규명령

상위법령만으로도 집행 이루어질 수 있는 경우
▷ 하위 행정입법 작위의무 인정×

대통령령 위헌
▷ 수권법까지 위헌×

정관에 자치법적 사항 위임
▷ 포괄위임금지 적용×

④ (○) 법률이 공법적 단체 등의 정관에 자치법적 사항을 위임한 경우에는 헌법 제75조가 정하는 포괄적인 위임입법의 금지는 원칙적으로 적용되지 않는다고 봄이 상당하고, 그렇다 하더라도 그 사항이 국민의 권리·의무에 관련되는 것일 경우에는 적어도 국민의 권리·의무에 관한 기본적이고 본질적인 사항은 국회가 정하여야 한다(대판 2007.10.12. 2006두14476).

답 ④

009

행정입법에 대한 설명으로 옳지 않은 것은?

① 정부는 권한 있는 기관에 의하여 위헌으로 결정되어 법령이 헌법에 위반되거나 법률에 위반되는 것이 명백한 경우 등 대통령령으로 정하는 경우에는 해당 법령을 개선하여야 한다.
② 헌법 제107조 제2항은 구체적 규범통제를 규정하고 있기 때문에 당사자는 구체적 사건의 심판을 위한 선결문제로서 행정입법의 위법성을 주장하여 법원에 대하여 당해 사건에 대한 적용 여부의 판단을 구할 수 있다.
③ 일반적으로 법률의 위임에 따라 효력을 갖는 법규명령의 경우에 위임의 근거가 없어 무효였다면 나중에 법 개정으로 위임의 근거가 부여되었다고 하여 그때부터 유효한 법규명령이 되는 것은 아니다.
④ 법률의 시행령은 모법인 법률에 의하여 위임받은 사항이나 법률이 규정한 범위 내에서 법률을 현실적으로 집행하는 데 필요한 세부적인 사항만을 규정할 수 있을 뿐, 법률에 의한 위임이 없는 한 법률이 규정한 개인의 권리·의무에 관한 내용을 변경·보충하거나 법률에 규정되지 아니한 새로운 내용을 규정할 수는 없다.

2024년 국가직 9급

① (○)
> 「행정기본법」제39조【행정법제의 개선】① 정부는 권한 있는 기관에 의하여 위헌으로 결정되어 법령이 헌법에 위반되거나 법률에 위반되는 것이 명백한 경우 등 대통령령으로 정하는 경우에는 해당 법령을 개선하여야 한다.

② (○) 헌법 제107조 제2항의 규정에 따르면 행정입법의 심사는 일반적인 재판절차에 의하여 구체적 규범통제의 방법에 의하도록 명시하고 있으므로, 당사자는 구체적 사건의 심판을 위한 선결문제로서 행정입법의 위법성을 주장하여 법원에 대하여 당해 사건에 대한 적용 여부의 판단을 구할 수 있을 뿐 행정입법 자체의 합법성의 심사를 목적으로 하는 독립한 신청을 제기할 수는 없다(대결 1994.4.26. 93부32).
③ (×) 일반적으로 법률의 위임에 의하여 효력을 갖는 법규명령의 경우, 구법에 위임의 근거가 없어 효였더라도 사후에 법개정으로 위임의 근거가 부여되면 그 때부터는 유효한 법규명령이 되나, 반대로 구법의 위임에 의한 유효한 법규명령이 법개정으로 위임의 근거가 없어지게 되면 그 때부터 무효인 법규명령이 되므로, 어떤 법령의 위임 근거 유무에 따른 유효 여부를 심사하려면 법개정의 전·후에 걸쳐 모두 심사하여야만 그 법규명령의 시기에 따른 유효·무효를 판단할 수 있다(대판 1995.6.30. 93추83).
④ (○) 법률의 시행령은 모법인 법률에 의하여 위임받은 사항이나 법률이 규정한 범위 내에서 법률을 현실적으로 집행하는 데 필요한 세부적인 사항만을 규정할 수 있을 뿐, 법률에 의한 위임이 없는 한 법률이 규정한 개인의 권리·의무에 관한 내용을 변경·보충하거나 법률에 규정되지 아니한 새로운 내용을 규정할 수는 없다(대판 2020.9.3. 2016두32992 전합).

답 ③

문제 DATA
출제가능 지수 ▶▶▷
난이도 지수 ★★☆

함께 정리하기
행정입법

법령이 헌법·법률에 위반됨이 명백한 경우
▷ 정부의 법령개선의무 有

법원외 행정입법 통제
▷ 구체적 규범통제(선결문제)

위임의 근거 부여
▷ 그때부터 유효한 법규명령

법률의 시행령
▷ 위임 없이 개인의 권리·의무에 관한 내용을 변경·보충하거나 새로운 내용 규정×

문제 DATA

출제가능 지수 ▶▶▷
난이도 지수 ★★☆

010 □□□

행정입법에 대한 설명으로 옳지 않은 것은?

① 위임명령이 위임 내용을 구체화하는 단계를 벗어나 새로운 입법을 한 것으로 평가할 수 있다면 이는 위임의 한계를 일탈한 것으로서 허용되지 않는다.

② 교육부장관이 대학입시기본계획에서 내신성적 산정기준에 관한 시행지침을 마련하여 시·도교육감에게 통보한 경우, 각 고등학교에서 위 지침에 일률적으로 기속되어 내신성적을 산정할 수밖에 없고 대학에서도 이를 그대로 내신성적으로 인정하여 입학생을 선발할 수밖에 없으므로 내신성적 산정지침은 항고소송의 대상이 되는 행정처분에 해당한다.

③ 법규명령이 법률상 위임의 근거가 없어 무효였더라도 사후에 법 개정으로 위임의 근거가 부여되면 그때부터는 유효한 법규명령이 된다.

④ 행정청이 개인택시운송사업면허발급 여부를 심사함에 있어서 이미 설정된 면허기준의 해석상 당해 신청이 면허발급의 우선순위에 해당함이 명백함에도 면허거부처분을 하였다면 특별한 사정이 없는 한 그 거부처분은 위법한 처분이 된다.

2024년 지방직 9급

① (O) 법률이 특정 사안과 관련하여 시행령에 위임을 한 경우 시행령이 위임의 한계를 준수하고 있는지를 판단할 때는 당해 법률 규정의 입법 목적과 규정 내용, 규정의 체계, 다른 규정과의 관계 등을 종합적으로 살펴야 한다. 법률의 위임 규정 자체가 그 의미 내용을 정확하게 알 수 있는 용어를 사용하여 위임의 한계를 분명히 하고 있는데도 시행령이 그 문언적 의미의 한계를 벗어났다든지, <u>위임 규정에서 사용하고 있는 용어의 의미를 넘어 그 범위를 확장하거나 축소함으로써 위임 내용을 구체화하는 단계를 벗어나 새로운 입법을 한 것으로 평가할 수 있다면, 이는 위임의 한계를 일탈한 것으로서 허용되지 않는다</u>(대판 2012.12.20. 2011두30878 전합).

② (X) 교육부장관이 내신성적 산정기준의 통일을 기하기 위해 대학입시기본계획의 내용에서 내신성적 산정기준에 관한 시행지침을 마련하여 시·도 교육감에서 통보한 것은 행정조직 내부에서 내신성적 평가에 관한 내부적 심사기준을 시달한 것에 불과하며, 각 고등학교에서 위 지침에 일률적으로 기속되어 내신성적을 산정할 수밖에 없고 또 대학에서도 이를 그대로 내신성적으로 인정하여 입학생을 선발할 수밖에 없는 관계로 장차 일부 수험생들이 <u>위 지침으로 인해 어떤 불이익을 입을 개연성이 없지는 아니하나, 그러한 사정만으로서 위 지침에 의하여 곧바로 개별적이고 구체적인 권리의 침해를 받은 것으로는 도저히 인정할 수 없으므로, 그것만으로는 현실적으로 특정인의 구체적인 권리의무에 직접적으로 변동을 초래케 하는 것은 아니라 할 것이어서 내신성적 산정지침을 항고소송의 대상이 되는 행정처분으로 볼 수 없다</u>(대판 1994.9.10. 94두33).

③ (O) <u>일반적으로 법률의 위임에 의하여 효력을 갖는 법규명령의 경우, 구법에 위임의 근거가 없어 무효였더라도 사후에 법개정으로 위임의 근거가 부여되면 그 때부터는 유효한 법규명령</u>이 되나, 반대로 구법의 위임에 의한 유효한 법규명령이 법개정으로 위임의 근거가 없어지게 되면 그 때부터 무효인 법규명령이 되므로, 어떤 법령의 위임 근거 유무에 따른 유효 여부를 심사하려면 법개정의 전·후에 걸쳐 모두 심사하여야만 그 법규명령의 시기에 따른 유효·무효를 판단할 수 있다(대판 1995.6.30. 93추83).

④ (O) 여객자동차 운수사업법에 의한 개인택시운송사업면허는 특정인에게 권리나 이익을 부여하는 행정행위로서 법령에 특별한 규정이 없는 한 재량행위이고, 면허를 위하여 정하여진 순위 내에서의 운전경력인정방법의 기준설정 역시 행정청의 재량에 속한다 할 것이지만, <u>행정청이 면허발급 여부를 심사함에 있어서 이미 설정된 면허기준의 해석상 당해 신청이 면허발급의 우선순위에 해당함이 명백함에도 이를 제외시켜 면허거부처분을 하였다면 특별한 사정이 없는 한 그 거부처분은 재량권을 남용한 위법한 처분이 된다</u>(대판 2010.1.28. 2009두19137).

답 ②

함께 정리하기

행정입법

위임명령이 새로운 입법으로 평가
▷ 위임한계 일탈

교육부장관의 내신성적 산정지침
▷ 행정처분 X

법개정으로 위임의 근거 부여
▷ 그때부터 유효

면허기준 해석상 면허발급 우선순위에 해당함이 명백
▷ 면허거부: 재량의 남용

011

다음 중 법규명령에 대한 설명으로 가장 옳지 않은 것은? (다툼이 있는 경우 판례에 의함)

① 일반적·추상적 규범으로서의 법규명령은 원칙적으로 항고소송의 대상이 될 수 없다.
② 법률이 대통령령으로 규정하도록 되어 있는 사항을 부령으로 정한다면 그 부령은 무효임을 면치 못한다.
③ 법령의 위임관계는 반드시 하위법령의 개별조항에서 위임의 근거가 되는 상위법령의 해당 조항을 구체적으로 명시하고 있어야만 하는 것은 아니다.
④ 위임의 근거가 없어 무효였던 법규명령은 사후적인 법률에 의해 유효가 될 수 없다.

2024년 군무원 9급

① (○) 행정소송의 대상이 될 수 있는 것은 구체적인 권리의무에 관한 분쟁이어야 하고 일반적·추상적인 법령 그 자체로서 국민의 구체적인 권리의무에 직접적인 변동을 초래하는 것이 아닌 것은 그 대상이 될 수 없으므로 구체적인 권리의무에 관한 분쟁을 떠나서 재무부령(일반적·추상적 법령) 자체의 무효확인을 구하는 청구는 행정소송의 대상이 아닌 사항에 대한 것으로서 부적법하다(대판 1987.3.24. 86누656).

② (○) 행정각부 장관이 부령으로 제정할 수 있는 범위는 법률 또는 대통령령이 위임한 사항이나 법률 또는 대통령령을 실시하기 위하여 필요한 사항에 한정되므로 법률 또는 대통령령으로 규정할 사항을 부령으로 규정하였다고 하면 그 부령은 무효임을 면치 못한다(대판 1962.1.25. 61다9).

③ (○)

 [1] 법령의 위임관계는 반드시 하위법령의 개별조항에서 위임의 근거가 되는 상위법령의 해당 조항을 구체적으로 명시하고 있어야만 하는 것은 아니라고 할 것이다.
 [2] 구 풍속영업의 규제에 관한 법률 시행규칙(1999.7.15. 행정자치부령 제58호로 폐지) 제8조 제1항은 "법 제7조의 규정에 의한 풍속영업소에 대한 행정처분의 기준은 [별표 3]과 같다."라고만 규정하여 구 풍속영업의 규제에 관한 법률 시행령(1999.6.30. 대통령령 제16435호로 개정되기 전의 것) 제8조 제3항의 위임에 의한 것임을 명시하고 있지 아니한 반면, 같은 법 시행규칙 제5조는 풍속영업자가 갖추어야 할 시설의 세부기준과 운영기준을 그 [별표 1]로 정하면서 그것이 구 풍속영업의 규제에 관한 법률(1999.3.31. 법률 제5942호로 개정되기 전의 것) 제5조 제2항 및 같은 법 시행령 제8조 제2항, 제3항의 위임에 의한 것임을 명시하고 있어 이와 같은 관련 규정의 규정 형식만을 놓고 보면, 같은 법 시행규칙 제5조만이 같은 법 시행령 제8조 제3항의 위임에 의한 규정이고, 같은 법 시행규칙 제8조 제1항은 같은 법 시행령 제8조 제3항과는 직접적인 관련이 없는 규정이라고 볼 여지가 있기는 하나, 법령의 위임관계는 반드시 하위 법령의 개별조항에서 위임의 근거가 되는 상위 법령의 해당 조항을 구체적으로 명시하고 있어야만 하는 것은 아니라고 할 것이므로, 같은 법 시행규칙 제5조가 같은 법 시행령 제8조 제3항과의 위임관계를 위와 같이 명시하고 있다고 하여 같은 법 시행규칙의 다른 규정에서 같은 법 시행령 제8조 제3항의 위임에 기하여 풍속영업의 운영에 관하여 필요한 사항을 따로 정하는 것을 배제하는 취지는 아니라고 할 것이어서, 같은 법 시행규칙 제5조 및 제8조 제1항의 위임관계에 관한 규정 내용만을 들어 같은 법 시행규칙 제8조 제1항과 같은 법 시행령 제8조 제3항 사이의 위임관계를 부정할 수는 없다고 할 것인바, 같은 법 시행규칙 제8조 제1항 [별표 3]의 2. (마)목 (2)의 (사)항은 적어도 '영업정지처분을 받고도 영업을 한 때'를 의무위반행위로 정하고 있는 부분에 관한 한 같은 법 시행령 제8조 제3항과 그 근거 규정인 같은 법 제5조 제2항의 위임에 기한 것으로서 그 후단에서 그에 대한 행정처분의 기준으로 영업장 폐쇄를 규정한 부분이 대외적 구속력이 있는지 여부와는 상관없이 같은 법 제7조 소정의 제재적 행정처분에 해당하는 영업장폐쇄 처분의 근거가 될 수 있다 할 것이다(대판 1999.12.24. 99두5658).

④ (×) 일반적으로 법률의 위임에 의하여 효력을 갖는 법규명령의 경우, 구법에 위임의 근거가 없어 무효였더라도 사후에 법개정으로 위임의 근거가 부여되면 그때부터는 유효한 법규명령이 되나, 반대로 구법의 위임에 의한 유효한 법규명령이 법개정으로 위임의 근거가 없어지게 되면 그때부터 무효인 법규명령이 되므로, 어떤 법령의 위임 근거 유무에 따른 유효 여부를 심사하려면 법개정의 전·후에 걸쳐 모두 심사하여야만 그 법규명령의 시기에 따른 유효·무효를 판단할 수 있다(대판 1995.6.30. 93추83).

답 ④

문제 DATA

출제가능 지수 ▶▶▷
난이도 지수 ★★☆

함께 정리하기

법규명령

일반적·추상적인 법령
▷ 항고소송의 대상 ✕

법률이 대통령령으로 정하도록 한 사항을 부령으로 정한 경우
▷ 그 부령은 무효

법령의 위임관계
▷ 하위 개별조항에서 구체적 명시 불요

위임의 근거 부여
▷ 그때부터 유효한 법규명령

문제 DATA

출제가능 지수 ▶▶▷
난이도 지수 ★★☆

012 ☐☐☐

다음 중 위임명령에 대한 설명으로 가장 옳지 않은 것은? (다툼이 있는 경우 판례에 의함)

① 위임입법의 구체성, 명확성의 요구 정도는 규율대상이 지극히 다양하거나 수시로 변화하는 성질의 것일 때에는 위임의 구체성, 명확성의 요건이 완화되어야 할 것이다.
② 국회입법의 전속사항이나 국회의 심의를 거쳐야 하는 사항으로 정해진 것은 오로지 법률로만 규율되어야 하고 법규명령으로서 정할 수 없다.
③ 벌칙규정을 법규명령에 위임하는 것도 가능하지만 법률에서 범죄 구성요건은 처벌대상인 행위가 어떠한 것인지 예측할 수 있을 정도로 구체적으로 정하고 형벌의 종류 및 그 상한과 폭을 명백히 규정하여야 한다.
④ 법률에서 위임받은 사항을 전혀 규정하지 아니하고 그대로 재위임하는 것은 허용되지 않으며 위임받은 사항에 관하여 대강을 정하고 그 중의 특정사항을 범위를 정하여 하위법령에 다시 위임하는 경우에만 재위임이 허용된다.

2024년 군무원 9급

① (O) 헌법 제75조에서 말하는 위임의 구체성·명확성의 정도는 그 규율대상의 종류와 성격에 따라 달라질 것이지만 특히 처벌법규나 조세법규와 같이 국민의 기본권을 직접적으로 침해할 소지가 있는 법규에서는 구체성·명확성의 요구가 강화되어 그 위임의 요건과 범위가 일반적인 급부행정의 경우보다 더 엄격하게 제한적으로 규정되어야 하는 반면에, 규율대상이 지극히 다양하거나 수시로 변화하는 성질의 것일 때에는 위임의 구체성·명확성의 요건이 완화되어야 한다(헌재 1997.2.20. 95헌바27 등).

② (X) 헌법이 어떠한 사항을 직접 법률로서 정하도록 위임한 국회전속입법사항이라도 그 본질적 내용을 법률로 정하여야 한다는 것이지, 전적으로 법률에 의해 규율되어야만 하는 것은 아니므로 세부적 사항에 대하여 구체적으로 범위를 정하여 명령이나 규칙 등에 위임하는 것은 허용된다.

> 헌법 제38조, 제59조에서 채택하고 있는 조세법률주의의 원칙은 과세요건과 징수절차 등 조세권행사의 요건과 절차는 국민의 대표기관인 국회가 제정한 법률로써 규정하여야 한다는 것이나, 과세요건과 징수절차에 관한 사항을 명령·규칙 등 하위법령에 위임하여 규정하게 할 수 없는 것은 아니고, 이러한 사항을 하위법령에 위임하여 규정하게 하는 경우 구체적·개별적 위임만이 허용되며 포괄적·백지적위임은 허용되지 아니하고(과세요건법정주의), 이러한 법률 또는 그 위임에 따른 명령·규칙의 규정은 일의적이고 명확하여야 한다(과세요건명확주의)는 것이다(대결 1994.9.30. 94부18).

③ (O) 형벌법규에 대하여도 특히 긴급한 필요가 있거나 미리 법률로써 자세히 정할 수 없는 부득이한 사정이 있는 경우에 한하여(보충성의 원칙) 수권법률(위임법률)이 구성요건의 점에서는 처벌대상인 행위가 어떠한 것인지 이를 예측할 수 있을 정도로 구체적으로 정하고, 형벌의 점에서는 형벌의 종류 및 그 상한과 폭을 명확히 규정하는 것을 조건(전제)로 위임입법이 허용되며, 이러한 위임입법은 죄형법정주의에 반하지 않는다(헌재 1996.2.29. 94헌마213 등).

④ (O) 재위임에 의한 부령의 경우에도 위임에 대한 대통령령에 가해지는 헌법상의 제한이 당연히 적용되므로 법률에서 위임받은 사항을 전혀 규정하지 아니하고 그대로 재위임하는 것은 허용되지 않으며, 위임받은 사항에 관하여 대강을 정하고 그 중의 특정사항을 범위를 정하여 하위법령에 다시 위임하는 경우에만 재위임이 허용된다. 이러한 법리는 조례가 지방자치법 제22조 단서에 따라 주민의 권리제한 또는 의무부과에 관한 사항을 법률로부터 위임받은 후, 이를 다시 지방자치단체장이 정하는 '규칙'이나 '고시' 등에 재위임하는 경우에도 마찬가지이다(대판 2015.1.15. 2013두14238 등).

답 ②

함께 정리하기

위임명령

규율대상이 다양하거나 수시로 변화
▷ 위임의 구체성·명확성 요건 완화

국회전속적·국회심의 거쳐야 하는 입법사항
▷ 오로지 법률로만 규율 ×
▷ 본질적 사항 아닌 세부사항은 위임 가

벌칙규정 위임입법
▷ 구성요건 구체적으로 정하고 형벌 종류, 상한, 폭을 명확히 규정하는 경우 허용

재위임
▷ 대강 정하고 특정사항 범위 정하면 가

013

행정입법에 관한 설명으로 옳지 않은 것은? (다툼이 있는 경우 판례에 의함)

① 헌법에서 정한 행정부가 아닌 기관에 의한 행정입법에는 국회규칙, 대법원규칙, 헌법재판소규칙, 중앙선거관리위원회규칙, 감사원규칙이 있다.
② 행정입법을 실질적 기준에 따라 구분하는 학설은 행정입법의 법규성 유무, 즉 대외적 구속력이 있는지 여부에 따라 법규명령과 행정규칙으로 구분한다.
③ 대법원은 법률의 위임을 받아 부령인 「도로교통법 시행규칙」형식으로 정한 운전면허행정처분기준을 행정청 내부의 사무처리준칙이라고 판시하였다.
④ 법규명령이 구체적인 집행행위를 매개하지 않고 직접 국민의 기본권을 침해하는 경우에는 헌법소원심판의 대상이 된다.

2024년 소방직

① (×) 감사원규칙은 헌법에 규정이 없고 감사원법에 규정되어 있다.

> 「감사원법」 제52조【감사원규칙】 감사원은 감사에 관한 절차, 감사원의 내부 규율과 감사사무 처리에 관한 규칙을 제정할 수 있다.

② (○) 행정입법을 그 규정의 성질과 내용, 즉 실질적 기준에 따라 구분한다면 법규성(대외적 구속력) 유무에 따라 법규성이 있는 법규명령과 법규성이 없는 (대내적 효력만 있는) 행정규칙으로 구분할 수 있다.
③ (○) 도로교통법 시행규칙 제53조 제1항이 정한 [별표 16]의 운전면허행정처분기준은 부령의 형식으로 되어 있으나, 그 규정의 성질과 내용이 운전면허의 취소처분 등에 관한 사무처리기준과 처분절차 등 행정청 내부의 사무처리준칙을 규정한 것에 지나지 아니하므로 대외적으로 국민이나 법원을 기속하는 효력이 없으므로, 자동차운전면허취소처분의 적법 여부는 그 운전면허행정처분기준만에 의하여 판단할 것이 아니라 도로교통법의 규정 내용과 취지에 따라 판단되어야 한다(대판 1997.5.30. 96누5773).
④ (○) 헌법재판소법 제68조 제1항이 규정하고 있는 헌법소원심판의 대상으로서의 "공권력"이란 입법·사법·행정 등 모든 공권력을 말하는 것이므로 입법부에서 제정한 법률, 행정부에서 제정한 시행령이나 시행규칙 및 사법부에서 제정한 규칙 등은 그것들이 별도의 집행행위를 기다리지 않고 직접 기본권을 침해하는 것일 때에는 모두 헌법소원심판의 대상이 될 수 있는 것이다(헌재 1990.10.15. 89헌마178).

답 ①

함께 정리하기

행정입법

정부 아닌 기관에 의한 헌법상의 행정입법
▷ 국회규칙, 대법원규칙, 헌법재판소규칙, 중앙선거관리위원회규칙
▷ 감사원규칙: 감사원법에 규정

행정입법의 대외적 구속력 유무
▷ 법규명령(○) vs 행정규칙(×)

「도로교통법 시행규칙」이 정한 운전면허행정처분기준
▷ 행정청 내부의 사무처리준칙(행정규칙)

직접 기본권 침해하는 법령
▷ 헌법소원 대상

014

행정입법에 관한 설명으로 옳지 않은 것은? (다툼이 있는 경우 판례에 의함)

① 교육부장관이 시·도교육감에게 통보한 내신성적 산정지침은 행정조직 내부에서의 내부적 심사기준이라기보다는 그 지침으로 인해 국민의 권익에 대한 직접적·구체적 변동을 가져올 수 있는 점에서 항고소송의 대상이 되는 처분으로 보아야 한다.
② 행정규칙의 내용이 상위법령에 반하는 것이라면 법치국가원리에서 파생되는 법질서의 통일성과 모순금지 원칙에 따라 그것은 법질서상 당연무효이고, 행정내부적 효력도 인정될 수 없다.
③ 구 「청소년보호법」에 따른 청소년유해매체물결정 및 고시처분은 일반 불특정 다수인을 상대방으로 하는 행정처분이다.
④ 시외버스운송사업의 사업계획변경 기준 등에 관한 구 「여객자동차운수사업법 시행규칙」은 대외적 구속력이 있는 법규명령에 해당한다.
⑤ 보건복지부 고시인 약제급여·비급여목록 및 급여상한금액표는 다른 집행행위의 매개 없이 그 자체로서 국민건강보험가입자, 국민건강보험공단, 요양기관 등의 법률관계를 직접 규율하는 행정처분의 성격을 가진다.

함께 정리하기

행정입법

교육부장관이 시·도 교육감에게 통보한 내신성적산정지침
▷ 행정처분 ✕

행정규칙이 상위법령 위반
▷ 당연무효
▷ 행정내부적 효력도 ✕

청소년유해매체물결정고시
▷ 일반처분

「여객자동차운수사업법 시행규칙」상 시외버스운송사업의 사업계획변경 인가기준
▷ 법규명령

보건복지부고시인 약제급여·비급여 목록, 급여상한금액표
▷ 행정처분 ○

2024년 소방간부

① (✕) 교육부장관이 내신성적 산정기준의 통일을 기하기 위해 대학입시기본계획의 내용에서 내신성적 산정기준에 관한 시행지침을 마련하여 시·도 교육감에서 통보한 것은 행정조직 내부에서 내신성적 평가에 관한 내부적 심사기준을 시달한 것에 불과하며, 각 고등학교에서 위 지침에 일률적으로 기속되어 내신성적을 산정할 수밖에 없고 또 대학에서도 이를 그대로 내신성적으로 인정하여 입학생을 선발할 수밖에 없는 관계로 장차 일부 수험생들이 위 지침으로 인해 어떤 불이익을 입을 개연성이 없지는 아니하나, 그러한 사정만으로서 위 지침에 의하여 곧바로 개별적이고 구체적인 권리의 침해를 받은 것으로는 도저히 인정할 수 없으므로, 그것만으로는 현실적으로 특정인의 구체적인 권리의무에 직접적으로 변동을 초래케 하는 것은 아니라 할 것이어서 내신성적 산정지침을 항고소송의 대상이 되는 행정처분으로 볼 수 없다(대판 1994.9.10. 94두33).

② (○) 상급행정기관이 소속 공무원이나 하급행정기관에 대하여 세부적인 업무처리절차나 법령의 해석·적용 기준을 정해 주는 '행정규칙'은 상위법령의 구체적 위임이 있지 않는 한 행정조직 내부에서만 효력을 가질 뿐 대외적으로 국민이나 법원을 구속하는 효력이 없다. 다만 행정규칙이 이를 정한 행정기관의 재량에 속하는 사항에 관한 것인 때에는 그 규정 내용이 객관적 합리성을 결여하였다는 등의 특별한 사정이 없는 한 법원은 이를 존중하는 것이 바람직하다. 그러나 행정규칙의 내용이 상위법령에 반하는 것이라면 법치국가원리에서 파생되는 법질서의 통일성과 모순금지 원칙에 따라 그것은 법질서상 당연무효이고, 행정내부적 효력도 인정될 수 없다. 이러한 경우 법원은 해당 행정규칙이 법질서상 부존재하는 것으로 취급하여 행정기관이 한 조치의 당부를 상위법령의 규정과 입법 목적 등에 따라서 판단하여야 한다(대판 2019.10.31. 2013두20011).

③ (○) 구 청소년보호법에 따른 청소년유해매체물 결정 및 고시처분은 당해 유해매체물의 소유자 등 특정인만을 대상으로 한 행정처분이 아니라 일반 불특정 다수인을 상대방으로 하여 일률적으로 표시의무, 포장의무, 청소년에 대한 판매·대여 등의 금지의무 등 각종 의무를 발생시키는 행정처분으로서, 정보통신윤리위원회가 특정 인터넷 웹사이트를 청소년유해매체물로 결정하고 청소년보호위원회가 효력발생시기를 명시하여 고시함으로써 그 명시된 시점에 효력이 발생하였다고 봄이 상당하고, 정보통신윤리위원회와 청소년보호위원회가 위 처분이 있었음을 위 웹사이트 운영자에게 제대로 통지하지 아니하였다고 하여 그 효력 자체가 발생하지 아니한 것으로 볼 수는 없다(대판 2007.6.14. 2004두619).

④ (○) 구 여객자동차 운수사업법 시행규칙 제31조 제2항 제1호, 제2호, 제6호는 구 여객자동차 운수사업법 제11조 제4항의 위임에 따라 시외버스운송사업의 사업계획변경에 관한 절차, 인가기준 등을 구체적으로 규정한 것으로서, 대외적인 구속력이 있는 법규명령이라고 할 것이고, 그것을 행정청 내부의 사무처리준칙을 규정한 행정규칙에 불과하다고 할 수는 없다(대판 2006.6.27. 2003두4355).

⑤ (○)

> [1] 어떠한 고시가 일반적·추상적 성격을 가질 때에는 법규명령 또는 행정규칙에 해당할 것이지만, 다른 집행행위의 매개 없이 그 자체로서 직접 국민의 구체적인 권리의무나 법률관계를 규율하는 성격을 가질 때에는 행정처분에 해당한다.
>
> [2] 보건복지부 고시인 약제급여·비급여목록 및 급여상한금액표(보건복지부 고시 제2002-46호로 개정된 것)는 다른 집행행위의 매개 없이 그 자체로서 국민건강보험가입자, 국민건강보험공단, 요양기관 등의 법률관계를 직접 규율하는 성격을 가지므로 항고소송의 대상이 되는 행정처분에 해당한다(대판 2006.9.22. 2005두2506).

답 ①

015

행정입법에 대한 설명 중 옳지 않은 것은? (다툼이 있는 경우 판례에 의함)

① 기본권을 제한하는 내용의 입법을 위임할 때에는 법규명령에 위임하는 것이 원칙이고, 고시와 같은 형식으로 입법위임을 할 때에는 법령이 전문적·기술적 사항이나 경미한 사항으로서 업무의 성질상 위임이 불가피한 사항에 한정된다.
② 상위법령에서 수익적 행정행위의 세부사항을 부령으로 정하도록 위임하였음에도 이를 고시로 정하였다면 이는 대외적 구속력을 갖는 법규명령으로서의 효력이 인정되지 않는다.
③ 일반적으로 법률의 위임에 따라 효력을 갖는 법규명령의 경우에 위임의 근거가 없어 무효였더라도 나중에 법 개정으로 위임의 근거가 부여되면, 그 법규명령이 법률의 위임의 한계를 벗어나지 않는 한, 그때부터는 유효한 법규명령으로 볼 수 있다.
④ 제재적 행정처분의 기준이 법규명령인 부령의 형식으로 규정되어 있다면 대외적으로 국민이나 법원을 기속하는 효력을 갖는다.

2024년 경찰간부

① (○) 헌법 제40조, 제75조, 제95조의 의미를 살펴보면, 국회가 입법으로 행정기관에게 구체적인 범위를 정하여 위임한 사항에 관하여는 당해 행정기관이 법 정립의 권한을 갖게 되고, 입법자가 그 규율의 형식도 선택할 수 있다고 보아야 하므로, 헌법이 인정하고 있는 위임입법의 형식은 예시적인 것으로 보아야 한다. 법률이 일정한 사항을 행정규칙에 위임하더라도 그 행정규칙은 위임된 사항만을 규율할 수 있으므로, 국회입법의 원칙과 상치되지 않는다. 다만, 행정규칙은 법규명령과 같은 엄격한 제정 및 개정 절차를 필요로 하지 아니하므로, <u>기본권을 제한하는 내용의 입법을 위임할 때에는 법규명령에 위임하는 것이 원칙이고, 고시와 같은 형식으로 입법위임을 할 때에는 법령이 전문적·기술적 사항이나 경미한 사항으로서 업무의 성질상 위임이 불가피한 사항에 한정된다</u>(헌재 2017.9.28. 2016헌바140등).

> 「행정규제기본법」 제4조 【규제 법정주의】 ② 규제는 법률에 직접 규정하되, 규제의 세부적인 내용은 법률 또는 상위법령(上位法令)에서 구체적으로 범위를 정하여 위임한 바에 따라 대통령령·총리령·부령 또는 조례·규칙으로 정할 수 있다. 다만, <u>법령에서 전문적·기술적 사항이나 경미한 사항으로서 업무의 성질상 위임이 불가피한 사항에 관하여 구체적으로 범위를 정하여 위임한 경우에는 고시 등으로 정할 수 있다.</u>

② (○) 법령의 규정이 특정 행정기관에게 법령 내용의 구체적 사항을 정할 수 있는 권한을 부여하면서 권한행사의 절차나 방법을 특정하지 아니한 경우에는 수임 행정기관은 행정규칙이나 규정 형식으로 법령 내용이 될 사항을 구체적으로 정할 수 있다. 이 경우 <u>행정규칙 등은 당해 법령의 위임한계를 벗어나지 않는 한 대외적 구속력이 있는 법규명령으로서 효력을 가지게 되지만</u>, 이는 행정규칙이 갖는 일반적 효력이 아니라 행정기관에 법령의 구체적 내용을 보충할 권한을 부여한 법령 규정의 효력에 근거하여 예외적으로 인정되는 것이다. 따라서 그 행정규칙이나 규정이 상위법령의 위임범위를 벗어난 경우에는 법규명령으로서 대외적 구속력을 인정할 여지는 없다. 이는 행정규칙이나 규정 '내용'이 위임범위를 벗어난 경우뿐 아니라 상위법령의 위임규정에서 특정하여 정한 권한행사의 '절차'나 '방식'에 위배되는 경우도 마찬가지이므로, <u>상위법령에서 세부사항 등을 시행규칙으로 정하도록 위임하였음에도 이를 고시 등 행정규칙으로 정하였다면 그 역시 대외적 구속력을 가지는 법규명령으로서 효력이 인정될 수 없다</u>(대판 2012.7.5. 2010다72076).
③ (○) <u>일반적으로 법률의 위임에 따라 효력을 갖는 법규명령의 경우에 위임의 근거가 없어 무효였더라도 나중에 법 개정으로 위임의 근거가 부여되면 그때부터는 유효한 법규명령으로 볼 수 있다.</u> 그러나 법규명령이 개정된 법률에 규정된 내용을 함부로 유추·확장하는 내용의 해석규정이어서 <u>위임의 한계를 벗어난 것으로 인정될 경우에는 법규명령은 여전히 무효이다</u>(대판 2017.4.20. 2015두45700 전합).
④ (×) 제재적 행정처분의 기준이 부령의 형식으로 규정되어 있더라도 그것은 행정청 내부의 사무처리준칙을 정한 것에 지나지 아니하여 <u>대외적으로 국민이나 법원을 기속하는 효력이 없고</u>, 당해 처분의 적법 여부는 위 처분기준만이 아니라 관계 법령의 규정 내용과 취지에 따라 판단되어야 하므로, 위 처분기준에 적합하다 하여 곧바로 당해 처분이 적법한 것이라고 할 수는 없지만, 위 처분기준이 그 자체로 헌법 또는 법률에 합치되지 아니하거나 위 처분기준에 따른 제재적 행정처분이 그 처분사유가 된 위반행위의 내용 및 관계 법령의 규정 내용과 취지에 비추어 현저히 부당하다고 인정할 만한 합리적인 이유가 없는 한 섣불리 그 처분이 재량권의 범위를 일탈하였거나 재량권을 남용한 것이라고 판단해서는 안 된다(대판 2007.9.20. 2007두6946등).

답 ④

문제 DATA

출제가능 지수 ▶▶▷
난이도 지수 ★★☆

함께 정리하기

행정입법

성질상 위임이 불가피한 전문적·기술적 사항
▷ 고시 등 행정규칙에 위임 可

시행규칙으로 정하도록 위임하였음에도 고시 등 행정규칙으로 정한 경우
▷ 법규명령으로서 효력×(대외적 구속력×)

나중에 법 개정으로 위임의 근거 부여
▷ 그때부터 유효한 법규명령

부령형식 제재처분기준
▷ 행정규칙 → 법적 구속력×

문제 DATA

출제가능 지수 ▶▶▷
난이도 지수 ★★☆

016 ☐☐☐

행정입법에 대한 설명으로 옳지 않은 것은? (다툼이 있는 경우 판례에 의함)

① 법원이 법규명령이 위헌·위법인지를 심사하려면 '재판의 전제'를 요소로 하는데, 이는 구체적 사건이 법원에 계속 중이고, 위헌·위법인지가 문제된 조항이 해당 소송사건의 재판에 적용되는 것으로, 그 조항이 위헌·위법인지에 따라 그 사건을 담당하는 법원이 다른 판단을 하게 될 것까지는 요하지 않는다.

② 행정입법이 위법하다는 대법원의 판결이 있는 경우에 해당 행정입법의 효력은 일반적으로 당해 사건에 한하여 적용되지 않는 것으로 본다.

③ 입법부·행정부·사법부에서 제정한 규칙이 별도의 집행행위를 기다리지 않고 직접 기본권을 침해하는 것일 때에는 모두 헌법소원심판의 대상이 될 수 있다.

④ 법규명령의 위헌·위법여부가 해석상 다툼이 없을 정도로 명백하지 않은 상태에서 이에 근거한 행정처분의 하자는 취소사유에 해당한다.

2024년 경찰간부

함께 정리하기

행정입법

재판의 전제성
▷ 구체적 사건 법원에 계속 + 재판에 적용되는 조항 + 그 위헌·위법 여부에 따라 법원이 다른 판단하게 될 것 要

명령·규칙이 위법하다는 대법원의 판결
▷ 당해 사건에서 적용 배제(개별적 효력)

직접 기본권 침해하는 법령
▷ 헌법소원 대상

위헌·위법 결정 전 위헌·위법한 법령에 근거한 처분
▷ 취소사유(∵명백성×)

① (×) 법원이 법률 하위의 법규명령, 규칙, 조례, 행정규칙 등(이하 '규정'이라 한다)이 위헌·위법인지를 심사하려면 그것이 '재판의 전제'가 되어야 한다. 여기에서 '재판의 전제'란 구체적 사건이 법원에 계속 중이어야 하고, 위헌·위법인지가 문제된 경우에는 규정의 특정 조항이 해당 소송사건의 재판에 적용되는 것이어야 하며, 그 조항이 위헌·위법인지에 따라 그 사건을 담당하는 법원이 다른 판단을 하게 되는 경우를 말한다. 따라서 법원이 구체적 규범통제를 통해 위헌·위법으로 선언할 심판대상은, 해당 규정의 전부가 불가분적으로 결합되어 있어 일부를 무효로 하는 경우 나머지 부분이 유지될 수 없는 결과를 가져오는 특별한 사정이 없는 한, 원칙적으로 해당 규정 중 재판의 전제성이 인정되는 조항에 한정된다(대판 2019.6.13. 2017두33985).

② (○) 헌법 제107조에 따른 구체적 규범통제의 결과 처분의 근거가 된 명령이 위법하다는 대법원의 판결이 있는 경우 일반적인 견해는 당해 규정은 당해 사건에 한하여 적용이 배제될 뿐, 그 행정입법이 법령개정절차에 의해 폐지되지 않는 한 형식적으로는 여전히 유효하게 남아 있게 된다고 본다(개별적 효력).

③ (○) 헌법 제107조 제2항이 규정한 명령·규칙에 대한 대법원의 최종심사권이란 구체적인 소송사건에서 명령·규칙의 위헌여부가 재판의 전제가 되었을 경우 법률의 경우와는 달리 헌법재판소에 제청할 것 없이 대법원의 최종적으로 심사할 수 있다는 의미이며, 명령·규칙 그 자체에 의하여 직접 기본권이 침해되었음을 이유로 하여 헌법소원심판을 청구하는 것은 위 헌법규정과는 아무런 상관이 없는 문제이다. 따라서 입법부·행정부·사법부에서 제정한 규칙이 별도의 집행행위를 기다리지 않고 직접 기본권을 침해하는 것일 때에는 모두 헌법소원심판의 대상이 될 수 있는 것이다 … 법령자체에 의한 직접적인 기본권침해 여부가 문제되었을 경우 그 법령의 효력을 직접 다투는 것을 소송물로 하여 일반 법원에 구제를 구할 수 있는 절차는 존재하지 아니하므로 이 사건에서는 다른 구제절차를 거칠 것 없이 바로 헌법소원심판을 청구할 수 있는 것이다. 법무사법 시행규칙 제3조 제1항은 법원행정처장이 법무사를 보충할 필요가 없다고 인정하면 법무사 시험을 실시하지 아니해도 된다는 것으로서 상위법인 법무사법 제4조 제1항에 의하여 모든 국민에게 부여된 법무사 자격취득의 기회를 하위법인 시행규칙으로 박탈한 것이어서 평등권과 직업선택의 자유를 침해한 것이다(헌재 1990.10.15. 89헌마178).

④ (○) 일반적으로 시행령이 헌법이나 법률에 위반된다는 사정은 그 시행령의 규정을 위헌 또는 위법하여 무효라고 선언한 대법원의 판결이 선고되지 아니한 상태에서는 그 시행령 규정의 위헌 내지 위법 여부가 해석상 다툼의 여지가 없을 정도로 명백하였다고 인정되지 아니하는 이상 객관적으로 명백한 것이라 할 수 없으므로, 이러한 시행령에 근거한 행정처분의 하자는 취소사유에 해당할 뿐 무효사유가 되지 아니한다(대판 2007.6.14. 2004두619).

답 ①

017

행정입법에 대한 설명으로 옳지 않은 것은?

① 위임입법에 있어 구체적인 위임의 범위는 일률적으로 정할 수는 없지만, 적어도 위임명령에 규정될 내용과 범위의 기본사항이 구체적으로 규정되어 있어서 누구라도 해당 법률이나 상위법령으로부터 위임명령에 규정될 내용의 대강을 예측할 수 있어야 한다.

② 집행명령의 경우 상위법령이 폐지된 것이 아니라 단순히 개정됨에 그친 경우에는 그 개정법령과 성질상 모순·저촉되지 아니하고 개정된 상위법령의 시행에 필요한 사항을 규정하고 있는 이상 그 집행명령은 개정법령의 시행을 위한 집행명령이 제정·발효될 때까지는 그 효력을 유지한다.

③ 한국수력원자력 주식회사가 제정·운용하고 있는 '공급자관리지침' 중 등록취소 및 그에 따른 일정기간의 거래제한조치에 관한 규정들은 대외적 구속력이 있는 법규명령에 해당한다.

④ 법원이 구체적 규범통제를 통해 위헌·위법으로 선언할 심판대상은, 해당 규정의 전부가 불가분적으로 결합되어 있어 일부를 무효로 하는 경우 나머지 부분이 유지될 수 없는 결과를 가져오는 특별한 사정이 없는 한, 원칙적으로 해당 규정 중 재판의 전제성이 인정되는 조항에 한정된다.

⑤ 「농약관리법」의 위임에 따라 인축독성 시험성적서 검토기준 및 판정기준을 규정하고 있는 농촌진흥청 고시 「농약 및 원제의 등록기준」 제3조 제2항 제3호 별표4는 대외적 구속력을 가지는 법령보충적 행정규칙에 해당한다.

2024년 국회직 8급

① (O) 위임명령은 법률이나 상위명령에서 구체적으로 범위를 정한 개별적인 위임이 있을 때에 가능하고, 여기에서 <u>구체적인 위임의 범위는 규제하고자 하는 대상의 종류와 성격에 따라 달라지는 것이어서 일률적 기준을 정할 수는 없지만, 적어도 위임명령에 규정될 내용 및 범위의 기본사항이 구체적으로 규정되어 있어서 누구라도 당해 법률이나 상위법령으로부터 위임명령에 규정될 내용의 대강을 예측할 수 있어야 하나</u>, 이 경우 그 예측가능성의 유무는 당해 위임조항 하나만을 가지고 판단할 것이 아니라 그 위임조항이 속한 법률의 전반적인 체계와 취지 및 목적, 당해 위임조항의 규정형식과 내용 및 관련 법규를 유기적·체계적으로 종합하여 판단하여야 하며, 나아가 각 규제 대상의 성질에 따라 구체적·개별적으로 검토함을 요한다. 이러한 법리는 조례가 지방자치법 제22조 단서에 따라 주민의 권리제한 또는 의무부과에 관한 사항을 법률로부터 위임받은 후, 이를 다시 지방자치단체장이 정하는 '규칙'이나 '고시' 등에 재위임하는 경우에도 마찬가지이다(대판 2015.1.15. 2013두14238).

② (O) 상위법령의 시행에 필요한 세부적 사항을 정하기 위하여 행정관청이 일반적 직권에 의하여 제정하는 이른바 집행명령은 근거법령인 상위법령이 폐지되면 특별한 규정이 없는 이상 실효되는 것이나, <u>상위법령이 개정됨에 그친 경우에는 개정법령과 성질상 모순, 저촉되지 아니하고 개정된 상위법령의 시행에 필요한 사항을 규정하고 있는 이상 그 집행명령은 상위법령의 개정에도 불구하고 당연히 실효되지 아니하고 개정법령의 시행을 위한 집행명령이 제정, 발효될 때까지는 여전히 그 효력을 유지한다</u>(대판 1989.9.12. 88누6962).

③ (X) 공공기관의 운영에 관한 법률(이하 '공공기관운영법'이라 한다)이나 그 하위법령은 공기업이 거래상대방 업체에 대하여 공공기관운영법 제39조 제2항 및 공기업·준정부기관 계약사무규칙 제15조에서 정한 범위를 뛰어넘어 추가적인 제재조치를 취할 수 있도록 위임한 바 없다. 따라서 <u>한국수력원자력 주식회사가 조달하는 기자재, 용역 및 정비공사, 기기수리의 공급자에 대한 관리업무 절차를 규정함을 목적으로 제정·운용하고 있는 '공급자관리지침' 중 등록취소 및 그에 따른 일정 기간의 거래제한조치에 관한 규정들은 공공기관으로서 행정청에 해당하는 한국수력원자력 주식회사가 상위법령의 구체적 위임 없이 정한 것이어서 대외적 구속력이 없는 행정규칙이다</u>(대판 2020.5.28. 2017두66541).

문제 DATA
출제가능 지수 ▶▶▷
난이도 지수 ★★★

함께 정리하기

행정입법

구체적 위임여부(예측가능성)
▷ 누구라도 상위법으로부터 하위법에 규정될 내용을 대강 예측할 수 있으면 足

상위법령의 개정
▷ 모순·저촉 없는 한 집행명령은 효력 유지

한국수력원자력 주식회사의 공급자관리지침 중 거래제한조치
▷ (상위법령의 구체적 위임 없이 성한) 행정규칙

구체적 규범통제대상
▷ 재판의 전제성이 인정되는 조항에 한정

「농약관리법」 위임에 따른 농촌진흥청 고시 「농약 및 원제의 등록기준」
▷ 법령보충적 행정규칙

④ (O) 법원이 법률 하위의 법규명령, 규칙, 조례, 행정규칙 등(이하 '규정'이라 한다)이 위헌·위법인지를 심사하려면 그것이 '재판의 전제'가 되어야 한다. 여기에서 '재판의 전제'란 구체적 사건이 법원에 계속 중이어야 하고, 위헌·위법인지가 문제 된 경우에는 규정의 특정 조항이 해당 소송사건의 재판에 적용되는 것이어야 하며, 그 조항이 위헌·위법인지에 따라 그 사건을 담당하는 법원이 다른 판단을 하게 되는 경우를 말한다. 따라서 법원이 구체적 규범통제를 통해 위헌·위법으로 선언할 심판대상은, 해당 규정의 전부가 불가분적으로 결합되어 있어 일부를 무효로 하는 경우 나머지 부분이 유지될 수 없는 결과를 가져오는 특별한 사정이 없는 한, 원칙적으로 해당 규정 중 재판의 전제성이 인정되는 조항에 한정된다(대판 2019.6.13. 2017두33985).
⑤ (O) 농약관리법 제9조 제2항의 위임에 따라 인축독성 시험성적서 검토기준 및 판정기준을 규정하고 있는 농촌진흥청 고시 '농약 및 원제의 등록기준' 제3조 제2항 제3호 [별표 4]가 대외적 구속력을 가지는 법령보충적 행정규칙에 해당한다(대판 2021.2.25. 2019두53389).

답 ③

018 □□□

행정입법에 관한 설명 중 옳지 않은 것은? (다툼이 있는 경우 판례에 의함)

① 법률에서 위임받은 사항에 관하여 대강을 정하고 그중의 특정사항을 범위를 정하여 하위법령에 다시 위임하는 경우에는 재위임이 허용된다.
② 어떠한 고시가 일반적·추상적 성격을 가질 때에는 법규명령 또는 행정규칙에 해당할 것이지만, 다른 집행행위의 매개 없이 그 자체로서 직접 국민의 구체적인 권리의무나 법률관계를 규율하는 성격을 가질 때에는 행정처분에 해당한다.
③ 법률의 위임 없이 명령 또는 규칙 등 행정입법으로 과세요건 등에 관한 사항을 규정하거나 법률에 규정된 내용을 유추·확장하는 내용의 해석규정을 마련하는 것은 조세법률주의 원칙에 위배된다.
④ 헌법 제40조와 헌법 제75조, 제95조의 의미를 살펴보면, 국회입법에 의한 수권이 행정기관에게 법률 등으로 구체적인 범위를 정하여 위임하더라도 당해 행정기관이 독자적인 법정립의 권한을 갖는 것은 아니므로 헌법이 인정하고 있는 위임입법의 형식은 한정적인 것으로 보아야 한다.
⑤ 「공익사업을 위한 토지 등의 취득 및 보상에 관한 법률」은 협의취득의 보상액 산정에 관한 구체적 기준을 시행규칙에 위임하고 있고, 그 위임 범위 내에서 해당 시행규칙은 토지에 건축물 등이 있는 경우에는 건축물 등이 없는 상태를 상정하여 토지를 평가하도록 규정하고 있는데, 그 시행규칙은 위 법률의 규정과 결합하여 대외적인 구속력을 가진다.

2024년 변호사

① (O) 법률에서 위임받은 사항을 전혀 규정하지 않고 재위임하는 것은 복위임금지 원칙에 반할 뿐 아니라 위임명령의 제정 형식에 관한 수권법의 내용을 변경하는 것이 되므로 허용되지 않으나 위임받은 사항에 관하여 대강을 정하고 그 중의 특정사항을 범위를 정하여 하위법령에 다시 위임하는 경우에는 재위임이 허용된다(대판 2015.1.15. 2013두14238).
② (O) 어떠한 고시가 일반적·추상적 성격을 가질 때에는 법규명령 또는 행정규칙에 해당할 것이지만, 다른 집행행위의 매개 없이 그 자체로서 직접 국민의 구체적인 권리의무나 법률관계를 규율하는 성격을 가질 때에는 행정처분에 해당한다(대판 2006.9.22. 2005두2506).
③ (O) 조세법률주의 원칙은 과세요건 등 국민의 납세의무에 관한 사항을 국민의 대표기관인 국회가 제정한 법률로써 규정하여야 하고, 그 법률을 집행하는 경우에도 이를 엄격하게 해석·적용하여야 하며, 행정편의적인 확장해석이나 유추적용을 허용하지 아니함을 뜻한다. 그러므로 법률의 위임 없이 명령 또는 규칙 등 행정입법으로 과세요건 등에 관한 사항을 규정하거나 법률에 규정된 내용을 함부로 유추·확장하는 내용의 해석규정을 마련하는 것은 조세법률주의 원칙에 위배된다(대판 2021.9.9. 2019두35695 전합).

문제 DATA

출제가능 지수 ▶▶▷
난이도 지수 ★★★

함께 정리하기

행정입법
하위법령에 재위임
▷ 대강 정하고 특정사항 범위 정해야 可
구체적 규율 성격의 고시
▷ 처분성○
법률위임 없이 행정입법으로 과세요건 규정
▷ 조세법률주의 원칙 위배
헌법이 인정하는 위임입법 형식
▷ 예시적
「토지보상법 시행규칙」상 협의취득 보상액 산정기준
▷ 토지보상법 규정과 결합하여 대외적 구속력○

④ (×) 오늘날 의회의 입법독점주의에서 입법중심주의로 전환하여 일정한 범위 내에서 행정입법을 허용하게 된 동기가 사회적 변화에 대응한 입법수요의 급증과 종래의 형식적 권력분립주의로는 현대사회에 대응할 수 없다는 기능적 권력분립론에 있다는 점 등을 감안하여 헌법 제40조와 헌법 제75조, 제95조의 의미를 살펴보면, 국회입법에 의한 수권이 입법기관이 아닌 행정기관에게 법률 등으로 구체적인 범위를 정하여 위임한 사항에 관하여는 당해 행정기관에게 법정립의 권한을 갖게 되고, 입법자가 규율의 형식도 선택할 수도 있다 할 것이므로, 헌법이 인정하고 있는 위임입법의 형식은 예시적인 것으로 보아야 할 것이고, 그것은 법률이 행정규칙에 위임하더라도 그 행정규칙은 위임된 사항만을 규율할 수 있으므로, 국회입법의 원칙과 상치되지도 않는다(헌재 2004.10.28. 99헌바91).

⑤ (○) 공익사업을 위한 토지 등의 취득 및 보상에 관한 법률 제68조 제3항은 협의취득의 보상액 산정에 관한 구체적 기준을 시행규칙에 위임하고 있고, 위임 범위 내에서 공익사업을 위한 토지 등의 취득 및 보상에 관한 법률 시행규칙 제22조는 토지에 건축물 등이 있는 경우에는 건축물 등이 없는 상태를 상정하여 토지를 평가하도록 규정하고 있는데, 이는 비록 행정규칙의 형식이나 공익사업법의 내용이 될 사항을 구체적으로 정하여 내용을 보충하는 기능을 갖는 것이므로, 공익사업법 규정과 결합하여 대외적인 구속력을 가진다(대판 2012.3.29. 2011다104253).

답 ④

019

다음 중 행정입법부작위에 관한 판례의 내용으로 가장 옳지 않은 것은?

① 하위 행정입법의 제정 없이 상위 법령의 규정만으로도 집행이 이루어질 수 있는 경우라면 하위 행정입법을 하여야 할 헌법적 작위의무는 인정되지 아니한다.
② 입법부가 법률로써 행정부에게 특정한 사항을 위임했음에도 불구하고 행정부가 정당한 이유 없이 이를 이행하지 않는다면 권력분립의 원칙과 법치국가 내지 법치행정의 원칙에 위배되는 것으로서 위법함과 동시에 위헌적인 것이 된다.
③ 법률이 군법무관의 보수를 판사, 검사의 예에 의하도록 규정하면서 그 구체적 내용을 시행령에 위임하고 있으나 해당 시행령이 제정되지 아니하였다면, 군법무관의 상당한 수준의 보수청구권은 인정되지 아니한다.
④ 치과전문의제도에 관한 규정이 제정된 후 20년 이상이 경과되었음에도 치과전문의제도의 실시를 위한 구체적 조치를 취하고 있지 아니한 경우, 법률의 시행에 반대하는 여론의 압력이나 이익 단체의 반대와 같은 사유는 지체를 정당화하는 사유가 될 수 없다.

2024년 군무원 7급

① (○) 삼권분립의 원칙, 법치행정의 원칙을 당연한 전제로 하고 있는 우리 헌법 하에서 행정권의 행정입법 등 법집행의무는 헌법적 의무라고 보아야 할 것이다. 그런데 이는 행정입법의 제정이 법률의 집행에 필수불가결한 경우로서 행정입법을 제정하지 아니하는 것이 곧 행정권에 의한 입법권 침해의 결과를 초래하는 경우를 말하는 것이므로, 만일 하위 행정입법의 제정 없이 상위 법령의 규정만으로도 집행이 이루어질 수 있는 경우라면 하위 행정입법을 하여야 할 헌법적 작위의무는 인정되지 아니한다(헌재 2005.12.22. 2004헌마66).

② (○), ③ (×) 입법부가 법률로써 행정부에게 특정한 사항을 위임했음에도 불구하고 행정부가 정당한 이유 없이 이를 이행하지 않는다면 권력분립의 원칙과 법치국가 내지 법치행정의 원칙에 위배되는 것으로서 위법함과 동시에 위헌적인 것이 되는바(②), 구 군법무관임용법 제5조 제3항과 군법무관임용 등에 관한 법률 제6조가 군법무관의 보수를 법관 및 검사의 예에 준하도록 규정하면서 그 구체적 내용을 시행령에 위임하고 있는 이상, 위 법률의 규정들은 군법무관의 보수의 내용을 법률로써 일차적으로 형성한 것이고, 위 법률들에 의해 상당한 수준의 보수청구권이 인정되는 것이므로(③), 위 보수청구권은 단순한 기대이익을 넘어서는 것으로서 법률의 규정에 의해 인정된 재산권의 한 내용이 되는 것으로 봄이 상당하고, 따라서 행정부가 정당한 이유 없이 시행령을 제정하지 않은 것은 위 보수청구권을 침해하는 불법행위에 해당한다(대판 2007.11.29. 2006다3561).

📋 문제 DATA

출제가능 지수 ▶▶▷
난이도 지수 ★★☆

📝 함께 정리하기

행정입법부작위

상위법령만으로도 집행 이루어질 수 있는 경우
▷ 하위 행정입법 작위의무 인정×

행정부의 행정입법의무 불이행
▷ 권력분립·법치국가원칙 위배

군법무관보수 시행령 미제정
▷ 보수청구권을 침해하는 불법행위(국가배상청구 가)

20년 이상 치과전문의 시험실시 시행규칙 입법부작위
▷ 합리적 기간 내의 지체×
▷ 반대여론의 압력, 이익단체의 반대: 지체의 정당화 사유×

④ (○) 상위법령을 시행하기 위하여 하위법령을 제정하거나 필요한 조치를 함에 있어서는 상당한 기간을 필요로 하며 합리적인 기간내의 지체를 위헌적인 부작위로 볼 수 없으나, 이 사건의 경우 현행 규정이 제정된 때(1976.4.15.)로부터 이미 20년 이상이 경과되었음에도 아직 치과전문의제도의 실시를 위한 구체적 조치를 취하고 있지 아니하고 있으므로 합리적 기간내의 지체라고 볼 수 없고, 법률의 시행에 반대하는 여론의 압력이나 이익단체의 반대와 같은 사유는 지체를 정당화하는 사유가 될 수 없다(헌재 1998.7.16. 96헌마246).

답 ③

020

행정입법의 사법적 통제에 대한 설명으로 옳지 않은 것은? (다툼이 있는 경우 판례에 의함)

① 중앙선거관리위원회규칙은 법규명령이므로 구체적 규범통제의 대상이 될 수 있다.
② 처분적 법규명령은 무효등확인소송 또는 취소소송의 대상이 된다.
③ 대법원 이외의 각급법원도 구체적 규범통제의 방법으로 법규명령 조항에 대한 위헌·위법 판단을 할 수 있다.
④ 행정입법부작위는 부작위위법확인소송의 대상이 된다.

2023년 지방직 9급

① (○) 중앙선거관리위원회는 법령의 범위 안에서 선거관리, 국민투표관리 또는 정당사무에 관한 규칙을 제정할 수 있는데(헌법 제114조 제6항), 이는 헌법이 명시하고 있는 법규명령으로서 헌법 제107조 제2항의 구체적 규범통제의 대상이 된다.

> **헌법 제107조** ② 명령·규칙 또는 처분이 헌법이나 법률에 위반되는 여부가 재판의 전제가 된 경우에는 대법원은 이를 최종적으로 심사할 권한을 가진다.

② (○) 일반적·추상적인 법규명령은 처분성을 갖고 있지 않기 때문에 취소소송의 대상의 될 수가 없는 것이 원칙이다. 그러나 행정청의 별도의 집행행위 없이도 국민의 권리의무를 직접적으로 규율하는 처분적 법규명령은 그 실질이 처분이므로 예외적으로 항고소송의 대상이 될 수가 있다.

> 조례가 집행행위의 개입 없이도 그 자체로서 직접 국민의 구체적인 권리의무나 법적 이익에 영향을 미치는 등의 법률상 효과를 발생하는 경우 그 조례는 항고소송의 대상이 되는 행정처분에 해당한다(대판 1996.9.20. 95누8003).

③ (○) 헌법 제107조 제2항에서는 대법원이 최종적으로 심사한다고 규정함으로써 대법원 외에 지방법원·고등법원도 모두 주체가 될 수 있음을 밝히고 있다. 따라서 규범통제의 주체는 각급법원이 모두 될 수 있다.
④ (×) 행정소송은 구체적 사건에 대한 법률상 분쟁을 법에 의하여 해결함으로써 법적 안정을 기하자는 것이므로 부작위위법확인소송의 대상이 될 수 있는 것은 구체적 권리의무에 관한 분쟁이어야 하고 추상적인 법령에 관하여 제정의 여부 등은 그 자체로서 국민의 구체적인 권리의무에 직접적 변동을 초래하는 것이 아니어서 그 소송의 대상이 될 수 없다(대판 1992.5.8. 91누11261).

유제 23. 국가직 9급 「특정다목적댐법」에서 댐 건설로 손실을 입으면 국가가 보상해야 하고 그 절차와 방법은 대통령령으로 제정토록 명시되어 있음에도 미제정된 경우, 법령제정의 여부는 「행정소송법」상 부작위위법확인소송의 대상이 될 수 없다. (○)
23. 지방직 7급·군무원 9급 부작위위법확인소송의 대상이 될 수 있는 것은 구체적 권리의무에 관한 분쟁이어야 하고 추상적인 법령에 관하여 제정의 여부 등은 그 자체로서 국민의 구체적인 권리의무에 직접적 변동을 초래하는 것이 아니어서 그 소송의 대상이 될 수 없다. (○)
22. 소방직 9급 행정청이 행정입법 등 추상적인 법령을 제정하지 아니하는 행위는 법률이 시행되지 못하게 됨으로써 행정입법을 통해 구체화되는 개인의 권리를 침해하는 것으로, 항고소송의 대상이 된다. (×)
17. 국회직 8급, 14. 국가직 7급 상위법령의 시행을 위하여 법규명령을 제정하여야 할 의무가 인정됨에도 불구하고 법규명령을 제정하고 있지 않은 경우, 그러한 부작위는 부작위위법확인소송을 통하여 다툴 수 있다. (×)

문제 DATA
출제가능 지수 ▶▶▷
난이도 지수 ★★☆

함께 정리하기
행정입법의 사법적 통제

중앙선거관리위원회규칙
▷ 법규명령으로서 구체적 규범통제의 대상

처분적 법규명령
▷ 항고소송의 대상 ○

법규명령에 대한 위헌·위법 판단
▷ 각급법원 可

행정입법부작위
▷ 부작위위법확인소송의 대상 ×

17. 지방직 9급 행정입법부작위에 대해서는 당사자의 신청이 있는 경우에 한하여 부작위위법확인소송의 대상이 된다. (×)

답 ④

021 □□□

행정입법에 대한 설명으로 옳지 않은 것은? (다툼이 있는 경우 판례에 의함)

① 입법 실제에 있어서 통상 대통령령에는 시행령이라는 이름을 붙이고 총리령과 부령에는 시행규칙이라는 이름을 붙인다.
② 헌법이 인정하고 있는 위임입법의 형식은 예시적인 것이다.
③ 상위 법령의 집행을 위하여 필요한 경우에는 상위 법령의 위임이 없더라도 집행명령으로 새로운 국민의 의무를 정할 수 있다.
④ 법원이 구체적 규범통제를 통해 위헌·위법으로 선언할 심판대상은 원칙적으로 재판의 전제성이 인정되는 조항에 한정된다.
⑤ 고시가 다른 집행행위의 매개 없이 그 자체로서 직접 국민의 구체적인 권리의무나 법률관계를 규율하는 성격을 가질 때에는 항고소송의 대상이 되는 행정처분에 해당한다.

2023년 행정사

① (○) 대통령령은 대통령이 제정하는 법규명령을 말하는바, 보통 '○○법 시행령' 등으로 이름을 붙인다. 총리령과 부령은 각 국무총리와 행정각부의 장이 법률이나 대통령령의 위임 또는 직권으로 발하는 명령을 말하는바, 보통 '○○법 시행규칙' 등으로 이름을 붙인다.
② (○) 헌재 2004.10.28. 99헌바91
③ (×) 집행명령은 법률 또는 상위명령의 집행을 위하여 필요한 사항(신고서 양식, 법령을 시행하기 위한 세칙 등)을 법령의 위임(근거) 없이 직권으로 발하는 명령을 말한다. 집행명령은 위임명령과 달리 새로운 입법사항(국민의 권리의무에 관한 사항)을 정할 수 없다.
④ (○) 법원이 구체적 규범통제를 통해 위헌·위법으로 선언할 심판대상은, 해당 규정의 전부가 불가분적으로 결합되어 있어 일부를 무효로 하는 경우 나머지 부분이 유지될 수 없는 결과를 가져오는 특별한 사정이 없는 한, 원칙적으로 해당 규정 중 재판의 전제성이 인정되는 조항에 한정된다(대판 2019.6.13. 2017두33985).

유제 20. 지방직 7급 법원이 구체적 규범통제를 통해 위헌·위법으로 선언할 심판대상은, 해당 규정의 전부가 불가분적으로 결합되어 있어 일부를 무효로 하는 경우 나머지 부분이 유지될 수 없는 결과를 가져오는 특별한 사정이 없는 한, 원칙적으로 해당 규정 중 재판의 전제성이 인정되는 조항에 한정된다. (○)

⑤ (○) 어떠한 고시가 일반적·추상적 성격을 가질 때에는 법규명령 또는 행정규칙에 해당할 것이지만, 다른 집행행위의 매개 없이 그 자체로서 직접 국민의 구체적인 권리의무나 법률관계를 규율하는 성격을 가질 때에는 행정처분에 해당한다(대판 2006.9.22. 2005두2506).

유제 21. 국가직 7급 어떠한 고시가 다른 집행행위의 매개 없이 그 자체로서 직접 국민의 구체적인 권리의무나 법률관계를 규율하는 성격을 가질 때에는 행정처분에 해당한다. (○)
21. 서울시 7급 어떠한 고시가 다른 집행행위의 매개 없이 그 자체로서 직접 국민의 구체적인 권리의무나 법률관계를 규율하는 성격을 가질 때에는 항고소송의 대상이 되는 행정처분에 해당한다. (○)
17. 서울시 7급·5급 승진 어떠한 고시가 일반적·추상적 성격을 가질 때에는 법규명령 또는 행정규칙에 해당할 것이지만, 다른 집행행위의 매개 없이 그 자체로서 직접 국민의 구체적인 권리의무나 법률관계를 규율하는 성격을 가질 때에는 항고소송의 대상이 되는 행정처분에 해당한다. (○)
17. 국회직 8급 행정규칙인 고시가 집행행위의 개입 없이도 그 자체로서 국민의 구체적인 권리의무에 직접적인 변동을 초래하는 경우에는 항고소송의 대상이 된다. (○)
09. 지방직 9급 법령은 그 자체가 직접 국민의 권리의무를 침해하는 경우에도 행정소송의 대상이 되지 아니한다. (×)

답 ③

문제 DATA

출제가능 지수 ▶▶▷
난이도 지수 ★★☆

함께 정리하기

행정입법

대통령령
▷ 시행령

총리령과 부령
▷ 시행규칙

헌법이 인정하고 있는 위임입법의 형식
▷ 예시적

집행명령
▷ 새로운 입법사항 규정 불가

구체적 규범통제대상
▷ 재판의 전제성이 인정되는 조항에 한정

고시가 다른 집행행위의 매개 없이 그 자체로서 권리의무·법률관계 규율
▷ 행정처분

문제 DATA

출제가능 지수 ▶▶▷
난이도 지수 ★★★

022 ☐☐☐

위임입법에 대한 설명으로 옳은 것만을 <보기>에서 모두 고르면? (다툼이 있는 경우 판례에 의함)

<보기>
ㄱ. 군인의 복무에 관한 사항을 규율할 권한을 대통령령에 위임하는 경우에는 대통령령으로 규정될 내용 및 범위에 관한 기본적인 사항을 다소 광범위하게 위임하였다 하더라도 포괄위임금지원칙에 위배된다고 볼 수 없다.
ㄴ. 법령의 위임이 없음에도 법령에 규정된 처분요건에 해당하는 사항을 부령에서 변경하여 규정한 경우에는 그 부령의 규정은 행정조직 내에서 적용되는 행정명령의 성격을 지닐 뿐 국민에 대한 대외적 구속력은 없다.
ㄷ. 중앙행정기관이 제정·개정 후 10일 내에 제출한 대통령령·총리령 및 부령이 그 위임법률의 취지 또는 내용에 합치되지 아니한다고 국회 소관 상임위원회가 판단한 경우 국회는 본회의 의결로 이를 처리하고 정부에 송부한다.
ㄹ. 헌법상 구체적 위임의 요구는 법률이 대통령령에 위임하는 경우에 대하여 규정된 것이므로 대통령령이 법률에서 위임받은 사항을 다시 부령에 재위임하는 경우에는 적용되지 않는다.

① ㄱ, ㄴ
② ㄱ, ㄷ
③ ㄴ, ㄷ
④ ㄱ, ㄴ, ㄷ
⑤ ㄴ, ㄷ, ㄹ

함께 정리하기

행정입법

군인 복무에 관한 사항 다소 광범위하게 위임
▷ 포괄위임금지원칙 위배×

법령의 위임 없이 처분요건 부령에서 변경
▷ 대외적 구속력×

중앙행정기관이 제출한 대통령령·총리령이 위임법률의 취지 또는 내용에 합치되지 아니한다고 국회 소관 상임위원회가 판단한 경우
▷ 국회 본회의 의결로 처리하고 정부에 송부 ↔ 부령은 본회의 의결 없이 중앙행정기관의 장에게 내용 통보

헌법상 구체적 위임의 요구
▷ 대통령령이 부령에 재위임하는 경우에도 적용

2023년 국회직 8급

ㄱ. (○) 군인사법 제47조의2는 "군인의 복무에 관하여는 이 법에 규정한 것을 제외하고는 따로 대통령령이 정하는 바에 의한다."고 규정하여 기본권 침해에 관하여 아무런 규율도 하지 아니한 채 이를 대통령령에 위임하고 있으므로, 그 내용이 국민의 권리관계를 직접 규율하는 것이라고 보기 어렵다. … 이 사건 복무규율조항이 법률유보원칙을 준수하였는지를 살펴보면, 군인사법 제47조의2는 헌법이 대통령에게 부여한 군통수권을 실질적으로 존중한다는 차원에서 군인의 복무에 관한 사항을 규율할 권한을 대통령령에 위임한 것이라 할 수 있고, <u>대통령령으로 규정될 내용 및 범위에 관한 기본적인 사항을 다소 광범위하게 위임하였다 하더라도 포괄위임금지원칙에 위배된다고 볼 수 없다.</u> 따라서 이 사건 복무규율조항은 이와 같은 군인사법 조항의 위임에 의하여 제정된 정당한 위임의 범위 내의 규율이라 할 것이므로 법률유보원칙을 준수한 것이다(헌재 2010.10.28. 2008헌마638).

ㄴ. (○) 법령에서 행정처분의 요건 중 일부 사항을 부령으로 정할 것을 위임한 데 따라 시행규칙 등 부령에서 이를 정한 경우에 <u>법령의 위임이 없음에도 법령에 규정된 처분 요건에 해당하는 사항을 부령에서 변경하여 규정한 경우에는</u> 그 부령의 규정은 행정청 내부의 사무처리 기준 등을 정한 것으로서 <u>행정조직 내에서 적용되는 행정명령의 성격을 지닐 뿐 국민에 대한 대외적 구속력은 없다고 보아야 한다.</u> 따라서 어떤 행정처분이 그와 같이 법규성이 없는 시행규칙 등의 규정에 위배된다고 하더라도 그 이유만으로 처분이 위법하게 되는 것은 아니라 할 것이고, 또 그 규칙 등에서 정한 요건에 부합한다고 하여 반드시 그 처분이 적법한 것이라고 할 수도 없다. 이 경우 처분의 적법 여부는 그러한 규칙 등에서 정한 요건에 합치하는지 여부가 아니라 일반 국민에 대하여 구속력을 가지는 법률 등 법규성이 있는 관계 법령의 규정을 기준으로 판단하여야 한다(대판 2013.9.12. 2011두10584).

유제 23. 국가직 9급 상위법령의 위임이 없음에도 상위법령에 규정된 처분요건에 해당하는 사항을 부령에서 변경하여 규정한 경우 그 부령의 규정은 국민에 대한 대외적 구속력이 있다. (×)
21. 국회직 8급, 20. 군무원 7급 법령의 위임이 없음에도 법령에 규정된 처분 요건에 해당하는 사항을 부령에서 변경하여 규정한 경우에는 그 부령의 규정은 행정청 내부의 사무처리 기준 등을 정한 것으로서 행정조직 내에서 적용되는 행정명령의 성격을 지닐 뿐 국민에 대한 대외적 구속력은 없다. (○)
21. 지방직 7급 법령의 위임이 없음에도 법령에 규정된 처분 요건에 해당하는 사항을 부령에서 변경하여 규정한 경우에 처분의 적법 여부는 그러한 부령에서 정한 요건을 기준으로 판단하여야 한다. (×)

20. 국가직 9급·지방직 9급, 17. 서울시 9급·5급 승진 법령의 위임이 없음에도 법령에 규정된 처분 요건에 해당하는 사항을 부령에서 변경하여 규정한 경우에는 그 부령의 규정은 행정명령의 성격을 지닐 뿐 국민에 대한 대외적 구속력은 없다고 보아야 한다. (○)

19. 서울시 9급, 16. 국가직 7급 법령의 위임이 없음에도 법령에 규정된 처분 요건에 해당하는 사항을 부령에서 변경하여 규정한 경우에는 그 부령의 규정은 행정청 내부의 사무처리 기준 등을 정한 것으로서 행정조직 내에서 적용되는 행정명령의 성격을 지닌다. (○)

ㄷ. (×) 대통령령 및 총리령과는 달리 부령의 경우는 본회의 의결 대상이 아니다.

> 「국회법」 제98조의2 【대통령령 등의 제출 등】 ① 중앙행정기관의 장은 법률에서 위임한 사항이나 법률을 집행하기 위하여 필요한 사항을 규정한 대통령령·총리령·부령·훈령·예규·고시 등이 제정·개정 또는 폐지되었을 때에는 10일 이내에 이를 국회 소관 상임위원회에 제출하여야 한다. 다만, 대통령령의 경우에는 입법예고를 할 때(입법예고를 생략하는 경우에는 법제처장에게 심사를 요청할 때를 말한다)에도 그 입법예고안을 10일 이내에 제출하여야 한다.
> ② 중앙행정기관의 장은 제1항의 기간 이내에 제출하지 못한 경우에는 그 이유를 소관 상임위원회에 통지하여야 한다.
> ③ 상임위원회는 위원회 또는 상설소위원회를 정기적으로 개회하여 그 소관 중앙행정기관이 제출한 대통령령·총리령 및 부령(이하 이 조에서 "대통령령등"이라 한다)의 법률 위반 여부 등을 검토하여야 한다.
> ④ 상임위원회는 제3항에 따른 검토 결과 대통령령 또는 총리령이 법률의 취지 또는 내용에 합치되지 아니한다고 판단되는 경우에는 검토의 경과와 처리 의견 등을 기재한 검토결과보고서를 의장에게 제출하여야 한다.
> ⑤ 의장은 제4항에 따라 제출된 검토결과보고서를 본회의에 보고하고, 국회는 본회의 의결로 이를 처리하고 정부에 송부한다.
> ⑥ 정부는 제5항에 따라 송부받은 검토결과에 대한 처리 여부를 검토하고 그 처리결과(송부받은 검토결과에 따르지 못하는 경우 그 사유를 포함한다)를 국회에 제출하여야 한다.
> ⑦ 상임위원회는 제3항에 따른 검토 결과 부령이 법률의 취지 또는 내용에 합치되지 아니한다고 판단되는 경우에는 소관 중앙행정기관의 장에게 그 내용을 통보할 수 있다.
> ⑧ 제7항에 따라 검토내용을 통보받은 중앙행정기관의 장은 통보받은 내용에 대한 처리 계획과 그 결과를 지체 없이 소관 상임위원회에 보고하여야 한다.
> ⑨ 전문위원은 제3항에 따른 대통령령등을 검토하여 그 결과를 해당 위원회 위원에게 제공한다.

ㄹ. (×) 법률에서 위임받은 사항을 전혀 규정하지 않고 재위임하는 것은 복위임금지의 법리에 반할 뿐 아니라 수권법의 내용변경을 초래하는 것이 되고, 부령의 제정·개정절차가 대통령령에 비하여 보다 용이한 점을 고려할 때 재위임에 의한 부령의 경우에도 위임에 의한 대통령령에 가해지는 헌법상의 제한이 당연히 적용되어야 할 것이므로 법률에서 위임받은 사항을 전혀 규정하지 아니하고 그대로 재위임하는 것은 허용되지 않으며 위임받은 사항에 관하여 대강을 정하고 그 중의 특정사항을 범위를 정하여 하위법령에 다시 위임하는 경우에만 재위임이 허용된다(헌재 2008.4.24. 2007헌마1456).

답 ①

023 □□□

행정입법에 대한 설명으로 옳지 않은 것은? (다툼이 있는 경우 판례에 의함)

① 총리령·부령의 제정절차는 대통령령의 경우와는 달리 국무회의 심의는 거치지 않아도 된다.
② 법령보충적 행정규칙은 물론이고 재량권행사의 준칙이 되는 행정규칙이 행정의 자기구속원리에 따라 대외적 구속력을 가지는 경우에는 헌법소원의 대상이 될 수 있다.
③ 상위법령의 위임이 없음에도 상위법령에 규정된 처분요건에 해당하는 사항을 부령에서 변경하여 규정한 경우 그 부령의 규정은 국민에 대한 대외적 구속력이 있다.
④ 「특정다목적댐법」에서 댐 건설로 손실을 입으면 국가가 보상해야 하고 그 절차와 방법은 대통령령으로 제정토록 명시되어 있음에도 미제정된 경우, 법령제정의 여부는 「행정소송법」상 부작위법확인소송의 대상이 될 수 없다.

문제 DATA

출제가능 지수 ▶▶▷
난이도 지수 ★★☆

함께 정리하기

행정입법

대통령령 제정
▷ 법제처 심사와 국무회의 심의 要

cf. 총리령과 부령
▷ 국무회의 심의 不要

법령보충규칙 · 대외적 구속력 있는 행정규칙
▷ 헌법소원 대상 O

법령의 위임없이 처분요건 부령에서 변경
▷ 대외적 구속력 X

행정입법부작위
▷ 부작위법확인소송의 대상 X

2023년 국가직 9급

① (O) 대통령령은 법제처 심사와 국무회의 심의를 거쳐야 하며, 총리령과 부령은 법제처의 심사를 거쳐야 한다.

> 헌법 제89조 다음 사항은 국무회의의 심의를 거쳐야 한다.
> 3. 헌법개정안 · 국민투표안 · 조약안 · 법률안 및 대통령령안
>
> 「정부조직법」제23조【법제처】① 국무회의에 상정될 법령안 · 조약안과 총리령안 및 부령안의 심사와 그 밖에 법제에 관한 사무를 전문적으로 관장하기 위하여 국무총리 소속으로 법제처를 둔다.

② (O) 법령보충규칙 또는 재량준칙이 그 정한 바에 따라 되풀이 시행되어 행정관행이 이룩되게 되면, 평등의 원칙이나 신뢰보호의 원칙에 따라 행정기관은 그 상대방에 대한 관계에서 그 규칙에 따라야 할 자기구속을 당하게 되는 경우에는 대외적인 구속력을 가지게 되며, 이러한 경우에는 헌법소원의 대상이 될 수도 있다(헌재 2001.5.31. 99헌마413).

③ (X) 법령의 위임이 없음에도 법령에 규정된 처분 요건에 해당하는 사항을 부령에서 변경하여 규정한 경우에는 그 부령의 규정은 행정청 내부의 사무처리 기준 등을 정한 것으로서 행정조직 내에서 적용되는 행정명령의 성격을 지닐 뿐 국민에 대한 대외적 구속력은 없다고 보아야 한다(대판 2013.9.12. 2011두10584).

④ (O) 대판 1992.5.8. 91누11261

답 ③

문제 DATA

출제가능 지수 ▶▶▶
난이도 지수 ★★☆

024 □□□

행정입법에 대한 설명으로 옳지 않은 것은? (다툼이 있는 경우 판례에 의함)

① 일반적으로 법률의 위임에 의하여 효력을 갖는 법규명령의 경우, 구법에 위임의 근거가 없어 무효였더라도 사후에 법개정으로 위임의 근거가 부여되면 그때부터는 유효한 법규명령이 된다.

② 법령에서 행정처분의 요건 중 일부 사항을 부령으로 정할 것을 위임한 데 따라 시행규칙 등 부령에서 이를 정한 경우에 그 부령의 규정은 국민에 대해서도 구속력이 있는 법규명령에 해당한다.

③ 상급 행정기관이 소속 공무원이나 하급 행정기관에 대하여 세부적인 업무처리절차나 법령의 해석 · 적용 기준을 정해 주는 행정규칙은 상위법령에 반하지 않는다고 하더라도 상위법령의 구체적 위임이 있지 않는 한, 행정조직 내부적으로도 효력을 가지지 못하고 대외적으로도 국민이나 법원을 구속하는 효력이 없다.

④ 법령보충적 행정규칙은 물론이고, 재량권 행사의 준칙이 되는 행정규칙이 그 정한 바에 따라 되풀이 시행되어 행정관행이 이루어지고 행정의 자기구속원리에 따라 대외적 구속력을 가지는 경우에는 헌법소원의 대상이 될 수 있다.

2023년 소방직 9급

① (O) 일반적으로 법률의 위임에 의하여 효력을 갖는 법규명령의 경우, <u>구법에 위임의 근거가 없어 무효였더라도 사후에 법개정으로 위임의 근거가 부여되면 그 때부터는 유효한 법규명령</u>이 되나, 반대로 구법의 위임에 의한 유효한 법규명령이 법개정으로 위임의 근거가 없어지게 되면 그 때부터 무효인 법규명령이 되므로, 어떤 법령의 위임 근거 유무에 따른 유효 여부를 심사하려면 법개정의 전 · 후에 걸쳐 모두 심사하여야만 그 법규명령의 시기에 따른 유효 · 무효를 판단할 수 있다(대판 1995.6.30. 93추83).

유제 22. 소방간부 일반적으로 법률의 위임에 따라 효력을 갖는 법규명령의 경우에 그 위임의 근거가 없어 무효였더라도 나중에 법개정으로 위임의 근거가 부여되면, 그 법규명령이 위임의 한계를 벗어난 해석규정으로 인정되지 않는 한, 그때부터는 유효한 법규명령으로 볼 수 있다. (O)

함께 정리하기

행정입법

위임의 근거 부여
▷ 그때부터 유효한 법규명령

법령의 위임 없이 처분요건 부령에서 변경
▷ 대외적 구속력 無

행정규칙
▷ 대외적 구속력 無(행정조직 내부적 효력은 有)

법령보충규칙 · 대외적 구속력 있는 행정규칙
▷ 헌법소원 대상 O

22. 국가직 9급 법률의 위임에 의하여 효력을 갖는 법규명령이 법개정으로 위임의 근거가 없어지게 되더라도 효력을 상실하지 않는다. (×)
21. 국가직 7급 법률의 위임에 따라 효력을 갖는 법규명령의 경우에 위임의 근거가 없어 무효였더라도 나중에 법개정으로 위임의 근거가 다시 부여된 경우에는 이전부터 소급하여 유효한 법규명령이 있었던 것으로 본다. (×)
21. 지방직 9급 법규명령이 위임의 근거가 없어 무효였더라도 나중에 법개정으로 위임의 근거가 부여되면, 법규명령 제정 당시로 소급하여 유효한 법규명령이 된다. (×)
21. 소방부, 20. 국회직 9급 구법에 위임의 근거가 없어 무효였던 법규명령도 사후에 법개정으로 위임의 근거가 부여되면 그 때부터는 유효한 법규명령이 된다. (○)

② (○) 위임명령으로서 법규명령에 해당한다.
③ (×) 상급 행정기관이 하급 행정기관에 대하여 업무처리지침이나 법령의 해석적용에 관한 기준을 정하여 발하는 이른바 '행정규칙이나 내부지침'은 일반적으로 행정조직 내부에서만 효력을 가질 뿐 대외적인 구속력을 갖는 것은 아니므로 행정처분이 그에 위반하였다고 하여 그러한 사정만으로 곧바로 위법하게 되는 것은 아니다(대판 2009.12.24. 2009두7967).

유제 20. 소방직 9급 상급 행정기관이 하급 행정기관에 대하여 업무처리지침이나 법령의 해석적용에 관한 기준을 정하여 발하는 이른바 행정규칙은 일반적으로 대외적 구속력을 갖는다. (×)
19. 소방간부 상급기관이 하급 행정기관에 대하여 업무처리지침이나 법령에 해석적용에 관한 기준을 정하여 발하는 행정규칙은 일반적으로 행정조직 내부에서만 효력을 가질 뿐이며 대외적인 구속력을 갖지 않는다. (○)
15. 국회직 8급 상급 행정기관이 하급 행정기관에 대하여 업무처리지침이나 법령의 해석적용에 관한 기준을 정하여서 발하는 이른바 행정규칙은 일반적으로 행정조직 내부에서의 효력뿐만 아니라 대외적인 구속력도 갖는다. (×)
12. 서울시 9급 행정규칙은 일반적으로 행정조직 내부에서만 효력을 가질 뿐 대외적 구속력은 없다. (○)
18. 5급 승진 상급 행정기관이 하급 행정기관에 대하여 법령의 해석적용에 관한 기준을 정하여 발하는 이른바 '행정규칙이나 내부지침'은 일반적으로 대외적인 구속력을 갖는 것은 아니므로 행정처분이 그에 위반하였다는 사정만으로 곧바로 위법하게 되는 것은 아니다. (○)

④ (○) 헌재 2001.5.31. 99헌마413

답 ③

025 □□□

다음 사례에 대한 설명으로 옳은 것(○)과 옳지 않은 것(×)을 올바르게 조합한 것은? (다툼이 있는 경우 판례에 의함)

> A법률이 해당 법률의 집행에 관한 특정한 사항을 부령에 위임하고 있음에도 관계 행정기관은 그에 따른 B부령을 제정하고 있지 않다.

> ㄱ. B부령의 제정이 없더라도 상위법령의 규정만으로 A법률의 집행이 이루어질 수 있는 경우라면 B부령을 제정하여야 할 작위의무는 인정되지 않는다.
> ㄴ. B부령을 제정하여야 할 작위의무가 인정되는 경우에는 B부령을 제정하지 않은 입법부작위에 대해 「행정소송법」상 부작위위법확인소송으로 다툴 수 있다.
> ㄷ. B부령을 제정하지 않은 입법부작위는 「국가배상법」상 국가배상청구의 요건인 공무원의 '직무'에 포함되지 않는다.
> ㄹ. 만일 B부령이 A법률의 위임 범위를 벗어나 제정되었다고 하더라도 사후에 A법률의 개정으로 위임의 근거가 부여되면 그때부터 B부령은 유효하게 된다.

① ㄱ(○), ㄴ(×), ㄷ(×), ㄹ(○)　　② ㄱ(○), ㄴ(×), ㄷ(○), ㄹ(○)
③ ㄱ(○), ㄴ(○), ㄷ(×), ㄹ(○)　　④ ㄱ(×), ㄴ(○), ㄷ(○), ㄹ(○)
⑤ ㄱ(×), ㄴ(×), ㄷ(○), ㄹ(×)

● 문제 DATA
출제가능 지수 ▶▶Σ
난이도 지수 ★★★

함께 정리하기

행정입법부작위 사례

상위법령만으로도 집행 이루어질 수 있는 경우
▷ 하위 행정입법 작위의무 인정×

행정입법부작위
▷ 부작위위법확인소송의 대상×
▷ 국가배상청구 可

사후에 위임의 근거 부여
▷ 그때부터 유효한 법규명령

2023년 변호사

ㄱ. (○) 삼권분립의 원칙, 법치행정의 원칙을 당연한 전제로 하고 있는 우리 헌법하에서 행정권의 행정입법 등 법집행의무는 헌법적 의무라고 보아야 할 것이다. 그런데 이는 행정입법의 제정이 법률의 집행에 필수불가결한 경우로서 행정입법을 제정하지 아니하는 것이 곧 행정권에 의한 입법권 침해의 결과를 초래하는 경우를 말하는 것이므로, 만일 하위 행정입법의 제정 없이 상위 법령의 규정만으로도 집행이 이루어질 수 있는 경우라면 하위 행정입법을 하여야 할 헌법적 작위의무는 인정되지 아니한다(헌재 2005.12.22. 2004헌마66).

유제 21. 국회직 8급 행정입법부작위가 위헌 또는 위법이라고 하기 위해서는 행정청에게 행정입법을 하여야 할 작위의무를 전제로 하는 것이므로, 만일 하위 행정입법의 제정 없이 상위법령의 규정만으로도 집행이 이루어질 수 있는 경우라면 행정청에게 하위 행정입법을 제정하여야 할 작위의무가 인정되지 않는다. (○)
20. 경찰 하위 행정입법의 제정 없이 상위법령의 규정만으로도 집행이 이루어질 수 있는 경우라면 하위 행정입법을 하여야 할 헌법적 작위의무는 인정되지 않는다. (○)
16. 지방직 9급 행정입법부작위의 위헌·위법성과 관련하여, 하위 행정입법의 제정 없이 상위법령의 규정만으로 집행이 이루어질 수 있는 경우에도 상위법령의 명시적 위임이 있다면 하위 행정입법을 제정하여야 할 작위의무는 인정된다. (×)
06. 서울시 9급 집행명령이 없어도 법령이 시행될 수 있는 경우에는 특별한 규정이 없는 한 행정권에게 집행명령을 제정할 의무가 있다. (×)

ㄴ. (×) 행정소송은 구체적 사건에 대한 법률상 분쟁을 법에 의하여 해결함으로써 법적 안정을 기하자는 것이므로 부작위위법확인소송의 대상이 될 수 있는 것은 구체적 권리의무에 관한 분쟁이어야 하고 추상적인 법령에 관하여 제정의 여부 등은 그 자체로서 국민의 구체적인 권리의무에 직접적 변동을 초래하는 것이 아니어서 그 소송의 대상이 될 수 없다(대판 1992.5.8. 91누11261).

ㄷ. (×) 입법부작위도 「국가배상법」상 국가배상청구의 요건인 공무원의 '직무'에 포함된다.

> 입법부가 법률로써 행정부에게 특정한 사항을 위임했음에도 불구하고 행정부가 정당한 이유 없이 이를 이행하지 않는다면 권력분립의 원칙과 법치국가 내지 법치행정의 원칙에 위배되는 것으로서 위법함과 동시에 위헌적인 것이 되는바, 구 군법무관임용법 제5조 제3항과 군법무관임용 등에 관한 법률 제6조가 군법무관의 보수를 법관 및 검사의 예에 준하도록 규정하면서 그 구체적 내용을 시행령에 위임하고 있는 이상, 위 법률의 규정들은 군법무관의 보수의 내용을 법률로써 일차적으로 형성한 것이고, 위 법률들에 의해 상당한 수준의 보수청구권이 인정되는 것이므로, 위 보수청구권은 단순한 기대이익을 넘어서는 것으로서 법률의 규정에 의해 인정된 재산권의 한 내용이 되는 것으로 봄이 상당하고, 따라서 행정부가 정당한 이유 없이 시행령을 제정하지 않은 것은 위 보수청구권을 침해하는 불법행위에 해당한다(대판 2007.11.29. 2006다3561).

유제 21. 지방직 9급 대통령령의 입법부작위에 대한 국가배상책임은 인정되지 않는다. (×)
21. 군무원 9급 시행명령을 제정해야 함에도 불구하고 제정을 거부하는 것은 법치행정의 원칙에 반하는 것이 된다. (○)
21. 국회직 8급 입법자가 법률로써 특정한 사항을 시행령으로 정하도록 위임했음에도 불구하고 행정부가 정당한 이유 없이 이를 이행하지 않는다면 권력분립의 원칙과 법치국가 내지 법치행정의 원칙에 위배되는 것으로서 위헌성이 인정되나 이는 헌법소원을 통한 구제의 대상이 될 뿐이고 국가배상의 대상이 되는 것은 아니다. (×)
20. 군무원 9급, 17. 국가직 7급(추) 입법부가 법률로써 행정부에게 특정한 사항을 위임했음에도 불구하고 행정부가 정당한 이유 없이 이를 이행하지 않는다면 권력분립의 원칙과 법치국가 내지 법치행정의 원칙에 위배되는 것으로서 위법함과 동시에 위헌적인 것이 된다. (○)
20. 경찰 2차 입법부가 법률로써 행정부에게 특정한 사항을 위임했음에도 불구하고 행정부가 정당한 이유 없이 법률에서 위임한 시행령을 제정하지 않은 것은 그 법률에서 인정된 권리를 침해하는 불법행위가 될 수 있다. (○)

ㄹ. (○) 대판 1995.6.30. 93추83

답 ①

026

행정입법에 대한 설명으로 옳지 않은 것은? (다툼이 있는 경우 판례에 의함)

① 행정기관 내부의 사무처리준칙에 불과한 행정규칙은 공포되어야 하는 것은 아니므로 특별한 규정이 없는 한, 수명기관에 도달된 때부터 효력이 발생한다.
② 부작위위법확인소송의 대상이 될 수 있는 것은 구체적 권리의무에 관한 분쟁이어야 하고 추상적인 법령에 관하여 제정의 여부 등은 그 자체로서 국민의 구체적인 권리의무에 직접적 변동을 초래하는 것이 아니어서 그 소송의 대상이 될 수 없다.
③ 부령에서 제재적 행정처분의 기준을 정하였다고 하더라도 이에 관한 처분의 적법 여부는 부령에 적합한 것인가의 여부에 따라 판단할 것이 아니라 처분의 근거법률의 규정 및 그 취지에 적합한 것인가의 여부에 따라 판단하여야 한다.
④ 법률이 공법적 단체 등의 정관에 자치법적 사항을 위임한 경우에도 원칙적으로 헌법 제75조가 정하는 포괄적인 위임입법금지원칙이 적용되므로 이와 별도로 법률유보 내지 의회유보의 원칙을 적용할 필요는 없다.

문제 DATA
출제가능 지수 ▶▶▷
난이도 지수 ★★☆

2022년 지방직 7급

① (○) 행정규칙은 원칙적으로 대외적 구속력이 없으므로 법규명령과는 달리 표시에 있어 공포라는 형식에 의함을 요하지 않는다. 따라서 관보게재·게시·사본배부·전문 등 적당한 방법으로 수명기관에 통보되고 도달함으로써 그 효력이 발생하고 해당 기관은 그때부터 행정규칙에 구속된다.
② (○) 대판 1992.5.8. 91누11261
③ (○) 판례는 총리령이나 부령형식으로 정해진 제재적 처분기준은 행정규칙의 성질을 가지는 것으로 본다.

> 구 식품위생법 시행규칙 제53조에서 [별표 15]로 식품위생법 제58조에 따른 행정처분의 기준을 정하였다고 하더라도 이는 형식만 부령으로 되어 있을 뿐, 그 성질은 행정기관 내부의 사무처리준칙을 정한 것으로서 행정명령의 성질을 가지는 것이고, 대외적으로 국민이나 법원을 기속하는 힘이 있는 것은 아니므로 같은 법 제58조 제1항에 의한 처분의 적법 여부는 같은 법 시행규칙에 적합한 것인가의 여부에 따라 판단할 것이 아니라 같은 법의 규정 및 그 취지에 적합한 것인가의 여부에 따라 판단하여야 한다(대판 1995.3.28. 94누6925).

유제 20. 지방직 9급 운전면허에 관한 제재적 행정처분의 기준이 「도로교통법 시행규칙」 [별표]에 규정되어 있는 경우 대외적 구속력을 인정할 수 있다. (×)
19. 서울시 7급 행정처분이 법규성이 없는 내부지침 등의 규정에 위배된다고 하더라도 그 이유만으로 처분이 위법하게 되는 것은 아니고, 또 그 내부지침 등에서 정한 요건에 부합한다고 하여 반드시 그 처분이 적법한 것이라고 할 수도 없다. (○)
17. 지방직 9급 제재적 행정처분의 기준이 부령의 형식으로 규정되어 있는 경우, 이 처분기준에 적합하다 하여 곧바로 당해 처분이 적법한 것이라고 할 수는 없다. (○)
17. 지방직 7급 (甲은 값싼 외국산 수입재료를 국내산 유기농 재료로 속여 상품을 제조·판매하였음을 이유로 식품위생법령에 따라 관할행정청으로부터 영업정지 3개월 처분을 받았다. 한편, 위 영업정지의 처분기준에는 1차 위반의 경우 영업 정지 3개월, 2차 위반의 경우 영업정지 6개월, 3차 위반의 경우 영업허가취소 처분을 하도록 규정되어 있다. 甲은 영업정지 3개월 처분의 취소를 구하는 소송을 제기하였다) 위 처분기준이 「식품위생법」이나 동법 시행령에 규정되어 있는 경우에는 대외적 구속력이 인정되나, 동법 시행규칙에 규정되어 있는 경우에는 대외적 구속력은 부정된다. (○)
17. 교행 구 「식품위생법 시행규칙」에서 정한 제재적 처분기준은 법규명령의 성질을 가진다. (×)

④ (×) 법률이 공법적 단체 등의 정관에 자치법적 사항을 위임한 경우에도 법률유보 내지 의회유보의 원칙은 적용된다.

> 법률이 공법적 단체 등의 정관에 자치법적 사항을 위임한 경우에는 헌법 제75조가 정하는 포괄적인 위임입법의 금지는 원칙적으로 적용되지 않는다고 봄이 상당하고, 그렇다 하더라도 그 사항이 국민의 권리의무에 관련되는 것일 경우에는 적어도 국민의 권리의무에 관한 기본적이고 본질적인 사항은 국회가 정하여야 한다(대판 2007.10.12. 2006두14476).

함께 정리하기

행정입법

행정규칙
▷ 공포 不要, 수명기관에 도달됨으로써 효력발생

행정입법부작위
▷ 부작위위법확인소송의 대상 ×

부령형식 제재적 처분기준
▷ 행정규칙 → 처분의 적법 여부는 근거법률을 기준으로 판단

정관에 자치법적 사항 위임
▷ 포괄위임금지 적용 ×
▷ 의회유보원칙 적용 ○

유제 21. 국가직 9급 법률이 공법적 단체 등의 정관에 자치법적 사항을 위임한 경우에는 헌법 제75조가 정하는 포괄적인 위임입법의 금지는 원칙적으로 적용되지 않지만, 그 사항이 국민의 권리의무에 관련되는 것일 경우에는 적어도 국민의 권리의무에 관한 기본적이고 본질적인 사항은 국회가 정하여야 한다. (○)
20. 5급 승진 국민의 권리의무에 관련되는 사항은 국회가 정하여야 하므로 법률이 공법적 단체 등의 정관에 자치법적 사항을 위임하는 경우 포괄적인 위임입법의 금지가 원칙적으로 적용된다. (×)
20. 국회직 9급 공법적 단체 등의 정관에 자치법적 사항을 위임한 경우에는 포괄적 위임이 가능하다. (○)
20. 군무원 7급·소방직 9급 법률이 공법적 단체 등의 정관에 자치법적인 사항을 위임한 경우, 포괄적 위임입법 금지가 원칙적으로 적용된다. (×)

답 ④

027

행정입법의 사법적 통제에 대한 설명으로 옳지 않은 것은? (다툼이 있는 경우 판례에 의함)

① 조례가 집행행위의 개입 없이도 그 자체로서 직접 국민의 권리의무나 법적 이익에 영향을 미치는 등의 법률상 효과를 발생하는 경우 그 조례는 항고소송의 대상이 되는 행정처분에 해당한다.
② 행정청이 행정입법 등 추상적인 법령을 제정하지 아니하는 행위는 법률이 시행되지 못하게 됨으로써 행정입법을 통해 구체화되는 개인의 권리를 침해하는 것으로, 항고소송의 대상이 된다.
③ 어떠한 처분의 근거나 법적인 효과가 행정규칙에 규정되어 있다고 하더라도, 그 처분이 상대방의 권리의무에 직접 영향을 미치는 행위라면 항고소송의 대상이 되는 행정처분에 해당한다.
④ 법령의 규정이 특정 행정기관에게 법령 내용의 구체적 사항을 정하도록 권한을 부여하여 특정 행정기관이 행정규칙을 정하였으나 그 행정규칙이 상위 법령의 위임범위를 벗어났다면, 그러한 행정규칙은 대외적 구속력을 가지는 법규명령으로서의 효력이 인정되지 않는다.

2022년 소방직

문제 DATA
출제가능 지수 ▶▶▷
난이도 지수 ★★☆

함께 정리하기
행정입법의 사법적 통제
집행행위 개입 없이 직접 법률상 효과 발생 조례
▷ 항고소송 대상○

행정입법부작위
▷ 항고소송 대상×

권리의무에 직접 영향을 미치는 행정규칙에 근거한 처분
▷ 항고소송 대상○

시행규칙으로 정하도록 위임하였음에도 행정규칙으로 정한 경우
▷ 법규명령으로서 효력×(대외적 구속력×)

① (○) 조례가 집행행위의 개입 없이도 그 자체로서 직접 국민의 구체적 권리의무나 법적 이익에 영향을 미치는 등의 법률상 효과를 발생하는 경우 그 조례는 항고소송의 대상이 되는 행정처분에 해당한다 (대판 1996.9.20. 95누8003).

유제 22. 국회직 9급, 21. 소방직, 20. 군무원 9급, 17. 국회직 8급, 16. 국회직 8급, 15. 지방직 7급, 13. 행정사·경찰 2차 조례가 집행행위의 개입 없이도 그 자체로서 직접 국민의 구체적인 권리의무나 법적 이익에 영향을 미치는 등의 법률상 효과를 발생하는 경우 그 조례는 항고소송의 대상이 되는 행정처분에 해당한다. (○)
20. 국회직 9급 조례가 집행행위의 개입 없이도 그 자체로서 직접 국민의 구체적인 권리의무나 법적 이익에 영향을 미치는 경우에는 그 조례를 직접 소송의 대상으로 하여 다툴 수 있다. (○)
19. 5급 승진 학교폐지조례는 집행행위의 개입 없이도 그 자체로서 직접 국민의 구체적인 권리의무나 법적 이익에 영향을 미치는 등의 법률상 효과를 발생시키므로 처분성이 인정되고 있다. (○)
19. 국회직 9급·군무원 9급, 18. 서울시 7급, 16. 국가직 9급, 14. 지방직 7급, 11. 국회직 8급·경찰 1차, 10. 경찰 1차 조례가 집행행위의 개입 없이도 그 자체로서 직접 국민의 구체적인 권리의무나 법적 이익에 영향을 미치는 등의 법률상 효과를 발생하는 경우 그 조례는 항고소송의 대상이 된다. (○)
18. 소방직 처분은 행정청이 행한 구체적 사실에 관한 법집행행위이므로 일반적·추상적 행위는 처분이 아니나, 그 효력이 다른 집행행위의 매개 없이 그 자체로서 직접 국민의 구체적인 권리와 의무나 법률관계를 규율하는 성격을 가지는 처분법규는 처분이 된다. (○)
13. 서울시 7급 판례는 조례가 집행행위의 개입 없이도 그 자체로서 직접 국민의 구체적인 권리의무나 법적 이익에 영향을 미치는 등의 법률상 효과를 발생하는 경우에도 그 조례는 항고소송의 대상이 되는 행정처분이 아니라고 하였다. (×)

② (×) 행정소송은 구체적 사건에 대한 법률상 분쟁을 법에 의하여 해결함으로써 법적 안정을 기하자는 것이므로 부작위위법확인소송의 대상이 될 수 있는 것은 구체적 권리의무에 관한 분쟁이어야 하고 추상적인 법령에 관하여 제정의 여부 등은 그 자체로서 국민의 구체적인 권리의무에 직접적 변동을 초래하는 것이 아니어서 그 소송의 대상이 될 수 없다(대판 1992.5.8. 91누11261).
③ (○) 어떠한 처분의 근거나 법적인 효과가 행정규칙에 규정되어 있다고 하더라도, 그 처분이 행정규칙의 내부적 구속력에 의하여 상대방에게 권리의 설정 또는 의무의 부담을 명하거나 기타 법적인 효과를 발생하게 하는 등으로 그 상대방의 권리의무에 직접 영향을 미치는 행위라면, 이 경우에도 항고소송의 대상이 되는 행정처분에 해당한다(대판 2002.7.26. 2001두3532).
④ (○) 법령의 규정이 특정 행정기관에게 법령 내용의 구체적 사항을 정할 수 있는 권한을 부여하면서 권한행사의 절차나 방법을 특정하지 아니한 경우에는 수임 행정기관은 행정규칙이나 규정 형식으로 법령 내용이 될 사항을 구체적으로 정할 수 있다. 이 경우 행정규칙 등은 당해 법령의 위임한계를 벗어나지 않는 한 대외적 구속력이 있는 법규명령으로서 효력을 가지게 되지만, 이는 행정규칙이 갖는 일반적 효력이 아니라 행정기관에 법령의 구체적 내용을 보충할 권한을 부여한 법령 규정의 효력에 근거하여 예외적으로 인정되는 것이다. 따라서 그 행정규칙이나 규정이 상위법령의 위임범위를 벗어난 경우에는 법규명령으로서 대외적 구속력을 인정할 여지는 없다(대판 2012.7.5. 2010다72076).

답 ②

028

행정입법에 대한 설명으로 옳지 않은 것은? (다툼이 있는 경우 판례에 의함)

① 구 「도시 및 주거환경정비법」에서 주택재개발사업시행인가 신청시 토지 등 소유자의 동의요건을 재개발조합의 정관에 포괄적으로 위임하고 있는 것은 헌법 제75조에서 정하고 있는 포괄위임입법금지원칙에 위배된다.
② 일반적으로 법률의 위임에 따라 효력을 갖는 법규명령의 경우에 그 위임의 근거가 없어 무효였더라도 나중에 법개정으로 위임의 근거가 부여되면, 그 법규명령이 위임의 한계를 벗어난 해석 규정으로 인정되지 않는 한, 그때부터는 유효한 법규명령으로 볼 수 있다.
③ 행정규칙의 내용이 상위법령에 반하는 것이라면 법원은 해당 행정규칙이 법질서상 부존재하는 것으로 취급하여 행정기관이 한 조치의 당부를 상위법령의 규정과 입법 목적 등에 따라서 판단하여야 한다.
④ 법령이 일부 개정된 경우에는 기존 법령 부칙의 경과규정을 개정 또는 삭제하거나 이를 대체하는 별도의 규정을 두는 등의 특별한 조치가 없는 한 개정 법령에 다시 경과규정을 두지 않았다고 하여 기존 법령 부칙의 경과규정이 당연히 실효되는 것은 아니다.
⑤ 추상적인 법령에 관한 제정의 여부 등은 그 자체로서 국민의 구체적인 권리의무에 직접적 변동을 초래하는 것이 아니어서 부작위위법확인소송의 대상이 될 수 없다.

2022년 소방간부

① (×) 구 도시 및 주거환경정비법상 사업시행자에게 사업시행계획의 작성권이 있고 행정청은 단지 이에 대한 인가권만을 가지고 있으므로 사업시행자인 조합의 사업시행계획 작성은 자치법적 요소를 가지고 있는 사항이라 할 것이고, 이와 같이 사업시행계획의 작성이 자치법적 요소를 가지고 있는 이상, 조합의 사업시행인가 신청시의 토지 등 소유자의 동의요건 역시 자치법적 사항이라 할 것이며, 따라서 2005.3.18. 법률 제7392호로 개정된 도시 및 주거환경정비법 제28조 제4항 본문이 사업시행인가 신청시의 동의요건을 조합의 정관에 포괄적으로 위임하고 있다고 하더라도 헌법 제75조가 정하는 포괄위임입법금지의 원칙이 적용되지 아니하므로 이에 위배된다고 할 수 없다(대판 2007.10.12. 2006두14476).

유제 17. 지방직 9급(추) 구 「도시 및 주거환경정비법」 제28조 제4항 본문이 사업시행인가 신청시의 동의요건을 조합의 정관에 포괄적으로 위임한 것은 헌법 제75조가 정하는 포괄위임입법금지의 원칙이 적용되어 이에 위배된다고 하였다. (×)

문제 DATA

출제가능 지수 ▶▶▷
난이도 지수 ★★☆

함께 정리하기

행정입법

조합의 사업시행인가 신청시 동의요건을 정관에 포괄적 위임
▷ 포괄위임금지원칙 위배×(대법원)

사후에 위임의 근거 부여
▷ 그때부터 유효한 법규명령

행정규칙이 상위법령 위반
▷ 당연무효, 행정내부적 효력도 無

일부개정
▷ 기존부칙 경과규정 당연실효×

cf. 전부개정
▷ 부칙 경과규정도 실효○

행정입법부작위
▷ 부작위위법확인소송의 대상×

② (○) 일반적으로 법률의 위임에 따라 효력을 갖는 법규명령의 경우에 위임의 근거가 없어 무효였더라도 나중에 법개정으로 위임의 근거가 부여되면 그때부터는 유효한 법규명령으로 볼 수 있다. 그러나 법규명령이 개정된 법률에 규정된 내용을 함부로 유추·확장하는 내용의 해석규정이어서 위임의 한계를 벗어난 것으로 인정될 경우에는 법규명령은 여전히 무효이다(대판 2017.4.20. 2015두45700).

유제 18. 국회직 8급 일반적으로 법률의 위임에 따라 효력을 갖는 법규명령의 경우에 위임의 근거가 없어 무효였더라도 나중에 법개정으로 위임의 근거가 부여되면 그때부터는 유효한 법규명령으로 볼 수 있다. 그러나 법규명령이 개정된 법률에 규정된 내용을 함부로 유추·확장하는 내용의 해석규정이어서 위임의 한계를 벗어난 것으로 인정될 경우에는 법규명령은 여전히 무효이다. (○)

③ (○) 대판 2019.10.31. 2013두20011
④ (○) 법령의 전부 개정은 기존 법령을 폐지하고 새로운 법령을 제정하는 것과 마찬가지여서 특별한 사정이 없는 한 새로운 법령이 효력을 발생한 이후의 행위에 대하여는 기존 법령의 본칙은 물론 부칙의 경과규정도 모두 실효되어 더는 적용할 수 없지만, 법령이 일부 개정된 경우에는 기존 법령 부칙의 경과규정을 개정 또는 삭제하거나 이를 대체하는 별도의 규정을 두는 등의 특별한 조치가 없는 한 개정 법령에 다시 경과규정을 두지 않았다고 하여 기존 법령 부칙의 경과규정이 당연히 실효되는 것은 아니다(대판 2014.4.30. 2011두18229).
⑤ (○) 대판 1992.5.8. 91누11261

답 ①

029

행정입법부작위에 대한 설명으로 가장 옳지 않은 것은? (다툼이 있는 경우 판례에 의함)

① 현행법상 행정권의 시행명령제정의무를 규정하는 명시적인 법률규정은 없다.
② 삼권분립의 원칙, 법치행정의 원칙을 당연한 전제로 하고 있는 우리 헌법하에서 행정권의 행정입법 등 법집행의무는 헌법적 의무라고 보아야 한다.
③ 행정입법의 부작위가 위헌·위법이라고 하기 위하여는 행정청에게 행정입법을 하여야 할 작위의무를 전제로 하는 것이나, 그 작위의무가 인정되기 위하여는 행정입법의 제정이 법률의 집행에 필수불가결한 것일 필요는 없다.
④ 부작위위법확인소송의 대상이 될 수 있는 것은 구체적 권리의무에 관한 분쟁이어야 하고, 추상적인 법령에 관하여 제정의 여부 등은 그 자체로서 국민의 구체적인 권리의무에 직접적 변동을 초래하는 것이 아니어서 행정소송의 대상이 될 수 없다.

| 2022년 군무원 9급

① (○) 행정권의 행정입법 등 법집행의무는 헌법적 의무이고, 행정권의 시행명령제정의무를 규정한 명시적인 법률규정은 없다.
② (○) 삼권분립의 원칙, 법치행정의 원칙을 당연한 전제로 하고 있는 우리 헌법하에서 행정권의 행정입법 등 법집행의무는 헌법적 의무라고 보아야 한다(헌재 1998.7.16. 96헌마246).

유제 21. 군무원 9급 행정권의 시행명령제정의무는 헌법적 의무이다. (○)
17. 서울시 7급 삼권분립의 원칙, 법치행정의 원칙을 당연한 전제로 하고 있는 우리 헌법하에서 행정권의 행정입법 등 법집행의무는 헌법적 의무라고 보아야 한다. (○)

③ (×) 행정입법의 부작위가 위헌·위법이라고 하기 위하여는 행정청에게 행정입법을 하여야 할 작위 의무를 전제로 하는 것이고, 그 작위의무가 인정되기 위하여는 행정입법의 제정이 법률의 집행에 필수불가결한 것이어야 하는바, 만일 하위 행정입법의 제정 없이 상위 법령의 규정만으로도 집행이 이루어질 수 있는 경우라면 하위 행정입법을 제정하여야 할 작위의무는 인정되지 아니한다고 할 것이다(대판 2007.1.11. 2004두10432).
④ (○) 대판 1992.5.8. 91누11261

답 ③

문제 DATA
출제가능 지수 ▶▶▷
난이도 지수 ★★☆

함께 정리하기

행정입법부작위

행정권의 시행명령제정의무 규정하는 명시적 법률규정 無

행정입법 포함 법집행의무
▷ 헌법적 의무

행정입법 제정의무
▷ 제정이 법률집행에 필수불가결 해야 인정

행정입법부작위
▷ 부작위위법확인소송의 대상 ×

030

행정입법에 대한 설명으로 옳지 않은 것은? (다툼이 있는 경우 판례에 의함)

① 법률의 위임 없이 명령 또는 규칙 등의 행정입법으로 과세요건 등에 관한 사항을 규정하거나 법률에 규정된 내용을 함부로 유추·확장하는 내용의 해석규정을 마련하는 것은 조세법률주의 원칙에 위배된다.
② '2014년도 건물 및 기타물건 시가표준액 조정기준'은 「건축법」 및 지방세법령의 위임에 따른 것으로서 대외적인 구속력이 있는 법규명령으로서의 효력을 가진다.
③ 의료기관의 명칭표시판에 진료과목을 함께 표시하는 경우 그 글자의 크기를 의료기관 명칭을 표시하는 글자 크기의 2분의 1 이내로 제한하는 구 「의료법 시행규칙」의 규정은 항고소송의 대상이 되는 행정처분이다.
④ 조례가 집행행위의 개입 없이도 그 자체로서 직접 국민의 구체적인 권리의무나 법적 이익에 영향을 미치는 등의 법률상 효과를 발생하는 경우 그 조례는 항고소송의 대상이 되는 행정처분에 해당한다.
⑤ 보건복지부 고시인 구 '약제급여·비급여목록 및 급여상한금액표'는 다른 집행행위의 매개 없이 그 자체로서 국민건강보험가입자, 국민건강보험공단, 요양기관 등의 법률관계를 직접 규율하는 성격을 가지므로 항고소송의 대상이 되는 행정처분에 해당한다.

2022년 국회직 9급

① (O) 조세법률주의 원칙은 과세요건 등 국민의 납세의무에 관한 사항을 국민의 대표기관인 국회가 제정한 법률로써 규정하여야 하고, 그 법률을 집행하는 경우에도 이를 엄격하게 해석·적용하여야 하며, 행정편의적인 확장해석이나 유추적용을 허용하지 아니함을 뜻한다. 그러므로 법률의 위임 없이 명령 또는 규칙 등 행정입법으로 과세요건 등에 관한 사항을 규정하거나 법률에 규정된 내용을 함부로 유추·확장하는 내용의 해석규정을 마련하는 것은 조세법률주의 원칙에 위배된다(대판 2021.9.9. 2019두35695 전합).
② (O) '2014년도 건물 및 기타물건 시가표준액 조정기준'의 각 규정들은 일정한 유형의 위반 건축물에 대한 이행강제금의 산정기준이 되는 시가표준액에 관하여 행정자치부장관으로 하여금 정하도록 한 위 건축법 및 지방세법령의 위임에 따른 것으로서 그 법령 규정의 내용을 보충하고 있으므로, 그 법령 규정과 결합하여 대외적인 구속력이 있는 법규명령으로서의 효력을 가지고, 그 중 증·개축 건물과 대수선 건물에 관한 특례를 정한 '증·개축 건물 등에 대한 시가표준액 산출요령'의 규정들도 마찬가지라고 보아야 한다(대판 2017.5.31. 2017두30764).
③ (×) 항고소송의 대상이 되는 행정처분은 행정청의 공법상의 행위로서 특정사항에 대하여 법률에 의하여 권리를 설정하고 의무를 명하며, 기타 법률상 효과를 발생케 하는 등 국민의 권리의무에 직접 관계가 있는 행위이어야 하고, 다른 집행행위의 매개 없이 그 자체로서 국민의 구체적인 권리의무나 법률관계에 직접적인 변동을 초래케 하는 것이 아닌 일반적, 추상적인 법령 등은 그 대상이 될 수 없다. 의료법 시행규칙 제31조가 의료기관의 명칭표시판에 진료과목을 함께 표시하는 경우 그 글자의 크기를 의료기관 명칭을 표시하는 글자 크기의 2분의 1 이내로 제한하고 있지만, 위 규정은 그 위반자에 대하여 과태료를 부과하는 등의 별도의 집행행위 매개 없이는 그 자체로서 국민의 구체적인 권리의무나 법률관계에 직접적인 변동을 초래하지 아니하므로 항고소송의 대상이 되는 행정처분이라고 할 수 없다(대판 2007.4.12. 2005두15168).
④ (O) 대판 1996.9.20. 95누8003
⑤ (O) 어떠한 고시가 일반적·추상적 성격을 가질 때에는 법규명령 또는 행정규칙에 해당할 것이지만, 다른 집행행위의 매개 없이 그 자체로서 직접 국민의 구체적인 권리의무나 법률관계를 규율하는 성격을 가질 때에는 행정처분에 해당한다. 보건복지부 고시인 약제급여·비급여목록 및 급여상한금액표는 다른 집행행위의 매개 없이 그 자체로서 국민건강보험가입자, 국민건강보험공단, 요양기관 등의 법률관계를 직접 규율하는 성격을 가지므로 항고소송의 대상이 되는 행정처분에 해당한다(대판 2006.9.22. 2005두2506).

함께 정리하기

행정입법

법률위임 없이 행정입법으로 과세요건 규정
▷ 조세법률주의 원칙 위배

「건축법」 위임에 따른 2014년도 건물 및 기타물건 시가표준액 조정기준
▷ 법규명령

의료기관의 명칭표시판에 진료과목을 함께 표시하는 경우 글자크기를 제한하는 구 「의료법 시행규칙」
▷ 행정처분×

집행행위 개입없이 직접 법률상 효과 발생 조례
▷ 처분

보건복지부고시인 약제급여·비급여 목록, 급여상한금액표
▷ 행정처분○

유제 21. 행정사 보건복지부 고시인 '약제급여·비급여목록 및 급여상한금액표'에 대해서는 취소소송으로 다툴 수 있다. (○)

18. 국가직 9급 보건복지부 고시인 구 '약제급여·비급여목록 및 급여상한금액표'는 그 자체로서 국민건강보험가입자, 국민건강보험공단, 요양기관 등의 법률관계를 직접 규율하는 성격을 가지므로 항고소송의 대상이 되는 행정처분에 해당한다. (○)

답 ③

031 ☐☐☐

행정입법에 대한 판례의 입장으로 옳지 않은 것은?

① 고시가 비록 법령에 근거를 둔 것이더라도 규정 내용이 법령의 위임 범위를 벗어난 것일 경우에는 법규명령으로서의 대외적 구속력을 인정할 여지는 없다.
② 법률의 위임에 따라 효력을 갖는 법규명령의 경우에 위임의 근거가 없어 무효였더라도 나중에 법개정으로 위임의 근거가 다시 부여된 경우에는 이전부터 소급하여 유효한 법규명령이 있었던 것으로 본다.
③ 어떠한 고시가 다른 집행행위의 매개 없이 그 자체로서 직접 국민의 구체적인 권리의무나 법률관계를 규율하는 성격을 가질 때에는 행정처분에 해당한다.
④ 법률의 시행령이나 시행규칙의 내용이 모법의 입법 취지와 관련 조항 전체를 유기적·체계적으로 살펴보아 모법의 해석상 가능한 것을 명시한 것에 지나 아니하는 때에는 모법에 이에 관하여 직접 위임하는 규정을 두지 아니하였다고 하더라도 이를 무효라고 볼 수는 없다.

| 2021년 국가직 7급

① (○) 특정 고시가 비록 법령에 근거를 둔 것이라고 하더라도 그 규정 내용이 법령의 위임 범위를 벗어난 것일 경우에는 위와 같은 법규명령으로서의 대외적 구속력을 인정할 여지는 없다(대판 1999.11.26. 97누13474).
② (×) 일반적으로 법률의 위임에 의하여 효력을 갖는 법규명령의 경우, 구법에 위임의 근거가 없어 무효였더라도 사후에 법개정으로 위임의 근거가 부여되면 그 때부터는 유효한 법규명령이 되나, 반대로 구법의 위임에 의한 유효한 법규명령이 법개정으로 위임의 근거가 없어지게 되면 그 때부터 무효인 법규명령이 된다(대판 1995.6.30. 93추83).
③ (○) 대판 2006.9.22. 2005두2506
④ (○) 대판 2014.8.20. 2012두19526

답 ②

문제 DATA
출제가능 지수 ▶▶▷
난이도 지수 ★★☆

함께 정리하기

행정입법
고시의 내용이 위임범위를 벗어난 경우
▷ 대외적 구속력×

위임의 근거 부여
▷ 그때부터 유효한 법규명령

고시가 다른 집행행위의 매개 없이 그 자체로서 권리의무·법률관계 규율
▷ 행정처분

해석상 가능한 것 명시·모법조항 구체화
▷ 직접 위임규정 없이도 可

032

위임명령의 한계에 대한 설명으로 옳지 않은 것은? (다툼이 있는 경우 판례에 의함)

① 법률이 공법적 단체 등의 정관에 자치법적 사항을 위임한 경우에는 헌법 제75조가 정하는 포괄적인 위임입법의 금지는 원칙적으로 적용되지 않지만, 그 사항이 국민의 권리의무에 관련되는 것일 경우에는 적어도 국민의 권리의무에 관한 기본적이고 본질적인 사항은 국회가 정하여야 한다.

② 헌법에서 채택하고 있는 조세법률주의의 원칙상 과세요건과 징수절차에 관한 사항을 명령·규칙 등 하위법령에 구체적·개별적으로 위임하여 규정할 수 없다.

③ 법률에서 위임받은 사항에 관하여 대강을 정하고 그 중의 특정사항을 범위를 정하여 하위법령에 다시 위임하는 경우에는 재위임이 허용된다. 이러한 법리는 조례가 지방자치법에 따라 주민의 권리제한 또는 의무부과에 관한 사항을 법률로부터 위임받은 후, 이를 다시 지방자치단체장이 정하는 '규칙'이나 '고시' 등에 재위임하는 경우에도 마찬가지이다.

④ 법률의 시행령이나 시행규칙의 내용이 모법 조항의 취지에 근거하여 이를 구체화하기 위한 것인 때에는 모법의 규율 범위를 벗어난 것으로 볼 수 없다. 이러한 경우에는 모법에 이에 관하여 직접 위임하는 규정을 두지 않았다고 하여도 이를 무효라고 볼 수 없다.

2021년 국가직 9급

① (○) 대판 2007.10.12. 2006두14476

② (×) 헌법 제38조, 제59조에서 채택하고 있는 조세법률주의의 원칙은 과세요건과 징수절차 등 조세권 행사의 요건과 절차는 국민의 대표기관인 국회가 제정한 법률로써 규정하여야 한다는 것이나, 과세요건과 징수절차에 관한 사항을 명령·규칙 등 하위법령에 위임하여 규정하게 할 수 없는 것은 아니고, 이러한 사항을 하위법령에 위임하여 규정하게 하는 경우 구체적·개별적 위임만이 허용되고 포괄적·백지적 위임은 허용되지 아니하고(과세요건법정주의), 이러한 법률 또는 그 위임에 따른 명령·규칙의 규정은 일의적이고 명확하여야 한다(과세요건명확주의)는 것이다(과세요건법정주의)(대결 1994.9.30. 94부18).

유제 07. 국가직 7급 과세요건과 징수절차에 대하여는 조세법률주의 원칙상 위임 입법에 의한 규율이 허용되지 않는다. (×)

③ (○) 법률에서 위임받은 사항을 전혀 규정하지 않고 재위임하는 것은 복위임금지 원칙에 반할 뿐 아니라 위임명령의 제정 형식에 관한 수권법의 내용을 변경하는 것이 되므로 허용되지 않으나 위임받은 사항에 관하여 대강을 정하고 그 중의 특정사항을 범위를 정하여 하위법령에 다시 위임하는 경우에는 재위임이 허용된다. 이러한 법리는 조례가 지방자치법 제22조 단서에 따라 주민의 권리제한 또는 의무부과에 관한 사항을 법률로부터 위임받은 후, 이를 다시 지방자치단체장이 정하는 '규칙'이나 '고시' 등에 재위임하는 경우에도 마찬가지이다(대판 2015.1.15. 2013두14238).

유제 18. 국가직 9급 법규명령이 법률에서 위임받은 사항에 관하여 대강을 정하고 그 중 특정사항을 범위를 정하여 하위법령에 다시 위임하는 것은 재위임 금지의 원칙에 따라 허용되지 않는다. (×)
17. 국회직 8급 수권법령에 재위임을 허용하는 규정이 없더라도 위임받은 사항에 관하여 대강을 정하고 그 중의 특정사항을 범위를 정하여 하위법령에 재위임하는 것은 허용된다. (○)
17. 경찰 2차 법률에서 위임받은 사항을 전혀 규정하지 않고 재위임하는 것은 허용되지 않는다. (○)
14. 국가직 9급, 12. 사복직 법률에서 위임받은 사항을 전혀 규정하지 아니하고 그대로 재위임하는 것은 허용되지 않으며 위임받은 사항에 관하여 대강을 정하고 그 중의 특정사항을 범위를 정하여 하위법령에 다시 위임하는 경우에만 재위임이 허용된다. (○)
14. 서울시 9급 행정의 효율성을 도모하기 위해 법률에서 위임받은 사항을 전혀 규정하지 않고 하위의 법규명령에 재위임하는 것도 가능하다. (×)

④ (○) 대판 2014.8.20. 2012두19526

답 ②

문제 DATA

출제가능 지수 ▶▶⟩
난이도 지수 ★★☆

함께 정리하기

위임명령의 한계

정관에 자치법적 사항 위임
▷ 포괄위임금지 적용×
▷ 의회유보원칙 적용○

과세요건과 징수절차
▷ 하위법령에 구체적·개별적으로 위임하여 규정 가

하위법령에 재위임
▷ 대강 정하고 특정사항 범위 정해야 가
▷ 조례가 규칙이나 고시에 재위임하는 경우에도 同

해석상 가능한 것 명시·모법조항 구체화
▷ 직접 위임규정 없이도 가

문제 DATA

출제가능 지수 ▶▶▷
난이도 지수 ★★☆

033 □□□

행정입법에 대한 설명으로 옳지 않은 것은? (다툼이 있는 경우 판례에 의함)

① 어느 시행령의 규정이 모법에 저촉되는지가 명백하지 않은 경우에는 모법과 시행령의 다른 규정들과 그 입법 취지, 연혁 등을 종합적으로 살펴 모법에 합치된다는 해석도 가능한 경우라면 그 규정을 모법 위반으로 무효라고 선언해서는 안 된다.

② 법령의 위임이 없음에도 법령에 규정된 처분 요건에 해당하는 사항을 부령에서 변경하여 규정한 경우에 처분의 적법 여부는 그러한 부령에서 정한 요건을 기준으로 판단하여야 한다.

③ 제재적 행정처분의 기준이 부령의 형식으로 규정되어 있는 경우 그러한 처분기준에 적합하다 하여 곧바로 당해 처분이 적법한 것이라고 할 수는 없다.

④ 행정규칙이 이를 정한 행정기관의 재량에 속하는 사항에 관한 것인 때에는 그 규정 내용이 객관적 합리성을 결여하였다는 등의 특별한 사정이 없는 한 법원은 이를 존중하는 것이 바람직하다.

2021년 지방직 7급

① (○) 어느 시행령의 규정이 모법에 저촉되는지의 여부가 명백하지 아니한 경우에는 모법과 시행령의 다른 규정들과 그 입법취지·연혁 등을 종합적으로 살펴 모법에 합치된다는 해석도 가능한 경우라면 그 규정을 모법 위반으로 무효라고 선언하여서는 안 된다(대판 2001.8.24. 2000두2716).

유제 17. 지방직 9급, 10. 서울시 9급 어느 시행령의 규정이 모법에 저촉되는지의 여부가 명백하지 아니한 경우에는 모법과 시행령의 다른 규정들과 그 입법취지, 연혁 등을 종합적으로 살펴 모법에 합치된다는 해석도 가능한 경우라면 그 규정을 모법 위반으로 무효라고 선언하여서는 안 된다. (○)

② (✕) 법령의 위임이 없음에도 법령에 규정된 처분 요건에 해당하는 사항을 부령에서 변경하여 규정한 경우에는 그 부령의 규정은 행정청 내부의 사무처리기준 등을 정한 것으로서 행정조직 내에서 적용되는 행정명령의 성격을 지닐 뿐 국민에 대한 대외적 구속력은 없다고 보아야 한다(대판 2013.9.12. 2011두10584).

③ (○) 제재적 행정처분의 기준이 부령의 형식으로 규정되어 있더라도 그것은 행정청 내부의 사무처리준칙을 정한 것에 지나지 아니하여 대외적으로 국민이나 법원을 기속하는 효력이 없고, 당해 처분의 적법 여부는 위 처분기준만이 아니라 관계 법령의 규정 내용과 취지에 따라 판단되어야 하므로, 위 처분기준에 적합하다 하여 곧바로 당해 처분이 적법한 것이라고 할 수는 없지만, 위 처분기준이 그 자체로 헌법 또는 법률에 합치되지 아니하거나 위 처분기준에 따른 제재적 행정처분이 그 처분사유가 된 위반행위의 내용 및 관계 법령의 규정 내용과 취지에 비추어 현저히 부당하다고 인정할 만한 합리적인 이유가 없는 한 섣불리 그 처분이 재량권의 범위를 일탈하였거나 재량권을 남용한 것이라고 판단해서는 안 된다(대판 2007.9.20. 2007두6946).

④ (○) 상급 행정기관이 소속 공무원이나 하급 행정기관에 대하여 세부적인 업무처리절차나 법령의 해석·적용 기준을 정해 주는 '행정규칙'은 상위법령의 구체적 위임이 있지 않는 한 행정조직 내부에서만 효력을 가질 뿐 대외적으로 국민이나 법원을 구속하는 효력이 없다. 다만 행정규칙이 이를 정한 행정기관의 재량에 속하는 사항에 관한 것인 때에는 그 규정 내용이 객관적 합리성을 결여하였다는 등의 특별한 사정이 없는 한 법원은 이를 존중하는 것이 바람직하다. 그러나 행정규칙의 내용이 상위법령에 반하는 것이라면 법치국가원리에서 파생되는 법질서의 통일성과 모순금지 원칙에 따라 그것은 법질서상 당연 무효이고, 행정내부적 효력도 인정될 수 없다(대판 2019.10.31. 2013두20011).

답 ②

함께 정리하기

행정입법

시행령이 모법 저촉 여부 명백✕
▷ 합치 해석 가 → 모법위반 무효✕

법령의 위임없이 처분요건 부령에서 변경
▷ 대외적 구속력✕

부령형식 제재처분기준
▷ 행정규칙

처분의 적법성
▷ 관계법령으로 판단

행정규칙이 행정기관의 재량에 속하는 사항
▷ 특별한 사정이 없는 한 법원은 이를 존중

034

행정입법에 대한 설명으로 옳은 것은? (다툼이 있는 경우 판례에 의함)

① 법규명령이 위임의 근거가 없어 무효였더라도 나중에 법개정으로 위임의 근거가 부여되면, 법규명령 제정 당시로 소급하여 유효한 법규명령이 된다.
② 법률의 시행령 내용이 모법 조항의 취지에 근거하여 이를 구체화하기 위한 것인 때에는 모법에 직접 위임하는 규정을 두지 않았더라도 이를 무효라고 볼 수 없다.
③ 대통령령의 입법부작위에 대한 국가배상책임은 인정되지 않는다.
④ 법규명령의 위임근거가 되는 법률에 대하여 위헌결정이 선고되더라도 그 위임에 근거하여 제정된 법규명령은 별도의 폐지행위가 있어야 효력을 상실한다.

2021년 지방직 9급

① (×) 일반적으로 법률의 위임에 의하여 효력을 갖는 법규명령의 경우, 구법에 위임의 근거가 없어 무효였더라도 사후에 법개정으로 위임의 근거가 부여되면 그 때부터는 유효한 법규명령이 되나, 반대로 구법의 위임에 의한 유효한 법규명령이 법개정으로 위임의 근거가 없어지게 되면 그 때부터 무효인 법규명령이 된다(대판 1995.6.30. 93추83).
② (○) 대판 2014.8.20. 2012두19526
③ (×) 대판 2007.11.29. 2006다3561
④ (×) 법규명령의 위임근거가 되는 법률에 대하여 위헌결정이 선고되면 그 위임에 근거하여 제정된 법규명령도 원칙적으로 효력을 상실한다(대판 2001.6.12. 2000다18547).

유제 20. 군무원 7급, 19. 5급 승진, 18. 행정사, 14. 지방직 7급, 13. 서울시 7급 법규명령의 위임근거가 되는 법률에 대하여 위헌결정이 선고되면 그 위임에 근거하여 제정된 법규명령도 원칙적으로 효력을 상실한다. (○)
11. 경찰 1차 법규명령의 위임근거가 되는 법률에 대하여 위헌결정이 선고되더라도 그 위임에 근거하여 제정된 법규명령은 원칙적으로 효력을 상실하지 않는다. (×)
08. 지방직 7급(하) 법규명령의 위임근거가 되는 법률에 대하여 위헌결정이 선고되더라도 그 법규명령은 특별한 규정이 없는 한 별도의 폐지행위가 있어야 효력을 상실한다. (×)

답 ②

함께 정리하기

행정입법

사후에 위임의 근거 부여
▷ 그때부터 유효한 법규명령

해석상 가능한 것 명시 · 모법조항 구체화
▷ 직접 위임규정 없이도 可

행정입법부작위
▷ 국가배상청구 可

위임근거 법률 위헌결정
▷ 그에 근거하여 제정된 법규명령 효력상실 (폐지행위 不要)

035

행정입법에 대한 설명으로 가장 옳은 것은? (다툼이 있는 경우 판례에 의함)

① 법률의 시행령 내용이 모법의 해석상 가능한 것을 명시한 것에 지나지 아니하더라도, 모법에 직접 위임하는 규정을 두지 않았다면 무효이다.
② 추상적인 법령에 관하여 제정의 여부 등은 그 자체로서 국민의 구체적인 권리의무에 변동을 초래하는 것이어서 행정소송의 대상이 될 수 있다.
③ 국토의 계획 및 이용에 관한 법령이 정한 이행강제금의 부과기준은 단지 상한을 정한 것에 불과하여 행정청에 이와 다른 이행강제금액을 결정할 재량권이 있다고 보아야 한다.
④ 행정관청 내부의 사무처리규정에 불과한 전결규정에 위반하여 원래의 전결권자 아닌 보조기관 등이 처분권자인 행정관청의 이름으로 행정처분을 하였다고 하더라도 그 처분이 권한 없는 자에 의하여 행하여진 무효의 처분이라고는 할 수 없다.

함께 정리하기

행정입법

해석상 가능한 것 명시·모법조항 구체화
▷ 직접 위임규정 없이도 可

행정입법부작위
▷ 행정소송 대상✕

국토계획법이 정한 이행강제금 부과기준
▷ 특정금액규정(∴재량✕)

전결규정 위반하여 원래의 전결권자 아닌 보조기관 등이 처분권자인 행정관청 이름으로 한 행정처분
▷ 무효✕

2021년 서울시 7급

① (✕) 법률의 시행령이나 시행규칙은 법률에 의한 위임이 없으면 개인의 권리의무에 관한 내용을 변경·보충하거나 법률이 규정하지 아니한 새로운 내용을 정할 수는 없지만, 법률의 시행령이나 시행규칙의 내용이 모법의 입법 취지와 관련 조항 전체를 유기적·체계적으로 살펴보아 모법의 해석상 가능한 것을 명시한 것에 지나지 아니하거나 모법 조항의 취지에 근거하여 이를 구체화하기 위한 것인 때에는 모법의 규율 범위를 벗어난 것으로 볼 수 없으므로, 모법에 이에 관하여 직접 위임하는 규정을 두지 아니하였다고 하더라도 이를 무효라고 볼 수는 없다(대판 2014.8.20. 2012두19526).

② (✕) 행정소송은 구체적 사건에 대한 법률상 분쟁을 법에 의하여 해결함으로써 법적 안정을 기하자는 것이므로 부작위위법확인소송의 대상이 될 수 있는 것은 구체적 권리의무에 관한 분쟁이어야 하고 추상적인 법령에 관하여 제정의 여부 등은 그 자체로서 국민의 구체적인 권리의무에 직접적 변동을 초래하는 것이 아니어서 그 소송의 대상이 될 수 없다(대판 1992.5.8. 91누11261).

③ (✕) 국토의 계획 및 이용에 관한 법률(이하 '국토계획법'이라 한다) 제124조의2 제1항, 제2항 및 국토의 계획 및 이용에 관한 법률 시행령 제124조의3 제3항이 토지이용에 관한 이행명령의 불이행에 대하여 법령 자체에서 토지이용의무 위반을 유형별로 구분하여 이행강제금을 차별하여 규정하고 있는 등 규정의 체계, 형식 및 내용에 비추어 보면, 국토계획법 및 국토의 계획 및 이용에 관한 법률 시행령이 정한 이행강제금의 부과기준은 단지 상한을 정한 것에 불과한 것이 아니라, 위반행위 유형별로 계산된 특정 금액을 규정한 것이므로 행정청에 이와 다른 이행강제금액을 결정할 재량권이 없다고 보아야 한다(대판 2014.11.27. 2013두8653).

유제 15. 지방직 7급 「국토의 계획 및 이용에 관한 법률」 및 같은 법 시행령이 정한 이행강제금의 부과기준은 단지 상한을 정한 것에 불과한 것이므로 행정청에 이와 다른 이행강제금액을 결정할 재량권이 있다. (✕)

④ (○) 전결과 같은 행정권한의 내부위임은 법령상 처분권자인 행정관청이 내부적인 사무처리의 편의를 도모하기 위하여 그의 보조기관 또는 하급 행정관청으로 하여금 그의 권한을 사실상 행사하게 하는 것으로서 법률이 위임을 허용하지 않는 경우에도 인정되는 것이므로, 설사 행정관청 내부의 사무처리규정에 불과한 전결규정에 위반하여 원래의 전결권자 아닌 보조기관 등이 처분권자인 행정관청의 이름으로 행정처분을 하였다고 하더라도 그 처분이 권한 없는 자에 의하여 행하여진 무효의 처분이라고는 할 수 없다(대판 1998.2.27. 97누1105).

답 ④

문제 DATA

출제가능 지수 ▶▶▷
난이도 지수 ★★☆

036 ☐☐☐

행정입법에 대한 설명으로 옳지 않은 것은? (다툼이 있는 경우 판례에 의함)

① 행정소송에 대한 대법원판결에 의하여 대통령령이 법률에 위반된다는 것이 확정된 경우에는 대법원은 지체 없이 그 사유를 행정안전부장관에게 통보하여야 한다.

② 구법에 위임의 근거가 없어 무효인 법규명령이더라도 사후에 법개정으로 위임의 근거가 부여되면 그때부터 유효한 법규명령이 된다.

③ 명령·규칙 그 자체로 기본권이 침해되었을 경우에는 이에 대한 헌법소원심판을 청구할 수 있고, 그 경우 제소요건은 당해 법령이 구체적 집행행위를 매개로 하지 않고 직접적·현재적으로 국민의 기본권을 침해하고 있어야 한다.

④ 하위법령의 규정이 상위법령의 규정에 저촉되는지 명백하지 않지만 하위법령의 의미를 상위법령에 합치되는 것으로 해석하는 것이 가능한 경우, 하위법령이 상위법령에 위반된다는 이유로 쉽게 무효를 선언할 것은 아니다.

⑤ 법령불소급의 원칙에 따르면 법령의 효력발생 전에 완성된 요건 사실에 대하여 당해 법령을 적용할 수 없음은 물론이고, 계속 중인 사실이나 그 이후에 발생한 요건 사실에 대한 경우까지도 법령적용이 제한되는 것으로 해석된다.

2021년 소방간부

① (○)

> 「행정소송법」 제6조【명령·규칙의 위헌판결등 공고】 ① 행정소송에 대한 대법원판결에 의하여 명령·규칙이 헌법 또는 법률에 위반된다는 것이 확정된 경우에는 대법원은 지체 없이 그 사유를 행정안전부장관에게 통보하여야 한다.

② (○) 대판 1995.6.30. 93추83

③ (○) 명령·규칙 그 자체에 의하여 직접 기본권이 침해되었을 경우에는 그것을 대상으로 하여 헌법소원심판을 청구할 수 있고, 그 경우 제소요건으로서 당해 법령이 구체적 집행행위를 매개로 하지 아니하고 직접적으로 그리고 현재적으로 국민의 기본권을 침해하고 있어야 한다(헌재 1993.5.13. 92헌마80).

유제 14. 국가직 9급, 12. 사복직 명령·규칙 그 자체에 의하여 직접 기본권이 침해되었을 경우에는 그것을 대상으로 하여 헌법소원심판을 청구할 수 있다. (○)
12. 국가직 9급 명령·규칙에 대한 헌법소원도 가능하다는 것이 헌법재판소 결정례의 입장이다. (○)

④ (○) 하위법령의 규정이 상위법령의 규정에 저촉되는지가 명백하지 아니한 경우에, 관련 법령의 내용과 입법 취지 및 연혁 등을 종합적으로 살펴 하위법령의 의미를 상위법령에 합치되는 것으로 해석하는 것도 가능한 경우라면, 하위법령이 상위법령에 위반된다는 이유로 쉽게 무효를 선언할 것은 아니다(대판 2016.12.15. 2014두44502).

⑤ (×) 조세법령불소급의 원칙은, 그 조세법령의 효력발생 전에 완성된 과세요건사실에 대하여 당해 법령을 적용할 수 없다는 의미일 뿐 계속된 사실이나 그 이후에 발생한 과세요건사실에 대한 법령적용까지를 제한하는 것은 아니라고 할 것이다(대판 1994.2.25. 93누20726).

답 ⑤

함께 정리하기

행정입법

대법원판결에 의하여 명령·규칙이 헌법 또는 법률 위반확정
▷ 행안부장관에 통보 후 행안부장관은 관보게재

사후에 위임의 근거 부여
▷ 그때부터 유효한 법규명령

명령·규칙 그 자체에 의하여 직접 기본권이 침해
▷ 헌법소원 청구 可

하위법령 의미를 상위법령에 합치되는 것으로 해석 가능
▷ 무효선언×

법령불소급원칙
▷ 법령의 효력발생 전 계속 중 사실이나 그 이후 발생 사실에 적용×

---

037 □□□

「행정소송법」상 행정입법부작위에 대한 설명으로 옳지 않은 것은? (다툼이 있는 경우 판례에 의함)

① 행정권의 시행명령제정의무는 헌법적 의무이다.
② 시행명령을 제정해야 함에도 불구하고 제정을 거부하는 것은 법치행정의 원칙에 반하는 것이 된다.
③ 시행명령을 제정 또는 개정하였지만 그것이 불충분 또는 불완전하게 된 경우에는 행정입법부작위가 아니다.
④ 행정입법부작위는 부작위위법확인소송의 대상이 된다.

2021년 군무원 9급

① (○) 헌재 1998.7.16. 96헌마246
② (○) 대판 2007.11.29. 2006다3561
③ (○) 입법부작위에는 입법자가 헌법상 입법의무가 있는 어떤 사항에 관하여 전혀 입법을 하지 아니함으로써 입법행위의 흠결이 있는 진정입법부작위와 입법자가 어떤 사항에 관하여 입법은 하였으나 그 입법의 내용·범위·절차 등의 당해 사항을 불완전·불충분 또는 불공정하게 규율함으로써 입법행위에 결함이 있는 부진정입법부작위로 나눌 수 있다. 전자인 진정입법부작위는 입법부작위로서 헌법소원의 대상이 될 수 있지만, 후자인 부진정입법부작위의 경우에는 그 불완전한 법규정 자체를 대상으로 하여 그것이 헌법위반이라는 적극적인 헌법소원을 청구할 수 있을 뿐 이를 입법부작위라하여 헌법소원을 제기할 수 없다(헌재 2003.5.15. 2000헌마192·508).

유제 16. 사복직 부진정입법부작위에 대해서는 입법부작위 그 자체를 헌법소원의 대상으로 할 수 있다. (×)
10. 지방직 9급 판례는 행정입법부작위에 대하여 헌법소원을 인정하고 있지 않다. (×)

함께 정리하기

행정입법부작위

행정권의 시행명령제정의무
▷ 헌법적 의무

정당한 이유 없는 행정입법부작위
▷ 법치행정의 원칙에 위배

부진정입법부작위(불충분 또는 불완전한 규율)
▷ 입법부작위×

행정입법부작위
▷ 부작위법확인소송 대상×

④ (×) 행정소송은 구체적 사건에 대한 법률상 분쟁을 법에 의하여 해결함으로써 법적 안정을 기하자는 것이므로 부작위법확인소송의 대상이 될 수 있는 것은 구체적 권리의무에 관한 분쟁이어야 하고 추상적인 법령에 관하여 제정의 여부 등은 그 자체로서 국민의 구체적인 권리의무에 직접적 변동을 초래하는 것이 아니어서 그 소송의 대상이 될 수 없다(대판 1992.5.8. 91누11261).

답 ④

038

행정입법에 대한 설명으로 옳지 않은 것은? (다툼이 있는 경우 판례에 의함)

① 법령의 위임이 없음에도 법령에 규정된 처분 요건에 해당하는 사항을 부령에서 변경하여 규정한 경우에는 그 부령의 규정은 행정청 내부의 사무처리 기준 등을 정한 것으로서 행정조직 내에서 적용되는 행정명령의 성격을 지닐 뿐 국민에 대한 대외적 구속력은 없다.

② 중앙행정기관의 장은 법률에서 위임한 사항이나 법률을 집행하기 위하여 필요한 사항을 규정한 훈령이나 예규가 폐지되었을 때에는 10일 이내에 이를 국회 소관 상임위원회에 제출하여야 한다.

③ 고시가 위법하게 제정된 경우라도 고시의 제정행위는 일반·추상적인 규범의 정립행위이므로 국가배상책임의 대상이 되는 직무행위에 해당한다고 볼 수 없다.

④ 시행령의 규정을 위헌 또는 위법하여 무효라고 선언한 대법원의 판결이 선고되지 아니한 상태에서는, 그 시행령 규정의 위헌 내지 위법 여부가 해석상 다툼의 여지가 없을 정도로 명백하였다고 인정되지 아니하는 이상 그 시행령에 근거한 행정처분의 하자는 취소사유에 해당할 뿐 무효사유가 되지 아니한다.

⑤ 행정입법부작위가 위헌 또는 위법이라고 하기 위해서는 행정청에게 행정입법을 하여야 할 작위의무를 전제로 하는 것이므로, 만일 하위 행정입법의 제정 없이 상위 법령의 규정만으로도 집행이 이루어질 수 있는 경우라면 행정청에게 하위 행정입법을 제정하여야 할 작위의무가 인정되지 않는다.

2021년 국회직 8급

① (○) 대판 2013.9.12. 2011두10584
② (○)

> 「국회법」 제98조의2 【대통령령 등의 제출 등】 ① 중앙행정기관의 장은 법률에서 위임한 사항이나 법률을 집행하기 위하여 필요한 사항을 규정한 대통령령·총리령·부령·훈령·예규·고시 등이 제정·개정 또는 폐지되었을 때에는 10일 이내에 이를 국회 소관 상임위원회에 제출하여야 한다. 다만, 대통령령의 경우에는 입법예고를 할 때(입법예고를 생략하는 경우에는 법제처장에게 심사를 요청할 때를 말한다)에도 그 입법예고안을 10일 이내에 제출하여야 한다.

③ (×) 「국가배상법」상의 직무행위에는 입법작용, 사법(司法)작용, 법률행위적 행정행위, 준법률행위적 행정행위, 재량행위, 사실행위, 부작위가 모두 포함된다. 따라서 입법작용에 해당하는 고시의 제정행위도 국가배상책임의 대상이 되는 직무행위에 해당한다고 볼 수 있다.

④ (○) 일반적으로 시행령이 헌법이나 법률에 위반된다는 사정은 그 시행령의 규정을 위헌 또는 위법하여 무효라고 선언한 대법원의 판결이 선고되지 아니한 상태에서는 그 시행령 규정의 위헌 내지 위법 여부가 해석상 다툼의 여지가 없을 정도로 명백하였다고 인정되지 아니하는 이상 객관적으로 명백한 것이라 할 수 없으므로, 이러한 시행령에 근거한 행정처분의 하자는 취소사유에 해당할 뿐 무효사유가 된다고 볼 수는 없다(대판 2007.6.14. 2004두619).

유제 19. 경찰 2차 헌법 제107조에 따른 구체적 규범통제의 결과 처분의 근거가 된 명령이 위법하다는 대법원의 판결이 난 경우, 일반적으로 당해 처분의 하자는 중대명백설에 따라 취소사유에 해당한다고 보아야 한다. (○)

문제 DATA
출제가능 지수 ▶▶▷
난이도 지수 ★★★

함께 정리하기

행정입법

법령의 위임 없이 처분요건 부령에서 변경
▷ 대외적 구속력×

행정입법 제출제도
▷ 법규명령 제정·개정·폐지 시 10일 내 소관상임위에 제출

고시가 위법하게 제정된 경우
▷ 국가배상책임의 대상이 되는 직무행위에 해당○

시행령이 헌법이나 법률에 위반된다는 사정
▷ 대법원 판결 전까지는 취소사유

상위법령규정만으로 집행가능
▷ 하위 행정입법 제정의무×

18. 국가직 9급·서울시 7급, 14. 서울시 9급 일반적으로 시행령이 헌법이나 법률에 위반된다는 사정은 그 시행령의 규정을 위헌 또는 위법하여 무효라고 선언한 대법원의 판결이 선고되지 아니한 상태에서도 그 시행령 규정의 위헌 내지 위법 여부가 객관적으로 명백한 것이라 할 수 있으므로, 이러한 시행령에 근거한 행정처분의 하자는 취소사유에 해당할 뿐 무효사유에 해당한다. (×)

18. 소방직 행정처분 후, 대법원에서 처분의 근거 명령 등이 무효라고 선언된 경우 당해 행정처분은 무효사유에 해당한다. (×)

15. 지방직 9급 시행령 규정의 위헌 여부가 해석상 다툼의 여지가 없을 정도로 명백하였다고 인정되지 아니하는 이상 이러한 시행령에 근거한 행정처분의 하자는 취소사유에 해당할 뿐 무효사유가 되지 아니한다. (○)

12. 경찰 1차 헌법이나 법률에 반하는 시행령 규정이 대법원에 의해 위헌 또는 위법하여 무효라고 선언하는 판결이 나오기 전이라도 하자의 중대성으로 인하여 그 시행령에 근거한 행정처분의 하자는 무효사유에 해당하는 것으로 취급된다. (×)

⑤ (○) 행정입법의 부작위가 위헌·위법이라고 하기 위하여는 행정청에게 행정입법을 하여야 할 작위 의무를 전제로 하는 것이고, 그 작위의무가 인정되기 위하여는 행정입법의 제정이 법률의 집행에 필수불가결한 것이어야 하는바, 만일 하위 행정입법의 제정 없이 상위 법령의 규정만으로도 집행이 이루어질 수 있는 경우라면 하위 행정입법을 제정하여야 할 작위의무는 인정되지 아니한다고 할 것이다(대판 2007.1.11. 2004두10432).

유제 16. 지방직 9급 행정입법부작위의 위헌·위법성과 관련하여, 하위 행정입법의 제정 없이 상위 법령의 규정만으로 집행이 이루어질 수 있는 경우에도 상위 법령의 명시적 위임이 있다면 하위 행정입법을 제정하여야 할 작위의무는 인정된다. (×)

06. 서울시 9급 집행명령이 없어도 법령이 시행될 수 있는 경우에는 특별한 규정이 없는 한 행정권에게 집행명령을 제정할 의무는 있다. (×)

답 ③

039 □□□

행정입법에 대한 설명으로 가장 옳지 않은 것은? (다툼이 있는 경우 판례에 의함)

① 지방자치단체의 조례가 규정하고 있는 사항이 근거 법령 등에 비추어 볼 때 자치사무나 단체위임사무에 관한 것이라면 위임조례와 같이 국가법에 적용되는 일반적인 위임입법의 한계가 적용될 여지는 없다.

② 일반적으로 법률의 위임에 따라 효력을 갖는 법규명령의 경우, 위임의 근거가 없어 무효였다고 하더라도 나중에 법률개정을 통해 위임의 근거가 부여되었다면 그때부터는 유효한 법규명령으로 볼 수 있다.

③ 전결(專決)과 같은 행정권한의 내부위임은 법령상 처분권자인 행정관청이 내부적인 사무처리의 편의를 도모하기 위하여 그의 보조기관 또는 하급 행정관청으로 하여금 그의 권한을 사실상 행사하게 하는 것으로서 법률의 위임이 있어야 허용된다.

④ 헌법이 인정하고 있는 위임입법의 형식은 예시적인 것으로 보아야 할 것이고, 법률이 행정규칙에 위임하더라도 그 행정규칙은 위임된 사항만을 규율할 수 있으므로 국회입법의 원칙과 상치되지 않는다.

2021년 경찰 2차

① (○) 지방자치법 제9조 제1항과 제15조(현 제28조의2) 등의 관련 규정에 의하면 지방자치단체는 원칙적으로 그 고유 사무인 자치사무와 법령에 의하여 위임된 단체위임사무에 관하여 이른바 자치조례를 제정할 수 있는 외에, 개별 법령에서 특별히 위임하고 있을 경우에는 그러한 사무에 속하지 아니하는 기관위임사무에 관하여도 그 위임의 범위 내에서 이른바 위임조례를 제정할 수 있지만, 조례가 규정하고 있는 사항이 그 근거 법령 등에 비추어 볼 때 자치사무나 단체위임사무에 관한 것이라면 이는 자치조례로서 지방자치법 제15조가 규정하고 있는 '법령의 범위 안'이라는 사항적 한계가 적용될 뿐, 위임조례와 같이 국가법에 적용되는 일반적인 위임입법의 한계가 적용될 여지는 없다(대판 2000.11.24. 2000추29).

문제 DATA

출제가능 지수 ▶▶▷
난이도 지수 ★★☆

함께 정리하기

행정입법

자치조례
▷ 위임조례와 달리 위임입법 한계 적용×

사후에 위임의 근거 부여
▷ 그때부터 유효한 법규명령

전결(專決)과 같은 행정권한 내부위임
▷ 법률이 위임을 허용하지 않는 경우에도 인정

헌법상 위임입법형식
▷ 예시적

유제 12. 사복직 판례는 자치조례의 경우에도 위임조례와 같이 국가법에 적용되는 일반적인 위임입법의 한계가 적용된다고 한다. (×)

② (○) 대판 1995.6.30. 93추83
③ (×) 전결과 같은 행정권한의 내부위임은 법령상 처분권자인 행정관청이 내부적인 사무처리의 편의를 도모하기 위하여 그의 보조기관 또는 하급 행정관청으로 하여금 그의 권한을 사실상 행사하게 하는 것으로서 법률이 위임을 허용하지 않는 경우에도 인정되는 것이다(대판 1998.2.27. 97누1105).
④ (○) 헌재 2004.10.28. 99헌바91

답 ③

040

행정입법에 대한 설명으로 옳지 않은 것은? (다툼이 있는 경우 판례에 의함)

① 재량준칙은 일반적으로 행정조직 내부에서만 효력을 가질 뿐 대외적인 구속력을 갖는 것은 아니다.
② 재량권 행사의 준칙인 행정규칙이 정한 바에 따라 되풀이 시행되어 행정관행이 형성되어 행정기관이 그 상대방에 대한 관계에서 그 규칙에 따라야 할 자기구속을 당하게 되는 경우에는 헌법소원의 대상이 될 수 있다.
③ 법원이 구체적 규범통제를 통해 위헌·위법으로 선언할 심판대상은 원칙적으로 해당 규정 전체이고 재판의 전제성이 인정되는 조항에 한정되지 않는다.
④ 헌법이 인정하고 있는 위임입법의 형식은 예시적인 것으로 보아야 한다.
⑤ 보건복지부 고시인 약제급여·비급여목록 및 급여상한금액표에 대해서는 취소소송으로 다툴 수 있다.

2021년 행정사

① (○) 재량준칙은 일반적으로 행정조직 내부에서만 효력을 가질 뿐 대외적인 구속력을 갖는 것은 아니므로 행정처분이 이를 위반하였다고 하여 그러한 사정만으로 곧바로 위법하게 되는 것은 아니다(대판 2013.11.14. 2011두28783).
② (○) 행정규칙이 법령의 규정에 의하여 행정관청에 법령의 구체적 내용을 보충할 권한을 부여한 경우나, 재량권 행사의 준칙인 규칙이 그 정한 바에 따라 되풀이 시행되어 행정관행이 이룩되게 되면 평등의 원칙이나 신뢰보호의 원칙에 따라 행정기관은 그 상대방에 대한 관계에서 그 규칙에 따라야 할 자기구속을 당하게 되는 경우에는 대외적 구속력을 가지게 되는 바, 이러한 경우에는 헌법소원의 대상이 될 수도 있다(헌재 2001.7.18. 2001헌마605).
③ (×) 법원이 구체적 규범통제를 통해 위헌·위법으로 선언할 심판대상은, 해당 규정의 전부가 불가분적으로 결합되어 있어 일부를 무효로 하는 경우 나머지 부분이 유지될 수 없는 결과를 가져오는 특별한 사정이 없는 한, 원칙적으로 해당 규정 중 재판의 전제성이 인정되는 조항에 한정된다(대판 2019.6.13. 2017두33985).
④ (○) 헌법이 인정하고 있는 위임입법의 형식은 예시적인 것으로 보아야 할 것이고, 그것은 법률이 행정규칙에 위임하더라도 그 행정규칙은 위임된 사항만을 규율할 수 있으므로, 국회입법의 원칙과 상치되지도 않는다(헌재 2004.10.28. 99헌바91).
⑤ (○) 대판 2006.9.22. 2005두2506

답 ③

문제 DATA
출제가능 지수 ▶▶▷
난이도 지수 ★★☆

함께 정리하기

행정입법
재량준칙
▷ 대외적인 구속력×

재량준칙이 되풀이 시행되어 행정관행 성립
▷ 자기구속 → 헌법소원 대상○

구체적 규범통제대상
▷ 재판의 전제성이 인정되는 조항에 한정

헌법상 위임입법형식
▷ 예시적

보건복지부고시인 약제급여·비급여 목록, 급여상한금액표
▷ 행정처분○

041

행정입법에 대한 설명으로 옳지 않은 것은? (다툼이 있는 경우 판례에 의함)

① 헌법에서 인정한 법규명령의 형식을 예시적으로 이해하는 견해에 의하면 「감사원규칙」은 법규명령이 아니라고 본다.
② 고시가 상위법령과 결합하여 대외적 구속력을 갖고 국민의 기본권을 침해하는 법규명령으로 기능하는 경우 헌법소원의 대상이 된다.
③ 집행명령은 상위법령의 집행을 위해 필요한 사항을 규정한 것으로 법규명령에 해당하지만 법률의 수권 없이 제정할 수 있다.
④ 상위법령을 시행하기 위하여 하위법령을 제정하거나 필요한 조치를 함에 있어서는 상당한 기간을 필요로 하며 합리적인 기간 내의 지체를 위헌적인 부작위로 볼 수 없다.

2020년 국가직 7급

① (×) 「감사원규칙」은 헌법에는 근거가 없으나 「감사원법」에 근거가 있어 그 법적 성질이 문제된다. 감사원규칙을 헌법상 명문규정이 없기 때문에 행정규칙에 불과한 것으로 보아야 한다는 견해도 있으나, 헌법이 인정하고 있는 위임입법의 형식은 예시적인 것으로 보아야 하고, 법률에 의한 입법권의 부여도 가능하다고 보아 법규명령에 해당한다고 보는 것이 통설이자 판례의 입장이다.

유제 16. 서울시 9급 헌법재판소 판례에 의하면 「감사원규칙」은 헌법에 근거가 없으므로 법규명령으로 인정되지 않는다. (×)

② (○) 법령의 직접적 위임에 따라 수임행정기관이 그 법령을 시행하는데 필요한 구체적 사항을 정한 것이면, 그 제정형식은 비록 법규명령이 아닌 고시·훈령·예규 등과 같은 행정규칙이더라도 그것이 상위법령의 위임한계를 벗어나지 않는 한 상위법령과 결합하여 대외적인 구속력을 갖는 법규명령으로서 기능하게 된다고 보아야 할 것인 바, 헌법소원의 청구인이 법령과 예규의 관계규정으로 말미암아 직접 기본권을 침해받았다면 이에 대하여 헌법소원을 청구할 수 있다(헌재 2001.7.18. 2001헌마605).

③ (○) 집행명령은 상위법령의 집행을 위한 세부적·기술적인 사항을 규정하는 명령에 불과할 뿐 새로운 법규사항을 규정하는 것은 아니므로 개별적 수권규정이 없는 경우에도 제정이 가능하다.

유제 20. 행정사 집행명령은 상위 법령의 수권 없이 제정될 수 있다. (○)
18. 행정사 집행명령은 법률의 명시적 위임규정이 없더라도 제정할 수 있다. (○)
15. 서울시 9급 상위법령의 시행에 관하여 필요한 절차 및 형식에 관한 사항을 규정하는 집행명령은 상위법령의 명시적 수권이 없는 경우에도 발할 수 있다. (○)
11. 사복직 집행명령은 법률 또는 상위명령에서 정해진 대로 내용을 실현하기 위한 세치규정이므로 법률 또는 상위명령의 개별수권 없이 발할 수 없다. (×)

④ (○) 상위법령을 시행하기 위하여 하위법령을 제정하거나 필요한 조치를 함에 있어서는 상당한 기간을 필요로 하며 합리적인 기간 내의 지체를 위헌적인 부작위로 볼 수 없을 것이다(헌재 2002.7.18. 2000헌마707).

답 ①

문제 DATA

출제가능 지수 ▶▶▷
난이도 지수 ★★☆

함께 정리하기

행정입법

「감사원규칙」
▷ 헌법상 법규명령 형식을 예시적으로 이해하는 견해에 의하면 법규명령

법령보충규칙
▷ 헌법소원 대상 ○

집행명령
▷ 법규명령에 해당하지만 법률의 수권 없이 제정 가

합리적인 기간 내의 지체
▷ 위헌적인 부작위 ×

042

조례제정권의 범위와 한계에 대한 설명으로 옳지 않은 것은? (다툼이 있는 경우 판례에 의함)

① 지방자치단체는 법령에 위반되지 않는 범위 내에서 자치사무에 관하여 주민의 권리를 제한하거나 의무를 부과하는 사항이 아닌 한 법률의 위임 없이 조례를 제정할 수 있다.
② 담배자동판매기의 설치를 금지하고 설치된 판매기를 철거하도록 하는 조례는 기존 담배자동판매기업자의 직업의 자유와 재산권을 제한하는 조례이므로 법률의 위임이 필요하다.
③ 영유아 보육시설 종사자의 정년을 조례로 규정하고자 하는 경우에는 법률의 위임이 필요 없다.
④ 군민의 출산을 장려하기 위하여 세 자녀 이상 세대 중 세 번째 이후 자녀에게 양육비 등을 지원할 수 있도록 하는 조례의 제정에는 법률의 위임이 필요 없다.

| 2020년 지방직 9급

① (○) 지방자치단체는 그 내용이 주민의 권리의 제한 또는 의무의 부과에 관한 사항이거나 벌칙에 관한 사항이 아닌 한 법률의 위임이 없더라도 조례를 제정할 수 있다 할 것인데 청주시의회에서 의결한 청주시 행정정보 공개 조례안은 행정에 대한 주민의 알 권리의 실현을 그 근본내용으로 하면서도 이로 인한 개인의 권익침해 가능성을 배제하고 있으므로 이를 들어 주민의 권리를 제한하거나 의무를 부과하는 조례라고는 단정할 수 없고 따라서 그 제정에 있어서 반드시 법률의 개별적 위임이 따로 필요한 것은 아니다(대판 1992.6.23. 92추17).
② (○) 이 사건 조례들은 담배소매업을 영위하는 주민들에게 자판기 설치를 제한하는 것을 내용으로 하고 있으므로 주민의 직업선택의 자유 특히 직업수행의 자유를 제한하는 것이 되어 지방자치법 제15조 단서 소정의 주민의 권리의무에 관한 사항을 규율하는 조례라고 할 수 있으므로 지방자치단체가 이러한 조례를 제정함에 있어서는 법률의 위임을 필요로 한다(헌재 1995.4.20. 92헌마264·279).

유제 20. 국회직 8급 담배소매업을 영위하는 주민들에게 자판기 설치를 제한하는 것을 내용으로 하는 조례는 주민의 권리의무에 관한 사항을 규율하는 조례라고 할 수 있으므로 지방자치단체가 이러한 조례를 제정함에 있어서는 법률의 위임을 필요로 한다. (○)

③ (×) 영유아보육법이 보육시설 종사자의 정년에 관한 규정을 두거나 이를 지방자치단체의 조례에 위임한다는 규정을 두고 있지 않음에도 보육시설 종사자의 정년을 규정한 '서울특별시 중구 영유아 보육조례 일부개정조례안' 제17조 제3항은, 법률의 위임 없이 헌법이 보장하는 직업을 선택하여 수행할 권리의 제한에 관한 사항을 정한 것이어서 그 효력을 인정할 수 없으므로, 위 조례안에 대한 재의결은 무효이다(대판 2009.5.28. 2007추134).
④ (○) 지방자치단체의 세 자녀 이상 세대 양육비 등 지원에 관한 조례안은 저출산 문제의 국가적·사회적 심각성을 십분 감안하여 향후 지방자치단체의 출산을 적극 장려토록 하여 인구정책을 보다 전향적으로 실효성 있게 추진하고자 세 자녀 이상 세대 중 세 번째 이후 자녀에게 양육비 등을 지원할 수 있도록 하는 것으로서, 위와 같은 사무는 지방자치단체 고유의 자치사무 중 주민의 복지증진에 관한 사무를 규정한 지방자치법 제9조 제2항 제2호 라목에서 예시하고 있는 아동·청소년 및 부녀의 보호와 복지증진에 해당되는 사무이고, 또한 위 조례안에는 주민의 편의 및 복리증진에 관한 내용을 담고 있어 그 제정에 있어서 반드시 법률의 개별적 위임이 따로 필요한 것은 아니다(대판 2006.10.12. 2006추38).

답 ③

043 □□□

행정입법에 대한 설명으로 옳은 내용만을 모두 고른 것은? (다툼이 있는 경우 판례에 의함)

> ㄱ. 위임명령이 위임내용을 구체화하는 단계를 벗어나 새로운 입법을 한 것으로 평가할 수 있다면, 위임의 한계를 벗어난 것으로서 허용되지 않는다.
> ㄴ. 법률이 공법적 단체 등의 정관에 자치법적인 사항을 위임한 경우, 포괄적 위임입법 금지가 원칙적으로 적용된다.
> ㄷ. 상급 행정기관이 하급 행정기관에 대하여 업무처리지침이나 법령의 해석적용에 관한 기준을 정하여 발하는 이른바 행정규칙은 일반적으로 대외적 구속력을 갖는다.

① ㄱ
② ㄱ, ㄴ
③ ㄱ, ㄷ
④ ㄴ, ㄷ

문제 DATA
출제가능 지수 ▶▶⤵
난이도 지수 ★★☆

2020년 소방직

ㄱ. (○) 법률의 위임 규정 자체가 그 의미 내용을 정확하게 알 수 있는 용어를 사용하여 위임의 한계를 분명히 하고 있는데도 시행령이 그 문언적 의미의 한계를 벗어났다든지, 위임 규정에서 사용하고 있는 용어의 의미를 넘어 그 범위를 확장하거나 축소함으로써 <u>위임 내용을 구체화하는 단계를 벗어나 새로운 입법을 한 것으로 평가할 수 있다면, 이는 위임의 한계를 일탈한 것으로서 허용되지 않는다</u>(대판 2012.12.20. 2011두30878 전합).

유제 20. 5급 승진·행정사 위임명령이 위임내용을 구체화하는 단계를 벗어나 새로운 입법을 한 것으로 평가할 수 있다면, 이는 위임의 한계를 일탈한 것으로서 허용되지 않는다. (○)
17. 국가직 7급 법률의 위임 규정 자체가 그 의미 내용을 정확하게 알 수 있는 용어를 사용하여 위임의 한계를 분명히 하고 있는데도 시행령이 위임 규정에서 사용하고 있는 용어의 의미를 넘어 그 범위를 확장하거나 축소함으로써 위임 내용을 구체화하는 단계를 벗어나 새로운 입법을 한 것으로 평가할 수 있는 경우라도 이를 위임의 한계를 일탈한 것 보기는 어렵다. (×)
17. 서울시 9급 법률의 위임 규정 자체가 그 의미 내용을 정확하게 알 수 있는 용어를 사용하여 위임의 한계를 분명히 하고 있는 데도 고시에서 그 문언적 의미의 한계를 벗어나면 위임의 한계를 일탈한 것으로써 허용되지 아니한다. (○)
16. 국가직 7급 위임명령이 위임 내용을 구체화하는 단계를 벗어나 새로운 입법을 한 것으로 평가할 수 있다고 하더라도 이는 위임의 한계를 일탈한 것이 아니다. (×)

ㄴ. (×) <u>법률이 공법적 단체 등의 정관에 자치법적 사항을 위임한 경우에는 헌법 제75조가 정하는 포괄적인 위임입법의 금지는 원칙적으로 적용되지 않는다</u>고 봄이 상당하고, 그렇다 하더라도 그 사항이 국민의 권리의무에 관련되는 것일 경우에는 적어도 국민의 권리의무에 관한 기본적이고 본질적인 사항은 국회가 정하여야 한다(대판 2007.10.12. 2006두14476).

ㄷ. (×) 상급 행정기관이 하급 행정기관에 대하여 업무처리지침이나 법령의 해석적용에 관한 기준을 정하여 발하는 이른바 '행정규칙이나 내부지침'은 일반적으로 행정조직 내부에서만 효력을 가질 뿐 <u>대외적인 구속력을 갖는 것은 아니므로</u> 행정처분이 그에 위반하였다고 하여 그러한 사정만으로 곧바로 위법하게 되는 것은 아니다(대판 2009.12.24. 2009두7967).

답 ①

함께 정리하기
행정입법
위임명령이 새로운 입법으로 평가
▷ 위임한계일탈
정관에 자치법적 사항 위임
▷ 포괄위임금지 적용×
행정규칙
▷ 대외적 구속력×

044

행정입법에 대한 설명으로 옳지 않은 것은? (다툼이 있는 경우 판례에 의함)

① 법령의 위임이 없음에도 법령에 규정된 처분요건에 해당하는 사항을 부령에서 변경하여 규정한 경우에는 그 부령의 규정은 행정청 내부의 사무처리 기준 등을 정한 것으로서 행정조직 내에서 적용되는 행정명령의 성격을 지닐 뿐 국민에 대한 대외적 구속력은 없다고 보아야 한다.
② 조례에 대한 법률의 위임은 법규명령에 대한 법률의 위임과 같이 반드시 구체적으로 범위를 정하여 할 필요가 없으며 포괄적인 것으로 족하다.
③ 법률이 공법적 단체 등의 정관에 자치법적 사항을 위임한 경우에도 헌법 제75조가 정하는 포괄적인 위임입법의 금지는 원칙적으로 적용된다.
④ 법규명령의 위임의 근거가 되는 법률에 대하여 위헌결정이 선고되면 그 위임규정에 근거하여 제정된 법규명령도 원칙적으로 효력을 상실한다.

2020년 군무원 7급

① (○) 대판 2013.9.12. 2011두10584
② (○) 조례의 제정권자인 지방의회는 선거를 통해서 그 지역적인 민주적 정당성을 지니고 있는 주민의 대표기관이고 헌법이 지방자치단체에 포괄적인 자치권을 보장하고 있는 취지로 볼 때, 조례에 대한 법률의 위임은 법규명령에 대한 법률의 위임과 같이 반드시 구체적으로 범위를 정하여 할 필요가 없으며 포괄적인 것으로 족하다(헌재 1995.4.20. 92헌마264).

유제 19. 5급 승진 자치조례에 대한 법률의 위임은 법규명령에 대한 법률의 위임과 같이 반드시 구체적으로 범위를 정하여 해야 한다. (×)
18. 교행 조례에 대한 법률의 위임은 구체적으로 범위를 정하여 위임하여야 하며 포괄적 위임은 금지된다. (×)
17. 경찰 2차 조례에 대한 법률의 위임은 법규명령에 대한 법률의 위임과 같이 반드시 구체적으로 범위를 정하여 할 필요가 없으며 포괄적인 것으로 족하다. (○)
16. 서울시 7급 헌법재판소는 법률이 주민의 권리의무에 관한 사항을 조례에 위임하는 경우 그 위임의 정도는 구체적 위임이어야 한다고 본다. (×)

③ (×) 법률이 공법적 단체 등의 정관에 자치법적 사항을 위임한 경우에는 헌법 제75조가 정하는 포괄적인 위임입법의 금지는 원칙적으로 적용되지 않는다고 봄이 상당하고, 그렇다 하더라도 그 사항이 국민의 권리의무에 관련되는 것일 경우에는 적어도 국민의 권리의무에 관한 기본적이고 본질적인 사항은 국회가 정하여야 한다(대판 2007.10.12. 2006두14476).
④ (○) 대판 2001.6.12. 2000다18547

답 ③

문제 DATA
출제가능 지수 ▶▶▷
난이도 지수 ★★☆

함께 정리하기
행정입법
법령의 위임 없이 처분요건 부령에서 변경
▷ 대외적 구속력×

조례
▷ 포괄위임 가

정관
▷ 포괄위임금지 적용×(포괄위임 가)
▷ 의회유보원칙 적용○

위임근거 법률 위헌 결정
▷ 법규명령 실효

045

행정입법에 대한 설명으로 옳지 않은 것은? (다툼이 있는 경우 판례에 의함)

① 조례가 집행행위의 개입 없이도 그 자체로서 직접 국민의 구체적인 권리의무나 법적 이익에 영향을 미치는 경우에는 그 조례를 직접 소송의 대상으로 하여 다툴 수 있다.
② 추상적인 법령에 관하여 제정의 여부는 그 자체로서 국민의 구체적인 권리의무에 직접적 변동을 초래하는 것이 아니어서 부작위위법확인소송의 대상이 될 수 없다.
③ 「도로교통법 시행규칙」이 정한 운전면허행정처분기준은 행정청 내부의 사무처리준칙을 규정한 것에 지나지 아니하므로 대외적으로 국민이나 법원을 기속하는 효력이 없다.
④ 제재적 행정처분의 가중사유나 전제요건에 관한 규정이 부령의 형식으로 되어 있고 그 처분에서 정한 제재기간이 경과하였다면 그 처분의 취소를 구할 법률상 이익이 없다.
⑤ 법률이 입법사항을 고시 등의 형식으로 위임하더라도 위임의 한계가 있으며, 고시 등이 위임의 한계를 벗어난 경우에는 법규명령의 효력이 인정될 수 없다.

2020년 국회직 9급

① (○) 대판 1996.9.20. 95누8003
② (○) 대판 1992.5.8. 91누11261
③ (○) 도로교통법 시행규칙 제53조 제1항이 정한 [별표 16]의 운전면허행정처분기준은 관할 행정청이 운전면허의 취소 및 운전면허의 효력정지 등의 사무처리를 함에 있어서 처리기준과 방법 등의 세부사항을 규정한 행정기관 내부의 처리지침에 불과한 것으로서 대외적으로 국민이나 법원을 기속하는 효력이 없다(대판 1998.3.27. 97누20236).
④ (×) 제재적 행정처분이 그 처분에서 정한 제재기간의 경과로 인하여 그 효과가 소멸되었으나, 부령인 시행규칙 또는 지방자치단체의 규칙(이하 이들을 '규칙'이라고 한다)의 형식으로 정한 처분기준에서 제재적 행정처분(이하 '선행처분'이라고 한다)을 받은 것을 가중사유나 전제요건으로 삼아 장래의 제재적 행정처분(이하 '후행처분'이라고 한다)을 하도록 정하고 있는 경우, 그러한 규칙이 정한 바에 따라 선행처분을 받은 상대방이 그 처분의 존재로 인하여 장래에 받을 불이익, 즉 후행처분의 위험은 구체적이고 현실적인 것이므로, 상대방에게는 선행처분의 취소소송을 통하여 그 불이익을 제거할 필요가 있다(대판 2006.6.22. 2003두1684 전합).
⑤ (○)

1. 금융감독위원회의 고시와 같은 형식으로 입법위임을 할 때에는 적어도 행정규제기본법 제4조 제2항 단서에서 정한 바와 같이 법령이 전문직·기술직 사항이나 경미한 사항으로서 업무의 성질상 위임이 불가피한 사항에 한정된다 할 것이고, 그러한 사항이라 하더라도 포괄위임금지의 원칙상 법률의 위임은 반드시 구체적·개별적으로 한정된 사항에 대하여 행하여져야 한다(헌재 2004.10.28. 99헌바91).
2. 특정 고시가 비록 법령에 근거를 둔 것이라고 하더라도 그 규정 내용이 법령의 위임 범위를 벗어난 것일 경우에는 위와 같은 법규명령으로서의 대외적 구속력을 인정할 여지는 없다(대판 1999.11.26. 97누13474).

답 ④

함께 정리하기

행정입법

집행행위 개입 없이 직접 법률상 효과 발생 조례(처분적 조례)
▷ 처분

행정입법부작위
▷ 부작위위법확인소송 대상×

「도로교통법 시행규칙」이 정한 운전면허행정처분기준
▷ 행정규칙(대외적 구속력×)

제재적 처분기준이 시행규칙에 규정
▷ 제재기간이 경과해도 취소 구할 소의 이익○

고시에 입법위임
▷ 포괄위임금지, 위임범위 벗어날 경우 대외적 구속력 인정×

046

법규명령의 한계에 대한 설명으로 옳지 않은 것은? (다툼이 있는 경우 판례에 의함)

① 구법에 위임의 근거가 없어 무효였던 법규명령도 사후에 법개정으로 위임의 근거가 부여되면 그때부터는 유효한 법규명령이 된다.
② 법규명령은 국회입법의 원칙의 예외에 해당되는 것이므로 일정한 한계 안에서 허용된다.
③ 위임입법에서 요구되는 구체성과 명확성은 침해행정 영역에서 강하게 요청되고 급부행정 영역에서는 다소 완화될 수 있다.
④ 긴급한 경우 집행명령으로 새로운 법규사항을 규정할 수 있다.
⑤ 공법적 단체 등의 정관에 자치법적 사항을 위임하는 경우에는 포괄적 위임도 가능하다.

2020년 국회직 9급

① (O) 대판 1995.6.30. 93추83
② (O) 법규명령은 행정권이 정립하는 일반적·추상적 규정으로 국회입법 원칙의 예외에 해당한다. 법규명령 중 위임명령은 법률 또는 상위명령에서 구체적으로 범위를 정한 위임규정이 있어야 제정할 수 있다는 한계가 있다. 집행명령은 위임명령과 달리 법률 또는 상위법령의 개별적·구체적 수권이 없더라도 직권으로 발할 수 있으나, 상위법령의 범위 내에서 그 시행에 필요한 구체적인 절차·형식 등을 규정할 수 있을 뿐이고, 새로운 입법사항은 정할 수 없다는 한계가 있다.
③ (O)

> 1. 위임입법에 있어 위임의 구체성, 명확성의 요구 정도는 그 규율대상의 종류와 성격에 따라 달라질 것이지만 특히 처벌법규나 조세법규와 같이 국민의 기본권을 직접적으로 제한하거나 침해할 소지가 있는 법규에서는 구체성, 명확성의 요구가 강화되어 그 위임의 요건과 범위가 일반적인 급부행정의 경우보다 더 엄격하게 제한적으로 규정되어야 하는 반면에, 규율대상이 지극히 다양하거나 수시로 변화하는 성질의 것일 때에는 위임의 구체성, 명확성의 요건이 완화될 수도 있을 것이다(헌재 1997.2.20. 95헌바27).
> 2. 보건위생 등 급부행정 영역에서는 기본권 침해 영역보다는 구체성의 요구가 다소 약화되어도 무방하다(대결 1995.12.8. 95카기16).

유제 19. 5급 승진, 12. 경찰 2차 포괄적 위임금지의 원칙을 규정한 헌법 제75조에서 말하는 위임의 구체성·명확성의 요구 정도는 각종 법률이 규제하고자 하는 대상의 종류와 성질에 따라 달라지는데, 특히 규율대상이 지극히 다양하거나 수시로 변화하는 성질의 것일 때에는 위임의 구체성·명확성의 요건이 완화된다. (O)
17. 지방직 9급 다양한 사실관계를 규율하거나 사실관계가 수시로 변화될 것이 예상되는 분야에서는 다른 분야에 비하여 상대적으로 입법위임의 명확성·구체성이 완화된다. (O)
14. 국가직 9급 처벌법규나 조세법규는 다른 법규보다 구체성과 명확성의 요구가 강화되어야 한다. (O)
11. 사복직 일반적인 급부행정법규는 처벌법규나 조세법규의 경우보다 그 위임의 요건과 범위가 더 엄격하게 제한적으로 규정되어야 한다. (×)
10. 서울시 9급 위의 경우 국민의 기본권이 보다 직접적으로 제한되거나 침해될 소지가 있는 영역에서는 급부행정의 영역보다 위임의 요건과 범위가 보다 엄격히 제한적으로 규정되어야 한다. (O)

④ (×) 집행명령은 상위법령을 집행하기 위해 필요한 세부적·기술적 사항만을 정하는 명령으로서, 새로운 법규사항을 규정할 수 없다.
⑤ (O) 대판 2007.10.12. 2006두14476

답 ④

047

행정입법부작위에 대한 설명으로 가장 옳지 않은 것은? (다툼이 있는 경우 판례에 의함)

① 행정입법의 부작위는 그 자체로서 국민의 구체적인 권리의무에 직접적인 변동을 초래하는 것이어서 행정소송의 대상이 된다.
② 하위 행정입법의 제정 없이 상위 법령의 규정만으로도 집행이 이루어질 수 있는 경우라면 하위 행정입법을 하여야 할 헌법적 작위의무는 인정되지 않는다.
③ 행정입법의 지체가 위법으로 되어 그에 대한 법적 통제가 가능하기 위하여는, 우선 행정청에게 시행명령을 제정(개정)할 법적 의무가 있어야 하고, 상당한 기간이 지났음에도 불구하고, 명령제정(개정)권이 행사되지 않아야 한다.
④ 입법부가 법률로써 행정부에게 특정한 사항을 위임했음에도 불구하고, 행정부가 정당한 이유 없이 법률에서 위임한 시행령을 제정하지 않은 것은 그 법률에서 인정된 권리를 침해하는 불법행위가 될 수 있다.

| 2020년 경찰 2차

① (×) 행정소송은 구체적 사건에 대한 법률상 분쟁을 법에 의하여 해결함으로써 법적 안정을 기하자는 것이므로 부작위법확인소송의 대상이 될 수 있는 것은 구체적 권리의무에 관한 분쟁이어야 하고 추상적인 법령에 관하여 제정의 여부 등은 그 자체로서 국민의 구체적인 권리의무에 직접적 변동을 초래하는 것이 아니어서 그 소송의 대상이 될 수 없다(대판 1992.5.8. 91누11261).
② (○) 헌재 2005.12.22. 2004헌마66
③ (○) 행정명령의 제정 또는 개정의 지체가 위법으로 되어 그에 대한 법적 통제가 가능하기 위하여는 첫째, 행정청에게 시행명령을 제정(개정)할 법적 의무가 있어야 하고 둘째, 상당한 기간이 지났음에도 불구하고 셋째, 명령제정(개정)권이 행사되지 않아야 한다(헌재 1998.7.16. 96헌마246).
④ (○) 대판 2007.11.29. 2006다3561

답 ①

함께 정리하기

행정입법부작위

행정입법부작위
▷ 행정소송 대상×

상위법령만으로도 집행가능
▷ 하위 행정입법을 할 작위의무 인정×

위법한 행정입법부작위의 요건
▷ 제정(개정)할 법적의무＋상당한 기간동안 제정(개정)권 불행사

행정부의 행정입법의무 불이행
▷ 권력분립원칙·법치국가원칙 위배
▷ 불법행위 국가배상 可

048

법치행정에 대한 설명으로 옳은 것은? (다툼이 있는 경우 판례에 의함)

① 국민의 권리의무에 관련되는 사항은 국회가 정하여야 하므로 법률이 공법적 단체 등의 정관에 자치법적 사항을 위임하는 경우 포괄적인 위임입법의 금지가 원칙적으로 적용된다.
② 「공직선거법」이 '금지되는 기부행위'의 예외 중 하나로 '중앙선거관리위원회규칙으로 정하는 행위'를 규정하는 것은 법률에서 금지되지 않는 기부행위의 예를 구체적으로 예시하고 있다고 하더라도 포괄위임입법에 해당하여 위헌이다.
③ 국가가 국민에게 인간다운 생활을 할 권리를 보장하기 위하여 사회보장수급권에 관한 입법을 할 경우, 이에 관한 기준을 설정함에 있어 위임을 받은 행정부 등 해당 기관에 재량이 인정될 수 없다.
④ 지방자치단체가 조례를 제정할 때 법률의 위임 없이 그 내용이 주민의 권리제한 또는 의무부과에 관한 사항을 정하였다면 그 조례는 효력이 없다.
⑤ 위임입법의 한계인 예측가능성의 유무를 판단할 때에는 관련 법조항 전체를 유기적·체계적으로 종합 판단할 것이 아니라 당해 위임조항 자체에서 하위법령으로 규정될 내용 및 범위의 기본사항이 구체적으로 규정되어 있음을 기준으로 한다.

함께 정리하기

법치행정

정관에 자치법적 사항 위임
▷ 포괄위임금지 적용×
▷ 의회유보원칙 적용○

금지되는 기부행위의 예외 중 하나로 중선위규칙으로 정하는 행위를 규정한 「공직선거법」
▷ 포괄위임금지원칙 위배×

사회보장수급권에 관한 입법
▷ 광범위한 입법재량 인정

주민 권리제한 또는 의무부과 사항이나 벌칙규정 조례
▷ 법률 위임 要

위임입법의 한계인 예측가능성
▷ 관련 법조항 전체 유기적·체계적 종합 판단

2020년 5급 승진

① (×) 대판 2007.10.12. 2006두14476

② (×) 금지되는 기부행위의 예외사유로서 공직선거법 제112조 제2항 제5호가 '그 밖에 위 각 호의 어느 하나에 준하는 행위로서 중앙선거관리위원회규칙으로 정하는 행위'를 규정하고 있기는 하나, 같은 항 제1호 내지 제4호에서 금지되지 않는 기부행위의 예를 4가지 영역으로 나누어 구체적으로 예시하고 있으므로, 법률 그 자체에 이미 중앙선거관리위원회규칙으로 규정될 내용 및 범위의 기본적 사항이 구체적이고도 명확하게 나와 있는 이상 누구라도 위 규칙에 규정될 내용의 대강을 법률로부터 예측할 수 있다 할 것이므로, 이 사건 금지조항 및 처벌조항은 처벌법규의 내용을 포괄적으로 하위 법령에 위임해서는 안된다는 의미의 포괄위임입법금지원칙에도 위배되지 아니한다(헌재 2010.9.30. 2009헌바201).

③ (×) 헌법의 규정에 의거하여 국민에게 주어지게 되는 사회보장에 따른 국민의 수급권은 국가에게 적극적으로 급부를 요구할 수 있는 권리를 주된 내용으로 하기 때문에, 국가가 국민에게 '인간다운 생활을 할 권리'를 보장하기 위하여 국민들에게 한정된 가용자원을 분배하는 사회보장수급권에 관한 입법을 할 경우에는 국가의 재정부담능력, 전체적인 사회보장수준과 국민감정 등 사회정책적인 고려, 상충하는 국민 각 계층의 갖가지 이해관계 등 복잡·다양한 요소를 함께 고려해야 하는 것이어서, 이 부분은 입법부 또는 입법에 의하여 다시 위임을 받은 행정부 등 해당 기관의 광범위한 입법재량에 맡겨져 있다고 보아야 할 것이다(헌재 2010.5.27. 2009헌마338).

④ (○) 지방자치법 제22조, 제9조 제1항, 구 지방자치법 제9조 제1항, 제15조, 행정규제기본법 제4조 제3항에 의하면 지방자치단체는 그 고유사무인 자치사무와 개별법령에 의하여 지방자치단체에 위임된 단체위임사무에 관하여 자치조례를 제정할 수 있지만 그 경우라도 주민의 권리제한 또는 의무부과에 관한 사항이나 벌칙은 법률의 위임이 있어야 하며, 기관위임사무에 관하여 제정되는 이른바 위임조례는 개별법령에서 일정한 사항을 조례로 정하도록 위임하고 있는 경우에 한하여 제정할 수 있으므로, 주민의 권리제한 또는 의무부과에 관한 사항이나 벌칙에 해당하는 조례를 제정할 경우에는 그 조례의 성질을 묻지 않고 법률의 위임이 있어야 하고 그러한 위임 없이 제정된 조례는 효력이 없다(대판 2007.12.13. 2006추52).

⑤ (×) 위임입법의 경우 그 한계는 예측가능성인바, 이는 법률에 이미 대통령령으로 규정될 내용 및 범위의 기본사항이 구체적으로 규정되어 있어 누구라도 당해 법률로부터 대통령령 등에 규정될 내용의 대강을 예측할 수 있어야 함을 의미하고, 이러한 예측가능성의 유무는 당해 특정조항 하나만을 가지고 판단할 것은 아니고 관련 법조항 전체를 유기적·체계적으로 종합 판단하여야 하며, 각 대상법률의 성질에 따라 구체적·개별적으로 검토하여 법률조항과 법률의 입법 취지를 종합적으로 고찰할 때 합리적으로 그 대강이 예측될 수 있는 것이라면 위임의 한계를 일탈하지 아니한 것이다(대판 2014.10.16. 2014아132).

유제 12. 국회직 9급 위임입법의 한계인 예측가능성은 법률에서 이미 하위법규에 규정될 내용 및 범위의 기본사항이 구체적으로 규정되어 있어서 누구라도 당해 법률로부터 하위법규에 규정될 내용의 대강을 예측할 수 있으면 족하다. (○)

11. 사복직 수권법률의 예측가능성 유무를 판단함에 있어서 수권규정과 이와 관계된 조항, 수권법률 전체의 취지·입법목적의 유기적·체계적 해석 등을 통하여 종합하여 판단해야 한다. (○)

답 ④

049

행정입법에 대한 설명으로 옳지 않은 것은? (다툼이 있는 경우 판례에 의함)

① 위임명령이 위임 내용을 구체화하는 단계를 벗어나 새로운 입법을 한 것으로 평가할 수 있다면, 이는 위임의 한계를 일탈한 것으로서 허용되지 않는다.
② 한국감정평가업협회가 제정한 '토지보상평가지침'은 단지 한국감정평가업협회가 내부적으로 기준을 정한 것에 불과하여 일반 국민이나 법원을 기속하는 것이 아니다.
③ 위임의 근거가 없어 무효였던 법규명령이 사후에 법개정으로 그 위임의 근거가 부여된다고 하더라도 그때부터 유효한 법규명령이 되는 것은 아니다.
④ 법률의 시행령이나 시행규칙의 내용이 모법의 해석상 가능한 것을 명시하거나 모법 조항의 취지를 구체화하기 위한 것이라면, 모법이 이에 관하여 직접 위임하는 규정을 두지 않았다고 하더라도 무효라고 할 수 없다.
⑤ 집행명령은 근거가 된 상위법령이 단순히 개정됨에 그친 경우 그 개정법령과 성질상 모순·저촉되지 아니하고 개정된 상위법령의 시행에 필요한 사항을 규정하고 있는 이상 그 개정법령의 시행을 위한 집행명령이 제정·발효될 때까지는 효력을 유지한다.

2020년 5급 승진

① (○) 대판 2012.12.20. 2011두30878 전합
② (○) 한국감정평가업협회가 제정한 토지보상평가지침에서 입목본수도 등에 따른 관계 법령상의 사용제한 등을 개별요인이 아닌 기타요인에서 평가하도록 정하고 있으나, 위 토지보상평가지침은 단지 한국감정평가업협회가 내부적으로 기준을 정한 것에 불과하여 일반 국민이나 법원을 기속하는 것이 아니므로 위 지침에 반하여 위와 같은 법령상의 제한사항을 기타요인이 아닌 개별요인의 비교시에 반영하였다는 사정만으로 감정평가가 위법하게 되는 것은 아니다(대판 2007.7.12. 2006두11507).
③ (×) 일반적으로 법률의 위임에 의하여 효력을 갖는 법규명령의 경우, 구법에 위임의 근거가 없어 무효였더라도 사후에 법개정으로 위임의 근거가 부여되면 그 때부터는 유효한 법규명령이 되나, 반대로 구법의 위임에 의한 유효한 법규명령이 법개정으로 위임의 근거가 없어지게 되면 그 때부터 무효인 법규명령이 된다(대판 1995.6.30. 93추83).
④ (○) 대판 2014.8.20. 2012두19526
⑤ (○) 상위법령의 시행에 필요한 세부적 사항을 정하기 위하여 행정관청이 일반적 직권에 의하여 제정하는 이른바 집행명령은 근거법령인 상위법령이 폐지되면 특별한 규정이 없는 이상 실효되는 것이나, 상위법령이 개정됨에 그친 경우에는 개정법령과 성질상 모순·저촉되지 아니하고 개정된 상위법령의 시행에 필요한 사항을 규정하고 있는 이상 개정법령의 시행을 위한 집행명령이 제정·발효될 때까지는 여전히 그 효력을 유지한다(대판 1989.9.12. 88누6962).

유제 19. 지방직 9급 집행명령은 상위법령이 개정되더라도 개정법령과 성질상 모순·저촉되지 아니하고 개정된 상위법령의 시행에 필요한 사항을 규정하고 있는 이상, 개정법령의 시행을 위한 집행명령이 제정·발효될 때까지는 여전히 그 효력을 유지한다. (○)
17. 국회직 8급 상위법령의 시행을 위하여 제정한 집행명령은 그 상위법령이 개정되더라도 개정법령과 성질상 모순·저촉되지 않는 이상 여전히 그 효력을 가진다. (○)
15. 경찰 1차 근거법령인 상위법령이 개정됨에 그친 경우 개정법령의 시행을 위한 집행명령이 제정·발효될 때까지 여전히 그 효력을 유지하는 것은 아니다. (×)
13. 서울시 7급, 09. 국가직 9급, 08. 국가직 7급 판례에 의하면 법규명령의 근거법령이 소멸된 경우에는 법규명령도 소멸함이 원칙이나, 근거법령이 개정됨에 그친 경우에는 집행명령은 여전히 그 효력을 유지할 수 있다. (○)

답 ③

문제 DATA

출제가능 지수 ▶▶▷
난이도 지수 ★★☆

함께 정리하기

행정입법

위임명령이 새로운 입법으로 평가
▷ 위임한계 일탈

한국감정평가업협회의 토지보상평가지침
▷ 일반 국민이나 법원 기속 ×

사후에 위임근거 부여
▷ 그때부터 유효

해석상 가능한 것 명시·모법조항 구체화
▷ 직접 위임규정 없이도 可

상위법령의 개정
▷ 모순·저촉 없는 한 집행명령은 효력 유지

문제 DATA

출제가능 지수 ▶▶▶
난이도 지수 ★★☆

050 □□□

법규명령에 대한 설명으로 옳지 않은 것은? (다툼이 있는 경우 판례에 의함)

① 법률이 자치법적 사항을 공법적 단체의 정관에 위임하는 경우에는 포괄적 위임금지원칙이 적용되지 않는다.
② 행정입법부작위는 부작위위법확인소송의 대상이 된다.
③ 행정입법이 대법원에 의하여 위법하다는 판정이 있더라도 일반적으로 그 효력이 상실되는 것은 아니다.
④ 집행명령은 상위 법령의 수권 없이 제정될 수 있다.
⑤ 제재적 처분기준이 부령의 형식으로 규정되어 있는 때에는 국민에게 법적 구속력이 없다.

> 2020년 행정사

① (○) 대판 2007.10.12. 2006두14476
② (×) 행정소송은 구체적 사건에 대한 법률상 분쟁을 법에 의하여 해결함으로써 법적 안정을 기하자는 것이므로 부작위위법확인소송의 대상이 될 수 있는 것은 구체적 권리의무에 관한 분쟁이어야 하고 추상적인 법령에 관하여 제정의 여부 등은 그 자체로서 국민의 구체적인 권리의무에 직접적 변동을 초래하는 것이 아니어서 그 소송의 대상이 될 수 없다(대판 1992.5.8. 91누11261).
③ (○) 대법원이 명령 등이 위법하다고 판단한 경우, 당해 행정입법은 일반적으로 그 효력을 상실하는 것이 아니고 당해 사건에 한하여 그 법규명령이 적용되지 않는다.

> **유제** 20. 행정사 행정입법이 대법원에 의하여 위법하다는 판정이 있더라도 일반적으로 그 효력이 상실되는 것은 아니다. (○)
> 19. 경찰 헌법 제107조에 따른 구체적 규범통제의 결과 처분의 근거가 된 명령이 위법하다는 대법원의 판결이 난 경우, 그 명령은 당해 사건에 한하여 적용되지 않는 것이 아니라 일반적으로 효력이 상실된다. (×)

④ (○) 집행명령은 상위법령의 집행을 위한 세부적·기술적인 사항을 규정하는 명령에 불과할 뿐 새로운 법규사항을 규정하는 것은 아니므로 개별적 수권규정이 없는 경우에도 제정이 가능하다.
⑤ (○) 제재적 행정처분의 기준이 부령의 형식으로 규정되어 있더라도 그것은 행정청 내부의 사무처리준칙을 정한 것에 지나지 아니하여 대외적으로 국민이나 법원을 기속하는 효력이 없고, 당해 처분의 적법 여부는 위 처분기준만이 아니라 관계 법령의 규정 내용과 취지에 따라 판단되어야 한다(대판 2007.9.20. 2007두6946).

답 ②

함께 정리하기

법규명령

자치법적 사항을 공법적 단체의 정관에 위임
▷ 포괄위임금지원칙 적용×

행정입법부작위
▷ 부작위위법확인소송 대상×

명령·규칙이 위법하다는 대법원의 판결
▷ 당해사건 적용 배제(개별적 효력)

집행명령
▷ 상위 법령 수권 없이 제정 可

부령형식 제재처분기준
▷ 행정규칙 → 법적 구속력×

문제 DATA

출제가능 지수 ▶▶▶
난이도 지수 ★★☆

051 □□□

행정입법에 대한 설명으로 옳은 것은? (다툼이 있는 경우 판례에 의함)

① 상위 법령 등의 단순한 집행을 위해 총리령을 제정하려는 경우, 행정상 입법예고를 하지 아니할 수 있다.
② 특히 긴급한 필요가 있거나 미리 법률로 자세히 정할 수 없는 부득이한 사정이 있어 법률에 형벌의 종류·상한·폭을 명확히 규정하더라도, 행정형벌에 대한 위임입법은 허용되지 않는다.
③ 교육부장관이 대학입시기본계획의 내용에서 내신성적 산정기준에 관한 시행지침을 정한 경우, 각 고등학교는 이에 따라 내신성적을 산정할 수밖에 없어 이는 행정처분에 해당된다.
④ 행정소송에 대한 대법원 판결에 의하여 명령·규칙이 헌법 또는 법률에 위반된다는 것이 확정된 경우, 대법원은 지체 없이 그 사유를 해당 법령의 소관부처의 장에게 통보하여야 한다.

| 2019년 국가직 9급

① (○)

> 「행정절차법」제41조【행정상 입법예고】① 법령등을 제정·개정 또는 폐지(이하 "입법"이라 한다)하려는 경우에는 해당 입법안을 마련한 행정청은 이를 예고하여야 한다. 다만, 다음 각 호의 어느 하나에 해당하는 경우에는 예고를 하지 아니할 수 있다.
> 2. 상위 법령등의 단순한 집행을 위한 경우

② (×) 형벌법규에 대하여도 특히 긴급한 필요가 있거나 미리 법률로서 자세히 정할 수 없는 부득이한 사정이 있는 경우에 한하여 수권법률이 구성요건의 점에서는 처벌대상인 행위가 어떠한 것일거라고 이를 예측할 수 있을 정도로 구체적으로 정하고, 형벌의 점에서는 형벌의 종류 및 그 상한과 폭을 명확히 규정하는 것을 조건으로 위임입법이 허용되며 이러한 위임입법은 죄형법정주의에 반하지 않는다(헌재 1996.2.29. 94헌마213).

유제 14. 서울시 9급 형벌규정의 위임은 구성요건을 예측할 수 있도록 구체적으로 정하고 형벌의 종류와 상한과 폭 등을 명확하게 규정하는 것을 전제로 위임입법이 허용된다. (○)
14. 지방직 9급 근거법률의 벌칙에서 형벌의 종류와 상한을 정하고 그 범위 내에서 구체적인 것을 명령으로 정하게 하는 것은 허용되지 아니한다. (×)
13. 지방직 7급 형사처벌에 관한 위임입법의 경우, 수권법률이 구성요건의 점에서는 처벌대상인 행위가 어떠한 것인지 이를 예측할 수 있을 정도로 구체적으로 정하고, 형벌의 점에서는 형벌의 종류 및 그 상한과 폭을 명확히 규정하는 것을 전제로 한다. (○)
11. 지방직 7급 처벌규정의 위임은 죄형법정주의로 인하여 어떠한 경우에도 허용되지 않는다. (×)

③ (×) 교육부장관이 내신성적 산정기준의 통일을 기하기 위해 대학입시기본계획의 내용에서 내신성적 산정기준에 관한 시행지침을 마련하여 시·도 교육감에서 통보한 것은 행정조직 내부에서 내신성적 평가에 관한 내부적 심사기준을 시달한 것에 불과하며, 각 고등학교에서 위 지침에 일률적으로 기속되어 내신성적을 산정할 수밖에 없고 또 대학에서도 이를 그대로 내신성적으로 인정하여 입학생을 선발할 수밖에 없는 관계로 장차 일부 수험생들이 위 지침으로 인해 어떤 불이익을 입을 개연성이 없지는 아니하나, 그것만으로는 현실적으로 특정인의 구체적인 권리의무에 직접적으로 변동을 초래케 하는 것은 아니라 할 것이어서 내신성적 산정지침을 항고소송의 대상이 되는 행정처분으로 볼 수 없다(대판 1994.9.10. 94두33).

유제 16. 경찰 2차 교육부장관이 내신성적 산정기준에 관한 시행지침을 마련하여 시·도 교육감에게 통보한 것은 항고소송의 대상이 되는 행정처분으로 볼 수 없다. (○)
15. 경찰 1차 교육부장관이 내신성적 산정지침을 시·도 교육감에게 통보한 것은 행정조직 내부에서 내신성적평가에 관한 심사기준을 시달한 것에 불과하여 위 지침을 행정처분으로 볼 수 없다. (○)
12. 국가직 9급 교육부장관의 내신성적 산정지침은 행정조직의 내부적 심사기준을 시달한 것에 불과하므로 처분성이 인정되지 않는다. (○)
10. 지방직 9급 교육부장관이 대학입시기본계획의 내용에서 내신성적 산정기준에 관한 시행지침을 정한 경우, 각 고등학교는 이에 따라 내신성적을 산정할 수밖에 없어 이는 행정처분에 해당된다. (×)

④ (×)

> 「행정소송법」제6조【명령·규칙의 위헌판결등 공고】① 행정소송에 대한 대법원판결에 의하여 명령·규칙이 헌법 또는 법률에 위반된다는 것이 확정된 경우에는 대법원은 지체 없이 그 사유를 행정안전부장관에게 통보하여야 한다.

답 ①

함께 정리하기

행정입법

상위 법령등의 단순한 집행을 위한 경우
▷ 행정상 입법예고의 예외

행정형벌 위임입법
▷ 구성요건 구체적으로 정하고 형벌 종류, 상·하한을 명확히 정하는 경우 허용

교육부장관의 내신성적 산정기준에 관한 시행지침
▷ 행정처분×

명령·규칙의 헌법·법률 위반 확정
▷ 대법원은 지체 없이 행정안전부장관에게 사유 통보

052

법규명령에 대한 설명으로 가장 옳지 않은 것은? (다툼이 있는 경우 판례에 의함)

① 헌법이 인정하고 있는 위임입법의 형식은 예시적인 것으로 보아야 한다.
② 법규명령이 위임의 근거가 없어 무효였더라도 나중에 법개정으로 위임의 근거가 부여되면 그때부터는 유효한 법규명령으로 볼 수 있다.
③ 법령의 위임이 없음에도 법령에 규정된 처분 요건에 해당하는 사항을 부령에서 변경하여 규정한 경우에는 그 부령의 규정은 행정청 내부의 사무처리 기준 등을 정한 것으로서 행정조직 내에서 적용되는 행정명령의 성격을 지닌다.
④ 법률에서 하위 법령에 위임을 한 경우에 하위 법령이 위임의 한계를 준수하고 있는지 여부의 판단은 일반적으로 의회유보의 원칙과 무관하다.

> 2019년 서울시 9급

① (O) 헌법이 인정하고 있는 위임입법의 형식은 예시적인 것으로 보아야 할 것이고, 그것은 법률이 행정규칙에 위임하더라도 그 행정규칙은 위임된 사항만을 규율할 수 있으므로, 국회입법의 원칙과 상치되지도 않는다(헌재 2004.10.28. 99헌바91).
② (O) 대판 1995.6.30. 93추83
③ (O) 대판 2013.9.12. 2011두10584
④ (X) 특정 사안과 관련하여 법률에서 하위 법령에 위임을 한 경우에 모법의 위임범위를 확정하거나 하위 법령이 위임의 한계를 준수하고 있는지 여부를 판단할 때에는, 하위 법령이 규정한 내용이 입법자가 형식적 법률로 스스로 규율하여야 하는 본질적 사항으로서 의회유보의 원칙이 지켜져야 할 영역인지 여부, 당해 법률 규정의 입법 목적과 규정 내용, 규정의 체계, 다른 규정과의 관계 등을 종합적으로 고려하여야 한다(2015.8.20. 2012두23808).

답 ④

053

법규명령의 통제에 대한 설명으로 옳지 않은 것은? (다툼이 있는 경우 판례에 의함)

① 국민권익위원회는 법률·대통령령·총리령·부령 및 그 위임에 따른 훈령·예규·고시·공고와 조례·규칙의 부패유발요인을 분석·검토하여 그 법령 등의 소관 기관의 장에게 그 개선을 위하여 필요한 사항을 권고할 수 있다.
② 대법원은 구체적 규범통제를 행하면서 법규명령의 특정 조항이 위헌·위법인 경우 무효라고 판시하며, 이 경우 무효로 판시된 당해 조항은 일반적으로 효력이 부인된다.
③ 「행정소송법」은 행정소송에 대한 대법원 판결에 의하여 명령·규칙이 헌법 또는 법률에 위반된다는 것이 확정된 경우에는 대법원은 지체 없이 그 사유를 행정안전부장관에게 통보하여야 하고, 통보를 받은 행정안전부장관은 지체 없이 이를 관보에 게재하여야 한다.
④ 재량권 행사의 준칙인 행정규칙이 그 정한 바에 따라 되풀이 시행되어 행정관행이 성립되어 평등의 원칙이나 신뢰보호의 원칙에 따라 행정기관이 그 상대방에 대한 관계에서 그 규칙에 따라야 할 자기구속을 받게 되는 경우에는 대외적인 구속력을 가지게 되어 헌법소원의 대상이 된다.

2019년 군무원 9급

① (O)

> 「부패방지 및 국민권익위원회의 설치와 운영에 관한 법률」 제28조 【법령 등에 대한 부패유발요인 검토】 ① 위원회는 다음 각 호에 따른 법령 등의 부패유발요인을 분석·검토하여 그 법령 등의 소관 기관의 장에게 그 개선을 위하여 필요한 사항을 권고할 수 있다.
> 1. 법률·대통령령·총리령 및 부령
> 2. 법령의 위임에 따른 훈령·예규·고시 및 공고 등 행정규칙
> 3. 지방자치단체의 조례·규칙
> 4. 「공공기관의 운영에 관한 법률」 제4조에 따라 지정된 공공기관 및 「지방공기업법」 제49조·제76조에 따라 설립된 지방공사·지방공단의 내부규정

유제 18. 경찰 3차 「부패방지 및 국민권익위원회의 설치와 운영에 관한 법률」상 국민권익위원회는 법률을 포함한 명령 및 그 위임에 따른 훈령·예규·고시·공고와 조례·규칙의 부패유발요인을 분석·검토하여 당해 법규명령의 소관 기관의 장에게 그 개선을 위하여 필요한 사항을 권고할 수 있다. (O)

② (X) 대법원의 명령·규칙의 위헌, 위법 여부 심사를 통하여 헌법 또는 법률에 위반된다는 사실이 확정되면, 그 명령·규칙은 당해 사건에 한하여 적용이 배제된다.

③ (O)

> 「행정소송법」 제6조 【명령·규칙의 위헌판결등 공고】 ① 행정소송에 대한 대법원판결에 의하여 명령·규칙이 헌법 또는 법률에 위반된다는 것이 확정된 경우에는 대법원은 지체 없이 그 사유를 행정안전부장관에게 통보하여야 한다.
> ② 제1항의 규정에 의한 통보를 받은 행정안전부장관은 지체 없이 이를 관보에 게재하여야 한다.

④ (O) 재량권 행사의 준칙인 규칙이 그 정한 바에 따라 되풀이 시행되어 행정관행이 이룩되게 되면 평등의 원칙이나 신뢰보호의 원칙에 따라 행정기관은 그 상대방에 대한 관계에서 그 규칙에 따라야 할 자기구속을 당하게 되는 경우에는 대외적 구속력을 가지게 되는 바, 이러한 경우에는 헌법소원의 대상이 될 수도 있다(헌재 2001.7.18. 2001헌마605).

답 ②

함께 정리하기

법규명령

국민권익위원회
▷ 법령 등의 부패유발요인을 분석·검토하여 소관 기관의 장에게 개선을 위하여 필요한 사항 권고 可

대법원의 구체적 규범통제
▷ 당해사건에만 적용 배제(개별적 효력)

명령·규칙의 헌법·법률 위반확정
▷ 대법원이 지체 없이 행정안전부장관에게 사유 통보 → 행정안전부장관이 관보 게재

재량준칙이 되풀이 시행되어 행정관행 성립
▷ 자기구속 → 헌법소원 대상 O

---

054 ☐☐☐

행정입법에 대한 설명으로 가장 옳지 않은 것은? (다툼이 있는 경우 판례에 의함)

① 헌법 제107조는 "명령·규칙 또는 처분이 헌법이나 법률에 위반되는 여부가 재판의 전제가 된 경우에는 대법원은 이를 최종적으로 심사할 권한을 가진다."고 규정하고 있는데, 이때 규칙에는 지방자치단체의 조례와 규칙도 포함된다.

② 법령보충적 행정규칙은 헌법 제107조의 구체적 규범통제 대상이 되지만, 법규성이 없는 행정규칙은 헌법 제107조의 통제대상이 되지 않는다.

③ 헌법 제107조에 따른 구체적 규범통제의 결과 처분의 근거가 된 명령이 위법하다는 대법원의 판결이 난 경우, 그 명령은 당해 사건에 한하여 적용되지 않는 것이 아니라 일반적으로 효력이 상실된다.

④ 헌법 제107조에 따른 구체적 규범통제의 결과 처분의 근거가 된 명령이 위법하다는 대법원의 판결이 난 경우, 일반적으로 당해 처분의 하자는 중대명백설에 따라 취소사유에 해당한다고 보아야 한다.

2019년 경찰 2차

① (O) 헌법 제107조 제2항의 '명령·규칙'에서 '규칙'은 법규명령인 규칙을 의미하는데 여기에는 대법원규칙, 국회규칙, 헌법재판소규칙, 중앙선거관리위원회규칙, 지방자치단체의 조례 및 규칙 등이 포함된다.

문제 DATA

출제가능 지수 ▶▶▷
난이도 지수 ★★☆

함께 정리하기

행정입법

헌법 제107조 구체적 규범통제 대상
▷ 법규명령, 대법원규칙, 국회규칙 등 법규명령인 규칙, 조례·규칙 O

법령보충적 행정규칙
▷ 헌법 제107조 구체적 규범통제 대상 O

처분의 근거인 명령이 위법하다는 대법원의 판결이 있는 경우
▷ 당해사건에만 적용 배제(개별적 효력)
▷ 당해 처분은 취소사유(원칙)

② (○) 행정규칙 중 법규적 성질을 갖는 법령보충적 행정규칙은 헌법 제107조의 구체적 규범통제의 대상이 되지만, 법규성이 없는 행정규칙은 외부적 효력이 없으므로 헌법 제107조의 구체적 규범통제 대상이 되지 않는다.
③ (×) 대법원이 처분의 근거가 된 명령 등이 위법하다고 판단한 경우, 당해 행정입법은 일반적으로 그 효력을 상실하는 것이 아니고 당해 사건에 한하여 적용되지 않는다.
④ (○) 헌법 제107조에 따른 구체적 규범통제의 결과 처분의 근거가 된 명령이 위법하다는 대법원의 판결이 난 경우 그 행정처분의 하자는 중대하기는 하나 법원의 판결이 있기 전까지는 객관적으로 명백한 것이라고 할 수는 없으므로, 그 행정처분의 하자는 취소사유에 해당할 뿐 당연무효 사유는 아니라고 봐야 할 것이다.

답 ③

055

행정입법에 대한 설명으로 옳지 않은 것은? (다툼이 있는 경우 판례에 의함)

① 일반적으로 법률의 위임에 의하여 효력을 갖는 법규명령의 경우, 구법에 위임의 근거가 없어 무효였더라도 사후에 법개정으로 위임의 근거가 부여되면 그때부터는 유효한 법규명령이 된다.
② 자치조례에 대한 법률의 위임은 법규명령에 대한 법률의 위임과 같이 반드시 구체적으로 범위를 정하여서 해야 한다.
③ 법령의 규정이 특정 행정기관에 법령 내용의 구체적 사항을 정할 수 있는 권한을 부여하면서 권한행사의 절차나 방법을 특정하지 아니한 경우에는, 수임 행정기관은 행정규칙이나 규정 형식으로 법령내용이 될 사항을 구체적으로 정할 수 있으며, 이 경우 행정규칙 등은 당해 법령의 위임한계를 벗어나지 않는 한 대외적 구속력이 있는 법규명령으로서 효력을 가지게 된다.
④ 포괄적 위임금지의 원칙을 규정한 헌법 제75조에서 말하는 위임의 구체성·명확성의 요구 정도는 각종 법률이 규제하고자 하는 대상의 종류와 성질에 따라 달라지는데, 특히 규율대상이 지극히 다양하거나 수시로 변화하는 성질의 것일 때에는 위임의 구체성·명확성의 요건이 완화된다.
⑤ 법규명령의 위임의 근거가 되는 법률에 대하여 위헌결정이 선고되면 그 위임규정에 근거하여 제정된 법규명령도 원칙적으로 효력을 상실한다.

| 2019년 5급 승진

① (○) 대판 1995.6.30. 93추83
② (×) 조례의 제정권자인 지방의회는 선거를 통해서 그 지역적인 민주적 정당성을 지니고 있는 주민의 대표기관이고, 헌법이 지방자치단체에 대해 포괄적인 자치권을 보장하고 있는 취지로 볼 때, 조례에 대한 법률의 위임은 법규명령에 대한 법률의 위임과 같이 반드시 구체적으로 범위를 정하여 할 필요가 없으며 포괄적인 것으로 족하다(헌재 1995.4.20. 92헌마264).
③ (○) 법령의 규정이 특정 행정기관에게 법령 내용의 구체적 사항을 정할 수 있는 권한을 부여하면서 권한행사의 절차나 방법을 특정하지 아니한 경우에는 수임 행정기관은 행정규칙이나 규정 형식으로 법령내용이 될 사항을 구체적으로 정할 수 있다. 이 경우 행정규칙 등은 당해 법령의 위임한계를 벗어나지 않는 한 대외적 구속력이 있는 법규명령으로서 효력을 가지게 되지만, 이는 행정규칙이 갖는 일반적 효력이 아니라 행정기관에 법령의 구체적 내용을 보충할 권한을 부여한 법령 규정의 효력에 근거하여 예외적으로 인정되는 것이다(대판 2012.7.5. 2010다72076).
④ (○) 헌재 1997.2.20. 95헌바27
⑤ (○) 대판 2001.6.12. 2000다18547

답 ②

056

행정입법에 대한 설명으로 옳은 것은? (다툼이 있는 경우 판례에 의함)

① 헌법이 규정하고 있는 위임입법의 형식은 열거적인 것이다.
② 법규명령이 위임의 근거가 없어 무효라면 나중에 법개정으로 위임의 근거가 부여되더라도 유효한 법규명령이 될 수 없다.
③ 법 집행기관의 자의적 법집행이 배제되는지 여부는 법규범의 명확성 판단기준이 될 수 없다.
④ 재량준칙의 제정에는 법령상 근거가 필요하다.
⑤ 법령의 위임이 없음에도 법령에 규정된 처분 요건에 해당하는 사항을 부령에서 변경하여 규정한 경우에 그 규정은 국민에 대한 대외적 구속력이 없다.

2019년 행정사

① (✕) 헌법이 인정하고 있는 위임입법의 형식은 예시적인 것으로 보아야 할 것이고, 그것은 법률이 행정규칙에 위임하더라도 그 행정규칙은 위임된 사항만을 규율할 수 있으므로, 국회입법의 원칙과 상치되지도 않는다(헌재 2004.10.28. 99헌바91).
② (✕) 일반적으로 법률의 위임에 의하여 효력을 갖는 법규명령의 경우, 구법에 위임의 근거가 없어 무효였더라도 사후에 법개정으로 위임의 근거가 부여되면 그 때부터는 유효한 법규명령이 되나, 반대로 구법의 위임에 의한 유효한 법규명령이 법개정으로 위임의 근거가 없어지게 되면 그 때부터 무효인 법규명령이 된다(대판 1995.6.30. 93추83).
③ (✕) 어떠한 법규범이 명확한지 여부는 그 법규범이 수범자에게 법규의 의미내용을 알 수 있도록 공정한 고지를 하여 예측가능성을 주고 있는지 여부 및 그 법규범이 법을 해석·집행하는 기관에게 충분한 의미내용을 규율하여 자의적인 법해석이나 법집행이 배제되는지 여부, 다시 말하면 예측가능성 및 자의적 법집행 배제가 확보되는지 여부에 따라 이를 판단할 수 있다(대판 2014.1.29. 2013도12939).
④ (✕) 재량준칙은 재량권 행사의 기준을 정하는 행정규칙을 말한다. 일반적으로 행정규칙은 행정조직 내부에서만 효력을 가질 뿐 대외적인 구속력을 갖는 것은 아니므로 법령상의 근거가 없어도 제정할 수 있다.
⑤ (○) 대판 2013.9.12. 2011두10584

답 ⑤

함께 정리하기

행정입법

헌법상 위임입법 형식
▷ 예시적

사후에 법개정으로 위임의 근거 부여
▷ 그때부터는 유효

법규범이 명확한지 여부
▷ 예측가능성 및 자의적 집행 배제가 확보되는지 여부에 따라 판단

재량준칙
▷ 법령상 근거 불요

법령의 위임 없이 처분요건 부령에서 변경
▷ 대외적 구속력✕

057

법규명령에 대한 설명으로 옳지 않은 것은? (다툼이 있는 경우 판례에 의함)

① 법규명령이 구체적인 집행행위 없이 직접 개인의 권리의무에 영향을 주는 경우 처분성이 인정된다.
② 법규명령이 법률상 위임의 근거가 없어 무효이더라도 나중에 법률의 개정으로 위임의 근거가 부여되면 그때부터는 유효한 법규명령으로서 구속력을 갖는다.
③ 행정각부의 장이 정하는 고시(告示)는 법령의 규정으로부터 구체적 사항을 정할 수 있는 권한을 위임받아 그 법령 내용을 보충하는 기능을 가진 경우라도 그 형식상 대외적으로 구속력을 갖지 않는다.
④ 법규명령이 법률에서 위임받은 사항에 관하여 대강을 정하고 그 중의 특정사항에 대하여 범위를 정하여 하위법령에 다시 위임하는 경우에는 재위임이 허용된다.

제1장 행정입법 289

함께 정리하기

법규명령

구체적인 집행행위 없이 직접 개인의 권리의무에 영향
▷ 처분성 인정 O

위임근거 없어 무효
▷ 법개정으로 위임근거 부여시 그때부터 유효

고시가 법령으로부터 권한 위임받아 법령내용 보충
▷ 법령보충규칙으로 대외적 구속력 O

하위법령에 재위임
▷ 대강 정하고 특정사항 범위 정해야 可

문제 DATA
출제가능 지수 ▶▶☆
난이도 지수 ★★☆

2018년 국가직 9급

① (○) 대판 2006.9.22. 2005두2506
② (○) 대판 1995.6.30. 93추83
③ (×) 일반적으로 <u>행정각부의 장이 정하는 고시라 하더라도 그것이 특히 법령의 규정에서 특정 행정기관에서 법령 내용의 구체적 사항을 정할 수 있는 권한을 부여함으로써 그 법령 내용을 보충하는 기능을 가질 경우에는 그 형식과 상관없이 근거 법령 규정과 결합하여 대외적으로 구속력이 있는 법규명령으로서의 효력을 가진다</u>(대판 2017.5.31. 2017두30764).
④ (○) 대판 2015.1.15. 2013두14238

답 ③

058 □□□

행정입법에 대한 설명으로 옳지 않은 것은? (다툼이 있는 경우 판례에 의함)

① 일반적으로 시행령이 헌법이나 법률에 위반된다는 사정은 그 시행령의 규정을 위헌 또는 위법하여 무효라고 선언한 대법원의 판결이 선고되지 않은 상태에서도 그 시행령 규정의 위헌 내지 위법 여부가 객관적으로 명백하다고 할 수 있으므로, 이러한 시행령에 근거한 행정처분의 하자는 무효사유에 해당한다.
② 행정규칙의 공표는 행정규칙의 성립요건이나 효력요건은 아니나, 「행정절차법」에서는 행정청은 필요한 처분기준을 당해 처분의 성질에 비추어 될 수 있는 한 구체적으로 공표하도록 하고 있다.
③ 보건복지부 고시인 구 '약제급여·비급여목록 및 급여상한금액표'는 그 자체로서 국민건강보험가입자, 국민건강보험공단, 요양기관 등의 법률관계를 직접 규율하는 성격을 가지므로 항고소송의 대상이 되는 행정처분에 해당한다.
④ 국민의 구체적인 권리의무에 직접적으로 변동을 초래하지 않는 추상적인 법령의 제정 여부 등은 부작위위법확인소송의 대상이 될 수 없다.

2018년 국가직 9급

① (×) 일반적으로 <u>시행령이 헌법이나 법률에 위반된다는 사정은 그 시행령의 규정을 위헌 또는 위법하여 무효라고 선언한 대법원의 판결이 선고되지 아니한 상태에서는 그 시행령 규정의 위헌 내지 위법 여부가 해석상 다툼의 여지가 없을 정도로 명백하였다고 인정되지 아니하는 이상 객관적으로 명백한 것이라 할 수 없으므로, 이러한 시행령에 근거한 행정처분의 하자는 취소사유에 해당할 뿐 무효사유가 된다고 볼 수는 없다</u>(대판 2007.6.14. 2004두619).
② (○)

> 「행정절차법」 제20조【처분기준의 설정·공표】① 행정청은 필요한 처분기준을 해당 처분의 성질에 비추어 되도록 구체적으로 정하여 공표하여야 한다. 처분기준을 변경하는 경우에도 또한 같다.

③ (○) 대판 2006.9.22. 2005두2506
④ (○) 대판 1992.5.8. 91누11261

답 ①

함께 정리하기

행정입법

시행령이 헌법이나 법률에 위반된다는 사정
▷ 대법원 판결 전까지는 취소사유

처분기준
▷ 구체적으로 공표해야 함
▷ 행정규칙의 성립·효력요건 ×

보건복지부고시인 약제급여·비급여 목록, 급여상한금액표
▷ 행정처분 O

법령의 제정 여부
▷ 부작위위법확인소송 대상 ×

059

행정입법의 통제에 대한 설명으로 옳지 않은 것은? (다툼이 있는 경우 판례에 의함)

① 국무회의에 상정될 총리령안과 부령안은 법제처의 심사를 받아야 한다.
② 법령보충규칙에 해당하는 고시의 관계규정에 의하여 직접 기본권 침해를 받는다고 하여도 이에 대하여 바로 「헌법재판소법」 제68조 제1항에 의한 헌법소원심판을 청구할 수 없다.
③ 「행정절차법」에 따르면, 예고된 법령 등의 제정·개정 또는 폐지의 안에 대하여 누구든지 의견을 제출할 수 있다.
④ 행정입법부작위는 「행정소송법」상 부작위위법확인소송의 대상이 되지 않는다.

2018년 지방직 7급

① (○)

> 「정부조직법」 제23조【법제처】 ① 국무회의에 상정될 법령안·조약안과 총리령안 및 부령안의 심사와 그 밖에 법제에 관한 사무를 전문적으로 관장하기 위하여 국무총리 소속으로 법제처를 둔다.

② (×) 헌법재판소법 제68조 제1항이 규정하고 있는 헌법소원심판의 대상으로서의 '공권력'이란 입법·사법·행정 등 모든 공권력을 말하는 것이므로 입법부에서 제정한 법률, 행정부에서 제정한 시행령이나 시행규칙 및 사법부에서 제정한 규칙 등은 그것들이 별도의 집행행위를 기다리지 않고 직접 기본권을 침해하는 것일 때에는 모두 헌법소원심판의 대상이 될 수 있다(헌재 1990.10.15. 89헌마178).

③ (○)

> 「행정절차법」 제44조【의견제출 및 처리】 ① 누구든지 예고된 입법안에 대하여 의견을 제출할 수 있다.

④ (○) 대판 1992.5.8. 91누11261

답 ②

문제 DATA
출제가능 지수 ▶▶▷
난이도 지수 ★★☆

함께 정리하기
행정입법의 통제

총리령안과 부령안
▷ 법제처 심사 要

법령보충규칙에 의하여 직접 기본권 침해
▷ 헌법소원심판 청구 可

예고된 입법안
▷ 누구든지 의견 제출 可

행정입법부작위
▷ 부작위위법확인소송 대상×

060

행정입법에 대한 설명으로 옳은 것은?

① 위임입법의 형태로 대통령령, 총리령 또는 부령 등을 열거하고 있는 헌법규정은 예시규정이다.
② 법령상 대통령령으로 규정하도록 되어 있는 사항을 부령으로 정하더라도 그 부령은 유효하다.
③ 조례에 대한 법률의 위임은 구체적으로 범위를 정하여 위임하여야 하며 포괄적 위임은 금지된다.
④ 성질상 위임이 불가피한 전문적·기술적 사항에 관하여 구체적으로 범위를 정하여 법령에서 위임하더라도 고시 등으로는 규제의 세부적인 내용을 정할 수 없다.

문제 DATA
출제가능 지수 ▶▶▷
난이도 지수 ★★☆

함께 정리하기

행정입법

헌법상 위임입법형식
▷ 예시적

법률이 대통령령으로 정하도록 한 사항을 부령으로 정한 경우
▷ 그 부령은 무효

조례
▷ 포괄위임 可

성질상 위임이 불가피한 전문적·기술적 사항
▷ 행정규칙에 위임 可

2018년 교육행정직

① (○) 헌법이 인정하고 있는 위임입법의 형식은 예시적인 것으로 보아야 할 것이고, 그것은 법률이 행정규칙에 위임하더라도 그 행정규칙은 위임된 사항만을 규율할 수 있으므로, 국회입법의 원칙과 상치되지도 않는다(헌재 2004.10.28. 99헌바91).

② (✕) 행정각부 장관이 부령으로 제정할 수 있는 범위는 법률 또는 대통령령이 위임한 사항이나 법률 또는 대통령령을 실시하기 위하여 필요한 사항에 한정되므로 법률 또는 대통령령으로 규정할 사항을 부령으로 규정하였다고 하면 그 부령은 무효임을 면치 못한다(대판 1962.1.25. 61다9).

유제 18. 서울시 7급 법률이 대통령령으로 정하도록 규정한 사항을 부령으로 정했다면 그 부령은 무효이다. (○)

③ (✕) 헌재 1995.4.20. 92헌마264

④ (✕) 재산권 등과 같은 기본권을 제한하는 작용을 하는 법률이 입법위임을 할 때에는 "대통령령", "총리령", "부령" 등 법규명령에 위임함이 바람직하고, 금융감독위원회의 고시와 같은 형식으로 입법위임을 할 때에는 적어도 행정규제기본법 제4조 제2항 단서에서 정한 바와 같이 법령이 전문적·기술적 사항이나 경미한 사항으로서 업무의 성질상 위임이 불가피한 사항에 한정된다 할 것이고, 그러한 사항이라 하더라도 포괄위임금지의 원칙상 법률의 위임은 반드시 구체적·개별적으로 한정된 사항에 대하여 행하여져야 한다(헌재 2004.10.28. 99헌바91).

답 ①

061

법규명령에 대한 설명으로 가장 옳지 않은 것은? (다툼이 있는 경우 판례에 의함)

① 법률이 대통령령으로 정하도록 규정한 사항을 부령으로 정했다면 그 부령은 무효이다.
② 조례에 대한 법률의 위임은 반드시 구체적으로 범위를 정하여 해야 한다.
③ 위임의 근거가 없어 무효인 법규명령도 나중에 법개정으로 위임의 근거가 부여되면 그때부터 유효한 법규명령으로 볼 수 있다.
④ 조례가 집행행위의 개입 없이 직접 국민의 구체적 권리의무에 영향을 미치는 등의 효과를 발생하면 그 조례는 항고소송의 대상이 된다.

2018년 서울시 7급

① (○) 대판 1962.1.25. 61다9
② (✕) 조례의 제정권자인 지방의회는 선거를 통해서 그 지역적인 민주적 정당성을 지니고 있는 주민의 대표기관이고 헌법이 지방자치단체에 포괄적인 자치권을 보장하고 있는 취지로 볼 때, 조례에 대한 법률의 위임은 법규명령에 대한 법률의 위임과 같이 반드시 구체적으로 범위를 정하여 할 필요가 없으며 포괄적인 것으로 족하다(헌재 1995.4.20. 92헌마264).
③ (○) 대판 1995.6.30. 93추83
④ (○) 대판 1996.9.20. 95누8003

답 ②

함께 정리하기

법규명령

법률이 대통령령으로 정하도록 한 사항을 부령으로 정한 경우
▷ 그 부령은 무효

조례
▷ 포괄위임 可

법개정으로 위임근거 부여
▷ 그때부터 유효

집행행위 개입없이 직접 법률상 효과 발생 조례
▷ 처분

062

법규명령의 통제에 대한 기술 중 옳지 않은 것은? (다툼이 있는 경우 판례에 의함)

① 헌법은 대법원이 명령에 대한 심사권한이 있음을 직접 규정하고 있다.
② 대법원은 유신헌법상 긴급조치가 법률이 아니므로 대법원이 심사권을 가진다고 판시하였다.
③ 명령 등이 헌법이나 법률에 위반되어 대법원에서 무효라고 선언하여도 당해 사건에만 적용이 배제될 뿐 형식적으로는 존재하므로 판결확정 후 대법원은 행정안전부장관에게 통보하도록 하고 있다.
④ 행정처분 후, 대법원에서 처분의 근거 명령 등이 무효라고 선언된 경우 당해 행정처분은 무효사유에 해당한다.

2018년 소방직

① (○)
> 헌법 제107조 ② 명령·규칙 또는 처분이 헌법이나 법률에 위반되는 여부가 재판의 전제가 된 경우에는 대법원은 이를 최종적으로 심사할 권한을 가진다.

유제 16. 행정사, 14. 경찰 2차, 11. 국회직 8급 명령·규칙 또는 처분이 헌법이나 법률에 위반되는 여부가 재판의 전제가 된 경우에는 대법원은 이를 최종적으로 심사할 권한을 가진다. (○)

② (○) 유신헌법에 근거한 긴급조치는 국회의 입법권 행사라는 실질을 전혀 가지지 못한 것으로서, 헌법재판소의 위헌심판대상이 되는 '법률'에 해당한다고 할 수 없고, 긴급조치의 위헌 여부에 대한 심사권은 최종적으로 대법원에 속한다(대판 2010.12.16. 2010도5986 전합).

③ (○) 명령 등이 헌법이나 법률에 위반되어 대법원에서 무효라고 선언하여도 당해 사건에만 적용이 배제될 뿐이고, 법령개정 절차에 의해 폐지되지 않는 한 형식적으로는 여전히 존재한다. 구체적 규범통제에 의해 위헌·위법이라고 판단된 법규명령은 다른 사건에도 적용되지 않도록 할 필요가 있으므로 「행정소송법」은 대법원이 지체 없이 그 사유를 행정안전부장관에게 통보하고 통보를 받은 행정안전부장관은 지체 없이 관보에 게재하도록 규정하고 있다.

④ (×) 일반적으로 시행령이 헌법이나 법률에 위반된다는 사정은 그 시행령의 규정을 위헌 또는 위법하여 무효라고 선언한 대법원의 판결이 선고되지 아니한 상태에서는 그 시행령 규정의 위헌 내지 위법 여부가 해석상 다툼의 여지가 없을 정도로 명백하였다고 인정되지 아니하는 이상 객관적으로 명백한 것이라 할 수 없으므로, 이러한 시행령에 근거한 행정처분의 하자는 취소사유에 해당할 뿐 무효사유가 된다고 볼 수는 없다(대판 2007.6.14. 2004두619).

답 ④

문제 DATA
출제가능 지수 ▶▶▷
난이도 지수 ★★☆

함께 정리하기

법규명령의 통제

헌법 제107조
▷ 명령·규칙 또는 처분이 헌법이나 법률에 위반되는 여부가 재판의 전제가 된 경우 대법원이 최종적으로 심사

유신헌법상 긴급조치
▷ 대법원에 위헌심사권 有(대법원의 태도)

명령·규칙의 헌법·법률 위반확정
▷ 당해 사건에만 적용이 배제, 대법원은 지체 없이 행정안전부장관에게 사유 통보

시행령이 헌법이나 법률에 위반된다는 사정
▷ 대법원 판결 전까지는 취소사유

063

행정입법에 대한 설명으로 옳은 것은? (다툼이 있는 경우 판례에 의함)

> 「공공기관의 운영에 관한 법률」(이하 '공공기관법'이라 한다) 제39조 제2항·제3항 및 그 위임에 따라 기획재정부령으로 제정된 「공기업·준정부기관 계약사무규칙」 제15조 제1항(이하 '이 사건 규칙 조항'이라 한다)의 내용을 대비해보면, 입찰참가자격제한의 요건을 공공기관법에서는 '공정한 경쟁이나 계약의 적정한 이행을 해칠 것이 명백할 것'을 규정하고 있는 반면, 이 사건 규칙 조항에서는 '경쟁의 공정한 집행이나 계약의 적정한 이행을 해칠 우려가 있거나 입찰에 참가시키는 것이 부적합하다고 인정되는 자'라고 규정함으로써, 이 사건 규칙 조항이 법률에 규정된 것보다 한층 완화된 처분요건을 규정하여 그 처분대상을 확대하고 있다. 그러나 공공기관법 제39조 제3항에서 부령에 위임한 것은 '입찰참가자격의 제한기준 등에 관하여 필요한 사항'일 뿐이고, 이는 그 규정의 문언상 입찰참가자격을 제한하면서 그 기간의 정도와 가중감경 등에 관한 사항을 의미하는 것이지 처분의 요건까지 위임한 것이라고 볼 수는 없다. 따라서 이 사건 규칙 조항에서 위와 같이 처분의 요건을 완화하여 정한 것은 상위 법령의 위임 없이 규정한 것이므로 이는 행정기관 내부의 사무처리준칙을 정한 것에 지나지 않는다.

① 「공기업·준정부기관 계약사무규칙」 제15조 제1항은 국민에 대하여 구속력이 있다.
② 법률의 위임이 없음에도 법률에 규정된 처분 요건을 부령에서 변경하여 규정한 경우에는 그 부령의 규정은 국민에 대하여 대외적 구속력은 없다.
③ 어떤 행정처분이 법규성이 없는 부령의 규정에 위배되면 그 처분은 위법하고, 또 그 부령에서 정한 요건에 부합하면 그 처분은 적법하다.
④ 입찰참가자격제한처분의 적법 여부는 「공기업·준정부기관 계약사무규칙」 제15조 제1항에서 정한 요건에 합치하는지 여부와 공공기관법 제39조의 규정을 기준으로 판단하여야 한다.
⑤ 법령에서 행정처분의 요건 중 일부 사항을 부령으로 정할 것을 위임한 데 따라 부령에서 이를 정하고 있는 경우에 그 부령의 규정은 국민에 대하여 구속력이 없다.

| 2018년 국회직 8급

① (×) 「공기업·준정부기관 계약사무규칙」 제15조 제1항은 행정기관 내부의 사무처리준칙을 정한 것에 지나지 않으므로 국민에 대하여 구속력이 없다.
② (○) 법률의 위임이 없음에도 법령에 규정된 처분 요건에 해당하는 사항을 부령에서 변경하여 규정한 경우에는 그 부령의 규정은 행정청 내부의 사무처리 기준 등을 정한 것으로서 행정조직 내에서 적용되는 행정명령의 성격을 지닐 뿐 국민에 대한 대외적 구속력은 없다고 보아야 한다(대판 2013.9.12. 2011두10584).
③, ④ (×) 어떤 행정처분이 그와 같이 법규성이 없는 시행규칙 등의 규정에 위배된다고 하더라도 그 이유만으로 처분이 위법하게 되는 것은 아니라 할 것이고, 또 그 규칙 등에서 정한 요건에 부합한다고 하여 반드시 그 처분이 적법한 것이라고 할 수도 없다. 이 경우 처분의 적법 여부는 그러한 규칙 등에서 정한 요건에 합치하는지 여부가 아니라 일반 국민에 대하여 구속력을 가지는 법률 등 법규성이 있는 관계 법령의 규정을 기준으로 판단하여야 한다(대판 2015.6.23. 2012두2986).
⑤ (×) 법령에서 행정처분의 요건 중 일부 사항을 부령으로 정할 것을 위임한 데 따라 시행규칙 등 부령에서 이를 정한 경우에 그 부령의 규정은 국민에 대해서도 구속력이 있는 법규명령에 해당한다(대판 2013.9.12. 2011두10584).

답 ②

함께 정리하기

부정당업자 제재처분취소 사례

상위법령 위임 없는 규칙
▷ 대외적 구속력 無

법령의 위임 없이 처분요건 부령에서 변경
▷ 대외적 구속력 ×

법규성 없는 부령
▷ 처분의 적법 여부에 영향 無

처분의 적법 여부
▷ 구속력 있는 법령 기준

법령 위임에 따른 부령
▷ 대외적 구속력 有

064

행정입법에 대한 설명으로 옳지 않은 것은? (다툼이 있는 경우 판례에 의함)

① 일반적으로 법률의 위임에 따라 효력을 갖는 법규명령의 경우에 위임의 근거가 없어 무효였더라도 나중에 법개정으로 위임의 근거가 부여되면 그때부터는 유효한 법규명령으로 볼 수 있다. 그러나 법규명령이 개정된 법률에 규정된 내용을 함부로 유추·확장하는 내용의 해석규정이어서 위임의 한계를 벗어난 것으로 인정될 경우에는 법규명령은 여전히 무효이다.

② 헌법 제107조 제2항의 규정에 따르면 행정입법의 심사는 일반적인 재판절차에 의하여 구체적 규범통제의 방법에 의하도록 하고 있으므로, 원칙적으로 당사자는 구체적 사건의 심판을 위한 선결문제로서 행정입법의 위법성을 주장하여 법원에 대하여 당해 사건에 대한 적용 여부의 판단을 구할 수 있을 뿐 행정입법 자체의 합법성의 심사를 목적으로 하는 독립한 신청을 제기할 수는 없다.

③ 행정입법에 관여한 공무원이 입법 당시의 상황에서 다양한 요소를 고려하여 나름대로 합리적인 근거를 찾아 어느 하나의 견해에 따라 경과규정을 두는 등의 조치 없이 새 법령을 그대로 시행하거나 적용하였더라도 이러한 경우에까지 「국가배상법」 제2조 제1항에서 정한 국가배상책임의 성립요건인 공무원의 과실이 있다고 할 수는 없다.

④ 「공공기관의 정보공개에 관한 법률」 제9조 제1항 제1호의 '법률에서 위임한 명령'은 법률의 위임규정에 의하여 제정된 대통령령, 총리령, 부령 전부를 의미한다.

⑤ 구 「여객자동차 운수사업법」 제11조 제4항의 위임에 따라 시외버스운송사업의 사업계획 변경에 관한 절차, 인가기준 등을 구체적으로 규정한 구 「여객자동차 운수사업법 시행규칙」 제31조 제2항 제1호·제2호·제6호는 대외적인 구속력이 있는 법규명령이라고 할 것이고, 그것을 행정청 내부의 사무처리준칙을 규정한 행정규칙에 불과하다고 할 수는 없다.

문제 DATA

출제가능 지수 ▶▶▷
난이도 지수 ★★★

2018년 국회직 8급

① (○) 대판 2017.4.20. 2015두45700
② (○) 헌법 제107조 제2항의 규정에 따르면 행정입법의 심사는 일반적인 재판절차에 의하여 구체적 규범통제의 방법에 의하도록 명시하고 있으므로, 당사자는 구체적 사건의 심판을 위한 선결문제로서 행정입법의 위법성을 주장하여 법원에 대하여 당해 사건에 대한 적용 여부의 판단을 구할 수 있을 뿐 행정입법 자체의 합법성의 심사를 목적으로 하는 독립한 신청을 제기할 수는 없다(대결 1994.4.26. 93부32).
③ (○) 행정입법에 관여한 공무원이 입법 당시의 상황에서 다양한 요소를 고려하여 나름대로 합리적인 근거를 찾아 어느 하나의 견해에 따라 경과규정을 두는 등의 조치 없이 새 법령을 그대로 시행하거나 적용하였다면, 그와 같은 공무원의 판단이 나중에 대법원이 내린 판단과 같지 아니하여 결과적으로 시행령 등이 신뢰보호의 원칙 등에 위배되는 결과가 되었다고 하더라도, 이러한 경우에까지 국가배상법 제2조 제1항에서 정한 국가배상책임의 성립요건인 공무원의 과실이 있다고 할 수는 없다(대판 2013.4.26. 2011다14428).
④ (×) 공공기관의 정보공개에 관한 법률 제7조 제1항 제1호(현행법상 제9조 제1항 제1호) 소정의 '법률에 의한 명령'은 법률의 위임규정에 의하여 제정된 대통령령, 총리령, 부령 전부를 의미한다기보다는 정보의 공개에 관하여 법률의 구체적인 위임 아래 제정된 법규명령(위임명령)을 의미한다(대판 2003.12.11. 2003두8395).

> 「공공기관의 정보공개에 관한 법률」 제9조 【비공개 대상 정보】 ① 공공기관이 보유·관리하는 정보는 공개 대상이 된다. 다만, 다음 각 호의 어느 하나에 해당하는 정보는 공개하지 아니할 수 있다.
> 1. 다른 법률 또는 법률에서 위임한 명령(국회규칙·대법원규칙·헌법재판소규칙·중앙선거관리위원회규칙·대통령령 및 조례로 한정한다)에 따라 비밀이나 비공개 사항으로 규정된 정보

함께 정리하기

행정입법

사후개정으로 위임근거 부여 But 내용이 위임한계 일탈한 법규명령
▷ 여전히 무효

행정입법 자체의 합법성 심사를 목적으로 하는 독립한 신청
▷ 불가(∵구체적 규범통제)

나름의 합리적 기준으로 새 법령 시행·적용했으나 결과적으로 위법
▷ 「국가배상법」상 과실 인정 ×

정보공개법상 법률에서 위임한 명령
▷ 정보공개에 관한 구체적 위임에 따라 제정된 위임명령
▷ 총리령 ×, 부령 ×

여객자동차운수사업법 시행규칙
▷ 법규명령(∵대외적 구속력 有)

⑤ (○) 구 여객자동차 운수사업법 시행규칙 제31조 제2항 제1호, 제2호, 제6호는 법 제11조 제4항의 위임에 따라 시외버스운송사업의 사업계획변경에 관한 절차, 인가기준 등을 구체적으로 규정한 것으로서, 대외적인 구속력이 있는 법규명령이라고 할 것이고, 그것을 행정청 내부의 사무처리준칙을 규정한 행정규칙에 불과하다고 할 수는 없는 것이다(대판 2006.6.27. 2003두4355).

답 ④

065

행정입법에 대한 설명으로 가장 옳지 않은 것은? (다툼이 있는 경우 판례에 의함)

① 헌법에 의하면 대통령은 법률에서 구체적으로 범위를 정하여 위임받은 사항과 법률을 집행하기 위하여 필요한 사항에 관하여 대통령령을 발할 수 있다.
② 헌법에 의하면 국무총리 또는 행정각부의 장은 소관사무에 관하여 법률이나 대통령령의 위임의 경우에만 총리령 또는 부령을 발할 수 있다.
③ 「국회법」에 의하면 중앙행정기관의 장은 법률에서 위임한 사항이나 법률을 집행하기 위하여 필요한 사항을 규정한 대통령령·총리령·부령·훈령·예규·고시 등이 제정·개정 또는 폐지되었을 때에는 10일 이내에 이를 국회 소관 상임위원회에 제출하여야 한다.
④ 「국회법」에 의하면 대통령령의 경우에는 입법예고를 할 때(입법예고를 생략하는 경우에는 법제처장에게 심사를 요청할 때를 말한다)에도 그 입법예고안을 10일 이내에 이를 국회 소관 상임위원회에 제출하여야 한다.

2018년 경찰 2차

① (○)

> 헌법 제75조 대통령은 법률에서 구체적으로 범위를 정하여 위임받은 사항과 법률을 집행하기 위하여 필요한 사항에 관하여 대통령령을 발할 수 있다.

유제 20. 군무원 7급 헌법에 의하면 대통령은 법률에서 구체적으로 범위를 정하여 위임받은 사항과 법률을 집행하기 위하여 필요한 사항에 관하여 대통령령을 발할 수 있다. (○)

② (✕) 직권으로도 발할 수 있다.

> 헌법 제95조 국무총리 또는 행정각부의 장은 소관사무에 관하여 법률이나 대통령령의 위임 또는 직권으로 총리령 또는 부령을 발할 수 있다.

③, ④ (○)

> 「국회법」제98조의2 【대통령령 등의 제출 등】① 중앙행정기관의 장은 법률에서 위임한 사항이나 법률을 집행하기 위하여 필요한 사항을 규정한 대통령령·총리령·부령·훈령·예규·고시 등이 제정·개정 또는 폐지되었을 때에는 10일 이내에 이를 국회 소관 상임위원회에 제출하여야 한다. 다만, 대통령령의 경우에는 입법예고를 할 때(입법예고를 생략하는 경우에는 법제처장에게 심사를 요청할 때를 말한다)에도 그 입법예고안을 10일 이내에 제출하여야 한다.

답 ②

문제 DATA
출제가능 지수 ▶▷▷
난이도 지수 ★★☆

함께 정리하기

행정입법

대통령령
▷ 법률에서 구체적으로 범위를 정하여 위임받은 사항과 법률을 집행하기 위하여 필요한 사항 대통령령 발령 可

국무총리·행정각부의 장
▷ 법률이나 대통령령의 위임 또는 직권으로 총리령, 부령 발령 可

행정입법 제출제도
▷ 법규명령 제정·개정·폐지 시 10일 내 소관상임위에 제출

대통령령 입법예고
▷ 입법예고안 10일 이내에 제출

066

행정입법에 대한 설명으로 옳은 것을 모두 고른 것은? (다툼이 있는 경우 판례에 의함)

> ㄱ. 법규명령은 원칙적으로 구체적 규범통제의 대상이 된다.
> ㄴ. 집행명령은 법률의 명시적 위임규정이 없더라도 제정할 수 있다.
> ㄷ. 법규명령의 위임근거가 되는 법률에 대하여 위헌결정이 선고되면 그 위임에 근거하여 제정된 법규명령도 원칙적으로 효력을 상실한다.
> ㄹ. 위임명령이 법률에서 위임받은 사항에 관하여 대강을 정하고 그 중 특정사항을 범위를 정하여 하위법령에 다시 위임하는 것은 재위임금지의 원칙에 따라 허용되지 않는다.

① ㄱ, ㄴ
② ㄱ, ㄹ
③ ㄷ, ㄹ
④ ㄱ, ㄴ, ㄷ
⑤ ㄴ, ㄷ, ㄹ

2018년 행정사

ㄱ. (○) 헌법 제107조 제2항은 "명령·규칙 또는 처분이 헌법이나 법률에 위반되는 여부가 재판의 전제가 된 경우에는 대법원은 이를 최종적으로 심사할 권한을 가진다."고 하여 구체적 규범통제를 규정하고 있다.
ㄴ. (○) 집행명령은 상위법령의 집행을 위한 세부적·기술적인 사항을 규정하는 명령에 불과할 뿐 새로운 법규사항을 규정하는 것은 아니므로 법률의 명시적 위임규정이 없더라도 제정이 가능하다.
ㄷ. (○) 대판 2001.6.12. 2000다18547
ㄹ. (×) 법률에서 위임받은 사항을 전혀 규정하지 않고 재위임하는 것은 복위임금지 원칙에 반할 뿐 아니라 위임명령의 제정 형식에 관한 수권법의 내용을 변경하는 것이 되므로 허용되지 않으나 위임받은 사항에 관하여 대강을 정하고 그 중의 특정사항을 범위를 정하여 하위법령에 다시 위임하는 경우에는 재위임이 허용된다(대판 2015.1.15. 2013두14238).

답 ④

067

행정입법에 대한 판례의 입장으로 옳은 것은?

① 입법부가 법률로서 행정부에게 특정한 사항을 위임했음에도 불구하고 행정부가 정당한 이유 없이 이를 이행하지 않는다면 권력분립의 원칙과 법치국가 내지 법치행정의 원칙에 위배되는 것으로서 위법함과 동시에 위헌적인 것이 된다.
② 재량준칙은 제정됨으로써 일반적으로 행정조직 내부뿐만 아니라 대외적인 구속력을 갖는다.
③ 일반적으로 법률의 위임에 의하여 효력을 갖는 법규명령의 경우, 구법에 위임의 근거가 없어 무효인 경우 사후에 법개정으로 위임의 근거가 부여되더라도 그때부터 유효한 법규명령이 되는 것은 아니다.
④ 법률의 위임 규정 자체가 그 의미 내용을 정확하게 알 수 있는 용어를 사용하여 위임의 한계를 분명히 하고 있는데도 시행령이 위임 규정에서 사용하고 있는 용어의 의미를 넘어 그 범위를 확장하거나 축소함으로써 위임 내용을 구체화하는 단계를 벗어나 새로운 입법을 한 것으로 평가할 수 있는 경우라도 이를 위임의 한계를 일탈한 것으로 보기는 어렵다.

함께 정리하기

행정입법

행정부의 행정입법의무 불이행
▷ 권력분립원칙·법치국가원칙 위배

재량준칙
▷ 일반적으로 대외적 구속력×

위임의 근거 부여
▷ 그때부터 유효한 법규명령

위임의 한계 벗어난 시행령
▷ 위임의 한계 일탈로 불허

2017년 국가직 7급

① (○) 입법부가 법률로써 행정부에게 특정한 사항을 위임했음에도 불구하고 행정부가 정당한 이유 없이 이를 이행하지 않는다면 권력분립의 원칙과 법치국가 내지 법치행정의 원칙에 위배되는 것으로서 위법함과 동시에 위헌적인 것이 된다(대판 2007.11.29. 2006다3561).

유제 20. 군무원 9급 입법부가 법률로써 행정부에게 특정한 사항을 위임했음에도 불구하고 행정부가 정당한 이유 없이 이를 이행하지 않는다면 권력분립의 원칙과 법치국가 내지 법치행정의 원칙에 위배되는 것으로서 위법함과 동시에 위헌적인 것이 된다. (○)

② (×) 재량준칙은 일반적으로 행정조직 내부에서만 효력을 가질 뿐 대외적인 구속력을 갖는 것은 아니므로 행정처분이 이를 위반하였다고 하여 그러한 사정만으로 곧바로 위법하게 되는 것은 아니다(대판 2013.11.14. 2011두28783).

③ (×) 일반적으로 법률의 위임에 의하여 효력을 갖는 법규명령의 경우, 구법에 위임의 근거가 없어 무효였더라도 사후에 법개정으로 위임의 근거가 부여되면 그 때부터는 유효한 법규명령이 되나, 반대로 구법의 위임에 의한 유효한 법규명령이 법개정으로 위임의 근거가 없어지게 되면 그 때부터 무효인 법규명령이 된다(대판 1995.6.30. 93추83).

④ (×) 법률의 위임 규정 자체가 그 의미 내용을 정확하게 알 수 있는 용어를 사용하여 위임의 한계를 분명히 하고 있는데도 시행령이 그 문언적 의미의 한계를 벗어났다든지, 위임 규정에서 사용하고 있는 용어의 의미를 넘어 그 범위를 확장하거나 축소함으로써 위임 내용을 구체화하는 단계를 벗어나 새로운 입법을 한 것으로 평가할 수 있다면, 이는 위임의 한계를 일탈한 것으로서 허용되지 않는다(대판 2012.12.20. 2011두30878 전합).

답 ①

문제 DATA

출제가능 지수 ▶▶▷
난이도 지수 ★★☆

068

행정입법에 대한 설명으로 옳지 않은 것은? (다툼이 있는 경우 판례에 의함)

① 법령의 규정이 특정 행정기관에게 법령 내용의 구체적 사항을 정할 수 있는 권한을 부여하면서 권한행사의 절차나 방법을 특정하지 아니하였다면, 수임 행정기관은 행정규칙이나 규정형식으로 법령내용이 될 사항을 구체적으로 정할 수 없다.

② 법률의 시행령이나 시행규칙의 내용이 모법의 입법 취지와 관련 조항 전체를 유기적·체계적으로 살펴보아 모법의 해석상 가능한 것을 명시한 것에 지나지 아니하거나 모법 조항의 취지에 근거하여 이를 구체화하기 위한 것인 때에는, 모법에 이에 관하여 직접 위임하는 규정을 두지 아니하였다고 하더라도 이를 무효라고 볼 수는 없다.

③ 입법부가 법률로써 행정부에게 특정한 사항을 위임했음에도 불구하고 행정부가 정당한 이유 없이 이를 이행하지 않는다면 권력분립의 원칙과 법치국가 내지 법치행정의 원칙에 위배된다.

④ 대통령령을 제정하려면 국무회의의 심의와 법제처의 심사를 거쳐야 한다.

2017년 국가직 9급(추)

① (×) 법령의 규정이 특정 행정기관에게 법령 내용의 구체적 사항을 정할 수 있는 권한을 부여하면서 권한행사의 절차나 방법을 특정하지 아니한 경우에는 수임 행정기관은 행정규칙이나 규정 형식으로 법령 내용이 될 사항을 구체적으로 정할 수 있다(대판 2012.7.5. 2010다72076).

② (○) 대판 2014.8.20. 2012두19526

③ (○) 대판 2007.11.29. 2006다3561

④ (○) 대통령령을 제정하기 위해서는 행정조직 내부적으로 법제처 심사와 국무회의 심의를 거쳐야 한다. 총리령·부령은 법제처 심사만 거치면 되고 국무회의 심의는 거치지 않아도 된다.

함께 정리하기

행정입법

권한행사 절차·방법특정×
▷ 수임행정기관이 행정규칙으로 정하는 것 可

해석상 가능한 것 명시·모법조항 구체화
▷ 위임규정 없이도 可

행정부 시행령 제정의무 불이행
▷ 권력분립·법치행정원칙 위배

대통령령 제정
▷ 국무회의심의 & 법제처 심사

헌법 제89조 다음 사항은 국무회의의 심의를 거쳐야 한다.
　3. 헌법개정안·국민투표안·조약안·법률안 및 대통령령안
「정부조직법」 제23조【법제처】 ① 국무회의에 상정될 법령안·조약안과 총리령안 및 부령안의 심사와 그 밖에 법제에 관한 사무를 전문적으로 관장하기 위하여 국무총리 소속으로 법제처를 둔다.

답 ①

069

행정입법에 대한 판례의 입장으로 옳지 않은 것은?

① 헌법재판소는 대법원규칙인 구「법무사법 시행규칙」에 대해, 법규명령이 별도의 집행행위를 기다리지 않고 직접 기본권을 침해하는 것일 때에는 헌법 제107조 제2항의 명령·규칙에 대한 대법원의 최종심사권에도 불구하고 헌법소원심판의 대상이 된다고 한다.
② 대법원은 구「여객자동차 운수사업법 시행규칙」 제31조 제2항 제1호·제2호·제6호는 구「여객자동차 운수사업법」 제11조 제4항의 위임에 따라 시외버스운송사업의 사업계획변경에 관한 절차, 인가기준 등을 구체적으로 규정한 것으로서 행정청 내부의 사무처리준칙을 규정한 행정규칙에 불과하다고 할 수는 없다고 한다.
③ 대법원은 재량준칙이 되풀이 시행되어 행정관행이 성립된 경우에는 당해 재량준칙에 자기구속력을 인정한다. 따라서 당해 재량준칙에 반하는 처분은 법규범인 당해 재량준칙을 직접 위반한 것으로서 위법한 처분이 된다고 한다.
④ 헌법재판소는 법률이 일정한 사항을 행정규칙에 위임하더라도 그 위임은 전문적·기술적 사항이나 경미한 사항으로서 업무의 성질상 위임이 불가피한 사항에 한정된다고 한다.

2017년 국가직 9급

① (○) 헌법 제107조 제2항이 규정한 명령·규칙에 대한 대법원의 최종심사권이란 구체적인 소송사건에서 명령·규칙의 위헌 여부가 재판의 전제가 되었을 경우 법률의 경우와는 달리 헌법재판소에 제청할 것 없이 대법원이 최종적으로 심사할 수 있다는 의미이며, 명령·규칙 그 자체에 의하여 직접 기본권이 침해되었음을 이유로 하여 헌법소원심판을 청구하는 것은 위 헌법규정과는 아무런 상관이 없는 문제이다. 따라서 입법부·행정부·사법부에서 제정한 규칙이 별도의 집행행위를 기다리지 않고 직접 기본권을 침해하는 것일 때에는 모두 헌법소원심판의 대상이 될 수 있는 것이다. … 법령자체에 의한 직접적인 기본권침해 여부가 문제되었을 경우 그 법령의 효력을 직접 다투는 것을 소송물로 하여 일반 법원에 구제를 구할 수 있는 절차는 존재하지 아니하므로 이 사건에서는 다른 구제절차를 거칠 것 없이 바로 헌법소원심판을 청구할 수 있는 것이다(헌재 1990.10.15. 89헌마178).

유제 21. 소방간부 명령·규칙 그 자체로 기본권이 침해되었을 경우에는 이에 대한 헌법소원심판을 청구할 수 있고, 그 경우 제소요건은 당해 법령이 구체적 집행행위를 매개로 하지 않고 직접적·현재적으로 국민의 기본권을 침해하고 있어야 한다. (○)
17. 행정사 행정부가 제정한 규칙이 별도의 집행행위를 기다리지 않고 직접 국민의 기본권을 침해하고 있는 경우에는 헌법소원의 대상이 된다. (○)
14. 국가직 9급, 12. 사복직 명령·규칙 그 자체에 의하여 직접 기본권이 침해되었을 경우에는 그것을 대상으로 하여 헌법소원심판을 청구할 수 있다. (○)
11. 사복직 헌법재판소는 법규명령이 재판의 전제가 됨이 없이 직접 개인의 기본권을 침해하는 경우에는 헌법소원의 대상이 된다고 한다. (○)
11. 경찰 1차 헌법 제107조 제2항이 규정한 명령·규칙에 대한 최종심사권은 대법원에게 있기 때문에, 명령·규칙 그 자체에 의하여 직접 기본권이 침해되었을지라도 헌법소원심판을 청구하는 것은 불가능하다는 것이 헌법재판소의 입장이다. (×)

문제 DATA

출제가능 지수 ▶▶▷
난이도 지수 ★★☆

함께 정리하기

행정입법

직접 기본권 침해하는 법령
▷ 헌법소원 대상

「여객자동차운수사업법 시행규칙」
▷ 대외적 구속력 有

자기구속력 있는 재량준칙에 위반한 처분
▷ 재량권 일탈·남용으로 위법

행정규칙에 위임
▷ 업무 성질상 위임이 불가피한 사항에 한정

② (○) 구 여객자동차 운수사업법 시행규칙 제31조 제2항 제1호·제2호·제6호는 법 제11조 제4항의 위임에 따라 시외버스운송사업의 사업계획변경에 관한 절차, 인가기준 등을 구체적으로 규정한 것으로서, 대외적인 구속력이 있는 법규명령이라고 할 것이고, 그것을 행정청 내부의 사무처리준칙을 규정한 행정규칙에 불과하다고 할 수는 없는 것이다(대판 2006.6.27. 2003두4355).

③ (×) 당해 재량준칙을 '직접 위반'하여 위법한 것이 아니라 행정법의 일반원칙인 평등원칙, 신뢰보호원칙에 위배되어 재량권을 일탈·남용한 것으로서 위법한 처분이 된다.

> 재량준칙이 정한 바에 따라 되풀이 시행되어 행정관행이 이루어지게 되면 평등의 원칙이나 신뢰보호의 원칙에 따라 행정기관은 상대방에 대한 관계에서 그 규칙에 따라야 할 자기구속을 받게 되므로, 이러한 경우에는 특별한 사정이 없는 한 그에 반하는 처분은 평등의 원칙이나 신뢰보호의 원칙에 어긋나 재량권을 일탈·남용한 위법한 처분이 된다(대판 2013.11.14. 2011두28783).

④ (○) 행정규칙은 법규명령과 같은 엄격한 제정 및 개정절차를 요하지 아니하므로, 재산권 등과 같은 기본권을 제한하는 작용을 하는 법률이 입법위임을 할 때에는 "대통령령", "총리령", "부령" 등 법규명령에 위임함이 바람직하고, 금융감독위원회의 고시와 같은 형식으로 입법위임을 할 때에는 적어도 행정규제기본법 제4조 제2항 단서에서 정한 바와 같이 법령이 전문적·기술적 사항이나 경미한 사항으로서 업무의 성질상 위임이 불가피한 사항에 한정된다(헌재 2004.10.28. 99헌바91).

답 ③

070

행정입법에 대한 설명으로 옳지 않은 것은? (다툼이 있는 경우 판례에 의함)

① 법률의 시행령이 형사처벌에 관한 사항을 규정하면서 법률의 명시적인 위임 범위를 벗어나 처벌의 대상을 확장하는 것은 죄형법정주의원칙에 어긋나는 것이므로, 그러한 시행령은 위임입법의 한계를 벗어난 것으로서 무효이다.
② 다양한 사실관계를 규율하거나 사실관계가 수시로 변화될 것이 예상되는 분야에서는 다른 분야에 비하여 상대적으로 입법위임의 명확성·구체성이 완화된다.
③ 행정입법부작위에 대해서는 당사자의 신청이 있는 경우에 한하여 부작위위법확인소송의 대상이 된다.
④ 자치법적 사항을 규정한 조례에 대한 법률의 위임은 법규명령에 대한 법률의 위임과 같이 반드시 구체적으로 범위를 정하여야 할 필요가 없으며 포괄적인 것으로 족하다.

| 2017년 지방직 9급

① (○) 법률의 시행령은 모법인 법률의 위임 없이 법률이 규정한 개인의 권리의무에 관한 내용을 변경·보충하거나 법률에서 규정하지 아니한 새로운 내용을 규정할 수 없고, 특히 법률의 시행령이 형사처벌에 관한 사항을 규정하면서 법률의 명시적인 위임 범위를 벗어나 처벌의 대상을 확장하는 것은 죄형법정주의의 원칙에도 어긋나는 것이므로, 그러한 시행령은 위임입법의 한계를 벗어난 것으로서 무효이다(대판 2017.2.16. 2015도16014).
② (○) 헌재 1997.2.20. 95헌바27
③ (×) 행정소송은 구체적 사건에 대한 법률상 분쟁을 법에 의하여 해결함으로써 법적 안정을 기하자는 것이므로 부작위위법확인소송의 대상이 될 수 있는 것은 구체적 권리의무에 관한 분쟁이어야 하고 추상적인 법령에 관하여 제정의 여부 등은 그 자체로서 국민의 구체적인 권리의무에 직접적 변동을 초래하는 것이 아니어서 그 소송의 대상이 될 수 없다(대판 1992.5.8. 91누11261).
④ (○) 헌재 1995.4.20. 92헌마264

답 ③

함께 정리하기

행정입법

형사처벌 규정 위임입법의 한계
▷ 법률의 명시적인 위임 범위 내

다양한 사실관계 규율 or 사실관계 수시로 변화 예상
▷ 위임의 명확성 완화

행정입법부작위
▷ 부작위위법확인소송 대상×

조례
▷ 포괄위임 可

071

행정입법에 대한 판례의 입장으로 옳지 않은 것은?

① 제재적 행정처분의 기준이 부령의 형식으로 규정되어 있는 경우, 이 처분기준에 적합하다 하여 곧바로 당해 처분이 적법한 것이라고 할 수는 없다.
② 구 「청소년보호법」의 위임에 따른 동법 시행령상의 위반행위의 종별에 따른 과징금처분기준은 법규명령이다.
③ 어느 시행령의 규정이 모법에 저촉되는지 여부가 명백하지 아니하는 경우에는 모법과 시행령의 다른 규정들과 그 입법취지, 연혁 등을 종합적으로 살펴 모법에 합치한다는 해석도 가능한 경우라면 그 규정을 모법위반으로 무효라고 선언하여서는 안 된다.
④ 치과전문의 시험실시를 위한 시행규칙 규정의 제정 미비로 인해 치과전문의 자격을 갖지 못한 사람은 부작위위법확인소송을 통하여 구제 받을 수 있다.

문제 DATA
출제가능 지수 ▶▶▷
난이도 지수 ★★☆

2017년 지방직 9급

① (○) 제재적 행정처분의 기준이 부령의 형식으로 규정되어 있더라도 그것은 행정청 내부의 사무처리준칙을 정한 것에 지나지 아니하여 대외적으로 국민이나 법원을 기속하는 효력이 없고, 당해 처분의 적법 여부는 위 처분기준만이 아니라 관계 법령의 규정 내용과 취지에 따라 판단되어야 하므로, 위 처분기준에 적합하다 하여 곧바로 당해 처분이 적법한 것이라고 할 수는 없지만, 위 처분기준이 그 자체로 헌법 또는 법률에 합치되지 아니하거나 위 처분기준에 따른 제재적 행정처분이 그 처분사유가 된 위반행위의 내용 및 관계 법령의 규정 내용과 취지에 비추어 현저히 부당하다고 인정할 만한 합리적인 이유가 없는 한 섣불리 그 처분이 재량권의 범위를 일탈하였거나 재량권을 남용한 것이라고 판단해서는 안 된다(대판 2007.9.20. 2007두6946).
② (○) 구 청소년보호법 제49조 제1항, 제2항에 따른 같은 법 시행령 제40조 [별표 6]의 위반행위의 종별에 따른 과징금처분기준은 법규명령이기는 하나 … 여러 요소를 종합적으로 고려하여 사안에 따라 적정한 과징금의 액수를 정하여야 할 것이므로 그 수액은 정액이 아니라 최고한도액이다(대판 2001.3.9. 99두5207).
③ (○) 대판 2001.8.24. 2000두2716
④ (×) 부작위위법확인소송의 대상은 '처분'의 부작위이지 '입법'의 부작위가 아니므로 행정입법부작위는 부작위위법확인소송의 대상이 되지 않는다. 따라서 치과전문의 시험실시를 위한 시행규칙 규정의 제정이 미비하여 치과전문의 자격을 갖지 못한 사람은 부작위위법확인소송을 통하여 구제 받을 수 없다. 다만, 행정입법부작위는 공권력의 불행사에 해당하므로 헌법소원의 대상이 될 수 있으며, 국가배상청구 또한 가능하다.

> 치과전문의제도의 시행을 위하여 필요한 사항 중 일부를 누락함으로써 제도의 시행이 불가능하게 되었다면 그 누락된 부분에 대하여는 진정입법부작위에 해당하고, 보건복지부장관이 의료법과 위 규정의 위임에 따라 치과전문의자격시험제도를 실시할 수 있는 절차를 마련하지 아니하는 입법부작위는 헌법에 위반된다(헌재 1998.7.16. 96헌마246).

답 ④

함께 정리하기

행정입법

부령형식의 제재적 행정처분 기준
▷ 기준에 적합 → 곧바로 당해 처분 적법 단정×

「청소년보호법 시행령」상 과징금처분기준
▷ 법규명령

시행령이 모법 저촉 여부 명백×
▷ 합치 해석 可 → 모법위반 무효×

치과전문의 시험실시 시행규칙 입법부작위
▷ 부작위위법확인소송×
▷ 헌법소원○

문제 DATA

출제가능 지수 ▶▶▷
난이도 지수 ★★★

072 □□□

다음 중 옳지 않은 것은? (다툼이 있는 경우 판례에 의함)

① 삼권분립의 원칙, 법치행정의 원칙을 당연한 전제로 하고 있는 우리 헌법하에서 행정권의 행정입법 등 법집행의무는 헌법적 의무라고 보아야 한다.
② 국립대학교의 대학입학고사 주요 요강은 공권력의 행사로서 행정쟁송의 대상이 될 수 있는 행정처분이다.
③ 입법의 내용·범위·절차 등의 결함을 이유로 헌법소원을 제기하려면 결함이 있는 당해 입법규정 그 자체를 대상으로 하여 그것이 평등의 원칙에 위배된다는 등 헌법위반을 내세워 적극적인 헌법소원을 제기하여야 하며, 이 경우에는 「헌법재판소법」 소정의 제소기간을 준수하여야 한다.
④ 어떠한 고시가 일반적·추상적 성격을 가질 때에는 법규명령 또는 행정규칙에 해당할 것이지만, 다른 집행행위의 매개 없이 그 자체로서 직접 국민의 구체적인 권리의무나 법률관계를 규율하는 성격을 가질 때에는 항고소송의 대상이 되는 행정처분에 해당한다.

> 2017년 서울시 7급

① (○) 헌재 1998.7.16. 96헌마246
② (✕) 국립대학인 서울대학교의 "94학년도 대학입학고사 주요 요강"은 사실상의 준비행위 내지 사전안내로서 행정쟁송의 대상이 될 수 있는 행정처분이나 공권력의 행사는 될 수 없지만 그 내용이 국민의 기본권에 직접 영향을 끼치는 내용이고 앞으로 법령의 뒷받침에 의하여 그대로 실시될 것이 틀림없을 것으로 예상되어 그로 인하여 직접적으로 기본권 침해를 받게 되는 사람에게는 사실상의 규범작용으로 인한 위험성이 이미 현실적으로 발생하였다고 보아야 할 것이므로 이는 헌법소원의 대상이 되는 헌법재판소법 제68조 제1항 소정의 공권력의 행사에 해당된다(헌재 1992.10.1. 92헌마68).
③ (○) 입법의 내용·범위·절차 등에 결함이 있는 경우는 부진정입법부작위에 해당한다. 이러한 부진정입법부작위에 대해서는 그 불완전한 해당 법규정 자체를 대상으로 헌법소원을 제기하여야 하고, 진정입법부작위와 달리 제소기간을 준수하여야 한다.

> 1. 넓은 의미의 입법부작위에는, 입법자가 헌법상 입법의무가 있는 어떤 사항에 관하여 전혀 입법을 하지 아니함으로써 '입법행위의 흠결이 있는 경우'와 입법자가 어떤 사항에 관하여 입법은 하였으나 그 입법의 내용·범위·절차 등이 당해 사항을 불완전, 불충분 또는 불공정하게 규율함으로써 '입법행위에 결함이 있는 경우'가 있는데, 일반적으로 전자를 진정입법부작위, 후자를 부진정입법부작위라고 부르고 있다. 이른바 부진정입법부작위를 대상으로 헌법소원을 제기하려면 그것이 평등의 원칙에 위배된다는 등 헌법위반을 내세워 적극적인 헌법소원을 제기하여야 하며, 이 경우에는 헌법재판소법 소정의 제소기간(청구기간)을 준수하여야 한다(헌재 1996.10.31. 94헌마204).
> 2. 부진정입법부작위의 경우에는 그 불완전한 법규정 자체를 대상으로 하여 그것이 헌법위반이라는 적극적인 헌법소원을 청구할 수 있을 뿐 이를 입법부작위라 하여 헌법소원을 제기할 수 없다(헌재 2014.9.24. 2014헌마737).

④ (○) 대판 2006.9.22. 2005두2506

답 ②

함께 정리하기

행정입법

행정입법포함 법집행의무
▷ 헌법적 의무

국립대학 입학고사 요강
▷ 행정쟁송 대상✕

부진정입법부작위
▷ 법규 자체를 대상
▷ 제소기간준수 要

구체적 규율 성격의 고시
▷ 처분성○

073

행정입법에 대한 설명으로 옳은 것은? (다툼이 있는 경우 판례에 의함)

① 행정입법부작위는 행정소송의 대상이 될 수 없다.
② 위법한 법규명령은 무효가 아니라 취소할 수 있다.
③ 법령의 위임 없이 제정한 2006년 교육공무원 보수업무 등 편람은 법규명령이다.
④ 구「식품위생법 시행규칙」에서 정한 제재적 처분기준은 법규명령의 성질을 가진다.

> 2017년 교육행정직

① (○) 대판 1992.5.8. 91누11261
② (×) 법규명령에는 행정행위와 같은 공정력이 인정되지 않으므로 하자 있는 법규명령은 무효라고 보아야 한다.
③ (×) 2006년 교육공무원 보수업무 등 편람은 교육인적자원부(현재는 교육과학기술부)에서 관련 행정기관 및 그 직원을 위한 업무처리지침 내지 참고사항을 정리해 둔 것에 불과하고 법규명령의 성질을 가진 것이라고는 볼 수 없다(대판 2010.12.9. 2010두16349).
④ (×) 판례는 제재적 처분기준이 대통령령(시행령)의 형식으로 규정된 경우에는 그 형식을 중시하여 법규명령으로 보고 있다. 반면에 부령(시행규칙)에 규정되어 있는 경우, 판례는 그 법규성을 부정하여 행정규칙으로 보고 있다.

> 구 식품위생법 시행규칙 제53조에서 [별표 15]로 식품위생법 제58조에 따른 행정처분의 기준을 정하였다 하더라도, 이는 형식은 부령으로 되어 있으나 성질은 행정기관 내부의 사무처리준칙을 규정한 것에 불과한 것으로서 보건사회부장관이 관계행정기관 및 직원에 대하여 직무권한행사의 지침을 정하여 주기 위하여 발한 행정명령의 성질을 가지는 것이지 같은 법 제58조 제1항의 규정에 의하여 보장된 재량권을 기속하는 것이라고 할 수 없고, 대외적으로 국민이나 법원을 기속하는 힘이 있는 것은 아니다(대판 1993.6.29. 93누5635).

답 ①

문제 DATA
출제가능 지수 ▶▶▷
난이도 지수 ★★☆

함께 정리하기

행정입법

행정입법부작위
▷ 행정소송의 대상×

위법한 법규명령
▷ 무효

법령의 위임 없는 2006년 교육공무원 보수업무 등 편람
▷ 법규명령×

「식품위생법 시행규칙」의 제재적 처분기준
▷ 법규명령×

문제 DATA

출제가능 지수 ▶▶▷
난이도 지수 ★★☆

074 □□□

행정입법에 대한 설명으로 옳지 않은 것은? (다툼이 있는 경우 판례에 의함)

① 상위법령의 시행을 위하여 제정한 집행명령은 그 상위법령이 개정되더라도 개정법령과 성질상 모순·저촉되지 않는 이상 여전히 그 효력을 가진다.
② 행정규칙인 고시가 집행행위의 개입 없이도 그 자체로서 국민의 구체적인 권리의무에 직접적인 변동을 초래하는 경우에는 항고소송의 대상이 된다.
③ 행정각부의 장관이 정한 고시가 상위법령의 수권에 의한 것으로 법령내용을 보충하는 기능을 하는 경우에도 그 규정형식이 법령의 위임범위를 벗어난 것이라면 법규명령으로서의 대외적 구속력이 인정되지 않는다.
④ 수권법령에 재위임을 허용하는 규정이 없더라도 위임받은 사항에 관하여 대강을 정하고 그 중의 특정사항을 범위를 정하여 하위법령에 재위임하는 것은 허용된다.
⑤ 상위법령의 시행을 위하여 법규명령을 제정하여야 할 의무가 인정됨에도 불구하고 법규명령을 제정하고 있지 않은 경우 그러한 부작위는 부작위위법확인소송을 통하여 다툴 수 있다.

> 2017년 국회직 8급

① (○) 대판 1989.9.12. 88누6962
② (○) 대판 2006.9.22. 2005두2506
③ (○) 일반적으로 행정각부의 장이 정하는 고시라 하더라도 그것이 특히 법령의 규정에서 특정 행정기관에게 법령 내용의 구체적 사항을 정할 수 있는 권한을 부여함으로써 그 법령 내용을 보충하는 기능을 가질 경우에는 그 형식과 상관없이 근거 법령 규정과 결합하여 대외적으로 구속력이 있는 법규명령으로서의 효력을 가지는 것이나 이는 어디까지나 법령의 위임에 따라 그 법령 규정을 보충하는 기능을 가지는 점에 근거하여 예외적으로 인정되는 효력이므로 특정 고시가 비록 법령에 근거를 둔 것이라고 하더라도 그 규정 내용이 법령의 위임 범위를 벗어난 것일 경우에는 위와 같은 법규명령으로서의 대외적 구속력을 인정할 여지는 없다(대판 1999.11.26. 97누13474).
④ (○) 대판 2015.1.15. 2013두14238
⑤ (✕) 행정소송은 구체적 사건에 대한 법률상 분쟁을 법에 의하여 해결함으로써 법적 안정을 기하자는 것이므로 부작위위법확인소송의 대상이 될 수 있는 것은 구체적 권리의무에 관한 분쟁이어야 하고 추상적인 법령에 관하여 제정의 여부 등은 그 자체로서 국민의 구체적인 권리의무에 직접적 변동을 초래하는 것이 아니어서 그 소송의 대상이 될 수 없다(대판 1992.5.8. 91누11261).

답 ⑤

함께 정리하기

행정입법

상위법령의 개정
▷ 모순·저촉 없는 한 집행명령은 효력 유지

행정규칙이 그 자체로서 권리의무·법률관계 규율
▷ 행정처분

법령의 위임범위 벗어난 행정규칙
▷ 대외적 구속력 無

위임받은 사항 대강을 정하고 특정범위 하위법령에 재위임 可

추상적인 법령의 제정 여부
▷ 부작위위법확인소송 대상✕

제3절 | 행정규칙

001 □□□

법령보충적 행정규칙에 대한 설명으로 옳지 않은 것은?

① 헌법 제40조와 헌법 제75조, 제95조의 의미를 살펴보면, 의회가 구체적으로 범위를 정하여 위임한 사항에 관하여는 당해 행정기관이 법정립의 권한을 갖게 되고, 입법자가 규율의 형식도 선택할 수도 있다 할 것이다.
② 법령에서 전문적·기술적 사항이나 경미한 사항으로서 업무의 성질상 위임이 불가피한 사항에 관하여 구체적으로 범위를 정하여 위임한 경우에는 고시 등으로 정할 수 있다.
③ 구「지방공무원보수업무 등 처리지침」[별표 1] '직종별 경력환산율표 해설'이 정한 민간근무경력의 호봉 산정에 관한 부분은「지방공무원법」과 구「지방공무원 보수규정」[별표 3]의 단계적 위임에 따라 행정규칙의 형식으로 법령의 내용이 될 사항을 구체적으로 정한 것이고, 법령의 내용 및 취지에 저촉된다거나 위임 한계를 벗어났다고 보기 어렵다면, 대외적 구속력이 있는 법규명령으로서의 효력을 갖는다.
④ 법령보충적 행정규칙은 법규명령 또는 행정규칙에 해당하므로 처분성을 갖는 경우라도 항고소송의 대상이 될 수 없다.

2025년 지방직 9급

① (○) 헌법 제40조, 제75조, 제95조의 의미를 살펴보면, 국회가 입법으로 행정기관에게 구체적인 범위를 정하여 위임한 사항에 관하여는 당해 행정기관이 법 정립의 권한을 갖게 되고, 입법자가 그 규율의 형식도 선택할 수 있다고 보아야 하므로, 헌법이 인정하고 있는 위임입법의 형식은 예시적인 것으로 보아야 한다(헌재 2017.9.28. 2016헌바140등).

② (○)

> 「행정규제기본법」 제4조 【규제 법정주의】 ② 규제는 법률에 직접 규정하되, 규제의 세부적인 내용은 법률 또는 상위법령(上位法令)에서 구체적으로 범위를 정하여 위임한 바에 따라 대통령령·총리령·부령 또는 조례·규칙으로 정할 수 있다. 다만, <u>법령에서 전문적·기술적 사항이나 경미한 사항으로서 업무의 성질상 위임이 불가피한 사항에 관하여 구체적으로 범위를 정하여 위임한 경우에는 고시 등으로 정할 수 있다</u>.

③ (○) 구 지방공무원보수업무 등 처리지침 [별표 1] '직종별 경력환산율표 해설'이 정한 민간근무경력의 호봉 산정에 관한 부분은 지방공무원법 제45조 제1항과 구 지방공무원 보수규정 제8조 제2항, 제9조의2 제2항, [별표 3]의 단계적 위임에 따라 행정자치부장관이 행정규칙의 형식으로 법령의 내용이 될 사항을 구체적으로 정한 것이고, 달리 지침이 위 법령의 내용 및 취지에 저촉된다거나 위임 한계를 벗어났다고 보기 어려우므로, 지침은 상위법령과 결합하여 대외적인 구속력이 있는 법규명령으로서의 효력을 갖게 된다(대판 2016.1.28. 2015두53121).

④ (×) 어떠한 고시가 일반적·추상적 성격을 가질 때에는 법규명령 또는 행정규칙에 해당할 것이지만, 다른 집행행위의 매개 없이 그 자체로서 직접 국민의 구체적인 권리의무나 법률관계를 규율하는 성격을 가질 때에는 행정처분에 해당한다(대판 2006.9.22. 2005두2506).

답 ④

문제 DATA

출제가능 지수 ▶▶▷
난이도 지수 ★★☆

함께 정리하기

법령보충적 행정규칙

구체적으로 범위를 정하여 위임한 사항
▷ 입법자가 규율의 형식도 선택할 수도 있음

성질상 위임이 불가피한 전문적·기술적 사항
▷ 행정규칙에 위임 可

「지방공무원보수업무 등 처리지침」
▷ 법규명령 효력○

법령보충적 행정규칙이 처분성을 갖는 경우
▷ 항고소송의 대상○

002

행정입법에 대한 설명으로 옳은 것을 모두 고른 것은? (다툼이 있는 경우 판례에 의함)

ㄱ. 국토교통부훈령 '개발행위허가운영지침'은 「국토의 계획 및 이용에 관한 법률 시행령」에 따라 정한 개발행위허가기준에 대한 세부적인 검토기준으로서 대외적 구속력을 가진다.

ㄴ. 행정청이 미리 공표한 처분기준인 행정규칙을 따랐는지 여부가 처분의 적법성을 판단하는 결정적인 지표가 되지 못하는 것과 마찬가지로, 행정청이 미리 공표하지 않은 처분기준을 적용하였는지 여부도 처분의 적법성을 판단하는 결정적인 지표가 될 수 없다.

ㄷ. 위임근거인 「산업재해보상보험법 시행령」 [별표 3] '업무상 질병에 대한 구체적인 인정기준'이 예시적 규정에 불과한 이상, 그 위임에 따른 고용노동부 고시는 대외적으로 국민과 법원을 구속하는 효력이 있는 규범이라고 볼 수 없다.

ㄹ. 「금융위원회의 설치 등에 관한 법률」에 따라 금융위원회가 고시한 '금융기관 검사 및 제재에 관한 규정' 제18조 제1항은 위 법률의 위임에 따라 법령의 내용이 될 사항을 구체적으로 정한 것으로서, 그 위임 한계를 벗어나지 않는다면 그와 결합하여 대외적으로 구속력이 있는 법규명령의 효력을 가진다.

① ㄴ, ㄷ
② ㄴ, ㄹ
③ ㄱ, ㄴ, ㄷ
④ ㄱ, ㄷ, ㄹ
⑤ ㄴ, ㄷ, ㄹ

2025년 변호사

ㄱ. (X) 국토의 계획 및 이용에 관한 법률(이하 '국토계획법'이라 한다) 제58조 제1항, 제3항은 개발행위허가의 신청 내용이 '주변지역의 토지이용실태 또는 토지이용계획, 건축물의 높이, 토지의 경사도, 수목의 상태, 물의 배수, 하천·호소·습지의 배수 등 주변 환경이나 경관과 조화를 이룰 것'이라는 기준에 맞는 경우에만 개발행위허가 또는 변경허가를 하여야 하고, 개발행위허가의 기준은 지역의 특성, 지역의 개발상황, 기반시설의 현황 등을 고려하여 다음 각 호의 구분에 따라 대통령령으로 정한다고 규정하고 있다. 국토의 계획 및 이용에 관한 법률 시행령(이하 '국토계획법 시행령'이라 한다) 제56조 제1항 [별표 1의2] '개발행위허가기준'은 국토계획법 제58조 제3항의 위임에 따라 제정된 대외적으로 구속력 있는 법규명령에 해당한다. 그러나 국토계획법 시행령 제56조 제4항은 국토교통부장관이 제1항의 개발행위허가기준에 대한 '세부적인 검토기준'을 정할 수 있다고 규정하였을 뿐이므로, 그에 따라 국토교통부장관이 국토교통부 훈령으로 정한 '개발행위허가운영지침'은 국토계획법 시행령 제56조 제4항에 따라 정한 개발행위허가기준에 대한 세부적인 검토기준으로, 상급행정기관인 국토교통부장관이 소속 공무원이나 하급행정기관에 대하여 개발행위허가업무와 관련하여 국토계획법령에 규정된 개발행위허가기준의 해석·적용에 관한 세부 기준을 정하여 둔 행정규칙에 불과하여 대외적 구속력이 없다. 따라서 행정처분이 위 지침에 따라 이루어졌더라도, 해당 처분이 적법한지는 국토계획법령에서 정한 개발행위허가기준과 비례·평등원칙과 같은 법의 일반원칙에 적합한지 여부에 따라 판단해야 한다(대판 2023.2.2. 2020두43722).

ㄴ. (O) 행정청이 행정절차법 제20조 제1항의 처분기준 사전공표 의무를 위반하여 미리 공표하지 아니한 기준을 적용하여 처분을 하였다고 하더라도, 그러한 사정만으로 곧바로 해당 처분에 취소사유에 이를 정도의 흠이 존재한다고 볼 수는 없다. 다만 해당 처분에 적용한 기준이 상위법령의 규정이나 신뢰보호의 원칙 등과 같은 법의 일반원칙을 위반하였거나 객관적으로 합리성이 없다고 볼 수 있는 구체적인 사정이 있다면 해당 처분은 위법하다고 평가할 수 있다. 구체적인 이유는 다음과 같다.

(1) 행정청이 행정절차법 제20조 제1항에 따라 정하여 공표한 처분기준은, 그것이 해당 처분의 근거 법령에서 구체적 위임을 받아 제정·공포되었다는 특별한 사정이 없는 한, 원칙적으로 대외적 구속력이 없는 행정규칙에 해당한다.

(2) 처분이 적법한지는 행정규칙에 적합한지 여부가 아니라 상위법령의 규정과 입법 목적 등에 적합한지 여부에 따라 판단해야 한다. 처분이 행정규칙을 위반하였다고 하여 그러한 사정만으로 곧바로 위법하게 되는 것은 아니고, 처분이 행정규칙을 따른 것이라고 하여 적법성이 보장되는 것도 아니다. 행정청이 미리 공표한 기준, 즉 행정규칙을 따랐는지 여부가 처분의 적법성을 판단하는 결정적인 지표가 되지 못하는 것과 마찬가지로, 행정청이 미리 공표하지 않은 기준을 적용하였는지 여부도 처분의 적법성을 판단하는 결정적인 지표가 될 수 없다.

(3) 행정청이 정하여 공표한 처분기준이 과연 구체적인지 또는 행정절차법 제20조 제2항에서 정한 처분기준 사전공표 의무의 예외사유에 해당하는지는 일률적으로 단정하기 어렵고, 구체적인 사안에 따라 개별적으로 판단하여야 한다. 만약 행정청이 행정절차법 제20조 제1항에 따라 구체적인 처분기준을 사전에 공표한 경우에만 적법하게 처분을 할 수 있는 것이라고 보면, 처분의 적법성이 지나치게 불안정해지고 개별법령의 집행이 사실상 유보·지연되는 문제가 발생하게 된다(대판 2020. 12.24. 2018두45633).

ㄷ. (○) 항고소송에서 처분의 위법 여부는 특별한 사정이 없는 한 그 처분 당시의 법령을 기준으로 판단하여야 한다. 이는 신청에 따른 처분의 경우에도 마찬가지이다(대판 2020.1.16. 2019다264700 등 참조). 그러나 「뇌혈관 질병 또는 심장 질병 및 근골격계 질병의 업무상 질병 인정 여부 결정에 필요한 사항」(2013.6.28. 고용노동부 고시 제2013-32호, 이하 '개정 전 고시'라고 한다)은 대외적으로 국민과 법원을 구속하는 효력은 없으므로, 근로복지공단이 처분 당시에 시행된 '개정 전 고시'를 적용하여 산재요양 불승인처분을 한 경우라고 하더라도 해당 불승인처분에 대한 항고소송에서 법원은 '개정 전 고시'를 적용할 의무는 없고, 해당 불승인처분이 있은 후 개정된「뇌혈관 질병 또는 심장 질병 및 근골격계 질병의 업무상 질병 인정 여부 결정에 필요한 사항」(2017.12.29. 고용노동부 고시 제2017-117호, 이하 '개정된 고시'라고 한다)의 규정 내용과 개정 취지를 참작하여 상당인과관계의 존부를 판단할 수 있다. 그 구체적인 이유는 다음과 같다.

(1) 산업재해보상보험법 제37조 제1항 제2호, 제5항, 같은 법 시행령 제34조 제3항 [별표 3]의 규정 내용과 형식, 입법 취지를 종합하면, 같은 법 시행령 [별표 3] '업무상 질병에 대한 구체적인 인정 기준'은 같은 법 제37조 제1항 제2호에서 규정하고 있는 '업무상 질병'에 해당하는 경우를 예시적으로 규정한 것이라고 보아야 하고, 그 기준에서 정한 것 외에 업무와 관련하여 발생한 질병을 모두 업무상 질병에서 배제하는 규정으로 볼 수는 없다.

(2) 산업재해보상보험법 시행령 [별표 3] '업무상 질병에 대한 구체적인 인정 기준'은 '뇌혈관 질병 또는 심장 질병', '근골격계 질병'의 업무상 질병 인정 여부 결정에 필요한 사항은 고용노동부장관이 정하여 고시하도록 위임하고 있다[제1호 (다)목, 제2호 (마)목]. 위임근거인 산업재해보상보험법 시행령 [별표 3] '업무상 질병에 대한 구체적인 인정 기준'이 예시적 규정에 불과한 이상, 그 위임에 따른 고용노동부 고시가 대외적으로 국민과 법원을 구속하는 효력이 있는 규범이라고 볼 수는 없고, 상급행정기관이자 감독기관인 고용노동부장관이 그 지도·감독 아래 있는 근로복지공단에 대하여 행정내부적으로 업무처리지침이나 법령의 해석·적용 기준을 정해주는 '행정규칙'이라고 보아야 한다(대판 2020.12.24. 2020두39297).

ㄹ. (○) 신용협동조합법 제83조 제1항, 제2항, 제84조 제1항 제1호, 제2호, 제42조, 제99조 제2항 제2호, 신용협동조합법 시행령 제16조의4 제1항, 금융위원회의 설치 등에 관한 법률(이하 '금융위원회법'이라 한다) 제17조 제2호, 제60조, 금융위원회 고시 '금융기관 검사 및 제재에 관한 규정' 제2조 제1항, 제2항, 제18조 제1항 제1호 (가)목, 제2항의 규정 체계와 내용, 입법 취지 등을 종합하면, 위 고시 제18조 제1항은 금융위원회법의 위임에 따라 법령의 내용이 될 사항을 구체적으로 정한 것으로서 금융위원회 법령의 위임 한계를 벗어나지 않으므로 그와 결합하여 대외적으로 구속력이 있는 법규명령의 효력을 가진다(대판 2019.5.30. 2018두52204).

답 ⑤

문제 DATA

출제가능 지수 ▶▶▷
난이도 지수 ★★☆

003 □□□

A시장은 「식품위생법」상 영업시간 제한을 위반한 甲에 대하여 '식품위생법 시행규칙」[별표 23] 행정처분기준' (이하, '[별표 23]'이라 함)에 따라 영업정지 1월의 처분을 하였다. 이에 대한 설명으로 옳지 않은 것은? (다툼이 있는 경우 판례에 의함)

① [별표 23]은 행정기관 내부의 사무처리준칙을 규정한 것에 불과하다.
② A시장의 처분이 [별표 23]에 따라 행해졌다면 곧바로 해당 처분이 적법한 것이라고 할 수 있다.
③ [별표 23]이 그 자체로 헌법 또는 법률에 합치되지 아니하거나 [별표 23]에 따른 영업정지 1월이 그 처분 사유가 된 위반행위의 내용 및 관계 법령의 규정 내용과 취지에 비추어 현저히 부당하다고 인정할 만한 사유가 없는 한 그 처분이 재량권의 범위를 일탈하거나 남용한 것이라고 판단해서는 안 된다.
④ A시장이 [별표 23]을 따르지 아니하고 甲에게만 위 처분기준을 과도하게 초과하는 처분을 한 경우에는 재량권의 한계를 일탈하였다고 볼 수 있다.

2024년 경찰간부

함께 정리하기

사례해결

식품위생법 시행규칙 [별표 23]의 행정처분(제재처분) 기준 법적성질
▷ 행정기관 내부의 사무처리준칙(행정규칙)

제재처분기준에 따른 처분
▷ 곧바로 당해 처분 적법 단정 ✕

제재처분기준이 상위법 위반 or 현저히 부당하다는 사정 無
▷ 법원은 존중하여야

특정인에게만 처분기준을 과도하게 초과하는 처분
▷ 재량권의 한계 일탈 ○

①, ④ (○) 구 식품위생법 시행규칙 제89조에서 [별표 23]으로 구 식품위생법 제75조에 따른 행정처분의 기준을 정하였다 하더라도, 이는 행정기관 내부의 사무처리준칙을 규정한 것에 불과(①)한 것으로서 보건복지부장관이 관계행정기관 및 직원에 대하여 직무권한행사의 지침을 정하여 주기 위하여 발한 행정명령의 성질을 가지는 것이지 같은 법 제75조 제1항의 규정에 의하여 보장된 재량권을 기속하는 것이라고 할 수 없고, 대외적으로 국민이나 법원을 기속하는 힘이 있는 것은 아니다. 따라서 구 식품위생법 시행규칙 [별표 23]의 행정처분기준은 행정기관 내부의 사무처리준칙을 규정한 것에 불과하기는 하지만, 특별한 사유가 없는 한 행정청은 당해 위반사항에 대하여 위 처분기준에 따라 행정처분을 함이 보통이라고 할 것이므로, 만일 행정청이 이러한 처분기준을 따르지 아니하고 특정한 개인에 대하여만 위 처분기준을 과도하게 초과하는 처분을 한 경우에는 재량권의 한계를 일탈하였다고 볼 만한 여지가 충분하다(④)(대판 2014.6.12. 2014두2157).

② (✕) 법규성이 없는 시행규칙은 대외적 구속력이 없기 때문에 처분의 적법 여부는 일반 국민에 대하여 구속력을 가지는 법규성이 있는 법령 규정을 기준으로 판단한다.

> 어떤 행정처분이 그와 같이 법규성이 없는 시행규칙 등의 규정에 위배된다고 하더라도 그 이유만으로 처분이 위법하게 되는 것은 아니라 할 것이고, 또 그 규칙 등에서 정한 요건에 부합한다고 하여 반드시 그 처분이 적법한 것이라고 할 수도 없다. 이 경우 처분의 적법 여부는 그러한 규칙 등에서 정한 요건에 합치하는지 여부가 아니라 일반 국민에 대하여 구속력을 가지는 법률 등 법규성이 있는 관계 법령의 규정을 기준으로 판단하여야 한다(대판 2015.6.23. 2012두2986 등).

③ (○) 제재적 행정처분의 기준이 부령의 형식으로 규정되어 있더라도 그것은 행정청 내부의 사무처리준칙을 정한 것에 지나지 아니하여 대외적으로 국민이나 법원을 기속하는 효력이 없고, 당해 처분의 적법 여부는 위 처분기준만이 아니라 관계 법령의 규정 내용과 취지에 따라 판단되어야 하므로, 위 처분기준에 적합하다 하여 곧바로 당해 처분이 적법한 것이라고 할 수는 없지만, 위 처분기준이 그 자체로 헌법 또는 법률에 합치되지 아니하거나 위 처분기준에 따른 제재적 행정처분이 그 처분사유가 된 위반행위의 내용 및 관계 법령의 규정 내용과 취지에 비추어 현저히 부당하다고 인정할 만한 합리적인 이유가 없는 한 섣불리 그 처분이 재량권의 범위를 일탈하였거나 재량권을 남용한 것이라고 판단해서는 안 된다(대판 2007.9.20. 2007두6946 등).

답 ②

004

행정규칙에 대한 설명으로 옳지 않은 것은?

① 「여객자동차 운수사업법」의 위임에 따른 시외버스운송사업의 사업계획변경 기준 등에 관한 「여객자동차 운수사업법 시행규칙」의 관련 규정은 대외적인 구속력이 있는 법규명령이라고 할 것이다.
② 법령에 반하는 위법한 행정규칙은 무효이므로 위법한 행정규칙을 위반한 것은 징계사유가 되지 않는다.
③ 법률이 일정한 사항을 고시와 같은 행정규칙에 위임하는 것은 전문적·기술적 사항이나 경미한 사항으로서 업무의 성질상 위임이 불가피한 사항에 한정된다.
④ 행정 각부의 장이 정하는 고시가 법령에 근거를 둔 것이라면, 그 규정 내용이 법령의 위임 범위를 벗어난 것이라도 법규명령으로서의 대외적 구속력이 인정된다.

2023년 지방직 7급

① (○) 구 여객자동차 운수사업법 시행규칙(2000.8.23. 건설교통부령 제259호로 개정되기 전의 것) 제31조 제2항 제1호, 제2호, 제6호는 구 여객자동차 운수사업법(2000.1.28. 법률 제6240호로 개정되기 전의 것) 제11조 제4항의 위임에 따라 <u>시외버스운송사업의 사업계획변경에 관한 절차, 인가기준 등을 구체적으로 규정한 것으로서, 대외적인 구속력이 있는 법규명령이라고 할 것이고, 그것을 행정청 내부의 사무처리준칙을 규정한 행정규칙에 불과하다고 할 수는 없다</u>(대판 2006.6.27. 2003두4355).

② (○) '행정규칙'은 상위법령의 구체적 위임이 있지 않는 한 행정조직 내부에서만 효력을 가질 뿐 대외적으로 국민이나 법원을 구속하는 효력이 없다. 다만 행정규칙이 이를 정한 행정기관의 재량에 속하는 사항에 관한 것인 때에는 그 규정 내용이 객관적 합리성을 결여하였다는 등의 특별한 사정이 없는 한 법원은 이를 존중하는 것이 바람직하다. 그러나 <u>행정규칙의 내용이 상위법령에 반하는 것이라면 법치국가원리에서 파생되는 법질서의 통일성과 모순금지 원칙에 따라 그것은 법질서상 당연무효이고, 행정내부적 효력도 인정될 수 없다.</u> 이러한 경우 법원은 해당 행정규칙이 법질서상 부존재하는 것으로 취급하여 행정기관이 한 조치의 당부를 상위법령의 규정과 입법 목적 등에 따라서 판단하여야 한다(대판 2020.11.26. 2020두42262).

③ (○) 헌법 제40조, 제75조, 제95조의 의미를 살펴보면, 국회가 입법으로 행정기관에게 구체적인 범위를 정하여 위임한 사항에 관하여는 당해 행정기관이 법 정립의 권한을 갖게 되고, 입법자가 그 규율의 형식도 선택할 수 있다고 보아야 하므로, 헌법이 인정하고 있는 위임입법의 형식은 예시적인 것으로 보아야 한다. 법률이 일정한 사항을 행정규칙에 위임하더라도 그 행정규칙은 위임된 사항만을 규율할 수 있으므로, 국회입법의 원칙과 상치되지 않는다. 다만, 행정규칙은 법규명령과 같은 엄격한 제정 및 개정 절차를 필요로 하지 아니하므로, 기본권을 제한하는 내용의 입법을 위임할 때에는 법규명령에 위임하는 것이 원칙이고, <u>고시와 같은 형식으로 입법위임을 할 때에는 법령이 전문적·기술적 사항이나 경미한 사항으로서 업무의 성질상 위임이 불가피한 사항에 한정된다</u>(헌재 2017.9.28. 2016헌바140 ; 헌재 2014.7.24. 2013헌바183 ; 헌재 2004.10.28. 99헌바91).

④ (×) 법령의 위임 범위를 벗어나면 대외적 구속력이 없다.

> 일반적으로 행정 각부의 장이 정하는 고시라 하더라도 그것이 특히 법령의 규정에서 특정 행정기관에게 법령 내용의 구체적 사항을 정할 수 있는 권한을 부여함으로써 그 법령 내용을 보충하는 기능을 가질 경우에는 그 형식과 상관없이 근거 법령 규정과 결합하여 대외적으로 구속력이 있는 법규명령으로서의 효력을 가지는 것이나 이는 어디까지나 법령의 위임에 따라 그 법령 규정을 보충하는 기능을 가지는 점에 근거하여 예외적으로 인정되는 효력이므로 <u>특정 고시가 비록 법령에 근거를 둔 것이라고 하더라도 그 규정 내용이 법령의 위임 범위를 벗어난 것일 경우에는 위와 같은 법규명령으로서의 대외적 구속력을 인정할 여지는 없다</u>(대판 1999.11.26. 97누13474).

답 ④

문제 DATA

출제가능 지수 ▶▶▷
난이도 지수 ★★☆

함께 정리하기

행정규칙

시행규칙 형식으로 규정된 시외버스운송사업의 사업계획변경 인가기준
▷ 법규명령

위법한 행정규칙
▷ 무효(행정내부적 효력도 無)

위법한 행정규칙 위반
▷ 징계사유 ×

입법사항을 행정규칙에 위임
▷ 전문적·기술적 사항이나 경미한 사항으로서 업무의 성질상 위임이 불가피한 사항에 한정

법령의 위임 범위 벗어난 고시
▷ 대외적 구속력 ×

문제 DATA

출제가능 지수 ▶▶▷
난이도 지수 ★★☆

005 ☐☐☐

행정입법에 대한 설명으로 옳지 않은 것은? (다툼이 있는 경우 판례에 의함)

① 법령의 위임이 없음에도 법령에 규정된 처분 요건에 해당하는 사항을 부령에서 변경하여 규정한 경우에는 그 부령의 규정은 행정청 내부의 사무처리 기준 등을 정한 것으로서 행정조직 내에서 적용되는 행정명령의 성격을 지닐 뿐 국민에 대한 대외적 구속력은 없다.

② 법원이 법률 하위의 법규명령이 위헌·위법인지를 심사하려면 그것이 재판의 전제가 되어야 하는데, 여기에서 재판의 전제란 구체적 사건이 법원에 계속 중이어야 하고, 위헌·위법인지가 문제 된 경우에는 그 법규명령의 특정 조항이 해당 소송사건의 재판에 적용되는 것이어야 하며, 그 조항이 위헌·위법인지에 따라 그 사건을 담당하는 법원이 다른 판단을 하게 되는 경우를 말한다.

③ 재량권행사의 준칙인 행정규칙이 그 정한 바에 따라 되풀이 시행되어 행정관행이 이루어지게 되면, 평등의 원칙이나 신뢰보호의 원칙에 따라 행정기관은 그 상대방에 대한 관계에서 그 행정규칙에 따라야 할 자기구속을 받게 되고, 그러한 경우에는 대외적인 구속력을 가지게 된다.

④ 상위법령에서 세부사항 등을 시행규칙으로 정하도록 위임하였음에도 이를 고시 등 행정규칙으로 정한 경우 그 행정규칙은 대외적 구속력을 가지는 법규명령으로서 효력이 인정된다.

2023년 국가직 7급

① (○) 법령의 위임이 없음에도 법령에 규정된 처분 요건에 해당하는 사항을 부령에서 변경하여 규정한 경우에는 그 부령의 규정은 행정청 내부의 사무처리 기준 등을 정한 것으로서 행정조직 내에서 적용되는 행정명령의 성격을 지닐 뿐 국민에 대한 대외적 구속력은 없다고 보아야 한다(대판 2013.9.12. 2011두10584).

② (○) 법원이 법률 하위의 법규명령, 규칙, 조례, 행정규칙 등(이하 '규정'이라 한다)이 위헌·위법인지를 심사하려면 그것이 '재판의 전제'가 되어야 한다. 여기에서 '재판의 전제'란 구체적 사건이 법원에 계속 중이어야 하고, 위헌·위법인지가 문제된 경우에는 규정의 특정 조항이 해당 소송사건의 재판에 적용되는 것이어야 하며, 그 조항이 위헌·위법인지에 따라 그 사건을 담당하는 법원이 다른 판단을 하게 되는 경우를 말한다. 따라서 법원이 구체적 규범통제를 통해 위헌·위법으로 선언할 심판대상은, 해당 규정의 전부가 불가분적으로 결합되어 있어 일부를 무효로 하는 경우 나머지 부분이 유지될 수 없는 결과를 가져오는 특별한 사정이 없는 한, 원칙적으로 해당 규정 중 재판의 전제성이 인정되는 조항에 한정된다(대판 2019.6.13. 2017두33985).

③ (○) 재량권행사의 준칙인 규칙이 그 정한 바에 따라 되풀이 시행되어 행정관행이 이룩되게 되면, 평등의 원칙이나 신뢰보호의 원칙에 따라 행정기관은 그 상대방에 대한 관계에서 그 규칙에 따라야 할 자기구속을 당하게 되고, 그러한 경우에는 대외적인 구속력을 가지게 된다 할 것이다(헌재 1990.9.3. 90헌마13).

④ (×) 행정규칙이나 규정이 상위법령의 위임범위를 벗어난 경우에는 법규명령으로서 대외적 구속력을 인정할 여지는 없다. 이는 행정규칙이나 규정 '내용'이 위임범위를 벗어난 경우뿐 아니라 상위법령의 위임규정에서 특정하여 정한 권한행사의 '절차'나 '방식'에 위배되는 경우도 마찬가지이므로, 상위법령에서 세부사항 등을 시행규칙으로 정하도록 위임하였음에도 이를 고시 등 행정규칙으로 정하였다면 그 역시 대외적 구속력을 가지는 법규명령으로서 효력이 인정될 수 없다(대판 2012.7.5. 2010다72076).

답 ④

함께 정리하기

행정입법

법령의 위임 없이 처분요건 부령에서 변경
▷ 대외적 구속력×

재판의 전제성
▷ 구체적 사건 법원에 계속 중 + 해당 재판에 적용 + 위헌·위법 여부에 따라 법원이 다른 판단

재량준칙이 되풀이 시행되어 행정관행
▷ 대외적인 구속력 발생

시행규칙으로 정하도록 위임하였음에도 행정규칙으로 정한 경우
▷ 법규명령으로서 효력×(대외적 구속력×)

006

「식품위생법」상 영업허가를 받아 영업을 하는 식품접객영업자 甲은 영업시간 제한을 2차 위반하였음을 이유로 다음의 규정에 근거하여 영업정지 1개월의 처분을 받았다. 이에 대한 설명으로 옳은 것은? (다툼이 있는 경우 판례에 의함)

※ 아래 조항은 현행 법령 중 필요한 부분만 발췌한 것임

「식품위생법」제43조【영업 제한】① 구청장은 영업 질서와 선량한 풍속을 유지하는 데에 필요한 경우에는 영업자 중 식품접객영업자와 그 종업원에 대하여 영업시간 및 영업행위를 제한할 수 있다.
② 제1항에 따른 제한 사항은 대통령령으로 정하는 범위에서 해당 특별자치시·특별자치도·시·군·구의 조례로 정한다.

제75조【허가취소 등】① 구청장은 영업자가 다음 각 호의 어느 하나에 해당하는 경우에는 대통령령으로 정하는 바에 따라 영업허가를 취소하거나 6개월 이내의 기간을 정하여 그 영업의 전부 또는 일부를 정지할 수 있다.
12. 제43조에 따른 영업 제한을 위반한 경우

제95조【벌칙】다음 각 호의 어느 하나에 해당하는 자는 5년 이하의 징역 또는 5천만원 이하의 벌금에 처하거나 이를 병과할 수 있다.
3. 제43조에 따른 영업 제한을 위반한 자

제100조【양벌규정】개인의 종업원이 개인의 업무에 관하여 제95조에 해당하는 위반행위를 하면 행위자를 벌하는 외에 개인에게도 5천만원 이하의 벌금에 처한다.

「식품위생법 시행규칙」[별표 23] 행정처분기준(제89조 관련)
3. 식품접객업

위반사항	근거법령	행정처분기준		
		1차 위반	2차 위반	3차 위반
9. 법 제43조에 따른 영업시간 제한을 위반하여 영업한 경우	법 제71조 및 제75조	영업정지 15일	영업정지 1개월	영업정지 2개월

① 영업 제한에 관한 사항을 조례에 위임하고 있는「식품위생법」제43조 제2항은 포괄위임금지원칙에 위배된다.
② 甲에 내린 처분이 위 [별표 23]상 처분 기준에 부합하는 것이라고 하더라도 위법한 처분이 될 수 있다.
③「식품위생법」상 양벌규정에 따라 영업 제한 위반을 이유로 甲을 처벌하려는 경우, 위반행위자인 종업원을 처벌할 수 없다면 영업주 甲도 처벌할 수 없다.
④ 관할 구청장이 甲의 영업시간 준수 여부를 확인할 목적으로 甲의 영업장에 출입하여 현장조사를 하기 위해서는「식품위생법」에 근거가 있어야 하며, 만일 이 법에 현장조사에 관한 근거가 없다면 甲의 자발적인 협조가 있더라도 현장조사를 할 수 없다.
⑤ 만일 甲에 대한 영업정지 1개월의 처분 후에 처분의 근거가 되는 법령이 쟁송절차를 통해 무효로 선언된다면, 甲에 대한 영업정지처분은 당연무효가 된다.

함께 정리하기

부령형식 제재적 처분기준 사례

조례에 대한 위임
▷ 포괄위임 가

「식품위생법 시행규칙」상 처분기준
▷ 대외적 구속력×(처분의 적법 여부는 「식품위생법」기준으로 판단)

영업주의 처벌
▷ 종업원의 처벌에 종속×, 전제조건×

자발적인 협조에 의한 현장조사
▷ 법적 근거 불요

위헌 결정 전 위헌인 법령에 근거한 처분
▷ 취소사유

2023년 변호사

① (×) 조례에 대한 위임은 포괄적인 것으로 족하므로 사안의 「식품위생법」 제43조 제2항은 포괄위임금지원칙에 위배되지 않는다.

> 조례의 제정권자인 지방의회는 선거를 통해서 그 지역적인 민주적 정당성을 지니고 있는 주민의 대표기관이고, 헌법이 지방자치단체에 대해 포괄적인 자치권을 보장하고 있는 취지로 볼 때, 조례에 대한 법률의 위임은 법규명령에 대한 법률의 위임과 같이 반드시 구체적으로 범위를 정하여 할 필요가 없으며 포괄적인 것으로 족하다(헌재 1995.4.20. 92헌마264).

② (○) 판례는 부령형식으로 정해진 제재적 처분기준을 행정규칙의 성질을 가지는 것으로 본다. 사안의 [별표 23] 행정처분기준은 행정규칙의 성질을 가지는 것이므로 甲에 대한 처분의 적법 여부는 식품위생법의 규정 및 그 취지에 적합한 것인가의 여부에 따라 판단하여야 한다. 따라서 甲에 대한 처분이 위 [별표 23]상 처분 기준에 부합하는 것이라고 하더라도 위법한 처분이 될 수 있다.

> 구 식품위생법 시행규칙 제53조에서 [별표 15]로 식품위생법 제58조에 따른 행정처분의 기준을 정하였다고 하더라도 이는 형식만 부령으로 되어 있을 뿐, 그 성질은 행정기관 내부의 사무처리준칙을 정한 것으로서 행정명령의 성질을 가지는 것이고, 대외적으로 국민이나 법원을 기속하는 힘이 있는 것은 아니므로 같은 법 제58조 제1항에 의한 처분의 적법 여부는 같은 법 시행규칙에 적합한 것인가의 여부에 따라 판단할 것이 아니라 같은 법의 규정 및 그 취지에 적합한 것인가의 여부에 따라 판단하여야 한다(대판 1995.3.28. 94누6925).

유제 17. 지방직 7급 (甲은 값싼 외국산 수입재료를 국내산 유기농 재료로 속여 상품을 제조·판매하였음을 이유로 식품위생법령에 따라 관할 행정청으로부터 영업정지 3개월 처분을 받았다. 한편, 위 영업정지의 처분기준에는 1차 위반의 경우 영업정지 3개월, 2차 위반의 경우 영업정지 6개월, 3차 위반의 경우 영업허가취소 처분을 하도록 규정되어 있다. 甲은 영업정지 3개월 분의 취소를 구하는 소송을 제기하였다) 이 경우에 처분기준이 「식품위생법」이나 동법 시행령에 규정되어 있는 경우에는 대외적 구속력이 인정되나, 동법 시행규칙에 규정되어 있는 경우에는 대외적 구속력은 부정된다. (○)

17. 국가직 9급(추) 부령인 「식품위생법 시행규칙」에 위반행위의 종류 및 위반 횟수에 따른 행정처분의 기준을 구체적으로 정하고 있는 경우에 이 행정처분기준은 행정기관 내부의 사무처리준칙을 규정한 것에 불과하여 법적 구속력이 인정되지 않는다. (○)

17. 교행 구 「식품위생법 시행규칙」에서 정한 제재적 처분기준은 법규명령의 성질을 가진다. (×)

14. 지방직 9급 구 「식품위생법 시행규칙」 제53조가 정한 [별표 15]의 행정처분기준은 구 「식품위생법」 제58조에 따른 영업허가의 취소 등에 관한 행정처분의 기준을 정한 것으로 대외적 구속력이 있다. (×)

③ (×) 위반행위자인 종업원의 처벌과 별개로 영업주 甲은 처벌할 수 있다.

> 양벌규정에 의한 영업주의 처벌은 금지위반행위자인 종업원의 처벌에 종속하는 것이 아니라 독립하여 그 자신의 종업원에 대한 선임감독상의 과실로 인하여 처벌되는 것이므로 종업원의 범죄성립이나 처벌이 영업주 처벌의 전제조건이 될 필요는 없다(대판 2006.2.24. 2005도7673).

④ (×) 지문의 현장조사는 행정조사로서 개별법에 근거가 없더라도 조사대상자의 자발적인 협조를 얻어 실시하는 것은 가능하다.

> 「행정조사기본법」 제2조 【정의】 이 법에서 사용하는 용어의 정의는 다음과 같다.
> 1. "행정조사"란 행정기관이 정책을 결정하거나 직무를 수행하는 데 필요한 정보나 자료를 수집하기 위하여 현장조사·문서열람·시료채취 등을 하거나 조사대상자에게 보고요구·자료제출요구 및 출석·진술요구를 행하는 활동을 말한다.
> 제5조 【행정조사의 근거】 행정기관은 법령등에서 행정조사를 규정하고 있는 경우에 한하여 행정조사를 실시할 수 있다. 다만, 조사대상자의 자발적인 협조를 얻어 실시하는 행정조사의 경우에는 그러하지 아니하다.

⑤ (×) 甲에 대한 영업정지 1개월의 처분 후에 처분의 근거가 되는 법령이 쟁송절차를 통해 무효로 선언된다면, 甲에 대한 영업정지처분은 취소사유가 있게 된다.

> 법률에 근거하여 행정처분이 발하여진 후에 헌법재판소가 그 행정처분의 근거가 된 법률을 위헌으로 결정하였다면 결과적으로 행정처분은 법률의 근거가 없이 행하여진 것과 마찬가지가 되어 하자가 있는 것이 되나, 하자 있는 행정처분이 당연무효가 되기 위하여는 그 하자가 중대할 뿐만 아니라 명백한 것이어야 하는데, 일반적으로 법률이 헌법에 위반된다는 사정이 헌법재판소의 위헌결정이 있기 전에는 객관적으로 명백한 것이라고 할 수는 없으므로 헌법재판소의 위헌결정 전에 행정처분의 근거되는 당해 법률이

헌법에 위반된다는 사유는 특별한 사정이 없는 한 그 행정처분의 취소소송의 전제가 될 수 있을 뿐 당연 무효사유는 아니라고 봄이 상당하다(대판 1994.10.28. 92누9463).

답 ②

007

행정규칙에 대한 설명으로 옳지 않은 것은? (다툼이 있는 경우 판례에 의함)

① 중앙행정기관의 장이 정한 훈령·예규 및 고시 등 행정규칙은 상위법령의 위임이 있다고 하더라도 「행정기본법」상의 '법령'에 해당하지 않는다.
② 처분이 행정규칙을 위반하였다고 해서 그러한 사정만으로 곧바로 위법하게 되는 것은 아니다.
③ 처분의 근거나 법적인 효과가 행정규칙에 규정되어 있더라도 그 상대방의 권리의무에 직접 영향을 미치는 행위라면, 항고소송의 대상이 되는 행정처분에 해당한다.
④ 행정규칙의 내용이 상위법령이나 법의 일반원칙에 반하는 것이라면 행정내부적 효력도 인정될 수 없다.

2022년 국가직 7급

문제 DATA
출제가능 지수 ▶▶▷
난이도 지수 ★★☆

① (×) 상위법령의 위임을 받아 중앙행정기관의 장이 정한 훈령·예규 및 고시 등 행정규칙은 「행정기본법」상의 '법령'에 해당한다.

> 「행정기본법」 제2조 【정의】 이 법에서 사용하는 용어의 뜻은 다음과 같다.
> 1. "법령등"이란 다음 각 목의 것을 말한다.
>   가. 법령: 다음의 어느 하나에 해당하는 것
>   1) 법률 및 대통령령·총리령·부령
>   2) 국회규칙·대법원규칙·헌법재판소규칙·중앙선거관리위원회규칙 및 감사원규칙
>   3) <u>1) 또는 2)의 위임을 받아 중앙행정기관(「정부조직법」 및 그 밖의 법률에 따라 설치된 중앙행정기관을 말한다. 이하 같다)의 장이 정한 훈령·예규 및 고시 등 행정규칙</u>
>   나. 자치법규: 지방자치단체의 조례 및 규칙

② (○) 상급 행정기관이 하급 행정기관에 대하여 업무처리지침이나 법령의 해석적용에 관한 기준을 정하여 발하는 이른바 '행정규칙이나 내부지침'은 일반적으로 행정조직 내부에서만 효력을 가질 뿐 대외적인 구속력을 갖는 것은 아니므로 행정처분이 그에 위반하였다고 하여 그러한 사정만으로 곧바로 위법하게 되는 것은 아니다(대판 2009.12.24. 2009두7967).

③ (○) 어떠한 처분의 근거나 법적인 효과가 행정규칙에 규정되어 있다고 하더라도, 그 처분이 행정규칙의 내부적 구속력에 의하여 상대방에게 권리의 설정 또는 의무의 부담을 명하거나 기타 법적인 효과를 발생하게 하는 등으로 그 상대방의 권리 의무에 직접 영향을 미치는 행위라면, 이 경우에도 항고소송의 대상이 되는 행정처분에 해당한다(대판 2002.7.26. 2001두3532).

유제 22. 소방직 어떠한 처분의 근거나 법적인 효과가 행정규칙에 규정되어 있다고 하더라도, 그 처분이 상대방의 권리의무에 직접 영향을 미치는 행위라면 항고소송의 대상이 되는 행정처분에 해당한다. (○)
21. 군무원 7급 어떠한 처분의 근거나 법적인 효과가 행정규칙에 규정되어 있다고 하더라도, 그 처분이 행정규칙의 내부적 구속력에 의하여 상대방에게 권리의 설정 또는 의무의 부담을 명하거나 기타 법적인 효과를 발생하게 하는 등으로 그 상대방의 권리의무에 직접 영향을 미치는 행위라면, 이 경우에도 항고소송의 대상이 되는 행정처분에 해당한다. (○)
20. 소방간부 어떠한 처분의 근거가 행정규칙에 규정되어 있다고 하더라도, 그 처분이 상대방에게 권리 설정 또는 의무 부담을 명하거나 기타 법적인 효과를 발생하게 하는 등으로 상대방의 권리의무에 직접 영향을 미치는 행위라면, 이 경우에도 항고소송의 대상이 되는 행정처분에 해당한다고 보아야 한다. (○)
20. 국가직 9급 어떠한 처분의 근거나 법적인 효과가 행정규칙에 규정되어 있다면, 그 처분이 행정규칙의 내부적 구속력에 의하여 상대방의 권리의무에 직접 영향을 미치는 행위라도 항고소송의 대상이 되는 행정처분이라 볼 수 없다. (×)

함께 정리하기

행정규칙

상위법령의 위임을 받아 중앙행정기관의 장이 정한 훈령·예규 및 고시 등 행정규칙
▷ 「행정기본법」상의 법령에 해당

처분이 행정규칙 위반
▷ 곧바로 위법×

권리의무에 직접 영향을 미치는 행정규칙에 근거한 처분
▷ 항고소송 대상○

행정규칙 내용이 상위법령이나 일반원칙 위반
▷ 행정내부적 효력도 인정×

19. 서울시 7급(추) 근거규정이 행정규칙에 해당하는 이상, 그 근거규정에 의거한 조치는 행정처분에 해당하지 않는다. (×)

④ (○) <u>행정규칙의 내용이 상위법령이나 법의 일반원칙에 반하는 것이라면</u> 법치국가원리에서 파생되는 법질서의 통일성과 모순금지 원칙에 따라 그것은 <u>법질서상 당연무효이고, 행정내부적 효력도 인정될 수 없다</u>(대판 2020.5.28. 2017두66541).

유제 21. 군무원 7급 행정규칙의 내용이 상위법령이나 법의 일반원칙에 반하는 것이라면 그것은 법질서상 당연무효이고 취소의 대상이 될 수 없다. (○)

답 ①

008 □□□

행정입법에 대한 설명으로 옳지 않은 것은? (다툼이 있는 경우 판례에 의함)

① 부령의 형식으로 정해진 제재적 행정처분의 기준은 그 규정의 성질과 내용이 행정청 내부의 사무처리준칙을 정한 것에 불과하므로 대외적으로 국민이나 법원을 구속하는 것은 아니다.

② 항정신병 치료제의 요양급여 인정기준에 관한 보건복지부 고시가 다른 집행행위의 매개 없이 그 자체로서 직접 국민의 구체적인 권리의무와 법률관계를 규율하는 성격을 가질 때에는 항고소송의 대상이 되는 행정처분에 해당한다.

③ 법률의 위임에 의하여 효력을 갖는 법규명령이 법개정으로 위임의 근거가 없어지게 되더라도 효력을 상실하지 않는다.

④ 한국수력원자력 주식회사가 조달하는 기자재, 용역 및 정비공사, 기기수리의 공급자에 대한 관리업무 절차를 규정함을 목적으로 제정·운용하고 있는 공급자관리지침 중 등록취소 및 그에 따른 일정 기간의 거래제한조치에 관한 규정들은 상위 법령의 구체적 위임 없이 정한 것이어서 대외적 구속력이 없는 행정규칙이다.

| 2022년 국가직 9급

① (○) <u>제재적 행정처분의 기준이 부령의 형식으로 규정되어 있더라도 그것은 행정청 내부의 사무처리준칙을 정한 것에 지나지 아니하여 대외적으로 국민이나 법원을 기속하는 효력이 없고, 당해 처분의 적법 여부는 위 처분기준만이 아니라 관계 법령의 규정 내용과 취지에 따라 판단되어야 하므로, 위 처분기준에 적합하다 하여 곧바로 당해 처분이 적법한 것이라고 할 수는 없지만</u>, 위 처분기준이 그 자체로 헌법 또는 법률에 합치되지 아니하거나 위 처분기준에 따른 제재적 행정처분이 그 처분사유가 된 위반행위의 내용 및 관계 법령의 규정 내용과 취지에 비추어 <u>현저히 부당하다고 인정할 만한 합리적인 이유가 없는 한 섣불리 그 처분이 재량권의 범위를 일탈하였거나 재량권을 남용한 것이라고 판단해서는 안 된다</u>(대판 2007.9.20. 2007두6946).

유제 22. 지방직 9급 부령 형식으로 정해진 제재적 행정처분의 기준은 법규성이 있어서 대외적으로 국민이나 법원을 기속하는 효력이 있다. (×)
21. 지방직 7급 제재적 행정처분의 기준이 부령의 형식으로 규정되어 있는 경우 그러한 처분기준에 적합하다 하여 곧바로 당해 처분이 적법한 것이라고 할 수는 없다. (○)
17. 지방직 9급 제재적 행정처분의 기준이 부령 형식으로 규정되어 있는 경우, 그 처분기준에 적합하다고 하여 곧바로 당해 처분이 적법한 것이라고 할 수 없다. (○)
16. 국가직 7급 제재적 처분기준이 부령의 형식으로 규정되어 있는 경우, 그 처분기준에 따른 제재적 행정처분이 현저히 부당하다고 인정할 만한 합리적인 이유가 없는 한 섣불리 그 처분이 재량권의 범위를 일탈하였거나 재량권을 남용한 것이라고 판단해서는 안 된다. (○)
14. 국가직 9급 대법원은 제재적 처분의 기준이 부령 형식으로 규정되어 있더라도 그것은 행정청 내부의 사무처리준칙을 정한 것에 지나지 아니하여 대외적으로 국민이나 법원을 기속하는 효력이 없고, 당해 처분의 적법 여부는 위 처분기준뿐만 아니라 관계 법령의 규정내용과 취지에 따라야 한다고 판단하였다. (○)

문제 DATA
출제가능 지수 ▶▶▷
난이도 지수 ★★☆

함께 정리하기
행정입법

부령형식 제재적 처분기준
▷ 행정규칙 → 대외적 구속력×

항정신병 치료제의 요양급여 인정기준
▷ 처분○(∵직접 규율)

개정으로 위임근거 상실
▷ 그때부터 무효

상위법령의 구체적 위임 없이 정한 한국수력원자력 주식회사의 공급자관리지침
▷ 행정규칙

② (○) 항정신병 치료제의 요양급여 인정기준에 관한 보건복지부 고시가 다른 집행행위의 매개 없이 그 자체로서 제약회사, 요양기관, 환자 및 국민건강보험공단 사이의 법률관계를 직접 규율한다는 이유로 항고소송의 대상이 되는 행정처분에 해당한다(대결 2003.10.9. 2003무23).
③ (×) 일반적으로 법률의 위임에 의하여 효력을 갖는 법규명령의 경우, 구법에 위임의 근거가 없어 무효였더라도 사후에 법개정으로 위임의 근거가 부여되면 그 때부터는 유효한 법규명령이 되나, 반대로 구법의 위임에 의한 유효한 법규명령이 법개정으로 위임의 근거가 없어지게 되면 그때부터 무효인 법규명령이 된다(대판 1995.6.30. 93추83).
④ (○) 공공기관의 운영에 관한 법률(이하 '공공기관운영법'이라 한다)이나 그 하위법령은 공기업이 거래상대방 업체에 대하여 공공기관운영법 제39조 제2항 및 공기업·준정부기관 계약사무규칙 제15조에서 정한 범위를 뛰어넘어 추가적인 제재조치를 취할 수 있도록 위임한 바 없다. 따라서 한국수력원자력 주식회사가 조달하는 기자재, 용역 및 정비공사, 기기수리의 공급자에 대한 관리업무 절차를 규정함을 목적으로 제정·운용하고 있는 '공급자관리지침' 중 등록취소 및 그에 따른 일정 기간의 거래제한조치에 관한 규정들은 공공기관으로서 행정청에 해당하는 한국수력원자력 주식회사가 상위법령의 구체적 위임 없이 정한 것이어서 대외적 구속력이 없는 행정규칙이다(대판 2020.5.28. 2017두66541).

답 ③

009 □□□

행정입법에 대한 설명으로 옳지 않은 것은? (다툼이 있는 경우 판례에 의함)

① 자치조례에 대한 법률의 위임은 반드시 구체적으로 범위를 정하여 할 필요가 없으며 포괄적인 것으로 족하다.
② 부령 형식으로 정해진 제재적 행정처분의 기준은 법규성이 있어서 대외적으로 국민이나 법원을 기속하는 효력이 있다.
③ 고시가 법령의 수권에 의하여 법령을 보충하는 사항을 정하는 경우 위임의 한계를 벗어나지 않는 한 그 근거 법령과 결합하여 대외적으로 구속력이 있는 법규명령으로서의 효력을 가진다.
④ 법률의 시행령이 형사처벌에 관한 사항을 규정하면서 법률의 명시적인 위임 범위를 벗어나 처벌의 대상을 확장하는 것은 위임입법의 한계를 벗어난 것으로 그 시행령은 무효이다.

2022년 지방직 9급

① (○) 조례의 제정권자인 지방의회는 선거를 통해서 그 지역적인 민주적 정당성을 지니고 있는 주민의 대표기관이고, 헌법이 지방자치단체에 대해 포괄적인 자치권을 보장하고 있는 취지로 볼 때, 조례에 대한 법률의 위임은 법규명령에 대한 법률의 위임과 같이 반드시 구체적으로 범위를 정하여 할 필요가 없으며 포괄적인 것으로 족하다(헌재 1995.4.20. 92헌마264).
② (×) 제재적 행정처분의 기준이 부령의 형식으로 규정되어 있더라도 그것은 행정청 내부의 사무처리준칙을 정한 것에 지나지 아니하여 대외적으로 국민이나 법원을 기속하는 효력이 없고, 당해 처분의 적법 여부는 위 처분기준만이 아니라 관계 법령의 규정 내용과 취지에 따라 판단되어야 하므로, 위 처분기준에 적합하다 하여 곧바로 당해 처분이 적법한 것이라고 할 수는 없다(대판 2007.9.20. 2007두6946).
③ (○) 행정규칙인 부령이나 고시가 법령의 수권에 의하여 법령을 보충하는 사항을 정하는 경우에는 그 근거 법령규정과 결합하여 대외적으로 구속력이 있는 법규명령으로서의 성질과 효력을 가진다(대판 2007.5.10. 2005도591).

유제 21. 군무원 9급 행정규칙인 고시가 법령의 수권에 의해 법령을 보충하는 사항을 정하는 경우에는 법령보충적 고시로서 근거법령규정과 결합하여 대외적으로 구속력 있는 법규명령의 효력을 갖는다. (○)
19. 국가직 7급 행정규칙인 고시가 법령의 수권에 의하여 법령을 보충하는 사항을 정하는 경우에는 법령보충적 고시로서 근거법령규칙과 결합하여 대외적인 구속력을 갖는다. (○)

◆ 문제 DATA
출제가능 지수 ▶▶▷
난이도 지수 ★★☆

☑ 함께 정리하기

행정입법

조례
▷ 포괄위임 可

부령형식 제재적 처분 기준
▷ 법규성×

법령보충규칙
▷ 법령과 결합하여 대외적 구속력 有

위임 범위를 벗어나 처벌 대상을 확장한 시행령
▷ 무효

19. 서울시 9급, 15. 국회직 8급 행정규칙인 고시가 법령의 수권에 의해 법령을 보충하는 사항을 규정하는 경우에는 근거법령규정과 결합하여 대외적으로 구속력 있는 법규명령의 효력을 갖는다. (○)
10. 국가직 7급 행정규칙인 고시가 법령의 수권에 의하여 법령을 보충하는 사항을 정하는 경우에 그 근거 법령규정과 결합하더라도 그 성질상 행정규칙인 부분만큼은 대외적인 구속력이 없다. (×)

④ (○) 법률의 시행령은 모법인 법률의 위임 없이 법률이 규정한 개인의 권리의무에 관한 내용을 변경·보충하거나 법률에서 규정하지 아니한 새로운 내용을 규정할 수 없고, 특히 법률의 시행령이 형사처벌에 관한 사항을 규정하면서 법률의 명시적인 위임 범위를 벗어나 그 처벌의 대상을 확장하는 것은 죄형법정주의의 원칙에도 어긋나므로, 그러한 시행령은 위임입법의 한계를 벗어난 것으로서 무효이다(대판 2017.2.21. 2015도14966).

답 ②

010

다음 사례에 대한 설명으로 옳지 않은 것은? (다툼이 있는 경우 판례에 의함)

> A도(道) B군(郡)에서 식품접객업을 하는 甲은 청소년에게 술을 팔다가 적발되었다. 「식품위생법」은 위법하게 청소년에게 주류를 제공한 영업자에게 "6개월 이내의 기간을 정하여 그 영업의 전부 또는 일부를 정지할 수 있다."라고 규정하고, 「식품위생법 시행규칙」 [별표 23]은 청소년 주류제공(1차 위반)시 행정처분기준을 '영업정지 2개월'로 정하고 있다. B군수는 甲에게 2개월의 영업정지처분을 하였다.

① 甲은 영업정지처분에 불복하여 A도 행정심판위원회에 행정심판을 청구할 수 있다.
② 甲은 행정심판을 청구하지 않고 영업정지처분에 대한 취소소송을 제기할 수 있다.
③ 「식품위생법 시행규칙」의 행정처분기준은 행정규칙의 형식이나, 「식품위생법」의 내용을 보충하면서 「식품위생법」의 규정과 결합하여 위임의 범위 내에서 대외적인 구속력을 가진다.
④ 甲이 취소소송을 제기하는 경우 법원은 재량권의 일탈·남용이 인정되면 영업정지처분을 취소할 수 있다.

| 2021년 국가직 9급

① (○) 甲은 불이익처분인 영업정지처분의 직접 상대방으로서 B군수의 영업정지처분을 다툴 법률상 이익이 있다. 행정심판으로 다툴 경우 A도 관할구역에 있는 B군수의 처분이므로 A도 행정심판위원회에 행정심판을 청구할 수 있다.

> 「행정심판법」 제13조【청구인 적격】① 취소심판은 처분의 취소 또는 변경을 구할 법률상 이익이 있는 자가 청구할 수 있다. 처분의 효과가 기간의 경과, 처분의 집행, 그 밖의 사유로 소멸된 뒤에도 그 처분의 취소로 회복되는 법률상 이익이 있는 자의 경우에도 또한 같다.
> 제6조【행정심판위원회의 설치】③ 다음 각 호의 행정청의 처분 또는 부작위에 대한 심판청구에 대하여는 시·도지사 소속으로 두는 행정심판위원회에서 심리·재결한다.
> 1. 시·도 소속 행정청
> 2. 시·도의 관할구역에 있는 시·군·자치구의 장, 소속 행정청 또는 시·군·자치구의 의회(의장, 위원회의 위원장, 사무국장, 사무과장 등 의회 소속 모든 행정청을 포함한다)
> 3. 시·도의 관할구역에 있는 둘 이상의 지방자치단체(시·군·자치구를 말한다)·공공법인 등이 공동으로 설립한 행정청

② (○) 사례는 필요적 행정심판전치주의가 적용되는 경우가 아니므로 영업정지처분에 대해 행정심판을 거치지 않고 취소소송을 제기할 수 있다.

「행정소송법」제18조【행정심판과의 관계】① 취소소송은 법령의 규정에 의하여 당해 처분에 대한 행정심판을 제기할 수 있는 경우에도 이를 거치지 아니하고 제기할 수 있다. 다만, 다른 법률에 당해 처분에 대한 행정심판의 재결을 거치지 아니하면 취소소송을 제기할 수 없다는 규정이 있는 때에는 그러하지 아니하다.

③ (×)「식품위생법 시행규칙」의 행정처분기준은 형식은 법규명령인 부령 형식이고 그 내용은 제재적 처분기준을 정한 것으로 행정규칙에 해당하므로 대외적 구속력이 없다.

> 구 식품위생법 시행규칙 제53조에서 [별표 15]로 식품위생법 제58조에 따른 행정처분의 기준을 정하였다 하더라도, 이는 형식은 부령으로 되어 있으나 성질은 행정기관 내부의 사무처리준칙을 규정한 것에 불과한 것으로서 보건사회부장관이 관계행정기관 및 직원에 대하여 직무권한행사의 지침을 정하여 주기 위하여 발한 행정명령의 성질을 가지는 것이지 같은 법 제58조 제1항의 규정에 의하여 보장된 재량권을 기속하는 것이라고 할 수 없고, 대외적으로 국민이나 법원을 기속하는 힘이 있는 것은 아니다(대판 1993.6.29. 93누5635).

④ (○)

「행정소송법」제27조【재량처분의 취소】행정청의 재량에 속하는 처분이라도 재량권의 한계를 넘거나 그 남용이 있는 때에는 법원은 이를 취소할 수 있다.

답 ③

011 ☐☐☐

행정규칙에 대한 설명으로 옳지 않은 것은? (다툼이 있는 경우 판례에 의함)

① 경찰청예규로 정해진 구「채증규칙」은 행정규칙이지만 이에 의하여 집회·시위 참가자들은 구체적인 촬영행위에 의해 비로소 기본권을 제한받게 되는 것뿐만 아니라 이「채증규칙」으로 인하여 직접 기본권을 침해받게 된다.
② 행정규칙은 적당한 방법으로 통보되고 도달하면 효력을 가지며, 반드시 국민에게 공포되어야만 하는 것은 아니다.
③ 행정규칙의 내용이 상위법령이나 법의 일반원칙에 반하는 것이라면 그것은 법질서상 당연무효이고 취소의 대상이 될 수 없다.
④ 어떠한 처분의 근거나 법적인 효과가 행정규칙에 규정되어 있다고 하더라도, 그 처분이 행정규칙의 내부적 구속력에 의하여 상대방에게 권리의 설정 또는 의무의 부담을 명하거나 기타 법적인 효과를 발생하게 하는 등으로 그 상대방의 권리의무에 직접 영향을 미치는 행위라면, 이 경우에도 항고소송의 대상이 되는 행정처분에 해당한다.

| 2021년 군무원 7급

① (×) 경찰청예규로 정해진 채증규칙은 법률의 구체적인 위임 없이 제정된 경찰청 내부의 행정규칙에 불과하고, 청구인들은 구체적인 촬영행위에 의해 비로소 기본권을 제한받게 되므로, 이 사건 채증규칙이 직접 기본권을 침해한다고 볼 수 없다(헌재 2018.8.30. 2014헌마843).
② (○) 행정규칙은 수명기관에 적당한 방법으로 통보되고 도달하면 효력을 가지고, 당해 기관은 행정규칙에 구속되게 된다. 행정규칙은 대외적 구속력이 없으므로 반드시 국민에게 공포되어야만 하는 것은 아니다.
③ (○) 대판 2020.5.28. 2017두66541
④ (○) 대판 2002.7.26. 2001두3532

답 ①

문제 DATA
출제가능 지수 ▶▶▷
난이도 지수 ★★☆

함께 정리하기
행정규칙

경찰청예규로 정해진「채증규칙」
▷ 행정규칙, 직접 기본권 침해×

공포
▷ 不要

상위법령이나 법의 일반원칙에 反
▷ 법질서상 당연무효

권리의무에 직접 영향을 미치는 행정규칙에 근거한 처분
▷ 항고소송 대상○

문제 DATA

출제가능 지수 ▶▶▷
난이도 지수 ★★☆

012 □□□

행정규칙 형식의 법규명령에 대한 설명으로 옳지 않은 것은? (다툼이 있는 경우 판례에 의함)

① 헌법이 인정하고 있는 위임입법의 형식은 예시적인 것으로 보아야 할 것이고, 그것은 법률이 행정규칙에 위임하더라도 그 행정규칙은 위임된 사항만을 규율할 수 있으므로, 국회입법의 원칙과 상치되지도 않는다.
② 재산권 등과 같은 기본권을 제한하는 작용을 하는 법률이 입법위임을 할 때에는 법규명령에 위임함이 바람직하고, 금융감독위원회의 고시와 같은 행정규칙 형식으로 입법위임을 할 때에는 적어도 「행정규제기본법」 제4조 제2항 단서에서 정한 바와 같이 법령이 전문적·기술적 사항이나 경미한 사항으로서 업무의 성질상 위임이 불가피한 사항에 한정된다.
③ 법률이 행정규칙 형식으로 입법위임을 하는 경우에는 행정규칙의 특성상 포괄위임금지의 원칙은 인정되지 않는다.
④ 상위법령의 위임에 의하여 정하여진 행정규칙은 위임한계를 벗어나지 아니하는 한 그 상위법령의 규정과 결합하여 대외적인 구속력이 있는 법규명령으로서의 효력을 갖게 된다.

| 2020년 군무원 9급

①, ② (O), ③ (X)

[1] 국회입법에 의한 수권이 입법기관이 아닌 행정기관에게 법률 등으로 구체적인 범위를 정하여 위임한 사항에 관하여는 당해 행정기관에게 법정립의 권한을 갖게 되고, 입법자가 규율의 형식도 선택할 수도 있다 할 것이므로, 헌법이 인정하고 있는 위임입법의 형식은 예시적인 것으로 보아야 할 것이고, 그것은 법률이 행정규칙에 위임하더라도 그 행정규칙은 위임된 사항만을 규율할 수 있으므로, 국회입법의 원칙과 상치되지도 않는다(①).
[2] 행정규칙은 법규명령과 같은 엄격한 제정 및 개정절차를 요하지 아니하므로, 재산권 등과 같은 기본권을 제한하는 작용을 하는 법률이 입법위임을 할 때에는 "대통령령", "총리령", "부령" 등 법규명령에 위임함이 바람직하고, 금융감독위원회의 고시와 같은 형식으로 입법위임을 할 때에는 적어도 행정규제기본법 제4조 제2항 단서에서 정한 바와 같이 법령이 전문적·기술적 사항이나 경미한 사항으로서 업무의 성질상 위임이 불가피한 사항에 한정된다(②) 할 것이고, 그러한 사항이라 하더라도 포괄위임금지의 원칙상 법률의 위임은 반드시 구체적·개별적으로 한정된 사항에 대하여 행하여져야 한다(③)(헌재 2004.10.28, 99헌바91).

유제 21. 경찰 2차 헌법이 인정하고 있는 위임입법의 형식은 예시적인 것으로 보아야 할 것이고, 그것은 법률이 행정규칙에 위임하더라도 그 행정규칙은 위임된 사항만을 규율할 수 있으므로, 국회입법의 원칙과 상치되지도 않는다. (O)
21. 행정사, 19. 서울시 9급, 15. 서울시 9급 헌법이 인정하고 있는 위임입법의 형식은 예시적인 것으로 보아야 한다. (O)
19. 국가직 7급 재산권 등의 기본권을 제한하는 작용을 하는 법률이 구체적으로 범위를 정하여 고시와 같은 형식으로 입법위임을 할 수 있는 사항은 전문적·기술적 사항이나 경미한 사항으로서 업무의 성질상 위임이 불가피한 사항에 한정된다. (O)
19. 국가직 7급 법령보충적 행정규칙은 법령의 수권에 의하여 인정되고, 그 수권은 포괄위임금지의 원칙상 구체적·개별적으로 한정된 사항에 대하여 행해져야 한다. (O)
16. 서울시 9급 헌법재판소 판례에 의하면, 헌법상 위임입법의 형식은 열거적이기 때문에, 국민의 권리의무에 관한 사항을 고시 등 행정규칙으로 정하도록 위임한 법률 조항은 위헌이다. (X)

④ (O) 법령의 직접적 위임에 따라 수임행정기관이 그 법령을 시행하는데 필요한 구체적 사항을 정한 것이면, 그 제정형식은 비록 법규명령이 아닌 고시·훈령·예규 등과 같은 행정규칙이더라도 그것이 상위법령의 위임한계를 벗어나지 않는 한 상위법령과 결합하여 대외적인 구속력을 갖는 법규명령으로서 기능하게 된다고 보아야 할 것이다(헌재 2002.7.18, 2001헌마605).

답 ③

함께 정리하기

행정규칙 형식의 법규명령

헌법이 인정하는 위임입법 형식
▷ 예시적

행정규칙에 입법사항 위임
▷ 전문적·기술적 사항이나 경미한 사항으로서 업무의 성질상 위임이 불가피한 사항에 한정

행정규칙 형식으로 입법위임 하는 경우
▷ 포괄위임금지 적용O

법령보충규칙
▷ 상위법령과 결합하여 대외적 구속력 有

013

행정규칙에 대한 판례의 입장으로 옳지 않은 것은?

① 재산권 등의 기본권을 제한하는 작용을 하는 법률이 구체적으로 범위를 정하여 고시와 같은 형식으로 입법위임을 할 수 있는 사항은 전문적·기술적 사항이나 경미한 사항으로서 업무의 성질상 위임이 불가피한 사항에 한정된다.
② 고시에 담긴 내용이 구체적 규율의 성격을 갖는다고 하더라도, 해당 고시를 행정처분으로 볼 수는 없으며 법령의 수권 여부에 따라 법규명령 또는 행정규칙으로 볼 수 있을 뿐이다.
③ 법령보충적 행정규칙은 법령의 수권에 의하여 인정되고, 그 수권은 포괄위임금지의 원칙상 구체적·개별적으로 한정된 사항에 대하여 행해져야 한다.
④ 행정규칙인 고시가 법령의 수권에 의해 법령을 보충하는 사항을 정하는 경우에는 법령보충적 고시로서 근거법령규정과 결합하여 대외적으로 구속력을 가진다.

2019년 국가직 7급

① (○) 헌재 2004.10.28. 99헌바91
② (×) 고시 또는 공고의 법적 성질은 일률적으로 판단될 것이 아니라 고시에 담겨진 내용에 따라 구체적인 경우마다 달리 결정된다고 보아야 한다. 즉, 고시가 일반·추상적 성격을 가질 때에는 법규명령 또는 행정규칙에 해당하지만, 고시가 구체적인 규율의 성격을 갖는다면 행정처분에 해당한다(헌재 1998.4.30. 97헌마141).

유제 20. 소방간부 고시(告示)가 구체적인 규율의 성격을 갖는다면, 이는 행정처분에 해당한다. (○)
18. 경찰 2차, 13. 국회직 8급, 11. 국가직 9급 고시(告示)에 대하여 헌법재판소는 고시가 일반·추상적 성격을 가질 때는 법규명령 또는 행정규칙에 해당하지만, 고시가 구체적인 규율의 성격을 갖는다면 행정처분에 해당한다고 본다. (○)
17. 국가직 9급 고시(告示)에 대하여 헌법재판소는 고시가 일반·추상적 성격을 가질 때는 법규명령 또는 행정규칙에 해당하지만, 고시가 구체적인 규율의 성격을 갖는다면 행정처분에 해당한다고 본다. (○)
17. 행정사 고시가 구체적인 규율의 성격을 갖더라도 행정처분에 해당하지 않는다. (×)
10. 지방직 7급 고시가 일반·추상적 성격을 가질 때에는 법규명령 또는 행정규칙에 해당하지만, 고시가 구체적인 규율의 성격을 갖는다면 행정처분에 해당한다. (○)

③ (○) 헌재 2004.10.28. 99헌바91
④ (○) 대판 2007.5.10. 2005도591

답 ②

함께 정리하기

행정규칙

행정규칙에 입법사항 위임
▷ 전문적·기술적 사항이나 경미한 사항으로서 업무의 성질상 위임이 불가피한 사항 한정

구체적 규율의 성격을 갖는 고시
▷ 행정처분 ○

법령보충규칙
▷ 법령의 수권에 의하여 인정
▷ 법령과 결합하여 대외적 구속력 有

014

행정입법에 대한 설명으로 옳지 않은 것은? (다툼이 있는 경우 판례에 의함)

① 집행명령은 상위법령의 집행에 필요한 세칙을 정하는 범위 내에서만 가능하고 새로운 국민의 권리의무를 정할 수 없다.
② 구 「청소년보호법 시행령」 제40조 [별표 6]의 위반행위의 종별에 따른 과징금처분기준에서 정한 과징금 수액은 정액이 아니고 최고한도액이다.
③ 집행명령은 상위법령이 개정되더라도 개정법령과 성질상 모순·저촉되지 아니하고 개정된 상위법령의 시행에 필요한 사항을 규정하고 있는 이상, 개정법령의 시행을 위한 집행명령이 제정·발효될 때까지는 여전히 그 효력을 유지한다.
④ 상위법령에서 세부사항 등을 시행규칙으로 정하도록 위임하였으나, 이를 고시 등 행정규칙으로 정하였더라도 이는 대외적 구속력을 가지는 법규명령으로서 효력이 인정된다.

함께 정리하기

행정입법

집행명령
▷ 새로운 국민의 권리의무 규정 불가

「청소년보호법 시행령」상 과징금처분기준
▷ 법규명령, 최고한도액

상위법령의 개정
▷ 모순·저촉 없는 집행명령은 효력 유지

시행규칙으로 정하도록 위임하였음에도 행정규칙으로 정한 경우
▷ 법규명령으로서 효력×(대외적 구속력×)

2019년 지방직 9급

① (○) 집행명령은 개별적 수권 없이 제정되는 것이므로 상위법령을 집행하기 위하여 필요한 세부적 사항만을 규정할 수 있고, 상위법령에 없는 새로운 법규사항은 규정하지 못한다. 따라서 새로운 국민의 권리의무를 정할 수 없다.

② (○) 구 청소년보호법 제40조 [별표 6]의 위반행위의 종별에 따른 과징금처분기준은 법규명령이기는 하나 모법의 위임규정의 내용과 취지 및 헌법상의 과잉금지의 원칙과 평등의 원칙 등에 비추어 같은 유형의 위반행위라 하더라도 그 규모나 기간·사회적 비난 정도·위반행위로 인하여 다른 법률에 의하여 처벌받은 다른 사정·행위자의 개인적 사정 및 위반행위로 얻은 불법이익의 규모 등 여러 요소를 종합적으로 고려하여 사안에 따라 적정한 과징금의 액수를 정하여야 할 것이므로 그 수액은 정액이 아니라 <u>최고한도액이다</u>(대판 2001.3.9. 99두5207).

유제 18. 지방직 9급 과징금부과처분의 기준을 규정하고 있는 구 「청소년보호법 시행령」 제40조 [별표 6]은 행정규칙의 성질을 갖는다. (×)
17. 지방직 9급(추) 구 「청소년보호법」의 위임에 따른 동법 시행령상의 위반행위의 종별에 따른 과징금처분기준은 법규명령이다. (○)
17. 사복직 구 「청소년보호법 시행령」상 별표에 따른 과징금처분기준은 단지 상한을 정한 것이 아니라 특정금액을 정한 것이다. (×)
16. 변호사 일정액으로 규정되어 있는 과징금 부과처분기준을 적용함에 있어서 모법의 위임규정의 내용과 취지, 헌법상 과잉금지의 원칙과 평등의 원칙 등에 비추어 여러 요소를 종합적으로 고려하여 사안에 따라 적정한 과징금의 액수를 정하여야 할 것이므로 과징금 부과처분기준상의 금액은 정액이 아니라 최고한도액이라고 보아야 한다. (○)
15. 사복직, 13. 지방직 9급, 11. 지방직 9급 판례에 의하면 구 「청소년보호법」 제49조에 따른 시행령(대통령령) 제40조 [별표 6]의 '위반행위의 종별에 따른 과징금처분기준'은 법규명령이기는 하나, 사안에 따라 적정한 과징금의 액수를 정하여야 하므로 그 기준에 명시된 수액은 정액이 아니라 최고한도액으로 보아야 한다. (○)

③ (○) 집행명령은 근거법령인 상위법령이 폐지되면 특별한 규정이 없는 이상 실효되는 것이나, <u>상위법령이 개정됨에 그친 경우에는 개정법령과 성질상 모순·저촉되지 아니하고 개정된 상위법령의 시행에 필요한 사항을 규정하고 있는 이상</u> 그 집행명령은 상위법령의 개정에도 불구하고 당연히 실효되지 아니하고 <u>개정법령의 시행을 위한 집행명령이 제정·발효될 때까지는 여전히 그 효력을 유지한다</u>(대판 1989.9.12. 88누6962).

④ (×) 대판 2012.7.5. 2010다72076

답 ④

문제 DATA

출제가능 지수 ▶▶▷
난이도 지수 ★★☆

함께 정리하기

행정입법

대통령령 입법예고
▷ 국회 소관상임위에 제출

대외적 구속력 있는 행정규칙
▷ 헌법소원 대상○

권리의무에 직접 영향을 미치는 행정규칙에 근거한 처분
▷ 항고소송 대상○

고시의 내용이 위임범위를 벗어난 경우
▷ 대외적 구속력×

015 □□□

행정입법에 대한 설명으로 가장 옳지 않은 것은? (다툼이 있는 경우 판례에 의함)

① 행정청은 대통령령을 입법예고할 경우에는 국회 소관 상임위원회에 이를 제출하여야 한다.
② 행정규칙이 대외적인 구속력을 가지는 경우에는 헌법소원의 대상이 된다.
③ 근거규정이 행정규칙에 해당하는 이상, 그 근거규정에 의거한 조치는 행정처분에 해당하지 않는다.
④ 고시가 비록 법령에 근거를 둔 것이라고 하더라도 그 규정내용이 법령의 위임 범위를 벗어난 것일 경우에는 법규명령으로서의 대외적 구속력을 인정할 여지는 없다.

2019년 서울시 7급

① (○)

「행정절차법」 제42조【예고방법】② 행정청은 <u>대통령령을 입법예고하는 경우 국회 소관 상임위원회에 이를 제출하여야 한다</u>.

② (○) 헌재 2001.7.18. 2001헌마605
③ (×) 어떠한 처분의 근거나 법적인 효과가 행정규칙에 규정되어 있다고 하더라도, 그 처분이 행정규칙의 내부적 구속력에 의하여 상대방에게 권리의 설정 또는 의무의 부담을 명하거나 기타 법적인 효과를 발생하게 하는 등으로 그 상대방의 권리 의무에 직접 영향을 미치는 행위라면, 이 경우에도 항고소송의 대상이 되는 행정처분에 해당한다(대판 2002.7.26. 2001두3532).
④ (○) 일반적으로 행정각부의 장이 정하는 고시라 하더라도 그것이 특히 법령의 규정에서 특정 행정기관에게 법령 내용의 구체적 사항을 정할 수 있는 권한을 부여함으로써 그 법령 내용을 보충하는 기능을 가질 경우에는 그 형식과 상관없이 근거 법령 규정과 결합하여 대외적으로 구속력이 있는 법규명령으로서의 효력을 가지는 것이나 이는 어디까지나 법령의 위임에 따라 그 법령 규정을 보충하는 기능을 가지는 점에 근거하여 예외적으로 인정되는 효력이므로 특정 고시가 비록 법령에 근거를 둔 것이라고 하더라도 그 규정 내용이 법령의 위임 범위를 벗어난 것일 경우에는 위와 같은 법규명령으로서의 대외적 구속력을 인정할 여지는 없다(대판 1999.11.26. 97누13474).

유제 21. 국가직 7급 고시가 비록 법령에 근거를 둔 것이더라도 규정 내용이 법령의 위임 범위를 벗어난 것일 경우에는 법규명령으로서의 대외적 구속력을 인정할 여지는 없다. (○)
20. 지방직 9급, 17. 5급 승진 행정각부의 장이 정하는 고시가 비록 법령에 근거를 둔 것이라고 하더라도 그 규정 내용이 법령의 위임 범위를 벗어난 것일 경우에는 법규명령으로서의 대외적 구속력을 인정할 수 없다. (○)
20. 국회직 9급 법률이 입법사항을 고시 등의 형식으로 위임하더라도 위임의 한계가 있으며, 고시 등이 위임의 한계를 벗어난 경우에는 법규명령의 효력이 인정될 수 없다. (○)
18. 서울시 9급 법령에 근거를 둔 고시는 상위 법령의 위임범위를 벗어난 경우에도 법규명령으로서 기능한다. (×)
17. 국회직 8급 행정부의 장관이 정한 고시가 상위 법령의 수권에 의한 것으로 법령 내용을 보충하는 기능을 하는 경우에도 그 규정 형식이 법령의 위임 범위를 벗어난 것이라면 법규명령으로서의 대외적 구속력이 인정되지 않는다. (○)

답 ③

016 □□□

행정규칙에 대한 설명으로 가장 옳지 않은 것은? (다툼이 있는 경우 판례에 의함)

① 행정처분이 법규성이 없는 내부지침 등의 규정에 위배된다고 하더라도 그 이유만으로 처분이 위법하게 되는 것은 아니고, 또 그 내부지침 등에서 정한 요건에 부합한다고 하여 반드시 그 처분이 적법한 것이라고 할 수도 없다.
② 법령의 규정이 특정 행정기관에 그 법령 내용의 구체적 사항을 정할 수 있는 권한을 부여하면서 그 권한행사의 절차나 방법을 특정하고 있지 아니한 관계로 수임 행정기관이 행정규칙의 형식으로 그 법령의 내용이 될 사항을 구체적으로 정하고 있다면 그와 같은 행정규칙은 행정기관에 법령의 구체적 내용을 보충할 권한을 부여한 법령 규정의 효력에 의하여 그 내용을 보충하는 기능을 갖게 된다.
③ 재량권 행사의 준칙인 행정규칙이 있으면 그에 따른 관행이 없더라도 평등의 원칙에 따라 행정기관은 상대방에 대한 관계에서 그 규칙에 따라야 할 자기구속을 받게 된다.
④ 고시가 법령의 규정을 보충하는 기능을 가지면서 그와 결합하여 대외적인 구속력이 있는 법규명령으로서의 효력을 가지는 경우에도 그 자체가 법령은 아니고 행정규칙에 지나지 않으므로 적당한 방법으로 이를 일반인 또는 관계인에게 표시 또는 통보함으로써 그 효력이 발생한다.

◈ 문제 DATA
출제가능 지수 ▶▶▷
난이도 지수 ★★☆

함께 정리하기

행정규칙

행정규칙
▷ 위반한다고 위법 ✕
▷ 부합한다고 적법 ✕

권한행사 절차·방법 특정 ✕
▷ 수임행정기관이 행정규칙으로 정하는 것 可

법령보충규칙
▷ 보충 권한을 부여한 법령 규정의 효력에 의하여 법령 내용을 보충하는 기능
▷ 적당한 방법으로 표시하면 효력 발생

자기구속
▷ 행정관행 要

2019년 서울시 7급

① (O) 행정처분이 법규성이 없는 내부지침 등의 규정에 위배된다고 하더라도 그 이유만으로 처분이 위법하게 되는 것은 아니고, 또 내부지침 등에서 정한 요건에 부합한다고 하여 반드시 그 처분이 적법한 것이라고 할 수도 없다. 처분의 적법 여부는 그러한 내부지침 등에서 정한 요건에 합치하는지 여부가 아니라 일반 국민에 대하여 구속력을 가지는 법률 등 법규성이 있는 관계 법령의 규정을 기준으로 판단하여야 한다(대판 2018.6.15. 2015두40248).

유제 22. 소방직 행정처분이 법규성이 없는 내부지침 등의 규정에 위배된다고 하더라도 그 이유만으로 처분이 위법하게 되는 것은 아니며, 내부지침 등에서 정한 요건에 부합한다고 하여 반드시 그 처분이 적법한 것이라고 할 수도 없다. (O)

18. 국회직 8급 어떤 행정처분이 법규성이 없는 부령의 규정에 위배되면 그 처분은 위법하고, 또 그 부령에서 정한 요건에 부합하면 그 처분은 적법하다. (✕)

② (O) 행정규칙은 일반적으로 행정조직 내부에서만 효력을 가질뿐 대외적인 구속력을 갖는 것은 아니지만, 법령의 규정이 특정 행정기관에게 그 법령내용의 구체적 사항을 정할 수 있는 권한을 부여하면서 그 권한행사의 절차나 방법을 특정하고 있지 아니한 관계로 수임 행정기관이 행정규칙의 형식으로 그 법령의 내용이 될 사항을 구체적으로 정하고 있다면 그와 같은 행정규칙, 규정은 행정규칙이 갖는 일반적 효력으로서가 아니라, 행정기관에 법령의 구체적 내용을 보충할 권한을 부여한 법령규정의 효력에 의하여 그 내용을 보충하는 기능을 갖게 된다 할 것이므로 이와 같은 행정규칙, 규정은 당해 법령의 위임한계를 벗어나지 아니하는 한 그것들과 결합하여 대외적인 구속력이 있는 법규명령으로서의 효력을 갖게 된다(대판 1987.9.29. 86누484).

유제 20. 국가직 9급 법령의 규정이 특정 행정기관에게 법령 내용의 구체적 사항을 정할 수 있는 권한을 부여하면서 권한행사의 절차나 방법을 특정하지 아니한 경우에는 수임 행정기관은 행정규칙으로 법령 내용이 될 사항을 구체적으로 정할 수 있다. (O)

16. 서울시 9급 대법원 판례에 의하면, 법령보충적 행정규칙은 상위법령에서 위임한 범위 내에서 대외적 효력을 갖는다. (O)

13. 지방직 7급 법령의 규정이 행정기관에 그 내용의 구체화 권한을 부여하면서 그 권한 행사의 절차나 방법을 특정하지 않아서 수임행정기관이 행정규칙의 형식으로 그 법령의 내용이 될 사항을 구체적으로 정한 경우, 그 행정규칙은 당해 법령의 위임한계를 벗어나지 아니하는 한 법령과 결합하여 대외적으로 구속력이 있는 법규명령으로서 효력을 가진다. (O)

③ (✕) 자기구속의 법리는 행정관행이 성립될 것을 요한다.

재량준칙은 일반적으로 행정조직 내부에서만 효력을 가질 뿐 대외적인 구속력을 갖는 것은 아니므로 행정처분이 이를 위반하였다고 하여 그러한 사정만으로 곧바로 위법하게 되는 것은 아니고, 다만 그 재량준칙이 정한 바에 따라 되풀이 시행되어 행정관행이 이루어지게 되면 평등의 원칙이나 신뢰보호의 원칙에 따라 행정기관은 상대방에 대한 관계에서 그 규칙에 따라야 할 자기구속을 받게 되므로, 이러한 경우에는 특별한 사정이 없는 한 그에 반하는 처분은 평등의 원칙이나 신뢰보호의 원칙에 어긋나 재량권을 일탈·남용한 위법한 처분이 된다(대판 2013.11.14. 2011두28783).

유제 22. 행정사 재량준칙은 행정의 자기구속법리나 평등원칙 등에 의해 대외적 구속력을 가질 수 있다. (O)

18. 서울시 7급 재량준칙이 정한 바에 따라 되풀이 시행되어 행정관행이 이루어지게 되면 평등의 원칙이나 신뢰보호의 원칙에 따라 행정기관은 상대방에 대한 관계에서 그 규칙에 따라야 할 자기구속을 받게 되므로, 이러한 경우에는 특별한 사정이 없는 한 그에 반하는 처분은 평등의 원칙이나 신뢰보호의 원칙에 어긋나 재량권을 일탈·남용한 위법한 처분이 된다. (O)

17. 국가직 9급 재량준칙이 공표된 것만으로도 자기구속의 원칙이 적용될 수 있으며 재량준칙이 되풀이 시행되어 행정관행이 성립될 필요는 없다. (✕)

17. 국가직 9급 대법원은 재량준칙이 되풀이 시행되어 행정관행이 성립된 경우에는 당해 재량준칙에 자기구속력을 인정한다. 따라서 당해 재량준칙에 반하는 처분은 법규범인 당해 재량준칙을 직접적으로 위반한 것으로서 위법한 처분이 된다고 한다. (✕)

17. 행정사 재량권 행사의 준칙인 행정규칙에 행정관행이 성립되어 있지 않더라도 행정기관은 그 준칙에 따라야 할 자기구속을 받게 된다. (✕)

④ (○) 법령보충규칙은 행정규칙의 형식이므로 적당한 방법으로 표시하면 효력이 발생한다.

수입선다변화품목의 지정 및 그 수입절차 등에 관한 1991.5.13.자 상공부 고시 제91-21호는 그 근거가 되는 대외무역법 시행령 제35조의 규정을 보충하는 기능을 가지면서 그와 결합하여 대외적인 구속력이 있는 법규명령으로서의 효력을 가지는 것으로서 그 시행절차에 관하여 대외무역관리규정은 아무런 규정을 두고 있지 않으나, 그 자체가 법령은 아니고 행정규칙에 지나지 않으므로 적당한 방법으로 이를 일반인 또는 관계인에게 표시 또는 통보함으로써 그 효력이 발생한다(대판 1993.11.23. 93도662).

유제 08. 지방직 9급 법령보충적 행정규칙은 법규명령의 효력을 가지므로 공포 또는 공표되지 않으면 그 효력이 없다는 것이 판례의 입장이다. (×)

답 ③

017 □□□

행정규칙에 대한 설명으로 옳지 않은 것은? (다툼이 있는 경우 판례에 의함)

① 국세청훈령인 「재산제세사무처리규정」은 「소득세법 시행령」과 결합하여 대외적 효력을 발생한다.
② 행정각부의 장이 정하는 고시라 하더라도 그것이 특정 법령 규정에서 특정 행정기관에서 법령 내용의 구체적 사항을 정할 수 있는 권한을 부여할 경우, 그 형식과 상관없이 근거법령 규정과 결합하여 법규명령의 효력을 갖는다.
③ 구 「학원의 설립·운영에 관한 법률 시행령」에서 수강료에 관한 기준을 조례 등에 위임한다는 규정이 없다 하더라도 (당시) 제주도 학원의 설립·운영에 관한 조례나 이에 근거한 (당시) 제주도 학원업무지침상의 관련 규정이 그 내용을 보충하는 것이라면 법규명령으로 보아야 한다.
④ 상급기관이 하급 행정기관에 대하여 업무처리지침이나 법령에 해석적용에 관한 기준을 정하여 발하는 행정규칙은 일반적으로 행정조직 내부에서만 효력을 가질 뿐이며 대외적인 구속력을 갖지 않는다.
⑤ 행정규칙은 원칙적으로 헌법소원의 심판대상이 될 수 없으나 재량권 행사의 준칙인 규칙이 그 정한 바에 따라 되풀이 시행되어 행정관행이 형성되고 행정기관이 그 상대방에 대하여 그 규칙에 따라 자기구속을 당하게 되는 경우 헌법소원의 대상이 될 수도 있다.

| 2019년 소방간부

① (○) 재산제세조사사무처리규정이 국세청장의 훈령형식으로 되어 있다 하더라도 이에 의한 거래 지정은 소득세법 시행령의 위임에 따라 그 규정의 내용을 보충하는 기능을 가지면서 그와 결합하여 대외적인 구속력이 있는 법규명령으로서의 효력을 갖게 된다(대판 1988.5.10. 87누1028).

유제 13. 국가직 9급 국세청장의 훈령형식으로 되어 있는 「재산제세조사사무처리규정」은 「소득세법 시행령」의 위임에 따라 그 규정의 내용을 보충하는 기능을 가지면서 「소득세법 시행령」과 결합하여 대외적인 효력을 갖게 된다. (○)
13. 경찰 2차 「재산제세조사사무처리규정」이 국세청장의 훈령형식으로 되어 있다 하더라도 이에 의한 거래지정은 「소득세법 시행령」의 위임에 따라 그 규정의 내용을 보충하는 기능을 가지면서 그와 결합하여 대외적인 구속력이 있는 법규명령으로서의 효력을 갖게 된다고 보아야 한다. (○)
10. 경찰 1차 「재산제세사무처리규정」이 국세청장의 훈령형식으로 되어 있다 하더라도 이에 의한 거래지정은 「소득세법 시행령」의 위임에 따라 그 규정의 내용을 보충하는 기능을 가지면서 그와 결합하여 대외적 효력을 발생하게 된다. (○)
10. 국회직 8급 판례에 따르면 법령의 위임에 근거한 국세청장 훈령인 「재산제세사무처리규정」은 법규명령으로서의 효력을 가진다. (○)

문제 DATA
출제가능 지수 ▶▶▷
난이도 지수 ★★☆

함께 정리하기

행정규칙

「소득세법 시행령」의 위임에 근거한 「재산제세조사사무처리규정」
▷ 법규명령으로서의 효력○

법령내용을 보충하는 기능을 가지는 고시
▷ 상위법령과 결합하여 대외적 구속력○

법령보충규칙
▷ 위임 必要

행정규칙
▷ 대외적 구속력×

재량준칙이 되풀이 시행되어 행정관행 성립
▷ 자기구속 → 헌법소원 대상○

② (○) 일반적으로 행정각부의 장이 정하는 고시라 하더라도 그것이 특히 법령의 규정에서 특정 행정기관에서 법령 내용의 구체적 사항을 정할 수 있는 권한을 부여함으로써 그 법령 내용을 보충하는 기능을 가질 경우에는 그 형식과 상관없이 근거 법령 규정과 결합하여 대외적으로 구속력이 있는 법규명령으로서의 효력을 가진다(대판 2017.5.31. 2017두30764).

> **유제** 18. 국가직 9급 행정각부의 장이 정하는 고시(告示)는 법령의 규정으로부터 구체적 사항을 정할 수 있는 권한을 위임받아 그 법령 내용을 보충하는 기능을 가진 경우라도 그 형식상 대외적으로 구속력을 갖지 않는다. (×)
> 18. 서울시 9급 행정각부의 장이 정하는 고시라도 법령 내용을 보충하는 기능을 가지는 경우에는 형식과 상관없이 근거 법령 규정과 결합하여 법규명령의 효력을 가진다. (○)

③ (×) 학원의 설립·운영에 관한 법률 시행령 제18조에서 수강료의 기준에 관하여 조례 등에 위임한 바 없으므로, 제주도 학원의 설립·운영에 관한 조례나 그에 근거한 제주도 학원업무처리지침의 관계 규정이 법령의 위임에 따라 법령의 구체적인 내용을 보충하는 기능을 가진 것이라고 보기 어려우므로 법규명령이라고는 볼 수 없고, 행정기관 내부의 업무처리지침에 불과하다(대판 1995.5.23. 94도2502).

④ (○) 대판 2009.12.24. 2009두7967

⑤ (○) 헌재 2001.7.18. 2001헌마605

답 ③

018 □□□

행정입법에 대한 설명으로 옳지 않은 것은? (다툼이 있는 경우 판례에 의함)

① 국회규칙은 법규명령이다.
② 대통령령은 총리령 및 부령보다 우월한 효력을 가진다.
③ 총리령으로 제정된 「법인세법 시행규칙」에 따른 소득금액조정합계표 작성요령은 법령을 보충하는 법규사항으로서 법규명령의 효력을 가진다.
④ '학교장·교사 초빙제 실시'는 행정조직 내부에서만 효력을 가지는 행정상의 운영지침을 정한 것으로서 국민이나 법원을 구속하는 효력이 없는 행정규칙에 해당한다.
⑤ 건강보험심사평가원이 보건복지가족부 고시인 '요양급여비용 심사·지급업무 처리기준'에 근거하여 제정한 심사지침인 '방광내압 및 요누출압 측정시 검사방법'은 내부적 업무처리 기준으로서 행정규칙에 불과하다.

| 2019년 국회직 8급

① (○) 국회규칙은 '규칙'이라는 명칭의 법규명령이다. 헌법이 명시적으로 국회에 법규명령의 제정권한을 부여하고 있다.

> **헌법 제64조** ① 국회는 법률에 저촉되지 아니하는 범위 안에서 의사와 내부규율에 관한 규칙을 제정할 수 있다.

② (○) 계층적 행정단계를 인정하는 결과로 대통령령이 총리령 및 부령보다 우월한 효력을 지닌다.

③ (×) 구 법인세법상 소득금액조정합계표 작성요령은 법률의 위임을 받은 것이기는 하나 법인세의 부과 징수라는 행정적 편의를 도모하기 위한 절차적 규정으로서 단순히 행정규칙의 성질을 가지는 데 불과하여 과세관청이나 일반국민을 기속하는 것이 아니다(대판 2003.9.5. 2001두403).

> **유제** 14. 국가직 9급 대법원은 행정적 편의를 도모하기 위해 법령의 위임을 받아 제정된 절차적 규정을 법령보충적 행정규칙으로 본다. (×)

④ (○) 경기도교육청의 1999.6.2.자 학교장·교사 초빙제 실시는 학교장·교사 초빙제의 실시에 따른 구체적 시행을 위해 제정한 사무처리지침으로서 행정조직 내부에서만 효력을 가지는 행정상의 운영지침을 정한 것이어서, 국민이나 법원을 구속하는 효력이 없는 행정규칙에 해당하므로 헌법소원의 대상이 되지 않는다(헌재 2001.5.31. 99헌마413).

문제 DATA
출제가능 지수 ▶▶Σ
난이도 지수 ★★★

함께 정리하기

행정입법

국회규칙
▷ 법규명령

대통령령
▷ 총리령·부령보다 우월한 효력

소득금액조정합계표 작성 요령
▷ 행정적 편의를 위하여 법률의 위임받아 제정된 절차규정
▷ 단순한 행정규칙○(법령보충규칙×)

학교장·교사 초빙제 실시
▷ 행정규칙

건강보험심사평가원의 '방광내압 및 요누출압 측정시 검사방법'
▷ 행정규칙

⑤ (○) 건강보험심사평가원이 요양급여비용 심사·지급업무 처리기준 제4조 제1항 제4호에 근거하여 2008.11.27. 제정한 심사지침인 '방광내압 및 요누출압 측정시 검사방법'은 … 요류역학검사가 표준화된 방법으로 실시되지 않아 부정확한 검사결과가 발생하고 이로 인하여 불필요한 수술 등을 하게 되는 경우가 있어 이를 방지하고 적정진료를 하도록 유도할 목적으로, 법령에서 정한 요양급여의 인정기준을 구체적 진료행위에 적용하도록 마련한 건강보험심사평가원의 내부적 업무처리 기준으로서 행정규칙에 불과하다(대판 2017.7.11. 2015두2864).

답 ③

019 □□□

행정규칙에 대한 설명으로 가장 옳은 것은? (다툼이 있는 경우 판례에 의함)

① 행정각부의 장이 정하는 고시라도 법령 내용을 보충하는 기능을 가지는 경우에는 형식과 상관없이 근거 법령 규정과 결합하여 법규명령의 효력을 가진다.
② 구 「지방공무원보수업무 등 처리지침」은 안전행정부 예규로서 행정규칙의 성질을 가진다.
③ 법령에 근거를 둔 고시는 상위 법령의 위임범위를 벗어난 경우에도 법규명령으로서 기능한다.
④ 2014년도 건물 및 기타물건 시가표준액 조정기준은 「건축법」 및 지방세법령의 위임에 따른 것이지만 행정규칙의 성격을 가진다.

2018년 서울시 9급

① (○) 대판 2017.5.31. 2017두30764
② (×) 구 지방공무원보수업무 등 처리지침 [별표 1] '직종별 경력환산율표 해설'이 정한 민간근무경력의 호봉 산정에 관한 부분은 지방공무원법 제45조 제1항과 구 지방공무원 보수규정 제8조 제2항, 제9조의2 제2항, [별표 3]의 단계적 위임에 따라 행정자치부장관이 행정규칙의 형식으로 법령의 내용이 될 사항을 구체적으로 정한 것이고, 달리 지침이 위 법령의 내용 및 취지에 저촉된다거나 위임 한계를 벗어났다고 보기 어려우므로, 지침은 상위법령과 결합하여 대외적인 구속력이 있는 법규명령으로서의 효력을 갖게 된다(대판 2016.1.28. 2015두53121).
③ (×) 특정 고시가 비록 법령에 근거를 둔 것이라고 하더라도 그 규정 내용이 법령의 위임 범위를 벗어난 것일 경우에는 위와 같은 법규명령으로서의 대외적 구속력을 인정할 여지는 없다(대판 1999.11.26. 97누13474).
④ (×) '2014년도 건물 및 기타물건 시가표준액 조정기준'의 각 규정들은 일정한 유형의 위반 건축물에 대한 이행강제금의 산정기준이 되는 시가표준액에 관하여 행정자치부장관으로 하여금 정하도록 한 위 건축법 및 지방세법령의 위임에 따른 것으로서 그 법령 규정의 내용을 보충하고 있으므로, 그 법령 규정과 결합하여 대외적인 구속력이 있는 법규명령으로서의 효력을 가지고, 그 중 증·개축 건물과 대수선 건물에 관한 특례를 정한 '증·개축 건물 등에 대한 시가표준액 산출요령'의 규정들도 마찬가지라고 보아야 한다(대판 2017.5.31. 2017두30764).

유제 18. 경찰 3차 구 「건축법」 제80조 제1항 제2호, 「지방세법」 제4조 제2항, 구 「지방세법 시행령」 제4조 제1항 제1호의 내용, 형식 및 취지 등을 종합하면, '2014년도 건물 및 기타 물건 시가표준액 조정기준'은 이행강제금의 산정기준이 되는 시가표준액에 관하여 법령 규정의 내용을 보충하고 있으므로, 그 법령 규정과 결합하여 대외적인 구속력이 있는 법규명령으로서의 효력을 가진다. (○)

답 ①

문제 DATA
출제가능 지수 ▶▶↷
난이도 지수 ★★☆

함께 정리하기

행정규칙

법령내용을 보충하는 기능을 가지는 고시
▷ 상위법령과 결합하여 법규명령 효력○

「지방공무원보수업무 등 처리지침」
▷ 법규명령 효력○

위임범위를 벗어난 고시
▷ 대외적 구속력×

「건축법」 위임에 따른 '2014년도 건물 및 기타물건 시가표준액 조정기준'
▷ 법규명령 효력○

문제 DATA

출제가능 지수 ▶▶▷
난이도 지수 ★★☆

020 □□□

행정규칙에 대한 설명으로 가장 옳지 않은 것은? (다툼이 있는 경우 판례에 의함)

① 행정규칙은 원칙적으로 그 성격상 대외적 효력을 갖는 것은 아니나, 예외적인 경우에 대외적으로 효력을 가질 수 있다.
② 이른바 법령보충적 행정규칙은 그 자체로서 직접적으로 대외적인 구속력을 갖는다.
③ 법령의 규정이 특정 행정기관에게 법령 내용의 구체적 사항을 정할 수 있는 권한을 부여하면서 권한행사의 절차나 방법을 특정하지 아니한 경우에는 수임 행정기관은 행정규칙이나 규정 형식으로 법령 내용이 될 사항을 구체적으로 정할 수 있다.
④ 고시가 일반적·추상적 성격을 가질 때는 법규명령 또는 행정규칙에 해당하지만, 고시가 구체적인 규율의 성격을 갖는다면 행정처분에 해당한다.

| 2018 경찰 2차

① (○), ② (×) 원칙적으로 행정규칙은 그 성격상 대외적 효력을 갖는 것은 아니나, 특별히 예외적인 경우에 대외적으로 효력을 가질 수 있는데, 그 예외적인 경우는 우리 재판소가 이미 선례에서 밝힌 바와 같이 재량권 행사의 준칙인 규칙이 그 정한 바에 따라 되풀이 시행되어 행정관행이 이룩되게 되면 평등의 원칙이나 신뢰보호의 원칙에 따라 행정기관은 그 상대방에 대한 관계에서 그 규칙에 따라야 할 자기구속을 당하게 되는 경우, 또는 법령의 직접적 위임에 따라 수임행정기관이 그 법령을 시행하는데 필요한 구체적 사항을 정하였을 때, 그 제정형식은 비록 법규명령이 아닌 고시·훈령·예규 등과 같은 행정규칙이더라도 그것이 상위법령의 위임한계를 벗어나지 않는 경우이다. 그러나, 위와 같은 행정규칙, 특히 후자와 같은 이른바 법령보충적 행정규칙이라도 그 자체로서 직접적으로 대외적인 구속력을 갖는 것은 아니다. 즉, 상위법령과 결합하여 일체가 되는 한도 내에서 상위법령의 일부가 됨으로써 대외적 구속력이 발생되는 것일 뿐 그 행정규칙 자체는 대외적 구속력을 갖는 것은 아니라 할 것이다(헌재 2004.10.28. 99헌바91).

유제 17. 사복직, 12. 지방직 7급 이른바 법령보충적 행정규칙은 그 자체로서 직접적으로 대외적인 구속력을 갖는다. (×)
15. 경찰 3차, 12. 국가직 9급 법령보충적 행정규칙은 상위법령과 결합하여 그 위임한계를 벗어나지 아니하는 범위 내에서 상위법령의 일부가 됨으로써 대외적 구속력을 발생한다. (○)

③ (○) 대판 2012.7.5. 2010다72076
④ (○) 어떠한 고시가 일반적·추상적 성격을 가질 때에는 법규명령 또는 행정규칙에 해당할 것이지만, 다른 집행행위의 매개 없이 그 자체로서 직접 국민의 구체적인 권리의무나 법률관계를 규율하는 성격을 가질 때에는 행정처분에 해당한다(대판 2006.9.22. 2005두2506).

답 ②

함께 정리하기

행정규칙

행정규칙
▷ 예외적으로 대외적 효력 有

법령보충규칙
▷ 상위법령과 결합하여 대외적 구속력 有

제정권한부여 & 절차·방법 특정×
▷ 수임행정기관이 행정규칙으로 정하는 것 可

구체적 규율 성격의 고시
▷ 행정처분

문제 DATA

출제가능 지수 ▶▶▷
난이도 지수 ★★☆

021 □□□

행정규칙에 대한 설명으로 옳지 않은 것은? (다툼이 있는 경우 판례에 의함)

① 설정된 재량기준이 객관적으로 합리적이 아니라거나 타당하지 않다고 볼 만한 다른 특별한 사정이 없다면 행정청의 의사는 존중되어야 한다.
② 「공공기관의 운영에 관한 법률」의 위임에 따라 입찰자격제한기준을 정하는 부령은 행정내부의 재량준칙에 불과하다.
③ 재량준칙이 정한 바에 따라 되풀이 시행되어 행정관행이 이루어지게 되면 행정청은 상대방에 대한 관계에서 그 규칙에 따라야 할 자기구속을 받게 된다.
④ 구 「청소년보호법 시행령」상 별표에 따른 과징금처분기준은 단지 상한을 정한 것이 아니라 특정금액을 정한 것이다.

2017년 사회복지직

① (○) 형질변경의 허가가 신청된 당해 토지의 합리적인 이용이나 도시계획사업에 지장이 될 우려가 있는지 여부와 공익상 또는 이해관계인의 보호를 위하여 부관을 붙일 필요의 유무나 그 내용 등을 판단함에 있어서 행정청에 재량의 여지가 있으므로 그에 관한 판단 기준을 정하는 것 역시 행정청의 재량에 속하고, 그 설정된 기준이 객관적으로 합리적이 아니라거나 타당하지 않다고 볼 만한 특별한 사정이 없는 이상 행정청의 의사는 가능한 한 존중되어야 할 것이다(대판 1999.2.23. 98두17845).

② (○) 공공기관의 운영에 관한 법률 제39조 제2항, 제3항에 따라 입찰참가자격 제한기준을 정하고 있는 구 공기업·준정부기관 계약사무규칙 제15조 제2항, 국가를 당사자로 하는 계약에 관한 법률 시행규칙 제76조 제1항 [별표 2], 제3항 등은 비록 부령의 형식으로 되어 있으나 규정의 성질과 내용이 공기업·준정부기관이 행하는 입찰참가자격 제한처분에 관한 행정청 내부의 재량준칙을 정한 것에 지나지 아니하여 대외적으로 국민이나 법원을 기속하는 효력이 없다(대판 2014.11.27. 2013두18964).

유제 17. 서울시 9급 「공공기관의 운영에 관한 법률」에 따라 입찰참가자격 제한기준을 정하고 있는 구 「공기업 준정부기관 계약사무규칙」, 「국가를 당사자로 하는 계약에 관한 법률 시행규칙」은 대외적으로 국민이나 법원을 기속하는 효력이 없다. (○)

③ (○) 대판 2013.11.14. 2011두28783

④ (×) 청소년보호법 제49조 제1항, 제2항에 따른 같은 법 시행령 제40조 [별표 6]의 위반행위의 종별에 따른 과징금 처분기준은 법규명령이기는 하나 … 여러 요소를 종합적으로 고려하여 사안에 따라 적정한 과징금의 액수를 정하여야 할 것이므로 그 수액은 정액이 아니라 최고한도액이다(대판 2001.3.9. 99두5207).

답 ④

함께 정리하기
행정규칙

재량기준
▷ 특별한 사정이 없다면 행정청 의사 존중

국가계약법에 따라 입찰참가자격 제한기준을 정한 시행규칙
▷ 행정규칙

재량준칙이 되풀이 시행되어 행정관행
▷ 자기구속○

「청소년보호법」 위반 과징금처분기준
▷ 최고한도액

022 □□□

행정입법에 대한 설명으로 가장 옳지 않은 것은? (다툼이 있는 경우 판례에 의함)

① 법률의 위임 규정 자체가 그 의미 내용을 정확하게 알 수 있는 용어를 사용하여 위임의 한계를 분명히 하고 있는데도 고시에서 그 문언적 의미의 한계를 벗어나면 위임의 한계를 일탈한 것으로써 허용되지 아니한다.

② 한국표준산업분류는 우리나라의 산업구조를 가장 잘 반영하고 있고, 업종의 분류에 관하여 가장 공신력 있는 자료로 평가받고 있는 점 등을 고려하면, 업종의 분류에 관하여 판단자료와 전문성의 한계가 있는 대통령이나 행정각부의 장에게 위임하기보다는 통계청장이 고시하는 한국표준산업분류에 위임할 필요성이 인정된다.

③ 가공품의 원료로 가공품이 사용될 경우 원산지표시는 원료로 사용된 가공품의 원료 농산물의 원산지를 표시하여야 한다는 농림부 고시인 농산물원산지 표시요령은 법규명령으로서의 대외적 구속력을 가진다.

④ 「공공기관의 운영에 관한 법률」에 따라 입찰참가자격 제한기준을 정하고 있는 구 「공기업·준정부기관 계약사무규칙」, 「국가를 당사자로 하는 계약에 관한 법률 시행규칙」은 대외적으로 국민이나 법원을 기속하는 효력이 없다.

2017년 서울시 9급

① (○) 법률의 위임 규정 자체가 그 의미 내용을 정확하게 알 수 있는 용어를 사용하여 위임의 한계를 분명히 하고 있는데도 시행령이 그 문언적 의미의 한계를 벗어났다든지, 위임 규정에서 사용하고 있는 용어의 의미를 넘어 그 범위를 확장하거나 축소함으로써 위임 내용을 구체화하는 단계를 벗어나 새로운 입법을 한 것으로 평가할 수 있다면, 이는 위임의 한계를 일탈한 것으로서 허용되지 않는다(대판 2012.12.20. 2011두30878 전합).

문제 DATA
출제가능 지수 ▶▷▷
난이도 지수 ★★☆

함께 정리하기
행정입법

상위법률의 문언적 의미의 한계 벗어난 고시
▷ 위임 한계일탈

한국표준산업분류
▷ 위임 필요성 有

농림부고시인 농산물원산지 표시 요령
▷ 대외적 구속력 無

부령 형식의 입찰참가자격 제한기준
▷ 재량준칙

② (O) 국가 내의 모든 업종을 분류하는 작업에는 고도의 전문적·기술적 지식이 요구되고, 막대한 인력과 시간이 소요되며, 분류되는 업종의 범위 역시 방대하다. 한편, 한국표준산업분류는 우리나라의 산업구조를 가장 잘 반영하고 있고, 업종의 분류에 관하여 가장 공신력 있는 자료로 평가받고 있는 점 등을 고려하면, 업종의 분류에 관하여 통계청장이 고시하는 한국표준산업분류에 위임할 필요성이 인정된다(헌재 2014.7.24. 2013헌바183).
③ (×) 농산물원산지 표시요령 제4조 제2항이 "가공품의 원료로 가공품이 사용될 경우 원산지표시는 원료로 사용된 가공품의 원료 농산물의 원산지를 표시하여야 한다."고 규정하고 있더라도 이는 원산지표시 방법에 관한 기술적인 사항이 아닌 원산지표시를 하여야 할 대상에 관한 것이어서 구 농수산물품질관리법 시행규칙에 의해 고시로써 정하도록 위임된 사항에 해당한다고 할 수 없어 법규명령으로서의 대외적 구속력을 가질 수 없고, 따라서 법원이 구 농산물품질관리법 시행령을 해석함에 있어서 농산물원산지 표시요령 제4조 제2항을 따라야 하는 것은 아니다(대결 2006.4.28. 2003마715).
④ (O) 대판 2014.11.27. 2013두18964

답 ③

023 □□□

행정규칙에 대한 설명으로 옳은 것은? (다툼이 있는 경우 판례에 의함)

① 행정규칙의 제정에는 일반적으로 법적 근거가 필요하지 않다.
② 대통령령으로 정한 제재적 처분기준은 행정규칙으로서의 성질을 가진다.
③ 「행정절차법」상 처분의 기준이 되는 재량준칙을 변경하는 경우 이를 공표할 필요가 없다.
④ 재량권 행사의 준칙인 행정규칙에 행정관행이 성립되어 있지 않더라도 행정기관은 그 준칙에 따라야 할 자기구속을 받게 된다.
⑤ 상급 행정기관은 감독권에 근거하여서는 하급 행정기관에 대한 행정규칙을 발할 수 없다.

2017년 행정사

① (O) 행정규칙은 행정기관이 자신의 직권에 의하여 발하는 명령에 해당하기 때문에 법규명령과는 달리 법률의 근거를 요하지 않는다. 그러나 법률우위의 원칙에 따라 법령에 위배되어서는 안 되며 아울러 이행가능하고 명확하여야 한다.

유제 15. 행정사 행정규칙의 제정에는 법령의 수권을 요하지 않는다. (O)

② (×) 판례는 제재적 처분기준이 대통령령(시행령)의 형식으로 규정된 경우에는 그 형식을 중시하여 법규명령으로 보고 있다. 반면에 제재적 처분기준이 부령(시행규칙)에 규정되어 있는 경우, 판례는 그 법규성을 부정하여 행정규칙으로 보고 있다.
③ (×)

「행정절차법」제20조 【처분기준의 설정·공표】 ① 행정청은 필요한 처분기준을 해당 처분의 성질에 비추어 되도록 구체적으로 정하여 공표하여야 한다. 처분기준을 변경하는 경우에도 또한 같다.

④ (×) 재량준칙이 정한 바에 따라 되풀이 시행되어 행정관행이 이루어지게 되면 평등의 원칙이나 신뢰보호의 원칙에 따라 행정기관은 상대방에 대한 관계에서 그 규칙에 따라야 할 자기구속을 받게 되므로, 이러한 경우에는 특별한 사정이 없는 한 그에 반하는 처분은 평등의 원칙이나 신뢰보호의 원칙에 어긋나 재량권을 일탈·남용한 위법한 처분이 된다(대판 2013.11.14. 2011두28783).
⑤ (×) 행정규칙이란 상급 행정기관이 하급 행정기관을 수범자로 하여 행정 내부의 조직·활동을 규율하기 위해 발하는 일반적·추상적 규정을 말한다. 따라서 이는 감독권에 근거한 것으로 볼 수 있다.

답 ①

문제 DATA
출제가능 지수 ▶▶▷
난이도 지수 ★★☆

함께 정리하기

행정규칙
행정규칙 제정
▷ 법적 근거 不要
대통령령으로 정한 제재적 처분기준
▷ 법규명령
처분기준(재량준칙) 변경
▷ 「행정절차법」상 공표 要
재량준칙에 행정관행 성립
▷ 자기구속O
상급 행정기관
▷ 감독권에 근거하여 하급 행정기관 대한 행정규칙 제정 可

제2장 행정행위

제1절 | 행정행위의 개념

001 □□□

행정행위에 대한 설명으로 옳은 것은?

① 행정행위를 '행정청이 법 아래서 구체적 사실에 대한 법집행으로서 행하는 공법행위'로 정의하면, 공법상 계약과 공법상 합동행위는 행정행위의 개념에서 제외된다.
② 강학상 허가와 특허는 의사표시를 요소로 한다는 점과 반드시 신청을 전제로 한다는 점에서 공통점이 있다.
③ 행정행위의 효력으로서 구성요건적 효력과 공정력은 이론적 근거를 법적 안정성에서 찾고 있다는 공통점이 있다.
④ 「행정소송법」상 처분의 개념과 강학상 행정행위의 개념이 다르다고 보는 견해는 처분의 개념을 강학상 행정행위의 개념보다 넓게 본다.

2017년 국가직 9급

① (×) 행정행위의 개념 범위에 대해서는 최협의설, 협의설, 광의설, 최광의설의 학설상 대립이 있다. 지문의 '행정청이 법 아래서 구체적 사실에 대한 법집행으로서 행하는 공법행위'는 협의설에 해당하는 행정행위의 개념이다. 협의설에 의하면 공법상 계약, 공법상 합동행위 등 비권력적 행위까지 행정행위의 개념에 포함된다.
② (×) 허가와 특허는 모두 법률행위적 행정행위로 행정청의 의사표시를 요소로 한다는 점에서 공통점이 있으나, 특허는 반드시 신청을 전제로 행해지는 반면, 허가는 신청을 전제로 하지 않는 허가도 있다는 점에서 차이가 있다.
③ (×) 구성요건적 효력이란 비록 행정행위에 하자가 있더라도 그 하자가 중대하고 명백하여 당연무효가 아닌 한 다른 국가기관 등은 처분청의 행정행위를 존중하여 자신들의 판단의 기초 내지 구성요건으로 하여야 한다는 효력을 말하는데, 이러한 효력을 공정력과 구별하여 인정할 것인지(구별설), 공정력에 따른 당연한 효력으로 볼 것인지(불구별설)에 대하여 견해대립이 있다. 구성요건적 효력을 인정하는 구별설에 따르면 공정력은 법적 안정성과 실효성 확보에서 그 근거를 찾을 수 있는 반면, 구성요건적 효력은 국가기관 상호간의 권한존중의 원칙에서 그 근거를 찾을 수 있다. 즉 공정력과 구성요건적 효력은 그 이론적 근거에서 차이가 있다.
④ (○) 「행정소송법」상 처분의 개념과 강학상 행정행위의 개념에 대해서 두 개념이 동일하다고 보는 실체법적 개념설(일원설)과 동일하지 않다고 보는 쟁송법적 개념설(이원설)이 대립하고 있다. 두 개념이 다르다고 보는 이원설에 의하면, 「행정소송법」상 처분의 개념을 강학상 행정행위의 개념보다 넓게 본다.

답 ④

◎ 문제 DATA

출제가능 지수 ▶▷▷
난이도 지수 ★★☆

📋 함께 정리하기

행정행위

행정행위 개념에 관한 협의설
▷ 공법상 계약과 공법상 합동행위 포함

허가
▷ 반드시 신청을 전제 ×

구성요건적 효력을 인정하는 구별설
▷ 공정력은 법적 안정성, 구성요건적 효력은 국가기관 상호 권한존중 근거

이원설
▷ 「행정소송법」상 처분을 강학상 행정행위보다 넓게 봄

제2절 | 행정행위의 분류

001 ☐☐☐

다단계 행정결정에 대한 설명으로 옳지 않은 것은? (다툼이 있는 경우 판례에 의함)

① 「공유재산 및 물품 관리법」에 근거하여 공모제안을 받아 이루어지는 민간투자사업 '우선협상대상자 선정행위'나 '우선협상대상자 지위배제행위'에서 '우선협상대상자 지위배제행위'만이 항고소송의 대상인 처분에 해당한다.
② 구 「원자력법」상 원자로 및 관계 시설의 부지사전승인처분 후 건설허가처분까지 내려진 경우, 선행처분은 후행처분에 흡수되어 건설허가처분만이 행정쟁송의 대상이 된다.
③ 공정거래위원회가 부당한 공동행위를 한 사업자에게 과징금 부과처분을 한 뒤 다시 자진신고 등을 이유로 과징금 감면처분을 한 경우, 선행처분은 후행처분에 흡수되어 소멸하므로 선행처분의 취소를 구하는 소는 부적법하다.
④ 자동차운송사업 양도·양수인가신청에 대하여 행정청이 내인가를 한 후 그 본인가신청이 있음에도 내인가를 취소한 경우, 다시 본인가에 대하여 별도로 인가 여부의 처분을 한다는 사정이 보이지 않는다면 내인가취소는 행정처분에 해당한다.

> **2022년 국가직 9급**

① (×) 지방자치단체의 장이 공유재산 및 물품관리법에 근거하여 기부채납 및 사용·수익허가 방식으로 민간투자사업을 추진하는 과정에서 사업시행자를 지정하기 위한 전 단계에서 공모제안을 받아 일정한 심사를 거쳐 <u>우선협상대상자를 선정하는 행위와 이미 선정된 우선협상대상자를 그 지위에서 배제하는 행위</u>는 민간투자사업의 세부내용에 관한 협상을 거쳐 공유재산법에 따른 공유재산의 사용·수익허가를 우선적으로 부여받을 수 있는 지위를 설정하거나 또는 이미 설정된 지위를 박탈하는 조치이므로 <u>모두 항고소송의 대상이 되는 행정처분으로 보아야 한다</u>(대판 2020.4.29. 2017두31064).
② (○) 원자로 및 관계 시설의 부지사전승인처분은 그 자체로서 건설부지를 확정하고 사전공사를 허용하는 법률효과를 지닌 <u>독립한 행정처분</u>이기는 하지만, 건설허가 전에 신청자의 편의를 위하여 미리 그 건설허가의 일부 요건을 심사하여 행하는 <u>사전적 부분 건설허가처분의 성격을 갖고 있는 것이어서 나중에 건설허가처분이 있게 되면 그 건설허가처분에 흡수되어 독립된 존재가치를 상실함으로써 그 건설허가처분만이 쟁송의 대상</u>이 되는 것이므로, 부지사전승인처분의 취소를 구하는 소는 소의 이익을 잃게 되고, 따라서 부지사전승인처분의 위법성은 나중에 내려진 건설 허가처분의 취소를 구하는 소송에서 이를 다투면 된다(대판 1998.9.4. 97누19588).

유제 21. 소방간부 구 「원자력법」 제11조 제3항에 따른 원자로 및 관계 시설의 부지사전승인처분은 나중에 건설허가처분이 있게 되면 부지사전승인처분의 취소를 구하는 소는 소의 이익을 잃게 된다. (○)
20. 군무원 9급 원자로 및 관계시설의 부지사전승인처분은 나중에 건설허가처분이 있게 되더라도 그 건설허가처분에 흡수되어 독립된 존재가치를 상실하는 것이 아니하므로, 부지사전승인 처분의 취소를 구할 이익이 있다. (×)
20. 5급 승진 「원자력안전법」상 원자로 건설허가에 앞선 부지사전승인처분은 그 자체로서 건설부지를 확정하고 사전공사를 허용하는 법률효과를 지닌 독립한 행정처분이지만, 사전적 부분 건설허가의 성격을 갖고 있어서 나중에 건설허가처분이 있게 되면 그 건설허가처분에 흡수되어 그 건설허가처분만이 쟁송의 대상이 된다. (○)
19. 서울시 7급(추), 17. 국가직 9급(추), 14. 국회직 8급, 13. 지방직 9급, 08. 국회직 8급 구 「원자력법」상 원자로 및 관계시설의 부지사전승인처분은 그 자체로서 건설부지를 확정하고 사전공사를 허용하는 법률효과를 지닌 독립한 행정처분이다. (○)
17. 국가직 9급 원자로 및 관계시설의 부지사전승인처분은 그 자체로서 독립한 행정처분은 아니므로 이의 위법성을 직접 항고소송으로 다툴 수는 없고 후에 발령되는 건설허가처분에 대한 항고소송에서 다투어야 한다. (×)

문제 DATA
출제가능 지수 ▶▶▷
난이도 지수 ★★☆

함께 정리하기
다단계 행정결정

지방자치단체장이 우선협상대상자 선정하는 행위 및 선정된 우선협상대상자 배제하는 행위
▷ 모두 행정처분○

원자로 부지사전승인처분 이후 건설허가처분
▷ 건설허가처분만이 행정쟁송 대상○

최초과징금 부과처분 후 자진신고로 감면처분
▷ 최초과징금 부과처분 소의 이익×

내인가를 한 다음 이를 취소하는 행위
▷ 인가신청에 대한 거부처분

③ (○) 공정거래위원회가 부당한 공동행위를 행한 사업자로서 구 독점규제 및 공정거래에 관한 법률 제22조의2에서 정한 자진신고자나 조사협조자에 대하여 과징금 부과처분(이하 '선행처분'이라 한다)을 한 뒤, 독점규제 및 공정거래에 관한 법률 시행령 제35조 제3항에 따라 다시 자진신고자 등에 대한 사건을 분리하여 자진신고 등을 이유로 한 과징금 감면처분(이하 '후행처분'이라 한다)을 하였다면, 후행처분은 자진신고 감면까지 포함하여 처분 상대방이 실제로 납부하여야 할 최종적인 과징금액을 결정하는 종국적 처분이고, 선행처분은 이러한 종국적 처분을 예정하고 있는 일종의 잠정적 처분으로서 후행처분이 있을 경우 선행처분은 후행처분에 흡수되어 소멸한다. 따라서 위와 같은 경우에 선행처분의 취소를 구하는 소는 이미 효력을 잃은 처분의 취소를 구하는 것으로 부적법하다(대판 2015.2.12. 2013두987).

유제 21. 국가직 9급 공정거래위원회가 부당한 공동행위를 한 사업자들 중 자진신고자에 대하여 구 독점규제 및 공정거래에 관한 법령에 따라 과징금 부과처분(선행처분)을 한 뒤, 다시 자진신고자에 대한 사건을 분리하여 자진신고를 이유로 과징금 감면처분(후행처분)을 한 경우라도 선행처분의 취소를 구하는 소는 적법하다. (×)
21. 소방간부 공정거래위원회가 부당한 공동행위를 행한 사업자로서 구「독점규제 및 공정거래에 관한 법률」상 자진신고자에 대하여 과징금 부과처분(선행처분)을 한 뒤, 동법 시행령에 따라 다시 자진신고자에 대한 사건을 분리하여 자진신고를 이유로 과징금 감면처분(후행처분)을 한 경우, 선행처분의 취소를 구하는 소를 구해야 한다. (×)
19. 서울시 7급(추) 가행정행위인 선행처분이 후행처분으로 흡수되어 소멸하는 경우에도 선행처분의 취소를 구하는 소는 가능하다. (×)

④ (○) 자동차운송사업 양도양수계약에 기한 양도양수인가신청에 대하여 피고 시장이 내인가를 한 후 위 내인가에 기한 본인가신청이 있었으나 자동차운송사업 양도양수인가신청서가 합의에 의한 정당한 신청서라고 할 수 없다는 이유로 위 내인가를 취소한 경우, 위 내인가의 법적 성질이 행정행위의 일종으로 볼 수 있든 아니든 그것이 행정청의 상대방에 대한 의사표시임이 분명하고, 피고가 위 내인가를 취소함으로써 다시 본인가에 대하여 따로이 인가 여부의 처분을 한다는 사정이 보이지 않는다면 위 내인가취소를 인가신청을 거부하는 처분으로 보아야 할 것이다(대판 1991.6.28. 90누4402).

답 ①

002

행정행위에 대한 설명으로 옳은 것만을 모두 고르면? (다툼이 있는 경우 판례에 의함)

> ㄱ. 행정의사가 외부에 표시되어 행정청이 자유롭게 취소·철회할 수 없는 구속을 받게 되는 시점에 처분이 성립하고, 그 성립 여부는 행정청이 행정의사를 공식적인 방법으로 외부에 표시하였는지를 기준으로 판단해야 한다.
> ㄴ. 구「공중위생관리법」상 공중위생영업에 대하여 영업을 정지할 위법사유가 있다면, 관할 행정청은 그 영업이 양도·양수되었다 하더라도 양수인에 대하여 영업정지처분을 할 수 있다.
> ㄷ.「도시 및 주거환경정비법」상 주택재건축조합에 대해 조합설립 인가처분이 행하여진 후에는, 조합설립결의의 하자를 이유로 조합설립의 무효를 주장하려면 조합설립 인가처분의 취소 또는 무효확인을 구하는 소송으로 다투어야 하며, 따로 조합설립결의의 하자를 다투는 확인의 소를 제기할 수 없다.
> ㄹ. 공정거래위원회가 부당한 공동행위를 한 사업자들 중 자진신고자에 대하여 구 독점규제 및 공정거래에 관한 법령에 따라 과징금 부과처분(선행처분)을 한 뒤, 다시 자진신고자에 대한 사건을 분리하여 자진신고를 이유로 과징금 감면처분(후행처분)을 한 경우라도 선행처분의 취소를 구하는 소는 적법하다.

① ㄴ, ㄷ
② ㄱ, ㄴ, ㄷ
③ ㄱ, ㄴ, ㄹ
④ ㄱ, ㄷ, ㄹ

함께 정리하기

행정행위

행정행위 외부적 성립
▷ 행정의사 공식적 방법 외부표시 기준

공중위생영업 영업양도
▷ 양도 전 사유로 양수인에 대한 영업정지 가

조합설립인가처분 후 조합설립결의를 따로 다투는 것
▷ 소의 이익 ✕
▷ 조합설립인가처분을 항고소송으로 다투어야 함

최초과징금 부과처분 후 자진신고로 감면처분
▷ 최초과징금 부과처분 소의 이익 ✕

문제 DATA

출제가능 지수 ▶▶▷
난이도 지수 ★★☆

2021년 국가직 9급

ㄱ. (○) 일반적으로 처분이 주체·내용·절차와 형식의 요건을 모두 갖추고 외부에 표시된 경우에는 처분의 존재가 인정된다. 행정의사가 외부에 표시되어 행정청이 자유롭게 취소·철회할 수 없는 구속을 받게 되는 시점에 처분이 성립하고, 그 성립 여부는 행정청이 행정의사를 공식적인 방법으로 외부에 표시하였는지를 기준으로 판단해야 한다(대판 2019.7.11. 2017두38874).

ㄴ. (○) 영업정지나 영업장폐쇄명령 모두 대물적 처분으로, … 양수인이 그 양수 후 행정청에 새로운 영업소개설통보를 하였다 하더라도, 그로 인하여 영업양도·양수로 영업소에 관한 권리의무가 양수인에게 이전하는 법률효과까지 부정되는 것은 아니라 할 것인바, 만일 어떠한 공중위생영업에 대하여 그 영업을 정지할 위법사유가 있다면, 관할 행정청은 그 영업이 양도·양수되었다 하더라도 그 업소의 양수인에 대하여 영업정지처분을 할 수 있다고 봄이 상당하다(대판 2001.6.29. 2001두1611).

ㄷ. (○) 일단 조합설립 인가처분이 있은 경우 조합설립결의는 위 인가처분이라는 행정처분을 하는 데 필요한 요건 중 하나에 불과한 것이어서, 조합설립 인가처분이 있은 이후에는 조합설립결의의 하자를 이유로 조합설립의 무효를 주장하는 것은 조합설립 인가처분의 취소 또는 무효확인을 구하는 항고소송의 방법에 의하여야 할 것이고, 이와는 별도로 조합설립결의만을 대상으로 그 효력 유무를 다투는 확인의 소를 제기하는 것은 확인의 이익이 없어 허용되지 아니한다(대결 2010.4.8. 2009마1026).

ㄹ. (✕) 공정거래위원회가 부당한 공동행위를 행한 사업자로서 구 독점규제 및 공정거래에 관한 법률 제22조의2에서 정한 자진신고자나 조사협조자에 대하여 과징금 부과처분(이하 '선행처분'이라 한다)을 한 뒤, 독점규제 및 공정거래에 관한 법률 시행령 제35조 제3항에 따라 다시 자진신고자 등에 대한 사건을 분리하여 자진신고 등을 이유로 한 과징금 감면처분(이하 '후행처분'이라 한다)을 하였다면, 후행처분은 자진신고 감면까지 포함하여 처분 상대방이 실제로 납부하여야 할 최종적인 과징금액을 결정하는 종국적 처분이고, 선행처분은 이러한 종국적 처분을 예정하고 있는 일종의 잠정적 처분으로서 후행처분이 있을 경우 선행처분은 후행처분에 흡수되어 소멸한다. 따라서 위와 같은 경우에 선행처분의 취소를 구하는 소는 이미 효력을 잃은 처분의 취소를 구하는 것으로 부적법하다(대판 2015.2.12. 2013두987).

답 ②

003 ☐☐☐

다단계 행정행위에 대한 판례의 입장으로 옳지 않은 것은?

① 폐기물처리업의 허가를 받기 위하여는 먼저 사업계획서를 제출하여 허가권자로부터 사업계획에 대한 적정통보를 받아야 하는데, 부적정통보는 허가신청 자체를 제한하는 등 개인의 권리 내지 법률상의 이익을 개별적이고 구체적으로 규제하고 있어 행정처분에 해당한다.

② 공정거래위원회가 부당한 공동행위를 행한 사업자로서 구 「독점규제 및 공정거래에 관한 법률」상 자진신고자에 대하여 과징금 부과처분(선행처분)을 한 뒤, 동법 시행령에 따라 다시 자진신고자에 대한 사건을 분리하여 자진신고를 이유로 과징금 감면처분(후행처분)을 한 경우, 선행처분의 취소를 구하는 소를 구해야 한다.

③ 어업권면허에 선행하는 우선순위결정은 강학상 확약에 불과하고 행정처분은 아니므로, 우선순위 결정에 공정력이나 불가쟁력과 같은 효력은 인정되지 않는다.

④ 자동차운송사업 양도양수인가신청에 대하여 행정청이 내인가를 한 후 그 본인가신청이 있음에도 내인가를 취소함으로써 다시 본인가에 대하여 따로 인가 여부의 처분을 한다는 사정이 보이지 않는 경우 위 내인가취소를 인가신청거부처분으로 볼 수 있다.

⑤ 구 「원자력법」 제11조 제3항에 따른 원자로 및 관계 시설의 부지사전승인처분은 나중에 건설허가처분이 있게 되면 부지사전승인처분의 취소를 구하는 소는 소의 이익을 잃게 된다.

2021년 소방간부

① (○) 폐기물관리법 관계 법령의 규정에 의하면 폐기물처리업의 허가를 받기 위하여는 먼저 사업계획서를 제출하여 허가권자로부터 사업계획에 대한 적정통보를 받아야 하고 그 적정통보를 받은 자만이 일정기간 내에 시설, 장비, 기술능력, 자본금을 갖추어 허가신청을 할 수 있으므로 결국 부적정통보는 허가신청 자체를 제한하는 등 개인의 권리 내지 법률상의 이익을 개별적이고 구체적으로 규제하고 있어 행정처분에 해당한다(대판 1998.4.28. 97누21086).

유제 19. 서울시 7급(추) 폐기물처리업 허가 전의 사업계획에 대한 부적정통보는 행정처분에 해당한다. (○)
17. 국가직 9급 「폐기물관리법」 관계 법령의 규정에 의하면 폐기물처리업의 허가를 받기 위하여는 먼저 사업계획서를 제출하여 허가권자로부터 사업계획에 대한 적정통보를 받아야 하고, 그 적정통보를 받은 자만이 일정기간 내에 시설, 장비, 기술능력, 자본금을 갖추어 허가신청을 할 수 있으므로, 결국 부적정통보(사전결정)는 허가신청 자체를 제한하는 등 개인의 권리 내지 법률상의 이익을 개별적이고 구체적으로 규제하고 있어 행정처분에 해당한다. (○)
10. 국가직 9급 폐기물관리법령상 폐기물처리업허가 전의 사업계획에 대한 부적정통보는 항고소송의 대상이 되는 행정처분에 해당한다. (○)

② (×) 공정거래위원회가 부당한 공동행위를 행한 사업자로서 구 독점규제 및 공정거래에 관한 법률 제22조의2에서 정한 자진신고자나 조사협조자에 대하여 과징금 부과처분(이하 '선행처분'이라 한다)을 한 뒤, 독점규제 및 공정거래에 관한 법률 시행령 제35조 제3항에 따라 다시 자진신고자 등에 대한 사건을 분리하여 자진신고 등을 이유로 한 과징금 감면처분(이하 '후행처분'이라 한다)을 하였다면, 후행처분은 자진신고 감면까지 포함하여 처분 상대방이 실제로 납부하여야 할 최종적인 과징금액을 결정하는 종국적 처분이고, 선행처분은 이러한 종국적 처분을 예정하고 있는 일종의 잠정적 처분으로서 후행처분이 있을 경우 선행처분은 후행처분에 흡수되어 소멸한다. 따라서 위와 같은 경우에 선행처분의 취소를 구하는 소는 이미 효력을 잃은 처분의 취소를 구하는 것으로 부적법하다(대판 2015.2.12. 2013두987).

③ (○) 어업권면허에 선행하는 우선순위결정은 행정청이 우선권자로 결정된 자의 신청이 있으면 어업권면허처분을 하겠다는 것을 약속하는 행위로서 강학상 확약에 불과하고 행정처분은 아니므로, 우선순위결정에 공정력이나 불가쟁력과 같은 효력은 인정되지 아니하며, 따라서 우선순위결정이 잘못되었다는 이유로 종전의 어업권면허처분이 취소되면 행정청은 종전의 우선순위결정을 무시하고 다시 우선순위를 결정한 다음 새로운 우선순위결정에 기하여 새로운 어업권면허를 할 수 있다(대판 1995.1.20. 94누6529).

④ (○) 자동차운송사업 양도양수계약에 기한 양도양수인가신청에 대하여 피고 시장이 내인가를 한 후 위 내인가에 기한 본인가신청이 있었으나 자동차운송사업 양도양수인가신청서가 합의에 의한 정당한 신청서라고 할 수 없다는 이유로 위 내인가를 취소한 경우, 위 내인가의 법적 성질이 행정행위의 일종으로 볼 수 있든 아니든 그것이 행정청의 상대방에 대한 의사표시임이 분명하고, 피고가 위 내인가를 취소함으로써 다시 본인가에 대하여 따로이 인가 여부의 처분을 한다는 사정이 보이지 않는다면 위 내인가취소를 인가신청을 거부하는 처분으로 보아야 할 것이다(대판 1991.6.28. 90누4402).

⑤ (○) 대판 1998.9.4. 97누19588

답 ②

함께 정리하기

다단계 행정행위

「폐기물관리법」상 사업계획 부적정통보
▷ 행정처분

최초과징금 부과처분 후 자진신고로 감면처분
▷ 최초과징금 부과처분 소의 이익 ×

어업권면허에 선행하는 우선순위결정
▷ 행정처분 ×

내인가를 한 다음 이를 취소하는 행위
▷ 인가신청거부처분

원자로부지사전승인처분 후에 건설허가처분
▷ 원자로부지사전승인처분 소의 이익 ×

---

004 □□□

단계적 행정결정에 대한 설명으로 가장 옳지 않은 것은? (다툼이 있는 경우 판례에 의함)

① 행정청이 내인가를 한 후 이를 취소하는 행위는 별다른 사정이 없는 한 인가신청을 거부하는 처분으로 보아야 한다.
② 가행정행위인 선행처분이 후행처분으로 흡수되어 소멸하는 경우에도 선행처분의 취소를 구하는 소는 가능하다.
③ 구 「원자력법」상 원자로 및 관계 시설의 부지사전승인처분은 그 자체로서 건설부지를 확정하고 사전 공사를 허용하는 법률효과를 지닌 독립한 행정처분이다.
④ 폐기물처리업 허가 전의 사업계획에 대한 부적정통보는 행정처분에 해당한다.

문제 DATA
출제가능 지수 ▶▶▶∑
난이도 지수 ★★☆

함께 정리하기

단계적 행정결정
내인가를 한 다음 이를 취소하는 행위
▷ 인가신청거부처분

가행정행위인 선행처분이 후행처분으로 흡수되어 소멸하는 경우
▷ 선행처분의 취소는 소의 이익 ✕

「원자력법」상 부지사전승인처분
▷ 독립한 행정처분

「폐기물관리법」상 사업계획 부적정통보
▷ 행정처분

2019년 서울시 7급(하)

① (○) 자동차운송사업 양도양수계약에 기한 양도양수인가신청에 대하여 피고 시장이 내인가를 한 후 위 내인가에 기한 본인가신청이 있었으나 자동차운송사업 양도양수인가신청서가 합의에 의한 정당한 신청서라고 할 수 없다는 이유로 위 내인가를 취소한 경우, 위 내인가의 법적 성질이 행정행위의 일종으로 볼 수 있든 아니든 그것이 행정청의 상대방에 대한 의사표시임이 분명하고, 피고가 위 내인가를 취소함으로써 다시 본인가에 대하여 따로이 인가 여부의 처분을 한다는 사정이 보이지 않는다면 위 내인가취소를 인가신청을 거부하는 처분으로 보아야 할 것이다(대판 1991.6.28. 90누4402).

② (✕) 공정거래위원회가 부당한 공동행위를 행한 사업자로서 구 독점규제 및 공정거래에 관한 법률 제22조의2에서 정한 자진신고자나 조사협조자에 대하여 과징금 부과처분(이하 '선행처분'이라 한다)을 한 뒤, 독점규제 및 공정거래에 관한 법률 시행령 제35조 제3항에 따라 다시 자진신고자 등에 대한 사건을 분리하여 자진신고 등을 이유로 한 과징금 감면처분(이하 '후행처분'이라 한다)을 하였다면, 후행처분은 자진신고 감면까지 포함하여 처분 상대방이 실제로 납부하여야 할 최종적인 과징금액을 결정하는 종국적 처분이고, 선행처분은 이러한 종국적 처분을 예정하고 있는 일종의 잠정적 처분으로서 후행처분이 있을 경우 선행처분은 후행처분에 흡수되어 소멸한다. 따라서 위와 같은 경우에 선행처분의 취소를 구하는 소는 이미 효력을 잃은 처분의 취소를 구하는 것으로 부적법하다(대판 2015.2.12. 2013두987).

③ (○) 대판 1998.9.4. 97누19588
④ (○) 대판 1998.4.28. 97누21086

답 ②

문제 DATA

출제가능 지수 ▶▶⅀
난이도 지수 ★★☆

005 □□□

다음 중 옳은 것만을 모두 고른 것은? (다툼이 있는 경우 판례에 의함)

> ㄱ. 건축허가는 대물적 허가의 성질을 가진다.
> ㄴ. 지방경찰청이 횡단보도를 설치하여 보행자 통행방법 등을 규제하는 것은 행정처분이다.
> ㄷ. 「행정절차법」은 불가쟁력이 발생한 행정행위에 대한 재심사청구를 규정하고 있다.
> ㄹ. 철회권이 유보된 경우의 철회에는 이익형량의 원칙이 적용되지 않는다.

① ㄱ, ㄴ ② ㄱ, ㄹ
③ ㄴ, ㄷ ④ ㄷ, ㄹ

2019년 소방직

ㄱ. (○) 건축허가는 대물적 성질을 갖는 것이어서 행정청으로서는 허가를 할 때에 건축주 또는 토지 소유자가 누구인지 등 인적 요소에 관하여는 형식적 심사만 한다(대판 2017.3.15. 2014두41190).

ㄴ. (○) 지방경찰청장이 횡단보도를 설치하여 보행자의 통행방법을 규제하는 것은, 행정청이 특정사항에 대하여 부담을 명하는 행위이고 이는 국민의 권리의무에 직접 관계가 있는 행위로서 행정처분이다(대판 2000.10.27. 98두8964).

유제 22. 지방직 9급 시·도경찰청장이 횡단보도를 설치하여 보행자 통행방법 등을 규제하는 것은 국민의 권리의무에 직접 관계가 있는 행위로서 행정처분이다. (○)
21. 경찰 2차 횡단보도를 설치하여 보행자 통행방법 등을 규제하는 것은 특정사항에 대하여 의무의 부담을 명하는 행위이고, 이는 국민의 권리의무에 직접 관계가 있는 행위로서 행정처분이다. (○)
20. 지방직 9급 지방경찰청장의 횡단보도 설치 행위는 판례상 항고소송의 대상으로 인정된다. (○)
17. 사복직 지방경찰청장의 횡단보도 설치행위는 국민의 구체적인 권리 의무에 직접적인 변동을 초래하지 않으므로 「행정소송법」상 처분에 해당하지 않는다. (✕)

ㄷ. (✕) 독일의 경우에는 불가쟁력이 발생한 행정행위에 대해서도 일정한 요건하에서 재심사청구를 인정하고 있고, 우리나라의 경우 아무런 규정이 없었다가 최근 제정된 「행정기본법」에서 재심사에 관한 명문규정을 두고 있다. 「행정절차법」에는 이에 대한 명문의 규정이 없다.

함께 정리하기

판례정리
건축허가
▷ 대물적 허가의 성질(인적 요소는 형식적 심사)

횡단보도 설치
▷ 행정처분

불가쟁력이 발생한 행정행위에 대한 재심사청구
▷ 「행정기본법」에 규정(「행정절차법」✕)

이익형량의 원칙
▷ 철회권이 유보된 경우에도 적용 ○

「행정기본법」 제37조【처분의 재심사】① 당사자는 처분(제재처분 및 행정상 강제는 제외한다. 이하 이 조에서 같다)이 행정심판, 행정소송 및 그 밖의 쟁송을 통하여 다툴 수 없게 된 경우(법원의 확정판결이 있는 경우는 제외한다)라도 다음 각 호의 어느 하나에 해당하는 경우에는 해당 처분을 한 행정청에 처분을 취소·철회하거나 변경하여 줄 것을 신청할 수 있다.
1. 처분의 근거가 된 사실관계 또는 법률관계가 추후에 당사자에게 유리하게 바뀐 경우
2. 당사자에게 유리한 결정을 가져다주었을 새로운 증거가 있는 경우
3. 「민사소송법」 제451조에 따른 재심사유에 준하는 사유가 발생한 경우 등 대통령령으로 정하는 경우

ㄹ. (×) 침익적 행정행위의 철회는 상대방의 불이익을 제거하는 것이기 때문에 자유롭게 행해질 수 있지만, 수익적 행정행위나 제3자효 행정행위의 철회는 공익과 사인의 신뢰보호이익을 비교형량하여야 한다. 즉 기득권의 침해를 정당화할만한 중대한 공익상의 필요 또는 제3자의 이익보호의 필요가 있는 때에 한하여 철회가 이루어질 수 있다(이익형량의 원칙). 철회권의 유보가 있더라도 행정행위의 철회의 제한에 관한 일반적인 요건이 충족되어야 하므로 이러한 이익형량의 원칙은 철회권이 유보된 경우에도 동일하게 적용된다.

답 ①

006

甲은 「폐기물관리법」에 따라 폐기물처리업의 허가를 받기 전에 행정청 乙에게 폐기물처리사업계획서를 작성하여 제출하였고, 乙은 그 사업계획서를 검토하여 적합통보를 하였다. 이에 대한 설명으로 옳지 않은 것은? (다툼이 있는 경우 판례에 의함)

① 적합통보를 받은 甲은 폐기물처리업의 허가를 받기 전이라도 부분적으로 폐기물처리를 적법하게 할 수 있다.
② 사업계획의 적합 여부는 乙의 재량에 속하고, 사업계획 적합 여부 통보를 위하여 필요한 기준을 정하는 것도 역시 乙의 재량에 속한다.
③ 사업계획서 적합통보가 있는 경우 폐기물처리업의 허가단계에서는 나머지 허가요건만을 심사한다.
④ 甲이 폐기물처리업허가를 받기 위해서는 용도지역을 변경하는 국토이용계획변경이 선행되어야 할 경우, 甲에게 국토이용계획변경을 신청할 권리가 인정된다.

2018년 국가직 7급

① (×) 폐기물처리사업계획서 적합통보는 사전결정에 해당한다. 사전결정은 단계화된 행정절차에 있어서 종국적인 결정의 유보하에 이루어지는 행위로, 사전결정을 받은 것만으로는 어떠한 행위를 할 수 없다. 따라서 甲이 폐기물처리사업계획서 적합통보를 받은 것만으로는 폐기물처리를 할 수 없고, 일정기간 내에 시설, 장비, 기술능력, 자본금을 갖추어 관할 행정청에 허가신청을 해서 허가를 받아야 폐기물처리를 할 수 있다.
② (○) 당해 처분의 근거인 폐기물관리법 제26조 제1항·제2항과 같은 법 시행규칙 제17조 제1항 내지 제4항의 체제 또는 문언을 살펴보면 이들 규정들은 폐기물처리업허가를 받기 위한 최소한도의 요건을 규정해 두고는 있으나 <u>사업계획 적정 여부에 대하여는 일률적으로 확정하여 규정하는 형식을 취하지 아니하여 그 사업의 적정 여부에 대하여 재량의 여지를 남겨 두고 있다</u> 할 것이고, 이러한 경우 <u>사업계획 적정 여부 통보를 위하여 필요한 기준을 정하는 것도 역시 행정청의 재량에 속하는 것이므로</u>, 그 설정된 기준이 객관적으로 합리적이 아니라거나 타당하지 않다고 볼 만한 다른 특별한 사정이 없는 이상 행정청의 의사는 가능한 한 존중되어야 한다(대판 1998.4.28. 97누21086).
③ (○) 사전결정은 최종적 행정결정이 내려지기 전 요건 일부를 심사하여 내리는 종국적 판단이므로, 폐기물처리업의 허가단계에서는 나머지 허가요건만을 심사하게 된다.

문제 DATA
출제가능 지수 ▶▶▷
난이도 지수 ★★☆

함께 정리하기
폐기물처리사업계획서 적합통보 사례

폐기물처리사업계획서 적합통보
▷ 사전결정 → 사전결정을 받은 것만으로는 어떠한 행위도 불가

폐기물처리사업계획서 적합통보
▷ 재량행위

적합통보가 있는 경우
▷ 폐기물처리업 허가단계에서 나머지 허가요건만 심사

적정통보 받은 자
▷ 국토이용계획의 변경 신청권 인정

폐기물처리업의 허가에 앞서 사업계획서에 대한 적정·부적정 통보 제도를 두고 있는 것은 폐기물처리업을 하고자 하는 자가 스스로 시설 등을 설치하여 허가신청을 하였다가 허가단계에서 그 사업계획이 부적정하다고 판명되어 불허가되면 허가신청인이 막대한 경제적·시간적 손실을 입게 되므로, 이를 방지하는 동시에 허가관청으로 하여금 미리 사업계획서를 심사하여 그 적정·부적정 통보 처분을 하도록 하고, 나중에 허가단계에서는 나머지 허가요건만을 심사하여 신속하게 허가업무를 처리하는데 그 취지가 있다 (대판 1998.4.28. 97누21086).

④ (○) 국토이용계획은 장기성, 종합성이 요구되는 행정계획이어서 원칙적으로는 그 계획이 일단 확정된 후에 어떤 사정의 변동이 있다고 하여 그러한 사유만으로는 지역주민이나 일반 이해관계인에게 일일이 그 계획의 변경을 신청할 권리를 인정하여 줄 수는 없을 것이지만, 장래 일정한 기간 내에 관계 법령이 규정하는 시설 등을 갖추어 일정한 행정처분을 구하는 신청을 할 수 있는 법률상 지위에 있는 자의 국토이용계획변경신청을 거부하는 것이 실질적으로 당해 행정처분 자체를 거부하는 결과가 되는 경우에는 예외적으로 그 신청인에게 국토이용계획변경을 신청할 권리가 인정된다고 봄이 상당하므로, 이러한 신청에 대한 거부행위는 항고소송의 대상이 되는 행정처분에 해당한다(대판 2003.9.23. 2001두10936).

답 ①

007

한국수력원자력 주식회사(이하 '한수원'이라 함)는 A시 관내에 원자력발전소 1·2호기를 건설하려는 계획을 갖고 있다. 관할 A시장은 「주민투표법」 제8조 제1항에 기한 산업통상자원부장관의 요구에 따라 원자력발전소 건설문제를 주민투표에 부쳐, 투표권자 과반수의 찬성표가 나왔다. 한수원은 산업통상자원부장관으로부터 「전원개발촉진법」에 의한 전원개발사업계획승인을 받은 후 「원자력안전법」 제10조 제3항에 따라 원자력안전위원회로부터 원자로 및 관계시설의 건설부지에 대해 사전공사를 실시하기 위해 부지사전승인을 받았다. 한수원은 기초공사 후 우선 제1호기 원자로의 건설허가를 신청하였다. 이에 대한 설명으로 옳지 않은 것은? (다툼이 있는 경우 판례에 의함)

① 부지사전승인처분은 원자로 및 관계시설 건설허가의 사전적 부분허가의 성격을 가지고 있으므로, 원자로 및 관계시설의 건설허가기준에 관한 사항은 건설허가의 기준이 됨은 물론 부지사전승인의 기준이 된다.

② 원자로 및 관계시설의 부지사전승인처분은 그 자체로서 건설부지를 확정하고 사전공사를 허용하는 법률효과를 지닌 독립한 행정처분이다.

③ 지방자치단체의 장 및 지방의회는 주민투표의 결과 확정된 내용대로 행정·재정상의 필요한 조치를 하여야 한다.

④ 방사성물질 등에 의하여 직접적이고 중대한 피해를 입으리라고 예상되는 지역 내의 주민들에게는 방사성물질 등에 의한 생명·신체의 안전침해를 이유로 한 부지사전승인처분 취소소송의 원고적격이 인정된다.

⑤ 부지사전승인처분은 나중에 건설허가처분이 있게 되면 그 건설허가처분에 흡수되어 독립된 존재가치를 상실하므로 부지사전승인처분의 위법성은 나중에 내려진 건설허가처분의 취소를 구하는 소송에서 이를 다투면 된다.

2018년 변호사

① (○) 원자로 건설허가기준은 부지사전승인의 기준이 된다.

> 원자로 및 관계 시설의 부지사전승인처분은 원자로 등의 건설허가 전에 그 원자로 등 건설예정지로 계획 중인 부지가 원자력법의 관계 규정에 비추어 적법성을 구비한 것인지 여부를 심사하여 행하는 사전적 부분 건설허가처분의 성격을 가지고 있는 것이므로, 원자력법 제12조 제2호, 제3호로 규정한 원자로 및 관계 시설의 허가기준에 관한 사항은 건설허가처분의 기준이 됨은 물론 부지사전승인처분의 기준으로도 된다(대판 1998.9.4. 97누19588).

②, ⑤ (○) 부지사전승인은 처분에 해당하지만, 건설허가처분이 있게 되면 소의 이익을 상실한다.

> 원자로 및 관계 시설의 부지사전승인처분은 그 자체로서 건설부지를 확정하고 사전공사를 허용하는 법률효과를 지닌 독립한 행정처분이기는 하지만, 건설허가 전에 신청자의 편의를 위하여 미리 그 건설허가의 일부 요건을 심사하여 행하는 사전적 부분 건설허가처분의 성격을 갖고 있는 것이어서 나중에 건설허가처분이 있게 되면 그 건설허가처분에 흡수되어 독립된 존재가치를 상실함으로써 그 건설허가처분만이 쟁송의 대상이 되는 것이므로, 부지사전승인처분의 취소를 구하는 소는 소의 이익을 잃게 되고, 따라서 부지사전승인처분의 위법성은 나중에 내려진 건설허가처분의 취소를 구하는 소송에서 이를 다투면 된다(대판 1998.9.4. 97누19588).

③ (×)

> 「주민투표법」제8조【국가정책에 관한 주민투표】① 중앙행정기관의 장은 지방자치단체를 폐지하거나 설치하거나 나누거나 합치는 경우 또는 지방자치단체의 구역을 변경하거나 주요시설을 설치하는 등 국가정책의 수립에 관하여 주민의 의견을 듣기 위하여 필요하다고 인정하는 때에는 주민투표의 실시구역을 정하여 관계 지방자치단체의 장에게 주민투표의 실시를 요구할 수 있다. 이 경우 중앙행정기관의 장은 미리 행정안전부장관과 협의하여야 한다.
> ④ 제1항의 규정에 의한 주민투표에 관하여는 제7조, 제16조, 제24조 제1항·제5항·제6항, 제25조 및 제26조의 규정을 적용하지 아니한다.
> 제24조【주민투표결과의 확정】⑤ 지방자치단체의 장 및 지방의회는 주민투표결과 확정된 내용대로 행정·재정상의 필요한 조치를 하여야 한다.

④ (○) 피해예상지역의 주민은 부지사전승인처분 취소소송의 원고적격이 인정된다.

> 원자력법 제12조 제2호의 취지는 방사성물질에 의하여 보다 직접적이고 중대한 피해를 입으리라고 예상되는 지역 내의 주민들의 위와 같은 이익을 직접적·구체적 이익으로서도 보호하려는 데에 있다 할 것이므로, 위와 같은 지역 내의 주민들에게는 방사성물질 등에 의한 생명·신체의 안전침해를 이유로 부지사전승인처분의 취소를 구할 원고적격이 있다(대판 1998.9.4. 97누19588).

답 ③

함께 정리하기

사례해결

원자로 등 건설허가기준
▷ 부지사전승인기준 ○

부지사전승인처분
▷ 독립한 행정처분 ○

중앙행정기관의 요청에 따른 주민투표
▷ 행정재정상 필요한 조치 不要

피해예상지역주민
▷ 부지사전승인처분 취소소송 원고적격 ○

건설허가처분
▷ 부지사전승인처분 소의 이익 상실

008

제3자효 행정행위에 대한 설명으로 가장 옳지 않은 것은?

① 행정행위는 상대방에 대한 통지(도달)로서 효력이 발생하며, 행정청은 개별법에서 달리 정하지 않는 한 제3자인 이해관계인에 대한 행정행위 통지의무를 부담하지 않는다.

② 제3자인 이해관계인은 법원의 참가결정이 없어도 관계처분에 의하여 자신의 법률상 이익이 침해되는 한 청문이나 공청회 등 의견청취절차에 참가할 수 있다.

③ 제3자가 어떠한 방법에 의하든지 행정처분이 있었음을 안 경우에는 안 날로부터 90일 이내에 행정심판이나 행정소송을 제기하여야 한다.

④ 甲에 대한 건축허가에 의하여 법률상 이익을 침해받은 인근주민 乙이 취소소송을 제기한 경우 乙은 소송당사자로서 「행정소송법」 소정의 요건을 충족하는 한 그가 다투는 행정처분의 집행정지를 신청할 수 있다.

문제 DATA

출제가능 지수 ▶▶▷
난이도 지수 ★★☆

함께 정리하기

제3자효 행정행위

행정행위
▷ 상대방에 대한 통지(도달)로서 효력 발생
▷ 제3자인 이해관계인에 대한 통지의무 ✕

제3자인 이해관계인
▷ 행정청이 직권 또는 신청에 따라 행정절차에 참여하게 한 경우에 의견청취절차에 참가 可

제3자가 어떠한 방법에 의하든지 행정처분이 있었음을 안 경우
▷ 안 날로부터 90일 이내에 행정심판이나 행정소송 제기해야 함

법률상 이익 침해된 제3자
▷ 취소소송제기·집행정지신청 可

2019년 서울시 9급

① (○) 상대방이 있는 행정행위는 상대방에게 통지(도달)됨으로써 효력이 발생한다(도달주의). 「행정절차법」상 이해관계가 있는 제3자에 대한 행정청의 통지의무 규정은 없다.

② (✕) 제3자인 이해관계인은 행정청이 직권으로 또는 신청에 따라 행정절차에 참여하게 한 경우에 「행정절차법」상 당사자등에 해당하고, 사전통지 및 의견제출의 기회를 받게 된다.

> 「행정절차법」 제2조 【정의】 이 법에서 사용하는 용어의 뜻은 다음과 같다.
> 4. "당사자등"이란 다음 각 목의 자를 말한다.
>   가. 행정청의 처분에 대하여 직접 그 상대가 되는 당사자
>   나. <u>행정청이 직권으로 또는 신청에 따라 행정절차에 참여하게 한 이해관계인</u>

③ (○) 현행법은 제3자효 행정행위에 있어서 처분청에 이해관계 있는 제3자에 대한 통지의무를 부과하고 있지 않기 때문에 제3자는 처분이 있음을 알기가 쉽지 않다. 다만, 제3자가 어떠한 경우로든 처분이 있음을 알게 된다면, 처분이 있음을 안 날로부터 90일 이내에 행정소송·행정심판을 제기해야 한다.

④ (○) 집행정지는 당사자의 신청 또는 법원의 직권에 의하므로 소송당사자인 乙은 집행정지의 요건을 갖춘다면 그가 다투는 행정처분의 집행정지를 신청할 수 있다.

> 「행정소송법」 제23조 【집행정지】 ② 취소소송이 제기된 경우에 처분등이나 그 집행 또는 절차의 속행으로 인하여 생길 회복하기 어려운 손해를 예방하기 위하여 긴급한 필요가 있다고 인정할 때에는 본안이 계속되고 있는 법원은 당사자의 신청 또는 직권에 의하여 처분등의 효력이나 그 집행 또는 절차의 속행의 전부 또는 일부의 정지(이하 "집행정지"라 한다)를 결정할 수 있다. 다만, 처분의 효력정지는 처분등의 집행 또는 절차의 속행을 정지함으로써 목적을 달성할 수 있는 경우에는 허용되지 아니한다.

답 ②

제3절 | 기속행위와 재량행위, 불확정 개념과 판단여지

001

문제 DATA
출제가능 지수 ▶▶▷
난이도 지수 ★★☆

기속행위와 재량행위에 대한 설명으로 옳지 않은 것은?

① 구 여객자동차 운수사업법령상 마을버스 한정면허시 확정되는 마을버스 노선을 정함에 있어서 기존 일반노선버스의 노선과의 중복 허용 정도에 대한 판단은 행정청의 재량에 속한다.

② 구 「수도권 대기환경개선에 관한 특별법」에서 정한 대기오염물질 총량관리사업장 설치의 허가는 부작위의무를 해제해 주는 행위로서 그 처분의 여부 및 내용의 결정은 기속행위에 해당한다.

③ 국유재산의 무단점유 등에 대한 변상금 징수의 요건은 구 「국유재산법」에 명백히 규정되어 있으므로 변상금을 징수할 것인가는 처분청의 기속행위이다.

④ 「국토의 계획 및 이용에 관한 법률」상 개발행위허가는 허가기준 및 금지요건이 불확정 개념으로 규정된 부분이 많아 그 요건에 해당하는지 여부는 행정청의 재량판단의 영역에 속한다.

2025년 국가직 9급

① (○) 구 자동차운수사업법 제4조 제1항·제3항, 같은 법 시행규칙 제14조의2 등의 관련규정에 의하면, 마을버스운송사업면허의 허용 여부는 사업구역의 교통수요, 노선결정, 운송업체의 수송능력, 공급 능력 등에 관하여 기술적·전문적인 판단을 요하는 분야로서 이에 관한 행정처분은 운수행정을 통한 공익실현과 아울러 합목적성을 추구하기 위하여 보다 구체적 타당성에 적합한 기준에 의하여야 할 것이므로 그 범위 내에서는 법령이 특별히 규정한 바가 없으면 행정청의 재량에 속하는 것이라고 보아야 할 것이고, 마을버스 한정면허시 확정되는 마을버스 노선을 정함에 있어서도 기존 일반노선버스의 노선과의 중복 허용 정도에 대한 판단도 행정청의 재량에 속한다(대판 2001.1.19. 99두3812 ; 대판 2002.5.10. 2001두10028).
② (×) 구 수도권대기환경특별법 제14조 제1항에서 정한 대기오염물질 총량관리사업장설치의 허가 또는 변경허가는 특정인에게 인구가 밀집되고 대기오염이 심각하다고 인정되는 수도권 대기관리권역에서 총량관리대상 오염물질을 일정량을 초과하여 배출할 수 있는 특정한 권리를 설정하여 주는 행위로서 그 처분의 여부 및 내용의 결정은 행정청의 재량에 속한다(대판 2013.5.9. 2012두22799).
③ (○) 국유재산의 무단점유 등에 대한 변상금징수의 요건은 국유재산법 제51조 제1항에 명백히 규정되어 있으므로 변상금을 징수할 것인가는 처분청의 재량을 허용하지 않는 기속행위이다(대판 2000.1.28. 97누4098).
④ (○) 국토의 계획 및 이용에 관한 법률(이하 '국토계획법'이라 한다)이 정한 용도지역 안에서의 건축허가는 건축법 제11조 제1항에 의한 건축허가와 국토계획법 제56조 제1항의 개발행위허가의 성질을 아울러 갖는데, 개발행위허가는 허가기준 및 금지요건이 불확정개념으로 규정된 부분이 많아 그 요건에 해당하는지 여부는 행정청의 재량판단의 영역에 속한다(대판 2017.3.15. 2016두55490).

답 ②

함께 정리하기

기속행위와 재량행위

마을버스운송사업면허한정면허시 확정되는 마을버스 노선
▷ 재량행위

대기오염물질 총량관리사업장 설치의 허가
▷ 특허, 재량행위

국유재산 무단점유에 대한 변상금 징수
▷ 기속행위

국토계획법상 개발행위허가
▷ 재량행위

002 □□□

기속행위와 재량행위에 대한 설명으로 옳지 않은 것은? (다툼이 있는 경우 판례에 의함)

① 재외동포에 대한 사증발급은 행정청의 재량행위에 속하는 것으로서, 재외동포가 사증발급을 신청한 경우에 「출입국관리법 시행령」[별표 1의2]에서 정한 재외동포체류자격의 요건을 갖추었다고 해서 무조건 사증을 발급해야 하는 것은 아니다.
② 「행정기본법」상 행정청은 재량이 있는 처분을 할 때에는 관련 이익을 정당하게 형량하여야 하며, 그 재량권의 범위를 넘어서는 아니 된다.
③ 구 「여객자동차 운수사업법」에 의한 개인택시운송사업면허는 특정인에게 권리나 이익을 부여하는 이른바 수익적 행정행위로서 법령에 특별한 규정이 없는 한 재량행위이다.
④ 육아휴직과 관련하여 「국가공무원법」 제73조 제2항에 따른 복직명령은 재량행위이므로 국가공무원이 휴직의 사유가 소멸하였음을 이유로 복직을 신청하는 경우 임용권자가 지체 없이 복직명령을 하여야 하는 것은 아니다.

문제 DATA

출제가능 지수 ▶▶▷
난이도 지수 ★★☆

2025년 소방직

① (○) 재외동포에 대한 사증발급은 행정청의 재량행위에 속하는 것으로서, 재외동포가 사증발급을 신청한 경우에 출입국관리법 시행령 [별표 1의2]에서 정한 재외동포체류자격의 요건을 갖추었다고 해서 무조건 사증을 발급해야 하는 것은 아니다. 재외동포에게 출입국관리법 제11조 제1항 각 호에서 정한 입국금지사유 또는 재외동포법 제5조 제2항에서 정한 재외동포체류자격 부여 제외사유(이 사건에서는 '대한민국 남자가 병역을 기피할 목적으로 외국국적을 취득하고 대한민국 국적을 상실하여 외국인이 된 경우')가 있어 그의 국내 체류를 허용하지 않음으로써 달성하고자 하는 공익이 그로 말미암아 발생하는 불이익보다 큰 경우에는 행정청이 재외동포체류자격의 사증을 발급하지 않을 재량을 가진다고 보아야 한다(대판 2019.7.11. 2017두38874).

함께 정리하기

기속행위와 재량행위

재외동포에 대한 사증발급
▷ 재량행위

재량행위
▷ 관련 이익 정당하게 형량
▷ 일탈·남용 금지

개인택시운송사업면허
▷ 재량행위

육아휴직 중 복직명령
▷ 기속행위

② (O)

> 「행정기본법」 제21조 【재량행사의 기준】 행정청은 재량이 있는 처분을 할 때에는 관련 이익을 정당하게 형량하여야 하며, 그 재량권의 범위를 넘어서는 아니 된다.

③ (O) 구 여객자동차 운수사업법에 의한 개인택시운송사업면허는 특정인에게 권리나 이익을 부여하는 행정행위로서 법령에 특별한 규정이 없는 한 재량행위이고, 그 면허를 위하여 정하여진 순위 내에서의 운전경력인정방법의 기준설정 역시 행정청의 재량에 속한다(대판 2010.1.28. 2009두19137).

④ (×) 구 교육공무원법(2011.5.19. 법률 제10634호로 개정되기 전의 것) 제44조 제1항 제7호는 '만 6세 이하의 초등학교 취학 전 자녀'를 양육대상으로 하여 '교육공무원이 그 자녀를 양육하기 위하여 필요한 경우'를 육아휴직의 사유로 규정하고 있으므로, 육아휴직 중 그 사유가 소멸하였는지는 해당 자녀가 사망하거나 초등학교에 취학하는 등으로 양육대상에 관한 요건이 소멸한 경우뿐만 아니라 육아휴직 중인 교육공무원에게 해당 자녀를 더 이상 양육할 수 없거나, 양육을 위하여 휴직할 필요가 없는 사유가 발생하였는지 여부도 함께 고려하여야 하고, 국가공무원법 제73조 제2항의 문언에 비추어 복직명령은 기속행위이므로 휴직사유가 소멸하였음을 이유로 신청하는 경우 임용권자는 지체 없이 복직명령을 하여야 한다(대판 2014.6.12. 2012두4852).

답 ④

003

재량행위에 대한 설명으로 옳지 않은 것은? (다툼이 있는 경우 판례에 의함)

① 재량이 인정되는 과징금 납부명령이 재량권을 일탈하였을 경우 법원은 재량권의 일탈여부를 판단할 수 있을 뿐만아니라 법원이 적정하다고 인정하는 부분을 초과한 부분을 취소할 수 있다.
② 공무원 임용을 위한 면접전형에서 임용신청자의 능력이나 적격성 등에 관한 판단은 면접위원의 자유재량에 속한다.
③ 귀화신청인이 구 「국적법」에서 정한 귀화요건을 갖추지 못한 경우 관할 행정청은 귀화허부에 관한 재량권을 행사할 여지 없이 귀화불허처분을 하여야 한다.
④ 처분이 재량권을 일탈·남용하였다는 사정은 그 처분의 효력을 다투는 자가 주장·증명하여야 한다.

| 2025년 경찰간부

① (×) 처분을 할 것인지 여부와 처분의 정도에 관하여 재량이 인정되는 과징금 납부명령에 대하여 그 명령이 재량권을 일탈하였을 경우 법원으로서는 재량권의 일탈 여부만 판단할 수 있을 뿐이지 재량권의 범위 내에서 어느 정도가 적정한 것인지에 관하여 판단할 수 없으므로 그 전부를 취소할 수밖에 없고, 법원이 적정하다고 인정되는 부분을 초과한 부분만 취소할 수는 없는 것이며, 또한 수개의 위반행위에 대하여 하나의 과징금 납부명령을 하였으나 수개의 위반행위 중 일부의 위반행위만이 위법하지만, 소송상 그 일부의 위반행위를 기초로 한 과징금액을 산정할 수 있는 자료가 없는 경우에는 하나의 과징금 납부명령 전부를 취소할 수밖에 없다(대판 2007.10.26. 2005두3172).
② (O) 공무원 임용을 위한 면접전형에 있어서 임용신청자의 능력이나 적격성 등에 관한 판단은 면접위원의 고도의 교양과 학식, 경험에 기초한 자율적 판단에 의존하는 것으로서 오로지 면접위원의 자유재량에 속하고, 그와 같은 판단이 현저하게 재량권을 일탈 내지 남용한 것이 아니라면 이를 위법하다고 할 수 없는 것이다(대판 1997.11.28. 97누11911).
③ (O) 귀화신청인이 구 국적법(2017.12.19. 법률 제15249호로 개정되기 전의 것) 제5조 각 호에서 정한 귀화요건을 갖추지 못한 경우 법무부장관은 귀화 허부에 관한 재량권을 행사할 여지 없이 귀화불허처분을 하여야 한다(대판 2018.12.13. 2016두31616).

문제 DATA

출제가능 지수 ▶▶▷
난이도 지수 ★★☆

함께 정리하기

재량행위
과징금부과 위법
▷ 법원은 부분취소 불가(∵재량)
공무원 면접전형시 능력·적격성판단
▷ 재량행위
귀화요건 불충족 시
▷ 재량행사 여지 없이 귀화불허처분
재량행위
▷ 처분이 위법함(재량의 일탈·남용)을 원고가 입증

④ (○) 재량행위에 해당하는 행정행위에 대한 사법심사는 기속행위에 대한 사법심사와는 달리 행정청의 재량에 기초한 공익 판단의 여지를 감안하여 법원이 독자적인 결론을 내리지 않고 해당 행위에 재량권의 일탈·남용이 있는지 여부만을 심사하게 되고, 이러한 재량권의 일탈·남용 여부에 대한 심사는 사실오인, 비례·평등의 원칙 위배 등을 그 판단 대상으로 하며, 이러한 재량권의 일탈·남용에 대하여는 그 행정행위의 효력을 다투는 사람이 증명책임을 진다(대판 2016.10.27. 2015두41579).

답 ①

004 □□□

기속행위와 재량행위에 관한 설명으로 옳지 않은 것은? (다툼이 있는 경우 판례에 의함)

① 기속행위와 재량행위의 구분은 당해 행위의 근거가 된 법규의 체재·형식과 그 문언, 당해 행위가 속하는 행정분야의 주된 목적과 특성, 당해 행위 자체의 개별적 성질과 유형 등을 모두 고려하여 판단하여야 한다.
② 재량행위에 대한 사법심사가 이루어지는 경우, 법원은 독자의 결론을 도출하고, 그 결론에 비추어 행정청이 한 판단의 적법 여부를 독자의 입장에서 판정하는 방식에 의해야 한다.
③ 건축허가권자는 건축허가신청이 「건축법」등 관계 법규에서 정하는 어떠한 제한에 배치되지 않는 이상 당연히 같은 법조에서 정하는 건축허가를 하여야 하고, 중대한 공익상의 필요가 없는데도 관계 법령에서 정하는 제한사유 이외의 사유를 들어 요건을 갖춘 자에 대한 허가를 거부할 수는 없다.
④ 판례는 재량권과 판단여지를 구분하지 않고, 판단여지가 인정되는 경우에도 재량권이 인정되는 것으로 본다.

2024년 소방직

① (○), ② (×) 행정행위가 그 재량성의 유무 및 범위와 관련하여 이른바 기속행위 내지 기속재량행위와 재량행위 내지 자유재량행위로 구분된다고 할 때, 그 구분은 당해 행위의 근거가 된 법규의 체재·형식과 그 문언, 당해 행위가 속하는 행정 분야의 주된 목적과 특성, 당해 행위 자체의 개별적 성질과 유형 등을 모두 고려하여 판단하여야 하고(①), 이렇게 구분되는 양자에 대한 사법심사는, 전자의 경우 그 법규에 대한 원칙적인 기속성으로 인하여 법원이 사실인정과 관련 법규의 해석·적용을 통하여 일정한 결론을 도출한 후 그 결론에 비추어 행정청이 한 판단의 적법 여부를 독자의 입장에서 판정하는 방식에 의하게 되나, 후자의 경우 행정청의 재량에 기한 공익판단의 여지를 감안하여 법원은 독자의 결론을 도출함이 없이 당해 행위에 재량권의 일탈·남용이 있는지 여부만을 심사하게 되고(②), 이러한 재량권의 일탈·남용 여부에 대한 심사는 사실오인, 비례·평등의 원칙 위배, 당해 행위의 목적 위반이나 동기의 부정 유무 등을 그 판단 대상으로 한다(대판 2001.2.9. 98두17593).
③ (○) 건축허가권자는 건축허가신청이 건축법 등 관계 법규에서 정하는 어떠한 제한에 배치되지 않는 이상 당연히 같은 법조에서 정하는 건축허가를 하여야 하고, 중대한 공익상의 필요가 없는데도 관계 법령에서 정하는 제한사유 이외의 사유를 들어 요건을 갖춘 자에 대한 허가를 거부할 수는 없다(대판 2009.9.24. 2009두8946).
④ (○) 불확정개념에 대한 행정청의 평가 및 결정에 대하여 사법부가 그 정당성을 판단하는 것이 불가능하거나 합당하지 않아서 행정청의 판단을 존중해 줄 수밖에 없는 영역(행정청의 고도로 전문적이고 기술적인 판단이나 고도로 정책적인 판단이 필요한 영역)이 있는데, 이런 영역을 판단여지라고 부른다. 판단여지가 인정되는 영역 내에서 행정청이 내린 판단은 법원에 의한 통제대상이 되지 않는다.

문제 DATA
출제가능 지수 ▶▶▷
난이도 지수 ★★☆

함께 정리하기
기속행위와 재량행위

기속행위와 재량행위 구별
▷ 법규형식·문언, 행정목적·특성, 행위의 성질등 고려

재량행위 심사
▷ 독자적 결론 도출×
▷ 일탈·남용 여부만 심사

건축허가
▷ 중대한 공익상 필요가 없는데도 법령의 제한사유 외 사유로 허가거부×

판례
▷ 재량행위와 판단여지 구별×

판단여지는 법률요건의 해석·적용의 문제인 반면, 재량은 법률효과의 결정에 관한 문제라는 점에서 차이가 있으나, 행정기관에게 판단여지가 인정되는 경우에는 그 한도에서 법원에 의한 심사권이 제한되므로 이 점에서 판단여지와 재량은 유사하다. 이에 대해 재량행위와 구별되는 독자적인 개념으로서 판단여지라는 개념을 인정할 것인지에 대해서 긍정설과 부정설의 견해가 나뉜다.

판례는 판단여지설의 논리를 일부 수용하면서도 재량행위와 판단여지를 구분하지 않고, 긍정설이 판단여지의 영역으로 보는 시험평가유사결정, 독립위원회의 결정 등을 모두 재량의 문제로 보고 있다(부정설의 입장).

답 ②

005 □□□

재량과 판단여지에 관한 판례의 내용으로 가장 옳지 않은 것은? (다툼이 있는 경우 판례에 의함)

① 환경오염 발생 우려와 같이 장래에 발생할 불확실한 상황과 파급효과에 대한 예측이 필요한 요건에 관한 허가권자의 재량적 판단은 형평이나 비례의 원칙에 뚜렷하게 배치되는 등의 사정이 없는 한 폭넓게 존중하여야 한다.

② 특정인에게 공유수면 이용권이라는 독점적 권리를 설정하여 주는 것과 같은 재량처분에 있어서는 재량권 행사의 기초가 되는 사실인정에 오류가 있거나 그에 대한 법령적용에 잘못이 없는 한 처분이 위법하다고 할 수 없다.

③ 공무원 임용을 위한 면접전형에서 임용신청자의 능력이나 적격성 등에 관한 판단은 면접위원의 고도의 교양과 학식, 경험에 기초한 자율적 판단에 의존하는 것으로서 오로지 면접위원의 자유재량에 속한다.

④ 「국토의 계획 및 이용에 관한 법률」 상 개발행위허가는 허가기준 및 금지요건이 불확정개념으로 규정된 부분이 많다고 하더라도 가능한 한 이를 엄격히 해석하여야 하므로, 그 요건에 해당하는지 여부는 행정청의 재량판단의 영역에 속한다고 할 수 없다.

2024년 군무원 7급

① (○) 환경의 훼손이나 오염을 발생시킬 우려가 있다는 점을 처분사유로 하는 산업단지개발계획 변경신청 거부처분과 관련하여 재량권의 일탈·남용 여부를 심사할 때에는 산업입지 및 개발에 관한 법률의 입법 취지와 목적, 인근 주민들의 토지이용실태와 생활환경 등 구체적 지역 상황, 환경권의 보호에 관한 각종 규정의 입법 취지 및 상반되는 이익을 가진 이해관계자들 사이의 권익 균형 등을 종합하여 신중하게 판단하여야 한다. 그리고 '환경오염 발생 우려'와 같이 장래에 발생할 불확실한 상황과 파급효과에 대한 예측이 필요한 요건에 관한 행정청의 재량적 판단은 그 내용이 현저히 합리성을 결여하였다거나 상반되는 이익이나 가치를 대비해 볼 때 형평이나 비례의 원칙에 뚜렷하게 배치되는 등의 사정이 없는 한 폭넓게 존중하여야 한다. 또한 처분이 재량권을 일탈·남용하였다는 사정은 그 처분의 효력을 다투는 자가 주장·증명하여야 한다(대판 2021.7.29. 2021두33593).

② (○) 공유수면법에 따른 공유수면의 점용·사용허가는 특정인에게 공유수면 이용권이라는 독점적 권리를 설정하여 주는 처분으로서 그 처분의 여부 및 내용의 결정은 원칙적으로 행정청의 재량에 속한다고 할 것이고, 이와 같은 재량처분에 있어서는 그 재량권 행사의 기초가 되는 사실인정에 오류가 있거나 그에 대한 법령적용에 잘못이 없는 한 그 처분이 위법하다고 할 수 없다고 할 것이다(대판 2014.9.4. 2014두2164).

③ (○) 공무원 임용을 위한 면접전형에서 임용신청자의 능력이나 적격성 등에 관한 판단은 면접위원의 고도의 교양과 학식, 경험에 기초한 자율적 판단에 의존하는 것으로서 오로지 면접위원의 자유재량에 속하고, 그와 같은 판단이 현저하게 재량권을 일탈·남용하지 않은 한 이를 위법하다고 할 수 없다(대판 2008.12.24. 2008두8970).

문제 DATA

출제가능 지수 ▶▶▷
난이도 지수 ★★☆

함께 정리하기

재량과 판단여지

'환경오염 발생우려'와 같은 미래예측결정에 관한 요건 판단
▷ 재량행위

공유수면의 점용·사용허가
▷ 특허, 재량행위
▷ 재량의 일탈·남용 심사: 사실오인, 법령적용 잘못 없는 한 위법 ×

공무원 면접에서 면접위원의 판단
▷ 재량행위

국토계획법상 개발행위허가
▷ 재량행위

④ (×) 국토의 계획 및 이용에 관한 법률상 개발행위허가는 허가기준 및 금지요건이 불확정개념으로 규정된 부분이 많아 그 요건에 해당하는지 여부는 행정청의 재량판단의 영역에 속한다. 그러므로 그에 대한 사법심사는 행정청의 공익판단에 관한 재량의 여지를 감안하여 원칙적으로 재량권의 일탈·남용이 있는지 여부만을 대상으로 하고, 사실오인과 비례·평등원칙 위반 여부 등이 판단 기준이 된다(대판 2021.3.25. 2020두51280).

답 ④

006 □□□

행정재량에 대한 설명으로 옳지 않은 것은? (다툼이 있는 경우 판례에 의함)

① 국유재산의 무단점유 등에 대한 변상금 징수의 요건이 구「국유재산법」제51조 제1항에 명백히 규정되어 있다면, 변상금을 징수할 것인가는 처분청의 재량을 허용하지 않는 기속행위이다.
② 처분의 근거법령이 처분의 요건과 효과 판단에 일정한 재량을 부여하였는데도, 행정청이 자신에게 재량권이 없다고 오인한 나머지 처분으로 인하여 달성하려는 공익과 그로써 처분상대방이 입게 되는 불이익의 내용과 정도를 전혀 비교형량 하지 않은 채 처분을 하였다면, 이는 재량권 불행사로서 그 자체로 재량권 일탈·남용으로 위법사유가 된다.
③ 행정청은 재량이 있는 제재처분을 할 때에는 위반행위의 동기, 목적 및 방법, 위반행위의 결과, 위반행위의 횟수 등을 고려하여야 한다.
④ 경찰공무원에 대한 징계위원회의 심의과정에서 감경사유에 해당하는 공적 사항이 제시되지 아니한 경우라도 그 징계양정이 결과적으로 적정하였다면 해당 징계처분은 위법한 것은 아니다.

2024년 경찰간부

① (○) 국유재산의 무단점유 등에 대한 변상금징수의 요건은 국유재산법 제51조 제1항에 명백히 규정되어 있으므로 변상금을 징수할 것인가는 처분청의 재량을 허용하지 않는 기속행위이다(대판 2000.1.28. 97누4098).
② (○) 처분의 근거 법령이 행정청에 처분의 요건과 효과 판단에 일정한 재량을 부여하였는데도, 행정청이 자신에게 재량권이 없다고 오인한 나머지 처분으로 달성하려는 공익과 그로써 처분상대방이 입게 되는 불이익의 내용과 정도를 전혀 비교형량하지 않은 채 처분을 하였다면, 이는 재량권 불행사로서 그 자체로 재량권 일탈·남용으로 해당 처분을 취소하여야 할 위법사유가 된다(대판 2019.7.11. 2017두38874).
③ (○)

> 「행정기본법」제22조【제재처분의 기준】② 행정청은 재량이 있는 제재처분을 할 때에는 다음 각 호의 사항을 고려하여야 한다.
> 1. 위반행위의 동기, 목적 및 방법
> 2. 위반행위의 결과
> 3. 위반행위의 횟수
> 4. 그 밖에 제1호부터 제3호까지에 준하는 사항으로서 대통령령으로 정하는 사항

④ (×) 경찰공무원에 대한 징계위원회의 심의과정에 감경사유에 해당하는 공적 사항이 제시되지 아니한 경우에는 그 징계양정이 결과적으로 적정한지와 상관없이 이는 관계 법령이 정한 징계절차를 지키지 않은 것으로서 위법하다(대판 2012.10.11. 2012두13245).

답 ④

문제 DATA
출제가능 지수 ▶▶▷
난이도 지수 ★★☆

함께 정리하기

행정재량

국유재산 무단점유에 대한 변상금 징수
▷ 기속행위

재량권이 있으나 전혀 비교형량하지 않은 채 처분
▷ 재량의 불행사로서 재량의 일탈·남용

재량 있는 제재처분시
▷ 동기, 목적, 방법, 위반의 결과 및 횟수 등 고려하여야

반드시 제출되어야 하는 공적사항 미제출
▷ 징계양정의 적정여부 불문 징계처분 위법

007

기속행위와 재량행위에 대한 설명으로 옳은 것은? (다툼이 있는 경우 판례에 의함)

① 재량행위에 대한 법원의 심사는 재량권의 일탈 또는 남용 및 재량권의 한계 내에서의 행정청의 판단, 즉 합목적성 내지 공익성의 판단 등을 대상으로 한다.
② 육아휴직 중 「국가공무원법」 제73조 제2항에서 정한 복직 요건인 '휴직사유가 없어진 때'에 하는 복직명령은 기속행위이므로 휴직사유가 소멸하였음을 이유로 복직을 신청하는 경우 임용권자는 지체 없이 복직명령을 하여야 한다.
③ 재외동포에 대한 사증발급은 행정청의 기속행위에 속하는 것으로서, 재외동포가 사증발급을 신청한 경우에 구 「출입국관리법 시행령」 [별표 1의2]에서 정한 재외동포체류자격의 요건을 갖추었다면 사증을 발급해야 한다.
④ 구 「주택건설촉진법」 제33조에 의한 주택건설사업계획의 승인은 인간이 본래 가지고 있는 자연적 자유의 회복을 내용으로 하는 행정청의 기속행위에 속한다.

2023년 국가직 7급

① (×) 재량행위에 대한 법원의 심사대상은 재량권의 일탈 또는 남용 여부, 즉 위법 여부이다. 한편, 재량권의 한계 내에서의 행정청의 판단, 즉 합목적성 내지 공익성의 판단 등은 위법의 문제가 아니라 당·부당의 문제이므로 행정심판의 대상은 되지만 법원의 심사대상은 되지 않는다.

> 「행정소송법」 제27조【재량처분의 취소】 행정청의 재량에 속하는 처분이라도 재량권의 한계를 넘거나 그 남용이 있는 때에는 법원은 이를 취소할 수 있다.

② (○) 육아휴직 중 「국가공무원법」 제73조 제2항에 따른 복직명령의 법적 성질은 기속행위이다.

> 구 교육공무원법 제44조 제1항 제7호는 '만 6세 이하의 초등학교 취학 전 자녀'를 양육대상으로 하여 '교육공무원이 그 자녀를 양육하기 위하여 필요한 경우'를 육아휴직의 사유로 규정하고 있으므로, 육아휴직 중 그 사유가 소멸하였는지는 해당 자녀가 사망하거나 초등학교에 취학하는 등으로 양육대상에 관한 요건이 소멸한 경우뿐만 아니라 육아휴직 중인 교육공무원에게 해당 자녀를 더 이상 양육할 수 없거나, 양육을 위하여 휴직할 필요가 없는 사유가 발생하였는지 여부도 함께 고려하여야 하고, <u>국가공무원법 제73조 제2항의 문언에 비추어 복직명령은 기속행위이므로 휴직사유가 소멸하였음을 이유로 신청하는 경우 임용권자는 지체 없이 복직명령을 하여야 한다</u>(대판 2014.6.12. 2012두4852).

유제 20. 5급 승진 「국가공무원법」상 복직명령은 기속행위이므로 휴직 중인 공무원이 휴직사유가 소멸하였음을 이유로 복직을 신청하는 경우 임용권자는 지체 없이 복직명령을 하여야 한다. (○)

③ (×) <u>재외동포에 대한 사증발급은 행정청의 재량행위에 속하는 것으로서, 재외동포가 사증발급을 신청한 경우에 출입국관리법 시행령 [별표 1의2]에서 정한 재외동포체류자격의 요건을 갖추었다고 해서 무조건 사증을 발급해야 하는 것은 아니다.</u> 재외동포에게 출입국관리법 제11조 제1항 각 호에서 정한 입국금지사유 또는 재외동포법 제5조 제2항에서 정한 재외동포체류자격 부여 제외사유(예 대한민국 남자가 병역을 기피할 목적으로 외국국적을 취득하고 대한민국 국적을 상실하여 외국인이 된 경우)가 있어 <u>그의 국내 체류를 허용하지 않음으로써 달성하고자 하는 공익이 그로 말미암아 발생하는 불이익보다 큰 경우에는 행정청이 재외동포체류자격의 사증을 발급하지 않을 재량을 가진다</u>(대판 2019.7.11. 2017두38874).

④ (×) 구 주택건설촉진법 제33조 제1항의 규정에 의한 <u>주택건설사업계획의 승인</u>은 상대방에게 권리나 이익을 부여하는 효과를 수반하는 이른바 수익적 행정처분으로서 행정처분의 요건에 관하여 일의적으로 규정되어 있지 아니한 이상 <u>행정청의 재량행위에 속하고</u>, 그 전 단계인 같은 법 제32조의4 제1항의 규정에 의한 주택건설사업계획의 사전결정이 있다 하여 달리 볼 것은 아니다(대판 1999.5.25. 99두1052).

답 ②

문제 DATA
출제가능 지수 ▶▶▷
난이도 지수 ★★☆

함께 정리하기

기속행위와 재량행위

재량행위에 대한 법원의 심사 대상
▷ 일탈 또는 남용○, 합목적성 내지 공익성 판단×

육아휴직 중 복직명령
▷ 기속행위

재외동포에 대한 사증발급
▷ 재량행위

주택건설사업계획의 승인
▷ 기속행위

008 □□□

기속행위와 재량행위에 대한 설명으로 옳지 않은 것은? (다툼이 있는 경우 판례에 의함)

① 기속행위와 재량행위의 구분은 당해 행위의 근거가 된 법규의 체재·형식과 그 문언, 당해 행위가 속하는 행정 분야의 주된 목적과 특성, 당해 행위 자체의 개별적 성질과 유형 등을 모두 고려하여 판단하여야 한다.
② 처분의 근거 법령이 행정청에 재량을 부여하였으나 행정청이 처분으로 달성하려는 공익과 처분상대방이 입게 되는 불이익을 전혀 비교형량 하지 않은 채 처분을 하였더라도 재량권 일탈·남용으로 해당 처분을 취소해야 할 위법사유가 되지는 않는다.
③ 행정청은 처분에 재량이 없는 경우에는 법률에 근거가 있는 경우에 부관을 붙일 수 있다.
④ 재량행위의 경우 법원은 독자의 결론을 도출함이 없이 당해 행위에 재량권의 일탈·남용이 있는지 여부만을 심사한다.

문제 DATA
출제가능 지수 ▶▶▶
난이도 지수 ★★☆

함께 정리하기
기속행위와 재량행위

기속행위와 재량행위 구별
▷ 법규형식·문언, 행정목적·특성, 행위의 성질 등을 모두 고려해 판단

재량권이 있으나 전혀 비교형량하지 않은 채 처분
▷ 재량권 불행사로서 재량권 일탈·남용

기속행위
▷ 법률에 근거가 있는 경우에 부관 可

재량행위심사
▷ 독자적 결론 도출 ✕
▷ 일탈·남용 여부만 심사

2023년 군무원 9급

①, ④ (○) 행정행위가 그 재량성의 유무 및 범위와 관련하여 이른바 기속행위 내지 기속재량행위와 재량행위 내지 자유재량행위로 구분된다고 할 때, <u>그 구분은 당해 행위의 근거가 된 법규의 체재·형식과 그 문언, 당해 행위가 속하는 행정 분야의 주된 목적과 특성, 당해 행위 자체의 개별적 성질과 유형 등을 모두 고려하여 판단하여야 하고</u>(①), 이렇게 구분되는 양자에 대한 사법심사는, 전자(기속행위)의 경우 그 법규에 대한 원칙적인 기속성으로 인하여 법원이 <u>사실인정과 관련법규의 해석·적용을 통하여 일정한 결론을 도출한 후 그 결론에 비추어 행정청이 한 판단의 적법 여부를 독자의 입장에서 판정하는 방식에 의하게 되나</u>, 후자(재량행위)의 경우 행정청의 재량에 기한 공익판단의 여지를 감안하여 법원은 <u>독자의 결론을 도출함이 없이 당해 행위에 재량권의 일탈·남용이 있는지 여부만을 심사하게 되고</u>(④), 이러한 재량권의 일탈·남용 여부에 대한 심사는 사실오인, 비례·평등의 원칙 위배, 당해 행위의 목적 위반이나 동기의 부정 유무 등을 그 판단대상으로 한다(대판 2001.2.9. 98두17593).

유제 23. 소방직 행정청의 재량에 기한 공익판단의 여지를 감안하여 법원은 독자의 결론을 도출함이 없이 당해 행위에 재량권의 일탈·남용이 있는지 여부만을 심사한다. (○)
21. 국회직 8급 재량행위에 대한 사법심사에 있어서 법원은 사실인정과 관련법규의 해석·적용을 통하여 일정한 결론을 도출한 후 그 결론에 비추어 행정청이 한 판단의 적법 여부를 독자의 입장에서 판정하는 방식에 의한다. (✕)
20. 군무원 7급, 15. 서울시 7급, 14. 국회직 8급 재량권의 일탈·남용 여부에 대한 심사는 사실오인, 비례·평등원칙 위배, 당해 행위의 목적 위반이나 동기의 부정 유무 등을 그 판단 대상으로 한다. (○)
20. 국가직 7급 기속행위의 경우 법원이 사실인정과 관련 법규의 해석·적용을 통하여 일정한 결론을 도출한 후 그 결론에 비추어 행정청이 한 판단의 적법 여부를 독자의 입장에서 판정한다. (○)
18. 국가직 7급, 17. 국가직 9급, 12. 국가직 9급, 10. 국가직 9급 재량행위에 대한 사법심사는 행정청의 재량에 기한 공익판단의 여지를 감안하여 법원은 독자의 결론을 도출함이 없이 당해 행위에 재량권의 일탈·남용이 있는지 여부를 심사한다. (○)

② (✕) 처분의 근거법령이 행정청에 처분의 요건과 효과 판단에 일정한 재량을 부여하였는데도, 행정청이 자신에게 재량권이 없다고 오인한 나머지 처분으로 달성하려는 공익과 그로써 처분상대방이 입게 되는 불이익의 내용과 정도를 전혀 비교형량하지 않은 채 처분을 하였다면, 이는 <u>재량권 불행사로서 그 자체로 재량권 일탈·남용으로 해당 처분을 취소하여야 할 위법사유가 된다</u>(대판 2019.7.11. 2017두38874).

유제 23. 소방직 처분의 근거법령이 행정청에 처분의 요건과 효과 판단에 일정한 재량을 부여하였으나, 행정청이 자신에게 재량권이 없다고 오인하여 처분으로 달성하려는 공익과 그로써 처분상대방이 입게 되는 불이익의 내용과 정도를 전혀 비교형량하지 않은 채 처분을 하였다고 하더라도, 그 자체로 재량권 일탈·남용으로 해당 처분을 취소하여야 할 위법사유가 되지는 않는다. (✕)

③ (○)

> 「행정기본법」 제17조 【부관】 ② 행정청은 처분에 재량이 없는 경우에는 법률에 근거가 있는 경우에 부관을 붙일 수 있다.

답 ②

문제 DATA

출제가능 지수 ▶▶▷
난이도 지수 ★★☆

009 ☐☐☐

재량행위에 대한 설명으로 옳지 않은 것은? (다툼이 있는 경우 판례에 의함)

① 행정청의 재량에 기한 공익판단의 여지를 감안하여 법원은 독자의 결론을 도출함이 없이 당해 행위에 재량권의 일탈·남용이 있는지 여부만을 심사한다.

② 행정청의 전문적인 정성적 평가 결과는 판단의 기초가 된 사실인정에 중대한 오류가 있거나 그 판단이 사회통념상 현저하게 타당성을 잃어 객관적으로 불합리하다는 등의 특별한 사정이 없는 한 법원이 당부를 심사하기에 적절하지 않으므로 가급적 존중되어야 한다.

③ 처분의 근거법령이 행정청에 처분의 요건과 효과 판단에 일정한 재량을 부여하였으나, 행정청이 자신에게 재량권이 없다고 오인하여 처분으로 달성하려는 공익과 그로써 처분상대방이 입게 되는 불이익의 내용과 정도를 전혀 비교형량하지 않은 채 처분을 하였다고 하더라도, 그 자체로 재량권 일탈·남용으로 해당 처분을 취소하여야 할 위법사유가 되지는 않는다.

④ 구 「사행행위등규제법」에 의한 허가의 경우 허가신청이 적극적 요건에 해당하는지 여부를 판단하는 것은 재량행위라 할 수 있겠으나 허가제한사유에 해당되는 경우에는 적극적 요건에 해당하는지 여부를 판단할 필요는 없다.

2023년 소방직

① (O) 대판 2001.2.9. 98두17593
② (O) 행정청의 전문적인 정성적 평가 결과는 그 판단의 기초가 된 사실인정에 중대한 오류가 있거나 그 판단이 사회통념상 현저하게 타당성을 잃어 객관적으로 불합리하다는 등의 특별한 사정이 없는 한 법원이 그 당부를 심사하기에 적절하지 않으므로 가급적 존중되어야 한다. 한편 여기에 재량권을 일탈·남용한 특별한 사정이 있다는 점은 증명책임분배의 일반원칙에 따라 이를 주장하는 자가 증명하여야 한다(대판 2016.1.28. 2013두21120 ; 대판 2018.6.15. 2016두57564).
③ (×) 처분의 근거법령이 행정청에 처분의 요건과 효과 판단에 일정한 재량을 부여하였는데도, 행정청이 자신에게 재량권이 없다고 오인한 나머지 처분으로 달성하려는 공익과 그로써 처분상대방이 입게 되는 불이익의 내용과 정도를 전혀 비교형량하지 않은 채 처분을 하였다면, 이는 재량권 불행사로서 그 자체로 재량권 일탈·남용으로 해당 처분을 취소하여야 할 위법사유가 된다(대판 2019.7.11. 2017두38874).
④ (O) 구 사행행위규제법(1993.12.27. 법률 제4607호로 사행행위 등 규제 및 처벌 특례법으로 개정되기 전의 것)은 구 복표 발행 현상 기타 사행행위 단속법과는 달리 사행행위의 종류별로 허가의 요건을 달리하여, 투전기업에 대하여는 제5조 제1항 제3호, 제4호에서 외국인을 상대로 하는 오락시설로서 외화획득에 특히 필요하다고 인정되거나 관광진흥과 관광객의 유치촉진을 위하여 특히 필요하다고 인정될 것을 적극적 요건으로 규정함과 아울러, 제6조 제3호에서는 기타 다른 법령에서 사행행위영업을 할 수 없도록 규정하고 있는 경우 등에 해당할 때에는 허가를 할 수 없도록 규정하고 있으므로, 이 법에 의한 허가의 경우 허가신청이 적극적 요건에 해당하는지 여부를 판단하는 것은 재량행위라 할 수 있겠으나 허가제한사유에 해당되는 경우에는 적극적 요건에 해당하는 여부를 판단할 필요도 없이 당연히 불허가하여야 한다(대판 1994.8.23. 94누5410).

답 ③

함께 정리하기

재량행위

재량행위심사
▷ 독자적 결론 도출×
▷ 일탈·남용 여부만 심사

행정청의 전문적인 정성적 평가 결과
▷ 가급적 존중

재량권이 있으나 전혀 비교형량하지 않은 채 처분
▷ 재량권 불행사로서 재량권 일탈·남용

「사행행위등규제법」에 의한 허가
▷ 허가신청이 적극적 요건에 해당하는지 여부 판단은 재량행위, 제한사유에 해당되는 경우 적극적 요건 판단 불요

010 □□□

기속행위와 재량행위에 대한 설명으로 가장 옳지 않은 것은? (다툼이 있는 경우 판례에 의함)

① 기속행위란 법규상의 구성요건에서 정한 요건이 충족되면 행정청이 반드시 어떤 행위를 하거나 하지 말아야 하는 행정행위를 말한다.
② 행정청의 재량에 속하는 처분이라도 재량권의 한계를 넘거나 그 남용이 있을 때에는 법원은 이를 취소할 수 있다.
③ 재량행위란 행정법규가 행정행위를 규율함에 있어서 행정청에게 자기판단을 할 여지를 부여하고 있는 경우에 행정청이 행하는 행정행위를 말한다.
④ "대한민국에 체류하는 외국인이 그 체류자격과 다른 체류자격에 해당하는 활동을 하려면 미리 법무부장관의 체류자격변경허가를 받아야 한다."라는 규정에 따라 변경신청을 받은 법무부장관은 변경허가를 해주어야 한다.

문제 DATA
출제가능 지수 ▶▶↻
난이도 지수 ★★☆

2022년 서울시 7급

① (○) 기속행위란 근거법이 행정권 행사의 요건 및 법적 결과를 일의적·확정적으로 규정하고 있어서 법규에서 정한 요건이 충족되면 행정청이 반드시 어떠한 행위를 하거나 하지 말아야 하는 행정행위를 말한다.
② (○)

> 「행정소송법」 제27조 【재량처분의 취소】 행정청의 재량에 속하는 처분이라도 재량권의 한계를 넘거나 그 남용이 있는 때에는 법원은 이를 취소할 수 있다.

유제 17. 경찰 2차 「행정소송법」 제27조에 의하면 행정청의 재량에 속하는 처분이라도 재량권의 한계를 넘거나 그 남용이 있는 때에는 법원은 이를 취소하여야 한다. (×)
15. 경찰 3차, 13. 지방직 7급, 12. 지방직 9급, 10. 국가직 9급 등 행정청의 재량에 속하는 처분이라도 재량권의 한계를 넘거나 그 남용이 있는 때에는 법원은 이를 취소할 수 있다. (○)
10. 경찰 1차 「행정소송법」 제27조는 '행정청의 재량에 속하는 처분이라도 재량권의 한계를 넘거나 그 남용이 있는 때에는 법원은 이를 취소할 수 있다.'라고 규정하고 있다. (○)
09. 국가직 9급 재량행위가 그 한계를 넘거나 남용이 있더라도 법원은 이를 취소할 수 없다. (×)

③ (○) 재량행위란 행정법규가 행정행위를 규율함에 있어서 행정청에게 행정행위의 요건 및 법적 결과(효과)의 선택에 관하여 독자적 판단권을 인정하고 있는 경우에 행정청이 행하는 행정행위를 말한다.
④ (×) 출입국관리법 제10조는, 외국인으로서 입국하려는 자는 대통령령으로 정하는 체류자격을 가져야 한다고 규정하고(제1항), 1외에 부여할 수 있는 체류자격별 체류기간의 상한은 법무부령으로 정하도록 규정하고 있다(제2항). 그리고 같은 법 제24조 제1항은, 대한민국에 체류하는 외국인이 그 체류자격과 다른 체류자격에 해당하는 활동을 하려면 미리 법무부장관의 체류자격 변경허가를 받도록 규정하고 있다. … 위와 같은 관련 법령의 문언, 내용 및 형식, 체계 등에 비추어 보면, 체류자격 변경허가는 신청인에게 당초의 체류자격과 다른 체류자격에 해당하는 활동을 할 수 있는 권한을 부여하는 일종의 설권적 처분의 성격을 가지므로, 허가권자는 신청인이 관계법령에서 정한 요건을 충족하였다고 하더라도, 신청인의 적격성, 체류 목적, 공익상의 영향 등을 참작하여 허가 여부를 결정할 수 있는 재량을 가진다고 할 것이다(대판 2016.7.14. 2015두48846).

유제 22. 서울시 7급 "대한민국에 체류하는 외국인이 그 체류자격과 다른 체류자격에 해당하는 활동을 하려면 미리 법무부장관의 체류자격 변경허가를 받아야 한다."라는 규정에 따라 변경신청을 받은 법무부장관은 변경허가를 해주어야 한다. (×)
22. 소방직 「출입국관리법」상 체류자격변경허가는 기속행위이므로 신청인이 관계법령에서 정한 요건을 충족하면 허가권자는 신청을 받아들여 허가해야 한다. (×)
19. 소방직 「출입국관리법」상 체류자격 변경허가는 설권적 처분의 성격을 가지므로, 허가권자는 허가 여부를 결정할 수 있는 재량을 가진다. (○)

답 ④

함께 정리하기

기속행위와 재량행위

기속행위
▷ 요건이 충족되면 행정청이 반드시 어떤 행위를 하거나 하지 말아야 하는 행정행위

재량일탈·남용 시
▷ 법원이 취소 可

재량행위
▷ 행정법규가 행정청에 일정한 한도 내에서 재량권을 부여한 행위

「출입국관리법」상 체류자격변경허가
▷ 재량행위

문제 DATA

출제가능 지수 ▶▶Σ
난이도 지수 ★★☆

011 □□□

다음 중 재량행위에 해당하는 것만을 모두 고르면? (다툼이 있는 경우 판례에 의함)

> ㄱ. 「여객자동차 운수사업법」상 개인택시운송사업면허
> ㄴ. 구 「수도권대기환경특별법」상 대기오염물질 총량관리사업장 설치허가
> ㄷ. 「국가공무원법」상 휴직사유 소멸을 이유로 한 신청에 대한 복직명령
> ㄹ. 「출입국관리법」상 체류자격 변경허가

① ㄱ, ㄹ
② ㄴ, ㄷ
③ ㄱ, ㄴ, ㄹ
④ ㄱ, ㄴ, ㄷ, ㄹ

▶ 2022년 지방직 9급

ㄱ. (○) 자동차운수사업법에 의한 개인택시운송사업면허는 특정인에게 권리나 이익을 부여하는 행정행위로서 법령에 특별한 규정이 없는 한 재량행위이고, 그 면허를 위하여 필요한 기준을 정하는 것도 역시 행정청의 재량에 속하는 것이므로, 그 설정된 기준이 객관적으로 합리적이 아니라거나 타당하지 않다고 볼만한 다른 특별한 사정이 없는 이상 행정청의 의사는 가능한 한 존중되어야 한다(대판 1998.2.13. 97누13061).

유제 21. 국가직 7급 「여객자동차 운수사업법」에 의한 개인택시운송사업면허는 특정인에게 권리나 이익을 부여하는 행정행위로서 법령에 특별한 규정이 없는 한 재량행위이다. (○)

ㄴ. (○) 구 수도권대기환경특별법 제14조 제1항에서 정한 대기오염물질 총량관리사업장 설치의 허가 또는 변경허가는 특정인에게 인구가 밀집되고 대기오염이 심각하다고 인정되는 수도권 대기관리권역에서 총량관리대상 오염물질을 일정량을 초과하여 배출할 수 있는 특정한 권리를 설정하여 주는 행위로서 그 처분의 여부 및 내용의 결정은 행정청의 재량에 속한다고 할 것이다(대판 2013.5.9. 2012두22799).

ㄷ. (×) 국가공무원법 제73조 제2항의 문언에 비추어 복직명령은 기속행위이므로 휴직사유가 소멸하였음을 이유로 신청하는 경우 임용권자는 지체 없이 복직명령을 하여야 한다(대판 2014.6.12. 2012두4852).

ㄹ. (○) 대판 2016.7.14. 2015두48846

답 ③

함께 정리하기

재량행위 해당 여부

개인택시운송사업면허
▷ ○

대기오염물질 총량관리사업장 설치허가
▷ ○

복직명령
▷ ×

체류자격 변경허가
▷ ○

문제 DATA

출제가능 지수 ▶▶Σ
난이도 지수 ★★☆

012 □□□

행정행위에 대한 설명으로 옳지 않은 것은? (다툼이 있는 경우 판례에 의함)

① 재량에 의한 행정처분이 그 재량권의 한계를 벗어난 것이어서 위법하다는 점은 그 행정처분의 효력을 다투는 자가 이를 주장·입증하여야 하고, 처분청이 그 재량권의 행사가 정당한 것이었다는 점까지 주장·입증할 필요는 없다.

② 행정청이 제재처분 양정을 하면서 처분 상대방에게 법령에서 정한 임의적 감경사유가 있는 경우, 그 감경사유까지 고려하고도 감경하지 않은 채 개별처분기준에서 정한 상한으로 처분을 한 경우에는 재량권을 일탈·남용하였다고 보아야 한다.

③ 허가신청 후 허가기준이 변경된 경우에는 원칙적으로 처분시의 기준인 변경된 허가기준에 따라서 처분하여야 한다.

④ 학교법인의 임원이 교비회계자금을 법인회계로 부당전출하였고, 업무 집행에 있어서 직무를 태만히 하여 학교법인이 이를 시정하기 위한 노력을 하였으나 결과적으로 대부분의 시정 요구 사항이 이행되지 아니하였던 점 등을 고려하면, 교육부장관의 임원승인취소처분은 재량권을 일탈·남용한 것으로 볼 수 없다.

2022년 소방직

① (○) 자유재량에 의한 행정처분이 그 재량권의 한계를 벗어난 것이어서 위법하다는 점은 그 행정처분의 효력을 다투는 자가 이를 주장·입증하여야 하고 처분청이 그 재량권의 행사가 정당한 것이었다는 점까지 주장·입증할 필요는 없다(대판 1987.12.8. 87누861).

② (×) 처분상대방에게 법령에서 정한 임의적 감경사유가 있는 경우에, 행정청이 감경사유까지 고려하고도 감경하지 않은 채 개별처분기준에서 정한 상한으로 처분을 한 경우에는 재량권을 일탈·남용하였다고 단정할 수는 없으나, 행정청이 감경사유를 전혀 고려하지 않았거나 감경사유에 해당하지 않는다고 오인하여 개별처분기준에서 정한 상한으로 처분을 한 경우에는 마땅히 고려대상에 포함하여야 할 사항을 누락하였거나 고려대상에 관한 사실을 오인한 경우에 해당하여 재량권을 일탈·남용한 것이라고 보아야 한다(대판 2020.6.25. 2019두52980).

③ (○) 허가 등의 행정처분은 원칙적으로 처분시의 법령과 허가기준에 의하여 처리되어야 하고 허가신청 당시의 기준에 따라야 하는 것은 아니며, 비록 허가신청 후 허가기준이 변경되었다 하더라도 그 허가관청이 허가신청을 수리하고도 정당한 이유 없이 그 처리를 늦추어 그 사이에 허가기준이 변경된 것이 아닌 이상 변경된 허가기준에 따라서 처분을 하여야 한다(대판 1996.8.20. 95누10877).

④ (○) 학교법인의 임원취임승인취소처분에 대한 취소소송에서, 교비회계자금을 법인회계로 부당전출한 위법성의 정도와 임원들의 이에 대한 가공의 정도가 가볍지 아니하고, 학교법인이 행정청의 시정 요구에 대하여 이를 시정하기 위한 노력을 하였다고는 하나 결과적으로 대부분의 시정 요구 사항이 이행되지 아니하였던 사정 등을 참작하여, 위 취소처분이 재량권을 일탈·남용하였다고 볼 수 없다(대판 2007.7.19. 2006두19297 전합).

유제 11. 경찰 1차, 09. 지방직 7급 판례에 의하면 학교법인의 임원취임승인취소처분에 대한 취소소송에서, 교비회계자금을 법인회계로 부당전출한 위법성의 정도와 임원들의 이에 대한 가공의 정도가 가볍지 아니하고, 학교법인이 행정청의 대부분의 시정요구사항을 이행하지 아니하였던 사정 등을 참작하더라도, 위 취소처분은 재량권의 일탈·남용에 해당한다. (×)

08. 국회직 8급 학교법인의 임원이 교비회계자금을 법인회계로 부당 전출하였고, 학교법인이 사실상 행정청의 시정 요구 대부분을 이행하지 아니한 경우에 행한 임원취임승인취소처분은 재량권의 일탈·남용에 해당한다. (×)

답 ②

함께 정리하기

행정행위

재량권 일탈·남용의 입증책임
▷ 행정처분의 효력을 다투는 원고

임의적 감경사유가 있는 경우, 감경사유 고려하고도 감경하지 않은 채 처분
▷ 재량권 일탈·남용×

허가 신청 후 허가기준 변경
▷ 변경된 기준 적용

대학교 교비회계자금을 법인회계로 전출하고 시정요구를 이행하지 아니한 경우 임원승인처분취소처분
▷ 재량권 일탈·남용×

---

013 □□□

재량행위에 대한 설명으로 옳지 않은 것은? (다툼이 있는 경우 판례에 의함)

① 약사법령에 의한 허가사항 변경허가에 있어서 소관 행정청은 그 허가신청이 위 법령의 요건에 합치하는 때에는 특별한 사정이 없는 한 이를 허가하여야 하고 공익상 필요가 없음에도 불구하고 허가를 거부할 수 없다는 의미에서 그 허가 여부는 기속재량에 속한다.

② 공유수면 점용허가는 공유수면 관리청이 공공 위해의 예방 경감과 공공복리의 증진에 기여함에 적당하다고 인정하는 경우에 그 자유재량에 의하여 허가의 여부를 결정할 수 있다.

③ 구 「식품위생법」상 대중음식점영업허가는 특정인에게 권리나 이익을 부여하는 이른바 수익적 행정행위로서 그 허가 여부는 행정청의 재량에 속한다.

④ 토지형질변경허가는 금지요건이 불확정개념으로 규정되어 있어 그 금지요건의 판단에 행정청의 재량이 있기 때문에 토지형질변경행위를 수반하는 건축허가는 재량행위에 속한다.

⑤ 공무원 임용을 위한 면접전형에서 임용신청자의 능력이나 적격성 등에 관한 판단은 면접위원의 고도의 교양과 학식, 경험에 기초한 자율적 판단에 의존하는 것으로서 면접위원의 재량에 속한다.

문제 DATA
출제가능 지수 ▶▶▷
난이도 지수 ★★★

함께 정리하기

재량행위

약사법령에 의한 허가사항 변경허가
▷ 기속재량행위

공유수면 점용허가
▷ 재량행위

토지의 형질변경행위를 수반하는 건축허가
▷ 재량행위

공무원 면접에서 면접위원의 판단
▷ 재량행위

2022년 국회직 9급

① (○) 약사법 제26조, 동법 시행규칙 제53조에 의한 허가사항의 변경허가에 있어서 소관행정청은 그 허가신청이 위 법조의 요건에 합치하는 때에는 특별한 사정이 없는 한 이를 허가하여야 하고 공익상 필요가 없음에도 불구하고 허가를 거부할 수 없다는 의미에서 그 허가 여부는 기속재량에 속하는 것이다(대판 1987.2.24. 86누376).

② (○) 구 광업법 제47조의2 제5호에 의하여 채광계획인가를 받으면 공유수면 점용허가를 받은 것으로 의제되고, 이 공유수면 점용허가는 공유수면 관리청이 공공 위해의 예방 경감과 공공복리의 증진에 기여함에 적당하다고 인정하는 경우에 그 자유재량에 의하여 허가의 여부를 결정하여야 할 것이므로, 공유수면 점용허가를 필요로 하는 채광계획 인가신청에 대하여도, 공유수면 관리청이 재량적 판단에 의하여 공유수면 점용을 허가 여부를 결정할 수 있고, 그 결과 공유수면 점용을 허용하지 않기로 결정하였다면, 채광계획 인가관청은 이를 사유로 하여 채광계획을 인가하지 아니할 수 있는 것이다(대판 2002.10.11. 2001두151).

③ (✕) 식품위생법상 대중음식점영업허가는 성질상 일반적 금지에 대한 해제에 불과하므로 허가권자는 허가신청이 법에서 정한 요건을 구비한 때에는 허가하여야 하고 관계법규에서 정하는 제한사유 이외의 사유를 들어 허가신청을 거부할 수 없다(대판 1993.5.27. 93누2216).

④ (○) 국토의 계획 및 이용에 관한 법률 제56조 제1항 제2호의 규정에 의한 토지의 형질변경허가는 그 금지요건이 불확정개념으로 규정되어 있어 그 금지요건에 해당하는지 여부를 판단함에 있어서 행정청에게 재량권이 부여되어 있다고 할 것이므로, 같은 법에 의하여 지정된 도시지역 안에서 토지의 형질변경행위를 수반하는 건축허가는 결국 재량행위에 속한다(대판 2005.7.14. 2004두6181).

유제 21. 국가직 7급 「국토의 계획 및 이용에 관한 법률」상 토지의 형질변경허가는 그 금지요건이 불확정개념으로 규정되어 있으므로, 동법상 지정된 도시지역 안에서 토지의 형질변경행위를 수반하는 「건축법」상의 건축허가는 재량행위이다. (○)

18. 경찰 2차 「국토의 계획 및 이용에 관한 법률」에 의한 토지의 형질변경허가는 그 금지요건이 불확정개념으로 규정되어 있어 그 금지요건에 해당하는지 여부를 판단함에 있어서 행정청에게 재량권이 부여되어 있다고 할 것이므로, 같은 법에 의하여 지정된 도시지역 안에서 토지의 형질변경행위를 수반하는 건축허가는 결국 재량행위에 속한다. (○)

14. 국회직 8급 토지형질변경허가는 금지요건이 불확정개념으로 규정되어 있어 그 금지요건의 판단에 행정청의 재량이 있기 때문에 토지형질변경행위를 수반하는 건축허가는 결국 재량행위에 속한다. (○)

⑤ (○) 공무원 임용을 위한 면접전형에 있어서 임용신청자의 능력이나 적격성 등에 관한 판단은 면접위원의 고도의 교양과 학식, 경험에 기초한 자율적 판단에 의존하는 것으로서 오로지 면접위원의 자유재량에 속하고, 그와 같은 판단이 현저하게 재량권을 일탈 내지 남용한 것이 아니라면 이를 위법하다고 할 수 없다(대판 1997.11.28. 97누11911).

유제 13. 지방직 7급, 07. 국가직 7급 판례는 공무원 임용을 위한 면접전형에서 임용신청자의 능력이나 적격성 등에 관한 판단이 면접위원의 자유재량에 속한다고 보고 있다. (○)

답 ③

문제 DATA

출제가능 지수 ▶▶▷
난이도 지수 ★★☆

014 □□□

기속행위와 재량행위에 대한 판례의 입장으로 옳지 않은 것은?

① 「여객자동차 운수사업법」에 의한 개인택시운송사업면허는 특정인에게 권리나 이익을 부여하는 행정행위로서 법령에 특별한 규정이 없는 한 재량행위이다.

② 공유수면점용허가는 특정인에게 공유수면 이용권이라는 독점적 권리를 설정하여 주는 처분으로서 그 처분의 여부 및 내용의 결정은 원칙적으로 행정청의 재량에 속한다.

③ 「국토의 계획 및 이용에 관한 법률」상 토지의 형질변경허가는 그 금지요건이 불확정개념으로 규정되어 있으므로, 동법상 지정된 도시지역 안에서 토지의 형질변경행위를 수반하는 「건축법」상의 건축허가는 재량행위이다.

④ 귀화허가는 강학상 허가에 해당하므로, 귀화신청인이 귀화 요건을 갖추어서 귀화허가를 신청한 경우에 법무부장관은 귀화허가를 해 주어야 한다.

2021년 국가직 7급

① (○) 대판 1998.2.13. 97누13061
② (○) 공유수면 관리 및 매립에 관한 법률에 따른 공유수면의 점용·사용허가는 특정인에게 공유수면 이용권이라는 독점적 권리를 설정하여 주는 처분으로서 처분 여부 및 내용의 결정은 원칙적으로 행정청의 재량에 속하고, 이와 같은 재량처분에 있어서는 재량권 행사의 기초가 되는 사실인정에 오류가 있거나 그에 대한 법령적용에 잘못이 없는 한 처분이 위법하다고 할 수 없다(대판 2017.4.28. 2017두30139).
③ (○) 대판 2005.7.14. 2004두6181
④ (×) 귀화허가는 외국인에게 대한민국 국적을 부여함으로써 국민으로서의 법적 지위를 포괄적으로 설정하는 행위에 해당한다. 한편 국적법 등 관계 법령 어디에도 외국인에게 대한민국의 국적을 취득할 권리를 부여하였다고 볼 만한 규정이 없다. 이와 같은 귀화허가의 근거 규정의 형식과 문언, 귀화허가의 내용과 특성 등을 고려하여 보면, 법무부장관은 귀화신청인이 법률이 정하는 귀화요건을 갖추었다고 하더라도 귀화를 허가할 것인지 여부에 관하여 재량권을 가진다(대판 2010.7.15. 2009두19069).

답 ④

함께 정리하기

기속행위와 재량행위

개인택시운송사업면허
▷ 재량행위

공유수면점용허가
▷ 재량행위

토지의 형질변경행위를 수반하는 건축허가
▷ 재량행위

귀화허가
▷ 재량행위

015 □□□

행정행위에 대한 설명으로 옳지 않은 것은? (다툼이 있는 경우 판례에 의함)

① 행정행위의 부관 중 행정행위에 부수하여 그 상대방에게 일정한 의무를 부과하는 행정청의 의사표시인 부담은 그 자체만으로 행정소송의 대상이 될 수 있다.
② 현역입영대상자는 현역병입영통지처분에 따라 현실적으로 입영을 하였다 할지라도, 입영 이후의 법률관계에 영향을 미치고 있는 현역병입영통지처분을 한 관할지방병무청장을 상대로 위법을 주장하여 그 취소를 구할 수 있다.
③ 재량행위가 법령이나 평등원칙을 위반한 경우뿐만 아니라 합목적성의 판단을 그르친 경우에도 위법한 처분으로서 행정소송의 대상이 된다.
④ 허가의 신청 후 법령의 개정으로 허가기준이 변경된 경우에는 신청할 당시의 법령이 아닌 행정행위 발령 당시의 법령을 기준으로 허가 여부를 판단하는 것이 원칙이다.

문제 DATA

출제가능 지수 ▶▶▷
난이도 지수 ★★☆

2021년 소방직

① (○) 부관은 그 자체로서 직접 법적 효과를 발생하는 독립된 처분이 아니므로, 현행 행정쟁송제도 아래서는 부관 그 자체만을 독립된 쟁송의 대상으로 할 수 없는 것이 원칙이나, 부담의 경우에는 다른 행정행위의 불가분적인 요소가 아니고 그 존속이 본체인 행정행위의 존재를 전제로 하는 것일 뿐이므로, 부담 그 자체로서 행정쟁송의 대상이 될 수 있다고 할 것이다(대판 1992.1.21. 91누1264).
② (○) 현역입영대상자로서는 현실적으로 입영을 하였다고 하더라도, 입영 이후의 법률관계에 영향을 미치고 있는 현역병입영통지처분 등을 한 관할지방병무청장을 상대로 위법을 주장하여 그 취소를 구할 소송상의 이익이 있다(대판 2003.12.26. 2003두1875).
③ (×) 합목적성의 판단을 그르친 재량행위는 부당한 처분에 불과하다. 부당한 처분은 적법한 처분으로서 법원의 통제 대상이 되지 않는다.
④ (○) 허가 등의 행정처분은 원칙적으로 처분시의 법령과 허가기준에 의하여 처리되어야 하고 허가신청 당시의 기준에 따라야 하는 것은 아니며, 비록 허가신청 후 허가기준이 변경되었다 하더라도 그 허가관청이 허가신청을 수리하고도 정당한 이유 없이 그 처리를 늦추어 그 사이에 허가기준이 변경된 것이 아닌 이상 변경된 허가기준에 따라서 처분을 하여야 한다(대판 1996.8.20. 95누10877).

답 ③

함께 정리하기

행정행위

부담
▷ 독립적 행정소송 대상 ○

현역병으로 입영한 자
▷ 현역병입영통지처분 취소 소의 이익 ○

재량행위가 합목적성 판단을 그르친 경우
▷ 행정소송의 대상 ×

허가 신청 후 허가기준 변경
▷ 변경된 기준 적용

문제 DATA

출제가능 지수 ▶▶▷
난이도 지수 ★★★

016 □□□

기속행위와 재량행위에 대한 설명으로 옳은 것만을 <보기>에서 모두 고르면? (다툼이 있는 경우 판례에 의함)

<보기>
ㄱ. 「주택법」상 주택건설사업계획의 승인은 재량행위에 해당하므로, 처분권자는 주택건설사업계획이 법령이 정하는 제한사유에 배치되지 않는 경우에도 공익상 필요가 있으면 사업계획승인신청에 대하여 불허가 결정을 할 수 있다.
ㄴ. 「부동산 실권리자명의 등기에 관한 법률 시행령」 제3조의2 단서는 조세를 포탈하거나 법령에 의한 제한을 회피할 목적이 아닌 경우에 과징금의 100분의 50을 감경할 수 있다고 규정하고 있으므로 감경사유가 존재하더라도 과징금을 감경할 것인지 여부는 과징금 부과관청의 재량에 속한다.
ㄷ. 재량행위이더라도 수익적 행위에 부관을 붙이기 위해서는 특별한 법적 근거가 있어야 한다.
ㄹ. 「의료법」상 신의료기술의 안전성·유효성 평가나 신의료기술의 시술로 국민보건에 중대한 위해가 발생하거나 발생할 우려가 있는지 여부에 대한 판단과, 그 경우 행정청이 어떠한 종류와 내용의 지도나 명령을 할 것인지의 판단에 관해서는 행정청에 재량권이 부여되어 있다.
ㅁ. 재량행위에 대한 사법심사에 있어서 법원은 사실인정과 관련 법규의 해석·적용을 통하여 일정한 결론을 도출한 후 그 결론에 비추어 행정청이 한 판단의 적법 여부를 독자의 입장에서 판정하는 방식에 의한다.

① ㄱ, ㄴ
② ㄴ, ㄷ
③ ㄱ, ㄴ, ㄹ
④ ㄱ, ㄹ, ㅁ
⑤ ㄷ, ㄹ, ㅁ

함께 정리하기

기속행위와 재량행위

주택건설사업승인
▷ 재량행위

부동산실명법상 과징금감경 여부
▷ 재량행위

재량행위에 부관
▷ 법적 근거 불요

「의료법」상 신의료기술의 안전성·유효성 평가
▷ 재량행위

재량행위심사
▷ 독자적 결론 도출×
▷ 일탈·남용 여부만 심사

2021년 국회직 8급

ㄱ. (○) 주택건설촉진법 제33조에 의한 주택건설사업계획의 승인은 상대방에게 권리나 이익을 부여하는 효과를 수반하는 이른바 수익적 행정처분으로서 법령에 행정처분의 요건에 관하여 일의적으로 규정되어 있지 아니한 이상 행정청의 재량행위에 속한다 할 것이고, 이러한 승인을 받으려는 주택건설사업계획이 관계 법령이 정하는 제한에 배치되는 경우는 물론이고 그러한 제한사유가 없는 경우에도 공익상 필요가 있으면 처분권자는 그 승인신청에 대하여 불허가 결정을 할 수 있다(대판 2005.4.15. 2004두10883).

유제 19. 서울시 7급(추) 구 「주택건설촉진법」에 의한 주택건설사업계획의 승인의 경우 승인 받으려는 주택건설사업계획에 관계 법령이 정하는 제한사유가 없는 경우에도 공익상 필요가 있으면 처분권자는 그 승인을 받기 위한 신청에 대하여 불허가결정을 할 수 있다. (○)
16. 교행, 12. 국가직 7급 구 「주택건설촉진법」상 주택건설사업승인은 재량행위이다. (○)
08. 국가직 9급 대법원은 「주택건설촉진법」상의 주택건설사업계획의 승인은 상대방에게 권리나 이익을 부여하는 효과를 수반하는 수익적 행정처분이라는 점에서 재량행위라고 판단하고 있는데 이것은 이른바 요건재량설에 따른 것이다. (×)

ㄴ. (○) 부동산 실권리자명의 등기에 관한 법률 시행령 제3조의2 단서는 조세를 포탈하거나 법령에 의한 제한을 회피할 목적이 아닌 경우에 과징금의 100분의 50을 감경할 수 있다고 규정하고 있고, 이는 임의적 감경규정임이 명백하므로, 위와 같은 감경사유가 존재하더라도 과징금을 감경할 것인지 여부는 과징금 부과관청의 재량에 속한다(대판 2007.7.12. 2006두4554).

ㄷ. (×)

> 「행정기본법」 제17조 【부관】 ① 행정청은 처분에 재량이 있는 경우에는 부관(조건, 기한, 부담, 철회권의 유보 등을 말한다. 이하 이 조에서 같다)을 붙일 수 있다.

ㄹ. (○) 의료법 제53조 제1항·제2항, 제59조 제1항의 문언과 체제, 형식, 모든 국민이 수준 높은 의료 혜택을 받을 수 있도록 국민의료에 필요한 사항을 규정함으로써 국민의 건강을 보호하고 증진하려는 의료법의 목적 등을 종합하면, <u>불확정개념으로 규정되어 있는 의료법 제59조 제1항에서 정한 지도와 명령의 요건에 해당하는지, 나아가 요건에 해당하는 경우 행정청이 어떠한 종류와 내용의 지도나 명령을 할 것인지의 판단에 관해서는 행정청에 재량권이 부여되어 있다.</u>

<u>신의료기술의 안전성·유효성 평가나 신의료기술의 시술로 국민보건에 중대한 위해가 발생하거나 발생할 우려가 있는지에 관한 판단은 고도의 의료·보건상의 전문성을 요하므로, 행정청이 국민의 건강을 보호하고 증진하려는 목적에서 의료법 등 관계 법령이 정하는 바에 따라 이에 대하여 전문적인 판단을 하였다면, 판단의 기초가 된 사실인정에 중대한 오류가 있거나 판단이 객관적으로 불합리하거나 부당하다는 등의 특별한 사정이 없는 한 존중되어야 한다. 또한 행정청이 전문적인 판단에 기초하여 재량권의 행사로서 한 처분은 비례의 원칙을 위반하거나 사회통념상 현저하게 타당성을 잃는 등 재량권을 일탈하거나 남용한 것이 아닌 이상 위법하다고 볼 수 없다</u>(대판 2016.1.28. 2013두21120).

ㅁ. (×) 행정행위가 그 재량성의 유무 및 범위와 관련하여 이른바 <u>기속행위 내지 기속재량행위와 재량행위 내지 자유재량행위로 구분된다고 할 때, 그 구분은 당해 행위의 근거가 된 법규의 체재·형식과 그 문언, 당해 행위가 속하는 행정 분야의 주된 목적과 특성, 당해 행위 자체의 개별적 성질과 유형 등을 모두 고려하여 판단하여야 하고, 이렇게 구분되는 양자에 대한 사법심사는, 전자의 경우 그 법규에 대한 원칙적인 기속성으로 인하여 법원이 사실인정과 관련 법규의 해석·적용을 통하여 일정한 결론을 도출한 후 그 결론에 비추어 행정청이 한 판단의 적법 여부를 독자의 입장에서 판정하는 방식에 의하게 되나, 후자의 경우 행정청의 재량에 기한 공익판단의 여지를 감안하여 법원은 독자의 결론을 도출함이 없이 당해 행위에 재량권의 일탈·남용이 있는지 여부만을 심사하게 되고, 이러한 재량권의 일탈·남용 여부에 대한 심사는 사실오인, 비례·평등의 원칙 위배, 당해 행위의 목적 위반이나 동기의 부정 유무 등을 그 판단 대상으로 한다</u>(대판 2001.2.9. 98두17593).

답 ③

017

기속행위와 재량행위에 대한 설명으로 옳지 않은 것은? (다툼이 있는 경우 판례에 의함)

① 재량행위는 요건이 충족되어도 공익과의 이익형량을 통하여 법에 정해진 효과를 부여하지 않을 수 있다.
② 기속행위의 경우 법원이 사실인정과 관련 법규의 해석·적용을 통하여 일정한 결론을 도출한 후 그 결론에 비추어 행정청이 한 판단의 적법 여부를 독자의 입장에서 판정한다.
③ 의제되는 인·허가가 재량행위인 경우에는 주된 인·허가가 기속행위인 경우에도 인·허가가 의제되는 한도 내에서 재량행위로 보아야 한다.
④ 사실의 존부에 대한 판단에도 재량권이 인정될 수 있으므로, 사실을 오인하여 재량권을 행사한 경우라도 처분이 위법한 것은 아니다.

| 2020년 국가직 7급

① (○) 재량행위의 경우 행정청은 요건이 충족되면 법에 정해진 효과를 부여할 수도 있고, 공익과의 이익형량을 통하여 그 효과를 부여하지 않을 수도 있다.
② (○) 대판 2001.2.9. 98두17593
③ (○) <u>국토의 계획 및 이용에 관한 법률(이하 '국토계획법'이라고 한다) 제56조에 따른 개발행위허가와 농지법 제34조에 따른 농지전용허가·협의는 금지요건·허가기준 등이 불확정개념으로 규정된 부분이 많아 그 요건·기준에 부합하는지의 판단에 관하여 행정청에 재량권이 부여되어 있으므로, 그 요건에 해당하는지 여부는 행정청의 재량판단의 영역에 속한다. 나아가 국토계획법이 정한 용도지역 안에서 토지의 형질변경행위·농지전용행위를 수반하는 건축허가는 건축법 제11조 제1항에 의한 건축허가와 위와 같은 개발행위허가 및 농지전용허가의 성질을 아울러 갖게 되므로 이 역시 재량행위에 해당한다</u>(대판 2017.10.12. 2017두48956).

④ (×) 자연공원사업의 시행은 국토 및 자연의 유지와 환경의 보전에 영향을 미치는 행위로서 그 공원시설기본설계 및 변경설계의 승인 여부는 사업장소의 현상과 위치 및 주위의 상황, 사업시행의 시기 및 주체의 적정성, 사업계획에 나타난 사업의 내용, 규모, 방법과 그것이 자연 및 환경에 미치는 영향 등을 종합적으로 고려하여 결정하여야 하는 일종의 재량행위에 속한다고 할 것이고, 위와 같은 재량행위에 대한 법원의 사법심사는 당해 행위가 사실오인, 비례·평등의 원칙 위배, 당해 행위의 목적 위반이나 부정한 동기 등에 근거하여 이루어짐으로써 재량권을 일탈·남용한 위법이 있는지 여부만을 심사하게 되는 것이나, 법원의 심사결과 행정청의 재량행위가 사실오인 등에 근거한 것이라고 인정된다면 이는 재량권을 일탈·남용한 것으로서 위법하여 그 취소를 면치 못한다(대판 2001.7.27. 99두2970).

유제 17. 교행 사실을 오인하여 재량권을 행사한 처분은 위법하다. (○)
16. 교행 사실의 존부에 대한 판단에는 재량권이 인정될 수 없으므로 사실을 오인하여 재량권을 행사한 경우에 그 처분은 위법하다. (○)

답 ④

018 □□□

재량의 일탈 또는 남용에 해당하지 않는 것만을 <보기>에서 모두 고른 것은? (다툼이 있는 경우 판례에 의함)

<보기>
ㄱ.「출입국관리법」에 따라 거짓진술이나 사실은폐 등으로 난민인정 결정을 하는 데 하자가 있음을 이유로 법무부장관이 난민인정결정을 취소한 처분
ㄴ. 전역지원의 시기를 상실하였을 뿐 아니라 의무장교의 인력운영 수준이 매우 저조하여 장기활용가능 자원인 군의관을 의무복무기간 중 군에서 계속하여 활용할 필요가 있다는 등의 이유로 해당 군의관을 전역대상자에서 제외한 처분
ㄷ. 공정한 업무처리에 대한 사의로 두고 간 돈 30만원이 든 봉투를 소지함으로써 피동적으로 금품을 수수하였다가 돌려 준 20여년 근속의 경찰공무원에 대한 해임처분
ㄹ. 대학교 총장이 해외근무자들의 자녀를 대상으로 한 특별전형에서 외교관, 공무원의 자녀에 대하여만 실제 취득점수의 20%의 가산점을 부여해 합격사정을 함으로써, 실제 취득점수에 의하면 합격할 수 있었던 응시자들에 대한 불합격처분

① ㄱ, ㄴ   ② ㄱ, ㄷ
③ ㄴ, ㄷ   ④ ㄴ, ㄹ
⑤ ㄷ, ㄹ

2020년 국회직 9급

ㄱ. (일탈·남용×) 구 출입국관리법 제76조의3 제1항 제3호는 거짓 진술이나 사실은폐 등으로 난민인정 결정을 하는 데 하자가 있음을 이유로 이를 취소하는 것이므로, 당사자는 애초 난민인정 결정에 관한 신뢰를 주장할 수 없음은 물론 행정청이 이를 고려하지 않았다고 하더라도 재량권을 일탈·남용하였다고 할 수 없다(대판 2017.3.15. 2013두16333).

ㄴ. (일탈·남용×) 장교 등 군인의 전역허가 여부는 전역심사위원회 등 관계 기관에서 원칙적으로 자유재량에 의하여 판단할 사항으로서 군의 특수성에 비추어 명백한 법규 위반이 없는 이상 군 당국의 판단을 존중하여야 할 것인데, 원고에 대한 이 사건 전역거부처분에 있어서 군 당국의 법규 위반이 있다고 보여지지 않고, 또한 원고가 주장하는 바와 같은 헌법상 보장된 원고의 직업선택의 자유, 행복추구권, 평등권 등 기본적 인권보호의 필요성을 고려하더라도 원심이 적법하게 인정한 장기복무 의무장교의 확보 필요성 등에 비추어 볼 때 위 처분이 재량의 범위를 일탈하였거나 남용하였다고 할 수도 없다(대판 1998.10.13. 98두12253).

ㄷ. (일탈·남용○) 20여년 동안 성실하게 근무하여 온 경찰공무원이 임의로 두고 간 돈 30만원이 든 봉투를 소지하는 피동적 형태로 금품을 수수하였고 그 후 이를 돌려주었는데도 곧바로 그 직무에서 배제하는 해임처분이라는 중한 징계에 나아간 것은 사회통념상 현저하게 타당성을 잃었다고 하지 아니할 수 없다(대판 1991.7.23. 90누8954).

유제 09. 지방직 7급 공정한 업무처리에 대한 사의로 두고 간 돈 30만원이 든 봉투를 소지함으로써 피동적으로 금품을 수수하였다가 돌려 준 20여년 근속의 경찰공무원에 대한 해임처분은 재량의 일탈 또는 남용에 해당한다. (○)

ㄹ. (일탈·남용○) 자유재량에 있어서도 그 범위의 넓고 좁은 차이는 있더라도 법령의 규정뿐만 아니라 관습법 또는 일반적 조리에 의한 일정한 한계가 있는 것으로서 위 한계를 벗어난 재량권의 행사는 위법하다고 하지 않을 수 없으므로, 대학교 총장인 피고가 해외근무자들의 자녀를 대상으로 한 교육법 시행령 제71조의2 제4항 소정의 특별전형에서 외교관, 공무원의 자녀에 대하여만 획일적으로 과목별 실제 취득점수에 20%의 가산점을 부여하여 합격사정을 함으로써 실제 취득점수에 의하면 충분히 합격할 수 있는 원고들에 대하여 불합격처분을 하였다면 위법하다(대판 1990.8.28. 89누8255).

유제 13. 국회직 9급 교육법 시행령 소정의 대학교 특별전형에서 외교관, 공무원의 자녀에 대하여만 획일적으로 과목별 실제 취득점수에 가산점을 부여함으로써, 실제 취득점수만으로 전형시 합격할 수 있는 다른 응시생에 대하여 불합격처분을 한 경우 재량권의 남용으로 위법하다. (○)
09. 지방직 7급 대학교 총장이 해외근무자들의 자녀를 대상으로 한 특별전형에서 외교관, 공무원의 자녀에 대하여만 가산점을 부여해 합격사정을 함으로써, 실제 취득점수에 의하면 합격할 수 있었던 응시자들에 대한 불합격처분은 재량의 일탈 또는 남용에 해당한다. (○)

답 ①

019 □□□

기속행위와 재량행위에 대한 설명으로 옳지 않은 것은? (다툼이 있는 경우 판례에 의함)

① 「국토의 계획 및 이용에 관한 법률」상 개발행위허가는 허가기준 및 금지요건이 불확정개념으로 규정된 부분이 많아 그 요건에 해당하는지 여부는 행정청의 재량판단의 영역에 속한다.
② 기속행위와 재량행위의 구분은 당해 행위의 근거가 된 법규의 체재·형식과 그 문언, 당해 행위가 속하는 행정 분야의 주된 목적과 특성, 당해 행위 자체의 개별적 성질과 유형 등을 모두 고려하여 판단하여야 한다.
③ 처분을 할 것인지 여부와 처분의 정도에 관하여 재량이 인정되는 과징금 납부명령에 대하여 그 명령이 재량권을 일탈하였을 경우, 법원은 재량권의 범위 내에서 어느 정도가 적정한 것인지에 관하여 판단할 수 있고 그 일부를 취소할 수 있다.
④ 마을버스운송사업면허의 허용 여부는 운수행정을 통한 공익실현과 아울러 합목적성을 추구하기 위하여 보다 구체적 타당성에 적합한 기준에 의하여야 할 것이므로 행정청의 재량에 속하는 것이라고 보아야 한다.

🎯 문제 DATA
출제가능 지수 ▶▶∑
난이도 지수 ★★☆

2020년 지방직 9급

① (○) 국토계획법 제56조 제1항의 개발행위허가는 허가기준 및 금지요건이 불확정개념으로 규정된 부분이 많아 그 요건에 해당하는지 여부는 행정청의 재량판단의 영역에 속한다(대판 2017.3.15. 2016두55490).

유제 20. 군무원 7급 「국토의 계획 및 이용에 관한 법률」이 정한 용도지역 안에서의 건축허가는 개발행위허가의 성질도 갖는데, 개발행위허가는 허가기준 및 금지요건이 불확정개념으로 규정된 부분이 많아 그 요건에 해당하는지 여부는 행정청의 판단여지에 속한다. (×)

📋 함께 정리하기

기속행위와 재량행위

국토계획법상 개발행위허가
▷ 재량행위

기속행위와 재량행위 구별
▷ 법규형식·문언, 행정목적·특성, 행위의 성질 등을 모두 고려해 판단

과징금부과위법
▷ 법원이 일부취소 불가(∵재량)

마을버스운송사업면허
▷ 재량행위

② (○) 행정행위가 그 재량성의 유무 및 범위와 관련하여 이른바 기속행위 내지 기속재량행위와 재량행위 내지 자유재량행위로 구분된다고 할 때, 그 구분은 당해 행위의 근거가 된 법규의 체재·형식과 그 문언, 당해 행위가 속하는 행정 분야의 주된 목적과 특성, 당해 행위 자체의 개별적 성질과 유형 등을 모두 고려하여 판단하여야 한다(대판 2001.2.9. 98두17593).

유제 15. 국가직 7급, 12. 경찰 3차 기속행위와 재량행위의 구분은 당해 행위의 근거가 된 법규의 체재·형식과 그 문언, 당해 행위가 속하는 행정 분야의 주된 목적과 특성, 당해 행위 자체의 개별적 성질과 유형 등을 모두 고려하여 판단하여야 한다. (○)

10. 국회직 9급 판례는 기속행위와 재량행위의 구별기준으로 당해 행위의 근거가 된 법규의 체제·형식과 그 문언, 당해 행위가 속하는 행정분야의 주된 목적과 특성, 당해 행위 자체의 개별적 성질과 유형 등을 모두 고려한다. (○)

③ (×) 처분을 할 것인지 여부와 처분의 정도에 관하여 재량이 인정되는 과징금 납부명령에 대하여 그 명령이 재량권을 일탈하였을 경우, 법원으로서는 재량권의 일탈 여부만 판단할 수 있을 뿐이지 재량권의 범위 내에서 어느 정도가 적정한 것인지에 관하여는 판단할 수 없어 그 전부를 취소할 수밖에 없고, 법원이 적정하다고 인정하는 부분을 초과한 부분만 취소할 수는 없다(대판 2009.6.23. 2007두18062).

④ (○) 마을버스운송사업면허의 허용 여부는 사업구역의 교통수요, 노선결정, 운송업체의 수송능력, 공급능력 등에 관하여 기술적·전문적인 판단을 요하는 분야로서 이에 관한 행정처분은 운수행정을 통한 공익실현과 아울러 합목적성을 추구하기 위하여 보다 구체적 타당성에 적합한 기준에 의하여야 할 것이므로 그 범위 내에서는 법령이 특별히 규정한 바가 없으면 행정청의 재량에 속하는 것이라고 보아야 할 것이고, 마을버스 한정면허시 확정되는 마을버스 노선을 정함에 있어서도 기존 일반노선버스의 노선과의 중복 허용 정도에 대한 판단도 행정청의 재량에 속한다(대판 2002.5.10. 2001두10028).

유제 17. 지방직 9급, 10. 국회직 9급 구 여객자동차운수사업법령상 마을버스운송사업면허 및 마을버스 한정면허시 확정되는 마을버스 노선을 정함에 있어서도 기존 일반노선버스의 노선과의 중복 허용 정도에 대한 판단은 행정청의 재량에 속한다. (○)

답 ③

020

수익적 행정행위에 대한 설명으로 가장 옳지 않은 것은? (다툼이 있는 경우 판례에 의함)

① 배출시설 설치허가의 신청이 구「대기환경보전법」에서 정한 허가기준에 부합하고 동 법령상 허가제한 사유에 해당하지 아니하는 한 환경부장관은 원칙적으로 허가를 하여야 한다.

② 구「주택건설촉진법」에 의한 주택건설사업계획의 승인의 경우 승인 받으려는 주택건설사업계획에 관계 법령이 정하는 제한사유가 없는 경우에도 공익상 필요가 있으면 처분권자는 그 승인을 받기 위한 신청에 대하여 불허가결정을 할 수 있다.

③ 재량행위와 기속행위의 구분기준에 관한 효과재량설에 따르면 수익적 행정행위는 법규상 또는 해석상 특별한 기속이 없는 한 재량행위이다.

④ 야생동·식물보호법령에 따른 용도변경승인의 경우 용도변경이 불가피한 경우에만 용도변경을 할 수 있도록 제한하는 규정을 두고 있으므로 환경부장관의 용도변경승인처분은 기속행위이다.

| 2019년 서울시 7급

① (○) 배출시설 설치허가와 설치제한에 관한 규정들의 문언과 그 체제·형식에 따르면 환경부장관은 배출시설 설치허가 신청이 구 대기환경보전법 제23조 제5항에서 정한 허가기준에 부합하고 구 대기환경보전법 제23조 제6항, 같은 법 시행령 제12조에서 정한 허가제한사유에 해당하지 아니하는 한 원칙적으로 허가를 하여야 한다(대판 2013.5.9. 2012두22799).

② (○) 대판 2005.4.15. 2004두10883

③ (O) 효과재량설은 재량행위와 기속행위의 구별은 법률에 특정한 규정이 있는 경우를 제외하고는 당해 행위의 성질이 기준이 된다는 견해이다. 이 견해에 따르면 침익적 행정행위는 기속행위이고, 수익적 행정행위 또는 국민의 권리의무와 관련이 없는 행위는 재량행위에 해당한다.

④ (×) 야생동·식물보호법 제16조 제3항과 같은 법 시행규칙 제22조 제1항의 체제 또는 문언을 살펴보면 원칙적으로 국제적 멸종위기종 및 그 가공품의 수입 또는 반입 목적 외의 용도로의 사용을 금지하면서 용도변경이 불가피한 경우로서 환경부장관의 용도변경승인을 받은 경우에 한하여 용도변경을 허용하도록 하고 있으므로, 위 법 제16조 제3항에 의한 용도변경승인은 특정인에게만 용도 외의 사용을 허용해주는 권리나 이익을 부여하는 이른바 수익적 행정행위로서 법령에 특별한 규정이 없는 한 재량행위이고, … 용도변경을 승인하기 위한 요건으로서의 용도변경의 불가피성에 관한 판단에 필요한 기준을 정하는 것도 역시 행정청의 재량에 속하는 것이므로, 그 설정된 기준이 객관적으로 합리적이 아니라거나 타당하지 않다고 볼 만한 다른 특별한 사정이 없는 이상 행정청의 의사는 가능한 한 존중되어야 한다 (대판 2011.1.27. 2010두23033).

유제 18. 경찰 3차 법령상 특별한 규정이 없는 구 「야생동·식물보호법」(2011.1.24. 법률 제10388호로 개정된 것) 제16조 제3항과 구 「야생동·식물보호법 시행규칙」(2011.1.24. 환경부령 제393호로 개정된 것) 제22조 제1항에 의한 국제적멸종위기종 및 그 가공품의 수입 또는 반입에 대한 용도변경승인 행위는 재량행위이다. (O)

17. 지방직 9급(추) 「야생동·식물보호법」상 곰의 웅지를 추출하여 비누, 화장품 등의 재료를 사용할 목적으로 곰의 용도를 '사육곰'에서 '식·가공품 및 약용재료'로 변경하겠다는 내용의 국제적 멸종위기종의 용도변경승인 행위는 재량행위이다. (O)

17. 사복직 설정된 재량기준이 객관적으로 합리적이 아니라든가 타당하지 않다고 볼 만한 특별한 사정이 없다면 행정청의 의사는 존중되어야 한다. (O)

답 ④

021 □□□

불확정개념의 적용과 관련하여 사법심사가 곤란한 행정청의 평가영역·결정영역을 판단여지라 한다. 그러나 판단여지가 인정되는 영역이라 할지라도 한계가 존재한다. 다음 중 판단여지의 한계로 보기 어려운 것은?

① 판단기관의 적법한 구성 여부
② 환경법 영역에서의 미래예측의 적정성 여부
③ 사실관계에 대한 정확한 이해 여부
④ 행정법의 일반원칙 준수 여부
⑤ 판단과정에 있어서 법정 절차의 준수 여부

2019년 5급 승진

② 환경법 영역에서의 미래예측의 적정성 여부에 대하여는 사법심사가 합당하지 않다.

관련 이론 판단여지

1. 법률요건의 불확정개념의 해석·적용과 관련하여 고도의 전문적·기술적·정책적 판단이 필요한 경우 등 특별한 경우에는 불확정개념에 대한 행정청의 판단에 대하여 사법심사가 제한되는 경우가 있을 수 있다. 이러한 경우 행정청은 불확정개념에 대한 독자적인 판단권을 가질 수 있는데, 이를 판단여지라고 한다.
2. 판단여지가 인정되어 사법심사가 제한되는 행정결정에 있어서도 법원은 행정기관이 적정하게 구성되었는지 여부(①), 행정결정이 정확한 사실관계에 기초하고 있는지 여부(③), 관련법률이 옳게 해석되고 일반적으로 인정되는 원칙이 적용되었는지 여부(④), 법정절차의 준수 여부(⑤), 자의성의 개입 여부에 대해서는 심사를 해야 한다. 따라서 이러한 한계를 넘는 경우에는 행정결정은 위법하게 된다.

답 ②

문제 DATA
출제가능 지수 ▶▷▷
난이도 지수 ★★★

함께 정리하기

판단여지의 한계
▷ 판단기관 적법한 구성 여부 O
▷ 환경법 영역에서의 미래예측의 적정성 여부 ×
▷ 사실관계에 대한 정확한 이해 여부 O
▷ 일반원칙 준수 여부 O
▷ 법정절차의 준수 여부 O

022

재량행위와 기속행위에 대한 설명으로 옳지 않은 것은? (다툼이 있는 경우 판례에 의함)

① 「사회복지사업법」상 사회복지법인의 정관변경을 허가할 것인지 여부는 주무관청의 정책적 판단에 따른 재량에 맡겨져 있다.
② 재량행위에 대한 사법심사는 행정청의 재량에 기한 공익판단의 여지를 감안하여 법원이 독자의 결론을 도출함이 없이 당해 행위에 재량권의 일탈·남용이 있는지 여부를 심사한다.
③ 구 「도시계획법」상의 개발제한구역 내에서의 건축물 용도변경에 대한 허가는 예외적 허가로서 재량행위에 해당한다.
④ 법규정의 일체성에 의해 요건 판단과 효과 선택의 문제를 구별하기 어렵다고 보는 견해는 재량과 판단여지의 구분을 인정한다.

2018년 국가직 7급

① (○) 사회복지법인의 정관변경을 허가할 것인지의 여부는 주무관청의 정책적 판단에 따른 재량에 맡겨져 있다고 할 것이고, 주무관청이 정관변경허가를 함에 있어서는 비례의 원칙 및 평등의 원칙에 적합하고 행정처분의 본질적 효력을 해하지 않는 한도 내에서 부관을 붙일 수 있다(대판 2002.9.24. 2000두5661).
② (○) 대판 2001.2.9. 98두17593
③ (○) 도시의 무질서한 확산을 방지하고 도시주변의 자연환경을 보전하여 도시민의 건전한 생활환경을 확보하기 위하여 지정되는 개발제한구역 내에서는 구역 지정의 목적상 건축물의 건축이나 그 용도변경은 원칙적으로 금지되고, 다만 구체적인 경우에 위와 같은 구역 지정의 목적에 위배되지 아니할 경우 예외적으로 허가에 의하여 그러한 행위를 할 수 있게 되어 있음이 위와 같은 관련 규정의 체재와 문언상 분명한 한편, 이러한 건축물의 용도변경에 대한 예외적인 허가는 그 상대방에게 수익적인 것에 틀림이 없으므로, 이는 그 법률적 성질이 재량행위 내지 자유재량행위에 속하는 것이라고 할 것이고, 따라서 그 위법 여부에 대한 심사는 재량권 일탈·남용의 유무를 그 대상으로 한다(대판 2001.2.9. 98두17593).
④ (×) 법규정의 일체성에 의해 요건 판단과 효과 선택의 문제를 구별하기 어렵다고 보는 견해는 재량과 판단여지의 구분을 부정한다. 이 견해에 따르면 재량과 판단여지는 모두 법원에 의한 사법심사의 배제라는 측면에서 동일하고, 재량은 법규의 효과에만 국한되지 아니하므로 행정법규의 요건 부분이든 효과 부분이든 사법심사가 제한되는 경우에는 모두 '재량'이라는 개념으로 파악하면 된다. 판단여지와 재량행위를 구분하는 견해는 판단여지는 법률요건에 대한 인식의 문제인 반면, 재량은 법률효과의 선택의 문제라는 점을 고려하여 양자를 구분한다.

유제 17. 국가직 9급 판단여지를 긍정하는 학설은 판단여지는 법률효과 선택의 문제이고 재량은 법률요건에 대한 인식의 문제라는 점, 양자는 그 인정근거와 내용 등을 달리하는 점에서 구별하는 것이 타당하다고 한다. (×)

답 ④

023

기속행위와 재량행위에 대한 설명으로 가장 옳지 않은 것은? (다툼이 있는 경우 판례에 의함)

① 기속행위에 대한 사법심사는 그 법규에 대한 원칙적인 기속성으로 인하여 법원이 사실인정과 관련 법규의 해석·적용을 통하여 일정한 결론을 도출한 후 그 결론에 비추어 행정청이 한 판단의 적법 여부를 독자의 입장에서 판정하는 방식에 의한다.
② 「식품위생법」상 일반음식점영업허가는 성질상 일반적 금지의 해제에 불과하므로 허가권자는 허가신청이 법에서 정한 요건을 구비한 때에는 원칙적으로 허가를 하여야 하나, 다만 예외적으로 관계 법령에서 정하는 제한사유 외에 공공복리 등의 사유를 들어 허가신청을 거부할 수 있다.
③ 「국토의 계획 및 이용에 관한 법률」에 의한 토지의 형질변경허가는 그 금지요건이 불확정개념으로 규정되어 있어 그 금지요건에 해당하는지 여부를 판단함에 있어서 행정청에게 재량권이 부여되어 있다고 할 것이므로, 같은 법에 의하여 지정된 도시지역 안에서 토지의 형질변경행위를 수반하는 건축허가는 결국 재량행위에 속한다.
④ 개발제한구역 내에서의 건축물의 건축 등에 대한 예외적 허가는 그 상대방에게 수익적인 것으로서 재량행위에 속하는 것이라고 할 것이므로 그에 관한 행정청의 판단이 사실오인, 비례·평등의 원칙 위배, 목적 위반 등에 해당하지 아니하는 이상 재량권의 일탈·남용에 해당한다고 할 수 없다.

2018년 경찰 2차

① (○) 대판 2001.2.9. 98두17593
② (×) 식품위생법상 일반음식점영업허가는 성질상 일반적 금지의 해제에 불과하므로 허가권자는 허가신청이 법에서 정한 요건을 구비한 때에는 허가하여야 하고 관계 법령에서 정하는 제한사유 외에 공공복리 등의 사유를 들어 허가신청을 거부할 수는 없고, 이러한 법리는 일반음식점 허가사항의 변경허가에 관하여도 마찬가지이다(대판 2000.3.24. 97누12532).
③ (○) 대판 2005.7.14. 2004두6181
④ (○) 개발제한구역 내에서의 건축물의 건축 등에 대한 예외적 허가는 그 상대방에게 수익적인 것으로서 재량행위에 속하는 것이라고 할 것이므로 그에 관한 행정청의 판단이 사실오인, 비례·평등의 원칙 위배, 목적위반 등에 해당하지 아니하는 이상 재량권의 일탈·남용에 해당한다고 할 수 없다(대판 2004.7.22. 2003두7606).

유제 14. 지방직 7급 개발제한구역 내에서의 건축물의 건축 등에 대한 예외적 허가는 재량행위에 속하는 것이며, 그에 관한 행정청의 판단이 비례·평등의 원칙 위배, 목적 위반 등에 해당하지 아니하는 이상 이를 재량권의 일탈·남용에 해당한다고 할 수 없다. (○)

답 ②

문제 DATA

출제가능 지수 ▶▶▷
난이도 지수 ★★☆

함께 정리하기

기속행위와 재량행위

기속행위
▷ 법원이 일정한 결론을 도출한 후 적법 여부 판정

일반음식점영업허가
▷ 기속행위

토지의 형질변경행위를 수반하는 건축허가
▷ 재량행위

개발제한구역 내 건축허가
▷ 재량행위

024

불확정개념과 판단여지 및 기속행위와 재량행위에 대한 설명으로 옳지 않은 것은? (다툼이 있는 경우 판례에 의함)

① 판단여지를 긍정하는 학설은 판단여지는 법률효과 선택의 문제이고 재량은 법률요건에 대한 인식의 문제라는 점, 양자는 그 인정근거와 내용 등을 달리하는 점에서 구별하는 것이 타당하다고 한다.

② 대법원은 재량행위에 대한 사법심사를 하는 경우에 법원은 행정청의 재량에 기한 공익 판단의 여지를 감안하여 독자적인 판단을 하여 결론을 도출하지 않고, 당해 처분이 재량권의 일탈·남용에 해당하는지의 여부만을 심사하여야 한다고 한다.

③ 대법원은 처분을 할 것인지 여부와 처분의 정도에 관하여 재량이 인정되는 과징금 납부명령에 대하여 그 명령이 재량권을 일탈하였을 경우, 법원으로서는 재량권의 일탈 여부만 판단할 수 있을 뿐이지 재량권의 범위 내에서 어느 정도가 적정한 것인지에 관하여는 판단할 수 없어 그 전부를 취소할 수밖에 없고, 법원이 적정하다고 인정하는 부분을 초과한 부분만 취소할 수는 없다고 한다.

④ 다수설에 따르면 불확정개념의 해석은 법적 문제이기 때문에 일반적으로 전면적인 사법심사의 대상이 되고, 특정한 사실관계와 관련하여서는 원칙적으로 일의적인 해석(하나의 정당한 결론)만이 가능하다고 본다.

2017년 국가직 9급

① (×) 긍정설에 의하면 판단여지는 법률요건의 인식에 대한 문제인 반면, 재량은 법률효과 선택의 문제이므로 양자는 구별하는 것이 타당하다고 본다.

② (○) 대판 2001.2.9. 98두17593

③ (○) 처분을 할 것인지 여부와 처분의 정도에 관하여 재량이 인정되는 과징금 납부명령에 대하여 그 명령이 재량권을 일탈하였을 경우, 법원으로서는 재량권의 일탈 여부만 판단할 수 있을 뿐이지 재량권의 범위 내에서 어느 정도가 적정한 것인지에 관하여는 판단할 수 없어 그 전부를 취소할 수밖에 없고, 법원이 적정하다고 인정하는 부분을 초과한 부분만 취소할 수는 없다(대판 2009.6.23. 2007두18062).

④ (○) 불확정개념이란 법률요건에 규정된 개념의 의미와 내용이 일의적인 것이 아니라 다의적인 것이어서 진정한 의미와 내용이 구체적인 상황에 따라 달리 판단될 수 있는 개념을 말한다. '필요한 경우', '상당한 이유', '공공안녕과 질서' 등을 그 예로 들 수 있다. 불확정개념의 해석·적용은 구체적인 사실이 법이 정한 요건에 해당하는지 여부에 대한 '인식'의 문제로서 법적 문제이기 때문에 원칙적으로 전면적인 사법심사의 대상이 되고 이런 인식의 영역에서는 법률효과의 영역과는 달리 단지 하나의 정당한 결론(일의적인 해석)만이 존재하게 된다.

답 ①

문제 DATA

출제가능 지수 ▶▶▷
난이도 지수 ★★★

함께 정리하기

불확정개념·판단여지·기속·재량

판단여지긍정설
▷ 판단여지 → 법률요건 인식
▷ 재량 → 법률효과 선택

재량행위심사
▷ 독자적 결론 도출×
▷ 일탈·남용 여부만 심사

과징금부과위법
▷ 법원은 부분취소 불가(∵재량)

구별긍정설(多)
▷ 판단여지 → 불확정개념 해석/일의적인 해석만 可(원칙)/사법심사 대상

제4절 | 행정행위의 내용

I 법률행위적 행정행위

001 □□□

행정행위에 대한 설명으로 옳지 않은 것은? (다툼이 있는 경우 판례에 의함)

① 산림훼손의 금지 또는 제한지역에 해당하지 않더라도 허가관청은 중대한 공익상 필요가 있다고 인정될 때에는 허가를 거부할 수 있고 그 경우 법규에 명문의 규정이 없더라도 거부처분을 할 수 있다.
② 종전 허가의 유효기간이 지나서 신청한 옥외광고물표시허가 기간연장신청은 종전의 허가처분과는 별도의 새로운 허가를 내용으로 하는 행정처분을 구하는 것으로 보아야 한다.
③ 허가에 붙은 기한이 그 허가된 사업의 성질상 부당하게 짧은 경우에는 그 허가 자체의 존속기간이 아니라 그 허가조건의 존속기간으로 보아 그 기한이 도래함으로써 그 조건의 개정을 고려한다는 뜻으로 해석할 수 있다.
④ 유료직업소개사업의 허가 갱신이 있은 후에는 갱신 전의 법 위반사실을 근거로 허가를 취소할 수 없다.

2025년 경찰간부

① (O) 산림훼손은 국토 및 자연의 유지와 수질 등 환경의 보전에 직접적으로 영향을 미치는 행위이므로, 법령이 규정하는 산림훼손 금지 또는 제한 지역에 해당하는 경우는 물론 금지 또는 제한 지역에 해당하지 않더라도 허가관청은 산림훼손허가신청 대상토지의 현상과 위치 및 주위의 상황 등을 고려하여 국토 및 자연의 유지와 환경의 보전 등 중대한 공익상 필요가 있다고 인정될 때에는 허가를 거부할 수 있고, 그 경우 법규에 명문의 근거가 없더라도 거부처분을 할 수 있다(대판 2003.3.28. 2002두12113).
② (O) 옥외광고물등관리법(이하 '법'이라 한다) 제3조 제1항, 제2항, 법시행령 제4조 제1항 제4호, 제7조 제1항, 제9조 제3항의 각 규정을 종합하여 보면, 이 사건의 경우와 같은 지주이용간판을 설치하고자 하는 자는 대통령령이 정하는 바에 의하여 시, 도지사 등의 허가를 받아야 하고, 그와 같이 허가를 받은 자가 그 표시기간을 연장하고자 하는 때에는 그 기간종료일 10일전까지 시, 도지사 등의 허가를 받아야 한다고 규정하고 있으므로, 그와 같은 기간연장허가를 받지 아니한 경우에는 그 허가는 특단의 사정이 없는 한 기한이 도래함으로써 별도의 행위를 기다릴 것 없이 당연히 효력이 상실되는 것이라 할 것인바, 원고는 이 사건 지주이용간판 3개에 관한 허가기간 3년이 훨씬 지난 후인 1994.1.11.에야 피고에게 위 간판의 표시허가기간을 연장해 줄 것을 신청하였음은 앞서 본 바와 같으므로, 종전의 원고에 대한 광고물설치허가는 기한의 도래로 실효되었다 할 것이고, 이와 같이 종전의 허가가 기한의 도래로 실효한 이상 원고가 종전 허가의 유효기간이 지나서 신청한 이 사건 기간연장신청은 그에 대한 종전의 허가처분을 전제로 하여 단순히 그 유효기간을 연장하여 주는 행정처분을 구하는 것이라기 보다는 종전의 허가처분과는 별도의 새로운 허가를 내용으로 하는 행정처분을 구하는 것이라고 보아야 할 것이어서, 이러한 경우 허가권자는 이를 새로운 허가신청으로 보아 법의 관계규정에 의하여 허가요건의 적합 여부를 새로이 판단하여 그 허가 여부를 결정하여야 할 것이다. 따라서 이 사건 간판은 그 기간 연장 신청당시 시행중이던 1993. 2. 24.에 개정된 법시행령 제20조 제1항의 규정에 의한 지주이용간판의 규격을 초과하는 위법한 광고물임이 분명하여 원고의 이 사건 기간연장신청을 거부한 피고의 처분에 재량권의 한계를 일탈하는 등의 위법이 있다고 할 수 없다(대판 1995.11.10. 94누11866).
③ (O) 일반적으로 행정처분에 효력기간이 정하여져 있는 경우에는 그 기간의 경과로 그 행정처분의 효력은 상실되고, 다만 허가에 붙은 기한이 그 허가된 사업의 성질상 부당하게 짧은 경우에는 이를 그 허가 자체의 존속기간이 아니라 그 허가조건의 존속기간으로 보아 그 기한이 도래함으로써 그 조건의 개정을 고려한다는 뜻으로 해석할 수는 있지만, 그와 같은 경우라 하더라도 그 허가기간이 연장되기 위하여는 그 종기가 도래하기 전에 그 허가기간의 연장에 관한 신청이 있어야 하며, 만일 그러한 연장신청이 없는 상태에서 허가기간이 만료하였다면 그 허가의 효력은 상실된다(대판 2007.10.11. 2005두12404).

문제 DATA

출제가능 지수 ▶▶▷
난이도 지수 ★★☆

함께 정리하기

행정행위

산림훼손허가
▷ 명문근거 없이도 중대한 공익을 사유로 거부 可

허가기간 경과 후 신청
▷ 새로운 허가신청

허가에 붙은 기한이 부당히 짧은 경우
▷ 허가조건의 존속기간

허가 갱신 후
▷ 갱신 전 사유로 허가취소 可

④ (×) 유료직업 소개사업의 허가갱신은 허가취득자에게 종전의 지위를 계속 유지시키는 효과를 갖는 것에 불과하고 갱신 후에는 갱신 전의 법위반사항을 불문에 붙이는 효과를 발생하는 것이 아니므로 일단 갱신이 있은 후에도 갱신 전의 법위반사실을 근거로 허가를 취소할 수 있다(대판 1982.7.27. 81누174).

답 ④

002

행정행위에 대한 설명으로 옳지 않은 것은? (다툼이 있는 경우 판례에 의함)

① 「사립학교법」에 따른 학교법인의 임원에 대한 감독청의 취임승인은 학교법인의 임원선임행위를 보충하여 그 법률상의 효력을 완성케하는 보충적 행정행위이다.
② 서울특별시장 또는 도지사의 의료유사업자 자격증 갱신발급행위는 유사의료업자의 자격을 부여 내지 확인하는 것이 아니라 특정한 사실 또는 법률관계의 존부를 공적으로 증명하는 소위 공증행위에 속하는 행정행위라 할 것이다.
③ 토지거래허가는 규제지역 내의 모든 국민에게 전반적으로 토지거래의 자유를 금지하고 일정한 요건을 갖춘 경우에만 금지를 해제하여 계약체결의 자유를 회복시켜 주는 성질을 갖는다.
④ 「출입국관리법」상 체류자격 변경허가는 신청인에게 당초의 체류자격과 다른 체류자격에 해당하는 활동을 할 수 있는 권한을 부여하는 일종의 설권적 처분의 성격을 가진다.

| 2025년 소방직

① (○) 사립학교법 제20조 제2항에 의한 학교법인의 임원에 대한 감독청의 취임승인은 학교법인의 임원선임행위를 보충하여 그 법률상의 효력을 완성케하는 보충적 행정행위로서 성질상 기본행위를 떠나 승인처분 그 자체만으로는 법률상 아무런 효력도 발생할 수 없으므로 기본행위인 학교법인의 임원선임행위가 불성립 또는 무효인 경우에는 비록 그에 대한 감독청의 취임승인이 있었다 하여도 이로써 무효인 그 선임행위가 유효한 것으로 될 수는 없다(대판 1987.8.18. 86누152).
② (○) 의료법 부칙 제7조, 제59조(1975.12.31 법률 2862호로 개정전의 것), 동법 시행규칙 제59조 및 1973.11.9자 보건사회부 공고 58호에 의거한 서울특별시장 또는 도지사의 의료유사업자 자격증 갱신발급행위는 유사의료업자의 자격을 부여 내지 확인하는 것이 아니라 특정한 사실 또는 법률관계의 존부를 공적으로 증명하는 소위 공증행위에 속하는 행정행위라 할 것이다(대판 1977.5.24. 76두295).
③ (×) 국토이용관리법 제21조의3 제1항 소정의 허가가 규제지역 내의 모든 국민에게 전반적으로 토지거래의 자유를 금지하고 일정한 요건을 갖춘 경우에만 금지를 해제하여 계약체결의 자유를 회복시켜 주는 성질의 것이라고 보는 것은 위 법의 입법취지를 넘어선 지나친 해석이라고 할 것이고, 규제지역 내에서도 토지거래의 자유가 인정되나 다만 위 허가를 허가 전의 유동적 무효 상태에 있는 법률행위의 효력을 완성시켜 주는 인가적 성질을 띤 것이라고 보는 것이 타당하다(대판 1991.12.24. 90다12243 전합).
④ (○) 출입국관리법 제10조, 제24조 제1항, 구 출입국관리법 시행령(2014.10.28. 대통령령 제25669호로 개정되기 전의 것) 제12조 [별표 1] 제8호, 제26호 (가)목, (라)목, 출입국관리법 시행규칙 제18조의2 [별표 1]의 문언, 내용 및 형식, 체계 등에 비추어 보면, 체류자격 변경허가는 신청인에게 당초의 체류자격과 다른 체류자격에 해당하는 활동을 할 수 있는 권한을 부여하는 일종의 설권적 처분의 성격을 가지므로, 허가권자는 신청인이 관계 법령에서 정한 요건을 충족하였더라도, 신청인의 적격성, 체류 목적, 공익상의 영향 등을 참작하여 허가 여부를 결정할 수 있는 재량을 가진다(대판 2016.7.14. 2015두48846).

답 ③

함께 정리하기

행정행위

사립학교법인 임원취임승인
▷ 인가

의료유사업자 자격증 갱신발급
▷ 공증

토지거래허가
▷ 인가

「출입국관리법」상 체류자격변경허가
▷ 특허

003

행정작용에 대한 설명으로 가장 옳지 않은 것은? (다툼이 있는 경우 판례에 의함)

① 대학총장들에 대한 교육부장관의 학칙시정요구는 규제적 성격의 행정지도에 해당하며, 이는 헌법소원의 대상이 된다.
② 구「도시및주거환경정비법」등 관계법령에 따라 발급된 주택재건축사업 조합설립인가처분은 그 설립행위를 보충하는 강학상 인가에 해당한다.
③ 요청조달 계약에 적용되는 구「국가를 당사자로 하는 계약에 관한 법률」의 조항은 국가가 사경제 주체로서 국민과 대등한 관계에 있음을 전제로 한 사법(私法)관계에 관한 규정에 한정된다.
④ 재외동포 甲에 대한 입국금지결정이 있는 경우 행정청이 이에 구속되어 아무런 재량을 행사하지 않고 甲에 대한 사증발급을 거부한 것은 위법하다.

2025년 군무원 7급

① (○) 학칙시정요구의 법적 성격에 대하여는 그 자체로 일정한 법적 효과의 발생을 목적으로 하는 것이 아니고, 다만, 대학총장의 임의적인 협력을 통하여 사실상의 효과를 발생시키는 사실행위로서 일종의 행정지도라고 할 수 있다. 그러나 행정지도라 하더라도 그에 따르지 않을 경우 일정한 불이익조치를 예정하고 있는 경우에는 사실상 상대방에게 그에 따를 의무를 부과하는 것과 다를 바 없는 것인데, 이 사건 학칙시정요구의 경우 대학총장들이 그에 따르지 않을 경우 행·재정상 불이익이 따를 것이라고 경고하고 있어, 학교의 장으로서는 피청구인의 학칙시정요구에 따를 수밖에 없는 사실상의 강제를 받게 되므로, 이러한 시정요구는 임의적 협력을 기대하여 행하는 비권력적·유도적인 권고·조언 등의 단순한 행정지도로서의 한계를 넘어 규제적·구속적 성격을 상당히 강하게 갖는 것으로서 헌법소원의 대상이 되는 공권력의 행사라고 봄이 상당하다 할 것이다(헌재 2003.6.26. 2002헌마337등).

② (×) 구 도시정비법상 주택재개발정비사업조합(이하 '재개발조합'이라 한다)은 주택재개발사업(이하 '재개발사업'이라 한다)의 추진위원회가 정비구역 안에 소재한 토지 또는 건축물의 소유자 또는 그 지상권자(이하 '토지등소유자'라 한다)로부터 조합설립의 동의(이하 '조합설립결의'라 한다)를 받은 다음, 관계 법령의 요건과 절차에 따라 행정청에 재개발조합 설립 인가신청을 하여 행정청으로부터 조합설립의 인가를 받아 등기함으로써 법인으로 성립한다(구 도시정비법 제16조 제1항, 제5항, 제18조). 위와 같은 절차를 거쳐 설립된 재개발조합은 재개발사업의 사업시행자로서 조합원에 대한 법률관계에서 특수한 존립목적을 부여받은 행정주체로서의 지위를 갖게 되고, 이러한 행정주체의 지위에서 정비구역 안에 있는 토지 등을 수용하고(구 도시정비법 제38조), 관리처분계획(구 도시정비법 제48조), 경비부과처분(구 도시정비법 제61조) 등과 같은 행정처분을 할 수 있는 권한을 부여받게 되므로, <u>재개발조합설립 인가신청에 대한 행정청의 조합설립인가처분은 단순히 사인들의 조합설립행위에 대한 보충행위로서의 성질을 갖는 것이 아니라 법령상 일정한 요건을 갖출 경우 행정주체(공법인)의 지위를 부여하는 일종의 설권적 처분의 성격을 갖는 것이라고 봄이 상당하다</u>(대결 2009.9.24. 2009마168·169).

③ (○)
[1] 조달청장이 조달사업에 관한 법률 제5조의2 제1항 또는 제2항에 따라 수요기관으로부터 계약 체결을 요청받아 그에 따라 체결하는 계약은, 국가가 당사자가 되고 수요기관은 수익자에 불과한 '제3자를 위한 계약'에 해당한다.
[2] 국가를 당사자로 하는 계약에 관한 법률(이하 '국가계약법'이라 한다) 제2조는 그 적용 범위에 관하여 국가가 대한민국 국민을 계약상대자로 하여 체결하는 계약 등 국가를 당사자로 하는 계약에 대하여 위 법을 적용한다고 규정하고 있고, 제3조는 국가를 당사자로 하는 계약에 관하여는 다른 법률에 특별한 규정이 있는 경우를 제외하고는 이 법에서 정하는 바에 의한다고 규정하고 있으므로, <u>국가가 수익자인 수요기관을 위하여 국민을 계약상대자로 하여 체결하는 요청조달계약에는 다른 법률에 특별한 규정이 없는 한 당연히 국가계약법이 적용된다.</u>

행정작용

학칙시정요구
▷ 헌법소원 대상(공권력의 행사)

도시정비법상 조합설립인가
▷ 특허

요청조달 계약에 적용되는 국가계약법의 조항
▷ 사법(私法)관계에 관한 규정에 한정

사증발급 거부시 재량의 불행사
▷ 위법

그러나 위 법리에 의하여 요청조달계약에 적용되는 국가계약법 조항은 국가가 사경제 주체로서 국민과 대등한 관계에 있음을 전제로 한 사법(사법)관계에 관한 규정에 한정되고, 고권적 지위에서 국민에게 침익적 효과를 발생시키는 행정처분에 관한 규정까지 당연히 적용된다고 할 수 없다. 특히 요청조달계약에 있어 조달청장은 수요기관으로부터 요청받은 계약 업무를 이행하는 것에 불과하므로, 조달청장이 수요기관을 대신하여 국가계약법 제27조 제1항에 규정된 입찰참가자격 제한 처분을 할 수 있으려면 그에 관한 수권의 근거 또는 수권의 취지가 포함된 업무 위탁에 관한 근거가 법률에 별도로 마련되어 있어야 한다.

한편 공공기관의 운영에 관한 법률(이하 '공공기관운영법'이라 한다) 제44조 제2항은 "공기업·준정부기관은 필요하다고 인정하는 때에는 수요물자 구매나 시설공사계약의 체결을 조달청장에게 위탁할 수 있다."라고 규정하고 있다. 그런데 이처럼 공공기관운영법에 계약 체결 업무의 위탁에 관하여 법률 규정을 별도로 두고 있는 취지는 조달청에서 운영하고 있는 전문적이고 체계적인 조달시스템을 완전하게 이용하도록 하기 위한 것인 점, 요청조달계약의 수요기관이 준정부기관인 경우 공공기관운영법 제39조 제2항에 따라 독자적인 입찰참가자격 제한 처분 권한을 보유하고 있는 점, 조달청장에게 계약 체결 업무가 전적으로 위탁된 이상 조달청장은 국가계약법에서 정한 제반 절차에 따라 위탁기관의 계약과 관련한 사무를 처리하여야만 하는 점 등을 종합하여 보면, 공공기관운영법 제44조 제2항은 국가계약법상의 입찰참가자격 제한 처분의 수권 취지가 포함된 업무 위탁에 관한 근거 규정에 해당한다.

이러한 법리와 관련 규정의 내용 및 취지에 비추어 보면, 준정부기관으로부터 공공기관운영법 제44조 제2항에 따라 계약 체결 업무를 위탁받은 조달청장은 국가계약법 제27조 제1항에 따라 입찰참가자격 제한 처분을 할 수 있는 권한이 있다고 봄이 타당하다(대판 2017.12.28. 2017두39433).

④ (O) 출입국관리법과 그 시행규칙, 재외동포법의 관련 조항과 체계, 입법 연혁과 목적을 종합하면 다음과 같은 결론을 도출할 수 있다. 재외동포에 대한 사증발급은 행정청의 재량행위에 속하는 것으로서, 재외동포가 사증발급을 신청한 경우에 출입국관리법 시행령 [별표 1의2]에서 정한 재외동포체류자격의 요건을 갖추었다고 해서 무조건 사증을 발급해야 하는 것은 아니다. 재외동포에게 출입국관리법 제11조 제1항 각 호에서 정한 입국금지사유 또는 재외동포법 제5조 제2항에서 정한 재외동포체류자격 부여 제외사유(이 사건에서는 '대한민국 남자가 병역을 기피할 목적으로 외국국적을 취득하고 대한민국 국적을 상실하여 외국인이 된 경우')가 있어 그의 국내 체류를 허용하지 않음으로써 달성하고자 하는 공익이 그로 말미암아 발생하는 불이익보다 큰 경우에는 행정청이 재외동포체류자격의 사증을 발급하지 않을 재량을 가진다고 보아야 한다.

처분의 근거 법령이 행정청에 처분의 요건과 효과 판단에 일정한 재량을 부여하였는데도, 행정청이 자신에게 재량권이 없다고 오인한 나머지 처분으로 달성하려는 공익과 그로써 처분상대방이 입게 되는 불이익의 내용과 정도를 전혀 비교형량하지 않은 채 처분을 하였다면, 이는 재량권 불행사로서 그 자체로 재량권 일탈·남용으로 해당 처분을 취소하여야 할 위법사유가 된다.

병무청장이 법무부장관에게 '가수 甲이 공연을 위하여 국외여행허가를 받고 출국한 후 미국 시민권을 취득함으로써 사실상 병역의무를 면탈하였다'는 이유로 입국 금지를 요청함에 따라 법무부장관이 甲의 입국금지결정을 하였는데, 甲이 재외공관의 장에게 재외동포(F-4) 체류자격의 사증발급을 신청하자 재외공관장이 처분이유를 기재한 사증발급 거부처분서를 작성해 주지 않은 채 甲의 아버지에게 전화로 사증발급이 불허되었다고 통보한 사안에서, 사증발급 거부처분에는 행정절차법 제24조 제1항을 위반한 하자가 있고, 재외공관장이 13년 7개월 전에 입국금지결정이 있었다는 이유만으로 그에 구속되어 사증발급 거부처분을 한 것이 비례의 원칙에 반하는 것인지 판단했어야 함에도, 입국금지결정에 따라 사증발급 거부처분을 한 것이 적법하다고 본 원심판단에 법리를 오해한 잘못이 있다(대판 2019.7.11. 2017두38874).

답 ②

004

인가에 대한 설명으로 가장 옳은 것은? (다툼이 있는 경우 판례에 의함)

① 「도시 및 주거환경정비법」에 기초하여 주택재개발정비사업조합이 수립한 관리처분계획을 가하는 행정청의 행위는 조합의 관리처분계획에 권리를 부여하는 설권적 처분의 성격을 가진다.
② 토지 등 소유자들이 직접 시행하는 도시환경정비사업에서 토지 등 소유자에 대한 사업시행인가처분은 구 「도시 및 주거환경정비법」상 정비사업을 시행할 수 있는 권한을 가지는 행정주체로서의 지위를 부여하는 일종의 설권적 처분의 성격을 가진다.
③ 주택재건축정비사업조합이 수립한 관리처분계획에 대하여 관할 행정청의 인가·고시까지 있게 되면, 조합총회결의의 하자를 이유로 조합설립의 효력을 다투는 것은 조합설립결의만을 대상으로 그 효력유무를 다투는 확인의 소를 제기해야 한다.
④ 인가의 대상이 되는 기본행위는 인가가 있기 전에는 효력이 발생하지 않은 상태에 있다가 인가가 있으면, 인가가 행해진 시점부터 효력을 발생하게 된다.

2025년 군무원 9급

① (×) 도시 및 주거환경정비법(이하 '도시정비법'이라 한다)에 기초하여 주택재개발정비사업조합(이하 '조합'이라 한다)이 수립한 관리처분계획은 그것이 인가·고시를 통해 확정되면 이해관계인에 대한 구속적 행정계획으로서 독립적인 행정처분에 해당한다. 이러한 관리처분계획을 인가하는 행정청의 행위는 조합의 관리처분계획에 대한 법률상의 효력을 완성시키는 보충행위이다(대판 2016.12.15. 2015두51347).

② (○)
  [1] 구 도시 및 주거환경정비법(2012.2.1. 법률 제11293호로 개정되기 전의 것, 이하 '구 도시정비법'이라 한다) 제8조 제3항, 제28조 제1항에 의하면, 토지 등 소유자들이 그 사업을 위한 조합을 따로 설립하지 아니하고 직접 도시환경정비사업을 시행하고자 하는 경우에는 사업시행계획서에 정관 등과 그 밖에 국토해양부령이 정하는 서류를 첨부하여 시장·군수에게 제출하고 사업시행인가를 받아야 하고, 이러한 절차를 거쳐 사업시행인가를 받은 토지 등 소유자들은 관할 행정청의 감독 아래 정비구역 안에서 구 도시정비법상의 도시환경정비사업을 시행하는 목적 범위 내에서 법령이 정하는 바에 따라 일정한 행정작용을 행하는 행정주체로서의 지위를 가진다. 그렇다면 토지 등 소유자들이 직접 시행하는 도시환경정비사업에서 토지 등 소유자에 대한 사업시행인가처분은 단순히 사업시행계획에 대한 보충행위로서의 성질을 가지는 것이 아니라 구 도시정비법상 정비사업을 시행할 수 있는 권한을 가지는 행정주체로서의 지위를 부여하는 일종의 설권적 처분의 성격을 가진다.
  [2] 도시환경정비사업을 직접 시행하려는 토지 등 소유자들은 시장·군수로부터 사업시행인가를 받기 전에는 행정주체로서의 지위를 가지지 못한다. 따라서 그가 작성한 사업시행계획은 인가처분의 요건 중 하나에 불과하고 항고소송의 대상이 되는 독립된 행정처분에 해당하지 아니한다고 할 것이다(대판 2013.6.13. 2011두19994).

③ (×) 도시 및 주거환경정비법상 주택재건축정비사업조합이 같은 법 제48조에 따라 수립한 관리처분계획에 대하여 관할 행정청의 인가·고시까지 있게 되면 관리처분계획은 행정처분으로서 효력이 발생하게 되므로, 총회결의의 하자를 이유로 하여 행정처분의 효력을 다투는 항고소송의 방법으로 관리처분계획의 취소 또는 무효확인을 구하여야 하고, 그와 별도로 행정처분에 이르는 절차적 요건 중 하나에 불과한 총회결의 부분만을 따로 떼어내어 효력 유무를 다투는 확인의 소를 제기하는 것은 특별한 사정이 없는 한 허용되지 않는다(대판 2009.9.17. 2007다2428 전합).

④ (×) 기본행위는 인가가 있기 전에는 효력이 발생하지 않은 상태에 있다가 인가가 있으면, 원칙적으로 기본행위가 성립한 시점으로 소급하여 효력이 발생한다.

답 ②

문제 DATA
출제가능 지수 ▶▶▷
난이도 지수 ★★☆

함께 정리하기

인가

관리처분계획에 대한 인가
▷ 강학상 인가

토지 등 소유자들이 직접 시행하는 도시환경정비사업시행인가
▷ 특허

관리처분계획의 인가고시 이후
▷ 관리처분계획에 대해 조합을 상대로 항고소송○

인가 받은 기본행위
▷ 원칙적으로 기본행위 성립시로 소급하여 효력 발생

문제 DATA

출제가능 지수 ▶▶▷
난이도 지수 ★★☆

005 □□□

강학상 인가에 대한 설명으로 옳지 않은 것은? (다툼이 있는 경우 판례에 의함)

① 구 「국토이용관리법」상 토지거래허가는 인가의 성질을 가진다.
② 구 「도시 및 주거환경정비법」상 도시환경정비사업조합이 수립한 사업시행계획을 인가하는 행정청의 행위는 인가에 해당한다.
③ 인가처분에는 하자가 없고 기본행위인 정관변경결의에 하자가 있는 경우 기본행위의 무효를 내세워 인가처분의 취소 또는 무효확인을 구할 법률상 이익은 없다.
④ 기본행위인 학교법인의 임원선임행위가 불성립 또는 무효인 경우에 그에 대한 감독청의 취임승인이 있었다면 이로써 무효인 선임행위가 유효한 것으로 된다.

| 2025년 경찰간부

① (○) 국토이용관리법 제21조의3 제1항 소정의 토지거래허가가 규제지역 내의 모든 국민에게 전반적으로 토지거래의 자유를 금지하고 일정한 요건을 갖춘 경우에만 금지를 해제하여 계약체결의 자유를 회복시켜 주는 성질의 것이라고 보는 것은 위 법의 입법취지를 넘어선 지나친 해석이라고 할 것이고, 규제지역 내에서도 토지거래의 자유가 인정되나 다만 위 허가를 허가 전의 유동적 무효상태에 있는 법률행위의 효력을 완성시켜 주는 인가적 성질을 띤 것이라고 보는 것이 타당하다(대판 1991.12.24. 90다12243 전합).
② (○) 구 도시 및 주거환경정비법(2007.12.21. 법률 제8785호로 개정되기 전의 것, 이하 '도정법'이라 한다)에 기초하여 도시환경정비사업조합이 수립한 사업시행계획은 그것이 인가·고시를 통해 확정되면 이해관계인에 대한 구속적 행정계획으로서 독립된 행정처분에 해당하므로, 사업시행계획을 인가하는 행정청의 행위는 도시환경정비사업조합의 사업시행계획에 대한 법률상의 효력을 완성시키는 보충행위에 해당한다(대판 2010.12.9. 2010두1248).
③ (○) 정관변경인가는 기본행위인 재단법인의 정관변경에 대한 법률상의 효력을 완성시키는 보충행위로서, 그 기본이 되는 정관변경 결의에 하자가 있을 때에는 그에 대한 인가가 있었다 하여도 기본행위인 정관변경 결의가 유효한 것으로 될 수 없으므로 기본행위인 정관변경 결의가 적법 유효하고 보충행위인 인가처분 자체에만 하자가 있다면 그 인가처분의 무효나 취소를 주장할 수 있지만, 인가처분에 하자가 없다면 기본행위에 하자가 있다 하더라도 따로 그 기본행위의 하자를 다투는 것은 별론으로 하고 기본행위의 무효를 내세워 바로 그에 대한 행정청의 인가처분의 취소 또는 무효확인을 소구할 법률상의 이익이 없다(대판 1996.5.16. 95누4810 전합).
④ (×) 사립학교법 제20조 제2항에 의한 학교법인의 임원에 대한 감독청의 취임승인은 학교법인의 임원선임행위를 보충하여 그 법률상의 효력을 완성케하는 보충적 행정행위로서 성질상 기본행위를 떠나 승인처분 그 자체만으로는 법률상 아무런 효력도 발생할 수 없으므로 기본행위인 학교법인의 임원선임행위가 불성립 또는 무효인 경우에는 비록 그에 대한 감독청의 취임승인이 있었다 하여도 이로써 무효인 그 선임행위가 유효한 것으로 될 수는 없다(대판 1987.8.18. 86누152).

답 ④

함께 정리하기

강학상 인가

토지거래허가
▷ 인가

사업시행계획에 대한 인가
▷ 인가

기본행위인 정관변경결의에 하자○, 인가처분 하자×
▷ 인가처분을 다툴 수 없음

임원취임승인처분
▷ 선임절차상 하자치유×

006

인가에 대한 설명으로 옳지 않은 것은?

① 「도시 및 주거환경정비법」상 주택재개발정비사업조합이 수립한 관리처분계획을 인가하는 행정청의 행위는 조합의 관리처분계획에 대한 법률상의 효력을 완성시키는 보충행위이다.
② 「도시 및 주거환경정비법」상 주택재개발정비사업조합이 받은 사업시행계획 인가처분에는 고유한 하자가 없는데 사업시행계획에 하자가 있는 경우, 사업시행계획의 무효를 주장하면서 곧바로 그에 대한 인가처분의 무효확인이나 취소를 구하여서는 아니 된다.
③ 구 「임대주택법」상 분양전환승인 중 분양전환가격을 승인하는 부분은 단순히 분양계약의 효력을 보충하여 그 효력을 완성시켜주는 강학상 인가에 해당한다고 볼 수 없다.
④ 「국토의 계획 및 이용에 관한 법률」상 도시·군계획시설결정과 실시계획인가는 별개의 법률효과를 발생시키는 독립적인 행정처분이므로 선행처분인 도시·군계획시설결정에 하자가 있더라도 그것이 당연무효가 아닌 한 원칙적으로 후행처분인 실시계획인가에 승계되지 않는다.
⑤ 「도시 및 주거환경정비법」상 재개발조합설립인가신청에 대한 행정청의 조합설립인가처분은 기본행위인 사인의 조합설립행위에 대한 보충행위로서 강학상 인가에 해당한다.

2025년 국회직 8급

① (○) 도시 및 주거환경정비법(이하 '도시정비법'이라 한다)에 기초하여 주택재개발정비사업조합(이하 '조합'이라 한다)이 수립한 관리처분계획은 그것이 인가·고시를 통해 확정되면 이해관계인에 대한 구속적 행정계획으로서 독립적인 행정처분에 해당한다. 이러한 관리처분계획을 인가하는 행정청의 행위는 조합의 관리처분계획에 대한 법률상의 효력을 완성시키는 보충행위이다(대판 2016.12.15. 2015두51347).
② (○) 기본행위인 사업시행계획이 무효인 경우 그에 대한 인가처분이 있다고 하더라도 그 기본행위인 사업시행계획이 유효한 것으로 될 수 없으며, 기본행위가 적법·유효하고 보충행위인 인가처분 자체에만 하자가 있다면 그 인가처분의 무효나 취소를 주장할 수 있다고 할 것이지만, 인가처분에 하자가 없다면 기본행위에 하자가 있다고 하더라도 따로 그 기본행위의 하자를 다투는 것은 별론으로 하고 기본행위의 무효를 내세워 바로 그에 대한 인가처분의 취소 또는 무효확인을 구할 수 없다(대판 2014.2.27. 2011두25173).
③ (○) 구 임대주택법 제21조에 의한 분양전환승인은 '해당 임대주택이 임대의무기간 경과 등으로 분양전환 요건을 충족하는지 여부' 및 '분양전환승인신청서에 기재된 분양전환가격이 임대주택법령의 규정에 따라 적법하게 산정되었는지'를 심사하여 승인하는 행정처분에 해당하고(대판 2015.3.26. 012두20304 참조), 그중 분양전환가격에 관한 부분은 시장 등이 분양전환에 따른 분양계약의 매매대금 산정의 기준이 되는 분양전환가격의 적정성을 심사하여 그 분양전환가격이 적법하게 산정된 것임을 확인하고 임대사업자로 하여금 승인된 분양전환가격을 기준으로 분양전환을 하도록 하는 처분이다. 이러한 절차를 거쳐 승인된 분양전환가격은 곧바로 임대사업자와 임차인 사이에 체결되는 분양계약상 분양대금의 내용이 되는 것은 아니지만, 임대사업자는 승인된 분양전환가격을 상한으로 하여 분양대금을 정하여 임차인과 분양계약을 체결하여야 하므로, 분양전환승인 중 분양전환가격에 대한 부분은 임대사업자뿐만 아니라 임차인의 법률적 지위에도 구체적이고 직접적인 영향을 미친다. 따라서 <u>분양전환승인 중 분양전환가격을 승인하는 부분은 단순히 분양계약의 효력을 보충하여 그 효력을 완성시켜주는 강학상 '인가'에 해당한다고 볼 수 없고</u>, 임차인들에게는 분양계약을 체결한 이후 분양대금이 강행규정인 임대주택법령에서 정한 산정기준에 의한 분양전환가격을 초과하였음을 이유로 부당이득반환을 구하는 민사소송을 제기하는 것과 별개로, 분양계약을 체결하기 전 또는 체결한 이후라도 항고소송을 통하여 분양전환승인의 효력을 다툴 법률상 이익(원고적격)이 있다고 보아야 한다(대판 2020.7.23. 2015두48129).

문제 DATA

출제가능 지수 ▶▶▷
난이도 지수 ★★★

함께 정리하기

인가

관리처분계획에 대한 인가
▷ 인가

인가처분에는 고유한 하자가 없는데 사업시행계획에 하자
▷ 사업시행계획(인가처분×)의 무효확인이나 취소를 구하여야 함

분양전환승인 중 분양전환가격을 승인하는 부분
▷ 인가×

도시군계획시설결정과 실시계획인가
▷ 하자승계×

도시정비법상 조합설립인가
▷ 특허

④ (○) 도시·군계획시설결정과 실시계획인가는 도시·군계획시설사업을 위하여 이루어지는 단계적 행정절차에서 별도의 요건과 절차에 따라 별개의 법률효과를 발생시키는 독립적인 행정처분이다. 그러므로 선행처분인 도시·군계획시설결정에 하자가 있더라도 그것이 당연무효가 아닌 한 원칙적으로 후행처분인 실시계획인가에 승계되지 않는다(대판 2017.7.18. 2016두49938).

⑤ (×) 구 도시정비법상 주택재개발정비사업조합(이하 '재개발조합'이라 한다)은 주택재개발사업(이하 '재개발사업'이라 한다)의 추진위원회가 정비구역 안에 소재한 토지 또는 건축물의 소유자 또는 그 지상권자(이하 '토지등소유자'라 한다)로부터 조합설립의 동의(이하 '조합설립결의'라 한다)를 받은 다음, 관계 법령의 요건과 절차에 따라 행정청에 재개발조합 설립 인가신청을 하여 행정청으로부터 조합설립의 인가를 받아 등기함으로써 법인으로 성립한다(구 도시정비법 제16조 제1항, 제5항, 제18조). 위와 같은 절차를 거쳐 설립된 재개발조합은 재개발사업의 사업시행자로서 조합원에 대한 법률관계에서 특수한 존립목적을 부여받은 행정주체로서의 지위를 갖게 되고, 이러한 행정주체의 지위에서 정비구역 안에 있는 토지 등을 수용하고(구 도시정비법 제38조), 관리처분계획(구 도시정비법 제48조), 경비부과처분(구 도시정비법 제61조) 등과 같은 행정처분을 할 수 있는 권한을 부여받게 되므로, <u>재개발조합설립 인가신청에 대한 행정청의 조합설립인가처분은 단순히 사인들의 조합설립행위에 대한 보충행위로서의 성질을 갖는 것이 아니라 법령상 일정한 요건을 갖출 경우 행정주체(공법인)의 지위를 부여하는 일종의 설권적 처분의 성격을 갖는 것이라고 봄이 상당하다</u>(대결 2009.9.24. 2009마168·169).

답 ⑤

007 ☐☐☐

행정행위에 대한 설명으로 옳지 않은 것은? (다툼이 있는 경우 판례에 의함)

① 구 공중위생관리법령에 따라 공중위생영업이 양도·양수된 후 양수인이 행정청에 새로운 영업소개설통보를 하였다면, 양도인에 관한 공중위생업 영업정지의 위법사유로 양수인에게 영업정지처분을 할 수 없다.

② 건축허가는 대물적 성질을 갖는 것이어서 행정청은 그 허가를 할 때 건축주가 누구인가 등 인적 요소에 관하여는 형식적 심사만을 행한다.

③ 요양기관이 속임수나 그 밖의 부당한 방법으로 보험자에게 요양급여비용을 부담하게 한 것을 이유로 「국민건강보험법」에 따라 받게 되는 요양기관 업무정지처분은 대물적 처분의 성격을 가진다.

④ 행정청이 「도시 및 주거환경정비법」 등 관련 법령에 근거하여 행하는 주택재건축조합 설립인가처분은 법령상 요건을 갖출 경우 주택재건축사업을 시행할 수 있는 권한을 갖는 행정주체로서의 지위를 부여하는 일종의 설권적 처분의 성격을 가진다.

⑤ 근로복지공단이 사업주에 대해 행하는 개별 사업장의 사업종류 결정은 행정청이 행하는 구체적 사실에 관한 법집행으로서 공권력을 행사하는 확인적 행정행위라고 보아야 한다.

> 2025년 변호사

① (×) 구 공중위생관리법(2000.1.12. 법률 제6155호로 개정되기 전의 것) 제11조 제5항에서, 영업소폐쇄명령을 받은 후 6월이 지나지 아니한 경우에는 동일한 장소에서는 그 폐쇄명령을 받은 영업과 같은 종류의 영업을 할 수 없다고 규정하고 있고, 같은 법 시행규칙 제19조 [별표 7] 행정처분기준 Ⅱ. 개별기준 3. 이용업에서 업주의 위반사항에 대하여 3차 또는 4차 위반시(다만, 영업정지처분을 받고 그 영업정지기간 중 영업을 한 경우는 1차 위반시)에는 영업장폐쇄명령을 하고, 그보다 위반횟수가 적을 경우에는 영업정지, 개선명령 등을 하게 되며, 일정한 경우 하나의 위반행위에 대하여 영업소에 대한 영업정지 또는 영업장폐쇄명령을, 이용사(업주)에 대한 업무정지 또는 면허취소 처분을 동시에 할 수 있다고 규정하고 있는 점 등을 고려하여 볼 때 <u>영업정지나 영업장폐쇄명령 모두 대물적 처분으로 보아야 할 이치이고</u>, 아울러 구 공중위생관리법(2000.1.12. 법률 제6155호로 개정되기 전의 것) 제3조 제1항에서 보건복지부장관은 공중위생영업자로 하여금 일정한 시설 및 설비를 갖추고 이를 유지·관리하게

문제 DATA

출제가능 지수 ▶▶▷
난이도 지수 ★★★

함께 정리하기

행정행위

공중위생영업 영업양도
▷ 양도 전 사유로 양수인에 대한 영업정지 가

건축허가
▷ 대물적 성질, 인적요소는 형식적 심사

요양기관 업무정지처분
▷ 대물적 처분

도시정비법상 조합설립인가
▷ 특허

개별 사업장의 사업종류 결정
▷ 확인적 행정행위(처분○)

할 수 있으며, 제2항에서 공중위생영업자가 영업소를 개설한 후 시장 등에게 영업소개설사실을 통보하도록 규정하는 외에 공중위생영업에 대한 어떠한 제한규정도 두고 있지 아니한 것은 공중위생영업의 양도가 가능함을 전제로 한 것이라 할 것이므로, 양수인이 그 양수 후 행정청에 새로운 영업소개설통보를 하였다 하더라도, 그로 인하여 영업양도·양수로 영업소에 관한 권리의무가 양수인에게 이전하는 법률효과까지 부정되는 것은 아니라 할 것인바, 만일 어떠한 공중위생영업에 대하여 그 영업을 정지할 위법사유가 있다면, 관할 행정청은 그 영업이 양도·양수되었다 하더라도 그 업소의 양수인에 대하여 영업정지처분을 할 수 있다고 봄이 상당하다(대판 2001.6.29. 2001두1611).

② (○) 건축허가는 대물적 성질을 갖는 것이어서 행정청으로서는 허가를 할 때에 건축주 또는 토지 소유자가 누구인지 등 인적 요소에 관하여는 형식적 심사만 한다. 건축주가 토지 소유자로부터 토지사용승낙서를 받아 그 토지 위에 건축물을 건축하는 대물적 성질의 건축허가를 받았다가 착공에 앞서 건축주의 귀책사유로 해당 토지를 사용할 권리를 상실한 경우, 건축허가의 존재로 말미암아 토지에 대한 소유권 행사에 지장을 받을 수 있는 토지 소유자로서는 건축허가의 철회를 신청할 수 있다고 보아야 한다. 따라서 토지 소유자의 위와 같은 신청을 거부한 행위는 항고소송의 대상이 된다(대판 2017.3.15. 2014두41190).

③ (○) 요양기관이 속임수나 그 밖의 부당한 방법으로 보험자에게 요양급여비용을 부담하게 한 때에 국민건강보험법 제98조 제1항 제1호에 의해 받게 되는 요양기관 업무정지처분은 의료인 개인의 자격에 대한 제재가 아니라 요양기관의 업무 자체에 대한 것으로서 대물적 처분의 성격을 갖는다. 따라서 속임수나 그 밖의 부당한 방법으로 보험자에게 요양급여비용을 부담하게 한 요양기관이 폐업한 때에는 그 요양기관은 업무를 할 수 없는 상태일 뿐만 아니라 그 처분대상도 없어졌으므로 그 요양기관 및 폐업 후 그 요양기관의 개설자가 새로 개설한 요양기관에 대하여 업무정지처분을 할 수는 없다. 이러한 법리는 보건복지부 소속 공무원의 검사 또는 질문을 거부·방해 또는 기피한 경우에 국민건강보험법 제98조 제1항 제2호에 의해 받게 되는 요양기관 업무정지처분 및 의료급여법 제28조 제1항 제3호에 의해 받게 되는 의료급여기관 업무정지처분의 경우에도 마찬가지로 적용된다(대판 2022.4.28. 2022두30546).

④ (○) 행정청이 도시정비법 등 관련 법령에 근거하여 행하는 조합설립인가처분은 단순히 사인들의 조합설립행위에 대한 보충행위로서의 성질을 갖는 것에 그치는 것이 아니라 법령상 요건을 갖출 경우 도시정비법상 주택재건축사업을 시행할 수 있는 권한을 갖는 행정주체(공법인)로서의 지위를 부여하는 일종의 설권적 처분의 성격을 갖는다고 보아야 한다(대판 2009.9.24. 2008다60568).

⑤ (○) 근로복지공단이 사업주에 대하여 하는 '개별 사업장의 사업종류 변경결정'은 행정청이 행하는 구체적 사실에 관한 법집행으로서의 공권력의 행사인 '처분'에 해당한다고 보아야 한다. 그 구체적인 이유는 다음과 같다.

(1) 사업종류별 산재보험료율은 고용노동부장관이 매년 정하여 고시하므로, 개별 사업장의 사업종류가 구체적으로 결정되면 그에 따라 해당 사업장에 적용할 산재보험료율이 자동적으로 정해진다. 고용산재보험료징수법은 개별 사업장의 사업종류 결정의 절차와 방법, 결정기준에 관하여 구체적으로 규정하거나 하위법령에 명시적으로 위임하지는 않았으나, 고용산재보험료징수법의 사업종류 변경신고에 관한 규정들과 근로복지공단의 사실조사에 관한 규정들은 개별 사업장의 구체적인 특성을 고려하여 사업종류가 결정되고 그에 따라 산재보험료율이 결정되어야 함을 전제로 하고 있다. 따라서 근로복지공단이 개별 사업장의 사업종류를 결정하는 것은 고용산재보험료징수법을 집행하는 과정에서 이루어지는 행정작용이다.

고용노동부장관의 고시에 의하면, 개별 사업장의 사업종류 결정은 그 사업장의 재해 발생의 위험성, 경제활동의 동질성, 주된 제품·서비스의 내용, 작업공정과 내용, 한국표준산업분류에 따른 사업내용 분류, 동종 또는 유사한 다른 사업장에 적용되는 사업종류 등을 확인한 후, 매년 고용노동부장관이 고시한 '사업종류예시표'를 참고하여 사업세목을 확정하는 방식으로 이루어진다. 1차적으로 사업주의 보험관계 성립신고나 변경신고를 참고하지만, 사업주가 신고를 게을리하거나 그 신고내용에 의문이 있는 경우에는 산재보험료를 산정하는 행정청인 근로복지공단이 직접 사실을 조사하여 결정하여야 한다. 이러한 사업종류 결정의 주체, 내용과 결정기준을 고려하면, 개별 사업장의 사업종류 결정은 구체적 사실에 관한 법집행으로서 공권력을 행사하는 '확인적 행정행위'라고 보아야 한다.

(2) 개별 사업장의 사업종류가 사업주에게 불리한 내용으로 변경되면 산재보험료율이 인상되고, 사업주가 납부하여야 하는 산재보험료가 증가한다. 따라서 근로복지공단의 사업종류 변경결정은 사업주의 권리·의무에도 직접 영향을 미친다고 보아야 한다. 근로복지공단이 개별 사업장의 사업종류를 변경결정하고 산재보험료를 산정하면, 그에 따라 국민건강보험공단이 이미 지난 기간에 대한 부족액을 추가로 징수하거나 장래의 기간에 대하여 매월 보험료를 부과하는 별도의 처분을 할 것이 예정되어 있기는 하다. 그러나 개별 사업장의 사업종류를 변경하고 산재보험료를 산정하는 판단작용을 하는 행정청은 근로복지공단이며, 국민건강보험공단은 근로복지공단으로부터 그 자료를 넘겨받아 사업주에 대해서 산재보험료를 납부고지하고 징수하는 역할을 수행한다. 따라서 근로복지공단의 사업종류 변경결정의 당부에 관하여 국민건강보험공단으로 하여금 소송행위를 하도록 하기보다는, 그 결정의 행위주체인 근로복지공단으로 하여금 소송당사자가 되도록 하는 것이 합리적이다(대판 2020.4.9. 2019두61137).

답 ①

008 □□□

행정행위에 대한 설명으로 옳지 않은 것은?

① 여객자동차운송사업의 한정면허는 특정인에게 권리나 이익을 부여하는 수익적 행정행위로서 재량행위에 해당한다.
② 난민 인정에 관한 신청을 받은 행정청은 원칙적으로 법령이 정한 난민 요건에 해당하는지를 심사하여 난민 인정 여부를 결정할 수 있을 뿐이고, 법령이 정한 난민 요건과 무관한 다른 사유만을 들어 난민 인정을 거부할 수는 없다.
③ 자동차관리사업자로 구성하는 사업자단체 설립인가는 인가권자가 가지는 지도·감독 권한의 범위 등과 아울러 설립인가에 관하여 구체적인 기준이 정하여져 있지 않은 점 등에 비추어 재량행위로 보아야 한다.
④ 공익법인의 기본재산 처분허가에 부관을 붙인 경우, 그 처분허가의 법적 성질은 명령적 행정행위인 허가에 해당하며 조건으로서 부관의 부과가 허용되지 아니한다.

> 2024년 국가직 9급

① (○) 여객자동차 운수사업법 제4조 제1항 단서 및 제2항, 제3항, 여객자동차 운수사업법 시행규칙 제17조 제1항 제1호 (가)목 1), 제5항 및 제6항을 종합하면, 여객자동차운송사업의 한정면허는 특정인에게 권리나 이익을 부여하는 수익적 행정행위로서, 교통수요, 운송업체의 수송 및 공급능력 등에 관한 기술적·전문적 판단이 필요하고, 원활한 운송체계의 확보, 일반 공중의 교통 편의성 제고 등 운수행정을 통한 공익적 측면과 함께 관련 운송사업자들 사이의 이해관계 조정 등 사익적 측면을 고려하는 등 합목적성과 구체적 타당성을 확보하기 위한 적합한 기준에 따라야 하므로, 그 범위 내에서는 법령이 특별히 규정한 바가 없으면 행정청이 재량을 보유하고 이는 한정면허가 기간만료로 실효되어 갱신되는 경우에도 마찬가지이다. 따라서 한정면허가 신규로 발급되는 때는 물론이고 한정면허의 갱신 여부를 결정하는 때에도 관계 법규 내에서 한정면허의 기준이 충족되었는지를 판단하는 것은 관할 행정청의 재량에 속한다. 그러므로 시·도지사가 한정면허의 기준을 충족하였는지 여부를 심사한 것이 객관적으로 합리적이지 않거나 타당하지 않다고 보이지 아니하는 한 그 의사는 가능한 존중되어야 하고, 이에 대한 사법심사는 원칙적으로 재량권의 일탈이나 남용이 있는지 여부만을 대상으로 하며, 사실오인과 비례·평등의 원칙 위반 여부 등이 판단 기준이 된다(대판 2020.6.11. 2020두34384).
② (○) 구 출입국관리법 제2조 제3호, 제76조의2 제1항, 제3항, 제4항, 구 출입국관리법 시행령 제88조의2, 난민의 지위에 관한 협약 제1조, 난민의 지위에 관한 의정서 제1조의 문언, 체계와 입법 취지를 종합하면, 난민 인정에 관한 신청을 받은 행정청은 원칙적으로 법령이 정한 난민 요건에 해당하는지를 심사하여 난민 인정 여부를 결정할 수 있을 뿐이고, 이와 무관한 다른 사유만을 들어 난민 인정을 거부할 수는 없다(대판 2017.12.5. 2016두42913).

문제 DATA
출제가능 지수 ▶▶▷
난이도 지수 ★★☆

함께 정리하기

행정행위

여객자동차운송사업의 한정면허
▷ 특허, 재량행위

법무부장관의 난민인정
▷ 기속행위

「자동차관리법」상 사업자단체조합 설립인가
▷ 인가, 재량행위

공익법인의 기본재산처분에 대한 허가
▷ 인가, 재량행위, 부관 부가 可

③ (○)

[1] 구 자동차관리법(2012.1.17. 법률 제11190호로 개정되기 전의 것, 이하 '자동차관리법'이라고 한다) 제67조 제1항, 제3항, 제4항, 제5항, 구 자동차관리법 시행규칙(2011.12.15. 국토해양부령 제414호로 개정되기 전의 것) 제148조 제1항, 제2항의 내용 및 체계 등을 종합하면, 자동차관리법상 자동차관리사업자로 구성하는 사업자단체인 조합 또는 협회(이하 '조합 등'이라고 한다)의 설립인가 처분은 국토해양부장관 또는 시·도지사(이하 '시·도지사 등'이라고 한다)가 자동차관리사업자들의 단체결성행위를 보충하여 효력을 완성시키는 처분에 해당한다. 그리고 자동차관리법이 자동차관리사업자들로 하여금 시·도지사 등의 설립인가를 거쳐 조합 등을 설립하도록 한 취지는, 자동차관리사업자들이 공통의 이익을 추구하기 위해 단체를 구성하여 활동할 수 있는 헌법상 결사의 자유를 폭넓게 보장하는 한편, 조합 등이 수행하는 업무의 특수성을 고려하여 공익적 차원에서 최소한의 사전적 규제를 하고자 함에 있다.

[2] 구 자동차관리법상 자동차관리사업자로 구성하는 사업자단체인 조합 또는 협회(이하 '조합 등'이라고 한다) 설립인가 제도의 입법 취지, 조합 등에 대하여 인가권자가 가지는 지도·감독 권한의 범위 등과 아울러 자동차관리법상 조합 등 설립인가에 관하여 구체적인 기준이 정하여져 있지 않은 점에 비추어 보면, 인가권자인 국토해양부장관 또는 시·도지사는 조합 등의 설립인가 신청에 대하여 자동차관리법 제67조 제3항에 정한 설립요건의 충족 여부는 물론, 나아가 조합 등의 사업내용이나 운영계획 등이 자동차관리사업의 건전한 발전과 질서 확립이라는 사업자단체 설립의 공익적 목적에 부합하는지 등을 함께 검토하여 설립인가 여부를 결정할 재량을 가진다. 다만 이러한 재량을 행사할 때 기초가 되는 사실을 오인하였거나 비례·평등의 원칙을 위반하는 등의 사유가 있다면 이는 재량권의 일탈·남용으로서 위법하다(대판 2015.5.29. 2013두635).

④ (×) 공익법인의 기본재산의 처분에 관한 공익법인의 설립·운영에 관한 법률 제11조 제3항의 규정은 강행규정으로서 이에 위반하여 주무관청의 허가를 받지 않고 기본재산을 처분하는 것은 무효라 할 것인데, 위 처분허가에 부관을 붙인 경우 그 처분허가의 법률적 성질이 형성적 행정행위로서의 인가에 해당한다고 하여 조건으로서의 부관의 부과가 허용되지 아니한다고 볼 수는 없고, 다만 구체적인 경우에 그것이 조건, 기한, 부담, 철회권의 유보 중 어느 종류의 부관에 해당하는지는 당해 부관의 내용, 경위 기타 제반 사정을 종합하여 판단하여야 할 것이다(대판 2005.9.28. 2004다50044).

답 ④

009 □□□

행정행위에 대한 설명으로 옳은 것만을 모두 고르면?

> ㄱ. 변상금 부과처분에 대한 취소소송이 진행 중인 경우 부과권자는 위법한 처분을 스스로 취소하고 그 하자를 보완하여 다시 적법한 부과처분을 할 수 없다.
> ㄴ. 행정청이 「도시 및 주거환경정비법」 등 관련 법령에 근거하여 행하는 조합설립인가처분은 사인들의 조합설립행위에 대한 보충행위로서의 성질을 갖는 것에 그친다.
> ㄷ. 「여객자동차 운수사업법」에 따른 개인택시운송사업면허는 특정인에게 권리나 이익을 부여하는 재량행위이다.
> ㄹ. 귀화허가는 외국인에게 대한민국 국적을 부여함으로써 국민으로서의 법적 지위를 포괄적으로 설정하는 행위에 해당한다.

① ㄱ, ㄴ
② ㄴ, ㄷ
③ ㄷ, ㄹ
④ ㄱ, ㄷ, ㄹ

함께 정리하기

행정행위

취소소송이 진행 중인 경우에도 직권취소 可

도시정비법상 조합설립인가
▷ 강학상 특허

개인택시운송사업면허
▷ 강학상 특허, 재량행위

귀화허가
▷ 강학상 특허

2024년 지방직 9급

ㄱ. (×) 소멸시효는 객관적으로 권리가 발생하여 그 권리를 행사할 수 있는 때로부터 진행하고 그 권리를 행사할 수 없는 동안만은 진행하지 아니하는데, 여기서 권리를 행사할 수 없는 경우라 함은 그 권리행사에 법률상의 장애사유가 있는 경우를 말하는데, 변상금 부과처분에 대한 취소소송이 진행중이라도 그 부과권자로서는 위법한 처분을 스스로 취소하고 그 하자를 보완하여 다시 적법한 부과처분을 할 수도 있는 것이어서 그 권리행사에 법률상의 장애사유가 있는 경우에 해당한다고 할 수 없으므로, 그 처분에 대한 취소소송이 진행되는 동안에도 그 부과권의 소멸시효가 진행된다(대판 2006.2.10. 2003두5686).

ㄴ. (×) 재개발조합설립 인가신청에 대한 행정청의 조합설립인가처분은 단순히 사인들의 조합설립행위에 대한 보충행위로서의 성질을 갖는 것이 아니라 법령상 일정한 요건을 갖출 경우 행정주체(공법인)의 지위를 부여하는 일종의 설권적 처분의 성격을 갖는 것이라고 봄이 상당하다(대결 2009.9.24. 2009마168·169).

ㄷ. (○) 개인택시운송사업면허는 특정인에게 권리나 이익을 부여하는 행정행위로서 법령에 특별한 규정이 없는 한 재량행위이고, 그 면허에 필요한 기준을 정하는 것 역시 행정청의 재량에 속하는 것이므로 그 기준이 객관적으로 보아 합리적이 아니라든가 타당하지 아니하여 재량권을 남용한 것이라고 인정되지 아니하는 이상 행정청의 의사는 가능한 한 존중되어야 한다(대판 2005.4.28. 2004두8910).

ㄹ. (○) 국적법 제4조 제1항은 "외국인은 법무부장관의 귀화허가를 받아 대한민국의 국적을 취득할 수 있다."라고 규정하고, 그 제2항은 "법무부장관은 귀화 요건을 갖추었는지를 심사한 후 그 요건을 갖춘 자에게만 귀화를 허가한다."라고 정하고 있다. 국적은 국민의 자격을 결정짓는 것이고, 이를 취득한 사람은 국가의 주권자가 되는 동시에 국가의 속인적 통치권의 대상이 되므로, 귀화허가는 외국인에게 대한민국 국적을 부여함으로써 국민으로서의 법적 지위를 포괄적으로 설정하는 행위에 해당한다. 한편, 국적법 등 관계 법령 어디에도 외국인에게 대한민국의 국적을 취득할 권리를 부여하였다고 볼 만한 규정이 없다. 이와 같은 귀화허가의 근거 규정의 형식과 문언, 귀화허가의 내용과 특성 등을 고려해 보면, 법무부장관은 귀화신청인이 귀화 요건을 갖추었다 하더라도 귀화를 허가할 것인지 여부에 관하여 재량권을 가진다고 보는 것이 타당하다(대판 2010.10.28. 2010두6496).

답 ③

문제 DATA

출제가능 지수 ▶▶▶
난이도 지수 ★★☆

010 □□□

행정행위의 내용에 관한 설명으로 옳지 않은 것은? (다툼이 있는 경우 판례에 의함)

① 행정청이 「도시 및 주거환경정비법」등 관련 법령에 근거하여 행하는 조합설립인가처분은 설권적 처분의 성격을 가진다.

② 구 「사립학교법」상 관할청의 임원취임승인행위는 학교법인의 임원선임행위의 법률상 효력을 완성케 하는 보충적 법률행위이다.

③ 구 「공유수면관리법」에 따른 공유수면의 점용허가는 특정인에게 공유수면의 제한적 이용을 허용하는 것이므로 강학상의 허가에 해당한다.

④ 「국유재산법」상 행정재산의 사용·수익에 대한 허가는 특정인에게 행정재산을 사용할 수 있는 권리를 설정하여 주는 강학상 특허에 해당한다.

2024년 경찰간부

① (○) 행정청이 도시 및 주거환경정비법 등 관련 법령에 근거하여 행하는 조합설립인가처분은 단순히 사인들의 조합설립행위에 대한 보충행위로서의 성질을 갖는 것에 그치는 것이 아니라 법령상 요건을 갖출 경우 도시 및 주거환경정비법상 주택재건축사업을 시행할 수 있는 권한을 갖는 행정주체(공법인)로서의 지위를 부여하는 일종의 설권적 처분의 성격을 갖는다고 보아야 한다(대판 2009.9.24. 2008다60568 등).

함께 정리하기

행정행위

「도시 및 주거환경정비법」상 조합설립인가처분
▷ 특허(설권적 처분)

「사립학교법」상 임원취임승인
▷ 인가(보충행위)

「공유수면관리법」상 공유수면의 점용허가
▷ 특허(설권적 처분)

「국유재산법」상 행정재산 사용·수익허가
▷ 특허(설권적 처분)

② (○) 사립학교법 제20조 제1항·제2항은 학교법인의 이사장·이사·감사 등의 임원은 이사회의 선임을 거쳐 관할청의 승인을 받아 취임하도록 규정하고 있는바, 관할청의 임원취임승인행위는 학교법인의 임원선임행위의 법률상 효력을 완성케 하는 보충적 법률행위이다(대판 2007.12.27. 2005두9651).

③ (×) 강학상 특허에 해당한다.

> 공유수면 관리 및 매립에 관한 법률에 따른 공유수면의 점용·사용허가는 특정인에게 공유수면 이용권이라는 독점적 권리를 설정하여 주는 처분으로서 처분 여부 및 내용의 결정은 원칙적으로 행정청의 재량에 속한다(대판 2017.4.28. 2017두30139 등).

④ (○) 국유재산 등의 관리청이 하는 행정재산의 사용·수익에 대한 허가는 순전히 사경제주체로서 행하는 사법상의 행위가 아니라 관리청이 공권력을 가진 우월적 지위에서 행하는 행정처분으로서 특정인에게 행정재산을 사용할 수 있는 권리를 설정하여 주는 강학상 특허에 해당한다(대판 2006.3.9. 2004다31074).

답 ③

011 □□□

행정행위로서 인가에 관한 설명으로 옳지 않은 것은? (다툼이 있는 경우 판례에 의함)

① 기본행위에는 하자가 없는데 인가처분에 고유한 하자가 있다면 그 인가처분의 무효확인이나 취소를 구하여야 한다.
② 인가처분에 고유한 하자가 없는데 기본행위에 하자가 있다면 기본행위의 무효를 주장하면서 곧바로 인가처분의 무효확인이나 취소를 구할 수 있다.
③ 기본행위가 무효인 경우 그에 대한 인가처분이 있더라도 그 기본행위가 유효한 것으로 될 수 없다.
④ 구 「도시 및 주거환경정비법」에 기초하여 주택재개발정비사업조합이 수립한 사업시행계획에 대한 관할 행정청의 인가처분은 사업시행계획의 법률상 효력을 완성시키는 보충행위에 해당한다.

2024년 소방직

① (○), ② (×) 기본행위는 적법유효하나 보충행위인 인가처분에만 하자가 있는 경우에는 그 인가처분의 취소나 무효확인을 구할 수 있을 것이지만(①) 기본행위인 조합설립에 하자가 있는 경우에는 민사쟁송으로써 따로 그 기본행위의 취소 또는 무효확인 등을 구하는 것은 별론으로 하고 기본행위의 불성립 또는 무효를 내세워 바로 그에 대한 감독청의 인가처분의 취소 또는 무효확인을 소구할 법률상 이익이 있다고 할 수 없다(②)(대판 2000.9.5. 99두1854).

③ (○)

1. 사립학교법 제20조 제2항에 의한 학교법인의 임원에 대한 감독청의 취임승인은 학교법인의 임원선임행위를 보충하여 그 법률상의 효력을 완성케하는 보충적 행정행위로서 성질상 기본행위를 떠나 승인처분 그 자체만으로는 법률상 아무런 효력도 발생할 수 없으므로 기본행위인 학교법인의 임원선임행위가 불성립 또는 무효인 경우에는 비록 그에 대한 감독청의 취임승인이 있었다 하여도 이로써 무효인 그 선임행위가 유효한 것으로 될 수는 없다(대판 1987.8.18. 86누152).
2. 인가는 기본행위인 재단법인의 정관변경에 대한 법률상의 효력을 완성시키는 보충행위로서, 그 기본이 되는 정관변경 결의에 하자가 있을 때에는 그에 대한 인가가 있었다 하여도 기본행위인 정관변경 결의가 유효한 것으로 될 수 없으므로 기본행위인 정관변경 결의가 적법 유효하고 보충행위인 인가처분 자체에만 하자가 있다면 그 인가처분의 무효나 취소를 주장할 수 있지만, 인가처분에 하자가 없다면 기본행위에 하자가 있다 하더라도 따로 그 기본행위의 하자를 다투는 것은 별론으로 하고 기본행위의 무효를 내세워 바로 그에 대한 행정청의 인가처분의 취소 또는 무효확인을 소구할 법률상의 이익이 없다(대판 1996.5.16. 95누4810 전합).

문제 DATA
출제가능 지수 ▶▶▶
난이도 지수 ★★☆

함께 정리하기
행정행위로서 인가

기본행위 하자×, 인가처분 하자○
▷ 인가처분을 다투어야 함

기본행위 하자○, 인가처분 하자×
▷ 바로 인가처분을 다툴 수 없음

기본행위가 무효
▷ 인가처분으로 유효가 되지 않음

재개발정비사업조합 사업시행계획 인가
▷ 인가(보충행위)

④ (○) 도시 및 주거환경정비법(이하 '도시정비법'이라 한다)에 기초하여 주택재개발정비사업조합이 수립한 사업시행계획은 그것이 인가·고시를 통해 확정되면 이해관계인에 대한 구속적 행정계획으로서 독립된 행정처분에 해당하므로, 사업시행계획을 인가하는 행정청의 행위는 주택재개발정비사업조합의 사업시행계획에 대한 법률상의 효력을 완성시키는 보충행위에 해당한다(대판 2010.12.9. 2009두4913).

답 ②

문제 DATA
출제가능 지수 ▶▶▷
난이도 지수 ★★☆

012 □□□

「도시 및 주거환경정비법」에 기초하여 주택재개발정비사업조합 甲이 수립한 사업시행계획에 대한 관할 행정청 A의 인가·고시가 있었다. 이에 대한 설명으로 옳지 않은 것은? (다툼이 있는 경우 판례에 의함)

① A의 인가처분은 甲이 수립한 사업시행계획의 법률상 효력을 완성시켜 주는 보충행위이다.
② 甲이 수립한 사업시행계획에 하자가 있더라도 이에 대한 A의 인가가 있으므로, 甲이 수립한 사업시행계획의 하자는 치유된다.
③ 甲이 수립한 사업시행계획은 이해관계인들에게 구속력이 발생하는 행정처분이다.
④ A의 인가처분에는 고유한 하자가 없고 甲이 수립한 사업시행계획에 하자가 있다면, 이를 다투기 위해 사업시행계획에 대하여 무효확인이나 취소를 구하여야 한다.

| 2024년 경찰간부

①, ③, ④ (○) 구 도시 및 주거환경정비법에 기초하여 주택재개발정비사업조합이 수립한 사업시행계획은 관할 행정청의 인가·고시가 이루어지면 이해관계인들에게 구속력이 발생하는 독립된 행정처분(③)에 해당하고, 관할 행정청의 사업시행계획 인가처분은 사업시행계획의 법률상 효력을 완성시키는 보충행위(①)에 해당한다. 따라서 기본행위인 사업시행계획에는 하자가 없는데 보충행위인 인가처분에 고유한 하자가 있다면 그 인가처분의 무효확인이나 취소를 구하여야 할 것이지만, 인가처분에는 고유한 하자가 없는데 사업시행계획에 하자가 있다면 사업시행계획의 무효확인이나 취소를 구하여야 할 것이지(④) 사업시행계획의 무효를 주장하면서 곧바로 그에 대한 인가처분의 무효확인이나 취소를 구하여서는 아니 된다(대판 2021.2.10. 2020두48031).

② (×) 행정청의 인가는 자신과 직접 관계없는 법률관계 당사자의 법률행위의 효과를 완성시켜 주는 보충행위에 지나지 않기 때문에 기본행위에 하자가 있고 인가가 적법한 경우 인가로 인하여 기본행위의 하자가 치유되지 않는다.

> 학교법인의 임원에 대한 감독청의 취임승인은 학교법인의 임원선임행위를 보충하여 그 법률상의 효력을 완성케 하는 보충적 행정행위로서 성질상 기본행위를 떠나 승인처분 그 자체만으로는 법률상 아무런 효력도 발생할 수 없다. 기본행위인 학교법인의 임원선임행위가 불성립 또는 무효인 경우에는 비록 그에 대한 감독청의 취임승인이 있었다 하여도 이로써 무효인 그 선임행위가 유효한 것으로 될 수는 없다(대판 1987.8.18. 86누152).

답 ②

함께 정리하기

사례해결

재개발정비사업조합 사업시행계획 인가
▷ 인가(보충행위)

기본행위인 사업시행계획에 하자
▷ 인가처분으로 하자 치유×

재개발정비사업조합의 사업시행계획
▷ 구속적 행정계획, 인가·고시 후 독립된 행정처분○

인가처분에는 고유한 하자가 없는데 사업시행계획에 하자
▷ 사업시행계획(인가처분×)의 무효확인이나 취소를 구하여야 함

013

행정행위에 대한 설명으로 옳지 않은 것은?

① 개인택시운송사업의 양도·양수가 있고 그에 대한 인가가 있은 후 그 양도·양수 이전에 있었던 양도인에 대한 운송사업면허 취소사유(음주운전 등으로 인한 자동차운전면허의 취소)를 들어 양수인의 운송사업면허를 취소한 것은 위법하다.
② 공무원 임용을 위한 면접전형에서 임용신청자의 능력이나 적격성 등에 관한 판단은 면접위원의 고도의 교양과 학식, 경험에 기초한 자율적 판단에 의존하는 것으로서 면접위원의 자유재량에 속하고, 그와 같은 판단이 현저하게 재량권을 일탈·남용하지 않은 한 이를 위법하다고 할 수 없다.
③ 「가축분뇨의 관리 및 이용에 관한 법률」에 따른 가축분뇨 처리방법 변경허가는 허가권자의 재량행위에 해당한다.
④ 처분의 근거 법령이 행정청에 처분의 요건과 효과 판단에 관하여 일정한 재량을 부여하였는데도, 행정청이 자신에게 재량권이 없다고 오인하여 전혀 비교형량하지 않은 채 처분을 하였다면, 이는 재량권 불행사로서 그 자체로 재량권 일탈·남용에 해당한다.

2023년 지방직 7급

① (×) 양도 전 양도인의 귀책사유(제재사유)로 양도(인가) 후 양수인에게 제재처분이 가능하다.

> 구 여객자동차 운수사업법(2007.7.13. 법률 제8511호로 개정되기 전의 것, 이하 '법'이라고 한다) 제15조 제4항에 의하면 개인택시 운송사업을 양수한 사람은 양도인의 운송사업자로서의 지위를 승계하는 것이므로, 관할관청은 개인택시 운송사업의 양도·양수에 대한 인가를 한 후에도 그 양도·양수 이전에 있었던 양도인에 대한 운송사업면허 취소사유를 들어 양수인의 사업면허를 취소할 수 있는 것이고, 가사 양도·양수 당시에는 양도인에 대한 운송사업면허 취소사유가 현실적으로 발생하지 않은 경우라도 그 원인되는 사실이 이미 존재하였다면, 관할관청으로서는 그 후 발생한 운송사업면허 취소사유에 기하여 양수인의 사업면허를 취소할 수 있는 것이다(대판 2010.4.8. 2009두17018).

② (○) 공무원 임용을 위한 면접전형에 있어서 임용신청자의 능력이나 적격성 등에 관한 판단은 면접위원의 고도의 교양과 학식, 경험에 기초한 자율적 판단에 의존하는 것으로서 오로지 면접위원의 자유재량에 속하고, 그와 같은 판단이 현저하게 재량권을 일탈 내지 남용한 것이 아니라면 이를 위법하다고 할 수 없다(대판 1997.11.28. 97누11911).

③ (○) 가축분뇨법에 따른 처리방법 변경허가는 허가권자의 재량행위에 해당한다. 허가권자는 변경허가 신청 내용이 가축분뇨법에서 정한 처리시설의 설치기준(제12조의2 제1항)과 정화시설의 방류수 수질기준(제13조)을 충족하는 경우에도 반드시 이를 허가하여야 하는 것은 아니고, 자연과 주변 환경에 미칠 수 있는 영향 등을 고려하여 허가 여부를 결정할 수 있다. 가축분뇨 처리방법 변경 불허가처분에 대한 사법심사는 법원이 허가권자의 재량권을 대신 행사하는 것이 아니라 허가권자의 공익판단에 관한 재량의 여지를 감안하여 원칙적으로 재량권의 일탈·남용이 있는지 여부만을 판단하여야 하고, 사실오인과 비례·평등원칙 위반 여부 등이 판단 기준이 된다(대판 2021.6.30. 2021두35681).

④ (○) 처분의 근거 법령이 행정청에 처분의 요건과 효과 판단에 일정한 재량을 부여하였는데도, 행정청이 자신에게 재량권이 없다고 오인한 나머지 처분으로 달성하려는 공익과 그로써 처분상대방이 입게 되는 불이익의 내용과 정도를 전혀 비교형량 하지 않은 채 처분을 하였다면, 이는 재량권 불행사로서 그 자체로 재량권 일탈·남용으로 해당 처분을 취소하여야 할 위법사유가 된다(대판 2019.7.11. 2017두38874).

답 ①

문제 DATA

출제가능 지수 ▶▶▷
난이도 지수 ★★☆

함께 정리하기

행정행위

개인택시운송사업 양도·양수
▷ 양도인의 귀책사유 양수인에게 승계

공무원 면접전형시 능력·적격성판단
▷ 재량행위

가축분뇨 처리방법 변경허가
▷ 재량행위

재량권의 불행사
▷ 그 자체로 위법

014

행정행위에 대한 설명으로 옳은 것은?

① 사실상 영업이 양도·양수되었지만 승계신고 및 그 수리처분이 있기 이전에 양도인이 양수인으로 하여금 영업을 하도록 허락하였다면 양수인의 영업 중 발생한 위반행위에 대한 행정적인 책임은 양도인에게 귀속된다.

② 산림청장이 「산림법」 등이 정하는 바에 따라 국유임야를 대부하는 행위는 사경제적 주체로서 하는 사법상 계약이지만, 이 대부계약에 의한 대부료부과 조치는 행정청이 공권력의 주체로서 일방적으로 행하는 행정처분이다.

③ 인가처분에 하자가 없더라도 기본행위에 하자가 있다면, 기본행위의 하자를 내세워 바로 그에 대한 행정청의 인가처분의 취소를 구할 수 있다.

④ 행정청이 행정처분을 하면서 논리적으로 당연히 수반되어야 하는 의사표시를 명시적으로 하지 않았으면, 그것이 행정청의 추단적 의사에 부합하고 상대방이 이를 알 수 있는 경우에도, 행정처분에 이와 같은 의사표시가 묵시적으로 포함되어 있다고 볼 수 없다.

2025년 국가직 9급

① (○) 사실상 영업이 양도·양수되었지만 아직 승계신고 및 그 수리처분이 있기 이전에는 여전히 종전의 영업자인 양도인이 영업허가자이고, 양수인은 영업허가자가 되지 못한다 할 것이어서 행정제재처분의 사유가 있는지 여부 및 그 사유가 있다고 하여 행하는 행정제재처분은 영업허가자인 양도인을 기준으로 판단하여 그 양도인에 대하여 행하여야 할 것이고, 한편 양도인이 그의 의사에 따라 양수인에게 영업을 양도하면서 양수인으로 하여금 영업을 하도록 허락하였다면 그 양수인의 영업 중 발생한 위반행위에 대한 행정적인 책임은 영업허가자인 양도인에게 귀속된다고 보아야 할 것이다(대판 1995.2.24. 94누9146).

② (×) 산림청장이나 그로부터 권한을 위임받은 행정청이 산림법 등이 정하는 바에 따라 국유임야를 대부하거나 매각하는 행위는 사경제적 주체로서 상대방과 대등한 입장에서 하는 사법상 계약이지 행정청이 공권력의 주체로서 상대방의 의사 여하에 불구하고 일방적으로 행하는 행정처분이라고 볼 수 없으며 이 대부계약에 의한 대부료부과 조치 역시 사법상 채무이행을 구하는 것으로 보아야지 이를 행정처분이라고 할 수 없다(대판 1993.12.7. 91누11612).

③ (×) 기본행위인 사업시행계획이 무효인 경우 그에 대한 인가처분이 있다고 하더라도 그 기본행위인 사업시행계획이 유효한 것으로 될 수 없으며, 기본행위가 적법·유효하고 보충행위인 인가처분 자체에만 하자가 있다면 그 인가처분의 무효나 취소를 주장할 수 있다고 할 것이지만, 인가처분에 하자가 없다면 기본행위에 하자가 있다고 하더라도 따로 그 기본행위의 하자를 다투는 것은 별론으로 하고 기본행위의 무효를 내세워 바로 그에 대한 인가처분의 취소 또는 무효확인을 구할 수 없다(대판 2014.2.27. 2011두25173).

④ (×) 행정절차법 제24조 제1항은 행정청이 처분을 할 때에는 다른 법령 등에 특별한 규정이 있는 경우, 신속히 처리할 필요가 있거나 사안이 경미한 경우를 제외하고는 원칙적으로 문서로 하여야 한다고 정하고 있다. 이는 처분 내용의 명확성을 확보하고 처분의 존부에 관한 다툼을 방지하여 처분상대방의 권익을 보호하기 위한 것이므로, 행정청이 문서로 처분을 한 경우 원칙적으로 처분서의 문언에 따라 어떤 처분을 하였는지 확정하여야 한다. 그러나 처분서의 문언만으로는 행정청이 어떤 처분을 하였는지 불분명한 경우에는 처분 경위와 목적, 처분 이후 상대방의 태도 등 여러 사정을 고려하여 처분서의 문언과 달리 처분의 내용을 해석할 수 있다. 특히 행정청이 행정처분을 하면서 논리적으로 당연히 수반되어야 하는 의사표시를 명시적으로 하지 않았다고 하더라도, 그것이 행정청의 추단적 의사에도 부합하고 상대방도 이를 알 수 있는 경우에는 행정처분에 위와 같은 의사표시가 묵시적으로 포함되어 있다고 볼 수 있다(대판 2020.10.29. 2017다269152).

답 ①

015

영업허가의 양도와 제재처분의 효과 및 제재사유의 승계에 대한 설명으로 옳지 않은 것은?

① 「식품위생법」에 따른 영업장 면적 변경에 관한 신고의무가 이행되지 않은 영업을 양수한 자가 그 신고의무를 이행하지 않은 채 영업을 계속하는 경우, 시정명령 또는 영업정지 등 제재처분의 대상이 된다.
② 불법증차를 실행하고 유가보조금을 받은 운송사업자로부터 운송사업 영업을 양수하고 구 「화물자동차 운수사업법」에 따라 신고를 하여 운송사업자의 지위를 승계한 양수인에게, 행정청은 불법증차 차량에 관하여 지급된 유가보조금의 반환을 명할 수 있다. 다만, 그에 따른 양수인의 책임범위는 지위승계 후 유가보조금 부정수급액에 한정된다.
③ 행정청은 개인택시운송사업의 양도·양수에 대한 인가를 한 후, 그 양도·양수 이전에 있었던 양도인에 대한 운송사업면허 취소사유를 들어 양수인의 사업면허를 취소할 수 있다.
④ 분할하는 회사의 분할 전 「하도급거래 공정화에 관한 법률」 위반행위를 이유로 신설회사에 대하여 동법에 따른 시정조치를 명하는 것이 허용된다.

2025년 지방직 9급

① (○) 구 식품위생법(2009.2.6. 법률 제9432호로 전부 개정되기 전의 것) 제22조 제5항, 구 식품위생법 시행령(2008.12.31. 대통령령 제21214호로 개정되기 전의 것) 제13조 제1항 제7호, 제13조의2 제3의2호에 의하면, 신고대상인 일반음식점 영업을 하고자 하는 때와 해당 영업의 영업장 면적 등 중요한 사항을 변경하고자 하는 때에는 이를 구청장 등에게 신고하도록 규정하고, 같은 법 제77조 제1호에서는 위와 같은 신고의무를 위반한 자를 3년 이하의 징역 또는 3천만 원 이하의 벌금에 처하도록 규정하며, 같은 법 제25조 제1항은 영업의 신고를 한 자가 그 영업을 양도한 때에는 양수인이 영업자의 지위를 승계하도록 규정하는바, 위 신고의무 조항 및 처벌조항의 취지는 신고대상인 영업을 신고 없이 하거나 해당 영업의 영업장 면적 등 중요한 사항을 변경하였음에도 그에 관한 신고 없이 영업을 계속하는 경우 이를 처벌함으로써 그 신고를 강제하고 궁극적으로는 미신고 영업을 금지하려는 데 있는 것으로 보이는 점도 고려하면, 영업장 면적이 변경되었음에도 그에 관한 신고의무가 이행되지 않은 영업을 양수한 자도 역시 그와 같은 신고의무를 이행하지 않은 채 영업을 계속한다면 처벌대상이 된다고 보아야 한다(대판 2010.7.15. 2010도4869).

② (○)

[1] 불법증차를 실행한 운송사업자로부터 운송사업을 양수하고 화물자동차법 제16조 제1항에 따른 신고를 하여 화물자동차법 제16조 제4항에 따라 운송사업자의 지위를 승계한 경우에는 설령 양수인이 영업양도·양수 대상에 불법증차 차량이 포함되어 있는지를 구체적으로 알지 못하였다 할지라도, 양수인은 불법증차 차량이라는 물적 자산과 그에 대한 운송사업자로서의 책임까지 포괄적으로 승계한다.
[2] 따라서 관할 행정청은 양수인의 선의·악의를 불문하고 양수인에 대하여 불법증차 차량에 관하여 지급된 유가보조금의 반환을 명할 수 있다. 다만, 그에 따른 양수인의 책임범위는 지위승계 후 발생한 유가보조금 부정수급액에 한정되고, 지위승계 전에 발생한 유가보조금 부정수급액에 대해서까지 양수인을 상대로 반환명령을 할 수는 없다. 유가보조금 반환명령은 '운송사업자등'이 유가보조금을 지급받을 요건을 충족하지 못함에도 유가보조금을 청구하여 부정수급하는 행위를 처분사유로 하는 '대인적 처분'으로서, '운송사업자'가 불법증차 차량이라는 물적 자산을 보유하고 있음을 이유로 한 운송사업 허가취소등의 '대물적 제재처분'과는 구별되고, 양수인은 영업양도·양수 전에 벌어진 양도인의 불법증차 차량의 제공 및 유가보조금 부정수급이라는 결과 발생에 어떠한 책임이 있다고 볼 수 없기 때문이다(대판 2021.7.29. 2018두55968).

③ (○) 구 여객자동차 운수사업법(2007.7.13. 법률 제8511호로 개정되기 전의 것, 이하 '법'이라고 한다) 제15조 제4항에 의하면 개인택시 운송사업을 양수한 사람은 양도인의 운송사업자로서의 지위를 승계하는 것이므로, 관할관청은 개인택시 운송사업의 양도·양수에 대한 인가를 한 후에도 그 양도·양수 이전에 있었던 양도인에 대한 운송사업면허 취소사유를 들어 양수인의 사업면허를 취소할 수 있는 것이고, 가사 양도·양수 당시에는 양도인에 대한 운송사업면허 취소사유가 현실적으로 발생하지 않은 경우라도 그 원인되는 사실이 이미 존재하였다면, 관할관청으로서는 그 후 발생한 운송사업면허 취소사유에 기하여 양수인의 사업면허를 취소할 수 있는 것이다(대판 2010.4.8. 2009두17018).

문제 DATA

출제가능 지수 ▶▶▷
난이도 지수 ★★☆

함께 정리하기

제재처분의 효과 및 제재사유의 승계

식품위생법상 영업신고
▷ 양도인의 귀책사유를 이유로 양수인에게 제재조치 可

불법증차된 화물자동차를 양수한 화물자동차운송사업자에 대한 유가보조금 반환명령의 범위
▷ 지위승계 후 발생한 유가보조금 부정수급액에 한정

개인택시운송사업면허
▷ 양도인의 귀책사유 양수인에게 승계

회사분할
▷ 특별한 규정이 없는 한, 제재사유승계 ×
▷ 분할 전 위반을 이유로 분할 후 회사에 하도급상 시정조치 不可

④ (×) 회사 분할 시 특별한 규정이 없는 한 신설회사에 대하여 분할하는 회사의 분할 전 하도급거래 공정화에 관한 법률(이하 '하도급법'이라 한다) 위반행위를 이유로 하도급법 제25조 제1항에 따른 시정조치를 명하는 것은 허용되지 않는다. 구체적인 이유는 아래와 같다.

(1) 대법원은 2007.11.29. 2006두18928 판결에서 법률 규정이 없는 이상 분할하는 회사의 분할 전 독점규제 및 공정거래에 관한 법률(이하 '공정거래법'이라 한다) 위반행위를 이유로 신설회사에 대하여 과징금을 부과하는 것은 허용되지 않는다고 판시하였다. 공정거래법에 따른 과징금 부과처분과 하도급법 제25조 제1항에 따른 시정조치명령 모두 해당 법 규정을 위반한 사업자를 처분 상대방으로 하는 점, 회사분할 전에 공정거래법 위반이나 하도급법 위반이 있는 경우 시정조치의 제재사유는 이미 발생하였고 신설회사로서는 제재사유를 제거할 수 있는 지위에 있지 않는 점(예를 들어 분할하는 회사가 목적물 등의 수령일부터 60일 이내에 하도급대금을 지급하지 않았다면 그 사실만으로 하도급법상 시정조치의 제재사유가 발생하고, 이후 신설회사가 이를 지급하였다고 하여 위 제재사유가 소멸하지는 않는다. 신설회사가 하도급대금 지급채무를 승계하였음에도 그로부터 일정 기한 내에 이를 지급하지 아니하는 경우 이것이 별도의 위반사실이 될 여지가 있을 뿐이다), 공정거래위원회는 사업자에게 하도급법 위반 제재사유가 있는 경우 시정조치 또는 과징금을 선택적으로 부과할 수 있고, 과징금 부과처분의 성격이 공정거래법상의 그것과 다르지 않은바, 제재사유 승계에 관한 특별한 규정이 없음에도 법 위반사유에 대한 처분의 선택에 따라 제재사유의 승계 여부가 달라지는 결과를 초래하는 것은 형평에 맞지 않은 점 등에 비추어 볼 때, 공정거래법상 과징금 부과처분에 관한 위 법리는 아래에서 보는 바와 같이 제재사유의 승계에 관하여 법률 규정을 두고 있지 않은 하도급법상 시정조치명령의 경우에도 그대로 적용되어야 한다.

(2) 현행 공정거래법은 분할하는 회사의 분할 전 공정거래법 위반행위를 이유로 신설회사에 과징금 부과 또는 시정조치를 할 수 있도록 규정을 신설하였다. 현행 하도급법은 과징금 부과처분에 관하여는 신설회사에 제재사유를 승계시키는 공정거래법 규정을 준용하고 있으나 시정조치에 관하여는 이러한 규정을 두고 있지 않다. 이와 같이 공정거래법과 하도급법이 회사분할 전 법 위반행위에 관하여 신설회사에 과징금 부과 또는 시정조치의 제재사유를 승계시킬 수 있는 경우를 따로 규정하고 있는 이상, 그와 같은 규정을 두고 있지 아니하는 사안, 즉 회사분할 전 법 위반행위에 관하여 신설회사에 시정조치의 제재사유가 승계되는지가 쟁점이 되는 사안에서는 이를 소극적으로 보는 것이 자연스럽다(대판 2023.6.15. 2021두55159).

답 ④

016

다음 중 영업양도와 제재사유의 승계에 관한 판례의 내용으로 가장 옳지 않은 것은?

① 불법증차를 실행한 운송사업의 양수인에 대하여는 양수인의 지위승계 전에 불법증차에 관하여 발생한 유가보조금 부정수급액에 대해서까지 양수인을 상대로 반환명령을 할 수 있다.

② 「건축법」상의 위반행위에 대하여 건축주 등에 대하여 부과되는 이행강제금 납부의무는 상속인 기타의 사람에게 승계될 수 없는 일신전속적인 성질의 것이므로 이미 사망한 사람에게 이행강제금을 부과하는 내용의 처분이나 결정은 당연무효이다.

③ 사업정지 등의 제재처분이 사업의 전부나 일부에 대한 것으로서 대물적 처분의 성격을 갖고 있는 경우, 종전 석유판매업자가 유사석유제품을 판매함으로써 받게 되는 사업정지 등 제재처분의 승계가 포함되어 그 지위를 승계한 자에 대하여 사업정지 등의 제재처분을 취할 수 있다.

④ 양도인의 운전면허 취소가 운송사업면허의 취소사유에 해당한다는 이유로 양수인의 운송 사업면허를 취소하는 처분을 한 사안에서, 그 처분으로 인하여 공익상의 필요보다 상대방이 받게 되는 불이익 등이 막대한 경우에는 재량권의 한계를 일탈한 것으로서 그 자체가 위법하게 된다.

2024년 군무원 7급

① (×) 불법증차를 실행한 운송사업자로부터 운송사업을 양수하고 화물자동차법 제16조 제1항에 따른 신고를 하여 구 화물자동차법 제16조 제4항에 따라 운송사업자의 지위를 승계한 경우에는 설령 양수인이 영업양도·양수 대상에 불법증차 차량이 포함되어 있는지를 구체적으로 알지 못하였다 할지라도, 양수인은 불법증차 차량이라는 물적 자산과 그에 대한 운송사업자로서의 책임까지 포괄적으로 승계한다. 따라서 관할 행정청은 양수인의 선의·악의를 불문하고 양수인에 대하여 불법증차 차량에 관하여 지급된 유가보조금의 반환을 명할 수 있다. 다만 그에 따른 양수인의 책임범위는 지위승계 후 발생한 유가보조금 부정수급액에 한정된다(대판 2022.12.1. 2019두49939).

② (○) 구 「건축법」상의 이행강제금은 간접강제의 일종으로서 그 이행강제금 납부의무는 상속인 기타의 사람에게 승계될 수 없는 일신전속적인 성질의 것이므로 이미 사망한 사람에게 이행강제금을 부과하는 내용의 처분이나 결정은 당연무효이고, 이행강제금을 부과 받은 사람의 이의에 의하여 비송사건절차법에 의한 재판절차가 개시된 후에 그 이의한 사람이 사망한 때에는 사건 자체가 목적을 잃고 절차가 종료한다(대결 2006.12.8. 2006마470).

③ (○) 석유판매업 등록은 원칙적으로 대물적 허가의 성격을 갖고, 또 석유판매업자가 같은 법 제26조의 유사석유제품 판매금지를 위반함으로써 같은 법 제13조 제3항 제6호, 제1항 제11호에 따라 받게 되는 사업정지 등의 제재처분은 사업자 개인의 자격에 대한 제재가 아니라 사업의 전부나 일부에 대한 것으로서 대물적 처분의 성격을 갖고 있으므로, 위와 같은 지위승계에는 종전 석유판매업자가 유사석유제품을 판매함으로써 받게 되는 사업정지 등 제재처분의 승계가 포함되어 그 지위를 승계한 자에 대하여 사업정지 등의 제재처분을 취할 수 있다고 보아야 하고, 같은 법 제14조 제1항 소정의 과징금은 해당 사업자에게 경제적 부담을 주어 행정상의 제재 및 감독의 효과를 달성함과 동시에 그 사업자와 거래관계에 있는 일반 국민의 불편을 해소시켜 준다는 취지에서 사업정지처분에 갈음하여 부과되는 것일 뿐이므로, 지위승계의 효과에 있어서 과징금부과처분을 사업정지처분과 달리 볼 이유가 없다(대판 2003.10.23. 2003두8005).

④ (○) 구 여객자동차 운수사업법 제15조 제4항에 의하면 개인택시 운송사업을 양수한 사람은 양도인의 운송사업자로서의 지위를 승계하는 것이므로, 관할관청은 개인택시 운송사업의 양도·양수에 대한 인가를 한 후에도 그 양도·양수 이전에 있었던 양도인에 대한 운송사업면허 취소사유를 들어 양수인의 사업면허를 취소할 수 있는 것이고, 가사 양도·양수 당시에는 양도인에 대한 운송사업면허 취소사유가 현실적으로 발생하지 않은 경우라도 그 원인되는 사실이 이미 존재하였다면, 관할관청으로서는 그 후 발생한 운송사업면허 취소사유에 기하여 양수인의 사업면허를 취소할 수 있는 것이다. 또한, 개인택시 운송사업면허와 같은 수익적 행정처분을 취소 또는 철회하거나 중지하는 경우에는 이미 부여된 그 국민의 기득권을 침해하는 것이 되므로, 비록 취소 등의 사유가 있다고 하더라도 그 취소권 등의 행사는 기득권의 침해를 정당화할 만한 중대한 공익상의 필요 또는 제3자의 이익보호의 필요가 있는 때에 한하여 상대방이 받는 불이익과 비교·교량하여 결정하여야 하고, 그 처분으로 인하여 공익상의 필요보다 상대방이 받게 되는 불이익 등이 막대한 경우에는 재량권의 한계를 일탈한 것으로서 그 자체가 위법하게 된다(대판 2010.4.8. 2009두17018).

답 ①

함께 정리하기

영업양도와 제재사유의 승계

불법증차를 실행한 화물자동차운송사업의 양수인에 대한 유가보조금 반환명령의 범위
▷ 지위승계 후 발생한 유가보조금 부정수급액에 한정

이행강제금 납부의무
▷ 일신전속적(승계×)

제재처분이 대물적 처분
▷ 제재사유 승계 可

운송사업면허 양도·양수 인가 후
▷ 양도인의 운송사업면허 취소사유로 양수인 면허취소 可
▷ But 이익형량 要

문제 DATA

출제가능 지수 ▶▶▷
난이도 지수 ★★☆

017 □□□

인허가의제에 대한 설명으로 옳지 않은 것은?

① 인허가의제의 효과는 주된 인허가의 해당 법률에 규정된 관련 인허가에 한정된다.
② 「국토의 계획 및 이용에 관한 법률」상 건축물의 건축에 관한 개발행위허가가 의제되는 건축허가신청이 국토의 계획 및 이용에 관한 법령이 정한 개발행위허가기준에 부합하지 아니하면 허가권자로서는 이를 거부할 수 있다.
③ 주택건설사업계획 승인처분에 따라 의제된 인허가가 위법함을 다투고자 하는 이해관계인은 의제된 인허가의 취소를 구할 것이 아니라 주택건설사업계획 승인처분의 취소를 구하여야 한다.
④ 어떤 개발사업의 시행과 관련하여 인허가의 근거 법령에서 절차간소화를 위하여 관련 인허가를 의제 처리할 수 있는 근거 규정을 둔 경우, 사업시행자는 인허가를 신청하면서 반드시 관련 인허가의제 처리를 신청할 의무가 있는 것은 아니다.

2025년 국가직 9급

① (○)

> 「행정기본법」 제25조 【인허가의제의 효과】 ① 제24조 제3항·제4항에 따라 협의가 된 사항에 대해서는 주된 인허가를 받았을 때 관련 인허가를 받은 것으로 본다.
> ② 인허가의제의 효과는 주된 인허가의 해당 법률에 규정된 관련 인허가에 한정된다.

② (○) 건축물의 건축이 국토의 계획 및 이용에 관한 법률상 개발행위에 해당할 경우 그에 대한 건축허가를 하는 허가권자는 건축허가에 배치·저촉되는 관계 법령상 제한사유의 하나로 국토의 계획 및 이용에 관한 법령의 개발행위허가기준을 확인하여야 하므로, 국토의 계획 및 이용에 관한 법률상 건축물의 건축에 관한 개발행위허가가 의제되는 건축허가신청이 국토의 계획 및 이용에 관한 법령이 정한 개발행위허가기준에 부합하지 아니하면 허가권자로서는 이를 거부할 수 있고, 이는 건축법 제16조 제3항에 의하여 개발행위허가의 변경이 의제되는 건축허가사항의 변경허가에서도 마찬가지이다(대판 2016.8.24. 2016두35762 ; 대판 2011.1.20. 2010두14954 전합).

③ (×) 주택건설사업계획 승인처분에 따라 의제된 인·허가가 위법함을 다투고자 하는 이해관계인은, 주택건설사업계획 승인처분의 취소를 구할 것이 아니라 의제된 인·허가의 취소를 구하여야 하며, 의제된 인·허가는 주택건설사업계획 승인처분과 별도로 항고소송의 대상이 되는 처분에 해당한다(대판 2018.11.29. 2016두38792).

④ (○) 건축법 제14조 제2항, 제11조 제5항 제3호에 따르면, 건축신고 수리처분이 이루어지는 경우 국토의 계획 및 이용에 관한 법률 제56조에 따른 개발행위(토지형질변경)의 허가가 있는 것으로 본다. 이처럼 어떤 개발사업의 시행과 관련하여 여러 개별 법령에서 각각 고유한 목적과 취지를 가지고 그 요건과 효과를 달리하는 인허가 제도를 각각 규정하고 있다면, 그 개발사업을 시행하기 위해서는 개별 법령에 따른 여러 인허가 절차를 각각 거치는 것이 원칙이다. 다만 어떤 인허가의 근거 법령에서 절차간소화를 위하여 관련 인허가를 의제 처리할 수 있는 근거 규정을 둔 경우에는, 사업시행자가 인허가를 신청하면서 하나의 절차 내에서 관련 인허가를 의제 처리해 줄 것을 신청할 수 있다. 관련 인허가 의제 제도는 사업시행자의 이익을 위하여 만들어진 것이므로, 사업시행자가 반드시 관련 인허가 의제 처리를 신청할 의무가 있는 것은 아니다(대판 2023.9.21. 2022두31143).

답 ③

함께 정리하기

인·허가의제

인·허가의제의 효과
▷ 주된 인·허가 법률에 규정된 관련 인·허가에 한정

국토계획법상의 개발행위허가로 의제되는 건축허가가 개발행위허가의 기준을 갖추지 못한 경우
▷ 건축허가 거부 可

의제된 인·허가 하자를 다툴 경우
▷ 의제된 인·허가가 항고소송 대상

관련 인·허가의제 제도
▷ 사업시행자 이익 위한 것, 반드시 관련 인·허가의제처리 신청의무 無

018

「행정기본법」상 인허가의제에 대한 설명으로 가장 옳지 않은 것은? (다툼이 있는 경우 판례에 의함)

① '인허가의제'란 하나의 인허가(이하 '주된 인허가'라 한다)를 받으면 법률로 정하는 바에 따라 그와 관련된 여러 인허가(이하 '관련 인허가'라 한다)를 받은 것으로 보는 것을 말한다.
② 인허가의제의 효과는 주된 인허가의 해당 법률에 규정된 관련 인허가에 한정된다.
③ 인허가의제를 받으려면 주된 인허가를 신청할 때 관련 인허가에 필요한 서류를 함께 제출하여야 한다. 다만, 불가피한 사유로 함께 제출할 수 없는 경우에는 주된 인허가 행정청이 별도로 정하는 기한까지 제출할 수 있다.
④ 인허가의제의 경우 주된 인허가 행정청은 관련 인허가를 직접 한 것으로 보아 관계 법령에 따른 관리·감독 등 필요한 조치를 하여야 한다.

문제 DATA
출제가능 지수 ▶▶▷
난이도 지수 ★★☆

2025년 군무원 7급

① (○)
> 「행정기본법」 제24조【인허가의제의 기준】① 이 절에서 "인허가의제"란 하나의 인허가(이하 "주된 인허가"라 한다)를 받으면 법률로 정하는 바에 따라 그와 관련된 여러 인허가(이하 "관련 인허가"라 한다)를 받은 것으로 보는 것을 말한다.

② (○)
> 「행정기본법」 제25조【인허가의제의 효과】① 제24조 제3항·제4항에 따라 협의가 된 사항에 대해서는 주된 인허가를 받았을 때 관련 인허가를 받은 것으로 본다.
> ② 인허가의제의 효과는 주된 인허가의 해당 법률에 규정된 관련 인허가에 한정된다.

주된 인허가에 관한 사항을 규정하고 있는 법률에서 주된 인허가가 있으면 다른 법률에 의한 인허가를 받은 것으로 의제한다는 규정을 둔 경우, 주된 인허가가 있으면 다른 법률에 의한 인허가가 있는 것으로 보는 데 그치고, 거기에서 더 나아가 다른 법률에 의하여 인허가를 받았음을 전제로 하는 그 다른 법률의 모든 규정들까지 적용되는 것은 아니다(대판 2016.11.24. 2014두47686).

③ (○)
> 「행정기본법」 제24조【인허가의제의 기준】② 인허가의제를 받으려면 주된 인허가를 신청할 때 관련 인허가에 필요한 서류를 함께 제출하여야 한다. 다만, 불가피한 사유로 함께 제출할 수 없는 경우에는 주된 인허가 행정청이 별도로 정하는 기한까지 제출할 수 있다.

④ (×)
> 「행정기본법」 제26조【인허가의제의 사후관리 등】① 인허가의제의 경우 관련 인허가 행정청은 관련 인허가를 직접 한 것으로 보아 관계 법령에 따른 관리·감독 등 필요한 조치를 하여야 한다.
> 「행정절차법」 제20조【처분기준의 설정·공표】② 「행정기본법」 제24조에 따른 인허가의제의 경우 관련 인허가 행정청은 관련 인허가의 처분기준을 주된 인허가 행정청에 제출하여야 하고, 주된 인허가 행정청은 제출받은 관련 인허가의 처분기준을 통합하여 공표하여야 한다. 처분기준을 변경하는 경우에도 또한 같다.

답 ④

함께 정리하기

「행정기본법」상 인허가의제

인·허가의제 개념
▷ 하나의 인·허가 받으면 다른 법령상의 인·허가를 받은 것으로 보는 것

인·허가의제 효과
▷ 주된 인·허가 법률에 규정된 관련 인·허가에 한정(다른 법률의 모든 규정들까지 적용×)

주된 인·허가 신청시
▷ 관련 인·허가에 필요한 서류도 함께 제출(관련 인·허가 신청서류 동시제출주의)
▷ 불가피한 사유: 주된 인허가 행정청이 별도로 정하는 기한까지 제출 可

인·허가의제 사후관리·감독
▷ 관계 행정청은 관련 인·허가를 직접 한 것으로 보아 관리·감독등 필요한 조치를 하여야 함

문제 DATA

출제가능 지수 ▶▶▶
난이도 지수 ★★☆

019 □□□

인허가의제에 관한 설명으로 옳지 않은 것은? (다툼이 있는 경우 판례에 의함)

① "인허가의제"란 하나의 인허가를 받으면 법률로 정하는 바에 따라 그와 관련된 여러 인허가를 받은 것으로 보는 것을 말한다.
② 관련 인허가의제 제도는 사업시행자의 이익을 위하여 만들어진 것이므로, 사업시행자가 반드시 관련 인허가의제 처리를 신청할 의무가 있는 것은 아니다.
③ 주된 인허가 행정청은 주된 인허가를 하기 전에 관련 인허가에 관하여 미리 관련 인허가 행정청과 협의하여야 한다.
④ 주택건설사업계획 승인권자가 도시·군관리계획 결정권자와 협의를 거쳐 주택건설사업계획을 승인함으로써 도시·군관리계획결정이 이루어진 것으로 의제되기 위해서는 협의 절차와 별도로「국토의 계획 및 이용에 관한 법률」에 따른 주민의견청취 절차를 거쳐야만 한다.
⑤ 인허가의제는 주된 인허가가 있으면 다른 법률에 의한 인허가가 있는 것으로 보는 데 그치고, 거기에서 더 나아가 다른 법률에 의하여 인허가를 받았음을 전제로 하는 그 다른 법률의 모든 규정들까지 적용되는 것은 아니다.

| 2024년 소방간부

①, ③ (O)

> 「행정기본법」제24조【인허가의제의 기준】① 이 절에서 "인허가의제"란 하나의 인허가(이하 "주된 인허가"라 한다)를 받으면 법률로 정하는 바에 따라 그와 관련된 여러 인허가(이하 "관련 인허가"라 한다)를 받은 것으로 보는 것을 말한다(①).
> ③ 주된 인허가 행정청은 주된 인허가를 하기 전에 관련 인허가에 관하여 미리 관련 인허가 행정청과 협의하여야 한다(③).

② (O) 건축법 제14조 제2항, 제11조 제5항 제3호에 따르면, 건축신고 수리처분이 이루어지는 경우 국토의 계획 및 이용에 관한 법률 제56조에 따른 개발행위(토지형질변경)의 허가가 있는 것으로 본다. 이처럼 어떤 개발사업의 시행과 관련하여 여러 개별 법령에서 각각 고유한 목적과 취지를 가지고 그 요건과 효과를 달리하는 인허가 제도를 각각 규정하고 있다면, 그 개발사업을 시행하기 위해서는 개별 법령에 따른 여러 인허가 절차를 각각 거치는 것이 원칙이다. 다만 어떤 인허가의 근거 법령에서 절차간소화를 위하여 관련 인허가를 의제 처리할 수 있는 근거 규정을 둔 경우에는, 사업시행자가 인허가를 신청하면서 하나의 절차 내에서 관련 인허가를 의제 처리해 줄 것을 신청할 수 있다. 관련 인허가 의제 제도는 사업시행자의 이익을 위하여 만들어진 것이므로, 사업시행자가 반드시 관련 인허가 의제 처리를 신청할 의무가 있는 것은 아니다(대판 2023.9.21. 2022두31143).
④ (X) 구 주택법(2016.1.19. 법률 제13805호로 전부 개정되기 전의 것, 이하 '구 주택법'이라 한다) 제17조 제1항에 인허가 의제 규정을 둔 입법 취지는, 주택건설사업을 시행하는 데 필요한 각종 인허가 사항과 관련하여 주택건설사업계획 승인권자로 그 창구를 단일화하고 절차를 간소화함으로써 각종 인허가에 드는 비용과 시간을 절감하여 주택의 건설·공급을 활성화하려는 데에 있다. 이러한 인허가 의제 규정의 입법 취지를 고려하면, 주택건설사업계획 승인권자가 구 주택법 제17조 제3항에 따라 도시·군관리계획 결정권자와 협의를 거쳐 관계 주택건설사업계획을 승인하면 같은 조 제1항 제5호에 따라 도시·군관리계획결정이 이루어진 것으로 의제되고, 이러한 협의 절차와 별도로 국토의 계획 및 이용에 관한 법률 제28조 등에서 정한 도시·군관리계획 입안을 위한 주민 의견청취 절차를 거칠 필요는 없다 (대판 2018.11.29. 2016두38792).
⑤ (O) 주된 인허가에 관한 사항을 규정하고 있는 법률에서 주된 인허가가 있으면 다른 법률에 의한 인허가를 받은 것으로 의제한다는 규정을 둔 경우, 주된 인허가가 있으면 다른 법률에 의한 인허가가 있는 것으로 보는 데 그치고, 거기에서 더 나아가 다른 법률에 의하여 인허가를 받았음을 전제로 하는 그 다른 법률의 모든 규정들까지 적용되는 것은 아니다(대판 2016.11.24. 2014두47686).

답 ④

함께 정리하기

인허가의제

인·허가의제 개념
▷ 하나의 인·허가 받으면 다른 법령상의 인·허가를 받은 것으로 보는 것

관련 인·허가의제 제도
▷ 사업시행자 이익 위한 것, 반드시 관련 인·허가의제처리 신청의무 無

주된 인·허가 전
▷ 관련 인·허가 행정청과 협의 要

주택건설사업계획승인으로 도시·군관리계획결정이 의제되는 경우
▷ 별도로 주민의견청취절차 거칠 필요 X

인·허가의제의 효과
▷ 주된 인·허가 법률에 규정된 관련 인·허가에 한정(다른 법률의 모든 규정들까지 적용 X)

020

甲은 「국토의 계획 및 이용에 관한 법률(이하 '국토계획법')」상 건축을 위해서는 개발행위허가가 필요한 A시 소재 부지에 건물을 신축하고자 관할 행정청인 A시장에게 「건축법」에 따른 건축허가를 신청하였다. 건축허가가 있으면 국토계획법령에 따른 개발행위허가가 의제된다. 다음 설명 중 옳지 않은 것은? (다툼이 있는 경우 판례에 의함)

① 甲의 건축허가신청이 국토계획법령이 정한 개발행위허가기준에 부합하지 아니하면 A시장은 해당 건축허가를 거부할 수 있다.
② 인허가의제의 효과는 건축허가의 근거 법률인 「건축법」에서 규정하고 있는 것으로 위 사안과 관련된 인허가에 한정된다.
③ 국토계획법령이 정한 개발행위허가 요건의 미비로 건축허가가 거부된 경우, 甲은 개발행위허가거부처분을 대상으로 쟁송을 제기하여 이를 다투어야 한다.
④ A시장이 건축허가를 하였다면 의제된 개발행위허가는 통상적인 인허가와 동일한 효력을 가진다.

문제 DATA
출제가능 지수 ▶▶▶
난이도 지수 ★★☆

2024년 경찰간부

① (○) 건축물의 건축이 국토의 계획 및 이용에 관한 법률상 개발행위에 해당할 경우 그에 대한 건축허가를 하는 허가권자는 건축허가에 배치·저촉되는 관계 법령상 제한사유의 하나로 국토의 계획 및 이용에 관한 법령의 개발행위허가기준을 확인하여야 하므로, 국토의 계획 및 이용에 관한 법률상 건축물의 건축에 관한 개발행위허가가 의제되는 건축허가신청이 국토의 계획 및 이용에 관한 법령이 정한 개발행위허가기준에 부합하지 아니하면 허가권자로서는 이를 거부할 수 있고, 이는 건축법 제16조 제3항에 의하여 개발행위허가의 변경이 의제되는 건축허가사항의변경허가에서도 마찬가지이다(대판 2016.8.24. 2016두35762 등).

② (○) 주된 인허가에 관한 사항을 규정하고 있는 법률에서 주된 인허가가 있으면 다른 법률에 의한 인허가를 받은 것으로 의제한다는 규정을 둔 경우, 주된 인허가가 있으면 다른 법률에 의한 인허가가 있는 것으로 보는 데 그치고, 거기에서 더 나아가 다른 법률에 의하여 인허가를 받았음을 전제로 하는 그 다른 법률의 모든 규정들까지 적용되는 것은 아니다(대판 2016.11.24. 2014두47686 등).

> 「행정기본법」 제25조 【인허가의제의 효과】 ② 인허가의제의 효과는 주된 인허가의 해당 법률에 규정된 관련 인허가에 한정된다(재의제×).

③ (×) 주무행정청이 의제되는 인·허가의 거부사유를 들어 주된 인·허가의 신청에 대하여 거부처분을 한 경우, 의제되는 인·허가의 거부처분은 실질적으로 존재하지 않기 때문에 주된 인·허가의 거부처분에 대하여 행정쟁송을 제기하면서 의제되는 인·허가의 거부사유를 다투어야 한다. 즉, 주된 인·허가가 거부된 경우 의제된 인·허가가 거부된 것으로 의제되지 않는다.

> 건축불허가처분을 하면서 그 처분사유로 건축불허가사유뿐만 아니라 형질변경불허가사유나 농지전용불허가사유를 들고 있다고 하여 그 건축불허가처분 외에 별개로 형질변경불허가처분이나 농지전용불허가처분이 존재하는 것이 아니므로, 그 건축불허가처분을 받은 사람은 그 건축불허가처분에 관한 쟁송에서 건축법상의 건축불허가사유뿐만 아니라 같은 도시계획법상의 형질변경불허가사유나 농지법상의 농지전용불허가사유에 관하여도 다툴 수 있는 것이지, 그 건축불허가처분에 관한 쟁송과는 별개로 형질변경불허가처분이나 농지전용불허가처분에 관한 쟁송을 제기하여 이를 다투어야 하는 것은 아니며, 그러한 쟁송을 제기하지 아니하였어도 형질변경불허가 사유나 농지전용불허가 사유에 관하여 불가쟁력이 생기지 아니한다(대판 2001.1.16. 99두10988).

함께 정리하기

사례해결

개발행위허가가 의제되는 건축허가가 개발행위허가 기준을 갖추지 못한 경우
▷ 건축허가 거부 可

인·허가의제의 효과
▷ 주된 인·허가 법률에 규정된 관련 인·허가에 한정

의제되는 개발행위허가의 거부사유를 들어 주된 건축허가 거부처분
▷ 소의 대상: 주된 건축허가 거부처분
▷ 의제되는 개발행위허가 거부처분 별도로 존재×

의제된 개발행위허가
▷ 통상적인 인·허가와 동일한 효력

④ (○)

> [1] 의제된 인·허가는 통상적인 인·허가와 동일한 효력을 가지므로, 적어도 '부분 인·허가의제'가 허용되는 경우에는 그 효력을 제거하기 위한 법적 수단으로 의제된 인·허가의 취소나 철회가 허용될 수 있고, 이러한 직권 취소·철회가 가능한 이상 그 의제된 인·허가에 대한 쟁송취소 역시 허용된다.
> [2] 주택건설사업계획 승인처분에 따라 의제된 인·허가가 위법함을 다투고자 하는 이해관계인은, 주택건설사업계획 승인처분의 취소를 구할 것이 아니라 의제된 인·허가의 취소를 구하여야 하며, 의제된 인·허가는 주택건설사업계획 승인처분과 별도로 항고소송의 대상이 되는 처분에 해당한다(대판 2018.11.29. 2016두38792).

답 ③

021

다음 사례에 있어 「행정기본법」상 인허가의제에 대한 설명으로 옳지 않은 것은?

> 甲은 자신의 토지에 건축을 하기 위하여 건축허가(주된 허가)를 신청하려고 담당 공무원에게 문의한 결과, 건축허가뿐만 아니라 개발행위허가(의제된 허가)도 받아야 함을 알게 되었다.

① 甲은 건축허가를 신청할 때 개발행위허가에 필요한 서류를 함께 제출하여야 한다.
② 건축허가 행정청은 건축허가를 하기 전에 개발행위허가에 관하여 미리 개발행위허가 행정청과 협의하여야 한다.
③ 개발행위허가 행정청은 건축허가 행정청으로부터 협의를 요청받으면, 법률에 인허가의제 시에도 관련 인허가에 필요한 심의·의견 청취 등 절차를 거친다는 명시적인 규정이 있는 경우 그 절차에 걸리는 기간을 제외하고, 그 요청을 받은 날부터 20일 이내에 의견을 제출하여야 한다.
④ 개발행위허가 행정청이 건축허가 행정청으로부터 협의를 요청받고도 법령에서 정한 기간 내에 협의 여부에 관하여 의견을 제출하지 아니하면 건축허가 행정청은 재협의를 요청하여야 한다.
⑤ 건축허가와 개발행위허가에 관해 법령에 따른 협의가 된 사항에 대해서는 건축허가를 받았을 때 개발행위허가를 받은 것으로 본다.

| 2024년 국회직 8급

① (○)

> 「행정기본법」제24조【인허가의제의 기준】② 인허가의제를 받으려면 주된 인허가를 신청할 때 관련 인허가에 필요한 서류를 함께 제출하여야 한다. 다만, 불가피한 사유로 함께 제출할 수 없는 경우에는 주된 인허가 행정청이 별도로 정하는 기한까지 제출할 수 있다.

② (○)

> 「행정기본법」제24조【인허가의제의 기준】③ 주된 인허가 행정청은 주된 인허가를 하기 전에 관련 인허가에 관하여 미리 관련 인허가 행정청과 협의하여야 한다.

③ (○), ④ (×) 건축허가 행정청이 재협의를 요청해야 하는 것이 아니라 협의가 성립된 것으로 간주된다.

> 「행정기본법」 제24조 【인허가의제의 기준】 ④ 관련 인허가 행정청은 제3항에 따른 협의를 요청받으면 그 요청을 받은 날부터 20일 이내(제5항 단서에 따른 절차에 걸리는 기간은 제외한다)에 의견을 제출하여야 한다(③). 이 경우 전단에서 정한 기간(민원 처리 관련 법령에 따라 의견을 제출하여야 하는 기간을 연장한 경우에는 그 연장한 기간을 말한다) 내에 협의 여부에 관하여 의견을 제출하지 아니하면 협의가 된 것으로 본다(④).
> ⑤ 제3항에 따라 협의를 요청받은 관련 인허가 행정청은 해당 법령을 위반하여 협의에 응해서는 아니 된다. 다만, 관련 인허가에 필요한 심의, 의견 청취 등 절차에 관하여는 법률에 인허가의제 시에도 해당 절차를 거친다는 명시적인 규정이 있는 경우에만 이를 거친다.

⑤ (○)

> 「행정기본법」 제25조 【인허가의제의 효과】 ① 제24조 제3항·제4항에 따라 협의가 된 사항에 대해서는 주된 인허가를 받았을 때 관련 인허가를 받은 것으로 본다.

답 ④

022

다음 사례에 대한 설명으로 옳지 않은 것은?

> 「소방시설 설치 및 관리에 관한 법률」은 "건축허가 등의 권한이 있는 행정기관은 건축허가 등을 할 때 미리 그 건축물 등의 소재지를 관할하는 소방서장의 동의를 받아야 한다."고 규정하고 있다. 甲은 건물 신축을 위해 A시 시장 乙에게 「건축법」상 건축허가신청을 하였으나, 乙은 A시 소방서장 丙의 동의 거부를 이유로 건축불허가처분을 하였다.

① 乙이 건축불허가처분을 하면서 丙의 건축부동의 의견을 듣고 있으나 丙이 건축부동의로 삼은 사유가 보완이 가능한 것인 경우, 乙이 보완을 요구하지 아니한 채 곧바로 건축허가 신청을 거부한 것은 재량권의 범위를 벗어난 것이다.
② 乙의 건축불허가처분에 불복하여 甲이 제기한 취소소송에서 법원은 丙을 소송에 참가시킬 필요가 있다고 인정하는 경우 丙을 당해 소송에 참가시키는 결정을 할 수 있다.
③ 乙의 건축불허가처분에 불복하여 甲이 제기한 취소소송에서 인용판결이 확정되면 丙에게도 판결의 기속력이 발생한다.
④ 乙이 건축불허가처분을 하면서 건축불허가 사유뿐만 아니라 丙의 건축부동의 사유를 들고 있는 경우, 甲은 건축불허가처분에 관한 쟁송에서 丙의 건축부동의 사유에 관하여는 다툴 수 없다.
⑤ 甲이 위 건축불허가처분을 취소소송으로 다투고자 하는 경우 피고는 乙이 된다.

| 2024년 국회직 8급

① (○) 건축불허가처분을 하면서 그 사유의 하나로 소방시설과 관련된 소방서장의 건축부동의 의견을 들고 있으나 그 보완이 가능한 경우, 보완을 요구하지 아니한 채 곧바로 건축허가신청을 거부한 것은 재량권의 범위를 벗어난 것이라고 한 사례 (대판 2004.10.15. 2003두6573)
② (○)

> 「행정소송법」 제17조 【행정청의 소송참가】 ① 법원은 다른 행정청을 소송에 참가시킬 필요가 있다고 인정할 때에는 당사자 또는 당해 행정청의 신청 또는 직권에 의하여 결정으로써 그 행정청을 소송에 참가시킬 수 있다.

문제 DATA
출제가능 지수 ▶▶▷
난이도 지수 ★★★

함께 정리하기

사례해결

흠의 보완이 가능함에도 보완요구 없이 바로 건축허가신청 거부
▷ 위법

행정청의 소송참가
▷ 법원의 직권 또는 신청에 의해 可

인용판결 기속력의 주관적 범위
▷ 당사자인 행정청과 그 밖의 관계행정청

소방서장의 건축부동의를 이유로 건축불허가처분
▷ 건축불허가처분에 관한 쟁송에서 건축부동의 사유에 관하여 다툴 수 있음

건축불허가처분에 대한 취소소송에서 피고적격자
▷ 건축불허가 행정청

③ (○)

> 「행정소송법」 제30조 【취소판결등의 기속력】 ① 처분등을 취소하는 확정판결은 그 사건에 관하여 당사자인 행정청과 그 밖의 관계행정청을 기속한다.

④ (×) 건축허가권자가 건축불허가처분을 하면서 그 처분사유로 건축불허가 사유뿐만 아니라 구 소방법 제8조 제1항에 따른 소방서장의 건축부동의 사유를 들고 있다고 하여 그 건축불허가처분 외에 별개로 건축부동의처분이 존재하는 것이 아니므로, 그 건축불허가처분을 받은 사람은 그 건축불허가처분에 관한 쟁송에서 건축법상의 건축불허가 사유뿐만 아니라 소방서장의 부동의 사유에 관하여도 다툴 수 있다 (대판 2004.10.15. 2003두6573).

⑤ (○)

> 「행정소송법」 제13조 【피고적격】 ① 취소소송은 다른 법률에 특별한 규정이 없는 한 그 처분등을 행한 행정청을 피고로 한다. 다만, 처분등이 있은 뒤에 그 처분등에 관계되는 권한이 다른 행정청에 승계된 때에는 이를 승계한 행정청을 피고로 한다.

답 ④

023

다음 사례에 관한 설명 중 옳지 않은 것을 모두 고른 것은? (다툼이 있는 경우 판례에 의함)

> 甲 창업기업은 「중소기업창업 지원법」에 따라 A시장에게 공장설립계획의 승인을 신청하고자 한다. 동법 제47조는 A시장이 공장설립계획의 승인을 할 때 「하천법」 제33조에 따른 하천의 점용허가에 관하여 A시장이 하천점용허가청과 협의를 한 사항에 대하여는 그 허가를 받은 것으로 본다고 규정하고 있다.

> ㄱ. 甲이 하천점용허가를 의제받으려면 위 공장설립계획 승인을 신청할 때 하천점용허가에 필요한 서류를 하천점용허가청이 별도로 정하는 기한까지 제출하여야 한다.
> ㄴ. A시장과 하천점용허가청 간에 협의가 된 사항에 대해서는 협의 성립시점에 하천점용허가를 받은 것으로 의제된다.
> ㄷ. A시장으로부터 협의를 요청받은 하천점용허가청은 하천법령을 위반하여 협의에 응해서는 아니 되며, 하천점용허가에 필요한 심의, 의견청취 등 절차에 관하여는 법률에 인허가의제 시에도 해당 절차를 거친다는 명시적인 규정이 있는 경우에만 이를 거친다.
> ㄹ. 하천점용허가가 의제되면 하천점용허가청은 하천점용허가를 직접 한 것으로 보아 관계 법령에 따른 관리·감독 등 필요한 조치를 하여야 한다.

① ㄱ, ㄴ
② ㄱ, ㄷ
③ ㄱ, ㄹ
④ ㄴ, ㄷ
⑤ ㄷ, ㄹ

2024년 변호사

ㄱ. (×)

> 「행정기본법」 제24조 【인허가의제의 기준】 ② 인허가의제를 받으려면 주된 인허가를 신청할 때 관련 인허가에 필요한 서류를 함께 제출하여야 한다. 다만, 불가피한 사유로 함께 제출할 수 없는 경우에는 주된 인허가 행정청이 별도로 정하는 기한까지 제출할 수 있다.

문제 DATA
출제가능 지수 ▶▶▷
난이도 지수 ★★★

함께 정리하기

사례해결

주된 인·허가 신청시 관련 인·허가 필요 서류를 함께 제출할 수 없는 경우
▷ 주된 인·허가 행정청이 별도로 정하는 기한까지 제출

관계 행정청과 협의된 사항
▷ 주된 인·허가 받았을 때 관련 인·허가 의제○

관계 행정청
▷ 법령에 위반한 협의불가
▷ 관련 인·허가에 필요한 절차는 특별한 규정이 있는 경우에만 거침

인·허가의제의 사후관리·감독
▷ 관계 행정청은 관련 인·허가를 직접 한 것으로 보아 관리·감독등 필요한 조치를 하여야

ㄴ. (×)

> 「행정기본법」 제25조【인허가의제의 효과】① 제24조 제3항·제4항에 따라 협의가 된 사항에 대해서는 주된 인허가를 받았을 때 관련 인허가를 받은 것으로 본다.

ㄷ. (○)

> 「행정기본법」 제24조【인허가의제의 기준】③ 주된 인허가 행정청은 주된 인허가를 하기 전에 관련 인허가에 관하여 미리 관련 인허가 행정청과 협의하여야 한다.
> ⑤ 제3항에 따라 협의를 요청받은 관련 인허가 행정청은 해당 법령을 위반하여 협의에 응해서는 아니된다. 다만, 관련 인허가에 필요한 심의, 의견 청취 등 절차에 관하여는 법률에 인허가의제 시에도 해당 절차를 거친다는 명시적인 규정이 있는 경우에만 이를 거친다.

ㄹ. (○)

> 「행정기본법」 제26조【인허가의제의 사후관리 등】① 인허가의제의 경우 관련 인허가 행정청은 관련 인허가를 직접 한 것으로 보아 관계 법령에 따른 관리·감독 등 필요한 조치를 하여야 한다.

답 ①

024

행정행위에 대한 설명으로 옳은 것은? (다툼이 있는 경우 판례에 의함)

① 행정청의 의사표시를 요소로 하는 법률행위적 행정행위 중에서 명령적 행위에는 하명, 허가, 대리가 속한다.
② 상대방에게 권리, 능력, 법적 지위, 포괄적 법률관계를 설정하는 특허는 형성적 행정행위이며 원칙적으로 기속행위이다.
③ 인가는 기본행위의 효력을 완성시켜 주는 보충적 행위이므로 기본행위가 무효인 경우에는 이에 대한 인가가 내려지더라도 그 인가는 무효이다.
④ 특정의 사실 또는 법률관계의 존재를 공적으로 증명하여 공적 증거력을 부여하는 행정행위는 확인행위로서 당선인결정, 장애등급결정, 행정심판의 재결 등이 그 예이다.

2023년 국가직 7급

① (×) 하명, 허가는 명령적 행위이지만 대리는 형성적 행위에 속한다.
② (×) 특허는 형성적 행정행위이며 원칙적으로 재량행위이다.
③ (○) 기본행위가 성립하지 않거나 무효인 경우에 인가를 받더라도 기본행위가 유효로 되는 것은 아니며 인가 역시 무효로 된다. 즉, 인가는 기본행위의 하자를 치유하지 않는다.

> 인가는 기본행위인 재단법인의 정관변경에 대한 법률상의 효력을 완성시키는 보충행위로서, 그 기본이 되는 정관변경 결의에 하자가 있을 때에는 그에 대한 인가가 있었다 하여도 기본행위인 정관변경 결의가 유효한 것으로 될 수 없다(대판 1996.5.16. 95누4810 전합).

유제 20. 국회직 8급 재단법인의 정관변경 시 정관변경 결의의 하자가 있는 경우에 주무부장관의 인가가 있다고 하여도 정관변경 결의가 유효한 것으로 될 수 없다. (○)

④ (×) 특정의 사실 또는 법률관계의 존재를 공적으로 증명하여 공적 증거력을 부여하는 행정행위는 공증이다.

답 ③

문제 DATA

출제가능 지수 ▶▶▷
난이도 지수 ★★☆

함께 정리하기

행정행위의 종류

하명·허가
▷ 명령적 행위
▷ 대리는 형성적 행위

특허
▷ 형성적 행위, 재량행위

인가
▷ 보충적 행위, 기본행위가 무효이면 인가도 무효

공증
▷ 특정사실 또는 법률관계 존재를 공적으로 증명하여 공적증거력 부여하는 행정행위

문제 DATA

출제가능 지수 ▶▶Σ
난이도 지수 ★★★

025 □□□

다음 사례에 대한 설명으로 옳지 않은 것을 모두 고른 것은? (다툼이 있는 경우 판례에 의함)

「주택법」상 주택건설사업계획의 승인이 있으면, 관계 행정기관의 장과 협의한 사항에 대하여 「국토의 계획 및 이용에 관한 법률」(이하 '국토계획법'이라 함)에 따른 도시·군관리계획의 결정을 비롯하여 「주택법」제19조 제1항 각 호에서 열거하는 인·허가를 받은 것으로 의제된다. 甲은 관할 A행정청에 「주택법」에 따른 주택건설사업계획승인을 신청하였고, A행정청은 관계 행정기관의 장과 협의를 거쳐 주택건설사업계획을 승인·고시하였다.

ㄱ. 주택건설사업계획의 승인이 있으면 「주택법」제19조 제1항 각 호에서 열거하는 모든 인·허가가 의제되므로, 모든 인·허가 사항에 대해 사전에 관계 행정기관과 일괄하여 협의를 거쳐야 한다.
ㄴ. A행정청은 도시·군관리계획 결정권자와 협의를 거쳐 주택건설사업계획을 승인하면서 이와는 별도로 국토계획법에서 정한 도시·군관리계획 입안을 위한 주민 의견청취절차를 거칠 필요가 없다.
ㄷ. 의제되는 국토계획법상 도시·군관리계획의 결정에 하자가 있다면, 주택건설사업계획 승인처분 자체가 위법하게 된다.
ㄹ. 의제되는 인·허가는 주택건설사업계획 승인처분과 별도로 항고소송의 대상이 되는 처분에 해당하지 않는다.

① ㄱ, ㄷ
② ㄱ, ㄹ
③ ㄴ, ㄷ
④ ㄱ, ㄷ, ㄹ
⑤ ㄴ, ㄷ, ㄹ

2023년 변호사

ㄱ, ㄷ, ㄹ. (×)

[1] 구 주택법 제17조 제1항에 따르면, 주택건설사업계획 승인권자가 관계 행정청의 장과 미리 협의한 사항에 한하여 승인처분을 할 때에 인·허가 등이 의제될 뿐이고, 각 호에 열거된 모든 인·허가 등에 관하여 일괄하여 사전협의를 거칠 것을 주택건설사업계획 승인처분의 요건으로 규정하고 있지 않다(ㄱ). 따라서 인·허가 의제 대상이 되는 처분에 어떤 하자가 있더라도, 그로써 해당 인·허가 의제의 효과가 발생하지 않을 여지가 있게 될 뿐이고, 그러한 사정이 주택건설사업계획 승인처분 자체의 위법사유가 될 수는 없다(ㄷ).

[2] 또한 의제된 인·허가는 통상적인 인·허가와 동일한 효력을 가지므로, 적어도 '부분 인·허가 의제'가 허용되는 경우에는 그 효력을 제거하기 위한 법적 수단으로 의제된 인·허가의 취소나 철회가 허용될 수 있고, 이러한 직권 취소·철회가 가능한 이상 그 의제된 인·허가에 대한 쟁송취소 역시 허용된다. 따라서 주택건설사업계획 승인처분에 따라 의제된 인·허가가 위법함을 다투고자 하는 이해관계인은, 주택건설사업계획 승인처분의 취소를 구할 것이 아니라 의제된 인·허가의 취소를 구하여야 하며, 의제된 인·허가는 주택건설사업계획 승인처분과 별도로 항고소송의 대상이 되는 처분에 해당한다(ㄹ)(대판 2018.11.29, 2016두38792).

유제 22. 지방직 7급 주된 인·허가에 의해 의제된 인·허가는 통상적인 인·허가와 동일한 효력을 가지나, '부분 인·허가 의제'가 허용되는 경우 의제된 인·허가의 취소나 철회는 허용되지 않으므로 이해관계인이 의제된 인·허가의 위법함을 다투고자 하는 경우에는 주된 인·허가 처분을 항고소송의 대상으로 삼아야 한다. (×)
22. 소방직 9급 주택건설사업계획 승인처분에 따라 의제된 인·허가의 위법함을 다투고자 하는 이해관계인은 의제된 인·허가의 취소를 구할 것이 아니라, 주된 처분인 주택건설사업계획 승인처분의 취소를 구하여야 한다. (×)
22. 국회직 9급 이른바 부분 인·허가 의제의 경우 주된 인·허가에 따라 의제된 인·허가에 하자가 있음을 다투고자 할 때 의제된 인·허가의 취소를 구할 것이 아니라 주된 인·허가의 취소를 구하여야 한다. (×)

함께 정리하기

인·허가의제 사례

관계 행정기관과 협의가 요구되는 경우
▷ 사업승인 전 일괄 협의 필요 ×

주택건설사업계획승인으로 도시·군관리계획결정이 의제되는 경우
▷ 별도로 주민의견청취절차 거칠 필요 ×

의제된 인·허가 하자
▷ 주된 인·허가의 위법사유 ×

의제된 인·허가
▷ 주된 인·허가와 별도의 항고소송 대상 ○

21. 국가직 9급 주택건설사업계획 승인처분에 따라 의제된 인·허가가 위법함을 다투고자 하는 이해관계인은, 주택건설사업계획 승인처분의 취소를 구해야 의제된 인·허가의 취소를 구해서는 아니 되며, 의제된 인·허가는 주택건설사업계획 승인처분과 별도로 항고소송의 대상이 되는 처분에 해당하지 않는다. (×)

19. 지방직 7급 허가에 타법상의 인·허가가 의제되는 경우, 의제된 인·허가는 통상적인 인·허가와 동일한 효력을 가질 수 없으므로 '부분 인·허가 의제'가 허용되는 경우라도 그에 대한 쟁송취소는 허용될 수 없다. (×)

ㄴ. (○) 구 주택법 제17조 제1항에 인·허가 의제 규정을 둔 입법 취지는, 주택건설사업을 시행하는 데 필요한 각종 인·허가 사항과 관련하여 주택건설사업계획 승인권자로 그 창구를 단일화하고 절차를 간소화함으로써 각종 인·허가에 드는 비용과 시간을 절감하여 주택의 건설·공급을 활성화하려는 데에 있다. 이러한 인·허가 의제 규정의 입법 취지를 고려하면, 주택건설사업계획 승인권자가 구 주택법 제17조 제3항에 따라 도시·군관리계획 결정권자와 협의를 거쳐 관계 주택건설사업계획을 승인하면 같은 조 제1항 제5호에 따라 도시·군관리계획결정이 이루어진 것으로 의제되고, 이러한 협의절차와 별도로 국토의 계획 및 이용에 관한 법률 제28조 등에서 정한 도시·군관리계획 입안을 위한 주민의견청취절차를 거칠 필요는 없다(대판 2018.11.29. 2016두38792).

유제 22. 지방직 7급 행정청이 「주택법」상 주택건설사업계획을 승인하면 「국토의 계획 및 이용에 관한 법률」상의 도시·군관리계획결정이 이루어진 것으로 의제되는데, 이 경우 도시·군관리계획 결정권자와의 협의절차와 별도로 「국토의 계획 및 이용에 관한 법률」에서 정한 도시·군관리계획 입안을 위한 주민의견청취절차를 거칠 필요는 없다. (○)

21. 국가직 9급 주택건설사업계획 승인권자가 구 「주택법」에 따라 도시·군관리계획 결정권자와 협의를 거쳐 관계 주택건설사업계획을 승인하면 도시·군관리계획결정이 이루어진 것으로 의제되고, 이러한 협의절차와 별도로 「국토의 계획 및 이용에 관한 법률」 등에서 정한 도시·군관리계획 입안을 위한 주민의견청취절차를 거칠 필요는 없다. (○)

답 ④

026

인가에 대한 설명으로 옳지 않은 것은? (다툼이 있는 경우 판례에 의함)

① 「자동차관리법」상 자동차관리사업자로 구성하는 사업자단체인 조합 또는 협회의 설립인가처분은 자동차관리사업자들의 단체결성행위를 보충하여 효력을 완성시키는 처분에 해당한다.

② 구 「도시 및 주거환경정비법」상 조합설립추진위원회 구성승인처분은 조합의 설립을 위한 주체인 추진위원회의 구성행위를 보충하여 그 효력을 부여하는 처분이다.

③ 주택재개발정비사업조합이 수립한 사업시행계획에 하자가 있음에도 불구하고 관할행정청이 해당 사업시행계획에 대한 인가처분을 하였다면, 그 인가처분에는 고유한 하자가 없더라도 사업시행계획의 무효를 주장하면서 곧바로 그에 대한 인가처분의 무효확인이나 취소를 구하여야 한다.

④ 구 「도시 및 주거환경정비법」상 토지소유자들이 조합을 설립하지 아니하고 직접 도시환경정비사업을 시행하고자 하는 경우에 내려진 사업시행인가처분은 설권적 처분의 성격을 가진다.

| 2023년 지방직 9급 |

① (○) 자동차관리법상 자동차관리사업자로 구성하는 사업자단체인 조합 또는 협회의 설립인가처분은 국토해양부장관 또는 시·도지사가 자동차관리사업자들의 단체결성행위를 보충하여 효력을 완성시키는 처분에 해당한다(대판 2015.5.29. 2013두635).

유제 18. 서울시 9급, 17. 국가직 7급 「자동차관리법」상 자동차관리사업자단체의 조합 설립인가는 강학상 인가에 해당한다. (○)

문제 DATA

출제가능 지수 ▶▶▷
난이도 지수 ★★☆

함께 정리하기

인가

「자동차관리법」상 사업자단체조합 설립인가
▷ 인가

조합설립추진위원회 구성승인처분
▷ 인가

인가처분에는 고유한 하자가 없는데 사업시행계획에 하자
▷ 사업시행계획(인가처분×)의 무효확인이나 취소를 구하여야 함

토지 등 소유자들이 직접 시행하는 도시환경정비사업시행인가
▷ 특허

② (○) 조합설립추진위원회 구성승인처분은 조합의 설립을 위한 주체인 추진위원회의 구성행위를 보충하여 그 효력을 부여하는 처분이다(대판 2013.1.31. 2011두11112).

유제 22. 지방직 7급 주택재개발조합설립추진위원회 구성승인처분은 조합의 설립을 위한 주체인 주택재개발조합설립추진위원회의 구성행위를 보충하여 그 효력을 부여하는 처분이다. (○)
17. 서울시 7급 조합설립추진위원회 구성승인처분은 조합의 설립을 위한 주체인 추진위원회의 구성행위를 보충하여 그 효력을 부여하는 처분으로 인가에 해당한다. (○)

③ (✕) 구 도시 및 주거환경정비법에 기초하여 주택재개발정비사업조합이 수립한 사업시행계획은 관할행정청의 인가·고시가 이루어지면 이해관계인들에게 구속력이 발생하는 독립된 행정처분에 해당하고, 관할행정청의 사업시행계획 인가처분은 사업시행계획의 법률상 효력을 완성시키는 보충행위에 해당한다. 따라서 기본행위인 사업시행계획에는 하자가 없는데 보충행위인 인가처분에 고유한 하자가 있다면 그 인가처분의 무효확인이나 취소를 구하여야 할 것이지만, 인가처분에는 고유한 하자가 없는데 사업시행계획에 하자가 있다면 사업시행계획의 무효확인이나 취소를 구하여야 할 것이지 사업시행계획의 무효를 주장하면서 곧바로 그에 대한 인가처분의 무효확인이나 취소를 구하여서는 아니 된다(대판 2021.2.10. 2020두48031).

④ (○) 토지 등 소유자들이 그 사업을 위한 조합을 따로 설립하지 않고 직접 시행하는 도시환경정비사업에서 사업시행인가처분은 단순히 사업시행계획에 대한 보충행위로서의 성질을 가지는 것이 아니라 구 도시정비법상 정비사업을 시행할 수 있는 권한을 가지는 행정주체로서의 지위를 부여하는 일종의 설권적 처분의 성격을 가진다(대판 2013.6.13. 2011두19994).

유제 17. 국가직 7급 「도시 및 주거환경정비법」상 토지 등 소유자들이 조합을 따로 설립하지 않고 직접 시행하는 도시환경정비사업 시행인가는 특정인에 대하여 새로운 권리·능력 또는 포괄적 법률관계를 설정하는 행위에 해당한다. (○)
16. 국회직 8급 「도시 및 주거환경정비법」에 따른 토지 등 소유자에 대한 사업시행인가처분은 사업시행계획에 대한 보충행위로서의 성질을 가지는 것이 아니라 정비사업 시행권한을 가지는 행정주체로서의 지위를 부여하는 일종의 설권적 처분의 성격을 가진다. (○)

답 ③

027

인·허가의제에 대한 설명으로 옳지 않은 것은? (다툼이 있는 경우 판례에 의함)

① 도시계획시설인 주차장에 대한 건축허가신청을 받은 행정청으로서는 「건축법」상 허가요건뿐 아니라 그에 의해 의제되는 국토의 계획 및 이용에 관한 법령이 정한 도시계획시설사업에 관한 실시계획인가 요건도 충족하는 경우에 한하여 이를 허가해야 한다.

② 주된 인·허가에 의해 의제된 인·허가는 통상적인 인·허가와 동일한 효력을 가지나, '부분 인·허가의제'가 허용되는 경우 의제된 인·허가의 취소나 철회는 허용되지 않으므로 이해관계인이 의제된 인·허가의 위법함을 다투고자 하는 경우에는 주된 인·허가처분을 항고소송의 대상으로 삼아야 한다.

③ 행정청이 「주택법」상 주택건설사업계획을 승인하면 「국토의 계획 및 이용에 관한 법률」상의 도시·군관리계획결정이 이루어진 것으로 의제되는데, 이 경우 도시·군관리계획결정권자와의 협의절차와 별도로 「국토의 계획 및 이용에 관한 법률」에서 정한 도시·군관리계획 입안을 위한 주민 의견청취절차를 거칠 필요는 없다.

④ 행정청이 건축불허가처분을 하면서 그 처분사유로 건축불허가사유뿐만 아니라 그 의제의 대상이 되는 형질변경불허가사유나 농지전용불허가 사유를 들고 있다고 하여 그 건축불허가처분 외에 별개로 형질변경불허가처분이나 농지전용불허가처분이 존재하는 것은 아니다.

2022년 지방직 7급

① (O) 건축법에서 인·허가의제 제도를 둔 취지는, 인·허가의제사항과 관련하여 건축허가의 관할 행정청으로 창구를 단일화하고 절차를 간소화하며 비용과 시간을 절감함으로써 국민의 권익을 보호하려는 것이지, 인·허가의제사항 관련 법률에 따른 각각의 인·허가 요건에 관한 일체의 심사를 배제하려는 것으로 보기는 어려우므로, 도시계획시설인 주차장에 대한 건축허가신청을 받은 행정청으로서는 건축법상 허가 요건뿐 아니라 국토의 계획 및 이용에 관한 법령이 정한 도시계획시설사업에 관한 실시계획인가 요건도 충족하는 경우에 한하여 이를 허가해야 한다(대판 2015.7.9. 2015두39590).

유제 19. 소방간부 도시계획시설인 주차장에 대한 건축허가신청을 받은 행정청으로서는 「건축법」상 허가 요건뿐 아니라 국토의 계획 및 이용에 관한 법령이 정한 도시계획시설사업에 관한 실시계획인가요건도 충족하는 경우에 한하여 이를 허가하여야 한다. (O)

19. 서울시 7급(추) 「건축법」에서 인·허가의제 제도를 둔 취지는 인·허가의제 사항과 관련하여 건축허가의 관할 행정청으로 창구를 단일화하고 절차를 간소화하며 비용과 시간을 절감함으로써 국민의 권익을 보호하려는 것이다. (O)

② (×) 의제된 인·허가는 통상적인 인·허가와 동일한 효력을 가지므로, 적어도 '부분 인·허가 의제'가 허용되는 경우에는 그 효력을 제거하기 위한 법적 수단으로 의제된 인·허가의 취소나 철회가 허용될 수 있고, 이러한 직권 취소·철회가 가능한 이상 그 의제된 인·허가에 대한 쟁송취소 역시 허용된다. 따라서 주택건설사업계획 승인처분에 따라 의제된 인·허가가 위법함을 다투고자 하는 이해관계인은, 주택건설사업계획 승인처분의 취소를 구할 것이 아니라 의제된 인·허가의 취소를 구하여야 하며, 의제된 인·허가는 주택건설사업계획 승인처분과 별도로 항고소송의 대상이 되는 처분에 해당한다(대판 2018.11.29. 2016두38792).

③ (O) 대판 2018.11.29. 2016두38792

④ (O) 건축불허가처분을 하면서 그 처분사유로 건축불허가사유뿐만 아니라 형질변경불허가사유나 농지전용불허가사유를 들고 있다고 하여 그 건축불허가처분 외에 별개로 형질변경불허가처분이나 농지전용불허가처분이 존재하는 것이 아니므로, 그 건축불허가처분을 받은 사람은 그 건축불허가처분에 관한 쟁송에서 건축법상의 건축불허가사유뿐만 아니라 같은 도시계획법상의 형질변경불허가사유나 농지법상의 농지전용불허가사유에 관하여도 다툴 수 있는 것이지, 그 건축불허가처분에 관한 쟁송과는 별개로 형질변경불허가처분이나 농지전용불허가처분에 관한 쟁송을 제기하여 이를 다투어야 하는 것은 아니다(대판 2001.1.16. 99두10988).

유제 22. 국회직 9급 건축불허가처분의 사유로 건축허가 사유뿐만 아니라 형질변경 불허가 사유가 제시된 경우 그 건축불허가처분에 관한 쟁송과 별개로 형질변경불허가처분에 관한 쟁송을 제기하여야 하는 것은 아니다. (O)

18. 국가직 7급 A허가에 대해 B허가가 의제되는 것으로 규정된 경우, A불허가처분을 하면서 B불허가사유를 들고 있으면 A불허가처분과 별개로 B불허가처분도 존재한다. (×)

16. 서울시 7급 주된 인·허가인 건축불허가처분을 하면서 그 처분사유로 의제되는 인·허가에 해당하는 형질변경불허가사유를 들고 있다면, 그 건축불허가처분을 받은 자는 형질변경불허가처분에 관해서도 쟁송을 제기하여 다툴 수 있다. (×)

15. 국가직 9급 「건축법」에는 건축허가를 받으면 「국토의 계획 및 이용에 관한 법률」에 의한 토지의 형질변경허가도 받은 것으로 보는 조항이 있다. 이 조항의 적용을 받는 甲이 토지의 형질을 변경하여 건축물을 건축하고자 건축허가신청을 하였다) 이에 관하여 건축불허가처분을 하면서 건축불허가 사유 외에 형질변경불허가 사유를 들고 있는 경우, 甲은 건축불허가처분취소 청구소송에서 형질변경불허가 사유에 대하여도 다툴 수 있다. (O)

15. 국가직 9급 (「건축법」에는 건축허가를 받으면 「국토의 계획 및 이용에 관한 법률」에 의한 토지의 형질변경허가도 받은 것으로 보는 조항이 있다. 이 조항의 적용을 받는 甲이 토지의 형질을 변경하여 건축물을 건축하고자 건축허가신청을 하였다) 甲이 건축불허가처분에 관한 쟁송과는 별개로 형질변경불허가처분 취소소송을 제기하지 아니한 경우 형질변경불허가 사유에 관하여 불가쟁력이 발생한다. (×)

답 ②

함께 정리하기

인·허가의제

도시계획시설인 주차장 건축허가신청
▷ 건축법 + 도시계획시설사업 실시 계획인가 요건 충족 要

의제된 인·허가 하자를 다툴 경우
▷ 의제된 인·허가가 항고소송 대상 O

주택건설사업계획승인으로 도시·군관리계획결정이 의제되는 경우
▷ 별도로 주민의견청취절차 거칠 필요 ×

의제되는 인·허가의 거부사유를 들어 주된 인·허가 신청 거부처분
▷ 의제되는 인·허가 불허처분 별도로 존재 ×

문제 DATA

출제가능 지수 ▶▶▷
난이도 지수 ★★☆

028 □□□

「도시 및 주거환경정비법」상 행정처분에 대한 판례의 입장으로 옳지 않은 것은?

① 주택재개발조합설립추진위원회 구성승인처분은 조합의 설립을 위한 주체인 주택재개발조합설립추진위원회의 구성행위를 보충하여 그 효력을 부여하는 처분이다.
② 주택재건축조합설립인가처분은 법령상 요건을 갖출 경우 주택재건축사업을 시행할 수 있는 권한을 갖는 행정주체로서의 지위를 부여하는 일종의 설권적 처분의 성격을 갖는다.
③ 주택재건축조합의 정관변경에 대한 시장·군수 등의 인가는 그 대상이 되는 기본행위를 보충하여 법률상 효력을 완성시키는 행위로서 시장·군수 등이 변경된 정관을 인가하면 정관변경의 효력이 총회의 의결이 있었던 때로 소급하여 발생한다.
④ 토지 등 소유자들이 도시환경정비사업을 위한 조합을 따로 설립하지 아니하고 직접 그 사업을 시행하고자 하는 경우, 사업시행계획인가처분은 일종의 설권적 처분의 성격을 가지므로 토지 등 소유자들이 작성한 사업시행계획은 독립된 행정처분이 아니다.

2022년 지방직 7급

① (○) 대판 2013.1.31. 2011두11112
② (○) 대판 2009.9.24. 2008다60568
③ (×) 구 도시 및 주거환경정비법 제20조 제3항은 조합이 정관을 변경하고자 하는 경우에는 총회를 개최하여 조합원 과반수 또는 3분의 2 이상의 동의를 얻어 시장·군수의 인가를 받도록 규정하고 있다. 여기서 시장 등의 인가는 그 대상이 되는 기본행위를 보충하여 법률상 효력을 완성시키는 행위로서 이러한 인가를 받지 못한 경우 변경된 정관은 효력이 없고, 시장 등이 변경된 정관을 인가하더라도 정관변경의 효력이 총회의 의결이 있었던 때로 소급하여 발생한다고 할 수 없다(대판 2014.7.10. 2013도11532).

유제 19. 소방직 9급 정비조합 정관변경에 대한 인가는 인가에 해당하고 기본행위의 효력을 완성시켜 주는 보충적 행위이다. (○)

④ (○) 토지 등 소유자들이 그 사업을 위한 조합을 따로 설립하지 않고 직접 시행하는 도시환경정비사업에서 사업시행인가처분은 단순히 사업시행계획에 대한 보충행위로서의 성질을 가지는 것이 아니라 구 도시정비법상 정비사업을 시행할 수 있는 권한을 가지는 행정주체로서의 지위를 부여하는 일종의 설권적 처분의 성격을 가진다. 도시환경정비사업을 직접 시행하려는 토지 등 소유자들은 시장·군수로부터 사업시행인가를 받기 전에는 행정주체로서의 지위를 가지지 못한다.
따라서 그가 작성한 사업시행계획은 인가처분의 요건 중 하나에 불과하고 항고소송의 대상이 되는 독립된 행정처분에 해당하지 아니한다고 할 것이다(대판 2013.6.13. 2011두19994).

답 ③

함께 정리하기

「도시 및 주거환경정비법」

조합설립추진위원회 구성승인처분
▷ 인가

주택재건축정비사업조합 설립인가
▷ 특허

주택재건축정비사업조합 정관변경인가
▷ 인가 → 인가시 정관변경 효력 발생○
(소급×)

토지 등 소유자들이 직접 시행하는 도시환경정비사업의 시행인가처분
▷ 특허(사업시행계획은 독립된 행정처분×)

029 □□□

다음 사례에 대한 설명으로 옳은 것은? (다툼이 있는 경우 판례에 의함)

「도시 및 주거환경정비법」에 따라 설립된 A주택재건축정비사업조합은 관할 B구청장으로부터 ㉠ 조합설립인가를 받은 후, 조합총회에서 재건축 관련 ㉡ 관리처분계획에 대한 의결을 하였고, 관할 B구청장으로부터 위 ㉢ 관리처분계획에 대한 인가를 받았다. 이후 조합원 甲은 위 관리처분계획의 의결에는 조합원 전체의 4/5 이상의 결의가 있어야 함에도 불구하고, 이를 위반하여 위법한 것임을 이유로 ㉣ 관리처분계획의 무효를 주장하며 소송으로 다투려고 한다.

① ㉠과 ㉢의 인가의 강학상 법적 성격은 동일하다.
② 甲이 ㉡에 대해 소송으로 다투려면 A주택재건축정비사업조합을 상대로 민사소송을 제기하여야 한다.
③ 甲이 ㉣에 대해 소송으로 다투려면 항고소송을 제기하여야 한다.
④ 甲이 ㉣에 대해 소송으로 다투려면 B구청장을 피고로 하여야 한다.

문제 DATA
출제가능 지수 ▶▶▷
난이도 지수 ★★☆

2022년 지방직 9급

① (×) 조합설립인가는 강학상 특허이고 관리처분계획에 대한 인가는 강학상 인가이다.

> ㉠ 행정청의 조합설립인가처분은 조합에 정비사업을 시행할 수 있는 권한을 갖는 행정주체(공법인)로서의 지위를 부여하는 일종의 설권적 처분의 성격을 가진다(대판 2014.5.22. 2012도7190 전합).
>
> **유제** 15. 국회직 8급 「도시 및 주거환경정비법」상 재개발조합설립 인가신청에 대한 행정청의 조합설립인가처분은 법령상 일정한 요건을 갖출 경우 행정주체의 지위를 부여하는 일종의 설권적 처분의 성격을 갖는다. (○)
>
> ㉢ 도시 및 주거환경정비법에 기초하여 주택재개발정비사업조합이 수립한 관리처분계획은 그것이 인가·고시를 통해 확정되면 이해관계인에 대한 구속적 행정계획으로서 독립적인 행정처분에 해당한다. 이러한 관리처분계획을 인가하는 행정청의 행위는 조합의 관리처분계획에 대한 법률상의 효력을 완성시키는 보충행위이다(대판 2016.12.15. 2015두51347).
>
> **유제** 17. 사복직·지방교행, 16. 지방직 9급 재건축조합설립인가는 강학상 특허에 해당한다. (○)

② (×) 도시 및 주거환경정비법상 행정주체인 주택재건축정비사업조합을 상대로 관리처분계획안에 대한 조합 총회결의 효력 등을 다투는 소송은 행정처분에 이르는 절차적 요건의 존부나 효력 유무에 관한 소송으로서 그 소송결과에 따라 행정처분의 위법 여부에 직접 영향을 미치는 공법상 법률관계에 관한 것이므로, 이는 행정소송법상의 당사자소송에 해당한다(대판 2009.9.17. 2007다2428 전합).

③ (○) 도시 및 주거환경정비법상 주택재건축정비사업조합이 같은 법 제48조에 따라 수립한 관리처분계획에 대하여 관할 행정청의 인가·고시까지 있게 되면 관리처분계획은 행정처분으로서 효력이 발생하게 되므로, 총회결의의 하자를 이유로 하여 행정처분의 효력을 다투는 항고소송의 방법으로 관리처분계획의 취소 또는 무효확인을 구하여야 한다(대판 2009.9.17. 2007다2428 전합).

④ (×) 관리처분계획은 주택재건축정비사업조합이 행한 처분이므로 이에 대한 항고소송의 피고는 주택재건축정비사업조합이 된다.

> 분양신청 후에 정하여진 관리처분계획의 내용에 관하여 다툼이 있는 경우에는 그 관리처분계획은 토지 등의 소유자에게 구체적이고 결정적인 영향을 미치는 것으로서 조합이 행한 처분에 해당하므로 항고소송에 의하여 관리처분계획 또는 그 내용인 분양거부처분 등의 취소를 구할 수 있다(대판 1996.2.15. 94다31235 전합).

답 ③

함께 정리하기

「도시 및 주거환경정비법」 사례

조합설립인가는 강학상 특허, 관리처분계획에 대한 인가
▷ 강학상 인가

조합을 상대로 관리처분계획안에 대한 총회결의의 효력을 다투는 소송
▷ 당사자소송

관리처분계획의 인가고시 이후
▷ 관리처분계획에 대해 조합을 상대로 항고소송○

문제 DATA
출제가능 지수 ▶▶▷
난이도 지수 ★★☆

030 □□□

행정행위에 대한 설명으로 옳지 않은 것은? (다툼이 있는 경우 판례에 의함)

① 건축허가는 대물적 성질을 갖는 것이어서 행정청으로서는 허가를 할 때에 건축주 또는 토지 소유자가 누구인지 등 인적 요소에 관하여는 형식적 심사만 한다.
② 시·도 경찰청장이 횡단보도를 설치하여 보행자 통행방법 등을 규제하는 것은 국민의 권리의무에 직접 관계가 있는 행위로서 행정처분이다.
③ 국유재산의 무단점유에 대한 변상금 징수의 요건은 「국유재산법」에 명백히 규정되어 있으므로 변상금을 징수할 것인가는 처분청의 재량을 허용하지 않는 기속행위이다.
④ 공유수면의 점용·사용허가는 특정인에게 공유수면 이용권이라는 독점적 권리를 설정하여 주는 처분이 아니라 일반적인 상대적 금지를 해제하는 처분이다.

함께 정리하기

행정행위
건축허가
▷ 대물적 허가(인적 요소는 형식적 심사)
횡단보도 설치
▷ 행정처분
국유재산의 무단점유에 대한 변상금 징수
▷ 기속행위
공유수면의 점용·사용허가
▷ 특허

| 2022년 지방직 9급

① (○) 건축허가는 대물적 성질을 갖는 것이어서 행정청으로서는 허가를 할 때에 건축주 또는 토지 소유자가 누구인지 등 인적 요소에 관하여는 형식적 심사만 한다(대판 2017.3.15. 2014두41190).

유제 21. 경찰 2차, 20. 군무원 7급, 19. 서울시 7급(추) 건축허가는 대물적 성질을 갖는 것이어서 행정청으로서는 허가를 할 때에 건축주 또는 토지 소유자가 누구인지 등 인적 요소에 관하여는 형식적 심사만 한다. (○)
19. 행정사 건축허가는 대물적 성질을 갖는 것이어서 그 허가를 할 때에 인적 요소에 관해서는 형식적 심사만 한다. (○)
19. 소방직 건축허가는 대물적 허가의 성질을 가진다. (○)

② (○) 지방경찰청장이 횡단보도를 설치하여 보행자의 통행방법 등을 규제하는 것은 행정청이 특정사항에 대하여 의무의 부담을 명하는 행위이고 이는 국민의 권리의무에 직접 관계가 있는 행위로서 행정처분이라고 보아야 할 것이다(대판 2000.10.27. 98두8964).

③ (○) 국유재산의 무단점유 등에 대한 변상금징수의 요건은 국유재산법 제51조 제1항에 명백히 규정되어 있으므로 변상금을 징수할 것인가는 처분청의 재량을 허용하지 않는 기속행위이다(대판 2000.1.28. 97누4098).

④ (×) 구 공유수면관리법에 따른 공유수면의 점·사용허가는 특정인에게 공유수면 이용권이라는 독점적 권리를 설정하여 주는 처분으로서 그 처분의 여부 및 내용의 결정은 원칙적으로 행정청의 재량에 속한다(대판 2004.5.28. 2002두5016).

유제 22. 국회직 8급 공유수면의 점용·사용허가는 허가 상대방에게 제한을 해제하여 공유수면이용권을 부여하는 처분으로 강학상 허가에 해당한다. (×)
21. 국가직 7급 공유수면점용허가는 특정인에게 공유수면 이용권이라는 독점적 권리를 설정하여 주는 처분으로서 그 처분의 여부 및 내용의 결정은 원칙적으로 행정청의 재량에 속한다. (○)
20. 국가직 7급·5급 승진, 15. 서울시 7급 공유수면의 점용·사용허가는 특정인에게 공유수면 이용권이라는 독점적 권리를 설정하여 주는 처분으로서 처분 여부 및 내용의 결정은 원칙적으로 행정청의 재량에 속한다. (○)
06. 국가직 9급 공유수면점용허가는 허가의 요건이 충족된 경우에도 공익을 이유로 거부할 수 있다. (○)

답 ④

031

행정행위에 대한 설명으로 옳은 것은? (다툼이 있는 경우 판례에 의함)

① 건축물의 건축이 「국토의 계획 및 이용에 관한 법률」상 개발행위에 해당할 경우 그 건축의 허가권자는 개발행위허가가 의제되는 건축허가신청이 국토계획법령이 정한 개발행위허가기준에 부합하지 아니하면 이를 거부할 수 있다.
② 주택건설사업계획 승인처분에 따라 의제된 인·허가의 위법함을 다투고자 하는 이해관계인은 의제된 인·허가의 취소를 구할 것이 아니라, 주된 처분인 주택건설사업계획 승인처분의 취소를 구하여야 한다.
③ 「하천법」에 의한 하천의 점용허가는 강학상 허가에 해당한다.
④ 「출입국관리법」상 체류자격 변경허가는 기속행위이므로 신청인이 관계 법령에서 정한 요건을 충족하면 허가권자는 신청을 받아들여 허가해야 한다.

문제 DATA
출제가능 지수 ▶▶▷
난이도 지수 ★★☆

함께 정리하기
행정행위

개발행위허가가 의제되는 건축신고가 개발행위허가 기준을 갖추지 못한 경우
▷ 건축허가 거부 가

의제된 인·허가 하자를 다툴 경우
▷ 의제된 인·허가가 항고소송 대상 O

하천의 점용허가
▷ 강학상 특허

체류자격 변경허가
▷ 특허
▷ 재량행위

2022년 소방직

① (○) 건축물의 건축이 국토의 계획 및 이용에 관한 법률(이하 '국토계획법'이라고 한다)상 개발행위에 해당할 경우 그에 대한 건축허가를 하는 허가권자는 건축허가에 배치·저촉되는 관계 법령상 제한 사유의 하나로 국토계획법령의 개발행위허가기준을 확인하여야 하므로, 국토계획법상 건축물의 건축에 관한 개발행위허가가 의제되는 건축허가신청이 국토계획법령이 정한 개발행위허가기준에 부합하지 아니하면 허가권자로서는 이를 거부할 수 있고, 이는 건축법 제16조 제3항에 의하여 개발행위허가의 변경이 의제되는 건축허가사항의 변경허가에서도 마찬가지이다(대판 2016.8.24. 2016두35762).

유제 21. 국가직 9급 건축물의 건축이 「국토의 계획 및 이용에 관한 법률」상 개발행위에 해당할 경우 그 건축의 허가권자는 국토계획법의 개발행위허가기준을 확인하여야 하므로, 국토계획법상 건축물의 건축에 관한 개발행위허가가 의제되는 건축허가신청이 국토계획법령이 정한 개발행위허가기준에 부합하지 아니하면 허가권자로서는 이를 거부할 수 있다. (○)
18. 국가직 7급 「국토의 계획 및 이용에 관한 법률」상의 개발행위허가가 의제되는 건축허가신청이 동 법령이 정한 개발행위허가기준에 부합하지 아니하면, 행정청은 건축허가를 거부할 수 있다. (○)
17. 국가직 7급(추) 「국토의 계획 및 이용에 관한 법률」상 건축물의 건축에 관한 개발행위허가가 의제되는 건축허가신청이 국토의 계획 및 이용에 관한 법령이 정한 개발행위허가기준에 부합하지 아니하면 건축허가권자는 이를 거부할 수 있다. (○)

② (×) 의제된 인·허가의 취소를 구하여야 한다(대판 2018.11.29. 2016두38792).
③ (×) 하천의 점용허가는 강학상 특허에 해당한다.

하천법 제33조에 의한 하천의 점용허가는 특정인에게 하천이용권이라는 독점적 권리를 설정하여 주는 처분에 해당하므로, 그러한 점용허가를 받은 자는 일반인에게는 허용되지 않는 특별한 공물사용권을 설정받아 일정 기간 이를 배타적으로 사용할 수 있다(대판 2018.12.27. 2014두11601).

유제 20. 경찰 2차 「하천법」상 하천의 점용허가는 일반인에게 하천이용권이라는 권리를 설정하여 주는 허가에 해당한다. (×)
18. 지방직 9급 하천점용허가는 성질상 일반적 금지의 해제에 불과하여 허가의 일정한 요건을 갖춘 경우 기속적으로 판단하여야 한다. (×)

④ (×) 체류자격 변경허가는 신청인에게 당초의 체류자격과 다른 체류자격에 해당하는 활동을 할 수 있는 권한을 부여하는 일종의 설권적 처분의 성격을 가지므로, 허가권자는 신청인이 관계 법령에서 정한 요건을 충족하였더라도, 신청인의 적격성, 체류 목적, 공익상의 영향 등을 참작하여 허가 여부를 결정할 수 있는 재량을 가진다(대판 2016.7.14. 2015두48846).

유제 20. 국회직 9급 「출입국관리법」상 체류자격 변경허가는 일종의 설권적 처분의 성격을 가지므로 허가권자는 신청인이 관계 법령에서 정한 요건을 충족하였더라도 신청인의 적격성, 체류 목적, 공익상의 영향 등을 참작하여 허가 여부를 결정할 수 있는 재량을 가진다. (○)
19. 소방직 9급, 17. 지방직 9급(추) 「출입국관리법」상 체류자격 변경허가는 설권적 처분의 성격을 가지므로, 허가권자는 허가 여부를 결정할 수 있는 재량을 진다. (○)
19. 서울시 9급, 18. 경찰 2차, 17. 교행 「출입국관리법」상 체류자격 변경허가는 신청인에게 당초의 체류자격과 다른 체류자격에 해당하는 활동을 할 수 있는 권한을 부여하는 일종의 설권적 처분이다. (○)

답 ①

문제 DATA

출제가능 지수 ▶▶▷
난이도 지수 ★★☆

032 ☐☐☐

허가에 대한 설명으로 가장 옳지 않은 것은? (다툼이 있는 경우 판례에 의함)

① 한의사 면허는 허가에 해당하고, 한약조제시험을 통해 약사에게 한약조제권을 인정함으로써 한의사들의 영업이익이 감소되었다고 하더라도 이는 법률상 이익 침해라고 할 수 없다.
② 건축허가는 기속행위이므로 「건축법」상 허가요건이 충족된 경우에는 항상 허가하여야 한다.
③ 허가신청 후 허가기준이 변경되었다 하더라도 그 허가관청이 허가신청을 수리하고도 정당한 이유 없이 그 처리를 늦추어 그 사이에 허가기준이 변경된 것이 아닌 이상 변경된 허가기준에 따라서 처분을 하여야 한다.
④ 석유판매업 등록은 대물적 허가의 성질을 가지고 있으므로, 종전 석유판매업자가 유사석유제품을 판매한 행위에 대해 승계인에게 사업정지 등 제재처분을 할 수 있다.

> 2022년 군무원 9급

함께 정리하기

허가

한의사 면허
▷ 허가 → 한의사들의 영업상 이익은 법률상 이익 ✕

건축허가
▷ 중대한 공익상 필요 있으면 예외적으로 허가거부 可

허가
▷ 처분시의 법령·허가기준에 의해 처리

석유판매업 허가
▷ 대물적 허가 → 양도인의 제재사유·위법사유 승계 ○

① (○) 한의사 면허는 경찰금지를 해제하는 명령적 행위(강학상 허가)에 해당하고, 한약조제시험을 통하여 약사에게 한약조제권을 인정함으로써 한의사들의 영업상 이익이 감소되었다고 하더라도 이러한 이익은 사실상의 이익에 불과하고 약사법이나 의료법 등의 법률에 의하여 보호되는 이익이라고는 볼 수 없으므로, 한의사들이 한약조제시험을 통하여 한약조제권을 인정받은 약사들에 대한 합격처분의 무효확인을 구하는 당해 소는 원고적격이 없는 자들이 제기한 소로서 부적법하다(대판 1998.3.10. 97누4289).

유제 20. 경찰 2차, 19. 소방직, 17. 5급 승진, 16. 서울시 7급, 12. 서울시 9급 한의사 면허의 법적 성질은 경찰금지를 해제하는 명령적 행위로서 강학상 허가이다. (○)
18. 서울시 9급 한의사 면허는 진료행위를 할 수 있는 능력을 설정하는 설권행위이다. (✕)

② (✕) 건축허가는 기속행위이므로 「건축법」상 허가요건이 충족된 경우에는 원칙적으로 허가를 하여야 하나, 중대한 공익상 필요가 있는 경우 예외적으로 건축허가를 거부할 수 있다.

> 건축허가권자는 건축허가 신청이 건축법 등 관계 법규에서 정하는 어떠한 제한에 배치되지 않는 이상 당연히 같은 법조에서 정하는 건축허가를 하여야 하고, 중대한 공익상의 필요가 없는데도 관계 법령에서 정하는 제한사유 이외의 사유를 들어 요건을 갖춘 자에 대한 허가를 거부할 수는 없다(대판 2009.9.24. 2009두8946).

유제 19. 서울시 9급 건축허가권자는 건축허가신청이 「건축법」 등 관계법규에서 정하는 어떠한 제한에 배치되지 않는 이상 중대한 공익상의 필요가 있더라도 관계 법령에서 정하는 제한사유 이외의 사유를 들어 요건을 갖춘 자에 대한 허가를 거부할 수는 없다. (✕)
19. 국가직 9급 건축허가권자는 중대한 공익상의 필요가 없음에도 관계 법령에서 정하는 제한사유 이외의 사유를 들어 건축허가 요건을 갖춘 자에 대한 허가를 거부할 수 있다. (✕)
19. 서울시 7급 건축허가권자는 원칙상 기속행위이지만 중대한 공익상의 필요가 있는 경우 예외적으로 거부할 수 있다. (○)
17. 국가직 7급 건축허가청은 건축허가신청이 「건축법」 등 관계 법령에서 정하는 어떠한 제한에 배치되지 않는 이상 당연히 같은 법에서 정하는 건축허가를 하여야 하고, 중대한 공익상의 필요가 없음에도 불구하고 요건을 갖춘 자에 대한 허가를 관계 법령에서 정하는 제한사유 이외의 사유를 들어 거부할 수는 없다. (○)
17. 경찰 2차, 15. 사복직 건축허가권자는 건축허가신청이 「건축법」 등 관계 법규에서 정하는 어떠한 제한에 배치되지 않는 이상 당연히 같은 법조에서 정하는 건축허가를 하여야 하고, 중대한 공익상의 필요가 없는데도 관계 법령에서 정하는 제한사유 이외의 사유를 들어 요건을 갖춘 자에 대한 허가를 거부할 수는 없다. (○)

③ (○) 허가 등의 행정처분은 원칙적으로 처분시의 법령과 허가기준에 의하여 처리되어야 하고 허가신청 당시의 기준에 따라야 하는 것은 아니며, 비록 허가신청 후 허가기준이 변경되었다 하더라도 그 허가관청이 허가신청을 수리하고도 정당한 이유 없이 그 처리를 늦추어 그 사이에 허가기준이 변경된 것이 아닌 이상 변경된 허가기준에 따라서 처분을 하여야 한다(대판 2006.8.25. 2004두2974).

유제 22. 소방직 9급 허가신청 후 허가기준이 변경된 경우에는 원칙적으로 처분시의 기준인 변경된 허가기준에 따라서 처분하여야 한다. (O)
21. 소방직, 19. 행정사, 14. 경찰 1차 허가신청이 있은 후 그에 대한 결정이 있기 전에 허가기준을 정한 법령이 개정된 경우에는 처분청은 원칙적으로 개정된 법령을 적용하여야 한다는 것이 판례의 입장이다. (O)
20. 군무원 7급 허가 등의 행정처분은 원칙적으로 처분시의 법령과 허가기준에 의하여 처리되어야 하고 허가신청 당시의 기준에 따라야 하는 것은 아니며, 비록 허가신청 후 허가기준이 변경되었다 하더라도 그 허가관청이 허가신청을 수리하고도 정당한 이유 없이 그 처리를 늦추어 그 사이에 허가기준이 변경된 것이 아닌 이상 변경된 허가기준에 따라서 처분을 하여야 한다. (O)
20. 국회직 9급 신청을 한 때와 허가를 할 때 사이에 법령의 변경이 있는 경우 행정청이 허가신청을 수리하고도 정당한 이유 없이 처리를 늦추어 그 사이에 법령 및 그 허가기준이 변경된 것이 아닌 한 새로운 법령 및 허가기준에 따른다. (O)
19. 국가직 7급 허가를 신청한 이후 관계 법령이 개정되어 허가기준이 변경되었다면, 허가 여부에 대해서는 신청 당시의 법령을 적용하여야 하며 허가 당시의 법령을 적용할 수 없다. (×)

④ (O) 석유사업법 제12조 제3항, 제9조 제1항, 제12조 제4항 등을 종합하면 <u>석유판매업(주유소)허가는 소위 대물적 허가의 성질을 갖는 것이어서 그 사업의 양도도 가능하고 이 경우 양수인은 양도인의 지위를 승계하게 됨에 따라 양도인의 위 허가에 따른 권리의무가 양수인에게 이전되는 것이므로 만약 양도인에게 그 허가를 취소할 위법사유가 있다면 허가관청은 이를 이유로 양수인에게 응분의 제재조치를 취할 수 있다</u> 할 것이고, 양수인이 그 양수 후 허가관청으로부터 석유판매업허가를 다시 받았다 하더라도 이는 석유판매업의 양수도를 전제로 한 것이어서 이로써 양도인의 지위승계가 부정되는 것은 아니므로 양도인의 귀책사유는 양수인에게 그 효력이 미친다(대판 1986.7.22. 86누203).

유제 21. 군무원 9급 석유판매업 허가는 소위 대물적 허가의 성질을 갖는 것이어서 양수인이 그 양수 후 허가관청으로부터 석유판매업허가를 다시 받았다 하더라도 이는 석유판매업의 양수도를 전제로 한 것이어서 이로써 양도인의 지위승계가 부정되는 것은 아니므로 양도인의 귀책사유는 양수인에게 그 효력이 미친다. (O)
19. 서울시 7급 주유소허가의 양수인은 양도인의 지위를 승계하므로 양도인에게 그 허가를 취소할 법적 사유가 있는 경우 이를 이유로 양수인에게 응분의 제재조치를 할 수 있다. (O)
15. 경찰 3차 대물적 허가의 성질을 갖는 석유판매업이 양도된 경우, 양도인에게 허가를 취소할 위법사유가 있다면 이를 이유로 양수인에게 제재조치를 취할 수 있다. (O)
13. 경찰 3차 석유판매업 허가는 소위 대인적 허가의 성질을 갖는 것이어서 양도인의 귀책사유는 양수인에게 그 효력이 미치지 않는다. (×)
11. 국가직 7급 판례에 의하면 석유판매업허가는 혼합적 허가의 성질을 갖는 것이므로 양도인의 허가취소사유가 양수인에게 승계되지 않는다. (×)

답 ②

033 □□□

허가에 대한 설명으로 가장 옳지 않은 것은? (다툼이 있는 경우 판례에 의함)

① 개정 전 허가기준의 존속에 관한 국민의 신뢰가 개정된 허가기준의 적용에 관한 공익상의 요구보다 더 보호가치가 있다고 인정되는 경우에는 그러한 국민의 신뢰를 보호하기 위하여 개정된 허가기준의 적용을 제한할 여지가 있다.
② 법령상의 산림훼손 금지 또는 제한 지역에 해당하지 아니하더라도 중대한 공익상의 필요가 있다고 인정되는 경우, 산림훼손허가신청을 거부할 수 있다.
③ 어업에 관한 허가의 경우 그 유효기간이 경과하면 그 허가의 효력이 당연히 소멸하지만, 유효기간의 만료 후라도 재차 허가를 받게 되면 그 허가기간이 갱신되어 종전의 어업허가의 효력 또는 성질이 계속된다.
④ 요허가행위를 허가를 받지 않고 행한 경우에는 행정법상 처벌의 대상이 되지만 당해 무허가행위의 법률상 효력이 당연히 부정되는 것은 아니다.

문제 DATA

출제가능 지수 ▶▶▷
난이도 지수 ★★☆

함께 정리하기

허가

신뢰보호 관점에서 개정된 허가기준 적용
▷ 제한 可

산림형질변경허가
▷ 명문근거 없이도 중대한 공익을 사유로 거부 可

유효기간의 만료 후 어업허가
▷ 새로운 허가

허가받지 않고 한 경우
▷ 사법상 유효
▷ 행정강제·행정벌의 대상

2022년 군무원 9급

① (○) 채석허가기준에 관한 관계 법령의 규정이 개정된 경우, 새로이 개정된 법령의 경과규정에서 달리 정함이 없는 한 처분 당시에 시행되는 개정 법령과 그에서 정한 기준에 의하여 채석허가 여부를 결정하는 것이 원칙이고, 개정 법령의 적용과 관련하여서는 개정 전 법령의 존속에 대한 국민의 신뢰가 개정 법령의 적용에 관한 공익상의 요구보다 더 보호가치가 있다고 인정되는 경우에 그러한 국민의 신뢰를 보호하기 위하여 그 적용이 제한될 수 있는 여지가 있을 따름이다(대판 2005.7.29. 2003두3550).

② (○) 산림훼손은 국토 및 자연의 유지와 수질 등 환경의 보전에 직접적으로 영향을 미치는 행위이므로 법령이 규정하는 산림훼손 금지 또는 제한 지역에 해당하는 경우는 물론 금지 또는 제한 지역에 해당하지 않더라도 허가관청은 산림훼손허가신청 대상 토지의 현상과 위치 및 주위의 상황 등을 고려하여 국토 및 자연의 유지와 환경의 보전 등 중대한 공익상 필요가 있다고 인정될 때에는 허가를 거부할 수 있고, 그 경우 법규에 명문의 근거가 없더라도 거부처분을 할 수 있는 것이며, 이는 산림훼손기간을 연장하는 경우에도 마찬가지이다(대판 1997.8.29. 96누15213).

유제 19. 서울시 9급 환경의 보전 등 중대한 공익상 필요가 있다고 인정되더라도 법규에 명문의 근거가 없다면 산림훼손기간 연장허가를 거부할 수 없다. (×)
18. 지방직 7급, 12. 국가직 7급 구 산림법령이 규정하는 산림훼손 금지 또는 제한 지역에 해당하지 않더라도 환경의 보존 등 중대한 공익상 필요가 인정되는 경우, 허가관청은 법규상 명문의 근거가 없어도 산림훼손허가신청을 거부할 수 있다. (○)
17. 경찰 2차 산림훼손행위는 국토의 유지와 환경의 보전에 직접적으로 영향을 미치는 행위이므로 법령이 규정하는 산림훼손 금지 또는 제한지역에 해당하는 경우는 물론 금지 또는 제한지역에 해당하지 않더라도 허가관청은 산림훼손허가신청 대상토지의 현상과 위치 및 주위의 상황 등을 고려하여 국토 및 자연의 유지와 환경의 보전 등 중대한 공익상 필요가 있다고 인정될 때에는 허가를 거부할 수 있고, 그 경우 법규에 명문의 근거가 없더라도 거부처분을 할 수 있다. (○)
15. 국회직 8급, 11. 국가직 7급, 08. 국가직 7급 산림형질변경허가의 경우 중대한 공익상 필요가 있다고 인정되는 때에는 그 허가를 거부할 수 있으며, 다만 그 경우 별도로 명문의 근거가 있어야 한다. (×)

③ (×) 어업에 관한 허가 또는 신고의 경우에는 어업면허와 달리 유효기간연장제도가 마련되어 있지 아니하므로 그 유효기간이 경과하면 그 허가나 신고의 효력이 당연히 소멸하며, 재차 허가를 받거나 신고를 하더라도 허가나 신고의 기간만 갱신되어 종전의 어업허가나 신고의 효력 또는 성질이 계속된다고 볼 수 없고 새로운 허가 내지 신고로서의 효력이 발생한다고 할 것이다(대판 2011.7.28. 2011두5728).

유제 21. 소방간부 어업에 관한 허가 또는 신고는 어업면허와 마찬가지로 유효기간이 경과해도 그 허가나 신고의 효력이 당연히 소멸되는 것은 아니므로 재차 허가를 받거나 신고를 하면 허가나 신고의 기간이 갱신되어 종전의 어업허가나 신고의 효력 또는 성질이 계속된다고 볼 수 있다. (×)
18. 경찰 3차, 12. 사복직 어업에 관한 허가 또는 신고의 경우에는 어업면허와 달리 유효기간연장제도가 마련되어 있지 아니하므로 그 유효기간이 경과하면 그 허가나 신고의 효력이 당연히 소멸하며, 재차 허가를 받거나 신고를 하더라도 허가나 신고의 기간만 갱신되어 종전의 어업허가나 신고의 효력 또는 성질이 계속된다고 볼 수 없고 새로운 허가 내지 신고로서의 효력이 발생한다고 할 것이다. (○)

④ (○) 허가는 행위의 적법요건이므로 허가를 받아야 할 행위를 허가받지 않고 행한 경우 행정상 강제집행이나 행정벌의 대상이 될 수 있다. 그러나 당해 무허가행위의 법률상 효력은 유효한 것이 원칙이다.

유제 21. 군무원 9급 허가는 규제에 반하는 행위에 대해 행정강제나 제재를 가하기 보다는 행위의 사법상 효력을 부인함으로써 규제의 목적을 달성하는 방법이다. (×)
20. 국회직 9급 허가를 받아야만 적법하게 할 수 있는 행위를 허가받지 않고 행한 경우에는 행정상 강제집행이나 행정벌의 대상이 되는 것은 별론으로 하고 당해 무허가행위의 사법상 효력까지 당연히 부인되는 것은 아니다. (○)
19. 지방직 9급 (甲은 강학상 허가에 해당하는 「식품위생법」상 영업허가를 신청하였다) 甲에 대해 허가가 거부되었음에도 불구하고 甲이 영업을 한 경우, 당해 영업행위는 사법(私法)상 효력이 없는 것이 원칙이다. (×)
14. 사복직 허가는 행위의 유효요건이므로 허가를 받아야 할 행위를 허가받지 아니하고 행한 경우, 그 행위는 행정강제나 행정벌(처벌)의 대상은 되지 않고 무효로 되는 것이 원칙이다. (×)
11. 국가직 9급 허가를 받지 않고 행한 영업행위는 행정상 강제집행이나 처벌의 대상은 되지만, 행위 자체의 법률적 효력은 영향을 받지 않는 것이 원칙이다. (○)

답 ③

034

행정행위의 분류에 대한 설명으로 옳은 것만을 <보기>에서 모두 고르면? (다툼이 있는 경우 판례에 의함)

<보기>
ㄱ. 행정청의 사립학교법인 임원취임승인행위는 학교법인의 임원선임행위의 법률상 효력을 완성하게 하는 보충적 법률행위로서 강학상 인가에 해당한다.
ㄴ. 개인택시운송사업면허는 특정인에게 권리나 의무를 부여하는 것이므로 강학상 특허에 해당한다.
ㄷ. 공유수면의 점용·사용허가는 허가 상대방에게 제한을 해제하여 공유수면이용권을 부여하는 처분으로 강학상 허가에 해당한다.
ㄹ. 토지거래허가는 토지거래허가구역 내의 토지거래를 전면적으로 금지시키고 특정한 경우에 예외적으로 토지거래계약을 체결할 수 있는 자격을 부여하는 점에서 강학상 특허에 해당한다.

① ㄱ, ㄴ
② ㄱ, ㄷ
③ ㄴ, ㄷ
④ ㄴ, ㄹ
⑤ ㄷ, ㄹ

문제 DATA
출제가능 지수 ▶▶▷
난이도 지수 ★★☆

함께 정리하기
행정행위의 분류

사립학교법인 임원취임승인
▷ 인가

개인택시운송사업면허
▷ 특허

공유수면 점용·사용허가
▷ 특허

토지거래허가
▷ 인가

2022년 국회직 8급

ㄱ. (○) 구 사립학교법 제20조 제1항, 제2항은 학교법인의 이사장·이사·감사 등의 임원은 이사회의 선임을 거쳐 관할청의 승인을 받아 취임하도록 규정하고 있는바, <u>관할청의 임원취임승인행위는 학교법인의 임원선임행위의 법률상 효력을 완성케 하는 보충적 법률행위</u>이다(대판 2007.12.27. 2005두9651).

유제 19. 서울시 9급 관할청의 구 「사립학교법」에 따른 학교법인의 이사장 등 임원취임승인행위는 강학상 인가에 해당한다. (○)
19. 국회직 8급 「사립학교법」상 학교법인의 이사장, 이사 등 임원에 대한 임원취임승인행위가 강학상 인가의 대표적인 예이다. (○)
19. 5급 승진 구 「사립학교법」에 따르면 학교법인의 이사장·이사·감사 등의 임원은 이사회의 선임을 거쳐 관할청의 승인을 받아 취임하도록 규정하고 있는바, 관할청의 임원취임승인행위는 학교법인의 임원선임행위의 법률상 효력을 완성케 하는 보충적 법률행위이다. (○)
17. 교행, 16. 국가직 9급 사립학교법인 임원에 대한 취임승인행위는 강학상 특허에 해당한다. (×)

ㄴ. (○) <u>개인택시운송사업면허는 특정인에게 권리나 이익을 부여하는 행정행위로서 법령에 특별한 규정이 없는 한 재량행위</u>이고 <u>그 면허에 필요한 기준을 정하는 것 역시 법령에 규정이 없는 한 행정청의 재량에 속하나</u>, 이 경우에도 이는 객관적으로 타당하여야 하며 그 설정된 우선순위 결정방법이나 기준이 객관적으로 합리성을 잃은 것이라면 이에 따라 면허 여부를 결정하는 것은 재량권의 한계를 일탈한 것이 되어 위법하다(대판 2007.2.8. 2006두13886).

유제 19. 서울시 9급, 16. 국회직 8급, 12. 국가직 7급 판례에 의하면 「여객자동차 운수사업법」에 의한 개인택시운송사업면허는 특정인에게 특정한 권리나 이익을 부여하는 행위로서 법령에 특별한 규정이 없는 한 재량행위지만, 그 면허를 위하여 필요한 기준을 정하는 것은 행정청의 재량이 아니다. (×)
19. 서울시 7급 「자동차운수사업법」에 의한 개인택시운송사업 면허는 법령에 특별한 규정이 없는 한 재량행위이고, 그 면허를 위하여 필요한 기준을 정하는 것도 행정청의 재량에 속한다. (○)
19. 소방직 9급 개인택시운송사업면허는 특정인에게 권리나 이익을 부여하는 재량행위이다. (○)
17. 지방직 7급 일반택시운송사업면허는 원칙상 재량행위에 해당한다. (○)
17. 지방직 9급 개인택시운송사업면허의 법적 성질은 강학상 허가에 해당한다. (×)

ㄷ. (×) 구 공유수면관리법에 따른 <u>공유수면의 점·사용허가는 특정인에게 공유수면 이용권이라는 독점적 권리를 설정하여 주는 처분</u>으로서 그 처분의 여부 및 내용의 결정은 원칙적으로 행정청의 재량에 속한다(대판 2004.5.28. 2002두5016).

ㄹ. (×) 국토이용관리법 제21조의3 제1항 소정의 허가가 규제지역 내의 모든 국민에게 전반적으로 토지거래의 자유를 금지하고 일정한 요건을 갖춘 경우에만 금지를 해제하여 계약체결의 자유를 회복시켜 주는 성질의 것이라고 보는 것은 위 법의 입법취지를 넘어선 지나친 해석이라고 할 것이고, 규제지역 내에서도 토지거래의 자유가 인정되나 다만 <u>위 허가를 허가 전의 유동적 무효 상태에 있는 법률행위의 효력을 완성시켜 주는 인가적 성질을 띤 것이라고 보는 것이 타당하다</u>(대판 1991.12.24. 90다12243 전합).

> **유제** 21. 국회직 9급 「국토의 계획 및 이용에 관한 법률」상 토지거래허가는 강학상 인가에 해당한다. (○)
> 20. 군무원 7급 토지거래계약허가제에 있어서 허가란 규제지역 내의 모든 국민에게 전반적으로 토지거래의 자유를 원칙적으로 금지하고 일정한 요건을 갖춘 경우에만 사후에 금지를 해제하여 계약체결의 자유를 회복시켜 주는 성질의 것이다. (×)
> 19. 경찰 2차 토지거래허가제에서의 토지거래허가는 유동적 무효 상태에 있는 법률행위의 효력을 완성시켜 주는 인가적 성질을 띤 것이라고 보는 것이 타당하다. (○)
> 18. 교행 토지거래계약허가는 규제지역 내 토지거래의 자유를 일반적으로 금지하고 일정한 요건을 갖춘 경우에만 그 금지를 해제하여 계약체결의 자유를 회복시켜 주는 성질의 것이다. (×)

답 ①

035

인·허가의제에 대한 설명으로 옳지 않은 것은? (다툼이 있는 경우 판례에 의함)

① A법률에서 주된 인·허가가 있으면 B법률에 의한 인·허가를 받은 것으로 의제한다는 규정을 둔 경우에 주된 인·허가가 있더라도 B법률에 의하여 인·허가를 받았음을 전제로 한 B법률의 모든 규정들까지 적용되는 것은 아니다.
② 건설부장관이 구 「주택건설촉진법」에 따라 관계기관의 장과 협의를 거쳐 사업계획승인을 하였다면 그와 별도로 주민의 의견청취 등 절차를 거칠 필요는 없다.
③ 「주한미군 공여구역주변지역 등 지원 특별법」에 의한 사업시행승인을 하는 경우 모든 인·허가의제 사항에 관하여 사전협의를 거칠 것을 요건으로 하는 것은 아니고 사업시행승인 후 인·허가의제 사항에 관하여 관계 행정기관의 장과 협의를 거치면 그때 해당 인·허가가 의제된다고 본다.
④ 건축불허가처분의 사유로 건축불허가 사유뿐만 아니라 형질변경 불허가 사유가 제시된 경우 그 건축불허가처분에 관한 쟁송과 별개로 형질변경불허가처분에 관한 쟁송을 제기하여야 하는 것은 아니다.
⑤ 이른바 부분 인·허가의제의 경우 주된 인·허가에 따라 의제된 인·허가에 하자가 있음을 다투고자 할 때 의제된 인·허가의 취소를 구할 것이 아니라 주된 인·허가의 취소를 구하여야 한다.

2022년 국회직 9급

① (○) 주된 인·허가에 관한 사항을 규정하고 있는 甲 법률에서 주된 인·허가가 있으면 乙 법률에 의한 <u>인·허가를 받은 것으로 의제한다는 규정을 둔 경우에는, 주된 인·허가가 있으면 乙 법률에 의한 인·허가가 있는 것으로 보는데 그치는 것이고, 그에서 더 나아가 乙 법률에 의하여 인·허가를 받았음을 전제로 한 乙 법률의 모든 규정들까지 적용되는 것은 아니다</u>(대판 2004.7.22. 2004다19715).

> **유제** 18. 국가직 7급 주된 인·허가에 관한 사항을 규정하고 있는 법률에서 주된 인·허가가 있으면 다른 법률에 의한 인·허가를 받은 것으로 의제한다는 규정을 둔 경우, 주된 인·허가가 있으면 다른 법률에 의하여 인·허가를 받았음을 전제로 하는 그 다른 법률의 모든 규정들까지 적용되는 것은 아니다. (○)
> 16. 서울시 7급 주된 인·허가에 관한 사항을 규정하고 있는 A 법률에서 주된 인·허가가 있으면 B 법률에 의한 인·허가를 받은 것으로 의제한다는 규정을 둔 경우, B 법률에 의하여 인·허가를 받았음을 전제로 하는 B 법률의 모든 규정이 적용된다. (×)

문제 DATA
출제가능 지수 ▶▶▷
난이도 지수 ★★★

함께 정리하기

인·허가의제

의제되는 인·허가를 전제로 한 모든 법률 적용되는 것×

절차 집중
▷ 별도로 의제되는 인·허가 절차 거칠 필요×

모든 인·허가의제 사항
▷ 사전협의 불요

의제되는 인·허가의 거부사유를 들어 주된 인·허가 신청 거부처분
▷ 주된 인·허가 거부처분이 항고소송 대상

의제된 인·허가 하자를 다툴 경우
▷ 의제된 인·허가가 항고소송 대상○

② (○) 건설부장관이 구 주택건설촉진법 제33조에 따라 관계기관의 장과의 협의를 거쳐 사업계획승인을 한 이상 같은 조 제4항의 허가·인가·결정·승인 등이 있는 것으로 볼 것이고, <u>그 절차와 별도로 도시계획법 제12조 등 소정의 중앙도시계획위원회의 의결이나 주민의 의견청취 등 절차를 거칠 필요는 없다</u> (대판 1992.11.10, 92누1162).

> **유제** 16. 지방직 7급 주된 인·허가처분이 관계기관의 장과 협의를 거쳐 발령된 이상 의제되는 인·허가에 법령상 요구되는 주민의 의견청취 등의 절차는 거칠 필요가 없다. (○)
> 16. 서울시 7급 신청된 주된 인·허가절차만 거치면 되고, 의제되는 인·허가를 위하여 거쳐야 하는 주민의 견청취 등의 절차를 거칠 필요는 없다. (○)
> 16. 국회직 8급 건설부장관이 구 「주택건설촉진법」에 따라 관계기관의 장과의 협의를 거쳐 사업계획승인을 한 이상 허가·인가·결정·승인 등이 있는 것으로 볼 것이고, 그 절차와 별도로 구 「도시계획법」 소정의 중앙도시계획위원회의 의결이나 주민의 의견청취 등 절차를 거칠 필요는 없다. (○)

③ (○) 구 주한미군 공여구역주변지역 등 지원 특별법 제29조의 인·허가의제 조항은 목적사업의 원활한 수행을 위해 행정절차를 간소화하고자 하는 데 입법 취지가 있는데, 만일 사업시행승인 전에 반드시 사업 관련 모든 인·허가의제 사항에 관하여 관계 행정기관의 장과 협의를 거쳐야 한다고 해석하면 일부의 인·허가의제 효력만을 먼저 얻고자 하는 사업시행승인 신청인의 의사와 맞지 않을 뿐만 아니라 사업시행승인 신청을 하기까지 상당한 시간이 소요되어 그 취지에 반하는 점, 주한미군 공여구역주변지역 등 지원 특별법이 2009.12.29. 법률 제9843호로 개정되면서 제29조 제1항에서 인·허가의제 사항 중 일부만에 대하여도 관계 행정기관의 장과 협의를 거치면 인·허가의제 효력이 발생할 수 있음을 명확히 하고 있는 점 등 구 지원특별법 제11조 제1항 본문, 제29조 제1항, 제2항의 내용, 형식 및 취지 등에 비추어 보면, <u>구 주한미군 공여구역주변지역 등 지원 특별법 제11조에 의한 사업시행승인을 하는 경우 같은 법 제29조 제1항에 규정된 사업 관련 모든 인·허가의제 사항에 관하여 관계 행정기관의 장과 일괄하여 사전협의를 거칠 것을 요건으로 하는 것은 아니고, 사업시행승인 후 인·허가의제 사항에 관하여 관계 행정기관의 장과 협의를 거치면 그때 해당 인·허가가 의제된다고 보는 것이 타당하다</u>(대판 2012.2.9, 2009두16305).

> **유제** 16. 지방직 7급 인·허가 의제에 관계기관의 장과 협의가 요구되는 경우, 주된 인·허가를 하기 전에 의제되는 모든 인·허가 사항에 관하여 관계기관의 장과 사전협의를 거쳐야 한다. (×)

④ (○) 대판 2001.1.16, 99두10988
⑤ (×) <u>의제된 인·허가는 통상적인 인·허가와 동일한 효력을 가지므로, 적어도 '부분 인·허가의제'가 허용되는 경우에는 그 효력을 제거하기 위한 법적 수단으로 의제된 인·허가의 취소나 철회가 허용될 수 있고, 이러한 직권 취소·철회가 가능한 이상 그 의제된 인·허가에 대한 쟁송취소 역시 허용된다</u>. 따라서 주택건설사업계획 승인처분에 따라 의제된 인·허가가 위법함을 다투고자 하는 이해관계인은, 주택건설사업계획 승인처분의 취소를 구할 것이 아니라 의제된 인·허가의 취소를 구하여야 하며, <u>의제된 인·허가는 주택건설사업계획 승인처분과 별도로 항고소송의 대상이 되는 처분에 해당한다</u>(대판 2018.11.29, 2016두38792).

답 ⑤

036

강학상 인가에 대한 설명으로 옳지 않은 것은? (다툼이 있는 경우 판례에 의함)

① 인가는 당사자의 법률적 행위를 보충하여 그 법률적 효력을 완성시키는 행정주체의 보충적 의사표시로서의 법률행위적 행정행위이다.
② 재단법인의 정관변경 결의가 적법·유효하고 보충행위인 인가처분 자체에만 하자가 있다면 그 인가처분의 무효나 취소를 주장할 수 있다.
③ 재단법인의 정관변경 결의에 하자가 있더라도, 그에 대한 인가가 있었다면 기본행위인 정관변경 결의는 유효한 것으로 된다.
④ 재단법인의 임원취임이 사법인인 재단법인의 정관에 근거하였다 할지라도 재단법인의 임원취임승인 신청에 대하여 주무관청이 그 신청을 당연히 승인하여야 하는 것은 아니다.

문제 DATA

출제가능 지수 ▶▶▷
난이도 지수 ★★☆

함께 정리하기

인가

당사자의 법률행위를 보충하여 법적효력 완성

인가처분 자체에만 하자
▷ 인가처분의 무효나 취소 주장 可

인가로 기본행위의 하자 치유 ×

재단법인의 임원취임 승인(인가)
▷ 재량행위

2021년 국가직 7급

① (O) 강학상 인가는 당사자의 법률행위를 보충하여 그 법률적 효력을 완성하여 주는 행정행위로, 보충행위라고도 한다. 행정행위의 분류상으로는 법률행위적 행정행위 중 형성적 행위에 해당한다.

유제 17. 행정사 인가란 행정청이 타인의 법률적 행위를 보충하여 그 법률적 효력을 완성시켜 주는 행정행위를 말한다. (O)

14. 서울시 9급 당사자의 법률적 행위를 보충하여 그 법률적 효력을 완성시키는 행정청의 보충적 의사표시를 인가라고 한다. (O)

② (O) 기본행위인 정관변경 결의가 적법·유효하고 보충행위인 인가처분 자체에만 하자가 있다면 그 인가처분의 무효나 취소를 주장할 수 있지만, 인가처분에 하자가 없다면 기본행위에 하자가 있다 하더라도 따로 그 기본행위의 하자를 다투는 것은 별론으로 하고 기본행위의 무효를 내세워 바로 그에 대한 행정청의 인가처분의 취소 또는 무효확인을 소구할 법률상의 이익이 없다(대판 1996.5.16. 95누4810 전합).

유제 20. 군무원 9급, 17. 국가직 9급(추) 기본행위가 적법·유효하고 보충행위인 인가처분 자체에 흠이 있다면 그 인가처분의 무효나 취소를 주장할 수 있다. (O)

20. 군무원 9급 인가처분에 흠이 없다면 기본행위에 흠이 있다고 하더라도 따로 기본행위의 흠을 다투는 것은 별론으로 하고 기본행위의 흠을 내세워 바로 그에 대한 인가처분의 무효확인 또는 취소를 구할 수는 없다. (O)

20. 국가직 9급 인가처분에 하자가 없다면 기본행위에 하자가 있다 하더라도 따로 그 기본행위의 하자를 다투는 것은 별론으로 하고 기본행위의 무효를 내세워 바로 그에 대한 행정청의 인가처분의 취소 또는 무효확인을 소구할 법률상의 이익이 없다. (O)

20. 지방직 9급, 17. 국가직 7급 인가처분에 하자가 없더라도 기본행위에 무효사유가 있다면 기본행위의 무효를 내세워 그에 대한 행정청의 인가처분의 취소 또는 무효확인을 구할 소의 이익이 있다. (×)

15. 국가직 9급 기본행위에 하자가 있는 경우에 그 기본행위의 하자를 다툴 수 있고, 기본행위의 하자를 이유로 인가처분의 취소 또는 무효확인도 소구할 수 있다. (×)

③ (×) 인가는 기본행위인 재단법인의 정관변경에 대한 법률상의 효력을 완성시키는 보충행위로서, 그 기본이 되는 정관변경 결의에 하자가 있을 때에는 그에 대한 인가가 있었다 하여도 기본행위인 정관변경 결의가 유효한 것으로 될 수 없다(대판 1996.5.16. 95누4810 전합).

④ (O) 재단법인의 임원취임이 사법인인 재단법인의 정관에 근거한다 할지라도 이에 대한 행정청의 승인(인가)행위는 법인에 대한 주무관청의 감독권에 연유하는 이상 그 인가행위 또는 인가거부행위는 공법상의 행정처분으로서, 그 임원취임을 인가 또는 거부할 것인지 여부는 주무관청의 권한에 속하는 사항이라고 할 것이고, 재단법인의 임원취임승인 신청에 대하여 주무관청이 이에 기속되어 이를 당연히 승인(인가)하여야 하는 것은 아니다(대판 2000.1.28. 98두16996).

유제 20. 국가직 9급 재단법인의 임원취임을 인가 또는 거부할 것인지 여부는 주무관청의 권한에 속하는 사항이라고 할 것이고, 재단법인의 임원취임승인 신청에 대하여 주무관청이 이에 기속되어 이를 당연히 승인(인가)하여야 하는 것은 아니다. (O)

19. 5급 승진 재단법인의 임원취임승인 신청에 대하여 임원취임을 승인 또는 거부할 것인지 여부는 주무관청의 권한에 속하는 사항으로, 주무관청이 당사자의 신청에 기속되어 이를 당연히 승인하여야 하는 것은 아니다. (O)

19. 서울시 7급 재단법인의 임원 취임이 재단법인의 정관에 근거한다 할지라도 이에 대해 주무관청이 당연히 인가하여야 하는 것은 아니며 인가 여부를 재량으로 결정할 수 있다. (O)

답 ③

037

인·허가의제에 대한 설명으로 옳지 않은 것은? (다툼이 있는 경우 판례에 의함)

① 주택건설사업계획 승인권자가 구 「주택법」에 따라 도시·군관리계획 결정권자와 협의를 거쳐 관계 주택건설사업계획을 승인하면 도시·군관리계획결정이 이루어진 것으로 의제되고, 이러한 협의 절차와 별도로 「국토의 계획 및 이용에 관한 법률」 등에서 정한 도시·군관리계획 입안을 위한 주민 의견청취 절차를 거칠 필요는 없다.

② 건축물의 건축이 「국토의 계획 및 이용에 관한 법률」상 개발행위에 해당할 경우 그 건축의 허가권자는 국토계획법령의 개발행위허가기준을 확인하여야 하므로, 국토계획법상 건축물의 건축에 관한 개발행위허가가 의제되는 건축허가신청이 국토계획법령이 정한 개발행위허가기준에 부합하지 아니하면 허가권자로서는 이를 거부할 수 있다.

③ 「건축법」에서 관련 인·허가의제 제도를 둔 취지는 인·허가의제사항 관련 법률에 따른 각각의 인·허가 요건에 관한 일체의 심사를 배제하려는 것이 아니다.

④ 주택건설사업계획 승인처분에 따라 의제된 인·허가가 위법함을 다투고자 하는 이해관계인은, 주택건설사업계획 승인처분의 취소를 구해야지 의제된 인·허가의 취소를 구해서는 아니되며, 의제된 인·허가는 주택건설사업계획 승인처분과 별도로 항고소송의 대상이 되는 처분에 해당하지 않는다.

2021년 국가직 9급

① (○) 대판 2018.11.29. 2016두38792
② (○) 대판 2016.8.24. 2016두35762
③ (○) 건축법에서 관련 인·허가의제 제도를 둔 취지는 인·허가의제사항과 관련하여 건축행정청으로 그 창구를 단일화하고 절차를 간소화하며 비용과 시간을 절감함으로써 국민의 권익을 보호하려는 것이지, 인·허가의제사항 관련 법률에 따른 각각의 인·허가 요건에 관한 일체의 심사를 배제하려는 것이 아니다(대판 2020.7.23. 2019두31839).

유제 19. 서울시 7급 「건축법」에서 인·허가의제 제도를 둔 취지는, 인·허가의제사항과 관련하여 건축허가의 관할 행정청으로 창구를 단일화하고 절차를 간소화하며 비용과 시간을 절감함으로써 국민의 권익을 보호하려는 것이다. (○)

④ (✕) 주택건설사업계획 승인처분에 따라 의제된 인·허가가 위법함을 다투고자 하는 이해관계인은, 주택건설사업계획 승인처분의 취소를 구할 것이 아니라 의제된 인·허가의 취소를 구하여야 하며, 의제된 인·허가는 주택건설사업계획 승인처분과 별도로 항고소송의 대상이 되는 처분에 해당한다(대판 2018.11.29. 2016두38792).

답 ④

문제 DATA
출제가능 지수 ▶▶▷
난이도 지수 ★★☆

함께 정리하기

인·허가 의제

주택건설사업계획승인으로 도시·군관리계획결정이 의제되는 경우
▷ 별도로 주민의견청취절차 거칠 필요✕

개발행위허가가 의제되는 건축신고가 개발행위허가 기준을 갖추지 못한 경우
▷ 건축허가 거부 可

인·허가의제 제도 취지
▷ 각각의 인·허가 요건 일체 심사 배제✕

의제된 인·허가 하자를 다툴 경우
▷ 의제된 인·허가가 항고소송 대상○

038

<보기>에 대한 설명으로 가장 옳지 않은 것은? (다툼이 있는 경우 판례에 의함)

<보기>
구「도시 및 주거환경정비법」에 기초하여 주택재개발정비사업조합이 수립한 사업시행계획은 관할 행정청의 인가·고시가 이루어지면 이해관계인들에게 구속력이 발생하는 독립된 행정처분에 해당하고, 관할 행정청의 사업시행계획 인가처분은 사업시행계획의 법률상 효력을 완성시키는 보충행위에 해당한다.

① 기본행위인 사업시행계획에는 하자가 없는데 보충행위인 인가처분에 고유한 하자가 있다면 그 인가처분의 무효확인이나 취소를 구하여야 한다.
② 분양신청기간 내에 분양신청을 하지 않거나 분양신청을 철회하여 조합원 지위를 상실한 토지 소유자도 사업시행계획의 무효확인 또는 취소를 구할 법률상 이익이 있다.
③ 인가처분에는 고유한 하자가 없는데 사업시행계획에 하자가 있다면 사업시행계획의 무효를 주장하면서 곧바로 인가처분의 무효확인이나 취소를 구할 수 있다.
④ 기본행위인 사업시행계획이 무효인 경우 그에 대한 인가처분이 있더라도 그 기본행위인 사업시행계획이 유효한 것으로 될 수 없다.

2021년 서울시 7급

①, ④ (○), ③ (×)
기본행위인 사업시행계획이 무효인 경우 그에 대한 인가처분이 있다고 하더라도 그 기본행위인 사업시행계획이 유효한 것으로 될 수 없으며(④), 기본행위가 적법·유효하고 보충행위인 인가처분 자체에만 하자가 있다면 그 인가처분의 무효나 취소를 주장할 수 있다(①)고 할 것이지만, 인가처분에 하자가 없다면 기본행위에 하자가 있다고 하더라도 따로 그 기본행위의 하자를 다투는 것은 별론으로 하고 기본행위의 무효를 내세워 바로 그에 대한 인가처분의 취소 또는 무효확인을 구할 수 없다(③)(대판 2014.2.27. 2011두25173).
② (○) 주택재개발사업에 대한 사업시행계획에 당연무효인 하자가 있는 경우에는 재개발사업조합은 사업시행계획을 새로이 수립하여 관할관청에서 인가를 받은 후 다시 분양신청을 받아 관리처분계획을 수립하여야 한다. 따라서 분양신청기간 내에 분양신청을 하지 않거나 분양신청을 철회함으로 인해 구 도시정비법 제47조 및 조합 정관 규정에 의하여 조합원의 지위를 상실한 토지 등 소유자도 그때 분양신청을 함으로써 건축물 등을 분양받을 수 있으므로 사업시행계획의 무효확인 또는 취소를 구할 법률상 이익이 있다(대판 2014.2.27. 2011두25173).

답 ③

039

다음 법률행위적 행정행위 중 그 성질이 다른 것은? (다툼이 있는 경우 판례에 의함)

① 「자동차관리법」상 사업자단체인 조합의 설립에 대한 인가
② 재단법인의 임원취임승인 신청에 대한 승인
③ 「국토의 계획 및 이용에 관한 법률」상 토지거래허가
④ 구 「수도권 대기환경개선에 관한 특별법」상 대기오염 물질 총량관리사업장 설치의 허가
⑤ 주택조합의 조합장 명의변경에 대한 시장, 군수 또는 자치구 구청장의 인가

문제 DATA
출제가능 지수 ▶▶Σ
난이도 지수 ★★☆

2021년 국회직 9급

① (인가) 자동차관리법상 자동차관리사업자로 구성하는 사업자단체인 조합 또는 협회의 설립인가처분은 국토해양부장관 또는 시·도지사가 자동차관리사업자들의 단체결성행위를 보충하여 효력을 완성시키는 처분에 해당한다(대판 2015.5.29. 2013두635).

② (인가) 재단법인의 임원취임이 사법인인 재단법인의 정관에 근거한다 할지라도 이에 대한 행정청의 승인(인가)행위는 법인에 대한 주무관청의 감독권에 연유하는 이상 그 인가행위 또는 인가거부행위는 공법상의 행정처분으로서, 그 임원취임을 인가 또는 거부할 것인지 여부는 주무관청의 권한에 속하는 사항이라고 할 것이고, 재단법인의 임원취임승인 신청에 대하여 주무관청이 이에 기속되어 이를 당연히 승인(인가)하여야 하는 것은 아니다(대판 2000.1.28. 98두16996).

③ (인가) 대판 1991.12.24. 90다12243 전합

④ (특허) 구 수도권대기환경특별법 제14조 제1항에서 정한 대기오염물질 총량관리사업장 설치의 허가 또는 변경허가는 특정인에게 인구가 밀집되고 대기오염이 심각하다고 인정되는 수도권 대기관리권역에서 총량관리대상 오염물질을 일정량을 초과하여 배출할 수 있는 특정한 권리를 설정하여 주는 행위로서 그 처분의 여부 및 내용의 결정은 행정청의 재량에 속한다(대판 2013.5.9. 2012두22799).

> **유제** 19. 5급 승진 구 「수도권대기환경특별법」 제14조 제1항에서 정한 대기오염물질 총량관리사업장 설치의 허가 또는 변경허가는 특정인에게 인구가 밀집되고 대기오염이 심각하다고 인정되는 수도권 대기관리권역에서 총량관리대상 오염물질을 일정량을 초과하여 배출할 수 있는 특정한 권리를 설정하여 주는 행위로서 그 처분의 여부 및 내용의 결정은 행정청의 재량에 속한다. (○)
> 19. 서울시 9급 구 「수도권 대기환경개선에 관한 특별법」상 대기오염물질 총량관리사업장 설치의 허가는 강학상 특허에 해당한다. (○)

⑤ (인가) 주택조합의 조합장 명의변경에 대한 시장, 군수 또는 자치구 구청장의 인가처분은 종전의 조합장이 그 지위에서 물러나고 새로운 조합장이 그 지위에 취임함을 내용으로 하는 주택조합의 조합장 명의변경 행위를 보충하여 그 법률상의 효력을 완성시키는 보충적 행정행위로서 성질상 기본행위인 주택조합의 조합장 명의변경 행위를 떠니 인가처분 자체만으로는 법률상 아무런 효력도 발생할 수 없다(대판 1995.12.12. 95누7338).

답 ④

함께 정리하기

법률행위적 행정행위

「자동차관리법」상 사업자단체조합 설립 인가
▷ 인가

재단법인 임원취임 신청 승인
▷ 인가

토지거래허가
▷ 인가

대기오염물질 총량관리사업장 설치허가
▷ 특허

주택조합의 조합장 명의변경 인가
▷ 인가

문제 DATA

출제가능 지수 ▶▶Σ
난이도 지수 ★★☆

040 ☐☐☐

행정법상 허가에 대한 설명으로 옳지 않은 것은?

① 허가는 규제에 반하는 행위에 대해 행정강제나 제재를 가하기 보다는 행위의 사법상 효력을 부인함으로써 규제의 목적을 달성하는 방법이다.

② 허가란 법령에 의해 금지된 행위를 일정한 요건을 갖춘 경우에 그 금지를 해제하여 적법하게 행위할 수 있게 해준다는 의미에서 상대적 금지와 관련되는 경우이다.

③ 전통적인 의미에서 허가는 원래 개인이 누리는 자연적 자유를 공익적 차원(공공의 안녕과 질서유지)에서 금지해 두었다가 일정한 요건을 갖춘 경우 그러한 공공에 대한 위험이 없다고 판단되는 경우 그 금지를 풀어줌으로써 자연적 자유를 회복시켜주는 행위이다.

④ 실정법상으로는 허가 이외에 면허, 인가, 인허, 승인 등의 용어가 사용되고 있기 때문에 그것이 학문상 개념인 허가에 해당하는지 검토할 필요가 있다.

| 2021년 군무원 9급

① (X) 지문은 허가가 아니라 인가에 대한 설명이다. 허가가 필요한 행위를 허가받지 않고 행한 경우 행정상 강제집행이나 행정벌의 대상이 되지만 당해 행위의 사법상 효력은 유효한 것이 원칙이다.

② (O) 절대적 금지는 해제 가능성이 없는 금지를 의미하고 상대적 금지는 해제 가능성이 있는 금지를 의미한다. 허가는 법령에 의해 금지된 행위를 일정한 요건을 갖춘 경우에 그 금지를 해제하여 적법하게 행위할 수 있게 해주는 행정행위를 말하므로 상대적 금지와 관련이 있다.

③ (O) 전통적 의미에서 허가는 본래 자유로운 행위를 공공의 질서유지·위험예방 등을 위하여 금지하였다가 일정한 요건을 갖춘 경우에 해제함으로써 자연적 자유를 회복시켜주는 행정행위로 명령적 행위에 속하고, 이 점에서 형성적 행위인 특허·면허·인가와 구별된다.

④ (O) 허가는 학문상 개념이고 실정법상으로는 허가 이외에 면허, 인가, 등록, 승인 등의 여러 가지 용어가 사용되고 있다. 따라서 당해 행위가 학문상의 허가에 해당하는지는 법령의 규정 및 취지 등에 비추어 구체적으로 검토할 필요가 있다.

답 ①

함께 정리하기

허가

무허가행위
▷ 강제집행이나 행정벌 대상
▷ 사법상 효력 유효

상대적 금지

자연적 자유 회복

실정법상 면허, 인가, 인허, 승인 등의 용어로도 사용

041

강학상 허가·인가·특허 등에 대한 설명으로 가장 옳지 않은 것은? (다툼이 있는 경우 판례에 의함)

① 영업장 면적이 변경되었음에도 그에 관한 신고의무를 이행하지 않은 양도인으로부터 음식점 영업을 양수한 자가 그와 같은 신고의무를 이행하지 않은 채 영업을 계속한다면 「식품위생법」에 의한 영업허가취소나 영업정지의 대상이 될 수 있다.

② 「공유재산 및 물품 관리법」은 행정재산을 사용·수익허가의 대상으로 정하고 있으나, 행정재산이라 하더라도 공용폐지가 되면 행정재산으로서의 성질을 상실하여 일반재산이 되므로 강학상 특허에 해당하는 행정재산의 사용·수익에 대한 허가는 그 효력이 소멸된다.

③ 구 「임대주택법」상 분양전환승인 중 분양전환가격을 승인하는 부분은 분양전환에 따른 분양계약의 매매대금 산정의 기준이 되는 분양전환가격의 적정성을 심사하여 그 분양전환가격이 적법하게 산정된 것임을 확인하고 임대사업자로 하여금 승인된 분양전환가격을 기준으로 분양전환을 하도록 하는 처분으로서 분양계약의 효력을 보충하여 그 효력을 완성시켜주는 강학상 인가에 해당한다.

④ 마을버스운송사업면허의 허용 여부는 사업구역의 교통수요, 노선결정, 운송업체의 수송능력, 공급능력 등에 관하여 기술적·전문적인 판단을 요하는 분야로서 이에 관한 행정처분은 운수행정을 통한 공익실현과 아울러 합목적성을 추구하기 위하여 보다 구체적 타당성에 적합한 기준에 의하여야 할 것이므로 그 범위 내에서는 법령이 특별히 규정한 바가 없으면 행정청의 재량에 속한다.

문제 DATA
출제가능 지수 ▶▶▷
난이도 지수 ★★★

2021년 경찰 2차

① (○) 양수인은 영업자 지위승계 신고서에 해당 영업장에서 적법하게 영업을 할 수 있는 요건을 모두 갖추었다는 점을 확인할 수 있는 소명자료를 첨부하여 제출하여야 하며, 그 요건에는 신고 당시를 기준으로 해당 영업의 종류에 사용할 수 있는 적법한 건축물(점포)의 사용권원을 확보하고 식품위생법에서 정한 시설기준을 갖추어야 한다는 점도 포함된다. 영업장 면적이 변경되었음에도 그에 관한 신고의무가 이행되지 않은 영업을 양수한 자 역시 그와 같은 신고의무를 이행하지 않은 채 영업을 계속한다면 시정명령 또는 영업정지 등 제재처분의 대상이 될 수 있다(대판 2020.3.26. 2019두38830).

② (○) 행정재산이라 하더라도 공용폐지가 되면 행정재산으로서의 성질을 상실하여 일반재산이 되므로, 그에 대한 공유재산법상의 제한이 소멸되며, 강학상 특허에 해당하는 행정재산의 사용·수익에 대한 허가는 그 효력이 소멸된다(대판 2015.2.26. 2012두6612).

③ (×) 구 임대주택법 제21조에 의한 분양전환승인은 '해당 임대주택이 임대의무기간 경과 등으로 분양전환 요건을 충족하는지 여부' 및 '분양전환승인신청서에 기재된 분양전환가격이 임대주택법령의 규정에 따라 적법하게 산정되었는지'를 심사하여 승인하는 행정처분에 해당하고, 그 중 분양전환가격에 관한 부분은 시장 등이 분양전환에 따른 분양계약의 매매대금 산정의 기준이 되는 분양전환가격의 적정성을 심사하여 그 분양전환가격이 적법하게 산정된 것임을 확인하고 임대사업자로 하여금 승인된 분양전환가격을 기준(상한액)으로 분양전환을 하도록 하는 처분이다. 따라서 분양전환승인 중 분양전환가격을 승인하는 부분은 단순히 분양계약의 효력을 보충하여 그 효력을 완성시켜주는 강학상 '인가'에 해당한다고 볼 수 없다(대판 2020.7.23. 2015두48129).

④ (○) 마을버스운송사업면허의 허용 여부는 사업구역의 교통수요, 노선결정, 운송업체의 수송능력, 공급능력 등에 관하여 기술적·전문적인 판단을 요하는 분야로서 이에 관한 행정처분은 운수행정을 통한 공익실현과 아울러 합목적성을 추구하기 위하여 보다 구체적 타당성에 적합한 기준에 의하여야 할 것이므로 그 범위 내에서는 법령이 특별히 규정한 바가 없으면 행정청의 재량에 속하는 것이라고 보아야 할 것이다(대판 2002.6.28. 2001두10028).

답 ③

함께 정리하기

강학상 허가·인가·특허 등

음식점 양수자가 신고의무 불이행하고 영업계속
▷ 영업허가취소나 영업정지 대상 可

행정재산이 공용폐지된 경우
▷ 사용·수익에 대한 허가 효력 소멸

분양전환승인 중 분양전환가격을 승인하는 부분
▷ 인가×

마을버스운송사업면허의 허용 여부
▷ 행정청의 재량

042

인가에 대한 설명으로 옳지 않은 것은? (다툼이 있는 경우 판례에 의함)

① 공유수면매립면허의 공동명의자 사이의 면허로 인한 권리의무양도약정은 면허관청의 인가를 받지 않은 이상 법률상 아무런 효력도 발생할 수 없다.
② 재단법인의 임원취임을 인가 또는 거부할 것인지 여부는 주무관청의 권한에 속하는 사항이라고 할 것이고, 재단법인의 임원취임승인 신청에 대하여 주무관청이 이에 기속되어 이를 당연히 승인(인가)하여야 하는 것은 아니다.
③ 인가처분에 하자가 없다면 기본행위에 하자가 있다 하더라도 따로 그 기본행위의 하자를 다투는 것은 별론으로 하고 기본행위의 무효를 내세워 바로 그에 대한 행정청의 인가처분의 취소 또는 무효확인을 소구할 법률상의 이익이 없다.
④ 공익법인의 기본재산 처분에 대한 허가의 법률적 성질이 형성적 행정행위로서의 인가에 해당하므로, 그 허가에 조건으로서의 부관의 부과가 허용되지 아니한다.

> 2020년 국가직 9급

① (○) 공유수면매립의 면허로 인한 권리의무의 양도·양수에 있어서의 면허관청의 인가는 효력요건으로서, 위 각 규정은 강행규정이라고 할 것인바, 위 면허의 공동명의자 사이의 면허로 인한 권리 의무양도약정은 면허관청의 인가를 받지 않은 이상 법률상 아무런 효력도 발생할 수 없다(대판 1991.6.25. 90누5184).

유제 20. 군무원 9급 「공유수면매립법」 등 관계법령상 공유수면매립의 면허로 인한 권리의무의 양도·양수에 있어서의 면허관청의 인가는 효력요건으로서, 면허로 인한 권리의무양도약정은 면허관청의 인가를 받지 않은 이상 법률상 아무런 효력도 발생할 수 없다. (○)
17. 국가직 9급 공유수면매립면허로 인한 권리의무의 양도·양수약정은 이에 대한 면허관청의 인가를 받지 않은 이상 법률상 효력이 발생하지 않는다. (○)

② (○) 대판 2000.1.28. 98두16996
③ (○) 대판 1996.5.16. 95누4810 전합
④ (×) 공익법인의 기본재산의 처분에 관한 공익법인의 설립·운영에 관한 법률 제11조 제3항의 규정은 강행규정으로서 이에 위반하여 주무관청의 허가를 받지 않고 기본재산을 처분하는 것은 무효라 할 것인데, 위 처분허가에 부관을 붙인 경우 그 처분허가의 법률적 성질이 형성적 행정행위로서의 인가에 해당한다고 하여 조건으로서의 부관의 부과가 허용되지 아니한다고 볼 수는 없다(대판 2005.9.28. 2004다50044).

답 ④

문제 DATA
출제가능 지수 ▶▶▷
난이도 지수 ★★☆

함께 정리하기

인가

인가는 효력요건
▷ 인가 없으면 효력 無

재단법인의 임원취임 승인
▷ 재량행위

인가처분에 하자 無
▷ 기본행위 하자를 내세워 인가처분의 무효·취소 주장 不可

공익법인의 기본재산처분에 대한 허가
▷ 부관 부가 可

043

강학상 인가에 대한 설명으로 옳은 것만을 모두 고르면? (다툼이 있는 경우 판례에 의함)

ㄱ. 강학상 인가는 기본행위에 대한 법률상의 효력을 완성시키는 보충행위로서, 그 기본이 되는 행위에 하자가 있을 때에는 그에 대한 인가가 있었다 하여도 기본행위가 유효한 것으로 될 수 없다.
ㄴ. 「민법」상 재단법인의 정관변경에 대한 주무관청의 허가는 법률상 표현이 허가로 되어 있기는 하나, 그 성질은 법률행위의 효력을 보충해 주는 것이지 일반적 금지를 해제하는 것은 아니다.
ㄷ. 인가처분에 하자가 없더라도 기본행위에 무효사유가 있다면 기본행위의 무효를 내세워 그에 대한 행정청의 인가처분의 취소 또는 무효확인을 구할 소의 이익이 있다.
ㄹ. 「도시 및 주거환경정비법」상 관리처분계획에 대한 인가는 강학상 인가의 성격을 갖고 있으므로 관리처분계획에 대한 인가가 있더라도 관리처분계획안에 대한 총회결의에 하자가 있다면 민사소송으로 총회결의의 하자를 다투어야 한다.

① ㄱ, ㄴ
② ㄴ, ㄷ
③ ㄷ, ㄹ
④ ㄱ, ㄴ, ㄹ

2020년 지방직 9급

ㄱ. (○) 기본행위가 불성립 또는 무효인 경우에는 인가의 보충적 성질 때문에 인가가 있어도 당해 인가는 무효가 된다. 따라서 적법한 인가가 있더라도 기본적 법률관계가 유효로 되는 것은 아니다. 즉, 인가는 기본행위의 하자를 치유하지 못한다.

유제 17. 국가직 9급(추) 기본행위에 하자가 있을 때에는 그에 대한 인가가 있었다고 하여도 기본행위가 유효한 것으로 될 수 없다. (○)
17. 행정사 무효인 기본행위를 인가한 경우 그 기본행위는 유효한 행위로 전환된다. (×)
15. 국가직 9급 기본행위가 성립하지 않거나 무효인 경우에 인가가 있어도 당해 인가는 무효가 된다. (○)
14. 서울시 9급 인가의 전제가 되는 기본행위에 하자가 있다고 하더라도 행정청의 적법한 인가가 있으면 그 하자는 치유가 된다. (×)
12. 서울시 9급 인가의 대상인 기본행위가 무효라 하더라도 인가 자체에 하자가 없다면 그 인가는 유효하다. (×)

ㄴ. (○) 민법 제45조와 제46조에서 말하는 재단법인의 정관변경 "허가"는 법률상의 표현이 허가로 되어 있기는 하나, 그 성질에 있어 법률행위의 효력을 보충해 주는 것이지 일반적 금지를 해제하는 것이 아니므로, 그 법적 성격은 인가라고 보아야 한다(대판 1996.5.16. 95누4810 전합).

유제 20. 경찰 2차, 16. 국회직 8급, 14. 행정사 「민법」 제45조와 제46조에서 말하는 재단법인의 정관변경 "허가"는 그 성질에 있어 일반적 금지를 해제하는 것으로 허가에 해당한다. (×)
19. 국가직 9급, 17. 사복직, 16. 지방직 9급·행정사, 15. 국가직 9급 재단법인의 정관변경허가는 그 법적 성격을 인가라고 보아야 한다. (○)
18. 서울시 9급 사회복지법인의 정관변경허가는 강학상 인가에 해당한다. (○)

ㄷ. (×) 인가는 기본행위인 재단법인의 정관변경에 대한 법률상의 효력을 완성시키는 보충행위로서, 그 기본이 되는 정관변경 결의에 하자가 있을 때에는 그에 대한 인가가 있었다 하여도 기본행위인 정관변경 결의가 유효한 것으로 될 수 없다(대판 1996.5.16. 95누4810 전합).

ㄹ. (×) 관리처분계획에 대한 관할 행정청의 인가·고시까지 있게 되면 관리처분계획은 행정처분으로서 효력이 발생하게 되므로, 총회결의의 하자를 이유로 하여 행정처분의 효력을 다투는 항고소송의 방법으로 관리처분계획의 취소 또는 무효확인을 구하여야 하고, 그와 별도로 행정처분에 이르는 절차적 요건 중 하나에 불과한 총회결의 부분만을 따로 떼어내어 효력 유무를 다투는 확인의 소를 제기하는 것은 특별한 사정이 없는 한 허용되지 않는다고 보아야 한다(대판 2009.11.26. 2008다41383).

답 ①

문제 DATA
출제가능 지수 ▶▶↘
난이도 지수 ★★☆

함께 정리하기
인가

인가로 기본행위 하자 치유×

재단법인의 정관변경 허가
▷ 인가

인가에 하자 無
▷ 기본행위의 하자 이유로 인가 취소·무효확인 불가

관리처분계획의 인가고시 이후
▷ 관리처분계획에 대해 항고소송○(총회결의를 다투는 확인의 소×)

문제 DATA

출제가능 지수 ▶▶▷
난이도 지수 ★★☆

044 □□□

甲은 「택지개발촉진법」상 택지개발사업계획승인(이하 '사업계획승인'이라 함)을 받았는데, 이 법에 따르면 사업계획승인을 받으면 「도로법」상 도로점용허가를 받은 것으로 본다고 규정하고 있다. 이에 대한 설명으로 가장 옳지 않은 것은? (다툼이 있는 경우 판례에 의함)

① 甲은 택지개발사업이 완료된 후에도 사업을 위해 지하에 매설한 전력관을 유지·관리하기 위해 도로를 계속 점용할 수 있다.
② 도로점용허가 요건을 갖추지 못한 경우 사업계획승인을 할 수 없다.
③ 도로점용허가를 받은 것으로 의제되었으나 도로관리청이 도로점용료를 부과하지 않은 경우에는 점용료납부의무가 발생하지 않는다.
④ 만일 행정청이 사업계획승인을 불허가한 경우에 사업계획승인의 불허가 사유 외에 도로점용허가 불허가 사유가 있는 경우라도 甲은 사업계획승인불허가처분만을 소송의 대상으로 삼으면 된다.

2020년 서울시 7급

① (×) 구 택지개발촉진법 제11조 제1항 제9호에서는 사업시행자가 택지개발사업 실시계획승인을 받은 때 도로법에 의한 도로공사시행허가 및 도로점용허가를 받은 것으로 본다고 규정하고 있는바, 이러한 인·허가의제제도는 목적사업의 원활한 수행을 위해 행정절차를 간소화하고자 하는 데 그 취지가 있는 것이므로 위와 같은 실시계획승인에 의해 의제되는 도로공사시행허가 및 도로점용허가는 원칙적으로 당해 택지개발사업을 시행하는 데 필요한 범위 내에서만 그 효력이 유지된다고 보아야 한다. 따라서 원고가 이 사건 택지개발사업과 관련하여 그 사업시행의 일환으로 이 사건 도로예정지 또는 도로에 전력관을 매설하였다고 하더라도 사업시행완료 후 이를 계속 유지·관리하기 위해 도로를 점용하는 것에 대한 도로점용허가까지 그 실시계획 승인에 의해 의제된다고 볼 수는 없다(대판 2010.4.29. 2009두18547).

유제 16. 지방직 7급 주된 인·허가에 의해 의제되는 인·허가는 원칙적으로 주된 인·허가로 인한 사업을 시행하는 데 필요한 범위 내에서만 그 효력이 유지되는 것은 아니므로, 주된 인·허가로 인한 사업이 완료된 이후에도 효력이 있다. (×)

② (○) 주된 인·허가 요건뿐만 아니라 의제되는 인·허가 요건까지 모두 갖춘 경우에 주된 인·허가를 할 수 있으므로 도로점용허가 요건을 갖추지 못한 경우 사업계획승인을 할 수 없다.

③ (○) 관리청으로부터 도로의 점용허가를 받았다고 하더라도 관리청이 도로점용에 관하여 점용료를 부과하기 전에는 점용료를 납부할 의무를 부담한다고 볼 수 없고, 항상 관리청으로부터 점용료가 부과되는 것도 아니라고 할 것이다. 따라서 사업시행자가 주택건설사업계획 승인을 받음으로써 도로점용허가가 의제된 경우에 관리청이 도로점용료를 부과하지 않아 그 점용료를 납부할 의무를 부담하지 않게 되었다고 하더라도 특별한 사정이 없는 한 사업시행자가 그 점용료 상당액을 법률상 원인 없이 부당이득 하였다고 볼 수는 없다고 할 것이다(대판 2013.6.13. 2012다87010).

④ (○) 행정청이 주된 인·허가신청에 대해 거부처분을 하면서 주된 인·허가 거부사유뿐만 아니라 의제되는 인·허가 거부사유를 그 근거로 제시한 경우, 주된 인·허가 거부처분 외에 의제되는 인·허가의 거부처분은 실질적으로 존재하지 않기 때문에 주된 인·허가의 거부처분을 소송의 대상으로 삼아야 한다.

답 ①

함께 정리하기

인·허가의제 사례

의제되는 인·허가
▷ 주된 행정행위를 시행하는 데 필요한 범위 내에서만 효력 유지

실체집중×
▷ 의제되는 인·허가 요건까지 모두 갖추어야 주된 인·허가

도로점용허가 의제되었으나 점용료 부과×
▷ 점용료납부의무 발생×

의제되는 인·허가의 거부사유를 들어 주된 인·허가 신청 거부처분
▷ 주된 인·허가 거부처분이 항고소송 대상

045

강학상 인가에 대한 설명으로 옳지 않은 것은? (다툼이 있는 경우 판례에 의함)

① 주택재개발조합설립인가는 기본행위에 대한 보충행위에 불과하므로 조합총회결의의 하자를 이유로 인가 취소를 구하는 항고소송을 제기하는 것은 부적법하다.
② 주택재개발조합설립인가에 따라 해당 재개발조합은 공법인으로서 지위를 갖게 된다.
③ 사회복지법인의 정관변경을 허가할 것인지의 여부는 주무관청의 정책적 판단에 따른 재량에 맡겨져 있다고 할 것이고, 주무관청이 정관변경허가를 함에 있어서는 비례의 원칙 및 평등의 원칙에 적합하고 행정처분의 본질적 효력을 해하지 않는 한도 내에서 부관을 붙일 수 있다.
④ 주택재개발정비사업을 위한 관리처분계획이 조합원 총회에서 승인되었으나 아직 관할 행정청의 인가 전이라면 조합원은 해당 총회결의에 대해서 당사자소송으로 다툴 수 있다.
⑤ 「도시 및 주거환경정비법」상 당초 관리처분계획의 경미한 사항을 변경하는 경우와 달리 관리처분계획의 주요부분을 실질적으로 변경하는 내용으로 새로운 관리처분계획을 수립하여 관할 행정청의 인가를 받은 경우, 당초 관리처분계획은 원칙적으로 그 효력을 상실한다.

2020년 국회직 8급

① (×), ② (○) 재개발조합설립인가신청에 대한 행정청의 조합설립인가처분은 단순히 사인(私人)들의 조합설립행위에 대한 보충행위로서의 성질을 가지는 것이 아니라 법령상 일정한 요건을 갖추는 경우 행정주체(공법인)의 지위를 부여하는 일종의 설권적 처분의 성질을 가진다고 보아야 한다. 그러므로 구 도시 및 주거환경정비법상 재개발조합설립인가신청에 대하여 행정청의 조합설립인가처분이 있은 이후에는, 조합설립동의에 하자가 있음을 이유로 재개발조합 설립의 효력을 부정하려면 항고소송으로 조합설립인가처분의 효력을 다투어야 한다(대판 2010.1.28. 2009두4845).

유제 18. 서울시 9급 재개발조합설립에 대한 인가는 공법인의 지위를 부여하는 설권적 처분이다. (○)
16. 국회직 8급 주택재개발조합의 설립인가는 설권처분인 특허의 성질을 가지며 조합은 행정주체의 지위를 가진다. (○)
15. 국회직 8급, 11. 국가직 7급 「도시 및 주거환경정비법」상 재개발조합설립인가신청에 대한 행정청의 조합설립인가처분은 법령상 일정한 요건을 갖추는 경우, 행정주체(공법인)의 지위를 부여하는 일종의 설권적 처분의 성질을 가진다. (○)
15. 국가직 9급 「도시 및 주거환경정비법」상의 조합설립인가처분은 특허의 성질을 가진다. (○)
13. 국가직 7급·국회직 8급 재개발조합설립인가처분은 법률관계의 당사자의 법률행위의 효과를 완성시켜주는 보충행위에 해당한다. (×)

③ (○) 사회복지법인의 정관변경을 허가할 것인지의 여부는 주무관청의 정책적 판단에 따른 재량에 맡겨져 있다고 할 것이고, 주무관청이 정관변경허가를 함에 있어서는 비례의 원칙 및 평등의 원칙에 적합하고 행정처분의 본질적 효력을 해하지 않는 한도 내에서 부관을 붙일 수 있다(대판 2002.9.24. 2000두5661).
④ (○) 행정주체인 재건축조합을 상대로 관리처분계획안에 대한 조합 총회결의의 효력 등을 다투는 소송은 행정처분에 이르는 절차적 요건의 존부나 효력 유무에 관한 소송으로서 그 소송결과에 따라 행정처분의 위법 여부에 직접 영향을 미치는 공법상 법률관계에 관한 것이므로, 이는 행정소송법상의 당사자소송에 해당하고, 재건축조합을 상대로 사업시행계획안에 대한 조합총회결의의 효력 등을 다투는 소송 또한 행정소송법상의 당사자소송에 해당한다(대판 2009.10.15. 2008다93001).
⑤ (○) 구 도시 및 주거환경정비법 제48조 제1항의 내용, 형식 및 취지 등에 비추어 보면, 당초 관리처분계획의 경미한 사항을 변경하는 경우와는 달리 당초 관리처분계획의 주요 부분을 실질적으로 변경하는 내용으로 새로운 관리처분계획을 수립하여 시장·군수의 인가를 받은 경우에는 당초 관리처분계획은 달리 특별한 사정이 없는 한 효력을 상실한다(대판 2016.6.23. 2014다16500).

답 ①

함께 정리하기

강학상 인가

조합총회결의의 하자
▷ 조합설립인가 후에는 인가처분에 대해 항고소송 제기

조합설립인가처분
▷ 특허(설권적 처분)

사회복지법인 정관변경허가
▷ 재량행위

관리처분계획안에 대한 조합총회결의를 다투는 소송
▷ 당사자소송

관리처분계획의 주요부분을 실질적 변경하는 새로운 관리처분계획이 인가를 받은 경우
▷ 당초 관리처분계획 실효

문제 DATA

출제가능 지수 ▶▶▷
난이도 지수 ★★☆

046 □□□

허가, 특허, 인가에 대한 설명으로 옳지 않은 것은? (다툼이 있는 경우 판례에 의함)

① 허가를 받아야만 적법하게 할 수 있는 행위를 허가받지 않고 행한 경우에는 행정상 강제집행이나 행정벌의 대상이 되는 것은 별론으로 하고 당해 무허가행위의 사법상 효력까지 당연히 부인되는 것은 아니다.

② 「출입국관리법」상 체류자격 변경허가는 일종의 설권적 처분의 성격을 가지므로 허가권자는 신청인이 관계 법령에서 정한 요건을 충족하였더라도 신청인의 적격성, 체류 목적, 공익상의 영향 등을 참작하여 허가 여부를 결정할 수 있는 재량을 가진다.

③ 신청을 한 때와 허가를 할 때 사이에 법령의 변경이 있는 경우 행정청이 허가신청을 수리하고도 정당한 이유 없이 처리를 늦추어 그 사이에 법령 및 그 허가기준이 변경된 것이 아닌 한 새로운 법령 및 허가기준에 따른다.

④ 특허는 상대방의 신청을 요건으로 하므로 신청이 없거나 신청내용에 반하는 특허는 완전한 효력을 발생할 수 없다.

⑤ 기본행위인 이사선임결의의 효력에 다툼이 있는 경우 민사쟁송으로 이사선임결의의 무효확인을 구할 것이 아니라 그 이사선임결의에 대한 승인처분의 무효확인이나 그 취소를 구하여야 한다.

2020년 국회직 9급

① (O) 허가를 받아야 할 행위를 허가받지 않고 행한 경우 행정상 강제집행이나 행정벌의 대상이 되지만, 당해 무허가행위의 사법상 효력은 유효함이 원칙이다.

② (O) 대판 2016.7.14. 2015두48846

③ (O) 대판 2006.8.25. 2004두2974

④ (O) 특허는 특정인에게 새로운 권리, 능력 또는 법률관계를 설정하는 행위이기 때문에 신청의 유무에 관계없이 특허를 할 수 있다고 하면, 행정의 불공정을 가져올 우려가 있다. 따라서 특허는 반드시 신청이 있어야 하고, 신청이 없거나 신청내용에 반하는 특허는 완전한 효력을 발생할 수 없다.

유제 12. 서울시 9급 특허는 출원이 없거나 그 취지에 반하는 경우에도 효력이 발생한다. (×)

⑤ (×) 기본행위인 이사선임결의가 적법·유효하고 보충행위인 승인처분 자체에만 하자가 있다면 그 승인처분의 무효확인이나 그 취소를 주장할 수 있지만, 이 사건 임원취임승인처분에 대한 무효확인이나 그 취소의 소처럼 기본행위인 임시이사들에 의한 이사선임결의의 내용 및 그 절차에 하자가 있다는 이유로 이사선임결의의 효력에 관하여 다툼이 있는 경우에는 민사쟁송으로서 그 기본행위에 해당하는 위 이사선임결의의 무효확인을 구하는 등의 방법으로 분쟁을 해결할 것이지 그 이사선임결의에 대한 보충적 행위로서 그 자체만으로는 아무런 효력이 없는 승인처분만의 무효확인이나 그 취소를 구하는 것은 특단의 사정이 없는 한 분쟁해결의 유효적절한 수단이라 할 수 없으므로, 임원취임승인처분의 무효확인이나 그 취소를 구할 법률상 이익이 없다(대판 2002.5.24. 2000두3641).

유제 19. 서울시 9급 기본행위인 이사선임결의가 적법·유효하고 보충행위인 승인처분 자체에만 하자가 있다면 그 승인처분의 무효확인이나 그 취소를 주장할 수 있다. (O)

답 ⑤

함께 정리하기

허가, 특허, 인가

허가받지 않고 한 경우
▷ 사법상 유효
▷ 행정강제·행정벌의 대상

허가
▷ 처분시의 법령·허가기준에 의해 처리

체류자격 변경허가
▷ 특허
▷ 재량행위

특허
▷ 신청이 요건
▷ 신청이 없거나 신청내용에 반하는 특허는 무효

기본행위인 이사선임결의의 효력에 다툼이 있는 경우
▷ 취임승인처분의 무효확인 구할 법률상 이익×

047

인가에 대한 설명으로 옳지 않은 것은? (다툼이 있는 경우 판례에 의함)

① 기본행위가 적법·유효하고 보충행위인 인가처분 자체에 흠이 있다면 그 인가처분의 무효나 취소를 주장할 수 있다.
② 구 외자도입법에 따른 기술도입계약에 대한 인가는 기본행위인 기술도입계약을 보충하여 그 법률상 효력을 완성시키는 보충적 행정행위에 지나지 아니하므로 기본행위인 기술도입계약이 해지로 인하여 소멸되었다면 위 인가처분은 처분청의 직권취소에 의하여 소멸한다.
③ 「공유수면매립법」 등 관계법령상 공유수면매립의 면허로 인한 권리의무의 양도·양수에 있어서의 면허관청의 인가는 효력요건으로서, 면허로 인한 권리의무양도약정은 면허관청의 인가를 받지 않은 이상 법률상 아무런 효력도 발생할 수 없다.
④ 인가처분에 흠이 없다면 기본행위에 흠이 있다고 하더라도 따로 기본행위의 흠을 다투는 것은 별론으로 하고 기본행위의 흠을 내세워 바로 그에 대한 인가처분의 무효확인 또는 취소를 구할 수는 없다.

| 2020년 군무원 9급

①, ④ (○) 대판 1996.5.16. 95누4810 전합
② (×) 외자도입법 제19조에 따른 기술도입계약에 대한 인가는 기본행위인 기술도입계약을 보충하여 그 법률상 효력을 완성시키는 보충적 행정행위에 지나지 아니하므로 <u>기본행위인 기술도입계약이 해지로 인하여 소멸되었다면 위 인가처분은 무효선언이나 그 취소처분이 없어도 당연히 실효된다</u>(대판 1983.12.27. 82누491).
③ (○) 대판 1991.6.25. 90누5184

답 ②

함께 정리하기
인가

인가처분에만 하자 有
▷ 인가처분의 무효나 취소 주장 可

기본행위가 해지로 소멸
▷ 인가처분 당연 실효

인가는 효력 요건
▷ 인가 없으면 효력 無

인가처분에 하자 無
▷ 기본행위 하자 내세워 인가처분 무효·취소 주장 不可

048

허가에 대한 설명으로 옳지 않은 것은? (다툼이 있는 경우 판례에 의함)

① 건축허가는 대물적 성질을 갖는 것이어서 행정청으로서는 허가를 할 때에 건축주 또는 토지소유자가 누구인지 등 인적요소에 관하여는 형식적 심사만 한다.
② 구 「학원의 설립·운영에 관한 법률」 제5조 제2항에 의한 학원의 설립인가는 강학상의 이른바 인가에 해당하는 것으로서 그 인가를 받은 자에게 특별한 권리를 부여하는 것이고 일반적인 금지를 특정한 경우에 해제하여 학원을 설립할 수 있는 자유를 회복시켜 주는 것이 아니다.
③ 유료직업 소개사업의 허가갱신은 허가취득자에게 종전의 지위를 계속 유지시키는 효과를 갖는 것에 불과하고 갱신 후에는 갱신 전의 법위반사항을 불문에 붙이는 효과를 발생하는 것이 아니므로 일단 갱신이 있은 후에도 갱신 전의 법위반사실을 근거로 허가를 취소할 수 있다.
④ 허가 등의 행정처분은 원칙적으로 처분시의 법령과 허가기준에 의하여 처리되어야 하고 허가신청 당시의 기준에 따라야 하는 것은 아니며, 비록 허가신청 후 허가기준이 변경되었다 하더라도 그 허가관청이 허가신청을 수리하고도 정당한 이유 없이 그 처리를 늦추어 그 사이에 허가기준이 변경된 것이 아닌 이상 변경된 허가기준에 따라서 처분을 하여야 한다.

함께 정리하기

허가

건축허가
▷ 대물적 허가의 성질(인적 요소는 형식적 심사)

학원설립인가
▷ 허가

유료직업소개사업 허가갱신 후
▷ 갱신 전 위반사실로 허가취소 가

허가
▷ 처분시의 법령·허가기준에 의해 처리

2020년 군무원 7급

① (○) 대판 2017.3.15. 2014두41190
② (×) 학원의 설립·운영에 관한 법률 제5조 제2항에 의한 학원의 설립인가는 강학상의 이른바 허가에 해당하는 것으로서 그 인가를 받은 자에게 특별한 권리를 부여하는 것은 아니고 일반적인 금지를 특정한 경우에 해제하여 학원을 설립할 수 있는 자유를 회복시켜 주는 것에 불과한 것이다(대판 1992.4.14. 91다3998).
③ (○) 유료직업 소개사업의 허가갱신은 허가취득자에게 종전의 지위를 계속 유지시키는 효과를 갖는 것에 불과하고 갱신 후에는 갱신 전의 법위반사항을 불문에 붙이는 효과를 발생하는 것이 아니므로 일단 갱신이 있은 후에도 갱신 전의 법위반사실을 근거로 허가를 취소할 수 있다(대판 1982.7.27. 81누174).

유제 18. 경찰 3차, 17. 경찰 2차, 16. 서울시 9급, 15. 지방직 9급, 10. 국회직 8급 유료직업 소개사업의 허가갱신은 허가취득자에게 종전의 지위를 유지시키는 효과를 갖는 것에 불과하고 갱신 후에는 갱신 전의 법위반사항을 불문에 붙이는 효과를 발생하는 것이 아니므로 일단 갱신이 있은 후에도 갱신 전의 법위반사실을 근거로 허가를 취소할 수 있다. (○)
17. 국가직 7급·5급 승진, 16. 서울시 9급 허가의 갱신은 허가취득자에게 종전의 지위를 계속 유지시키는 효과를 갖게 하는 것으로 갱신 후라도 갱신 전 법위반사실을 근거로 허가를 취소할 수 있다. (○)
17. 교행 유료직업소개사업의 허가갱신 후에도 갱신 전 법위반사실을 근거로 허가를 취소할 수 있다. (○)

④ (○) 대판 2006.8.25. 2004두2974

답 ②

---

049 ☐☐☐

강학상 허가에 대한 설명으로 옳은 것(○)과 옳지 않은 것(×)을 바르게 연결한 것은? (다툼이 있는 경우 판례에 의함)

ㄱ. 「국토의 계획 및 이용에 관한 법률」상 용도지역 안에서 토지의 형질변경행위를 수반하는 건축허가는 재량행위에 속한다.
ㄴ. 한의사 면허는 경찰금지를 해제하는 명령적 행위인 강학상 허가에 해당한다.
ㄷ. 「하천법」상 하천의 점용허가는 일반인에게 하천이용권이라는 권리를 설정하여 주는 허가에 해당한다.
ㄹ. 「민법」 제45조와 제46조에서 말하는 재단법인의 정관변경 "허가"는 그 성질에 있어 일반적 금지를 해제하는 것으로 허가에 해당한다.

	ㄱ	ㄴ	ㄷ	ㄹ
①	○	×	×	○
②	×	○	○	×
③	○	○	×	×
④	×	×	○	○

문제 DATA
출제가능 지수 ▶▶▷
난이도 지수 ★★☆

함께 정리하기

허가

토지 형질변경행위 수반 건축허가
▷ 재량행위

한의사 면허
▷ 허가

하천의 점용허가
▷ 특허

재단법인 정관변경허가
▷ 인가

2020년 경찰 2차

ㄱ. (○) 국토의 계획 및 이용에 관한 법률에서 정한 도시지역 안에서 토지의 형질변경행위를 수반하는 건축허가는 건축법 제8조 제1항의 규정에 의한 건축허가와 국토의 계획 및 이용에 관한 법률 제56조 제1항 제2호의 규정에 의한 토지의 형질변경허가의 성질을 아울러 갖는 것으로 보아야 할 것이고, 같은 법 제58조 제1항 제4호·제3항, 같은 법 시행령 제56조 제1항 [별표 1] 제1호 가목 (3), 라목 (1), 마목 (1)의 각 규정을 종합하면, 같은 법 제56조 제1항 제2호의 규정에 의한 토지의 형질변경허가는 그 금지요건이 불확정개념으로 규정되어 있어 그 금지요건에 해당하는지 여부를 판단함에 있어서 행정청에게 재량권이 부여되어 있다고 할 것이므로, 같은 법에 의하여 지정된 도시지역 안에서 토지의 형질변경행위를 수반하는 건축허가는 결국 재량행위에 속한다(대판 2005.7.14. 2004두6181).

유제 19. 국가직 9급 「국토의 계획 및 이용에 관한 법률」에 의해 지정된 도시지역 안에서 토지의 형질변경행위를 수반하는 건축허가는 재량행위에 속한다. (○)

19. 서울시 7급, 17. 국가직 9급(추) 토지의 형질변경허가는 금지요건이 불확정개념으로 규정되어 있어 그 금지요건에 해당하는지 여부를 판단함에 있어서 행정청에게 재량권이 부여되어 있다고 할 것이므로, 같은 법에 의하여 지정된 도시지역 안에서 토지의 형질변경행위를 수반하는 건축허가는 결국 재량행위에 속한다. (○)

19. 지방직 9급 (甲은 관할 행정청에 토지의 형질변경행위가 수반되는 건축허가를 신청하였고, 관할 행정청은 甲에 대해 '건축기간 동안 자재 등을 도로에 불법적치하지 말 것'이라는 부관을 붙여 건축허가를 하였다) 토지의 형질변경의 허용 여부에 대해 행정청의 재량이 인정되더라도 주된 행위인 건축허가가 기속행위인 경우에는 甲에 대한 건축허가는 기속행위로 보아야 한다. (×)

18. 지방직 7급 「국토의 계획 및 이용에 관한 법률」에 따른 토지의 형질변경허가에는 행정청의 재량권이 부여되어 있다고 하더라도 「건축법」상의 건축허가는 기속행위이므로, 「국토의 계획 및 이용에 관한 법률」에 따른 토지의 형질변경행위를 수반하는 건축허가는 기속행위에 속한다. (×)

ㄴ. (○) 대판 1998.3.10. 97누4289

ㄷ. (×) 하천법 제33조에 의한 하천의 점용허가는 특정인에게 하천이용권이라는 독점적 권리를 설정하여 주는 처분에 해당하므로, 그러한 점용허가를 받은 자는 일반인에게는 허용되지 않는 특별한 공물사용권을 설정받아 일정 기간 이를 배타적으로 사용할 수 있다(대판 2018.12.27. 2014두11601).

ㄹ. (×) 민법 제45조와 제46조에서 말하는 재단법인의 정관변경 "허가"는 법률상의 표현이 허가로 되어 있기는 하나, 그 성질에 있어 법률행위의 효력을 보충해 주는 것이지 일반적 금지를 해제하는 것이 아니므로, 그 법적 성격은 인가라고 보아야 한다(대판 1996.5.16. 95누4810 전합).

답 ③

050 □□□

甲은 개발제한구역 내의 토지에 건축물을 건축하기 위하여 건축허가를 신청하였다. 이에 대한 설명으로 옳은 것(○)과 옳지 않은 것(×)을 바르게 연결한 것은? (다툼이 있는 경우 판례에 의함)

> ㄱ. 甲의 허가신청이 관련 법령의 요건을 모두 충족한 경우에는 관할 행정청은 허가를 하여야 하며, 관련 법령상 제한사유 이외의 사유를 들어 허가를 거부할 수 없다.
> ㄴ. 甲에게 허가를 하면서 일방적으로 부담을 부가할 수도 있지만, 부담을 부가하기 이전에 甲과 협의하여 부담의 내용을 협약의 형식으로 미리 정한 다음 허가를 하면서 이를 부가할 수도 있다.
> ㄷ. 甲이 허가를 신청한 이후 관계 법령이 개정되어 허가기준이 변경되었다면, 허가 여부에 대해서는 신청 당시의 법령을 적용하여야 하며 허가 당시의 법령을 적용할 수 없다.
> ㄹ. 허가가 거부되자 甲이 이에 대해 취소소송을 제기하여 승소하였고 판결이 확정되었다면, 관할 행정청은 甲에게 허가를 하여야 하며 이전 처분사유와 다른 사유를 들어 다시 허가를 거부할 수 없다.

	ㄱ	ㄴ	ㄷ	ㄹ
①	○	○	×	×
②	×	×	○	○
③	×	○	×	×
④	○	×	○	○

◉ 문제 DATA
출제가능 지수 ▶▶⟫
난이도 지수 ★★☆

함께 정리하기

개발제한구역 내 건축허가 사례

개발제한구역 내의 건축허가
▷ 예외적 허가 → 법령상 제한 외의 사유로 허가거부 可

부담
▷ 협약형식으로 부가 可

허가
▷ 처분시의 법령·허가기준에 의해 처리

거부처분취소판결 확정된 경우
▷ 새로운 사유로 다시 거부처분 可

2019년 국가직 7급

ㄱ. (×) 개발제한구역 내의 건축허가는 예외적 허가에 해당한다. 예외적 허가는 개인의 법적 지위를 확대시켜주는 의미가 강한 수익적 행정행위로서 재량행위이므로, 관할 행정청은 관련 법령상 제한사유 이외의 사유를 들어 허가를 거부할 수 있다.

> 개발제한구역 내에서는 구역 지정의 목적상 건축물의 건축, 공작물의 설치, 토지의 형질변경 등의 행위는 원칙적으로 금지되고, 다만 구체적인 경우에 위와 같은 구역 지정의 목적에 위배되지 아니할 경우 예외적으로 허가에 의하여 그러한 행위를 할 수 있게 되며, 한편 개발제한구역 내에서의 건축물의 건축 등에 대한 예외적 허가는 그 상대방에게 수익적인 것으로서 재량행위에 속하는 것이라고 할 것이므로 그에 관한 행정청의 판단이 사실오인, 비례·평등의 원칙 위배, 목적위반 등에 해당하지 아니하는 이상 재량권의 일탈·남용에 해당한다고 할 수 없다(대판 2004.7.22. 2003두7606).

ㄴ. (○) 수익적 행정처분에 있어서는 법령에 특별한 근거규정이 없다고 하더라도 그 부관으로서 부담을 붙일 수 있고, 그와 같은 부담은 행정청이 행정처분을 하면서 일방적으로 부가할 수도 있지만 부담을 부가하기 이전에 상대방과 협의하여 부담의 내용을 협약의 형식으로 미리 정한 다음 행정처분을 하면서 이를 부가할 수도 있다(대판 2009.2.12. 2005다65500).

ㄷ. (×) 대판 2006.8.25. 2004두2974

ㄹ. (×) 행정청의 거부처분을 취소하는 판결이 확정된 경우에는 그 처분을 행한 행정청은 판결의 취지에 따라 이전의 신청에 대하여 재처분할 의무가 있고, 이 경우 확정판결의 당사자인 처분 행정청은 그 행정소송의 사실심 변론종결 이후 발생한 새로운 사유를 내세워 다시 이전의 신청에 대하여 거부처분을 할 수 있으며, 그러한 처분도 이 조항에 규정된 재처분에 해당한다(대판 1999.12.28. 98두1895).

답 ③

문제 DATA

출제가능 지수 ▶▶▷
난이도 지수 ★★☆

051 □□□

다른 법률행위를 보충하여 그 법적 효력을 완성시키는 행위에 해당하지 않는 것만을 모두 고르면? (다툼이 있는 경우 판례에 의함)

> ㄱ. 사설법인묘지의 설치에 대한 행정청의 허가
> ㄴ. 토지거래허가구역 내의 토지거래계약에 대한 행정청의 허가
> ㄷ. 재단법인의 정관변경에 대한 행정청의 허가
> ㄹ. 재건축조합이 수립하는 관리처분계획에 대한 행정청의 인가

① ㄱ
② ㄱ, ㄹ
③ ㄴ, ㄹ
④ ㄱ, ㄴ, ㄷ

함께 정리하기

인가 해당 여부
▷ 사설법인묘지 설치허가×(허가)
▷ 토지거래허가○
▷ 재단법인 정관변경허가○
▷ 관리처분계획인가○

2019년 국가직 9급

ㄱ. (×) 사설법인묘지의 설치에 대한 행정청의 허가는 강학상 허가에 해당한다.

> 사설묘지 설치허가 신청 대상지가 관련 법령에 명시적으로 설치제한지역으로 규정되어 있지 않더라도 관할 관청이 중대한 공익상 필요가 있다고 인정할 때에는 그 허가를 거부할 수 있다고 봄이 상당하다(대판 2008.4.10. 2007두6106).

ㄴ. (○) 대판 1991.12.24. 90다12243 전합

ㄷ. (○) 대판 1996.5.16. 95누4810 전합

ㄹ. (○) 도시 및 주거환경정비법상 재건축조합이 수립하는 관리처분계획에 대한 행정청의 인가는 관리처분계획의 법률상 효력을 완성시키는 보충행위로서의 성질을 갖는다(대판 2012.8.30. 2010두24951).

> 유제 16. 국가직 7급 「도시 및 주거환경정비법」상 관리처분계획에 대한 행정청의 인가는 관리처분계획의 법률상 효력을 완성시키는 보충행위로서의 성질을 갖는다. (○)

답 ①

052

甲은 관할 행정청에 토지의 형질변경행위가 수반되는 건축허가를 신청하였고, 관할 행정청은 甲에 대해 '건축기간 동안 자재 등을 도로에 불법적치하지 말 것'이라는 부관을 붙여 건축허가를 하였다. 이에 대한 설명으로 옳은 것은? (다툼이 있는 경우 판례에 의함)

① 토지의 형질변경의 허용 여부에 대해 행정청의 재량이 인정되더라도 주된 행위인 건축허가가 기속행위인 경우에는 甲에 대한 건축허가는 기속행위로 보아야 한다.
② 위 건축허가에 대해 건축주를 乙로 변경하는 건축주명의변경신고가 관련 법령의 요건을 모두 갖추어 행해졌더라도 관할 행정청이 신고의 수리를 거부한 경우, 그 수리거부행위는 乙의 권리의무에 직접 영향을 미치는 것으로서 취소소송의 대상이 되는 처분이다.
③ 甲이 위 부관을 위반하여 도로에 자재 등을 불법적치한 경우, 관할 행정청은 바로「행정대집행법」에 따라 불법적치된 자재 등을 제거할 수 있다.
④ 甲이 위 부관에 위반하였음을 이유로 관할 행정청이 건축허가의 효력을 소멸시키려면 법령상의 근거가 있어야 한다.

2019년 지방직 9급

문제 DATA
출제가능 지수 ▶▶▷
난이도 지수 ★★☆

① (×) 대판 2005.7.14. 2004두6181
② (○) 건축주명의변경신고 수리거부행위는 행정청이 허가대상건축물 양수인의 건축주명의변경신고라는 구체적인 사실에 관한 법집행으로서 그 신고를 수리하여야 할 법령상의 의무를 지고 있음에도 불구하고 그 신고의 수리를 거부함으로써, 양수인이 건축공사를 계속하기 위하여 또는 건축공사를 완료한 후 자신의 명의로 소유권보존등기를 하기 위하여 가지는 구체적인 법적 이익을 침해하는 결과가 되었다고 할 것이므로, 비록 건축허가가 대물적 허가로서 그 허가의 효과가 허가대상건축물에 대한 권리변동에 수반하여 이전된다고 하더라도, 양수인의 권리의무에 직접 영향을 미치는 것으로서 취소소송의 대상이 되는 처분이라고 하지 않을 수 없다(대판 1992.3.31. 91누4911).
③ (×) 대집행은 행정상의 의무자가 그 의무를 이행하지 않는 경우 행정청이 스스로 그 의무자를 대신하여 그 의무내용을 실현하거나 제3자로 하여금 그것을 대행케 한 다음 의무자로부터 그 비용을 징수하는 방법으로, 행정상 강제집행의 일종이다. 대집행의 대상은 그 성질상 대체적 작위의무에 한하고, 지문의 '건축기간 동안 자재 등을 도로에 불법적치하지 말 것'은 부작위 의무에 해당하므로 대집행의 대상이 되지 않는다.
④ (×) 부담부 행정처분의 경우 상대방이 부담에 의해 부과된 의무를 이행하지 아니하면 처분청은 법령의 근거가 없더라도 주된 행정행위를 철회할 수 있다.

> 부담부 행정처분에 있어서 처분의 상대방이 부담(의무)을 이행하지 아니한 경우에 처분행정청으로서는 이를 들어 당해 처분을 취소(철회)할 수 있는 것이다(대판 1989.10.24. 89누2431).

답 ②

함께 정리하기

토지의 형질변경행위가 수반되는 건축허가 사례

토지의 형질변경행위를 수반하는 건축허가
▷ 재량행위

건축주명의변경신고의 수리거부
▷ 처분

부작위 의무
▷ 대집행의 대상×

부담 불이행을 이유로 한 행정행위 철회
▷ 법령상 근거 불요

문제 DATA

출제가능 지수 ▶▶▷
난이도 지수 ★★☆

053 ☐☐☐

甲은 강학상 허가에 해당하는 「식품위생법」상 영업허가를 신청하였다. 이에 대한 설명으로 옳은 것은? (다툼이 있는 경우 판례에 의함)

① 甲이 공무원인 경우 허가를 받으면 이는 「식품위생법」상의 금지를 해제할 뿐만 아니라 「국가공무원법」상의 영리업무금지까지 해제하여 주는 효과가 있다.
② 甲이 허가를 신청한 이후 관계 법령이 개정되어 허가요건을 충족하지 못하게 된 경우, 행정청이 허가신청을 수리하고도 정당한 이유 없이 그 처리를 늦추어 그 사이에 허가기준이 변경된 것이 아닌 이상 甲에게는 불허가처분을 하여야 한다.
③ 甲에게 허가가 부여된 이후 乙에게 또 다른 신규허가가 행해진 경우, 甲에게는 특별한 규정이 없더라도 乙에 대한 신규허가를 다툴 수 있는 원고적격이 인정되는 것이 원칙이다.
④ 甲에 대해 허가가 거부되었음에도 불구하고 甲이 영업을 한 경우, 당해 영업행위는 사법(私法)상 효력이 없는 것이 원칙이다.

▎2019년 지방직 9급

① (×) 허가는 근거법상의 금지를 해제하는 효과만 있을 뿐, 타법에 의한 금지까지 해제하는 효과가 있는 것은 아니다. 따라서 「국가공무원법」상의 영리업무금지는 해제되지 않는다.

유제 15. 행정사, 11. 국가직 9급, 08. 국가직 7급 허가가 있으면 당해 허가의 대상이 된 행위에 대한 금지가 해제될 뿐만 아니라 타법에 의한 금지까지 해제된다. (×)

② (○) 대판 2006.8.25. 2004두2974
③ (×) 기존에 허가를 받은 甲이 乙에 대한 신규허가로 인해 영업상의 이익이 감소하더라도 이는 반사적 이익의 침해에 불과하므로 甲은 乙에 대한 신규허가를 다툴 수 있는 원고적격이 인정되지 않는다.

> 석탄수급조정에 관한 임시조치법 소정의 석탄가공업에 관한 허가는 사업경영의 권리를 설정하는 형성적 행정행위가 아니라 질서유지와 공공복리를 위한 금지를 해제하는 명령적 행정행위여서 그 <u>허가를 받은 자는 영업자유를 회복하는데 불과하고 독점적 영업권을 부여받은 것이 아니기 때문에 기존허가를 받은 원고들이 신규허가로 인하여 영업상 이익이 감소된다 하더라도 이는 원고들의 반사적 이익을 침해하는 것에 지나지 아니하므로</u> 원고들은 <u>신규허가 처분에 대하여 행정소송을 제기할 법률상 이익이 없다</u>(대판 1980.7.22. 80누33·34).

④ (×) 허가가 필요한 행위를 허가받지 않고 행한 경우 행정상 강제집행이나 행정벌의 대상이 되지만 당해 무허가행위의 사법상 효력은 유효한 것이 원칙이다. 다만, 개별법에서 무허가행위를 무효로 규정하고 있는 경우에는 그에 따른다.

답 ②

함께 정리하기

허가

타법에 의한 금지 해제
▷ 不可

허가신청 후 법령개정
▷ 처분시의 법령·허가기준에 의해 처리

신규허가로 인한 영업상 이익 감소
▷ 반사적 이익

무허가 행위
▷ 사법상 유효

문제 DATA

출제가능 지수 ▶▶▷
난이도 지수 ★★☆

054 ☐☐☐

허가에 대한 설명으로 가장 옳지 않은 것은? (다툼이 있는 경우 판례에 의함)

① 「건축법」에서 인·허가의제제도를 둔 취지는, 인·허가의제사항과 관련하여 건축허가의 관할 행정청으로 창구를 단일화하고 절차를 간소화하며 비용과 시간을 절감함으로써 국민의 권익을 보호하려는 것이다.
② 건축허가는 대물적 성질을 갖는 것이어서 행정청으로서는 허가를 할 때에 건축주 또는 토지 소유자가 누구인지 등 인적 요소에 관하여는 형식적 심사만 한다.
③ 허가에 붙은 기한이 그 허가된 사업의 성질상 부당하게 짧은 경우에는 이를 그 허가조건의 존속기간으로 보아야 한다.
④ 허가 등의 행정처분은 원칙적으로 허가 신청시의 법령과 허가기준에 의하여 처리되어야 한다.

2019년 서울시 7급

① (○) 건축법에서 인·허가의제제도를 둔 취지는 인·허가의제사항과 관련하여 건축허가 또는 건축신고의 관할 행정청으로 그 창구를 단일화하고 절차를 간소화하며 비용과 시간을 절감함으로써 국민의 권익을 보호하려는 것이지 관련 법률에 따른 각각의 인·허가 요건에 관한 일체의 심사를 배제하려는 것으로 보기는 어렵다(대판 2011.1.20. 2010두14954 전합).

유제 21. 국가직 9급 「건축법」에서 관련 인·허가의제제도를 둔 취지는 인·허가의제사항 관련 법률에 따른 각각의 인·허가 요건에 관한 일체의 심사를 배제하려는 것이 아니다. (○)

② (○) 대판 2017.3.15. 2014두41190

③ (○) 일반적으로 행정처분에 효력기간이 정하여져 있는 경우에는 그 기간의 경과로 그 행정처분의 효력은 상실되고, 다만 허가에 붙은 기한이 그 허가된 사업의 성질상 부당하게 짧은 경우에는 이를 그 허가 자체의 존속기간이 아니라 그 허가조건의 존속기간으로 보아 그 기한이 도래함으로써 그 조건의 개정을 고려한다는 뜻으로 해석할 수는 있지만, 그와 같은 경우라 하더라도 그 허가기간이 연장되기 위하여는 그 종기가 도래하기 전에 그 허가기간의 연장에 관한 신청이 있어야 하며 만일, 그러한 연장신청이 없는 상태에서 허가기간이 만료하였다면 그 허가의 효력은 상실된다(대판 2007.10.11. 2005두12404).

④ (×) 허가 등의 행정처분은 원칙적으로 처분시의 법령과 허가기준에 의하여 처리되어야 하고 허가신청 당시의 기준에 따라야 하는 것은 아니며, 비록 허가신청 후 허가기준이 변경되었다 하더라도 그 허가관청이 허가신청을 수리하고도 정당한 이유 없이 그 처리를 늦추어 그 사이에 허가기준이 변경된 것이 아닌 이상 변경된 허가기준에 따라서 처분을 하여야 한다(대판 2006.8.25. 2004두2974).

답 ④

함께 정리하기

허가

인·허가의제 제도 취지
▷ 창구 단일화, 절차 간소화

건축허가
▷ 대물적 허가의 성질(인적 요소는 형식적 심사)

허가에 붙은 기한이 부당히 짧은 경우
▷ 허가조건의 존속기간

처분 시의 법령·허가기준에 의해 처리

---

055 □□□

행정행위에 대한 설명으로 가장 옳지 않은 것은? (다툼이 있는 경우 판례에 의함)

① 주유소허가의 양수인은 양도인의 지위를 승계하므로 양도인에게 그 허가를 취소할 법적 사유가 있는 경우 이를 이유로 양수인에게 응분의 제재조치를 할 수 있다.

② 「자동차운수사업법」에 의한 개인택시운송사업 면허는 법령에 특별한 규정이 없는 한 재량행위이고, 그 면허를 위하여 필요한 기준을 정하는 것도 행정청의 재량에 속한다.

③ 특허는 주로 특정인을 대상으로 행해지나 이에 한정되지 않으며 불특정다수인에게 행해지기도 한다.

④ 재단법인의 임원 취임이 재단법인의 정관에 근거한다 할지라도 이에 대해 주무관청이 당연히 인가하여야 하는 것은 아니며 인가 여부를 재량으로 결정할 수 있다.

2019년 서울시 7급

① (○) 대판 1986.7.22. 86누203
② (○) 대판 2007.2.8. 2006두13886
③ (×) 특허는 특정 상대방을 위하여 새로운 권리, 능력, 포괄적 법률관계를 설정하는 행위를 말한다. 성질상 불특정다수인을 상대로 행해질 수는 없다.
④ (○) 대판 2000.1.28. 98두16996

답 ③

문제 DATA

출제가능 지수 ▶▶Σ
난이도 지수 ★★☆

함께 정리하기

행정행위

주유소 허가
▷ 대물적 허가 → 양도인의 제재사유·위법사유 승계○

개인택시운송사업면허와 면허기준을 정하는 것
▷ 모두 재량행위

특허
▷ 특정인에 대해서만 可

재단법인의 임원취임에 대한 주무관청의 승인(인가)
▷ 재량행위

문제 DATA

출제가능 지수 ▶▶▷
난이도 지수 ★★☆

056 □□□

강학상 특허가 아닌 것만을 <보기>에서 모두 고른 것은? (다툼이 있는 경우 판례에 의함)

<보기>
ㄱ. 관할청의 구「사립학교법」에 따른 학교법인의 이사장 등 임원취임승인행위
ㄴ. 「출입국관리법」상 체류자격 변경허가
ㄷ. 구「수도권 대기환경개선에 관한 특별법」상 대기오염물질 총량관리사업장 설치의 허가
ㄹ. 지방경찰청장이 운전면허시험에 합격한 사람에게 발급하는 운전면허
ㅁ. 개발촉진지구 안에서 시행되는 지역개발사업에 관한 지정권자의 실시계획승인처분

① ㄱ, ㄷ
② ㄱ, ㄹ
③ ㄴ, ㄹ
④ ㄷ, ㅁ

2019년 서울시 9급

ㄱ. (인가) 대판 2007.12.27. 2005두9651
ㄴ. (특허) 대판 2016.7.14. 2015두48846
ㄷ. (특허) 대판 2013.5.9. 2012두22799
ㄹ. (허가) 운전면허는 공공의 질서유지를 위하여 일반적·예방적·상대적으로 금지하였다가 법률상 요건을 갖춘 경우에 금지를 해제함으로써 자연적 자유를 회복시켜주는 행정행위로 강학상 허가에 해당한다.
ㅁ. (특허) 개발촉진지구 안에서 시행되는 지구개발사업에 관한 지정권자의 실시계획승인처분은 단순히 보충행위에 불과한 것이 아니라 법령상의 요건을 갖춘 경우 법이 규정하고 있는 지구개발사업을 시행할 수 있는 지위를 시행자에게 부여하는 일종의 설권적 처분으로서의 성격을 가진 독립된 행정처분으로 보아야 한다(대판 2014.9.26. 2012두5602).

답 ②

함께 정리하기

특허 해당 여부
▷ 사립학교법인 임원취임승인× (인가)
▷ 체류자격 변경허가○
▷ 대기오염물질 총량관리사업장 설치의 허가○
▷ 운전면허× (허가)
▷ 지구개발사업 실시계획승인○

문제 DATA

출제가능 지수 ▶▶▷
난이도 지수 ★★☆

057 □□□

강학상 허가·특허·인가 등에 대한 판례의 입장으로 가장 옳지 않은 것은?

① 환경의 보전 등 중대한 공익상 필요가 있다고 인정되더라도 법규에 명문의 근거가 없다면 산림훼손기간 연장허가를 거부할 수 없다.
② 건축허가는 수허가자에게 어떤 새로운 권리나 능력을 부여하는 것이 아니다.
③ 「출입국관리법」상 체류자격 변경허가는 신청인에게 당초의 체류자격과 다른 체류자격에 해당하는 활동을 할 수 있는 권한을 부여하는 일종의 설권적 처분이다.
④ 기본행위인 이사선임결의가 적법·유효하고 보충행위인 승인처분 자체에만 하자가 있다면 그 승인처분의 무효확인이나 그 취소를 주장할 수 있다.

2019년 서울시 9급

① (×) 산림훼손은 국토 및 자연의 유지와 수질 등 환경의 보전에 직접적으로 영향을 미치는 행위이므로 법령이 규정하는 산림훼손 금지 또는 제한 지역에 해당하는 경우는 물론 금지 또는 제한 지역에 해당하지 않더라도 허가관청은 산림훼손허가신청 대상 토지의 현상과 위치 및 주위의 상황 등을 고려하여 국토 및 자연의 유지와 환경의 보전 등 중대한 공익상 필요가 있다고 인정될 때에는 허가를 거부할 수 있고, 그 경우 법규에 명문의 근거가 없더라도 거부처분을 할 수 있는 것이며, 이는 산림훼손기간을 연장하는 경우에도 마찬가지이다(대판 1997.8.29. 96누15213).

함께 정리하기

허가·특허·인가 등
산림형질변경허가
▷ 명문근거 없이도 중대한 공익을 사유로 거부 가
건축허가
▷ 자연적 자유 회복 (허가)
체류자격 변경허가
▷ 설권적 처분 (특허)
기본행위인 이사선임결의가 적법·유효하고 보충행위인 승인처분 자체에만 하자
▷ 승인처분의 무효확인이나 취소 주장 가

② (○) 건축허가는 행정관청이 상대적 금지를 관계법규에 적합한 일정한 경우에 해제하여 줌으로써 일정한 건축행위를 하여도 좋다는 자유를 회복시켜 주는 행정처분일 뿐 수허가자에게 어떤 새로운 권리나 능력을 부여하는 것이 아니고, 건축허가서는 허가된 건물에 관한 실체적 권리의 득실변경의 공시방법이 아니며 추정력도 없으므로 건축허가서에 건축주로 기재된 자가 건물의 소유권을 취득하는 것은 아니다(대판 1997.3.28. 96다10638).
③ (○) 대판 2016.7.14. 2015두48846
④ (○) 대판 2002.5.24. 2000두3641

답 ①

058

甲은 영업허가를 받아 영업을 하던 중 자신의 영업을 乙에게 양도하고자 乙과 사업양도양수계약을 체결하고 관련법령에 따라 관할 행정청 A에게 지위승계신고를 하였다. 이에 대한 설명으로 가장 옳지 않은 것은? (다툼이 있는 경우 판례에 의함)

① 甲과 乙 사이의 사업양도양수계약이 무효이더라도 A가 지위승계신고를 수리하였다면 그 수리는 취소되기 전까지 유효하다.
② A가 지위승계신고의 수리를 거부한 경우 甲은 수리거부에 대해 취소소송으로 다툴 수 있다.
③ 甲과 乙이 사업양도양수계약을 체결하였으나 지위승계신고 이전에 甲에 대해 영업허가가 취소되었다면, 乙은 이를 다툴 법률상 이익이 있다.
④ 甲과 乙이 관련법령상 요건을 갖춘 적법한 신고를 하였더라도 A가 이를 수리하지 않았다면 지위승계의 효력이 발생하지 않는다.

2019년 서울시 9급

문제 DATA
출제가능 지수 ▶▶▷
난이도 지수 ★★☆

함께 정리하기
지위승계 사례

사업양도·양수계약 무효
▷ 수리는 당연무효, 사업양도 효과×

지위승계신고 수리거부
▷ 행정소송 대상○

양수인
▷ 영업허가 취소처분 다툴 법률상 이익 有

지위승계신고
▷ 수리가 없다면 신고의 효력 발생×

① (×) 사업양도·양수에 따른 허가관청의 지위승계신고의 수리는 적법한 사업의 양도·양수가 있었음을 전제로 하는 것이므로 그 수리대상인 사업양도·양수가 존재하지 아니하거나 무효인 때에는 수리를 하였다 하더라도 그 수리는 유효한 대상이 없는 것으로서 당연히 무효이다(대판 2005.12.23. 2005두3554).
② (○) 영업양도에 따른 지위승계신고는 수리를 요하는 신고이다. 수리를 요하는 신고는 신고만으로는 법적 효과가 발생하지 않고, 행정청이 수리를 하여야 완전한 법적 효과가 발생하므로 행정청의 수리 또는 수리거부는 준법률행위적 행정행위의 하나로 처분에 해당한다. 따라서 행정청이 지위승계신고의 수리를 거부한 경우 취소소송으로 수리거부를 다툴 수 있다.
③ (○) 수허가자의 지위를 양수받아 명의변경신고를 할 수 있는 양수인의 지위는 단순한 반사적 이익이나 사실상의 이익이 아니라 산림법령에 의하여 보호되는 직접적이고 구체적인 이익으로서 법률상 이익이라고 할 것이고, 채석허가가 유효하게 존속하고 있다는 것이 양수인의 명의변경신고의 전제가 된다는 의미에서 관할 행정청이 양도인에 대하여 채석허가를 취소하는 처분을 하였다면 이는 양수인의 지위에 대한 직접적 침해가 된다고 할 것이므로 양수인은 채석허가를 취소하는 처분의 취소를 구할 법률상 이익을 가진다(대판 2003.7.11. 2001두6289).

유제 19. 소방간부 채석허가를 받은 자에 대한 관할행정청의 채석허가 취소처분에 대하여 수허가자의 지위를 양수한 양수인에게 그 취소처분의 취소를 구할 법률상 이익이 있다. (○)
18. 국회직 8급·지방직 9급 양도계약이 있은 후 신고 전에 행정청이 종전의 영업자(양도인)에 대하여 영업허가를 위법하게 취소한 경우에, 영업자의 지위를 승계한 자(양수인)는 양도인에 대한 영업허가 취소처분을 다툴 원고적격을 갖지 못한다. (×)
17. 국가직 7급 채석허가를 받은 자로부터 영업양수 후 명의변경신고 이전에 양도인의 법위반사유를 이유로 채석허가가 취소된 경우, 양수인은 수허가자의 지위를 사실상 양수받았다고 하더라도 그 처분의 취소를 구할 법률상 이익을 가지지 않는다. (×)
13. 국가직 7급 법령상 채석허가를 받은 자의 명의변경제도를 두고 있는 경우, 명의변경신고를 할 수 있는 양수인은 관할 행정청이 양도인의 허가를 취소하는 처분에 대해 취소를 구할 법률상 이익이 인정된다. (○)

④ (O) 수리를 요하는 신고에서 관할행정청의 수리가 없다면 신고의 효력이 발생하지 않는다.

> 영업양도에 따른 지위승계신고를 수리하는 허가관청의 행위는, 단순히 양수인이 그 영업을 승계하였다는 사실의 신고를 접수하는 행위에 그치는 것이 아니라, 실질에 있어서 양도자의 사업허가를 취소함과 아울러 양수자에게 적법히 사업을 할 수 있는 권리를 설정하여 주는 행위로서 사업허가자의 변경이라는 법률효과를 발생시키는 행위라고 할 것이다(대판 2001.2.9. 2000도2050).

답 ①

059

행정재량에 대한 설명으로 가장 옳지 않은 것은? (다툼이 있는 경우 판례에 의함)

① 토지의 형질변경행위를 수반하는 건축허가는 「건축법」에 의한 건축허가와 「국토의 계획 및 이용에 관한 법률」에 의한 개발행위허가의 성질을 아울러 갖게 되므로 재량행위에 해당한다.
② 개발제한구역 내에서는 구역지정의 목적상 건축물의 건축 및 공작물의 설치 등 개발행위가 원칙적으로 금지되고 예외적으로 허가에 의하여 그러한 행위를 할 수 있게 되어 있으므로 그 허가는 재량행위에 속한다.
③ 「국토의 계획 및 이용에 관한 법률」의 규정에 의한 토지의 형질변경허가는 그 금지요건이 불확정개념으로 규정되어 있어 그 금지요건에 해당하는지 여부를 판단함에 있어서 행정청에게 재량권이 부여되어 있다고 할 것이므로 재량행위에 속한다.
④ 건축허가권자는 건축허가신청이 「건축법」 등 관계법규에서 정하는 어떠한 제한에 배치되지 않는 이상 중대한 공익상의 필요가 있더라도 관계 법령에서 정하는 제한사유 이외의 사유를 들어 요건을 갖춘 자에 대한 허가를 거부할 수는 없다.

2019년 서울시 9급

①, ③ (O) 대판 2005.7.14. 2004두6181
② (O) 개발제한구역 내에서는 구역지정의 목적상 건축물의 건축 및 공작물의 설치 등 개발행위가 원칙적으로 금지되고, 다만 구체적인 경우에 이러한 구역지정의 목적에 위배되지 아니할 경우 예외적으로 허가에 의하여 그러한 행위를 할 수 있게 되어 있음이 그 규정의 체제와 문언상 분명하고, 이러한 예외적인 개발행위의 허가는 상대방에게 수익적인 것이 틀림이 없으므로 그 법률적 성질은 재량행위 내지 자유재량행위에 속하는 것이다(대판 2004.3.25. 2003두12837).

유제 17. 교행, 14. 경찰 1차, 10. 국가직 7급 구 「도시계획법」상 개발제한구역 내에서의 건축허가는 원칙적으로 기속행위이다. (×)
19. 국가직 7급 개발제한구역 내에서의 건축허가신청이 관련 법령의 요건을 모두 충족한 경우에는 관할 행정청은 허가를 하여야 하며, 관련 법령상 제한사유 이외의 사유를 들어 허가를 거부할 수 없다. (×)

④ (×) 건축허가는 원칙적으로 기속행위이지만 중대한 공익상 필요가 있는 경우 예외적으로 건축허가를 거부할 수 있다(대판 2009.9.24. 2009두8946).

답 ④

문제 DATA
출제가능 지수 ▶▶▷
난이도 지수 ★★☆

함께 정리하기

행정재량

토지의 형질변경행위를 수반하는 건축허가
▷ 재량행위

개발제한구역 내에서의 건축허가 등
▷ 재량행위

토지의 형질변경허가
▷ 재량행위

건축허가
▷ 중대한 공익상 필요 있는 경우 예외적으로 거부 可

060

판례상 행정행위에 대한 설명으로 옳지 않은 것은? (다툼이 있는 경우 판례에 의함)

① 「출입국관리법」상 체류자격 변경허가는 설권적 처분의 성격을 가지므로, 허가권자는 허가 여부를 결정할 수 있는 재량을 가진다.
② 유기장 영업허가는 유기장영업권을 설정하는 설권행위이다.
③ 한의사면허는 경찰금지를 해제하는 명령적 행위에 해당한다.
④ 개인택시운송사업면허는 특정인에게 권리나 이익을 부여하는 재량행위이다.

2019년 소방직

① (○) 대판 2016.7.14. 2015두48846
② (×) 유기장영업허가는 유기장 경영권을 설정하는 설권행위가 아니고 일반적 금지를 해제하는 영업자유의 회복이라 할 것이므로 그 영업상의 이익은 반사적 이익에 불과하고 행정행위의 본질상 금지의 해제나 그 해제를 다시 철회하는 것은 공익성과 합목적성에 따른 당해 행정청의 재량행위라 할 것이다(대판 1986.11.25. 84누147).
③ (○) 대판 1998.3.10. 97누4289
④ (○) 대판 2007.2.8. 2006두13886

답 ②

문제 DATA
출제가능 지수 ▶▶▷
난이도 지수 ★★☆

함께 정리하기
행정행위

체류자격 변경허가
▷ 특허(재량행위)

유기장 영업허가
▷ 허가

한의사 면허
▷ 허가

개인택시운송사업면허
▷ 특허(재량행위)

061

다음 중 옳지 않은 것은? (다툼이 있는 경우 판례에 의함)

- A: 사립학교법인 임원의 선임에 대한 승인
- B: 정비조합 정관변경에 대한 인가
- C: 공유수면사용에 대한 허가

① A 행위는 기본행위의 효력을 완성시켜 주는 형성적 행위이다.
② B 행위는 기본행위의 효력을 완성시켜 주는 보충적 행위이다.
③ C 행위는 법률관계의 존부를 확인하는 행위이다.
④ 기본행위가 무효이면 A 행위는 무효가 된다.

2019년 소방직

① (○) 사립학교법인 임원의 선임에 대한 승인은 강학상 인가에 해당한다. 인가는 기본행위의 법률상 효력을 완성시켜 주는 보충적 행위이자 형성적 행위이다.
② (○) 정비조합 정관변경에 대한 인가는 강학상 인가에 해당한다. 인가는 기본행위의 법률상 효력을 완성시켜 주는 보충적 행위이다.
③ (×) 공유수면사용에 대한 허가는 상대방에게 권리 등을 설정하여 주는 행위로, 강학상 특허에 해당한다.
④ (○) 기본행위가 무효이면 인가의 보충성에 비추어 인가 역시 무효이다.

답 ③

문제 DATA
출제가능 지수 ▶▶▷
난이도 지수 ★★☆

함께 정리하기
행정행위의 성질

사립학교법인 임원선임에 대한 승인
▷ 인가

정비조합 정관변경에 대한 인가
▷ 인가

공유수면사용에 대한 허가
▷ 특허

기본행위 무효
▷ 인가 역시 무효

문제 DATA

출제가능 지수 ▶▶▷
난이도 지수 ★★★

062 □□□

대물적 행정행위의 이전성에 대한 설명으로 옳지 않은 것은? (다툼이 있는 경우 판례에 의함)

① 개인택시운송사업의 양도·양수가 있고 그에 대한 인가가 있은 후 그 양도·양수 이전에 있었던 양도인의 귀책사유로 양수인의 개인택시운송사업면허를 취소할 수 있다.
② 공중위생관리법령에 따라 공중위생영업이 양도·양수된 후 양수인이 그 후 행정청에 새로운 영업소개설통보를 하였다면 양도인에 관한 사유로 양수인에 대하여 영업정지처분을 할 수 없다.
③ 사실상 영업이 양도·양수되었지만 아직 승계신고 및 수리처분이 있기 이전의 경우라면 행정제재처분 사유의 유무는 양도인을 기준으로 판단한다.
④ 채석허가를 받은 자에 대한 관할 행정청의 채석허가 취소처분에 대하여 수허가자의 지위를 양수한 양수인에게 그 취소처분의 취소를 구할 법률상 이익이 있다.
⑤ 사업의 양도행위가 무효라고 주장하는 양도자가 민사소송으로 양도·양수행위의 무효를 구함이 없이 사업양도·양수에 따른 허가관청의 지위승계신고수리처분의 무효확인을 구할 법률상 이익이 있다.

2019년 소방간부

함께 정리하기

대물적 행정행위의 이전성

개인택시운송사업면허 양도·양수
▷ 종전 양도인의 귀책사사유로 양수인 면허취소 可

공중위생영업 양도·양수
▷ 종전 양도인에 관한 사유로 양수인에 영업정지처분 可

영업양도 후 승계신고 및 수리처분 전 양수인의 위반행위에 대한 책임
▷ 양도인에게 귀속

수허가자 지위를 양수한 양수인
▷ 채석허가 취소처분 다툴 법률상 이익 有

사업의 양도행위가 무효
▷ 양도자는 막바로 지위승계신고수리처분의 무효확인을 구할 법률상 이익○

① (○) 구 여객자동차 운수사업법 제15조 제4항에 의하면 개인택시 운송사업을 양수한 사람은 양도인의 운송사업자로서의 지위를 승계하는 것이므로, 관할관청은 개인택시 운송사업의 양도·양수에 대한 인가를 한 후에도 그 양도·양수 이전에 있었던 양도인에 대한 운송사업면허 취소사유를 들어 양수인의 사업면허를 취소할 수 있는 것이고, 가사 양도·양수 당시에는 양도인에 대한 운송사업면허 취소사유가 현실적으로 발생하지 않은 경우라도 그 원인되는 사실이 이미 존재하였다면, 관할관청으로서는 그 후 발생한 운송사업면허 취소사유에 기하여 양수인의 사업면허를 취소할 수 있는 것이다(대판 2010.4.8. 2009두17018).

유제 20. 국가직 7급 개인택시운송사업의 양도·양수에 대한 인가가 있은 후에 그 양도·양수 이전에 있었던 양도인에 대한 운송사업면허 취소사유를 들어 양수인의 사업면허를 취소할 수 있다. (○)
17. 지방직 9급 甲이 개인택시운송사업면허를 받았다가 이를 乙에게 양도하였고 운송사업의 양도·양수에 대한 인가를 받은 이후에는 양도·양수 이전에 있었던 甲의 운송사업면허 취소사유를 이유로 乙의 운송사업면허를 취소할 수 없다. (✕)
14. 국가직 7급, 12. 국회직 9급 행정청은 개인택시운송사업의 양도·양수에 대한 인가가 있은 후에는 그 양도·양수 이전에 있었던 양도인에 대한 운송사업면허 취소사유를 들어 양수인의 운송사업면허를 취소할 수 없다. (✕)

② (✕) 구 공중위생관리법상 영업정지나 영업장폐쇄명령 모두 대물적 처분으로 보아야 할 이치이고, 아울러 구 공중위생관리법에서 보건복지부장관은 공중위생영업자로 하여금 일정한 시설 및 설비를 갖추고 이를 유지·관리하게 할 수 있으며, 공중위생영업자가 영업소를 개설한 후 시장 등에게 영업소개설사실을 통보하도록 규정하는 외에 공중위생영업에 대한 어떠한 제한규정도 두고 있지 아니한 것은 공중위생영업의 양도가 가능함을 전제로 한 것이라 할 것이므로, 양수인이 그 양수 후 행정청에 새로운 영업소개설통보를 하였다 하더라도, 그로 인하여 영업양도·양수로 영업소에 관한 권리의무가 양수인에게 이전하는 법률효과까지 부정되는 것은 아니라 할 것인바, 만일 어떠한 공중위생영업에 대하여 그 영업을 정지할 위법사유가 있다면, 관할 행정청은 그 영업이 양도·양수되었다 하더라도 그 업소의 양수인에 대하여 영업정지처분을 할 수 있다고 봄이 상당하다(대판 2001.6.29. 2001두1611).

유제 21. 국가직 9급 구 「공중위생관리법」상 공중위생영업에 대하여 영업을 정지할 위법사유가 있다면, 관할 행정청은 그 영업이 양도·양수되었다 하더라도 양수인에 대하여 영업정지처분을 할 수 있다. (○)

③ (○) 사실상 영업이 양도·양수되었지만 아직 승계신고 및 그 수리처분이 있기 이전에는 행정제재처분의 사유가 있는지 여부 및 그 사유가 있다고 하여 행하는 행정제재처분은 영업허가자인 양도인을 기준으로 판단하여 그 양도인에 대하여 행하여야 할 것이다(대판 1995.2.24. 94누9146).

유제 14. 국가직 9급·사복직, 07. 서울시 9급 양도인이 자신의 의사에 따라 양수인에게 영업을 양도하면서 양수인으로 하여금 영업을 하도록 허락하였다면 영업승계신고 및 수리처분이 있기 전에 발생한 양수인의 위반행위에 대한 행정적 책임은 양도인에게 귀속된다. (○)

④ (○) 대판 2003.7.11. 2001두6289
⑤ (○) 사업양도·양수에 따른 허가관청의 지위승계신고의 수리는 적법한 사업의 양도·양수가 있었음을 전제로 하는 것이므로 그 수리대상인 사업양도·양수가 존재하지 아니하거나 무효인 때에는 수리를 하였다 하더라도 그 수리는 유효한 대상이 없는 것으로서 당연히 무효라 할 것이고, 사업의 양도행위가 무효라고 주장하는 양도자는 민사쟁송으로 양도·양수행위의 무효를 구함이 없이 막바로 허가관청을 상대로 하여 행정소송으로 위 신고수리처분의 무효확인을 구할 법률상 이익이 있다(대판 2005.12.23. 2005두3554).

답 ②

063

행정행위에 대한 설명으로 옳은 것만을 <보기>에서 모두 고르면? (다툼이 있는 경우 판례에 의함)

<보기>
ㄱ. 「사립학교법」상 학교법인의 이사장, 이사 등 임원에 대한 임원취임승인행위가 강학상 인가의 대표적인 예이다.
ㄴ. 공유수면매립허가, 보세구역의 설치·운영에 관한 특허, 특허기업의 사업양도 허가는 강학상 특허에 해당한다.
ㄷ. 보통의 행정행위는 상대방이 수령하여야만 효력이 발생하는 것이므로 상대방이 그 행정행위를 현실적으로 알고 있어야 한다.
ㄹ. 가행정행위는 그 효력발생이 시간적으로 잠정적이라는 것 외에는 보통의 행정행위와 같은 것이므로 가행정행위로 인한 권리침해에 대한 구제도 보통의 행정행위와 다르지 않다.
ㅁ. 재개발조합설립인가신청에 대하여 행정청의 조합설립 인가처분이 있은 이후에 조합설립 동의에 하자가 있음을 이유로 재개발조합설립의 효력을 부정하려면 조합설립동의의 효력을 소의 대상으로 하여야 한다.

① ㄱ, ㄴ
② ㄱ, ㄹ
③ ㄴ, ㄷ
④ ㄴ, ㄹ
⑤ ㄷ, ㅁ

| 2019년 국회직 8급

ㄱ. (○) 대판 2007.12.27. 2005두9651
ㄴ. (×) 공유수면매립허가, 보세구역의 설치·운영에 관한 특허는 강학상 특허에 해당하나, 특허기업의 사업양도 허가는 강학상 인가에 해당한다.
ㄷ. (×) 상대방이 그 행정행위의 내용을 현실적으로 알고 있을 필요는 없다.

행정처분의 효력발생요건으로서 도달이란 처분상대방이 처분서의 내용을 현실적으로 알았을 필요까지는 없고 처분상대방이 알 수 있는 상태에 놓임으로써 충분하다(대판 2017.3.9. 2016두60577).

ㄹ. (○) 가행정행위는 당해 행정법 관계의 권리와 의무를 잠정적으로만 확정하는 행정행위에 해당하므로 종행정행위와 구별되는 개념이기는 하나, 종행정행위와 마찬가지의 권리구제수단이 인정된다.
ㅁ. (×) 일단 조합설립 인가처분이 있은 경우 조합설립결의는 위 인가처분이라는 행정처분을 하는 데 필요한 요건 중 하나에 불과한 것이어서, 조합설립 인가처분이 있은 이후에는 조합설립결의의 하자를 이유로 조합설립의 무효를 주장하는 것은 조합설립 인가처분의 취소 또는 무효확인을 구하는 항고소송의 방법에 의하여야 할 것이고, 이와는 별도로 조합설립결의만을 대상으로 그 효력 유무를 다투는 확인의 소를 제기하는 것은 확인의 이익이 없어 허용되지 아니한다(대결 2010.4.8. 2009마1026).

답 ②

문제 DATA

출제가능 지수 ▶▶▷
난이도 지수 ★★☆

064 □□□

강학상 인가에 대한 설명으로 옳은 것(○)과 옳지 않은 것(×)을 바르게 연결한 것은? (다툼이 있는 경우 판례에 의함)

> ㄱ. 강학상 인가에 있어 기본행위에 하자가 있는 경우에는 그 기본행위의 하자를 다투어야 하며, 기본행위의 하자를 이유로 인가처분의 취소 또는 무효확인을 구할 수 없다.
> ㄴ. 행정청이 「도시 및 주거환경정비법」 등 관련 법령에 근거하여 행하는 조합설립 인가처분은 단순히 사인들의 조합설립행위에 대한 보충행위로서의 성질을 갖는 것에 그치는 것이 아니라 법령상 요건을 갖출 경우 「도시 및 주거환경정비법」 상 주택재건축사업을 시행할 수 있는 권한을 갖는 행정주체(공법인)로서의 지위를 부여하는 일종의 설권적 처분의 성격을 갖는다고 보아야 한다.
> ㄷ. 토지거래허가제에서의 토지거래허가는 유동적 무효 상태에 있는 법률행위의 효력을 완성시켜 주는 인가적 성질을 띤 것이라고 보는 것이 타당하다.

① ㄱ(○), ㄴ(○), ㄷ(○)
② ㄱ(○), ㄴ(×), ㄷ(○)
③ ㄱ(○), ㄴ(×), ㄷ(×)
④ ㄱ(×), ㄴ(○), ㄷ(○)

2019년 경찰 2차

ㄱ. (○) 대판 1996.5.16. 95누4810 전합
ㄴ. (○) 대판 2009.9.24. 2008다60568
ㄷ. (○) 대판 1991.12.24. 90다12243 전합

답 ①

함께 정리하기

인가

기본행위 하자를 내세워 인가처분의 무효·취소 주장
▷ 不可

주택재건축정비사업조합 설립인가
▷ 특허

토지거래허가
▷ 인가

문제 DATA

출제가능 지수 ▶▶▷
난이도 지수 ★★☆

065 □□□

형성적 행정행위에 해당하는 것을 모두 고른 것은?

> ㄱ. 사인에게 권리를 설정해 주는 행위
> ㄴ. 작위의무를 명하는 행위
> ㄷ. 포괄적 법률관계를 설정하는 행위
> ㄹ. 행정청이 타인의 법률행위를 보충하여 그 효력을 완성시켜 주는 행위
> ㅁ. 제3자가 해야 할 행위를 행정기관이 대신하여 행함으로써 제3자가 행한 것과 같은 효과를 발생시키는 행위

① ㄱ, ㄴ, ㅁ
② ㄱ, ㄷ, ㄹ
③ ㄱ, ㄷ, ㄹ, ㅁ
④ ㄴ, ㄷ, ㄹ, ㅁ
⑤ ㄱ, ㄴ, ㄷ, ㄹ, ㅁ

2019년 행정사

ㄱ. (○) 특허로서 형성적 행정행위에 해당한다.
ㄴ. (×) 작위하명으로서 명령적 행정행위에 해당한다.
ㄷ. (○) 특허로서 형성적 행정행위에 해당한다.
ㄹ. (○) 인가로서 형성적 행정행위에 해당한다.
ㅁ. (○) 대리로서 형성적 행정행위에 해당한다.

답 ③

함께 정리하기

형성적 행정행위 여부

특허, 인가, 대리
▷ ○

하명
▷ ×(명령적 행위)

066

인·허가의제에 대한 설명으로 옳지 않은 것은? (다툼이 있는 경우 판례에 의함)

① 인·허가의제는 행정청의 소관사항과 관련하여 권한행사의 변경을 가져오므로 법령의 근거를 필요로 한다.
② 「국토의 계획 및 이용에 관한 법률」상의 개발행위허가가 의제되는 건축허가신청이 동 법령이 정한 개발행위허가기준에 부합하지 아니하면, 행정청은 건축허가를 거부할 수 있다.
③ 주된 인·허가에 관한 사항을 규정하고 있는 법률에서 주된 인·허가가 있으면 다른 법률에 의한 인·허가를 받은 것으로 의제한다는 규정을 둔 경우, 주된 인·허가가 있으면 다른 법률에 의하여 인·허가를 받았음을 전제로 하는 그 다른 법률의 모든 규정들까지 적용되는 것은 아니다.
④ A허가에 대해 B허가가 의제되는 것으로 규정된 경우, A불허가처분을 하면서 B불허가 사유를 들고 있으면 A불허가처분과 별개로 B불허가처분도 존재한다.

2018년 국가직 7급

① (○) 인·허가의제 제도는 하나의 인·허가를 받으면 다른 법률에서 규정하고 있는 허가, 인가, 특허 등을 받은 것으로 보는 제도를 의미하는 바, 행정기관의 권한에 변경을 초래하므로 개별 법률의 명시적인 근거가 있는 경우에만 허용된다.

유제 18. 교행 인·허가의제는 관계기관의 권한행사에 제약을 가할 수 있으므로 법령상 명문의 근거규정을 필요로 한다. (○)
16. 서울시 7급 인·허가의제는 반드시 법률에 명시적인 근거가 있어야 하는 것은 아니다. (×)
14. 지방직 9급 인·허가의제는 의제되는 행위에 대하여 본래적으로 권한을 갖는 행정기관의 권한행사를 보충하는 것이므로 법령의 근거가 없는 경우에도 인정된다. (×)

② (○) 대판 2016.8.24. 2016두35762
③ (○) 대판 2004.7.22. 2004다19715
④ (×) 대판 2001.1.16. 99두10988

답 ④

함께 정리하기

인·허가의제

법령의 근거
▷ 필요

개발행위허가가 의제되는 건축신고가 개발행위허가 기준을 갖추지 못한 경우
▷ 건축허가 거부 가

인·허가의제의 효과
▷ 주된 인·허가 법률에 규정된 관련 인·허가에 한정(다른 법률의 모든 규정들까지 적용×)

의제되는 인·허가의 거부사유를 들어 주된 인·허가 신청 거부처분
▷ 의제되는 인·허가 불허처분 별도로 존재×

067

행정행위와 이에 대한 분류 또는 설명으로 가장 옳지 않은 것은? (다툼이 있는 경우 판례에 의함)

① 한의사 면허: 진료행위를 할 수 있는 능력을 설정하는 설권행위
② 행정재산에 대한 사용허가: 특정인에게 행정재산을 사용할 권리를 설정하여 주는 행위
③ 재개발조합설립에 대한 인가: 공법인의 지위를 부여하는 설권적 처분
④ 재개발조합의 사업시행계획 인가: 조합의 행위에 대한 보충행위

함께 정리하기

행정행위의 분류

한의사 면허
▷ 허가

행정재산에 대한 사용허가
▷ 특허

재개발조합 설립인가
▷ 특허

재개발조합 사업시행계획 인가
▷ 인가

2018년 서울시 9급

① (×) 한의사 면허는 경찰금지를 해제하는 명령적 행위(강학상 허가)에 해당하고, 한약조제시험을 통하여 약사에게 한약조제권을 인정함으로써 한의사들의 영업상 이익이 감소되었다고 하더라도 이러한 이익은 사실상의 이익에 불과하다(대판 1998.3.10. 97누4289).

② (○) 국유재산 등의 관리청이 하는 행정재산의 사용·수익에 대한 허가는 순전히 사경제주체로서 행하는 사법상의 행위가 아니라 관리청이 공권력을 가진 우월적 지위에서 행하는 행정처분으로서 특정인에게 행정재산을 사용할 수 있는 권리를 설정하여 주는 강학상 특허에 해당한다(대판 2006.3.9. 2004다31074).

유제 21. 국회직 8급 행정재산의 사용·수익에 대한 허가는 강학상 특허로서 공법관계의 일종이다. (○)

16. 서울시 7급 (서울지방국토관리청이 기획재정부장관으로부터 관할 행정재산 관리사무를 법률에 따라 위임받아 특정 행정재산의 사용허가를 한 경우) 서울지방국토관리청이 행하는 행정재산의 사용허가는 순전히 사경제 주체로서 행하는 사법상의 행위가 아니라 국가행정기관이 공권력을 보유한 우월적 지위에서 행하는 행정처분이다. (○)

18. 서울시 9급, 16. 경찰 2차, 15. 국회직 8급, 13. 행정사 국유재산의 관리청이 하는 행정재산의 사용·수익에 대한 허가는 강학상 특허에 해당한다. (○)

15. 지방직 7급, 10. 국회직 8급 행정재산의 사용·수익에 대한 허가는 특정인에게 행정재산을 사용할 수 있는 권리를 설정하여 주는 강학상 특허에 해당한다. (○)

③ (○) 대판 2010.1.28. 2009두4845

④ (○) 도시 및 주거환경정비법(이하 '도시정비법'이라 한다)에 기초하여 주택재개발정비사업조합이 수립한 사업시행계획은 그것이 인가·고시를 통해 확정되면 이해관계인에 대한 구속적 행정계획으로서 독립된 행정처분에 해당하므로, 사업시행계획을 인가하는 행정청의 행위는 주택재개발정비사업조합의 사업시행계획에 대한 법률상의 효력을 완성시키는 보충행위에 해당한다(대판 2010.12.9. 2009두4913).

유제 17. 국가직 7급, 16. 지방직 9급 「도시 및 주거환경정비법」상 주택재건축정비사업조합의 사업시행인가는 강학상 인가에 해당한다. (○)

17. 국가직 7급 「도시 및 주거환경정비법」상 도시환경정비사업조합이 수립한 사업시행계획인가는 강학상 인가에 해당한다. (○)

16. 국회직 8급 도시환경정비사업조합이 수립한 사업시행계획을 인가하는 행정청의 행위는 사업시행계획에 대한 법률상의 효력을 완성시키는 보충행위에 해당한다. (○)

답 ①

문제 DATA

출제가능 지수 ▶▶▷
난이도 지수 ★★☆

068 □□□

판례가 그 법적 성질을 다르게 본 것은?

① 학교환경위생정화구역의 금지행위해제
② 토지거래계약허가
③ 사회복지법인의 정관변경허가
④ 자동차관리사업자단체의 조합설립인가

2018년 서울시 9급

① (예외적 승인) 시·도교육위원회교육감 또는 교육감이 지정하는 자가 학교환경위생정화구역 안에서의 금지행위 및 시설의 해제신청에 대하여 그 행위 및 시설이 학습과 학교보건에 나쁜 영향을 주지 않는 것인지의 여부를 결정하여 그 금지행위 및 시설을 해제하거나 계속하여 금지(해제거부)하는 조치는 시·도교육위원회교육감 또는 교육감이 지정하는 자의 재량행위에 속하는 것이다(대판 1996.10.29. 96누8253).

② (인가) 대판 1991.12.24. 90다12243 전합
③ (인가) 대판 1996.5.16. 95누4810 전합
④ (인가) 대판 2015.5.29. 2013두635

답 ①

함께 정리하기

행정행위의 성질

학교환경위생정화구역의 금지행위해제
▷ 예외적 승인

토지거래계약허가
▷ 인가

사회복지법인의 정관변경허가
▷ 인가

「자동차관리법」상 사업자단체조합 설립인가
▷ 인가

069

허가에 관련된 판례의 입장으로 옳지 않은 것은?

① 인·허가 등 수익적 행정처분을 신청한 여러 사람이 서로 경원관계에 있어서 한 사람에 대한 허가 등 처분이 다른 사람에 대한 불허가 등으로 귀결될 수밖에 없을 때 허가 등 처분을 받지 못한 사람은 신청에 대한 거부처분의 직접 상대방으로서 원칙적으로 자신에 대한 거부처분의 취소를 구할 원고적격이 있고 특별한 사정이 없는 한 자신에 대한 거부처분의 취소를 구할 소의 이익이 있다.

② 공익법인의 기본재산에 대한 감독관청의 처분허가는 그 성질상 특정 상대에 대한 처분행위의 허가가 아니고 처분의 상대가 누구이든 이에 대한 처분행위를 보충하여 유효하게 하는 행위라 할 것이므로 그 처분행위에 따른 권리의 양도가 있는 경우에도 처분이 완전히 끝날 때까지는 허가의 효력이 유효하게 존속한다.

③ 건축허가를 받은 자가 법정 착수기간이 지나 공사에 착수한 경우, 허가권자는 착수기간이 지났음을 이유로 건축허가를 취소하여야 한다.

④ 어업에 관한 허가 또는 신고에 유효기간연장제도가 마련되어 있지 않은 경우 그 유효기간이 경과하면 그 허가나 신고의 효력이 당연히 소멸하며, 재차 허가를 받거나 신고를 하더라도 허가나 신고의 기간만 갱신되어 종전의 어업허가나 신고의 효력 또는 성질이 계속된다고 볼 수 없고 새로운 허가 내지 신고로서의 효력이 발생한다고 할 것이다.

⑤ 정당한 어업허가를 받고 공유수면매립사업지구 내에서 허가어업에 종사하고 있던 어민들에 대하여 손실보상을 할 의무가 있는 사업시행자가 손실보상의무를 이행하지 아니한 채 공유수면매립공사를 시행함으로써 실질적이고 현실적인 침해를 가한 때에는 불법행위를 구성하는 것이고, 이 경우 허가어업자들이 입게 되는 손해는 그 손실보상금 상당액이다.

2018년 국회직 8급

① (○) 인가·허가 등 수익적 행정처분을 신청한 여러 사람이 서로 경원관계에 있어서 한 사람에 대한 허가 등 처분이 다른 사람에 대한 불허가 등으로 귀결될 수밖에 없을 때 허가 등 처분을 받지 못한 사람은 신청에 대한 거부처분의 직접 상대방으로서 원칙적으로 자신에 대한 거부처분의 취소를 구할 원고적격이 있고, … 특별한 사정이 없는 한 경원관계에서 허가 등 처분을 받지 못한 사람은 자신에 대한 거부처분의 취소를 구할 소의 이익이 있다(대판 2015.10.29. 2013두27517).

② (○) 공익법인의 기본재산에 대한 감독관청의 처분허가는 그 성질상 특정 상대에 대한 처분행위의 허가가 아니고 처분의 상대가 누구이든 이에 대한 처분행위를 보충하여 유효하게 하는 행위라 할 것이므로 그 처분행위에 따른 권리의 양도가 있는 경우에도 처분이 완전히 끝날 때까지는 허가의 효력이 유효하게 존속한다(대판 2005.9.28. 2004다50044).

③ (×) 구 건축법 제11조 제7항은 건축허가를 받은 자가 허가를 받은 날부터 1년 이내에 공사에 착수하지 아니한 경우에 허가권자는 허가를 취소하여야 한다고 규정하면서도, 정당한 사유가 있다고 인정되면 1년의 범위에서 공사의 착수기간을 연장할 수 있다고 규정하고 있을 뿐이며, 건축허가를 받은 자가 착수기간이 지난 후 공사에 착수하는 것 자체를 금지하고 있지 아니하다. 이러한 법 규정에는 건축허가의 행정목적이 신속하게 달성될 것을 추구하면서도 건축허가를 받은 자의 이익을 함께 보호하려는 취지가 포함되어 있으므로, 건축허가를 받은 자가 건축허가가 취소되기 전에 공사에 착수하였다면 허가권자는 그 착수기간이 지났다고 하더라도 건축허가를 취소하여야 할 특별한 공익상 필요가 인정되지 않는 한 건축허가를 취소할 수 없다. 이는 건축허가를 받은 자가 건축허가가 취소되기 전에 공사에 착수하려 하였으나 허가권자의 위법한 공사중단명령으로 공사에 착수하지 못한 경우에도 마찬가지이다(대판 2017.7.11. 2012두22973).

④ (○) 대판 2011.7.28. 2011두5728

⑤ (○) 어민들에 대하여 손실보상을 할 의무가 있는 사업시행자가 손실보상의무를 이행하지 아니한 채 공유수면매립공사를 시행함으로써 실질적이고 현실적인 침해를 가한 때에는 불법행위를 구성하는 것이고, 이 경우 허가어업자들이 입게 되는 손해는 그 손실보상금 상당액이다(대판 1999.11.23. 98다11529).

답 ③

함께 정리하기

허가

경원관계에서 처분 받지 못한 사람
▷ 원고적격·소의 이익 有

공익법인 기본재산 처분허가는 인가
▷ 처분 종료시까지 허가효력존속

법정 착수기간 경과 후 공사착수
▷ 건축허가취소 不可

유효기간연장제도 없는 어업허가·신고
▷ 새로운 허가·신고효력

손실보상 없이 공유수면매립
▷ 불법행위 손해배상청구 可

문제 DATA

출제가능 지수 ▶▶▷
난이도 지수 ★★☆

070 □□□

강학상 허가에 대한 설명으로 가장 옳지 않은 것은? (다툼이 있는 경우 판례에 의함)

① 유료직업 소개사업의 허가갱신은 허가취득자에게 종전의 지위를 계속 유지시키는 효과를 갖는 것에 불과하고 갱신 후에는 갱신 전의 법위반사항을 불문에 붙이는 효과를 발생하는 것이 아니므로 일단 갱신이 있은 후에도 갱신 전의 법위반사실을 근거로 허가를 취소할 수 있다.

② 지주이용간판 설치허가를 받은 자가 기간연장허가를 받지 아니한 경우에는 그 허가는 특단의 사정이 없는 한 기한이 도래함으로써 별도의 행위를 기다릴 것 없이 당연히 효력이 상실되고, 종전 허가의 유효기간이 지나서 신청한 기간연장신청은 그에 대한 종전의 허가처분을 전제로 하여 단순히 그 유효기간을 연장하여 주는 행정처분을 구하는 것이라기 보다는 종전의 허가처분과는 별도의 새로운 허가를 내용으로 하는 행정처분을 구하는 것이라고 보아야 할 것이다.

③ 일반적으로 행정처분에 효력기간이 정하여져 있는 경우에는 그 기간의 경과로 그 행정처분의 효력은 상실되나 허가에 붙은 기한이 그 허가된 사업의 성질상 부당하게 짧은 경우에는 이를 허가자체의 존속기간이라고 볼 수 없으므로 연장신청이 없는 상태에서 허가기간이 만료하였다는 사정만으로 곧바로 그 허가의 효력이 상실되었다고 할 수는 없다.

④ 어업에 관한 허가 또는 신고의 경우에는 어업면허와 달리 유효기간연장제도가 마련되어 있지 아니하므로 그 유효기간이 경과하면 그 허가나 신고의 효력이 당연히 소멸하며, 재차 허가를 받거나 신고를 하더라도 허가나 신고의 기간만 갱신되어 종전의 어업허가나 신고의 효력 또는 성질이 계속된다고 볼 수 없고 새로운 허가내지 신고로서의 효력이 발생한다고 할 것이다.

2018년 경찰 3차

① (○) 대판 1982.7.27. 81누174
② (○) 지주이용간판을 설치하고자 하는 자는 대통령령이 정하는 바에 의하여 시, 도지사 등의 허가를 받아야 하고, 그와 같이 허가를 받은 자가 그 표시기간을 연장하고자 하는 때에는 그 기간종료일 10일전까지 시, 도지사 등의 허가를 받아야 한다고 규정하고 있으므로, 그와 같은 <u>기간연장허가를 받지 아니한 경우에는 그 허가는 특단의 사정이 없는 한 기한이 도래함으로써 별도의 행위를 기다릴 것 없이 당연히 효력이 상실되는 것</u>이라 할 것인바, 원고는 이 사건 지주이용간판 3개에 관한 허가기간 3년이 훨씬 지난 후인 1994.1.11.에야 피고에게 위 간판의 표시허가기간을 연장해 줄 것을 신청하였음은 앞서 본 바와 같으므로, 종전의 원고에 대한 광고물설치허가는 기한의 도래로 실효되었다 할 것이고, 이와 같이 종전의 허가가 기한의 도래로 실효한 이상 원고가 <u>종전 허가의 유효기간이 지나서 신청한 이 사건 기간연장신청은 그에 대한 종전의 허가처분을 전제로 하여 단순히 그 유효기간을 연장하여 주는 행정처분을 구하는 것이라기 보다는 종전의 허가처분과는 별도의 새로운 허가를 내용으로 하는 행정처분을 구하는 것이라고 보아야 할 것이어서</u>, 이러한 경우 허가권자는 이를 새로운 허가신청으로 보아 법의 관계규정에 의하여 허가요건의 적합 여부를 새로이 판단하여 그 허가 여부를 결정하여야 할 것이다(대판 1995.11.10. 94누11866).
③ (×) 일반적으로 행정처분에 효력기간이 정하여져 있는 경우에는 그 기간의 경과로 그 행정처분의 효력은 상실되고, 다만 <u>허가에 붙은 기한이 그 허가된 사업의 성질상 부당하게 짧은 경우에는 이를 그 허가 자체의 존속기간이 아니라 그 허가조건의 존속기간으로 보아 그 기한이 도래함으로써 그 조건의 개정을 고려한다는 뜻으로 해석할 수는 있지만, 그와 같은 경우라 하더라도 그 허가기간이 연장되기 위하여는 그 종기가 도래하기 전에 그 허가기간의 연장에 관한 신청이 있어야 하며, 만일 그러한 연장신청이 없는 상태에서 허가기간이 만료하였다면 그 허가의 효력은 상실된다</u>(대판 2007.10.11. 2005두12404).
④ (○) 대판 2011.7.28. 2011두5728

답 ③

함께 정리하기

허가

허가 갱신 후
▷ 갱신 전 법위반사실로 취소 가

허가기간 경과 후 신청
▷ 새로운 허가신청

허가에 붙은 기한이 부당히 짧은 경우
▷ 허가조건의 존속기간

유효기간의 만료 후 어업허가
▷ 새로운 허가

071

행정행위의 내용과 구체적 사례를 바르게 연결한 것은? (다툼이 있는 경우 판례에 의함)

> ㄱ. 특정인에 대하여 새로운 권리·능력 또는 포괄적 법률관계를 설정하는 행위
> ㄴ. 행정청이 타자의 법률행위를 동의로써 보충하여 그 행위의 효력을 완성시켜주는 행위

> A. 「도시 및 주거환경정비법」상 주택재건축정비사업조합의 설립인가
> B. 「자동차관리법」상 사업자단체조합의 설립인가
> C. 「도시 및 주거환경정비법」상 도시환경정비사업조합이 수립한 사업시행계획인가
> D. 「도시 및 주거환경정비법」상 토지 등 소유자들이 조합을 따로 설립하지 않고 직접 시행하는 도시환경정비사업시행인가
> E. 「출입국관리법」상 체류자격 변경허가

① ㄱ - A, D, E
② ㄴ - B, C, D
③ ㄱ - A, C, D
④ ㄴ - B, D, E

2017년 국가직 7급

ㄱ. 특정인에 대하여 새로운 권리·능력 또는 포괄적 법률관계를 설정하는 행위는 특허이다.
  A. (특허) 대판 2009.9.24. 2008다60568
  D. (특허) 대판 2013.6.13. 2011두19994
  E. (특허) 대판 2016.7.14. 2015두48846
ㄴ. 행정청이 타자의 법률행위를 동의로써 보충하여 그 법률효과를 완성시켜주는 행위는 인가이다.
  B. (인가) 대판 2015.5.29. 2013두635
  C. (인가) 대판 2010.12.9. 2009두4913

답 ①

함께 정리하기

특허와 인가

주택재건축정비사업조합 설립인가
▷ 특허

「자동차관리법」상 사업자단체조합 설립인가
▷ 인가

도시환경정비사업조합이 수립한 사업시행계획인가
▷ 인가

토지 등 소유자들이 직접 시행하는 도시환경정비사업시행인가
▷ 특허

체류자격 변경허가
▷ 특허

072

행정행위에 대한 설명으로 옳은 것은? (다툼이 있는 경우 판례에 의함)

① 하명의 대상은 불법광고물의 철거와 같은 사실행위에 한정된다.
② 허가의 갱신은 허가취득자에게 종전의 지위를 계속 유지시키는 효과를 갖게 하는 것으로 갱신 후라도 갱신 전 법위반사실을 근거로 허가를 취소할 수 있다.
③ 인가처분에 하자가 없더라도 기본행위의 하자를 이유로 행정청의 인가처분의 취소 또는 무효확인을 구할 법률상 이익이 인정된다.
④ 제소기간이 이미 도과하여 불가쟁력이 생긴 행정처분에 대하여는 관계 법령의 해석상 그 변경을 요구할 신청권이 인정될 수 있는 경우라 하더라도 국민에게 그 행정처분의 변경을 구할 신청권이 없다.

함께 정리하기

행정행위

하명의 대상
▷ 법률행위 & 사실행위

허가 갱신 후
▷ 갱신 전 법위반사실로 취소 可

인가에 하자 無
▷ 기본행위의 하자 이유로 인가 취소 or 무효확인 不可

불가쟁력 발생 후
▷ 관계 법령의 해석상 처분 변경신청권 인정 여지 有

문제 DATA

출제가능 지수 ▶▶▷
난이도 지수 ★★☆

함께 정리하기

인가

인가는 효력 요건
▷ 인가 없으면 효력 無

기본행위 하자
▷ 인가 있더라도 유효 ✕

인가 자체의 하자
▷ 인가처분 다툴 수 ○

인가는 보충적 행위
▷ 기본행위는 사인의 법률행위

2017년 국가직 7급

① (✕) 하명의 대상은 사실행위(예 불법광고물의 철거, 통행금지 등)뿐만 아니라 법률행위(예 조세부과 등)일 수도 있다.
② (○) 대판 1982.7.27. 81누174
③ (✕) 인가는 기본행위인 재단법인의 정관변경에 대한 법률상의 효력을 완성시키는 보충행위로서, 그 기본이 되는 정관변경 결의에 하자가 있을 때에는 그에 대한 인가가 있었다 하여도 기본행위인 정관변경 결의가 유효한 것으로 될 수 없다(대판 1996.5.16. 95누4810 전합).
④ (✕) 불가쟁력이 생긴 행정처분에 대하여 관계 법령의 해석상 그 변경을 요구할 신청권이 인정될 수 있는 경우에는 국민에게 그 행정처분의 변경을 구할 신청권이 있다고 봐야 한다.

> 제소기간이 이미 도과하여 불가쟁력이 생긴 행정처분에 대하여는 개별 법규에서 그 변경을 요구할 신청권을 규정하고 있거나 관계 법령의 해석상 그러한 신청권이 인정될 수 있는 등 특별한 사정이 없는 한 국민에게 그 행정처분의 변경을 구할 신청권이 있다 할 수 없다(대판 2007.4.26. 2005두11104).

답 ②

073 ☐☐☐

강학상 인가에 대한 설명으로 옳지 않은 것은? (다툼이 있는 경우 판례에 의함)

① 공유수면매립면허로 인한 권리의무의 양도·양수약정은 이에 대한 면허관청의 인가를 받지 않은 이상 법률상 효력이 발생하지 않는다.
② 기본행위에 하자가 있을 때에는 그에 대한 인가가 있었다고 하여도 기본행위가 유효한 것으로 될 수 없다.
③ 기본행위는 적법하고 인가 자체에만 하자가 있다면 그 인가의 무효나 취소를 주장할 수 있다.
④ 인가의 대상이 되는 기본행위는 법률적 행위일 수도 있고, 사실행위일 수도 있다.

2017년 국가직 9급

① (○) 대판 1991.6.25. 90누5184
② (○) 기본행위에 하자가 있으면 행정청의 인가가 있어도 기본행위는 유효한 것으로 될 수 없다.
③ (○) 대판 1996.5.16. 95누4810 전합
④ (✕) 인가는 사인의 법률행위를 대상으로 그 효력을 완성시켜주는 보충적 행위이다. 사실행위는 인가의 대상이 아니다. 이는 법률행위와 사실행위 모두를 대상으로 하는 허가와 구분된다.

유제 10. 서울시 9급 허가의 대상은 사실행위와 법률행위지만 인가는 법률행위만 속한다. (○)

답 ④

074

영업허가의 양도와 제재처분의 효과 및 제재사유의 승계에 대한 설명으로 가장 옳지 않은 것은? (다툼이 있는 경우 판례에 의함)

① 양도인의 위법행위로 양도인에게 이미 제재처분이 내려진 경우에 영업정지 등 그 제재처분의 효력은 양수인에게 당연히 이전된다.
② 주택건설사업이 양도되었으나 그 변경승인을 받기 이전에 행정청이 양수인에 대하여 양도인에 대한 사업계획승인을 취소하였다는 사실을 통지한 경우 이러한 통지는 양수인의 법률상 지위에 변동을 일으키므로 행정처분이다.
③ 회사분할 시 분할 전 회사에 대한 제재사유가 신설회사에 대하여 승계되지 않으므로 회사의 분할 전 법 위반행위를 이유로 과징금을 부과하는 것은 허용되지 않는다.
④ 양도인이 위법행위를 한 후 제재를 피하기 위하여 영업을 양도한 경우 그 제재사유의 승계에 관하여 명문의 규정이 없는 경우, 위법행위로 인한 제재사유는 항상 인적 사유이고 경찰책임 중 행위책임의 문제라는 논거는 승계부정설의 논거이다.

2017년 서울시 9급

① (○) 양도인의 위법행위로 제재처분이 내려진 경우 그 제재처분의 효과는 이미 양도의 대상이 된 영업의 물적상태가 된 것이므로 양수인에게도 당연히 미친다. 이 경우 영업허가가 정지된 사실을 모르고 영업을 양수한 자(선의의 양수인)는 양도인에게 민사책임을 물을 수 있다.
② (×) 주택건설사업계획에 있어서 사업주체변경의 승인은 그로 인하여 사업주체의 변경이라는 공법상의 효과가 발생하는 것이므로, 사실상 내지 사법상으로 주택건설사업 등이 양도·양수되었을지라도 아직 변경승인을 받기 이전에는 그 사업계획의 피승인자는 여전히 종전의 사업주체인 양도인이고 양수인이 아니라 할 것이어서, 사업계획승인취소처분 등의 사유가 있는지의 여부와 취소사유가 있다고 하여 행하는 취소처분은 피승인자인 양도인을 기준으로 판단하여 그 양도인에 대하여 행하여져야 할 것이므로 <u>행정청이 주택건설사업의 양수인에 대하여 양도인에 대한 사업계획승인을 취소하였다는 사실을 통지한 것만으로는 양수인의 법률상 지위에 어떠한 변동을 일으키는 것은 아니므로 위 통지는 항고소송의 대상이 되는 행정처분이라고 할 수는 없다</u>(대판 2000.9.26. 99두646).
③ (○) 신설회사 또는 존속회사가 승계하는 것은 분할하는 회사의 권리와 의무라 할 것인바, 분할하는 회사의 분할 전 법 위반행위를 이유로 과징금이 부과되기 전까지는 단순한 사실행위만 존재할 뿐 그 과징금과 관련하여 분할하는 회사에게 승계의 대상이 되는 어떠한 의무가 있다고 할 수 없고, <u>특별한 규정이 없는 한 신설회사에 대하여 분할하는 회사의 분할 전 법 위반행위를 이유로 과징금을 부과하는 것은 허용되지 않는다</u>(대판 2007.11.29. 2006두18928).
④ (○) 제재사유의 승계에 관한 명문의 규정이 없는 경우 승계 여부에 관한 부정설은 ㉠ 양도인의 법령위반으로 인한 제재사유는 인적 사유이므로 명문의 규정이 없는 한 양수인에게 이전될 수 없고, ㉡ 양도인의 위법행위로 인한 제재는 경찰행정법상 행위책임에 속하는 문제이므로 양도인의 위법행위로 인한 제재사유는 명문의 규정이 없는 한 양수인에게 승계되지 않는다는 것을 논거로 들고 있다.

답 ②

문제 DATA
출제가능 지수 ▶▶▷
난이도 지수 ★★☆

함께 정리하기

허가의 양도

양도인에 대한 제재처분의 효력
▷ 양수인에게 당연이전○

주택건설사업 양도 후 변경승인 전
▷ 양수인에게 양도인에 대한 사업계획승인 취소 통지 → 처분×

회사분할
▷ 분할 전 법 위반행위를 이유로 과징금 부과 불가

제재사유 승계부정설 논거
▷ 인적 사유 & 경찰책임 중 행위책임의 문제

문제 DATA
출제가능 지수 ▶▶▷
난이도 지수 ★★☆

075 ☐☐☐

甲은 「여객자동차 운수사업법」상 일반택시운송사업면허를 받아 사업을 운영하던 중, 자신의 사업을 乙에게 양도하고자 乙과 양도·양수계약을 체결하고 관련 법령에 따라 乙이 사업의 양도·양수신고를 하였다. 이와 관련한 설명으로 옳지 않은 것은? (다툼이 있는 경우 판례에 의함)

① 甲에 대한 일반택시운송사업면허는 원칙상 재량행위에 해당한다.
② 사업의 양도·양수에 대한 신고를 수리하는 행위는 「행정절차법」의 적용대상이 된다.
③ 甲과 乙 사이의 사업양도·양수계약이 무효이더라도 이에 대한 신고의 수리가 있게 되면 사업양도의 효과가 발생한다.
④ 사업의 양도·양수신고가 수리된 경우, 甲은 민사쟁송으로 양도·양수행위의 무효를 구함이 없이 곧바로 항고소송으로 신고 수리의 무효확인을 구할 법률상 이익이 있다.

2017년 지방직 7급

① (○) 대판 2007.2.8. 2006두13886
② (○) 대판 2003.2.14. 2001두7015
③ (×), ④ (○) 사업양도·양수계약이 무효이면 신고의 수리가 있더라도 수리는 무효이다. 또한 양도인은 항고소송으로 직접 수리행위를 다툴 수 있다.

> 사업양도·양수에 따른 허가관청의 지위승계신고의 수리는 적법한 사업의 양도·양수가 있었음을 전제로 하는 것이므로 그 수리대상인 사업양도·양수가 존재하지 아니하거나 무효인 때에는 수리를 하였다 하더라도 그 수리는 유효한 대상이 없는 것으로서 당연히 무효라 할 것이고, 사업의 양도행위가 무효라고 주장하는 양도자는 민사쟁송으로 양도·양수행위의 무효를 구함이 없이 막바로 허가관청을 상대로 하여 행정소송으로 위 신고수리처분의 무효확인을 구할 법률상 이익이 있다(대판 2005.12.23. 2005두3554).

답 ③

함께 정리하기

사업양도·양수사례

일반택시운송사업면허
▷ 재량행위

사업의 양도·양수신고수리
▷「행정절차법」적용 ○

사업양도·양수계약 무효
▷ 수리는 당연무효, 사업양도 효과 ×

무효인 사업의 양도·양수신고수리
▷ 신고수리 무효확인의 법률상 이익 ○ (항고소송)

문제 DATA
출제가능 지수 ▶▶▷
난이도 지수 ★★☆

076 ☐☐☐

판례의 입장으로 옳지 않은 것은?

①「출입국관리법」상 체류자격 변경허가는 설권적 처분에 해당하며, 재량행위의 성격을 가진다.
② 인·허가의제의 효과를 수반하는 건축신고는 수리를 요하는 신고에 해당한다.
③ 행정청이 구「체육시설의 설치·이용에 관한 법률」의 규정에 의하여 체육시설업자 지위승계신고를 수리하는 처분을 하는 경우, 종전 체육시설업자에 대하여 「행정절차법」상 사전통지 등 절차를 거칠 필요는 없다.
④ 망인에 대한 서훈취소는 유족에 대한 것이 아니므로 유족에 대한 통지에 의해서만 성립하여 효력이 발생한다고 볼 수 없고, 그 결정이 처분권자의 의사에 따라 상당한 방법으로 대외적으로 표시됨으로써 행정행위로서 성립하여 효력이 발생한다고 봄이 타당하다.

2017년 지방직 9급

① (○) 대판 2016.7.14. 2015두48846
② (○) 인·허가의제 효과를 수반하는 건축신고는 일반적인 건축신고와는 달리, 특별한 사정이 없는 한 행정청이 그 실체적 요건에 관한 심사를 한 후 수리하여야 하는 이른바 '수리를 요하는 신고'로 보는 것이 옳다(대판 2011.1.20. 2010두14954 전합).
③ (×) 유원시설업자 또는 체육시설업자 지위승계신고를 수리하는 처분은 종전 유원시설업자 또는 체육시설업자의 권익을 제한하는 처분이고, 종전 유원시설업자 또는 체육시설업자는 그 처분에 대하여 직접 그 상대가 되는 자에 해당한다고 보는 것이 타당하므로, 행정청이 그 신고를 수리하는 처분을 할 때에는 행정절차법 규정에서 정한 당사자에 해당하는 종전 유원시설업자 또는 체육시설업자에 대하여 행정절차법 제21조 제1항 등에서 정한 처분의 사전통지 등 절차를 거쳐야 한다(대판 2012.12.13. 2011두29144).
④ (○) 행정행위가 성립하기 위해서는 공식적으로 외부에 표시하는 행위가 있어야 한다.

> 서훈은 어디까지나 서훈대상자 본인의 공적과 영예를 기리기 위한 것이므로 비록 유족이라고 하더라도 제3자는 서훈수여 처분의 상대방이 될 수 없고, 망인에게 수여된 서훈의 취소에서도 유족은 그 처분의 상대방이 되는 것이 아니다. 이와 같이 망인에 대한 서훈취소는 유족에 대한 것이 아니므로 유족에 대한 통지에 의해서만 성립하여 효력이 발생한다고 볼 수 없고, 그 결정이 처분권자의 의사에 따라 상당한 방법으로 대외적으로 표시됨으로써 행정행위로서 성립하여 효력이 발생한다고 봄이 타당하다(대판 2014.9.26. 2013두2518).

답 ③

함께 정리하기

판례정리

체류자격 변경허가
▷ 특허
▷ 재량행위

인·허가의제 효과 수반하는 건축신고
▷ 수리를 요하는 신고

체육시설업자 지위승계신고 수리
▷ 「행정절차법」 소정의 절차준수 要

망인에 대한 서훈취소의 효력발생
▷ 외부적 표시 要

---

077 □□□

다음 <보기> 중 강학상 특허인 것을 모두 고른 것은? (다툼이 있는 경우 판례에 의함)

<보기>
ㄱ. 공유수면매립면허
ㄴ. 재건축조합설립인가
ㄷ. 운전면허
ㄹ. 「여객자동차운수사업법」에 따른 개인택시운송사업면허
ㅁ. 귀화허가
ㅂ. 재단법인의 정관변경허가
ㅅ. 사립학교법인 임원취임에 대한 승인

① ㄱ, ㄷ
② ㄴ, ㄹ, ㅅ
③ ㄱ, ㄴ, ㄹ, ㅁ
④ ㄱ, ㄴ, ㅁ, ㅂ

2017년 사회복지직

ㄱ. (특허) 공유수면매립면허는 설권행위인 특허의 성질을 갖는 것이므로 원칙적으로 행정청의 자유재량에 속하며, 일단 실효된 공유수면매립면허의 효력을 회복시키는 행위도 특단의 사정이 없는 한 새로운 면허부여와 같이 면허관청의 자유재량에 속한다고 할 것이다(대판 1989.9.12. 88누9206).

유제 16. 행정사, 11. 사복직 공유수면매립면허는 강학상 특허에 해당한다. (○)
14. 사복직 「공유수면매립법」에 따른 공유수면매립면허는 강학상 허가의 성질을 가진다. (×)
13. 지방직 7급 공유수면매립면허는 설권행위인 특허의 성질을 갖는 것이므로 원칙적으로 행정청의 자유재량에 속한다. (○)

문제 DATA

출제가능 지수 ▶▶∑
난이도 지수 ★★☆

함께 정리하기

특허해당 여부
▷ 공유수면매립면허 ○
▷ 재건축조합설립인가 ○
▷ 운전면허 ×
▷ 개인택시운송사업면허 ○
▷ 귀화허가 ○
▷ 재단법인정관변경허가 ×
▷ 사립학교법인 임원취임승인 ×

ㄴ. (특허) 대판 2009.9.24. 2008다60568
ㄷ. (허가) 운전면허는 예방적 금지의 해제로 자연적 자유를 회복시켜주는 강학상 허가에 해당한다.

> 운전면허는 일정한 자격의 취득으로 도로교통에 위험과 장해를 줄 염려가 없다고 인정되는 자에게 행정청이 운전금지를 해제하여 자동차등을 운전할 수 있도록 허가하는 제도이다(헌재 2015.5.28. 2013헌가6).

ㄹ. (특허) 대판 2007.2.8. 2006두13886
ㅁ. (특허) 대판 2010.7.15. 2009두19069
ㅂ. (인가) 대판 1996.5.16. 95누4810 전합
ㅅ. (인가) 대판 2007.12.27. 2005두9651

답 ③

078

인가에 대한 설명으로 옳지 않은 것은? (다툼이 있는 경우 판례에 의함)

① 조합설립추진위원회 구성승인처분은 조합의 설립을 위한 주체인 추진위원회의 구성행위를 보충하여 그 효력을 부여하는 처분으로 인가에 해당한다.
② 주택재건축조합설립 인가 후 주택재건축조합설립결의의 하자를 이유로 조합설립인가처분의 무효확인을 구하기 위해서는 직접 항고소송의 방법으로 확인을 구할 수 없으며, 조합설립결의부분에 대한 효력 유무를 민사소송으로 다툰 후 인가의 무효확인을 구해야 한다.
③ 도시 및 주거환경정비법령상 조합설립인가처분은 법령상 요건을 갖출 경우 「도시 및 주거환경정비법」상 주택재건축사업을 시행할 수 있는 권한을 갖는 행정주체로서의 지위를 부여하는 설권적 처분의 효력을 갖는다.
④ 「사립학교법」상 관할관청의 임원취임승인행위는 학교법인의 임원선임행위의 법률상 효력을 완성하게 하는 법률행위로 인가에 해당한다.

| 2017년 서울시 7급

① (○) 대판 2013.1.31. 2011두11112
② (×) 구 도시 및 주거환경정비법상 재개발조합설립 인가신청에 대하여 행정청의 조합설립인가처분이 있은 이후에 조합설립결의에 하자가 있음을 이유로 재개발조합 설립의 효력을 부정하기 위해서는 항고소송으로 조합설립인가처분의 효력을 다투어야 하고, 특별한 사정이 없는 한 이와는 별도로 민사소송으로 조합설립결의에 대하여 무효확인을 구할 확인의 이익은 없다고 보아야 한다(대결 2009.9.24. 2009마168·169).
③ (○) 대판 2009.9.24. 2008다60568
④ (○) 대판 2007.12.27. 2005두9651

답 ②

문제 DATA

출제가능 지수 ▶▶▷
난이도 지수 ★★☆

함께 정리하기

인가
조합설립추진위원회 구성승인
▷ 인가
설립인가 후 조합설립결의 하자
▷ 조합설립인가처분에 대해 소제기
주택재건축조합설립인가
▷ 특허
사립학교법인 임원취임승인
▷ 인가

079

인가에 대한 설명으로 옳은 것을 모두 고른 것은? (다툼이 있는 경우 판례에 의함)

> ㄱ. 행정청이 타인의 법률적 행위를 보충하여 그 법률적 효력을 완성시켜 주는 행정행위를 말한다.
> ㄴ. 사립학교법인의 임원에 대한 취임승인행위는 인가에 해당한다.
> ㄷ. 인가는 공법상의 행정처분이다.
> ㄹ. 무효인 기본행위를 인가한 경우 그 기본행위는 유효한 행위로 전환된다.

① ㄱ, ㄷ
② ㄷ, ㄹ
③ ㄱ, ㄴ, ㄷ
④ ㄴ, ㄷ, ㄹ
⑤ ㄱ, ㄴ, ㄷ, ㄹ

2017년 행정사

ㄱ. (○) 인가란 행정청이 타자의 법률행위를 동의로써 보충하여 그 법률적 효력을 완성하여 주는 행정행위를 말한다.
ㄴ. (○) 대판 2007.12.27. 2005두9651
ㄷ. (○) 법률행위적 행정행위란 행정청의 의사표시(효과 의사)를 구성 요소로 하여, 그 효과 의사에 따라 일정한 법적 효과를 발생케 하는 행정행위이다. 이에 대해서는 일반적으로 항고소송의 대상으로서 처분성이 인정된다. 따라서 법률행위적 행정행위의 한 종류인 인가도 행정처분으로 볼 것이다. 판례(대판 1996.5.16. 95누4810 전합)도 인가의 처분성을 긍정하는 전제에서 인가처분의 무효 또는 취소 주장이 가능하다고 보았다.
ㄹ. (×) 기본행위가 무효인 경우에는 인가가 있더라도 인가의 보충적 성질 때문에 그 기본행위가 유효한 행위로 전환되지 않는다.

답 ③

함께 정리하기
인가

타인의 법률행위를 보충하여 효력 완성
사립학교법인 임원취임승인
▷ 인가
공법상 행정처분○
무효인 기본행위를 인가
▷ 유효한 기본행위로 전환×

II 준법률행위적 행정행위

080

다음 중 행정행위에 대한 설명으로 가장 옳지 않은 것은? (다툼이 있는 경우 판례에 의함)

① 행정청이 구「도시 및 주거환경정비법」등 관련 법령에 근거하여 행하는 조합설립인가처분은 법령상 요건을 갖출 경우 「도시 및 주거환경정비법」상 주택재건축사업을 시행할 수 있는 권한을 갖는 행정주체(공법인)로서의 지위를 부여하는 일종의 설권적 처분의 성격을 갖는다.
② 구「친일반민족행위자 재산의 국가귀속에 관한 특별법」에 정한 친일재산은 친일 반민족행위자 재산조사위원회가 국가귀속결정을 하여야 비로소 국가의 소유로 되는 것이 아니다.
③ 국민건강보험공단이 甲 등에게 한 '직장가입자 자격상실 및 자격변동 안내' 통보 및 '사업장 직권탈퇴에 따른 가입자 자격상실 안내' 통보는 항고소송의 대상이 되는 처분이 아니다.
④ 교통안전공단이 그 사업목적에 필요한 재원으로 시용할 기금 조성을 위하여 구「교통안전공단법」에 정한 분담금 납부의무자에 대하여 한 분담금 납부통지는 그 납부의무자의 구체적인 분담금 납부의무를 확정시키는 효력을 갖는 행정처분이 아니다.

함께 정리하기

행정행위

「도시 및 주거환경정비법」상 조합설립인가처분
▷ 특허(설권적 처분)

친일재산
▷ 법 시행에 따라 취득·증여등 원인행위 시에 소급하여 당연히 국가 소유

국민건강보험공단의 '직장가입자 자격상실 및 자격변동 안내' 통보 등
▷ 행정처분 ✕

교통안전공단의 교통안전분담금 납부통지
▷ 행정처분 ○

2024년 군무원 9급

① (○) 행정청이 도시 및 주거환경정비법 등 관련 법령에 근거하여 행하는 조합설립인가처분은 단순히 사인들의 조합설립행위에 대한 보충행위로서의 성질을 갖는 것에 그치는 것이 아니라 법령상 요건을 갖출 경우 도시 및 주거환경정비법상 주택재건축사업을 시행할 수 있는 권한을 갖는 행정주체(공법인)로서의 지위를 부여하는 일종의 설권적 처분의 성격을 갖는다고 보아야 한다(대판 2009.9.24. 2008다60568 등).

② (○) 친일반민족행위자 재산의 국가귀속에 관한 특별법 제2조 제2호에 정한 친일재산은 친일반민족 행위자재산조사위원회가 국가귀속결정을 하여야 비로소 국가의 소유로 되는 것이 아니라 특별법의 시행에 따라 그 취득·증여 등 원인행위시에 소급하여 당연히 국가의 소유로 되고, 위 위원회의 국가귀속결정은 당해 재산이 친일재산에 해당한다는 사실을 확인하는 이른바 준법률행위적 행정행위의 성격을 가진다(대판 2008.11.13. 2008두13491).

③ (○) 국민건강보험공단이 甲 등에게 '직장가입자 자격상실 및 자격변동 안내' 통보 및 '사업장 직권탈퇴에 따른 가입자 자격상실 안내' 통보를 한 사안에서, 국민건강보험 직장가입자 또는 지역가입자 자격 변동은 법령이 정하는 사유가 생기면 별도 처분 등의 개입 없이 사유가 발생한 날부터 변동의 효력이 당연히 발생하므로, 국민건강보험공단이 甲 등에 대하여 가입자 자격이 변동되었다는 취지의 '직장가입자 자격상실 및 자격변동 안내' 통보를 하였거나, 그로 인하여 사업장이 국민건강보험법상의 적용대상사업장에서 제외되었다는 취지의 '사업장 직권탈퇴에 따른 가입자 자격상실 안내' 통보를 하였더라도, 이는 甲 등의 가입자 자격의 변동 여부 및 시기를 확인하는 의미에서 한 사실상 통지행위에 불과할 뿐, 위 각 통보에 의하여 가입자 자격이 변동되는 효력이 발생한다고 볼 수 없고, 또한 위 각 통보로 甲 등에게 지역가입자로서의 건강보험료를 납부하여야 하는 의무가 발생함으로써 甲 등의 권리의무에 직접적 변동을 초래하는 것도 아니라는 이유로, 위 각 통보의 처분성이 인정되지 않는다고 보아 그 취소를 구하는 甲 등의 소를 모두 각하한 원심판단이 정당하다고 한 사례(대판 2019.2.14. 2016두41729)

④ (✕) 구 「교통안전공단법」 제13조에 정한 분담금 납부의무자에 대하여 한 분담금 납부통지는 그 납부의무자의 구체적인 분담금 납부의무를 확정시키는 효력을 갖는 행정처분이라고 보아야 할 것이다(대판 2000.9.8. 2000다12716).

답 ④

081

판례에 의할 때 항고소송의 대상이 되는 행정처분에 해당하는 것을 모두 고른 것은?

```
ㄱ. 지목변경신청 반려행위
ㄴ. 건축물 용도변경신청 거부행위
ㄷ. 건축물대장 작성신청 반려행위
ㄹ. 토지대장 직권말소행위
ㅁ. 토지대장상의 소유자명의변경신청 거부행위
```

① ㄱ
② ㄴ, ㅁ
③ ㄷ, ㄹ, ㅁ
④ ㄱ, ㄴ, ㄷ, ㄹ
⑤ ㄱ, ㄴ, ㄷ, ㄹ, ㅁ

2023년 행정사

ㄱ. (○) 지목은 토지에 대한 공법상의 규제, 개발부담금의 부과대상, 지방세의 과세대상, 공시지가의 산정, 손실보상가액의 산정 등 토지행정의 기초로서 공법상의 법률관계에 영향을 미치고, 토지소유자는 지목을 토대로 토지의 사용·수익·처분에 일정한 제한을 받게 되는 점 등을 고려하면, <u>지목은 토지소유권을 제대로 행사하기 위한 전제요건으로서 토지소유자의 실체적 권리관계에 밀접하게 관련되어 있으므로 지적공부 소관청의 지목변경신청 반려행위는 국민의 권리관계에 영향을 미치는 것으로서 항고소송의 대상이 되는 행정처분에 해당한다</u>(대판 2004.4.22. 2003두9015).

  유제 23. 소방직, 21. 지방직 9급 지적공부 소관청의 지목변경신청 반려행위는 국민의 권리관계에 영향을 미치는 것으로서 항고소송의 대상이 되는 행정처분에 해당한다. (○)
  22. 국가직 7급 지적공부 소관청의 지목변경신청 반려행위는 국민의 권리관계에 영향을 미친다고 볼 수 없어서 행정처분에 해당하지 않는다. (×)
  19. 지방직 7급 토지소유권을 제대로 행사하기 위한 전제요건이므로 지적공부 소관청의 지목변경신청 반려행위는 항고소송의 대상이 되는 행정처분에 해당한다. (○)
  17. 국가직 9급 지적공부 소관청의 지목변경신청 반려행위는 행정사무의 편의와 사실증명의 자료로 삼기 위한 것이지 그 대장에 등재 여부는 어떠한 권리의 변동이나 상실효력이 생기지 않으므로 이를 항고소송의 대상으로 할 수 없다. (×)

ㄴ. (○) 구 건축법 제14조 제4항의 규정은 건축물의 소유자에게 건축물대장의 용도변경신청권을 부여한 것이고, 한편 건축물의 용도는 토지의 지목에 대응하는 것으로서 건물의 이용에 대한 공법상의 규제, 건축법상의 시정명령, 지방세 등의 과세대상 등 공법상 법률관계에 영향을 미치고, 건물소유자는 용도를 토대로 건물의 사용·수익·처분에 일정한 영향을 받게 된다. 이러한 점 등을 고려해 보면, <u>건축물대장의 용도는 건축물의 소유권을 제대로 행사하기 위한 전제요건으로서 건축물 소유자의 실체적 권리관계에 밀접하게 관련되어 있으므로, 건축물대장 소관청의 용도변경신청 거부행위는 국민의 권리관계에 영향을 미치는 것으로서 항고소송의 대상이 되는 행정처분에 해당한다</u>(대판 2009.1.30. 2007두7277).

  유제 22. 국가직 7급 건축물대장 소관청의 용도변경신청 거부행위는 국민의 권리관계에 영향을 미치는 것으로서 항고소송의 대상이 되는 행정처분에 해당한다. (○)
  17. 국가직 7급 판례에 의하면 행정청이 건축물대장의 용도변경신청을 거부한 행위는 처분성이 인정되지 않는다. (×)
  14. 서울시 7급 판례에 의하면 건축물대장 소관 행정청이 건축물대장의 용도변경신청을 거부하는 행위는 처분성이 인정된다. (○)

ㄷ. (○) 건축물대장 소관청의 작성신청 반려행위는 국민의 권리관계에 영향을 미치는 것으로서 항고소송의 대상이 되는 행정처분에 해당한다(대판 2009.2.12. 2007두17359).

  유제 19. 소방직 건축물대장 소관청의 건축물대장 작성신청 반려행위는 항고소송의 대상이 된다. (○)
  18. 서울시 7급 건축물대장 작성신청의 반려행위는 처분성이 인정된다. (○)

ㄹ. (○) 토지대장은 토지의 소유권을 제대로 행사하기 위한 전제요건으로서 토지 소유자의 실체적 권리관계에 밀접하게 관련되어 있으므로, 이러한 <u>토지대장을 직권으로 말소한 행위는 국민의 권리관계에 영향을 미치는 것으로서 항고소송의 대상이 되는 행정처분에 해당한다</u>(대판 2013.10.24. 2011두13286).

  유제 19. 지방직 7급, 14. 서울시 7급·지방직 7급 지적공부 소관청이 토지대장을 직권으로 말소하는 행위는 항고소송의 대상이 되는 행정처분에 해당한다. (○)

ㅁ. (×) 토지대장에 기재된 일정한 사항을 변경하는 행위는 그것이 지목의 변경이나 정정 등과 같이 토지소유권 행사의 전제요건으로서 토지소유자의 실체적 권리관계에 영향을 미치는 사항에 관한 것이 아닌 한 행정사무집행의 편의와 사실증명의 자료로 삼기 위한 것일 뿐이어서, 그 소유자 명의가 변경된다고 하여도 이로 인하여 당해 토지에 대한 실체상의 권리관계에 변동을 가져올 수 없고 토지 소유권이 지적공부의 기재만에 의하여 증명되는 것도 아니다. 따라서 <u>소관청이 토지대장상의 소유자 명의변경신청을 거부한 행위는 이를 항고소송의 대상이 되는 행정처분이라고 할 수 없다</u>(대판 2012.1.12. 2010두12354).

  유제 20. 지방직 9급 행정청이 토지대장상의 소유자명의변경신청을 거부한 행위는 판례상 항고소송의 대상으로 인정된다. (×)
  16. 국가직 9급 토지대장의 기재는 토지소유권을 제대로 행사하기 위한 전제요건으로서 토지소유자의 실체적 권리관계에 밀접하게 관련되어 있으므로 토지대장상의 소유자명의변경신청을 거부한 행위는 국민의 권리관계에 영향을 미치는 것이어서 항고소송의 대상이 되는 행정처분에 해당한다. (×)

답 ④

함께 정리하기

항고소송 대상(처분) 여부

▷ 지목변경신청 반려행위 ○
▷ 건축물 용도변경신청 거부행위 ○
▷ 건축물대장 작성신청 반려행위 ○
▷ 토지대장 직권말소행위 ○
▷ 토지대장상의 소유자명의변경신청 거부행위 ×

문제 DATA

출제가능 지수 ▶▶▷
난이도 지수 ★★☆

082 □□□

행정행위에 대한 설명으로 옳지 않은 것은? (다툼이 있는 경우 판례에 의함)

① 친일반민족행위자재산조사위원회의 국가귀속결정은 당해 재산이 친일재산에 해당한다는 사실을 확인하는 이른바 준법률행위적 행정행위의 성격을 가진다.
② 사업자등록증에 대한 검열은 납세의무자임을 확인하는 준법률행위적 행정행위로서의 확인에 해당한다.
③ 지적공부 소관청의 지목변경신청 반려행위는 국민의 권리관계에 영향을 미치는 것으로서 항고소송의 대상이 되는 행정처분에 해당한다.
④ 인감증명행위는 출원자의 현재 사용하는 인감에 대하여 구체적인 사실을 증명하는 것일 뿐이므로 무효확인을 구할 법률상 이익이 없다.

2023년 소방직

함께 정리하기

행정행위

친일재산 국가귀속결정
▷ 준법률행위적 행정행위(확인)

사업자등록증에 대한 검열
▷ 사실행위

지목변경신청 반려행위
▷ 항고소송의 대상이 되는 행정처분○

인감증명행위
▷ 무효확인을 구할 법률상 이익✕

① (○) 친일반민족행위자 재산의 국가귀속에 관한 특별법 제2조 제2호에 정한 친일재산은 친일반민족행위자재산조사위원회가 국가귀속결정을 하여야 비로소 국가의 소유로 되는 것이 아니라 특별법의 시행에 따라 그 취득·증여 등 원인행위시에 소급하여 당연히 국가의 소유로 되고, 위 위원회의 국가귀속결정은 당해 재산이 친일재산에 해당한다는 사실을 확인하는 이른바 준법률행위적 행정행위의 성격을 가진다(대판 2008.11.13. 2008두13491).

유제 21. 서울시 7급 「친일반민족행위자 재산의 국가귀속에 관한 특별법」 제2조 제2호에 정한 친일재산은 위원회가 국가귀속결정을 하여야 비로소 국가의 소유로 되는 것이 아니라 특별법의 시행에 따라 그 취득·증여 등 원인행위시에 소급하여 당연히 국가의 소유로 되는 것이고, 위원회의 국가귀속결정은 당해 재산이 친일재산에 해당한다는 사실을 공적으로 증명하는 소위 공증행위에 속하는 준법률행위적 행정행위의 성격을 가지는 것이다. (✕)
19. 서울시 7급(추), 17. 사복직, 16. 국회직 8급, 12. 서울시 9급, 10. 국가직 9급 판례에 의하면 친일반민족행위자재산조사위원회의 친일재산 국가귀속결정은 문제된 재산이 친일재산에 해당한다는 사실을 확인하는 준법률행위적 행정행위이다. (○)
18. 교행 「친일반민족행위자 재산의 국가귀속에 관한 특별법」에 따른 친일재산은 친일반민족행위자 재산조사위원회가 국가귀속결정을 하여야 비로소 국가의 소유로 된다. (✕)

② (✕) 소득세법 제197의2, 부가가치세법 제5조, 같은 법 시행령 제7조 내지 제9조 등의 규정에 비추어 보면, 부가가치세법상의 사업자등록은 과세관청으로 하여금 부가가치세의 납세의무자를 파악하고 그 과세자료를 확보케 하려는데 입법취지가 있으므로 이는 단순한 사업사실의 신고로서 사업자가 소관세무서장에게 소정의 사업자등록신청서를 제출함으로써 성립되는 것이고 사업자등록증의 교부는 이와 같은 등록사실을 증명하는 증서의 교부행위에 불과한 것이며, 사업자등록증에 대한 검열 역시 과세관청이 등록된 사업을 계속하고 있는 사업자의 신고사실을 증명하는 사실행위에 지나지 않는다(대판 1988.3.8. 87누156).

③ (○) 지목은 토지소유권을 제대로 행사하기 위한 전제요건으로서 토지소유자의 실체적 권리관계에 밀접하게 관련되어 있으므로 지적공부 소관청의 지목변경신청 반려행위는 항고소송의 대상이 되는 행정처분에 해당한다(대판 2004.4.22. 2003두9015).

④ (○) 인감증명행위는 인감증명청이 적법한 신청이 있는 경우에 인감대장에 이미 신고된 인감을 기준으로 출원자의 현재 사용하는 인감을 증명하는 것으로서 구체적인 사실을 증명하는 것일 뿐, 나아가 출원자에게 어떠한 권리가 부여되거나 변동 또는 상실되는 효력을 발생하는 것이 아니고, 인감증명의 무효확인을 받아들인다 하더라도 이로써 이미 침해된 당사자의 권리가 회복되거나 또는 곧바로 이와 관련된 새로운 권리가 발생하는 것도 아니므로 무효확인을 구할 법률상 이익이 없어 부적법하다(대판 2001.7.10. 2000두2136).

답 ②

083 □□□

행정행위에 대한 설명으로 옳지 않은 것은? (다툼이 있는 경우 판례에 의함)

① 구「국세징수법」에 의한 가산금의 납부독촉에 절차상 하자가 있더라도 그 징수처분에 대하여 취소소송을 제기할 수 없다.
② 건설업면허증 및 건설업면허수첩의 재교부는 종전의 면허증 및 면허수첩과 동일한 내용의 면허증 및 면허수첩을 새로이 또는 교체하여 발급하여 주는 것으로서 공증행위이다.
③ 친일반민족행위자재산조사위원회의 국가귀속결정은 당해 재산이 친일재산에 해당한다는 사실을 확인하는 이른바 준법률행위적 행정행위의 성격을 가진다.
④ 준공검사처분은 건축허가를 받아 건축한 건물이 건축허가사항대로 건축행정목적에 적합한가의 여부를 확인하고, 준공검사필증을 교부하여 줌으로써 허가받은 자로 하여금 건축한 건물을 사용, 수익할 수 있게 하는 법률효과를 발생시키는 것이다.
⑤ 구「상표법」에 따른 특허청장의 상표사용권설정등록행위는 사인 간의 법률관계의 존부를 공적으로 증명하는 준법률행위적 행정행위이다.

2022년 국회직 9급

① (×) 국세의 체납에 따른 독촉과 가산금·중가산금징수처분 사이에는 하자의 승계가 인정된다.

> 국세징수법 제21조, 제22조 소정의 가산금, 중가산금은 국세체납이 있는 경우에 위 법조에 따라 당연히 발생하고, 그 액수도 확정되는 것이기는 하나, 그에 관한 징수절차를 개시하려면 독촉장에 의하여 그 납부를 독촉함으로써 가능한 것이고 위 가산금 및 중가산금의 납부독촉이 부당하거나 그 절차에 하자가 있는 경우에는 그 징수처분에 대하여도 취소소송에 의한 불복이 가능하다(대판 1986.10.28. 86누147).

② (○) 건설업면허증 및 건설업면허수첩의 재교부는 그 면허증 등의 분실, 헐어 못쓰게 된 때, 건설업의 면허이전 등 면허증 및 면허수첩 그 자체의 관리상의 문제로 인하여 종전의 면허증 및 면허수첩과 동일한 내용의 면허증 및 면허수첩을 새로이 또는 교체하여 발급하여 주는 것으로서, 이는 건설업의 면허를 받았다고 하는 특정사실에 대하여 형식적으로 그것을 증명하고 공적인 증거력을 부여하는 행정행위(강학상의 공증행위)이다(대판 1994.10.25. 93누21231).

유제 21. 서울시 7급 건설업면허증 및 건설업면허수첩의 재교부는 그 면허증 등의 분실, 헐어 못쓰게 된 때, 건설업의 면허이전 등 면허증 및 면허수첩 그 자체의 관리상의 문제로 인하여 종전의 면허증 및 면허수첩과 동일한 내용의 면허증 및 면허수첩을 새로이 또는 교체하여 발급하여 주는 것으로서, 이는 건설업의 면허를 받았다고 하는 특정사실에 대하여 형식적으로 그것을 증명하고 공적인 증거력을 부여하는 강학상의 공증행위이다. (○)
21. 경찰 2차 건설업 등록증 및 건설업 등록수첩의 재발급은 건설업 등록을 하였다고 하는 사실을 특정인이나 불특정인에게 알리는 준법률행위적 행정행위인 통지행위에 해당한다. (×)
17. 지방직 9급(추) 건설업면허증 및 건설업면허수첩의 재교부는 강학상 공증행위에 해당한다. (○)
15. 국회직 8급 건설업면허증 및 건설업면허수첩의 재교부는 건설업의 면허를 받았다고 하는 특정사실에 대하여 형식적으로 그것을 증명하고 공적인 증거력을 부여하는 행정행위이다. (○)

③ (○) 대판 2008.11.13. 2008두13491
④ (○) 건물사용검사처분(준공처분)은 건축허가를 받아 건축된 건물이 건축허가사항대로 건축행정목적에 적합한가 여부를 확인하고 사용검사필증(준공검사필증)을 교부하여 줌으로써 허가받은 자로 하여금 건축한 건물을 사용·수익할 수 있게 하는 법률효과를 발생시키는 것이다(대판 1999.1.26. 98두15283).
⑤ (○) 상표사용권설정등록신청서가 제출된 경우 특허청장은 신청서와 그 첨부서류만을 자료로 형식적으로 심사하여 그 등록신청을 수리할 것인지의 여부를 결정하여야 되는 것으로서, 특허청장의 상표사용권설정등록행위는 사인 간의 법률관계의 존부를 공적으로 증명하는 준법률행위적 행정행위임이 분명하다(대판 1991.8.13. 90누9414).

유제 21. 서울시 7급 상표사용권 설정등록신청서가 제출된 경우 특허청장은 신청서와 그 첨부서류만을 자료로 형식적으로 심사하여 그 등록신청을 수리할 것인지의 여부를 결정하여야 되는 것으로서, 특허청장의 상표사용권 설정등록행위는 사인 간의 법률관계의 존부를 공적으로 증명하는 준법률행위적 행정행위이다. (○)

답 ①

문제 DATA
출제가능 지수 ▶▶▷
난이도 지수 ★★☆

함께 정리하기
행정행위

납부독촉과 징수처분 사이
▷ 하자의 승계 ○

건설업면허증 및 건설업면허수첩의 재교부
▷ 공증

친일재산 국가귀속결정
▷ 준법률행위적 행정행위(확인)

준공검사처분
▷ 건축한 건물을 사용, 수익할 수 있게 하는 법률효과를 발생

특허청장의 상표사용권설정등록행위
▷ 준법률행위적 행정행위(공증)

084

공증행위에 대한 설명으로 가장 옳지 않은 것은? (다툼이 있는 경우 판례에 의함)

① 의료유사업자 자격증 갱신발급행위는 유사의료업자의 자격을 부여 내지 확인하는 것이 아니라 특정한 사실 또는 법률관계의 존부를 공적으로 증명하는 소위 공증행위에 속하는 행정행위라 할 것이다.

② 건설업면허증 및 건설업면허수첩의 재교부는 그 면허증 등의 분실, 헐어 못쓰게 된 때, 건설업의 면허이전 등 면허증 및 면허수첩 그 자체의 관리상의 문제로 인하여 종전의 면허증 및 면허수첩과 동일한 내용의 면허증 및 면허수첩을 새로이 또는 교체하여 발급하여 주는 것으로서, 이는 건설업의 면허를 받았다고 하는 특정 사실에 대하여 형식적으로 그것을 증명하고 공적인 증거력을 부여하는 강학상의 공증행위이다.

③ 상표사용권 설정등록신청서가 제출된 경우 특허청장은 신청서와 그 첨부서류만을 자료로 형식적으로 심사하여 그 등록신청을 수리할 것인지의 여부를 결정하여야 되는 것으로서, 특허청장의 상표사용권 설정등록행위는 사인 간의 법률관계의 존부를 공적으로 증명하는 준법률행위적 행정행위이다.

④ 「친일반민족행위자 재산의 국가귀속에 관한 특별법」 제2조 제2호에 정한 친일재산은 위원회가 국가귀속결정을 하여야 비로소 국가의 소유로 되는 것이 아니라 특별법의 시행에 따라 그 취득·증여 등 원인행위시에 소급하여 당연히 국가의 소유로 되는 것이고, 위원회의 국가귀속결정은 당해 재산이 친일재산에 해당한다는 사실을 공적으로 증명하는 소위 공증행위에 속하는 준법률행위적 행정행위의 성격을 가지는 것이다.

2021년 서울시 7급

① (○) 서울특별시장 또는 도지사의 의료유사업자 자격증 갱신발급행위는 유사의료업자의 자격을 부여 내지 확인하는 것이 아니라 특정한 사실 또는 법률관계의 존부를 공적으로 증명하는 소위 공증행위에 속하는 행정행위라 할 것이다(대판 1977.5.24. 76누295).

유제 18. 교행 서울특별시장의 의료유사업자 자격증 갱신발급은 의료유사업자의 자격을 부여 내지 확인하는 행위의 성질을 가진다. (×)
17. 교행, 11. 사복직 서울특별시장의 의료유사업자 자격증 갱신발급은 특허에 해당한다. (×)
12. 국회직 9급 서울특별시장 또는 도지사의 '의료유사업자 자격증 갱신발급행위'는 특정한 사실 또는 법률관계의 존부를 공적으로 증명하는 행위이다. (○)

② (○) 대판 1994.10.25. 93누21231
③ (○) 대판 1991.8.13. 90누9414
④ (×) 친일반민족행위자재산조사위원회의 친일재산 국가귀속결정은 공증행위가 아니라 확인행위에 해당한다(대판 2008.11.13. 2008두13491).

답 ④

문제 DATA

출제가능 지수 ▶▶▷
난이도 지수 ★★☆

함께 정리하기

공증

의료유사업자 자격증 갱신발급
▷ 공증

건설업면허증·건설업면허수첩의 재교부
▷ 공증

특허청장의 상표사용권설정등록행위
▷ 준법률행위적 행정행위(공증)

친일재산 국가귀속결정
▷ 준법률행위적 행정행위(확인)

085

준법률행위적 행정행위에 대한 설명으로 옳지 않은 것은? (다툼이 있는 경우 판례에 의함)

① 수리는 행정청이 타인의 행위를 유효한 것으로서 수령하는 인식의 표시행위이며, 공무원의 사표 수리는 형성적 행위로서의 성질을 갖는다고 볼 수 있다.
② 토지수용에 있어서의 사업인정의 고시는 이미 성립한 행정행위의 효력발생요건으로서의 통지에 해당한다.
③ 선거인명부에의 등록은 공증으로 법령에 정해진 바에 따라 권리행사의 요건이 된다.
④ 확인은 특정한 사실 또는 법률관계의 존재 여부 또는 정당성 여부를 공적으로 확정하는 효과를 발생시키므로 확인행위에는 일반적으로 불가변력(실질적 존속력)이 발생한다.

문제 DATA
- 출제가능 지수 ▶▶▷
- 난이도 지수 ★★★

2020년 군무원 7급

① (○) 수리는 단순한 사실인 도달 또는 접수와는 달리 행정청이 타인의 행위를 유효한 행위로 판단하여 수령하는 인식의 표시행위이다. 공무원의 사표 수리는 공무원 관계가 소멸되는 법적 효과를 발생하므로 형성적 행위로서의 성질을 갖는다고 볼 수 있다.

유제 18. 국가직 9급 신고의 수리는 타인의 행위를 유효한 행위로 받아들이는 행정행위를 말하며, 이는 강학상 법률행위적 행정행위에 해당한다. (×)

② (×) 토지수용에 있어서의 사업인정의 고시는 준법률행위적 행정행위인 통지에 해당한다. 준법률행위적 행정행위인 통지는 행정청이 특정인 또는 불특정다수인에게 어떠한 사실을 알림으로써 일정한 법적 효과를 발생시키는 행위를 말하는데, 그 자체가 독립된 행정행위의 성질을 가진다. 이미 성립한 행정행위의 효력발생요건으로서의 통지와는 구별된다.

③ (○) 공증이란 특정한 사실 또는 법률관계의 존부를 공적으로 증명하는 행위이다. 공증은 준법률행위적 행정행위로서, 법률에 규정된 대로 일정한 법적 효과가 발생한다. 공증의 종류에는 ㉠ 공적 장부의 등기·등록·등재(예 부동산등기부의 등기, 건설업면허증 및 건설업면허수첩 재교부, 선거인명부에의 등록, 의료유사업자 자격증 갱신발급행위, 상표사용권설정등록행위 등), ㉡ 각종 증명서 발급(예 합격증서, 당선증서 등의 발급), ㉢ 기타의 경우(예 영수증의 교부, 회의록 등의 기재, 여권 등의 발급 등)가 있다.

④ (○) 확인은 특정한 사실 또는 법률관계의 존재 여부 또는 정당성 여부를 공적으로 확정하는 효과를 발생시키므로 확인이 이루어진 후에는 행정청이 임의적으로 취소·변경을 할 수 없는 불가변력이 발생한다.

답 ②

함께 정리하기

준법률행위적 행정행위

수리
▷ 타인의 행위를 유효한 행위로 받아들이는 인식의 표시행위
▷ 공무원의사표 수리는 형성적 행위 성질 有

사업인정의 고시
▷ 준법률행위적 행정행위 통지

선거인명부 등록
▷ 공증

확인
▷ 특정 사실 또는 법률관계 존재나 정당성 여부를 공적으로 확정 → 불가변력 발생

문제 DATA
출제가능 지수 ▶▶▷
난이도 지수 ★★☆

086 □□□

다음 준법률적 행정행위 중 통지행위에 해당하는 것만을 모두 고른 것은? (다툼이 있는 경우 판례에 의함)

> ㄱ. 특허출원의 공고
> ㄴ. 부동산등기부에의 등기
> ㄷ. 귀화의 고시
> ㄹ. 선거에 있어 당선인 결정
> ㅁ. 대집행의 계고

① ㄱ, ㄴ, ㄷ
② ㄱ, ㄷ, ㅁ
③ ㄴ, ㄷ, ㄹ
④ ㄷ, ㄹ, ㅁ

2020년 경찰 2차

ㄱ. 특허출원의 공고 → 통지
ㄴ. 부동산등기부에의 등기 → 공증
ㄷ. 귀화의 고시 → 통지
ㄹ. 선거에 있어 당선인 결정 → 확인
ㅁ. 대집행의 계고 → 통지

유제 17. 지방직 9급(추), 16. 서울시 7급 특허출원의 공고는 공증행위에 해당한다. (×)

답 ②

함께 정리하기
통지
▷ 특허출원의 공고○
▷ 부동산등기부에의 등기×(공증)
▷ 귀화의 고시○
▷ 선거에 있어 당선인 결정×(확인)
▷ 대집행의 계고○

문제 DATA
출제가능 지수 ▶▶▷
난이도 지수 ★★☆

087 □□□

준법률행위적 행정행위에 대한 설명으로 가장 옳지 않은 것은? (다툼이 있는 경우 판례에 의함)

① 토지대장상의 소유자명의변경신청을 거부하는 행위는 실체적 권리관계에 영향을 미치는 사항으로 행정처분이다.
② 친일반민족행위자재산조사위원회의 친일재산 국가귀속결정은 문제된 재산이 친일재산에 해당한다는 사실을 확인하는 준법률행위적 행정행위이다.
③ 「국가공무원법」에 근거하여 정년에 달한 공무원에게 발하는 정년퇴직 발령은 정년퇴직 사실을 알리는 관념의 통지이다.
④ 「국세징수법」에 의한 가산금과 중가산금의 납부독촉에 절차상 하자가 있는 경우 그 징수처분에 대하여 취소소송에 의한 불복이 가능하다.

2019년 서울시 7급

① (×) 토지대장에 기재된 일정한 사항을 변경하는 행위는 그것이 지목의 변경이나 정정 등과 같이 토지소유권 행사의 전제요건으로서 토지소유자의 실체적 권리관계에 영향을 미치는 사항에 관한 것이 아닌 한 행정사무집행의 편의와 사실증명의 자료로 삼기 위한 것일 뿐이어서, 그 소유자 명의가 변경된다고 하여도 이로 인하여 당해 토지에 대한 실체상의 권리관계에 변동을 가져올 수 없고 토지 소유권이 지적공부의 기재만에 의하여 증명되는 것도 아니다. 따라서 소관청이 토지대장상의 소유자 명의변경신청을 거부한 행위는 이를 항고소송의 대상이 되는 행정처분이라고 할 수 없다(대판 2012.1.12. 2010두12354).
② (○) 대판 2008.11.13. 2008두13491

함께 정리하기
준법률행위적 행정행위
토지대장상 소유자명의변경신청 거부 행위
▷ 처분×

친일재산 국가귀속결정
▷ 준법률행위적 행정행위(확인)

정년퇴직 발령
▷ 관념의 통지

납부독촉과 징수처분 사이
▷ 하자의 승계○

③ (○) 국가공무원법 제74조에 의하면 공무원이 소정의 정년에 달하면 그 사실에 대한 효과로서 공무담임권이 소멸되어 당연히 퇴직되고 따로 그에 대한 행정처분이 행하여져야 비로소 퇴직되는 것은 아니라 할 것이며 피고(영주지방철도청장)의 원고에 대한 정년퇴직 발령은 정년퇴직 사실을 알리는 이른바 관념의 통지에 불과하므로 행정소송의 대상이 되지 아니한다(대판 1983.2.8. 81누263).

유제 18. 교행 정년에 달한 공무원에 대한 정년퇴직 발령은 정년퇴직 사실을 알리는 이른바 관념의 통지에 불과하여 행정소송의 대상이 될 수 없다. (○)

④ (○) 국세징수법 제21조, 제22조 소정의 가산금, 중가산금은 국세체납이 있는 경우에 위 법조에 따라 당연히 발생하고 그 액수도 확정되는 것이기는 하나 그에 관한 징수절차를 개시하려면 독촉장에 의하여 그 납부를 독촉함으로써 가능한 것이고 위 가산금 및 중가산금의 납부독촉이 부당하거나 그 절차에 하자가 있는 경우에는 그 징수처분에 대하여도 취소소송에 의한 불복이 가능하다(대판 1986.10.28. 86누147).

답 ①

088 □□□

행정행위의 성질에 대한 설명으로 옳은 것은? (다툼이 있는 경우 판례에 의함)

① 「친일반민족행위자 재산의 국가귀속에 관한 특별법」에 따른 친일재산은 친일반민족행위자 재산조사위원회가 국가귀속결정을 하여야 비로소 국가의 소유로 된다.
② 서울특별시장의 의료유사업자 자격증 갱신발급은 의료유사업자의 자격을 부여 내지 확인하는 행위의 성질을 가진다.
③ 정년에 달한 공무원에 대한 정년퇴직 발령은 정년퇴직 사실을 알리는 이른바 관념의 통지에 불과하여 행정소송의 대상이 될 수 없다.
④ 토지거래계약허가는 규제지역 내 토지거래의 자유를 일반적으로 금지하고 일정한 요건을 갖춘 경우에만 그 금지를 해제하여 계약체결의 자유를 회복시켜 주는 성질의 것이다.

2018년 교육행정직

① (×) 친일반민족행위자 재산의 국가귀속에 관한 특별법 제2조 제2호에 정한 친일재산은 친일반민족행위자재산조사위원회가 국가귀속결정을 하여야 비로소 국가의 소유로 되는 것이 아니라 특별법의 시행에 따라 그 취득·증여 등 원인행위시에 소급하여 당연히 국가의 소유로 되고, 위 위원회의 국가귀속결정은 당해 재산이 친일재산에 해당한다는 사실을 확인하는 이른바 준법률행위적 행정행위의 성격을 가진다(대판 2008.11.13. 2008두13491).
② (×) 서울특별시장 또는 도지사의 의료유사업자 자격증 갱신발급행위는 유사의료업자의 자격을 부여 내지 확인하는 것이 아니라 특정한 사실 또는 법률관계의 존부를 공적으로 증명하는 소위 공증행위에 속하는 행정행위라 할 것이다(대판 1977.5.24. 76누295).
③ (○) 대판 1983.2.8. 81누263
④ (×) 국토이용관리법 제21조의3 제1항 소정의 허가가 규제지역 내의 모든 국민에게 전반적으로 토지거래의 자유를 금지하고 일정한 요건을 갖춘 경우에만 금지를 해제하여 계약체결의 자유를 회복시켜 주는 성질의 것이라고 보는 것은 위 법의 입법취지를 넘어선 지나친 해석이라고 할 것이고, 규제지역 내에서도 토지거래의 자유가 인정되나 다만 위 허가를 허가 전의 유동적 무효 상태에 있는 법률행위의 효력을 완성시켜 주는 인가적 성질을 띤 것이라고 보는 것이 타당하다(대판 1991.12.24. 90다12243 전합).

답 ③

함께 정리하기

행정행위의 성질

친일재산
▷ 법 시행으로 원인행위시에 소급하여 당연히 국가의 소유(조사위원회의 국가귀속결정으로×)

의료유사업자 자격증 갱신발급
▷ 공증

정년퇴직 발령
▷ 관념의 통지 → 행정소송 대상×

토지거래허가
▷ 인가

문제 DATA
출제가능 지수 ▶▶▷
난이도 지수 ★★☆

089 □□□

행정행위에 대한 설명으로 옳은 것은? (다툼이 있는 경우 판례에 의함)

① 사실을 오인하여 재량권을 행사한 처분은 위법하다.
② 어업권면허에 선행하는 우선순위결정은 행정처분이다.
③ 납세자가 과세처분의 내용을 미리 알고 있는 경우 납세고지서의 송달은 불필요하다.
④ 친일반민족행위자 재산조사위원회의 친일재산 국가귀속결정은 법률행위적 행정행위이다.

> 2017년 교육행정직

① (O) 재량하자에는 ㉠ 재량의 일탈(유월), ㉡ 재량의 남용, ㉢ 재량의 불행사 및 해태가 존재한다. ㉠ 재량의 일탈(유월)이란 재량권의 외적 한계(법적·객관적 한계)를 벗어난 것을 말하고, ㉡ 재량의 남용이란 재량권의 내적 한계, 즉 재량권이 부여된 내재적 목적을 벗어나거나 사실오인이 있거나, 행정법의 일반원칙에 위반된 것을 말한다. ㉢ 재량의 불행사 및 해태란 행정기관이 재량행위를 기속행위로 오인하여 재량을 전혀 행사하지 않거나 충분히 행사하지 아니한 경우를 말한다. 따라서 사실을 오인하여 재량권을 행사한 처분은 재량권의 남용으로 위법한 행정행위가 된다.
② (×) 어업권면허에 선행하는 우선순위결정은 행정청이 우선권자로 결정된 자의 신청이 있으면 어업권면허처분을 하겠다는 것을 약속하는 행위로서 강학상 확약에 불과하고 행정처분은 아니므로, 우선순위결정에 공정력이나 불가쟁력과 같은 효력은 인정되지 아니한다(대판 1995.1.20. 94누6529).
③ (×) 납세고지서의 교부송달 및 우편송달에 있어서는 반드시 납세의무자 또는 그와 일정한 관계에 있는 사람의 현실적인 수령행위를 전제로 하고 있다고 보아야 하며, 납세자가 과세처분의 내용을 이미 알고 있는 경우에도 납세고지서의 송달이 불필요하다고 할 수는 없다(대판 2004.4.9. 2003두13908).
④ (×) 대판 2008.11.13. 2008두13491

답 ①

함께 정리하기
행정행위 판례

사실 오인
▷ 재량권의 남용 → 위법

어업권면허에 선행하는 우선순위결정
▷ 행정처분×

납세고지서 송달
▷ 납세자가 내용 미리 인지한 경우에도 要

친일재산 국가귀속결정
▷ 준법률행위적 행정행위(확인)

제5절 | 행정행위의 부관

문제 DATA
출제가능 지수 ▶▶▷
난이도 지수 ★★☆

001 □□□

행정행위의 부관에 대한 설명으로 옳지 않은 것은?

① 어업면허처분에서 면허의 유효기간을 1년으로 정하는 경우, 면허의 유효기간은 어업면허처분의 효력을 제한하기 위한 행정행위의 부관이라 할 것이고 이러한 행정행위의 부관은 독립하여 행정소송의 대상이 될 수 없다.
② 도로점용허가의 점용기간은 행정행위의 본질적인 요소에 해당한다고 볼 것이어서 부관인 점용기간을 정함에 있어서 위법사유가 있다면 이로써 도로점용허가 처분 전부가 위법하게 된다.
③ 행정처분과 실제적 관련성이 없어 부관으로 붙일 수 없는 부담은 사법상 계약의 형식으로도 행정처분의 상대방에게 부과할 수 없다.
④ 사도개설허가에서 정해진 공사기간은 사도개설허가 자체의 존속기간을 정한 것이라 보아야 하므로, 공사기간 내에 사도로 준공검사를 받지 못하였다면 사도개설허가는 당연히 실효된다.

2025년 국가직 9급

① (○) 어업면허처분을 함에 있어 그 면허의 유효기간을 1년으로 정한 경우, 위 면허의 유효기간은 행정청이 위 어업면허처분의 효력을 제한하기 위한 행정행위의 부관이라 할 것이고 이러한 행정행위의 부관은 독립하여 행정소송의 대상이 될 수 없는 것이므로 위 어업면허처분중 그 면허유효 기간만의 취소를 구하는 청구는 허용될 수 없다(대판 1986.8.19. 86누202).

② (○) 도로점용허가의 점용기간은 행정행위의 본질적인 요소에 해당한다고 볼 것이어서 부관인 점용기간을 정함에 있어서 위법사유가 있다면 이로써 도로점용허가 전부가 위법하게 된다(대판 1985.7.9. 84누604).

③ (○)

> [1] 공무원이 인·허가 등 수익적 행정처분을 하면서 상대방에게 그 처분과 관련하여 이른바 부관으로서 부담을 붙일 수 있다 하더라도, 그러한 부담은 법치주의와 사유재산 존중, 조세법률주의 등 헌법의 기본원리에 비추어 비례의 원칙이나 부당결부금지의 원칙에 위배되지 않아야만 적법한 것인바, 행정처분과 부관 사이에 실제적 관련성이 있다고 볼 수 없는 경우 공무원이 공법상의 제한을 회피할 목적으로 행정처분의 상대방과 사이에 사법상 계약을 체결하는 형식을 취하였다면 이는 법치행정의 원리에 반하는 것으로서 위법하다고 보지 않을 수 없다
> [2] 지방자치단체가 골프장사업계획승인과 관련하여 사업자로부터 기부금을 지급받기로 한 증여계약은 공무수행과 결부된 금전적 대가로서 그 조건이나 동기가 사회질서에 반하므로 민법 제103조에 의해 무효이다(대판 2009.12.10. 2007다63966).

④ (×) 사도개설허가에는 본질적으로 사도를 개설하기 위한 토목공사 등 현실적인 도로개설공사가 따르기 마련이므로 허가를 하면서 공사기간을 특정하기도 하지만 사도개설허가는 사도를 개설할 수 있는 권한의 부여 자체에 주안점이 있는 것이지 공사기간의 제한에 주안점이 있는 것이 아닌 점 등에 비추어 보면, 사도개설허가처분에 명시된 공사기간은 허가를 받은 자에 대하여 공사기간을 준수하여 공사를 마치도록 하는 의무를 부과하는 일종의 부담에 불과한 것이지, 사도개설허가 자체의 존속기간(즉 유효기간)을 정한 것이라 볼 수 없고, 따라서 사도개설허가에서 정해진 공사기간 내에 사도로 준공검사를 받지 못하였다 하더라도, 이를 이유로 행정관청이 새로운 행정처분을 하는 것은 별론으로 하고, 사도개설허가가 당연히 실효되는 것은 아니다(대판 2004.11.25. 2004두7023).

답 ④

함께 정리하기

행정행위의 부관

면허유효기간
▷ 독립쟁송 不可(∵기한)

도로점용허가의 점용기간
▷ 본질적 요소
▷ 기간 위법: 허가 전부 위법

처분과 실제적 관련성이 없어 부관으로 붙일 수 없는 부담을 사법상 계약 형식으로 부과
▷ 위법

사도개설허가에서 정해진 공사기간
▷ 부담의 성질 有
▷ 공사기간 내 준공검사 받지 못하여도 사도개설허가 당연실효×

002 □□□

행정행위의 부관에 대한 설명으로 옳지 않은 것은? (다툼이 있는 경우 판례에 의함)

① 기부채납받은 행정재산에 대한 사용·수익허가에서 공유재산의 관리청이 정한 사용·수익허가의 기간은 그 허가의 효력을 제한하기 위한 행정행위의 부관으로서 이러한 사용·수익허가의 기간에 대해서는 독립하여 행정소송을 제기할 수 있다.

② 부담의 이행으로서 하게 된 사법상 매매 등의 법률행위는 부담을 붙인 행정처분과는 어디까지나 별개의 법률행위이므로 그 부담의 불가쟁력의 문제와는 별도로 법률행위가 사회질서 위반이나 강행규정에 위반되는지 여부 등을 따져보아 그 법률행위의 유효 여부를 판단하여야 한다.

③ 「행정기본법」상 행정청은 부관을 붙일 수 있는 처분이 사정이 변경되어 종전의 부관을 변경하지 아니하면 해당 처분의 목적을 달성할 수 없다고 인정되는 경우에는 종전의 부관을 변경할 수 있다.

④ 부담부 행정처분에 있어서 처분의 상대방이 부담(의무)을 이행하지 아니한 경우에 처분 행정청으로서는 이를 들어 당해 처분을 취소(철회)할 수 있는 것이다.

문제 DATA

출제가능 지수 ▶▶🔴
난이도 지수 ★★☆

함께 정리하기

행정행위의 부관

사용·수익허가의 기간
▷ 독립적 행정소송 대상 ✕

불가쟁력 발생한 부담의 이행으로 인한 사법행위
▷ 별도로 효력 다툼 可

부관의 사후 부과·변경 사유
▷ 법률에 근거/당사자 동의/사정변경으로 목적달성 불가능

부담 불이행
▷ 처분 취소(철회) 可

2025년 소방직

① (✕) 행정행위의 부관은 부담인 경우를 제외하고는 독립하여 행정소송의 대상이 될 수 없는바, 기부채납받은 행정재산에 대한 사용·수익허가에서 공유재산의 관리청이 정한 사용·수익허가의 기간은 그 허가의 효력을 제한하기 위한 행정행위의 부관으로서 이러한 사용·수익허가의 기간에 대해서는 독립하여 행정소송을 제기할 수 없다(대판 2001.6.15. 99두509).

② (○) 행정처분에 부담인 부관을 붙인 경우 부관의 무효화에 의하여 본체인 행정처분 자체의 효력에도 영향이 있게 될 수는 있지만, 그 처분을 받은 사람이 부담의 이행으로 사법상 매매 등의 법률행위를 한 경우에는 그 부관은 특별한 사정이 없는 한 법률행위를 하게 된 동기 내지 연유로 작용하였을 뿐이므로 이는 법률행위의 취소사유가 될 수 있음은 별론으로 하고 그 법률행위 자체를 당연히 무효화하는 것은 아니다. 또한, 행정처분에 붙은 부담인 부관이 제소기간의 도과로 확정되어 이미 불가쟁력이 생겼다면 그 하자가 중대하고 명백하여 당연 무효로 보아야 할 경우 외에는 누구나 그 효력을 부인할 수 없을 것이지만, 부담의 이행으로서 하게 된 사법상 매매 등의 법률행위는 부담을 붙인 행정처분과는 어디까지나 별개의 법률행위이므로 그 부담의 불가쟁력의 문제와는 별도로 법률행위가 사회질서 위반이나 강행규정에 위반되는지 여부 등을 따져보아 그 법률행위의 유효 여부를 판단하여야 한다(대판 2009.6.25. 2006다18174).

③ (○)

> 「행정기본법」제17조【부관】③ 행정청은 부관을 붙일 수 있는 처분이 다음 각 호의 어느 하나에 해당하는 경우에는 그 처분을 한 후에도 부관을 새로 붙이거나 종전의 부관을 변경할 수 있다.
> 1. 법률에 근거가 있는 경우
> 2. 당사자의 동의가 있는 경우
> 3. 사정이 변경되어 부관을 새로 붙이거나 종전의 부관을 변경하지 아니하면 해당 처분의 목적을 달성할 수 없다고 인정되는 경우

④ (○) 부담부 행정처분에 있어서 처분의 상대방이 부담(의무)을 이행하지 아니한 경우에 처분행정청으로서는 이를 들어 당해 처분을 취소(철회)할 수 있는 것이다(대판 1989.10.24. 89누2431).

답 ①

문제 DATA

출제가능 지수 ▶▶▷
난이도 지수 ★★☆

003 □□□

행정행위의 부관에 대한 설명으로 옳지 않은 것은? (다툼이 있는 경우 판례에 의함)

① 부관은 면허 발급 당시에 붙이는 것뿐만 아니라 면허 발급 이후에 붙이는 것도 상대방의 동의가 있는 경우 등에는 특별한 사정이 없는 한 허용된다.

② 공익법인의 기본재산의 처분허가에 부관을 붙인 경우 그 처분 허가의 법적 성질이 인가에 해당한다고 하여 조건으로서의 부관의 부과가 허용되지 아니한다고 볼 수는 없다.

③ 행정행위의 부관인 부담에 정해진 바에 따라 당해 행정청이 아닌 다른 행정청이 그 부담상의 의무이행을 요구하는 의사표시를 하였을 경우, 이러한 행위가 당연히 또는 무조건으로 「행정소송법」상 항고소송의 대상이 되는 처분에 해당한다고 할 수는 없다.

④ 일반적으로 행정청은 보조금 교부결정을 할 때 법령과 예산에서 정하는 보조금의 교부 목적을 달성하는 데에 필요하더라도 보조금 교부결정에 조건을 붙일 수 없다.

2025년 경찰간부

① (○) 부관은 면허 발급 당시에 붙이는 것뿐만 아니라 면허 발급 이후에 붙이는 것도 법률에 명문의 규정이 있거나 변경이 미리 유보되어 있는 경우 또는 상대방의 동의가 있는 경우 등에는 특별한 사정이 없는 한 허용된다(대판 2016.11.24. 2016두45028).

> 「행정기본법」제17조【부관】③ 행정청은 부관을 붙일 수 있는 처분이 다음 각 호의 어느 하나에 해당하는 경우에는 그 처분을 한 후에도 부관을 새로 붙이거나 종전의 부관을 변경할 수 있다.
> 1. 법률에 근거가 있는 경우
> 2. 당사자의 동의가 있는 경우
> 3. 사정이 변경되어 부관을 새로 붙이거나 종전의 부관을 변경하지 아니하면 해당 처분의 목적을 달성할 수 없다고 인정되는 경우

② (○) 공익법인의 기본재산의 처분에 관한 공익법인의 설립·운영에 관한 법률 제11조 제3항의 규정은 강행규정으로서 이에 위반하여 주무관청의 허가를 받지 않고 기본재산을 처분하는 것은 무효라 할 것인데, 위 처분허가에 부관을 붙인 경우 그 처분허가의 법률적 성질이 형성적 행정행위로서의 인가에 해당한다고 하여 조건으로서의 부관의 부과가 허용되지 아니한다고 볼 수는 없고, 다만 구체적인 경우에 그것이 조건, 기한, 부담, 철회권의 유보 중 어느 종류의 부관에 해당하는지는 당해 부관의 내용, 경위 기타 제반 사정을 종합하여 판단하여야 할 것이다(대판 2005.9.28. 2004다50044).

③ (○)
> [1] 행정행위의 부관인 부담에 정해진 바에 따라 당해 행정청이 아닌 다른 행정청이 그 부담상의 의무이행을 요구하는 의사표시를 하였을 경우, 이러한 행위가 당연히 또는 무조건으로 행정소송법상 항고소송의 대상이 되는 처분에 해당한다고 할 수는 없다.
> [2] 건설부장관이 공유수면매립면허를 함에 있어 그 면허조건에서 울산지방해운항만청이 울산항 항로 밑바닥에 쌓인 토사를 준설하여 당해 공유수면에 투기한 토량을 같은 해운항만청장이 산정 결정한 납입고지서에 의하여 납부하도록 정한 경우에 있어 건설부장관이 공유수면매립면허를 받은 자에게 부관으로 당해 공유수면에 이미 토사를 투기한 해운항만청장에게 그 대가를 지급하도록 한 조치에 대하여 별도의 법령상의 근거나 그 징수방법, 불복절차, 강제집행 등에 관한 규정이 없다면 이에 의해 같은 해운항만청장이 한 수토대금의 납부고지행위는 항만준설공사를 함에 있어 투기한 토사가 그 매립공사에 이용됨으로써 이득을 본다는 취지에서 준설공사비용의 범위 내에서 이를 회수하려는 조치로서 그 법적 성격 등에 비추어 볼 때 이를 가리켜 행정소송법 제2조 제1항 제1호 소정의 처분에 해당한다고 할 수 없다고 한 사례(대판 1992.1.21. 91누1264).

④ (×) 재량행위에는 법령상 근거가 없더라도 그 내용이 적법하고 이행가능하며 비례의 원칙 및 평등의 원칙에 적합하고 행정처분의 본질적 효력을 해하지 아니하는 한도 내에서 부관을 붙일 수 있다(대판 2002.1.25. 2001두3600 등 참조). 일반적으로 보조금 교부결정에 관해서는 행정청에 광범위한 재량이 부여되어 있고, 행정청은 보조금 교부결정을 할 때 법령과 예산에서 정하는 보조금의 교부 목적을 달성하는 데에 필요한 조건을 붙일 수 있다(대판 2021.2.4. 2020두48772).

> 「보조금 관리에 관한 법률」제18조【보조금의 교부 조건】① 중앙관서의 장은 보조금의 교부를 결정할 때 법령과 예산에서 정하는 보조금의 교부 목적을 달성하는 데에 필요한 조건을 붙일 수 있다.

답 ④

함께 정리하기

행정행위의 부관

부관의 사후부가·변경 허용(判)
▷ 명문규정
▷ 사후부관이 미리 유보
▷ 상대방의 동의
▷ 사정변경

인가(공익법인의 기본재산 처분허가)
▷ 부관 부가 可

다른 행정청의 부담상 의무이행 의사표시
▷ 당연히 처분성×

보조금 교부결정
▷ 조건 부가 可

004

행정행위의 부관에 대한 설명으로 가장 옳지 않은 것은? (다툼이 있는 경우 판례에 의함)

① 행정청이 종교단체에 대하여 기본재산전환인가를 함에 있어 인가조건을 부가하고 그 불이행시 인가를 취소할 수 있도록 한 경우, 인가조건의 의미는 철회권을 유보한 것이다.

② 허가에 붙은 기한이 그 허가된 사업의 성질상 부당하게 짧아서 이 기한을 허가의 존속기간으로 해석할 수 있더라도, 그 후 당초의 기한이 상당 기간 연장되어 연장된 기간을 포함한 존속기간 전체를 기준으로 볼 경우 더 이상 허가된 사업의 성질상 부당하게 짧은 경우에 해당하지 않게 된 때에는, 관계 법령상 허가여부의 재량권을 가진 행정청은 허가조건의 개정만을 고려하여야 하는 것은 아니고, 재량권의 행사로서 더 이상의 기간연장을 불허가하여 허가의 효력을 상실시킬 수 있다.

③ 지방자치단체장이 사업자에게 주택사업계획승인을 하면서 그 주택사업과는 아무런 관련이 없는 토지를 기부채납하도록 하는 부관을 주택사업계획승인에 붙인 경우, 그 부관은 부당결부금지의원칙에 위반되어 위법하다.

④ 행정처분에 부담인 부관을 붙인 경우 부관의 무효화에 의하여 본체인 행정처분 자체의 효력에도 영향이 미치는바, 그 처분을 받은 사람이 부담의 이행으로 사법상 매매등의 법률행위를 한 경우에는 그 부관은 특별한 사정이 없더라도 그 법률행위 자체를 당연히 무효화한다.

2025년 군무원 7급

① 행정행위의 취소는 일단 유효하게 성립한 행정행위를 그 행위에 위법 또는 부당한 하자가 있음을 이유로 소급하여 그 효력을 소멸시키는 별도의 행정처분이고, 행정행위의 철회는 적법요건을 구비하여 완전히 효력을 발하고 있는 행정행위를 사후적으로 그 행위의 효력의 전부 또는 일부를 장래에 향해 소멸시키는 행정처분이다. 그러므로 행정행위의 취소사유는 행정행위의 성립 당시에 존재하였던 하자를 말하고, 철회사유는 행정행위가 성립된 이후에 새로이 발생한 것으로서 행정행위의 효력을 존속시킬 수 없는 사유를 말한다고 할 것이다. 이 사건 기본재산전환인가의 인가조건으로 되어 있는 사유들은 모두 위 인가처분의 효력이 발생하여 기본재산 처분행위가 유효하게 이루어진 이후에 비로소 이행할 수 있는 것들이고, 인가처분 당시에 그 처분에 그와 같은 흠이 존재하였던 것은 아니므로, 위 법리에 의하면, 위 사유들은 모두 인가처분의 철회사유에 해당한다고 보아야 하고, 인가처분을 함에 있어 위와 같은 철회사유를 인가조건으로 부가하면서 비록 철회권 유보라고 명시하지 아니한 채 조건불이행시 인가를 취소할 수 있다는 기재를 하였다 하더라도 위 인가조건의 전체적 의미는 인가처분에 대한 철회권을 유보한 것이라고 봄이 상당하다(대판 2003.5.30. 2003다6422).

② 일반적으로 행정처분에 효력기간이 정하여져 있는 경우에는 그 기간의 경과로 그 행정처분의 효력은 상실되며, 다만 허가에 붙은 기한이 그 허가된 사업의 성질상 부당하게 짧은 경우에는 이를 그 허가 자체의 존속기간이 아니라 그 허가조건의 존속기간으로 보아 그 기한이 도래함으로써 그 조건의 개정을 고려한다는 뜻으로 해석할 수 있지만, 이와 같이 당초에 붙은 기한을 허가 자체의 존속기간이 아니라 허가조건의 존속기간으로 보더라도 그 후 당초의 기한이 상당 기간 연장되어 연장된 기간을 포함한 존속기간 전체를 기준으로 볼 경우 더 이상 허가된 사업의 성질상 부당하게 짧은 경우에 해당하지 않게 된 때에는 관계 법령의 규정에 따라 허가 여부의 재량권을 가진 행정청으로서는 그 때에도 허가조건의 개정만을 고려하여야 하는 것은 아니고 재량권의 행사로서 더 이상의 기간연장을 불허가할 수도 있는 것이며, 이로써 허가의 효력은 상실된다(대판 2004.3.25. 2003두12837).

③ 수익적 행정행위에 있어서는 법령에 특별한 근거규정이 없다고 하더라도 그 부관으로서 부담을 붙일 수 있으나, 그러한 부담은 비례의 원칙, 부당결부금지의 원칙에 위반되지 않아야만 적법하다고 할 것이다. 기록에 의하면, 원고의 이 사건 토지 중 2,791㎡는 자동차전용도로로 도시계획시설결정이 된 광1류6호선에 편입된 토지이므로, 그 위에 도로개설을 하기 위하여는 소유자인 원고에게 보상금을 지급하고 소유권을 취득하여야 할 것임에도 불구하고, 소외 인천시장은 원고에게 주택사업계획승인을 하게 됨을 기화로 그 주택사업과는 아무런 관련이 없는 토지인 위 2,791㎡를 기부채납하도록 하는 부관을 위 주택사업계획승인에 붙인 사실이 인정되므로, 위 부관은 부당결부금지의 원칙에 위반되어 위법하다고 할 것이다.

함께 정리하기

행정행위의 부관

인가조건을 부가하고 그 불이행시 인가를 취소할 수 있도록 한 경우, 인가조건의 의미
▷ 철회권 유보

연장기간포함 전체를 기준했을 때 부당히 짧지 않은 경우
▷ 기간연장불허 가능

주택사업과 무관한 토지기부채납부관
▷ 부당결부금지원칙 위반

무효인 부담의 이행으로 한 사법상 법률행위
▷ 당연무효 ✕

그러나 기록에 의하면, 이 사건에서 인천시장이 승인한 원고의 주택사업계획은 금 109,300,000,000원의 사업비를 들여 아파트 1,744세대를 건축하는 상당히 큰 규모의 사업임에 반하여, 원고가 기부채납한 위 2,791㎡의 토지가액은 그 100분의 1 상당인 금 1,241,995,000원에 불과한 데다가, 원고가 그 동안 위 부관에 대하여 아무런 이의를 제기하지 아니하다가 인천시장이 업무착오로 위 2,791㎡의 토지에 대하여 보상협조요청서를 보내자 그 때서야 비로소 위 부관의 하자를 들고 나온 사실이 인정되는바, 이러한 사정에 비추어 볼 때 위 부관이 그 하자가 중대하고 명백하여 당연무효라고는 볼 수 없다 할 것이다(대판 1997.3.11. 96다49650).

④ (×) 행정처분에 부담인 부관을 붙인 경우 부관의 무효화에 의하여 본체인 행정처분 자체의 효력에도 영향이 있게 될 수는 있지만, 그 처분을 받은 사람이 부담의 이행으로 사법상 매매 등의 법률행위를 한 경우에는 그 부관은 특별한 사정이 없는 한 법률행위를 하게 된 동기 내지 연유로 작용하였을 뿐이므로 이는 법률행위의 취소사유가 될 수 있음은 별론으로 하고 그 법률행위 자체를 당연히 무효화하는 것은 아니다. 또한, 행정처분에 붙은 부담인 부관이 제소기간의 도과로 확정되어 이미 불가쟁력이 생겼다면 그 하자가 중대하고 명백하여 당연 무효로 보아야 할 경우 외에는 누구나 그 효력을 부인할 수 없을 것이지만, 부담의 이행으로서 하게 된 사법상 매매 등의 법률행위는 부담을 붙인 행정처분과는 어디까지나 별개의 법률행위이므로 그 부담의 불가쟁력의 문제와는 별도로 법률행위가 사회질서 위반이나 강행규정에 위반되는지 여부 등을 따져보아 그 법률행위의 유효 여부를 판단하여야 한다(대판 2009.6.25. 2006다18174).

답 ④

005

행정행위에 대한 설명으로 가장 옳지 않은 것은? (다툼이 있는 경우 판례에 의함)

① '침익적 행정처분 근거 규정 엄격해석의 원칙'이란 단순히 행정실무상의 필요나 입법정책적 필요만을 이유로 문언의 가능한 범위를 벗어나 처분상대방에게 불리한 방향으로 확장해석하거나 유추해석해서는 안 된다는 것이지, 처분상대방에게 불리한 내용의 법령해석은 일체 허용되지 않는다는 취지가 아니다.

② 행정청이 행정처분을 하면서 논리적으로 당연히 수반되어야 하는 의사표시를 명시적으로 하지 않았으나 그것이 행정청의 추단적 의사에도 부합하고 상대방도 이를 알 수 있는 경우, 행정처분에 위와 같은 의사표시가 묵시적으로 포함되어 있다고 볼 수 있다.

③ 후임 정식이사가 선임되었다는 사유만으로도 임시이사의 임기가 자동적으로 만료되어 임시이사의 지위가 상실되는 효과가 발생하므로, 관할 행정청이 후임 정식이사가 선임되었음을 이유로 임시이사를 해임하는 행정처분을 해야만 비로소 임시이사의 지위가 상실되는 효과가 발생한다고 할 수는 없다.

④ 인가처분에는 고유한 하자가 없는데 사업시행계획에 하자가 있다면 사업시행계획의 무효확인이나 취소를 구하여야 할 것이지 사업시행계획의 무효를 주장하면서 곧바로 그에 대한 인가처분의 무효확인이나 취소를 구하여서는 아니 된다.

2025년 군무원 7급

① (○) '침익적 행정처분 근거 규정 엄격해석의 원칙'이란 단순히 행정실무상의 필요나 입법정책적 필요만을 이유로 문언의 가능한 범위를 벗어나 처분상대방에게 불리한 방향으로 확장해석하거나 유추해석해서는 안 된다는 것이지, 처분상대방에게 불리한 내용의 법령해석은 일체 허용되지 않는다는 취지가 아니다. 문언의 가능한 범위 내라면 체계적 해석과 목적론적 해석은 허용된다(대판 2021.2.25. 2020두51587).

② (○) 행정절차법 제24조 제1항은 행정청이 처분을 할 때에는 다른 법령 등에 특별한 규정이 있는 경우, 신속히 처리할 필요가 있거나 사안이 경미한 경우를 제외하고는 원칙적으로 문서로 하여야 한다고 정하고 있다. 이는 처분 내용의 명확성을 확보하고 처분의 존부에 관한 다툼을 방지하여 처분상대방의 권익을 보호하기 위한 것이므로, 행정청이 문서로 처분을 한 경우 원칙적으로 처분서의 문언에 따라 어떤 처분을 하였는지 확정하여야 한다. 그러나 처분서의 문언만으로는 행정청이 어떤 처분을 하였는지 불분명한 경우에는 처분 경위와 목적, 처분 이후 상대방의 태도 등 여러 사정을 고려하여 처분서의 문언과 달리 처분의 내용을 해석할 수 있다. 특히 <u>행정청이 행정처분을 하면서 논리적으로 당연히 수반되어야 하는 의사표시를 명시적으로 하지 않았다고 하더라도, 그것이 행정청의 추단적 의사에도 부합하고 상대방도 이를 알 수 있는 경우에는 행정처분에 위와 같은 의사표시가 묵시적으로 포함되어 있다고 볼 수 있다</u>(대판 2020.10.29. 2017다269152).

③ (×) 구 사회복지사업법 제20조 제2항에 따르면, 사회복지법인의 임시이사는 이사의 결원으로 법인의 정상적인 운영이 어려워진 경우에 그 결원을 보충하기 위하여 선임되는 기관이므로 정식이사가 선임될 때까지만 재임하는 것이 원칙이다. 다만 관할 행정청은 임시이사의 임기를 분명히 하기 위하여 임시이사를 선임하면서 임기를 예를 들어 1년 또는 2년과 같이 확정기한으로 정할 수 있다. 그러나 임시이사를 선임하면서 그 임기를 '후임 정식이사가 선임될 때까지'로 기재한 것은 근거법률의 해석상 당연히 도출되는 사항을 주의적·확인적으로 기재한 이른바 '법정부관'일 뿐, 행정청의 의사에 따라 붙이는 본래 의미의 행정처분 부관이라고 볼 수 없다. <u>후임 정식이사가 선임되었다는 사유만으로 임시이사의 임기가 자동적으로 만료되어 임시이사의 지위가 상실되는 효과가 발생하지 않고, 관할 행정청이 후임 정식이사가 선임되었음을 이유로 임시이사를 해임하는 행정처분을 해야만 비로소 임시이사의 지위가 상실되는 효과가 발생한다</u>(대판 2020.10.29. 2017다269152).

④ (○) 기본행위인 사업시행계획이 무효인 경우 그에 대한 인가처분이 있다고 하더라도 그 기본행위인 사업시행계획이 유효한 것으로 될 수 없으며, 기본행위가 적법·유효하고 보충행위인 인가처분 자체에만 하자가 있다면 그 인가처분의 무효나 취소를 주장할 수 있다고 할 것이지만, <u>인가처분에 하자가 없다면 기본행위에 하자가 있다고 하더라도 따로 그 기본행위의 하자를 다투는 것은 별론으로 하고 기본행위의 무효를 내세워 바로 그에 대한 인가처분의 취소 또는 무효확인을 구할 수 없다</u>(대판 2014.2.27. 2011두25173).

답 ③

006

행정처분의 부관에 대한 설명으로 옳지 않은 것은?

① 수익적 행정처분에 있어서는 법령에 특별한 근거규정이 없다고 하더라도 그 부관으로서 부담을 붙일 수 있고, 그와 같은 부담은 행정청이 행정처분을 하면서 일방적으로 부가할 수 있으나 부담을 부가하기 이전에 상대방과 협의하여 부담의 내용을 협약의 형식으로 미리 정한 다음 행정처분을 하면서 이를 부가할 수는 없다.

② 행정행위의 부관은 부담인 경우를 제외하고는 독립하여 행정소송의 대상이 될 수 없는 바, 기부채납받은 행정재산에 대한 사용·수익허가에서 공유재산의 관리청이 정한 사용·수익허가의 기간은 그 허가의 효력을 제한하기 위한 행정행위의 부관으로서 이러한 사용·수익허가의 기간에 대해서는 독립하여 행정소송을 제기할 수 없다.

③ 부담부 행정처분에 있어서 처분의 상대방이 부담(의무)을 이행하지 아니한 경우에 처분행정청으로서는 이를 들어 당해 처분을 취소(철회)할 수 있는 것이다.

④ 행정청이 수익적 행정처분을 하면서 부가한 부담의 위법 여부는 처분 당시 법령을 기준으로 판단하여야 하고, 부담이 처분 당시 법령을 기준으로 적법하다면 처분 후 부담의 전제가 된 주된 행정처분의 근거 법령이 개정됨으로써 행정청이 더 이상 부관을 붙일 수 없게 되었다 하더라도 곧바로 위법하게 되거나 그 효력이 소멸하게 되는 것은 아니다.

2024년 지방직 7급

① (×) 수익적 행정처분에 있어서는 법령에 특별한 근거규정이 없다고 하더라도 그 부관으로서 부담을 붙일 수 있고, 그와 같은 부담은 행정청이 행정처분을 하면서 일방적으로 부가할 수도 있지만 부담을 부가하기 이전에 상대방과 협의하여 부담의 내용을 협약의 형식으로 미리 정한 다음 행정처분을 하면서 이를 부가할 수도 있다(대판 2009.2.12. 2005다65500).
② (○) 행정행위의 부관은 부담인 경우를 제외하고는 독립하여 행정소송의 대상이 될 수 없는바, 기부채납받은 행정재산에 대한 사용·수익허가에서 공유재산의 관리청이 정한 사용·수익허가의 기간은 그 허가의 효력을 제한하기 위한 행정행위의 부관으로서 이러한 사용·수익허가의 기간에 대해서는 독립하여 행정소송을 제기할 수 없다(대판 2001.6.15. 99두509).
③ (○) 부담부 행정처분에 있어서 처분의 상대방이 부담(의무)을 이행하지 아니한 경우에 처분행정청으로서는 이를 들어 당해 처분을 취소(철회)할 수 있는 것이다(대판 1989.10.24. 89누2431).
④ (○) 행정청이 수익적 행정처분을 하면서 부가한 부담의 위법 여부는 처분 당시 법령을 기준으로 판단하여야 하고, 부담이 처분 당시 법령을 기준으로 적법하다면 처분 후 부담의 전제가 된 주된 행정처분의 근거 법령이 개정됨으로써 행정청이 더 이상 부관을 붙일 수 없게 되었다 하더라도 곧바로 위법하게 되거나 그 효력이 소멸하게 되는 것은 아니다. 따라서 행정처분의 상대방이 수익적 행정처분을 얻기 위하여 행정청과 사이에 행정처분에 부가할 부담에 관한 협약을 체결하고 행정청이 수익적 행정처분을 하면서 협약상의 의무를 부담으로 부가하였으나 부담의 전제가 된 주된 행정처분의 근거 법령이 개정됨으로써 행정청이 더 이상 부관을 붙일 수 없게 된 경우에도 곧바로 협약의 효력이 소멸하는 것은 아니다(대판 2009.2.12. 2005다65500).

답 ①

함께 정리하기

행정처분의 부관

부담
▷ 협약형식으로 부가 가

사용·수익허가의 기간
▷ 독립적 행정소송 대상×

부담 불이행
▷ 당해 처분 철회 가

부담의 위법 여부
▷ 처분 당시 법령 기준

007 □□□

행정행위의 부관에 대한 설명으로 옳지 않은 것은?

① 기부채납받은 행정재산에 대한 사용·수익허가에서 공유재산의 관리청이 정한 사용·수익허가의 기간은 그 허가의 효력을 제한하기 위한 행정행위의 부관으로서 이러한 사용·수익허가의 기간에 대해서는 독립하여 행정소송을 제기할 수 없다.
② 토지소유자가 토지형질변경행위허가에 붙은 기부채납의 부관에 따라 토지를 국가나 지방자치단체에 기부채납(증여)한 경우, 기부채납의 부관이 당연무효이거나 취소되지 아니한 이상 토지소유자는 위 부관으로 인하여 증여계약의 중요부분에 착오가 있음을 이유로 증여계약을 취소할 수 없다.
③ 행정행위의 부관인 부담에 정해진 바에 따라 당해 행정청이 아닌 다른 행정청이 그 부담상의 의무이행을 요구하는 의사표시를 하였을 경우, 이러한 행위가 당연히 항고소송의 대상이 되는 처분에 해당한다고 할 수는 없다.
④ 행정처분에 부담인 부관을 붙인 경우 부관의 무효화에 의하여 본체인 행정처분 자체의 효력에도 영향이 있게 될 수 있으며, 그 처분을 받은 사람이 부담의 이행으로 사법상 매매 등의 법률행위를 한 경우 그 법률행위 자체는 당연무효이다.

문제 DATA

출제가능 지수 ★★★
난이도 지수 ★★☆

함께 정리하기

행정행위의 부관

사용·수익허가의 기간
▷ 독립적 행정소송 대상 ✕

기부채납부관 취소 前
▷ 증여계약 착오취소 不可

다른 행정청의 부담상 의무이행 의사표시
▷ 당연히 처분성 ✕

무효인 부담의 이행으로 한 사법상 법률행위
▷ 당연무효 ✕

2024년 국가직 9급

① (○) 행정행위의 부관은 부담인 경우를 제외하고는 독립하여 행정소송의 대상이 될 수 없는바, 기부채납받은 행정재산에 대한 사용·수익허가에서 공유재산의 관리청이 정한 사용·수익허가의 기간은 그 허가의 효력을 제한하기 위한 행정행위의 부관으로서 이러한 사용·수익허가의 기간에 대해서는 독립하여 행정소송을 제기할 수 없다. … 결국 이 사건 주위적 청구는 부적법하여 각하를 면할 수 없다(대판 2001.6.15. 99두509).

② (○) 토지소유자가 토지형질변경행위허가에 붙은 기부채납의 부관에 따라 토지를 국가나 지방자치단체에 기부채납(증여)한 경우, 기부채납의 부관이 당연무효이거나 취소되지 아니한 이상 토지소유자는 위 부관으로 인하여 증여계약의 중요부분에 착오가 있음을 이유로 증여계약을 취소할 수 없다(대판 1999.5.25. 98다53134).

③ (○)

[1] 행정행위의 부관은 행정행위의 일반적인 효력이나 효과를 제한하기 위하여 의사표시의 주된 내용에 부가되는 종된 의사표시이지 그 자체로서 직접 법적 효과를 발생하는 독립된 처분이 아니므로 현행 행정쟁송제도 아래서는 부관 그 자체만을 독립된 쟁송의 대상으로 할 수 없는 것이 원칙이나 행정행위의 부관 중에서도 행정행위에 부수하여 그 행정행위의 상대방에게 일정한 의무를 부과하는 행정청의 의사표시인 부담의 경우에는 다른 부관과는 달리 행정행위의 불가분적인 요소가 아니고 그 존속이 본체인 행정행위의 존재를 전제로 하는 것일 뿐이므로 부담 그 자체로서 행정쟁송의 대상이 될 수 있다.

[2] 행정행위의 부관인 부담에 정해진 바에 따라 당해 행정청이 아닌 다른 행정청이 그 부담상의 의무이행을 요구하는 의사표시를 하였을 경우, 이러한 행위가 당연히 또는 무조건으로 행정소송법상 항고소송의 대상이 되는 처분에 해당한다고 할 수는 없다.

[3] 건설부장관이 공유수면매립면허를 함에 있어 그 면허조건에서 울산지방해운항만청이 울산항 항로 밑바닥에 쌓인 토사를 준설하여 당해 공유수면에 투기한 토량을 같은 해운항만청장이 산정 결정한 납입고지서에 의하여 납부하도록 정한 경우에 있어 건설부장관이 공유수면매립면허를 받은 자에게 부관으로 당해 공유수면에 이미 토사를 투기한 해운항만청장에게 그 대가를 지급하도록 한 조치에 대하여 별도의 법령상의 근거나 그 징수방법, 불복절차, 강제집행 등에 관한 규정이 없다면 이에 의해 같은 해운항만청장이 한 수토대금의 납부고지행위는 항만준설공사를 함에 있어 투기한 토사가 그 매립공사에 이용됨으로써 이득을 본다는 취지에서 준설공사비용의 범위 내에서 이를 회수하려는 조치로서 그 법적 성격 등에 비추어 볼 때 이를 가리켜 행정소송법 제2조 제1항 제1호 소정의 처분에 해당한다고 할 수 없다고 한 사례

[4] 위 [2]의 경우 해운항만청장이 공유수면매립면허를 받은 자에게 위 수토대금을 납부하지 않을 경우에는 국세체납의 예에 의하여 징수하겠다는 의사표시를 한 바 있었다고 하여도 이는 법령상의 근거 없이 한 것으로서 이 때문에 위 수토대금의 납부고지행위가 공권력을 가진 우월한 지위에서 행하는 행정처분이나 행정작용이 된다고 할 수 없고 세입금납세고지서에 의하여 납부할 것을 고지하였다 하여도 마찬가지이다(대판 1992.1.21. 91누1264).

④ (✕) 행정처분에 부담인 부관을 붙인 경우 부관의 무효화에 의하여 본체인 행정처분 자체의 효력에도 영향이 있게 될 수는 있지만, 그 처분을 받은 사람이 부담의 이행으로 사법상 매매 등의 법률행위를 한 경우에는 그 부관은 특별한 사정이 없는 한 법률행위를 하게 된 동기 내지 연유로 작용하였을 뿐이므로 이는 법률행위의 취소사유가 될 수 있음은 별론으로 하고 그 법률행위 자체를 당연히 무효화하는 것은 아니다(대판 2009.6.25. 2006다18174).

답 ④

008

행정행위의 부관에 대한 설명으로 옳지 않은 것은?

① 행정처분에 붙은 부담인 부관이 제소기간 도과로 확정되어 이미 불가쟁력이 생긴 경우에도 그 부담의 이행으로서 하게 된 사법상 매매 등의 법률행위의 효력을 다툴 수 있다.
② 부담부 행정처분에 있어서 처분의 상대방이 부담을 이행하지 아니한 경우에 처분청이 이를 들어 당해 처분을 철회할 수 없다.
③ 지방국토관리청장이 일부 공유수면매립지에 대하여 한 국가 귀속처분은 매립준공인가를 함에 있어서 매립의 면허를 받은 자의 매립지에 대한 소유권취득을 규정한 구「공유수면매립법」의 법률효과를 일부 배제하는 부관을 붙인 것이다.
④ 부담이 처분 당시 법령을 기준으로 적법하다면 처분 후 부담의 전제가 된 주된 행정처분의 근거 법령이 개정됨으로써 행정청이 더 이상 부관을 붙일 수 없게 되었다 하더라도 곧바로 위법하게 되거나 그 효력이 소멸하게 되는 것은 아니다.

문제 DATA
출제가능 지수 ▶▶▶
난이도 지수 ★★☆

2024년 지방직 9급

① (○) 행정처분에 붙은 부담인 부관이 제소기간의 도과로 확정되어 이미 불가쟁력이 생겼다면 그 하자가 중대하고 명백하여 당연 무효로 보아야 할 경우 외에는 누구나 그 효력을 부인할 수 없을 것이지만, 부담의 이행으로서 하게 된 사법상 매매 등의 법률행위는 부담을 붙인 행정처분과는 어디까지나 별개의 법률행위이므로 그 부담의 불가쟁력의 문제와는 별도로 법률행위가 사회질서 위반이나 강행규정에 위반되는지 여부 등을 따져보아 그 법률행위의 유효 여부를 판단하여야 한다(대판 2009.6.25. 2006다18174).
② (×) 부담부 행정처분에 있어서 처분의 상대방이 부담(의무)을 이행하지 아니한 경우에 처분행정청으로서는 이를 들어 당해 처분을 취소(철회)할 수 있는 것이다(대판 1989.10.24. 89누2431).
③ (○) 행정행위의 부관은 부담의 경우를 제외하고는 독립하여 행정소송의 대상이 될 수 없는 것인바, 행정청이 한 공유수면매립준공인가 중 매립지 일부에 대하여 한 국가귀속처분은 매립준공인가를 함에 있어서 매립의 면허를 받은자의 매립지에 대한 소유권취득을 규정한 공유수면매립법 제14조의 효과 일부를 배제하는 부관을 붙인 것이므로 이러한 행정행위의 부관에 대하여는 독립하여 행정소송의 대상으로 삼을 수 없다(대판 1991.12.13. 90누8503).
④ (○) 행정청이 수익적 행정처분을 하면서 부가한 부담의 위법 여부는 처분 당시 법령을 기준으로 판단하여야 하고, 부담이 처분 당시 법령을 기준으로 적법하다면 처분 후 부담의 전제가 된 주된 행정처분의 근거 법령이 개정됨으로써 행정청이 더 이상 부관을 붙일 수 없게 되었다 하더라도 곧바로 위법하게 되거나 그 효력이 소멸하게 되는 것은 아니다. 따라서 행정처분의 상대방이 수익적 행정처분을 얻기 위하여 행정청과 사이에 행정처분에 부가할 부담에 관한 협약을 체결하고 행정청이 수익적 행정처분을 하면서 협약상의 의무를 부담으로 부가하였으나 부담의 전제가 된 주된 행정처분의 근거 법령이 개정됨으로써 행정청이 더 이상 부관을 붙일 수 없게 된 경우에도 곧바로 협약의 효력이 소멸하는 것은 아니다(대판 2009.2.12. 2005다65500).

답 ②

함께 정리하기

행정행위의 부관

불가쟁력 발생한 부담의 이행으로 하게 된 사법행위
▷ 별도로 효력 다툼 可

공유수면매립준공인가처분 중 매립지일부 국가 귀속처분
▷ 법률효과 일부배제(처분성×)

부담의 불이행
▷ 주된 처분 철회 可

처분 후 법개정으로 부관을 붙일 수 없게 된 경우
▷ 처분시 붙인 부담 곧바로 위법×, 효력 소멸×

009

다음 중 행정행위의 부관에 대한 설명으로 가장 옳지 않은 것은? (다툼이 있는 경우 판례에 의함)

① 부담은 행정청이 행정처분을 하면서 일방적으로 부가할 수도 있지만 부담을 부가하기 이전에 상대방과 협의하여 부담의 내용을 협약의 형식으로 미리 정한 다음 행정처분을 하면서 이를 부가할 수도 있다.
② 행정청은 처분의 재량이 없는 경우에는 법률에 근거가 있는 경우에 부관을 붙일 수 있다.
③ 기한은 연월일로 표기하지 않고 '근속기간중' 또는 '종신'과 같은 도래시기가 확정되지 않은 방식으로 표기하는 것도 가능하다.
④ 기부채납받은 행정재산에 대한 사용·수익 허가에서 공유재산의 관리청이 정한 사용·수익허가의 기간은 그 허가의 효력을 제한하기 위한 행정행위의 부관으로서 이러한 사용·수익허가의 기간에 대해서는 독립하여 행정소송을 제기할 수 있다.

> 2024년 군무원 9급

① (○) 수익적 행정처분에 있어서는 법령에 특별한 근거규정이 없다고 하더라도 그 부관으로서 부담을 붙일 수 있고, 그와 같은 부담은 행정청이 행정처분을 하면서 일방적으로 부가할 수도 있지만 부담을 부가하기 이전에 상대방과 협의하여 부담의 내용을 협약의 형식으로 미리 정한 다음 행정처분을 하면서 이를 부가할 수도 있다(대판 2009.2.12. 2005다65500).
② (○)

> 「행정기본법」 제17조 【부관】 ① 행정청은 처분에 재량이 있는 경우에는 부관(조건, 기한, 부담, 철회권의 유보 등을 말한다. 이하 이 조에서 같다)을 붙일 수 있다.
> ② 행정청은 처분에 재량이 없는 경우에는 법률에 근거가 있는 경우에 부관을 붙일 수 있다.

③ (○) 기한이란 행정행위 효력의 발생·소멸을 장래에 발생 여부가 확실한 사실에 종속시키는 부관을 말한다. 기한에는 확정기한과 불확정기한이 있는데, 도래시기가 확정된 기한을 확정기한이라 하고, (도래할 것은 확실하나) 도래시기가 확정되지 않은 기한을 불확정기한이라 한다. 지문은 불확정기한을 의미한다.
④ (×) 행정행위의 부관은 부담인 경우를 제외하고는 독립하여 행정소송의 대상이 될 수 없는바, 기부채납받은 행정재산에 대한 사용·수익허가에서 공유재산의 관리청이 정한 사용·수익허가의 기간은 그 허가의 효력을 제한하기 위한 행정행위의 부관으로서 이러한 사용·수익허가의 기간에 대해서는 독립하여 행정소송을 제기할 수 없다(대판 2001.6.15. 99두509).

답 ④

010

다음 중 「행정기본법」상 부관 중 조건에 대한 설명으로 가장 옳은 것은?

① 행정청은 처분에 재량이 있는 경우에는 조건을 붙일 수 있는데, 그러한 조건은 해당 처분과 실질적인 관련성이 있어야 하는 것은 아니다.
② 행정청은 처분에 재량이 없는 경우에는 법률에 근거가 있더라도 조건을 붙일 수 없다.
③ 행정청은 조건을 붙일 수 있는 처분이 당사자의 동의가 있는 경우에는 그 처분을 한 후에도 종전의 조건을 변경할 수 있다.
④ 행정청은 조건을 붙일 수 있는 처분이 사정이 변경되어 조건을 새로 붙이지 아니하면 해당 처분의 목적을 달성할 수 없다고 인정되는 경우에라도 그 처분을 한 후에는 조건을 새로 붙일 수는 없다.

③ (O)

> 「행정기본법」 제17조【부관】① 행정청은 처분에 재량이 있는 경우에는 부관(조건, 기한, 부담, 철회권의 유보 등을 말한다. 이하 이 조에서 같다)을 붙일 수 있다.
> ② 행정청은 처분에 재량이 없는 경우에는 법률에 근거가 있는 경우에 부관을 붙일 수 있다(②).
> ③ 행정청은 부관을 붙일 수 있는 처분이 다음 각 호의 어느 하나에 해당하는 경우에는 그 처분을 한 후에도 부관을 새로 붙이거나 종전의 부관을 변경할 수 있다.
> 1. 법률에 근거가 있는 경우
> 2. 당사자의 동의가 있는 경우(③)
> 3. 사정이 변경되어 부관을 새로 붙이거나 종전의 부관을 변경하지 아니하면 해당 처분의 목적을 달성할 수 없다고 인정되는 경우(④)
> ④ 부관은 다음 각 호의 요건에 적합하여야 한다.
> 1. 해당 처분의 목적에 위배되지 아니할 것
> 2. 해당 처분과 실질적인 관련이 있을 것(①)
> 3. 해당 처분의 목적을 달성하기 위하여 필요한 최소한의 범위일 것

답 ③

함께 정리하기

「행정기본법」상 부관 중 조건

처분에 재량이 있는 경우
▷ 조건 부가可
▷ 해당 처분과 실질적인 관련성이 있어야 함

처분에 재량이 없는 경우
▷ 법률에 근거 있으면 조건 부가可

조건의 사후 부과·변경 사유
▷ 법률에 근거/당사자 동의/사정변경으로 목적달성 불가능

011 ☐☐☐

행정행위의 부관에 관한 설명으로 옳지 않은 것은? (다툼이 있는 경우 판례에 의함)

① 재량행위에는 법령상 근거가 없더라도 그 내용이 적법하고 이행가능하며 비례의 원칙 및 평등의 원칙에 적합하고 행정처분의 본질적 효력을 해하지 아니하는 한도 내에서 부관을 붙일 수 있다.
② 행정청이 주택사업계획승인을 하면서 그 주택사업과는 아무런 관련이 없는 토지를 기부채납하도록 하는 부관을 붙인 경우, 그 부관은 부당결부금지원칙에 위배되어 위법하다.
③ 행정청이 수익적 행정처분을 하면서 부담을 부가하는 경우, 행정청은 부담을 일방적으로 부가할 수도 있지만, 부담을 부가하기 이전에 상대방과 협약의 형식으로 부담의 내용을 미리 정한 다음 행정처분을 하면서 이를 부가할 수도 있다.
④ 유효기간을 정한 어업면허처분 중 그 면허유효기간만의 취소를 구하는 행정소송은 허용된다.
⑤ 행정청은 부관을 붙일 수 있는 처분이 법률에 근거가 있는 경우, 당사자의 동의가 있는 경우, 사정이 변경되어 부관을 새로 붙이거나 종전의 부관을 변경하지 아니하면 해당 처분의 목적을 달성할 수 없다고 인정되는 경우에는 그 처분을 한 후에도 부관을 새로 붙이거나 종전의 부관을 변경할 수 있다.

문제 DATA

출제가능 지수 ▶▶▶
난이도 지수 ★★☆

함께 정리하기

행정행위의 부관

재량행위
▷ 법령상 근거 없어도 부관 可
▷ 이행가능성, 적법, 목적, 행정법의 일반원칙상 한계 有

주택사업과 무관한 토지기부채납부관
▷ 부당결부금지원칙 위반

부담
▷ 협약형식으로 부가 可

어업면허처분에서의 면허유효기간
▷ 독립쟁송 不可(∵기한)

부관의 사후 부과·변경 사유
▷ 법률에 근거/당사자 동의/사정변경으로 목적달성 불가능

2024년 소방간부

① (○) 재량행위에는 법령상 근거가 없더라도 그 내용이 적법하고 이행가능하며 비례의 원칙 및 평등의 원칙에 적합하고 행정처분의 본질적 효력을 해하지 아니하는 한도 내에서 부관을 붙일 수 있다(대판 2021.2.4. 2020두48772).

> 「행정기본법」 제17조【부관】① 행정청은 처분에 재량이 있는 경우에는 부관(조건, 기한, 부담, 철회권의 유보 등을 말한다. 이하 이 조에서 같다)을 붙일 수 있다.
> ② 행정청은 처분에 재량이 없는 경우에는 법률에 근거가 있는 경우에 부관을 붙일 수 있다.
> ④ 부관은 다음 각 호의 요건에 적합하여야 한다.
> 1. 해당 처분의 목적에 위배되지 아니할 것
> 2. 해당 처분과 실질적인 관련이 있을 것
> 3. 해당 처분의 목적을 달성하기 위하여 필요한 최소한의 범위일 것

② (○)

> [1] 수익적 행정행위에 있어서는 법령에 특별한 근거규정이 없다고 하더라도 그 부관으로서 부담을 붙일 수 있으나, 그러한 부담은 비례의 원칙, 부당결부금지의 원칙에 위반되지 않아야만 적법하다.
> [2] 지방자치단체장이 사업자에게 주택사업계획승인을 하면서 그 주택사업과는 아무런 관련이 없는 토지를 기부채납하도록 하는 부관을 주택사업계획승인에 붙인 경우, 그 부관은 부당결부금지의 원칙에 위반되어 위법하지만, 지방자치단체장이 승인한 사업자의 주택사업계획은 상당히 큰 규모의 사업임에 반하여, 사업자가 기부채납한 토지 가액은 그 100분의 1 상당의 금액에 불과한 데다가, 사업자가 그 동안 그 부관에 대하여 아무런 이의를 제기하지 아니하다가 지방자치단체장이 업무착오로 기부채납한 토지에 대하여 보상협조요청서를 보내 그 때서야 비로소 부관의 하자를 들고 나온 사정에 비추어 볼 때 부관의 하자가 중대하고 명백하여 당연무효라고는 볼 수 없다고 한 사례(대판 1997.3.11. 96다49650)

③ (○) 대판 2009.2.12. 2005다65500

④ (×) 어업면허처분을 함에 있어 그 면허의 유효기간을 1년으로 정한 경우, 위 면허의 유효기간은 행정청이 위 어업면허처분의 효력을 제한하기 위한 행정행위의 부관이라 할 것이고 이러한 행정행위의 부관은 독립하여 행정소송의 대상이 될 수 없는 것이므로 위 어업면허처분 중 그 면허유효기간만의 취소를 구하는 청구는 허용될 수 없다(대판 1986.8.19. 86누202).

⑤ (○)

> 「행정기본법」 제17조【부관】③ 행정청은 부관을 붙일 수 있는 처분이 다음 각 호의 어느 하나에 해당하는 경우에는 그 처분을 한 후에도 부관을 새로 붙이거나 종전의 부관을 변경할 수 있다.
> 1. 법률에 근거가 있는 경우
> 2. 당사자의 동의가 있는 경우
> 3. 사정이 변경되어 부관을 새로 붙이거나 종전의 부관을 변경하지 아니하면 해당 처분의 목적을 달성할 수 없다고 인정되는 경우

답 ④

012

행정행위의 부관에 대한 설명으로 옳지 않은 것은? (다툼이 있는 경우 판례에 의함)

① 부담은 행정청이 행정처분을 하면서 일방적으로 부가할 수 있지만 부담을 부가하기 이전에 상대방과 협의하여 부담의 내용을 협약의 형식으로 미리 정한 다음 행정처분을 하면서 이를 부가할 수는 없다.
② 행정청은 부관을 붙일 수 있는 처분이 사정이 변경되어 부관을 새로 붙이거나 종전의 부관을 변경하지 아니하면 해당 처분의 목적을 달성할 수 없다고 인정되는 경우, 그 처분을 한 후에도 부관을 새로 붙이거나 종전의 부관을 변경할 수 있다.
③ 부관 중에서도 부담의 경우에는 다른 부관과는 달리 행정행위의 불가분적인 요소가 아니고 그 존속이 본체인 행정행위의 존재를 전제로 하는 것일 뿐이므로 부담 그 자체로서 행정쟁송의 대상이 될 수 있다.
④ 행정처분에 부담인 부관을 붙인 경우, 그 부관이 무효가 되었다고 하여 그 처분을 받은 사람이 부담의 이행으로 한 사법상 매매 등의 법률행위 자체가 당연히 무효가 되는 것은 아니다.

2024년 경찰간부

① (×) 수익적 행정처분에 있어서는 법령에 특별한 근거규정이 없다고 하더라도 그 부관으로서 부담을 붙일 수 있고, 그와 같은 <u>부담은 행정청이 행정처분을 하면서 일방적으로 부가할 수도 있지만 부담을 부가하기 이전에 상대방과 협의하여 부담의 내용을 협약의 형식으로 미리 정한 다음 행정처분을 하면서 이를 부가할 수도 있다</u>(대판 2009.2.12. 2005다65500).

② (○)

> 「행정기본법」 제17조【부관】③ 행정청은 부관을 붙일 수 있는 처분이 <u>다음 각 호의 어느 하나에 해당하는 경우에는 그 처분을 한 후에도 부관을 새로 붙이거나 종전의 부관을 변경할 수 있다.</u>
> 1. 법률에 근거가 있는 경우
> 2. 당사자의 동의가 있는 경우
> 3. 사정이 변경되어 부관을 새로 붙이거나 종전의 부관을 변경하지 아니하면 해당 처분의 목적을 달성할 수 없다고 인정되는 경우

③ (○) 행정행위의 부관은 행정행위의 일반적인 효력이나 효과를 제한하기 위하여 의사표시의 주된 내용에 부가되는 종된 의사표시이지 그 자체로서 직접 법적 효과를 발생하는 독립된 처분이 아니므로 현행 행정쟁송제도 아래서는 부관 그 자체만을 독립된 쟁송의 대상으로 할 수 없는 것이 원칙이나 <u>행정행위의 부관 중에서도 행정행위에 부수하여 그 행정행위의 상대방에게 일정한 의무를 부과하는 행정청의 의사표시인 부담의 경우에는 다른 부관과는 달리 행정행위의 불가분적인 요소가 아니고 그 존속이 본체인 행정행위의 존재를 전제로 하는 것일 뿐이므로 부담 그 자체로서 행정쟁송의 대상이 될 수 있다</u>(대판 1992.1.21. 91누1264).

④ (○) 행정처분에 부담인 부관을 붙인 경우 부관의 무효화에 의하여 본체인 행정처분 자체의 효력에도 영향이 있게 될 수는 있지만, 그 처분을 받은 사람이 <u>부담의 이행으로 사법상 매매 등의 법률행위를 한 경우</u>에는 그 부관은 특별한 사정이 없는 한 법률행위를 하게 된 동기 내지 연유로 작용하였을 뿐이므로 이는 법률행위의 취소사유가 될 수 있음은 별론으로 하고 <u>그 법률행위 자체를 당연히 무효화하는 것은 아니다</u>. 또한, 행정처분에 붙은 부담인 부관이 제소기간의 도과로 확정되어 이미 불가쟁력이 생겼다면 그 하자가 중대하고 명백하여 당연 무효로 보아야 할 경우 외에는 누구나 그 효력을 부인할 수 없을 것이지만, 부담의 이행으로서 하게 된 사법상 매매 등의 법률행위는 부담을 붙인 행정처분과는 어디까지나 별개의 법률행위이므로 그 부담의 불가쟁력의 문제와는 별도로 법률행위가 사회질서 위반이나 강행규정에 위반되는지 여부 등을 따져보아 그 법률행위의 유효 여부를 판단하여야 한다(대판 2009.6.25. 2006다18174).

답 ①

문제 DATA

출제가능 지수 ▶▶▶
난이도 지수 ★★☆

함께 정리하기

행정행위의 부관

부담
▷ 협약형식으로 부가 可

부관의 사후 부과·변경 사유
▷ 법률에 근거/당사자 동의/사정변경으로 목적달성 불가능

부담
▷ 독립적 행정소송 대상○

무효인 부담의 이행으로 한 사법상 법률행위
▷ 당연무효✕

013

행정행위의 부관에 대한 설명으로 옳지 않은 것은?

① 재량행위에는 법령상 근거가 없더라도 그 내용이 적법하고 이행가능하며 비례의 원칙 및 평등의 원칙에 적합하고 행정처분의 본질적 효력을 해하지 아니하는 한도 내에서 부관을 붙일 수 있다.
② 부담은 행정청이 일방적 의사표시로 붙일 수 있고, 상대방의 동의를 얻거나 상대방과 협의하여 부담의 내용에 대해 협약의 형식으로 미리 정한 다음 행정처분을 하면서 이를 부가할 수도 있다.
③ 허가에 붙은 기한의 종기 도래로 허가의 효력이 상실된 경우, 기한연장신청 거부에 대한 집행정지로 인해 그 효력이 회복되므로 집행정지신청의 이익이 있다.
④ 행정청은 부관을 붙일 수 있는 처분에 당사자의 동의가 있는 경우에는 그 처분을 한 후에도 부관을 새로 붙일 수 있다.
⑤ 건축허가를 하면서 일정 토지를 기부채납하도록 한 허가조건의 효력이 무효라고 하더라도, 무효인 허가조건을 유효한 것으로 믿고 토지를 증여하였다면 이는 동기의 착오에 불과하여 그 소유권이전등기의 말소를 청구할 수는 없다.

2024년 국회직 8급

① (○) 대판 1997.3.14. 96누16698
② (○) 대판 2009.2.12. 2005다65500
③ (×) 신청에 대한 거부처분의 효력을 정지하더라도 거부처분이 없었던 것과 같은 상태, 즉 거부처분이 있기 전의 신청시의 상태로 되돌아가는 데에 불과하고 행정청에게 신청에 따른 처분을 하여야 할 의무가 생기는 것이 아니므로, <u>거부처분의 효력정지는 그 거부처분으로 인하여 신청인에게 생길 손해를 방지하는 데 아무런 보탬이 되지 아니하여 그 효력정지를 구할 이익이 없다</u>(대결 1995.6.21. 95두26).
④ (○)

> 「행정기본법」 제17조【부관】③ 행정청은 부관을 붙일 수 있는 처분이 다음 각 호의 어느 하나에 해당하는 경우에는 그 처분을 한 후에도 부관을 새로 붙이거나 종전의 부관을 변경할 수 있다.
> 1. 법률에 근거가 있는 경우
> 2. 당사자의 동의가 있는 경우
> 3. 사정이 변경되어 부관을 새로 붙이거나 종전의 부관을 변경하지 아니하면 해당 처분의 목적을 달성할 수 없다고 인정되는 경우

⑤ (○) 건축허가를 하면서 일정 토지를 기부채납하도록 하는 내용의 허가조건은 부관을 붙일 수 없는 기속행위 내지 기속적 재량행위인 건축허가에 붙인부담이거나 또는 법령상 아무런 근거가 없는 부관이어서 무효이다. 이 경우 허가조건이 무효라고 하더라도 그 부관 및 본체인 건축허가 자체의 효력이 문제됨은 별론으로 하고, 허가신청대행자가 그 소유인 토지를 허가관청에게 기부채납함에 있어 위 허가조건은 증여의사표시를 하게 된 하나의 동기 내지 연유에 불과한 것이고, 위 허가신청대행자가 건축허가를 받은 토지의 일부를 반드시 허가관청에 기부채납하여야 한다는 법령상의 근거규정이 없음에도 불구하고 <u>위 허가조건의 내용에 따라 위 토지를 기부채납하여야만 허가신청인들이 시공한 건축물의 준공검사가 나오는 것으로 믿고 증여계약을 체결하여 허가관청인 시 앞으로 위 토지에 관하여 소유권이전등기를 경료하여 주었다면 이는 일종의 동기의 착오로서 그 허가조건상의 하자가 허가신청대행자의 증여의사표시 자체에 직접 영향을 미치는 것은 아니므로, 이를 이유로 하여 위 시 명의의 소유권이전등기의 말소를 청구할 수는 없다</u>고 한 사례이다(대판 1995.6.13. 94다56883).

답 ③

문제 DATA
출제가능 지수 ▶▶Σ
난이도 지수 ★★★

함께 정리하기

행정행위의 부관

재량행위
▷ 법령상 근거 없어도 부관可
▷ 이행가능성, 행정법의 일반원칙상 한계 有

부담
▷ 협약형식으로 부가可

거부처분
▷ 집행정지(효력정지)신청의 이익無

부관의 사후 부과·변경 사유
▷ 법률에 근거/당사자 동의/사정변경으로 목적달성 불가능

무효인 부담의 이행으로 한 사법상 법률행위(증여계약)
▷ 당연무효× (∵부관은 법률행위의 동기·연유)

014

행정행위의 부관에 관한 설명 중 옳지 않은 것을 모두 고른 것은? (다툼이 있는 경우 판례에 의함)

> ㄱ. 사정변경이 있어 부관을 새로 붙이거나 종전의 부관을 변경하지 아니하면 해당 행정처분의 목적을 달성할 수 없는 경우라도 당사자의 동의가 없으면 부관을 새로 부가하거나 종전의 부관을 변경하는 것은 허용되지 않는다.
> ㄴ. 부담이 처분 당시 법령을 기준으로 적법하다면 처분 후 부담의 전제가 된 주된 행정처분의 근거 법령이 개정됨으로써 행정청이 더 이상 부관을 붙일 수 없게 되었다 하더라도 곧바로 위법하게 되거나 그 효력이 소멸되는 것은 아니다.
> ㄷ. 부관의 내용 중 사후에 행정소송을 제기하지 않겠다는 내용의 부제소특약에 관한 부분은 계약자유의 원칙에 따라 허용된다.
> ㄹ. 행정처분에 붙인 부담인 부관이 무효인 경우 그 처분을 받은 사람이 부담의 이행으로 사법상 매매 등의 법률행위를 한 때에는 그 부담은 특별한 사정이 없는 한 법률행위를 하게 된 동기로 작용하였을 뿐이므로 이는 법률행위의 취소사유가 될 수 있음은 별론으로 하고 그 법률행위 자체를 당연히 무효화하는 것은 아니다.
> ㅁ. 부담이 제소기간의 도과로 확정되어 불가쟁력이 생긴 경우 그 부담의 이행으로서 하게 된 사법상 매매 등의 법률행위의 효력도 다툴 수 없다.

① ㄱ, ㄴ, ㄹ
② ㄱ, ㄷ, ㅁ
③ ㄱ, ㄹ, ㅁ
④ ㄴ, ㄷ, ㄹ
⑤ ㄷ, ㄹ, ㅁ

2024년 변호사

ㄱ. (×)

> 「행정기본법」제17조【부관】③ 행정청은 부관을 붙일 수 있는 처분이 다음 각 호의 어느 하나에 해당하는 경우에는 그 처분을 한 후에도 부관을 새로 붙이거나 종전의 부관을 변경할 수 있다.
> 1. 법률에 근거가 있는 경우
> 2. 당사자의 동의가 있는 경우
> 3. 사정이 변경되어 부관을 새로 붙이거나 종전의 부관을 변경하지 아니하면 해당 처분의 목적을 달성할 수 없다고 인정되는 경우

ㄴ. (○) 행정청이 수익적 행정처분을 하면서 부가한 부담의 위법 여부는 처분 당시 법령을 기준으로 판단하여야 하고, 부담이 처분 당시 법령을 기준으로 적법하다면 처분 후 부담의 전제가 된 주된 행정처분의 근거 법령이 개정됨으로써 행정청이 더 이상 부관을 붙일 수 없게 되었다 하더라도 곧바로 위법하게 되거나 그 효력이 소멸하게 되는 것은 아니다. 따라서 행정처분의 상대방이 수익적 행정처분을 얻기 위하여 행정청과 사이에 행정처분에 부가할 부담에 관한 협약을 체결하고 행정청이 수익적 행정처분을 하면서 협약상의 의무를 부담으로 부가하였으나 부담의 전제가 된 주된 행정처분의 근거 법령이 개정됨으로써 행정청이 더 이상 부관을 붙일 수 없게 된 경우에도 곧바로 협약의 효력이 소멸하는 것은 아니다(대판 2009.2.12. 2005다65500).

ㄷ. (×) 지방자치단체장이 도매시장법인의 대표이사에 대하여 위 지방자치단체장이 개설한 농수산물도매시장의 도매시장법인으로 다시 지정함에 있어서 그 지정조건으로 '지정기간 중이라도 개설자가 농수산물 유통정책의 방침에 따라 도매시장법인 이전 및 지정취소 또는 폐쇄 지시에도 일체 소송이나 손실보상을 청구할 수 없다.'라는 부관을 붙였으나, 그 중 부제소특약에 관한 부분은 당사자가 임의로 처분할 수 없는 공법상의 권리관계를 대상으로 하여 사인의 국가에 대한 공권인 소권을 당사자의 합의로 포기하는 것으로서 허용될 수 없다(대판 1998.8.21. 98두8919).

문제 DATA
출제가능 지수 ▶▶▷
난이도 지수 ★★★

함께 정리하기

행정행위의 부관

부관의 사후 부과·변경 사유
▷ 법률에 근거/당사자 동의/사정변경으로 목적달성 불가능

부담의 위법성
▷ 처분시 법령기준

부제소특약 부관
▷ 허용×

무효인 부담의 이행으로 한 사법상 법률행위
▷ 부담은 법률행위의 동기·연유
▷ 법률행위의 취소사유일 뿐 무효사유×

불가쟁력 발생한 부담의 이행으로 한 사법상 법률행위
▷ 별개의 법률행위, 별도 효력 다툼 可

ㄹ. (○), ㅁ. (×) 행정처분에 부담인 부관을 붙인 경우 부관의 무효화에 의하여 본체인 행정처분 자체의 효력에도 영향이 있게 될 수는 있지만, 그 처분을 받은 사람이 부담의 이행으로 사법상 매매 등의 법률행위를 한 경우에는 그 부관은 특별한 사정이 없는 한 법률행위를 하게 된 동기 내지 연유로 작용하였을 뿐이므로 이는 법률행위의 취소사유가 될 수 있음은 별론으로 하고 그 법률행위 자체를 당연히 무효화하는 것은 아니다(ㄹ). 또한, 행정처분에 붙은 부담인 부관이 제소기간의 도과로 확정되어 이미 불가쟁력이 생겼다면 그 하자가 중대하고 명백하여 당연 무효로 보아야 할 경우 외에는 누구나 그 효력을 부인할 수 없을 것이지만, 부담의 이행으로서 하게 된 사법상 매매 등의 법률행위는 부담을 붙인 행정처분과는 어디까지나 별개의 법률행위이므로 그 부담의 불가쟁력의 문제와는 별도로 법률행위가 사회질서 위반이나 강행규정에 위반되는지 여부 등을 따져보아 그 법률행위의 유효 여부를 판단하여야 한다(ㅁ)(대판 2009.6.25. 2006다18174).

답 ②

015 ☐☐☐

「행정기본법」상 부관에 대한 설명으로 옳지 않은 것은?

① 행정청은 처분에 재량이 있는 경우에는 부관을 붙일 수 있다.
② 행정청은 처분에 재량이 없는 경우에는 법률에 근거가 있는 경우에 부관을 붙일 수 있다.
③ 부관은 해당 처분의 목적에 위배되지 아니하여야 하며, 그 처분과 실질적인 관련이 있어야 하고 또한 그 처분의 목적을 달성하기 위하여 필요한 최소한의 범위 내에서 붙여야 한다.
④ 행정청은 사정이 변경되어 종전의 부관을 변경하지 아니하면 해당 처분의 목적을 달성할 수 없다고 인정되는 경우에도 법률에 근거가 없다면 종전의 부관을 변경할 수 없다.

| 2023년 국가직 7급

① (○)

> 「행정기본법」 제17조 【부관】 ① 행정청은 처분에 재량이 있는 경우에는 부관(조건, 기한, 부담, 철회권의 유보 등을 말한다. 이하 이 조에서 같다)을 붙일 수 있다.

② (○)

> 「행정기본법」 제17조 【부관】 ② 행정청은 처분에 재량이 없는 경우에는 법률에 근거가 있는 경우에 부관을 붙일 수 있다.

③ (○)

> 「행정기본법」 제17조 【부관】 ④ 부관은 다음 각 호의 요건에 적합하여야 한다.
> 1. 해당 처분의 목적에 위배되지 아니할 것
> 2. 해당 처분과 실질적인 관련이 있을 것
> 3. 해당 처분의 목적을 달성하기 위하여 필요한 최소한의 범위일 것

④ (×)

> 「행정기본법」 제17조 【부관】 ③ 행정청은 부관을 붙일 수 있는 처분이 다음 각 호의 어느 하나에 해당하는 경우에는 그 처분을 한 후에도 부관을 새로 붙이거나 종전의 부관을 변경할 수 있다
> 1. 법률에 근거가 있는 경우
> 2. 당사자의 동의가 있는 경우
> 3. 사정이 변경되어 부관을 새로 붙이거나 종전의 부관을 변경하지 아니하면 해당 처분의 목적을 달성할 수 없다고 인정되는 경우

답 ④

016

부관에 대한 설명으로 옳은 것은? (다툼이 있는 경우 판례에 의함)

① 행정청은 부관을 붙일 수 있는 처분의 경우 일단 그 처분을 한 후에는 당사자의 동의가 있더라도 부관을 새로 붙일 수 없다.
② 행정청은 처분에 재량이 있는 경우에도 법률에 근거가 있어야만 부관을 붙일 수 있다.
③ 철회권의 유보는 해당 처분의 목적을 달성하기 위하여 필요한 최소한의 범위여야 한다.
④ 부담은 행정행위의 불가분적인 요소로서 부담 그 자체를 행정쟁송의 대상으로 할 수 없다.

| 2023년 군무원 9급

①, ② (×) ③ (○)

> 「행정기본법」 제17조【부관】 ① 행정청은 처분에 재량이 있는 경우에는 부관(조건, 기한, 부담, 철회권의 유보 등을 말한다. 이하 이 조에서 같다)을 붙일 수 있다(②).
> ② 행정청은 처분에 재량이 없는 경우에는 법률에 근거가 있는 경우에 부관을 붙일 수 있다.
> ③ 행정청은 부관을 붙일 수 있는 처분이 다음 각 호의 어느 하나에 해당하는 경우에는 그 처분을 한 후에도 부관을 새로 붙이거나 종전의 부관을 변경할 수 있다
> 1. 법률에 근거가 있는 경우
> 2. 당사자의 동의가 있는 경우(①)
> 3. 사정이 변경되어 부관을 새로 붙이거나 종전의 부관을 변경하지 아니하면 해당 처분의 목적을 달성할 수 없다고 인정되는 경우(③)
> ④ 부관은 다음 각 호의 요건에 적합하여야 한다.
> 1. 해당 처분의 목적에 위배되지 아니할 것
> 2. 해당 처분과 실질적인 관련이 있을 것
> 3. 해당 처분의 목적을 달성하기 위하여 필요한 최소한의 범위일 것(③)

④ (×) 현행 행정쟁송제도 아래서는 부관 그 자체만을 독립된 쟁송의 대상으로 할 수 없는 것이 원칙이나 행정행위의 부관 중에서도 행정행위에 부수하여 그 행정행위의 상대방에게 일정한 의무를 부과하는 행정청의 의사표시인 부담의 경우에는 다른 부관과는 달리 행정행위의 불가분적인 요소가 아니고 그 존속이 본체인 행정행위의 존재를 전제로 하는 것일 뿐이므로 부담 그 자체로서 행정쟁송의 대상이 될 수 있다 (대판 1992.1.21. 91누1264).

유제 23. 소방간부 행정처분에 부수하여 그 처분의 상대방에게 일정한 의무를 부과하는 부담은 주된 행정처분과 독립하여 그 자체만으로 행정쟁송의 대상이 될 수 없다. (×)
21. 소방직 행정행위의 부관 중 행정행위에 부수하여 그 상대방에게 일정한 의무를 부과하는 행정청의 의사표시인 부담은 그 자체만으로 행정소송의 대상이 될 수 있다. (○)
21. 국회직 8급 (A 행정청은 甲에게 처분을 하면서 법령에 근거 없이 일정 토지를 기부채납하도록 하는 부담을 붙였다) 甲은 기부채납을 하도록 하는 부담에 대해서만 취소소송을 제기하여 다툴 수 있다. (○)
21. 국회직 9급 부담은 조건과 달리 본체인 행정행위의 불가분적 요소가 아니다. (○)
20. 지방직 9급 부관 중에서 부담은 주된 행정행위로부터 분리할 수 있다 할지라도 부담 그 자체는 독립된 행정행위가 아니므로 주된 행정행위와 분리하여 쟁송의 대상이 될 수 없다. (×)

답 ③

📝 함께 정리하기

부관

부관의 사후 부과·변경 사유
▷ 법률에 근거
▷ 당사자 동의
▷ 사정변경으로 목적달성 불가능

처분에 재량이 있는 경우
▷ 법률 근거 없이도 부관 可

부관의 내용상 한계
▷ 목적 위배× + 실질적 관련 有 + 필요한 최소한의 범위일 것

부담
▷ 독립적 행정소송 대상○

017

행정행위 부관과 확약에 대한 설명으로 옳은 것은? (다툼이 있는 경우 판례에 의함)

① 지방국토관리청장이 공유수면매립준공인가처분 중에서 일부 공유수면매립지에 대하여 한 국가귀속처분은 법률상 효과의 일부를 배제하는 부관으로 독립하여 행정소송의 대상이 된다.

② 확약의 취소행위로서 내인가취소는 본인가신청에 대한 거부처분으로 항고소송의 대상이 되는 처분이다.

③ 법정부관에 대하여는 행정행위에 부관을 붙일 수 있는 한계에 관한 일반적인 원칙이 적용된다.

④ 행정청의 확약 또는 공적인 의사표명 그 자체에서 처분의 발령을 신청하도록 유효기간을 두었을 경우 그 후에 사실적·법률적 상태가 변경되었더라도 직권취소나 철회로 효력이 소멸되고 당연히 실효되는 것은 아니다.

2023년 군무원 7급

① (×) 행정행위의 부관은 부담의 경우를 제외하고는 독립하여 행정소송의 대상이 될 수 없는 것인바, 지방국토관리청장이 일부 공유수면매립지에 대하여 한 국가 또는 직할시 귀속처분은 매립준공인가를 함에 있어서 매립의 면허를 받은 자의 매립지에 대한 소유권취득을 규정한 공유수면매립법 제14조의 효과 일부를 배제하는 부관을 붙인 것이고, 이러한 행정행위의 부관은 위 법리와 같이 독립하여 행정소송 대상이 될 수 없다(대판 1993.10.8. 93누2032).

유제 22. 소방간부 공유수면매립준공인가 중 매립지 일부에 대하여한 국가귀속처분은 법률효과의 일부를 배제하는 부관에 해당하고, 이러한 부관에 대하여는 독립하여 행정소송의 대상으로 삼을 수 없다. (○)
20. 지방직 9급 지방국토관리청장이 일부 공유수면매립지를 국가 또는 지방자치단체에 귀속처분한 것은 법률효과의 일부를 배제하는 부관을 붙인 것이므로 이러한 행정행위의 부관은 독립하여 행정쟁송대상이 될 수 없다. (○)
20. 소방직 지방국토관리청장이 일부 공유수면매립지에 대하여 한 국가 또는 직할시(현 광역시) 귀속처분은 법률효과의 일부배제에 해당하는 것으로 행정행위의 부관의 유형으로 볼 수 없다는 것이 판례의 태도이다. (×)
20. 소방간부 지방국토관리청장이 일부 공유수면매립지에 대하여 한 국가 또는 직할시(현 광역시) 귀속처분은 독립하여 행정소송의 대상이 될 수 있다. (×)

② (○) 자동차운송사업양도양수계약에 기한 양도양수인가신청에 대하여 피고 시장이 내인가를 한 후 위 내인가에 기한 본인가신청이 있었으나 자동차운송사업 양도양수인가신청서가 합의에 의한 정당한 신청서라고 할 수 없다는 이유로 위 내인가를 취소한 경우, 위 내인가의 법적 성질이 행정행위의 일종으로 볼 수 있든 아니든 그것이 행정청의 상대방에 대한 의사표시임이 분명하고, 피고가 위 내인가를 취소함으로써 다시 본인가에 대하여 따로이 인가 여부의 처분을 한다(대판 1991.6.28. 90누4402).

③ (×) 보건사회부장관의 고시인 식품제조영업허가기준고시에 정한 허가기준에 따라 보존음료수 제조업의 허가에 붙여진 전량 수출 또는 주한외국인에 대한 판매에 한한다는 내용의 조건은 이른바 법정부관으로서 행정청의 의사에 기하여 붙여지는 본래의 의미에서 행정행위의 부관은 아니므로, 이와 같은 법정부관에 대하여는 행정행위에 부관을 붙일 수 있는 한계에 관한 일반적인 원칙이 적용되지는 않는다 (대판 1994.3.8. 92누1728).

유제 14. 행정사 법정부관에 대해서는 행정행위에 부관을 붙일 수 있는 한계에 관한 일반적인 원칙이 적용되지 아니한다. (○)
10. 국가직 9급 고시에 정한 허가기준에 따라 보존음료수 제조업의 허가에 부가된 조건은 행정행위에 부관을 붙일 수 있는 한계에 관한 일반적인 원칙이 적용되지는 않는다. (○)

④ (×) 행정청이 상대방에게 장차 어떤 처분을 하겠다고 확약 또는 공적인 의사표명을 하였다고 하더라도, 그 자체에서 상대방으로 하여금 언제까지 처분의 발령을 신청을 하도록 유효기간을 두었는데도 그 기간 내에 상대방의 신청이 없었다거나 확약 또는 공적인 의사표명이 있은 후에 사실적·법률적 상태가 변경되었다면, 그와 같은 확약 또는 공적인 의사표명은 행정청의 별다른 의사표시를 기다리지 않고 실효된다(대판 1996.8.20. 95누10877).

답 ②

함께 정리하기

행정행위 부관과 확약

공유수면매립지 일부 국가 또는 지자체 귀속처분
▷ 독립쟁송 불가(∵법률효과 일부배제)

내인가를 한 다음 이를 취소하는 행위
▷ 인가신청거부처분

법정부관
▷ 부관의 한계에 관한 일반원칙 적용×

사실적·법률적 상태변경
▷ 확약 실효

018

행정행위의 부관에 대한 설명으로 옳지 않은 것은? (다툼이 있는 경우 판례에 의함)

① 부담부 행정행위는 부담을 이행하여야 비로소 그 효력이 발생한다.
② 부담을 불이행한 것만으로는 주된 행정행위의 효력이 소멸하지 않는다.
③ 부담은 그 자체로서 행정쟁송의 대상이 될 수 있다.
④ 행정청은 처분에 재량이 없는 경우에는 법률에 근거가 있는 경우에 부관을 붙일 수 있다.
⑤ 어업면허처분 중 면허의 유효기간만 취소하여 달라는 소송을 제기하는 것은 허용될 수 없다.

2023년 행정사

① (×) 부담부 행정행위는 부담의 이행 여부와 관계없이 효력이 발생한다.
② (○) 상대방이 부담을 통해 부과된 의무를 불이행하는 경우, 해제조건이 성취되거나 종기가 도래한 경우와 달리 주된 행정행위의 효력이 당연히 소멸하는 것이 아니며 주된 행정행위의 철회사유가 될 뿐이다.
③ (○) 대판 1992.1.21. 91누1264
④ (○)

> 「행정기본법」 제17조 【부관】 ① 행정청은 처분에 재량이 있는 경우에는 부관(조건, 기한, 부담, 철회권의 유보 등을 말한다. 이하 이 조에서 같다)을 붙일 수 있다.
> ② 행정청은 처분에 재량이 없는 경우에는 법률에 근거가 있는 경우에 부관을 붙일 수 있다.

⑤ (○) 업면허처분을 함에 있어 그 면허의 유효기간을 1년으로 정한 경우, 위 면허의 유효기간은 행정청이 위 어업면허처분의 효력을 제한하기 위한 행정행위의 부관이라 할 것이고 이러한 행정행위의 부관은 독립하여 행정소송의 대상이 될 수 없는 것이므로 위 어업면허처분 중 그 면허유효기간만의 취소를 구하는 청구는 허용될 수 없다(대판 1986.8.19. 86누202).

유제 22. 소방간부, 15. 서울시 7급 어업면허처분을 함에 있어 그 면허의 유효기간을 1년으로 정한 경우, 그 유효기간만의 취소를 구하는 행정소송은 허용될 수 없다. (○)

답 ①

함께 정리하기

부관

부담부 행정행위
▷ 부담의 이행 여부와 관계 없이 효력 발생

부담의 불이행
▷ 주된 행정행위의 철회사유○ (효력 소멸×)

부담
▷ 독립적 행정소송 대상○

처분에 재량이 없는 경우
▷ 법률에 근거 있어야 부관 可

어업면허처분에서의 면허유효기간
▷ 독립쟁송 불가(∵기한)

019

행정행위의 부관에 대한 설명으로 옳지 않은 것은? (다툼이 있는 경우 판례에 의함)

① 행정청은 처분에 재량이 없는 경우에는 법률에 근거가 있는 경우에 부관을 붙일 수 있다.
② 사도개설허가에서 정해진 공사기간은 사도개설허가 자체의 존속기간을 정한 것이라 볼 수 있으므로 공사기간 내에 사도로 준공검사를 받지 못하였다면 사도개설허가는 당연히 실효된다.
③ 행정청이 공유수면매립준공인가처분을 하면서 매립지 일부를 국가 소유로 귀속하게 한 것은 법률효과 일부를 배제하는 부관에 해당하고, 이러한 부관은 독립하여 행정소송의 대상이 될 수 없다.
④ 행정청이 수익적 행정처분에 부담을 부가하는 경우 사전에 상대방과 협의하여 부담의 내용을 협약의 형식으로 미리 정한 다음 행정처분을 하면서 이를 부가할 수도 있다.
⑤ 공익법인의 기본재산처분에 대하여 행정청이 허가하는 경우 그 성질이 형성적 행정행위로서의 인가에 해당한다고 하여 조건으로서의 부관을 붙이지 못하는 것은 아니다.

함께 정리하기

부관

처분에 재량이 없는 경우
▷ 법률에 근거가 있는 경우에 부관 可

사도개설허가에서 정해진 공사기간
▷ 부담 → 공사기간 내 준공검사 못 받아도 허가 당연실효×

공유수면매립준공인가처분 중 매립지일부 귀속처분
▷ 독립적 행정소송 대상×

부담
▷ 협약형식으로 부가 可

공익법인의 기본재산처분 허가(인가)
▷ 부관 부가 可

2023년 국회직 8급

① (○)

> 「행정기본법」 제17조【부관】① 행정청은 처분에 재량이 있는 경우에는 부관(조건, 기한, 부담, 철회권의 유보 등을 말한다. 이하 이 조에서 같다)을 붙일 수 있다.
> ② 행정청은 처분에 재량이 없는 경우에는 법률에 근거가 있는 경우에 부관을 붙일 수 있다.

② (×) 사도개설허가에는 본질적으로 사도를 개설하기 위한 토목공사 등 현실적인 도로개설공사가 따르기 마련이므로 허가를 하면서 공사기간을 특정하기도 하지만 사도개설허가는 사도를 개설할 수 있는 권한의 부여 자체에 주안점이 있는 것이지 공사기간의 제한에 주안점이 아닌 점 등에 비추어 보면 이 사건 제1처분에 명시된 공사기간은 변경된 허가권자인 보조참가인에 대하여 공사기간을 준수하여 공사를 마치도록 하는 의무를 부과하는 일종의 부담에 불과한 것이지, 사도개설허가 자체의 존속기간(즉, 유효기간)을 정한 것이라 볼 수 없고, 따라서 보조참가인이 이 사건 제1처분의 사도개설허가에서 정해진 공사기간 내에 사도로 준공검사를 받지 못하였다 하더라도, 이를 이유로 행정관청이 새로운 행정처분을 하는 것은 별론으로 하고, 사도개설허가가 당연히 실효되는 것은 아니다(대판 2004.11.25. 2004두7023).

③ (○) 행정청이 한 공유수면매립준공인가 중 매립지 일부에 대하여 한 국가귀속처분은 매립준공인가를 함에 있어서 매립의 면허를 받은 자의 매립지에 대한 소유권취득을 규정한 공유수면매립법 제14조의 효과 일부를 배제하는 부관을 붙인 것이므로 이러한 행정행위의 부관에 대하여는 독립하여 행정소송의 대상으로 삼을 수 없다(대판 1991.12.13. 90누8503).

④ (○) 수익적 행정처분에 있어서는 법령에 특별한 근거규정이 없다고 하더라도 그 부관으로서 부담을 붙일 수 있고, 그와 같은 부담은 행정청이 행정처분을 하면서 일방적으로 부가할 수도 있지만 부담을 부가하기 이전에 상대방과 협의하여 부담의 내용을 협약의 형식으로 미리 정한 다음 행정처분을 하면서 이를 부가할 수도 있다(대판 2009.2.12. 2005다65500).

유제 22. 국회직 8급 (甲은 아파트를 건설하고자 乙시장에게 「주택법」상 사업계획승인신청을 하였는데, 乙시장은 아파트단지 인근에 개설되는 자동차전용도로의 부지로 사용할 목적으로 甲소유 토지의 일부를 아파트 사용검사 시까지 기부채납하도록 하는 부담을 붙여 사업계획을 승인하였다) 乙시장은 기부채납의 내용을 甲과 사전에 협의하여 협약의 형식으로 미리 정한 다음, 사업계획승인을 하면서 위 부담을 부가할 수도 있다. (○)

21. 소방직, 14. 경찰 1차 부담은 행정청이 일방적으로 부가할 수도 있으나, 사전에 상대방과 협의하여 부담의 내용을 협약의 형식으로 미리 정한 다음 행정처분을 하면서 이를 부가하는 것도 허용된다. (○)

21. 소방간부 수익적 행정처분에 있어서는 부담을 부가하기 이전에 상대방과 협의하여 부담의 내용을 협약의 형식으로 미리 정한 다음 행정처분을 하면서 이를 부가할 수 있다. (○)

21. 군무원 9급 부담은 행정청이 행정처분을 하면서 일방적으로 부가하는 것이 일반적이므로 상대방과 협의하여 협약의 형식으로 미리 정한 다음 행정처분을 하면서 이를 부가하는 경우 부담으로 볼 수 없다. (×)

20. 행정사 부담의 내용을 미리 협약의 형식으로 정한 다음 처분을 하면서 이를 부담으로 부가하는 것은 허용되지 않는다. (×)

⑤ (○) 주된 행정행위가 인가라고 하더라도 부관을 붙일 수 있다는 것이 통설 및 판례의 입장이다. 즉 인가가 재량행위라면 법률에 근거가 없다고 하더라도 부관을 붙일 수 있으며, 인가가 기속행위인 경우 법률에 근거가 있다면 부관의 부가가 가능하다.

> 공익법인의 기본재산의 처분에 관한 공익법인의 설립·운영에 관한 법률 제11조 제3항의 규정은 강행규정으로서 이에 위반하여 주무관청의 허가를 받지 않고 기본재산을 처분하는 것은 무효라 할 것인데, 위 처분허가에 부관을 붙인 경우 그 처분허가의 법률적 성질이 형성적 행정행위로서의 인가에 해당한다고 하여 조건으로서의 부관의 부과가 허용되지 아니한다고 볼 수는 없고, 다만 구체적인 경우에 그것이 조건, 기한, 부담, 철회권의 유보 중 어느 종류의 부관에 해당하는지는 당해 부관의 내용, 경위 기타 제반 사정을 종합하여 판단하여야 할 것이다(대판 2005.9.28. 2004다50044).

유제 20. 국가직 9급 공익법인의 기본재산 처분에 대한 허가의 법률적 성질이 형성적 행정행위로서의 인가에 해당하므로, 그 허가에 조건으로서의 부관의 부과가 허용되지 아니한다. (×)

11. 국가직 7급 판례는 인가에 해당하면 부관의 부과가 허용되지 않는다고 본다. (×)

08. 지방직 7급 보충행위인 인가에 대하여도 부관을 붙일 수 있다. (○)

답 ②

020

행정행위의 부관에 대한 설명으로 옳지 않은 것은? (다툼이 있는 경우 판례에 의함)

① 수익적 행정처분에 있어서는 법령에 특별한 근거규정이 있는 경우에만 그 부관으로서 부담을 붙일 수 있다.
② 기선선망어업의 허가를 하면서 운반선, 등선 등 부속선을 사용할 수 없도록 제한한 부관은 그 어업허가의 목적달성을 사실상 어렵게 하여 그 본질적 효력을 해하는 것이므로 위법한 것이다.
③ 부관은 면허발급 당시에 붙이는 것뿐만 아니라 면허발급 이후에 붙이는 것도 법률에 명문의 규정이 있거나 변경이 미리 유보되어 있는 경우 또는 상대방의 동의가 있는 경우 등에는 특별한 사정이 없는 한 허용된다.
④ 토지소유자가 토지형질변경행위허가에 붙은 기부채납의 부관에 따라 토지를 국가나 지방자치단체에 기부채납한 경우, 기부채납의 부관이 당연무효이거나 취소되지 아니한 이상 토지소유자는 위 부관으로 인하여 기부채납계약의 중요부분에 착오가 있음을 이유로 기부채납계약을 취소할 수 없다.

문제 DATA
출제가능 지수 ▶▶▷
난이도 지수 ★★☆

2023년 국가직 9급

① (×) 수익적 행정처분에 있어서는 법령에 특별한 근거규정이 없다고 하더라도 그 부관으로서 부담을 붙일 수 있고, 그와 같은 부담은 행정청이 행정처분을 하면서 일방적으로 부가할 수도 있지만 부담을 부가하기 이전에 상대방과 협의하여 부담의 내용을 협약의 형식으로 미리 정한 다음 행정처분을 하면서 이를 부가할 수도 있다(대판 2009.2.12. 2005다65500).

유제 22. 소방직 9급, 14. 서울시 7급 수익적 행정처분에 있어서는 법령에 특별한 근거규정이 있는 경우에 한하여 부관을 붙일 수 있다. (×)
19. 지방직 7급 수익적 행정처분인 재량행위를 하면서 침익적 성격의 부관을 부가하는 행위는 행정청이 별도의 법령상의 근거 없이도 할 수 있다. (○)
15. 경찰 2차 수익적 행정행위에 있어서는 법령에 특별한 근거규정이 없다고 하더라도 그 부관으로서 부담을 붙일 수 있다. (○)

② (○) 수산업법 제15조에 의하여 어업의 면허 또는 허가에 붙이는 부관은 그 성질상 허가된 어업의 본질적 효력을 해하지 않는 한도의 것이어야 하고 허가된 어업의 내용 또는 효력 등에 대하여는 행정청이 임의로 제한 또는 조건을 붙일 수 없다고 보아야 할 것이며 수산업법 시행령 제14조의4 제3항의 규정내용은 기선선망어업에는 그 어선규모의 대소를 가리지 않고 등선과 운반선을 갖출 수 있고, 또 갖추어야 하는 것이라고 해석되므로 기선선망어업의 허가를 하면서 운반선, 등선 등 부속선을 사용할 수 없도록 제한한 부관은 그 어업허가의 목적달성을 사실상 어렵게하여 그 본질적 효력을 해하는 것일 뿐만 아니라 위 시행령의 규정에도 어긋나는 것이며, 더욱이 어업조정이나 기타 공익상 필요하다고 인정되는 사정이 없는 이상 위법한 것이다(대판 1990.4.27. 89누6808).

유제 23. 소방직 9급 허가의 목적달성을 사실상 어렵게 하여 그 본질적 효력을 해하는 부관은 적법하지 않다. (○)
19. 교행 기선선망어업의 허가를 하면서 운반선, 등선 등 부속선을 사용할 수 없도록 제한한 부관은 그 어업허가의 목적달성을 사실상 어렵게 하여 그 본질적 효력을 해하는 것이다. (○)
18. 경찰 3차 수산업법 제15조에 의하여 어업의 면허 또는 허가에 붙이는 부관은 그 성질상 허가된 어업의 본질적 효력을 해하지 않는 한도의 것이어야 하고 허가된 어업의 내용 또는 효력 등에 대하여는 행정청이 임의로 제한 또는 조건을 붙일 수 없다. (○)

③ (○) 부관은 면허발급 당시에 붙이는 것뿐만 아니라 면허발급 이후에 붙이는 것도 법률에 명문의 규정이 있거나 변경이 미리 유보되어 있는 경우 또는 상대방의 동의가 있는 경우 등에는 특별한 사정이 없는 한 허용된다(대판 2016.11.24. 2016두45028).

유제 20. 소방간부 부관은 면허발급 당시에 붙이는 것뿐만 아니라 면허발급 이후에 붙이는 것도 법률에 명문의 규정이 있거나 변경이 미리 유보되어 있는 경우 또는 상대방의 동의가 있는 경우 등에는 특별한 사정이 없는 한 허용된다. (○)
20. 5급 승진 처분이 발급된 이후라도 법률에 명문의 규정이 있거나 변경이 미리 유보되어 있는 경우 또는 상대방의 동의가 있는 경우 등에는 특별한 사정이 없는 한 부관을 부가할 수 있다. (○)

함께 정리하기

부관

수익적 행정처분
▷ 근거규정 없어도 부관 부가 可

기선선망어업 허가시 부속선 사용할 수 없도록 제한하는 부관
▷ 본질적 효력 해하여 위법

부관의 사후변경 허용(判)
▷ 법률규정
▷ 사후부관이 미리 유보
▷ 상대방의 동의
▷ 사정변경

기부채납부관 취소 前
▷ 증여계약 착오취소 不可

④ (○) 토지소유자가 토지형질변경행위허가에 붙은 기부채납의 부관에 따라 토지를 국가나 지방자치단체에 기부채납(증여)한 경우, 기부채납의 부관이 당연무효이거나 취소되지 아니한 이상 토지소유자는 위 부관으로 인하여 증여계약의 중요부분에 착오가 있음을 이유로 증여계약을 취소할 수 없다(대판 1999.5.25. 98다53134).

유제 22. 소방간부, 21. 경찰 2차, 20. 국가직 9급 토지소유자가 토지형질변경행위허가에 붙은 기부채납의 부관에 따라 토지를 기부채납(증여)한 경우, 기부채납의 부관이 당연무효이거나 취소되지 않은 상태에서 그 부관으로 인하여 증여계약의 중요 부분에 착오가 있음을 이유로 증여계약을 취소할 수 없다. (○)

22. 군무원 9급 토지소유자가 토지형질변경행위허가에 붙은 기부채납의 부관에 따라 토지를 국가나 지방자치단체에 기부채납(증여)한 경우, 토지소유자는 원칙적으로 기부채납(증여)의 중요부분에 착오가 있음을 이유로 증여계약을 취소할 수 있다. (×)

11. 지방직 9급 기부채납의 부관이 당연무효이거나 취소되지 않은 이상 토지소유자는 위 부관으로 인하여 증여계약의 중요부분에 착오가 있음을 이유로 증여계약을 취소할 수 없다. (○)

답 ①

021

행정행위의 부관에 대한 설명으로 옳지 않은 것은? (다툼이 있는 경우 판례에 의함)

① 행정청은 처분에 재량이 없는 경우에는 법률에 근거가 있는 경우에 부관을 붙일 수 있다.
② 허가의 목적달성을 사실상 어렵게 하여 그 본질적 효력을 해하는 부관은 적법하지 않다.
③ 행정처분에 부과한 부담이 무효가 된 경우라도, 특별한 사정이 없는 한 부담의 이행으로 행한 사법상 매매 등의 법률행위 자체를 당연히 무효화하는 것은 아니다.
④ 부담의 전제가 된 주된 처분의 근거법령이 개정됨으로써 행정청이 더 이상 부관을 붙일 수 없게 되었다면, 특별한 사정이 없는 한 그 부담의 효력은 소멸하게 된다.

| 2023년 소방직 9급

① (○)

> 「행정기본법」제17조【부관】① 행정청은 처분에 재량이 있는 경우에는 부관(조건, 기한, 부담, 철회권의 유보 등을 말한다. 이하 이 조에서 같다)을 붙일 수 있다.
> ② 행정청은 처분에 재량이 없는 경우에는 법률에 근거가 있는 경우에 부관을 붙일 수 있다.

② (○) 부관은 행정행위의 목적상 필요한 범위를 넘어서는 안 된다. 예컨대, 주택건축허가를 하면서 영업목적으로만 사용할 것을 부관으로 정한 경우, 이러한 부관은 주된 행정목적에 위반된다. 이와 관련하여 대법원은 어업면허시 붙이는 부관은 면허된 어업의 본질적 효력을 해하지 않는 범위 내의 것이어야 하므로 어업면허시 운반선 등 부속선을 사용할 수 없도록 제한한 부관은 기선선망어업허가의 본질적 효력을 해하는 것으로 위법이라고 판시한 바 있다(대판 1990.4.27. 89누6808).

> 「행정기본법」제17조【부관】④ 부관은 다음 각 호의 요건에 적합하여야 한다.
> 1. 해당 처분의 목적에 위배되지 아니할 것
> 2. 해당 처분과 실질적인 관련이 있을 것
> 3. 해당 처분의 목적을 달성하기 위하여 필요한 최소한의 범위일 것

③ (○) 행정처분에 부담인 부관을 붙인 경우 부관의 무효화에 의하여 본체인 행정처분 자체의 효력에도 영향이 있게 될 수는 있지만, 그 처분을 받은 사람이 부담의 이행으로 사법상 매매 등의 법률행위를 한 경우에는 그 부관은 특별한 사정이 없는 한 법률행위를 하게 된 동기 내지 연유로 작용하였을 뿐이므로 이는 법률행위의 취소사유가 될 수 있음은 별론으로 하고 그 법률행위 자체를 당연히 무효화하는 것은 아니다(대판 2009.6.25. 2006다18174).

유제 22. 지방직 9급·소방직 행정처분에 붙인 부관인 부담이 무효가 되면 그 부담의 이행으로 한 사법상 법률행위도 당연히 무효가 된다. (×)

21. 국가직 7급 행정처분에 붙인 부담인 부관이 무효가 되면 그 부담의 이행으로 한 사법상 법률행위도 당연히 무효가 되는 것은 아니다. (○)

문제 DATA
출제가능 지수 ▶▶▷
난이도 지수 ★★☆

함께 정리하기

부관

재량이 없는 경우
▷ 법률에 근거가 있어야 부관 可

허가의 본질적 효력을 해하는 부관
▷ 위법

무효인 부담의 이행으로 한 사법상 법률행위
▷ 당연무효×

근거법령 개정으로 부관을 붙일 수 없게 된 경우
▷ 부담의 효력 소멸×

21. 국회직 8급 (A 행정청은 甲에게 처분을 하면서 법령에 근거 없이 일정 토지를 기부채납하도록 하는 부담을 붙였다) 처분이 기속행위임에도 甲이 부담의 이행으로 기부채납을 하였다면, 그 기부채납 행위는 당연무효인 행위가 된다. (×)
19. 국회직 8급 기속행위적 행정처분에 부담을 부가한 경우 그 부담은 무효라 할지라도 본체인 행정처분 자체의 효력에는 일반적으로 영향이 없다. (×)
19. 국가직 9급, 15. 지방직 9급, 12. 국가직 7급 행정처분에 부담인 부관을 붙인 경우 부관이 무효라면 부담의 이행으로 이루어진 사법상의 매매 행위도 당연히 무효가 된다. (×)

④ (×) 행정청이 수익적 행정처분을 하면서 부가한 <u>부담의 위법 여부는 처분 당시 법령을 기준으로 판단하여야 하고, 부담이 처분 당시 법령을 기준으로 적법하다면 처분 후 부담의 전제가 된 주된 행정처분의 근거 법령이 개정됨으로써 행정청이 더 이상 부관을 붙일 수 없게 되었다 하더라도 곧바로 위법하게 되거나 그 효력이 소멸하게 되는 것은 아니다</u>(대판 2009.2.12. 2005다65500).

유제 23. 소방간부 주된 행정처분의 근거법령이 개정됨으로써 행정청이 더 이상 그 부담을 붙일 수 없게 되었다면 그 부담은 당연무효가 된다. (×)
21. 국가직 9급 처분 당시 법령을 기준으로 처분에 부가된 부담이 적법하였더라도, 처분 후 부담의 전제가 된 주된 행정처분의 근거 법령이 개정됨으로써 행정청이 더 이상 부관을 붙일 수 없게 되었다면 그때부터 부담의 효력은 소멸한다. (×)
21. 지방직 9급 부담이 처분 당시 법령을 기준으로 적법하다면 처분 후 부담의 전제가 된 주된 처분의 근거 법령이 개정됨으로써 행정청이 더 이상 부관을 붙일 수 없게 되었다 하더라도 곧바로 그 효력이 소멸하게 되는 것은 아니다. (○)
21. 경찰 2차, 15. 지방직 9급 행정청이 수익적 행정처분을 하면서 부가한 부담의 위법 여부는 처분 당시 법령을 기준으로 판단하여야 한다. (○)
19. 서울시 7급 행정청이 수익적 행정처분을 하면서 부가한 부담이 처분 당시 법령을 기준으로는 적법하였지만 처분 후 부담의 전제가 된 주된 행정처분의 근거법령이 개정됨으로써 행정청이 더 이상 부관을 붙일 수 없게 되었다면 그 부담은 위법하게 된다. (×)

답 ④

022 □□□

부관에 대한 설명으로 옳은 것은? (다툼이 있는 경우 판례에 의함)

① 부담은 행정청이 행정처분을 하면서 일방적으로 부가할 수도 있지만 부담을 부가하기 이전에 상대방과 협의하여 부담의 내용을 협약의 형식으로 미리 정한 다음 행정처분을 하면서 이를 부가할 수 있다.
② 주된 행정처분의 근거법령이 개정됨으로써 행정청이 더 이상 그 부담을 붙일 수 없게 되었다면 그 부담은 당연무효가 된다.
③ 재량행위에 대해서는 법령상 특별한 근거가 없는 한 부관을 붙일 수 없고 만약 부관을 붙였다고 할지라도 무효이다.
④ 행정처분에 부수하여 그 처분의 상대방에게 일정한 의무를 부과하는 부담은 주된 행정처분과 독립하여 그 자체만으로 행정쟁송의 대상이 될 수 없다.
⑤ 주택재건축사업시행의 인가는 행정청의 기속행위에 속하므로 처분청으로서는 공익상 필요 등에 의하여 필요한 범위 내에서 여러 조건(부담)을 부과할 수 없다.

문제 DATA
출제가능 지수 ▶▶▷
난이도 지수 ★★☆

함께 정리하기

부관

부담
▷ 협약형식으로 부가 可

근거법령 개정으로 부관을 붙일 수 없게 된 경우
▷ 부담의 효력 소멸 ✕

기속행위의 부관
▷ 법률 근거 필요, 근거 없으면 무효

부담
▷ 독립적 행정소송 대상 ○

주택재건축사업시행의 인가
▷ 재량행위 → 조건(부담) 부과 可

2023년 소방간부

① (○) 대판 2009.2.12. 2005다65500
② (✕) 행정청이 수익적 행정처분을 하면서 부가한 부담의 위법 여부는 처분 당시 법령을 기준으로 판단하여야 하고, 부담이 처분 당시 법령을 기준으로 적법하다면 처분 후 부담의 전제가 된 주된 행정처분의 근거 법령이 개정됨으로써 행정청이 더 이상 부관을 붙일 수 없게 되었다 하더라도 곧바로 위법하게 되거나 그 효력이 소멸하게 되는 것은 아니다(대판 2009.2.12. 2005다65500).
③ (✕) 일반적으로 기속행위나 기속적 재량행위에는 부관을 붙일 수 없고 가사 부관을 붙였다 하더라도 이는 무효의 것이다(대판 1988.4.27. 87누1106).

유제 15. 경찰 3차, 14. 서울시 7급, 13. 지방직 7급 판례에 따르면 기속행위나 기속적 재량행위는 법령상 특별한 근거가 없는 한 부관을 붙일 수 없고, 붙였다 하더라도 이는 무효이다. (○)
15. 서울시 9급, 13. 지방직 9급, 12. 사복직·경찰 3차 판례는 일반적으로 기속행위에는 부관을 붙일 수 없다는 입장이다. (○)
13. 국회직 8급 기속행위에 붙인 부담은 특별한 불복절차를 거치지 않더라도 이행할 의무가 없다. (○)
10. 경찰 1차 대법원은 "일반적으로 기속행위나 기속적 재량행위에는 부관을 붙일 수 없고 가사 부관을 붙였다 하더라도 이는 취소의 것이다."라고 판시하였다. (✕)

④ (✕) 부관은 그 자체로서 직접 법적 효과를 발생하는 독립된 처분이 아니므로, 현행 행정쟁송제도 아래서는 부관 그 자체만을 독립된 쟁송의 대상으로 할 수 없는 것이 원칙이나, 부담의 경우에는 다른 행정행위의 불가분적인 요소가 아니고 그 존속이 본체인 행정행위의 존재를 전제로 하는 것일 뿐이므로, 부담 그 자체로서 행정쟁송의 대상이 될 수 있다고 할 것이다(대판 1992.1.21. 91누1264).
⑤ (✕) 주택재건축 사업시행의 인가는 상대방에게 권리나 이익을 부여하는 효과를 가진 이른바 수익적 행정처분으로서 행정청의 재량행위에 속하므로, 처분청으로서는 법령상의 제한에 근거한 것이 아니라 하더라도 공익상 필요 등에 의하여 필요한 범위 내에서 여러 조건(부담)을 부과할 수 있다(대판 2007.7.12. 2007두6663).

유제 18. 지방직 9급 재량행위에는 법령상의 제한에 근거한 것이 아니라 하더라도 공익상 필요에 의하여 부관을 붙일 수 있다. (○)
16. 경찰 2차 주택재건축사업시행의 인가는 상대방에게 권리나 이익을 부여하는 효과를 가진 이른바 수익적 행정처분으로서 법령에 행정처분의 요건에 관하여 일의적으로 규정되어 있지 아니한 이상 행정청의 재량행위에 속하지만, 처분청으로서는 법령상의 제한에 근거한 것이 아니라면 공익상 필요 등에 의하여 필요한 범위 내에서 여러 조건(부담)을 부과할 수 없다. (✕)

답 ①

문제 DATA

출제가능 지수 ▶▶▷
난이도 지수 ★★☆

023 □□□

행정행위의 부관에 대한 설명으로 옳은 것은? (다툼이 있는 경우 판례에 의함)

① 행정처분에 부가한 부담이 무효인 경우에는 그 부담의 이행으로 이루어진 사법상 법률행위도 무효가 된다.
② 부관의 사후변경은 종전의 부관을 변경하지 아니하면 해당 처분의 목적을 달성할 수 없는 경우가 아니라면 인정되지 않는다.
③ 행정처분과 실제적 관련성이 없어 부관을 붙일 수 없는 경우에도 사법상 계약의 형식으로 공법상 제한을 회피할 수 있다.
④ 행정재산에 대한 기한부 사용·수익허가를 받은 경우, 그 사용·수익허가의 기간에 대하여 독립하여 행정소송을 제기할 수 없다.

2022년 지방직 9급

① (×) 행정처분에 부담인 부관을 붙인 경우 부관의 무효화에 의하여 본체인 행정처분 자체의 효력에도 영향이 있게 될 수는 있지만, 그 처분을 받은 사람이 부담의 이행으로 사법상 매매 등의 법률행위를 한 경우에는 그 부관은 특별한 사정이 없는 한 법률행위를 하게 된 동기 내지 연유로 작용하였을 뿐이므로 이는 법률행위의 취소사유가 될 수 있음은 별론으로 하고 그 법률행위 자체를 당연히 무효화하는 것은 아니다(대판 2009.6.25. 2006다18174).

② (×) 최근 제정된 「행정기본법」에서는 법률에 근거가 있거나 당사자의 동의가 있는 경우에도 부관의 사후변경이 가능하다고 규정하고 있다.

> 「행정기본법」 제17조 【부관】 ③ 행정청은 부관을 붙일 수 있는 처분이 다음 각 호의 어느 하나에 해당하는 경우에는 그 처분을 한 후에도 부관을 새로 붙이거나 종전의 부관을 변경할 수 있다.
> 1. 법률에 근거가 있는 경우
> 2. 당사자의 동의가 있는 경우
> 3. 사정이 변경되어 부관을 새로 붙이거나 종전의 부관을 변경하지 아니하면 해당 처분의 목적을 달성할 수 없다고 인정되는 경우

유제 21. 국가직 7급 행정청은 부관을 붙일 수 있는 처분이 당사자의 동의가 있는 경우에는 그 처분을 한 후에도 부관을 새로 붙이거나 종전의 부관을 변경할 수 있다. (○)

③ (×) 공무원이 인·허가 등 수익적 행정처분을 하면서 상대방에게 그 처분과 관련하여 이른바 부관으로서 부담을 붙일 수 있다 하더라도, 그러한 부담은 법치주의와 사유재산 존중, 조세법률주의 등 헌법의 기본원리에 비추어 비례의 원칙이나 부당결부의 원칙에 위반되지 않아야만 적법한 것인바, 행정처분과 부관 사이에 실제적 관련성이 있다고 볼 수 없는 경우 공무원이 위와 같은 공법상의 제한을 회피할 목적으로 행정처분의 상대방과 사이에 사법상 계약을 체결하는 형식을 취하였다면 이는 법치행정의 원리에 반하는 것으로서 위법하다(대판 2009.12.10. 2007다63966).

유제 21. 국가직 9급 행정처분과 부관 사이에 실제적 관련성이 있다고 볼 수 없는 경우, 공무원이 공법상의 제한을 회피할 목적으로 행정처분의 상대방과 사이에 사법상 계약을 체결하는 형식을 취하였더라도 법치행정의 원리에 반하는 것으로서 위법하다고 볼 수 없다. (×)
21. 지방직 9급 처분과 실제적 관련성이 없어 부관으로 붙일 수 없는 부담이라도 사법상 계약의 형식으로 처분의 상대방에게 부과할 수 있다. (×)
20. 국가직 9급, 15. 국회직 8급, 13. 행정사 행정처분과 실제적 관련성이 없어 부관으로 붙일 수 없는 부담이라고 하더라도 행정처분의 상대방에게 사법상 계약의 형식으로 이를 부과할 수 있다. (×)
20. 5급 승진, 10. 국가직 9급 행정처분과 부관 사이에 실제적 관련성이 있다고 볼 수 없는 경우 공무원이 이와 같은 공법상의 제한을 회피할 목적으로 행정처분의 상대방과 사이에 사법상 계약을 체결하는 형식을 취하는 것은 위법하다. (○)

④ (○) 행정행위의 부관은 부담인 경우를 제외하고는 독립하여 행정소송의 대상이 될 수 없는바, 기부채납받은 행정재산에 대한 사용·수익허가에서 공유재산의 관리청이 정한 사용·수익허가의 기간은 그 허가의 효력을 제한하기 위한 행정행위의 부관으로서 이러한 사용·수익허가의 기간에 대해서는 독립하여 행정소송을 제기할 수 없다. … 결국 이 사건 주위적 청구는 부적법하여 각하를 면할 수 없다(대판 2001.6.15. 99두509).

유제 21. 지방직 9급 행정재산에 대한 사용·수익허가에서 공유재산의 관리청이 정한 사용·수익허가의 기간에 대해서는 독립하여 행정소송을 제기할 수 없다. (○)
21. 경찰 2차 공유재산에 대한 40년간의 사용허가신청에 대해 행정청이 20년간 사용허가한 경우에 사용허가 기간에 대해서 독립하여 행정소송을 제기할 수 있다. (×)
20. 지방직 9급, 14. 국가직 9급, 13. 행정사 기부채납받은 행정재산에 대한 사용·수익허가의 기간은 그 허가의 효력을 제한하기 위한 행정행위의 부관으로서, 이러한 사용·수익허가의 기간에 대해서는 독립하여 행정소송을 제기할 수 있다. (×)
15. 지방직 9급·국회직 8급 행정행위의 부관은 부담인 경우를 제외하고는 독립하여 행정소송의 대상이 될 수 없는바, 기부채납 받은 행정재산에 대한 사용·수익허가에서 공유재산의 관리청이 정한 사용·수익허가의 기간에 대하여 독립하여 행정소송을 제기할 수 없다. (○)

답 ④

함께 정리하기

부관

무효인 부담의 이행으로 한 사법상 법률행위
▷ 당연무효×

부관의 사후 부과·변경 사유
▷ 법률에 근거
▷ 당사자 동의
▷ 사정변경으로 목적달성 불가능

실제적 관련성이 없어 붙일 수 없는 부관
▷ 사법상 계약으로도 체결 不可

사용·수익허가의 기간
▷ 독립적 행정소송대상×

문제 DATA

출제가능 지수 ▶▶∑
난이도 지수 ★★☆

024 ☐☐☐

행정행위의 부관에 대한 설명으로 옳은 것은? (다툼이 있는 경우 판례에 의함)

① 수익적 행정처분에 있어서는 법령에 특별한 근거규정이 있는 경우에 한하여 부관을 붙일 수 있다.
② 행정처분에 붙인 부관인 부담이 무효가 되면 그 부담의 이행으로 한 사법상 법률행위도 당연히 무효가 된다.
③ 사정변경으로 인하여 당초에 부담을 부가한 목적을 달성할 수 없게 된 경우에도 부관의 사후변경은 허용되지 않는다.
④ 행정청이 종교단체에 대하여 기본재산전환인가를 하면서 인가조건을 부가하고 그 불이행시 인가를 취소할 수 있도록 한 경우, 인가조건의 의미는 철회권을 유보한 것이다.

| 2022년 소방직

① (×) 수익적 행정처분에 있어서는 법령에 특별한 근거규정이 없다고 하더라도 그 부관으로서 부담을 붙일 수 있고, 그와 같은 부담은 행정청이 행정처분을 하면서 일방적으로 부가할 수도 있지만 부담을 부가하기 이전에 상대방과 협의하여 부담의 내용을 협약의 형식으로 미리 정한 다음 행정처분을 하면서 이를 부가할 수도 있다(대판 2009.2.12. 2005다65500).
② (×) 행정처분에 부담인 부관을 붙인 경우 부관의 무효화에 의하여 본체인 행정처분 자체의 효력에도 영향이 있게 될 수는 있지만, 그 처분을 받은 사람이 부담의 이행으로 사법상 매매 등의 법률행위를 한 경우에는 그 부관은 특별한 사정이 없는 한 법률행위를 하게 된 동기 내지 연유로 작용하였을 뿐이므로 이는 법률행위의 취소사유가 될 수 있음은 별론으로 하고 그 법률행위 자체를 당연히 무효화하는 것은 아니다(대판 2009.6.25. 2006다18174).
③ (×) 행정처분에 이미 부담이 부가되어 있는 상태에서 그 의무의 범위 또는 내용 등을 변경하는 부관의 사후변경은, 법률에 명문의 규정이 있거나 그 변경이 미리 유보되어 있는 경우 또는 상대방의 동의가 있는 경우에 한하여 허용되는 것이 원칙이지만, 사정변경으로 인하여 당초에 부담을 부가한 목적을 달성할 수 없게 된 경우에도 그 목적달성에 필요한 범위 내에서 예외적으로 허용된다(대판 1997.5.30. 97누2627).

유제 21. 국회직 8급 (A 행정청은 甲에게 처분을 하면서 법령에 근거 없이 일정 토지를 기부채납 하도록 하는 부관을 붙였다) 이 경우에 사정변경으로 인하여 당초에 부담을 부가한 목적을 달성할 수 없게 된 경우 A 행정청은 甲의 동의가 없더라도 그 목적달성에 필요한 범위 내에서 부담을 변경할 수 있다. (○)
21. 군무원 9급, 18. 서울시 7급, 17. 국가직 9급, 16. 경찰 2차, 11. 국회직 8급 부관의 사후변경은, 법률에 명문의 규정이 있거나 그 변경이 미리 유보되어 있는 경우 또는 상대방의 동의가 있는 경우에 한하여 허용되는 것이 원칙이지만, 사정변경으로 인하여 당초에 부담을 부가한 목적을 달성할 수 없게 된 경우에도 그 목적달성에 필요한 범위 내에서 예외적으로 허용된다. (○)
17. 사복직 부관은 주된 행정행위에 부가된 종된 규율로서 독자적인 존재를 인정할 수 없으므로 사정변경으로 인해 당초 부담을 부가한 목적을 달성할 수 없게 된 경우라도 부담의 사후변경은 허용될 수 없다. (×)
17. 행정사, 12. 경찰 3차, 11. 경찰 1차 부관의 사후변경은 사정변경으로 인하여 당초에 부담을 부가한 목적을 달성할 수 없게 된 경우에 그 목적달성에 필요한 범위 내일지라도 허용되지 않는다. (×)

④ (○) 이 사건 기본재산전환인가의 인가조건으로 되어 있는 사유들은 모두 위 인가처분의 효력이 발생하여 기본재산 처분행위가 유효하게 이루어진 이후에 비로소 이행할 수 있는 것들이고, 인가처분 당시에 그 처분에 그와 같은 흠이 존재하였던 것은 아니므로, 위 법리에 의하면, 위 사유들은 모두 인가처분의 철회사유에 해당한다고 보아야 하고, 인가처분을 함에 있어 위와 같은 철회사유를 인가조건으로 부가하면서 비록 철회권 유보라고 명시하지 아니한 채 조건불이행시 인가를 취소할 수 있다는 기재를 하였다 하더라도 위 인가조건의 전체적 의미는 인가처분에 대한 철회권을 유보한 것이라고 봄이 상당하다(대판 2003.5.30. 2003다6422).

유제 22. 소방직, 18. 지방직 7급, 14. 지방직 9급, 11. 국회직 8급 행정청이 종교단체에 대하여 기본재산전환인가를 하면서 인가조건을 부가하고 그 불이행시 인가를 취소할 수 있도록 한 경우, 인가조건의 의미는 철회권을 유보한 것이다. (○)
22. 소방간부 행정청이 종교단체에 대하여 기본재산전환인가를 함에 있어 인가조건을 부가하고 그 불이행시 인가를 취소할 수 있도록 한 경우, 그 부관은 철회권의 유보이다. (○)

답 ④

함께 정리하기

부관

수익적 행정처분
▷ 근거규정 없어도 부관 부가 可

무효인 부담의 이행으로 한 사법상 법률행위
▷ 당연무효 ×

사정변경으로 목적달성 불가능
▷ 부관의 사후변경 可

인가조건을 부가하고 그 불이행시 인가를 취소할 수 있도록 한 경우, 인가조건의 의미
▷ 철회권 유보

025

행정행위의 부관에 대한 설명으로 옳지 않은 것은? (다툼이 있는 경우 판례에 의함)

① 행정청이 종교단체에 대하여 기본재산전환인가를 함에 있어 인가조건을 부가하고 그 불이행시 인가를 취소할 수 있도록 한 경우, 그 부관은 철회권의 유보이다.
② 공유수면매립준공인가 중 매립지 일부에 대하여 한 국가귀속처분은 법률효과의 일부를 배제하는 부관에 해당하고, 이러한 부관에 대하여는 독립하여 행정소송의 대상으로 삼을 수 없다.
③ 어업면허처분을 함에 있어 그 면허의 유효기간을 1년으로 정한 경우, 그 유효기간만의 취소를 구하는 행정소송은 허용될 수 없다.
④ 행정처분에 부가된 부담이 제소기간의 도과로 불가쟁력이 생긴 경우, 부담의 이행으로 한 사법상 매매 등의 법률행위도 효력이 확정되므로 그 법률행위의 유효 여부를 별도로 다툴 수 없다.
⑤ 토지형질변경행위허가에 붙은 기부채납의 부관에 따라 국가에 기부채납을 한 경우, 기부채납의 부관이 당연무효이거나 취소되지 않은 이상 토지소유자는 위 부관으로 인하여 증여계약의 중요 부분에 착오가 있음을 이유로 증여계약을 취소할 수 없다.

2022년 소방간부

① (O) 대판 2003.5.30. 2003다6422
② (O) 대판 1991.12.13. 90누8503
③ (O) 대판 1986.8.19. 86누202
④ (×) 행정처분에 붙은 부담인 부관이 제소기간의 도과로 확정되어 이미 불가쟁력이 생겼다면 그 하자가 중대하고 명백하여 당연무효로 보아야 할 경우 외에는 누구나 그 효력을 부인할 수 없을 것이지만, <u>부담의 이행으로서 하게 된 사법상 매매 등의 법률행위는 부담을 붙인 행정처분과는 어디까지나 별개의 법률행위이므로 그 부담의 불가쟁력의 문제와는 별도로 법률행위가 사회질서 위반이나 강행규정에 위반되는지 여부 등을 따져보아 그 법률행위의 유효 여부를 판단하여야 한다</u>(대판 2009.6.25. 2006다18174).

유제 21. 국가직 9급, 20. 경찰 2차 부담의 이행으로서 하게 된 사법상 매매 등의 법률행위는 부담을 붙인 행정처분과는 별개의 법률행위이므로 그 부담의 불가쟁력의 문제와는 별도로 법률행위가 사회질서 위반이나 강행규정에 위반되는지 여부 등을 따져보아 그 법률행위의 유효 여부를 판단하여야 한다. (O)
21. 국가직 7급 행정처분에 붙인 부담인 부관이 제소기간 도과로 불가쟁력이 생긴 경우에는 그 부담의 이행으로 한 사법상 법률행위의 효력을 다툴 수 없다. (×)
19. 국회직 8급 행정처분에 부가한 부담이 무효인 경우에도 그 부담의 이행으로 한 사법상 법률행위가 당연히 무효가 되는 것은 아니며 행정처분에 부가한 부담이 제소기간의 도과로 불가쟁력이 생긴 경우에도 그 부담의 이행으로 한 사법상 법률행위의 효력을 다툴 수 있다. (O)
17. 국회직 8급 (행정청A는 甲에 대하여 주택건설사업계획 승인처분을 하면서 사업부지 중 일부를 공공시설용 토지로 기부채납할 것을 부관으로 하였고 甲은 그 부관의 이행으로 토지에 대한 소유권이전등기를 마쳤다) 甲에 대한 기부채납부관이 제소기간의 도과로 불가쟁력이 발생한 이후에는 그 부담의 이행으로 한 소유권이전등기의 효력을 다툴 수 없다. (×)
16. 지방직 7급 행정처분에 붙은 부담인 부관이 불가쟁력이 생겼다 하더라도, 당해 부담이 당연무효가 아닌 이상 그 부담의 이행으로서 하게 된 매매 등 사법상 법률행위의 효력을 민사소송으로 다툴 수는 없다. (×)

⑤ (O) 대판 1999.5.25. 98다53134

답 ④

문제 DATA

출제가능 지수 ▶▶▷
난이도 지수 ★★☆

함께 정리하기

부관

인가조건을 부가하고 그 불이행시 인가를 취소할 수 있도록 한 경우, 인가조건의 의미
▷ 철회권 유보

공유수면매립준공인가처분 중 매립지 일부 국가귀속처분
▷ 독립적 행정소송 대상×

어업면허처분에서의 면허유효기간
▷ 독립쟁송 불가(∵기한)

불가쟁력 발생한 부담의 이행으로 인한 사법행위
▷ 별도로 효력 다툼 可

기부채납부관 취소 前
▷ 증여계약 착오취소 不可

문제 DATA

출제가능 지수 ▶▶▷
난이도 지수 ★★☆

026 □□□

부관에 대한 판례의 입장으로 가장 옳지 않은 것은?

① 재량행위에 있어서는 관계 법령에 명시적인 금지규정이 없는 한 행정목적을 달성하기 위하여 조건이나 기한, 부담 등의 부관을 붙일 수 있다.
② 토지소유자가 토지형질변경행위허가에 붙은 기부채납의 부관에 따라 토지를 국가나 지방자치단체에 기부채납(증여)한 경우, 토지소유자는 원칙적으로 기부채납(증여)의 중요 부분에 착오가 있음을 이유로 증여계약을 취소할 수 있다.
③ 당초에 붙은 기한을 허가 자체의 존속기간이 아니라 허가조건의 존속기간으로 보더라도 그 후 당초의 기한이 상당 기간 연장되어 연장된 기간을 포함한 존속기간 전체를 기준으로 볼 경우 더 이상 허가된 사업의 성질상 부당하게 짧은 경우에 해당하지 않게 된 때에는 재량권의 행사로서 더 이상의 기간연장을 불허가할 수도 있다.
④ 일반적으로 행정처분에 효력기간이 정하여져 있는 경우에는 그 기간의 경과로 그 행정처분의 효력은 상실되며, 다만 허가에 붙은 기한이 그 허가된 사업의 성질상 부당하게 짧은 경우에는 이를 그 허가 자체의 존속기간이 아니라 그 허가조건의 존속기간으로 볼 수 있다.

2022년 군무원 9급

① (○) 재량행위에 있어서는 관계 법령에 명시적인 금지규정이 없는 한 행정목적을 달성하기 위하여 조건이나 기한, 부담 등의 부관을 붙일 수 있고, 그 부관의 내용이 이행 가능하고 비례의 원칙 및 평등의 원칙에 적합하며 행정처분의 본질적 효력을 저해하지 아니하는 이상 위법하다고 할 수 없다(대판 2004.3.25. 2003두12837).

유제 21. 군무원 9급 재량행위에 있어서는 관계 법령에 명시적인 금지규정이 없는 한 행정목적을 달성하기 위하여 조건이나 기한, 부담 등의 부관을 붙일 수 있고, 그 부관의 내용이 이행가능하고 비례의 원칙 및 평등의 원칙에 적합하며 행정처분의 본질적 효력을 저해하지 아니하는 이상 위법하다고 할 수 없다. (○)
17. 지방직 9급 행정행위의 부관은 법령에 명시적 근거가 있는 경우에만 부가할 수 있다. (×)

② (×) 토지소유자가 토지형질변경행위허가에 붙은 기부채납의 부관에 따라 토지를 국가나 지방자치단체에 기부채납(증여)한 경우, 기부채납의 부관이 당연무효이거나 취소되지 아니한 이상 토지소유자는 위 부관으로 인하여 증여계약의 중요부분에 착오가 있음을 이유로 증여계약을 취소할 수 없다(대판 1999.5.25. 98다53134).

③, ④ (○) 일반적으로 행정처분에 효력기간이 정하여져 있는 경우에는 그 기간의 경과로 그 행정처분의 효력은 상실되며, 허가에 붙은 기한이 그 허가된 사업의 성질상 부당하게 짧은 경우에는 이를 그 허가 자체의 존속기간이 아니라 그 허가조건의 존속기간으로 보아 그 기한이 도래함으로써 그 조건의 개정을 고려한다는 뜻으로 해석할 수 있지만, 이와 같이 당초에 붙은 기한을 허가 자체의 존속기간이 아니라 허가조건의 존속기간으로 보더라도 그 후 당초의 기한이 상당 기간 연장되어 연장된 기간을 포함한 존속기간 전체를 기준으로 볼 경우 더 이상 허가된 사업의 성질상 부당하게 짧은 경우에 해당하지 않게 된 때에는 관계 법령의 규정에 따라 허가 여부의 재량권을 가진 행정청으로서는 그 때에도 허가조건의 개정만을 고려하여야 하는 것은 아니고 재량권의 행사로서 더 이상의 기간연장을 불허가할 수도 있는 것이며, 이로써 허가의 효력은 상실된다(대판 2004.3.25. 2003두12837).

유제 21. 국가직 9급 허가에 붙은 기한이 그 허가된 사업의 성질상 부당하게 짧아서 이 기한이 허가 자체의 존속기간이 아니라 허가조건의 존속기간으로 해석되는 경우에는 허가 여부의 재량권을 가진 행정청은 허가조건의 개정만을 고려할 수 있고, 그 후 당초의 기한이 상당 기간 연장되어 그 기한이 부당하게 짧은 경우에 해당하지 않게 된 때라도 더 이상의 기간연장을 불허가할 수는 없다. (×)
16. 지방직 7급 허가에 붙은 기한이 그 허가된 사업의 성질상 부당하게 짧아 이 기한을 그 허가 조건의 존속기간으로 해석할 수 있더라도, 그 후 당초의 기한이 상당 기간 연장되어 연장된 기간을 포함한 존속기간 전체를 기준으로 보면 더 이상 허가된 사업의 성질상 부당하게 짧은 경우에 해당하지 않게 된 때에는, 관계 법령상 허가 여부의 재량권을 가진 행정청은 허가조건의 개정만을 고려하여야 하는 것은 아니고, 재량권의 행사로서 더 이상의 기간 연장을 불허가하여 허가의 효력을 상실시킬 수 있다. (○)

답 ②

함께 정리하기

부관

재량행위
▷ 금지규정이 없는 한 부관 부가 可

기부채납부관 취소 前
▷ 증여계약 착오취소 不可

연장기간포함 전체를 기준했을 때 부당히 짧지 않은 경우
▷ 기간연장불허 可

허가에 붙은 기한이 부당히 짧은 경우
▷ 허가조건의 존속기간

027

甲은 아파트를 건설하고자 乙시장에게 「주택법」상 사업계획승인신청을 하였는데, 乙시장은 아파트단지 인근에 개설되는 자동차전용도로의 부지로 사용할 목적으로 甲소유 토지의 일부를 아파트 사용검사시까지 기부채납하도록 하는 부담을 붙여 사업계획을 승인하였다. 이에 대한 설명으로 옳은 것만을 <보기>에서 모두 고르면? (다툼이 있는 경우 판례에 의함)

<보기>

ㄱ. 甲이 위 부담을 불이행하였다면 乙시장은 이를 이유로 사업계획승인을 철회하거나, 위 부담상의 의무 불이행에 대해 행정대집행을 할 수 있다.
ㄴ. 甲이 위 부담을 이행하지 아니하더라도 乙시장의 사업계획승인이 당연히 효력을 상실하는 것은 아니다.
ㄷ. 乙시장은 기부채납의 내용을 甲과 사전에 협의하여 협약의 형식으로 미리 정한 다음, 사업계획승인을 하면서 위 부담을 부가할 수도 있다.
ㄹ. 만일 甲이 「건축법」상 기속행위에 해당하는 건축허가를 신청하였고, 乙시장이 건축허가를 하면서 법률의 근거 없이 기부채납부담을 붙였다면 그 부담은 무효이다.

① ㄱ, ㄴ
② ㄱ, ㄷ
③ ㄴ, ㄹ
④ ㄱ, ㄷ, ㄹ
⑤ ㄴ, ㄷ, ㄹ

문제 DATA
출제가능 지수 ▶▶▷
난이도 지수 ★★★

2022년 국회직 8급

ㄱ. (×) 甲이 부담을 불이행하였다면 乙시장은 이를 이유로 사업계획승인을 철회할 수 있으나, 부담상의 의무 불이행에 대해서 행정대집행을 할 수는 없다. 행정대집행은 대체적 작위의무를 대상으로 하는데 위 사례의 부담상 의무인 기부채납의무는 비대체적 작위의무에 해당하기 때문이다.

<U>부담부 행정처분에 있어서 처분의 상대방이 부담(의무)을 이행하지 아니한 경우에 처분행정청으로서는 이를 들어 당해 처분을 취소(철회)할 수 있는 것이다</U>(대판 1989.10.24. 89누2431).

ㄴ. (○) 부담부 행정행위는 부담의 이행 여부를 불문하고 효력이 발생하고 부담을 불이행하더라도 행정청이 별도로 철회를 하지 않는 한 당연히 효력을 상실하는 것은 아니다.

유제 21. 국회직 9급 부담에 의하여 부과된 의무를 이행하지 않았다고 하여 본체인 행정행위 자체가 당연히 효력을 상실하는 것은 아니다 (○)
19. 서울시 7급(추), 15. 서울시 9급, 14. 경찰 부담부 행정행위에 있어서 처분의 상대방이 부담을 이행하지 아니한 경우에 당해 부담부 행정행위는 당연히 효력을 상실하게 된다. (×)
15. 지방직 9급 부담에 의해 부과된 의무의 불이행으로 부담부 행정행위가 당연히 효력을 상실하는 것은 아니며, 당해 의무불이행은 부담부 행정행위의 취소(철회)사유가 될 뿐이다. (○)
16. 국가직 9급 (甲은 관할 행정청 A에 도로점용허가를 신청하였고, 이에 대하여 행정청 A는 주민의 민원을 고려하여 甲에 대하여 공원 부지를 기부채납할 것을 부관으로 하여 도로점용허가를 하였다) 위 부관을 부담으로 보는 경우, 甲이 정해진 기간 내에 공원 부지를 기부채납하지 않은 경우에도 도로점용허가를 철회하지 않는 한 도로점용허가는 유효하다. (○)
13. 국회직 8급 부담부행정행위의 경우 부담을 불이행하더라도 별도로 철회를 하지 않는 한 당연히 효력이 소멸하는 것은 아니다. (○)

ㄷ. (○) 대판 2009.2.12. 2005다65500

ㄹ. (○) 건축허가를 하면서 일정 토지를 기부채납하도록 하는 내용의 허가조건은 부관을 붙일 수 없는 기속행위 내지 기속적 재량행위인 건축허가에 붙인 부담이거나 또는 법령상 아무런 근거가 없는 부관이어서 무효이다(대판 1995.6.13. 94다56883).

유제 21. 군무원 9급·소방간부, 12. 국회직 9급, 11. 지방직 9급 건축허가를 하면서 일정 토지의 기부채납을 허가조건으로 하는 부관은 기속행위 내지 기속적 재량행위에 붙인 부담이거나 또는 법령상 근거가 없는 부관이어서 무효이다. (○)
20. 소방직 건축허가를 하면서 일정 토지를 기부채납하도록 하는 내용의 허가조건을 붙였다면 원칙상 취소사유로 보아야 한다. (×)

답 ⑤

함께 정리하기

기부채납 부담 사례

부담 불이행
▷ 당해 처분 당연실효 ×
▷ 당해 처분 철회 가
▷ 행정대집행 불가

부담
▷ 협약형식으로 부가 가

기속행위인 건축허가 시 기부채납부담
▷ 무효

문제 DATA

출제가능 지수 ▶▶▷
난이도 지수 ★★☆

028 □□□

행정행위의 부관에 대한 설명으로 옳은 것은? (다툼이 있는 경우 판례에 의함)

① 행정처분과 부관 사이에 실제적 관련성이 있다고 볼 수 없는 경우, 공무원이 공법상의 제한을 회피할 목적으로 행정처분의 상대방과 사이에 사법상 계약을 체결하는 형식을 취하였더라도 법치행정의 원리에 반하는 것으로서 위법하다고 볼 수 없다.

② 처분 당시 법령을 기준으로 처분에 부가된 부담이 적법하였더라도, 처분 후 부담의 전제가 된 주된 행정처분의 근거 법령이 개정됨으로써 행정청이 더 이상 부관을 붙일 수 없게 되었다면 그때부터 부담의 효력은 소멸한다.

③ 부담의 이행으로서 하게 된 사법상 매매 등의 법률행위는 부담을 붙인 행정처분과는 별개의 법률행위이므로, 그 부담의 불가쟁력의 문제와는 별도로 법률행위가 사회질서 위반이나 강행규정에 위반되는지 여부 등을 따져보아 그 법률행위의 유효 여부를 판단하여야 한다.

④ 허가에 붙은 기한이 그 허가된 사업의 성질상 부당하게 짧아서 이 기한이 허가 자체의 존속기간이 아니라 허가조건의 존속기간으로 해석되는 경우에는 허가 여부의 재량권을 가진 행정청은 허가조건의 개정만을 고려할 수 있고, 그 후 당초의 기한이 상당 기간 연장되어 그 기한이 부당하게 짧은 경우에 해당하지 않게 된 때라도 더 이상의 기간연장을 불허가할 수는 없다.

2021년 국가직 9급

① (×) 공무원이 인·허가 등 수익적 행정처분을 하면서 상대방에게 그 처분과 관련하여 이른바 부관으로서 부담을 붙일 수 있다 하더라도, 그러한 부담은 법치주의와 사유재산 존중, 조세법률주의 등 헌법의 기본원리에 비추어 비례의 원칙이나 부당결부의 원칙에 위반되지 않아야만 적법한 것인바, 행정처분과 부관 사이에 실제적 관련성이 있다고 볼 수 없는 경우 공무원이 위와 같은 공법상의 제한을 회피할 목적으로 행정처분의 상대방과 사이에 사법상 계약을 체결하는 형식을 취하였다면 이는 법치행정의 원리에 반하는 것으로서 위법하다(대판 2009.12.10. 2007다63966).

② (×) 행정처분의 상대방이 수익적 행정처분을 얻기 위하여 행정청과 사이에 행정처분에 부가할 부담에 관한 협약을 체결하고 행정청이 수익적 행정처분을 하면서 협약상의 의무를 부담으로 부가하였으나 부담의 전제가 된 주된 행정처분의 근거 법령이 개정됨으로써 행정청이 더 이상 부관을 붙일 수 없게 된 경우에도 곧바로 협약의 효력이 소멸하는 것은 아니다(대판 2009.2.12. 2005다65500).

유제 18. 지방직 7급·서울시 9급, 16. 지방직 7급 행정청이 수익적 행정처분을 하면서 사전에 상대방과 체결한 협약상의 의무를 부담으로 부가하였는데, 부담의 전제가 된 주된 행정처분의 근거 법령이 개정되어 부관을 붙일 수 없게 된 경우에는 곧바로 협약의 효력이 소멸한다. (×)
18. 5급 승진 행정청이 상대방과의 협약에 따라 수익적 처분에 부가한 부담이 처분시 법령에 적법한 것이었으나, 이후 처분의 근거법령이 개정되어 더 이상 부관을 붙일 수 없게 된 경우에 그 부담에 관한 협약의 효력도 곧바로 소멸한다. (×)
16. 경찰 2차 행정처분의 상대방이 수익적 행정처분을 얻기 위하여 행정청과 사이에 행정처분에 부가할 부담에 관한 협약을 체결하고 행정청이 수익적 행정처분을 하면서 협약상의 의무를 부담으로 부가하였으나 부담의 전제가 된 주된 행정처분의 근거 법령이 개정됨으로써 행정청이 더 이상 부관을 붙일 수 없게 된 경우에도 곧바로 협약의 효력이 소멸한다. (×)

③ (○) 대판 2009.6.25. 2006다18174

④ (×) 일반적으로 행정처분에 효력기간이 정하여져 있는 경우에는 그 기간의 경과로 그 행정처분의 효력은 상실되며, 허가에 붙은 기한이 그 허가된 사업의 성질상 부당하게 짧은 경우에는 이를 그 허가 자체의 존속기간이 아니라 그 허가조건의 존속기간으로 보아 그 기한이 도래함으로써 그 조건의 개정을 고려한다는 뜻으로 해석할 수 있지만, 이와 같이 당초에 붙은 기한을 허가 자체의 존속기간이 아니라 허가조건의 존속기간으로 보더라도 그 후 당초의 기한이 상당 기간 연장되어 연장된 기간을 포함한 존속기간 전체를 기준으로 볼 경우 더 이상 허가된 사업의 성질상 부당하게 짧은 경우에 해당하지 않게 된 때에는 관계 법령의 규정에 따라 허가 여부의 재량권을 가진 행정청으로서는 그 때에도 허가조건의 개정만을 고려하여야 하는 것은 아니고 재량권의 행사로서 더 이상의 기간연장을 불허가할 수도 있는 것이며, 이로써 허가의 효력은 상실된다(대판 2004.3.25. 2003두12837).

답 ③

함께 정리하기

부관

실제적 관련성이 없어 붙일 수 없는 부관
▷ 사법상 계약으로도 체결 불가(법치행정 원리에 反)

법개정으로 부관을 붙일 수 없게 된 경우
▷ 곧바로 효력소멸×

불가쟁력 발생한 부담의 이행으로 인한 사법행위
▷ 별도로 효력 다툼 可

연장기간 포함 전체를 기준했을 때 부당히 짧지 않은 경우
▷ 기간연장불허 可

029

부관에 대한 설명으로 옳지 않은 것은? (다툼이 있는 경우 판례에 의함)

① 어업에 관한 허가 또는 신고는 어업면허와 마찬가지로 유효기간이 경과해도 그 허가나 신고의 효력이 당연히 소멸되는 것은 아니므로 재차 허가를 받거나 신고를 하면 허가나 신고의 기간이 갱신되어 종전의 어업허가나 신고의 효력 또는 성질이 계속된다고 볼 수 있다.

② 건축허가를 하면서 일정 토지를 기부채납하도록 하는 내용의 허가조건은 부관을 붙일 수 없는 기속행위 내지 기속적 재량행위인 건축허가에 붙인 부담이거나 또는 법령상 아무런 근거가 없는 부관이어서 무효이다.

③ 수익적 행정처분에 있어서는 부담을 부가하기 이전에 상대방과 협의하여 부담의 내용을 협약의 형식으로 미리 정한 다음 행정처분을 하면서 이를 부가할 수 있다.

④ 건축행정청은 신청인의 건축계획상 하나의 대지로 삼으려고 하는 '하나 이상의 필지의 일부'가 관계 법령상 토지분할이 가능한 경우인지를 심사하여 토지분할이 관계 법령상 제한에 해당되어 명백히 불가능하다고 판단되는 경우에는 토지분할 조건부 건축허가를 거부하여야 한다.

⑤ 행정행위의 부관은 그 자체로서 직접 법적 효과를 발생하는 독립된 처분이 아니므로 현행 행정쟁송제도 아래서는 부관 그 자체만을 독립된 쟁송의 대상으로 할 수 없는 것이 원칙이나, 부담의 경우에는 행정쟁송의 대상이 될 수 있다.

2021년 소방간부

① (×) 어업에 관한 허가 또는 신고의 경우에는 어업면허와 달리 유효기간연장제도가 마련되어 있지 아니하므로 그 유효기간이 경과하면 그 허가나 신고의 효력이 당연히 소멸하며, 재차 허가를 받거나 신고를 하더라도 허가나 신고의 기간만 갱신되어 종전의 어업허가나 신고의 효력 또는 성질이 계속된다고 볼 수 없고 새로운 허가 내지 신고로서의 효력이 발생한다고 할 것이다(대판 2011.7.28. 2011두5728).

② (○) 대판 1995.6.13. 94다56883

③ (○) 대판 2009.2.12. 2005다65500

④ (○) 토지분할 조건부 건축허가는, 건축허가 신청에 앞서 토지분할절차를 완료하도록 하는 대신, 건축허가 신청인의 편의를 위해 건축허가에 따라 우선 건축공사를 완료한 후 사용승인을 신청할 때까지 토지분할절차를 완료할 것을 허용하는 취지이다. 행정청이 객관적으로 처분상대방이 이행할 가능성이 없는 조건을 붙여 행정처분을 하는 것은 법치행정의 원칙상 허용될 수 없으므로, 건축행정청은 신청인의 건축계획상 하나의 대지로 삼으려고 하는 '하나 이상의 필지의 일부'가 관계 법령상 토지분할이 가능한 경우인지를 심사하여 토지분할이 관계 법령상 제한에 해당되어 명백히 불가능하다고 판단되는 경우에는 토지분할 조건부 건축허가를 거부하여야 한다(대판 2018.6.28. 2015두47737).

유제 19. 국회직 8급 관할행정청은 토지분할이 관계 법령상 제한에 해당되어 명백히 불가능하다고 판단되는 경우에는 토지분할 조건부 건축허가를 거부하여야 한다. (○)

⑤ (○) 현행 행정쟁송제도 아래서는 부관 그 자체만을 독립된 쟁송의 대상으로 할 수 없는 것이 원칙이나 행정행위의 부관 중에서도 행정행위에 부수하여 그 행정행위의 상대방에게 일정한 의무를 부과하는 행정청의 의사표시인 부담의 경우에는 다른 부관과는 달리 행정행위의 불가분적인 요소가 아니고 그 존속이 본체인 행정행위의 존재를 전제로 하는 것일 뿐이므로 부담 그 자체로서 행정쟁송의 대상이 될 수 있다(대판 1992.1.21. 91누1264).

답 ①

◈ 문제 DATA

출제가능 지수 ▶▶▷
난이도 지수 ★★☆

📋 함께 정리하기

부관

어업에 관한 허가 또는 신고
▷ 유효기간이 경과하면 효력 소멸

건축허가 시 토지기부채납조건 부관
▷ 무효

부담
▷ 협약형식으로 부가 可

토지분할이 법령상 제한으로 명백히 불가능
▷ 토지분할조건부 건축허가 거부해야 함

부담
▷ 독립적 행정소송 대상○

문제 DATA

출제가능 지수 ▶▶▷
난이도 지수 ★★★

030 □□□

A 행정청은 甲에게 처분을 하면서 법령에 근거 없이 일정 토지를 기부채납하도록 하는 부담을 붙였다. 이에 대한 설명으로 옳지 않은 것은? (다툼이 있는 경우 판례에 의함)

① A 행정청이 처분 이전에 甲과 협의하여 기부채납에 관한 내용을 협약의 형식으로 미리 정한 다음에 부담을 붙이는 것도 허용된다.
② 처분이 기속행위임에도 甲이 부담의 이행으로 기부채납을 하였다면, 그 기부채납 행위는 당연무효인 행위가 된다.
③ 사정변경으로 인하여 당초에 부담을 부가한 목적을 달성할 수 없게 된 경우에는 A 행정청은 甲의 동의가 없더라도 그 목적달성에 필요한 범위 내에서 부담을 변경할 수 있다.
④ 甲은 기부채납을 하도록 하는 부담에 대해서만 취소소송을 제기하여 다툴 수 있다.
⑤ 처분이 기속행위라면 甲은 기부채납 부담을 이행할 의무가 없다.

| 2021년 국회직 8급

① (○) 대판 2009.2.12. 2005다65500
② (×) 행정처분에 부담인 부관을 붙인 경우 부관의 무효화에 의하여 본체인 행정처분 자체의 효력에도 영향이 있게 될 수는 있지만, 그 처분을 받은 사람이 부담의 이행으로 사법상 매매 등의 법률행위를 한 경우에는 그 부관은 특별한 사정이 없는 한 법률행위를 하게 된 동기 내지 연유로 작용하였을 뿐이므로 이는 법률행위의 취소사유가 될 수 있음은 별론으로 하고 그 법률행위 자체를 당연히 무효화하는 것은 아니다(대판 2009.6.25. 2006다18174).
③ (○) 대판 1997.5.30. 97누2627
④ (○) 대판 1992.1.21. 91누1264
⑤ (○) 일반적으로 기속행위에는 부관을 붙일 수가 없고 부관을 붙였다 하더라도 무효이므로 甲은 기부채납 부담을 이행할 의무가 없다(대판 1995.6.13. 94다56883).

답 ②

함께 정리하기

부관

부담
▷ 협약형식으로 부가 可
▷ 독립적 행정소송 대상○

무효인 부담의 이행으로 한 사법상 법률행위
▷ 당연무효×

사정변경
▷ 부담의 사후변경 可

기속행위에 붙인 부관
▷ 무효(이행의무 無)

문제 DATA

출제가능 지수 ▶▶▷
난이도 지수 ★★☆

031 □□□

행정행위의 부관 중 부담에 대한 설명으로 옳지 않은 것은? (다툼이 있는 경우 판례에 의함)

① 부담은 다른 부관과 달리 그 자체로 취소소송의 대상적격이 인정된다.
② 부담은 조건과 달리 본체인 행정행위의 불가분적 요소가 아니다.
③ 부담에 의하여 부과된 의무를 이행하지 않았다고 하여 본체인 행정행위 자체가 당연히 효력을 상실하는 것은 아니다.
④ 행정행위에 붙여진 부관의 성격이 조건인지 부담인지 명백하지 않은 경우에는 독립하여 취소소송의 대상이 되는 부담으로 본다.
⑤ 처분의 상대방이 부담을 이행하지 아니하더라도 처분행정청은 이를 들어 당해 처분을 철회할 수 없다.

| 2021년 국회직 9급

①, ② (○) 대판 1992.1.21. 91누1264
③ (○) 부담을 이행하지 않는다고 해서 주된 행정행위가 당연히 효력을 상실하는 것은 아니며 당해 의무 불이행은 주된 행정행위의 철회사유가 될 뿐이다.
④ (○) 행정행위에 붙여진 부관의 성격이 조건인지 부담인지 명백하지 않은 경우에는 최소침해의 원칙에 따라 당사자에게 유리하도록 부담으로 보아야 한다.

함께 정리하기

부관

부담
▷ 행정행위의 불가분적 요소×
▷ 독립적 행정소송 대상○

부담 불이행
▷ 처분 당연실효×
▷ 처분 철회 可

조건과 부담의 구분이 불명확
▷ 부담으로 추정

유제 20. 소방직 부담과 조건의 구분이 명확하지 않을 경우, 조건은 당사자에게 부담보다 유리하기 때문에 원칙적으로 조건으로 추정해야 한다. (×)
20. 5급 승진 조건과 부담의 구별과 관련해서, 구별이 쉽지 않을 때는 당사자에게 유리하도록 부담으로 추정한다. (O)
20. 국회직 9급 조건인지 부담인지 불확실한 경우에는 상대방에게 유리한 부담으로 해석한다. (O)
15. 사복직, 10. 국가직 9급 조건과 부담의 구분이 불명확한 경우에는 국민에게 유리한 부담으로 해석하여야 한다. (O)

⑤ (×) 부담부 행정처분에 있어서 처분의 상대방이 부담(의무)을 이행하지 아니한 경우에 처분행정청으로서는 이를 들어 당해 처분을 취소(철회)할 수 있는 것이다(대판 1989.10.24. 89누2431).

답 ⑤

032 □□□

행정법상 부관에 대한 설명으로 옳은 것만을 모두 고른 것은? (다툼이 있는 경우 판례에 의함)

> ㄱ. 행정청이 수익적 행정처분을 하면서 부가한 부담의 위법 여부는 처분 당시 법령을 기준으로 판단하여야 한다.
> ㄴ. 면허발급 당시에 붙이는 부관뿐만 아니라 면허발급 이후에 붙이는 부관도 법률에 명문 규정이 있거나 변경이 미리 유보되어 있는 경우 또는 상대방의 동의가 있는 경우 등에는 특별한 사정이 없는 한 허용된다.
> ㄷ. 공유재산에 대한 40년간의 사용허가신청에 대해 행정청이 20년간 사용허가한 경우에 사용허가 기간에 대해서 독립하여 행정소송을 제기할 수 있다.
> ㄹ. 종전 허가의 유효기간이 지나서 신청한 기간연장신청은 별도의 새로운 허가를 내용으로 하는 행정처분을 구하는 것이라기보다는 종전의 허가처분을 전제로 하여 단순히 그 유효기간을 연장하여 주는 행정처분을 구하는 것으로 보아야 한다.
> ㅁ. 토지소유자가 토지형질변경행위허가에 붙은 기부채납의 부관에 따라 토지를 국가나 지방자치단체에 기부채납(증여)한 경우, 기부채납의 부관이 당연무효이거나 취소되지 아니한 이상 토지소유자는 그 부관으로 인하여 증여계약의 중요 부분에 착오가 있음을 이유로 증여계약을 취소할 수 없다.

① ㄱ, ㄴ, ㄷ
② ㄱ, ㄴ, ㅁ
③ ㄴ, ㄷ, ㄹ
④ ㄷ, ㄹ, ㅁ

2021년 경찰 2차

ㄱ. (O) 대판 2009.2.12. 2005다65500
ㄴ. (O) 대판 2016.11.24. 2016두45028
ㄷ. (×) 행정행위의 부관은 부담인 경우를 제외하고는 독립하여 행정소송의 대상이 될 수 없는바, 기부채납받은 행정재산에 대한 사용·수익허가에서 공유재산의 관리청이 정한 사용·수익허가의 기간은 그 허가의 효력을 제한하기 위한 행정행위의 부관으로서 이러한 사용·수익허가의 기간에 대해서는 독립하여 행정소송을 제기할 수 없다. … 결국 이 사건 주위적 청구는 부적법하여 각하를 면할 수 없다(대판 2001.6.15. 99두509).
ㄹ. (×) 종전의 허가가 기한의 도래로 실효한 이상 원고가 종전 허가의 유효기간이 지나서 신청한 이 사건 기간연장신청은 그에 대한 종전의 허가처분을 전제로 하여 단순히 그 유효기간을 연장하여 주는 행정처분을 구하는 것이라기 보다는 종전의 허가처분과는 별도의 새로운 허가를 내용으로 하는 행정처분을 구하는 것이라고 보아야 할 것이어서, 이러한 경우 허가권자는 이를 새로운 허가신청으로 보아 법의 관계 규정에 의하여 허가요건의 적합 여부를 새로이 판단하여 그 허가 여부를 결정하여야 할 것이다(대판 1995.11.10. 94누11866).
ㅁ. (O) 대판 1999.5.25. 98다53134

답 ②

함께 정리하기

부관

부담의 위법 여부
▷ 처분 당시 법령 기준

부관의 사후부가·변경 허용(判)
▷ 명문규정
▷ 사후부관이 미리 유보
▷ 상대방의 동의
▷ 사정변경

사용·수익허가의 기간
▷ 독립적 행정소송대상×

허가기간 경과 후 신청
▷ 새로운 허가 신청

기부채납부관 취소 前
▷ 증여계약 착오취소 불가

문제 DATA

출제가능 지수 ▶▶▷
난이도 지수 ★★☆

033 □□□

행정행위의 부관에 대한 설명으로 옳은 것은? (다툼이 있는 경우 판례에 의함)

① 부관 중에서 부담은 주된 행정행위로부터 분리될 수 있다 할지라도 부담 그 자체는 독립된 행정행위가 아니므로 주된 행정행위로부터 분리하여 쟁송의 대상이 될 수 없다.
② 기부채납받은 행정재산에 대한 사용·수익허가에서 공유재산의 관리청이 정한 사용·수익허가의 기간은 그 허가의 효력을 제한하기 위한 행정행위의 부관으로서, 이러한 사용·수익허가의 기간에 대해서는 독립하여 행정소송을 제기할 수 있다.
③ 지방국토관리청장이 일부 공유수면매립지를 국가 또는 지방자치단체에 귀속처분한 것은 법률효과의 일부를 배제하는 부관을 붙인 것이므로 이러한 행정행위의 부관은 독립하여 행정쟁송 대상이 될 수 없다.
④ 행정청이 부담을 부가하기 이전에 상대방과 협의하여 부담의 내용을 협약의 형식으로 미리 정한 경우에는 행정처분을 하면서 이를 부담으로 부가할 수 없다.

| 2020년 지방직 9급

① (×) 부관은 그 자체로서 직접 법적 효과를 발생하는 독립된 처분이 아니므로, 현행 행정쟁송제도 아래서는 부관 그 자체만을 독립된 쟁송의 대상으로 할 수 없는 것이 원칙이나, 부담의 경우에는 다른 행정행위의 불가분적인 요소가 아니고 그 존속이 본체인 행정행위의 존재를 전제로 하는 것일 뿐이므로, 부담 그 자체로서 행정쟁송의 대상이 될 수 있다고 할 것이다(대판 1992.1.21. 91누1264).
② (×) 행정행위의 부관은 부담인 경우를 제외하고는 독립하여 행정소송의 대상이 될 수 없는바, 기부채납받은 행정재산에 대한 사용·수익허가에서 공유재산의 관리청이 정한 사용·수익허가의 기간은 그 허가의 효력을 제한하기 위한 행정행위의 부관으로서 이러한 사용·수익허가의 기간에 대해서는 독립하여 행정소송을 제기할 수 없다. … 결국 이 사건 주위적 청구는 부적법하여 각하를 면할 수 없다(대판 2001.6.15. 99두509).
③ (○) 대판 1993.10.8. 93누2032
④ (×) 수익적 행정처분에 있어서는 법령에 특별한 근거규정이 없다고 하더라도 그 부관으로서 부담을 붙일 수 있고, 그와 같은 부담은 행정청이 행정처분을 하면서 일방적으로 부가할 수도 있지만 부담을 부가하기 이전에 상대방과 협의하여 부담의 내용을 협약의 형식으로 미리 정한 다음 행정처분을 하면서 이를 부가할 수도 있다(대판 2009.2.12. 2005다65500).

답 ③

함께 정리하기

부관

부담
▷ 독립적 행정소송 대상 ○

사용·수익허가의 기간
▷ 독립적 행정소송 대상 ×

공유수면 매립지 일부 국가 또는 지자체 귀속처분
▷ 독립쟁송 불가(∵법률효과 일부배제)

부담
▷ 협약형식으로 부가 可

문제 DATA

출제가능 지수 ▶▶▷
난이도 지수 ★★☆

034 □□□

행정행위의 부관에 대한 설명으로 옳지 않은 것은? (다툼이 있는 경우 판례에 의함)

① 사정변경으로 인하여 당초에 부담을 부가한 목적을 달성할 수 없게 된 경우에도 부관의 사후변경은 그 목적달성에 필요한 범위 내에서 예외적으로 허용된다는 것이 판례의 태도이다.
② 행정행위의 부관의 유형 중에서 장래의 불확실한 사실에 의해서 행정행위의 효력을 소멸시키는 것은 해제조건이다.
③ 지방국토관리청장이 일부 공유수면매립지에 대하여 한 국가 또는 직할시(현 광역시) 귀속처분은 법률효과의 일부배제에 해당하는 것으로 행정행위의 부관의 유형으로 볼 수 없다는 것이 판례의 태도이다.
④ 부담과 조건의 구별이 명확하지 않은 경우에는 부담으로 보는 것이 행정행위의 상대방에게 유리하다고 본다.

2020년 소방직

① (○) 대판 1997.5.30. 97누2627
② (○) 조건은 행정행위의 효력 발생·소멸을 장래에 발생 여부가 불확실한 객관적 사실에 의존시키는 부관을 의미한다. 그 중에서 정지조건은 조건이 성취되면 행정행위의 효력을 발생시키는 부관이고, 해제조건은 조건이 성취되면 효력을 해제(소멸)시키는 부관이다.
③ (×) 행정행위의 부관은 부담의 경우를 제외하고는 독립하여 행정소송의 대상이 될 수 없는 것인바, 지방국토관리청장이 일부 공유수면매립지에 대하여 한 국가 또는 직할시 귀속처분은 매립준공인가를 함에 있어서 매립의 면허를 받은 자의 매립지에 대한 소유권취득을 규정한 공유수면매립법 제14조의 효과 일부를 배제하는 부관을 붙인 것이고, 이러한 행정행위의 부관은 위 법리와 같이 독립하여 행정소송 대상이 될 수 없다(대판 1993.10.8. 93누2032).
④ (○) 부담과 조건의 구별이 명확하지 않은 경우에는 부담이 당사자에게 조건보다 유리하기 때문에 부담으로 추정해야 한다.

답 ③

함께 정리하기

부관

사정변경
▷ 부관의 사후변경 허용

해제조건
▷ 장래의 불확실한 사실에 의해서 행정행위 효력을 소멸시킴

공유수면 매립지 일부 국가 또는 지자체 귀속처분
▷ 독립쟁송 불가(∵법률효과 일부배제)

조건과 부담의 구분이 불명확
▷ 부담으로 추정

035 □□□

행정행위의 부관에 대한 설명으로 옳지 않은 것은? (다툼이 있는 경우 판례에 의함)

① 지방국토관리청장이 일부 공유수면매립지에 대하여 한 국가 또는 직할시(현 광역시) 귀속처분은 독립하여 행정소송의 대상이 될 수 있다.
② 65세대의 주택건설사업에 대한 사업계획승인 시 '진입도로 설치 후 기부채납, 인근 주민의 기존 통행로 폐쇄에 따른 대체 통행로 설치 후 그 부지 일부 기부채납'을 조건으로 붙인 것은 위법한 부관에 해당하지 않는다.
③ 부관은 면허 발급 당시에 붙이는 것뿐만 아니라 면허 발급 이후에 붙이는 것도 법률에 명문의 규정이 있거나 변경이 미리 유보되어 있는 경우 또는 상대방의 동의가 있는 경우 등에는 특별한 사정이 없는 한 허용된다.
④ 해제조건의 경우에 조건이 성취되면 행정행위의 효력은 당연히 소멸되지만, 부담의 경우에 부담에 의해 부과된 의무의 불이행은 행정행위의 철회사유가 된다.
⑤ 부담은 행정처분을 하면서 일방적으로 부가할 수 있으며, 부담을 부가하기 전에 상대방과 협의하여 협약의 형식으로 부가할 수 있다.

문제 DATA

출제가능 지수 ▶▶▷
난이도 지수 ★★☆

2020년 소방간부

① (×) 행정행위의 부관은 부담의 경우를 제외하고는 독립하여 행정소송의 대상이 될 수 없는 것인바, 지방국토관리청장이 일부 공유수면매립지에 대하여 한 국가 또는 직할시 귀속처분은 매립준공인가를 함에 있어서 매립의 면허를 받은 자의 매립지에 대한 소유권취득을 규정한 공유수면매립법 제14조의 효과 일부를 배제하는 부관을 붙인 것이고, 이러한 행정행위의 부관은 위 법리와 같이 독립하여 행정소송 대상이 될 수 없다(대판 1993.10.8. 93누2032).
② (○) 65세대의 주택건설사업에 대한 사업계획승인 시 '진입도로 설치 후 기부채납, 인근 주민의 기존 통행로 폐쇄에 따른 대체 통행로 설치 후 그 부지 일부 기부채납'을 조건으로 붙인 것이 위법한 부관에 해당하지 않는다(대판 1997.3.14. 96누16698).
③ (○) 대판 2016.11.24. 2016두45028
④ (○) 해제조건이 부가된 행정행위는 조건이 성취되면 그 행정행위의 효력은 당연히 소멸한다. 부담에 의해 부과된 의무를 불이행한 경우에는 부담부행정행위가 당연히 효력을 상실하는 것은 아니며, 당해 의무불이행은 부담부행정행위의 철회사유가 될 뿐이다.
⑤ (○) 대판 2009.2.12. 2005다65500

답 ①

함께 정리하기

부관

공유수면매립지 일부 국가 또는 지자체 귀속처분
▷ 독립쟁송 불가(∵법률효과 일부배제)

사업계획승인 시 진입도로 설치 후 기부채납 조건
▷ 위법한 부관 ×

부관의 사후부가·변경 허용(判)
▷ 명문규정
▷ 사후부관이 미리 유보
▷ 상대방의 동의
▷ 사정변경

부담
▷ 협약형식으로 부가 可

036

행정행위의 부관에 대한 설명으로 옳지 않은 것은? (다툼이 있는 경우 판례에 의함)

① 기속행위나 기속적 재량행위에 부담인 부관을 붙였다면 일반적으로 이 부관은 무효이다.
② 조건과 부담의 구별과 관련해서, 구별이 쉽지 않을 때는 당사자에게 유리하도록 부담으로 추정한다.
③ 공익법인의 기본재산 처분허가의 본질은 인가에 해당하므로 법적 안정성을 위해 그 허가에 부관을 붙이는 것은 허용되지 아니한다.
④ 처분이 발급된 이후라도 법률에 명문의 규정이 있거나 변경이 미리 유보되어 있는 경우 또는 상대방의 동의가 있는 경우 등에는 특별한 사정이 없는 한 부관을 부가할 수 있다.
⑤ 기부채납 받은 공원시설의 사용·수익허가에서 허가기간은 허가의 효력을 제한하기 위한 부관으로서 행정행위의 본질적 요소에 해당한다고 볼 것이므로 그 허가기간에 위법사유가 있다면 허가 전부가 위법하게 된다.

2020년 5급 승진

① (O) 기속행위 내지 기속적 재량행위 행정처분에 부담인 부관을 붙인 경우 일반적으로 그 부관은 무효라 할 것이고 그 부관의 무효화에 의하여 본체인 행정처분 자체의 효력에도 영향이 있게 될 수는 있다 (대판 1998.12.22. 98다51305).

유제 19. 국회직 8급 기속행위적 행정처분에 부담을 부가한 경우 그 부담은 무효라 할지라도 본체인 행정처분 자체의 효력에는 일반적으로 영향이 없다. (×)

② (O) 부담과 조건의 구별은 우선 행정청의 객관적 의사를 기준으로 구별하고, 행정청의 의사가 불분명한 경우에는 최소침해의 원칙에 따라 당사자에게 유리하도록 부담으로 보아야 한다.

③ (×) 공익법인의 기본재산의 처분에 관한 공익법인의 설립·운영에 관한 법률 제11조 제3항의 규정은 강행규정으로서 이에 위반하여 주무관청의 허가를 받지 않고 기본재산을 처분하는 것은 무효라 할 것인데, 위 처분허가에 부관을 붙인 경우 그 처분허가의 법률적 성질이 형성적 행정행위로서의 인가에 해당한다고 하여 조건으로서의 부관의 부과가 허용되지 아니한다고 볼 수는 없다(대판 2005.9.28. 2004다50044).

④ (O) 대판 2016.11.24. 2016두45028

⑤ (O) 기부채납 받은 행정재산에 대한 사용·수익허가에서 그 허가기간은 행정행위의 본질적 요소에 해당한다고 볼 것이어서, 부관인 허가기간에 위법사유가 있다면 이로써 사용·수익허가 전부가 위법하게 될 것이다(대판 2001.6.15. 99두509).

유제 17. 지방직 9급 공유재산의 관리청이 기부채납된 행정재산에 대하여 행하는 사용·수익 허가의 경우, 부관인 사용·수익 허가의 기간에 위법사유가 있다면 허가 전부가 위법하게 된다. (O)
16. 사복직 기부채납 받은 공원시설의 사용·수익허가에서 그 허가기간은 행정행위의 본질적 요소에 해당하므로, 부관인 허가기간에 위법사유가 있다면 이로써 공원시설의 사용·수익허가 전부가 위법하게 된다. (O)

답 ③

문제 DATA
출제가능 지수 ▶▶▷
난이도 지수 ★★☆

함께 정리하기

부관

기속행위나 기속적 재량행위에 붙인 부관
▷ 무효

조건과 부담의 구분이 불명확
▷ 부담으로 추정

인가(공익법인의 기본재산 처분허가)
▷ 부관 부가 可

부관의 사후 부가·변경 허용(判)
▷ 명문규정
▷ 사후부관이 미리 유보
▷ 상대방의 동의
▷ 사정변경

기부채납받은 공원시설 사용·수익허가 기간의 위법
▷ 허가 전부 위법(∵본질적 요소)

037 □□□

부관에 대한 설명으로 옳지 않은 것은? (다툼이 있는 경우 판례에 의함)

① 일반적으로 기속행위에 대해서는 부관을 붙일 수 없다.
② 조건인지 부담인지 불확실한 경우에는 상대방에게 유리한 부담으로 해석한다.
③ 공익법인의 기본재산의 처분에 관한 주무관청의 허가는 강학상 인가에 해당하고 이에 대한 부관의 부과는 허용되지 아니한다.
④ 법률에 명문의 규정이 있거나 미리 유보되어 있는 경우 또는 상대방의 동의가 있는 경우에 사후부담이 허용된다.
⑤ 행정청이 관리처분계획에 대한 인가처분을 할 때에는 인가 여부를 결정할 수 있을 뿐 기부채납과 같은 다른 조건을 붙일 수는 없다.

▎2020년 국회직 9급

① (○) 대판 1988.4.27. 87누1106
② (○) 행정행위에 붙여진 부관의 성격이 조건인지 부담인지 명백하지 않은 경우에는 최소침해의 원칙에 따라 당사자에게 유리하도록 부담으로 보아야 한다.
③ (×) 공익법인의 기본재산의 처분에 관한 공익법인의 설립·운영에 관한 법률 제11조 제3항의 규정은 강행규정으로서 이에 위반하여 주무관청의 허가를 받지 않고 기본재산을 처분하는 것은 무효라 할 것인데, 위 처분허가에 부관을 붙인 경우 그 처분허가의 법률적 성질이 형성적 행정행위로서의 인가에 해당한다고 하여 조건으로서의 부관의 부과가 허용되지 아니한다고 볼 수는 없고, 다만 구체적인 경우에 그것이 조건, 기한, 부담, 철회권의 유보 중 어느 종류의 부관에 해당하는지는 당해 부관의 내용, 경위 기타 제반 사정을 종합하여 판단하여야 할 것이다(대판 2005.9.28. 2004다50044).
④ (○) 대판 1997.5.30. 97누2627
⑤ (○) 행정청이 관리처분계획에 대한 인가 여부를 결정할 때에는 그 관리처분계획에 도시정비법 제48조 및 그 시행령 제50조에 규정된 사항이 포함되어 있는지, 그 계획의 내용이 도시정비법 제48조 제2항의 기준에 부합하는지 여부 등을 심사·확인하여 그 인가 여부를 결정할 수 있을 뿐 기부채납과 같은 다른 조건을 붙일 수는 없다고 할 것이다(대판 2012.8.30. 2010두24951).

유제 18. 경찰 3차 행정청이 관리처분계획에 대한 인가 여부를 결정할 때에는 그 관리처분계획에 구「도시 및 주거환경정비법」제48조 및 구「도시 및 주거환경정비법 시행령」제50조에 규정된 사항이 포함되어 있는지, 그 계획의 내용이 구「도시 및 주거환경정비법」제48조 제2항의 기준에 부합하는지 여부 등을 심사 확인하여 그 인가 여부를 결정할 수 있고, 기부채납과 같은 다른 조건도 붙일 수 있다. (×)

답 ③

문제 DATA
출제가능 지수 ▶▶▷
난이도 지수 ★★☆

함께 정리하기
부관

기속행위
▷ 명문규정 없이 부관 부가 불가

조건과 부담의 구분이 불명확
▷ 부담으로 추정

공익법인 기본재산처분 허가(인가)
▷ 부관 부가 가

사후부담
▷ 법률규정·미리유보·상대방 동의 있는 경우 등 허용

관리처분계획인가
▷ 부관 부가 불가

---

038 □□□

부관에 대한 설명으로 가장 옳지 않은 것은? (다툼이 있는 경우 판례에 의함)

① 행정처분과 부관 사이에 실제적 관련성이 있다고 볼 수 없는 경우 공무원이 공법상의 제한을 회피할 목적으로 행정처분의 상대방과 사이에 사법상 계약을 체결하는 형식을 취하였다면 이는 법치행정의 원리에 반하는 것으로서 위법하다.
② 기한이란 행정행위 효력의 발생·소멸을 장래에 발생 여부가 확실한 사실에 종속시키는 부관을 말한다.
③ 부담의 이행으로서 하게 된 사법상 매매 등의 법률행위는 그 부담을 붙인 행정처분과는 어디까지나 별개의 법률행위이므로 그 부담의 불가쟁력의 문제와는 별도로 그 법률행위가 사회질서위반이나 강행규정에 위반되는지 여부 등을 따져보아 그 법률행위의 유효 여부를 판단하여야 한다.
④ 부담은 그 자체로서 행정쟁송의 대상이 될 수 없다.

문제 DATA
출제가능 지수 ▶▶▷
난이도 지수 ★★☆

함께 정리하기

부관

실제적 관련성이 없어 붙일 수 없는 부관
▷ 사법상 계약으로도 체결 불가

기한
▷ 행정행위의 효력 발생·소멸을 장래 발생 여부 확실한 사실에 의존시키는 부관

불가쟁력 발생한 부담의 이행으로 인한 사법행위
▷ 별도로 효력 다툼 可

부담
▷ 독립적 행정소송 대상 O

문제 DATA

출제가능 지수 ▶▶▷
난이도 지수 ★★☆

2020년 경찰 2차

① (O) 대판 2009.12.10. 2007다63966
② (O) 기한은 행정행위의 효력 발생과 소멸을 장래 발생 여부가 확실한 사실에 의존시키는 부관을 말한다.
③ (O) 대판 2009.6.25. 2006다18174
④ (×) 부관은 그 자체로서 직접 법적 효과를 발생하는 독립된 처분이 아니므로, 현행 행정쟁송제도 아래서는 부관 그 자체만을 독립된 쟁송의 대상으로 할 수 없는 것이 원칙이나, 부담의 경우에는 다른 행정행위의 불가분적인 요소가 아니고 그 존속이 본체인 행정행위의 존재를 전제로 하는 것일 뿐이므로, <u>부담 그 자체로서 행정쟁송의 대상이 될 수 있다</u>고 할 것이다(대판 1992.1.21. 91누1264).

답 ④

039 ☐☐☐

행정행위의 부관에 대한 설명으로 옳지 않은 것은? (다툼이 있는 경우 판례에 의함)

① 도로점용허가의 점용기간을 정함에 있어 위법사유가 있다면 도로점용허가처분 전부가 위법하게 된다.
② 기속행위에 대해서는 법령상 특별한 근거가 없는 한 부관을 붙일 수 없고, 가사 부관을 붙였다고 하더라도 이는 무효이다.
③ 행정처분에 부담인 부관을 붙인 경우, 부관이 무효라면 부담의 이행으로 이루어진 사법상 매매행위도 당연히 무효가 된다.
④ 사정변경으로 당초에 부담을 부가한 목적을 달성할 수 없게 된 경우에도 그 목적달성에 필요한 범위 내에서 예외적으로 부담의 사후변경이 허용된다.

2019년 국가직 9급

① (O) <u>도로점용허가의 점용기간은 행정행위의 본질적인 요소에 해당한다고 볼 것이어서 부관인 점용기간을 정함에 있어서 위법사유가 있다면 이로써 도로점용허가 처분 전부가 위법하게 된다</u>(대판 1985.7.9. 84누604).

유제 19. 지방직 9급, 18. 서울시 7급, 13. 국회직 9급 도로점용허가의 점용기간은 행정행위의 본질적인 요소에 해당한다고 볼 것이어서 부관인 점용기간을 정함에 있어서 위법사유가 있다면 이로써 도로점용허가 처분 전부가 위법하게 된다. (O)
12. 경찰 3차 도로점용허가에 있어 부관인 점용기간을 정함에 위법이 있는 경우, 도로점용허가 전부가 위법이다. (O)

② (O) <u>기속행위에 대하여는 법령상 특별한 근거가 없는 한 부관을 붙일 수 없고 가사 부관을 붙였다 하더라도 이는 무효이다</u>(대판 1993.7.27. 92누13998).

유제 21. 국가직 9급 일반적으로 기속행위의 경우 법령의 근거 없이 조건을 부가하는 것은 위법하다. (O)
19. 국가직 9급, 18. 국가직 7급, 14. 행정사 기속행위에 대해서는 법령상 특별한 근거가 없는 한 부관을 붙일 수 없고, 가사 부관을 붙였다고 하더라도 이는 무효이다. (O)

③ (×) 행정처분에 부담인 부관을 붙인 경우 부관의 무효화에 의하여 본체인 행정처분 자체의 효력에도 영향이 있게 될 수는 있지만, 그 처분을 받은 사람이 <u>부담의 이행으로 사법상 매매 등의 법률행위를 한 경우에는 그 부관은 특별한 사정이 없는 한 법률행위를 하게 된 동기 내지 연유로 작용하였을 뿐이므로 이는 법률행위의 취소사유가 될 수 있음은 별론으로 하고 그 법률행위 자체를 당연히 무효화하는 것은 아니다</u>(대판 2009.6.25. 2006다18174).
④ (O) 대판 1997.5.30. 97누2627

답 ③

함께 정리하기

부관

도로점용허가의 점용기간이 위법
▷ 도로점용허가 전부 위법(∵ 본질적 요소)

기속행위의 부관
▷ 법률 근거 필요, 근거 없으면 무효

무효인 부담의 이행으로 한 사법상 법률행위
▷ 당연무효 ×

사정변경
▷ 부담의 사후변경 허용

040

甲은 개발제한구역 내에서의 건축허가를 관할 행정청인 乙에게 신청하였고, 乙은 甲에게 일정 토지의 기부채납을 조건으로 이를 허가하였다. 이에 대한 설명으로 옳은 것은? (다툼이 있는 경우 판례에 의함)

① 특별한 규정이 없다면 甲에 대한 건축허가는 기속행위로서 건축허가를 하면서 기부채납 조건을 붙인 것은 위법하다.
② 甲이 부담인 기부채납조건에 대하여 불복하지 않았고, 이를 이행하지도 않은 채 기부채납조건에서 정한 기부채납기한이 경과하였다면 이로써 甲에 대한 건축허가는 효력을 상실한다.
③ 기부채납조건이 중대하고 명백한 하자로 인하여 무효라 하더라도 甲의 기부채납 이행으로 이루어진 토지의 증여는 그 자체로 사회질서 위반이나 강행규정 위반 등의 특별한 사정이 없는 한 유효하다.
④ 건축허가 자체는 적법하고 부담인 기부채납조건만이 취소사유에 해당하는 위법성이 있는 경우, 甲은 기부채납조건부 건축허가처분 전체에 대하여 취소소송을 제기할 수 있을 뿐이고 기부채납조건만을 대상으로 취소소송을 제기할 수 없다.

2019년 지방직 7급

① (×) 개발제한구역 내에서는 구역지정의 목적상 건축물의 건축 및 공작물의 설치 등 개발행위가 원칙적으로 금지되고, 다만 구체적인 경우에 이러한 구역지정의 목적에 위배되지 아니할 경우 예외적으로 허가에 의하여 그러한 행위를 할 수 있게 되어 있음이 그 규정의 체제와 문언상 분명하고, 이러한 예외적인 개발행위의 허가는 상대방에게 수익적인 것이 틀림이 없으므로 그 법률적 성질은 재량행위 내지 자유재량행위에 속하는 것이고, 이러한 재량행위에 있어서는 관계 법령에 명시적인 금지규정이 없는 한 행정목적을 달성하기 위하여 조건이나 기한, 부담 등의 부관을 붙일 수 있다(대판 2004.3.25. 2003두12837).
② (×) 부담부 행정행위는 조건성취로 인하여 효력이 발생하는 정지조건과 달리 처음부터 효력이 발생하며, 상대방이 의무를 이행하지 않은 경우에도 그 효력이 당연히 소멸되는 것은 아니라는 점에서 해제조건과도 다르다. 부담은 주된 행정행위로부터 독립한 별개의 행정행위이므로 부담을 이행하지 않는다고 해서 주된 행정행위의 효력이 곧바로 상실되지는 않으며, 철회사유에 해당할 뿐이다.

  부담부 행정처분에 있어서 처분의 상대방이 부담(의무)을 이행하지 아니한 경우에 처분행정청으로서는 이를 들어 당해 처분을 취소(철회)할 수 있는 것이다(대판 1989.10.24. 89누2431).

③ (○) 대판 2009.6.25. 2006다18174
④ (×) 부관은 그 자체로서 직접 법적 효과를 발생하는 독립된 처분이 아니므로, 현행 행정쟁송제도 아래서는 부관 그 자체만을 독립된 쟁송의 대상으로 할 수 없는 것이 원칙이나, 부담의 경우에는 다른 행정행위의 불가분적인 요소가 아니고 그 존속이 본체인 행정행위의 존재를 전제로 하는 것일 뿐이므로, 부담 그 자체로서 행정쟁송의 대상이 될 수 있다고 할 것이다(대판 1992.1.21. 91누1264).

답 ③

함께 정리하기

기부채납 부관 사례

개발제한구역 내 건축허가
▷ 재량행위 → 부관 부가 可

부담의 불이행
▷ 주된 행정행위의 철회사유○(효력 소멸×)

무효인 부담의 이행으로 한 사법상 법률행위
▷ 당연무효×

부담
▷ 독립적 행정소송 대상○

문제 DATA

출제가능 지수 ▶▶▷
난이도 지수 ★★☆

041 ☐☐☐

행정행위의 부관에 대한 설명으로 가장 옳은 것은? (다툼이 있는 경우 판례에 의함)

① 공유수면매립준공인가처분 중 매립지 일부에 대하여 한 국가 및 지방자치단체에의 귀속처분은 독립하여 행정소송의 대상이 될 수 있다.

② 부담부 행정행위에 있어서 처분의 상대방이 부담을 이행하지 아니한 경우에 당해 부담부 행정행위는 당연히 효력을 상실하게 된다.

③ 부담 이외의 부관으로 인하여 권리를 침해당한 자는 부관부 행정행위 전체에 대해 취소소송을 제기하거나, 행정청에 부관이 없는 행정행위로 변경해 줄 것을 청구한 다음 그것이 거부된 경우 거부처분 취소소송을 제기할 수 있다.

④ 행정청이 수익적 행정처분을 하면서 부가한 부담이 처분 당시 법령을 기준으로는 적법하였지만 처분 후 부담의 전제가 된 주된 행정처분의 근거법령이 개정됨으로써 행정청이 더 이상 부관을 붙일 수 없게 되었다면 그 부담은 위법하게 된다.

| 2019년 서울시 7급

① (×) 행정이 한 공유수면매립준공인가 중 매립지 일부에 대하여 한 국가귀속처분은 매립준공인가를 함에 있어서 매립의 면허를 받은 자의 매립지에 대한 소유권취득을 규정한 공유수면매립법 제14조의 효과 일부를 배제하는 부관을 붙인 것이므로 이러한 행정행위의 부관에 대하여는 독립하여 행정소송의 대상으로 삼을 수 없다(대판 1991.12.13. 90누8503).

② (×) 부담부 행정행위에 있어서 처분의 상대방이 부담을 이행하지 않는다고 해서 주된 행정행위가 당연히 효력을 상실하는 것은 아니다. 부담의 불이행은 주된 행정행위의 철회사유가 될 뿐이다.

③ (○) 판례는 부담이 아닌 부관의 경우에는 독립쟁송가능성을 부정하고 부진정일부취소소송 또한 인정하지 않는다. 따라서 부담 이외의 부관으로 인하여 권리를 침해당한 자는 부관부 행정행위 전체의 취소를 청구하거나, 행정청에 부관이 없는 행정행위로의 변경을 청구한 다음 그것이 거부된 경우에 거부처분 취소소송을 제기할 수 있다는 입장이다.

유제 17. 서울시 9급, 16. 사복직 위법한 부관에 대하여 신청인이 부관부 행정행위의 변경을 청구하고, 행정청이 이를 거부한 경우 동 거부 처분의 취소를 구하는 소송을 제기할 수 있다. (○)
13. 서울시 7급 판례에 의하면 부담 외의 부관에 대한 일부취소소송은 인정되지 않고 부담 외의 부관이 위법한 경우 행정행위 전부를 취소한다. (○)
13. 국회직 8급 위법한 부담 이외의 부관으로 인해 권리를 침해받은 자는 형식상 부관부 행위 전체를 소송의 대상으로 하면서 부관만의 취소를 구하는 부진정일부취소소송을 제기할 수 있다. (×)
12. 사복직, 10. 국회직 8급 부담 이외의 부관으로 인하여 권리를 침해당한 자는 부관부 행정행위 전체에 대해 취소소송을 제기하거나, 행정청에 부관이 없는 행정행위로 변경해 줄 것을 청구한 다음 그것이 거부된 경우 거부처분 취소소송을 제기할 수 있다. (○)

④ (×) 행정청이 수익적 행정처분을 하면서 부가한 부담의 위법 여부는 처분 당시 법령을 기준으로 판단하여야 하고, 부담이 처분 당시 법령을 기준으로 적법하다면 처분 후 부담의 전제가 된 주된 행정처분의 근거 법령이 개정됨으로써 행정청이 더 이상 부관을 붙일 수 없게 되었다 하더라도 곧바로 위법하게 되거나 그 효력이 소멸하게 되는 것은 아니다(대판 2009.2.12. 2005다65500).

답 ③

함께 정리하기

부관

공유수면매립준공인가처분 중 매립지일부 국가·지자체 귀속처분
▷ 독립적 행정소송 대상×

부담의 불이행
▷ 주된 행정행위의 철회사유○(효력 소멸×)

부담 외 부관
▷ 전체 취소청구 또는 부관없는 행정행위로 변경 청구한 다음 거부된 경우에 거부처분취소소송 제기

근거법령 개정으로 부관을 붙일 수 없게 된 경우
▷ 부담이 곧바로 위법×
▷ 효력 소멸×

042

행정행위의 부관에 대한 설명으로 가장 옳지 않은 것은? (다툼이 있는 경우 판례에 의함)

① 처분 전에 미리 상대방과 협의하여 부담의 내용을 협약의 형식으로 정한 다음 처분을 하면서 해당 부관을 붙이는 것도 가능하다.
② 부관이 처분 당시의 법령으로는 적법하였으나 처분 후 근거법령이 개정되어 더 이상 부관을 붙일 수 없게 되었다면 당초의 부관도 소급하여 효력이 소멸한다.
③ 처분을 하면서 처분과 관련한 소의 제기를 금지하는 내용의 부제소특약을 부관으로 붙이는 것은 허용되지 않는다.
④ 부당결부금지 원칙에 위반하여 허용되지 않는 부관을 행정처분과 상대방 사이의 사법상 계약의 형식으로 체결하는 것은 허용되지 않는다.

| 2019년 서울시 9급

① (○) 대판 2009.2.12. 2005다65500
② (×) 행정청이 수익적 행정처분을 하면서 부가한 <u>부담의 위법 여부는 처분 당시 법령을 기준으로 판단</u>하여야 하고, <u>부담이 처분 당시 법령을 기준으로 적법하다면 처분 후 부담의 전제가 된 주된 행정처분의 근거 법령이 개정됨으로써 행정청이 더 이상 부관을 붙일 수 없게 되었다 하더라도 곧바로 위법하게 되거나 그 효력이 소멸하게 되는 것은 아니다</u>(대판 2009.2.12. 2005다65500).
③ (○) 지방자치단체장이 도매시장법인의 대표이사에 대하여 위 지방자치단체장이 개설한 농수산물도매시장의 도매시장법인으로 다시 지정함에 있어서 그 지정조건으로 '지정기간 중이라도 개설자가 농수산물 유통정책의 방침에 따라 도매시장법인 이전 및 지정취소 또는 폐쇄 지시에도 일체 소송이나 손실보상을 청구할 수 없다.'라는 부관을 붙였으나, 그 중 <u>부제소특약</u>에 관한 부분은 <u>당사자가 임의로 처분할 수 없는 공법상의 권리관계를 대상으로 하여 사인의 국가에 대한 공권인 소권을 당사자의 합의로 포기하는 것으로서 허용될 수 없다</u>(대판 1998.8.21. 98두8919).

유제 17. 국회직 8급 행정청이 특정 개발사업의 시행자를 지정하는 처분을 하면서 상대방에게 지정처분의 취소에 대한 소권을 포기하도록 하는 내용의 부관을 붙이는 것은 단지 부제소특약만을 덧붙이는 것이어서 허용된다. (×)
13. 지방직 7급, 10. 서울시 9급 행정청이 처분을 하면서 부제소(不提訴)특약의 부관을 붙인 것은 당사자가 임의로 처분할 수 없는 공법상 권리관계를 대상으로 하여 사인의 국가에 대한 소권을 당사자의 합의로 포기하는 것으로 허용될 수 없다. (○)
13. 국회직 9급 도매시장법인 지정시 지정기간 중 유통정책 방침에 따라 도매시장법인의 이전 또는 폐쇄지시에도 일체 소송이나 손실보상을 청구할 수 없다는 부관을 붙인 경우, 이 부제소특약은 허용될 수 있다. (×)

④ (○) 대판 2009.12.10. 2007다63966

답 ②

문제 DATA

출제가능 지수 ▶▶▷
난이도 지수 ★★☆

함께 정리하기

부관

부담
▷ 협약 형식으로 부가 可

근거법령 개정으로 부관을 붙일 수 없게 된 경우
▷ 부담의 효력 소멸×

부제소특약 부관
▷ 허용×

실제적 관련성이 없어 붙일 수 없는 부관
▷ 사법상 계약으로도 체결 不可

문제 DATA

출제가능 지수 ▶▶▷
난이도 지수 ★★☆

043 □□□

행정행위의 부관에 대한 설명으로 옳지 않은 것은? (다툼이 있는 경우 판례에 의함)

① 매립의 면허를 받은 자의 매립지에 대한 소유권취득을 규정한 법령에도 불구하고 행정청이 공유수면매립준공인가 중 매립지 일부에 대하여 한 국가귀속처분은 독립하여 행정소송의 대상으로 삼을 수 없다.
② 고시에서 정하여진 허가기준에 따라 보존음료수 제조업의 허가에 부가된 조건은 행정행위에 부관을 부가할 수 있는 한계에 관한 일반적인 원칙이 적용되지 아니한다.
③ 기속행위적 행정처분에 부담을 부가한 경우 그 부담은 무효라 할지라도 본체인 행정처분 자체의 효력에는 일반적으로 영향이 없다.
④ 행정처분에 부가한 부담이 무효인 경우에도 그 부담의 이행으로 한 사법상 법률행위가 당연히 무효가 되는 것은 아니며 행정처분에 부가한 부담이 제소기간의 도과로 불가쟁력이 생긴 경우에도 그 부담의 이행으로 한 사법상 법률행위의 효력을 다툴 수 있다.
⑤ 기부채납 받은 행정재산에 대한 사용·수익허가에서 공유재산의 관리청이 정한 사용·수익허가의 기간에 대하여서는 독립하여 행정소송을 제기할 수 없다.

| 2019년 국회직 8급

① (O) 대판 1991.12.13. 90누8503
② (O) 고시에 정한 허가기준에 따라 보존음료수 제조업 허가에 붙여진 전량수출 또는 주한 외국인에 대한 판매에 한한다는 내용의 조건은 이른바 법정부관으로서 행정청의 의사에 기하여 붙여지는 본래의 의미에서의 행정행위의 부관은 아니다. 따라서 이와 같은 법정부관에 대하여는 행정행위에 부관을 붙일 수 있는 한계에 관한 일반적인 원칙이 적용되지는 않지만, 위 고시가 헌법상 보장된 기본권을 침해하는 것으로서 헌법에 위반될 때에는 그 효력이 없는 것으로 볼 수밖에 없다(대판 1995.11.14. 92도496).
③ (X) 행정처분에 부담인 부관을 붙인 경우 부관의 무효화에 의하여 본체인 행정처분 자체의 효력에도 영향이 있게 될 수는 있지만, 그 처분을 받은 사람이 부담의 이행으로 사법상 매매 등의 법률행위를 한 경우에는 그 부관은 특별한 사정이 없는 한 법률행위를 하게 된 동기 내지 연유로 작용하였을 뿐이므로 이는 법률행위의 취소사유가 될 수 있음은 별론으로 하고 그 법률행위 자체를 당연히 무효화하는 것은 아니다(대판 2009.6.25. 2006다18174).
④ (O) 행정처분에 붙은 부담인 부관이 제소기간의 도과로 확정되어 이미 불가쟁력이 생겼다면 그 하자가 중대하고 명백하여 당연 무효로 보아야 할 경우 외에는 누구나 그 효력을 부인할 수 없을 것이지만, 부담의 이행으로서 하게 된 사법상 매매 등의 법률행위는 부담을 붙인 행정처분과는 어디까지나 별개의 법률행위이므로 그 부담의 불가쟁력의 문제와는 별도로 법률행위가 사회질서 위반이나 강행규정에 위반되는지 여부 등을 따져보아 그 법률행위의 유효 여부를 판단하여야 한다(대판 2009.6.25. 2006다18174).
⑤ (O) 대판 2001.6.15. 99두509

답 ③

함께 정리하기

부관

공유수면매립준공인가처분 중 매립지 일부 귀속처분
▷ 독립적 행정소송 대상 ✕

법정부관
▷ 부관의 한계에 관한 일반원칙 적용 ✕

무효인 부담
▷ 본체인 행정처분 자체의 효력에 영향을 줄 수 O

무효인 부담의 이행행위
▷ 당연무효 ✕

불가쟁력 발생한 부담의 이행으로 인한 사법행위
▷ 별도로 효력 다툼 가

사용·수익허가의 기간
▷ 독립적 행정소송 대상 ✕

044 □□□

행정행위의 부관에 대한 설명으로 옳지 않은 것은? (다툼이 있는 경우 판례에 의함)

① 행정행위의 부관은 법령이 직접 행정행위의 조건이나 기한 등을 정한 경우와 구별되어야 한다.
② 재량행위에는 법령상의 제한에 근거한 것이 아니라 하더라도 공익상 필요에 의하여 부관을 붙일 수 있다.
③ 허가에 붙은 기한이 그 허가된 사업의 성질상 부당하게 짧은 경우에 그 기한은 허가조건의 존속기간이 아니라 허가 자체의 존속기간으로 보아야 한다.
④ 부담은 독립하여 항고소송의 대상이 될 수 있으며, 부담부 행정행위는 부담의 이행 여부를 불문하고 효력이 발생한다.

| 2018년 지방직 9급

① (○) 법령이 직접 행정행위의 부관을 정하는 법정부관은 행정청의 의사에 의해 부과되는 원래적 의미의 부관에 포함되지 않는다.
② (○) 대판 2007.7.12. 2007두6663
③ (×) 일반적으로 행정처분에 효력기간이 정하여져 있는 경우에는 그 기간의 경과로 그 행정처분의 효력은 상실되고, 다만 <u>허가의 붙은 기한이 그 사업의 성질상 부당히 짧은 경우</u> 이를 허가 자체의 존속기간이 아니라 그 <u>허가조건의 존속기간</u>으로 보아 그 기한이 도래함으로써 그 조건의 개정을 고려한다는 뜻으로 해석할 수는 있지만, 그와 같은 경우라 하더라도 <u>그 허가기간이 연장되기 위하여는 그 종기가 도래하기 전에 그 허가기간의 연장에 관한 신청이 있어야 하며, 만일 그러한 연장신청이 없는 상태에서 허가기간이 만료하였다면 그 허가의 효력은 상실된다</u>(대판 2007.10.11. 2005두12404).
④ (○) ㉠ 부관은 그 자체만을 독립된 쟁송의 대상으로 할 수 없는 것이 원칙이나 부담은 다른 부관과는 달리 행정행위의 불가분적인 요소가 아니고 그 존속이 본체인 행정행위의 존재를 전제로 하는 것일 뿐이므로 그 자체로서 행정쟁송의 대상이 될 수 있다(대판 1992.1.21. 91누1264).
㉡ 조건이 성취되어야 비로소 행정행위가 효력을 발생하는 정지조건부 행정행위와 달리, 부담부 행정행위는 부담에서 부과하고 있는 의무의 이행 여부와 관계없이 처음부터 효력이 발생한다.

답 ③

문제 DATA
출제가능 지수 ▶▶▷
난이도 지수 ★★☆

함께 정리하기
부관

법정부관
▷ 행정행위의 부관✕

재량행위에 대한 부관
▷ 법령상 근거 없이 가능

허가에 붙은 기한이 부당하게 짧은 경우
▷ 허가조건의 존속기간(허가 자체✕)

부담
▷ 독립적 항고소송의 대상○

부담부 행정행위
▷ 처음부터 효력 발생(부담의 이행 여부 무관)

045 □□□

행정법상의 행정행위와 관련된 설명으로 가장 옳지 않은 것은? (다툼이 있는 경우 판례에 의함)

① 부관의 사후변경은, 법률에 명문의 규정이 있거나 그 변경이 미리 유보되어 있는 경우 또는 상대방의 동의가 있는 경우에 한하여 허용되는 것이 원칙이지만, 사정변경으로 인하여 당초에 부담을 부가한 목적을 달성할 수 없게 된 경우에도 그 목적달성에 필요한 범위 내에서 예외적으로 허용된다.
② 도로점용허가의 점용기간은 행정행위의 본질적인 요소에 해당한다고 볼 것이어서 부관인 점용기간을 정함에 있어서 위법사유가 있다면 이로써 도로점용허가 처분 전부가 위법하게 된다.
③ 민사소송에 있어서 어느 행정처분의 당연무효 여부가 선결문제로 되는 때에는 이를 판단하여 당연무효임을 전제로 판결할 수는 없고, 반드시 행정소송 등의 절차에 의하여 그 취소나 무효확인을 받아야 한다.
④ 일반적으로 행정처분이나 행정심판 재결이 불복기간의 경과로 확정될 경우 그 확정력은, 처분으로 법률상 이익을 침해받은 자가 당해 처분이나 재결의 효력을 더 이상 다툴 수 없다는 의미일 뿐, 판결과 같은 기판력이 인정되는 것은 아니다.

문제 DATA
출제가능 지수 ▶▶▷
난이도 지수 ★★☆

함께 정리하기

행정행위

부관의 사후변경
▷ 법률규정·미리유보·동의(원칙 可)
▷ 사정변경(예외 可)

도로점용허가 적용기간이 위법
▷ 도로점용허가 전부 위법(∵본질적 요소)

당연무효가 민사소송 선결문제
▷ 무효 전제로 판결可

불복기간 경과로 재결확정
▷ 기판력 無 → 소송에서 당사자
▷ 법원은 모순 주장 or 판단 可

문제 DATA

출제가능 지수 ▶▶▷
난이도 지수 ★★☆

2018년 서울시 7급

① (O) 대판 1997.5.30. 97누2627
② (O) 대판 1985.7.9. 84누604
③ (X) 민사소송에 있어서 어느 행정처분의 당연무효 여부가 선결문제로 되는 때에는 이를 판단하여 당연무효임을 전제로 판결할 수 있고 반드시 행정소송 등의 절차에 의하여 그 취소나 무효확인을 받아야 하는 것은 아니다(대판 1972.10.10. 71다2279).
④ (O) 행정처분이나 행정심판 재결이 불복기간의 경과로 인하여 확정될 경우 확정력은 처분으로 인하여 법률상 이익을 침해받은 자가 처분이나 재결의 효력을 더 이상 다툴 수 없다는 의미일 뿐 판결에 있어서와 같은 기판력이 인정되는 것은 아니어서 처분의 기초가 된 사실관계나 법률적 판단이 확정되고 당사자들이나 법원이 이에 기속되어 모순되는 주장이나 판단을 할 수 없게 되는 것은 아니다(대판 1993.4.13. 92누17181).

답 ③

046 ☐☐☐

행정행위 부관의 자유성에 대한 설명으로 가장 옳지 않은 것은? (다툼이 있는 경우 판례에 의함)

① 부관을 붙일 수 있는 경우에도 신뢰보호의 원칙, 부당결부금지의 원칙에 위배되어서는 안 된다.
② 수익적 행정처분에 있어서 특별한 법령의 근거규정이 없다고 하더라도 부관으로서 부담을 붙일 수 있으나 그와 같은 부담처분을 하기 이전에 협약을 통하여 내용을 정할 수 없다.
③ 사업자에게 주택사업계획 승인을 하면서 그 주택사업과 아무런 관련이 없는 토지를 기부채납하도록 하는 부관을 주택사업계획 승인에 붙인 경우 부당결부금지원칙 위배로 위법하다.
④ 주택건축허가를 하면서 영업목적으로만 사용할 것을 부관으로 정한 경우에, 이러한 부관은 주된 행정행위의 목적에 위배된다.

함께 정리하기

부관

부관
▷ 행정법 일반원칙에 위배 X

부담
▷ 협약형식으로 부가 可

주택사업과 무관한 토지기부채납부관
▷ 부당결부금지원칙 위반

주택건축허가를 하면서 영업목적으로만 사용할 것을 정한 부관
▷ 주된 행정행위의 목적에 위배하여 위법

2018년 서울시 7급(추)

① (O) 부관의 내용상 한계로 행정법의 일반원칙에 위배되어서는 안된다. 따라서 신뢰보호의 원칙, 부당결부금지의 원칙에 위배되는 경우 내용상 한계를 일탈한 부관이 된다.
② (X) 대판 2009.2.12. 2005다65500
③ (O) 지방자치단체장이 사업자에게 주택사업계획승인을 하면서 그 주택사업과는 아무런 관련이 없는 토지를 기부채납 하도록 하는 부관을 주택사업계획승인에 붙인 경우, 그 부관은 부당결부금지의 원칙에 위반되어 위법하지만, 부관의 하자가 중대하고 명백하여 당연무효라고는 볼 수 없다(대판 1997.3.11. 96다49650).

유제 19. 지방직 9급, 15. 국가직 9급, 12. 국가직 9급, 11. 경찰 1차 지방자치단체장이 사업자에게 주택사업계획승인을 하면서 그 주택사업과는 아무런 관련이 없는 토지를 기부채납하도록 하는 부관을 붙인 경우, 그 부관은 부당결부금지의 원칙에 위반되어 위법하다. (O)
16. 국가직 7급 지방자치단체장이 사업자에게 주택사업계획승인을 하면서 그 주택사업과는 아무런 관련이 없는 토지를 기부채납하도록 하는 부관은 부당결부금지의 원칙에 위반되어 위법하지만, 당연무효라고는 볼 수 없다. (O)

④ (O) 부관은 행정행위에 따른 종된 규율이므로 주된 행정행위의 목적상 한계를 넘어서는 안된다는 내용상 한계가 존재한다. 주된 행정행위가 주택건축의 허가인바, 영업목적으로만 사용할 것을 규율하는 부관은 주된 행정행위의 목적상의 한계를 일탈한 위법한 부관이 된다.

유제 09. 국가직 9급 부관은 당해 행정행위의 목적과 무관한 다른 목적을 위하여 붙일 수 없다. (O)

답 ②

047

다음 사례에 대한 판례의 입장으로 옳지 않은 것은?

> 고속국도 관리청이 고속도로 부지와 접도구역에 송유관 매설을 허가하면서 상대방인 甲과 체결한 협약에 따라 송유관 시설을 이전하게 될 경우 그 비용을 甲이 부담하도록 하였는데, 그 후 「도로법 시행규칙」이 개정되어 접도구역에는 관리청의 허가 없이도 송유관을 매설할 수 있게 되었다.

① 협약에 따라 송유관 시설을 이전하게 될 경우 그 비용을 甲이 부담하도록 한 것은 행정행위의 부관 중 부담에 해당한다.
② 甲과의 협약이 없더라도 고속국도 관리청은 송유관매설허가를 하면서 일방적으로 송유관 이전 시 그 비용을 甲이 부담한다는 내용의 부관을 부가할 수 있다.
③ 「도로법 시행규칙」의 개정 이후에도 위 협약에 포함된 부관은 부당결부금지의 원칙에 반하지 않는다.
④ 「도로법 시행규칙」의 개정으로 접도구역에는 관리청의 허가 없이도 송유관을 매설할 수 있게 되었기 때문에 위 협약 중 접도구역에 대한 부분은 효력이 소멸된다.

2017년 국가직 9급

① (○) 부담은 행정행위의 주된 내용에 부수하여(부관의 성격) 상대방에게 작위·부작위·수인·급부 의무를 부과하는(하명의 성격) 부관을 의미한다. 사안의 경우 송유관 매설을 허가하면서 상대방인 甲에게 송유관시설 이전비용을 부담하도록 하였는데 이는 급부의무를 부과하는 것으로 부담에 해당한다.
②, ③ (○), ④ (✕) 고속국도 관리청이 고속도로 부지와 접도구역에 송유관 매설을 허가하면서 상대방과 체결한 협약에 따라 송유관시설을 이전하게 될 경우 그 비용을 상대방에게 부담하도록 하였고, 그 후 도로법 시행규칙이 개정되어 접도구역에는 관리청의 허가 없이도 송유관을 매설할 수 있게 된 사안에서, 위 협약이 효력을 상실하지 않을 뿐만 아니라 위 협약에 포함된 부관이 부당결부금지의 원칙에도 반하지 않는다(대판 2009.2.12. 2005다65500).

답 ④

함께 정리하기

송유관매설허가

송유관 이전 시 비용부담협약
▷ 부담

일방적으로 부담 부가 可

허가없이 송유관매설 가능하도록 개정 후 비용 부담부관
▷ 부당결부금지 위반 ✕

개정 후 협약 중 접도구역에 대한 부분
▷ 효력유지

048

행정행위의 부관에 대한 설명으로 옳지 않은 것은? (다툼이 있는 경우 판례에 의함)

① 행정청이 행정행위에 부가한 부관과 달리 법령이 직접 행정행위의 조건을 정한 경우에 그 조건이 위법하면 이는 법률 및 법규명령에 대한 통제제도에 의해 통제된다.
② 행정청이 행정처분을 하기 이전에 행정행위의 상대방과 협의하여 의무의 내용을 협약의 형식으로 정한 다음에 행정처분을 하면서 그 의무를 부과하는 것은 부담이라고 할 수 없다.
③ 철회권이 유보된 경우에도 철회의 제한이론인 이익형량의 원칙이 적용되나, 행정행위의 계속성에 대한 상대방의 신뢰는 유보된 철회사유에 대해서는 인정되지 않는다.
④ 허가에 붙은 기한이 그 허가된 사업의 성질상 부당하게 짧은 경우, 이를 그 허가 자체의 존속기간이 아니라 그 허가조건의 존속기간으로 볼 수 있다.

함께 정리하기

행정행위의 부관

법정부관의 통제
▷ 법률·법규명령에 대한 통제방식

부담
▷ 협약 형식으로 부가 可

철회권유보
▷ 이익형량원칙 적용 O
▷ 신뢰보호원칙 적용 ✕

허가기한이 부당히 짧은 경우
▷ 허가조건의 존속기간

2017년 지방직 9급(추)

① (O) 법령이 직접 행정행위의 조건, 기한 등을 정한 경우 이를 법정부관이라고 한다. 법정부관은 법령이므로 법정부관이 위법한 경우 위헌법률심사(헌법 제107조 제1항) 또는 명령·규칙심사(헌법 제107조 제2항)라는 법령에 대한 규범통제제도에 의해 통제된다.

② (✕) 수익적 행정처분에 있어서는 법령에 특별한 근거규정이 없다고 하더라도 그 부관으로서 부담을 붙일 수 있고, 그와 같은 부담은 행정청이 행정처분을 하면서 일방적으로 부가할 수도 있지만 <u>부담을 부가하기 이전에 상대방과 협의하여 부담의 내용을 협약의 형식으로 미리 정한 다음 행정처분을 하면서 이를 부가할 수도 있다</u>(대판 2009.2.12. 2005다65500).

③ (O) 침익적 행정행위의 철회는 상대방의 불이익을 제거하는 것이기 때문에 자유롭게 행해질 수 있지만, 수익적 행정행위나 제3자효 행정행위의 철회는 공익과 사인의 신뢰보호이익을 비교형량하여야 한다. 즉, 기득권의 침해를 정당화할만한 중대한 공익상의 필요 또는 제3자의 이익보호의 필요가 있는 때에 한하여 철회가 이루어질 수 있다(이익형량의 원칙). 철회권의 유보가 있더라도 행정행위의 철회의 제한에 관한 일반적인 요건이 충족되어야 하므로 이러한 이익형량의 원칙은 철회권이 유보된 경우에도 동일하게 적용된다. 그러나 철회권이 유보된 경우 상대방은 장래 당해 행위의 철회가능성을 예견하고 있으므로 원칙적으로 신뢰보호원칙에 근거하여 철회의 제한을 주장할 수는 없다.

유제 19. 소방직 9급 철회권이 유보된 경우의 철회에는 이익형량원칙이 적용되지 않는다. (✕)
15. 사복직 철회권유보의 경우 유보된 사유가 발생하였더라도 철회권을 행사함에 있어서는 이익형량에 따른 제한을 받게 된다. (O)
13. 서울시 7급, 10. 국회직 8급 철회권이 유보된 경우라도 철회권의 행사는 그 자체만으로는 정당화되지 않고 그 외에 철회의 일반적 요건이 충족되어야 한다. (O)
11. 국가직 9급 철회권이 유보된 경우일지라도 행정행위의 상대방은 당해 행정행위 철회시 신뢰보호의 원칙을 원용하여 손실보상을 청구할 수 있다. (✕)

④ (O) 대판 2007.10.11. 2005두12404

답 ②

---

049 □□□

행정행위의 부관에 대한 설명으로 옳은 것은? (다툼이 있는 경우 판례에 의함)

① 부담부 행정행위의 경우 부담에서 부과하고 있는 의무의 이행이 있어야 비로소 주된 행정행위의 효력이 발생한다.
② 공유재산의 관리청이 기부채납된 행정재산에 대하여 행하는 사용·수익 허가의 경우, 부관인 사용·수익 허가의 기간에 위법사유가 있다면 허가 전부가 위법하게 된다.
③ 학설의 다수견해는 수정부담의 성격을 부관으로 이해한다.
④ 행정행위의 부관은 법령에 명시적 근거가 있는 경우에만 부가할 수 있다.

2017년 지방직 9급

① (✕) 부담부 행정행위의 경우 처음부터 효력이 발생하며 부가된 의무의 이행이 있어야만 그 효력이 발생하는 것은 아니다.
② (O) 허가기간이 행정행위의 본질적인 요소에 해당하는 경우에는 행정행위 전체가 위법하게 된다.

> 기부채납 받은 행정재산에 대한 사용·수익허가에서 <u>그 허가기간은 행정행위의 본질적 요소에 해당한다고 볼 것이어서, 부관인 허가기간에 위법사유가 있다면 이로써 사용·수익허가 전부가 위법하게 될 것이다</u>(대판 2001.6.15. 99두509).

③ (✕) 수정부담은 당사자의 당초의 신청내용에 대한 거부처분과 새로운 내용의 허가가 결합된 형태로 보고 그 실질은 부관이 아니라 그 자체가 독자적인 행정행위로 보는 것이 다수설이다.
④ (✕) 재량행위에는 법령에 명시적인 근거가 없더라도 부관을 붙일 수 있다(대판 2004.3.25. 2003두12837).

답 ②

함께 정리하기

부관

부담의 이행
▷ 효력발생요건 ✕

행정재산 사용·수익 허가기간의 위법
▷ 허가 전부 위법(∵본질적 요소)

수정부담
▷ 독자적 행정행위(多)

재량행위
▷ 법적 근거 없이 부관 부과 可

050

부관에 대한 행정쟁송에 대한 설명으로 옳지 않은 것은? (다툼이 있는 경우 판례에 의함)

① 부담이 아닌 부관은 독립하여 행정소송의 대상이 될 수 없으므로 이의 취소를 구하는 소송에 대하여는 각하판결을 하여야 한다.
② 위법한 부관에 대하여 신청인이 부관부 행정행위의 변경을 청구하고, 행정청이 이를 거부한 경우 동 거부처분의 취소를 구하는 소송을 제기할 수 있다.
③ 기부채납 받은 행정재산에 대한 사용·수익허가에서 공유재산의 관리청이 정한 사용·수익허가의 기간은 그 허가의 효력을 제한하기 위한 행정행위의 부관으로서 이러한 사용·수익허가의 기간에 대해서는 독립하여 행정소송을 제기할 수 있다.
④ 토지소유자가 토지형질변경행위허가에 붙은 기부채납의 부관에 따라 토지를 국가나 지방자치단체에 기부채납(증여)한 경우, 기부채납의 부관이 당연무효이거나 취소되지 아니한 이상 토지소유자는 위 부관으로 인하여 증여계약의 중요부분에 착오가 있음을 이유로 증여계약을 취소할 수 없다.

2017년 서울시 9급

① (O), ③ (X) 대판 2001.6.15. 99두509
② (O) 부담 아닌 부관은 처분성이 부정되어 독립하여 취소소송의 대상이 될 수 없다. 따라서 위법한 부관을 다투려면 부관부 행정행위 전체의 취소를 구하는 소송을 제기하거나(전체 취소소송), 처분청에 부관이 없는 처분으로의 변경을 청구한 다음 처분청이 이를 거부하면 거부처분에 대해 취소소송을 제기할 수 있다.
④ (O) 대판 1999.5.25. 98다53134

답 ③

문제 DATA
출제가능 지수 ▶▶▷
난이도 지수 ★★☆

함께 정리하기
부관에 대한 행정쟁송

부담 외 부관에 대한 취소소송
▷ 각하

위법한 부관
▷ 변경청구 후 거부시 거부처분취소소송 제기 可

부담 외 부관
▷ 독립적 행정소송대상×

기부채납부관 취소 前
▷ 증여계약 착오취소 不可

문제 DATA

출제가능 지수 ▶▶▷
난이도 지수 ★★★

051 □□□

<보기>에 대한 설명으로 옳지 않은 것은? (다툼이 있는 경우 판례에 의함)

<보기>
행정청 A는 甲에 대하여 주택건설사업계획 승인처분을 하면서 사업부지 중 일부를 공공시설용 토지로 기부채납할 것을 부관으로 하였고 甲은 그 부관의 이행으로 토지에 대한 소유권이전등기를 마쳤다.

① 행정청 A는 법령에 특별한 근거가 없더라도 甲에 대하여 부관을 붙일 수 있다.
② 甲은 기부채납부관에 대하여서 독립하여 취소소송을 제기할 수 있다.
③ 甲에 대한 기부채납부관이 무효가 되더라도 그 부담의 이행으로 한 소유권이전등기가 당연히 무효가 되는 것은 아니다.
④ 甲에 대한 기부채납부관이 제소기간의 도과로 불가쟁력이 발생한 이후에는 그 부담의 이행으로 한 소유권이전등기의 효력을 다툴 수 없다.
⑤ 위 기부채납부관이 처분과 실체적 관련성이 없어 부관으로 붙일 수 없는 경우 사법상 계약의 형식으로 甲에게 토지이전의무를 부과할 수는 없다.

함께 정리하기

부관부 주택건설사업계획승인 사례

주택건설사업계획승인은 재량행위
▷ 법령상 근거 없이도 부관 부가 가

부관 중 부담
▷ 그 자체로서 행정소송의 대상 ○

부관은 법률행위의 동기 · 연유
▷ 법률행위의 취소사유일 뿐 무효사유 ×

부담에 불가쟁력 발생
▷ 부담의 이행인 법률행위 유효 여부 별도로 판단

실제적 관련성이 없어 붙일 수 없는 부관
▷ 사법상 계약으로도 체결 불가

2017년 국회직 8급

① (○) 주택건설사업계획 승인처분은 수익적 행위로서 재량행위에 해당하므로, 법적 근거가 없더라도 부관을 붙일 수 있다.

수익적 행정행위에 있어서는 법령에 특별한 근거규정이 없다고 하더라도 그 부관으로서 부담을 붙일 수 있으나, 그러한 부담은 비례의 원칙, 부당결부금지의 원칙에 위반되지 않아야만 적법하다(대판 1997.3.11. 96다49650).

유제 18. 경찰 2차 수익적 행정처분에 있어서는 원칙적으로 법령에 특별한 근거규정이 없더라도 그 부관으로서 부담을 붙일 수 있으나, 그러한 부담은 비례의 원칙, 부당결부금지의 원칙에 위반되지 않아야만 적법하다. (○)
17. 지방직 9급 관련 법령에 법적 근거가 없더라도 개인택시운송사업면허를 하면서 부관을 붙일 수 있다. (○)
17. 서울시 7급, 14. 서울시 7급 수익적 행정처분에 있어서도 원칙적으로 법령에 특별한 근거규정이 있어야만 그 부관으로서 부담을 붙일 수 있다. (×)
15. 경찰 3차, 11. 국회직 8급 수익적 행정행위에 있어서는 법령에 특별한 근거규정이 없다고 하더라도 그 부관으로서 부담을 붙일 수 있다. (○)

② (○) 대판 1992.1.21. 91누1264
③ (○), ④ (×) 부담의 이행으로서 하게 된 법률행위는 부담을 붙인 행정처분과는 별개의 법률행위이므로 그 부담의 불가쟁력의 문제와는 별도로 그 법률행위의 유효 여부를 판단하여야 한다(대판 2009.6.25. 2006다18174).
⑤ (○) 대판 2009.12.10. 2007다63966

답 ④

제6절 | 행정행위의 성립요건·적법요건·효력발생요건

001 □□□

다음 사례에 대한 설명으로 옳은 것만을 모두 고르면?

> 1976.12.15. 대한민국에서 출생한 甲은 2002.1.18. 미국시민권을 취득하여 대한민국 국적을 상실한 재외동포이다. 법무부장관은 '甲이 공연을 위하여 병무청장의 국외 여행허가를 받고 출국한 후 미국 시민권을 취득하여 사실상 병역의무를 면탈하였으므로 甲의 입국 자체를 금지해 달라'는 병무청장의 요청에 응하여 출입국관리법에 따라 2002.2.1. 甲의 입국을 금지하는 결정을 하였다. 법무부장관은 그 정보를 내부전산망인 '출입국관리정보시스템'에 입력하였으나, 甲에게 통보하지는 않았다(이하 '이 사건 입국금지결정'이라 한다). 이후 2015.8.27. 甲은 자신의 거주 지역을 관할하는 재외공관장 乙에게 재외동포(F-4) 체류자격의 사증발급을 신청하였다. 乙은 甲의 아버지에게 전화로 '이 사건 입국금지결정으로 사증발급이 불허되었다.'고 통보하면서 처분이유를 기재한 사증발급 거부처분서를 작성해 주지는 않았다(이하 '이 사건 사증발급 거부처분'이라 한다).

> ㄱ. 이 사건 입국금지결정은 항고소송의 대상인 처분에 해당한다.
> ㄴ. 이 사건 사증발급 거부처분은 문서로 처분을 하도록 한 「행정절차법」 제24조 제1항을 위반한 하자가 있다.
> ㄷ. 乙은 이 사건 입국금지결정의 공정력과 불가쟁력으로 인해 甲에게 사증을 발급할 수 없다.
> ㄹ. 재외동포에 대한 사증발급은 행정청의 재량행위에 속하는 것으로서, 재외동포가 사증발급을 신청한 경우 재외동포 체류자격의 요건을 갖추었다고 해서 무조건 사증을 발급해야 하는 것은 아니다.

① ㄱ, ㄷ
② ㄱ, ㄹ
③ ㄴ, ㄷ
④ ㄴ, ㄹ

문제 DATA
출제가능 지수 ▶▶▷
난이도 지수 ★★☆

2024년 지방직 7급

ㄱ, ㄷ. (×) 처분이 성립하지 않은 이상, 그 처분은 법적으로 존재하지 않는 것이므로 공정력이나 불가쟁력이 발생할 여지는 없다.

(병무청장이 법무부장관에게 '가수 甲이 공연을 위하여 국외여행허가를 받고 출국한 후 미국 시민권을 취득함으로써 사실상 병역의무를 면탈하였으므로 재외동포 자격으로 재입국하고자 하는 경우 국내에서 취업, 가수활동 등 영리활동을 할 수 없도록 하고, 불가능할 경우 입국 자체를 금지해 달라'고 요청함에 따라 법무부장관이 甲의 입국을 금지하는 결정을 하고, 그 정보를 내부전산망인 '출입국관리정보시스템'에 입력하였으나, 甲에게는 통보하지 않은 사안에서, 위 입국금지결정은 항고소송의 대상이 되는 '처분'에 해당하지 않는다고 한 사례) 행정청이 행정의사를 외부에 표시하여 행정청이 자유롭게 취소·철회할 수 없는 구속을 받기 전에는 '처분'이 성립하지 않으므로, 법무부장관이 위와 같은 법령에 따라 이 사건 입국금지결정을 했다고 해서 '처분'이 성립한다고 볼 수는 없다. 이 사건 입국금지결정은 법무부장관의 의사가 공식적인 방법으로 외부에 표시된 것이 아니라 단지 그 정보를 내부전산망인 '출입국관리정보시스템'에 입력하여 관리한 것에 지나지 않으므로, 항고소송의 대상이 될 수 있는 '처분'에 해당하지 않는다(대판 2019.7.11. 2017두38874).

ㄴ. (○) 외국인의 사증발급신청에 대한 거부처분에는 처분의 방식에 관한 「행정절차법」 제24조가 적용된다.

행정절차법 제3조 제2항 제9호, 행정절차법 시행령 제2조 제2호 등 관련 규정들의 내용을 행정의 공정성, 투명성, 신뢰성을 확보하고 처분상대방의 권익보호를 목적으로 하는 행정절차법의 입법 목적에 비추어 보면, 행정절차법의 적용이 제외되는 '외국인의 출입국에 관한 사항'이란 해당 행정작용의 성질상 행정절차를 거치기 곤란하거나 거칠 필요가 없다고 인정되는 사항이나 행정절차에 준하는 절차를 거친

함께 정리하기

사례

법무부장관이 입국금지결정을 내부전산망인 출입국관리정보시스템에 입력함에 그친 경우
▷ 처분 성립× (∵공식적인 방법으로 외부 표시×)
▷ 공정력, 불가쟁력 발생×

외국인의 사증발급신청에 대한 거부처분
▷ 처분의 방식에 관한 「행정절차법」 제24조 적용○

재외동포에 대한 사증발급
▷ 재량행위

사항으로서 행정절차법 시행령으로 정하는 사항만을 가리킨다. '외국인의 출입국에 관한 사항'이라고 하여 행정절차를 거칠 필요가 당연히 부정되는 것은 아니다. 외국인의 사증발급 신청에 대한 거부처분은 당사자에게 의무를 부과하거나 적극적으로 권익을 제한하는 처분이 아니므로, 행정절차법 제21조 제1항에서 정한 '처분의 사전통지'와 제22조 제3항에서 정한 '의견제출 기회 부여'의 대상은 아니다. 그러나 사증발급 신청에 대한 거부처분이 성질상 행정절차법 제24조에서 정한 '처분서 작성·교부'를 할 필요가 없거나 곤란하다고 일률적으로 단정하기 어렵다. 또한 출입국관리법령에 사증발급거부처분서 작성에 관한 규정을 따로 두고 있지 않으므로, 외국인의 사증발급 신청에 대한 거부처분을 하면서 행정절차법 제24조에 정한 절차를 따르지 않고 '행정절차에 준하는 절차'로 대체할 수도 없다(대판 2019.7.11. 2017두38874).

ㄹ. (○) 재외동포에 대한 사증발급은 행정청의 재량행위에 속하는 것으로서, 재외동포가 사증발급을 신청한 경우에 출입국관리법 시행령 [별표 1의2]에서 정한 재외동포체류자격의 요건을 갖추었다고 해서 무조건 사증을 발급해야 하는 것은 아니다. 재외동포에게 출입국관리법 제11조 제1항 각 호에서 정한 입국금지사유 또는 재외동포법 제5조 제2항에서 정한 재외동포체류자격 부여 제외사유(대한민국 남자가 병역을 기피할 목적으로 외국국적을 취득하고 대한민국 국적을 상실하여 외국인이 된 경우)가 있어 그의 국내 체류를 허용하지 않음으로써 달성하고자 하는 공익이 그로 말미암아 발생하는 불이익보다 큰 경우에는 행정청이 재외동포체류자격의 사증을 발급하지 않을 재량을 가진다(대판 2019.7.11. 2017두38874).

답 ④

002 □□□

행정행위의 성립요건 및 효력발생요건에 대한 설명으로 옳지 않은 것은? (다툼이 있는 경우 판례에 의함)

① 행정행위의 도달이란 상대방이 그 내용을 현실적으로 알 필요까지는 없고 알 수 있는 상태에 놓여짐으로써 충분하다.
② 보통우편의 방법으로 발송되었다는 사실만으로는 그 우편물이 상당기간 내에 도달하였다고 추정할 수 없고 송달의 효력을 주장하는 측에서 증거에 의하여 도달사실을 입증하여야 한다.
③ 납세고지서의 교부송달 및 우편송달에 있어서는 반드시 납세의무자 또는 그와 일정한 관계가 있는 사람의 현실적인 수령행위를 전제로 하는 것이고 납세자가 과세처분의 내용을 이미 알고 있는 경우에도 납세고지서의 송달이 필요하다.
④ 구 정보통신윤리위원회가 A인터넷 웹사이트를 청소년유해매체물로 결정하고 구 청소년보호위원회가 효력발생시기를 명시하여 고시하였으나 구 정보통신윤리위원회와 구 청소년보호위원회가 청소년유해매체물 결정 및 고시처분이 있었음을 A인터넷 웹사이트 운영자에게 제대로 통지하지 않았다면 위 처분의 효력이 발생하지 않는다.

| 2025년 경찰간부

① (○) 행정처분의 효력발생요건으로서의 도달이란 처분상대방이 처분서의 내용을 현실적으로 알았을 필요까지는 없고 처분상대방이 알 수 있는 상태에 놓임으로써 충분하며, 처분서가 처분상대방의 주민등록상 주소지로 송달되어 처분상대방의 사무원 등 또는 그 밖에 우편물 수령권한을 위임받은 사람이 수령하면 처분상대방이 알 수 있는 상태가 되었다고 할 것이다(대판 2017.3.9. 2016두60577).
② (○) 내용증명우편이나 등기우편과는 달리, 보통우편의 방법으로 발송되었다는 사실만으로는 그 우편물이 상당기간 내에 도달하였다고 추정할 수 없고 송달의 효력을 주장하는 측에서 증거에 의하여 도달사실을 입증하여야 할 것이다(대판 2002.7.26. 2000다25002).

③ (○) 납세고지서의 교부송달 및 우편송달에 있어서는 반드시 납세의무자 또는 그와 일정한 관계에 있는 사람의 현실적인 수령행위를 전제로 하고 있다고 보아야 하며, 납세자가 과세처분의 내용을 이미 알고 있는 경우에도 납세고지서의 송달이 불필요하다고 할 수는 없는 것이다(대판 2004.4.9. 2003두13908).

④ (×) 청소년유해매체물 결정 및 고시처분은 원고와 같은 당해 유해매체물의 소유자 등 특정인만을 대상으로 한 행정처분이 아니라, 일반 불특정 다수인을 상대방으로 하여 일률적으로 표시의무, 포장의무, 청소년에 대한 판매·대여 등의 금지의무 등 각종 의무를 발생시키는 행정처분으로서, 피고 정보통신윤리위원회가 원고 운영의 인터넷 웹사이트 'ㅇㅇㅇ(사이트 주소 생략)'을 청소년유해매체물로 결정하고 청소년보호위원회가 효력발생시기를 명시하여 고시함으로써 그 명시된 시점에 효력이 발생하였다고 봄이 상당하고, 정보통신윤리위원회와 청소년보호위원회가 위 처분이 있었음을 웹사이트 운영자에게 제대로 통지하지 아니하였다고 하여 그 효력 자체가 발생하지 아니한 것으로 볼 수는 없다(대판 2007.6.14. 2004두619).

답 ④

003

처분의 성립과 효력에 대한 설명으로 옳지 않은 것은? (다툼이 있는 경우 판례에 의함)

① 행정처분의 효력발생요건으로서의 도달이란 처분상대방이 처분서의 내용을 현실적으로 알았을 필요까지는 없고 처분상대방이 알 수 있는 상태에 놓임으로써 충분하다.

② 행정의사가 외부에 표시되어 행정청이 자유롭게 취소·철회할 수 없는 구속을 받게 되는 시점에 처분이 성립하고, 그 성립 여부는 행정청이 행정의사를 공식적인 방법으로 외부에 표시하였는지를 기준으로 판단해야 한다.

③ 행정처분의 권한을 내부적으로 위임받은 수임기관이 그 권한을 행사함에 있어서는 행정처분의 내부적 성립과정을 스스로 결정하여 행하고 그 외부적 성립요건인 상대방에의 표시도 수임기관의 명의로 하여야 한다.

④ 법무부장관의 입국금지결정에 관한 의사가 공식적인 방법으로 외부에 표시된 것이 아니라 단지 그 정보를 내부전산망인 출입국관리정보시스템에 입력하여 관리한 것에 지나지 않으면, 그 입국금지결정은 항고소송의 대상이 될 수 있는 처분에 해당하지 않는다.

⑤ 처분은 권한이 있는 기관이 취소 또는 철회하거나 기간의 경과 등으로 소멸되기 전까지는 유효한 것으로 통용되지만, 무효인 처분은 처음부터 그 효력이 발생하지 않는다.

| 2025년 소방간부

① (○) 행정처분의 효력발생요건으로서의 도달이란 처분상대방이 처분서의 내용을 현실적으로 알았을 필요까지는 없고 처분상대방이 알 수 있는 상태에 놓임으로써 충분하며, 처분서가 처분상대방의 주민등록상 주소지로 송달되어 처분상대방의 사무원 등 또는 그 밖에 우편물 수령권한을 위임받은 사람이 수령하면 처분상대방이 알 수 있는 상태가 되었다고 할 것이다(대 2017.3.9. 2016두60577).

② (○) 일반적으로 행정처분이 주체·내용·절차와 형식이라는 내부적 성립요건과 외부에 대한 표시라는 외부적 성립요건을 모두 갖춘 경우에는 행정처분이 존재한다고 할 수 있다. 행정처분의 외부적 성립은 행정의사가 외부에 표시되어 행정청이 자유롭게 취소·철회할 수 없는 구속을 받게 되는 시점을 확정하는 의미를 가지므로, 어떠한 처분의 외부적 성립 여부는 행정청에 의해 행정의사가 공식적인 방법으로 외부에 표시되었는지를 기준으로 판단하여야 한다(대판 2017.7.11. 2016두35120).

③ (×) 행정처분의 권한을 내부적으로 위임받은 수임기관이 그 권한을 행사함에 있어서는 행정처분의 내부적 성립과정은 스스로 결정하여 행하고 그 외부적 성립요건인 상대방에의 표시만 위임기관의 명의로 하면 된다(대판 1984.12.11. 80누344).

④ (○) 병무청장이 법무부장관에게 '가수 甲이 공연을 위하여 국외여행허가를 받고 출국한 후 미국 시민권을 취득함으로써 사실상 병역의무를 면탈하였으므로 재외동포 자격으로 재입국하고자 하는 경우 국내에서 취업, 가수활동 등 영리활동을 할 수 없도록 하고, 불가능할 경우 입국 자체를 금지해 달라'고 요청함에 따라 법무부장관이 甲의 입국을 금지하는 결정을 하고, 그 정보를 내부전산망인 '출입국관리정보시스템'에 입력하였으나, 甲에게는 통보하지 않은 사안에서, 행정청이 행정의사를 외부에 표시하여 행정청이 자유롭게 취소·철회할 수 없는 구속을 받기 전에는 '처분'이 성립하지 않으므로 법무부장관이 출입국관리법 제11조 제1항 제3호 또는 제4호, 출입국관리법 시행령 제14조 제1항, 제2항에 따라 위 입국금지결정을 했다고 해서 '처분'이 성립한다고 볼 수는 없고, 위 입국금지결정은 법무부장관의 의사가 공식적인 방법으로 외부에 표시된 것이 아니라 단지 그 정보를 내부전산망인 '출입국관리정보시스템'에 입력하여 관리한 것에 지나지 않으므로, 위 입국금지결정은 항고소송의 대상이 될 수 있는 '처분'에 해당하지 않는다(대판 2019.7.11. 2017두38874).

⑤ (○)

> 「행정기본법」 제15조 【처분의 효력】 처분은 권한이 있는 기관이 취소 또는 철회하거나 기간의 경과 등으로 소멸되기 전까지는 유효한 것으로 통용된다. 다만, 무효인 처분은 처음부터 그 효력이 발생하지 아니한다.

답 ③

문제 DATA

출제가능 지수 ▶▶▷
난이도 지수 ★★☆

004 □□□

행정행위의 효력발생요건에 대한 설명으로 옳지 않은 것은? (다툼이 있는 경우 판례에 의함)

① 내용증명우편이나 등기우편과는 달리, 보통우편의 방법으로 발송되었다는 사실만으로는 그 우편물이 상당한 기간 내에 도달하였다고 추정할 수 없고, 송달의 효력을 주장하는 측에서 증거에 의하여 이를 입증하여야 한다.
② 상대방 있는 행정처분이 상대방에게 고지되지 아니한 경우 상대방이 다른 경로를 통해 행정처분의 내용을 알게 되었다면 행정처분의 효력이 발생한다.
③ 「행정절차법」에 따르면 정보통신망을 이용한 송달은 송달받을 자가 동의하는 경우에만 한다. 이 경우 송달받을 자는 송달받을 전자우편주소 등을 지정하여야 한다.
④ 「행정절차법」상 송달받을 자의 주소등을 통상적인 방법으로 확인할 수 없는 경우에는 송달받을 자가 알기 쉽도록 관보, 공보, 게시판, 일간신문 중 하나 이상에 공고하고 인터넷에도 공고하여야 한다.

| 2025년 소방직

① (○) 내용증명우편이나 등기우편과는 달리, 보통우편의 방법으로 발송되었다는 사실만으로는 그 우편물이 상당한 기간 내에 도달하였다고 추정할 수 없고, 송달의 효력을 주장하는 측에서 증거에 의하여 이를 입증하여야 한다(대판 2009.12.10. 2007두20140).
② (×) 상대방 있는 행정처분은 특별한 규정이 없는 한 의사표시에 관한 일반법리에 따라 상대방에게 고지되어야 효력이 발생하고, 상대방 있는 행정처분이 상대방에게 고지되지 아니한 경우에는 상대방이 다른 경로를 통해 행정처분의 내용을 알게 되었다고 하더라도 행정처분의 효력이 발생한다고 볼 수 없다(대판 2019.8.9. 2019두38656).

함께 정리하기

행정행위의 효력발생요건

보통우편
▷ 도달 입증 要

상대방 있는 행정처분
▷ 고지되어야 효력 발생○

정보통신망 송달
▷ 동의가 있는 경우에만 可

송달받을 자
▷ 전자우편주소등 지정

송달받을 자의 주소불명
▷ 관보·공보·게시판·일간신문 중 하나 이상과 인터넷에도 공고

③, ④ (○)

> 「행정절차법」제14조【송달】③ 정보통신망을 이용한 송달은 송달받을 자가 동의하는 경우에만 한다. 이 경우 송달받을 자는 송달받을 전자우편주소 등을 지정하여야 한다(③).
> ④ 다음 각 호의 어느 하나에 해당하는 경우에는 송달받을 자가 알기 쉽도록 관보, 공보, 게시판, 일간신문 중 하나 이상에 공고하고 인터넷에도 공고하여야 한다.
> 1. 송달받을 자의 주소등을 통상적인 방법으로 확인할 수 없는 경우(④)
> 2. 송달이 불가능한 경우

답 ②

005

행정행위에 대한 설명으로 가장 옳지 않은 것은? (다툼이 있는 경우 판례에 의함)

① 상대방 있는 행정처분은 특별한 규정이 없는 한 의사표시에 관한 일반법리에 따라 그 행정처분이 상대방에게 고지되지 아니한 경우라도 상대방이 다른 경로를 통해 행정처분의 내용을 알게 되었다면 행정처분의 효력이 발생한다.

② 체류자격 변경허가는 신청인에게 당초의 체류자격과 다른 체류자격에 해당하는 활동을 할 수 있는 권한을 부여하는 일종의 설권적 처분의 성격을 가지므로, 허가권자는 신청인이 관계 법령에서 정한 요건을 충족하였다고 하더라도, 신청인의 적격성, 체류목적, 공익상의 영향 등을 참작하여 허가 여부를 결정할 수 있는 재량을 가진다.

③ 「국토의 계획 및 이용에 관한 법률」상 개발행위허가는 허가기준 및 금지요건이 불확정개념으로 규정된 부분이 많아 그 요건에 해당하는지 여부는 행정청의 재량판단의 영역에 속한다.

④ 처분의 근거 법령이 행정청에 처분의 요건과 효과 판단에 일정한 재량을 부여하였는데도, 행정청이 자신에게 재량권이 없다고 오인한 나머지 처분으로 달성하려는 공익과 그로써 처분상대방이 입게 되는 불이익의 내용과 정도를 전혀 비교형량 하지 않은 채 처분을 하였다면, 이는 재량권 불행사로서 그 자체로 재량권 일탈·남용으로 해당 처분을 취소하여야 할 위법사유가 된다.

| 2025년 군무원 7급

① (×) 상대방 있는 행정처분은 특별한 규정이 없는 한 의사표시에 관한 일반법리에 따라 상대방에게 고지되어야 효력이 발생하고, 상대방 있는 행정처분이 상대방에게 고지되지 아니한 경우에는 상대방이 다른 경로를 통해 행정처분의 내용을 알게 되었다고 하더라도 행정처분의 효력이 발생한다고 볼 수 없다(대판 2019.8.9. 2019두38656).

② (○) 출입국관리법 제10조, 제24조 제1항, 구 출입국관리법 시행령(2014.10.28. 대통령령 제25669호로 개정되기 전의 것) 제12조 [별표 1] 제8호, 제26조 (가)목, (라)목, 출입국관리법 시행규칙 제18조의2 [별표 1]의 문언, 내용 및 형식, 체계 등에 비추어 보면, 체류자격 변경허가는 신청인에게 당초의 체류자격과 다른 체류자격에 해당하는 활동을 할 수 있는 권한을 부여하는 일종의 설권적 처분의 성격을 가지므로, 허가권자는 신청인이 관계 법령에서 정한 요건을 충족하였더라도, 신청인의 적격성, 체류목적, 공익상의 영향 등을 참작하여 허가 여부를 결정할 수 있는 재량을 가진다(대판 2016.7.14. 2015두48846).

문제 DATA
출제가능 지수 ▶▶▷
난이도 지수 ★★☆

함께 정리하기

행정행위

상대방 있는 행정처분
▷ 고지되어야 효력 발생○

「출입국관리법」상 체류자격변경허가
▷ 재량행위

국토계획법상 개발행위허가
▷ 재량행위

재량권의 불행사
▷ 그 자체로 위법

③ (O) 국토계획법 제56조 제1항에 의한 개발행위허가는 허가기준 및 금지요건이 불확정개념으로 규정된 부분이 많아 그 요건에 해당하는지 여부는 행정청의 재량판단의 영역에 속한다. 특히 환경의 훼손이나 오염을 발생시킬 우려가 있는 개발행위에 대한 행정청의 허가와 관련하여 재량권의 일탈·남용 여부를 심사할 때에는, 해당 지역 주민들의 토지이용실태와 생활환경 등 구체적 지역 상황과 상반되는 이익을 가진 이해관계자들 사이의 권익 균형 및 환경권의 보호에 관한 각종 규정의 입법 취지 등을 종합하여 신중하게 판단하여야 한다. '환경오염 발생 우려'와 같이 장래에 발생할 불확실한 상황과 파급효과에 대한 예측이 필요한 요건에 관한 행정청의 재량적 판단은 그 내용이 현저히 합리성을 결여하였다거나 상반되는 이익이나 가치를 대비해 볼 때 형평이나 비례의 원칙에 뚜렷하게 배치되는 등의 사정이 없는 한 법원은 이를 존중하는 것이 바람직하다(대판 2020.8.27. 2019두60776).

④ (O) 처분의 근거 법령이 행정청에 처분의 요건과 효과 판단에 일정한 재량을 부여하였는데도, 행정청이 자신에게 재량권이 없다고 오인한 나머지 처분으로 달성하려는 공익과 그로써 처분상대방이 입게 되는 불이익의 내용과 정도를 전혀 비교형량 하지 않은 채 처분을 하였다면, 이는 재량권 불행사로서 그 자체로 재량권 일탈·남용으로 해당 처분을 취소하여야 할 위법사유가 된다(대판 2019.7.11. 2017두38874).

답 ①

006

행정행위의 효력발생요건에 대한 설명으로 옳지 않은 것은?

① 행정처분의 효력발생요건으로서의 도달이란 처분상대방이 처분서의 내용을 현실적으로 알았을 필요까지는 없고 처분상대방이 알 수 있는 상태에 놓임으로써 충분하다.

② 우편물이 등기취급의 방법으로 발송된 경우 그것이 도중에 유실되었거나 반송되었다는 등의 특별한 사정에 대한 반증이 없는 한 그 무렵 수취인에게 배달되었다고 추정할 수 있다.

③ 상대방 있는 행정처분이 상대방에게 고지되지 아니하였더라도 상대방이 다른 경로를 통해 행정처분의 내용을 알게 되었다면 행정처분의 효력이 발생한다.

④ 「행정절차법」제15조 제2항에 따르면 정보통신망을 이용하여 전자문서로 송달하는 경우에는 송달받을 자가 지정한 컴퓨터 등에 입력된 때에 그 전자문서가 도달된 것으로 본다.

⑤ 상대방이 부당하게 등기취급 우편물의 수취를 거부함으로써 우편물의 내용을 알 수 있는 객관적 상태의 형성을 방해한 경우에는 그 수취 거부 시에 행정청의 의사표시의 효력이 생긴 것으로 보아야 한다.

| 2025년 국회직 8급

① (O) 행정처분의 효력발생요건으로서의 도달이란 처분상대방이 처분서의 내용을 현실적으로 알았을 필요까지는 없고 처분상대방이 알 수 있는 상태에 놓임으로써 충분하며, 처분서가 처분상대방의 주민등록상 주소지로 송달되어 처분상대방의 사무원 등 또는 그 밖에 우편물 수령권한을 위임받은 사람이 수령하면 처분상대방이 알 수 있는 상태가 되었다고 할 것이다(대판 2017.3.9. 2016두60577).

② (O) 우편물이 등기취급의 방법으로 발송된 경우 그것이 도중에 유실되었거나 반송되었다는 등의 특별한 사정에 대한 반증이 없는 한 그 무렵 수취인에게 배달되었다고 추정할 수 있다(대판 2017.3.9. 2016두60577).

③ (×) 상대방 있는 행정처분은 특별한 규정이 없는 한 의사표시에 관한 일반법리에 따라 상대방에게 고지되어야 효력이 발생하고, 상대방 있는 행정처분이 상대방에게 고지되지 아니한 경우에는 상대방이 다른 경로를 통해 행정처분의 내용을 알게 되었다고 하더라도 행정처분의 효력이 발생한다고 볼 수 없다(대판 2019.8.9. 2019두38656).

④ (○)

> 「행정절차법」 제15조【송달의 효력 발생】② 제14조 제3항에 따라 정보통신망을 이용하여 전자문서로 송달하는 경우에는 송달받을 자가 지정한 컴퓨터 등에 입력된 때에 도달된 것으로 본다.

⑤ (○) 상대방이 부당하게 등기취급 우편물의 수취를 거부함으로써 우편물의 내용을 알 수 있는 객관적 상태의 형성을 방해한 경우 그러한 상태가 형성되지 아니하였다는 사정만으로 발송인의 의사표시의 효력을 부정하는 것은 신의성실의 원칙에 반하므로 허용되지 아니한다. 이러한 경우에는 부당한 수취 거부가 없었더라면 상대방이 우편물의 내용을 알 수 있는 객관적 상태에 놓일 수 있었던 때, 즉 수취 거부 시에 의사표시의 효력이 생긴 것으로 보아야 한다. 여기서 우편물의 수취 거부가 신의성실의 원칙에 반하는지는 발송인과 상대방과의 관계, 우편물의 발송 전에 발송인과 상대방 사이에 우편물의 내용과 관련된 법률관계나 의사교환이 있었는지, 상대방이 발송인에 의한 우편물의 발송을 예상할 수 있었는지 등 여러 사정을 종합하여 판단하여야 한다. 이때 우편물의 수취를 거부한 것에 정당한 사유가 있는지에 관해서는 수취 거부를 한 상대방이 이를 증명할 책임이 있다(대판 2020.8.20. 2019두34630).

답 ③

007 □□□

행정행위의 성립과 효력발생에 대한 설명으로 옳지 않은 것은? (다툼이 있는 경우 판례에 의함)

① 상대방 있는 행정처분이 상대방에게 고지되지 아니한 경우에도 상대방이 다른 경로를 통해 행정처분의 내용을 알게 되었다면 행정처분의 효력이 발생한다고 볼 수 있다.
② 일반적으로 행정처분이 주체·내용·절차와 형식이라는 내부적 성립요건과 외부에 대한 표시라는 외부적 성립요건을 모두 갖춘 경우에는 행정처분이 존재한다.
③ 법무부장관이 입국금지에 관한 정보를 내부 전산망인 출입국관리정보시스템에 입력한 것만으로는 법무부장관의 의사가 공식적인 방법으로 외부에 표시된 것이 아니어서 위 입국 금지결정은 항고소송의 대상인 처분에 해당되지 않는다.
④ 행정처분의 외부적 성립은 행정의사가 외부에 표시되어 행정청이 자유롭게 취소·철회할 수 없는 구속을 받게 되는 시점을 확정하는 의미를 가진다.

| 2023년 군무원 9급

① (×) 상대방 있는 행정처분은 특별한 규정이 없는 한 의사표시에 관한 일반법리에 따라 상대방에게 고지되어야 효력이 발생하고, 상대방 있는 행정처분이 상대방에게 고지되지 아니한 경우에는 상대방이 다른 경로를 통해 행정처분의 내용을 알게 되었다고 하더라도 행정처분의 효력이 발생한다고 볼 수 없다(대판 2019.8.9. 2019두38656).

유제 22. 국가직 7급 상대방 있는 행정처분이 상대방에게 고지되지 아니한 경우에는 특별한 규정이 없는 한 상대방이 다른 경로를 통해 행정처분의 내용을 알게 되었다고 하더라도 행정처분의 효력이 발생한다고 볼 수 없다. (○)
21. 소방간부 상대방 있는 행정처분은 특별한 규정이 없는 한, 상대방이 다른 경로를 통해 행정처분의 내용을 알게 된 경우에도 상대방에게 고지되지 않은 경우라면 행정처분의 효력이 발생한다고 볼 수 없다. (○)
21. 소방직 9급 상대방 있는 행정처분이 상대방에게 고지되지 아니한 경우에도 상대방이 다른 경로를 통해 행정처분의 내용을 알게 된다면 그 행정처분의 효력이 발생한다. (×)

②, ④ (○) 일반적으로 처분이 주체·내용·절차와 형식의 요건을 모두 갖추고 외부에 표시된 경우에는 처분의 존재가 인정된다(②). 행정의사가 외부에 표시되어 행정청이 자유롭게 취소·철회할 수 없는 구속을 받게 되는 시점에 처분이 성립하고(④), 그 성립 여부는 행정청이 행정의사를 공식적인 방법으로 외부에 표시하였는지를 기준으로 판단해야 한다(대판 2019.7.11. 2017두38874).

문제 DATA
출제가능 지수 ▶▶▶
난이도 지수 ★★☆

함께 정리하기

행정행위의 성립과 효력발생

상대방 있는 행정처분
▷ 고지되어야 효력 발생○

행정처분의 존재
▷ 내부적 성립요건 + 외부적 성립요건

법무부장관이 입국금지결정을 내부전산망에 입력함에 그친 경우
▷ 처분 성립×

행정처분의 외부적 성립
▷ 행정의사 외부표시 시점

유제 21. 국가직 9급 행정의사가 외부에 표시되어 행정청이 자유롭게 취소·철회할 수 없는 구속을 받게 되는 시점에 처분이 성립하고, 그 성립 여부는 행정청이 행정의사를 공식적인 방법으로 외부에 표시하였는지를 기준으로 판단해야 한다. (○)

21. 소방직 일반적으로 행정행위가 주체·내용·절차와 형식의 요건을 모두 갖추고 외부에 표시된 경우에 행정행위의 존재가 인정된다. (○)

21. 소방직 행정청의 의사가 외부에 표시되어 행정청이 자유롭게 취소·철회할 수 없는 구속을 받게 되는 시점에 행정행위가 성립하는 것은 아니며, 행정행위의 성립 여부는 행정청의 의사를 공식적인 방법으로 외부에 표시하였는지 여부를 기준으로 판단해야 한다. (×)

③ (○) 행정청이 행정의사를 외부에 표시하여 행정청이 자유롭게 취소·철회할 수 없는 구속을 받기 전에는 '처분'이 성립하지 않으므로 법무부장관이 위 입국금지결정을 했다고 해서 '처분'이 성립한다고 볼 수는 없고, 위 입국금지결정은 법무부장관의 의사가 공식적인 방법으로 외부에 표시된 것이 아니라 단지 그 정보를 내부전산망인 '출입국관리정보시스템'에 입력하여 관리한 것에 지나지 않으므로, 위 입국금지결정은 항고소송의 대상이 될 수 있는 '처분'에 해당하지 않는다(대판 2019.7.11. 2017두38874).

유제 22. 소방직 병무청장의 요청에 따른 법무부장관의 입국금지결정은 법무부장관의 의사가 공식적인 방법으로 외부에 표시되어 입국 자체를 금지하는 것으로서 그 입국금지결정은 항고소송의 대상이 될 수 있는 처분에 해당한다. (×)

답 ①

008 □□□

「행정절차법」상 송달 및 기간·기한에 대한 설명으로 옳은 것은?

① 정보통신망을 이용한 송달은 송달받을 자의 동의 여부와 상관없이 언제든지 가능하다.
② 행정청은 송달하는 문서의 명칭과 송달받는 자의 성명을 확인할 수 있는 기록을 보존하지 않아도 된다.
③ 송달은 다른 법령 등에 특별한 규정이 있는 경우를 제외하고는 해당 문서를 발신한 때 그 효력이 발생한다.
④ 천재지변으로 기한을 지킬 수 없는 경우에는 그 사유가 끝나는 날이 속하는 주말까지 기간의 진행이 정지된다.
⑤ 외국에 거주하거나 체류하는 자에 대한 기간 및 기한은 행정청이 그 우편이나 통신에 걸리는 일수를 고려하여 정하여야 한다.

| 2023년 행정사

① (×)

「행정절차법」 제14조【송달】③ 정보통신망을 이용한 송달은 송달받을 자가 동의하는 경우에만 한다. 이 경우 송달받을 자는 송달받을 전자우편주소 등을 지정하여야 한다.

유제 17. 서울시 9급, 14. 서울시 9급 정보통신망을 이용한 송달은 송달받을 자가 동의하는 경우에만 한한다. (○)

② (×)

「행정절차법」 제14조【송달】⑥ 행정청은 송달하는 문서의 명칭, 송달받는 자의 성명 또는 명칭, 발송방법 및 발송 연월일을 확인할 수 있는 기록을 보존하여야 한다.

③ (×)

「행정절차법」 제15조【송달의 효력 발생】① 송달은 다른 법령 등에 특별한 규정이 있는 경우를 제외하고는 해당 문서가 송달받을 자에게 도달됨으로써 그 효력이 발생한다.

문제 DATA
출제가능 지수 ▶▶▷
난이도 지수 ★★☆

함께 정리하기
「행정절차법」상 송달 및 기간·기한

정보통신망 송달
▷ 동의가 있는 경우에만 可

행정청
▷ 송달하는 문서의 명칭과 송달받는 자의 성명을 확인할 수 있는 기록 보존 要

송달의 효력발생
▷ 도달 시

천재지변이나 당사자 등에게 책임이 없는 사유로 기간 및 기한을 지킬 수 없는 경우
▷ 그 사유가 끝나는 날까지 기간 진행 정지

외국거주·체류자에 대한 기간 및 기한
▷ 그 우편·통신에 걸리는 일수를 고려하여 정함

④ (×)

> 「행정절차법」 제16조【기간 및 기한의 특례】① 천재지변이나 그 밖에 당사자 등에게 책임이 없는 사유로 기간 및 기한을 지킬 수 없는 경우에는 그 사유가 끝나는 날까지 기간의 진행이 정지된다.

⑤ (○)

> 「행정절차법」 제16조【기간 및 기한의 특례】② 외국에 거주하거나 체류하는 자에 대한 기간 및 기한은 행정청이 그 우편이나 통신에 걸리는 일수(日數)를 고려하여 정하여야 한다.

답 ⑤

009

「행정기본법」상 법 적용의 기준에 대한 내용이다. ( )에 들어갈 것으로 옳은 것은?

> - 당사자의 신청에 따른 처분은 법령 등에 특별한 규정이 있거나 (ㄱ) 당시의 법령 등을 적용하기 곤란한 특별한 사정이 있는 경우를 제외하고는 (ㄱ) 당시의 법령 등에 따른다.
> - 법령 등을 위반한 행위의 성립과 이에 대한 제재처분은 법령 등에 특별한 규정이 있는 경우를 제외하고는 (ㄴ) 당시의 법령 등에 따른다. 다만, 법령 등을 위반한 행위 후 법령 등의 변경에 의하여 그 행위가 법령 등을 위반한 행위에 해당하지 아니하거나 제재처분 기준이 가벼워진 경우로서 해당 법령 등에 특별한 규정이 없는 경우에는 변경된 법령 등을 적용한다.

	ㄱ	ㄴ
①	신청	제재처분
②	신청	법령 등을 위반한 행위
③	처분	판결
④	처분	법령 등을 위반한 행위
⑤	판결	제재처분

2023년 행정사

④ (○)

> 「행정기본법」 제14조【법 적용의 기준】② 당사자의 신청에 따른 처분은 법령 등에 특별한 규정이 있거나 (ㄱ) 처분 당시의 법령 등을 적용하기 곤란한 특별한 사정이 있는 경우를 제외하고는 (ㄱ) 처분 당시의 법령 등에 따른다.
> ③ 법령 등을 위반한 행위의 성립과 이에 대한 제재처분은 법령 등에 특별한 규정이 있는 경우를 제외하고는 (ㄴ) 법령 등을 위반한 행위 당시의 법령 등에 따른다. 다만, 법령 등을 위반한 행위 후 법령 등의 변경에 의하여 그 행위가 법령 등을 위반한 행위에 해당하지 아니하거나 제재처분기준이 가벼워진 경우로서 해당 법령 등에 특별한 규정이 없는 경우에는 변경된 법령 등을 적용한다.

답 ④

문제 DATA
출제가능 지수 ▶▶▶
난이도 지수 ★★☆

함께 정리하기
「행정기본법」상 법 적용의 기준

당사자의 신청에 따른 처분
▷ 처분 당시 법령에 따름이 원칙

법령위반행위 성립과 제재처분
▷ 위반행위 당시 법령에 따르나 유리한 경우 변경된 법령 적용

010

처분시 법 적용의 기준에 대한 설명으로 옳지 않은 것은? (다툼이 있는 경우 판례에 의함)

① 당사자의 신청에 따른 처분은 법령 등에 특별한 규정이 있거나 처분 당시의 법령 등을 적용하기 곤란한 특별한 사정이 있는 경우를 제외하고는 처분 당시의 법령 등에 따른다.
② 새로운 법령 등은 법령 등에 특별한 규정이 있는 경우를 제외하고는 그 법령 등의 효력 발생 전에 완성되거나 종결된 사실관계 또는 법률관계에 대해서는 적용되지 아니한다.
③ 허가신청 후 허가기준이 변경되었다 하더라도 그 허가관청이 허가신청을 수리하고도 정당한 이유 없이 그 처리를 늦추어 그 사이에 허가기준이 변경된 것이 아닌 이상 변경되기 이전의 허가기준에 따라서 처분을 하여야 한다.
④ 근거 법령이 개정된 경우에 경과규정에서 달리 정함이 없는 한 개정 법령에서 정한 기준에 의하는 것이 원칙이나 개정 전 법령의 존속에 대한, 국민의 신뢰가 개정 법령의 적용에 관한 공익상의 요구보다 더 보호가치가 있다고 인정되는 경우에는 그 적용이 제한될 수 있다.
⑤ 법령 등을 위반한 행위의 성립과 이에 대한 제재처분은 법령 등에 특별한 규정이 있는 경우를 제외하고는 법령 등을 위반한 행위 당시의 법령 등에 따르지만 법령 등을 위반한 행위 후 법령 등의 변경에 의하여 그 행위가 법령 등을 위반한 행위에 해당하지 아니하거나 제재처분 기준이 가벼워진 경우로서 해당 법령 등에 특별한 규정이 없는 경우에는 변경된 법령 등을 적용한다.

2023년 소방간부

① (○)

> 「행정기본법」 제14조【법 적용의 기준】② 당사자의 신청에 따른 처분은 법령등에 특별한 규정이 있거나 처분 당시의 법령등을 적용하기 곤란한 특별한 사정이 있는 경우를 제외하고는 처분 당시의 법령등에 따른다.

② (○)

> 「행정기본법」 제14조【법 적용의 기준】① 새로운 법령등은 법령등에 특별한 규정이 있는 경우를 제외하고는 그 법령등의 효력 발생 전에 완성되거나 종결된 사실관계 또는 법률관계에 대해서는 적용되지 아니한다.

③ (×) 허가 등의 행정처분은 원칙적으로 처분시의 법령과 허가기준에 의하여 처리되어야 하고 허가신청 당시의 기준에 따라야 하는 것은 아니며, 비록 허가신청 후 허가기준이 변경되었다 하더라도 그 허가관청이 허가신청을 수리하고도 정당한 이유 없이 그 처리를 늦추어 그 사이에 허가기준이 변경된 것이 아닌 이상 변경된 허가기준에 따라서 처분을 하여야 한다(대판 1996.8.20. 95누10877).
④ (○) 인·허가 신청 후 처분 전에 관계 법령이 개정·시행된 경우 개정된 법령의 부칙에서 그 시행 전에 이미 인·허가 신청이 있는 때에는 종전의 규정에 의한다는 취지의 경과규정을 특별히 두지 아니한 이상, 행정처분은 그 처분 당시에 시행 중인 법령과 허가기준에 의하여 하는 것이 원칙이다. 따라서 관할 행정청이 인·허가 신청을 수리하고도 정당한 이유 없이 처리를 늦추어 그 사이에 관계 법령 및 허가기준이 변경된 것이 아닌 한, 변경된 법령 및 허가기준에 따라서 한 불허가처분을 위법하다고 할 수 없다. 다만 개정 전 허가기준의 존속에 관한 국민의 신뢰가 개정된 허가기준의 적용에 관한 공익상의 요구보다 더 보호가치가 있다고 인정되는 경우에는 그러한 국민의 신뢰를 보호하기 위하여 개정된 허가기준의 적용을 제한할 여지가 있을 뿐이다(대판 2020.10.15. 2020두41504).
⑤ (○)

> 「행정기본법」 제14조【법적용의 기준】③ 법령등을 위반한 행위의 성립과 이에 대한 제재처분은 법령등에 특별한 규정이 있는 경우를 제외하고는 법령등을 위반한 행위 당시의 법령등에 따른다. 다만, 법령등을 위반한 행위 후 법령등의 변경에 의하여 그 행위가 법령등을 위반한 행위에 해당하지 아니하거나 제재처분 기준이 가벼워진 경우로서 해당 법령등에 특별한 규정이 없는 경우에는 변경된 법령등을 적용한다.

답 ③

문제 DATA
출제가능 지수 ▶▶▶
난이도 지수 ★★☆

함께 정리하기
처분시 법 적용의 기준
당사자의 신청에 따른 처분
▷ 처분 당시 법령에 따름이 원칙
새로운 법령
▷ 소급적용 금지 원칙 적용
허가 신청 후 허가기준 변경
▷ 변경된 기준 적용
근거법령 개정된 경우
▷ 개정법령의 기준에 의함 원칙이나 신뢰보호에 따른 적용 제한 가
법령위반행위 성립과 제재처분
▷ 위반행위 당시 법령에 따름
▷ 단, 유리한 경우 변경된 법령 적용

011

행정행위에 대한 설명으로 옳은 것은? (다툼이 있는 경우 판례에 의함)

① 상대방 있는 행정처분이 상대방에게 고지되지 아니한 경우에는 특별한 규정이 없는 한 상대방이 다른 경로를 통해 행정처분의 내용을 알게 되었다고 하더라도 행정처분의 효력이 발생한다고 볼 수 없다.
② 기한의 도래로 실효한 종전의 허가에 대한 기간연장신청은 새로운 허가를 내용으로 하는 행정처분을 구하는 것이 아니라, 종전의 허가처분을 전제로 하여 단순히 그 유효기간을 연장하여 주는 행정처분을 구하는 것으로 보아야 한다.
③ 공무원에 대한 당연퇴직의 인사발령은 공무원의 신분을 상실시키는 새로운 형성적 행위이므로 행정소송의 대상이 되는 행정처분이다.
④ 지적공부 소관청의 지목변경신청 반려행위는 국민의 권리관계에 영향을 미친다고 볼 수 없어서 행정처분에 해당하지 않는다.

2022년 국가직 7급

① (○) 상대방 있는 행정처분은 특별한 규정이 없는 한 의사표시에 관한 일반법리에 따라 상대방에게 고지되어야 효력이 발생하고, 상대방 있는 행정처분이 상대방에게 고지되지 아니한 경우에는 상대방이 다른 경로를 통해 행정처분의 내용을 알게 되었다고 하더라도 행정처분의 효력이 발생한다고 볼 수 없다 (대판 2019.8.9. 2019두38656).
② (×) 종전의 허가가 기한의 도래로 실효한 이상 원고가 종전 허가의 유효기간이 지나서 신청한 이 사건 기간연장신청은 그에 대한 종전의 허가처분을 전제로 하여 단순히 그 유효기간을 연장하여 주는 행정처분을 구하는 것이라기 보다는 종전의 허가처분과는 별도의 새로운 허가를 내용으로 하는 행정처분을 구하는 것이라고 보아야 할 것이어서, 이러한 경우 허가권자는 이를 새로운 허가신청으로 보아 법의 관계 규정에 의하여 허가요건의 적합 여부를 새로이 판단하여 그 허가 여부를 결정하여야 할 것이다(대판 1995.11.10. 94누11866).
③ (×) 국가공무원법상 당연퇴직은 결격사유가 있을 때 법률상 당연히 퇴직하는 것이지 공무원관계를 소멸시키기 위한 별도의 행정처분을 요하는 것이 아니며, 당연퇴직의 인사발령은 법률상 당연히 발생하는 퇴직사유를 공적으로 확인하여 알려주는 이른바 관념의 통지에 불과하고 공무원의 신분을 상실시키는 새로운 형성적 행위가 아니므로 행정소송의 대상이 되는 독립한 행정처분이라고 할 수 없다(대판 1995.11.14. 95누2036).
④ (×) 지목은 토지소유권을 제대로 행사하기 위한 전제요건으로서 토지소유자의 실체적 권리관계에 밀접하게 관련되어 있으므로 지적공부 소관청의 지목변경신청 반려행위는 국민의 권리관계에 영향을 미치는 것으로서 항고소송의 대상이 되는 행정처분에 해당한다(대판 2004.4.22. 2003두9015 전합).

답 ①

문제 DATA
출제가능 지수 ▶▶▷
난이도 지수 ★★☆

함께 정리하기

행정행위

상대방 있는 행정처분
▷ 고지되어야 효력 발생○

허가기간 경과 후 신청
▷ 새로운 허가신청

당연퇴직 인사발령
▷ 행정처분×

지목변경신청 반려행위
▷ 행정처분○

012

행정행위의 효력발생요건에 대한 설명으로 옳지 않은 것은? (다툼이 있는 경우 판례에 의함)

① 행정처분의 효력발생요건으로서의 도달이란 상대방이 그 내용을 현실적으로 양지할 필요까지는 없고 다만 양지할 수 있는 상태에 놓여짐으로써 충분하다.
② 내용증명우편이나 등기우편과는 달리, 보통우편의 방법으로 발송되었다는 사실만으로는 그 우편물이 상당한 기간 내에 도달하였다고 추정할 수 없고, 송달의 효력을 주장하는 측에서 증거에 의하여 이를 입증하여야 한다.
③ 처분서가 처분상대방의 주소지에 송달되는 등 사회통념상 처분이 있음을 처분상대방이 알 수 있는 상태에 놓인 때에는 반증이 없는 한 처분상대방이 처분이 있음을 알았다고 추정할 수 있다.
④ 「행정절차법」은 송달받을 자의 주소 등을 통상적인 방법으로 확인할 수 없는 경우에 한하여 공고의 방법에 의한 송달이 가능하도록 규정하고 있다.
⑤ 납세고지서의 교부송달 및 우편송달에 있어서 반드시 납세의무자 또는 그와 일정한 관계에 있는 사람의 현실적인 수령행위를 전제로 하고 있다고 보아야 하며, 납세자가 과세처분의 내용을 이미 알고 있는 경우에도 납세고지서의 송달이 불필요하다고 할 수 없다.

2022년 국회직 9급

① (○) 행정처분의 효력발생요건으로서의 도달이란 상대방이 그 내용을 현실적으로 양지할 필요까지는 없고 상대방이 양지할 수 있는 상태에 놓여짐으로써 충분하다(대판 1989.1.31. 88누940).
② (○) 내용증명우편이나 등기우편과는 달리, 보통우편의 방법으로 발송되었다는 사실만으로는 그 우편물이 상당한 기간 내에 도달하였다고 추정할 수 없고, 송달의 효력을 주장하는 측에서 증거에 의하여 이를 입증하여야 한다(대판 2009.12.10. 2007두20140).

유제 20. 경찰 2차 내용증명우편이나 등기우편과는 달리, 보통우편의 방법으로 발송된 경우 송달의 효력을 주장하는 측에서 증거에 의하여 이를 입증하여야 한다. (○)
18. 국가직 9급 처분서를 보통우편의 방법으로 발송한 경우에는 그 우편물이 상당한 기간 내에 도달하였다고 추정할 수 없다. (○)
18. 교행, 16. 사복직, 12. 지방직 9급 보통우편으로 발송되었다는 사실만으로는 우편물이 상당기간 내에 도달하였다고 추정할 수 없다. (○)
17. 서울시 9급 내용증명우편이나 등기우편과는 달리, 보통우편의 방법으로 발송되었다는 사실만으로는 그 우편물이 상당한 기간 내에 도달하였다고 추정할 수 없고, 송달의 효력을 주장하는 측에서 증거에 의하여 이를 입증하여야 한다고 본다. (○)
14. 서울시 9급 보통우편의 방법으로 발송된 경우 반송되지 않았다면 상당기간 내에 도달하였다고 추정할 수 있다. (×)

③ (○) 행정소송법 제20조 제1항이 정한 제소기간의 기산점인 '처분 등이 있음을 안 날'이란 통지, 공고 기타의 방법에 의하여 당해 처분 등이 있었다는 사실을 현실적으로 안 날을 의미하므로, 행정처분이 상대방에게 고지되어 상대방이 이러한 사실을 인식함으로써 행정처분이 있다는 사실을 현실적으로 알았을 때 행정소송법 제20조 제1항이 정한 제소기간이 진행한다고 보아야 하고, 처분서가 처분상대방의 주소지에 송달되는 등 사회통념상 처분이 있음을 처분상대방이 알 수 있는 상태에 놓인 때에는 반증이 없는 한 처분상대방이 처분이 있음을 알았다고 추정할 수 있다(대판 2017.3.9. 2016두60577).
④ (×) 「행정절차법」은 송달이 불가능한 경우에도 공고의 방법에 의한 송달이 가능하도록 규정하고 있다.

> 「행정절차법」 제14조 【송달】 ④ 다음 각 호의 어느 하나에 해당하는 경우에는 송달받을 자가 알기 쉽도록 관보, 공보, 게시판, 일간신문 중 하나 이상에 공고하고 인터넷에도 공고하여야 한다.
> 1. 송달받을 자의 주소 등을 통상적인 방법으로 확인할 수 없는 경우
> 2. 송달이 불가능한 경우

문제 DATA
출제가능 지수 ▶▶Σ
난이도 지수 ★★☆

함께 정리하기
행정행위의 효력발생요건
도달
▷ 알 수 있는 상태에 놓인 때
보통우편
▷ 도달 입증 要
처분 있음을 알 수 있는 상태에 놓인 때
▷ 반증 없는 한 알았다고 추정 可
공고에 의한 송달
▷ 주소확인불가 또는 송달 불가능
납세고지서 송달
▷ 납세자가 과세처분내용을 이미 알고 있는 경우 要

유제 21. 소방직 9급 「행정절차법」은 행정행위 상대방에 대한 송달받을 자의 주소 등을 통상적인 방법으로 확인할 수 없는 경우에 한하여, 공고의 방법에 의한 송달이 가능하도록 규정하고 있다. (×)
20. 국회직 8급 송달받을 자의 주소 등을 통상의 방법으로 확인할 수 없을 때에는 공시송달 절차에 의해 송달할 수 있다. (○)
20. 국가직 9급 (A시의 시장이 「식품위생법」 위반을 이유로 乙에 대해 영업허가를 취소하는 처분을 하고자 하나 송달이 불가능하다) A시의 시장이 영업허가취소처분을 송달하려면 乙이 알기 쉽도록 관보, 공보, 게시판, 일간신문 중 하나 이상에 공고하고 인터넷에도 공고하여야 한다. (○)
18. 5급 승진, 17. 국가직 7급(추), 08. 국가직 9급 송달이 불가능한 경우에는 송달받을 자가 알기 쉽도록 관보·공보·게시판·일간신문·인터넷 중 하나 이상에 공고하고 인터넷에도 공고하여야 한다. (○)
18. 교행 송달이 불가능한 경우에는 송달받을 자가 알기 쉽도록 관보, 공보, 게시판, 일간신문 중 하나에 공고하여야 한다. (×)

⑤ (○) 납세고지서의 교부송달 및 우편송달에 있어서는 반드시 납세의무자 또는 그와 일정한 관계에 있는 사람의 현실적인 수령행위를 전제로 하고 있다고 보아야 하며, 납세자가 과세처분의 내용을 이미 알고 있는 경우에도 납세고지서의 송달이 불필요하다고 할 수는 없다(대판 2004.4.9. 2003두13908).

유제 17. 교행 납세자가 과세처분의 내용을 이미 알고 있는 경우 납세고지서의 송달이 불필요하다. (×)
14. 지방직 7급 납세자가 과세처분의 내용을 이미 알고 있는 경우에도 납세고지서의 송달이 필요하다. (○)
13. 지방직 9급 납세고지서의 교부송달 및 우편송달에 있어서는 반드시 납세의무자 또는 그와 일정한 관계에 있는 사람의 현실적인 수령행위를 전제로 하고 있다고 보아야 하며, 납세자가 과세처분의 내용을 이미 알고 있는 경우에도 납세고지서의 송달이 불필요하다고 할 수는 없다. (○)

답 ④

013 □□□

행정행위의 성립과 효력에 대한 설명으로 옳은 것은? (다툼이 있는 경우 판례에 의함)

① 일반적으로 행정행위가 주체·내용·절차와 형식의 요건을 모두 갖추고 외부에 표시된 경우에 행정행위의 존재가 인정된다.
② 행정청의 의사가 외부에 표시되어 행정청이 자유롭게 취소, 철회할 수 없는 구속을 받게 되는 시점에 행정행위가 성립하는 것은 아니며, 행정행위의 성립 여부는 행정청의 의사를 공식적인 방법으로 외부에 표시하였는지 여부를 기준으로 판단해야 한다.
③ 「행정절차법」은 행정행위 상대방에 대한 송달받을 자의 주소 등을 통상적인 방법으로 확인할 수 없는 경우에 한하여, 공고의 방법에 의한 송달이 가능하도록 규정하고 있다.
④ 상대방 있는 행정처분이 상대방에게 고지되지 아니한 경우에도 상대방이 다른 경로를 통해 행정처분의 내용을 알게 된다면 그 행정처분의 효력이 발생한다.

2021년 소방직

① (○), ② (×) 일반적으로 행정처분이 주체·내용·절차와 형식이라는 내부적 성립요건과 외부에 대한 표시라는 외부적 성립요건을 모두 갖춘 경우에는 행정처분이 존재한다고 할 수 있다. 행정처분의 외부적 성립은 행정의사가 외부에 표시되어 행정청이 자유롭게 취소·철회할 수 없는 구속을 받게 되는 시점을 확정하는 의미를 가지므로, 어떠한 처분의 외부적 성립 여부는 행정청에 의해 행정의사가 공식적인 방법으로 외부에 표시되었는지를 기준으로 판단하여야 한다(대판 2017.7.11. 2016두35120).

유제 21. 국가직 9급 행정의사가 외부에 표시되어 행정청이 자유롭게 취소·철회할 수 없는 구속을 받게 되는 시점에 처분이 성립하고, 그 성립 여부는 행정청이 행정의사를 공식적인 방법으로 외부에 표시하였는지를 기준으로 판단해야 한다. (○)
18. 5급 승진 행정기관에 의해 행정의사가 내부적 성립요건을 갖추고, 외부적으로 표시되면 행정행위는 성립한다. (○)

문제 DATA
출제가능 지수 ▶▶▷
난이도 지수 ★★☆

함께 정리하기
행정행위의 성립과 효력

행정처분의 존재
▷ 주체·내용·절차와 형식 요건 + 외부 표시

행정처분의 성립
▷ 행정의사가 공식적 방법으로 외부 표시된 시점

공고에 의한 송달
▷ 주소확인불가 또는 송달 불가능

상대방 있는 행정처분
▷ 고지되어야 효력 발생O

③ (×) 「행정절차법」은 송달이 불가능한 경우에도 공고의 방법에 의한 송달이 가능하도록 규정하고 있다.

> 「행정절차법」 제14조 【송달】 ④ 다음 각 호의 어느 하나에 해당하는 경우에는 송달받을 자가 알기 쉽도록 관보, 공보, 게시판, 일간신문 중 하나 이상에 공고하고 인터넷에도 공고하여야 한다.
> 1. 송달받을 자의 주소 등을 통상적인 방법으로 확인할 수 없는 경우
> 2. 송달이 불가능한 경우

④ (×) 상대방 있는 행정처분은 특별한 규정이 없는 한 의사표시에 관한 일반법리에 따라 상대방에게 고지되어야 효력이 발생하고, 상대방 있는 행정처분이 상대방에게 고지되지 아니한 경우에는 상대방이 다른 경로를 통해 행정처분의 내용을 알게 되었다고 하더라도 행정처분의 효력이 발생한다고 볼 수 없다 (대판 2019.8.9. 2019두38656).

답 ①

014

사례에 대한 설명으로 옳지 않은 것은? (다툼이 있는 경우 판례에 의함)

> 병무청장이 법무부장관에게 '가수 甲이 공연을 위하여 국외여행허가를 받고 출국한 후 미국 시민권을 취득함으로써 사실상 병역의무를 면탈하였으므로 재외동포 자격으로 재입국하고자 하는 경우 국내에서 취업, 가수활동 등 영리활동을 할 수 없도록 하고, 불가능할 경우 입국 자체를 금지해 달라'고 요청함에 따라 법무부장관이 甲의 입국을 금지하는 결정을 하고, 그 정보를 내부 전산망인 '출입국관리정보시스템'에 입력하였으나, 甲에게는 통보하지 않았다.

① 일반적으로 처분이 주체·내용·절차와 형식의 요건을 모두 갖추고 외부에 표시된 경우에는 처분의 존재가 인정된다.
② 행정의사가 외부에 표시되어 행정청이 자유롭게 취소·철회할 수 없는 구속을 받게 되는 시점에 처분이 성립한다.
③ 그 성립 여부는 행정청이 행정의사를 공식적인 방법으로 외부에 표시하였는지를 기준으로 판단해야 한다.
④ 위 입국금지결정은 항고소송의 대상이 되는 '처분'에 해당한다.

2021년 군무원 9급

①, ②, ③ (○) 일반적으로 처분이 주체·내용·절차와 형식의 요건을 모두 갖추고 외부에 표시된 경우에는 처분의 존재가 인정된다(①). 행정의사가 외부에 표시되어 행정청이 자유롭게 취소·철회할 수 없는 구속을 받게 되는 시점에 처분이 성립하고(②), 그 성립 여부는 행정청이 행정의사를 공식적인 방법으로 외부에 표시하였는지를 기준으로 판단해야 한다(③)(대판 2019.7.11. 2017두38874).
④ (×) 행정청이 행정의사를 외부에 표시하여 행정청이 자유롭게 취소·철회할 수 없는 구속을 받기 전에는 '처분'이 성립하지 않으므로 법무부장관이 위 입국금지결정을 했다고 해서 '처분'이 성립한다고 볼 수는 없고, 위 입국금지결정은 법무부장관의 의사가 공식적인 방법으로 외부에 표시된 것이 아니라 단지 그 정보를 내부전산망인 '출입국관리정보시스템'에 입력하여 관리한 것에 지나지 않으므로, 위 입국금지결정은 항고소송의 대상이 될 수 있는 '처분'에 해당하지 않는다(대판 2019.7.11. 2017두38874).

답 ④

문제 DATA

출제가능 지수 ▶▶▷
난이도 지수 ★★☆

함께 정리하기

행정처분의 성립 사례

행정처분의 존재
▷ 주체·내용·절차와 형식의 요건 + 외부에 표시

행정처분의 성립
▷ 행정의사의 외부표시 시점

성립 여부 판단
▷ 공식적 방법 외부표시 기준

법무부장관이 입국금지결정을 내부전산망에 입력함에 그친 경우
▷ 처분 성립×

015

「행정기본법」상 법적용의 기준에 대한 설명으로 옳지 않은 것은?

① 새로운 법령은 법령에 특별한 규정이 있는 경우를 제외하고는 그 법령의 효력 발생 전에 완성되거나 종결된 사실관계 또는 법률관계에 대해서는 적용되지 아니한다.
② 당사자의 신청에 따른 처분은 법령에 특별한 규정이 있거나 처분 당시의 법령을 적용하기 곤란한 특별한 사정이 있는 경우를 제외하고는 처분 당시의 법령에 따른다.
③ 법령을 위반한 행위의 성립과 이에 대한 제재처분은 법령에 특별한 규정이 있는 경우를 제외하고는 법령을 위반한 행위 당시의 법령에 따른다.
④ 법령을 위반한 행위 후 법령의 변경에 의하여 그 행위가 법령을 위반한 행위에 해당하지 아니하는 경우에도 해당 법령에 특별한 규정이 없는 경우 변경 이전의 법령을 적용한다.

| 2021년 군무원 7급

④ (×)

> 「행정기본법」 제14조 【법 적용의 기준】 ① 새로운 법령등은 법령등에 특별한 규정이 있는 경우를 제외하고는 그 법령등의 효력 발생 전에 완성되거나 종결된 사실관계 또는 법률관계에 대하여는 적용되지 아니한다.
> ② 당사자의 신청에 따른 처분은 법령등에 특별한 규정이 있거나 처분 당시의 법령등을 적용하기 곤란한 특별한 사정이 있는 경우를 제외하고는 처분 당시의 법령등에 따른다.
> ③ 법령등을 위반한 행위의 성립과 이에 대한 제재처분은 법령등에 특별한 규정이 있는 경우를 제외하고는 법령등을 위반한 행위 당시의 법령등에 따른다. 다만, 법령등을 위반한 행위 후 법령등의 변경에 의하여 그 행위가 법령등을 위반한 행위에 해당하지 아니하거나 제재처분 기준이 가벼워진 경우로서 해당 법령등에 특별한 규정이 없는 경우에는 변경된 법령등을 적용한다.

답 ④

함께 정리하기
「행정기본법」상 법적용의 기준

새로운 법령
▷ 소급적용금지원칙 적용

당사자의 신청에 따른 처분
▷ 처분 당시 법령에 따름이 원칙

법령 위반행위의 성립과 제재처분
▷ 위반행위 당시 법령에 따름. 단, 유리한 경우 변경된 법령 적용

016

행정처분의 송달에 대한 설명으로 옳은 것만을 <보기>에서 모두 고른 것은? (다툼이 있는 경우 판례에 의함)

<보기>
ㄱ. 정보통신망을 이용한 송달의 경우 전자문서가 송달받을 자가 지정한 컴퓨터 등에 입력된 때에 도달된 것으로 본다.
ㄴ. 보통우편에 의한 송달과 달리 등기우편에 의한 송달은 반송 등 기타 특별한 사유가 없는 한 배달된 것으로 추정된다.
ㄷ. 실제로 거주하지 않더라도 전입신고가 되어 있는 곳에 송달한 것은 위법하지 않다.
ㄹ. 행정청은 송달하는 문서의 명칭, 송달받은 자의 성명 또는 명칭, 발송방법 및 발송연월일을 확인할 수 있는 기록을 보존하여야 한다.
ㅁ. 수취인이 송달을 회피하는 정황이 있어 부득이 사업장에 납세고지서를 두고 왔다면 납세고지서의 송달이 이루어진 것이다.
ㅂ. 송달받을 자의 주소 등을 통상의 방법으로 확인할 수 없을 때에는 공시송달 절차에 의해 송달할 수 있다.

① ㄱ, ㄴ, ㄷ, ㄹ
② ㄱ, ㄴ, ㄹ, ㅂ
③ ㄱ, ㄷ, ㅁ, ㅂ
④ ㄴ, ㄷ, ㄹ, ㅁ
⑤ ㄴ, ㄷ, ㅁ, ㅂ

함께 정리하기

행정처분의 송달

정보통신망 송달
▷ 송달받을 자가 지정한 컴퓨터 입력된 때에 도달 간주

등기우편 발송
▷ 도달 추정

주민등록지에 실제 거주 ×
▷ 등기우편 도달 추정 ×

수령회피정황 있어 부득이 사업장에 납세고지서를 두고 온 경우
▷ 송달 ×

행정청
▷ 문서 명칭과 송달받는 자 성명을 확인할 수 있는 기록보존 要

2020년 국회직 8급

ㄱ. (○)

> 「행정절차법」 제15조【송달의 효력 발생】② 제14조 제3항에 따라 정보통신망을 이용하여 전자문서로 송달하는 경우에는 송달받을 자가 지정한 컴퓨터 등에 입력된 때에 도달된 것으로 본다.

유제 18. 교행, 12. 지방직 9급 정보통신망을 이용하여 전자문서로 송달하는 경우에는 송달받을 자가 지정한 컴퓨터 등에 입력된 때에 도달된 것으로 본다. (○)

ㄴ. (○) 우편법 등 관계 규정의 취지에 비추어 볼 때 우편물이 등기취급의 방법으로 발송된 경우 반송되는 등의 특별한 사정이 없는 한 그 무렵 수취인에게 배달되었다고 보아야 한다(대판 1992.3.27. 91누3819).

유제 10. 서울시 9급 등기우편의 방법으로 송달하는 경우, 수일 내에 우편물이 수취인에게 도달했다고 추정한다. (○)

ㄷ. (×) 우편물이 등기취급의 방법으로 발송된 경우, 특별한 사정이 없는 한, 그 무렵 수취인에게 배달되었다고 보아도 좋을 것이나, 수취인이나 그 가족이 주민등록지에 실제로 거주하고 있지 아니하면서 전입신고만을 해 둔 경우에는 그 사실만으로써 주민등록지 거주자에게 송달수령의 권한을 위임하였다고 보기는 어려울 뿐 아니라 수취인이 주민등록지에 실제로 거주하지 아니하는 경우에도 우편물이 수취인에게 도달하였다고 추정할 수는 없고, 따라서 이러한 경우에는 우편물의 도달사실을 과세관청이 입증해야 할 것이고, 수취인이나 그 가족이 주민등록지에 실제로 거주하고 있지 아니하면서 전입신고만을 해 두었고, 그 밖에 주민등록지 거주자에게 송달수령의 권한을 위임하였다고 보기 어려운 사정이 인정된다면, 등기우편으로 발송된 납세고지서가 반송된 사실이 인정되지 아니한다 하여 납세의무자에게 송달된 것이라고 볼 수는 없다(대판 1998.2.13. 97누8977).

유제 18. 국가직 9급 등기에 의한 우편송달의 경우라도 수취인이 주민등록지에 실제로 거주하지 않는 경우에는 우편물의 도달사실을 처분청이 입증해야 한다. (○)

ㄹ. (○)

> 「행정절차법」 제14조【송달】⑥ 행정청은 송달하는 문서의 명칭, 송달받는 자의 성명 또는 명칭, 발송방법 및 발송 연월일을 확인할 수 있는 기록을 보존하여야 한다.

ㅁ. (×) 납세고지서의 송달을 받아야 할 자가 부과처분 제척기간이 임박하자 그 수령을 회피하기 위하여 일부러 송달을 받을 장소를 비워 두어 세무공무원이 송달을 받을 자와 보충송달을 받을 자를 만나지 못하여 부득이 사업장에 납세고지서를 두고 왔다고 하더라도 이로써 신의성실의 원칙을 들어 그 납세고지서가 송달되었다고 볼 수는 없다(대판 2004.4.9. 2003두13908).

ㅂ. (○)

> 「행정절차법」 제14조【송달】④ 다음 각 호의 어느 하나에 해당하는 경우에는 송달받을 자가 알기 쉽도록 관보, 공보, 게시판, 일간신문 중 하나 이상에 공고하고 인터넷에도 공고하여야 한다.
> 1. 송달받을 자의 주소 등을 통상적인 방법으로 확인할 수 없는 경우
> 2. 송달이 불가능한 경우

답 ②

017

송달에 대한 설명으로 가장 옳지 않은 것은? (다툼이 있는 경우 판례에 의함)

① 우편물이 등기취급의 방법으로 발송된 경우 그것이 도중에 유실되었거나 반송되었다는 등의 특별한 사정에 대한 반증이 없는 한 그 무렵 수취인에게 배달되었다고 간주할 수 있다.
② 내용증명우편이나 등기우편과는 달리, 보통우편의 방법으로 발송된 경우 송달의 효력을 주장하는 측에서 증거에 의하여 이를 입증하여야 한다.
③ 납세고지서의 명의인이 다른 곳으로 이사하였지만 주민등록을 옮기지 아니한 채 주민등록지로 배달되는 우편물을 새로운 거주자가 수령하여 자신에게 전달하도록 한 경우, 그 새로운 거주자에게 우편물 수령권한을 위임한 것으로 보아 그에게 한 납세고지서의 송달은 적법하다.
④ 전자문서의 경우는 수신자가 관리하거나 지정한 전자적 시스템 등에 입력됨으로써 효력을 발생한다.

문제 DATA
출제가능 지수 ▶▷▷
난이도 지수 ★★☆

2020년 경찰 2차

① (×) '배달되었다고 간주할 수 있다.'를 '배달되었다고 추정할 수 있다.'로 고쳐야 한다. 추정은 법률상 일단 가정하는 것으로서 만일 반증을 들면 그 가정된 효과는 번복되지만, 간주는 반증을 들어도 바로 번복이 안되고 새로운 판결 등 다른 법률효과가 발생해야 번복이 된다.

> 우편물이 등기취급의 방법으로 발송된 경우 그것이 도중에 유실되었거나 반송되었다는 등의 특별한 사정에 대한 반증이 없는 한 그 무렵 수취인에게 배달되었다고 추정할 수 있다(대판 2017.3.9. 2016두60577).

② (○) 내용증명우편이나 등기우편과는 달리, 보통우편의 방법으로 발송되었다는 사실만으로는 그 우편물이 상당기간 내에 도달하였다고 추정할 수 없고 송달의 효력을 주장하는 측에서 증거에 의하여 도달사실을 입증하여야 한다(대판 2002.7.26. 2000다25002).

유제 18. 국가직 9급 처분서를 보통우편의 방법으로 발송한 경우에는 그 우편물이 상당한 기간 내에 도달하였다고 추정할 수 없다. (○)
18. 교행, 16. 사복직, 12. 지방직 9급 보통우편으로 발송되었다는 사실만으로는 우편물이 상당기간 내에 도달하였다고 추정할 수 없다. (○)
17. 서울시 9급 내용증명우편이나 등기우편과는 달리, 보통우편의 방법으로 발송되었다는 사실만으로는 그 우편물이 상당한 기간 내에 도달하였다고 추정할 수 없고, 송달의 효력을 주장하는 측에서 증거에 의하여 이를 입증하여야 한다고 본다. (○)
14. 서울시 9급 보통우편의 방법으로 발송된 경우 반송되지 않았다면 상당기간 내에 도달하였다고 추정할 수 있다. (×)

③ (○) 납세고지서의 명의인이 다른 곳으로 이사하였지만 주민등록을 옮기지 아니한 채 주민등록지로 배달되는 우편물을 새로운 거주자가 수령하여 자신에게 전달하도록 한 경우, 그 새로운 거주자에게 우편물 수령권한을 위임한 것으로 보아 그에게 한 납세고지서의 송달이 적법하다(대판 1998.4.10. 98두1161).

④ (○)

> 「행정업무의 운영 및 혁신에 관한 규정」 제6조【문서의 성립 및 효력 발생】② 문서는 수신자에게 도달(전자문서의 경우는 수신자가 관리하거나 지정한 전자적 시스템 등에 입력되는 것을 말한다)됨으로써 효력을 발생한다.

함께 정리하기
송달

등기우편 발송
▷ 도달 추정

보통우편
▷ 도달 추정× 입증 要

이사갔지만 새 거주자가 수령·전달하도록 한 경우
▷ 송달 적법

전자문서
▷ 수신자가 관리하거나 지정한 전자적 시스템 등에 입력됨으로써 효력 발생

답 ①

문제 DATA

출제가능 지수 ▶▶▷
난이도 지수 ★★☆

018 □□□

행정행위의 효력발생요건으로서의 통지에 대한 설명으로 옳지 않은 것은? (다툼이 있는 경우 판례에 의함)

① 처분의 통지는 행정처분을 상대방에게 표시하는 것으로서 상대방이 인식할 수 있는 상태에 둠으로써 족하고, 객관적으로 보아 행정처분으로 인식할 수 있도록 고지하면 된다.
② 처분서를 보통우편의 방법으로 발송한 경우에는 그 우편물이 상당한 기간 내에 도달하였다고 추정할 수 없다.
③ 구「청소년보호법」에 따라 정보통신윤리위원회가 특정 웹사이트를 청소년유해매체물로 결정하고 청소년보호위원회가 효력발생시기를 명시하여 고시하였으나 정보통신윤리위원회와 청소년보호위원회가 웹사이트 운영자에게는 위 처분이 있었음을 통지하지 않았다면 그 효력이 발생하지 않는다.
④ 등기에 의한 우편송달의 경우라도 수취인이 주민등록지에 실제로 거주하지 않는 경우에는 우편물의 도달사실을 처분청이 입증해야 한다.

2018년 국가직 9급

① (○) 문화재보호법 제13조 제2항 소정의 중요문화재 가지정의 효력발생요건인 통지는 행정처분을 상대방에게 표시하는 것으로서 상대방이 인식할 수 있는 상태에 둠으로써 족하고, 객관적으로 보아서 행정처분으로 인식할 수 있도록 고지하면 되는 것이다(대판 2003.7.22. 2003두513).
② (○) 대판 2002.7.26. 2000다25002
③ (×) 구 청소년보호법에 따른 청소년유해매체물 결정 및 고시처분은 일반 불특정 다수인을 상대방으로 하여 일률적으로 표시의무, 포장의무, 청소년에 대한 판매·대여 등의 금지의무 등 각종 의무를 발생시키는 행정처분으로서, 정보통신윤리위원회가 특정 인터넷 웹사이트를 청소년유해매체물로 결정하고 청소년보호위원회가 효력발생시기를 명시하여 고시함으로써 그 명시된 시점에 효력이 발생하였다고 봄이 상당하고, 웹사이트 운영자에게 제대로 통지하지 아니하였다고 하여 그 효력 자체가 발생하지 아니한 것으로 볼 수는 없다(대판 2007.6.14. 2004두619).

유제 11. 지방직 9급 정보통신윤리위원회가 특정 인터넷 웹사이트를 청소년유해매체물로 결정하고 청소년보호위원회가 효력발생시기를 명시하여 고시하면 그 명시된 시점에 효력이 발생하였다고 보아야 한다. (○)

④ (○) 대판 1998.2.13. 97누8977

답 ③

함께 정리하기

행정행위 효력발생

통지
▷ 객관적으로 인식할 수 있도록 고지

보통우편
▷ 도달 추정× 입증 要

청소년유해매체물결정·고시
▷ 운영자에게 통지 없어도 효력 발생

주민등록지에 거주×
▷ 등기우편 도달 추정×

문제 DATA

출제가능 지수 ▶▶▷
난이도 지수 ★★☆

019 □□□

행정행위의 효력발생요건에 대한 설명으로 옳지 않은 것은? (다툼이 있는 경우 판례에 의함)

① 정보통신망을 이용한 송달은 송달받을 자가 동의하는 경우에만 한다.
② 송달이 불가능할 경우에는 송달받을 자가 알기 쉽도록 관보, 공보, 게시판, 일간신문, 인터넷 중 하나에 공고하여야 한다.
③ 보통우편으로 발송되었다는 사실만으로는 우편물이 상당기간 내에 도달하였다고 추정할 수 없다.
④ 정보통신망을 이용하여 전자문서로 송달하는 경우에는 송달받을 자가 지정한 컴퓨터 등에 입력된 때에 도달된 것으로 본다.

2018년 교육행정직

① (○)

> 「행정절차법」제14조【송달】③ 정보통신망을 이용한 송달은 송달받을 자가 동의하는 경우에만 한다. 이 경우 송달받을 자는 송달받을 전자우편주소 등을 지정하여야 한다.

② (×) 송달이 불가능한 경우 관보, 공보, 게시판, 일간신문, 인터넷 중 하나에 공고하여야 하는 것이 아니라 관보, 공보, 게시판, 일간신문 중 하나 이상에 공고하고 인터넷에도 공고하여야 한다.

> 「행정절차법」제14조【송달】④ 다음 각 호의 어느 하나에 해당하는 경우에는 송달받을 자가 알기 쉽도록 관보, 공보, 게시판, 일간신문 중 하나 이상에 공고하고 인터넷에도 공고하여야 한다.
> 1. 송달받을 자의 주소 등을 통상적인 방법으로 확인할 수 없는 경우
> 2. 송달이 불가능한 경우

③ (○) 대판 2002.7.26. 2000다25002

④ (○)

> 「행정절차법」제15조【송달의 효력 발생】② 제14조 제3항에 따라 정보통신망을 이용하여 전자문서로 송달하는 경우에는 송달받을 자가 지정한 컴퓨터 등에 입력된 때에 도달된 것으로 본다.

답 ②

함께 정리하기

행정행위의 효력발생요건

정보통신망 송달
▷ 동의가 있는 경우에만 可

송달 불가능
▷ 관보·공보·게시판·일간신문 중 하나 이상과 인터넷에도 공고

보통우편
▷ 도달 추정×
▷ 입증 要

정보통신망이용 송달
▷ 송달받을 자가 지정한 컴퓨터 입력된 때에 도달 간주

020 □□□

행정행위에 대한 설명으로 옳지 않은 것은? (다툼이 있는 경우 판례에 의함)

① 행정행위 중 당사자의 신청에 의하며 인·허가 또는 면허 등 이익을 주거나 그 신청을 거부하는 처분을 하는 것을 내용으로 하는 이른바 신청에 의한 처분의 경우에는 신청에 대하여 일단 거부처분이 행해지면 그 거부처분이 적법한 절차에 의하여 취소·철회되지 않는 한, 사유를 추가하여 거부처분을 반복하는 것은 존재하지도 않는 신청에 대한 거부처분으로서 당연무효이다.

② 행정행위의 효력요건은 정당한 권한있는 기관이 필요한 절차를 거치고 필요한 표시의 형식을 갖추어야 할 뿐만 아니라, 행정행위의 내용이 법률상 효과를 발생할 수 있는 것이어야 되며 그 중의 어느 하나의 요건의 흠결도 당해 행정행위의 취소원인이 된다.

③ 수익적 행정행위를 취소 또는 철회하거나 중지시키는 경우에는 비록 취소 등의 사유가 있다고 하더라도 그 취소권 등의 행사는 기득권의 침해를 정당화할 만한 중대한 공익상의 필요 또는 제3자의 이익을 보호할 필요가 있고, 이를 상대방이 받는 불이익과 비교·교량하여 볼 때 공익상의 필요 등이 상대방이 입을 불이익을 정당화할 만큼 강한 경우에 한하여 허용될 수 있다.

④ 「사립학교법」제20조 제2항에 의한 학교법인의 임원에 대한 감독청의 취임승인은 학교법인의 임원선임행위를 보충하여 그 법률상의 효력을 완성하게 하는 보충적 행위로서 성질상 기본행위를 떠나 승인처분 그 자체만으로는 법률상 아무런 효과도 발생할 수 없다.

⑤ 마을버스 운수사업자가 유류사용량을 실제보다 부풀려 유가보조금을 과다 지급받은 데 대하여 관할 행정청이 부정수급기간 동안 지급된 유가보조금 전액을 회수하는 내용의 처분을 한 것은 '거짓이나 부정한 방법으로 지급받은 보조금'에 대하여 반환할 것을 명하는 것일 뿐만 아니라 '정상적으로 지급받은 보조금'까지 반환하도록 명할 수 있는 것이어서 위법하다.

문제 DATA

출제가능 지수 ▶▶∑
난이도 지수 ★★★

함께 정리하기

행정행위

거부처분 후 사유 추가하여 거부처분 반복
▷ 당연무효

행정행위 유효요건 흠결 시
▷ 무효 또는 취소사유

수익적 행정행위 취소·철회·중지
▷ 공익상 필요가 상대방 불이익 정당화해야 함

학교법인 임원의 취임승인은 인가
▷ 승인처분 자체만으로는 법률상 효과 無

마을버스 유가보조금 부정수급
▷ 정상지급된 보조금 반환명령 불가

2018년 국회직 8급

① (○) 행정행위 중 당사자의 신청에 의하여 인·허가 또는 면허 등 이익을 주거나 그 신청을 거부하는 처분을 하는 것을 내용으로 하는 이른바 신청에 의한 처분의 경우에는 신청에 대하여 일단 거부처분이 행해지면 그 거부처분이 적법한 절차에 의하여 취소되지 않는 한, 사유를 추가하여 거부처분을 반복하는 것은 존재하지도 않는 신청에 대한 거부처분으로서 당연무효이다(대판 1999.12.28. 98두1895).

② (×) 행정행위가 유효하기 위해서는 주체·내용·절차·형식의 요건을 모두 갖추어야 하는바, 그러한 요건의 흠결 시 그 위법성의 정도에 따라 무효 또는 취소사유가 된다.

③ (○) 수익적 행정행위를 취소 또는 철회하거나 중지시키는 경우에는 비록 취소 등의 사유가 있다고 하더라도 그 취소권 등의 행사는 기득권의 침해를 정당화할 만한 중대한 공익상의 필요 또는 제3자의 이익을 보호할 필요가 있고, 이를 상대방이 받는 불이익과 비교·교량하여 볼 때 공익상의 필요 등이 상대방이 입을 불이익을 정당화할 만큼 강한 경우에 한하여 허용될 수 있다(대판 2017.3.15. 2014두41190).

④ (○) 사립학교법 제20조 제2항에 의한 학교법인의 임원에 대한 감독청의 취임승인은 학교법인의 임원 선임행위를 보충하여 그 법률상의 효력을 완성하게 하는 보충적 행정행위로서 성질상 기본행위를 떠나 승인처분 그 자체만으로는 법률상 아무런 효과도 발생할 수 없다(대판 2001.5.29. 99두7432).

⑤ (○) 마을버스 운수업자 甲이 유류사용량을 실제보다 부풀려 유가보조금을 과다 지급받은 데 대하여 관할 시장이 甲에게 부정수급기간 동안 지급된 유가보조금 전액을 회수하는 내용의 처분을 한 사안에서, 구 여객자동차 운수사업법 제51조 제3항에 따라 국토해양부장관 또는 시·도지사는 여객자동차 운수사업자가 '거짓이나 부정한 방법으로 지급받은 보조금'에 대하여 반환할 것을 명하여야 하고, 위 규정을 '정상적으로 지급받은 보조금'까지 반환하도록 명할 수 있는 것으로 해석하는 것은 문언의 범위를 넘어서는 것이며, 규정의 형식이나 체재 등에 비추어 보면, 위 환수처분은 국토해양부장관 또는 시·도지사가 지급받은 보조금을 반환할 것을 명하여야 하는 기속행위라고 본 원심판단은 정당하다(대판 2013.12.12. 2011두3388).

답 ②

문제 DATA

출제가능 지수 ▶▶Σ
난이도 지수 ★★☆

021 □□□

행정행위의 효력발생요건에 대한 설명으로 가장 옳지 않은 것은? (다툼이 있는 경우 판례에 의함)

① 행정행위의 효력발생요건으로서의 도달은 상대방이 그 내용을 현실적으로 알 필요까지는 없고, 다만 알 수 있는 상태에 놓여짐으로써 충분하다.

② 교부에 의한 송달은 수령확인서를 받고 문서를 교부함으로써 하며, 송달하는 장소에서 송달받을 자를 만나지 못한 경우에는 그 사무원·피용자 또는 동거인으로서 사리를 분별할 지능이 있는 사람에게 문서를 교부할 수 있다.

③ 정보통신망을 이용한 송달은 송달받을 자의 동의 여부와 상관없이 허용된다.

④ 판례는 내용증명우편이나 등기우편과는 달리 보통우편의 방법으로 발송되었다는 사실만으로는 그 우편물이 상당한 기간 내에 도달하였다고 추정할 수 없고, 송달의 효력을 주장하는 측에서 증거에 의하여 이를 입증하여야 한다고 본다.

2017년 서울시 9급

① (O) 행정처분의 효력발생요건으로서 도달이란 처분상대방이 처분서의 내용을 현실적으로 알았을 필요까지는 없고 처분상대방이 알 수 있는 상태에 놓임으로써 충분하다(대판 2017.3.9. 2016두60577).
② (O)

> 「행정절차법」제14조【송달】② 교부에 의한 송달은 수령확인서를 받고 문서를 교부함으로써 하며, 송달하는 장소에서 송달받을 자를 만나지 못한 경우에는 그 사무원·피용자(被傭者) 또는 동거인으로서 사리를 분별할 지능이 있는 사람(이하 이 조에서 "사무원등"이라 한다)에게 문서를 교부할 수 있다. 다만, 문서를 송달받을 자 또는 그 사무원등이 정당한 사유 없이 송달받기를 거부하는 때에는 그 사실을 수령확인서에 적고, 문서를 송달할 장소에 놓아둘 수 있다.

유제 17. 국가직 7급 교부에 의한 송달은 수령확인서를 받고 문서를 교부함으로써 하며, 송달하는 장소에서 송달받을 자를 만나지 못한 경우에는 그 사무원·피용자 또는 동거인으로서 사리를 분별할 지능이 있는 사람에게 문서를 교부할 수 있다. (O)
14. 서울시 9급 송달하는 장소에서 송달받을 자를 만나지 못한 경우에는 그 사무원·피용자 또는 동거인으로서 사리를 분별할 지능이 있는 사람에게 문서를 교부할 수 있다. (O)
14. 서울시 9급 교부에 의한 송달은 수령확인서를 받고 문서를 교부함으로써 한다. (O)
10. 서울시 9급 교부에 의한 송달은 상대방이 직접 수령하여야 한다. (×)

③ (×)

> 「행정절차법」제14조【송달】③ 정보통신망을 이용한 송달은 송달받을 자가 동의하는 경우에만 한다. 이 경우 송달받을 자는 송달받을 전자우편주소 등을 지정하여야 한다.

④ (O) 대판 2002.7.26. 2000다25002

답 ③

함께 정리하기

효력발생요건

도달
▷ 알 수 있는 상태에 놓인 것

교부송달
▷ 사무원·피용자·동거인으로서 사리분별 가능한 자에게 可

정보통신망 송달
▷ 동의가 있는 경우에만 可

보통우편 발송사실
▷ 도달 추정×

제7절 | 행정행위의 효력

001

선결문제에 대한 설명으로 옳지 않은 것은?

① 위법한 행정대집행이 완료되면 대집행계고처분의 무효확인 또는 취소를 구할 소의 이익은 없다 하더라도, 미리 그 행정처분의 취소판결이 있어야만, 그 행정처분이 위법임을 이유로 한 손해배상청구를 할 수 있는 것은 아니다.
② 행정행위의 하자가 취소사유에 불과한 때에는 그 처분이 취소되지 않는 한 처분의 효력을 부정하여 그로 인한 이득을 법률상 원인없는 이득이라고 말할 수 없다.
③ 과세대상과 납세의무자 확정이 잘못되어 당연무효한 과세에 대하여는 체납이 문제될 여지가 없으므로 체납범이 성립하지 않는다.
④ 연령미달의 결격자인 피고인이 소외인의 이름으로 운전면허시험에 응시, 합격하여 교부받은 운전면허는 당연무효이므로, 그 경우 피고인의 운전행위는 무면허운전에 해당한다.

문제 DATA

출제가능 지수 ▶▶▷
난이도 지수 ★★☆

함께 정리하기

선결문제

위법한 행정대집행 완료
▷ 처분의 취소판결 없어도 국가배상청구 可

취소사유 있는 조세 과오납
▷ 취소되지 않는 한 부당이득×

과세처분 당연무효
▷ 조세범처벌법위반죄 성립×

취소사유 있는 운전면허
▷ 취소 전까지는 유효(∴무면허운전×)

문제 DATA
출제가능 지수 ▶▶▷
난이도 지수 ★★☆

2025년 지방직 9급

① (O) 위법한 행정대집행이 완료되면 그 처분의 무효확인 또는 취소를 구할 소의 이익은 없다 하더라도, 미리 그 행정처분의 취소판결이 있어야만, 그 행정처분의 위법임을 이유로 한 손해배상 청구를 할 수 있는 것은 아니다(대판 1972.4.28. 72다337).

② (O) 조세의 과오납이 부당이득이 되기 위하여는 납세 또는 조세의 징수가 실체법적으로나 절차법적으로 전혀 법률상의 근거가 없거나 과세처분의 하자가 중대하고 명백하여 당연무효이어야 하고, 과세처분의 하자가 단지 취소할 수 있는 정도에 불과할 때에는 과세관청이 이를 스스로 취소하거나 항고소송절차에 의하여 취소되지 않는 한 그로 인한 조세의 납부가 부당이득이 된다고 할 수 없다(대판 1994.11.11. 94다28000).

③ (O) 체납범은 정당한 과세에 대하여서만 성립되는 것이고, 과세가 당연히 무효한 경우에 있어서는 체납의 대상이 없어 체납범 성립의 여지가 없다(대판 1971.5.31. 71도742).

④ (×) (무면허운전을 이유로 기소된 사건에서) 연령미달의 결격자인 피고인이 소외인의 이름으로 운전면허시험에 응시, 합격하여 교부받은 운전면허는 당연무효가 아니고 도로교통법 제65조 제3호의 사유에 해당함에 불과하여 취소되지 않는 한 유효하므로 피고인의 운전행위는 무면허운전에 해당하지 아니한다(대판 1982.6.8. 80도2646).

답 ④

002

선결문제에 대한 설명으로 옳지 않은 것은? (다툼이 있는 경우 판례에 의함)

① 자동차 운전면허 취소처분을 받은 사람이 자동차를 운전하였으나 운전면허 취소처분의 원인이 된 법규 위반에 대하여 범죄사실의 증명이 없음을 이유로 무죄판결이 확정된 경우에는 그 취소처분이 취소되지 않았더라도 「도로교통법」에 규정된 무면허운전의 죄로 처벌할 수 없다.

② 민사소송에서 어느 행정처분의 당연무효 여부가 선결문제로 되는 때에는 당사자는 행정처분의 당연무효를 주장할 수 있으나, 이 경우 행정처분의 당연무효를 주장하는 자에게 그 행정처분이 무효인 사유를 주장·증명할 책임이 있다.

③ 「개발제한구역의 지정 및 관리에 관한 특별조치법」에 의하여 행정청으로부터 시정명령을 받은 자가 이를 위반한 경우, 그로 인하여 같은 법에서 정한 처벌을 하기 위하여는 시정명령이 적법한 것이어야 한다.

④ 행정대집행상 계고처분의 위법을 이유로 손해배상 청구를 하려면 미리 계고처분의 취소판결이 있어야만 한다.

⑤ 처분의 효력 유무가 민사소송의 선결문제로 되어 당해 민사소송의 수소법원이 이를 심리·판단하는 경우 당해 수소법원은 그 처분을 행한 행정청에게 그 선결문제로 된 사실을 통지하여야 한다.

2025년 소방간부

① (O) 헌법 제12조가 정한 적법절차의 원리, 형벌의 보충성 원칙을 고려하면, 자동차 운전면허 취소처분을 받은 사람이 자동차를 운전하였으나 운전면허 취소처분의 원인이 된 교통사고 또는 법규 위반에 대하여 범죄사실의 증명이 없는 때에 해당한다는 이유로 무죄판결이 확정된 경우에는 그 취소처분이 취소되지 않았더라도 도로교통법에 규정된 무면허운전의 죄로 처벌할 수는 없다고 보아야 한다(대판 2021.9.16. 2019도11826).

함께 정리하기

선결문제

운전면허취소의 원인인 교통사고 또는 법규위반에 대하여 무죄판결 확정
▷ 무면허운전죄로 처벌×

처분이 무효인 사유
▷ 원고에게 입증책임

시정명령 위반죄 성립
▷ 적법한 시정명령 要

손해배상청구
▷ 취소판결 不要

처분의 효력 유무가 민사소송의 선결문제
▷ 법원은 행정청에게 통지 要

② (○) 민사소송에서 어느 행정처분의 당연무효 여부가 선결문제로 되는 때에는 당사자는 행정처분의 당연무효를 주장할 수 있으나, 이 경우 행정처분의 당연무효를 주장하는 자에게 그 행정처분이 무효인 사유를 주장·증명할 책임이 있고, 원심 변론종결일에 이르기까지 행정처분의 무효사유를 주장하지 아니하였다가 상고심에 이르러 새로운 사실을 주장하며 행정처분이 당연무효라고 주장하는 것은 적법한 상고이유가 될 수 없다(대판 2012.4.26. 2010다15332).

③ (○) 개발제한구역의 지정 및 관리에 관한 특별조치법(이하 '개발제한구역법'이라 한다) 제30조 제1항에 의하여 행정청으로부터 시정명령을 받은 자가 이를 위반한 경우, 그로 인하여 개발제한구역법 제32조 제2호에 정한 처벌을 하기 위하여는 시정명령이 적법한 것이라야 하고, 시정명령이 당연무효가 아니더라도 위법한 것으로 인정되는 한 개발제한구역법 제32조 제2호 위반죄가 성립될 수 없다(대판 2017.9.21. 2017도7321).

④ (×) 위법한 행정대집행이 완료되면 그 처분의 무효확인 또는 취소를 구할 소의 이익은 없다 하더라도, 미리 그 행정처분의 취소판결이 있어야만, 그 행정처분의 위법임을 이유로 한 손해배상 청구를 할 수 있는 것은 아니다(대판 1972.4.28. 72다337).

⑤ (○)

> 「행정소송법」제11조【선결문제】① 처분등의 효력 유무 또는 존재 여부가 민사소송의 선결문제로 되어 당해 민사소송의 수소법원이 이를 심리·판단하는 경우에는 제17조, 제25조, 제26조 및 제33조의 규정을 준용한다.
> ② 제1항의 경우 당해 수소법원은 그 처분등을 행한 행정청에게 그 선결문제로 된 사실을 통지하여야 한다.

답 ④

003 □□□

행정행위의 효력에 대한 설명으로 가장 옳은 것은? (다툼이 있는 경우 판례에 의함)

① 일반적으로 행정처분이나 행정심판 재결이 불복기간의 경과로 확정될 경우 그 확정력은 처분으로 법률상 이익을 침해받은 자가 당해 처분이나 재결의 효력을 더 이상 다툴 수 없다는 의미일 뿐 판결과 같은 기판력이 인정되는 것은 아니다.

② 민사소송에 있어서 어느 행정처분의 당연 무효 여부가 선결문제로 되는 때에는 이를 반드시 행정소송 등의 절차에 의하여 그 취소나 무효확인을 받아야 한다.

③ 위법한 행정대집행이 완료되면 그 처분의 무효확인 또는 취소를 구할 소의 이익이 없기 때문에, 미리 그 행정처분의 취소판결이 있어야만 그 행정처분의 위법을 이유로 한 손해배상 청구를 할 수 있다.

④ 처분의 효력 유무가 민사소송의 선결문제로 되어 당해 소의 수소법원이 이를 심리, 판단하는 경우, 수소법원은 직권으로 증거조사는 할 수 있으나 당사자가 주장하지 아니한 사실에 대하여는 판단할 수 없다.

| 2025년 군무원 9급

① (○) 행정처분이나 행정심판 재결이 불복기간의 경과로 인하여 확정될 경우 확정력은 처분으로 인하여 법률상 이익을 침해받은 자가 처분이나 재결의 효력을 더 이상 다툴 수 없다는 의미일 뿐 판결에 있어서와 같은 기판력이 인정되는 것은 아니어서 처분의 기초가 된 사실관계나 법률적 판단이 확정되고 당사자들이나 법원이 이에 기속되어 모순되는 주장이나 판단을 할 수 없게 되는 것은 아니다(대판 1993.4.13. 92누17181).

② (×) 민사소송에 있어서 어느 행정처분의 당연무효 여부가 선결문제로 되는 때에는 이를 판단하여 당연무효임을 전제로 판결할 수 있고 반드시 행정소송 등의 절차에 의하여 그 취소나 무효확인을 받아야 하는 것은 아니다(대판 2010.4.8. 2009다90092).

③ (×) 위법한 행정대집행이 완료되면 그 처분의 무효확인 또는 취소를 구할 소의 이익은 없다 하더라도, 미리 그 행정처분의 취소판결이 있어야만, 그 행정처분의 위법임을 이유로 한 손해배상 청구를 할 수 있는 것은 아니다(대판 1972.4.28. 72다337).
④ (×)

> 「행정소송법」 제11조 【선결문제】 ① 처분등의 효력 유무 또는 존재 여부가 민사소송의 선결문제로 되어 당해 민사소송의 수소법원이 이를 심리·판단하는 경우에는 제17조, 제25조, 제26조 및 제33조의 규정을 준용한다.
> 제26조 【직권심리】 법원은 필요하다고 인정할 때에는 직권으로 증거조사를 할 수 있고, 당사자가 주장하지 아니한 사실에 대하여도 판단할 수 있다.

답 ①

문제 DATA

출제가능 지수 ▶▶▷
난이도 지수 ★★☆

004 □□□

행정행위의 효력에 대한 설명으로 옳지 않은 것은? (다툼이 있는 경우 판례에 의함)

① 행정행위의 불가변력은 당해 행정행위에 대하여서만 인정되는 것이고, 동종의 행정행위라 하더라도 그 대상을 달리할 때에는 이를 인정할 수 없다.
② 행정행위의 하자가 취소사유에 불과한 때에는 그 처분이 취소되지 않는 한 처분의 효력을 부정하여 그로 인한 이득을 법률상 원인 없는 이득이라고 할 수 없다.
③ 불가쟁력이 발생하면 행정행위의 효력과 위법성을 다툴 수 없으므로 불가쟁력이 발생한 행정행위로 손해를 입은 국민은 국가배상을 청구할 수 없다.
④ 민사소송에 있어서 어느 행정처분의 당연무효 여부가 선결문제로 되는 때에는 이를 판단하여 당연무효임을 전제로 판결할 수 있고 반드시 행정소송 등의 절차에 의하여 그 취소나 무효확인을 받아야 하는 것은 아니다.

| 2025년 경찰간부

① (○) 국민의 권리와 이익을 옹호하고 법적안정을 도모하기 위하여 특정한 행위에 대하여는 행정청이라 하여도 이것을 자유로이 취소, 변경 및 철회할 수 없다는 행정행위의 불가변력은 당해 행정행위에 대하여서만 인정되는 것이고, 동종의 행정행위라 하더라도 그 대상을 달리할 때에는 이를 인정할 수 없다(대판 1974.12.10. 73누129).
② (○) 조세의 과오납이 부당이득이 되기 위하여는 납세 또는 조세의 징수가 실체법적으로나 절차법적으로 전혀 법률상의 근거가 없거나 과세처분의 하자가 중대하고 명백하여 당연무효이어야 하고, 과세처분의 하자가 단지 취소할 수 있는 정도에 불과할 때에는 과세관청이 이를 스스로 취소하거나 항고소송절차에 의하여 취소되지 않는 한 그로 인한 조세의 납부가 부당이득이 된다고 할 수 없다(대판 1994.11.11. 94다28000).
③ (×) 불가쟁력이 발생한 행정행위로 손해를 입은 국민은 더 이상 그 행정행위의 효력을 취소쟁송을 통해 직접 다툴 수는 없지만, 국가배상청구권이 시효로 소멸되지 않는 한 국가배상청구소송을 통해 그 행정행위의 위법성을 주장하고 이로 인한 손해배상을 청구할 수는 있다.
(건물철거가 불법행위임을 전제로 서울특별시에 손해배상을 청구한 사건에서) 위법한 행정대집행이 완료되면 그 처분의 무효확인 또는 취소를 구할 소의 이익은 없다 하더라도, 미리 그 행정처분(계고처분)의 취소판결이 있어야만, 그 행정처분의 위법임을 이유로 한 손해배상 청구를 할 수 있는 것은 아니다(대판 1972.4.28. 72다337).
④ (○) 행정처분은 당연무효라고 볼 수 없는 한 행정행위의 공정력으로 인하여 그것이 행정소송 등으로 적법하게 취소되기 전까지는 유효한 것이어서 민사소송 절차에서 그 행정처분의 효력을 다툴 수 없다. 다만, 행정처분의 하자가 중대하고 명백하여 당연무효인 경우에는 민사소송에서 그 무효를 전제로 판단할 수 있다.

함께 정리하기

행정행위의 효력

불가변력
▷ 당해 행정행위에만 인정

행정처분
▷ 당연무효가 아닌 한 아무도 그 하자를 이유로 효과 부정 불가(부당이득×)

불가쟁력 발생한 행정행위로 손해
▷ 국가배상청구 가

당연무효가 민사소송 선결문제
▷ 무효 전제로 판결가

민사소송에 있어서 어느 행정처분의 당연무효 여부가 선결문제로 되는 때에는 이를 판단하여 당연무효임을 전제로 판결할 수 있고 반드시 행정소송 등의 절차에 의하여 그 취소나 무효확인을 받아야 하는 것은 아니다(대판 2010.4.8. 2009다90092).

답 ③

005 □□□

행정처분의 효력에 대한 설명으로 옳지 않은 것은?

① 과세처분에 관한 이의신청절차에서 과세관청이 이의신청 사유가 옳다고 인정하여 과세처분을 직권으로 취소한 이상 그 후 특별한 사유 없이 이를 번복하고 종전 처분을 되풀이하는 것은 허용되지 않는다.
② 점용료 부과처분에 취소사유에 해당하는 흠이 있는 경우 도로관리청으로서는 당초 처분 자체를 취소하고 흠을 보완하여 새로운 부과처분을 하거나, 흠 있는 부분에 해당하는 점용료를 감액하는 처분을 할 수 있다.
③ 행정처분이 불복기간의 경과로 인하여 확정될 경우 그 처분의 기초가 된 사실관계나 법률적 판단이 확정되고 당사자들이나 법원이 이에 기속되어 모순되는 주장이나 판단을 할 수 없게 된다.
④ 민사소송에 있어서 어느 행정처분의 당연무효 여부가 선결문제로 되는 때에는 이를 판단하여 당연무효임을 전제로 판결할 수 있고 반드시 행정소송 등의 절차에 의하여 그 취소나 무효확인을 받아야 하는 것은 아니다.

2024년 국가직 7급

① (○) 과세처분에 관한 이의신청 절차에서 과세관청이 이의신청 사유가 옳다고 인정하여 과세처분을 직권으로 취소한 이상 그 후 특별한 사유 없이 이를 번복하고 종전 처분을 되풀이하는 것은 허용되지 않는다(대판 2010.9.30. 2009두1020).
② (○) 점용료 부과처분에 취소사유에 해당하는 흠이 있는 경우 도로관리청으로서는 당초 처분 자체를 취소하고 흠을 보완하여 새로운 부과처분을 하거나, 흠 있는 부분에 해당하는 점용료를 감액하는 처분을 할 수 있다. 한편 흠 있는 행정행위의 치유는 원칙적으로 허용되지 않을 뿐 아니라, 흠의 치유는 성립 당시에 적법한 요건을 갖추지 못한 흠 있는 행정행위를 그대로 존속시키면서 사후에 그 흠의 원인이 된 적법 요건을 보완하는 경우를 말한다. 그런데 앞서 본 바와 같은 흠 있는 부분에 해당하는 점용료를 감액하는 처분은 당초 처분 자체를 일부 취소하는 변경처분에 해당하고, 그 실질은 종래의 위법한 부분을 제거하는 것으로서 흠의 치유와는 차이가 있다(대판 2019.1.17. 2016두56721·56738).
③ (×) 행정처분이나 행정심판 재결이 불복기간의 경과로 인하여 확정될 경우 확정력은 처분으로 인하여 법률상 이익을 침해받은 자가 처분이나 재결의 효력을 더 이상 다툴 수 없다는 의미일 뿐 판결에 있어서와 같은 기판력이 인정되는 것은 아니어서 처분의 기초가 된 사실관계나 법률적 판단이 확정되고 당사자들이나 법원이 이에 기속되어 모순되는 주장이나 판단을 할 수 없게 되는 것은 아니다(대판 1993.4.13. 92누17181).
④ (○) 민사소송에 있어서 어느 행정처분의 당연무효 여부가 선결문제로 되는 때에는 이를 판단하여 당연무효임을 전제로 판결할 수 있고 반드시 행정소송 등의 절차에 의하여 그 취소나 무효확인을 받아야 하는 것은 아니다(대판 1972.10.10. 71다2279).

답 ③

문제 DATA
출제가능 지수 ▶▶▷
난이도 지수 ★★☆

함께 정리하기

행정처분의 효력

과세처분 이의신청에 따른 직권취소
▷ 불가변력 인정

점용료 부과처분에 취소사유에 해당하는 흠이 있는 경우
▷ 직권취소 후 보완하여 새로운 부과 or 흠 있는 부분 감액처분

불복기간 경과로 재결확정
▷ 기판력 無 → 소송에서 당사자, 법원은 모순 주장 or 판단 可

당연무효가 민사소송 선결문제
▷ 무효 전제로 판결 可

문제 DATA

출제가능 지수 ▶▶▷
난이도 지수 ★★☆

006 ☐☐☐

공정력 및 구성요건적 효력과 선결문제에 대한 설명 중 옳지 않은 것은? (다툼이 있는 경우 판례에 의함)

① 행정행위의 공정력은 행정행위가 위법하더라도 취소되지 않는 한 적법한 것으로 통용되는 효력을 의미한다.
② 국세의 부과 및 징수처분이 당연무효임을 전제로 하여 민사소송으로 부당이득의 반환을 청구한 경우 민사법원이 해당 행정처분의 하자가 중대·명백하다고 인정한 때에는 민사법원은 이를 전제로 판단할 수 있다.
③ 영업허가의 취소에 의해 손해를 입은 자가 국가배상을 청구한 경우, 민사법원은 미리 항고소송을 통해 해당 처분의 취소판결이 있어야만 그 행정처분이 위법임을 이유로 한 손해배상청구의 인용여부를 판단할 수 있는 것은 아니다.
④ 「자동차관리법」상 운행정지명령을 위반하여 자동차를 운행하였다는 이유로 처벌을 하기 위해서는 그 운행정지명령이 적법한 것이어야 하고, 그 운행정지명령이 위법한 처분으로 인정된다면 「자동차관리법」상 명령위반죄는 성립할 수 없다.

> 2024년 경찰간부

① (×) 행정행위의 공정력은 행정행위가 위법하더라도 취소되지 않는 한 '유효'한 것으로 통용되는 효력을 의미한다.

> 「행정기본법」 제15조 【처분의 효력】 처분은 권한이 있는 기관이 취소 또는 철회하거나 기간의 경과 등으로 소멸되기 전까지는 유효한 것으로 통용된다. 다만, 무효인 처분은 처음부터 그 효력이 발생하지 아니한다.

② (○) 민사소송에 있어서 어느 행정처분의 당연무효 여부가 선결문제로 되는 때에는 이를 판단하여 당연무효임을 전제로 판결할 수 있고 반드시 행정소송 등의 절차에 의하여 그 취소나 무효확인을 받아야 하는 것은 아니다(대판 2010.4.8. 2009다90092).
③ (○) 위법한 행정대집행이 완료되면 그 처분의 무효확인 또는 취소를 구할 소의 이익은 없다 하더라도, 미리 그 행정처분의 취소판결이 있어야만, 그 행정처분의 위법임을 이유로 한 손해배상 청구를 할 수 있는 것은 아니다(대판 1972.4.28. 72다337).
④ (○) 자동차관리법 제2조 제3호, 제24조의2 제1항, 제2항 제1호, 제82조 제2호의2, 자동차관리법 시행규칙 제22조 등을 종합하면, 시·도지사 또는 시장·군수·구청장(이하 '시장 등'이라 한다)은 자동차 소유자 또는 자동차 소유자로부터 자동차의 운행 등에 관한 사항을 위탁받은 사람에 해당하지 아니하는 사람이 정당한 사유 없이 자동차를 운행하는 경우에 운행정지명령을 하여야 하고, 이러한 요건을 갖추지 못하였다면 그 운행정지명령은 적법 요건을 갖추지 못하였다고 보아야 한다. 나아가 시장 등이 한 운행정지명령을 위반하여 자동차를 운행하였다는 이유로 같은 법 제82조 제2호의2(운행정지명령위반죄)에 따른 처벌을 하기 위해서는 그 운행정지명령이 적법한 것이어야 하고, 그 운행정지명령이 당연무효는 아니더라도 위법한 처분으로 인정된다면 같은 법 제82조 제2호의2 위반죄는 성립할 수 없다(대판 2023.4.27. 2020도17883).

답 ①

함께 정리하기

공정력 및 구성요건적 효력과 선결문제

공정력
▷ 무효의 하자가 아닌 경우 취소 전까지 유효한 것으로 통용

민사소송에서 효력유무가 선결문제
▷ 무효 전제로 판결 可

손해배상청구
▷ 취소판결 不要

운행정지명령이 위법
▷ 명령위반죄 불성립

007

「행정기본법」상 처분의 재심사에 대한 설명으로 옳지 않은 것은?

① 처분에 관한 법원의 확정판결이 있는 경우, 그러한 처분은 재심사의 대상에서 제외된다.
② 처분으로 법률상 이익이 침해된 제3자는 해당 처분에 대해 재심사를 청구할 수 있다.
③ 공무원 인사 관계 법령에 따른 징계 등 처분에 관한 사항은 재심사의 대상에서 제외된다.
④ 처분의 재심사 결과 중 처분을 유지하는 결과에 대해서는 행정소송을 통하여 불복할 수 없다.

2025년 지방직 9급

①, ③, ④ (O), ② (×)

> 「행정기본법」 제37조 【처분의 재심사】 ① 당사자는(②) 처분(제재처분 및 행정상 강제는 제외한다. 이하 이 조에서 같다)이 행정심판, 행정소송 및 그 밖의 쟁송을 통하여 다툴 수 없게 된 경우(법원의 확정판결이 있는 경우는 제외한다(①)라도 다음 각 호의 어느 하나에 해당하는 경우에는 해당 처분을 한 행정청에 처분을 취소·철회하거나 변경하여 줄 것을 신청할 수 있다.
> 1. 처분의 근거가 된 사실관계 또는 법률관계가 추후에 당사자에게 유리하게 바뀐 경우
> 2. 당사자에게 유리한 결정을 가져다주었을 새로운 증거가 있는 경우
> 3. 「민사소송법」 제451조에 따른 재심사유에 준하는 사유가 발생한 경우 등 대통령령으로 정하는 경우
> ② 제1항에 따른 신청은 해당 처분의 절차, 행정심판, 행정소송 및 그 밖의 쟁송에서 당사자가 중대한 과실 없이 제1항 각 호의 사유를 주장하지 못한 경우에만 할 수 있다.
> ③ 제1항에 따른 신청은 당사자가 제1항 각 호의 사유를 안 날부터 60일 이내에 하여야 한다. 다만, 처분이 있은 날부터 5년이 지나면 신청할 수 없다.
> ④ 제1항에 따른 신청을 받은 행정청은 특별한 사정이 없으면 신청을 받은 날부터 90일(합의제행정기관은 180일) 이내에 처분의 재심사 결과(재심사 여부와 처분의 유지·취소·철회·변경 등에 대한 결정을 포함한다)를 신청인에게 통지하여야 한다. 다만, 부득이한 사유로 90일(합의제행정기관은 180일) 이내에 통지할 수 없는 경우에는 그 기간을 만료일 다음 날부터 기산하여 90일(합의제행정기관은 180일)의 범위에서 한 차례 연장할 수 있으며, 연장 사유를 신청인에게 통지하여야 한다.
> ⑤ 제4항에 따른 처분의 재심사 결과 중 처분을 유지하는 결과에 대해서는 행정심판, 행정소송 및 그 밖의 쟁송수단을 통하여 불복할 수 없다(③).
> ⑥ 행정청의 제18조에 따른 취소와 제19조에 따른 철회는 처분의 재심사에 의하여 영향을 받지 아니한다.
> ⑦ 제1항부터 제6항까지에서 규정한 사항 외에 처분의 재심사의 방법 및 절차 등에 관한 사항은 대통령령으로 정한다.
> ⑧ 다음 각 호의 어느 하나에 해당하는 사항에 관하여는 이 조를 적용하지 아니한다.
> 1. 공무원 인사 관계 법령에 따른 징계 등 처분에 관한 사항(④)
> 2. 「노동위원회법」 제2조의2에 따라 노동위원회의 의결을 거쳐 행하는 사항
> 3. 형사, 행형 및 보안처분 관계 법령에 따라 행하는 사항
> 4. 외국인의 출입국·난민인정·귀화·국적회복에 관한 사항
> 5. 과태료 부과 및 징수에 관한 사항
> 6. 개별 법률에서 그 적용을 배제하고 있는 경우

답 ②

문제 DATA
출제가능 지수 ▶▶▷
난이도 지수 ★★☆

함께 정리하기

「행정기본법」상 처분의 재심사

법원의 확정판결
▷ 재심사 대상에서 제외

처분의 제3자
▷ 재심사 청구×
▷ 행정심판이나 행정소송을 통해 권리구제

공무원 인사 관계 법령에 따른 징계등 처분
▷ 재심사 대상에서 제외

재심사 결과 중 처분 유지 결정
▷ 행정쟁송으로 불복 불가

008

「행정기본법」상 처분의 재심사에 대한 설명으로 옳지 않은 것은?

① 제재처분을 받은 자는 처분청에 그 제재처분에 대한 재심사를 신청할 수 있다.
② 당사자가 재심사 신청사유를 안 날부터 60일 이내라 하더라도 처분이 있은 날부터 5년이 지나면 재심사를 신청할 수 없다.
③ 처분의 재심사를 신청한 경우에도 행정청은 그 처분을 취소 또는 철회할 수 있다.
④ 재심사 신청의 사유가 있다고 하여도 해당 처분의 절차, 행정심판, 행정소송 및 그 밖의 쟁송에서 당사자가 중대한 과실없이 이러한 사유를 주장하지 못한 경우에만 재심사를 할 수 있다.

> 2025년 경찰간부

① (×), ②, ③, ④ (○) 상대방의 재심사 신청이 있더라도 행정청은 재심사 결정과 무관하게 처분을 취소하거나 철회할 수 있다. 즉 재심사 결과 처분 유지 결정이 있더라도 처분청은 직권취소나 철회가 가능하며 이는 처분 유지 결정에 불가쟁력이 없다는 의미이다. 한편, 행정기본법 제37조 제5항에 따르면, 처분의 재심사 결과 중 처분을 유지하는 결과에 대해서는 행정심판, 행정소송 및 그 밖의 쟁송수단을 통하여 불복할 수 없는바, 제37조 제6항에 따라 행정청은 재심사 결과와 무관하게 직권취소나 철회를 할 수 있으므로, 재심사 결과에 대한 불복 제한이 행정청의 직권취소·철회권을 제한하지 않는다.

> 「행정기본법」 제37조 【처분의 재심사】 ① 당사자는 처분(제재처분 및 행정상 강제는 제외한다(①). 이하 이 조에서 같다)이 행정심판, 행정소송 및 그 밖의 쟁송을 통하여 다툴 수 없게 된 경우(법원의 확정판결이 있는 경우는 제외한다)라도 다음 각 호의 어느 하나에 해당하는 경우에는 해당 처분을 한 행정청에 처분을 취소·철회하거나 변경하여 줄 것을 신청할 수 있다.
> 1. 처분의 근거가 된 사실관계 또는 법률관계가 추후에 당사자에게 유리하게 바뀐 경우
> 2. 당사자에게 유리한 결정을 가져다주었을 새로운 증거가 있는 경우
> 3. 「민사소송법」 제451조에 따른 재심사유에 준하는 사유가 발생한 경우 등 대통령령으로 정하는 경우
> ② 제1항에 따른 신청은 해당 처분의 절차, 행정심판, 행정소송 및 그 밖의 쟁송에서 당사자가 중대한 과실 없이 제1항 각 호의 사유를 주장하지 못한 경우에만 할 수 있다(④).
> ③ 제1항에 따른 신청은 당사자가 제1항 각 호의 사유를 안 날부터 60일 이내에 하여야 한다. 다만, 처분이 있은 날부터 5년이 지나면 신청할 수 없다(②).
> ④ 제1항에 따른 신청을 받은 행정청은 특별한 사정이 없으면 신청을 받은 날부터 90일(합의제행정기관은 180일) 이내에 처분의 재심사 결과(재심사 여부와 처분의 유지·취소·철회·변경 등에 대한 결정을 포함한다)를 신청인에게 통지하여야 한다. 다만, 부득이한 사유로 90일(합의제행정기관은 180일) 이내에 통지할 수 없는 경우에는 그 기간을 만료일 다음 날부터 기산하여 90일(합의제행정기관은 180일)의 범위에서 한 차례 연장할 수 있으며, 연장 사유를 신청인에게 통지하여야 한다.
> ⑤ 제4항에 따른 처분의 재심사 결과 중 처분을 유지하는 결과에 대해서는 행정심판, 행정소송 및 그 밖의 쟁송수단을 통하여 불복할 수 없다.
> ⑥ 행정청의 제18조에 따른 취소와 제19조에 따른 철회는 처분의 재심사에 의하여 영향을 받지 아니한다(③).
> ⑦ 제1항부터 제6항까지에서 규정한 사항 외에 처분의 재심사의 방법 및 절차 등에 관한 사항은 대통령령으로 정한다.
> ⑧ 다음 각 호의 어느 하나에 해당하는 사항에 관하여는 이 조를 적용하지 아니한다.
> 1. 공무원 인사 관계 법령에 따른 징계 등 처분에 관한 사항
> 2. 「노동위원회법」 제2조의2에 따라 노동위원회의 의결을 거쳐 행하는 사항
> 3. 형사, 행형 및 보안처분 관계 법령에 따라 행하는 사항
> 4. 외국인의 출입국·난민인정·귀화·국적회복에 관한 사항
> 5. 과태료 부과 및 징수에 관한 사항
> 6. 개별 법률에서 그 적용을 배제하고 있는 경우

답 ①

문제 DATA

출제가능 지수 ▶▶▷
난이도 지수 ★★☆

함께 정리하기

「행정기본법」상 처분의 재심사

제재처분 및 행정강제
▷ 재심사 대상에서 제외

신청기간
▷ 신청사유 안 날부터 60일 or 처분이 있은 날부터 5년

재심사 신청시
▷ 행정청은 이와 별개로 처분의 취소 또는 철회 可

신청 제한사유
▷ 해당 처분의 절차, 행정심판, 행정소송 및 기타 쟁송에서 당사자가 중대한 과실 없이 재심사 사유를 주장하지 못한 경우일 것

009

「행정기본법」상 처분의 재심사에 대한 설명으로 옳지 않은 것은?

① 처분의 재심사 신청은 해당 처분의 절차, 행정심판, 행정소송 및 그 밖의 쟁송에서 당사자가 중대한 과실 없이 처분의 재심사 사유를 주장하지 못한 경우에만 할 수 있다.
② 처분의 재심사 결과 중 처분을 유지하는 결과에 대해서는 행정심판, 행정소송 및 그 밖의 쟁송수단을 통하여 불복할 수 있다.
③ 처분의 재심사 신청은 당사자가 처분의 재심사 사유를 안 날부터 60일 이내에 하여야 한다. 다만, 처분이 있은 날부터 5년이 지나면 신청할 수 없다.
④ 행정청의 위법 또는 부당한 처분의 취소와 적법한 처분의 철회는 처분의 재심사에 의하여 영향을 받지 아니한다.
⑤ 공무원 인사 관계 법령에 따른 징계 등 처분에 관한 사항에 관하여는 처분의 재심사를 적용하지 아니한다.

📌 문제 DATA

출제가능 지수 ▶▶▷
난이도 지수 ★★★

2025년 국회직 8급

①, ③, ④, ⑤ (○), ② (×) 처분 유지 결정에 대해서는 불복할 수 없다.

> 「행정기본법」 제37조 【처분의 재심사】 ① 당사자는 처분(제재처분 및 행정상 강제는 제외한다. 이하 이 조에서 같다)이 행정심판, 행정소송 및 그 밖의 쟁송을 통하여 다툴 수 없게 된 경우(법원의 확정판결이 있는 경우는 제외한다)라도 다음 각 호의 어느 하나에 해당하는 경우에는 해당 처분을 한 행정청에 처분을 취소·철회하거나 변경하여 줄 것을 신청할 수 있다.
> 1. 처분의 근거가 된 사실관계 또는 법률관계가 추후에 당사자에게 유리하게 바뀐 경우
> 2. 당사자에게 유리한 결정을 가져다주었을 새로운 증거가 있는 경우
> 3. 「민사소송법」 제451조에 따른 재심사유에 준하는 사유가 발생한 경우 등 대통령령으로 정하는 경우
> ② 제1항에 따른 신청은 해당 처분의 절차, 행정심판, 행정소송 및 그 밖의 쟁송에서 당사자가 중대한 과실 없이 제1항 각 호의 사유를 주장하지 못한 경우에만 할 수 있다(①).
> ③ 제1항에 따른 신청은 당사자가 제1항 각 호의 사유를 안 날부터 60일 이내에 하여야 한다. 다만, 처분이 있은 날부터 5년이 지나면 신청할 수 없다(③).
> ④ 제1항에 따른 신청을 받은 행정청은 특별한 사정이 없으면 신청을 받은 날부터 90일(합의제행정기관은 180일) 이내에 처분의 재심사 결과(재심사 여부와 처분의 유지·취소·철회·변경 등에 대한 결정을 포함한다)를 신청인에게 통지하여야 한다. 다만, 부득이한 사유로 90일(합의제행정기관은 180일) 이내에 통지할 수 없는 경우에는 그 기간이 만료일 다음 날부터 기산하여 90일(합의제행정기관은 180일)의 범위에서 한 차례 연장할 수 있으며, 연장 사유를 신청인에게 통지하여야 한다.
> ⑤ 제1항에 따른 처분의 재심사 결과 중 처분을 유지하는 결과에 대해서는 행정심판, 행정소송 및 그 밖의 쟁송수단을 통하여 불복할 수 없다(②).
> ⑥ 행정청의 제18조에 따른 취소와 제19조에 따른 철회는 처분의 재심사에 의하여 영향을 받지 아니한다(④).
> ⑦ 제1항부터 제6항까지에서 규정한 사항 외에 처분의 재심사의 방법 및 절차 등에 관한 사항은 대통령령으로 정한다.
> ⑧ 다음 각 호의 어느 하나에 해당하는 사항에 관하여는 이 조를 적용하지 아니한다.
> 1. 공무원 인사 관계 법령에 따른 징계 등 처분에 관한 사항(⑤)
> 2. 「노동위원회법」 제2조의2에 따라 노동위원회의 의결을 거쳐 행하는 사항
> 3. 형사, 행형 및 보안처분 관계 법령에 따라 행하는 사항
> 4. 외국인의 출입국·난민인정·귀화·국적회복에 관한 사항
> 5. 과태료 부과 및 징수에 관한 사항
> 6. 개별 법률에서 그 적용을 배제하고 있는 경우

답 ②

📋 함께 정리하기

「행정기본법」상 처분의 재심사

신청 제한사유
▷ 해당 처분의 절차, 행정심판, 행정소송 및 기타 쟁송에서 당사자가 중대한 과실 없이 재심사 사유를 주장하지 못한 경우일 것

재심사 결과 중 처분 유지 결정
▷ 행정쟁송으로 불복 불가

신청기간
▷ 신청사유 안 날부터 60일 or 처분이 있은 날부터 5년

재심사 신청시
▷ 행정청은 이와 별개로 처분의 취소 또는 철회 가

공무원 인사 관계 법령에 따른 징계등 처분
▷ 재심사 대상에서 제외

문제 DATA

출제가능 지수 ▶▶▷
난이도 지수 ★★☆

함께 정리하기

「행정기본법」상 처분의 재심사

재심사 적용의 제외사항(6가지)
▷ 공무원 인사 관계 법령에 따른 징계등 처분에 관한 사항(제1호)
▷ 노동위원회의 의결을 거쳐 행하는 사항(제2호)
▷ 형사, 행형 및 보안처분 관계 법령에 따라 행하는 사항(제3호)
▷ 외국인의 출입국·난민인정·귀화·국적회복에 관한 사항(제4호)
▷ 과태료 부과 및 징수에 관한 사항(제5호)
▷ 개별 법률에서 그 적용을 배제하고 있는 경우(제6호)

010 □□□

다음 중 「행정기본법」상 처분의 재심사가 적용되지 않는 경우로서 가장 옳지 않은 것은?

① 공무원 인사 관계 법령에 따른 징계 등 처분에 관한 사항
② 형사, 행형 및 보안처분 관계 법령에 따라 행하는 사항
③ 외국인의 출입국·난민인정·귀화·국적회복에 관한 사항
④ 부담금 부과 및 징수에 관한 사항

> 2024년 군무원 7급

④ (×) 부담금 부과 및 징수에 관한 사항은 「행정기본법」상 처분의 재심사 규정이 적용될 수 있다.

「행정기본법」 제37조【처분의 재심사】① 당사자는 처분(제재처분 및 행정상 강제는 제외한다. 이하 이 조에서 같다)이 행정심판, 행정소송 및 그 밖의 쟁송을 통하여 다툴 수 없게 된 경우(법원의 확정판결이 있는 경우는 제외한다)라도 다음 각 호의 어느 하나에 해당하는 경우에는 해당 처분을 한 행정청에 처분을 취소·철회하거나 변경하여 줄 것을 신청할 수 있다.
  1. 처분의 근거가 된 사실관계 또는 법률관계가 추후에 당사자에게 유리하게 바뀐 경우
  2. 당사자에게 유리한 결정을 가져다주었을 새로운 증거가 있는 경우
  3. 「민사소송법」 제451조에 따른 재심사유에 준하는 사유가 발생한 경우 등 대통령령으로 정하는 경우
⑧ 다음 각 호의 어느 하나에 해당하는 사항에 관하여는 이 조를 적용하지 아니한다.
  1. 공무원 인사 관계 법령에 따른 징계 등 처분에 관한 사항(①)
  2. 「노동위원회법」 제2조의2에 따라 노동위원회의 의결을 거쳐 행하는 사항
  3. 형사, 행형 및 보안처분 관계 법령에 따라 행하는 사항(②)
  4. 외국인의 출입국·난민인정·귀화·국적회복에 관한 사항(③)
  5. 과태료 부과 및 징수에 관한 사항
  6. 개별 법률에서 그 적용을 배제하고 있는 경우

답 ④

011

행정행위의 공정력 또는 구성요건적 효력에 대한 설명으로 <보기>에서 옳은 것(○)과 옳지 않은 것(×)을 올바르게 조합한 것은?

<보기>
ㄱ. 과세처분의 하자가 단지 취소할 수 있는 정도에 불과할 때에는 과세관청이 이를 스스로 취소하거나 항고소송절차에 의하여 취소되지 않는 한 그로 인한 조세의 납부가 부당이득이 되지 않는다.
ㄴ. 연령미달의 결격자인 피고인이 소외인의 이름으로 운전면허시험에 응시·합격하여 운전면허를 취득한 후 차를 운전하였다가 무면허운전죄로 기소되었더라도 무면허운전죄가 성립하지 않는다.
ㄷ. 미리 행정처분에 대한 취소판결이 있어야만 그 행정처분이 위법임을 이유로 한 국가배상청구를 할 수 있는 것은 아니다.
ㄹ. 개발행위허가를 받지 않고 무단으로 토지의 형질을 변경하였다는 이유로 관할 행정청으로부터 원상복구 조치명령을 받았으나, 위 조치명령에 취소사유에 해당하는 위법이 있는 경우 이를 이행하지 않더라도 처벌할 수는 없다고 할 것이다.

	ㄱ	ㄴ	ㄷ	ㄹ
①	○	×	×	○
②	×	○	○	×
③	○	○	×	×
④	×	○	×	○
⑤	○	○	○	○

2024년 국회직 8급

ㄱ. (○) 조세의 과오납이 부당이득이 되기 위하여는 납세 또는 조세의 징수가 실체법적으로나 절차법적으로 전혀 법률상의 근거가 없거나 과세처분의 하자가 중대하고 명백하여 당연무효이어야 하고, 과세처분의 하자가 단지 취소할 수 있는 정도에 불과할 때에는 과세관청이 이를 스스로 취소하거나 항고소송절차에 의하여 취소되지 않는 한 그로 인한 조세의 납부가 부당이득이 된다고 할 수 없다(대판 1994.11.11. 94다28000).

ㄴ. (○) 연령미달의 결격자인 피고인이 소외인의 이름으로 운전면허시험에 응시, 합격하여 교부받은 운전면허는 당연무효가 아니고 도로교통법 제65조 제3호의 사유에 해당함에 불과하여 취소되지 않는 한 유효하므로 피고인의 운전행위는 무면허운전에 해당하지 아니한다(대판 1982.6.8. 80도2646).

ㄷ. (○) 위법한 행정대집행이 완료되면 그 처분의 무효확인 또는 취소를 구할 소의 이익은 없다 하더라도, 미리 그 행정처분의 취소판결이 있어야만, 그 행정처분의 위법임을 이유로 한 손해배상 청구를 할 수 있는 것은 아니다(대판 1972.4.28. 72다337).

ㄹ. (○) 도시계획법 제78조 제1항에 정한 처분이나 조치명령을 받은 자가 이에 위반한 경우 이로 인하여 같은 법 제92조에 정한 처벌을 하기 위하여는 그 처분이나 조치명령이 적법한 것이라야 하고, 그 처분이 당연무효가 아니라 하더라도 그것이 위법한 처분으로 인정되는 한 같은 법 제92조 위반죄가 성립될 수 없다(대판 1992.8.18. 90도1709).

답 ⑤

함께 정리하기

행정행위의 공정력 또는 구성요건적 효력

취소여부가 민사소송 선결문제
▷ 민사법원 취소 불가(과세처분 취소사유: 유효 → 부당이득×)

무성한 수난으로 발급받은 운전면허
▷ 취소 전까지는 유효(∴무면허운전죄×)

손해배상청구
▷ 취소판결 不要

조치명령이 위법
▷ 명령위반죄 불성립

문제 DATA

출제가능 지수 ▶▶▷
난이도 지수 ★★☆

012 □□□

선결문제에 대한 설명으로 옳지 않은 것은?

① 계고처분이 위법한 경우 행정대집행이 완료되면 그 처분의 취소를 구할 소의 이익은 없다 하더라도, 미리 그 행정처분의 취소판결이 있어야만 그 행정처분의 위법임을 이유로 한 손해배상 청구를 할 수 있는 것은 아니다.
② 민사소송에서 어느 행정처분의 당연무효 여부가 선결문제로 되는 경우 행정소송 등의 절차에 의하여 그 취소나 무효확인을 받아야 한다.
③ 과세처분의 하자가 단지 취소할 수 있는 정도에 불과할 때에는 과세관청이 이를 스스로 취소하거나 항고쟁송절차에 의하여 취소되지 않는 한, 그로 인한 조세의 납부가 부당이득이 된다고 할 수 없다.
④ 소방시설 등의 설치 또는 유지·관리에 대한 명령이 행정처분으로서 하자가 있어 무효인 경우, 위 명령 위반을 이유로 행정형벌을 부과할 수 없다.

| 2023년 지방직 7급

① (○) 위법한 행정대집행이 완료되면 그 처분의 무효확인 또는 취소를 구할 소의 이익은 없다 하더라도, 미리 그 행정처분의 취소판결이 있어야만, 그 행정처분의 위법임을 이유로 한 손해배상 청구를 할 수 있는 것은 아니다(대판 1972.4.28. 72다337).
② (×) 처분의 무효를 확인하는 것이 선결문제인 경우 행정소송 등의 절차에 의한 처분의 취소나 무효가 없어도 민사법원은 처분의 무효여부를 스스로 심사하여 무효임을 전제로 민사사건에 대한 판결이 가능하다.

> 민사소송에 있어서 어느 행정처분의 당연무효 여부가 선결문제로 되는 때에는 이를 판단하여 당연무효임을 전제로 판결할 수 있고 반드시 행정소송 등의 절차에 의하여 그 취소나 무효확인을 받아야 하는 것은 아니다(대판 2010.4.8. 2009다90092).

③ (○) 조세의 과오납이 부당이득이 되기 위하여는 납세 또는 조세의 징수가 실체법적으로나 절차법적으로 전혀 법률상의 근거가 없거나 과세처분의 하자가 중대하고 명백하여 당연무효이어야 하고, 과세처분의 하자가 단지 취소할 수 있는 정도에 불과할 때에는 과세관청이 이를 스스로 취소하거나 항고소송절차에 의하여 취소되지 않는 한 그로 인한 조세의 납부가 부당이득이 된다고 할 수 없다(대판 1994.11.11. 94다28000).
④ (○) 집합건물 중 일부 구분건물의 소유자인 피고인이 관할 소방서장으로부터 소방시설 불량사항에 관한 시정보완명령을 받고도 따르지 아니하였다는 내용으로 기소된 사안에서, 담당 소방공무원이 행정처분인 위 명령을 구술로 고지한 것은 행정절차법 제24조를 위반한 것으로 하자가 중대하고 명백하여 당연 무효이고, 무효인 명령에 따른 의무위반이 생기지 아니하는 이상 피고인에게 명령 위반을 이유로 소방시설 설치유지 및 안전관리에 관한 법률 제48조의2 제1호에 따른 행정형벌을 부과할 수 없다(대판 2011.11.10. 2011도11109).

답 ②

함께 정리하기

선결문제

손해배상청구
▷ 처분 취소판결불요

처분의 무효여부가 선결문제
▷ 민사법원은 무효 전제로 판결가

처분의 취소여부가 선결문제
▷ 민사법원은 취소불가
▷ 부당이득×

무효인 명령위반
▷ 행정형벌 부과불가

013

행정행위의 불가변력과 불가쟁력에 대한 설명으로 옳은 것은? (다툼이 있는 경우 판례에 의함)

① 불가변력은 행정행위의 상대방이나 이해관계인을 구속하는 효력이고 불가쟁력은 행정청을 구속하는 효력이다.
② 불가변력은 모든 행정행위에 다 인정되지만, 불가쟁력은 예외적으로 일부 행정행위의 경우에만 인정된다.
③ 불가변력은 당해 행정행위에 대하여서만 인정되는 것이고, 동종의 행정행위라 하더라도 그 대상을 달리할 때에는 이를 인정할 수 없다.
④ 행정처분이 불복기간의 경과로 인하여 확정된 경우 처분의 기초가 된 사실관계나 법률적 판단이 확정되고, 당사자들이나 법원이 이에 기속되어 모순되는 주장이나 판단을 할 수 없게 된다.
⑤ 행정심판의 재결은 준사법적 행위로서 불가쟁력이 인정되므로 행정심판 청구인은 제소기간의 경과 여부를 불문하고 그 재결의 효력을 다툴 수 없게 된다.

2023년 행정사

문제 DATA
출제가능 지수 ▶▶∑
난이도 지수 ★★☆

①, ② (×)

관련 이론 불가쟁력과 불가변력 비교

구분	불가쟁력(형식적 존속력)	불가변력(실질적 존속력)
상대방	상대방 및 이해관계인 구속(①)	처분청 등 행정기관 구속(①)
성질	절차법적 효력	실체법적 효력
효력발생 범위	모든 행정행위(②)	확인 등 일정한 행정행위(②)
효력의 독립성	불가쟁력 발생 ⇒ 불가변력이 발생하는 것은 아님(직권취소는 가능).	불가변력 발생 ⇒ 불가쟁력이 발생하는 것은 아님(쟁송제기는 가능)(⑤)

③ (○) 국민의 권리와 이익을 옹호하고 법적 안정을 도모하기 위하여 특정한 행위에 대하여는 행정청이라 하여도 이것을 자유로이 취소, 변경 및 철회할 수 없다는 행정행위의 불가변력은 당해 행정행위에 대하여서만 인정되는 것이고, 동종의 행정행위라 하더라도 그 대상을 달리할 때에는 이를 인정할 수 없다(대판 1974.12.10. 73누129).

유제 21. 지방직 9급 행정행위의 불가변력은 당해 행정행위에 대해서만 인정되는 것이 아니고, 동종의 행정행위라면 그 대상을 달리하더라도 인정된다. (×)
21. 소방간부, 16. 국가직 7급 행정행위의 불가변력은 당해 행정행위에 대하여서만 인정되는 것이고, 동종의 행정행위라 하더라도 그 대상을 달리 할 때에는 이를 인정할 수 없다. (○)
18. 지방직 7급 행정행위의 불가변력은 해당 행정행위에 대해서 뿐만 아니라 그 대상을 달리하는 동종의 행정행위에 대해서도 인정된다. (×)

④ (×) 행정심판의 재결은 피청구인인 행정청을 기속하는 효력을 가지므로 재결청이 취소심판의 청구가 이유 있다고 인정하여 처분청에 처분을 취소할 것을 명하면 처분청으로서는 재결의 취지에 따라 처분을 취소하여야 하지만, 나아가 재결에 판결에서와 같은 기판력이 인정되는 것은 아니어서 재결이 확정된 경우에도 처분의 기초가 된 사실관계나 법률적 판단이 확정되고 당사자들이나 법원이 이에 기속되어 모순되는 주장이나 판단을 할 수 없게 되는 것은 아니다(대판 2015.11.27. 2013다6759).
⑤ (×) 행정심판의 재결은 준사법적 행위로서 불가변력이 인정되는 대표적인 행위이다. 따라서 재결을 한 기관은 재결이 있게 되면 스스로 재결을 취소 또는 변경할 수 없다. 그러나 불가변력이 있는 행위라고 해서 당연히 불가쟁력을 가지는 것은 아니다. 불가변력이 있는 행정행위도 쟁송기간이 경과하기 전에는 쟁송을 제기하여 그 효력을 다툴 수 있다.

답 ③

함께 정리하기

행정행위의 불가변력과 불가쟁력

불가변력
▷ 행정청 구속
▷ 일부 행정행위
▷ 당해 행정행위에만 인정

불가쟁력
▷ 상대방이나 이해관계인 구속
▷ 모든 행정행위

재결확정
▷ 기판력×(모순된 주장·판단 可)

행정심판 재결
▷ 불가변력 인정 → 불가쟁력이 발생하는 것은 아님

문제 DATA

출제가능 지수 ▶▶▷
난이도 지수 ★★★

함께 정리하기

행정행위의 효력

제소기간 경과하여 확정력 발생한 처분
▷ 위헌결정 소급효×

행정처분
▷ 당연무효가 아닌 한 아무도 그 하자를 이유로 효과 부정 불가

민사소송에서 효력유무가 선결문제
▷ 당연무효 전제로 판결 可

불가쟁력 발생한 부담금부과처분의 근거 법률 위헌 여부
▷ 후행 압류처분취소소송에서 재판의 전제성×

014

행정행위의 효력에 대한 설명으로 옳지 않은 것은? (다툼이 있는 경우 판례에 의함)

① 이미 취소소송의 제기기간을 경과하여 확정력이 발생한 행정처분에는 그 근거가 되는 법률에 대한 위헌결정의 소급효가 미치지 않는다.
② 행정처분이 아무리 위법하다고 하여도 그 하자가 중대하고 명백하여 당연무효라고 보아야 할 사유가 있는 경우를 제외하고는, 행정소송 등에 의하여 적법히 취소될 때까지는 아무도 그 하자를 이유로 그 효과를 부정하지 못한다.
③ 민사소송에 있어서 어느 행정처분의 당연무효 여부가 선결문제로 되는 때에는 이를 판단하여 당연무효임을 전제로 판결할 수 있다.
④ 불가쟁력이 발생한 부담금 부과처분의 근거 법률에 대한 위헌결정이 있으면, 후행 압류처분의 취소를 구하는 소송에서 재판의 내용과 효력에 대한 법률적 의미가 달라진다.

2023년 소방직 9급

① (O) 위헌결정의 효력은 그 결정 이후에 당해 법률이 재판의 전제가 되었음을 이유로 법원에 제소된 일반사건에도 미치므로, 당해 법률에 근거하여 행정처분이 발하여진 후에 헌법재판소가 그 행정처분의 근거가 된 법률을 위헌으로 결정하였다면 결과적으로 행정처분은 법률의 근거가 없이 행하여진 것과 마찬가지가 되어 하자가 있는 것이 되나, 이미 <u>취소소송의 제기기간을 경과하여 확정력이 발생한 행정처분의 경우에는 위헌결정의 소급효가 미치지 않는다</u>고 보아야 할 것이다(대판 2002.11.8. 2001두3181).

유제 20. 국회직 8급 처분이 있은 날로부터 1년이 도과한 처분으로서 당연무효에 해당하는 하자가 없는 경우, 그 처분의 근거법령이 위헌결정되었다면 원칙적으로 소급효가 미친다. (×)
17. 교행 취소소송의 제기기간을 경과하여 확정력이 발생한 행정처분에는 위헌결정의 소급효가 미치지 않는다. (○)
17. 서울시 7급 취소소송의 제기기간을 경과하여 불가쟁력이 발생한 행정처분에도 위헌결정의 소급효가 미친다. (×)
12. 국가직 7급 대법원은 처분이 있은 후에 근거법률이 위헌으로 결정된 경우, 그 처분은 법률의 근거가 없이 행하여진 것과 마찬가지의 하자가 인정되므로 불가쟁력이 발생하였다 하더라도 위헌결정의 소급효가 미친다고 보았다. (×)

② (O) 행정행위의 공정력에 대한 설명이다. 공정력이라 함은, 비록 행정행위에 하자가 있는 경우라도 그것이 중대·명백하여 당연무효로 인정되는 경우를 제외하고는 권한 있는 기관에 의하여 취소되기 전까지 다른 누구도 그 효력을 부인할 수 없어 일단 유효한 것으로 통용되는 힘을 말한다.

> <u>행정처분이 아무리 위법하다고 하여도 그 하자가 중대하고 명백하여 당연무효라고 보아야 할 사유가 있는 경우를 제외하고는 아무도 그 하자를 이유로 무단히 그 효과를 부정하지 못하는 것</u>으로, 이러한 행정행위의 공정력은 판결의 기판력과 같은 효력은 아니지만 그 공정력의 객관적 범위에 속하는 행정행위의 하자가 취소사유에 불과한 때에는 그 처분이 취소되지 않는 한 처분의 효력을 부정하여 그로 인한 이득을 법률상 원인 없는 이득이라고 말할 수 없는 것이다(대판 1994.11.11. 94다28000).

유제 21. 군무원 7급 행정처분이 아무리 위법하다고 하여도 당연무효인 사유가 있는 경우를 제외하고는 아무도 그 하자를 이유로 무단히 그 효과를 부정하지 못한다. (○)
17. 경찰 2차 행정처분이 아무리 위법하다고 하여도 그 하자가 중대하고 명백하여 당연무효라고 보아야 할 사유가 있는 경우를 제외하고는 아무도 그 하자를 이유로 무단히 그 효과를 부정하지 못하는 것으로, 이러한 행정행위의 공정력은 판결의 기판력과 같은 효력은 아니지만 그 공정력의 객관적 범위에 속하는 행정행위의 하자가 취소사유에 불과한 때에는 그 처분이 취소되지 않는 한 처분의 효력을 부정하여 그로 인한 이득을 법률상 원인 없는 이득이라고 말할 수 없는 것이다. (○)

③ (O) 국세 등의 부과 및 징수처분과 같은 행정처분이 당연무효임을 전제로 하여 <u>민사소송을 제기한 때에는 그 행정처분이 당연무효인지의 여부가 선결문제이므로 법원은 이를 심사하여 그 행정처분의 하자가 중대하고도 명백하여 당연무효라고 인정될 경우에는 이를 전제로 하여 판단할 수 있으나</u> 그 하자가 단순한 취소사유에 그칠 때에는 법원은 그 효력을 부인할 수 없다(대판 1973.07.10. 70다1439).

유제 22. 지방직 9급 조세부과처분이 무효임을 이유로 이미 납부한 세금의 반환을 청구하는 민사소송에서 법원은 그 조세부과처분이 무효라는 판단과 함께 세금을 반환하라는 판결을 할 수 있다. (○)
22. 군무원 7급 선결문제가 행정행위의 당연무효이면 민사법원이 직접 그 무효를 판단할 수 있다. (○)
17. 국가직 7급(추) 행정처분이 당연무효임을 전제로 하여 민사소송을 제기한 때에는 그 행정처분이 당연무효인지의 여부가 선결문제이므로 법원은 이를 심사하여 그 행정처분의 하자가 당연무효라고 인정될 경우에는 이를 전제로 하여 판단할 수 있으나 그 하자가 단순한 취소사유에 그칠 때에는 법원은 그 효력을 부인할 수 없다. (○)
13. 행정사 행정사건을 선결문제로 하는 민사소송에는 법원은 무효인 행정행위의 효력을 확인할 수는 없지만, 취소할 수 있는 행정행위의 효력을 부인할 수는 있다. (×)

④ (×) 행정처분의 근거 법률이 헌법에 위반된다는 사정은 헌법재판소의 위헌 결정이 있기 전에는 객관적으로 명백한 것이라고 할 수는 없으므로 특별한 사정이 없는 한 그러한 하자는 행정처분의 취소사유에 해당할 뿐 당연무효사유는 아니고, 제소기간이 경과한 뒤에는 행정처분의 근거 법률이 위헌임을 이유로 무효확인소송 등을 제기하더라도 행정처분의 효력에는 영향이 없음이 원칙이다. 따라서 이미 제소기간이 경과하여 불가쟁력이 발생한 행정처분의 무효확인을 구하는 사건에 있어서는 그 행정처분의 근거 법률의 위헌 여부에 따라 당해 사건 재판의 주문이 달라지거나 재판의 내용과 효력에 관한 법률적 의미가 달라진다고 볼 수 없으므로 재판의 전제성이 인정되지 아니한다(헌재 2015.9.8. 2015헌바276).

답 ④

015 □□□

선결문제에 대한 판례의 입장으로 옳지 않은 것은?

① 민사소송에 있어서 행정처분의 당연무효 여부가 선결문제로 되는 때에는 이를 판단하여 당연무효임을 전제로 판결할 수 있고 반드시 행정소송 등의 절차에 의하여 그 취소나 무효확인을 받아야 하는 것은 아니다.
② 과세처분에 하자가 있는 경우 하자의 정도와 상관없이 조세를 이미 납부한 자는 부당이득반환청구소송을 제기할 수 있으며 민사법원은 이를 판단할 수 있다.
③ 「국토의 계획 및 이용에 관한 법률」에 따른 처분이나 조치명령에 따라야 할 의무위반을 이유로 형사처벌을 하기 위해서는 그 처분이나 조치명령이 적법한 것이어야 하므로 형사법원은 해당 조치명령의 위법성을 판단할 수 있다.
④ 연령미달의 결격자인 피고인이 형의 이름으로 운전면허시험에 응시하여 교부받은 운전면허는 당연무효가 아니고 취소되지 않는 한 유효하므로 피고인의 운전행위는 무면허운전에 해당하지 아니한다.
⑤ 무단으로 공유재산 등을 사용·수익·점유하는 자가 관리청의 변상금부과처분에 따라 그에 해당하는 돈을 납부한 경우라면 위 변상금부과처분이 당연무효이거나 행정소송을 통해 먼저 취소되기 전에는 사법상 부당이득반환청구로써 위 납부액의 반환을 구할 수 없다.

2023년 소방간부

① (○) 민사소송에 있어서 어느 행정처분의 당연무효 여부가 선결문제로 되는 때에는 이를 판단하여 당연무효임을 전제로 판결할 수 있고 반드시 행정소송 등의 절차에 의하여 그 취소나 무효확인을 받아야 하는 것은 아니다(대판 2010.4.8. 2009다90092).

유제 23. 소방직 민사소송에 있어서 어느 행정처분의 당연무효 여부가 선결문제로 되는 때에는 이를 판단하여 당연무효임을 전제로 판결할 수 있다. (○)
22. 국회직 8급 민사소송에 있어서 어느 행정처분의 당연무효 여부가 선결문제로 되는 때에는 당해 수소법원이 이를 판단하여 당연무효임을 전제로 판결할 수 있고, 반드시 행정소송 등의 절차에 의하여 무효확인을 받아야 하는 것은 아니다. (○)

문제 DATA
출제가능 지수 ▶▶▷
난이도 지수 ★★☆

함께 정리하기

선결문제

당연무효가 민사소송 선결문제
▷ 무효 전제로 판결 可

취소 여부가 민사소송 선결문제
▷ 취소 不可(과세처분이 취소사유 → 부당이득×)

위법 여부가 형사소송 선결문제
▷ 위법 여부 판단 可(조치명령의 적법성 심사 可)

효력 여부가 형사소송 선결문제
▷ 효력부인 不可(연령미달의 운전면허로 운전 → 무면허운전×)

변상금부과처분에 따라 납부
▷ 당연무효나 취소 전에는 부당이득반환×

21. 소방간부·군무원 7급, 19. 경찰 2차 민사소송에 있어서 어느 행정처분의 당연무효 여부가 선결문제로 되는 때에는 이를 판단하여 당연무효임을 전제로 판결할 수 있고 반드시 행정소송 등의 절차에 의하여 그 취소나 무효확인을 받아야 하는 것은 아니다. (○)
20. 5급 승진 민사소송에서 어느 행정처분의 당연무효 여부가 선결문제로 되는 경우 당해 법원은 이를 판단하여 당연무효임을 전제로 판결할 수는 없다. (×)

② (×) 행정처분의 취소 여부가 민사소송에서 선결문제가 된 경우는 민사법원이 이를 취소할 수 없다.

> 조세의 과·오납이 부당이득이 되기 위하여는 납세 또는 조세의 징수가 실체법적으로나 절차법적으로 전혀 법률상의 근거가 없거나 과세처분의 하자가 중대하고 명백하여 당연무효이어야 하고, 과세처분의 하자가 단지 취소할 수 있는 정도에 불과할 때에는 과세관청이 이를 스스로 취소하거나 항고소송절차에 의하여 취소되지 않는 한 그로 인한 조세의 납부가 부당이득이 된다고 할 수 없다. … 이러한 행정행위의 공정력은 판결의 기판력과 같은 효력은 아니지만 그 공정력의 객관적 범위에 속하는 행정행위의 하자가 취소사유에 불과한 때에는 그 처분이 취소되지 않는 한 처분의 효력을 부정하여 그로 인한 이득을 법률상 원인 없는 이득이라고 말할 수 없다(대판 1994.11.11. 94다28000).

유제 19. 서울시 9급 취소사유 있는 과세처분에 의하여 세금을 납부한 자는 과세처분취소소송을 제기하지 않은 채 곧바로 부당이득반환청구소송을 제기하더라도 납부한 금액을 반환받을 수 있다. (×)
19. 경찰 2차 국민이 조세부과처분의 위법을 이유로 이미 납부한 세금의 반환을 청구하는 민사소송을 제기한 경우, 과세처분의 하자가 단지 취소할 수 있는 정도에 불과하더라도, 당해 민사법원은 위법한 과세처분의 효력을 직접 상실시켜 납부된 세금의 반환을 명할 수 있다. (×)
18. 5급 승진 과세처분의 하자가 단지 취소할 수 있는 정도에 불과할 때에는 과세관청이 이를 스스로 취소하거나 쟁송절차에 의하여 취소되지 않는 한 그로 인한 조세의 납부가 부당이득이 된다고 할 수 없다. (○)
18. 지방직 7급 과세처분의 하자가 취소할 수 있는 사유인 경우 과세관청이 이를 스스로 취소하거나 항고소송절차에 의하여 취소되지 아니하여도 해당 조세의 납부는 부당이득이 된다. (×)
18. 국회직 8급 국세의 과·오납이 위법한 과세처분에 의한 것이라도 그 흠이 단지 취소할 수 있는 정도에 불과한 때에는 그 처분이 취소되지 않는 한 그 납세액을 곧바로 부당이득이라고 하여 반환을 구할 수 있는 것은 아니다. (○)

③ (○) 국토의 계획 및 이용에 관한 법률(이하 '법'이라 한다) 제133조 제1항에 정한 처분이나 조치명령을 받은 자가 이에 위반한 경우 이로 인하여 법 제142조에 정한 처벌을 하기 위하여는 그 처분이나 조치명령이 적법한 것이라야 하고, 그 처분이 당연무효가 아니라 하더라도 그것이 위법한 처분으로 인정되는 한 법 제142조 위반죄가 성립될 수 없다고 할 것이고, 한편 법 제133조 제1항 제1호, 제54조의 각 규정을 종합하면 지구단위계획에 적합하지 않은 건축물을 건축하거나 용도변경한 경우 행정청은 그 건축물을 건축한 자나 용도변경한 자에 대하여서만 법 제133조 제1항에 의하여 처분이나 원상회복 등의 조치명령을 할 수 있고, 명문의 규정이 없는 한 이러한 건축물을 양수한 자에 대하여는 이를 할 수 없다고 할 것이다(대판 2007.2.23. 2006도6845).

④ (○) 행정행위의 효력을 부인하는 것이 형사소송에서 선결문제가 된 경우 행정행위가 당연무효가 아닌 한 형사법원은 공정력으로 인해 행정행위의 효력을 부인할 수 없다.

> 연령미달의 결격자인 피고인이 소외인의 이름으로 운전면허시험에 응시, 합격하여 교부받은 운전면허는 당연무효가 아니고 도로교통법 제65조 제3호의 사유에 해당함에 불과하여 취소되지 않는 한 유효하므로 피고인의 운전행위는 무면허운전에 해당하지 아니한다(대판 1982.6.8. 80도2646).

유제 22. 국가직 9급 연령미달 결격자가 다른 사람 이름으로 교부받은 운전면허는 당연무효가 아니고 취소되지 않는 한 유효하므로 그 연령미달 결격자의 운전행위는 무면허운전에 해당하지 아니한다. (○)
20. 국회직 8급 연령미달의 결격자가 이를 속이고 운전면허를 교부받아 운전 중 적발되어 기소된 경우 형사법원은 운전면허처분의 효력을 부인하고 무면허운전죄로 판단할 수 있다. (○)
19. 경찰 2차 연령미달의 결격자 甲이 타인(자신의 형)의 이름으로 운전면허시험에 응시, 합격하여 교부받은 운전면허라 하더라도 당연무효는 아니고, 당해 면허가 취소되지 않는 한 유효하므로, 甲의 운전행위는 무면허운전죄에 해당하지 않는다. (○)
17. 사복직·경찰 2차 연령 미달의 결격자가 타인의 이름으로 운전면허시험에 응시, 합격하여 교부받은 운전면허는 당연무효가 아니라 취소되지 않는 한 유효하므로 피고인의 운전행위는 무면허운전에 해당하지 않는다. (○)
11. 국회직 8급 연령미달인 자가 연령을 속여 운전면허를 교부받아 운전하다 적발되어 기소된 경우 형사법원은 무면허운전으로 형사처벌할 수 있다. (×)

⑤ (○) 공유재산 및 물품 관리법은 제81조 제1항에서 공유재산 등의 관리청은 사용·수익허가나 대부계약 없이 공유재산 등을 무단으로 사용·수익·점유한 자 또는 사용·수익허가나 대부계약의 기간이 끝난 후 다시 사용·수익허가를 받거나 대부계약을 체결하지 아니한 채 공유재산 등을 계속하여 사용·수익·점유한 자에 대하여 대통령령이 정하는 바에 따라 공유재산 등의 사용료 또는 대부료의 100분의 120에 해당하는 변상금을 징수할 수 있다고 규정하고 있는데, 이러한 변상금의 부과는 관리청이 공유재산 중 일반재산과 관련하여 사경제 주체로서 상대방과 대등한 위치에서 사법상 계약인 대부계약을 체결한 후 그 이행을 구하는 것과 달리 관리청이 공권력의 주체로서 상대방의 의사를 묻지 않고 일방적으로 행하는 행정처분에 해당한다. 그러므로 만일 <u>무단으로 공유재산 등을 사용·수익·점유하는 자가 관리청의 변상금부과처분에 따라 그에 해당하는 돈을 납부한 경우라면 위 변상금부과처분이 당연무효이거나 행정소송을 통해 먼저 취소되기 전에는 사법상 부당이득반환청구로써 위 납부액의 반환을 구할 수 없다</u>(대판 2013.1.24. 2012다79828).

답 ②

016 □□□

행정행위의 효력에 대한 설명으로 옳지 않은 것은? (다툼이 있는 경우 판례에 의함)

① 영업허가취소처분이 나중에 행정쟁송절차에 의하여 취소되었더라도, 그 영업허가취소처분 이후의 영업행위는 무허가영업이다.

② 연령미달 결격자가 다른 사람 이름으로 교부받은 운전면허는 당연무효가 아니고 취소되지 않는 한 유효하므로 그 연령미달 결격자의 운전행위는 무면허운전에 해당하지 아니한다.

③ 구 「도시계획법」상 원상회복 등의 조치명령을 받고도 이를 따르지 않은 자에 대해 형사처벌을 하기 위해서는 적법한 조치명령이 전제되어야 하며, 이때 형사법원은 그 적법 여부를 심사할 수 있다.

④ 조세부과처분을 취소하는 행정판결이 확정된 경우 부과처분의 효력은 처분시에 소급하여 효력을 잃게 되므로 확정된 행정판결은 조세포탈에 대한 무죄를 인정할 명백한 증거에 해당한다.

2022년 국가직 9급

① (✕) 영업의 금지를 명한 <u>영업허가취소처분 자체가 나중에 행정쟁송절차에 의하여 취소되었다면 그 영업허가취소처분은 그 처분시에 소급하여 효력을 잃게 되며,</u> 영업허가취소처분이 장래에 향하여서만 효력을 잃게 된다고 볼 것은 아니므로 그 <u>영업허가취소처분 이후의 영업행위를 무허가영업이라고 볼 수는 없다</u>(대판 1993.6.25. 93도277).

② (○) 대판 1982.6.8. 80도2646

③ (○) 행정행위의 위법성을 확인하는 것이 범죄성립 여부를 판단하기 위한 선결문제인 경우, 형사법원은 이를 심사할 수 있다.

> (개발제한구역 안에 건축되어 있던 비닐하우스를 매수한 자에게 구청장이 이를 철거하여 토지를 원상회복하라는 시정조치를 하였으나 이에 따르지 아니한 자를 구 도시계획법위반죄로 기소한 사건에서) <u>도시계획법 제78조 제1항에 정한 처분이나 조치명령을 받은 자가 이에 위반한 경우</u> 이로 인하여 같은 법 제92조에 정한 <u>처벌을 하기 위하여는 그 처분이나 조치명령이 적법한 것이라야 하고,</u> 그 처분이 당연무효가 아니라 하더라도 그것이 위법한 처분으로 인정되는 한 같은 법 제92조 위반죄가 성립될 수 없다(대판 1992.8.18. 90도1709).

📌 문제 DATA

출제가능 지수 ▶▶▷
난이도 지수 ★★☆

📋 함께 정리하기

행정행위의 효력

영업허가취소처분이 취소
▷ 영업허가취소 후 영업은 무허가영업✕

연령미달의 운전면허
▷ 취소 전까지는 유효 → 무면허운전✕

조치명령의 적법성이 형사소송의 선결문제
▷ 심사 可

조세부과처분 취소판결 확정
▷ 조세포탈 무죄 명백한 증거

유제 17. 국가직 7급 (추) 행정청의 조치명령에 위반하여 명령위반죄로 기소된 사안에서 해당 조치명령이 당연무효인 경우에 한하여 형사법원은 그 위법성을 판단하여 죄의 성립 여부를 결정할 수 있다. (×)
13. 국가직 9급 구「도시계획법」에 정한 처분이나 조치명령을 받은 자가 이에 위반한 경우, 이로 인하여 동법 제92조에 정한 처벌을 하기 위하여는 그 처분이나 조치명령이 적법한 것이라야 하고, 그 처분이 당연무효가 아니라 하더라도 그것이 위법한 처분으로 인정되는 한 같은 법 제92조 위반죄가 성립될 수 없다. (○)

④ (○) 조세의 부과처분을 취소하는 행정판결이 확정된 경우 그 부과처분의 효력은 처분시에 소급하여 효력을 잃게 되어 그에 따른 납세의무가 없으므로, 확정된 행정판결은 조세포탈에 대해 무죄로 판단하거나 원심판결이 인정한 죄보다 경한 죄를 인정할 명백한 증거에 해당한다(대판 2019.9.26. 2017도11812).

답 ①

문제 DATA

출제가능 지수 ▶▶Σ
난이도 지수 ★★☆

017

선결문제에 대한 판례의 입장으로 옳지 않은 것은?

① 조세부과처분이 무효임을 이유로 이미 납부한 세금의 반환을 청구하는 민사소송에서 법원은 그 조세부과처분이 무효라는 판단과 함께 세금을 반환하라는 판결을 할 수 있다.
② 영업허가취소처분으로 손해를 입은 자가 제기한 국가배상청구소송에서 법원은 영업허가취소처분에 취소사유에 해당하는 하자가 있는 경우에는 영업허가취소처분의 위법을 이유로 배상청구를 인용할 수 없다.
③ 물품을 수입하고자 하는 자가 세관장에게 수입신고를 하여 그 면허를 받고 물품을 통관한 경우에는, 세관장의 수입면허가 중대하고도 명백한 하자가 있는 행정행위이어서 당연무효가 아닌 한「관세법」소정의 무면허수입죄가 성립될 수 없다.
④ 영업허가취소처분 이후에 영업을 한 행위에 대하여 무허가영업으로 기소되었으나 형사법원이 판결을 내리기 전에 영업허가취소처분이 행정소송에서 취소되면 형사법원은 무허가영업행위에 대해서 무죄를 선고하여야 한다.

| 2022년 지방직 9급

① (○) 대판 1973.07.10. 70다1439
② (×) 손해배상청구소송에서는 배상책임의 요건인 행정행위의 위법성 여부가 문제되는데, 행정행위의 위법성 여부는 민사법원도 직접 심리·판단할 수 있고 심리 결과 행정행위가 위법하다고 판단되는 경우에는 손해배상청구를 인용할 수 있다. 따라서 영업허가취소처분에 취소사유에 해당하는 하자가 있는 경우에는 영업허가취소처분의 위법을 이유로 배상청구를 인용할 수 있다.

> 위법한 행정대집행이 완료되면 그 처분의 무효확인 또는 취소를 구할 소의 이익은 없다 하더라도, 미리 그 행정처분의 취소판결이 있어야만, 그 행정처분의 위법임을 이유로 한 손해배상 청구를 할 수 있는 것은 아니다(대판 1972.4.28. 72다337).

함께 정리하기

행정행위효력과 선결문제

민사소송에서 효력유무가 선결문제
▷ 당연무효 전제로 판결 가

국가배상청구
▷ 선결문제 위법 여부 판단 가

취소사유 있는 수입면허
▷ 무면허수입죄×

영업허가취소처분이 취소
▷ 영업허가취소 후 영업은 무허가영업×

유제 22. 군무원 7급 甲이 영업정지처분이 위법하다고 주장하면서 국가를 상대로 손해배상청구소송을 제기한 경우, 법원은 취소사유에 해당하는 것을 인정하더라도 그 처분의 취소판결이 없는 한 손해배상청구를 인용할 수 없다. (×)
20. 국회직 8급 위법한 행정처분으로 인해 피해를 입은 자가 제기한 국가배상청구소송에서 민사법원은 행정행위의 위법성 여부를 확인하여 배상청구를 인용할 수 있다. (○)
19. 행정사 행정행위의 위법 여부가 민사소송에서 선결문제가 된 경우 민사법원은 그 행정행위의 위법 여부를 판단할 수 있다. (○)
19. 국가직 9급 행정처분이 위법임을 이유로 국가배상을 청구하기 위한 전제로서 그 처분이 취소되어야만 하는 것은 아니다. (○)
18. 교행 위법한 행정행위에 대한 국가배상소송이 제기된 경우, 민사법원은 해당 행정행위가 취소되어야만 그 위법 여부를 심리·판단하여 배상을 명할 수 있다. (×)

③ (○) 물품을 수입하고자 하는 자가 일단 세관장에게 수입신고를 하여 그 면허를 받고 물품을 통관한 경우에는, 세관장의 수입면허가 중대하고도 명백한 하자가 있는 행정행위이어서 당연무효가 아닌 한 관세법 제181조 소정의 무면허수입죄가 성립될 수 없다(대판 1989.3.28. 89도149).

유제 16. 지방직 7급 하자 있는 수입승인에 기초하여 수입면허를 받고 물품을 통관한 경우, 당해 수입면허가 당연무효가 아닌 한 무면허수입죄가 성립되지 않는다. (○)
13. 국가직 9급, 08. 국가직 9급 판례에 의하면 물품을 수입하고자 하는 자가 일단 세관장에게 수입신고를 하여 그 면허를 받고 물품을 통관한 경우에는, 세관장의 수입면허 중대하고도 명백한 하자가 있는 행정행위이어서 당연무효가 아닌 한 「관세법」 제181조 소정의 무면허수입죄가 성립될 수 없다. (○)
10. 국가직 7급 세관장의 수입면허에 중대하고 명백한 하자가 있는 경우가 아닌 한, 무면허수입죄는 성립되지 않는다. (○)

④ (○) 영업허가취소처분이 행정소송에서 취소되면 그 영업허가취소처분은 처분시에 소급하여 효력을 잃게 되어 영업허가취소처분 이후의 영업행위는 무허가영업이 아니게 되므로 형사법원은 무허가영업행위에 대해서 무죄를 선고하여야 한다.

영업의 금지를 명한 영업허가취소처분 자체가 나중에 행정쟁송절차에 의하여 취소되었다면 그 영업허가취소처분은 그 처분시에 소급하여 효력을 잃게 되며, 영업허가취소처분에 복종할 의무가 원래부터 없었음이 확정되었다고 봄이 타당하고, 영업허가취소처분이 장래에 향하여서만 효력을 잃게 된다고 볼 것은 아니므로 그 영업허가취소처분 이후의 영업행위를 무허가영업 이라고 볼 수는 없다(대판 1993.6.25. 93도277).

답 ②

018

행정행위의 효력에 대한 설명으로 옳지 않은 것은? (다툼이 있는 경우 판례에 의함)

① 부동산에 대한 실질적 소유자가 아닌 명의수탁자에 대하여 행해진 양도소득세 부과처분에 취소할 수 있는 위법사유가 있는 경우에는 민사소송절차에서 그 처분의 효력을 부인하여 위 양도소득세 채권이 존재하지 아니하는 것으로 인정할 수 있다.
② 관할 소방서장으로부터 소방시설 불량사항에 관한 시정보완명령을 받고도 따르지 아니하였다는 내용으로 기소된 사안에서, 담당 소방공무원이 시정보완명령을 구술로 고지하였다면, 이러한 행정처분은 당연무효이고 행정형벌을 부과할 수 없다.
③ 「소하천정비법」에 따라 행정청으로부터 시정명령을 받은 사람이 이를 위반한 경우, 그로 인하여 같은 법에서 정한 처벌을 하기 위해서는 그 시정명령이 적법해야 하고, 시정명령이 당연무효가 아니더라도 위법하다고 인정되는 한 그 위반죄가 성립될 수 없다.
④ 병역의무자가 현역병 입영대상자로 병역처분을 받고 징집되어 군부대에 들어갔다면, 설령 그 병역처분에 흠이 있다고 하더라도 그 흠이 당연무효에 해당하는 것이 아닌 이상, 그 사람은 입영한 때부터 현역의 군인으로서 「군형법」의 적용대상이 된다.
⑤ 어떠한 행정처분이 위법하다고 할지라도 그 자체만으로 곧바로 그 행정처분이 공무원의 고의 또는 과실로 인한 불법행위를 구성한다고 단정할 수는 없고, 공무원의 고의 또는 과실의 유무에 대하여는 별도의 판단을 요한다.

함께 정리하기

행정행위의 효력

과세처분에 취소사유
▷ 민사소송에서 효력부인 불가

구술로 시정보완명령 고지
▷ 당연무효 → 행정형벌 부과 불가

시정명령이 위법
▷ 시정명령위반죄 불성립

당연무효 아닌 병역처분에 의한 입영자
▷ 군형법 적용대상

2022년 소방간부

① (×) 과세처분이 당연무효라고 볼 수 없는 한 과세처분에 취소할 수 있는 위법사유가 있다 하더라도 그 과세처분은 행정행위의 공정력 또는 집행력에 의하여 그것이 적법하게 취소되기 전까지는 유효하다 할 것이므로, 민사소송절차에서 그 과세처분의 효력을 부인할 수 없다(대판 1999.8.20. 99다20179).

유제 20. 5급 승진 과세처분이 당연무효라고 볼 수 없는 한 과세처분에 취소사유가 있다고 하더라도 그 처분이 취소되기 전까지는 민사소송절차에서 해당 과세처분의 효력은 부인될 수 없다. (○)
19. 서울시 9급 취소사유 있는 과세처분에 의하여 세금을 납부한 자는 과세처분취소소송을 제기하지 않은 채 곧바로 부당이득반환청구소송을 제기하더라도 납부한 금액을 반환받을 수 있다. (×)
19. 국가직 7급, 13. 국회직 8급 (甲은 재산세 부과의 근거가 되는 개별공시지가와 그 산정의 기초가 되는 표준공시지가가 위법하게 산정되었다고 주장한다) 이 경우에 甲이 개별공시지가결정에 따라 부과된 재산세를 납부한 후 이미 납부한 재산세에 대한 부당이득반환을 구하는 민사소송을 제기한 경우, 민사법원은 재산세부과처분에 취소사유의 하자가 있음을 이유로 재산세부과처분의 효력을 부인하고 그 납세액의 반환을 명하는 판결을 내릴 수 있다. (×)
18. 국회직 8급 과세처분에 취소할 수 있는 위법사유가 있다 하더라도 그 과세처분은 그것이 적법하게 취소되기 전까지는 유효하다 할 것이므로, 민사소송절차에서 그 과세처분의 효력을 부인할 수 없다. (○)

② (○) 집합건물 중 일부 구분건물의 소유자인 피고인이 관할 소방서장으로부터 소방시설 불량사항에 관한 시정보완명령을 받고도 따르지 아니하였다는 내용으로 기소된 사안에서, 담당 소방공무원이 행정처분인 위 명령을 구술로 고지한 것은 행정절차법 제24조를 위반한 것으로 하자가 중대하고 명백하여 당연무효이고, 무효인 명령에 따른 의무위반이 생기지 아니하는 이상 피고인에게 명령 위반을 이유로 소방시설 설치·유지 및 안전관리에 관한 법률 제48조의2 제1호에 따른 행정형벌을 부과할 수 없다(대판 2011.11.10. 2011도11109).

> 「행정절차법」 제24조 【처분의 방식】 ① 행정청이 처분을 할 때에는 다른 법령등에 특별한 규정이 있는 경우를 제외하고는 문서로 하여야 하며, 다음 각 호의 어느 하나에 해당하는 경우에는 전자문서로 할 수 있다.

유제 19. 지방직 9급, 13. 경찰 2차 구 「소방시설 설치·유지 및 안전관리에 관한 법률」 제9조에 의한 소방시설 등의 설치 또는 유지·관리에 대한 명령이 행정처분으로서 하자가 있어 무효인 경우에는 명령에 따른 의무위반이 생기지 아니하므로 명령위반을 이유로 행정형벌을 부과할 수 없다. (○)

③ (○) 소하천정비법 제14조 제5항, 제17조 제5호에 의하여 행정청으로부터 시정명령을 받은 사람이 이를 위반한 경우, 그로 인하여 같은 법 제27조 제4호에 정한 처벌을 하기 위해서는 그 시정명령이 적법해야 한다. 따라서 시정명령이 당연무효가 아니더라도 위법하다고 인정되는 한 같은 법 제27조 제4호의 위반죄가 성립될 수 없고, 시정명령이 절차적 하자로 인하여 위법한 경우에도 마찬가지이다(대판 2020.5.14. 2020도2564).

④ (○) 병역의무자가 소정의 절차에 따라 현역병입영대상자로 병역처분을 받고 징집되어 군부대에 들어갔다면, 설령 그 병역처분에 흠이 있다고 하더라도 그 흠이 당연무효에 해당하는 것이 아닌 이상, 그 사람은 입영한 때부터 현역의 군인으로서 군형법의 적용대상이 되는 것으로 보아야 한다(대판 2002.4.26. 2002도740).

⑤ (○) 어떠한 행정처분이 위법하다고 할지라도 그 자체만으로 곧바로 그 행정처분이 공무원의 고의 또는 과실로 인한 불법행위를 구성한다고 단정할 수는 없고, 공무원의 고의 또는 과실의 유무에 대하여는 별도의 판단을 요한다(대판 2004.6.11. 2002다31018).

답 ①

019

행정행위의 구성요건적 효력(공정력)과 선결문제에 대한 설명으로 가장 옳지 않은 것은? (다툼이 있는 경우 판례에 의함)

① 甲이 영업정지처분이 위법하다고 주장하면서 국가를 상대로 손해배상청구소송을 제기한 경우, 법원은 취소사유에 해당하는 것을 인정하더라도 그 처분의 취소판결이 없는 한 손해배상청구를 인용할 수 없다.
② 선결문제가 행정행위의 당연무효이면 민사법원이 직접 그 무효를 판단할 수 있다.
③ 과세대상과 납세의무자 확정이 잘못되어 당연무효인 과세에 대해서는 체납이 문제될 여지가 없으므로 조세체납범이 문제되지 않는다.
④ 행정행위의 위법 여부가 범죄구성요건의 문제로 된 경우에는 형사법원이 행정행위의 위법성을 인정할 수 있다.

2022년 군무원 7급

① (×) 행정행위의 위법성 여부는 민사법원도 직접 심리·판단할 수 있고 심리 결과 행정행위가 위법하다고 판단되는 경우에는 손해배상청구를 인용할 수 있다.

> 위법한 행정대집행이 완료되면 그 처분의 무효확인 또는 취소를 구할 소의 이익은 없다 하더라도, 미리 그 행정처분의 취소판결이 있어야만, 그 행정처분의 위법임을 이유로 한 손해배상청구를 할 수 있는 것은 아니다(대판 1972.4.28. 72다337).

② (○) 대판 1973.7.10. 70다1439
③ (○) 과세대상과 납세의무자 확정이 잘못되어 당연무효한 과세에 대하여는 체납이 문제될 여지가 없으므로 체납범이 성립하지 않는다(대판 1971.5.31. 71도742).
④ (○) 형사소송에서 행정행위의 위법성 확인이 선결문제인 경우, 형사법원도 행정행위의 위법성에 대해서는 심사할 수 있다.

답 ①

함께 정리하기

행정행위의 구성요건적 효력(공정력)과 선결문제

손해배상청구에서 행정행위 위법 여부
▷ 민사법원이 판단 可

당연무효
▷ 민사법원이 판단 可

당연무효인 과세
▷ 조세체납 불성립

행정행위 위법 여부가 법죄성립의 선결문제
▷ 형사법원이 판단 可

020

행정행위의 효력에 대한 설명으로 가장 옳지 않은 것은? (다툼이 있는 경우 판례에 의함)

① 일반적으로 행정처분이나 행정심판 재결이 불복 기간의 경과로 확정될 경우에는 그 처분의 기초가 된 사실관계나 법률적 판단이 확정되고 당사자들이나 법원이 이에 기속되어 모순되는 주장이나 판단을 할 수 없게 된다.
② 제소기간이 이미 도과하여 불가쟁력이 생긴 행정처분에 대하여는 개별 법규에서 그 변경을 요구할 신청권을 규정하고 있거나 관계 법령의 해석상 그러한 신청권이 인정될 수 있는 등 특별한 사정이 없는 한 국민에게 그 행정처분의 변경을 구할 신청권이 있다 할 수 없다.
③ 불가쟁력이 발생한 행정행위로 손해를 입은 국민은 그 위법성을 들어 국가배상청구를 할 수 있다.
④ 불가변력이라 함은 행정행위를 한 행정청이 당해 행정행위를 직권으로 취소 또는 변경할 수 없게 하는 힘으로 실질적 확정력 또는 실체적 존속력이라고도 한다.

함께 정리하기

행정행위의 효력

불복기간 경과로 재결확정
▷ 기판력 無 → 소송에서 당사자, 법원은 모순 주장 or 판단 可

불가쟁력 발생한 처분
▷ 법규상·해석상 인정되지 않는 한 변경신청권 無

불가쟁력 발생한 행정행위로 손해
▷ 국가배상청구 可

불가변력
▷ 처분청 스스로도 당해 행정행위에 구속되어 직권으로 취소·변경할 수 없는 것

2022년 군무원 9급

① (×) 행정처분이나 행정심판 재결이 불복기간의 경과로 인하여 확정될 경우 확정력은 처분으로 인하여 법률상 이익을 침해받은 자가 처분이나 재결의 효력을 더 이상 다툴 수 없다는 의미일 뿐 판결에 있어서와 같은 기판력이 인정되는 것은 아니어서 처분의 기초가 된 사실관계나 법률적 판단이 확정되고 당사자들이나 법원이 이에 기속되어 모순되는 주장이나 판단을 할 수 없게 되는 것은 아니다(대판 1993.4.13. 92누17181).

② (O) 행정청이 국민의 신청에 대하여 한 거부행위가 항고소송의 대상이 되는 행정처분으로 되려면, 행정청의 행위를 요구할 법규상 또는 조리상의 신청권이 국민에게 있어야 하고, 이러한 신청권의 근거없이 한 국민의 신청을 행정청이 받아들이지 아니한 경우에는 그 거부로 인하여 신청인의 권리나 법적 이익에 어떤 영향을 주는 것이 아니므로 이를 항고소송의 대상이 되는 행정처분이라 할 수 없다. 그리고 제소기간이 이미 도과하여 불가쟁력이 생긴 행정처분에 대하여는 개별 법규에서 그 변경을 요구할 신청권을 규정하고 있거나 관계 법령의 해석상 그러한 신청권이 인정될 수 있는 등 특별한 사정이 없는 한 국민에게 그 행정처분의 변경을 구할 신청권이 있다 할 수 없다(대판 2007.4.26. 2005두11104).

유제 20. 5급 승진 불가쟁력이 생긴 행정처분에 대하여는 개별 법규에서 그 변경을 요구할 신청권을 규정하고 있거나 관계 법령의 해석상 그러한 신청권이 인정될 수 있는 등 특별한 사정이 없는 한 그 행정처분의 변경을 구할 신청권은 인정될 수 없다. (O)
19. 지방직 7급 영업허가를 취소하는 처분에 대해 불가쟁력이 발생하였더라도 이후 사정변경을 이유로 그 허가취소의 변경을 요구하였으나 행정청이 이를 거부한 경우라면, 그 거부는 원칙적으로 항고소송의 대상이 되는 처분이다. (×)
19. 서울시 9급 제소기간이 이미 도과하여 불가쟁력이 생긴 행정처분에 대하여는 개별 법규에서 그 변경을 요구할 신청권을 규정하고 있거나 관계법령의 해석상 그러한 신청권이 인정될 수 있는 등 특별한 사정이 없는 한 국민에게 그 행정처분의 변경을 구할 신청권이 있다 할 수 없다. (O)
18. 국회직 8급 제소기간이 이미 도과하여 불가쟁력이 생긴 행정처분에 대하여는 특별한 사정이 없는 한 국민에게 그 행정처분의 변경을 구할 신청권이 있다고 할 수는 없다. (O)
17. 국가직 7급 제소기간이 이미 도과하여 불가쟁력이 생긴 행정처분에 대하여는, 관계 법령의 해석상 그 변경을 요구할 신청권이 인정될 수 있는 경우라 하더라도 국민에게 그 행정처분의 변경을 구할 신청권이 없다. (×)

③ (O) 불가쟁력이 발생하면 더 이상 행정쟁송으로 다툴 수 없게 되나, 그렇다고 하여 위법한 행정행위의 하자가 치유되어 적법하게 되는 것은 아니므로 그 행정행위로 손해를 입은 자는 손해배상청구권이 시효로 소멸하지 않은 이상, 국가배상청구를 할 수 있다.

유제 21. 지방직 9급 불가쟁력이 발생한 행정행위로 손해를 입은 국민은 국가배상청구를 할 수 있다. (O)
19. 서울시 9급 취소사유 있는 영업정지처분에 대한 취소소송의 제소기간이 도과한 경우 처분의 상대방은 국가배상청구소송을 제기하여 재산상 손해의 배상을 구할 수 있다. (O)
13. 서울시 7급 위법한 환지처분에 불가쟁력이 발생한 경우에는 국가배상청구소송은 인용될 수 없다. (×)
11. 국가직 7급 (택배업을 하는 甲이 관련 법규에 대한 이해가 부족한 경찰관의 법리오인으로 인하여 30일의 운전면허정지처분을 받아 생업에 상당한 지장을 받게 되었다) 이 경우에 면허정지처분에 대한 제소기간이 지났다고 하더라도 甲은 경찰관의 직무상의 과실을 들어 면허정지에 따른 손해를 국가배상으로 청구할 수 있다. (O)

④ (O) 행정행위에 원시적 흠이나 후발적 사유가 있으면 처분청은 이를 취소·변경하는 것이 원칙이나 일정한 행정행위의 경우 처분청 스스로도 당해 행정행위에 구속되어 더 이상 직권으로 취소·변경·철회할 수 없는 효력이 발생하는 바, 이러한 효력을 불가변력이라고 한다. 불가변력은 실질적 확정력 또는 실체적 존속력이라고도 한다.

유제 22. 행정사 불가변력이란 처분청 스스로도 당해 행정행위에 구속되어 직권으로 취소·변경할 수 없는 것을 말한다. (O)
09. 국가직 9급 행정행위가 발해지면 일정한 경우에 행정청 자신도 직권으로 자유로이 이를 취소 또는 철회할 수 없다. (O)

답 ①

021 □□□

행정행위의 효력에 대한 설명으로 옳지 않은 것은?

① 실정법상 공정력을 직접적으로 규정하는 법률은 없다.
② 불가쟁력은 행정행위의 상대방이나 이해관계인에 대한 구속력이다.
③ 불가변력이란 처분청 스스로도 당해 행정행위에 구속되어 직권으로 취소·변경할 수 없는 것을 말한다.
④ 집행력은 의무가 부과되는 행정행위에서 문제된다.
⑤ 불가변력이 있는 행정행위일지라도 쟁송기간이 경과하지 않는 한 행정쟁송에 의한 취소가 가능하다.

문제 DATA
출제가능 지수 ▶▶▷
난이도 지수 ★★☆

2022년 행정사

① (×)「행정기본법」에서 공정력을 직접적으로 규정하고 있다.

> 「행정기본법」제15조【처분의 효력】처분은 권한이 있는 기관이 취소 또는 철회하거나 기간의 경과 등으로 소멸되기 전까지는 유효한 것으로 통용된다. 다만, 무효인 처분은 처음부터 그 효력이 발생하지 아니한다.

② (○) 불가쟁력은 비록 하자있는 행정행위라 할지라도 쟁송제기기간이 경과하거나 쟁송수단을 모두 거친 경우에는 상대방 또는 이해관계인이 더 이상 행정행위의 효력을 다툴 수 없게 하는 힘이다.

유제 18. 교행, 15. 교행 불가쟁력은 행정행위의 상대방이나 이해관계인에 대하여 발생하는 효력이다. (○)

③ (○) 행정행위에 원시적 흠이나 후발적 사유가 있으면 처분청은 이를 취소·변경하는 것이 원칙이나 일정한 행정행위의 경우 처분청 스스로도 당해 행정행위에 구속되어 더 이상 직권으로 취소·변경·철회할 수 없는 효력이 발생하는 바, 이러한 효력을 불가변력이라고 한다.

④ (○) 집행력이란 행정의사의 강제력에서 비롯된 힘으로서 행정행위에 의해 부과된 의무를 상대방이 이행하지 않는 경우 행정청이 스스로 강제력을 발동하여 그 의무를 실현시키는 힘을 의미한다. 성질상 상대방에게 의무가 부과되는 행정행위에서 문제가 된다.

유제 15. 교행 상대방에게 일정한 의무를 부과하는 하명은 집행력을 가진다. (○)

⑤ (○) 불가변력은 처분청을 구속할 뿐이므로 불가변력이 발생한 행정행위를 처분청은 취소할 수 없으나, 처분의 상대방은 불가쟁력이 발생하지 않은 이상 행정쟁송을 제기하여 다툴 수 있다.

유제 21. 소방직 불가변력이 있는 행위가 당연히 불가쟁력을 발생시키는 것은 아니다. (○)
15. 서복직 불가변력이 인정되는 행정행위에 대하여 상대방은 행정쟁송절차에 의하여 그 효력을 다툴 수 없다. (×)
15. 교행 불가변력이 있는 행정행위도 쟁송기간이 경과하기 전에는 쟁송을 제기하여 그 효력을 다툴 수 있다. (○)
14. 서울시 7급 실질적 존속력이 발생한 행위라도 형식적 존속력이 발생하지 않은 동안에는 상대방은 그 행위를 다툴 수 있다. (○)
09. 지방직 7급 불가변력이 발생한 행정행위는 당연히 불가쟁력을 가진다. (×)

답 ①

함께 정리하기

행정행위의 효력

공정력
▷「행정기본법」에 명문규정 有

불가쟁력
▷ 상대방이나 이해관계인에 대한 구속력

불가변력
▷ 처분청 스스로도 당해 행정행위에 구속되어 직권으로 취소·변경할 수 없는 것

집행력
▷ 의무가 부과되는 행정행위에서 문제

불가변력이 있는 행정행위
▷ 쟁송기간이 경과하지 않는 한 쟁송취소 可

022

행정행위의 효력에 대한 설명으로 옳지 않은 것은? (다툼이 있는 경우 판례에 의함)

① 행정처분이 아무리 위법하다고 하여도 그 하자가 중대하고 명백하여 당연무효라고 보아야 할 사유가 있는 경우를 제외하고는 아무도 그 하자를 이유로 무단히 그 효과를 부정하지 못한다.
② 민사소송에 있어서 어느 행정처분의 당연무효 여부가 선결문제로 되는 때에는 이를 판단하여 당연무효임을 전제로 판결할 수 있고 반드시 행정소송 등의 절차에 의하여 그 취소나 무효확인을 받아야 하는 것은 아니다.
③ 불가쟁력이 발생한 행정행위로 손해를 입은 국민은 국가배상청구를 할 수 있다.
④ 행정행위의 불가변력은 당해 행정행위에 대해서만 인정되는 것이 아니고, 동종의 행정행위라면 그 대상을 달리 하더라도 인정된다.

> 2021년 지방직 9급

① (O) 행정처분이 아무리 위법하다고 하여도 그 하자가 중대하고 명백하여 당연무효라고 보아야 할 사유가 있는 경우를 제외하고는 아무도 그 하자를 이유로 무단히 그 효과를 부정하지 못하는 것으로, 이러한 행정행위의 공정력은 판결의 기판력과 같은 효력은 아니지만 그 공정력의 객관적 범위에 속하는 행정행위의 하자가 취소사유에 불과한 때에는 그 처분이 취소되지 않는 한 처분의 효력을 부정하여 그로 인한 이득을 법률상 원인 없는 이득이라고 말할 수 없는 것이다(대판 1994.11.11. 94다28000).
② (O) 민사소송에 있어서 어느 행정처분의 당연무효 여부가 선결문제로 되는 때에는 이를 판단하여 당연무효임을 전제로 판결할 수 있고 반드시 행정소송 등의 절차에 의하여 그 취소나 무효확인을 받아야 하는 것은 아니다(대판 2010.4.8. 2009다90092).
③ (O) 불가쟁력이 발생하면 더 이상 행정쟁송으로 다툴 수 없게 되나, 그렇다고 하여 위법한 행정행위의 하자가 치유되어 적법하게 되는 것은 아니므로 그 행정행위로 손해를 입은 자는 손해배상청구권이 시효로 소멸하지 않은 이상, 국가배상청구를 할 수 있다.
④ (X) 국민의 권리와 이익을 옹호하고 법적 안정을 도모하기 위하여 특정한 행위에 대하여는 행정청이라 하여도 이것을 자유로이 취소, 변경 및 철회할 수 없다는 행정행위의 불가변력은 당해 행정행위에 대하여서만 인정되는 것이고, 동종의 행정행위라 하더라도 그 대상을 달리할 때에는 이를 인정할 수 없다(대판 1974.12.10. 73누129).

답 ④

023

행정행위의 존속력에 대한 설명으로 옳지 않은 것은? (다툼이 있는 경우 판례에 의함)

① 불가변력은 처분청에 미치는 효력이고, 불가쟁력은 상대방 및 이해관계인에게 미치는 효력이다.
② 불가쟁력이 생긴 경우에도 국가배상청구를 할 수 있다.
③ 불가변력이 있는 행위가 당연히 불가쟁력을 발생시키는 것은 아니다.
④ 불가쟁력은 실체법적 효력만 있고, 절차법적 효력은 전혀 가지고 있지 않다.

2021년 소방직

① (○) 불가변력(실질적 존속력)은 일정한 행정행위의 경우 처분청도 스스로 당해 행위의 내용에 구속되어 더 이상 직권으로 취소·변경하거나 또는 철회할 수 없게 되는 효력을 말한다. 불가쟁력(형식적 존속력)은 제소기간이 도과하거나 쟁송수단을 모두 거친 경우에는 상대방과 이해관계인이 더 이상 그 행정행위의 효력을 다툴 수 없게 되는 효력을 말한다.
② (○) 불가쟁력이 발생하면 더 이상 행정쟁송으로 다툴 수 없게 된다. 그렇다고 하여 위법한 행정행위의 하자가 치유되어 적법하게 되는 것은 아니므로 그 행정행위로 손해를 입은 자는 손해배상청구권이 시효로 소멸하지 않은 이상, 국가배상청구를 할 수 있다.
③ (○) 불가변력과 불가쟁력은 상호 독립적이다. 따라서 불가변력이 있는 행정행위가 당연히 불가쟁력을 발생시키는 것은 아니다.
④ (×) 불가쟁력이 절차법적 효력인 반면, 불가변력은 준사법적 행정행위 또는 확인행위 등 특정한 행정행위에 한하여 인정되는 실체법적 효력이다.

답 ④

함께 정리하기
행정행위의 존속력

불가변력
▷ 처분청에 미침
▷ 실체법적 효력

불가쟁력
▷ 상대방 및 이해관계인에 미침
▷ 절차법적 효력

불가쟁력 생긴 경우
▷ 국가배상청구 可

불가변력 있는 행위
▷ 당연히 불가쟁력 발생×

024 □□□

행정행위의 효력에 대한 설명으로 옳지 않은 것은? (다툼이 있는 경우 판례에 의함)

① 행정처분이 아무리 위법하다고 하여도 당연무효인 사유가 있는 경우를 제외하고는 아무도 그 하자를 이유로 무단히 그 효과를 부정하지 못한다.
② 공정력의 근거를 적법성의 추정으로 보아 행정행위의 적법성은 피고인 행정청이 아니라 원고 측에 입증책임이 있다.
③ 민사소송에 있어서 어느 행정처분의 당연무효 여부가 선결문제로 되는 때에는 이를 판단하여 당연무효임을 전제로 판결할 수 있고 반드시 행정소송 등의 절차에 의하여 그 취소나 무효확인을 받아야 하는 것은 아니다.
④ 어떤 법률에 의하여 행정청으로부터 시정명령을 받은 자가 이를 위반한 경우 그 때문에 그 법률에서 정한 처벌을 하기 위하여는 그 시정명령은 적법한 것이라야 한다.

문제 DATA
출제가능 지수 ▶▶▷
난이도 지수 ★★☆

2021년 군무원 7급

① (○) 대판 1994.11.11. 94다28000
② (×) 종래 공정력을 적법성을 추정시키는 효력으로 보는 견해에서는 행정행위는 공정력으로 인해 적법성이 추정되므로 행정행위의 위법성은 원고가 입증해야 한다는 원고책임설을 취하였다. 그러나 오늘날에는 공정력을 행정행위의 적법성을 추정시키는 효력이 아니라 행정행위를 잠정적으로 유효한 것으로 통용시키는 효력으로 보므로, 공정력은 입증책임의 분배와는 관련이 없다는 것이 일반적인 견해이다.
  유제 12. 사복직 공정력은 입증책임의 분배와 직접적인 관련이 있다. (×)
      07. 국가직 9급 공정력은 취소소송에 있어 입증책임의 소재에까지 영향을 미치는 것으로 볼 수 없다. (○)
③ (○) 대판 2010.4.8. 2009다90092
④ (○) 행정청으로부터 구 주택법 제91조에 의한 시정명령을 받고도 이를 위반하였다는 이유로 위 법 제98조 제11호에 의한 처벌을 하기 위해서는 그 시정명령이 적법한 것이어야 하고, 그 시정명령이 위법하다고 인정되는 한 위 법 제98조 제11호 위반죄는 성립하지 않는다(대판 2009.6.25. 2006도824).
  유제 16. 지방직 7급 구 「주택법」 제91조에 따른 시정명령이 위법하더라도 당연무효가 아닌 이상 그 시정명령을 따르지 아니한 경우에는 동법상 시정명령 위반죄가 성립된다. (×)

답 ②

함께 정리하기
행정행위의 효력

행정처분
▷ 당연무효가 아닌 한 아무도 그 하자를 이유로 효과 부정 不可

공정력
▷ 입증책임과 무관

당연무효 여부가 선결문제
▷ 민사법원이 판단 可

시정명령 위반죄 성립
▷ 적법한 시정명령 要

문제 DATA

출제가능 지수 ▶▶▷
난이도 지수 ★★☆

025 □□□

행정행위의 효력에 대한 설명으로 옳지 않은 것은? (다툼이 있는 경우 판례에 의함)

① 공정력이란 행정행위의 위법이 중대·명백하여 당연무효가 아닌 한 권한 있는 기관에 의해 취소되기까지는 행정의 상대방이나 이해관계자에게 적법하게 통용되는 힘을 말한다.
② 공정력을 인정하는 이론적 근거는 법적안정성설이 통설이다.
③ 과세처분에 대해 이의신청을 하고 이에 따라 직권취소가 이루어졌다면 특별한 사정이 없는 한 불가변력이 발생한다.
④ 환경영향평가를 거쳐야 함에도 불구하고 환경영향평가를 거치지 않고 개발사업승인을 한 처분에 대해서는 처분이 있은 후 1년이 도과한 경우라도 불가쟁력이 발생하지 않는다.
⑤ 구성요건적 효력에 대한 명시적인 법적근거는 없으나 국가기관 상호간에 관할권의 배분이 간접적 근거가 된다.

2020년 국회직 8급

① (×) 행정행위의 공정력이란 행정행위에 하자가 있다고 하더라도, 그것이 중대하고 명백하여 당연무효가 아닌 한, 권한 있는 기관(처분청, 감독청, 행정심판위원회 및 행정소송 담당 법원)에 의하여 취소되기 전까지는 일단 유효한 것으로 통용되는 힘을 말한다.
② (○) 공정력의 이론적 근거는 행정의 효율성과 행정법관계의 안정성을 그 기반으로 한다는 법적 안정성설이 통설이다.
③ (○) 과세처분에 관한 이의신청 절차에서 과세관청이 이의신청 사유가 옳다고 인정하여 과세처분을 직권으로 취소한 이상 그 후 특별한 사유 없이 이를 번복하고 종전 처분을 되풀이하는 것은 허용되지 않는다 (대판 2010.9.30. 2009두1020).

유제 20. 국가직 7급 과세처분에 관한 이의신청 절차에서 과세관청이 이의신청 사유가 옳다고 인정하여 과세처분을 직권으로 취소한 이상 그 후 특별한 사유 없이 이를 번복하고 종전 처분을 되풀이 할 수 없다. (○)
11. 지방직 7급 과세처분에 관한 이의신청 절차에서 과세관청이 이의신청 사유가 옳다고 인정하여 과세처분을 직권으로 취소한 이상 그 후 특별한 사유 없이 이를 번복하고 종전 처분을 되풀이하는 것은 허용되지 않는다. (○)
11. 국회직 8급 과세처분에 대해 이의신청을 하고 이에 따라 직권취소가 이루어졌다면 특별한 사정이 없는 한 불가변력이 발생한다. (○)

④ (○) 취소할 수 있는 행정행위에는 불가쟁력이 발생하는 반면, 무효인 행정행위에는 불가쟁력이 발생하지 않는다. 환경영향평가를 거쳐야 함에도 불구하고 환경영향평가를 거치지 않고 개발사업승인을 한 처분은 무효이므로 처분이 있은 후 1년이 도과한 경우라도 불가쟁력이 발생하지 않는다.

유제 19. 소방직 무효인 행정행위에는 공정력, 불가쟁력이 인정되지 않는다. (○)
15. 사복직, 11. 국회직 8급 무효인 행정행위는 쟁송기간의 제한을 받지 않으므로 불가쟁력이 발생하지 않는다. (○)
12. 경찰 1차 무효인 행정행위도 상당한 시간이 경과하게 되는 경우 불가쟁력이 인정된다. (×)

⑤ (○) 구성요건적 효력이란 비록 행정행위에 하자가 있더라도 그 하자가 중대하고 명백하여 당연무효가 아닌 한 법원을 포함한 모든 다른 국가기관은 행정행위의 존재와 효과를 존중하여 스스로의 판단의 기초 내지는 구성요건으로 삼아야 하는 구속력을 말한다. 구성요건적 효력을 직접 인정하는 근거 규정은 없으나 학설은 국가기관 상호간의 권한 및 관할권존중의 원칙에서 간접적인 근거(예 행정권과 사법권의 분립규정, 행정기관 상호간의 관할권 배분에 관한 규정 등)를 찾고 있다.

유제 17. 국가직 9급 행정행위의 효력으로서 구성요건적 효력과 공정력은 이론적 근거를 법적 안정성에서 찾고 있다는 공통점이 있다. (×)
14. 서울시 7급 법무부장관이 A에게 귀화허가를 준 경우 그 귀화허가가 무효가 아니라면, 귀화허가가 모든 국가기관을 구속하여 각부 장관이 A를 국민으로 보아야 하는 효력은 행정의사의 존속력에 나온다. (×)
08. 선관위 9급 구성요건적 효력이란 유효한 행정행위가 존재하는 이상 모든 국가기관은 그의 존재를 존중하여 스스로의 판단기초 내지는 구성요건으로 삼아야 한다는 구속력을 말한다. (○)

답 ①

함께 정리하기

행정행위의 효력

공정력
▷ 행정행위가 당연무효가 아닌 한 취소되기까지 유효하게 통용되는 힘

공정력의 이론적 근거
▷ 법적 안정성

과세처분 이의신청에 따른 직권취소
▷ 불가변력 인정

무효인 행정행위
▷ 불가쟁력×

구성요건적 효력의 이론적 근거
▷ 국가기관 상호간에 관할권 존중

026 □□□

행정행위의 공정력과 선결문제에 대한 설명으로 옳지 않은 것은? (다툼이 있는 경우 판례에 의함)

① 조세 과·오납에 따른 부당이득반환청구사안에서 민사법원은 사전통지 및 의견제출절차를 거치지 않은 하자를 이유로 행정행위의 효력을 부인할 수 있다.
② 위법한 행정처분으로 인해 피해를 입은 자가 제기한 국가배상청구소송에서 민사법원은 행정행위의 위법성 여부를 확인하여 배상청구를 인용할 수 있다.
③ 연령미달의 결격자가 이를 속이고 운전면허를 교부받아 운전 중 적발되어 기소된 경우 형사법원은 운전면허처분의 효력을 부인하고 무면허운전죄로 판단할 수 없다.
④ 「건축법」상 위법건축물에 내려진 시정명령을 이행하지 않아 시정명령위반죄로 기소된 경우 형사법원은 이를 판단할 수 있다.
⑤ 행정행위에 중대·명백한 하자가 있는 경우 선결문제에도 불구하고 민사법원 및 형사법원은 제기된 청구에 대하여 판결을 내릴 수 있다.

2020년 국회직 8급

① (×) 사전통지 및 의견제출절차를 거치지 않은 하자는 취소사유에 불과하므로 공정력으로 인해 민사법원은 행정행위의 효력을 부인할 수 없다.

> 조세의 과·오납이 부당이득이 되기 위하여는 납세 또는 조세의 징수가 실체법적으로나 절차법적으로 전혀 법률상의 근거가 없거나 과세처분의 하자가 중대하고 명백하여 당연무효이어야 하고, <u>과세처분의 하자가 단지 취소할 수 있는 정도에 불과할 때에는 과세관청이 이를 스스로 취소하거나 항고소송절차에 의하여 취소되지 않는 한 그로 인한 조세의 납부가 부당이득이 된다고 할 수 없다</u>(대판 1994.11.11. 94다28000).

유제 19. 서울시 7급, 17. 경찰 2차, 14. 변호사, 13. 국가직 9급 조세의 과·오납이 부당이득이 되기 위하여는 납세 또는 조세의 징수가 실체법적으로나 절차법적으로 전혀 법률상의 근거가 없거나 과세처분의 하자가 중대하고 명백하여 당연무효이어야 하고, 과세처분의 하자가 단지 취소할 수 있는 정도에 불과할 때에는 과세관청이 이를 스스로 취소하거나 항고소송절차에 의하여 취소되지 않는 한 그로 인한 조세의 납부가 부당이득이 된다고 할 수 없다. (○)
19. 지방직 9급 과세처분의 하자가 단지 취소할 수 있는 정도에 불과할 때에는 과세관청이 이를 스스로 취소하거나 행정쟁송절차에 의하여 취소되지 않는 한 그로 인한 조세의 납부가 부당이득이 된다고 할 수 없다. (○)
19. 경찰 2차 국민이 조세부과처분의 위법을 이유로 이미 납부한 세금의 반환을 청구하는 민사소송을 제기한 경우, 과세처분의 하자가 단지 취소할 수 있는 정도에 불과하더라도, 당해 민사법원은 위법한 과세처분의 효력을 직접 상실시켜 납부된 세금의 반환을 명할 수 있다. (×)
18. 지방직 7급 과세처분의 하자가 취소할 수 있는 사유인 경우 과세관청이 이를 스스로 취소하거나 항고소송절차에 의하여 취소되지 아니하여도 해당 조세의 납부는 부당이득이 된다. (×)

② (○) 대판 1972.4.28. 72다337
③ (○) 대판 1982.6.8. 80도2646
④ (○) 형사소송에서 행정행위의 위법성을 확인하는 것이 선결문제인 경우 형사법원은 행정행위의 위법성을 판단할 수 있다.
⑤ (○) 대판 2010.4.8. 2009다90092

답 ①

문제 DATA
출제가능 지수 ▶▶▷
난이도 지수 ★★☆

함께 정리하기

공정력과 선결문제

조세 과·오납에 취소사유(사전통지·의견제출절차 흠결)
▷ 민사법원이 효력부인 不可

위법 여부가 국가배상소송 선결문제
▷ 민사법원이 판단 可

연령미달의 운전면허
▷ 취소 전까지는 유효 → 무면허운전×

위법 여부가 형사소송 선결문제
▷ 형사법원이 판단 可

문제 DATA

출제가능 지수 ▶▶▷
난이도 지수 ★★☆

027 □□□

행정행위의 효력에 대한 설명으로 옳은 것은? (다툼이 있는 경우 판례에 의함)

① 공정력은 당해 행정행위의 하자가 중대하고 명백한 경우에도 인정된다.
② 불가쟁력이 발생한 행정행위에 대해 국가배상청구나 직권취소는 허용되지 아니한다.
③ 과세처분에 관한 이의신청절차에서 과세관청이 이의신청사유를 인정하여 과세처분을 직권으로 취소한 경우, 당해 과세관청은 그 직권취소를 번복하여 종전 처분을 되풀이할 수 있다.
④ 민사소송에서 어느 행정처분의 당연무효 여부가 선결문제로 되는 경우 당해 법원은 이를 판단하여 당연무효임을 전제로 판결할 수는 없다.
⑤ 불가쟁력이 생긴 행정처분에 대하여는 개별 법규에서 그 변경을 요구할 신청권을 규정하고 있거나 관계 법령의 해석상 그러한 신청권이 인정될 수 있는 등 특별한 사정이 없는 한 그 행정처분의 변경을 구할 신청권은 인정될 수 없다.

| 2020년 5급 승진

① (✕) 하자가 중대·명백하여 무효인 행정행위에는 공정력이 인정되지 않는다.
② (✕) 불가쟁력이 발생하면 더 이상 행정쟁송으로 다툴 수 없게 된다. 그렇다고 하여 위법한 행정행위의 하자가 치유되어 적법하게 되는 것은 아니므로 그 행정행위로 손해를 입은 자는 손해배상청구권이 시효로 소멸하지 않은 이상, 국가배상청구를 할 수 있다. 또한 처분청은 불가쟁력이 발생한 행정행위라도 직권으로 취소·철회할 수 있다.
③ (✕) 과세관청이 과세처분에 대한 이의신청절차에서 납세자의 이의신청 사유가 옳다고 인정하여 과세처분을 직권으로 취소하였음에도, 특별한 사유 없이 이를 번복하고 종전 처분을 되풀이하여서 한 과세처분은 위법하다(대판 2014.7.24. 2011두14227).
④ (✕) 민사소송에 있어서 어느 행정처분의 당연무효 여부가 선결문제로 되는 때에는 이를 판단하여 당연무효임을 전제로 판결할 수 있고 반드시 행정소송 등의 절차에 의하여 그 취소나 무효확인을 받아야 하는 것은 아니다(대판 2010.4.8. 2009다90092).
⑤ (○) 대판 2007.4.26. 2005두11104

답 ⑤

함께 정리하기

행정행위의 효력

공정력
▷ 무효인 행정행위에는 인정✕

불가쟁력 발생한 행정행위
▷ 국가배상청구나 직권취소 可

과세처분의 직권취소 번복하고 종전 처분 되풀이
▷ 위법

당연무효 여부가 선결문제
▷ 민사법원이 판단 可

불가쟁력 발생한 처분
▷ 법규상·해석상 인정되지 않는 한 변경 신청권 無

문제 DATA

출제가능 지수 ▶▶▷
난이도 지수 ★★☆

028 □□□

행정행위의 효력에 대한 설명으로 옳지 않은 것은? (다툼이 있는 경우 판례에 의함)

① 과·오납세금반환청구소송에서 민사법원은 그 선결문제로서 과세처분의 무효 여부를 판단할 수 있다.
② 행정처분이 위법임을 이유로 국가배상을 청구하기 위한 전제로서 그 처분이 취소되어야만 하는 것은 아니다.
③ 영업허가취소처분이 청문절차를 거치지 않았다 하여 행정심판에서 취소되었더라도 그 허가취소처분 이후 취소재결시까지 영업했던 행위는 무허가영업에 해당한다.
④ 건물 소유자에게 소방시설 불량사항을 시정·보완하라는 명령을 구두로 고지한 것은 「행정절차법」에 위반한 것으로 하자가 중대·명백하여 당연무효이다.

2019년 국가직 9급

① (○) 대판 2010.4.8. 2009다90092
② (○) 대판 1972.4.28. 72다337
③ (×) 영업의 금지를 명한 영업허가취소처분 자체가 나중에 행정쟁송절차에 의하여 취소되었다면 그 영업허가취소처분은 그 처분시에 소급하여 효력을 잃게 되며, 영업허가취소처분이 장래에 향하여서만 효력을 잃게 된다고 볼 것은 아니므로 그 영업허가취소처분 이후의 영업행위를 무허가영업이라고 볼 수는 없다(대판 1993.6.25. 93도277).
④ (○) 집합건물 중 일부 구분건물의 소유자인 피고인이 관할 소방서장으로부터 소방시설 불량사항에 관한 시정보완명령을 받고도 따르지 아니하였다는 내용으로 기소된 사안에서, 담당 소방공무원이 행정처분인 위 명령을 구술로 고지한 것은 행정절차법 제24조를 위반한 것으로 하자가 중대하고 명백하여 당연무효이다(대판 2011.11.10. 2011도11109).

답 ③

함께 정리하기
행정행위의 효력

과·오납세금반환소송에서 과세처분 무효 여부가 선결문제
▷ 민사법원이 판단 可

국가배상청구
▷ 처분의 취소 不要

영업허가취소처분이 취소
▷ 영업허가취소 후 영업은 무허가영업×

구두로 시정보완명령 고지
▷ 당연무효

---

029 □□□

행정행위에 대한 설명으로 옳은 것은? (다툼이 있는 경우 판례에 의함)

① 확약에는 공정력이나 불가쟁력과 같은 효력이 인정되는 것은 아니라고 하더라도, 일단 확약이 있은 후에 사실적·법률적 상태가 변경되었다고 하여 행정청의 별다른 의사표시 없이 확약이 실효된다고 할 수 없다.
② 영업허가를 취소하는 처분에 대해 불가쟁력이 발생하였더라도 이후 사정변경을 이유로 그 허가취소의 변경을 요구하였으나 행정청이 이를 거부한 경우라면, 그 거부는 원칙적으로 항고소송의 대상이 되는 처분이다.
③ 영업허가취소처분이 나중에 항고소송을 통해 취소되었다면 그 영업허가취소처분 이후의 영업행위를 무허가영업이라 할 수 없다.
④ 행정처분에 대해 불가쟁력이 발생한 경우 이로 인해 그 처분의 기초가 된 사실관계나 법률적 판단이 확정되는 것이므로 처분의 당사자는 당초 처분의 기초가 된 사실관계나 법률관계와 모순되는 주장을 할 수 없다.

2019년 지방직 7급

① (×) 행정청이 상대방에게 장차 어떤 처분을 하겠다고 확약 또는 공적인 의사표명을 하였다고 하더라도, 그 자체에서 상대방으로 하여금 언제까지 처분의 발령을 신청을 하도록 유효기간을 두었는데도 그 기간 내에 상대방의 신청이 없었다거나 확약 또는 공적인 의사표명이 있은 후에 사실적·법률적 상태가 변경되었다면, 그와 같은 확약 또는 공적인 의사표명은 행정청의 별다른 의사표시를 기다리지 않고 실효된다(대판 1996.8.20. 95누10877).
② (×) 불가쟁력이 생긴 행정처분에 대하여는 특별한 사정이 없는 한 국민에게 그 행정처분의 변경을 구할 신청권이 없으므로 행정처분의 변경 요구에 대한 거부는 항고소송의 대상이 되는 처분이 아니다(대판 2007.4.26. 2005두11104).
③ (○) 대판 1993.6.25. 93도277
④ (×) 대판 1993.4.13. 92누17181

답 ③

함께 정리하기
행정행위

사실적·법률적 상태 변경
▷ 확약 실효

불가쟁력 발생한 처분
▷ 변경신청권 無 → 거부처분×

영업허가취소처분이 취소
▷ 영업허가취소 후 영업은 무허가영업×

불복기관 경과
▷ 기판력 인정×

불복기간 경과로 처분확정
▷ 기판력 無 → 소송에서 당사자, 법원은 모순 주장 or 판단 可

문제 DATA
출제가능 지수 ▶▶▷
난이도 지수 ★★☆

030 □□□

행정행위의 효력에 대한 설명으로 옳지 않은 것은? (다툼이 있는 경우 판례에 의함)

① 민사소송에 있어서 어느 행정처분의 당연무효 여부가 선결문제로 되는 때에는 당해 소송의 수소법원은 이를 판단하여 그 행정처분의 무효확인판결을 할 수 있다.
② 과세처분의 하자가 단지 취소할 수 있는 정도에 불과할 때에는 과세관청이 이를 스스로 취소하거나 행정쟁송절차에 의하여 취소되지 않는 한 그로 인한 조세의 납부가 부당이득이 된다고 할 수 없다.
③ 구 「소방시설 설치·유지 및 안전관리에 관한 법률」 제9조에 의한 소방시설 등의 설치 또는 유지·관리에 대한 명령이 행정처분으로서 하자가 있어 무효인 경우에는 명령에 따른 의무위반이 생기지 아니하므로, 명령 위반을 이유로 행정형벌을 부과할 수 없다.
④ 행정처분이 불복기간의 경과로 인하여 확정될 경우, 그 확정력은 처분으로 인하여 법률상 이익을 침해받은 자가 처분의 효력을 더 이상 다툴 수 없다는 의미일 뿐 판결에 있어서와 같은 기판력이 인정되는 것은 아니다.

함께 정리하기
행정행위의 효력
당연무효가 민사소송 선결문제
▷ 무효 전제로 판결 可
취소여부가 민사소송 선결문제
▷ 취소 不可(과세처분이 취소사유 → 부당이득×)
처분 무효
▷ 행정형벌 부과 不可
불복기관 경과
▷ 기판력 인정×

> 2019년 지방직 9급

① (×) 민사소송에 있어서 어느 행정처분의 당연무효 여부가 선결문제로 되는 때에는 당해 소송의 수소법원인 민사법원은 이를 판단하여 당연무효임을 전제로 판결할 수 있는 것이지, 행정처분의 무효확인판결을 할 수는 없다(대판 2010.4.8. 2009다90092).
② (○) 대판 1994.11.11. 94다28000
③ (○) 대판 2011.11.10. 2011도11109
④ (○) 대판 1993.4.13. 92누17181

답 ①

문제 DATA
출제가능 지수 ▶▶▷
난이도 지수 ★★★

031 □□□

<보기>의 행정행위의 하자와 행정소송 상호간의 관계에 대한 설명으로 옳은 것을 모두 고른 것은? (다툼이 있는 경우 판례에 의함)

<보기>
ㄱ. 취소사유 있는 영업정지처분에 대한 취소소송의 제소기간이 도과한 경우 처분의 상대방은 국가배상청구소송을 제기하여 재산상 손해의 배상을 구할 수 있다.
ㄴ. 취소사유 있는 과세처분에 의하여 세금을 납부한 자는 과세처분취소소송을 제기하지 않은 채 곧바로 부당이득반환청구소송을 제기하더라도 납부한 금액을 반환받을 수 있다.
ㄷ. 파면처분을 당한 공무원은 그 처분에 취소사유인 하자가 존재하는 경우 파면처분취소소송을 제기하여야 하고 곧바로 공무원지위확인소송을 제기할 수 없다.
ㄹ. 무효인 과세처분에 의하여 세금을 납부한 자는 납부한 금액을 반환받기 위하여 부당이득반환청구소송을 제기하지 않고 곧바로 과세처분무효확인소송을 제기할 수 있다.

① ㄱ, ㄴ
② ㄷ, ㄹ
③ ㄱ, ㄷ, ㄹ
④ ㄴ, ㄷ, ㄹ

2019년 서울시 9급

ㄱ. (○) 취소사유 있는 영업정지처분에 불가쟁력이 발생하면 더 이상 행정쟁송으로는 다툴 수 없게 되나, 그렇다고 하여 위법한 영업정지처분의 하자가 치유되어 적법하게 되는 것은 아니므로 해당 영업정지처분으로 손해를 입은 자는 손해배상청구권이 시효로 소멸하지 않은 이상, 국가배상청구를 할 수 있다.

ㄴ. (✕) 과세처분이 당연무효라고 볼 수 없는 한 과세처분에 취소할 수 있는 위법사유가 있다 하더라도 그 과세처분은 행정행위의 공정력 또는 집행력에 의하여 그것이 적법하게 취소되기 전까지는 유효하다 할 것이므로, 민사소송절차에서 그 과세처분의 효력을 부인할 수 없다(대판 1999.8.20. 99다20179).

ㄷ. (○) 행정행위의 공정력으로 인해 취소사유의 하자가 있는 행정행위는 취소소송 이외의 소송으로는 그 효력을 부인할 수 없다. 따라서 파면처분을 받은 공무원은 그 처분에 취소사유인 하자가 존재하는 경우 파면처분취소소송을 제기하여야 하고 곧바로 공무원지위확인소송을 제기할 수 없다.

ㄹ. (○) 종전(2008년 이전) 판례는 무효등확인소송에서 확인의 소의 보충성을 요구하여 행정처분의 무효를 전제로 한 다른 직접적인 구제수단이 있는 경우 무효등확인소송을 제기할 수 없었다. 그러나 2008년 3월 20일 전원합의체 판결로 기존의 판결이 변경되어 더 이상 무효등확인소송에서 확인의 소의 보충성을 요구하지 않게 되었고 행정처분의 무효를 전제로 한 다른 직접적인 구제수단이 있더라도 무효등확인소송을 제기할 수 있게 되었다. 따라서 무효인 과세처분에 의하여 세금을 납부한 자는 납부한 금액을 반환받기 위하여 부당이득반환청구소송을 제기하지 않고 곧바로 과세처분무효확인소송을 제기할 수 있다.

> 행정처분의 근거 법률에 의하여 보호되는 직접적이고 구체적인 이익이 있는 경우에는 행정소송법 제35조에 규정된 '무효확인을 구할 법률상 이익'이 있다고 보아야 하고, 이와 별도로 <u>무효확인소송의 보충성이 요구되는 것은 아니므로 행정처분의 무효를 전제로 한 이행소송 등과 같은 직접적인 구제수단이 있는지 여부를 따질 필요가 없다</u>고 해석함이 상당하다(대판 2008.3.20. 2007두6342 전합).

답 ③

📌 함께 정리하기

행정행위의 하자와 행정소송 상호간의 관계

불가쟁력 발생한 행정행위로 손해
▷ 국가배상청구 可

과세처분에 취소사유
▷ 민사소송에서 효력부인 不可

파면처분에 취소사유
▷ 파면처분취소소송 없이 곧바로 공무원지위확인소송 不可

과세처분에 무효사유
▷ 부당이득반환소송 없이 곧바로 과세처분무효확인소송 可

---

032 □□□

행정행위의 공정력과 선결문제에 대한 설명으로 가장 옳지 않은 것은? (다툼이 있는 경우 판례에 의함)

① 민사소송에 있어서 어느 행정처분의 당연무효 여부가 선결문제로 되는 때에는 이를 판단하여 당연무효임을 전제로 판결할 수 있고 반드시 행정소송 등의 절차에 의하여 그 취소나 무효확인을 받아야 하는 것은 아니다.

② 국민이 조세부과처분의 위법을 이유로 이미 납부한 세금의 반환을 청구하는 민사소송을 제기한 경우, 과세처분의 하자가 단지 취소할 수 있는 정도에 불과하더라도, 당해 민사법원은 위법한 과세처분의 효력을 직접 상실시켜 납부된 세금의 반환을 명할 수 있다.

③ 연령미달의 결격자 甲이 타인(자신의 형)의 이름으로 운전면허시험에 응시, 합격하여 교부받은 운전면허라 하더라도 당연무효는 아니고, 당해 면허가 취소되지 않는 한 유효하므로, 甲의 운전행위는 무면허운전죄에 해당하지 않는다.

④ 「개발제한구역의 지정 및 관리에 관한 특별조치법」에 따라 행정청으로부터 시정명령을 받은 자가 이를 이행하지 않은 경우, 당해 시정명령이 위법한 것으로 인정되는 한 죄가 성립하지 않는다.

2019년 경찰 2차

① (○) 대판 2010.4.8. 2009다90092
② (✕) 과세처분의 하자가 취소사유에 불과할 경우 행정행위의 공정력 때문에 민사법원은 위법한 과세처분의 효력을 직접 상실시킬 수 없다(대판 1994.11.11. 94다28000).
③ (○) 대판 1982.6.8. 80도2646

📌 함께 정리하기

공정력과 선결문제

당연무효 여부가 선결문제
▷ 민사법원이 판단 可

취소 여부가 민사소송 선결문제
▷ 취소 不可
▷ 과세처분이 취소사유 → 부당이득✕

연령미달의 운전면허
▷ 취소 전까지는 유효(∴무면허운전✕)

시정명령이 위법
▷ 시정명령위반죄 불성립

④ (○) 개발제한구역의 지정 및 관리에 관한 특별조치법(이하 '개발제한구역법'이라 한다) 제30조 제1항에 의하여 행정청으로부터 시정명령을 받은 자가 이를 위반한 경우, 그로 인하여 개발제한구역법 제32조 제2호에 정한 처벌을 하기 위하여는 시정명령이 적법한 것이라야 하고, 시정명령이 당연무효가 아니더라도 위법한 것으로 인정되는 한 개발제한구역법 제32조 제2호 위반죄가 성립될 수 없다(대판 2017.9.21. 2017도7321).

답 ②

033

행정행위의 공정력과 선결문제에 대한 설명으로 옳지 않은 것은? (다툼이 있는 경우 판례에 의함)

① 처분의 효력 유무가 민사소송의 선결문제로 되어 당해 소송의 수소법원이 이를 심리·판단하는 경우 수소법원은 필요하다고 인정할 때에는 직권으로 증거조사를 할 수 있고, 당사자가 주장하지 아니한 사실에 대하여도 판단할 수 있다.
② 처분의 효력 유무가 당사자소송의 선결문제인 경우, 당사자소송의 수소법원은 이를 심사하여 하자가 중대·명백한 경우에는 처분이 무효임을 전제로 판단할 수 있고, 또한 단순한 취소사유에 그칠 때에도 처분의 효력을 부인할 수 있다.
③ 취소소송에 당해 처분과 관련되는 부당이득반환청구소송이 병합되어 제기된 경우, 부당이득반환청구가 인용되기 위해서는 그 소송절차에서 판결에 의해 당해 처분이 취소되면 충분하고 그 처분의 취소가 확정되어야 하는 것은 아니다.
④ 행정청이 침해적 행정처분인 시정명령을 하면서 사전통지를 하거나 의견제출 기회를 부여하지 않아 시정명령이 절차적 하자로 위법하다면, 그 시정명령을 위반한 사람에 대하여는 시정명령위반죄가 성립하지 않는다.

2018년 국가직 7급

① (○)

> 「행정소송법」 제11조 【선결문제】 ① 처분등의 효력 유무 또는 존재 여부가 민사소송의 선결문제로 되어 당해 민사소송의 수소법원이 이를 심리·판단하는 경우에는 제17조, 제25조, 제26조 및 제33조의 규정을 준용한다.
> 제26조 【직권심리】 법원은 필요하다고 인정할 때에는 직권으로 증거조사를 할 수 있고, 당사자가 주장하지 아니한 사실에 대하여도 판단할 수 있다.

② (×) 행정처분의 하자가 중대하고 명백하여 당연무효인 경우 당사자소송의 수소법원은 처분이 무효임을 전제로 판단할 수 있으나, 하자가 단순한 취소사유에 불과한 경우에는 공정력으로 인하여 처분의 효력을 직접 부정할 수 없고 유효를 전제로 판단해야 한다.
③ (○) 행정소송법 제10조는 처분의 취소를 구하는 취소소송에 당해 처분과 관련되는 부당이득반환소송을 관련 청구로 병합할 수 있다고 규정하고 있는바, 이 조항을 둔 취지에 비추어 보면, 취소소송에 병합할 수 있는 당해 처분과 관련되는 부당이득반환소송에는 당해 처분의 취소를 선결문제로 하는 부당이득반환청구가 포함되고, 이러한 부당이득반환청구가 인용되기 위해서는 그 소송절차에서 판결에 의해 당해 처분이 취소되면 충분하고 그 처분의 취소가 확정되어야 하는 것은 아니라고 보아야 한다(대판 2009.4.9. 2008두23153).
④ (○) 관할관청이 침해적 행정처분인 시정명령을 하면서 A에게 행정절차법 제21조, 제22조에 따른 적법한 사전통지를 하거나 의견제출 기회를 부여하지 않았고 이를 정당화할 사유도 없으므로 시정명령은 절차적 하자가 있어 위법하고, 시정명령이 당연무효가 아니더라도 위법한 것으로 인정되는 이상 A가 시정명령을 이행하지 아니하였더라도 A에 대하여 개발제한구역법 제32조 제2호 위반죄가 성립하지 아니한다(대판 2017.9.21. 2017도7321).

답 ②

문제 DATA

출제가능 지수 ▶▶▷
난이도 지수 ★★☆

함께 정리하기

공정력과 선결문제

처분의 효력 유무가 민사소송의 선결문제
▷ 직권심리 규정 준용

효력 유무가 당사자소송 선결문제
▷ 법원이 판단 可
▷ But 취소 여부가 선결문제: 효력부인 불가

취소소송에 부당이득반환청구 병합
▷ 취소되면 부당이득인용 可(취소확정 불요)

시정명령이 위법
▷ 시정명령위반죄 불성립

034 □□□

행정행위의 효력에 대한 설명으로 옳은 것은? (다툼이 있는 경우 판례에 의함)

① 과세대상이 아닌 것을 세무공무원이 직무상 과실로 과세대상으로 오인하여 과세처분을 행함으로 인하여 손해가 발생된 경우, 동 과세처분이 취소되지 아니하였다 하더라도 국가는 이로 인한 손해를 배상할 책임이 있다.
② 과세처분의 하자가 취소할 수 있는 사유인 경우 과세관청이 이를 스스로 취소하거나 항고소송절차에 의하여 취소되지 아니하여도 해당 조세의 납부는 부당이득이 된다.
③ 행정행위의 불가변력은 해당 행정행위에 대해서 뿐만 아니라 그 대상을 달리하는 동종의 행정행위에 대해서도 인정된다.
④ 행정처분이나 행정심판 재결이 불복기간의 경과로 인하여 확정될 경우 확정력은 처분으로 인하여 법률상 이익을 침해받은 자가 처분이나 재결의 효력을 더 이상 다툴 수 없다는 의미에서 판결에 있어서와 같은 기판력이 인정된다.

| 2018년 지방직 7급

① (○) 물품세 <u>과세대상이 아닌 것을 세무공무원이 직무상 과실로 과세대상으로 오인하여 과세처분을 행함으로 인하여 손해가 발생된 경우에는, 동 과세처분이 취소되지 아니하였다 하더라도, 국가는 이로 인한 손해를 배상할 책임이 있다</u>(대판 1979.4.10. 79다262).

유제 20. 지방직 7급 물품세 과세대상이 아닌 것을 세무공무원이 직무상 과실로 과세대상으로 오인하여 과세처분을 행함으로 인하여 손해가 발생된 경우에는, 동 과세처분이 취소되지 아니하였다 하더라도, 국가는 이로 인한 손해를 배상할 책임이 있다. (○)

② (×) 대판 1994.11.11. 94다28000
③ (×) 대판 1974.12.10. 73누129
④ (×) 대판 1993.4.13. 92누17181

답 ①

문제 DATA
출제가능 지수 ▶▶▷
난이도 지수 ★★☆

함께 정리하기
행정행위의 효력

위법한 과세처분
▷ 취소판결 없어도 손해배상 청구 可

과세처분에 취소사유
▷ 민사법원 취소 不可
▷ 부당이득 ×

불가변력
▷ 당해 행정행위에만 인정

불복기간 경과로 재결확정
▷ 기판력 無 → 소송에서 당사자, 법원은 모순 주장 or 판단 可

---

035 □□□

행정행위의 효력에 대한 설명으로 옳지 않은 것은? (다툼이 있는 경우 판례에 의함)

① 형사법원은 행정행위가 당연무효라면, 선결문제로서 그 행정행위의 효력을 부인할 수 있다.
② 불가쟁력은 행정행위의 상대방이나 이해관계인에 대하여 발생하는 효력이다.
③ 민사법원은 행정처분의 당연무효 여부가 재판의 선결문제로 되는 때에는 이를 판단하여 당연무효임을 전제로 판결할 수 있다.
④ 위법한 행정행위에 대한 국가배상소송이 제기된 경우, 민사법원은 해당 행정행위가 취소되어야만 그 위법 여부를 심리·판단하여 배상을 명할 수 있다.

| 2018년 교육행정직

① (○) 선결문제인 행정행위가 당연무효인 경우에는 공정력이 발생하지 않으므로 형사법원은 그 행정행위의 효력을 부인할 수 있다. 그러나 당해 행정행위가 단순위법(취소사유)인 경우에는 공정력이 발생하게 되므로 권한 있는 기관에 의해 취소되기 전에는 형사법원은 그 행정행위의 효력을 부인할 수 없다

유제 14. 지방직 9급 행정처분이 당연무효 아닌 한 형사법원은 선결문제로 그 행정처분의 효력을 부인할 수 없다. (○)

문제 DATA
출제가능 시수 ▶▶▷
난이도 지수 ★★☆

함께 정리하기
행정행위의 효력

당연무효가 형사소송 선결문제
▷ 무효 전제로 판결 可(효력부인 可)

불가쟁력
▷ 상대방·이해관계인에게 발생

당연무효가 민사소송 선결문제
▷ 무효 전제로 판결 可(효력부인 可)

위법여부가 민사소송 선결문제
▷ 위법 전제로 판결 可
▷ 처분취소 不要

② (○) 불가쟁력은 행정행위에 대한 쟁송제기기간이 경과하거나 쟁송수단을 다 거친 경우에는 더 이상 그 행정행위의 효력을 다툴 수 없게 되는 효력으로, 행정행위의 상대방이나 이해관계인에 대하여 발생하는 효력이다.
③ (○) 대판 2010.4.8. 2009다90092
④ (×) 대판 1972.4.28. 72다337

답 ④

문제 DATA

출제가능 지수 ▶▶▷
난이도 지수 ★★☆

036 □□□

행정행위의 효력에 대한 설명으로 옳지 않은 것은? (다툼이 있는 경우 판례에 의함)

① 행정행위의 불가쟁력은 형식적 존속력이라고도 한다.
② 행정심판위원회의 재결에는 불가변력이 인정된다.
③ 불가변력은 행정행위의 상대방 및 이해관계인에 대한 구속력이고, 불가쟁력은 처분청 등 행정기관에 대한 구속력이다.
④ 불가쟁력이 발생한 행정행위일지라도 불가변력이 없는 경우에는 행정청 등 권한 있는 기관은 이를 직권으로 취소할 수 있다.

2018년 소방직

① (○) 불가쟁력은 형식적 존속력, 불가변력은 실질적 존속력이라고도 한다.
② (○) 불가변력(실질적 존속력)은 일정한 행정행위의 경우 처분청도 스스로 당해 행정행위의 내용에 구속되어 더 이상 직권으로 취소·변경·철회할 수 없게 되는 효력을 말한다. 불가변력은 모든 행정행위에 공통된 효력은 아니고, 준사법적 행정행위(예 행정심판의 재결, 특허심판원의 심결, 토지수용재결 등)와 확인행위(예 국가시험합격자결정, 당선인결정 등)에서 인정된다.

유제 20. 행정사 행정심판 재결에는 특별한 사유가 없는 한 불가변력이 발생하지 않는다. (×)
10. 국가직 7급 특허심판원이 행하는 심결은 일단 행해지면 그 심결에 흠이 있다 하더라도 특허심판원 스스로 이를 취소할 수 없다. (○)

③ (×) 불가변력은 처분청 등 행정기관에 대한 구속력이고, 불가쟁력은 행정행위의 상대방 및 이해관계인에 대한 구속력이다.
④ (○) 개별토지에 대한 가격결정도 행정처분에 해당하며, 원래 행정처분을 한 처분청은 그 행위에 하자가 있는 경우에는 원칙적으로 별도의 법적 근거가 없더라도 스스로 이를 직권으로 취소할 수 있는 것이고, 행정처분에 대한 법정의 불복기간이 지나면 직권으로도 취소할 수 없게 되는 것은 아니므로, 처분청은 토지에 대한 개별토지가격의 산정에 명백한 잘못이 있다면 이를 <u>직권으로 취소할 수 있다</u>(대판 1995.9.15. 95누6311).

유제 18. 지방직 9급 위법한 점용허가를 다투지 않고 있다가 제소기간이 도과한 경우에는 처분청이라도 그 점용허가를 취소할 수 없다. (×)
16. 행정사 행정행위를 한 행정청은, 별도의 명시적인 법적 근거가 없다면, 행정행위의 성립에 하자가 있더라도 직권으로 이를 취소할 수 없다. (×)
16. 국회직 8급 (甲은 관련 법령에 따라 공장등록을 하기 위하여 등록신청을 乙에게 위임하였고, 수임인 乙은 등록서류를 위조하여 공장등록을 하였으나 甲은 그 사실을 알지 못하였다. 이후 관할 행정청 A는 위조된 서류에 의한 공장등록임을 이유로 甲에 대해 공장등록을 취소하는 처분을 하였다) 이 경우에 甲의 공장등록을 취소하는 처분에 대해 제소기간이 경과하여 불가쟁력이 발생한 이후에는 관할 행정청 A도 그 취소처분을 직권취소할 수 없다. (×)
16. 국회직 9급, 12. 경찰 1차 위법한 행정행위에 대하여 불가쟁력이 발생한 이후에도 당해 행정행위의 위법을 이유로 직권취소할 수 있다. (○)

답 ③

함께 정리하기

행정행위의 효력
불가쟁력
▷ 형식적 존속력
행정심판위원회의 재결
▷ 불가변력 인정
구속력
▷ 불가변력: 처분청 구속
▷ 불가쟁력: 상대방 및 이해관계인 구속
불가쟁력이 발생한 행정행위
▷ 직권취소 가

037

행정행위의 효력에 대한 설명으로 옳지 않은 것은? (다툼이 있는 경우 판례에 의함)

① 행정처분에 그 효력기간이 부관으로 정하여져 있는 경우, 그 처분의 효력 또는 집행이 정지된 바 없다면 위 기간의 경과로 그 행정처분의 효력은 상실되므로 그 기간 경과 후에는 그 처분이 외형상 잔존함으로 인하여 어떠한 법률상 이익이 침해되고 있다고 볼 만한 별다른 사정이 없는 한 그 처분의 취소를 구할 법률상의 이익이 없다.

② 침익적 행정행위의 근거가 되는 행정법규는 엄격하게 해석·적용하여야 하고 그 행정행위의 상대방에게 불리한 방향으로 지나치게 확장해석하거나 유추해석해서는 아니 된다.

③ 과세처분에 취소할 수 있는 위법사유가 있다 하더라도 그 과세처분은 그것이 적법하게 취소되기 전까지는 유효하다 할 것이므로, 민사소송절차에서 그 과세처분의 효력을 부인할 수 없다.

④ 허가에 붙은 기한이 그 허가된 사업의 성질상 부당하게 짧은 경우에는 이를 그 허가 자체의 존속기간이 아니라 그 허가조건의 존속기간으로 보아 그 기한이 도래함으로써 그 조건의 개정을 고려한다는 뜻으로 해석할 수 있을 것이다.

⑤ 구 「중기관리법」에 「도로교통법 시행령」 제86조 제3항 제4호와 같은 운전면허의 취소·정지에 대한 통지에 관한 규정이 없다면 중기조종사면허의 취소나 정지는 상대방에 대한 통지를 요하지 아니한다고 할 수 있고 행정행위의 일반원칙에 따라 이를 상대방에게 고지하여야 효력이 발생한다고 볼 수 없다.

2018년 국회직 8급

① (○) 행정처분에 효력기간이 정하여져 있는 경우, 그 기간 경과 후에는 그 처분이 외형상 잔존함으로 인하여 어떠한 법률상 이익이 침해되고 있다고 볼 만한 별다른 사정이 없는 한 그 처분의 취소를 구할 법률상의 이익이 없고, 행정명령에 불과한 각종 규칙상의 행정처분 기준에 관한 규정에서 위반 횟수에 따라 가중처분하게 되어 있다 하여 법률상의 이익이 있는 것으로 볼 수는 없다(대판 1995.10.17. 94누14148).

② (○) 침익적 행정행위의 근거가 되는 행정법규에 해당하므로 엄격하게 해석·적용하여야 하고 행정행위의 상대방에게 불리한 방향으로 지나치게 확장해석하거나 유추해석해서는 안 되며, 입법 취지와 목적 등을 고려한 목적론적 해석이 전적으로 배제되는 것은 아니라고 하더라도 해석이 문언의 통상적인 의미를 벗어나서는 아니 된다(대판 2015.7.9. 2014두47853).

③ (○) 대판 1999.8.20. 99다20179

④ (○) 일반적으로 행정처분에 효력기간이 정하여져 있는 경우에는 그 기간의 경과로 그 행정처분의 효력은 상실되고, 다만 허가에 붙은 기한이 그 허가된 사업의 성질상 부당하게 짧은 경우에는 이를 그 허가 자체의 존속기간이 아니라 그 허가조건의 존속기간으로 보아 그 기한이 도래함으로써 그 조건의 개정을 고려한다는 뜻으로 해석할 수 있다(대판 2007.10.11. 2005두12404).

⑤ (×) 중기관리법에 도로교통법 시행령 제53조와 같은 운전면허의 취소 정지에 대한 통지에 관한 규정이 없다고 하여 중기조종사면허의 취소나 정지는 상대방에 대한 통지를 요하지 아니한다고 할 수 없고, 오히려 반대의 규정이 없다면 행정행위의 일반원칙에 따라 이를 상대방에게 고지하여야 효력이 발생한다고 볼 것이다(대판 1993.6.29. 93다10224).

답 ⑤

문제 DATA
출제가능 지수 ▶▶▷
난이도 지수 ★★☆

함께 정리하기

행정행위의 효력

행정처분 효력기간 경과
▷ 법률상 이익 없음이 원칙

침익적 처분의 근거법규
▷ 엄격하게 해석·적용

과세처분에 취소사유
▷ 민사소송에서 효력부인 불가

부당히 짧은 허가기간
▷ 허가조건의 존속기간(개정 고려)

「중기관리법」에 면허정지·취소 통지규정 無
▷ 고지해야 효력 발생

038

행정행위의 효력에 대한 설명으로 옳은 것만을 모두 고른 것은? (다툼이 있는 경우 판례에 의함)

> ㄱ. 불가변력은 모든 행정행위에 공통되는 것이 아니라 행정심판의 재결 등과 같이 예외적이고 특별한 경우에 처분청 등 행정청에 대한 구속으로 인정되는 실체법적 효력을 의미한다.
> ㄴ. 산업재해요양보상급여취소처분이 불복기간의 경과로 인해 확정되면 요양급여청구권 없음이 확정되므로 다시 요양급여를 청구할 수 없다.
> ㄷ. 동일한 사유에 관하여 보다 무거운 면허취소처분을 하기 위하여 이미 행하여진 가벼운 면허정지처분을 취소하는 것은 선행 처분에 대한 당사자의 신뢰 및 법적 안정성을 크게 저해하는 것이 되어 허용될 수 없다.
> ㄹ. 제소기간이 이미 도과하여 불가쟁력이 생긴 행정처분에 대하여는 개별 법규에서 그 변경을 요구할 신청권을 규정하고 있거나 관계 법령의 해석상 그러한 신청권이 인정될 수 있는 등 특별한 사정이 없는 한 국민에게 그 행정처분의 변경을 구할 신청권이 없다.

① ㄱ, ㄴ
② ㄴ, ㄹ
③ ㄱ, ㄷ, ㄹ
④ ㄱ, ㄴ, ㄷ, ㄹ

2017년 국가직 7급

ㄱ. (○) 모든 행정행위에 인정되는 불가쟁력과 달리 불가변력은 준사법적 행정행위 또는 확인행위 등 특정한 행정행위에 한하여 인정되는 실체법적 효력이다.

유제 19. 행정사 불가변력은 모든 행정행위에서 발생하는 효력은 아니다. (○)

ㄴ. (×) 종전의 산업재해요양보상급여취소처분이 불복기간의 경과로 인하여 확정되었더라도 요양급여청구권이 없다는 내용의 법률관계까지 확정된 것은 아니며 소멸시효에 걸리지 아니한 이상 다시 요양급여를 청구할 수 있고 그것이 거부된 경우 이는 새로운 거부처분으로서 위법 여부를 소구할 수 있다(대판 1993.4.13. 92누17181).

ㄷ. (○) 운전면허 취소사유에 해당하는 음주운전을 적발한 경찰관의 소속 경찰서장이 사무착오로 위반자에게 운전면허정지처분을 한 상태에서 위반자의 주소지 관할 지방경찰청장이 위반자에게 운전면허취소처분을 한 것은 당사자의 신뢰 및 법적 안정성을 저해하는 것으로서 허용될 수 없다(대판 2000.2.25. 99두10520).

ㄹ. (○) 대판 2007.4.26. 2005두11104

답 ③

제8절 | 행정행위의 하자(흠)

001 □□□

행정처분의 하자에 대한 설명으로 가장 옳지 않은 것은? (다툼이 있는 경우 판례에 의함)

① 과세처분 이후 조세 부과의 근거가 되었던 법률규정에 대하여 위헌결정이 내려진 경우, 그 조세채권의 집행을 위한 체납처분은 당연무효가 된다.
② 「환경영향평가법」상 환경영향평가를 실시하여야 할 사업에 대하여 환경영향평가를 거치지 아니하였음에도 승인 등 처분을 한 경우, 그 처분의 하자가 행정처분의 당연무효사유에 해당한다.
③ 과세관청이 과세예고 통지 후 과세전적부심사 청구나 그에 대한 결정이 있기 전에 과세처분을 한 경우, 절차상 하자가 중대·명백하여 원칙적으로 당해 처분은 무효이다.
④ 구 「도시계획법」에 의한 사업시행자 지정처분을 취소함에 있어서 청문을 실시하지 아니한 경우, 그 절차를 결여한 취소처분은 당연무효의 처분이다.

2025년 군무원 9급

① (O) 구 헌법재판소법(2011.4.5. 법률 제10546호로 개정되기 전의 것) 제47조 제1항은 "법률의 위헌결정은 법원 기타 국가기관 및 지방자치단체를 기속한다."고 규정하고 있는데, 이러한 위헌결정의 기속력과 헌법을 최고규범으로 하는 법질서의 체계적 요청에 비추어 국가기관 및 지방자치단체는 위헌으로 선언된 법률규정에 근거하여 새로운 행정처분을 할 수 없음은 물론이고, 위헌결정 전에 이미 형성된 법률관계에 기한 후속처분이라도 그것이 새로운 위헌적 법률관계를 생성·확대하는 경우라면 이를 허용할 수 없다. 따라서 조세 부과의 근거가 되었던 법률규정이 위헌으로 선언된 경우, 비록 그에 기한 과세처분이 위헌결정 전에 이루어졌고, 과세처분에 대한 제소기간이 이미 경과하여 조세채권이 확정되었으며, 조세채권의 집행을 위한 체납처분의 근거규정 자체에 대하여는 따로 위헌결정이 내려진 바 없다고 하더라도, 위와 같은 위헌결정 이후에 조세채권의 집행을 위한 새로운 체납처분에 착수하거나 이를 속행하는 것은 더 이상 허용되지 않고, 나아가 이러한 위헌결정의 효력에 위배하여 이루어진 체납처분은 그 사유만으로 하자가 중대하고 객관적으로 명백하여 당연무효라고 보아야 한다(대판 2012.2.16. 2010두10907 전합).
② (O) 환경영향평가를 거쳐야 할 대상사업에 대하여 환경영향평가를 거치지 아니하였음에도 불구하고 승인 등 처분이 이루어진다면, 사전에 환경영향평가를 함에 있어 평가대상지역 주민들의 의견을 수렴하고 그 결과를 토대로 하여 환경부장관과의 협의내용을 사업계획에 미리 반영시키는 것 자체가 원천적으로 봉쇄되는바, 이렇게 되면 환경파괴를 미연에 방지하고 쾌적한 환경을 유지·조성하기 위하여 환경영향평가제도를 둔 입법 취지를 달성할 수 없게 되는 결과를 초래할 뿐만 아니라 환경영향평가대상지역 안의 주민들의 직접적이고 개별적인 이익을 근본적으로 침해하게 되므로, 이러한 행정처분의 하자는 법규의 중요한 부분을 위반한 중대한 것이고 객관적으로도 명백한 것이라고 하지 않을 수 없어, 이와 같은 행정처분은 당연무효이다(대판 2006.6.30. 2005두14363).
③ (O) 사전구제절차로서 과세전적부심사 제도가 가지는 기능과 이를 통해 권리구제가 가능한 범위, 이러한 제도가 도입된 경위와 취지, 납세자의 절차적 권리 침해를 효율적으로 방지하기 위한 통제 방법과 더불어, 헌법 제12조 제1항에서 규정하고 있는 적법절차의 원칙은 형사소송절차에 국한되지 아니하고, 세무공무원이 과세권을 행사하는 경우에도 마찬가지로 준수하여야 하는 점 등을 고려하여 보면, 국세기본법 및 국세기본법 시행령이 과세전적부심사를 거치지 않고 곧바로 과세처분을 할 수 있거나 과세전적부심사에 대한 결정이 있기 전이라도 과세처분을 할 수 있는 예외사유로 정하고 있다는 등의 특별한 사정이 없는 한, 과세예고 통지 후 과세전적부심사 청구나 그에 대한 결정이 있기도 전에 과세처분을 하는 것은 원칙적으로 과세전적부심사 이후에 이루어져야 하는 과세처분을 그보다 앞서 함으로써 과세전적부심사 제도 자체를 형해화시킬 뿐만 아니라 과세전적부심사 결정과 과세처분 사이의 관계 및 불복절차를 불분명하게 할 우려가 있으므로, 그와 같은 과세처분은 납세자의 절차적 권리를 침해하는 것으로서 절차상 하자가 중대하고도 명백하여 무효이다(대판 2016.12.27. 2016두49228).

문제 DATA

출제가능 지수 ▶▶▶⟩
난이도 지수 ★★☆

함께 정리하기

행정처분의 하자

과세처분 근거법률에 대한 위헌결정 후 체납처분
▷ 무효

환경영향평가 흠결
▷ 무효

과세예고 통지 후 과세전적부심사 청구나 그 결정이 있기 전에 행한 과세처분
▷ 무효

청문절차 결여
▷ 취소사유

④ (×) 구 도시계획법(2000.1.28. 법률 제6243호로 전문 개정되기 전의 것) 제78조, 제78조의2, 행정절차법 제22조 제1항 제1호, 제4항, 제21조 제4항에 의하면, 행정청이 구 도시계획법 제23조 제5항의 규정에 의한 사업시행자 지정처분을 취소하기 위해서는 청문을 실시하여야 하고, 다만 행정절차법 제22조 제4항, 제21조 제4항에서 정한 예외사유에 해당하는 경우에 한하여 청문을 실시하지 아니할 수 있으며, 이러한 청문제도는 행정처분의 사유에 대하여 당사자에게 변명과 유리한 자료를 제출할 기회를 부여함으로써 위법사유의 시정가능성을 고려하고 처분의 신중과 적정을 기하려는 데 그 취지가 있음에 비추어 볼 때, 행정청이 침해적 행정처분을 함에 즈음하여 청문을 실시하지 않아도 되는 예외적인 경우에 해당하지 않는 한 반드시 청문을 실시하여야 하고, 그 절차를 결여한 처분은 위법한 처분으로서 취소사유에 해당한다(대판 2004.7.8. 2002두8350).

답 ④

문제 DATA

출제가능 지수 ▶▶▷
난이도 지수 ★★☆

002 □□□

행정행위의 무효와 취소에 대한 설명으로 옳지 않은 것은? (다툼이 있는 경우 판례에 의함)

① 하자 있는 행정처분이 당연무효이기 위해서는 그 하자가 법규의 중요한 부분을 위반한 중대한 것으로서 객관적으로 명백한 것이어야 한다.
② 변상금 부과처분을 할 것을 사용료 부과처분을 하거나 반대로 사용료 부과처분을 할 것을 변상금 부과처분을 하였다고 하여 그와 같은 부과처분의 하자를 중대한 하자라고 할 수는 없다.
③ 행정처분의 근거법령 등에서 청문을 실시하도록 규정하고 있다면 「행정절차법」등 관련 법령상 청문을 실시하지 않아도 되는 예외적인 경우에 해당하지 않는 한 청문절차를 결여한 처분은 취소사유에 해당한다.
④ 행정청이 사전에 교통영향평가를 거치지 아니한 채 '건축허가 전까지 교통영향평가 심의필증을 교부받을 것'을 부관으로 붙여서 한 '실시계획변경승인 및 공사시행변경 인가처분'은 중대하고 명백한 흠이 있는 것으로서 무효로 보아야 한다.

함께 정리하기

행정행위의 무효와 취소

당연무효
▷ 하자가 중대 + 명백할 것 要

무단사용에 대한 사용료부과처분·적법한 사용에 대한 변상금부과처분
▷ 취소사유

청문절차 결여
▷ 취소사유

교통영향평가 누락 But 건축허가 전까지 받을 것을 조건으로 한 처분
▷ 무효×

| 2025년 경찰간부

① (○) 행정처분이 당연무효라고 하기 위하여는 처분에 위법사유가 있다는 것만으로는 부족하고 그 하자가 법규의 중요한 부분을 위반한 중대한 것으로서 객관적으로 명백한 것이어야 하며, 하자가 중대하고 명백한 것인지 여부를 판별함에 있어서는 그 법규의 목적, 의미, 기능 등을 목적론적으로 고찰함과 동시에 구체적 사안 자체의 특수성에 관하여 합리적으로 고찰함을 요한다(대판 2008.9.25. 2007다24640).
② (○) 공유수면 점·사용 허가 등을 받아 적법하게 사용하는 경우에는 사용료 부과처분을, 허가를 받지 않고 무단으로 사용하는 경우에는 변상금 부과처분을 하는 것이 적법하다. 그러나 적법한 사용이든 무단 사용이든 그 공유수면 점·사용으로 인한 대가를 부과할 수 있다는 점은 공통된 것이고, 적법한 사용인지 무단 사용인지의 여부에 관한 판단은 사용관계에 관한 사실 인정과 법적 판단을 수반하는 것으로 반드시 명료하다고 할 수 없으므로, 그러한 판단을 그르쳐 변상금 부과처분을 할 것을 사용료 부과처분을 하거나 반대로 사용료 부과처분을 할 것을 변상금 부과처분을 하였다고 하여 그와 같은 부과처분의 하자를 중대한 하자라고 할 수는 없다(대판 2013.4.26. 2012두20663).
③ (○) 행정절차법 제22조 제1항 제1호는, 행정청이 처분을 할 때에는 다른 법령 등에서 청문을 실시하도록 규정하고 있는 경우 청문을 실시한다고 규정하고 있다. 이러한 청문제도는 행정처분의 사유에 대하여 당사자에게 변명과 유리한 자료를 제출할 기회를 부여함으로써 위법사유의 시정가능성을 고려하고, 처분의 신중과 적정을 기하려는 데 그 취지가 있는 것이다. 그러므로 행정청이 특히 침해적 행정처분을 할 때 그 처분의 근거 법령 등에서 청문을 실시하도록 규정하고 있다면, 행정절차법 등 관련 법령상 청문을 실시하지 않아도 되는 예외적인 경우에 해당하지 않는 한, 반드시 청문을 실시하여야 하는 것이며, 그러한 절차를 결여한 처분은 위법한 처분으로서 취소사유에 해당한다(대판 2007.11.16. 2005두15700).

④ (×) 교통영향평가는 환경영향평가와 그 취지 및 내용, 대상사업의 범위, 사전 주민의견수렴절차 생략 여부 등에 차이가 있고 그 후 교통영향평가가 교통영향분석·개선대책으로 대체된 점, 행정청은 교통영향평가를 배제한 것이 아니라 '건축허가 전까지 교통영향평가 심의필증을 교부받을 것'을 부관으로 하여 실시계획변경 및 공사시행변경 인가 처분을 한 점 등에 비추어, 행정청이 사전에 교통영향평가를 거치지 아니한 채 위와 같은 부관을 붙여서 한 위 처분에 중대하고 명백한 흠이 있다고 할 수 없으므로 이를 무효로 보기는 어렵다(대판 2010.2.25. 2009두102).

답 ④

003 □□□

행정행위의 무효와 취소에 대한 설명으로 가장 옳지 않은 것은? (다툼이 있는 경우 판례에 의함)

① 어느 법률조항의 개정이 자구만 형식적으로 변경된 데 불과하여 개정 전후 법률조항들의 동일성이 그대로 유지되고 있다면 개정 전 법률조항에 대한 위헌결정의 효력은 개정 법률조항에 대하여도 미친다고 볼 수 있다.
② 시행령의 무효를 선언한 대법원 판결이 없는 상태에서 그에 근거하여 이루어진 처분의 하자는 무효사유에 해당한다.
③ 선행처분인 도시계획시설사업 시행자 지정처분이 처분 요건을 충족하지 못하여 당연무효라면, 후행처분인 도시계획시설사업의 시행자가 작성한 실시계획의 인가처분도 무효로 보아야 한다.
④ 무효확인을 구하는 의미에서 취소를 구하는 행정소송을 제기하는 경우에도 취소소송의 제소요건을 갖추어야 한다.

2025년 군무원 7급

① (○) 어느 법률조항의 개정이 자구만 형식적으로 변경된 데 불과하여 개정 전후 법률조항들 자체의 의미내용에 아무런 변동이 없고, 개정 법률조항이 해당 법률의 다른 조항이나 관련 다른 법률과의 체계적 해석에서도 개정 전 법률조항과 다른 의미로 해석될 여지가 없어 양자의 동일성이 그대로 유지되고 있는 경우에는 '개정 전 법률조항'에 대한 위헌결정의 효력은 그 주문에 개정 법률조항이 표시되어 있지 아니하더라도 '개정 법률조항'에 대하여도 미친다.
그러나 이와 달리 '개정 법률조항'에 대한 위헌결정이 있는 경우에는, 비록 그 법률조항의 개정이 자구만 형식적으로 변경된 것에 불과하여 개정 전후 법률조항들 사이에 실질적 동일성이 인정된다 하더라도, '개정 법률조항'에 대한 위헌결정의 효력이 '개정 전 법률조항'에까지 그대로 미친다고 할 수는 없다. 그 이유는 다음과 같다.
(1) 동일한 내용의 형벌법규라 하더라도 그 법률조항이 규율하는 시간적 범위가 상당한 기간에 걸쳐 있는 경우에는 시대적·사회적 상황의 변화와 사회 일반의 법의식의 변천에 따라 위헌성에 대한 평가가 달라질 수 있다. 따라서 헌법재판소가 특정 시점에 위헌으로 선언한 형벌조항이라 하더라도 그것이 원래부터 위헌적이었다고 단언할 수 없으며, 헌법재판소가 과거 어느 시점에 당대의 법 감정과 시대상황을 고려하여 합헌결정을 한 사실이 있는 법률조항이라면 더욱 그러하다. 그럼에도 개정 전후 법률조항들의 내용이 실질적으로 동일하다고 하여 '개정 법률조항'에 대한 위헌결정의 효력이 '개정 전 법률조항'에까지 그대로 미친다고 본다면, 오랜 기간 그 법률조항에 의하여 형성된 합헌적 법집행을 모두 뒤집게 되어 사회구성원들의 신뢰와 법적 안정성에 반하는 결과를 초래할 수 있다.
(2) 형벌에 관한 법률조항에 대한 위헌결정의 소급효를 일률적으로 부정하여 과거에 형성된 위헌적 법률관계를 구제의 범위 밖에 두게 되면 구체적 정의와 형평에 반할 수 있는 반면, 위헌결정의 소급효를 제한 없이 인정하면 과거에 형성된 법률관계가 전복되는 결과를 가져와 법적 안정성에 중대한 영향을 미치게 된다. 헌법재판소법 제47조 제3항은 본문에서 '형벌에 관한 법률조항은 위헌결정으로 소급하여 그 효력을 상실한다'고 규정하면서도, 단서에서 '해당 법률조항에 대하여 종전에 합헌으로 결정한 사건이 있는 경우에는 그 결정이 있는 날의 다음 날로 소급하여 효력을 상실한다'고 규정하고 있다. 이는 형벌조항에 대한 합헌결정이 있는 경우 그 합헌결정에 대하여 위헌결정의

문제 DATA
출제가능 지수 ▶▶▷
난이도 지수 ★★☆

함께 정리하기

행정행위의 무효와 취소

법률조항의 개정이 자구만 형식적으로 변경되어 개정 전후 조항들의 동일성 유지
▷ 개정 전 조항에 대한 위헌결정의 효력은 개정 조항에도 미침

위헌·위법 결정 전 위헌·위법한 법령에 근거한 처분
▷ 취소사유(∵명백성×)

도시계획시설사업시행자지정처분 무효
▷ 실시계획인가처분 무효

무효선언을 구하는 취소소송
▷ 취소소송의 제소요건 준수 要

소급효를 제한하는 효력을 인정함으로써 합헌결정이 있는 날까지 쌓아온 규범에 대한 사회적 신뢰와 법적 안정성을 보호하도록 한 것이다. 또한 헌법재판소는 위헌결정의 소급효를 둘러싼 위와 같이 대립되는 법률적 이념에 대한 고려와 형량의 결과로 심판대상을 확장 또는 제한하게 된다. 형벌에 관한 법률조항에 대한 합헌결정이 갖는 규범적 의미, 위헌결정의 소급적 확장 여부에 관한 헌법재판소의 심판대상 확정의 의의 및 법원과 헌법재판소 사이의 헌법상 권한분장의 취지를 고려할 때, 헌법재판소가 합헌결정을 한 바 있는 '개정 전 법률조항'에 대하여 법원이 이와 다른 판단을 할 수는 없으며, 이는 헌법재판소가 '개정 법률조항'에 대한 위헌결정의 이유에서 '개정 전 법률조항'에 대하여 한 종전 합헌결정의 견해를 변경한다는 취지를 밝히는 경우에도 마찬가지이다(대결 2020.2.21. 2015모2204).

② (×) 하자 있는 행정처분이 당연무효로 되려면 그 하자가 법규의 중요한 부분을 위반한 중대한 것이어야 할 뿐 아니라 객관적으로 명백한 것이어야 하고, 행정청이 위헌이거나 위법하여 무효인 시행령을 적용하여 한 행정처분이 당연무효로 되려면 그 규정이 행정처분의 중요한 부분에 관한 것이어서 결과적으로 그에 따른 행정처분의 중요한 부분에 하자가 있는 것으로 귀착되고, 또한 그 규정의 위헌성 또는 위법성이 객관적으로 명백하여 그에 따른 행정처분의 하자가 객관적으로 명백한 것으로 귀착되어야 하는바, 일반적으로 시행령이 헌법이나 법률에 위반된다는 사정은 그 시행령의 규정을 위헌 또는 위법하여 무효라고 선언한 대법원의 판결이 선고되지 아니한 상태에서는 그 <u>시행령 규정의 위헌 내지 위법 여부가 해석상 다툼의 여지가 없을 정도로 명백하였다고 인정되지 아니하는 이상 객관적으로 명백한 것이라 할 수 없으므로, 이러한 시행령에 근거한 행정처분의 하자는 취소사유에 해당할 뿐 무효사유가 되지 아니한다</u>(대판 2007.6.14. 2004두619).

③ (○) 선행처분과 후행처분이 서로 독립하여 별개의 법률효과를 목적으로 하는 때에도 선행처분이 당연무효이면 선행처분의 하자를 이유로 후행처분의 효력을 다툴 수 있다. 도시계획시설사업의 시행자가 작성한 실시계획을 인가하는 처분은 도시계획시설사업 시행자에게 도시계획시설사업의 공사를 허가하고 수용권을 부여하는 처분으로서 <u>선행처분인 도시계획시설사업 시행자 지정 처분이 처분 요건을 충족하지 못하여 당연무효인 경우에는 사업시행자 지정 처분이 유효함을 전제로 이루어진 후행처분인 실시계획 인가처분도 무효라고 보아야 한다</u>(대판 2017.7.11. 2016두35120).

④ (○) 행정처분의 당연무효를 선언하는 의미에서 그 취소를 구하는 행정소송을 제기하는 경우에는 전치절차와 그 제소기간의 준수 등 취소소송의 제소요건을 갖추어야 한다(대판 1987.6.9. 87누219).

답 ②

004

행정행위의 하자에 대한 설명으로 옳은 것만을 모두 고르면?

ㄱ. 적법한 권한 위임 없이 세관출장소장에 의하여 행하여진 관세부과처분은 그 하자가 중대하고 객관적으로 명백한 것으로서 당연무효이다.

ㄴ. 행정행위 하자 유무의 여부는 행정처분이 행하여졌을 때의 법령과 사실상태를 기준으로 하여 판단하여야 하고, 처분 후 법령의 개폐나 사실상태의 변동에 의하여 영향을 받지는 않는다.

ㄷ. 사실관계의 자료를 정확히 조사하여야 비로소 그 하자의 유무가 밝혀질 수 있는 경우에는 외관상 명백한 하자라고 보아야 할 것이다.

ㄹ. 행정청이 법률의 규정을 적용하여 행정처분을 한 경우에, 해당 법률관계에 대하여는 그 법률의 규정을 적용할 수 없다는 법리가 명백히 밝혀지지 아니하여 그 해석에 다툼의 여지가 있다면 행정청이 이를 잘못 해석하여 행정처분을 하였더라도 그 하자가 명백하다고 할 수 없다.

① ㄱ, ㄴ ② ㄱ, ㄷ
③ ㄴ, ㄷ ④ ㄴ, ㄹ
⑤ ㄷ, ㄹ

문제 DATA
출제가능 지수 ▶▶▷
난이도 지수 ★★☆

2025년 국회직 8급

ㄱ. (×) 세관출장소장에게 관세부과처분에 관한 권한이 위임되었다고 볼만한 법령상의 근거가 없는데도 피고가 이 사건 처분을 한 것은 결국, 적법한 위임 없이 권한 없는 자가 행한 처분으로서 그 하자가 중대하다고 할 것이나, … 세관출장소는 1949.6.27. 대통령령 제137호 '세관관서직제'에 의거하여 설립되어 현재까지 13개 세관출장소장 명의로 관세부과처분 및 증액경정처분이 이루어져 왔는데, 그동안 세관출장소장에게 관세부과처분에 관한 권한이 있는지 여부에 관하여 아무런 이의제기가 없었던 점 등에 비추어 보면, 세관출장소장에게 관세부과처분을 할 권한이 있다고 객관적으로 오인할 여지가 다분하다고 인정되므로 결국 적법한 권한 위임 없이 행해진 이 사건 처분은 그 하자가 중대하기는 하지만 객관적으로 명백하다고 할 수는 없어 당연무효는 아니라고 보아야 할 것이다(대판 2004.11.26. 2003두2403).

ㄴ. (○) 행정소송에서 행정처분의 위법 여부는 행정처분이 행하여졌을 때의 법령과 사실상태를 기준으로 하여 판단하여야 하고, 처분 후 법령의 개폐나 사실상태의 변동에 의하여 영향을 받지는 않는다(대판 2007.5.11. 2007두1811).

ㄷ. (×), ㄹ. (○) 행정청이 어느 법률관계나 사실관계에 대하여 어느 법률의 규정을 적용하여 행정처분을 한 경우에 그 법률관계나 사실관계에 대하여는 그 법률의 규정을 적용할 수 없다는 법리가 명백히 밝혀져 그 해석에 다툼의 여지가 없음에도 불구하고 행정청이 위 규정을 적용하여 처분을 한 때에는 그 하자가 중대하고도 명백하다고 할 것이나, 그 법률관계나 사실관계에 대하여 그 법률의 규정을 적용할 수 없다는 법리가 명백히 밝혀지지 아니하여 그 해석에 다툼의 여지가 있는 때에는 행정관청이 이를 잘못 해석하여 행정처분을 하였더라도 이는 그 처분 요건사실을 오인한 것에 불과하여 그 하자가 명백하다고 할 수 없는 것이고(ㄹ), 또한 행정처분의 대상이 되는 법률관계나 사실관계가 전혀 없는 사람에게 행정처분을 한 때에는 그 하자가 중대하고도 명백하다 할 것이나, 행정처분의 대상이 되지 아니하는 어떤 법률관계나 사실관계에 대하여 이를 처분의 대상이 되는 것으로 오인할 만한 객관적인 사정이 있는 경우로서 그것이 처분대상이 되는지의 여부가 그 사실관계를 정확히 조사하여야 비로소 밝혀질 수 있는 때에는 비록 이를 오인한 하자가 중대하다고 할지라도 외관상 명백하다고 할 수는 없다(ㄷ)(대판 2004.10.15. 2002다68485).

답 ④

함께 정리하기

행정행위의 하자

적법한 권한위임 없이 세관출장소장이 한 관세부과처분
▷ 무효×(취소사유○)

행정소송에서 처분의 위법 여부
▷ 처분 시 기준으로 판단(처분 후 변동에 의해 영향×)

자료를 정확히 조사하여야 비로소 하자 유무가 밝혀질 수 있는 경우
▷ 외관상 명백한 하자×

해석에 다툼의 여지가 있는 상태에서 잘못 해석하여 처분
▷ 명백성×(무효×)

005 □□□

행정행위 하자의 치유에 대한 설명으로 옳지 않은 것은?

① 주택재건축정비사업조합설립인가처분 당시 토지소유자 등의 동의율을 충족하지 못한 하자는 소제기 이후에 추가동의서가 제출되어 동의율을 충족한다면 치유된다.
② 흠이 있는 행정행위의 치유는 행정행위의 성질이나 법치주의 관점에서 볼 때 원칙적으로 허용될 수 없는 것이고, 예외적으로 이를 허용하는 때에도 국민의 권리나 이익을 침해하지 않는 범위에서 구체적 사정에 따라 합목적적으로 인정하여야 할 것이다.
③ 행정청이 청문서 도달기간을 다소 어겼다 하더라도 처분 상대방이 방어의 기회를 충분히 가졌다면 청문서 도달기간을 준수하지 아니한 하자는 치유되었다고 봄이 상당하다.
④ 징계처분이 중대하고 명백한 흠 때문에 당연무효의 것이라면 징계처분을 받은 자가 이를 용인하였다 하여 그 흠이 치유되는 것은 아니다.

문제 DATA

출제가능 지수 ▶▶∑
난이도 지수 ★★☆

함께 정리하기

하자의 치유

재건축조합설립인가처분 당시 동의율 하자
▷ 추가동의서 제출로 하자치유×

하자치유
▷ 원칙 불허, 예외적 인정

청문서 도달기간 다소 위반 + 이의 없이 방어 기회 충분
▷ 하자치유○

당연무효의 하자
▷ 하자치유×

2025년 지방직 9급

① (×) 이 사건 변경인가처분은 이 사건 설립인가처분 후 추가동의서가 제출되어 동의자 수가 변경되었음을 이유로 하는 것으로서 조합원의 신규가입을 이유로 한 경미한 사항의 변경에 대한 신고를 수리하는 의미에 불과하므로 이 사건 설립인가처분이 이 사건 변경인가처분에 흡수된다고 볼 수 없고, 또한 이 사건 설립인가처분 당시 동의율을 충족하지 못한 하자는 후에 추가동의서가 제출되었다는 사정만으로 치유될 수 없다(대판 2013.7.11. 2011두27544).

② (○) 하자 있는 행정행위의 치유는 행정행위의 성질이나 법치주의의 관점에서 볼 때 원칙적으로 허용될 수 없는 것이고, 예외적으로 행정행위의 무용한 반복을 피하고 당사자의 법적 안정성을 위해 이를 허용하는 때에도 국민의 권리나 이익을 침해하지 않는 범위에서 구체적 사정에 따라 합목적적으로 인정하여야 한다(대판 2002.7.9. 2001두10684).

③ (○) 행정청이 식품위생법상의 청문절차를 이행함에 있어 소정의 청문서 도달기간을 지키지 아니하였다면 이는 청문의 절차적 요건을 준수하지 아니한 것이므로 이를 바탕으로 한 행정처분은 일단 위법하다고 보아야 할 것이지만 이러한 청문제도의 취지는 처분으로 말미암아 받게 될 영업자에게 미리 변명과 유리한 자료를 제출할 기회를 부여함으로써 부당한 권리침해를 예방하려는 데에 있는 것임을 고려하여 볼 때, 가령 행정청이 청문서 도달기간을 다소 어겼다하더라도 영업자가 이에 대하여 이의하지 아니한 채 스스로 청문일에 출석하여 그 의견을 진술하고 변명하는 등 방어의 기회를 충분히 가졌다면 청문서 도달기간을 준수하지 아니한 하자는 치유되었다고 봄이 상당하다(대판 1992.10.23. 92누2844).

④ (○) 징계처분이 중대하고 명백한 흠 때문에 당연무효의 것이라면 징계처분을 받은 자가 이를 용인하였다 하여 그 흠이 치료되는 것은 아니다(대판 1989.12.12. 88누8869).

답 ①

문제 DATA

출제가능 지수 ▶▶▷
난이도 지수 ★★☆

---

006 □□□

판례에 따를 때 취소할 수 있는 행정행위의 경우 하자의 승계가 인정된 것을 모두 고른 것은?

> ㄱ. 선행 대집행절차상 계고처분과 후행 대집행영장발부통보처분
> ㄴ. 선행 독촉과 후행 가산금·중가산금징수처분
> ㄷ. 선행 개별공시지가결정과 후행 과세처분
> ㄹ. 선행 한지의사시험자격인정과 후행 한지의사면허처분
> ㅁ. 선행 소득금액변동통지와 후행 납세고지

① ㄷ, ㅁ
② ㄱ, ㄴ, ㄷ, ㄹ
③ ㄱ, ㄴ, ㄹ, ㅁ
④ ㄱ, ㄴ, ㄷ, ㄹ, ㅁ

함께 정리하기

하자의 승계

대집행절차상 계고와 대집행영장발부통보처분
▷ 승계○

독촉과 가산금·중가산금징수처분
▷ 승계○

개별공시지가결정과 과세처분
▷ 승계○

한지의사시험자격인정과 한지의사면허처분
▷ 승계○

소득금액변동통지와 납세고지
▷ 승계×

2025년 경찰간부

ㄱ. (○) 대집행의 계고, 대집행영장에 의한 통지, 대집행의 실행, 대집행에 요한 비용의 납부명령 등은 타인이 대신하여 행할 수 있는 행정의무의 이행을 의무자의 비용부담하에 확보하고자 하는, 동일한 행정목적을 달성하기 위하여 단계적인 일련의 절차로 연속하여 행하여지는 것으로서, 서로 결합하여 하나의 법률효과를 발생시키는 것이므로, 선행처분인 계고처분이 하자가 있는 위법한 처분이라면, 비록 그 하자가 중대하고도 명백한 것이 아니어서 당연무효의 처분이라고 볼 수 없고 행정소송으로 효력이 다투어지지도 아니하여 이미 불가쟁력이 생겼으며, 후행처분인 대집행영장발부통보처분 자체에는 아무런 하자가 없다고 하더라도, 후행처분인 대집행영장발부통보처분의 취소를 청구하는 소송에서 청구원인으로 선행처분인 계고처분이 위법한 것이기 때문에 그 계고처분을 전제로 행하여진 대집행영장발부통보처분도 위법한 것이라는 주장을 할 수 있다(대판 1996.2.9. 95누12507).

ㄴ. (○) 국세징수법 제21조, 제22조 소정의 가산금, 중가산금은 국세체납이 있는 경우에 위 법조에 따라 당연히 발생하고, 그 액수도 확정되는 것이기는 하나, 그에 관한 징수절차를 개시하려면 독촉장에 의하여 그 납부를 독촉함으로써 가능한 것이고 위 가산금 및 중가산금의 납부독촉이 부당하거나 그 절차에 하자가 있는 경우에는 그 징수처분에 대하여도 취소소송에 의한 불복이 가능하다(대판 1986.10.28. 86누147).

ㄷ. (○) 개별공시지가결정은 이를 기초로 한 과세처분 등과는 별개의 독립된 처분으로서 서로 독립하여 별개의 법률효과를 목적으로 하는 것이나, 개별공시지가는 이를 토지소유자나 이해관계인에게 개별적으로 고지하도록 되어 있는 것이 아니어서 토지소유자 등이 개별공시지가결정 내용을 알고 있었다고 전제하기도 곤란할 뿐만 아니라 결정된 개별공시지가가 자신에게 유리하게 작용될 것인지 또는 불이익하게 작용될 것인지 여부를 쉽사리 예견할 수 있는 것도 아니며, 더욱이 장차 어떠한 과세처분 등 구체적인 불이익이 현실적으로 나타나게 되었을 경우에 비로소 권리구제의 길을 찾는 것이 우리 국민의 권리의식임을 감안하여 볼 때 토지소유자 등으로 하여금 결정된 개별공시지가를 기초로 하여 장차 과세처분 등이 이루어질 것에 대비하여 항상 토지의 가격을 주시하고 개별공시지가결정이 잘못된 경우 정해진 시정절차를 통하여 이를 시정하도록 요구하는 것은 부당하게 높은 주의의무를 지우는 것이라고 아니할 수 없고, 위법한 개별공시지가결정에 대하여 그 정해진 시정절차를 통하여 시정하도록 요구하지 아니하였다는 이유로 위법한 개별공시지가를 기초로 한 과세처분 등 후행 행정처분에서 개별공시지가결정의 위법을 주장할 수 없도록 하는 것은 수인한도를 넘는 불이익을 강요하는 것으로서 국민의 재산권과 재판받을 권리를 보장한 헌법의 이념에도 부합하는 것이 아니라고 할 것이므로, 개별공시지가결정에 위법이 있는 경우에는 그 자체를 행정소송의 대상이 되는 행정처분으로 보아 그 위법 여부를 다툴 수 있음은 물론 이를 기초로 한 과세처분 등 행정처분의 취소를 구하는 행정소송에서도 선행처분인 개별공시지가결정의 위법을 독립된 위법사유로 주장할 수 있다(대판 1994.1.25. 93누8542).

ㄹ. (○) 한지의사 자격시험에 응시하기 위한 응시자격인정의 결정을 사위의 방법으로 받은 이상 이에 터잡아 취득한 한지의사면허처분도 면허를 취득할 수 없는 사람이 취득한 하자있는 처분이 된다 할 것이므로 보건사회부장관이 그와 같은 하자있는 처분임을 이유로 원고가 취득한 한지의사 면허를 취소하는 처분을 하였음은 적법하다(대판 1975.12.9. 75누123).

ㅁ. (×) 과세관청의 소득처분과 그에 따른 소득금액변동통지가 있는 경우 원천징수의무자인 법인은 소득금액변동통지서를 받은 날에 그 통지서에 기재된 소득의 귀속자에게 당해 소득금액을 지급한 것으로 의제되어 그때 원천징수하는 소득세의 납세의무가 성립함과 동시에 확정되므로 소득금액변동통지는 원천징수의무자인 법인의 납세의무에 직접 영향을 미치는 과세관청의 행위로서 항고소송의 대상이 된다. 그리고 원천징수의무자인 법인이 원천징수하는 소득세의 납세의무를 이행하지 아니함에 따라 과세관청이 하는 납세고지는 확정된 세액의 납부를 명하는 징수처분에 해당하므로 선행처분인 소득금액변동통지에 하자가 존재하더라도 당연무효 사유에 해당하지 않는 한 후행처분인 징수처분에 그대로 승계되지 아니한다. 따라서 과세관청의 소득처분과 그에 따른 소득금액변동통지가 있는 경우 원천징수하는 소득세의 납세의무에 관하여는 이를 확정하는 소득금액변동통지에 대한 항고소송에서 다투어야 하고, 소득금액변동통지가 당연무효가 아닌 한 징수처분에 대한 항고소송에서 이를 다툴 수는 없다(대판 2012. 1.26. 2009두14439).

답 ②

문제 DATA

출제가능 지수 ▶▶▷
난이도 지수 ★★☆

007 ☐☐☐

하자의 승계가 인정되는 경우에 해당하는 것만을 모두 고르면?

> ㄱ. 계고처분과 대집행영장발부통보처분
> ㄴ. 친일반민족행위자 결정과 독립유공자예우배제 결정
> ㄷ. 개별공시지가결정과 과세처분
> ㄹ. 과세처분과 체납처분
> ㅁ. 건물철거명령과 대집행계고처분
> ㅂ. 도시계획결정과 수용재결처분

① ㄱ, ㄴ, ㄷ
② ㄱ, ㄷ, ㅁ
③ ㄴ, ㄷ, ㅁ
④ ㄷ, ㄹ, ㅂ
⑤ ㄹ, ㅁ, ㅂ

함께 정리하기

하자의 승계

계고처분과 대집행영장발부통보처분
▷ 승계○

친일반민족행위자 결정과 독립유공자예우배제 결정
▷ 승계○

개별공시지가결정과 과세처분
▷ 승계○

과세처분과 체납처분
▷ 승계×

건물철거명령과 대집행계고처분
▷ 승계×

도시계획결정과 수용재결처분
▷ 승계×

2025년 국회직 8급

ㄱ. (○) 대집행의 계고, 대집행영장에 의한 통지, 대집행의 실행, 대집행에 요한 비용의 납부명령 등은 타인이 대신하여 행할 수 있는 행정의무의 이행을 의무자의 비용부담하에 확보하고자 하는, 동일한 행정목적을 달성하기 위하여 단계적인 일련의 절차로 연속하여 행하여지는 것으로서, 서로 결합하여 하나의 법률효과를 발생시키는 것이므로, 선행처분인 계고처분이 하자가 있는 위법한 처분이라면, 비록 그 하자가 중대하고도 명백한 것이 아니어서 당연무효의 처분이라고 볼 수 없고 행정소송으로 효력이 다투어지지도 아니하여 이미 불가쟁력이 생겼으며, 후행처분인 대집행영장발부통보처분 자체에는 아무런 하자가 없다고 하더라도, 후행처분인 대집행영장발부통보처분의 취소를 청구하는 소송에서 청구원인으로 선행처분인 계고처분이 위법한 것이기 때문에 그 계고처분을 전제로 행하여진 대집행영장발부통보처분도 위법한 것이라는 주장을 할 수 있다(대판 1996.2.9. 95누12507).

ㄴ. (○) 甲을 친일반민족행위자로 결정한 친일반민족행위진상규명위원회(이하 '진상규명위원회'라 한다)의 최종발표(선행처분)에 따라 지방보훈지청장이 독립유공자 예우에 관한 법률(이하 '독립유공자법'이라 한다) 적용 대상자로 보상금 등의 예우를 받던 甲의 유가족 乙 등에 대하여 독립유공자법 적용배제자 결정(후행처분)을 한 사안에서, 진상규명위원회가 甲의 친일반민족행위자 결정 사실을 통지하지 않아 乙은 후행처분이 있기 전까지 선행처분의 사실을 알지 못하였고, 후행처분인 지방보훈지청장의 독립유공자법 적용배제결정이 자신의 법률상 지위에 직접적인 영향을 미치는 행정처분이라고 생각했을 뿐, 통지를 받지도 않은 진상규명위원회의 친일반민족행위자 결정처분이 자신의 법률상 지위에 영향을 주는 독립된 행정처분이라고 생각하기는 쉽지 않았을 것으로 보여, 乙이 선행처분에 대하여 일제강점하 반민족행위 진상규명에 관한 특별법에 의한 이의신청절차를 밟거나 후행처분에 대한 것과 별개로 행정심판이나 행정소송을 제기하지 않았다고 하여 선행처분의 하자를 이유로 후행처분의 효력을 다툴 수 없게 하는 것은 乙에게 수인한도를 넘는 불이익을 주고 그 결과가 乙에게 예측가능한 것이라고 할 수 없어 선행처분의 후행처분에 대한 구속력을 인정할 수 없으므로 선행처분의 위법을 이유로 후행처분의 효력을 다툴 수 있음에도, 이와 달리 본 원심판결에 법리를 오해한 위법이 있다고 한 사례(대판 2013. 3.14. 2012두6964)

ㄷ. (○) 개별공시지가결정은 이를 기초로 한 과세처분 등과는 별개의 독립된 처분으로서 서로 독립하여 별개의 법률효과를 목적으로 하는 것이나, 개별공시지가는 이를 토지소유자나 이해관계인에게 개별적으로 고지하도록 되어 있는 것이 아니어서 토지소유자 등이 개별공시지가결정 내용을 알고 있었다고 전제하기도 곤란할 뿐만 아니라 결정된 개별공시지가가 자신에게 유리하게 작용될 것인지 또는 불이익하게 작용될 것인지 여부를 쉽사리 예견할 수 있는 것도 아니며, 더욱이 장차 어떠한 과세처분 등 구체적인 불이익이 현실적으로 나타나게 되었을 경우에 비로소 권리구제의 길을 찾는 것이 우리 국민의 권리의식임을 감안하여 볼 때 토지소유자 등으로 하여금 결정된 개별공시지가를 기초로 하여 장차 과세처분 등이 이루어질 것에 대비하여 항상 토지의 가격을 주시하고 개별공시지가결정이 잘못된 경우 정해진 시정절차를 통하여 이를 시정하도록 요구하는 것은 부당하게 높은 주의의무를 지우는 것이라고 아니할 수 없고, 위법한 개별공시지가결정에 대하여 그 정해진 시정절차를 통하여 시정하도록 요구하지 아니하였다는 이유로 위법한 개별공시지가를 기초로 한 과세처분 등 후행 행정처분에서 개별공시지가결정의 위법을 주장할 수 없도록 하는 것은 수인한도를 넘는 불이익을 강요하는 것으로서 국민의 재산권과 재판

받을 권리를 보장한 헌법의 이념에도 부합하는 것이 아니라고 할 것이므로, 개별공시지가결정에 위법이 있는 경우에는 그 자체를 행정소송의 대상이 되는 행정처분으로 보아 그 위법 여부를 다툴 수 있음은 물론 이를 기초로 한 과세처분 등 행정처분의 취소를 구하는 행정소송에서도 선행처분인 개별공시지가결정의 위법을 독립된 위법사유로 주장할 수 있다고 해석함이 타당하다(대판 1994.1.25. 93누8542).

ㄹ. (×) 조세의 부과처분과 압류 등의 체납처분은 별개의 행정처분으로서 독립성을 가지므로 부과처분에 하자가 있더라도 그 부과처분이 취소되지 아니하는 한 그 부과처분에 의한 체납처분은 위법이라고 할 수는 없지만, 체납처분은 부과처분의 집행을 위한 절차에 불과하므로 그 부과처분에 중대하고도 명백한 하자가 있어 무효인 경우에는 그 부과처분의 집행을 위한 체납처분도 무효라 할 것이다(대판 1987.9.22. 87누383).

ㅁ. (×) 건물철거명령이 당연무효가 아닌 이상 행정심판이나 소송을 제기하여 그 위법함을 소구하는 절차를 거치지 아니하였다면 위 선행행위인 건물철거명령은 적법한 것으로 확정되었다고 할 것이므로 후행행위인 대집행계고처분에서는 그 건물이 무허가건물이 아닌 적법한 건축물이라는 주장이나 그러한 사실인정을 하지 못한다(대판 1998.9.8. 97누20502).

ㅂ. (×) 도시계획의 수립에 있어서 도시계획법 제16조의2 소정의 공청회를 열지 아니하고 공공용지의 취득 및 손실보상에 관한 특례법 제8조 소정의 이주대책을 수립하지 아니하였더라도 이는 절차상의 위법으로서 취소사유에 불과하고 그 하자가 도시계획결정 또는 도시계획사업시행인가를 무효라고 할 수 있을 정도로 중대하고 명백하다고는 할 수 없으므로 이러한 위법을 선행처분인 도시계획결정이나 사업시행인가 단계에서 다투지 아니하였다면 그 쟁소기간이 이미 도과한 후인 수용재결단계에 있어서는 도시계획수립 행위의 위와 같은 위법을 들어 재결처분의 취소를 구할 수는 없다고 할 것이다(대판 1990.1.23. 87누947).

답 ①

008 □□□

행정행위의 하자에 대한 설명으로 옳지 않은 것은? (다툼이 있는 경우 판례에 의함)

① 「병역법」상 보충역편입처분과 공익근무요원소집처분은 각각 단계적으로 별개의 법률효과를 발생하는 독립된 행정처분이 아니므로, 불가쟁력이 발생한 보충역편입처분의 위법을 이유로 공익근무요원소집처분의 효력을 다툴 수 있다.

② 행정처분의 당연무효를 선언하는 의미에서 그 취소를 구하는 행정소송을 제기하는 경우에는 전치절차와 그 제소기간의 준수 등 취소소송의 제소요건을 갖추어야 한다.

③ 선행처분인 소득금액변동통지에 하자가 존재하더라도 당연무효 사유에 해당하지 않는 한 후행처분인 징수처분에 그대로 승계되지 아니한다.

④ 행정청이 구 「학교보건법」상 학교환경위생정화구역 내에서 금지행위 및 시설의 해제 여부에 관한 행정처분을 하면서 학교환경위생정화위원회의 심의를 누락한 흠이 있다면, 특별한 사정이 없는 한 이는 행정처분을 위법하게 하는 취소사유가 된다.

2025년 소방직

① (×) 구 병역법(1999.12.28. 법률 제6058호로 개정되기 전의 것) 제2조 제1항 제2호, 제9호, 제5조, 제11조, 제12조, 제14조, 제26조, 제29조, 제55조, 제56조의 각 규정에 의하면, 보충역편입처분 등의 병역처분은 구체적인 병역의무부과를 위한 전제로서 징병검사 결과 신체등위와 학력·연령 등 자질을 감안하여 역종을 부과하는 처분임에 반하여, 공익근무요원소집처분은 보충역편입처분을 받은 공익근무요원소집대상자에게 기초적 군사훈련과 구체적인 복무기관 및 복무분야를 정한 공익근무요원으로서의 복무를 명하는 구체적인 행정처분이므로, 위 두 처분은 후자의 처분이 전자의 처분을 전제로 하는 것이기는 하나 각각 단계적으로 별개의 법률효과를 발생하는 독립된 행정처분이라고 할 것이므로, 따라서 보충역편입처분의 기초가 되는 신체등위 판정에 잘못이 있다는 이유로 이를 다투기 위하여는 신체등위 판정을 기초로 한 보충역편입처분에 대하여 쟁송을 제기하여야 할 것이며, 그 처분을 다투지 아니하여

문제 DATA
출제가능 지수 ▶▶▷
난이도 지수 ★★☆

함께 정리하기

행정행위의 하자

보충역 편입처분과 공익근무요원 소집처분
▷ 하자승계 ×

무효선언을 구하는 취소소송
▷ 취소소송의 제소요건 준수 要

소득금액변동통지와 징수처분
▷ 하자승계 ×

학교환경위생정화위원회의 심의절차 누락
▷ 취소사유

이미 불가쟁력이 생겨 그 효력을 다툴 수 없게 된 경우에는, 병역처분변경신청에 의하는 경우는 별론으로 하고, 보충역편입처분에 하자가 있다고 할지라도 그것이 당연무효라고 볼만한 단단의 사정이 없는 한 그 위법을 이유로 공익근무요원소집처분의 효력을 다툴 수 없다(대판 2002.12.10. 2001두5422).

② (○) 행정처분의 당연무효를 선언하는 의미에서 그 취소를 청구하는 행정소송을 제기한 경우에도 전심절차와 제소기간의 준수 등 취소소송의 제소요건을 갖추어야 한다(대판 1990.12.26. 90누6279).

③ (○) 과세관청의 소득처분과 그에 따른 소득금액변동통지가 있는 경우 원천징수의무자인 법인은 소득금액변동통지서를 받은 날에 그 통지서에 기재된 소득의 귀속자에게 당해 소득금액을 지급한 것으로 의제되어 그때 원천징수하는 소득세의 납세의무가 성립함과 동시에 확정되므로 소득금액변동통지는 원천징수의무자인 법인의 납세의무에 직접 영향을 미치는 과세관청의 행위로서 항고소송의 대상이 된다. 그리고 원천징수의무자인 법인이 원천징수하는 소득세의 납세의무를 이행하지 아니함에 따라 과세관청이 하는 납세고지는 확정된 세액의 납부를 명하는 징수처분에 해당하므로 선행처분인 소득금액변동통지에 하자가 존재하더라도 당연무효 사유에 해당하지 않는 한 후행처분인 징수처분에 그대로 승계되지 아니한다. 따라서 과세관청의 소득처분과 그에 따른 소득금액변동통지가 있는 경우 원천징수하는 소득세의 납세의무에 관하여는 이를 확정하는 소득금액변동통지에 대한 항고소송에서 다투어야 하고, 소득금액변동통지가 당연무효가 아닌 한 징수처분에 대한 항고소송에서 이를 다툴 수는 없다(대판 2012.1.26. 2009두14439).

④ (○) 행정청이 구 학교보건법(2005.12.7. 법률 제7700호로 개정되기 전의 것) 소정의 학교환경위생정화구역 내에서 금지행위 및 시설의 해제 여부에 관한 행정처분을 함에 있어 학교환경위생정화위원회의 심의를 거치도록 한 취지는 그에 관한 전문가 내지 이해관계인의 의견과 주민의 의사를 행정청의 의사결정에 반영함으로써 공익에 가장 부합하는 민주적 의사를 도출하고 행정처분의 공정성과 투명성을 확보하려는 데 있고, 나아가 그 심의의 요구가 법률에 근거하고 있을 뿐 아니라 심의에 따른 의결내용도 단순히 절차의 형식에 관련된 사항에 그치지 않고 금지행위 및 시설의 해제 여부에 관한 행정처분에 영향을 미칠 수 있는 사항에 관한 것임을 종합해 보면, 금지행위 및 시설의 해제 여부에 관한 행정처분을 하면서 절차상 위와 같은 심의를 누락한 흠이 있다면 그와 같은 흠을 가리켜 위 행정처분의 효력에 아무런 영향을 주지 않는다거나 경미한 정도에 불과하다고 볼 수는 없으므로, 특별한 사정이 없는 한 이는 행정처분을 위법하게 하는 취소사유가 된다(대판 2007.3.15. 2006두15806).

답 ①

009

처분의 하자에 대한 설명으로 옳지 않은 것은? (다툼이 있는 경우 판례에 의함)

① 운전면허효력 정지처분을 할 권한이 없는 음주운전 단속 경찰관이 자신의 명의로 처분통지서를 작성·교부하여 행한 운전면허효력 정지처분은 무효의 처분이다.
② 선행처분과 후행처분이 서로 독립하여 별개의 법률효과를 목적으로 하는 때에는 선행처분이 당연무효이더라도 선행처분의 하자를 이유로 후행처분의 효력을 다툴 수 없다.
③ 환경영향평가를 거쳐야 할 대상사업에 대하여 환경영향평가를 거치지 아니하였음에도 불구하고 승인 등 처분이 이루어진다면, 이러한 행정처분의 하자는 중대한 것이고 객관적으로도 명백한 것이다.
④ 절차상 또는 형식상 하자로 인하여 무효인 행정처분이 있은 후 행정청이 관계 법령에서 정한 절차 또는 형식을 갖추어 다시 동일한 행정처분을 하였다면 당해 행정처분은 종전의 무효인 행정처분과 관계없이 새로운 행정처분이라고 보아야 한다.
⑤ 증액경정처분이 있는 경우 당초처분은 증액경정처분에 흡수되어 소멸하고, 소멸한 당초처분의 절차적 하자는 존속하는 증액경정처분에 승계되지 아니한다.

2025년 소방간부

① (○) 운전면허에 대한 정지처분권한은 경찰청장으로부터 경찰서장에게 권한위임된 것이므로 음주운전자를 적발한 단속 경찰관으로서는 관할 경찰서장의 명의로 운전면허정지처분을 대행처리할 수 있을지는 몰라도 자신의 명의로 이를 할 수는 없다 할 것이므로, 단속 경찰관이 자신의 명의로 운전면허행정처분통지서를 작성·교부하여 행한 운전면허정지처분은 비록 그 처분의 내용·사유·근거 등이 기재된 서면을 교부하는 방식으로 행하여졌다고 하더라도 권한 없는 자에 의하여 행하여진 점에서 무효의 처분에 해당한다(대판 1997.5.16. 97누2313).

② (×) 두 개 이상의 행정처분을 연속적으로 하는 경우 선행처분과 후행처분이 서로 독립하여 별개의 법률효과를 목적으로 하는 때에는 선행처분에 불가쟁력이 생겨 그 효력을 다툴 수 없게 된 경우에는 선행처분의 하자가 중대하고 명백하여 당연무효인 경우를 제외하고는 선행처분의 하자를 이유로 후행처분의 효력을 다툴 수 없는 것이 원칙이다. 그러나 선행처분과 후행처분이 서로 독립하여 별개의 효과를 목적으로 하는 경우에도 선행처분의 불가쟁력이나 구속력이 그로 인하여 불이익을 입게 되는 자에게 수인한도를 넘는 가혹함을 가져오며, 그 결과가 당사자에게 예측가능한 것이 아닌 경우에는 국민의 재판받을 권리를 보장하고 있는 헌법의 이념에 비추어 선행처분의 후행처분에 대한 구속력은 인정될 수 없다(대판 2013.3.14. 2012두6964).

③ (○) 구 환경영향평가법(1999.12.31. 법률 제6095호 환경·교통·재해 등에 관한 영향평가법 부칙 제2조로 폐지) 제1조, 제3조, 제9조, 제16조, 제17조, 제27조 등의 규정 취지는 환경영향평가를 실시하여야 할 사업(이하 '대상사업'이라 한다)이 환경을 해치지 아니하는 방법으로 시행되도록 함으로써 당해 사업과 관련된 환경공익을 보호하려는 데 그치는 것이 아니라, 당해 사업으로 인하여 직접적이고 중대한 환경피해를 입으리라고 예상되는 환경영향평가대상지역 안의 주민들이 전과 비교하여 수인한도를 넘는 환경침해를 받지 아니하고 쾌적한 환경에서 생활할 수 있는 개별적 이익까지도 보호하려는 데에 있는 것이다. 그런데 환경영향평가를 거쳐야 할 대상사업에 대하여 환경영향평가를 거치지 아니하였음에도 불구하고 승인 등 처분이 이루어진다면, 사전에 환경영향평가를 함에 있어 평가대상지역 주민들의 의견을 수렴하고 그 결과를 토대로 하여 환경부장관과의 협의내용을 사업계획에 미리 반영시키는 것 자체가 원천적으로 봉쇄되는바, 이렇게 되면 환경파괴를 미연에 방지하고 쾌적한 환경을 유지·조성하기 위하여 환경영향평가제도를 둔 입법 취지를 달성할 수 없게 되는 결과를 초래할 뿐만 아니라 환경영향평가대상지역 안의 주민들의 직접적이고 개별적인 이익을 근본적으로 침해하게 되므로, 이러한 행정처분의 하자는 법규의 중요한 부분을 위반한 중대한 것이고 객관적으로도 명백한 것이라고 하지 않을 수 없어, 이와 같은 행정처분은 당연무효이다(대판 2006.6.30. 2005두14363).

④ (○) 절차상 또는 형식상 하자로 인하여 무효인 행정처분이 있은 후 행정청이 관계 법령에서 정한 절차 또는 형식을 갖추어 다시 동일한 행정처분을 하였다면 당해 행정처분은 종전의 무효인 행정처분과 관계없이 새로운 행정처분이라고 보아야 한다(대판 2014.3.13. 2012두1006).

⑤ (○) 증액경정처분이 있는 경우 당초처분은 증액경정처분에 흡수되어 소멸하고, 소멸한 당초처분의 절차적 하자는 존속하는 증액경정처분에 승계되지 아니한다(대판 2010.6.24. 2007두16493).

답 ②

함께 정리하기

처분의 하자

음주단속 경찰관 자신의 명의로 한 운전면허정지처분
▷ 무효

선행처분과 후행처분이 별개의 법률효과 목적
▷ 선행처분 무효 → 후행처분 무효

환경영향평가 흠결
▷ 무효

절차 또는 형식 하자로 인하여 무효인 행정처분이 있은 후 절차 또는 형식을 갖추어 다시 동일한 행정처분
▷ 새로운 행정처분

증액경정처분시
▷ 당초처분은 흡수되어 소멸, 당초 처분의 절차적 하자 승계×

010

다음 사례에 대한 설명으로 옳은 것을 모두 고른 것은? (다툼이 있는 경우 판례에 의함)

> 구 폐기물처리시설 설치촉진 및 주변지역지원 등에 관한 법령에 의하면, 지방자치단체의 장이 설치하고자 하는 폐기물처리시설의 경우 입지선정지역이 1개 시·군·구인 때 그 입지선정위원회의 구성을 위해서는 시장·군수·구청장의 선정과 주민대표의 추천에 의한 전문가가 포함되어야 한다. 그런데 A도 B군 군수 甲은 폐기물입지선정결정을 하면서 군수의 선정과 주민대표의 추천에 의한 전문가를 포함시키지 않은 채 임의로 입지선정위원회를 구성하였고, 위 위원회의 의결을 거쳐 입지결정처분을 하였다. 이후 甲은 구 폐기물관리법령에 의거하여 A도 도지사 乙에게 폐기물처리시설 설치승인을 신청하였고 乙은 이 신청을 승인하는 처분을 하였다.

ㄱ. 甲의 입지결정처분은 당연무효는 아니나 취소의 위법이 있다.
ㄴ. 甲의 입지결정처분의 하자는 이를 다투는 행정소송의 제기 전까지 甲에 의해 치유될 수 있다.
ㄷ. 甲의 입지결정처분에 터 잡아 이루어진 후행처분인 乙의 폐기물처리시설 설치승인처분도 위법하게 된다.

① ㄷ
② ㄱ, ㄴ
③ ㄱ, ㄷ
④ ㄴ, ㄷ
⑤ ㄱ, ㄴ, ㄷ

2025년 변호사

ㄱ. (×) 구 폐기물처리시설 설치촉진 및 주변지역지원 등에 관한 법률(2004.2.9. 법률 제7169호로 개정되기 전의 것) 제9조 제3항, 같은 법 시행령(2004.8.10. 대통령령 제18514호로 개정되기 전의 것) 제7조 [별표 1], 제11조 제2항 각 규정들에 의하면, 입지선정위원회는 폐기물처리시설의 입지를 선정하는 의결기관이고, 입지선정위원회의 구성방법에 관하여 일정 수 이상의 주민대표 등을 참여시키도록 한 것은 폐기물처리시설 입지선정 절차에 있어 주민의 참여를 보장함으로써 주민들의 이익과 의사를 대변하도록 하여 주민의 권리에 대한 부당한 침해를 방지하고 행정의 민주화와 신뢰를 확보하는 데 그 취지가 있는 것이므로, 주민대표나 주민대표 추천에 의한 전문가의 참여 없이 의결이 이루어지는 등 입지선정위원회의 구성방법이나 절차가 위법한 경우에는 그 하자 있는 입지선정위원회의 의결에 터잡아 이루어진 폐기물처리시설 입지결정처분도 위법하게 된다. 구 폐기물처리시설 설치촉진 및 주변지역 지원 등에 관한 법률에 정한 입지선정위원회가 그 구성방법 및 절차에 관한 같은 법 시행령의 규정에 위배하여 <u>군수와 주민대표가 선정·추천한 전문가를 포함시키지 않은 채 임의로 구성되어 의결을 한 경우, 그에 터잡아 이루어진 폐기물처리시설 입지결정처분의 하자는 중대한 것이고 객관적으로도 명백하므로 무효사유에 해당한다</u>(대판 2007.4.12. 2006두20150).

ㄴ. (×) 행정행위의 하자 치유는 행정쟁송 제기 이전까지만 가능하지만 취소할 수 있는 행정행위에 한정되고, 무효인 행정행위에 대해서는 하자의 치유가 인정되지 않는다.

1. 징계처분이 중대하고 명백한 흠 때문에 당연무효의 것이라면 징계처분을 받은 자가 이를 용인하였다 하여 그 흠이 치료되는 것은 아니다(대판 1989.12.12. 88누8869).
2. 세액산출근거가 누락된 납세고지서에 의한 과세처분의 하자의 치유를 허용하려면 늦어도 과세처분에 대한 불복 여부의 결정 및 불복신청에 편의를 줄 수 있는 상당한 기간 내에 하여야 한다고 할 것이므로, 위 과세처분에 대한 전심절차가 모두 끝나고 상고심의 계류 중에 세액산출근거의 통지가 있었다고 하여 이로써 위 과세처분의 하자가 치유되었다고는 볼 수 없다(대판 1984.4.10. 83누393).

함께 정리하기

사례

입지선정위원회 임의로 구성하여 의결
▷ 무효사유

하자의 치유
▷ 무효인 행정행위에는 인정 ×

선행처분과 후행처분이 별개의 법률효과 목적
▷ 선행처분 무효 → 후행처분 무효

ㄷ. (○) 구 폐기물처리시설 설치촉진 및 주변지역지원 등에 관한 법률(2004.2.9. 법률 제7169호로 개정되기 전의 것) 제9조 제3항, 같은 법 시행령(2004.8.10. 대통령령 제18514호로 개정되기 전의 것) 제7조 [별표 1], 제11조 제2항 각 규정들에 의하면, 입지선정위원회는 폐기물처리시설의 입지를 선정하는 의결기관이고, 입지선정위원회의 구성방법에 관하여 일정 수 이상의 주민대표 등을 참여시키도록 한 것은 폐기물처리시설 입지선정 절차에 있어 주민의 참여를 보장함으로써 주민들의 이익과 의사를 대변하도록 하여 주민의 권리에 대한 부당한 침해를 방지하고 행정의 민주화와 신뢰를 확보하는 데 그 취지가 있는 것이므로, 주민대표나 주민대표 추천에 의한 전문가의 참여 없이 의결이 이루어지는 등 입지선정위원회의 구성방법이나 절차가 위법한 경우에는 그 하자 있는 입지선정위원회의 의결에 터잡아 이루어진 폐기물처리시설 입지결정처분도 위법하게 된다(대판 2007.4.12. 2006두20150).

답 ①

011

하자의 승계에 대한 설명으로 옳지 않은 것은?

① 도시·군계획시설결정과 실시계획인가는 별도의 요건과 절차에 따라 별개의 법률효과를 발생시키는 독립적인 행정처분이므로 선행처분인 도시·군계획시설결정에 하자가 있더라도 그것이 당연무효가 아닌 한 원칙적으로 후행처분인 실시계획인가에 승계되지 않는다.
② 「공인중개사법」 위반으로 업무정지처분을 받고 그 업무정지기간 중 중개업무를 하였다는 이유로 중개사무소개설등록취소처분을 받은 경우, 양 처분은 그 내용과 효과를 달리하는 독립된 행정처분으로서 서로 결합하여 1개의 법률효과를 완성하는 때에 해당한다고 볼 수 없다.
③ 수용보상금의 증액을 구하는 소송에서는 선행처분으로서 그 수용대상 토지 가격 산정의 기초가 된 비교표준지공시지가결정의 위법을 독립된 사유로 주장할 수 없다.
④ 보충역편입처분과 공익근무요원소집처분은 각각 단계적으로 별개의 법률효과를 발생하는 독립된 행정처분이다.

2024년 국가직 7급

① (○) 도시·군계획시설결정과 실시계획인가는 도시·군계획시설사업을 위하여 이루어지는 단계적 행정절차에서 별도의 요건과 절차에 따라 별개의 법률효과를 발생시키는 독립적인 행정처분이다. 그러므로 선행처분인 도시·군계획시설결정에 하자가 있더라도 그것이 당연무효가 아닌 한 원칙적으로 후행처분인 실시계획인가에 승계되지 않는다(대판 2017.7.18. 2016두49938).
② (○) 선행처분인 업무정지처분은 일정 기간 중개업무를 하지 못하도록 하는 처분인 반면, 후행처분인 이 사건 처분(중개사무소 개설등록 취소처분)은 위와 같은 업무정지처분에 따른 업무정지기간 중에 중개업무를 하였다는 별개의 처분사유를 근거로 중개사무소의 개설등록을 취소하는 처분이다. 비록 이 사건 처분이 업무정지처분을 전제로 하지만, 양 처분은 그 내용과 효과를 달리하는 독립된 행정처분으로서, 서로 결합하여 1개의 법률효과를 완성하는 때에 해당한다고 볼 수 없다. 따라서 원고는 선행처분이 당연무효가 아닌 이상 그 하자를 이유로 후행처분인 이 사건 처분의 효력을 다툴 수 없다(대판 2019.1.31. 2017두40372).
③ (×) 표준지공시지가결정은 이를 기초로 한 수용재결 등과는 별개의 독립된 처분으로서 서로 독립하여 별개의 법률효과를 목적으로 하지만, … 위법한 표준지공시지가결정에 대하여 그 정해진 시정절차를 통하여 시정하도록 요구하지 않았다는 이유로 위법한 표준지공시지가를 기초로 한 수용재결 등 후행 행정처분에서 표준지공시지가결정의 위법을 주장할 수 없도록 하는 것은 수인한도를 넘는 불이익을 강요하는 것으로서 국민의 재산권과 재판받을 권리를 보장한 헌법의 이념에도 부합하는 것이 아니다. 따라서 표준지공시지가결정이 위법한 경우에는 그 자체를 행정소송의 대상이 되는 행정처분으로 보아 그 위법 여부를 다툴 수 있음은 물론, 수용보상금의 증액을 구하는 소송에서도 선행처분으로서 그 수용대상 토지 가격 산정의 기초가 된 비교표준지공시지가결정의 위법을 독립한 사유로 주장할 수 있다(대판 2008.8.21. 2007두13845).

문제 DATA
출제가능 지수 ▶▶▷
난이도 지수 ★★☆

함께 정리하기
하자의 승계

도시군계획시설결정과 실시계획인가
▷ 하자승계 ✕

업무정지처분과 중개사무소 개설등록 취소처분
▷ 별개의 법률효과 발생하는 독립된 처분

표준공시지가결정과 수용재결
▷ 하자승계 ○

보충역편입처분과 공익근무요원소집처분
▷ 별개의 법률효과 발생하는 독립된 처분

④ (○) 병역법상 공익근무요원소집처분은 보충역편입처분을 전제로 하는 것이기는 하나 각각 단계적으로 별개의 법률효과를 발생하는 독립된 행정처분이라고 할 것이므로, 따라서 보충역편입 처분의 기초가 되는 신체등위 판정에 잘못이 있다는 이유로 이를 다투기 위하여는 신체등위 판정을 기초로 한 보충역편입처분에 대하여 쟁송을 제기하여야 할 것이며, 그 처분을 다투지 아니하여 이미 불가쟁력이 생겨 그 효력을 다툴 수 없게 된 경우에는, 병역처분변경신청에 의하는 경우는 별론으로 하고, 보충역편입처분에 하자가 있다고 할지라도 그것이 당연무효라고 볼만한 특단의 사정이 없는 한 그 위법을 이유로 공익근무요원소집처분의 효력을 다툴 수 없다(대판 2002.12.10. 2001두5422).

답 ③

012 □□□

행정처분의 하자에 대한 설명으로 옳지 않은 것은?

① 「공익사업을 위한 토지 등의 취득 및 보상에 관한 법률」에 따른 사업인정처분이 당연무효이면 그것이 유효함을 전제로 이루어진 수용재결도 무효라고 보아야 한다.
② 수익적 행정처분의 하자가 당사자의 사실은폐나 기타 부정한 방법에 의한 신청행위 때문인 경우, 당사자는 처분에 관한 신뢰이익을 원용할 수 있고 행정청이 이를 고려하지 아니하였다면 재량권을 일탈·남용한 것이다.
③ 도시계획시설사업 시행자 지정 처분이 처분 요건을 충족하지 못하여 당연무효인 경우에는 사업시행자 지정 처분이 유효함을 전제로 이루어진 후행처분인 실시계획 인가처분도 무효이다.
④ 관할청이 시정을 요구하면서 부여한 기간이 너무 불합리하거나 부당하지 않는 한 단기간이라는 이유만으로 그 시정 요구가 위법하다고 볼 수는 없다.

| 2024년 지방직 7급

① (○) 사업인정처분이 당연무효이면 그것이 유효함을 전제로 이루어진 수용재결도 무효라고 보아야 한다(대판 1992.3.12. 91누4324 등).
② (×) 수익적 행정처분의 하자가 당사자의 사실은폐나 기타 사위의 방법에 의한 신청행위에 기인한 것이라면, 당사자는 처분에 의한 이익을 위법하게 취득하였음을 알아 취소가능성도 예상하고 있었을 것이므로, 그 자신이 처분에 관한 신뢰이익을 원용할 수 없음은 물론, 행정청이 이를 고려하지 않았다 하여도 재량권의 남용이 되지 않고, 이 경우 당사자의 사실은폐나 기타 사위의 방법에 의한 신청행위가 제3자를 통하여 소극적으로 이루어졌다고 하여 달리 볼 것이 아니다(대판 2008.11.13. 2008두8628).
③ (○) 선행처분과 후행처분이 서로 독립하여 별개의 법률효과를 목적으로 하는 때에도 선행처분이 당연무효이면 선행처분의 하자를 이유로 후행처분의 효력을 다툴 수 있다. 도시계획시설사업의 시행자가 작성한 실시계획을 인가하는 처분은 도시계획시설사업 시행자에게 도시계획시설사업의 공사를 허가하고 수용권을 부여하는 처분으로서 선행처분인 도시계획시설사업 시행자 지정 처분이 처분 요건을 충족하지 못하여 당연무효인 경우에는 사업시행자 지정 처분이 유효함을 전제로 이루어진 후행처분인 실시계획 인가처분도 무효라고 보아야 한다(대판 2017.7.11. 2016두35144).
④ (○) 구 사립학교법 제20조의2 제2항 소정의 시정 요구는 사학의 자율성을 고려하여 관할청이 취임승인 취소사유를 발견하였더라도 바로 임원의 취임승인을 취소할 것이 아니라 일정한 기간을 주어 학교법인 스스로 이를 시정할 기회를 주고 학교법인이 이에 응하지 아니한 때에 한하여 취임승인을 취소한다는 취지이다. 따라서 관할청이 시정을 요구하면서 부여한 기간이 너무 불합리하거나 부당하지 않는 한 단기간이라는 이유만으로 그 시정 요구가 위법하다고 볼 수는 없으며, 또한 시정이 가능한 사항에 대하여만 시정 요구할 것을 전제로 하고 있다거나 시정이 불가능하여 시정 요구가 무의미한 경우에는 임원취임승인취소처분을 할 수 없다고 해석할 수는 없다(대판 2007.7.19. 2006두19297 전합).

답 ②

◎ 문제 DATA
출제가능 지수 ▶▶▷
난이도 지수 ★★☆

☑ 함께 정리하기

행정처분의 하자

선행 사업인정이 무효
▷ 후행 수용재결도 무효

상대방의 부정행위로 이루어진 수익적 처분 취소
▷ 신뢰보호 고려×

선행 사업시행자지정처분이 당연무효
▷ 후행 실시계획인가처분도 무효

시정요구기간이 현저히 불합리·부당하지 않는 한
▷ 단기간이라는 이유만으로 시정요구가 위법×

013

선행처분의 하자가 후행처분에 승계되지 않는 것으로만 묶인 것은? (다툼이 있는 경우 판례에 의함)

가. 선행 대집행계고처분과 후행 대집행비용납부명령
나. 선행 과세처분과 후행 체납처분
다. 선행 표준지공시지가결정과 후행 인근 토지소유자에 대한 수용재결
라. 선행 직위해제처분과 후행 직권면직처분

① 가, 나
② 가, 다
③ 나, 다
④ 나, 라

문제 DATA
출제가능 지수 ▶▶▶
난이도 지수 ★★☆

함께 정리하기
하자의 승계
대집행계고처분과 대집행비용납부명령
▷ 승계○
과세처분과 체납처분
▷ 승계×
표준지공시지가결정과 수용재결
▷ 승계○
직위해제처분과 면직처분
▷ 승계×

2024년 경찰간부

가. (○) 대집행의 계고·대집행영장에 의한 통지·대집행의·실행·대집행에 요한 비용의 납부명령 등은, 타인이 대신하여 행할 수 있는 행정의무의 이행을 의무자의 비용부담하에 확보하고자 하는, 동일한 행정목적을 달성하기 위하여 단계적인 일련의 절차로 연속하여 행하여지는 것으로서, 서로 결합하여 하나의 법률효과를 발생시키는 것이므로, 선행처분인 계고처분이 하자가 있는 위법한 처분이라면, 비록 하자가 중대하고도 명백한 것이 아니어서 당연무효의 처분이라고 볼 수 없고 대집행의 실행이 이미 사실행위로서 완료되어 계고처분의 취소를 구할 법률상 이익이 없게 되었으며, 또 대집행비용납부명령 자체에는 아무런 하자가 없다 하더라도, 후행처분인 대집행비용납부명령의 취소를 청구하는 소송에서 청구원인으로 선행처분인 계고처분이 위법한 것이기 때문에 그 계고처분을 전제로 행하여진 대집행비용납부명령도 위법한 것이라는 주장을 할 수 있다(대판 1993.11.9. 93누14271).

나. (×) 조세부과처분에 취소사유인 하자가 있다면 체납처분에 승계되지 않는다. 하자 승계 논의의 전제조건은 선행행위의 하자가 무효가 아닌 취소사유인 경우이다.

조세의 부과처분과 압류 등의 체납처분은 별개의 행정처분으로서 독립성을 가지므로 부과처분에 하자가 있더라도 그 부과처분이 취소되지 아니하는 한 그 부과처분에 의한 체납처분은 위법이라고 할 수는 없지만, 체납처분은 부과처분의 집행을 위한 절차에 불과하므로 그 부과처분에 중대하고도 명백한 하자가 있어 무효인 경우에는 그 부과처분의 집행을 위한 체납처분도 무효라 할 것이나, 그 부과처분의 무효확인청구를 기각하는 판결이 확정된 경우에는 사실심변론종결 이전의 사유를 들어 그 부과처분의 무효를 주장하고 이로써 압류처분의 무효를 다툴수는 없다(대판 1988.6.28. 87누1009).

나. (○) 표준시공시시가결정은 이를 기초로 한 수용재결 등과는 별개의 독립된 처분으로서 서로 독립하여 별개의 법률효과를 목적으로 하지만, 표준지공시지가는 이를 인근 토지의 소유자나 기타 이해관계인에게 개별적으로 고지하도록 되어 있는 것이 아니어서 인근 토지의 소유자 등이 표준지공시지가결정 내용을 알고 있었다고 전제하기가 곤란할 뿐만 아니라, 결정된 표준지공시지가가 공시될 당시 보상금 산정의 기준이 되는 표준지의 인근 토지를 함께 공시하는 것이 아니어서 인근 토지 소유자는 보상금 산정의 기준이 되는 표준지가 어느 토지인지를 알 수 없으므로, 인근 토지 소유자가 표준지의 공시지가가 확정되기 전에 이를 다투는 것은 불가능하다. 더욱이 장차 어떠한 수용재결 등 구체적인 불이익이 현실적으로 나타나게 되었을 경우에 비로소 권리구제의 길을 찾는 것이 우리 국민의 권리의식임을 감안하여 볼 때, 인근 토지소유자 등으로 하여금 결정된 표준지공시지가를 기초로 하여 장차 토지보상 등이 이루어질 것에 대비하여 항상 토지의 가격을 주시하고 표준지공시지가결정이 잘못된 경우 정해진 시정절차를 통하여 이를 시정하도록 요구하는 것은 부당하게 높은 주의의무를 지우는 것이고, 위법한 표준지공시지가결정에 대하여 그 정해진 시정절차를 통하여 시정하도록 요구하지 않았다는 이유로 위법한 표준지공시지가를 기초로 한 수용재결 등 후행 행정처분에서 표준지공시지가결정의 위법을 주장할 수 없도록 하는 것은 수인한도를 넘는 불이익을 강요하는 것으로서 국민의 재산권과 재판받을 권리를 보장한 헌법의 이념에도 부합하는 것이 아니다.

따라서 표준지공시지가결정이 위법한 경우에는 그 자체를 행정소송의 대상이 되는 행정처분으로 보아 그 위법 여부를 다툴 수 있음은 물론, 수용보상금의 증액을 구하는 소송에서도 선행처분으로서 그 수용대상 토지 가격 산정의 기초가 된 비교표준지공시지가결정의 위법을 독립한 사유로 주장할 수 있다(대판 2008.8.21. 2007두13845).

라. (×) 구 경찰공무원법 제50조 제1항에 의한 직위해제처분과 같은 제3항에 의한 면직처분은 후자가 전자의 처분을 전제로 한 것이기는 하나 각각 단계적으로 별개의 법률효과를 발생하는 행정처분이어서 선행직위 해제처분의 위법사유가 면직처분에는 승계되지 아니한다 할 것이므로 선행된 직위해제 처분의 위법사유를 들어 면직처분의 효력을 다툴 수는 없다(대판 1984.9.11. 84누191).

답 ④

014

행정행위의 하자의 승계에 관한 설명으로 옳지 않은 것은? (다툼이 있는 경우 판례에 의함)

① 건물철거명령이 당연무효가 아닌 이상 후행행위인 대집행계고처분에 대한 취소소송에서 건물철거명령의 위법사유를 주장할 수 없다.
② 개별공시지가결정에 중대하고 명백한 하자가 있을 경우 개별공시지가결정의 하자를 이유로 이를 기초로 한 과세처분의 위법성을 주장할 수 있다.
③ 도시·군계획시설결정과 실시계획인가는 도시·군계획시설사업을 위하여 이루어지는 단계적 행정절차에서 서로 결합하여 하나의 법률효과를 발생시키므로 선행처분인 도시·군계획시설결정의 하자는 후행처분인 실시계획인가에 승계된다.
④ 「병역법」상 보충역편입처분과 공익근무요원소집처분은 각각 단계적으로 별개의 법률효과를 발생하는 독립된 행정처분이므로, 보충역편입처분에 하자가 있다고 할지라도 그것이 당연무효라고 볼 만한 특단의 사정이 없는 한 그 위법을 이유로 공익근무요원소집처분의 효력을 다툴 수 없다.
⑤ 수용보상금의 증액을 구하는 소송에서, 선행처분으로서 그 수용대상 토지가격 산정의 기초가 된 비교표준지공시지가결정의 위법을 독립한 사유로 주장할 수 있다.

2024년 소방간부

① (○) 명령(철거명령, 조세부과처분)에 취소사유인 하자가 있다면 강제집행절차(대집행절차, 강제징수절차)에 승계되지 않지만, 무효인 하자가 있다면 당연히 강제집행절차에 승계된다.

> 1. 건물철거명령이 당연무효가 아닌 이상 행정심판이나 소송을 제기하여 그 위법함을 소구하는 절차를 거치지 아니하였다면 위 선행행위인 건물철거명령은 적법한 것으로 확정되었다고 할 것이므로 후행행위인 대집행계고처분에서는 그 건물이 무허가건물이 아닌 적법한 건축물이라는 주장이나 그러한 사실인정을 하지 못한다(대판 1998.9.8. 97누20502).
> 2. 적법한 건축물에 대한 철거명령은 그 하자가 중대하고 명백하여 당연무효라고 할 것이고, 그 후행행위인 건축물철거 대집행계고처분 역시 당연무효라고 할 것이다(대판 1999.4.27. 97누6780).

② (○) 개별공시지가결정과 과세처분은 서로 독립하여 별개의 법률효과를 목적으로 하는 처분이지만, 개별공시지가결정이 무효이면 그 개별공시지가의 하자를 이유로 과세처분의 효력을 다툴 수 있다.

> 1. 선행처분과 후행처분이 서로 독립하여 별개의 법률효과를 목적으로 하는 때에도 선행처분이 당연무효이면 선행처분의 하자를 이유로 후행처분의 효력을 다툴 수 있다. 도시계획시설사업의 시행자가 작성한 실시계획을 인가하는 처분은 도시계획시설사업 시행자에게 도시계획 시설사업의 공사를 허가하고 수용권을 부여하는 처분으로서 선행처분인 도시계획시설사업 시행자 지정 처분이 처분 요건을 충족하지 못하여 당연무효인 경우에는 사업시행자 지정 처분이 유효함을 전제로 이루어진 후행처분인 실시계획 인가처분도 무효라고 보아야 한다(대판 2017.7.11. 2016두35120).

문제 DATA

출제가능 지수 ▶▶▶
난이도 지수 ★★☆

함께 정리하기

하자의 승계

건물철거명령과 대집행계고처분
▷ 하자승계×

개별공시지가결정 무효
▷ 과세처분 위법

도시·군계획시설결정과 실시계획인가
▷ 하자승계×

보충역 편입처분과 공익근무요원 소집처분
▷ 하자승계×

표준공시지가결정과 수용재결
▷ 하자승계○

2. 개별공시지가결정은 이를 기초로 한 과세처분 등과는 별개의 독립된 처분으로서 서로 독립하여 별개의 법률효과를 목적으로 하는 것이나, 개별공시지가는 이를 토지소유자나 이해관계인에게 개별적으로 고지하도록 되어 있는 것이 아니어서 토지소유자 등이 개별공시지가결정 내용을 알고 있었다고 전제하기도 곤란할 뿐만 아니라 결정된 개별공시지가가 자신에게 유리하게 작용될 것인지 또는 불이익하게 작용될 것인지 여부를 쉽사리 예견할 수 있는 것도 아니며, 더욱이 장차 어떠한 과세처분 등 구체적인 불이익이 현실적으로 나타나게 되었을 경우에 비로소 권리구제의 길을 찾는 것이 우리 국민의 권리의식임을 감안하여 볼 때 토지소유자 등으로 하여금 결정된 개별공시지가를 기초로 하여 장차 과세처분 등이 이루어질 것에 대비하여 항상 토지의 가격을 주시하고 개별공시지가결정이 잘못된 경우 정해진 시정절차를 통하여 이를 시정하도록 요구하는 것은 부당하게 높은 주의의무를 지우는 것이라고 아니할 수 없고, 위법한 개별공시지가결정에 대하여 그 정해진 시정절차를 통하여 시정하도록 요구하지 아니하였다는 이유로 위법한 개별공시지가를 기초로 한 과세처분 등 후행 행정처분에서 개별공시지가결정의 위법을 주장할 수 없도록 하는 것은 수인한도를 넘는 불이익을 강요하는 것으로서 국민의 재산권과 재판받을 권리를 보장한 헌법의 이념에도 부합하는 것이 아니라고 할 것이므로, 개별공시지가결정에 위법이 있는 경우에는 그 자체를 행정소송의 대상이 되는 행정처분으로 보아 그 위법 여부를 다툴 수 있음은 물론 이를 기초로 한 과세처분 등 행정처분의 취소를 구하는 행정소송에서도 선행처분인 개별공시지가결정의 위법을 독립된 위법사유로 주장할 수 있다고 해석함이 타당하다(대판 1994.1.25. 93누8542).

③ (×) 도시·군계획시설결정과 실시계획인가는 도시·군계획시설사업을 위하여 이루어지는 단계적 행정절차에서 별도의 요건과 절차에 따라 별개의 법률효과를 발생시키는 독립적인 행정처분이라고 할 수 있다. 그러므로 선행처분인 도시·군계획시설결정에 하자가 있더라도 그것이 당연무효가 아닌 한 원칙적으로 후행처분인 실시계획인가에 승계되지 않는다(대판 2017.7.18. 2016두49938).

④ (○) 구 병역법 제2조 제1항 제2호, 제9호, 제5조, 제11조, 제12조, 제14조, 제26조, 제29조, 제55조, 제56조의 각 규정에 의하면, 보충역편입처분 등의 병역처분은 구체적인 병역의무부과를 위한 전제로서 징병검사 결과 신체등위와 학력·연령 등 자질을 감안하여 역종을 부과하는 처분임에 반하여, 공익근무요원소집처분은 보충역편입처분을 받은 공익근무요원소집대상자에게 기초적 군사훈련과 구체적인 복무기관 및 복무분야를 정한 공익근무요원으로서의 복무를 명하는 구체적인 행정처분이므로, 위 두 처분은 후자의 처분이 전자의 처분을 전제로 하는 것이기는 하나 각각 단계적으로 별개의 법률효과를 발생하는 독립된 행정처분이라고 할 것이므로, 따라서 보충역편입처분의 기초가 되는 신체등위 판정에 잘못이 있다는 이유로 이를 다투기 위하여는 신체등위 판정을 기초로 한 보충역편입처분에 대하여 쟁송을 제기하여야 할 것이며, 그 처분을 다투지 아니하여 이미 불가쟁력이 생겨 그 효력을 다툴 수 없게 된 경우에는, 병역처분변경신청에 의하는 경우는 별론으로 하고, 보충역편입처분에 하자가 있다고 할지라도 그것이 당연무효라고 볼만한 특단의 사정이 없는 한 그 위법을 이유로 공익근무요원소집처분의 효력을 다툴 수 없다(대판 2002.12.10. 2001두5422).

⑤ (○) 표준지공시지가결정은 이를 기초로 한 수용재결 등과는 별개의 독립된 처분으로서 서로 독립하여 별개의 법률효과를 목적으로 하지만, 표준지공시지가는 이를 인근 토지의 소유자나 기타 이해관계인에게 개별적으로 고지하도록 되어 있는 것이 아니어서 인근 토지의 소유자 등이 표준지공시지가결정 내용을 알고 있었다고 전제하기가 곤란할 뿐만 아니라, 결정된 표준지공시지가가 공시될 당시 보상금 산정의 기준이 되는 표준지의 인근 토지를 함께 공시하는 것이 아니어서 인근 토지 소유자는 보상금 산정의 기준이 되는 표준지가 어느 토지인지를 알 수 없으므로, 인근 토지 소유자가 표준지의 공시지가가 확정되기 전에 이를 다투는 것은 불가능하다. 더욱이 장차 어떠한 수용재결 등 구체적인 불이익이 현실적으로 나타나게 되었을 경우에 비로소 권리구제의 길을 찾는 것이 우리 국민의 권리의식임을 감안하여 볼 때, 인근 토지소유자 등으로 하여금 결정된 표준지공시지가를 기초로 하여 장차 토지보상 등이 이루어질 것에 대비하여 항상 토지의 가격을 주시하고 표준지공시지가결정이 잘못된 경우 정해진 시정절차를 통하여 이를 시정하도록 요구하는 것은 부당하게 높은 주의의무를 지우는 것이고, 위법한 표준지공시지가결정에 대하여 그 정해진 시정절차를 통하여 시정하도록 요구하지 않았다는 이유로 위법한 표준지공시지가를 기초로 한 수용재결 등 후행 행정처분에서 표준지공시지가결정의 위법을 주장할 수 없도록 하는 것은 수인한도를 넘는 불이익을 강요하는 것으로서 국민의 재산권과 재판받을 권리를 보장한 헌법의 이념에도 부합하는 것이 아니다. 따라서 표준지공시지가결정이 위법한 경우에는 그 자체를 행정소송의 대상이 되는 행정처분으로 보아 그 위법 여부를 다툴 수 있음은 물론, 수용보상금의 증액을 구하는 소송에서도 선행처분으로서 그 수용대상 토지 가격 산정의 기초가 된 (비교)표준지공시지가결정의 위법을 독립한 사유로 주장할 수 있다(대판 2008.8.21. 2007두13845).

답 ③

015

행정행위의 하자에 관한 설명으로 옳지 않은 것은? (다툼이 있는 경우 판례에 의함)

① 하자 있는 행정행위의 치유는 행정행위의 성질이나 법치주의의 관점에서 볼 때 원칙적으로 허용될 수 없으며, 예외적으로 행정행위의 무용한 반복을 피하고 당사자의 법적 안정성을 위해 이를 허용하는 때에도 국민의 권리나 이익을 침해하지 않는 범위에서 구체적 사정에 따라 합목적적으로 인정할 필요가 있다.
② 행정처분을 한 처분청은 그 처분의 성립에 하자가 있는 경우, 이를 취소할 별도의 법적 근거가 없다고 하더라도 직권으로 이를 취소할 수 있다.
③ 징계처분이 중대하고 명백한 흠 때문에 당연무효의 것이라면 징계처분을 받은 자가 이를 용인하였다 하여 그 흠이 치유되는 것은 아니다.
④ 수도과태료의 부과처분에 대한 납세고지서의 송달이 부적법하면 그 부과처분은 효력이 발생할 수 없지만 처분의 상대방이 객관적으로 위 부과처분의 존재를 인식할 수 있었다는 사실로써 송달의 하자가 치유된다.

2024년 소방직

① (○) 하자있는 행정행위의 치유나 전환은 행정행위의 성질이나 법치주의의 관점에서 볼 때 원칙적으로 허용될 수 없는 것이지만, 행정행위의 무용한 반복을 피하고 당사자의 법적 안정성을 위해 이를 허용하는 때에도 국민의 권리와 이익을 침해하지 않는 범위에서 구체적 사정에 따라 합목적적으로 인정해야 할 것이다(대판 1983.7.26. 82누420).
② (○) 처분청은 별도의 법적 근거가 없더라도 수익적 행정행위를 취소할 수 있다. 2021년 3월 제정된 행정기본법은 직권취소권의 일반적인 법적 근거를 마련하였다.

> 산림법령에는 채석허가처분을 한 처분청이 산림을 복구한 자에 대하여 복구설계서승인 및 복구준공통보를 한 경우 그 취소신청과 관련하여 아무런 규정을 두고 있지 않고, 원래 행정처분을 한 처분청은 그 처분에 하자가 있는 경우에는 원칙적으로 별도의 법적 근거가 없더라도 스스로 이를 직권으로 취소할 수 있지만, 그와 같이 직권취소를 할 수 있다는 사정만으로 이해관계인에게 처분청에 대하여 그 취소를 요구할 신청권이 부여된 것으로 볼 수는 없으므로, 처분청이 위와 같이 법규상 또는 조리상의 신청권이 없이 한 이해관계인의 복구준공통보 등의 취소신청을 거부하더라도, 그 거부행위는 항고소송의 대상이 되는 처분에 해당하지 않는다고 한 사례(대판 2006.6.30. 2004두701)

> 「행정기본법」 제18조【위법 또는 부당한 처분의 취소】① 행정청은 위법 또는 부당한 처분의 전부나 일부를 소급하여 취소할 수 있다. 다만, 당사자의 신뢰를 보호할 가치가 있는 등 정당한 사유가 있는 경우에는 장래를 향하여 취소할 수 있다.

③ (○) 징계처분이 중대하고 명백한 흠 때문에 당연무효의 것이라면 징계처분을 받은 자가 이를 용인하였다 하여 그 흠이 치료되는 것은 아니다(대판 1989.12.12. 88누8869).
④ (×) 수도과태료의 부과처분에 대한 납입고지서에 송달상대방이나 송달장소, 송달방법 등에 관하여는 서울특별시급수조례 제37조에 따라 지방세법의 규정에 의하여야 할 것이므로, 납세고지서의 송달이 부적법하면 그 부과처분은 효력이 발생할 수 없고, 또한 송달이 부적법하여 송달의 효력이 발생하지 아니하는 이상 상대방이 객관적으로 위 부과처분의 존재를 인식할 수 있었다 하더라도 그와 같은 사실로써 송달의 하자가 치유된다고 볼 수 없다(대판 1988.3.22. 87누986).

답 ④

016

행정행위에 관한 설명으로 옳은 것만을 <보기>에서 있는 대로 고른 것은? (다툼이 있는 경우 판례에 의함)

<보기>
ㄱ. 변상금 부과처분에 대한 취소소송이 진행중이라도 그 부과권자로서는 위법한 처분을 스스로 취소하고 그 하자를 보완하여 다시 적법한 부과처분을 할 수도 있다.
ㄴ. 과세예고 통지 후 과세전적부심사 청구나 그에 대한 결정이 있기도 전에 과세처분을 하는 것은 절차상 하자가 중대하고도 명백하여 무효이다.
ㄷ. 권한 없는 행정기관이 한 당연무효의 행정처분을 취소할 수 있는 권한은 당해 행정처분을 한 처분청에 속한다.
ㄹ. 수익적 행정처분의 하자가 당사자의 사실은폐나 기타 사위의 방법에 의한 신청행위에 기인한 것이라면 당사자는 처분에 의한 이익이 위법하게 취득되었음을 알아 취소가능성도 예상하고 있었다 할 것이므로, 그 자신이 처분에 관한 신뢰이익을 원용할 수 없음은 물론 행정청이 이를 고려하지 아니하였다고 하여도 재량권의 남용이 되지 않는다.

① ㄱ, ㄴ
② ㄱ, ㄷ, ㄹ
③ ㄴ, ㄷ, ㄹ
④ ㄱ, ㄴ, ㄷ, ㄹ

2024년 소방직

ㄱ. (○) 소멸시효는 객관적으로 권리가 발생하여 그 권리를 행사할 수 있는 때로부터 진행하고 그 권리를 행사할 수 없는 동안만은 진행하지 아니하는데, 여기서 권리를 행사할 수 없는 경우라 함은 그 권리행사에 법률상의 장애사유가 있는 경우를 말하는데, 변상금 부과처분에 대한 취소소송이 진행중이라도 그 부과권자로서는 위법한 처분을 스스로 취소하고 그 하자를 보완하여 다시 적법한 부과처분을 할 수도 있는 것이어서 그 권리행사에 법률상의 장애사유가 있는 경우에 해당한다고 할 수 없으므로, 그 처분에 대한 취소소송이 진행되는 동안에도 그 부과권의 소멸시효가 진행된다(대판 2006.2.10. 2003두5686).

ㄴ. (○) 사전구제절차로서 과세전적부심사 제도가 가지는 기능과 이를 통해 권리구제가 가능한 범위, 이러한 제도가 도입된 경위와 취지, 납세자의 절차적 권리 침해를 효율적으로 방지하기 위한 통제 방법과 더불어, 헌법 제12조 제1항에서 규정하고 있는 적법절차의 원칙은 형사소송절차에 국한되지 아니하고, 세무공무원이 과세권을 행사하는 경우에도 마찬가지로 준수하여야 하는 점 등을 고려하여 보면, 국세기본법 및 국세기본법 시행령이 과세전적부심사를 거치지 않고 곧바로 과세처분을 할 수 있거나 과세전적부심사에 대한 결정이 있기 전이라도 과세처분을 할 수 있는 예외사유로 정하고 있다는 등의 특별한 사정이 없는 한, 과세예고 통지 후 과세전적부심사 청구나 그에 대한 결정이 있기도 전에 과세처분을 하는 것은 원칙적으로 과세전적부심사 이후에 이루어져야 하는 과세처분을 그보다 앞서 함으로써 과세전적부심사 제도 자체를 형해화시킬 뿐만 아니라 과세전적부심사 결정과 과세처분 사이의 관계 및 불복절차를 불분명하게 할 우려가 있으므로, 그와 같은 과세처분은 납세자의 절차적 권리를 침해하는 것으로서 절차상 하자가 중대하고도 명백하여 무효이다(대판 2016.12.27. 2016두49228).

ㄷ. (○) 권한 없는 행정기관이 한 당연무효인 행정처분을 취소할 수 있는 권한은 당해 행정처분을 한 처분청에게 속하고, 당해 행정처분을 할 수 있는 적법한 권한을 가지는 행정청에게 그 취소권이 귀속되는 것이 아니다(대판 1984.10.10. 84누463).

ㄹ. (○) 행정행위를 한 처분청은 그 행위에 하자가 있는 경우에는 별도의 법적 근거가 없더라도 스스로 이를 취소할 수 있다. 다만 수익적 행정처분을 취소할 때에는 이를 취소하여야 할 공익상의 필요와 그 취소로 당사자가 입게 될 기득권과 신뢰보호 및 법률생활 안정의 침해 등 불이익을 비교·교량한 후 공익상의 필요가 당사자가 입을 불이익을 정당화할 만큼 강한 경우에 한하여 취소할 수 있다. 나아가 수익적 행정처분의 하자가 당사자의 사실은폐나 기타 사위의 방법에 의한 신청행위에 기인한 것이라면 당사자는 처분에 의한 이익이 위법하게 취득되었음을 알아 취소가능성도 예상하고 있었다고 보아야 하므로, 그 자신이 처분에 관한 신뢰이익을 원용할 수 없음은 물론 행정청이 이를 고려하지 아니하였더라도 재량권의 남용이라고 볼 수 없다(대판 2014.11.27. 2013두16111).

답 ④

문제 DATA
출제가능 지수 ▶▶▶
난이도 지수 ★★☆

함께 정리하기
행정행위

취소소송 진행 중 직권취소 可

과세예고 통지 후 과세전적부심사 청구나 그 결정이 있기 전에 행한 과세처분
▷ 무효

권한 없는 기관이 한 처분의 취소권한
▷ 실제로 처분을 한 행정청에 귀속(적법한 처분권한을 가진 행정청×)

상대방의 부정행위로 이루어진 수익적 처분 취소
▷ 신뢰보호 고려×

017

취소할 수 있는 행정행위의 하자의 승계에 관한 설명으로 옳은 것은? (다툼이 있는 경우 판례에 의함)

① 선행처분인 대집행계고처분에 불가쟁력이 발생하였다면, 후행처분인 대집행영장발부통보처분을 다투는데 있어서 대집행계고처분이 위법하다는 것을 이유로 후행행위 또한 위법한 것이라 주장할 수 없다.
② 선행처분과 후행처분이 서로 독립하여 별개의 효과를 목적으로 하는 경우에도 선행처분의 불가쟁력이나 구속력이 그로 인하여 불이익을 입게 되는 자에게 수인한도를 넘는 가혹함을 가져오며, 그 결과가 당사자에게 예측가능한 것이 아닌 경우에는 선행처분의 위법사유가 후행처분에 승계된다.
③ 구 「경찰공무원법」에 따른 직위해제처분과 면직처분은 후자가 전자의 처분을 전제로 한 것이기 때문에 선행처분의 위법사유가 후행행위에 승계된다.
④ 과세관청의 소득처분과 그에 따른 소득금액변동통지가 있는 경우 원천징수의무자인 법인은 원천징수하는 소득세의 납세의무에 관하여는 이를 확정하는 소득금액변동통지에 대한 항고소송에서 다툴 수 있고, 소득금액변동통지의 하자는 후행처분인 징수처분에 그대로 승계된다.

2024년 소방직

① (×) 대집행의 계고, 대집행영장에 의한 통지, 대집행의 실행, 대집행에 요한 비용의 납부명령 등은 타인이 대신하여 행할 수 있는 행정의무의 이행을 의무자의 비용부담하에 확보하고자 하는, 동일한 행정목적을 달성하기 위하여 단계적인 일련의 절차로 연속하여 행하여지는 것으로서, 서로 결합하여 하나의 법률효과를 발생시키는 것이므로, 선행처분인 계고처분이 하자가 있는 위법한 처분이라면, 비록 그 하자가 중대하고도 명백한 것이 아니어서 당연무효의 처분이라고 볼 수 없고 행정소송으로 효력이 다투어지지도 아니하여 이미 불가쟁력이 생겼으며, 후행처분인 대집행영장발부통보처분 자체에는 아무런 하자가 없다고 하더라도, 후행처분인 대집행영장발부통보처분의 취소를 청구하는 소송에서 청구원인으로 선행처분인 계고처분이 위법한 것이기 때문에 그 계고처분을 전제로 행하여진 대집행영장발부통보처분도 위법한 것이라는 주장을 할 수 있다(대판 1996.2.9. 95누12507).
② (○) 두 개 이상의 행정처분이 연속적으로 행하여지는 경우 선행처분과 후행처분이 서로 결합하여 1개의 법률효과를 완성하는 때에는 선행처분에 하자가 있으면 그 하자는 후행처분에 승계되므로 선행처분에 불가쟁력이 생겨 그 효력을 다툴 수 없게 된 경우에도 선행처분의 하자를 이유로 후행처분의 효력을 다툴 수 있는 반면 선행처분과 후행처분이 서로 독립하여 별개의 법률효과를 목적으로 하는 때에는 선행처분에 불가쟁력이 생겨 그 효력을 다툴 수 없게 된 경우에는 선행처분의 하자가 중대하고 명백하여 당연무효인 경우를 제외하고는 선행처분의 하자를 이유로 후행처분의 효력을 다툴 수 없는 것이 원칙이나 선행처분과 후행처분이 서로 독립하여 별개의 효과를 목적으로 하는 경우에도 선행처분의 불가쟁력이나 구속력이 그로 인하여 불이익을 입게 되는 자에게 수인한도를 넘는 가혹함을 가져오며, 그 결과가 당사자에게 예측가능한 것이 아닌 경우에는 국민의 재판받을 권리를 보장하고 있는 헌법의 이념에 비추어 선행처분의 후행처분에 대한 구속력은 인정될 수 없다(대판 1994.1.25. 93누8542).
③ (×) 구 경찰공무원법 제50조 제1항에 의한 직위해제처분과 같은 제3항에 의한 면직처분은 후자가 전자의 처분을 전제로 한 것이기는 하나 각각 단계적으로 별개의 법률효과를 발생하는 행정처분이어서 선행행위 해제처분의 위법사유가 면직처분에는 승계되지 아니한다 할 것이므로 선행된 직위해제 처분의 위법사유를 들어 면직처분의 효력을 다툴 수는 없다(대판 1984.9.11. 84누191).
④ (×) 과세관청의 소득처분과 그에 따른 소득금액변동통지가 있는 경우 원천징수의무자인 법인은 소득금액변동통지서를 받은 날에 그 통지서에 기재된 소득의 귀속자에게 당해 소득금액을 지급한 것으로 의제되어 그때 원천징수하는 소득세의 납세의무가 성립함과 동시에 확정되므로 소득금액변동통지는 원천징수의무자인 법인의 납세의무에 직접 영향을 미치는 과세관청의 행위로서 항고소송의 대상이 된다. 그리고 원천징수의무자인 법인이 원천징수하는 소득세의 납세의무를 이행하지 아니함에 따라 과세관청이 하는 납세고지는 확정된 세액의 납부를 명하는 징수처분에 해당하므로 선행처분인 소득금액변동통지에 하자가 존재하더라도 당연무효 사유에 해당하지 않는 한 후행처분인 징수처분에 그대로 승계되지 아니한다.

문제 DATA

출제가능 지수 ▶▶▶
난이도 지수 ★★☆

함께 정리하기

하자의 승계

대집행계고처분과 대집행영장발부통보처분
▷ 승계○

수인한도·예측가능 초과
▷ 예외적 하자승계○

직위해제처분과 면직처분
▷ 승계×

소득금액변동통지와 징수처분
▷ 승계×

따라서 과세관청의 소득처분과 그에 따른 소득금액변동통지가 있는 경우 원천징수하는 소득세의 납세의무에 관하여는 이를 확정하는 소득금액변동통지에 대한 항고소송에서 다투어야 하고, 소득금액변동통지가 당연무효가 아닌 한 징수처분에 대한 항고소송에서 이를 다툴 수는 없다(대판 2012.1.26. 2009두14439).

답 ②

018 ☐☐☐

행정행위의 하자에 대한 설명으로 옳지 않은 것은?

① 수익적 행정처분의 취소 제한에 관한 법리는 처분청이 수익적 행정처분을 직권으로 취소하는 경우에 적용되는 법리일 뿐 쟁송취소의 경우에는 적용되지 않는다.
② 구「학교보건법」상 학교환경위생정화구역에서의 금지행위 및 시설의 해제 여부에 관한 행정처분을 함에 있어 학교환경위생정화위원회 심의절차를 누락하였다면, 특별한 사정이 없는 한 이는 행정처분을 위법하게 하는 취소사유가 된다.
③ 행정청이 청문서 도달기간을 어겼다면 당사자가 이에 대하여 이의 하지 아니한 채 스스로 청문일에 출석하여 방어의 기회를 충분히 가졌더라도 청문서 도달기간을 준수하지 아니한 하자가 치유되는 것은 아니다.
④ 토지등급결정내용의 개별통지가 있었다고 볼 수 없어 토지등급결정이 무효라면, 토지소유자가 그 결정 이전이나 이후에 토지등급결정내용을 알았다 하더라도 개별통지의 하자가 치유되는 것은 아니다.

2024년 지방직 9급

① (○) 수익적 행정처분에 대한 취소권 등의 행사는 기득권의 침해를 정당화할 만한 중대한 공익상의 필요 또는 제3자의 이익보호의 필요가 있는 때에 한하여 허용될 수 있다는 법리는, 처분청이 수익적 행정처분을 직권으로 취소·철회하는 경우에 적용되는 법리일 뿐 쟁송취소의 경우에는 적용되지 않는다(대판 2019.10.17. 2018두104).
② (○) 행정청이 구 학교보건법(2005.12.7. 법률 제7700호로 개정되기 전의 것) 소정의 학교환경위생정화구역 내에서 금지행위 및 시설의 해제 여부에 관한 행정처분을 함에 있어 학교환경위생정화위원회의 심의를 거치도록 한 취지는 그에 관한 전문가 내지 이해관계인의 의견과 주민의 의사를 행정청의 의사결정에 반영함으로써 공익에 가장 부합하는 민주적 의사를 도출하고 행정처분의 공정성과 투명성을 확보하려는 데 있고, 나아가 그 심의의 요구가 법률에 근거하고 있을 뿐 아니라 심의에 따른 의결내용도 단순히 절차의 형식에 관련된 사항에 그치지 않고 금지행위 및 시설의 해제 여부에 관한 행정처분에 영향을 미칠 수 있는 사항에 관한 것임을 종합해 보면, 금지행위 및 시설의 해제 여부에 관한 행정처분을 하면서 절차상 위와 같은 심의를 누락한 흠이 있다면 그와 같은 흠을 가리켜 위 행정처분의 효력에 아무런 영향을 주지 않는다거나 경미한 정도에 불과하다고 볼 수는 없으므로, 특별한 사정이 없는 한 이는 행정처분을 위법하게 하는 취소사유가 된다(대판 2007.3.15. 2006두15806).
③ (×) 행정청이 식품위생법상의 청문절차를 이행함에 있어 소정의 청문서 도달기간을 지키지 아니하였다면 이는 청문의 절차적 요건을 준수하지 아니한 것이므로 이를 바탕으로 한 행정처분은 일단 위법하다고 보아야 할 것이지만 이러한 청문제도의 취지는 처분으로 말미암아 받게 될 영업자에게 미리 변명과 유리한 자료를 제출할 기회를 부여함으로써 부당한 권리침해를 예방하려는 데에 있는 것임을 고려하여 볼 때, 가령 행정청이 청문서 도달기간을 다소 어겼다하더라도 영업자가 이에 대하여 이의하지 아니한 채 스스로 청문일에 출석하여 그 의견을 진술하고 변명하는 등 방어의 기회를 충분히 가졌다면 청문서 도달기간을 준수하지 아니한 하자는 치유되었다고 봄이 상당하다(대판 1992.10.23. 92누2844).
④ (○) 토지등급결정내용의 개별통지가 있다고 볼 수 없어 토지등급결정이 무효인 이상, 토지소유자가 그 결정 이전이나 이후에 토지등급결정내용을 알았다거나 또는 그 결정 이후 매년 정기 등급수정의 결과가 토지소유자 등의 열람에 공하여졌다 하더라도 개별통지의 하자가 치유되는 것은 아니다(대판 1997.5.28. 96누5308).

답 ③

문제 DATA
출제가능 지수 ▶▶▶
난이도 지수 ★★☆

함께 정리하기
행정행위의 하자

수익적 행정처분 취소권제한 법리
▷ 쟁송취소에 적용×

학교환경위생정화위원회의 심의절차 누락
▷ 취소사유

청문서 도달기간 다소 위반＋이의 없이 방어 기회 충분
▷ 하자치유○

토지등급결정이 무효
▷ 하자치유×

문제 DATA

출제가능 지수 ▶▶▶
난이도 지수 ★★☆

019 □□□

다음 사례에 대한 설명으로 옳지 않은 것만을 모두 고르면?

> 세무서장 A가 甲에게 과세처분을 하였는데, 그 후 과세처분의 근거가 되었던 법률규정은 헌법재판소에 의해 위헌으로 선언되었다. 그러나 그 과세처분에 대한 제소기간은 이미 경과하여 확정되었고, A는 甲 명의의 예금에 대한 압류처분을 하였다. 한편, 과세처분의 집행을 위한 위 압류처분의 근거규정 자체는 따로 위헌결정이 내려진 바 없다.

> ㄱ. 甲에 대한 과세처분과 압류처분은 별개의 행정처분이므로 선행처분인 과세처분이 당연무효가 아닌 이상 압류처분을 다툴 수 있는 방법은 존재하지 않는다.
> ㄴ. 압류처분은 과세처분 근거규정이 직접 적용되지 않고 압류 처분 관련 규정이 적용될 뿐이므로, 과세처분 근거규정에 대한 위헌결정의 기속력은 압류처분과는 무관하다.
> ㄷ. 과세처분 이후 조세부과의 근거가 되었던 법률규정에 대하여 위헌결정이 내려진 경우, 과세처분이 당연무효가 아니더라도 위헌결정 이후에 과세처분의 집행을 위한 압류처분을 하는 것은 더 이상 허용되지 않는다.

① ㄱ
② ㄱ, ㄴ
③ ㄱ, ㄷ
④ ㄴ, ㄷ

함께 정리하기

사례해결

위헌결정 후 압류처분
▷ 기속력에 반하여 무효
▷ 취소소송, 무효확인소송 可

위헌결정 전 이미 형성된 법률관계에 기한 후속처분
▷ 위헌적 법률관계 생성·확대시 당연무효

위헌인 법률에 근거한 과세처분에 불가쟁력이 발생한 경우 조세채권 집행을 위한 체납처분
▷ 기속력에 반하여 무효

2024년 국가직 9급

ㄱ, ㄴ. (×), ㄷ. (○) 과세처분 근거규정에 대한 위헌결정의 기속력은 압류처분과 무관하지 않고, 과세처분 근거규정에 대하여 위헌결정이 내려진 후 체납처분(압류 등)을 하였다면 그 체납처분은 위헌적 법률관계를 생성·확대하는 것으로서 위헌결정의 기속력에 반하여 무효이다. 따라서 선행처분인 과세처분이 당연무효가 아니라 하더라도 위헌결정의 기속력에 반하는 압류처분에 대하여 무효선언적 의미의 취소소송이나 무효확인소송을 제기할 수 있고, 위헌결정은 압류의 필요적 해제사유이기도 하므로 행정청의 압류해제거부처분에 대하여 취소소송을 제기할 수도 있다.

> [1-1] 헌법재판소법 제47조 제1항은 "법률의 위헌결정은 법원 기타 국가기관 및 지방자치단체를 기속한다."고 규정하고 있는데, 이러한 위헌결정의 기속력과 헌법을 최고규범으로 하는 법질서의 체계적 요청에 비추어 <u>국가기관 및 지방자치단체는 위헌으로 선언된 법률규정에 근거하여 새로운 행정처분을 할 수 없음은 물론이고, 위헌결정 전에 이미 형성된 법률관계에 기한 후속처분이라도 그것이 새로운 위헌적 법률관계를 생성·확대하는 경우라면 이를 허용할 수 없다</u>(ㄴ).
> [1-2] 따라서 <u>조세부과의 근거가 되었던 법률규정이 위헌으로 선언된 경우, 비록 그에 기한 과세처분이 위헌결정 전에 이루어졌고, 과세처분에 대한 제소기간이 이미 경과하여 조세채권이 확정되었으며, 조세채권의 집행을 위한 체납처분의 근거규정 자체에 대하여는 따로 위헌결정이 내려진 바 없다고 하더라도, 위와 같은 위헌결정 이후에 조세채권의 집행을 위한 새로운 체납처분에 착수하거나 이를 속행하는 것은 더 이상 허용되지 않고</u>(ㄷ), 나아가 이러한 위헌결정의 효력에 위배하여 이루어진 체납처분은 그 사유만으로 하자가 중대하고 객관적으로 명백하여 당연무효라고 보아야 한다(ㄱ)(대판 2012.2.16. 2010두10907 전합).
> [2] 압류의 필요적 해제사유를 규정한 국세징수법 제53조 제1항 제1호의 규정 성격(=예시적 규정) 및 같은 호 소정의 '기타의 사유로 압류의 필요가 없게 된 때'에 과세처분 및 그 체납처분 절차의 근거법령에 대한 위헌결정으로 후속 체납처분을 진행할 수 없어 체납세액에 충당할 가망이 없게 되는 등으로 압류의 근거를 상실하거나 압류를 지속할 필요성이 없게 된 경우가 포함된다(대판 2002.8.23. 2001두2959 ; 대판 2002.7.12. 2002두3317).

답 ②

020

행정행위의 하자에 대한 설명으로 옳지 않은 것은? (다툼이 있는 경우 판례에 의함)

① 과세관청이 과세처분에 앞서 납세의무자에게 보낸 과세예고통지서 등에 납세고지서의 필요적 기재사항이 제대로 기재되어 있어 납세의무자가 그 처분에 대한 불복 여부의 결정 및 불복신청에 전혀 지장을 받지 않았음이 명백하다면, 이로써 납세고지서의 하자가 보완되거나 치유될 수 있다.

② 체납취득세에 대한 압류처분권한은 도지사로부터 시장에게 권한위임된 것이고 시장으로부터 압류처분권한을 내부위임 받은 데 불과한 구청장이 자신의 명의로 한 압류처분은 권한 없는 자에 의하여 행하여진 위법·무효의 처분이다.

③ 서훈취소처분의 통지가 처분권한자인 대통령이 아니라 그 보좌기관에 의하여 이루어진 경우, 통지의 주체나 형식에 어떤 하자가 있다.

④ 환경영향평가를 거쳐야 할 대상사업에 대하여 환경영향평가를 거치지 아니하였음에도 불구하고 승인 등 처분이 이루어진다면, 이러한 행정처분의 하자는 법규의 중요한 부분을 위반한 중대한 것이고 객관적으로도 명백한 것이라고 하지 않을 수 없다.

2023 군무원 7급

① (O) 과세관청이 과세처분에 앞서 납세자에게 보낸 세무조사결과통지 등에 납세고지서의 필요적 기재사항이 제대로 기재되어 있어 납세의무자가 처분에 대한 불복 여부의 결정 및 불복 신청에 전혀 지장을 받지 않았음이 명백하다면, 이로써 납세고지서의 하자가 보완되거나 치유될 수 있다(대판 2020.10.29. 2017두51174).

② (O) 체납취득세에 대한 압류처분권한은 도지사로부터 시장에게 권한위임된 것이고 시장으로부터 압류처분권한을 내부위임받은 데 불과한 구청장으로서는 시장 명의로 압류처분을 대행처리할 수 있을 뿐이고 자신의 명의로 이를 할 수 없다 할 것이므로 구청장이 자신의 명의로 한 압류처분은 권한 없는 자에 의하여 행하여진 위법무효의 처분이다(대판 1993.5.27. 93누6621).

유제 22. 지방직 7급 내부위임을 받은 데 불과하여 자신의 명의로 처분을 할 권한이 없는 행정청이 권한 없이 자신의 명의로 한 처분은 무효이다. (O)
19. 5급 승진 시장으로부터 체납취득세에 대한 압류처분권한을 내부위임받은 구청장이 자신의 이름으로 한 압류처분은 권한 없는 자에 의하여 행하여진 위법무효의 처분이다. (O)
13. 국회직 8급 대법원은 내부위임을 받은 수임기관이 자신의 이름으로 처분을 한 경우 당해 처분을 무권한의 행위로서 무효로 보고 있다. (O)

③ (×) (국무회의에서 건국훈장 독립장이 수여된 망인에 대한 서훈취소를 의결하고 대통령이 결재함으로써 서훈취소가 결정된 후 국가보훈처장이 망인의 유족 甲에게 '독립유공자 서훈취소결정 통보'를 하자 甲이 국가보훈처장을 상대로 서훈취소결정의 무효 확인 등의 소를 제기한 사안에서) 피고가 행한 이 사건 통보행위 자체는 유족으로서 상훈법에 따라 훈장 등을 보관하고 있는 원고들에 대하여 그 반환 요구의 전제로서 대통령의 서훈취소결정이 있었음을 알리는 것에 불과하므로, 이로써 피고가 그 명의로 서훈취소의 처분을 하였다고 볼 것은 아니다. 나아가 이 사건 서훈취소 처분의 통지가 처분권한자인 대통령이 아니라 그 보좌기관인 피고에 의하여 이루어졌다고 하더라도, 그 처분이 대통령의 인식과 의사에 기초하여 이루어졌고, 앞서 보았듯이 그 통지로 이 사건 서훈취소 처분의 주체(대통령)와 내용을 알 수 있으므로, 이 사건 서훈취소 처분의 외부적 표시의 방법으로서 위 통지의 주체나 형식에 어떤 하자가 있다고 보기도 어렵다(대판 2014.9.26. 2013두2518).

④ (O) 환경영향평가를 거쳐야 할 대상사업에 대하여 환경영향평가를 거치지 아니하였음에도 불구하고 승인 등 처분이 이루어진다면, … 이러한 행정처분의 하자는 법규의 중요한 부분을 위반한 중대한 것이고 객관적으로도 명백한 것이라고 하지 않을 수 없어, 이와 같은 행정처분은 당연무효이다(대판 2006.6.30. 2005두14363).

유제 21. 국회직 9급 환경영향평가대상사업에 대해 환경영향평가를 거치지 아니하고 행한 승인처분은 당연무효이다. (O)
20. 국회직 8급 환경영향평가를 거쳐야 할 대상사업에 대하여 환경영향평가를 거치지 아니하였음에도 불구하고 승인 등 처분이 이루어진다면, 이러한 행정처분의 하자는 법규의 중요한 부분을 위반한 중대한 것이고 객관적으로도 명백한 것이라고 하지 않을 수 없어, 이와 같은 행정처분은 당연무효이다. (O)

문제 DATA
출제가능 지수 ▶▶▷
난이도 지수 ★★★

함께 정리하기

행정행위의 하자

불복 여부 결정 및 불복신청에 지장 받지 않았음 명백
▷ 납세고지서의 하자 치유 O

내부위임 받은 데 불과한 구청장이 자신의 명의로 한 압류처분
▷ 무효

보좌기관에 의한 서훈취소처분 통지
▷ 하자 ×

환경영향평가 흠결
▷ 무효

19. 지방직 9급 구「환경영향평가법」상 환경영향평가를 실시하여야 할 사업에 대하여 환경영향평가를 거치지 아니하였음에도 승인 등 처분을 한 경우, 그 처분은 당연무효이다. (○)
16. 서울시 7급 법령상 환경영향평가를 거쳐야 할 대상사업에 대하여 환경영향평가를 거치지 않고 행하여진 승인처분은 위법하지만 당연무효는 아니며, 취소의 대상이 될 뿐이다. (×)

답 ③

021 □□□

행정행위의 무효와 취소에 대한 설명으로 옳지 않은 것은? (다툼이 있는 경우 판례에 의함)

① 과세처분 이후 조세 부과의 근거가 되었던 법률규정에 대하여 헌법재판소에서 위헌결정이 내려진 후 그 조세채권의 집행을 위한 체납처분은 당연무효이다.
② 지방자치단체의 규칙으로 정하여야 할 기관위임사무에 대하여 당해 지방자치단체의 조례로 정한 경우 이에 근거한 처분은 당연무효이다.
③ 「행정기본법」은 직권취소에 관한 일반적 근거규정을 두고 있어, 개별법률의 근거가 없더라도 직권취소가 가능하다.
④ 무효인 행정처분에 기한 후속 행정처분도 당연무효이다.

2023년 군무원 7급

① (○) 조세 부과의 근거가 되었던 법률규정이 위헌으로 선언된 경우, 비록 그에 기한 과세처분이 위헌결정 전에 이루어졌고, 과세처분에 대한 제소기간이 이미 경과하여 조세채권이 확정되었으며, 조세채권의 집행을 위한 체납처분의 근거규정 자체에 대하여는 따로 위헌결정이 내려진 바 없다고 하더라도, 위와 같은 <u>위헌결정 이후에 조세채권의 집행을 위한 새로운 체납처분에 착수하거나 이를 속행하는 것은 더 이상 허용되지 않고, 나아가 이러한 위헌결정의 효력에 위배하여 이루어진 체납처분은 그 사유만으로 하자가 중대하고 객관적으로 명백하여 당연무효라고 보아야 한다</u>(대판 2012.2.16. 2010두10907 전합).

유제 23. 국회직 8급 과세처분 이후 조세 부과의 근거가 되었던 법률규정에 대하여 위헌결정이 내려진 후에 행한 그 과세처분의 집행은 당연무효이다. (○)
22. 서울시 7급 과세처분의 근거가 되었던 법률규정에 대해 위헌결정이 내려진 후, 위헌결정의 효력에 위배하여 이루어진 체납처분은 당연무효이다. (○)
22. 소방직 조세부과처분의 근거가 되었던 법률규정에 대하여 위헌결정이 내려진 후 체납처분을 한 경우 그 처분은 무효이다. (○)
21. 군무원 7급 과세처분 이후 조세 부과의 근거가 되었던 법률규정에 대해 위헌결정이 내려졌다고 하더라도, 그 조세채권의 집행을 위한 체납처분은 유효하다. (×)
21. 소방간부 과세처분 이후 조세 부과의 근거가 되었던 법률 규정에 대해서만 위헌결정이 내려진 경우, 그 과세처분과는 별개의 후속 행정처분인 체납처분은 위법하다고 볼 수 없다. (×)

② (×) 법령상 규칙으로 위임해야 함에도 조례로 한 위법한 위임의 경우 그러한 조례는 무효가 된다. 그러나 <u>무효인 조례에 근거한 구청장의 관리처분계획인가처분은 그 하자가 중대하나 명백하다고는 할 수 없으므로 당연무효가 아니다</u>(대판 1995.8.22. 94누5694 전합).

③ (○) 「행정기본법」 제정 이전에도 직권취소나 철회는 별도의 법적 근거가 없어도 가능하다는 것이 판례의 입장이었으며, 「행정기본법」은 직권취소나 철회의 일반적 근거규정을 두고 있다.

> 「행정기본법」 제18조 【위법 또는 부당한 처분의 취소】 ① 행정청은 위법 또는 부당한 처분의 전부나 일부를 소급하여 취소할 수 있다. 다만, 당사자의 신뢰를 보호할 가치가 있는 등 정당한 사유가 있는 경우에는 장래를 향하여 취소할 수 있다

④ (○) 선행행위가 당연무효인 경우에는 선행행위의 무효는 당연히 후행 행정행위에 승계되어 후행행위도 무효로 된다.

답 ②

문제 DATA

출제가능 지수 ▶▶▷
난이도 지수 ★★☆

함께 정리하기

무효와 취소

과세처분 근거법률에 대한 위헌결정 후 체납처분
▷ 무효

규칙으로 정하여야 할 기관위임사무에 대하여 조례로 정한 경우 이에 근거한 처분
▷ 당연무효×

직권취소
▷ 개별법률 근거가 없더라도 可

무효인 행정처분에 기한 후속 행정처분
▷ 당연무효

022 ☐☐☐

행정처분의 무효에 대한 설명으로 옳지 않은 것은? (다툼이 있는 경우 판례에 의함)

① 「행정기본법」은 행정처분이 무효가 되기 위해서는 그 하자가 법규의 중요한 부분을 위반한 중대한 것으로서 객관적으로 명백한 것이어야 한다고 규정하고 있다.
② 일반적으로 시행령이 헌법이나 법률에 위반된다는 사정은 그 시행령 규정을 위헌 또는 위법하여 무효라고 선언한 대법원의 판결이 선고되지 아니한 상태에서는 그 시행령 규정의 위헌 내지 위법 여부가 해석상 다툼의 여지가 없을 정도로 명백하였다고 인정되지 아니하는 이상 객관적으로 명백한 것이라 할 수 없으므로 이러한 시행령에 근거한 행정처분의 하자는 취소사유에 해당할 뿐 무효사유가 된다고 볼 수는 없다.
③ 행정처분의 무효확인을 구하는 소에는 원고가 그 처분의 취소를 구하지 아니한다고 밝히지 아니한 이상 그 처분이 당연무효가 아니라면 그 취소를 구하는 취지도 포함되어 있는 것으로 보아야 하고, 그와 같은 경우에 취소청구를 인용하려면 먼저 취소를 구하는 항고소송으로서의 제소요건을 구비하여야 한다.
④ 국토계획법령이 정한 도시계획시설사업의 대상 토지의 소유와 동의 요건을 갖추지 못하였는데도 행정청이 사업시행자로 지정하였다면, 이는 국토계획법령이 정한 법규의 중요한 부분을 위반한 것으로서 특별한 사정이 없는 한 그 하자가 중대하다고 보아야 한다.
⑤ 선행처분인 도시계획시설 사업시행자 지정처분이 처분 요건을 충족하지 못하여 당연무효인 경우에는 사업시행자 지정처분이 유효함을 전제로 이루어진 후행처분인 실시계획인가처분도 무효라고 보아야 한다.

문제 DATA
출제가능 지수 ▶▶▷
난이도 지수 ★★★

2023년 국회직 8급

① (×) 판례의 태도일 뿐 명문 규정은 없다.
② (○) 일반적으로 <u>시행령이 헌법이나 법률에 위반된다는 사정은 그 시행령의 규정을 위헌 또는 위법하여 무효라고 선언한 대법원의 판결이 선고되지 아니한 상태에서는</u> 그 시행령 규정의 위헌 내지 위법 여부가 해석상 다툼의 여지가 없을 정도로 명백하였다고 인정되지 아니하는 이상 객관적으로 명백한 것이라 할 수 없으므로, <u>이러한 시행령에 근거한 행정처분의 하자는 취소사유에 해당할 뿐 무효사유가 된다고 볼 수는 없다</u>(대판 2007.6.14. 2004두619).
③ (○)
  1. 일반적으로 행정처분의 무효확인을 구하는 소에는 원고가 그 처분의 취소를 구하지 아니한다고 밝히지 아니 한 이상 그 처분이 만약 당연무효가 아니라면 그 취소를 구하는 취지도 포함되어 있는 것으로 보아야 한다(대판 1994.12.23. 94누477).
  2. 행정처분의 무효확인을 구하는 청구에는 특별한 사정이 없는 한 그 처분의 취소를 구하는 취지까지도 포함되어 있다고 볼 수는 있으나 위와 같은 경우에 취소청구를 인용하려면 먼저 취소를 구하는 항고소송으로서의 제소요건을 구비한 경우에 한한다(대판 1986.9.23. 85누838).
④ (○) 국토계획법이 사인을 도시·군계획시설사업의 시행자로 지정하기 위한 요건으로 소유 요건과 동의 요건을 둔 취지는 사인이 시행하는 도시·군계획시설사업의 공공성을 보완하고 사인에 의한 일방적인 수용을 제어하기 위한 것이다. 그러므로 만일 <u>국토계획법령이 정한 도시계획시설사업의 대상 토지의 소유와 동의 요건을 갖추지 못하였는데도 사업시행자로 지정하였다면, 이는 국토계획법령이 정한 법규의 중요한 부분을 위반한 것으로서 특별한 사정이 없는 한 그 하자가 중대하다고 보아야 한다.</u> … 이 사건 사업시행자 지정 처분에서 소유 요건을 충족하지 못한 하자는 중대할 뿐만 아니라 객관적으로 명백하다. … 원심이 같은 취지에서 이 사건 사업시행자 지정 처분의 하자가 중대·명백하여 무효라고 판단한 것은 정당하다(대판 2017.7.11. 2016두35120).

함께 정리하기

행정처분의 무효

무효와 취소 구별기준
▷ 「행정기본법」에 명문규정 無

시행령이 헌법이나 법률에 위반된다는 사정
▷ 대법원 판결 전까지는 취소사유

무효확인의 청구
▷ 취소 구하는 취지 포함
▷ 취소청구 인용하려면 취소소송 제소요건 구비 要

도시계획시설사업의 대상 토지 소유와 동의요건을 갖추지 못하였는데 사업시행자로 지정
▷ 무효

선행 사업시행자지정처분이 당연무효
▷ 후행 실시계획인가처분도 무효

⑤ (○) 선행처분과 후행처분이 서로 독립하여 별개의 법률효과를 목적으로 하는 때에도 선행처분이 당연무효이면 선행처분의 하자를 이유로 후행처분의 효력을 다툴 수 있다. 도시계획시설사업의 시행자가 작성한 실시계획을 인가하는 처분은 도시계획시설사업 시행자에게 도시계획시설사업의 공사를 허가하고 수용권을 부여하는 처분으로서 선행처분인 도시계획시설사업 시행자 지정 처분이 처분 요건을 충족하지 못하여 당연무효인 경우에는 사업시행자 지정 처분이 유효함을 전제로 이루어진 후행처분인 실시계획 인가처분도 무효라고 보아야 한다(대판 2017.7.11. 2016두35120).

유제 22. 국가직 9급 도시계획시설사업시행자 지정처분이 처분요건을 충족하지 못하여 당연무효인 경우, 도시계획시설사업의 시행자가 작성한 실시계획을 인가하는 처분도 무효이다. (○)
22. 소방직 국토계획법령이 정한 도시계획시설사업의 대상토지의 소유와 동의요건을 갖추지 못하였음에도 도시계획시설사업의 사업시행자 지정처분을 한 경우 무효이다. (○)
22. 서울시 7급, 20. 지방직 7급·소방간부 선행처분과 후행처분이 서로 독립하여 별개의 법률효과를 목적으로 하는 때에도 선행처분이 당연무효이면 선행처분의 하자를 이유로 후행처분의 효력을 다툴 수 있다. (○)
18. 서울시 7급 선행 도시계획시설사업시행자 지정처분이 당연무효이면 후행처분인 실시계획인가처분도 당연무효이다. (○)

답 ①

023 ☐☐☐

처분의 하자에 대한 판례의 입장으로 옳지 않은 것은?

① 과징금을 부과하면서 여러 개의 처분사유에 터잡아 하나의 과징금 부과처분을 하였고 그 처분사유들 중 일부에 위법이 있으나 그 부분이 과징금 부과처분에 영향을 미치지 아니하였다면 그 부과처분을 위법하다고 할 수 없다.
② 단속 경찰관이 자신의 명의로 운전면허정지처분 통지서를 작성 교부하였다면 권한 없는 자에 의하여 행하여진 점에서 무효의 처분에 해당한다.
③ 구 「학교보건법」상 학교환경위생정화구역에서의 금지행위 및 시설의 해제 여부에 관한 행정처분을 함에 있어 학교환경위생정화위원회의 심의절차를 누락한 것은 취소사유가 된다.
④ 행정처분의 하자가 중대하고 명백한 것인지 여부를 판별함에 있어서는 그 법규의 목적, 의미, 기능 등을 목적론적으로 고찰함과 동시에 구체적 사안 자체의 특수성에 관하여도 합리적으로 고찰하여야 한다.
⑤ '4대강 살리기 사업' 각 하천 중 한강 부분에 관한 공사시행계획 및 각 실시계획승인처분에 보의 설치와 준설 등에 대한 예비타당성조사를 실시하지 아니한 하자는 예산 자체의 하자가 되며 이에 따라 해당 하천 부분에 관한 각 하천공사시행계획 및 각 실시계획승인처분의 하자도 인정된다.

| 2023년 소방간부

① (○) 행정처분에 있어 수개의 처분사유 중 일부가 적법하지 않다고 하더라도 다른 처분사유로써 그 처분의 정당성이 인정되는 경우에는 그 처분을 위법하다고 할 수 없을 것이므로, 구 법 제206조의11에 따라 과징금을 부과함에 있어 여러 개의 처분사유에 기하여 하나의 과징금 부과처분을 하였으나 그 처분사유들 중 일부에 위법이 있다고 하더라도 위법한 부분이 그 과징금 부과처분에 영향을 미치지 아니하였다면 그 부과처분을 위법하다고 볼 것은 아니다(대판 2010.12.9. 2010두15674).
② (○) 운전면허에 대한 정지처분권한은 경찰청장으로부터 경찰서장에게 권한위임된 것이므로 음주운전자를 적발한 단속경찰관으로서는 관할 경찰서장의 명의로 운전면허정지처분을 대행처리할 수 있을지는 몰라도 자신의 명의로 이를 할 수는 없다 할 것이므로, 단속경찰관이 자신의 명의로 운전면허행정처분통지서를 작성·교부하여 행한 운전면허정지처분은 비록 그 처분의 내용·사유·근거 등이 기재된 서면을 교부하는 방식으로 행하여졌다고 하더라도 권한 없는 자에 의하여 행하여진 점에서 무효의 처분에 해당한다(대판 1997.5.16. 97누2313).

문제 DATA
출제가능 지수 ▶▶▷
난이도 지수 ★★☆

함께 정리하기
처분의 하자
일부 사유에 위법 있으나 과징금 부과처분에 영향×
▷ 위법×

음주단속 경찰관 자신의 명의로 한 운전면허정지처분
▷ 무효

학교환경위생정화위원회의 심의절차 누락
▷ 취소사유

당연무효
▷ 중대·명백한 하자 → 법규와 사안 자체 특수성도 고찰 要

예산 자체의 하자
▷ 예산 집행처분 하자×

유제 15. 경찰 음주운전을 단속한 경찰관 명의로 행한 운전면허정지처분은 무효이다. (○)
    12. 경찰 음주운전을 단속한 경찰관 명의로 행한 운전면허정지처분은 취소사유에 해당한다. (×)
    12. 지방직 7급(하) 음주운전 단속경찰관이 자신의 명의로 운전면허행정처분통지서를 작성·교부하여 행한 운전면허정지처분은 위법하며, 취소의 원인이 된다. (×)

③ (○) 행정청이 구 학교보건법 소정의 학교환경위생정화구역 내에서 금지행위 및 시설의 해제 여부에 관한 행정처분을 하면서 절차상 위와 같은 심의를 누락한 흠이 있다면 그와 같은 흠을 가리켜 위 행정처분의 효력에 아무런 영향을 주지 않는다거나 경미한 정도에 불과하다고 볼 수는 없으므로, 특별한 사정이 없는 한 이는 행정처분을 위법하게 하는 취소사유가 된다(대판 2007.3.15. 2006두15806).

유제 22. 소방직 학교환경위생정화위원회의 심의절차를 누락한 채 학교환경위생정화구역에서의 금지행위 및 시설해제 여부에 관한 행정처분을 한 경우 무효사유에 해당한다. (×)
    17. 지방직 9급 구 「학교보건법」상 학교환경위생정화구역에서의 금지행위 및 시설의 해제 여부에 관한 행정처분을 함에 있어 학교환경위생정화위원회의 심의절차를 누락한 행정처분은 무효이다. (×)
    16. 국회직 8급 「학교보건법」에 따른 학교환경위생정화구역 내에서의 금지행위 및 해제 여부에 관한 행정처분을 하면서 학교환경위생정화위원회의 심의절차를 누락한 것은 당연무효사유이다. (×)
    16. 경찰 2차 행정청이 구 「학교보건법」상 학교환경위생정화구역 내에서 금지행위 및 시설의 해제 여부에 관한 행정처분을 하면서 학교환경위생정화위원회의 심의를 누락한 흠이 있더라도 행정처분의 효력에 아무런 영향을 주지 않는다. (×)
    13. 지방직 9급 구 「학교보건법」상 학교환경위생정화구역에서의 금지행위 및 시설의 해제 여부에 관한 행정처분을 하면서 학교환경위생정화위원회 심의를 누락한 흠은 행정처분을 위법하게 하는 취소사유가 된다. (○)

④ (○) 행정처분이 당연무효라고 하기 위하여는 처분에 위법사유가 있다는 것만으로는 부족하고 그 하자가 법규의 중요한 부분을 위반한 중대한 것으로서 객관적으로 명백한 것이어야 하며, 하자가 중대하고 명백한 것인지 여부를 판별함에 있어서는 그 법규의 목적, 의미, 기능 등을 목적론적으로 고찰함과 동시에 구체적 사안 자체의 특수성에 관하여도 합리적으로 고찰함을 요한다(대판 1995.7.11. 94누4615).

⑤ (×) (甲 등이 '4대강 살리기 사업' 중 한강 부분에 관한 각 하천공사시행계획 및 각 실시계획승인처분에 보의 설치와 준설 등에 대한 구 국가재정법 제38조 등에서 정한 예비타당성조사를 하지 않은 절차상 하자가 있다는 이유로 각 처분의 취소를 구한 사안에서) 국가재정법령에 규정된 예비타당성조사는 이 사건 각 처분과 형식상 전혀 별개의 행정계획인 예산의 편성을 위한 절차일 뿐 이 사건 각 처분에 앞서 거쳐야 하거나 그 근거 법규 자체에서 규정한 절차가 아니므로, 예비타당성조사를 실시하지 아니한 하자는 원칙적으로 예산 자체의 하자일 뿐, 그로써 곧바로 이 사건 각 처분의 하자가 된다고 할 수 없다(대판 2015.12.10. 2011두32515).

유제 16. 국회직 8급 예산의 편성에 절차적 하자가 있으면 그 예산을 집행하는 처분은 위법하게 된다. (×)

답 ⑤

024

행정행위의 하자의 승계에 대한 설명으로 옳지 않은 것은? (다툼이 있는 경우 판례에 의함)

① 2개 이상의 행정처분이 연속적 또는 단계적으로 이루어지는 경우 선행처분과 후행처분이 서로 합하여 1개의 법률효과를 완성하는 때에는 선행처분에 하자가 있으면 그 하자는 후행처분에 승계된다.

② 선행처분과 후행처분이 서로 독립하여 별개의 법률효과를 발생시키는 경우에는 선행처분에 불가쟁력이 생겨 그 효력을 다툴 수 없게 되면 수인한도를 넘는 가혹함을 가져오며 그 결과가 당사자에게 예측가능하지 않더라도 하자의 승계가 인정되지 않는다.

③ 과세관청의 선행처분인 소득금액변동통지에 하자가 존재하더라도 당연무효사유에 해당하지 않는 한 후행처분인 징수처분에 대한 항고소송에서 그 하자를 다툴 수 없다.

④ 수용보상금의 증액을 구하는 소송에서는 선행처분으로서 그 수용대상 토지가격 산정의 기초가 된 비교표준지공시지가결정의 위법을 독립된 사유로 주장할 수 있다.

함께 정리하기

하자의 승계

결합하여 하나의 법률효과 목적
▷ 하자승계 ○

독립하여 별개의 법률효과 목적이라도 예측가능성과 수인가능성 無
▷ 하자승계 ○

소득금액변동통지와 징수처분
▷ 하자승계 ×

표준공시지가결정과 수용재결
▷ 하자승계 ○

2023년 지방직 9급

① (○), ② (×) 2개 이상의 행정처분이 연속적 또는 단계적으로 이루어지는 경우 선행처분과 후행처분이 서로 합하여 1개의 법률효과를 완성하는 때에는 선행처분에 하자가 있으면 그 하자는 후행처분에 승계된다(①). 이러한 경우에는 선행처분에 불가쟁력이 생겨 그 효력을 다툴 수 없게 되더라도 선행처분의 하자를 이유로 후행처분의 효력을 다툴 수 있다. 그러나 선행처분과 후행처분이 서로 독립하여 별개의 법률 효과를 발생시키는 경우에는 선행처분에 불가쟁력이 생겨 그 효력을 다툴 수 없게 되면 선행처분의 하자가 중대하고 명백하여 선행처분이 당연무효인 경우를 제외하고는 특별한 사정이 없는 한 선행처분의 하자를 이유로 후행처분의 효력을 다툴 수 없는 것이 원칙이다. 다만 그 경우에도 선행처분의 불가쟁력이나 구속력이 그로 인하여 불이익을 입게 되는 자에게 수인한도를 넘는 가혹함을 가져오고, 그 결과가 당사자에게 예측가능한 것이 아니라면, 국민의 재판받을 권리를 보장하고 있는 헌법의 이념에 비추어 선행처분의 후행처분에 대한 구속력을 인정할 수 없다(②)(대판 2019.1.31. 2017두40372).

유제 17. 지방직 9급 선행행위에 대하여 불가쟁력이 발생하지 않았거나 선행행위와 후행행위가 서로 독립하여 각각 별개의 법률효과를 목적으로 하는 때에는 원칙적으로 선행행위의 하자를 이유로 후행행위의 효력을 다툴 수 없다. (○)

17. 지방직 9급 선행행위와 후행행위가 서로 독립하여 별개의 법률효과를 목적으로 하는 경우라도 선행행위의 불가쟁력이나 구속력이 그로 인하여 불이익을 입는 자에게 수인한도를 넘는 가혹함을 가져오고 그 결과가 예측가능한 것이 아닌 때에는 하자의 승계를 인정할 수 있다. (○)

③ (○) 원천징수의무자인 법인이 원천징수하는 소득세의 납세의무를 이행하지 아니함에 따라 과세관청이 하는 납세고지는 확정된 세액의 납부를 명하는 징수처분에 해당하므로 선행처분인 소득금액변동통지에 하자가 존재하더라도 당연무효 사유에 해당하지 않는 한 후행처분인 징수처분에 그대로 승계되지 아니한다. 따라서 과세관청의 소득처분과 그에 따른 소득금액변동통지가 있는 경우 원천징수하는 소득세의 납세의무에 관하여는 이를 확정하는 소득금액변동통지에 대한 항고소송에서 다투어야 하고, 소득금액변동통지가 당연무효가 아닌 한 징수처분에 대한 항고소송에서 이를 다툴 수는 없다(대판 2012.1.26. 2009두14439).

유제 22. 지방직 7급 선행처분인 소득금액변동통지에 하자가 존재하더라도 당연무효사유에 해당하지 않는 한 그 하자는 후행처분인 소득세 납세고지처분에 그대로 승계되지 아니한다. (○)

④ (○) 표준공시지가결정은 이를 기초로 한 수용재결 등과는 별개의 독립된 처분으로서 서로 독립하여 별개의 법률효과를 목적으로 하지만, … 위법한 표준공시지가결정에 대하여 그 정해진 시정절차를 통하여 시정하도록 요구하지 않았다는 이유로 위법한 표준지공시지가를 기초로 한 수용재결 등 후행 행정처분에서 표준지공시지가결정의 위법을 주장할 수 없도록 하는 것은 수인한도를 넘는 불이익을 강요하는 것으로서 국민의 재산권과 재판받을 권리를 보장한 헌법의 이념에도 부합하는 것이 아니다. 따라서 표준지공시지가결정이 위법한 경우에는 그 자체를 행정소송의 대상이 되는 행정처분으로 보아 그 위법 여부를 다툴 수 있음은 물론, 수용보상금의 증액을 구하는 소송에서도 선행처분으로서 그 수용대상 토지 가격 산정의 기초가 된 비교표준지공시지가결정의 위법을 독립한 사유로 주장할 수 있다(대판 2008.8.21. 2007두13845).

유제 23. 국회직 8급 구 「부동산 가격공시 및 감정평가에 관한 법률」상 선행처분인 표준지공시지가의 결정에 하자가 있는 경우에 그 하자는 보상금 산정을 위한 수용재결에 승계된다. (○)

22. 서울시 7급 표준지공시지가결정이 위법한 경우에 그 자체의 위법 여부를 다툴 수 있음은 물론 수용보상금의 증액을 구하는 소송에서도 선행처분으로서 비교표준지공시지가결정의 위법을 독립된 사유로 주장할 수 있다. (○)

18. 국가직 9급 구 「부동산 가격공시 및 감정평가에 관한 법률」상 선행처분인 표준지공시지가의 결정에 하자가 있는 경우에 그 하자는 보상금 산정을 위한 수용재결에 승계된다. (○)

17. 경찰 2차 수용보상금의 증액을 구하는 소송에서, 선행처분으로서 그 수용대상 토지 가격 산정의 기초가 된 비교표준지공시지가결정의 위법을 독립한 사유로 주장할 수 없다. (×)

15. 서울시 9급, 14. 서울시 9급 표준지공시지가결정과 수용재결 사이에는 하자의 승계를 인정할 수 없다. (×)

답 ②

025

행정행위의 하자 및 하자승계에 대한 설명으로 옳지 않은 것은? (다툼이 있는 경우 판례에 의함)

① 과세처분 이후 조세 부과의 근거가 되었던 법률규정에 대하여 위헌결정이 내려진 후에 행한 그 과세처분의 집행은 당연무효이다.
② 구 「부동산 가격공시 및 감정평가에 관한 법률」상 선행처분인 표준지공시지가의 결정에 하자가 있는 경우에 그 하자는 보상금 산정을 위한 수용재결에 승계된다.
③ 재건축주택조합설립인가처분 당시 동의율을 충족하지 못한 하자는 후에 추가동의서가 제출되었다는 사정만으로 치유될 수 없다.
④ 건물소유자에게 소방시설 불량사항을 시정·보완하라는 명령을 구두로 고지한 것은 「행정절차법」에 위반한 것으로 하자가 중대하나 명백하지는 않아 취소사유에 해당한다.
⑤ 취소사유인 절차적 하자가 있는 당초 과세처분에 대하여 증액경정처분이 있는 경우, 소멸한 당초처분의 절차적 하자는 존속하는 증액경정처분에 승계되지 않는다.

문제 DATA
출제가능 지수 ▶▶▷
난이도 지수 ★★☆

2023년 국회직 8급

① (○) 대판 2012.2.16. 2010두10907 전합
② (○) 대판 2008.8.21. 2007두13845
③ (○) 이 사건 변경인가처분은 이 사건 설립인가처분 후 추가동의서가 제출되어 동의자 수가 변경되었음을 이유로 하는 것으로서 조합원의 신규가입을 이유로 한 경미한 사항의 변경에 대한 신고를 수리하는 의미에 불과하므로 이 사건 설립인가처분이 이 사건 변경인가처분에 흡수된다고 볼 수 없고, 또한 이 사건 설립인가처분 당시 동의율을 충족하지 못한 하자는 후에 추가동의서가 제출되었다는 사정만으로 치유될 수 없다(대판 2013.7.11. 2011두27544).

유제 18. 서울시 7급 재건축주택조합설립인가처분 당시 동의율을 충족하지 못한 하자는 후에 추가동의서가 제출되었다는 사정만으로 치유될 수 없다. (○)
16. 지방직 9급 토지소유자 등의 동의율을 충족하지 못한 주택재건축정비사업 조합설립인가처분 후에 토지소유자 등의 추가동의서가 제출되었다면 하자는 치유된다. (×)

④ (×) 집합건물 중 일부 구분건물의 소유자인 피고인이 관할 소방서장으로부터 소방시설 불량사항에 관한 시정보완명령을 받고도 따르지 아니하였다는 내용으로 기소된 사안에서, 담당 소방공무원이 피고인에게 행정처분인 위 시정보완명령을 구두로 고지한 것은 행정절차법 제24조에 위반한 것으로 그 하자가 중대하고 명백하여 위 시정보완명령은 당연무효라고 할 것이고, 무효인 위 시정보완명령에 따른 피고인의 의무위반이 생기지 아니하는 이상 피고인에게 위 시정보완명령에 위반하였음을 이유로 소방시설 설치·유치 및 안전관리에 관리에 관한 법률 제48조의2 제1호에 따른 행정형벌을 부과할 수 없다(대판 2011.11.10. 2011도11109).

유제 23. 소방간부 구 「소방시설 설치·유지 및 안전관리에 관한 법률」에 따른 소방 공무원의 시정보완명령 고지가 구두로 행하여졌다면 그 내용이 적법하다 하더라도 해당 처분은 취소사유에 해당한다. (×)
21. 변호사 집합건물 중 일부 구분건물의 소유자에 대하여 관할 소방서장이 소방 시설 불량사항에 관한 시정보완명령을 구술로 고지한 것은 신속을 요하거나 경미한 경우가 아닌 한 「행정절차법」을 위반한 것으로 하자가 중대하고 명백하여 당연무효이다. (○)
19. 국가직 9급 건물소유자에게 소방시설 불량사항을 시정·보완하라는 명령을 구두로 고지한 것은 「행정절차법」에 위반한 것으로 하자가 중대·명백하여 당연무효이다. (○)
16. 서울시 7급 법령상 문서에 의하도록 한 행정행위를 문서에 의해 하지 아니한 때, 그 처분은 하자가 중대하고 명백하여 원칙적으로 무효이다. (○)

⑤ (○) 증액경정처분이 있는 경우 당초 처분은 증액경정처분에 흡수되어 소멸하고, 소멸한 당초처분의 절차적 하자는 존속하는 증액경정처분에 승계되지 아니한다(대판 2010.6.24. 2007두16493).

유제 20. 5급 승진 조세에 대한 증액경정처분이 있는 경우 당초의 조세부과처분은 증액경정처분에 흡수되어 소멸하고, 소멸한 당초처분의 절차적 하자는 존속하는 증액경정처분에 승계되지 아니한다. (○)
19. 지방직 7급 증액경정처분이 있는 경우, 당초처분은 증액경정처분에 흡수되어 소멸하고, 소멸한 당초처분의 절차적 하자는 존속하는 증액경정처분에 승계되지 아니한다. (○)
17. 국가직 7급 과세처분에 대하여 증액경정처분이 있는 경우 당초처분은 증액경정처분에 흡수되어 소멸하므로 소멸한 당초처분의 절차적 하자는 존속하는 증액경정처분에 승계된다. (×)

답 ④

함께 정리하기
행정행위의 하자 및 하자승계

과세처분 근거법률에 대한 위헌결정 후 체납처분
▷ 무효

표준지공시지가결정과 수용재결
▷ 하자승계○

재건축조합설립인가처분 당시 동의율 하자
▷ 추가동의서 제출로 하자치유×

구술로 시정보완명령 고지
▷ 당연무효

증액경정처분
▷ 흡수되어 소멸한 당초 처분의 절차적 하자 승계×

문제 DATA

출제가능 지수 ▶▶Σ
난이도 지수 ★★☆

026 ☐☐☐

행정행위의 하자에 대한 설명으로 옳은 것은? (다툼이 있는 경우 판례에 의함)

① 과세처분의 취소를 구하는 행정소송에서 선행처분인 개별공시지가결정의 위법을 독립된 위법사유로 주장할 수 있다.
② 재건축조합설립인가처분 당시 동의율을 충족하지 못한 하자는 후에 추가동의서가 제출되었다는 사정만으로도 치유된다.
③ 적법한 건축물에 대한 철거명령은 그 하자가 중대하고 명백하여 당연무효라고 할 것이지만, 그 후행행위인 건축물철거 대집행계고처분은 당연무효라고 할 수 없다.
④ 세액산출근거가 기재되지 아니한 납세고지서에 의한 부과처분은 강행법규에 위반하여 취소대상이 된다고 할 것이지만 이와 같은 하자는 납세의무자가 전심절차에서 이를 주장하지 아니하였거나, 그 후 부과된 세금을 자진납부하였다거나, 또는 조세채권의 소멸시효기간이 만료된 경우 치유된다.

▌2023년 국가직 9급

함께 정리하기

행정행위의 하자

개별공시지가결정과 과세처분 사이
▷ 하자 승계○

재건축조합설립인가처분 당시 동의율 하자
▷ 추가동의서 제출로 하자치유×

철거명령이 당연무효인 경우
▷ 계고처분도 당연무효

세액산출근거 미기재
▷ 자진납부·조세채권시효완성으로 치유×

① (○) 개별공시지가결정은 이를 기초로 한 과세처분 등과는 별개의 독립된 처분으로서 서로 독립하여 별개의 법률효과를 목적으로 하는 것이나, … 위법한 개별공시지가결정에 대하여 그 정해진 시정절차를 통하여 시정하도록 요구하지 아니하였다는 이유로 위법한 개별공시지가를 기초로 한 과세처분 등 후행 행정처분에서 개별공시지가결정의 위법을 주장할 수 없도록 하는 것은 수인한도를 넘는 불이익을 강요하는 것으로서 국민의 재산권과 재판받을 권리를 보장한 헌법의 이념에도 부합하는 것이 아니라고 할 것이므로, 개별공시지가결정에 위법이 있는 경우에는 그 자체를 행정소송의 대상이 되는 행정처분으로 보아 그 위법 여부를 다툴 수 있음은 물론 이를 기초로 한 과세처분 등 행정처분의 취소를 구하는 행정소송에서도 선행처분인 개별공시지가결정의 위법을 독립된 위법사유로 주장할 수 있다고 해석함이 타당하다(대판 1994.1.25. 93누8542).

유제 22. 군무원 7급 개별공시지가결정과 이를 기초로 한 과세처분인 양도소득세 부과처분에서는 흠의 승계는 긍정된다. (○)
21. 국가직 9급 (甲은 자신의 토지에 대한 개별공시지가결정을 통지받은 후 90일이 넘어 과세처분을 받았는데, 과세처분이 위법한 개별공시지가결정에 기초하였다는 이유로 과세처분의 취소를 구하고자 한다) 甲은 과세처분이 있기 전에는 개별공시지가결정에 대해서 취소소송을 제기할 수 없다. (×)
20. 5급 승진 개별공시지가결정과 이를 기초로 한 과세처분은 별개의 법률효과를 목적으로 하는 서로 독립된 행정처분이다. (○)
18. 서울시 9급 위법한 개별공시지가결정에 대하여 그 정해진 시정절차를 통하여 시정하도록 요구하지 아니하였다는 이유로 위법한 개별공시지가를 기초로 한 과세처분 등 후행 행정처분에서 개별공시지가결정의 위법을 주장할 수 없도록 하는 것은 수인한도를 넘는 불이익을 강요하는 것이다. (○)
17. 서울시 7급 선행처분인 개별공시지가결정의 하자가 과세처분 등 후행하는 처분에 승계될 수 있는지 여부에 관해 판례는 서로 결합하여 하나의 법률효과를 발생시킨다는 관점에서 하자승계를 인정하였다. (×)

② (×) 이 사건 변경인가처분은 이 사건 설립인가처분 후 추가동의서가 제출되어 동의자 수가 변경되었음을 이유로 하는 것으로서 조합원의 신규가입을 이유로 한 경미한 사항의 변경에 대한 신고를 수리하는 의미에 불과하므로 이 사건 설립인가처분이 이 사건 변경인가처분에 흡수된다고 볼 수 없고, 또한 이 사건 설립인가처분 당시 동의율을 충족하지 못한 하자는 후에 추가동의서가 제출되었다는 사정만으로 치유될 수 없다(대판 2013.7.11. 2011두27544).

③ (×) 적법한 건축물에 대한 철거명령은 그 하자가 중대하고 명백하여 당연무효라고 할 것이고, 그 후행행위인 건축물철거 대집행계고처분 역시 당연무효라고 할 것이다(대판 1999.4.27. 97누6780).

유제 19. 서울시 7급, 14. 경찰 2차 적법한 건축물에 대한 철거명령은 그 하자가 중대하고 명백하여 당연무효이고 그 후행행위인 건축물철거 대집행계고처분 역시 당연무효이다. (○)
19. 5급 승진 적법한 건축물에 대해 하자가 중대·명백한 철거명령이 행해진 경우, 이를 전제로 행하여진 후행행위인 건축물 철거대집행 계고처분은 당연무효라 할 수 없다. (×)
17. 국가직 7급(추), 15. 국가직 9급 적법하게 건축된 건축물에 대한 철거명령을 전제로 행하여진 후행행위인 건축물철거 대집행계고처분은 당연무효라 할 수 없다. (×)
17. 서울시 7급 건축물에 대한 철거명령의 하자가 중대·명백하다면 그 후행행위인 건축물 철거 대집행계고처분 역시 당연무효이다. (○)

16. 국가직 9급 철거명령이 당연무효인 경우에는 그에 근거한 후행행위인 건축물철거 대집행계고처분도 당연무효이다. (○)

④ (✗) 세액산출근거가 기재되지 아니한 납세고지서에 의한 부과처분은 강행법규에 위반하여 취소대상이 된다 할 것이므로 이와 같은 하자는 납세의무자가 전심절차에서 이를 주장하지 아니하였거나, 그 후 <u>부과된 세금을 자진납부하였다거나, 또는 조세채권의 소멸시효기간이 만료되었다 하여 치유되는 것이라고는 할 수 없다</u>(대판 1985.4.9. 84누431).

유제 21. 지방직 9급 세액산출근거가 기재되지 아니한 납세고지서에 의한 부과처분은 그 후 부과된 세금을 자진납부하였다거나 또는 조세채권의 소멸시효기간이 만료되었다 하여 하자가 치유되는 것이라고는 할 수 없다. (○)

21. 소방직 세액산출근거가 기재되지 아니한 납세고지서에 의한 부과처분은 강행법규에 위반하여 취소대상이 된다 할 것이므로 이와 같은 하자는 납세의무자가 그 후 부과된 세금을 자진납부하였다 하여 치유되는 것이라고는 할 수 없다. (○)

13. 국가직 7급 과세처분을 하면서 장기간 세액산출근거를 부기하지 아니한 경우에 납세자가 자진납부 하였다면 처분의 위법성은 치유된다. (✗)

12. 경찰 3차 납세고지서에 과세표준과 세율·세액 등이 누락된 경우에는 과세처분 자체가 위법한 것으로 취소소송의 대상이 된다. (○)

답 ①

027 □□□

행정행위의 하자에 대한 설명으로 옳지 않은 것은? (다툼이 있는 경우 판례에 의함)

① 인가처분에 하자가 없다면 기본행위에 하자가 있다 하더라도 기본행위의 무효를 내세워 바로 그에 대한 행정청의 인가처분의 취소 또는 무효확인을 소구할 법률상의 이익이 없다.
② 행정처분의 당연무효를 선언하는 의미에서 취소를 구하는 행정소송을 제기한 경우에는 취소소송의 제소요건을 갖추어야 한다.
③ 행정처분이 발하여진 후에 헌법재판소가 그 행정처분의 근거가 된 법률을 위헌으로 결정하였다면, 그 행정처분은 특별한 사정이 없는 한 당연무효이다.
④ 납세자가 아닌 제3자의 재산을 대상으로 한 압류처분은 그 처분의 내용이 법률상 실현될 수 없는 것이어서 당연무효이다.

| 2022년 국가직 7급

① (○) 기본행위인 관리처분계획이 적법유효하고 보충행위인 인가처분 자체에만 하자가 있다면 그 인가처분의 무효나 취소를 주장할 수 있지만, <u>인가처분에 하자가 없다면 기본행위에 하자가 있다 하더라도 따로 그 기본행위의 하자를 다투는 것은 별론으로 하고 기본행위의 무효를 내세워 바로 그에 대한 행정청의 인가처분의 취소 또는 무효확인을 소구할 법률상의 이익이 있다고 할 수 없다</u>(대판 1994.10.14. 93누22753).
② (○) 행정처분의 당연무효를 선언하는 의미에서 취소를 구하는 행정소송을 제기한 경우에도 제소기간의 준수 등 <u>취소소송의 제소요건을 갖추어야 한다</u>(대판 1993.3.12. 92누11039).
③ (✗) 법률에 근거하여 행정처분이 발하여진 후에 헌법재판소가 그 행정처분의 근거가 된 법률을 위헌으로 결정하였다면 결과적으로 행정처분은 법률의 근거가 없이 행하여진 것과 마찬가지가 되어 하자가 있는 것이 되나, 하자 있는 행정처분이 당연무효가 되기 위하여는 <u>그 하자가 중대할 뿐만 아니라 명백한 것이어야 하는데, 일반적으로 법률이 헌법에 위반된다는 사정이 헌법재판소의 위헌결정이 있기 전에는 객관적으로 명백한 것이라고 할 수는 없으므로 헌법재판소의 위헌결정 전에 행정처분의 근거되는 당해 법률이 헌법에 위반된다는 사유는 특별한 사정이 없는 한 그 행정처분의 취소소송의 전제가 될 수 있을 뿐 당연무효사유는 아니라고 봄이 상당하다</u>(대판 1994.10.28. 92누9463).

문제 DATA
출제가능 지수 ▶▶▷
난이도 지수 ★★☆

함께 정리하기

행정행위의 하자

인가처분에 하자 無
▷ 기본행위의 무효를 내세워 인가처분을 다툴 법률상 이익 無

무효선언적 의미의 취소소송
▷ 취소소송 제소요건구비 要

위헌 결정 전 위헌인 법령에 근거한 처분
▷ 취소사유

납세자가 아닌 제3자의 재산을 대상으로 한 압류처분
▷ 당연무효

유제 21. 국회직 9급 행정처분이 행해진 이후에 근거법률이 위헌으로 결정될 경우 그 행정처분은 당연무효이다. (×)
21. 소방간부 법률에 근거하여 행정처분이 발하여진 후에 헌법재판소가 그 행정처분의 근거가 된 법률을 위헌으로 결정하였다면 이러한 사유는 특별한 사정이 없는 한 그 행정처분의 취소소송의 전제가 될 수 있을 뿐 당연무효사유는 아니다. (○)
20. 국회직 8급 법률의 위헌 여부가 명백하지 않은 상태라도 이후 해당 법률에 위헌이 선언되었다면 위헌판결의 기속력에 의해 그 법률에 근거한 행정처분의 하자는 무효사유이다. (×)
19. 서울시 9급 행정처분 이후에 처분의 근거법령에 대하여 헌법재판소 또는 대법원이 위헌 또는 위법하다는 결정을 하게 되면, 당해 처분은 법적 근거가 없는 처분으로 하자있는 처분이고 그 하자는 중대한 것으로 당연무효이다. (×)
13. 국가직 9급 법률에 근거하여 행정청이 행정처분을 한 후에 헌법재판소가 그 법률을 위헌으로 결정하였다면 결과적으로 그 행정처분은 하자가 있는 것이 된다고 할 것이나, 특별한 사정이 없는 한 이러한 하자는 위 행정처분의 취소사유에 해당할 뿐 당연무효사유는 아니라고 본다. (○)

④ (○) 과세관청이 납세자에 대한 체납처분으로서 제3자의 소유 물건을 압류하고 공매하더라도 그 처분으로 인하여 제3자가 소유권을 상실하는 것이 아니고, 체납처분으로서 압류의 요건을 규정하는 국세징수법 제24조 각 항의 규정을 보면 어느 경우에나 압류의 대상을 납세자의 재산에 국한하고 있으므로, 납세자가 아닌 제3자의 재산을 대상으로 한 압류처분은 그 처분의 내용이 법률상 실현될 수 없는 것이어서 당연무효이다(대판 2006.4.13. 2005두15151).

유제 22. 소방직, 21. 국회직 9급, 18. 서울시 7급 납세자가 아닌 제3자의 재산을 대상으로 한 압류처분은 당연무효이다. (○)
18. 5급 승진 「국세징수법」이 압류의 대상을 납세자의 재산에 국한하는 것은 아니므로 납세자가 아닌 제3자의 재산을 대상으로 한 압류처분도 유효하다. (×)

답 ③

028

행정행위의 하자에 대한 설명으로 옳지 않은 것은? (다툼이 있는 경우 판례에 의함)

① 이미 불가쟁력이 발생한 보충역편입처분에 하자가 있다고 하더라도 그것이 당연무효의 사유가 아닌 한 공익근무요원소집처분에 승계되는 것은 아니다.
② 건물철거명령이 당연무효가 아니고 불가쟁력이 발생하였다면 건물철거명령의 하자를 이유로 후행 대집행계고처분의 효력을 다툴 수 없다.
③ 도시계획시설사업 시행자 지정 처분이 처분 요건을 충족하지 못하여 당연무효인 경우, 도시계획시설사업의 시행자가 작성한 실시계획을 인가하는 처분도 무효이다.
④ 선행처분인 공무원직위해제처분과 후행 직권면직처분 사이에는 하자의 승계가 인정된다.

2022년 국가직 9급

문제 DATA
출제가능 지수 ▶▶▷
난이도 지수 ★★☆

함께 정리하기
행정행위의 하자
보충역편입처분과 공익근무요원소집처분
▷ 하자의 승계×
건물철거명령과 대집행계고처분
▷ 하자의 승계×
선행 사업시행자지정처분이 당연무효
▷ 후행 실시계획인가처분도 무효
공무원직위해제처분과 직권면직처분
▷ 하자의 승계×

① (○) 보충역편입처분 등의 병역처분은 구체적인 병역의무부과를 위한 전제로서 징병검사 결과 신체등위와 학력·연령 등 자질을 감안하여 역종을 부과하는 처분임에 반하여, 공익근무요원소집처분은 보충역편입처분을 받은 공익근무요원소집대상자에게 기초적 군사훈련과 구체적인 복무기관 및 복무분야를 정한 공익근무요원으로서의 복무를 명하는 구체적인 행정처분이므로, 위 두 처분은 후자의 처분이 전자의 처분을 전제로 하는 것이기는 하나 각각 단계적으로 별개의 법률효과를 발생하는 독립된 행정처분이라고 할 것이므로, 따라서 보충역편입처분의 기초가 되는 신체등위 판정에 잘못이 있다는 이유로 이를 다투기 위하여는 신체등위 판정을 기초로 한 보충역편입처분에 대하여 쟁송을 제기하여야 할 것이며, 그 처분을 다투지 아니하여 이미 불가쟁력이 생겨 그 효력을 다툴 수 없게 된 경우에는, 병역처분변경신청에 의하는 경우는 별론으로 하고, 보충역편입처분에 하자가 있다고 할지라도 그것이 당연무효라고 볼 만한 특단의 사정이 없는 한 그 위법을 이유로 공익근무요원소집처분의 효력을 다툴 수 없다(대판 2002.12.10. 2001두5422).

유제 22. 서울시 7급 보충역편입처분이 위법한 경우에 그 자체의 위법 여부를 다툴 수 있음은 물론 불가쟁력이 생긴 후에 후행처분인 공익근무요원소집처분의 취소소송에서도 선행처분인 보충역편입처분의 위법을 이유로 공익근무요원소집처분의 효력을 다툴 수 있다. (×)
22. 군무원 7급 보충역편입처분과 공익근무원소집처분은 하자의 승계가 인정된다. (×)
21. 소방직 9급 보충역편입처분에 하자가 있다고 할지라도 그것이 중대하고 명백하지 않는 한, 그 하자를 이유로 공익근무요원 소집처분의 효력을 다툴 수 없다. (○)
20. 군무원 9급 「병역법」상 보충역편입처분과 공익근무원소집처분이 각각 단계적으로 별개의 법률효과를 발생하는 독립된 행정처분이 아니므로, 불가쟁력이 생긴 보충역편입처분의 위법을 이유로 공익근무원 소집처분의 효력을 다툴 수 있다. (×)
12. 국가직 9급, 11. 국가직 7급 보충역 편입처분과 공익근무원 소집처분은 양자가 별개의 법률효과를 목표로 하는 것이므로 선행처분에 대한 하자는 후행처분에 승계되지 않는다. (○)

② (○) 건물철거명령이 당연무효가 아닌 한 건물철거명령과 대집행계고 사이에는 하자의 승계가 인정되지 않는다.

  건물철거명령이 당연무효가 아닌 이상 행정심판이나 소송을 제기하여 그 위법함을 소구하는 절차를 거치지 아니하였다면 위 선행행위인 건물철거명령은 적법한 것으로 확정되었다고 할 것이므로 후행행위인 대집행계고처분에서는 그 건물이 무허가건물이 아닌 적법한 건축물이라는 주장이나 그러한 사실인정을 하지 못한다(대판 1998.9.8. 97누20502).

유제 17. 서울시 9급, 14. 경찰 1차 판례는 건물철거명령과 대집행계고처분 사이에는 하자의 승계를 인정하지 않는 입장이다. (○)

③ (○) 선행처분과 후행처분이 서로 독립하여 별개의 법률효과를 목적으로 하는 때에도 선행처분이 당연무효이면 선행처분의 하자를 이유로 후행처분의 효력을 다툴 수 있다. 도시계획시설사업의 시행자가 작성한 실시계획을 인가하는 처분은 도시계획시설사업 시행자에게 도시계획시설사업의 공사를 허가하고 수용권을 부여하는 처분으로서 선행처분인 도시계획시설사업 시행자 지정 처분이 처분 요건을 충족하지 못하여 당연무효인 경우에는 사업시행자 지정 처분이 유효함을 전제로 이루어진 후행처분인 실시계획 인가처분도 무효라고 보아야 한다(대판 2017.7.11. 2016두35120).

유제 22. 서울시 7급, 20. 지방직 7급·소방간부 선행처분과 후행처분이 서로 독립하여 별개의 법률효과를 목적으로 하는 때에도 선행처분이 당연무효이면 선행처분의 하자를 이유로 후행처분의 효력을 다툴 수 있다. (○)
18. 서울시 7급 선행 도시계획시설사업시행자 지정처분이 당연무효이면 후행처분인 실시계획인가처분도 당연무효이다. (○)

④ (×) 구 경찰공무원법 제50조 제1항에 의한 직위해제처분과 같은 제3항에 의한 면직처분은 후자가 전자의 처분을 전제로 한 것이기는 하나 각각 단계적으로 별개의 법률효과를 발생하는 행정처분이어서 선행 직위해제처분의 위법사유가 면직처분에는 승계되지 아니한다 할 것이므로 선행된 직위해제 처분의 위법사유를 들어 면직처분의 효력을 다툴 수는 없다(대판 1984.9.11. 84누191).

유제 21. 소방간부, 14. 사복직, 10. 서울시 9급 공무원의 지위해제처분과 면직처분 사이에는 하자의 승계가 부인된다. (○)
17. 국가직 7급(추) 공무원에 대한 직위해제처분은 직권면직 또는 징계와 그 목적과 성질이 동일한 처분이므로 선행하는 직위해제처분의 위법사유를 들어 후행하는 면직처분의 효력을 다툴 수 있다. (×)
17. 서울시 9급 공무원의 직위해제처분과 면직처분 사이에는 하자의 승계가 인정된다. (×)

답 ④

문제 DATA

출제가능 지수 ▶▶Σ
난이도 지수 ★★☆

029 □□□

행정행위의 하자에 대한 판례의 입장으로 옳지 않은 것은?

① 과세처분 이후 과세의 근거가 되었던 법률규정에 대하여 위헌결정이 내려진 경우, 그 조세채권의 집행을 위해 새로운 체납처분에 착수하거나 이를 속행하는 것은 당연무효로 볼 수 없다.

② 행정청이 어느 법률관계나 사실관계에 대하여 어느 법률의 규정을 적용하여 행정처분을 한 경우에, 그 법률관계나 사실관계에 대하여는 그 법률의 규정을 적용할 수 없다는 법리가 명백히 밝혀져 해석에 다툼의 여지가 없음에도 행정청이 그 규정을 적용하여 처분을 한 때에는 하자가 중대하고 명백하다.

③ 행정청이 청문서 도달기간을 다소 어겼다 하더라도 당사자가 이에 대하여 이의하지 아니한 채 스스로 청문일에 출석하여 그 의견을 진술하고 변명하는 등 방어의 기회를 충분히 가졌다면 청문서 도달기간을 준수하지 아니한 하자는 치유되었다고 볼 수 있다.

④ 선행처분인 소득금액변동통지에 하자가 존재하더라도 당연무효사유에 해당하지 않는 한 그 하자는 후행처분인 소득세 납세고지처분에 그대로 승계되지 아니한다.

함께 정리하기

행정행위의 하자

과세처분 근거법률에 대한 위헌결정 후 체납처분
▷ 무효

명백히 적용할 수 없는 법률 적용한 처분
▷ 무효

청문서 도달기간 다소 위반 · 이의 없이 방어기회 충분
▷ 하자 치유○

소득금액변동통지와 징수처분
▷ 하자승계×

2022년 지방직 7급

① (×) 조세 부과의 근거가 되었던 법률규정이 위헌으로 선언된 경우, 비록 그에 기한 과세처분이 위헌결정 전에 이루어졌고, 과세처분에 대한 제소기간이 이미 경과하여 조세채권이 확정되었으며, 조세채권의 집행을 위한 체납처분의 근거규정 자체에 대하여는 따로 위헌결정이 내려진 바 없다고 하더라도, 위와 같은 위헌결정 이후에 조세채권의 집행을 위한 새로운 체납처분에 착수하거나 이를 속행하는 것은 더 이상 허용되지 않고, 나아가 이러한 위헌결정의 효력에 위배하여 이루어진 체납처분은 그 사유만으로 하자가 중대하고 객관적으로 명백하여 당연무효라고 보아야 한다(대판 2012.2.16. 2010두10907 전합).

② (○) 행정청이 어느 법률관계나 사실관계에 대하여 어느 법률의 규정을 적용하여 행정처분을 한 경우에 그 법률관계나 사실관계에 대하여는 그 법률의 규정을 적용할 수 없다는 법리가 명백히 밝혀져 그 해석에 다툼의 여지가 없음에도 불구하고 행정청이 위 규정을 적용하여 처분을 한 때에는 그 하자가 중대하고도 명백하다고 할 것이다(대판 2004.10.15. 2002다68485).

유제 18. 경찰 3차 행정청이 어느 법률관계나 사실관계에 대하여 어느 법률의 규정을 적용하여 행정처분을 한 경우에 그 법률관계나 사실관계에 대하여는 그 법률의 규정을 적용할 수 없다는 법리가 명백히 밝혀져 그 해석에 다툼의 여지가 없음에도 불구하고 행정청이 위 규정을 적용하여 처분을 한 때에는 그 하자가 중대하고도 명백하다고 할 것이다. (○)

③ (○) 행정청이 청문서 도달기간을 다소 어겼다하더라도 영업자가 이에 대하여 이의하지 아니한 채 스스로 청문일에 출석하여 그 의견을 진술하고 변명하는 등 방어의 기회를 충분히 가졌다면 청문서 도달기간을 준수하지 아니한 하자는 치유되었다고 봄이 상당하다(대판 1992.10.23. 92누2844).

유제 21. 국회직 8급, 13. 경찰 2차 행정청이 청문절차를 이행하면서 청문서 도달기간을 다소 어겼다면 영업자가 이의하지 아니한 채 스스로 청문일에 출석하여 그 의견을 진술하고 변명하는 등 방어의 기회를 충분히 가졌다면 청문서 도달기간을 준수하지 아니한 하자는 치유된다고 볼 수 없다. (×)
20. 국회직 8급, 17. 국가직 9급(추), 12. 국회직 8급 행정청이 처분의 근거법률상 청문절차를 이행하는 과정에서 청문서 도달기간을 다소 어겼지만 당사자가 이의를 제기하지 않고 청문일에 출석하여 의견진술과 변명의 기회를 충분히 가졌다면 청문서 도달기간 미준수의 하자는 치유된 것으로 본다. (○)
20. 국가직 9급, 16. 사복직 행정청이 식품위생법 상의 청문절차를 이행함에 있어 청문서 도달기간을 다소 어겼지만 영업자가 이의하지 아니한 채 청문일에 출석하여 의견을 진술하고 변명하는 등 방어의 기회를 충분히 가졌다면 청문서 도달기간을 준수하지 아니한 하자는 치유되었다고 본다. (○)
19. 5급 승진 행정청이 청문서 도달기간을 다소 어겼다 하더라도 영업자가 이에 대하여 이의하지 아니한 채 스스로 청문일에 출석하여 그 의견을 진술하고 변명하는 등 방어의 기회를 충분히 가졌다면 청문서 도달기간을 준수하지 아니한 하자는 치유된다. (○)

④ (○) 대판 2012.1.26. 2009두14439

답 ①

030

행정처분의 위법성에 대한 설명으로 옳지 않은 것은? (다툼이 있는 경우 판례에 의함)

① 행정청이 행정처분을 하면서 상대방에게 불복절차에 관한 고지의무를 이행하지 않았다면 이는 절차적 하자로서 그 행정처분은 위법하게 된다.
② 행정처분이 나중에 항고소송에서 위법하다고 판단되어 취소되더라도 그러한 사실만으로 바로 행정처분이 공무원의 고의나 과실로 인한 불법행위를 구성한다고 할 수 없다.
③ 절차상의 하자를 이유로 행정처분을 취소하는 판결이 선고되어 확정된 경우, 그 확정판결의 기속력은 취소사유로 된 절차의 위법에 한하여 미치는 것이므로 행정청은 적법한 절차를 갖추어 동일한 내용의 처분을 다시 할 수 있다.
④ 권한 없는 행정청이 한 위법한 행정처분을 취소할 수 있는 권한은 그 행정처분을 한 처분청에게 속하는 것이고, 그 행정처분을 할 수 있는 적법한 권한을 가지는 행정청에게 그 취소권이 귀속되는 것은 아니다.

2022년 지방직 9급

① (×) 행정절차법 제26조는 "행정청이 처분을 할 때에는 당사자에게 그 처분에 관하여 행정심판 및 행정소송을 제기할 수 있는지 여부, 그 밖에 불복을 할 수 있는지 여부, 청구절차 및 청구기간 그 밖에 필요한 사항을 알려야 한다."라고 규정하고 있다. 이러한 고지절차에 관한 규정은 행정처분의 상대방이 그 처분에 대한 행정심판의 절차를 밟는 데 편의를 제공하려는 것이어서 처분청이 위 규정에 따른 고지의무를 이행하지 아니하였다고 하더라도 경우에 따라 행정심판의 제기기간이 연장될 수 있음에 그칠 뿐, 그 때문에 심판의 대상이 되는 행정처분이 위법하다고 할 수는 없다(대판 2018.2.8. 2017두66633).
② (○) 행정처분이 나중에 항고소송에서 위법하다고 판단되어 취소되더라도 그것만으로 행정처분이 공무원의 고의나 과실로 인한 불법행위를 구성한다고 단정할 수 없다. 보통 일반의 공무원을 표준으로 하여 볼 때 위법한 행정처분의 담당 공무원이 객관적 주의의무를 소홀히 하고 그로 인해 행정처분이 객관적 정당성을 잃었다고 볼 수 있는 경우에 국가배상법 제2조가 정한 국가배상책임이 성립할 수 있다(대판 2021.6.30. 2017다249219).
③ (○) 어떤 행정처분에 위법한 하자가 있다는 이유로 그 행정처분을 취소하는 판결이 선고되어 확정된 경우에 처분행정청은 그 행정소송의 사실심 변론종결 이전의 사유를 내세워 다시 확정판결에 저촉되는 행정처분을 하는 것은 허용될 수 없는 것이지만, 그 확정판결의 취소사유가 행정처분의 절차나 형식상의 하자에 있었던 경우에는 그 확정판결이 행정청을 기속하는 효력은 취소사유로 된 절차 내지 형식의 위법에 한하여 미친다 할 것이므로 행정청은 적법한 절차나 형식을 갖추어 동일내용의 처분을 할 수 있다 할 것이다(대판 1985.5.28. 84누408).
④ (○) 권한없는 행정기관이 한 당연무효인 행정처분을 취소할 수 있는 권한은 당해 행정처분을 한 처분청에게 속하고, 당해 행정처분을 할 수 있는 적법한 권한을 가지는 행정청에게 그 취소권이 귀속되는 것이 아니다(대판 1984.10.10. 84누463).

답 ①

문제 DATA
출제가능 지수 ▶▶▷
난이도 지수 ★★☆

함께 정리하기

행정처분의 위법성

「행정절차법」상 불복절차 고지의무 불이행
▷ 처분의 위법사유 ×

처분이 항고소송에서 취소
▷ 불법행위라고 단정 불가

절차상 하자 이유로 처분 취소판결 확정
▷ 적법한 절차 갖추어 동일한 내용의 처분 可

권한 없는 행정청의 위법한 처분 취소 권한
▷ 처분청에게 有(처분권한 가지는 행정청×)

문제 DATA

출제가능 지수 ▶▶▷
난이도 지수 ★★☆

031 □□□

행정행위의 하자(흠)의 승계에 대한 설명으로 가장 옳지 않은 것은? (다툼이 있는 경우 판례에 의함)

① 행정행위의 하자 승계 문제는 행정권에 대한 사인의 권익보호와 적정행정의 유지에 대한 요청에 근거하고 있다.
② 선행처분과 후행처분이 서로 독립하여 별개의 법률효과를 목적으로 하는 때에도 선행처분이 당연무효이면 선행처분의 하자를 이유로 후행처분의 효력을 다툴 수 있다.
③ 표준지공시지가결정이 위법한 경우에 그 자체의 위법 여부를 다툴 수 있음은 물론 수용보상금의 증액을 구하는 소송에서도 선행처분으로서 비교표준지 공시지가 결정의 위법을 독립된 사유로 주장할 수 있다.
④ 보충역편입처분이 위법한 경우에 그 자체의 위법 여부를 다툴 수 있음은 물론 불가쟁력이 생긴 후에 후행처분인 공익근무요원소집처분의 취소소송에서도 선행처분인 보충역편입처분의 위법을 이유로 공익근무요원소집처분의 효력을 다툴 수 있다.

| 2022년 서울시 7급

① (○) 행정행위의 하자는 행정행위별로 판단되는 것이 원칙이나, 국민의 권리를 보호하고 적정행정 유지를 위해 일정한 범위 내에서는 하자의 승계를 인정할 필요가 있다.
② (○) 대판 2017.7.11. 2016두35120
③ (○) 표준지공시지가결정은 이를 기초로 한 수용재결 등과는 별개의 독립된 처분으로서 서로 독립하여 별개의 법률효과를 목적으로 하지만, … 위법한 표준지공시지가결정에 대하여 그 정해진 시정절차를 통하여 시정하도록 요구하지 않았다는 이유로 위법한 표준지공시지가를 기초로 한 수용재결 등 후행 행정처분에서 표준지공시지가결정의 위법을 주장할 수 없도록 하는 것은 수인한도를 넘는 불이익을 강요하는 것으로서 국민의 재산권과 재판받을 권리를 보장한 헌법의 이념에도 부합하는 것이 아니다. 따라서 표준지공시지가결정이 위법한 경우에는 그 자체를 행정소송의 대상이 되는 행정처분으로 보아 그 위법 여부를 다툴 수 있음은 물론, 수용보상금의 증액을 구하는 소송에서도 선행처분으로서 그 수용대상 토지 가격 산정의 기초가 된 비교표준지공시지가결정의 위법을 독립한 사유로 주장할 수 있다(대판 2008.8.21. 2007두13845).
④ (×) 보충역편입처분의 기초가 되는 신체등위 판정에 잘못이 있다는 이유로 이를 다투기 위하여는 신체등위 판정을 기초로 한 보충역편입처분에 대하여 쟁송을 제기하여야 할 것이며, 그 처분을 다투지 아니하여 이미 불가쟁력이 생겨 그 효력을 다툴 수 없게 된 경우에는, 병역처분변경신청에 의하는 경우는 별론으로 하고, 보충역편입처분에 하자가 있다고 할지라도 그것이 당연무효라고 볼만한 특단의 사정이 없는 한 그 위법을 이유로 공익근무요원소집처분의 효력을 다툴 수 없다(대판 2002.12.10. 2001두5422).

답 ④

함께 정리하기

하자의 승계

행정권에 대한 사인의 권익보호와 적정행정의 유지에 대한 요청에 근거

선행처분 당연무효
▷ 후행처분도 무효

표준지공시지가결정과 수용재결
▷ 하자승계○

보충역편입처분과 공익근무요원소집처분
▷ 하자의 승계×

032

행정행위의 하자로서 무효사유가 아닌 것은? (다툼이 있는 경우 판례에 의함)

① 국토계획법령이 정한 도시계획시설사업의 대상 토지의 소유와 동의요건을 갖추지 못하였음에도 도시계획시설사업의 사업시행자 지정처분을 한 경우
② 조세부과처분의 근거가 되었던 법률규정에 대하여 위헌결정이 내려진 후 체납처분을 한 경우
③ 학교환경위생정화위원회의 심의절차를 누락한 채 학교환경위생정화구역에서의 금지행위 및 시설해제 여부에 관한 행정처분을 한 경우
④ 납세자가 아닌 제3자의 재산을 대상으로 압류처분을 한 경우

2022년 소방직

① (○) 국토계획법이 사인을 도시·군계획시설사업의 시행자로 지정하기 위한 요건으로 소유 요건과 동의 요건을 둔 취지는 사인이 시행하는 도시·군계획시설사업의 공공성을 보완하고 사인에 의한 일방적인 수용을 제어하기 위한 것이다. 그러므로 만일 국토계획법령이 정한 도시계획시설사업의 대상 토지의 소유와 동의 요건을 갖추지 못하였는데도 사업시행자로 지정하였다면, 이는 국토계획법령이 정한 법규의 중요한 부분을 위반한 것으로서 특별한 사정이 없는 한 그 하자가 중대하다고 보아야 한다. … 이 사건 사업시행자 지정 처분에서 소유 요건을 충족하지 못한 하자는 중대할 뿐만 아니라 객관적으로 명백하다. … 원심이 같은 취지에서 이 사건 사업시행자 지정 처분의 하자가 중대·명백하여 무효라고 판단한 것은 정당하다(대판 2017.7.11. 2016두35120).
② (○) 대판 2012.2.16. 2010두10907 전합
③ (×) 행정청이 구 학교보건법 소정의 학교환경위생정화구역 내에서 금지행위 및 시설의 해제 여부에 관한 행정처분을 하면서 절차상 위와 같은 심의를 누락한 흠이 있다면 그와 같은 흠을 가리켜 위 행정처분의 효력에 아무런 영향을 주지 않는다거나 경미한 정도에 불과하다고 볼 수는 없으므로, 특별한 사정이 없는 한 이는 행정처분을 위법하게 하는 취소사유가 된다(대판 2007.3.15. 2006두15806).
④ (○) 대판 2006.4.13. 2005두15151

답 ③

함께 정리하기

무효사유 해당 여부

▷ 도시계획시설사업 대상 토지 소유 및 동의요건을 갖추지 못한 사업시행자 지정 ○
▷ 과세처분 근거법률에 대한 위헌결정 후 체납처분 ○
▷ 학교환경위생정화위원회의 심의절차 누락 ×(취소사유)
▷ 납세자가 아닌 제3자의 재산을 대상으로 압류처분 ○

033

행정절차의 하자에 대한 설명으로 옳지 않은 것은? (다툼이 있는 경우 판례에 의함)

① 환경영향평가를 거쳐야 하는 대상사업에 대하여 환경영향평가를 거치지 아니하였음에도 불구하고 승인 등 처분이 행해진 경우, 그 행정처분은 당연무효이다.
② 행정청이 사전환경성검토협의를 거쳐야 할 대상사업에 관하여 법의 해석을 잘못한 나머지 세부용도지역이 지정되지 않은 개발사업 부지에 대하여 사전환경성검토협의를 할지 여부를 결정하는 절차를 생략한 채 승인 등의 처분을 하였다면, 그 행정처분은 당연무효이다.
③ 환경영향평가를 거쳐야 할 대상사업에 대해 환경영향평가 절차를 거쳤으나 그 내용이 다소 부실한 경우, 그 부실의 정도가 환경영향평가를 하지 아니한 것과 같은 정도가 아닌 한 당해 승인 등 처분이 위법하게 되는 것은 아니다.
④ 환경영향평가 대상지역 밖의 주민이라 할지라도 공유수면매립면허처분 등으로 인하여 그 처분 전과 비교하여 수인한도를 넘는 환경피해를 받거나 받을 우려가 있는 경우에는, 이를 입증함으로써 그 처분 등의 무효확인을 구할 원고적격을 인정받을 수 있다.

2022년 소방직

① (○) 대판 2006.6.30. 2005두14363
② (×) 하자가 중대하나 객관적으로 명백하다고 할 수는 없으므로 당연무효는 아니다.

> 사전환경성검토협의를 거쳐야 할 대상사업에 대하여 사전환경성검토협의를 거치지 아니하였음에도 승인 등 처분이 이루어진다면 환경파괴를 미연에 방지하고 쾌적한 환경을 유지·조성하기 위하여 사전환경성검토협의 제도를 둔 입법 목적을 달성할 수 없게 되는 결과를 초래할 뿐만 아니라 사전환경성검토협의 대상지역 안의 주민들의 직접적이고 개별적인 이익을 근본적으로 침해하게 되므로, 이러한 행정처분의 하자는 법규의 중요한 부분을 위반한 중대한 것이라고 하지 않을 수 없다. … 설령 행정청이 법의 해석을 잘못한 나머지 이 사건 개발사업이 사전환경성검토협의 대상이 아니라고 보고 그 절차를 생략한 채 이 사건 처분을 하였다고 하더라도, 그 하자가 외형상 객관적으로 명백하다고 할 수는 없다(대판 2009.9.24. 2009두2825).

유제 11. 국가직 7급 판례는 환경영향평가의 결여를 중대한 하자로 보지만 사전환경성검토협의의 결여는 중대한 하자로 보지 않는다. (×)

③ (○) 환경영향평가법령에서 정한 환경영향평가를 거쳐야 할 대상사업에 대하여 그러한 환경영향평가를 거치지 아니하였음에도 승인 등 처분을 하였다면 그 처분은 위법하다 할 것이나, 그러한 절차를 거쳤다면, 비록 그 환경영향평가의 내용이 다소 부실하다 하더라도, 그 부실의 정도가 환경영향평가제도를 둔 입법 취지를 달성할 수 없을 정도이어서 환경영향평가를 하지 아니한 것과 다를 바 없는 정도의 것이 아닌 이상, 그 부실은 당해 승인 등 처분에 재량권 일탈·남용의 위법이 있는지 여부를 판단하는 하나의 요소로 됨에 그칠 뿐, 그 부실로 인하여 당연히 당해 승인 등 처분이 위법하게 되는 것이 아니다(대판 2006.3.16. 2006두330 전합).

유제 17. 국회직 8급 환경영향평가법령에서 요구하는 환경영향평가절차를 거쳤더라도 그 내용이 부실한 경우 부실의 정도가 환경영향평가를 하지 아니한 것과 마찬가지인 정도가 아니라면 이는 취소사유에 해당한다. (×)
16. 서울시 7급 법령상 환경영향평가 대상사업에 대하여 환경영향평가를 부실하게 거쳐 사업승인을 하였다면, 그러한 부실로 인하여 당연히 승인처분은 위법하게 된다. (×)

④ (○) 환경영향평가 대상지역 밖의 주민이라 할지라도 공유수면매립면허처분 등으로 인하여 그 처분 전과 비교하여 수인한도를 넘는 환경피해를 받거나 받을 우려가 있는 경우에는, 공유수면매립면허처분 등으로 인하여 환경상 이익에 대한 침해 또는 침해우려가 있다는 것을 입증함으로써 그 처분 등의 무효확인을 구할 원고적격을 인정받을 수 있다(대판 2006.3.16. 2006두330 전합).

답 ②

문제 DATA

출제가능 지수 ▶▶▷
난이도 지수 ★★☆

함께 정리하기

행정절차의 하자

환경영향평가 결여
▷ 무효사유

사전환경성검토협의 결여
▷ 취소사유

환경영향평가 부실
▷ 위법×

환경영향평가 대상지역 밖 주민
▷ 이익침해 입증 시 원고적격 인정

034

다음 중 하자의 승계가 인정되는 경우는? (다툼이 있는 경우 판례에 의함)

① 국제항공노선 운수권배분 실효처분 및 노선면허거부처분과 노선면허처분
② 보충역편입처분과 공익근무요원소집처분
③ 토지구획정리사업시행인가처분과 환지청산금부과처분
④ 대집행계고처분과 비용납부명령

문제 DATA
출제가능 지수 ▶▶▷
난이도 지수 ★★☆

함께 정리하기
하자의 승계 인정 여부
▷ 국제항공노선 운수권배분 실효처분 및 노선면허거부처분과 노선면허처분 ×
▷ 보충역편입처분과 공익근무요원소집처분 ×
▷ 토지구획정리사업시행인가처분과 환지청산금부과처분 ×
▷ 대집행계고처분과 비용납부명령 ○

2022년 군무원 7급

① (×) 선행처분인 국제항공노선 운수권배분 실효처분 및 노선면허거부처분에 대하여 이미 불가쟁력이 생겨 그 효력을 다툴 수 없게 된 이상 그에 위법사유가 있더라도 그것이 당연무효 사유가 아닌 한 그 하자가 후행처분인 노선면허처분에 승계된다고 할 수 없다(대판 2004.11.26. 2003두3123).

유제 19. 국회직 8급 선행처분인 국제항공노선 운수권 배분 실효처분 및 노선면허거부처분에 대하여 이미 불가쟁력이 생겨 그 효력을 다툴 수 없게 되었더라도 후행처분인 노선면허처분을 다투는 단계에서 선행처분의 하자를 다툴 수 있다. (×)

② (×) 대판 2002.12.10. 2001두5422

③ (×) 토지구획정리사업은 대지로서의 효용증진과 공공시설의 정비를 위하여 실시하는 토지의 교환·분합 기타의 구획변경, 지목 또는 형질의 변경이나 공공시설의 설치·변경에 관한 사업으로서, 그 시행인가는 사업지구에 편입될 목적물의 범위를 확정하고 시행자로 하여금 목적물에 관한 현재 및 장래의 권리자에게 대항할 수 있는 법적 지위를 설정해 주는 행정처분의 성격을 갖는 것이므로, 사업시행자의 자격이나 토지소유자의 동의 여부 및 특정 토지의 사업지구 편입 등에 하자가 있다고 주장하는 토지소유자 등은 시행인가 단계에서 그 하자를 다투었어야 하며, 시행인가처분에 명백하고도 중대한 하자가 있어 당연무효라고 볼 특별한 사정이 없는 한, 사업시행 후 시행인가처분의 하자를 이유로 환지청산금 부과처분의 효력을 다툴 수는 없다(대판 2004.10.14. 2002두424).

유제 19. 국회직 8급 토지구획정리사업 시행 후 시행인가처분의 하자가 취소사유에 불과하더라도 사업 시행 후 시행인가처분의 하자를 이유로 환지청산금 부과처분의 효력을 다툴 수 있다. (×)
11. 국회직 8급 판례는 토지구획정리사업 시행인가처분과 환지청산금부과처분 사이의 하자 승계를 인정하고 있지 않다. (○)

④ (○) 대집행의 계고·대집행영장에 의한 통지·대집행의 실행·대집행에 요한 비용의 납부명령 등은, 타인이 대신하여 행할 수 있는 행정의무의 이행을 의무자의 비용부담하에 확보하고자 하는, 동일한 행정목적을 달성하기 위하여 단계적인 일련의 절차로 연속하여 행하여지는 것으로서, 서로 결합하여 하나의 법률효과를 발생시키는 것이므로, 선행처분인 계고처분이 하자가 있는 위법한 처분이라면, 비록 하자가 중대하고도 명백한 것이 아니어서 당연무효의 처분이라고 볼 수 없고 대집행의 실행이 이미 사실행위로서 완료되어 계고처분의 취소를 구할 법률상 이익이 없게 되었으며, 또 대집행비용납부명령 자체에는 아무런 하자가 없다 하더라도, 후행처분인 대집행비용납부명령의 취소를 청구하는 소송에서 청구원인으로 선행처분인 계고처분이 위법한 것이기 때문에 그 계고처분을 전제로 행하여진 대집행비용납부명령도 위법한 것이라는 주장을 할 수 있다(대판 1996.2.9. 95누12507).

유제 22. 소방간부 계고처분과 대집행비용납부명령은 그 목적을 달리하여 별개의 법률효과를 발생시키는 처분이므로 이미 불가쟁력이 발생한 계고처분에 존재하는 하자를 이유로 아무런 하자가 없는 대집행비용납부명령의 효력을 다툴 수 없다. (×)
22. 국회직 9급 선행처분인 계고처분의 취소사유인 하자는 후행처분인 대집행영장발부통보처분에 승계된다. (○)
21. 지방직 9급, 15. 국회직 8급 후행처분인 대집행비용납부명령 취소청구소송에서 선행처분인 계고처분이 위법하다는 이유로 대집행비용납부명령의 취소를 구할 수 없다. (×)
21. 소방간부 후행처분인 대집행비용납부명령 취소청구 소송에서 선행처분인 계고처분이 위법하다는 이유로 대집행비용납부명령의 취소를 구할 수 있다. (○)
19. 국회직 8급 선행처분인 계고처분이 하자가 있는 위법한 처분이라도 당연무효의 처분이 아니라면 후행처분인 대집행비용납부명령의 취소를 청구하는 소송에서 그 계고처분을 전제로 행하여진 대집행비용납부명령도 위법한 것이라는 주장을 할 수는 없다. (×)

답 ④

035

행정행위의 하자에 대한 설명으로 옳지 않은 것은? (다툼이 있는 경우 판례에 의함)

① 행정처분을 한 행정청은 그 처분의 성립에 하자가 있는 경우 이를 취소할 별도의 법적 근거가 없다 하더라도 직권으로 취소할 수 있다.
② 지방병무청장이 재신체검사 등을 거쳐 종전의 현역병입영대상편입처분을 보충역편입처분으로 변경한 후에 제소기간의 경과 등으로 보충역편입처분에 형식적 존속력이 생겼다면, 보충역편입처분에 하자가 있다는 이유로 이를 직권으로 취소하더라도 종전의 현역병입영대상편입처분의 효력은 회복되지 않는다.
③ 조세부과처분과 압류 등의 체납처분은 별개의 행정처분으로서 독립성을 가지므로 조세부과처분에 하자가 있더라도 그 부과처분이 취소되지 아니하는 한 그에 근거한 체납처분은 위법이라고 할 수 없으나, 그 부과처분에 중대하고도 명백한 하자가 있어 무효인 경우에는 그 부과처분의 집행을 위한 체납처분도 무효이다.
④ 민사소송에 있어서 어느 행정처분의 당연무효 여부가 선결문제로 되는 때에는 당해 수소법원이 이를 판단하여 당연무효임을 전제로 판결할 수 있고, 반드시 행정소송 등의 절차에 의하여 무효확인을 받아야 하는 것은 아니다.
⑤ 적법한 건축물에 대한 철거명령의 하자가 중대하고 명백하여 당연무효라 하더라도, 그 후행행위인 건축물철거 대집행계고처분이 당연무효인 것은 아니다.

2022년 국회직 8급

① (○) 행정행위를 한 처분청은 그 행위에 하자가 있는 경우에는 별도의 법적 근거가 없더라도 스스로 이를 취소할 수 있다(대판 2006.5.25. 2003두4669).
② (○) 지방병무청장이 재신체검사 등을 거쳐 현역병입영대상편입처분을 보충역편입처분이나 제2국민역편입처분으로 변경하거나 보충역편입처분을 제2국민역편입처분으로 변경하는 경우 비록 새로운 병역처분의 성립에 하자가 있다고 하더라도 그것이 당연무효가 아닌 한 일단 유효하게 성립하고 제소기간의 경과 등 형식적 존속력이 생김과 동시에 종전의 병역처분의 효력은 취소 또는 철회되어 확정적으로 상실된다고 보아야 할 것이므로 그 후 새로운 병역처분의 성립에 하자가 있었음을 이유로 하여 이를 취소한다고 하더라도 종전의 병역처분의 효력이 되살아난다고 할 수 없다(대판 2002.5.28. 2001두9653).
③ (○) 조세의 부과처분과 압류 등의 체납처분은 별개의 행정처분으로서 독립성을 가지므로 부과처분에 하자가 있더라도 그 부과처분이 취소되지 아니하는 한 그 부과처분에 의한 체납처분은 위법이라고 할 수는 없지만, 체납처분은 부과처분의 집행을 위한 절차에 불과하므로 그 부과처분에 중대하고도 명백한 하자가 있어 무효인 경우에는 그 부과처분의 집행을 위한 체납처분도 무효라 할 것이다(대판 1987.9.22. 87누383).

유제 17. 지방직 9급 조세 부과처분이 무효라 하더라도 그로써 압류 등 체납처분의 효력을 다툴 수는 없다. (×)
11. 경찰 1차 조세의 부과처분이 무효인 경우 체납처분도 무효이다. (○)

④ (○) 민사소송에 있어서 어느 행정처분의 당연무효 여부가 선결문제로 되는 때에는 이를 판단하여 당연무효임을 전제로 판결할 수 있고 반드시 행정소송 등의 절차에 의하여 그 취소나 무효확인을 받아야 하는 것은 아니다(대판 2010.4.8. 2009다90092).
⑤ (×) 적법한 건축물에 대한 철거명령은 그 하자가 중대하고 명백하여 당연무효라고 할 것이고, 그 후행행위인 건축물철거 대집행계고처분 역시 당연무효라고 할 것이다(대판 1999.4.27. 97누6780).

답 ⑤

036

다음 사례에 대한 설명으로 옳은 것은? (다툼이 있는 경우 판례에 의함)

- 甲은 자신의 토지에 대한 개별공시지가결정을 통지받은 후 90일이 넘어 과세처분을 받았는데, 과세처분이 위법한 개별공시지가결정에 기초하였다는 이유로 과세처분의 취소를 구하고자 한다.
- 甲은 토지대장에 전(田)으로 기재되어 있는 지목을 대(垈)로 변경하고자 지목변경신청을 하였다.
- 乙은 甲의 토지가 사실은 자신 소유라고 주장하면서 토지대장상의 소유자명의변경을 신청하였으나 거부되었다.

① 甲은 과세처분이 있기 전에는 개별공시지가결정에 대해서 취소소송을 제기할 수 없다.
② 甲은 과세처분의 위법성이 인정되지 않더라도 과세처분 취소소송에서 개별공시지가결정의 위법을 독립된 위법사유로 주장할 수 있다.
③ 토지대장에 등재된 사항을 변경하는 행위는 행정사무집행의 편의와 사실증명의 자료로 삼기 위한 것이므로, 甲은 지목변경신청이 거부되더라도 이에 대하여 취소소송으로 다툴 수 없다.
④ 乙에 대한 토지대장상의 소유자명의변경신청 거부는 처분성이 인정된다.

2021년 국가직 9급

① (×), ② (○) 개별공시지가결정은 이를 기초로 한 과세처분 등과는 별개의 독립된 처분으로서 서로 독립하여 별개의 법률효과를 목적으로 하는 것이나, … 위법한 개별공시지가결정에 대하여 그 정해진 시정절차를 통하여 시정하도록 요구하지 아니하였다는 이유로 위법한 개별공시지가를 기초로 한 과세처분 등 후행 행정처분에서 개별공시지가결정의 위법을 주장할 수 없도록 하는 것은 수인한도를 넘는 불이익을 강요하는 것으로서 국민의 재산권과 재판받을 권리를 보장한 헌법의 이념에도 부합하는 것이 아니라고 할 것이므로, <u>개별공시지가결정에 위법이 있는 경우에는 그 자체를 행정소송의 대상이 되는 행정처분으로 보아 그 위법 여부를 다툴 수 있음</u>(①)은 물론 <u>이를 기초로 한 과세처분 등 행정처분의 취소를 구하는 행정소송에서도 선행처분인 개별공시지가결정의 위법을 독립된 위법사유로 주장할 수 있다</u>(②)고 해석함이 타당하다(대판 1994.1.25. 93누8542).
③ (×) 지목은 토지에 대한 공법상의 규제, 개발부담금의 부과대상, 지방세의 과세대상, 공시지가의 산정, 손실보상가액의 산정 등 토지행정의 기초로서 공법상의 법률관계에 영향을 미치고, 토지소유자는 지목을 토대로 토지의 사용·수익·처분에 일정한 제한을 받게 되는 점 등을 고려하면, <u>지적공부 소관청의 지목변경신청 반려행위는 국민의 권리관계에 영향을 미치는 것으로서 항고소송의 대상이 되는 행정처분에 해당한다</u>(대판 2004.4.22. 2003두9015 전합).
④ (×) <u>토지대장에 기재된 일정한 사항을 변경하는 행위는, 행정사무집행의 편의와 사실증명의 자료로 삼기 위한 것일 뿐이어서</u>, 그 소유자 명의가 변경된다고 하여도 이로 인하여 당해 토지에 대한 실체상의 권리관계에 변동을 가져올 수 없고 토지 소유권이 지적공부의 기재만에 의하여 증명되는 것도 아니다. 따라서 <u>소관청이 토지대장상의 소유자명의변경신청을 거부한 행위는 이를 항고소송의 대상이 되는 행정처분이라고 할 수 없다</u>(대판 2012.1.12. 2010두12354).

답 ②

함께 정리하기

하자의 승계 사례

위법한 개별공시지가결정
▷ 취소소송제기 可 + 과세처분취소소송에서 개별공시지가결정의 위법을 독립된 위법사유로 주장 可

지목변경신청 반려처분
▷ 항고소송 대상 ○

토지대장상 소유자명의변경신청 거부 행위
▷ 처분 ×

문제 DATA

출제가능 지수 ▶▶▷
난이도 지수 ★★☆

037 □□□

행정행위의 하자에 대한 설명으로 옳지 않은 것은? (다툼이 있는 경우 판례에 의함)

① 행정처분의 대상이 되는 법률관계나 사실관계가 있는 것으로 오인할 만한 객관적인 사정이 있고 사실관계를 정확히 조사하여야만 그 대상이 되는지 여부가 밝혀질 수 있는 경우에는 비록 그 하자가 중대하더라도 명백하지 않아 무효로 볼 수 없다.
② 조례 제정권의 범위를 벗어나 국가사무를 대상으로 한 무효인 조례의 규정에 근거하여 지방자치단체의 장이 행정처분을 한 경우 그 행정처분은 하자가 중대하나, 명백하지는 아니하므로 당연무효에 해당하지 아니한다.
③ 보충역편입처분에 하자가 있다고 할지라도 그것이 중대하고 명백하지 않는 한, 그 하자를 이유로 공익근무요원소집처분의 효력을 다툴 수 없다.
④ 부동산에 관한 취득세를 신고하였으나 부동산매매계약이 해제됨에 따라 소유권 취득의 요건을 갖추지 못한 경우에는 그 하자가 중대하지만 외관상 명백하지 않아 무효는 아니며 취소할 수 있는 데 그친다.

2021년 소방직

함께 정리하기

행정행위의 하자

사실관계 조사하여야만 밝혀질 수 있는 경우
▷ 당연무효 ×

무효인 조례에 근거한 처분
▷ 당연무효 ×

보충역 편입처분과 공익근무요원소집처분
▷ 하자의 승계 ×

부동산 취득세 신고하였으나 매매계약해제에 따라 소유권 취득 못한 경우
▷ 신고 무효

① (○) 과세요건을 오인한 과세처분에 있어, 과세대상이 되는 법률관계나 사실관계가 있는 것으로 오인할 만한 객관적인 사정이 있고 사실관계를 정확히 조사하여야만 과세대상이 되는지 여부가 밝혀질 수 있는 경우라면, 그 하자는 외관상 명백하다고 할 수 없으므로 과세대상의 법률관계 내지 사실관계를 오인한 과세처분은 비록 그 하자가 중대하다 하더라도 당연무효로 볼 수 없다(대판 1995.11.21. 94다44248).
② (○) 조례 제정권의 범위를 벗어나 국가사무를 대상으로 한 무효인 서울특별시행정권한위임조례의 규정에 근거하여 구청장이 건설업영업정지처분을 한 경우, 그 처분은 결과적으로 적법한 위임 없이 권한 없는 자에 의하여 행하여진 것과 마찬가지가 되어 그 하자가 중대하나, 지방자치단체의 사무에 관한 조례와 규칙은 조례가 보다 상위규범이라고 할 수 있고, 또한 헌법 제107조 제2항의 "규칙"에는 지방자치단체의 조례와 규칙이 모두 포함되는 등 이른바 규칙의 개념이 경우에 따라 상이하게 해석되는 점 등에 비추어 보면 위 처분의 위임 과정의 하자가 객관적으로 명백한 것이라고 할 수 없으므로 이로 인한 하자는 결국 당연무효사유는 아니라고 봄이 상당하다(대판 1995.7.11. 94누4615 전합).
③ (○) 대판 2002.12.10. 2001두5422
④ (×) 납세의무자의 신고행위가 당연무효라고 하기 위해서는 그 하자가 중대하고 명백하여야 함이 원칙이다. 그러나 취득세 신고행위는 납세의무자와 과세관청 사이에 이루어지는 것으로서 취득세 신고행위의 존재를 신뢰하는 제3자의 보호가 특별히 문제되지 않아 그 신고행위를 당연무효로 보더라도 법적 안정성이 크게 저해되지 않는 반면, 과세요건 등에 관한 중대한 하자가 있고 그 법적 구제수단이 국세에 비하여 상대적으로 미비함에도 위법한 결과를 시정하지 않고 납세의무자에게 그 신고행위로 인한 불이익을 감수시키는 것이 과세행정의 안정과 그 원활한 운영의 요청을 참작하더라도 납세의무자의 권익구제 등의 측면에서 현저하게 부당하다고 볼 만한 특별한 사정이 있는 때에는 예외적으로 이와 같은 하자 있는 신고행위가 당연무효라고 함이 타당하다(대판 2009.2.12. 2008두11716).

답 ④

038

행정행위의 하자에 대한 설명으로 옳지 않은 것은? (다툼이 있는 경우 판례에 의함)

① 국세에 대한 증액경정처분이 있는 경우 당초 처분은 증액경정처분에 흡수된다.
② 처분 권한을 내부위임 받은 기관이 자신의 이름으로 한 처분은 무효이다.
③ 독립유공자 甲의 서훈이 취소되고 이를 국가보훈처장이 甲의 유족에게 서훈취소 결정통지를 한 것은 통지의 주체나 형식에 하자가 있다고 보기는 어렵다.
④ 과세처분 이후 조세 부과의 근거가 되었던 법률규정에 대해 위헌결정이 내려졌다고 하더라도, 그 조세채권의 집행을 위한 체납처분은 유효하다.

2021년 군무원 7급

① (○) 대판 2010.6.24. 2007두16493
② (○) 체납취득세에 대한 압류처분권한은 도지사로부터 시장에게 권한위임된 것이고 시장으로부터 압류처분권한을 내부위임받은 데 불과한 구청장으로서는 시장 명의로 압류처분을 대행처리할 수 있을 뿐이고 자신의 명의로 이를 할 수 없다 할 것이므로 구청장이 자신의 명의로 한 압류처분은 권한 없는 자에 의하여 행하여진 위법무효의 처분이다(대판 1993.5.27. 93누6621).

유제 19. 5급 승진 시장으로부터 체납취득세에 대한 압류처분권한을 내부위임받은 구청장이 자신의 이름으로 한 압류처분은 권한 없는 자에 의하여 행하여진 위법무효의 처분이다. (○)
13. 국회직 8급 대법원은 내부위임을 받은 수임기관이 자신의 이름으로 처분을 한 경우 당해 처분을 무권한의 행위로서 무효로 보고 있다. (○)

③ (○) 서훈취소 처분의 통지가 처분권한자인 대통령이 아니라 그 보좌기관인 피고(국가보훈처장)에 의하여 이루어졌다고 하더라도, 그 처분이 대통령의 인식과 의사에 기초하여 이루어졌고, 앞서 보았듯이 그 통지로 이 사건 서훈취소 처분의 주체(대통령)와 내용을 알 수 있으므로, 이 사건 서훈취소 처분의 외부적 표시의 방법으로서 위 통지의 주체나 형식에 어떤 하자가 있다고 보기도 어렵다(대판 2014.9.26. 2013두2518).

④ (×) 조세 부과의 근거가 되었던 법률규정이 위헌으로 선언된 경우, 비록 그에 기한 과세처분이 위헌결정 전에 이루어졌고, 과세처분에 대한 제소기간이 이미 경과하여 조세채권이 확정되었으며, 조세채권의 집행을 위한 체납처분의 근거규정 자체에 대하여는 따로 위헌결정이 내려진 바 없다고 하더라도, 위와 같은 위헌결정 이후에 조세채권의 집행을 위한 새로운 체납처분에 착수하거나 이를 속행하는 것은 더 이상 허용되지 않고, 나아가 이러한 위헌결정의 효력에 위배하여 이루어진 체납처분은 그 사유만으로 하자가 중대하고 객관적으로 명백하여 당연무효라고 보아야 한다(대판 2012.2.16. 2010두10907 전합).

답 ④

문제 DATA

출제가능 지수 ▶▶▷
난이도 지수 ★★☆

함께 정리하기

행정행위의 하자

당초처분
▷ 증액경정처분에 흡수되어 소멸

내부위임 받은 데 불과한 구청장이 자신의 명의로 한 압류처분
▷ 무효

국가보훈처장의 서훈취소 통지
▷ 통지의 주체나 형식에 하자×

과세처분 근거법률에 대한 위헌결정 후 체납처분
▷ 무효

039

처분의 하자를 무효와 취소로 구별할 실익이 있는 경우만을 모두 고르면? (다툼이 있는 경우 판례에 의함)

ㄱ. 행정처분의 효력유무가 선결문제인 경우 민사법원의 판단 방법
ㄴ. 선행처분 하자의 후행처분에의 승계 여부
ㄷ. 사정판결의 허용 여부
ㄹ. 국가배상소송에 있어서 공무원 직무행위의 위법성 인정 여부

① ㄴ, ㄹ
② ㄱ, ㄴ, ㄷ
③ ㄱ, ㄷ, ㄹ
④ ㄴ, ㄷ, ㄹ
⑤ ㄱ, ㄴ, ㄷ, ㄹ

문제 DATA

출제가능 지수 ▶▶▷
난이도 지수 ★★☆

함께 정리하기

무효와 취소 구별실익 여부

▷ 행정처분의 효력유무가 선결문제인 경우 민사법원의 판단 방법○
▷ 하자의 승계 여부○
▷ 사정판결 허용 여부○
▷ 국가배상소송에서 공무원 직무행위의 위법성 인정 여부×

2021년 국회직 9급

ㄱ. (○) 취소사유의 하자가 있는 행정행위는 공정력으로 인해 민사법원은 선결문제로서 그 효력을 부인할 수 없지만, 무효인 행정행위는 공정력이 발생하지 않으므로 민사법원은 선결문제로서 무효 여부를 확인할 수 있다.

ㄴ. (○) 선행행위가 취소사유의 하자가 있는 행정행위인 경우 원칙적으로 선행행위와 후행행위가 결합하여 하나의 법률효과의 발생을 목적으로 하는 경우에만 선행행위의 하자가 후행행위에 승계된다. 반면 선행행위가 무효인 경우에는 당연히 후행행위에 하자가 승계되어 후행행위도 무효가 된다.

ㄷ. (○) 사정판결은 처분이 위법함에도 불구하고 처분을 취소하는 것이 현저히 공공복리에 적합하지 아니하는 경우 원고의 청구를 기각하는 판결을 말한다. 취소사유의 하자가 있는 행정행위에 대해서는 사정판결을 할 수 있으나 무효인 행정행위에 대해서는 사정판결을 할 수 없다.

> 당연무효의 행정처분을 소송목적물로 하는 행정소송에서는 존치시킬 효력이 있는 행정행위가 없기 때문에 행정소송법 제28조 소정의 사정판결을 할 수 없다(대판 1985.2.26. 84누380).

ㄹ. (×) 취소사유의 하자가 있는 행정행위와 무효인 행정행위 모두 위법한 행정행위로서 국가배상소송에서 공무원의 직무행위의 위법성이 인정될 수 있다.

답 ②

문제 DATA

출제가능 지수 ▶▶▷
난이도 지수 ★★☆

---

040 □□□

당연무효인 행정처분에 해당하지 않는 것은? (다툼이 있는 경우 판례에 의함)

① 납세자 아닌 제3자의 재산을 대상으로 행한 압류처분
② 내부위임된 도지사의 권한을 행사함에 있어서 군수가 자신의 명의로 행한 행정처분
③ 「행정절차법」상 문서로 하도록 한 처분을 구술로 한 행정처분
④ 환경영향평가대상사업에 대해 환경영향평가를 거치지 아니하고 행한 승인처분
⑤ 행정처분이 행해진 이후에 근거법률이 위헌으로 결정될 경우 그 행정처분

2021년 국회직 9급

① (○) 대판 2006.4.13. 2005두15151
② (○) 권한의 내부위임의 경우 수임자는 위임관청의 명의로 처분을 할 수 있을 뿐이고 자기의 명의로 처분을 할 권한은 없으므로 수임자가 자신의 명의로 행한 행정처분은 무권한행위에 해당하여 원칙적으로 당연무효이다.
③ (○) 행정절차법 제24조는, 행정청이 처분을 하는 때에는 다른 법령 등에 특별한 규정이 있는 경우를 제외하고는 문서로 하여야 하고 전자문서로 하는 경우에는 당사자 등의 동의가 있어야 하며, 다만 신속을 요하거나 사안이 경미한 경우에는 구술 기타 방법으로 할 수 있다고 규정하고 있는데, 이는 행정의 공정성·투명성 및 신뢰성을 확보하고 국민의 권익을 보호하기 위한 것이므로 위 규정을 위반하여 행하여진 행정청의 처분은 하자가 중대하고 명백하여 원칙적으로 무효이다(대판 2011.11.10. 2011도11109).
④ (○) 대판 2006.6.30. 2005두14363
⑤ (×) 하자 있는 행정처분이 당연무효가 되기 위하여는 그 하자가 중대할 뿐만 아니라 명백한 것이어야 하는데, 일반적으로 법률이 헌법에 위반된다는 사정이 헌법재판소의 위헌결정이 있기 전에는 객관적으로 명백한 것이라고 할 수는 없으므로 헌법재판소의 위헌결정 전에 행정처분의 근거되는 당해 법률이 헌법에 위반된다는 사유는 특별한 사정이 없는 한 그 행정처분의 취소소송의 전제가 될 수 있을 뿐 당연무효사유는 아니라고 봄이 상당하다(대판 1994.10.28. 92누9463).

답 ⑤

함께 정리하기

당연무효인 행정처분 여부

▷ 납세자 아닌 제3자 재산 압류처분○
▷ 내부위임에서 수임자가 자기 명의로 한 처분○
▷ 구술로 한 행정처분○
▷ 환경영향평가 누락○
▷ 처분 후 근거법률이 위헌결정 된 행정처분×

041

행정행위의 무효와 취소에 대한 설명으로 옳지 않은 것은? (다툼이 있는 경우 판례에 의함)

① 법률에 근거하여 행정처분이 발하여진 후에 헌법재판소가 그 행정처분의 근거가 된 법률을 위헌으로 결정하였다면 이러한 사유는 특별한 사정이 없는 한 그 행정처분의 취소소송의 전제가 될 수 있을 뿐 당연무효사유는 아니다.
② 위헌결정의 소급효가 인정된다고 하여 위헌인 법률에 근거한 행정처분이 당연무효가 된다고는 할 수 없고 오히려 이미 취소소송의 제기기간을 경과하여 확정력이 발생한 행정처분에는 위헌결정의 소급효가 미치지 않는다.
③ 법령 규정의 문언만으로는 처분 요건의 의미가 분명하지 아니하여 그 해석에 다툼의 여지가 있었더라도 이에 대한 법원이나 헌법재판소의 분명한 판단이 있었다면 합리적 근거 없이 이에 벗어난 행정처분의 하자는 당연무효이다.
④ 과세처분 이후 조세 부과의 근거가 되었던 법률 규정에 대해서만 위헌결정이 내려진 경우, 그 과세처분과는 별개의 후속 행정처분인 체납처분은 위법하다고 볼 수 없다.
⑤ 법률관계나 사실관계에 대하여 그 법령의 규정을 적용할 수 없다는 법리가 명백히 밝혀지지 아니하여 해석에 다툼의 여지가 있는 때에는 과세관청이 이를 잘못 해석하여 과세처분을 하였더라도 그 하자는 명백하다고 할 수 없다.

2021년 소방간부

① (O) 대판 1994.10.28. 92누9463
② (O) 위헌인 법률에 근거한 행정처분이 당연무효인지의 여부는 위헌결정의 소급효와는 별개의 문제로서, <u>위헌결정의 소급효가 인정된다고 하여 위헌인 법률에 근거한 행정처분이 당연무효가 된다고는 할 수 없고, 오히려 이미 취소소송의 제기기간을 경과하여 확정력이 발생한 행정처분에는 위헌결정의 소급효가 미치지 않는다고 보아야 한다</u>(대판 1994.10.28. 92누9463).

유제 20. 국회직 8급 처분이 있은 날로부터 1년이 도과한 처분으로서 당연무효에 해당하는 하자가 없는 경우, 그 처분의 근거법령이 위헌결정되었다면 원칙적으로 소급효가 미친다. (×)
18. 지방직 9급 위헌인 법률에 근거한 행정처분이 당연무효인지의 여부는 위헌결정의 소급효와는 별개의 문제로서, 취소소송의 제기기간을 경과하여 확정력이 발생한 행정처분에는 위헌결정의 소급효가 미치지 않는다. (O)
17. 교행 취소소송의 제기기간을 경과하여 확정력이 발생한 행정처분에는 위헌결정의 소급효가 미치지 않는다. (O)
17. 서울시 7급 취소소송의 제기기간을 경과하여 불가쟁력이 발생한 행정처분에도 위헌결정의 소급효가 미친다. (×)
16. 서울시 7급 甲은 A법률에 근거하여 부담금 부과처분을 받았으나, 처분 이후에 처분의 근거가 되었던 A법률의 규정이 헌법재판소에 의해 위헌으로 결정되었다면, 甲이 부담금을 납부하였고, 부담금 부과처분에 불가쟁력이 발생하였다면 이미 납부한 부담금의 반환청구는 인정되지 않는다. (O)

③ (O) 행정처분이 당연무효라고 하기 위해서는 처분에 위법사유가 있다는 것만으로는 부족하고 그 하자가 법규의 중요한 부분을 위반한 중대한 것으로서 객관적으로 명백한 것이어야 한다. 특히 <u>법령 규정의 문언만으로는 처분 요건의 의미가 분명하지 아니하여 그 해석에 다툼의 여지가 있었더라도 해당 법령 규정의 위헌 여부 및 그 범위, 법령이 정한 처분 요건의 구체적 의미 등에 관하여 법원이나 헌법재판소의 분명한 판단이 있고, 행정청이 그러한 판단 내용에 따라 법령 규정을 해석·적용하는 데에 아무런 법률상 장애가 없는데도 합리적 근거 없이 사법적 판단과 어긋나게 행정처분을 하였다면 그 하자는 객관적으로 명백하다</u>고 봄이 타당하다(대판 2017.12.28. 2017두30122).
④ (×) 조세 부과의 근거가 되었던 법률규정이 위헌으로 선언된 경우, 비록 그에 기한 과세처분이 위헌결정 전에 이루어졌고, 과세처분에 대한 제소기간이 이미 경과하여 조세채권이 확정되었으며, 조세채권의 집행을 위한 체납처분의 근거규정 자체에 대하여는 따로 위헌결정이 내려진 바 없다고 하더라도, 위와 같은 <u>위헌결정 이후에 조세채권의 집행을 위한 새로운 체납처분에 착수하거나 이를 속행하는 것은 더 이상 허용되지 않고, 나아가 이러한 위헌결정의 효력에 위배하여 이루어진 체납처분은 그 사유만으로 하자가 중대하고 객관적으로 명백하여 당연무효라고 보아야 한다</u>(대판 2012.2.16. 2010두10907 전합).

함께 정리하기

무효와 취소

위헌 결정 전 위헌인 법령에 근거한 처분
▷ 취소사유

취소소송 제기기간 경과한 행정처분
▷ 위헌결정의 소급효 ×

합리적 근거 없이 사법적 판단과 어긋나게 행정처분
▷ 당연무효

해석에 다툼의 여지가 있는 상태에서 잘못 해석하여 과세처분
▷ 당연무효 ×

⑤ (○) 어느 법률관계나 사실관계에 대하여 어느 법령의 규정을 적용하여 과세처분을 한 경우에 그 법률관계나 사실관계에 대하여는 그 법령의 규정을 적용할 수 없다는 법리가 명백히 밝혀져서 해석에 다툼의 여지가 없음에도 과세관청이 그 법령의 규정을 적용하여 과세처분을 하였다면 그 하자는 중대하고도 명백하다고 할 것이나, 그 법률관계나 사실관계에 대하여 그 법령의 규정을 적용할 수 없다는 법리가 명백히 밝혀지지 아니하여 해석에 다툼의 여지가 있는 때에는 과세관청이 이를 잘못 해석하여 과세처분을 하였더라도 이는 과세요건사실을 오인한 것에 불과하여 그 하자가 명백하다고 할 수 없다(대판 2019.4.23. 2018다287287).

답 ④

042

행정행위의 하자에 대한 설명으로 옳지 않은 것은? (다툼이 있는 경우 판례에 의함)

① 행정청이 「식품위생법」상의 청문절차를 이행함에 있어 청문서 도달기간을 다소 어겼지만 영업자가 이의하지 아니한 채 청문일에 출석하여 의견을 진술하고 변명하는 등 방어의 기회를 충분히 가졌다면 청문서 도달기간을 준수하지 아니한 하자는 치유되었다고 본다.
② 행정처분을 한 처분청은 그 처분의 성립에 하자가 있는 경우 이를 취소할 별도의 법적 근거가 없다고 하더라도 직권으로 이를 취소할 수 있다.
③ 행정처분에 있어 여러 개의 처분사유 중 일부가 적법하지 않으면 다른 처분사유로써 그 처분의 정당성이 인정된다고 하더라도, 그 처분은 위법하게 된다.
④ 계고처분의 후속절차인 대집행에 위법이 있다고 하더라도 그와 같은 후속절차에 위법성이 있다는 점을 들어 선행절차인 계고처분이 부적법하다는 사유로 삼을 수는 없다.

> 2020년 국가직 9급

① (○) 대판 1992.10.23. 92누2844
② (○) 행정처분을 한 처분청은 그 처분의 성립에 하자가 있는 경우 이를 취소할 별도의 법적 근거가 없다고 하더라도 직권으로 이를 취소할 수 있다(대판 2002.5.28. 2001두9653).
③ (×) 행정처분에 있어 수개의 처분사유 중 일부가 적법하지 않다고 하더라도 다른 처분사유로써 그 처분의 정당성이 인정되는 경우에는 그 처분을 위법하다고 할 수 없다(대판 2013.10.24. 2013두963).
④ (○) 계고처분의 후속절차인 대집행에 위법이 있다고 하더라도, 그와 같은 후속절차에 위법성이 있다는 점을 들어 선행절차인 계고처분이 부적법하다는 사유로 삼을 수는 없다(대판 1997.2.14. 96누15428).

유제 21. 소방직, 14. 경찰 1차, 13. 경찰 2차 계고처분의 후속절차인 대집행에 위법이 있다고 하여 그와 같은 후속절차에 위법성이 있다는 점을 들어 선행절차인 계고처분이 부적법하다는 사유로 삼을 수는 없다. (○)
20. 지방직 7급, 16. 국가직 7급 계고처분의 후속절차인 대집행에 위법이 있다고 하더라도, 그와 같은 후속절차에 위법성이 있다는 점을 들어 선행절차인 계고처분이 부적법하다는 사유로 삼을 수는 없다. (○)
14. 지방직 7급 후행행위의 하자를 이유로 선행행위를 다투는 것은 인정될 수 없다. (○)
08. 지방직 9급 판례에 의하면 계고처분의 후속절차인 대집행에 위법이 있는 경우에 그와 같은 후속절차에 위법성이 있다는 점을 들어 선행절차인 계고처분이 부적법하다는 사유로 삼을 수 있다. (×)

답 ③

043

행정행위의 효력에 대한 설명으로 옳지 않은 것은? (다툼이 있는 경우 판례에 의함)

① 선행처분과 후행처분이 서로 독립하여 별개의 법률효과를 목적으로 하는 때에도 선행처분이 당연무효이면 선행처분의 하자를 이유로 후행처분의 효력을 다툴 수 있다.
② 도시·군계획시설결정과 실시계획인가는 서로 결합하여 도시·군계획시설사업의 실시라는 하나의 법적 효과를 완성하므로, 도시·군계획시설결정의 하자는 실시계획인가에 승계된다.
③ 도지사의 인사교류안 작성과 그에 따른 인사교류의 권고가 전혀 이루어지지 않은 상태에서, 관할구역 내 A시의 시장이 인사교류로서 소속 지방공무원인 甲에게 B시 지방공무원으로 전출을 명한 처분은 당연무효이다.
④ 물품세 과세대상이 아닌 것을 세무공무원이 직무상 과실로 과세대상으로 오인하여 과세처분을 행함으로 인하여 손해가 발생된 경우에는, 동 과세처분이 취소되지 아니하였다 하더라도, 국가는 이로 인한 손해를 배상할 책임이 있다.

2020년 지방직 7급

① (○) 대판 2017.7.11. 2016두35120
② (×) 도시·군계획시설결정과 실시계획인가는 도시·군계획시설사업을 위하여 이루어지는 단계적 행정절차에서 별도의 요건과 절차에 따라 <u>별개의 법률효과를 발생시키는 독립적인 행정처분이다</u>. 그러므로 <u>선행처분인 도시·군계획시설결정에 하자가 있더라도 그것이 당연무효가 아닌 한 원칙적으로 후행처분인 실시계획인가에 승계되지 않는다</u>(대판 2017.7.18. 2016두49938).

> **유제** 18. 국가직 9급 「국토의 계획 및 이용에 관한 법률」상 도시·군계획시설결정과 도시계획인가는 동일한 법률효과를 목적으로 하는 것이므로 선행처분인 도시·군계획시설결정의 하자는 실시계획인가에 승계된다. (×)
> 18. 국회직 8급 도시·군계획시설결정과 실시계획인가는 도시·군계획시설사업을 위하여 이루어지는 단계적 행정절차에서 별도의 요건과 절차에 따라 별개의 법률효과를 발생시키는 독립적인 행정처분이다. 그러므로 선행처분인 도시·군계획시설결정에 하자가 있더라도 그것이 당연무효가 아닌 한 원칙적으로 후행처분인 실시계획인가에 승계되지 않는다. (○)

③ (○) 지방공무원법 제30조의2 제2항은 시·도지사로 하여금 당해 지방자치단체 및 관할구역 안의 지방자치단체 상호간에 인사교류의 필요성이 있다고 인정할 경우 당해 시·도에 두는 인사교류협의회에서 정한 인사교류기준에 따라 인사교류안을 작성하여 관할구역 안의 지방자치단체의 장에게 인사교류를 권고할 수 있도록 하고, 이 경우 당해 지방자치단체의 장은 정당한 사유가 없는 한 이에 응하도록 규정하고 있으므로, <u>시·도지사의 인사교류안의 작성과 그에 의한 인사교류의 권고가 선행되지 아니하면 위 조항에 의한 인사교류를 실시할 수 없다. 그러므로 도지사의 인사교류안 작성과 그에 따른 인사교류의 권고가 전혀 이루어지지 않은 상태에서 행하여진 관할구역 내 시장의 인사교류에 관한 처분은</u> 지방공무원법 제30조의2 제2항의 입법 취지에 비추어 그 <u>하자가 중대하고 객관적으로 명백하여 당연무효라고 할 것이다</u>(대판 2005.6.24. 2004두10968).

> **유제** 09. 국회직 8급 도지사의 인사교류안 작성과 그에 따른 인사교류의 권고가 전혀 이루어지지 않은 상태에서 그 관할구역내 시장(市長)이 인사교류에 관한 처분을 행한 것은 무효인 행정행위이다. (○)

④ (○) <u>물품세 과세대상이 아닌 것을 세무공무원이 직무상 과실로 과세대상으로 오인하여 과세처분을 행함으로 인하여 손해가 발생된 경우에는, 동 과세처분이 취소되지 아니하였다 하더라도, 국가는 이로 인한 손해를 배상할 책임이 있다</u>(대판 1979.4.10. 79다262).

답 ②

문제 DATA
출제가능 지수 ▶▶▷
난이도 지수 ★★☆

함께 정리하기
행정행위의 효력

선행처분이 당연무효
▷ 후행처분에 당연히 하자승계

도시군계획시설결정과 실시계획인가
▷ 하자승계 ×

인사교류안 작성 및 권고가 이루어지지 아니한 인사교류 처분
▷ 무효

위법한 과세처분
▷ 취소판결 없이도 손해배상 청구 可

문제 DATA

출제가능 지수 ▶▶▷
난이도 지수 ★★☆

044 □□□

행정행위의 하자에 대한 설명으로 옳은 것은? (다툼이 있는 경우 판례에 의함)

① 하자 있는 행정행위의 치유는 원칙적으로 허용되나, 국민의 권리나 이익을 침해하지 않는 범위 내에서 인정된다.
② 행정소송에서 행정처분의 위법 여부는 행정처분이 있을 때의 법령과 사실상태를 기준으로 하여 판단하여야 하고 처분 후 법령의 개폐나 사실상태의 변동이 있다면 그러한 법령의 개폐나 사실상태의 변동에 의하여 처분의 위법성이 치유될 수 있다.
③ 법률관계나 사실관계에 대하여 그 법률의 규정을 적용할 수 없다는 법리가 명백히 밝혀지지 아니하여 그 해석에 다툼의 여지가 있는 경우에, 행정관청이 이를 잘못 해석하여 행정처분을 하였다면 그 처분의 하자는 객관적으로 명백하다고 볼 것이나, 중대한 것은 아니므로 이를 이유로 무효를 주장할 수는 없다.
④ 「도시 및 주거환경정비법」상 주택재건축사업의 추진위원회가 조합을 설립하고자 하는 때에는 토지소유자 등이 일정 수 이상 동의하여야 하는데, 조합설립인가처분이 이러한 요건을 충족하지 못한 상태에서 이루어졌다면 그러한 처분은 위법하고, 토지소유자 등의 추가동의서가 추후에 제출되어 법정요건을 갖추었다 할지라도 설립인가처분의 위법성이 치유되는 것은 아니다.

2020년 소방직

함께 정리하기

행정행위의 하자

하자치유
▷ 원칙 불허, 예외적 인정

행정소송에서 처분의 위법 여부
▷ 처분 시 기준으로 판단(처분 후 변동으로 치유×)

해석에 다툼의 여지가 있는 상태에서 잘못 해석하여 처분
▷ 당연무효×

조합설립인가처분 당시 동의율 하자
▷ 추가동의서 제출로 하자치유×

① (×) 하자 있는 행정행위의 치유는 행정행위의 성질이나 법치주의의 관점에서 볼 때 원칙적으로 허용될 수 없는 것이고, 예외적으로 행정행위의 무용한 반복을 피하고 당사자의 법적 안정성을 위해 이를 허용하는 때에도 국민의 권리나 이익을 침해하지 않는 범위에서 구체적 사정에 따라 합목적적으로 인정하여야 한다(대판 2002.7.9. 2001두10684).

유제 19. 서울시 7급 법치주의 원칙을 강조할 경우 행정행위의 하자의 치유는 원칙적으로 허용될 수 없지만 예외적으로 행정의 무용한 반복을 피하고 당사자의 법적 안정성을 위해 허용될 수 있다. (○)
19. 소방직 하자 있는 행정행위의 치유는 행정경제를 도모하기 위하여 원칙적으로 허용된다. (×)
14. 사복직, 13. 경찰 2차 행정행위의 하자의 치유는 원칙적으로 허용될 수 없고, 예외적으로 행정행위의 무용한 반복을 피하고 당사자의 법적 안정성을 위하여 허용하는 때에도 국민의 권리나 이익을 침해하지 않는 범위에서 인정될 수 있다. (○)
12. 국가직 9급 하자 있는 행정행위의 치유는 행정행위의 성질이나 법치주의의 관점에서 볼 때 원칙적으로 허용될 수 없다. (○)

② (×) 행정소송에서 행정처분의 위법 여부는 행정처분이 있을 때의 법령과 사실상태를 기준으로 하여 판단하여야 하고, 처분 후 법령의 개폐나 사실상태의 변동에 의하여 영향을 받지는 않는다고 할 것이다(대판 2002.7.9. 2001두10684).

유제 19. 서울시 9급 행정소송에서 행정처분의 위법 여부는 행정처분이 행하여졌을 때의 법령과 사실상태를 기준으로 하여 판단하여야 한다. (○)

③ (×) 행정청이 어느 법률관계나 사실관계에 대하여 어느 법률의 규정을 적용하여 행정처분을 한 경우에 그 법률관계나 사실관계에 대하여는 그 법률의 규정을 적용할 수 없다는 법리가 명백히 밝혀져 그 해석에 다툼의 여지가 없음에도 불구하고 행정청이 위 규정을 적용하여 처분을 한 때에는 그 하자가 중대하고도 명백하다고 할 것이나, 그 법률관계나 사실관계에 대하여 그 법률의 규정을 적용할 수 없다는 법리가 명백히 밝혀지지 아니하여 그 해석에 다툼의 여지가 있는 때에는 행정관청이 이를 잘못 해석하여 행정처분을 하였더라도 이는 그 처분 요건사실을 오인한 것에 불과하여 그 하자가 명백하다고 할 수 없는 것이다(대판 2004.10.15. 2002다68485).

유제 14. 경찰 2차 법률관계나 사실관계에 대하여 그 법률 규정을 적용할 수 없다는 법리가 명백히 밝혀지지 않아 해석에 다툼의 여지가 있는 때에는 행정청이 이를 잘못 해석하여 행정처분을 했더라도 이는 처분 요건사실을 오인한 것에 불과하여 하자가 명백하다고 할 수 없다. (○)

④ (○) 이 사건 변경인가처분은 이 사건 설립인가처분 후 추가동의서가 제출되어 동의자 수가 변경되었음을 이유로 하는 것으로서 조합원의 신규가입을 이유로 한 경미한 사항의 변경에 대한 신고를 수리하는 의미에 불과하므로 이 사건 설립인가처분이 이 사건 변경인가처분에 흡수된다고 볼 수 없고, 또한 이 사건 설립인가처분 당시 동의율을 충족하지 못한 하자는 후에 추가동의서가 제출되었다는 사정만으로 치유될 수 없다(대판 2013.7.11. 2011두27544).

답 ④

045

행정행위의 하자에 대한 설명으로 옳지 않은 것은? (다툼이 있는 경우 판례에 의함)

① 무효인 행정행위는 무효등확인심판 또는 무효등확인소송에 의해서만 다툴 수 있는 것이 아니고, 무효선언을 구하는 취소쟁송이나 무효를 전제로 한 민사소송으로도 다툴 수 있다.
② 하자 있는 행정처분이 당연무효가 되기 위해서는 그 하자가 중대하고 명백하여야 하고, 이를 판별함에 있어서는 법규의 목적·의미 등을 목적론적으로 고찰함과 동시에 구체적인 사안 자체의 특수성에 관하여도 합리적으로 고찰하여야 한다.
③ 하자의 승계에 있어 선행처분과 후행처분이 서로 독립하여 별개의 법률효과를 목적으로 하는 때에도 선행처분이 당연무효이면 선행처분의 하자를 이유로 후행처분의 효력을 다툴 수 있다.
④ 하자의 치유는 늦어도 처분에 대한 불복 여부의 결정 및 불복 신청에 편의를 줄 수 있는 상당한 기간 내에 하여야 한다.
⑤ 정당한 권한 없는 구 「환경관리청장」의 폐기물처리시설 설치승인 처분은 권한 없는 기관에 의한 행정처분으로서 그 하자는 취소사유에 해당한다.

> 2020년 소방간부

① (○) 무효인 행정행위는 무효등확인심판, 무효등확인소송, 무효선언을 구하는 취소쟁송, 무효를 전제로 한 민사소송 등을 통해서 다툴 수 있다.
② (○) 대판 1995.7.11. 94누4615 전합
③ (○) 대판 2017.7.11. 2016두35120
④ (○) 과세처분시 납세고지서에 과세표준, 세율, 세액의 산출근거 등이 누락된 경우에는 늦어도 과세처분에 대한 불복 여부의 결정 및 불복신청에 편의를 줄 수 있는 상당한 기간내에 보정행위를 하여야 그 하자가 치유된다 할 것이므로, 과세처분이 있은지 4년이 지나서 그 취소소송이 제기된 때에 보정된 납세고지서를 송달하였다는 사실이나 오랜 기간(4년)의 경과로써 과세처분의 하자가 치유되었다고 볼 수는 없다(대판 1983.7.26. 82누420).

유제 18. 5급 승진 과세처분시 납세고지서에 과세표준, 세율, 세액의 산출근거 등이 누락된 경우에는 늦어도 과세처분에 대한 불복 여부의 결정 및 불복신청에 편의를 줄 수 있는 상당한 기간 내에 보정행위를 하면 그 하자가 치유될 수 있다. (○)
18. 지방직 9급 행정처분의 이유제시가 아예 결여되어 있는 경우에 이를 사후적으로 추완하거나 보완하는 것은 늦어도 당해 행정처분에 대한 쟁송이 제기되기 전에는 행해져야 위법성이 치유될 수 있다. (○)
14. 사복직 하자치유는 늦어도 행정처분에 대한 불복 여부의 결정 및 불복신청을 할 수 있는 상당한 기간 내에 해야 하므로, 소가 제기된 이후에는 하자의 치유가 인정될 수 없다. (○)
13. 국가직 7급 이유제시의 하자 치유는 행정쟁송 제기 전까지만 가능하다는 것이 판례의 태도이다. (○)
11. 국가직 7급 판례는 절차하자의 치유는 행정쟁송제기 이후에도 가능하다고 본다. (×)

⑤ (×) 폐기물처리시설 설치계획에 대한 승인권자는 구 폐기물처리시설 설치촉진 및 주변지역지원 등에 관한 법률 제10조 제2항의 규정에 의하여 환경부장관이며, 이러한 설치승인권한을 환경관리청장에게 위임할 수 있는 근거도 없으므로, 환경관리청장의 폐기물처리시설 설치승인처분은 권한 없는 기관에 의한 행정처분으로서 그 하자가 중대하고 명백하여 당연무효이다(대판 2004.7.22. 2002두10704).

답 ⑤

문제 DATA
출제가능 지수 ▶▶▷
난이도 지수 ★★☆

함께 정리하기
행정행위의 하자

무효인 행정행위
▷ 무효선언을 구하는 취소쟁송, 무효를 전제로 한 민사소송 제기도 可

당연무효
▷ 중대·명백한 하자 → 법규와 사안 자체 특수성도 고찰 要

선행처분이 당연무효
▷ 후행처분에 당연히 하자승계

하자치유의 시간적 한계
▷ 소 제기 전까지

정당한 권한 없는 환경관리청장의 폐기물처리시설 설치승인 처분
▷ 무효

문제 DATA

출제가능 지수 ▶▶▷
난이도 지수 ★★★

046 ☐☐☐

위헌결정된 법령 및 처분에 대한 설명으로 옳은 것만을 <보기>에서 모두 고른 것은? (다툼이 있는 경우 판례에 의함)

<보기>
ㄱ. 위헌결정 이전에 이미 부담금 부과처분과 압류처분 및 이에 기한 압류등기가 이루어지고 각 처분이 확정되었다고 하여도, 특별한 사정이 없는 한 기존의 압류등기나 교부청구만으로는 다른 사람에 의하여 개시된 경매절차에서 배당을 받을 수 없다.
ㄴ. 처분이 있은 날로부터 1년이 도과한 처분으로서 당연무효에 해당하는 하자가 없는 경우, 그 처분의 근거법령이 위헌결정되었다면 원칙적으로 소급효가 미친다.
ㄷ. 위헌결정은 원칙적으로 장래효를 가지나, 예외적으로 당해사건, 동종사건, 병행사건에 효력을 미치며, 위헌결정 이후 제소된 일반사건에서도 소급효의 부인이 정의와 형평에 반하는 경우에는 소급효가 인정된다.
ㄹ. 법률의 위헌 여부가 명백하지 않은 상태라도 이후 해당 법률에 위헌이 선언되었다면 위헌판결의 기속력에 의해 그 법률에 근거한 행정처분의 하자는 무효사유이다.

① ㄱ, ㄴ
② ㄱ, ㄷ
③ ㄴ, ㄷ
④ ㄱ, ㄴ, ㄷ
⑤ ㄴ, ㄷ, ㄹ

함께 정리하기

위헌결정 된 법령 및 처분

부담금부과처분 이후 근거법률이 위헌결정
▷ 압류등기·교부청구에 의한 배당 不可

취소소송 제기기간 경과한 행정처분
▷ 위헌결정의 소급효 ✕

위헌결정의 예외적 소급효 인정(헌재)
▷ 당해사건·동종사건·병행사건·일반사건 중 법적 안정성 및 기득권 침해 우려 없는 사건

위헌 결정전 위헌인 법령에 근거한 처분
▷ 취소사유

2020년 국회직 8급

ㄱ. (○) 위헌법률에 기한 행정처분의 집행이나 집행력을 유지하기 위한 행위는 위헌결정의 기속력에 위반되어 허용되지 않는다고 보아야 할 것인데, 그 규정 이외에는 체납부담금을 강제로 징수할 수 있는 다른 법률적 근거가 없으므로, 그 위헌결정 이전에 이미 부담금 부과처분과 압류처분 및 이에 기한 압류등기가 이루어지고 위의 각 처분이 확정되었다고 하여도, 위헌결정 이후에는 별도의 행정처분인 매각처분, 분배처분 등 후속 체납 처분절차를 진행할 수 없는 것은 물론이고, 특별한 사정이 없는 한 기존의 압류등기나 교부청구만으로는 다른 사람에 의하여 개시된 경매절차에서 배당을 받을 수도 없다(대판 2002.8.23. 2001두2959).

유제 18. 경찰 3차 위헌법률에 기한 행정처분의 집행이나 집행력을 유지하기 위한 행위는 위헌결정의 기속력에 위반되어 허용되지 않는다. (○)
18. 지방직 9급 근거법률의 위헌결정 이전에 이미 부담금 부과처분과 압류처분 및 이에 기한 압류등기가 이루어지고 각 처분이 확정된 경우에는 기존의 압류등기나 교부청구로도 다른 사람에 의하여 개시된 경매절차에서 배당을 받을 수 있다. (✕)
16. 국가직 9급 부담금 부과처분 이후에 처분의 근거법률이 위헌결정된 경우, 그 부과처분에 불가쟁력이 발생하였고 위헌결정 전에 이미 관할 행정청이 압류처분을 하였다면, 위헌결정 이후에도 후속절차인 체납 처분절차를 통하여 부담금을 강제징수할 수 있다. (✕)
13. 서울시 7급 행정처분이 있는 후에 집행단계에서 그 처분의 근거가 된 법률이 위헌으로 결정되는 경우 그 처분의 집행을 위한 행위는 위헌결정의 기속력에 위반되는 것이 아니므로 이를 허용한다. (✕)

ㄴ. (✕) 위헌인 법률에 근거한 행정처분이 당연무효인지의 여부는 위헌결정의 소급효와는 별개의 문제로서, 위헌결정의 소급효가 인정된다고 하여 위헌인 법률에 근거한 행정처분이 당연무효가 된다고는 할 수 없고, 오히려 이미 취소소송의 제기기간을 경과하여 확정력이 발생한 행정처분에는 위헌결정의 소급효가 미치지 않는다고 보아야 한다(대판 1994.10.28. 92누9463).

ㄷ. (○) 구 헌법재판소법 제47조 제2항 본문은 위헌결정의 시간적 효력 범위에 관하여 장래효를 원칙으로 규정하고 있으나, 위헌결정을 위한 계기를 부여한 사건(당해 사건), 위헌결정이 있기 전에 이와 동종의 위헌 여부에 관하여 헌법재판소에 위헌제청을 하였거나 법원에 위헌제청신청을 한 사건(동종사건), 따로 위헌제청신청을 아니하였지만 당해 법률조항이 재판의 전제가 되어 법원에 계속중인 사건(병행사건)에 대하여 예외적으로 소급효가 인정되고, 위헌결정 이후에 제소된 사건(일반사건)이라도 구체적 타당성의 요청이 현저하고 소급효의 부인이 정의와 형평에 반하는 경우에는 예외적으로 소급효를 인정할 수 있다(헌재 2013.6.27. 2010헌마535).

[유제] 19. 서울시 9급 헌법재판소의 위헌결정의 효력은 위헌제청을 한 당해 사건은 물론 위헌제청신청은 아니하였지만 당해 법률 또는 법률의 조항이 재판의 전제가 되어 법원에 계속 중인 사건에도 미친다. (○)

ㄹ. (×) 법률에 근거하여 행정처분이 발하여진 후에 헌법재판소가 그 행정처분의 근거가 된 법률을 위헌으로 결정하였다면 결과적으로 행정처분은 법률의 근거가 없이 행하여진 것과 마찬가지가 되어 하자가 있는 것이 되나, 하자 있는 행정처분이 당연무효가 되기 위하여는 <u>그 하자가 중대할 뿐만 아니라 명백한 것이어야 하는데, 일반적으로 법률이 헌법에 위반된다는 사정이 헌법재판소의 위헌결정이 있기 전에는 객관적으로 명백한 것이라고 할 수는 없으므로 헌법재판소의 위헌결정 전에 행정처분의 근거되는 당해 법률이 헌법에 위반된다는 사유는 특별한 사정이 없는 한 그 행정처분의 취소소송의 전제가 될 수 있을 뿐 당연무효사유는 아니라고 봄이 상당하다</u>(대판 1994.10.28. 92누9463).

답 ②

047

행정행위에 대한 설명으로 옳은 것은? (다툼이 있는 경우 판례에 의함)

① 행정행위의 하자가 치유되면 그 행정행위는 치유된 때부터 하자가 없는 적법한 행정행위로 효력을 발생한다.
② 경원관계에서 허가 등 처분을 받지 못한 사람은 허가 등 처분의 취소를 구하는 소송을 제기할 수는 있으나, 자신에 대한 거부처분의 취소를 직접 소송으로 다툴 수는 없다.
③ 운전면허취소처분을 받은 자가 그 처분 이후 쟁송기간 중에 자동차를 운전하였다면, 이후 항고소송에 의하여 운전면허취소처분이 취소되었더라도 취소처분의 공정력으로 인해 그 운전행위는 무면허운전에 해당한다.
④ 행정처분이 불복기간의 경과로 인하여 불가쟁력이 발생하면 그 처분의 기초가 된 사실관계나 법률적 판단이 확정되는 것이므로 당사자는 이와 모순되는 주장을 할 수 없게 된다.
⑤ 「원자력안전법」상 원자로 건설허가에 앞선 부지사전승인처분은 그 자체로서 건설부지를 확정하고 사전공사를 허용하는 법률효과를 지닌 독립한 행정처분이지만, 사전적 부분 건설허가의 성격을 갖고 있어서 나중에 건설허가처분이 있게 되면 그 건설허가처분에 흡수되어 그 건설허가처분만이 쟁송의 대상이 된다.

2020년 5급 승진

① (×) 하자의 치유는 행정행위가 성립 당시에 하자가 있음에도 불구하고 법정요건의 사후 보완 등을 통해 적법한 것으로 그 효력을 유지시키는 것을 말하는데 하자 치유의 효과는 소급하여 인정된다. 따라서 행정행위의 하자가 치유되면 당해 행정행위는 치유시가 아니라 처음부터 하자가 없는 적법한 행정행위로 효력을 발생한다.

[유제] 19. 서울시 7급 행정행위의 하자가 치유되면 당해 행정행위 처분 당시부터 하자가 없는 적법한 행정행위로 효력을 발생한다. (○)
08. 지방직 7급 행정행위의 흠이 치유되면 당해 행정행위는 치유시부터 흠이 없는 적법한 행정행위로서 효력이 발생한다. (×)

② (×) 인가·허가 등 수익적 행정처분을 신청한 여러 사람이 서로 경원 관계에 있어서 한 사람에 대한 허가 등 처분이 다른 사람에 대한 불허가 등으로 귀결될 수밖에 없을 때 허가 등 처분을 받지 못한 사람은 신청에 대한 거부처분의 직접 상대방으로서 원칙적으로 자신에 대한 거부처분의 취소를 구할 원고적격이 있고, 재심사 결과 경원자에 대한 수익적 처분이 직권취소되고 취소판결의 원고에게 수익적 처분이 이루어질 가능성을 완전히 배제할 수는 없으므로, <u>특별한 사정이 없는 한 경원관계에서 허가 등 처분을 받지 못한 사람은 자신에 대한 거부처분의 취소를 구할 소의 이익이 있다</u>(대판 2015.10.29. 2013두27517).

📌 함께 정리하기

행정행위

하자 치유의 효과
▷ 처분당시로 소급

경원관계에서 허가 등 처분을 받지 못한 자
▷ 자신에 대한 거부처분취소소송 제기 가

운전면허취소처분의 취소
▷ 무면허운전 불성립(∵소급효 有)

불복기간 경과로 재결확정
▷ 기판력 無 → 소송에서 당사자, 법원은 모순 주장 or 판단 可

부지사전승인처분 후 건설허가처분
▷ 건설허가처분만 쟁송 대상(부지사전승인처분은 흡수)

③ (×) 피고인이 행정청으로부터 자동차 운전면허취소처분을 받았으나 나중에 그 행정처분 자체가 행정쟁송절차에 의하여 취소되었다면, 위 운전면허취소처분은 그 처분시에 소급하여 효력을 잃게 되고, 피고인은 위 운전면허취소처분에 복종할 의무가 원래부터 없었음이 후에 확정되었다고 봄이 타당할 것이고, 행정행위에 공정력의 효력이 인정된다고 하여 행정소송에 의하여 적법하게 취소된 운전면허취소처분이 단지 장래에 향하여서만 효력을 잃게 된다고 볼 수는 없는 것이다. 따라서 피고인이 1997.3.1. 자동차 운전면허취소처분을 받은 후 처분청을 상대로 운전면허취소처분의 취소소송을 제기하여 1997.11.27. 서울고등법원에서 승소판결을 받았고 그 판결이 대법원의 상고기각 판결로 확정되었다면, 피고인이 1997.11.18. 자동차를 운전한 행위는 도로교통법에 규정된 무면허운전의 죄에 해당하지 아니한다(대판 1999.2.5. 98도4239).

④ (×) 행정처분이나 행정심판 재결이 불복기간의 경과로 인하여 확정될 경우 확정력은 처분으로 인하여 법률상 이익을 침해받은 자가 처분이나 재결의 효력을 더 이상 다툴 수 없다는 의미일 뿐 판결에 있어서와 같은 기판력이 인정되는 것은 아니어서 처분의 기초가 된 사실관계나 법률적 판단이 확정되고 당사자들이나 법원이 이에 기속되어 모순되는 주장이나 판단을 할 수 없게 되는 것은 아니다(대판 1993.4.13. 92누17181).

⑤ (○) 원자로 및 관계시설의 부지사전승인처분은 그 자체로서 건설부지를 확정하고 사전공사를 허용하는 법률효과를 지닌 독립한 행정처분이기는 하지만, 건설허가 전에 신청자의 편의를 위하여 미리 그 건설허가의 일부 요건을 심사하여 행하는 사전적 부분 건설허가처분의 성격을 갖고 있는 것이어서 나중에 건설허가처분이 있게 되면 그 건설허가처분에 흡수되어 독립된 존재가치를 상실함으로써 그 건설허가처분만이 쟁송의 대상이 되는 것이므로, 부지사전승인처분의 취소를 구하는 소는 소의 이익을 잃게 되고, 따라서 부지사전승인처분의 위법성은 나중에 내려진 건설허가처분의 취소를 구하는 소송에서 이를 다투면 된다(대판 1998.9.4. 97누19588).

답 ⑤

048

甲에 대한 과세처분 이후 조세부과의 근거가 되었던 법률에 대해 헌법재판소의 위헌결정이 있었고, 위헌결정 이후에 그 조세채권의 집행을 위해 甲의 재산에 대해 압류처분이 있었다. 이에 대한 설명으로 옳은 것은? (다툼이 있는 경우 판례에 의함)

① 甲이 압류처분에 대해 무효확인소송을 제기하였다가 취소소송으로 소의 종류를 변경하는 경우, 제소기간의 준수 여부는 취소소송으로 변경되는 때를 기준으로 한다.
② 甲이 압류처분에 대해 무효확인소송을 제기하였다가 압류처분에 대한 취소소송을 추가로 병합하는 경우, 무효확인의 소가 취소소송 제소기간 내에 제기됐더라도 취소청구의 소의 추가 병합이 제소기간을 도과했다면 병합된 취소청구의 소는 부적법하다.
③ 위헌결정 당시 이미 과세처분에 불가쟁력이 발생하여 조세채권이 확정된 경우에도 甲의 재산에 대한 압류처분은 무효이다.
④ 甲은 압류처분에 대해 무효확인소송을 제기하려면 무효확인심판을 거쳐야 한다.

| 2019년 국가직 7급

① (×) 소의 변경시 제소기간의 준수 여부는 처음에 소를 제기한 때를 기준으로 한다.

> 「행정소송법」제37조【소의 변경】제21조의 규정은 무효등확인소송이나 부작위위법확인소송을 취소소송 또는 당사자소송으로 변경하는 경우에 준용한다.
> 제21조【소의 변경】① 법원은 취소소송을 당해 처분등에 관계되는 사무가 귀속하는 국가 또는 공공단체에 대한 당사자소송 또는 취소소송외의 항고소송으로 변경하는 것이 상당하다고 인정할 때에는 청구의 기초에 변경이 없는 한 사실심의 변론종결시까지 원고의 신청에 의하여 결정으로써 소의 변경을 허가할 수 있다.
> ④ 제1항의 규정에 의한 허가결정에 대하여는 제14조 제2항·제4항 및 제5항의 규정을 준용한다.

> 제14조【피고경정】 ④ 제1항의 규정에 의한 결정이 있은 때에는 새로운 피고에 대한 소송은 처음에 소를 제기한 때에 제기된 것으로 본다.

② (×) 행정처분의 무효확인을 구하는 소에는 특단의 사정이 없는 한 그 취소를 구하는 취지도 포함되어 있다고 보아야 하는 점 등에 비추어 볼 때, 동일한 행정처분에 대하여 무효확인의 소를 제기하였다가 그 후 그 처분의 취소를 구하는 소를 추가적으로 병합한 경우, 주된 청구인 무효확인의 소가 적법한 제소기간 내에 제기되었다면 추가로 병합된 취소청구의 소도 적법하게 제기된 것으로 봄이 상당하다(대판 2005.12.23. 2005두3554).

③ (○) 대판 2012.2.16. 2010두10907 전합

④ (×) 무효등확인소송에는 행정심판 전치주의(「행정소송법」 제38조 단서)가 준용되지 않는다. 따라서 甲은 압류처분에 대해 무효확인심판을 거치지 않고도 무효확인소송을 제기할 수 있다.

> 「행정소송법」 제18조【행정심판과의 관계】 ① 취소소송은 법령의 규정에 의하여 당해 처분에 대한 행정심판을 제기할 수 있는 경우에도 이를 거치지 아니하고 제기할 수 있다. 다만, 다른 법률에 당해 처분에 대한 행정심판의 재결을 거치지 아니하면 취소소송을 제기할 수 없다는 규정이 있는 때에는 그러하지 아니하다.
> 제38조【준용규정】 ① 제9조, 제10조, 제13조 내지 제17조, 제19조, 제22조 내지 제26조, 제29조 내지 제31조 및 제33조의 규정은 무효등확인소송의 경우에 준용한다.

답 ③

049

행정행위의 하자에 대한 설명으로 옳지 않은 것은? (다툼이 있는 경우 판례에 의함)

① 구 「환경영향평가법」상 환경영향평가를 실시하여야 할 사업에 대하여 환경영향평가를 거치지 아니하였음에도 승인 등 처분을 한 경우, 그 처분은 당연무효이다.
② 적법한 권한 위임 없이 세관출장소장에 의하여 행하여진 관세부과처분은 그 하자가 중대하기는 하지만 객관적으로 명백하다고 할 수 없어 당연무효는 아니다.
③ 행정청이 사전에 교통영향평가를 거치지 아니한 채 '건축허가 전까지 교통영향평가 심의필증을 교부받을 것'을 부관으로 붙여서 한 '실시계획변경 승인 및 공사시행변경 인가처분'은 그 하자가 중대하고 객관적으로 명백하여 당연무효이다.
④ 징계처분이 중대하고 명백한 하자 때문에 당연무효의 것이라면 징계처분을 받은 자가 이를 용인하였다 하여 그 하자가 치유되는 것은 아니다.

2019년 지방직 9급

① (○) 대판 2006.6.30. 2005두14363
② (○) 세관출장소장에게 관세부과처분을 할 권한이 있다고 객관적으로 오인할 여지가 다분하다고 인정되므로 결국 적법한 권한 위임 없이 행해진 이 사건 처분은 그 하자가 중대하기는 하지만 객관적으로 명백하다고 할 수는 없어 당연무효는 아니라고 보아야 할 것이다(대판 2004.11.26. 2003두2403).

> **유제** 15. 지방직 9급, 11. 국회직 8급 적법한 권한 위임 없이 세관출장소장에 의하여 행하여진 관세부과처분은 무효사유에 해당한다. (×)
> 17. 교행 적법한 권한 위임 없이 세관출장소장이 한 관세부과처분은 당연무효이다. (×)

③ (×) 행정청은 교통영향평가를 배제한 것이 아니라 '건축허가 전까지 교통영향평가 심의필증을 교부받을 것'을 부관으로 하여 실시계획변경 및 공사시행변경 인가 처분을 한 점 등에 비추어, 행정청이 사전에 교통영향평가를 거치지 아니한 채 위와 같은 부관을 붙여서 한 위 처분에 중대하고 명백한 흠이 있다고 할 수 없으므로 이를 무효로 보기는 어렵다(대판 2010.2.25. 2009두102).

문제 DATA

출제가능 지수 ▶▶▷
난이도 지수 ★★☆

함께 정리하기

행정행위의 하자

환경영향평가 누락
▷ 당연무효

적법한 권한위임 없이 세관출장소장이 한 관세부과처분
▷ 무효×(취소사유○)

교통영향평가 누락 But 건축허가 전까지 받을 것을 조건으로 한 처분
▷ 무효×

당연무효의 하자
▷ 하자치유×

④ (○) 하자의 치유는 무효인 행정행위에서는 인정될 수 없고 취소할 수 있는 행정행위에서만 인정된다는 것이 통설과 판례의 입장이다.

> 징계처분이 중대하고 명백한 흠 때문에 당연무효의 것이라면 징계처분을 받은 자가 이를 용인하였다 하여 그 흠이 치료되는 것은 아니다(대판 1989.12.12. 88누8869).

유제 19. 5급 승진, 11. 경찰 1차 징계처분이 중대하고 명백한 하자로 인하여 당연무효인 경우라도 징계처분을 받은 자가 이를 용인하면 그 하자가 치유된다. (×)
17. 교행, 14. 사복직 당연무효인 징계처분의 하자는 징계를 받은 자의 용인으로 치유된다. (×)
16. 지방직 9급 징계처분이 중대하고 명백한 하자로 인해 당연무효의 것이라도 징계처분을 받은 원고가 이를 용인하였다면 그 하자는 치유된다. (×)
14. 지방직 7급 판례에 의하면 징계처분이 당연무효인 경우, 징계처분을 받은 자가 이를 용인하였다면 그 하자는 치유된다. (×)

답 ③

050

행정행위의 하자에 대한 내용으로 가장 옳지 않은 것은? (다툼이 있는 경우 판례에 의함)

① 적법한 건축물에 대한 철거명령은 그 하자가 중대하고 명백하여 당연무효이고 그 후행 행위인 건축물철거 대집행계고처분 역시 당연무효이다.
② 처분의 하자가 그 내용에 관한 것인 경우, 판례는 소 제기 이후에도 하자의 치유가 가능한 것으로 본다.
③ 법치주의 원칙을 강조할 경우 행정행위의 하자의 치유는 원칙적으로 허용될 수 없지만 예외적으로 행정의 무용한 반복을 피하고 당사자의 법적 안정성을 위해 허용될 수 있다.
④ 행정행위의 하자가 치유되면 당해 행정행위는 처분 당시부터 하자가 없는 적법한 행정행위로 효력을 발생한다.

| 2019년 서울시 7급

① (○) 대판 1999.4.27. 97누6780
② (×) 판례는 형식·절차에 관한 하자의 경우에만 그 치유를 인정하고, 내용상 하자에 대해서는 치유를 인정하지 않는다. 그리고 하자 치유의 시간적 한계로 행정쟁송제기 이전설의 입장을 취하고 있다.

> 노선여객자동차운송사업의 사업계획변경인가처분에 관한 하자가 행정처분의 내용에 관한 것이고 새로운 노선면허가 소 제기 이후에 이루어진 사정 등에 비추어 하자의 사후적 치유를 인정하지 아니한다(대판 1991.5.28. 90누1359).

유제 11. 경찰 1차 노선여객자동차운송사업의 사업계획변경인가처분에 관한 하자가 행정처분의 내용에 관한 것이고 새로운 노선면허가 소 제기 이후에 이루어진 사정 등에 비추어 하자의 사후적 치유는 인정된다. (×)

③ (○) 대판 2002.7.9. 2001두10684
④ (○) 하자 치유의 효과는 소급하여 인정되므로 행정행위의 하자가 치유되면 당해 행정행위는 처분 당시부터 하자가 없는 적법한 행정행위로 효력을 발생한다.

답 ②

◆ 문제 DATA
출제가능 지수 ▶▶▷
난이도 지수 ★★☆

함께 정리하기
행정행위의 하자
철거명령이 당연무효인 경우
▷ 계고처분도 당연무효
하자치유
▷ 내용상 하자 치유×
▷ 소제기 이전까지 가
▷ 예외적 인정
하자치유의 효과
▷ 처분당시로 소급

051

<보기>의 행정행위의 하자에 대한 설명으로 옳은 것을 모두 고르면? (다툼이 있는 경우 판례에 의함)

<보기>
ㄱ. 행정처분의 위법 여부는 행정처분이 행하여졌을 때의 법령과 사실 상태를 기준으로 판단해야 한다.
ㄴ. 행정처분이 당연무효이기 위해서는 그 하자가 법규의 중요한 부분을 위반한 중대한 것으로서 객관적으로 명백한 것이어야 한다.
ㄷ. 명백성은 제3자나 공공의 신뢰를 보호하여야 할 필요가 있는 경우에 보충적으로 요구되는 것으로서 처분 상대방의 권익을 구제하고 위법한 결과를 시정할 필요가 훨씬 더 큰 경우에는 하자가 명백하지 않더라도 중대한 하자를 가진 행정처분은 당연무효라고 보아야 한다는 의견도 있다.
ㄹ. 행정처분을 무효로 하더라도 법적 안정성을 크게 해치지 않는 반면에 그 하자가 중대하여 구제가 필요한 경우에도 그 예외를 인정하여 이를 당연무효사유로 볼 수는 없다.

① ㄱ
② ㄱ, ㄴ
③ ㄱ, ㄴ, ㄷ
④ ㄱ, ㄴ, ㄷ, ㄹ

2019년 서울시 9급

ㄱ. (O) 행정소송에서 행정처분의 위법 여부는 행정처분이 행하여졌을 때의 법령과 사실상태를 기준으로 하여 판단해야 하고, 따라서 공정거래위원회의 과징금 납부명령 등이 재량권 일탈·남용으로 위법한지는 다른 특별한 사정이 없는 한 과징금 납부명령 등이 행하여진 '의결일' 당시의 사실상태를 기준으로 판단하여야 한다(대판 2015.5.28. 2015두36256).

ㄴ, ㄷ. (O)

[다수의견] 하자 있는 행정처분이 당연무효가 되기 위하여는 그 하자가 법규의 중요한 부분을 위반한 중대한 것으로서 객관적으로 명백한 것이어야 하며 하자가 중대하고 명백한 것인지 여부를 판별함에 있어서는 그 법규의 목적, 의미, 기능 등을 목적론적으로 고찰함과동시에 구체적 사안 자체의 특수성에 관하여도 합리적으로 고찰함을 요한다.
[명백성 보충요건설을 취한 반대의견] 행정행위의 무효사유를 판단하는 기준으로서의 명백성은 행정처분의 법적 안정성 확보를 통하여 행정의 원활한 수행을 도모하는 한편 그 행정처분을 유효한 것으로 믿은 제3자나 공공의 신뢰를 보호하여야 할 필요가 있는 경우에 보충적으로 요구되는 것으로서, 그와 같은 필요가 없거나 하자가 워낙 중대하여 그와 같은 필요에 비하여 처분 상대방의 권익을 구제하고 위법한 결과를 시정할 필요가 훨씬 더 큰 경우라면 그 하자가 명백하지 않더라도 그와 같이 중대한 하자를 가진 행정처분은 당연무효라고 보아야 한다(대판 1995.7.11. 94누4615 전합).

유제 17. 국회직 8급 대법원은 무효와 취소의 구별기준에 대해서 중대명백설을 취하고 있으나, 반대의견으로 객관적 명백성설이 제시된 판례도 존재한다. (×)

ㄹ. (×) 행정처분 자체의 효력이 쟁송기간 경과 후에도 존속 중인 경우, 특히 그 처분이 위헌법률에 근거하여 내려진 것이고 그 행정처분의 목적달성을 위하여서는 후행 행정처분이 필요한데 후행 행정처분은 아직 이루어지지 않은 경우와 같이 그 행정처분을 무효로 하더라도 법적 안정성을 크게 해치지 않는 반면에 그 하자가 중대하여 그 구제가 필요한 경우에 대하여서는 그 예외를 인정하여 이를 당연무효사유로 보아서 쟁송기간 경과 후에라도 무효확인을 구할 수 있는 것이라고 봐야 할 것이다(헌재 1994.6.30. 92헌바23).

문제 DATA
출제가능 지수 ▶▶▷
난이도 지수 ★★☆

함께 정리하기
행정행위의 하자

행정처분의 위법 여부 판단
▷ 처분 시 기준

당연무효
▷ 하자가 중대+명백할 것 要

명백성 보충요건설
▷ 하자가 중대하면 무효, 하자의 명백성은 보충적으로 요구된다는 견해

위헌법률 근거한 처분하자가 중대하여 구제 필요
▷ 무효사유로 보아 쟁송기간 경과 후에도 무효확인 可(헌재입장)

유제 18. 지방직 9급 행정처분 자체의 효력이 쟁송기간 경과 후에도 존속 중인 경우, 그 행정처분이 위헌인 법률에 근거하여 내려졌고 그 목적달성을 위해 필요한 후행 행정처분이 아직 이루어지지 않았다면 그 하자가 중대하여 그 구제가 필요한 경우에 대하여서는 쟁송기간 경과 후라도 무효확인을 구할 수 있다. (O)

16. 사복직 헌법재판소는 처분의 근거가 된 법률이 처분 이후에 위헌으로 선고된 경우라도 행정처분이 근거 법규의 위헌의 정도가 심각하여 그 하자가 중대하다고 보여지고 또 그 때문에 국민의 기본권 구제의 필요성이 큰 반면에 법적 안정성의 요구는 비교적 적은 경우에는 당연무효사유가 될 수 있다고 본다. (O)

15. 서울시 7급 위헌법률에 근거한 처분의 효력이 제소기간 경과 후에도 존속 중이고 그 처분의 목적달성을 위해서는 후행처분이 필요한 경우와 같이 그 하자가 중대하여 구제가 필요한 경우에는 예외적으로 당연무효사유로 보아야 할 것이다. (O)

14. 지방직 9급 헌법재판소는 행정처분 자체의 효력이 쟁송기간 경과 후에도 존속 중이고 그 행정처분의 근거가 된 법규가 위헌으로 선고되는 경우, 그 행정처분을 무효로 하더라도 법적 안정성을 크게 해치지 않는 반면에, 그 하자가 중대하여 그 구제가 필요한 경우에는 당연무효사유로 보아 무효확인을 구할 수 있다고 결정하였다. (O)

답 ③

052

행정행위의 하자에 대한 설명으로 옳지 않은 것은? (다툼이 있는 경우 판례에 의함)

① 무효인 행정행위에는 공정력, 불가쟁력이 인정되지 않는다.
② 처분의 근거가 되었던 법률규정에 대하여 위헌결정이 내려진 후 행한 처분의 집행행위는 당연무효이다.
③ 선행행위가 무효인 경우에는 후행행위도 당연히 무효이다.
④ 하자 있는 행정행위의 치유는 행정경제를 도모하기 위하여 원칙적으로 허용된다.

| 2019년 소방직

① (O) 무효인 행정행위에는 공정력이 발생하지 않고, 제소기간도 진행하지 않아 불가쟁력도 인정되지 않는다.
② (O) 대판 2012.2.16. 2010두10907 전합
③ (O) 선행행위가 무효인 경우 그 하자가 당연히 후행행위에 승계되어 후행행위도 무효로 된다.
④ (×) 대판 2002.7.9. 2001두10684

답 ④

문제 DATA
출제가능 지수 ▶▶▷
난이도 지수 ★★☆

함께 정리하기
무효인 행정행위
▷ 공정력·불가쟁력 無
처분의 근거법률에 대한 위헌결정 후 집행행위
▷ 무효
선행행위 무효
▷ 후행행위 무효
하자치유
▷ 원칙 불허, 예외적 인정

053

행정처분의 하자에 대한 설명으로 옳은 것은? (다툼이 있는 경우 판례에 의함)

① 과세관청의 소득처분과 그에 따른 소득금액 변동통지가 있는 경우 원천징수하는 소득세의 납세의무에 관하여는 이를 확정하는 소득금액변동통지에 대한 항고소송에서 다투어야 하고 소득금액 변동통지가 취소사유에 불과한 경우 징수처분에 대한 항고소송에서 이를 다툴 수는 없다.
② 토지구획정리사업 시행 후 시행인가처분의 하자가 취소사유에 불과하더라도 사업 시행 후 시행인가처분의 하자를 이유로 환지청산금 부과처분의 효력을 다툴 수 있다.
③ 선행처분인 국제항공노선 운수권 배분 실효처분 및 노선면허거부처분에 대하여 이미 불가쟁력이 생겨 그 효력을 다툴 수 없게 되었더라도 후행처분인 노선면허처분을 다투는 단계에서 선행처분의 하자를 다툴 수 있다.
④ 선행처분인 개별공시지가결정이 위법하여 그에 기초한 개발부담금 부과처분도 위법하게 되었지만 그 후 적법한 절차를 거쳐 공시된 개별공시지가결정이 종전의 위법한 공시지가결정과 그 내용이 동일하다면 위법한 개별공시지가결정에 기초한 개발부담금 부과처분은 적법하게 된다.
⑤ 선행처분인 계고처분이 하자가 있는 위법한 처분이라도 당연무효의 처분이 아니라면 후행 처분인 대집행비용납부명령의 취소를 청구하는 소송에서 그 계고처분을 전제로 행하여진 대집행비용납부 명령도 위법한 것이라는 주장을 할 수는 없다.

2019년 국회직 8급

① (○) 대판 2012.1.26. 2009두14439
② (×) 토지구획정리사업은 대지로서의 효용증진과 공공시설의 정비를 위하여 실시하는 토지의 교환·분합 기타의 구획변경, 지목 또는 형질의 변경이나 공공시설의 설치·변경에 관한 사업으로서, 그 시행인가는 사업지구에 편입될 목적물의 범위를 확정하고 시행자로 하여금 목적물에 관한 현재 및 장래의 권리자에게 대항할 수 있는 법적 지위를 설정해 주는 행정처분의 성격을 갖는 것이므로, 사업시행자의 자격이나 토지소유자의 동의 여부 및 특정 토지의 사업지구 편입 등에 하자가 있다고 주장하는 토지소유자 등은 시행인가 단계에서 그 하자를 다투었어야 하며, <u>시행인가처분에 명백하고도 중대한 하자가 있어 당연무효라고 볼 특별한 사정이 없는 한, 사업시행 후 시행인가처분의 하자를 이유로 환지청산금 부과처분의 효력을 다툴 수는 없다</u>(대판 2004.10.14. 2002두424).
③ (×) <u>선행처분인 국제항공노선 운수권배분 실효처분 및 노선면허거부처분에 대하여 이미 불가쟁력이 생겨 그 효력을 다툴 수 없게 된 이상 그에 위법사유가 있더라도 그것이 당연무효 사유가 아닌 한 그 하자가 후행처분인 노선면허처분에 승계된다고 할 수 없다</u>(대판 2004.11.26. 2003두3123).
④ (×) 선행처분인 개별공시지가결정이 위법하여 그에 기초한 개발부담금 부과처분도 위법하게 된 경우 그 하자의 치유를 인정하면 개발부담금 납부의무자로서는 위법한 처분에 대한 가산금 납부의무를 부담하게 되는 등 불이익이 있을 수 있으므로, 그 후 <u>적법한 절차를 거쳐 공시된 개별공시지가결정이 종전의 위법한 공시지가결정과 그 내용이 동일하다는 사정만으로는 위법한 개별공시지가결정에 기초한 개발부담금 부과처분이 적법하게 된다고 볼 수 없다</u>(대판 2001.6.26. 99두11592).
⑤ (×) 대집행의 계고·대집행영장에 의한 통지·대집행의·실행·대집행에 요한 비용의 납부명령 등은, 타인이 대신하여 행할 수 있는 행정의무의 이행을 의무자의 비용부담하에 확보하고자 하는, <u>동일한 행정목적을 달성하기 위하여 단계적인 일련의 절차로 연속하여 행하여지는 것으로서, 서로 결합하여 하나의 법률효과를 발생시키는 것이므로, 선행처분인 계고처분이 하자가 있는 위법한 처분이라면</u>, 비록 하자가 중대하고도 명백한 것이 아니어서 당연무효의 처분이라고 볼 수 없고 대집행의 실행이 이미 사실행위로서 완료되어 계고처분의 취소를 구할 법률상 이익이 없게 되었으며, 또 대집행비용납부명령 자체에는 아무런 하자가 없다 하더라도, <u>후행처분인 대집행비용납부명령의 취소를 청구하는 소송에서 청구원인으로 선행처분인 계고처분이 위법한 것이기 때문에 그 계고처분을 전제로 행하여진 대집행비용납부명령도 위법한 것이라는 주장을 할 수 있다</u>(대판 1996.2.9. 95누12507).

답 ①

함께 정리하기

행정처분의 하자

소득금액변동통지와 징수처분
▷ 하자승계 ×

토지구획정리사업시행인가처분과 환지청산금부과처분
▷ 하자승계 ×

국제항공노선 운수권배분 실효처분 및 노선면허거부처분과 노선면허처분
▷ 하자승계 ×

대집행계고처분과 비용납부명령
▷ 하자승계 ○

054

행정행위의 하자에 대한 설명으로 옳은 것은? (다툼이 있는 경우 판례에 의함)

① 징계처분이 중대하고 명백한 하자로 인하여 당연무효인 경우라도 징계처분을 받은 자가 이를 용인하면 그 하자가 치유된다.
② 절차상 또는 형식상 하자로 인하여 무효인 행정처분이 있은 후 행정청이 관계 법령에서 정한 절차 또는 형식을 갖추어 다시 동일한 행정처분을 하였다면, 당해 행정처분은 종전의 무효인 행정처분과 관계없이 새로운 행정처분이라고 보아야 한다.
③ 적법한 건축물에 대해 하자가 중대·명백한 철거명령이 행해진 경우, 이를 전제로 행하여진 후행행위인 건축물 철거대집행 계고처분은 당연무효라 할 수 없다.
④ 하자승계의 차원에서 선행행위의 하자를 이유로 후행행위를 다툴 수 있을 뿐만 아니라, 후행행위의 하자를 이유로 선행행위를 다투는 것도 가능하다.
⑤ 무효와 취소의 구분기준에 관한 명백성보충요건설에 의하면 무효판단의 기준에 명백성 요건이 추가되므로 중대명백설보다 무효의 인정 범위가 좁아지게 된다.

2019년 5급 승진

① (×) 징계처분이 중대하고 명백한 흠 때문에 당연무효의 것이라면 징계처분을 받은 자가 이를 용인하였다 하여 그 흠이 치료되는 것은 아니다(대판 1989.12.12. 88누8869).
② (○) 절차상 또는 형식상 하자로 인하여 무효인 행정처분이 있은 후 행정청이 관계 법령에서 정한 절차 또는 형식을 갖추어 다시 동일한 행정처분을 하였다면 당해 행정처분은 종전의 무효인 행정처분과 관계없이 새로운 행정처분이라고 보아야 한다(대판 2007.12.27. 2006두3933).

유제 19. 국회직 9급, 18. 경찰 2차, 16. 국가직 9급 절차상 또는 형식상 하자로 인하여 무효인 행정처분이 있은 후 행정청이 관계 법령에서 정한 절차 또는 형식을 갖추어 다시 동일한 행정처분을 하였다면 당해 행정처분은 종전의 무효인 행정처분과 관계없이 새로운 행정처분이라고 보아야 한다. (○)

③ (×) 적법한 건축물에 대한 철거명령은 그 하자가 중대하고 명백하여 당연무효라고 할 것이고, 그 후행행위인 건축물철거 대집행계고처분 역시 당연무효라고 할 것이다(대판 1999.4.27. 97누6780).
④ (×) 하자승계의 차원에서 선행행위의 하자를 이유로 후행행위를 다툴 수 있으나 후행행위의 하자를 이유로 선행행위를 다투는 것은 하자의 승계문제가 아니며 인정될 수도 없다.

유제 17. 지방직 9급(추) 선행행위의 하자를 이유로 후행행위를 다투는 경우뿐 아니라 후행행위의 하자를 이유로 선행행위를 다투는 것도 하자의 승계이다. (×)
14. 지방직 7급 후행행위의 하자를 이유로 선행행위를 다투는 것은 인정될 수 없다. (○)

⑤ (×) 명백성보충요건설에 의하면 행정행위의 무효의 기준으로 하자의 중대성은 필수적 요건이지만, 하자의 명백성은 법적 안정성이나 제3자의 신뢰보호의 요청이 있는 경우에만 요구되는 보충적 가중요건에 불과하다. 따라서 명백성보충요건설에 의하면 무효판단의 기준에 명백성이 항상 요구되지는 아니하므로 중대명백설보다 무효의 인정범위가 넓어지게 된다.

유제 17. 지방직 9급 명백성보충설에 의하면 무효판단의 기준에 명백성이 항상 요구되지는 아니하므로 중대명백설보다 무효의 범위가 넓어지게 된다. (○)
15. 서울시 9급 명백성 보충요건설에서는 행정행위의 무효의 기준으로 중대성 요건만을 요구하지만, 제3자나 공공의 신뢰보호의 필요가 있는 경우에는 보충적으로 명백성 요건도 요구한다. (○)

답 ②

055

조세행정에 대한 설명으로 옳지 않은 것은? (다툼이 있는 경우 판례에 의함)

① 납세의무자에 대한 국가의 부가가치세 환급세액 지급의무에 대응하는 국가에 대한 납세의무자의 부가가치세 환급세액지급청구는 민사소송이 아니라 당사자소송에 의하여야 한다.
② 과세관청이 과세예고 통지 후 과세전적부심사 청구나 그에 대한 결정이 있기 전에 국세부과처분을 한 경우, 특별한 사정이 없는 한 그 하자가 중대·명백하다고 볼 수 없어 당연무효가 아닌 취소사유에 해당한다.
③ 과세처분에 관한 납세고지서의 송달이 「국세기본법」의 규정에 위배되는 부적법한 것으로서 송달의 효력이 발생하지 아니하는 이상, 그 과세처분은 무효이다.
④ 하나의 납세고지서로 본세와 여러 종류의 가산세를 함께 부과하는 경우에 납세고지서에 가산세의 종류와 세액의 산출근거 등을 따로 구별하지 않고 가산세의 합계액만을 기재하였다면 그 부과처분은 위법하다.

문제 DATA
출제가능 지수 ▶▶▷
난이도 지수 ★★☆

2018년 국가직 7급

① (○) 납세의무자에 대한 국가의 부가가치세 환급세액 지급의무는 부가가치세법령에 의하여 그 존부나 범위가 구체적으로 확정되고 조세 정책적 관점에서 특별히 인정되는 공법상 의무라고 봄이 타당하다. 그렇다면 납세의무자에 대한 국가의 부가가치세 환급세액 지급의무에 대응하는 국가에 대한 납세의무자의 부가가치세 환급세액 지급청구는 민사소송이 아니라 행정소송법 제3조 제2호에 규정된 당사자소송의 절차에 따라야 한다(대판 2013.3.21. 2011다95564 전합).
② (×) 국세기본법 및 국세기본법 시행령이 과세전적부심사를 거치지 않고 곧바로 과세처분을 할 수 있거나 과세전적부심사에 대한 결정이 있기 전이라도 과세처분을 할 수 있는 예외사유로 정하고 있다는 등의 특별한 사정이 없는 한, 과세예고 통지 후 과세전적부심사 청구나 그에 대한 결정이 있기도 전에 과세처분을 하는 것은 원칙적으로 과세전적부심사 이후에 이루어져야 하는 과세처분을 그보다 앞서 함으로써 과세전적부심사 제도 자체를 형해화시킬 뿐만 아니라 과세전적부심사 결정과 과세처분 사이의 관계 및 불복절차를 불분명하게 할 우려가 있으므로, 그와 같은 과세처분은 납세자의 절차적 권리를 침해하는 것으로서 절차상 하자가 중대하고도 명백하여 무효이다(대판 2016.12.27. 2016두49228).

유제 19. 국가직 7급 과세관청이 과세예고 통지 후 과세전적부심사 청구나 그에 대한 결정이 있기 전에 과세처분을 한 경우, 특별한 사정이 없는 한 그 과세처분은 절차상 하자가 중대·명백하여 당연무효이다. (○)
18. 5급 승진 과세예고통지 후 과세전적부심사청구나 그에 대한 결정이 있기도 전에 과세처분을 한 경우 그 하자는 무효가 아니라 취소사유에 해당한다. (×)

③ (○) 과세처분에 관한 납세고지서의 송달이 국세기본법 제8조 제1항의 규정에 위배되는 부적법한 것으로서 송달의 효력이 발생하지 아니하는 이상, 그 과세처분은 무효이다(대판 1995.8.22. 95누3909).
④ (○) 하나의 납세고지서에 의하여 본세와 가산세를 함께 부과할 때에는 납세고지서에 본세와 가산세 각각의 세액과 산출근거 등을 구분하여 기재해야 하고, 또 여러 종류의 가산세를 함께 부과하는 경우에는 그 가산세 상호간에도 종류별로 세액과 산출근거 등을 구분하여 기재함으로써 납세의무자가 납세고지서 자체로 각 과세처분의 내용을 알 수 있도록 하여야 한다. 따라서 가산세 부과처분이라고 하여 그 종류와 세액의 산출근거 등을 전혀 밝히지 아니한 채 가산세의 합계액만을 기재하였다면 그 부과처분은 위법하다(대판 2015.3.20. 2014두44434).

답 ②

함께 정리하기
조세행정 관련 판례

납세의무자의 부가가치세환급세액 지급청구
▷ 당사자소송

과세예고 통지 후 과세전적부심사 청구나 그 결정이 있기 전에 행한 과세처분
▷ 무효

납세고지서 송달이 부적법 무효
▷ 과세처분도 무효

가산세의 종류와 세액의 산출근거 밝히지 않고 합계액만을 기재한 경우
▷ 부과처분 위법○

056

행정행위의 하자의 승계에 대한 설명으로 옳지 않은 것은? (다툼이 있는 경우 판례에 의함)

① 구 「부동산 가격공시 및 감정평가에 관한 법률」상 선행처분인 표준지공시지가의 결정에 하자가 있는 경우에 그 하자는 보상금 산정을 위한 수용재결에 승계된다.
② 「국토의 계획 및 이용에 관한 법률」상 도시·군계획시설결정과 실시계획인가는 동일한 법률효과를 목적으로 하는 것이므로 선행처분인 도시·군계획시설결정의 하자는 실시계획인가에 승계된다.
③ 「행정대집행법」상 선행처분인 계고처분의 하자는 대집행영장발부통보처분에 승계된다.
④ 「도시 및 주거환경정비법」상 사업시행계획에 관한 취소사유인 하자는 관리처분계획에 승계되지 않는다.

2018년 국가직 9급

① (○) 대판 2008.8.21. 2007두13845
② (×) 대판 2017.7.18. 2016두4993
③ (○) 대판 1996.2.9. 95누12507
④ (○) 사업시행계획과 관리처분계획은 서로 독립하여 별개의 법적 효과를 발생시키는 것으로서 이 사건 사업시행계획의 수립에 관한 취소사유인 하자가 이 사건 관리처분계획에 승계되지 아니하므로, 위 취소사유를 들어 이 사건 관리처분계획의 적법 여부를 다툴 수는 없다(대판 2012.8.23. 2010두13463).

유제 18. 서울시 9급 사업시행계획과 관리처분계획은 서로 독립하여 별개의 법적 효과를 발생시키는 것으로서 사업시행계획의 수립에 관한 취소사유인 하자가 관리처분계획에 승계되지 아니한다. (○)

답 ②

함께 정리하기
하자승계
표준지공시지가결정과 수용재결
▷ 하자승계○
도시군계획시설결정과 실시계획인가
▷ 하자승계×
계고와 대집행영장발부통보처분
▷ 하자승계○
사업시행계획과 관리처분계획
▷ 하자승계×

057

위헌법률에 근거한 처분의 효력에 대한 설명으로 옳지 않은 것은? (다툼이 있는 경우 판례에 의함)

① 위헌인 법률에 근거한 행정처분이 당연무효인지의 여부는 위헌결정의 소급효와는 별개의 문제로서 취소소송의 제기기간을 경과하여 확정력이 발생한 행정처분에는 위헌결정의 소급효가 미치지 않는다.
② 근거법률의 위헌결정 이전에 이미 부담금 부과처분과 압류처분 및 이에 기한 압류등기가 이루어지고 각 처분이 확정된 경우에는 기존의 압류등기나 교부청구로도 다른 사람에 의하여 개시된 경매절차에서 배당을 받을 수 있다.
③ 어느 행정처분에 대하여 그 행정처분의 근거가 된 법률이 위헌이라는 이유로 무효확인청구의 소가 제기된 경우, 다른 특별한 사정이 없는 한 법원으로서는 그 법률이 위헌인지 여부에 대하여는 판단할 필요 없이 그 무효확인청구를 기각하여야 한다.
④ 행정처분 자체의 효력이 쟁송기간 경과 후에도 존속 중인 경우, 그 행정처분이 위헌인 법률에 근거하여 내려졌고 그 목적달성을 위해 필요한 후행 행정처분이 아직 이루어지지 않았다면 그 하자가 중대하여 그 구제가 필요한 경우에 대하여는 쟁송기간 경과 후라도 무효확인을 구할 수 있다.

2018년 지방직 9급

① (○) 대판 1994.10.28. 92누9463
② (×) 대판 2002.8.23. 2001두2959
③ (○) 일반적으로 법률이 헌법에 위반된다는 사정이 헌법재판소의 위헌결정이 있기 전에는 객관적으로 명백한 것이라고 할 수는 없으므로 헌법재판소의 위헌결정 전에 행정처분의 근거되는 당해 법률이 헌법에 위반된다는 사유는 특별한 사정이 없는 한 그 행정처분의 취소소송의 전제가 될 수 있을 뿐 당연무효사유는 아니라고 봄이 상당하다. 어느 행정처분에 대하여 그 행정처분의 근거가 된 법률이 위헌이라는 이유로 무효확인청구의 소가 제기된 경우에는 다른 특별한 사정이 없는 한 법원으로서는 그 법률이 위헌인지 여부에 대하여는 판단할 필요 없이 위 무효확인청구를 기각하여야 할 것이다(대판 1994.10.28. 92누9463).

유제 13. 국가직 9급 행정처분에 대하여 그 행정처분의 근거가 된 법률이 위헌이라는 이유로 무효확인청구의 소가 제기된 경우에는 다른 특별한 사정이 없는 한 법원으로서는 그 법률이 위헌인지 여부에 대하여는 판단할 필요 없이 그 무효확인청구를 각하하여야 한다. (×)

④ (○) 헌재 1994.6.30. 92헌바23

답 ②

함께 정리하기
위헌법률에 근거한 처분

취소소송 제기기간 경과한 행정처분
▷ 위헌결정의 소급효×

부담금부과처분 이후 근거법률이 위헌결정
▷ 압류등기·교부청구에 의한 배당 불가

처분 후 근거법률의 위헌을 이유로 무효확인청구의 소 제기
▷ 위헌판단 없이 기각함

위헌법률 근거한 처분하자가 중대하여 구제 필요
▷ 쟁송기간 경과 후에도 무효확인 可(헌재입장)

058 □□□

다음 중 하자의 승계가 인정되는 경우가 아닌 것은? (다툼이 있는 경우 판례에 의함)

① 도시계획결정과 수용재결처분
② 계고처분과 대집행비용납부명령
③ 귀속재산의 임대처분과 후행매각처분
④ 한지의사시험자격인정과 한지의사면허처분

문제 DATA
출제가능 지수 ▶▷▷
난이도 지수 ★★☆

2018년 서울시 7급

① (×) 도시계획의 수립에 있어서 도시계획법 제16조의2 소정의 공청회를 열지 아니하고 공공용지의 취득 및 손실보상에 관한 특례법 제8조 소정의 이주대책을 수립하지 아니하였더라도 이는 절차상의 위법으로서 취소사유에 불과하고 그 하자가 도시계획결정 또는 도시계획사업시행인가를 무효라고 할 수 있을 정도로 중대하고 명백하다고는 할 수 없으므로 이러한 위법을 선행처분인 도시계획결정이나 시업시행인가 단계에서 다투지 아니하였다면 그 쟁소기간이 이미 도과한 후인 수용재결단계에 있어서는 도시계획수립 행위의 위와 같은 위법을 들어 재결처분의 취소를 구할 수는 없다(대판 1990.1.23. 87누947).

유제 16. 지방직 7급 법률에 규정된 공청회를 열지 아니한 하자가 있는 도시계획결정에 불가쟁력이 발생하였다면, 당해 도시계획결정이 당연무효가 아닌 이상 그 하자를 이유로 후행하는 수용재결처분의 취소를 구할 수는 없다. (○)

② (○) 대판 1996.2.9. 95누12507
③ (○) 귀속재산처리법 제29조는 같은 법 제15조를 귀속재산의 임대차 또는 관리에 적용한다 규정하였으므로 귀속재산의 임대차에 관하여 같은 법 제15조가 규정한 우선권자가 있음에도 불구하고 타인에게 임대차 한 경우에는 그 임대에는 하자가 있는 경우에 해당하며 그 임대를 취소할 수 있을 뿐만 아니라 그 임대자의 존재를 전제로 한 불하처분도 취소할 수 있는 것이다(대판 1963.2.7. 62누215).

유제 06. 서울시 9급 판례는 귀속재산의 임대처분과 후행 매각처분 사이의 하자 승계를 인정하고 있다. (○)

④ (○) 한지의사 자격시험에 응시하기 위한 응시자격인정의 결정을 사위의 방법으로 받은 이상 이에 터잡아 취득한 한지의사면허처분도 면허를 취득할 수 없는 사람이 취득한 하자있는 처분이 된다 할 것이므로 보건사회부장관이 그와 같은 하자있는 처분임을 이유로 원고가 취득한 한지의사 면허를 취소하는 처분을 하였음은 적법하다(대판 1975.12.9. 75누123).

유제 06. 국회직 8급 판례는 선행 한지의사시험자격인정과 후행 한지의사면허처분 사이의 하자 승계를 인정하고 있다. (○)

답 ①

함께 정리하기
하자의 승계

도시계획결정과 수용재결
▷ 하자 승계×

계고와 대집행비용납부명령
▷ 하자 승계○

귀속재산 임대처분과 매각처분
▷ 하자 승계○

한지의사시험자격인정과 한지의사면허처분
▷ 하자 승계○

문제 DATA

출제가능 지수 ▶▶▷
난이도 지수 ★★☆

059 □□□

행정행위의 하자승계에 대한 설명으로 가장 옳지 않은 것은? (다툼이 있는 경우 판례에 의함)

① 위법한 개별공시지가결정에 대하여 그 정해진 시정절차를 통하여 시정하도록 요구하지 아니하였다는 이유로 위법한 개별공시지가를 기초로 한 과세처분 등 후행 행정처분에서 개별공시지가결정의 위법을 주장할 수 없도록 하는 것은 수인한도를 넘는 불이익을 강요하는 것이다.
② 사업시행계획과 관리처분계획은 서로 독립하여 별개의 법적 효과를 발생시키는 것으로서 사업시행계획의 수립에 관한 취소사유인 하자가 관리처분계획에 승계되지 아니한다.
③ 대집행의 계고, 대집행영장에 의한 통지, 대집행의 실행, 대집행비용의 납부명령은 동일한 행정목적을 달성하기 위하여 일련의 절차로 연속하여 행하여지는 것으로서, 서로 결합하여 하나의 법률효과를 발생시키는 것이다.
④ 선행처분과 후행처분이 서로 독립하여 별개의 법률효과를 목적으로 하는 경우에 선행처분이 당연무효의 하자가 있다는 이유로 후행처분의 효력을 다툴 수 없다.

2018년 서울시 9급

① (O) 대판 1994.1.25. 93누8542
② (O) 대판 2012.8.23. 2010두13463
③ (O) 대판 1996.2.9. 95누12507
④ (✕) 선행처분과 후행처분이 서로 독립하여 별개의 법률효과를 목적으로 하는 때에도 선행처분이 당연무효이면 선행처분의 하자를 이유로 후행처분의 효력을 다툴 수 있다. 도시계획시설사업의 시행자가 작성한 실시계획을 인가하는 처분은 도시계획시설사업 시행자에게 도시계획시설사업의 공사를 허가하고 수용권을 부여하는 처분으로서 선행처분인 도시계획시설사업 시행자 지정 처분이 처분 요건을 충족하지 못하여 당연무효인 경우에는 사업시행자 지정 처분이 유효함을 전제로 이루어진 후행처분인 실시계획 인가처분도 무효라고 보아야 한다(대판 2017.7.11. 2016두35120).

답 ④

함께 정리하기

행정행위의 하자 승계

개별공시지가결정과 과세처분
▷ 하자 승계 O

사업시행계획과 관리처분계획
▷ 하자 승계 ✕

대집행절차 상호간
▷ 하자 승계 O

선행처분과 후행처분이 별개의 법률효과 목적
▷ 선행처분 무효 → 후행처분 무효

문제 DATA

출제가능 지수 ▶▶▷
난이도 지수 ★★★

060 □□□

행정행위의 하자에 대한 판례의 입장으로 옳지 않은 것은?

① 친일반민족행위자로 결정한 최종발표와 그에 따라 그 유가족에 대하여 한 「독립유공자예우에 관한 법률」 적용배제자 결정은 별개의 법률효과를 목적으로 하는 처분이다.
② 무권한의 행위는 원칙적으로 무효라고 할 것이므로, 5급 이상의 국가정보원 직원에 대해 임면권자인 대통령이 아닌 국가정보원장이 행한 의원면직처분은 당연무효에 해당한다.
③ 「국가유공자 등 예우 및 지원에 관한 법률」에 따른 여러 개의 상이에 대한 국가유공자요건비해당처분에 대한 취소소송에서 그 중 일부 상이만이 국가유공자요건이 인정되는 상이에 해당하는 경우, 국가유공자요건비해당처분 중 그 요건이 인정되는 상이에 대한 부분만을 취소하여야 한다.
④ 위법하게 구성된 폐기물처리시설 입지선정위원회가 의결을 한 경우, 그에 터잡아 이루어진 폐기물처리시설 입지결정처분의 하자는 무효사유로 본다.

2018년 지방직 9급

① (O) 친일반민족행위진상규명위원회의 친일반민족행위자 결정과 지방보훈지청장이 유가족에게 한 「독립유공자 예우에 관한 법률」 적용배제자 결정은 별개의 법률효과를 목적으로 하는 처분이나 예외적으로 하자의 승계가 인정되었다.

[1] 선행처분과 후행처분이 서로 독립하여 별개의 효과를 목적으로 하는 경우에도 선행처분의 불가쟁력이나 구속력이 그로 인하여 불이익을 입게 되는 자에게 수인한도를 넘는 가혹함을 가져오며, 그 결과가 당사자에게 예측가능한 것이 아닌 경우에는 국민의 재판받을 권리를 보장하고 있는 헌법의 이념에 비추어 선행처분의 후행처분에 대한 구속력은 인정될 수 없다.

[2] 甲을 친일반민족행위자로 결정한 친일반민족행위진상규명위원회의 최종발표(선행처분)에 따라 지방보훈지청장이 독립유공자 예우에 관한 법률(이하 '독립유공자법'이라 한다) 적용 대상자로 보상금 등의 예우를 받던 甲의 유가족 乙 등에 대하여 독립유공자법 적용배제자 결정(후행처분)을 한 사안에서, … 乙이 선행처분에 대하여 일제강점하 반민족행위 진상규명에 관한 특별법에 의한 이의신청 절차를 밟거나 후행처분에 대한 것과 별개로 행정심판이나 행정소송을 제기하지 않았다고 하여 선행처분의 하자를 이유로 후행처분의 효력을 다툴 수 없게 하는 것은 乙에게 수인한도를 넘는 불이익을 주고 그 결과가 乙에게 예측가능한 것이라고 할 수 없어 선행처분의 후행처분에 대한 구속력을 인정할 수 없으므로 선행처분의 위법을 이유로 후행처분의 효력을 다툴 수 있음에도, 이와 달리 본 원심판결에 법리를 오해한 위법이 있다(대판 2013.3.14. 2012두6964).

유제 17. 서울시 9급, 16. 행정사 「일제강점하 반민족행위 진상규명에 관한 특별법」에 따른 친일반민족행위자 결정과 「독립유공자 예우에 관한 법률」에 의한 법적용 배제결정은 하자의 승계가 인정된다. (O)

② (×) 행정청의 권한에는 사무의 성질 및 내용에 따르는 제약이 있고, 지역적·대인적으로 한계가 있으므로 이러한 권한의 범위를 넘어서는 권한유월의 행위는 무권한 행위로서 원칙적으로 무효라고 할 것이나, 행정청의 공무원에 대한 의원면직처분은 공무원의 사직의사를 수리하는 소극적 행정행위에 불과하고, 당해 공무원의 사직의사를 확인하는 확인적 행정행위의 성격이 강하며 재량의 여지가 거의 없기 때문에 의원면직처분에서의 행정청의 권한유월 행위를 다른 일반적인 행정행위에서의 그것과 반드시 같이 보아야 할 것은 아니다. 5급 이상의 국가정보원 직원에 대한 의원면직처분이 임면권자인 대통령이 아닌 국가정보원장에 의해 행해진 것으로 위법하고, 나아가 국가정보원 직원의 명예퇴직원 내지 사직서 제출이 직위해제 후 1년여에 걸친 국가정보원장 측의 종용에 의한 것이었다는 사정을 감안한다 하더라도 그러한 하자가 중대한 것이라고 볼 수는 없으므로, 대통령의 내부결재가 있었는지에 관계없이 당연무효는 아니라고 할 것이다(대판 2007.7.26. 2005두15748).

유제 17. 국회직 8급 판례는 권한유월의 행위는 무권한의 행위로서 원칙적으로 취소사유로 보면서도 의원면직처분에서의 권한유월은 확인적 행정행위로서의 성격을 갖고 있기 때문에 원칙적으로 무효사유로 보아야 한다는 입장이다. (×)
16. 지방직 7급 행정청이 권한을 유월하여 공무원에 대한 의원면직처분을 하였다면 그러한 처분은 다른 일반적인 행정행위에서의 그것과 같이 보아 당연무효로 보아야 한다. (×)
15. 지방직 7급 임면권자가 아닌 행정청이 소속 공무원에 대하여 행한 의원면직처분은 권한유월의 행위로서 무권한의 행위이므로 당연무효이다. (×)
15. 서울시 9급 무권한은 중대·명백한 하자이므로 항상 무효사유라는 것이 판례의 입장이다. (×)
12. 경찰 2차 임면권자가 아닌 국가정보원장이 5급 이상의 국가정보원직원에 대하여 한 의원면직처분이라 하여 단연무효로 볼 수 없다. (O)

③ (O) 국가유공자 등 예우 및 지원에 관한 법률 제4조 제1항 제6호, 제6조의3 제1항, 제6조의4 등 관련 법령의 해석상, 여러 개의 상이에 대한 국가유공자 요건 비해당결정처분에 대한 취소소송에서 그중 일부 상이에 대해서만 국가유공자 요건이 인정될 경우에는 비해당결정처분 중 요건이 인정되는 상이에 대한 부분만을 취소하여야 하고, 비해당결정처분 전부를 취소할 것은 아니다(대판 2016.8.30. 2014두46034).

④ (O) 구 폐기물처리시설 설치 촉진 및 주변지역 지원 등에 관한 법률에 정한 입지선정위원회가 그 구성방법 및 절차에 관한 같은 법 시행령의 규정에 위배하여 군수와 주민대표가 선정·추천한 전문가를 포함시키지 않은 채 임의로 구성되어 의결을 한 경우, 그에 터잡아 이루어진 폐기물처리시설 입지결정처분의 하자는 중대한 것이고 객관적으로도 명백하므로 무효사유에 해당한다(대판 2007.4.12. 2006두20150).

유제 19. 국가직 7급 구 「폐기물처리시설 설치촉진 및 주변지역 지원 등에 관한 법률」상 입지선정위원회가 동법 시행령의 규정에 위배하여 군수와 주민대표 선정·추천한 전문가를 포함시키지 않은 채 임의로 구성되어 의결을 한 경우에, 이에 터잡아 이루어진 폐기물처리시설 입지결정처분은 당연무효가 된다. (O)
19. 5급 승진 구 「폐기물처리시설 설치촉진 및 주변지역지원 등에 관한 법률」상의 입지선정위원회가 그 구성방법 및 절차에 관한 같은 법 시행령의 규정에 위배하여 군수와 주민대표가 선정·추천한 전문가를 포함시키지 않은 채 임의로 구성되어 의결을 한 경우, 그 하자는 무효사유가 아니다. (×)
17. 국가직 7급(추) 구 폐기물처리시설 설치촉진 및 주변지역 지원 등에 관한 법령상 입지선정위원회는 일정 수 이상의 주민대표 등을 참여시키도록 하고 있음에도 불구하고 이에 위배하여 군수와 주민대표가 선정·추천한 전문가를 포함시키지 않은 채 입지선정위원회를 임의로 구성하여 의결한 경우 이에 따른 폐기물처리시설 입지결정처분의 하자는 무효사유에 해당한다. (O)

답 ②

함께 정리하기

행정행위의 하자

친일반민족행위자로 결정한 최종발표와 「독립유공자 예우에 관한 법률」 적용배제자 결정
▷ 별개의 법률효과를 목적으로 하는 처분

국가정보원장에 의한 5급 이상 국가정보원 직원에 대한 의원면직처분
▷ 당연무효×(취소사유)

국가유공자요건비해당결정처분에 대한 취소소송에서 일부 상이에 대해서만 국가유공자 요건 인정
▷ 요건 인정되는 해당 상이에 대한 부분만 취소

입지선정위원회 임의로 구성하여 의결
▷ 무효사유

문제 DATA
출제가능 지수 ▶▶▷
난이도 지수 ★★☆

함께 정리하기
행정행위의 하자

하자의 치유
▷ 무효인 행정행위에는 인정×

선행행위의 무효의 하자
▷ 당연히 후행행위에 승계

무효인 행정행위
▷ 사정판결×

무효인 행정행위
▷ 무효선언적 의미의 취소소송 可

061 □□□

행정행위의 하자에 대한 설명으로 옳은 것은? (다툼이 있는 경우 판례에 의함)

① 행정행위의 하자의 치유는 무효인 행정행위에는 인정할 수 없다.
② 선행행위의 무효의 하자는 당연히 후행행위에 승계되지 않는다.
③ 무효인 행정행위에 대해서는 사정판결을 할 수 있다.
④ 무효인 행정행위는 당연무효를 선언하는 의미에서 그 취소를 구하는 형식의 소를 제기할 수 없다.

2018년 교육행정직

① (○) 하자의 치유는 무효인 행정행위에서는 인정될 수 없고 취소할 수 있는 행정행위에서만 인정된다.
② (×) 선행행위의 무효의 하자는 당연히 후행행위에 승계되어 후행행위도 무효로 된다.
③ (×) 당연무효의 행정처분을 소송목적물로 하는 행정소송에서는 존치시킬 효력이 있는 행정행위가 없기 때문에 행정소송법 제28조 소정의 사정판결을 할 수 없다(대판 1985.2.26. 84누380).
④ (×) 무효인 행정행위에 대해서는 무효선언적 의미의 취소소송이 가능하다.

답 ①

문제 DATA
출제가능 지수 ▶▶▷
난이도 지수 ★★☆

함께 정리하기
행정행위의 하자

도시계획시설사업시행자지정처분 무효
▷ 실시계획인가처분 무효

과세처분 근거법률에 대한 위헌결정 후 처분의 집행
▷ 무효

재건축조합설립인가처분 당시 동의율 하자
▷ 추가동의서 제출로 하자 치유×

연금지급결정 소급적 직권취소
▷ 환수처분 적법

062 □□□

행정행위의 하자에 대한 설명으로 가장 옳지 않은 것은?

① 선행 도시계획시설사업시행자 지정처분이 당연무효이면 후행처분인 실시계획인가처분도 당연무효이다.
② 과세처분 이후 조세 부과의 근거가 되었던 법률규정에 대하여 위헌결정이 내려진 후에 행한 처분의 집행은 당연무효이다.
③ 재건축주택조합설립인가처분 당시 동의율을 충족하지 못한 하자는 후에 추가동의서가 제출되었다는 사정만으로 치유될 수 없다.
④ 출생연월일 정정으로 특례노령연금 수급요건을 충족하지 못하게 된 자에 대하여 지급결정을 소급적으로 직권취소하고, 이미 지급된 급여를 환수하는 처분은 위법하다.

2018년 서울시 7급

① (○) 대판 2017.7.11. 2016두35120
② (○) 대판 2012.2.16. 2010두10907 전합
③ (○) 대판 2013.7.11. 2011두27544
④ (×) 행정처분을 한 처분청은 처분의 성립에 하자가 있는 경우 별도의 법적 근거가 없더라도 직권으로 이를 취소할 수 있다고 봄이 원칙이므로, 국민연금법이 정한 수급요건을 갖추지 못하였음에도 연금 지급결정이 이루어진 경우에는 이미 지급된 급여 부분에 대한 환수처분과 별도로 지급결정을 취소할 수 있다. 이 경우에도 지급결정을 취소할 공익상의 필요보다 상대방이 받게 될 불이익 등이 막대한 경우에는 재량권의 한계를 일탈한 것으로서 위법하다고 보아야 한다(대판 2017.3.30. 2015두43971).

답 ④

063

행정행위의 하자에 대한 판례의 입장으로 옳은 것은?

① 구 폐기물처리시설 설치촉진 및 주변지역 지원 등에 관한 법령상 입지선정위원회는 일정 수 이상의 주민대표 등을 참여시키도록 하고 있음에도 불구하고 이에 위배하여 군수와 주민대표가 선정·추천한 전문가를 포함시키지 않은 채 입지선정위원회를 임의로 구성하여 의결한 경우 이에 따른 폐기물처리시설 입지결정처분의 하자는 무효사유에 해당한다.
② 「국민연금법」상 장애연금 지급을 위한 장애등급 결정을 하는 경우에는 원칙상 장애연금 지급청구권을 취득할 당시가 아니라 장애연금지급을 결정할 당시의 법령을 적용한다.
③ 적법하게 건축된 건축물에 대한 철거명령을 전제로 행하여진 후행행위인 건축물철거 대집행계고처분은 당연무효라 할 수 없다.
④ 세액산출근거가 누락된 납세고지서에 의한 과세처분에 대하여 상고심 계류 중 세액산출근거의 통지가 행하여지면 당해 과세처분의 하자는 치유된다.

2017년 국가직 7급

① (○) 대판 2007.4.12. 2006두20150
② (×) 국민연금법상 장애연금은 국민연금 가입 중에 생긴 질병이나 부상으로 완치된 후에도 신체상 또는 정신상의 장애가 있는 자에 대하여 그 장애가 계속되는 동안 장애 정도에 따라 지급되는 것으로서, 치료 종결 후에도 신체 등에 장애가 있을 때 지급사유가 발생하고 그때 가입자는 장애연금 지급청구권을 취득한다. 장애연금 지급을 위한 장애등급 결정은 장애연금 지급청구권을 취득할 당시, 즉 치료종결 후 신체 등에 장애가 있게 된 당시의 법령에 따르는 것이 원칙이다. 나아가 이러한 법리는 기존의 장애등급이 변경되어 장애연금액을 변경하여 지급하는 경우에도 마찬가지이므로, 장애등급 변경결정 역시 변경사유 발생 당시, 즉 장애등급을 다시 평가하는 기준일인 '질병이나 부상이 완치되는 날'의 법령에 따르는 것이 원칙이다(대판 2014.10.15. 2012두15135).
③ (×) 대판 1999.4.27. 97누6780
④ (×) 세액산출근거가 누락된 납세고지서에 의한 과세처분의 하자의 치유를 허용하려면 늦어도 과세처분에 대한 불복 여부의 결정 및 불복신청에 편의를 줄 수 있는 상당한 기간내에 하여야 한다고 할 것이므로 상고심의 계류중에 세액산출근거의 통지가 있었다고 하여 이로써 위 과세처분의 하자가 치유되었다고는 볼 수 없다(대판 1984.4.10. 83누393).

유제 12. 지방직 9급 세액산출근거가 누락된 납세고지서에 의한 하자 있는 과세처분에 대하여 전심절차가 모두 끝나고 상고심의 계류 중에 세액산출근거의 통지가 있었다면 위 과세처분의 하자가 치유되었다고 볼 수 있다. (×)

답 ①

함께 정리하기
행정행위의 하자

입지선정위원회 임의로 구성하여 의결
▷ 무효사유

장애등급결정
▷ 지급청구권 획득당시 법령 적용

적법 건축물에 대한 철거명령 무효
▷ 후행 계고처분도 무효

상고심 계류 중 세액산출근거 통지
▷ 하자치유×

064

행정행위의 하자에 대한 설명으로 옳지 않은 것은? (다툼이 있는 경우 판례에 의함)

① 행정행위의 내용상의 하자에 대해서는 하자의 치유가 인정되지 않는다.
② 행정처분을 한 처분청은 그 처분의 성립에 하자가 있는 경우 이를 취소할 별도의 법적 근거가 없다고 하더라도 직권으로 취소할 수 있다.
③ 납세의무자가 부과된 세금을 자진납부하였다고 하더라도 세액산출근거 등의 기재사항이 누락된 납세고지서에 의한 과세처분의 하자는 치유되지 않는다.
④ 수익적 행정행위의 거부처분을 함에 있어서 당사자에게 사전통지를 하지 아니하였다면, 그 거부처분은 위법하여 취소를 면할 수 없다.

함께 정리하기

행정행위의 하자

내용상의 하자
▷ 치유×(cf.절차형식의 하자)

처분청
▷ 별도 근거 없이도 취소 可

세액산출근거 미기재
▷ 자진납부·조세채권시효완성으로 치유×

거부처분은 권익 제한하는 처분×
▷ 사전통지 대상×

2017년 국가직 9급

① (○) 판례는 형식·절차에 관한 하자의 경우에만 그 치유를 인정하고, 내용상 하자에 대해서는 치유를 인정하지 않는다.

> 이 사건 처분에 관한 하자가 행정처분의 내용에 관한 것이고 새로운 노선면허가 이 사건 소 제기 이후에 이루어진 사정 등에 비추어 하자의 치유를 인정치 않은 원심의 판단은 정당하고, 거기에 소론이 지적하는 바와 같은 법리오해의 위법이 있다 할 수 없다(대판 1991.5.28. 90누1359).

② (○) 행정행위를 한 처분청은 그 행위에 하자가 있는 경우에 별도의 법적 근거가 없더라도 스스로 이를 취소할 수 있는 것이며, 다만 그 행위가 국민에게 권리나 이익을 부여하는 이른바 수익적 행정행위인 때에는 그 행위를 취소하여야 할 공익상 필요와 그 취소로 인하여 당사자가 입을 기득권과 신뢰보호 및 법률생활 안정의 침해 등 불이익을 비교교량한 후 공익상 필요가 당사자의 기득권침해 등 불이익을 정당화할 수 있을 만큼 강한 경우에 한하여 취소할 수 있다(대판 1986.2.25. 85누664).

③ (○) 대판 1985.4.9. 84누431

④ (×) 판례는 거부처분의 경우 당사자의 권익을 제한하는 처분이 아니므로 사전통지 대상이 아니라고 본다.

> 신청에 따른 처분이 이루어지지 아니한 경우에는 아직 당사자에게 권익이 부과되지 아니하였으므로 특별한 사정이 없는 한 신청에 대한 거부처분이라고 하더라도 직접 당사자의 권익을 제한하는 것은 아니어서 신청에 대한 거부처분을 여기에서 말하는 '당사자의 권익을 제한하는 처분'에 해당한다고 할 수 없는 것이어서 처분의 사전통지대상이 된다고 할 수 없다(대판 2003.11.28. 2003두674).

답 ④

문제 DATA
출제가능 지수 ▶▶▷
난이도 지수 ★★☆

065 □□□

다음 중 무효인 행정행위에 해당하는 것을 모두 고른 것은? (다툼이 있는 경우 판례에 의함)

> ㄱ. 「환경영향평가법」상 환경영향평가를 실시하여야 할 사업에 대하여 환경영향평가를 거치지 않고 행한 승인처분
> ㄴ. 과세처분의 근거가 되었던 법률규정에 대해 위헌결정이 내려진 이후 당해 처분의 집행을 위해 행한 체납처분
> ㄷ. 「행정절차법」상 청문절차를 거쳐야 하는 처분임에도 청문절차를 결여한 처분
> ㄹ. 「택지개발촉진법」상 택지개발예정지구를 지정함에 있어 거쳐야 하는 관계중앙행정기관의 장과의 협의를 거치지 않은 택지개발예정지구 지정처분

① ㄱ, ㄴ
② ㄱ, ㄹ
③ ㄴ, ㄷ
④ ㄷ, ㄹ

함께 정리하기

무효와 취소 구별

환경영향평가×
▷ 무효

과세처분 근거법률에 대한 위헌결정 후 체납처분
▷ 무효

청문절차×
▷ 취소사유

관계중앙행정기관의 장과 협의 결여한 택지개발예정지구 지정처분
▷ 취소사유

2017년 지방직 7급

ㄱ. (○) 대판 2006.6.30. 2005두14363
ㄴ. (○) 대판 2012.2.16. 2010두10907 전합
ㄷ. (×) 행정청이 특히 침해적 행정처분을 할 때 그 처분의 근거 법령 등에서 청문을 실시하도록 규정하고 있다면, 행정절차법 등 관련 법령상 청문을 실시하지 않아도 되는 예외적인 경우에 해당하지 않는 한 반드시 청문을 실시하여야 하며, 그러한 절차를 결여한 처분은 위법한 처분으로서 취소사유에 해당한다 (대판 2007.11.16. 2005두15700).

유제 16. 교행 법률상 청문을 요하는 행정처분의 경우 청문절차를 결여한 하자는 취소사유에 해당한다. (○)
12. 지방직 9급 침해적 행정처분을 할 때 처분의 근거법령 등에서 청문을 실시하도록 규정하고 있다면「행정절차법」등의 예외에 해당하는 않는 한 반드시 청문을 실시하여야 하며 그러한 절차를 결여한 처분은 위법한 처분으로서 당연무효이다. (×)

ㄹ. (×) 「택지개발법」 제3조에서 건설부장관이 택지개발예정지구를 지정함에 있어 미리 관계중앙행정기관의 장과 협의를 하라고 규정한 의미는 그의 자문을 구하라는 것이지 그 의견을 따라 처분을 하라는 의미는 아니라 할 것이므로 이러한 협의를 거치지 아니하였다고 하더라도 이는 위 지정처분을 취소할 수 있는 원인이 되는 하자 정도에 불과하고 위 지정처분이 당연무효가 되는 하자에 해당하는 것은 아니다(대판 2000.10.13. 99두653).

답 ①

066

하자의 승계에 대한 설명으로 옳지 않은 것은? (다툼이 있는 경우 판례에 의함)

① 선행행위에 무효의 하자가 존재하더라도 선행행위와 후행행위가 결합하여 하나의 법적 효과를 목적으로 하는 경우에는 하자의 승계에 대한 논의의 실익이 있다.
② 적정행정의 유지에 대한 요청에서 나오는 하자의 승계를 인정하면 국민의 권리를 보호하고 구제하는 범위가 더 넓어진다.
③ 선행행위에 대하여 불가쟁력이 발생하지 않았거나 선행행위와 후행행위가 서로 독립하여 각각 별개의 법률효과를 목적으로 하는 때에는 원칙적으로 선행행위의 하자를 이유로 후행행위의 효력을 다툴 수 없다.
④ 선행행위와 후행행위가 서로 독립하여 별개의 법률효과를 목적으로 하는 경우라도 선행행위의 불가쟁력이나 구속력이 그로 인하여 불이익을 입는 자에게 수인한도를 넘는 가혹함을 가져오고 그 결과가 예측가능한 것이 아닌 때에는 하자의 승계를 인정할 수 있다.

2017년 지방직 9급

① (×) 선행행위가 무효인 경우에는 당연히 하자가 승계되어 후행행위도 무효가 되므로 하자의 승계에 대한 논의의 실익이 없다.
② (○) 하자의 승계문제는 둘 이상의 행정행위가 연속적으로 이루어지는 경우, 위법한 선행행위에 불가쟁력이 생겨 다툴 수 없을 때 후행행위를 다투면서 선행행위의 위법을 주장할 수 있는지에 관한 것으로서, 하자의 승계를 인정하면 국민의 권리를 보호하고 구제하는 범위가 더 넓어진다.
③ (○) 두 개 이상의 행정처분을 연속적으로 하는 경우 선행처분과 후행처분이 서로 독립하여 별개의 법률효과를 목적으로 하는 때에는 선행처분에 불가쟁력이 생겨 그 효력을 다툴 수 없게 된 경우에는 선행처분의 하자가 중대하고 명백하여 당연무효인 경우를 제외하고는 선행처분의 하자를 이유로 후행처분의 효력을 다툴 수 없는 것이 원칙이다(대판 2013.3.14. 2012두6964).
④ (○) 선행행위와 후행행위가 별개의 법률효과를 목적으로 하는 경우에도 예측가능성과 수인한도의 법리를 고려하여 예외적으로 하자의 승계를 인정한다.

선행처분과 후행처분이 서로 독립하여 별개의 효과를 목적으로 하는 경우에도 선행처분의 불가쟁력이나 구속력이 그로 인하여 불이익을 입게 되는 자에게 수인한도를 넘는 가혹함을 가져오며, 그 결과가 당사자에게 예측가능한 것이 아닌 경우에는 국민의 재판받을 권리를 보장하고 있는 헌법의 이념에 비추어 선행처분의 후행처분에 대한 구속력은 인정될 수 없다(대판 1994.1.25. 93누8542).

유제 19. 5급 승진 선행처분의 불가쟁력이나 구속력이 그로 인하여 불이익을 입게 되는 자에게 수인한도를 넘는 가혹함을 가져오며, 그 결과가 당사자에게 예측 가능한 것이 아닌 경우에는 선행처분의 후행처분에 대한 구속력은 인정될 수 없다. (○)

답 ①

🔷 문제 DATA
출제가능 지수 ▶▶▷
난이도 지수 ★★☆

📋 함께 정리하기

행정행위의 하자승계

하자승계론의 전제
▷ 선행행위 취소사유(무효×)

하자승계 인정
▷ 국민의 권리보호기여

별개의 법률효과 목적
▷ 아사승계×

수인한도·예측가능 초과
▷ 예외적 하자승계○

문제 DATA

출제가능 지수 ▶▶▷
난이도 지수 ★★☆

067 □□□

행정행위의 하자에 대한 설명으로 옳은 것만을 모두 고른 것은? (다툼이 있는 경우 판례에 의함)

> ㄱ. 명백성보충설에 의하면 무효판단의 기준에 명백성이 항상 요구되지는 아니하므로 중대명백설보다 무효의 범위가 넓어지게 된다.
> ㄴ. 조세부과처분이 무효라 하더라도 그로써 압류 등 체납처분의 효력을 다툴 수는 없다.
> ㄷ. 구「학교보건법」상 학교환경위생정화구역에서의 금지행위 및 시설의 해제 여부에 관한 행정처분을 함에 있어 학교환경위생정화위원회의 심의절차를 누락한 행정처분은 무효이다.
> ㄹ. 선행행위의 하자를 이유로 후행행위를 다투는 경우뿐 아니라 후행행위의 하자를 이유로 선행행위를 다투는 것도 하자의 승계이다.

① ㄱ
② ㄱ, ㄹ
③ ㄴ, ㄷ
④ ㄴ, ㄷ, ㄹ

▎2017년 지방직 9급

ㄱ. (O) 명백성보충설은 하자가 중대하면 무효로 보나 예외적으로 제3자나 공공의 신뢰보호가 필요한 경우에는 보충적으로 명백성을 요구하는 견해이다. 이에 의하면 무효판단의 기준에 명백성이 항상 요구되지는 않으므로 중대명백설보다 무효의 인정 범위가 넓어지게 된다.

ㄴ. (X) 대판 1987.9.22. 87누383

ㄷ. (X) 행정청이 구 학교보건법 소정의 학교환경위생정화구역 내에서 금지행위 및 시설의 해제 여부에 관한 행정처분을 하면서 절차상 위와 같은 심의를 누락한 흠이 있다면 그와 같은 흠을 가리켜 위 행정처분의 효력에 아무런 영향을 주지 않는다거나 경미한 정도에 불과하다고 볼 수는 없으므로, <u>특별한 사정이 없는 한 이는 행정처분을 위법하게 하는 취소사유가 된다</u>(대판 2007.3.15. 2006두15806).

ㄹ. (X) 하자의 승계문제는 둘 이상의 행정행위가 연속적으로 이루어지는 경우, 위법한 선행행위에 불가쟁력이 생겨 다툴 수 없을 때 후행행위를 다투면서 선행행위의 위법을 주장할 수 있는지에 관한 것이다. 따라서 후행행위의 하자를 이유로 선행행위를 다투는 것은 하자의 승계문제가 아니며, 인정될 수도 없다.

답 ①

함께 정리하기

행정행위의 하자

무효의 범위
▷ 명백성보충설 > 중대명백설

조세 부과처분 무효 → 압류 등 체납처분 무효
▷ 효력 다툼 可

학교환경위생정화위원회의 심의절차 누락
▷ 취소사유

하자의 승계 논의
▷ 선행행위 하자를 이유로 후행행위를 다투는 경우 O
▷ 후행행위의 하자를 이유로 선행행위를 다투는 것 X

문제 DATA

출제가능 지수 ▶▶▷
난이도 지수 ★★☆

068 □□□

판례의 입장에서 행정행위의 하자의 승계를 인정한 것을 모두 고른 것은?

> ㄱ. 행정대집행에서의 계고와 대집행영장의 통지
> ㄴ. 안경사시험합격취소처분과 안경사면허취소처분
> ㄷ. 개별공시지가결정과 과세처분
> ㄹ.「일제강점하 반민족행위 진상규명에 관한 특별법」에 따른 친일반민족행위자 결정과「독립유공자 예우에 관한 법률」에 의한 법적용 배제결정
> ㅁ. 공무원의 직위해제처분과 면직처분
> ㅂ. 건물철거명령과 대집행계고처분
> ㅅ. 과세처분과 체납처분

① ㄱ, ㄴ, ㄷ, ㄹ
② ㄱ, ㄷ, ㄹ, ㅅ
③ ㄱ, ㄹ, ㅁ, ㅅ
④ ㄴ, ㄷ, ㄹ, ㅁ

2017년 서울시 9급

ㄱ. (인정) 대판 1996.2.9. 95누12507
ㄴ. (인정) 안경사가 되고자 하는 자는 보건사회부의 소속기관인 국립보건원장이 시행하는 안경사 국가시험에 합격한 후 보건사회부장관의 면허를 받아야 하고 보건사회부장관은 안경사 국가시험에 합격한 자에게 안경사면허를 주도록 규정하고 있으므로, 국립보건원장이 같은 법 제7조 제2항에 의하여 안경사 국가시험의 합격을 무효로 하는 처분을 함에 따라 보건사회부장관이 안경사면허를 취소하는 처분을 한 경우 합격무효처분과 면허취소처분은 동일한 행정목적을 달성하기 위하여 단계적인 일련의 절차로 연속하여 행하여지는 행정처분으로서, 안경사 국가시험에 합격한 자에게 주었던 안경사면허를 박탈한다는 하나의 법률효과를 발생시키기 위하여 서로 결합된 선행처분과 후행처분의 관계에 있다(대판 1993.2.9. 92누4567).

유제 16. 행정사, 15. 경찰 1차·경찰 3차 판례는 선행 안경사시험합격무효처분과 후행 면허취소처분 사이의 하자 승계를 인정하고 있다. (○)

ㄷ. (인정) 개별공시지가결정과 이에 기초한 과세처분은 서로 독립하여 별개의 법률효과를 목적으로 하는 처분이지만 예외적으로 하자의 승계가 인정되었다(대판 1994.1.25. 93누8542).
ㄹ. (인정) 일제강점하 반민족행위 진상규명에 관한 특별법에 따른 친일반민족행위자 결정과 「독립유공자 예우에 관한 법률」에 의한 법적용 배제결정은 별개의 법률효과를 목적으로 하는 처분이나 예외적으로 하자의 승계가 인정되었다(대판 2013.3.14. 2012두6964).
ㅁ. (부정) 대판 1984.9.11. 84누191
ㅂ. (부정) 대판 1998.9.8. 97누20502
ㅅ. (부정) 일정한 행정목적을 위하여 독립된 행위가 단계적으로 이루어진 경우에 선행행위인 과세처분의 하자는 당연무효사유를 제외하고는 집행행위인 체납처분에 승계되지 아니한다(대판 1961.10.26. 4292행상73).

답 ①

함께 정리하기

하자의 승계

행정대집행 계고와 대집행영장의 통지
▷ 승계○

안경사시험합격취소처분과 안경사면허취소처분
▷ 승계○

개별공시지가결정과 과세처분
▷ 승계○

친일반민족행위자결정과 독립유공자배제결정
▷ 승계○

직위해제처분과 면직처분
▷ 승계×

건물철거명령과 대집행계고처분
▷ 승계×

과세처분과 체납처분
▷ 승계×

069 □□□

행정행위의 하자에 대한 설명으로 옳은 것은? (다툼이 있는 경우 판례에 의함)

① 행정심판전치주의는 무효확인소송에는 적용되지만 취소소송에는 적용되지 않는다.
② 대법원은 무효와 취소의 구별기준에 대해서 중대명백설을 취하고 있으나, 반대의견으로 객관적 명백성설이 제시된 판례도 존재한다.
③ 판례는 권한유월의 행위는 무권한의 행위로서 원칙적으로 취소사유로 보면서도 의원면직처분에서의 권한유월은 확인적 행정행위의 성격을 갖고 있기 때문에 원칙적으로 무효사유로 보아야 한다는 입장이다.
④ 판례는 민원사무를 처리하는 행정기관이 민원 1회 방문 처리제를 시행하는 절차의 일환으로 민원사항의 심의·조정 등을 위한 민원조정위원회를 개최하면서 민원인에게 회의 일정 등을 사전에 통지하지 아니하였다면 취소사유가 존재한다는 입장이다.
⑤ 판례는 환경영향평가를 거쳐야 할 대상사업에 대하여 이를 거치지 아니하였음에도 불구하고 승인 등 처분이 이루어졌다면 이는 당연무효라는 입장이다.

문제 DATA

출제가능 지수 ▶▶▷
난이도 지수 ★★★

함께 정리하기

행정행위의 하자

무효확인소송
▷ 행정심판전치주의 ✕

判
▷ 객관적 명백성설 ✕

권한없는 의원면직
▷ 취소사유

통지없는 민원조정위 개최
▷ 취소사유 ✕

환경영향평가 누락
▷ 무효

2017년 국회직 8급

① (✕)「행정소송법」은 취소소송의 경우 행정심판전치주의 규정을 두고 있으나(제18조), 무효확인소송에는 이를 준용하지 않는다.

> 「행정소송법」제18조【행정심판과의 관계】① 취소소송은 법령의 규정에 의하여 당해 처분에 대한 행정심판을 제기할 수 있는 경우에도 이를 거치지 아니하고 제기할 수 있다. 다만, 다른 법률에 당해 처분에 대한 행정심판의 재결을 거치지 아니하면 취소소송을 제기할 수 없다는 규정이 있는 때에는 그러하지 아니하다.
> 제38조【준용규정】① 제9조, 제10조, 제13조 내지 제17조, 제19조, 제22조 내지 제26조, 제29조 내지 제31조 및 제33조의 규정은 무효등확인소송의 경우에 준용한다.

② (✕) 판례는 기본적으로 하자가 중대하고 동시에 명백한 경우에 한하여 당해 처분의 무효를 인정하는 중대명백설을 취하고 있다. 반대의견에서 명백성 보충요건설을 따른 경우도 있으나 객관적 명백성설을 취한 것은 없다(대판 1995.7.11. 94누4615 전합).

③ (✕) 판례는 권한유월의 행위는 무권한의 행위로서 원칙적으로 무효로 보면서도 의원면직처분에서의 권한유월은 확인적 행정행위의 성격을 갖고 있기 때문에 원칙적으로 취소사유로 보아야 한다는 입장이다(대판 2007.7.26. 2005두15748).

④ (✕) 민원사무를 처리하는 행정기관이 민원 1회 방문 처리제를 시행하는 절차의 일환으로 민원사항의 심의·조정 등을 위한 민원조정위원회를 개최하면서 민원인에게 회의일정 등을 사전에 통지하지 아니하였다 하더라도, 이러한 사정만으로 곧바로 민원사항에 대한 행정기관의 장의 거부처분에 취소사유에 이를 정도의 흠이 존재한다고 보기는 어렵다(대판 2015.8.27. 2013두1560).

유제 19. 서울시 9급 민원사무를 처리하는 행정기관이 민원조정위원회를 개최하면서 민원인에게 그 회의일정 등을 사전에 통지하여야 함에도 불구하고 그러하지 아니한 경우에 이러한 사정만으로 곧바로 그 민원사항에 대한 행정기관의 장의 거부처분이 위법하다고 볼 수는 없다. (○)

⑤ (○) 대판 2006.6.30. 2005두14363

답 ⑤

제9절 | 행정행위의 취소·철회·실효

001

문제 DATA
출제가능 지수 ▶▶▷
난이도 지수 ★★☆

행정행위의 취소에 대한 설명으로 옳지 않은 것은?

① 도로관리청이 도로점용허가 중 특별사용의 필요가 없는 부분을 소급적으로 직권취소하였더라도, 도로관리청은 이미 징수한 점용료 중 취소된 부분의 점용면적에 해당하는 점용료를 반환하여야 하는 것은 아니다.

② 과세관청이 조세부과처분을 취소하면 그 부과처분으로 인한 법률효과는 일단 소멸하는 것이므로, 그 후 다시 동일한 과세대상에 대하여 조세부과처분을 하여도 이미 소멸한 법률효과가 다시 회복되는 것은 아니다.

③ 수익적 행정처분에 대한 취소권의 행사는 기득권의 침해를 정당화할 만한 중대한 공익상의 필요 또는 제3자의 이익보호의 필요가 있는 때에 한하여 허용될 수 있다는 법리는 쟁송취소의 경우에는 적용되지 않는다.

④ 행정청이 의료법인의 이사에 대한 이사취임승인취소처분(제1처분)을 직권으로 취소(제2처분)한 경우, 제1처분과 제2처분 사이에 법원에 의하여 선임결정된 임시이사들의 지위는 법원의 해임결정이 없더라도 당연히 소멸된다.

2025년 국가직 9급

① (×)

[1] 도로점용허가는 도로의 일부에 대한 특정사용을 허가하는 것으로서 도로의 일반사용을 저해할 가능성이 있으므로 그 범위는 점용목적 달성에 필요한 한도로 제한되어야 한다. 도로관리청이 도로점용허가를 하면서 특별사용의 필요가 없는 부분을 점용장소 및 점용면적에 포함하는 것은 그 재량권 행사의 기초가 되는 사실인정에 잘못이 있는 경우에 해당하므로 그 도로점용허가 중 특별사용의 필요가 없는 부분은 위법하다.

[2] 이러한 경우 도로점용허가를 한 도로관리청은 위와 같은 흠이 있다는 이유로 유효하게 성립한 도로점용허가 중 특별사용의 필요가 없는 부분을 직권취소할 수 있음이 원칙이다. 다만, 이 경우 행정청이 소급적 직권취소를 하려면 이를 취소하여야 할 공익상 필요와 그 취소로 당사자가 입을 기득권 및 신뢰보호와 법률생활 안정의 침해 등 불이익을 비교 교량한 후 공익상 필요가 당사자의 기득권 침해 등 불이익을 정당화할 수 있을 만큼 강한 경우여야 한다. 이에 따라 <u>도로관리청이 도로점용허가 중 특별사용의 필요가 없는 부분을 소급적으로 직권취소하였다면, 도로관리청은 이미 징수한 점용료 중 취소된 부분의 점용면적에 해당하는 점용료를 반환하여야 한다</u>(대판 2019.1.17. 2016두56721·56738).

② (○) 국세기본법 제26조 제1호는 부과의 취소를 국세납부의무 소멸사유의 하나로 들고 있으나, 그 부과의 취소에 하자가 있는 경우의 부과의 취소의 취소에 대하여는 법률이 명문으로 그 취소요건이나 그에 대한 불복절차에 대하여 따로 규정을 둔 바도 없으므로, 설사 부과의 취소에 위법사유가 있다고 하더라도 당연무효가 아닌 한 일단 유효하게 성립하여 부과처분을 확정적으로 상실시키는 것이므로, <u>과세관청은 부과의 취소를 다시 취소함으로써 원부과처분을 소생시킬 수는 없고 납세의무자에게 종전의 과세대상에 대한 납부의무를 지우려면 다시 법률에서 정한 부과절차에 좇아 동일한 내용의 새로운 처분을 하는 수밖에 없다</u>(대판 1995.3.10. 94누7027). 과세관청이 부과처분을 취소하면 그 부과처분으로 인한 법률효과는 일단 소멸하는 것이므로, 그 후 <u>다시 동일한 과세대상에 대하여 부과처분을 하여도 이미 소멸한 법률효과가 다시 회복되는 것</u>은 아니고 새로운 부과처분에 근거한 법률효과가 생길 뿐이며, 그 새로운 부과처분의 내용이 실질에 있어서는 당초의 부과처분의 감액경정처분에 불과한 것이었다 하여 달리 해석할 것이 아니다(대판 1996.9.24. 96다204).

③ (○) 수익적 행정처분에 대한 취소권 등의 행사는 기득권의 침해를 정당화할 만한 중대한 공익상의 필요 또는 제3자의 이익보호의 필요가 있는 때에 한하여 허용될 수 있다는 법리는, 처분청이 수익적 행정처분을 직권으로 취소·철회하는 경우에 적용되는 법리일 뿐 쟁송취소의 경우에는 적용되지 않는다(대판 2019.10.17. 2018두104).

④ (○) 행정처분이 취소되면 그 소급효에 의하여 처음부터 그 처분이 없었던 것과 같은 효과를 발생하게 되는바, <u>행정청이 의료법인의 이사에 대한 이사취임승인취소처분(제1처분)을 직권으로 취소 (제2처분)한 경우에는 그로 인하여 이사가 소급하여 이사로서의 지위를 회복하게 되고, 그 결과 위 제1처분과 제2처분 사이에 법원에 의하여 선임결정된 임시이사들의 지위는 법원의 해임결정이 없더라도 당연히 소멸된다</u>(대판 1997.1.21. 96누3401).

답 ①

함께 정리하기

행정행위의 취소

도로점용허가 중 특별사용의 필요가 없는 부분의 소급적 직권취소
▷ 이미 징수한 점용료 중 취소된 부분의 점용면적에 해당하는 점용료반환의무 有

쟁송취소
▷ 이익형량의 법리 적용×

이사취임승인취소의 취소
▷ 인정(임시이사지위 당연 소멸)

002

행정처분의 소멸에 대한 설명으로 가장 옳은 것은? (다툼이 있는 경우 판례에 의함)

① 과세처분의 취소처분에 대한 취소는 가능하다.
② 지방병무청장이 재신체검사 등을 거쳐 현역병입영대상편입처분을 보충역편입처분으로 변경하였지만, 그 후 새로운 병역처분의 성립에 하자가 있었음을 이유로 하여 보충역편입처분을 취소하였다면 종전의 현역병입영대상편입처분은 유효하다.
③ 지방병무청장은 군의관의 신체등위판정이 금품수수에 따라 위법하게 이루어졌다고 인정하더라도, 그 신체등위판정을 기초로 자신이 한 병역처분을 직권으로 취소할 수는 없다.
④ 행정행위의 철회는 적법요건을 구비하여 완전히 효력을 발하고 있는 행정행위를 사후적으로 효력의 전부 또는 일부를 장래에 향해 소멸시키는 별개의 행정처분이다.

문제 DATA

출제가능 지수 ▶▶▷
난이도 지수 ★★☆

함께 정리하기

행정처분의 소멸

과세부과 취소를 다시 취소
▷ 원부과처분 회복 ✗

현역병편입처분을 보충역편입처분으로 변경
▷ 보충역편입처분의 직권취소로 현역병편입처분의 효력 소생 ✗

신체등위판정 위법
▷ 이를 기초로 한 병역처분을 직권취소 可

철회
▷ 적법·유효하게 성립된 행정행위에 대하여 장래에 향하여 그 효력을 소멸시키는 별개의 행정처분

2025년 군무원 9급

① (✗) 국세기본법 제26조 제1호는 부과의 취소를 국세납부의무 소멸사유의 하나로 들고 있으나, 그 부과의 취소에 하자가 있는 경우의 부과의 취소의 취소에 대하여는 법률이 명문으로 그 취소요건이나 그에 대한 불복절차에 대하여 따로 규정을 둔 바도 없으므로, 설사 부과의 취소에 위법사유가 있다고 하더라도 당연무효가 아닌 한 일단 유효하게 성립하여 부과처분을 확정적으로 상실시키는 것이므로, 과세관청은 부과의 취소를 다시 취소함으로써 원부과처분을 소생시킬 수는 없고 납세의무자에게 종전의 과세대상에 대한 납부의무를 지우려면 다시 법률에서 정한 부과절차에 좇아 동일한 내용의 새로운 처분을 하는 수밖에 없다(대판 1995.3.10. 94누7027).

② (✗) 구 병역법(1999.2.5. 법률 제5757호로 개정되기 전의 것) 제5조, 제8조, 제12조, 제14조, 제62조, 제63조, 제65조의 규정을 종합하면, 지방병무청장이 재신체검사 등을 거쳐 현역병입영대상편입처분을 보충역편입처분이나 제2국민역편입처분으로 변경하거나 보충역편입처분을 제2국민역편입처분으로 변경하는 경우 비록 새로운 병역처분의 성립에 하자가 있다고 하더라도 그것이 당연무효가 아닌 한 일단 유효하게 성립하고 제소기간의 경과 등 형식적 존속력이 생김과 동시에 종전의 병역처분의 효력은 취소 또는 철회되어 확정적으로 상실된다고 보아야 할 것이므로 그 후 새로운 병역처분의 성립에 하자가 있음을 이유로 하여 이를 취소한다고 하더라도 종전의 병역처분의 효력이 되살아난다고 할 수 없다(대판 2002.5.28. 2001두9653).

③ (✗) 행정처분을 한 처분청은 그 처분의 성립에 하자가 있는 경우 이를 취소할 별도의 법적 근거가 없다고 하더라도 직권으로 이를 취소할 수 있는바, 병역의무가 국가수호를 위하여 전 국민에게 과하여진 헌법상의 의무로서 그를 수행하기 위한 전제로서의 신체등위판정이나 병역처분 등은 공정성과 형평성을 유지하여야 함은 물론 그 면탈을 방지하여야 할 공익적 필요성이 매우 큰 점에 비추어 볼 때, 지방병무청장은 군의관의 신체등위판정이 금품수수에 따라 위법 또는 부당하게 이루어졌다고 인정하는 경우에는 그 위법 또는 부당한 신체등위판정을 기초로 자신이 한 병역처분을 직권으로 취소할 수 있다(대판 2002.5.28. 2001두9653).

④ (○) 행정행위의 취소는 일단 유효하게 성립한 행정행위를 그 행위에 위법 또는 부당한 하자가 있음을 이유로 소급하여 그 효력을 소멸시키는 별도의 행정처분이고, 행정행위의 철회는 적법요건을 구비하여 완전히 효력을 발하고 있는 행정행위를 사후적으로 그 행위의 효력의 전부 또는 일부를 장래에 향해 소멸시키는 행정처분이므로, 행정행위의 취소사유는 행정행위의 성립 당시에 존재하였던 하자를 말하고, 철회사유는 행정행위가 성립된 이후에 새로이 발생한 것으로서 행정행위의 효력을 존속시킬 수 없는 사유를 말한다(대판 2003.5.30. 2003다6422).

답 ④

문제 DATA

출제가능 지수 ▶▶▷
난이도 지수 ★★☆

003 ☐☐☐

행정행위의 취소와 철회에 대한 설명으로 옳지 않은 것은? (다툼이 있는 경우 판례에 의함)

① 직권취소는 처분의 전부를 대상으로 할 수 있지만 처분의 일부를 대상으로 할 수는 없다.

② 과세관청은 조세부과처분의 취소를 취소함으로써 원부과처분을 소생시킬 수는 없고 다시 법률에서 정한 부과절차에 좇아 동일한 내용의 새로운 부과처분을 하는 수밖에 없다.

③ 행정행위의 취소사유는 행정행위의 성립 당시에 존재하였던 하자를 말하고, 철회사유는 행정행위가 성립된 이후에 새로이 발생한 것으로서 행정행위의 효력을 존속시킬 수 없는 사유를 말한다.

④ 행정청이 평가인증이 이루어진 이후에 새로이 발생한 사유를 들어 구 「영유아보육법」에 따라 평가인증을 철회하는 처분을 하면서도 평가인증의 효력을 과거로 소급하여 상실시키기 위해서는 특별한 사정이 없는 한 별도의 법적 근거가 필요하다.

2025년 경찰간부

① (×)

> 「행정기본법」 제18조【위법 또는 부당한 처분의 취소】① 행정청은 위법 또는 부당한 처분의 전부나 일부를 소급하여 취소할 수 있다. 다만, 당사자의 신뢰를 보호할 가치가 있는 등 정당한 사유가 있는 경우에는 장래를 향하여 취소할 수 있다.

② (○) 국세기본법 제26조 제1호는 부과의 취소를 국세납부의무 소멸사유의 하나로 들고 있으나, 그 부과의 취소에 하자가 있는 경우의 부과의 취소의 취소에 대하여는 법률이 명문으로 그 취소요건이나 그에 대한 불복절차에 대하여 따로 규정을 둔 바도 없으므로, 설사 부과의 취소에 위법사유가 있다고 하더라도 당연무효가 아닌 한 일단 유효하게 성립하여 부과처분을 확정적으로 상실시키는 것이므로, 과세관청은 부과의 취소를 다시 취소함으로써 원부과처분을 소생시킬 수는 없고 납세의무자에게 종전의 과세대상에 대한 납부의무를 지우려면 다시 법률에서 정한 부과절차에 좇아 동일한 내용의 새로운 처분을 하는 수밖에 없다(대판 1995.3.10. 94누7027).

③ (○) 행정행위의 취소는 일단 유효하게 성립한 행정행위를 그 행위에 위법 또는 부당한 하자가 있음을 이유로 소급하여 그 효력을 소멸시키는 별도의 행정처분이고, 행정행위의 철회는 적법요건을 구비하여 완전히 효력을 발하고 있는 행정행위를 사후적으로 그 행위의 효력의 전부 또는 일부를 장래에 향해 소멸시키는 행정처분이다. 그러므로 행정행위의 취소사유는 행정행위의 성립 당시에 존재하였던 하자를 말하고, 철회사유는 행정행위가 성립된 이후에 새로이 발생한 것으로서 행정행위의 효력을 존속시킬 수 없는 사유를 말한다(대판 2014.10.27. 2012두11959).

④ (○) 영유아보육법 제30조 제5항 제3호에 따른 평가인증의 취소는 평가인증 당시에 존재하였던 하자가 아니라 그 이후에 새로이 발생한 사유로 평가인증의 효력을 소멸시키는 경우에 해당하므로, 법적 성격은 평가인증의 '철회'에 해당한다. 그런데 행정청이 평가인증을 철회하면서 그 효력을 철회의 효력발생일 이전으로 소급하게 하면, 철회 이전의 기간에 평가인증을 전제로 지급한 보조금 등의 지원이 그 근거를 상실하게 되어 이를 반환하여야 하는 법적 불이익이 발생한다. 이는 장래를 향하여 효력을 소멸시키는 철회가 예정한 법적 불이익의 범위를 벗어나는 것이다. 이처럼 행정청이 평가인증이 이루어진 이후에 새로이 발생한 사유를 들어 영유아보육법 제30조 제5항에 따라 평가인증을 철회하는 처분을 하면서도, 평가인증의 효력을 과거로 소급하여 상실시키기 위해서는, 특별한 사정이 없는 한 영유아보육법 제30조 제5항과는 별도의 법적 근거가 필요하다(대판 2018.6.28. 2015두58195).

답 ①

함께 정리하기

행정행위의 취소와 철회

직권취소
▷ 처분의 일부를 대상으로 미

과세부과 취소를 다시 취소
▷ 원부과처분 회복×
▷ 새로운 부과처분 要

취소사유
▷ 성립 당시 존재한 하자

철회사유
▷ 성립 이후 새로이 발생

어린이집 평가인증의 철회
▷ 소급효 인정하기 위해선 별도 법적 근거 필요

---

004 □□□

행정행위의 직권취소와 철회에 대한 설명으로 옳지 않은 것은? (다툼이 있는 경우 판례에 의함)

① 수익적 행정처분의 하자가 당사자의 사실은폐나 기타 사위의 방법에 의한 신청행위에 기인한 것이라면 당사자는 처분에 의한 이익이 위법하게 취득되었음을 알아 취소가능성도 예상하고 있었다 할 것이므로, 행정청이 당사자의 신뢰이익을 고려하지 아니하였더라도 재량권의 남용이 되지 아니한다.

② 「행정기본법」은 행정청이 당사자의 신뢰를 보호할 가치가 있는 등 정당한 사유가 있는 경우 위법 또는 부당한 처분의 전부나 일부를 소급하여 취소하여야 한다고 규정하고 있다.

③ 행정행위를 한 처분청은 그 처분 당시에 그 행정처분에 별다른 하자가 없었고 또 그 처분 후에 이를 취소할 별도의 법적 근거가 없다 하더라도 원래의 처분을 그대로 존속시킬 필요가 없게 된 사정변경이 생겼거나 또는 중대한 공익상의 필요가 발생한 경우에는 별개의 행정행위로 이를 철회하거나 변경할 수 있다.

④ 행정청이 여러 종류의 자동차운전면허를 취득한 자에 대하여 그 운전면허를 취소하는 경우, 취소사유가 특정 면허에 관한 것이 아니고 다른 면허와 공통된 것일 경우에는 여러 면허를 전부 취소할 수도 있다.

문제 DATA

출제가능 지수 ▶▶Σ
난이도 지수 ★★☆

함께 정리하기

행정행위의 직권취소와 철회

상대방의 부정행위로 이루어진 수익적 처분 취소
▷ 신뢰보호 고려 ✕

신뢰를 보호할 가치가 있는 등 정당한 사유가 있는 경우
▷ 장래를 향하여 취소 可

행정행위의 철회
▷ 법적 근거 없어도 사정변경 또는 중대한 공익상 필요가 있다면 可

취소사유가 다른 면허와 공통 또는 운전면허받은 사람에 관한 것
▷ 여러 면허 전부취소 可

문제 DATA

출제가능 지수 ▶▶▷
난이도 지수 ★★☆

2025년 소방직

① (O) 수익적 행정처분의 하자가 당사자의 사실은폐나 기타 사위의 방법에 의한 신청행위에 기인한 것이라면, 당사자는 처분에 의한 이익을 위법하게 취득하였음을 알아 취소가능성도 예상하고 있었을 것이므로, 그 자신이 처분에 관한 신뢰이익을 원용할 수 없음은 물론, 행정청이 이를 고려하지 않았다 하여도 재량권의 남용이 되지 않고, 이 경우 당사자의 사실은폐나 기타 사위의 방법에 의한 신청행위가 제3자를 통하여 소극적으로 이루어졌다고 하여 달리 볼 것이 아니다(대판 2008.11.13. 2008두8628).

② (✕)

「행정기본법」 제18조 【위법 또는 부당한 처분의 취소】 ① 행정청은 위법 또는 부당한 처분의 전부나 일부를 소급하여 취소할 수 있다. 다만, 당사자의 신뢰를 보호할 가치가 있는 등 정당한 사유가 있는 경우에는 장래를 향하여 취소할 수 있다.

③ (O) 행정행위를 한 처분청은 그 처분 당시에 그 행정처분에 별다른 하자가 없었고 또 그 처분 후에 이를 취소할 별도의 법적 근거가 없다 하더라도 원래의 처분을 그대로 존속시킬 필요가 없게 된 사정변경이 생겼거나 또는 중대한 공익상의 필요가 발생한 경우에는 별개의 행정행위로 이를 철회하거나 변경할 수 있다(대판 1992.1.17. 91누3130).

④ (O) 한 사람이 여러 종류의 자동차운전면허를 취득하는 경우뿐만 아니라 이를 취소 또는 정지함에 있어서도 서로 별개의 것으로 취급함이 원칙이라 할 것이고, 그 취소나 정지의 사유가 특정의 면허에 관한 것이 아니고 다른 면허와 공통된 것이거나 운전면허를 받은 사람에 관한 것일 경우에는 여러 운전면허 전부를 취소 또는 정지할 수도 있다고 보는 것이 상당하다(대판 1997.1.21. 96다40127).

답 ②

005 ☐☐☐

처분의 취소와 철회에 대한 설명으로 옳지 않은 것은? (다툼이 있는 경우 판례에 의함)

① 행정청은 당사자에게 권리나 이익을 부여하는 처분을 취소하려는 경우에는 취소로 인하여 당사자가 입게 될 불이익을 취소로 달성되는 공익과 비교·형량하여야 하지만, 거짓이나 그 밖의 부정한 방법으로 처분을 받은 경우 또는 당사자가 처분의 위법성을 알고 있었거나 중대한 과실로 알지 못한 경우에는 그러하지 아니하다.

② 수익적 행정처분에 대한 취소권의 행사는 기득권의 침해를 정당화할 만한 중대한 공익상의 필요 또는 제3자의 이익보호의 필요가 있는 때에 한하여 허용될 수 있다는 법리는 쟁송취소의 경우에는 적용되지 않는다.

③ 행정행위의 철회는 적법요건을 구비하여 유효한 행정행위를 행정행위 성립 이후 새로이 발생한 사유로 그 행위의 효력을 장래에 향해 소멸시키는 행정처분이다.

④ 건축주가 토지 소유자로부터 토지사용승낙서를 받아 그 토지 위에 건축물을 건축하는 건축허가를 받았다가 그 착공에 앞서 건축주의 귀책사유로 해당 토지를 사용할 권리를 상실한 경우, 토지 소유자는 그 건축허가의 철회를 신청할 수 있다.

⑤ 행정청이 중대한 공익상 필요가 있어 적법한 처분의 전부 또는 일부를 철회하려는 경우에는 철회로 인하여 당사자가 입게 될 불이익을 철회로 달성되는 공익과 비교·형량하지 않을 수 있다.

2025년 소방간부

① (○)

> 「행정기본법」 제18조【위법 또는 부당한 처분의 취소】 ① 행정청은 위법 또는 부당한 처분의 전부나 일부를 소급하여 취소할 수 있다. 다만, 당사자의 신뢰를 보호할 가치가 있는 등 정당한 사유가 있는 경우에는 장래를 향하여 취소할 수 있다.
> ② 행정청은 제1항에 따라 당사자에게 권리나 이익을 부여하는 처분을 취소하려는 경우에는 취소로 인하여 당사자가 입게 될 불이익을 취소로 달성되는 공익과 비교·형량(衡量)하여야 한다. 다만, 다음 각 호의 어느 하나에 해당하는 경우에는 그러하지 아니하다.
> 1. 거짓이나 그 밖의 부정한 방법으로 처분을 받은 경우
> 2. 당사자가 처분의 위법성을 알고 있었거나 중대한 과실로 알지 못한 경우

② (○) 수익적 행정처분에 대한 취소권 등의 행사는 기득권의 침해를 정당화할 만한 중대한 공익상의 필요 또는 제3자의 이익보호의 필요가 있는 때에 한하여 허용될 수 있다는 법리는, 처분청이 수익적 행정처분을 직권으로 취소·철회하는 경우에 적용되는 법리일 뿐 쟁송취소의 경우에는 적용되지 않는다(대판 2019.10.17. 2018두104).

③ (○) 행정행위의 취소는 일단 유효하게 성립한 행정행위를 그 행위에 위법 또는 부당한 하자가 있음을 이유로 소급하여 그 효력을 소멸시키는 별도의 행정처분이고, 행정행위의 철회는 적법요건을 구비하여 완전히 효력을 발하고 있는 행정행위를 사후적으로 그 행위의 효력의 전부 또는 일부를 장래에 향해 소멸시키는 행정처분이다. 그러므로 행정행위의 취소사유는 행정행위의 성립 당시에 존재하였던 하자를 말하고, 철회사유는 행정행위가 성립된 이후에 새로이 발생한 것으로서 행정행위의 효력을 존속시킬 수 없는 사유를 말한다고 할 것이다(대판 2003.5.30. 2003다6422).

④ (○) 건축허가는 대물적 성질을 갖는 것이어서 행정청으로서는 그 허가를 할 때에 건축주 또는 토지 소유자가 누구인지 등 인적 요소에 관하여는 형식적 심사만 한다(대판 2010.5.13. 2010두2296 참조). 건축주가 토지 소유자로부터 토지사용승낙서를 받아 그 토지 위에 건축물을 건축하는 대물적 성질의 건축허가를 받았다가 그 착공에 앞서 건축주의 귀책사유로 해당 토지를 사용할 권리를 상실한 경우, 건축허가의 존재로 말미암아 토지에 대한 소유권 행사에 지장을 받을 수 있는 토지 소유자로서는 그 건축허가의 철회를 신청할 수 있다고 보아야 한다. 따라서 토지 소유자의 위와 같은 신청을 거부한 행위는 항고소송의 대상이 된다(대판 2017.3.15. 2014두41190).

⑤ (×)

> 「행정기본법」 제19조【적법한 처분의 철회】 ① 행정청은 적법한 처분이 다음 각 호의 어느 하나에 해당하는 경우에는 그 처분의 전부 또는 일부를 장래를 향하여 철회할 수 있다.
> 1. 법률에서 정한 철회 사유에 해당하게 된 경우
> 2. 법령등의 변경이나 사정변경으로 처분을 더 이상 존속시킬 필요가 없게 된 경우
> 3. 중대한 공익을 위하여 필요한 경우
> ② 행정청은 제1항에 따라 처분을 철회하려는 경우에는 철회로 인하여 당사자가 입게 될 불이익을 철회로 달성되는 공익과 비교·형량하여야 한다.

답 ⑤

함께 정리하기

처분의 취소와 철회

당사자가 거짓이나 부정한 방법으로 처분을 받은 경우 또는 당사자가 처분의 위법성을 알고 있었거나 중대한 과실로 알지 못한 경우
▷ 수익적 행정처분 취소시 비교·형량 不要

수익적 행정처분 취소권 제한 법리
▷ 쟁송취소에 적용×

철회
▷ 적법·유효하게 성립된 행정행위에 대하여 장래에 향하여 그 효력을 소멸시키는 별개의 행정처분

건축허가로 토지에 대한 소유권 행사에 지장 받을 자
▷ 건축허가 철회 신청권○

중대한 공익상 필요가 있어 적법한 처분을 철회
▷ 이익형량 要

문제 DATA

출제가능 지수 ▶▶▷
난이도 지수 ★★☆

006

행정처분의 직권취소에 대한 설명으로 옳지 않은 것은?

① 과세처분에 관한 이의신청절차에서 과세관청이 납세자의 이의신청 사유가 옳다고 인정하여 과세처분을 직권으로 취소한 이상 그 후 특별한 사유 없이 이를 번복하고 종전 처분을 되풀이하는 것은 허용되지 않는다.
② 행정처분을 한 처분청은 그 행위에 하자가 있는 경우에는 원칙적으로 별도의 법적 근거가 없더라도 스스로 이를 직권으로 취소할 수 있다.
③ 승인처분의 근거 법률에서 행정청의 승인처분에 대한 취소신청과 관련하여 아무런 규정을 두고 있지 않더라도 직권취소를 할 수 있다는 사정만으로 이해관계인은 처분청에 대하여 승인처분의 하자를 이유로 그 승인처분의 취소를 요구할 신청권을 갖는다.
④ 도로관리청이 도로점용허가 중 특별사용의 필요가 없는 부분을 소급적으로 직권취소하였다면, 도로관리청은 이미 징수한 점용료 중 취소된 부분의 점용면적에 해당하는 점용료를 반환하여야 한다.

2024년 지방직 7급

① (○) 과세처분에 관한 불복절차과정에서 과세관청이 그 불복사유가 옳다고 인정하고 이에 따라 필요한 처분을 하였을 경우에는, 불복제도와 이에 따른 시정방법을 인정하고 있는 구 국세기본법(2007.12.31. 법률 제8830호로 개정되기 전의 것) 제55조 제1항, 제3항 등 규정들의 취지에 비추어 동일 사항에 관하여 특별한 사유 없이 이를 번복하고 다시 종전의 처분을 되풀이할 수는 없는 것이므로, 과세처분에 관한 이의신청절차에서 과세관청이 이의신청 사유가 옳다고 인정하여 과세처분을 직권으로 취소한 이상 그 후 특별한 사유 없이 이를 번복하고 종전 처분을 되풀이하는 것은 허용되지 않는다(대판 2010.9.30. 2009두1020).
② (○), ③ (×) 산림법령에는 채석허가처분을 한 처분청이 산림을 복구한 자에 대하여 복구설계서승인 및 복구준공통보를 한 경우 그 취소신청과 관련하여 아무런 규정을 두고 있지 않고, 원래 행정처분을 한 처분청은 그 처분에 하자가 있는 경우에는 원칙적으로 별도의 법적 근거가 없더라도 스스로 이를 직권으로 취소할 수 있지만(②), 그와 같이 직권취소를 할 수 있다는 사정만으로 이해관계인에게 처분청에 대하여 그 취소를 요구할 신청권이 부여된 것으로 볼 수는 없으므로(③), 처분청이 위와 같이 법규상 또는 조리상의 신청권이 없이 한 이해관계인의 복구준공통보 등의 취소신청을 거부하더라도, 그 거부행위는 항고소송의 대상이 되는 처분에 해당하지 않는다(대판 2006.6.30. 2004두701).
④ (○) 도로점용허가는 도로의 일부에 대한 특정사용을 허가하는 것으로서 도로의 일반사용을 저해할 가능성이 있으므로 그 범위는 점용목적 달성에 필요한 한도로 제한되어야 한다. 도로관리청이 도로점용허가를 하면서 특별사용의 필요가 없는 부분을 점용장소 및 점용면적에 포함하는 것은 그 재량권 행사의 기초가 되는 사실인정에 잘못이 있는 경우에 해당하므로 그 도로점용허가 중 특별사용의 필요가 없는 부분은 위법하다. 이러한 경우 도로점용허가를 한 도로관리청은 위와 같은 흠이 있다는 이유로 유효하게 성립한 도로점용허가 중 특별사용의 필요가 없는 부분을 직권취소할 수 있음이 원칙이다. 다만 이 경우 행정청이 소급적 직권취소를 하려면 이를 취소하여야 할 공익상 필요와 그 취소로 당사자가 입을 기득권 및 신뢰보호와 법률생활 안정의 침해 등 불이익을 비교 교량한 후 공익상 필요가 당사자의 기득권 침해 등 불이익을 정당화할 수 있을 만큼 강한 경우여야 한다. 이에 따라 도로관리청이 도로점용허가 중 특별사용의 필요가 없는 부분을 소급적으로 직권취소하였다면, 도로관리청은 이미 징수한 점용료 중 취소된 부분의 점용면적에 해당하는 점용료를 반환하여야 한다(대판 2019.1.17. 2016두56721·56738).

답 ③

함께 정리하기

행정처분의 직권취소

과세처분의 직권취소 번복하고 종전 처분 되풀이
▷ 위법

취소
▷ 별도의 법적근거 불요

이해관계인의 직권취소신청권
▷ 부정

도로점용허가 중 특별사용의 필요 없는 부분만 소급적으로 직권취소
▷ 취소된 부분의 점용면적에 해당하는 점용료 반환의무○

007

처분의 취소·철회 및 변경에 대한 설명으로 옳지 않은 것은? (다툼이 있는 경우 판례에 의함)

① 행정청은 당사자의 신뢰를 보호할 가치가 있는 등 정당한 사유가 있는 경우에는 위법 또는 부당한 처분의 일부를 장래를 향하여 취소할 수 있다.
② 조례가 법률 등 상위법령에 위배된다는 사정은 그 조례의 규정을 위법하여 무효라고 선언한 대법원의 판결이 선고되지 아니한 상태에서는 그 조례 규정의 위법 여부가 해석상 다툼의 여지가 없을 정도로 명백하였다고 인정되지 아니하는 이상 객관적으로 명백한 것이라 할 수 없으므로, 이러한 조례에 근거한 행정처분의 하자는 취소사유에 해당한다.
③ 취소소송의 제기기간을 경과하여 확정력이 발생한 행정처분의 경우에는 위헌결정의 소급효가 미치지 않는다.
④ 조세 부과의 근거가 되었던 법률 규정이 위헌으로 결정된 경우, 그에 기한 과세처분이 위헌결정 전에 이루어졌고, 과세처분에 대한 제소기간이 이미 경과하여 조세채권이 확정되었으며, 조세채권의 집행을 위한 체납처분의 근거규정 자체에 대하여는 따로 위헌결정이 내려진 바 없으므로, 이와 같은 위헌결정 이후에 행해진 체납처분은 무효라고 할 수 없다.

2024년 경찰간부

① (○)

> 「행정기본법」 제18조 【위법 또는 부당한 처분의 취소】 ① 행정청은 위법 또는 부당한 처분의 전부나 일부를 소급하여 취소할 수 있다. 다만, 당사자의 신뢰를 보호할 가치가 있는 등 정당한 사유가 있는 경우에는 장래를 향하여 취소할 수 있다.

② (○) 하자 있는 행정처분이 당연무효로 되려면 그 하자가 법규의 중요한 부분을 위반한 중대한 것이어야 할 뿐 아니라 객관적으로 명백한 것이어야 하므로, 행정청이 위법하여 무효인 조례를 적용하여 한 행정처분이 당연무효로 되려면 그 규정이 행정처분의 중요한 부분에 관한 것이어서 결과적으로 그에 따른 행정처분의 중요한 부분에 하자가 있는 것으로 귀착되고, 또한 그 규정의 위법성이 객관적으로 명백하여 그에 따른 행정처분의 하자가 객관적으로 명백한 것으로 귀착되어야 하는바, 일반적으로 조례가 법률 등 상위법령에 위배된다는 사정은 그 조례의 규정을 위법하여 무효라고 선언한 대법원의 판결이 선고되지 아니한 상태에서는 그 조례 규정의 위법 여부가 해석상 다툼의 여지가 없을 정도로 명백하였다고 인정되지 아니하는 이상 객관적으로 명백한 것이라 할 수 없으므로, 이러한 조례에 근거한 행정처분의 하자는 취소사유에 해당할 뿐 무효사유가 된다고 볼 수는 없다(대판 2009.10.29. 2007두26285).
③ (○) 위헌인 법률에 근거한 행정처분이 당연무효인지의 여부는 위헌결정의 소급효와는 별개의 문제로서, 위헌결정의 소급효가 인정된다고 하여 위헌인 법률에 근거한 행정처분이 당연무효가 된다고는 할 수 없고, 오히려 이미 취소소송의 제기기간을 경과하여 확정력이 발생한 행정처분에는 위헌결정의 소급효가 미치지 않는다고 보아야 한다(대판 2021.12.30. 2018다241458 등).
④ (×) 조세부과의 근거가 되었던 법률규정이 위헌으로 선언된 경우, 비록 그에 기한 과세처분이 위헌결정 전에 이루어졌고, 과세처분에 대한 제소기간이 이미 경과하여 조세채권이 확정되었으며, 조세채권의 집행을 위한 체납처분의 근거규정 자체에 대하여는 따로 위헌결정이 내려진 바 없다고 하더라도, 위와 같은 위헌결정 이후에 조세채권의 집행을 위한 새로운 체납처분에 착수하거나 이를 속행하는 것은 더 이상 허용되지 않고, 나아가 이러한 위헌결정의 효력에 위배하여 이루어진 체납처분은 그 사유만으로 하자가 중대하고 객관적으로 명백하여 당연무효라고 보아야 한다(대판 2012.2.16. 2010두10907 전합).

답 ④

함께 정리하기

처분의 취소·철회 및 변경

정당한 사유가 있는 경우
▷ 장래를 향하여 취소 可

위법무효 판결 전 하자 있는 조례에 의한 처분
▷ 취소사유

취소소송 제기기간 경과한 행정처분
▷ 위헌결정의 소급효×

과세처분 근거법률에 대한 위헌결정 후 체납처분
▷ 무효

문제 DATA
출제가능 지수 ▶▶▷
난이도 지수 ★★☆

008 □□□

행정행위의 취소와 철회에 관한 설명으로 옳은 것은? (다툼이 있는 경우 판례에 의함)

① 철회의 효과에 관하여 「행정기본법」은 소급효에 대해 명시적으로 규정함이 없으나, 판례는 별도의 법적 근거가 있다면 소급효 또한 인정할 수 있다는 입장이다.
② 당사자가 거짓이나 그 밖의 부정한 방법으로 처분을 받은 경우 행정청은 처분을 취소하고자 할 때 취소로 달성되는 공익과 당사자가 입게 될 불이익을 비교·형량하여야 한다.
③ 행정청은 적법한 처분이 법률에서 정한 철회 사유에 해당하게 된 경우 그 처분의 전부 또는 일부를 장래를 향해 철회할 수 있는데, 처분을 철회하는 경우 철회로 인하여 당사자가 입게 될 불이익과 철회로 얻게 되는 공익을 비교·형량할 필요는 없다.
④ 연금의 지급결정과 같은 수익적 행정행위를 취소하는 처분이 적법하더라도, 그 처분에 기초하여 잘못 지급된 급여액에 해당하는 금액을 환수하는 처분은 적법하다.

> 2024년 소방직

함께 정리하기
행정행위의 취소와 철회

철회의 소급효
▷ 행정기본법에 명문규정無
▷ 판례: 별도 법적 근거 있다면 인정

당사자가 거짓이나 부정한 방법으로 처분을 받은 경우
▷ 취소시 비교·형량 不要

철회
▷ 장래효, 불이익과 공익 비교·형량 要

연금지급결정 취소처분 적법해도 환수처분이 반드시 적법×

① (○) 영유아보육법 제30조 제5항 제3호에 따른 평가인증의 취소는 평가인증 당시에 존재하였던 하자가 아니라 그 이후에 새로이 발생한 사유로 평가인증의 효력을 소멸시키는 경우에 해당하므로, 법적 성격은 평가인증의 '철회'에 해당한다. 그런데 행정청이 평가인증을 철회하면서 그 효력을 철회의 효력발생일 이전으로 소급하게 하면, 철회 이전의 기간에 평가인증을 전제로 지급한 보조금 등의 지원이 그 근거를 상실하게 되어 이를 반환하여야 하는 법적 불이익이 발생한다. 이는 장래를 향하여 효력을 소멸시키는 철회가 예정한 법적 불이익의 범위를 벗어나는 것이다. 이처럼 행정청이 평가인증이 이루어진 이후에 새로이 발생한 사유를 들어 영유아보육법 제30조 제5항에 따라 평가인증을 철회하는 처분을 하면서도, 평가인증의 효력을 과거로 소급하여 상실시키기 위해서는, 특별한 사정이 없는 한 영유아보육법 제30조 제5항과는 별도의 법적 근거가 필요하다(대판 2018.6.28. 2015두58195).

② (×)

> 「행정기본법」 제18조【위법 또는 부당한 처분의 취소】① 행정청은 위법 또는 부당한 처분의 전부나 일부를 소급하여 취소할 수 있다. 다만, 당사자의 신뢰를 보호할 가치가 있는 등 정당한 사유가 있는 경우에는 장래를 향하여 취소할 수 있다.
> ② 행정청은 제1항에 따라 당사자에게 권리나 이익을 부여하는 처분을 취소하려는 경우에는 취소로 인하여 당사자가 입게 될 불이익을 취소로 달성되는 공익과 비교·형량(衡量)하여야 한다. 다만, 다음 각 호의 어느 하나에 해당하는 경우에는 그러하지 아니하다.
> 1. 거짓이나 그 밖의 부정한 방법으로 처분을 받은 경우
> 2. 당사자가 처분의 위법성을 알고 있었거나 중대한 과실로 알지 못한 경우

③ (×)

> 「행정기본법」 제19조【적법한 처분의 철회】① 행정청은 적법한 처분이 다음 각 호의 어느 하나에 해당하는 경우에는 그 처분의 전부 또는 일부를 장래를 향하여 철회할 수 있다.
> 1. 법률에서 정한 철회 사유에 해당하게 된 경우
> 2. 법령등의 변경이나 사정변경으로 처분을 더 이상 존속시킬 필요가 없게 된 경우
> 3. 중대한 공익을 위하여 필요한 경우
> ② 행정청은 제1항에 따라 처분을 철회하려는 경우에는 철회로 인하여 당사자가 입게 될 불이익을 철회로 달성되는 공익과 비교·형량하여야 한다.

④ (×) 행정처분을 한 처분청은 처분의 성립에 하자가 있는 경우 별도의 법적 근거가 없더라도 직권으로 이를 취소할 수 있다고 봄이 원칙이므로, 국민연금법이 정한 수급요건을 갖추지 못하였음에도 연금 지급결정이 이루어진 경우에는 이미 지급된 급여 부분에 대한 환수처분과 별도로 지급결정을 취소할 수 있다. 이 경우에도 이미 부여된 국민의 기득권을 침해하는 것이므로 취소권의 행사는 지급결정을 취소할 공익상의 필요보다 상대방이 받게 될 불이익 등이 막대한 경우에는 재량권의 한계를 일탈한 것으로서 위법하다고 보아야 한다. 다만 이처럼 연금 지급결정을 취소하는 처분과 그 처분에 기초하여 잘못 지급된 급여액에 해당하는 금액을 환수하는 처분이 적법한지를 판단하는 경우 비교·교량할 각 사정이 동일하다고는 할 수 없으므로, 연금 지급결정을 취소하는 처분이 적법하다고 하여 환수처분도 반드시 적법하다고 판단하여야 하는 것은 아니다(대판 2017.3.30. 2015두43971).

답 ①

009

행정행위에 대한 설명으로 옳은 것은?

① 직권취소는 행정행위가 위법한 경우뿐만 아니라, 부당한 경우에도 소급하여 취소할 수 있다.
② 직권취소도 원행정행위와 별개의 행정행위이므로 조세부과처분을 취소한 후, 취소에 하자가 있다고 하여 이를 취소하면 원부과처분을 소생시킬 수 있다.
③ 구「자동차관리법」상 자동차관리사업자로 구성하는 사업자단체인 조합 또는 협회 설립인가처분은 강학상 특허에 해당한다.
④ 효력기간이 정해져 있는 제재적 행정처분의 효력이 발생한 후에 별도의 처분으로 효력기간의 시기와 종기를 다시 정했다면, 당초의 제재처분은 실효되고 새로운 처분이 있는 것으로 본다.
⑤ 종전 처분이 주요 부분을 실질적으로 변경하는 내용의 새로운 처분으로 대체되었다면, 종전 처분의 효력은 소급하여 소멸한다.

2024년 국회직 8급

① (○)

> 「행정기본법」 제18조【위법 또는 부당한 처분의 취소】① 행정청은 위법 또는 부당한 처분의 전부나 일부를 소급하여 취소할 수 있다. 다만, 당사자의 신뢰를 보호할 가치가 있는 등 정당한 사유가 있는 경우에는 장래를 향하여 취소할 수 있다.

② (×) 국세기본법 제26조 제1호는 부과의 취소를 국세납부의무 소멸사유의 하나로 들고 있으나, 그 부과의 취소에 하자가 있는 경우의 부과의 취소의 취소에 대하여는 법률이 명문으로 그 취소요건이나 그에 대한 불복절차에 대하여 따로 규정을 둔 바도 없으므로, 설사 부과의 취소에 위법사유가 있다고 하더라도 당연무효가 아닌 한 일단 유효하게 성립하여 부과처분을 확정적으로 상실시키는 것이므로, 과세관청은 부과의 취소를 다시 취소함으로써 원부과처분을 소생시킬 수는 없고 납세의무자에게 종전의 과세대상에 대한 납부의무를 지우려면 다시 법률에서 정한 부과절차에 좇아 동일한 내용의 새로운 처분을 하는 수밖에 없다(대판 1995.3.10. 94누7027).

③ (×) 구 자동차관리법 제67조 제1항, 제3항, 제4항, 제5항, 구 자동차관리법 시행규칙 제148조 제1항, 제2항의 내용 및 체계 등을 종합하면, 자동차관리법상 자동차관리사업자로 구성하는 사업자단체인 조합 또는 협회(이하 '조합 등'이라고 한다)의 설립인가처분은 국토해양부장관 또는 시·도지사(이하 '시·도지사 등'이리고 한다)가 자동차관리사업자들의 단체결성행위를 보충하여 효력을 완성시키는 처분에 해당한다(대판 2015.5.29. 2013두635).

④ (×) 효력기간이 정해져 있는 제재적 행정처분의 효력이 발생한 이후에도 행정청은 특별한 사정이 없는 한 상대방에 대한 별도의 처분으로써 효력기간의 시기와 종기를 다시 정할 수 있다. 이는 당초의 제재적 행정처분이 유효함을 전제로 그 구체적인 집행시기만을 변경하는 후속 변경처분이다. 이러한 후속 변경처분도 특별한 규정이 없는 한 의사표시에 관한 일반법리에 따라 상대방에게 고지되어야 효력이 발생한다. 위와 같은 후속 변경처분서에 효력기간의 시기와 종기를 다시 특정하는 대신 당초 제재적 행정처분의 집행을 특정 소송사건의 판결 시까지 유예한다고 기재되어 있다면, 처분의 효력기간은 원칙적으로 그 사건의 판결 선고 시까지 진행이 정지되었다가 판결이 선고되면 다시 진행된다. 다만 이러한 후속 변경처분 권한은 특별한 사정이 없는 한 당초의 제재적 행정처분의 효력이 유지되는 동안에만 인정된다. 당초의 제재적 행정처분에서 정한 효력기간이 경과하면 그로써 처분의 집행은 종료되어 처분의 효력이 소멸하는 것이므로(행정소송법 제12조 후문 참조), 그 후 동일한 사유로 다시 제재적 행정처분을 하는 것은 위법한 이중처분에 해당한다(대판 2022.2.11. 2021두40720).

⑤ (×) 기존의 행정처분을 변경하는 내용의 행정처분이 뒤따르는 경우, 후속처분이 종전처분을 완전히 대체하는 것이거나 주요 부분을 실질적으로 변경하는 내용인 경우에는 특별한 사정이 없는 한 종전처분은 효력을 상실하고 후속처분만이 항고소송의 대상이 되지만, 후속처분의 내용이 종전처분의 유효를 전제로 내용 중 일부만을 추가·철회·변경하는 것이고 추가·철회·변경된 부분이 내용과 성질상 나머지 부분과 불가분적인 것이 아닌 경우에는, 후속처분에도 불구하고 종전처분이 여전히 항고소송의 대상이 된다(대판 2015.11.19. 2015두295 전합).

답 ①

문제 DATA

출제가능 지수 ▶▶▷
난이도 지수 ★★★

함께 정리하기

행정행위

직권취소사유
▷ 위법·부당

조세부과처분 취소를 다시 취소
▷ 원부과처분회복 ×

「자동차관리법」상 사업자단체조합 설립인가
▷ 인가

당초 제재처분에서 정한 효력기간의 시기와 종기만을 (일부)변경하는 후속처분
▷ 당초 제재처분 유효하게 존속

종전 처분의 주요부분을 대체·실질적으로 변경하는 후속처분
▷ 종전 처분 그때부터 효력 상실

010

하자 있는 행정행위에 관한 설명 중 옳은 것(○)과 옳지 않은 것(×)을 올바르게 조합한 것은? (다툼이 있는 경우 판례에 의함)

ㄱ. 행정행위를 한 행정청은 비록 발령 당시에는 별다른 하자가 없었고 또 철회할 수 있다는 개별법상 별도의 법적 근거가 없다 하더라도 그 발령 후에 중대한 공익상의 필요가 있는 때에는 공익·사익 간 비교·형량을 거쳐 그 행정행위를 장래를 향하여 철회할 수 있다.

ㄴ. 행정청은 하자 있는 행정행위의 전부 또는 일부를 소급하여 취소할 수 있는 것이 원칙이나, 당사자의 신뢰를 보호할 가치가 있는 등 정당한 사유가 있을 때에는 장래를 향하여 취소할 수 있다.

ㄷ. 취소되는 수익적 행정처분의 하자가 당사자의 사실은폐나 기타 사위(詐僞)의 방법에 의한 신청행위에 기인한 것이라면 당사자는 처분에 관한 신뢰이익을 원용할 수 없지만, 행정청이 이를 고려하지 아니한 경우에는 재량권의 일탈·남용이 된다.

ㄹ. 행정행위 하자의 치유는 행정행위의 성질이나 법치주의 관점에서 볼 때 원칙적으로 허용될 수 없지만, 예외적으로 행정행위의 무용한 반복을 피하고 당사자의 법적 안정성을 위해서는 내용상 하자뿐 아니라 절차상 하자도 치유될 수 있다.

① ㄱ(×), ㄴ(×), ㄷ(×), ㄹ(○)
② ㄱ(○), ㄴ(×), ㄷ(○), ㄹ(×)
③ ㄱ(×), ㄴ(×), ㄷ(○), ㄹ(○)
④ ㄱ(○), ㄴ(○), ㄷ(○), ㄹ(×)
⑤ ㄱ(○), ㄴ(○), ㄷ(×), ㄹ(×)

2024년 변호사

ㄱ. (○) 행정행위를 한 처분청은 비록 그 처분 당시에 별다른 하자가 없었고, 또 그 처분 후에 이를 철회할 별도의 법적 근거가 없다 하더라도 원래의 처분을 존속시킬 필요가 없게 된 사정변경이 생겼거나 또는 중대한 공익상의 필요가 발생한 경우에는 그 효력을 상실케 하는 별개의 행정행위로 이를 철회할 수 있다고 할 것이나, 수익적 행정처분을 취소 또는 철회하는 경우에는 이미 부여된 그 국민의 기득권을 침해하는 것이 되므로, 비록 취소 등의 사유가 있다고 하더라도 그 취소권 등의 행사는 기득권의 침해를 정당화할 만한 중대한 공익상의 필요 또는 제3자의 이익보호의 필요가 있는 때에 한하여 상대방이 받는 불이익과 비교·교량하여 결정하여야 하고, 그 처분으로 인하여 공익상의 필요보다 상대방이 받게 되는 불이익 등이 막대한 경우에는 재량권의 한계를 일탈한 것으로서 그 자체가 위법하다(대판 2004.11.26. 2003두10251·10268).

ㄴ. (○)

> 「행정기본법」제18조 【위법 또는 부당한 처분의 취소】① 행정청은 위법 또는 부당한 처분의 전부나 일부를 소급하여 취소할 수 있다. 다만, 당사자의 신뢰를 보호할 가치가 있는 등 정당한 사유가 있는 경우에는 장래를 향하여 취소할 수 있다.

ㄷ. (×) 행정행위를 한 처분청은 그 행위에 하자가 있는 경우에는 별도의 법적 근거가 없더라도 스스로 이를 취소할 수 있다. 다만 수익적 행정처분을 취소할 때에는 이를 취소하여야 할 공익상의 필요와 그 취소로 당사자가 입게 될 기득권과 신뢰보호 및 법률생활 안정의 침해 등 불이익을 비교·교량한 후 공익상의 필요가 당사자가 입을 불이익을 정당화할 만큼 강한 경우에 한하여 취소할 수 있다. 나아가 수익적 행정처분의 하자가 당사자의 사실은폐나 기타 사위의 방법에 의한 신청행위에 기인한 것이라면 당사자는 처분에 의한 이익이 위법하게 취득되었음을 알아 취소가능성도 예상하고 있었다고 보아야 하므로, 그 자신이 처분에 관한 신뢰이익을 원용할 수 없음은 물론 행정청이 이를 고려하지 아니하였더라도 재량권의 남용이라고 볼 수 없다(대판 2020.2.27. 2019두39611).

「행정기본법」 제18조【위법 또는 부당한 처분의 취소】② 행정청은 제1항에 따라 당사자에게 권리나 이익을 부여하는 처분을 취소하려는 경우에는 취소로 인하여 당사자가 입게 될 불이익을 취소로 달성되는 공익과 비교·형량(衡量)하여야 한다. 다만, 다음 각 호의 어느 하나에 해당하는 경우에는 그러하지 아니하다.
> 1. 거짓이나 그 밖의 부정한 방법으로 처분을 받은 경우
> 2. 당사자가 처분의 위법성을 알고 있었거나 중대한 과실로 알지 못한 경우

ㄹ. (×) 운송사업의 사업계획변경인가처분으로 종전 운행계통에 관하여 각각 그 종점을 기점으로, 기점을 경유지로 하고 그 운행계통을 연장하여 종점을 새로 정하며, 경유지를 일부 변경하는 것이 노선면허가 없는 상태에서 운행계통을 연장, 변경한 것이어서 위법할 뿐 아니라, 이는 운수회사가 보유하고 있는 노선면허를 통합변경하는 내용의 처분이 아니므로, 처분의 대상이 되지 아니한 위 새로 정한 종점까지의 다른 구간의 노선면허를 위 회사가 보유하고 있다 하여 위 처분의 노선흠결의 하자가 치유되지 아니한다. 행정행위의 성질이나 법치주의의 관점에서 볼 때 하자있는 행정행위의 치유는 원칙적으로 허용될 수 없을 뿐만 아니라 이를 허용하는 경우에도 국민의 권리와 이익을 침해하지 않는 범위에서 구체적 사정에 따라 합목적적으로 가려야 할 것인 바, 이 사건 처분에 관한 하자가 행정처분의 내용에 관한 것이고 새로운 노선면허가 이 사건 소 제기 이후에 이루어진 사정 등에 비추어 하자의 치유를 인정치 않은 원심의 판단은 정당하고, 거기에 소론이 지적하는 바와 같은 법리오해의 위법이 있다 할 수 없다(대판 1991.5.28. 90누1359).

답 ⑤

011 □□□

행정행위의 직권취소 및 철회에 대한 설명으로 옳지 않은 것은?

① 처분에 대하여 행정심판이나 행정소송이 제기되어 쟁송이 진행되고 있는 도중에는 행정청은 스스로 대상 처분을 취소할 수 없다.
② 행정청은 사정변경으로 적법한 처분을 더 이상 존속시킬 필요가 없게 된 경우 그 처분의 전부 또는 일부를 장래를 향하여 철회할 수 있다.
③ 제소기간의 경과 등으로 처분에 불가쟁력이 발생하였다 하여도 행정청은 실권의 법리에 해당하지 않는다면 직권으로 처분을 취소할 수 있다.
④ 행정청은 위법 또는 부당한 처분의 전부나 일부를 소급하여 취소할 수 있다. 다만, 당사자의 신뢰를 보호할 가치가 있는 등 정당한 사유가 있는 경우에는 장래를 향하여 취소할 수 있다.

2024년 국가직 9급

① (×) 변상금 부과처분에 대한 취소소송이 진행중이라도 그 부과권자로서는 위법한 처분을 스스로 취소하고 그 하자를 보완하여 다시 적법한 부과처분을 할 수도 있는 것이어서 그 권리행사에 법률상의 장애사유가 있는 경우에 해당한다고 할 수 없으므로, 그 처분에 대한 취소소송이 진행되는 동안에도 그 부과권의 소멸시효가 진행된다(대판 2006.2.10. 2003두5686).
② (○)

> 「행정기본법」 제19조【적법한 처분의 철회】① 행정청은 적법한 처분이 다음 각 호의 어느 하나에 해당하는 경우에는 그 처분의 전부 또는 일부를 장래를 향하여 철회할 수 있다.
> 1. 법률에서 정한 철회사유에 해당하게 된 경우
> 2. 법령 등의 변경이나 사정변경으로 처분을 더 이상 존속시킬 필요가 없게 된 경우
> 3. 중대한 공익을 위하여 필요한 경우

문제 DATA
출제가능 지수 ▶▶▷
난이도 지수 ★★☆

함께 정리하기

행정행위의 직권취소 및 철회

취소소송 진행 중 직권취소 可

적법한 처분의 철회
▷ 사정변경시 可 / 원칙: 장래효

불가쟁력이 발생한 행정행위
▷ 직권취소 可

위법 또는 부당한 처분의 취소
▷ 원칙: 소급효 (단, 정당한 사유O: 장래효)

③ (○) 개별토지에 대한 가격결정도 행정처분에 해당하며, 원래 행정처분을 한 처분청은 그 행위에 하자가 있는 경우에는 원칙적으로 별도의 법적 근거가 없더라도 스스로 이를 직권으로 취소할 수 있는 것이고, 행정처분에 대한 법정의 불복기간이 지나면 직권으로도 취소할 수 없게 되는 것은 아니므로, 처분청은 토지에 대한 개별토지가격의 산정에 명백한 잘못이 있다면 이를 직권으로 취소할 수 있다(대판 1995.9.15. 95누6311).

④ (○)

> 「행정기본법」제18조【위법 또는 부당한 처분의 취소】① 행정청은 위법 또는 부당한 처분의 전부나 일부를 소급하여 취소할 수 있다. 다만, 당사자의 신뢰를 보호할 가치가 있는 등 정당한 사유가 있는 경우에는 장래를 향하여 취소할 수 있다.

답 ①

012 ☐☐☐

행정행위의 취소와 철회에 대한 설명으로 옳지 않은 것은?

① 행정청이 의료법인의 이사에 대한 이사취임승인취소처분(제1처분)을 직권으로 취소(제2처분)한 경우, 제1처분과 제2처분 사이에 법원에 의하여 선임결정된 임시이사들의 지위는 법원의 해임결정이 있어야 소멸된다.

② 행정행위를 한 처분청은 비록 그 처분 당시에 별다른 하자가 없었고, 또 그 처분 후에 이를 철회할 별도의 법적 근거가 없다 하더라도 원래의 처분을 존속시킬 필요가 없게 된 사정변경이 생겼거나 또는 중대한 공익상의 필요가 발생한 경우에는 그 효력을 상실케 하는 별개의 행정행위로 이를 철회할 수 있다.

③ 조세부과처분이 취소되면 그 조세부과처분은 확정적으로 효력이 상실되므로 나중에 취소처분이 취소되어도 원 조세부과처분의 효력이 회복되지 않는다.

④ 행정청은 당사자의 신뢰를 보호할 가치가 있는 등 정당한 사유가 있는 경우에는 위법 또는 부당한 처분의 전부나 일부를 장래를 향하여 취소할 수 있다.

| 2023년 지방직 7급

① (✕) 이사취임승인취소가 소급적으로 취소되면 종전 이사의 지위가 소급적으로 부활하므로 취소와 취소 사이에 선임된 임시이사들의 지위는 법원의 해임결정 없이도 당연소멸된다.

> 행정처분이 취소되면 그 소급효에 의하여 처음부터 그 처분이 없었던 것과 같은 효과를 발생하게 되는바, 행정청이 의료법인의 이사에 대한 이사취임승인취소처분(제1처분)을 직권으로 취소(제2처분)한 경우에는 그로 인하여 이사가 소급하여 이사로서의 지위를 회복하게 되고, 그 결과 위 제1처분과 제2처분 사이에 법원에 의하여 선임결정된 임시이사들의 지위는 법원의 해임결정이 없더라도 당연히 소멸된다(대판 1997.1.21. 96누3401).

② (○) 행정행위를 한 처분청은 비록 그 처분 당시에 별다른 하자가 없었고, 또 그 처분 후에 이를 철회할 별도의 법적 근거가 없다 하더라도 원래의 처분을 존속시킬 필요가 없게 된 사정변경이 생겼거나 또는 중대한 공익상의 필요가 발생한 경우에는 그 효력을 상실케 하는 별개의 행정행위로 이를 철회할 수 있다고 할 것이나, 수익적 행정처분을 취소 또는 철회하는 경우에는 이미 부여된 그 국민의 기득권을 침해하는 것이 되므로, 비록 취소 등의 사유가 있다고 하더라도 그 취소권 등의 행사는 기득권의 침해를 정당화할 만한 중대한 공익상의 필요 또는 제3자의 이익보호의 필요가 있는 때에 한하여 상대방이 받는 불이익과 비교·교량하여 결정하여야 하고, 그 처분으로 인하여 공익상의 필요보다 상대방이 받게 되는 불이익 등이 막대한 경우에는 재량권의 한계를 일탈한 것으로서 그 자체가 위법하다(대판 2004.11.26. 2003두10251·10268).

③ (○) 국세기본법 제26조 제1호는 부과의 취소를 국세납부의무 소멸사유의 하나로 들고 있으나, 그 부과의 취소에 하자가 있는 경우의 부과의 취소의 취소에 대하여는 법률이 명문으로 그 취소요건이나 그에 대한 불복절차에 대하여 따로 규정을 둔 바도 없으므로, 설사 부과의 취소에 위법사유가 있다고 하더라도 당연무효가 아닌 한 일단 유효하게 성립하여 부과처분을 확정적으로 상실시키는 것이므로, 과세관청은 부과의 취소를 다시 취소함으로써 원부과처분을 소생시킬 수는 없고 납세의무자에게 종전의 과세대상에 대한 납부의무를 지우려면 다시 법률에서 정한 부과절차에 좇아 동일한 내용의 새로운 처분을 하는 수밖에 없다(대판 1995.3.10. 94누7027).
④ (○)

> 「행정기본법」 제18조【위법 또는 부당한 처분의 취소】 ① 행정청은 위법 또는 부당한 처분의 전부나 일부를 소급하여 취소할 수 있다. 다만, 당사자의 신뢰를 보호할 가치가 있는 등 정당한 사유가 있는 경우에는 장래를 향하여 취소할 수 있다.

답 ①

013

행정행위의 취소와 철회에 대한 설명으로 옳지 않은 것은? (다툼이 있는 경우 판례에 의함)

① 한 사람이 여러 종류의 자동차운전면허를 취득하는 경우뿐 아니라 이를 취소함에 있어서도 서로 별개의 것으로 취급하는 것이 원칙이다.
② 당사자가 처분의 위법성을 중대한 과실로 알지 못한 경우에는 행정청은 당사자에게 이익을 부여하는 처분의 취소로 인하여 당사자가 입게 될 불이익을 취소로 달성되는 공익과 비교·형량하지 않아도 된다.
③ 행정청은 정당한 사유가 있는 경우에는 처분을 장래를 향하여 취소할 수 있다.
④ 처분청은 행정처분에 하자가 있는 경우에는 별도의 법적 근거가 있어야만 스스로 이를 취소할 수 있다.

문제 DATA
출제가능 지수 ▶▶▷
난이도 지수 ★★☆

2023년 군무원 9급

① (○) 한 사람이 여러 종류의 자동차운전면허를 취득하는 경우뿐 아니라 이를 취소 또는 정지하는 경우에도 서로 별개의 것으로 취급하는 것이 원칙이고, 다만 취소사유가 특정 면허에 관한 것이 아니고 다른 면허와 공통된 것이거나 운전면허를 받은 사람에 관한 것일 경우에는 여러 면허를 전부 취소할 수도 있다(대판 2012.5.24. 2012두1891).

유제 18. 지방직 9급 행정청이 여러 종류의 자동차운전면허를 취득한 자에 대해 그 운전면허를 취소하는 경우, 취소사유가 특정 면허에 관한 것이 아니고 다른 면허와 공통된 것이거나 운전면허를 받은 사람에 관한 것일 경우에는 여러 면허를 전부 취소할 수 있다. (○)
16. 서울시 7급 여러 종류의 자동차운전면허는 서로 별개의 것으로 취급하는 것이 원칙이나, 취소사유가 특정 면허에 관한 것이 아니고 다른 면허와 공통된 것이거나 운전면허를 받은 사람에 관한 것일 경우에는 여러 면허를 전부 취소할 수도 있다. (○)
15. 경찰 1차 운전면허 취소사유가 그 사람이 가진 여러 면허에 공통된 것이라면 그 면허 전부를 취소할 수 있다. (○)

② (○)

> 「행정기본법」 제18조【위법 또는 부당한 처분의 취소】 ② 행정청은 제1항에 따라 당사자에게 권리나 이익을 부여하는 처분을 취소하려는 경우에는 취소로 인하여 당사자가 입게 될 불이익을 취소로 달성되는 공익과 비교·형량(衡量)하여야 한다. 다만, 다음 각 호의 어느 하나에 해당하는 경우에는 그러하지 아니하다.
> 1. 거짓이나 그 밖의 부정한 방법으로 처분을 받은 경우
> 2. 당사자가 처분의 위법성을 알고 있었거나 중대한 과실로 알지 못한 경우

함께 정리하기
행정행위의 취소와 철회

복수운전면허
▷ 취득·취소·정지하는 경우에 서로 별개 취급 원칙

당사자가 처분의 위법성을 중대한 과실로 알지 못한 경우
▷ 취소시 비교·형량 不要

정당한 사유가 있는 경우
▷ 장래를 향하여 취소 可

직권취소
▷ 별도의 법적 근거가 없어도 가능

③ (○)

> 「행정기본법」 제18조【위법 또는 부당한 처분의 취소】① 행정청은 위법 또는 부당한 처분의 전부나 일부를 소급하여 취소할 수 있다. 다만, 당사자의 신뢰를 보호할 가치가 있는 등 정당한 사유가 있는 경우에는 장래를 향하여 취소할 수 있다.

④ (×) 개별토지에 대한 가격결정도 행정처분에 해당하며, 원래 행정처분을 한 처분청은 그 행위에 하자가 있는 경우에는 원칙적으로 별도의 법적 근거가 없더라도 스스로 이를 직권으로 취소할 수 있는 것이고, 행정처분에 대한 법정의 불복기간이 지나면 직권으로도 취소할 수 없게 되는 것은 아니므로, 처분청은 토지에 대한 개별토지가격의 산정에 명백한 잘못이 있다면 이를 직권으로 취소할 수 있다(대판 1995.9.15. 95누6311).

답 ④

014

행정행위에 대한 설명으로 옳지 않은 것은? (다툼이 있는 경우 판례에 의함)

① 행정청이「자동차운수사업법」에 의한 개인택시운송사업 면허신청에 대하여 이미 설정된 면허기준을 구체적으로 적용함에 있어서 그 해석상 당해 신청이 면허발급의 우선순위에 해당함이 명백함에도 불구하고 이를 제외시켜 면허거부처분을 하였다면 특별한 사정이 없는 한 그 거부처분은 재량권을 남용한 위법한 처분이다.
② 공무원 임용을 위한 면접전형에 있어서 임용신청자의 능력이나 적격성 등에 관한 판단은 현저하게 재량권을 일탈 내지 남용한 것이 아니라면 이를 위법하다고 할 수 없다.
③ 도로점용허가는 일반사용과 별도로 도로의 특정 부분에 대하여 특별사용권을 설정하는 설권행위이다. 도로관리청은 신청인의 적격성, 점용목적, 특별사용의 필요성 및 공익상의 영향 등을 참작하여 점용허가 여부 및 점용허가의 내용인 점용장소, 점용면적, 점용기간을 정할 수 있는 재량권을 갖는다.
④ 도로점용허가의 일부분에 위법이 있는 경우, 도로점용허가 전부를 취소하여야 하며 도로점용허가 중 특별사용의 필요가 없는 부분에 대해서만 직권취소할 수 없다.

| 2023년 군무원 7급

① (○) 자동차운수사업법에 의한 개인택시운송사업 면허는 특정인에게 권리나 이익을 부여하는 행정행위로서 법령에 특별한 규정이 없는 한 재량행위이고, 그 면허를 위하여 필요한 기준을 정하는 것도 역시 행정청의 재량에 속하는 것이므로, 그 설정된 기준이 객관적으로 보아 합리적이 아니라거나 타당하지 않다고 볼 만한 다른 특별한 사정이 없는 이상 행정청의 의사는 가능한 한 존중되어야 하나, 행정청이 어떤 면허신청에 대하여 이미 설정된 면허기준을 구체적으로 적용함에 있어서 그 해석상 당해 신청이 면허발급의 우선순위에 해당함이 명백함에도 불구하고 이를 제외시켜 면허거부처분을 하였다면 특별한 사정이 없는 한 그 거부처분은 재량권을 남용한 위법한 처분이다(대판 1998.3.13. 98두1321).
② (○) 공무원 임용을 위한 면접전형에 있어서 임용신청자의 능력이나 적격성 등에 관한 판단은 면접위원의 고도의 교양과 학식, 경험에 기초한 자율적 판단에 의존하는 것으로서 오로지 면접위원의 자유재량에 속하고, 그와 같은 판단이 현저하게 재량권을 일탈 내지 남용한 것이 아니라면 이를 위법하다고 할 수 없다(대판 1997.11.28. 97누11911).
③ (○), ④ (×)

> 도로점용허가는 일반사용과 별도로 도로의 특정 부분에 대하여 특별사용권을 설정하는 설권행위이다. 도로관리청은 신청인의 적격성, 점용목적, 특별사용의 필요성 및 공익상의 영향 등을 참작하여 점용허가 여부 및 점용허가의 내용인 점용장소, 점용면적, 점용기간을 정할 수 있는 재량권을 갖는다(③).

문제 DATA
출제가능 지수 ▶▶▷
난이도 지수 ★★★

함께 정리하기
행정행위

개인택시운송사업면허발급 우선순위에 해당함이 명백함에도 불구하고 제외시켜 면허거부처분
▷ 재량권 남용

공무원 면접에서 면접위원의 판단
▷ 재량행위

도로점용허가
▷ 특허로서 재량행위

도로점용허가 일부분에 위법
▷ 특별사용 필요 없는 부분만 직권취소 可

도로점용허가는 도로의 일부에 대한 특정사용을 허가하는 것으로서 도로의 일반사용을 저해할 가능성이 있으므로 그 범위는 점용목적 달성에 필요한 한도로 제한되어야 한다. 도로관리청이 도로점용허가를 하면서 특별사용의 필요가 없는 부분을 점용장소 및 점용면적에 포함하는 것은 그 재량권행사의 기초가 되는 사실인정에 잘못이 있는 경우에 해당하므로 그 도로점용허가 중 특별사용의 필요가 없는 부분은 위법하다. 이러한 경우 도로점용허가를 한 도로관리청은 위와 같은 흠이 있다는 이유로 유효하게 성립한 도로점용허가 중 특별사용의 필요가 없는 부분을 직권취소할 수 있음이 원칙이다(④). 다만, 이 경우 행정청이 소급적 직권취소를 하려면 이를 취소하여야 할 공익상 필요와 그 취소로 인하여 당사자가 입을 기득권 및 신뢰보호와 법률생활안정의 침해 등 불이익을 비교·교량한 후 공익상 필요가 당사자의 기득권 침해 등 불이익을 정당화할 수 있을 만큼 강한 경우여야 한다. 이에 따라 도로관리청이 도로점용허가 중 특별사용의 필요가 없는 부분을 소급적으로 직권취소하였다면, 도로관리청은 이미 징수한 점용료 중 취소된 부분의 점용면적에 해당하는 점용료를 반환하여야 한다(대판 2019.1.17. 2016두56721·56738).

답 ④

015

행정처분의 취소·철회에 대한 설명으로 옳지 않은 것은? (다툼이 있는 경우 판례에 의함)

① 행정청은 당사자의 신뢰를 보호할 가치가 있는 등 정당한 사유가 있는 경우에는 장래를 향하여 위법 또는 부당한 처분의 전부나 일부를 취소할 수 있다.
② 처분의 상대방이 처분의 위법성을 알고 있었거나 중대한 과실로 알지 못한 경우에는 행정청이 처분의 상대방에게 권리나 이익을 부여하는 처분을 취소하는 경우에도 취소로 인하여 처분의 상대방이 입게 될 불이익과 취소로 달성되는 공익을 비교·형량하지 않아도 된다.
③ 행정청은 처분을 철회하려는 경우에는 철회로 인하여 처분의 상대방이 입게 될 불이익과 철회로 달성되는 공익을 비교·형량하여야 한다.
④ 수익적 행정처분에 대한 취소권 등의 행사는 기득권의 침해를 정당화할 만한 중대한 공익상의 필요 또는 제3자의 이익보호의 필요가 있는 때에 한하여 허용될 수 있다는 법리는 처분청이 수익적 행정처분을 직권으로 취소·철회하는 경우에 적용되는 법리일 뿐 쟁송취소의 경우에는 적용되지 않는다.
⑤ 처분청은 행정처분에 하자가 있는 경우라도 취소에 관한 별도의 법적 근거가 없으면 해당 행정처분을 스스로 취소할 수 없다.

| 2023년 국회직 8급

① (O)

> 「행정기본법」 제18조【위법 또는 부당한 처분의 취소】 ① 행정청은 위법 또는 부당한 처분의 전부나 일부를 소급하여 취소할 수 있다. 다만, 당사자의 신뢰를 보호할 가치가 있는 등 정당한 사유가 있는 경우에는 장래를 향하여 취소할 수 있다.

② (O)

> 「행정기본법」 제18조【위법 또는 부당한 처분의 취소】 ② 행정청은 제1항에 따라 당사자에게 권리나 이익을 부여하는 처분을 취소하려는 경우에는 취소로 인하여 당사자가 입게 될 불이익을 취소로 달성되는 공익과 비교·형량(衡量)하여야 한다. 다만, 다음 각 호의 어느 하나에 해당하는 경우에는 그러하지 아니하다.
> 1. 거짓이나 그 밖의 부정한 방법으로 처분을 받은 경우
> 2. 당사자가 처분의 위법성을 알고 있었거나 중대한 과실로 알지 못한 경우

함께 정리하기

행정처분의 취소·철회

정당한 사유가 있는 경우
▷ 장래를 향하여 전부 또는 일부 취소 可

당사자가 처분의 위법성을 알고 있었거나 중대한 과실로 알지 못한 경우
▷ 취소 시 비교·형량 不要

철회
▷ 불이익과 공익 비교·형량 要

수익적 행정처분 취소권 제한 법리
▷ 쟁송취소에 적용×

③ (○)

「행정기본법」 제19조【적법한 처분의 철회】① 행정청은 적법한 처분이 다음 각 호의 어느 하나에 해당하는 경우에는 그 처분의 전부 또는 일부를 장래를 향하여 철회할 수 있다.
1. 법률에서 정한 철회사유에 해당하게 된 경우
2. 법령 등의 변경이나 사정변경으로 처분을 더 이상 존속시킬 필요가 없게 된 경우
3. 중대한 공익을 위하여 필요한 경우
② 행정청은 제1항에 따라 처분을 철회하려는 경우에는 철회로 인하여 당사자가 입게 될 불이익을 철회로 달성되는 공익과 비교·형량하여야 한다.

④ (○) 수익적 행정처분에 대한 취소권 등의 행사는 기득권의 침해를 정당화할 만한 중대한 공익상의 필요 또는 제3자의 이익보호의 필요가 있는 때에 한하여 허용될 수 있다는 법리는, 처분청이 수익적 행정처분을 직권으로 취소·철회하는 경우에 적용되는 법리일 뿐 쟁송취소의 경우에는 적용되지 않는다(대판 2019.10.17. 2018두104).

⑤ (×) 개별토지에 대한 가격결정도 행정처분에 해당하며, 원래 행정처분을 한 처분청은 그 행위에 하자가 있는 경우에는 원칙적으로 별도의 법적 근거가 없더라도 스스로 이를 직권으로 취소할 수 있는 것이고, 행정처분에 대한 법정의 불복기간이 지나면 직권으로도 취소할 수 없게 되는 것은 아니므로, 처분청은 토지에 대한 개별토지가격의 산정에 명백한 잘못이 있다면 이를 직권으로 취소할 수 있다(대판 1995.9.15. 95누6311).

답 ⑤

016 ☐☐☐

행정행위의 취소와 철회에 대한 설명으로 옳지 않은 것은? (다툼이 있는 경우 판례에 의함)

① 「행정기본법」은 직권취소나 철회의 일반적 근거규정을 두고 있고, 직권취소나 철회는 개별법률의 근거가 없어도 가능하다.
② 행정행위의 철회사유는 행정행위가 성립되기 이전에 발생한 것으로서 행정행위의 효력을 존속시킬 수 없는 사유를 말한다.
③ 수익적 처분이 상대방의 허위 기타 부정한 방법으로 인하여 행하여졌다면 상대방은 그 처분이 그와 같은 사유로 인하여 취소될 것임을 예상할 수 있으므로, 이러한 경우까지 상대방의 신뢰를 보호하여야 하는 것은 아니다.
④ 수익적 행정처분을 직권취소할 때에는 이를 취소하여야 할 중대한 공익상 필요와 취소로 인하여 처분상대방이 입게 될 기득권과 법적 안정성에 대한 침해 정도 등 불이익을 비교·교량한 후 공익상 필요가 처분상대방이 입을 불이익을 정당화할 만큼 강한 경우에 한하여 취소할 수 있다.

| 2023년 국가직 9급

① (○) 「행정기본법」제정 이전에도 직권취소나 철회는 별도의 법적 근거가 없어도 가능하다는 것이 판례의 입장이었으며, 「행정기본법」은 직권취소나 철회의 일반적 근거규정을 두고 있다.

「행정기본법」 제18조【위법 또는 부당한 처분의 취소】① 행정청은 위법 또는 부당한 처분의 전부나 일부를 소급하여 취소할 수 있다. 다만, 당사자의 신뢰를 보호할 가치가 있는 등 정당한 사유가 있는 경우에는 장래를 향하여 취소할 수 있다.
제19조【적법한 처분의 철회】① 행정청은 적법한 처분이 다음 각 호의 어느 하나에 해당하는 경우에는 그 처분의 전부 또는 일부를 장래를 향하여 철회할 수 있다.
1. 법률에서 정한 철회사유에 해당하게 된 경우
2. 법령 등의 변경이나 사정변경으로 처분을 더 이상 존속시킬 필요가 없게 된 경우
3. 중대한 공익을 위하여 필요한 경우

② (×) 행정행위의 취소는 일단 유효하게 성립한 행정행위를 그 행위에 위법 또는 부당한 하자가 있음을 이유로 소급하여 그 효력을 소멸시키는 별도의 행정처분이고, 행정행위의 철회는 적법요건을 구비하여 완전히 효력을 발하고 있는 행정행위를 사후적으로 그 행위의 효력의 전부 또는 일부를 장래에 향해 소멸시키는 행정처분이므로, 행정행위의 취소사유는 행정행위의 성립 당시에 존재하였던 하자를 말하고, 철회사유는 행정행위가 성립된 이후에 새로이 발생한 것으로서 행정행위의 효력을 존속시킬 수 없는 사유를 말한다(대판 2003.5.30. 2003다6422).

유제 22. 군무원 9급, 19. 서울시 9급, 18. 5급 승진 행정행위의 철회는 적법요건을 구비하여 완전히 효력을 발하고 있는 행정행위를 사후적으로 효력을 장래에 향하여 소멸시키는 별개의 행정처분이다. (○)
18. 5급 승진 행정행위의 취소는 일단 유효하게 성립한 행정행위를 그 행위에 하자가 있음을 이유로 원칙적으로 소급하여 효력을 소멸시키는 별도의 행정처분이다. (○)
18. 5급 승진 행정행위의 철회사유는 취소사유와는 달리 행정행위가 성립된 이후에 새로이 발생한 것으로서 행정행위의 효력을 존속시킬 수 없는 사유를 말한다. (○)
19. 군무원 9급, 17. 경찰 2차, 15. 국가직 7급 행정행위의 취소사유는 행정행위의 성립 당시에 존재하였던 하자를 말하고, 철회사유는 행정행위가 성립된 이후에 새로이 발생한 것으로서 행정행위의 효력을 존속시킬 수 없는 사유를 말한다. (○)
14. 서울시 7급 행정행위의 취소란 하자 없이 성립한 행정행위에 대해 그의 효력을 존속시킬 수 없는 새로운 사정이 발생하였을 이유로 장래에 향하여 그 효력을 소멸시키는 행정행위를 말한다. (×)

③ (○) 수익적 행정처분을 취소할 때에는 이를 취소하여야 할 공익상의 필요와 취소로 인하여 당사자가 입게 될 기득권과 신뢰보호 및 법률생활 안정의 침해 등 불이익을 비교·교량한 후 공익상의 필요가 당사자가 입을 불이익을 정당화할 만큼 강한 경우에 한하여 취소할 수 있으며, 나아가 수익적 행정처분의 하자가 당사자의 사실은폐나 기타 사위의 방법에 의한 신청행위에 기인한 것이라면 당사자는 처분에 의한 이익이 위법하게 취득되었음을 알아 취소가능성도 예상하고 있었다 할 것이므로, 그 자신이 처분에 관한 신뢰이익을 원용할 수 없음은 물론 행정청이 이를 고려하지 아니하였더라도 재량권의 남용이 되지 아니한다(대판 2014.11.27. 2013두16111).

④ (○) 수익적 행정처분을 취소할 때에는 이를 취소하여야 할 중대한 공익상 필요와 취소로 인하여 처분 상대방이 입게 될 기득권과 법적 안정성에 대한 침해 정도 등 불이익을 비교·교량한 후 공익상 필요가 처분 상대방이 입을 불이익을 정당화할 만큼 강한 경우에 한하여 취소할 수 있다(대판 2020.7.23. 2019두31839).

답 ②

017 □□□

행정처분의 취소와 철회에 대한 설명으로 옳지 않은 것은? (다툼이 있는 경우 판례에 의함)

① 행정청은 부당한 처분의 전부나 일부를 소급하여 취소할 수 있다.
② 행정청은 인·허가 등을 취소하는 처분을 할 때는 원칙적으로 청문을 하여야 한다.
③ 행정청은 당사자에게 권리나 이익을 부여하는 처분을 취소하려는 경우, 당사자가 중대한 과실로 처분의 위법성을 알지 못하면 취소로 인하여 입게 될 불이익을 취소로 달성되는 공익과 비교·형량하여야 한다.
④ 행정청은 중대한 공익을 위하여 필요한 경우 적법한 처분의 전부 또는 일부를 장래를 향하여 철회할 수 있다.

| 2023년 소방직

① (○)
> 「행정기본법」제18조【위법 또는 부당한 처분의 취소】① 행정청은 위법 또는 부당한 처분의 전부나 일부를 소급하여 취소할 수 있다. 다만, 당사자의 신뢰를 보호할 가치가 있는 등 정당한 사유가 있는 경우에는 장래를 향하여 취소할 수 있다.

문제 DATA
출제가능 지수 ▶▶▷
난이노 지수 ★★☆

함께 정리하기
행정처분의 취소와 철회

위법 또는 부당한 처분
▷ 전부나 일부를 소급하여 취소 可

인·허가 등의 취소
▷ 청문 要

당사자가 처분의 위법성을 중대한 과실로 알지 못한 경우
▷ 취소 시 비교·형량 不要

정당한 사유가 있는 경우
▷ 장래를 향하여 전부 또는 취소 可

중대한 공익을 위하여 필요
▷ 전부 또는 일부를 장래를 향하여 철회 可

② (○)

> 「행정절차법」 제22조【의견청취】 ① 행정청이 처분을 할 때 다음 각 호의 어느 하나에 해당하는 경우에는 청문을 한다.
> 1. 다른 법령등에서 청문을 하도록 규정하고 있는 경우
> 2. 행정청이 필요하다고 인정하는 경우
> 3. 다음 각 목의 처분을 하는 경우
>   가. 인허가 등의 취소
>   나. 신분·자격의 박탈
>   다. 법인이나 조합 등의 설립허가의 취소

③ (×)

> 「행정기본법」 제18조【위법 또는 부당한 처분의 취소】② 행정청은 제1항에 따라 당사자에게 권리나 이익을 부여하는 처분을 취소하려는 경우에는 취소로 인하여 당사자가 입게 될 불이익을 취소로 달성되는 공익과 비교·형량(衡量)하여야 한다. 다만, 다음 각 호의 어느 하나에 해당하는 경우에는 그러하지 아니하다.
> 1. 거짓이나 그 밖의 부정한 방법으로 처분을 받은 경우
> 2. 당사자가 처분의 위법성을 알고 있었거나 중대한 과실로 알지 못한 경우

④ (○)

> 「행정기본법」 제19조【적법한 처분의 철회】① 행정청은 적법한 처분이 다음 각 호의 어느 하나에 해당하는 경우에는 그 처분의 전부 또는 일부를 장래를 향하여 철회할 수 있다.
> 1. 법률에서 정한 철회사유에 해당하게 된 경우
> 2. 법령 등의 변경이나 사정변경으로 처분을 더 이상 존속시킬 필요가 없게 된 경우
> 3. 중대한 공익을 위하여 필요한 경우

유제 21. 지방직 7급 행정청은 적법한 처분의 경우 당사자의 신청이 있는 경우에만 철회가 가능하다. (×)
21. 지방직 9급 행정청은 적법한 처분이 중대한 공익을 위하여 필요한 경우에는 그 처분을 장래를 향하여 철회할 수 있다. (○)

답 ③

018

처분의 취소와 철회에 대한 설명으로 옳지 않은 것은? (다툼이 있는 경우 판례에 의함)

① 행정청은 위법 또는 부당한 처분의 전부나 일부를 소급하여 취소할 수 있으나 당사자의 신뢰를 보호할 가치가 있는 경우에는 장래를 향하여 취소할 수 있다.
② 과세관청이 조세부과처분을 취소하면 해당 처분은 효력이 상실되지만 이후 이를 다시 취소하는 경우에는 그 조세부과처분의 효력은 당연히 회복된다.
③ 처분의 취소 사유는 원칙적으로 처분의 성립 당시에 존재하였던 하자를 말하고 철회 사유는 처분이 성립된 이후에 새로이 발생한 것으로서 처분의 효력을 존속시킬 수 없는 사유를 말한다.
④ 행정청이 종교단체에 대하여 기본재산전환인가를 함에 있어 인가조건을 부가하고 그 불이행시 인가를 취소할 수 있도록 하였다면 그 인가조건은 부관으로서 철회권의 유보에 해당한다.
⑤ 수익적 처분에 대한 취소권 등의 행사는 기득권의 침해를 정당화할 만한 중대한 공익상의 필요 또는 제3자의 이익보호의 필요가 있는 때에 한하여 허용되며 이러한 법리는 쟁송취소에는 적용되지 않는다.

2023년 소방간부

① (○)

> 「행정기본법」 제18조 【위법 또는 부당한 처분의 취소】 ① 행정청은 위법 또는 부당한 처분의 전부나 일부를 소급하여 취소할 수 있다. 다만, 당사자의 신뢰를 보호할 가치가 있는 등 정당한 사유가 있는 경우에는 장래를 향하여 취소할 수 있다.

② (×) 부과의 취소에 위법사유가 있다고 하더라도 당연무효가 아닌 한 일단 유효하게 성립하여 부과처분을 확정적으로 상실시키는 것이므로, 과세관청은 부과의 취소를 다시 취소함으로써 원부과처분을 소생시킬 수는 없고 납세의무자에게 종전의 과세대상에 대한 납부의무를 지우려면 다시 법률에서 정한 부과절차에 좇아 동일한 내용의 새로운 처분을 하는 수밖에 없다(대판 1995.3.10. 94누7027).

유제 22. 소방직 과세관청은 과세처분의 취소를 다시 취소함으로써 이미 효력을 상실한 원부과처분을 소생시킬 수 없다. (○)
21. 지방직 9급 과세관청은 과세처분의 취소를 다시 취소함으로써 이미 효력을 상실한 과세처분을 소생시킬 수 있다. (×)
21. 경찰 2차 과세관청은 과세처분의 취소처분이 당연무효의 하자가 없는 한 이를 다시 취소함으로써 원과세처분을 소생시킬 수 있으며 새로이 법률에서 정한 절차에 따라 동일한 내용의 처분을 다시 할 필요는 없다. (×)
20. 지방직 7급 과세관청은 세금부과처분을 취소한 처분에 취소원인인 하자가 있다는 이유로 취소처분을 다시 취소함으로써 원부과처분을 소생시킬 수 있다. (×)
19. 소방간부 과세관청은 과세부과처분의 취소에 당연무효가 아닌 위법사유가 있는 경우에 이를 다시 취소함으로써 원부과처분을 소생시킬 수 있다. (×)
18. 지방직 9급 「국세기본법」상 상속세부과처분의 취소에 하자가 있는 경우, 부과의 취소의 취소에 대하여는 법률이 명문으로 그 취소요건이나 그 에 대한 불복절차에 대하여 따로 규정을 두고 있지 않더라도 과세관청은 부과의 취소를 다시 취소함으로써 원부과처분을 소생시킬 수 있다. (×)

③ (○) 대판 2003.5.30. 2003다6422
④ (○) 행정청이 종교단체에 대하여 기본재산전환인가를 함에 있어 인가조건을 부가하고 그 불이행시 인가를 취소할 수 있도록 한 경우, 인가조건의 의미는 철회권을 유보한 것이다(대판 2003.5.30. 2003다6422).
⑤ (○) 대판 2019.10.17. 2018두104

답 ②

함께 정리하기

취소와 철회

위법 또는 부당한 처분
▷ 전부나 일부를 소급하여 취소, 정당한 사유가 있는 경우 장래 향하여 취소 可

과세부과 취소를 다시 취소
▷ 원부과처분회복 ×

인가조건을 부가하고 그 불이행시 인가를 취소할 수 있도록 한 경우 인가조건의 의미
▷ 철회권 유보

수익적 행정처분 취소권 제한
▷ 쟁송취소에는 적용 ×

019

「행정기본법」상 처분의 취소 및 철회에 대한 설명으로 옳지 않은 것은?

① 행정청은 당사자의 신뢰를 보호할 가치가 있는 등 정당한 사유가 있는 경우에는 위법한 처분을 장래를 향하여 취소할 수 있다.
② 당사자가 부정한 방법으로 수익적 처분을 받은 경우에도 행정청이 그 처분을 취소하려면 취소로 인하여 당사자가 입게 될 불이익을 취소로 달성되는 공익과 비교·형량하여야 한다.
③ 행정청은 중대한 공익을 위하여 필요한 경우에는 적법한 처분의 전부 또는 일부를 장래를 향하여 철회할 수 있다.
④ 처분은 무효가 아닌 한 권한이 있는 기관이 취소 또는 철회하거나 기간의 경과 등으로 소멸되기 전까지는 유효한 것으로 통용된다.

문제 DATA

출제가능 지수 ▶▶Σ
난이도 지수 ★★☆

함께 정리하기

「행정기본법」상 처분의 취소 및 철회

정당한 사유가 있는 경우
▷ 장래를 향하여 취소 可

부정한 방법으로 수익적 처분을 받은 경우
▷ 취소시 비교·형량 不要

중대한 공익을 위하여 필요
▷ 전부 또는 일부를 장래를 향하여 철회 可

처분의 효력
▷ 무효가 아닌 한 취소·철회·기간 경과 등으로 소멸되기 전까지 유효한 것으로 통용

2022년 국가직 7급

① (○)

> 「행정기본법」 제18조 【위법 또는 부당한 처분의 취소】 ① 행정청은 위법 또는 부당한 처분의 전부나 일부를 소급하여 취소할 수 있다. 다만, 당사자의 신뢰를 보호할 가치가 있는 등 정당한 사유가 있는 경우에는 장래를 향하여 취소할 수 있다.

② (×) 거짓이나 그 밖의 부정한 방법으로 처분을 받은 경우에는 취소로 인하여 당사자가 입게 될 불이익을 취소로 달성되는 공익과 비교·형량(衡量)하지 않아도 된다.

> 「행정기본법」 제18조 【위법 또는 부당한 처분의 취소】 ② 행정청은 제1항에 따라 당사자에게 권리나 이익을 부여하는 처분을 취소하려는 경우에는 취소로 인하여 당사자가 입게 될 불이익을 취소로 달성되는 공익과 비교·형량(衡量)하여야 한다. 다만, 다음 각 호의 어느 하나에 해당하는 경우에는 그러하지 아니하다.
> 1. 거짓이나 그 밖의 부정한 방법으로 처분을 받은 경우
> 2. 당사자가 처분의 위법성을 알고 있었거나 중대한 과실로 알지 못한 경우

③ (○)

> 「행정기본법」 제19조 【적법한 처분의 철회】 ① 행정청은 적법한 처분이 다음 각 호의 어느 하나에 해당하는 경우에는 그 처분의 전부 또는 일부를 장래를 향하여 철회할 수 있다.
> 1. 법률에서 정한 철회 사유에 해당하게 된 경우
> 2. 법령등의 변경이나 사정변경으로 처분을 더 이상 존속시킬 필요가 없게 된 경우
> 3. 중대한 공익을 위하여 필요한 경우

④ (○)

> 「행정기본법」 제15조 【처분의 효력】 처분은 권한이 있는 기관이 취소 또는 철회하거나 기간의 경과 등으로 소멸되기 전까지는 유효한 것으로 통용된다. 다만, 무효인 처분은 처음부터 그 효력이 발생하지 아니한다.

답 ②

문제 DATA

출제가능 지수 ▶▶▷
난이도 지수 ★★☆

020

다음 사례에 대한 설명으로 옳지 않은 것은? (다툼이 있는 경우 판례에 의함)

> 건축주 甲은 토지소유자 乙과 매매계약을 체결하고 乙로부터 토지사용승낙서를 받아 乙의 토지 위에 건축물을 건축하는 건축허가를 관할 행정청인 A시장으로부터 받았다. 매매계약서에 의하면 甲이 잔금을 기일 내에 지급하지 못하면 즉시 매매계약이 해제될 수 있고 이 경우 토지사용승낙서는 효력을 잃으며 甲은 건축허가를 포기·철회하기로 甲과 乙이 약정하였다. 乙은 甲이 잔금을 기일 내에 지급하지 않자 甲과의 매매계약을 해제하였다.

① 착공에 앞서 甲의 귀책사유로 해당 토지를 사용할 권리를 상실한 경우, 乙은 A시장에 대하여 건축허가의 철회를 신청할 수 있다.
② 건축허가는 대물적 성질을 갖는 것이어서 행정청으로서는 그 허가를 할 때에 건축주 또는 토지소유자가 누구인지 등 인적 요소에 관하여는 형식적 심사만 한다.
③ A시장은 건축허가 당시 별다른 하자가 없었고 철회의 법적 근거가 없으므로 건축허가를 철회할 수 없다.
④ 철회권의 행사는 기득권의 침해를 정당화할 만한 중대한 공익상의 필요 또는 제3자의 이익을 보호할 필요가 있고, 공익상의 필요 등이 상대방이 입을 불이익을 정당화할 만큼 강한 경우에 한해 허용될 수 있다.

2022년 국가직 9급

① (○) 건축주가 토지 소유자로부터 토지사용승낙서를 받아 그 토지 위에 건축물을 건축하는 대물적(대물적) 성질의 건축허가를 받았다가 착공에 앞서 건축주의 귀책사유로 해당 토지를 사용할 권리를 상실한 경우, 건축허가의 존재로 말미암아 토지에 대한 소유권 행사에 지장을 받을 수 있는 토지 소유자로서는 건축허가의 철회를 신청할 수 있다고 보아야 한다(대판 2017.3.15. 2014두41190).

② (○) 건축허가는 대물적 성질을 갖는 것으로서 행정청으로서는 허가를 함에 있어 건축주가 누구인가 등 인적 요소에 대하여는 형식적 심사만 하고 신청서에 기재된 바에 따르게 된다(대판 1993.6.29. 92누17822).

③ (×) 행정행위를 한 처분청은 비록 처분 당시에 별다른 하자가 없었고, 처분 후에 이를 철회할 별도의 법적 근거가 없더라도 원래의 처분을 존속시킬 필요가 없게 된 사정변경이 생겼거나 중대한 공익상 필요가 발생한 경우에는 그 효력을 상실케 하는 별개의 행정행위로 이를 철회할 수 있다(대판 2017.3.15. 2014두41190).

유제 21. 군무원 9급 행정행위를 한 처분청은 비록 처분 당시에 별다른 하자가 없었고, 처분 후에 이를 철회할 별도의 법적 근거가 없더라도 원래의 처분을 존속시킬 필요가 없게 된 중대한 공익상 필요가 발생한 경우에도 그 효력을 상실케 하는 별개의 행정행위로 이를 철회할 수 없다. (×)
20. 지방직 7급 행정처분을 한 행정청은 원래의 처분을 존속시킬 필요가 없게 된 사정변경이 생겼거나 중대한 공익상의 필요가 생긴 경우 이를 철회할 별도의 법적 근거가 없다 하더라도 별개이 행정행위로 이를 철회할 수 있다. (○)
18. 지방직 9급 행정행위를 한 처분청은 처분 당시에 별다른 하자가 없었고, 또 그 처분 후에 이를 철회할 별도의 법적 근거가 없다면 사정변경을 이유로 그 효력을 상실케 하는 별개의 행정행위로 이를 철회할 수 없다. (×)
18. 서울시 7급 행정처분을 한 처분청은 그 처분의 성립에 하자가 있는 경우 이를 취소할 별도의 법적 근거가 없다고 하더라도 직권으로 이를 취소할 수 있다. (○)
11. 지방직 7급 수익적 행정행위의 철회는 반드시 법률적 근거가 필요한 것은 아니다. (○)

④ (○) 수익적 행정행위를 취소 또는 철회하거나 중지시키는 경우에는 이미 부여된 국민의 기득권을 침해하는 것이 되므로, 비록 취소 등의 사유가 있다고 하더라도 그 취소권 등의 행사는 기득권의 침해를 정당화할 만한 중대한 공익상의 필요 또는 제3자의 이익을 보호할 필요가 있고, 이를 상대방이 받는 불이익과 비교·교량하여 볼 때 공익상의 필요 등이 상대방이 입을 불이익을 정당화할 만큼 강한 경우에 한하여 허용될 수 있다(대판 2017.3.15. 2014두41190).

유제 21. 군무원 9급 수익적 행정행위에 대한 취소권 등의 행사는 기득권의 침해를 정당화할 만한 중대한 공익상의 필요 또는 제3자의 이익을 보호할 필요가 있고, 이를 상대방이 받는 불이익과 비교·교량하여 볼 때 공익상의 필요 등이 상대방이 입을 불이익을 정당화할 만큼 강한 경우에 한하여 허용될 수 있다. (○)
21. 군무원 9급 수익적 행정행위를 취소 또는 철회하거나 중지시키는 경우에는 이미 부여된 국민의 기득권을 침해하는 것이 되므로, 비록 취소 등의 사유가 있다고 하더라도 허용되지 않는다. (×)
19. 서울시 9급 수익적 행정행위에 대한 철회권 행사는 이미 부여된 국민의 기득권의 침해를 정당화할 만한 중대한 공익상의 필요 또는 제3자의 이익을 보호할 필요가 있으며, 이러한 공익상의 필요 등이 상대방이 입을 불이익을 정당화할 만큼 강한 경우에 한하여 허용될 수 있다. (○)
18. 국회직 8급 수익적 행정행위를 취소 또는 철회하거나 중지시키는 경우에는 비록 취소 등의 사유가 있다고 하더라도 그 취소권 등의 행사는 기득권의 침해를 정당화할 만한 중대한 공익상의 필요 또는 제3자의 이익을 보호할 필요가 있고, 이를 상대방이 받는 불이익과 비교·교량하여 볼 때 공익상의 필요 등이 상대방이 입을 불이익을 정당화할 만큼 강한 경우에 한하여 허용될 수 있다. (○)

답 ③

함께 정리하기

건축허가 철회 사례

건축허가로 토지에 대한 소유권 행사에 지장 받을 자
▷ 건축허가 철회 신청권○

건축허가
▷ 대물적 성질, 인적요소는 형식적 심사

행정행위 후 사정변경·공익상 필요 발생
▷ 별도의 법적근거 없어도 별개의 행정행위로 철회 可

수익적 행정처분의 철회
▷ 공익이 불이익을 정당화할 만큼 강한 경우에 한하여 허용

문제 DATA

출제가능 지수 ▶▶▷
난이도 지수 ★★☆

함께 정리하기

행정행위의 취소와 철회

과세부과 취소를 다시 취소
▷ 원부과처분 회복 ✕

어린이집 평가인증의 취소
▷ 철회에 해당, 소급효 인정하기 위해선 별도 법적 근거 필요

처분청
▷ 별도 법적근거 없이 직권 취소 가

위법한 세무조사에 의한 과세처분
▷ 위법

021 ☐☐☐

행정행위의 취소와 철회에 대한 설명으로 옳지 않은 것은? (다툼이 있는 경우 판례에 의함)

① 과세관청은 과세처분의 취소를 다시 취소함으로써 이미 효력을 상실한 원부과처분을 소생시킬 수 없다.
② 구「영유아보육법」상 어린이집 평가인증의 취소는 철회에 해당하므로, 평가인증의 효력을 과거로 소급하여 상실시키기 위해서는 특별한 사정이 없는 한 별도의 법적 근거가 필요하다.
③ 행정처분을 한 행정청은 처분의 성립에 하자가 있는 경우라도 별도의 법적 근거가 없으면 직권으로 이를 취소할 수 없다.
④ 세무조사가 과세자료의 수집 또는 신고내용의 정확성 검증이라는 본연의 목적이 아니라 부정한 목적을 위하여 행하여진 것이라면 이는 세무조사에 중대한 위법사유가 있는 경우에 해당하고, 이러한 세무조사에 의하여 수집된 과세자료를 기초로 한 과세처분 역시 위법하다.

| 2022년 소방직

① (○) 대판 1995.3.10. 94누7027
② (○) 영유아보육법 제30조 제5항 제3호에 따른 평가인증의 취소는 평가인증 당시에 존재하였던 하자가 아니라 그 이후에 새로이 발생한 사유로 평가인증의 효력을 소멸시키는 경우에 해당하므로, 법적 성격은 평가인증의 '철회'에 해당한다. 그런데 행정청이 평가인증을 철회하면서 그 효력을 철회의 효력발생일 이전으로 소급하게 하면, 철회 이전의 기간에 평가인증을 전제로 지급한 보조금 등의 지원이 그 근거를 상실하게 되어 이를 반환하여야 하는 법적 불이익이 발생한다. 이는 장래를 향하여 효력을 소멸시키는 철회가 예정한 법적 불이익의 범위를 벗어나는 것이다. 이처럼 행정청이 평가인증이 이루어진 이후에 새로이 발생한 사유를 들어 영유아보육법 제30조 제5항에 따라 평가인증을 철회하는 처분을 하면서도, 평가인증의 효력을 과거로 소급하여 상실시키기 위해서는, 특별한 사정이 없는 한 영유아보육법 제30조 제5항과는 별도의 법적 근거가 필요하다(대판 2018.6.28. 2015두58195).

유제 20. 지방직 7급 보건복지부장관이 어린이집에 대한 평가인증이 이루어진 이후에 새로이 발생한 사유를 들어 「영유아보육법」 제30조 제5항에 따라 평가인증을 철회하는 처분을 하면서도, 그 평가인증의 효력을 과거로 소급하여 상실시키기 위해서는, 특별한 사정이 없는 한 「영유아보육법」 제30조 제5항과는 별도의 법적 근거가 필요하다. (○)
19. 국가직 9급 「영유아보육법」 제30조 제5항에 따라 평가인증을 철회하는 처분을 하면서도, 평가인증의 효력을 과거로 소급하여 상실시키기 위해서는, 특별한 사정이 없는 한 「영유아보육법」 제30조 제5항과는 별도의 법적 근거가 필요하다. (○)
19. 국가직 9급 평가인증의 취소는 강학상 취소에 해당하며, 행정청이 평가인증취소처분을 하면서 별도의 법적 근거 없이는 평가인증의 효력을 취소사유 발생일로 소급하여 상실시킬 수 없다. (✕)

③ (✕) 행정행위를 한 처분청은 그 행위에 하자가 있는 경우에 별도의 법적 근거가 없더라도 스스로 이를 취소할 수 있는 것이며, 다만 그 행위가 국민에게 권리나 이익을 부여하는 이른바 수익적 행정행위인 때에는 그 행위를 취소하여야 할 공익상 필요와 그 취소로 인하여 당사자가 입을 기득권과 신뢰보호 및 법률생활 안정의 침해등 불이익을 비교교량한후 공익상 필요가 당사자의 기득권침해등 불이익을 정당화할 수 있을 만큼 강한 경우에 한하여 취소할 수 있다(대판 1986.2.25. 85누664).

유제 21. 지방직 9급 처분청은 처분의 성립에 하자가 있는 경우 별도의 법적 근거가 없더라도 직권으로 이를 취소할 수 있다. (○)
21. 서울시 7급, 20. 국가직 9급 행정처분을 한 처분청은 그 처분의 성립에 하자가 있는 경우 이를 취소할 법적 근거가 없다고 하더라도 직권으로 이를 취소할 수 있다. (○)
16. 국가직 9급 처분청이라도 자신이 행한 수익적 행정행위를 위법 또는 부당을 이유로 취소하려면 취소에 대한 법적 근거가 있어야 한다. (✕)

④ (○) 세무조사가 과세자료의 수집 또는 신고내용의 정확성 검증이라는 본연의 목적이 아니라 부정한 목적을 위하여 행하여진 것이라면 이는 세무조사에 중대한 위법사유가 있는 경우에 해당하고 이러한 세무조사에 의하여 수집된 과세자료를 기초로 한 과세처분 역시 위법하다(대판 2016.12.15. 2016두47659).

답 ③

022

행정행위의 철회에 대한 설명으로 옳지 않은 것은? (다툼이 있는 경우 판례에 의함)

① 처분청이 처분 후에 원래의 처분을 그대로 존속시킬 필요가 없게 된 사정변경이 생겼거나 중대한 공익상의 필요가 발생한 경우에는 별도의 법적 근거가 없어도 별개의 행정행위로 이를 철회할 수 있다고 하여 상대방 등에게 그 철회·변경을 요구할 신청권까지를 부여하는 것은 아니다.

② 처분 당시에 별다른 하자가 없었는데 처분을 존속시킬 필요가 없게 된 사정변경이 생겼음을 이유로 철회를 할 경우, 수익적 행정행위의 경우는 침익적 행정행위의 경우와는 달리 법적 근거가 필요하다.

③ 행정행위의 철회는 장래에 향하여 원행정행위의 효력을 상실시키는 효력을 갖는다.

④ 영업허가의 철회 당시 상대방이 그 취지를 알고 있었다거나 그 후 알게 되었다는 사정은 이유제시의 생략 사유가 아니다.

⑤ 제1종 보통면허로 운전할 수 있는 차량을 운전면허정지기간 중에 운전한 경우 이와 관련된 원동기장치자전거면허까지 취소할 수 있다.

2022년 소방간부

① (○) 도시계획법령이 토지형질변경행위허가의 변경신청 및 변경허가에 관하여 아무런 규정을 두지 않고 있을 뿐 아니라, 처분청이 처분 후에 원래의 처분을 그대로 존속시킬 필요가 없게 된 사정변경이 생겼거나 중대한 공익상의 필요가 발생한 경우에는 별도의 법적 근거가 없어도 별개의 행정행위로 이를 철회·변경할 수 있지만 이는 그러한 철회·변경의 권한을 처분청에게 부여하는 데 그치는 것일 뿐 상대방 등에게 그 철회·변경을 요구할 신청권까지를 부여하는 것은 아니라 할 것이므로, 이와 같이 법규상 또는 조리상의 신청권이 없이 한 국민들의 토지형질변경행위 변경허가신청을 반려한 당해 반려처분은 항고소송의 대상이 되는 처분에 해당되지 않는다(대판 1997.9.12. 96누6219).

유제 22. 군무원 9급 처분 후에 원래의 처분을 그대로 존속시킬 수 없게 된 사정변경이 생긴 경우 처분청은 처분을 철회할 수 있다고 할 것이므로, 이 경우 처분의 상대방에게 그 철회·변경을 요구할 권리는 당연히 인정된다고 할 것이다. (×)
11. 국가직 7급 판례는 사인(私人)이 적법한 침익적 행위에 대한 철회의 신청권을 갖지 않는다고 본다. (○)

② (×) 수익적 행정행위의 철회는 그 처분 당시 별다른 하자가 없었음에도 불구하고 사후적으로 그 효력을 상실케 하는 행정행위이므로, 법령에 명시적인 규정이 있거나 행정행위의 부관으로 그 철회권이 유보되어 있는 등의 경우가 아니라면, 원래의 행정행위를 존속시킬 필요가 없게 된 사정변경이 생겼거나 또는 중대한 공익상의 필요가 발생한 경우 등의 예외적인 경우에만 허용된다고 할 것이다(대판 2005.4.29. 2004두11954).

유제 18. 서울시 9급 수익적 행정행위의 철회는 법령에 명시적인 규정이 있거나 행정행위의 부관으로 그 철회권이 유보되어 있는 경우, 또는 원래의 행정행위를 존속시킬 필요가 없게 된 사정변경이 생겼거나 또는 중대한 공익상의 필요가 발생한 경우 등의 예외적인 경우에만 허용된다. (○)
18. 국회직 8급 수익적 행정행위의 철회는 법령에 명시적인 규정이 있거나 행정행위의 부관으로 그 철회권이 유보되어 있는 등의 경우가 아니라면, 원래의 행정행위를 존속시킬 필요가 없게 된 사정변경이 생겼거나 또는 중대한 공익상의 필요가 발생한 경우 등의 예외적인 경우에만 허용된다. (○)

③ (○) 행정행위의 취소는 일단 유효하게 성립한 행정행위를 그 행위에 위법 또는 부당한 하자가 있음을 이유로 소급하여 그 효력을 소멸시키는 별도의 행정처분이고, 행정행위의 철회는 적법요건을 구비하여 완전히 효력을 발하고 있는 행정행위를 사후적으로 그 행위의 효력의 전부 또는 일부를 장래에 향해 소멸시키는 행정처분이므로, 행정행위의 취소사유는 행정행위의 성립 당시에 존재하였던 하자를 말하고, 철회사유는 행정행위가 성립된 이후에 새로이 발생한 것으로서 행정행위의 효력을 존속시킬 수 없는 사유를 말한다(대판 2006.5.11. 2003다37969).

문제 DATA

출제가능 지수 ▶▶▷
난이도 지수 ★★☆

함께 정리하기

행정행위의 철회

처분 상대방의 철회·변경 신청권
▷ 인정×

사정변경으로 수익적 행정행위 철회
▷ 법적 근거 불요

철회의 효과
▷ 장래에 향하여 행정행위 효력 상실

철회 당시 상대방이 취지를 알았거나 후에 알게 되었다는 사정
▷ 이유제시 생략 사유×

1종보통면허차량 음주운전
▷ 1종대형과 원동기면허도 취소 可

④ (○)

> 「행정절차법」 제23조【처분의 이유 제시】① 행정청은 처분을 할 때에는 다음 각 호의 어느 하나에 해당하는 경우를 제외하고는 당사자에게 그 근거와 이유를 제시하여야 한다.
> 1. 신청 내용을 모두 그대로 인정하는 처분인 경우
> 2. 단순·반복적인 처분 또는 경미한 처분으로서 당사자가 그 이유를 명백히 알 수 있는 경우
> 3. 긴급히 처분을 할 필요가 있는 경우

⑤ (○) 한 사람이 여러 종류의 자동차운전면허를 취득하는 경우뿐 아니라 이를 취소 또는 정지하는 경우에 있어서도 서로 별개의 것으로 취급하는 것이 원칙이기는 하나, … 제1종 대형면허나 제1종 보통면허의 취소에는 당연히 원동기장치자전거의 운전까지 금지하는 취지가 포함된 것이어서 이들 세 종류의 운전면허는 서로 관련된 것이라고 할 것이므로 제1종 보통면허로 운전할 수 있는 차량을 음주운전한 경우에 이와 관련된 면허인 제1종 대형면허와 원동기장치자전거면허까지 취소할 수 있는 것으로 보아야 한다(대판 1994.11.25. 94누9672).

답 ②

023 ☐☐☐

행정처분의 소멸에 대한 설명으로 가장 옳지 않은 것은? (다툼이 있는 경우 판례에 의함)

① 취소심판을 제기한 경우 관할 행정심판위원회에서 취소재결하는 것은 직권취소에 해당한다.
② 도시계획시설사업의 사업자 지정을 한 관할청은 도시계획시설사업의 시행자 지정에 하자가 있는 경우, 별도의 법적 근거가 없더라도 스스로 이를 취소할 수 있다.
③ 종전 행정처분에 하자가 있음을 전제로 직권으로 이를 취소하는 행정처분의 경우 하자나 취소해야 할 필요성에 관한 증명책임은 기존 이익과 권리를 침해하는 처분을 한 행정청에 있다.
④ 지방병무청장은 군의관의 신체등위판정이 금품수수에 따라 위법 또는 부당하게 이루어졌다고 인정하는 경우, 그 신체등위판정을 기초로 자신이 한 병역처분을 직권으로 취소할 수 있다.

2022년 군무원 7급

① (×) 행정심판위원회에서 취소재결하는 것은 직권취소가 아니라 쟁송취소에 해당한다.
② (○) 도시계획시설사업의 시행자 지정이나 실시계획의 인가처분을 한 관할청은 구 국토의 계획 및 이용에 관한 법률 제133조 제1항 제21호 라목, 마목의 사유가 발생하였을 때 그 조항에 따라 사업시행자 지정이나 실시계획 인가처분을 취소할 수 있을 뿐만 아니라, 사업시행자 지정이나 실시계획 인가처분에 하자가 있는 경우에는 별도의 법적 근거가 없다고 하더라도 스스로 이를 취소할 수 있다(대판 2014.7.10. 2013두7025).
③ (○) 행정처분에 하자가 있다고 하더라도 취소해야 할 공익상 필요와 취소로 당사자가 입게 될 기득권과 신뢰보호 및 법률생활안정의 침해 등 불이익을 비교·교량한 후 공익상 필요가 당사자가 입을 불이익을 정당화할 만큼 강한 경우에 한하여 취소할 수 있는 것이며, 하자나 취소해야 할 필요성에 관한 증명책임은 기존 이익과 권리를 침해하는 처분을 한 행정청에 있다(대판 2014.11.27. 2014두9226).
④ (○) 행정처분을 한 처분청은 그 처분의 성립에 하자가 있는 경우 이를 취소할 별도의 법적 근거가 없다고 하더라도 직권으로 이를 취소할 수 있는바, 병역의무가 국가수호를 위하여 전 국민에게 과하여진 헌법상의 의무로서 그를 수행하기 위한 전제로서의 신체등위판정이나 병역처분 등은 공정성과 형평성을 유지하여야 함은 물론 그 면탈을 방지하여야 할 공익적 필요성이 매우 큰 점에 비추어 볼 때, 지방병무청장은 군의관의 신체등위판정이 금품수수에 따라 위법 또는 부당하게 이루어졌다고 인정하는 경우에는 그 위법 또는 부당한 신체등위판정을 기초로 자신이 한 병역처분을 직권으로 취소할 수 있다(대판 2002.5.28. 2001두9653).

답 ①

문제 DATA
출제가능 지수 ▶▶▷
난이도 지수 ★★☆

함께 정리하기

행정처분의 소멸

취소재결
▷ 쟁송취소에 해당

도시계획시설사업자지정 관할청
▷ 별도 법적근거 없어도 하자 있는 시행자 지정 직권취소 可

하자나 취소필요성 증명책임
▷ 처분청에 有

지방병무청장
▷ 하자있는 신체등위판정을 기초로 한 병역처분 직권취소 可

024

행정행위의 철회에 대한 설명으로 가장 옳지 않은 것은? (다툼이 있는 경우 판례에 의함)

① 부담부 행정처분에 있어서 처분의 상대방이 부담을 이행하지 아니한 경우에 처분행정청으로서는 이를 들어 당해 처분을 철회할 수 있다.
② 외형상 하나의 행정처분이라 하더라도 가분성이 있거나 그 처분대상의 일부가 특정될 수 있다면 그 일부만의 취소도 가능하고 그 일부의 취소는 당해 취소부분에 관하여 효력이 생긴다.
③ 행정행위의 철회는 적법요건을 구비하여 완전히 효력을 발하고 있는 행정행위를 사후적으로 효력을 장래에 향해 소멸시키는 별개의 행정처분이다.
④ 처분 후에 원래의 처분을 그대로 존속시킬 수 없게 된 사정변경이 생긴 경우 처분청은 처분을 철회할 수 있다고 할 것이므로, 이 경우 처분의 상대방에게 그 철회·변경을 요구할 권리는 당연히 인정된다고 할 것이다.

2022년 군무원 9급

① (○) 부담부 행정처분에 있어서 처분의 상대방이 부담(의무)을 이행하지 아니한 경우에 처분행정청으로서는 이를 들어 당해 처분을 취소(철회)할 수 있는 것이다(대판 1989.10.24. 89누2431).

유제 21. 국회직 9급 처분의 상대방이 부담을 이행하지 아니하더라도 처분행정청은 이를 들어 당해 처분을 철회할 수 없다. (×)
19. 지방직 7급 (甲은 개발제한구역 내에서의 건축허가를 관할 행정청인 乙에게 신청하였고, 乙은 甲에게 일정 토지의 기부채납을 조건으로 이를 허가하였다) 甲이 부담인 기부채납조건에 대하여 불복하지 않았고, 이를 이행하지도 않은 채 기부채납조건에서 정한 기부채납기한이 경과하였다면 이로써 甲에 대한 건축허가는 효력을 상실한다. (×)
16. 경찰 2차 부담부 행정처분에 있어서 처분의 상대방이 부담의무를 이행하지 아니한 경우에 처분 행정청은 이를 이유로 해당 처분을 철회할 수 있다. (○)
16. 국가직 7급 부담에 의하여 부가된 의무의 불이행으로 부담부 행정행위가 당연히 효력을 상실하는 것은 아니고 당해 의무불이행은 부담부 행정행위의 철회사유가 될 수 있다. (○)

② (○) 외형상 하나의 행정처분이라 하더라도 가분성이 있거나 그 처분대상의 일부가 특정될 수 있다면 그 일부만의 취소도 가능하고 그 일부의 취소는 당해 취소부분에 관하여 효력이 생긴다(대판 1995.11.16. 95누8850 전합).

유제 18. 국회직 8급 외형상 하나의 행정처분이라 하더라도 가분성이 있거나 그 처분대상의 일부가 특정될 수 있다면 그 일부만의 취소도 가능하고 그 일부의 취소는 당해 취소부분에 관하여 효력이 생긴다. (○)
13. 경찰 2차 외형상 하나의 행정처분이라 하더라도 가분성이 있거나 그 처분대상의 일부가 특정될 수 있다면 그 일부만의 취소도 가능하다. (○)
11. 경찰 1차 외형상 하나의 행정처분이라면 가분성이 있거나 그 처분대상의 일부가 특정될 수 있다하더라도 그 일부만의 취소(철회)는 불가능하다고 본다. (×)

③ (○) 대판 2003.5.30. 2003다6422
④ (×) 도시계획법령이 토지형질변경행위허가의 변경신청 및 변경허가에 관하여 아무런 규정을 두지 않고 있을 뿐 아니라, 처분청이 처분 후에 원래의 처분을 그대로 존속시킬 필요가 없게 된 사정변경이 생겼거나 중대한 공익상의 필요가 발생한 경우에는 별도의 법적 근거가 없어도 별개의 행정행위로 이를 철회·변경할 수 있지만 이는 그러한 철회·변경의 권한을 처분청에게 부여하는 데 그치는 것일 뿐 상대방 등에게 그 철회·변경을 요구할 신청권까지를 부여하는 것은 아니라 할 것이므로, 이와 같이 법규상 또는 조리상의 신청권이 없이 한 국민들의 토지형질변경행위 변경허가신청을 반려한 당해 반려처분은 항고소송의 대상이 되는 처분에 해당되지 않는다(대판 1997.9.12. 96누6219).

답 ④

문제 DATA

출제가능 지수 ▶▶▷
난이도 지수 ★★☆

함께 정리하기

행정행위의 철회

부담 불이행
▷ 당해 처분 철회 可

가분성 有·특정 可
▷ 일부취소 可

철회
▷ 적법·유효하게 성립된 행정행위에 대하여 장래에 향하여 그 효력을 소멸시키는 별개의 행정처분

처분 상대방에게 철회·변경 신청권 인정×

문제 DATA

출제가능 지수 ▶▶▷
난이도 지수 ★★☆

025 ☐☐☐

「행정기본법」상 처분에 대한 설명으로 옳은 것은?

① 행정청은 적법한 처분의 경우 당사자의 신청이 있는 경우에만 철회가 가능하다.
② 행정청은 처분에 재량이 있는 경우 법령이나 행정규칙이 정하는 바에 따라 완전히 자동화된 시스템으로 처분할 수 있다.
③ 당사자의 신청에 따른 처분은 다른 법령에 특별한 규정이 있는 경우를 제외하고는 신청 당시의 법령 등에 따른다.
④ 새로운 법령 등은 법령 등에 특별한 규정이 있는 경우를 제외하고는 그 법령 등의 효력 발생 전에 완성되거나 종결된 사실관계 또는 법률관계에 대해서는 적용되지 아니한다.

| 2021년 지방직 7급

① (×) 행정청은 「행정기본법」 제19조 제1항 각 호의 어느 하나에 해당하는 경우에는 적법한 처분을 철회할 수 있다.

> 「행정기본법」 제19조 【적법한 처분의 철회】 ① 행정청은 적법한 처분이 다음 각 호의 어느 하나에 해당하는 경우에는 그 처분의 전부 또는 일부를 장래를 향하여 철회할 수 있다.
> 1. 법률에서 정한 철회 사유에 해당하게 된 경우
> 2. 법령등의 변경이나 사정변경으로 처분을 더 이상 존속시킬 필요가 없게 된 경우
> 3. 중대한 공익을 위하여 필요한 경우

② (×) 처분에 재량이 있는 경우 완전히 자동화된 시스템으로 처분할 수 없다.

> 「행정기본법」 제20조 【자동적 처분】 행정청은 법률로 정하는 바에 따라 완전히 자동화된 시스템(인공지능 기술을 적용한 시스템을 포함한다)으로 처분을 할 수 있다. 다만, 처분에 재량이 있는 경우는 그러하지 아니하다.

③ (×) 당사자의 신청에 따른 처분은 원칙적으로 처분 당시의 법령등에 따른다.

> 「행정기본법」 제14조 【법 적용의 기준】 ② 당사자의 신청에 따른 처분은 법령등에 특별한 규정이 있거나 처분 당시의 법령등을 적용하기 곤란한 특별한 사정이 있는 경우를 제외하고는 처분 당시의 법령등에 따른다.

④ (○)

> 「행정기본법」 제14조 【법 적용의 기준】 ① 새로운 법령등은 법령등에 특별한 규정이 있는 경우를 제외하고는 그 법령등의 효력 발생 전에 완성되거나 종결된 사실관계 또는 법률관계에 대해서는 적용되지 아니한다.

답 ④

함께 정리하기

「행정기본법」상 처분

철회사유
▷ 법률상 철회사유
▷ 법령변경이나 사정변경
▷ 중대한 공익상 필요

재량행위
▷ 완전히 자동화된 시스템으로 처분 불가

신청에 따른 처분
▷ 처분시의 법령 적용

새로운 법령
▷ 소급 적용×

026

행정행위의 취소와 철회에 대한 설명으로 옳지 않은 것은? (다툼이 있는 경우 판례에 의함)

① 과세관청은 과세처분의 취소를 다시 취소함으로써 이미 효력을 상실한 과세처분을 소생시킬 수 있다.
② 행정청은 적법한 처분이 중대한 공익을 위하여 필요한 경우에는 그 처분을 장래를 향하여 철회할 수 있다.
③ 수익적 행정행위의 철회는 특별한 다른 규정이 없는 한 「행정절차법」상의 절차에 따라 행해져야 한다.
④ 처분청은 처분의 성립에 하자가 있는 경우 별도의 법적 근거가 없더라도 직권으로 이를 취소할 수 있다.

문제 DATA
출제가능 지수 ▶▶▷
난이도 지수 ★★☆

2021년 지방직 9급

① (×) 부과의 취소에 위법사유가 있다고 하더라도 당연무효가 아닌 한 일단 유효하게 성립하여 부과처분을 확정적으로 상실시키는 것이므로, 과세관청은 부과의 취소를 다시 취소함으로써 원부과처분을 소생시킬 수는 없고 납세의무자에게 종전의 과세대상에 대한 납부의무를 지우려면 다시 법률에서 정한 부과절차에 좇아 동일한 내용의 새로운 처분을 하는 수밖에 없다(대판 1995.3.10. 94누7027).
② (○)

> 「행정기본법」 제19조 【적법한 처분의 철회】 ① 행정청은 적법한 처분이 다음 각 호의 어느 하나에 해당하는 경우에는 그 처분의 전부 또는 일부를 장래를 향하여 철회할 수 있다.
> 1. 법률에서 정한 철회 사유에 해당하게 된 경우
> 2. 법령등의 변경이나 사정변경으로 처분을 더 이상 존속시킬 필요가 없게 된 경우
> 3. 중대한 공익을 위하여 필요한 경우

③ (○) 철회는 그 자체가 행정행위이므로 「행정절차법」상의 처분절차에 따라야 한다. 특히 수익적 행정행위의 철회는 상대방의 권리를 제한하는 처분이므로 사전통지, 의견청취, 이유제시 등 「행정절차법」상의 절차에 따라 행해져야 한다.

유제 18. 서울시 9급 철회 자체가 행정행위의 성질을 가지는 것은 아니어서 「행정절차법」상 처분절차를 적용하여야 하는 것은 아니나, 신뢰보호원칙이나 비례원칙과 같은 행정법의 일반원칙은 준수해야 한다. (×)

④ (○) 대판 2002.5.28. 2001두9653

답 ①

함께 정리하기
행정행위의 취소와 철회

과세부과 취소를 다시 취소
▷ 원부과처분 회복×

중대한 공익을 위하여 필요
▷ 전부 또는 일부를 장래를 향하여 철회 可

철회
▷ 「행정절차법」상의 처분절차 적용

처분청
▷ 법적 근거 없어도 직권 취소 可

문제 DATA

출제가능 지수 ▶▶▷
난이도 지수 ★★☆

027 □□□

행정행위의 직권취소에 대한 설명으로 가장 옳지 않은 것은? (다툼이 있는 경우 판례에 의함)

① 행정처분을 한 처분청은 처분의 성립에 하자가 있는 경우 별도의 법적 근거가 없더라도 직권으로 이를 취소할 수 있다.
② 변상금 부과처분에 대한 취소소송이 진행 중인 경우에는 그 부과권자라고 하여도 위법한 처분을 스스로 취소하고 그 하자를 보완하여 다시 적법한 부과처분을 할 수 없다.
③ 일정한 행정처분으로 국민이 일정한 이익과 권리를 취득하였을 경우에 종전 행정처분에 하자가 있음을 전제로 직권으로 이를 취소하는 행정처분은 이미 취득한 국민의 기존 이익과 권리를 박탈하는 별개의 행정처분으로, 취소될 행정처분에 하자가 있어야 하고, 나아가 행정처분에 하자가 있다고 하더라도 취소해야 할 공익상 필요와 취소로 당사자가 입게 될 기득권과 신뢰보호 및 법률생활 안정의 침해 등 불이익을 비교·교량한 후 공익상 필요가 당사자가 입을 불이익을 정당화할 만큼 강한 경우에 한하여 취소할 수 있다.
④ 수익적 행정행위를 직권으로 취소할 경우 하자의 존재 및 취소해야 할 필요성에 관한 증명책임은 기존 이익과 권리를 침해하는 처분을 한 행정청에 있다.

2021년 서울시 7급

① (○) 대판 1986.2.25. 85누664
② (×) <u>변상금 부과처분에 대한 취소소송이 진행중이라도 그 부과권자로서는 위법한 처분을 스스로 취소하고 그 하자를 보완하여 다시 적법한 부과처분을 할 수도 있는 것이어서 그 권리행사에 법률상의 장애사유가 있는 경우에 해당한다고 할 수 없으므로, 그 처분에 대한 취소소송이 진행되는 동안에도 그 부과권의 소멸시효가 진행된다</u>(대판 2006.2.10. 2003두5686).

유제 20. 행정사 직권취소는 당해 처분의 취소소송 계속 중에도 할 수 있다. (○)
19. 국가직 7급 행정행위의 위법 여부에 대하여 취소소송이 이미 진행 중인 경우 처분청은 위법을 이유로 그 행정행위를 직권취소할 수 없다. (×)
18. 서울시 7급, 17. 국가직 9급 변상금부과처분에 대한 취소소송이 진행 중이라도 그 부과권자로서는 위법한 처분을 스스로 취소하고 그 하자를 보완하여 다시 적법한 부과처분을 할 수도 있다. (○)
13. 행정사 취소소송의 진행 중에는 처분청은 계쟁처분을 직권취소할 수 없다. (×)
13. 서울시 7급 취소소송의 진행 중에는 직권취소할 수 없다. (×)

③, ④ (○) <u>일정한 행정처분으로 국민이 일정한 이익과 권리를 취득하였을 경우에 종전 행정처분에 하자가 있음을 전제로 직권으로 이를 취소하는 행정처분은 이미 취득한 국민의 기존 이익과 권리를 박탈하는 별개의 행정처분으로, 취소될 행정처분에 하자가 있어야 하고, 나아가 행정처분에 하자가 있다고 하더라도 취소해야 할 공익상 필요와 취소로 당사자가 입게 될 기득권과 신뢰보호 및 법률생활안정의 침해 등 불이익을 비교·교량한 후 공익상 필요가 당사자가 입을 불이익을 정당화할 만큼 강한 경우에 한하여 취소할 수 있는 것이며, 하자나 취소해야 할 필요성에 관한 증명책임은 기존 이익과 권리를 침해하는 처분을 한 행정청에 있다</u>(대판 2014.11.27. 2014두9226).

유제 21. 행정사 수익적 처분의 직권취소 필요성에 관한 증명책임은 처분의 상대방에 있다. (×)
20. 경찰 2차 일정한 행정처분에 의하여 국민이 일정한 이익과 권리를 취득하였을 경우에 종전의 행정처분을 취소하는 행정처분은 이미 취득한 국민의 기존 이익과 권리를 박탈하는 별개의 행정처분으로 그 취소될 행정처분에 있어서의 하자 또는 취소하여야 할 공공의 필요가 있어야 하고, 나아가 행정처분에 하자 등이 있다 하더라도 취소하여야 할 공익상 필요와 취소로 인하여 당사자가 입게 될 기득권과 신뢰보호 및 법률생활 안정의 침해 등 불이익을 비교교량한 후 공익상 필요가 당사자가 입을 불이익을 정당화할 만큼 강한 경우에 한하여 취소할 수 있는 것이며, 그 하자나 취소하여야 할 필요성에 대한 증명책임은 기존의 이익과 권리를 침해하는 처분을 한 그 행정청에 있다. (○)
18. 서울시 7급 행정행위를 한 처분청이 그 행위에 하자가 있어 수익적 행정처분을 취소할 때에는 이를 취소하여야 할 공익상의 필요와 그 취소로 인하여 당사자가 입게 될 기득권과 신뢰보호 및 법률생활 안정의 침해 등 불이익을 비교·교량한 후 공익상의 필요가 당사자가 입을 불이익을 정당화할 만큼 강한 경우에 한하여 취소할 수 있다. (○)

답 ②

함께 정리하기

직권취소

처분청
▷ 별도 법적근거 없이 직권취소 可

취소소송이 진행 중인 경우에도 직권취소 可

수익적 행정처분의 취소
▷ 공익이 불이익을 정당화할 만큼 강한 경우에 한하여 허용

하자 존재 및 취소 필요성 증명책임
▷ 처분청

028

처분의 취소 또는 변경에 대한 설명으로 옳은 것은? (다툼이 있는 경우 판례에 의함)

① 처분의 위법은 직권취소의 사유가 되지만, 처분의 부당은 직권취소의 사유가 되지 않는다.
② 수익적 처분의 직권취소 필요성에 관한 증명책임은 처분의 상대방에 있다.
③ 수익적 처분에 대한 직권취소의 경우에는 「행정절차법」상 사전통지가 필요하지 않다.
④ 행정청은 행정소송이 계속되고 있는 때에는 직권으로 해당 처분을 변경할 수 없다.
⑤ 「산업재해보상보험법」상 연금지급결정을 취소하는 처분이 적법하다고 하여 그에 터 잡은 징수처분이 반드시 적법한 것은 아니다.

2021년 행정사

① (×) 처분의 위법뿐만 아니라 처분의 부당도 직권취소의 사유가 된다.

> 「행정기본법」제18조【위법 또는 부당한 처분의 취소】① 행정청은 위법 또는 부당한 처분의 전부나 일부를 소급하여 취소할 수 있다. 다만, 당사자의 신뢰를 보호할 가치가 있는 등 정당한 사유가 있는 경우에는 장래를 향하여 취소할 수 있다.

② (×) 수익적 처분의 직권취소 필요성에 관한 증명책임은 처분청에 있다(대판 2014.11.27. 2014두9226).

③ (×) 수익적 처분에 대한 직권취소는 상대방의 권익을 제한하는 처분이므로 「행정절차법」상 사전통지를 거쳐야 한다.

> 「행정절차법」제21조【처분의 사전 통지】① 행정청은 당사자에게 의무를 부과하거나 권익을 제한하는 처분을 하는 경우에는 미리 다음 각 호의 사항을 당사자등에게 통지하여야 한다.

④ (×) 행정청은 행정소송이 계속되고 있는 때에도 직권으로 그 처분을 변경할 수 있고, 행정소송법 제22조 제1항은 이를 전제로 처분변경으로 인한 소의 변경에 관하여 규정하고 있다(대판 2019.1.17. 2016두56721).

⑤ (○) 산재보상법상 각종 보험급여 등의 지급결정을 변경 또는 취소하는 처분과 처분에 터 잡아 잘못 지급된 보험급여액에 해당하는 금액을 징수하는 처분이 적법한지를 판단하는 경우 비교·교량할 각 사정이 동일하다고는 할 수 없으므로, 지급결정을 변경 또는 취소하는 처분이 적법하다고 하여 그에 터 잡은 징수처분도 반드시 적법하다고 판단해야 하는 것은 아니다(대판 2014.7.24. 2013두27159).

유제 19. 지방직 9급 산재보상법상 각종 보험급여 등의 지급결정을 변경 또는 취소하는 처분과 처분에 터 잡아 잘못 지급된 보험급여액에 해당하는 금액을 징수하는 처분이 적법한지를 판단하는 경우 비교·교량할 각 사정이 동일하다고는 할 수 없으므로, 지급결정을 변경 또는 취소하는 처분이 적법하다고 하여 그에 터 잡은 징수처분도 반드시 적법하다고 판단하여야 한다. (×)

답 ⑤

문제 DATA

출제가능 지수 ▶▶▷
난이도 지수 ★★☆

함께 정리하기

처분의 취소 또는 변경

직권취소의 사유
▷ 처분의 위법뿐만 아니라 부당도 포함

수익적 처분의 직권취소 필요성 증명책임
▷ 처분청

수익적 처분의 직권취소
▷ 사전통지 필요

행정소송 계중에도 처분변경 可

산재보상법상 지급결정취소처분이 적법
▷ 그에 터잡은 징수처분이 반드시 적법 ×

문제 DATA

출제가능 지수 ▶▶▷
난이도 지수 ★★☆

029 □□□

행정행위의 직권취소 및 철회에 대한 설명으로 옳은 것만을 모두 고르면? (다툼이 있는 경우 판례에 의함)

> ㄱ. 과세관청은 세금부과처분을 취소한 처분에 취소원인인 하자가 있다는 이유로 취소처분을 다시 취소함으로써 원부과처분을 소생시킬 수 있다.
> ㄴ. 행정처분을 한 행정청은 원래의 처분을 존속시킬 필요가 없게 된 사정변경이 생겼거나 중대한 공익상의 필요가 생긴 경우 이를 철회할 별도의 법적 근거가 없다 하더라도 별개의 행정행위로 이를 철회할 수 있다.
> ㄷ. 보건복지부장관이 어린이집에 대한 평가인증이 이루어진 이후에 새로이 발생한 사유를 들어 「영유아보육법」 제30조 제5항에 따라 평가인증을 철회하는 처분을 하면서도, 그 평가인증의 효력을 과거로 소급하여 상실시키기 위해서는, 특별한 사정이 없는 한 「영유아보육법」 제30조 제5항과는 별도의 법적 근거가 필요하다.
> ㄹ. 면허의 취소처분에는 그 근거가 되는 법령이나 취소권 유보의 부관 등을 명시하여야 함은 물론 처분을 받은 자가 어떠한 위반사실에 대하여 당해 처분이 있었는지를 알 수 있을 정도로 사실을 적시할 것을 요하지만, 이와 같은 취소처분의 근거와 위반사실의 적시를 빠뜨린 하자는 피처분자가 처분 당시 그 취지를 알고 있었거나 그 후 알게 되었다면 그 하자는 치유될 수 있다.

① ㄱ, ㄴ
② ㄱ, ㄹ
③ ㄴ, ㄷ
④ ㄷ, ㄹ

함께 정리하기

직권취소 및 철회

과세부과 취소를 다시 취소
▷ 원부과처분회복×

행정행위 후 사정변경·공익상 필요 발생
▷ 별도의 법적근거 없어도 별개의 행정행위로 철회 可

어린이집 평가인증의 취소
▷ 철회에 해당, 소급효 인정하기 위해선 별도 법적 근거 필요

면허 취소처분의 근거와 위반사실 적시를 빠뜨린 하자
▷ 피처분자가 처분 당시 그 취지를 알고 있었다거나 그 후 알게 된 경우에도 하자치유×

2020년 지방직 7급

ㄱ. (×) 부과의 취소에 위법사유가 있다고 하더라도 당연무효가 아닌 한 일단 유효하게 성립하여 부과처분을 확정적으로 상실시키는 것이므로, 과세관청은 부과의 취소를 다시 취소함으로써 원부과처분을 소생시킬 수는 없고 납세의무자에게 종전의 과세대상에 대한 납부의무를 지우려면 다시 법률에서 정한 부과절차에 좇아 동일한 내용의 새로운 처분을 하는 수밖에 없다(대판 1995.3.10. 94누7027).

ㄴ. (○) 대판 2017.3.15. 2014두41190

ㄷ. (○) 대판 2018.6.28. 2015두58195

ㄹ. (×) 면허의 취소처분에는 그 근거가 되는 법령이나 취소권 유보의 부관 등을 명시하여야 함은 물론 처분을 받은 자가 어떠한 위반사실에 대하여 당해 처분이 있었는지를 알 수 있을 정도로 사실을 적시할 것을 요하며, 이와 같은 취소처분의 근거와 위반사실의 적시를 빠뜨린 하자는 피처분자가 처분 당시 그 취지를 알고 있었다거나 그후 알게 되었다 하여도 치유될 수 없다고 할 것이다(대판 1990.9.11. 90누1786).

답 ③

030

행정행위의 취소에 대한 설명으로 가장 옳지 않은 것은? (다툼이 있는 경우 판례에 의함)

① 과징금 부과처분에 있어 행정청이 납부의무자에 대하여 부과처분을 한 후 그 부과처분의 하자를 이유로 과징금의 액수를 감액하는 경우에 그 감액처분은 감액된 과징금 부분에 관하여만 법적 효과가 미치는 것으로서 당초 부과처분과 별개 독립의 과징금 부과처분이 아니라 그 실질은 당초 부과처분의 변경이고, 그에 의하여 과징금의 일부취소라는 납부의무자에게 유리한 결과를 가져오는 처분이므로 당초 부과처분이 전부 실효되는 것은 아니며, 그 감액처분으로도 아직 취소되지 않고 남아 있는 부분이 위법하다 하여 다투는 경우, 항고소송의 대상은 당초 부과처분 중 감액처분에 의하여 취소되지 않고 남은 부분이고, 감액처분이 항고소송의 대상이 되는 것은 아니다.

② 지방병무청장이 재신체검사 등을 거쳐 현역병입영대상편입처분을 보충역편입처분이나 제2국민역편입처분으로 변경하거나 보충역편입처분을 제2국민역편입처분으로 변경하는 경우 비록 새로운 병역처분의 성립에 하자가 있다고 하더라도 그것이 당연무효가 아닌 한 일단 유효하게 성립하고 제소기간의 경과 등 형식적 존속력이 생김과 동시에 종전의 병역처분의 효력은 취소 또는 철회되어 확정적으로 상실된다고 보아야 할 것이므로 그 후 새로운 병역처분의 성립에 하자가 있었음을 이유로 하여 이를 취소한다고 하더라도 종전의 병역처분의 효력이 되살아난다고 할 수 없다.

③ 일정한 행정처분에 의하여 국민이 일정한 이익과 권리를 취득하였을 경우에 종전의 행정처분을 취소하는 행정처분은 이미 취득한 국민의 기존 이익과 권리를 박탈하는 별개의 행정처분으로 그 취소될 행정처분에 있어서의 하자 또는 취소하여야 할 공공의 필요가 있어야 하고, 나아가 행정처분에 하자 등이 있다 하더라도 취소하여야 할 공익상 필요와 취소로 인하여 당사자가 입게 될 기득권과 신뢰보호 및 법률생활안정의 침해 등 불이익을 비교교량한 후 공익상 필요가 당사자가 입을 불이익을 정당화할 만큼 강한 경우에 한하여 취소할 수 있는 것이며, 그 하자나 취소하여야 할 필요성에 대한 증명책임은 기존의 이익과 권리를 침해하는 처분을 한 그 행정청에 있다.

④ 도로관리청이 도로점용허가를 함에 있어서 특별사용의 필요가 없는 부분을 도로점용허가의 점용장소 및 점용면적으로 포함한 흠이 있고 그로 인하여 점용료 부과처분에도 흠이 있게 된 경우, 흠 있는 부분에 해당하는 점용료를 감액하는 것은 당초 처분 자체를 일부 취소하는 변경처분이 아니라 흠의 치유에 해당한다.

2020년 경찰 2차

① (O) 과징금 부과처분에서 행정청이 납부의무자에 대하여 부과처분을 한 후 그 부과처분의 하자를 이유로 과징금의 액수를 감액하는 경우에 그 감액처분은 감액된 과징금 부분에 관하여만 법적 효과가 미치는 것으로서 처음의 부과처분과 별개 독립의 과징금 부과처분이 아니라 그 실질은 당초 부과처분의 변경이고, 그에 의하여 과징금의 일부취소라는 납부의무자에게 유리한 결과를 가져오는 처분이므로 처음의 부과처분이 전부 실효되는 것은 아니며, 그 감액처분으로도 아직 취소되지 않고 남아 있는 부분이 위법하다고 하여 다투는 경우 항고소송의 대상은 처음의 부과처분 중 감액처분에 의하여 취소되지 않고 남은 부분이고 감액처분이 항고소송의 대상이 되는 것은 아니다(대판 2008.2.15. 2006두3957).

② (O) 지방병무청장이 재신체검사 등을 거쳐 현역병입영대상편입처분을 보충역편입처분이나 제2국민역편입처분으로 변경하거나 보충역편입처분을 제2국민역편입처분으로 변경하는 경우 비록 새로운 병역처분의 성립에 하자가 있다고 하더라도 그것이 당연무효가 아닌 한 일단 유효하게 성립하고 제소기간의 경과 등 형식적 존속력이 생김과 동시에 종전의 병역처분의 효력은 취소 또는 철회되어 확정적으로 상실된다고 보아야 할 것이므로 그 후 새로운 병역처분의 성립에 하자가 있었음을 이유로 하여 이를 취소한다고 하더라도 종전의 병역처분의 효력이 되살아난다고 할 수 없다(대판 2002.5.28. 2001두9653).

문제 DATA

출제가능 지수 ▶▶▷
난이도 지수 ★★☆

함께 정리하기

행정행위의 취소

감액처분으로도 취소되지 않고 남아 있는 부분이 위법하다고 다투는 경우
▷ 취소되지 않고 남은 부분이 소송 대상

현역병입영처분을 보충역편입처분으로 변경
▷ 보충역편입처분의 직권취소로 현역병입영처분의 효력 소생 ×

하자나 취소필요성 증명책임
▷ 처분청에 有

흠 있는 부분에 해당하는 점용료를 감액하는 처분
▷ 당초처분 자체를 일부취소하는 변경처분(흠의 치유 ×)

유제 22. 국회직 8급 지방병무청장이 재신체검사 등을 거쳐 종전의 현역병입영대상편입처분을 보충역편입처분으로 변경한 후에 제소기간의 경과 등으로 보충역편입처분에 형식적 존속력이 생겼다면, 보충역편입처분에 하자가 있다는 이유로 이를 직권으로 취소하더라도 종전의 현역병입영대상편입처분의 효력은 회복되지 않는다. (○)

16. 서울시 7급, 14. 지방직 9급 현역병 입영대상편입처분을 보충역편입처분으로 변경한 경우, 보충역편입처분에 불가쟁력이 발생한 이후 보충역편입처분이 하자를 이유로 직권취소 되었다면 종전의 현역병 입영대상편입처분의 효력은 되살아난다. (×)

③ (○) 대판 2014.11.27. 2014두9226
④ (×) 행정청은 행정소송이 계속되고 있는 때에도 직권으로 그 처분을 변경할 수 있고, 행정소송법 제22조 제1항은 이를 전제로 처분변경으로 인한 소의 변경에 관하여 규정하고 있다. <u>점용료 부과처분에 취소사유에 해당하는 흠이 있는 경우 도로관리청으로서는 당초 처분 자체를 취소하고 흠을 보완하여 새로운 부과처분을 하거나, 흠 있는 부분에 해당하는 점용료를 감액하는 처분을 할 수 있다. 한편 흠 있는 행정행위의 치유는 원칙적으로 허용되지 않을 뿐 아니라, 흠의 치유는 성립 당시에 적법한 요건을 갖추지 못한 흠 있는 행정행위를 그대로 존속시키면서 사후에 그 흠의 원인이 된 적법 요건을 보완하는 경우를 말한다. 그런데 앞서 본 바와 같은 흠 있는 부분에 해당하는 점용료를 감액하는 처분은 당초 처분 자체를 일부 취소하는 변경처분에 해당하고, 그 실질은 종래의 위법한 부분을 제거하는 것으로서 흠의 치유와는 차이가 있다</u>(대판 2019.1.17. 2016두56721·56738).

답 ④

031 □□□

행정행위의 직권취소에 대한 설명으로 옳지 않은 것은? (다툼이 있는 경우 판례에 의함)

① 직권취소는 별도의 법적 근거가 없어도 가능하다.
② 직권취소는 당해 처분의 취소소송 계속 중에도 할 수 있다.
③ 수익적 행정행위의 직권취소에 대한 직권취소는 인정되지 않는다.
④ 수익적 행정행위의 직권취소는 제한될 수 있다.
⑤ 수익적 행정행위의 직권취소의 소급효는 제한될 수 있다.

| 2020년 행정사

① (○) 개별토지에 대한 가격결정도 행정처분에 해당하며, 원래 행정처분을 한 <u>처분청은 그 행위에 하자가 있는 경우에는 원칙적으로 별도의 법적 근거가 없더라도 스스로 이를 직권으로 취소할 수 있는 것이</u>고, 행정처분에 대한 법정의 불복기간이 지나면 직권으로도 취소할 수 없게 되는 것은 아니므로, 처분청은 토지에 대한 개별토지가격의 산정에 명백한 잘못이 있다면 이를 직권으로 취소할 수 있다(대판 1995.9.15. 95누6311).

② (○) 대판 2006.2.10. 2003두5686
③ (×) 판례는 수익적 행정행위의 경우 원칙적으로 취소의 취소를 긍정하지만, 부담적 행정행위의 경우에는 취소의 취소를 부정한다. 다만, 수익적 행정행위의 취소 후 새롭게 형성된 제3자의 권익이 취소의 취소로 침해되는 경우에는 취소의 취소가 허용되지 않는다는 입장이다.
④ (○) 행정청의 허가, 면허, 인가, 특허 등과 같은 수익적 행정처분을 취소하거나 중지시키는 경우에는 <u>취소 등의 사유가 있다고 하더라도 취소권 등의 행사는 기득권의 침해를 정당화할 만한 중대한 공익상의 필요 또는 제3자의 이익보호의 필요가 있는 때에 한하여 상대방이 받는 불이익과 비교 교량하여 결정하여야</u> 하고, 그 처분으로 인하여 공익상의 필요보다 상대방이 받게 되는 불이익 등이 막대한 경우에는 재량권의 한계를 일탈한 것으로서 위법임을 면치 못한다(대판 1993.5.27. 93누2803).
⑤ (○) 일반적으로 취소의 효과는 소급한다. 다만, 수익적 행정행위에 대한 직권취소 중 상대방에게 귀책사유가 없는 경우에는 소급하지 않고 장래에 향하여 행정행위의 효력이 소멸된다. 「행정기본법」도 위법하거나 부당한 처분은 소급하여 취소하는 것이 원칙이고 당사자의 신뢰를 보호할 가치가 있는 등 정당한 사유가 있는 경우에는 장래를 향하여 취소할 수 있다고 규정하고 있다.

문제 DATA

출제가능 지수 ▶▶▷
난이도 지수 ★★☆

함께 정리하기

행정행위의 직권취소

별도 법적 근거가 없어도 可
당해 처분의 취소소송 계속 중에도 可
수익적 행정행위의 취소의 취소 인정 ○
수익적 행정행위의 직권취소
▷ 제한 可
수익적 행정행위의 직권취소의 소급효
▷ 제한 可

「행정기본법」제18조【위법 또는 부당한 처분의 취소】① 행정청은 위법 또는 부당한 처분의 전부나 일부를 소급하여 취소할 수 있다. 다만, 당사자의 신뢰를 보호할 가치가 있는 등 정당한 사유가 있는 경우에는 장래를 향하여 취소할 수 있다.

답 ③

032 □□□

행정행위의 직권취소에 대한 설명으로 옳은 것은? (다툼이 있는 경우 판례에 의함)

① 법률에서 직권취소에 대한 근거를 두고 있는 경우에는 이해관계인이 처분청에 대하여 위법을 이유로 행정행위의 취소를 요구할 신청권을 갖는다고 보아야 한다.
② 행정행위를 한 행정청은 그 행정행위에 하자가 있는 경우에는 원칙적으로 별도의 법적 근거가 없더라도 스스로 그 행정행위를 직권으로 취소할 수 있다.
③ 직권취소는 행정행위의 성립상의 하자를 이유로 하는 것이므로, 개별법에 특별한 규정이 없는 한 「행정절차법」에 따른 절차규정이 적용되지 않는다.
④ 행정행위의 위법 여부에 대하여 취소소송이 이미 진행 중인 경우 처분청은 위법을 이유로 그 행정행위를 직권취소할 수 없다.

2019년 국가직 7급

① (×), ② (○) 행정처분을 한 처분청은 그 처분에 하자가 있는 경우에는 원칙적으로 별도의 법적 근거가 없더라도 스스로 이를 직권으로 취소할 수 있지만, 그와 같이 직권취소를 할 수 있다는 사정만으로 이해관계인에게 처분청에 대하여 그 취소를 요구할 신청권이 부여된 것으로 볼 수는 없으므로, 처분청이 위와 같이 법규상 또는 조리상의 신청권이 없이 한 이해관계인의 복구준공통보 등의 취소신청을 거부하더라도, 그 거부행위는 항고소송의 대상이 되는 처분에 해당하지 않는다(대판 2006.6.30. 2004두701).

유제 17. 국가직 9급 행정처분을 한 처분청은 그 처분에 하자가 있는 경우에는 원칙적으로 별도의 법적 근거가 없더라도 스스로 이를 직권으로 취소할 수 있고, 이러한 경우 이해관계인에게는 처분청에 대하여 그 취소를 요구할 신청권이 부여된 것으로 볼 수 있다. (×)
16. 경찰 2차 원래 행정처분을 한 처분청은 그 처분에 하자가 있는 경우에는 원칙적으로 별도의 법적 근거기 없더라도 스스로 이를 직권으로 취소할 수 있는 것이므로, 그와 같이 직권취소를 할 수 있다는 사정만으로도 이해관계인에게 처분청에 대하여 그 취소를 요구할 신청권이 부여된 것으로 볼 수 있다. (×)
15. 국회직 8급 행정청이 직권취소를 할 수 있다는 사정만으로 이해관계인인 제3자에게 행정청에 대한 직권취소청구권이 부여된 것으로 볼 수 없다. (○)
14. 경찰 1차 처분청이 법령의 근거가 없어도 직권취소를 할 수 있다는 사정이 있는 경우, 이해관계인에게 처분청에 대하여 그 취소를 요구할 신청권이 부여된 것으로 볼 수 있다. (×)

③ (×) 수익적 처분에 대한 직권취소는 상대방에게 침익적 처분이 되므로, 「행정절차법」에 따른 사전통지 및 의견청취의 절차를 거쳐야 한다.

유제 18. 국회직 8급 직권취소는 처분의 성격을 가지므로, 이유제시절차 등의 「행정절차법」상 처분절차에 따라야 하며, 특히 수익적 행정행위의 직권취소는 상대방에게 침해적 효과를 발생시키므로 「행정절차법」에 따른 사전통지, 의견청취의 절차를 거쳐야 한다. (○)

④ (×) 대판 2006.2.10. 2003두5686

답 ②

함께 정리하기

행정행위의 직권취소

처분청에 직권취소를 요구할 신청권×
별도 법적 근거가 없어도 可
행정절차법 적용○
당해 처분의 취소소송 계속 중에도 可

033

甲은 「영유아보육법」에 따라 보건복지부장관의 평가인증을 받아 어린이집을 설치·운영하고 있다. 甲은 어린이집을 운영하면서 부정한 방법으로 보조금을 교부받아 사용하였고, 보건복지부장관은 이를 근거로 관련 법령에 따라 평가인증을 취소하였다. 이에 대한 설명으로 옳은 것은? (다툼이 있는 경우 판례에 의함)

① 평가인증의 취소는 강학상 취소에 해당하며, 행정청이 평가인증취소처분을 하면서 별도의 법적 근거 없이도 평가인증의 효력을 취소사유 발생일로 소급하여 상실시킬 수 있다.
② 평가인증의 취소는 강학상 철회에 해당하며, 행정청이 평가인증취소처분을 하면서 별도의 법적 근거 없이는 평가인증의 효력을 취소사유 발생일로 소급하여 상실시킬 수 없다.
③ 평가인증의 취소는 강학상 취소에 해당하며, 행정청이 평가인증취소처분을 하면서 별도의 법적 근거 없이는 평가인증의 효력을 취소사유 발생일로 소급하여 상실시킬 수 없다.
④ 평가인증의 취소는 강학상 철회에 해당하며, 행정청이 평가인증취소처분을 하면서 별도의 법적 근거 없이도 평가인증의 효력을 취소사유 발생일로 소급하여 상실시킬 수 있다.

2019년 국가직 9급

② (○) 영유아보육법 제30조 제5항 제3호에 따른 평가인증의 취소는 평가인증 당시에 존재하였던 하자가 아니라 그 이후에 새로이 발생한 사유로 평가인증의 효력을 소멸시키는 경우에 해당하므로, 법적 성격은 평가인증의 '철회'에 해당한다. 그런데 행정청이 평가인증을 철회하면서 그 효력을 철회의 효력발생일 이전으로 소급하게 하면, 철회 이전의 기간에 평가인증을 전제로 지급한 보조금 등의 지원이 그 근거를 상실하게 되어 이를 반환하여야 하는 법적 불이익이 발생한다. 이는 장래를 향하여 효력을 소멸시키는 철회가 예정한 법적 불이익의 범위를 벗어나는 것이다. 이처럼 행정청이 평가인증이 이루어진 이후에 새로이 발생한 사유를 들어 영유아보육법 제30조 제5항에 따라 평가인증을 철회하는 처분을 하면서도, 평가인증의 효력을 과거로 소급하여 상실시키기 위해서는, 특별한 사정이 없는 한 영유아보육법 제30조 제5항과는 별도의 법적 근거가 필요하다(대판 2018.6.28. 2015두58195).

답 ②

034

행정행위의 취소와 철회에 대한 판례의 입장으로 옳지 않은 것은?

① 행정행위의 취소는 일단 유효하게 성립한 행정행위를 그 행위에 하자가 있음을 이유로 원칙적으로 소급하여 효력을 소멸시키는 별도의 행정처분이다.
② 행정행위의 철회는 적법요건을 구비하여 완전히 효력을 발하고 있는 행정행위를 사후적으로 효력의 전부 또는 일부를 장래에 향해 소멸시키는 별개의 행정처분이다.
③ 행정행위의 철회사유는 취소사유와는 달리 행정행위가 성립된 이후에 새로이 발생한 것으로서 행정행위의 효력을 존속시킬 수 없는 사유를 말한다.
④ 수익적 행정행위에 대한 철회권 행사는 이미 부여된 국민의 기득권의 침해를 정당화할 만한 중대한 공익상의 필요 또는 제3자의 이익을 보호할 필요가 있으며, 이러한 공익상의 필요 등이 상대방이 입을 불이익을 정당화할 만큼 강한 경우에 한하여 허용될 수 있다.
⑤ 후속처분의 내용이 종전처분의 유효를 전제로 내용 중 일부만을 철회하는 것이고 철회된 부분이 내용과 성질상 나머지 부분과 불가분적인 것이 아닌 경우, 특별한 사정이 없는 한 종전처분은 효력을 상실하고 후속처분만이 항고소송의 대상이 된다.

2019년 서울시 9급

①, ②, ③ (○) 행정행위의 취소는 일단 유효하게 성립한 행정행위를 그 행위에 위법 또는 부당한 하자가 있음을 이유로 소급하여 그 효력을 소멸시키는 별도의 행정처분(①)이고, 행정행위의 철회는 적법요건을 구비하여 완전히 효력을 발하고 있는 행정행위를 사후적으로 그 행위의 효력의 전부 또는 일부를 장래에 향해 소멸시키는 행정처분(②)이므로, 행정행위의 취소사유는 행정행위의 성립 당시에 존재하였던 하자를 말하고, 철회사유는 행정행위가 성립된 이후에 새로이 발생한 것으로서 행정행위의 효력을 존속시킬 수 없는 사유를 말한다(③)(대판 2003.5.30. 2003다6422).
④ (○) 대판 2017.3.15. 2014두41190
⑤ (×) 기존의 행정처분을 변경하는 내용의 행정처분이 뒤따르는 경우, 후속처분이 종전처분을 완전히 대체하는 것이거나 그 주요 부분을 실질적으로 변경하는 내용인 경우에는 특별한 사정이 없는 한 종전처분은 그 효력을 상실하고 후속처분만이 항고소송의 대상이 되지만, 후속처분의 내용이 종전처분의 유효를 전제로 그 내용 중 일부만을 추가·철회·변경하는 것이고 그 추가·철회·변경된 부분이 그 내용과 성질상 나머지 부분과 불가분적인 것이 아닌 경우에는, 후속처분에도 불구하고 종전처분이 여전히 항고소송의 대상이 된다고 보아야 한다(대판 2015.11.19. 2015두295 전합).

답 ⑤

함께 정리하기
취소와 철회

취소
▷ 소급하여 효력 소멸

철회
▷ 장래에 향해 소멸

철회사유
▷ 행정행위 성립 이후 사유

수익적 행정행위에 대한 철회
▷ 공익상 필요 등이 불이익을 정당화할 만큼 강한 경우에 한하여 허용

대체·주요부분 변경 후속처분
▷ 후속처분이 대상적격○

일부만 추가·철회·변경 후속처분
▷ 종전처분이 대상적격○

---

035 □□□

행정행위의 취소와 철회에 대한 설명으로 옳은 것은? (다툼이 있는 경우 판례에 의함)

① 행정행위를 한 처분청은 그 행위에 하자가 있는 경우에는 별도의 법적 근거가 없더라도 스스로 이를 취소할 수 있다.
② 국유 일반재산 임대계약의 취소는 강학상 행정행위의 철회에 해당한다.
③ 부정한 수단으로 운전면허를 취득한 자에 대한 운전면허취소는 강학상 행정행위의 철회에 해당한다.
④ 과세관청은 과세부과처분의 취소에 당연무효가 아닌 위법사유가 있는 경우에 이를 다시 취소함으로써 원부과처분을 소생시킬 수 있다.
⑤ 영업허가취소처분이 행정쟁송절차에서 취소된 경우에 그 영업허가취소처분이 있는 때로부터 그에 대한 취소가 확정되기 이전까지의 영업행위는 무허가 영업에 해당한다.

문제 DATA
출제가능 지수 ▶▶▷
난이도 지수 ★★☆

2019년 소방간부

① (○) 대판 1986.2.25. 85누664
② (×) 국유 일반재산 임대계약은 사법관계에 해당하므로 그 취소가 강학상 행정행위의 철회에 해당한다고 볼 수 없다.
③ (×) 부정한 수단으로 운전면허를 취득한 경우 면허 처분에 원시적 하자가 있는 경우에 해당하므로 운전면허취소는 강학상 행정행위의 취소에 해당한다.
④ (×) 부과의 취소에 위법사유가 있다고 하더라도 당연무효가 아닌 한 일단 유효하게 성립하여 부과처분을 확정적으로 상실시키는 것이므로, 과세관청은 부과의 취소를 다시 취소함으로써 원부과처분을 소생시킬 수는 없고 납세의무자에게 종전의 과세대상에 대한 납부의무를 지우려면 다시 법률에서 정한 부과절차에 좇아 동일한 내용의 새로운 처분을 하는 수밖에 없다(대판 1995.3.10. 94누7027).
⑤ (×) 영업의 금지를 명한 영업허가취소처분 자체가 나중에 행정쟁송절차에 의하여 취소되었다면 그 영업허가취소처분은 그 처분시에 소급하여 효력을 잃게 되며, 그 영업허가취소처분에 복종할 의무가 원래부터 없었음이 확정되었다고 봄이 타당하고, 영업허가취소처분이 장래에 향하여서만 효력을 잃게 된다고 볼 것은 아니므로 그 영업허가취소처분 이후의 영업행위를 무허가영업이라고 볼 수는 없다(대판 1993.6.25. 93도277).

함께 정리하기
취소와 철회

처분청
▷ 별도 법적근거 없이 직권 취소 可

국유 일반재산 임대계약의 취소
▷ 행정행위의 철회×(∵사법관계)

부정한 수단으로 운전면허를 취득한 자에 대한 운전면허취소
▷ 취소에 해당

과세부과 취소를 다시 취소
▷ 원부과처분회복×

영업허가취소처분 취소
▷ 영업허가취소 후 영업은 무허가영업×

유제 22. 국가직 9급 영업허가취소처분이 나중에 행정쟁송절차에 의하여 취소되었더라도, 그 영업허가취소처분 이후의 영업행위는 무허가영업이다. (×)

22. 지방직 9급 영업허가취소처분 이후에 영업을 한 행위에 대하여 무허가영업으로 기소되었으나 형사법원이 판결을 내리기 전에 영업허가취소처분이 행정소송에서 취소되면 형사법원은 무허가영업행위에 대해서 무죄를 선고하여야 한다. (○)

20. 국가직 9급 취소판결의 효력은 원칙적으로 소급적이므로, 취소판결에 의해 취소된 영업허가취소처분 이후의 영업행위는 무허가영업에 해당하지 않는다. (○)

19. 지방직 7급 영업허가취소처분이 나중에 항고소송을 통해 취소되었다면 그 영업허가취소처분 이후의 영업행위를 무허가영업이라 할 수 없다. (○)

19. 국가직 9급 영업허가취소처분이 청문절차를 거치지 않았다 하여 행정심판에서 취소되었더라도 그 허가취소처분 이후 취소 재결시까지 영업했던 행위는 무허가영업에 해당한다. (×)

답 ①

036

행정행위의 취소와 철회에 대한 설명으로 옳은 것만을 모두 고르면? (다툼이 있는 경우 판례에 의함)

ㄱ. 행정행위를 한 처분청은 처분 당시에 별다른 하자가 없었고, 또 그 처분 후에 이를 철회할 별도의 법적 근거가 없다면 사정변경을 이유로 그 효력을 상실케 하는 별개의 행정행위로 이를 철회할 수 없다.

ㄴ. 「국세기본법」상 상속세부과처분의 취소에 하자가 있는 경우, 부과의 취소의 취소에 대하여는 법률이 명문으로 그 취소요건이나 그에 대한 불복절차에 대하여 따로 규정을 두고 있지 않더라도 과세관청은 부과의 취소를 다시 취소함으로써 원부과처분을 소생시킬 수 있다.

ㄷ. 행정청이 여러 종류의 자동차운전면허를 취득한 자에 대해 그 운전면허를 취소하는 경우, 취소사유가 특정면허에 관한 것이 아니고 다른 면허와 공통된 것이거나 운전면허를 받은 사람에 관한 것일 경우에는 여러 면허를 전부 취소할 수 있다.

ㄹ. 국세감액결정 처분은 이미 부과된 과세처분에 하자가 있음을 이유로 사후에 이를 일부 취소하는 처분이고, 취소의 효력은 판결 등에 의한 취소이거나 과세관청의 직권에 의한 취소이거나에 관계없이 그 부과처분이 있었을 당시로 소급하여 발생한다.

① ㄱ, ㄴ   ② ㄱ, ㄹ
③ ㄴ, ㄷ   ④ ㄷ, ㄹ

2018년 지방직 9급

ㄱ. (×) 행정행위를 한 처분청은 비록 처분 당시에 별다른 하자가 없었고, <u>처분 후에 이를 철회할 별도의 법적 근거가 없더라도 원래의 처분을 존속시킬 필요가 없게 된 사정변경이 생겼거나 중대한 공익상 필요가 발생한 경우에는 그 효력을 상실케 하는 별개의 행정행위로 이를 철회할 수 있다</u>(대판 2017.3.15. 2014두41190).

ㄴ. (×) 부과의 취소에 위법사유가 있다고 하더라도 당연무효가 아닌 한 일단 유효하게 성립하여 부과처분을 확정적으로 상실시키는 것이므로, <u>과세관청은 부과의 취소를 다시 취소함으로써 원부과처분을 소생시킬 수는 없고 납세의무자에게 종전의 과세대상에 대한 납부의무를 지우려면 다시 법률에서 정한 부과절차에 좇아 동일한 내용의 새로운 처분을 하는 수밖에 없다</u>(대판 1995.3.10. 94누7027).

ㄷ. (○) 한 사람이 여러 종류의 자동차운전면허를 취득하는 경우뿐 아니라 이를 취소 또는 정지하는 경우에도 서로 별개의 것으로 취급하는 것이 원칙이고, 다만 <u>취소사유가 특정 면허에 관한 것이 아니고 다른 면허와 공통된 것이거나 운전면허를 받은 사람에 관한 것일 경우에는 여러 면허를 전부 취소할 수도 있다</u>(대판 2012.5.24. 2012두1891).

ㄹ. (○) 국세 감액결정 처분은 이미 부과된 과세처분에 하자가 있음을 이유로 사후에 이를 일부취소하는 처분이므로, 취소의 효력은 그 취소된 국세 부과처분이 있었을 당시에 소급하여 발생하는 것이고, 이는 판결 등에 의한 취소이거나 과세관청의 직권에 의한 취소이거나에 따라 차이가 있는 것이 아니다(대판 1995.9.15. 94다16045).

답 ④

037

행정행위의 취소에 대한 설명으로 가장 옳지 않은 것은? (다툼이 있는 경우 판례에 의함)

① 변상금 부과처분에 대한 취소소송이 진행 중이라도 처분청은 위법한 처분을 스스로 취소하고 그 하자를 보완하여 다시 적법한 부과처분을 할 수 있다.
② 수익적 행정처분의 경우 상대방의 신뢰보호와 관련하여 직권취소가 제한되나 그 필요성에 대한 입증책임은 기존 이익과 권리를 침해하는 처분을 한 행정청에 있다.
③ 처분청의 행정처분 후 사정변경이 있거나 중대한 공익상 필요가 있는 경우 법적 근거가 없어도 그 처분의 효력을 상실케 하는 별도의 행정행위로 이를 철회할 수 있다.
④ 명문의 규정을 불문하고 처분청과 감독청은 철회권을 가진다.

2018년 서울시 7급

① (○) 대판 2006.2.10. 2003두5686
② (○) 대판 2014.11.27. 2014두9226
③ (○) 대판 2017.3.15. 2014두41190
④ (×) 처분청은 처분 후에 이를 철회할 별도의 법적 근거가 없더라도 일정한 경우 철회할 수 있으나, 감독청은 법률에 근거가 없는 한 직접 철회할 수는 없다.

유제 15. 교행 감독청은 법령에 특별한 근거가 없더라도 철회권자가 될 수 있다. (×)
14. 행정사 상급 행정청은 하급 행정청에 대한 감독권 행사의 일환으로 하급 행정청이 한 행정행위를 직접 철회할 수 있다. (×)

답 ④

038

행정행위의 직권취소 및 철회에 대한 설명으로 가장 옳지 않은 것은? (다툼이 있는 경우 판례에 의함)

① 한 사람이 여러 종류의 자동차운전면허를 취득하는 경우뿐 아니라 이를 취소 또는 정지함에 있어서도 서로 별개의 것으로 취급하는 것이 원칙이다.
② 처분청은 하자있는 행정행위의 행위자로서 그 하자를 시정할 지위에 있어 그 취소에 관한 법률의 규정이 없어도 행정행위를 취소할 수 있다.
③ 수익적 행정행위의 철회는 법령에 명시적인 규정이 있거나 행정행위의 부관으로 그 철회권이 유보되어 있는 경우, 또는 원래의 행정행위를 존속시킬 필요가 없게 된 사정변경이 생겼거나 또는 중대한 공익상의 필요가 발생한 경우 등의 예외적인 경우에만 허용된다.
④ 철회 자체가 행정행위의 성질을 가지는 것은 아니어서 「행정절차법」상 처분절차를 적용하여야 하는 것은 아니나, 신뢰보호원칙이나 비례원칙과 같은 행정법의 일반원칙은 준수해야 한다.

2018년 서울시 9급

① (○) 한 사람이 여러 종류의 자동차운전면허를 취득하는 경우뿐 아니라 이를 취소 또는 정지하는 경우에도 서로 별개의 것으로 취급하는 것이 원칙이고, 다만 취소사유가 특정 면허에 관한 것이 아니고 다른 면허와 공통된 것이거나 운전면허를 받은 사람에 관한 것일 경우에는 여러 면허를 전부 취소할 수도 있다(대판 2012.5.24. 2012두1891).
② (○) 대판 1986.2.25. 85누664
③ (○) 대판 2005.4.29. 2004두11954
④ (×) 철회는 그 자체가 행정행위이므로「행정절차법」상의 처분절차에 따라야 한다. 특히 수익적 행정행위의 철회는 상대방의 권리를 제한하는 처분이므로 사전통지(「행정절차법」제21조), 의견청취(「행정절차법」제22조), 이유제시(「행정절차법」제23조) 등을 거쳐야 한다. 또한 철회권 행사도 행정작용인 이상 신뢰보호원칙이나 비례의 원칙 등 행정법의 일반원칙에 위반되어서는 안 된다.

답 ④

039 □□□

행정행위의 직권취소 및 철회에 대한 설명으로 옳지 않은 것은? (다툼이 있는 경우 판례에 의함)

① 수익적 행정행위의 철회는 법령에 명시적인 규정이 있거나 행정행위의 부관으로 그 철회권이 유보되어 있는 등의 경우가 아니라면, 원래의 행정행위를 존속시킬 필요가 없게 된 사정변경이 생겼거나 또는 중대한 공익상의 필요가 발생한 경우 등의 예외적인 경우에만 허용된다.
② 행정행위의 처분권자는 취소사유가 있는 경우 별도의 법적 근거가 없더라도 직권취소를 할 수 있다.
③ 행정청이 행한 공사중지명령의 상대방은 그 명령 이후에 그 원인사유가 소멸하였음을 들어 행정청에게 공사중지명령의 철회를 요구할 수 있는 조리상의 신청권이 없다.
④ 외형상 하나의 행정처분이라 하더라도 가분성이 있거나 그 처분대상의 일부가 특정될 수 있다면 그 일부만의 취소도 가능하고 그 일부의 취소는 당해 취소부분에 관하여 효력이 생긴다.
⑤ 직권취소는 처분의 성격을 가지므로, 이유제시절차 등의「행정절차법」상 처분절차에 따라야 하며, 특히 수익적 행정행위의 직권취소는 상대방에게 침해적 효과를 발생시키므로「행정절차법」에 따른 사전통지, 의견청취의 절차를 거쳐야 한다.

2018년 국회직 8급

① (○) 대판 2005.4.29. 2004두11954
② (○) 대판 1986.2.25. 85누664
③ (×) 행정청이 행한 공사중지명령의 상대방은 그 명령 이후에 그 원인사유가 소멸하였음을 들어 행정청에게 공사중지명령의 철회를 요구할 수 있는 조리상의 신청권이 있다 할 것이고, 상대방으로부터 그 신청을 받은 행정청으로서는 상당한 기간 내에 그 신청을 인용하는 적극적 처분을 하거나 각하 또는 기각하는 등의 소극적 처분을 하여야 할 법률상의 응답의무가 있다(대판 2005.4.14. 2003두7590).
④ (○) 대판 1995.11.16. 95누8850
⑤ (○) 직권취소의 절차에 관한 일반 규정은 존재하지 않으나, 직권취소는 독립된 행정행위의 성격을 가지므로 이유제시절차 등의「행정절차법」상 처분절차에 따라야 한다. 특히 수익적 행정행위의 직권취소는 상대방의 권리를 제한하는 처분에 해당하므로「행정절차법」상 사전통지, 의견청취의 절차를 거쳐야 한다.

답 ③

문제 DATA
출제가능 지수 ▶▶▷
난이도 지수 ★★☆

함께 정리하기
직권취소・철회
수익적 행정행위의 철회
▷ 예외적인 경우에만 인정
처분권자
▷ 직권취소시 법적근거 불요
공사중지명령의 상대방
▷ 철회요구할 조리상 신청권 有
가분성 有・특정 可
▷ 일부취소 可
직권취소는 처분
▷「행정절차법」상 처분절차 따라야 함

040

행정행위의 취소와 철회에 대한 판례의 입장으로 옳지 않은 것은?

① 행정처분을 한 처분청은 그 처분에 하자가 있는 경우에는 원칙적으로 별도의 법적 근거가 없더라도 스스로 이를 직권으로 취소할 수 있고, 이러한 경우 이해관계인에게는 처분청에 대하여 그 취소를 요구할 신청권이 부여된 것으로 볼 수 있다.

② 변상금 부과처분에 대한 취소소송이 진행 중이라도 그 부과권자는 위법한 처분을 스스로 취소하고 그 하자를 보완하여 다시 적법한 부과처분을 할 수도 있다.

③ 행정행위를 한 처분청은 사정변경이 생겼거나 또는 중대한 공익상의 필요가 발생한 경우에는 그 효력을 상실케 하는 별개의 행정행위로 이를 철회할 수 있다고 할 것이나, 기득권을 침해하는 경우에는 기득권의 침해를 정당화할 만한 중대한 공익상의 필요 또는 제3자의 이익보호의 필요가 있는 때에 한하여 상대방이 받는 불이익과 비교·교량하여 철회하여야 한다.

④ 행정청이 의료법인의 이사에 대한 이사취임승인취소처분을 직권으로 취소하면 이사의 지위가 소급하여 회복된다.

2017년 국가직 9급

① (✗) 대판 2006.6.30. 2004두701
② (○) 대판 2006.2.10. 2003두5686
③ (○) 행정행위를 한 처분청은 비록 그 처분 당시에 별다른 하자가 없었고, 또 그 처분 후에 이를 철회할 별도의 법적 근거가 없다 하더라도 원래의 처분을 존속시킬 필요가 없게 된 사정변경이 생겼거나 또는 중대한 공익상의 필요가 발생한 경우에는 그 효력을 상실케 하는 별개의 행정행위로 이를 철회할 수 있다고 할 것이나, 수익적 행정처분을 취소 또는 철회하는 경우에는 이미 부여된 그 국민의 기득권을 침해하는 것이 되므로, 비록 취소 등의 사유가 있다고 하더라도 취소권 등의 행사는 기득권의 침해를 정당화할 만한 중대한 공익상의 필요 또는 제3자의 이익보호의 필요가 있는 때에 한하여 상대방이 받는 불이익과 비교·교량하여 결정하여야 하고, 그 처분으로 인하여 공익상의 필요보다 상대방이 받게 되는 불이익 등이 막대한 경우에는 재량권의 한계를 일탈한 것으로서 그 자체가 위법하다(대판 2004.11.26. 2003두10251·10268).

유제 16. 경찰 2차, 15. 국가직 9급 수익적 행정처분을 취소 또는 철회하는 경우에는 이미 부여된 그 국민의 기득권을 침해하는 것이 되므로, 비록 취소 등의 사유가 있다고 하더라도 그 취소권 등의 행사는 기득권의 침해를 정당화할 만한 중대한 공익상의 필요 또는 제3자의 이익보호의 필요가 있는 때에 한하여 상대방이 받는 불이익과 비교·교량하여 결정하여야 하고, 그 처분으로 인하여 공익상의 필요보다 상대방이 받게 되는 불이익 등이 막대한 경우에는 재량권의 한계를 일탈한 것으로서 그 자체가 위법하다. (○)
16. 서울시 7급 수익적 행정행위의 직권취소와 철회는 행위의 상대방의 신뢰보호뿐만 아니라 필요시 제3자의 이익도 함께 고려되어야 한다. (○)
16. 서울시 9급 부담의 불이행을 이유로 행정행위를 철회하는 경우라면 이익형량에 따른 철회의 제한이 적용되지 않는다. (✗)
16. 국회직 8급 (甲은 A 구청장으로부터 「식품위생법」의 관련 규정에 따라 적법하게 유흥접객업 영업허가를 받아 영업을 시작하였다. 영업을 시작한 지 1년이 지난 후에 甲의 영업장을 포함한 일부 지역이 새로이 적법한 절차에 따라 학교환경위생정화구역으로 설정되었다. A 구청장은 甲의 영업이 관할 학교환경위생정화위원회의 심의에 따라 금지되는 행위로 결정되었다는 이유로 청문을 거친 후에 甲의 영업허가를 취소하였다. 甲은 A 구청장의 취소처분이 위법하다고 주장하면서 영업허가 취소처분에 대하여 취소소송을 제기하였다) 甲에 대한 영업허가를 철회하기 위하여서는 중대한 공익상의 필요가 있어야 한다. (○)

④ (○) 행정처분이 취소되면 그 소급효에 의하여 처음부터 그 처분이 없었던 것과 같은 효과를 발생하게 되는바, 행정청이 의료법인의 이사에 대한 이사취임승인취소처분(제1처분)을 직권으로 취소(제2처분)한 경우에는 그로 인하여 이사가 소급하여 이사로서의 지위를 회복하게 되고, 그 결과 위 제1처분과 제2처분 사이에 법원에 의하여 선임결정된 임시이사들의 지위는 법원의 해임결정이 없더라도 당연히 소멸된다(대판 1997.1.21. 96누3401).

문제 DATA
출제가능 지수 ▶▶▷
난이도 지수 ★★☆

함께 정리하기

행정행위의 취소·철회

위법한처분 직권취소
▷ 법적 근거 不要
▷ But 당사자의 신청권✗

취소소송 계속 중 위법처분의 직권취소 可

철회사유
▷ 사정변경·중대한 공익상 필요, 비교·교량의 제한 有

이사취임승인취소처분 직권취소
▷ 소급하여 이사지위 회복

유제 21. 소방간부 행정청이 의료법인의 이사에 대한 이사취임승인 취소처분(제1처분)을 직권으로 취소(제2처분)한 경우, 제1처분과 제2처분 사이에 법원에 의하여 선임된 임시이사의 지위가 소멸되기 위해서는 법원의 해임결정이 있어야 한다. (×)

14. 서울시 7급 행정청이 의료법인의 이사에 대한 이사취임승인취소처분을 직권으로 취소한 경우에는 이사가 소급하여 이사의 지위를 회복하게 된다. (○)

답 ①

041

<보기>에 대한 설명으로 옳지 않은 것은? (다툼이 있는 경우 판례에 의함)

<보기>
甲은 녹지지역의 용적률 제한을 충족하지 못한다는 점을 숨기고 마치 그 제한을 충족하는 것처럼 가장하여 관할 행정청 A에게 건축허가를 신청하였고, A는 사실관계에 대하여 명확한 확인을 하지 아니한 채 甲에게 건축허가를 하였다. 그 후 A는 甲의 건축허가신청이 위와 같은 제한을 충족하지 못한다는 사실을 알게 되자 甲에 대한 건축허가를 직권으로 취소하였다.

① A의 건축허가취소는 강학상 철회가 아니라 직권취소에 해당한다.
② 甲이 건축허가에 관한 자신의 신뢰이익을 원용하는 것은 허용되지 아니한다.
③ 건축 관계 법령상 명문의 취소근거규정이 없다고 하더라도 그 점만을 이유로 A의 건축허가취소가 위법하게 되는 것은 아니다.
④ 만약 甲으로부터 건축허가신청을 위임받은 乙이 건축허가를 신청한 경우라면, 사실은폐나 기타 사위의 방법에 의한 건축허가신청행위가 있었는지 여부는 甲과 乙 모두를 기준으로 판단하여야 한다.
⑤ A는 甲의 신청내용에 구애받지 아니하고 조사 및 검토를 거쳐 관련 법령에 정한 기준에 따라 허가조건의 충족 여부를 제대로 따져 허가 여부를 결정하여야 함에도 불구하고 자신의 잘못으로 건축허가를 한 것이므로 A의 건축허가취소는 위법하다.

2017년 국회직 8급

① (○) 행정행위의 취소는 일단 유효하게 성립한 행정행위를 그 행위에 위법 또는 부당한 하자가 있음을 이유로 소급하여 그 효력을 소멸시키는 별도의 행정처분이고, 철회는 적법요건을 구비하여 완전히 효력을 발하고 있는 행정행위를 사후적으로 그 행위의 효력의 전부 또는 일부를 장래에 향해 소멸시키는 행정처분이다(대판 2003.5.30. 2003다6422). 甲이 건축허가를 받을 당시 녹지지역의 용적률 제한을 충족하지 못하는 하자가 존재하였으므로 A의 건축허가취소는 강학상 직권취소에 해당한다.
② (○) 수익적 행정처분의 하자가 당사자의 사실은폐나 기타 사위의 방법에 의한 신청행위에 기인한 것이라면, 당사자는 처분에 의한 이익을 위법하게 취득하였음을 알아 취소가능성도 예상하고 있었을 것이므로, 그 자신이 처분에 관한 신뢰이익을 원용할 수 없음은 물론, 행정청이 이를 고려하지 않았다 하여도 재량권의 남용이 되지 않고, 이 경우 당사자의 사실은폐나 기타 사위의 방법에 의한 신청행위가 제3자를 통하여 소극적으로 이루어졌다고 하여 달리 볼 것이 아니다(대판 2008.11.13. 2008두8628).
③ (○) 행정의 법률적합성 원칙에 따라 A는 명문의 근거 없이도 위법한 행정행위에 대해 직권취소를 할 수 있다.

④ (○) 일반적으로 행정상의 법률관계에 있어서 행정청의 행위에 대하여 신뢰보호의 원칙이 적용되기 위하여는, 첫째 행정청이 개인에 대하여 신뢰의 대상이 되는 공적인 견해표명을 하여야 하고, 둘째 행정청의 견해표명이 정당하다고 신뢰한 데에 대하여 그 개인에게 귀책사유가 없어야 하며, … 귀책사유라 함은 행정청의 견해표명의 하자가 상대방 등 관계자의 사실은폐나 기타 사위의 방법에 의한 신청행위 등 부정행위에 기인한 것이거나 그러한 부정행위가 없다고 하더라도 하자가 있음을 알았거나 중대한 과실로 알지 못한 경우 등을 의미한다고 해석함이 상당하고, 귀책사유의 유무는 상대방과 그로부터 신청행위를 위임받은 수임인 등 관계자 모두를 기준으로 판단하여야 한다(대판 2002.11.8. 2001두1512).
⑤ (×) 허가권자가 신청 내용에 구애받지 아니하고 조사 및 검토를 거쳐 관련 법령에 정한 기준에 따라 허가 여부를 결정하여야 하는 것은 맞지만, 그렇다고 신청인 측에서 의도적으로 법령에 정한 각종 규제를 탈법적인 방법으로 회피하려고 하는 것을 정당화할 수는 없다(대판 2014.11.27. 2013두16111).

답 ⑤

042

행정행위의 취소와 철회에 대한 설명으로 가장 옳지 않은 것은? (다툼이 있는 경우 판례에 의함)

① 행정행위를 한 처분청은 비록 그 처분 당시에 별다른 하자가 없었고, 또 그 처분 후에 이를 취소할 별도의 법적 근거가 없다 하더라도 원래의 처분을 존속시킬 필요가 없게 된 사정변경이 생겼거나 또는 중대한 공익상의 필요가 발생한 경우에는 그 효력을 상실케 하는 별개의 행정행위로 이를 취소할 수 있다.
② 과세관청이 과세부과취소처분을 다시 취소하면 원부과처분의 효력은 소생한다.
③ 수익적 행정처분의 하자가 당사자의 사실은폐나 기타 사위의 방법에 의한 신청행위에 기인한 것이라면 행정청이 당사자의 신뢰이익을 고려하지 않고 취소하였다 하더라도 재량권 남용이 되지 않는다.
④ 행정행위의 취소사유는 행정행위의 성립 당시에 존재하였던 하자를 말하고, 철회사유는 행정행위가 성립된 이후에 새로이 발생한 것으로서 행정행위의 효력을 존속시킬 수 없는 사유를 말한다.

2017년 경찰 2차

① (○) 행정행위를 한 처분청은 비록 그 처분 당시에 별다른 하자가 없었고, 또 그 처분 후에 이를 취소할 별도의 법적 근거가 없다 하더라도 원래의 처분을 존속시킬 필요가 없게 된 사정변경이 생겼거나 또는 중대한 공익상의 필요가 발생한 경우에는 그 효력을 상실케 하는 별개의 행정행위로 이를 취소할 수 있다(대판 1995.5.26. 94누8266).
② (×) 대판 1995.3.10. 94누7027
③ (○) 수익적 행정처분의 하자가 당사자의 사실은폐나 기타 사위의 방법에 의한 신청행위에 기인한 것이라면, 당사자는 처분에 의한 이익을 위법하게 취득하였음을 알아 취소가능성도 예상하고 있었을 것이므로, 그 자신이 처분에 관한 신뢰이익을 원용할 수 없음은 물론, 행정청이 이를 고려하지 않았다 하여도 재량권의 남용이 되지 않고, 이 경우 당사자의 사실은폐나 기타 사위의 방법에 의한 신청행위가 제3자를 통하여 소극적으로 이루어졌다고 하여 달리 볼 것이 아니다(대판 2008.11.13. 2008두8628).
④ (○) 대판 2003.5.30. 2003다6422

답 ②

문제 DATA

출제가능 지수 ▶▶▷
난이도 지수 ★★☆

함께 정리하기

취소·설회

취소
▷ 별도의 법적근거 不要

과세처분부취소
▷ 다시 취소해 효력소생 不可

당사자의 부정행위에 기한 하자
▷ 신뢰이익원용 不可

취소사유
▷ 성립 당시 존재한 하자

철회사유
▷ 성립 이후 새로이 발생

제3장 그 밖의 행정의 주요 행위형식

제1절 | 확약

001 ☐☐☐

「행정절차법」상 확약에 대한 설명으로 옳은 것은?

① 확약은 문서가 아닌 방법으로도 할 수 있으나, 당사자가 요청하면 지체 없이 문서로 하여야 한다.
② 행정청은 확약이 위법함을 이유로 확약을 이행할 수 없는 경우에는 지체 없이 당사자에게 그 사실을 통지하고 의견제출의 기회를 주어야 한다.
③ 확약을 한 후에 확약의 내용을 이행할 수 없을 정도로 법령등이나 사정이 변경된 경우에도 그 확약이 위법하지 않는 한 행정청은 확약에 기속된다.
④ 행정청은 다른 행정청과의 협의 등의 절차를 거쳐야 하는 처분에 대하여 확약을 하려는 경우에는 확약을 하기 전에 그 절차를 거쳐야 한다.
⑤ 법령등에서 당사자가 신청할 수 있는 처분을 규정하고 있는 경우 행정청은 당사자의 신청에 따라 장래에 어떠한 처분을 할 것을 내용으로 하는 확약을 할 수 있으나, 어떠한 처분을 하지 아니할 것을 내용으로 하는 확약을 할 수는 없다.

2025년 국회직 8급

①, ②, ③, ⑤ (×), ④ (○)

> 「행정절차법」 제40조의2【확약】① 법령등에서 당사자가 신청할 수 있는 처분을 규정하고 있는 경우 행정청은 당사자의 신청에 따라 장래에 어떤 처분을 하거나 하지 아니할 것을 내용으로 하는 의사표시(이하 "확약"이라 한다)를 할 수 있다(⑤).
> ② 확약은 문서로 하여야 한다(①).
> ③ 행정청은 다른 행정청과의 협의 등의 절차를 거쳐야 하는 처분에 대하여 확약을 하려는 경우에는 확약을 하기 전에 그 절차를 거쳐야 한다(④).
> ④ 행정청은 다음 각 호의 어느 하나에 해당하는 경우에는 확약에 기속되지 아니한다.
> 1. 확약을 한 후에 확약의 내용을 이행할 수 없을 정도로 법령등이나 사정이 변경된 경우(③)
> 2. 확약이 위법한 경우
> ⑤ 행정청은 확약이 제4항 각 호의 어느 하나에 해당하여 확약을 이행할 수 없는 경우에는 지체 없이 당사자에게 그 사실을 통지하여야 한다(②).

답 ④

문제 DATA
출제가능 지수 ▶▶▷
난이도 지수 ★★★

함께 정리하기

「행정절차법」상 확약

형식
▷ 문서로 하여야 함

확약 이행불가능시
▷ 지체 없이 당사자에게 통지 要 (의견제출기회×)

확약 후 확약 내용 이행불가능 사정변경
▷ 확약의 구속력 배제

절차
▷ 일정한 절차를 거쳐야 하는 처분은 확약 전에 그 절차를 거쳐야 함

대상
▷ 당사자가 신청할 수 있는 처분

내용
▷ 행정청이 장래 어떤 처분을 하거나 하지 아니할 것을 약속하는 의사표시

002 □□□

「행정절차법」상 확약에 관한 설명으로 옳지 않은 것은?

① 법령등에서 당사자가 신청할 수 있는 처분을 규정하고 있는 경우 행정청은 당사자의 신청에 따라 장래에 어떤 처분을 하거나 하지 아니할 것을 내용으로 하는 확약을 할 수 있다.
② 행정청은 다른 행정청과의 협의 등의 절차를 거쳐야 하는 처분에 대하여 확약을 하려는 경우에는 확약을 하기 전에 그 절차를 거쳐야 한다.
③ 확약을 한 후에 확약의 내용을 이행할 수 없을 정도로 사정이 변경된 경우, 행정청은 확약에 기속되지 아니한다.
④ 확약은 서면이나 말로 할 수 있으며, 확약이 말로 이루어지는 경우에는 상대방이 서면의 교부를 요구하면 직무수행에 특별한 지장이 없는 한 이를 교부하여야 한다.

2024년 소방직

①, ②, ③ (○)

> 「행정절차법」제40조의2【확약】① 법령등에서 당사자가 신청할 수 있는 처분을 규정하고 있는 경우 행정청은 당사자의 신청에 따라 장래에 어떤 처분을 하거나 하지 아니할 것을 내용으로 하는 의사표시(이하 "확약"이라 한다)를 할 수 있다(①).
> ③ 행정청은 다른 행정청과의 협의 등의 절차를 거쳐야 하는 처분에 대하여 확약을 하려는 경우에는 확약을 하기 전에 그 절차를 거쳐야 한다(②).
> ④ 행정청은 다음 각 호의 어느 하나에 해당하는 경우에는 확약에 기속되지 아니한다.
> 1. 확약을 한 후에 확약의 내용을 이행할 수 없을 정도로 법령등이나 사정이 변경된 경우(③)
> 2. 확약이 위법한 경우
> ⑤ 행정청은 확약이 제4항 각 호의 어느 하나에 해당하여 확약을 이행할 수 없는 경우에는 지체 없이 당사자에게 그 사실을 통지하여야 한다.

④ (×) 확약은 말로 할 수 없다.

> 「행정절차법」제40조의2【확약】② 확약은 문서로 하여야 한다.
> 제49조【행정지도의 방식】② 행정지도가 말로 이루어지는 경우에 상대방이 제1항의 사항을 적은 서면의 교부를 요구하면 그 행정지도를 하는 자는 직무 수행에 특별한 지장이 없으면 이를 교부하여야 한다.

답 ④

문제 DATA

출제가능 지수 ▶▶Ɗ
난이도 지수 ★★☆

함께 정리하기

「행정절차법」상 확약

확약
▷ 행정청이 장래 어떤 처분을 하거나 하지 아니할 것을 약속하는 의사표시

대상
▷ 당사자가 신청할 수 있는 처분

절차
▷ 일정한 절차를 거쳐야 하는 처분은 확약 전에 그 절차를 거쳐야 함

확약 후 확약 내용 이행불가능 사정변경
▷ 확약의 구속력 배제

형식
▷ 문서(말×)

문제 DATA

출제가능 지수 ▶▶▷
난이도 지수 ★★☆

함께 정리하기

확약

문서로 하여야 함

확약 내용 이행불가능 또는 위법한 확약
▷ 행정청 기속×
▷ 확약 이행불가능시 지체 없이 당사자에게 통지 要

확약에서 신청기간을 두었는데도 그 기간 내에 상대방의 신청×
▷ 확약 실효

사실적·법률적 상태 변경
▷ 확약 실효

어업권면허에 선행하는 우선순위 결정
▷ 확약으로서 행정처분×

003 □□□

확약에 대한 설명으로 옳지 않은 것은? (다툼이 있는 경우 판례에 의함)

① 「행정절차법」상 법령 등에서 당사자가 신청할 수 있는 처분을 규정하고 있는 경우 행정청은 당사자의 신청에 따라 장래에 어떤 처분을 하거나 하지 아니할 것을 내용으로 하는 확약을 할 수 있으며, 문서 또는 말에 의한 확약도 가능하다.

② 「행정절차법」상 행정청은 확약을 한 후에 확약의 내용을 이행할 수 없을 정도로 법령 등이나 사정이 변경된 경우에는 확약에 기속되지 아니하며, 그 확약을 이행할 수 없는 경우에는 지체 없이 당사자에게 그 사실을 통지하여야 한다.

③ 행정청이 상대방에게 장차 어떤 처분을 하겠다고 확약을 하였더라도, 그 자체에서 상대방으로 하여금 언제까지 처분의 발령을 신청하도록 유효기간을 두었는데도 그 기간 내에 상대방의 신청이 없었다면, 그 확약은 행정청의 별다른 의사표시를 기다리지 않고 실효된다.

④ 어업권면허에 선행하는 우선순위결정은 행정청이 우선권자로 결정된 자의 신청이 있으면 어업권면허처분을 하겠다는 것을 약속하는 행위로서 강학상 확약에 불과하고 행정처분은 아니다.

2023년 국가직 7급

① (×) 확약은 문서로 하여야 한다.

> 「행정절차법」제40조의2【확약】① 법령등에서 당사자가 신청할 수 있는 처분을 규정하고 있는 경우 행정청은 당사자의 신청에 따라 장래에 어떤 처분을 하거나 하지 아니할 것을 내용으로 하는 의사표시(이하 "확약"이라 한다)를 할 수 있다.
> ② 확약은 문서로 하여야 한다.

② (○)

> 「행정절차법」제40조의2【확약】④ 행정청은 다음 각 호의 어느 하나에 해당하는 경우에는 확약에 기속되지 아니한다.
> 1. 확약을 한 후에 확약의 내용을 이행할 수 없을 정도로 법령등이나 사정이 변경된 경우
> 2. 확약이 위법한 경우
> ⑤ 행정청은 확약이 제4항 각 호의 어느 하나에 해당하여 확약을 이행할 수 없는 경우에는 지체 없이 당사자에게 그 사실을 통지하여야 한다.

③ (○) 행정청이 상대방에게 장차 어떤 처분을 하겠다고 확약 또는 공적인 의사표명을 하였다고 하더라도, 그 자체에서 상대방으로 하여금 언제까지 처분의 발령을 신청하도록 유효기간을 두었는데도 그 기간 내에 상대방의 신청이 없었다거나 확약 또는 공적인 의사표명이 있은 후에 사실적·법률적 상태가 변경되었다면 그와 같은 확약 또는 공적인 의사표명은 행정청의 별다른 의사표시를 기다리지 않고 실효된다고 할 것이다(대판 1996.8.20. 95누10877).

유제 23. 군무원 7급 행정청의 확약 또는 공적인 의사표명 그 자체에서 처분의 발령을 신청하도록 유효기간을 두었을 경우 그 후에 사실적·법률적 상태가 변경되었더라도 직권취소나 철회로 효력이 소멸되고 당연히 실효되는 것은 아니다. (×)
20. 국가직 9급 행정청의 확약 또는 공적인 의사표명이 있은 후에 사실적·법률적 상태가 변경되었다면, 그와 같은 확약 또는 공적인 의사표명은 행정청의 별다른 의사표시를 기다리지 않고 실효된다. (○)
19. 지방직 7급 확약에는 공정력이나 불가쟁력과 같은 효력이 인정되는 것은 아니라고 하더라도, 일단 확약이 있은 후에 사실적·법률적 상태가 변경되었다고 하여 행정청의 별다른 의사표시 없이 확약이 실효된다고 할 수 없다. (×)
18. 국가직 9급·국가직 7급, 16. 서울시 9급 등 행정청이 상대방에게 확약을 한 후에 사실적·법률적 상태가 변경되었다면 확약은 행정청의 별다른 의사표시가 없더라도 실효된다. (○)
14. 사복직 확약이 있은 후 사실적·법률적 상태가 변경된 경우에도 그 확약은 행정청의 별다른 의사표시를 기다리지 않고 실효되지 않는다. (×)

④ (○) 어업권면허에 선행하는 우선순위결정은 행정청이 우선권자로 결정된 자의 신청이 있으면 어업권면허처분을 하겠다는 것을 약속하는 행위로서 강학상 확약에 불과하고 행정처분은 아니므로 우선순위결정에 공정력이나 불가쟁력과 같은 효력은 인정되지 않는다(대판 1995.1.20. 94누6529).

유제 21. 소방간부, 15. 경찰 1차, 10. 경찰 1차 어업권면허에 선행하는 우선순위결정은 강학상 확약에 불과하고 행정처분은 아니므로, 우선순위결정에 공정력이나 불가쟁력과 같은 효력은 인정되지 않는다. (○)
20. 군무원 7급 어업권면허에 선행하는 우선순위결정은 행정청이 우선권자로 결정된 자의 신청이 있으면 어업권면허처분을 하겠다는 것을 약속하는 행위로서 강학상 확약에 불과하다. (○)
19. 변호사, 15. 경찰 3차, 13. 국가직 9급 어업권면허에 선행하는 우선순위결정은 강학상 확약에 해당하는 행정처분이므로, 이에 대해서 공정력이나 불가쟁력이 인정된다. (×)
19. 소방직, 17. 교행, 15. 지방직 9급 어업권면허에 선행하는 우선순위결정은 행정처분이다. (×)

답 ①

004

행정작용에 대한 설명으로 옳은 것은? (다툼이 있는 경우 판례에 의함)

① 행정청이 당사자의 신청에 따라 장래에 어떤 처분을 하거나 하지 아니할 것을 내용으로 하는 의사표시인 확약을 했다면, 그 확약이 위법한 경우라도 행정청은 이에 기속된다.
② 행정청이 어떤 처분을 하겠다는 확약을 하면서 그 자체에서 상대방에게 일정 기간까지 그 처분의 신청을 하도록 유효기간을 둔 경우, 그 기간 내에 상대방의 신청이 없거나 확약이 있은 후에 사실적·법률적 상태가 변경되었다면 그 확약은 행정청의 별다른 의사표시를 기다리지 않고 실효된다.
③ 지방자치단체의 장이 「공유재산 및 물품관리법」에 근거하여 기부채납 및 사용·수익허가 방식으로 민간투자사업을 추진함에 있어, 사업시행자를 지정하기 위한 전(前)단계에서 공모제안을 받아 일정한 심사를 거쳐 우선협상대상자를 선정하는 행위는 항고소송의 대상이 되는 처분에 해당하지 않는다.
④ 甲이 A시 소재 임야에 4층 이하의 공동주택을 건축하기 위하여 A시 시장 乙에게 「민원 처리에 관한 법률」상의 사전심사청구를 하였고, 乙이 이에 대해 사전심사결과(건축허가 내지 개발행위허가 불가) 통지를 하였다면, 甲은 이 통지를 항고소송으로 다툴 수 있다.
⑤ 자동차운수사업 양도·양수인가신청에 대하여 행정청이 내인가를 한 후, 본인가신청이 있음에도 내인가를 취소한 경우에 내인가 취소행위를 본인가신청의 거부로 볼 것은 아니다.

문제 DATA
출제가능 지수 ▶▶▷
난이도 지수 ★★★

2023년 변호사

① (×)

> 「행정절차법」제40조의2【확약】① 법령등에서 당사자가 신청할 수 있는 처분을 규정하고 있는 경우 행정청은 당사자의 신청에 따라 장래에 어떤 처분을 하거나 하지 아니할 것을 내용으로 하는 의사표시(이하 "확약"이라 한다)를 할 수 있다.
> ② 확약은 문서로 하여야 한다.
> ③ 행정청은 다른 행정청과의 협의 등의 절차를 거쳐야 하는 처분에 대하여 확약을 하려는 경우에는 확약을 하기 전에 그 절차를 거쳐야 한다.
> ④ 행정청은 다음 각 호의 어느 하나에 해당하는 경우에는 확약에 기속되지 아니한다.
> 1. 확약을 한 후에 확약의 내용을 이행할 수 없을 정도로 법령등이나 사정이 변경된 경우
> 2. 확약이 위법한 경우
> ⑤ 행정청은 확약이 제4항 각 호의 어느 하나에 해당하여 확약을 이행할 수 없는 경우에는 지체 없이 당사자에게 그 사실을 통지하여야 한다.

함께 정리하기

행정작용

위법한 확약
▷ 행정청 기속×

사실적·법률적 상태변경
▷ 공적의사표명 실효

지방자치단체장이 우선협상대상자 선정하는 행위 및 선정된 우선협상대상자 배제하는 행위
▷ 모두 행정처분에 해당

「민원처리에 관한 법률」상 사전심사결과 통보
▷ 항고소송 대상×

내인가를 한 다음 이를 취소하는 행위
▷ 인가신청거부처분

② (○) 대판 1996.8.20. 95누10877
③ (×) 지방자치단체의 장이 공유재산 및 물품관리법에 근거하여 기부채납 및 사용·수익허가 방식으로 민간투자사업을 추진하는 과정에서 사업시행자를 지정하기 위한 전 단계에서 공모제안을 받아 일정한 심사를 거쳐 <u>우선협상대상자를 선정하는 행위와 이미 선정된 우선협상대상자를 그 지위에서 배제하는 행위</u>는 민간투자사업의 세부내용에 관한 협상을 거쳐 공유재산법에 따른 공유재산의 사용·수익허가를 우선적으로 부여받을 수 있는 지위를 설정하거나 또는 이미 설정한 지위를 박탈하는 조치이므로 <u>모두 항고소송의 대상이 되는 행정처분으로 보아야 한다</u>(대판 2020.4.29. 2017두31064).

유제 22. 국가직 9급 「공유재산 및 물품관리법」에 근거하여 공모제안을 받아 이루어지는 민간투자사업 '우선협상대상자 선정행위'나 '우선협상대상자 지위배제행위'에서 '우선협상대상자 지위배제행위'만이 항고소송의 대상인 처분에 해당한다. (×)
21. 국회직 8급 지방자치단체의 장이 「공유재산 및 물품관리법」에 근거하여 기부채납 및 사용·수익허가 방식으로 민간투자사업을 추진하는 과정에서 이미 선정된 우선협상대상자를 그 지위에서 배제하는 행위는 항고소송의 대상이 되는 행정처분에 해당한다. (○)

④ (×) 행정청은 사전심사결과 불가능하다고 통보하였더라도 사전심사결과에 구애되지 않고 민원사항을 처리할 수 있으므로 불가능하다는 통보가 민원인의 권리의무에 직접적 영향을 미친다고 볼 수 없고, 통보로 인하여 민원인에게 어떠한 법적 불이익이 발생할 가능성도 없는 점 등 여러 사정을 종합해 보면, 구 민원사무처리법이 규정하는 사전 심사결과 통보는 항고소송의 대상이 되는 행정처분에 해당하지 아니한다(대판 2014.4.24. 2013두7834).

⑤ (×) <u>자동차운송사업양도양수계약에 기한 양도양수인가신청에 대하여 피고 시장이 내인가를 한 후 위 내인가에 기한 본인가신청이 있었으나</u> 자동차운송사업 양도양수인가신청서가 합의에 의한 정당한 신청서라고 할 수 없다는 이유로 위 <u>내인가를 취소한 경우</u>, 위 내인가의 법적 성질이 행정행위의 일종으로 볼 수 있든 아니든 그것이 행정청의 상대방에 대한 의사표시임이 분명하고, <u>피고가 위 내인가를 취소함으로써 다시 본인가에 대하여 따로이 인가 여부의 처분을 한다는 사정이 보이지 않는다면 위 내인가취소를 인가신청을 거부하는 처분으로 보아야 할 것이다</u>(대판 1991.6.28. 90누4402).

유제 23. 군무원 7급 확약의 취소행위로서 내인가취소는 본인가신청에 대한 거부처분으로 항고소송의 대상이 되는 처분이다. (○)
22. 국가직 9급 자동차운송사업 양도·양수인가신청에 대하여 행정청이 내인가를 한 후 그 본인가신청이 있음에도 내인가를 취소한 경우, 다시 본인가에 대하여 별도로 인가 여부의 처분을 한다는 사정이 보이지 않는다면 내인가취소는 행정처분에 해당한다. (○)
19. 서울시 7급 행정청이 내인가를 한 후 이를 취소하는 행위는 별다른 사정이 없는 한 인가신청을 거부하는 처분으로 보아야 한다. (○)

답 ②

005

확약에 대한 설명으로 옳지 않은 것은? (다툼이 있는 경우 판례에 의함)

① 확약은 일방적 행위라는 점에서 복수당사자의 의사의 합치인 공법상 계약과는 구분된다.
② 확약은 종국적 규율이 아니라는 점에서 종국적 규율을 하는 사전결정이나 부분허가와 구분된다.
③ 어업권면허에 선행하는 우선순위결정은 강학상 확약에 불과하고 행정처분은 아니다.
④ 확약 이후에 사실상태 또는 법적 상태가 변경된 경우에도 확약의 구속성이 상실되기 위해서는 행정청의 별도의 의사표시가 있어야 한다.
⑤ 확약은 정당한 권한을 가진 행정청에 의해서 그 권한의 범위 내에서만 발해질 수 있다.

2022년 행정사

① (○) 확약은 그 자체가 일방적인 행위라는 점에서 복수당사자의 의사합치로 성립하는 공법상 계약과 구별된다.
② (○) 확약은 종국적 규율(행정행위)에 대한 약속에 지나지 않는다는 점에서 그 자체로 종국적 규율성을 가지는 사전결정이나 부분허가와 구별된다.

유제 14. 경찰 1차 예비결정과 확약은 구분된다. (○)

③ (○) 대판 1995.1.20. 94누6529
④ (×) 행정청이 상대방에게 장차 어떤 처분을 하겠다고 확약 또는 공적인 의사표명을 하였다고 하더라도, 확약 또는 공적인 의사표명이 있은 후에 사실적·법률적 상태가 변경되었다면 그와 같은 확약 또는 공적인 의사표명은 행정청의 별다른 의사표시를 기다리지 않고 실효된다고 할 것이다(대판 1996.8.20. 95누10877).
⑤ (○) 확약은 본행정처분을 할 수 있는 정당한 권한을 가진 행정청이 그 권한의 범위 내에서 하여야 한다.

유제 15. 경찰 1차, 10. 지방직 7급 확약은 본 행정행위에 대해 정당한 권한을 가진 행정청만이 할 수 있고, 당해 행정청의 행위권한의 범위 내에 있어야 한다. (○)
13. 국가직 9급 유효한 확약은 권한을 가진 행정청에 의해서만 그리고 권한의 범위 내에서만 발해질 수 있다. (○)

답 ④

함께 정리하기
확약

일방적 행위 ↔ 공법상 계약
▷ 복수당사자의 의사의 합치

종국적 규율× ↔ 사전결정이나 부분허가
▷ 종국적 규율○

어업권면허에 선행하는 우선순위결정
▷ 강학상 확약 → 행정처분×

사실적·법률적 상태변경
▷ 확약 실효

정당한 권한을 가진 행정청에 의해서 그 권한의 범위 내에서만 발령 可

006

행정청의 확약에 대한 설명으로 옳은 것은? (다툼이 있는 경우 판례에 의함)

① 행정청의 확약은 위법하더라도 중대·명백한 하자가 있어 당연무효가 아닌 한 취소되기 전까지는 유효한 것으로 통용된다.
② 재량행위에 대해 상대방에게 확약을 하려면 확약에 대한 법적 근거가 있어야 한다.
③ 행정청이 상대방에게 확약을 한 후에 사실적·법률적 상태가 변경되었다면 확약은 행정청의 별다른 의사표시가 없더라도 실효된다.
④ 행정청의 확약에 대해 법률상 이익이 있는 제3자는 확약에 대해 취소소송으로 다툴 수 있다.

2018년 국가직 9급

① (×) 확약은 행정청이 국민에 대한 관계에서 자기구속의 의도로 장래에 일정한 행정행위를 하거나 하지 않을 것을 약속하는 의사표시로, 행정행위가 아니다. 따라서 공정력이 인정되지 않는다.
② (×) 본행정처분을 할 수 있는 권한에는 확약을 할 수 있는 권한도 포함되므로 행정청은 별도의 법적 근거 없이도 확약을 할 수 있다(본처분권한포함설).

유제 14. 경찰 1차 확약을 허용하는 명문의 규정이 없더라도 다수설은 본처분 권한에 확약에 대한 권한이 포함되어 있다고 보아 별도의 명문의 규정이 없더라도 확약을 할 수 있다는 입장이다. (○)
10. 경찰 1차 법령이 본행정행위를 할 수 있는 권한을 부여한 경우에는 반대규정이 없는 한 확약의 권한도 함께 부여한 것으로 보아 별도의 근거를 요하지 않는 것으로 보는 견해가 있다. (○)

③ (○) 대판 1996.8.20. 95누10877
④ (×) 판례는 확약의 처분성을 부정하므로 확약에 대해서 취소소송 등 항고소송을 제기할 수 없다.

답 ③

문제 DATA
출제가능 지수 ▶▶▷
난이도 지수 ★★☆

함께 정리하기
확약

행정행위×
▷ 공정력 無

법적 근거
▷ 不要

사실적·법률적 상태 변경
▷ 확약 실효

처분성 無
▷ 항고소송제기 불가

제2절 | 행정계획

001 ☐☐☐

행정계획에 대한 설명으로 옳지 않은 것은?

① 이미 고시된 실시계획에 포함된 상세계획으로 관리되는 토지 위의 건물의 용도를 상세계획 승인권자의 변경승인 없이 임의로 판매시설에서 상세계획에 반하는 일반목욕장으로 변경한 경우, 행정청이 그 영업신고를 수리하지 않고 영업소를 폐쇄한 처분은 적법하다.
② 구 건설교통부장관이 구역지정의 실효성이 적은 7개 중소도시권은 개발제한구역을 해제하고 구역지정이 필요한 7개 대도시권은 개발제한구역을 부분조정 하는 등의 내용을 담은 '개발제한구역 제도개선방안'을 발표한 것은 헌법소원의 대상이 되는 공권력의 행사에 해당되지 아니한다.
③ 구 「도시계획법」상 도시계획은 도시기본계획에 부합되어야 한다고 규정되어 있으므로, 서울특별시 도시기본계획에 포함되어 있지 않은 원지동 추모공원의 설치를 내용으로 하는 서울특별시장의 도시계획시설결정은 위법하다.
④ 자연환경 보호 등을 목적으로 하는 도시관리계획결정은 식생이 양호한 수림의 훼손 등과 같이 장래 발생할 불확실한 상황과 파급효과에 대한 예측 등을 반영한 행정청의 재량적 판단으로서, 그 내용이 현저히 합리성을 결여하거나 형평이나 비례의 원칙에 뚜렷하게 반하는 등의 사정이 없는 한 폭넓게 존중하여야 한다.

2025년 지방직 9급

① (O) 이미 고시된 실시계획에 포함된 상세계획으로 관리되는 토지 위의 건물의 용도를 상세계획 승인권자의 변경승인 없이 임의로 판매시설에서 상세계획에 반하는 일반목욕장으로 변경한 사안에서, 그 영업신고를 수리하지 않고 영업소를 폐쇄한 처분은 적법하다(대판 2008.3.27. 2006두3742).
② (O) 개발제한구역제도개선방안은 건설교통부장관이 개발제한구역의 해제 내지 조정을 위한 일반적인 기준을 제시하고, 개발제한구역의 운용에 대한 국가의 기본 방침을 천명하는 정책계획안으로서 비구속적 행정계획안에 불과하므로 공권력 행위가 될 수 없으며, 이 사건 개선방안을 발표한 행위도 대내외적 효력이 없는 단순한 사실행위에 불과하므로 공권력의 행사라고 할 수 없다(헌재 2000.6.1. 99헌마538).
③ (X) '도시계획법' 제19조 제1항 및 이 사건 도시계획시설결정 당시의 서울특별시 도시계획조례 제3조 제3항에서는, 도시계획은 도시기본계획에 부합되어야 한다고 규정되어 있으나, 도시기본계획이라는 것은 도시의 장기적 개발방향과 미래상을 제시하는 도시계획 입안의 지침이 되는 장기적·종합적인 개발계획으로서 직접적인 구속력은 없는 것이므로, 이 사건 추모공원의 조성계획이 서울특별시 도시기본계획에 포함되어 있지 아니하다는 이유만으로는 이 사건 도시계획시설결정이 위법하다 할 수는 없다(대판 2007.4.12. 2005두1893).
④ (O) 자연환경 보호 등을 목적으로 하는 도시관리계획결정은 식생이 양호한 수림의 훼손 등과 같이 장래 발생할 불확실한 상황과 파급효과에 대한 예측 등을 반영한 행정청의 재량적 판단으로서, 그 내용이 현저히 합리성을 결여하거나 형평이나 비례의 원칙에 뚜렷하게 반하는 등의 사정이 없는 한 폭넓게 존중해야 한다(대판 2023.11.16. 2022두61816).

답 ③

문제 DATA
출제가능 지수 ▶▶▷
난이도 지수 ★★☆

함께 정리하기

행정계획

상세계획 승인권자의 승인 없이 계획에 반하는 변경신고의 불수리
▷ 적법

개발제한구역제도개선방안
▷ 공권력행사 X

도시기본계획에 포함되어 있지 않은 도시계획시설결정
▷ 그 이유만으로 위법 X

도시관리계획결정
▷ 행정청에게 폭넓은 재량적 판단여지

002

행정계획에 대한 설명으로 옳은 것만을 모두 고르면?

> ㄱ. 구 「도시 및 주거환경정비법」에 따른 주택재건축정비사업조합이 수립한 사업시행계획은 인가·고시를 통해 확정되면 구속적 행정계획으로서 행정처분에 해당한다.
> ㄴ. 환지계획은 환지예정지 지정이나 환지처분의 근거가 되고 그 자체가 직접 토지소유자 등의 법률상의 지위를 변동시키거나 다른 고유한 법률효과를 수반하는 것이어서 항고소송의 대상이 되는 처분에 해당한다.
> ㄷ. 비구속적 행정계획안이나 행정지침이라도 국민의 기본권에 직접적으로 영향을 끼치고, 앞으로 법령의 뒷받침에 의하여 그대로 실시될 것이 틀림없을 것으로 예상될 수 있을 때에는, 공권력행위로서 예외적으로 헌법소원의 대상이 될 수 있다.

① ㄱ, ㄴ
② ㄱ, ㄷ
③ ㄴ, ㄷ
④ ㄱ, ㄴ, ㄷ

문제 DATA

출제가능 지수 ▶▶▷
난이도 지수 ★★☆

| 2025년 국가직 9급

ㄱ. (○) 구 도시 및 주거환경정비법에 따른 주택재건축정비사업조합은 관할 행정청의 감독 아래 위 법상 주택재건축사업을 시행하는 공법인으로서, 그 목적 범위 내에서 법령이 정하는 바에 따라 일정한 행정작용을 행하는 행정주체의 지위를 가진다 할 것인데, <u>재건축정비사업조합이 이러한 행정주체의 지위에서 위 법에 기초하여 수립한 사업시행계획은 인가·고시를 통해 확정되면 이해관계인에 대한 구속적 행정계획으로서 독립된 행정처분에 해당한다</u>(대결 2009.11.2. 2009마596).

ㄴ. (×) 토지구획정리사업법 제57조, 제62조 등의 규정상 환지예정지 지정이나 환지처분은 그에 의하여 직접 토지소유자 등의 권리의무가 변동되므로 이를 항고소송의 대상이 되는 처분이라고 볼 수 있으나, <u>환지계획은 위와 같은 환지예정지 지정이나 환지처분의 근거가 될 뿐 그 자체가 직접 토지소유자 등의 법률상의 지위를 변동시키거나 또는 환지예정지 지정이나 환지처분과는 다른 고유한 법률효과를 수반하는 것이 아니어서 이를 항고소송의 대상이 되는 처분에 해당한다고 할 수가 없다</u>(대판 1999.8.20. 97누6889).

ㄷ. (○) 국민적 구속력을 갖는 행정계획은 공권력의 행사로 볼 수 있지만, 구속력을 갖지 않고 사실상의 준비행위나 사전안내 또는 행정기관 내부의 지침에 지나지 않는 행정계획은 원칙적으로 헌법소원의 대상이 되는 공권력의 행사라 할 수 없다. 하지만, <u>비구속적 행정계획안이나 행정지침이라도 국민의 기본권에 직접적으로 영향을 끼치고, 앞으로 법령의 뒷받침에 의하여 그대로 실시될 것이 틀림없을 것으로 예상될 수 있을 때에는, 공권력행위로서 예외적으로 헌법소원의 대상이 된다</u>(헌재 2012.4.3. 2012헌마164 ; 헌재 2000.6.1. 99헌마538 등).

답 ②

함께 정리하기

행정계획

구 「도시 및 주거환경정비법」에 따라 재건축정비사업조합이 수립한 사업시행계획
▷ 처분성 ○

구 「토지구획정리사업법」상 환지계획
▷ 처분성 ×

국민의 기본권에 직접 영향을 끼치고, 법령의 뒷받침에 의해 그대로 실시될 것이 예상되는 비구속적 행정계획
▷ 예외적으로 헌법소원대상 ○

003

행정계획에 대한 설명으로 가장 옳지 않은 것은? (다툼이 있는 경우 판례에 의함)

① 「행정절차법」은 행정청에게 행정계획을 수립할 때 관련된 이익을 정당하게 형량하도록 하고 있다.
② 개발제한구역지정처분은 일종의 행정계획으로서 광범위한 형성의 자유를 가지는 계획재량처분이다.
③ 구 「토지구획정리사업법」상 환지계획은 행정쟁송의 대상이 되는 행정처분에 해당한다.
④ 비구속적 행정계획안이라도 국민의 기본권에 직접적으로 영향을 끼치고, 앞으로 법령의 뒷받침에 의하여 그대로 실시될 것이 틀림 없을 것으로 예상될 수 있을 때에는 헌법소원의 대상이 된다.

문제 DATA

출제가능 지수 ▶▶▷
난이도 지수 ★★☆

함께 정리하기

행정계획

「행정절차법」
▷ 형량명령 규정 O

개발제한구역의 지정
▷ 계획재량처분

환지계획
▷ 처분성 ✕

비구속적 행정계획안
▷ 기본권 영향 & 그대로 실시 예상
▷ 헌법소원 대상 O

2025년 군무원 9급

① (O)

> 「행정절차법」 제40조의4【행정계획】행정청은 행정청이 수립하는 계획 중 국민의 권리·의무에 직접 영향을 미치는 계획을 수립하거나 변경·폐지할 때에는 관련된 여러 이익을 정당하게 형량하여야 한다.

② (O) 개발제한구역지정처분은 건설부장관이 법령의 범위 내에서 도시의 무질서한 확산 방지 등을 목적으로 도시정책상의 전문적·기술적 판단에 기초하여 행하는 일종의 행정계획으로서 그 입안·결정에 관하여 광범위한 형성의 자유를 가지는 계획재량처분이므로, 그 지정에 관련된 공익과 사익을 전혀 비교교량하지 아니하였거나 비교교량을 하였더라도 그 정당성과 객관성이 결여되어 비례의 원칙에 위반되었다고 볼 만한 사정이 없는 이상, 그 개발제한구역지정처분은 재량권을 일탈·남용한 위법한 것이라고 할 수 없다(대판 1997.6.24. 96누1313).

③ (✕) 토지구획정리사업법 제57조, 제62조 등의 규정상 환지예정지 지정이나 환지처분은 그에 의하여 직접 토지소유자 등의 권리의무가 변동되므로 이를 항고소송의 대상이 되는 처분이라고 볼 수 있으나, <u>환지계획은 위와 같은 환지예정지 지정이나 환지처분의 근거가 될 뿐 그 자체가 직접 토지소유자 등의 법률상의 지위를 변동시키거나 또는 환지예정지 지정이나 환지처분과는 다른 고유한 법률효과를 수반하는 것이 아니어서 이를 항고소송의 대상이 되는 처분에 해당한다고 할 수가 없다</u>(대판 1999.8.20. 97누6889).

④ (O) 국민적 구속력을 갖는 행정계획은 공권력의 행사로 볼 수 있지만, 구속력을 갖지 않고 사실상의 준비행위나 사전안내 또는 행정기관 내부의 지침에 지나지 않는 행정계획은 원칙적으로 헌법소원의 대상이 되는 공권력의 행사라 할 수 없다. 하지만, <u>비구속적 행정계획안이나 행정지침이라도 국민의 기본권에 직접적으로 영향을 끼치고, 앞으로 법령의 뒷받침에 의하여 그대로 실시될 것이 틀림없을 것으로 예상될 수 있을 때에는, 공권력행위로서 예외적으로 헌법소원의 대상이 된다</u>(헌재 2012.4.3. 2012헌마164 ; 헌재 2000.6.1. 99헌마538 등).

답 ③

문제 DATA

출제가능 지수 ▶▶▷
난이도 지수 ★★☆

004 ☐☐☐

행정계획에 대한 설명으로 가장 옳지 않은 것은? (다툼이 있는 경우 판례에 의함)

① 이미 고시된 실시계획에 포함된 상세계획으로 관리되는 토지 위의 건물의 용도를 상세계획 승인권자의 변경승인 없이 임의로 판매시설에서 상세계획에 반하는 일반목욕장으로 변경한 사안에서, 그 영업신고를 수리하지 않고 영업소를 폐쇄한 처분은 위법하다.

② 자연환경 보호 등을 목적으로 하는 도시관리계획결정은 식생이 양호한 수림의 훼손 등과 같이 장래 발생할 불확실한 상황과 파급효과에 대한 예측 등을 반영한 행정청의 재량적 판단으로서, 그 내용이 현저히 합리성을 결여하거나 형평이나 비례의 원칙에 뚜렷하게 반하는 등의 사정이 없는 한 폭넓게 존중해야 한다.

③ 환지계획은 환지예정지 지정이나 환지처분의 근거가 될 뿐 그 자체가 직접 토지소유자 등의 법률상의 지위를 변동시키거나 또는 환지예정지 지정이나 환지처분과는 다른 고유한 법률효과를 수반하는 것이 아니어서 이를 항고소송의 대상이 되는 처분에 해당한다고 할 수가 없다.

④ 행정주체가 구체적인 행정계획을 입안·결정할 때 가지는 형성의 자유의 한계에 관한 법리는 도시계획시설의 결정권자가 장기간 집행되지 아니한 도시계획시설을 변경할 것인지를 결정하고 도시계획시설사업의 시행자 지정 및 실시계획인가·고시를 함에 있어서도 마찬가지로 적용된다.

2025년 군무원 7급

① (×) 택지개발지구 내의 토지는 택지개발촉진법령에 맞게 이용되어야 하는 것이며, 토지의 이용은 그 지상 건축물의 용도와 밀접하게 관련되어 있고 택지개발촉진법령이 용지를 분류하면서 그 지상 건축물의 종류를 명시하고 있어 택지개발촉진법령상 토지의 이용분류에 의해 그 지상 건축물의 용도도 제한을 받는다고 할 것이어서, 택지개발지구 내의 토지 및 그 지상 건축물은 택지개발사업계획 단계에서 뿐만 아니라 사업의 준공 이후에도 택지개발지구 내의 토지의 이용 및 그 지상 건축물의 용도에 관하여 택지개발계획의 승인권자가 최종 승인한 상세계획에 따라 이용 및 관리되어야 할 것이고, 이와 같이 승인된 상세계획을 변경 승인하는 절차를 거치지 아니하는 이상 임의로 상세계획에 반하는 토지 및 그 지상 건축물의 용도를 변경할 수는 없으므로, 판매시설인 이 사건 건물을 일반목욕장의 용도로 변경하기 위하여 필요한 이 사건 상세계획 승인권자의 변경 승인이 있었음을 인정할 아무런 증거가 없는 이 사건에서, 피고가 원고의 영업신고를 수리하지 아니하고 영업소를 폐쇄한 이 사건 처분은 적법하다(대판 2008.3. 27. 2006두3742·3759).

② (○) 도시공원 및 녹지 등에 관한 법률(이하 '공원녹지법'이라 한다) 등 관계 법령에는 추상적인 행정목표와 절차만이 규정되어 있을 뿐 행정계획의 내용에 대하여는 별다른 규정을 두고 있지 않으므로 행정주체는 구체적인 행정계획을 입안·결정하면서 비교적 광범위한 형성의 자유를 가진다. 하지만 행정주체가 가지는 이와 같은 형성의 자유는 무제한적인 것이 아니라 행정계획에 관련되는 자들의 이익을 공익과 사익 사이에서는 물론이고 공익 상호 간과 사익 상호 간에도 정당하게 비교교량해야 한다는 제한이 있다. 따라서 행정주체가 행정계획을 입안·결정하면서 이익형량을 전혀 행하지 않거나 이익형량의 고려 대상에 마땅히 포함시켜야 할 사항을 누락한 경우 또는 이익형량을 하였으나 정당성과 객관성이 결여된 경우에는 그 행정계획결정은 형량에 하자가 있어 위법하다. 공원녹지의 확충·관리·이용 등 쾌적한 도시환경의 조성 등을 목적으로 하는 도시관리계획결정과 관련하여 재량권의 일탈·남용 여부를 심사할 때에는 공원녹지법의 입법 취지와 목적, 보존하고자 하는 녹지의 조성 상태 등 구체적 현황, 이해관계자들 사이의 권익 균형 등을 종합하여 신중하게 판단해야 한다. 그리고 <u>자연환경 보호 등을 목적으로 하는 도시관리계획결정은 식생이 양호한 수림의 훼손 등과 같이 장래 발생할 불확실한 상황과 파급효과에 대한 예측 등을 반영한 행정청의 재량적 판단으로서, 그 내용이 현저히 합리성을 결여하거나 형평이나 비례의 원칙에 뚜렷하게 반하는 등의 사정이 없는 한 폭넓게 존중해야 한다</u>(대판 2023.11.16. 2022두61816).

③ (○) 토지구획정리사업법 제57조, 제62조 등의 규정상 환지예정지 지정이나 환지처분은 그에 의하여 직접 토지소유자 등의 권리의무가 변동되므로 이를 항고소송의 대상이 되는 처분이라고 볼 수 있으나, <u>환지계획은 위와 같은 환지예정지 지정이나 환지처분의 근거가 될 뿐 그 자체가 직접 토지소유자 등의 법률상의 지위를 변동시키거나 또는 환지예정지 지정이나 환지처분과는 다른 고유한 법률효과를 수반하는 것이 아니어서 이를 항고소송의 대상이 되는 처분에 해당한다고 할 수가 없다</u>(대판 1999.8.20. 97누6889).

④ (○) <u>행정주체가 구체적인 행정계획을 입안·결정할 때에 가지는 비교적 광범위한 형성의 자유는 무제한적인 것이 아니라 행정계획에 관련되는 자들의 이익을 공익과 사익 사이에서는 물론이고 공익 상호 간과 사익 상호 간에도 정당하게 비교교량하여야 한다는 제한이 있는 것이므로, 행정주체가 행정계획을 입안·결정하면서 이익형량을 전혀 행하지 않거나 이익형량의 고려 대상에 마땅히 포함시켜야 할 사항을 빠뜨린 경우 또는 이익형량을 하였으나 정당성과 객관성이 결여된 경우에는 행정계획결정은 형량에 하자가 있어 위법하게 된다. 이러한 법리는 행정주체가 구 국토의 계획 및 이용에 관한 법률 제26조에 의한 주민의 도시관리계획 입안 제안을 받아들여 도시관리계획결정을 할 것인지를 결정할 때에도 마찬가지이고, 나아가 도시계획시설구역 내 토지 등을 소유하고 있는 주민이 장기간 집행되지 아니한 도시계획시설의 결정권자에게 도시계획시설의 변경을 신청하고, 결정권자가 이러한 신청을 받아들여 도시계획시설을 변경할 것인지를 결정하는 경우에도 동일하게 적용된다고 보아야 한다</u>(대판 2012.1.12. 2010두5806).

답 ①

함께 정리하기

행정계획

상세계획 승인권자의 승인 없이 계획에 반하는 변경신고의 불수리
▷ 적법

도시관리계획결정
▷ 계획재량○

환지계획
▷ 처분성×

계획재량의 한계
▷ 도시계획시설 변경결정, 도시계획시설사업의 시행자지정 및 실시계획인가·고시를 함에 있어서도 동일하게 적용

005

행정계획에 대한 설명으로 옳지 않은 것은? (다툼이 있는 경우 판례에 의함)

① 구 「공공기관 지방이전에 따른 혁신도시 건설 및 지원에 관한 특별법」에 의하여 국토해양부장관이 발표한 '한국토지주택공사 이전방안'은 행정청의 기본방침을 밝히는 비구속적 행정계획안에 불과하여 직접 국민의 권리의무에 영향을 미치지 아니한다.

② 구 「토지구획정리사업법」상 환지계획은 그 자체가 직접 토지소유자 등의 법률상의 지위를 변동시키는 것이 아니어서 항고소송의 대상이 되는 행정처분에 해당한다고 할 수 없다.

③ 행정주체가 구체적인 행정계획을 입안·결정할 때 가지는 형성의 자유의 한계에 관한 법리는 주민의 입안 제안 또는 변경신청을 받아들여 도시관리계획결정을 하거나 도시계획시설을 변경할 것인지를 결정할 때에는 동일하게 적용되지 않는다.

④ 「국토의 계획 및 이용에 관한 법률」에 의하면 도시·군계획시설결정 고시일부터 20년이 지날 때까지 그 시설의 설치에 관한 도시·군계획시설 사업이 시행되지 아니하는 경우 그 도시·군계획시설결정은 그 고시일부터 20년이 되는 날의 다음 날에 그 효력을 잃는다.

2025년 경찰간부

① (○) 일반적으로 국민적 구속력을 갖는 행정계획은 행정행위에 해당되지만, 구속력을 갖지 않고 행정기관 내부의 행동지침에 지나지 않는 행정계획은 행정행위가 될 수 없고, 이와 같이 행정기관의 내부적 의사결정에 불과하여 직접 국민의 권리의무에 영향을 미치지 않는 경우에는 헌법소원의 대상의 공권력의 행사 또는 불행사로 볼 수 없다. 그런데 '공공기관 지방이전에 따른 혁신도시 건설 및 지원에 관한 특별법'에 따르면, 지방이전계획을 수립하는 주체는 이전공공기관의 장이고(제4조 제1항), 그 제출받은 계획을 검토·조정하여 국토해양부장관에게 제출하는 주체는 소관 행정기관의 장이며(제4조 제3항, 제4항), 그에 따라 지역발전위원회의 심의를 거친 후 승인하는 주체가 국토해양부장관일 뿐이다. 따라서 피청구인(국토해양부장관)이 발표한 이 사건 이전방안은 한국토지주택공사와 각 광역시·도, 관련 행정부처 사이의 의견 조율 과정에서 행정청으로서의 내부 의사를 밝힌 행정계획안 정도에 불과하고, 법적 구속력을 가진 행정행위라고 보기는 어렵다. 그리고 이 사건 이전방안에 따라 한국토지주택공사가 경남혁신도시로의 이전계획을 제출하고 지역발전위원회의 심의를 거치는 과정에서 이전대상 지역 및 대상, 범위 등에 관한 변동이 있을 여지도 배제할 수 없다. 그러므로 한국토지주택공사의 지방이전 과정에서 행정청으로서의 피청구인의 의사가 결정적이라는 점을 인정한다 하더라도, 아직은 행정계획안에 불과한 이 사건 이전방안에서 밝힌 내용들이 그대로 틀림없이 실시될 것이라고 단정할 수도 없다. 어디까지나 한국토지주택공사의 지방이전계획은 지역발전위원회의 심의를 거쳐 피청구인의 최종 승인에 의하여 확정되는 것이며, 그 이전 단계에서 발표된 이 사건 이전방안이 국민의 권리의무 또는 법적지위에 어떠한 변동을 가져온다고 할 수는 없다. 더구나 이 사건 이전방안이 위헌으로 취소된다고 하더라도, 그 뒤에 이어진 2011.7.29.자 피청구인의 최종 승인이 취소되거나 무효가 되지 않으면 아무런 실효를 거둘 수도 없다 할 것이다. 위와 같은 제반 사정을 종합하면 보면, 이 사건 이전방안은 행정청의 기본방침을 밝히는 비구속적 행정계획안에 불과하여 직접 국민의 권리의무에 영향을 미치지 아니하므로 헌법재판소법 제68조 제1항의 공권력의 행사에 해당한다 할 수 없다(헌재 2014.3.27. 2011헌마291).

② (○) 토지구획정리사업법 제57조, 제62조 등의 규정상 환지예정지 지정이나 환지처분은 그에 의하여 직접 토지소유자 등의 권리의무가 변동되므로 이를 항고소송의 대상이 되는 처분이라고 볼 수 있으나, 환지계획은 위와 같은 환지예정지 지정이나 환지처분의 근거가 될 뿐 그 자체가 직접 토지소유자 등의 법률상의 지위를 변동시키거나 또는 환지예정지 지정이나 환지처분과는 다른 고유한 법률효과를 수반하는 것이 아니어서 이를 항고소송의 대상이 되는 처분에 해당한다고 할 수가 없다(대판 1999.8.20. 97누6889).

③ (×) 행정주체가 구체적인 행정계획을 입안·결정할 때에 가지는 비교적 광범위한 형성의 자유는 무제한적인 것이 아니라 행정계획에 관련되는 자들의 이익을 공익과 사익 사이에서는 물론이고 공익 상호 간과 사익 상호 간에도 정당하게 비교교량하여야 한다는 제한이 있는 것이므로, 행정주체가 행정계획을 입안·결정하면서 이익형량을 전혀 행하지 않거나 이익형량의 고려 대상에 마땅히 포함시켜야 할 사항을 빠뜨린 경우 또는 이익형량을 하였으나 정당성과 객관성이 결여된 경우에는 행정계획결정은 형량에 하자가 있어 위법하게 된다. 이러한 법리는 행정주체가 구 국토의 계획 및 이용에 관한 법률(2009.2.6. 법률 제9442호로 개정되기 전의 것) 제26조에 의한 주민의 도시관리계획 입안 제안을 받아들여 도시관리계획결정을 할 것인지를 결정할 때에도 마찬가지이고, 나아가 도시계획시설구역 내 토지 등을 소유하고 있는 주민이 장기간 집행되지 아니한 도시계획시설의 결정권자에게 도시계획시설의 변경을 신청하고, 결정권자가 이러한 신청을 받아들여 도시계획시설을 변경할 것인지를 결정하는 경우에도 동일하게 적용된다고 보아야 한다(대판 2012.1.12. 2010두5806).

④ (○)

> 「국토의 계획 및 이용에 관한 법률」 제48조 【도시·군계획시설결정의 실효 등】 ① 도시·군계획시설결정이 고시된 도시·군계획시설에 대하여 그 고시일부터 20년이 지날 때까지 그 시설의 설치에 관한 도시·군계획시설사업이 시행되지 아니하는 경우 그 도시·군계획시설결정은 그 고시일부터 20년이 되는 날의 다음날에 그 효력을 잃는다.

장기미집행 도시계획시설결정의 실효제도는 도시계획시설부지로 하여금 도시계획시설결정으로 인한 사회적 제약으로부터 벗어나게 하는 것으로서 결과적으로 개인의 재산권이 보다 보호되는 측면이 있는 것은 사실이나, 이와 같은 보호는 입법자가 새로운 제도를 마련함에 따라 얻게 되는 법률에 기한 권리일 뿐 헌법상 재산권으로부터 당연히 도출되는 권리는 아니다(헌재 2005.9.29. 2002헌바84등).

답 ③

006 □□□

대법원 판례의 내용으로 가장 옳지 않은 것은?

① 도시계획결정의 효력은 도시계획결정고시로 인하여 생기고 지적고시 도면의 승인고시로 인하여 생기는 것은 아니라고 할 것이며, 일반적으로 도시계획결정고시의 도면만으로도 구체적인 범위나 개별토지의 도시계획선을 특정할 수 있으므로 결국 도시계획결정 효력의 구체적, 개별적인 범위는 지적고시도면에 의하여 확정된다고 볼 수 없다.

② 과세대상이 되지 아니하는 어떤 법률관계나 사실관계에 대하여 이를 과세대상이 되는 것으로 오인할 만한 객관적인 사정이 있는 경우에 그것이 과세대상이 되는지의 여부가 사실관계를 정확히 조사하여야 비로소 밝혀질 수 있는 경우라면 하자가 중대한 경우라도 외관상 명백하다고 할 수 없어 그와 같이 과세요건 사실을 오인한 위법의 과세처분을 당연무효라고 볼 수 없다.

③ 어떠한 처분에 법령상 근거가 있는지, 「행정절차법」에서 정한 처분절차를 준수하였는지는 본안에서 해당 처분이 적법한가를 판단하는 단계에서 고려할 요소이지, 소송요건 심사단계에서 고려할 요소가 아니다.

④ 청구취지를 변경하여 종전의 소가 취하되고 새로운 소가 제기된 것으로 변경되었을 때에 새로운 소에 대한 제소기간을 준수하였는지는 원칙적으로 소의 변경이 있을 때를 기준으로 판단해야 한다.

함께 정리하기

판례

도시계획결정효력의 구체적, 개별적 범위
▷ 지적고시도면에 의하여 확정

사실관계 조사하여야만 밝혀질 수 있는 경우
▷ 당연무효✕

처분절차 준수 여부
▷ 본안에서 고려할 요소

청구취지 변경시 새로운 소에 대한 제소기간 준수여부
▷ 소변경시를 기준으로 판단

문제 DATA

출제가능 지수 ▶▶▷
난이도 지수 ★★☆

2025년 군무원 9급

① (✕) 도시계획결정의 효력은 도시계획결정고시로 인하여 생기고 지적고시도면의 승인고시로 인하여 생기는 것은 아니라고 할 것이나 일반적으로 <u>도시계획결정고시의 도면만으로는 그 구체적인 범위나 개별 토지의 도시계획선을 특정할 수 없는 것이므로 결국 도시계획결정효력의 구체적, 개별적 범위는 지적고시도면에 의하여 확정된다</u>(대판 1994.7.29. 94누3483).

② (○) 일반적으로 과세대상이 되는 법률관계나 소득 또는 행위 등의 사실관계가 전혀 없는 사람에게 한 과세처분은 하자가 중대하고도 명백하다고 할 것이지만 과세대상이 되지 아니하는 어떤 법률관계나 사실관계에 대하여 이를 과세대상이 되는 것으로 오인할 만한 객관적인 사정이 있는 경우에 그것이 과세대상이 되는지의 여부가 사실관계를 정확히 조사하여야 비로소 밝혀질 수 있는 경우라면 하자가 중대한 경우라도 외관상 명백하다고 할 수 없어 그와 같이 과세요건 사실을 오인한 위법의 과세처분을 당연무효라고 볼 수 없다(대판 2024.3.12. 2021다224408).

③ (○) 어떠한 처분에 법령상 근거가 있는지, 행정절차법에서 정한 처분절차를 준수하였는지는 본안에서 당해 처분이 적법한가를 판단하는 단계에서 고려할 요소이지, 소송요건 심사단계에서 고려할 요소가 아니다(대판 2020.1.16. 2019다264700).

④ (○) 행정소송법상 취소소송은 처분 등이 있음을 안 날부터 90일 이내에 제기하여야 하고, 처분 등이 있은 날부터 1년을 경과하면 제기하지 못한다(행정소송법 제20조 제1항, 제2항). 한편 <u>청구취지를 교환적으로 변경하여 종전의 소가 취하되고 새로운 소가 제기된 것으로 보게 되는 경우에 새로운 소에 대한 제소기간의 준수 등은 원칙적으로 소의 변경이 있은 때를 기준으로 하여 판단된다</u>. 그러나 선행처분의 취소를 구하는 소가 그 후속처분의 취소를 구하는 소로 교환적으로 변경되었다가 다시 선행처분의 취소를 구하는 소로 변경된 경우 후속처분의 취소를 구하는 소에 선행처분의 취소를 구하는 취지가 그대로 남아 있었던 것으로 볼 수 있다면 선행처분의 취소를 구하는 소의 제소기간은 최초의 소가 제기된 때를 기준으로 정하여야 한다(대판 2013.7.11. 2011두27544).

답 ①

007 ☐☐☐

행정계획에 대한 설명으로 옳은 것은? (다툼이 있는 경우 판례에 의함)

① 정부가 발표한 '4대강 살리기 마스터플랜'은 4대강 정비사업과 그 주변 지역의 관련 사업을 체계적으로 추진하기 위하여 수립한 종합계획으로서 인근에 거주하는 주민의 권리·의무에 직접 영향을 미치는 행정처분이다.

② 재건축조합이 「도시 및 주거환경정비법」에 따라 수립하는 관리처분계획은 조합원의 재산상 권리·의무 등에 구체적이고 직접적인 영향을 미치지 않는 비구속적 행정계획이다.

③ 도시기본계획은 도시의 기본적인 공간구조와 장기발전방향을 제시하는 종합계획으로서 그 계획에는 토지이용계획, 환경계획, 공원녹지계획 등 장래의 도시개발의 일반적인 방향이 제시되므로 일반 국민에 대한 직접적인 구속력이 있다.

④ 행정주체가 구체적인 행정계획을 입안·결정할 때 가지는 형성의 자유의 한계에 관한 법리는 도시계획시설의 결정권자가 장기간 집행되지 아니한 도시계획시설을 변경할 것인지를 결정함에 있어서는 적용되지 않는다.

⑤ 산업단지개발계획상 산업단지 안의 토지 소유자로서 산업단지개발계획에 적합한 시설을 설치하여 입주하려는 자는 산업단지지정권자 또는 그로부터 권한을 위임받은 기관에 대하여 산업단지개발계획의 변경을 요청할 수 있는 법규상 또는 조리상 신청권이 있다.

① (×) 국토해양부, 환경부, 문화체육관광부, 농림수산부, 식품부가 합동으로 2009.6.8. 발표한 '4대강 살리기 마스터플랜' 등은 4대강 정비사업과 주변 지역의 관련 사업을 체계적으로 추진하기 위하여 수립한 종합계획이자 '4대강 살리기 사업'의 기본방향을 제시하는 계획으로서, 행정기관 내부에서 사업의 기본방향을 제시하는 것일 뿐, 국민의 권리·의무에 직접 영향을 미치는 것이 아니어서 행정처분에 해당하지 않는다(대결 2011.4.21. 2010무111 전합).

② (×) 도시 및 주거환경정비법(이하 '도시정비법'이라 한다)에 따른 주택재건축정비사업조합(이하 '재건축조합'이라 한다)은 관할 행정청의 감독 아래 도시정비법상의 주택재건축사업을 시행하는 공법인(도시정비법 제38조)으로서, 그 목적 범위 내에서 법령이 정하는 바에 따라 일정한 행정작용을 행하는 행정주체의 지위를 갖는다. 재건축조합이 행정주체의 지위에서 도시정비법 제74조에 따라 수립하는 관리처분계획은 정비사업의 시행 결과 조성되는 대지 또는 건축물의 권리귀속에 관한 사항과 조합원의 비용분담에 관한 사항 등을 정함으로써 조합원의 재산상 권리·의무 등에 구체적이고 직접적인 영향을 미치게 되므로, 이는 구속적 행정계획으로서 재건축조합이 행하는 독립된 행정처분에 해당한다(대판 2022.7.14. 2022다206391).

③ (×) 도시기본계획은 도시의 기본적인 공간구조와 장기발전방향을 제시하는 종합계획으로서 그 계획에는 토지이용계획, 환경계획, 공원녹지계획 등 장래의 도시개발의 일반적인 방향이 제시되지만, 그 계획은 도시계획입안의 지침이 되는 것에 불과하여 일반 국민에 대한 직접적인 구속력은 없는 것이다(대판 2002.10.11. 2000두8226).

④ (×) 관계 법령에는 추상적인 행정목표와 절차만이 규정되어 있을 뿐 행정계획의 내용에 관하여는 별다른 규정을 두고 있지 않아 행정주체는 구체적인 행정계획을 입안·결정함에 있어서 비교적 광범위한 형성의 자유를 가진다. 다만 행정주체가 가지는 이와 같은 형성의 자유는 무제한적인 것이 아니라 그 행정계획에 관련되는 자들의 이익을 공익과 사익 사이에서는 물론이고 공익 상호 간과 사익 상호 간에도 정당하게 비교교량하여야 한다는 제한이 있으므로, 행정주체가 행정계획을 입안·결정함에 있어서 이익형량을 전혀 행하지 아니하거나 이익형량의 고려 대상에 마땅히 포함시켜야 할 사항을 누락한 경우 또는 이익형량을 하였으나 정당성과 객관성이 결여된 경우에는 그 행정계획결정은 형량에 하자가 있어 위법하게 된다. 위와 같은 법리는 행정주체가 구 국토의 계획 및 이용에 관한 법률 제26조에 의한 주민의 도시관리계획 입안 제안에 대하여 이를 받아들여 도시관리계획결정을 할 것인지 여부를 결정함에 있어서도 마찬가지이고, 나아가 도시계획시설구역 내 토지 등을 소유하고 있는 주민이 장기간 집행되지 아니한 도시계획시설의 결정권자에 대하여 도시계획시설의 변경을 신청하고, 그 결정권자가 이러한 신청을 받아들여 도시계획시설을 변경할 것인지 여부를 결정함에 있어서도 동일하게 적용된다고 보아야 한다(대판 2012.1.12. 2010두5806).

⑤ (○) 산업입지에 관한 법령은 산업단지에 적합한 시설을 설치하여 입주하려는 자와 토지 소유자에게 산업단지 지정과 관련한 산업단지개발계획 입안과 관련한 권한을 인정하고, 산업단지 지정뿐만 아니라 변경과 관련해서도 이해관계인에 대한 절차적 권리를 보장하는 규정을 두고 있다. 또한 산업단지 안에는 다수의 기반시설 등 도시계획시설 등을 포함하고 있고, 국토의 계획 및 이용에 관한 법률의 해석상 도시계획시설부지 소유자에게는 그에 관한 도시·군관리계획의 변경 등을 요구할 수 있는 법규상 또는 조리상 신청권이 인정된다고 해석되고 있다. 헌법상 재산권 보장의 취지에 비추어 보면 토지의 소유자에게 위와 같은 절차적 권리와 신청권을 인정한 것은 정당하다고 볼 수 있다. 이러한 법리는 이미 산업단지 지정이 이루어진 상황에서 산업단지 안의 토지 소유자로서 종전 산업단지개발계획을 일부 변경하여 산업단지개발계획에 적합한 시설을 설치하여 입주하려는 자가 종전 계획의 변경을 요청하는 경우에도 그대로 적용될 수 있다. 그러므로 산업단지개발계획상 산업단지 안의 토지 소유자로서 산업단지개발계획에 적합한 시설을 설치하여 입주하려는 자는 산업단지지정권자 또는 그로부터 권한을 위임받은 기관에 대하여 산업단지개발계획의 변경을 요청할 수 있는 법규상 또는 조리상 신청권이 있고, 이러한 신청에 대한 거부행위는 항고소송의 대상이 되는 행정처분에 해당한다고 보아야 한다(대판 2017.8.29. 2016두44186).

답 ⑤

함께 정리하기

행정계획

4대강 살리기 마스터플랜
▷ 처분성×

관리처분계획
▷ 구속적 행정계획

도시기본계획
▷ 국민에 대한 직접적 구속력×

계획재량의 한계
▷ 장기미집행 도시계획시설을 변경결정할 때도 동일하게 적용

산업단지 안 토지소유자로서 시설 설치하여 입주하려는 자
▷ 산업단지개발계획 변경신청권○

문제 DATA

출제가능 지수 ▶▶▷
난이도 지수 ★★★

008 ☐☐☐

행정계획에 대한 설명으로 옳지 않은 것은? (다툼이 있는 경우 판례에 의함)

① 도시계획시설(공원)로 지정된 이후에도 계속 지목에 따라 농경지로 사용된 토지의 경우, 지정 이후에 토지소유권을 취득한 자도 계속 농경지로 사용할 수 있는 상황이고, 만약 그 사용·수익이 사실상 불가능하더라도 법령상 매수청구권을 행사할 수 있다면, 공원구역의 지정이 토지소유권자의 사익을 과도하게 침해하였다고 단정할 수 없다.

② 재건축조합이 전체 조합원의 일부인 개별 조합원과 사적으로 재건축에 관련한 신축상가 입주의 약정을 체결한 경우, 구속적 행정계획으로서 관리처분계획의 본질과 재건축조합의 행정주체로서 갖는 공법상 재량권에 비추어 재건축조합은 그 사법상 약정에 직접적으로 구속되지 않는다.

③ 주민 등의 도시관리계획 입안 제안을 거부한 처분을 취소하는 판결이 확정된 후 행정청이 새로이 수립한 도시관리계획에 대해 제기된 취소소송에서, 도시관리계획의 내용이 취소판결의 기속력에 위배되지는 않는다고 하더라도 법원은 계획재량의 한계를 일탈한 것인지 여부를 별도로 심리·판단하여야 한다.

④ 산업단지개발계획 변경권자가 특정 폐기물처리업체가 폐기물소각시설을 증설할 수 있도록 산업단지개발계획을 변경한 경우, 형평의 원칙상 변경권자는 반드시 그 주변의 동종 업체들도 같은 혜택을 누릴 수 있도록 산업단지개발계획을 변경하여야 한다.

⑤ 지방자치단체가 경관 훼손에 관한 객관적인 검토를 거치지 않은 채 甲의 고층아파트 신축 사업 계획에 대하여 주변 경관 등을 이유로 불승인처분을 한 경우, 지방자치단체의 국가배상책임이 인정될 여지가 있다.

함께 정리하기

행정계획

도시계획시설(공원) 지정 이후 토지소유권을 취득한 자의 사용·수익이 사실상 불가능하더라도 매수청구권 행사 가능
▷ 공원구역지정 합헌

재건축조합이 개별 조합원과 신축상가입주의에 관한 사적 약정 체결
▷ 조합은 약정에 직접 구속×

도시관리계획 입안제안 거부처분 취소판결 후
▷ 기속력 위배여부와 계획재량의 한계 일탈 여부 별도로 심리·판단 要

특정 폐기물처리업체가 폐기물소각시설을 증설할 수 있도록 산업단지개발계획 변경시
▷ 반드시 주변동종 업체들도 같은 혜택을 누릴 수 있도록 변경할 의무 無

경관 훼손 검토 없는 불승인처분
▷ 국가배상책임이 인정될 여지O

2025년 변호사

① (O) 헌법재판소는 1999.10.21. 도시계획구역 안에서 일정한 행위를 제한하는 구 도시계획법(2000.1.28. 법률 제6243호로 개정되기 전의 것) 제4조에 대하여 2001.12.31.을 시한으로 개정될 때까지 계속 적용되도록 하는 헌법불합치결정을 하였다(헌재 1999.10.21. 97헌바26, 이하 '관련 헌법불합치결정'이라 한다). 이에 따라 구 도시계획법 등 관련 법령이 개정 또는 제정되어 이른바 도시계획시설결정 일몰제가 시행되었다. 관련 헌법불합치결정의 취지는 입법자가 매수청구권이나 수용신청권의 부여, 지정의 해제, 금전적 보상 등 다양한 보상가능성을 통하여 재산권에 대한 가혹한 침해를 적절하게 보상하여야 함에도 토지의 사적 이용권이 배제된 상태에서 토지소유자로 하여금 10년 이상 아무런 보상 없이 수인하도록 하는 것은 공익실현의 관점에서도 정당화될 수 없는 과도한 제한으로서 헌법상의 재산권보장에 위배된다는 것이다. 그런데 <u>이 사건 편입토지는 1971.8.7. 최초 도시계획시설(공원)로 지정된 이후 계속 지목에 따라 농경지로 이용된 것으로 보이고, 2017년경 이 사건 편입토지의 소유권을 취득한 원고 역시 계속하여 농경지로 사용하는 것이 가능하다. 만약 이 사건 편입토지를 종래의 용도로 사용할 수 없어 그 효용이 현저하게 감소되거나 사용·수익이 사실상 불가능한 경우 원고는 공원녹지법 제29조에 따른 매수청구권을 행사할 수 있다. 따라서 이 사건 공원구역의 지정이 원고의 사익을 과도하게 침해하였다고 단정할 수 없다</u>(대판 2023.11.16. 2022두61816).

② (O) <u>주택재건축정비사업조합(이하 '재건축조합'이라 한다)이 관리처분계획의 수립 혹은 변경을 통한 집단적인 의사결정 방식 외에 전체 조합원의 일부인 개별 조합원과 사적으로 그와 관련한 약정을 체결한 경우에도, 구속적 행정계획으로서 재건축조합이 행하는 독립된 행정처분에 해당하는 관리처분계획의 본질 및 전체 조합원 공동의 이익을 목적으로 하는 재건축조합의 행정주체로서 갖는 공법상 재량권에 비추어 재건축조합이 개별 조합원 사이의 사법상 약정에 직접적으로 구속된다고 보기는 어렵다. 따라서 그 개별 약정의 내용과 취지 등을 감안하여 유효·적법한 관리처분계획 수립의 범위 내에서 그 약정의 취지를 가능한 한 성실하게 반영하기 위한 조치를 취하여야 할 의무가 인정될 수 있음은 별론으로 하더라도, 이를 초과하여 개별 조합원과의 약정을 절대적으로 반영한 관리처분계획을 수립하여야만 하는 구체적인 민사상 의무까지 인정될 수는 없고, 약정의 당사자인 개별 조합원 역시 재건축조합에 대하여 약정 내용대로의 관리처분계획 수립을 강제할 수 있는 민사상 권리를 가진다고 볼 수 없다</u>(대판 2022.7.14. 2022다206391).

③ (○) 취소 확정판결의 기속력의 범위에 관한 법리 및 도시관리계획의 입안·결정에 관하여 행정청에 부여된 재량을 고려하면, 주민 등의 도시관리계획 입안 제안을 거부한 처분을 이익형량에 하자가 있어 위법하다고 판단하여 취소하는 판결이 확정되었더라도 행정청에 그 입안 제안을 그대로 수용하는 내용의 도시관리계획을 수립할 의무가 있다고는 볼 수 없고, 행정청이 다시 새로운 이익형량을 하여 적극적으로 도시관리계획을 수립하였다면 취소판결의 기속력에 따른 재처분의무를 이행한 것이라고 보아야 한다. 다만 취소판결의 기속력 위배 여부와 계획재량의 한계 일탈 여부는 별개의 문제이므로, 행정청이 적극적으로 수립한 도시관리계획의 내용이 취소판결의 기속력에 위배되지는 않는다고 하더라도 계획재량의 한계를 일탈한 것인지의 여부는 별도로 심리·판단하여야 한다(대판 2020.6.25. 2019두57404).

④ (×) 환경의 훼손이나 오염을 발생시킬 우려가 있다는 점을 처분사유로 하는 산업단지개발계획 변경신청 거부처분과 관련하여 재량권의 일탈·남용 여부를 심사할 때에는 산업입지 및 개발에 관한 법률의 입법 취지와 목적, 인근 주민들의 토지이용실태와 생활환경 등 구체적 지역 상황, 환경권의 보호에 관한 각종 규정의 입법 취지 및 상반되는 이익을 가진 이해관계자들 사이의 권익 균형 등을 종합하여 신중하게 판단하여야 한다. 그리고 '환경오염 발생 우려'와 같이 장래에 발생할 불확실한 상황과 파급효과에 대한 예측이 필요한 요건에 관한 행정청의 재량적 판단은 그 내용이 현저히 합리성을 결여하였다거나 상반되는 이익이나 가치를 대비해 볼 때 형평이나 비례의 원칙에 뚜렷하게 배치되는 등의 사정이 없는 한 폭넓게 존중하여야 한다. 또한 처분이 재량권을 일탈·남용하였다는 사정은 그 처분의 효력을 다투는 자가 주장·증명하여야 한다. 이 사건 산업단지개발계획 변경신청 거부처분이 NC울산 사례와 비교하여 형평의 원칙에 뚜렷하게 반한다고 보기 어렵다. 산업단지개발계획 변경권자가 특정 폐기물처리업체가 폐기물소각시설을 증설할 수 있도록 산업단지개발계획을 변경한 경우 형평의 원칙상 반드시 그 주변의 동종 업체들도 같은 혜택을 누릴 수 있도록 산업단지개발계획을 변경하여야 한다고 보면 산업단지 내 각종 업종의 합리적 배치를 통해 균형 있는 국토개발과 지속적인 산업발전을 도모하고자 하는 산업단지개발계획 제도가 유명무실하게 될 수 있기 때문이다(대판 2021.7.29. 2021두33593).

⑤ (○) 甲 주식회사가 고층 아파트 신축사업을 계획하고 토지를 매수한 다음 乙 지방자치단체와 협의하여 사업계획 승인신청을 하였고, 수개월에 걸쳐 乙 지방자치단체의 보완 요청에 응하여 사업계획 승인에 필요한 요건을 갖추었는데, 乙 지방자치단체의 장이 위 사업계획에 관하여 부정적인 의견을 제시한 후, 乙 지방자치단체가 甲 회사에 주변 경관 등을 이유로 사업계획 불승인처분을 한 사안에서, 乙 지방자치단체의 담당 공무원이 경관 훼손 여부를 검토하기 위해 수행한 업무는 현장실사를 나가 사진을 촬영하여 분석자료를 작성한 것이 전부이고, 그 분석자료의 내용이 실제에 부합하는 방식으로 작성되었다고 볼 수 없는 등 위 불승인처분은 경관 훼손에 관한 객관적인 검토를 거치지 않은 채 이루어진 것으로 볼 수 있고, 사업계획 승인 업무의 진행경과, 위 사업의 규모와 경관 훼손 여부를 판단하기 위한 합리적이고 신중한 검토 필요성 등에 비추어, 담당 공무원의 업무 수행은 보통 일반의 공무원을 표준으로 하여 볼 때 객관적 주의의무를 소홀히 한 것이므로, 乙 지방자치단체의 국가배상책임이 인정된다고 볼 여지가 있는데도, 이와 달리 본 원심판결에 법리오해 등의 잘못이 있다(대판 2021.6.30. 2017다249219).

답 ④

009

행정계획에 대한 설명으로 옳지 않은 것은?

① 행정청은 행정청이 수립하는 계획 중 국민의 권리·의무에 직접 영향을 미치는 계획을 수립하거나 변경·폐지할 때에는 관련된 여러 이익을 정당하게 형량하여야 한다.
② 도시계획구역 내 토지 등을 소유하고 있는 주민은 도시시설계획의 입안 내지 변경을 요구할 수 있는 법규상 또는 조리상의 신청권이 있다.
③ 구 「도시계획법」상 도시기본계획은 도시의 기본적인 공간구조와 장기발전방향을 제시하는 종합계획으로서 도시계획입안의 지침이 되지만 일반 국민에 대한 직접적인 구속력은 없다.
④ 구 「택지개발촉진법」상 관할 행정청의 택지개발사업시행자에 대한 택지개발계획의 승인은 그 승인의 고시에 의하여 개발할 토지의 위치, 면적, 권리내용 등이 특정되어 그 후 사업시행자에게 택지개발사업을 실시할 수 있는 권한이 설정된다고 하더라도 행정처분의 성격을 갖는 것은 아니다.

> 2024년 지방직 7급

① (○)

> 「행정절차법」 제40조의4 【행정계획】 행정청은 행정청이 수립하는 계획 중 국민의 권리·의무에 직접 영향을 미치는 계획을 수립하거나 변경·폐지할 때에는 관련된 여러 이익을 정당하게 형량하여야 한다.

② (○) 도시계획구역 내 토지 등을 소유하고 있는 사람과 같이 당해 도시계획시설결정에 이해관계가 있는 주민으로서는 도시시설계획의 입안권자 내지 결정권자에게 도시시설계획의 입안 내지 변경을 요구할 수 있는 법규상 또는 조리상의 신청권이 있고, 이러한 신청에 대한 거부행위는 항고소송의 대상이 되는 행정처분에 해당한다(대판 2015.3.26. 2014두42742).
③ (○) 도시기본계획은 도시의 기본적인 공간구조와 장기발전방향을 제시하는 종합계획으로서 그 계획에는 토지이용계획, 환경계획, 공원녹지계획 등 장래의 도시개발의 일반적인 방향이 제시되지만, 그 계획은 도시계획입안의 지침이 되는 것에 불과하여 일반 국민에 대한 직접적인 구속력은 없는 것이다(대판 2002.10.11. 2000두8226).
④ (×) 택지개발촉진법 제3조에 의한 건설교통부장관의 택지개발예정지구의 지정은 그 처분의 고시에 의하여 개발할 토지의 위치, 면적과 그 행사가 제한되는 권리내용 등이 특정되는 처분인 반면에, 같은 법 제8조에 의한 건설교통부장관의 택지개발사업 시행자에 대한 택지개발계획의 승인은 당해 사업이 택지개발촉진법 상의 택지개발사업에 해당함을 인정하여 시행자가 그 후 일정한 절차를 거칠 것을 조건으로 하여 일정한 내용의 수용권을 설정하여 주는 처분으로서 그 승인고시에 의하여 수용할 목적물의 범위가 확정되는 것이므로, 위 두 처분은 후자가 전자의 처분을 전제로 한 것이기는 하나 각각 단계적으로 별개의 법률효과를 발생하는 독립한 행정처분이어서 선행처분에 불가쟁력이 생겨 그 효력을 다툴 수 없게 된 경우에는 선행처분에 위법사유가 있다고 할지라도 그것이 당연무효 사유가 아닌 한 선행처분의 하자가 후행처분에 승계되는 것은 아니다(대판 1996.3.22. 95누10075).

답 ④

010

행정계획에 대한 설명 중 옳지 않은 것은? (다툼이 있는 경우 판례에 의함)

① 「국토의 계획 및 이용에 관한 법률」상 도시·군기본계획은 도시계획입안의 지침이 되는 것에 불과하여 일반 국민에 대한 직접적 구속력은 없다.
② 후행 도시·군계획을 결정하는 행정청이 선행 도시·군계획의 결정·변경 권한을 가지고 있지 아니한 경우 선행 도시·군계획과 양립할 수 없는 후행 도시·군계획을 결정하여 선행 도시·군계획을 폐지한 부분은 무효사유에 해당한다.
③ 비구속적 행정계획안이 국민의 기본권에 직접 영향을 끼치고, 앞으로 법령을 통해 그대로 실시될 것이 틀림없을 것으로 예상된다면 이는 헌법소원의 대상이 될 수 있다.
④ 「국토의 계획 및 이용에 관한 법률」상 도시·군계획구역 내 토지를 소유하고 있는 주민이라고 할지라도 도시·군계획의 특성상 계획입안권자에게 도시·군계획의 입안을 요구할 수 있는 법규상 또는 조리상 신청권을 가지고 있다고 할 수 없으므로, 해당 신청에 대한 거부행위를 항고소송으로 다툴 수는 없다.

2024년 경찰간부

① (○) 도시기본계획(현 도시·군기본계획)은 도시의 기본적인 공간구조와 장기발전방향을 제시하는 종합계획으로서 그 계획에는 토지이용계획, 환경계획, 공원녹지계획 등 장래의 도시개발의 일반적인 방향이 제시되지만, 그 계획은 도시계획입안의 지침이 되는 것에 불과하여 '일반 국민'에 대한 직접적인 구속은 없는 것이다(대판 2002.10.11. 2000두8226).
② (○) 후행 도시계획의 결정을 하는 행정청이 선행 도시 계획의 결정·변경 등에 관한 권한을 가지고 있지 아니한 경우에 선행 도시계획과 서로 양립할 수 없는 내용이 포함된 후행 도시계획결정을 하는 것은 아무런 권한 없이 선행 도시계획결정을 폐지하고, 양립할 수 없는 새로운 내용이 포함된 후행 도시계획결정을 하는 것으로서, 선행 도시 계획결정의 폐지 부분은 권한 없는 자에 의하여 행해진 것으로서 무효이고, 같은 대상지역에 대하여 선행 도시계획결정이 적법하게 폐지되지 아니한 상태에서 그 위에 다시 한 후행 도시계획 결정 역시 위법하고, 그 하자는 중대하고도 명백하여 다른 특별한 사정이 없는 한 무효라고 보아야 한다(대판 2000.9.8. 99두11257).
③ (○) 국민적 구속력을 갖는 행정계획은 공권력의 행사로 볼 수 있지만, 구속력을 갖지 않고 사실상의 준비행위나 사전안내 또는 행정기관 내부의 지침에 지나지 않는 행정계획은 원칙적으로 헌법소원의 대상이 되는 공권력의 행사라 할 수 없다. 하지만, 비구속적 행정계획안이나 행정지침이라도 국민의 기본권에 직집적으로 영향을 끼치고, 앞으로 법령의 뒷받침에 의하여 그내로 실시될 것이 틀림없을 것으로 예상될 수 있을 때에는, 공권력행위로서 예외적으로 헌법소원의 대상이 된다(헌재 2012.4.3. 2012헌마164 등).
④ (×) 도시계획구역 내 토지 등을 소유하고 있는 주민으로서는 입안권자에게 도시계획입안을 요구할 수 있는 법규상 또는 조리상의 신청권이 있다고 할 것이고, 이러한 신청에 대한 거부행위는 항고소송의 대상이 되는 행정처분에 해당한다(대판 2004.4.28. 2003두1806).

답 ④

문제 DATA
출제가능 지수 ▶▶▷
난이도 지수 ★★☆

함께 정리하기

행정계획

도시·군기본계획
▷ 일반 국민에 대한 직접적인 구속력 無

권한 없는 행정청에 의한 선행계획과 양립할 수 없는 후행계획
▷ 신행계획 폐지부분 무효, 후행계획 무효

비구속적 행정계획안
▷ 기본권 영향 & 그대로 실시 예상
▷ 헌법소원 대상○

도시·군계획구역 내 토지등을 소유하고 있는 주민
▷ 도시·군계획입안신청권 有 → 거부: 처분성○

문제 DATA

출제가능 지수 ▶▶▷
난이도 지수 ★★☆

011 □□□

다음 중 행정계획에 관한 판례의 내용으로 가장 옳지 않은 것은?

① 어떠한 경우라도 토지의 사적 이용권이 배제된 상태에서 토지소유자로 하여금 10년 이상을 아무런 보상없이 수인하도록 하는 것은 공익 실현의 관점에서도 정당화될 수 없는 과도한 제한으로서 헌법상의 재산권보장에 위배된다고 보아야 한다.
② 비구속적 행정계획안이나 행정지침이라도 국민의 기본권에 직접적으로 영향을 끼치고, 앞으로 법령의 뒷받침에 의하여 그대로 실시될 것이 틀림없을 것으로 예상될 수 있을 때에는 공권력 행위로서 예외적으로 헌법소원의 대상이 될 수 있다.
③ 장기미집행 도시계획시설결정의 실효제도는 도시계획시설부지로 하여금 도시계획시설결정으로 인한 사회적 제약으로부터 벗어나게 하는 것으로서 이와 같은 보호 제도는 헌법상 재산권으로부터 당연히 도출되는 권리이다.
④ 도시계획시설의 지정으로 말미암아 당해 토지의 이용가능성이 배제되거나 또는 토지소유자가 토지를 종래 허용된 용도대로도 사용할 수 없기 때문에 이로 말미암아 현저한 재산적 손실이 발생하는 경우에는, 원칙적으로 사회적 제약의 범위를 넘는 수용적 효과를 인정하여 국가나 지방자치단체는 이에 대한 보상을 해야 한다.

2024년 군무원 7급

① (○) 어떠한 경우라도 토지의 사적 이용권이 배제된 상태에서 토지소유자로 하여금 10년 이상을 아무런 보상 없이 수인하도록 하는 것은 공익실현의 관점에서도 정당화될 수 없는 과도한 제한으로서 헌법상의 재산권보장에 위배된다(헌재 1999.10.21. 97헌바26).
② (○) 비구속적 행정계획안이나 행정지침이라도 국민의 기본권에 직접적으로 영향을 끼치고, 앞으로 법령의 뒷받침에 의하여 그대로 실시될 것이 틀림없을 것으로 예상될 수 있을 때에는, 공권력행위로서 예외적으로 헌법소원의 대상이 된다(헌재 2012.4.3. 2012헌마164 등).
③ (×) 장기미집행 도시계획시설결정의 실효제도는 도시계획시설부지로 하여금 도시계획시설결정으로 인한 사회적 제약으로부터 벗어나게 하는 것으로서 결과적으로 개인의 재산권이 보다 보호되는 측면이 있는 것은 사실이나, 이와 같은 보호는 입법자가 새로운 제도를 마련함에 따라 얻게 되는 법률에 기한 권리일 뿐 헌법상 재산권으로부터 당연히 도출되는 권리는 아니다(헌재 2005.9.29. 2002헌바84 등).
④ (○) 도시계획시설의 지정으로 말미암아 당해 토지의 이용가능성이 배제되거나 또는 토지소유자가 토지를 종래 허용된 용도대로도 사용할 수 없기 때문에 이로 말미암아 현저한 재산적 손실이 발생하는 경우에는, 원칙적으로 사회적 제약의 범위를 넘는 수용적 효과를 인정하여 국가나 지방자치단체는 이에 대한 보상을 해야 한다(헌재 1999.10.21. 97헌바26).

답 ③

함께 정리하기

행정계획

사적 이용권 배제 상태로 10년 이상 보상 없이 수인
▷ 재산권보장에 위배

비구속적 행정계획안·행정지침
▷ 기본권 영향 & 그대로 실시 예상
▷ 헌법소원 대상○

장기미집행 도시계획시설결정 실효제도
▷ 헌법상 재산권으로부터 당연 도출×

도시계획시설지정으로 토지 이용가능성 배제 or 종래 용도대로 사용불가, 현저한 손실
▷ 사회적 제약 한계일탈 → 보상 필요

012

행정계획에 관한 설명 중 옳지 않은 것은? (다툼이 있는 경우 판례에 의함)

① 행정주체가 행정계획을 입안·결정함에 있어서 이익형량의 고려 대상에 마땅히 포함시켜야 할 사항을 누락한 경우 그 행정계획결정은 재량권을 일탈·남용한 것이다.
② 구「도시계획법」상 도시계획구역 내 토지 등을 소유하고 있는 주민으로서는 입안권자에게 도시계획입안을 요구할 수 있는 법규상 또는 조리상 신청권이 있다.
③ 「산업입지 및 개발에 관한 법률」에 따른 산업단지개발계획상 산업단지 안의 토지소유자로서 산업단지개발계획에 적합한 시설을 설치하여 입주하려는 자는 산업단지지정권자에 대하여 산업단지개발계획의 변경을 요청할 수 있는 법규상 또는 조리상 신청권이 없다.
④ 주택재건축정비사업조합이「도시 및 주거환경정비법」에 따라 수립하는 관리처분계획은 구속적 행정계획에 해당한다.
⑤ 구「국토이용관리법」상 장래 일정한 기간 내에 관계 법령이 규정하는 시설 등을 갖추어 일정한 행정처분을 구하는 신청을 할 수 있는 법률상 지위에 있는 자의 국토이용계획변경신청을 거부하는 것이 실질적으로 당해 행정처분 자체를 거부하는 결과가 되는 경우 그 신청인에게 국토이용계획변경을 신청할 권리가 인정된다.

문제 DATA
출제가능 지수 ▶▶▷
난이도 지수 ★★☆

2024년 변호사

① (○) 행정주체가 구체적인 행정계획을 입안·결정할 때에 가지는 비교적 광범위한 형성의 자유는 무제한적인 것이 아니라 행정계획에 관련되는 자들의 이익을 공익과 사익 사이에서는 물론이고 공익 상호간과 사익 상호 간에도 정당하게 비교교량하여야 한다는 제한이 있는 것이므로, 행정주체가 행정계획을 입안·결정하면서 이익형량을 전혀 행하지 않거나 이익형량의 고려 대상에 마땅히 포함시켜야 할 사항을 빠뜨린 경우 또는 이익형량을 하였으나 정당성과 객관성이 결여된 경우에는 행정계획결정은 형량에 하자가 있어 위법하게 된다(대판 2012.1.12. 2010두5806).
② (○) 도시계획구역 내 토지 등을 소유하고 있는 주민으로서는 입안권자에게 도시계획입안을 요구할 수 있는 법규상 또는 조리상의 신청권이 있다고 할 것이고, 이러한 신청에 대한 거부행위는 항고소송의 대상이 되는 행정처분에 해당한다(대판 2004.4.28. 2003두1806).
③ (×) 산업입지에 관한 법령은 산업단지에 적합한 시설을 설치하여 입주하려는 자와 토지 소유자에게 산입단지 지징과 관련한 산업딘지개밀계힉 입인과 괸련한 권힌을 인정하고, 신업단지 지정뿐만 이니리 번경과 관련해서도 이해관계인에 대한 절차적 권리를 보장하는 규정을 두고 있다. 또한 산업단지 안에는 다수의 기반시설 등 도시계획시설 등을 포함하고 있고, 국토의 계획 및 이용에 관한 법률의 해석상 도시계획시설부지 소유자에게는 그에 관한 도시·군관리계획의 변경 등을 요구할 수 있는 법규상 또는 조리상 신청권이 인정된다고 해석되고 있다. 헌법상 재산권 보장의 취지에 비추어 보면 토지의 소유자에게 위와 같은 절차적 권리와 신청권을 인정한 것은 정당하다고 볼 수 있다. 이러한 법리는 이미 산업단지 지정이 이루어진 상황에서 산업단지 안의 토지 소유자로서 종전 산업단지개발계획을 일부 변경하여 산업단지개발계획에 적합한 시설을 설치하여 입주하려는 자가 종전 계획의 변경을 요청하는 경우에도 그대로 적용될 수 있다. 그러므로 산업단지개발계획상 산업단지 안의 토지 소유자로서 산업단지개발계획에 적합한 시설을 설치하여 입주하려는 자는 산업단지지정권자 또는 그로부터 권한을 위임받은 기관에 대하여 산업단지개발계획의 변경을 요청할 수 있는 법규상 또는 조리상 신청권이 있고, 이러한 신청에 대한 거부행위는 항고소송의 대상이 되는 행정처분에 해당한다고 보아야 한다(대판 2017.8.29. 2016두44186).
④ (○) 도시 및 주거환경정비법(이하 '도시정비법'이라고 한다)에 따른 주택재건축정비사업조합(이하 '재건축조합'이라고 한다)은 관할 행정청의 감독 아래 도시정비법상의 주택재건축사업을 시행하는 공법인(도시정비법 제18조)으로서, 그 목적 범위 내에서 법령이 정하는 바에 따라 일정한 행정작용을 행하는 행정주체의 지위를 갖는다. 그리고 재건축조합이 행정주체의 지위에서 도시정비법 제48조에 따라 수립하는 관리처분계획은 정비사업의 시행 결과 조성되는 대지 또는 건축물의 권리귀속에 관한 사항과 조합원의 비용 분담에 관한 사항 등을 정함으로써 조합원의 재산상 권리·의무 등에 구체적이고 직접적인 영향을 미치게 되므로, 이는 구속적 행정계획으로서 재건축조합이 행하는 독립된 행정처분에 해당한다 (대판 2009.9.17. 2007다2428 전합).

함께 정리하기

행정계획

이익형량의 고려 대상에 마땅히 포함시켜야 할 사항 누락
▷ 행정계획결정 위법

도시계획구역 내 토지등을 소유하고 있는 주민
▷ 도시·군계획입안신청권 有

산업단지 안 토지소유자로서 시설 설치하여 입주하려는 자
▷ 산업단지개발계획 변경신청권○

재건축정비사업조합의 관리처분계획
▷ 구속적 행정계획, 인가·고시를 통해 확정되면 독립된 행정처분○

국토이용계획변경신청 거부가 실질적으로 폐기물처리업허가처분을 거부하는 결과
▷ 국토이용계획변경신청권 인정

⑤ (○)

[1] 구 국토이용관리법상 주민이 국토이용계획의 변경에 대하여 신청을 할 수 있다는 규정이 없을 뿐만 아니라, 국토건설종합계획의 효율적인 추진과 국토이용질서를 확립하기 위한 국토이용계획은 장기성, 종합성이 요구되는 행정계획이어서 원칙적으로는 그 계획이 일단 확정된 후에 어떤 사정의 변동이 있다고 하여 그러한 사유만으로는 지역주민이나 일반 이해관계인에게 일일이 그 계획의 변경을 신청할 권리를 인정하여 줄 수는 없을 것이지만, 장래 일정한 기간 내에 관계 법령이 규정하는 시설 등을 갖추어 일정한 행정처분을 구하는 신청을 할 수 있는 법률상 지위에 있는 자의 국토이용계획변경신청을 거부하는 것이 실질적으로 당해 행정처분 자체를 거부하는 결과가 되는 경우에는 예외적으로 그 신청인에게 국토이용계획변경을 신청할 권리가 인정된다고 봄이 상당하므로, 이러한 신청에 대한 거부행위는 항고소송의 대상이 되는 행정처분에 해당한다.

[2] 구 폐기물관리법 제26조, 같은 법 시행규칙 제17조 등에 의하면 폐기물처리사업계획의 적정통보를 받은 자는 장래 일정한 기간 내에 관계 법령이 규정하는 시설 등을 갖추어 폐기물처리업허가신청을 할 수 있는 법률상 지위에 있다고 할 것인바, 피고로부터 폐기물처리사업계획의 적정통보를 받은 원고가 폐기물처리업허가를 받기 위하여는 이 사건 부동산에 대한 용도지역을 '농림지역 또는 준농림지역'에서 '준도시지역(시설용지지구)'으로 변경하는 국토이용계획변경이 선행되어야 하고, 원고의 위 계획변경신청을 피고가 거부한다면 이는 실질적으로 원고에 대한 폐기물처리업허가신청을 불허하는 결과가 되므로, 원고는 위 국토이용계획변경의 입안 및 결정권자인 피고에 대하여 그 계획변경을 신청할 법규상 또는 조리상 권리를 가진다고 할 것이다(대판 2003.9.23. 2001두10936).

답 ③

013

행정계획에 대한 설명으로 옳지 않은 것은?

① 후행 도시계획결정을 하는 행정청이 선행 도시계획의 결정·변경 등에 관한 권한을 가지고 있지 아니한 경우 선행 도시계획과 양립할 수 없는 내용이 포함된 후행 도시계획결정은 다른 특별한 사정이 없는 한 무효이다.
② 「도시 및 주거환경정비법」에 따라 인가·고시된 관리처분계획은 구속적 행정계획으로서 처분성이 인정된다.
③ 도시계획시설의 지정으로 말미암아 당해 토지의 이용가능성이 배제되거나 또는 토지소유자가 토지를 종래 허용된 용도대로도 사용할 수 없기 때문에 이로 인하여 현저한 재산적 손실이 발생하는 경우에는, 원칙적으로 국가나 지방자치단체는 이에 대한 보상을 해야 한다.
④ 도시계획시설결정의 장기미집행으로 인해 재산권이 침해된 경우, 도시계획시설결정의 실효를 주장할 수 있고, 이는 헌법상 재산권으로부터 당연히 직접 도출되는 권리이다.

| 2024년 지방직 9급

① (○) 도시계획의 결정·변경 등에 관한 권한을 가진 행정청은 이미 도시계획이 결정·고시된 지역에 대하여도 다른 내용의 도시계획을 결정·고시할 수 있고, 이 때에 후행 도시계획에 선행 도시계획과 서로 양립할 수 없는 내용이 포함되어 있다면, 특별한 사정이 없는 한 선행 도시계획은 후행 도시계획과 같은 내용으로 변경되는 것이나, 후행 도시계획의 결정을 하는 행정청이 선행 도시계획의 결정·변경 등에 관한 권한을 가지고 있지 아니한 경우에 선행 도시계획과 서로 양립할 수 없는 내용이 포함된 후행 도시계획결정을 하는 것은 아무런 권한 없이 선행 도시계획결정을 폐지하고, 양립할 수 없는 새로운 내용이 포함된 후행 도시계획결정을 하는 것으로서, 선행 도시계획결정의 폐지 부분은 권한 없는 자에 의하여 행해진 것으로서 무효이고, 같은 대상지역에 대하여 선행 도시계획결정이 적법하게 폐지되지 아니한 상태에서 그 위에 다시 한 후행 도시계획결정 역시 위법하고, 그 하자는 중대하고도 명백하여 다른 특별한 사정이 없는 한 무효라고 보아야 한다(대판 2000.9.8. 99두11257).

문제 DATA

출제가능 지수 ▶▶▷
난이도 지수 ★★☆

함께 정리하기

행정계획

권한 없는 행정청에 의한 선행계획과 양립할 수 없는 후행계획
▷ 무효

인가·고시된 관리처분계획
▷ 구속적 행정계획 → 처분○

도시계획시설 지정으로 토지이용가능성 배제 또는 종래용도로 사용 불가
▷ 손실보상 要

장기미집행 도시계획시설결정 실효제도
▷ 헌법상 재산권으로부터 당연 도출×

② (○) 재건축조합이 행정주체의 지위에서 도시정비법 제48조에 따라 수립하는 <u>관리처분계획은</u> 정비사업의 시행 결과 조성되는 대지 또는 건축물의 권리귀속에 관한 사항과 조합원의 비용 분담에 관한 사항 등을 정함으로써 조합원의 재산상 권리·의무 등에 구체적이고 직접적인 영향을 미치게 되므로, 이는 <u>구속적 행정계획으로서 재건축조합이 행하는 독립된 행정처분에 해당한다</u>(대판 2009.9.17. 2007다2428 전합).

③ (○) <u>도시계획시설의 지정으로 말미암아 당해 토지의 이용가능성이 배제되거나 또는 토지소유자가 토지를 종래 허용된 용도대로도 사용할 수 없기 때문에 이로 말미암아 현저한 재산적 손실이 발생하는 경우에는, 원칙적으로 사회적 제약의 범위를 넘는 수용적 효과를 인정하여 국가나 지방자치단체는 이에 대한 보상을 해야 한다.</u> 이 사건 법률조항이 일부 토지소유자에 대하여 재산권의 사회적 기속성으로도 정당화될 수 없는 가혹한 부담을 부과하면서 그 부담을 완화하는 아무런 보상규정을 두지 않는다면, 이 사건 법률조항은 이러한 경우에 한하여 재산권의 내용과 한계를 규정함에 있어서 비례의 원칙에 위반되어 당해 토지소유자의 재산권을 과도하게 침해하는 규정이 된다고 하겠다(헌재 1999.10.21. 97헌바26).

④ (×) 장기미집행 도시계획시설결정의 실효제도는 도시계획시설부지로 하여금 도시계획시설결정으로 인한 사회적 제약으로부터 벗어나게 하는 것으로서 결과적으로 개인의 재산권이 보다 보호되는 측면이 있는 것은 사실이나, 이와 같은 보호는 입법자가 새로운 제도를 마련함에 따라 얻게 되는 법률에 기한 권리일 뿐 헌법상 재산권으로부터 당연히 도출되는 권리는 아니다(헌재 2005.9.29. 2002헌바84).

> 「국토의 계획 및 이용에 관한 법률」 제48조【도시·군계획시설결정의 실효 등】① 도시·군계획시설결정이 고시된 도시·군계획시설에 대하여 그 고시일부터 20년이 지날 때까지 그 시설의 설치에 관한 도시·군계획시설사업이 시행되지 아니하는 경우 그 도시·군계획시설결정은 그 고시일부터 20년이 되는 날의 다음날에 그 효력을 잃는다.

답 ④

014

행정계획에 대한 설명으로 옳지 않은 것은?

① 행정청은 구체적인 행정계획을 입안·결정할 때 비교적 광범위한 형성의 재량을 가진다.
② 행정청이 행정계획을 입안·결정할 때 이익형량을 하였으나 정당성과 객관성이 결여된 경우에는 그 행정계획 결정은 위법하게 될 수 있다.
③ 도시계획의 결정·변경 등에 관한 권한을 가진 행정청은 이미 도시계획이 결정·고시된 지역에 대하여도 다른 내용의 도시계획을 결정·고시할 수 있고, 이때에 후행 도시계획에 선행 도시계획과 서로 양립할 수 없는 내용이 포함되어 있다면, 특별한 사정이 없는 한 선행 도시계획은 후행 도시계획과 같은 내용으로 변경된다.
④ 도시기본계획은 도시의 장기적 개발 방향과 미래상을 제시하는 도시계획 입안의 지침이 되는 장기적·종합적인 개발계획으로서 직접적인 구속력이 있으므로, 도시계획시설결정 대상면적이 도시기본계획에서 예정했던 것보다 증가할 경우 도시기본계획의 범위를 벗어나 위법하다.

| 2024년 국가직 9급

①, ② (○) 행정계획은 특정한 행정목표를 달성하기 위하여 행정에 관한 전문적·기술적 판단을 기초로 관련되는 행정수단을 종합·조정함으로써 장래의 일정한 시점에 일정한 질서를 실현하기 위하여 설정한 활동기준이나 그 설정행위를 말한다. <u>행정청은 구체적인 행정계획을 입안·결정할 때 비교적 광범위한 형성의 재량을 가진다</u>(①). 다만 행정청의 이러한 형성의 재량이 무제한적이라고 할 수는 없고, 행정계획에서는 그에 관련되는 자들의 이익을 공익과 사익 사이에서는 물론이고 공익 사이에서나 사익 사이에서도 정당하게 비교·교량하여야 한다는 제한이 있으므로, 행정청이 행정계획을 입안·결정할 때 이익형량을 전혀 행하지 아니하거나 이익형량의 고려 대상에 마땅히 포함시켜야 할 사항을 누락한 경우 또는 <u>이익형량을 하였으나 정당성과 객관성이 결여된 경우에는 그 행정계획 결정은 이익형량에 하자가 있어</u>

위법하게 될 수 있다(②). 이러한 법리는 산업입지 및 개발에 관한 법률상 산업단지개발계획 변경권자가 산업단지 입주업체 등의 신청에 따라 산업단지개발계획을 변경할 것인지를 결정하는 경우에도 마찬가지로 적용된다(대판 2021.7.29. 2021두33593).

③ (○) 도시계획의 결정·변경 등에 관한 권한을 가진 행정청은 이미 도시계획이 결정·고시된 지역에 대하여도 다른 내용의 도시계획을 결정·고시할 수 있고, 이 때에 후행도시계획에 선행도시계획과 서로 양립할 수 없는 내용이 포함되어 있다면, 특별한 사정이 없는 한 선행도시계획은 후행도시계획과 같은 내용으로 변경되는 것이다(대판 2000.9.8. 99두11257).

④ (×) 도시계획법 제11조 제1항에는, 시장 또는 군수는 그 관할 도시계획구역 안에서 시행할 도시계획을 도시기본계획의 내용에 적합하도록 입안하여야 한다고 규정하고 있으나, 도시기본계획이라는 것은 도시의 장기적 개발방향과 미래상을 제시하는 도시계획 입안의 지침이 되는 장기적·종합적인 개발계획으로서 직접적인 구속력은 없는 것이므로, 도시계획시설결정 대상면적이 도시기본계획에서 예정했던 것보다 증가하였다 하여 그것이 도시기본계획의 범위를 벗어나 위법한 것은 아니다(대판 1998.11.27. 96누13927).

답 ④

015 □□□

행정계획에 대한 설명으로 옳지 않은 것은? (다툼이 있는 경우 판례에 의함)

① 국립대학인 서울대학교의 '94학년도 대학입학 고사 주요요강'은 행정계획이므로 헌법소원의 대상이 되는 공권력행사에 해당되지 않는다.

② 행정주체가 행정계획을 입안·결정하면서 이익형량을 전혀 행하지 않거나 이익형량의 고려대상에 마땅히 포함시켜야 할 사항을 빠뜨린 경우 또는 이익형량을 하였으나 정당성과 객관성이 결여된 경우에는 행정계획결정은 형량에 하자가 있어 위법하게 된다.

③ 개발제한구역지정처분은 그 입안·결정에 관하여 광범위한 형성의 자유를 가지는 계획재량처분이다.

④ 「도시 및 주거환경정비법」에 따른 주택재건축정비사업조합이 행정주체의 지위에서 수립하는 관리처분계획은 구속적 행정계획으로서 주택재건축정비사업조합이 행하는 독립된 행정처분에 해당한다.

> 2023년 군무원 9급

① (×) 국립대학인 서울대학교의 "94학년도 대학입학고사 주요 요강"은 사실상의 준비행위 내지 사전안내로서 행정쟁송의 대상이 될 수 있는 행정처분이나 공권력의 행사는 될 수 없지만 그 내용이 국민의 기본권에 직접 영향을 끼치는 내용이고 앞으로 법령의 뒷받침에 의하여 그대로 실시될 것이 틀림없을 것으로 예상되어 그로 인하여 직접적으로 기본권 침해를 받게 되는 사람에게는 사실상의 규범작용으로 인한 위험성이 이미 현실적으로 발생하였다고 보아야 할 것이므로 이는 헌법소원의 대상이 되는 헌법재판소법 제68조 제1항 소정의 공권력의 행사에 해당된다(헌재 1992.10.1. 92헌마68).

② (○) 행정주체는 구체적인 행정계획을 입안·결정함에 있어서 비교적 광범위한 형성의 자유를 가지는 것이지만, 행정주체가 가지는 이와 같은 형성의 자유는 무제한적인 것이 아니라 그 행정계획에 관련되는 자들의 이익을 공익과 사익 사이에서는 물론이고 공익 상호간과 사익 상호간에도 정당하게 비교교량하여야 한다는 제한이 있으므로, 행정주체가 행정계획을 입안·결정함에 있어서 이익형량을 전혀 행하지 아니하거나 이익형량의 고려 대상에 마땅히 포함시켜야 할 사항을 누락한 경우 또는 이익형량을 하였으나 정당성과 객관성이 결여된 경우에는 그 행정계획결정은 형량에 하자가 있어 위법하게 된다(대판 2007.4.12. 2005두1893).

> **유제** 22. 군무원 9급 행정주체가 가지는 이와 같은 형성의 자유는 무제한적인 것이 아니라 그 행정계획에 관련되는 자들의 이익을 공익과 사익 사이에서는 물론이고 공익 상호간과 사익 상호간에도 정당하게 비교교량하여야 한다는 제한이 있다. (○)

문제 DATA
출제가능 지수 ▶▶▷
난이도 지수 ★★☆

함께 정리하기
행정계획
국립대학입학고사요강
▷ 행정쟁송 불가
▷ 헌법소원 가

행정계획을 입안·결정하면서 형량해태, 형량흠결, 오형량
▷ 형량하자로 위법

개발제한구역지정처분
▷ 재량처분

관리처분계획
▷ 조합이 행한 독립된 행정처분○

22. 소방간부 행정주체가 행정계획을 입안·결정함에 있어서 이익형량을 전혀 행하지 아니하거나 이익형량의 고려 대상에 마땅히 포함시켜야 할 사항을 누락한 경우 또는 이익형량을 하였으나 정당성과 객관성이 결여된 경우, 그 행정계획결정은 형량에 하자가 있어 위법하게 된다. (○)
21. 지방직 7급 행정주체가 행정계획을 입안·결정함에 있어서 이익형량을 하였으나 정당성과 객관성이 결여된 경우 그 행정계획결정은 위법하다. (○)
21. 군무원 9급 행정주체가 행정계획을 입안·결정함에 있어서 이익형량의 고려 대상에 마땅히 포함시켜야 할 사항을 누락한 경우 이익형량을 전혀 행하지 아니하는 등의 사정이 없는 한 그 행정계획 결정은 형량에 하자가 있다고 보기 어렵다. (×)
20. 서울시 7급 행정주체가 행정계획을 입안·결정할 때 이익형량을 하였으나 정당성과 객관성이 결여된 경우 이익형량에 하자가 있는 것은 아니므로 이를 이유로 행정계획이 위법하게 될 수는 없다. (×)

③ (○) 개발제한구역지정처분은 건설부장관이 법령의 범위 내에서 도시의 무질서한 확산 방지 등을 목적으로 도시정책상의 전문적·기술적 판단에 기초하여 행하는 일종의 행정계획으로서 그 입안·결정에 관하여 광범위한 형성의 자유를 가지는 계획재량처분이므로, 그 지정에 관련된 공익과 사익을 전혀 비교교량하지 아니하였거나 비교교량을 하였더라도 그 정당성과 객관성이 결여되어 비례의 원칙에 위반되었다고 볼 만한 사정이 없는 이상, 재량권을 일탈·남용한 위법한 것이라고 할 수 없다(대판 1997.6.24. 96누1313).

유제 16. 사복직 개발제한구역지정처분은 그 입안·결정에 관하여 광범위한 형성의 자유를 가지는 계획재량처분이다. (○)
10. 국가직 7급 판례에 의하면 개발제한구역 지정처분은 계획재량처분이다. (○)

④ (○) 도시재개발법에 의한 재개발조합은 조합원에 대한 법률관계에서 적어도 특수한 존립목적을 부여받은 특수한 행정주체로서 그 관리처분계획은 토지 등의 소유자에게 구체적이고 결정적인 영향을 미치는 것으로서 조합이 행한 처분에 해당하므로 항고소송의 방법으로 그 무효확인이나 취소를 구할 수 있다(대판 2002.12.10. 2001두6333).

유제 19. 서울시 7급「도시재개발법」에 의한 재개발조합의 관리처분계획은 토지 등의 소유자에게 구체적이고 결정적인 영향을 미치는 것으로서 조합이 행한 처분에 해당한다. (○)
16. 국회직 8급 재건축조합이 행하는 관리처분계획은 일종의 행정처분으로서 이를 다투고자 하면 재건축조합을 피고로 하여 항고소송으로 이를 다투어야 한다. (○)
15. 국회직 8급 재개발조합이 조합원에게 한 관리처분계획에 대한 다툼은 공법상의 당사자소송을 제기하여 그 위법성을 다툴 수 있다. (×)
12. 지방직 9급「도시재개발법」상의 관리처분계획은 처분성이 없다. (×)

답 ①

016 □□□

행정계획에 대한 설명으로 옳지 않은 것은? (다툼이 있는 경우 판례에 의함)

① 구 도시계획법령에 따르면 도시계획의 입안에 있어 해당 도시계획안의 내용을 공고 및 공람하여야 하는데, 이러한 공고 및 공람 절차에 하자가 있으면 도시계획결정은 위법하다.

② 국토해양부, 환경부, 문화체육관광부, 농림수산식품부가 합동으로 2009.6.8. 발표한 '4대강 살리기 마스터플랜'은 행정기관 내부에서 사업의 기본방향을 제시하는 것일 뿐, 국민의 권리의무에 직접 영향을 미치는 것은 아니라고 할 것이어서 행정처분에 해당하지 아니한다.

③ 재건축정비사업조합의 사업시행계획은 행정주체의 지위에서 수립한 구속적 행정계획으로서 인가·고시를 통해 확정되면 독립된 행정처분에 해당한다.

④ 구「환경정책기본법」제25조의2에 따라 사전환경성검토를 거쳐야 하는 행정계획이나 개발사업에 대하여 사전환경성검토를 거친 경우, 그 부실의 정도가 사전환경성검토 제도를 둔 입법 취지를 달성할 수 없을 정도가 아니더라도 그 부실로 인하여 행정계획은 위법하게 된다.

● 문제 DATA
출제가능 지수 ▶▶▷
난이도 지수 ★★☆

함께 정리하기

행정계획

공고·공람 절차에 하자 있는 도시계획결정
▷ 위법(취소사유)

4대강 살리기 마스터플랜
▷ 처분성 ×

재건축정비사업조합의 사업시행계획
▷ 구속적 행정계획, 인가·고시를 통해 확정되면 독립된 행정처분 ○

사전환경성검토를 거쳤으나 부실
▷ 행정계획 위법 ×

2023년 소방직

① (○) 도시계획(현 도시관리계획)의 입안에 있어 해당 도시계획안의 내용을 공고 및 공람하게 한 것은 다수 이해관계자의 이익을 합리적으로 조정하여 국민의 권리자유에 대한 부당한 침해를 방지하고 행정의 민주화와 신뢰를 확보하기 위하여 국민의 의사를 그 과정에 반영시키는데 있는 것이므로, 이러한 공고 및 공람 절차에 하자가 있는 도시계획결정은 위법하다(대판 2000.3.23. 98두2768).

유제 23. 소방간부 도시계획의 입안에 있어 공고 및 공람 절차에 하자가 있는 도시계획결정은 위법하다. (○)
21. 군무원 7급, 17. 교행 구「도시계획법」상 도시계획안의 공고 및 공람절차에 하자가 있는 행정청의 도시계획결정은 위법하다. (○)
18. 교행 도시계획의 입안에 있어 해당 도시계획안 내용의 공고 및 공람 절차에 하자가 있는 도시계획결정은 위법하다. (○)
11. 지방직 7급 판례에 의하면 도시계획안의 공고 및 공람절차에 하자가 있는 도시계획(현 도시관리계획)결정은 내용에 하자가 있는 것이 아니라 단지 절차의 하자에 불과하므로 위법하지 않다. (×)

② (○) 국토해양부, 환경부, 문화체육관광부, 농림수산부, 식품부가 합동으로 2009.6.8. 발표한 '4대강 살리기 마스터플랜' 등은 4대강 정비사업과 주변 지역의 관련 사업을 체계적으로 추진하기 위하여 수립한 종합계획이자 '4대강 살리기 사업'의 기본방향을 제시하는 계획으로서, 행정기관 내부에서 사업의 기본방향을 제시하는 것일 뿐, 국민의 권리의무에 직접 영향을 미치는 것이 아니어서 행정처분에 해당하지 않는다(대결 2011.4.21. 2010무111 전합).

유제 22. 국가직 7급 '4대강 살리기 마스터플랜'은 4대강 정비사업 지역 인근에 거주하는 주민의 권리의무에 직접 영향을 미치는 것이어서 행정처분에 해당한다. (×)
20. 서울시 7급 정부가 발표한 4대강 살리기 마스터플랜은 국민의 권리의무에 직접 영향을 미치지 않는 행정계획으로 행정처분에 해당하지 않는다. (○)
19. 소방간부 대법원은 '4대강 살리기 마스터플랜'에 대한 취소소송과 집행정지사건에서 처분성을 긍정하면서도 집행정지에 관해서는 요건미비를 이유로 인정하지 않았다. (×)
17. 교행 '4대강 살리기 마스터플랜'은 행정처분에 해당한다. (×)

③ (○) 구 도시 및 주거환경정비법에 기초하여 도시환경정비사업조합이 수립한 사업시행계획은 그것이 인가·고시를 통해 확정되면 이해관계인에 대한 구속적 행정계획으로서 독립된 행정처분에 해당하므로, 사업시행계획을 인가하는 행정청의 행위는 도시환경정비사업조합의 사업시행계획에 대한 법률상의 효력을 완성시키는 보충행위에 해당한다(대판 2010.12.9. 2010두1248).

④ (×) 구 환경정책기본법(2008.3.28. 법률 제9037호로 개정되기 전의 것, 이하 '구 환경정책기본법'이라 한다) 제25조 내지 제27조, 구 환경정책기본법 시행령(2008.8.26. 대통령령 제20975호로 개정되기 전의 것) 제7조 내지 제11조의 각 규정을 종합하여 보면, 구 환경정책기본법 제25조의2에 따라 사전환경성검토를 거쳐야 하는 행정계획이나 개발사업에 대하여 사전환경성검토를 거치지 아니하였는데도 행정계획을 수립하거나 개발사업에 대하여 허가 또는 승인 등을 하였다면 그 처분은 위법하다 할 것이나, 그러한 절차를 거쳤다면, 비록 그 사전환경성검토의 내용이 다소 부실하다 하더라도 그 부실의 정도가 사전환경성검토 제도를 둔 입법 취지를 달성할 수 없을 정도이어서 사전환경성검토를 하지 아니한 것과 다를 바 없는 정도의 것이 아닌 이상, 그 부실은 당해 처분에 재량권 일탈·남용의 위법이 있는지 여부를 판단하는 하나의 요소로 됨에 그칠 뿐, 그 부실로 인하여 당연히 당해 처분이 위법하게 되는 것은 아니라고 할 것이다(대판 2014.7.24. 2012두4616).

답 ④

017

행정계획에 대한 설명으로 옳지 않은 것은? (다툼이 있는 경우 판례에 의함)

① 도시기본계획에 대한 항고소송을 제기할 수 없지만 환지계획에 대해서는 항고소송으로 다툴 수 있다.
② 도시계획의 입안에 있어 공고 및 공람 절차에 하자가 있는 도시계획결정은 위법하다.
③ 국토이용계획변경신청을 거부하는 것이 실질적으로 해당 행정처분 자체를 거부하는 결과가 되는 경우에는 항고소송의 대상이 되는 행정처분에 해당한다.
④ 도시계획구역 내 토지 등을 소유하고 있는 주민에게 도시계획 입안을 요구할 수 있는 법규상 또는 조리상의 신청권이 있는 경우 그 신청에 대한 거부행위는 항고소송의 대상이 된다.
⑤ 행정주체가 행정계획을 입안·결정함에 있어서 이익형량을 전혀 행하지 아니하거나 이익형량의 고려 대상에 마땅히 포함시켜야 할 사항을 누락한 경우 또는 이익형량을 하였으나 정당성과 객관성이 결여된 경우에 그 행정계획결정은 형량에 하자가 있어 위법하다.

문제 DATA
출제가능 지수 ▶▶▷
난이도 지수 ★★☆

함께 정리하기
행정계획

도시기본계획, 환지계획
▷ 처분성×

공고·공람 절차에 하자 있는 도시계획결정
▷ 위법(취소사유)

국토이용계획변경신청을 거부하는 것이 실질적으로 해당 행정처분 자체를 거부하는 결과가 되는 경우
▷ 항고소송 대상○

도시계획시설결정에 이해관계가 있는 주민
▷ 도시계획 입안을 요구할 수 있는 신청권 有 → 거부행위는 항고소송 대상○

행정계획을 입안·결정하면서 형량해태, 형량흠결, 오형량
▷ 형량하자로 위법

2023년 소방간부

① (×) 도시기본계획이라는 것은 도시의 장기적 개발방향과 미래상을 제시하는 도시계획 입안의 지침이 되는 장기적·종합적인 개발계획으로서 직접적인 구속력은 없는 것이므로, 도시계획시설결정 대상면적이 도시기본계획에서 예정했던 것보다 증가하였다 하여 그것이 도시기본계획의 범위를 벗어나 위법한 것은 아니다(대판 1998.11.27. 96누13927).

> 환지예정지 지정이나 환지처분은 그에 의하여 직접 토지소유자 등의 권리의무가 변동되므로 이를 항고소송의 대상이 되는 처분이라고 볼 수 있으나, 환지계획은 위와 같은 환지예정지 지정이나 환지처분의 근거가 될 뿐 그 자체가 직접 토지소유자 등의 법률상의 지위를 변동시키거나 또는 환지예정지 지정이나 환지처분과는 다른 고유한 법률효과를 수반하는 것이 아니어서 이를 항고소송의 대상이 되는 처분에 해당한다고 할 수가 없다(대판 1999.8.20. 97누6889).

유제 18. 경찰 3차 구 「토지구획정리사업법」상 환지계획은 환지예정지지정이나 환지처분의 근거가 되어 직접 토지소유자 등의 법률상의 지위를 변동시키므로 항고소송의 대상이 된다. (×)
16. 서울시 9급 행정계획은 항고소송의 대상이 될 수 없다. (○)
16. 국회직 8급, 12. 국가직 7급 환지계획은 환지예정지 지정이나 환지처분의 근거가 될 뿐, 고유한 법률효과를 수반하는 것이 아니어서 항고소송의 대상이 되는 처분에 해당한다고 할 수가 없다. (○)
18. 5급 승진 환지계획은 환지예정지 지정이나 환지처분의 근거가 될 뿐 고유한 법률효과를 수반하는 것이 아니어서 처분이 아니므로 항고소송의 대상이 될 수 없다. (○)
14. 국가직 7급, 11. 지방직 7급 환지계획은 그 자체가 직접 토지소유자 등의 법률상 지위를 변동시키므로 항고소송의 대상이 되는 처분에 해당한다. (×)

② (○) 대판 2000.3.23 98두2768

③ (○) 국토이용계획은 장기성, 종합성이 요구되는 행정계획이어서 원칙적으로는 그 계획이 일단 확정된 후에 어떤 사정의 변동이 있다고 하여 그러한 사유만으로는 지역주민이나 일반 이해관계인에게 일일이 그 계획의 변경을 신청할 권리를 인정하여 줄 수는 없을 것이지만, 장래 일정한 기간 내에 관계 법령이 규정하는 시설 등을 갖추어 일정한 행정처분을 구하는 신청을 할 수 있는 법률상 지위에 있는 자의 국토이용계획변경신청을 거부하는 것이 실질적으로 당해 행정처분 자체를 거부하는 결과가 되는 경우에는 예외적으로 그 신청인에게 국토이용계획변경을 신청할 권리가 인정된다고 봄이 상당하므로, 이러한 신청에 대한 거부행위는 항고소송의 대상이 되는 행정처분에 해당한다(대판 2003.9.23. 2001두10936).

유제 21. 국가직 9급 장래 일정한 기간 내에 관계 법령이 규정하는 시설 등을 갖추어 일정한 행정처분을 구하는 신청을 할 수 있는 법률상 지위에 있는 자의 국토이용계획변경신청을 거부하는 것이 실질적으로 당해 행정처분 자체를 거부하는 결과가 되는 경우라도, 구 「국토이용관리법」상 주민이 국토이용계획의 변경에 대하여 신청을 할 수 있다는 규정이 없으므로 그 신청인에게 국토이용계획변경을 신청할 권리가 인정된다고 볼 수 없다. (×)

21. **군무원 7급** 국토이용계획변경신청을 거부하였을 경우 실질적으로 폐기물처리업허가신청과 같은 처분을 불허하는 결과가 되는 경우 국토이용계획변경의 입안 및 결정권자인 행정청에 계획변경을 신청할 법규상 또는 조리상 권리를 가진다. (O)

20. **국가직 9급, 16. 변호사, 15. 지방직 7급** 장래 일정한 기간 내에 관계 법령이 규정하는 시설 등을 갖추어 일정한 행정처분을 구하는 신청을 할 수 있는 법률상 지위에 있는 자의 국토이용계획변경신청을 거부하는 것이 실질적으로 당해 행정처분 자체를 거부하는 결과가 되는 경우에는 예외적으로 그 신청인에게 국토이용계획변경을 신청할 권리가 인정된다. (O)

17. **국회직 8급** 장래 일정한 기간 내에 관계법령이 규정하는 시설 등을 갖추어 일정한 행정처분을 구하는 신청을 할 수 있는 법률상 지위에 있는 자의 국토이용계획변경신청을 거부하는 것이 실질적으로 당해 행정처분 자체를 거부하는 결과가 되는 경우에는 그 신청인에게 국토이용계획을 신청할 권리가 인정된다고 보아야 하므로, 이러한 신청에 대한 거부행위는 행정처분에 해당한다. (O)

15. **사복직** 대법원에 의하면, 장래 일정한 기간 내에 관계 법령이 규정하는 시설 등을 갖추어 일정한 행정처분을 구하는 신청을 할 수 있는 법률상 지위에 있는 자에게도 구「국토이용관리법」상의 국토이용계획의 변경을 신청할 권리는 인정되지 않는다. (×)

④ (O) 도시계획구역 내 토지 등을 소유하고 있는 사람과 같이 당해 <u>도시계획시설결정에 이해관계가 있는 주민으로서는 도시시설계획의 입안권자 내지 결정권자에게 도시시설계획의 입안 내지 변경을 요구할 수 있는 법규상 또는 조리상의 신청권이 있고, 이러한 신청에 대한 거부행위는 항고소송의 대상이 되는 행정처분에 해당한다</u>(대판 2015.3.26. 2014두42742).

유제 20. **지방직 9급** 도시계획구역 내 토지 등을 소유하고 있는 사람과 같이 당해 도시계획시설결정에 이해관계가 있는 주민은 도시시설계획의 입안권자 내지 결정권자에게 도시시설계획의 입안 내지 변경을 요구할 수 있는 법규상 또는 조리상의 신청권이 있다. (O)

19. **서울시 9급** 도시계획시설결정에 이해관계가 있는 주민으로서는 도시시설계획의 입안권자 내지 결정권자에게 도시 시설계획의 입안 내지 변경을 요구할 수 있는 법규상 또는 조리상의 신청권이 있고, 이러한 신청에 대한 거부행위는 항고소송의 대상이 되는 행정처분에 해당한다. (O)

19. **경찰 2차** 도시계획시설결정에 이해관계가 있는 주민이더라도 도시시설계획의 입안권자에게 도시시설계획의 입안을 요구할 수 있는 법규상 또는 조리상의 신청권을 갖지 않는다. (×)

18. **경찰 2차** 도시계획구역 내 토지 등을 소유하고 있는 주민은 입안권자에게 도시계획입안을 요구할 수 있는 법규상 또는 조리상의 신청권이 없다. (×)

17. **국가직 9급**「국토의 계획 및 이용에 관한 법률」상 도시·군계획시설결정에 이해관계가 있는 주민에 의한 도시·군 계획시설결정 변경신청에 대해 관할 행정청이 거부한 경우, 그 거부행위는 항고소송의 대상이 되는 행정처분에 해당한다. (O)

⑤ (O) 대판 2007.4.12. 2005두1893

답 ①

018

행정계획에 대한 설명으로 옳지 않은 것은? (다툼이 있는 경우 판례에 의함)

① '4대강 살리기 마스터플랜'은 4대강 정비사업 지역 인근에 거주하는 주민의 권리의무에 직접 영향을 미치는 것이어서 행정처분에 해당한다.

② 구 도시계획법령상 도시계획안의 내용에 대한 공고 및 공람 절차에 하자가 있는 도시계획결정은 위법하다.

③ 행정주체는 구체적인 행정계획을 입안·결정함에 있어서 비교적 광범위한 형성의 자유를 가진다.

④ 행정주체가 행정계획을 입안·결정함에 있어서 이익형량의 고려 대상에 마땅히 포함시켜야 할 사항을 누락한 경우 그 행정계획결정은 재량권을 일탈·남용한 것으로서 위법하다.

2022년 국가직 7급

① (×) 국토해양부, 환경부, 문화체육관광부, 농림수산부, 식품부가 합동으로 2009.6.8. 발표한 '4대강 살리기 마스터플랜' 등은 4대강 정비사업과 주변 지역의 관련 사업을 체계적으로 추진하기 위하여 수립한 종합계획이자 '4대강 살리기 사업'의 기본방향을 제시하는 계획으로서, 행정기관 내부에서 사업의 기본방향을 제시하는 것일 뿐, 국민의 권리의무에 직접 영향을 미치는 것이 아니어서 행정처분에 해당하지 않는다(대결 2011.4.21. 2010무111 전합).

유제 20. 서울시 7급 정부가 발표한 4대강 살리기 마스터플랜은 국민의 권리의무에 직접 영향을 미치지 않는 행정계획으로 행정처분에 해당하지 않는다. (O)
19. 소방간부 대법원은 '4대강 살리기 마스터플랜'에 대한 취소소송과 집행정지사건에서 처분성을 긍정하면서도 집행정지에 관해서는 요건미비를 이유로 인정하지 않았다. (×)
17. 교행 '4대강 살리기 마스터플랜'은 행정처분에 해당한다. (×)

② (O) 대판 2000.3.23. 98두2768

③ (O) 행정계획이라 함은 행정에 관한 전문적·기술적 판단을 기초로 하여 도시의 건설·정비·개량 등과 같은 특정한 행정목표를 달성하기 위하여 서로 관련되는 행정수단을 종합·조정함으로써 장래의 일정한 시점에 있어서 일정한 질서를 실현하기 위한 활동기준으로 설정된 것으로서, 도시계획법 등 관계 법령에는 추상적인 행정목표와 절차만이 규정되어 있을 뿐 행정계획의 내용에 대하여는 별다른 규정을 두고 있지 아니하므로 행정주체는 구체적인 행정계획을 입안·결정함에 있어서 비교적 광범위한 형성의 자유를 가진다(대판 1996.11.29. 96누8567).

유제 22. 소방직 행정청은 구체적인 행정계획의 입안·결정에 관하여 광범위한 형성의 재량을 가진다. (O)
22. 군무원 7급 관계 법령에는 추상적인 행정목표와 절차만이 규정되어 있을 뿐 행정계획의 내용에 관하여는 별다른 규정을 두고 있지 아니하므로 행정주체는 구체적인 행정계획을 입안·결정함에 있어서 비교적 광범위한 형성의 자유를 가진다. (O)
20. 서울시 7급 관계 법령에 행정계획의 내용에 관한 별도의 규정이 없는 경우, 행정주체는 행정계획의 입안·결정에 있어서 광범위한 형성의 자유를 갖는다. (O)
17. 교행 행정주체가 행정계획을 결정할 때 광범위한 형성의 자유가 인정되지 않는다. (×)

④ (O) 행정주체가 행정계획을 수립하면서 이익형량을 전혀 하지 아니하였거나 이익형량의 고려 대상에 포함시켜야 할 중요한 사항을 누락한 경우 또는 이익형량을 하기는 하였으나 그것이 비례의 원칙에 어긋나게 된 경우에는 그 행정계획은 재량권을 일탈·남용한 위법한 처분이다(대판 1997.9.26. 96누10096 ; 대판 1996.11.29. 96누8567).

답 ①

함께 정리하기

행정계획

4대강 살리기 마스터플랜
▷ 처분성×

공고·공람 절차에 하자 있는 도시계획결정
▷ 위법(취소사유)

계획재량
▷ 행정계획 입안·결정함에 있어서 광범위한 형성의 자유

행정계획 입안·결정시 이익형량 고려대상 누락(형량흠결)
▷ 재량권 일탈·남용

019

행정작용에 대한 설명으로 옳은 것은? (다툼이 있는 경우 판례에 의함)

① 구체적인 계획을 입안함에 있어 지침이 되거나 특정 사업의 기본방향을 제시하는 내용의 행정계획은 항고소송의 대상인 행정처분에 해당하지 않는다.
② 공법상 계약이 법령 위반 등의 내용상 하자가 있는 경우에도 그 하자가 중대·명백한 것이 아니면 취소할 수 있는 하자에 불과하고 이에 대한 다툼은 당사자소송에 의하여야 한다.
③ 지도, 권고, 조언 등의 행정지도는 법령의 근거를 요하고 항고소송의 대상이 된다.
④ 「국가를 당사자로 하는 계약에 관한 법률」에 따라 국가가 당사자가 되는 이른바 공공계약에 관한 법적 분쟁은 원칙적으로 행정법원의 관할 사항이다.

문제 DATA

출제가능 지수 ▶▶▷
난이도 지수 ★★☆

함께 정리하기

행정작용

지침이 되거나 기본방향 제시 행정계획
▷ 행정처분 ✕

하자 있는 공법상 계약
▷ 무효, 당사자소송 대상

행정지도
▷ 법령의 근거 不要, 항고소송 대상 ✕

공공계약에 대한 분쟁
▷ 민사소송 대상

문제 DATA

출제가능 지수 ▶▶▷
난이도 지수 ★★☆

2022년 국가직 9급

① (○) 구체적인 계획을 입안함에 있어 지침이 되거나 특정 사업의 기본방향을 제시하는 내용의 행정계획은 행정기관이나 국민을 구속하지 않으므로 항고소송의 대상인 행정처분에 해당하지 않는다.

> 국토해양부, 환경부, 문화체육관광부, 농림수산부, 식품부가 합동으로 2009.6.8. 발표한 '4대강 살리기 마스터플랜' 등은 4대강 정비사업과 주변 지역의 관련 사업을 체계적으로 추진하기 위하여 수립한 종합계획이자 '4대강 살리기 사업'의 기본방향을 제시하는 계획으로서, 행정기관 내부에서 사업의 기본방향을 제시하는 것일 뿐, 국민의 권리의무에 직접 영향을 미치는 것이 아니어서 행정처분에 해당하지 않는다 (대결 2011.4.21. 2010무111 전합).

② (✕) 공법상 계약은 행정행위가 아니어서 공정력이 인정되지 아니하므로 공법상 계약에 하자가 있는 경우 원칙적으로 무효가 된다. 공법상 계약에 대한 다툼은 당사자소송에 의한다.

③ (✕) 행정지도는 상대방의 임의적 협력을 전제로 하는 비권력적 사실행위로, 작용법적 근거가 없더라도 가능하고, 그 자체로서는 처분성을 인정할 수 없으므로 항고소송의 대상이 될 수 없다.

④ (✕) 공공계약에 관한 법적 분쟁은 민사소송으로 해결한다.

> 국가를 당사자로 하는 계약에 관한 법률에 따라 국가가 당사자가 되는 이른바 공공계약은 사경제 주체로서 상대방과 대등한 위치에서 체결하는 사법상 계약으로서 본질적인 내용은 사인 간의 계약과 다를 바 없으므로, 그에 관한 법령에 특별한 정함이 있는 경우를 제외하고는 사적 자치와 계약자유의 원칙 등 사법의 원리가 그대로 적용된다(대판 2020.5.14. 2018다298409).

답 ①

020 □□□

행정계획에 대한 판례의 입장으로 옳지 않은 것은?

① 이미 고시된 실시계획에 포함된 상세계획은 대외적 구속력이 있는 행정계획으로서 이에 따라 관리되는 토지 위의 건물의 용도를 상세계획 승인권자의 변경승인 없이 임의로 변경하여 신청한 영업신고를 수리하지 않고 영업소를 폐쇄한 처분은 적법하다.

② 비구속적 행정계획안이라도 국민의 기본권에 직접적으로 영향을 끼치고, 앞으로 법령의 뒷받침에 의하여 그대로 실시될 것이 틀림없을 것으로 예상될 수 있을 때에는 공권력행사로서 헌법소원의 대상이 될 수 있다.

③ 도시계획시설의 지정으로 말미암아 당해 토지의 이용가능성이 배제되거나 또는 토지소유자가 토지를 종래 허용된 용도로도 사용할 수 없기 때문에 이로 말미암아 현저한 재산적 손실이 발생하는 경우라 하더라도, 이는 사회적 제약의 범위를 넘지 않는 것으로 국가나 지방자치단체는 이에 대한 보상을 해야 하는 것은 아니다.

④ 행정주체가 행정계획을 입안·결정함에 있어서 이익형량을 전혀 행하지 아니하거나 이익형량의 고려 대상에 마땅히 포함시켜야 할 사항을 누락한 경우 또는 이익형량을 하였으나 정당성과 객관성이 결여된 경우, 그 행정계획결정은 형량에 하자가 있어 위법하게 된다.

⑤ 장래 일정한 기간 내에 관계 법령이 규정하는 시설 등을 갖추어 일정한 행정처분을 구하는 신청을 할 수 있는 법률상 지위에 있는 자의 국토이용계획변경신청을 거부하는 것이 실질적으로 당해 행정처분 자체를 거부하는 결과가 되는 경우에는 예외적으로 그 신청인에게 국토이용계획변경을 신청할 권리가 인정된다.

2022년 소방간부

① (○) 이미 고시된 실시계획에 포함된 상세계획으로 관리되는 토지 위의 건물의 용도를 상세계획 승인권자의 변경승인 없이 임의로 판매시설에서 상세계획에 반하는 일반목욕장으로 변경한 사안에서, 그 영업신고를 수리하지 않고 영업소를 폐쇄한 처분은 적법하다(대판 2008.3.27. 2006두3742).

유제 22. 군무원 9급 이미 고시된 실시계획에 포함된 상세계획으로 관리되는 토지 위의 건물의 용도를 상세계획 승인권자의 변경승인 없이 임의로 판매시설에서 상세계획에 반하는 일반목욕장으로 변경한 사안에서, 그 영업신고를 수리하지 않고 영업소를 폐쇄한 처분은 적법하다고 한 판례가 있다. (○)
17. 지방직 9급(추) 이미 고시된 실시계획에 포함된 상세계획으로 관리되는 토지 위의 건물의 용도를 상세계획 승인권자의 변경승인 없이 임의로 판매시설에서 상세계획에 반하는 일반목욕장으로 변경한 사안에서, 그 영업신고를 수리하지 않고 영업소를 폐쇄한 처분은 적법하다. (×)
16. 사복직 이미 고시된 실시계획에 포함된 상세계획으로 관리되는 토지 위의 건물의 용도를 상세계획 승인권자의 변경승인 없이 임의로 판매시설에서 상세계획에 반하는 일반 목욕장으로 변경신고한 경우에 그 영업신고를 수리하지 않고 영업소를 폐쇄한 처분은 적법하다. (○)

② (○) 1999.7.22. 발표한 개발제한구역제도개선방안은 건설교통부장관이 개발제한구역의 해제 내지 조정을 위한 일반적인 기준을 제시하고, 개발제한구역의 운용에 대한 국가의 기본방침을 천명하는 정책계획안으로서 비구속적 행정계획안에 불과하므로 공권력행위가 될 수 없으며, 이 사건 개선방안을 발표한 행위도 대내외적 효력이 없는 단순한 사실행위에 불과하므로 공권력의 행사라고 할 수 없다. 그러나 비구속적 행정계획안이나 행정지침이라도 국민의 기본권에 직접적으로 영향을 끼치고, 앞으로 법령의 뒷받침에 의하여 그대로 실시될 것이 틀림없을 것으로 예상될 수 있을 때에는, 공권력행위로서 예외적으로 헌법소원의 대상이 될 수 있다(헌재 2000.6.1. 99헌마538 등).

유제 21. 국가직 9급, 17. 국가직 9급(추), 16. 지방직 9급 구속력이 없는 행정계획안이나 행정지침이라도 국민의 기본권에 직접적으로 영향을 끼치고, 법령의 뒷받침에 의하여 그대로 실시될 것이 틀림없을 것으로 예상되는 때에는 예외적으로 헌법소원의 대상이 된다. (○)
21. 국회직 9급 비구속적 행정계획안이나 행정지침이라도 국민의 기본권에 직접적으로 영향을 끼치면 예외적으로 헌법소원의 대상이 될 수 있다. (○)
21. 군무원 7급 행정기관 내부지침에 그치는 행정계획이 국민의 기본권에 직접 영향을 끼치고 법령의 뒷받침에 의하여 그대로 실시될 것이 틀림없을 것으로 예상되는 때에는 예외적으로 헌법소원의 대상이 된다. (○)
18. 서울시 7급(추), 15. 사복직 국민의 기본권에 직접적으로 영향을 끼치고 법령의 뒷받침에 의해 실시될 것이라고 예상할 수 있다 하더라도 비구속적 행정계획안의 경우 헌법소원의 대상이 될 수 없다. (×)
18. 국가직 7급, 13. 국회직 8급 비구속적 행정계획안이나 행정지침이라도 국민의 기본권에 직접적으로 영향을 끼치고, 앞으로 법령의 뒷받침에 의하여 그대로 실시될 것이 틀림없을 것으로 예상될 수 있을 때에는, 공권력행위로서 헌법소원의 대상이 될 수 있다. (○)
13. 지방직 9급 비구속적인 행정계획은 헌법소원의 대상이 될 수 없다. (×)

③ (×) 도시계획시설의 지정으로 말미암아 당해 토지의 이용가능성이 배제되거나 또는 토지소유자가 토지를 종래 허용된 용도대로도 사용할 수 없기 때문에 이로 말미암아 현저한 재산적 손실이 발생하는 경우에는, 원칙적으로 사회적 제약의 범위를 넘는 수용적 효과를 인정하여 국가나 지방자치단체는 이에 대한 보상을 해야 한다(헌재 1999.10.21. 97헌바26).

④ (○) 대판 2007.4.12. 2005두1893

⑤ (○) 국토이용계획은 장기성, 종합성이 요구되는 행정계획이어서 원칙적으로는 그 계획이 일단 확정된 후에 어떤 사정의 변동이 있다고 하여 그러한 사유만으로는 지역주민이나 일반 이해관계인에게 일일이 그 계획의 변경을 신청할 권리를 인정하여 줄 수는 없을 것이지만, 장래 일정한 기간 내에 관계 법령이 규정하는 시설 등을 갖추어 일정한 행정처분을 구하는 신청을 할 수 있는 법률상 지위에 있는 자의 국토이용계획변경신청을 거부하는 것이 실질적으로 당해 행정처분 자체를 거부하는 결과가 되는 경우에는 예외적으로 그 신청인에게 국토이용계획변경을 신청할 권리가 인정된다고 봄이 상당하므로, 이러한 신청에 대한 거부행위는 항고소송의 대상이 되는 행정처분에 해당한다(대판 2003.9.23. 2001두10936).

답 ③

함께 정리하기

행정계획

상세계획 승인권자의 승인 없이 계획에 반하는 변경신고의 불수리
▷ 적법

비구속적 행정계획안
▷ 기본권 영향 & 그대로 실시 예상
▷ 헌법소원 대상 ○

도시계획시설 지정으로 토지이용가능성 배제 또는 종래용도로 사용 불가
▷ 손실보상 要

형량하자
▷ 형량해태, 형량흠결, 오형량

국토이용계획변경신청 거부가 실질적으로 해당 행정처분 자체를 거부하는 결과가 되는 경우
▷ 국토이용계획변경신청권 인정

021

행정계획에 대한 설명으로 옳지 않은 것은? (다툼이 있는 경우 판례에 의함)

① 구「도시계획법」상 도시기본계획은 도시의 기본적인 공간구조와 장기발전방향을 제시하는 종합계획으로서 도시계획입안의 지침이 되므로 일반 국민에 대한 직접적인 구속력은 없다.

② 장래 일정한 기간 내에 관계 법령이 규정하는 시설 등을 갖추어 일정한 행정처분을 구하는 신청을 할 수 있는 법률상 지위에 있는 자의 국토이용계획변경신청을 거부하는 것이 실질적으로 당해 행정처분 자체를 거부하는 결과가 되는 경우라도, 구「국토이용관리법」상 주민이 국토이용계획의 변경에 대하여 신청을 할 수 있다는 규정이 없으므로 그 신청인에게 국토이용계획변경을 신청할 권리가 인정된다고 볼 수 없다.

③ 구속력 없는 행정계획안이나 행정지침이라도 국민의 기본권에 직접적으로 영향을 끼치고 법령의 뒷받침에 의하여 그대로 실시될 것이 틀림없을 것으로 예상되는 때에는 예외적으로 헌법소원의 대상이 된다.

④ 도시계획의 결정·변경 등에 대한 권한행정청은 이미 도시계획이 결정·고시된 지역에 대하여도 다른 내용의 도시계획을 결정·고시할 수 있고, 이 때에 후행도시계획에 선행도시계획과 양립할 수 없는 내용이 포함되어 있다면 특별한 사정이 없는 한 선행도시계획은 후행도시계획과 같은 내용으로 변경된다.

2021년 국가직 9급

① (○) 도시기본계획은 도시의 기본적인 공간구조와 장기발전방향을 제시하는 종합계획으로서 그 계획에는 토지이용계획, 환경계획, 공원녹지계획 등 장래의 도시개발의 일반적인 방향이 제시되지만, 그 계획은 도시계획입안의 지침이 되는 것에 불과하여 '일반 국민'에 대한 직접적인 구속력은 없는 것이다(대판 2002.10.11. 2000두8226).

유제 20. 서울시 7급 구「도시계획법」상 도시기본계획은 도시계획입안의 지침이 되는 것에 불과하여 일반 국민에 대한 직접적인 구속력은 없다. (○)
19. 서울시 7급 도시계획법령상 도시기본계획은 도시의 장기적 개발 방향과 미래상을 제시하는 도시계획 입안의 지침이 되는 장기적·종합적인 개발계획으로서 행정청뿐만 아니라 대외적으로도 구속력을 갖는다. (×)
18. 교행, 13. 지방직 9급 도시기본계획은 일반 국민에 대하여 직접적인 구속력은 없다. (○)
17. 지방직 9급 위법한 도시기본계획에 대하여 제기되는 취소소송은 법원에 의하여 허용되지 아니한다. (○)
16. 경찰 3차 도시기본계획은 도시의 기본적인 공간구조와 장기발전방향을 제시하는 종합계획으로서 그 계획에는 토지이용계획, 환경계획, 공원녹지계획 등 장래의 도시개발의 일반적인 방향이 제시되지만, 그 계획은 도시계획입안의 지침이 되는 것에 불과하여 일반 국민에 대한 직접적인 구속력은 없는 것이다. (○)

② (×) 국토이용계획은 장기성, 종합성이 요구되는 행정계획이어서 원칙적으로는 그 계획이 일단 확정된 후에 어떤 사정의 변동이 있다고 하여 그러한 사유만으로는 지역주민이나 일반 이해관계인에게 일일이 그 계획의 변경을 신청할 권리를 인정하여 줄 수는 없을 것이지만, 장래 일정한 기간 내에 관계 법령이 규정하는 시설 등을 갖추어 일정한 행정처분을 구하는 신청을 할 수 있는 법률상 지위에 있는 자의 국토이용계획변경신청을 거부하는 것이 실질적으로 당해 행정처분 자체를 거부하는 결과가 되는 경우에는 예외적으로 그 신청인에게 국토이용계획변경을 신청할 권리가 인정된다고 봄이 상당하므로, 이러한 신청에 대한 거부행위는 항고소송의 대상이 되는 행정처분에 해당한다(대판 2003.9.23. 2001두10936).

③ (○) 헌재 2000.6.1. 99헌마538 등

④ (○) 도시계획의 결정·변경 등에 관한 권한을 가진 행정청은 이미 도시계획이 결정·고시된 지역에 대하여도 다른 내용의 도시계획을 결정·고시할 수 있고, 이때에 후행도시계획에 선행도시계획과 서로 양립할 수 없는 내용이 포함되어 있다면, 특별한 사정이 없는 한 선행도시계획은 후행도시계획과 같은 내용으로 변경되는 것이다(대판 2000.9.8. 99두11257).

유제 16. 지방직 7급 도시계획의 결정·변경 등에 관한 권한을 가진 행정청이 이미 도시계획이 결정·고시된 지역에 대하여 행한 다른 내용의 도시계획의 결정·고시는 무효이다. (×)
09. 지방직 9급 판례에 의하면 후행도시계획에 선행도시계획과 서로 양립할 수 없는 내용이 포함되어 있다면, 특별한 사정이 없는 한 선행도시계획은 후행도시계획과 같은 내용으로 적법하게 변경되었다고 볼 수 있다. (○)

답 ②

문제 DATA
출제가능 지수 ▶▶∑
난이도 지수 ★★☆

함께 정리하기

행정계획

도시기본계획
▷ 일반 국민에 대한 직접적인 구속력 無

국토이용계획변경신청 거부가 실질적으로 해당 행정처분 자체를 거부하는 결과가 되는 경우
▷ 국토이용계획변경신청권 인정

비구속적 행정계획안·행정지침
▷ 기본권 영향 & 그대로 실시 예상
▷ 헌법소원 대상 ○

권한 있는 행정청이 고시한 후행도시계획에 선행도시계획과 양립할 수 없는 내용 포함
▷ 선행도시계획은 후행도시계획과 같은 내용으로 변경됨

022

행정계획에 대한 설명으로 옳지 않은 것은? (다툼이 있는 경우 판례에 의함)

① 도시관리계획결정·고시와 그 도면에 특정 토지가 도시관리계획에 포함되지 않았음이 명백한데도 도시관리계획을 집행하기 위한 후속 계획이나 처분에서 그 토지가 도시관리계획에 포함된 것처럼 표시되어 있는 경우, 이는 원칙적으로 취소사유에 해당한다.
② 구「도시계획법」상 행정청이 정당하게 도시계획결정의 처분을 하였다고 하더라도 이를 관보에 게재하여 고시하지 아니한 이상 대외적으로는 아무런 효력이 발생하지 않는다.
③ 행정주체가 행정계획을 입안·결정함에 있어서 이익형량을 하였으나 정당성과 객관성이 결여된 경우 그 행정계획결정은 위법하다.
④ 산업단지개발계획상 산업단지 안의 토지 소유자로서 산업단지개발계획에 적합한 시설을 설치하여 입주하려는 자는 산업단지지정권자 또는 그로부터 권한을 위임받은 기관에 대하여 산업단지개발 계획의 변경을 요청할 수 있는 법규상 또는 조리상 신청권이 있다.

2021년 지방직 7급

① (×) 도시관리계획결정·고시와 그 도면에 특정 토지가 도시관리계획에 포함되지 않았음이 명백한데도 도시관리계획을 집행하기 위한 후속 계획이나 처분에서 그 토지가 도시관리계획에 포함된 것처럼 표시되어 있는 경우가 있다. 이것은 실질적으로 도시관리계획결정을 변경하는 것에 해당하여 구 국토의 계획 및 이용에 관한 법률 제30조 제5항에서 정한 도시관리계획 변경절차를 거치지 않는 한 당연무효이다(대판 2019.7.11. 2018두47783).

② (○) 구 도시계획법 제7조가 도시계획결정등 처분의 고시를 도시계획구역, 도시계획결정등의 효력발생 요건으로 규정하였다고 볼 것이어서 건설부장관 또는 그의 권한의 일부를 위임받은 서울특별시장, 도지사 등 지방장관이 기안, 결재 등의 과정을 거쳐 정당하게 도시계획결정 등의 처분을 하였다고 하더라도 이를 관보에 게재하여 고시하지 아니한 이상 대외적으로는 아무런 효력도 발생하지 아니한다(대판 1985.12.10. 85누186).

유제 14. 국가직 7급 구「도시계획법」상 행정청이 기안·결재 등의 과정을 거쳐 도시계획(현 도시관리계획)결정 등의 처분을 하였다고 하더라도 이를 관보에 게재하여 고시하지 아니한 이상 대외적으로는 아무런 효력도 발생하지 아니한다. (○)
12. 지방직 9급 권한있는 행정청이 정당하게 도시계획결정 등의 처분을 하였다면 이를 관보에 게재하여 고시하지 아니하였다 하더라도 대외적으로 효력을 발행한다. (×)
12. 국회직 9급 적법한 절차를 거쳐 도시계획결정 등의 처분을 하였다고 하더라도 이를 관보에 게재하여 고시하지 아니한 이상 대외적으로는 아무런 효력도 발생하지 아니한다. (○)

③ (○) 대판 2007.4.12. 2005두1893
④ (○) 산업입지에 관한 법령은 산업단지에 적합한 시설을 설치하여 입주하려는 자와 토지소유자에게 산업단지 지정과 관련한 산업단지개발계획 입안과 관련한 권한을 인정하고, 산업단지 지정뿐만 아니라 변경과 관련해서도 이해관계인에 대한 절차적 권리를 보장하는 규정을 두고 있다. … 헌법상 재산권 보장의 취지에 비추어 보면 토지의 소유자에게 위와 같은 절차적 권리와 신청권을 인정한 것은 정당하다고 볼 수 있다. 이러한 법리는 이미 산업단지 지정이 이루어진 상황에서 산업단지 안의 토지소유자로서 종전 산업단지개발계획을 일부 변경하여 산업단지개발계획에 적합한 시설을 설치하여 입주하려는 자가 종전 계획의 변경을 요청하는 경우에도 그대로 적용될 수 있다. 그러므로 산업단지개발계획상 산업단지 안의 토지 소유자로서 산업단지개발계획에 적합한 시설을 설치하여 입주하려는 자는 산업단지지정권자 또는 그로부터 권한을 위임받은 기관에 대하여 산업단지개발계획의 변경을 요청할 수 있는 법규상 또는 조리상 신청권이 있고, 이러한 신청에 대한 거부행위는 항고소송의 대상이 되는 행정처분에 해당한다고 보아야 한다(대판 2017.8.29. 2016두44186).

유제 20. 국회직 9급 산업단지개발계획상 산업단지 안의 토지소유자로서 산업단지개발계획에 적합한 시설을 설치하여 입주하려는 자가 산업단지개발계획의 변경을 요청하는 경우에 행정계획변경신청권이 인정되지 아니한다. (×)

답 ①

문제 DATA

출제가능 지수 ▶▶▷
난이도 지수 ★★☆

함께 정리하기

행정계획

도시관리계획에 포함되지 않았음이 명백한 토지를 후속계획이나 처분에서 포함된 것처럼 표시
▷ 무효

고시하지 않은 도시계획결정
▷ 대외적 효력×

이익형량을 하였으나 정당성과 객관성이 결여
▷ 행정계획결정 위법

산업단지 안 토지소유자로서 시설 설치하여 입주하려는 자
▷ 산업단지개발계획 변경신청권○

문제 DATA

출제가능 지수 ▶▶▷
난이도 지수 ★★★

023 ☐☐☐

「국토의 계획 및 이용에 대한 법률」에 대한 설명으로 옳은 것만을 <보기>에서 모두 고르면? (다툼이 있는 경우 판례에 의함)

<보기>
ㄱ. 도시계획시설결정의 대상면적이 도시기본계획에서 예정했던 것보다 증가하였다 하여 그 도시계획시설결정이 위법한 것은 아니다.
ㄴ. 지구단위계획구역의 지정 및 변경과 지구단위계획의 수립 및 변경에 관한 사항에 대해서는 주민이 입안을 제안할 수 있으므로, 이 경우에 도시계획구역 내 토지 등을 소유하고 있는 주민은 입안권자에게 입안을 요구할 수 있는 법규상 또는 조리상의 신청권이 있다.
ㄷ. 지구단위계획을 수립하면서 그 권장용도를 판매·위락·숙박시설로 결정하여 고시한 행위를 당해 지구 내에서는 공익과 무관하게 언제든지 숙박시설에 대한 건축허가를 받을 수 있을 것이라는 공적 견해를 표명한 것이라고 평가할 수는 없다.
ㄹ. 행정주체가 행정계획을 입안·결정하는 데에는 비록 광범위한 계획재량을 갖고 있지만 비례의 원칙에 어긋나게 된 경우에는 재량권을 일탈·남용한 위법한 처분이 된다.
ㅁ. 도시·군계획시설 부지 소유자의 매수 청구에 대한 관할 행정청의 매수 거부 결정은 항고소송의 대상인 처분에 해당한다.

① ㄱ, ㄷ, ㅁ
② ㄴ, ㄹ, ㅁ
③ ㄱ, ㄴ, ㄷ, ㄹ
④ ㄴ, ㄷ, ㄹ, ㅁ
⑤ ㄱ, ㄴ, ㄷ, ㄹ, ㅁ

함께 정리하기

국토계획법

도시계획시설결정의 대상면적이 도시기본계획에서 예정했던 것보다 증가
▷ 위법 ✕

도시계획구역 내 토지 등 소유주민
▷ 도시관리계획입안요구 신청권 有

지구단위계획 수립시 권장용도를 숙박시설로 결정고시
▷ 숙박시설건축허가의 공적 견해표명 ✕

비례원칙에 어긋난 이익형량에 의한 행정계획
▷ 재량권 일탈·남용으로 위법

도시·군계획시설 부지 소유자의 매수청구에 대한 행정청의 매수거부결정
▷ 항고소송의 대상 O

2021년 국회직 8급

ㄱ. (○) 도시기본계획이라는 것은 도시의 장기적 개발방향과 미래상을 제시하는 도시계획 입안의 지침이 되는 장기적·종합적인 개발계획으로서 직접적인 구속력은 없는 것이므로, 도시계획시설결정 대상면적이 도시기본계획에서 예정했던 것보다 증가하였다 하여 그것이 도시기본계획의 범위를 벗어나 위법한 것은 아니다(대판 1998.11.27. 96누13927).

ㄴ. (○) 도시계획구역 내 토지 등을 소유하고 있는 주민으로서는 입안권자에게 도시계획입안을 요구할 수 있는 법규상 또는 조리상의 신청권이 있다고 할 것이고, 이러한 신청에 대한 거부행위는 항고소송의 대상이 되는 행정처분에 해당한다(대판 2004.4.28. 2003두1806).

유제 19. 서울시 9급 도시계획시설결정에 이해관계가 있는 주민으로서는 도시시설계획의 입안권자 내지 결정권자에게 도시 시설계획의 입안 내지 변경을 요구할 수 있는 법규상 또는 조리상의 신청권이 있고, 이러한 신청에 대한 거부행위는 항고소송의 대상이 되는 행정처분에 해당한다. (○)
19. 경찰 2차 도시계획시설결정에 이해관계가 있는 주민이더라도 도시시설계획의 입안권자에게 도시시설계획의 입안을 요구할 수 있는 법규상 또는 조리상의 신청권을 갖지 않는다. (✕)
18. 경찰 2차, 16. 지방직 9급 도시계획구역 내 토지 등을 소유하고 있는 주민은 입안권자에게 도시계획입안을 요구할 수 있는 법규상 또는 조리상의 신청권이 없다. (✕)
17. 서울시 7급 도시계획구역 내 토지 등을 소유하고 있는 주민에게는 입안권자에게 도시계획입안을 요구할 수 있는 법규상 또는 조리상 신청권이 인정되며, 신청에 대한 거부행위는 항고소송의 대상이 된다. (○)
16. 지방직 9급, 15. 서울시 7급, 14. 지방직 7급 판례에 의하면 도시관리계획구역 내 토지 등을 소유하고 있는 주민으로서는 입안권자에게 도시관리계획 입안을 요구할 수 있는 법규상 또는 조리상의 신청권이 있다고 할 것이고, 이러한 신청에 대한 거부행위는 항고소송의 대상이 되는 행정처분에 해당한다. (○)

ㄷ. (○) 행정청이 지구단위계획을 수립하면서 그 권장용도를 판매·위락·숙박시설로 결정하여 고시한 행위를 당해 지구 내에서는 공익과 무관하게 언제든지 숙박시설에 대한 건축허가가 가능하리라는 공적 견해를 표명한 것이라고 평가할 수는 없다(대판 2005.11.25. 2004두6822).

ㄹ. (○) 행정주체가 택지개발 예정지구 지정처분과 같은 행정계획을 입안·결정하는 데에는 비록 광범위한 계획재량을 갖고 있지만 행정계획에 관련된 자들의 이익을 공익과 사익 사이에서는 물론, 공익 상호간과 사익 상호간에도 정당하게 비교·교량하여야 하고 그 비교·교량은 비례의 원칙에 적합하도록 하여야 하는 것이므로, 만약 이익형량을 전혀 하지 아니하였거나 이익형량의 고려대상에 포함시켜야 할 중요한 사항을 누락한 경우 또는 이익형량을 하기는 하였으나 그것이 비례의 원칙에 어긋나게 된 경우에는 그 행정계획은 재량권을 일탈·남용한 위법한 처분이다(대판 1997.9.26. 96누10096).

ㄹ. (○) 「국토의 계획 및 이용에 관한 법률」은 장기미집행 도시계획시설사업 부지 내 토지소유자의 매수청구권을 규정하고 있다. 판례도 토지소유자의 매수청구에 대한 관할 행정청의 매수거부 결정이 거부처분임을 전제로 본안판단을 한 바 있다(대판 2007.12.28. 2006두4738).

> 「국토의 계획 및 이용에 관한 법률」 제47조【도시·군계획시설 부지의 매수 청구】① 도시·군계획시설에 대한 도시·군관리계획의 결정(이하 "도시·군계획시설결정"이라 한다)의 고시일부터 10년 이내에 그 도시·군계획시설의 설치에 관한 도시·군계획시설사업이 시행되지 아니하는 경우(제88조에 따른 실시계획의 인가나 그에 상당하는 절차가 진행된 경우는 제외한다. 이하 같다) 그 도시·군계획시설의 부지로 되어 있는 토지 중 지목(地目)이 대(垈)인 토지(그 토지에 있는 건축물 및 정착물을 포함한다. 이하 이 조에서 같다)의 소유자는 대통령령으로 정하는 바에 따라 특별시장·광역시장·특별자치시장·특별자치도지사·시장 또는 군수에게 그 토지의 매수를 청구할 수 있다. 다만, 다음 각 호의 어느 하나에 해당하는 경우에는 그에 해당하는 자(특별시장·광역시장·특별자치시장·특별자치도지사·시장 또는 군수를 포함한다. 이하 이 조에서 "매수의무자"라 한다)에게 그 토지의 매수를 청구할 수 있다.

답 ⑤

024 □□□

행정계획에 대한 설명으로 옳지 않은 것은? (다툼이 있는 경우 판례에 의함)

① 「도시 및 주거환경정비법」상 토지 등 소유자들이 조합을 따로 설립하지 않고 직접 시행하는 도시환경정비사업에서 토지 등 소유자들이 사업시행인가를 받기 전에 작성한 사업시행계획은 항고소송의 대상이 되는 독립된 행정처분에 해당한다.
② 「행정절차법」에서는 행정계획의 수립·확정에 관한 일반적 규정을 두고 있지 않다.
③ 행정주체는 구체적 행정계획을 입안·결정함에 있어서 그 계획에 관련된 사람들의 이익을 공익과 사익 간은 물론이고 공익 상호간과 사익 상호간에도 비교교량하여야 한다.
④ 행정계획의 폐지·변경으로 손해가 발생한 국민에게는 국가배상청구권이 인정될 수 있다.
⑤ 비구속적 행정계획안이나 행정지침이라도 국민의 기본권에 직접적으로 영향을 끼치면 예외적으로 헌법소원의 대상이 될 수 있다.

2021년 국회직 9급

① (✕) 도시환경정비사업을 직접 시행하려는 토지 등 소유자들은 시장·군수로부터 사업시행인가를 받기 전에는 행정주체로서의 지위를 가지지 못한다. 따라서 그가 작성한 사업시행계획은 인가처분의 요건 중 하나에 불과하고 항고소송의 대상이 되는 독립된 행정처분에 해당하지 아니한다고 할 것이다(대판 2013.6.13. 2011두19994).
② (○) 2022.7.12 시행된 개정 「행정절차법」은 행정계획에 관한 규정을 신설하기는 하였지만 행정계획의 수립·확정에 관한 일반적인 규정을 둔 것은 아니다.

> 「행정절차법」 제40조의4【행정계획】행정청은 행정청이 수립하는 계획 중 국민의 권리·의무에 직접 영향을 미치는 계획을 수립하거나 변경·폐지할 때에는 관련된 여러 이익을 정당하게 형량하여야 한다.

③ (○) 대판 2007.4.12. 2005두1893
④ (○) 위법한 행정계획의 폐지나 변경으로 인하여 손해가 발생한 경우에는 「국가배상법」에 근거하여 국가배상청구가 가능하다.
⑤ (○) 헌재 2000.6.1. 99헌마538 등

답 ①

문제 DATA

출제가능 지수 ▶▶▷
난이도 지수 ★★☆

함께 정리하기

계획재량

재량행위와 계획재량 구별부정설
▷ 질적차이 부정 형량명령은 특유한 하자 이론✕
▷ 비례원칙을 계획재량에 적용한 것에 불과

계획재량의 통제법리
▷ 형량명령(모든 이익 정당하게 형량)

행정계획 입안·결정시 형량해태 or 형량 흠결 or 오형량
▷ 형량하자로 계획 위법

025 ☐☐☐

계획재량에 대한 설명으로 옳지 않은 것은? (다툼이 있는 경우 판례에 의함)

① 통상적인 재량행위와 계획재량은 양적인 점에서 차이가 있을 뿐 질적인 점에서는 차이가 없다는 견해는 형량명령이 계획재량에 특유한 하자 이론이라기보다는 비례의 원칙을 계획재량에 적용한 것이라고 한다.
② 행정주체는 그 행정계획에 관련되는 자들의 이익을 공익과 사익 사이에서는 물론이고 공익 상호간과 사익 상호간에도 정당하게 비교교량하여야 한다는 제한을 받는다.
③ 행정주체가 행정계획을 입안·결정함에 있어서 이익형량의 고려 대상에 마땅히 포함시켜야 할 사항을 누락한 경우 이익형량을 전혀 행하지 아니하는 등의 사정이 없는 한 그 행정계획 결정은 형량에 하자가 있다고 보기 어렵다.
④ 행정계획과 관련하여 이익형량을 하였으나 정당성과 객관성이 결여된 경우에는 그 행정계획결정은 형량에 하자가 있어 위법하게 된다.

▌2021년 군무원 9급

① (○) 통상적인 재량행위와 계획재량의 질적인 차이를 부정하는 견해는 형량명령을 비례원칙의 계획재량에 있어서의 적용이론이라고 주장한다.
②, ④ (○), ③ (✕) 대판 2007.4.12. 2005두1893

답 ③

문제 DATA

출제가능 지수 ▶▶▷
난이도 지수 ★★☆

함께 정리하기

행정계획

계획재량의 한계
▷ 주민의 입안제안·변경신청을 받아들여 결정할 때도 동일하게 적용

사업시행계획
▷ 인가·고시로 확정되면 구속적 행정계획으로서 독립된 행정처분

국토이용계획변경신청 거부가 실질적으로 해당 행정처분 자체를 거부하는 결과가 되는 경우
▷ 국토이용계획변경신청권 인정

장기미집행 도시계획시설결정 실효제도
▷ 헌법상 재산권으로부터 당연히 도출✕

026 ☐☐☐

행정계획에 대한 설명으로 옳지 않은 것은? (다툼이 있는 경우 판례에 의함)

① 행정주체가 구체적인 행정계획을 입안·결정할 때 가지는 형성의 자유의 한계에 관한 법리는 주민의 입안 제안 또는 변경신청을 받아들여 도시관리계획결정을 하거나 도시계획시설을 변경할 것인지를 결정할 때에도 동일하게 적용된다.
② 「도시 및 주거환경정비법」에 기초하여 주택재건축정비사업조합이 수립한 사업시행계획은 인가·고시를 통해 확정되어도 이해관계인에 대한 직접적인 구속력이 없는 행정계획으로서 독립된 행정처분에 해당하지 아니한다.
③ 장래 일정한 기간 내에 관계 법령이 규정하는 시설 등을 갖추어 일정한 행정처분을 구하는 신청을 할 수 있는 법률상 지위에 있는 자의 국토이용계획변경신청을 거부하는 것이 실질적으로 당해 행정처분 자체를 거부하는 결과가 되는 경우에는 예외적으로 그 신청인에게 국토이용계획변경을 신청할 권리가 인정된다.
④ 장기미집행 도시계획시설결정의 실효제도에 의해 개인의 재산권이 보호되는 것은 입법자가 새로운 제도를 마련함에 따라 얻게 되는 법률에 기한 권리일 뿐 헌법상 재산권으로부터 당연히 도출되는 권리는 아니다.

▌2020년 국가직 9급

① (○) 행정주체가 구체적인 행정계획을 입안·결정할 때에 가지는 비교적 광범위한 형성의 자유는 무제한적인 것이 아니라 행정계획에 관련되는 자들의 이익을 공익과 사익 사이에서는 물론이고 공익 상호간과 사익 상호간에도 정당하게 비교교량하여야 한다는 제한이 있는 것이므로, 행정주체가 행정계획을 입안·결정하면서 이익형량을 전혀 행하지 않거나 이익형량의 고려 대상에 마땅히 포함시켜야 할 사항을 빠뜨린 경우 또는 이익형량을 하였으나 정당성과 객관성이 결여된 경우에는 행정계획결정은 형량에 하자가

있어 위법하게 된다. 이러한 법리는 행정주체가 주민의 도시관리계획 입안 제안을 받아들여 도시관리계획결정을 할 것인지를 결정할 때에도 마찬가지이고, 나아가 도시계획시설구역 내 토지 등을 소유하고 있는 주민이 장기간 집행되지 아니한 도시계획시설의 결정권자에게 도시계획시설의 변경을 신청하고, 결정권자가 이러한 신청을 받아들여 도시계획시설을 변경할 것인지를 결정하는 경우에도 동일하게 적용된다고 보아야 한다(대판 2012.1.12. 2010두5806).

> **유제** 18. 교행 도시관리계획변경신청에 따른 도시관리계획시설변경결정에는 형량명령이 적용되지 않는다. (×)
> 14. 국가직 9급 행정주체가 구체적인 행정계획을 입안·결정할 때 가지는 형성의 자유의 한계에 관한 법리는 주민의 도시관리계획의 입안 제안 또는 변경신청을 받아들여 도시관리계획결정을 하거나 도시계획시설을 변경할 것인지를 결정할 때에도 동일하게 적용되는 것은 아니다. (×)

② (×) 구 도시 및 주거환경정비법에 따른 주택재건축정비사업조합은 관할 행정청의 감독 아래 위 법상 주택재건축사업을 시행하는 공법인으로서, 그 목적 범위 내에서 법령이 정하는 바에 따라 일정한 행정작용을 행하는 행정주체의 지위를 가진다 할 것인데, 재건축정비사업조합이 이러한 행정주체의 지위에서 위 법에 기초하여 수립한 사업시행계획은 인가·고시를 통해 확정되면 이해관계인에 대한 구속적 행정계획으로서 독립된 행정처분에 해당한다(대결 2009.11.2. 2009마596).

> **유제** 18. 교행 주택재건축정비사업조합의 사업시행계획은 항고소송의 대상이 된다. (○)
> 12. 국가직 9급 재건축정비사업조합이 행정주체의 지위에서 수립한 사업시행계획은 인가·고시를 통해 확정되면 이해관계인에 대한 구속적 행정계획으로서 독립된 행정처분에 해당한다. (○)

③ (○) 대판 2003.9.23. 2001두10936

④ (○) 장기미집행 도시계획시설결정의 실효제도는 도시계획시설부지로 하여금 도시계획시설결정으로 인한 사회적 제약으로부터 벗어나게 하는 것으로서 결과적으로 개인의 재산권이 보다 보호되는 측면이 있는 것은 사실이나, 이와 같은 보호는 입법자가 새로운 제도를 마련함에 따라 얻게 되는 법률에 기한 권리일 뿐 헌법상 재산권으로부터 당연히 도출되는 권리는 아니다(헌재 2005.9.29. 2002헌바84·89·2003헌마678·943).

> **유제** 12. 국회직 9급 장기미집행 도시계획시설결정의 실효제도는 헌법상 재산권으로부터 당연히 도출되는 권리이다. (×)
> 08. 국회직 8급 장기미집행 도시계획시설결정의 실효는 헌법상 재산권으로부터 당연히 도출되는 것은 아니며, 법률의 근거가 필요하다. (○)

답 ②

027 □□□

행정계획에 대한 설명으로 옳지 않은 것은? (다툼이 있는 경우 판례에 의함)

① 도시계획구역 내 토지 등을 소유하고 있는 사람과 같이 당해 도시계획시설결정에 이해관계가 있는 주민은 도시시설계획의 입안권자 내지 결정권자에게 도시시설계획의 입안 내지 변경을 요구할 수 있는 법규상 또는 조리상의 신청권이 있다.

② 구 「국토이용관리법」상의 국토이용계획은 그 계획이 일단 확정된 후에 어떤 사정의 변동이 있다고 하여 지역주민이나 일반 이해관계인에게 일일이 그 계획의 변경을 신청할 권리를 인정하여 줄 수 없다.

③ 장래 일정한 기간 내에 관계 법령이 규정하는 시설 등을 갖추어 일정한 행정처분을 구하는 신청을 할 수 있는 법률상 지위에 있는 자의 국토이용계획변경신청을 거부하는 것이 실질적으로 당해 행정처분 자체를 거부하는 결과가 되는 경우에는 항고소송의 대상이 되는 처분에 해당한다.

④ 문화재보호구역 내의 토지소유자가 문화재보호구역의 지정해제를 신청하는 경우에는 그 신청인에게 법규상 또는 조리상 행정계획 변경을 신청할 권리가 인정되지 않는다.

문제 DATA

출제가능 지수 ▶▶▷
난이도 지수 ★★☆

함께 정리하기

행정계획

도시계획시설결정에 이해관계가 있는 주민
▷ 도시계획 입안을 요구할 수 있는 신청권 有

확정된 행정계획
▷ 원칙적으로 변경신청권 인정×

국토이용계획변경신청 거부가 실질적으로 해당 행정처분 자체를 거부하는 결과가 되는 경우
▷ 국토이용계획변경신청권 有

문화재보호구역 내 토지소유자
▷ 보호구역지정 해제 신청권 有

2020년 지방직 9급

① (○) 도시계획구역 내 토지 등을 소유하고 있는 사람과 같이 당해 <u>도시계획시설결정에 이해관계가 있는 주민</u>으로서는 도시시설계획의 입안권자 내지 결정권자에게 도시시설계획의 입안 내지 변경을 요구할 수 있는 법규상 또는 조리상의 신청권이 있고, 이러한 신청에 대한 거부행위는 항고소송의 대상이 되는 행정처분에 해당한다(대판 2015.3.26. 2014두42742).

② (○) 구 국토이용관리법상 주민이 국토이용계획의 변경에 대하여 신청을 할 수 있다는 규정이 없을 뿐만 아니라, 국토건설종합계획의 효율적인 추진과 국토이용질서를 확립하기 위한 국토이용계획은 장기성, 종합성이 요구되는 행정계획이어서 원칙적으로는 그 계획이 일단 확정된 후에 어떤 사정의 변동이 있다고 하여 그러한 사유만으로는 지역주민이나 일반 이해관계인에게 일일이 그 계획의 변경을 신청할 권리를 인정하여 줄 수는 없다(대판 2003.9.23. 2001두10936).

유제 15. 행정사 국토이용계획은 계획의 확정 후에 어떤 사정의 변동이 있다고 하여 지역주민이나 일반 이해관계인에게 일일이 그 계획의 변경을 신청할 권리를 인정하여 줄 수 없음이 원칙이다. (○)
14. 국가직 9급 구「국토이용관리법」상 국토이용계획이 확정된 후 일정한 사정의 변동이 있다면 지역주민에게 일반적으로 계획의 변경 또는 폐지를 청구할 권리가 있다. (×)

③ (○) 대판 2003.9.23. 2001두10936

④ (×) <u>문화재보호구역 내에 있는 토지소유자 등으로서는 위 보호구역의 지정해제를 요구할 수 있는 법규상 또는 조리상의 신청권이 있다고 할 것이고</u>, 이러한 신청에 대한 거부행위는 항고소송의 대상이 되는 행정처분에 해당한다(대판 2004.4.27. 2003두8821).

유제 19. 소방간부 문화재보호구역 내에 있는 토지소유자 등에게는 문화재보호구역의 지정해제를 요구할 수 있는 법규상 또는 조리상의 신청권을 인정할 수 있다. (○)
16. 경찰 2차, 15. 경찰 3차 문화재보호구역 내에 있는 토지소유자 등으로서는 위 보호구역의 지정해제를 요구할 수 있는 법규상 또는 조리상의 신청권이 없다. (×)
16. 사복직 문화재보호구역 내에 있는 토지의 소유자는 그 보호구역의 지정해제를 요구할 수 있는 법규상 또는 조리상의 신청권이 있다고 보기 어려우므로 이에 대한 거부행위는 항고소송의 대상이 되는 행정처분으로 보기 어렵다. (×)

답 ④

문제 DATA

출제가능 지수 ▶▶▷
난이도 지수 ★★☆

028 □□□

행정계획에 대한 설명으로 옳지 않은 것만을 <보기>에서 고른 것은? (다툼이 있는 경우 판례에 의함)

<보기>
ㄱ. 구「도시계획법」제19조 제1항에서는 도시계획이 도시기본계획에 부합되어야 한다고 규정하고 있으므로, 도시기본계획은 행정청에 대한 직접적 구속력이 있다.
ㄴ. 행정주체가 행정계획을 입안·결정하면서 이익형량을 전혀 하지 아니하거나 이익형량의 고려 대상에 마땅히 포함시켜야 할 사항을 누락한 경우에는 그 행정계획 결정은 이익형량에 하자가 있어 위법하게 될 수 있다.
ㄷ. 후행도시계획의 결정을 하는 행정청이 선행도시계획의 결정·변경 등에 관한 권한을 가지고 있지 아니한 경우, 선행도시계획과 양립할 수 없는 내용이 포함된 후행도시계획결정은 무효이다.
ㄹ. 환지계획과 환지예정지 지정은 항고소송의 대상이 되는 행정처분이 아니다.
ㅁ. 채광계획인가로 공유수면점용허가가 의제되는 경우, 공유수면점용불허가결정을 이유로 채광계획을 인가하지 아니할 수 없다.

① ㄱ, ㄴ, ㄹ
② ㄱ, ㄷ, ㅁ
③ ㄱ, ㄹ, ㅁ
④ ㄴ, ㄷ, ㅁ
⑤ ㄴ, ㄷ, ㄹ

2020년 소방간부

ㄱ. (×) 구 도시계획법 제19조 제1항 및 도시계획시설결정 당시의 지방자치단체의 도시계획조례에서는, 도시계획이 도시기본계획에 부합되어야 한다고 규정하고 있으나, 도시기본계획은 도시의 장기적 개발방향과 미래상을 제시하는 도시계획 입안의 지침이 되는 장기적·종합적인 개발계획으로서 행정청에 대한 직접적인 구속력은 없다(대판 2007.4.12. 2005두1893).

ㄴ. (○) 대판 2007.4.12. 2005두1893

ㄷ. (○) 후행도시계획의 결정을 하는 행정청이 선행도시계획의 결정·변경 등에 관한 권한을 가지고 있지 아니한 경우에 선행도시계획과 서로 양립할 수 없는 내용이 포함된 후행도시계획 결정을 하는 것은 아무런 권한 없이 선행도시계획 결정을 폐지하고, 양립할 수 없는 새로운 내용이 포함된 후행도시계획 결정을 하는 것으로서, 선행도시계획 결정의 폐지 부분은 권한 없는 자에 의하여 행해진 것으로서 무효이고, 같은 대상지역에 대하여 선행도시계획 결정이 적법하게 폐지되지 아니한 상태에서 그 위에 다시 한 후행도시계획 결정 역시 위법하고, 그 하자는 중대하고도 명백하여 다른 특별한 사정이 없는 한 무효라고 보아야 한다(대판 2000.9.8. 99두11257).

유제 17. 서울시 7급 후행도시계획을 결정하는 행정청이 선행도시계획의 결정·변경에 관한 권한을 가지고 있지 아니한 경우 선행도시계획과 양립할 수 없는 후행도시계획결정은 취소사유에 해당한다. (×)
17. 국회직 8급 도시계획의 결정·변경 등에 관한 권한을 가진 행정청은 이미 도시계획이 결정·고시된 지역에 대하여도 다른 내용의 도시계획을 결정·고시할 수 있고, 이때에 후행도시계획에 선행도시계획과 서로 양립할 수 없는 내용이 포함되어 있다면, 특별한 사정이 없는 한 선행도시계획은 후행도시계획과 같은 내용으로 변경되는 것이나, 후행도시계획의 결정을 하는 행정청이 선행도시계획의 결정·변경 등에 관한 권한을 가지고 있지 아니한 경우에 선행도시계획과 서로 양립할 수 없는 내용이 포함된 후행도시계획 결정을 하는 것은 취소사유에 해당한다. (×)
16. 지방직 9급 선행도시계획의 결정·변경 등의 권한이 없는 행정청이 행한 선행도시계획과 양립할 수 없는 새로운 내용의 후행도시계획 결정은 무효이다. (○)
13. 국회직 8급 대법원은 후행도시계획의 결정을 하는 행정청이 선행도시계획의 결정·변경 등에 관한 권한을 가지고 있지 아니한 경우에 선행도시계획과 양립할 수 없는 내용이 포함된 후행도시계획 결정을 하는 것은 무효라는 입장이다. (○)

ㄹ. (×) 환지예정지 지정이나 환지처분은 그에 의하여 직접 토지소유자 등의 권리의무가 변동되므로 이를 항고소송의 대상이 되는 처분이라고 볼 수 있으나, 환지계획은 위와 같은 환지예정지 지정이나 환지처분의 근거가 될 뿐 그 자체가 직접 토지소유자 등의 법률상의 지위를 변동시키거나 또는 환지예정지 지정이나 환지처분과는 다른 고유한 법률효과를 수반하는 것이 아니어서 이를 항고소송의 대상이 되는 처분에 해당한다고 할 수가 없다(대판 1999.8.20. 97누6889).

ㅁ. (×) 구 광업법 제47조의2 제5호에 의하여 채광계획인가를 받으면 공유수면 점용허가를 받은 것으로 의제되고, 이 공유수면 점용허가는 공유수면 관리청이 공공 위해의 예방 경감과 공공복리의 증진에 기여함에 적당하다고 인정하는 경우에 그 자유재량에 의하여 허가의 여부를 결정하여야 할 것이므로, 공유수면 전용허가를 필요로 하는 채광계획 인가신청에 대하여도, 공유수면 관리청이 재량적 판단에 의하여 공유수면 점용을 허가 여부를 결정할 수 있고, 그 결과 공유수면 점용을 허용하지 않기로 결정하였다면, 채광계획 인가관청은 이를 사유로 하여 채광계획을 인가하지 아니할 수 있는 것이다(대판 2002.10.11. 2001두151).

답 ③

함께 정리하기

행정계획

도시기본계획
▷ 행정청에 대한 직접적 구속력 ×

행정계획 입안·결정시 형량해태, 형량흠결, 오형량
▷ 형량하자로 위법

권한 없는 행정청에 의한 선행계획과 양립할 수 없는 후행계획
▷ 무효

의제되는 인·허가 요건불비
▷ 주된 인·허가신청 거부 可(判)

문제 DATA

출제가능 지수 ▶▶▷
난이도 지수 ★★☆

029 □□□

행정계획에 대한 설명으로 옳지 않은 것은? (다툼이 있는 경우 판례에 의함)

① 국토교통부장관이 법령의 범위 내에서 행한 개발제한구역지정처분은 재량적 성질을 가진다.
② 행정주체가 행정계획을 입안·결정함에 있어서 형량의 부존재, 형량의 누락, 평가의 과오와 형량의 불비례가 있는 경우에는 그 행정계획결정은 위법하게 된다.
③ 행정계획이 위법하더라도 사정판결이 내려지면 행정계획이 취소되지 않을 수 있다.
④ 통상 행정계획변경청구권은 무하자재량행사청구권의 성질을 갖는다.
⑤ 산업단지개발계획상 산업단지 안의 토지소유자로서 산업단지개발계획에 적합한 시설을 설치하여 입주하려는 자가 산업단지개발계획의 변경을 요청하는 경우에 행정계획변경신청권이 인정되지 아니한다.

> 2020년 국회직 9급

① (○) 개발제한구역지정처분은 건설부장관이 법령의 범위 내에서 도시의 무질서한 확산 방지 등을 목적으로 도시정책상의 전문·기술적 판단에 기초하여 행하는 일종의 행정계획으로서 그 입안·결정에 관하여 광범위한 형성의 자유를 가지는 계획재량처분이므로, 그 지정에 관련된 공익과 사익을 전혀 비교교량하지 아니하였거나 비교교량을 하였더라도 그 정당성과 객관성이 결여되어 비례의 원칙에 위반되었다고 볼 만한 사정이 없는 이상, 재량권을 일탈·남용한 위법한 것이라고 할 수 없다(대판 1997.6.24. 96누1313).
② (○) 대판 2007.4.12. 2005두1893
③ (○) 행정계획이 위법하더라도 행정계획이 일단 성립되면 그에 따라 많은 법률관계가 형성된다. 이 경우 행정계획의 위법성을 이유로 행정계획이 취소되면 침해되는 공익이 클 수 있으므로 사정판결에 의해 행정계획이 취소되지 않을 가능성이 크다.
④ (○) 일반적으로 행정계획의 변경은 행정청의 폭넓은 재량에 속하므로 행정계획변경청구권은 무하자재량행사청구권의 성격을 갖는다.
⑤ (×) 산업단지개발계획상 산업단지 안의 토지 소유자로서 산업단지개발계획에 적합한 시설을 설치하여 입주하려는 자는 산업단지지정권자 또는 그로부터 권한을 위임받은 기관에 대하여 산업단지개발계획의 변경을 요청할 수 있는 법규상 또는 조리상 신청권이 있고, 이러한 신청에 대한 거부행위는 항고소송의 대상이 되는 행정처분에 해당한다고 보아야 한다(대판 2017.8.29. 2016두44186).

답 ⑤

함께 정리하기

행정계획

개발제한구역지정처분
▷ 재량처분

형량의 부존재, 형량의 누락, 평가의 과오와 형량의 불비례
▷ 형량하자로 행정계획결정 위법

사정판결 가능성 大

행정계획변경청구권
▷ 무하자재량행사청구권 성질 有

산업단지 안 토지소유자로서 시설 설치하여 입주하려는 자
▷ 산업단지개발계획 변경신청권○

문제 DATA

출제가능 지수 ▶▶▷
난이도 지수 ★★☆

030 □□□

행정계획에 대한 설명으로 옳지 않은 것은? (다툼이 있는 경우 판례에 의함)

① 비구속적 행정계획에 대하여는 행정소송을 제기할 수 없다.
② 위법한 행정계획으로 인하여 구체적으로 손해를 입은 경우에는 국가를 상대로 손해배상을 청구할 수 있다.
③ 대법원은 택지개발예정지구 지정처분을 일종의 행정계획으로서 재량행위에 해당한다고 하였다.
④ 행정계획의 개념은 강학상의 것일 뿐 대법원 판례에서 이를 직접적으로 정의한 바는 없다.

2019급 군무원 9급

① (○) 비구속적 행정계획은 단순한 행정의 지침에 불과한 것으로 국민은 물론 행정기관에 대해서도 아무런 법적 구속력을 갖지 못하므로 이에 대해 행정소송을 제기할 수는 없다.
② (○) 위법한 행정계획의 수립, 변경, 폐지로 인하여 손해를 입은 경우에는 국가배상청구소송을 제기할 수 있다. 그러나 공무원의 고의나 과실을 입증하기가 쉽지 않으므로 실효적인 권리구제수단이 될 수는 없다.
③ (○) 택지개발 예정지구 지정처분은 건설교통부장관이 법령의 범위 내에서 도시지역의 시급한 주택난 해소를 위한 택지를 개발·공급할 목적으로 주택정책상의 전문적·기술적 판단에 기초하여 행하는 일종의 행정계획으로서 재량행위라고 할 것이므로 그 재량권의 일탈·남용이 없는 이상 그 처분을 위법하다고 할 수 없다(대판 1997.9.26. 96누10096).
④ (×) 대법원 판례도 행정계획에 대하여 직접적으로 정의 내린 바 있다.

> 행정계획은 특정한 행정목표를 달성하기 위하여 행정에 관한 전문적·기술적 판단을 기초로 관련 행정수단을 종합·조정함으로써 장래의 일정한 시점에 일정한 질서를 실현하기 위하여 설정한 활동기준이나 그 설정행위를 말하는 것으로서, 행정주체는 구체적인 행정계획을 입안·결정함에 있어서 비교적 광범위한 형성의 자유를 가진다(대판 2016.2.18. 2015두53640).

답 ④

함께 정리하기

행정계획

비구속적 행정계획
▷ 행정소송 제기 不可

위법한 행정계획으로 인하여 손해 발생
▷ 국가배상 청구 可

택지개발예정지구지정처분
▷ 일종의 행정계획으로서 재량행위

행정계획의 개념
▷ 대법원 판례가 직접 정의한 바 有

031 □□□

행정계획에 대한 설명으로 가장 옳지 않은 것은? (다툼이 있는 경우 판례에 의함)

① 행정주체가 행정계획을 입안·결정함에 있어서 이익형량을 전혀 행하지 아니하거나 이익형량의 고려 대상에 마땅히 포함시켜야 할 사항을 누락한 경우 또는 이익형량을 하였으나 정당성과 객관성이 결여된 경우에는 그 행정계획결정은 형량에 하자가 있어 위법하게 된다.
② 도시계획시설결정에 이해관계가 있는 주민이더라도 도시시설계획의 입안권자에게 도시시설계획의 입안을 요구할 수 있는 법규상 또는 조리상의 신청권을 갖지 않는다.
③ 행정계획에는 행정기관 사이에서만 구속력을 가지는 계획뿐만 아니라 대외적으로 구속력을 갖는 계획도 있다.
④ 장기미집행 도시·군계획시설에 대해서는 일정한 경우에 그 도시·군계획시설 부지로 되어 있는 토지의 소유자가 그 토지의 도시·군계획시설결정 해제를 위한 도시·군관리계획입안을 신청할 수 있다.

문제 DATA

출제가능 지수 ▶▶▷
난이도 지수 ★★☆

2019년 경찰 2차

① (○) 대판 2007.4.12. 2005두1893
② (×) 대판 2004.4.28. 2003두1806
③ (○) 도시관리계획, 정비계획, 지역·지구·구역의 지정 또는 변경에 관한 계획 등은 국민에 대한 구속력을 갖는 행정계획에 해당한다.
④ (○)

> 「국토의 계획 및 이용에 관한 법률」 제48조의2【도시·군계획시설결정의 해제 신청 등】① 도시·군계획시설결정의 고시일부터 10년 이내에 그 도시·군계획시설의 설치에 관한 도시·군계획시설사업이 시행되지 아니한 경우로서 제85조 제1항에 따른 단계별 집행계획상 해당 도시·군계획시설의 실효 시까지 집행계획이 없는 경우에는 그 도시·군계획시설 부지로 되어 있는 토지의 소유자는 대통령령으로 정하는 바에 따라 해당 도시·군계획시설에 대한 도시·군관리계획 입안권자에게 그 토지의 도시·군계획시설결정 해제를 위한 도시·군관리계획 입안을 신청할 수 있다.

답 ②

함께 정리하기

행정계획

행정계획 입안·결정시 형량해태 or 형량흠결 or 오형량
▷ 형량하자로 계획 위법

도시계획시설결정에 이해관계 있는 주민
▷ 도시계획입안신청권 有

행정계획
▷ 국민에 대한 구속력을 갖는 계획 有

장기미집행 도시·군계획시설 부지소유자
▷ 도시·군계획시설결정 해제를 위한 도시·군관리계획입안신청권 有

문제 DATA

출제가능 지수 ▶▶▷
난이도 지수 ★★☆

함께 정리하기

행정계획

도시기본계획
▷ 행정청에 대한 직접적 구속력 ×

계획재량
▷ 행정계획 입안·결정시 광범위한 형성의 자유

비구속적 행정계획안·행정지침
▷ 기본권 영향 & 그대로 실시 예상
▷ 헌법소원 대상 ○

형량명령
▷ 공익 vs 사익, 공익 vs 공익, 사익 vs 사익 정당하게 형량

032 □□□

행정계획에 대한 설명으로 옳지 않은 것은? (다툼이 있는 경우 판례에 의함)

① 「국토의 계획 및 이용에 관한 법률」에 따른 도시기본계획은 일반 국민에 대한 직접적인 구속력은 인정되지 않지만, 도시의 장기적 개발방향과 미래상을 제시하는 도시계획 입안의 지침이 되기에 행정청에 대한 직접적인 구속력은 인정된다.
② 관계 법령에 추상적인 행정목표와 절차만이 규정되어 있을 뿐 행정계획의 내용에 관하여 별다른 규정을 두고 있지 아니하는 경우에, 행정주체는 구체적인 행정계획의 입안·결정에 관하여 비교적 광범위한 형성의 자유를 가진다.
③ 비구속적 행정계획안이나 행정지침이라도 국민의 기본권에 직접적으로 영향을 끼치고, 앞으로 법령의 뒷받침에 의하여 그대로 실시될 것이 틀림없을 것으로 예상될 수 있을 때에는, 공권력행위로서 헌법소원의 대상이 될 수 있다.
④ 행정주체가 행정계획을 입안·결정함에 있어서 행정계획에 관련되는 자들의 이익을 공익과 사익 사이에서는 물론이고 공익 상호간과 사익 상호간에도 정당하게 비교교량하여야 한다.

> 2018년 국가직 7급

① (×)

1. 구 도시계획법(1999.2.8. 법률 제5898호로 개정되기 전의 것) 제10조의2, 제16조의2, 같은 법 시행령(1999.6.16. 대통령령 제16403호로 개정되기 전의 것) 제7조, 제14조의2의 각 규정을 종합하면, <u>도시기본계획은</u> 도시의 기본적인 공간구조와 장기발전방향을 제시하는 종합계획으로서 그 계획에는 토지이용계획, 환경계획, 공원녹지계획 등 장래의 도시개발의 일반적인 방향이 제시되지만, 그 계획은 <u>도시계획입안의 지침이 되는 것에 불과하여 일반 국민에 대한 직접적인 구속력은 없는 것이므로</u>, 도시기본계획을 입안함에 있어 토지이용계획에는 세부적인 내용을 기재하지 아니하고 다소 포괄적으로 기재하였다 하더라도 기본구상도상에 분명하게 그 내용을 표시한 이상 도시기본계획으로서 입안된 것이라고 봄이 상당하고, 또 공청회 등 절차에서 다른 자료에 의하여 그 내용이 제시된 다음 관계 법령이 정하는 절차에 따라 건설교통부장관의 승인을 받아 공람공고까지 되었다면 도시기본계획으로서 적법한 효력이 있는 것이다(대판 2002.10.11. 2000두8226).
2. 구 도시계획법 제19조 제1항 및 도시계획시설결정 당시의 지방자치단체의 도시계획조례에서는, 도시계획이 도시기본계획에 부합되어야 한다고 규정하고 있으나, <u>도시기본계획은 도시의 장기적 개발방향과 미래상을 제시하는 도시계획 입안의 지침이 되는 장기적·종합적인 개발계획으로서 행정청에 대한 직접적인 구속력은 없다</u>(대판 2007.4.12. 2005두1893).

② (○) 대판 1996.11.29. 96누8567
③ (○) 헌재 2000.6.1. 99헌마538 등
④ (○) 대판 2007.4.12. 2005두1893

답 ①

033

행정계획에 대한 설명으로 가장 옳은 것은? (다툼이 있는 경우 판례에 의함)

① 행정계획의 절차에 관한 일반법은 없고, 행정계획의 절차는 각 개별법에 맡겨져 있다.
② 국민의 기본권에 직접적으로 영향을 끼치고 법령의 뒷받침에 의해 실시될 것이라고 예상될 수 있다 하더라도 비구속적 행정계획안의 경우 헌법소원의 대상이 될 수 없다.
③ 확정된 행정계획에 대하여 사정변경을 이유로 조리상 변경신청권이 인정된다.
④ 판례에 따르면 행정계획의 구속효는 계획마다 상이하나 집중효에 있어서는 절차집중과 실체집중 모두 인정된다.

| 2018년 서울시 7급

① (○) 2022.7.12 시행된 개정 「행정절차법」은 행정계획에 관한 규정을 신설하기는 하였지만 이를 행정계획의 절차에 관한 일반적인 규정이라고 보기는 어렵다.

> 「행정절차법」 제40조의4 【행정계획】 행정청은 행정청이 수립하는 계획 중 국민의 권리·의무에 직접 영향을 미치는 계획을 수립하거나 변경·폐지할 때에는 관련된 여러 이익을 정당하게 형량하여야 한다.

② (×) 헌재 2000.6.1. 99헌마538 등
③ (×) 도시계획법상 주민이 행정청에 대하여 도시계획 및 그 변경에 대하여 어떤 신청을 할 수 있음에 관한 규정이 없고, 도시계획과 같이 장기성, 종합성이 요구되는 행정계획에 있어서 그 계획이 일단 확정된 후에 어떤 사정의 변동이 있다고 하여 지역주민에게 일일이 그 계획의 변경을 청구할 권리를 인정해 줄 수도 없는 것이므로, 원고들에게 그 주장과 같은 사유만으로는 이 사건 도시계획의 변경을 신청할 조리상의 권리가 있다고도 볼 수 없다(대판 1994.1.28. 93누22029).

유제 14. 국회직 8급 도시계획이 일단 확정된 후 어떤 사정의 변동이 있다고 하여 해당지역의 주민에게 그 계획의 변경을 청구할 권리를 인정할 수는 없다. (○)
11. 서울시 9급, 10. 국가직 9급 판례는 지방자치단체의 주민에게 도시계획(현 도시관리계획)의 변경 또는 폐지를 신청할 조리상의 권리를 원칙적으로 인정하고 있다. (×)
10. 지방직 7급 A광역시 시장 甲은 상습적인 교통체증을 해소하기 위하여 도심에 위치한 산을 관통하는 직선도로를 개설하는 도시관리계획을 수립·결정하였는데, 이 경우 자연환경훼손이 심하다는 지적이 있어 환경훼손이 적은 우회도로를 개설하는 것을 내용으로 하는 도시관리계획변경결정을 하였다. 일반적으로 개인적 공권의 하나로서 계획보장청구권이 인정되므로, 인근 주민들은 최초에 계획된 직선도로개설계획을 존치시킬 것을 주장할 수 있는 계획존속청구권을 가진다. (×)

④ (×) 행정계획의 구속효는 비구속적 행정계획인지, 구속적 행정계획인지에 따라 다르나 집중효의 범위는 인·허가 의제와 마찬가지로 절차집중만이 인정된다는 것이 통설과 판례의 입장이다.

답 ①

함께 정리하기

행정계획

행정계획의 절차에 관한 일반법 無

비구속적 행정계획안·행정지침
▷ 기본권 영향 & 그대로 실시 예상
▷ 헌법소원 대상○

사정변경을 이유로 한 계획변경신청권
▷ 인정×

구속효
▷ 계획마다 상이

집중효
▷ 절차집중 인정

문제 DATA

출제가능 지수 ▶▶▷
난이도 지수 ★★☆

함께 정리하기

행정계획

도시기본계획
▷ 국민에 대한 직접적 구속력 ✕

주택재건축정비사업조합의 사업시행계획
▷ 처분성 ○

도시관리계획시설변경결정
▷ 형량명령 적용 ○

공고·공람 절차에 하자 있는 도시계획결정
▷ 위법

034

행정계획에 대한 판례의 입장으로 옳은 것을 <보기>에서 모두 고른 것은?

<보기>
ㄱ. 도시기본계획은 일반 국민에 대하여 직접적인 구속력은 없다.
ㄴ. 주택재건축정비사업조합의 사업시행계획은 항고소송의 대상이 된다.
ㄷ. 도시관리계획변경신청에 따른 도시관리계획시설변경결정에는 형량명령이 적용되지 않는다.
ㄹ. 도시계획의 입안에 있어 해당 도시계획안 내용의 공고 및 공람 절차에 하자가 있는 도시계획결정은 위법하다.

① ㄱ, ㄴ
② ㄴ, ㄷ
③ ㄱ, ㄴ, ㄹ
④ ㄱ, ㄷ, ㄹ

2018년 교육행정직

ㄱ. (○) 대판 2002.10.11. 2000두8226
ㄴ. (○) 대결 2009.11.2. 2009마596
ㄷ. (✕) 대판 2012.1.12. 2010두5806
ㄹ. (○) 대판 2000.3.23. 98두2768

답 ③

문제 DATA

출제가능 지수 ▶▶▷
난이도 지수 ★★☆

함께 정리하기

행정계획의 사법적 통제

계획재량
▷ 행정계획에 대한 사법적 통제와 관련하여 중요한 의미
▷ 법치국가적 한계 有

형량명령
▷ 계획수립에 있어 관계되는 모든 이익을 정당하게 형량하여야 한다는 계획재량의 통제법리

계획재량, 형량명령 및 형량명령의 하자에 관한 이론
▷ 판례에는 반영됨

035

행정계획의 사법적 통제에 대한 설명으로 옳지 않은 것은? (다툼이 있는 경우 판례에 의함)

① 행정계획에 대한 사법적 통제와 관련하여서는 계획재량이 중요한 의미를 가진다.
② 계획재량은 재량행위의 일종이므로 일정한 법치국가적 한계가 있다.
③ 형량명령은 계획을 수립함에 있어 관계되는 모든 이익을 정당하게 형량하여야 한다는 행정법의 일반원칙이다.
④ 계획재량, 형량명령 및 형량명령의 하자에 관한 이론은 판례에는 반영되고 있지 아니하다.

2018년 소방직

① (○) 계획재량은 행정청이 행정계획을 수립함에 있어서 일반 재량행위에 비하여 더욱 광범위한 형성의 자유를 갖고 그 범위 내에서는 사법심사가 제한된다. 그렇다고 해서 계획재량에 관한 사법심사가 불가능한 것은 아니고 행정계획을 입안·결정함에 있어서 관련된 이익을 정당하게 형량해야 한다는 형량명령이 계획재량의 통제법리로 작용하여 하자가 있다고 판단되면 당해 행정계획은 위법하게 된다. 이와 같이 계획재량은 일반 재량행위와 구별되는 통제원리가 적용된다는 점에서 행정계획에 대한 사법적 통제와 관련하여 중요한 의미를 갖는다고 할 수 있다.
② (○) 행정계획에 비교적 광범위한 형성의 자유가 인정되더라도, 행정계획에 관련되는 자들의 이익을 비교교량 하는 등 일정한 제한이 존재한다.
③ (○) 형량명령이란 행정계획을 입안·결정함에 있어서 관련된 공익과 사익간, 공익 상호간 및 사익 상호간 이익을 정당하게 형량하여야 한다는 원칙으로서 계획재량의 통제법리이다. 형량명령은 비례의 원칙(상당성의 원칙)을 계획재량에 구체적으로 적용한 것이다.

④ (×) 계획재량, 형량명령 및 형량명령의 하자에 관한 이론은 판례에서 반영하고 있다.

> 행정주체는 구체적인 행정계획을 입안·결정함에 있어서 비교적 광범위한 형성의 자유를 가지는 것이지만, 행정주체가 가지는 이와 같은 형성의 자유는 무제한적인 것이 아니라 그 행정계획에 관련되는 자들의 이익을 공익과 사익 사이에서는 물론이고 공익 상호간과 사익 상호간에도 정당하게 비교교량하여야 한다는 제한이 있으므로, 행정주체가 행정계획을 입안·결정함에 있어서 이익형량을 전혀 행하지 아니하거나 이익형량의 고려 대상에 마땅히 포함시켜야 할 사항을 누락한 경우 또는 이익형량을 하였으나 정당성과 객관성이 결여된 경우에는 그 행정계획결정은 형량에 하자가 있어 위법하게 된다(대판 2007.4.12. 2005두1893).

답 ④

036 □□□

행정계획에 대한 설명으로 옳지 않은 것은? (다툼이 있는 경우 판례에 의함)

① 「국토의 계획 및 이용에 관한 법률」상 도시·군계획시설결정에 이해관계가 있는 주민에 의한 도시·군 계획시설결정 변경신청에 대해 관할 행정청이 거부한 경우, 그 거부행위는 항고소송의 대상이 되는 행정처분에 해당한다.
② 「행정절차법」은 행정계획의 절차상 통제 방법으로 관계 행정기관과의 협의와 주민·이해관계인의 참여에 관한 일반적인 규정을 두고 있다.
③ 행정주체가 행정계획을 결정함에 있어서 이익형량을 전혀 행하지 아니하거나 이익형량의 고려 대상에 마땅히 포함시켜야 할 사항을 누락한 경우 또는 이익형량을 하였으나 정당성과 객관성이 결여된 경우에는 그 행정계획결정은 형량에 하자가 있어 위법하게 된다.
④ 구속력 없는 행정계획안이라도 국민의 기본권에 직접적으로 영향을 끼치고 법령의 뒷받침에 의하여 그대로 실시될 것이 틀림없을 것으로 예상되는 때에는 예외적으로 헌법소원의 대상이 된다.

2017년 국가직 9급

① (○) 대판 2015.3.26. 2014두42742
② (×) 2022.7.12 시행된 개정 「행정질사법」은 행정계획에 관한 규정을 신실하였지만 해당 규정은 국민의 권리의무에 직접 영향을 미치는 계획수립 시 관련된 여러 이익을 정당하게 형량하여야 한다는 내용일 뿐, 관계 행정기관과의 협의와 주민·이해관계인의 참여에 관한 일반적인 규정은 아니다.

> 「행정절차법」 제40조의4 【행정계획】 행정청은 행정청이 수립하는 계획 중 국민의 권리·의무에 직접 영향을 미치는 계획을 수립하거나 변경·폐지할 때에는 관련된 여러 이익을 정당하게 형량하여야 한다.

③ (○) 대판 2007.4.12. 2005두1893
④ (○) 헌재 2000.6.1. 99헌마538 등

답 ②

문제 DATA

출제가능 지수 ▶▶▷
난이도 지수 ★★☆

함께 정리하기

행정계획

이해관계 있는 주민의 도시·군계획시설 결정변경신청에 대해 관할행정청 거부
▷ 행정처분 ○

「행정절차법」
▷ 행정계획절차규정 無

위법한 행정계획 요건
▷ 형량의 해태, 형량의 흠결, 오형량

비구속적 행정계획안·행정지침
▷ 기본권 영향 & 그대로 실시 예상
▷ 헌법소원 대상 ○

037

행정계획에 대한 설명으로 옳지 않은 것은? (다툼이 있는 경우 판례에 의함)

① 개발제한구역의 지정·고시에 대한 헌법소원 심판청구는 행정쟁송절차를 모두 거친 후가 아니면 부적법하다.
② 국공립대학의 총장직선제 개선 여부를 재정지원 평가요소로 반영하고 이를 개선하지 않을 경우 다음 연도에 지원금을 삭감 또는 환수하도록 규정한 교육부장관의 '대학교육역량강화사업 기본계획'은 헌법소원의 대상이 된다.
③ 관계 법령에 따라 일정한 행정처분을 구하는 신청을 할 수 있는 법률상 지위에 있는 자의 국토이용계획변경신청을 거부하는 것이 실질적으로 당해 행정처분 자체를 거부하는 결과가 되는 경우, 그 신청인에게 국토이용계획변경을 신청할 권리가 인정된다.
④ 위법한 도시기본계획에 대하여 제기되는 취소소송은 법원에 의하여 허용되지 아니한다.

> 2017년 지방직 9급

① (O) 건설부장관의 개발제한구역의 지정·고시가 공권력의 행위로서 헌법소원심판의 대상이 됨은 물론이나 헌법소원심판은 다른 법률에 구제절차가 있는 경우에는 그 절차를 모두 거친 후가 아니면 청구할 수 없으므로 건설부장관의 개발제한구역의 지정·고시에 대한 헌법소원심판청구는 행정쟁송절차를 모두 거친 후가 아니면 부적법하다(헌재 1991.7.22. 89헌마174).
② (×) 2012년도와 2013년도 대학교육역량강화사업 기본계획은 대학교육역량강화 지원사업을 추진하기 위한 국가의 기본방침을 밝히고 국가가 제시한 일정 요건을 충족하여 높은 점수를 획득한 대학에 대하여 지원금을 배분하는 것을 내용으로 하는 행정계획일 뿐, 위 계획에 따른 의무를 부과하는 것은 아니다. 대학들이 이 계획에 구속될 여지가 있다 하더라도, 이는 사실상의 구속에 불과하고 이에 따를지 여부는 전적으로 대학의 자율에 맡겨져 있다. 더구나 총장직선제를 개선하려면 학칙이 변경되어야 하므로, 계획 자체만으로는 대학의 구성원인 청구인들의 법적지위나 권리의무에 어떠한 영향도 미친다고 보기 어렵다. 따라서 2012년도와 2013년도 계획 부분은 헌법소원의 대상이 되는 공권력 행사에 해당하지 아니한다(헌재 2016.10.27. 2013헌마576).
③ (O) 대판 2003.9.23. 2001두10936
④ (O) 도시기본계획은 처분성이 없으므로 이에 대하여 제기되는 취소소송은 각하될 것이다(대판 2002.10.11. 2000두8226).

답 ②

문제 DATA
출제가능 지수 ▶▶▷
난이도 지수 ★★☆

함께 정리하기
행정계획

개발제한구역 지정·고시에 대한 헌법소원
▷ 보충성 필요

대학교육역량강화사업 기본계획
▷ 헌법소원 대상×

국토이용계획변경신청 거부가 실질적으로 해당 행정처분 자체를 거부하는 결과가 되는 경우
▷ 국토이용계획변경신청권 인정

도시기본계획
▷ 처분성×

038

행정계획에 대한 설명으로 옳은 것을 <보기>에서 모두 고르면? (다툼이 있는 경우 판례에 의함)

<보기>
ㄱ. 장래 일정한 기간 내에 관계 법령이 규정하는 시설 등을 갖추어 일정한 행정처분을 구하는 신청을 할 수 있는 법률상 지위에 있는 자의 국토이용계획변경신청을 거부하는 것이 실질적으로 당해 행정처분 자체를 거부하는 결과가 되는 경우에는 그 신청인에게 국토이용계획을 신청할 권리가 인정된다고 보아야 하므로, 이러한 신청에 대한 거부행위는 행정처분에 해당한다.
ㄴ. 구 「도시계획법」 제12조의 도시관리계획(현 「국토의 계획 및 이용에 관한 법률」 제30조의 도시·군관리계획) 결정의 경우 도시관리계획구역 안의 토지나 건물 소유자의 토지형질변경, 건축물의 신축·개축 또는 증축 등 권리행사가 일정한 제한을 받게 되므로 항고소송의 대상이 되는 처분에 해당한다.
ㄷ. 인·허가의제에서 계획확정기관이 의제되는 인·허가의 실체적 및 절차적 요건에 기속되는지 여부가 문제되는데, 인·허가의 실체적 요건 및 절차적 요건 모두에 기속된다고 보는 것이 일반적이다.
ㄹ. 도시계획의 결정·변경 등에 관한 권한을 가진 행정청은 이미 도시계획이 결정·고시된 지역에 대하여도 다른 내용의 도시계획을 결정·고시할 수 있고, 이때에 후행도시계획에 선행도시계획과 서로 양립할 수 없는 내용이 포함되어 있다면, 특별한 사정이 없는 한 선행도시계획은 후행도시계획과 같은 내용으로 변경되는 것이나, 후행도시계획의 결정을 하는 행정청이 선행도시계획의 결정·변경 등에 관한 권한을 가지고 있지 아니한 경우에 선행도시계획과 서로 양립할 수 없는 내용이 포함된 후행도시계획 결정을 하는 것은 취소사유에 해당한다.

① ㄱ, ㄴ
② ㄱ, ㄹ
③ ㄴ, ㄷ
④ ㄱ, ㄴ, ㄷ
⑤ ㄱ, ㄴ, ㄹ

2017년 국회직 8급

ㄱ. (○) 대판 2003.9.23. 2001두10936
ㄴ. (○) 구 도시계획법 제12조 소정의 도시계획결정이 고시되면 도시계획구역 안의 토지나 건물 소유자의 토지형질변경, 건축물의 신축, 개축 또는 증축 등 권리행사가 일정한 제한을 받게 되는바 이런 점에서 볼 때 고시된 도시계획결정은 특정 개인의 권리 내지 법률상의 이익을 개별적이고 구체적으로 규제하는 효과를 가져오게 하는 행정청의 처분이라 할 것이고, 이는 행정소송의 대상이 되는 것이라 할 것이다 (대판 1982.3.9. 80누105).

유제 16. 국회직 8급 구 「도시계획법」 제12조 소정의 고시된 도시계획결정은 특정 개인의 권리 내지 법률상의 이익을 개별적이고 구체적으로 규제하는 효과를 가져 오게 하는 행정청의 처분이라 할 것이고, 이는 행정소송의 대상이 된다. (○)
15. 지방직 7급 도시관리계획결정은 행정청의 처분이며, 항고소송의 대상이 된다. (○)
13. 국회직 9급 도시계획구역 안의 토지나 건물소유자의 행위를 제한하게 되는 도시계획결정은 행정소송의 대상이 된다. (○)
10. 지방직 7급 도시관리계획은 도시계획사업의 기본이 되는 일반적·추상적 결정으로서, 특히 개개인의 구체적인 권리의무가 발생할 수 없으므로 「행정소송법」상의 처분에 해당되는 것이 아니라고 보는 것이 우리나라 대법원의 입장이다. (×)
09. 국가직 9급·국회직 8급 도시관리계획은 국민이나 재산에 대하여 직접 구속력이 없는 행정계획이다. (×)

함께 정리하기

행정계획

국토이용계획변경신청 거부가 실질적으로 해당 행정처분 자체를 거부하는 결과가 되는 경우
▷ 국토이용계획변경신청권 인정

도시관리계획결정
▷ 처분성○

절차집중설(多, 判)
▷ 의제되는 인·허가의 절차적 요건에 기속×

권한 없는 행정청에 의한 선행계획과 양립할 수 없는 후행계획
▷ 무효

ㄷ. (✕) 집중효의 범위와 관련하여 학설상으로는 관할집중설, 절차집중설, 실체집중설 등의 대립이 있으나 판례는 절차집중설의 입장에서 계획확정행정기관은 법령상 다른 규정이 없는 한 의제되는 인·허가에 관한 모법상의 행정절차를 거칠 필요는 없다고 보고 있다. 관할집중설에 의하면 계획확정행정기관은 의제되는 인·허가와 관련된 절차법·실체법상의 요건규정에 기속되어 그 모두를 준수해야 하나, 절차집중설에 의하면 계획확정행정기관은 의제되는 인·허가와 관련된 절차규정을 따를 필요는 없으나 실체법상의 요건규정에는 집중효가 미치지 못하므로 실체법상의 요건에는 기속된다.

ㄹ. (✕) <u>후행도시계획의 결정을 하는 행정청이 선행도시계획의 결정·변경 등에 관한 권한을 가지고 있지 아니한 경우에</u> 선행도시계획과 서로 양립할 수 없는 내용이 포함된 후행도시계획 결정을 하는 것은 아무런 권한 없이 선행도시계획 결정을 폐지하고, 양립할 수 없는 새로운 내용이 포함된 후행도시계획 결정을 하는 것으로서, 선행도시계획 결정의 폐지 부분은 권한 없는 자에 의하여 행해진 것으로서 무효이고, 같은 대상지역에 대하여 선행도시계획 결정이 적법하게 폐지되지 아니한 상태에서 그 위에 다시 한 후행도시계획 결정 역시 위법하고, 그 하자는 중대하고도 명백하여 다른 특별한 사정이 없는 한 <u>무효</u>라고 보아야 한다(대판 2000.9.8. 99두11257).

답 ①

제3절 | 공법상 계약

001 □□□

공법상 계약에 대한 설명으로 옳은 것은?

① 甲 주식회사가 국책사업인 '한국형헬기 개발사업'에 개발주관사업자 중 하나로 참여하여 국가 산하 중앙행정기관인 방위사업청과 체결한 '한국형헬기 민군겸용 핵심구성품 개발협약'의 법률관계는 공법관계에 해당한다.
② 구 「예산회계법」상 입찰보증금의 국고귀속조치는 국가가 공권력을 행사하는 것이므로 이에 관한 분쟁은 행정소송의 대상이 된다.
③ 과학기술기본법령상 국가연구개발사업 협약의 해지 통보는 단순히 대등 당사자의 지위에서 형성된 공법상 계약을 계약당사자의 지위에서 종료시키는 의사표시에 불과하다.
④ 국립의료원 부설주차장에 관한 위탁관리용역운영계약은 관리청인 국립의료원이 순전히 사경제주체로서 행한 사법상 계약이다.

| 2025년 국가직 9급

① (○) 국책사업인 '한국형 헬기 개발사업'(Korean Helicopter Program, 이하 'KHP사업'이라 한다)에 개발주관사업자 중 하나로 참여하여 국가 산하 중앙행정기관인 방위사업청과 '한국형헬기 민군겸용 핵심구성품 개발협약'을 체결한 甲 주식회사가 협약을 이행하는 과정에서 환율변동 및 물가상승 등 외부적 요인 때문에 협약금액을 초과하는 비용이 발생하였다고 주장하면서 국가를 상대로 초과비용의 지급을 구하는 민사소송을 제기한 사안에서, 과학기술기본법 제11조, 구 국가연구개발사업의 관리 등에 관한 규정(2010.8.11. 대통령령 제22328호로 전부 개정되기 전의 것, 이하 '국가연구개발사업규정'이라 한다) 제2조 제1호·제7호, 제7조 제1항, 제10조, 제15조, 제20조, 항공우주산업개발 촉진법 제4조 제1항 제2호·제2항·제3항 등의 입법 취지와 규정 내용, 위 협약에서 국가는 甲 회사에 '대가'를 지급한다고 규정하고 있으나 이는 국가연구개발사업규정에 근거하여 국가가 甲 회사에 연구경비로 지급하는 출연금을 지칭하는 데 다름 아닌 점, 위 협약에 정한 협약금액은 정부의 연구개발비 출연금과 참여기업의 투자금 등으로 구성되는데 위 협약 특수조건에 의하여 참여기업이 물가상승 등을 이유로 국가에 협약금액의 증액을 내용으로 하는 협약변경을 구하는 것은 실질적으로는 KHP사업에 대한 정부출연금의 증액을 요구하는 것으로 이에 대하여는 국가의 승인을 얻도록 되어 있는 점, 위 협약은 정부와 민간이

문제 DATA
출제가능 지수 ▶▶▷
난이도 지수 ★★☆

함께 정리하기

공법상 계약

국책사업인 한국형 헬기 핵심구성품 개발협약
▷ 공법관계

입찰보증금 국고귀속조치
▷ 사법관계, 민사소송

연구개발비 부당집행을 이유로 한 BK21 사업 협약 해지
▷ 처분

국립의료원 부설주차장에 관한 위탁관리 용역운영계약
▷ 공법관계(처분)

공동으로 한국형헬기 민·군 겸용 핵심구성품을 개발하여 기술에 대한 권리는 방위사업이라는 점을 감안하여 국가에 귀속시키되 장차 기술사용권을 甲 회사에 이전하여 군용 헬기를 제작·납품하게 하거나 또는 민간 헬기의 독자적 생산기반을 확보하려는 데 있는 점, KHP사업의 참여기업인 甲 회사로서도 민·군 겸용 핵심구성품 개발사업에 참여하여 기술력을 확보함으로써 향후 군용 헬기 양산 또는 민간 헬기 생산에서 유리한 지위를 확보할 수 있게 된다는 점 등을 종합하면, 국가연구개발사업규정에 근거하여 국가 산하 중앙행정기관의 장과 참여기업인 甲 회사가 체결한 위 협약의 법률관계는 공법관계에 해당하므로 이에 관한 분쟁은 행정소송으로 제기하여야 한다고 한 사례(대판 2017.11.9. 2015다215526).

② (X) 구 예산회계법에 따라 체결되는 계약은 사법상의 계약이라고 할 것이고 동법 제70조의5의 입찰보증금은 낙찰자의 계약체결의무이행의 확보를 목적으로 하여 그 불이행시에 이를 국고에 귀속시켜 국가의 손해를 전보하는 사법상의 손해배상 예정으로서의 성질을 갖는 것이라고 할 것이므로 입찰보증금의 국고귀속조치는 국가가 사법상의 재산권의 주체로서 행위하는 것이지 공권력을 행사하는 것이거나 공권력작용과 일체성을 가진 것이 아니라 할 것이므로 이에 관한 분쟁은 행정소송이 아닌 민사소송의 대상이 될 수밖에 없다고 할 것이다(대판 1983.12.27. 81누366).

③ (X) 재단법인 한국연구재단이 甲 대학교 총장에게 연구개발비의 부당집행을 이유로 '해양생물유래 고부가식품·향장·한약 기초소재 개발 인력양성사업에 대한 2단계 두뇌한국(BK)21 사업' 협약을 해지를 통보한 것은 단순히 대등 당사자의 지위에서 형성된 공법상 계약을 계약당사자의 지위에서 종료시키는 의사표시에 불과한 것이 아니라 행정청이 우월적 지위에서 연구개발비의 회수 및 관련자에 대한 국가연구개발사업 참여제한 등의 법률상 효과를 발생시키는 행정처분에 해당한다(대판 2014.12.11. 2012두28704).

④ (X) 국립의료원 부설주차장에 관한 위탁관리용역운영계약의 실질은 행정재산에 대한 국유재산법 제30조 제1항의 사용허가이고, 이는 행정처분으로서 강학상 특허에 해당한다. 따라서 원고가 가산금지급 채무의 부존재를 주장하여 구제를 받으려면 적절한 행정쟁송절차를 통하여 권리관계를 다투어야 할 것이지, 피고(대한민국)에 대하여 민사소송으로 위 지급의무의 부존재확인을 구할 수는 없는 것이다(대판 2006.3.9. 2004다31074).

답 ①

002

공법상 계약에 대한 설명으로 가장 옳지 않은 것은? (다툼이 있는 경우 판례에 의함)

① 공법상 계약의 한쪽 당사자가 다른 당사자를 상대로 효력을 다투거나 이행을 청구하는 소송은 공법상의 법률관계에 관한 분쟁이므로 분쟁의 실질이 공법상 권리·의무의 존부·범위에 관한 다툼이 아니라 손해배상액의 구체적인 산정방법·금액에 국한되는 등의 특별한 사정이 없는 한 공법상 당사자소송으로 제기하여야 한다.

② 행정청은 법령 등을 위반하지 아니하는 범위에서 행정목적을 달성하기 위하여 필요한 경우에는 공법상 법률관계에 관한 계약을 체결할 수 있다.

③ 구「종합유선방송법」(2000.1.12. 법률 제6139호로 전문개정된「방송법」부칙 제2조 제2호에 따라 폐지)상의 종합유선방송위원회는 그 설치의 법적 근거, 법에 의하여 부여된 직무, 위원의 임명절차 등을 종합하여 볼 때 국가기관이고, 그 사무국 직원들의 근로관계는 공법상의 계약관계이므로, 사무국 직원들은 국가를 상대로 당사자소송으로 그 계약에 따른 임금과 퇴직금의 지급을 청구할 수 있다.

④ 현행 실정법이 지방전문직공무원 채용계약해지의 의사표시를 일반공무원에 대한 징계처분과는 달리 항고소송의 대상이 되는 처분 등의 성격을 가진 것으로 인정하지 아니하고, 지방자치단체가 채용계약관계의 한쪽 당사자로서 대등한 지위에서 행하는 의사표시로 취급하고 있는 것으로 이해되므로, 지방전문직공무원채용계약 해지의 의사표시에 대하여는 대등한 당사자간의 소송형식인 공법상 당사자소송으로 그 의사표시의 무효확인을 청구할 수 있다.

함께 정리하기

공법상 계약

공법상 계약의 효력을 다투거나 이행을 청구하는 소송
▷ 분쟁의 실질이 손해배상액의 산정방법·금액에 국한되지 않는 한, 당사자소송의 대상

공법상 계약
▷ 법률우위원칙 적용 O

종합유선방송위원회 사무국 직원들의 임금·퇴직금 지급청구
▷ 사법관계(∴민사소송)

지방전문직공무원 채용계약 해지
▷ 당사자소송의 대상

2025년 군무원 9급

① (○) 공법상 당사자소송이란 행정청의 처분 등을 원인으로 하는 법률관계에 관한 소송 그 밖에 공법상의 법률관계에 관한 소송으로서 그 법률관계의 한쪽 당사자를 피고로 하는 소송을 말한다(행정소송법 제3조 제2호). 공법상 계약이란 공법적 효과의 발생을 목적으로 하여 대등한 당사자 사이의 의사표시의 합치로 성립하는 공법행위를 말한다. <u>공법상 계약의 한쪽 당사자가 다른 당사자를 상대로 그 효력을 다투거나 그 이행을 청구하는 소송은 공법상의 법률관계에 관한 분쟁이므로 분쟁의 실질이 공법상 권리·의무의 존부·범위에 관한 다툼이 아니라 손해배상액의 구체적인 산정방법·금액에 국한되는 등의 특별한 사정이 없는 한 공법상 당사자소송으로 제기하여야 한다</u>(대판 2021.2.4. 2019다277133).

② (○)

> 「행정기본법」 제27조 【공법상 계약의 체결】 ① 행정청은 법령등을 위반하지 아니하는 범위에서 행정목적을 달성하기 위하여 필요한 경우에는 공법상 법률관계에 관한 계약(이하 "공법상 계약"이라 한다)을 체결할 수 있다. 이 경우 계약의 목적 및 내용을 명확하게 적은 계약서를 작성하여야 한다.
> ② 행정청은 공법상 계약의 상대방을 선정하고 계약 내용을 정할 때 공법상 계약의 공공성과 제3자의 이해관계를 고려하여야 한다.

③ (×) 구 종합유선방송법(2000.1.12. 법률 제6139호로 전문 개정된 방송법 부칙 제2조 제2호에 따라 폐지)상의 종합유선방송위원회는 그 설치의 법적 근거, 법에 의하여 부여된 직무, 위원의 임명절차 등을 종합하여 볼 때 국가기관이고, 그 사무국 직원들의 근로관계는 사법(사법)상의 계약관계이므로, 사무국 직원들은 국가를 상대로 민사소송으로 그 계약에 따른 임금과 퇴직금의 지급을 청구할 수 있다(대판 2001.12.24. 2001다54038).

④ (○) 현행 실정법이 지방전문직공무원 채용계약 해지의 의사표시를 일반공무원에 대한 징계처분과는 달리 항고소송의 대상이 되는 처분 등의 성격을 가진 것으로 인정하지 아니하고, 지방전문직공무원규정 제7조 각 호의 1에 해당하는 사유가 있을 때 지방자치단체가 채용계약관계의 한쪽 당사자로서 대등한 지위에서 행하는 의사표시로 취급하고 있는 것으로 이해되므로, 지방전문직공무원 채용계약 해지의 의사표시에 대하여는 대등한 당사자간의 소송형식인 공법상 당사자소송으로 그 의사표시의 무효확인을 청구할 수 있다(대판 1993.9.14. 92누4611).

답 ③

문제 DATA

출제가능 지수 ▶▶▷
난이도 지수 ★★☆

003

공법상 계약에 대한 설명으로 옳은 것은? (다툼이 있는 경우 판례에 의함)

① 중소기업기술정보진흥원장이 甲 주식회사와 중소기업 정보화지원사업 지원대상인 사업의 지원에 관하여 체결한 협약을 甲 주식회사에 책임이 있는 사유로 해지하는 경우 그 협약의 해지 및 그에 따른 환수통보는 공법상 계약에 따라 행정청이 대등한 당사자의 지위에서 하는 의사표시로 보아야 한다.
② 공익사업을 위한 토지 등의 취득 및 보상에 관한 법령에 의한 협의취득은 공법상 계약에 해당한다.
③ 「행정절차법」은 공법상 계약에 관한 규정을 두고 있다.
④ 국립의료원 부설주차장에 관한 위탁관리용역운영계약의 실질은 공법상 계약에 해당한다.

① (○) 중소기업기술정보진흥원장이 甲 주식회사와 중소기업 정보화지원사업 지원대상인 사업의 지원에 관한 협약을 체결하였는데, 협약이 甲 회사에 책임이 있는 사업실패로 해지되었다는 이유로 협약에서 정한 대로 지급받은 정부지원금을 반환할 것을 통보한 사안에서, 중소기업 정보화지원사업에 따른 지원금 출연을 위하여 중소기업청장이 체결하는 협약은 공법상 대등한 당사자 사이의 의사표시의 합치로 성립하는 공법상 계약에 해당하는 점, 구 중소기업 기술혁신 촉진법(2010.3.31. 법률 제10220호로 개정되기 전의 것) 제32조 제1항은 제10조가 정한 기술혁신사업과 제11조가 정한 산학협력 지원사업에 관하여 출연한 사업비의 환수에 적용될 수 있을 뿐 이와 근거 규정을 달리하는 중소기업 정보화지원사업에 관하여 출연한 지원금에 대하여는 적용될 수 없고 달리 지원금 환수에 관한 구체적인 법령상 근거가 없는 점 등을 종합하면, 협약의 해지 및 그에 따른 환수통보는 공법상 계약에 따라 행정청이 대등한 당사자의 지위에서 하는 의사표시로 보아야 하고, 이를 행정청이 우월한 지위에서 행하는 공권력의 행사로서 행정처분에 해당한다고 볼 수는 없다(대판 2015.8.27. 2015두41449).

② (×) 공익사업을 위한 토지 등의 취득 및 보상에 관한 법령(이하 '공익사업법령'이라 한다)에 의한 협의취득은 사법상의 법률행위이므로 당사자 사이의 자유로운 의사에 따라 채무불이행책임이나 매매대금 과부족금에 대한 지급의무를 약정할 수 있다(대판 2012.2.23. 2010다91206).

③ (×) 공법상 계약에 관한 규정은 「행정절차법」이 아니라 「행정기본법」에 있다.

> 「행정기본법」 제27조 【공법상 계약의 체결】 ① 행정청은 법령등을 위반하지 아니하는 범위에서 행정목적을 달성하기 위하여 필요한 경우에는 공법상 법률관계에 관한 계약(이하 "공법상 계약"이라 한다)을 체결할 수 있다. 이 경우 계약의 목적 및 내용을 명확하게 적은 계약서를 작성하여야 한다.
> ② 행정청은 공법상 계약의 상대방을 선정하고 계약 내용을 정할 때 공법상 계약의 공공성과 제3자의 이해관계를 고려하여야 한다.

④ (×) 국립의료원 부설주차장에 관한 위탁관리용역운영계약의 실질은 행정재산에 대한 국유재산법 제30조 제1항의 사용허가이고, 이는 행정처분으로서 강학상 특허에 해당한다. 따라서 원고가 가산금지급채무의 부존재를 주장하여 구제를 받으려면 적절한 행정쟁송절차를 통하여 권리 관계를 다투어야 할 것이지, 피고(대한민국)에 대하여 민사소송으로 위 지급의무의 부존재확인을 구할 수는 없는 것이다(대판 2006.3.9. 2004다31074).

답 ①

함께 정리하기

공법상 계약

중소기업정보화지원사업협약해지 및 환수통보
▷ 대등한 지위에서의 의사표시(처분×)

협의취득
▷ 사법상 계약

「행정절차법」
▷ 공법상 계약 규정 無

국립의료원주차장 위탁운영계약
▷ 특허

---

004 □□□

공법상 계약에 해당하는 것만을 모두 고른 것은? (다툼이 있는 경우 판례에 의함)

> ㄱ. 「중소기업기술혁신촉진법」에 따라 중소기업기술정보진흥원장이 사기업과 중소기업 정보화지원사업 지원대상인 사업의 지원에 관하여 체결한 협약
> ㄴ. 지방자치단체가 사기업과 체결한 자원회수시설에 대한 위탁운영협약
> ㄷ. 한국에너지기술평가원이 사기업과 「산업기술혁신 촉진법」에 따라 체결한 산업기술개발사업에 관한 협약
> ㄹ. 「국유림의 경영 및 관리에 관한 법률」에 따른 국유임산물매각계약

① ㄱ, ㄴ
② ㄱ, ㄷ
③ ㄴ, ㄹ
④ ㄷ, ㄹ

문제 DATA
출제가능 지수 ▶▶▶△
난이도 지수 ★★☆

함께 정리하기

공법상 계약

중소기업청장이 사기업과 체결한 정보화지원사업 지원금출연협약
▷ 공법상 계약

지방자치단체와 사인 간의 자원회수시설 위탁운영협약
▷ 사법상 계약

한국에너지기술평가원이 사기업과 체결한 산업기술개발사업에 관한 협약
▷ 공법상 계약

국유임산물 매각계약
▷ 사법상 계약

2025년 경찰간부

ㄱ. (○) 중소기업기술정보진흥원장이 甲 주식회사와 중소기업 정보화지원사업 지원대상인 사업의 지원에 관한 협약을 체결하였는데, 협약이 甲 회사에 책임이 있는 사업실패로 해지되었다는 이유로 협약에서 정한 대로 지급받은 정부지원금을 반환할 것을 통보한 사안에서, 중소기업 정보화지원사업에 따른 지원금 출연을 위하여 중소기업청장이 체결하는 협약은 공법상 대등한 당사자 사이의 의사표시의 합치로 성립하는 공법상 계약에 해당하는 점, 구 중소기업 기술혁신 촉진법(2010.3.31. 법률 제10220호로 개정되기 전의 것) 제32조 제1항은 제10조가 정한 기술혁신사업과 제11조가 정한 산학협력 지원사업에 관하여 출연한 사업비의 환수에 적용될 수 있을 뿐 이와 근거 규정을 달리하는 중소기업 정보화지원사업에 관하여 출연한 지원금에 대하여는 적용될 수 없고 달리 지원금 환수에 관한 구체적인 법령상 근거가 없는 점 등을 종합하면, 협약의 해지 및 그에 따른 환수통보는 공법상 계약에 따라 행정청이 대등한 당사자의 지위에서 하는 의사표시로 보아야 하고, 이를 행정청이 우월한 지위에서 행하는 공권력의 행사로서 행정처분에 해당한다고 볼 수는 없다(대판 2015.8.27. 2015두41449).

ㄴ. (×) 甲 지방자치단체가 乙 주식회사 등 4개 회사로 구성된 공동수급체를 자원회수시설과 부대시설의 운영·유지관리 등을 위탁할 민간사업자로 선정하고 乙 회사 등의 공동수급체와 위 시설에 관한 위·수탁 운영 협약을 체결하였는데, 민간위탁 사무감사를 실시한 결과 乙 회사 등이 위 협약에 근거하여 노무비와 복지후생비 등 비정산비용 명목으로 지급받은 금액 중 집행되지 않은 금액에 대하여 회수하기로 하고 乙 회사에 이를 납부하라고 통보하자, 乙 회사 등이 이를 납부한 후 회수통보의 무효확인 등을 구하는 소송을 제기한 사안에서, 위 협약은 甲 지방자치단체가 사인인 乙 회사 등에 위 시설의 운영을 위탁하고 그 위탁운영비용을 지급하는 것을 내용으로 하는 용역계약으로서 상호 대등한 입장에서 당사자의 합의에 따라 체결한 사법상 계약에 해당하고, 위 협약에 따르면 수탁자인 乙 회사 등이 위탁운영비용 중 비정산비용 항목을 일부 집행하지 않았다고 하더라도, 위탁자인 甲 지방자치단체에 미집행액을 회수할 계약상 권리가 인정된다고 볼 수 없는 점, 인건비 등이 일부 집행되지 않았다는 사정만으로 乙 회사 등이 협약상 의무를 불이행하였다고 볼 수는 없는 점, 乙 회사 등이 甲 지방자치단체에 미집행액을 반환하여야 할 계약상 의무가 없으므로 결과적으로 乙 회사 등이 미집행액을 계속 보유하고 자신들의 이윤으로 귀속시킬 수 있다고 해서 협약에서 정한 '운영비용의 목적 외 사용'에 해당한다고 볼 수도 없는 점 등을 종합하면, 甲 지방자치단체가 미집행액 회수를 위하여 乙 회사 등으로부터 지급받은 돈이 부당이득에 해당하지 않는다고 본 원심판단에 법리를 오해한 잘못이 있다(대판 2019.10.17. 2018두60588).

ㄷ. (○) 甲 주식회사 등으로 구성된 컨소시엄과 한국에너지기술평가원은 산업기술혁신 촉진법 제11조 제4항에 따라 산업기술개발사업에 관한 협약을 체결하고, 위 협약에 따라 정부출연금이 지급되었는데, 한국에너지기술평가원이 甲 회사가 외부 인력에 대한 인건비를 위 협약에 위반하여 집행하였다며 甲 회사에 정산금 납부 통보를 하자, 甲 회사는 한국에너지기술평가원 등을 상대로 정산금 반환채무가 존재하지 아니한다는 확인을 구하는 소를 민사소송으로 제기한 사안에서, 위 협약은 공법상 계약에 해당하고 그에 따른 계약상 정산의무의 존부·범위에 관한 甲 회사와 한국에너지기술평가원의 분쟁은 공법상 당사자소송의 대상이다(대판 2023.6.29. 2021다250025).

ㄹ. (×) 甲이 국가와 체결한 국유임산물 매각계약의 계약조건에서 '소관 관서의 장은 매수자가 산림관계법령 또는 계약사항을 위반한 때에는 계약을 해제할 수 있으며, 이때 계약보증금, 기납된 대금 및 매각임산물은 국고에 귀속할 수 있다'는 내용을 규정하고 있었는데, 국가가 甲이 계약에서 정한 기한 내 반출의무를 위반하였다는 이유로 계약을 해제하고 매각대금 등을 국고에 귀속하자 甲이 국가를 상대로 미반출산물에 상당하는 매각대금 등의 반환을 구한 사안에서, 위 국유임산물 매각계약은 甲과 국가가 사경제 주체로서 대등한 위치에서 체결한 사법상 계약이다(대판 2020.5.14. 2018다298409).

답 ②

005

공법상 계약에 대한 설명으로 옳지 않은 것은? (다툼이 있는 경우 판례에 의함)

① 「행정기본법」에 따를 때 행정청은 법령등을 위반하지 아니하는 범위에서 행정목적을 달성하기 위하여 필요한 경우에는 공법상 계약을 체결할 수 있고, 이때 계약의 목적 및 내용을 명확하게 적은 계약서를 작성하여야 한다.

② 「국가를 당사자로 하는 계약에 관한 법률」에 따라 체결된 계약은 공법상 계약이므로, 동법 및 동법 시행령상의 입찰절차나 낙찰자 결정기준에 관한 규정은 단순히 국가의 내부규정에 불과한 것이라고 할 수 없다.

③ 전문직공무원인 공중보건의사의 채용계약 해지가 관할 도지사의 일방적인 의사표시에 의하여 그 신분을 박탈하는 불이익처분이라 해도 곧바로 그러한 의사표시가 관할 도지사가 행정청으로서 공권력을 행사하여 행하는 행정처분이라고 단정할 수는 없다.

④ 계약직공무원의 채용계약 해지는 국가 또는 지방자치단체가 채용계약 관계의 한쪽 당사자로서 대등한 지위에서 행하는 의사표시이므로, 행정처분과 같이 「행정절차법」에 의하여 근거와 이유를 제시하여야 하는 것은 아니다.

⑤ 산업단지관리공단이 구 「산업집적활성화 및 공장설립에 관한 법률」에 따른 입주변경계약을 취소한 것은 행정청인 관리권자로부터 관리업무를 위탁받은 산업단지관리공단이 우월적 지위에서 입주기업체들에게 일정한 법률상 효과를 발생하게 하는 것으로서 항고소송의 대상이 되는 행정처분이다.

2025년 변호사

① (O)

> 「행정기본법」 제27조 【공법상 계약의 체결】 ① 행정청은 법령등을 위반하지 아니하는 범위에서 행정목적을 달성하기 위하여 필요한 경우에는 공법상 법률관계에 관한 계약(이하 "공법상 계약"이라 한다)을 체결할 수 있다. 이 경우 계약의 목적 및 내용을 명확하게 적은 계약서를 작성하여야 한다.
> ② 행정청은 공법상 계약의 상대방을 선정하고 계약 내용을 정할 때 공법상 계약의 공공성과 제3자의 이해관계를 고려하여야 한다.

② (×)

> [1] 국가를 당사자로 하는 계약에 관한 법률은 국가가 계약을 체결하는 경우 원칙적으로 경쟁입찰에 의하여야 하고(제7조), 국고의 부담이 되는 경쟁입찰에 있어서 입찰공고 또는 입찰설명서에 명기된 평가기준에 따라 국가에 가장 유리하게 입찰한 자를 낙찰자로 정하도록(제10조 제2항 제2호) 규정하고 있고, 같은 법 시행령에서 당해 입찰자의 이행실적, 기술능력, 재무상태, 과거 계약이행 성실도, 자재 및 인력조달가격의 적정성, 계약질서의 준수정도, 과거공사의 품질정도 및 입찰가격 등을 종합적으로 고려하여 재정경제부장관이 정하는 심사기준에 따라 세부심사기준을 정하여 결정하도록 규정하고 있으나, 이러한 규정은 국가가 사인과의 사이의 계약관계를 공정하고 합리적·효율적으로 처리할 수 있도록 관계 공무원이 지켜야 할 계약사무처리에 관한 필요한 사항을 규정한 것으로, 국가의 내부규정에 불과하다 할 것이다.
>
> [2] 계약담당공무원이 입찰절차에서 국가를 당사자로 하는 계약에 관한 법률 및 그 시행령이나 그 세부심사기준에 어긋나게 적격심사를 하였다 하더라도 그 사유만으로 당연히 낙찰자 결정이나 그에 기한 계약이 무효가 되는 것은 아니고, 이를 위배한 하자가 입찰절차의 공공성과 공정성이 현저히 침해될 정도로 중대할 뿐 아니라 상대방도 이러한 사정을 알았거나 알 수 있었을 경우 또는 누가 보더라도 낙찰자의 결정 및 계약체결이 선량한 풍속 기타 사회질서에 반하는 행위에 의하여 이루어진 것임이 분명한 경우 등 이를 무효로 하지 않으면 그 절차에 관하여 규정한 국가를 당사자로 하는 계약에 관한 법률의 취지를 몰각하는 결과가 되는 특별한 사정이 있는 경우에 한하여 무효가 된다고 해석함이 타당하다(대판 2001.12.11. 2001다33604).

문제 DATA
출제가능 지수 ▶▶Σ
난이도 지수 ★★★

함께 정리하기

공법상 계약

법률우위 원칙
▷ 적용O

체결 시
▷ 계약서 작성 要

공공계약
▷ 사법상 계약

입찰절차나 낙찰자결정기준에 관한 규정
▷ 국가 내부규정에 불과

공중보건의사 채용계약해지
▷ 처분×(∵대등 당사자 지위에서 행하는 의사표시)

계약직공무원에 대한 채용계약해지
▷ 「행정절차법」 적용×

구 「산업집적활성화 및 공장설립에 관한 법률」에 따른 산업단지입주계약 해지
▷ 행정처분O(항고소송)

③ (○) 전문직공무원인 공중보건의사의 채용계약의 해지가 관할 도지사의 일방적인 의사표시에 의하여 그 신분을 박탈하는 불이익처분이라고 하여 곧바로 그 의사표시가 관할 도지사가 행정청으로서 공권력을 행사하여 행하는 행정처분이라고 단정할 수는 없고, 공무원 및 공중보건의사에 관한 현행 실정법이 공중보건의사의 근무관계에 관하여 구체적으로 어떻게 규정하고 있는가에 따라 그 의사표시가 항고소송의 대상이 되는 처분 등에 해당하는 것인지의 여부를 개별적으로 판단하여야 할 것인바, 농어촌 등 보건의료를 위한 특별조치법 제2조, 제3조, 제5조, 제9조, 제26조와 같은 법 시행령 제3조, 제17조, 전문직공무원규정 제5조 제1항, 제7조 및 국가공무원법 제2조 제3항 제3호, 제4항 등 관계 법령의 규정내용에 미루어 보면 현행 실정법이 전문직공무원인 공중보건의사의 채용계약 해지의 의사표시는 일반공무원에 대한 징계처분과는 달라서 항고소송의 대상이 되는 처분 등의 성격을 가진 것으로 인정되지 아니하고, 일정한 사유가 있을 때에 관할 도지사가 채용계약 관계의 한쪽 당사자로서 대등한 지위에서 행하는 의사표시로 취급하고 있는 것으로 이해되므로, 공중보건의사 채용계약 해지의 의사표시에 대하여는 대등한 당사자간의 소송형식인 공법상의 당사자소송으로 그 의사표시의 무효확인을 청구할 수 있는 것이지, 이를 항고소송의 대상이 되는 행정처분이라는 전제하에서 그 취소를 구하는 항고소송을 제기할 수는 없다(대판 1996.5.31. 95누10617).

④ (○) 계약직공무원에 관한 현행 법령의 규정에 비추어 볼 때, 계약직공무원 채용계약해지의 의사표시는 일반공무원에 대한 징계처분과는 달라서 항고소송의 대상이 되는 처분 등의 성격을 가진 것으로 인정되지 아니하고, 일정한 사유가 있을 때에 국가 또는 지방자치단체가 채용계약 관계의 한쪽 당사자로서 대등한 지위에서 행하는 의사표시로 취급되는 것으로 이해되므로, 이를 징계해고 등에서와 같이 그 징계사유에 한하여 효력 유무를 판단하여야 하거나, 행정처분과 같이 행정절차법에 의하여 근거와 이유를 제시하여야 하는 것은 아니다(대판 2002.11.26. 2002두5948).

⑤ (○) 구 산업집적활성화 및 공장설립에 관한 법률 관련 규정들에서 알 수 있는 피고 공단의 지위, 입주계약 및 변경계약의 효과, 입주계약 및 변경계약 체결 의무와 그 의무를 불이행한 경우의 형사적 내지 행정적 제재, 입주계약해지의 절차, 그 해지통보에 수반되는 법적 의무 및 그 의무를 불이행한 경우의 형사적 내지 행정적 제재 등을 종합적으로 고려하면, 이 사건 입주변경계약 취소는 행정청인 관리권자로부터 관리업무를 위탁받은 피고 공단이 우월적 지위에서 원고들에게 일정한 법률상 효과를 발생하게 하는 것으로서 항고소송의 대상이 되는 행정처분에 해당한다고 보아야 한다(대판 2017.6.15. 2014두46843).

답 ②

006

공법상 계약에 대한 설명으로 옳지 않은 것은?

① 행정청은 법령등을 위반하지 아니하는 범위에서 행정목적을 달성하기 위하여 필요한 경우에는 공법상 법률관계에 관한 계약을 체결할 수 있고, 이 경우 계약의 목적 및 내용을 명확하게 적은 계약서를 작성하여야 한다.

② 계약직공무원 채용계약해지의 의사표시는 일반공무원에 대한 징계처분과는 달라서 일정한 사유가 있을 때에 국가 또는 지방자치단체가 채용계약 관계의 한쪽 당사자로서 대등한 지위에서 행하는 의사표시로 취급되는 것으로 이해되므로 「행정절차법」에 의하여 근거와 이유를 제시하여야 하는 것은 아니다.

③ 시립무용단원의 위촉은 공법상 계약에 해당하지만 해촉에 대하여는 민사소송으로 다투어야 한다.

④ 「국가를 당사자로 하는 계약에 관한 법률」에 따라 국가가 당사자가 되는 이른바 공공계약은 사경제 주체로서 상대방과 대등한 위치에서 체결하는 사법상 계약으로서 그에 관한 법령에 특별한 정함이 있는 경우를 제외하고는 사법의 원리가 그대로 적용된다.

2024년 국가직 7급

① (○)

> 「행정기본법」 제27조【공법상 계약의 체결】① 행정청은 법령등을 위반하지 아니하는 범위에서 행정목적을 달성하기 위하여 필요한 경우에는 공법상 법률관계에 관한 계약(이하 "공법상 계약"이라 한다)을 체결할 수 있다. 이 경우 계약의 목적 및 내용을 명확하게 적은 계약서를 작성하여야 한다.
> ② 행정청은 공법상 계약의 상대방을 선정하고 계약 내용을 정할 때 공법상 계약의 공공성과 제3자의 이해관계를 고려하여야 한다.

② (○) 계약직공무원 채용계약 해지의 의사표시는 일반공무원에 대한 징계처분과는 달라서 항고소송의 대상이 되는 처분 등의 성격을 가진 것으로 인정되지 아니하고, 일정한 사유가 있을 때에 국가 또는 지방자치단체가 채용계약관계의 한쪽 당사자로서 대등한 지위에서 행하는 의사표시로 취급되는 것으로 이해되므로, 이를 징계해고 등에서와 같이 그 징계사유에 한하여 효력 유무를 판단하여야 하거나, 행정처분과 같이 행정절차법에 의하여 근거와 이유를 제시하여야 하는 것은 아니다(대판 2002.11.26. 2002두5948).

③ (×) 서울특별시립무용단 단원의 위촉은 공법상의 계약이라고 할 것이고, 따라서 그 단원의 해촉에 대하여는 공법상의 당사자소송으로 그 무효확인을 청구할 수 있다(대판 1995.12.22. 95누4636).

④ (○) 국가를 당사자로 하는 계약에 관한 법률에 따라 국가가 당사자가 되는 이른바 공공계약은 사경제 주체로서 상대방과 대등한 위치에서 체결하는 사법상 계약으로서 본질적인 내용은 사인 간의 계약과 다를 바가 없으므로, 그에 관한 법령에 특별한 정함이 있는 경우를 제외하고는 사적 자치와 계약자유의 원칙 등 사법의 원리가 그대로 적용된다(대판 2020.5.14. 2018다298409).

답 ③

함께 정리하기

공법상 계약

계약체결 시
▷ 계약서 작성 要

계약직공무원 채용계약 해지의 의사표시
▷ 「행정절차법」상 이유제시 不要

서울시무용단원 위촉
▷ 공법상 계약, 해촉에 대하여는 당사자소송

국가가 당사자가 되는 공공계약
▷ 사법의 원리가 그대로 적용

---

007 □□□

행정상 법률관계에 대한 설명으로 옳지 않은 것은? (다툼이 있는 경우 판례에 의함)

① 구 「국가공무원법」 등에 의한 계약직공무원 채용계약 해지의 의사표시는 항고소송의 대상이 되는 처분 등의 성격을 가진 것으로 행정처분과 같이 「행정절차법」에 의하여 근거와 이유를 제시하여야 한다.
② 지방자치단체에 근무하는 청원경찰에 대한 징계처분의 시정을 구하는 소는 행정소송의 대상이지 민사소송의 대상이 아니다.
③ 대부료 징수에 관하여 「국세징수법」 중 체납처분에 관한 규정을 준용하고 있다고 하여도 일반재산인 국유림의 대부료 납입고지는 행정소송의 대상이 아니다.
④ 개발부담금 부과처분이 취소된 후, 부당이득으로서의 과오납금반환에 관한 법률관계는 행정소송 절차에 따라야 하는 관계로 볼 수 없다.

문제 DATA
출제가능 지수 ▶▶▷
난이도 지수 ★★☆

2024년 경찰간부

① (×) 계약직공무원 채용계약 해지의 의사표시는 일반공무원에 대한 징계처분과는 달라서 항고소송의 대상이 되는 처분 등의 성격을 가진 것으로 인정되지 아니하고, 일정한 사유가 있을 때에 국가 또는 지방자치단체가 채용계약관계의 한쪽 당사자로서 대등한 지위에서 행하는 의사표시로 취급되는 것으로 이해되므로, 이를 징계해고 등에서와 같이 그 징계사유에 한하여 효력 유무를 판단하여야 하거나, 행정처분과 같이 행정절차법에 의하여 근거와 이유를 제시하여야 하는 것은 아니다(대판 2002.11.26. 2002두5948).

함께 정리하기

행정상 법률관계

계약직공무원 채용계약해지 의사표시
▷ 「행정절차법」 적용×(처분×)

국가나 지자체 청원경찰의 근무관계
▷ 공법관계, 징계처분은 행정소송 대상

일반재산인 국유림의 대부료 납입고지
▷ 사법관계

개발부담금부과처분 취소 후 과오납금반환
▷ 사법관계

② (○) 국가나 지방자치단체에 근무하는 청원경찰은 국가공무원법이나 지방공무원법상의 공무원은 아니지만, 다른 청원경찰과는 달리 그 임용권자가 행정기관의 장이고, 국가나 지방자치단체로부터 보수를 받으며, 산업재해보상보험법이나 근로기준법이 아닌 공무원연금법에 따른 재해보상과 퇴직급여를 지급받고, 직무상의 불법행위에 대하여도 민법이 아닌 국가배상법이 적용되는 등의 특질이 있으며 그 외 임용자격, 직무, 복무의무 내용 등을 종합하여 볼 때, 그 근무관계를 사법상의 고용계약관계로 보기는 어려우므로 그에 대한 징계처분의 시정을 구하는 소는 행정소송의 대상이지 민사소송의 대상이 아니다(대판 1993.7.13. 92다47564).

③ (○) 국유 잡종재산에 관한 관리 처분의 권한을 위임받은 기관이 국유 잡종재산을 대부하는 행위는 국가가 사경제 주체로서 상대방과 대등한 위치에서 행하는 사법상의 계약이고, 국유 잡종재산에 관한 대부료의 납부고지 역시 사법상의 이행청구에 해당하며, 이를 행정처분이라고 할 수 없다(대판 2000.2.11. 99다61675 등).

④ (○) 개발부담금 부과처분이 취소된 이상 그 후의 부당이득으로서의 과오납금 반환에 관한 법률관계는 단순한 민사 관계에 불과한 것이고, 행정소송 절차에 따라야 하는 관계로 볼 수 없다(대판 1995.12.22. 94다51253).

답 ①

008 ☐☐☐

다음 중 공법상 계약에 대한 설명으로 가장 옳지 않은 것은? (다툼이 있는 경우 판례에 의함)

① 시·군조합의 설립은 당사자의 의사합치로 성립한다는 점에서 공법상 계약에 해당된다.
② 공법상 계약의 이행지체, 불완전이행 등 급부 장애가 발생될 경우 민법상의 규정을 유추 적용한다.
③ 공중보건의사 채용계약 해지의 의사표시에 대하여는 대등한 당사자 간의 소송형식인 공법상의 당사자소송으로 그 의사표시의 무효확인을 청구할 수 있는 것이지, 이를 항고소송의 대상이 되는 행정처분이라는 전제하에서 그 취소를 구하는 항고소송을 제기할 수는 없다.
④ 공법상 계약의 해지 및 그에 따른 환수통보에 있어서 행정청이 일방적인 의사표시로 자신과 상대방 사이의 법률관계를 종료시킨 경우, 이를 행정청이 우월한 지위에서 행하는 공권력의 행사로서 행정처분에 해당한다고 단정할 수 없다.

| 2024년 군무원 9급

① (×) 시·군조합의 설립행위는 공법상 합동행위에 해당한다. 공법상 계약과 공법상 합동행위는 모두 복수당사자의 의사합치로 성립하는 공법행위라는 점에서 공통되나, 공법상 합동행위는 복수당사자 간의 "동일 방향"의 의사의 합치로 성립되는 공법행위(예 지방자치단체조합을 설립하는 행위, 농지개량조합 등 공공조합을 설립하는 행위 등)라는 점에서 서로 "반대 방향"의 의사의 합치에 의해 성립되는 공법상 계약과 구별된다.

② (○) 공법상 계약은 행정처분 등으로 형성되는 일반적인 공법관계와 달리 민법에서 정하고 있는 '계약'이라는 형식을 공법적 법률관계를 규율하기 위한 수단으로 사용한다. 따라서 공법상 계약에는 개별법에 특별한 정함이 없는 한 민법상 계약이나 법률행위 규정이 유추 적용될 수 있다.

> 임대아파트 건립사업의 민간사업자로 선정된 甲 주식회사가 사업을 추진한 지방자치단체와 '지방자치단체가 국민주택기금을 배정받아 사업비로 충당해 주는 것'과 '신축 아파트 소유권을 甲 회사에 이전해 주는 것'을 기본 전제로 하는 실시협약을 체결하고 사업을 진행하던 중 위 기본 전제의 성취가 불가능하게 되자 실시협약을 해제하고 손해배상을 구한 사안에서, 지방자치단체의 주된 귀책사유로 기본 전제의 성취가 불가능하게 되어 실시협약이 이행불능에 이르렀으므로 지방자치단체는 사업이 성공적으로 완수되었다면 甲 회사가 얻을 수 있는 이익 상당액을 배상하여야 한다고 하면서, 사업지원비인 상환면제금이

문제 DATA
출제가능 지수 ▶▶▷
난이도 지수 ★★☆

함께 정리하기
공법상 계약
조합설립행위
▷ 공법상 합동행위(공법상 계약×)
공법상 계약의 이행지체, 불완전이행 등 급부장애시
▷ 민법규정 유추적용
공중보건의사 채용계약해지
▷ 당사자소송 대상(행정처분×)
행정청의 일방적 계약해지가 행정처분인지 여부
▷ 관계법령을 기준으로 개별적 판단

이익 상당액의 최고한도가 아니라는 취지에서 상환면제금을 초과하는 금액으로 이익 상당액을 인정한 원심판단을 정당하다고 한 사례(대판 2012.10.11. 2010다3162)

③ (○) 현행 실정법이 전문직공무원인 공중보건의사의 채용계약 해지의 의사표시는 일반공무원에 대한 징계처분과는 달라서 항고소송의 대상이 되는 처분 등의 성격을 가진 것으로 인정되지 아니하고, 일정한 사유가 있을 때에 관할 도지사가 채용계약 관계의 한쪽 당사자로서 대등한 지위에서 행하는 의사표시로 취급하고 있는 것으로 이해되므로, 공중보건의사 채용계약 해지의 의사표시에 대하여는 대등한 당사자 간의 소송형식인 공법상의 당사자소송으로 그 의사표시의 무효확인을 청구할 수 있는 것이지, 이를 항고소송의 대상이 되는 행정처분이라는 전제하에서 그 취소를 구하는 항고소송을 제기할 수는 없다(대판 1996.5.31. 95누10617).

④ (○)
1. 행정청이 자신과 상대방 사이의 근로관계(법률관계)를 일방적인 의사표시로 종료시켰다고 하더라도 곧바로 의사표시가 행정청으로서 공권력을 행사하여 행하는 행정처분이라고 단정할 수는 없고, 관계 법령이 상대방의 법률관계에 관하여 구체적으로 어떻게 규정하고 있는지에 따라 의사표시가 항고소송의 대상이 되는 행정처분에 해당하는지 아니면 공법상 계약관계의 일방 당사자로서 대등한 지위에서 행하는 의사표시인지를 개별적으로 판단하여야 한다. 이러한 법리는 공법상 근무관계의 형성을 목적으로 하는 채용계약의 체결 과정에서 행정청의 일방적인 의사표시로 계약이 성립하지 아니하게 된 경우에도 마찬가지이다(대판 2014.4.24. 2013두6244 등).
2. 중소기업기술정보진흥원장이 甲 주식회사와 중소기업 정보화지원사업 지원대상인 사업의 지원에 관한 협약을 체결하였는데, 협약이 甲 회사에 책임이 있는 사업실패로 해지되었다는 이유로 협약에서 정한 대로 지급받은 정부지원금을 반환할 것을 통보한 사안에서, 중소기업 정보화지원사업에 따른 지원금 출연을 위하여 중소기업청장이 체결하는 협약은 공법상 대등한 당사자 사이의 의사표시의 합치로 성립하는 공법상 계약에 해당하는 점, 중소기업정보화지원사업에 관하여 출연한 지원금 환수에 관한 구체적인 법령상 근거가 없는 점 등을 종합하면 협약의 해지 및 그에 따른 환수통보는 공법상 계약에 따라 행정청이 대등한 당사자의 지위에서 하는 의사표시로 보아야 하고, 이를 행정청이 우월한 지위에서 행하는 공권력의 행사로서 행정처분에 해당한다고 볼 수는 없다(대판 2015.8.27. 2015두41449).

답 ①

009

공법상 계약에 관한 설명으로 옳지 않은 것은? (다툼이 있는 경우 판례에 의함)

① 「행정기본법」에 따르면, 행정청은 법령등을 위반하지 아니하는 범위에서 공법상 계약을 체결할 수 있으며, 이 경우 계약의 목적 및 내용을 명확하게 적은 계약서를 작성하여야 한다.
② 지방자치단체가 일방 당사자가 되는 이른바 '공공계약'이 사경제의 주체로서 상대방과 대등한 위치에서 체결하는 사법상 계약에 해당하는 경우, 그에 관한 법령에 특별한 정함이 있는 경우를 제외하고는 사적 자치와 계약자유의 원칙 등 사법의 원리가 그대로 적용된다.
③ 공법상 계약의 한쪽 당사자가 다른 당사자를 상대로 효력을 다투거나 이행을 청구하는 소송은 공법상의 법률관계에 관한 분쟁이므로 분쟁의 실질이 손해배상액의 구체적인 산정방법·금액에 국한되는 경우에도 공법상 당사자소송으로 제기하여야 한다.
④ 지방자치단체를 당사자로 하는 계약에 관하여는 그 계약의 성질이 사법상 계약인지 공법상 계약인지와 상관없이 원칙적으로 「지방자치단체를 당사자로 하는 계약에 관한 법률」의 규율이 적용된다고 보아야 한다.

● 문제 DATA
출제가능 지수 ▶▶▷
난이도 지수 ★★☆

함께 정리하기

공법상 계약

법률우위 원칙
▷ 적용 ○

체결 시
▷ 계약서 작성 要

지방자치단체가 일방 당사자가 되는 공공계약
▷ 사법의 원리가 그대로 적용

공법상 계약의 효력을 다투거나 이행을 청구하는 소송
▷ 분쟁의 실질이 손해배상액의 산정방법·금액에 국한되지 않는 한, 당사자소송

지방자치단체를 당사자로 하는 계약
▷ 계약의 성질과 상관없이 「지방자치단체를 당사자로 하는 계약에 관한 법률」 적용

문제 DATA
출제가능 지수 ▶▶▷
난이도 지수 ★★★

2024년 소방직

① (○)

> 「행정기본법」 제27조 【공법상 계약의 체결】 ① 행정청은 법령등을 위반하지 아니하는 범위에서 행정목적을 달성하기 위하여 필요한 경우에는 공법상 법률관계에 관한 계약(이하 "공법상 계약"이라 한다)을 체결할 수 있다. 이 경우 계약의 목적 및 내용을 명확하게 적은 계약서를 작성하여야 한다.
> ② 행정청은 공법상 계약의 상대방을 선정하고 계약 내용을 정할 때 공법상 계약의 공공성과 제3자의 이해관계를 고려하여야 한다.

② (○) 지방자치단체가 일방 당사자가 되는 이른바 '공공계약'이 사경제의 주체로서 상대방과 대등한 위치에서 체결하는 사법상 계약에 해당하는 경우 그에 관한 법령에 특별한 정함이 있는 경우를 제외하고는 사적 자치와 계약자유의 원칙 등 사법의 원리가 그대로 적용된다(대판 2018.2.13. 2014두11328).

③ (×) 공법상 당사자소송이란 행정청의 처분 등을 원인으로 하는 법률관계에 관한 소송 그 밖에 공법상의 법률관계에 관한 소송으로서 그 법률관계의 한쪽 당사자를 피고로 하는 소송을 말한다(행정소송법 제3조 제2호). 공법상 계약이란 공법적 효과의 발생을 목적으로 하여 대등한 당사자 사이의 의사표시의 합치로 성립하는 공법행위를 말한다. 공법상 계약의 한쪽 당사자가 다른 당사자를 상대로 효력을 다투거나 이행을 청구하는 소송은 공법상의 법률관계에 관한 분쟁이므로 분쟁의 실질이 공법상 권리·의무의 존부·범위에 관한 다툼이 아니라 손해배상액의 구체적인 산정방법·금액에 국한되는 등의 특별한 사정이 없는 한 공법상 당사자소송으로 제기하여야 한다(대판 2021.2.4. 2019다277133).

④ (○) 지방계약법은 지방자치단체를 당사자로 하는 계약에 관한 기본적인 사항을 정함으로써 계약업무를 원활하게 수행할 수 있도록 함을 목적으로 하고(제1조), 지방자치단체가 계약상대자와 체결하는 수입 및 지출의 원인이 되는 계약 등에 대하여 적용하며(제2조), 지방자치단체를 당사자로 하는 계약에 관하여는 다른 법률에 특별한 규정이 있는 경우 외에는 이 법에서 정하는 바에 따른다고 규정하고 있다(제4조). 따라서 다른 법률에 특별한 규정이 있는 경우이거나 또는 지방계약법의 개별 규정의 규율내용이 매매, 도급 등과 같은 특정한 유형·내용의 계약을 규율대상으로 하고 있는 경우가 아닌 한, 지방자치단체를 당사자로 하는 계약에 관하여는 그 계약의 성질이 공법상 계약인지 사법상 계약인지와 상관없이 원칙적으로 지방계약법의 규율이 적용된다고 보아야 한다(대판 2020.12.10. 2019다234617).

답 ③

010 ☐☐☐

공법상 계약에 대한 설명으로 옳지 않은 것은?

① 행정청은 공법상 계약의 상대방을 선정하고 계약 내용을 정할 때 공법상 계약의 공공성과 제3자의 이해관계를 고려하여야 한다.

② 「국유림의 경영 및 관리에 관한 법률」에 따른 국유임산물 매각계약은 공법상 계약이 아니라 사법상 계약에 해당한다.

③ 중소기업 정보화지원사업에 따른 지원금 출연을 위하여 중소기업청장이 체결하는 협약은 공법상 계약에 해당한다.

④ 구 「산업집적활성화 및 공장설립에 관한 법률」에 따른 산업단지입주계약의 해지통보는 대등한 당사자의 지위에서 형성된 공법상 계약을 계약당사자의 지위에서 종료시키는 의사표시이므로 당사자소송의 대상이 된다.

⑤ 공기업·준정부기관이 입찰을 거쳐 계약을 체결한 상대방에 대해 「공공기관의 운영에 관한 법률」 등에 따라 계약조건 위반을 이유로 입찰참가자격제한처분을 하기 위해서는 입찰공고와 계약서에 미리 계약조건과 그 계약조건을 위반할 경우 입찰참가자격 제한을 받을 수 있다는 사실을 모두 명시해야 한다.

2024년 국회직 8급

① (○)

> 「행정기본법」 제27조【공법상 계약의 체결】 ① 행정청은 법령등을 위반하지 아니하는 범위에서 행정목적을 달성하기 위하여 필요한 경우에는 공법상 법률관계에 관한 계약(이하 "공법상 계약"이라 한다)을 체결할 수 있다. 이 경우 계약의 목적 및 내용을 명확하게 적은 계약서를 작성하여야 한다.
> ② 행정청은 공법상 계약의 상대방을 선정하고 계약 내용을 정할 때 공법상 계약의 공공성과 제3자의 이해관계를 고려하여야 한다.

② (○) 국유임산물 매각계약은 甲과 국가가 사경제 주체로서 대등한 위치에서 체결한 사법상 계약에 해당한다(대판 2020.5.14. 2018다298409).

③ (○) 중소기업기술정보진흥원장이 甲 주식회사와 중소기업 정보화지원사업 지원대상인 사업의 지원에 관한 협약을 체결하였는데, 협약이 甲 회사에 책임이 있는 사업실패로 해지되었다는 이유로 협약에서 정한 대로 지급받은 정부지원금을 반환할 것을 통보한 사안에서, 중소기업 정보화지원사업에 따른 지원금 출연을 위하여 중소기업청장이 체결하는 협약은 공법상 대등한 당사자 사이의 의사표시의 합치로 성립하는 공법상 계약에 해당하는 점, 구 중소기업 기술혁신 촉진법(2010.3.31. 법률 제10220호로 개정되기 전의 것) 제32조 제1항은 제10조가 정한 기술혁신사업과 제11조가 정한 산학협력 지원사업에 관하여 출연한 사업비의 환수에 적용될 수 있을 뿐 이와 근거 규정을 달리하는 중소기업 정보화지원사업에 관하여 출연한 지원금에 대하여는 적용될 수 없고 달리 지원금 환수에 관한 구체적인 법령상 근거가 없는 점 등을 종합하면, 협약의 해지 및 그에 따른 환수통보는 공법상 계약에 따라 행정청이 대등한 당사자의 지위에서 하는 의사표시로 보아야 하고, 이를 행정청이 우월한 지위에서 행하는 공권력의 행사로서 행정처분에 해당한다고 볼 수는 없다고 한 사례(대판 2015.8.27. 2015두41449)

④ (×) 구 산업집적활성화 및 공장설립에 관한 법률 관련 규정들에서 알 수 있는 산업단지관리공단의 지위, 입주계약 및 변경계약의 효과, 입주계약 및 변경계약 체결 의무와 그 의무를 불이행한 경우의 형사적 내지 행정적 제재, 입주계약해지의 절차, 해지통보에 수반되는 법적 의무 및 그 의무를 불이행한 경우의 형사적 내지 행정적 제재 등을 종합적으로 고려하면, 입주변경계약 취소는 행정청인 관리권자로부터 관리업무를 위탁받은 산업단지관리공단이 우월적 지위에서 입주기업체들에게 일정한 법률상 효과를 발생하게 하는 것으로서 항고소송의 대상이 되는 행정처분에 해당한다(대판 2017.6.15. 2014두46843).

⑤ (○) 공기업·준정부기관이 입찰을 거쳐 계약을 체결한 상대방에 대해 위 규정들에 따라 계약조건 위반을 이유로 입찰참가자격제한처분을 하기 위해서는 입찰공고와 계약서에 미리 계약조건과 그 계약조건을 위반할 경우 입찰참가자격 제한을 받을 수 있다는 사실을 모두 명시해야 한다. 계약상대방이 입찰공고와 계약서에 기재되어 있는 계약조건을 위반한 경우에도 공기업·준정부기관이 입찰공고와 계약서에 미리 계약조건을 위반할 경우 입찰참가자격이 제한될 수 있음을 명시해 두지 않았다면, 위 규정들을 근거로 입찰참가자격제한처분을 할 수 없다(대판 2021.11.11. 2021두43491).

답 ④

함께 정리하기

공법상 계약

계약의 공공성과 제3자의 이해관계를 고려해야 함

국유임산물 매각계약
▷ 사법상 계약

중소기업청장이 체결하는 정보화지원사업 지원금출연협약
▷ 공법상 계약

구「산업집적활성화 및 공장설립에 관한 법률」에 따른 산업단지입주계약 해지
▷ 행정처분○(항고소송)

입찰계약조건 위반을 이유로 한 입찰참가자격제한처분
▷ 입찰공고, 계약서에 미리 계약조건 위반 시 입찰참가자격제한 받을 수 있다는 점 명시 要

문제 DATA

출제가능 지수 ▶▶▷
난이도 지수 ★★☆

011 □□□

공법상 계약에 대한 설명으로 옳은 것만을 모두 고르면?

> ㄱ. 행정청은 법령등을 위반하지 아니하는 범위에서 행정목적을 달성하기 위하여 필요한 경우에는 공법상 법률관계에 관한 계약을 체결할 수 있고, 이 경우 계약의 목적 및 내용을 명확하게 적은 계약서를 작성하여야 한다.
> ㄴ. 계약직공무원 채용계약해지의 의사표시를 하는 경우 징계 해고 등에서와 같이 그 징계사유에 한하여 효력 유무를 판단하여야 하거나, 행정처분과 같이 「행정절차법」에 의하여 근거와 이유를 제시하여야 한다.
> ㄷ. 공익사업을 위한 토지 등의 취득 및 보상에 관한 법령에 의한 협의취득은 사법상의 법률행위이지만 당사자 사이의 자유로운 의사에 따라 채무불이행책임이나 매매대금 과부족금에 대한 지급의무를 약정할 수 있는 것은 아니다.
> ㄹ. 「지방자치단체를 당사자로 하는 계약에 관한 법률」에 따라 지방자치단체가 일방 당사자가 되는 이른바 공공계약이 사경제의 주체로서 상대방과 대등한 위치에서 체결하는 사법상의 계약에 해당하는 경우 그에 관한 법령에 특별한 정함이 있는 경우를 제외하고는 사적 자치와 계약자유의 원칙 등 사법의 원리가 그대로 적용된다.

① ㄱ, ㄴ
② ㄱ, ㄹ
③ ㄱ, ㄷ, ㄹ
④ ㄴ, ㄷ, ㄹ

함께 정리하기

공법상 계약

법률우위원칙 적용○ / 계약서 작성 要
계약직공무원 채용계약해지 의사표시
▷ 행정절차법 적용×(처분×)
토지보상법령상 협의취득
▷ 사법관계(민사소송)
지방자치단체가 일방 당사자가 되는 공공계약
▷ 사법의 원리 그대로 적용

2024년 국가직 9급

ㄱ. (○)

> 「행정기본법」 제27조【공법상 계약의 체결】① 행정청은 법령등을 위반하지 아니하는 범위에서 행정목적을 달성하기 위하여 필요한 경우에는 공법상 법률관계에 관한 계약(이하 "공법상 계약"이라 한다)을 체결할 수 있다. 이 경우 계약의 목적 및 내용을 명확하게 적은 계약서를 작성하여야 한다.

ㄴ. (×) 계약직공무원에 관한 현행 법령의 규정에 비추어 볼 때, 계약직공무원 채용계약해지의 의사표시는 일반공무원에 대한 징계처분과는 달라서 항고소송의 대상이 되는 처분 등의 성격을 가진 것으로 인정되지 아니하고, 일정한 사유가 있을 때에 국가 또는 지방자치단체가 채용계약 관계의 한쪽 당사자로서 대등한 지위에서 행하는 의사표시로 취급되는 것으로 이해되므로, 이를 징계해고 등에서와 같이 그 징계사유에 한하여 효력 유무를 판단하여야 하거나, 행정처분과 같이 행정절차법에 의하여 근거와 이유를 제시하여야 하는 것은 아니다(대판 2002.11.26. 2002두5948).

ㄷ. (×) 공익사업을 위한 토지 등의 취득 및 보상에 관한 법령에 의한 협의취득은 사법상의 법률행위이므로 당사자 사이의 자유로운 의사에 따라 채무불이행책임이나 매매대금 과부족금에 대한 지급의무를 약정할 수 있다(대판 2012.2.23. 2010다91206).

ㄹ. (○) 지방자치단체가 일방 당사자가 되는 이른바 '공공계약'이 사경제의 주체로서 상대방과 대등한 위치에서 체결하는 사법상 계약에 해당하는 경우 그에 관한 법령에 특별한 정함이 있는 경우를 제외하고는 사적 자치와 계약자유의 원칙 등 사법의 원리가 그대로 적용된다(대판 2018.2.13. 2014두11328).

답 ②

012

행정계약에 대한 설명으로 옳은 것만을 모두 고르면?

> ㄱ. 행정청은 법령등을 위반하지 아니하는 범위에서 행정목적을 달성하기 위하여 필요한 경우에는 공법상 법률관계에 관한 계약을 체결할 수 있다.
> ㄴ. 「행정기본법」에 따르면 신속히 처리할 필요가 있거나 사안이 경미한 경우에는 말 또는 서면으로 공법상 계약을 체결할 수 있다.
> ㄷ. 중소기업기술정보진흥원장이 甲 주식회사와 체결한 중소기업 정보화지원사업 지원대상인 사업의 지원에 관한 협약의 해지는 상대방의 권리·의무를 변경시키는 처분에 해당하므로 항고소송의 대상이 된다.
> ㄹ. 「국가를 당사자로 하는 계약에 관한 법률」에 따라 국가가 당사자가 되는 이른바 공공계약은 그에 관한 법령에 특별한 정함이 없는 한 사법상 계약에 해당한다.

① ㄱ, ㄴ
② ㄱ, ㄹ
③ ㄴ, ㄷ
④ ㄷ, ㄹ

2023년 지방직 7급

ㄱ. (○), ㄴ. (×) 서면으로 한다(계약서).

> 「행정기본법」 제27조【공법상 계약의 체결】① 행정청은 법령등을 위반하지 아니하는 범위에서 행정목적을 달성하기 위하여 필요한 경우에는 공법상 법률관계에 관한 계약(이하 "공법상 계약"이라 한다)을 체결할 수 있다. 이 경우 계약의 목적 및 내용을 명확하게 적은 계약서를 작성하여야 한다.

ㄷ. (×) 중소기업정보화지원 협약해지는 공법상 계약의 해지로서 처분이 아니다.

> 중소기업기술정보진흥원장이 甲 주식회사와 중소기업 정보화지원사업 지원대상인 사업의 지원에 관한 협약을 체결하였는데, 협약이 甲 회사에 책임이 있는 사업실패로 해지되었다는 이유로 협약에서 정한 대로 지급받은 정부지원금을 반환할 것을 통보한 사안에서, 중소기업 정보화지원사업에 따른 지원금 출연을 위하여 중소기업청장이 체결한 협약은 공법상 대등한 당사자 사이의 의사표시의 합치로 성립하는 공법상 계약에 해당하는 점, 구 중소기업 기술혁신 촉진법(2010.3.31. 법률 제10220호로 개정되기 전의 것) 제32조 제1항은 제10조가 정한 기술혁신사업과 제11조가 정한 산학협력 지원사업에 관하여 출연한 사업비의 환수에 적용될 수 있을 뿐 이와 근거 규정을 달리하는 중소기업 정보화지원사업에 관하여 출연한 지원금에 대하여는 적용될 수 없고 달리 지원금 환수에 관한 구체적인 법령상 근거가 없는 점 등을 종합하면, 협약의 해지 및 그에 따른 환수통보는 공법상 계약에 따라 행정청이 내놓은 당사자의 지위에서 하는 의사표시로 보아야 하고, 이를 행정청이 우월한 지위에서 행하는 공권력의 행사로서 행정처분에 해당한다고 볼 수는 없다(대판 2015.8.27. 2015두41449).

ㄹ. (○) 국가를 당사자로 하는 계약에 관한 법률에 따라 국가가 당사자가 되는 이른바 공공계약은 사경제 주체로서 상대방과 대등한 위치에서 체결하는 사법상 계약으로서 본질적인 내용은 사인 간의 계약과 다를 바가 없으므로, 그에 관한 법령에 특별한 정함이 있는 경우를 제외하고는 사적 자치와 계약자유의 원칙 등 사법의 원리가 그대로 적용된다(대판 2020.5.14. 2018다298409).

답 ②

함께 정리하기

행정계약

내용요건
▷ 법령등을 위반하지 않는 범위 內
▷ 법률우위원칙 적용○

형식요건
▷ 계약의 목적 및 내용을 명확하게 적은 계약서 작성 要

중소기업정보화지원사업협약해지
▷ 행정처분×

국가계약법에 따라 국가가 당사자가 되는 공공계약
▷ 사법상 계약

문제 DATA

출제가능 지수 ▶▶▷
난이도 지수 ★★☆

013 □□□

공법상 계약에 대한 설명으로 옳은 것은?

① 「행정절차법」은 공법상 계약의 절차에 관한 일반법이다.
② 행정청은 공법상 계약의 상대방을 선정하고 계약 내용을 정할 때 공법상 계약의 공공성만을 고려하여야 하고 제3자의 이해관계를 고려하여서는 아니 된다.
③ 행정청이 공법상 계약을 체결하는 경우 계약의 목적 및 내용을 명확하게 적은 계약서를 작성하여야 한다.
④ 공법상 계약에는 법률우위의 원칙이 적용되지 않는다.
⑤ 행정청이 공법상 계약을 체결할 때 법령 등에 따른 관계 행정청의 동의, 승인 등이 필요하다고 하여 이를 모두 거쳐야 하는 것은 아니다.

| 2023년 행정사

① (×) 「행정절차법」에는 공법상 계약에 관한 규정이 없고, 「행정기본법」에 이에 관한 규정이 있다.
② (×)

> 「행정기본법」 제27조【공법상 계약의 체결】② 행정청은 공법상 계약의 상대방을 선정하고 계약 내용을 정할 때 공법상 계약의 공공성과 제3자의 이해관계를 고려하여야 한다.

③ (○)

> 「행정기본법」 제27조【공법상 계약의 체결】① 행정청은 법령등을 위반하지 아니하는 범위에서 행정목적을 달성하기 위하여 필요한 경우에는 공법상 법률관계에 관한 계약(이하 "공법상 계약"이라 한다)을 체결할 수 있다. 이 경우 계약의 목적 및 내용을 명확하게 적은 계약서를 작성하여야 한다.

④ (×) 공법상 계약도 다른 행정작용과 마찬가지로 법률우위의 원칙이 적용된다. 따라서 헌법을 포함한 성문법, 행정법의 일반원칙 등에 위배되어서는 아니 된다. 「행정기본법」에서도 법률우위원칙이 공법상 계약에 적용된다는 것을 명시하고 있다.
⑤ (×) 법률우위의 원칙이 적용되므로 행정청이 공법상 계약을 체결할 때 법령 등에 따른 관계 행정청의 동의, 승인 등이 필요하다고 규정되어 있다면 이를 모두 거쳐야 유효하다.

답 ③

함께 정리하기

공법상 계약

「행정기본법」에 일반규정 有
▷ 「행정절차법」×

상대방 선정 및 계약 내용을 정할 때
▷ 공공성과 제3자의 이해관계 고려 要

체결 시
▷ 계약서 작성 要

법률우위 원칙
▷ 적용○

014

공법상 계약에 대한 설명으로 옳은 것만을 <보기>에서 모두 고르면? (다툼이 있는 경우 판례에 의함)

<보기>

ㄱ. 지방자치단체를 당사자로 하는 계약에 관하여는 그 계약의 성질이 사법상 계약인지 공법상 계약인지와 상관없이 원칙적으로 「지방자치단체를 당사자로 하는 계약에 관한 법률」의 규율이 적용된다고 보아야 한다.
ㄴ. 중소기업 정보화지원사업에 따른 지원금 출연을 위하여 중소기업청장이 체결하는 협약은 공법상 대등한 당사자 사이의 의사표시의 합치로 성립하는 공법상 계약에 해당한다.
ㄷ. 지방자치단체가 일방 당사자가 되는 이른바 '공공계약'이 사경제의 주체로서 상대방과 대등한 위치에서 체결하는 사법상 계약에 해당하는 경우 그에 관한 법령에 특별한 정함이 있는 경우를 제외하고는 사적 자치와 계약자유의 원칙 등 사법의 원리가 그대로 적용된다.
ㄹ. 행정청은 법령 등을 위반하지 아니하는 범위에서 공법상 계약을 체결할 수 있으며, 이 경우 계약의 목적 및 내용을 명확하게 적은 계약서를 작성하여야 한다.

① ㄱ, ㄴ, ㄷ
② ㄱ, ㄴ, ㄹ
③ ㄱ, ㄷ, ㄹ
④ ㄴ, ㄷ, ㄹ
⑤ ㄱ, ㄴ, ㄷ, ㄹ

2023년 국회직 8급

ㄱ. (○) 지방계약법은 지방자치단체를 당사자로 하는 계약에 관한 기본적인 사항을 정함으로써 계약업무를 원활하게 수행할 수 있도록 함을 목적으로 하고(제1조), 지방자치단체가 계약상대자와 체결하는 수입 및 지출의 원인이 되는 계약 등에 대하여 적용하며(제2조), 지방자치단체를 당사자로 하는 계약에 관하여는 다른 법률에 특별한 규정이 있는 경우 외에는 이 법에서 정하는 바에 따른다고 규정하고 있다(제4조). 따라서 다른 법률에 특별한 규정이 있는 경우이거나 또는 지방계약법의 개별 규정의 규율내용이 매매, 도급 등과 같은 특정한 유형·내용의 계약을 규율대상으로 하고 있는 경우가 아닌 한, 지방자치단체를 당사자로 하는 계약에 관하여는 그 계약의 성질이 공법상 계약인지 사법상 계약인지와 상관없이 원칙적으로 지방계약법의 규율이 적용된다고 보아야 한다(대판 2020.12.10. 2019다234617).

ㄴ. (○) 중소기업기술정보진흥원장이 甲 주식회사와 중소기업 정보화지원사업 지원대상인 사업의 지원에 관한 협약을 체결하였는데, 협약이 甲 회사에 책임이 있는 사업실패로 해지되었다는 이유로 협약에서 정한 대로 지급받은 정부지원금을 반환할 것을 통보한 사안에서, 중소기업 정보화지원사업에 따른 지원금 출연을 위하여 중소기업청장이 체결하는 협약은 공법상 대등한 당사자 사이의 의사표시의 합치로 성립하는 공법상 계약에 해당하는 점, 구 중소기업 기술혁신 촉진법 제32조 제1항은 제10조가 정한 기술혁신사업과 제11조가 정한 산학협력 지원사업에 관하여 출연한 사업비의 환수에 적용될 수 있을 뿐 이와 근거 규정을 달리하는 중소기업 정보화지원사업에 관하여 출연한 지원금에 대하여는 적용될 수 없고 달리 지원금 환수에 관한 구체적인 법령상 근거가 없는 점 등을 종합하면, 협약의 해지 및 그에 따른 환수통보는 공법상 계약에 따라 행정청이 대등한 당사자의 지위에서 하는 의사표시로 보아야 하고, 이를 행정청이 우월한 지위에서 행하는 공권력의 행사로서 행정처분에 해당한다고 볼 수는 없다(대판 2015.8.27. 2015두41449).

유제 22. 서울시 7급 중소기업기술정보진흥원장이 甲 주식회사와 중소기업 정보화지원사업 지원대상인 사업의 지원에 관한 협약을 체결하였는데, 협약이 甲 회사에 책임이 있는 사업실패로 해지되었다는 이유로 협약에서 정한 대로 지급받은 정부지원금을 반환할 것을 통보한 경우, 이에 대한 甲 주식회사의 불복은 당사자소송의 대상이다. (○)

22. 국가직 7급 중소기업 정보화지원사업에 따른 지원금 출연을 위하여 중소기업청장이 체결하는 협약은 공법상 대등한 당사자 사이의 의사표시의 합치로 성립하는 공법상 계약에 해당하고 그 협약의 해지 및 그에 따른 환수통보는 공법상 계약에 따라 행정청이 대등한 당사자의 지위에서 하는 의사표시이다. (○)

22. 국회직 8급 구「중소기업 기술혁신 촉진법」상의 중소기업 정보화지원사업에 따른 지원금 출연을 위하여 중소기업청장이 민간 주식회사와 체결하는 협약은 공법상 계약에 해당한다. (○)

함께 정리하기

공법상 계약

지방자치단체를 당사자로 하는 계약
▷ 계약의 성질과 상관없이「지방자치단체를 당사자로 하는 계약에 관한 법률」적용

중소기업청장이 체결하는 정보화지원사업 지원금출연협약
▷ 공법상 계약

지방자치단체가 일방 당사자가 되는 공공계약
▷ 사법이 원리가 그대로 적용

공법상 계약의 체결
▷ 법령 위반하지 아니할 것, 계약서 작성 要

21. 국가직 9급 중소기업 정보화지원사업에 대한 지원금출연협약의 해지 및 환수통보는 공법상 계약에 따른 의사표시가 아니라 행정청이 우월한 지위에서 행하는 공권력의 행사로서 행정처분이다. (×)
20. 국회직 9급 중소기업기술정보진흥원장이 중소기업 정보화지원사업 지원대상인 사업의 지원에 관하여 체결한 협약의 해지는 행정처분에 해당한다. (×)

ㄷ. (○) 지방자치단체가 일방 당사자가 되는 이른바 '공공계약'이 사경제의 주체로서 상대방과 대등한 위치에서 체결하는 사법상 계약에 해당하는 경우 그에 관한 법령에 특별한 정함이 있는 경우를 제외하고는 사적 자치와 계약자유의 원칙 등 사법의 원리가 그대로 적용된다(대판 2018.2.13. 2014두11328).

ㄹ. (○)

> 「행정기본법」 제27조【공법상 계약의 체결】 ① 행정청은 법령등을 위반하지 아니하는 범위에서 행정목적을 달성하기 위하여 필요한 경우에는 공법상 법률관계에 관한 계약(이하 "공법상 계약"이라 한다)을 체결할 수 있다. 이 경우 계약의 목적 및 내용을 명확하게 적은 계약서를 작성하여야 한다.

답 ⑤

015

행정상 계약에 대한 설명으로 옳지 않은 것은? (다툼이 있는 경우 판례에 의함)

① 행정청은 법령 등을 위반하지 아니하는 범위에서 행정목적을 달성하기 위하여 필요한 경우에는 공법상 법률관계에 대한 계약을 체결할 수 있다.
② 국가가 당사자가 되는 이른바 공공계약은 사경제 주체로서 상대방과 대등한 위치에서 체결하는 사법상 계약이다.
③ 국가와 사인 사이에 계약이 체결되었다면 법령에 따라 작성해야 하는 계약서가 따로 작성되지 않았다고 하더라도 효력이 있다.
④ 「공공기관의 운영에 관한 법률」에 따른 입찰참가자격제한조치는 행정처분에 해당한다.

2023년 소방직

① (○)

> 「행정기본법」 제27조【공법상 계약의 체결】 ① 행정청은 법령등을 위반하지 아니하는 범위에서 행정목적을 달성하기 위하여 필요한 경우에는 공법상 법률관계에 관한 계약(이하 "공법상 계약"이라 한다)을 체결할 수 있다. 이 경우 계약의 목적 및 내용을 명확하게 적은 계약서를 작성하여야 한다.

② (○) 대판 2020.5.14. 2018다298409
③ (×) 국가가 사인과 계약을 체결할 때에는 국가계약법령에 따른 계약서를 따로 작성하는 등 요건과 절차를 이행하여야 할 것이고, 설령 국가와 사인 사이에 계약이 체결되었더라도 이러한 법령상 요건과 절차를 거치지 아니한 계약은 효력이 없다(대판 2015.1.15. 2013다215133).
④ (○) 판례는 「공공기관의 운영에 관한 법률」상 공기업·준정부기관이 법령에 근거하여 행한 입찰참가자격 제한조치에 대해 항고소송 대상이 되는 처분성을 인정하고 있다(대판 2013.9.12. 2011두10584 등).

답 ③

함께 정리하기

행정상 계약

행정청
▷ 법령 등을 위반하지 아니하는 범위에서 행정목적을 달성하기 위하여 필요한 경우 공법상 계약 체결 可

공공계약
▷ 사법상 계약

계약서 작성 등 국가계약법상 요건과 절차를 거치지 아니한 계약
▷ 무효

「공공기관의 운영에 관한 법률」에 따른 입찰참가자격제한조치
▷ 행정처분○

016

공법상 계약에 대한 설명으로 옳은 것은? (다툼이 있는 경우 판례에 의함)

① 지방자치단체가 근무기간을 정하여 임용하는 공무원으로 시민옴부즈만을 채용하는 행위는 공법상 계약에 해당한다.
② 국가를 당사자로 하는 계약이나 「공공기관의 운영에 관한 법률」의 적용대상인 공기업이 일방 당사자가 되는 모든 계약은 공법상 계약으로 본다.
③ 기부채납은 기부자의 소유재산을 지방자치단체의 공유재산으로 무상증여하도록 하는 지방자치단체의 일방적 의사표시인 행정처분에 해당한다.
④ 공공사업의 시행자가 그 사업에 필요한 토지를 협의취득하는 행위는 공행정주체로서 행하는 공법상 계약에 해당한다.
⑤ 중앙행정기관인 방위사업청과 부품개발 협약을 체결한 기업이 협약을 이행하는 과정에서 환율변동 및 물가상승 등 외부적 요인으로 발생한 초과비용 지급에 대한 소송은 민사소송에 의한다.

문제 DATA
출제가능 지수 ▶▶▷
난이도 지수 ★★☆

2023년 소방간부

① (○) 지방계약직공무원인 옴부즈만 채용행위는 공법상 대등한 당사자 사이의 의사표시의 합치로 성립하는 공법상 계약에 해당한다(대판 2014.4.24. 2013두6244).
② (×) 국가를 당사자로 하는 계약이나 공공기관의 운영에 관한 법률의 적용 대상인 공기업이 일방 당사자가 되는 계약(공공계약)은 국가 또는 공기업이 사경제의 주체로서 상대방과 대등한 지위에서 체결하는 사법상의 계약으로서 본질적인 내용은 사인 간의 계약과 다를 바가 없으므로, 법령에 특별한 정함이 있는 경우를 제외하고는 서로 대등한 입장에서 당사자의 합의에 따라 계약을 체결하여야 하고 당사자는 계약의 내용을 신의성실의 원칙에 따라 이행하여야 하는 등 사적 자치와 계약자유의 원칙을 비롯한 사법의 원리가 원칙적으로 적용된다(대판 2017.12.21. 2012다74076 전합).
③ (×) 기부채납은 기부자가 그의 소유재산을 지방자치단체의 공유재산으로 증여하는 의사표시를 하고 지방자치단체는 이를 승낙하는 채납의 의사표시를 함으로써 성립하는 증여계약이고, 증여계약의 주된 내용은 기부자가 그의 소유재산에 대한 소유권, 즉 사용·수익권 및 처분권을 무상으로 지방자치단체에 양도하는 것이므로, 증여계약이 해제된다면 특별한 사정이 없는 한 기부자는 그의 소유재산에 처분권뿐만 아니라 사용·수익권까지 포함한 완전한 소유권을 회복한다(대판 1996.11.8. 96다20581).
④ (×) 공익사업을 위한 토지 등의 취득 및 보상에 관한 법령에 의한 협의취득은 사법상의 법률행위이므로 당사자 사이의 자유로운 의사에 따라 채무불이행책임이나 매매대금 과부족금에 대한 지급의무를 약정할 수 있다(대판 2012.2.23. 2010다91206).
⑤ (×) 국책사업인 '한국형 헬기 개발사업'(Korean Helicopter Program)에 개발주관사업자 중 하나로 참여하여 국가 산하 중앙행정기관인 방위사업청과 '한국형헬기 민군겸용 핵심구성품 개발협약'을 체결한 甲 주식회사가 협약을 이행하는 과정에서 환율변동 및 물가상승 등 외부적 요인 때문에 협약금액을 초과하는 비용이 발생하였다고 주장하면서 국가를 상대로 초과비용의 지급을 구하는 민사소송을 제기한 사안서, 위 협약의 법률관계는 공법관계에 해당하므로 이에 관한 분쟁은 행정소송으로 제기하여야 한다(대판 2017.11.9. 2015다215526).

답 ①

함께 정리하기

공법상 계약

지방자치단체의 시민옴부즈만 채용행위
▷ 공법상 계약

공공계약
▷ 사법상의 계약

기부채납
▷ 사법상의 증여계약

협의취득
▷ 사법상 계약

방위사업청과 부품개발 협약을 체결한 기업의 초과비용지급청구
▷ 행정소송 대상

문제 DATA

출제가능 지수 ▶▶▷
난이도 지수 ★★☆

017 □□□

공법상 계약에 대한 설명으로 옳지 않은 것은? (다툼이 있는 경우 판례에 의함)

① 행정청은 공법상 계약의 상대방을 선정하고 계약 내용을 정할 때 공법상 계약의 공공성과 제3자의 이해관계를 고려하여야 한다.

② 중소기업 정보화지원사업에 따른 지원금 출연을 위하여 중소기업청장이 체결하는 협약은 공법상 대등한 당사자 사이의 의사표시의 합치로 성립하는 공법상 계약에 해당하고 그 협약의 해지 및 그에 따른 환수통보는 공법상 계약에 따라 행정청이 대등한 당사자의 지위에서 하는 의사표시이다.

③ 공법상 계약의 한쪽 당사자가 다른 당사자를 상대로 그 효력을 다투거나 그 이행을 청구하는 소송은 공법상의 법률관계에 관한 분쟁이므로 특별한 사정이 없는 한 공법상 당사자소송으로 제기하여야 한다.

④ 민간투자사업 실시협약을 체결한 당사자가 공법상 당사자소송에 의하여 그 실시협약에 따른 재정지원금의 지급을 구하는 경우에, 수소법원은 주무관청이 재정지원금액을 산정한 절차 등에 위법이 있는지 여부를 심사할 수는 있지만 실시협약에 따른 적정한 재정지원금액이 얼마인지를 구체적으로 심리·판단할 수 없다.

2022년 국가직 7급

① (○)

> 「행정기본법」제27조 【공법상 계약의 체결】② 행정청은 공법상 계약의 상대방을 선정하고 계약 내용을 정할 때 공법상 계약의 공공성과 제3자의 이해관계를 고려하여야 한다.

유제 21. 지방직 9급 행정청은 공법상 계약의 상대방을 선정하고 계약 내용을 정할 때 공법상 계약의 공공성과 제3자의 이해관계를 고려하여야 한다. (○)

② (○) 대판 2015.8.27. 2015두41449

③ (○) 공법상 계약의 한쪽 당사자가 다른 당사자를 상대로 효력을 다투거나 이행을 청구하는 소송은 공법상의 법률관계에 관한 분쟁이므로 분쟁의 실질이 공법상 권리·의무의 존부·범위에 관한 다툼이 아니라 손해배상액의 구체적인 산정방법·금액에 국한되는 등의 특별한 사정이 없는 한 공법상 당사자소송으로 제기하여야 한다(대판 2021.2.4. 2019다277133).

유제 22. 지방직 9급 공법상 계약이더라도 한쪽 당사자가 다른 당사자를 상대로 계약의 이행을 청구하는 소송은 민사소송으로 제기하여야 한다. (×)
21. 지방직 7급 공법상 계약의 한쪽 당사자가 다른 당사자를 상대로 효력을 다투거나 이행을 청구하는 소송은 분쟁의 실질이 공법상 권리의무의 존부·범위에 관한 다툼이 아니라 손해배상액의 구체적인 산정방법·금액에 국한되는 등의 특별한 사정이 없는 한 공법상 당사자소송으로 제기하여야 한다. (○)

④ (×) 민간투자사업 실시협약을 체결한 당사자가 공법상 당사자소송에 의하여 그 실시협약에 따른 재정지원금의 지급을 구하는 경우에, 수소법원은 단순히 주무관청이 재정지원금액을 산정한 절차 등에 위법이 있는지 여부를 심사하는 데 그쳐서는 아니 되고, 실시협약에 따른 적정한 재정지원금액이 얼마인지를 구체적으로 심리·판단하여야 한다(대판 2019.1.31. 2017두46455).

답 ④

함께 정리하기

공법상 계약

상대방 선정 및 계약 내용을 정할 때
▷ 공공성과 제3자의 이해관계 고려 要

중소기업청장이 체결하는 정보화지원사업 지원금출연협약
▷ 공법상 계약

공법상 계약의 효력을 다투거나 이행을 청구하는 소송
▷ 당사자소송

민간투자사업 실시협약에 따른 재정지원금 청구
▷ 수소법원은 위법 여부 及 적정한 지원금액 심리·판단 要

018

공법상 계약에 대한 설명으로 옳은 것은? (다툼이 있는 경우 판례에 의함)

① 지방자치단체가 일방 당사자가 되는 이른바 '공공계약'이 사법상 계약에 해당하는 경우에도 법령에 특별한 규정이 없다면 사적자치와 계약자유의 원칙 등 사법의 원리가 그대로 적용되지 않는다.
② 국립의료원 부설 주차장 위탁관리용역운영계약은 공법상 계약에 해당한다.
③ 공법상 계약이더라도 한쪽 당사자가 다른 당사자를 상대로 계약의 이행을 청구하는 소송은 민사소송으로 제기하여야 한다.
④ 지방자치단체가 A주식회사를 자원회수시설과 부대시설의 운영·유지관리 등을 위탁할 민간사업자로 선정하고 A주식회사와 체결한 위 시설에 관한 위·수탁 운영 협약은 사법상 계약에 해당한다.

2022년 지방직 9급

① (×) 지방자치단체가 일방 당사자가 되는 이른바 '공공계약'이 사경제의 주체로서 상대방과 대등한 위치에서 체결하는 사법상 계약에 해당하는 경우 그에 관한 법령에 특별한 정함이 있는 경우를 제외하고는 사적 자치와 계약자유의 원칙 등 사법의 원리가 그대로 적용된다(대판 2018.2.13. 2014두11328).
② (×) 국립의료원 부설주차장에 관한 위탁관리용역운영계약의 실질은 행정재산인 위 부설주차장에 대한 국유재산법 제24조 제1항에 의한 사용·수익 허가로서 이루어진 것임을 알 수 있으므로, 이는 위 국립의료원이 원고의 신청에 의하여 공권력을 가진 우월적 지위에서 행한 행정처분으로서 특정인에게 행정재산을 사용할 수 있는 권리를 설정하여 주는 강학상 특허에 해당한다 할 것이고 순전히 사경제주체로서 원고와 대등한 위치에서 행한 사법상의 계약으로 보기 어렵다고 할 것이다(대판 2006.3.9. 2004다31074).

유제 22. 소방간부, 18. 교행, 16. 국가직 9급 국립의료원 부설 주차장에 관한 위탁관리용역운영계약은 공법상 계약에 해당한다. (×)
16. 경찰 2차 국립의료원 부설주차장에 관한 위탁관리용역운영계약의 실질은 국립의료원이 원고의 신청에 의하여 공권력을 가진 우월적 지위에서 행한 행정처분으로서 사법상의 계약으로 보기 어렵다고 할 것이다. (○)

③ (×) 대판 2021.2.4. 2019다277133
④ (○) 甲 지방자치단체가 乙 주식회사 등 4개 회사로 구성된 공동수급체를 자원회수시설과 부대시설의 운영·유지관리 등을 위탁할 민간사업자로 선정하고 乙 회사 등의 공동수급체와 위 시설에 관한 위·수탁 운영 협약을 체결하였는데, … 위 협약은 甲 지방자치단체가 사인인 乙 회사 등에 위 시설의 운영을 위탁하고 그 위탁운영비용을 지급하는 것을 내용으로 하는 용역계약으로서 상호 대등한 입장에서 당사자의 합의에 따라 체결한 사법상 계약에 해당한다(대판 2019.10.17. 2018두60588).

답 ④

문제 DATA
출제가능 지수 ▶▶▷
난이도 지수 ★★☆

함께 정리하기

공법상 계약

공공계약
▷ 사법원리가 그대로 적용

국립의료원주차장 위탁운영계약
▷ 특허

공법상 계약의 효력을 다투거나 이행을 청구하는 소송
▷ 당사자소송

지방자치단체와 사인 간의 자원회수시설 위탁운영협약
▷ 사법상 계약

문제 DATA

출제가능 지수 ▶▶▷
난이도 지수 ★★☆

019 □□□

공법상 계약에 해당하는 것만을 <보기>에서 모두 고르면? (다툼이 있는 경우 판례에 의함)

<보기>
ㄱ. 「사회기반시설에 대한 민간투자법」에 따라 지방자치단체와 유한회사 간 체결한 터널 민간투자사업 실시협약
ㄴ. 구 「중소기업 기술혁신 촉진법」상의 중소기업 정보화지원사업에 따른 지원금 출연을 위하여 중소기업청장이 민간 주식회사와 체결하는 협약
ㄷ. 도시계획사업의 시행자가 그 사업에 필요한 토지를 협의취득하는 행위
ㄹ. 국유일반재산의 대부행위

① ㄱ, ㄴ
② ㄱ, ㄷ
③ ㄴ, ㄷ
④ ㄴ, ㄹ
⑤ ㄷ, ㄹ

함께 정리하기

공법상 계약 해당 여부
▷ 지방자치단체와 유한회사 간 체결한 터널 민간투자사업 실시협약 ○
▷ 중소기업청장이 체결하는 정보화지원사업 지원금출연협약 ○
▷ 협의취득 ×(사법상 계약)
▷ 국유일반재산 대부행위 ×(사법상 계약)

2022년 국회직 8급

ㄱ. (○) 터널 민간투자사업 실시협약을 체결한 당사자가 공법상 당사자소송에 의하여 그 실시협약에 따른 재정지원금의 지급을 구하였으므로 지방자치단체와 유한회사 간 체결한 터널 민간투자사업 실시협약은 공법상 계약에 해당한다.

> 甲 광역자치단체가 乙 유한회사와 '관계 법령 등의 변경으로 사업의 수익성에 중대한 영향을 미치는 경우 협약당사자 간의 협의를 통해 통행료를 조정하고, 통행료 조정사유가 발생하였으나 실제로 통행료 조정이 이루어지지 못한 경우 보조금을 증감할 수 있다'는 내용의 터널 민간투자사업 실시협약을 체결하였는데, 2002년에 법인세법이 개정되어 법인세율이 인하되자 甲 자치단체가 법인세율 인하 효과를 반영하여 산정한 재정지원금액을 지급한 사안에서, 법인세법 개정에 따른 법인세율 인하가 실시협약에서 정한 '관계 법령 등의 변경'에 해당하고 '사업의 수익성에 중대한 영향을 미치는 경우'에 해당한다고 본 원심 판단을 수긍한 사례에서 민간투자사업 실시협약을 체결한 당사자가 공법상 당사자소송에 의하여 그 실시협약에 따른 재정지원금의 지급을 구하는 경우에, 수소법원은 단순히 주무관청이 재정지원금액을 산정한 절차 등에 위법이 있는지 여부를 심사하는 데 그쳐서는 아니 되고, 실시협약에 따른 적정한 재정지원금액이 얼마인지를 구체적으로 심리·판단하여야 한다(대판 2019.1.31. 2017두46455).

유제 21. 소방간부 지방자치단체와 유한회사 간 체결한 터널 민간투자사업 실시협약은 공법상 계약에 해당한다. (○)

ㄴ. (○) 대판 2015.8.27. 2015두41449

ㄷ. (×) 도시계획사업의 시행자가 그 사업에 필요한 토지를 협의취득하는 행위는 사경제주체로서 행하는 사법상의 법률행위에 지나지 않으며 공권력의 주체로서 우월한 지위에서 행하는 공법상의 행정처분이 아니므로 행정소송의 대상이 되지 않는다(대판 1992.10.27. 91누3871).

유제 18. 국가직 9급 구 「도시계획법」상 도시계획사업의 시행자가 그 사업에 필요한 토지를 협의취득하는 행위는 사경제주체로서 행하는 사법상의 법률행위이므로 행정소송의 대상이 되지 않는다. (○)

ㄹ. (×) 국유잡종재산에 관한 관리 처분의 권한을 위임받은 기관이 국유잡종재산을 대부하는 행위는 국가가 사경제주체로서 상대방과 대등한 위치에서 행하는 사법상의 계약이고, 국유잡종재산에 관한 대부료의 납부고지 역시 사법상의 이행청구에 해당하고, 이를 행정처분이라고 할 수 없다(대판 2000.2.11. 99다61675).

답 ①

020

공법상 계약에 대한 설명으로 옳지 않은 것은? (다툼이 있는 경우 판례에 의함)

① 계약직 공무원 채용계약 해지의 의사표시의 무효확인을 구하는 당사자소송의 경우 즉시 확정의 이익이 요구된다.
② 서울특별시립무용단 단원의 위촉은 공법상 계약에 해당하며, 따라서 그 단원의 해촉에 대하여는 공법상 당사자소송으로 그 무효확인을 청구할 수 있다.
③ 지방계약직 공무원에 대하여는 채용계약상 특별한 약정이 없는 한 「지방공무원법」, 「지방공무원 징계 및 소청 규정」에 정한 징계절차에 의하지 않고서는 보수를 삭감할 수 없다.
④ 국립의료원 부설 주차장에 관한 위탁관리용역운영계약은 공법상 계약에 해당한다.
⑤ 계약직 공무원 채용계약 해지의 의사표시에는 「행정절차법」에 의한 근거와 이유제시를 하여야 하는 것은 아니다.

문제 DATA
출제가능 지수 ▶▶▷
난이도 지수 ★★☆

2022년 소방간부

① (O) 즉시확정의 이익(확인의 이익)이 요구된다고 함은 확인소송은 원고의 권리 또는 법률상 지위에 대한 위험 또는 불안을 제거하기 위하여 확인판결을 얻는 것이 법률상 유효 적절한 경우에 한하여 허용된다는 것을 의미한다. 판례는 계약직 공무원 채용계약 해지의 의사표시의 무효확인을 구하는 당사자소송의 경우 즉시확정의 이익이 요구된다고 본다.

> 지방자치단체와 채용계약에 의하여 채용된 계약직공무원이 그 계약기간 만료 이전에 채용계약 해지 등의 불이익을 받은 후 그 계약기간이 만료된 때에는 그 채용계약 해지의 의사표시가 무효라고 하더라도, 지방공무원법이나 지방계약직공무원 규정 등에서 계약기간이 만료되는 계약직공무원에 대한 재계약의무를 부여하는 근거 규정이 없으므로 계약기간의 만료로 당연히 계약직공무원의 신분을 상실하고 계약직공무원의 신분을 회복할 수 없는 것이므로, … 이 사건과 같이 이미 채용기간이 만료되어 소송 결과에 의해 법률상 그 직위가 회복되지 않는 이상 채용계약 해지의 의사표시의 무효확인만으로는 당해 소송에서 추구하는 권리구제의 기능이 있다고 할 수 없고, 침해된 급료지급청구권이나 사실상의 명예를 회복하는 수단은 바로 급료의 지급을 구하거나 명예훼손을 전제로 한 손해배상을 구하는 등의 이행청구소송으로 직접적인 권리구제방법이 있는 이상 무효확인소송은 적절한 권리구제수단이라 할 수 없어 확인소송의 또 다른 소송요건을 구비하지 못하고 있다 할 것이며, 위와 같이 직접적인 권리구제의 방법이 있는 이상 무효확인 소송을 허용하지 않는다고 해서 당사자의 권리구제를 봉쇄하는 것도 아니다(대판 2008.6.12. 2006두16328).

② (O) 대판 1995.12.22. 95누4636
③ (O) 근로기준법 등의 입법 취지, 지방공무원법과 지방공무원 징계 및 소청 규정의 여러 규정에 비추어 볼 때, 채용계약상 특별한 약정이 없는 한, 지방계약직공무원에 대하여 지방공무원법, 지방공무원 징계 및 소청 규정에 정한 징계절차에 의하지 않고서는 보수를 삭감할 수 없다고 봄이 상당하다(대판 2008.6.12. 2006두16328).

유제 21. 국가직 9급 채용계약상 특별한 약정이 없는 한, 「지방공무원법」 및 「지방공무원 징계 및 소청 규정」에 정한 징계절차에 의하지 않고서는 보수를 삭감할 수 없다. (O)
20. 국회직 8급, 12. 지방직 7급 지방계약직공무원에 대하여 채용계약상 특별한 약정이 없는 한 「지방공무원법」, 「지방공무원 징계 및 소청 규정」에서 정한 징계 절차에 의하지 않고서는 보수를 삭감할 수 없다. (O)
17. 국회직 8급 지방계약직공무원의 보수삭감행위는 대등한 당사자 간의 계약관계와 관련된 것이므로 처분성은 인정되지 아니하며, 공법상 당사자소송의 대상이 된다. (×)

④ (×) 국립의료원 부설주차장에 관한 위탁관리용역운영계약의 실질은 … 국립의료원이 원고의 신청에 의하여 공권력을 가진 우월적 지위에서 행한 행정처분으로서 특정인에게 행정재산을 사용할 수 있는 권리를 설정하여 주는 강학상 특허에 해당한다(대판 2006.3.9. 2004다31074).
⑤ (O) 계약직공무원에 관한 현행 법령의 규정에 비추어 볼 때, 계약직공무원 채용계약해지의 의사표시는 일반공무원에 대한 징계처분과는 달라서 항고소송의 대상이 되는 처분 등의 성격을 가진 것으로 인정되지 아니하고, 일정한 사유가 있을 때에 국가 또는 지방자치단체가 채용계약 관계의 한쪽 당사자로서 대등한 지위에서 행하는 의사표시로 취급되는 것으로 이해되므로, 이를 징계해고 등에서와 같이 그 징계사유에 한하여 효력 유무를 판단하여야 하거나, 행정처분과 같이 행정절차법에 의하여 근거와 이유를 제시하여야 하는 것은 아니다(대판 2002.11.26. 2002두5948).

함께 정리하기
공법상 계약 해당 여부

계약직공무원 채용계약해지의 무효확인을 구하는 당사자소송
▷ 즉시확정의 이익 要

서울시무용단원 위촉
▷ 공법관계(공법상 계약)
▷ 해촉에 대하여는 당사자소송

지방계약직공무원 보수삭감
▷ 징계절차 거쳐야 함

국립의료원주차장 위탁운영계약
▷ 특허

계약직공무원 채용계약해지 의사표시
▷ 「행정절차법」 적용×(처분×)

유제 22. 행정사 계약직공무원에 대한 채용계약해지를 함에 있어서는 「행정절차법」에 의하여 그 근거와 이유를 제시할 필요가 없다. (○)

21. 국가직 9급 계약직공무원 채용계약해지는 국가 또는 지방자치단체가 대등한 지위에서 행하는 의사표시로서 처분이 아니므로 「행정절차법」에 의하여 근거와 이유를 제시하여야 하는 것은 아니다. (○)

21. 지방직 9급 계약직공무원 채용계약해지의 의사표시는 항고소송의 대상이 되는 처분 등의 성격을 가진 것으로 행정처분과 같이 「행정절차법」에 의하여 근거와 이유를 제시하여야 한다. (×)

21. 국회직 8급 계약직공무원 채용계약해지의 의사표시는 일정한 사유가 있을 때에 국가 또는 지방자치단체가 채용계약 관계의 한 쪽 당사자로서 대등한 지위에서 행하는 의사표시로 볼 수 없으므로, 「행정절차법」에 의하여 근거와 이유를 제시하여야 한다. (×)

답 ④

021

행정작용에 대한 설명으로 옳은 것은? (다툼이 있는 경우 판례에 의함)

① 행정계획은 사인의 신뢰보호를 위해 일반적으로 계획존속청구권이 인정된다.
② 행정사법작용에는 사적자치의 원칙이 통용되므로 공법적 제한을 받지 않는다.
③ 사실행위는 법적 효과의 제거대상이 될 수 없으므로, 권력적인지 비권력적인지를 불문하고 항고소송의 대상인 처분성이 인정되지 않는다.
④ 계약직공무원에 대한 채용계약해지를 함에 있어서는 「행정절차법」에 의하여 그 근거와 이유를 제시할 필요가 없다.
⑤ 행정지도는 상대방의 임의적인 협력을 구하는 것이므로, 법률우위의 원칙은 적용되지 않는다.

2022년 행정사

① (×) 계획존속청구권은 행정계획이 변경된 경우에 기존의 행정계획을 신뢰한 당사자의 권리구제를 위하여 행정청에 기존의 계획을 계속 존속시켜 줄 것을 청구할 수 있는 권리를 말한다. 이러한 계획존속청구권은 행정계획의 가변적인 성격으로 인해 일반적으로 인정되기는 어렵다.

② (×) 행정사법관계란 행정주체가 공행정작용을 수행하는데 그 수단으로 사법적 형식을 빌려오는 것을 말한다. 철도사업, 우편사업, 시영버스사업 등이 여기에 포함된다. 수단이 사법적 형식이므로 사법규정이 적용되며 그 분쟁 역시 민사소송에 의한다. 다만, 이른바 '사법으로의 도피' 방지를 위하여 공법규정이나 공법원리에 의하여 기속을 받게 되므로 공법원리가 추가적으로 적용될 수 있다.

③ (×) 권력적 사실행위는 처분성이 인정된다.

단수처분은 항고소송의 대상이 되는 행정처분에 해당한다(대판 1979.12.28. 79누218).

④ (○) 대판 2002.11.26. 2002두5948

⑤ (×) 행정지도는 법적 효과의 발생을 목적으로 하는 행위가 아니라, 상대방의 임의적 협력을 전제로 하는 비권력적 사실행위이다. 행정지도는 작용법적 근거가 없더라도 가능하나, 헌법·법률을 비롯한 성문법과 행정법의 일반원리를 포함하는 불문법을 위배해서는 안 된다. 즉, 법률우위의 원칙은 적용된다.

답 ④

문제 DATA
출제가능 지수 ▶▶▷
난이도 지수 ★★☆

함께 정리하기
행정작용

행정계획
▷ 계획존속청구권 인정 ×

행정사법작용
▷ 공법원리도 추가적 적용

권력적 사실행위
▷ 처분성 인정

계약직공무원에 대한 채용계약해지
▷ 「행정절차법」 적용 ×

행정지도
▷ 법률우위의 원칙 적용 ○

022

공법상 계약에 대한 설명으로 옳지 않은 것은? (다툼이 있는 경우 판례에 의함)

① 행정청이 자신과 상대방 사이의 법률관계를 일방적인 의사표시로 종료시켰다고 하더라도 곧바로 그 의사표시가 행정청으로서 공권력을 행사하여 행하는 행정처분이라고 단정할 수는 없고, 관계 법령이 상대방의 법률관계에 관하여 구체적으로 어떻게 규정하고 있는지에 따라 개별적으로 판단하여야 한다.
② 채용계약상 특별한 약정이 없는 한, 지방계약직공무원에 대하여 「지방공무원법」, 「지방공무원 징계 및 소청 규정」에 정한 징계절차에 의하지 않고서는 보수를 삭감할 수 없다.
③ 중소기업 정보화지원사업에 대한 지원금출연협약의 해지 및 환수통보는 공법상 계약에 따른 의사표시가 아니라 행정청이 우월한 지위에서 행하는 공권력의 행사로서 행정처분이다.
④ 계약직공무원 채용계약해지는 국가 또는 지방자치단체가 대등한 지위에서 행하는 의사표시로서 처분이 아니므로 「행정절차법」에 의하여 근거와 이유를 제시하여야 하는 것은 아니다.

문제 DATA
출제가능 지수 ▶▶▷
난이도 지수 ★★☆

2021년 국가직 9급

① (○) 행정청이 자신과 상대방 사이의 근로관계를 일방적인 의사표시로 종료시켰다고 하더라도 곧바로 그 의사표시가 행정청으로서 공권력을 행사하여 행하는 행정처분이라고 단정할 수는 없고, 관계 법령이 상대방의 근무관계에 관하여 구체적으로 어떻게 규정하고 있는지에 따라 그 의사표시가 항고소송의 대상이 되는 행정처분에 해당하는 것인지 아니면 공법상 계약관계의 일방 당사자로서 대등한 지위에서 행하는 의사표시인지 여부를 개별적으로 판단하여야 한다. 이러한 법리는 공법상 근무관계의 형성을 목적으로 하는 채용계약의 체결 과정에서 행정청의 일방적인 의사표시로 계약이 성립하지 아니하게 된 경우에도 마찬가지이다(대판 2014.4.24. 2013두6244).

> **유제** 21. 지방직 7급 행정청이 자신과 상대방 사이의 법률관계를 일방적인 의사표시로 종료시켰다면 그 의사표시는 공법상 계약관계의 일방 당사자로서 대등한 지위에서 행하는 의사표시가 아니라 공권력행사로서 행정처분에 해당한다. (×)
> 19. 국가직 7급 공법상 근무관계의 형성을 목적으로 하는 채용계약의 체결과정에서 행정청의 일방적인 의사표시로 계약이 성립하지 아니한 경우, 관계 법령이 상대방의 법률관계에 관하여 구체적으로 어떻게 규정하고 있는지에 따라 의사표시가 항고소송의 대상이 되는 처분에 해당하는지 아니면 공법상 계약관계의 일반 당사자로서 대등한 지위에서 행하는 의사표시인지를 개별적으로 판단하여야 한다. (○)
> 15. 지방직 7급 행정청이 자신과 상대방 사이의 근로관계를 일방적인 의사표시로 종료시켰다면, 곧바로 그 의사표시는 행정청으로서 공권력을 행사하여 행하는 행정처분에 해당한다. (×)

② (○) 대판 2008.6.12. 2006두16328
③ (×) 중소기업기술정보진흥원장이 甲 주식회사와 중소기업 정보화지원사업 지원대상인 사업의 지원에 관한 협약을 체결하였는데, 협약이 甲 회사에 책임이 있는 사업실패로 해지되었다는 이유로 협약에서 정한 대로 지급받은 정부지원금을 반환할 것을 통보한 사안에서, 중소기업 정보화지원사업에 따른 지원금 출연을 위하여 중소기업청장이 체결하는 협약은 공법상 대등한 당사자 사이의 의사표시의 합치로 성립하는 공법상 계약에 해당하는 점, 구 중소기업 기술혁신 촉진법 제32조 제1항은 제10조가 정한 기술혁신사업과 제11조가 정한 산학협력 지원사업에 관하여 출연한 사업비의 환수에 적용될 수 있을 뿐 이와 근거 규정을 달리하는 중소기업 정보화지원사업에 관하여 출연한 지원금에 대하여는 적용될 수 없고 달리 지원금 환수에 관한 구체적인 법령상 근거가 없는 점 등을 종합하면, 협약의 해지 및 그에 따른 환수통보는 공법상 계약에 따라 행정청이 대등한 당사자의 지위에서 하는 의사표시로 보아야 하고, 이를 행정청이 우월한 지위에서 행하는 공권력의 행사로서 행정처분에 해당한다고 볼 수는 없다(대판 2015.8.27. 2015두41449).
④ (○) 대판 2002.11.26. 2002두5948

함께 정리하기

공법상 계약

행정청의 일방적 계약해지가 행정처분인지 여부
▷ 관계법령을 기준으로 개별적 판단

지방계약직공무원에 대한 보수삭감
▷ 징계절차를 거쳐야 함

중소기업 정보화지원사업에 대한 지원금 출연협약 해지 및 환수통보
▷ 공법상 계약에 따른 의사표시

계약직공무원에 대한 채용계약해지
▷ 「행정절차법」 적용 ×

답 ③

023

공법상 계약에 대한 설명으로 옳지 않은 것은? (다툼이 있는 경우 판례에 의함)

① 구 「정부투자기관 관리기본법」의 적용 대상인 정부투자기관이 일방 당사자가 되는 계약은 사법상의 계약으로서 그에 관한 법령에 특별한 정함이 있는 경우를 제외하고는 사적 자치의 원칙이 그대로 적용된다.
② 구 「중소기업 기술혁신촉진법」상 중소기업 정보화지원사업에 따른 지원금 출연을 위하여 중소기업청장이 체결하는 협약은 공법상 대등한 당사자 사이의 의사표시의 합치로 성립하는 공법상 계약에 해당한다.
③ 행정청이 자신과 상대방 사이의 법률관계를 일방적인 의사표시로 종료시켰다면 그 의사표시는 공법상 계약관계의 일방 당사자로서 대등한 지위에서 행하는 의사표시가 아니라 공권력행사로서 행정처분에 해당한다.
④ 공법상 계약의 한쪽 당사자가 다른 당사자를 상대로 효력을 다투거나 이행을 청구하는 소송은 분쟁의 실질이 공법상 권리의무의 존부·범위에 관한 다툼이 아니라 손해배상액의 구체적인 산정방법·금액에 국한되는 등의 특별한 사정이 없는 한 공법상 당사자소송으로 제기하여야 한다.

2021년 지방직 7급

① (○) 구 정부투자기관 관리기본법의 적용 대상인 정부투자기관이 일방 당사자가 되는 계약(이하 '공공계약'이라 한다)은 정부투자기관이 사경제의 주체로서 상대방과 대등한 위치에서 체결하는 사법상의 계약으로서 본질적인 내용은 사인 간의 계약과 다를 바 없으므로 그에 관한 법령에 특별한 정함이 있는 경우를 제외하고는 사적 자치와 계약자유의 원칙 등 사법의 원리가 그대로 적용된다(대판 2014.12.24. 2010다83182).
② (○) 대판 2015.8.27. 2015두41449
③ (×) 행정청이 자신과 상대방 사이의 근로관계를 일방적인 의사표시로 종료시켰다고 하더라도 곧바로 그 의사표시가 행정청으로서 공권력을 행사하여 행하는 행정처분이라고 단정할 수는 없고, 관계 법령이 상대방의 근무관계에 관하여 구체적으로 어떻게 규정하고 있는지에 따라 그 의사표시가 항고소송의 대상이 되는 행정처분에 해당하는 것인지 아니면 공법상 계약관계의 일방 당사자로서 대등한 지위에서 행하는 의사표시인지 여부를 개별적으로 판단하여야 한다. 이러한 법리는 공법상 근무관계의 형성을 목적으로 하는 채용계약의 체결 과정에서 행정청의 일방적인 의사표시로 계약이 성립하지 아니하게 된 경우에도 마찬가지이다(대판 2014.4.24. 2013두6244).
④ (○) 대판 2021.2.4. 2019다277133

답 ③

024

공법상 계약에 대한 설명으로 옳지 않은 것은? (다툼이 있는 경우 판례에 의함)

① 공중보건의사 채용계약 해지의 의사표시에 대하여는 공법상의 당사자소송으로 그 의사표시의 무효확인을 청구할 수 있다.
② 공법상 계약에는 법률우위의 원칙이 적용된다.
③ 계약직공무원 채용계약해지의 의사표시는 항고소송의 대상이 되는 처분 등의 성격을 가진 것으로 행정처분과 같이 「행정절차법」에 의하여 근거와 이유를 제시하여야 한다.
④ 행정청은 공법상 계약의 상대방을 선정하고 계약 내용을 정할 때 공법상 계약의 공공성과 제3자의 이해관계를 고려하여야 한다.

문제 DATA
- 출제가능 지수 ▶▶▷
- 난이도 지수 ★★☆

함께 정리하기
공법상 계약

공중보건의사 채용계약해지
▷ 당사자소송 대상(∵공법상 계약)

법률우위의 원칙
▷ 적용○

계약직공무원에 대한 채용계약해지
▷ 「행정절차법」 적용✕

상대방 선정 및 계약 내용을 정할 때
▷ 공공성과 제3자의 이해관계 고려 要

2021년 지방직 9급

① (○) 전문직공무원인 공중보건의사의 채용계약 해지의 의사표시는 일반공무원에 대한 징계처분과는 달라서 항고소송의 대상이 되는 처분 등의 성격을 가진 것으로 인정되지 아니하고, 일정한 사유가 있을 때에 관할 도지사가 채용계약 관계의 한쪽 당사자로서 대등한 지위에서 행하는 의사표시로 취급하고 있는 것으로 이해되므로, 공중보건의사 채용계약 해지의 의사표시에 대하여는 대등한 당사자간의 소송형식인 공법상의 당사자소송으로 그 의사표시의 무효확인을 청구할 수 있다(대판 1996.5.31. 95누10617).

유제 21. 국회직 8급 전문직공무원인 공중보건의사의 채용계약 해지의 경우 관할 도지사의 일방적인 의사표시에 의하여 그 신분을 박탈하는 불이익처분이므로 당해 채용계약은 공법상 계약이 아니라 항고소송의 대상이 되는 처분의 성질을 가진다. (✕)
19. 서울시 7급 전문직공무원인 공중보건의사의 채용계약 해지는 관할도지사의 일방적인 의사표시에 의해 그 신분을 박탈하는 불이익 처분으로 항고소송의 대상이 된다. (✕)
18. 교행 공법상 계약 해지의 의사표시에 대한 다툼은 공법상의 당사자소송으로 무효확인을 청구할 수 있다. (○)
17. 국가직 9급 대법원은 구 「농어촌 등 보건의료를 위한 특별조치법」 및 관계법령에 따른 전문직공무원인 공중보건의사의 채용계약해지의 의사표시는 일반공무원에 대한 징계처분과 같은 성격을 가지며, 따라서 항고소송의 대상이 된다고 본다. (✕)
12. 지방직 9급 공중보건의사 채용계약 해지의 의사표시에 대하여는 대등한 당사자 간의 소송형식인 공법상의 당사자소송으로 그 의사표시의 무효확인을 청구할 수 없고 행정처분을 전제한 항고소송을 제기하여야 한다. (✕)

② (○) 공법상 계약도 공행정작용이므로 법률우위의 원칙이 적용된다. 「행정기본법」도 제27조 제1항에서 공법상 계약에 법률우위의 원칙이 적용됨을 분명히 하고 있다.

> 「행정기본법」 제27조【공법상 계약의 체결】① 행정청은 법령등을 위반하지 아니하는 범위에서 행정목적을 달성하기 위하여 필요한 경우에는 공법상 법률관계에 관한 계약(이하 "공법상 계약"이라 한다)을 체결할 수 있다. 이 경우 계약의 목적 및 내용을 명확하게 적은 계약서를 작성하여야 한다.

유제 14. 서울시 7급 공법상 계약의 경우에도 법률우위의 원칙이 적용되므로 법령상의 한계를 지켜야 한다. (○)
07. 국가직 9급 공법상 계약에는 법률우위의 원칙이 적용되지 않는다. (○)

③ (✕) 계약직공무원에 관한 현행 법령의 규정에 비추어 볼 때, 계약직공무원 채용계약해지의 의사표시는 일반공무원에 대한 징계처분과는 달라서 항고소송의 대상이 되는 처분 등의 성격을 가진 것으로 인정되지 아니하고, 일정한 사유가 있을 때에 국가 또는 지방자치단체가 채용계약 관계의 한쪽 당사자로서 대등한 지위에서 행하는 의사표시로 취급되는 것으로 이해되므로, 이를 징계해고 등에서와 같이 그 징계사유에 한하여 효력 유무를 판단하여야 하거나, 행정처분과 같이 행정절차법에 의하여 근거와 이유를 제시하여야 하는 것은 아니다(대판 2002.11.26. 2002두5948).

④ (○)

> 「행정기본법」 제27조【공법상 계약의 체결】② 행정청은 공법상 계약의 상대방을 선정하고 계약 내용을 정할 때 공법상 계약의 공공성과 제3자의 이해관계를 고려하여야 한다.

답 ③

문제 DATA

출제가능 지수 ▶▶▷
난이도 지수 ★★★

025 □□□

행정작용의 성질에 대한 설명으로 옳은 것은? (다툼이 있는 경우 판례에 의함)

① 지방자치단체의 장이 「공유재산 및 물품 관리법」에 근거하여 기부채납 및 사용·수익허가 방식으로 민간투자사업을 추진하는 과정에서 이미 선정된 우선협상대상자를 그 지위에서 배제하는 행위는 항고소송의 대상이 되는 행정처분에 해당한다.
② 지방자치단체가 일반재산인 부동산을 무상으로 기부자에게 사용을 허용하는 행위는 사경제주체로서 상대방과 대등한 입장에서 하는 사법상 행위이지만 기부자가 그 부동산을 일정기간 무상사용한 후에 한 사용허가기간 연장신청을 지방자치단체가 거부한 경우, 당해 거부행위는 단순한 사법상의 행위가 아니라 행정처분에 해당한다.
③ 전문직공무원인 공중보건의사의 채용계약 해지의 경우 관할 도지사의 일방적인 의사표시에 의하여 그 신분을 박탈하는 불이익처분이므로 당해 채용계약은 공법상 계약이 아니라 항고소송의 대상이 되는 처분의 성질을 가진다.
④ 「과학기술기본법」 및 하위 법령상 사업 협약의 해지 통보는 단순히 대등 당사자의 지위에서 형성된 공법상 계약을 계약당사자의 지위에서 종료시키는 의사표시에 불과하다.
⑤ 계약직공무원 채용계약해지의 의사표시는 일정한 사유가 있을 때에 국가 또는 지방자치단체가 채용계약 관계의 한쪽 당사자로서 대등한 지위에서 행하는 의사표시로 볼 수 없으므로, 「행정절차법」에 의하여 근거와 이유를 제시하여야 한다.

2021년 국회직 8급

① (○) 지방자치단체의 장이 공유재산법에 근거하여 기부채납 및 사용·수익허가 방식으로 민간투자사업을 추진하는 과정에서 사업시행자를 지정하기 위한 전 단계에서 공모제안을 받아 일정한 심사를 거쳐 우선협상대상자를 선정하는 행위와 이미 선정된 우선협상대상자를 그 지위에서 배제하는 행위는 민간투자사업의 세부내용에 관한 협상을 거쳐 공유재산법에 따른 공유재산의 사용·수익허가를 우선적으로 부여받을 수 있는 지위를 설정하거나 또는 이미 설정한 지위를 박탈하는 조치이므로 모두 항고소송의 대상이 되는 행정처분으로 보아야 한다(대판 2020.4.29. 2017두31064).

② (✕) 지방자치단체가 구 지방재정법 시행령 제71조(현행 지방재정법 시행령 제83조)의 규정에 따라 기부채납 받은 공유재산을 무상으로 기부자에게 사용을 허용하는 행위는 사경제주체로서 상대방과 대등한 입장에서 하는 사법상 행위이지 행정청이 공권력의 주체로서 행하는 공법상 행위라고 할 수 없으므로, 기부자가 기부채납한 부동산을 일정기간 무상사용한 후에 한 사용허가기간 연장신청을 거부한 행정청의 행위도 단순한 사법상의 행위일 뿐 행정처분 기타 공법상 법률관계에 있어서의 행위는 아니다(대판 1994.1.25. 93누7365).

③ (✕) 전문직공무원인 공중보건의사의 채용계약 해지의 의사표시는 일반공무원에 대한 징계처분과는 달라서 항고소송의 대상이 되는 처분 등의 성격을 가진 것으로 인정되지 아니하고, 일정한 사유가 있을 때에 관할 도지사가 채용계약 관계의 한쪽 당사자로서 대등한 지위에서 행하는 의사표시로 취급하고 있는 것으로 이해되므로, 공중보건의사 채용계약 해지의 의사표시에 대하여는 대등한 당사자 간의 소송형식인 공법상의 당사자소송으로 그 의사표시의 무효확인을 청구할 수 있다(대판 1996.5.31. 95누10617).

④ (✕) 과학기술기본법령상 사업 협약의 해지 통보는 단순히 대등 당사자의 지위에서 형성된 공법상 계약을 계약당사자의 지위에서 종료시키는 의사표시에 불과한 것이 아니라 행정청이 우월적 지위에서 연구개발비의 회수 및 관련자에 대한 국가연구개발사업 참여제한 등의 법률상 효과를 발생시키는 행정처분에 해당한다(대판 2014.12.11. 2012두28704).

유제 20. 지방직 7급 과학기술기본법령상 사업 협약의 해지 통보는 대등 당사자의 지위에서 형성된 공법상 계약을 계약당사자의 지위에서 종료시키는 의사표시에 해당한다. (✕)
19. 국가직 7급 재단법인 한국연구재단이 A대학교 총장에게 연구개발비의 부당집행을 이유로 과학기술기본법령에 따라 '두뇌한국(BK)21 사업' 협약의 해지를 통보한 것은 공법상 계약을 계약당사자의 지위에서 종료시키는 의사표시에 해당한다. (✕)

함께 정리하기

행정작용의 성질

지방자치단체장이 우선협상대상자 선정하는 행위 및 선정된 우선협상대상자 배제하는 행위
▷ 행정처분○

기부채납 받은 공유재산 무상사용승낙
▷ 사법관계
▷ 허가기간 연장신청 거부도 사법상 행위

공중보건의사 채용계약해지
▷ 처분✕(∵대등 당사자 지위에서 행하는 의사표시)

과학기술기본법령상 사업협약의 해지 통보
▷ 행정처분○

계약직공무원에 대한 채용계약해지
▷ 「행정절차법」 적용✕

⑤ (×) 계약직공무원에 관한 현행 법령의 규정에 비추어 볼 때, 계약직공무원 채용계약해지의 의사표시는 일반공무원에 대한 징계처분과는 달라서 항고소송의 대상이 되는 처분 등의 성격을 가진 것으로 인정되지 아니하고, 일정한 사유가 있을 때에 국가 또는 지방자치단체가 채용계약 관계의 한쪽 당사자로서 대등한 지위에서 행하는 의사표시로 취급되는 것으로 이해되므로, 이를 징계해고 등에서와 같이 그 징계사유에 한하여 효력 유무를 판단하여야 하거나, 행정처분과 같이 행정절차법에 의하여 근거와 이유를 제시하여야 하는 것은 아니다(대판 2002.11.26. 2002두5948).

답 ①

026 ☐☐☐

공법상 계약에 해당하는 것은? (다툼이 있는 경우 판례에 의함)

① 지방자치단체가 사인과 체결한 자원회수시설 위탁운영협약
② 중소기업 정보화지원사업에 따른 지원금 출연을 위하여 중소기업청장이 체결하는 협약
③ 「공익사업을 위한 토지 등의 취득 및 보상에 관한 법률」상의 사업시행자가 토지소유자 및 관계인과 협의가 성립되어 체결하는 계약
④ 지방자치단체의 관할구역 내에 있는 각급 학교에서 학교회계직원으로 근무하는 것을 내용으로 하는 근로계약

2021년 군무원 7급

① (×) 대판 2019.10.17. 2018두60588
② (○) 대판 2015.8.27. 2015두41449
③ (×) 공익사업을 위한 토지 등의 취득 및 보상에 관한 법률에 따른 토지 등의 협의취득은 공공사업에 필요한 토지 등을 그 소유자와의 협의에 의하여 취득하는 것으로서 공공기관이 사경제주체로서 행하는 사법상 매매 내지 사법상 계약의 실질을 가지는 것이다(대판 2006.10.13. 2006두7096).

유제 20. 국회직 9급 「공익사업을 위한 토지 등의 취득 및 보상에 관한 법률」상의 협의취득의 법적 성질은 공법상 계약에 해당한다. (×)
19. 국가직 9급 공익사업을 위한 토지 등의 취득 및 보상에 관한 법령에 의한 협의취득은 사법상의 법률행위이므로, 이에 관한 분쟁은 민사소송의 대상이다. (○)
17. 지방직 7급 「공익사업을 위한 토지 등의 취득 및 보상에 관한 법률」상 협의취득계약은 공법상 계약이 아니라 사법상 매매계약에 해당한다. (○)
16. 지방직 9급 「공익사업을 위한 토지 등의 취득 및 보상에 관한 법률」에 의한 협의취득은 공법상 계약이다. (×)

④ (×) 지방자치단체의 관할구역 내에 있는 각급 학교에서 학교회계직원으로 근무하는 것을 내용으로 하는 근로계약은 사법상 계약이다(대판 2018.5.11. 2015다237748).

답 ②

문제 DATA
출제가능 지수 ▶▶▷
난이도 지수 ★★☆

함께 정리하기
공법상 계약 해당 여부

지방자치단체와 사인 간의 자원회수시설 위탁운영협약
▷ 사법상 계약

중소기업청장이 체결하는 정보화지원사업 지원금출연협약
▷ 공법상 계약

협의취득
▷ 사법상 계약

지방자치단체 관할구역 내 학교에서 학교회계직원으로 근무하는 내용의 근로계약
▷ 사법상 계약

문제 DATA

출제가능 지수 ▶▶▷
난이도 지수 ★★☆

027 □□□

공법상 계약에 해당하는 것만을 <보기>에서 있는 대로 고른 것은? (다툼이 있는 경우 판례에 의함)

<보기>
ㄱ. 「공공기관의 운영에 관한 법률」의 적용 대상인 공기업이 일방 당사자가 되는 계약
ㄴ. 지방자치단체와 사인 간 체결한 자원회수시설위탁운영협약
ㄷ. 지방자치단체와 유한회사 간 체결한 터널 민간투자사업 실시협약
ㄹ. 서울특별시립무용단 단원의 위촉

① ㄱ, ㄴ
② ㄱ, ㄹ
③ ㄷ, ㄹ
④ ㄱ, ㄴ, ㄷ
⑤ ㄴ, ㄷ, ㄹ

함께 정리하기

공법상 계약 해당 여부

「공공기관의 운영에 관한 법률」 적용 대상인 공기업이 일방 당사자가 되는 계약
▷ 사법상 계약

지방자치단체와 사인 간의 자원회수시설 위탁운영협약
▷ 사법상 계약

지방자치단체와 유한회사 간 체결한 터널 민간투자사업 실시협약
▷ 공법상 계약

서울시무용단원 위촉
▷ 공법상 계약

| 2021년 소방간부

ㄱ. (×) 국가를 당사자로 하는 계약이나 공공기관의 운영에 관한 법률의 적용 대상인 공기업이 일방 당사자가 되는 계약(공공계약)은 국가 또는 공기업이 사경제의 주체로서 상대방과 대등한 지위에서 체결하는 사법상의 계약으로서 본질적인 내용은 사인 간의 계약과 다를 바가 없으므로, 법령에 특별한 정함이 있는 경우를 제외하고는 서로 대등한 입장에서 당사자의 합의에 따라 계약을 체결하여야 하고 당사자는 계약의 내용을 신의성실의 원칙에 따라 이행하여야 하는 등 사적 자치와 계약자유의 원칙을 비롯한 사법의 원리가 원칙적으로 적용된다(대판 2017.12.21. 2012다74076 전합).

ㄴ. (×) 甲 지방자치단체가 乙 주식회사 등 4개 회사로 구성된 공동수급체를 자원회수시설과 부대시설의 운영·유지관리 등을 위탁할 민간사업자로 선정하고 乙 회사 등의 공동수급체와 위 시설에 관한 위·수탁 운영 협약을 체결하였는데, … 위 협약은 甲 지방자치단체가 사인인 乙 회사 등에 위 시설의 운영을 위탁하고 그 위탁운영비용을 지급하는 것을 내용으로 하는 용역계약으로서 상호 대등한 입장에서 당사자의 합의에 따라 체결한 사법상 계약에 해당한다(대판 2019.10.17. 2018두60588).

ㄷ. (○) 대판 2019.1.31. 2017두46455

ㄹ. (○) 대판 1995.12.22. 95누4636

답 ③

028

공법상 계약에 대한 설명으로 가장 옳지 않은 것은? (다툼이 있는 경우 판례에 의함)

① 지방자치단체가 자원회수시설과 부대시설의 운영·관리 등을 위탁하고 그 위탁운영비용을 지급하는 것을 내용으로 하는 용역계약을 사인과 체결한 경우, 이러한 위탁운영에 관한 협약의 법적 성질은 공법상 계약에 해당한다.
② 「국가를 당사자로 하는 계약에 관한 법률」에 따라 국가가 당사자가 되는 이른바 공공계약은 사경제 주체로서 상대방과 대등한 위치에서 체결하는 사법상 계약으로서 본질적인 내용은 사인 간의 계약과 다를 바가 없으므로, 그에 관한 법령에 특별한 정함이 있는 경우를 제외하고는 사적 자치와 계약자유의 원칙 등 사법의 원리가 그대로 적용된다.
③ 중소기업기술정보진흥원장이 甲 회사와 중소기업 정보화지원사업 지원대상인 사업의 지원에 관한 협약을 체결하였는데, 협약이 甲 회사에 책임이 있는 사업실패로 해지되었다는 이유로 협약에서 정한 대로 지급받은 정부지원금을 반환할 것을 통보한 것은 행정처분에 해당하지 않는다.
④ 국가 산하 중앙행정기관인 방위사업청과 개발협약을 체결한 상대방이 협약을 이행하는 과정에서 환율변동 등 외부적 요인으로 발생한 초과비용을 청구하는 소송은 행정소송에 해당한다.

2021년 경찰 2차

① (×) 甲 지방자치단체가 乙 주식회사 등 4개 회사로 구성된 공동수급체를 자원회수시설의 운영·유지관리 등을 위탁할 민간사업자로 선정하고 乙 회사 등의 공동수급체와 위 시설에 관한 위·수탁 운영 협약을 체결하였는데, … 위 협약은 甲 지방자치단체가 사인인 乙 회사 등에 위 시설의 운영을 위탁하고 그 위탁운영비용을 지급하는 것을 내용으로 하는 용역계약으로서 상호 대등한 입장에서 당사자의 합의에 따라 체결한 사법상 계약에 해당한다(대판 2019.10.17. 2018두60588).
② (○) 대판 2020.5.14. 2018다298409
③ (○) 대판 2015.8.27. 2015두41449
④ (○) 국책사업인 '한국형 헬기 개발사업'(Korean Helicopter Program)에 개발주관사업자 중 하나로 참여하여 국가 산하 중앙행정기관인 방위사업청과 '한국형헬기 민군겸용 핵심구성품 개발협약'을 체결한 甲 주식회사가 협약을 이행하는 과정에서 환율변동 및 물가상승 등 외부적 요인 때문에 협약금액을 초과하는 비용이 발생하였다고 주장하면서 국가를 상대로 초과비용의 지급을 구하는 민사소송을 제기한 사안에서, 위 협약의 법률관계는 공법관계에 해당하므로 이에 관한 분쟁은 행정소송으로 제기하여야 한다(대판 2017.11.9. 2015다215526).

답 ①

함께 정리하기

공법상 계약

지방자치단체와 사인 간의 자원회수시설 위탁운영협약
▷ 사법상 계약

공공계약
▷ 사법상 계약

중소기업청장이 체결하는 정보화지원사업 지원금출연협약
▷ 공법상 계약

방위사업청과 부품개발 협약을 체결한 기업의 초과비용지급청구
▷ 행정소송 대상

029

공법상 계약에 대한 설명으로 옳은 것은? (다툼이 있는 경우 판례에 의함)

① 지방자치단체가 사인과 체결한 자원회수시설에 대한 위탁운영협약은 사법상 계약에 해당하므로 그에 관한 다툼은 민사소송의 대상이 된다.
② 구「사회간접자본시설에 대한 민간투자법」에 근거한 서울 - 춘천 간 고속도로 민간투자시설사업의 사업시행자 지정은 공법상 계약에 해당한다.
③ 과학기술기본법령상 사업 협약의 해지 통보는 대등 당사자의 지위에서 형성된 공법상 계약을 계약당사자의 지위에서 종료시키는 의사표시에 해당한다.
④ A광역시립합창단원으로서 위촉기간이 만료되는 자들의 재위촉신청에 대하여 A광역시문화예술회관장이 실기와 근무성적에 대한 평정을 실시하여 재위촉을 하지 아니한 것은 항고소송의 대상이 되는 불합격 처분에 해당한다.

2020년 지방직 7급

① (○) 대판 2019.10.17. 2018두60588
② (×) 판례는 민간투자시설사업의 사업시행자 지정을 행정처분으로 보고 있다.

> 선행처분인 서울 - 춘천 간 고속도로 민간투자시설사업의 사업시행자 지정처분의 무효를 이유로 그 후행처분인 도로구역결정처분의 취소를 구하는 소송에서, 선행처분인 사업시행자 지정처분을 무효로 할 만큼 중대하고 명백한 하자가 없다(대판 2009.4.23. 2007두13159).

유제 16. 국가직 9급 「사회기반시설에 대한 민간투자법」상 민간투자사업의 사업시행자 지정은 공법상 계약이 아니라 행정처분에 해당한다. (○)

③ (×) 과학기술기본법령상 사업 협약의 해지 통보는 단순히 대등 당사자의 지위에서 형성된 공법상 계약을 계약당사자의 지위에서 종료시키는 의사표시에 불과한 것이 아니라 행정청이 우월적 지위에서 연구개발비의 회수 및 관련자에 대한 국가연구개발사업 참여제한 등의 법률상 효과를 발생시키는 행정처분에 해당한다(대판 2014.12.11. 2012두28704).
④ (×) 광주광역시문화예술회관장의 단원 위촉은 공법상의 근무관계의 설정을 목적으로 하여 광주광역시와 단원이 되고자 하는 자 사이에 대등한 지위에서 의사가 합치되어 성립하는 공법상 근로계약에 해당한다고 보아야 할 것이므로, 광주광역시문화예술회관장이 실기와 근무성적에 대한 평정을 실시하여 재위촉을 하지 아니한 것을 항고소송의 대상이 되는 불합격처분이라고 할 수는 없다(대판 2001.12.11. 2001두7794).

유제 20. 국회직 8급 시립합창단원에 대한 위촉은 처분에 의한 임명행위라 할 수 있다. (×)
19. 서울시 9급 광주광역시문화예술회관장의 단원 위촉은 공법상 근로계약이 아니라 행정청으로서 공권력을 행사하여 행하는 행정처분이다. (×)
16. 경찰 2차 광주광역시립합창단원으로서 위촉기간이 만료되는 자들의 재위촉 신청에 대하여 광주광역시문화예술회관장이 실기와 근무성적에 대한 평정을 실시하여 재위촉을 하지 아니한 것은 항고소송의 대상이 되는 불합격처분에 해당한다. (×)
13. 국가직 7급 (A는 B광역시 시립합창단의 단원으로 3년간 위촉되어 활동하는 내용의 계약을 B광역시문화예술회관장 C와 체결하였다. 시립합창단원의 지위는 지방공무원의 지위와 거의 유사한 것으로 규정되어 있다. A는 위촉기간인 3년이 만료되면서 합창단원 재위촉신청을 하였으나, C는 A의 실기와 근무성적에 대한 평정을 실시한 후 재위촉을 하지 않았다) 위 사례의 위촉은 공법상의 근무관계의 설정을 목적으로 하여 B광역시와 A 사이에 대등한 지위에서 의사가 합치되어 성립되는 공법상 근로계약이다. (○)
13. 국가직 7급 (A는 B광역시 시립합창단의 단원으로 3년간 위촉되어 활동하는 내용의 계약을 B광역시문화예술회관장 C와 체결하였다. 시립합창단원의 지위는 지방공무원의 지위와 거의 유사한 것으로 규정되어 있다. A는 위촉기간인 3년이 만료되면서 합창단원 재위촉신청을 하였으나, C는 A의 실기와 근무성적에 대한 평정을 실시한 후 재위촉을 하지 않았다) A가 재위촉거부에 대해서 불복할 경우 취소소송을 제기해야 한다. (×)

답 ①

문제 DATA
출제가능 지수 ▶▶▷
난이도 지수 ★★☆

함께 정리하기

공법상 계약

지방자치단체가 사인과 체결한 자원회수시설 위탁운영협약
▷ 사법상 계약

민간투자사업 사업시행자 지정
▷ 행정처분○(공법상 계약×)

과학기술기본법령상 사업협약의 해지 통보
▷ 행정처분○

시립합창단원 위촉
▷ 공법상 계약

시립합창단원에 대한 재위촉거부
▷ 당사자소송

030 □□□

공법상 계약에 대한 설명으로 옳은 것은? (다툼이 있는 경우 판례에 의함)

① 중소기업기술정보진흥원장과 甲 주식회사가 체결한 중소기업 정보화지원사업을 위한 협약의 해지 및 그에 따른 환수통보는 공법상 당사자소송에 의한다.
② 계약의 해지의사표시를 하기 위해서는 「행정절차법」에 따라 근거와 이유를 제시하여야 한다.
③ 계약에 의한 의무불이행에 대해서는 원칙적으로 「행정대집행법」이 적용된다.
④ 계약에 관하여는 「행정절차법」에 명문의 규정을 두고 있다.

> 2020년 소방직

문제 DATA
출제가능 지수 ▶▶▷
난이도 지수 ★★☆

① (○) 대판 2015.8.27. 2015두41449
② (×) 대판 2002.11.26. 2002두5948
③ (×) 「행정대집행법」에 따르면 대집행의 대상이 되는 의무는 법률에 의하여 직접명령되었거나 또는 법률에 의거한 행정청의 명령(행정처분)에 의해 부과된 것이어야 한다. 이는 공법상의 의무 중에서도 권력적 행위에 의해 부과된 의무만이 대집행의 대상이 된다는 것을 의미한다. 따라서 당사자 간의 대등성을 전제로 하는 공법상 계약에 의한 의무불이행에 대해서는 원칙적으로 「행정대집행법」이 적용되지 않는다.

> 「행정대집행법」 제2조 【대집행과 그 비용징수】 법률(법률의 위임에 의한 명령, 지방자치단체의 조례를 포함한다. 이하 같다)에 의하여 직접명령되었거나 또는 법률에 의거한 행정청의 명령에 의한 행위로서 타인이 대신하여 행할 수 있는 행위를 의무자가 이행하지 아니하는 경우 다른 수단으로써 그 이행을 확보하기 곤란하고 또한 그 불이행을 방치함이 심히 공익을 해할 것으로 인정될 때에는 당해 행정청은 스스로 의무자가 하여야 할 행위를 하거나 또는 제삼자로 하여금 이를 하게 하여 그 비용을 의무자로부터 징수할 수 있다.

④ (×) 현행 「행정절차법」은 공법상 계약에 관한 규정을 두고 있지 않다.

유제 19. 서울시 7급 「행정절차법」은 공법상 계약의 체결 절차에 대해서는 규율하고 있지 않다. (○)
17. 서울시 7급, 14. 서울시 7급 공법상 계약도 공행정작용이므로 「행정절차법」이 적용된다. (×)
16. 국가직 9급 공법상 계약에 대해서도 「행정절차법」이 적용된다. (×)
13. 국회직 8급 공법상 계약은 「행정절차법」의 규율대상이 아니다. (○)

답 ①

함께 정리하기

공법상 계약

중소기업 정보화지원사업에 대한 지원금 출연협약 해지 및 환수통보
▷ 공법상 계약에 따른 의사표시
▷ 당사자소송

공법상 계약 해지
▷ 「행정절차법」상 이유제시의무 無

계약상 의무불이행
▷ 「행정대집행법」 적용×

「행정절차법」
▷ 공법상 계약 규정 無

031

판례상 공법상 계약에 대한 설명으로 옳지 않은 것만을 모두 고른 것은?

> ㄱ. 지방계약직공무원에 대하여 채용계약상 특별한 약정이 없는 한 「지방공무원법」, 「지방공무원 징계 및 소청 규정」에서 정한 징계 절차에 의하지 않고서는 보수를 삭감할 수 없다.
> ㄴ. 단순히 계약상의 규정에 근거한 것이 아니라 계약상의 규정과 중첩되더라도 법령상의 근거를 가진 행위에 대해서는 공권력성을 인정하여 이를 처분으로 인정하는 경우가 있다.
> ㄷ. 한국환경산업기술원장이 환경기술개발사업 협약을 체결한 甲 주식회사 등에게 연차평가 실시 결과 절대평가 60점 미만으로 평가되었다는 이유로 연구개발 중단 조치 및 연구비 집행중지 조치를 한 사안에서, 연구개발 중단 조치 및 연구비 집행중지 조치는 항고소송의 대상이 되는 행정처분에 해당한다.
> ㄹ. 시립합창단원에 대한 위촉은 처분에 의한 임명행위라 할 수 있다.
> ㅁ. 공법상 계약에 기초한 공무원의 근무관계에서 징계행위는 행정처분이다.
> ㅂ. 계약직 공무원의 채용계약해지는 행정처분으로 본다.

① ㄱ, ㄴ
② ㄱ, ㄷ
③ ㄹ, ㅁ
④ ㄹ, ㅂ
⑤ ㅁ, ㅂ

2020년 국회직 8급

ㄱ. (O) 대판 2008.6.12. 2006두16328

ㄴ. (O) 산업집적법은 지식경제부장관을 국가산업단지의 관리권자로 규정하고(제30조 제1항 제1호), 피고를 그 관리권자로부터 관리업무를 위탁받은 관리기관으로 규정하며(같은 조 제2항 제3호), 산업단지 안에서 제조업을 영위하거나 영위하고자 하는 자는 지식경제부령이 정하는 바에 의하여 관리기관과 입주계약을 체결하여야 하고(제38조 제1항), 그 입주계약을 위반한 때에는 관리기관이 일정한 기간 내에 그 시정을 명하고 이를 이행하지 아니하는 경우 사전에 계약당사자의 의견을 듣고 그 입주계약을 해지할 수 있고, 이 경우 입주계약이 해지된 자는 잔무처리 등을 제외하고는 그 사업을 즉시 중지하여야 하고(제42조 제1항 제6호, 제2항, 제5항), 이에 위반하여 계속 그 사업을 영위하는 자는 3년 이하의 징역 또는 1천 5백만원 이하의 벌금에 처하며(제52조 제10호), … 산업집적법에 의하여 행한 절차나 기타의 행위는 당해 공장의 소유자·점유자 기타 이해관계인의 승계인에 대하여도 그 효력이 있다고(제4조) 규정하고 있다. 이와 같은 규정들에서 알 수 있는 피고의 지위, 입주계약해지의 절차, 그 해지통보에 수반되는 법적 의무 및 그 의무를 불이행한 경우의 형사적 내지 행정적 제재 등을 종합적으로 고려하면, 이 사건 국가산업단지 입주계약해지통보는 단순히 대등한 당사자의 지위에서 형성된 공법상 계약을 계약당사자의 지위에서 종료시키는 의사표시에 불과하다고 볼 것이 아니라 행정청인 관리권자로부터 관리업무를 위탁받은 피고가 우월적 지위에서 원고에게 일정한 법률상 효과를 발생하게 하는 것으로서 항고소송의 대상이 되는 행정처분에 해당한다고 보아야 할 것이다(대판 2011.6.30. 2010두23859).

유제 20. 국회직 9급 「산업집적활성화 및 공장설립에 관한 법률」상의 입주계약의 해지는 행정처분에 해당하지 않는다. (×)

17. 지방직 7급 구 「산업집적활성화 및 공장설립에 관한 법률」에 따른 산업단지 입주계약의 해지통보는 행정청인 관리권자로부터 관리업무를 위탁받은 한국산업단지공단이 우월적 지위에서 그 상대방에게 일정한 법률상 효과를 발생하게 하는 것으로서 항고소송의 대상이 되는 행정처분에 해당한다. (O)

ㄷ. (O) 한국환경산업기술원장이 환경기술개발사업 협약을 체결한 甲 주식회사 등에게 연차평가 실시 결과 절대평가 60점 미만으로 평가되었다는 이유로 연구개발 중단 조치 및 연구비 집행중지 조치를 한 사안에서, 각 조치가 항고소송의 대상이 되는 행정처분에 해당한다(대판 2015.12.24. 2015두264).

ㄹ. (×) 광주광역시문화예술회관장의 단원 위촉은 공법상의 근무관계의 설정을 목적으로 하여 광주광역시와 단원이 되고자 하는 자 사이에 대등한 지위에서 의사가 합치되어 성립하는 공법상 근로계약에 해당한다고 보아야 할 것이므로, 광주광역시문화예술회관장이 실기와 근무성적에 대한 평정을 실시하여 재위촉을 하지 아니한 것을 항고소송의 대상이 되는 불합격처분이라고 할 수는 없다(대판 2001.12.11. 2001두7794).

문제 DATA
출제가능 지수 ▶▶▷
난이도 지수 ★★★

함께 정리하기

공법상 계약

지방계약직공무원 보수삭감
▷ 징계절차 거쳐야 함

법에 근거하여 제재로서 행해지는 공법상 계약의 해지
▷ 처분성 인정

한국환경산업기술원장의 연구개발 중단 조치·연구비 집행중지 조치
▷ 행정처분 O

시립합창단원 위촉
▷ 공법상 계약

공법상 계약에 기초한 공무원의 근무관계에서 징계행위
▷ 행정처분 O

계약직공무원의 채용계약해지
▷ 행정처분 ×

ㅁ. (○) 지방계약직공무원에 대한 징계행위는 행정처분에 해당한다.

> 지방공무원법 제73조의3과 지방공무원 징계 및 소청규정 제13조 제4항에 의하여 지방계약직공무원에게도 지방공무원법 제69조 제1항 각 호의 징계사유가 있는 때에는 징계처분을 할 수 있다(대판 2008.6.12. 2006두16328).

ㅂ. (×) 계약직공무원 채용계약해지의 의사표시는 일반공무원에 대한 징계처분과는 달라서 항고소송의 대상이 되는 처분 등의 성격을 가진 것으로 인정되지 아니하고, 일정한 사유가 있을 때에 국가 또는 지방자치단체가 채용계약 관계의 한쪽 당사자로서 대등한 지위에서 행하는 의사표시로 취급되는 것으로 이해되므로, 이를 징계해고 등에서와 같이 그 징계사유에 한하여 효력 유무를 판단하여야 하거나, 행정처분과 같이 행정절차법에 의하여 근거와 이유를 제시하여야 하는 것은 아니다(대판 2002.11.26. 2002두5948).

답 ④

032 □□□

행정상 계약에 대한 설명으로 옳은 것은? (다툼이 있는 경우 판례에 의함)

① 「산업집적활성화 및 공장설립에 관한 법률」상의 입주계약의 해지는 행정처분에 해당하지 않는다.
② 음식물류 폐기물의 수집·운반 업무를 대행을 위탁하고 그에 대한 대행료를 지급하는 것을 내용으로 하는 지방자치단체와 사인 간의 계약은 민사소송의 대상이다.
③ 「행정절차법」은 공법상 계약에 관하여 규정하고 있다.
④ 「공익사업을 위한 토지 등의 취득 및 보상에 관한 법률」상의 협의취득의 법적 성질은 공법상 계약에 해당한다.
⑤ 중소기업기술정보진흥원장이 중소기업 정보화지원사업 지원대상인 사업의 지원에 관하여 체결한 협약의 해지는 행정처분에 해당한다.

2020년 국회직 9급

① (×) 대판 2011.6.30. 2010두23859
② (○) 음식물류 폐기물의 수집·운반, 가로 청소, 재활용품의 수집·운반 업무의 대행을 위탁하고 그에 대한 대행료를 지급하는 것을 내용으로 하는 용역계약으로서 이 사건 변경계약에 따른 대행료 정산의무의 존부는 민사 법률관계에 해당하므로 이를 소송물로 다투는 소송은 민사소송에 해당하는 것으로 보아야 한다(대판 2018.2.13. 2014두11328).
③ (×) 현행 「행정절차법」은 공법상 계약에 관한 규정을 두고 있지 않다.
④ (×) 대판 2006.10.13. 2006두7096
⑤ (×) 중소기업기술정보진흥원장이 甲 주식회사와 중소기업 정보화지원사업 지원대상인 사업의 지원에 관한 협약을 체결하였는데, 협약이 甲 회사에 책임이 있는 사업실패로 해지되었다는 이유로 협약에서 정한 대로 지급받은 정부지원금을 반환할 것을 통보한 사안에서, 중소기업 정보화지원사업에 따른 지원금 출연을 위하여 중소기업청장이 체결하는 협약은 공법상 대등한 당사자 사이의 의사표시의 합치로 성립하는 공법상 계약에 해당하는 점, 구 중소기업 기술혁신 촉진법 제32조 제1항은 제10조가 정한 기술혁신사업과 제11조가 정한 산학협력 지원사업에 관하여 출연한 사업비의 환수에 적용될 수 있을 뿐 이와 근거 규정을 달리하는 중소기업 정보화지원사업에 관하여 출연한 지원금에 대하여는 적용될 수 없고 달리 지원금 환수에 관한 구체적인 법령상 근거가 없는 점 등을 종합하면, 협약의 해지 및 그에 따른 환수통보는 공법상 계약에 따라 행정청이 대등한 당사자의 지위에서 하는 의사표시로 보아야 하고, 이를 행정청이 우월한 지위에서 행하는 공권력의 행사로서 행정처분에 해당한다고 볼 수는 없다(대판 2015.8.27. 2015두41449).

답 ②

문제 DATA
출제가능 지수 ▶▶Σ
난이도 지수 ★★☆

함께 정리하기

행정상 계약

산업단지 입주계약 해지
▷ 행성처분○

생활폐기물수집운반등 대행위탁계약
▷ 사법상 계약

「행정절차법」
▷ 공법상 계약 규정 無

토지보상법상 협의취득계약
▷ 사법상 매매

중소기업 정보화지원사업에 대한 지원금 출연협약 해지
▷ 행정처분×

033

공법상 계약에 대한 설명으로 가장 옳지 않은 것은? (다툼이 있는 경우 판례에 의함)

① 「민법」의 계약 해지 규정이 그대로 적용될 수 없다.
② 「행정절차법」은 공법상 계약의 체결 절차에 대해서는 규율하고 있지 않다.
③ 행정주체의 상대방이 계약상 의무를 이행하지 않는 경우라도 법률의 근거가 없으면 행정상 강제집행을 할 수 없다.
④ 전문직공무원인 공중보건의사의 채용계약 해지는 관할도지사의 일방적인 의사표시에 의해 그 신분을 박탈하는 불이익처분으로 항고소송의 대상이 된다.

2019년 서울시 7급

① (○) 공법상 계약은 공법적 효과의 발생을 목적으로 하는 공법행위이므로 사적 자치의 원칙이 제한되며, 공익의 실현을 보장하기 위하여 명문규정이 없는 경우에도 계약의 해지 등에 관한 「민법」의 원칙이 수정되는 경우가 있다.
② (○) 현행 「행정절차법」은 공법상 계약에 관한 규정을 두고 있지 않다.
③ (○) 공법상 계약의 당사자로서 행정주체에게는 원칙적으로 자력집행력이 인정되지 않는다. 따라서 행정주체의 상대방이 계약상 의무를 이행하지 않는 경우라도 법률의 근거가 없으면 행정상 강제집행을 할 수 없으며, 소송을 제기하여 법원의 판결을 받아 강제하여야 한다. 다만, 공법상 계약에 의한 의무의 불이행에 대하여 개별법에서 행정강제를 규정하고 있는 경우에는 그에 따른다.
④ (×) 현행 실정법이 지방전문직공무원 채용계약 해지의 의사표시를 일반공무원에 대한 징계처분과는 달리 항고소송의 대상이 되는 처분 등의 성격을 가진 것으로 인정하지 아니하고, 지방자치단체가 채용계약관계의 한쪽 당사자로서 대등한 지위에서 행하는 의사표시로 취급하고 있는 것으로 이해되므로, 지방전문직공무원 채용계약 해지의 의사표시에 대하여는 대등한 당사자 간의 소송형식인 공법상 당사자소송으로 그 의사표시의 무효확인을 청구할 수 있다(대판 1993.9.14. 92누4611).

답 ④

034

행정계약에 대한 판례의 입장으로 옳지 않은 것은?

① 계약직공무원 채용계약해지의 의사표시는 일반공무원에 대한 징계처분과는 다르지만, 「행정절차법」의 처분절차에 의하여 근거와 이유를 제시하여야 한다.
② 구 「중소기업 기술혁신 촉진법」상 중소기업 정보화지원사업의 일환으로 중소기업기술정보진흥원장이 甲 주식회사와 중소기업 정보화지원사업에 관한 협약을 체결한 후 甲 주식회사의 협약불이행으로 인해 사업실패가 초래된 경우, 중소기업기술진흥원장이 협약에 따라 甲에 대해 행한 협약의 해지 및 지급받은 정부지원금의 환수통보는 행정처분에 해당하지 않는다.
③ 구 「도시계획법」상 도시계획사업의 시행자가 그 사업에 필요한 토지를 협의취득하는 행위는 사경제주체로서 행하는 사법상의 법률행위이므로 행정소송의 대상이 되지 않는다.
④ 「지방공무원법」상 지방전문직공무원 채용계약에서 정한 채용기간이 만료한 경우에는 채용계약의 갱신이나 기간연장 여부는 기본적으로 지방자치단체장의 재량이다.

2018년 국가직 9급

① (×) 계약직공무원 채용계약해지의 의사표시는 일반공무원에 대한 징계처분과는 달라서 항고소송의 대상이 되는 처분 등의 성격을 가진 것으로 인정되지 아니하고, 일정한 사유가 있을 때에 국가 또는 지방자치단체가 채용계약 관계의 한쪽 당사자로서 대등한 지위에서 행하는 의사표시로 취급되는 것으로 이해되므로, 이를 징계해고 등에서와 같이 그 징계사유에 한하여 효력 유무를 판단하여야 하거나, 행정처분과 같이 행정절차법에 의하여 근거와 이유를 제시하여야 하는 것은 아니다(대판 2002.11.26. 2002두5948).
② (○) 대판 2015.8.27. 2015두41449
③ (○) 대판 1992.10.27. 91누3871
④ (○) 지방전문직공무원 채용계약에서 정한 채용기간이 만료한 경우 채용계약을 갱신하거나 채용기간을 연장할 것인지 여부는 지방자치단체장의 재량에 맡겨져 있는 것으로 보아야 할 것이므로 지방전문직공무원 채용계약에서 정한 기간이 형식적인 것에 불과하고 그 채용계약은 기간의 약정이 없는 것이라고 볼 수 없다(대판 1993.9.14. 92누4611).

유제 15. 지방직 9급 지방전문직공무원 채용계약에서 정한 채용기간이 만료한 경우 채용계약을 갱신하거나 채용기간을 연장할 것인지 여부는 지방자치단체장의 재량에 맡겨져 있다. (○)

답 ①

함께 정리하기
행정계약

계약직공무원 채용계약해지 의사표시
▷ 이유제시 不要

중소기업청장의 지원금협약해지·환수통보
▷ 행정처분×

도시계획법상 협의취득
▷ 사법상 법률행위

지방전문직공무원 채용기간만료
▷ 갱신·연장 여부 지자체장의 재량

035 □□□

공법상 계약에 대한 설명으로 옳은 것은? (다툼이 있는 경우 판례에 의함)

① 공법상 계약은 사법상 효과의 발생을 목적으로 한다.
② 국립의료원 부설 주차장 위탁관리용역운영계약은 공법상 계약에 해당한다.
③ 공법상 계약의 일반적 절차는 「행정절차법」상 공법상 계약의 규정에 따른다.
④ 공법상 계약 해지의 의사표시에 대한 다툼은 공법상의 당사자소송으로 무효확인을 청구할 수 있다.

문제 DATA
출제가능 지수 ▶▶▷
난이도 지수 ★★☆

2018년 교육행정직

① (×) 공법상 계약이란 공법적 효과의 발생을 목적으로 하는 복수당사자 사이의 반대 방향의 의사표시의 합치에 의하여 성립되는 공법행위를 말한다.
② (×) 대판 2006.3.9. 2004다31074
③ (×) 「행정절차법」에는 공법상 계약에 관한 규정을 두고 있지 않다.
④ (○) 현행 실정법이 지방전문직공무원 채용계약 해지의 의사표시를 일반공무원에 대한 징계처분과는 달리 항고소송의 대상이 되는 처분 등의 성격을 가진 것으로 인정하지 아니하고, 지방자치단체가 채용계약관계의 한쪽 당사자로서 대등한 지위에서 행하는 의사표시로 취급하고 있는 것으로 이해되므로, 지방전문직공무원 채용계약 해지의 의사표시에 대하여는 대등한 당사자 간의 소송형식인 공법상 당사자소송으로 그 의사표시의 무효확인을 청구할 수 있다(대판 1993.9.14. 92누4611).

유제 19. 국가직 7급, 17. 지방직 9급(추) 지방전문직공무원 채용계약 해지의 의사표시에 대하여는 공법상 당사자소송으로 그 의사표시의 무효확인을 청구할 수 있다. (○)
14. 행정사 지방전문직공무원 채용계약의 해지에 대한 불복은 당사자소송이 아니라 항고소송으로 하여야 한다. (×)
11. 사복직 계약직공무원 채용계약해지의 의사표시는 원인이 공법상 계약이므로 항고소송의 대상이 된다. (×)

답 ④

함께 정리하기
공법상 계약

공법적 효과 발생을 목적

국립의료원주차장 위탁운영계약
▷ 특허

「행정절차법」에 규정×

지방전문직공무원 채용계약 해지
▷ 당사자소송의 대상

036

공법상 계약에 대한 설명으로 옳지 않은 것은? (다툼이 있는 경우 판례에 의함)

① 「지방자치단체를 당사자로 하는 계약에 관한 법률」에 따라 지방자치단체가 당사자가 되는 이른바 공공계약은 본질적인 내용이 사인 간의 계약과 다를 바가 없다.
② 공법상 채용계약에 대한 해지의 의사표시는 공무원에 대한 징계처분과 달라서 「행정절차법」에 의하여 그 근거와 이유를 제시하여야 하는 것은 아니다.
③ 택시회사들의 자발적 감차와 그에 따른 감차보상금의 지급 및 자발적 감차조치의 불이행에 따른 행정청의 직권감차명령을 내용으로 하는 택시회사들과 행정청 간의 합의는 대등한 당사자 사이에서 체결한 공법상 계약에 해당하므로 그에 따른 감차명령은 행정청이 우월한 지위에서 행하는 공권력의 행사로 볼 수 없다.
④ 공법상 계약의 무효확인을 구하는 당사자소송의 청구는 당해 소송에서 추구하는 권리구제를 위한 다른 직접적인 구제방법이 있는 이상 소송요건을 구비하지 못한 위법한 청구이다.

2017년 국가직 7급

① (○) 국가나 지방자치단체가 「국가를 당사자로 하는 계약에 관한 법률」 또는 「지방자치단체를 당사자로 하는 계약에 관한 법률」에 따라 입찰방식으로 사인과 체결하는 물품구매계약(행정조달계약), 건축도급계약 등은 사법상의 계약에 해당한다.

> 지방재정법에 의하여 준용되는 국가를 당사자로 하는 계약에 관한 법률에 따라 지방자치단체가 당사자가 되는 이른바 공공계약은 사경제의 주체로서 상대방과 대등한 위치에서 체결하는 사법(私法)상의 계약으로서 그 본질적인 내용은 사인 간의 계약과 다를 바가 없으므로, 그에 관한 법령에 특별한 정함이 있는 경우를 제외하고는 사적 자치와 계약자유의 원칙 등 사법의 원리가 그대로 적용된다(대결 2006.6.19. 2006마117).

② (○) 대판 2002.11.26. 2002두5948
③ (×) 관할 행정청은 면허 발급 이후에도 운송사업자의 동의하에 여객자동차운송사업의 질서 확립을 위하여 운송사업자가 준수할 의무를 정하고 이를 위반할 경우 감차명령을 할 수 있다는 내용의 면허 조건을 붙일 수 있고, 운송사업자가 그러한 조건을 위반하였다면 여객자동차법 제85조 제1항 제38호에 따라 감차명령을 할 수 있으며, 이러한 감차명령은 행정소송법 제2조 제1항 제1호가 정한 처분으로서 항고소송의 대상이 된다. … 단순히 대등한 당사자의 지위에서 형성된 공법상 계약에 근거한 의사표시에 불과한 것으로는 볼 수 없다(대판 2016.11.24. 2016두45028).
④ (○) 공법상 계약의 무효확인을 구하는 당사자소송은 항고소송인 무효등확인소송과 달리 확인의 이익(확인소송의 보충성)이 요구된다. 따라서 공법상 계약의 무효확인을 구하는 당사자소송의 청구는 권리구제를 위한 다른 직접적인 구제방법이 있는 이상 소송요건을 구비하지 못한 위법한 청구가 된다.

답 ③

037

공법상 계약에 대한 설명으로 옳은 것은? (다툼이 있는 경우 판례에 의함)

① 현행 「행정절차법」은 공법상 계약에 대한 규정을 두고 있다.
② 대법원은 구 「농어촌 등 보건의료를 위한 특별조치법」 및 관계법령에 따른 전문직공무원인 공중보건의사의 채용계약 해지의 의사표시는 일반공무원에 대한 징계처분과 같은 성격을 가지며, 따라서 항고소송의 대상이 된다고 본다.
③ 공법상 계약은 행정주체와 사인 간에만 체결 가능하며, 행정주체 상호간에는 공법상 계약이 성립할 수 없다.
④ 다수설에 따르면 공법상 계약은 당사자의 자유로운 의사의 합치에 의하므로 원칙적으로 법률유보의 원칙이 적용되지 않는다고 본다.

2017년 국가직 9급

① (×) 현행 「행정절차법」은 공법상 계약에 대한 규정을 두고 있지 않다.
② (×) 대판 1996.5.31. 95누10617
③ (×) 공법상 계약은 행정주체와 사인 간에 행해지는 것이 일반적이지만 행정주체 상호간에도 공법상 계약이 체결될 수 있다.
④ (○) 공법상 계약은 당사자 사이의 의사의 합치에 의해 성립되므로 원칙적으로 법적 근거가 없더라도 자유롭게 체결할 수 있다. 따라서 공법상 계약에는 법률유보의 원칙이 적용되지 않는다는 것이 일반적 견해이다.

답 ④

038

공법상 계약에 대한 설명으로 가장 옳지 않은 것은? (다툼이 있는 경우 판례에 의함)

① 시립무용단원의 채용계약과 공중보건의사 채용계약은 공법상 계약에 해당한다.
② 일반적으로 공법상 계약은 법규에 저촉되지 않는 한 자유로이 체결할 수 있으며 법률의 근거도 필요하지 않다.
③ 공법상 계약의 일방 당사자인 행정이 계약위반행위를 한다면 타방 당사자인 주민 또는 국민은 행정소송 중 당사자소송으로써 권리구제를 받을 수 있다.
④ 공법상 계약도 공행정작용이므로 「행정절차법」이 적용된다.

2017년 서울시 7급

① (○) 대판 1995.12.22. 95누4636 ; 대판 1996.5.31. 95누10617
② (○) 공법상 계약은 당사자 사이의 의사의 합치에 의해 성립되므로 법규에 저촉되지 않는 한 자유로이 체결할 수 있으며 법률의 근거도 필요 없다는 것이 일반적 견해이다.
③ (○) 공법상 계약으로 인한 권리의무관계에 다툼이 있는 경우 행정소송인 당사자소송에 의한다.

유제 14. 서울시 7급 공법상 계약에 관한 분쟁은 「행정소송법」 제3조 제2호가 정하는 당사자소송의 대상이 된다. (○)
14. 국가직 7급 공법상 계약에 관한 쟁송은 원칙적으로 「행정소송법」 제3조에 규정된 당사자소송에 의한다. (○)

④ (×) 공법상 계약에는 「행정절차법」이 적용되지 않는다.

답 ④

제4절 | 행정상 사실행위

001 □□□

행정청의 사실행위에 대한 권리보호에 대한 설명으로 옳지 않은 것은? (다툼이 있는 경우 판례에 의함)

① 「국가배상법」이 정한 배상청구의 요건인 '공무원의 직무'에는 권력적 작용만이 아니라 행정지도와 같은 비권력적 작용도 포함된다.
② 행정지도가 강제성을 띠지 않은 비권력적 작용으로서 행정지도의 한계를 일탈하지 아니하였다면, 그로 인하여 상대방에게 어떤 손해가 발생하였다고 하더라도 행정기관은 그에 대한 손해배상책임이 없다.
③ 재소자가 교도소장에게 외부인으로부터 연예인 사진을 받을 수 있는지를 문의하자 교도소장이 불허될 수 있다는 취지로 고지한 행위는 관련 법령과 행정규칙을 해석·적용한 결과를 재소자에게 알려준 것으로서 헌법소원의 대상이 된다.
④ 금융위원회위원장이 시중 은행을 상대로 투기지역·투기과열지구 내 초고가 아파트에 대한 주택구입용 주택담보대출을 금지한 조치는 규제적·구속적 성격을 갖는 행정지도로서 헌법소원의 대상이 되는 공권력 행사에 해당된다.
⑤ 육군훈련소장이 훈련병으로 하여금 육군훈련소 내 종교행사에 참석하도록 강제한 행위에 대하여 이미 퇴소한 훈련병이 헌법소원심판을 청구한 경우, 주관적 권리구제에는 도움이 되지 않는다 하더라도 그러한 침해행위가 앞으로도 반복될 위험이 있거나 당해 분쟁의 해결이 헌법질서의 수호·유지를 위하여 긴요한 사항이어서 헌법적으로 그 해명이 중대한 의미를 지니고 있어 심판청구의 이익을 인정할 수 있다.

2025년 변호사

① (○) 국가배상이 정한 손해배상청구의 요건인 '공무원의 직무'에는 국가나 지방자치단체의 권력적 작용뿐만 아니라 비권력적 작용도 포함되지만 단순한 사경제의 주체로서 하는 작용은 포함되지 않는다(대판 2004.4.9. 2002다10691).
② (○) 행정지도가 강제성을 띠지 않은 비권력적 작용으로서 행정지도의 한계를 일탈하지 아니하였다면, 그로 인하여 상대방에게 어떤 손해가 발생하였다 하더라도 행정기관은 그에 대한 손해배상 책임이 없다(대판 2008.9.25. 2006다18228).
③ (×) 피청구인의 이 사건 고지행위는, 청구인이 외부인으로부터 연예인 사진을 교부받을 수 있는지를 문의한 것에 대하여 피청구인의 담당직원이 형집행법 관련 법령과 행정규칙을 해석·적용한 결과를 청구인에게 알려준 것에 불과할 뿐, 이를 넘어 청구인에게 어떠한 새로운 법적 권리의무를 부과하거나 일정한 작위 또는 부작위를 구체적으로 지시하는 내용이라고 볼 수 없으므로, 헌법소원의 대상이 되는 '공권력의 행사'로 볼 수 없다(헌재 2016.10.27. 2014헌마626).
④ (○) 이 사건 조치는 비록 행정지도의 형식으로 이루어졌으나, 일정한 경우 주택담보대출을 금지하는 것을 내용으로 하므로 규제적 성격이 강하고, 부동산 가격 폭등을 억제할 정책적 필요성에 따라 추진되었으며, 그 준수 여부를 확인하기 위한 현장점검반 운영이 예정되어 있었다. 그러므로 <u>이 사건 조치는 규제적·구속적 성격을 갖는 행정지도로서 헌법소원의 대상이 되는 공권력 행사에 해당된다</u>(헌재 2023.3.23. 2019헌마1399).
⑤ (○) 피청구인은 종교행사 실시를 통하여 훈련병들의 종교의 자유를 보장하는 것에서 나아가 신앙전력화를 위해 '1인 1종교를 권장'하고 있음을 인정할 수 있는데 이 사안과 같이 종교행사 참석 권고를 넘어 실질적으로 참석을 강제하는 행위가 앞으로도 반복될 가능성은 얼마든지 있다. 또한 소극적 자유를 포함한 종교의 자유 보호와 정교분리원칙의 중요성을 고려할 때 이 사건 종교행사 참석조치가 헌법적으로 정당한지 여부는 헌법질서의 수호·유지를 위하여 헌법적 해명이 긴요한 사항에 해당하므로 이 사건 심판청구는 심판의 이익이 있다고 할 것이다(헌재 2022.11.24. 2019헌마941).

답 ③

002

행정상 사실행위에 대한 설명으로 옳지 않은 것은? (다툼이 있는 경우 판례에 의함)

① 행정상 사실행위의 예로는 폐기물 수거, 행정지도, 대집행의 실행, 행정상 즉시강제 등이 있다.
② 행정청이 위법건축물에 대한 단전 및 전화통화 단절조치를 요청한 것은 항고소송의 대상이 되는 행정처분이라고 볼 수 없다.
③ 교도소장이 영치품인 티셔츠 사용을 재소자에게 불허한 행위는 항고소송의 대상이 되는 행정처분에 해당한다.
④ 교도소 내 마약류 관련 수형자에 대한 교도소장의 소변강제채취는 권력적 사실행위나 헌법소원의 대상은 아니다.

2023년 지방직 9급

① (○) 행정상 사실행위란 일정한 법적 효과의 발생을 직접적 목적으로 하는 행위가 아니라, 일정한 사실상의 결과발생만을 목적으로 하는 행정주체의 일체의 행위를 말한다. 이에는 불법건축물의 강제철거 등 대집행의 실행행위, 감염병환자의 강제격리 등 행정상 즉시강제와 같은 권력적 사실행위와 여론조사, 폐기물 수거, 상담, 안내, 행정지도, 비공식적 행정작용 등 비권력적 사실행위가 있다.
② (○) 행정청이 위법 건축물에 대한 시정명령을 하고 나서 위반자가 이를 이행하지 아니하여 전기 · 전화의 공급자(한국전력공사 등)에게 그 위법 건축물에 대한 전기 · 전화공급을 하지 말아 줄 것을 요청한 행위는 권고적 성격의 행위에 불과한 것으로서 전기 · 전화공급자나 특정인의 법률상 지위에 직접적인 변동을 가져오는 것은 아니므로 이를 항고소송의 대상이 되는 행정처분이라고 볼 수 없다(대판 1996.3.22. 96누433).

> **유제** 23. 국회직 8급 행정청이 위법 건축물에 대한 시정명령을 하고 나서 위반자가 이를 이행하지 아니하여 전기 · 전화의 공급자에게 그 위법 건축물에 대한 전기 · 전화의 공급을 하지 말아 줄 것을 요청한 행위는 권고적 성격의 행위에 불과한 것으로서 항고소송의 대상이 되는 행정처분이라고 볼 수 없다. (○)
> 21. 군무원 9급 위법한 건축물에 대한 단전 및 전화통화 단절조치 요청행위는 처분성이 인정되는 행정지도이다. (×)
> 17. 서울시 9급 전기 · 전화의 공급자에게 위법건축물에 대한 단전 또는 전화통화 단절조치의 요청행위는 항고소송의 대상이 되는 행정처분이 아니다. (○)
> 13. 지방직 9급, 11. 국가직 7급 위법건축물에 대한 단전 및 전화통화 단절조치 요청행위는 처분성이 부인된다. (○)

③ (○) 교도소장이 영치품인 티셔츠 사용을 재소자에게 불허한 행위는 항고소송이 대상이 되는 행정처분이라는 것이 헌법재판소의 입장이며 대법원도 처분성을 인정하는 전제하에 소의 이익 여부를 판단하고 있다.

1. 교정시설의 장이 영치품의 사용을 불허하는 내용의 이 사건 처분에 대하여는 행정심판 및 행정소송을 통해 이를 다툴 수 있다(헌재 2010.7.13. 2010헌마417).
2. 수형자의 영치품(긴 팔 티셔츠 2개)에 대한 사용신청 불허처분 후 수형자가 다른 교도소로 이송되었다 하더라도 수형자의 권리와 이익의 침해 등이 해소되지 않은 점 등에 비추어, 위 영치품 사용신청 불허처분의 취소를 구할 이익이 있다(대판 2008.2.14. 2007두13203).

④ (×) 교도소 수형자에게 소변을 받아 제출하게 한 것은, 형을 집행하는 우월적인 지위에서 외부와 격리된 채 형의 집행에 관한 지시, 명령을 복종하여야 할 관계에 있는 자에게 행해진 것으로서 그 목적 또한 교도소 내의 안전과 질서유지를 위하여 실시하였고, 일방적으로 강제하는 측면이 존재하며, 응하지 않을 경우 직접적인 징벌 등의 제재는 없다고 하여도 불리한 처우를 받을 수 있다는 심리적 압박이 존재하리라는 것을 충분히 예상할 수 있는 점에 비추어, 권력적 사실행위로서 헌법재판소법 제68조 제1항의 공권력의 행사에 해당한다(헌재 2006.7.27. 2005헌마277).

답 ④

문제 DATA

출제가능 지수 ▶▶▷
난이도 지수 ★★☆

함께 정리하기

행정상 사실행위

예시
▷ 폐기물 수거, 행정지도, 대집행의 실행, 행정상 즉시강제 등

단전 · 전화단절조치 요청행위
▷ 처분성× (권고적 성격)

교도소장의 영치품 사용 불허 행위
▷ 처분성○

마약류 관련 수형자에 대한 교도소장의 소변강제채취
▷ 권력적 사실행위로서 헌법소원 대상○

003

행정상 사실행위에 대한 설명으로 옳지 않은 것은? (다툼이 있는 경우 판례에 의함)

① 권력적 사실행위가 행정처분의 준비단계로서 행하여지거나 행정처분과 결합된 경우에는 행정처분에 흡수·통합되어 불가분의 관계에 있다 할 것이므로 행정처분이 취소소송의 대상이 되지만, 처분과 분리하여 따로 권력적 사실행위를 다툴 실익이 있다.
② 비권력적 사실행위는 공권력의 행사에 해당하지 않지만, 행정청이 우월적 지위에서 일방적으로 강제하는 권력적 사실행위는 헌법소원의 대상이 되는 공권력의 행사에 해당한다.
③ 도지사가 도에서 설치·운영하는 지방의료원을 폐업하겠다는 결정을 발표하고 그에 따라 폐업을 위한 일련의 조치를 한 경우, 폐업결정은 공권력의 행사로서 행정처분에 해당한다.
④ 일반적으로 어떤 행위가 헌법소원의 대상이 되는 권력적 사실행위에 해당하는지 여부는 당해 행정주체와 상대방과의 관계, 그 사실행위에 대한 상대방의 의사·관여 정도·태도, 그 사실행위의 목적·경위, 법령에 의한 명령·강제수단의 발동 가부 등 그 행위가 행하여질 당시의 구체적 사정을 종합적으로 고려하여 개별적으로 판단해야 한다.

2023년 소방직

① (×) 권력적 사실행위가 행정처분의 준비단계로서 행하여지거나 행정처분과 결합된 경우(합성적 행정행위)에는 행정처분에 흡수·통합되어 불가분의 관계에 있다할 것이므로 행정처분만이 취소소송의 대상이 되고, 처분과 분리하여 따로 권력적 사실행위를 다툴 실익은 없다. 그러나 권력적 사실행위가 항상 행정처분의 준비행위로 행하여지거나 행정처분과 결합되는 것은 아니므로 그러한 사실행위에 대하여는 다툴 실익이 있다할 것임에도 법원의 판례에 따르면 일반쟁송 절차로는 다툴 수 없음이 분명하다. 이 사건 감사는 행정처분의 준비단계로서 행하여지거나 처분과 결합된 바 없다. 그렇다면, 이 사건 감사는 행정소송의 대상이 되는 행정행위로 볼 수 없어 법원에 의한 권리구제절차를 밟을 것을 기대하는 것이 곤란하므로 보충성의 원칙의 예외로서 소원의 제기가 가능하다(헌재 2003.12.18. 2001헌마754).
② (○) 권력적 사실행위만 헌법소원의 대상이 되는 공권력의 행사에 해당하고, 비권력적 사실행위는 공권력의 행사에 해당하지 아니 한다(헌재 2012.10.25. 2011헌마429).
④ (○) 일반적으로 어떤 행정상 사실행위가 권력적 사실행위에 해당하는지 여부는 당해 행정주체와 상대방과의 관계, 그 사실행위에 대한 상대방의 의사관여 정도, 그 사실행위의 목적경위, 법령에 의한 명령강제수단의 발동 가부 등 그 행위가 행하여질 당시의 구체적 사정을 종합적으로 고려하여 개별적으로 판단하여야 한다(헌재 2021.5.18. 2021헌마468).
③ (○) 甲 도지사가 도에서 설치·운영하는 乙 지방의료원을 폐업하겠다는 결정을 발표하고 그에 따라 폐업을 위한 일련의 조치가 이루어진 후 乙 지방의료원을 해산한다는 내용의 조례를 공포하고 乙 지방의료원의 청산절차가 마쳐진 사안에서 甲 도지사의 지방의료원폐업결정은 행정청이 행하는 구체적 사실에 관한 법집행으로서의 공권력의 행사로서 입원환자들과 소속 직원들의 권리의무에 직접 영향을 미치는 것이므로 항고소송의 대상에 해당한다(대판 2016.8.30. 2015두60617).

답 ①

문제 DATA
출제가능 지수 ▶▷▷
난이도 지수 ★★☆

함께 정리하기

행정상 사실행위

권력적 사실행위가 행정처분의 준비단계로서 행하여지거나 행정처분과 결합한 경우
▷ 권력적 사실행위를 다툴 실익×

권력적 사실행위
▷ 헌법소원 대상○

도지사의 지방의료원 폐업결정
▷ 행정처분○

권력적 사실행위 해당 여부
▷ 개별적으로 판단

004

다음 중 옳지 않은 것은? (다툼이 있는 경우 판례에 의함)

① 건설부장관(현 국토교통부장관)이 행한 국립공원지정처분에 따른 경계측량 및 표지의 설치 등은 처분이 아니다.
② 행정지도가 구술로 이루어지는 경우 상대방이 행정지도의 취지·내용 및 신분을 기재한 서면의 교부를 요구하면 당해 행정지도를 행하는 자는 직무수행에 특별한 지장이 없는 한 이를 교부하여야 한다.
③ 조례가 집행행위의 개입 없이도 그 자체로서 직접 국민의 구체적인 권리의무나 법적 이익에 영향을 미치는 등의 법률상 효과를 발생하는 경우 그 조례는 항고소송의 대상이 되는 행정처분에 해당한다.
④ 행정계획은 현재의 사회·경제적 모든 상황의 조사를 바탕으로 장래를 예측하여 수립되고 장기간에 걸쳐 있으므로, 행정계획의 변경은 인정되지 않는다.

문제 DATA
출제가능 지수 ▶▶▷
난이도 지수 ★★☆

2021년 소방직

① (○) 건설부장관이 행한 국립공원지정처분은 그 결정 및 첨부된 도면의 공고로써 그 경계가 확정되는 것이고, 시장이 행한 경계측량 및 표지의 설치 등은 공원관리청이 공원구역의 효율적인 보호, 관리를 위하여 이미 확정된 경계를 인식, 파악하는 사실상의 행위로 봄이 상당하며, 위와 같은 사실상의 행위를 가리켜 공권력행사로서의 행정처분의 일부라고 볼 수 없고, 이로 인하여 건설부장관이 행한 공원지정처분이나 그 경계에 변동을 가져온다고 할 수 없다(대판 1992.10.13. 92누2325).

유제 17. 지방직 9급(추) 구 「공원법」에 의해 건설부장관이 행한 국립공원지정처분에 따라 공원관리청이 행한 경계측량 및 표지의 설치는 항고소송의 대상이 되는 처분에 해당하는 사실행위이다. (×)
14. 국가직 9급 권한 있는 장관이 행한 국립공원지정처분에 따라 공원관리청이 행한 경계측량 및 표지의 설치는 행정처분이다. (×)

② (○)

> 「행정절차법」 제49조【행정지도의 방식】① 행정지도를 하는 자는 그 상대방에게 그 행정지도의 취지 및 내용과 신분을 밝혀야 한다.
> ② 행정지도가 말로 이루어지는 경우에 상대방이 제1항의 사항을 적은 서면의 교부를 요구하면 그 행정지도를 하는 자는 직무 수행에 특별한 지장이 없으면 이를 교부하여야 한다.

③ (○) 조례가 집행행위의 개입 없이도 그 자체로서 직접 국민의 구체적인 권리의무나 법적 이익에 영향을 미치는 등의 법률상 효과를 발생하는 경우 그 조례는 항고소송의 대상이 되는 행정처분에 해당한다(대판 1996.9.20. 95누8003).

④ (×) 미래 예측의 어려움으로 인해 행정계획의 확정 당시에는 예상하지 못한 상황의 변화가 일어날 수 있으므로 행정계획은 변경 가능하다.

답 ④

함께 정리하기

판례

국립공원지정처분에 따른 경계측량·표지설치
▷ 처분 ×

말로 이루어진 행정지도
▷ 상대방의 서면요구시 교부하여야 함

집행행위 개입없이 직접 법률상 효과를 발생시키는 조례
▷ 처분

행정계획
▷ 변경 可

문제 DATA

출제가능 지수 ▶▶▷
난이도 지수 ★★☆

005 □□□

사실행위에 대한 판례의 입장으로 옳지 않은 것은? (다툼이 있는 경우 판례에 의함)

① 교도소장이 수형자를 '접견내용 녹음·녹화 및 접견 시 교도관 참여대상자'로 지정한 행위는 수형자의 구체적 권리의무에 직접적 변동을 가져오는 행정청의 공법상 행위로서 항고소송의 대상이 되는 '처분'에 해당한다.

② 구청장이 사회복지법인에 특별감사 결과, 지적사항에 대한 시정지시와 그 결과를 관계서류와 함께 보고하도록 지시한 경우, 그 시정지시는 항고소송의 대상이 되는 행정처분에 해당하지 아니한다.

③ 교도소 수형자에게 소변을 받아 제출하게 한 것은, 형을 집행하는 우월적인 지위에서 외부와 격리된 채 형의 집행에 관한 지시, 명령을 복종하여야 할 관계에 있는 자에게 행해진 것으로서 권력적 사실행위이다.

④ 「국세징수법」에 의한 체납처분의 집행으로서 한 압류처분은, 행정청이 한 공법상의 처분이고, 따라서 그 처분이 위법이라고 하여 그 취소를 구하는 소송은 행정소송이다.

> 2020년 군무원 9급

함께 정리하기

사실행위

교도소장의 교도관참여대상자 지정행위
▷ 처분○

구청장의 사회복지법인에 대한 시정지시
▷ 처분○

교도소장의 소변강제채취
▷ 권력적 사실행위

압류
▷ 처분○

① (○) 피고(교도소장)가 위와 같은 지정행위를 함으로써 원고(수형자)의 접견시마다 사생활의 비밀 등 권리에 제한을 가하는 교도관의 참여, 접견내용의 청취·기록·녹음·녹화가 이루어졌으므로 이는 피고가 그 우월적 지위에서 수형자인 원고에게 일방적으로 강제하는 성격을 가진 공권력적 사실행위의 성격을 갖고 있는 점, … 등을 종합하면, 위와 같은 지정행위는 수형자의 구체적 권리의무에 직접적 변동을 초래하는 행정청의 공법상 행위로서 항고소송의 대상이 되는 '처분'에 해당한다(대판 2014.2.13. 2013두20899).

유제 20. 지방직 9급, 19. 소방직, 18. 국회직 8급 교도소장이 특정 수형자를 '접견내용 녹음·녹화 및 접견시 교도관 참여대상자'로 지정한 행위는 항고소송의 대상이 된다. (○)
17. 5급 승진 교도소장이 수형자를 '접견내용 녹음·녹화 및 접견 시 교도관 참여대상자'로 지정한 행위는 수형자의 구체적 권리의무에 직접적 변동을 가져오는 행정청의 공법상 행위로서 항고소송의 대상이 된다. (○)
16. 국가직 9급 교도소장이 수형자를 '접견내용 녹음·녹화 및 접견 시 교도관 참여대상자'로 지정한 행위는 수형자의 구체적 권리의무에 직접적 변동을 가져오는 행정청의 공법상 행위로서 항고소송의 대상이 되는 '처분'에 해당한다. (○)

② (✕) 구청장이 사회복지법인에 특별감사 결과 지적사항에 대한 시정지시와 그 결과를 관계서류와 함께 보고하도록 지시한 경우, 원고(사회복지법인)로서는 위 보고명령 및 관련서류 제출명령을 이행하기 위하여 위 시정지시에 따른 시정조치의 이행이 사실상 강제되어 있다고 할 것이고, 만일 피고(구청장)의 위 명령을 이행하지 않는 경우 시정명령을 받거나 법인설립허가가 취소될 수 있고, 자신이 운영하는 사회복지시설에 대한 개선 또는 사업정지 명령을 받거나 그 시설의 장의 교체 또는 시설의 폐쇄와 같은 불이익을 받을 위험이 있으며, 원심이 유지한 제1심의 인정 사실에 의하더라도 피고는, 원고가 위 시정지시를 이행하지 아니하였음을 이유로 서울특별시장에게 원고에 대한 시정명령 등의 조치를 취해달라고 요청한 바 있으므로, 이와 같은 사정에 비추어 보면, 위 시정지시는 단순한 권고적 효력만을 가지는 비권력적 사실행위에 불과하다고 볼 수는 없고, 원고에 대하여 의무의 부담을 명하거나 기타 법률상 효과를 발생하게 하는 것으로서 항고소송의 대상이 되는 행정처분에 해당한다고 해석함이 상당하다고 할 것이다(대판 2008.4.24. 2008두3500).

③ (○) 교도소 수형자에게 소변을 받아 제출하게 한 것은, 형을 집행하는 우월적인 지위에서 외부와 격리된 채 형의 집행에 관한 지시, 명령을 복종하여야 할 관계에 있는 자에게 행해진 것으로서 그 목적 또한 교도소 내의 안전과 질서유지를 위하여 실시하였고, 일방적으로 강제하는 측면이 존재하며, 응하지 않을 경우 직접적인 징벌 등의 제재는 없다고 하여도 불리한 처우를 받을 수 있다는 심리적 압박이 존재하리라는 것을 충분히 예상할 수 있는 점에 비추어, 권력적 사실행위로서 헌법재판소법 제68조 제1항의 공권력의 행사에 해당한다(헌재 2006.7.27. 2005헌마277).

④ (○) 압류는 권력적 사실행위로서 처분성이 인정되므로 압류처분은 행정소송의 대상이 된다.

답 ②

006

사실행위에 대한 설명으로 가장 옳지 않은 것은? (다툼이 있는 경우 판례에 의함)

① 위법한 행정지도에 따라 행한 사인의 행위는 법령에 명시적으로 정함이 없는 한 위법성이 조각된다고 할 수 없다.
② 헌법재판소는 "수형자의 서신을 교도소장이 검열하는 행위는 이른바 권력적 사실행위로서 행정심판이나 행정소송의 대상이 되는 행정처분으로 볼 수 있다."라고 하여 명시적으로 권력적 사실행위의 처분성을 긍정하였다.
③ 위법한 행정지도로 손해가 발생한 경우 국가 등을 상대로 손해배상을 청구할 수 있으나, 이 경우 「국가배상법」 제2조가 정한 배상책임의 요건을 갖추어야 한다.
④ 판례에 의하면, 행정규칙에 의한 불문경고 조치는 차후 징계감경사유로 작용할 수 있는 표창대상자에서 제외되는 등의 인사상 불이익을 줄 수 있다 하여도 이는 간접적 효과에 불과하므로 항고소송의 대상인 행정처분에 해당하지 않는다.

문제 DATA
출제가능 지수 ▶▶Σ
난이도 지수 ★★☆

함께 정리하기
사실행위
위법한 행정지도에 따른 사인의 행위
▷ 위법성 조각 ×

교도소장의 서신검열행위
▷ 권력적 사실행위로 처분성 인정

위법한 행정지도로 손해 발생한 경우
▷ 국가배상 청구 가

행정규칙에 근거한 불문경고 조치
▷ 항고소송 대상 ○

2018년 서울시 7급

① (○) 행정관청이 국토이용관리법 소정의 토지거래계약신고에 관하여 공시된 기준시가를 기준으로 매매가격을 신고하도록 행정지도를 하여 그에 따라 허위신고를 한 것이라 하더라도 이와 같은 행정지도는 법에 어긋나는 것으로서 그와 같은 행정지도나 관행에 따라 허위신고행위에 이르렀다고 하여도 이것만 가지고서는 그 범법행위가 정당화될 수 없다(대판 1994.6.14. 93도3247).

② (○) 수형자의 서신을 교도소장이 검열하는 행위는 이른바 권력적 사실행위로서 행정심판이나 행정소송의 대상이 되는 행정처분으로 볼 수 있으나, 위 검열행위가 이미 완료되어 행정심판이나 행정소송을 제기하더라도 소의 이익이 부정될 수 밖에 없으므로 헌법소원심판을 청구하는 외에 다른 효과적인 구제방법이 있다고 보기 어렵기 때문에 보충성의 원칙에 대한 예외에 해당한다(헌재 1998.8.27. 96헌마398).

유제 11. 지방직 7급 수형자의 서신을 교도소장이 검열하는 행위는 행정심판이나 행정소송의 대상이 되는 행정처분으로 볼 수 있다. (○)

③ (○) 국가배상청구의 요건 중 직무집행위에는 비권력적 행위인 행정지도도 포함되므로 나머지 요건이 충족되면 국가배상청구가 가능하다.

④ (×) 행정규칙에 의한 '불문경고조치'가 비록 법률상의 징계처분은 아니지만 위 처분을 받지 아니하였다면 차후 다른 징계처분이나 경고를 받게 될 경우 징계감경사유로 사용될 수 있었던 표창공적의 사용가능성을 소멸시키는 효과와 1년 동안 인사기록카드에 등재됨으로써 그 동안은 장관표창이나 도지사표창 대상자에서 제외시키는 효과 등이 있다는 이유로 항고소송의 대상이 되는 행정처분에 해당한다(대판 2002.7.26. 2001두3532).

답 ④

제5절 | 행정지도

001 □□□

행정지도에 대한 설명으로 옳지 않은 것은? (다툼이 있는 경우 판례에 의함)

① 「행정절차법」은 행정지도에 대해 비례원칙을 준수할 것을 규정하고 있다.
② 「행정절차법」상 행정기관은 행정지도의 상대방이 행정지도에 따르지 아니하였다는 것을 이유로 불이익한 조치를 하여서는 아니 된다.
③ 「행정절차법」상 행정지도가 말로 이루어지는 경우에 상대방이 행정지도의 취지, 내용, 신분 사항을 적은 서면의 교부를 요구하면 그 행정지도를 하는 자는 직무 수행에 특별한 지장이 없으면 이를 교부하여야 한다.
④ 「국가배상법」이 정한 배상청구의 요건인 '공무원의 직무'에는 행정지도와 같은 비권력적 작용은 포함되지 않는다.

| 2025년 소방직

①, ② (○)

> 「행정절차법」 제48조【행정지도의 원칙】 ① 행정지도는 그 목적 달성에 필요한 최소한도에 그쳐야 하며 (①), 행정지도의 상대방의 의사에 반하여 부당하게 강요하여서는 아니 된다.
> ② 행정기관은 행정지도의 상대방이 행정지도에 따르지 아니하였다는 것을 이유로 불이익한 조치를 하여서는 아니 된다(②).

③ (○)

> 「행정절차법」 제49조【행정지도의 방식】 ① 행정지도를 하는 자는 그 상대방에게 그 행정지도의 취지 및 내용과 신분을 밝혀야 한다.
> ② 행정지도가 말로 이루어지는 경우에 상대방이 제1항의 사항을 적은 서면의 교부를 요구하면 그 행정지도를 하는 자는 직무 수행에 특별한 지장이 없으면 이를 교부하여야 한다.

④ (✕) 국가배상법이 정한 배상청구의 요건인 '공무원의 직무'에는 권력적 작용만이 아니라 행정지도와 같은 비권력적 작용도 포함되며 단지 행정주체가 사경제주체로서 하는 활동만 제외된다(대판 1998.7. 10. 96다38971).

답 ④

문제 DATA
출제가능 지수 ▶▶▷
난이도 지수 ★★☆

함께 정리하기
행정지도
비례원칙 적용
▷ 목적 달성에 필요 최소한
행정지도 불응
▷ 불이익조치 불가
말로 이루어진 행정지도
▷ 상대방의 서면요구시 교부하여야 함(원칙)
국가배상법상 공무원의 직무
▷ 행정지도와 같은 비권력적 작용 포함

002

행정지도에 대한 설명으로 가장 옳지 않은 것은? (다툼이 있는 경우 판례에 의함)

① 행정지도가 강제성을 띠지 않은 비권력적 작용으로서 행정지도의 한계를 일탈하지 아니하였더라도, 그로 인하여 상대방에게 어떤 손해가 발생하였다면 행정기관은 그에 대한 손해배상책임이 있다.
② 행정지도는 그 목적달성에 필요한 최소한도에 그쳐야 하며, 행정지도의 상대방의 의사에 반하여 부당하게 강요하여서는 아니 된다.
③ 행정기관은 행정지도의 상대방이 행정지도에 따르지 아니하였다는 것을 이유로 불이익한 조치를 하여서는 아니 된다.
④ 행정지도라 함은 행정주체가 일정한 행정목적을 실현하기 위하여 권고 등과 같은 비강제적인 수단을 사용하여 상대방의 자발적 협력 내지 동의를 얻어내어 행정상 바람직한 결과를 이끌어내는 행정활동으로 이해되고, 따라서 적법한 행정지도로 인정되기 위하여는 우선 그 목적이 적법한 것으로 인정될 수 있어야 할 것이다.

2025년 군무원 7급

① (×) 행정지도가 강제성을 띠지 않은 비권력적 작용으로서 행정지도의 한계를 일탈하지 아니하였다면, 그로 인하여 상대방에게 어떤 손해가 발생하였다 하더라도 행정기관은 그에 대한 손해배상책임이 없다(대판 2008.9.25. 2006다18228).

②, ③ (○)

> 「행정절차법」 제48조【행정지도의 원칙】 ① 행정지도는 그 목적 달성에 필요한 최소한도에 그쳐야 하며, 행정지도의 상대방의 의사에 반하여 부당하게 강요하여서는 아니 된다(②).
> ② 행정기관은 행정지도의 상대방이 행정지도에 따르지 아니하였다는 것을 이유로 불이익한 조치를 하여서는 아니 된다(③).

④ (○) 행정지도는 일정한 법적 효과의 발생을 목적으로 하는 의사표시가 아니라 상대방인 국민의 임의적 협력을 전제로 하는 '비권력적 사실행위'이다. 따라서 행정지도에 의하여 상대방에게 일정한 행위를 하거나 하지 말아야 할 의무가 부과되는 것은 아니다. 한편, 행정지도도 행정작용인 이상 '법률우위의 원칙'이 적용된다. 따라서 헌법이나 법령에 위반하지 않아야 하며 행정법의 일반원칙을 준수하여야 한다.

> 「행정절차법」 제2조【정의】 이 법에서 사용하는 용어의 뜻은 다음과 같다
> 3. "행정지도"란 행정기관이 그 소관 사무의 범위에서 일정한 행정목적을 실현하기 위하여 특정인에게 일정한 행위를 하거나 하지 아니하도록 지도, 권고, 조언 등을 하는 행정작용을 말한다.

답 ①

함께 정리하기

행정지도
임의성의 한계를 일탈하지 않은 행정지도
▷ 손해배상책임×

비례원칙 적용
▷ 목적 달성에 필요 최소한도에 그쳐야 함

임의성의 원칙
▷ 부당강요금지

행정지도 불응
▷ 불이익조치 불가

행정지도
▷ 비강제적 수단으로 상대방의 자발적 협력·동의를 얻어 행정상 바람직한 결과를 이끌어내는 행정활동
▷ 목적의 적법성 要

문제 DATA

출제가능 지수 ▶▶∑
난이도 지수 ★★☆

003 □□□

행정지도에 대한 설명으로 옳은 것만을 <보기>에서 모두 고르면?

<보기>
ㄱ. 행정지도가 강제성을 띠지 않은 비권력적 작용으로서 행정지도의 한계를 일탈하지 아니하였다면, 그로 인하여 상대방에게 어떤 손해가 발생하였다 하더라도 행정기관은 그에 대한 손해배상책임이 없다.
ㄴ. 행정작용의 법적 성격이 행정지도의 일종이지만, 그에 따르지 않을 경우 일정한 불이익 조치를 예정하고 있어 사실상 상대방에게 그에 따를 의무를 부과하는 것과 다를 바 없는 경우라면 헌법소원의 대상이 되는 공권력의 행사라고 볼 수 있다.
ㄷ. 위법한 행정지도에 따라 사인의 신고행위가 허위신고행위에 이르렀다면 원칙적으로 그 사인의 행위는 위법성이 조각된다.
ㄹ. 「행정절차법」상 행정지도는 문서뿐만 아니라, 말로써 하는 것도 허용된다.
ㅁ. 행정지도는 사실행위에 불과하여 법적 구속력을 가지지 아니하므로 「행정절차법」상의 비례원칙이 적용되지 아니한다.

① ㄱ, ㄷ
② ㄴ, ㄹ
③ ㄱ, ㄴ, ㄹ
④ ㄴ, ㄷ, ㅁ
⑤ ㄷ, ㄹ, ㅁ

함께 정리하기

행정지도

임의성의 한계를 일탈하지 않은 행정지도
▷ 손해배상책임×

사실상 강제적 효과가 있는(일정한 불이익조치 예정) 행정지도
▷ 헌법소원 대상(공권력의 행사)

위법한 행정지도에 따른 사인의 행위
▷ 위법성 조각×

행정지도 방식
▷ 말로도 가능

비례원칙 적용
▷ 목적 달성에 필요 최소한

2024년 국회직 8급

ㄱ. (○) 행정지도가 강제성을 띠지 않은 비권력적 작용으로서 행정지도의 한계를 일탈하지 아니하였다면, 그로 인하여 상대방에게 어떤 손해가 발생하였다 하더라도 행정기관은 그에 대한 손해배상책임이 없다 (대판 2008.9.25. 2006다18228).

ㄴ. (○) 학칙시정요구의 법적 성격에 대하여는 그 자체로 일정한 법적 효과의 발생을 목적으로 하는 것이 아니고, 다만, 대학총장의 임의적인 협력을 통하여 사실상의 효과를 발생시키는 사실행위로서 일종의 행정지도라고 할 수 있다. 그러나 행정지도라 하더라도 그에 따르지 않을 경우 일정한 불이익조치를 예정하고 있는 경우에는 사실상 상대방에게 그에 따를 의무를 부과하는 것과 다를 바 없는 것인데, 이 사건 학칙시정요구의 경우 대학총장들이 그에 따르지 않을 경우 행·재정상 불이익이 따를 것이라고 경고하고 있어, 학교의 장으로서는 피청구인의 학칙시정요구에 따를 수밖에 없는 사실상의 강제를 받게 되므로, 이러한 시정요구는 임의적 협력을 기대하여 행하는 비권력적·유도적인 권고·조언 등의 단순한 행정지도로서의 한계를 넘어 규제적·구속적 성격을 상당히 강하게 갖는 것으로서 헌법소원의 대상이 되는 공권력의 행사라고 봄이 상당하다 할 것이다(헌재 2003.6.26. 2002헌마337 등).

ㄷ. (×) 행정관청이 토지거래계약신고에 관하여 공시된 기준지가를 기준으로 매매가격을 신고하도록 행정지도하여 왔고 그 기준가격 이상으로 매매가격을 신고한 경우에는 거래신고서를 접수하지 않고 반려하는 것이 관행화되어 있다 하더라도 이는 법에 어긋나는 관행이라 할 것이므로 그와 같은 위법한 관행에 따라 허위신고행위에 이르렀다고 하여 그 범법행위가 사회상규에 위배되지 않는 정당한 행위라고는 볼 수 없다고 한 사례(대판 1992.4.24. 91도1609)

ㄹ. (○)

> 「행정절차법」 제49조【행정지도의 방식】① 행정지도를 하는 자는 그 상대방에게 그 행정지도의 취지 및 내용과 신분을 밝혀야 한다.
> ② 행정지도가 말로 이루어지는 경우에 상대방이 제1항의 사항을 적은 서면의 교부를 요구하면 그 행정지도를 하는 자는 직무 수행에 특별한 지장이 없으면 이를 교부하여야 한다.

ㅁ. (×)

> 「행정절차법」 제48조【행정지도의 원칙】① 행정지도는 그 목적 달성에 필요한 최소한도에 그쳐야 하며, 행정지도의 상대방의 의사에 반하여 부당하게 강요하여서는 아니 된다.

답 ③

004

행정지도에 대한 설명으로 옳지 않은 것은? (다툼이 있는 경우 판례에 의함)

① 행정지도를 하는 자는 그 상대방에게 그 행정지도의 취지 및 내용과 신분을 밝혀야 한다.
② 행정지도는 말로 이루어질 수 있다.
③ 행정기관은 행정지도의 상대방이 행정지도에 따르지 아니할 경우 그에 상응하는 불이익 조치를 할 수 있다.
④ 행정지도의 상대방은 해당 행정지도의 방식에 관하여 행정기관에 의견제출을 할 수 있다.

2023년 군무원 9급

① (○)

> 「행정절차법」 제49조【행정지도의 방식】① 행정지도를 하는 자는 그 상대방에게 그 행정지도의 취지 및 내용과 신분을 밝혀야 한다.

유제 20. 소방직 행정지도를 하는 자는 그 상대방에게 그 행정지도의 취지 및 내용을 밝혀야 하지만 신분은 생략할 수 있다. (×)
20. 행정사, 18. 5급 승진, 16. 지방직 9급 행정지도를 하는 자는 그 상대방에게 그 행정지도의 취지 및 내용과 신분을 밝혀야 한다. (○)
12. 지방직 7급 행정지도는 목적 달성에 필요한 최소한도에 그쳐야 하며, 행정지도를 하는 자는 상대방에게 당해 행정지도의 취지·내용 및 신분을 밝혀야 한다. (○)

② (○)

> 「행정절차법」 제49조【행정지도의 방식】② 행정지도가 말로 이루어지는 경우에 상대방이 제1항의 사항을 적은 서면의 교부를 요구하면 그 행정지도를 하는 자는 직무수행에 특별한 지장이 없으면 이를 교부하여야 한다.

유제 21. 소방직 행정지도가 구술로 이루어지는 경우 상대방이 행정지도의 취지·내용 및 신분을 기재한 서면의 교부를 요구하면 당해 행정지도를 행하는 자는 직무수행에 특별한 지장이 없는 한 이를 교부하여야 한다. (○)
20. 경찰 「행정절차법」상 행정지도를 하는 자는 상대방이 서면의 교부를 요구하는 경우 그 행정지도의 내용과 신분을 적으면 되고 취지를 적을 필요는 없다. (×)
18. 경찰 행정지도가 말로 이루어지는 경우에 상대방이 서면의 교부를 요구하면 그 행정지도를 하는 자는 반드시 이를 교부하여야 한다. (×)

③ (×)

> 「행정절차법」 제48조【행정지도의 원칙】② 행정기관은 행정지도의 상대방이 행정지도에 따르지 아니하였다는 것을 이유로 불이익한 조치를 하여서는 아니 된다.

유제 21. 군무원 9급 상대방이 행정지도에 따르지 아니하였다는 것을 직접적인 이유로 하는 불이익한 조치는 위법한 행위가 된다. (○)
20. 행정사·소방직, 14. 경찰 1차, 12. 국가직 9급 행정기관은 상대방이 행정지도에 따르지 아니하였다는 이유로 불이익 조치를 하여서는 아니 된다. (○)
19. 군무원 9급 행정지도를 하는 자는 그 상대방이 행정지도에 따르도록 강제할 수 있으며, 이에 따르지 않을 경우 불이익한 조치를 할 수 있다. (×)
19. 5급 승진 행정지도는 그 목적달성에 필요한 최소한도에 그쳐야 하며, 행정지도의 상대방이 행정지도에 따르지 아니하는 경우에는 이를 이유로 불이익한 조치를 할 수 있다. (×)

④ (○)

> 「행정절차법」 제50조【의견제출】행정지도의 상대방은 해당 행정지도의 방식·내용 등에 관하여 행정기관에 의견제출을 할 수 있다.

문제 DATA
출제가능 지수 ▶▶▷
난이도 지수 ★★☆

함께 정리하기

행정지도

행정지도를 하는 자
▷ 취지, 내용, 신분을 밝혀야 함

행정지도의 방식
▷ 말로도 가능

행정지도 불응
▷ 불이익조치 불가

행정지도의 상대방
▷ 방식·내용에 의견제출 可

유제 20. 소방직 행정지도의 상대방은 당해 행정지도의 방식·내용 등에 관하여 행정기관에 의견을 제출할 수 없다. (×)
20. 행정사, 19. 서울시 9급(추) 행정지도의 상대방은 당해 행정지도의 방식·내용 등에 관하여 행정기관에 의견을 제출할 수 있다. (○)
20. 경찰 2차 「행정절차법」상 행정지도는 의견제출과 사전통지절차에 대해 규정하고 있다. (×)
17. 국가직 9급 행정지도의 상대방은 행정지도의 내용에 동의하지 않는 경우 이를 따르지 않을 수 있으므로, 행정지도의 내용이나 방식에 대해 의견제출권을 갖지 않는다. (×)

답 ③

005

행정지도에 대한 설명으로 옳지 않은 것은? (다툼이 있는 경우 판례에 의함)

① 행정기관은 행정지도의 상대방이 행정지도에 따르지 아니하였다는 것을 이유로 불이익한 조치를 하여서는 아니 된다.
② 행정기관이 같은 행정목적을 실현하기 위하여 많은 상대방에게 행정지도를 하려는 경우에는 특별한 사정이 없으면 행정지도에 공통적인 내용이 되는 사항을 공표하여야 한다.
③ 위법한 행정지도에 따라 행한 사인의 행위는 위법성이 조각되어 범법행위가 되지 않는다.
④ 행정지도가 강제성을 띠지 않은 비권력적 작용으로서 행정지도의 한계를 일탈하지 아니하였다면, 그로 인하여 상대방에게 손해가 발생하였다 하더라도 행정기관은 손해배상책임이 없다.

| 2023년 지방직 9급

① (○)

> 「행정절차법」제48조【행정지도의 원칙】② 행정기관은 행정지도의 상대방이 행정지도에 따르지 아니하였다는 것을 이유로 불이익한 조치를 하여서는 아니 된다.

② (○)

> 「행정절차법」제51조【다수인을 대상으로 하는 행정지도】행정기관이 같은 행정목적을 실현하기 위하여 많은 상대방에게 행정지도를 하려는 경우에는 특별한 사정이 없으면 행정지도에 공통적인 내용이 되는 사항을 공표하여야 한다.

유제 15. 서울시 9급 (여름철 식중독예방을 위해 A구의 보건행정담당 공무원 甲이 관내 일반·휴게·계절음식점 업주에 대해 위생지도를 실시하고 있다) 이 경우에 甲의 위생지도가 다수인을 대상으로 하는 것이라면 특별한 사정이 없는 한 위생지도에 관한 공통적인 내용과 사항을 공표해야 한다. (○)
14. 경찰 2차, 12. 사복직, 10. 서울시 9급 행정기관이 같은 행정목적을 실현하기 위하여 많은 상대방에게 행정지도를 하려는 경우에는 특별한 사정이 없으면 행정지도에 공통적인 내용이 되는 사항을 공표하여야 한다. (○)
11. 지방직 9급 행정지도가 다수인을 대상으로 할 경우에도 명령·강제작용이 아니기 때문에 「행정절차법」은 특별한 사정이 없으면 공표할 필요가 없다고 규정한다. (×)

③ (×) 위법한 행정지도에 따라 행한 사인의 행위는 법령에 명시적으로 정함이 없는 한 위법성이 조각된다고 할 수 없다.

> 행정관청이 토지거래계약신고에 관하여 공시된 기준지가를 기준으로 매매가격을 신고하도록 행정지도하여 왔고 그 기준가격 이상으로 매매가격을 신고한 경우에는 거래신고서를 접수하지 않고 반려하는 것이 관행화되어 있다 하더라도 이는 법에 어긋나는 관행이라 할 것이므로 그와 같은 위법한 관행에 따라 허위신고행위에 이르렀다고 하여 그 범법행위가 사회상규에 위배되지 않는 정당한 행위라고는 볼 수 없다(대판 1992.4.24. 91도1609).

유제 23. 국회직 8급 행정관청이 토지거래계약신고에 관하여 공시된 기준지가를 기준으로 매매가격을 신고하도록 행정지도하여 왔고 그 기준가격 이상으로 매매가격을 신고한 경우에는 거래신고서를 접수하지 않고 반려하는 것이 관행화되어 있더라도 그와 같은 위법한 관행에 따라 허위신고행위에 이르렀다고 하여 그 범법행위가 사회상규에 위배되지 않는 정당한 행위라고 볼 수 없다. (O)

20. 군무원 9급 행정관청이 「국토이용관리법」 소정의 토지거래계약신고에 관하여 공시된 기준시가를 기준으로 매매가격을 신고하도록 행정지도를 하여 그에 따라 피고인이 허위신고를 한 것이라면 그 범법행위는 정당화된다. (X)

18. 교행 토지매매대금의 허위신고가 위법한 행정지도에 따른 것이라 하더라도 그 범법행위가 정당화되지는 않는다. (O)

17. 지방직 9급(추) 행정관청이 구 「국토이용관리법」 소정의 토지거래계약신고에 관하여 공시된 기준시가를 기준으로 매매가격을 신고하도록 행정지도를 하여 그에 따라 허위신고를 한 것이라 하더라도 이와 같은 행정지도는 법에 어긋나는 것으로서 그 범법행위가 정당화될 수 없다. (O)

④ (O) 행정지도가 강제성을 띠지 않은 비권력적 작용으로서 행정지도의 한계를 일탈하지 아니하였다면, <u>그로 인하여 상대방에게 어떤 손해가 발생하였다 하더라도 행정기관은 그에 대한 손해배상책임이 없다</u> (대판 2008.9.25. 2006다18228).

유제 21. 군무원 9급, 20. 경찰 2차·소방간부 행정지도가 그의 한계를 일탈하지 아니하였다면, 그로 인하여 상대방에게 어떤 손해가 발생하였다 하더라도 행정기관은 그에 대한 손해배상 책임이 없다. (O)

19. 5급 승진 행정지도가 강제성을 띠지 않은 비권력적 작용으로서 행정지도의 한계를 일탈하지 아니하였더라도 그로 인하여 상대방에게 어떤 손해가 발생하였다면 이에 대하여 행정상 손해배상책임이 성립한다. (X)

18. 교행 행정지도의 한계 일탈로 인해 상대방에게 손해가 발생한 경우 행정기관은 손해배상책임이 없다. (X)

17. 국회직 8급 강제성을 띠지 아니한 행정지도로 인하여 손해가 발생한 경우에 행정청은 손해배상책임이 없다. (X)

답 ③

006

행정지도에 대한 설명으로 옳지 않은 것은?

① 행정지도를 반드시 서면으로 해야 하는 것은 아니다.
② 행정기관은 행정지도의 상대방이 행정지도에 따르지 아니하였다는 것을 이유로 불이익한 조치를 하여서는 아니 된다.
③ 행정기관이 같은 행정목적을 실현하기 위하여 많은 상대방에게 행정지도를 하려는 경우에는 특별한 사정이 없으면 행정지도에 공통적인 내용이 되는 사항을 공표하여야 한다.
④ 행정지도의 상대방은 해당 행정지도의 내용뿐만 아니라 행정지도의 방식에 관해서도 행정기관에 의견제출을 할 수 있다.
⑤ 「행정기본법」은 임의성의 원칙 등 행정지도의 원칙에 관하여 규정하고 있다.

| 2023년 행정사

① (O)

> 「행정절차법」 제49조 【행정지도의 방식】 ② 행정지도가 말로 이루어지는 경우에 상대방이 제1항의 사항을 적은 서면의 교부를 요구하면 그 행정지도를 하는 자는 직무수행에 특별한 지장이 없으면 이를 교부하여야 한다.

② (O)

> 「행정절차법」 제48조 【행정지도의 원칙】 ② 행정기관은 행정지도의 상대방이 행정지도에 따르지 아니하였다는 것을 이유로 불이익한 조치를 하여서는 아니 된다.

문제 DATA
출제가능 지수 ▶▶Σ
난이도 지수 ★★☆

함께 정리하기

행정지도

행정지도의 방식
▷ 말로도 가능

행정지도 불응
▷ 불이익조치 불가

다수인을 대상으로 하는 행정지도
▷ 공통적인 내용 공표 필요

행정지도 상대방
▷ 해당 행정지도의 방식·내용 행정기관에 의견제출 可

행정지도의 원칙
▷ 「행정절차법」에 규정(「행정기본법」X)

③ (○)

> 「행정절차법」 제51조【다수인을 대상으로 하는 행정지도】 행정기관이 같은 행정목적을 실현하기 위하여 많은 상대방에게 행정지도를 하려는 경우에는 특별한 사정이 없으면 행정지도에 공통적인 내용이 되는 사항을 공표하여야 한다.

④ (○)

> 「행정절차법」 제50조【의견제출】 행정지도의 상대방은 해당 행정지도의 방식·내용 등에 관하여 행정기관에 의견제출을 할 수 있다.

⑤ (×) 행정지도의 원칙은 「행정절차법」에 규정되어 있다. 「행정기본법」에는 행정지도에 관한 규정이 없다.

답 ⑤

007

행정지도에 대한 설명으로 옳지 않은 것은? (다툼이 있는 경우 판례에 의함)

① 행정지도는 의무를 부과하거나 권익을 제한하는 것이 아니므로 「행정절차법」의 적용을 받지 않는다.
② 단순한 행정지도의 한계를 넘어 규제적·구속적 성격을 상당히 강하게 갖는 경우에는 헌법소원의 대상이 되는 공권력의 행사라고 볼 수 있다.
③ 행정청이 위법 건축물에 대한 시정명령을 하고 나서 위반자가 이를 이행하지 아니하여 전기·전화의 공급자에게 그 위법 건축물에 대한 전기·전화의 공급을 하지 말아 줄 것을 요청한 행위는 권고적 성격의 행위에 불과한 것으로서 항고소송의 대상이 되는 행정처분이라고 볼 수 없다.
④ 행정관청이 토지거래계약신고에 관하여 공시된 기준지가를 기준으로 매매가격을 신고하도록 행정지도하여 왔고 그 기준가격 이상으로 매매가격을 신고한 경우에는 거래신고서를 접수하지 않고 반려하는 것이 관행화되어 있더라도 그와 같은 위법한 관행에 따라 허위신고행위에 이르렀다고 하여 그 범법행위가 사회상규에 위배되지 않는 정당한 행위라고 볼 수 없다.
⑤ 행정지도가 강제성을 띠지 않은 비권력적 작용으로서 행정지도의 한계를 일탈하지 않았다면 그로 인하여 상대방에게 어떤 손해가 발생하였다 하더라도 그에 대한 손해배상책임이 없다.

| 2023년 국회직 8급

① (×)

> 「행정절차법」 제3조【적용범위】① 처분, 신고, 확약, 위반사실 등의 공표, 행정계획, 행정상 입법예고, 행정예고 및 행정지도의 절차(이하 "행정절차"라 한다)에 관하여 다른 법률에 특별한 규정이 있는 경우를 제외하고는 이 법에서 정하는 바에 따른다.

② (○) 교육인적자원부장관의 대학총장들에 대한 이 사건 학칙시정요구는 고등교육법 제6조 제2항, 동법 시행령 제4조 제3항에 따른 것으로서 그 법적 성격은 대학총장의 임의적인 협력을 통하여 사실상의 효과를 발생시키는 행정지도의 일종이지만, 그에 따르지 않을 경우 일정한 불이익조치를 예정하고 있어 사실상 상대방에게 그에 따를 의무를 부과하는 것과 다를 바 없으므로 단순한 행정지도로서의 한계를 넘어 규제적·구속적 성격을 상당히 강하게 갖는 것으로서 헌법소원의 대상이 되는 공권력의 행사라고 볼 수 있다(헌재 2003.6.26. 2002헌마337 등).

유제 22. 국회직 8급, 20. 군무원 9급 등 헌법재판소에 따르면 행정지도가 단순한 행정지도로서의 한계를 넘어 규제적·구속적 성격을 상당히 강하게 갖는 것이면 헌법소원의 대상이 되는 공권력 행사라고 볼 수 있다. (○)
19. 국가직 9급 교육인적자원부장관의 대학총장들에 대한 학칙시정요구는 법령에 따른 것으로 행정지도의 일종이지만, 단순한 행정지도로서의 한계를 넘어 헌법소원의 대상이 되는 공권력의 행사라고 볼 수 있다. (○)
19. 5급 승진 교육인적자원부장관(현 교육부장관)의 대학총장들에 대한 학칙시정요구는 그 법적 성격이 대학총장의 임의적인 협력을 통하여 사실상의 효과를 발생시키는 행정지도의 일종이지만, 이에 따르지 아니하는 경우 일정한 불이익조치를 예정하고 있어 사실상 상대방에게 그에 따를 의무를 부과하는 것과 다를 바 없다면, 이는 규제적·구속적 성격을 갖는 것으로서 헌법소원의 대상이 되는 공권력의 행사라 할 것이다. (○)
18. 경찰 2차, 13. 지방직 9급 교육인적자원부장관(현 교육부장관)의 학칙시정요구는 대학총장의 임의적인 협력을 통하여 사실상의 효과를 발생시키는 행정지도의 일종이며, 설령 단순한 행정지도로서의 한계를 넘어 규제적·구속적 성격을 갖는다 하더라도 공권력의 행사로 볼 수 없다. (×)
18. 5급 승진 불이행시 행정·재정상의 불이익조치를 예정하고 있는 교육부장관의 대학총장에 대한 학칙시정요구는 행정지도로서 헌법소원의 대상이 되는 공권력의 행사라고 할 수 없다. (×)

③ (○) 행정청이 위법 건축물에 대한 시정명령을 하고 나서 위반자가 이를 이행하지 아니하여 전기·전화의 공급자(한국전력공사 등)에게 그 위법 건축물에 대한 전기·전화공급을 하지 말아 줄 것을 요청한 행위는 권고적 성격의 행위에 불과한 것으로서 전기·전화공급자나 특정인의 법률상 지위에 직접적인 변동을 가져오는 것은 아니므로 이를 항고소송의 대상이 되는 행정처분이라고 볼 수 없다(대판 1996.3.22. 96누433).
④ (○) 행정관청이 토지거래계약신고에 관하여 공시된 기준지가를 기준으로 매매가격을 신고하도록 행정지도하여 왔고 그 기준가격 이상으로 매매가격을 신고한 경우에는 거래신고서를 접수하지 않고 반려하는 것이 관행화되어 있다 하더라도 이는 법에 어긋나는 관행이라 할 것이므로 그와 같은 위법한 관행에 따라 허위신고행위에 이르렀다고 하여 그 범법행위가 사회상규에 위배되지 않는 정당한 행위라고는 볼 수 없다(대판 1992.4.24. 91도1609).
⑤ (○) 대판 2008.9.25. 2006다18228

답 ①

008

행정지도에 대한 설명으로 옳지 않은 것은? (다툼이 있는 경우 판례에 의함)

① 행정지도란 행정기관이 그 소관 사무의 범위에서 일정한 행정목적을 실현하기 위하여 특정인에게 일정한 행위를 하거나 하지 아니하도록 지도, 권고, 조언 등을 하는 행정작용을 말한다.
② 행정지도 중 규제적·구속적 행정지도의 경우에는 법적 근거가 필요하다는 견해가 있다.
③ 교육인적자원부장관(현 교육부장관)의 (구)공립대학 총장들에 대한 학칙시정요구는 고등교육법령에 따른 것으로, 그 법적 성격은 대학총장의 임의적인 협력을 통하여 사실상의 효과를 발생시키는 행정지도의 일종으로 헌법소원의 대상이 되는 공권력의 행사로 볼 수 없다.
④ 행정지도가 강제성을 띠지 않은 비권력적 작용으로서 행정지도의 한계를 일탈하지 아니하였다면, 그로 인해 상대방에게 어떤 손해가 발생하였다고 해도 행정기관은 그에 대한 손해배상책임이 없다.

| 2021년 소방직

① (○)

> 「행정절차법」 제2조 【정의】 이 법에서 사용하는 용어의 뜻은 다음과 같다.
> 3. "행정지도"란 행정기관이 그 소관 사무의 범위에서 일정한 행정목적을 실현하기 위하여 특정인에게 일정한 행위를 하거나 하지 아니하도록 지도, 권고, 조언 등을 하는 행정작용을 말한다.

문제 DATA
출제가능 지수 ▶▶▷
난이도 지수 ★★☆

함께 정리하기
행정지도

행정지도
▷ 행정목적을 실현 위한 지도, 권고, 조언

규제적·구속적 행정지도
▷ 법적 근거가 필요하다는 견해 有

교육부장관의 학칙시정요구
▷ 헌법소원의 대상(규제적·구속적 행정지도)

한계를 일탈하지 않은 행정지도
▷ 손해배상책임×

② (○) 행정지도는 비권력적 작용으로 상대방의 임의적 협력을 필요로 하므로 법적 근거가 필요없다는 것이 일반적인 견해이나, 규제적 행정지도와 사실상 강제력을 갖는 행정지도는 법적 근거가 있어야 한다는 견해도 있다.
③ (×) 교육인적자원부장관의 대학총장들에 대한 이 사건 학칙시정요구는 고등교육법 제6조 제2항, 동법 시행령 제4조 제3항에 따른 것으로서 그 법적 성격은 대학총장의 임의적인 협력을 통하여 사실상의 효과를 발생시키는 행정지도의 일종이지만, 그에 따르지 않을 경우 일정한 불이익조치를 예정하고 있어 사실상 상대방에게 그에 따를 의무를 부과하는 것과 다를 바 없으므로 단순한 행정지도로서의 한계를 넘어 규제적·구속적 성격을 상당히 강하게 갖는 것으로서 헌법소원의 대상이 되는 공권력의 행사라고 볼 수 있다(헌재 2003.6.26. 2002헌마337 등).
④ (○) 대판 2008.9.25. 2006다18228

답 ③

009

행정지도에 대한 설명으로 옳지 않은 것은? (다툼이 있는 경우 판례에 의함)

① 행정지도가 그의 한계를 일탈하지 아니하였다면, 그로 인하여 상대방에게 어떤 손해가 발생하였다 하더라도 행정기관은 그에 대한 손해배상책임이 없다.
② 위법한 건축물에 대한 단전 및 전화통화 단절조치 요청행위는 처분성이 인정되는 행정지도이다.
③ 상대방이 행정지도에 따르지 아니하였다는 것을 직접적인 이유로 하는 불이익한 조치는 위법한 행위가 된다.
④ 「국가배상법」이 정한 배상청구의 요건인 공무원의 직무에는 행정지도도 포함된다.

| 2021년 군무원 9급

① (○) 대판 2008.9.25. 2006다18228
② (×) 행정청이 위법 건축물에 대한 시정명령을 하고 나서 위반자가 이를 이행하지 아니하여 전기·전화의 공급자(한국전력공사 등)에게 그 위법 건축물에 대한 전기·전화공급을 하지 말아 줄 것을 요청한 행위는 권고적 성격의 행위에 불과한 것으로서 전기·전화공급자나 특정인의 법률상 지위에 직접적인 변동을 가져오는 것은 아니므로 이를 항고소송의 대상이 되는 행정처분이라고 볼 수 없다(대판 1996.3.22. 96누433).
③ (○)

> 「행정절차법」 제48조 【행정지도의 원칙】 ② 행정기관은 행정지도의 상대방이 행정지도에 따르지 아니하였다는 것을 이유로 불이익한 조치를 하여서는 아니 된다.

④ (○) 국가배상법이 정한 배상청구의 요건인 '공무원의 직무'에는 권력적 작용만이 아니라 행정지도와 같은 비권력적 작용도 포함되며 단지 행정주체가 사경제주체로서 하는 활동만 제외된다(대판 1998.7.10. 96다38971).

유제 21. 국가직 9급 국가배상의 요건인 '공무원의 직무'에는 국가나 지방자치단체의 비권력적 작용과 사경제 주체로서 하는 작용이 포함된다. (×)
21. 소방간부 「국가배상법」이 정한 손해배상청구의 요건인 '공무원의 직무'에는 국가나 지방자치단체의 권력적 작용뿐만 아니라 비권력적 작용도 포함된다. (○)
20. 경찰 2차 「국가배상법」상 직무행위에는 비권력적 사실행위가 포함되지 않으므로 행정지도는 직무행위에 포함되지 않는다. (×)
17. 사복직 「국가배상법」이 정한 손해배상청구의 요건인 공무원의 직무에는 권력적 작용뿐만 아니라 비권력적 작용과 단순한 사경제의 주체로서 하는 작용도 포함된다. (×)

답 ②

문제 DATA
출제가능 지수 ▶▶▷
난이도 지수 ★★☆

함께 정리하기

행정지도

한계를 일탈하지 않은 행정지도
▷ 손해배상책임×

단전·전화단절조치 요청행위
▷ 처분성×

행정지도 불응
▷ 불이익조치 불가

「국가배상법」상 공무원의 직무
▷ 행정지도도 포함○

010

행정지도에 대한 설명으로 옳은 것은? (다툼이 있는 경우 판례에 의함)

① 행정지도는 비권력적 사실행위이므로 당해 행정기관이 소관사무의 범위를 벗어나는 경우에도 허용된다.
② 행정지도는 처분이 아니므로 행정지도의 상대방은 해당 행정지도에 관하여 행정기관에 의견제출을 할 수 없다.
③ 구 재무부(현 기획재정부)의 주거래은행에 대한 행정지도(매각권유의 지시)가 위헌이라면, 주거래은행의 권유로 매각조건에 관한 오랜 협상을 통해 주식 매매계약이 성립되었다고 하더라도 구 재무부(현 기획재정부)의 행정지도는 강박이 되고 당해 주식 매매계약은 무효이다.
④ 행정지도는 항고소송이나 헌법소원의 대상이 되지 않는다.
⑤ 행정지도는 그 한계를 일탈하지 아니하였다면 그로 인하여 상대방에게 어떤 손해가 발생하였다 하더라도 행정기관은 그에 대한 손해배상책임이 없다.

2020년 소방간부

① (✕) 행정지도는 행정기관의 소관사무 범위 내에서 이루어져야 한다.
② (✕)
> 「행정절차법」 제50조 【의견제출】 행정지도의 상대방은 해당 행정지도의 방식·내용 등에 관하여 행정기관에 의견제출을 할 수 있다.

③ (✕) 부실기업의 정리에 관한 재무부의 행정지도(매각권유의 지시)가 비록 위헌적이라 하더라도, 그 지시가 매매 당사자인 부실기업의 대표이사에 대하여 행하여진 것이 아니라 채권자인 주거래은행에 대하여 행하여졌고 그 후 주거래은행이 그 지시를 받아들여 부실기업의 대표이사와의 사이에 상당히 오랜 시간 동안 여러 차례에 걸쳐 그 매각 조건에 관한 협상을 하고 그 과정에서 그 대표이사는 고문변호사의 조언까지 받아 그 매각 조건에 관한 타협이 이루어져 주식 매매계약이 성사된 경우, 재무부측의 행정지도가 그 대표이사에 대한 강박이 될 수 없고 재무부당국자가 그 대표이사에 대한 강박의 주체가 될 수도 없다(대판 1996.4.26. 94다34432).
④ (✕) 행정지도는 비권력적 사실행위이므로 처분성이 없다. 따라서 행정지도에 대해서는 취소소송이나 취소심판 등 항고쟁송을 제기할 수 없다. 그러나 단순한 행정지도로서의 한계를 넘어 규제적·구속적 성격을 상당히 강하게 갖는 것이라면 헌법소원의 대상이 되는 공권력의 행사로 볼 수 있다.
⑤ (○) 대판 2008.9.25. 2006다18228

답 ⑤

함께 정리하기

행정지도

행정기관의 소관사무의 범위 내에서 可
상대방
▷ 해당 행정지도의 내용 & 방식 행정기관에 의견제출 可

매각조건에 대한 오랜 협상을 통해 성립한 주식 매매계약
▷ 유효
▷ 주거래은행에 대한 행정지도가 위헌이라도 강박✕

행정지도
▷ 항고소송 대상✕
▷ 예외적으로 헌법소원 대상○

한계를 일탈하지 않은 행정지도
▷ 손해배상책임✕

011

행정지도에 대한 내용으로 옳지 않은 것은?

① 행정기관은 상대방이 행정지도에 따르지 아니하였다는 이유로 불이익 조치를 하여서는 아니 된다.
② 행정절차에 소요되는 비용은 원칙적으로 행정청이 부담하도록 규정되어 있다.
③ 행정지도의 상대방은 당해 행정지도의 방식·내용 등에 관하여 행정기관에 의견을 제출할 수 없다.
④ 행정지도는 그 목적달성에 필요한 최소한도에 그쳐야 한다.

함께 정리하기

행정지도

불응
▷ 불이익조치 불가

비용
▷ 원칙적으로 행정청 부담

행정지도의 상대방
▷ 방식·내용에 의견제출 可

비례원칙 적용
▷ 목적 달성에 필요한 최소한에 그쳐야 함

2020년 소방직

① (O)

> 「행정절차법」제48조【행정지도의 원칙】② 행정기관은 행정지도의 상대방이 행정지도에 따르지 아니하였다는 것을 이유로 불이익한 조치를 하여서는 아니 된다.

② (O)

> 「행정절차법」제54조【비용의 부담】행정절차에 드는 비용은 행정청이 부담한다. 다만, 당사자등이 자기를 위하여 스스로 지출한 비용은 그러하지 아니하다.

③ (×)

> 「행정절차법」제50조【의견제출】행정지도의 상대방은 해당 행정지도의 방식·내용 등에 관하여 행정기관에 의견제출을 할 수 있다.

④ (O)

> 「행정절차법」제48조【행정지도의 원칙】① 행정지도는 그 목적 달성에 필요한 최소한도에 그쳐야 하며, 행정지도의 상대방의 의사에 반하여 부당하게 강요하여서는 아니 된다.

유제 18. 경찰 2차 행정지도는 그 목적 달성에 필요한 최대한도의 조치를 할 수 있으나, 다만 행정지도의 상대방의 의사에 반하여 부당하게 강요하여서는 아니 된다. (×)
13. 국가직 9급 「행정절차법」은 행정지도의 원칙으로 비례원칙을 규정하고 있다. (O)

답 ③

문제 DATA

출제가능 지수 ▶▶▷
난이도 지수 ★★☆

012 □□□

행정지도에 대한 설명으로 옳지 않은 것은? (다툼이 있는 경우 판례에 의함)

① 행정지도가 단순한 행정지도로서의 한계를 넘어 규제적·구속적 성격을 상당히 강하게 갖는 것이라면 헌법소원의 대상이 되는 공권력의 행사로 볼 수 있다.

② 행정관청이 「국토이용관리법」 소정의 토지거래계약신고에 관하여 공시된 기준시가를 기준으로 매매가격을 신고하도록 행정지도를 하여 그에 따라 피고인이 허위신고를 한 것이라면 그 범법행위는 정당화 된다.

③ 구 「남녀차별금지 및 구제에 관한 법률」상 국가인권위원회의 성희롱결정과 이에 따른 시정조치의 권고는 성희롱 행위자로 결정된 자의 인격권에 영향을 미침과 동시에 공공기관의 장 또는 사용자에게 일정한 법률상의 의무를 부담시키는 것이므로 국가인권위원회의 성희롱결정 및 시정조치권고는 행정소송의 대상이 되는 행정처분에 해당한다.

④ 적법한 행정지도로 인정되기 위해서는 우선 그 목적이 적법한 것으로 인정될 수 있어야 할 것이므로, 행정청이 행한 주식매각의 종용이 정당한 법률적 근거 없이 자의적으로 주주에게 제재를 가하는 것이라면 행정지도의 영역을 벗어난 것이라고 보아야 할 것이다.

2020년 군무원 9급

① (○) 헌재 2003.6.26. 2002헌마337 등
② (×) 행정관청이 국토이용관리법 소정의 토지거래계약신고에 관하여 공시된 기준시가를 기준으로 매매가격을 신고하도록 행정지도를 하여 그에 따라 허위신고를 한 것이라 하더라도 이와 같은 행정지도는 법에 어긋나는 것으로서 그와 같은 행정지도나 관행에 따라 허위신고행위에 이르렀다고 하여도 이것만 가지고서는 그 범법행위가 정당화될 수 없다(대판 1994.6.14. 93도3247).

유제 17. 지방직 9급 행정관청이 구 「국토이용관리법」 소정의 토지거래계약신고에 관하여 공시된 기준시가를 기준으로 매매가격을 신고하도록 행정지도를 하여 그에 따라 허위신고를 한 것이라 하더라도 이와 같은 행정지도는 법에 어긋나는 것으로서 그 범법행위가 정당화될 수 없다. (○)
18. 서울시 7급(추), 17. 국가직 9급, 11. 지방직 7급 위법한 행정지도에 따라 행한 사인의 행위는 법령에 명시적으로 정함이 없는 한 위법성이 조각된다고 할 수 없다. (○)
10. 국회직 8급 허위의 신고를 하고 토지 등의 거래계약을 체결하였더라도 행정관청이 「국토이용관리법」 소정의 토지거래계약신고에 관하여 공시된 기준시가를 기준으로 매매가격을 신고하도록 행정지도를 하여 그에 따라 허위신고를 한 것이라면 위법하다고 볼 수 없다. (×)

③ (○) 국가인권위원회의 성희롱결정과 이에 따른 시정조치의 권고는 성희롱 행위자로 결정된 자의 인격권에 영향을 미침과 동시에 공공기관의 장 또는 사용자에게 일정한 법률상의 의무를 부담시키는 것이므로 국가인권위원회의 성희롱결정 및 시정조치권고는 행정소송의 대상이 되는 행정처분에 해당한다고 보지 않을 수 없다(대판 2005.7.8. 2005두487).

④ (○) 적법한 행정지도로 인정되기 위하여는 우선 그 목적이 적법한 것으로 인정될 수 있어야 할 것이므로, 주식매각의 종용이 정당한 법률적 근거 없이 자의적으로 주주에게 제재를 가하는 것이라면 이 점에서 벌써 행정지도의 영역을 벗어난 것이라고 보아야 할 것이고 만일 이러한 행위도 행정지도에 해당된다고 한다면 이는 행정지도라는 미명하에 법치주의의 원칙을 파괴하는 것이라고 하지 않을 수 없다(대판 1994.12.13. 93다49482).

답 ②

함께 정리하기
행정지도
- 규제적 · 구속적 행정지도
  ▷ 헌법소원 대상○
- 위법한 행정지도에 따른 허위신고
  ▷ 위법성 조각×
- 국가인권위원회 성희롱결정과 시정조치 권고
  ▷ 행정처분○
- 정당한 법률적 근거 없이 자의적으로 주주에게 제재를 가하는 주식매각의 종용
  ▷ 행정지도의 한계 일탈

---

013 □□□

행정지도에 대한 설명으로 가장 옳은 것은? (다툼이 있는 경우 판례에 의함)

① 「행정절차법」상 행정지도는 의견제출과 사전통지절차에 대해 규정하고 있다.
② 「행정절차법」상 행정지도를 하는 자는 상대방이 서면의 교부를 요구하는 경우 그 행정지도의 내용과 신분을 적으면 되고 취지를 적을 필요는 없다.
③ 「국가배상법」상 직무행위에는 비권력적 사실행위가 포함되지 않으므로 행정지도는 직무행위에 포함되지 않는다.
④ 행정지도의 한계를 일탈하지 아니하였다면 그로 인하여 상대방에게 어떤 손해가 발생하였다 하더라도 행정기관은 그에 대한 손해배상책임이 없다.

문제 DATA
출제가능 지수 ▶▶▷
난이도 지수 ★★☆

2020년 경찰 2차

① (×) 행정지도의 상대방은 해당 행정지도의 방식 · 내용 등에 관하여 행정기관에 의견제출을 할 수 있다. 그러나 「행정절차법」상 행정지도에 사전통지절차에 관한 규정은 없다

> 「행정절차법」 제50조 【의견제출】 행정지도의 상대방은 해당 행정지도의 방식 · 내용 등에 관하여 행정기관에 의견제출을 할 수 있다.

함께 정리하기
행정지도
- 「행정절차법」상 행정지도
  ▷ 의견제출○
  ▷ 사전통지절차×
- 서면 교부 요구
  ▷ 취지, 내용, 신분을 적어 교부해야 함
- 「국가배상법」상 직무
  ▷ 행정지도도 포함○
- 한계를 일탈하지 않은 행정지도
  ▷ 손해배상책임×

② (×) 행정지도의 취지도 적어야 한다.

> 「행정절차법」제49조【행정지도의 방식】① 행정지도를 하는 자는 그 상대방에게 그 <u>행정지도의 취지 및 내용과 신분을 밝혀야 한다.</u>
> ② 행정지도가 말로 이루어지는 경우에 상대방이 제1항의 사항을 적은 서면의 교부를 요구하면 그 행정지도를 하는 자는 <u>직무 수행에 특별한 지장이 없으면 이를 교부하여야 한다.</u>

유제 17. 국가직 9급, 14. 경찰 2차 행정지도가 말로 이루어지는 경우에 상대방이 행정지도의 취지 및 내용, 행정지도를 하는 자의 신분에 관한 사항을 적은 서면의 교부를 요구하면 그 행정지도를 하는 자는 직무 수행에 특별한 사정이 없으면 이를 교부하여야 한다. (○)
16. 서울시 9급 말로 이루어지는 행정지도의 상대방은 서면의 교부를 요구할 수 있다. (○)

③ (×) 국가배상법이 정한 배상청구의 요건인 '공무원의 직무'에는 <u>권력적 작용만이 아니라 행정지도와 같은 비권력적 작용도 포함되며 단지 행정주체가 사경제주체로서 하는 활동만 제외된다</u>(대판 1998.7.10. 96다38971).

④ (○) 대판 2008.9.25. 2006다18228

답 ④

문제 DATA

출제가능 지수 ▶▶▷
난이도 지수 ★★☆

014 □□□

행정지도에 대한 설명으로 옳지 않은 것은? (다툼이 있는 경우 판례에 의함)

① 행정지도는 상대방의 협력을 전제로 법적 효과의 발생을 목적으로 하는 행정청의 의사표시이다.
② 행정지도의 상대방은 해당 행정지도의 방식·내용에 관하여 행정기관에 의견제출을 할 수 있다.
③ 행정기관은 상대방이 행정지도에 따르지 않았다는 이유로 불이익한 조치를 하여서는 아니 된다.
④ 행정지도를 하는 자는 상대방에게 행정지도의 취지 및 내용과 신분을 밝혀야 한다.
⑤ 행정지도는 「국가배상법」제2조의 직무행위에 해당된다.

| 2020년 행정사

① (×) 행정지도는 상대방인 국민의 임의적인 협력을 요청하는 비권력적 사실행위로서 그 자체로는 아무런 법적 효과를 발생시키지 아니한다.

유제 18. 교행 행정지도는 법적 효과의 발생을 목적으로 하는 의사표시이다. (×)

② (○)

> 「행정절차법」제50조【의견제출】행정지도의 상대방은 해당 행정지도의 방식·내용 등에 관하여 행정기관에 의견제출을 할 수 있다.

③ (○)

> 「행정절차법」제48조【행정지도의 원칙】② 행정기관은 행정지도의 상대방이 행정지도에 따르지 아니하였다는 것을 이유로 <u>불이익한 조치를 하여서는 아니 된다.</u>

④ (○)

> 「행정절차법」제49조【행정지도의 방식】① <u>행정지도를 하는 자는 그 상대방에게 그 행정지도의 취지 및 내용과 신분을 밝혀야 한다.</u>

⑤ (○) 대판 1998.7.10. 96다38971

답 ①

함께 정리하기

행정지도

법적 효과 발생을 목적 ×

상대방
▷ 방식·내용에 의견제출 可

불응시
▷ 불이익조치 不可

행정지도를 하는 자
▷ 취지, 내용, 신분을 밝혀야 함

「국가배상법」상 직무행위
▷ 해당 ○

015

행정지도에 대한 설명으로 옳지 않은 것은? (다툼이 있는 경우 판례에 의함)

① 행정지도는 상대방의 의사에 반하여 부당하게 강요하여서는 안 된다.
② 행정지도는 작용법적 근거가 필요하지 않으므로, 비례원칙과 평등원칙에 구속되지 않는다.
③ 교육인적자원부장관의 대학총장들에 대한 학칙시정요구는 법령에 따른 것으로 행정지도의 일종이지만, 단순한 행정지도로서의 한계를 넘어 헌법소원의 대상이 되는 공권력의 행사라고 볼 수 있다.
④ 세무당국이 주류제조회사에 대하여 특정 업체와의 주류거래를 일정기간 중지하여 줄 것을 요청한 행위는 권고적 성격의 행위로서 행정처분이라고 볼 수 없다.

2019년 국가직 9급

① (○)

> 「행정절차법」제48조【행정지도의 원칙】① 행정지도는 그 목적 달성에 필요한 최소한도에 그쳐야 하며, 행정지도의 상대방의 의사에 반하여 부당하게 강요하여서는 아니 된다.

유제 15. 경찰 1차, 14. 경찰 2차, 13. 경찰 2차, 12. 경찰 3차, 11. 국회직 8급 행정지도는 그 목적 달성에 필요한 최소한도에 그쳐야 하며, 행정지도의 상대방의 의사에 반하여 부당하게 강요하여서는 아니 된다. (○)
14. 서울시 9급 행정지도는 상대방의 의사에 반하여 부당하게 강요하여서는 안 된다. (○)

② (×) 행정지도는 상대방의 임의적인 협력을 전제로 하므로 작용법적 근거를 요하지는 않으나 조직법적 근거는 요한다. 또한 행정지도도 행정작용인 이상 법률우위의 원칙이 적용되므로 성문법과 행정법의 일반원리를 포함하는 불문법을 위배해서는 안된다. 따라서 행정지도는 비례의 원칙과 평등의 원칙에 구속된다.

유제 18. 교행 법규에 근거가 없는 행정지도에 대해서는 행정법의 일반원칙이 적용되지 아니한다. (×)
13. 행정사 행정지도는 법적 행위가 아니라 비권력적 사실행위에 불과하므로 비례원칙이 적용되지 아니한다. (×)

③ (○) 헌재 2003.6.26. 2002헌마337
④ (○) 세무당국이 소외 회사(조선맥주회사)에 대하여 원고(주식회사 호정상사)와의 주류거래를 일정기간 중지하여 줄 것을 요청한 행위는 권고 내지 협조를 요청하는 권고적 성격의 행위로서 행정처분이라고 볼 수 없는 것이므로 항고소송의 대상이 될 수 없다(대판 1980.10.27. 80누395).

유제 17. 행정사 [세무서장 甲은 乙회사에 대한 세무조사를 하면서 乙회사의 주요 거래인 丙회사에게 乙회사와의 거래를 일정기간 중지하여 줄 것을 요청하였다(이하, '이 사건 요청행위'라고 한다). 이로 인하여 乙회사는 경제적인 불이익을 입게 되었다] 이 사건 요청행위는 권고 내지 협조를 구하는 권고적 성격의 행위로서 丙의 법률상의 지위에 직접적인 변동을 가져오는 행정처분은 아니다. (○)
16. 교행 판례에 따르면 세무당국이 주류거래를 일정기간 중지하여 줄 것을 요청한 행위는 항고소송의 대상이다. (×)
13. 지방직 9급 세무당국의 주류거래중지 요청행위는 행정처분이 아니다. (○)
10. 국가직 9급 세무당국이 소외 회사에 대해 甲과의 주류거래를 일정기간 정지하여 줄 것을 요청한 행위는 행정처분이라 볼 수 없다. (○)

답 ②

문제 DATA
출제가능 지수 ▶▶Σ
난이도 지수 ★★☆

함께 정리하기
행정지도

임의성의 원칙
▷ 부당강요금지

비례원칙 적용
▷ 목적 달성에 필요한 최소한에 그쳐야 함

교육부장관의 학칙시정요구
▷ 헌법소원의 대상(규제적·구속적 행정지도)

세무당국의 주류거래 일정기간 중지요청 행위
▷ 행정처분×

016

<보기>의 행정지도에 대한 설명으로 옳은 것을 모두 고르면?

<보기>
ㄱ. 행정지도는 그 목적 달성에 필요한 최소한도에 그쳐야 하며, 행정지도의 상대방의 의사에 반하여 부당하게 강요하여서는 아니 된다.
ㄴ. 행정지도는 비권력적 작용이므로 「국가배상법」이 정한 배상청구의 요건인 공무원의 직무에 포함되지 않는다.
ㄷ. 행정지도의 상대방은 해당 행정지도의 방식·내용 등에 관하여 행정기관에 의견제출을 할 수 있다.

① ㄱ
② ㄱ, ㄴ
③ ㄱ, ㄷ
④ ㄱ, ㄴ, ㄷ

2019년 서울시 9급

ㄱ. (○)

> 「행정절차법」제48조【행정지도의 원칙】① 행정지도는 그 목적 달성에 필요한 최소한도에 그쳐야 하며, 행정지도의 상대방의 의사에 반하여 부당하게 강요하여서는 아니 된다.

ㄴ. (×) 국가배상법이 정한 배상청구의 요건인 '공무원의 직무'에는 권력적 작용만이 아니라 행정지도와 같은 비권력적 작용도 포함되며 단지 행정주체가 사경제주체로서 하는 활동만 제외된다(대판 1998.7.10. 96다38971).

ㄷ. (○)

> 「행정절차법」제50조【의견제출】행정지도의 상대방은 해당 행정지도의 방식·내용 등에 관하여 행정기관에 의견제출을 할 수 있다.

답 ③

017

행정지도에 대한 설명으로 옳지 않은 것은?

① 행정지도를 하는 자는 그 상대방이 행정지도에 따르도록 강제할 수 있으며, 이에 따르지 않을 경우 불이익한 조치를 할 수 있다.
② 행정지도의 상대방은 해당 행정지도의 방식·내용 등에 관하여 행정기관에 의견제출을 할 수 있다.
③ 행정기관이 같은 행정목적을 실현하기 위하여 많은 상대방에게 행정지도를 하려는 경우에는 특별한 사정이 없으면 행정지도에 공통적인 내용이 되는 사항을 공표하여야 한다.
④ 행정지도가 말로 이루어지는 경우에 상대방이 서면의 교부를 요구하면 그 행정지도를 하는 자는 직무 수행에 특별한 지장이 없으면 이를 교부하여야 한다.

2019년 군무원 9급

① (×)

> 「행정절차법」 제48조【행정지도의 원칙】① 행정지도는 그 목적 달성에 필요한 최소한도에 그쳐야 하며, 행정지도의 상대방의 의사에 반하여 부당하게 강요하여서는 아니 된다.
> ② 행정기관은 행정지도의 상대방이 행정지도에 따르지 아니하였다는 것을 이유로 불이익한 조치를 하여서는 아니 된다.

② (○)

> 「행정절차법」 제50조【의견제출】행정지도의 상대방은 해당 행정지도의 방식·내용 등에 관하여 행정기관에 의견제출을 할 수 있다.

③ (○)

> 「행정절차법」 제51조【다수인을 대상으로 하는 행정지도】행정기관이 같은 행정목적을 실현하기 위하여 많은 상대방에게 행정지도를 하려는 경우에는 특별한 사정이 없으면 행정지도에 공통적인 내용이 되는 사항을 공표하여야 한다.

④ (○)

> 「행정절차법」 제49조【행정지도의 방식】① 행정지도를 하는 자는 그 상대방에게 그 행정지도의 취지 및 내용과 신분을 밝혀야 한다.
> ② 행정지도가 말로 이루어지는 경우에 상대방이 제1항의 사항을 적은 서면의 교부를 요구하면 그 행정지도를 하는 자는 직무 수행에 특별한 지장이 없으면 이를 교부하여야 한다.

답 ①

함께 정리하기
행정지도

임의성의 원칙
▷ 부당강요금지

행정지도 불응
▷ 불이익조치 주의

행정지도의 상대방
▷ 방식·내용등 의견제출 可

다수인을 대상으로 하는 행정지도
▷ 공통적인 내용 공표 필요

말로 이루어진 행정지도
▷ 상대방의 서면요구시 교부하여야 함(원칙)

018 ☐☐☐

행정지도에 대한 설명으로 옳은 것은? (다툼이 있는 경우 판례에 의함)

① 행정지도는 법적 효과의 발생을 목적으로 하는 의사표시이다.
② 법규에 근거가 없는 행정지도에 대해서는 행정법의 일반원칙이 적용되지 아니한다.
③ 토지매매대금의 허위신고가 위법한 행정지도에 따른 것이라 하더라도 그 범법행위가 정당화되지는 않는다.
④ 행정지도의 한계 일탈로 인해 상대방에게 손해가 발생한 경우 행정기관은 손해배상책임이 없다.

문제 DATA
출제가능 지수 ▶▶▷
난이도 지수 ★★☆

2018년 교육행정직

① (×) 행정지도는 법적 효과의 발생을 목적으로 하는 의사표시가 아니라, 상대방의 임의적 협력을 전제로 하는 비권력적 사실행위이다.
② (×) 행정지도는 작용법적 근거가 없더라도 가능하나(조직법적 근거는 요함), 헌법·법률을 비롯한 성문법과 행정법의 일반원칙을 포함하는 불문법을 위배해서는 안 된다.
③ (○) 행정관청이 토지거래계약신고에 관하여 공시된 기준지가를 기준으로 매매가격을 신고하도록 행정지도하여 왔고 그 기준가격 이상으로 매매가격을 신고한 경우에는 거래신고서를 접수하지 않고 반려하는 것이 관행화되어 있다 하더라도 이는 법에 어긋나는 관행이라 할 것이므로 그와 같은 위법한 관행에 따라 허위신고행위에 이르렀다고 하여 그 범법행위가 사회상규에 위배되지 않는 정당한 행위라고는 볼 수 없다(대판 1992.4.24. 91도1609).
④ (×) 행정지도의 한계 일탈로 인해 상대방에게 손해가 발생한 경우 행정기관에게 손해배상책임이 있다(대판 2008.9.25. 2006다18228).

답 ③

함께 정리하기
행정지도
▷ 임의협력
▷ 비권력적 사실행위
▷ 법적근거 불요
▷ 행정법의 일반원칙 적용○

위법한 행정지도에 따른 허위신고
▷ 위법○(범법행위 정당화×)

한계 일탈한 행정지도
▷ 손해배상책임○

019

행정지도에 대한 설명으로 가장 옳은 것은? (다툼이 있는 경우 판례에 의함)

① 행정지도는 그 목적 달성에 필요한 최대한도의 조치를 할 수 있으나, 다만 행정지도의 상대방의 의사에 반하여 부당하게 강요하여서는 아니 된다.
② 행정지도가 말로 이루어지는 경우에 상대방이 서면의 교부를 요구하면 그 행정지도를 하는 자는 반드시 이를 교부하여야 한다.
③ 교육인적자원부장관(현 교육부장관)의 학칙시정요구는 대학총장의 임의적인 협력을 통하여 사실상의 효과를 발생시키는 행정지도의 일종이며, 설령 단순한 행정지도로서의 한계를 넘어 규제적·구속적 성격을 갖는다 하더라도 공권력의 행사로 볼 수 없다.
④ 행정기관이 같은 행정목적을 실현하기 위하여 많은 상대방에게 행정지도를 하려는 경우에는 특별한 사정이 없으면 행정지도에 공통적인 내용이 되는 사항을 공표하여야 한다.

| 2018년 경찰 2차

① (×)

> 「행정절차법」 제48조【행정지도의 원칙】① 행정지도는 그 목적 달성에 필요한 최소한도에 그쳐야 하며, 행정지도의 상대방의 의사에 반하여 부당하게 강요하여서는 아니 된다.

② (×)

> 「행정절차법」 제49조【행정지도의 방식】② 행정지도가 말로 이루어지는 경우에 상대방이 제1항의 사항을 적은 서면의 교부를 요구하면 그 행정지도를 하는 자는 직무 수행에 특별한 지장이 없으면 이를 교부하여야 한다.

③ (×) 헌재 2003.6.26. 2002헌마337
④ (○)

> 「행정절차법」 제51조【다수인을 대상으로 하는 행정지도】행정기관이 같은 행정목적을 실현하기 위하여 많은 상대방에게 행정지도를 하려는 경우에는 특별한 사정이 없으면 행정지도에 공통적인 내용이 되는 사항을 공표하여야 한다.

답 ④

020

행정지도에 대한 설명으로 옳지 않은 것은? (다툼이 있는 경우 판례에 의함)

① 행정지도는 그에 따를 것인지 여부가 상대방의 임의적 결정에 달려 있는 것이므로 반드시 명시적인 법적 근거를 요하는 것은 아니다.
② 행정지도는 서면 또는 구술의 형식으로 할 수 있다.
③ 행정지도를 하는 자는 그 상대방에게 행정지도의 취지 및 내용과 신분을 밝혀야 한다.
④ 행정지도의 상대방은 당해 행정지도의 방식·내용 등에 관하여 행정기관에 의견을 제출할 수 있다.
⑤ 불이행시 행정·재정상의 불이익조치를 예정하고 있는 교육부장관의 대학총장에 대한 학칙시정요구는 행정지도로서 헌법소원의 대상이 되는 공권력의 행사라고 할 수 없다.

2018년 5급 승진

① (○) 행정지도는 상대방의 임의적인 협력을 전제로 하는 비권력적 사실행위로, 작용법적 근거가 없더라도 가능하다. 그러나 행정지도 또한 행정작용의 일종이므로 행정청의 일반적인 존립과 활동의 근거가 되는 조직법적 근거는 있어야 한다.

② (○)

> 「행정절차법」 제49조 【행정지도의 방식】 ② 행정지도가 말로 이루어지는 경우에 상대방이 제1항의 사항을 적은 서면의 교부를 요구하면 그 행정지도를 하는 자는 직무 수행에 특별한 지장이 없으면 이를 교부하여야 한다.

③ (○)

> 「행정절차법」 제49조 【행정지도의 방식】 ① 행정지도를 하는 자는 그 상대방에게 그 행정지도의 취지 및 내용과 신분을 밝혀야 한다.

④ (○)

> 「행정절차법」 제50조 【의견제출】 행정지도의 상대방은 해당 행정지도의 방식·내용 등에 관하여 행정기관에 의견제출을 할 수 있다.

⑤ (×) 헌재 2003.6.26. 2002헌마337

답 ⑤

함께 정리하기

행정지도
▷ 임의협력
▷ 법적근거 불요

행정지도의 방식
▷ 문서, 말

행정지도의 방법
▷ 취지, 내용, 신분을 밝혀야 함

상대방
▷ 해당 행정지도의 방식 & 내용 행정기관에 의견제출 可

교육부장관의 학칙시정요구
▷ 헌법소원의 대상(규제적·구속적 행정지도)

021 □□□

행정지도에 대한 설명으로 옳지 않은 것은? (다툼이 있는 경우 판례에 의함)

① 위법한 행정지도에 따라 행한 사인의 행위는 법령에 명시적으로 정함이 없는 한 위법성이 조각된다고 할 수 없다.
② 행정지도의 상대방은 행정지도의 내용에 동의하지 않는 경우 이를 따르지 않을 수 있으므로, 행정지도의 내용이나 방식에 대해 의견제출권을 갖지 않는다.
③ 행정지도가 말로 이루어지는 경우에 상대방이 행정지도의 취지 및 내용, 행정지도를 하는 자의 신분에 관한 사항을 적은 서면의 교부를 요구하면 그 행정지도를 하는 자는 직무 수행에 특별한 지장이 없으면 이를 교부하여야 한다.
④ 「국가배상법」이 정한 배상청구의 요건인 '공무원의 직무'에는 권력적 작용만이 아니라 행정지도와 같은 비권력적 작용도 포함된다.

문제 DATA
출제가능 지수 ▶▶▷
난이도 지수 ★★☆

2017년 국가직 9급

① (○) 대판 1994.6.14. 93도3247
② (×)

> 「행정절차법」 제50조 【의견제출】 행정지도의 상대방은 해당 행정지도의 방식·내용 등에 관하여 행정기관에 의견제출을 할 수 있다.

③ (○)

> 「행정절차법」 제49조 【행정지도의 방식】 ① 행정지도를 하는 자는 그 상대방에게 그 행정지도의 취지 및 내용과 신분을 밝혀야 한다.
> ② 행정지도가 말로 이루어지는 경우에 상대방이 제1항의 사항을 적은 서면의 교부를 요구하면 그 행정지도를 하는 자는 직무 수행에 특별한 지장이 없으면 이를 교부하여야 한다.

④ (○) 대판 2004.4.9. 2002다10691

답 ②

함께 정리하기

행정지도

위법한 행정지도에 따른 사인의 행위
▷ 위법성 조각×

상대방
▷ 해당 행정지도의 방식 & 내용 행정기관에 의견제출 可

말로 이루어진 행정지도
▷ 상대방의 서면요구시 교부(원칙)

「국가배상법」상 공무원의 직무
▷ 행정지도 포함

문제 DATA

출제가능 지수 ▶▶▷
난이도 지수 ★★☆

022

행정지도에 대한 판례의 입장으로 옳은 것(○)과 옳지 않은 것(×)을 바르게 조합한 것은?

ㄱ. 행정관청이 구 「국토이용관리법」 소정의 토지거래계약신고에 관하여 공시된 기준시가를 기준으로 매매가격을 신고하도록 행정지도를 하여 그에 따라 허위신고를 한 것이라 하더라도 이와 같은 행정지도는 법에 어긋나는 것으로서 그 범법행위가 정당화될 수 없다.

ㄴ. 교육인적자원부장관의 국·공립대학총장들에 대한 학칙시정요구는 대학총장의 임의적인 협력을 통하여 사실상의 효과를 발생시키는 행정지도의 일종으로 헌법소원의 대상이 되는 공권력행사라고 볼 수 없다.

ㄷ. 노동부장관이 공공기관 단체협약내용을 분석하여 불합리한 요소를 개선하라고 요구한 행위는 행정지도로서의 한계를 넘어 규제적·구속적 성격을 강하게 갖는다고 할 수 없어 헌법소원의 대상이 되는 공권력의 행사에 해당한다고 볼 수 없다.

ㄹ. 행정기관의 위법한 행정지도로 일정기간 어업권을 행사하지 못하는 손해를 입은 자가 그 어업권을 타인에게 매도하여 매매대금 상당의 이득을 얻은 경우, 손해배상액의 산정에서 그 이득을 손익상계할 수 있다.

	ㄱ	ㄴ	ㄷ	ㄹ
①	○	○	○	○
②	○	×	×	×
③	○	×	○	×
④	×	×	○	○

함께 정리하기

행정지도

위법한 행정지도에 따른 허위신고
▷ 위법○

교육부장관의 학칙시정요구
▷ 예외적 헌법소원 대상(∵규제적·구속적 행정지도)

노동부장관의 불합리한 단체협약 개선요구
▷ 헌법소원 대상×

위법한 행정지도로 행사하지 못한 어업권의 매매대금
▷ 손해배상액에서 손익상계 불가

2017년 지방직 9급

ㄱ. (○) 대판 1994.6.14. 93도3247

ㄴ. (×) 교육인적자원부장관의 대학총장들에 대한 이 사건 학칙시정요구는 고등교육법 제6조 제2항, 동법 시행령 제4조 제3항에 따른 것으로서 그 법적 성격은 대학총장의 임의적인 협력을 통하여 사실상의 효과를 발생시키는 행정지도의 일종이지만, 그에 따르지 않을 경우 일정한 불이익조치를 예정하고 있어 사실상 상대방에게 그에 따를 의무를 부과하는 것과 다를 바 없으므로 단순한 행정지도로서의 한계를 넘어 규제적·구속적 성격을 상당히 강하게 갖는 것으로서 헌법소원의 대상이 되는 공권력의 행사라고 볼 수 있다(헌재 2003.6.26. 2002헌마337·2003헌마7·8).

ㄷ. (○) 노동부장관이 2009.4. 노동부 산하 7개 공공기관의 단체협약내용을 분석하여 2009.5.1.경 불합리한 요소를 개선하라고 요구한 행위 … 그 법적 성질은 행정지도에 해당한다고 할 것이다. … 이 사건 개선요구는 이를 따르지 않을 경우의 불이익을 명시적으로 예정하고 있다고 보기 어렵고, 행정지도로서의 한계를 넘어 규제적·구속적 성격을 강하게 갖는다고 할 수 없어 헌법소원의 대상이 되는 공권력의 행사에 해당한다고 볼 수 없다(헌재 2011.12.29. 2009헌마330·344).

ㄹ. (×) 어업권 매매대금은 위법한 행정지도와 인과관계가 인정되지 않고, 손해에 대응하는 것이라고 볼 수 없으므로 손익상계의 요건을 갖추지 못해 매매대금을 손해액에서 공제할 수 없다.

행정기관의 위법한 행정지도로 일정기간 어업권을 행사하지 못하는 손해를 입은 자가 그 어업권을 타인에게 매도하여 매매대금 상당의 이득을 얻었더라도 그 이득은 손해배상책임의 원인이 되는 행위인 위법한 행정지도와 상당인과관계에 있다고 볼 수 없고, 행정기관이 배상하여야 할 손해는 위법한 행정지도로 피해자가 일정기간 어업권을 행사하지 못한 데 대한 것임에 반해 피해자가 얻은 이득은 어업권 자체의 매각대금이므로 위 이득이 위 손해의 범위에 대응하는 것이라고 볼 수도 없어, 피해자가 얻은 매매대금 상당의 이득을 행정기관이 배상하여야 할 손해액에서 공제할 수 없다(대판 2008.9.25. 2006다18228).

답 ③

023

「행정절차법」상 행정지도에 대한 설명으로 옳은 것은? (다툼이 있는 경우 판례에 의함)

① 행정지도는 반드시 문서로 하여야 한다.
② 행정기관은 행정지도에 따르지 아니하였다는 이유로 불이익한 조치를 할 수 있다.
③ 행정지도를 하는 자는 그 상대방에게 그 행정지도의 취지 및 내용과 신분을 밝혀야 한다.
④ 구 교육인적자원부장관의 국·공립대학총장들에 대한 학칙시정요구는 행정지도이므로 헌법소원의 대상인 공권력의 행사로 볼 수 없다.

> 2017년 교육행정직

① (×)

> 「행정절차법」 제49조 【행정지도의 방식】 ② 행정지도가 말로 이루어지는 경우에 상대방이 제1항의 사항을 적은 서면의 교부를 요구하면 그 행정지도를 하는 자는 직무 수행에 특별한 지장이 없으면 이를 교부하여야 한다.

② (×)

> 「행정절차법」 제48조 【행정지도의 원칙】 ② 행정기관은 행정지도의 상대방이 행정지도에 따르지 아니하였다는 것을 이유로 불이익한 조치를 하여서는 아니 된다.

③ (○)

> 「행정절차법」 제49조 【행정지도의 방식】 ① 행정지도를 하는 자는 그 상대방에게 그 행정지도의 취지 및 내용과 신분을 밝혀야 한다.

④ (×) 헌재 2003.6.26. 2002헌마337

답 ③

함께 정리하기

행정지도

행정지도의 방식
▷ 문서, 말

행정지도 불응
▷ 불이익조치 불가

행정지도의 방법
▷ 취지, 내용, 신분을 밝혀야 함

교육부장관의 학칙시정요구
▷ 헌법소원의 대상(규제적·구속적 행정지도)

024

행정지도에 대한 설명으로 옳은 것은? (다툼이 있는 경우 판례에 의함)

① 「국가배상법」이 정하는 손해배상청구의 요건인 '공무원의 직무'에는 비권력작용인 행정지도는 포함되지 아니한다.
② 강제성을 띠지 아니한 행정지도로 인하여 손해가 발생한 경우에 행정청은 손해배상책임이 있다.
③ 행정지도는 비권력적 사실행위이므로 행정지도가 그 한계를 넘어 규제적·구속적 성격을 강하게 갖는 경우라 하여 헌법소원의 대상이 되는 공권력의 행사에 해당한다고 볼 수는 없다.
④ 「행정절차법」에 따르면 행정지도의 상대방은 해당 행정지도의 내용에 관하여서 뿐만 아니라 그 방식에 관하여도 행정기관에 의견을 제출할 수 있다.
⑤ 「행정절차법」은 행정지도는 반드시 서면으로 하여야 하고 그 서면에는 행정지도의 취지·내용을 기재하도록 규정함으로써 행정지도의 명확성을 요구하고 있다.

함께 정리하기

행정지도

「국가배상법」상 공무원의 직무
▷ 행정지도 포함

한계 일탈하지 않은 행정지도
▷ 손해배상책임×

한계를 넘어 규제적·구속적 성격강한 행정지도
▷ 헌법소원 대상

상대방
▷ 해당 행정지도의 내용 & 방식 행정기관에 의견제출 可

서면 or 말로 可

2017년 국회직 8급

① (×) 국가배상법이 정한 배상청구의 요건인 '공무원의 직무'에는 권력적 작용만이 아니라 행정지도와 같은 비권력적 작용도 포함되며 단지 행정주체가 사경제주체로서 하는 활동만 제외된다(대판 1998.7.10. 96다38971).

② (×) 행정지도가 강제성을 띠지 않은 비권력적 작용으로서 행정지도의 한계를 일탈하지 아니하였다면, 그로 인하여 상대방에게 어떤 손해가 발생하였다 하더라도 행정기관은 그에 대한 손해배상책임이 없다 (대판 2008.9.25. 2006다18228).

③ (×) 교육인적자원부장관의 대학총장들에 대한 이 사건 학칙시정요구는 고등교육법 제6조 제2항, 동법 시행령 제4조 제3항에 따른 것으로서 그 법적 성격은 대학총장의 임의적인 협력을 통하여 사실상의 효과를 발생시키는 행정지도의 일종이지만, 그에 따르지 않을 경우 일정한 불이익조치를 예정하고 있어 사실상 상대방에게 그에 따를 의무를 부과하는 것과 다를 바 없으므로 단순한 행정지도로서의 한계를 넘어 규제적·구속적 성격을 상당히 강하게 갖는 것으로서 헌법소원의 대상이 되는 공권력의 행사라고 볼 수 있다(헌재 2003.6.26. 2002헌마337·2003헌마7·8).

④ (○)

> 「행정절차법」제50조【의견제출】행정지도의 상대방은 해당 행정지도의 방식·내용 등에 관하여 행정기관에 의견제출을 할 수 있다.

⑤ (×)

> 「행정절차법」제49조【행정지도의 방식】② 행정지도가 말로 이루어지는 경우에 상대방이 제1항의 사항을 적은 서면의 교부를 요구하면 그 행정지도를 하는 자는 직무 수행에 특별한 지장이 없으면 이를 교부하여야 한다.

답 ④

문제 DATA

출제가능 지수 ▶▶▷
난이도 지수 ★★☆

025 □□□

세무서장 甲은 乙회사에 대한 세무조사를 하면서 乙회사의 주요 거래처인 丙회사에게 乙회사와의 거래를 일정기간 중지하여 줄 것을 요청하였다(이하, '이 사건 요청행위'라고 한다). 이로 인하여 乙회사는 경제적인 불이익을 입게 되었다. 이에 대한 설명으로 옳지 않은 것은? (다툼이 있는 경우 판례에 의함)

① 이 사건 요청행위는 권고 내지 협조를 구하는 권고적 성격의 행위로서 丙의 법률상의 지위에 직접적인 변동을 가져오는 행정처분은 아니다.

② 이 사건 요청행위가 규제적·구속적 성격을 상당히 강하게 가지게 될 경우 헌법소원의 대상이 될 수 있다.

③ 이 사건 요청행위는 乙의「국가배상법」상 손해배상청구 요건인 공무원의 직무에 해당하지 않는다.

④ 이 사건 요청행위를 할 때 甲은 그 목적 달성에 필요한 최소한도 내에서 하여야 한다.

⑤ 이 사건 요청행위를 할 때 甲은 丙에게 요청행위의 취지 및 내용과 신분을 밝혀야 한다.

2017년 행정사

① (○) 행정지도는 상대방의 임의적 협력을 전제로 하는 비권력적 사실행위로서 원칙적으로 처분성이 인정되지 않는다(대판 1980.10.27. 80누395).

② (○) 행정지도는 원칙적으로 헌법소원의 대상인 공권력의 행사에 해당하지 않아 헌법소원의 제기가 불가하다. 그러나 행정지도가 단순한 행정지도로서의 한계를 넘어 상대방에게 사실상 강제적 효과를 발생하는 경우에는 예외적으로 헌법소원의 대상이 되는 공권력의 행사에 해당한다.

함께 정리하기

행정지도 사례

세무당국의 주류거래 일정기간 중지요청행위
▷ 행정처분×

규제적·구속적 성격의 행정지도
▷ 헌법소원 대상 可

「국가배상법」상 공무원의 직무 해당○

목적 달성에 필요한 최소한에 그쳐야 함

취지 및 내용과 신분을 밝혀야 함

③ (×) 국가배상의 요건 중 '직무행위'에는 권력적 작용뿐만 아니라 행정지도를 비롯한 비권력적 작용도 포함된다(대판 1998.7.10. 96다38971).
④ (○)

> 「행정절차법」 제48조 【행정지도의 원칙】 ① 행정지도는 그 목적 달성에 필요한 최소한도에 그쳐야 하며, 행정지도의 상대방의 의사에 반하여 부당하게 강요하여서는 아니 된다.

⑤ (○)

> 「행정절차법」 제49조 【행정지도의 방식】 ① 행정지도를 하는 자는 그 상대방에게 그 행정지도의 취지 및 내용과 신분을 밝혀야 한다.

답 ③

026

여름철 식중독 예방을 위해 A구의 보건행정담당 공무원 甲이 관내 일반·휴게·계절음식점 업주에 대해 위생지도를 실시하고 있다. 이에 대한 설명으로 옳지 않은 것은?

① 판례에 따르면 법령의 수권(授權) 없이 행정지도를 할 수 없다.
② 위생지도의 상대방인 일반·휴게·계절음식점 업주가 甲의 위생지도에 불응한 경우, 그 사유만으로 당해 업주에게 불이익한 조치를 해서는 아니 된다.
③ 甲의 위생지도는 구속력을 갖지 않는 행정지도에 속하지만 「행정절차법」상의 비례원칙이 적용된다.
④ 甲의 위생지도가 다수인을 대상으로 하는 것이라면 특별한 사정이 없는 한 위생지도에 관한 공통적인 내용과 사항을 공표해야 한다.

| 2015년 서울시 9급

① (×) 행정지도는 상대방의 임의적인 협력을 전제로 하는 비권력적 사실행위로, 작용법적 근거가 없더라도 가능하다.
② (○)

> 「행정절차법」 제48조 【행정지도의 원칙】 ② 행정기관은 행정지도의 상대방이 행정지도에 따르지 아니하였다는 것을 이유로 불이익한 조치를 하여서는 아니 된다.

③ (○)

> 「행정절차법」 제48조 【행정지도의 원칙】 ① 행정지도는 그 목적 달성에 필요한 최소한도에 그쳐야 하며, 행정지도의 상대방의 의사에 반하여 부당하게 강요하여서는 아니 된다.

④ (○)

> 「행정절차법」 제51조 【다수인을 대상으로 하는 행정지도】 행정기관이 같은 행정목적을 실현하기 위하여 많은 상대방에게 행정지도를 하려는 경우에는 특별한 사정이 없으면 행정지도에 공통적인 내용이 되는 사항을 공표하여야 한다.

답 ①

문제 DATA
출제가능 지수 ▶▶▷
난이도 지수 ★★☆

함께 정리하기
행정지도

행정지도
▷ 임의협력
▷ 법적 근거 불요
▷ 비례의 원칙 적용

행정지도 불응
▷ 불이익조치 불가

다수인을 대상으로 하는 행정지도
▷ 공통적인 내용 공표 필요

제6절 | 그 밖의 행정작용

문제 DATA
출제가능 지수 ▶▶▷
난이도 지수 ★★☆

함께 정리하기
행정처분
처분의 효력
▷ 무효가 아닌 한 취소·철회·기간 경과 등으로 소멸되기 전까지 유효한 것으로 통용
재량행위
▷ 완전히 자동화된 시스템으로 처분 불가
당사자의 신청에 따른 처분
▷ 처분 당시의 법령 등에 따름이 원칙
과징금과 형사처벌
▷ 병과 可(이중처벌×)

001 ☐☐☐

행정처분에 대한 설명으로 가장 옳지 않은 것은? (다툼이 있는 경우 판례에 의함)

① 처분은 권한이 있는 기관이 취소 또는 철회하거나 기간의 경과 등으로 소멸되기 전까지는 유효한 것으로 통용된다.
② 행정청은 처분에 재량이 있는 경우에도 법률로 정하는 바에 따라 완전히 자동화된 시스템으로 처분을 할 수 있다.
③ 당사자의 신청에 따른 처분은 법령 등에 특별한 규정이 있거나 처분 당시의 법령 등을 적용하기 곤란한 특별한 사정이 있는 경우를 제외하고는 처분 당시의 법령 등에 따른다.
④ 과징금과 형사처벌을 병과하더라도 이중처벌금지원칙에 위반된다고 볼 수 없다.

| 2025년 군무원 9급

① (O)

> 「행정기본법」제15조【처분의 효력】처분은 권한이 있는 기관이 취소 또는 철회하거나 기간의 경과 등으로 소멸되기 전까지는 유효한 것으로 통용된다. 다만, 무효인 처분은 처음부터 그 효력이 발생하지 아니한다.

② (X)

> 「행정기본법」제20조【자동적 처분】행정청은 법률로 정하는 바에 따라 완전히 자동화된 시스템(인공지능 기술을 적용한 시스템을 포함한다)으로 처분을 할 수 있다. 다만, 처분에 재량이 있는 경우는 그러하지 아니하다.

③ (O)

> 「행정기본법」제14조【법 적용의 기준】② 당사자의 신청에 따른 처분은 법령등에 특별한 규정이 있거나 처분 당시의 법령등을 적용하기 곤란한 특별한 사정이 있는 경우를 제외하고는 처분 당시의 법령등에 따른다.

④ (O) 구 독점규제 및 공정거래에 관한 법률 제24조의2에 의한 부당내부거래에 대한 과징금은 부당내부거래 억지라는 행정목적을 실현하기 위하여 그 위반행위에 대하여 제재를 가하는 행정상의 제재금으로서의 기본적 성격에 부당이득환수적 요소도 부가되어 있는 것이라 할 것이고, 이를 두고 헌법 제13조 제1항에서 금지하는 국가형벌권 행사로서의 처벌에 해당한다고는 할 수 없으므로, 독점규제 및 공정거래에 관한 법률에서 형사처벌과 아울러 과징금의 병과를 예정하고 있더라도 이중처벌금지원칙에 위반된다고 볼 수 없다(헌재 2003.7.24. 2001헌가25 ; 대판 2004.4.9. 2001두6197).

답 ②

002

자동화된 행정결정에 대한 설명으로 옳지 않은 것은?

① 자동화된 행정결정의 예로는 컴퓨터를 통한 중·고등학생의 학교배정, 신호등에 의한 교통신호 등이 있다.
② 「행정기본법」상 자동적 처분은 항고소송의 대상이 된다.
③ 「행정기본법」상 자동적 처분을 할 수 있는 '완전히 자동화된 시스템'에는 '인공지능 기술을 적용한 시스템'이 포함되지 않는다.
④ 「행정기본법」은 재량행위에 대해서 자동적 처분을 허용하지 않고 있다.

문제 DATA
출제가능 지수 ▶▶▷
난이도 지수 ★★☆

2023년 지방직 9급

① (○) 자동화된 행정결정(행정의 자동결정)란 행정과정에 컴퓨터 등 전자데이터 처리장치를 투입하여 행정업무를 자동화하여 수행하는 것을 말한다. 그 예로는 컴퓨터를 통한 중·고등학생의 학교배정, 신호등에 의한 교통신호, 객관식 시험의 채점과 합격자 결정 등이 있다.
② (○) 「행정기본법」상 자동적 처분은 자동화된 시스템으로 발급된다는 차이만 있을 뿐 통상의 행정행위로서의 성격을 갖는다. 따라서 항고소송의 대상이 된다.
③ (×), ④ (○)

> 「행정기본법」 제20조【자동적 처분】 행정청은 법률로 정하는 바에 따라 완전히 자동화된 시스템(인공지능기술을 적용한 시스템을 포함한다)(③)으로 처분을 할 수 있다. 다만, 처분에 재량이 있는 경우는 그러하지 아니하다(④).

유제 22. 소방직 행정청은 법률로 정하는 바에 따라 처분에 재량이 있는 경우에도 완전히 자동화된 시스템으로 처분을 할 수 있다. (×)
21. 지방직 7급 행정청은 처분에 재량이 있는 경우 법령이나 행정규칙이 정하는 바에 따라 완전히 자동화된 시스템으로 처분할 수 있다. (×)

답 ③

함께 정리하기
자동화된 행정결정

자동화된 행정결정
▷ 컴퓨터를 통한 중·고등학생의 학교배정, 신호등에 의한 교통신호

자동적 처분
▷ 항고소송 대상 ○
▷ 재량행위에는 허용 ×

자동적 처분을 할 수 있는 완전히 자동화된 시스템
▷ 인공지능 기술을 적용한 시스템 포함 ○

003

행정의 자동결정에 대한 설명으로 옳지 않은 것은?

① 전산처리를 통한 객관식 시험의 채점과 합격자 결정은 행정의 자동결정의 예이다.
② 행정의 자동결정도 행정작용의 하나이므로 행정의 법률적합성과 행정법의 일반원칙에 의한 법적 한계를 준수하여야 한다.
③ 교통신호의 고장으로 사고가 발생하여 손해가 발생한 경우 「국가배상법」에 따른 국가배상청구가 가능하다.
④ 행정의 자동결정은 컴퓨터를 통하여 이루어지는 자동적 결정이기 때문에 행정행위의 개념적 요소를 구비하는 경우에도 행정행위로서의 성격을 인정하는 데 어려움이 있다.

문제 DATA
출제가능 지수 ▶▶▷
난이도 지수 ★★☆

2019년 군무원 9급

① (○) 행정의 자동결정이란 행정과정에 컴퓨터 등 전자데이터 처리장치를 투입하여 행정업무를 자동화하여 수행하는 것을 말한다. 전산처리를 통한 객관식 시험의 채점과 합격자 결정도 행정의 자동결정에 해당한다.

유제 16. 사복직 행정의 자동결정의 예로는 신호등에 의한 교통신호, 컴퓨터를 통한 중·고등학생의 학교배정 등을 들 수 있다. (○)

함께 정리하기
행정의 자동결정
▷ 전산처리를 통한 객관식 시험의 채점과 합격자 결정
▷ 행정의 법률적합성, 행정법의 일반원칙 준수필요
▷ 오류로 손해발생시 국가배상 청구 可
▷ 행정행위

② (○) 행정의 자동결정도 행정행위이므로 행정행위의 하자에 관한 이론이 적용된다. 또한 행정의 법률적합성과 행정법의 일반원칙에 의한 법적 한계를 준수하여야 한다.

유제 16. 사복직 행정의 자동결정도 행정작용의 하나이므로 행정의 법률적합성과 행정법의 일반원칙에 의한 법적 한계를 준수하여야 한다. (○)

③ (○) 행정의 자동결정도 행정작용의 하나이므로 행정의 자동결정에 있어서의 오류로 인하여 손해가 발생한 경우 국가배상을 청구할 수 있다.

④ (×) 행정의 자동결정은 행정행위로서의 성격을 갖는다고 보는 것이 일반적이다. 따라서 처분성이 인정되어 항고소송의 대상이 된다.

유제 16. 사복직 행정의 자동결정은 컴퓨터를 통하여 이루어지는 자동적 결정이기 때문에 행정행위의 개념적 요소를 구비하는 경우에도 행정행위로서의 성격을 인정하는 데 어려움이 있다. (×)
07. 국회직 8급 행정청에 의하여 의도된 이상 자동기계에 의하여 사람이 개입하지 않고도 자동적으로 발급되거나 결정되는 행위도 행정행위가 될 수 있다. (○)

답 ④

문제 DATA

출제가능 지수 ▶▶▷
난이도 지수 ★★☆

004 □□□

행정의 자동결정에 대한 설명으로 옳지 않은 것은?

① 행정의 자동결정의 예로는 신호등에 의한 교통신호, 컴퓨터를 통한 중·고등학생의 학교배정 등을 들 수 있다.
② 행정의 자동결정은 컴퓨터를 통하여 이루어지는 자동적 결정이기 때문에 행정행위의 개념적 요소를 구비하는 경우에도 행정행위로서의 성격을 인정하는 데 어려움이 있다.
③ 행정의 자동결정의 기준이 되는 프로그램의 법적 성질은 명령(행정규칙을 포함)이라는 견해가 유력하다.
④ 행정의 자동결정도 행정작용의 하나이므로 행정의 법률적합성과 행정법의 일반원칙에 의한 법적 한계를 준수하여야 한다.

| 2016년 사회복지직

① (○) 행정의 자동결정이란 행정과정에 컴퓨터 등 전자데이터 처리장치를 투입하여 행정업무를 자동화하여 수행하는 것을 말한다. 신호등에 의한 교통신호, 컴퓨터를 통한 중·고등학생의 학교배정은 행정의 자동결정의 예에 해당한다.
② (×) 행정의 자동결정은 행정행위로서의 성격을 갖는다고 보는 것이 일반적이다. 따라서 처분성이 인정되어 항고소송의 대상이 된다.
③ (○) 행정의 자동결정의 기준이 되는 프로그램의 법적 성질은 명령(행정규칙을 포함)이라는 견해가 유력하다.
④ (○) 행정의 자동결정은 행정행위이므로 행정행위의 하자에 관한 이론이 적용된다. 또한 행정의 법률적합성과 행정법의 일반원칙에 의한 법적 한계를 준수하여야 한다.

답 ②

함께 정리하기

행정의 자동결정

행정의 자동결정
▷ 신호등교통신호, 컴퓨터 학교배정
▷ 행정행위

자동결정 프로그램
▷ 명령의 성질

자동결정
▷ 행정의 법률적합성, 행정법의 일반원칙 준수 필요

2026 대비 최신개정판

해커스공무원
함수민
행정법총론

단원별 기출문제집 | 1권

개정 3판 1쇄 발행 2025년 10월 31일

지은이	함수민 편저
펴낸곳	해커스패스
펴낸이	해커스공무원 출판팀
주소	서울특별시 강남구 강남대로 428 해커스공무원
고객센터	1588-4055
교재 관련 문의	gosi@hackerspass.com
	해커스공무원 사이트(gosi.Hackers.com) 교재 Q&A 게시판
	카카오톡 채널 [해커스공무원 노량진캠퍼스]
학원 강의 및 동영상강의	gosi.Hackers.com
ISBN	1권: 979-11-7404-588-1 (14360)
	세트: 979-11-7404-587-4 (14360)
Serial Number	03-01-01

저작권자 ⓒ 2025, 함수민
이 책의 모든 내용, 이미지, 디자인, 편집 형태는 저작권법에 의해 보호받고 있습니다.
서면에 의한 저자와 출판사의 허락 없이 내용의 일부 혹은 전부를 인용, 발췌하거나 복제, 배포할 수 없습니다.

공무원 교육 1위,
해커스공무원 **gosi.Hackers.com**

해커스공무원

· 해커스공무원 학원 및 인강(교재 내 인강 할인쿠폰 수록)
· 해커스 스타강사의 **공무원 행정법 무료 특강**
· 다회독에 최적화된 **회독용 답안지**
· 정확한 성적 분석으로 약점 극복이 가능한 **합격예측 온라인 모의고사**(교재 내 응시권 및 해설강의 수강권 수록)

한경비즈니스 2024 한국품질만족도 교육(온·오프라인 공무원학원) 1위

여러분의 합격을 응원하는 해커스공무원의 특별 혜택

FREE 공무원 행정법 특강

해커스공무원(gosi.Hackers.com) 접속 후 로그인 ▶ 상단의 [무료강좌] 클릭하여 이용

회독용 답안지(PDF)

해커스공무원(gosi.Hackers.com) 접속 후 로그인 ▶ 상단의 [교재·서점 → 무료 학습 자료] 클릭 ▶ 본 교재의 [자료받기] 클릭하여 이용

▲ 바로가기

해커스공무원 온라인 단과강의 20% 할인쿠폰

83382E64DC28FBDN

해커스공무원(gosi.Hackers.com) 접속 후 로그인 ▶ 상단의 [나의 강의실] 클릭 ▶ 좌측의 [쿠폰등록] 클릭 ▶ 위 쿠폰번호 입력 후 이용

* 등록 후 7일간 사용 가능(ID당 1회에 한해 등록 가능)

합격예측 온라인 모의고사 응시권 + 해설강의 수강권

AE8784E66CD6C4DT

해커스공무원(gosi.Hackers.com) 접속 후 로그인 ▶ 상단의 [나의 강의실] 클릭 ▶ 좌측의 [쿠폰등록] 클릭 ▶ 위 쿠폰번호 입력 후 이용

* ID당 1회에 한해 등록 가능

쿠폰 이용 관련 문의 **1588-4055**

단기 합격을 위한 해커스공무원 커리큘럼

입문
탄탄한 기본기와 핵심 개념 완성!
누구나 이해하기 쉬운 개념 설명과 풍부한 예시로 부담없이 쌩기초 다지기
TIP 베이스가 있다면 **기본 단계**부터!

기본+심화
필수 개념 학습으로 이론 완성!
반드시 알아야 할 기본 개념과 문제풀이 전략을 학습하고
심화 개념 학습으로 고득점을 위한 응용력 다지기

기출+예상 문제풀이
문제풀이로 집중 학습하고 실력 업그레이드!
기출문제의 유형과 출제 의도를 이해하고 최신 출제 경향을 반영한
예상문제를 풀어보며 본인의 취약영역을 파악 및 보완하기

동형모의고사
동형모의고사로 실전력 강화!
실제 시험과 같은 형태의 실전모의고사를 풀어보며 실전감각 극대화

마무리
시험 직전 실전 시뮬레이션!
각 과목별 시험에 출제되는 내용들을 최종 점검하며 실전 완성

PASS

* 커리큘럼 및 세부 일정은 상이할 수 있으며, 자세한 사항은 해커스공무원 사이트에서 확인하세요.

단계별 교재 확인 및 수강신청은 여기서!
gosi.Hackers.com

해커스공무원
함수민
행정법총론

단원별 기출문제집 | 2권

함수민

약력

제56회 사법시험 합격
제32회 법원행정고등고시 합격

현 | 해커스공무원 행정법 강의
전 | 노량진 윌비스고시학원 전임교수

저서

해커스공무원 함수민 행정법총론 기본서
해커스공무원 함수민 행정법총론 단원별 기출문제집
해커스공무원 함수민 행정법총론 진도별 모의고사
해커스공무원 함수민 행정법총론 실전동형모의고사
해커스공무원 함수민 행정법총론 단권화 노트

공무원 시험의 해답
행정법총론 시험 합격을 위한 필독서

방대한 기출문제의 학습을 앞두고 막막할 수험생 여러분을 위해 해커스가 쉽고 명료하게 풀어내고 암기할 수 있는 기출문제집을 만들었습니다.

행정법총론 학습에 기본이 되는 기출문제를 효과적으로 학습할 수 있도록 다음과 같은 특징을 가지고 있습니다.
첫째, 각 단원별로 재출제 가능성이 높은 기출문제를 엄선하여 수록하였습니다.
둘째, 상세한 해설과 다회독을 위한 다양한 장치를 수록·제공하였습니다.
셋째, 각 선지의 내용을 빠르게 정리하기 위한 '함께 정리하기'를 문제 옆에 수록하였습니다.

최소한의 시간으로 최대한의 학습 효과를 낼 수 있는 다음의 학습 방법을 추천합니다.
첫째, 단원별 학습을 통해 각 단원에 맞는 기본 이론을 확인하고 쉽게 복습할 수 있습니다.
둘째, 정답이 아닌 선지까지 모두 학습함으로써 다채로운 문제 유형에 대처할 수 있는 능력을 기를 수 있습니다.
셋째, 본문이 주요 내용을 간단하게 요약·정리한 '함께 정리하기'로 핵심만을 빠르게 학습할 수 있습니다.

더불어, 공무원 시험 전문 사이트인 해커스공무원(gosi.Hackers.com)에서 교재 학습 중 궁금한 점을 나누고 다양한 무료 학습 자료를 함께 이용하여 학습 효과를 극대화할 수 있습니다.

부디 <해커스공무원 함수민 행정법총론 단원별 기출문제집>과 함께 공무원 행정법총론 시험의 고득점을 달성하고 합격을 향해 한걸음 더 나아가시기를 바랍니다.

함수민

차례

1권

제1편 행정법 통론

제1장 행정법의 의의 ... 10
- 제1절 행정법의 개념 ... 10
- 제2절 행정법의 법원(法源) ... 54
- 제3절 행정법의 일반원칙 ... 60
- 제4절 행정법의 효력 ... 136

제2장 행정상의 법률관계 ... 146
- 제1절 당사자 ... 146
- 제2절 공권과 공의무 ... 153
- 제3절 행정상 법률관계의 종류 ... 163

제3장 행정상의 법률요건과 법률사실(행정법관계의 변동) ... 167
- 제1절 행정법상 사건 ... 167
- 제2절 공법상의 행위 ... 179

제2편 행정작용법

제1장 행정입법 ... 232
- 제1절 개설 ... 232
- 제2절 법규명령 ... 234
- 제3절 행정규칙 ... 305

제2장 행정행위 ... 329
- 제1절 행정행위의 개념 ... 329
- 제2절 행정행위의 분류 ... 330
- 제3절 기속행위와 재량행위, 불확정 개념과 판단여지 ... 338
- 제4절 행정행위의 내용 ... 361
- 제5절 행정행위의 부관 ... 446
- 제6절 행정행위의 성립요건·적법요건·효력발생요건 ... 495
- 제7절 행정행위의 효력 ... 515
- 제8절 행정행위의 하자(흠) ... 551
- 제9절 행정행위의 취소·철회·실효 ... 620

제3장 그 밖의 행정의 주요 행위형식 ... 662
- 제1절 확약 ... 662
- 제2절 행정계획 ... 668
- 제3절 공법상 계약 ... 708
- 제4절 행정상 사실행위 ... 746
- 제5절 행정지도 ... 752
- 제6절 그 밖의 행정작용 ... 774

2권

제3편 행정절차와 행정정보

제1장 행정절차 ... 784
- 제1절 행정절차법 내용 ... 784
- 제2절 처분절차 ... 802
- 제3절 처분 이외의 절차 ... 880
- 제4절 행정절차의 하자 ... 884
- 제5절 민원 처리에 관한 법률 ... 895

제2장 행정정보공개와 개인정보 보호제도 ... 896
- 제1절 행정정보공개 ... 896
- 제2절 개인정보 보호법 ... 977

제4편 행정의 실효성 확보수단

제1장 행정강제 ... 1014
- 제1절 행정상 강제집행 ... 1014
- 제2절 행정상 즉시강제 ... 1124

제2장 행정조사 ... 1139

제3장 행정벌 ... 1177
- 제1절 행정형벌의 특수성 ... 1177
- 제2절 행정질서벌(과태료)의 특수성 ... 1194

제4장 새로운 실효성 확보수단 ... 1232

3권

제5편 행정상 손해배상

제1장 국가배상 ... 1270
- 제1절 공무원의 직무상 불법행위로 인한 손해배상(제2조) ... 1270
- 제2절 영조물의 설치·관리의 하자로 인한 손해배상 ... 1339
- 제3절 배상책임자 ... 1360
- 제4절 이중배상금지(청구권자의 제한) ... 1363
- 제5절 손해배상의 범위 ... 1374
- 제6절 국가배상의 청구절차 ... 1375

제2장 행정상 손실보상 ... 1379
- 제1절 손실보상청구권의 요건 ... 1379
- 제2절 손실보상의 내용 ... 1386
- 제3절 그 밖의 손실보상제도 ... 1445

제6편 행정쟁송

제1장 행정심판 일반론 ... 1452

제2장 행정심판청구의 요건 ... 1468
- 제1절 행정심판의 당사자 및 관계인 ... 1468
- 제2절 행정심판의 대상 ... 1471
- 제3절 행정심판기관 ... 1472
- 제4절 행정심판청구의 절차 ... 1477
- 제5절 가구제(잠정적 권리보호) ... 1479

제3장 행정심판의 심리·재결 ... 1482
- 제1절 행정심판의 심리 ... 1482
- 제2절 행정심판의 재결 ... 1486

제4장 행정소송 일반론 ... 1522

제5장 항고소송 1(취소소송) ... 1528
- 제1절 취소소송의 의의 ... 1528
- 제2절 소송요건 ... 1528
- 제3절 소의 변경 ... 1682
- 제4절 가구제 ... 1686
- 제5절 취소소송의 심리 ... 1702
- 제6절 취소소송의 판결 ... 1721
- 제7절 취소소송의 불복절차[상소, 항고(재항고, 재심)] ... 1757

제6장 항고소송 2(무효등 확인소송) ... 1759

제7장 항고소송 3(부작위위법확인소송) ... 1773

제8장 당사자소송 ... 1788

제9장 객관소송 ... 1817

제10장 기타의 권리구제 ... 1827
- 제1절 헌법소송 ... 1827
- 제2절 부패방지 및 국민권익위원회의 설치와 운영에 관한 법률 ... 1829

제3편

행정절차와 행정정보

해커스공무원
함수민 행정법총론
단원별 기출문제집

제1장　행정절차
제2장　행정정보공개와 개인정보 보호제도

제1장 행정절차

제1절 | 행정절차법 내용

문제 DATA
출제가능 지수 ▶▶Σ
난이도 지수 ★★☆

001 □□□

「행정절차법」에 대한 설명으로 옳은 것은? (다툼이 있는 경우 판례에 의함)

① 해양안전심판에 관한 사항에 대해서 「행정절차법」을 적용할 수 있다.
② 법인 아닌 사단은 행정절차에서 당사자등이 될 수 없다.
③ 신속한 국민의 권리 보호 또는 예측 곤란한 특별한 사정의 발생 등으로 입법이 긴급을 요하는 경우에는 신속히 행정상 입법예고를 하여야 한다.
④ 정보통신망을 이용한 송달은 송달받을 자가 동의하는 경우에만 한다.

| 2025년 경찰간부

함께 정리하기

「행정절차법」

해양안전심판
▷ 「행정절차법」 적용 ✕

비법인사단
▷ 행정절차에서 당사자등 ○

입법이 긴급을 요하는 경우
▷ 행정상 입법예고 생략 사유

정보통신망 이용 송달
▷ 송달받을 자가 동의하는 경우에만 可

① (✕)

「행정절차법」 제3조【적용 범위】② 이 법은 다음 각 호의 어느 하나에 해당하는 사항에 대하여는 적용하지 아니한다.
1. 국회 또는 지방의회의 의결을 거치거나 동의 또는 승인을 받아 행하는 사항
2. 법원 또는 군사법원의 재판에 의하거나 그 집행으로 행하는 사항
3. 헌법재판소의 심판을 거쳐 행하는 사항
4. 각급 선거관리위원회의 의결을 거쳐 행하는 사항
5. 감사원이 감사위원회의의 결정을 거쳐 행하는 사항
6. 형사(刑事), 행형(行刑) 및 보안처분 관계 법령에 따라 행하는 사항
7. 국가안전보장·국방·외교 또는 통일에 관한 사항 중 행정절차를 거칠 경우 국가의 중대한 이익을 현저히 해칠 우려가 있는 사항
8. 심사청구, 해양안전심판, 조세심판, 특허심판, 행정심판, 그 밖의 불복절차에 따른 사항
9. 「병역법」에 따른 징집·소집, 외국인의 출입국·난민인정·귀화, 공무원 인사 관계 법령에 따른 징계와 그 밖의 처분, 이해 조정을 목적으로 하는 법령에 따른 알선·조정·중재(仲裁)·재정(裁定) 또는 그 밖의 처분 등 해당 행정작용의 성질상 행정절차를 거치기 곤란하거나 거칠 필요가 없다고 인정되는 사항과 행정절차에 준하는 절차를 거친 사항으로서 대통령령으로 정하는 사항

② (✕)

「행정절차법」 제9조【당사자등의 자격】 다음 각 호의 어느 하나에 해당하는 자는 행정절차에서 당사자등이 될 수 있다.
1. 자연인
2. 법인, 법인이 아닌 사단 또는 재단
3. 그 밖에 다른 법령등에 따라 권리·의무의 주체가 될 수 있는 자

③ (✕) 행정상 입법예고의 생략사유에 해당한다.

「행정절차법」 제41조【행정상 입법예고】 ① 법령등을 제정·개정 또는 폐지(이하 "입법"이라 한다)하려는 경우에는 해당 입법안을 마련한 행정청은 이를 예고하여야 한다. 다만, 다음 각 호의 어느 하나에 해당하는 경우에는 예고를 하지 아니할 수 있다.
1. 신속한 국민의 권리 보호 또는 예측 곤란한 특별한 사정의 발생 등으로 입법이 긴급을 요하는 경우
2. 상위 법령등의 단순한 집행을 위한 경우
3. 입법내용이 국민의 권리·의무 또는 일상생활과 관련이 없는 경우
4. 단순한 표현·자구를 변경하는 경우 등 입법내용의 성질상 예고의 필요가 없거나 곤란하다고 판단되는 경우
5. 예고함이 공공의 안전 또는 복리를 현저히 해칠 우려가 있는 경우

④ (○)

> 「행정절차법」 제14조【송달】 ③ 정보통신망을 이용한 송달은 송달받을 자가 동의하는 경우에만 한다. 이 경우 송달받을 자는 송달받을 전자우편주소 등을 지정하여야 한다.

답 ④

002 □□□

다음 중 「행정절차법」이 적용되는 사항에 해당하는 것만을 모두 고르면?

> ㄱ. 「병역법」에 따른 산업기능요원 편입취소처분
> ㄴ. 「국가공무원법」에 따른 직위해제처분
> ㄷ. 「군인사법」에 따른 진급예정자 명단에 포함된 자의 진급선발을 취소하는 처분
> ㄹ. 구 「공무원징계령」에 따른 대통령기록관장에 대한 직권면직처분
> ㅁ. 육군3사관학교 생도에 대한 퇴학처분

① ㄱ, ㄴ
② ㄱ, ㄷ, ㄹ
③ ㄷ, ㄹ, ㅁ
④ ㄱ, ㄷ, ㄹ, ㅁ
⑤ ㄱ, ㄴ, ㄷ, ㄹ, ㅁ

| 2025년 국회직 8급

ㄱ. (○) 지방병무청장이 병역법 제41조 제1항 제1호, 제40조 제2호의 규정에 따라 산업기능요원에 대하여 한 산업기능요원 편입취소처분은, 행정처분을 할 경우 '처분의 사전통지'와 '의견제출 기회의 부여'를 규정한 행정절차법 제21조 제1항, 제22조 제3항에서 말하는 '당사자의 권익을 제한하는 처분'에 해당하는 한편, 행정절차법의 적용이 배제되는 사항인 행정절차법 제3조 제2항 제9호, 같은 법 시행령 제2조 제1호에서 규정하는 '병역법에 의한 소집에 관한 사항'에는 해당하지 아니하므로, 행정절차법상의 '처분의 사전통지'와 '의견제출 기회의 부여' 등의 절차를 거쳐야 한다(대판 2002.9.6. 2002두554).

ㄴ. (×) 국가공무원법상 직위해제처분은 구 행정절차법(2012.10.22. 법률 제11498호로 개정되기 전의 것) 제3조 제2항 제9호, 구 행정절차법 시행령(2011.12.21. 대통령령 제23383호로 개정되기 전의 것) 제2조 제3호에 의하여 당해 행정작용이 성질상 행정절차를 거치기 곤란하거나 불필요하다고 인정되는 사항 또는 행정절차에 준하는 절차를 거친 사항에 해당하므로, 처분의 사전통지 및 의견청취 등에 관한 행정절차법의 규정이 별도로 적용되지 않는다(대판 2014.5.16. 2012두26180).

ㄷ. (○) 행정과정에 대한 국민의 참여와 행정의 공정성, 투명성 및 신뢰성을 확보하고 국민의 권익을 보호함을 목적으로 하는 행정절차법의 입법목적과 행정절차법 제3조 제2항 제9호의 규정 내용 등에 비추어 보면, 공무원 인사관계 법령에 의한 처분에 관한 사항 전부에 대하여 행정절차법의 적용이 배제되는 것이 아니라 성질상 행정절차를 거치기 곤란하거나 불필요하다고 인정되는 처분이나 행정절차에 준하는 절차를 거치도록 하고 있는 처분의 경우에만 행정절차법의 적용이 배제되는 것으로 보아야 할 것이다. 군인사법 및 그 시행령의 관계 규정에 따르면, 원고와 같이 진급예정자 명단에 포함된 자는 진급예정자 명단에서 삭제되거나 진급선발이 취소되지 않는 한 진급예정자 명단 순위에 따라 진급하게 되므로, 이 사건 처분과 같이 진급선발을 취소하는 처분은 진급예정자로서 가지는 원고의 이익을 침해하는 처분이라 할 것이고, 한편 군인사법 및 그 시행령에 이 사건 처분과 같이 진급예정자 명단에 포함된 자의 진급선발을 취소하는 처분을 함에 있어 행정절차에 준하는 절차를 거치도록 하는 규정이 없을 뿐만 아니라 위 처분이 성질상 행정절차를 거치기 곤란하거나 불필요하다고 인정되는 처분이라고 보기도 어렵다고 할 것이어서 이 사건 처분이 행정절차법의 적용이 제외되는 경우에 해당한다고 할 수 없으며, 나아가 원고가 수사과정 및 징계과정에서 자신의 비위행위에 대한 해명기회를 가졌다는 사정만으로 이 사건 처분이 행정절차법 제21조 제4항 제3호, 제22조 제4항에 따라 원고에게 사전통지를 하지 않거나 의견제출의 기회를 주지 아니하여도 되는 예외적인 경우에 해당한다고 할 수 없으므로, 피고가 이 사건 처분을 함에 있어 원고에게 의견제출의 기회를 부여하지 아니한 이상, 이 사건 처분은 절차상 하자가 있어 위법하다고 할 것이다(대판 2007.9.21. 2006두20631).

문제 DATA

출제가능 지수 ▶▶▷
난이도 지수 ★★☆

함께 정리하기

「행정절차법」 적용사항

「병역법」상 산업기능요원 편입취소처분
▷ 적용○

「국가공무원법」상 직위해제처분
▷ 적용×

「군인사법」상 진급선발취소
▷ 적용○

대통령기록관장에 대한 직권면직처분
▷ 적용○

육군3사관학교 사관생도 퇴학처분
▷ 적용○

ㄹ. (○) 공무원 인사관계 법령에 의한 처분에 관한 사항이라 하더라도 그 전부에 대하여 행정절차법의 적용이 배제되는 것이 아니라, 성질상 행정절차를 거치기 곤란하거나 불필요하다고 인정되는 처분이나 행정절차에 준하는 절차를 거치도록 하고 있는 처분의 경우에만 행정절차법의 적용이 배제되는 것으로 보아야 하고, 이러한 법리는 '공무원 인사관계 법령에 의한 처분'에 해당하는 별정직 공무원에 대한 직권면직 처분의 경우에도 마찬가지로 적용된다고 할 것이다. 이 사건 처분은 <u>대통령기록물 관리에 관한 법률에서 5년 임기의 별정직 공무원으로 규정한 대통령기록관장으로 임용된 원고를 직권면직한 처분으로서</u>, 원고에 대하여 의무를 과하거나 원고의 권익을 제한하는 처분이고, … 이 사건 처분이 구 행정절차법 제21조 제4항 제3호, 제22조 제4항에 따라 원고에게 사전통지를 하지 않거나 의견제출의 기회를 주지 아니하여도 되는 예외적인 경우에 해당한다고 할 수 없으므로 원고에게 사전통지를 하지 않고 의견제출의 기회를 주지 아니한 이 사건 처분은 구 행정절차법 제21조 제1항, 제22조 제3항을 위반한 절차상 하자가 있어 위법하다(대판 2013.1.16. 2011두30687).

ㅁ. (○) 행정절차법 제3조 제2항, 행정절차법 시행령 제2조 등 행정절차법령 관련 규정들의 내용을 행정의 공정성, 투명성 및 신뢰성을 확보하고 국민의 권익보호를 목적으로 하는 행정절차법의 입법 목적에 비추어 보면, 행정절차법의 적용이 제외되는 공무원 인사관계 법령에 의한 처분에 관한 사항이란 성질상 행정절차를 거치기 곤란하거나 불필요하다고 인정되는 처분이나 행정절차에 준하는 절차를 거치도록 하고 있는 처분에 관한 사항만을 말하는 것으로 보아야 한다. 이러한 법리는 '공무원 인사관계 법령에 의한 처분'에 해당하는 육군3사관학교 생도에 대한 퇴학처분에도 마찬가지로 적용된다. 그리고 행정절차법 시행령 제2조 제8호는 '학교·연수원 등에서 교육·훈련의 목적을 달성하기 위하여 학생·연수생들을 대상으로 하는 사항'을 행정절차법의 적용이 제외되는 경우로 규정하고 있으나, 이는 교육과정과 내용의 구체적 결정, 과제의 부과, 성적의 평가, 공식적 징계에 이르지 아니한 질책·훈계 등과 같이 교육·훈련의 목적을 직접 달성하기 위하여 행하는 사항을 말하는 것으로 보아야 하고, 생도에 대한 퇴학처분과 같이 신분을 박탈하는 징계처분은 여기에 해당한다고 볼 수 없다(대판 2018.3.13. 2016두33339).

답 ④

003

「행정절차법」이 적용되는 사항은? (다툼이 있는 경우 판례에 의함)

① 각급 선거관리위원회의 의결을 거쳐 행하는 사항
② 행정기관이 그 소관 사무의 범위에서 일정한 행정목적을 실현하기 위하여 특정인에게 일정한 행위를 하도록 조언 등을 하는 사항
③ 감사원이 감사위원회의의 결정을 거쳐 행하는 사항
④ 심사청구, 해양안전심판, 조세심판, 특허심판, 행정심판, 그 밖의 불복절차에 따른 사항

| 2024년 군무원 7급

② (○)

> 「행정절차법」 제3조 【적용 범위】 ① 처분, 신고, 확약, 위반사실 등의 공표, 행정계획, 행정상 입법예고, 행정예고 및 <u>행정지도의</u> 절차(이하 "행정절차"라 한다)에 관하여 다른 법률에 특별한 규정이 있는 경우를 제외하고는 <u>이 법에서 정하는 바에 따른다</u>(②).
> ② 이 법은 다음 각 호의 어느 하나에 해당하는 사항에 대하여는 적용하지 아니한다.
> 1. 국회 또는 지방의회의 의결을 거치거나 동의 또는 승인을 받아 행하는 사항
> 2. 법원 또는 군사법원의 재판에 의하거나 그 집행으로 행하는 사항
> 3. 헌법재판소의 심판을 거쳐 행하는 사항
> 4. <u>각급 선거관리위원회의 의결을 거쳐 행하는 사항(①)</u>
> 5. <u>감사원이 감사위원회의의 결정을 거쳐 행하는 사항(③)</u>
> 6. 형사(刑事), 행형(行刑) 및 보안처분 관계 법령에 따라 행하는 사항
> 7. 국가안전보장·국방·외교 또는 통일에 관한 사항 중 행정절차를 거칠 경우 국가의 중대한 이익을 현저히 해칠 우려가 있는 사항

문제 DATA
출제가능 지수 ▶▶▷
난이도 지수 ★★☆

함께 정리하기
「행정절차법」 적용사항
▷ 각급 선관위 의결거치는 사항✕
▷ 행정지도○
▷ 감사원이 감사위 결정 거치는 사항✕
▷ 각종 행정심판등 불복절차에 따른 사항✕

8. 심사청구, 해양안전심판, 조세심판, 특허심판, 행정심판, 그 밖의 불복절차에 따른 사항(④)
9. 「병역법」에 따른 징집·소집, 외국인의 출입국·난민인정·귀화, 공무원 인사 관계 법령에 따른 징계와 그 밖의 처분, 이해 조정을 목적으로 하는 법령에 따른 알선·조정·중재(仲裁)·재정(裁定) 또는 그 밖의 처분 등 해당 행정작용의 성질상 행정절차를 거치기 곤란하거나 거칠 필요가 없다고 인정되는 사항과 행정절차에 준하는 절차를 거친 사항으로서 대통령령으로 정하는 사항

제2조【정의】 이 법에서 사용하는 용어의 뜻은 다음과 같다.
3. "행정지도"란 행정기관이 그 소관 사무의 범위에서 일정한 행정목적을 실현하기 위하여 특정인에게 일정한 행위를 하거나 하지 아니하도록 지도, 권고, 조언 등을 하는 행정작용을 말한다.

답 ②

004 □□□

「행정절차법」에 규정된 내용에 대한 설명으로 옳지 않은 것은?

① 확약은 문서로 하여야 한다.
② 행정청은 위반사실 등의 공표를 할 때에는 특별한 사정이 없는 한 미리 당사자에게 그 사실을 통지하고 의견제출의 기회를 주어야 한다.
③ 행정청은 행정청이 수립하는 계획 중 국민의 권리·의무에 직접 영향을 미치는 계획을 수립하거나 변경·폐지할 때에는 관련된 여러 이익을 정당하게 형량하여야 한다.
④ 행정청은 공법상 계약의 상대방을 선정하고 계약내용을 정할 때 공법상 계약의 공공성과 제3자의 이해관계를 고려하여야 한다.
⑤ 행정기관은 행정지도의 상대방이 행정지도에 따르지 아니하였다는 것을 이유로 불이익한 조치를 하여서는 아니 된다.

2023년 국회직 8급

① (○)

> 「행정절차법」 제40조의2【확약】 ① 법령 등에서 당사자가 신청할 수 있는 처분을 규정하고 있는 경우 행정청은 당사자의 신청에 따라 장래에 어떤 처분을 하거나 하지 아니할 것을 내용으로 하는 의사표시(이하 "확약"이라 한다)를 할 수 있다.
> ② 확약은 문서로 하여야 한다.

② (○)

> 「행정절차법」 제40조의3【위반사실 등의 공표】 ③ 행정청은 위반사실 등의 공표를 할 때에는 미리 당사자에게 그 사실을 통지하고 의견제출의 기회를 주어야 한다. 다만, 다음 각 호의 어느 하나에 해당하는 경우에는 그러하지 아니하다.
> 1. 공공의 안전 또는 복리를 위하여 긴급히 공표를 할 필요가 있는 경우
> 2. 해당 공표의 성질상 의견청취가 현저히 곤란하거나 명백히 불필요하다고 인정될 만한 타당한 이유가 있는 경우
> 3. 당사자가 의견진술의 기회를 포기한다는 뜻을 명백히 밝힌 경우

③ (○)

> 「행정절차법」 제40조의4【행정계획】 행정청은 행정청이 수립하는 계획 중 국민의 권리·의무에 직접 영향을 미치는 계획을 수립하거나 변경·폐지할 때에는 관련된 여러 이익을 정당하게 형량하여야 한다.

④ (×) 「행정기본법」에 규정되어 있다.

> 「행정기본법」 제27조【공법상 계약의 체결】 ② 행정청은 공법상 계약의 상대방을 선정하고 계약내용을 정할 때 공법상 계약의 공공성과 제3자의 이해관계를 고려하여야 한다.

문제 DATA

출제가능 지수 ▶▶▷
난이도 지수 ★★☆

함께 정리하기

「행정절차법」 내용이 아닌 것

확약, 위반사실 등의 공표, 행정계획, 행정지도의 원칙
▷ 「행정절차법」에 규정○

확약
▷ 문서주의

위반사실의 공표
▷ 사전통지, 의견제출기회 要

행정계획
▷ 형량명령 要

공법상 계약의 체결
▷ 「행정절차법」에 규정×(「행정기본법」에 규정)

행정지도 불응
▷ 불이익조치 불가

⑤ (○)

> 「행정절차법」 제48조 【행정지도의 원칙】 ② 행정기관은 행정지도의 상대방이 행정지도에 따르지 아니하였다는 것을 이유로 불이익한 조치를 하여서는 아니 된다.

답 ④

005 □□□

「행정절차법」상 행정절차에 대한 설명으로 옳지 않은 것은? (다툼이 있는 경우 판례에 의함)

① 행정청이 처분기준 사전공표 의무를 위반하여 미리 공표하지 아니한 기준을 적용하여 처분을 하였다고 하더라도, 그러한 사정만으로 곧바로 해당 처분에 취소사유에 이를 정도의 흠이 존재한다고 볼 수는 없다.
② 처분의 처리기간에 관한 규정은 강행규정이므로 행정청이 처리기간이 지나 처분을 하였다면 이는 처분을 취소할 절차상 하자로 볼 수 있다.
③ 행정청은 위반사실 등의 공표를 할 때에는 특별한 사정이 없는 한 미리 당사자에게 그 사실을 통지하고 의견제출의 기회를 주어야 하며, 의견제출의 기회를 받은 당사자는 공표 전에 관할 행정청에 서면이나 말 또는 정보통신망을 이용하여 의견을 제출할 수 있다.
④ 다수의 당사자 등이 공동으로 행정절차에 관한 행위를 할 때에는 대표자를 선정할 수 있고, 다수의 대표자가 있는 경우 그중 1인에 대한 행정청의 행위는 모든 당사자등에게 효력이 있지만, 행정청의 통지는 대표자 모두에게 하여야 그 효력이 있다.

| 2023년 국가직 7급

① (○) 행정청이 행정절차법 제20조 제1항에 따라 정하여 공표한 처분기준은, 그것이 해당 처분의 근거 법령에서 구체적 위임을 받아 제정·공포되었다는 특별한 사정이 없는 한, 원칙적으로 대외적 구속력이 없는 행정규칙에 해당하는 것으로 보아야 한다. 행정청이 행정절차법 제20조 제1항의 처분기준 사전공표의무를 위반하여 미리 공표하지 아니한 기준을 적용하여 처분하였다고 하더라도, 그러한 사정만으로 곧바로 해당 처분에 취소사유에 이를 정도의 흠이 존재한다고 볼 수는 없다. 다만 해당 처분에 적용한 기준이 상위법령의 규정이나 신뢰보호의 원칙 등과 같은 법의 일반원칙을 위반하였거나 객관적으로 합리성이 없다고 볼 수 있는 구체적인 사정이 있다면 해당 처분은 위법하다고 평가할 수 있다(대판 2020.12.24. 2018두45633).
② (×) 처분이나 민원의 처리기간에 관한 규정은 훈시규정에 불과할 뿐 강행규정이라고 볼 수 없다. 행정청이 처리기간이 지나 처분을 하였더라도 이를 처분을 취소할 절차상 하자로 볼 수 없다(대판 2019.12.13. 2018두41907).
③ (○)

> 「행정절차법」 제40조의3 【위반사실 등의 공표】 ① 행정청은 법령에 따른 의무를 위반한 자의 성명·법인명, 위반사실, 의무위반을 이유로 한 처분사실 등(이하 '위반사실 등'이라 한다)을 법률로 정하는 바에 따라 일반에게 공표할 수 있다.
> ③ 행정청은 위반사실 등의 공표를 할 때에는 미리 당사자에게 그 사실을 통지하고 의견제출의 기회를 주어야 한다. 다만, 다음 각 호의 어느 하나에 해당하는 경우에는 그러하지 아니하다.
> 1. 공공의 안전 또는 복리를 위하여 긴급히 공표를 할 필요가 있는 경우
> 2. 해당 공표의 성질상 의견청취가 현저히 곤란하거나 명백히 불필요하다고 인정될 만한 타당한 이유가 있는 경우
> 3. 당사자가 의견진술의 기회를 포기한다는 뜻을 명백히 밝힌 경우
> ④ 제3항에 따라 의견제출의 기회를 받은 당사자는 공표 전에 관할 행정청에 서면이나 말 또는 정보통신망을 이용하여 의견을 제출할 수 있다.

④ (○)

> 「행정절차법」 제11조 【대표자】 ① 다수의 당사자 등이 공동으로 행정절차에 관한 행위를 할 때에는 대표자를 선정할 수 있다.
> ⑥ 다수의 대표자가 있는 경우 그중 1인에 대한 행정청의 행위는 모든 당사자 등에게 효력이 있다. 다만, 행정청의 통지는 대표자 모두에게 하여야 그 효력이 있다.

답 ②

006 □□□

행정절차에 대한 설명으로 옳지 않은 것은? (다툼이 있는 경우 판례에 의함)

① 「국가공무원법」상 직위해제처분은 당해 행정작용의 성질상 행정절차를 거치기 곤란하거나 불필요하다고 인정되는 사항 또는 행정절차에 준하는 절차를 거친 사항에 해당하지 않으므로, 처분의 사전통지 및 의견청취 등에 관한 「행정절차법」의 규정이 적용되어야 한다.

② 군인사법령에 의하여 진급예정자명단에 포함된 자에 대하여 의견제출의 기회를 부여하지 아니한 채 진급선발을 취소하는 처분을 한 것은 절차상 하자가 있어 위법하다고 할 것이다.

③ 행정청이 침해적 행정처분을 하면서 당사자에게 「행정절차법」상의 사전통지를 하거나 의견제출의 기회를 주지 않았다면, 사전 통지를 하지 않거나 의견제출의 기회를 주지 않아도 되는 예외적인 경우에 해당하지 않는 한, 그 처분은 위법하여 취소를 면할 수 없다.

④ 행정기관이 소속 공무원이나 하급 행정기관에 대하여 세부적인 업무처리절차나 법령의 해석·적용 기준을 정해 주는 '행정규칙'은 상위법령의 구체적 위임이 있지 않는 한 조직 내부에서만 효력을 가질 뿐 대외적으로 국민이나 법원을 구속하는 효력이 없다.

2023년 군무원 9급

① (×) 국가공무원법상 직위해제처분은 구 행정절차법 제3조 제2항 제9호, 구 행정절차법 시행령 제2조 제3호에 의하여 당해 행정작용의 성질상 행정절차를 거치기 곤란하거나 불필요하다고 인정되는 사항 또는 행정절차에 준하는 절차를 거친 사항에 해당하므로, 처분의 사전통지 및 의견청취 등에 관한 행정절차법의 규정이 별도로 적용되지 않는다(대판 2014.5.16. 2012두26180).

유제 23. 소방간부 「국가공무원법」상 직위해제처분은 당해 행정작용의 성질상 행정절차를 거치기 곤란하거나 불필요하다고 인정되는 사항 또는 행정절차에 준하는 절차를 거친 사항에 해당하므로 처분의 사전통지 및 의견청취 등에 관한 「행정절차법」의 규정이 별도로 적용되지 않는다. (○)
22. 국가직 7급·지방직 9급 「국가공무원법」상 직위해제처분을 할 경우 처분의 사전통지 및 의견청취 등에 관한 「행정절차법」의 규정이 적용된다. (×)
21. 지방직 7급 「국가공무원법」상 직위해제처분은 처분의 사전통지 및 의견청취 등에 관한 「행정절차법」의 규정이 적용되지 않는다. (○)
21. 지방직 9급 「국가공무원법」상 직위해제처분은 공무원의 인사상 불이익을 주는 처분이므로 「행정절차법」상 사전통지 및 의견청취절차를 거쳐야 한다. (×)

② (○) 군인사법령에 의하여 진급예정자명단에 포함된 자에 대하여 의견제출의 기회를 부여하지 아니한 채 진급선발을 취소하는 처분을 한 것이 절차상 하자가 있어 위법하다(대판 2007.9.21. 2006두20631).

유제 22. 국회직 9급, 19. 국회직 8급, 18. 국회직 8급 군인사법령에 의하여 진급예정자명단에 포함된 자에 대하여 의견제출의 기회를 부여하지 아니한 채 진급선발을 취소하는 처분을 한 것은 절차상 하자가 있어 위법하다. (○)
18. 국가직 7급 처분의 사전통지 및 의견청취 등에 관한 「행정절차법」 규정은 「국가공무원법」상 직위해제처분에 대해서는 적용되지만, 「군인사법」상 진급선발취소처분에 대해서는 적용되지 않는다. (×)

문제 DATA

출제가능 지수 ▶▶▶
난이도 지수 ★★☆

함께 정리하기

행정절차

직위해제처분
▷ 「행정절차법」 적용×

사전통지 or 의견제출 기회 없이 진급예정자명단 포함 자의 진급선발 취소
▷ 위법

사전통지 or 의견제출 절차를 거치지 않은 침해적 처분
▷ 취소사유

행정규칙
▷ 대외적 구속력 無

12. 국가직 7급 업자로부터의 금품수수를 이유로 한 징계에 기한 진급예정자의 진급선발취소처분은 「행정절차법」상 사전통지 및 의견제출기회 제공의 대상이 된다. (O)
10. 지방직 7급 판례에 의하면 군인사법령에 의하여 진급예정자명단에 포함된 자에 대하여 사전통지를 하지 아니하거나 의견제출의 기회를 부여하지 아니한 채 진급선발을 취소하였다고 하여 그것만으로 위법하다고 할 수는 없다. (×)

③ (O) 행정청이 침해적 행정처분을 하면서 당사자에게 행정절차법상의 사전통지를 하거나 의견제출의 기회를 주지 않았다면, 사전통지를 하지 않거나 의견제출의 기회를 주지 않아도 되는 예외적인 경우에 해당하지 않는 한, 그 처분은 위법하여 취소를 면할 수 없다(대판 2020.7.23. 2017두66602).

④ (O) 상급 행정기관이 소속 공무원이나 하급 행정기관에 대하여 세부적인 업무처리절차나 법령의 해석·적용 기준을 정해 주는 '행정규칙'은 상위법령의 구체적 위임이 있지 않는 한 행정조직 내부에서만 효력을 가질 뿐 대외적으로 국민이나 법원을 구속하는 효력이 없다(대판 2019.10.31. 2013두20011).

답 ①

007

「행정절차법」상 행정청의 관할 및 협조에 대한 설명으로 가장 옳지 않은 것은?

① 행정응원에 드는 비용은 응원을 요청한 행정청이 부담하며, 그 부담금액 및 부담방법은 응원을 하는 행정청이 결정한다.
② 행정청은 다른 행정청의 응원을 받아 처리하는 것이 보다 능률적이고 경제적인 경우 다른 행정청에 행정응원을 요청할 수 있다.
③ 행정응원을 요청받은 행정청은 다른 행정청이 보다 능률적이거나 경제적으로 응원할 수 있는 명백한 이유가 있는 경우 응원을 거부할 수 있다.
④ 행정청의 관할이 분명하지 아니한 경우에는 해당 행정청을 공통으로 감독하는 상급 행정청이 그 관할을 결정하며, 공통으로 감독하는 상급 행정청이 없는 경우에는 각 상급 행정청이 협의하여 그 관할을 결정한다.

2022년 서울시 7급

① (×)

「행정절차법」제8조【행정응원】⑥ 행정응원에 드는 비용은 응원을 요청한 행정청이 부담하며, 그 부담금액 및 부담방법은 응원을 요청한 행정청과 응원을 하는 행정청이 협의하여 결정한다.

② (O)

「행정절차법」제8조【행정응원】① 행정청은 다음 각 호의 어느 하나에 해당하는 경우에는 다른 행정청에 행정응원(行政應援)을 요청할 수 있다.
5. 다른 행정청의 응원을 받아 처리하는 것이 보다 능률적이고 경제적인 경우

③ (O)

「행정절차법」제8조【행정응원】② 제1항에 따라 행정응원을 요청받은 행정청은 다음 각 호의 어느 하나에 해당하는 경우에는 응원을 거부할 수 있다.
1. 다른 행정청이 보다 능률적이거나 경제적으로 응원할 수 있는 명백한 이유가 있는 경우
2. 행정응원으로 인하여 고유의 직무 수행이 현저히 지장받을 것으로 인정되는 명백한 이유가 있는 경우

④ (O)

「행정절차법」제6조【관할】② 행정청의 관할이 분명하지 아니한 경우에는 해당 행정청을 공통으로 감독하는 상급 행정청이 그 관할을 결정하며, 공통으로 감독하는 상급 행정청이 없는 경우에는 각 상급 행정청이 협의하여 그 관할을 결정한다.

답 ①

008

「행정절차법」에 대한 설명으로 옳지 않은 것은? (다툼이 있는 경우 판례에 의함)

① 행정절차법령에서 '학교·연수원 등에서 교육·훈련의 목적을 달성하기 위하여 학생·연수생들을 대상으로 하는 사항'을 「행정절차법」의 적용이 제외되는 경우로 규정하나, 육군3사관학교 생도에 대한 퇴학처분과 같이 신분을 박탈하는 징계처분은 여기에 해당한다고 볼 수 없다.
② 육군3사관학교의 사관생도에 대한 징계절차에서 징계심의대상자가 대리인으로 선임한 변호사가 징계위원회 심의에 출석하여 진술하려고 하였음에도 징계권자가 변호사가 심의에 출석하는 것을 막았다면 그 징계의결에 따른 징계처분은 위법하다.
③ 지방병무청장이 「병역법」의 규정에 따라 산업기능요원에 대하여 한 산업기능요원 편입취소처분은 「행정절차법」의 적용이 배제되는 사항인 「병역법」에 의한 소집에 관한 사항'에 해당하지 않는다.
④ 군인사법령에 의하여 진급예정자명단에 포함된 자에 대하여 의견제출의 기회를 부여하지 아니한 채 진급선발을 취소하는 처분을 한 것은 절차상 하자가 있어 위법하다.
⑤ 「국가공무원법」상 직위해제처분은 행정절차법령에 의하여 당해 행정작용의 성질상 행정절차를 거치기 곤란하거나 불필요하다고 인정되는 사항 또는 행정절차에 준하는 절차를 거친 사항에 해당하지 않는다.

문제 DATA

출제가능 지수 ▶▶▷
난이도 지수 ★★☆

함께 정리하기

「행정절차법」

육군3사관학교 사관생도 퇴학처분
▷ 「행정절차법」 적용

대리인으로 선임한 변호사가 징계위원회 심의에 출석하는 것을 막은 경우
▷ 징계처분 위법, 취소사유

산업기능요원 편입취소처분
▷ 「행정절차법」 적용

군인사법령에 의하여 진급예정자명단에 포함될 자에 대한 진급선발취소처분
▷ 의견청취절차 생략 不可

직위해제처분
▷ 성질상 불필요 or 행정절차에 준하는 절차 거친 경우 해당 → 「행정절차법」 적용×

2022년 국회직 9급

① (O) 행정절차법의 적용이 제외되는 공무원 인사관계 법령에 의한 처분에 관한 사항이란 성질상 행정절차를 거치기 곤란하거나 불필요하다고 인정되는 처분이나 행정절차에 준하는 절차를 거치도록 하고 있는 처분에 관한 사항만을 말하는 것으로 보아야 한다. 이러한 법리는 '공무원 인사 관계 법령에 의한 처분'에 해당하는 육군3사관학교 생도에 대한 퇴학처분에도 마찬가지로 적용된다. 그리고 행정절차법 시행령 제2조 제8호는 '학교·연수원 등에서 교육·훈련의 목적을 달성하기 위하여 학생·연수생들을 대상으로 하는 사항'을 행정절차법의 적용이 제외되는 경우로 규정하고 있으나, 이는 교육과정과 내용의 구체적 결정, 과제의 부과, 성적의 평가, 공식적 징계에 이르지 아니한 질책·훈계 등과 같이 교육·훈련의 목적을 직접 달성하기 위하여 행하는 사항을 말하는 것으로 보아야 하고, <u>생도에 대한 퇴학처분과 같이 신분을 박탈하는 징계처분은 여기에 해당한다고 볼 수 없다</u>(대판 2018.3.13. 2016두33339).

> **유제** 20. 국회직 8급 「행정절차법 시행령」 제2조 제8호는 '학교·연수원 등에서 교육·훈련의 목적을 달성하기 위하여 학생·연수생들을 대상으로 하는 사항'을 「행정절차법」이 적용되지 않는 경우로 규정하고 있으나 생도의 퇴학처분과 같이 신분을 박탈하는 징계처분은 여기에 해당한다고 할 수 없다. (O)
> 19. 소방직 육군3사관학교의 사관생도에 대한 퇴학처분은 「행정절차법」의 적용이 배제된다. (×)

② (O) <u>육군3사관학교의 사관생도에 대한 징계절차에서 징계심의대상자가 대리인으로 선임한 변호사가 징계위원회 심의에 출석하여 진술하려고 하였음에도, 징계권자나 그 소속 직원이 변호사가 징계위원회의 심의에 출석하는 것을 막았다면 징계위원회 심의·의결의 절차적 정당성이 상실되어 그 징계의결에 따른 징계처분은 위법하여 원칙적으로 취소되어야 한다</u>(대판 2018.3.13. 2016두33339).

> **유제** 22. 지방직 7급 공무원에 대한 징계절차에서 징계심의대상자가 대리인으로 선임한 변호사가 징계위원회 심의에 출석하여 진술하려고 하였음에도 불구하고 징계권자나 그 소속 직원이 변호사가 심의에 출석하는 것을 막았다면 징계위원회의 심의·의결의 절차적 정당성이 상실되어 그 징계의결에 따른 징계처분은 위법하며 원칙적으로 취소되어야 한다. (O)

③ (O) 지방병무청장이 병역법 제41조 제1항 제1호, 제40조 제2호의 규정에 따라 산업기능요원에 대하여 한 <u>산업기능요원 편입취소처분은, 행정처분을 할 경우 '처분의 사전통지'와 '의견제출 기회의 부여'를 규정한 행정절차법 제21조 제1항, 제22조 제3항에서 말하는 '당사자의 권익을 제한하는 처분'에 해당하는 한편, 행정절차법의 적용이 배제되는 사항인 행정절차법 제3조 제2항 제9호, 같은 법 시행령 제2조 제1호에서 규정하는 '병역법에 의한 소집에 관한 사항'에는 해당하지 아니하므로, 행정절차법상의 '처분의 사전통지'와 '의견제출 기회의 부여' 등의 절차를 거쳐야 한다</u>(대판 2002.9.6. 2002두554).

유제 20. 국회직 8급 「병역법」에 의한 소집에 관한 사항에는 「행정절차법」이 적용되지 않으나 「병역법」상의 산업기능요원의 편입취소처분에 대해서는 「행정절차법」이 적용된다. (○)
20. 국가직 7급 「병역법」에 따라 지방병무청장이 산업기능요원에 대하여 산업기능요원 편입취소처분을 할 때에는 「행정절차법」에 따라 처분의 사전통지를 하고 의견제출의 기회를 부여하여야 한다. (○)
20. 지방직 7급 산업기능요원 편입취소처분은 「행정절차법」의 적용 대상이 되지 않는다. (×)

④ (○) 군인사법령에 의하여 진급예정자명단에 포함된 자에 대하여 의견제출의 기회를 부여하지 아니한 채 진급선발을 취소하는 처분을 한 것이 절차상 하자가 있어 위법하다(대판 2007.9.21. 2006두20631).

⑤ (×) 국가공무원법상 직위해제처분은 구 행정절차법 제3조 제2항 제9호, 동법 시행령 제2조 제3호에 의하여 당해 행정작용의 성질상 행정절차를 거치기 곤란하거나 불필요하다고 인정되는 사항 또는 행정절차에 준하는 절차를 거친 사항에 해당하므로, 처분의 사전통지 및 의견청취 등에 관한 행정절차법의 규정이 별도로 적용되지 아니한다고 봄이 상당하다(대판 2014.5.16. 2012두26180).

답 ⑤

009

「행정절차법」에 대한 설명으로 옳지 않은 것은?

① 공청회는 다른 법령 등에서 공청회를 개최하도록 규정하고 있는 경우 또는 당해 처분의 영향이 광범위하여 널리 의견을 수렴할 필요가 있다고 행정청이 인정하는 경우에 개최된다.
② 행정응원을 위하여 파견된 직원은 당해 직원의 복무에 관하여 다른 법령 등에 특별한 규정이 없는 한, 응원을 요청한 행정청의 지휘·감독을 받는다.
③ 행정응원에 소요되는 비용은 응원을 요청한 행정청이 부담하며, 그 부담금액 및 부담방법은 응원을 행하는 행정청의 결정에 의한다.
④ 송달이 불가능하여 관보, 공보 등에 공고한 경우에는 다른 법령등에 특별한 규정이 있는 경우를 제외하고 공고일부터 14일이 경과한 때에 그 효력이 발생한다. 다만, 긴급히 시행하여야 할 특별한 사유가 있어 효력 발생 시기를 달리 정해 공고한 경우에는 그에 따른다.

2021년 소방직

① (○)

> 「행정절차법」 제22조【의견청취】② 행정청이 처분을 할 때 다음 각 호의 어느 하나에 해당하는 경우에는 공청회를 개최한다.
> 1. 다른 법령등에서 공청회를 개최하도록 규정하고 있는 경우
> 2. 해당 처분의 영향이 광범위하여 널리 의견을 수렴할 필요가 있다고 행정청이 인정하는 경우
> 3. 국민생활에 큰 영향을 미치는 처분으로서 대통령령으로 정하는 처분에 대하여 대통령령으로 정하는 수 이상의 당사자등이 공청회 개최를 요구하는 경우

② (○)

> 「행정절차법」 제8조【행정응원】⑤ 행정응원을 위하여 파견된 직원은 응원을 요청한 행정청의 지휘·감독을 받는다. 다만, 해당 직원의 복무에 관하여 다른 법령등에 특별한 규정이 있는 경우에는 그에 따른다.

③ (×)

> 「행정절차법」 제8조【행정응원】⑥ 행정응원에 드는 비용은 응원을 요청한 행정청이 부담하며, 그 부담금액 및 부담방법은 응원을 요청한 행정청과 응원을 하는 행정청이 협의하여 결정한다.

④ (○)

> 「행정절차법」 제14조(송달) ④ 다음 각 호의 어느 하나에 해당하는 경우에는 송달받을 자가 알기 쉽도록 관보, 공보, 게시판, 일간신문 중 하나 이상에 공고하고 인터넷에도 공고하여야 한다.
> 1. 송달받을 자의 주소등을 통상적인 방법으로 확인할 수 없는 경우
> 2. 송달이 불가능한 경우
>
> 「행정절차법」 제15조【송달의 효력 발생】③ 제14조 제4항의 경우에는 다른 법령등에 특별한 규정이 있는 경우를 제외하고는 공고일부터 14일이 지난 때에 그 효력이 발생한다. 다만, 긴급히 시행하여야 할 특별한 사유가 있어 효력 발생 시기를 달리 정하여 공고한 경우에는 그에 따른다.

답 ③

010

「행정절차법」에서 규정하고 있지 않은 것은?

① 신고
② 공법상 계약
③ 행정예고
④ 행정상 입법예고
⑤ 행정지도

2021년 행정사

② (×) 시험 시행 이후 「행정절차법」 개정으로 확약, 위반사실 등의 공표, 행정계획에 관한 규정이 추가되었다. 현행 「행정절차법」은 처분, 신고, 확약, 위반사실 등의 공표, 행정계획, 행정상 입법예고, 행정예고, 행정지도의 절차에 관한 것을 규정하고 있고, 공법상 계약에 대해서는 규정하고 있지 않다.

> 「행정절차법」 제3조【적용 범위】① 처분, 신고, 확약, 위반사실 등의 공표, 행정계획, 행정상 입법예고, 행정예고 및 행정지도의 절차(이하 "행정절차"라 한다)에 관하여 다른 법률에 특별한 규정이 있는 경우를 제외하고는 이 법에서 정하는 바에 따른다.

유제 22. 행정사 「행정절차법」에는 행정지도에 관한 규정을 두고 있지 않다. (×)
19. 소방직 「행정절차법」은 행정조사에 관한 명문의 규정을 두고 있지 않다. (○)
18. 경찰 2차 「행정절차법」은 공법상 계약과 행정계획 절차에 관해서는 별도의 규정이 없다. (○)
17. 교행 「행정절차법」은 행정예고와 공법상 계약에 관하여 규정하고 있다. (×)
15. 경찰 2차 「행정절차법」에는 행정처분절차, 행정입법절차, 행정예고절차 등에 관하여 상세한 규정을 두고 있으나, 행정지도절차에 관한 규정은 없다. (×)
15. 사복직 「행정절차법」은 처분절차 이외에도 신고, 행정예고, 행정상 입법예고 및 행정지도 절차에 관한 규정을 두고 있다. (○)
14. 행정사 「행정절차법」은 행정계약절차를 규정하고 있지 않다. (○)
13. 지방직 9급 「행정절차법」은 행정계약에 관한 규정을 두고 있지 않다. (○)
13. 국가직 9급 「행정절차법」은 신고절차에 관한 규정을 두고 있다. (○)
13. 국가직 9급 「행정절차법」은 입법예고절차 및 행정예고절차에 관한 규정을 두고 있다. (○)
13. 국회직 8급 「행정절차법」에는 행정계획의 확정절차, 행정조사절차에 관한 규정이 없다. (○)
13. 서울시 7급 「행정절차법」에는 행정지도와 행정계약에 관한 명문의 규정을 두고 있다. (×)

답 ②

문제 DATA

출제가능 지수 ▶▷▷
난이도 지수 ★☆☆

함께 정리하기

「행정절차법」에서 규정하고 있는 것

▷ 신고·행정예고·행정상 입법예고·행정지도○
▷ 공법상 계약×

문제 DATA

출제가능 지수 ▶▶▷
난이도 지수 ★★☆

011 □□□

「행정절차법」의 적용 대상이 되지 않는 것만을 모두 고르면? (다툼이 있는 경우 판례에 의함)

> ㄱ. 「병역법」에 따른 징집·소집
> ㄴ. 산업기능요원 편입취소처분
> ㄷ. 「국가공무원법」상 직위해제처분
> ㄹ. 헌법재판소의 심판을 거쳐 행하는 사항
> ㅁ. 대통령의 한국방송공사 사장의 해임처분

① ㄱ, ㄴ, ㄷ
② ㄱ, ㄷ, ㄹ
③ ㄴ, ㄹ, ㅁ
④ ㄷ, ㄹ, ㅁ

함께 정리하기

「행정절차법」 적용 제외 대상

「병역법」에 따른 징집·소집
▷ 적용×

산업기능요원 편입취소처분
▷ 적용○

직위해제처분
▷ 적용×

헌법재판소심판 거쳐 행하는 사항
▷ 적용×

대통령의 한국방송공사 사장의 해임처분
▷ 적용○

2020년 지방직 7급

ㄱ. (적용×)

> 「행정절차법 시행령」 제2조 【적용제외】 법 제3조 제2항 제9호에서 "대통령령으로 정하는 사항"이라 함은 다음 각 호의 어느 하나에 해당하는 사항을 말한다.
> 1. 「병역법」, 「예비군법」, 「민방위기본법」, 「비상대비자원 관리법」, 「대체역의 편입 및 복무 등에 관한 법률」에 따른 징집·소집·동원·훈련에 관한 사항

ㄴ. (적용○) 대판 2002.9.6. 2002두554

ㄷ. (적용×) 국가공무원법상 직위해제처분은 구 행정절차법 제3조 제2항 제9호, 동법 시행령 제2조 제3호에 의하여 당해 행정작용의 성질상 행정절차를 거치기 곤란하거나 불필요하다고 인정되는 사항 또는 행정절차에 준하는 절차를 거친 사항에 해당하므로, 처분의 사전통지 및 의견청취 등에 관한 행정절차법의 규정이 별도로 적용되지 아니한다고 봄이 상당하다(대판 2014.5.16. 2012두26180).

ㄹ. (적용×)

> 「행정절차법」 제3조 【적용 범위】 ② 이 법은 다음 각 호의 어느 하나에 해당하는 사항에 대하여는 적용하지 아니한다.
> 3. 헌법재판소의 심판을 거쳐 행하는 사항
> 9. 「병역법」에 따른 징집·소집, 외국인의 출입국·난민인정·귀화, 공무원 인사 관계 법령에 따른 징계와 그 밖의 처분, 이해조정을 목적으로 하는 법령에 따른 알선·조정·중재(仲裁)·재정(裁定) 또는 그 밖의 처분 등 해당 행정작용의 성질상 행정절차를 거치기 곤란하거나 거칠 필요가 없다고 인정되는 사항과 행정절차에 준하는 절차를 거친 사항으로서 대통령령으로 정하는 사항

유제 19. 소방직 헌법재판소의 심판을 거쳐 행하는 사항은 「행정절차법」의 적용이 배제되는 경우에 해당한다. (○)
12. 국회직 9급 헌법재판소의 심판을 거쳐 행하는 사항은 「행정절차법」을 적용하지 아니한다. (○)

ㅁ. (적용○) 대통령의 한국방송공사 사장의 해임 절차에 관하여 방송법이나 관련 법령에도 별도의 규정을 두지 않고 있고, 행정절차법의 입법 목적과 행정절차법 제3조 제2항 제9호와 관련 시행령의 규정 내용 등에 비추어 보면, 이 사건 해임처분이 행정절차법과 그 시행령에서 열거적으로 규정한 예외 사유에 해당한다고 볼 수 없으므로 이 사건 해임처분에도 행정절차법이 적용된다고 할 것이다(대판 2012.2.23. 2011두5001).

유제 17. 사복직 대통령에 의한 한국방송공사 사장의 해임에는 「행정절차법」이 적용된다. (○)

답 ②

012 □□□

다수의 당사자 등이 공동으로 행정절차에 대한 행위를 할 때에 정하는 대표자에 대한 「행정절차법」의 규정 내용으로 옳지 않은 것은?

① 당사자 등은 대표자를 변경하거나 해임할 수 있다.
② 대표자는 각자 그를 대표자로 선정한 당사자 등을 위하여 행정절차에 관한 모든 행위를 할 수 있다. 다만, 행정절차를 끝맺는 행위에 대하여는 당사자 등의 동의를 받아야 한다.
③ 대표자가 있는 경우에는 당사자 등은 그 대표자를 통하여서만 행정절차에 관한 행위를 할 수 있다.
④ 다수의 대표자가 있는 경우 그중 1인에 대한 행정청의 행위는 모든 당사자 등에게 효력이 있다. 다만, 행정청의 통지는 대표자 1인에게 하여도 그 효력이 있다.

문제 DATA
출제가능 지수 ▶▶▷
난이도 지수 ★★☆

2020년 군무원 9급

④ (×) 행정청의 통지는 대표자 모두에게 하여야 효력이 있다.

> 「행정절차법」 제11조【대표자】① 다수의 당사자등이 공동으로 행정절차에 관한 행위를 할 때에는 대표자를 선정할 수 있다.
> ② 행정청은 제1항에 따라 당사자등이 대표자를 선정하지 아니하거나 대표자가 지나치게 많아 행정절차가 지연될 우려가 있는 경우에는 그 이유를 들어 상당한 기간 내에 3인 이내의 대표자를 선정할 것을 요청할 수 있다. 이 경우 당사자등이 그 요청에 따르지 아니하였을 때에는 행정청이 직접 대표자를 선정할 수 있다.
> ③ 당사자등은 대표자를 변경하거나 해임할 수 있다(①).
> ④ 대표자는 각자 그를 대표자로 선정한 당사자등을 위하여 행정절차에 관한 모든 행위를 할 수 있다. 다만, 행정절차를 끝맺는 행위에 대하여는 당사자등의 동의를 받아야 한다(②).
> ⑤ 대표자가 있는 경우에는 당사자등은 그 대표자를 통하여서만 행정절차에 관한 행위를 할 수 있다(③).
> ⑥ 다수의 대표자가 있는 경우 그중 1인에 대한 행정청의 행위는 모든 당사자등에게 효력이 있다. 다만, 행정청의 통지는 대표자 모두에게 하여야 그 효력이 있다(④).

유제 18. 서울시 7급 다수의 대표자가 있는 경우 그중 1인에 대한 행정청의 통지는 모든 당사자등에게 효력이 있다. (×)

답 ④

함께 정리하기
대표자

당사자 등
▷ 대표자 변경·해임 可

대표자
▷ 행정절차 모든 행위 可 다만, 끝맺는 행위는 당사자등의 동의 要

대표자가 있는 경우
▷ 대표자를 통하여서만 행정절차 행위 可

다수대표자 중 1인에 대한 행정청 행위
▷ 모든 당사자에 효력 有 But 통지는 모두에게 하여야 함

013

「행정절차법」에 대한 설명으로 옳지 않은 것은? (다툼이 있는 경우 판례에 의함)

① 「국가공무원법」상 직위해제처분은 행정작용의 성질상 행정절차를 거치기 곤란하거나 불필요하다고 인정되는 사항 또는 행정절차에 준하는 절차를 거친 사항에 해당되므로 「행정절차법」이 적용되지 않는다.

② 외국인의 출입국에 관한 사항은 「행정절차법」이 적용되지 않으므로, 미국 국적을 가진 교민에 대한 사증거부처분에 대해서도 처분의 방식에 관한 「행정절차법」 제24조는 적용되지 않는다.

③ 「병역법」에 의한 소집에 관한 사항에는 「행정절차법」이 적용되지 않으나 「병역법」상의 산업기능요원의 편입취소처분에 대해서는 「행정절차법」이 적용된다.

④ 「독점규제 및 공정거래에 관한 법률」 규정에 의한 처분의 상대방에게 부여된 절차적 권리의 범위와 한계를 확정하려면 「행정절차법」이 당사자에게 부여한 절차적 권리의 범위와 한계 수준을 고려하여야 한다.

⑤ 「행정절차법 시행령」 제2조 제8호는 '학교·연수원 등에서 교육·훈련의 목적을 달성하기 위하여 학생·연수생들을 대상으로 하는 사항'을 「행정절차법」이 적용되지 않는 경우로 규정하고 있으나 생도의 퇴학처분과 같이 신분을 박탈하는 징계처분을 여기에 해당한다고 할 수 없다.

2020년 국회직 8급

① (○) 대판 2014.5.16. 2012두26180

② (×) 외국인의 사증발급신청에 대한 거부처분에는 처분의 방식에 관한 「행정절차법」 제24조가 적용된다.

> 행정절차법 제3조 제2항 제9호, 행정절차법 시행령 제2조 제2호 등 관련 규정들의 내용을 행정의 공정성, 투명성, 신뢰성을 확보하고 처분상대방의 권익보호를 목적으로 하는 행정절차법의 입법 목적에 비추어 보면, 행정절차법의 적용이 제외되는 '외국인의 출입국에 관한 사항'이란 해당 행정작용의 성질상 행정절차를 거치기 곤란하거나 거칠 필요가 없다고 인정되는 사항이나 행정절차에 준하는 절차를 거친 사항으로서 행정절차법 시행령으로 정하는 사항만을 가리킨다. '외국인의 출입국에 관한 사항'이라고 하여 행정절차를 거칠 필요가 당연히 부정되는 것은 아니다. 외국인의 사증발급 신청에 대한 거부처분은 당사자에게 의무를 부과하거나 적극적으로 권익을 제한하는 처분이 아니므로, 행정절차법 제21조 제1항에서 정한 '처분의 사전통지'와 제22조 제3항에서 정한 '의견제출 기회 부여'의 대상은 아니다. 그러나 사증발급 신청에 대한 거부처분이 성질상 행정절차법 제24조에서 정한 '처분서 작성·교부'를 할 필요가 없거나 곤란하다고 일률적으로 단정하기 어렵다. 또한 출입국관리법령에 사증발급거부처분서 작성에 관한 규정을 따로 두고 있지 않으므로, 외국인의 사증발급 신청에 대한 거부처분을 하면서 행정절차법 제24조에 정한 절차를 따르지 않고 '행정절차에 준하는 절차'로 대체할 수도 없다(대판 2019.7.11. 2017두38874).

③ (○) 병역법에 의한 소집에 관한 사항은 '행정작용의 성질상 행정절차를 거치기 곤란하거나 거칠 필요가 없다고 인정되는 사항과 행정절차에 준하는 절차를 거친 사항으로서 대통령령으로 정하는 사항'에 해당하므로(행정절차법 제3조 제2항 제9호, 행정절차법 시행령 제2조 제1호) 「행정절차법」이 적용되지 않는다. 그러나 「병역법」상의 산업기능요원의 편입취소처분은 '「병역법」에 의한 소집에 관한 사항'에는 해당하지 아니하므로 「행정절차법」이 적용된다(대판 2002.9.6. 2002두554).

④ (○) 행정절차법은, 당사자가 청문의 통지가 있는 날부터 청문이 끝날 때까지 행정청에 해당 사안의 조사 결과에 관한 문서와 그 밖에 해당 처분과 관련되는 문서의 열람 또는 복사를 '요청'할 수 있고, 행정청은 다른 법령에 따라 공개가 제한되는 경우를 제외하고는 그 요청을 거부할 수 없도록 규정하고 있다(제37조 제1항). 그런데 행정절차법 제3조, 행정절차법 시행령 제2조 제6호는 독점규제 및 공정거래에 관한 법률(이하 '공정거래법'이라 한다)에 대하여 행정절차법의 적용이 배제되도록 규정하고 있다. 그 취지는 공정거래법의 적용을 받는 당사자에게 행정절차법이 정한 것보다 더 약한 절차적 보장을 하려는 것이 아니라, 오히려 그 의결절차상 인정되는 절차적 보장의 정도가 일반 행정절차와 비교하여 더 강화되어 있기 때문이다. 공정거래위원회에 강학상 '준사법기관'으로서의 성격이 부여되어 있다는 전제하에 공정거래위원회의 의결을 다투는 소를 서울고등법원의 전속관할로 정하고 있는 취지 역시 같은 전제로 볼 수 있다.

문제 DATA
출제가능 지수 ▶▶Σ
난이도 지수 ★★★

함께 정리하기

「행정절차법」 적용대상

직위해제처분
▷ 「행정절차법」 적용✕

외국인의 사증발급신청에 대한 거부처분
▷ 처분의 방식에 관한 「행정절차법」 제24조 적용○

병역법에 의한 소집
▷ 「행정절차법」 적용✕

병역법상 산업기능요원 편입취소처분
▷ 「행정절차법」 적용○

육군3사관학교 사관생도 퇴학처분
▷ 「행정절차법」 적용○

공정거래법 제52조의2가 당사자에게 단순한 열람·복사 '요청권'이 아닌 열람·복사 '요구권'을 부여한 취지 역시 이와 마찬가지이다. 이처럼 공정거래법 규정에 의한 처분의 상대방에게 부여된 절차적 권리의 범위와 한계를 확정하려면 행정절차법이 당사자에게 부여한 절차적 권리의 범위와 한계 수준을 고려하여야 한다(대판 2018.12.27. 2015두44028).
⑤ (○) 대판 2018.3.13. 2016두33339

답 ②

014 ☐☐☐

「행정절차법」에 대한 설명으로 옳지 않은 것은? (다툼이 있는 경우 판례에 의함)

① 징계심의대상자가 선임한 변호사가 징계위원회에 출석하여 징계심의대상자를 위하여 필요한 의견을 진술하는 것은 방어권 행사의 본질적 내용에 해당하므로, 행정청은 특별한 사정이 없는 한 이를 거부할 수 없다.
② 「행정절차법」의 적용이 제외되는 공무원 인사관계 법령에 의한 처분에 관한 사항이란 성질상 행정절차를 거치기 곤란하거나 불필요하다고 인정되는 처분이나 행정절차에 준하는 절차를 거치도록 하고 있는 처분에 관한 사항만을 말하는 것으로 보아야 한다.
③ 「국가공무원법」상 직위해제처분은 성질상 행정절차를 거치기 곤란하거나 불필요하다고 인정되는 사항 또는 행정절차에 준하는 절차를 거친 사항에 해당하지 않으므로, 처분의 사전통지 및 의견청취 등에 관한 「행정절차법」의 규정이 적용된다.
④ 민원사무를 처리하는 행정기관이 민원조정위원회를 개최하면서 민원인에게 그 회의일정 등을 사전에 통지하여야 함에도 불구하고 그러하지 아니한 경우에 이러한 사정만으로 곧바로 그 민원사항에 대한 행정기관의 장의 거부처분이 위법하다고 볼 수는 없다.

문제 DATA
출제가능 지수 ▶▶▷
난이도 지수 ★★☆

2019년 서울시 9급

① (○) 징계와 같은 불이익처분절차에서 징계심의대상자에게 변호사를 통한 방어권의 행사를 보장하는 것이 필요하고, 징계심의대상자가 선임한 변호사가 징계위원회에 출석하여 징계심의대상자를 위하여 필요한 의견을 진술하는 것은 방어권 행사의 본질적 내용에 해당하므로, 행정청은 특별한 사정이 없는 한 이를 거부할 수 없다(대판 2018.3.13. 2016두33339).

유제 21. 경찰 2차 징계와 같은 불이익처분절차에서 징계심의대상자에게 변호사를 통한 방어권의 행사를 보장하는 것이 필요하고, 징계심의대상자가 선임한 변호사가 징계위원회에 출석하여 징계심의대상자를 위하여 필요한 의견을 진술하는 것은 방어권 행사의 본질적 내용에 해당하므로, 행정청은 특별한 사정이 없는 한 이를 거부할 수 없다. (○)

② (○) 행정과정에 대한 국민의 참여와 행정의 공정성, 투명성 및 신뢰성을 확보하고 국민의 권익을 보호함을 목적으로 하는 행정절차법의 입법 목적과 행정절차법 제3조 제2항 제9호의 규정 내용 등에 비추어 보면, 공무원 인사관계 법령에 의한 처분에 관한 사항 전부에 대하여 행정절차법의 적용이 배제되는 것이 아니라 성질상 행정절차를 거치기 곤란하거나 불필요하다고 인정되는 처분이나 행정절차에 준하는 절차를 거치도록 하고 있는 처분의 경우에만 행정절차법의 적용이 배제된다(대판 2007.9.21. 2006두20631).

유제 19. 소방간부 공무원 인사관계 법령에 의한 처분에 관한 사항 전부에 대해 「행정절차법」의 적용이 배제되는 것은 아니다. (○)
19. 국회직 8급 공무원 인사관계 법령에 따른 징계는 모두 「행정절차법」의 적용이 배제되는 것이 아니라 성질상 행정절차를 거치기 곤란하거나 불필요하다고 인정되는 처분이나 행정절차에 준하는 절차를 거치도록 하고 있는 처분의 경우에만 그 적용이 배제된다. (○)
18. 국회직 8급 공무원 인사관계 법령에 의한 처분에 관한 사항이라 하더라도 전부에 대하여 「행정절차법」의 적용이 배제되는 것이 아니라, 성질상 행정절차를 거치기 곤란하거나 불필요하다고 인정되는 처분이나 행정절차에 준하는 절차를 거치도록 하고 있는 처분의 경우에만 「행정절차법」의 적용이 배제되는 것으로 보아야 한다. (○)

함께 정리하기

「행정절차법」

변호사가 징계위원회 출석하여 징계대상자 위하여 의견진술
▷ 방어권 행사의 본질적 내용

공무원 인사처분
▷ 성질상 곤란·불필요 or 행정절차에 준하는 절차거치는 경우만 적용배제

직위해제처분
▷ 「행정절차법」 적용 ✕

민원인에게 회의일정 등을 사전에 통지하지 않은 경우
▷ 곧바로 위법 ✕

17. 서울시 9급 행정과정에 대한 국민의 참여와 행정의 공정성, 투명성 및 신뢰성을 확보하고 국민의 권익을 보호함을 목적으로 하는 「행정절차법」의 입법 목적과 「행정절차법」 제3조 제2항 제9호의 규정 내용 등에 비추어 보면, 공무원 인사관계 법령에 의한 처분에 관한 사항에 대하여 「행정절차법」의 적용이 배제된다. (×)

16. 국가직 9급 행정절차법령이 '공무원 인사관계 법령에 의한 처분에 관한 사항'에 대하여 「행정절차법」의 적용이 배제되는 것으로 규정하고 있는 이상, '공무원 인사관계 법령에 의한 처분에 관한 사항' 전부에 대해 「행정절차법」의 적용이 배제되는 것으로 보아야 한다. (×)

③ (×) 국가공무원법상 직위해제처분은 구 행정절차법 제3조 제2항 제9호, 동법 시행령 제2조 제3호에 의하여 당해 행정작용의 성질상 행정절차를 거치기 곤란하거나 불필요하다고 인정되는 사항 또는 행정절차에 준하는 절차를 거친 사항에 해당하므로, 처분의 사전통지 및 의견청취 등에 관한 행정절차법의 규정이 별도로 적용되지 아니한다고 봄이 상당하다(대판 2014.5.16. 2012두26180).

④ (○) 민원사무를 처리하는 행정기관이 민원 1회 방문 처리제를 시행하는 절차의 일환으로 민원사항의 심의·조정 등을 위한 민원조정위원회를 개최하면서 민원인에게 회의일정 등을 사전에 통지하지 아니하였다 하더라도, 이러한 사정만으로 곧바로 민원사항에 대한 행정기관의 장의 거부처분에 취소사유에 이를 정도의 흠이 존재한다고 보기는 어렵다(대판 2015.8.27. 2013두1560).

답 ③

015

「행정절차법」의 적용이 배제되는 경우가 아닌 것은? (다툼이 있는 경우 판례에 의함)

① 헌법재판소의 심판을 거쳐 행하는 사항
② 지방의회의 의결을 거치거나 동의 또는 승인을 받아 행하는 사항
③ 감사원이 감사위원회의의 결정을 거쳐 행하는 사항
④ 육군3사관학교의 사관생도에 대한 퇴학처분

2019년 소방직

①, ②, ③ (○)

> 「행정절차법」 제3조 【적용 범위】 ② 이 법은 다음 각 호의 어느 하나에 해당하는 사항에 대하여는 적용하지 아니한다.
> 1. 국회 또는 지방의회의 의결을 거치거나 동의 또는 승인을 받아 행하는 사항(②)
> 2. 법원 또는 군사법원의 재판에 의하거나 그 집행으로 행하는 사항
> 3. 헌법재판소의 심판을 거쳐 행하는 사항(①)
> 4. 각급 선거관리위원회의 의결을 거쳐 행하는 사항
> 5. 감사원이 감사위원회의의 결정을 거쳐 행하는 사항(③)
> 6~9. 생략

④ (×) 행정절차법의 적용이 제외되는 공무원 인사관계 법령에 의한 처분에 관한 사항이란 성질상 행정절차를 거치기 곤란하거나 불필요하다고 인정되는 처분이나 행정절차에 준하는 절차를 거치도록 하고 있는 처분에 관한 사항만을 말하는 것으로 보아야 한다. 이러한 법리는 '공무원 인사 관계 법령에 의한 처분'에 해당하는 육군3사관학교 생도에 대한 퇴학처분에도 마찬가지로 적용된다. 그리고 행정절차법 시행령 제2조 제8호는 '학교·연수원 등에서 교육·훈련의 목적을 달성하기 위하여 학생·연수생들을 대상으로 하는 사항'을 행정절차법의 적용이 제외되는 경우로 규정하고 있으나, 이는 교육과정과 내용의 구체적 결정, 과제의 부과, 성적의 평가, 공식적 징계에 이르지 아니한 질책·훈계 등과 같이 교육·훈련의 목적을 직접 달성하기 위하여 행하는 사항을 말하는 것으로 보아야 하고, 생도에 대한 퇴학처분과 같이 신분을 박탈하는 징계처분은 여기에 해당한다고 볼 수 없다(대판 2018.3.13. 2016두33339).

답 ④

문제 DATA
출제가능 지수 ▶▶▷
난이도 지수 ★★☆

함께 정리하기

「행정절차법」 적용대상

헌법재판소의 심판을 거쳐 행하는 사항
▷ 적용×

지방의회의 의결·동의·승인 사항
▷ 적용×

감사원이 감사위 결정 거쳐 행하는 사항
▷ 적용×

육군3사관학교 사관생도 퇴학처분
▷ 적용○

016

「행정절차법」에서 규정하는 '당사자등'에 대한 설명으로 가장 옳은 것은?

① 행정청이 직권으로 행정절차에 참여하게 한 이해관계인은 당사자등에 해당하지 않는다.
② 법인이 아닌 재단은 당사자등이 될 수 없다.
③ 다수의 대표자가 있는 경우 그 중 1인에 대한 행정청의 통지는 모든 당사자등에게 효력이 있다.
④ 당사자등은 당사자등의 형제자매를 대리인으로 선임할 수 있다.

| 2018년 서울시 7급

① (×)

> 「행정절차법」 제2조 【정의】 이 법에서 사용하는 용어의 뜻은 다음과 같다.
> 4. "당사자등"이란 다음 각 목의 자를 말한다.
>   가. 행정청의 처분에 대하여 직접 그 상대가 되는 당사자
>   나. 행정청이 직권으로 또는 신청에 따라 행정절차에 참여하게 한 이해관계인

② (×)

> 「행정절차법」 제9조 【당사자등의 자격】 다음 각 호의 어느 하나에 해당하는 자는 행정절차에서 당사자등이 될 수 있다.
> 1. 자연인
> 2. 법인, 법인이 아닌 사단 또는 재단(이하 "법인등"이라 한다)
> 3. 그 밖에 다른 법령등에 따라 권리·의무의 주체가 될 수 있는 자

유제 14. 행정사 법인은 「행정절차법」상 절차의 당사자가 될 수 있지만, 법인이 아닌 사단은 당사자가 될 수 없다. (×)
11. 국회직 8급 법인 아닌 사단이나 재단은 행정절차에 있어서 당사자가 될 수 없다. (×)

③ (×)

> 「행정절차법」 제11조 【대표자】 ⑥ 다수의 대표자가 있는 경우 그중 1인에 대한 행정청의 행위는 모든 당사자등에게 효력이 있다. 다만, 행정청의 통지는 대표자 모두에게 하여야 그 효력이 있다.

④ (○)

> 「행정절차법」 제12조 【대리인】 ① 당사자등은 다음 각 호의 어느 하나에 해당하는 자를 대리인으로 선임할 수 있다.
> 1. 당사자등의 배우자, 직계 존속·비속 또는 형제자매

답 ④

문제 DATA
출제가능 지수 ▶▶▷
난이도 지수 ★★☆

함께 정리하기
「행정절차법」상 당사자등

행정청이 직권으로 행정절차에 참여하게 한 이해관계인
▷ 당사자등 해당 ○

법인이 아닌 재단
▷ 당사자등 可

다수대표자 있는 경우
▷ 행정청의 통지는 모두에게 하여야 효력 有

당사자등
▷ 형제자매를 대리인으로 선임 可

문제 DATA

출제가능 지수 ▶▶▷
난이도 지수 ★★☆

함께 정리하기

행정절차

▷ 「행정절차법」에 공법상 계약과 행정계획 절차 규정 無
▷ 당사자등은 처분 전 행정청에 서면·말·정보통신망 이용하여 의견제출 可
▷ 「행정절차법」은 실체적 규정을 포함
▷ 국내 주소 등 없는 외국 사업자에게도 우편송달의 방법으로 문서송달 可

017 ☐☐☐

행정절차에 대한 설명으로 가장 옳지 않은 것은? (다툼이 있는 경우 판례에 의함)

① 「행정절차법」은 공법상 계약과 행정계획 절차에 관해서는 별도의 규정이 없다.
② 「행정절차법」상 당사자등은 처분 전에 그 처분의 관할 행정청에 서면이나 정보통신망을 이용하여 의견을 제출할 수 있으나, 말로는 할 수 없다.
③ 「행정절차법」은 절차적 규정뿐만 아니라 신뢰보호원칙과 같이 실체적 규정을 포함하고 있다.
④ 행정청은 국내에 주소·거소·영업소 또는 사무소가 없는 외국 사업자에 대하여 우편송달의 방법으로 문서를 송달할 수 있다.

2018년 경찰 2차

① (O) 현행 「행정절차법」은 공법상 계약과 행정계획 절차를 규정하고 있지 않다. 다만, 행정계획과 관련하여 국민의 권리·의무에 직접 영향을 미치는 계획을 수립하거나 변경·폐지할 때에는 관련된 여러 이익을 정당하게 형량하여야 한다고 규정하고 있다.

> 「행정절차법」제40조의4 【행정계획】 행정청은 행정청이 수립하는 계획 중 국민의 권리·의무에 직접 영향을 미치는 계획을 수립하거나 변경·폐지할 때에는 관련된 여러 이익을 정당하게 형량하여야 한다.

② (X)

> 「행정절차법」제27조 【의견제출】 ① 당사자등은 처분 전에 그 처분의 관할 행정청에 서면이나 말로 또는 정보통신망을 이용하여 의견제출을 할 수 있다.

유제 18. 경찰 2차 「행정절차법」상 당사자등은 처분 전에 그 처분의 관할 행정청에 서면이나 정보통신망을 이용하여 의견을 제출할 수 있으나, 말로는 할 수 없다. (X)
18. 지방직 9급 이해관계가 있는 제3자는 자신의 신청 또는 행정청의 직권에 의하여 행정절차에 참여하여 처분 전에 그 처분의 관할 행정청에 서면이나 말로 또는 정보통신망을 이용하여 의견제출을 할 수 있다. (O)
13. 지방직 7급, 08. 국가직 9급 당사자 등은 처분 전에 그 처분의 관할 행정청에 서면이나 말로 또는 정보통신망을 이용하여 의견제출을 할 수 있다. (O)
11. 경찰 1차 의견제출은 서면 또는 정보통신망을 이용하여 할 수 있으나, 구술로는 할 수 없다. (X)

③ (O)

> 「행정절차법」제4조 【신의성실 및 신뢰보호】 ① 행정청은 직무를 수행할 때 신의(信義)에 따라 성실히 하여야 한다.
> ② 행정청은 법령등의 해석 또는 행정청의 관행이 일반적으로 국민들에게 받아들여졌을 때에는 공익 또는 제3자의 정당한 이익을 현저히 해칠 우려가 있는 경우를 제외하고는 새로운 해석 또는 관행에 따라 소급하여 불리하게 처리하여서는 아니 된다.

유제 17. 경찰 2차 「행정절차법」제4조에 의하면 행정청은 법령등의 해석 또는 행정청의 관행이 일반적으로 국민들에게 받아들여졌을 때에는 공익 또는 제3자의 정당한 이익을 현저히 해칠 우려가 있는 경우를 제외하고는 새로운 해석 또는 관행에 따라 소급하여 불리하게 처리하여서는 아니 된다. (O)
15. 경찰 1차, 12. 서울시 9급 「행정절차법」은 신뢰보호의 원칙은 물론 신의성실의 원칙에 관해 명시적으로 규정하고 있다. (O)
14. 경찰 1차 「행정절차법」은 신의성실의 원칙과 신뢰보호의 원칙을 명문화하고 있다. (O)
13. 서울시 7급 「행정절차법」에 신의성실에 대한 규정은 있으나 신뢰보호에 관한 규정은 없다. (X)
10. 지방직 9급 우리나라 「행정절차법」은 신뢰보호의 원칙을 명문으로 규정하고 있다. (O)

④ (O) 공정거래위원회는 국내에 주소·거소·영업소 또는 사무소가 없는 외국사업자에 대하여도 우편송달의 방법으로 문서를 송달할 수 있다(대판 2006.3.24. 2004두11275).

답 ②

018 □□□

현행 「행정절차법」의 적용과 관련하여 가장 옳지 않은 것은? (다툼이 있는 경우 판례에 의함)

① 「행정절차법」은 행정절차에 관한 일반법이지만, 국회 또는 지방의회의 의결을 거치거나 동의 또는 승인을 얻어 행하는 사항에 대하여는 「행정절차법」의 적용이 배제된다.
② 행정과정에 대한 국민의 참여와 행정의 공정성, 투명성 및 신뢰성을 확보하고 국민의 권익을 보호함을 목적으로 하는 「행정절차법」의 입법 목적과 「행정절차법」 제3조 제2항 제9호의 규정 내용 등에 비추어 보면, 공무원 인사관계 법령에 의한 처분에 관한 사항에 대하여 「행정절차법」의 적용이 배제된다.
③ 대법원에 따르면 「행정절차법」 적용이 제외되는 의결 · 결정에 대해서는 「행정절차법」을 적용하여 의견청취절차를 생략할 수는 없다.
④ 「행정절차법」은 「국세기본법」과는 달리 행정청에 대해서만 신의성실의 원칙에 따를 것을 규정하고 있다.

2017년 서울시 9급

① (○) 행정절차법 제3조 제1항은 "행정절차에 관하여 다른 법률에 특별한 규정이 있는 경우를 제외하고는 이 법에서 정하는 바에 따른다."고 규정하고 있는바, 이는 행정절차법이 행정절차에 관한 일반법임을 밝힘과 아울러, 매우 다양한 형식으로 행하여지는 행정작용에 대하여 일률적으로 행정절차법을 적용하는 것이 적절하지 아니함을 고려하여, 다른 법률이 행정절차에 관한 특별한 규정을 적극적으로 두고 있는 경우이거나 다른 법률이 명시적으로 「행정절차법」의 규정을 적용하지 아니한다고 소극적으로 규정하고 있는 경우에는 행정절차법의 적용을 배제하고 다른 법률의 규정을 적용한다는 뜻을 밝히고 있는 것이다(대판 2002.2.5. 2001두7138).

> 「행정절차법」 제3조 【적용 범위】 ② 이 법은 다음 각 호의 어느 하나에 해당하는 사항에 대하여는 적용하지 아니한다.
> 1. 국회 또는 지방의회의 의결을 거치거나 동의 또는 승인을 받아 행하는 사항

② (×) 행정과정에 대한 국민의 참여와 행정의 공정성, 투명성 및 신뢰성을 확보하고 국민의 권익을 보호함을 목적으로 하는 행정절차법의 입법 목적과 행정절차법 제3조 제2항 제9호의 규정 내용 등에 비추어 보면, 공무원 인사관계 법령에 의한 처분에 관한 사항 전부에 대하여 행정절차법의 적용이 배제되는 것이 아니라 성질상 행정절차를 거치기 곤란하거나 불필요하다고 인정되는 처분이나 행정절차에 준하는 절차를 거치도록 하고 있는 처분의 경우에만 행정절차법의 적용이 배제된다(대판 2007.9.21. 2006두20631).

③ (○) 행정절차법 제3조 제2항, 같은 법 시행령 제2조 제6호에 의하면 공정거래위원회의 의결 · 결정을 거쳐 행하는 사항에는 행정절차법의 적용이 제외되게 되어 있으므로, 설사 공정거래위원회의 시정조치 및 과징금납부명령에 행정절차법 소정의 의견청취절차 생략사유가 존재한다고 하더라도, 공정거래위원회는 행정절차법을 적용하여 의견청취절차를 생략할 수는 없다(대판 2001.5.8. 2000두10212).

유지 19. 지방직 9급, 16. 국가직 7급 공정거래위원회의 시정조치 및 과징금납부명령에 「행정절차법」 소정의 의견청취절차 생략사유가 존재하면 공정거래위원회는 「행정절차법」을 적용하여 의견청취절차를 생략할 수 있다. (×)

④ (○) 「국세기본법」은 공무원뿐만 아니라 납세자에게도 신의성실의 원칙에 따를 것을 규정하고 있는 반면에(제15조), 「행정절차법」은 행정청에 대해서만 신의성실의 의무를 지우고 있다(제4조 제1항).

> 「국세기본법」 제15조 【신의 · 성실】 납세자가 그 의무를 이행할 때에는 신의에 따라 성실하게 하여야 한다. 세무공무원이 직무를 수행할 때에도 또한 같다.
> 「행정절차법」 제4조 【신의성실 및 신뢰보호】 ① 행정청은 직무를 수행할 때 신의에 따라 성실히 하여야 한다.

답 ②

문제 DATA
출제가능 지수 ▶▶▷
난이도 지수 ★★☆

함께 정리하기

「행정절차법」 적용범위

국회 · 지방의회의 의결 · 동의 · 승인 거친 사항
▷ 적용배제

공무원 인사처분
▷ 성질상 곤란 · 불필요 or 행정절차에 준하는 절차 거치는 경우만 적용배제

적용 제외되는 의결 결정
▷ 의견청취절차 생략 불가

「행정절차법」
▷ 행정청에만 신의성실의무 규정

제2절 | 처분절차

001 □□□

「행정절차법」상 처분의 이유제시에 대한 설명으로 옳은 것은?

① 신청 내용을 모두 그대로 인정하는 처분인 경우, 처분 후 당사자가 요청하더라도 행정청은 그 근거와 이유를 제시하지 않아도 된다.
② 단순·반복적인 처분 또는 경미한 처분으로서 당사자가 그 이유를 명백히 알 수 있는 경우, 처분 후 당사자가 요청하더라도 행정청은 그 근거와 이유를 제시하지 않아도 된다.
③ 긴급히 처분을 할 필요가 있는 경우, 처분 후 당사자가 요청하더라도 행정청은 그 근거와 이유를 제시하지 않아도 된다.
④ 처분 당시 당사자가 어떠한 근거와 이유로 처분이 이루어진 것인지를 충분히 알 수 있어서 그에 불복하여 행정구제절차로 나아가는 데 별다른 지장이 없었던 것으로 인정되는 경우에도 처분서에 처분의 근거와 이유가 구체적으로 명시되지 않았다면 그 처분은 위법하다.

| 2025년 지방직 9급

① (○), ②, ③ (×)

> 「행정절차법」제23조【처분의 이유 제시】① 행정청은 처분을 할 때에는 다음 각 호의 어느 하나에 해당하는 경우를 제외하고는 당사자에게 그 근거와 이유를 제시하여야 한다.
> 1. 신청 내용을 모두 그대로 인정하는 처분인 경우
> 2. 단순·반복적인 처분 또는 경미한 처분으로서 당사자가 그 이유를 명백히 알 수 있는 경우
> 3. 긴급히 처분을 할 필요가 있는 경우
> ② 행정청은 제1항 제2호 및 제3호의 경우에 처분 후 당사자가 요청하는 경우에는 그 근거와 이유를 제시하여야 한다.

④ (×) 행정절차법 제23조 제1항은 행정청이 처분을 하는 때에는 당사자에게 그 근거와 이유를 제시하도록 규정하고 있고, 이는 행정청의 자의적 결정을 배제하고 당사자로 하여금 행정구제절차에서 적절히 대처할 수 있도록 하는 데 그 취지가 있다. 따라서 처분서에 기재된 내용과 관계 법령 및 당해 처분에 이르기까지 전체적인 과정 등을 종합적으로 고려하여, 처분 당시 당사자가 어떠한 근거와 이유로 처분이 이루어진 것인지를 충분히 알 수 있어서 그에 불복하여 행정구제절차로 나아가는 데에 별다른 지장이 없었던 것으로 인정되는 경우에는 처분서에 처분의 근거와 이유가 구체적으로 명시되어 있지 않았다고 하더라도 그로 말미암아 그 처분이 위법한 것으로 된다고 할 수는 없다(대판 2013.11.14. 2011두18571).

답 ①

002

판례의 입장으로 옳지 않은 것은?

① 증액경정처분이 있는 경우 당초처분은 증액경정처분에 흡수되어 소멸하고, 소멸한 당초처분의 절차적 하자는 존속하는 증액경정처분에 승계되지 아니한다.
② 「공무원연금법」상 퇴직연금의 환수결정은 당사자에게 의무를 과하는 처분이므로 퇴직연금의 환수결정에 앞서 당사자에게 의견진술의 기회를 주지 아니하면 「행정절차법」상 의견제출에 관한 규정이나 신의칙에 어긋난다.
③ 거부처분이 있은 후 당사자가 다시 신청을 한 경우에는 그 내용이 새로운 신청을 하는 취지라면 관할 행정청이 이를 다시 거절하는 것은 새로운 거부처분이라고 보아야 한다.
④ 처분청이 「행정절차법」상 고지절차에 관한 규정에 따른 고지의무를 이행하지 아니하였다고 하더라도 경우에 따라 행정심판의 제기기간이 연장될 수 있음에 그칠 뿐, 그 때문에 심판의 대상이 되는 행정처분이 위법하다고 할 수는 없다.

2025년 국가직 9급

① (O) 증액경정처분이 있는 경우 당초처분은 증액경정처분에 흡수되어 소멸하고, 소멸한 당초처분의 절차적 하자는 존속하는 증액경정처분에 승계되지 아니한다(대판 2010.6.24. 2007두16493).
② (×) 퇴직연금의 환수결정은 당사자에게 의무를 과하는 처분이기는 하나, 관련 법령에 따라 당연히 환수금액이 정하여지는 것이므로, 퇴직연금의 환수결정에 앞서 당사자에게 의견진술의 기회를 주지 아니하여도 행정절차법 제22조 제3항이나 신의칙에 어긋나지 아니한다(대판 2000.11.28. 99두5443).
③ (O) 수익적 행정행위 신청에 대한 거부처분이 있은 후 당사자가 다시 신청을 한 경우에는 신청의 제목 여하에 불구하고 그 내용이 새로운 신청을 하는 취지라면 관할 행정청이 이를 다시 거절하는 것은 새로운 거부처분으로 봄이 원칙이다(대판 2019.4.3. 2017두52764).
④ (O) 행정절차법 제26조는 "행정청이 처분을 할 때에는 당사자에게 그 처분에 관하여 행정심판 및 행정소송을 제기할 수 있는지 여부, 그 밖에 불복을 할 수 있는지 여부, 청구절차 및 청구기간 그 밖에 필요한 사항을 알려야 한다."라고 규정하고 있다. 이러한 고지절차에 관한 규정은 행정처분의 상대방이 그 처분에 대한 행정심판의 절차를 밟는 데 편의를 제공하려는 것이어서 처분청이 위 규정에 따른 고지의무를 이행하지 아니하였다고 하더라도 경우에 따라 행정심판의 제기기간이 연장될 수 있음에 그칠 뿐, 그 때문에 심판의 대상이 되는 행정처분이 위법하다고 할 수는 없다(대판 2018.2.8. 2017두66633).

답 ②

함께 정리하기

판례

증액경정처분 취소소송
▷ 흡수되어 소멸한 당초처분의 절차적 하자 승계×

퇴직연금 환수결정
▷ 법령상 확정된 의무에 따른 불이익처분: 의견제출 기회 不要

2차 거부
▷ 새로운 행정처분

불고지·오고지
▷ 처분 위법×

003

「행정절차법」에 대한 설명으로 가장 옳지 않은 것은?

① 법인이 아닌 사단 또는 재단도 행정절차에서 당사자등이 될 수 있다.
② 정보통신망을 이용한 송달은 송달받을 자가 동의하는 경우에만 하며, 이 경우 송달받을 자는 송달받을 전자우편주소 등을 지정하여야 한다.
③ 행정청은 신청인의 편의를 위하여 다른 행정청에 신청을 접수하게 할 수 있다.
④ 법령등에서 요구된 자격이 없거나 없어지게 되면 반드시 일정한 처분을 하여야 하는 경우에 그 자격이 없거나 없어지게 된 사실이 법원의 재판 등에 의하여 객관적으로 증명된 경우 행정청은 당사자에게 처분의 근거와 이유를 제시하지 않을 수 있다.

함께 정리하기

「행정절차법」

비법인사단·재단
▷ 행정절차에서 당사자등O

정보통신망 이용 송달
▷ 송달받을 자가 동의하는 경우에만 可

송달받을 자
▷ 전자우편주소 등을 지정

행정청
▷ 신청인의 편의를 위하여 다른 행정청에 신청을 접수하게 可

자격 없어진 사실이 재판 등으로 객관 증명
▷ 사전통지 생략 可

2025년 군무원 9급

① (O)

> 「행정절차법」 제9조【당사자등의 자격】다음 각 호의 어느 하나에 해당하는 자는 행정절차에서 당사자등이 될 수 있다.
> 1. 자연인
> 2. 법인, 법인이 아닌 사단 또는 재단(이하 "법인등"이라 한다)
> 3. 그 밖에 다른 법령등에 따라 권리·의무의 주체가 될 수 있는 자

② (O)

> 「행정절차법」 제14조【송달】③ 정보통신망을 이용한 송달은 송달받을 자가 동의하는 경우에만 한다. 이 경우 송달받을 자는 송달받을 전자우편주소 등을 지정하여야 한다.

③ (O)

> 「행정절차법」 제17조【처분의 신청】⑦ 행정청은 신청인의 편의를 위하여 다른 행정청에 신청을 접수하게 할 수 있다. 이 경우 행정청은 다른 행정청에 접수할 수 있는 신청의 종류를 미리 정하여 공시하여야 한다.

④ (×) 법령등에서 요구된 자격이 없거나 없어지게 되면 반드시 일정한 처분을 하여야 하는 경우에 그 자격이 없거나 없어지게 된 사실이 법원의 재판 등에 의하여 객관적으로 증명된 경우 생략할 수 있는 절차는 침익적 처분의 사전통지이다.

> 「행정절차법」 제21조【처분의 사전 통지】① 행정청은 당사자에게 의무를 부과하거나 권익을 제한하는 처분을 하는 경우에는 미리 다음 각 호의 사항을 당사자등에게 통지하여야 한다. <각 호 생략>
> ④ 다음 각 호의 어느 하나에 해당하는 경우에는 제1항에 따른 통지를 하지 아니할 수 있다.
> 1. 공공의 안전 또는 복리를 위하여 긴급히 처분을 할 필요가 있는 경우
> 2. 법령등에서 요구된 자격이 없거나 없어지게 되면 반드시 일정한 처분을 하여야 하는 경우에 그 자격이 없거나 없어지게 된 사실이 법원의 재판 등에 의하여 객관적으로 증명된 경우
> 3. 해당 처분의 성질상 의견청취가 현저히 곤란하거나 명백히 불필요하다고 인정될 만한 상당한 이유가 있는 경우

답 ④

문제 DATA

출제가능 지수 ▶▶▷
난이도 지수 ★★☆

004 □□□

행정절차에 대한 설명으로 옳지 않은 것은? (다툼이 있는 경우 판례에 의함)

① 「행정절차법」에 따르면 당사자가 의견진술의 기회를 포기한다는 뜻을 명백히 표시한 경우에는 의견청취를 하지 아니할 수 있다.
② 신청에 대한 거부처분은 직접 당사자의 권익을 제한하는 것이어서 처분의 사전통지대상이 된다.
③ 체육시설업자 지위승계신고를 수리하는 처분을 하는 경우 종전 체육시설업자에 대하여 「행정절차법」에서 정한 처분의 사전통지 등 절차를 거쳐야 한다.
④ 고시의 방법으로 불특정다수인을 상대로 의무를 부과하거나 권익을 제한하는 처분은 성질상 의견제출의 기회를 주어야 하는 상대방을 특정할 수 없으므로 「행정절차법」에 의하여 그 상대방에게 의견제출의 기회를 주어야 하는 것은 아니다.

2025년 경찰간부

① (○)

> 「행정절차법」 제22조 【의견청취】 ① 행정청이 처분을 할 때 다음 각 호의 어느 하나에 해당하는 경우에는 청문을 한다.
> 1. 다른 법령등에서 청문을 하도록 규정하고 있는 경우
> 2. 행정청이 필요하다고 인정하는 경우
> 3. 다음 각 목의 처분을 하는 경우
>   가. 인허가 등의 취소
>   나. 신분·자격의 박탈
>   다. 법인이나 조합 등의 설립허가의 취소
> ② 행정청이 처분을 할 때 다음 각 호의 어느 하나에 해당하는 경우에는 공청회를 개최한다.
> 1. 다른 법령등에서 공청회를 개최하도록 규정하고 있는 경우
> 2. 해당 처분의 영향이 광범위하여 널리 의견을 수렴할 필요가 있다고 행정청이 인정하는 경우
> 3. 국민생활에 큰 영향을 미치는 처분으로서 대통령령으로 정하는 처분에 대하여 대통령령으로 정하는 수 이상의 당사자등이 공청회 개최를 요구하는 경우
> ③ 행정청이 당사자에게 의무를 부과하거나 권익을 제한하는 처분을 할 때 제1항 또는 제2항의 경우 외에는 당사자등에게 의견제출의 기회를 주어야 한다.
> ④ 제1항부터 제3항까지의 규정에도 불구하고 제21조 제4항 각 호의 어느 하나에 해당하는 경우와 당사자가 의견진술의 기회를 포기한다는 뜻을 명백히 표시한 경우에는 의견청취를 하지 아니할 수 있다.
> 제21조 【처분의 사전 통지】 ④ 다음 각 호의 어느 하나에 해당하는 경우에는 제1항에 따른 통지를 하지 아니할 수 있다.
> 1. 공공의 안전 또는 복리를 위하여 긴급히 처분을 할 필요가 있는 경우
> 2. 법령등에서 요구된 자격이 없거나 없어지게 되면 반드시 일정한 처분을 하여야 하는 경우에 그 자격이 없거나 없어지게 된 사실이 법원의 재판 등에 의하여 객관적으로 증명된 경우
> 3. 해당 처분의 성질상 의견청취가 현저히 곤란하거나 명백히 불필요하다고 인정될 만한 상당한 이유가 있는 경우

② (×) 행정절차법 제21조 제1항은 행정청은 당사자에게 의무를 과하거나 권익을 제한하는 처분을 하는 경우에는 미리 처분의 제목, 당사자의 성명 또는 명칭과 주소, 처분하고자 하는 원인이 되는 사실과 처분의 내용 및 법적 근거, 그에 대하여 의견을 제출할 수 있다는 뜻과 의견을 제출하지 아니하는 경우의 처리방법, 의견제출기관의 명칭과 주소, 의견제출기한 등을 당사자 등에게 통지하도록 하고 있는바, 신청에 따른 처분이 이루어지지 아니한 경우에는 아직 당사자에게 권익이 부과되지 아니하였으므로 특별한 사정이 없는 한 신청에 대한 거부처분이라고 하더라도 직접 당사자의 권익을 제한하는 것은 아니어서 신청에 대한 거부처분을 여기에서 말하는 '당사자의 권익을 제한하는 처분'에 해당한다고 할 수 없는 것이어서 처분의 사전통지대상이 된다고 할 수 없다(대판 2003.11.28. 2003두674).

③ (○) 행정절차법 제21조 제1항, 제22조 제3항 및 제2조 제4호의 각 규정에 의하면, 행정청이 당사자에게 의무를 과하거나 권익을 제한하는 처분을 할 때에는 당사자 등에게 처분의 사전통지를 하고 의견제출의 기회를 주어야 하며, 여기서 당사자란 행정청의 처분에 대하여 직접 그 상대가 되는 자를 의미한다. 한편 구 관광진흥법(2010.3.31. 법률 제10219호로 개정되기 전의 것, 이하 같다) 제8조 제2항, 제4항, 구 체육시설의 설치·이용에 관한 법률(2010.3.31. 법률 제10219호로 개정되기 전의 것, 이하 '구 체육시설법'이라 한다) 제27조 제2항, 제20조의 각 규정에 의하면, 공매 등의 절차에 따라 문화체육관광부령으로 정하는 주요한 유원시설업 시설의 전부 또는 체육시설업의 시설 기준에 따른 필수시설을 인수함으로써 유원시설업자 또는 체육시설업자의 지위를 승계한 자가 관계 행정청에 이를 신고하여 행정청이 수리하는 경우에는 종전 유원시설업자에 대한 허가는 효력을 잃고, 종전 체육시설업자는 적법한 신고를 마친 체육시설업자의 지위를 부인당할 불안정한 상태에 놓이게 된다. 따라서 행정청이 구 관광진흥법 또는 구 체육시설법의 규정에 의하여 <u>유원시설업자 또는 체육시설업자 지위승계신고를 수리하는 처분은 종전 유원시설업자 또는 체육시설업자의 권익을 제한하는 처분이고, 종전 유원시설업자 또는 체육시설업자는 그 처분에 대하여 직접 그 상대가 되는 자에 해당한다고 보는 것이 타당하므로, 행정청이 그 신고를 수리하는 처분을 할 때에는 행정절차법 규정에서 정한 당사자에 해당하는 종전 유원시설업자 또는 체육시설업자에 대하여 위 규정에서 정한 행정절차를 실시하고 처분을 하여야 한다</u>(대판 2012.12.13. 2011두29144).

📝 함께 정리하기

행정절차

의견진술의 포기의사 명백 표시
▷ 의견청취 생략 可

거부처분
▷ 사전통지대상 ×

영업자지위승계신고 수리처분
▷ 사전통지 대상 ○

고시의 방법으로 불특정한 다수인을 상대로 불이익처분
▷ 의견제출 기회 不要

④ (O) 행정절차법 제2조 제4호가 행정절차법의 당사자를 행정청의 처분에 대하여 직접 그 상대가 되는 당사자로 규정하고, 도로법 제25조 제3항이 도로구역을 결정하거나 변경할 경우 이를 고시에 의하도록 하면서, 그 도면을 일반인이 열람할 수 있도록 한 점 등을 종합하여 보면, 도로구역을 변경한 이 사건 처분은 행정절차법 제21조 제1항의 사전통지나 제22조 제3항의 의견청취의 대상이 되는 처분은 아니라고 할 것이다(대판 2008.6.12. 2007두1767).

답 ②

005 □□□

「행정절차법」상 의견제출 및 청문에 대한 설명으로 가장 옳지 않은 것은? (다툼이 있는 경우 판례에 의함)

① 청문주재자는 직권으로 또는 당사자의 신청에 따라 필요한 조사를 할 수 있으며, 당사자 등이 주장하지 아니한 사실에 대하여는 조사할 수 없다.
② 청문은 당사자가 공개를 신청하거나 청문주재자가 필요하다고 인정하는 경우 공개할 수 있다. 다만, 공익 또는 제3자의 정당한 이익을 현저히 해칠 우려가 있는 경우에는 공개하여서는 아니 된다.
③ 당사자 등은 처분 전에 그 처분의 관할 행정청에 서면이나 말로 또는 정보통신망을 이용하여 의견제출을 할 수 있다. 만약 당사자등이 정당한 이유 없이 의견제출기한까지 의견제출을 하지 아니한 경우에는 의견이 없는 것으로 본다.
④ 청문 주재자에게 공정한 청문 진행을 할 수 없는 사정이 있는 경우 당사자등은 행정청에 기피신청을 할 수 있다. 이 경우 행정청은 청문을 정지하고 그 신청이 이유가 있다고 인정할 때에는 해당 청문 주재자를 지체 없이 교체하여야 한다.

| 2025년 군무원 7급

① (×)

> 「행정절차법」 제33조【증거조사】① 청문 주재자는 직권으로 또는 당사자의 신청에 따라 필요한 조사를 할 수 있으며, 당사자등이 주장하지 아니한 사실에 대하여도 조사할 수 있다.

② (O)

> 「행정절차법」 제30조【청문의 공개】청문은 당사자가 공개를 신청하거나 청문 주재자가 필요하다고 인정하는 경우 공개할 수 있다. 다만, 공익 또는 제3자의 정당한 이익을 현저히 해칠 우려가 있는 경우에는 공개하여서는 아니 된다.

③ (O)

> 「행정절차법」 제27조【의견제출】① 당사자등은 처분 전에 그 처분의 관할 행정청에 서면이나 말로 또는 정보통신망을 이용하여 의견제출을 할 수 있다.
> ④ 당사자등이 정당한 이유 없이 의견제출기한까지 의견제출을 하지 아니한 경우에는 의견이 없는 것으로 본다.

④ (O)

> 「행정절차법」 제29조【청문 주재자의 제척·기피·회피】② 청문 주재자에게 공정한 청문 진행을 할 수 없는 사정이 있는 경우 당사자등은 행정청에 기피신청을 할 수 있다. 이 경우 행정청은 청문을 정지하고 그 신청이 이유가 있다고 인정할 때에는 해당 청문 주재자를 지체 없이 교체하여야 한다.

답 ①

006

「행정절차법」상 행정절차에 대한 설명으로 옳은 것은? (다툼이 있는 경우 판례에 의함)

① 상대방 있는 행정처분은 의사표시에 관한 일반법리에 따라 상대방에게 고지되어야 효력이 발생하지만, 상대방 있는 행정처분이 상대방에게 고지되지 아니한 경우에도 상대방이 다른 경로를 통해 행정처분의 내용을 알게 되었다면 행정처분의 효력이 발생한다.
② 다수의 당사자등이 공동으로 행정절차에 관한 행위를 할 때 선정한 대표자가 다수인 경우 그중 1인에 대한 행정청의 행위는 모든 당사자등에게 효력이 있지만, 행정청의 통지는 대표자 모두에게 하여야 그 효력이 있다.
③ 공정거래위원회가 시정조치 및 과징금납부명령을 함에 있어 「행정절차법」 소정의 의견청취절차 생략사유가 존재한다면, 공정거래위원회는 「행정절차법」을 적용하여 「독점규제 및 공정거래에 관한 법률」상의 의견청취절차를 생략할 수 있다.
④ 신청인이 신청에 앞서 행정청의 허가업무 담당자에게 신청서의 내용에 대한 검토를 요청한 것만으로도 다른 특별한 사정이 없는 한 명시적이고 확정적인 신청의 의사표시가 있었다고 할 수 있다.
⑤ 담당 소방공무원이 집합건물 중 일부 구분건물의 소유자에게 소방시설 불량사항에 관한 시정보완명령을 구술로 고지한 것은 「행정절차법」을 위반한 것으로 단순위법의 하자에 해당한다.

문제 DATA

출제가능 지수 ▶▶▷
난이도 지수 ★★☆

| 2025년 소방간부

① (×) 상대방 있는 행정처분은 특별한 규정이 없는 한 의사표시에 관한 일반법리에 따라 상대방에게 고지되어야 효력이 발생하고, 상대방 있는 행정처분이 상대방에게 고지되지 아니한 경우에는 상대방이 다른 경로를 통해 행정처분의 내용을 알게 되었다고 하더라도 행정처분의 효력이 발생한다고 볼 수 없다(대판 2019.8.9. 2019두38656).

② (○)

> 「행정절차법」 제11조 【대표자】 ① 다수의 당사자등이 공동으로 행정절차에 관한 행위를 할 때에는 대표자를 선정할 수 있다.
> ② 행정청은 제1항에 따라 당사자등이 대표자를 선정하지 아니하거나 대표자가 지나치게 많아 행정절차가 지연될 우려가 있는 경우에는 그 이유를 들어 상당한 기간 내에 3인 이내의 대표자를 선정할 것을 요청할 수 있다. 이 경우 당사자등이 그 요청에 따르지 아니하였을 때에는 행정청이 직접 대표자를 선정할 수 있다.
> ③ 당사자등은 대표자를 변경하거나 해임할 수 있다.
> ④ 대표자는 각자 그를 대표자로 선정한 당사자등을 위하여 행정절차에 관한 모든 행위를 할 수 있다. 다만, 행정절차를 끝맺는 행위에 대하여는 당사자등의 동의를 받아야 한다.
> ⑤ 대표자가 있는 경우에는 당사자등은 그 대표자를 통하여서만 행정절차에 관한 행위를 할 수 있다.
> ⑥ 다수의 대표자가 있는 경우 그중 1인에 대한 행정청의 행위는 모든 당사자등에게 효력이 있다. 다만, 행정청의 통지는 대표자 모두에게 하여야 그 효력이 있다.

③ (×) 행정절차법 제3조 제2항, 같은 법 시행령 제2조 제6호에 의하면 공정거래위원회의 의결·결정을 거쳐 행하는 사항에는 행정절차법의 적용이 제외되게 되어 있으므로, 설사 공정거래위원회의 시정조치 및 과징금납부명령에 행정절차법 소정의 의견청취절차 생략사유가 존재한다고 하더라도, 공정거래위원회는 행정절차법을 적용하여 의견청취절차를 생략할 수는 없다(대판 2001.5.8. 2000두10212).

④ (×) 구 행정절차법(2002.12.30. 법률 제6839호로 개정되기 전의 것) 제17조 제3항 본문은 "행정청은 신청이 있는 때에는 다른 법령 등에 특별한 규정이 있는 경우를 제외하고는 그 접수를 보류 또는 거부하거나 부당하게 되돌려 보내서는 아니 되며, 신청을 접수한 경우에는 신청인에게 접수증을 교부하여야 한다."고 규정하고 있는바, 여기에서의 신청인의 행정청에 대한 신청의 의사표시는 명시적이고 확정적인 것이어야 한다고 할 것이므로 신청인이 신청에 앞서 행정청의 허가업무 담당자에게 신청서의 내용에 대한 검토를 요청한 것만으로는 다른 특별한 사정이 없는 한 명시적이고 확정적인 신청의 의사표시가 있었다고 하기 어렵다(대판 2004.9.24. 2003두13236).

함께 정리하기

행정절차

상대방 있는 행정처분이 고지되지 아니한 경우
▷ 다른 경로로 처분의 내용을 알게 된 경우에도 효력 발생×

다수의 당사자 등이 공동으로 행정절차에 관한 행위
▷ 다수 대표자 중 1인에 대한 행정청의 행위는 모든 당사자에 효력 미침 But 행정청의 통지는 대표자 모두에게 하여야 효력○

공정거래위원회의 의결·결정을 거쳐 행하는 사항
▷ 「행정절차법」 적용×

담당자에게 신청서 내용 검토 요청
▷ 명시·확정적인 신청의 의사표시×

시정보완명령 구술 고지
▷ 「행정절차법」 제24조 위반 무효

⑤ (×) 집합건물 중 일부 구분건물의 소유자인 피고인이 관할 소방서장으로부터 소방시설 불량사항에 관한 시정보완명령을 받고도 따르지 아니하였다는 내용으로 기소된 사안에서, 담당 소방공무원이 행정처분인 위 명령을 구술로 고지한 것은 행정절차법 제24조를 위반한 것으로 하자가 중대하고 명백하여 당연 무효이고, 무효인 명령에 따른 의무위반이 생기지 아니하는 이상 피고인에게 명령 위반을 이유로 소방시설 설치유지 및 안전관리에 관한 법률 제48조의2 제1호에 따른 행정형벌을 부과할 수 없는데도, 이와 달리 위 명령이 유효함을 전제로 유죄를 인정한 원심판결에는 행정처분의 무효와 행정형벌의 부과에 관한 법리오해의 위법이 있다(대판 2011.11.10. 2011도11109).

답 ②

007

「행정절차법」상 청문제도에 대한 설명으로 옳지 않은 것은? (다툼이 있는 경우 판례에 의함)

① 행정청이 침해적 행정처분을 할 때 그 처분의 근거 법령 등에서 청문을 실시하도록 규정하고 있다면, 「행정절차법」 등 관련 법령상 청문을 실시하지 않아도 되는 예외적인 경우에 해당하지 않는 한, 반드시 청문을 실시하여야 하며, 그러한 절차를 결여한 처분은 위법한 처분으로서 취소사유에 해당한다.
② 청문은 당사자가 공개를 신청하더라도 공익 또는 제3자의 정당한 이익을 현저히 해칠 우려가 있는 경우에는 공개하여서는 아니 된다.
③ 당사자등은 청문조서의 내용을 열람·확인할 수 있으나, 이의가 있더라도 그 정정을 요구할 수는 없다.
④ 청문 주재자는 직권으로 또는 당사자의 신청에 따라 필요한 조사를 할 수 있으며, 당사자등이 주장하지 아니한 사실에 대하여도 조사할 수 있다.
⑤ 행정청이 청문서 도달기간을 다소 어겼다 하더라도 당사자가 이에 대하여 이의하지 아니한 채 스스로 청문일에 출석하여 그 의견을 진술하고 변명하는 등 방어의 기회를 충분히 가졌다면 청문서 도달기간을 준수하지 아니한 하자는 치유된다.

2025년 소방간부

① (○) 행정절차법 제22조 제1항 제1호는, 행정청이 처분을 할 때에는 다른 법령 등에서 청문을 실시하도록 규정하고 있는 경우 청문을 실시한다고 규정하고 있다. 이러한 청문제도는 행정처분의 사유에 대하여 당사자에게 변명과 유리한 자료를 제출할 기회를 부여함으로써 위법사유의 시정가능성을 고려하고, 처분의 신중과 적정을 기하려는 데 그 취지가 있다. 그러므로 행정청이 특히 침해적 행정처분을 할 때 그 처분의 근거 법령 등에서 청문을 실시하도록 규정하고 있다면, 행정절차법 등 관련 법령상 청문을 실시하지 않아도 되는 예외적인 경우에 해당하지 않는 한, 반드시 청문을 실시하여야 하며, 그러한 절차를 결여한 처분은 위법한 처분으로서 취소사유에 해당한다(대판 2017.4.7. 2016두63224).
② (○)

「행정절차법」 제30조 【청문의 공개】 청문은 당사자가 공개를 신청하거나 청문 주재자가 필요하다고 인정하는 경우 공개할 수 있다. 다만, 공익 또는 제3자의 정당한 이익을 현저히 해칠 우려가 있는 경우에는 공개하여서는 아니 된다.

③ (×)

「행정절차법」 제34조 【청문조서】 ② 당사자등은 청문조서의 내용을 열람·확인할 수 있으며, 이의가 있을 때에는 그 정정을 요구할 수 있다.

④ (○)

> 「행정절차법」 제33조【증거조사】① 청문 주재자는 직권으로 또는 당사자의 신청에 따라 필요한 조사를 할 수 있으며, 당사자등이 주장하지 아니한 사실에 대하여도 조사할 수 있다.

⑤ (○) 행정청이 식품위생법상의 청문절차를 이행함에 있어 소정의 청문서 도달기간을 지키지 아니하였다면 이는 청문의 절차적 요건을 준수하지 아니한 것이므로 이를 바탕으로 한 행정처분은 일단 위법하다고 보아야 할 것이지만 이러한 청문제도의 취지는 처분으로 말미암아 받게 될 영업자에게 미리 변명과 유리한 자료를 제출할 기회를 부여함으로써 부당한 권리침해를 예방하려는 데에 있는 것임을 고려하여 볼 때, 가령 행정청이 청문서 도달기간을 다소 어겼다하더라도 영업자가 이에 대하여 이의하지 아니한 채 스스로 청문일에 출석하여 그 의견을 진술하고 변명하는 등 방어의 기회를 충분히 가졌다면 청문서 도달기간을 준수하지 아니한 하자는 치유되었다고 봄이 상당하다(대판 1992.10.23. 92누2844).

답 ③

008

「행정절차법」상 의견청취에 대한 설명으로 옳지 않은 것은?

① 행정청이 처분을 할 때 해당 처분의 영향이 광범위하여 널리 의견을 수렴할 필요가 있다고 행정청이 인정하는 경우에는 공청회를 개최한다.
② 행정청이 당사자에게 의무를 부과하거나 권익을 제한하는 처분을 할 때 청문 또는 공청회의 경우 외에는 당사자등에게 의견제출의 기회를 주어야 한다.
③ 당사자가 의견진술의 기회를 포기한다는 뜻을 명백히 표시한 경우라도 의견청취를 하지 아니할 수 없다.
④ 행정청은 청문·공청회 또는 의견제출을 거쳤을 때에는 신속히 처분하여 해당 처분이 지연되지 아니하도록 하여야 한다.
⑤ 행정청은 처분 후 1년 이내에 당사자등이 요청하는 경우에는 청문·공청회 또는 의견제출을 위하여 제출받은 서류나 그 밖의 물건을 반환하여야 한다.

| 2025년 국회직 8급

①, ②, ④, ⑤ (○), ③ (×) 당사자가 의견진술의 기회를 포기한다는 뜻을 명백히 표시한 경우에는 의견청취를 생략할 수 있다.

> 「행정절차법」 제22조【의견청취】① 행정청이 처분을 할 때 다음 각 호의 어느 하나에 해당하는 경우에는 청문을 한다.
> 1. 다른 법령등에서 청문을 하도록 규정하고 있는 경우
> 2. 행정청이 필요하다고 인정하는 경우
> 3. 다음 각 목의 처분을 하는 경우
>   가. 인허가 등의 취소
>   나. 신분·자격의 박탈
>   다. 법인이나 조합 등의 설립허가의 취소
> ② 행정청이 처분을 할 때 다음 각 호의 어느 하나에 해당하는 경우에는 공청회를 개최한다
> 1. 다른 법령등에서 공청회를 개최하도록 규정하고 있는 경우
> 2. 해당 처분의 영향이 광범위하여 널리 의견을 수렴할 필요가 있다고 행정청이 인정하는 경우(①)
> 3. 국민생활에 큰 영향을 미치는 처분으로서 대통령령으로 정하는 처분에 대하여 대통령령으로 정하는 수 이상의 당사자등이 공청회 개최를 요구하는 경우
> ③ 행정청이 당사자에게 의무를 부과하거나 권익을 제한하는 처분을 할 때 제1항 또는 제2항의 경우 외에는 당사자등에게 의견제출의 기회를 주어야 한다(②).

④ 제1항부터 제3항까지의 규정에도 불구하고 제21조 제4항 각 호의 어느 하나에 해당하는 경우와 당사자가 의견진술의 기회를 포기한다는 뜻을 명백히 표시한 경우에는 의견청취를 하지 아니할 수 있다(③).
⑤ 행정청은 청문·공청회 또는 의견제출을 거쳤을 때에는 신속히 처분하여 해당 처분이 지연되지 아니하도록 하여야 한다(④).
⑥ 행정청은 처분 후 1년 이내에 당사자등이 요청하는 경우에는 청문·공청회 또는 의견제출을 위하여 제출받은 서류나 그 밖의 물건을 반환하여야 한다(⑤).

답 ③

009

다음 중 행정절차에 대한 설명으로 옳은 것만을 모두 고르면?

ㄱ. '공무원 인사관계 법령에 의한 처분에 관한 사항' 전부에 대하여 「행정절차법」의 적용이 배제된다.
ㄴ. 당사자에게 의무를 부과하거나 당사자의 권익을 제한하는 처분을 함에 있어서, 행정청은 법령등에서 요구된 자격이 없어지게 되면 반드시 일정한 처분을 하여야 하는 경우에 그 자격이 없어지게 된 사실이 법원의 재판 등에 의하여 객관적으로 증명된 경우에도 「행정절차법」상의 사전통지를 하여야 한다.
ㄷ. 행정청의 자의적 결정을 배제하고 당사자로 하여금 행정구제절차에서 적절히 대처할 수 있도록 하는 처분의 근거 및 이유제시 제도의 취지에 비추어, 처분을 하면서 당사자가 그 근거를 알 수 있을 정도로 이유를 제시한 경우에는 처분의 근거와 이유를 구체적으로 명시하지 않았더라도 그로 말미암아 그 처분이 위법하다고 볼 수는 없다.
ㄹ. 행정처분의 상대방에 대한 청문통지서가 반송되었다거나, 행정처분의 상대방이 청문일시에 불출석하였다는 이유만으로 청문을 실시하지 아니하고 한 침해적 행정처분은 위법하다.

① ㄱ, ㄴ
② ㄱ, ㄹ
③ ㄴ, ㄷ
④ ㄷ, ㄹ

2024년 지방직 7급

ㄱ. (×) 공무원 인사관계 법령에 의한 처분에 관한 사항 전부에 대하여 행정절차법의 적용이 배제되는 것이 아니라 성질상 행정절차를 거치기 곤란하거나 불필요하다고 인정되는 처분이나 행정절차에 준하는 절차를 거치도록 하고 있는 처분의 경우에만 행정절차법의 적용이 배제된다(대판 2007.9.21. 2006두20631).

ㄴ. (×)

「행정절차법」제21조【처분의 사전 통지】① 행정청은 당사자에게 의무를 부과하거나 권익을 제한하는 처분을 하는 경우에는 미리 다음 각 호의 사항을 당사자등에게 통지하여야 한다. <각 호 생략>
④ 다음 각 호의 어느 하나에 해당하는 경우에는 제1항에 따른 통지를 하지 아니할 수 있다.
1. 공공의 안전 또는 복리를 위하여 긴급히 처분을 할 필요가 있는 경우
2. 법령등에서 요구된 자격이 없거나 없어지게 되면 반드시 일정한 처분을 하여야 하는 경우에 그 자격이 없거나 없어지게 된 사실이 법원의 재판 등에 의하여 객관적으로 증명된 경우
3. 해당 처분의 성질상 의견청취가 현저히 곤란하거나 명백히 불필요하다고 인정될 만한 상당한 이유가 있는 경우

ㄷ. (○) 행정절차법 제23조 제1항은 행정청이 처분을 할 때에는 당사자에게 그 근거와 이유를 제시하도록 규정하고 있다. 이는 행정청의 자의적 결정을 배제하고 당사자로 하여금 행정구제절차에서 적절히 대처할 수 있도록 하는 데 그 취지가 있다. 따라서 처분서의 내용, 관계 법령, 처분에 이른 전체적인 과정 등을 종합하여, 처분 당시 당사자가 어떠한 근거와 이유로 처분이 이루어졌는지를 충분히 알 수 있어서 행정구제절차로 나아가는 데 별다른 지장이 없었다고 인정되는 경우에는, 처분서에 처분의 근거와 이유가 구체적으로 명시되어 있지 않았다고 하더라도 그 처분이 위법하다고 할 수 없다(대판 2009.12.10. 2007두20348).

ㄹ. (○) 행정처분의 상대방이 통지된 청문일시에 불출석하였다는 이유만으로 행정청이 관계 법령상 그 실시가 요구되는 청문을 실시하지 아니한 채 침해적 행정처분을 할 수는 없을 것이므로, 행정처분의 상대방에 대한 청문통지서가 반송되었다거나, 행정처분의 상대방이 청문일시에 불출석하였다는 이유로 청문을 실시하지 아니하고 한 침해적 행정처분은 위법하다(대판 2001.4.13. 2000두3337).

답 ④

010

「행정절차법」상 행정절차에 관한 설명으로 옳은 것은?

① 행정청은 처분의 신청을 받았을 때에는 항상 그 접수를 처리하여야 하며, 신청을 접수한 경우에는 신청인에게 접수증을 주어야 한다.
② 행정청은 처분의 처리기간을 연장할 수 있는데, 이때 처분의 신청인에게 반드시 연장 사유와 처리 예정 기한을 통지할 필요는 없다.
③ 행정청은 필요한 처분기준을 해당 처분의 성질에 비추어 되도록 구체적으로 정하여 공표하여야 한다. 그러나 처분기준을 변경하는 경우에는 그러하지 아니하다.
④ 처분의 신청인은 처분이 있기 전에는 그 신청의 내용을 보완·변경하거나 취하할 수 있다. 다만, 다른 법령등에 특별한 규정이 있거나 그 신청의 성질상 보완·변경하거나 취하할 수 없는 경우에는 그러하지 아니하다.

2024년 소방직

① (×) 신청이 형식적(절차적) 요건을 갖추어 적법하면 이를 접수하여야 하나, 행정청은 신청에 구비서류의 미비 등 흠이 있는 경우에도 접수를 거부하여서는 안 되며 보완에 필요한 상당한 기간을 정하여 지체 없이 신청인에게 보완(補完)을 요구하여야 한다(「행정절차법」 제17조 제5항). 그러나 기간 내에 보완을 하지 아니한 때에는 그 이유를 명시하여 접수된 신청을 되돌려 보낼 수 있다(제6항).

> 「행정절차법」 제17조 【처분의 신청】 ④ 행정청은 신청을 받았을 때에는 다른 법령등에 특별한 규정이 있는 경우를 제외하고는 그 접수를 보류 또는 거부하거나 부당하게 되돌려 보내서는 아니 되며, 신청을 접수한 경우에는 신청인에게 접수증을 주어야 한다. 다만, 대통령령으로 정하는 경우에는 접수증을 주지 아니할 수 있다.
> ⑤ 행정청은 신청에 구비서류의 미비 등 흠이 있는 경우에는 보완에 필요한 상당한 기간을 정하여 지체 없이 신청인에게 보완을 요구하여야 한다.
> ⑥ 행정청은 신청인이 제5항에 따른 기간 내에 보완을 하지 아니하였을 때에는 그 이유를 구체적으로 밝혀 접수된 신청을 되돌려 보낼 수 있다.

② (×)

> 「행정절차법」 제19조 【처리기간의 설정·공표】 ① 행정청은 신청인의 편의를 위하여 처분의 처리기간을 종류별로 미리 정하여 공표하여야 한다.
> ② 행정청은 부득이한 사유로 제1항에 따른 처리기간 내에 처분을 처리하기 곤란한 경우에는 해당 처분의 처리기간의 범위에서 한 번만 그 기간을 연장할 수 있다.
> ③ 행정청은 제2항에 따라 처리기간을 연장할 때에는 처리기간의 연장 사유와 처리 예정 기한을 지체 없이 신청인에게 통지하여야 한다.

문제 DATA
출제가능 지수 ▶▶▷
난이도 지수 ★★☆

함께 정리하기

「행정절차법」상 행정절차

접수의무
▷ 다른 법령에 특별한 규정이 있는 경우를 제외하고는 접수거부 불가
▷ 신청이 형식적(절차적) 요건을 갖추어 적법하면 이를 접수하여야

처분의 처리기간 연장
▷ 신청인에게 연장사유, 처리예정기한 통지 要

처분기준의 설정·공표
▷ 변경하는 경우도 공표 要

신청 후 처분전까지
▷ 신청의 보완·변경·철회 可

③ (×)

> 「행정절차법」제20조【처분기준의 설정·공표】① 행정청은 필요한 처분기준을 해당 처분의 성질에 비추어 되도록 구체적으로 정하여 공표하여야 한다. 처분기준을 변경하는 경우에도 또한 같다.

④ (○)

> 「행정절차법」제17조【처분의 신청】⑧ 신청인은 처분이 있기 전에는 그 신청의 내용을 보완·변경하거나 취하(取下)할 수 있다. 다만, 다른 법령등에 특별한 규정이 있거나 그 신청의 성질상 보완·변경하거나 취하할 수 없는 경우에는 그러하지 아니하다.

답 ④

011 ☐☐☐

행정절차에 대한 설명으로 옳지 않은 것은?

① 「행정절차법」상 행정청은 처분을 할 때에 단순·반복적인 처분 또는 경미한 처분으로서 당사자가 그 이유를 명백히 알 수 있는 경우에는 처분 후 당사자가 요청하더라도 당사자에게 그 근거와 이유를 제시하지 않아도 된다.
② 육군3사관학교의 사관생도에 대한 징계절차에서 징계심의대상자가 대리인으로 선임한 변호사가 징계위원회 심의에 출석하여 진술하려고 하였음에도, 징계권자나 그 소속 직원이 변호사가 징계위원회의 심의에 출석하는 것을 막은 후 내린 징계위원회의 징계의결에 따른 징계처분은 특별한 사정이 없는 한 위법하여 원칙적으로 취소되어야 한다.
③ 공무원 인사관계 법령에 의한 처분에 관한 사항 전부에 대하여 「행정절차법」의 적용이 배제되는 것이 아니라 성질상 행정절차를 거치기 곤란하거나 불필요하다고 인정되는 처분이나 행정절차에 준하는 절차를 거치도록 하고 있는 처분의 경우에만 「행정절차법」의 적용이 배제된다.
④ 군인사법령에 의하여 진급예정자명단에 포함된 자에 대하여 「행정절차법」상 의견제출의 기회를 부여하지 아니한 채 진급선발을 취소한 처분은 위법하다.

2024년 지방직 9급

① (×) 단순·반복적인 처분 또는 경미한 처분으로서 당사자가 그 이유를 명백히 알 수 있는 경우에는 처분 후 당사자가 요청하는 경우 당사자에게 그 근거와 이유를 제시하여야 한다.

> 「행정절차법」제23조【처분의 이유 제시】① 행정청은 처분을 할 때에는 다음 각 호의 어느 하나에 해당하는 경우를 제외하고는 당사자에게 그 근거와 이유를 제시하여야 한다.
> 1. 신청 내용을 모두 그대로 인정하는 처분인 경우
> 2. 단순·반복적인 처분 또는 경미한 처분으로서 당사자가 그 이유를 명백히 알 수 있는 경우
> 3. 긴급히 처분을 할 필요가 있는 경우
> ② 행정청은 제1항 제2호 및 제3호의 경우에 처분 후 당사자가 요청하는 경우에는 그 근거와 이유를 제시하여야 한다.

② (○)

> [1] 행정절차법령의 규정과 취지, 헌법상 법치국가원리와 적법절차원칙에 비추어 징계와 같은 불이익처분절차에서 징계심의대상자에게 변호사를 통한 방어권의 행사를 보장하는 것이 필요하고, 징계심의대상자가 선임한 변호사가 징계위원회에 출석하여 징계심의대상자를 위하여 필요한 의견을 진술하는 것은 방어권 행사의 본질적 내용에 해당하므로, 행정청은 특별한 사정이 없는 한 이를 거부할 수 없다고 할 것이다.

문제 DATA
출제가능 지수 ▶▶▷
난이도 지수 ★★☆

함께 정리하기

행정절차

이유 명백히 알 수 있는 단순·반복·경미 처분
▷ 이유제시의무 ×
▷ But 당사자의 요청시 이유제시 要

대리인으로 선임한 변호사가 징계위원회 심의에 출석하는 것을 막은 경우
▷ 징계처분 위법·취소사유

공무원 인사처분
▷ 성질상 곤란·불필요 or 행정절차에 준하는 절차 거친 경우만 적용배제

군인사법령상 진급선발취소
▷ 「행정절차법」 적용 O, 의견청취절차 생략 불가

[2] 육군3사관학교의 사관생도에 대한 징계절차에서 징계심의대상자가 대리인으로 선임한 변호사가 징계위원회 심의에 출석하여 진술하려고 하였음에도 불구하고, 징계권자나 그 소속 직원이 변호사가 징계위원회의 심의에 출석하는 것을 막았다면 징계위원회 심의·의결의 절차적 정당성이 상실되어 그 징계의결에 따른 징계처분은 위법하여 원칙적으로 취소되어야 한다. 다만 징계심의대상자의 대리인이 관련된 행정절차나 소송절차에서 이미 실질적인 증거조사를 하고 의견을 진술하는 절차를 거쳐서 징계심의대상자의 방어권 행사에 실질적으로 지장이 초래되었다고 볼 수 없는 특별한 사정이 있는 경우에는, 징계권자가 징계심의대상자의 대리인에게 징계위원회에 출석하여 의견을 진술할 기회를 주지 아니하였다 하더라도 그로 인하여 징계위원회 심의에 절차적 정당성이 상실되었다고 볼 수 없으므로 징계처분을 취소할 것은 아니다(대판 2018.3.13. 2016두33339).

③ (○)

> 「행정절차법」 제3조 【적용 범위】 ② 이 법은 다음 각 호의 어느 하나에 해당하는 사항에 대하여는 적용하지 아니한다.
> 9. 「병역법」에 따른 징집·소집, 외국인의 출입국·난민인정·귀화, 공무원 인사 관계 법령에 따른 징계와 그 밖의 처분, 이해 조정을 목적으로 하는 법령에 따른 알선·조정·중재(仲裁)·재정(裁定) 또는 그 밖의 처분 등 해당 행정작용의 성질상 행정절차를 거치기 곤란하거나 거칠 필요가 없다고 인정되는 사항과 행정절차에 준하는 절차를 거친 사항으로서 대통령령으로 정하는 사항

행정과정에 대한 국민의 참여와 행정의 공정성, 투명성 및 신뢰성을 확보하고 국민의 권익을 보호함을 목적으로 하는 행정절차법의 입법목적과 행정절차법 제3조 제2항 제9호의 규정 내용 등에 비추어 보면, 공무원 인사관계 법령에 의한 처분에 관한 사항 전부에 대하여 행정절차법의 적용이 배제되는 것이 아니라 성질상 행정절차를 거치기 곤란하거나 불필요하다고 인정되는 처분이나 행정절차에 준하는 절차를 거치도록 하고 있는 처분의 경우에만 행정절차법의 적용이 배제된다(대판 2007.9.21. 2006두20631).

④ (○) 진급선발을 취소하는 처분은 진급예정자로서 가지는 원고의 이익을 침해하는 처분이라 할 것이고, 한편 군인사법 및 그 시행령에 이 사건 처분과 같이 진급예정자 명단에 포함된 자의 진급선발을 취소하는 처분을 함에 있어 행정절차에 준하는 절차를 거치도록 하는 규정이 없을 뿐만 아니라 위 처분이 성질상 행정절차를 거치기 곤란하거나 불필요하다고 인정되는 처분이라고 보기도 어렵다고 할 것이어서 이 사건 처분이 행정절차법의 적용이 제외되는 경우에 해당한다고 할 수 없으며, 나아가 원고가 수사과정 및 징계과정에서 자신의 비위행위에 대한 해명기회를 가졌다는 사정만으로 이 사건 처분이 행정절차법 제21조 제4항 제3호, 제22조 제4항에 따라 원고에게 사전통지를 하지 않거나 의견제출의 기회를 주지 아니하여도 되는 예외적인 경우에 해당한다고 할 수 없으므로, 피고가 이 사건 처분을 함에 있어 원고에게 의견제출의 기회를 부여하지 아니한 이상, 이 사건 처분은 절차상 하자가 있어 위법하다고 할 것이다(대판 2007.9.21. 2006두20631).

답 ①

문제 DATA

출제가능 지수 ▶▶▷
난이도 지수 ★★☆

012 ☐☐☐

다음 중 「행정절차법」상 청문에 대한 설명으로 가장 옳지 않은 것은? (다툼이 있는 경우 판례에 의함)

① 행정청은 당사자가 요청한 경우에는 청문을 실시하여야 한다.
② 행정청이 당사자와 사이에 도시계획사업의 시행과 관련한 협약을 체결하면서 청문의 실시를 배제하는 조항을 둔 경우, 청문의 실시에 관한 규정의 적용이 배제되거나 청문을 실시하지 않아도 되는 예외적인 경우에 해당하지 않는다.
③ 청문 주재자는 당사자등의 전부 또는 일부가 정당한 사유 없이 청문기일에 출석하지 아니하거나 의견서를 제출하지 아니한 경우에는 이들에게 다시 의견진술 및 증거제출의 기회를 주지 아니하고 청문을 마칠 수 있다.
④ 행정청은 처분시 상당한 이유가 있다고 인정하면 청문결과를 반영하여야 한다.

| 2024년 군무원 9급

① (×)

> 「행정절차법」 제22조【의견청취】① 행정청이 처분을 할 때 다음 각 호의 어느 하나에 해당하는 경우에는 청문을 한다.
> 1. 다른 법령등에서 청문을 하도록 규정하고 있는 경우
> 2. 행정청이 필요하다고 인정하는 경우
> 3. 다음 각 목의 처분을 하는 경우
>   가. 인허가 등의 취소
>   나. 신분·자격의 박탈
>   다. 법인이나 조합 등의 설립허가의 취소

② (○) 행정청이 당사자와 사이에 도시계획사업의 시행과 관련한 협약을 체결하면서 관계 법령 및 행정절차법에 규정된 청문의 실시 등 의견청취절차를 배제하는 조항을 두었다고 하더라도, 위와 같은 협약의 체결로 청문의 실시에 관한 규정의 적용을 배제할 수 있다고 볼 만한 법령상의 규정이 없는 한, 이러한 협약이 체결되었다고 하여 청문의 실시에 관한 규정의 적용이 배제된다거나 청문을 실시하지 않아도 되는 예외적인 경우에 해당한다고 할 수 없다(대판 2004.7.8. 2002두8350).

③ (○)

> 「행정절차법」 제35조【청문의 종결】② 청문 주재자는 당사자등의 전부 또는 일부가 정당한 사유 없이 청문기일에 출석하지 아니하거나 제31조 제3항에 따른 의견서를 제출하지 아니한 경우에는 이들에게 다시 의견진술 및 증거제출의 기회를 주지 아니하고 청문을 마칠 수 있다.
> ③ 청문 주재자는 당사자등의 전부 또는 일부가 정당한 사유로 청문기일에 출석하지 못하거나 제31조 제3항에 따른 의견서를 제출하지 못한 경우에는 10일 이상의 기간을 정하여 이들에게 의견진술 및 증거제출을 요구하여야 하며, 해당 기간이 지났을 때에 청문을 마칠 수 있다.

④ (○)

> 「행정절차법」 제35조의2【청문결과의 반영】행정청은 처분을 할 때에 제35조 제4항에 따라 받은 청문조서, 청문 주재자의 의견서, 그 밖의 관계 서류 등을 충분히 검토하고 상당한 이유가 있다고 인정하는 경우에는 청문결과를 반영하여야 한다.

답 ①

함께 정리하기

「행정절차법」상 청문

청문 실시사유
▷ 다른 법령등에 규정
▷ 행정청이 필요하다고 인정
▷ 인·허가등 취소, 신분·자격 박탈, 법인·조합등 설립허가취소 처분시

청문절차
▷ 협약으로 배제 불가

당사자등이 정당한 사유 없이 청문기일 불출석 또는 의견서 미제출
▷ 다시 의견진술·증거제출 기회 주지 아니하고 청문 종결 可

청문이 상당한 이유가 있다고 인정
▷ 처분시 청문결과 반영 要

013

행정절차에 관한 설명으로 옳지 않은 것은? (다툼이 있는 경우 판례에 의함)

① 보건복지부장관의 국민건강보험법령상 요양급여의 상대가치점수 변경 고시처분의 경우 상대방을 특정할 수 없으므로 그 상대방에게 의견제출의 기회를 주어야 하는 것은 아니다.

② 처분서에 기재된 내용과 관계 법령 및 당해 처분에 이르기까지 전체적인 과정 등을 종합적으로 고려하여, 처분 당시 당사자가 어떠한 근거와 이유로 처분이 이루어진 것인지를 충분히 알 수 있어서 행정구제절차로 나아가는 데에 별다른 지장이 없는 경우라면 처분서에 처분의 근거와 이유가 구체적으로 명시되어 있지 않았더라도 절차상 위법하지 않다.

③ 신청에 따른 처분이 이루어지지 아니한 경우에는 아직 당사자에게 권익이 부과되지 아니하였으므로 특별한 사정이 없는 한 처분의 사전통지대상이 된다고 할 수 없다.

④ 「행정절차법」 제21조 제4항에서 규정한 '의견청취가 현저히 곤란하거나 명백히 불필요하다고 인정될 만한 상당한 이유가 있는 경우'에 해당하는지는 해당 행정처분의 성질에 비추어 판단하여야 하며, 처분상대방이 이미 행정청에 위반사실을 시인하였다거나 처분의 사전통지 이전에 의견을 진술할 기회가 있었다는 사정을 고려하여 판단할 것은 아니다.

⑤ 도시계획시설인 추모공원 건립을 위해 지방자치단체, 비영리법인, 일반 기업 등이 공동발족한 추모공원건립추진협의회에서 후보지 주민들의 의견을 청취하기 위하여 추진협의회 명의로 개최한 공청회의 경우 「행정절차법」에서 정한 절차를 준수하여야 한다.

2024년 소방간부

⑤ (○)

    [1] '고시'의 방법으로 불특정 다수인을 상대로 의무를 부과하거나 권익을 제한하는 처분은 성질상 의견제출의 기회를 주어야 하는 상대방을 특정할 수 없으므로, 이와 같은 처분에 있어서까지 구 행정절차법 제22조 제3항에 의하여 그 상대방에게 의견제출의 기회를 주어야 한다고 해석할 것은 아니다.

    [2] 원심은, 보건복지부장관이 '건강보험 행위 급여·비급여 목록표 및 급여상대가치점수'(보건복지부 고시 제2010-32호, 이하 '이 사건 고시'라 한다)에 의하여 수정체수술과 관련한 질병군의 상대가치점수를 종전보다 약 10~25% 정도 인하하는 내용의 처분을 한 것은 수정체수술을 하는 의료기관을 개설·운영하는 개별 안과 의사들을 상대로 한 것이 아니라 불특정 다수의 의사 전부를 상대로 하는 것인 점 등 그 판시와 같은 이유를 들어, 이 사건 고시에 의한 처분의 경우 구 행정절차법 제22조 제3항에 따라 그 상대방에게 의견제출의 기회를 주지 않았다고 하여 위법하다고 볼 수 없다는 취지로 판단하였다. 이러한 원심의 판단은 앞서 살펴본 법리에 따른 것으로서 정당하고, 거기에 구 행정절차법 제22조 제3항에 따라 의견제출의 기회를 부여하여야 하는 처분의 범위 등에 관한 법리를 오해한 잘못이 없다(대판 2014.10.27. 2012두7745).

② (○) 행정절차법 제23조 제1항은 행정청이 처분을 하는 때에는 당사자에게 그 근거와 이유를 제시하도록 규정하고 있고, 이는 행정청의 자의적 결정을 배제하고 당사자로 하여금 행정구제절차에서 적절히 대처할 수 있도록 하는 데 그 취지가 있다. 따라서 처분서에 기재된 내용과 관계 법령 및 당해 처분에 이르기까지 전체적인 과정 등을 종합적으로 고려하여, 처분 당시 당사자가 어떠한 근거와 이유로 처분이 이루어진 것인지를 충분히 알 수 있어서 그에 불복하여 행정구제절차로 나아가는 데에 별다른 지장이 없었던 것으로 인정되는 경우에는 처분서에 처분의 근거와 이유가 구체적으로 명시되어 있지 않았다고 하더라도 그로 말미암아 그 처분이 위법한 것으로 된다고 할 수는 없다(대판 2013.11.14. 2011두18571).

③ (○) 행정절차법 제21조 제1항은 행정청은 당사자에게 의무를 과하거나 권익을 제한하는 처분을 하는 경우에는 미리 처분의 제목, 당사자의 성명 또는 명칭과 주소, 처분하고자 하는 원인이 되는 사실과 처분의 내용 및 법적 근거, 그에 대하여 의견을 제출할 수 있다는 뜻과 의견을 제출하지 아니하는 경우의 처리방법, 의견제출기관의 명칭과 주소, 의견제출기한 등을 당사자 등에게 통지하도록 하고 있는바, 신청에 따른 처분이 이루어지지 아니한 경우에는 아직 당사자에게 권익이 부과되지 아니하였으므로 특별한 사정이 없는 한 신청에 대한 거부처분이라고 하더라도 직접 당사자의 권익을 제한하는 것은 아니어서 신청에 대한 거부처분을 여기에서 말하는 '당사자의 권익을 제한하는 처분'에 해당한다고 할 수 없는 것이어서 처분의 사전통지대상이 된다고 할 수 없다(대판 2003.11.28. 2003두674).

함께 정리하기

행정절차

처분당시 근거·이유 충분히 알 수 있어서 권리구제절차에 별다른 지장 無
▷ 이유제시 정도 완화

거부처분
▷ 사전통지 대상 ✕

위반사실 시인, 사전통지 이전에 의견진술의 기회가 있었다는 사정
▷ 사전통지 예외사유 ✕

추모공원건립추진협의회의 공청회
▷ 「행정절차법」 적용 ✕

④ (○) 행정청이 침해적 행정처분을 하면서 당사자에게 사전통지를 하거나 의견제출의 기회를 주지 아니하였다면, 사전통지나 의견제출의 예외적인 경우에 해당하지 아니하는 한, 처분은 위법하여 취소를 면할 수 없다. 그리고 여기에서 '의견청취가 현저히 곤란하거나 명백히 불필요하다고 인정될 만한 상당한 이유가 있는 경우'에 해당하는지는 해당 행정처분의 성질에 비추어 판단하여야 하며, 처분상대방이 이미 행정청에 위반사실을 시인하였다거나 처분의 사전통지 이전에 의견을 진술할 기회가 있었다는 사정을 고려하여 판단할 것은 아니다(대판 2016.10.27. 2016두41811).
⑤ (×) 위 각 공청회는 추모공원건립추진협의회가 이 사건 추모공원의 후보지를 선정하는 과정에서 후보지 주민들의 의견을 청취하기 위하여 그 명의로 개최된 것일 뿐이지, 행정청인 피고가 이 사건 도시계획시설결정이라는 처분을 함에 있어서 당해 처분의 영향이 광범위하여 널리 의견을 수렴할 필요가 있다고 스스로 인정하여 개최한 공청회가 아니므로, 위 각 공청회를 개최함에 있어 행정절차법에서 정한 절차를 준수하여야 하는 것은 아니라 할 것이고, 위 각 공청회 개최과정에서 피고가 이 사건 협의회의 구성원으로서 행정적인 업무지원을 하였다 하여 달리 볼 것은 아니다(대판 2007.4.12. 2005두1893).

답 ⑤

문제 DATA

출제가능 지수 ▶▶▷
난이도 지수 ★★☆

014 □□□

甲은 A시에서 식품제조업을 영위하고 있는데, 관할 행정청인 A시장으로부터 「식품위생법」위반을 이유로 2월의 영업정지처분을 받았다. 이와 관련하여 「행정절차법」상 절차에 대한 설명 중 옳지 않은 것은? (다툼이 있는 경우 판례에 의함)

① A시장이 甲에 대한 영업정지처분을 하기에 앞서 甲에게 처분의 내용 등을 사전통지 하지 않았다면 이는 절차상 하자에 해당한다.
② A시장이 甲에게 사전통지를 하지 않았거나 의견제출의 기회를 주지 않았다면 원칙적으로 그 처분은 위법하여 취소할 수 있다.
③ A시장이 甲에 대한 영업정지처분을 하면서 처분의 근거와 이유를 구체적으로 명시하지는 않았지만, 甲이 처분의 근거와 이유를 충분히 알 수 있어 불복·구제절차로 나아가는 데 지장을 받지 않았더라도 해당 처분은 위법하다.
④ A시장이 甲에 대한 처분을 할 때 공공의 안전을 위해 긴급히 처분할 필요가 있어 사전통지를 하지 않았더라도 처분을 할 때에는 甲에게 통지를 하지 아니한 사유를 알려야 한다.

| 2024년 경찰간부

①, ④ (○)

함께 정리하기

사례해결

침익적 처분 하기 전 사전통지 결여
▷ 예외사유가 없는 한, 절차하자○
▷ 처분은 위법하여 취소 可

처분당시 근거·이유 충분히 알 수 있어서 권리구제절차에 별다른 지장 無
▷ 이유제시 정도 완화

사전통지 생략시
▷ 행정청은 처분을 할 때 통지하지 않은 사유를 알려야 함

「행정절차법」제21조【처분의 사전 통지】① 행정청은 당사자에게 의무를 부과하거나 권익을 제한하는 처분을 하는 경우에는 미리 다음 각 호의 사항을 당사자등에게 통지하여야 한다(①).
1. 처분의 제목
2. 당사자의 성명 또는 명칭과 주소
3. 처분하려는 원인이 되는 사실과 처분의 내용 및 법적 근거
4. 제3호에 대하여 의견을 제출할 수 있다는 뜻과 의견을 제출하지 아니하는 경우의 처리방법
5. 의견제출기관의 명칭과 주소
6. 의견제출기한
7. 그 밖에 필요한 사항
④ 다음 각 호의 어느 하나에 해당하는 경우에는 제1항에 따른 통지를 하지 아니할 수 있다.
1. 공공의 안전 또는 복리를 위하여 긴급히 처분을 할 필요가 있는 경우
2. 법령등에서 요구된 자격이 없거나 없어지게 되면 반드시 일정한 처분을 하여야 하는 경우에 그 자격이 없거나 없어지게 된 사실이 법원의 재판 등에 의하여 객관적으로 증명된 경우
3. 해당 처분의 성질상 의견청취가 현저히 곤란하거나 명백히 불필요하다고 인정될 만한 상당한 이유가 있는 경우

⑥ 제4항에 따라 사전 통지를 하지 아니하는 경우 행정청은 처분을 할 때 당사자등에게 통지를 하지 아니한 사유를 알려야 한다(④). 다만, 신속한 처분이 필요한 경우에는 처분 후 그 사유를 알릴 수 있다.

② (○) 절차상의 하자가 있어 원칙적으로 취소사유에 해당한다.

> 행정청이 침해적 행정처분을 함에 있어서 당사자에게 위와 같은 사전통지를 하거나 의견제출의 기회를 주지 아니하였다면 사전통지를 하지 않거나 의견제출의 기회를 주지 아니하여도 되는 예외적인 경우에 해당하지 아니하는 한 그 처분은 위법하여 취소를 면할 수 없다(대판 2004.5.28. 2004두1254).

③ (×) 처분 당시 당사자가 어떠한 근거와 이유로 처분이 이루어진 것인지를 충분히 알 수 있어서 그에 불복하여 행정구제절차로 나아가는 데에 별다른 지장이 없었던 것으로 인정되는 경우에는 처분서에 처분의 근거와 이유가 구체적으로 명시되어 있지 않았다고 하더라도 그로 말미암아 그 처분이 위법한 것으로 된다고 할 수는 없다(대판 2013.11.14. 2011두18571).

답 ③

015 □□□

「행정절차법」의 내용에 대한 설명으로 옳지 않은 것은?

① 행정절차에 관한 사항이라도 국회 또는 지방의회의 의결을 거치거나 동의 또는 승인을 받아 행하는 사항의 경우에는 「행정절차법」의 적용이 배제된다.
② 「행정절차법」상 '당사자등'이란 행정청의 처분에 대하여 직접 그 상대가 되는 당사자 및 행정청이 직권으로 또는 신청에 따라 행정절차에 참여하게 한 이해관계인을 의미한다.
③ 「행정절차법」상 '의견제출'이란 행정청이 어떠한 행정작용을 하기 전에 당사자등이 의견을 제시하는 절차로서 청문이나 공청회에 해당하는 절차를 말한다.
④ 행정청이 처분을 할 때에는 다른 법령 등에 특별한 규정이 있는 경우를 제외하고는 문서로 하여야 하며, 이를 위반한 처분은 하자가 중대·명백하여 원칙적으로 무효이다.
⑤ 국회사무총장·법원행정처장·헌법재판소사무처장 및 중앙선거관리위원회사무총장을 제외한 행정청은 정부시책이나 행정제도 및 그 운영의 개선에 관한 국민의 창의적인 의견이나 고안을 접수·처리하여야 한다.

| 2024년 국회직 8급

① (○)

> 「행정절차법」 제3조 【적용 범위】 ② 이 법은 다음 각 호의 어느 하나에 해당하는 사항에 대하여는 적용하지 아니한다.
> 1. 국회 또는 지방의회의 의결을 거치거나 동의 또는 승인을 받아 행하는 사항
> 2. 법원 또는 군사법원의 재판에 의하거나 그 집행으로 행하는 사항
> 3. 헌법재판소의 심판을 거쳐 행하는 사항
> 4. 각급 선거관리위원회의 의결을 거쳐 행하는 사항
> 5. 감사원이 감사위원회의의 결정을 거쳐 행하는 사항
> 6. 형사(刑事), 행형(行刑) 및 보안처분 관계 법령에 따라 행하는 사항
> 7. 국가안전보장·국방·외교 또는 통일에 관한 사항 중 행정절차를 거칠 경우 국가의 중대한 이익을 현저히 해칠 우려가 있는 사항
> 8. 심사청구, 해양안전심판, 조세심판, 특허심판, 행정심판, 그 밖의 불복절차에 따른 사항
> 9. 「병역법」에 따른 징집·소집, 외국인의 출입국·난민인정·귀화, 공무원 인사 관계 법령에 따른 징계와 그 밖의 처분, 이해 조정을 목적으로 하는 법령에 따른 알선·조정·중재(仲裁)·재정(裁定) 또는 그 밖의 처분 등 해당 행정작용의 성질상 행정절차를 거치기 곤란하거나 거칠 필요가 없다고 인정되는 사항과 행정절차에 준하는 절차를 거친 사항으로서 대통령령으로 정하는 사항

② (○), ③ (×) '의견제출'이란 청문이나 공청회에 해당하지 아니하는 절차를 말한다.

> 「행정절차법」 제2조【정의】 이 법에서 사용하는 용어의 뜻은 다음과 같다.
> 4. "당사자등"이란 다음 각 목의 자를 말한다.
>   가. 행정청의 처분에 대하여 직접 그 상대가 되는 당사자
>   나. 행정청이 직권으로 또는 신청에 따라 행정절차에 참여하게 한 이해관계인
> 7. "의견제출"이란 행정청이 어떠한 행정작용을 하기 전에 당사자등이 의견을 제시하는 절차로서 청문이나 공청회에 해당하지 아니하는 절차를 말한다(③).

④ (○)

> [1] 행정절차법 제24조는, 행정청이 처분을 하는 때에는 다른 법령 등에 특별한 규정이 있는 경우를 제외하고는 문서로 하여야 하고 전자문서로 하는 경우에는 당사자 등의 동의가 있어야 하며, 다만 신속을 요하거나 사안이 경미한 경우에는 구술 기타 방법으로 할 수 있다고 규정하고 있는데, 이는 행정의 공정성·투명성 및 신뢰성을 확보하고 국민의 권익을 보호하기 위한 것이므로 위 규정을 위반하여 행하여진 행정청의 처분은 하자가 중대하고 명백하여 원칙적으로 무효이다.
> [2] 시흥소방서의 담당 소방공무원이 피고인에게 행정처분인 위 시정보완명령을 구두로 고지한 것은 행정절차법 제24조에 위반한 것으로 그 하자가 중대하고 명백하여 위 시정보완명령은 당연 무효라고 할 것이고, 무효인 위 시정보완명령에 따른 피고인의 의무위반이 생기지 아니하는 이상 피고인에게 위 시정보완명령에 위반하였음을 이유로 소방시설 설치유지 및 안전관리에 관리에 관한 법률 제48조의2 제1호에 따른 행정형벌을 부과할 수 없다(대판 2011.11.10. 2011도11109).

⑤ (○)

> 「행정절차법」 제52조의2【국민제안의 처리】 ① 행정청(국회사무총장·법원행정처장·헌법재판소사무처장 및 중앙선거관리위원회사무총장은 제외한다)은 정부시책이나 행정제도 및 그 운영의 개선에 관한 국민의 창의적인 의견이나 고안(이하 "국민제안"이라 한다)을 접수·처리하여야 한다.

답 ③

016

「행정절차법」상 청문과 사전통지에 대한 설명으로 옳은 것은? (다툼이 있는 경우 판례에 의함)

① 행정청은 거부처분을 할 경우에는 상대방에게 원칙적으로 사전통지를 하여야 한다.
② 행정청은 영업자지위승계의 신고의 수리를 하기 전에 양수인에게 사전통지를 해야 한다.
③ 행정청이 침익적 처분을 하면서 청문을 하지 않았다면 「행정절차법」상 예외적인 경우에 해당하지 않는 한 그 처분은 원칙적으로 무효에 해당한다.
④ 행정청은 다수 국민의 이해가 상충되는 처분이나 다수 국민에게 불편이나 부담을 주는 처분을 하려는 경우에는 청문주재자를 2명 이상으로 선정할 수 있다.

| 2023년 군무원 7급

① (×) 행정절차법 제21조 제1항은 행정청은 당사자에게 의무를 과하거나 권익을 제한하는 처분을 하는 경우에는 미리 처분의 제목, 당사자의 성명 또는 명칭과 주소, 처분하고자 하는 원인이 되는 사실과 처분의 내용 및 법적 근거, 그에 대하여 의견을 제출할 수 있다는 뜻과 의견을 제출하지 아니하는 경우의 처리방법, 의견제출기관의 명칭과 주소, 의견제출기한 등을 당사자 등에게 통지하도록 하고 있는바, 신청에 따른 처분이 이루어지지 아니한 경우에는 아직 당사자에게 권익이 부과되지 아니하였으므로 특별한 사정이 없는 한 신청에 대한 거부처분이라고 하더라도 직접 당사자의 권익을 제한하는 것은 아니어서 신청에 대한 거부처분을 여기에서 말하는 '당사자의 권익을 제한하는 처분'에 해당한다고 할 수 없는 것이어서 처분의 사전통지대상이 된다고 할 수 없다(대판 2003.11.28. 2003두674).

문제 DATA
출제가능 지수 ▶▶▷
난이도 지수 ★★☆

함께 정리하기

청문과 사전통지

거부처분
▷ 사전통지 대상×

영업자지위승계신고
▷ 수리 전 종전 영업자에게 사전통지 要

침익적 처분하면서 청문×
▷ 원칙적 취소사유

다수국민 이해상충 or 다수국민 불편·부담 or 행정청이 필요 인정하는 처분
▷ 청문주재자 2명 이상 선정 可

유제 22. 군무원 9급 수익적 처분의 신청에 대한 거부처분은 실질적으로 침익적 처분에 해당하므로 사전통지 대상이 된다. (×)
21. 국가직 7급 특별한 사정이 없는 한, 신청에 대한 거부처분은 사전통지 및 의견제출의 대상이 된다. (×)
21. 지방직 7급 신청에 따른 처분이 이루어지지 아니한 경우에는 아직 당사자에게 권익이 부과되지 아니하였으므로 특별한 사정이 없는 한 신청에 대한 거부처분은 직접 당사자의 권익을 제한하는 것은 아니어서 처분의 사전통지대상이 된다고 할 수 없다. (○)
20. 서울시 · 지방직 · 교행 9급 행정청이 당사자에게 의무를 과하거나 권익을 제한하는 처분을 하는 경우에는 처분의 사전통지를 하여야 하는데, 이 때의 처분에는 신청에 대한 거부처분도 포함된다. (×)
11. 국회직 8급 판례는 사전통지의 대상인 부담적 처분에는 거부처분도 해당된다고 한다. (×)

② (×) 행정청이 구 식품위생법 규정에 의하여 <u>영업자지위승계신고를 수리하는 처분은 종전의 영업자의 권익을 제한하는 처분이라 할 것이고 따라서 종전의 영업자는 그 처분에 대하여 직접 그 상대가 되는 자에 해당한다고 봄이 상당하므로</u>, 행정청으로서는 위 신고를 수리하는 처분을 함에 있어서 행정절차법 규정 소정의 당사자에 해당하는 <u>종전의 영업자에 대하여 위 규정 소정의 행정절차를 실시하고 처분을 하여야 한다</u>(대판 2003.2.14. 2001두7015).

유제 22. 국회직 8급 허가영업의 양도에 따른 영업자지위승계신고를 수리하는 처분을 할 경우에는 행정청은 종전의 영업자에 대하여 의견청취절차를 거친 후 처분을 하여야 한다. (○)
22. 지방직 9급 「식품위생법」상 허가영업자의 지위승계신고 수리처분을 하는 경우 「행정절차법」 규정 소정의 당사자에 해당하는 종전의 영업자에게 행정절차를 실시하여야 한다. (○)
21. 국가직 7급 「식품위생법」상의 영업자지위승계신고를 수리하는 경우, 영업시설을 인수하여 영업자의 지위를 승계한 자에 대하여 사전통지를 하고, 그에게 의견제출의 기회를 주어야 한다. (×)
21. 서울시 7급 행정청이 영업자지위승계신고를 수리하는 처분은 종전 영업자의 권익을 제한하는 처분이므로, 행정청이 그 신고를 수리하는 처분을 할 때에는 「행정절차법」 규정에서 정한 당사자에 해당하는 종전 영업자에 대하여 행정절차를 실시하고 처분을 하여야 한다. (○)
18. 국가직 9급 「행정절차법」상 사전통지의 상대방인 당사자는 행정청의 처분에 대하여 직접 그 상대가 되는 자를 의미하므로, 「식품위생법」상의 영업자지위승계신고를 수리하는 행정청은 영업자지위를 이전한 종전의 영업자에 대하여 사전통지를 할 필요가 없다. (×)

③ (×) <u>행정청이 침해적 행정처분을 함에 있어서 당사자에게 위와 같은 사전통지를 하거나 의견제출의 기회를 주지 아니하였다면 사전통지를 하지 않거나 의견제출의 기회를 주지 아니하여도 되는 예외적인 경우에 해당하지 아니하는 한 그 처분은 위법하여 취소를 면할 수 없다</u>(대판 2004.5.28. 2004두1254).

유제 23. 소방간부 행정청이 침익적 처분을 함에 있어 「행정절차법」상 예외에 속하는 경우가 아닌 한 당사자에게 사전통지를 하지 않고 의견제출절차를 거치지 않았다면 독립적 취소사유가 된다. (○)
23. 군무원 9급 행정청이 침해적 행정처분을 하면서 당사자에게 「행정절차법」상의 사전통지를 하거나 의견제출의 기회를 주지 않았다면, 사전 통지를 하지 않거나 의견제출의 기회를 주지 않아도 되는 예외적인 경우에 해당하지 않는 한, 그 처분은 위법하여 취소를 면할 수 없다. (○)
20. 국회직 8급 침익적 행정처분을 하면서 사전통지 및 의견제출의 기회를 주지 않았다면, 사전통지 및 의견제출절차를 생략해야 할 예외적 사유가 없는 한, 그 처분은 위법하여 취소되어야 한다. (○)
20. 5급 승진 행정청이 침해적 행정처분을 하면서 당사자에게 사전통지를 하거나 의견제출의 기회를 주지 아니하였다면, 사전통지나 의견제출의 예외적인 경우에 해당하지 아니하는 한, 그 처분은 위법하여 취소를 면할 수 없다. (○)
16. 사복직 행정청이 침해적 행정처분을 하면서 당사자에게 「행정절차법」상의 사전통지를 하지 않거나 의견제출의 기회를 주지 아니한 경우, 그 처분은 당연무효이다. (×)

④ (○)

> 「행정절차법」 제28조【청문 주재자】② 행정청은 다음 각 호의 어느 하나에 해당하는 처분을 하려는 경우에는 청문 주재자를 2명 이상으로 선정할 수 있다. 이 경우 선정된 청문 주재자 중 1명이 청문 주재자를 대표한다.
> 1. 다수 국민의 이해가 상충되는 처분
> 2. 다수 국민에게 불편이나 부담을 주는 처분
> 3. 그 밖에 전문적이고 공정한 청문을 위하여 행정청이 청문 주재자를 2명 이상으로 선정할 필요가 있다고 인정하는 처분

답 ④

문제 DATA

출제가능 지수 ▶▶▷
난이도 지수 ★★☆

017 ☐☐☐

「행정절차법」에 대한 설명으로 옳지 않은 것은? (다툼이 있는 경우 판례에 의함)

① 처분기준을 공표하는 것이 해당 처분의 성질상 현저히 곤란하거나 공공의 안전 또는 복리를 현저히 해치는 것으로 인정될 만한 상당한 이유가 있는 경우에는 처분기준을 공표하지 아니할 수 있다.
② 행정처분의 상대방에 대한 청문통지서가 반송되었거나 행정처분의 상대방이 청문일시에 불출석하였다는 이유만으로 행정청이 관계법령상 그 실시가 요구되는 청문을 실시하지 아니하고 한 침해적 행정처분은 위법하다.
③ 「행정절차법」상 사전통지 및 의견제출에 대한 권리를 부여하고 있는 '당사자 등'에는 불이익처분의 직접 상대방인 당사자와 행정청이 직권으로 또는 신청에 따라 행정절차에 참여하게 한 이해관계인, 그 밖에 제3자가 포함된다.
④ 행정청이 처분을 하면서 당사자가 그 근거를 알 수 있을 정도로 이유를 제시한 경우에는 처분의 근거와 이유를 구체적으로 명시하지 않았더라도 그로 말미암아 그 처분이 위법하다고 볼 수는 없다.

▎2023년 지방직 9급

① (○)

> 「행정절차법」 제20조 【처분기준의 설정·공표】 ① 행정청은 필요한 처분기준을 해당 처분의 성질에 비추어 되도록 구체적으로 정하여 공표하여야 한다. 처분기준을 변경하는 경우에도 또한 같다.
> ③ 제1항에 따른 처분기준을 공표하는 것이 해당 처분의 성질상 현저히 곤란하거나 공공의 안전 또는 복리를 현저히 해치는 것으로 인정될 만한 상당한 이유가 있는 경우에는 처분기준을 공표하지 아니할 수 있다.

② (○) 처분 상대방의 청문일시에 불출석 등은 청문을 실시하지 않아도 되는 예외적 사유가 아니다.

> 행정절차법 제21조 제4항 제3호는 침해적 행정처분을 할 경우 청문을 실시하지 않을 수 있는 사유로서 "당해 처분의 성질상 의견청취가 현저히 곤란하거나 명백히 불필요하다고 인정될 만한 상당한 이유가 있는 경우"를 규정하고 있으나, 여기에서 말하는 '의견청취가 현저히 곤란하거나 명백히 불필요하다고 인정될 만한 상당한 이유가 있는지 여부'는 당해 행정처분의 성질에 비추어 판단하여야 하는 것이지, 청문통지서의 반송 여부, 청문통지의 방법 등에 의하여 판단할 것은 아니며, 또한 행정처분의 상대방이 통지된 청문일시에 불출석하였다는 이유만으로 행정청이 관계 법령상 그 실시가 요구되는 청문을 실시하지 아니한 채 침해적 행정처분을 할 수는 없을 것이므로, 행정처분의 상대방에 대한 청문통지서가 반송되었다거나, 행정처분의 상대방이 청문일시에 불출석하였다는 이유로 청문을 실시하지 아니하고 한 침해적 행정처분은 위법하다(대판 2001.4.13. 2000두3337).

유제 21. 소방간부 행정처분의 상대방에 대한 청문통지서가 반송되었다거나, 행정처분의 상대방이 청문일시에 불출석하였다는 이유로 청문을 실시하지 아니하고 한 침해적 행정처분은 위법하다. (○)
20. 국가직 7급 행정청은 행정처분의 상대방에 대한 청문통지서가 반송되었거나, 행정처분의 상대방이 청문일시에 불출석하였다는 이유로 청문절차를 생략하고 침해적 행정처분을 할 수 있다. (×)
19. 서울시 7급 「행정절차법」의 청문배제사유인 '당해 처분의 성질상 의견청취가 현저히 곤란하거나 명백히 불필요하다고 인정될 만한 상당한 이유가 있는 경우'는 당해 행정처분의 성질에 의하여 판단하여야 하는 것이지, 청문통지서의 반송 여부, 청문통지의 방법 등에 의하여 판단할 것은 아니다. (○)
19. 지방직 9급 구 「공중위생법」상 유기장업허가취소처분을 함에 있어서 두 차례에 걸쳐 발송한 청문통지서가 모두 반송되어 온 경우, 처분의 상대방이 청문일시에 불출석하였다는 이유로 청문을 거치지 않고 한 침해적 행정처분은 적법하다. (×)
17. 교행 행정처분의 상대방이 청문일시에 불출석하였다는 이유로 청문을 실시하지 않은 침해적 행정처분은 적법하다. (×)

함께 정리하기

「행정절차법」

처분기준
▷ 성질상·공공안전·복리상 공표× 可

청문통지서 반송 or 청문불출석을 이유로 청문없이 침해적 처분
▷ 위법

「행정절차법」상 당사자 등
▷ 행정청이 직권 또는 신청에 의해 참여하게 한 이해관계인 포함

이유제시의 정도
▷ 당사자가 그 근거를 알 수 있을 정도면 足

③ (×) 그 밖에 제3자는 포함되지 않는다.

> 「행정절차법」 제2조【정의】 이 법에서 사용하는 용어의 뜻은 다음과 같다.
> 4. '당사자 등'이란 다음 각 목의 자를 말한다.
>   가. 행정청의 처분에 대하여 직접 그 상대가 되는 당사자
>   나. 행정청이 직권으로 또는 신청에 따라 행정절차에 참여하게 한 이해관계인

④ (○) 행정청의 자의적 결정을 배제하고 당사자로 하여금 행정구제절차에서 적절히 대처할 수 있도록 하는 처분의 근거 및 이유제시 제도의 취지에 비추어, 처분을 하면서 당사자가 그 근거를 알 수 있을 정도로 이유를 제시한 경우에는 처분의 근거와 이유를 구체적으로 명시하지 않았더라도 그로 말미암아 그 처분이 위법하다고 볼 수는 없다. 이때 '이유를 제시한 경우'는 처분서에 기재된 내용과 관계법령 및 당해 처분에 이르기까지의 전체적인 과정 등을 종합적으로 고려하여, 처분 당시 당사자가 어떠한 근거와 이유로 처분이 이루어진 것인지를 충분히 알 수 있어서 그에 불복하여 행정구제절차로 나아가는 데 별다른 지장이 없었다고 인정되는 경우를 뜻한다(대판 2019.1.31. 2016두64975).

유제 18. 서울시 7급 당사자가 처분의 근거를 알 수 있을 정도로 상당한 이유를 제시할 뿐 그 구체적 조항 및 내용까지 명시하지 않으면, 해당 처분은 위법하다. (×)

답 ③

018

행정절차법령상 처분의 신청에 대한 설명으로 옳지 않은 것은?

① 행정청은 신청인의 편의를 위하여 다른 행정청에 신청을 접수하게 할 수 있다.
② 행정청은 신청에 구비서류의 미비 등 흠이 있는 경우 접수를 거부하여야 한다.
③ 행정청은 처리기간이 '즉시'로 되어 있는 신청의 경우에는 접수증을 주지 아니할 수 있다.
④ 행정청은 다수의 행정청이 관여하는 처분을 구하는 신청을 접수한 경우에는 관계행정청과의 신속한 협조를 통하여 그 처분이 지연되지 아니하도록 하여야 한다.

| 2023년 국가직 9급

①, ③ (○), ② (×)

> 「행정절차법」 제17조【처분의 신청】 ④ 행정청은 신청을 받았을 때에는 다른 법령 등에 특별한 규정이 있는 경우를 제외하고는 그 접수를 보류 또는 거부하거나 부당하게 되돌려 보내서는 아니 되며, 신청을 접수한 경우에는 신청인에게 접수증을 주어야 한다. 다만, 대통령령으로 정하는 경우에는 접수증을 주지 아니할 수 있다.
> ⑤ 행정청은 신청에 구비서류의 미비 등 흠이 있는 경우에는 보완에 필요한 상당한 기간을 정하여 지체 없이 신청인에게 보완을 요구하여야 한다(②).
> ⑥ 행정청은 신청인이 제5항에 따른 기간 내에 보완을 하지 아니하였을 때에는 그 이유를 구체적으로 밝혀 접수된 신청을 되돌려 보낼 수 있다.
> ⑦ 행정청은 신청인의 편의를 위하여 다른 행정청에 신청을 접수하게 할 수 있다(①). 이 경우 행정청은 다른 행정청에 접수할 수 있는 신청의 종류를 미리 정하여 공시하여야 한다.
> 시행령 제9조【접수증】 법 제17조 제4항 단서에서 "대통령령이 정하는 경우"라 함은 다음 각 호의 1에 해당하는 신청의 경우를 말한다.
> 1. 구술·우편 또는 정보통신망에 의한 신청
> 2. 처리기간이 "즉시"로 되어 있는 신청(③)
> 3. 접수증에 갈음하는 문서를 주는 신청

④ (○)

> 「행정절차법」 제18조【다수의 행정청이 관여하는 처분】 행정청은 다수의 행정청이 관여하는 처분을 구하는 신청을 접수한 경우에는 관계 행정청과의 신속한 협조를 통하여 그 처분이 지연되지 아니하도록 하여야 한다.

답 ②

문제 DATA
출제가능 지수 ▶▶▷
난이도 지수 ★★☆

함께 정리하기
처분의 신청
신청인의 편의를 위하여 다른 행정청에 신청 접수하게 可

신청에 흠이 있는 경우
▷ 보완요구 要

처리기간이 즉시로 되어 있는 신청
▷ 접수증 미교부 可

다수행정청 관여처분
▷ 관계행정청과 협조로 지연방지 要

019

「행정절차법」상 송달과 처분절차에 대한 설명으로 옳지 않은 것은?

① 처분기준의 설정·공표의 규정은 침익적 처분뿐만 아니라 수익적 처분의 경우에도 적용된다.
② 정보통신망을 이용하여 전자문서로 송달하는 경우에는 송달받을 자가 지정한 컴퓨터 등에 입력된 때에 도달된 것으로 본다.
③ 공청회가 개최는 되었으나 정상적으로 진행되지 못하고 무산된 횟수가 2회인 경우 온라인공청회를 단독으로 개최할 수 있다.
④ 송달이 불가능한 경우에는 송달받을 자가 알기 쉽도록 관보, 공보, 게시판, 일간신문 중 하나 이상에 공고하고 인터넷에도 공고하여야 한다.

2023년 국가직 9급

① (○) 「행정절차법」상 처분기준의 설정·공표, 이유제시, 처분의 방식 등은 침해적 처분과 수익적 처분에 공통적으로 적용되는 규정이다.

> 「행정절차법」제20조 【처분기준의 설정·공표】 ① 행정청은 필요한 처분기준을 해당 처분의 성질에 비추어 되도록 구체적으로 정하여 공표하여야 한다. 처분기준을 변경하는 경우에도 또한 같다.

② (○)

> 「행정절차법」제14조 【송달】 ③ 정보통신망을 이용한 송달은 송달받을 자가 동의하는 경우에만 한다. 이 경우 송달받을 자는 송달받을 전자우편주소 등을 지정하여야 한다.
> 제15조 【송달의 효력 발생】 ① 송달은 다른 법령 등에 특별한 규정이 있는 경우를 제외하고는 해당 문서가 송달받을 자에게 도달됨으로써 그 효력이 발생한다.
> ② 제14조 제3항에 따라 정보통신망을 이용하여 전자문서로 송달하는 경우에는 송달받을 자가 지정한 컴퓨터 등에 입력된 때에 도달된 것으로 본다.

③ (×)

> 「행정절차법」제38조의2 【온라인공청회】 ① 행정청은 제38조에 따른 공청회와 병행하여서만 정보통신망을 이용한 공청회(이하 '온라인공청회'라 한다)를 실시할 수 있다.
> ② 제1항에도 불구하고 다음 각 호의 어느 하나에 해당하는 경우에는 온라인공청회를 단독으로 개최할 수 있다.
>   1. 국민의 생명·신체·재산의 보호 등 국민의 안전 또는 권익보호 등의 이유로 제38조에 따른 공청회를 개최하기 어려운 경우
>   2. 제38조에 따른 공청회가 행정청이 책임질 수 없는 사유로 개최되지 못하거나 개최는 되었으나 정상적으로 진행되지 못하고 무산된 횟수가 3회 이상인 경우
>   3. 행정청이 널리 의견을 수렴하기 위하여 온라인공청회를 단독으로 개최할 필요가 있다고 인정하는 경우. 다만, 제22조 제2항 제1호 또는 제3호에 따라 공청회를 실시하는 경우는 제외한다.

④ (○)

> 「행정절차법」제14조 【송달】 ④ 다음 각 호의 어느 하나에 해당하는 경우에는 송달받을 자가 알기 쉽도록 관보, 공보, 게시판, 일간신문 중 하나 이상에 공고하고 인터넷에도 공고하여야 한다.
>   1. 송달받을 자의 주소 등을 통상적인 방법으로 확인할 수 없는 경우
>   2. 송달이 불가능한 경우

답 ③

문제 DATA

출제가능 지수 ▶▶▷
난이도 지수 ★★☆

함께 정리하기

「행정절차법」상 송달과 처분절차

처분기준의 설정·공표 규정
▷ 침익적 처분·수익적 처분 모두 적용

정보통신망에 의한 송달
▷ 송달받을 자가 지정한 컴퓨터 입력된 때에 도달 간주

공청회가 무산된 횟수가 3회 이상인 경우
▷ 온라인공청회 단독 개최 可

송달이 불가능한 경우
▷ 관보·공보·게시판·일간신문 중 하나 이상과 인터넷에도 공고

020

행정절차에 대한 설명으로 옳지 않은 것은? (다툼이 있는 경우 판례에 의함)

① 고시의 방법으로 불특정 다수인을 상대로 의무를 부과하거나 권익을 제한하는 처분의 경우도 그 상대방에게 의견제출의 기회를 주어야 한다.
② 정보통신망을 이용하여 전자문서로 송달하는 경우에는 송달받을 자가 지정한 컴퓨터 등에 입력된 때에 도달된 것으로 본다.
③ 과세처분에 대한 전심절차가 모두 끝나고 상고심의 계류 중에 세액산출근거의 통지가 있었다고 하여 이로써 과세처분의 하자가 치유되었다고는 볼 수 없다.
④ 행정청이 허가를 거부하는 처분을 함에 있어 당사자가 그 근거를 알 수 있을 정도로 상당한 이유를 제시하였다면, 구체적 조항 및 내용까지 명시하지 않았더라도 그로 말미암아 그 처분이 위법하게 되지는 않는다.

2023년 소방직

① (×) '고시의 방법으로 불특정 다수인을 상대로 의무를 부과하거나 권익을 제한하는 처분은 성질상 의견제출의 기회를 주어야 하는 상대방을 특정할 수 없으므로, 이와 같은 처분에 있어서까지 구 행정절차법 제22조 제3항에 의하여 그 상대방에게 의견제출의 기회를 주어야 한다고 해석할 것은 아니다. 피고(보건복지부장관)가 이 사건 고시에 의하여 수정체수술과 관련한 질병군의 상대가치점수를 종전보다 약 10~25% 정도 인하하는 내용의 처분을 한 것은 수정체수술을 하는 의료기관을 개설·운영하는 개별 안과 의사들을 상대로 한 것이 아니라 불특정 다수의 의사 전부를 상대로 하는 것인 점 등 그 판시와 같은 이유를 들어, 이 사건 고시에 의한 처분의 경우 구 행정절차법 제22조 제3항에 따라 그 상대방에게 의견제출의 기회를 주지 않았다고 하여 위법하다고 볼 수 없다(대판 2014.10.27. 2012두7745).

유제 22. 지방직 7급 '고시'의 방법으로 불특정 다수인을 상대로 의무를 부과하거나 권익을 제한하는 처분은 성질상 의견제출의 기회를 주어야 하는 상대방을 특정할 수 없으므로, 이와 같은 처분에 있어서까지 그 상대방에게 의견제출의 기회를 주어야 하는 것은 아니다. (○)
22. 군무원 9급 고시 등에 의한 불특정 다수를 상대로 한 권익제한이나 의무부과의 경우 사전통지 대상이 아니다. (○)
22. 소방간부 보건복지부장관은 국민건강보험법령상 요양급여의 상대가치 점수 변경 또는 조정 고시에 의한 처분을 하는 경우 상대방에게 의견제출의 기회를 주어야 한다. (×)
20. 지방직 9급 고시의 방법으로 불특정 다수인을 상대로 권익을 제한하는 처분을 할 경우 당사자는 물론 제3자에게도 의견제출의 기회를 주어야 한다. (×)
19. 국가직 9급 고시의 방법으로 불특정 다수인을 상대로 권익을 제한하는 처분을 하는 경우, 상대방에게 사전에 통지하여 의견제출 기회를 주어야 한다. (×)

② (○)

> 「행정절차법」 제14조【송달】③ 정보통신망을 이용한 송달은 송달받을 자가 동의하는 경우에만 한다. 이 경우 송달받을 자는 송달받을 전자우편주소 등을 지정하여야 한다.
> 제15조【송달의 효력 발생】① 송달은 다른 법령 등에 특별한 규정이 있는 경우를 제외하고는 해당 문서가 송달받을 자에게 도달됨으로써 그 효력이 발생한다.
> ② 제14조 제3항에 따라 정보통신망을 이용하여 전자문서로 송달하는 경우에는 송달받을 자가 지정한 컴퓨터 등에 입력된 때에 도달된 것으로 본다.

③ (○) 상고심에서 세액산출의 근거가 통지되더라도 하자가 치유되는 것은 아니다.

> 세액산출근거가 누락된 납세고지서에 의한 과세처분의 하자의 치유를 허용하려면 늦어도 과세처분에 대한 불복 여부의 결정 및 불복신청에 편의를 줄 수 있는 상당한 기간 내에 하여야 한다고 할 것이므로, 위 과세처분에 대한 전심절차가 모두 끝나고 상고심의 계류 중에 세액산출근거의 통지가 있었다고 하여 이로써 위 과세처분의 하자가 치유되었다고는 볼 수 없다(대판 1984.4.10. 83누393).

문제 DATA

출제가능 지수 ▶▶▷
난이도 지수 ★★☆

함께 정리하기

행정절차

고시의 방법으로 불특정한 다수인을 상대로 불이익처분
▷ 의견제출 기회 不要

정보통신망에 의한 송달
▷ 송달받을 자가 지정한 컴퓨터 입력된 때에 도달 간주

하자있는 과세처분에 대한 상고심 中 세액산출근거의 통지
▷ 하자 치유×

거부처분시 이유제시의 정도
▷ 당사자가 그 근거를 알 수 있을 정도면 足

유제 17. 국가직 7급 세액산출근거가 누락된 납세고지서(현 납부고지서)에 의한 과세처분에 대하여 상고심 계류 중 세액산출근거의 통지가 행하여지면 당해 과세처분의 하자는 치유된다. (×)
12. 지방직 9급 세액산출근거가 누락된 납세고지서에 의한 하자 있는 과세처분에 대하여 전심절차가 모두 끝나고 상고심의 계류 중에 세액산출근거의 통지가 있었다면 위 과세처분의 하자가 치유되었다고 볼 수 있다. (×)

④ (○) 행정절차법 제23조 제1항은 행정청은 처분을 하는 때에는 당사자에게 그 근거와 이유를 제시하여야 한다고 규정하고 있는바, 일반적으로 당사자가 근거규정 등을 명시하여 신청하는 인·허가 등을 거부하는 처분을 함에 있어 당사자가 그 근거를 알 수 있을 정도로 상당한 이유를 제시한 경우에는 당해 처분의 근거 및 이유를 구체적 조항 및 내용까지 명시하지 않았더라도 그로 말미암아 그 처분이 위법한 것이 된다고 할 수 없다(대판 2002.5.17. 2000두8912).

유제 22. 국가직 7급, 16. 국가직 7급 당사자가 근거규정 등을 명시하여 신청하는 인·허가 등을 거부하는 처분을 함에 있어 당사자가 그 근거를 알 수 있을 정도로 상당한 이유를 제시한 경우에는 당해 처분의 근거 및 이유를 구체적 조항 및 내용까지 명시하지 않았더라도 그로 말미암아 그 처분이 위법한 것이 된다고 할 수 없다. (○)
20. 군무원 7급 판례는 당사자가 신청하는 허가 등을 거부하는 처분을 하면서 당사자가 그 근거를 알 수 있을 정도로 이유를 제시한 경우에는 처분의 근거와 이유를 구체적으로 명시하지 않았더라도 그로 인해 처분이 위법하게 되는 것은 아니라고 보았다. (○)
20. 5급 승진 인·허가 등의 거부처분을 함에 있어서 당사자가 그 처분의 근거를 알 수 있을 정도로 상당한 이유를 제시한 경우라도 그 구체적 조항이나 내용을 명시하지 않았다면 해당 거부처분은 위법하다. (×)

답 ①

021 □□□

행정절차에 대한 설명으로 옳지 않은 것은? (다툼이 있는 경우 판례에 의함)

① 「국가공무원법」상 직위해제처분은 당해 행정작용의 성질상 행정절차를 거치기 곤란하거나 불필요하다고 인정되는 사항 또는 행정절차에 준하는 절차를 거친 사항에 해당하므로 처분의 사전통지 및 의견청취 등에 관한 「행정절차법」의 규정이 별도로 적용되지 않는다.
② 침익적 행정처분은 물론 수익적 행정처분의 신청에 대한 거부처분도 특별한 사정이 없는 한 사전통지와 의견제출절차의 대상이 된다.
③ 행정청이 근거 법률에 의하여 영업자지위승계신고를 수리하는 처분은 종전 영업자의 권익을 제한하는 처분이라 할 것이고 행정청은 종전의 영업자에 대하여 근거 법률 소정의 행정절차를 실시하고 처분을 하여야 한다.
④ 행정청이 침익적 처분을 함에 있어 「행정절차법」상 예외에 속하는 경우가 아닌 한 당사자에게 사전통지를 하지 않고 의견제출절차를 거치지 않았다면 독립적 취소사유가 된다.
⑤ 행정청이 당사자와의 합의를 통해 청문의 실시 등 의견청취절차를 배제하더라도 해당 합의로 인해 청문의 실시에 관한 규정의 적용을 배제할 수 있다고 볼 만한 법령상의 규정이 없는 한 청문을 실시하지 않아도 되는 예외적인 경우에 해당한다고 할 수 없다.

문제 DATA
출제가능 지수 ▶▶▷
난이도 지수 ★★☆

2023년 소방간부

① (○) 대판 2014.5.16. 2012두26180

② (×) 신청에 따른 처분이 이루어지지 아니한 경우에는 아직 당사자에게 권익이 부과되지 아니하였으므로 특별한 사정이 없는 한 신청에 대한 거부처분이라고 하더라도 직접 당사자의 권익을 제한하는 것은 아니어서 신청에 대한 거부처분을 여기에서 말하는 '당사자의 권익을 제한하는 처분'에 해당한다고 할 수 없는 것이어서 처분의 사전통지대상이 된다고 할 수 없다(대판 2003.11.28. 2003두674).

③ (○) 행정청이 구 식품위생법 규정에 의하여 영업자지위승계신고를 수리하는 처분은 종전의 영업자의 권익을 제한하는 처분이라 할 것이고 따라서 종전의 영업자는 그 처분에 대하여 직접 그 상대가 되는 자에 해당한다고 봄이 상당하므로, 행정청으로서는 위 신고를 수리하는 처분을 함에 있어서 행정절차법 규정 소정의 당사자에 해당하는 종전의 영업자에 대하여 위 규정 소정의 행정절차를 실시하고 처분을 하여야 한다(대판 2003.2.14. 2001두7015).

④ (○) 행정청이 침해적 행정처분을 함에 있어서 당사자에게 위와 같은 사전통지를 하거나 의견제출의 기회를 주지 아니하였다면 사전통지를 하지 않거나 의견제출의 기회를 주지 아니하여도 되는 예외적인 경우에 해당하지 아니하는 한 그 처분은 위법하여 취소를 면할 수 없다(대판 2004.5.28. 2004두1254).

⑤ (○) 행정청이 당사자와 사이에 도시계획사업의 시행과 관련한 협약을 체결하면서 관계 법령 및 행정절차법에 규정된 청문의 실시 등 의견청취절차를 배제하는 조항을 두었다고 하더라도, 국민의 행정참여를 도모함으로써 행정의 공정성·투명성 및 신뢰성을 확보하고 국민의 권익을 보호한다는 행정절차법의 목적 및 청문제도의 취지 등에 비추어 볼 때, 위와 같은 협약의 체결로 청문의 실시에 관한 규정의 적용을 배제할 수 있다고 볼 만한 법령상의 규정이 없는 한, 이러한 협약이 체결되었다고 하여 청문의 실시에 관한 규정의 적용이 배제된다거나 청문을 실시하지 않아도 되는 예외적인 경우에 해당한다고 할 수 없다(대판 2004.7.8. 2002두8350).

유제 22. 국가직 7급·국회직 8급 행정청이 당사자와 도시계획사업의 시행과 관련한 협약을 체결하면서 관계 법령 및 「행정절차법」에 규정된 청문의 실시 등 의견청취절차를 배제하는 조항을 두었다고 하더라도, 청문의 실시에 관한 규정의 적용을 배제할 수 있다고 볼 만한 법령상의 규정이 없는 한, 청문의 실시에 관한 규정의 적용이 배제된다거나 청문을 실시하지 않아도 되는 예외적인 경우에 해당한다고 할 수 없다. (○)

22. 지방직 7급 행정청이 당사자와 도시계획사업의 시행과 관련한 협약을 체결하면서 관계 법령 및 「행정절차법」에 규정된 청문의 실시 등 의견청취절차를 배제하는 조항을 두었다면, 이는 청문을 실시하지 않아도 되는 예외적인 경우에 해당한다. (×)

21. 서울시 7급 행정청이 당사자와 사이에 도시계획사업의 시행과 관련한 협약을 체결하면서 관계 법령 및 「행정절차법」에 규정된 청문의 실시 등 의견청취절차를 배제하는 조항을 두었다면 청문을 실시하지 않아도 되는 예외적인 경우에 해당한다고 할 수 있다. (×)

20. 5급 승진 「행정절차법」의 목적 및 청문제도의 취지 등에 비추어 볼 때 행정청과 당사자 사이의 합의에 의해 청문의 실시 등 의견청취절차를 배제한 경우는 청문을 실시하지 않아도 되는 예외적인 경우에 해당된다. (×)

20. 행정사 행정청과 당사자가 청문절차를 배제하기로 협약을 체결하였다면 청문절차를 거치지 않아도 되는 예외적 경우에 해당한다. (×)

답 ②

함께 정리하기

행정절차

직위해제처분
▷ 「행정절차법」 적용×

거부처분
▷ 사전통지 대상×

영업자지위승계신고 수리 처분
▷ 종전영업자에 대하여 「행정절차법」의 처분절차 거쳐야 함

사전통지 or 의견제출 절차를 거치지 않은 침익적 처분
▷ 취소사유

청문절차
▷ 협약으로 배제 불가

문제 DATA

출제가능 지수 ▶▶▶Σ
난이도 지수 ★★★

022 □□□

다음 사례에 대한 설명으로 옳은 것을 모두 고른 것은? (다툼이 있는 경우 판례에 의함)

> 문화체육관광부장관 甲은 A국과의 관광 협상 결과에 따른 세부사항을 시행하기 위하여 「전담여행사 업무 시행지침」(이하 '이 사건 지침'이라 한다)을 제정하였다. 甲은 이 사건 지침에 근거하여 2013.5.경 재심사를 통해 전담여행사 지위를 갱신하는 갱신기준('종전 처분기준')을 정하여 이를 공표하였다. 甲은 2016.3.23. 무자격 가이드 고용으로 감점을 받은 경우 전담여행사 지위를 갱신하지 않기로 하는 내용의 '변경된 처분기준'을 마련하였으나 이를 공표하지 않았다. 한편, 전담여행사 지정을 받은 乙은 2015.1.경 무자격 가이드를 고용하였고 이를 이유로 2016. 4.2. '변경된 처분기준'에 따라 재지정 탈락기준을 상회하는 감점을 받았다. 이를 근거로 甲은 2016. 11.4. 乙에 대한 전담여행사 지정을 취소하였다(이하 '이 사건 처분'이라 한다).

> ㄱ. 이미 공표된 '종전 처분기준'을 다시 변경하는 경우에도 공공의 안전 또는 복리를 현저히 해치는 등 예외적인 사유에 해당하지 않는 한, '변경된 처분기준'을 다시 공표하여야 한다.
> ㄴ. '변경된 처분기준'은 근거 법령에서 구체적 위임을 받아 제정·공포되었다는 특별한 사정이 없는 한, 원칙적으로 대외적 구속력이 없는 행정규칙에 해당한다.
> ㄷ. 甲이 '변경된 처분기준'을 미리 공표하지 않은 채 갱신심사에 적용하였다면 그 자체로 '이 사건 처분'에 취소사유에 해당하는 흠이 있다고 볼 수 있다.
> ㄹ. 사전에 공표한 갱신기준을 심사대상기간이 이미 경과하였거나 상당부분 경과한 시점에서 처분상대방의 갱신 여부를 좌우할 정도로 중대하게 변경하는 것은 특별한 사정이 없는 한 허용되지 않는다.

① ㄱ
② ㄱ, ㄴ
③ ㄴ, ㄹ
④ ㄷ, ㄹ
⑤ ㄱ, ㄴ, ㄹ

함께 정리하기

처분기준 공표 관련 사례

처분기준
▷ 변경하는 경우도 공표 要

공표한 처분기준
▷ 대외적 구속력이 없는 행정규칙

미리 공표하지 아니한 기준을 적용하여 처분
▷ 곧바로 위법 ×

사전 공표한 갱신기준을 중대하게 변경
▷ 원칙적 불허

2023년 변호사

ㄱ. (O)

> 「행정절차법」 제20조【처분기준의 설정·공표】① 행정청은 필요한 처분기준을 해당 처분의 성질에 비추어 되도록 구체적으로 정하여 공표하여야 한다. 처분기준을 변경하는 경우에도 또한 같다.
> ③ 제1항에 따른 처분기준을 공표하는 것이 해당 처분의 성질상 현저히 곤란하거나 공공의 안전 또는 복리를 현저히 해치는 것으로 인정될 만한 상당한 이유가 있는 경우에는 처분기준을 공표하지 아니할 수 있다.

ㄴ. (O), ㄷ. (×) 행정청이 행정절차법 제20조 제1항에 따라 정하여 공표한 처분기준은, 그것이 해당 처분의 근거법령에서 구체적 위임을 받아 제정·공포되었다는 특별한 사정이 없는 한, 원칙적으로 대외적 구속력이 없는 행정규칙에 해당하는 것으로 보아야 한다(ㄴ). 행정청이 행정절차법 제20조 제1항의 처분기준 사전공표의무를 위반하여 미리 공표하지 아니한 기준을 적용하여 처분하였다고 하더라도, 그러한 사정만으로 곧바로 해당 처분에 취소사유에 이를 정도의 흠이 존재한다고 볼 수는 없다(ㄷ). 다만 해당 처분에 적용한 기준이 상위법령의 규정이나 신뢰보호의 원칙 등과 같은 법의 일반원칙을 위반하였거나 객관적으로 합리성이 없다고 볼 수 있는 구체적인 사정이 있다면 해당 처분은 위법하다고 평가할 수 있다(대판 2020.12.24. 2018두45633).

ㄹ. (O) 사전에 공표한 심사기준 중 경미한 사항을 변경하거나 다소 불명확하고 추상적이었던 부분을 명확하게 하거나 구체화하는 정도를 뛰어넘어, 심사대상기간이 이미 경과하였거나 상당 부분 경과한 시점에서 처분상대방의 갱신 여부를 좌우할 정도로 중대하게 변경하는 것은 갱신제의 본질과 사전에 공표된 심사기준에 따라 공정한 심사가 이루어져야 한다는 요청에 정면으로 위배되는 것이므로, 갱신제 자체를 폐지하거나 갱신상대방의 수를 종전보다 대폭 감축할 수밖에 없도록 만드는 중대한 공익상 필요가 인정되거나 관계 법령이 제·개정되었다는 등의 특별한 사정이 없는 한, 허용되지 않는다(대판 2020.12.24. 2018두45633).

답 ⑤

023

행정절차에 대한 설명으로 옳지 않은 것은? (다툼이 있는 경우 판례에 의함)

① 당사자가 근거규정 등을 명시하여 신청하는 인·허가 등을 거부하는 처분을 함에 있어 당사자가 그 근거를 알 수 있을 정도로 상당한 이유를 제시한 경우에는 당해 처분의 근거 및 이유를 구체적 조항 및 내용까지 명시하지 않았더라도 그로 말미암아 그 처분이 위법한 것이 된다고 할 수 없다.

② 환경영향평가절차를 거쳤다면, 환경영향평가의 내용이 다소 부실하다 하더라도, 그 부실의 정도가 환경영향평가를 하지 아니한 것과 다를 바 없는 정도의 것이 아니라면 당연히 당해 승인 등 처분이 위법하게 되는 것은 아니다.

③ 행정청이 당사자와 도시계획사업의 시행과 관련한 협약을 체결하면서 관계 법령 및 「행정절차법」에 규정된 청문의 실시 등 의견청취절차를 배제하는 조항을 두었다고 하더라도, 청문의 실시에 관한 규정의 적용을 배제할 수 있다고 볼 만한 법령상의 규정이 없는 한, 청문의 실시에 관한 규정의 적용이 배제된다거나 청문을 실시하지 않아도 되는 예외적인 경우에 해당한다고 할 수 없다.

④ 「국가공무원법」상 직위해제처분을 할 경우 처분의 사전통지 및 의견청취 등에 관한 「행정절차법」의 규정이 적용된다.

2022년 국가직 7급

① (○) 대판 2002.5.17. 2000두8912
② (○) 환경영향평가법령에서 정한 환경영향평가를 거쳐야 할 대상사업에 대하여 그러한 환경영향평가를 거치지 아니하였음에도 승인 등 처분을 하였다면 그 처분은 위법하다 할 것이나, 그러한 절차를 거쳤다면, 비록 그 환경영향평가의 내용이 다소 부실하다 하더라도, 그 부실의 정도가 환경영향평가제도를 둔 입법 취지를 달성할 수 없을 정도이어서 환경영향평가를 하지 아니한 것과 다를 바 없는 정도의 것이 아닌 이상, 그 부실은 당해 승인 등 처분에 재량권 일탈·남용의 위법이 있는지 여부를 판단하는 하나의 요소로 됨에 그칠 뿐, 그 부실로 인하여 당연히 당해 승인 등 처분이 위법하게 되는 것이 아니다(대판 2006.3.16. 2006두330 전합).
③ (○) 대판 2004.7.8. 2002두8350
④ (×) 국가공무원법상 직위해제처분은 구 행정절차법 제3조 제2항 제9호, 구 행정절차법 시행령 제2조 제3호에 의하여 당해 행정작용의 성질상 행정절차를 거치기 곤란하거나 불필요하다고 인정되는 사항 또는 행정절차에 준하는 절차를 거친 사항에 해당하므로, 처분의 사전통지 및 의견청취 등에 관한 행정절차법의 규정이 별도로 적용되지 않는다(대판 2014.5.16. 2012두26180).

답 ④

함께 정리하기

행정절차

거부처분시 이유제시의 정도
▷ 당사자가 그 근거를 알 수 있을 정도면 足

환경영향평가 부실
▷ 곧바로 위법 ×

청문절차
▷ 협약으로 배제 不可

직위해제처분
▷ 「행정절차법」 적용 ×

024

「행정절차법」상 처분의 사전통지 및 의견제출 절차에 대한 설명으로 옳지 않은 것은? (다툼이 있는 경우 판례에 의함)

① 법령등에서 요구된 자격이 없거나 없어지게 되면 반드시 일정한 처분을 하여야 하는 경우에 그 자격이 없거나 없어지게 된 사실이 법원의 재판에 의하여 객관적으로 증명된 경우에는 사전통지를 생략할 수 있다.
② 행정청의 처분으로 의무가 부과되거나 권익이 제한되는 경우라도 당사자가 의견진술의 기회를 포기한다는 뜻을 명백히 표시한 경우에는 의견청취를 생략할 수 있다.
③ 별정직 공무원인 대통령기록관장에 대한 직권면직 처분에는 처분의 사전통지 및 의견청취 등에 관한 「행정절차법」 규정이 적용되지 않는다.
④ 대통령이 한국방송공사 사장을 해임하면서 사전통지절차를 거치지 않은 경우에는 그 해임처분은 위법하다.

문제 DATA
출제가능 지수 ▶▶Σ
난이도 지수 ★★☆

함께 정리하기
처분의 사전통지 및 의견제출
자격 없어진 사실이 재판 등으로 객관 증명
▷ 사전통지 생략 可

의견진술의 포기의사 명백 표시
▷ 의견청취 생략 可

별정직 공무원인 대통령기록관장에 대한 직권면직처분
▷ 「행정절차법」 배제 ×

사전통지 없이 한국방송공사사장 해임처분
▷ 취소사유

2022년 국가직 9급

① (○)

> 「행정절차법」 제21조【처분의 사전 통지】① 행정청은 당사자에게 의무를 부과하거나 권익을 제한하는 처분을 하는 경우에는 미리 다음 각 호의 사항을 당사자등에게 통지하여야 한다. <각 호 생략>
> ④ 다음 각 호의 어느 하나에 해당하는 경우에는 제1항에 따른 통지를 하지 아니할 수 있다.
> 1. 공공의 안전 또는 복리를 위하여 긴급히 처분을 할 필요가 있는 경우
> 2. 법령등에서 요구된 자격이 없거나 없어지게 되면 반드시 일정한 처분을 하여야 하는 경우에 그 자격이 없거나 없어지게 된 사실이 법원의 재판 등에 의하여 객관적으로 증명된 경우
> 3. 해당 처분의 성질상 의견청취가 현저히 곤란하거나 명백히 불필요하다고 인정될 만한 상당한 이유가 있는 경우

유제 22. 군무원 7급 행정청은 해당 처분의 성질상 의견청취가 현저히 곤란하더라도 사전통지를 해야 한다. (×)
19. 군무원 9급 해당 처분의 성질상 의견청취가 현저히 곤란하거나 명백히 불필요하다고 인정될 만한 상당한 이유가 있는 경우에는 사전통지 및 의견청취 절차를 거치지 아니할 수 있다. (○)
18. 서울시 9급 처분의 전제가 되는 사실이 법원의 재판 등에 의하여 객관적으로 증명된 경우에는 행정청이 당사자에게 의무를 부과하거나 권익을 제한하는 처분을 하는 경우에도 사전통지를 하지 아니할 수 있다. (○)
16. 경찰 2차 행정청은 공공의 안전 또는 복리를 위하여 긴급히 처분을 할 필요가 있는 경우, 당사자에게 의무를 부과하거나 권익을 제한하는 처분의 사전통지를 하지 아니할 수 있다. (○)
15. 서울시 9급 법령 등에서 요구된 자격이 없거나 없어지게 되면 반드시 일정한 처분을 하여야 하는 경우에 그 자격이 없거나 없어지게 된 사실이 법원의 재판 등에 의하여 객관적으로 증명된 경우는 「행정절차법」이 규정하고 있는 사전통지 생략사유에 해당한다. (○)
15. 국가직 7급 행정청이 침해적 행정처분을 할 경우에는 사전통지를 반드시 하여야 한다. (×)
11. 국회직 8급 부담적 처분의 경우에 예외적으로 사전통지를 하지 않을 수 있다. (○)

② (○)

> 「행정절차법」 제22조【의견청취】④ 제1항부터 제3항까지의 규정에도 불구하고 제21조 제4항 각 호의 어느 하나에 해당하는 경우와 당사자가 의견진술의 기회를 포기한다는 뜻을 명백히 표시한 경우에는 의견청취를 하지 아니할 수 있다.

유제 18. 국가직 9급 행정청이 당사자에게 의무를 과하거나 권익을 제한하는 처분을 하는 경우라도 당사자가 명백히 의견진술의 기회를 포기한다는 뜻을 표시한 경우에는 의견청취를 하지 않을 수 있다. (○)
16. 교행 행정청은 법령상 청문실시의 사유가 있는 경우에도 당사자가 의견진술의 기회를 포기한다는 뜻을 명백히 표시한 경우에는 의견청취를 하지 않을 수 있다. (○)
14. 행정사 당사자가 의견진술의 기회를 포기한다는 뜻을 명백히 표시한 경우에는 「행정절차법」상 의견청취절차를 거치지 아니할 수 있다. (○)

③ (×) 공무원 인사관계 법령에 의한 처분에 관한 사항이라 하더라도 그 전부에 대하여 행정절차법의 적용이 배제되는 것이 아니라, 성질상 행정절차를 거치기 곤란하거나 불필요하다고 인정되는 처분이나 행정절차에 준하는 절차를 거치도록 하고 있는 처분의 경우에만 행정절차법의 적용이 배제되는 것으로 보아야 하고, 이러한 법리는 '공무원 인사관계 법령에 의한 처분'에 해당하는 별정직 공무원에 대한 직권면직 처분의 경우에도 마찬가지로 적용된다고 할 것이다. 이 사건 처분은 대통령기록물 관리에 관한 법률에서 5년 임기의 별정직 공무원으로 규정한 대통령기록관장으로 임용된 원고를 직권면직한 처분으로서, 원고에 대하여 의무를 과하거나 원고의 권익을 제한하는 처분이고, 구 공무원징계령 제22조 제1항은 "별정직공무원에게 국가공무원법 제78조 제1항 각 호의 징계사유가 있으면 직권으로 면직하거나 이 영에 따라 징계처분할 수 있다."고 규정하고 있어서, 별정직 공무원에 대한 직권면직의 경우에는 징계처분과 달리 징계절차에 관한 구 공무원징계령의 규정도 적용되지 않는 등 행정절차에 준하는 절차를 거치도록 하는 규정이 없으며, 이 사건 처분이 성질상 행정절차를 거치기 곤란하거나 불필요하다고 인정되는 처분에도 해당하지 아니하고, 나아가 원고가 대통령 기록유출 혐의에 관하여 수사를 받으면서 비위행위에 관하여 해명할 기회를 가졌다거나 위 수사에 관하여 국민적 관심이 높았고 유출행위가 적법한지 여부 등에 관한 법리적 공방이 언론 등을 통하여 치열하게 이루어졌던 사정만으로 이 사건 처분이 구 행정절차법 제21조 제4항 제3호, 제22조 제4항에 따라 원고에게 사전통지를 하지 않거나 의견제출의 기회를 주지 아니하여도 되는 예외적인 경우에 해당한다고 할 수 없다는 이유로, 원고에게 사전통지를 하지 않고 의견제출의 기회를 주지 아니한 이 사건 처분은 구 행정절차법 제21조 제1항, 제22조 제3항을 위반한 절차상 하자가 있어 위법하다(대판 2013.1.16. 2011두30687).

유제 21. 경찰 2차 임기가 정해진 별정직 공무원인 대통령기록관장을 직권면직하면서 당사자에게 사전통지를 하지 않고 의견제출의 기회를 주지 않았다고 하여 「행정절차법」을 위반하였다고 볼 것은 아니다. (×)

16. 국회직 8급 난민인정·귀화 등과 같이 성질상 행정절차를 거치기 곤란하거나 불필요하다고 인정되는 처분이나 행정절차에 준하는 절차를 거치도록 하고 있는 처분의 경우에는 「행정절차법」의 적용이 배제되는 것으로 보아야 하고, 이러한 법리는 '공무원 인사관계 법령에 의한 처분'에 해당하는 별정직 공무원에 대한 직권면직처분의 경우에도 마찬가지로 적용된다. (○)

④ (○) 해임처분 과정에서 한국방송공사 사장이 처분 내용을 사전에 통지받거나 그에 대한 의견제출 기회 등을 받지 못했고 해임처분 시 법적 근거 및 구체적 해임 사유를 제시받지 못하였으므로 해임처분이 행정절차법에 위배되어 위법하지만, 절차나 처분형식의 하자가 중대하고 명백하다고 볼 수 없어 역시 당연무효가 아닌 취소사유에 해당한다(대판 2012.2.23. 2011두5001).

유제 17. 국가직 7급 공기업 사장에 대한 해임처분 과정에서 처분 내용을 사전에 통지받지 못했고 해임처분시 법적 근거 및 구체적 해임사유를 제시받지 못하였다면, 그 해임처분은 위법하지만 무효는 아니다. (○)

답 ③

문제 DATA

출제가능 지수 ▶▶▷
난이도 지수 ★★☆

025 □□□

행정절차에 대한 설명으로 옳지 않은 것은? (다툼이 있는 경우 판례에 의함)

① 「행정절차법」상 문서주의 원칙에도 불구하고, 행정청의 처분서의 문언만으로는 행정청이 어떤 처분을 하였는지 불분명하다는 등 특별한 사정이 있는 때에는 처분 경위나 처분 이후의 상대방의 태도 등 다른 사정을 고려하여 처분서의 문언과 달리 그 처분의 내용을 해석할 수도 있다.
② '고시'의 방법으로 불특정 다수인을 상대로 의무를 부과하거나 권익을 제한하는 처분은 성질상 의견제출의 기회를 주어야 하는 상대방을 특정할 수 없으므로, 이와 같은 처분에 있어서까지 그 상대방에게 의견제출의 기회를 주어야 하는 것은 아니다.
③ 행정청이 당사자와 도시계획사업의 시행과 관련한 협약을 체결하면서 관계 법령 및 「행정절차법」에 규정된 청문의 실시 등 의견청취절차를 배제하는 조항을 두었다면, 이는 청문을 실시하지 않아도 되는 예외적인 경우에 해당한다.
④ 공무원에 대한 징계절차에서 징계심의대상자가 대리인으로 선임한 변호사가 징계위원회 심의에 출석하여 진술하려고 하였음에도 불구하고 징계권자나 그 소속 직원이 변호사가 심의에 출석하는 것을 막았다면 징계위원회의 심의·의결의 절차적 정당성이 상실되어 그 징계의결에 따른 징계처분은 위법하며 원칙적으로 취소되어야 한다.

2022년 지방직 7급

함께 정리하기

행정절차

처분서 문언만으로 불분명
▷ 다른사정 고려해 문언과 다른 해석 可

고시의 방법으로 불특정한 다수인을 상대로 불이익처분
▷ 의견제출 기회 不要

청문절차
▷ 협약으로 배제 不可

대리인으로 선임한 변호사가 징계위원회 심의에 출석하는 것을 막은 경우
▷ 징계처분 위법·취소사유

① (○) 행정절차법 제24조 제1항에서 행정청이 처분을 하는 때에는 다른 법령 등에 특별한 규정이 있는 경우를 제외하고는 문서로 하도록 규정한 것은 처분 내용의 명확성을 확보하고 처분의 존부나 내용에 관한 다툼을 방지하기 위한 것인바, 이와 같은 행정절차법의 규정 취지를 감안해 보면, 행정청이 문서에 의하여 처분을 한 경우 원칙적으로 그 처분서의 문언에 따라 어떤 처분을 하였는지 확정하여야 하나, 그 처분서의 문언만으로는 행정청이 어떤 처분을 하였는지 불분명하다는 등 특별한 사정이 있는 때에는 처분 경위나 처분 이후의 상대방의 태도 등 다른 사정을 고려하여 처분서의 문언과 달리 그 처분의 내용을 해석할 수도 있다(대판 2010.2.11. 2009두18035).

② (○) 고시의 방법으로 불특정 다수인을 상대로 의무를 부과하거나 권익을 제한하는 처분은 성질상 의견제출의 기회를 주어야 하는 상대방을 특정할 수 없으므로, 이와 같은 처분에 있어서까지 구 행정절차법 제22조 제3항에 의하여 그 상대방에게 의견제출의 기회를 주어야 한다고 해석할 것은 아니다. 피고(보건복지부장관)가 이 사건 고시에 의하여 수정체수술과 관련한 질병군의 상대가치점수를 종전보다 약 10~25% 정도 인하하는 내용의 처분을 한 것은 수정체수술을 하는 의료기관을 개설·운영하는 개별 안과 의사들을 상대로 한 것이 아니라 불특정 다수의 의사 전부를 상대로 하는 것인 점 등 그 판시와 같은 이유를 들어, 이 사건 고시에 의한 처분의 경우 구 행정절차법 제22조 제3항에 따라 그 상대방에게 의견제출의 기회를 주지 않았다고 하여 위법하다고 볼 수 없다(대판 2014.10.27. 2012두7745).

③ (×) 행정청이 당사자와 사이에 도시계획사업의 시행과 관련한 협약을 체결하면서 관계 법령 및 행정절차법에 규정된 청문의 실시 등 의견청취절차를 배제하는 조항을 두었다고 하더라도, … 위와 같은 협약의 체결로 청문의 실시에 관한 규정의 적용을 배제할 수 있다고 볼 만한 법령상의 규정이 없는 한, 이러한 협약이 체결되었다고 하여 청문의 실시에 관한 규정의 적용이 배제된다거나 청문을 실시하지 않아도 되는 예외적인 경우에 해당한다고 할 수 없다(대판 2004.7.8. 2002두8350).

④ (○) 육군3사관학교의 사관생도에 대한 징계절차에서 징계심의대상자가 대리인으로 선임한 변호사가 징계위원회 심의에 출석하여 진술하려고 하였음에도, 징계권자나 그 소속 직원이 변호사가 징계위원회의 심의에 출석하는 것을 막았다면 징계위원회 심의·의결의 절차적 정당성이 상실되어 그 징계의결에 따른 징계처분은 위법하여 원칙적으로 취소되어야 한다(대판 2018.3.13. 2016두33339).

답 ③

026

행정절차에 대한 설명으로 옳지 않은 것은? (다툼이 있는 경우 판례에 의함)

① 계약직공무원 채용계약해지의 의사표시는 「행정절차법」에 의하여 근거와 이유를 제시하여야 하는 것은 아니다.
② 교육부장관이 부적격사유가 없는 후보자들 사이에서 어떤 후보자를 상대적으로 더욱 적합하다고 판단하여 국립대학교의 총장으로 임용제청을 하였다면, 그러한 임용제청행위 자체로서 이유제시의무를 다한 것이다.
③ 「국가공무원법」상 직위해제처분에는 처분의 사전통지 및 의견청취 등에 관한 「행정절차법」의 규정이 적용된다.
④ 과세처분 시 납세고지서에 법으로 규정한 과세표준 등의 기재가 누락되면 그 과세처분 자체가 위법한 처분이 되어 취소의 대상이 된다.

2022년 지방직 9급

① (○) 계약직공무원 채용계약해지의 의사표시는 일반공무원에 대한 징계처분과는 달라서 항고소송의 대상이 되는 처분 등의 성격을 가진 것으로 인정되지 아니하고, 일정한 사유가 있을 때에 국가 또는 지방자치단체가 채용계약 관계의 한쪽 당사자로서 대등한 지위에서 행하는 의사표시로 취급되는 것으로 이해되므로, 이를 징계해고 등에서와 같이 그 징계사유에 한하여 효력 유무를 판단하여야 하거나, 행정처분과 같이 행정절차법에 의하여 근거와 이유를 제시하여야 하는 것은 아니다(대판 2002.11.26. 2002두5948).
② (○) 교육부장관이 대학이 추천한 1순위 후보자와 2순위 후보자에 대하여 각각 총장임용 적격성을 심사하여 그중 1인이 총장임용에 부적격하다고 판단한 다음 나머지 1인을 총장임용에 적합하다고 판단하여 임용제청하는 경우도 있지만, 후보자 전부가 총장임용에 적합하지만 그중 1인이 좀 더 적합하다고 판단하여 임용제청하는 경우도 있을 수 있다. 교육부장관이 어떤 후보자를 총장임용에 부적격하다고 판단하여 배제하고 다른 후보자를 임용제청하는 경우라면 배제한 후보자에게 연구윤리 위반, 선거부정, 그 밖의 비위행위 등과 같은 부적격사유가 있다는 점을 구체적으로 제시할 의무가 있다. 그러나 부적격사유가 없는 후보자들 사이에서 어떤 후보자를 상대적으로 더욱 적합하다고 판단하여 임용제청하는 경우라면, 이는 후보자의 경력, 인격, 능력, 대학운영계획 등 여러 요소를 종합적으로 고려하여 총장임용의 적격성을 정성적으로 평가하는 것으로 그 판단결과를 수치화하거나 이유제시를 하기 어려울 수 있다. 이 경우에는 교육부장관이 어떤 후보자를 총장으로 임용제청하는 행위 자체에 그가 총장으로 더욱 적합하다는 정성적 평가결과가 당연히 포함되어 있는 것으로, 이로써 행정절차법상 이유제시의무를 다한 것이라고 보아야 한다(대판 2018.6.15. 2016두57564).
③ (✕) 국가공무원법상 직위해제처분은 구 행정절차법 제3조 제2항 제9호, 구 행정절차법 시행령 제2조 제3호에 의하여 당해 행정작용의 성질상 행정절차를 거치기 곤란하거나 불필요하다고 인정되는 사항 또는 행정절차에 준하는 절차를 거친 사항에 해당하므로, 처분의 사전통지 및 의견청취 등에 관한 행정절차법의 규정이 별도로 적용되지 않는다(대판 2014.5.16. 2012두26180).
④ (○) 과세처분시 납세고지서에 과세표준, 세율, 세액의 계산명세서 등을 첨부하여 고지하도록 한 것은 조세법률주의의 원칙에 따라 처분청으로 하여금 자의를 배제하고 신중하고도 합리적인 처분을 행하게 함으로써 조세행정의 공정성을 기함과 동시에 납세의무자에게 부과처분의 내용을 상세히 알려서 불복여부의 결정 및 그 불복신청에 편의를 주려는 취지에서 나온 것이므로 이러한 규정은 강행규정으로서 납세고지서에 위와 같은 기재가 누락되면 과세처분 자체가 위법하여 취소대상이 된다(대판 1983.7.26. 82누420).

답 ③

함께 정리하기

행정절차

계약직공무원 채용계약해지 의사표시
▷ 「행정절차법」 적용✕(처분✕)

교육부장관이 부적격사유 없는 후보자 중 어떤 후보자를 총장 임용제청
▷ 이유제시의무 다한 것

직위해제처분
▷ 「행정절차법」 적용✕

과세처분시 납세고지서에 법정기재사항 누락
▷ 과세처분 자체가 위법

문제 DATA

출제가능 지수 ▶▶▷
난이도 지수 ★★☆

027 □□□

「행정절차법」상 의견청취절차에 대한 설명으로 옳은 것은? (다툼이 있는 경우 판례에 의함)

① 보건복지부장관은 국민건강보험법령상 요양급여의 상대가치 점수 변경 또는 조정 고시에 의한 처분을 하는 경우 상대방에게 의견제출의 기회를 주어야 한다.
② 「도로법」에 의한 도로구역변경고시는 의견청취의 대상이 되는 처분이다.
③ 사회복지시설에 대하여 특별감사를 실시한 후 행한 감사결과 지적사항에 대한 시정지시는 그 성질상 당사자의 사전 의견청취가 불필요하다고 볼 상당한 이유가 인정되는 경우에 해당한다.
④ 퇴직연금의 환수결정은 당사자에게 의무를 과하는 처분으로서 퇴직연금 환수결정에 앞서 당사자에게 의견진술의 기회를 주어야 한다.
⑤ 행정청이 온천지구임을 간과하여 지하수 개발·이용신고를 수리하였다가 의견제출기회를 주지 아니한 채 그 신고수리처분을 취소하고 원상복구명령의 처분을 한 경우, 행정지도방식에 의한 사전고지나 그에 따른 당사자의 자진폐공의 약속 등 사유가 있으면 의견청취절차에 해당하여 위법하지 않다.

2022년 소방간부

함께 정리하기

의견청취절차

고시에 의한 불이익처분
▷ 의견제출 기회 不要

도로구역변경고시
▷ 의견청취 不要

특별감사 실시 후 이루어진 시정지시
▷ 의견청취 생략 가능

퇴직연금 환수결정(법령상 확정된 의무에 따른 불이익처분)
▷ 의견제출 기회 不要

행정지도방식에 의한 사전고지가 이루어진 지하수개발·이용신고수리취소 및 원상복구명령
▷ 사전통지 예외사유 ✕

① (✕) 고시의 방법으로 불특정 다수인을 상대로 의무를 부과하거나 권익을 제한하는 처분은 성질상 의견제출의 기회를 주어야 하는 상대방을 특정할 수 없으므로, 이와 같은 처분에 있어서까지 구 행정절차법 제22조 제3항에 의하여 그 상대방에게 의견제출의 기회를 주어야 한다고 해석할 것은 아니다. 피고(보건복지부장관)가 이 사건 고시에 의하여 수정체수술과 관련한 질병군의 상대가치점수를 종전보다 약 10~25% 정도 인하하는 내용의 처분을 한 것은 수정체수술을 하는 의료기관을 개설·운영하는 개별 안과 의사들을 상대로 한 것이 아니라 불특정 다수의 의사 전부를 상대로 하는 것인 점 등 그 판시와 같은 이유를 들어, 이 사건 고시에 의한 처분의 경우 구 행정절차법 제22조 제3항에 따라 그 상대방에게 의견제출의 기회를 주지 않았다고 하여 위법하다고 볼 수 없다(대판 2014.10.27. 2012두7745).

② (✕) 행정절차법 제2조 제4호가 행정절차법의 당사자를 행정청의 처분에 대하여 직접 그 상대가 되는 당사자로 규정하고, 도로법 제25조 제3항이 도로구역을 결정하거나 변경할 경우 이를 고시에 의하도록 하면서, 그 도면을 일반인이 열람할 수 있도록 한 점 등을 종합하여 보면, 도로구역을 변경한 이 사건 처분은 행정절차법 제21조 제1항의 사전통지나 제22조 제3항의 의견청취의 대상이 되는 처분이 아니라고 할 것이다(대판 2008.6.12. 2007두1767).

유제 21. 국가직 7급 「도로법」상 도로구역을 변경할 경우, 이를 고시하고 그 도면을 일반인이 열람할 수 있도록 하고 있는바, 도로구역을 변경한 처분은 「행정절차법」상 사전통지나 의견청취의 대상이 되는 처분이 아니다. (○)
20. 국회직 9급 「도로법」에 따른 도로구역의 변경은 고시와 열람의 절차를 거치므로 「행정절차법」상 사전통지나 의견청취의 대상이 되지 않는다. (○)
19. 소방간부 물적 일반처분으로서 도로구역변경결정은 「도로법」에 따른 절차(고시·열람)와는 별개로 「행정절차법」상 사전통지나 의견청취의 대상이 되는 처분은 아니다. (○)
17. 사복직 「도로법」상 도로구역의 결정·변경고시는 행정처분으로서 「행정절차법」 제21조 제1항의 사전통지나 제22조 제3항의 의견청취의 절차를 거쳐야 한다. (✕)
17. 5급 승진 「도로법」에 따라 도로구역을 결정하거나 변경할 경우 이를 고시에 의하도록 하고 그 도면을 일반인이 열람할 수 있도록 하고 있으므로, 도로구역을 변경하는 처분을 하는 경우에는 사전통지나 의견청취절차를 거치지 않아도 절차상 하자가 있는 것은 아니다. (○)

③ (○) 행정청이 침해적 행정처분을 함에 있어서 당사자에게 위와 같은 사전통지를 하거나 의견제출의 기회를 주지 아니하였다면 그 처분은 위법하여 취소를 면할 수 없으나, 당해 행정처분의 성질에 비추어 사전통지나 의견청취가 현저히 곤란하거나 명백히 불필요하다고 인정되는 경우에는 그러하지 아니한다. … 이 사건 시정지시는 보건복지부, 서울특별시, 피고가 합동으로 원고 등에 대하여 특별감사를 실시한 후 이루어진 것으로 감사결과의 통보 및 감사기관의 의견표명의 성질도 지니고 있는데, <u>특별감사를 받은 원고 등은 감사과정을 거치면서 감사결과 및 그에 따른 감사기관의 의견표명이 있으리라는 점을 충분히 예상할 수 있어 별도로 사전에 통지를 한다거나 의견진술의 기회를 부여할 필요가 있다고 보기 어려운 점</u>, 이 사건 시정지시를 이행하지 않을 경우에 이루어지게 될 구 「사회복지사업법」상의 시정명령 및 설립허가 취소 등의 후행 처분을 위해서는 사전통지 및 의견진술의 기회 부여 등 「행정절차법」이 정한 절차를 거쳐야 하고, 실제로 피고가 원고에게 이 사건 시정지시를 하면서 그와 동시에 원고가 시정지시를 받은 사항에 대하여 의견진술과 이의를 제기할 기회를 준 점 등에 비추어 보면, <u>이 사건 시정지시에 대하여는 그 성질상 당사자의 사전 의견청취가 불필요하다고 볼 상당한 이유가 있는 것으로 명백히 인정되는 경우에 해당한다고 할 것이다</u>(대판 2009.2.12. 2008두14999).

④ (×) <u>퇴직연금의 환수결정은 당사자에게 의무를 과하는 처분이기는 하나, 관련 법령에 따라 당연히 환수금액이 정하여지는 것이므로, 퇴직연금의 환수결정에 앞서 당사자에게 의견진술의 기회를 주지 아니하여도 행정절차법 제22조 제3항이나 신의칙에 어긋나지 아니한다</u>(대판 2000.11.28. 99두5443).

유제 22. 국회직 8급 퇴직연금의 환수결정은 당사자에게 의무를 과하는 처분이므로 퇴직연금의 환수결정에 앞서 당사자에게 의견진술의 기회를 주지 아니하면 절차의 하자가 있는 위법한 처분이 된다. (×)

21. 소방간부 공무원연금관리공단의 퇴직연금의 환수결정에 앞서 당사자에게 의견진술의 기회를 주지 아니하여도 「행정절차법」이나 신의칙에 어긋나지 아니한다. (○)

20. 국가직 9급 퇴직연금의 환수결정은 당사자에게 의무를 과하는 처분이기는 하나 관련 법령에 따라 당연히 환수금액이 정하여지는 것이므로 퇴직연금의 환수결정에 앞서 당사자에게 의견진술의 기회를 주지 아니하여도 「행정절차법」에 어긋나지 아니한다. (○)

19. 서울시 7급 법령에 따라 당연히 환수금액이 정해지더라도 퇴직연금의 환수결정에 앞서 당사자에게 의견진술의 기회를 주어야 한다. (×)

⑤ (×) <u>행정청이 온천지구임을 간과하여 지하수개발·이용신고를 수리하였다가 행정절차법상의 사전통지를 하거나 의견제출의 기회를 주지 아니한 채 그 신고수리처분을 취소하고 원상복구명령의 처분을 한 경우, 행정지도방식에 의한 사전고지나 그에 따른 당사자의 자진 폐공의 약속 등의 사유만으로는 사전통지 등을 하지 않아도 되는 행정절차법 소정의 예외의 경우에 해당한다고 볼 수 없다는 이유로 그 처분은 위법하다</u>(대판 2000.11.14. 99두5870).

유제 12. 국가직 7급 판례에 의하면 행정지도의 방식에 의한 사전고지가 이루어진 지하수개발·이용신고수리 취소는 「행정절차법」상 사전통지 및 의견제출 기회 제공의 대상이 된다. (○)

답 ③

028

「행정절차법」상 처분의 사전통지에 대한 설명으로 가장 옳은 것은? (다툼이 있는 경우 판례에 의함)

① 행정청은 당사자에게 사전통지를 하면서 의견제출에 필요한 기간을 10일 이상으로 고려하여 정하여 통지하여야 한다.

② 신청에 대한 거부처분은 당사자의 권익을 제한하는 처분에 해당하므로 처분의 사전통지의 대상이 된다.

③ 현장조사에서 처분상대방이 위반사실을 시인하였다면 행정청은 처분의 사전통지절차를 하지 않아도 된다.

④ 행정청은 해당 처분의 성질상 의견청취가 현저히 곤란하더라도 사전통지를 해야 한다.

◎ 문제 DATA
출제가능 지수 ▶▶▷
난이도 지수 ★★☆

함께 정리하기

처분의 사전통지

사전통지시 의견제출 기한
▷ 10일 이상으로 고려하여 정하여 통지 要

거부처분
▷ 사전통지 대상 ✕

상대방이 위반사실 시인
▷ 사전통지 생략사유 ✕

처분의 성질상 의견청취가 현저히 곤란 or 명백히 불필요
▷ 사전통지 생략 可

2022년 군무원 7급

① (○)

> 「행정절차법」 제21조 【처분의 사전 통지】 ① 행정청은 당사자에게 의무를 부과하거나 권익을 제한하는 처분을 하는 경우에는 미리 다음 각 호의 사항을 당사자등에게 통지하여야 한다.
> 1. 처분의 제목
> 2. 당사자의 성명 또는 명칭과 주소
> 3. 처분하려는 원인이 되는 사실과 처분의 내용 및 법적 근거
> 4. 제3호에 대하여 의견을 제출할 수 있다는 뜻과 의견을 제출하지 아니하는 경우의 처리방법
> 5. 의견제출기관의 명칭과 주소
> 6. <u>의견제출기한</u>
> 7. 그 밖에 필요한 사항
> ③ 제1항 제6호에 따른 기한은 의견제출에 필요한 기간을 10일 이상으로 고려하여 정하여야 한다.

② (✕) 신청에 따른 처분이 이루어지지 아니한 경우에는 아직 당사자에게 권익이 부과되지 아니하였으므로 특별한 사정이 없는 한 신청에 대한 거부처분이라고 하더라도 직접 당사자의 권익을 제한하는 것은 아니어서 신청에 대한 거부처분을 여기에서 말하는 '당사자의 권익을 제한하는 처분'에 해당한다고 할 수 없는 것이어서 처분의 사전통지대상이 된다고 할 수 없다(대판 2003.11.28. 2003두674).

③ (✕)

> 무단으로 용도변경된 건물에 대해 현장조사를 실시하여 건물주에게 시정명령이 있을 것과 불이행시 이행강제금이 부과될 것이라는 점을 설명하고, 위반경위를 질문하여 답변을 들은 다음 건물주로부터 확인서 명을 받은 후 별도의 사전통지나 의견진술기회 부여 절차를 거치지 아니한 채 현장조사 다음날 시정명령을 한 경우
> [1] 피고 소속 공무원 소외인이 위 현장조사에 앞서 원고에게 전화로 통지한 것은 행정조사의 통지이지 이 사건 처분(시정명령)에 대한 사전통지로 볼 수 없다. 그리고 위 소외인이 현장조사 당시 위반경위에 관하여 원고에게 의견진술기회를 부여하였다 하더라도, 이 사건 처분(시정명령)이 현장조사 바로 다음 날 이루어진 사정에 비추어 보면, 의견제출에 필요한 상당한 기간을 고려하여 의견제출기한이 부여되었다고 보기도 어렵다.
> [2] 그리고 현장조사에서 원고가 위반사실을 시인하였다거나 위반경위를 진술하였다는 사정만으로는 행정절차법 제21조 제4항 제3호가 정한 '의견청취가 현저히 곤란하거나 명백히 불필요하다고 인정될 만한 상당한 이유가 있는 경우'로서 처분의 사전통지를 하지 아니하여도 되는 경우에 해당한다고 볼 수도 없다.
> [3] 따라서 행정청인 피고가 침해적 행정처분인 이 사건 처분(시정명령)을 하면서 원고에게 행정절차법에 따른 적법한 사전통지를 하거나 의견제출의 기회를 부여하였다고 볼 수 없다(대판 2016.10.27. 2016두41811).

유제 19. 국가직 9급 용도를 무단변경한 건물의 원상복구를 명하는 시정명령 및 계고처분을 하는 경우, 사전에 통지할 필요가 없다. (✕)
18. 서울시 9급 무단으로 용도변경된 건물에 대해 건물주에게 시정명령이 있을 것과 불이행시 이행강제금이 부과될 것이라는 점을 설명한 후, 다음날 시정명령을 한 경우 「행정절차법」상 처분의 사전통지 혹은 의견제출의 기회를 부여할 사항에 해당한다. (○)

④ (✕)

> 「행정절차법」 제21조 【처분의 사전 통지】 ④ 다음 각 호의 어느 하나에 해당하는 경우에는 제1항에 따른 통지를 하지 아니할 수 있다.
> 1. 공공의 안전 또는 복리를 위하여 긴급히 처분을 할 필요가 있는 경우
> 2. 법령등에서 요구된 자격이 없거나 없어지게 되면 반드시 일정한 처분을 하여야 하는 경우에 그 자격이 없거나 없어지게 된 사실이 법원의 재판 등에 의하여 객관적으로 증명된 경우
> 3. 해당 처분의 성질상 의견청취가 현저히 곤란하거나 명백히 불필요하다고 인정될 만한 상당한 이유가 있는 경우

답 ①

029 □□□

처분의 사전통지에 대한 설명으로 가장 옳지 않은 것은? (다툼이 있는 경우 판례에 의함)

① 고시 등에 의한 불특정 다수를 상대로 한 권익제한이나 의무부과의 경우 사전통지대상이 아니다.
② 수익적 처분의 신청에 대한 거부처분은 실질적으로 침익적 처분에 해당하므로 사전통지대상이 된다.
③ 「행정절차법」은 처분의 직접 상대방 외에 신청에 따라 행정절차에 참여한 이해관계인도 사전통지의 대상인 당사자에 포함시키고 있다.
④ 공무원의 정규임용처분을 취소하는 처분은 사전통지를 하지 않아도 되는 예외적인 경우에 해당하지 않는다.

문제 DATA
출제가능 지수 ▶▶▷
난이도 지수 ★★☆

2022년 군무원 9급

① (○) 대판 2014.10.27. 2012두7745
② (×) 신청에 대한 거부처분은 사전통지의 대상이 아니다(대판 2003.11.28. 2003두674).
③ (○)

> 「행정절차법」 제21조 【처분의 사전 통지】 ① 행정청은 당사자에게 의무를 부과하거나 권익을 제한하는 처분을 하는 경우에는 <u>미리 다음 각 호의 사항을 당사자등에게 통지</u>하여야 한다.
> 제2조 【정의】 이 법에서 사용하는 용어의 뜻은 다음과 같다.
> 4. "<u>당사자등</u>"이란 다음 각 목의 자를 말한다.
>   가. 행정청의 처분에 대하여 직접 그 상대가 되는 당사자
>   나. <u>행정청이 직권으로 또는 신청에 따라 행정절차에 참여하게 한 이해관계인</u>

④ (○) 정규공무원으로 임용된 사람에게 시보임용처분 당시 지방공무원법 제31조 제4호에 정한 공무원임용 결격사유가 있어 시보임용처분을 취소하고 그에 따라 정규임용처분을 취소한 사안에서, <u>정규임용처분을 취소하는 처분은 성질상 행정절차를 거치는 것이 불필요하여 행정절차법의 적용이 배제되는 경우에 해당하지 않으므로, 그 처분을 하면서 사전통지를 하거나 의견제출의 기회를 부여하지 않은 것은 위법하다</u>(대판 2009.1.30. 2008두16155).

유제 19. 국회직 8급 정규공무원으로 임용된 사람에게 시보임용처분 당시 「지방공무원법」에 정한 공무원임용 결격사유가 있어 시보임용처분을 취소하고 그에 따라 정규임용처분을 취소한 경우 정규임용처분을 취소하는 처분에 대하여서는 「행정절차법」의 규정이 적용된다. (○)
18. 서울시 9급 공무원시보임용이 무효임을 이유로 정규임용을 취소하는 경우 처분의 사전통지 및 의견제출의 기회를 부여하여야 한다. (○)
16. 사복직 (임용권자는 정규공무원으로 임용된 A가 정규임용 시에는 아무런 임용결격사유가 없었지만 그 이전에 시보로 임용될 당시 「국가공무원법」에서 정한 임용결격사유가 있었다는 사실을 알게 되었다. 이에 해당 임용권자는 이러한 사실을 이유로 A의 시보임용처분을 취소하고 그 후 정규임용처분도 취소한 사안에서) 정규임용취소처분은 성질상 행정절차를 거치는 것이 불필요하여 「행정절차법」의 적용이 배제된다. (×)

답 ②

함께 정리하기
처분의 사전통지

고시의 방법으로 불특정한 다수인을 상대로 불이익처분
▷ 의견제출 기회 不要

거부처분
▷ 사전통지 대상×

신청에 따라 행정절차에 참여한 이해관계인
▷ 사전통지의 대상○

공무원 정규임용취소처분
▷ 사전통지 要

문제 DATA

출제가능 지수 ▶▶▷
난이도 지수 ★★☆

030 ☐☐☐

「행정절차법」의 내용으로 옳지 않은 것은? (다툼이 있는 경우 판례에 의함)

① 행정청은 처분 후 2년 이내에 당사자등이 요청하는 경우에는 청문·공청회 또는 의견제출을 위하여 제출받은 서류나 그 밖의 물건을 반환하여야 한다.
② 송달이 불가능하여 관보, 공보 등에 공고한 경우에는 다른 법령 등에 특별한 규정이 있는 경우를 제외하고는 공고일부터 14일이 지난 때에 그 효력이 발생한다. 다만, 긴급히 시행하여야 할 특별한 사유가 있어 효력 발생 시기를 달리 정하여 공고한 경우에는 그에 따른다.
③ 행정청은 긴급히 처분을 할 필요가 있는 경우 당사자에게 처분의 근거와 이유를 제시하지 않아도 되지만, 처분 후 당사자가 요청하는 경우에는 그 근거와 이유를 제시하여야 한다.
④ 처분에 관한 권리 또는 이익을 사실상 양수한 자는 행정청의 승인을 받아 당사자등의 지위를 승계할 수 있다.
⑤ 정보통신망을 이용한 송달은 송달받을 자가 동의하는 경우에만 한다.

함께 정리하기

「행정절차법」

처분 후 1년 이내 당사자등이 요청
▷ 의견제출 받은 서류나 물건을 반환하여야 함

송달에 갈음하는 공고의 효력발생시기
▷ 공고일로부터 14일 지난 때

긴급처분
▷ 이유제시의무×, 당사자 요청한 경우에는 제시 要

처분에 관한 권리·이익을 사실상 양수한 자
▷ 행정청 승인 받아 당사자등 지위승계 可

정보통신망 이용 송달
▷ 송달받을 자가 동의하는 경우에만 可

2022년 국회직 8급

① (×)

> 「행정절차법」 제22조【의견청취】⑥ 행정청은 처분 후 <u>1년 이내</u>에 당사자등이 요청하는 경우에는 청문·공청회 또는 의견제출을 위하여 제출받은 서류나 그 밖의 물건을 반환하여야 한다.

유제 18. 소방간부 행정청은 처분 후 1년 이내에 당사자 등이 요청하는 경우에는 의견제출을 받은 서류나 그 밖의 물건을 반환하여야 한다. (○)
12. 경찰 3차 행정청은 처분 후 1년 이내에 당사자 등의 요청이 있는 경우에는 청문·공청회 또는 의견제출을 위하여 제출받은 서류 기타 물건을 반환하여야 한다. (○)

② (○)

> 「행정절차법」 제14조【송달】④ 다음 각 호의 어느 하나에 해당하는 경우에는 송달받을 자가 알기 쉽도록 관보, 공보, 게시판, 일간신문 중 하나 이상에 공고하고 인터넷에도 공고하여야 한다.
> 1. 송달받을 자의 주소등을 통상적인 방법으로 확인할 수 없는 경우
> 2. 송달이 불가능한 경우
> 제15조【송달의 효력 발생】③ 제14조 제4항의 경우에는 다른 법령등에 특별한 규정이 있는 경우를 제외하고는 공고일부터 14일이 지난 때에 그 효력이 발생한다. 다만, 긴급히 시행하여야 할 특별한 사유가 있어 효력 발생 시기를 달리 정하여 공고한 경우에는 그에 따른다.

③ (○)

> 「행정절차법」 제23조(처분의 이유 제시) ① 행정청은 처분을 할 때에는 다음 각 호의 어느 하나에 해당하는 경우를 제외하고는 당사자에게 그 근거와 이유를 제시하여야 한다.
> 1. 신청 내용을 모두 그대로 인정하는 처분인 경우
> 2. 단순·반복적인 처분 또는 경미한 처분으로서 당사자가 그 이유를 명백히 알 수 있는 경우
> 3. 긴급히 처분을 할 필요가 있는 경우
> ② 행정청은 제1항 제2호 및 제3호의 경우에 처분 후 당사자가 요청하는 경우에는 그 근거와 이유를 제시하여야 한다.

유제 20. 국회직 9급 단순·반복적인 처분으로서 당사자가 그 이유를 명백히 알 수 있어서 처분의 이유제시가 생략된 경우에도 당사자는 「행정절차법」에 따라 그 처분의 이유제시를 요청할 수 있다. (○)
18. 국가직 9급 단순·반복적인 처분 또는 경미한 처분으로서 당사자가 그 이유를 명백히 알 수 있는 경우라 하더라도 처분 후 당사자가 요청하는 경우에는 행정청은 그 근거와 이유를 제시하여야 한다. (○)
17. 서울시 7급 행정청은 긴급히 처분을 할 필요가 있는 경우 당사자에게 처분의 근거와 이유를 제시하지 않아도 되지만, 처분 후에는 당사자의 요청이 없어도 그 근거와 이유를 제시하여야 한다. (×)
14. 서울시 7급 처분의 이유제시를 생략한 때에도 처분 후 당사자가 요청하는 경우에 그 근거와 이유를 제시하여야 할 경우가 있다. (○)

13. 서울시 7급 행정청은 경미한 처분으로 당사자가 이유를 명백하게 알 수 있는 경우에는 처분 후 당사자가 요청하여도 그 근거와 이유를 제시할 필요가 없다. (×)
12. 국가직 9급 신청내용을 모두 그대로 인정하는 처분인 경우 이유제시의무가 면제되지만 처분 후 당사자가 요청하는 경우에는 그 근거와 이유를 제시하여야 한다. (×)
11. 국회직 8급 신청 내용을 모두 그대로 인정하는 처분의 경우 당사자의 요청이 있더라도 이유제시를 생략할 수 있다. (○)
08. 지방직 9급 행정청이 긴급을 요하는 처분을 하는 때에는 처분 후 당사자가 요청하는 경우 그 근거와 이유를 제시하여야 한다. (○)

④ (○)

> 「행정절차법」 제10조【지위의 승계】 ④ 처분에 관한 권리 또는 이익을 사실상 양수한 자는 행정청의 승인을 받아 당사자등의 지위를 승계할 수 있다.

유제 14. 국가직 7급 처분에 관한 권리 또는 이익을 사실상 양수한 자는 행정청의 승인을 받아 당사자 등의 지위를 승계할 수 있다. (○)

⑤ (○)

> 「행정절차법」 제14조【송달】 ③ 정보통신망을 이용한 송달은 송달받을 자가 동의하는 경우에만 한다. 이 경우 송달받을 자는 송달받을 전자우편주소 등을 지정하여야 한다.

답 ①

031 □□□

「행정절차법」상 의견청취에 대한 설명으로 옳지 않은 것은? (다툼이 있는 경우 판례에 의함)

① 허가영업의 양도에 따른 영업자지위승계신고를 수리하는 처분을 할 경우에는 행정청은 종전의 영업자에 대하여 의견청취절차를 거친 후 처분을 하여야 한다.
② 퇴직연금의 환수결정은 당사자에게 의무를 과하는 처분이므로 퇴직연금의 환수결정에 앞서 당사자에게 의견진술의 기회를 주지 아니하면 절차의 하자가 있는 위법한 처분이 된다.
③ 행정청이 당사자와 도시계획사업의 시행과 관련한 협약을 체결하면서 관계 법령 및 「행정절차법」에 규정된 청문의 실시 등 의견청취절차를 배제하는 조항을 두었다고 하더라도, 이러한 협약의 체결로 청문의 실시에 관한 규정의 적용을 배제할 수 있다고 볼 만한 법령상의 규정이 없는 한, 청문의 실시에 관한 규정의 적용이 배제된다거나 청문을 실시하지 않아도 되는 예외적인 경우에 해당한다고 할 수 없다.
④ 청문에서 당사자등이 의견서를 제출한 경우에는 그 내용을 출석하여 진술한 것으로 본다.
⑤ 청문 주재자는 당사자등의 전부 또는 일부가 정당한 사유 없이 청문기일에 출석하지 아니하거나 의견서를 제출하지 아니한 경우에는 이들에게 다시 의견진술 및 증거제출의 기회를 주지 아니하고 청문을 마칠 수 있다.

| 2022년 국회직 8급

① (○) 행정청이 구 식품위생법 규정에 의하여 영업자지위승계신고를 수리하는 처분은 종전의 영업자의 권익을 제한하는 처분이라 할 것이고 따라서 종전의 영업자는 그 처분에 대하여 직접 그 상대가 되는 자에 해당한다고 봄이 상당하므로, 행정청으로서는 위 신고를 수리하는 처분을 함에 있어서 행정절차법 규정 소정의 당사자에 해당하는 종전의 영업자에 대하여 위 규정 소정의 행정절차를 실시하고 처분을 하여야 한다(대판 2003.2.14. 2001두7015).

문제 DATA
출제가능 지수 ▶▶▶Σ
난이도 지수 ★★☆

함께 정리하기
「행정절차법」상 의견청취

영업자지위승계신고 수리 처분
▷ 종전 영업자에 대하여 의견청취절차 거쳐야 함

청문절차
▷ 협약으로 배제 불가

퇴직연금 환수결정
▷ 의견진술 기회 不要

청문에서 당사자등이 의견서 제출한 경우
▷ 그 내용을 출석하여 진술한 것 간주

당사자등이 정당한 사유 없이 청문기일 불출석 또는 의견서 미제출
▷ 다시 의견진술·증거제출 기회 주지 아니하고 청문 종결 可

② (×) 퇴직연금의 환수결정은 당사자에게 의무를 과하는 처분이기는 하나, 관련 법령에 따라 당연히 환수금액이 정하여지는 것이므로, 퇴직연금의 환수결정에 앞서 당사자에게 의견진술의 기회를 주지 아니하여도 행정절차법 제22조 제3항이나 신의칙에 어긋나지 아니한다(대판 2000.11.28. 99두5443).

③ (○) 대판 2004.7.8. 2002두8350

④ (○)

> 「행정절차법」 제31조 【청문의 진행】 ③ 당사자등이 의견서를 제출한 경우에는 그 내용을 출석하여 진술한 것으로 본다.

⑤ (○)

> 「행정절차법」 제35조 【청문의 종결】 ② 청문 주재자는 당사자등의 전부 또는 일부가 정당한 사유 없이 청문기일에 출석하지 아니하거나 제31조 제3항에 따른 의견서를 제출하지 아니한 경우에는 이들에게 다시 의견진술 및 증거제출의 기회를 주지 아니하고 청문을 마칠 수 있다.

유제 15. 국가직 9급 청문 주재자는 당사자 등의 전부 또는 일부가 정당한 사유 없이 청문기일에 출석하지 아니한 경우라도 이들에게 다시 의견진술 및 증거제출의 기회를 주지 아니하고는 청문을 마칠 수 없다. (×)

답 ②

032

행정절차에 대한 설명으로 옳은 것은? (다툼이 있는 경우 판례에 의함)

① 행정절차에 관하여 다른 법률에 특별한 규정이 있는 경우에도 「행정절차법」이 우선한다.
② 행정청은 청문이 필요하다고 인정하는 경우에도 법령등에서 청문을 하도록 규정한 경우가 아니면 청문을 할 수 없다.
③ 신청에 대한 거부처분은 사전통지대상이다.
④ 행정청은 신청 내용을 모두 그대로 인정하는 처분을 하는 경우 처분의 근거와 이유를 제시하지 않아도 된다.
⑤ 「행정절차법」에는 행정지도에 관한 규정을 두고 있지 않다.

| 2022년 행정사

① (×) 행정절차에 관하여 다른 법률에 특별한 규정이 있는 경우 「행정절차법」의 적용을 배제하고 다른 법률의 규정을 적용한다.

> 「행정절차법」 제3조 【적용 범위】 ① 처분, 신고, 확약, 위반사실 등의 공표, 행정계획, 행정상 입법예고, 행정예고 및 행정지도의 절차(이하 "행정절차"라 한다)에 관하여 다른 법률에 특별한 규정이 있는 경우를 제외하고는 이 법에서 정하는 바에 따른다.

행정절차법 제3조 제1항은 "행정절차에 관하여 다른 법률에 특별한 규정이 있는 경우를 제외하고는 이 법에서 정하는 바에 따른다."고 규정하고 있는바, 이는 행정절차법이 행정절차에 관한 일반법임을 밝힘과 아울러, 매우 다양한 형식으로 행하여지는 행정작용에 대하여 일률적으로 행정절차법을 적용하는 것이 적절하지 아니함을 고려하여, 다른 법률이 행정절차에 관한 특별한 규정을 적극적으로 두고 있는 경우이거나 다른 법률이 명시적으로 행정절차법의 규정을 적용하지 아니한다고 소극적으로 규정하고 있는 경우에는 행정절차법의 적용을 배제하고 다른 법률의 규정을 적용한다는 뜻을 밝히고 있는 것이다(대판 2002.2.5. 2001두7138).

유제 21. 서울시 7급 행정절차에 관하여는 「행정절차법」이 다른 법률 규정에 우선하여 적용된다. (×)

문제 DATA
출제가능 지수 ▶▶▷
난이도 지수 ★★☆

함께 정리하기
행정절차

행정절차에 관하여 다른 법률에 특별규정 有
▷ 다른 법률 우선

행정청이 필요하다고 인정하는 경우
▷ 청문 可

거부처분
▷ 사전통지 대상 ×

신청내용 모두 그대로 인정처분
▷ 이유제시의무 ×

「행정절차법」
▷ 행정지도 규정 有

② (×) 행정청은 청문이 필요하다고 인정하는 경우 법령등에서 청문을 하도록 규정한 경우가 아니더라도 청문을 할 수 있다.

> 「행정절차법」 제22조【의견청취】① 행정청이 처분을 할 때 다음 각 호의 어느 하나에 해당하는 경우에는 청문을 한다.
> 1. 다른 법령등에서 청문을 하도록 규정하고 있는 경우
> 2. 행정청이 필요하다고 인정하는 경우
> 3. 다음 각 목의 처분을 하는 경우
>   가. 인·허가 등의 취소
>   나. 신분·자격의 박탈
>   다. 법인이나 조합 등의 설립허가의 취소

유제 21. 행정사 변형 행정청은 인·허가 등의 취소 시 청문을 한다. (○)
20. 소방직 행정청은 처분을 할 때 필요하다고 인정하는 경우에 청문을 할 수 있다. (×)
20. 군무원 7급 변형 행정청은 인·허가 등의 취소, 신분·자격의 박탈, 법인이나 조합 등의 설립허가의 취소에 관한 처분 시 청문을 한다. (○)
20. 국회직 8급 변형 행정청은 인·허가 등의 취소를 내용으로 하는 처분을 하는 경우 처분의 근거 법률에 청문을 하도록 규정되어 있지 않더라도 「행정절차법」에 따라 청문을 실시한다. (○)
19. 서울시 9급 인·허가 등을 취소하는 경우에는 개별 법령상 청문을 하도록 하는 근거 규정이 없고 의견 제출기한 내에 당사자 등의 신청이 없는 경우에도 청문을 하여야 한다. (○)
18. 국가직 9급 변형 인·허가 등의 취소 또는 신분·자격의 박탈, 법인이나 조합 등의 설립허가의 취소시 공청회를 개최한다. (×)
18. 서울시 9급 행정청이 법인이나 조합 등의 설립허가 취소처분을 할 때에는 청문을 해야 한다. (○)
18. 행정사 변형 행정청은 법인 설립허가의 취소 시 청문을 실시한다. (○)
17. 국가직 9급 변형 행정청이 신분·자격의 박탈처분을 할 때에는 청문을 실시한다. (○)
11. 사복직 침익적 처분의 경우 처분청은 사전에 반드시 청문을 실시하여야 한다. (×)

③ (×) 대판 2003.11.28. 2003두674

④ (○)

> 「행정절차법」 제23조【처분의 이유 제시】① 행정청은 처분을 할 때에는 다음 각 호의 어느 하나에 해당하는 경우를 제외하고는 당사자에게 그 근거와 이유를 제시하여야 한다.
> 1. 신청 내용을 모두 그대로 인정하는 처분인 경우
> 2. 단순·반복적인 처분 또는 경미한 처분으로서 당사자가 그 이유를 명백히 알 수 있는 경우
> 3. 긴급히 처분을 할 필요가 있는 경우

유제 20. 행정사 등 행정청은 신청 내용을 모두 그대로 인정하는 처분을 하는 경우에도 당사자에게 이유제시를 하여야 한다. (×)
18. 시울시 7급 경미한 처분으로서 당사자가 그 이유를 명백히 알 수 있는 경우에는 당사자에게 그 근거와 이유를 제시하지 아니할 수 있다. (○)
15. 서울시 9급 단순·반복적인 처분 또는 경미한 처분으로서 당사자가 그 이유를 명백히 알 수 있는 경우는 「행정절차법」이 규정하고 있는 사전통지 생략사유에 해당한다. (×)
14. 서울시 7급 단순·반복적인 처분 또는 중대한 처분이지만 당사자가 그 이유를 명백히 알 수 있는 경우 처분의 이유제시를 생략할 수 있다. (×)
09. 국가직 7급 경미한 처분으로서 당사자가 그 이유를 명백히 알 수 있는 경우는 「행정절차법」상 이유제시의무가 면제되는 경우에 해당한다. (○)
20. 소방직 행정청이 처분을 할 때에는 긴급히 처분을 할 경우를 제외하고는 모든 경우에 있어 당사자에게 그 근거와 이유를 제시하여야 한다. (×)
14. 서울시 7급 긴급을 요하는 경우 처분의 이유제시를 생략할 수 있다. (○)

⑤ (×) 「행정절차법」에는 제48조부터 제51조까지 행정지도에 관한 규정을 두고 있다.

답 ④

033

행정절차에 대한 설명으로 옳은 것은? (다툼이 있는 경우 판례에 의함)

① 「도로법」상 도로구역을 변경할 경우, 이를 고시하고 그 도면을 일반인이 열람할 수 있도록 하고 있는바, 도로구역을 변경한 처분은 「행정절차법」상 사전통지나 의견청취의 대상이 되는 처분이 아니다.
② 「군인사법」에 따라 당해 직무를 수행할 능력이 없다고 인정하여 장교를 보직해임 하는 경우, 처분의 근거와 이유제시 등에 관하여 「행정절차법」의 규정이 적용된다.
③ 특별한 사정이 없는 한, 신청에 대한 거부처분은 사전통지 및 의견제출의 대상이 된다.
④ 「식품위생법」상의 영업자지위승계신고를 수리하는 경우, 영업시설을 인수하여 영업자의 지위를 승계한 자에 대하여 사전통지를 하고, 그에게 의견제출의 기회를 주어야 한다.

> 2021년 국가직 7급

① (○) 대판 2008.6.12. 2007두1767
② (×) 구 군인사법상 보직해임처분은 구 행정절차법 제3조 제2항 제9호, 같은 법 시행령 제2조 제3호에 의하여 당해 행정작용의 성질상 행정절차를 거치기 곤란하거나 불필요하다고 인정되는 사항 또는 행정절차에 준하는 절차를 거친 사항에 해당하므로, 처분의 근거와 이유 제시 등에 관한 구 행정절차법의 규정이 별도로 적용되지 아니한다고 봄이 상당하다(대판 2014.10.15. 2012두5756).

유제 19. 국회직 8급 구 「군인사법」상 보직해임처분에는 처분의 근거와 이유제시 등에 관한 구 「행정절차법」의 규정이 별도로 적용되지 아니한다. (○)

③ (×) 대판 2003.11.28. 2003두674
④ (×) 영업시설을 인수하여 영업자의 지위를 승계한 자가 아니라 종전의 영업자에 대하여 사전통지를 하고 의견제출의 기회를 주어야 한다(대판 2003.2.14. 2001두7015).

답 ①

034

「행정절차법」상 행정절차에 대한 설명으로 옳지 않은 것은? (다툼이 있는 경우 판례에 의함)

① 「국가공무원법」상 직위해제처분은 처분의 사전통지 및 의견청취 등에 관한 「행정절차법」의 규정이 적용되지 않는다.
② 행정예고기간은 예고 내용의 성격 등을 고려하여 정하되, 40일 이상으로 한다.
③ 신청인이 신청에 앞서 행정청의 허가업무 담당자에게 신청서의 내용에 대한 검토를 요청한 것만으로는 다른 특별한 사정이 없는 한 명시적이고 확정적인 신청의 의사표시가 있었다고 하기 어렵다.
④ 신청에 따른 처분이 이루어지지 아니한 경우에는 아직 당사자에게 권익이 부과되지 아니하였으므로 특별한 사정이 없는 한 신청에 대한 거부처분은 직접 당사자의 권익을 제한하는 것은 아니어서 처분의 사전통지대상이 된다고 할 수 없다.

2021년 지방직 7급 변형

① (○) 대판 2014.5.16. 2012두26180
② (✕)

> 「행정절차법」제46조【행정예고】③ 행정예고기간은 예고 내용의 성격 등을 고려하여 정하되, 20일 이상으로 한다.
> ④ 제3항에도 불구하고 행정목적을 달성하기 위하여 긴급한 필요가 있는 경우에는 행정예고기간을 단축할 수 있다. 이 경우 단축된 행정예고기간은 10일 이상으로 한다.

③ (○) 신청인의 행정청에 대한 신청의 의사표시는 명시적이고 확정적인 것이어야 한다고 할 것이므로 신청인이 신청에 앞서 행정청의 허가업무 담당자에게 신청서의 내용에 대한 검토를 요청한 것만으로는 다른 특별한 사정이 없는 한 명시적이고 확정적인 신청의 의사표시가 있었다고 하기 어렵다(대판 2004.9.24. 2003두13236).

유제 21. 소방간부 신청인이 신청에 앞서 행정청의 허가업무 담당자에게 신청서의 내용에 대한 검토 요청에 대해서도 「행정절차법」 소정의 절차가 적용된다. (✕)
20. 국가직 7급, 16. 국가직 7급·지방직 7급 신청인이 신청에 앞서 행정청의 허가업무 담당자에게 한 신청서의 내용에 대한 검토요청은 다른 특별한 사정이 없는 한 명시적이고 확정적인 신청의 의사표시로 보기 어렵다. (○)

④ (○) 대판 2003.11.28. 2003두674

답 ②

함께 정리하기

「행정절차법」상 행정절차

직위해제처분
▷ 성질상 불필요 or 행정절차에 준하는 절차 거친 경우 해당 → 「행정절차법」 적용✕

행정예고기간
▷ 20일 이상

담당자에게 신청서 내용 검토 요청
▷ 명시·확정적인 신청의 의사표시✕

거부처분
▷ 사전통지 대상✕

---

035 □□□

행정절차에 대한 설명으로 옳은 것은? (다툼이 있는 경우 판례에 의함)

① 「국가공무원법」상 직위해제처분은 공무원의 인사상 불이익을 주는 처분이므로 「행정절차법」상 사전통지 및 의견청취절차를 거쳐야 한다.
② 처분 당시 당사자가 어떠한 근거와 이유로 처분이 이루어진 것인지를 충분히 알 수 있어서 그에 불복하여 행정구제절차로 나아가는 데에 별다른 지장이 없었던 것으로 인정되는 경우에도 처분서에 처분의 근거와 이유가 구체적으로 명시되어 있지 않았다면 그 처분은 위법하다.
③ 세액산출근거가 기재되지 아니한 납세고지서에 의한 부과처분은 그 후 부과된 세금을 자진납부하였다거나 또는 조세채권의 소멸시효기간이 만료되었다 하여 하자가 치유되는 것이라고는 할 수 없다.
④ 당사자등은 청문조서의 내용을 열람·확인할 수 있을 뿐, 그 청문조서에 이의가 있더라도 정정을 요구할 수는 없다.

2021년 지방직 9급

① (✕) 대판 2014.5.16. 2012두26180
② (✕) 행정절차법 제23조 제1항은 행정청이 처분을 하는 때에는 당사자에게 그 근거와 이유를 제시하도록 규정하고 있고, 이는 행정청의 자의적 결정을 배제하고 당사자로 하여금 행정구제절차에서 적절히 대처할 수 있도록 하는 데 그 취지가 있다. 따라서 처분서에 기재된 내용과 관계 법령 및 당해 처분에 이르기까지 전체적인 과정 등을 종합적으로 고려하여, 처분 당시 당사자가 어떠한 근거와 이유로 처분이 이루어진 것인지를 충분히 알 수 있어서 그에 불복하여 행정구제절차로 나아가는 데에 별다른 지장이 없었던 것으로 인정되는 경우에는 처분서에 처분의 근거와 이유가 구체적으로 명시되어 있지 않았다고 하더라도 그로 말미암아 그 처분이 위법한 것으로 된다고 할 수는 없다(대판 2013.11.14. 2011두18571).

문제 DATA

출제가능 지수 ▶▶Σ
난이도 지수 ★★☆

함께 정리하기

행정절차

직위해제처분
▷ 「행정절차법」 적용✕

처분당시 근거·이유 충분히 알 수 있어서 권리구제절차에 별다른 지장 無
▷ 이유제시 정도 완화

세액산출근거 미기재 납세고지서에 의한 부과처분
▷ 자진납부·조세채권시효완성으로 치유✕

당사자등
▷ 청문조서 열람·확인 可, 이의 有 → 정정요구 可

유제 **19.** 5급 승진 행정청이 거부처분을 하면서 처분 당시 당사자가 어떠한 근거와 이유로 처분이 이루어진 것인지를 충분히 알 수 있어서 그에 불복하여 행정구제절차로 나아가는데 별다른 지장이 없을 정도로 이유를 제시한 경우에는, 처분의 근거와 이유를 구체적으로 명시하지 않았더라도 그로 말미암아 그 처분이 위법하다고 볼 수는 없다. (○)

16. 국회직 8급 처분 당시 당사자가 어떠한 근거와 이유로 처분이 이루어진 것인지를 충분히 알 수 있어서 그에 불복하여 행정구제절차로 나아가는 데에 별다른 지장이 없었던 것으로 인정되는 경우에도 처분서에 처분의 근거와 이유가 구체적으로 명시되어 있지 않았다면, 그 처분은 위법한 것으로 된다. (×)

③ (○) 세액산출근거가 기재되지 아니한 납세고지서에 의한 부과처분은 강행법규에 위반하여 취소대상이 된다 할 것이므로 이와 같은 하자는 납세의무자가 전심절차에서 이를 주장하지 아니하였거나, 그 후 부과된 세금을 자진납부 하였다거나, 또는 조세채권의 소멸시효기간이 만료되었다 하여 치유되는 것이라고는 할 수 없다(대판 1985.4.9. 84누431).

유제 **21.** 소방간부 세액산출근거가 기재되지 아니한 납세고지서에 의한 부과처분은 강행법규에 위반하여 취소대상이 된다 할 것이므로 이와 같은 하자는 납세의무자가 그 후 부과된 세금을 자진납부하였다 하여 치유되는 것이라고는 할 수 없다. (○)

18. 소방간부 세액산출근거가 기재되지 아니한 납세고지서에 의한 부과처분은 강행법규에 위반하여 무효이다. (×)

④ (×)

> 「행정절차법」 제34조【청문조서】② 당사자등은 청문조서의 내용을 열람·확인할 수 있으며, 이의가 있을 때에는 그 정정을 요구할 수 있다.

답 ③

036

행정절차에 대한 설명으로 가장 옳지 않은 것은? (다툼이 있는 경우 판례에 의함)

① 구 「학교보건법」상 학교환경위생정화구역에서의 금지행위 및 시설의 해제 여부에 관한 행정처분을 함에 있어 학교환경위생정화위원회의 심의를 누락한 흠이 있다면 그와 같은 흠을 가리켜 위 행정처분의 효력에 아무런 영향을 주지 않는다거나 경미한 정도에 불과하다고 볼 수는 없으므로, 특별한 사정이 없는 한 이는 행정처분을 위법하게 하는 취소사유가 된다.

② 행정청이 침해적 행정처분을 함에 있어서 당사자에게 사전통지를 하지 않거나 의견제출의 기회를 주지 아니하였다면 사전통지를 하지 않거나 의견제출의 기회를 주지 아니하여도 되는 예외적인 경우에 해당하지 아니하는 한 그 처분은 위법하다.

③ 행정처분의 상대방에 대한 청문통지서가 반송되었다거나, 행정처분의 상대방이 청문일시에 불출석하였다는 이유로 청문을 실시하지 아니하고 한 침해적 행정처분은 위법하다.

④ 행정청이 당사자와 사이에 도시계획사업의 시행과 관련한 협약을 체결하면서 관계 법령 및 「행정절차법」에 규정된 청문의 실시 등 의견청취절차를 배제하는 조항을 두었다면 청문을 실시하지 않아도 되는 예외적인 경우에 해당한다고 할 수 있다.

2021년 서울시 7급

① (○) 행정청이 구 학교보건법 소정의 학교환경위생정화구역 내에서 금지행위 및 시설의 해제 여부에 관한 행정처분을 함에 있어 학교환경위생정화위원회의 심의를 거치도록 한 취지는 그에 관한 전문가 내지 이해관계인의 의견과 주민의 의사를 행정청의 의사결정에 반영함으로써 공익에 가장 부합하는 민주적 의사를 도출하고 행정처분의 공정성과 투명성을 확보하려는 데 있고, 나아가 그 심의의 요구가 법률에 근거하고 있을 뿐 아니라 심의에 따른 의결내용도 단순히 절차의 형식에 관련된 사항에 그치지 않고 금지행위 및 시설의 해제 여부에 관한 행정처분에 영향을 미칠 수 있는 사항에 관한 것임을 종합해 보면, <u>금지행위 및 시설의 해제 여부에 관한 행정처분을 하면서 절차상 위와 같은 심의를 누락한 흠이 있다면 그와 같은 흠을 가리켜 위 행정처분의 효력에 아무런 영향을 주지 않는다거나 경미한 정도에 불과하다고 볼 수는 없으므로, 특별한 사정이 없는 한 이는 행정처분을 위법하게 하는 취소사유가 된다</u>(대판 2007.3.15. 2006두15806).

> **유제** 16. 경찰 2차 행정청이 구「학교보건법」상 학교환경위생정화구역 내에서 금지행위 및 시설의 해제 여부에 관한 행정처분을 하면서 학교환경위생정화위원회의 심의를 누락한 흠이 있더라도 행정처분의 효력에 아무런 영향을 주지 않는다. (×)

② (○) 대판 2004.5.28. 2004두1254
③ (○) 대판 2001.4.13. 2000두3337
④ (×) 행정청이 당사자와 사이에 도시계획사업의 시행과 관련한 협약을 체결하면서 관계 법령 및 행정절차법에 규정된 청문의 실시 등 의견청취절차를 배제하는 조항을 두었다고 하더라도, … 위와 같은 협약의 체결로 청문의 실시에 관한 규정의 적용을 배제할 수 있다고 볼 만한 법령상의 규정이 없는 한, <u>이러한 협약이 체결되었다고 하여 청문의 실시에 관한 규정의 적용이 배제된다거나 청문을 실시하지 않아도 되는 예외적인 경우에 해당한다고 할 수 없다</u>(대판 2004.7.8. 2002두8350).

답 ④

함께 정리하기

행정절차

학교환경위생정화위원회의 심의절차 누락
▷ 취소사유

사전통지 or 의견제출 절차를 거치지 않은 침해적 처분
▷ 취소사유

청문통지서 반송 or 청문불출석을 이유로 청문 없이 침해적 처분
▷ 위법

청문절차
▷ 협약으로 배제 불가

---

037 □□□

「행정절차법」상 행정절차에 대한 설명으로 가장 옳은 것은? (다툼이 있는 경우 판례에 의함)

① 처분의 이유제시는 당사자에게 의무를 부과하거나 권익을 제한하는 처분을 하는 경우에 한하여 의무화된다.
② 특별한 사정이 없는 한 신청에 대한 거부처분은 당사자의 권익을 제한하는 처분으로서 처분의 사전통지대상이 된다.
③ 대형마트 영업시간 제한 등 처분의 대상인 대규모점포 중 개설자의 직영매장 외에 개설자로부터 임차하여 운영하는 임대매장이 병존하는 경우, 전체 매장에 대하여 법령상 대규모점포 등의 유지·관리 책임을 지는 개설자만이 그 처분상대방이 되므로, 임대매장의 임차인들을 상대로 별도의 사전통지 등 절차를 거칠 필요가 없다.
④ 행정절차에 관하여는 「행정절차법」이 다른 법률 규정에 우선하여 적용된다.

2021년 서울시 7급

① (×) 행정청은 처분을 할 때에 원칙적으로 모든 행정처분에 대해 당사자에게 그 근거와 이유를 제시하여야 한다.

> 「행정절차법」 제23조【처분의 이유 제시】① <u>행정청은 처분을 할 때에는 다음 각 호의 어느 하나에 해당하는 경우를 제외하고는 당사자에게 그 근거와 이유를 제시하여야 한다.</u>
> 1. 신청 내용을 모두 그대로 인정하는 처분인 경우
> 2. 단순·반복적인 처분 또는 경미한 처분으로서 당사자가 그 이유를 명백히 알 수 있는 경우
> 3. 긴급히 처분을 할 필요가 있는 경우

문제 DATA
출제가능 지수 ▶▶▷
난이도 지수 ★★☆

함께 정리하기

「행정절차법」상 행정절차

처분의 이유제시
▷ 모든 처분에 要

거부처분
▷ 사전통지 대상×

대형마트 영업시간 제한 처분시 사전통지의 상대방
▷ 대형마트 개설자○, 임대매장의 임차인×

행정절차
▷ 다른 법률 규정이「행정절차법」에 우선 적용

유제 18. 지방직 7급 「행정절차법」은 당사자에게 의무를 부과하거나 당사자의 권익을 제한하는 처분을 하는 경우에 대해서만 그 근거와 이유를 제시하도록 규정하고 있다. (×)
15. 사복직 처분의 이유제시에 관한 「행정절차법」의 규정은 침익처분 및 수익처분 모두에 적용된다. (○)
14. 서울시 7급 행정청은 처분을 하는 때에는 원칙적으로 당사자에게 그 근거와 이유를 제시하여야 한다. (○)
12. 지방직 9급 「행정절차법」은 행정청이 처분을 하는 때에는 당사자에게 그 근거와 이유를 제시하도록 이유제시원칙을 규정하고 있는바, 이러한 이유제시의 원칙은 상대방에게 부담을 주는 행정처분의 경우뿐만 아니라 수익적 행정행위의 거부에도 적용된다. (○)
09. 국회직 9급 행정처분의 이유제시는 침해적 행정행위뿐만 아니라 수익적 행정행위에도 요구된다. (○)

② (×) 대판 2003.11.28. 2003두674
③ (○) 구 유통산업발전법상 대규모점포 개설자에게 점포 일체를 유지·관리할 일반적인 권한을 부여한 취지 등에 비추어 보면, 영업시간 제한 등 처분의 대상인 대규모점포 중 개설자의 직영매장 이외에 개설자로부터 임차하여 운영하는 임대매장이 병존하는 경우에도, 전체 매장에 대하여 법령상 대규모점포 등의 유지·관리 책임을 지는 개설자만이 그 처분상대방이 되고, 임대매장의 임차인이 이와 별도로 처분상대방이 되는 것은 아니라고 할 것이다. … 따라서 위와 같은 절차(사전통지·의견청취절차)도 원고(대규모점포 개설자)들을 상대로 거치면 충분하고, 그 밖에 임차인들을 상대로 별도의 사전통지 등 절차를 거칠 필요가 없다(대판 2015.11.19. 2015두295 전합).

유제 18. 소방간부 영업시간 제한 등 처분의 대상인 대규모점포 중 개설자의 직영매장 이외에 개설자에게서 임차하여 운영하는 임대매장이 병존하는 경우에도, 전체 매장에 대하여 법령상 대규모점포 등의 유지·관리책임을 지는 개설자만이 처분상대방이 되고, 임대매장의 임차인이 별도로 처분상대방이 되는 것은 아니므로, 사전통지·의견청취절차는 원고(대규모점포 개설자)를 상대로 거치면 충분하다. (○)
17. 5급 승진 대형마트로 등록된 대규모점포에 대하여 영업시간 제한처분을 하는 경우, 사전통지는 대형마트의 개설자를 상대로 하면 충분하고, 대규모점포 중 개설자에게서 임차하여 운영하고 있는 임대매장의 임차인들을 상대로 별도의 사전통지를 거칠 필요가 없다. (○)

④ (×) 다른 법률에 행정절차에 관한 규정이 있으면 그것이 우선 적용된다.

> 「행정절차법」 제3조【적용 범위】① 처분, 신고, 확약, 위반사실 등의 공표, 행정계획, 행정상 입법예고, 행정예고 및 행정지도의 절차(이하 "행정절차"라 한다)에 관하여 다른 법률에 특별한 규정이 있는 경우를 제외하고는 이 법에서 정하는 바에 따른다.

답 ③

038

행정절차에 대한 설명으로 옳지 않은 것은? (다툼이 있는 경우 판례에 의함)

① 신청인이 신청에 앞서 행정청의 허가업무 담당자에게 신청서의 내용에 대한 검토의 요청에 대해서도 「행정절차법」 소정의 절차가 적용된다.
② 세액산출근거가 기재되지 아니한 납세고지서에 의한 부과처분은 강행법규에 위반하여 취소대상이 된다 할 것이므로 이와 같은 하자는 납세의무자가 그 후 부과된 세금을 자진납부하였다 하여 치유되는 것이라고는 할 수 없다.
③ 특별한 사정이 없는 한, 신청에 대한 거부처분은 「행정절차법」상의 처분의 사전통지대상이 된다고 할 수 없다.
④ 공무원연금관리공단의 퇴직연금의 환수결정에 앞서 당사자에게 의견진술의 기회를 주지 아니하여도 「행정절차법」이나 신의칙에 어긋나지 아니한다.
⑤ 행정처분의 상대방에 대한 청문통지서가 반송되었다거나, 행정처분의 상대방이 청문일시에 불출석하였다는 이유로 청문을 실시하지 아니하고 한 침해적 행정처분은 위법하다.

2021년 소방간부

① (×) 신청인의 행정청에 대한 신청의 의사표시는 명시적이고 확정적인 것이어야 한다고 할 것이므로 신청인이 신청에 앞서 행정청의 허가업무 담당자에게 신청서의 내용에 대한 검토를 요청한 것만으로는 다른 특별한 사정이 없는 한 명시적이고 확정적인 신청의 의사표시가 있었다고 하기 어렵다(대판 2004.9.24. 2003두13236).
② (○) 대판 1985.4.9. 84누431
③ (○) 대판 2003.11.28. 2003두674
④ (○) 대판 2000.11.28. 99두5443
⑤ (○) 대판 2001.4.13. 2000두3337

답 ①

함께 정리하기

행정절차

담당자에게 신청서 내용 검토 요청
▷ 명시·확정적 신청 의사표시×

세액산출근거 미기재
▷ 자진납부·조세채권시효완성으로 치유×

거부처분
▷ 사전통지 대상×

퇴직연금 환수결정
▷ 의견제출 기회 不要

청문통지서 반송 or 청문불출석을 이유로 청문없이 침해적 처분
▷ 위법

039 □□□

「행정절차법」상 청문에 대한 설명으로 옳지 않은 것은?

① 청문 주재자에게 공정한 청문 진행을 할 수 없는 사정이 있는 경우 당사자 등은 행정청에 기피신청을 할 수 있다.
② 청문 주재자가 청문을 시작할 때에는 먼저 예정된 처분의 내용, 그 원인이 되는 사실 및 법적 근거 등을 설명하여야 한다.
③ 청문 주재자는 직권으로 또는 당사자의 신청에 따라 필요한 조사를 할 수 있으며, 당사자 등이 주장하지 아니한 사실에 대하여는 조사할 수 없다.
④ 행정청은 청문을 마친 후 처분을 할 때까지 새로운 사정이 발견되어 청문을 재개(再開)할 필요가 있다고 인정할 때에는 청문조서 등을 되돌려 보내고 청문의 재개를 명할 수 있다.

문제 DATA

출제가능 지수 ▶▶▷
난이도 지수 ★★☆

2021년 군무원 9급

① (○)

> 「행정절차법」제29조【청문 주재자의 제척·기피·회피】② 청문 주재자에게 공정한 청문 진행을 할 수 없는 사정이 있는 경우 당사자등은 행정청에 기피신청을 할 수 있다. 이 경우 행정청은 청문을 정지하고 그 신청이 이유가 있다고 인정할 때에는 해당 청문 주재자를 지체 없이 교체하여야 한다.

유제 09. 지방직 7급 청문 주재자에게 공정한 청문 진행을 할 수 없는 사정이 있는 경우 당사자 등은 행정청에 청문 주재자에 대한 기피신청을 할 수 있으며, 이 경우 행정청은 청문을 정지하고 그 신청이 이유가 있다고 인정할 때에는 해당 청문주재자를 지체 없이 교체하여야 한다. (○)

② (○)

> 「행정절차법」제31조【청문의 진행】① 청문 주재자가 청문을 시작할 때에는 먼저 예정된 처분의 내용, 그 원인이 되는 사실 및 법적 근거 등을 설명하여야 한다.

③ (×)

> 「행정절차법」제33조【증거조사】① 청문 주재자는 직권으로 또는 당사자의 신청에 따라 필요한 조사를 할 수 있으며, 당사자등이 주장하지 아니한 사실에 대하여도 조사할 수 있다.

유제 20. 경찰 2차 청문 주재자는 직권으로 또는 당사자의 신청에 따라 필요한 조사를 할 수 있으나 당사자 등이 주장하지 아니한 사실에 대하여는 조사할 수 없다. (×)
18. 지방직 7급 청문은 행정청이 어떠한 처분을 하기 전에 당사자 등의 의견을 직접 듣는 절차일 뿐, 증거를 조사하는 절차는 아니다. (×)

함께 정리하기

청문

청문 주재자에게 공정한 청문 진행을 할 수 없는 사정 有
▷ 기피신청 可

청문 주재자
▷ 청문 시작 시 먼저 예정된 처분의 내용, 원인사실 및 법적근거 등 설명 要
▷ 당사자 등이 주장하지 않은 사실도 증거조사 可

청문의 재개
▷ 처분시까지 새로운 사정 발견되어 재개 필요 인정할 때 可

18. 행정사 청문 주재자는 당사자 등이 주장하지 아니한 사실에 대하여도 증거조사를 할 수 있다. (○)
14. 국가직 9급 청문 주재자는 직권으로 또는 당사자의 신청에 따라 필요한 조사를 할 수 있으며, 당사자 등이 주장하지 아니한 사실에 대하여도 조사할 수 있다. (○)
11. 사복직 청문 주재자는 당사자 등이 주장하는 사실에 한하여 증거조사를 할 수 있다. (×)

④ (○)

> 「행정절차법」 제36조【청문의 재개】 행정청은 청문을 마친 후 처분을 할 때까지 새로운 사정이 발견되어 청문을 재개(再開)할 필요가 있다고 인정할 때에는 제35조 제4항에 따라 받은 청문조서 등을 되돌려 보내고 청문의 재개를 명할 수 있다. 이 경우 제31조 제5항을 준용한다.

답 ③

문제 DATA
출제가능 지수 ▶▶▷
난이도 지수 ★★☆

040

「행정절차법」상 처분의 사전통지의무에 대한 설명으로 옳지 않은 것은? (다툼이 있는 경우 판례에 의함)

① 당사자에게 의무를 부과하거나 권익을 제한하는 처분이 그 대상이다.
② 공무원의 직위해제처분에 대하여 「행정절차법」상 사전통지의무 규정이 적용된다.
③ 처분의 당사자가 아닌 제3자의 권익을 제한하더라도 그 자에게 처분의 사전통지를 할 의무는 없다.
④ 처분하려는 원인이 되는 사실과 처분의 내용 및 법적 근거에 대해 당사자가 의견을 제출할 수 있다는 뜻과 의견을 제출하지 아니하는 경우의 처리방법도 사전통지의 대상이다.
⑤ 특별한 사정이 없는 한 신청에 대한 거부처분은 사전통지의 대상이 아니다.

| 2021년 국회직 9급

① (○)

> 「행정절차법」 제21조【처분의 사전 통지】 ① 행정청은 당사자에게 의무를 부과하거나 권익을 제한하는 처분을 하는 경우에는 미리 다음 각 호의 사항을 당사자등에게 통지하여야 한다.

유제 19. 지방직 7급 처분의 상대방에게 이익이 되며 제3자의 권익을 침해하는 이중효과적 행정행위는 「행정절차법」상 사전통지·의견제출의 대상이 된다. (×)
19. 군무원 9급 행정청은 당사자에게 의무를 부과하거나 권익을 제한하는 처분을 하는 경우에는 미리 일정한 사항을 당사자등에게 통지하고 의견청취를 하여야 한다. (○)
16. 국가직 9급 상대방의 귀책사유로 야기된 처분의 하자를 이유로 수익적 행정행위를 취소하는 경우에는 특별한 규정이 없는 한 「행정절차법」상 사전통지의 대상이 되지 않는다. (×)
10. 지방직 7급 행정청은 당사자 등에게 의무를 면제하거나 권익을 부여하는 처분을 하는 경우에도 사전통지의무를 진다. (×)
10. 서울시 9급 행정청은 침익적 행정처분을 하는 경우 미리 일정한 사항을 상대방에게 통지하여야 한다. (○)
08. 지방직 7급 처분의 사전통지는 의무를 부과하거나 권익을 침해하는 처분에 한정된다. (○)

② (×) 대판 2014.5.16. 2012두26180
③ (○) 행정청이 의무를 부과하거나 권익을 제한하는 처분을 하는 경우에는 미리 일정한 사항을 당사자등에게 통지해야 한다. 여기서 당사자등은 행정청의 처분에 대하여 직접 그 상대가 되는 당사자와 행정청이 직권으로 또는 신청에 따라 행정절차에 참여하게 한 이해관계인을 말하므로, 처분의 당사자가 아닌 제3자의 권익을 제한하더라도 제3자에게는 처분의 사전통지를 할 의무가 없다.

> 「행정절차법」 제21조【처분의 사전 통지】 ① 행정청은 당사자에게 의무를 부과하거나 권익을 제한하는 처분을 하는 경우에는 미리 다음 각 호의 사항을 당사자등에게 통지하여야 한다.
> 제2조【정의】 4. "당사자등"이란 다음 각 목의 자를 말한다.
>   가. 행정청의 처분에 대하여 직접 그 상대가 되는 당사자
>   나. 행정청이 직권으로 또는 신청에 따라 행정절차에 참여하게 한 이해관계인

함께 정리하기

처분의 사전통지의무

불이익처분이 대상

직위해제처분
▷ 사전통지 적용×

당사자가 아닌 제3자
▷ 사전통지 상대방×

의견을 제출할 수 있다는 뜻과 미제출시 처리방법
▷ 사전통지의 대상○

거부처분
▷ 사전통지 대상×

유제 17. 국가직 7급 처분의 사전통지가 적용되는 제3자는 '행정청이 직권 또는 신청에 따라 행정절차에 참여하게 한 이해관계인'으로 한정된다. (○)
17. 지방직 7급 불이익처분의 직접 상대방인 당사자 또는 행정청이 참여하게 한 이해관계인이 아닌 제3자에 대하여는 의견제출에 관한 「행정절차법」의 규정이 적용되지 아니한다. (○)
17. 사복직 불이익처분의 직접 상대방인 당사자도 아니고 행정청이 참여하게 한 이해관계인도 아닌 제3자에 대해서는 사전통지에 관한 규정이 적용되지 않는다. (○)

④ (○)

> 「행정절차법」 제21조【처분의 사전 통지】① 행정청은 당사자에게 의무를 부과하거나 권익을 제한하는 처분을 하는 경우에는 미리 다음 각 호의 사항을 당사자등에게 통지하여야 한다.
> 3. 처분하려는 원인이 되는 사실과 처분의 내용 및 법적 근거
> 4. 제3호에 대하여 의견을 제출할 수 있다는 뜻과 의견을 제출하지 아니하는 경우의 처리방법

⑤ (○) 대판 2003.11.28. 2003두674

답 ②

041

「행정절차법」상 처분절차에 대한 설명으로 옳지 않은 것은?

① 처분을 할 때 해당 처분의 영향이 광범위하여 널리 의견을 수렴할 필요가 있다고 행정청이 인정하는 경우에는 공청회를 개최한다.
② 행정청은 인·허가 등의 취소 시 청문을 한다.
③ 청문·공청회 또는 의견제출을 거쳤을 때에는 신속히 처분하여 해당 처분이 지연되지 아니하도록 하여야 한다.
④ 행정청은 처분을 할 때에는 이해관계인에게 그 근거와 이유를 제시하여야 한다.
⑤ 행정청은 공공의 안전 또는 복리를 위하여 긴급히 처분을 할 필요가 있거나 사안이 경미한 경우에는 말, 전화, 휴대전화를 이용한 문자 전송, 팩스 또는 전자우편 등 문서가 아닌 방법으로 처분을 할 수 있다.

| 2021년 행정사 변형

① (○)

> 「행정절차법」 제22조【의견청취】② 행정청이 처분을 할 때 다음 각 호의 어느 하나에 해당하는 경우에는 공청회를 개최한다.
> 1. 다른 법령등에서 공청회를 개최하도록 규정하고 있는 경우
> 2. 해당 처분의 영향이 광범위하여 널리 의견을 수렴할 필요가 있다고 행정청이 인정하는 경우
> 3. 국민생활에 큰 영향을 미치는 처분으로서 대통령령으로 정하는 처분에 대하여 대통령령으로 정하는 수 이상의 당사자등이 공청회 개최를 요구하는 경우

유제 21. 소방직 공청회는 다른 법령 등에서 공청회를 개최하도록 규정하고 있는 경우 또는 당해 처분의 영향이 광범위하여 널리 의견을 수렴할 필요가 있다고 행정청이 인정하는 경우에 개최된다. (○)
20. 소방직 행정청은 해당 처분의 영향이 광범위하여 널리 의견을 수렴할 필요가 있다고 인정하는 경우에 청문을 실시할 수 있다. (×)
20. 서울시·지방직·교행 9급 청문은 다른 법령 등에서 규정하고 있는 경우 이외에 행정청이 필요하다고 인정하는 경우에도 실시할 수 있으나, 공청회는 다른 법령등에서 규정하고 있는 경우에만 개최할 수 있다. (×)
20. 군무원 7급 행정청은 처분을 함에 있어 국민생활에 큰 영향을 미치는 처분으로서 대통령령으로 정하는 처분에 대하여 대통령령으로 정하는 수 이상의 당사자 등이 공청회 개최를 요구하는 경우 공청회를 개최한다. (○)

문제 DATA
출제가능 지수 ▶▶▷
난이도 지수 ★★☆

함께 정리하기
처분절차

처분영향이 광범위하여 널리 의견수렴 필요
▷ 공청회 개최사유

인·허가 등의 취소
▷ 청문 要

청문·공청회·의견제출을 거쳤을 때
▷ 신속히 처분

이유제시의 상대방
▷ 당사자 등(이해관계인×)

긴급히 처분 필요 또는 사안 경미
▷ 문서 아닌 방법으로 처분 可

② (○) 구법에서는 인·허가 등의 취소, 신분·자격의 박탈, 법인이나 조합 등의 설립허가 취소처분 시 의견제출기한 내에 당사자 등의 신청이 있는 경우 청문을 하여야 했으나, 「행정절차법」 개정으로 당사자 등의 신청이 없더라도 해당 처분 시 청문을 해야 하는 것으로 변경되었다. 개정법에 맞게 해당 지문을 적절히 변형하였고, 옳은 지문에 해당한다.

> 「행정절차법」 제22조 【의견청취】 ① 행정청이 처분을 할 때 다음 각 호의 어느 하나에 해당하는 경우에는 청문을 한다.
> 1. 다른 법령등에서 청문을 하도록 규정하고 있는 경우
> 2. 행정청이 필요하다고 인정하는 경우
> 3. 다음 각 목의 처분을 하는 경우
>   가. 인·허가 등의 취소
>   나. 신분·자격의 박탈
>   다. 법인이나 조합 등의 설립허가의 취소

③ (○)

> 「행정절차법」 제22조 【의견청취】 ⑤ 행정청은 청문·공청회 또는 의견제출을 거쳤을 때에는 신속히 처분하여 해당 처분이 지연되지 아니하도록 하여야 한다.

유제 18. 소방간부 행정청은 의견제출을 거쳤을 때에는 신속히 처분하여 해당 처분이 지연되지 아니하도록 하여야 한다. (○)

④ (✕) 행정청이 처분을 할 때에는 당사자에게 그 근거와 이유를 제시하여야 한다

> 「행정절차법」 제23조 【처분의 이유 제시】 ① 행정청은 처분을 할 때에는 다음 각 호의 어느 하나에 해당하는 경우를 제외하고는 당사자에게 그 근거와 이유를 제시하여야 한다.

⑤ (○) 구법에서는 문서 아닌 처분 방법으로 '말 또는 그 밖의 방법'으로 규정되어 있었으나 「행정절차법」 개정으로 '말, 전화, 휴대전화를 이용한 문자 전송, 팩스 또는 전자우편 등'으로 더 구체화 되었다. 개정법에 맞게 지문을 적절히 변형하였고, 맞는 지문에 해당한다.

> 「행정절차법」 제24조 【처분의 방식】 ① 행정청이 처분을 할 때에는 다른 법령등에 특별한 규정이 있는 경우를 제외하고는 문서로 하여야 하며, 다음 각 호의 어느 하나에 해당하는 경우에는 전자문서로 할 수 있다.
> 1. 당사자등의 동의가 있는 경우
> 2. 당사자가 전자문서로 처분을 신청한 경우
> ② 제1항에도 불구하고 공공의 안전 또는 복리를 위하여 긴급히 처분을 할 필요가 있거나 사안이 경미한 경우에는 말, 전화, 휴대전화를 이용한 문자 전송, 팩스 또는 전자우편 등 문서가 아닌 방법으로 처분을 할 수 있다. 이 경우 당사자가 요청하면 지체 없이 처분에 관한 문서를 주어야 한다.

유제 15. 교행 변형 행정청은 공공의 안전 또는 복리를 위하여 긴급히 처분을 할 필요가 있어서 처분을 말로써 하는 경우 당사자가 요청하면 해당 처분에 관한 문서를 주어야 한다. (○)
14. 국가직 9급 「행정절차법」은 국민의 권익을 보호하기 위하여 모든 행정처분을 문서로 하도록 규정하고 있다. (✕)
13. 지방직 9급 변형 행정청이 처분을 할 때에는 다른 법령등에 특별한 규정이 있는 경우를 제외하고는 문서로 하여야 하며, 당사자등의 동의가 있거나 당사자가 전자문서로 처분을 신청한 경우에는 전자문서로 할 수 있다. 다만, 긴급히 처분을 할 필요가 있거나 사안이 경미한 경우에는 말, 전화, 휴대전화를 이용한 문자 전송, 팩스 또는 전자우편 등 문서가 아닌 방법으로 처분을 할 수 있다. (○)

답 ④

042

「행정절차법」상 행정절차에 대한 설명으로 옳지 않은 것은? (다툼이 있는 경우 판례에 의함)

① 행정청이 처분절차를 준수하였는지는 취소소송의 본안에서 고려할 요소이지, 소송요건 심사단계에서 고려할 요소가 아니다.
② 신청인이 신청에 앞서 행정청의 허가업무 담당자에게 한 신청서의 내용에 대한 검토요청은 다른 특별한 사정이 없는 한 명시적이고 확정적인 신청의 의사표시로 보기 어렵다.
③ 「병역법」에 따라 지방병무청장이 산업기능요원에 대하여 산업기능요원 편입취소처분을 할 때에는 「행정절차법」에 따라 처분의 사전통지를 하고 의견제출의 기회를 부여하여야 한다.
④ 행정청은 행정처분의 상대방에 대한 청문통지서가 반송되었거나, 행정처분의 상대방이 청문일시에 불출석하였다는 이유로 청문절차를 생략하고 침해적 행정처분을 할 수 있다.

2020년 국가직 7급

① (○) 어떠한 처분에 법령상 근거가 있는지, 행정절차법에서 정한 처분절차를 준수하였는지는 본안에서 당해 처분이 적법한가를 판단하는 단계에서 고려할 요소이지, 소송요건 심사단계에서 고려할 요소가 아니다(대판 2020.4.9. 2015다34444 ; 대판 2020.1.16. 2019다264700).
② (○) 대판 2004.9.24. 2003다13236
③ (○) 대판 2002.9.6. 2002두554
④ (×) 대판 2001.4.13. 2000두3337

답 ④

문제 DATA
출제가능 지수 ▶▶▷
난이도 지수 ★★☆

함께 정리하기
행정절차
처분절차 준수 여부
▷ 본안에서 고려할 요소
담당자에게 신청서 내용 검토 요청
▷ 명시·확정적인 신청의 의사표시×
산업기능요원 편입취소처분
▷ 「행정절차법」 적용
청문통지서 반송 or 청문불출석을 이유로 청문없이 침해적 처분
▷ 위법

043

행정절차에 대한 설명으로 옳은 것은? (다툼이 있는 경우 판례에 의함)

① 퇴직연금의 환수결정은 당사자에게 의무를 과하는 처분이기는 하나 관련 법령에 따라 당연히 환수금액이 정하여지는 것이므로, 퇴직연금의 환수결정에 앞서 당사자에게 의견진술의 기회를 주지 아니하여도 「행정절차법」에 어긋나지 아니한다.
② 수익적 행정행위의 신청에 대한 거부처분은 직접 당사자의 권익을 제한하는 처분에 해당하므로, 그 거부처분은 「행정절차법」상 처분의 사전통지대상이 된다.
③ 절차상의 하자를 이유로 과세처분을 취소하는 판결이 확정된 후 그 위법사유를 보완하여 이루어진 새로운 부과처분은 확정판결의 기판력에 저촉된다.
④ 행정청이 당사자와 사이에 도시계획사업의 시행과 관련한 협약을 체결하면서 관련 법령상 요구되는 청문절차를 배제하는 조항을 두었다면, 이는 청문을 실시하지 않아도 되는 예외적인 경우에 해당한다.

2020년 국가직 9급

① (○) 대판 2000.11.28. 99두5443
② (×) 대판 2003.11.28. 2003두674

문제 DATA
출제가능 지수 ▶▶▷
난이도 지수 ★★☆

함께 정리하기
행정절차
퇴직연금 환수결정
▷ 의견진술 기회 不要
거부처분
▷ 사전통지 대상×
절차하자 보완 새로운 부과처분
▷ 기판력 저촉×
청문절차
▷ 협약으로 배제 불가

③ (×) 과세처분시 납세고지서에 과세표준, 세율, 세액의 산출근거 등이 누락되어 있어 이러한 <u>절차 내지 형식의 위법을 이유로 과세처분을 취소하는 판결이 확정된 경우에 그 확정판결의 기판력은 확정판결에 적시된 절차 내지 형식의 위법사유에 한하여 미친다고 할 것이므로 과세처분권자가 그 확정판결에 적시된 위법사유를 보완하여 행한 새로운 과세처분은 확정판결에 의하여 취소된 종전의 과세처분과는 별개의 처분으로서 확정판결의 기판력에 저촉되는 것은 아니다</u>(대판 1986.11.11. 85누231). 판례는 기판력이라고 표현하고 있으나 기속력을 의미하는 것으로 봐야 한다. 판례는 종래 기판력과 기속력이라는 용어를 혼용하여 사용했다.
④ (×) 대판 2004.7.8. 2002두8350

답 ①

044 ☐☐☐

「행정절차법」상 처분의 사전통지 및 의견청취 등에 대한 설명으로 옳은 것은? (다툼이 있는 경우 판례에 의함)

① 고시의 방법으로 불특정 다수인을 상대로 권익을 제한하는 처분을 할 경우 당사자는 물론 제3자에게도 의견제출의 기회를 주어야 한다.
② 청문은 다른 법령등에서 규정하고 있는 경우 이외에 행정청이 필요하다고 인정하는 경우에도 실시할 수 있으나, 공청회는 다른 법령등에서 규정하고 있는 경우에만 개최할 수 있다.
③ 행정청이 당사자에게 의무를 과하거나 권익을 제한하는 처분을 하는 경우에는 처분의 사전통지를 하여야 하는데, 이때의 처분에는 신청에 대한 거부처분도 포함된다.
④ 행정청이 당사자와 사이에 도시계획사업시행 관련 협약을 체결하면서 청문 실시를 배제하는 조항을 두었더라도, 이와 같은 협약의 체결로 청문 실시 규정의 적용을 배제할 만한 법령상 규정이 없는 한, 이러한 협약이 체결되었다고 하여 청문을 실시하지 않아도 되는 예외적인 경우에 해당한다고 할 수 없다.

2020년 서울시·지방직·교육행정직 9급

① (×) 대판 2014.10.27. 2012두7745
② (×)

> 「행정절차법」제22조【의견청취】① 행정청이 처분을 할 때 다음 각 호의 어느 하나에 해당하는 경우에는 <u>청문</u>을 한다.
> 1. <u>다른 법령등에서 청문을 하도록 규정하고 있는 경우</u>
> 2. <u>행정청이 필요하다고 인정하는 경우</u>
> ② 행정청이 처분을 할 때 다음 각 호의 어느 하나에 해당하는 경우에는 <u>공청회</u>를 개최한다.
> 1. <u>다른 법령등에서 공청회를 개최하도록 규정하고 있는 경우</u>
> 2. <u>해당 처분의 영향이 광범위하여 널리 의견을 수렴할 필요가 있다고 행정청이 인정하는 경우</u>
> 3. <u>국민생활에 큰 영향을 미치는 처분으로서 대통령령으로 정하는 처분에 대하여 대통령령으로 정하는 수 이상의 당사자등이 공청회 개최를 요구하는 경우</u>

③ (×) 대판 2003.11.28. 2003두674
④ (○) 대판 2004.7.8. 2002두8350

답 ④

045 ☐☐☐

「행정절차법」상 행정절차에 대한 설명으로 옳은 것은?

① 행정청은 처분을 할 때 필요하다고 인정하는 경우에 청문을 할 수 있다.
② 행정청은 해당 처분의 영향이 광범위하여 널리 의견을 수렴할 필요가 있다고 인정하는 경우에 청문을 실시할 수 있다.
③ 행정청이 당사자에게 의무를 부과하거나 권익을 제한하는 처분을 함에 있어 청문이나 공청회를 거치지 않은 경우에는 당사자에게 의견제출의 기회를 주어야 한다.
④ 행정청이 처분을 할 때에는 긴급히 처분을 할 경우를 제외하고는 모든 경우에 있어 당사자에게 그 근거와 이유를 제시하여야 한다.

2020년 소방직

① (×) 행정청은 처분을 할 때 필요하다고 인정하는 경우에 청문을 하여야 한다.

> 「행정절차법」 제22조【의견청취】① 행정청이 처분을 할 때 다음 각 호의 어느 하나에 해당하는 경우에는 청문을 한다.
> 1. 다른 법령등에서 청문을 하도록 규정하고 있는 경우
> 2. 행정청이 필요하다고 인정하는 경우
> 3. 다음 각 목의 처분을 하는 경우
>   가. 인·허가 등의 취소
>   나. 신분·자격의 박탈
>   다. 법인이나 조합 등의 설립허가의 취소

② (×) 청문이 아니라 공청회를 개최한다.

> 「행정절차법」 제22조【의견청취】② 행정청이 처분을 할 때 다음 각 호의 어느 하나에 해당하는 경우에는 공청회를 개최한다.
> 1. 다른 법령등에서 공청회를 개최하도록 규정하고 있는 경우
> 2. 해당 처분의 영향이 광범위하여 널리 의견을 수렴할 필요가 있다고 행정청이 인정하는 경우
> 3. 국민생활에 큰 영향을 미치는 처분으로서 대통령령으로 정하는 처분에 대하여 대통령령으로 정하는 수 이상의 당사자등이 공청회 개최를 요구하는 경우

③ (○)

> 「행정절차법」 제22조【의견청취】③ 행정청이 당사자에게 의무를 부과하거나 권익을 제한하는 처분을 할 때 제1항(청문의 실시) 또는 제2항(공청회의 개최)의 경우 외에는 당사자등에게 의견제출의 기회를 주어야 한다.

유제 19. 군무원 9급 침익적 행정처분을 하는 경우 청문이나 공청회를 필요적으로 거쳐야 하는 경우에 해당하지 않는다면 의견제출절차도 거치지 않아도 된다. (×)
09. 국회직 9급 행정청이 당사자에게 의무를 과하거나 권익을 제한하는 처분을 하는 경우, 이에 대해 청문을 실시하거나 공청회를 개최하는 경우에는 당사자에게 별도의 의견제출의 기회를 주지 않을 수도 있다. (○)
07. 국회직 8급 행정청이 상대방에게 의무부과처분을 하는 경우에 청문 등을 실시하지 않는 경우에는 의견제출의 기회를 주어야 한다. (○)

④ (×)

> 「행정절차법」 제23조【처분의 이유 제시】① 행정청은 처분을 할 때에는 다음 각 호의 어느 하나에 해당하는 경우를 제외하고는 당사자에게 그 근거와 이유를 제시하여야 한다.
> 1. 신청 내용을 모두 그대로 인정하는 처분인 경우
> 2. 단순·반복적인 처분 또는 경미한 처분으로서 당사자가 그 이유를 명백히 알 수 있는 경우
> 3. 긴급히 처분을 할 필요가 있는 경우

답 ③

문제 DATA
출제가능 지수 ▶▶▷
난이도 지수 ★★☆

함께 정리하기

행정절차

행정청이 필요하다고 인정하는 경우
▷ 청문 可

처분영향이 광범위하여 널리 의견 수렴 필요하다고 행정청이 인정
▷ 공청회 개최사유(청문사유×)

의견제출의 대상
▷ 불이익처분시 청문·공청회 거치지 않은 경우 要

이유제시의무 예외
▷ 신청내용 모두 인정처분
▷ 이유 명백히 알 수 있는 단순·반복·경미처분
▷ 긴급처분

문제 DATA

출제가능 지수 ▶▶▶
난이도 지수 ★★☆

046 □□□

행정절차에 대한 설명으로 옳지 않은 것은? (다툼이 있는 경우 판례에 의함)

① 행정청은 인·허가 등의 취소, 신분·자격의 박탈, 법인이나 조합 등의 설립허가의 취소에 관한 처분시 청문을 한다.
② 행정청은 처분을 함에 있어 국민생활에 큰 영향을 미치는 처분으로서 대통령령으로 정하는 처분에 대하여 대통령령으로 정하는 수 이상의 당사자 등이 공청회 개최를 요구하는 경우 공청회를 개최한다.
③ 행정청은 국민생활에 매우 큰 영향을 주는 사항, 많은 국민의 이해가 상충되는 사항, 많은 국민에게 불편이나 부담을 주는 사항, 그 밖에 널리 국민의 의견을 수렴할 필요가 있는 사항에 대한 정책, 제도 및 계획을 수립·시행하거나 변경하려는 경우에 한해 이를 예고할 의무가 있다.
④ 판례는 당사자가 신청하는 허가 등을 거부하는 처분을 하면서 당사자가 그 근거를 알 수 있을 정도로 이유를 제시한 경우에는 처분의 근거와 이유를 구체적으로 명시하지 않았더라도 그로 인해 처분이 위법하게 되는 것은 아니라고 보았다.

> 2020년 군무원 7급 변형

함께 정리하기

행정절차

인·허가 취소, 신분·자격 박탈, 법인·조합 설립허가 취소
▷ 청문실시

국민생활 큰 영향을 미치는 처분으로 대통령령으로 정하는 수 이상의 당사자등이 개최요구
▷ 공청회 개최

정책, 제도 및 계획을 수립·시행하거나 변경하려는 경우
▷ 원칙적으로 행정예고

거부처분시 이유제시의 정도
▷ 당사자가 그 근거를 알 수 있을 정도면 족

① (○) 개정법에 맞게 지문을 변형하여 옳은 지문이다.

> 「행정절차법」 제22조 【의견청취】 ① 행정청이 처분을 할 때 다음 각 호의 어느 하나에 해당하는 경우에는 청문을 한다.
> 1. 다른 법령등에서 청문을 하도록 규정하고 있는 경우
> 2. 행정청이 필요하다고 인정하는 경우
> 3. 다음 각 목의 처분을 하는 경우
>   가. 인·허가 등의 취소
>   나. 신분·자격의 박탈
>   다. 법인이나 조합 등의 설립허가의 취소

② (○)

> 「행정절차법」 제22조 【의견청취】 ② 행정청이 처분을 할 때 다음 각 호의 어느 하나에 해당하는 경우에는 공청회를 개최한다.
> 1. 다른 법령등에서 공청회를 개최하도록 규정하고 있는 경우
> 2. 해당 처분의 영향이 광범위하여 널리 의견을 수렴할 필요가 있다고 행정청이 인정하는 경우
> 3. 국민생활에 큰 영향을 미치는 처분으로서 대통령령으로 정하는 처분에 대하여 대통령령으로 정하는 수 이상의 당사자등이 공청회 개최를 요구하는 경우

③ (✕) 지문은 구법의 내용이다. 「행정절차법」의 개정으로 행정청이 정책, 제도 및 계획을 수립·시행하거나 변경하려는 경우에는 원칙적으로 행정예고를 하여야 하는 것으로 변경되었다.

> 「행정절차법」 제46조 【행정예고】 ① 행정청은 정책, 제도 및 계획(이하 "정책등"이라 한다)을 수립·시행하거나 변경하려는 경우에는 이를 예고하여야 한다. 다만, 다음 각 호의 어느 하나에 해당하는 경우에는 예고를 하지 아니할 수 있다.
> 1. 신속하게 국민의 권리를 보호하여야 하거나 예측이 어려운 특별한 사정이 발생하는 등 긴급한 사유로 예고가 현저히 곤란한 경우
> 2. 법령등의 단순한 집행을 위한 경우
> 3. 정책등의 내용이 국민의 권리·의무 또는 일상생활과 관련이 없는 경우
> 4. 정책등의 예고가 공공의 안전 또는 복리를 현저히 해칠 우려가 상당한 경우

④ (○) 대판 2002.5.17. 2000두8912

답 ③

047 □□□

처분의 신청에 대한 「행정절차법」의 규정 내용으로 옳지 않은 것은?

① 행정청에 처분을 구하는 신청은 문서로 하여야 한다. 다만, 다른 법령 등에 특별한 규정이 있는 경우와 행정청이 미리 다른 방법을 정하여 공시한 경우에는 그러하지 아니하다.
② 행정청은 신청에 필요한 구비서류, 접수기관, 처리기간, 그 밖에 필요한 사항을 게시(인터넷 등을 통한 게시를 포함)하거나 이에 대한 편람을 갖추어 두고 누구나 열람할 수 있도록 하여야 한다.
③ 행정청은 신청에 구비서류의 미비 등 흠이 있는 경우에는 보완에 필요한 상당한 기간을 정하여 지체 없이 신청인에게 보완을 요구할 수 있다.
④ 행정청은 신청인의 편의를 위하여 다른 행정청에 신청을 접수하게 할 수 있다. 이 경우 행정청은 다른 행정청에 접수할 수 있는 신청의 종류를 미리 정하여 공시하여야 한다.

● 문제 DATA
출제가능 지수 ▶▶▷
난이도 지수 ★★☆

| 2020년 군무원 9급

① (O)

> 「행정절차법」 제17조 【처분의 신청】 ① 행정청에 처분을 구하는 신청은 문서로 하여야 한다. 다만, 다른 법령등에 특별한 규정이 있는 경우와 행정청이 미리 다른 방법을 정하여 공시한 경우에는 그러하지 아니하다.

유제 16. 서울시 9급 행정청에 처분을 구하는 신청은 문서로만 가능하다. (×)
09. 지방직 7급 행정청에 대하여 처분을 구하는 신청은 문서에 의해서만 할 수 있다. (×)
08. 지방직 9급 처분을 구하는 신청에 대하여 행정청이 미리 다른 방법을 정하여 공시한 경우에는 문서로 하지 않아도 된다. (O)

② (O)

> 「행정절차법」 제17조 【처분의 신청】 ③ 행정청은 신청에 필요한 구비서류, 접수기관, 처리기간, 그 밖에 필요한 사항을 게시(인터넷 등을 통한 게시를 포함한다)하거나 이에 대한 편람을 갖추어 두고 누구나 열람할 수 있도록 하여야 한다.

유제 17. 지방직 9급 행정청에 처분을 구하는 신청은 문서로 함이 원칙이며, 행정청은 신청에 필요한 구비서류, 접수기관, 처리기간, 그 밖에 필요한 사항을 게시하거나 이에 대한 편람을 갖추어 두고 누구나 열람할 수 있도록 하여야 한다. (O)

③ (×) '보완을 요구할 수 있다'가 아니라 '보완을 요구하여야 한다'가 맞다.

> 「행정절차법」 제17조 【처분의 신청】 ⑤ 행정청은 신청에 구비서류의 미비 등 흠이 있는 경우에는 보완에 필요한 상당한 기간을 정하여 지체 없이 신청인에게 보완을 요구하여야 한다.

유제 18. 소방직 신청에 대해 서류 등이 미비할 경우, 바로 접수를 거부할 수 있다. (×)
16. 서울시 9급 행정청은 신청에 구비서류의 미비 등 흠이 있는 경우에는 그 이유를 구체적으로 밝혀 접수된 신청을 되돌려 보내야 한다. (×)
15. 서울시 9급 · 경찰 3차, 11. 경찰 1차 행정청은 신청에 구비서류의 미비 등 흠이 있는 경우에는 보완에 필요한 상당한 기간을 정하여 지체 없이 신청인에게 보완을 요구하여야 한다. (O)
15. 교행 행정청은 신청에 구비서류의 미비 등 흠이 있는 경우에는 지체 없이 그 신청을 반려하여야 한다. (×)

④ (O)

> 「행정절차법」 제17조 【처분의 신청】 ⑦ 행정청은 신청인의 편의를 위하여 다른 행정청에 신청을 접수하게 할 수 있다. 이 경우 행정청은 다른 행정청에 접수할 수 있는 신청의 종류를 미리 정하여 공시하여야 한다.

유제 16. 서울시 9급 행정청은 신청인의 편의를 위하여 다른 행정청에 신청을 접수하게 할 수 있다. (O)

답 ③

🗒 함께 정리하기

처분의 신청

신청방식
▷ 문서가 원칙
▷ 예외 → 특별규정 or 미리 다른 방법 공시 有

행정청
▷ 신청에 필요한 구비서류 등 게시 要

신청 구비서류의 흠 有
▷ 보완 요구 要

행정청
▷ 신청인 편의 위하여 다른 행정청에 신청을 접수하게 可

문제 DATA

출제가능 지수 ▶▶▷
난이도 지수 ★★☆

048 □□□

「행정절차법」에 의한 행정절차에 대한 설명으로 옳지 않은 것은? (다툼이 있는 경우 판례에 의함)

① 공무원직위해제처분에 대해서는 사전통지 및 의견청취 등에 관한 「행정절차법」 규정이 적용되지 않는다.
② 행정청은 「행정절차법」에 따른 일반적인 공청회와 병행하지 않으면 온라인공청회(정보통신망을 이용한 공청회)를 실시할 수 없다.
③ 「도로법」에 따른 도로구역의 변경은 고시와 열람의 절차를 거치므로 「행정절차법」상 사전통지나 의견청취의 대상이 되지 않는다.
④ 「식품위생법」상의 영업자지위승계신고를 수리하는 경우에는 종전의 영업자에 대하여 「행정절차법」상 사전통지를 하고 의견제출의 기회를 주어야 한다.
⑤ 단순·반복적인 처분으로서 당사자가 그 이유를 명백히 알 수 있어서 처분의 이유제시가 생략된 경우에도 당사자는 「행정절차법」에 따라 그 처분의 이유제시를 요청할 수 있다.

> 2020년 국회직 9급 변형

함께 정리하기

행정절차

직위해제처분
▷ 「행정절차법」 적용×

온라인공청회
▷ 원칙적으로 일반적인 공청회와 병행해서만 개최 可
▷ 예외적으로 단독 可

도로구역변경고시
▷ 사전통지 or 의견청취 不要

영업자지위승계신고 수리 처분
▷ 종전영업자에 대하여 「행정절차법」 처분절차 거쳐야 함

단순·반복처분으로서 이유를 명백히 알 수 있는 경우
▷ 처분 후 이유제시 요청 可

---

① (○) 대판 2014.5.16. 2012두26180
② (×) 지문을 개정법에 맞게 변형하였다. 구법에서 온라인공청회는 「행정절차법」 제38조에 따른 공청회(일반적인 공청회)와 병행하여서만 실시할 수 있었고 단독으로 실시할 수는 없었다. 그러나 행정절차법이 개정되면서 일반적인 공청회와 병행하여서만 온라인공청회를 실시할 수 있음을 원칙으로 하되 단독으로 실시할 수 있는 예외적인 경우가 추가되었다.

> 「행정절차법」 제38조의2 【온라인공청회】 ① 행정청은 제38조에 따른 공청회와 병행하여서만 정보통신망을 이용한 공청회(이하 "온라인공청회"라 한다)를 실시할 수 있다.
> ② 제1항에도 불구하고 다음 각 호의 어느 하나에 해당하는 경우에는 온라인공청회를 단독으로 개최할 수 있다.
> 1. 국민의 생명·신체·재산의 보호 등 국민의 안전 또는 권익보호 등의 이유로 제38조에 따른 공청회를 개최하기 어려운 경우
> 2. 제38조에 따른 공청회가 행정청이 책임질 수 없는 사유로 개최되지 못하거나 개최는 되었으나 정상적으로 진행되지 못하고 무산된 횟수가 3회 이상인 경우
> 3. 행정청이 널리 의견을 수렴하기 위하여 온라인공청회를 단독으로 개최할 필요가 있다고 인정하는 경우. 다만, 제22조 제2항 제1호 또는 제3호에 따라 공청회를 실시하는 경우는 제외한다.

유제 17. 국가직 9급 변형 행정청은 「행정절차법」 제38조에 따른 공청회와 병행하여서만 정보통신망을 이용한 공청회를 실시할 수 있음이 원칙이나, 일정한 경우에는 단독으로 실시할 수 있다. (○)
16. 지방직 9급 변형 정보통신망을 이용한 공청회(온라인공청회)는 공청회를 실시할 수 없는 불가피한 상황에서만 실시할 수 있다. (×)
14. 국가직 9급 변형 행정청은 온라인공청회를 개최하는 경우 공청회와 병행하여 실시할 수 없다. (×)
13. 국회직 9급 행정청이 처분을 함에 있어서 정보통신망을 이용한 공청회를 개최하는 경우에는 일반 공청회를 병행하지 아니한다. (×)
11. 국가직 7급 변형 행정청은 급박한 사정이 있으면 통상의 공청회에 갈음하여 온라인공청회를 실시할 수 있다. (×)

③ (○) 대판 2008.6.12. 2007두1767
④ (○) 대판 2003.2.14. 2001두7015
⑤ (○)

> 「행정절차법」 제23조 【처분의 이유 제시】 ① 행정청은 처분을 할 때에는 다음 각 호의 어느 하나에 해당하는 경우를 제외하고는 당사자에게 그 근거와 이유를 제시하여야 한다.
> 1. 신청 내용을 모두 그대로 인정하는 처분인 경우
> 2. 단순·반복적인 처분 또는 경미한 처분으로서 당사자가 그 이유를 명백히 알 수 있는 경우
> 3. 긴급히 처분을 할 필요가 있는 경우
> ② 행정청은 제1항 제2호 및 제3호의 경우에 처분 후 당사자가 요청하는 경우에는 그 근거와 이유를 제시하여야 한다.

답 ②

049

다음 중 「행정절차법」이 규정하고 있는 내용으로 옳지 않은 것만을 고른 것은 모두 몇 개인가?

> ㄱ. 행정청이 처분을 할 때에는 다른 법령등에 특별한 규정이 있는 경우를 제외하고는 당사자등의 동의를 얻어 문서 또는 전자문서로 한다.
> ㄴ. 청문 주재자는 직권으로 또는 당사자의 신청에 따라 필요한 조사를 할 수 있으나 당사자 등이 주장하지 아니한 사실에 대하여는 조사할 수 없다.
> ㄷ. 행정청은 청문을 하려면 청문이 시작되는 날부터 7일 전까지 「행정절차법」 제21조 제1항 각 호의 사항을 당사자등에게 통지하여야 한다.
> ㄹ. 행정청이 행하는 행정작용은 그 내용이 구체적이고 명확하여야 한다.
> ㅁ. 「행정절차법」은 법령해석요청권과 부당결부금지의 원칙을 규정하고 있다.

① 2개
② 3개
③ 4개
④ 5개

문제 DATA
출제가능 지수 ▶▶▷
난이도 지수 ★★☆

2020년 경찰 2차

ㄱ. (×) 행정청이 처분을 할 때에는 문서로 하여야 하고, 이 때 당사자등의 동의를 얻어야 하는 것은 아니다. 예외적으로 전자문서로 처분하는 경우에 당사자등의 동의나 신청이 필요하다.

> 「행정절차법」 제24조【처분의 방식】① 행정청이 처분을 할 때에는 다른 법령등에 특별한 규정이 있는 경우를 제외하고는 문서로 하여야 하며, 다음 각 호의 어느 하나에 해당하는 경우에는 전자문서로 할 수 있다.
> 1. 당사자등의 동의가 있는 경우
> 2. 당사자가 전자문서로 처분을 신청한 경우

ㄴ. (×) 청문 주재자는 당사자등이 주장하지 아니한 사실에 대하여도 조사할 수 있다.

> 「행정절차법」 제33조【증거조사】① 청문 주재자는 직권으로 또는 당사자의 신청에 따라 필요한 조사를 할 수 있으며, 당사자등이 주장하지 아니한 사실에 대하여도 조사할 수 있다.

ㄷ. (×)

> 「행정절차법」 제21조【처분의 사전 통지】② 행정청은 청문을 하려면 청문이 시작되는 날부터 10일 전까지 제1항 각 호의 사항을 당사자등에게 통지하여야 한다. 이 경우 제1항 제4호부터 제6호까지의 사항은 청문 주재자의 소속·직위 및 성명, 청문의 일시 및 장소, 청문에 응하지 아니하는 경우의 처리방법 등 청문에 필요한 사항으로 갈음한다.

유제 12. 사복직 행정청이 청문을 실시하고자 하는 경우에 처분의 사전통지를 청문이 시작되는 날부터 10일 전까지 당사자 등에게 하여야 한다. (○)
11. 지방직 7급 행정청은 청문을 실시하고자 하는 경우에 청문이 시작되는 날부터 14일 전까지 당사자 등에게 통지를 하여야 한다. (×)

ㄹ. (○)

> 「행정절차법」 제5조【투명성】① 행정청이 행하는 행정작용은 그 내용이 구체적이고 명확하여야 한다.

ㅁ. (×) 「행정절차법」은 제5조 제2항에서 법령해석요청권을 규정하고 있지만 부당결부금지 원칙에 대해서는 규정하고 있지 않다.

> 「행정절차법」 제5조【투명성】② 행정작용의 근거가 되는 법령등의 내용이 명확하지 아니한 경우 상대방은 해당 행정청에 그 해석을 요청할 수 있으며, 해당 행정청은 특별한 사유가 없으면 그 요청에 따라야 한다.

유제 10. 국가직 7급 행정작용의 근거가 되는 법령 등의 내용이 명확하지 아니한 경우 상대방은 행정청에 그 해석을 요청할 수 있다. (○)

답 ③

함께 정리하기

「행정절차법」

처분의 방식
▷ 문서가 원칙
▷ 당사자등 동의 또는 신청 시 전자문서로 可

청문 주재자
▷ 당사자 등이 주장하지 않은 사실도 증거조사 可

청문 실시
▷ 청문개시일 10일전까지 처분의 사전통지 要

행정청이 행하는 행정작용
▷ 내용이 구체적이고 명확하여야 함

「행정절차법」
▷ 법령해석요청권 규정○, 부당결부금지 원칙 규정×

050

행정절차에 대한 설명으로 옳지 않은 것은? (다툼이 있는 경우 판례에 의함)

① 행정청이 침해적 행정처분을 하면서 당사자에게 사전통지를 하거나 의견제출의 기회를 주지 아니하였다면, 사전통지나 의견제출의 예외적인 경우에 해당하지 아니하는 한, 그 처분은 위법하여 취소를 면할 수 없다.
② 외국인의 사증발급 신청에 대한 거부처분은 「행정절차법」상 처분의 사전통지와 의견제출 기회 부여의 대상은 아니다.
③ 고시의 방법으로 불특정 다수인을 상대로 의무를 부과하거나 권익을 제한하는 처분은 성질상 의견제출의 기회를 주어야 하는 상대방을 특정할 수 없으므로, 이 처분에 있어 그 상대방에게 「행정절차법」상 의견제출의 기회를 주어야 하는 것은 아니다.
④ 「행정절차법」의 목적 및 청문제도의 취지 등에 비추어 볼 때 행정청과 당사자 사이의 합의에 의해 청문의 실시 등 의견청취절차를 배제한 경우는 청문을 실시하지 않아도 되는 예외적인 경우에 해당한다.
⑤ 「주택법」상 주택건설사업계획을 승인하여 같은 법에 따라 「국토의 계획 및 이용에 관한 법률」상 도시·군관리계획결정이 이루어지는 것으로 의제된 경우 도시·군관리계획 입안을 위한 별도의 주민 의견청취 절차를 거칠 필요는 없다.

2020년 5급 승진

① (O) 대판 2004.5.28. 2004두1254
② (O) 외국인의 사증발급 신청에 대한 거부처분은 당사자에게 의무를 부과하거나 적극적으로 권익을 제한하는 처분이 아니므로, 행정절차법 제21조 제1항에서 정한 '처분의 사전통지'와 제22조 제3항에서 정한 '의견제출 기회 부여'의 대상은 아니다(대판 2019.7.11. 2017두38874).
③ (O) 대판 2014.10.27. 2012두7745
④ (×) 행정청이 당사자와 사이에 도시계획사업의 시행과 관련한 협약을 체결하면서 관계 법령 및 행정절차법에 규정된 청문의 실시 등 의견청취절차를 배제하는 조항을 두었다고 하더라도, … 위와 같은 협약의 체결로 청문의 실시에 관한 규정의 적용을 배제할 수 있다고 볼 만한 법령상의 규정이 없는 한, 이러한 협약이 체결되었다고 하여 청문의 실시에 관한 규정의 적용이 배제된다거나 청문을 실시하지 않아도 되는 예외적인 경우에 해당한다고 할 수 없다(대판 2004.7.8. 2002두8350).
⑤ (O) 구 주택법 제17조 제1항에 인·허가 의제 규정을 둔 입법 취지는, 주택건설사업을 시행하는 데 필요한 각종 인·허가 사항과 관련하여 주택건설사업계획승인권자로 그 창구를 단일화하고 절차를 간소화함으로써 각종 인·허가에 드는 비용과 시간을 절감하여 주택의 건설·공급을 활성화하려는 데에 있다. 이러한 인·허가 의제 규정의 입법 취지를 고려하면, 주택건설사업계획 승인권자가 구 주택법 제17조 제3항에 따라 도시·군관리계획 결정권자와 협의를 거쳐 관계 주택건설사업계획을 승인하면 같은 조 제1항 제5호에 따라 도시·군관리계획결정이 이루어진 것으로 의제되고, 이러한 협의 절차와 별도로 국토의 계획 및 이용에 관한 법률 제28조 등에서 정한 도시·군관리계획 입안을 위한 주민 의견청취 절차를 거칠 필요는 없다(대판 2018.11.29. 2016두38792).

답 ④

051

행정절차에 대한 설명으로 옳은 것은? (다툼이 있는 경우 판례에 의함)

① 행정청은 신청 내용을 모두 그대로 인정하는 처분을 하는 경우에도 당사자에게 이유제시를 하여야 한다.
② 행정청과 당사자가 청문절차를 배제하기로 협약을 체결하였다면 청문절차를 거치지 않아도 되는 예외적 경우에 해당한다.
③ 행정처분에 실체적 위법이 없는 한 절차적 하자만으로 독립된 취소사유가 되지 못한다.
④ 이유제시의 하자는 치유의 대상이 될 수 없다.
⑤ 「행정절차법」상 불복방법에 대한 고지절차에 관한 규정을 위반하였다고 하여 그러한 이유만으로 처분이 위법하게 되는 것은 아니다.

2020년 행정사

① (×) 신청 내용을 모두 그대로 인정하는 처분을 하는 경우에는 당사자에게 그 근거와 이유를 제시하지 않아도 된다.

> 「행정절차법」 제23조 【처분의 이유 제시】 ① 행정청은 처분을 할 때에는 다음 각 호의 어느 하나에 해당하는 경우를 제외하고는 당사자에게 그 근거와 이유를 제시하여야 한다.
> 1. 신청 내용을 모두 그대로 인정하는 처분인 경우
> 2. 단순·반복적인 처분 또는 경미한 처분으로서 당사자가 그 이유를 명백히 알 수 있는 경우
> 3. 긴급히 처분을 할 필요가 있는 경우

② (×) 행정청이 당사자와 사이에 도시계획사업의 시행과 관련한 협약을 체결하면서 관계 법령 및 행정절차법에 규정된 청문의 실시 등 의견청취절차를 배제하는 조항을 두었다고 하더라도, … 위와 같은 협약의 체결로 청문의 실시에 관한 규정의 적용을 배제할 수 있다고 볼 만한 법령상의 규정이 없는 한, 이러한 협약이 체결되었다고 하여 청문의 실시에 관한 규정의 적용이 배제된다거나 청문을 실시하지 않아도 되는 예외적인 경우에 해당한다고 할 수 없다(대판 2004.7.8. 2002두8350).
③ (×) 행정처분에 실체적 위법이 없더라도 절차적 하자만으로 독립된 취소사유가 된다.
④ (×) 절차상 하자의 치유는 국민의 법생활 안정과 신뢰보호관점에서 원칙적으로 인정되지 않으나, 국민의 권리와 이익을 침해하지 않는 범위 내에서는 예외적으로 인정될 수 있다. 절차상 하자 치유의 경우, 특히 이유제시와 관련하여, 통설 및 판례는 쟁송제기 전까지 가능하다고 본다.
⑤ (○) 행정절차법 제26조는 "행정청이 처분을 할 때에는 당사자에게 그 처분에 관하여 행정심판 및 행정소송을 제기할 수 있는지 여부, 그 밖에 불복을 할 수 있는지 여부, 청구절차 및 청구기간 그 밖에 필요한 사항을 알려야 한다."라고 규정하고 있다. 이러한 고지절차에 관한 규정은 행정처분의 상대방이 그 처분에 대한 행정심판의 절차를 밟는 데 편의를 제공하려는 것이어서 처분청이 위 규정에 따른 고지의무를 이행하지 아니하였다고 하더라도 경우에 따라 행정심판의 제기기간이 연장될 수 있음에 그칠 뿐, 그 때문에 심판의 대상이 되는 행정처분이 위법하다고 할 수는 없다(대판 2018.2.8. 2017두66633).

답 ⑤

문제 DATA
출제가능 지수 ▶▶Σ
난이도 지수 ★★☆

함께 정리하기

행정절차

신청내용 모두 그대로 인정하는 처분
▷ 이유제시 不要

청문절차
▷ 협약으로 배제 不可

절차적 하자
▷ 독립된 취소사유 ○

이유제시의 하자
▷ 치유의 대상 ○

절차법상 불복절차 고지의무 불이행
▷ 처분의 위법사유 ×

052

「행정절차법」상 사전통지와 의견제출에 대한 판례의 입장으로 옳은 것은?

① 항만시설 사용허가신청에 대하여 거부처분을 하는 경우, 사전에 통지하여 의견제출 기회를 주어야 한다.
② 용도를 무단변경한 건물의 원상복구를 명하는 시정명령 및 계고처분을 하는 경우, 사전에 통지할 필요가 없다.
③ 고시의 방법으로 불특정 다수인을 상대로 권익을 제한하는 처분을 하는 경우, 상대방에게 사전에 통지하여 의견제출 기회를 주어야 한다.
④ 공매를 통하여 체육시설을 인수한 자의 체육시설업자 지위승계신고를 수리하는 경우, 종전 체육시설업자에게 사전에 통지하여 의견제출 기회를 주어야 한다.

> 2019년 국가직 9급

문제 DATA
출제가능 지수 ▶▶▷
난이도 지수 ★★☆

함께 정리하기
사전통지와 의견제출
신청거부처분
▷ 사전통지 대상 ✕
용도무단변경 건물의 원상복구 명하는 시정명령 및 계고처분
▷ 사전통지 대상 ○
고시의 방법으로 불이익처분
▷ 의견제출 기회 不要
체육시설업자 지위승계신고수리
▷ 종전 체육시설업자에게 사전통지 등 절차 要

① (✕) 원고에게 항만시설인 이 사건 대지의 사용을 불허한 이 사건 제1처분은 수익적 행위를 구하는 원고의 신청에 대한 거부처분에 해당할 뿐, 행정절차법 제21조에서 말하는 당사자의 권익을 제한하는 처분에 해당한다고 볼 수 없다(대판 2017.11.23. 2014두1628).
② (✕) 무단으로 용도변경된 건물에 대해 현장조사를 실시하여 건물주에게 시정명령이 있을 것과 불이행 시 이행강제금이 부과될 것이라는 점을 설명하고, 위반경위를 질문하여 답변을 들은 다음 건물주로부터 확인서명을 받은 후 별도의 사전통지나 의견진술기회 부여 절차를 거치지 아니한 채 현장조사 다음날 시정명령을 한 경우) 행정청이 현장조사에 앞서 처분상대방에게 전화로 통지한 것은 행정조사의 통지이지 시정명령에 대한 사전통지로 볼 수 없다. 그리고 행정청이 현장조사 당시 위반 경위에 관하여 처분상대방에게 의견진술기회를 부여하였다 하더라도, 시정명령이 현장조사 바로 다음날 이루어진 사정에 비추어 보면, 의견제출에 필요한 상당한 기간을 고려하여 의견제출기한이 부여되었다고 보기도 어렵다. 그리고 현장조사에서 처분상대방이 위반 사실을 시인하였다거나 위반 경위를 진술하였다는 사정만으로는 행정절차법 제21조 제4항 제3호가 정한 '의견청취가 현저히 곤란하거나 명백히 불필요하다고 인정될 만한 상당한 이유가 있는 경우'로서 처분의 사전통지를 하지 아니하여도 되는 경우에 해당한다고 볼 수도 없다. 따라서 행정청이 침해적 행정처분인 시정명령을 하면서 처분상대방에게 행정절차법에 따른 적법한 사전통지를 하거나 의견제출의 기회를 부여하였다고 볼 수 없다(대판 2016.10.27. 2016두41811).
③ (✕) 대판 2014.10.27. 2012두7745
④ (○) 행정청이 구 관광진흥법 또는 구 체육시설법의 규정에 의하여 유원시설업자 또는 체육시설업자 지위승계신고를 수리하는 처분은 종전 유원시설업자 또는 체육시설업자의 권익을 제한하는 처분이고, 종전 유원시설업자 또는 체육시설업자는 그 처분에 대하여 직접 그 상대가 되는 자에 해당한다고 보는 것이 타당하므로, 행정청이 그 신고를 수리하는 처분을 할 때에는 행정절차법 규정에서 정한 당사자에 해당하는 종전 유원시설업자 또는 체육시설업자에 대하여 위 규정에서 정한 행정절차를 실시하고 처분을 하여야 한다(대판 2012.12.13. 2011두29144).

유제 17. 지방직 9급 행정청이 구 「체육시설의 설치·이용에 관한 법률」의 규정에 의하여 체육시설업자 지위승계신고를 수리하는 처분을 하는 경우, 종전 체육시설업자에 대하여 「행정절차법」상 사전통지 등 절차를 거칠 필요는 없다. (✕)
14. 지방직 9급 행정청이 구 「관광진흥법」의 규정에 의하여 유원시설업자 지위승계신고를 수리하는 처분을 하는 경우, 종전 유원시설업자에 대하여는 「행정절차법」상 처분의 사전통지절차를 거칠 필요가 없다. (✕)

답 ④

053

「행정절차법」상 의견청취절차에 대한 설명으로 옳은 것만을 모두 고르면? (다툼이 있는 경우 판례에 의함)

> ㄱ. 의견제출제도는 당사자에게 의무를 부과하거나 권익을 제한하는 경우에 적용되고 수익적 행위나 수익적 행위의 신청에 대한 거부에는 적용이 없으며, 일반처분의 경우에도 적용이 없다.
> ㄴ. 처분의 상대방에게 이익이 되며 제3자의 권익을 침해하는 이중효과적 행정행위는 「행정절차법」상 사전통지·의견제출의 대상이 된다.
> ㄷ. 「공무원연금법」상 퇴직연금의 환수결정은 당사자에게 의무를 과하는 처분이므로, 퇴직연금의 환수결정에 앞서 당사자에게 「행정절차법」상의 의견진술의 기회를 주지 아니한 경우 당해 처분은 「행정절차법」 위반이다.
> ㄹ. 행정청과 당사자 사이에 청문의 실시 등 의견청취절차를 배제하는 협약이 있었다 하더라도, 이와 같은 협약의 체결로 청문의 실시에 관한 규정의 적용을 배제할 수 있다고 볼 만한 법령상의 규정이 없는 한, 청문의 실시에 관한 규정의 적용이 배제되지 않으며 청문을 실시하지 않아도 되는 예외적인 경우에 해당하지 아니한다.

① ㄱ, ㄴ
② ㄱ, ㄹ
③ ㄴ, ㄷ
④ ㄷ, ㄹ

2019년 지방직 7급

ㄱ. (○) 의견제출은 사전통지제도와 같이 의무를 부과하거나 권익을 제한하는 침익적 처분에만 적용되고, 수익적 행위나 수익적 행위의 신청에 대한 거부, 일반처분에는 적용되지 않는다.

> 「행정절차법」 제22조 【의견청취】 ③ 행정청이 당사자에게 의무를 부과하거나 권익을 제한하는 처분을 할 때 제1항 또는 제2항의 경우 외에는 당사자등에게 의견제출의 기회를 주어야 한다.

ㄴ. (×) 당사자에게 의무를 부과하거나 권익을 제한하는 처분을 하는 경우에 사전통지·의견제출이 요구된다. 여기서 당사자란 처분의 상대방을 의미한다. 따라서 처분의 상대방에게 이익이 되며 제3자의 권익을 침해하는 이중효과적 행정행위는 「행정절차법」상 사전통지·의견제출의 대상이 아니다.

> 「행정절차법」 제21조 【처분의 사전 통지】 ① 행정청은 당사자에게 의무를 부과하거나 권익을 제한하는 처분을 하는 경우에는 미리 다음 각 호의 사항을 당사자등에게 통지하여야 한다. <각 호 생략>
> 제22조 【의견청취】 ③ 행정청이 당사자에게 의무를 부과하거나 권익을 제한하는 처분을 할 때 제1항 또는 제2항의 경우 외에는 당사자등에게 의견제출의 기회를 주어야 한다.

ㄷ. (×) 퇴직연금의 환수결정은 당사자에게 의무를 과하는 처분이기는 하나, 관련 법령에 따라 당연히 환수금액이 정하여지는 것이므로, 퇴직연금의 환수결정에 앞서 당사자에게 의견진술의 기회를 주지 아니하여도 행정절차법 제22조 제3항이나 신의칙에 어긋나지 아니한다(대판 2000.11.28. 99두5443).

ㄹ. (○) 대판 2004.7.8. 2002두8350

답 ②

문제 DATA

출제가능 지수 ▶▶▷
난이도 지수 ★★☆

함께 정리하기

의견청취절차

의견제출
▷ 침익적 처분에만 적용

이중효과적 행정행위
▷ 사전통지·의견제출 대상×

퇴직연금 환수결정
▷ 의견진술 기회 不要

청문절차
▷ 협약으로 배제 不可

054

행정절차에 대한 설명으로 옳은 것은? (다툼이 있는 경우 판례에 의함)

① 공정거래위원회의 시정조치 및 과징금납부명령에 「행정절차법」 소정의 의견청취절차 생략사유가 존재하면 공정거래위원회는 「행정절차법」을 적용하여 의견청취절차를 생략할 수 있다.
② 묘지공원과 화장장의 후보지를 선정하는 과정에서 추모공원건립추진협의회가 후보지 주민들의 의견을 청취하기 위하여 그 명의로 개최한 공청회는 「행정절차법」에서 정한 절차를 준수하여야 하는 것은 아니다.
③ 구 「공중위생법」상 유기장업허가취소처분을 함에 있어서 두 차례에 걸쳐 발송한 청문통지서가 모두 반송되어 온 경우, 처분의 상대방이 청문일시에 불출석하였다는 이유로 청문을 거치지 않고 한 침해적 행정처분은 적법하다.
④ 구 「광업법」에 근거하여 처분청이 광업용 토지수용을 위한 사업인정을 하면서 토지소유자와 토지에 관한 권리를 가진 자의 의견을 들은 경우 처분청은 그 의견에 기속된다.

2019년 지방직 9급

① (×) 행정절차법 제3조 제2항, 같은 법 시행령 제2조 제6호에 의하면 공정거래위원회의 의결·결정을 거쳐 행하는 사항에는 행정절차법의 적용이 제외되게 되어 있으므로, 설사 공정거래위원회의 시정조치 및 과징금납부명령에 행정절차법 소정의 의견청취절차 생략사유가 존재한다고 하더라도, 공정거래위원회는 행정절차법을 적용하여 의견청취절차를 생략할 수는 없다(대판 2001.5.8. 2000두10212).
② (○) 묘지공원과 화장장의 후보지를 선정하는 과정에서 서울특별시, 비영리법인, 일반 기업 등이 공동발족한 협의체인 추모공원건립추진협의회가 후보지 주민들의 의견을 청취하기 위하여 그 명의로 개최한 공청회는 행정청이 도시계획시설결정을 하면서 개최한 공청회가 아니므로, 위 공청회의 개최에 관하여 행정절차법에서 정한 절차를 준수하여야 하는 것은 아니다(대판 2007.4.12. 2005두1893).

유제 21. 경찰 2차 지방자치단체와 민간단체 등이 공동발족한 추모공원건립추진협의회가 시립화장장 후보지 선정을 위해 개최하는 공청회는 행정청이 도시계획시설결정을 하면서 개최한 공청회가 아니므로 「행정절차법」에서 정한 절차를 준수하여야 하는 것은 아니다. (○)

13. 국회직 8급 대법원은 묘지공원과 화장장의 후보지를 선정하는 과정에서 서울특별시, 비영리법인, 일반 기업 등이 공동발족한 협의체인 추모공원건립추진협의회가 후보지 주민들의 의견을 청취하기 위하여 그 명의로 개최한 공청회에 대해 「행정절차법」에서 정한 절차를 준수하여야 한다고 보았다. (×)

③ (×) 행정처분의 상대방이 통지된 청문일시에 불출석하였다는 이유만으로 행정청이 관계 법령상 그 실시가 요구되는 청문을 실시하지 아니한 채 침해적 행정처분을 할 수는 없을 것이므로, 행정처분의 상대방에 대한 청문통지서가 반송되었다거나, 행정처분의 상대방이 청문일시에 불출석하였다는 이유로 청문을 실시하지 아니하고 한 침해적 행정처분은 위법하다(대판 2001.4.13. 2000두3337).
④ (×) 광업법 제88조 제2항에서 처분청이 같은 법조 제1항의 규정에 의하여 광업용 토지수용을 위한 사업인정을 하고자 할 때에 토지소유자와 토지에 관한 권리를 가진 자의 의견을 들어야 한다고 한 것은 그 사업인정 여부를 결정함에 있어서 소유자나 기타 권리자가 의견을 반영할 기회를 주어 이를 참작하도록 하고자 하는 데 있을 뿐, 처분청이 그 의견에 기속되는 것은 아니다(대판 1995.12.22. 95누30).

답 ②

055

「행정절차법」에 대한 설명으로 가장 옳지 않은 것은? (다툼이 있는 경우 판례에 의함)

① 「국가공무원법」상 직위해제처분의 경우 사후적으로 소청이나 행정소송을 통하여 충분한 의견진술 및 자료제출의 기회를 보장하고 있다고 보기 어려우므로 처분의 사전통지 및 의견청취에 관한 「행정절차법」의 규정이 적용된다고 보아야 한다.
② 「행정절차법」의 청문배제사유인 '당해 처분의 성질상 의견청취가 현저히 곤란하거나 명백히 불필요하다고 인정될 만한 상당한 이유가 있는 경우'는 당해 행정처분의 성질에 의하여 판단하여야 하는 것이지, 청문통지서의 반송 여부, 청문통지의 방법 등에 의하여 판단할 것은 아니다.
③ 공무원연금관리공단의 퇴직연금의 환수결정은 관련 법령에 따라 당연히 환수금액이 정해지는 것이므로, 퇴직연금의 환수결정에 앞서 당사자에게 의견진술의 기회를 주지 아니하여도 「행정절차법」에 위반되지 않는다.
④ 협약이 체결되었다고 하여 청문의 실시에 관한 규정의 적용이 배제된다거나 청문을 실시하지 않아도 되는 예외적인 경우에 해당한다고 할 수 없다.

2019년 서울시 7급

① (×) 대판 2014.5.16. 2012두26180
② (○) 대판 2001.4.13. 2000두3337
③ (○) 대판 2000.11.28. 99두5443
④ (○) 대판 2004.7.8. 2002두8350

답 ①

함께 정리하기

「행정절차법」

직위해제처분
▷ 「행정절차법」 적용 ×

청문통지서 반송 or 청문불출석을 이유로 청문없이 침해적 처분
▷ 위법

퇴직연금 환수결정
▷ 의견진술 기회 불요

의견청취절차
▷ 협약으로 배제 불가

056

「행정절차법」상 행정절차에 대한 설명으로 가장 옳지 않은 것은? (다툼이 있는 경우 판례에 의함)

① 지방의회의 의결을 거치거나 동의 또는 승인을 받아 행하는 사항에 대해서는 「행정절차법」이 적용되지 않는다.
② 고시 등 불특정다수인을 상대로 의무를 부과하거나 권익을 제한하는 처분의 경우, 그 상대방에게 의견제출의 기회를 주어야 하는 것은 아니다.
③ 신청에 따른 처분이 이루어지지 않은 경우에는 특별한 사정이 없는 한 사전통지의 대상이 된다고 할 수 없다.
④ 인·허가 등을 취소하는 경우에는 개별 법령상 청문을 하도록 하는 근거 규정이 없고 의견제출기한 내에 당사자 등의 신청이 없는 경우에도 청문을 하여야 한다.

2019년 서울시 9급

① (○)
> 「행정절차법」 제3조 【적용 범위】 ② 이 법은 다음 각 호의 어느 하나에 해당하는 사항에 대하여는 적용하지 아니한다.
> 1. 국회 또는 지방의회의 의결을 거치거나 동의 또는 승인을 받아 행하는 사항

② (○) 대판 2014.10.27. 2012두7745

함께 정리하기

「행정절차법」상 행정절차

국회·지방의회의 의결·동의·승인 사항
▷ 「행정절차법」 적용 ×

고시의 방법으로 불특정 다수인을 상대로 불이익처분
▷ 의견제출 기회 불요

거부처분
▷ 사전통지 대상 ×

인·허가 등 취소
▷ 청문 要(개별법령상 근거규정 없고 의견제출기한 내 당사자 등 신청 없는 경우도)

③ (○) 대판 2003.11.28. 2003두674
④ (○) 구법에서는 행정청이 인·허가 등의 취소처분 시 의견제출기한 내에 당사자 등의 신청이 있는 경우 청문을 실시하도록 규정하고 있었으나 「행정절차법」이 개정되면서 당사자 등의 신청이 없더라도 청문을 실시하는 것으로 변경되었다. 따라서 개정법에 따르면 옳은 지문이 된다.

> 「행정절차법」 제22조 【의견청취】 ① 행정청이 처분을 할 때 다음 각 호의 어느 하나에 해당하는 경우에는 청문을 한다.
> 1. 다른 법령등에서 청문을 하도록 규정하고 있는 경우
> 2. 행정청이 필요하다고 인정하는 경우
> 3. 다음 각 목의 처분을 하는 경우
>   가. 인·허가 등의 취소
>   나. 신분·자격의 박탈
>   다. 법인이나 조합 등의 설립허가의 취소

정답 없음

057

「행정절차법」에 따른 처분절차에 대한 설명으로 옳지 않은 것은? (다툼이 있는 경우 판례에 의함)

① 공무원 인사관계 법령에 의한 처분에 관한 사항 전부에 대해 「행정절차법」의 적용이 배제되는 것은 아니다.
② 물적 일반처분으로서 도로구역변경결정은 「도로법」에 따른 절차(고시·열람)와는 별개로 「행정절차법」상 사전통지나 의견청취의 대상이 되는 처분은 아니다.
③ 군인사법령에 의하여 진급예정자명단에 포함된 자에 대하여 수사과정 및 징계과정에서 비위행위에 대한 충분한 해명기회를 가졌더라도 진급선발을 취소하는 처분을 함에 있어서 「행정절차법」상 사전통지·의견진술의 기회를 부여하여야 한다.
④ 거부처분을 함에 있어서 당사자가 그 근거를 알 수 있을 정도로 상당한 이유를 제시한 경우에는 당해 처분의 근거 및 이유를 구체적 조항 및 내용까지 명시하지 않았다고 하여 그 처분이 위법한 것은 아니다.
⑤ 절차상 또는 형식상 하자로 무효인 행정처분에 대하여 행정청이 적법한 절차 또는 형식을 갖추어 동일한 행정처분을 한 경우, 종전의 무효인 행정처분에 대하여 무효확인을 구할 법률상 이익이 있다.

2019년 소방간부

① (○) 대판 2007.9.21. 2006두20631
② (○) 대판 2008.6.12. 2007두1767
③ (○) 군인사법령에 의하여 진급예정자명단에 포함된 자에 대하여 의견제출의 기회를 부여하지 아니한 채 진급선발을 취소하는 처분을 한 것이 절차상 하자가 있어 위법하다(대판 2007.9.21. 2006두20631).
④ (○) 대판 2002.5.17. 2000두8912
⑤ (×) 절차상 또는 형식상 하자로 무효인 행정처분에 대하여 행정청이 적법한 절차 또는 형식을 갖추어 다시 동일한 행정처분을 하였다면, 종전의 무효인 행정처분에 대한 무효확인 청구는 과거의 법률관계의 효력을 다투는 것에 불과하므로 무효확인을 구할 법률상 이익이 없다(대판 2010.4.29. 2009두16879).

답 ⑤

058 □□□

「행정절차법」에 대한 설명으로 옳지 않은 것은? (다툼이 있는 경우 판례에 의함)

① 행정청은 당사자에게 의무를 부과하거나 권익을 제한하는 처분을 하는 경우에는 미리 일정한 사항을 당사자등에게 통지하고 의견청취를 하여야 한다.
② 침익적 행정처분을 하는 경우 청문이나 공청회를 필요적으로 거쳐야 하는 경우에 해당하지 않는다면 의견제출절차도 거치지 않아도 된다.
③ 해당 처분의 성질상 의견청취가 현저히 곤란하거나 명백히 불필요하다고 인정될 만한 상당한 이유가 있는 경우에는 사전통지 및 의견청취 절차를 거치지 아니할 수 있다.
④ 처분에 대한 사전통지를 하고 의견제출의 기회를 준다면 많은 액수의 손실보상금을 기대하여 공사를 강행할 우려가 있다는 사정만으로 이 사건 처분이 "당해 처분의 성질상 의견청취가 현저히 곤란하거나 명백히 불필요하다고 인정될만한 상당한 이유가 있는 경우"에 해당한다고 볼 수 없다.

2019년 군무원 9급

① (○)

> 「행정절차법」 제21조【처분의 사전 통지】① 행정청은 당사자에게 의무를 부과하거나 권익을 제한하는 처분을 하는 경우에는 미리 다음 각 호의 사항을 당사자등에게 통지하여야 한다.
> 제22조【의견청취】③ 행정청이 당사자에게 의무를 부과하거나 권익을 제한하는 처분을 할 때 제1항 또는 제2항의 경우 외에는 당사자등에게 의견제출의 기회를 주어야 한다.

② (×)

> 「행정절차법」 제22조【의견청취】③ 행정청이 당사자에게 의무를 부과하거나 권익을 제한하는 처분을 할 때 제1항 또는 제2항의 경우(청문이나 공청회를 거쳐야 하는 경우) 외에는 당사자등에게 의견제출의 기회를 주어야 한다.

③ (○)

> 「행정절차법」 제21조【처분의 사전 통지】① 행정청은 당사자에게 의무를 부과하거나 권익을 제한하는 처분을 하는 경우에는 미리 다음 각 호의 사항을 당사자등에게 통지하여야 한다.
> ④ 다음 각 호의 어느 하나에 해당하는 경우에는 제1항에 따른 통지를 하지 아니할 수 있다.
> 1. 공공의 안전 또는 복리를 위하여 긴급히 처분을 할 필요가 있는 경우
> 2. 법령등에서 요구된 자격이 없거나 없어지게 되면 반드시 일정한 처분을 하여야 하는 경우에 그 자격이 없거나 없어지게 된 사실이 법원의 재판 등에 의하여 객관적으로 증명된 경우
> 3. 해당 처분의 성질상 의견청취가 현저히 곤란하거나 명백히 불필요하다고 인정될 만한 상당한 이유가 있는 경우
> 제22조【의견청취】④ 제1항부터 제3항까지의 규정에도 불구하고 제21조 제4항 각 호의 어느 하나에 해당하는 경우와 당사자가 의견진술의 기회를 포기한다는 뜻을 명백히 표시한 경우에는 의견청취를 하지 아니할 수 있다.

④ (○) 건축법상의 공사중지명령에 대한 사전통지를 하고 의견제출의 기회를 준다면 많은 액수의 손실보상금을 기대하여 공사를 강행할 우려가 있다는 사정이 사전통지 및 의견제출절차의 예외사유에 해당하지 아니한다(대판 2004.5.28, 2004두1254).

유제 18. 서울시 9급 공사중지명령을 하기 전에 사전통지를 하게 되면 많은 액수의 보상금을 기대하여 공사를 강행할 우려가 있는 경우라도 처분의 사전통지 및 의견제출의 기회를 부여하여야 한다. (○)
10. 지방직 7급 「건축법」상의 공사중지명령에 대한 사전통지를 하고 의견제출의 기회를 준다면 많은 액수의 손실보상금을 기대하여 공사를 강행할 우려가 있다는 사정은 사전통지 및 의견제출절차의 예외사유에 해당하지 아니한다. (○)

답 ②

문제 DATA

출제가능 지수 ▶▶▷
난이도 지수 ★★☆

함께 정리하기

「행정절차법」상 행정절차

침익적 처분
▷ 사전통지와 의견청취 要
▷ 청문·공청회 거치지 않은 경우 의견제출절차 要

성질상 의견청취가 현저히 곤란·명백히 불필요
▷ 사전통지 및 의견청취 생략 可

많은 손실보상금 기대하여 공사 강행 우려
▷ 공사중지명령처분의 사전통지·의견제출 예외×

문제 DATA
출제가능 지수 ▶▶▷
난이도 지수 ★★★

059 ☐☐☐

행정절차에 대한 설명으로 옳지 않은 것은? (다툼이 있는 경우 판례에 의함)

① 정규 공무원으로 임용된 사람에게 시보임용처분 당시 「지방공무원법」에 정한 공무원임용 결격사유가 있어 시보임용처분을 취소하고 그에 따라 정규임용처분을 취소한 경우 정규임용처분을 취소하는 처분에 대하여서는 「행정절차법」의 규정이 적용된다.
② 소청심사위원회가 절차상 하자가 있다는 이유로 의원면직처분을 취소하는 결정을 한 후 징계권자가 징계절차에 따라 별도로 당해 공무원에 대하여 징계처분을 하는 경우 「국가공무원법」에서 정한 불이익변경금지의 원칙이 적용된다.
③ 공무원 인사관계법령에 따른 징계는 모두 「행정절차법」의 적용이 배제되는 것이 아니라 성질상 행정절차를 거치기 곤란하거나 불필요하다고 인정되는 처분이나 행정절차에 준하는 절차를 거치도록 하고 있는 처분의 경우에만 그 적용이 배제된다.
④ 군인사법령에 의하여 진급예정자명단에 포함된 자에 대하여 의견제출의 기회를 부여하지 아니한 채 진급선발을 취소하는 처분을 한 것은 절차상 하자가 있어 위법하다.
⑤ 구 「군인사법」상 보직해임처분에는 처분의 근거와 이유제시 등에 관한 구 「행정절차법」의 규정이 별도로 적용되지 아니한다.

2019년 국회직 8급

① (○) 대판 2009.1.30. 2008두16155
② (×) 구 국가공무원법 제14조 제6항(현 제8항)은 소청심사결정에서 당초의 원처분청의 징계처분보다 청구인에게 불리한 결정을 할 수 없다는 의미인데, 의원면직처분에 대하여 소청심사청구를 한 결과 소청심사위원회가 의원면직처분의 전제가 된 사의표시에 절차상 하자가 있다는 이유로 의원면직처분을 취소하는 결정을 하였다고 하더라도, 그 효력은 의원면직처분을 취소하여 당해 공무원으로 하여금 공무원으로서의 신분을 유지하게 하는 것에 그치고, 이때 당해 공무원이 국가공무원법 제78조 제1항 각 호에 정한 징계사유에 해당하는 이상 같은 항에 따라 징계권자로서는 반드시 징계절차를 열어 징계처분을 하여야 하므로, 이러한 징계절차는 소청심사위원회의 의원면직처분취소 결정과는 별개의 절차로서 여기에 국가공무원법 제14조 제6항에 정한 불이익변경금지의 원칙이 적용될 여지는 없다(대판 2008.10.9. 2008두11853·11860).
③, ④ (○) 대판 2007.9.21. 2006두20631
⑤ (○) 대판 2014.10.15. 2012두5756

답 ②

함께 정리하기
행정절차

시보임용시 결격사유 공무원 정규임용취소처분
▷ 「행정절차법」 적용 ○

의원면직처분취소 후 징계처분
▷ 불이익변경금지원칙 적용 ×

공무원 인사처분
▷ 성질상 행정절차 거치기 곤란·불필요 or 행정절차에 준하는 절차 거치는 경우만 적용배제

의견제출 기회 없이 행한 진급예정자 진급선발취소
▷ 위법

군인사법상 보직해임처분
▷ 「행정절차법」 적용 ×

문제 DATA
출제가능 지수 ▶▶▷
난이도 지수 ★★☆

060 ☐☐☐

행정절차 및 「행정절차법」에 대한 설명으로 옳은 것은? (다툼이 있는 경우 판례에 의함)

① 처분의 사전통지 및 의견청취 등에 관한 「행정절차법」 규정은 「국가공무원법」상 직위해제처분에 대해서는 적용되지만, 「군인사법」상 진급선발취소처분에 대해서는 적용되지 않는다.
② 자격의 박탈을 내용으로 하는 처분을 하는 행정청은 처분의 근거법률에 청문을 하도록 규정되어 있지 않더라도 「행정절차법」에 따라 청문을 실시한다.
③ 행정처분의 이유로 제시한 수개의 처분사유 중 일부가 위법하면, 다른 처분사유로써 그 처분의 정당성이 인정되더라도 그 처분은 위법하다.
④ 행정청은 건축신고를 받은 날부터 5일 이내에 신고수리 여부 또는 민원 처리 관련 법령에 따른 처리기간의 연장 여부를 신고인에게 통지하여야 하고, 그 기간 내에 통지하지 아니하면 그 기간이 끝난 날의 다음 날에 신고를 수리한 것으로 본다.

2018년 국가직 7급 변형

① (×) 처분의 사전통지 및 의견청취 등에 관한 「행정절차법」 규정은 「국가공무원법」상 직위해제처분에 대해서는 적용되지 않고, 「군인사법」상 진급선발취소처분에 대해서는 적용된다(대판 2014.5.16. 2012두26180 ; 대판 2007.9.21. 2006두20631).
② (○) 개정법에 맞게 지문을 변형하여 옳은 지문이다.

> 「행정절차법」 제22조【의견청취】 ① 행정청이 처분을 할 때 다음 각 호의 어느 하나에 해당하는 경우에는 청문을 한다.
> 1. 다른 법령등에서 청문을 하도록 규정하고 있는 경우
> 2. 행정청이 필요하다고 인정하는 경우
> 3. 다음 각 목의 처분을 하는 경우
>   가. 인·허가 등의 취소
>   나. 신분·자격의 박탈
>   다. 법인이나 조합 등의 설립허가의 취소

③ (×) 행정처분에 있어 수개의 처분사유 중 일부가 적법하지 않다고 하더라도 다른 처분사유로써 그 처분의 정당성이 인정되는 경우에는 그 처분을 위법하다고 할 수 없다(대판 2013.10.24. 2013두963).
④ (×) 2017.4.18. 신설된 규정으로 착공신고의 경우에는 수리간주 규정이 있으나, 건축신고의 경우에는 수리간주 규정이 존재하지 않는다.

> 「건축법」 제14조【건축신고】 ③ 특별자치시장·특별자치도지사 또는 시장·군수·구청장은 제1항에 따른 신고를 받은 날부터 5일 이내에 신고수리 여부 또는 민원 처리 관련 법령에 따른 처리기간의 연장 여부를 신고인에게 통지하여야 한다. 다만, 이 법 또는 다른 법령에 따라 심의, 동의, 협의, 확인 등이 필요한 경우에는 20일 이내에 통지하여야 한다.
> 제21조【착공신고】 ③ 허가권자는 제1항 본문에 따른 신고를 받은 날부터 3일 이내에 신고수리 여부 또는 민원 처리 관련 법령에 따른 처리기간의 연장 여부를 신고인에게 통지하여야 한다.
> ④ 허가권자가 제3항에서 정한 기간 내에 신고수리 여부 또는 민원 처리 관련 법령에 따른 처리기간의 연장 여부를 신고인에게 통지하지 아니하면 그 기간이 끝난 날의 다음 날에 신고를 수리한 것으로 본다.

답 ②

함께 정리하기

행정절차

「국가공무원법」상 직위해제처분
▷ 「행정절차법」 적용×

진급선발취소
▷ 「행정절차법」 적용○

신분·자격 박탈
▷ 법령규정 없어도 청문 실시

수개의 처분사유 중 일부 위법
▷ 다른 처분사유로서 처분의 정당성 인정 처분 적법

건축신고
▷ 5일 內 수리여부등 통지의무○
▷ 기간 지나도 수리간주×

061 □□□

「행정절차법」상 행정절차에 대한 설명으로 옳지 않은 것은?

① 단순·반복적인 처분 또는 경미한 처분으로서 당사자가 그 이유를 명백히 알 수 있는 경우라 하더라도 처분 후 당사자가 요청하는 경우에는 행정청은 그 근거와 이유를 제시하여야 한다.
② 행정청이 당사자에게 의무를 과하거나 권익을 제한하는 처분을 하는 경우라도 당사자가 명백히 의견진술의 기회를 포기한다는 뜻을 표시한 경우에는 의견청취를 하지 않을 수 있다.
③ 행정청은 대통령령을 입법예고하는 경우에는 이를 국회 소관 상임위원회에 제출하여야 한다.
④ 인·허가 등의 취소 또는 신분·자격의 박탈, 법인이나 조합 등의 설립허가의 취소 시 공청회를 개최한다.

문제 DATA

출제가능 지수 ▶▶▷
난이도 지수 ★★☆

함께 정리하기

「행정절차법」

단순·반복처분 or 경미처분으로서 이유 명백히 알 수 있는 경우와 긴급처분
▷ 처분 후 요청하면 이유 제시 要

의견진술의 포기의사 명백 표시
▷ 의견청취 생략 可

대통령령 입법예고
▷ 국회 소관상임위에 제출

인·허가취소, 신분자격박탈, 법인조합설립허가취소
▷ 청문실시 要

2018년 국가직 9급 변형

① (O)

> 「행정절차법」제23조【처분의 이유 제시】① 행정청은 처분을 할 때에는 다음 각 호의 어느 하나에 해당하는 경우를 제외하고는 당사자에게 그 근거와 이유를 제시하여야 한다.
> 1. 신청 내용을 모두 그대로 인정하는 처분인 경우
> 2. 단순·반복적인 처분 또는 경미한 처분으로서 당사자가 그 이유를 명백히 알 수 있는 경우
> 3. 긴급히 처분을 할 필요가 있는 경우
> ② 행정청은 제1항 제2호 및 제3호의 경우에 처분 후 당사자가 요청하는 경우에는 그 근거와 이유를 제시하여야 한다.

② (O)

> 「행정절차법」제22조【의견청취】③ 행정청이 당사자에게 의무를 부과하거나 권익을 제한하는 처분을 할 때 제1항 또는 제2항의 경우 외에는 당사자등에게 의견제출의 기회를 주어야 한다.
> ④ 제1항부터 제3항까지의 규정에도 불구하고 제21조 제4항 각 호의 어느 하나에 해당하는 경우와 당사자가 의견진술의 기회를 포기한다는 뜻을 명백히 표시한 경우에는 의견청취를 하지 아니할 수 있다.

③ (O)

> 「행정절차법」제42조【예고방법】② 행정청은 대통령령을 입법예고하는 경우 국회 소관 상임위원회에 이를 제출하여야 한다.

④ (X) 공청회가 아니라 청문을 실시한다.

> 「행정절차법」제22조【의견청취】① 행정청이 처분을 할 때 다음 각 호의 어느 하나에 해당하는 경우에는 청문을 한다.
> 1. 다른 법령등에서 청문을 하도록 규정하고 있는 경우
> 2. 행정청이 필요하다고 인정하는 경우
> 3. 다음 각 목의 처분을 하는 경우
>   가. 인·허가 등의 취소
>   나. 신분·자격의 박탈
>   다. 법인이나 조합 등의 설립허가의 취소

답 ④

062

「행정절차법」상 행정절차에 대한 설명으로 옳은 것은? (다툼이 있는 경우 판례에 의함)

① 법령에 의해 당연히 퇴직연금 환수금액이 결정되는 경우에도 퇴직연금의 환수결정은 당사자에게 의무를 과하는 처분이기 때문에 퇴직연금의 환수결정에 앞서 당사자에게 의견진술의 기회를 주어야 한다.

② 「행정절차법」은 당사자에게 의무를 부과하거나 당사자의 권익을 제한하는 처분을 하는 경우에 대해서만 그 근거와 이유를 제시하도록 규정하고 있다.

③ 「국가공무원법」상 직위해제처분에는 처분의 사전통지 및 의견청취 등에 관한 「행정절차법」의 규정이 별도로 적용되지 않는다.

④ 청문은 행정청이 어떠한 처분을 하기 전에 당사자 등의 의견을 직접 듣는 절차일 뿐, 증거를 조사하는 절차는 아니다.

2018년 지방직 7급

① (×) 대판 2000.11.28. 99두5443
② (×)

> 「행정절차법」제23조【처분의 이유 제시】① 행정청은 처분을 할 때에는 다음 각 호의 어느 하나에 해당하는 경우를 제외하고는 당사자에게 그 근거와 이유를 제시하여야 한다.
> 1. 신청 내용을 모두 그대로 인정하는 처분인 경우
> 2. 단순·반복적인 처분 또는 경미한 처분으로서 당사자가 그 이유를 명백히 알 수 있는 경우
> 3. 긴급히 처분을 할 필요가 있는 경우

③ (○) 대판 2014.5.16. 2012두26180
④ (×)

> 「행정절차법」제2조【정의】이 법에서 사용하는 용어의 뜻은 다음과 같다.
> 5. "청문"이란 행정청이 어떠한 처분을 하기 전에 당사자등의 의견을 직접 듣고 증거를 조사하는 절차를 말한다.

유제 17. 행정사 청문이란 행정청이 어떠한 처분을 하기 전에 당사자등의 의견을 직접 듣고 증거를 조사하는 절차를 말한다. (○)

답 ③

함께 정리하기

행정절차

퇴직연금 환수결정
▷ 의견진술 기회 불요

이유제시
▷ 침익적·수익적 처분시 공통절차

「국가공무원법」상 직위해제처분
▷ 「행정절차법」적용×

청문
▷ 처분 전 의견 듣고 증거조사 可

063

행정절차에 대한 설명으로 가장 옳지 않은 것은? (다툼이 있는 경우 판례에 의함)

① 귀속재산을 불하받은 자가 사망한 후에 불하처분 취소처분을 수불하자의 상속인에게 송달한 때에는 그 상속인에 대하여 다시 그 불하처분을 취소한다는 새로운 행정처분을 한 것으로 본다.
② 당사자가 처분의 근거를 알 수 있을 정도로 상당한 이유를 제시할 뿐 그 구체적 조항 및 내용까지 명시하지 않으면, 해당 처분은 위법하다.
③ 경미한 처분으로서 당사자가 그 이유를 명백히 알 수 있는 경우에는 당사자에게 그 근거와 이유를 제시하지 아니할 수 있다.
④ 납세자가 아닌 제3자의 재산을 대상으로 한 압류처분은 당연무효이다.

문제 DATA
출제가능 지수 ▶▶▷
난이도 지수 ★★☆

2018년 서울시 7급

① (○) 귀속재산을 불하받은 자가 사망한 후에 그 수불하자 대하여 한 그 불하처분은 사망자에 대한 행정처분이므로 무효이지만 그 취소처분을 수불하자의 상속인에게 송달한 때에는 그 송달시에 그 상속인에 대하여 다시 그 불하처분을 취소한다는 새로운 행정처분을 한 것이라고 할 것이다(대판 1969.1.21. 68누190).
② (×) 행정청의 자의적 결정을 배제하고 당사자로 하여금 행정구제절차에서 적절히 대처할 수 있도록 하는 처분의 근거 및 이유제시 제도의 취지에 비추어, 처분을 하면서 당사자가 그 근거를 알 수 있을 정도로 이유를 제시한 경우에는 처분의 근거와 이유를 구체적으로 명시하지 않았더라도 그로 말미암아 그 처분이 위법하다고 볼 수는 없다(대판 2019.1.31. 2016두64975).

함께 정리하기

행정절차

사망자에 대한 불하취소처분은 무효이나 이를 상속인에게 송달한 경우
▷ 불하처분을 취소한다는 새로운 행정처분 한 것

이유제시의 정도
▷ 당사자가 그 근거를 알 수 있을 정도면 足

경미한 처분으로서 그 이유를 명백히 알 수 있는 경우
▷ 이유 제시 不要

납세자가 아닌 제3자 재산을 대상으로 압류처분
▷ 당연무효

③ (○)

> 「행정절차법」 제23조【처분의 이유 제시】① 행정청은 처분을 할 때에는 다음 각 호의 어느 하나에 해당하는 경우를 제외하고는 당사자에게 그 근거와 이유를 제시하여야 한다.
>   1. 신청 내용을 모두 그대로 인정하는 처분인 경우
>   2. 단순·반복적인 처분 또는 경미한 처분으로서 당사자가 그 이유를 명백히 알 수 있는 경우
>   3. 긴급히 처분을 할 필요가 있는 경우

④ (○) 체납처분으로서 압류의 요건을 규정하는 국세징수법 제24조 각 항의 규정을 보면 어느 경우에나 압류의 대상을 납세자의 재산에 국한하고 있으므로, 납세자가 아닌 제3자의 재산을 대상으로 한 압류처분은 그 처분의 내용이 법률상 실현될 수 없는 것이어서 당연무효이다(대판 2006.4.13. 2005두15151).

답 ②

064 □□□

「행정절차법」상 처분절차에 대한 설명으로 가장 옳지 않은 것은?

① 행정청이 법인이나 조합 등의 설립허가 취소처분을 할 때에는 청문을 해야 한다.
② 행정청에 처분을 구하는 신청을 전자문서로 하는 경우에는 행정청의 컴퓨터 등에 입력된 때에 신청한 것으로 본다.
③ 행정청이 공공의 안전 또는 복리를 위하여 긴급히 처분을 할 필요가 있는 경우에는 의견청취를 하지 아니할 수 있다.
④ 처분의 전제가 되는 사실이 법원의 재판 등에 의하여 객관적으로 증명된 경우에는 행정청이 당사자에게 의무를 부과하거나 권익을 제한하는 처분을 하는 경우에도 사전통지를 하지 아니할 수 있다.

| 2018년 서울시 9급

① (○) 구법에서는 행정청이 법인이나 조합 등의 설립허가 취소처분 시 의견제출기한 내에 당사자 등의 신청이 있는 경우 청문을 하도록 규정하고 있었으나 「행정절차법」 개정으로 당사자 등의 신청 여부에 상관없이 청문을 실시하는 것으로 변경되었다. 따라서 개정법에 따르면 옳은 지문이 된다.

> 「행정절차법」 제22조【의견청취】① 행정청이 처분을 할 때 다음 각 호의 어느 하나에 해당하는 경우에는 청문을 한다.
>   1. 다른 법령등에서 청문을 하도록 규정하고 있는 경우
>   2. 행정청이 필요하다고 인정하는 경우
>   3. 다음 각 목의 처분을 하는 경우
>   가. 인·허가 등의 취소
>   나. 신분·자격의 박탈
>   다. 법인이나 조합 등의 설립허가의 취소

② (○)

> 「행정절차법」 제17조【처분의 신청】② 제1항에 따라 처분을 신청할 때 전자문서로 하는 경우에는 행정청의 컴퓨터 등에 입력된 때에 신청한 것으로 본다.

유제 17. 행정사 행정청에 전자문서로 처분을 신청하는 경우에는 행정청의 컴퓨터 등에 입력한 이후, 입력내용을 문서로 제출한 때 신청한 것으로 본다. (×)
16. 서울시 9급 처분을 신청할 때 전자문서로 하는 경우에는 신청인의 컴퓨터 등에 입력된 때에 신청한 것으로 본다. (×)
12. 경찰 3차, 08. 국가직 7급 행정청에 대하여 처분을 구하는 신청을 함에 있어 전자문서로 하는 경우에는 행정청의 컴퓨터 등에 입력된 때의 익일에 신청한 것으로 본다. (×)

◉ 문제 DATA
출제가능 지수 ▶▶▷
난이도 지수 ★★☆

함께 정리하기

「행정절차법」상 처분절차

법인이나 조합 등의 설립허가 취소처분을 할 때
▷ 청문실시 要

전자문서 신청
▷ 행정청의 컴퓨터 등에 입력된 때 신청 간주

긴급히 처분을 할 필요가 있는 경우
▷ 의견청취 생략 可

자격 없어진 사실이 재판 등으로 객관증명
▷ 사전통지 생략 可

③ (○)

> 「행정절차법」 제22조【의견청취】 ④ 제1항부터 제3항까지의 규정에도 불구하고 제21조 제4항 각 호의 어느 하나에 해당하는 경우와 당사자가 의견진술의 기회를 포기한다는 뜻을 명백히 표시한 경우에는 의견청취를 하지 아니할 수 있다.
> 제21조【처분의 사전 통지】 ④ 다음 각 호의 어느 하나에 해당하는 경우에는 제1항에 따른 통지를 하지 아니할 수 있다.
> 1. 공공의 안전 또는 복리를 위하여 긴급히 처분을 할 필요가 있는 경우
> 2. 법령등에서 요구된 자격이 없거나 없어지게 되면 반드시 일정한 처분을 하여야 하는 경우에 그 자격이 없거나 없어지게 된 사실이 법원의 재판 등에 의하여 객관적으로 증명된 경우
> 3. 해당 처분의 성질상 의견청취가 현저히 곤란하거나 명백히 불필요하다고 인정될 만한 상당한 이유가 있는 경우

유제 10. 지방직 7급 사전통지의무가 면제되는 경우에도 의견청취의무가 면제되는 것은 아니다. (×)

④ (○)

> 「행정절차법」 제21조【처분의 사전 통지】 ① 행정청은 당사자에게 의무를 부과하거나 권익을 제한하는 처분을 하는 경우에는 미리 다음 각 호의 사항을 당사자등에게 통지하여야 한다.
> ④ 다음 각 호의 어느 하나에 해당하는 경우에는 제1항에 따른 통지를 하지 아니할 수 있다.
> 1. 공공의 안전 또는 복리를 위하여 긴급히 처분을 할 필요가 있는 경우
> 2. 법령등에서 요구된 자격이 없거나 없어지게 되면 반드시 일정한 처분을 하여야 하는 경우에 그 자격이 없거나 없어지게 된 사실이 법원의 재판 등에 의하여 객관적으로 증명된 경우
> 3. 해당 처분의 성질상 의견청취가 현저히 곤란하거나 명백히 불필요하다고 인정될 만한 상당한 이유가 있는 경우

정답 없음

065

「행정절차법」상 처분의 사전통지 혹은 의견제출의 기회를 부여할 사항이 아닌 것은? (다툼이 있는 경우 판례에 의함)

① 공무원시보임용이 무효임을 이유로 정규임용을 취소하는 경우
② 공사중지명령을 하기 전에 사전통지를 하게 되면 많은 액수의 보상금을 기대하여 공사를 강행할 우려가 있는 경우
③ 수익적 처분을 바라는 신청에 대한 거부처분
④ 무단으로 용도변경된 건물에 대해 건물주에게 시정명령이 있을 것과 불이행시 이행강제금이 부과될 것이라는 점을 설명한 후, 다음날 시정명령을 한 경우

2018년 서울시 9급

① (○) 대판 2009.1.30. 2008두16155
② (○) 대판 2004.5.28. 2004두1254
③ (×) 신청에 대한 거부처분은 사전통지의 대상이 아니다(대판 2003.11.28. 2003두674).
④ (○) 대판 2016.10.27. 2016두41811

답 ③

문제 DATA
출제가능 지수 ▶▶▷
난이도 지수 ★★☆

함께 정리하기
사전통지·의견제출 기회 부여사항
▷ 무효인 시보임용에 기한 정규임용취소 ○
▷ 공사중지명령 ○
▷ 거부처분 ×
▷ 시정명령 ○

066

행정절차상 의견제출에 대한 설명으로 옳지 않은 것은?

① 당사자 등은 행정청의 처분이 있은 후에 그 처분의 관할 행정청에 서면으로 의견제출을 할 수 있다.
② 행정청은 의견제출을 거쳤을 때에는 신속히 처분하여 해당 처분이 지연되지 아니하도록 하여야 한다.
③ 행정청은 처분 후 1년 이내에 당사자 등이 요청하는 경우에는 의견제출을 받은 서류나 그 밖의 물건을 반환하여야 한다.
④ 당사자 등이 정당한 이유 없이 의견제출기한까지 의견제출을 하지 아니한 경우에는 의견이 없는 것으로 본다.
⑤ 행정청은 처분을 할 때에 당사자 등이 제출한 의견이 상당한 이유가 있다고 인정하는 경우에는 이를 반영하여야 한다.

2018 소방간부

① (×)

> 「행정절차법」 제27조 【의견제출】 ① 당사자등은 처분 전에 그 처분의 관할 행정청에 서면이나 말로 또는 정보통신망을 이용하여 의견제출을 할 수 있다.

② (○)

> 「행정절차법」 제22조 【의견청취】 ⑤ 행정청은 청문·공청회 또는 의견제출을 거쳤을 때에는 신속히 처분하여 해당 처분이 지연되지 아니하도록 하여야 한다.

③ (○)

> 「행정절차법」 제22조 【의견청취】 ⑥ 행정청은 처분 후 1년 이내에 당사자등이 요청하는 경우에는 청문·공청회 또는 의견제출을 위하여 제출받은 서류나 그 밖의 물건을 반환하여야 한다.

④ (○)

> 「행정절차법」 제27조 【의견제출】 ④ 당사자등이 정당한 이유 없이 의견제출기한까지 의견제출을 하지 아니한 경우에는 의견이 없는 것으로 본다.

유제 15. 지방직 7급, 13. 국회직 9급 당사자 등이 정당한 이유 없이 의견제출기한까지 의견제출을 하지 아니한 경우에는 의견이 없는 것으로 본다. (○)

⑤ (○)

> 「행정절차법」 제27조의2 【제출 의견의 반영 등】 ① 행정청은 처분을 할 때에 당사자등이 제출한 의견이 상당한 이유가 있다고 인정하는 경우에는 이를 반영하여야 한다.

유제 17. 경찰 2차 행정청은 처분을 할 때에 당사자 등이 제출한 의견이 상당한 이유가 있다고 인정하는 경우에는 이를 반영할 수 있다. (×)
15. 경찰 3차, 14. 경찰 1차, 08. 국가직 7급 행정청은 처분을 할 때에 당사자 등이 제출한 의견이 상당한 이유가 있다고 인정하는 경우에는 이를 반영하여야 한다. (○)
09. 국회직 9급 행정청은 처분을 함에 있어서 당사자 등이 제출한 의견이 상당한 이유가 있다고 인정하는 때에는 이를 반영하여야 한다. (○)

답 ①

문제 DATA
출제가능 지수 ▶▶▷
난이도 지수 ★★☆

함께 정리하기
의견제출

당사자등
▷ 처분 전 행정청에 서면·말·정보통신망 이용하여 의견제출 可

의견제출을 거쳤을 때
▷ 신속히 처분해야 함

처분 후 1년 이내 당사자등이 요청
▷ 의견제출 받은 서류나 물건 반환하여야 함

정당한 이유 없이 의견제출기한까지 의견 미제출
▷ 의견이 없는 것으로 간주

제출 의견이 상당한 이유가 있다고 인정
▷ 처분 시 반영의무 有

067

행정절차에 대한 설명으로 옳지 않은 것은? (다툼이 있는 경우 판례에 의함)

① 취소처분의 근거와 위반사실의 적시를 빠뜨린 하자는 피처분자가 처분 당시 그 취지를 알고 있었다거나 그 후 알게 되었다 하여도 치유될 수 없다.
② 하나의 납세고지서에 의하여 복수의 과세처분을 함께 하는 경우에는 과세처분 별로 그 세액과 산출근거 등을 구분하여 기재함으로써 납세의무자가 각 과세처분의 내용을 알 수 있도록 하여야 한다.
③ 세액산출근거가 기재되지 아니한 납세고지서에 의한 부과처분은 강행법규에 위반하여 무효이다.
④ 신청에 따른 처분이 이루어지지 아니한 경우에는 아직 당사자에게 권익이 부과되지 아니하였으므로, 특별한 사정이 없는 한 신청에 대한 거부처분이라고 하더라도 직접 당사자의 권익을 제한하는 것은 아니어서 처분의 사전통지 대상이 된다고 할 수 없다.
⑤ 영업시간 제한 등 처분의 대상인 대규모 점포 중 개설자의 직영매장 이외에 개설자에게서 임차하여 운영하는 임대매장이 병존하는 경우에도, 전체 매장에 대하여 법령상 대규모 점포 등의 유지·관리책임을 지는 개설자만이 처분 상대방이 되고, 임대매장의 임차인이 별도로 처분 상대방이 되는 것은 아니므로, 사전통지·의견청취절차는 원고(대규모 점포 개설자)를 상대로 거치면 충분하다.

2018년 소방간부

① (○) 면허의 취소처분에는 그 근거가 되는 법령이나 취소권 유보의 부관 등을 명시하여야 함은 물론 처분을 받은 자가 어떠한 위반사실에 대하여 당해 처분이 있었는지를 알 수 있을 정도로 사실을 적시할 것을 요하며, 이와 같은 취소처분의 근거와 위반사실의 적시를 빠뜨린 하자는 피처분자가 처분 당시 그 취지를 알고 있었다거나 그 후 알게 되었다 하여도 치유될 수 없다고 할 것이다(대판 1990.9.11. 90누1786).
② (○) 구 국세징수법과 개별 세법의 납세고지에 관한 규정들은 헌법상 적법절차의 원칙과 행정절차법의 기본 원리를 과세처분의 영역에도 그대로 받아들여, 과세관청으로 하여금 자의를 배제한 신중하고도 합리적인 과세처분을 하게 함으로써 조세행정의 공정을 기함과 아울러 납세의무자에게 과세처분의 내용을 자세히 알려주어 이에 대한 불복 여부의 결정과 불복신청의 편의를 주려는 데 그 근본취지가 있으므로, 이 규정들은 강행규정으로 보아야 한다. 따라서 납세고지서에 해당 본세의 과세표준과 세액의 산출근거 등이 제대로 기재되지 않았다면 특별한 사정이 없는 한 그 과세처분은 위법하다는 것이 판례의 확립된 견해이다. … 같은 맥락에서, 하나의 납세고지서에 의하여 복수의 과세처분을 함께 하는 경우에는 과세처분별로 그 세액과 산출근거 등을 구분하여 기재함으로써 납세의무자가 각 과세처분의 내용을 알 수 있도록 해야 하는 것 역시 당연하다고 할 것이다(대판 2012.10.18. 2010두12347 전합).

유제 20. 국가직 7급 하나의 납세고지서에 의하여 본세와 가산세를 함께 부과할 때 납세고지서에 본세와 가산세 각각의 세액과 산출근거 등을 구분하여 기재하여야 한다. (○)
18. 지방직 7급 하나의 납세고지서에 의하여 복수의 과세처분을 함께 하는 경우에는 과세처분별로 그 세액과 산출근거 등을 구분하여 기재함으로써 납세의무자가 각 과세처분의 내용을 알 수 있도록 해야 한다. (○)
17. 국가직 7급 하나의 납세고지서에 의하여 본세와 가산세를 함께 부과할 때 납세고지서에 본세와 가산세 각각의 세액과 산출근거 등을 구분하여 기재하여야 하는 것은 아니다. (×)

③ (×) 무효가 아니라 취소대상이 된다(대판 1985.4.9. 84누431).
④ (○) 대판 2003.11.28. 2003두674
⑤ (○) 대판 2015.11.19. 2015두295 전합

답 ③

문제 DATA

출제가능 지수 ▶▶▷
난이도 지수 ★★☆

함께 정리하기

행정절차

면허 취소처분 근거와 위반사실 적시 빠뜨린 하자
▷ 처분 당시 그 취지 알고 있었다거나 그 후 알게 된 경우에도 하자치유×

하나의 납세고지서로 본세와 가산세 함께 부과
▷ 각각의 세액과 산출근거 구분하여 기재 要

거부처분
▷ 사전통지 대상×

대규모점포의 개설 등록
▷ 수리를 요하는 신고

대형마트 영업시간 제한 처분 시 사전통지의 상대방
▷ 대형마트 개설자 ○
▷ 임대매장의 임차인 ×

068

「행정절차법」상 의견청취에 대한 설명으로 옳지 않은 것은? (다툼이 있는 경우 판례에 의함)

① 고시의 방법으로 불특정 다수인을 상대로 권익을 제한하는 처분을 하는 경우, 행정청은 상대방에게 의견제출의 기회를 주어야 한다.
② 행정청은 법령상 다른 규정이 없는 한, 사인과의 협약을 통해 법령상 요구되는 청문을 생략할 수 없다.
③ 행정청은 법인 설립허가의 취소 시 청문을 실시하여야 한다.
④ 당사자등은 청문의 통지가 있는 날부터 청문이 끝날 때까지 행정청에 해당 사안의 조사결과에 관한 문서의 복사를 요청할 수 있다.
⑤ 청문 주재자는 당사자등이 주장하지 아니한 사실에 대하여도 증거조사를 할 수 있다.

> 2018년 행정사 변형

① (×) 대판 2014.10.27. 2012두7745
② (○) 대판 2004.7.8. 2002두8350
③ (○) 개정법에 맞게 지문을 변형하여 옳은 지문이다.

> 「행정절차법」제22조【의견청취】① 행정청이 처분을 할 때 다음 각 호의 어느 하나에 해당하는 경우에는 청문을 한다.
> 1. 다른 법령등에서 청문을 하도록 규정하고 있는 경우
> 2. 행정청이 필요하다고 인정하는 경우
> 3. 다음 각 목의 처분을 하는 경우
>   가. 인·허가 등의 취소
>   나. 신분·자격의 박탈
>   다. 법인이나 조합 등의 설립허가의 취소

④ (○) 구법에서는 청문의 경우에만 문서열람을 요청할 수 있었으나 「행정절차법」 개정으로 의견제출의 경우에도 문서열람을 요청할 수 있게 되었다. 답은 종전과 같다.

> 「행정절차법」제37조【문서의 열람 및 비밀유지】① 당사자등은 의견제출의 경우에는 처분의 사전 통지가 있는 날부터 의견제출기한까지, 청문의 경우에는 청문의 통지가 있는 날부터 청문이 끝날 때까지 행정청에 해당 사안의 조사결과에 관한 문서와 그 밖에 해당 처분과 관련되는 문서의 열람 또는 복사를 요청할 수 있다. 이 경우 행정청은 다른 법령에 따라 공개가 제한되는 경우를 제외하고는 그 요청을 거부할 수 없다.

유제 12. 경찰 1차 의견제출을 위하여 당사자 등은 「행정절차법」에 의하여 당해 사안의 조사결과에 관한 문서 기타 당해 처분과 관련되는 문서의 열람 또는 복사를 요청할 수 있다. (○)
11. 국회직 9급 「행정절차법」은 문서열람청구권을 청문절차에서만 인정하고 있다. (×)
10. 경찰 1차 청문에 관하여는 문서의 열람복사청구권 규정이 없다. (×)

⑤ (○)

> 「행정절차법」제33조【증거조사】① 청문 주재자는 직권으로 또는 당사자의 신청에 따라 필요한 조사를 할 수 있으며, 당사자등이 주장하지 아니한 사실에 대하여도 조사할 수 있다.

답 ①

069

「행정절차법」상의 사전통지절차에 대한 설명으로 옳지 않은 것은? (다툼이 있는 경우 판례에 의함)

① 처분의 사전통지가 적용되는 제3자는 '행정청이 직권 또는 신청에 따라 행정절차에 참여하게 한 이해관계인'으로 한정된다.
② 공기업사장에 대한 해임처분과정에서 처분내용을 사전에 통지받지 못했고 해임처분 시 법적 근거 및 구체적 해임사유를 제시받지 못하였다면 그 해임처분은 위법하지만 당연무효는 아니다.
③ 처분상대방이 이미 행정청에 위반사실을 시인하였다는 사정은 사전통지의 예외가 적용되는 '의견청취가 현저히 곤란하거나 명백히 불필요하다고 인정될만한 상당한 이유가 있는 경우'에 해당한다.
④ 특별한 사정이 없는 한 신청에 대한 거부처분은 '당사자의 권익을 제한하는 처분'에 해당한다고 할 수 없는 것이어서 처분의 사전통지대상이 된다고 할 수 없다.

문제 DATA
출제가능 지수 ▶▶▷
난이도 지수 ★★☆

2017년 국가직 7급

① (○) 「행정절차법」 제21조의 '당사자등'이라 함은 '처분에 대하여 직접 그 상대가 되는 당사자와 행정청이 직권으로 또는 신청에 따라 행정절차에 참여하게 한 이해관계인'을 말한다(동법 제2조 제4호).

> 「행정절차법」 제21조 【처분의 사전 통지】 ① 행정청은 당사자에게 의무를 부과하거나 권익을 제한하는 처분을 하는 경우에는 미리 다음 각 호의 사항을 당사자등에게 통지하여야 한다.
> 제2조 【정의】 이 법에서 사용하는 용어의 뜻은 다음과 같다.
> 　4. "당사자등"이란 다음 각 목의 자를 말한다.
> 　　가. 행정청의 처분에 대하여 직접 그 상대가 되는 당사자
> 　　나. 행정청이 직권으로 또는 신청에 따라 행정절차에 참여하게 한 이해관계인

② (○) 대판 2012.2.23. 2011두5001

③ (×) 행정절차법 제22조 제4항, 제21조 제4항 제3호에 의하면, "해당 처분의 성질상 의견청취가 현저히 곤란하거나 명백히 불필요하다고 인정될 만한 상당한 이유가 있는 경우"나 "당사자가 의견진술의 기회를 포기한다는 뜻을 명백히 표시한 경우"에는 청문 등 의견청취를 하지 아니할 수 있는데, 여기에서 '의견청취가 현저히 곤란하거나 명백히 불필요하다고 인정될 만한 상당한 이유가 있는 경우'에 해당하는지는 해당 행정처분의 성질에 비추어 판단하여야 하며, 처분상대방이 이미 행정청에게 위반사실을 시인하였다거나 처분의 사전통지 이전에 의견을 진술할 기회가 있었다는 사정을 고려하여 판단할 것은 아니다(대판 2017.4.7. 2016두63224).

④ (○) 대판 2003.11.28. 2003두674

답 ③

함께 정리하기

사전통지

적용되는 제3자
▷ 직권 or 신청으로 행정절차에 참여한 이해관계인

공기업사장 해임처분시 사전통지× & 이유제시×
▷ 취소사유

위반사실 시인
▷ 사전통지 예외사유×

거부처분
▷ 사전통지대상×

문제 DATA

출제가능 지수 ▶▶▷
난이도 지수 ★★☆

함께 정리하기

「행정절차법」상 행정절차

영업자지위승계신고 수리처분
▷ 사전통지의 대상 ○

퇴직연금 환수결정
▷ 의견진술 기회 不要

온라인공청회
▷ 원칙적으로 일반적인 공청회와 병행해서만 개최 可
▷ 예외적으로 단독 可

행정청이 정당한 기간 내 미처리
▷ 해당행정청·감독행정청에 신속한 처리 요청 可

070

행정절차에 대한 설명으로 옳지 않은 것은? (다툼이 있는 경우 판례에 의함)

① 행정청은 「식품위생법」 규정에 의하여 영업자지위승계신고 수리처분을 함에 있어서 종전의 영업자에 대하여 「행정절차법」상 사전통지를 하고 의견제출 기회를 주어야 한다.
② 퇴직연금의 환수결정은 당사자에게 의무를 과하는 처분이므로 퇴직연금의 환수결정에 앞서 당사자에게 의견진술의 기회를 주지 아니하였다면 위법하다.
③ 행정청은 「행정절차법」 제38조에 따른 공청회와 병행하여서만 정보통신망을 이용한 공청회를 실시할 수 있음이 원칙이나, 일정한 경우에는 단독으로 개최할 수 있다.
④ 행정청이 정당한 처리기간 내에 처분을 처리하지 아니하였을 때에는 신청인은 해당 행정청 또는 그 감독 행정청에 신속한 처리를 요청할 수 있다.

2017년 국가직 9급 변형

① (○) 대판 2003.2.14. 2001두7015
② (×) 퇴직연금의 환수결정은 당사자에게 의무를 과하는 처분이기는 하나, 관련 법령에 따라 당연히 환수금액이 정하여지는 것이므로, 퇴직연금의 환수결정에 앞서 당사자에게 의견진술의 기회를 주지 아니하여도 행정절차법 제22조 제3항이나 신의칙에 어긋나지 아니한다(대판 2000.11.28. 99두5443).
③ (○) 개정법에 맞게 지문을 변형하여 옳은 지문이다.

> 「행정절차법」 제38조의2 【온라인공청회】 ① 행정청은 제38조에 따른 공청회와 병행하여서만 정보통신망을 이용한 공청회(이하 "온라인공청회"라 한다)를 실시할 수 있다.
> ② 제1항에도 불구하고 다음 각 호의 어느 하나에 해당하는 경우에는 온라인공청회를 단독으로 개최할 수 있다.
> 1. 국민의 생명·신체·재산의 보호 등 국민의 안전 또는 권익보호 등의 이유로 제38조에 따른 공청회를 개최하기 어려운 경우
> 2. 제38조에 따른 공청회가 행정청이 책임질 수 없는 사유로 개최되지 못하거나 개최는 되었으나 정상적으로 진행되지 못하고 무산된 횟수가 3회 이상인 경우
> 3. 행정청이 널리 의견을 수렴하기 위하여 온라인공청회를 단독으로 개최할 필요가 있다고 인정하는 경우. 다만, 제22조 제2항 제1호 또는 제3호에 따라 공청회를 실시하는 경우는 제외한다.

④ (○)

> 「행정절차법」 제19조 【처리기간의 설정·공표】 ④ 행정청이 정당한 처리기간 내에 처리하지 아니하였을 때에는 신청인은 해당 행정청 또는 그 감독 행정청에 신속한 처리를 요청할 수 있다.

답 ②

071

「행정절차법」의 내용에 대한 설명으로 옳은 것은?

① 행정청이 신청내용을 모두 그대로 인정하는 처분을 하는 경우 당사자에게 그 근거와 이유를 제시하여야 한다.
② 행정청이 신분·자격의 박탈처분을 할 때에는 청문을 실시한다.
③ 법령 등에서 행정청에 일정한 사항을 통지함으로써 의무가 끝나는 신고를 규정하고 있는 경우 신고가 본법 제40조 제2항 각 호의 요건을 갖춘 경우에는 신고서가 접수기관에 발송된 때에 신고 의무가 이행된 것으로 본다.
④ 행정청은 직권으로 또는 당사자 및 이해관계인의 신청에 따라 여러 개의 사안을 병합하거나 분리하여 청문을 할 수 있다.

문제 DATA
출제가능 지수 ▶▶▷
난이도 지수 ★★☆

| 2017년 국가직 9급 변형

① (×)

> 「행정절차법」 제23조【처분의 이유제시】① 행정청은 처분을 할 때에는 다음 각 호의 어느 하나에 해당하는 경우를 제외하고는 당사자에게 그 근거와 이유를 제시하여야 한다.
> 1. 신청 내용을 모두 그대로 인정하는 처분인 경우
> 2. 단순·반복적인 처분 또는 경미한 처분으로서 당사자가 그 이유를 명백히 알 수 있는 경우
> 3. 긴급히 처분을 할 필요가 있는 경우

② (○) 개정법에 맞게 지문을 변형하여 옳은 지문이다.

> 「행정절차법」 제22조【의견청취】① 행정청이 처분을 할 때 다음 각 호의 어느 하나에 해당하는 경우에는 청문을 한다.
> 1. 다른 법령등에서 청문을 하도록 규정하고 있는 경우
> 2. 행정청이 필요하다고 인정하는 경우
> 3. 다음 각 목의 처분을 하는 경우
>   가. 인·허가 등의 취소
>   나. 신분·자격의 박탈
>   다. 법인이나 조합 등의 설립허가의 취소

③ (×) 신고서가 접수기관에 발송된 때가 아니라 도달된 때에 신고 의무가 이행된 것으로 본다.

> 「행정절차법」 제40조【신고】① 법령등에서 행정청에 일정한 사항을 통지함으로써 의무가 끝나는 신고를 규정하고 있는 경우 신고를 관장하는 행정청은 신고에 필요한 구비서류, 접수기관, 그 밖에 법령등에 따른 신고에 필요한 사항을 게시(인터넷 등을 통한 게시를 포함한다)하거나 이에 대한 편람을 갖추어 두고 누구나 열람할 수 있도록 하여야 한다.
> ② 제1항에 따른 신고가 다음 각 호의 요건을 갖춘 경우에는 신고서가 접수기관에 도달된 때에 신고 의무가 이행된 것으로 본다.
> 1. 신고서의 기재사항에 흠이 없을 것
> 2. 필요한 구비서류가 첨부되어 있을 것
> 3. 그 밖에 법령등에 규정된 형식상의 요건에 적합할 것

④ (×) 이해관계인은 신청권자로 규정되어 있지 않다.

> 「행정절차법」 제32조【청문의 병합·분리】행정청은 직권으로 또는 당사자의 신청에 따라 여러 개의 사안을 병합하거나 분리하여 청문을 할 수 있다.

유제 13. 행정사 행정청은 직권으로 또는 당사자의 신청에 따라 여러 개의 사안을 병합하거나 분리하여 청문을 할 수 있다. (○)

답 ②

함께 정리하기

「행정절차법」

신청내용 모두 그대로 인정하는 처분
▷ 이유제시의무 ×

신분·자격 박탈처분
▷ 청문실시 要

자기완결적 신고
▷ 요건을 갖춘 신고서가 접수기관에 도달된 때
▷ 신고 의무가 이행 의제

청문은 직권 or 당사자 신청에 따라 병합·분리 可

문제 DATA

출제가능 지수 ▶▶▷
난이도 지수 ★★☆

072 □□□

「행정절차법」상 처분의 이유제시 및 의견제출절차에 대한 판례의 입장으로 옳지 않은 것은?

① 불이익처분의 직접 상대방인 당사자 또는 행정청이 참여하게 한 이해관계인이 아닌 제3자에 대하여는 의견제출에 관한 「행정절차법」의 규정이 적용되지 아니한다.

② 행정청이 토지형질변경허가신청을 불허하는 근거규정으로 '도시계획법 시행령 제20조'를 명시하지 아니하고 '도시계획법'이라고만 기재하였으나, 신청인이 자신의 신청이 개발제한구역의 지정 목적에 현저히 지장을 초래하는 것이라는 이유로 구 「도시계획법 시행령」 제20조 제1항 제2호에 따라 불허된 것임을 알 수 있었던 경우에는 그 불허처분이 위법하지 않다.

③ 가산세 부과처분에 관해서는 「국세기본법」이나 개별 세법 어디에도 그 납세고지의 방식 등에 관하여 따로 정한 규정이 없으므로, 가산세의 종류와 세액의 산출근거 등을 전혀 밝히지 않고 가산세의 합계액만을 기재한 경우 그 부과처분은 위법하지 않다.

④ 고시 등 불특정 다수인을 상대로 의무를 부과하거나 권익을 제한하는 처분에 있어서는 그 상대방에게 의견제출의 기회를 주어야 하는 것은 아니다.

| 2017년 지방직 7급

① (O) 불이익처분의 직접 상대방인 당사자 또는 행정청이 참여하게 한 이해관계인이 아닌 제3자는 '당사자 등'에 포함되지 않으므로 의견제출에 관한 「행정절차법」의 규정이 적용되지 않는다.

> 「행정절차법」 제27조 【의견제출】 ① 당사자등은 처분 전에 그 처분의 관할 행정청에 서면이나 말로 또는 정보통신망을 이용하여 의견제출을 할 수 있다.
> 제2조【정의】이 법에서 사용하는 용어의 뜻은 다음과 같다.
> 4. "당사자 등"이란 다음 각 목의 자를 말한다.
>   가. 행정청의 처분에 대하여 직접 그 상대가 되는 당사자
>   나. 행정청이 직권으로 또는 신청에 따라 행정절차에 참여하게 한 이해관계인

② (O) 행정청이 토지형질변경허가신청을 불허하는 근거규정으로 '도시계획법 시행령 제20조'를 명시하지 아니하고 '도시계획법'이라고만 기재하였으나, 신청인이 자신의 신청이 개발제한구역의 지정목적에 현저히 지장을 초래하는 것이라는 이유로 구 도시계획법 시행령 제20조 제1항 제2호에 따라 불허된 것임을 알 수 있었던 경우, 그 불허처분이 위법하지 아니하다(대판 2002.5.17. 2000두8912).

③ (×) 하나의 납세고지서에 의하여 본세와 가산세를 함께 부과할 때에는 납세고지서에 본세와 가산세 각각의 세액과 산출근거 등을 구분하여 기재해야 하고, 또 여러 종류의 가산세를 함께 부과하는 경우에는 그 가산세 상호간에도 종류별로 세액과 산출근거 등을 구분하여 기재함으로써 납세의무자가 납세고지서 자체로 각 과세처분의 내용을 알 수 있도록 하여야 한다. 따라서 가산세 부과처분이라고 하여 그 종류와 세액의 산출근거 등을 전혀 밝히지 아니한 채 가산세의 합계액만을 기재하였다면 그 부과처분은 위법하다(대판 2015.3.20. 2014두44434).

> **유제** 20. 국가직 7급, 14. 국회직 8급 하나의 납세고지서에 의하여 본세와 가산세를 함께 부과할 때 납세고지서에 본세와 가산세 각각의 세액과 산출근거 등을 구분하여 기재하여야 한다. (O)
> 18. 국가직 7급 하나의 납세고지서로 본세와 여러 종류의 가산세를 함께 부과하는 경우에 납세고지서에 가산세의 종류와 세액의 산출근거 등을 따로 구별하지 않고 가산세의 합계액만을 기재하였다면 그 부과처분은 위법하다. (O)
> 17. 국가직 7급 하나의 납세고지서에 의하여 본세와 가산세를 함께 부과할 때 납세고지서에 본세와 가산세 각각의 세액과 산출근거 등을 구분하여 기재하여야 하는 것은 아니다. (×)

④ (O) 대판 2014.10.27. 2012두7745

답 ③

함께 정리하기

이유제시 및 의견제출 절차

당사자 or 행정청이 참여하게 한 이해관계인
▷ 「행정절차법」상 의견제출 규정 적용

불허처분의 근거로 「도시계획법」이라고만 기재 But 신청인이 불허사유 알 수 있음
▷ 적법

가산세 종류와 세액 산출근거 없이 합계액만 기재
▷ 위법

고시 등 불특정 다수인에 대한 불이익처분
▷ 의견제출 불요

073

「행정절차법」상의 내용으로 옳은 것은?

① 「행정절차법」은 「행정심판법」, 「행정소송법」과 마찬가지로 처분의 개념을 정의하고 있고, 그 내용도 동일하다.
② 행정청은 긴급히 처분을 할 필요가 있는 경우 당사자에게 처분의 근거와 이유를 제시하지 않아도 되지만, 처분 후에는 당사자의 요청이 없어도 그 근거와 이유를 제시하여야 한다.
③ 행정청이 전자문서로 처분을 함에 있어서 반드시 당사자 등의 동의가 필요한 것은 아니다.
④ 입법예고기간은 예고할 때 정하되, 특별한 사정이 없으면 자치법규의 입법예고기간은 51일 이상으로 한다.

문제 DATA
출제가능 지수 ▶▶▷
난이도 지수 ★★☆

2017년 서울시 7급

① (○)

> 「행정절차법」 제2조【정의】이 법에서 사용하는 용어의 뜻은 다음과 같다.
> 2. "처분"이란 행정청이 행하는 구체적 사실에 관한 법 집행으로서의 공권력의 행사 또는 그 거부와 그 밖에 이에 준하는 행정작용을 말한다.
> 「행정심판법」 제2조【정의】이 법에서 사용하는 용어의 뜻은 다음과 같다.
> 1. "처분"이란 행정청이 행하는 구체적 사실에 관한 법집행으로서의 공권력의 행사 또는 그 거부, 그 밖에 이에 준하는 행정작용을 말한다.
> 「행정소송법」 제2조【정의】① 이 법에서 사용하는 용어의 정의는 다음과 같다.
> 1. "처분등"이라 함은 행정청이 행하는 구체적 사실에 관한 법집행으로서의 공권력의 행사 또는 그 거부와 그 밖에 이에 준하는 행정작용(이하 "처분"이라 한다) 및 행정심판에 대한 재결을 말한다.

② (×) 처분 후 당사자가 요청하는 경우에 그 근거와 이유를 제시하여야 한다.

> 「행정절차법」 제23조【처분의 이유 제시】① 행정청은 처분을 할 때에는 다음 각 호의 어느 하나에 해당하는 경우를 제외하고는 당사자에게 그 근거와 이유를 제시하여야 한다.
> 1. 신청 내용을 모두 그대로 인정하는 처분인 경우
> 2. 단순·반복적인 처분 또는 경미한 처분으로서 당사자가 그 이유를 명백히 알 수 있는 경우
> 3. 긴급히 처분을 할 필요가 있는 경우
> ② 행정청은 제1항 제2호 및 제3호의 경우에 처분 후 당사자가 요청하는 경우에는 그 근거와 이유를 제시하여야 한다.

함께 정리하기
「행정절차법」

처분의 개념
▷ 「행정절차법」=「행정심판법」=「행정소송법」

긴급을 요하는 경우
▷ 이유제시의무 ×
▷ 당사자의 요청 시: 이유제시의무 有

전자문서로 처분
▷ 당사자 등의 동의 또는 당사자 신청시 可

입법예고기간
▷ 예고할 때 정하되, 40일(자치법규는 20일) 이상

③ (○) 구법에서는 행정청이 전자문서로 처분을 하는 경우 당사자 등의 동의가 있어야 했으나 「행정절차법」 개정으로 당사자가 전자문서로 처분을 신청한 경우에도 행정청이 전자문서로 처분을 할 수 있게 되었다. 따라서 개정법에 따르면 옳은 지문이 된다.

> 「행정절차법」 제24조【처분의 방식】① 행정청이 처분을 할 때에는 다른 법령등에 특별한 규정이 있는 경우를 제외하고는 문서로 하여야 하며, 다음 각 호의 어느 하나에 해당하는 경우에는 전자문서로 할 수 있다.
> 1. 당사자등의 동의가 있는 경우
> 2. 당사자가 전자문서로 처분을 신청한 경우

④ (×)

> 「행정절차법」 제43조【예고기간】입법예고기간은 예고할 때 정하되, 특별한 사정이 없으면 40일(자치법규는 20일) 이상으로 한다.

답 ①, ③

074

「행정절차법」상 행정절차에 대한 설명으로 옳은 것은? (다툼이 있는 경우 판례에 의함)

① 「행정절차법」은 행정예고와 공법상 계약에 관하여 규정하고 있다.
② 신청에 대한 거부처분은 특별한 사정이 없는 한 처분의 사전통지대상이 되지 않는다.
③ 행정처분의 상대방이 청문일시에 불출석하였다는 이유로 청문을 실시하지 않은 침해적 행정처분은 적법하다.
④ 행정청과 당사자 사이에 협약의 체결로 청문의 실시 등 의견청취절차를 배제한 경우 청문의 실시에 관한 규정의 적용이 배제된다.

2017년 교육행정직

① (×) 「행정절차법」은 행정예고에 관하여는 규정하고 있으나 공법상 계약에 관하여는 규정하고 있지 않다.

> 「행정절차법」 제3조 【적용 범위】 ① 처분, 신고, 확약, 위반사실 등의 공표, 행정계획, 행정상 입법예고, 행정예고 및 행정지도의 절차(이하 "행정절차"라 한다)에 관하여 다른 법률에 특별한 규정이 있는 경우를 제외하고는 이 법에서 정하는 바에 따른다.

② (○) 대판 2003.11.28. 2003두674
③ (×) 행정절차법 제21조 제4항 제3호는 침해적 행정처분을 할 경우 청문을 실시하지 않을 수 있는 사유로서 "당해 처분의 성질상 의견청취가 현저히 곤란하거나 명백히 불필요하다고 인정될 만한 상당한 이유가 있는 경우"를 규정하고 있으나, 여기에서 말하는 '의견청취가 현저히 곤란하거나 명백히 불필요하다고 인정될 만한 상당한 이유가 있는지 여부'는 당해 행정처분의 성질에 비추어 판단하여야 하는 것이지, 청문통지서의 반송 여부, 청문통지의 방법 등에 의하여 판단할 것은 아니며, 또한 행정처분의 상대방이 통지된 청문일시에 불출석하였다는 이유만으로 행정청이 관계 법령상 그 실시가 요구되는 청문을 실시하지 아니한 채 침해적 행정처분을 할 수는 없을 것이므로, 행정처분의 상대방에 대한 청문통지서가 반송되었다거나, 행정처분의 상대방이 청문일시에 불출석하였다는 이유로 청문을 실시하지 아니하고 한 침해적 행정처분은 위법하다(대판 2001.4.13. 2000두3337).
④ (×) 행정청이 당사자와 사이에 도시계획사업의 시행과 관련한 협약을 체결하면서 관계 법령 및 행정절차법에 규정된 청문의 실시 등 의견청취절차를 배제하는 조항을 두었다고 하더라도, … 위와 같은 협약의 체결로 청문의 실시에 관한 규정의 적용을 배제할 수 있다고 볼 만한 법령상의 규정이 없는 한, 이러한 협약이 체결되었다고 하여 청문의 실시에 관한 규정의 적용이 배제된다거나 청문을 실시하지 않아도 되는 예외적인 경우에 해당한다고 할 수 없다(대판 2004.7.8. 2002두8350).

답 ②

075

「행정절차법」에 대한 설명으로 옳지 않은 것은? (다툼이 있는 경우 판례에 의함)

① 특별한 사정이 없는 한 신청에 대한 거부처분은 처분의 사전통지 대상이 아니다.
② 대통령에 의한 한국방송공사 사장의 해임에는 「행정절차법」이 적용된다.
③ 고시의 방법으로 불특정한 다수인을 상대로 의무를 부과하거나 권익을 제한하는 처분도 상대방에게 의견제출의 기회를 주어야 한다.
④ 불이익처분의 직접 상대방인 당사자도 아니고 행정청이 참여하게 한 이해관계인도 아닌 제3자에 대해서는 사전통지에 관한 규정이 적용되지 않는다.

2017년 사회복지직

① (○) 대판 2003.11.28, 2003두674
② (○) 대판 2012.2.23, 2011두5001
③ (×) 대판 2014.10.27, 2012두7745
④ (○)

> 「행정절차법」제21조【처분의 사전 통지】① 행정청은 당사자에게 의무를 부과하거나 권익을 제한하는 처분을 하는 경우에는 미리 다음 각 호의 사항을 당사자등에게 통지하여야 한다. <각 호 생략>
> 제2조【정의】이 법에서 사용하는 용어의 뜻은 다음과 같다.
>   4. "당사자등"이란 다음 각 목의 자를 말한다.
>   가. 행정청의 처분에 대하여 직접 그 상대가 되는 당사자
>   나. 행정청이 직권으로 또는 신청에 따라 행정절차에 참여하게 한 이해관계인

답 ③

함께 정리하기

「행정절차법」

거부처분
▷ 사전통지 대상 ×

대통령의 한국방송공사 사장의 해임처분
▷ 「행정절차법」 적용 ○

고시의 방법으로 불특정한 다수인을 상대로 불이익처분
▷ 의견제출 기회 불요

불이익처분의 직접 상대방 당사자 or 참여 이해관계인도 아닌 제3자
▷ 사전통지 불요

---

076 □□□

「행정절차법」에 대한 설명으로 옳은 것(○)과 옳지 않은 것(×)을 바르게 연결한 것은?

> ㄱ. 행정청은 처분을 할 때에 당사자등이 제출한 의견이 상당한 이유가 있다고 인정하는 경우에는 이를 반영할 수 있다.
> ㄴ. 행정청은 처분에 오기, 오산 또는 그 밖에 이에 준하는 명백한 잘못이 있을 때에는 직권으로 또는 신청에 따라 지체 없이 정정하고 그 사실을 당사자에게 통지하여야 한다.
> ㄷ. 행정청의 관할이 분명하지 아니한 경우에는 해당 행정청을 공통으로 감독하는 상급 행정청이 그 관할을 결정하며, 공통으로 감독하는 상급 행정청이 없는 경우에는 당해 행정청의 협의로 그 관할을 결정한다.
> ㄹ. 입법예고기간은 예고할 때 정하되, 특별한 사정이 없으면 40일(자치법규는 20일) 이상으로 한다.

① ㄱ(○), ㄴ(×), ㄷ(○), ㄹ(×)
② ㄱ(×), ㄴ(○), ㄷ(○), ㄹ(○)
③ ㄱ(×), ㄴ(○), ㄷ(×), ㄹ(○)
④ ㄱ(○), ㄴ(○), ㄷ(×), ㄹ(×)

문제 DATA

출제가능 지수 ▶▶▷
난이도 지수 ★★☆

2017년 경찰 2차

ㄱ. (×) 당사자등이 제출한 의견이 상당한 이유가 있다고 인정하는 경우에는 이를 반영하여야 한다.

> 「행정절차법」제27조의2【제출 의견의 반영】① 행정청은 처분을 할 때에 당사자등이 제출한 의견이 상당한 이유가 있다고 인정하는 경우에는 이를 반영하여야 한다.

ㄴ. (○)

> 「행정절차법」제25조【처분의 정정】행정청은 처분에 오기, 오산 또는 그 밖에 이에 준하는 명백한 잘못이 있을 때에는 직권으로 또는 신청에 따라 지체 없이 정정하고 그 사실을 당사자에게 통지하여야 한다.

유제 16. 경찰 2차, 14. 사복직 행정청은 처분에 오기, 오산 또는 그 밖에 이에 준하는 명백한 잘못이 있을 때에는 직권으로 또는 신청에 따라 지체 없이 정정하고 그 사실을 당사자에게 통지하여야 한다. (○)
14. 국회직 8급 행정청은 처분에 오기, 오산이 있을 때에는 직권으로 또는 신청에 따라 정정하고 그 사실을 당사자에게 통지하면 된다. (○)
12. 지방직 9급 행정청은 처분에 오기, 오산 기타 이에 준하는 명백한 잘못이 있는 때에는 직권 또는 신청에 의하여 지체 없이 정정하고 이를 당사자에게 통지하여야 한다. (○)

함께 정리하기

「행정절차법」

제출 의견이 상당한 이유가 있다고 인정
▷ 처분시 반영의무 有

오기·오산·명백한 잘못이 있는 처분
▷ 직권·신청으로 지체 없이 정정·통지 要

관할불분명
▷ 공통 상급 행정청이 결정(없는 경우 → 각 상급청 협의)

입법예고기간
▷ 특별한 사정이 없는 한 40일(자치법규는 20일) 이상

ㄷ. (×) 공통으로 감독하는 상급 행정청이 없는 경우에는 각 상급 행정청이 협의하여 그 관할을 결정한다.

> 「행정절차법」제6조【관할】② 행정청의 관할이 분명하지 아니한 경우에는 해당 행정청을 공통으로 감독하는 상급 행정청이 그 관할을 결정하며, 공통으로 감독하는 상급 행정청이 없는 경우에는 각 상급 행정청이 협의하여 그 관할을 결정한다.

ㄹ. (○)

> 「행정절차법」제43조【예고기간】입법예고기간은 예고할 때 정하되, 특별한 사정이 없으면 40일(자치법규는 20일) 이상으로 한다.

답 ③

제3절 | 처분 이외의 절차

001 □□□

「행정절차법」상 행정예고절차에 대한 설명으로 옳은 것은?

① 행정청은 정책, 제도 및 계획(이하 "정책등"이라 한다)을 수립·시행하거나 변경하려는 경우 국민생활에 매우 큰 영향을 주거나 많은 국민의 이해가 상충되는 사항 그리고 널리 국민의 의견을 수렴할 필요가 있는 사항에 한하여 행정예고를 하여야 한다.
② 행정청이 정책등을 수립·시행하거나 변경하려는 경우라도 법령의 단순한 집행을 위한 때에는 예고를 하지 아니할 수 있다.
③ 긴급한 사유로 예고가 현저히 곤란한 경우에도 행정청은 정책등을 예고하여야 한다.
④ 공공의 안전 또는 복리를 현저히 해할 상당한 우려가 있는 경우에는 행정예고에 관한 규정을 적용하지 아니한다.
⑤ 정책등의 내용이 국민의 권리·의무 또는 일상생활과 관련이 없더라도 행정청은 예고를 하여야 한다.

| 2022년 소방간부

① (×) 현행「행정절차법」은 행정청이 정책, 제도 및 계획을 수립·시행하거나 변경하려는 경우 원칙적으로 행정예고를 하되 예고를 하지 아니할 수 있는 사유를 규정하고 있다.
② (○) 법령의 단순한 집행을 위한 때에는 예고를 하지 아니할 수 있다.
③ (×) 긴급한 사유로 예고가 현저히 곤란한 경우 예고를 하지 아니할 수 있다.
④ (×) '정책등의 예고가 공공의 안전 또는 복리를 현저히 해칠 우려가 상당한 경우'는 예고를 하지 아니할 수 있는 사유로 규정하고 있다. 행정예고에 관한 규정이 적용되지 않는 것이 아니다.
⑤ (×) 정책등의 내용이 국민의 권리·의무 또는 일상생활과 관련이 없는 경우 예고를 하지 아니할 수 있다.

> 「행정절차법」제46조【행정예고】① 행정청은 정책, 제도 및 계획(이하 "정책등"이라 한다)을 수립·시행하거나 변경하려는 경우에는 이를 예고하여야 한다. 다만, 다음 각 호의 어느 하나에 해당하는 경우에는 예고를 하지 아니할 수 있다(①).
>   1. 신속하게 국민의 권리를 보호하여야 하거나 예측이 어려운 특별한 사정이 발생하는 등 긴급한 사유로 예고가 현저히 곤란한 경우(③)
>   2. 법령등의 단순한 집행을 위한 경우(②)
>   3. 정책등의 내용이 국민의 권리·의무 또는 일상생활과 관련이 없는 경우(⑤)
>   4. 정책등의 예고가 공공의 안전 또는 복리를 현저히 해칠 우려가 상당한 경우(④)

유제 17. 지방직 9급 변형 정책, 제도 및 계획을 수립·시행하거나 변경하려는 경우라도 예고로 인하여 공공의 안전 또는 복리를 현저히 해칠 우려가 상당한 때에는 행정청은 이를 예고하지 아니할 수 있다. (○)
13. 지방직 9급 변형 「행정절차법」은 행정계획을 수립·시행하거나 변경하고자 하는 때에는 이를 예고하도록 규정하고 있다. (○)

답 ②

002

「행정절차법」상 입법예고에 대한 설명으로 옳지 않은 것은? (다툼이 있는 경우 판례에 의함)

① 입법예고기간은 예고할 때 정하되, 특별한 사정이 없으면 20일, 자치법규는 15일 이상으로 한다.
② 행정청은 대통령령을 입법예고하는 경우 국회 소관 상임위원회에 이를 제출하여야 한다.
③ 행정청은 입법예고를 할 때에 입법안과 관련이 있다고 인정되는 중앙행정기관, 지방자치단체, 그 밖의 단체 등이 예고사항을 알 수 있도록 예고 사항을 통지하거나 그 밖의 방법으로 알려야 한다.
④ 행정청은 예고된 입법안의 전문에 대한 열람 또는 복사를 요청받았을 때에는 특별한 사유가 없으면 그 요청에 따라야 하며, 복사에 드는 비용을 복사를 요청한 자에게 부담시킬 수 있다.

문제 DATA
출제가능 지수 ▶▶▷
난이도 지수 ★★☆

2019년 군무원 9급

① (×)
> 「행정절차법」 제43조 【예고기간】 입법예고기간은 예고할 때 정하되, 특별한 사정이 없으면 40일(자치법규는 20일) 이상으로 한다.

유제 17. 지방직 9급 「행정절차법」상 입법예고기간은 예고할 때 정하되, 특별한 사정이 없으면 법령의 경우는 40일, 자치법규는 20일 이상으로 한다. (○)
17. 서울시 7급 입법예고기간은 예고할 때 정하되, 특별한 사정이 없으면 자치법규의 입법예고기간은 51일 이상으로 한다. (×)
17. 경찰 2차·행정사, 15. 행정사·지방직 7급 입법예고기간은 예고할 때 정하되, 특별한 사정이 없으면 40일(자치법규는 20일) 이상으로 한다. (○)

②, ③, ④ (○)
> 「행정절차법」 제42조 【예고방법】 ② 행정청은 대통령령을 입법예고하는 경우 국회 소관 상임위원회에 이를 제출하여야 한다(②).
> ③ 행정청은 입법예고를 할 때에 입법안과 관련이 있다고 인정되는 중앙행정기관, 지방자치단체, 그 밖의 단체 등이 예고사항을 알 수 있도록 예고 사항을 통지하거나 그 밖의 방법으로 알려야 한다(③).
> ④ 행정청은 제1항에 따라 예고된 입법안에 대하여 온라인공청회 등을 통하여 널리 의견을 수렴할 수 있다. 이 경우 제38조의2 제3항부터 제5항까지의 규정을 준용한다.
> ⑤ 행정청은 예고된 입법안의 전문에 대한 열람 또는 복사를 요청받았을 때에는 특별한 사유가 없으면 그 요청에 따라야 한다(④).
> ⑥ 행정청은 제5항에 따른 복사에 드는 비용을 복사를 요청한 자에게 부담시킬 수 있다(④).

함께 정리하기
입법예고

입법예고기간
▷ 예고할 때 정하되, 40일(자치법규는 20일)이상

대통령령 입법예고
▷ 국회 소관상임위에 제출

입법예고시 관련이 있다고 인정되는 단체 등에 예고사항을 통지하거나 알려야 함

예고된 입법안 전문 열람·복사를 요청받을 때
▷ 특별한 사유가 없으면 요청에 따라야 함

유제 19. 군무원 9급 행정청은 입법예고를 하는 경우에는 대통령령·부령을 국회 소관 상임위원회에 제출하여야 한다. (×)
19. 서울시 7급 행정청은 대통령령을 입법예고할 경우에는 국회 소관 상임위원회에 이를 제출하여야 한다. (○)
18. 국가직 9급 행정청은 대통령령을 입법예고하는 경우에는 이를 국회 소관 상임위원회에 제출하여야 한다. (○)
15. 행정사 행정청은 예고된 입법안의 전문에 대한 열람 또는 복사를 요청받았을 때에는 특별한 사유가 없으면 그 요청에 따라야 한다. (○)

답 ①

문제 DATA

출제가능 지수 ▶▶▷
난이도 지수 ★☆☆

003 □□□

「행정절차법」상 행정상 입법예고를 하지 않아도 되는 사유에 해당하지 않는 것은?

① 법령 등을 제정·개정 또는 폐지하려는 경우
② 상위 법령 등의 단순한 집행을 위한 경우
③ 입법내용이 국민의 권리·의무 또는 일상생활과 관련이 없는 경우
④ 신속한 국민의 권리 보호 또는 예측 곤란한 특별한 사정의 발생 등으로 입법이 긴급을 요하는 경우

| 2018년 소방직

① (×)

함께 정리하기

행정상 입법예고 생략 사유

▷ 입법이 긴급을 요하는 경우
▷ 상위 법령 등의 단순한 집행을 위한 경우
▷ 입법내용이 국민의 권리·의무 또는 일상생활과 무관
▷ 입법내용의 성질상 예고의 필요가 없거나 곤란한 경우
▷ 예고함이 공공의 안전 또는 복리를 현저히 해칠 우려가 있는 경우

> 「행정절차법」제41조 【행정상 입법예고】 ① 법령등을 제정·개정 또는 폐지(이하 "입법"이라 한다)하려는 경우에는 해당 입법안을 마련한 행정청은 이를 예고하여야 한다(①). 다만, 다음 각 호의 어느 하나에 해당하는 경우에는 예고를 하지 아니할 수 있다.
> 1. 신속한 국민의 권리 보호 또는 예측 곤란한 특별한 사정의 발생 등으로 입법이 긴급을 요하는 경우(④)
> 2. 상위 법령등의 단순한 집행을 위한 경우(②)
> 3. 입법내용이 국민의 권리·의무 또는 일상생활과 관련이 없는 경우(③)
> 4. 단순한 표현·자구를 변경하는 경우 등 입법내용의 성질상 예고의 필요가 없거나 곤란하다고 판단되는 경우
> 5. 예고함이 공공의 안전 또는 복리를 현저히 해칠 우려가 있는 경우

유제 19. 국가직 9급 상위 법령 등의 단순한 집행을 위해 총리령을 제정하려는 경우, 행정상 입법예고를 하지 아니할 수 있다. (○)
17. 행정사 상위 법령 등의 단순한 집행을 위한 경우에는 입법예고를 하지 아니할 수 있다. (○)
15. 행정사 입법내용이 국민의 권리·의무 또는 일상생활과 관련이 없는 경우에도 예고를 하여야 한다. (×)

답 ①

문제 DATA

출제가능 지수 ▶▶▷
난이도 지수 ★★☆

004 □□□

다음은 「행정절차법」상 기간과 관련된 규정을 정리한 것이다. ( ) 안에 들어갈 내용을 바르게 연결한 것은?

> • 행정청은 공청회를 개최하려는 경우에는 공청회 개최 (ㄱ)일 전까지 제목, 일시 및 장소 등을 당사자 등에게 통지하고 관보, 공보, 인터넷 홈페이지 또는 일간신문 등에 공고하는 등의 방법으로 널리 알려야 한다.
> • 입법예고기간은 예고할 때 정하되, 특별한 사정이 없으면 (ㄴ)일[자치법규는 (ㄷ)일] 이상으로 한다.
> • 행정예고기간은 예고 내용의 성격 등을 고려하여 정하되, (ㄹ)일 이상으로 한다.

	ㄱ	ㄴ	ㄷ	ㄹ
①	10	40	30	30
②	14	30	20	20
③	14	40	20	20
④	15	30	20	30

2017년 지방직 9급 변형

ㄱ. (14) 시험 시행 이후 「행정절차법」 제38조에 단서가 추가되었으나, 공청회 개최 통지 기한은 구법과 동일하므로 답은 종전과 같다.

> 「행정절차법」 제38조【공청회 개최의 알림】 행정청은 공청회를 개최하려는 경우에는 공청회 개최 14일 전까지 다음 각 호의 사항을 당사자등에게 통지하고 관보, 공보, 인터넷 홈페이지 또는 일간신문 등에 공고하는 등의 방법으로 널리 알려야 한다. 다만, 공청회 개최를 알린 후 예정대로 개최하지 못하여 새로 일시 및 장소 등을 정한 경우에는 공청회 개최 7일 전까지 알려야 한다.
> 1. 제목
> 2. 일시 및 장소
> 3~7. 생략

ㄴ. (40), ㄷ. (20)

> 「행정절차법」 제43조【예고기간】 입법예고기간은 예고할 때 정하되, 특별한 사정이 없으면 40일(자치법규는 20일) 이상으로 한다.

ㄹ. (20) 시험 시행 이후 「행정절차법」 개정으로 행정예고기간 단축에 관한 조항이 신설되었다. 원칙적인 행정예고기간은 변경이 없으므로 답은 종전과 같다.

> 「행정절차법」 제46조【행정예고】 ③ 행정예고기간은 예고 내용의 성격 등을 고려하여 정하되, 20일 이상으로 한다.
> ④ 제3항에도 불구하고 행정목적을 달성하기 위하여 긴급한 필요가 있는 경우에는 행정예고기간을 단축할 수 있다. 이 경우 단축된 행정예고기간은 10일 이상으로 한다.

유제 21. 지방직 7급 변형 행정예고기간은 예고 내용의 성격 등을 고려하여 정하되, 40일 이상으로 한다. (×)
14. 국가직 9급 변형 행정예고기간은 예고 내용의 성격 등을 고려하여 정하되, 14일 이상으로 한다. (×)

답 ③

함께 정리하기

「행정절차법」상 기간

공청회 개최 알림
▷ 14일 전

입법예고기간
▷ 40일 이상

자치법규예고기간
▷ 20일 이상

행정예고기간
▷ 20일 이상

005 □□□

「행정절차법」의 내용으로 옳지 않은 것은?

① 행정청에 전자문서로 처분을 신청하는 경우에는 행정청의 컴퓨터 등에 입력한 이후, 입력내용을 문서로 제출한 때 신청한 것으로 본다.
② 상위법령 등의 단순한 집행을 위한 경우에는 입법예고를 하지 아니할 수 있다.
③ 행정상 입법예고기간은 예고할 때 정하되, 특별한 사정이 없으면 40일(자치법규는 20일) 이상으로 한다.
④ 예고된 입법안에 대하여 누구든지 의견을 제출할 수 있다.
⑤ 청문이란 행정청이 어떠한 처분을 하기 전에 당사자등의 의견을 직접 듣고 증거를 조사하는 절차를 말한다.

문제 DATA

출제가능 지수 ▶▶▷
난이도 지수 ★★☆

2017년 행정사

① (×)

> 「행정절차법」 제17조【처분의 신청】 ① 행정청에 처분을 구하는 신청은 문서로 하여야 한다. 다만, 다른 법령등에 특별한 규정이 있는 경우와 행정청이 미리 다른 방법을 정하여 공시한 경우에는 그러하지 아니하다.
> ② 제1항에 따라 처분을 신청할 때 전자문서로 하는 경우에는 행정청의 컴퓨터 등에 입력된 때에 신청한 것으로 본다.

함께 정리하기

「행정절차법」

전자문서로 처분을 신청
▷ 행정청의 컴퓨터에 입력된 때 신청 간주

상위법령 등의 단순한 집행
▷ 입법예고 不要

입법예고기간
▷ 40일(자치법규는 20일) 이상

예고된 입법안
▷ 누구든지 의견 제출 可

청문
▷ 처분 전에 당사자등의 의견을 직접 듣고 증거 조사

② (○)

> 「행정절차법」제41조【행정상 입법예고】① 법령등을 제정·개정 또는 폐지(이하 "입법"이라 한다)하려는 경우에는 해당 입법안을 마련한 행정청은 이를 예고하여야 한다. 다만, 다음 각 호의 어느 하나에 해당하는 경우에는 예고를 하지 아니할 수 있다.
> 1. 신속한 국민의 권리 보호 또는 예측 곤란한 특별한 사정의 발생 등으로 입법이 긴급을 요하는 경우
> 2. 상위 법령등의 단순한 집행을 위한 경우
> 3. 입법내용이 국민의 권리·의무 또는 일상생활과 관련이 없는 경우
> 4. 단순한 표현·자구를 변경하는 경우 등 입법내용의 성질상 예고의 필요가 없거나 곤란하다고 판단되는 경우
> 5. 예고함이 공공의 안전 또는 복리를 현저히 해칠 우려가 있는 경우

③ (○)

> 「행정절차법」제43조【예고기간】입법예고기간은 예고할 때 정하되, 특별한 사정이 없으면 40일(자치법규는 20일) 이상으로 한다.

④ (○)

> 「행정절차법」제44조【의견제출 및 처리】① 누구든지 예고된 입법안에 대하여 의견을 제출할 수 있다.

유제 18. 지방직 7급 「행정절차법」에 따르면, 예고된 법령 등의 제정·개정 또는 폐지의 안에 대하여 누구든지 의견을 제출할 수 있다. (○)

⑤ (○)

> 「행정절차법」제2조【정의】이 법에서 사용하는 용어의 뜻은 다음과 같다.
> 5. "청문"이란 행정청이 어떠한 처분을 하기 전에 당사자등의 의견을 직접 듣고 증거를 조사하는 절차를 말한다.

답 ①

제4절 | 행정절차의 하자

001

행정절차에 대한 설명으로 옳지 않은 것은?

① 청문은 당사자가 공개를 신청하거나 청문 주재자가 필요하다고 인정하는 경우 공개할 수 있다. 다만, 공익 또는 제3자의 정당한 이익을 현저히 해칠 우려가 있는 경우에는 공개하여서는 아니 된다.

② 일반적으로 당사자가 근거규정 등을 명시하여 신청하는 인·허가 등을 거부하는 처분을 함에 있어 당사자가 그 근거를 알 수 있을 정도로 상당한 이유를 제시한 경우에는 당해 처분의 근거 및 이유를 구체적 조항 및 내용까지 명시하지 않았더라도 그로 말미암아 그 처분이 위법한 것이 된다고 할 수 없다.

③ 공무원 인사관계 법령에 따른 처분에 관하여는 행정절차법 적용을 배제하고 있으므로, 군인사법령에 의하여 진급예정자명단에 포함된 자에 대하여 의견제출의 기회를 부여하지 아니하고 진급선발취소처분을 한 것이 절차상 하자가 있어 위법하다고 할 수 없다.

④ 과세의 절차 내지 형식에 위법이 있어 과세처분을 취소하는 판결이 확정되었을 때는 그 확정판결의 기판력은 거기에 적시된 절차 내지 형식의 위법사유에 한하여 미치는 것이므로 과세관청은 그 위법사유를 보완하여 다시 새로운 과세처분을 할 수 있다.

2024년 국가직 9급

① (○)

> 「행정절차법」 제30조 【청문의 공개】 청문은 당사자가 공개를 신청하거나 청문 주재자가 필요하다고 인정하는 경우 공개할 수 있다. 다만, 공익 또는 제3자의 정당한 이익을 현저히 해칠 우려가 있는 경우에는 공개하여서는 아니 된다.

② (○) 행정절차법 제23조 제1항은 행정청은 처분을 하는 때에는 당사자에게 그 근거와 이유를 제시하여야 한다고 규정하고 있는바, 일반적으로 당사자가 근거규정 등을 명시하여 신청하는 인·허가 등을 거부하는 처분을 함에 있어 당사자가 그 근거를 알 수 있을 정도로 상당한 이유를 제시한 경우에는 당해 처분의 근거 및 이유를 구체적 조항 및 내용까지 명시하지 않았더라도 그로 말미암아 그 처분이 위법한 것이 된다고 할 수 없다(대판 2002.5.17. 2000두8912).

③ (×) 군인사법령에 의하여 진급예정자명단에 포함된 자에 대하여 의견제출의 기회를 부여하지 아니한 채 진급선발을 취소하는 처분을 한 것이 절차상 하자가 있어 위법하다(대판 2007.9.21. 2006두20631).

④ (○) 과세의 절차 내지 형식에 위법이 있어 과세처분을 취소하는 판결이 확정되었을 때는 그 확정판결의 기판력(☞ 기속력을 의미함)은 거기에 적시된 절차 내지 형식의 위법사유에 한하여 미치는 것이므로 과세관청은 그 위법사유를 보완하여 다시 새로운 과세처분을 할 수 있고, 그 새로운 과세처분은 확정판결에 의하여 취소된 종전의 과세처분과는 별개의 처분이라 할 것이어서 확정판결의 기판력에 저촉되는 것이 아니다(대판 1987.2.10. 86누91).

답 ③

함께 정리하기

행정절차

당사자가 공개 신청 or 청문 주재자가 필요하다고 인정
▷ 청문공개 可

거부처분 시 이유제시의 정도
▷ 당사자가 그 근거를 알 수 있을 정도면 足

의견제출 기회 없이 행한 진급예정자 진급선발취소
▷ 절차하자○(위법)

취소확정판결의 위법사유 보완
▷ 기속력에 저촉×

002

행정절차에 관한 설명 중 옳은 것은? (다툼이 있는 경우 판례에 의함)

① 「국가공무원법」상 직위해제처분은 '공무원 인사 관계 법령에 따른 징계와 그 밖의 처분'에 해당하지만, 당해 행정작용의 성질상 행정절차를 거치기 곤란하거나 불필요하다고 인정되는 사항 또는 행정절차에 준하는 절차를 거친 사항이라 볼 수 없으므로 「행정절차법」의 규정이 적용된다.

② 행정청이 「행정절차법」 제20조 제1항의 처분기준 사전공표 의무를 위반하여 미리 공표하지 아니한 기준을 적용하여 처분을 하였다면, 그러한 사정만으로 곧바로 해당 처분에 취소사유가 존재한다.

③ 「도로법」에 따라 도로구역을 변경하는 처분은 당사자에게 의무를 부과하거나 권익을 제한하게 되므로 「행정절차법」상 사전통지의 대상이 된다.

④ 행정절차는 그 자체가 독립적으로 의미를 가지는 것이라기보다는 행정의 공정성과 적정성을 보장하는 공법적 수단으로서의 의미가 크므로, 관련 행정처분의 성립이나 무효·취소 여부 등을 따지지 않은 채 주민들이 일시적으로 행정절차에 참여할 권리를 침해받았다는 사정만으로 곧바로 국가나 지방자치단체가 주민들에게 정신적 손해에 대한 배상의무를 부담한다고 단정할 수 없다.

⑤ 상대방 있는 행정처분은 의사표시에 관한 일반 법리에 따라 상대방에게 고지되어야 효력이 발생함이 원칙이나, 상대방 있는 행정처분이 상대방에게 고지되지 아니한 경우라도 상대방이 다른 경로를 통해 행정처분의 내용을 알게 되었다면 행정처분의 효력이 발생한다고 볼 수 있다.

문제 DATA

출제가능 지수 ▶▶▷
난이도 지수 ★★★

함께 정리하기

행정절차

「국가공무원법」상 직위해제처분
▷ 「행정절차법」 적용 ×

미리 공표하지 않은 기준을 적용하여 처분
▷ 곧바로 위법 ×

도로구역변경처분
▷ 사전통지 불요

주민들이 일시적으로 행정절차 참여권을 침해받았다는 사정
▷ 곧바로 정신적 손해에 대한 배상의무 ×

상대방 있는 행정처분이 고지되지 아니한 경우
▷ 다른 경로로 처분의 내용을 알게 된 경우에도 효력 발생 ×

2024년 변호사

① (×) 국가공무원법상 직위해제처분은 구 행정절차법 제3조 제2항 제9호, 구 행정절차법 시행령 제2조 제3호에 의하여 당해 행정작용의 성질상 행정절차를 거치기 곤란하거나 불필요하다고 인정되는 사항 또는 행정절차에 준하는 절차를 거친 사항에 해당하므로, 처분의 사전통지 및 의견청취 등에 관한 행정절차법의 규정이 별도로 적용되지 않는다(대판 2014.5.16. 2012두26180).

② (×) 행정청이 행정절차법 제20조 제1항의 처분기준 사전공표 의무를 위반하여 미리 공표하지 아니한 기준을 적용하여 처분을 하였다고 하더라도, 그러한 사정만으로 곧바로 해당 처분에 취소사유에 이를 정도의 흠이 존재한다고 볼 수는 없다. 다만 해당 처분에 적용한 기준이 상위법령의 규정이나 신뢰보호의 원칙 등과 같은 법의 일반원칙을 위반하였거나 객관적으로 합리성이 없다고 볼 수 있는 구체적인 사정이 있다면 해당 처분은 위법하다고 평가할 수 있다(대판 2020.12.24. 2018두45633).

③ (×) 행정절차법 제2조 제4호가 행정절차법의 당사자를 행정청의 처분에 대하여 직접 그 상대가 되는 당사자로 규정하고, 도로법 제25조 제3항이 도로구역을 결정하거나 변경할 경우 이를 고시에 의하도록 하면서, 그 도면을 일반인이 열람할 수 있도록 한 점 등을 종합하여 보면, 도로구역을 변경한 이 사건 처분은 행정절차법 제21조 제1항의 사전통지나 제22조 제3항의 의견청취의 대상이 되는 처분은 아니라고 할 것이다(대판 2008.6.12. 2007두1767).

④ (○) 법령에서 주민들의 행정절차 참여에 관하여 정하는 것은 어디까지나 주민들에게 자신의 의사와 이익을 반영할 기회를 보장하고 행정의 공정성, 투명성과 신뢰성을 확보하며 국민의 권익을 보호하기 위한 것일 뿐, 행정절차에 참여할 권리 그 자체가 사적 권리로서의 성질을 가지는 것은 아니다. 이와 같이 행정절차는 그 자체가 독립적으로 의미를 가지는 것이라기보다는 행정의 공정성과 적정성을 보장하는 공법적 수단으로서의 의미가 크므로, 관련 행정처분의 성립이나 무효·취소 여부 등을 따지지 않은 채 주민들이 일시적으로 행정절차에 참여할 권리를 침해받았다는 사정만으로 곧바로 국가나 지방자치단체가 주민들에게 정신적 손해에 대한 배상의무를 부담한다고 단정할 수 없다.
이와 같은 행정절차상 권리의 성격이나 내용 등에 비추어 볼 때, 국가나 지방자치단체가 행정절차를 진행하는 과정에서 주민들의 의견제출 등 절차적 권리를 보장하지 않은 위법이 있다고 하더라도 그 후 이를 시정하여 절차를 다시 진행한 경우, 종국적으로 행정처분 단계까지 이르지 않거나 처분을 직권으로 취소하거나 철회한 경우, 행정소송을 통하여 처분이 취소되거나 처분의 무효를 확인하는 판결이 확정된 경우 등에는 주민들이 절차적 권리의 행사를 통하여 환경권이나 재산권 등 사적 이익을 보호하려던 목적이 실질적으로 달성된 것이므로 특별한 사정이 없는 한 절차적 권리 침해로 인한 정신적 고통에 대한 배상은 인정되지 않는다. 다만 이러한 조치로도 주민들의 절차적 권리 침해로 인한 정신적 고통이 여전히 남아 있다고 볼 특별한 사정이 있는 경우에 국가나 지방자치단체는 그 정신적 고통으로 인한 손해를 배상할 책임이 있다(대판 2021.7.29. 2015다221668).

⑤ (×) 상대방 있는 행정처분은 특별한 규정이 없는 한 의사표시에 관한 일반법리에 따라 상대방에게 고지되어야 효력이 발생하고, 상대방 있는 행정처분이 상대방에게 고지되지 아니한 경우에는 상대방이 다른 경로를 통해 행정처분의 내용을 알게 되었다고 하더라도 행정처분의 효력이 발생한다고 볼 수 없다(대판 2019.8.9. 2019두38656).

답 ④

003

「행정절차법」상 행정절차에 대한 설명으로 옳지 않은 것은?

① 「공무원연금법」상 퇴직연금의 환수결정은 당사자에게 의무를 과하는 처분이기는 하지만 퇴직연금의 환수결정에 앞서 당사자에게 의견진술의 기회를 주지 아니하여도 「행정절차법」에 어긋나지 아니한다.

② 행정청이 처분을 하면서 당사자에게 그 처분에 관하여 행정심판 및 행정소송을 제기할 수 있는지 여부, 그 밖에 불복을 할 수 있는지 여부, 청구절차 및 청구기간 그 밖에 필요한 사항을 고지하지 않았다면 그 처분은 위법하다.

③ 행정청이 미리 공표한 처분의 처리기간을 지나 처분을 하였더라도 이를 처분을 취소할 절차상 하자로 볼 수 없다.

④ 행정청이 당사자와 협약을 체결하면서 관계 법령 및 「행정절차법」에 규정된 청문 등 의견청취절차를 배제하는 조항을 둔 경우, 이를 청문 실시의 배제사유로 인정하는 법령상의 규정이 없다면 청문을 실시하지 않은 것은 절차적 하자를 구성한다.

2023년 지방직 7급

① (○) 퇴직연금의 환수결정은 당사자에게 의무를 과하는 처분이기는 하나, 관련 법령에 따라 당연히 환수금액이 정하여지는 것이므로, 퇴직연금의 환수결정에 앞서 당사자에게 의견진술의 기회를 주지 아니하여도 행정절차법 제22조 제3항이나 신의칙에 어긋나지 아니한다(대판 2000.11.28. 99두5443).

② (×) 불고지 또는 오고지로 처분 자체가 위법하게 되는 것은 아니다.

> 행정절차법 제26조는 "행정청이 처분을 할 때에는 당사자에게 그 처분에 관하여 행정심판 및 행정소송을 제기할 수 있는지 여부, 그 밖에 불복을 할 수 있는지 여부, 청구절차 및 청구기간 그 밖에 필요한 사항을 알려야 한다."라고 규정하고 있다. 이러한 고지절차에 관한 규정은 행정처분의 상대방이 그 처분에 대한 행정심판의 절차를 밟는 데 편의를 제공하려는 것이어서 처분청이 위 규정에 따른 고지의무를 이행하지 아니하였다고 하더라도 경우에 따라 행정심판의 제기기간이 연장될 수 있음에 그칠 뿐, 그 때문에 심판의 대상이 되는 행정처분이 위법하다고 할 수는 없다(2018.2.8. 2017두66633).

③ (○) 행정절차법 제19조 제1항은 "행정청은 신청인의 편의를 위하여 처분의 처리기간을 종류별로 미리 정하여 공표하여야 한다."라고 정하고 있다. … 처분이나 민원의 처리기간을 정하는 것은 신청에 따른 사무를 가능한 한 조속히 처리하도록 하기 위한 것이다. 처리기간에 관한 규정은 훈시규정에 불과할 뿐 강행규정이라고 볼 수 없다. 행정청이 처리기간이 지나 처분을 하였더라도 이를 처분을 취소할 절차상 하자로 볼 수 없다. 민원처리법 시행령 제23조에 따른 민원처리진행상황 통지도 민원인의 편의를 위한 부가적인 제도일 뿐, 그 통지를 하지 않았더라도 이를 처분을 취소할 절차상 하자로 볼 수 없다(대판 2019.12.13. 2018두41907).

④ (○) 행정청이 당사자와 사이에 도시계획사업의 시행과 관련한 협약을 체결하면서 관계 법령 및 행정절차법에 규정된 청문의 실시 등 의견청취절차를 배제하는 조항을 두었다고 하더라도, 국민의 행정참여를 도모함으로써 행정의 공정성·투명성 및 신뢰성을 확보하고 국민의 권익을 보호한다는 행정절차법의 목적 및 청문제도의 취지 등에 비추어 볼 때, 위와 같은 협약의 체결로 청문의 실시에 관한 규정의 적용을 배제할 수 있다고 볼 만한 법령상의 규정이 없는 한, 이러한 협약이 체결되었다고 하여 청문의 실시에 관한 규정의 적용이 배제된다거나 청문을 실시하지 않아도 되는 예외적인 경우에 해당한다고 할 수 없다(대판 2004.7.8. 2002두8350).

답 ②

문제 DATA

출제가능 지수 ▶▶▷
난이도 지수 ★★☆

함께 정리하기

행정절차

퇴직연금 환수결정
▷ 법령상 확정된 의무에 따른 불이익처분
▷ 의견제출 기회不要

불고지·오고지
▷ 처분 위법×

미리 공표한 처리기간 지나 처분
▷ 절차상 하자×

청문절차
▷ 협약으로 배제 不可

문제 DATA

출제가능 지수 ▶▶▷
난이도 지수 ★★☆

004 □□□

행정절차에 대한 설명으로 옳지 않은 것은? (다툼이 있는 경우 판례에 의함)

① 행정청은 국민에게 영향을 미치는 주요 정책 등에 대하여 국민의 다양하고 창의적인 의견을 널리 수렴하기 위하여 정보통신망을 이용하여 국민의 의견을 수렴하거나 정책토론을 실시할 수 있다.
② 행정청은 효율적인 온라인 정책토론을 위하여 과제별로 한시적인 토론 패널을 구성하여 해당 토론에 참여시킬 수 있다.
③ 행정청이 청문절차를 이행하면서 청문서 도달기간을 다소 어겼다면 상대방이 이의하지 아니한 채 스스로 청문일에 출석하여 그 의견을 진술하고 변명하는 등 방어의 기회를 충분히 가졌더라도 청문서 도달기간을 준수하지 아니한 하자는 치유된다고 볼 수 없다.
④ 행정청은 공청회를 마친 후 처분을 할 때까지 새로운 사정이 발견되어 공청회를 다시 개최할 필요가 있다고 인정할 때에는 공청회를 다시 개최할 수 있다.
⑤ 행정절차의 하자를 이유로 한 취소판결이 확정된 경우, 판결의 취지에 따라 절차를 보완한 후 종전의 처분과 동일한 내용의 처분을 다시 하더라도 기속력에 위반되지 아니한다.

2021년 국회직 8급 변형

함께 정리하기

행정절차

온라인 정책토론
▷ 주요정책 등에 대하여 의견을 널리 수렴하기 위해 실시 可

효율적인 온라인 정책토론 위해
▷ 과제별로 한시적인 토론 패널을 구성하여 참여○

청문서 도달기간 다소 위반 + 이의 없이 방어 기회 충분
▷ 하자 치유○

처분을 할 때까지 새로운 사정이 발견되어 다시 개최할 필요 有
▷ 공청회 재개최 可

절차하자 보완 동일내용 처분
▷ 기속력 위반×

①, ② (○) 시험 시행 이후 법개정으로 '전자적 정책토론'이 '온라인 정책토론'으로 명칭만 변경되었다. 내용 변경은 없으므로 답은 종전과 같다.

> 「행정절차법」제53조【온라인 정책토론】① 행정청은 국민에게 영향을 미치는 주요 정책 등에 대하여 국민의 다양하고 창의적인 의견을 널리 수렴하기 위하여 정보통신망을 이용한 정책토론(이하 이 조에서 "온라인 정책토론"이라 한다)을 실시할 수 있다.
> ② 행정청은 효율적인 온라인 정책토론을 위하여 과제별로 한시적인 토론 패널을 구성하여 해당 토론에 참여시킬 수 있다. 이 경우 패널의 구성에 있어서는 공정성 및 객관성이 확보될 수 있도록 노력하여야 한다.

③ (×) 행정청이 식품위생법상의 청문절차를 이행함에 있어 소정의 청문서 도달기간을 지키지 아니하였다면 이는 청문의 절차적 요건을 준수하지 아니한 것이므로 이를 바탕으로 한 행정처분은 일단 위법하다고 보아야 할 것이지만, 행정청이 청문서 도달기간을 다소 어겼다 하더라도 영업자가 이에 대하여 이의하지 아니한 채 스스로 청문일에 출석하여 그 의견을 진술하고 변명하는 등 방어의 기회를 충분히 가졌다면 청문서 도달기간을 준수하지 아니한 하자는 치유되었다고 봄이 상당하다(대판 1992.10.23. 92누2844).

유제 20. 국회직 8급 등 행정청이 처분의 근거법률상 청문절차를 이행하는 과정에서 청문서 도달기간을 다소 어겼지만 당사자가 이의를 제기하지 않고 청문일에 출석하여 의견진술과 변명의 기회를 충분히 가졌다면 청문서 도달기간 미준수의 하자는 치유된 것으로 본다. (○)
19. 5급 승진, 16. 국가직 7급·경찰 2차 행정청이 청문서 도달기간을 다소 어겼다 하더라도 영업자가 이에 대하여 이의하지 아니한 채 스스로 청문일에 출석하여 그 의견을 진술하고 변명하는 등 방어의 기회를 충분히 가졌다면 청문서 도달기간을 준수하지 아니한 하자는 치유된다. (○)

④ (○)

> 「행정절차법」제39조의3【공청회의 재개최】행정청은 공청회를 마친 후 처분을 할 때까지 새로운 사정이 발견되어 공청회를 다시 개최할 필요가 있다고 인정할 때에는 공청회를 다시 개최할 수 있다.

⑤ (○) 과세처분시 납세고지서에 과세표준, 세율, 세액의 산출근거등이 누락되어 있어 이러한 절차 내지 형식의 위법을 이유로 과세처분을 취소하는 판결이 확정된 경우에 그 확정판결의 기판력은 확정판결에 적시된 절차 내지 형식의 위법사유에 한하여 미친다고 할 것이므로 과세처분권자가 그 확정판결에 적시된 위법사유를 보완하여 행한 새로운 과세처분은 확정판결에 의하여 취소된 종전의 과세처분과는 별개의 처분으로서 확정판결의 기판력에 저촉되는 것은 아니다(대판 1986.11.11. 85누231). 판례는 기판력이라고 표현하고 있으나 기속력을 의미하는 것으로 봐야 한다. 판례는 종래 기판력과 기속력이라는 용어를 혼용하여 사용했다.

유제 20. 국가직 9급 절차상의 하자를 이유로 과세처분을 취소하는 판결이 확정된 후 그 위법사유를 보완하여 이루어진 새로운 부과처분은 확정판결의 기판력에 저촉된다. (×)
18. 지방직 9급 이유제시에 하자가 있어 당해 처분을 취소하는 판결이 확정된 경우에 처분청이 그 이유제시의 하자를 보완하여 종전의 처분과 동일한 내용의 처분을 하는 것은 종전의 처분과는 별개의 처분을 하는 것이다. (○)
17. 국회직 8급 행정처분이 절차의 하자를 이유로 취소된 경우 적법한 절차를 갖추더라도 이전의 처분과 동일한 내용의 처분을 다시 하는 것은 기속력에 위반되어 허용되지 않는다. (×)
12. 국회직 8급 행정절차의 하자를 이유로 취소판결이 선고된 후 처분청이 종전의 처분과 동일한 내용의 처분을 하여도 판결의 취지에 따라 위법사유를 보완한 것이면 취소판결의 기속력에 반하는 것이 아니다. (○)

답 ③

005

행정절차에 대한 설명으로 가장 옳은 것은? (다툼이 있는 경우 판례에 의함)

① 행정청은 신청내용을 그대로 인정하는 처분을 하는 경우에도 처분의 이유를 제시하여야 한다.
② 납세고지서에 세액산출근거 등의 기재사항이 누락된 경우 납세의무자가 산출근거를 알았다고 하더라도 하자가 치유되지는 않는다.
③ 침익적 행정처분에서 법령상 규정된 청문절차를 결여한 경우 절차상 하자있는 위법한 처분으로 무효사유가 된다.
④ 개발행위허가 신청에 대한 불허가 처분에서 도시계획위원회 심의를 거치지 않았다는 사정이 있는 경우 이러한 사정만으로 취소사유가 된다.

| 2020년 서울시 7급

문제 DATA
출제가능 지수 ▶▶▷
난이도 지수 ★★☆

① (×)
> 「행정절차법」 제23조 【처분의 이유 제시】 ① 행정청은 처분을 할 때에는 다음 각 호의 어느 하나에 해당하는 경우를 제외하고는 당사자에게 그 근거와 이유를 제시하여야 한다.
> 1. 신청 내용을 모두 그대로 인정하는 처분인 경우
> 2. 단순·반복적인 처분 또는 경미한 처분으로서 당사자가 그 이유를 명백히 알 수 있는 경우
> 3. 긴급히 처분을 할 필요가 있는 경우

② (○) 납세고지서에 세액산출근거 등의 기재사항이 누락되었거나 과세표준과 세액의 계산명세서가 첨부되지 않았다면 적법한 납세의 고지라고 볼 수 없으며, 위와 같은 납세고지의 하자는 납세의무자가 그 나름대로 산출근거를 알고 있다거나 사실상 이를 알고서 쟁송에 이르렀다 하더라도 치유되지 않는다(대판 2002.11.13. 2001두1543).

유제 19. 국가직 7급 납세고지서에 세액산출근거 등의 기재사항이 누락되었거나 과세표준과 세액의 계산명세서가 첨부되지 않은 납세고지의 하자는 납세의무자가 그 나름대로 산출근거를 알고 있다거나 사실상 이를 알고서 쟁송에 이르렀다 하더라도 치유되지 않는다. (○)

③ (×) 행정청이 특히 침해적 행정처분을 할 때 그 처분의 근거 법령 등에서 청문을 실시하도록 규정하고 있다면, 행정절차법 등 관련 법령상 청문을 실시하지 않아도 되는 예외적인 경우에 해당하지 않는 한, 반드시 청문을 실시하여야 하는 것이며, 그러한 절차를 결여한 처분은 위법한 처분으로서 취소사유에 해당한다(대판 2007.11.16. 2005두15700).

유제 17. 지방직 7급 「행정절차법」상 청문절차를 거쳐야 하는 처분임에도 청문절차를 결여한 처분은 무효이다. (×)
14. 국회직 8급 행정청이 침해적 행정처분을 하기 전에 청문을 실시해야 하는 경우 청문을 결여한 처분은 위법한 처분으로서 취소사유에 해당한다. (○)
12. 지방직 9급 판례에 의하면 침해적 행정처분을 할 때 처분의 근거 법령 등에서 청문을 실시하도록 규정하고 있다면 「행정절차법」 등의 예외에 해당하지 않는 한 반드시 청문을 실시하여야 하며, 그러한 절차를 결여한 처분은 위법한 처분으로서 당연무효이다. (×)

함께 정리하기

행정절차

신청내용 모두 그대로 인정하는 처분
▷ 이유제시의무×

납세고지서에 세액산출근거 등 기재사항 누락
▷ 납세의무자가 산출근거를 알고 있어도 하자치유×

법령상 규정된 청문절차 결여
▷ 취소사유

도시계획위원회의 심의를 거치지 않고 개발행위허가신청 불허가
▷ 곧바로 취소사유×

④ (×) 개발행위허가에 관한 사무를 처리하는 행정기관의 장이 일정한 개발행위를 허가하는 경우에는 국토계획법 제59조 제1항에 따라 도시계획위원회의 심의를 거쳐야 할 것이나, 개발행위허가의 신청 내용이 허가 기준에 맞지 않는다고 판단하여 개발행위허가신청을 불허가하였다면 이에 앞서 도시계획위원회의 심의를 거치지 않았다고 하여 이러한 사정만으로 곧바로 그 불허가처분에 취소사유에 이를 정도의 절차상 하자가 있다고 보기는 어렵다. 다만 행정기관의 장이 도시계획위원회의 심의를 거치지 아니한 결과 개발행위 불허가처분을 함에 있어 마땅히 고려하여야 할 사정을 참작하지 아니하였다면 그 불허가처분은 재량권을 일탈·남용한 것으로서 위법하다고 평가할 수 있을 것이다(대판 2015.10.29. 2012두28728).

답 ②

006

행정절차에 대한 판례의 입장으로 옳지 않은 것은?

① 당사자가 신청하는 허가 등을 거부하는 처분을 하면서 당사자가 그 근거를 알 수 있을 정도로 이유를 제시한 경우에는 처분의 근거와 이유를 구체적으로 명시하지 않았더라도 그로 말미암아 그 처분이 위법하다고 볼 수는 없다.
② 구「폐기물처리시설 설치촉진 및 주변지역 지원 등에 관한 법률」상 입지선정위원회가 동법 시행령의 규정에 위배하여 군수와 주민대표가 선정·추천한 전문가를 포함시키지 않은 채 임의로 구성되어 의결을 한 경우에, 이에 터잡아 이루어진 폐기물처리시설 입지결정처분은 당연무효가 된다.
③ 「공무원연금법」상 퇴직연금 지급정지 사유기간 중 수급자에게 지급된 퇴직연금의 환수결정은 당사자에게 의무를 과하는 처분으로, 퇴직연금의 환수결정에 앞서 당사자에게 의견진술의 기회를 주지 아니하면 「행정절차법」에 반한다.
④ 납세고지서에 세액산출근거 등의 기재사항이 누락되었거나 과세표준과 세액의 계산명세서가 첨부되지 않은 납세고지의 하자는 납세의무자가 그 나름대로 산출근거를 알고 있다거나 사실상 이를 알고서 쟁송에 이르렀다 하더라도 치유되지 않는다.

| 2019년 국가직 7급

① (○) 대판 2002.5.17. 2000두8912
② (○) 구 폐기물처리시설 설치촉진 및 주변지역 지원 등에 관한 법률에 정한 입지선정위원회가 그 구성방법 및 절차에 관한 같은 법 시행령의 규정에 위배하여 군수와 주민대표가 선정·추천한 전문가를 포함시키지 않은 채 임의로 구성되어 의결을 한 경우, 그에 터잡아 이루어진 폐기물처리시설 입지결정처분의 하자는 중대한 것이고 객관적으로도 명백하므로 무효사유에 해당한다(대판 2007.4.12. 2006두20150).
③ (×) 퇴직연금의 환수결정은 당사자에게 의무를 과하는 처분이기는 하나, 관련 법령에 따라 당연히 환수금액이 정하여지는 것이므로, 퇴직연금의 환수결정에 앞서 당사자에게 의견진술의 기회를 주지 아니하여도 행정절차법 제22조 제3항이나 신의칙에 어긋나지 아니한다(대판 2000.11.28. 99두5443).
④ (○) 대판 2002.11.13. 2001두1543

답 ③

문제 DATA

출제가능 지수 ▶▶▷
난이도 지수 ★★☆

함께 정리하기

행정절차

거부처분시 이유제시의 정도
▷ 당사자가 그 근거를 알 수 있을 정도면 足

입지선정위원회 임의로 구성하여 의결
▷ 입지결정 무효

퇴직연금 환수결정
▷ 의견진술 기회 不要

납세고지서에 세액산출근거 등 기재사항 누락
▷ 납세의무자가 산출근거를 알고 있어도 하자치유×

007

행정절차상 하자에 대한 설명으로 옳지 않은 것은? (다툼이 있는 경우 판례에 의함)

① 「국가공무원법」상 소청심사위원회가 소청심사를 하면서 대통령령 등으로 정하는 바에 따라 소청인 또는 대리인에게 진술의 기회를 부여하지 아니하고 한 결정은 무효이다.
② 행정청이 거부처분을 하면서 처분 당시 당사자가 어떠한 근거와 이유로 처분이 이루어진 것인지를 충분히 알 수 있어서 그에 불복하여 행정구제절차로 나아가는데 별다른 지장이 없을 정도로 이유를 제시한 경우에는, 처분의 근거와 이유를 구체적으로 명시하지 않았더라도 그로 말미암아 그 처분이 위법하다고 볼 수는 없다.
③ 취소소송의 계속 중에 행정청은 당초 행정처분의 근거로 삼은 사유와 기본적 사실관계에 있어서 동일성이 없는 별개의 사실을 들어 처분사유를 추가하거나 변경할 수 있다.
④ 행정청이 청문서 도달기간을 다소 어겼다 하더라도 영업자가 이에 대하여 이의하지 아니한 채 스스로 청문일에 출석하여 그 의견을 진술하고 변명하는 등 방어의 기회를 충분히 가졌다면 청문서 도달기간을 준수하지 아니한 하자는 치유된다.
⑤ 구 「공무원연금법」에 따른 퇴직연금의 환수결정은 당사자에게 의무를 과하는 처분이기는 하나 관련 법령에 따라 당연히 환수금액이 정하여지는 것이므로, 퇴직연금의 환수결정에 앞서 당사자에게 의견진술의 기회를 주지 아니하여도 「행정절차법」이나 신의칙에 어긋나지 아니한다.

2019년 5급 승진

① (○)
> 「국가공무원법」제13조 【소청인의 진술권】 ① 소청심사위원회가 소청 사건을 심사할 때에는 대통령령 등으로 정하는 바에 따라 소청인 또는 제76조 제1항 후단에 따른 대리인에게 진술 기회를 주어야 한다. ② 제1항에 따른 진술 기회를 주지 아니한 결정은 무효로 한다.

② (○) 대판 2013.11.14. 2011두18571
③ (×) 행정처분의 취소를 구하는 항고소송에서 처분청은 당초 처분의 근거로 삼은 사유와 기본적 사실관계가 동일성이 있다고 인정되는 한도 내에서는 다른 사유를 추가하거나 변경할 수도 있다(대판 2008.2.28. 2007두13791).
④ (○) 대판 1992.10.23. 92누2844
⑤ (○) 대판 2000.11.28. 99두5443

답 ③

함께 정리하기

행정절차상 하자

소청심사시 진술기회 부여×
▷ 소청결정 무효

처분시 근거·이유 충분히 알 수 있어서 권리구제절차에 별다른 지장 無
▷ 이유제시 정도 완화

처분사유 추가·변경
▷ 기본적 사실관계 동일성 要

청문서 도달기간 다소 위반·이의 없이 방어 기회 충분
▷ 하자치유○

퇴직연금 환수결정
▷ 의견진술 기회 不要

008

행정처분의 이유제시에 대한 설명으로 옳지 않은 것은? (다툼이 있는 경우 판례에 의함)

① 당초 행정처분의 근거로 제시한 이유가 실질적인 내용이 없는 경우에도 행정소송의 단계에서 행정처분의 사유를 추가할 수 있다.
② 행정처분의 이유제시가 아예 결여되어 있는 경우에 이를 사후적으로 추완하거나 보완하는 것은 늦어도 당해 행정처분에 대한 쟁송이 제시되기 전에는 행해져야 위법성이 치유될 수 있다.
③ 당사자가 신청하는 허가 등을 거부하는 처분을 하면서 당사자가 그 근거를 알 수 있을 정도로 이유를 제시했다면 처분의 근거와 이유를 구체적으로 명시하지 않았더라도 당해 처분이 위법한 것은 아니다.
④ 이유제시에 하자가 있어 당해 처분을 취소하는 판결이 확정된 경우에 처분청이 그 이유제시의 하자를 보완하여 종전의 처분과 동일한 내용의 처분을 하는 것은 종전의 처분과는 별개의 처분을 하는 것이다.

> 2018년 지방직 9급

① (×) 판례는 '처분시에 존재하였던 처분사유로서 당초 처분의 근거로 삼은 사유와 기본적 사실관계에 있어서 동일성이 인정되는 한도 내에서만 새로운 처분사유를 추가하거나 변경할 수 있을 뿐'이라고 하여 절충설의 입장을 취하고 있다. 따라서 당초 처분의 사유가 실질적인 내용이 없는 경우라면 기본적 사실관계의 동일성이 인정되지 않으므로 처분사유의 추가가 불가능하다.

> 피고는 이 사건 소송에서 "이 사건 산업단지 안에 새로운 폐기물시설부지를 마련할 시급한 필요가 없다."는 점을 이 사건 거부처분의 사유로 추가하였다. 그러나 피고가 당초 처분의 근거로 제시한 사유가 실질적인 내용이 없다고 보는 이상, 위 추가 사유는 그와 기본적 사실관계가 동일한지 여부를 판단할 대상조차 없는 것이므로, 결국 소송단계에서 처분사유를 추가하여 주장할 수 없다(대판 2017.8.29. 2016두44186).

② (○) 절차상 하자의 치유는 원칙적으로 국민의 법생활 안정과 신뢰보호관점에서 인정되지 않으나, 예외적으로 국민의 권리와 이익을 침해하지 않는 범위 내에서는 인정될 수 있다. 절차상 하자의 치유는, 특히 이유제시와 관련하여, 쟁송제기 전까지 가능하다.
③ (○) 대판 2002.5.17. 2000두8912
④ (○) 대판 1986.11.11. 85누231

답 ①

함께 정리하기

처분의 이유제시

당초처분사유가 실질적 내용 無
▷ 처분사유 추가 불가

이유제시하자의 치유
▷ 쟁송제기 전까지 可

거부처분시 이유제시의 정도
▷ 당사자가 그 근거를 알 수 있을 정도면 足

이유제시하자 보완하여 동일처분
▷ 별개처분으로 기판력 저촉×

009

행정절차에 대한 설명으로 옳은 것은? (다툼이 있는 경우 판례에 의함)

① 행정청에서 별도의 수리를 하여야 효력이 발생하는 행정상 신고는 허용되지 않는다.
② 행정처분이 절차상 중대한 하자가 있다고 하더라도 실체적 하자가 없다면 취소판결을 할 수 없다.
③ 인·허가의제는 관계 기관의 권한 행사에 제약을 가할 수 있으므로 법령상 명문의 근거 규정을 필요로 한다.
④ 신청 내용을 모두 그대로 인정하는 처분인 경우라 할지라도 이유·근거를 구체적으로 제시해야 할 행정청의 의무가 완화되는 것은 아니다.

2018년 교육행정직

① (×) 신고 중 수리를 요하는 신고는 사인이 행정청에 대하여 일정한 사항을 통지하고 행정청이 이를 수리함으로써 법적 효과가 발생한다.
② (×) 판례는 당해 처분이 실체적으로는 적법하더라도 절차상의 하자만으로 독립된 취소사유가 된다고 본다.

> 식품위생법 제64조, 같은 법 시행령 제37조 제1항 소정의 청문절차를 전혀 거치지 아니하거나 거쳤다고 하여도 그 절차적 요건을 제대로 준수하지 아니한 경우에는 가사 영업정지사유 등 위 법 제58조 등 소정 사유가 인정된다고 하더라도 그 처분은 위법하여 취소를 면할 수 없다(대판 1991.7.9. 91누971).

③ (○) 인·허가의제의 경우 의제되는 행위에 대하여 본래적으로 권한을 갖는 행정기관의 권한에 제약을 가할 수 있으므로 법령의 근거가 있는 경우에만 인정된다.
④ (×) 신청 내용을 모두 그대로 인정하는 처분인 경우 행정청이 그 근거와 이유를 제시하지 않아도 된다.

> 「행정절차법」 제23조【처분의 이유 제시】 ① 행정청은 처분을 할 때에는 다음 각 호의 어느 하나에 해당하는 경우를 제외하고는 당사자에게 그 근거와 이유를 제시하여야 한다.
> 1. 신청 내용을 모두 그대로 인정하는 처분인 경우
> 2. 단순·반복적인 처분 또는 경미한 처분으로서 당사자가 그 이유를 명백히 알 수 있는 경우
> 3. 긴급히 처분을 할 필요가 있는 경우

답 ③

함께 정리하기
행정절차

수리를 요하는 신고
▷ 허용 ○

절차상 하자만으로
▷ 취소판결 可

인·허가 의제
▷ 행정권한변경
▷ 명문규정 要

신청내용 모두 그대로 인정 처분
▷ 이유제시의무 ×

---

010 □□□

행정절차에 대한 설명으로 옳은 것은? (다툼이 있는 경우 판례에 의함)

① 행정절차에는 당사자주의가 적용되므로 행정청은 당사자가 제출한 증거나 당사자의 증거신청에 구속된다.
② 환경영향평가법령에서 요구하는 환경영향평가절차를 거쳤더라도 그 내용이 부실한 경우 부실의 정도가 환경영향평가를 하지 아니한 것과 마찬가지인 정도가 아니라면 이는 취소사유에 해당한다.
③ 행정처분의 직접 상대방이 아닌 제3자라도 법적 보호이익이 있는 자는 당연히 「행정절차법」상 당사자에 해당한다.
④ 기속행위의 경우에도 행정처분의 절차상 하자만으로 독자적인 취소사유가 된다.
⑤ 행정처분이 절차의 하자를 이유로 취소된 경우 적법한 절차를 갖추더라도 이전의 처분과 동일한 내용의 처분을 다시 하는 것은 기속력에 위반되어 허용되지 않는다.

2017년 국회직 8급

① (×) 행정청이 당사자가 제출한 증거나 당사자의 증거신청에 구속되는 것은 아니다.

> 「행정절차법」 제33조【증거조사】 ① 청문 주재자는 직권으로 또는 당사자의 신청에 따라 필요한 조사를 할 수 있으며, 당사자 등이 주장하지 아니한 사실에 대하여도 조사할 수 있다.

② (×) 환경영향평가법령에서 정한 환경영향평가를 거쳐야 할 대상사업에 대하여 그러한 환경영향평가를 거치지 아니하였음에도 승인 등 처분을 하였다면 그 처분은 위법하다 할 것이나, 그러한 절차를 거쳤다면, 비록 그 환경영향평가의 내용이 다소 부실하다 하더라도, 그 부실의 정도가 환경영향평가제도를 둔 입법 취지를 달성할 수 없을 정도이어서 환경영향평가를 하지 아니한 것과 다를 바 없는 정도의 것이 아닌 이상, 그 부실은 당해 승인 등 처분에 재량권 일탈·남용의 위법이 있는지 여부를 판단하는 하나의 요소로 됨에 그칠 뿐, 그 부실로 인하여 당연히 당해 승인 등 처분이 위법하게 되는 것이 아니다(대판 2006.3.16. 2006두330 전합).

문제 DATA
출제가능 지수 ▶▶▷
난이도 지수 ★★★

함께 정리하기
행정절차

행정절차에서 행정청
▷ 당사자의 증거 or 증거신청에 구속 ×

환경영향평가 부실
▷ 곧바로 위법 ×

행정절차에 참여하지 않은 행정처분의 제3자
▷ 「행정절차법」상 당사자 ×

절차상 하자의 독자적 취소사유
▷ 기속·재량행위 모두 ○

절차하자 이유로 취소
▷ 적법한 절차 거치면 → 동일처분이라도 기속력 위반 ×

유제 22. 국가직 7급 환경영향평가절차를 거쳤다면, 환경영향평가의 내용이 다소 부실하다 하더라도, 그 부실의 정도가 환경영향평가를 하지 아니한 것과 다를 바 없는 정도의 것이 아니라면 당연히 당해 승인 등 처분이 위법하게 되는 것은 아니다. (○)

22. 소방직 환경영향평가를 거쳐야 할 대상사업에 대해 환경영향평가 절차를 거쳤으나 그 내용이 다소 부실한 경우, 그 부실의 정도가 환경영향평가를 하지 아니한 것과 같은 정도가 아닌 한 당해 승인 등 처분이 위법하게 되는 것은 아니다. (○)

20. 국회직 8급 환경영향평가법령에서 정한 환경영향평가 절차를 거쳤으나 그 환경영향평가의 내용이 부실한 경우, 그 부실의 정도가 환경영향평가제도를 둔 입법 취지를 달성할 수 없을 정도이어서 환경영향평가를 하지 아니한 것과 다를 바 없는 정도의 것이 아닌 이상, 그 부실은 당해 승인 등 처분에 재량권 일탈·남용의 위법이 있는지 여부를 판단하는 하나의 요소로 됨에 그칠 뿐, 그 부실로 인하여 당연히 당해 승인 등 처분이 위법하게 되는 것이 아니다. (○)

16. 서울시 7급 법령상 환경영향평가 대상사업에 대하여 환경영향평가를 부실하게 거쳐 사업승인을 하였다면, 그러한 부실로 인하여 당연히 승인처분은 위법하게 된다. (×)

③ (×)

> 「행정절차법」 제2조 【정의】 이 법에서 사용하는 용어의 뜻은 다음과 같다.
> 4. "당사자등"이란 다음 각 목의 자를 말한다.
>   가. 행정청의 처분에 대하여 직접 그 상대가 되는 당사자
>   나. 행정청이 직권으로 또는 신청에 따라 행정절차에 참여하게 한 이해관계인

④ (○) 판례는 재량행위인 「식품위생법」상 영업정지처분뿐만 아니라 기속행위인 「국세징수법」상의 과세처분에 대해서도 절차상의 하자를 이유로 취소를 인정하였다. 즉 행정처분이 기속행위인지 재량행위인지를 불문하고 당해 처분이 실체적으로는 적법하더라도 절차법상의 하자만으로 독립된 취소사유가 된다고 본다.

1. 식품위생법 제64조, 같은 법 시행령 제37조 제1항 소정의 청문절차를 전혀 거치지 아니하거나 거쳤다고 하여도 그 절차적 요건을 제대로 준수하지 아니한 경우에는 가사 영업정지사유 등 위 법 제58조 등 소정 사유가 인정된다고 하더라도 그 처분은 위법하여 취소를 면할 수 없다(대판 1991.7.9. 91누971).

2. 과세처분시 납세고지서에 과세표준, 세율, 세액의 계산명세서 등을 첨부하여 고지하도록 한 것은 조세법률주의의 원칙에 따라 처분청으로 하여금 자의를 배제하고 신중하고도 합리적인 처분을 행하게 함으로써 조세행정의 공정성을 기함과 동시에 납세의무자에게 부과처분의 내용을 상세히 알려서 불복여부의 결정 및 그 불복신청에 편의를 주려는 취지에서 나온 것이므로 이러한 규정은 강행규정으로서 납세고지서에 위와 같은 기재가 누락되면 과세처분 자체가 위법하여 취소대상이 된다(대판 1983.7.26. 82누420).

유제 08. 지방직 7급 처분에 행정절차상 하자가 있을 경우 기속행위인지 재량행위인지를 불문하고 독자적 위법사유성이 인정되어 법원에 의한 취소의 대상이 된다. (○)

⑤ (×) 과세처분시 납세고지서에 과세표준, 세율, 세액의 산출근거 등이 누락되어 있어 이러한 절차 내지 형식의 위법을 이유로 과세처분을 취소하는 판결이 확정된 경우에 그 확정판결의 기판력은 확정판결에 적시된 절차 내지 형식의 위법사유에 한하여 미친다고 할 것이므로 과세처분권자가 그 확정판결에 적시된 위법사유를 보완하여 행한 새로운 과세처분은 확정판결에 의하여 취소된 종전의 과세처분과는 별개의 처분으로서 확정판결의 기판력에 저촉되는 것은 아니다(대판 1986.11.11. 85누231). 판례는 기판력이라고 표현하고 있으나 기속력을 의미하는 것으로 봐야 한다. 판례는 종래 기판력과 기속력이라는 용어를 혼용하여 사용했다.

답 ④

제5절 | 민원 처리에 관한 법률

001 □□□

「민원처리에 관한 법률」의 규정 내용으로 옳은 것은?

① 행정기관의 장은 민원처리결과를 문서로 통지하여야 하나 신속을 요하는 경우에는 구술, 전화, 문자메시지, 팩시밀리 또는 전자우편 등으로 통지할 수 있다.
② 민원인은 대규모 경제적 비용이 수반되는 민원사항의 경우 민원서류를 제출하기 전 사전심사절차를 거쳐야 한다.
③ 민원사무의 처리기간을 5일 이하로 정한 경우 '일' 단위로 계산하고 초일을 산입하지 않는다.
④ 행정기관은 민원사무에 관해 관계법령 등에서 정한 처리기간이 남아있는 경우 민원처리기간까지 지연시킬 수 있다.
⑤ 법정민원에 대한 거부처분에 대하여 불복이 있는 경우 처분을 받은 날부터 90일 이내에 이의신청을 할 수 있다.

문제 DATA
출제가능 지수 ▶▷▷
난이도 지수 ★★☆

| 2011년 국회직 8급 변형

① (○) 법개정으로 신속을 요하는 경우 구술, 전화 이외에 문자메시지, 팩시밀리, 전자우편으로도 통지할 수 있게 되었다. 개정된 법에 맞게 지문을 변형하였고, 답은 종전과 같다.

> 구 「민원처리에 관한 법률」 제27조 【처리결과의 통지】 ① 행정기관의 장은 접수된 민원에 대한 처리를 완료한 때에는 그 결과를 민원인에게 문서로 통지하여야 한다. 다만, 기타민원의 경우와 통지에 신속을 요하거나 민원인이 요청하는 등 대통령령으로 정하는 경우에는 구술 또는 전화로 통지할 수 있다.
> 「민원처리에 관한 법률」 제27조 【처리결과의 통지】 ① 행정기관의 장은 접수된 민원에 대한 처리를 완료한 때에는 그 결과를 민원인에게 문서로 통지하여야 한다. 다만, 기타민원의 경우와 통지에 신속을 요하거나 민원인이 요청하는 등 대통령령으로 정하는 경우에는 구술, 전화, 문자메시지, 팩시밀리 또는 전자우편 등으로 통지할 수 있다.

② (×) 사전심사절차는 임의적이다.

> 「민원처리에 관한 법률」 제30조 【사전심사의 청구 등】 ① 민원인은 법정민원 중 신청에 경제적으로 많은 비용이 수반되는 민원 등 대통령령으로 정하는 민원에 대하여는 행정기관의 장에게 정식으로 민원을 신청하기 전에 미리 약식의 사전심사를 청구할 수 있다.

③ (×)

> 「민원처리에 관한 법률」 제19조 【처리기간의 계산】 ① 민원의 처리기간을 5일 이하로 정한 경우에는 민원의 접수시각부터 "시간" 단위로 계산하되, 공휴일과 토요일은 산입하지 아니한다. 이 경우 1일은 8시간의 근무시간을 기준으로 한다.

④ (×)

> 「민원처리에 관한 법률」 제6조 【민원 처리의 원칙】 ① 행정기관의 장은 관계법령등에서 정한 처리기간이 남아 있다거나 그 민원과 관련 없는 공과금 등을 미납하였다는 이유로 민원 처리를 지연시켜서는 아니 된다. 다만, 다른 법령에 특별한 규정이 있는 경우에는 그에 따른다.

⑤ (×) 민원 중에서도 법정민원에 대해서만 이의신청이 가능하고, 거부처분을 받은 날부터 60일 이내에 신청하여야 한다.

> 「민원처리에 관한 법률」 제35조 【거부처분에 대한 이의신청】 ① 법정민원에 대한 행정기관의 장의 거부처분에 불복하는 민원인은 그 거부처분을 받은 날부터 60일 이내에 그 행정기관의 장에게 문서로 이의신청을 할 수 있다.

답 ①

함께 정리하기

민원처리에 관한 법률

민원처리결과통지
▷ 문서 원칙, 신속을 요하는 경우 구술, 전화 등 다른 방법 통지 可

대규모 경제적 비용
▷ 사전심사절차 可

처리기간 5일 이하
▷ 시간 단위 계산

관계법령 등에서 정한 처리기간 有
▷ 민원처리기간까지 지연 不可

법정민원 거부처분
▷ 60일 내 이의신청 可

제2장 행정정보공개와 개인정보 보호제도

제1절 | 행정정보공개

001

다음 중 「공공기관의 정보공개에 관한 법률」상 정보공개에 대한 설명으로 옳은 것만을 모두 고르면?

> ㄱ. 정보비공개결정에 대하여 이의신청이 있는 경우 국가기관등은 정보공개심의회를 개최해야 하는데, 법령에 따라 비밀로 규정된 정보에 대한 청구에 해당하는 경우에는 정보공개심의회를 개최하지 아니할 수 있다.
> ㄴ. 공공기관이 보유·관리하고 있는 정보가 제3자와 관련이 있는 경우, 제3자의 비공개요청이 있다는 사유만으로도 「공공기관의 정보공개에 관한 법률」상 정보의 비공개사유에 해당한다.
> ㄷ. 재소자가 교도관의 가혹행위를 이유로 형사고소 및 민사소송을 제기하면서 그 증명자료 확보를 위해 '징벌위원회 회의록' 등의 정보공개를 요청한 경우, 징벌위원회 회의록 중 징벌절차 진행 부분은 비공개사유에 해당한다.

① ㄱ
② ㄱ, ㄷ
③ ㄴ, ㄷ
④ ㄱ, ㄴ, ㄷ

2025년 국가직 9급

ㄱ. (○)

> 「공공기관의 정보공개에 관한 법률」 제18조 【이의신청】 ① 청구인이 정보공개와 관련한 공공기관의 비공개 결정 또는 부분 공개 결정에 대하여 불복이 있거나 정보공개 청구 후 20일이 경과하도록 정보공개 결정이 없는 때에는 공공기관으로부터 정보공개 여부의 결정 통지를 받은 날 또는 정보공개 청구 후 20일이 경과한 날부터 30일 이내에 해당 공공기관에 문서로 이의신청을 할 수 있다.
> ② 국가기관등은 제1항에 따른 이의신청이 있는 경우에는 심의회를 개최하여야 한다. 다만, 다음 각 호의 어느 하나에 해당하는 경우에는 심의회를 개최하지 아니할 수 있으며 개최하지 아니하는 사유를 청구인에게 문서로 통지하여야 한다.
> 1. 심의회의 심의를 이미 거친 사항
> 2. 단순·반복적인 청구
> 3. 법령에 따라 비밀로 규정된 정보에 대한 청구

ㄴ. (×) 정보공개법 제11조 제3항이 "공공기관은 공개청구된 공개대상 정보의 전부 또는 일부가 제3자와 관련이 있다고 인정되는 때에는 그 사실을 제3자에게 지체 없이 통지하여야 하며, 필요한 경우에는 그의 의견을 청취할 수 있다.", 제21조 제1항이 "제11조 제3항의 규정에 의하여 공개청구된 사실을 통지받은 제3자는 통지받은 날부터 3일 이내에 당해 공공기관에 대하여 자신과 관련된 정보를 공개하지 아니할 것을 요청할 수 있다."고 규정하고 있다고 하더라도, 이는 공공기관이 보유·관리하고 있는 정보가 제3자와 관련이 있는 경우 그 정보공개 여부를 결정함에 있어 공공기관이 제3자와의 관계에서 거쳐야 할 절차를 규정한 것에 불과할 뿐, 제3자의 비공개 요청이 있다는 사유만으로 정보공개법상 정보의 비공개사유에 해당한다고 볼 수 없다(대판 2008.9.25. 2008두8680).

함께 정리하기

정보공개

이의신청이 있는 경우
▷ 심의회 개최○ (원칙)
▷ 법령에 따라 비밀로 규정된 정보: 심의회 개최× (예외)

제3자의 비공개 요청만으로
▷ 비공개사유 인정×

징벌위원회 회의록 중 징벌절차 진행부분
▷ 비공개대상정보×

ㄷ. (×) (교도소에 수용 중이던 재소자가 담당 교도관들을 상대로 가혹행위를 이유로 형사고소 및 민사소송을 제기하면서 그 증명자료 확보를 위해 '근무보고서'와 '징벌위원회 회의록' 등의 정보공개를 요청하였으나 교도소장이 이를 거부한 사안에서) 근무보고서는 공공기관의 정보공개에 관한 법률 제9조 제1항 제4호에 정한 비공개대상정보에 해당한다고 볼 수 없고, 징벌위원회 회의록 중 비공개 심사·의결부분은 위 법 제9조 제1항 제5호의 비공개사유에 해당하지만 재소자의 진술, 위원장 및 위원들과 재소자 사이의 문답 등 징벌절차 진행 부분은 비공개사유에 해당하지 않는다고 보아 분리 공개가 허용된다(대판 2009.12.10. 2009두12785).

답 ①

002

「공공기관의 정보공개에 관한 법률」에 대한 설명으로 가장 옳지 않은 것은? (다툼이 있는 경우 판례에 의함)

① 공공기관 중 중앙행정기관은 전자적 형태로 보유·관리하는 정보 중 공개대상으로 분류된 정보를 국민의 정보공개 청구가 없더라도 정보통신망을 활용한 정보공개시스템 등을 통하여 공개하여야 한다.
② 정보공개를 청구하여 정보공개 여부에 대한 결정의 통지를 받은 자가 정당한 사유 없이 해당 정보의 공개를 다시 청구하는 경우, 공공기관은 정보공개 청구 대상 정보의 성격, 종전 청구와의 내용적 유사성·관련성, 종전 청구와 동일한 답변을 할 수밖에 없는 사정 등을 종합적으로 고려하여 해당 청구를 종결처리할 수 있다.
③ 청구인이 정보공개와 관련한 공공기관의 결정에 대하여 불복이 있거나 정보공개 청구 후 20일이 경과하도록 정보공개 결정이 없는 때에는 「행정심판법」에서 정하는 바에 따라 행정심판을 청구할 수 있다.
④ 문제은행 출제방식을 채택하고 있어도 치과의사 국가시험의 문제지와 정답지는 「공공기관의 정보공개에 관한 법률」상 비공개대상정보에 해당하지 않는다.

| 2025년 군무원 9급

① (○)

「공공기관의 정보공개에 관한 법률」 제8조의2【공개대상 정보의 원문공개】공공기관 중 중앙행정기관 및 대통령령으로 정하는 기관은 전자적 형태로 보유·관리하는 정보 중 공개대상으로 분류된 정보를 국민의 정보공개 청구가 없더라도 정보통신망을 활용한 정보공개시스템 등을 통하여 공개하여야 한다.

② (○)

「공공기관의 정보공개에 관한 법률」 제11조의2【반복 청구 등의 처리】① 공공기관은 제11조에도 불구하고 제10조 제1항 및 제2항에 따른 정보공개 청구가 다음 각 호의 어느 하나에 해당하는 경우에는 정보공개 청구 대상 정보의 성격, 종전 청구와의 내용적 유사성·관련성, 종전 청구와 동일한 답변을 할 수밖에 없는 사정 등을 종합적으로 고려하여 해당 청구를 종결 처리할 수 있다. 이 경우 종결 처리 사실을 청구인에게 알려야 한다.
  1. 정보공개를 청구하여 정보공개 여부에 대한 결정의 통지를 받은 자가 정당한 사유 없이 해당 정보의 공개를 다시 청구하는 경우
  2. 정보공개 청구가 제11조 제5항에 따라 민원으로 처리되었으나 다시 같은 청구를 하는 경우

③ (○)

「공공기관의 정보공개에 관한 법률」 제19조【행정심판】① 청구인이 정보공개와 관련한 공공기관의 결정에 대하여 불복이 있거나 정보공개 청구 후 20일이 경과하도록 정보공개 결정이 없는 때에는 「행정심판법」에서 정하는 바에 따라 행정심판을 청구할 수 있다. 이 경우 국가기관 및 지방자치단체 외의 공공기관의 결정에 대한 감독행정기관은 관계 중앙행정기관의 장 또는 지방자치단체의 장으로 한다.

④ (×) 치과의사 국가시험에서 채택하고 있는 문제은행 출제방식이 출제의 시간·비용을 줄이면서도 양질의 문항을 확보할 수 있는 등 많은 장점을 가지고 있는 점, 그 시험문제를 공개할 경우 발생하게 될 결과와 시험업무에 초래될 부작용 등을 감안하면, 위 시험의 문제지와 그 정답지를 공개하는 것은 시험업무의 공정한 수행이나 연구·개발에 현저한 지장을 초래한다고 인정할 만한 상당한 이유가 있는 경우에 해당하므로, 공공기관의 정보공개에 관한 법률 제9조 제1항 제5호에 따라 이를 공개하지 않을 수 있다(대판 2007.6.15. 2006두15936).

답 ④

003

「공공기관의 정보공개에 관한 법률」에 대한 설명으로 가장 옳지 않은 것은? (다툼이 있는 경우 판례에 의함)

① 「공공기관의 정보공개에 관한 법률」의 목적, 규정 내용 및 취지에 비추어 보면, 정보공개청구의 목적에 특별한 제한이 없으므로, 오로지 상대방을 괴롭힐 목적으로 정보공개를 구하고 있다는 등의 특별한 사정이 없는 한 정보공개의 청구가 신의칙에 반하거나 권리남용에 해당한다고 볼 수 없다.

② 「공공기관의 정보공개에 관한 법률」의 입법취지 및 위와 같은 규정형식에 비추어보면, 여기에서 말하는 공공기관이 보유·관리하는 정보라 함은 당해 공공기관이 작성하여 보유관리하고 있는 정보뿐만 아니라 경위를 불문하고 당해 공공기관이 보유·관리하고 있는 모든 정보를 의미한다.

③ 공공기관이 보유·관리하고 있는 정보가 제3자와 관련이 있는 경우, 제3자가 비공개를 요청하였다고 하여 「공공기관의 정보공개에 관한 법률」상 정보의 비공개사유에 해당한다고 볼 수 없다.

④ 대통령이 행하는 사면권의 행사는 고도의 정치적 행위라 할 수 있으며, 해당 정보의 공개로 당사자들의 사생활의 비밀을 침해할 우려가 있다는 점 등을 감안하면, 사면실시건의서와 그와 관련된 국무회의 안건자료는 「공공기관의 정보공개에 관한 법률」 상의 비공개사유에 해당된다.

2025년 군무원 7급

① (○) 공공기관의 정보공개에 관한 법률(이하 '정보공개법'이라 한다) 제5조 제1항은 "모든 국민은 정보의 공개를 청구할 권리를 가진다."고 규정하고 있고, 한편 정보공개법의 목적, 규정 내용 및 취지에 비추어 보면, 정보공개청구의 목적에 특별한 제한이 없으므로, 오로지 상대방을 괴롭힐 목적으로 정보공개를 구하고 있다는 등의 특별한 사정이 없는 한 정보공개의 청구가 신의칙에 반하거나 권리남용에 해당한다고 볼 수 없다(대판 2008.9.25. 2008두8680).

②, ③ (○) 정보공개법 제9조 제1항은 "공공기관이 보유·관리하는 정보는 공개대상이 된다. 다만, 다음 각 호의 1에 해당하는 정보에 대하여는 이를 공개하지 아니할 수 있다."고 규정하고 있는바, 정보공개법의 입법 취지 및 위와 같은 규정 형식에 비추어 보면, 여기에서 말하는 공공기관이 보유·관리하는 정보라 함은 당해 공공기관이 작성하여 보유·관리하고 있는 정보뿐만 아니라 경위를 불문하고 당해 공공기관이 보유·관리하고 있는 모든 정보를 의미한다(②)고 할 것이므로, 제3자와 관련이 있는 정보라고 하더라도 당해 공공기관이 이를 보유·관리하고 있는 이상 정보공개법 제9조 제1항 단서 각 호의 비공개 사유에 해당하지 아니하면 정보공개의 대상이 되는 정보에 해당한다고 보아야 할 것이다. 따라서 정보공개법 제11조 제3항이 "공공기관은 공개청구 된 공개대상정보의 전부 또는 일부가 제3자와 관련이 있다고 인정되는 때에는 그 사실을 제3자에게 지체 없이 통지하여야 하며, 필요한 경우에는 그의 의견을 청취할 수 있다.", 제21조 제1항이 "제11조 제3항의 규정에 의하여 공개청구된 사실을 통지받은 제3자는 통지받은 날부터 3일 이내에 당해 공공기관에 대하여 자신과 관련된 정보를 공개하지 아니할 것을 요청할 수 있다."고 규정하고 있다고 하더라도, 이는 공공기관이 보유·관리하고 있는 정보가 제3자와

관련이 있는 경우 그 정보공개여부를 결정함에 있어 공공기관이 제3자와의 관계에서 거쳐야 할 절차를 규정한 것에 불과할 뿐, 제3자의 비공개요청이 있다는 사유만으로 정보공개법상 정보의 비공개사유에 해당한다고 볼 수 없다(③)(대판 2008.9.25. 2008두8680).

④ (×) 원고가 공개를 청구한 사면대상자들의 사면실시건의서와 그와 관련된 국무회의 안건자료를 공개할 경우 비록 당사자들의 사생활의 비밀 등이 침해될 염려가 있다고 하더라도, 사면실시 당시 법무부가 발표한 사면발표문 및 보도자료에 이미 이 사건 정보의 당사자들 상당수의 명단이 포함되어 있는 점, 대통령이 행하는 사면권 행사가 고도의 정치적 행위라고 하더라도, 위 정보의 공개가 정치적 행위로서의 사면권 자체를 부정하려는 것이 아니라 오히려 사면권 행사의 실체적 요건이 설정되어 있지 아니하여 생길 수 있는 사면권의 남용을 견제할 국민의 자유로운 정치적 의사 등이 형성되도록 위 정보에의 접근을 허용할 필요성이 있는 점, 이 사건 정보의 당사자들이 저지른 범죄의 중대성과 반사회성에 비추어 볼 때 이 사건 정보를 공개하는 것은 사면권 행사의 형평성이나 자의적 행사 등을 지적하고 있는 일부 비판적 여론과 관련하여 향후 특별사면행위가 보다 더 국가이익과 국민화합에 기여하는 방향으로 이루어질 수 있게 하는 계기가 될 수 있다는 점 등에 견주어 보면, 이 사건 정보의 공개로 얻는 이익이 이로 인하여 침해되는 당사자들의 사생활의 비밀에 관한 이익보다 더욱 크다고 할 것이므로 정보공개법 제7조 제1항 제6호 소정의 비공개사유에 해당되지 않는다(대판 2006.12.7. 2005두241).

답 ④

004

공공기관의 정보공개에 대한 설명으로 옳은 것은? (다툼이 있는 경우 판례에 의함)

① 정보에의 접근·수집·처리의 자유는 헌법상 직접 보장되는 권리로서 자유권적 성질을 가지나 청구권적 성질까지 공유하는 것은 아니다.
② 국민의 알 권리에서 파생되는 정부의 공개의무는 특별한 사정이 없는 한 국민의 적극적인 정보수집행위나 특정의 정보에 대한 공개청구가 있는 경우에야 비로소 존재하는 것은 아니다.
③ 형사재판확정기록에 관하여는 「공공기관의 정보공개에 관한 법률」에 의한 공개청구가 허용되지 않는다.
④ 공공기관은 전자적 형태로 보유·관리하는 정보에 대하여 청구인이 전자적 형태로 공개하여 줄 것을 요청하는 경우에는 어떠한 경우라도 청구인의 요청에 따라야 한다.

2025년 소방직

① (×) 헌법 제21조는 언론·출판의 자유, 즉 표현의 자유를 규정하고 있는데 이 자유는 전통적으로 사상 또는 의견의 자유로운 표명(발표의 자유)과 그것을 전파할 자유(전달의 자유)를 의미하는 것으로서 사상 또는 의견의 자유로운 표명은 자유로운 의사의 형성을 전제로 한다. 자유로운 의사의 형성은 정보에의 접근이 충분히 보장됨으로써 비로소 가능한 것이며, 그러한 의미에서 정보에의 접근·수집·처리의 자유, 즉 "알 권리"는 표현의 자유와 표리일체의 관계에 있으며 자유권적 성질과 청구권적 성질을 공유하는 것이다. 자유권적 성질은 일반적으로 정보에 접근하고 수집·처리함에 있어서 국가권력의 방해를 받지 아니한다는 것을 말하며, 청구권적 성질을 의사형성이나 여론 형성에 필요한 정보를 적극적으로 수집하고 수집을 방해하는 방해제거를 청구할 수 있다는 것을 의미하는 바 이는 정보수집권 또는 정보공개청구권으로 나타난다(헌재 1991.5.13. 90헌마133).
② (×) 알 권리는 국민이 일반적으로 정보에 접근하고 수집·처리함에 있어서 국가권력의 방해를 받지 않음을 보장하고 의사형성이나 여론 형성에 필요한 정보를 적극적으로 수집하고 수집에 대한 방해의 제거를 청구할 수 있는 권리(헌재 1991.5.13. 90헌마133)로서, 원칙적으로 국가에게 이해관계인의 공개청구 이전에 적극적으로 정보를 공개할 것을 요구하는 것까지 알 권리로 보장되는 것은 아니다. 따라서 일반적으로 국민의 권리의무에 영향을 미치거나 국민의 이해관계와 밀접한 관련이 있는 정책결정 등에 관하여 적극적으로 그 내용을 알 수 있도록 공개할 국가의 의무는 기본권인 알 권리에 의하여 바로 인정될 수는 없고 이에 대한 구체적인 입법이 있는 경우에야 비로소 가능하다.

🔷 문제 DATA

출제가능 지수 ▶▶▷
난이도 지수 ★★☆

📋 함께 정리하기

공공기관의 정보공개

알 권리(정보에의 접근·수집·처리의 자유)
▷ 헌법에 의해 직접 보장되는 권리(자유권 + 청구권)

정부의 정보공개의무
▷ 특정의 정보에 대한 공개청구가 있는 경우 비로소 인정

형사재판확정기록
▷ 정보공개법에 의한 공개청구 허용×

전자적 형태로 보유·관리하지 않는 정보를 청구인이 전자적 형태로 공개 요청
▷ 전자적 형태로 변환하여 공개 可

이와 같이 알 권리에서 파생되는 정부의 공개의무는 특별한 사정이 없는 한 국민의 적극적인 정보수집행위, 특히 특정의 정보에 대한 공개청구가 있는 경우에야 비로소 존재하므로, 청구인들의 정보공개청구가 없었던 이 사건의 경우 이 사건 조항을 사전에 마늘재배농가들에게 공개할 정부의 의무는 인정되지 아니한다(헌재 2004.12.16. 2002헌마579).

③ (○) 형사소송법 제59조의2는 형사재판확정기록의 공개 여부나 공개 범위, 불복절차 등에 대하여 구 공공기관의 정보공개에 관한 법률과 달리 규정하고 있는 것으로 정보공개법 제4조 제1항에서 정한 '정보의 공개에 관하여 다른 법률에 특별한 규정이 있는 경우'에 해당한다. 따라서 형사재판확정기록의 공개에 관하여는 정보공개법에 의한 공개청구가 허용되지 아니한다(대판 2016.12.15. 2013두20882).

④ (×)

> 「공공기관의 정보공개에 관한 법률」 제15조 【정보의 전자적 공개】 ① 공공기관은 전자적 형태로 보유·관리하는 정보에 대하여 청구인이 전자적 형태로 공개하여 줄 것을 요청하는 경우에는 그 정보의 성질상 현저히 곤란한 경우를 제외하고는 청구인의 요청에 따라야 한다.
> ② 공공기관은 전자적 형태로 보유·관리하지 아니하는 정보에 대하여 청구인이 전자적 형태로 공개하여 줄 것을 요청한 경우에는 정상적인 업무수행에 현저한 지장을 초래하거나 그 정보의 성질이 훼손될 우려가 없으면 그 정보를 전자적 형태로 변환하여 공개할 수 있다.

답 ③

005

다음 중 사례에 대한 설명으로 옳은 것만을 <보기>에서 있는 대로 고른 것은? (다툼이 있는 경우 판례에 의함)

> A광역시에 사무소를 두고 있는 권리능력 없는 사단인 甲은 A광역시에 대해 정보의 사본 또는 복제물의 교부의 방법으로 공개방법을 선택하여 정보공개청구를 하였다. A광역시는 甲의 정보공개청구에 대하여 甲에게는 정보의 공개를 청구할 권리가 없으며, 해당 정보가 「공공기관의 정보공개에 관한 법률」상 비공개정보에 해당한다는 이유로 정보공개를 거부하는 처분을 하고 이를 甲에게 통지하였다. 甲은 거부처분에 불복하여 A광역시에 이의신청을 하였으나, A광역시는 이의신청을 각하하는 결정을 하였고 이의신청에 대한 결과가 甲에게 통지되었다.

<보기>
ㄱ. 甲은 그 설립목적을 불문하고 정보의 공개를 청구할 권리를 가진다.
ㄴ. 甲이 A광역시에 대하여 정보공개를 청구하였다가 거부처분을 받은 것 자체가 법률상 이익의 침해에 해당한다.
ㄷ. 정보공개청구를 받은 A광역시가 甲이 선택한 공개방법 이외의 방법으로 정보를 공개한 경우, 甲은 이에 대하여 항고소송으로 다툴 수 있다.
ㄹ. 甲이 이의신청의 결과를 통지받은 후 거부처분에 대해 취소소송을 제기하는 경우, 그 제소기간은 거부처분을 통지받은 날부터 기산한다.

① ㄱ, ㄴ
② ㄷ, ㄹ
③ ㄱ, ㄴ, ㄷ
④ ㄴ, ㄷ, ㄹ
⑤ ㄱ, ㄴ, ㄷ, ㄹ

ㄱ, ㄴ. (○) 공공기관의 정보공개에 관한 법률(이하 '법'이라 한다) 제6조 제1항은 "모든 국민은 정보의 공개를 청구할 권리를 가진다."고 규정하고 있는데, 여기에서 말하는 국민에는 자연인은 물론 법인, 권리능력 없는 사단·재단도 포함되고, 법인, 권리능력 없는 사단·재단 등의 경우에는 설립목적을 불문하며(ㄱ), 한편 정보공개청구권은 법률상 보호되는 구체적인 권리이므로 청구인이 공공기관에 대하여 정보공개를 청구하였다가 거부처분을 받은 것 자체가 법률상 이익의 침해에 해당한다(ㄴ)(대판 2003.12.12. 2003두8050).

ㄷ. (○) 구 공공기관의 정보공개에 관한 법률(2013.8.6. 법률 제11991호로 개정되기 전의 것, 이하 '구 정보공개법'이라 한다)은, 정보의 공개를 청구하는 이(이하 '청구인'이라 한다)가 정보공개방법도 아울러 지정하여 정보공개를 청구할 수 있도록 하고 있고, 전자적 형태의 정보를 전자적으로 공개하여 줄 것을 요청한 경우에는 공공기관은 원칙적으로 요청에 응할 의무가 있고, 나아가 비전자적 형태의 정보에 관해서도 전자적 형태로 공개하여 줄 것을 요청하면 재량판단에 따라 전자적 형태로 변환하여 공개할 수 있도록 하고 있다. 이는 정보의 효율적 활용을 도모하고 청구인의 편의를 제공함으로써 구 정보공개법의 목적인 국민의 알 권리를 충실하게 보장하려는 것이므로, 청구인에게는 특정한 공개방법을 지정하여 정보공개를 청구할 수 있는 법령상 신청권이 있다. 따라서 공공기관이 공개청구의 대상이 된 정보를 공개는 하되, 청구인이 신청한 공개방법 이외의 방법으로 공개하기로 하는 결정을 하였다면, 이는 정보공개청구 중 정보공개방법에 관한 부분에 대하여 일부 거부처분을 한 것이고, 청구인은 그에 대하여 항고소송으로 다툴 수 있다(대판 2016.11.10. 2016두44674).

ㄹ. (×) 공공기관의 정보공개에 관한 법률 제18조 제1항, 제3항, 제4항, 제20조 제1항, 행정소송법 제20조 제1항의 규정 내용과 그 취지 등을 종합하여 보면, 청구인이 공공기관의 비공개 결정 또는 부분 공개 결정에 대한 이의신청을 하여 공공기관으로부터 이의신청에 대한 결과를 통지받은 후 취소소송을 제기하는 경우 그 제소기간은 이의신청에 대한 결과를 통지받은 날부터 기산한다고 봄이 타당하다(대판 2023.7.27. 2022두52980).

답 ③

함께 정리하기

사례

정보공개청구권자인 국민
▷ 권리능력 없는 사단·재단(설립목적 불문) 포함

정보공개를 청구하였다가 거부처분을 받은 것 자체
▷ 법률상 이익 침해 해당

신청한 방법 이외의 방법으로 공개 결정
▷ 일부 거부처분(항고소송 可)

이의신청을 거쳐 제기된 비공개결정에 대한 취소소송의 제소기간 기산점
▷ 이의신청에 대한 결과를 통지받은 날

006

「공공기관의 정보공개에 관한 법률」(이하 '정보공개법'이라 한다)상 정보공개제도에 대한 설명으로 옳은 것은?

① 정보공개법에 의한 정보공개의 청구와 「군사기밀 보호법」에 의한 군사기밀의 공개요청은 그 상대방, 처리절차 및 공개의 사유 등이 유사하므로 특별한 규정이 없는 한 정보공개법에 의한 정보공개청구를 「군사기밀 보호법」에 의한 군사기밀 공개요청과 동일한 것으로 보거나 그 공개요청이 포함되어 있는 것으로 볼 수 있다.
② 정보공개청구권은 해당 정보에 대하여 이해관계를 가지는 국민에게만 인정되며 여기에서 국민의 범위에는 자연인은 물론 법인, 권리능력 없는 사단·재단도 포함되고, 법인, 권리능력 없는 사단·재단 등의 경우에는 설립목적을 불문하고 포함된다.
③ 한국증권업협회는 그 업무가 국가기관 등에 준할 정도로 공동체 전체의 이익에 중요한 역할이나 기능에 해당하는 공공성을 가진다고 볼 수 있으므로 정보공개의무를 지는 '특별법에 따라 설립된 특수법인'에 해당한다.
④ 공개청구의 대상이 되는 정보가 이미 다른 사람에게 공개되어 널리 알려져 있거나 인터넷 등을 통하여 공개되어 인터넷검색 등을 통하여 쉽게 알 수 있는 경우에는 소의 이익이 없거나 비공개결정이 정당화될 수 있다.
⑤ 정보공개제도는 공공기관이 보유·관리하는 정보를 그 상태대로 공개하는 제도라는 점 등에 비추어 보면, 해당 정보를 공공기관이 보유·관리하고 있다는 점에 관하여 정보공개를 구하는 자에게 입증책임이 있다 할 것이지만, 그 입증의 정도는 그러한 정보를 공공기관이 보유·관리하고 있을 상당한 개연성이 있다는 점을 증명하면 족하다.

문제 DATA

출제가능 지수 ▶▶▷
난이도 지수 ★★★

함께 정리하기

「공공기관의 정보공개에 관한 법률」

「군사기밀 보호법」에 의한 군사기밀 공개 요청
▷ 정보공개법에 의한 정보공개청구와 동일하거나 이에 포함×

해당 정보에 대하여 이해관계가 없는 국민에게도 정보공개청구권 인정

한국증권업협회
▷ 특별법에 의하여 설립된 특수법인×

이미 공개되어 널리 알려진 정보
▷ 거부처분취소소송 법률상 이익○, 비공개결정 정당화×

공공기관이 보유·관리하고 있는 정보라는 증명책임
▷ 공개청구자(상당한 개연성 입증)

2025년 국회직 8급

① (×) 공공기관의 정보공개에 관한 법률에 의한 정보공개의 청구와 군사기밀보호법에 의한 군사기밀의 공개요청은 그 상대방, 처리절차 및 공개의 사유 등이 전혀 다르므로, 공공기관의 정보공개에 관한 법률에 의한 정보공개청구를 군사기밀보호법에 의한 군사기밀 공개요청과 동일한 것으로 보거나 그 공개요청이 포함되어 있는 것으로 볼 수는 없다(대판 2006.11.10. 2006두9351).

② (×) 공공기관의 정보공개에 관한 법률 제6조 제1항은 "모든 국민은 정보의 공개를 청구할 권리를 가진다."고 규정하고 있는데, 여기에서 말하는 국민에는 자연인은 물론 법인, 권리능력 없는 사단·재단도 포함되고, 법인, 권리능력 없는 사단·재단 등의 경우에는 설립목적을 불문하며, 한편 정보공개청구권은 법률상 보호되는 구체적인 권리이므로 청구인이 공공기관에 대하여 정보공개를 청구하였다가 거부처분을 받은 것 자체가 법률상 이익의 침해에 해당한다(대판 2003.12.12. 2003두8050).

③ (×) '한국증권업협회'는 증권회사 상호간의 업무질서를 유지하고 유가증권의 공정한 매매거래 및 투자자보호를 위하여 일정 규모 이상인 증권회사 등으로 구성된 회원조직으로서, 증권거래법 또는 그 법에 의한 명령에 대하여 특별한 규정이 있는 것을 제외하고는 민법 중 사단법인에 관한 규정을 준용 받는 점, 그 업무가 국가기관 등에 준할 정도로 공동체 전체의 이익에 중요한 역할이나 기능에 해당하는 공공성을 갖는다고 볼 수 없는 점 등에 비추어, 공공기관의 정보공개에 관한 법률 시행령 제2조 제4호의 '특별법에 의하여 설립된 특수법인'에 해당한다고 보기 어렵다(대판 2010.4.29. 2008두5643).

④ (×) 국민의 정보공개청구권은 법률상 보호되는 구체적인 권리이므로, 공공기관에 대하여 정보의 공개를 청구하였다가 공개거부처분을 받은 청구인은 행정소송을 통하여 그 공개거부처분의 취소를 구할 법률상의 이익이 있고, <u>공개청구의 대상이 되는 정보가 이미 다른 사람에게 공개되어 널리 알려져 있다거나 인터넷 등을 통하여 공개되어 인터넷검색 등을 통하여 쉽게 알 수 있다는 사정만으로는 소의 이익이 없다거나 비공개결정이 정당화될 수 없다</u>(대판 2010.12.23. 2008두13101).

⑤ (○) 정보공개제도는 공공기관이 보유·관리하는 정보를 그 상태대로 공개하는 제도로서 공개를 구하는 정보를 공공기관이 보유·관리하고 있을 상당한 개연성이 있다는 점에 대하여 원칙적으로 공개청구자에게 증명책임이 있다고 할 것이지만, 공개를 구하는 정보를 공공기관이 한 때 보유·관리하였으나 후에 그 정보가 담긴 문서등이 폐기되어 존재하지 않게 된 것이라면 그 정보를 더 이상 보유·관리하고 있지 아니하다는 점에 대한 증명책임은 공공기관에게 있다(대판 2004.12.9. 2003두12707).

답 ⑤

007

다음 중 행정절차와 공공기관의 정보공개에 대한 설명으로 옳은 것을 모두 고른 것은? (다툼이 있는 경우 판례에 의함)

> ㄱ. 국가에 대한 행정처분도 가능하며, 이때에도 사전통지, 의견청취, 이유제시와 관련한 「행정절차법」 규정이 그대로 적용된다.
>
> ㄴ. 처분서에 기재된 내용과 관계 법령 및 해당 처분에 이르기까지의 전체적인 과정 등을 종합적으로 고려하여 처분 당시 당사자가 어떠한 근거와 이유로 처분이 이루어진 것인지를 충분히 알 수 있어서 그에 불복하여 행정구제절차로 나아가는 데에 별다른 지장이 없었더라도, 처분서에 처분의 근거와 이유가 구체적으로 명시되어 있지 않았다면 그 처분은 위법하다.
>
> ㄷ. 정보공개청구인이 제기한 정보공개거부처분취소소송에서 해당 공공기관이 법원에 증거로 제출한 청구정보의 사본을 청구인이 송달받아 결과적으로 해당 공공기관이 정보공개청구인에게 정보를 공개하는 셈이 되었더라도, 해당 정보의 비공개결정의 취소를 구할 소의 이익은 소멸되지 않는다.
>
> ㄹ. 징계처분을 받은 군인 甲이 징계위원회 구성의 절차상 하자를 확인하기 위해 징계위원의 성명과 직위에 대한 공개를 청구하였으나 거부당하여 이에 대한 취소소송을 제기하였는데, 甲이 제기한 징계항고 절차에서 징계위원회 구성에 하자가 있음을 알게 되었고, 그 하자를 이유로 해당 징계처분이 취소되었다면, 甲의 위 취소소송에서 정보의 공개를 구할 법률상 이익은 소멸한다.

① ㄱ, ㄴ
② ㄱ, ㄷ
③ ㄴ, ㄹ
④ ㄷ, ㄹ
⑤ ㄱ, ㄷ, ㄹ

2025년 변호사

ㄱ. (O) 행정절차법 제2조 제4호에 의하면, '당사자 등'이란 행정청의 처분에 대하여 직접 그 상대가 되는 당사자와 행정청이 직권 또는 신청에 의하여 행정절차에 참여하게 한 이해관계인을 의미하는데, 같은 법 제9조에서는 자연인, 법인, 법인 아닌 사단 또는 재단 외에 '다른 법령 등에 따라 권리·의무의 주체가 될 수 있는 자' 역시 '당사자 등'이 될 수 있다고 규정하고 있을 뿐, 국가를 '당사자 등'에서 제외하지 않고 있다. 또한 행정질사법 제3조 제2항에서 행성설차법이 석용되지 않는 사항을 열거하고 있는데, '국가를 상대로 하는 행정행위'는 그 예외사유에 해당하지 않는다. 위와 같은 행정절차법의 규정과 행정의 공정성·투명성 및 신뢰성 확보라는 행정절차법의 입법 취지 등을 고려해 보면, 행정기관의 처분에 의하여 불이익을 입게 되는 국가를 일반 국민과 달리 취급할 이유가 없다. 따라서 국가에 대해 행정처분을 할 때에도 사전 통지, 의견청취, 이유 제시와 관련한 행정절차법이 그대로 적용된다고 보아야 한다 (대판 2023.9.21. 2023두39724).

ㄴ. (X) 행정절차법 제23조 제1항은 행정청이 처분을 하는 때에는 당사자에게 그 근거와 이유를 제시하도록 규정하고 있고, 이는 행정청의 자의적 결정을 배제하고 당사자로 하여금 행정구제절차에서 적절히 대처할 수 있도록 하는 데 그 취지가 있다. 따라서 처분서에 기재된 내용과 관계 법령 및 당해 처분에 이르기까지 전체적인 과정 등을 종합적으로 고려하여, 처분 당시 당사자가 어떠한 근거와 이유로 처분이 이루어진 것인지를 충분히 알 수 있어서 그에 불복하여 행정구제절차로 나아가는 데에 별다른 지장이 없었던 것으로 인정되는 경우에는 처분서에 처분의 근거와 이유가 구체적으로 명시되어 있지 않았다고 하더라도 그로 말미암아 그 처분이 위법한 것으로 된다고 할 수는 없다(대판 2013.11.14. 2011두18571).

ㄷ. (O) 보안관찰관련 통계자료를 제외한 나머지 정보들(이하 '이 사건 나머지 정보들'이라 한다)에 대하여 법 제2조 제2호는 '공개'라 함은 공공기관이 이 법의 규정에 의하여 정보를 열람하게 하거나 그 사본 또는 복제물을 교부하는 것 등을 말한다고 정의하고 있는데, 정보공개방법에 대하여 법시행령 제14조 제1항은 문서·도면·사진 등은 열람 또는 사본의 교부의 방법 등에 의하도록 하고 있고, 제2항은 공공기관은 정보를 공개함에 있어서 본인 또는 그 정당한 대리인임을 직접 확인할 필요가 없는 경우에는

청구인의 요청에 의하여 사본 등을 우편으로 송부할 수 있도록 하고 있으며, 한편 법 제15조 제1항은 정보의 공개 및 우송 등에 소요되는 비용은 실비의 범위 안에서 청구인의 부담으로 하도록 하고 있는바, 청구인이 정보공개거부처분의 취소를 구하는 소송에서 공공기관이 청구정보를 증거 등으로 법원에 제출하여 법원을 통하여 그 사본을 청구인에게 교부 또는 송달하게 하여 결과적으로 청구인에게 정보를 공개하는 셈이 되었다고 하더라도, 이러한 우회적인 방법은 법이 예정하고 있지 아니한 방법으로서 법에 의한 공개라고 볼 수는 없으므로, 당해 문서의 비공개결정의 취소를 구할 소의 이익은 소멸되지 않는다고 할 것이다(대판 2004.3.26. 2002두6583).

ㄹ. (×) 원심은, 원고가 징계위원회 구성에 절차상 하자가 있는지 여부를 확인하기 위해 이 사건 정보인 징계위원의 성명과 직위에 대한 공개를 청구하였다고 주장하고 있는데, 그 항고 절차를 통하여 징계위원회의 구성에 하자가 있음을 알게 되었으므로 이 사건 정보의 공개를 청구한 목적은 이미 달성된 것으로 볼 수 있고, 이 사건 징계처분이 절차상 하자를 이유로 취소된 이상 위 징계처분을 다툴 필요도 없어 이 사건 정보의 공개를 구할 법률상 이익이 없다는 이유로, 이 사건 소가 부적법하다고 판단하였다. 그러나 원심의 판단은 다음과 같은 이유로 수긍할 수 없다.

(1) 국민의 정보공개청구권은 법률상 보호되는 구체적인 권리이므로, 공공기관에 대하여 정보의 공개를 청구하였다가 공개거부처분을 받은 청구인은 행정소송을 통하여 그 공개거부처분의 취소를 구할 법률상의 이익이 있고, 공개청구의 대상이 되는 정보가 이미 공개되어 있다거나 다른 방법으로 손쉽게 알 수 있다는 사정만으로 소의 이익이 없다거나 비공개결정이 정당화될 수 없다. 또한, 청구인이 공공기관에 대하여 정보공개를 청구하였다가 거부처분을 받은 이상, 그 자체로 공개거부처분의 취소를 구할 법률상 이익이 인정되고, 그 외에 추가로 어떤 법률상 이익이 있을 것을 요하지 않는다.

(2) 앞서 본 사실관계를 이러한 법리에 비추어 살펴보면, 비록 이 사건 징계처분(감봉 1개월)에 대한 항고 절차에서 원고가 징계위원회 구성에 절차상 하자가 있다는 점을 알게 되었다거나 이 사건 징계처분이 취소되었다고 하더라도, 그와 같은 사정들만으로 이 사건 처분의 취소를 구할 법률상 이익이 없다고 볼 수 없고, 피고가 원고의 정보공개청구를 거부한 이상 원고로서는 여전히 그 정보공개거부처분의 취소를 구할 법률상 이익을 갖는다고 할 것이다(대판 2022.5.26. 2022두34562).

국민의 정보공개청구권은 법률상 보호되는 구체적인 권리이므로, 공공기관에 대하여 정보공개를 청구하였다가 공개거부처분을 받은 청구인은 행정소송을 통해 공개거부처분의 취소를 구할 법률상 이익이 인정되고, 그 밖에 추가로 어떤 이익이 있어야 하는 것은 아니다. 따라서 비록 징계처분(견책) 취소사건에서 원고의 청구를 기각하는 판결이 확정되었다고 하더라도 이러한 사정만으로 이 사건 처분의 취소를 구할 이익이 없어지지 않는다. 피고가 원고의 정보공개청구를 거부한 이상 원고로서는 여전히 정보공개거부처분의 취소를 구할 법률상 이익이 있다(대판 2022.5.26. 2022두33439).

답 ②

008

「공공기관의 정보공개에 관한 법률」에 대한 설명으로 옳은 것은?

① 청구인이 정보공개와 관련한 공공기관의 비공개 결정 또는 부분 공개 결정에 대하여 불복이 있거나 정보공개 청구 후 20일이 경과하도록 정보공개 결정이 없는 때에는 공공기관으로부터 정보공개 여부의 결정 통지를 받은 날 또는 정보공개 청구 후 20일이 경과한 날부터 30일 이내에 해당 공공기관에 문서로 이의신청을 할 수 있다.
② 청구인이 정보공개거부처분의 취소를 구하는 소송에서 공공기관이 청구정보를 증거 등으로 법원에 제출하여 법원을 통하여 그 사본을 청구인에게 교부 또는 송달되게 하여 결과적으로 청구인에게 정보를 공개하는 셈이 되었다면, 당해 정보의 비공개결정의 취소를 구할 소의 이익은 소멸된다.
③ 법원이 행정기관의 정보공개거부처분의 위법 여부를 심리한 결과 공개를 거부한 정보에 비공개사유에 해당하는 부분과 그렇지 않은 부분이 혼합되어 있고, 공개청구의 취지에 어긋나지 않는 범위 안에서 두 부분을 분리할 수 있더라도 공개가 가능한 정보에 국한하여 일부취소를 명할 수 없다.
④ 공공기관이 공개청구의 대상이 된 정보를 공개는 하되, 청구인이 신청한 공개방법 이외의 방법으로 공개하기로 하는 결정을 하였다면, 이는 정보공개청구 중 정보공개방법에 관한 부분만을 달리한 것이므로 일부 거부처분이라 할 수 없다.

2024년 지방직 7급

① (O)

> 「공공기관의 정보공개에 관한 법률」 제18조 【이의신청】 ① 청구인이 정보공개와 관련한 공공기관의 비공개 결정 또는 부분 공개 결정에 대하여 불복이 있거나 정보공개 청구 후 20일이 경과하도록 정보공개 결정이 없는 때에는 공공기관으로부터 정보공개 여부의 결정 통지를 받은 날 또는 정보공개 청구 후 20일이 경과한 날부터 30일 이내에 해당 공공기관에 문서로 이의신청을 할 수 있다.

② (×) 보안관찰관련 통계자료를 제외한 나머지 정보들(이하 '이 사건 나머지 정보들'이라 한다)에 대하여 법 제2조 제2호는 '공개'라 함은 공공기관이 이 법의 규정에 의하여 정보를 열람하게 하거나 그 사본 또는 복제물을 교부하는 것 등을 말한다고 정의하고 있는데, 정보공개방법에 대하여 법시행령 제14조 제1항은 문서·도면·사진 등은 열람 또는 사본의 교부의 방법 등에 의하도록 하고 있고, 제2항은 공공기관은 정보를 공개함에 있어서 본인 또는 그 정당한 대리인임을 직접 확인할 필요가 없는 경우에는 청구인의 요청에 의하여 사본 등을 우편으로 송부할 수 있도록 하고 있으며, 한편 법 제15조 제1항은 정보의 공개 및 우송 등에 소요되는 비용은 실비의 범위 안에서 청구인의 부담으로 하도록 하고 있는바, 청구인이 정보공개거부처분의 취소를 구하는 소송에서 공공기관이 청구정보를 증거 등으로 법원에 제출하여 법원을 통하여 그 사본을 청구인에게 교부 또는 송달하게 하여 결과적으로 청구인에게 정보를 공개하는 셈이 되었다고 하더라도, 이러한 우회적인 방법은 법이 예정하고 있지 아니한 방법으로서 법에 의한 공개라고 볼 수는 없으므로, 당해 문서의 비공개결정의 취소를 구할 소의 이익은 소멸되지 않는다고 할 것이다(대판 2004.3.26. 2002두6583).
③ (×) 법원이 행정기관의 정보공개거부처분의 위법 여부를 심리한 결과 공개를 거부한 정보에 비공개대상 정보에 해당하는 부분과 공개가 가능한 부분이 혼합되어 있고 공개청구의 취지에 어긋나지 아니하는 범위 안에서 두 부분을 분리할 수 있음을 인정할 수 있을 때에는 청구취지의 변경이 없더라도 공개가 가능한 정보에 관한 부분만의 일부취소를 명할 수 있다(대판 2004.12.9. 2003두12707).
④ (×) 구 공공기관의 정보공개에 관한 법률(2013.8.6. 법률 제11991호로 개정되기 전의 것, 이하 '구 정보공개법'이라고 한다)은, 정보의 공개를 청구하는 이(이하 '청구인'이라 한다)가 정보공개방법도 아울러 지정하여 정보공개를 청구할 수 있도록 하고 있고, 전자적 형태의 정보를 전자적으로 공개하여 줄 것을 요청한 경우에는 공공기관은 원칙적으로 요청에 응할 의무가 있고, 나아가 비전자적 형태의 정보에 관해서도 전자적 형태로 공개하여 줄 것을 요청하면 재량판단에 따라 전자적 형태로 변환하여 공개할 수 있도록 하고 있다.

이는 정보의 효율적 활용을 도모하고 청구인의 편의를 제고함으로써 구 정보공개법의 목적인 국민의 알 권리를 충실하게 보장하려는 것이므로, 청구인에게는 특정한 공개방법을 지정하여 정보공개를 청구할 수 있는 법령상 신청권이 있다. 따라서 공공기관이 공개청구의 대상이 된 정보를 공개는 하되, 청구인이 신청한 공개방법 이외의 방법으로 공개하기로 하는 결정을 하였다면, 이는 정보공개청구 중 정보공개방법에 관한 부분에 대하여 일부 거부처분을 한 것이고, 청구인은 그에 대하여 항고소송으로 다툴 수 있다 (대판 2016.11.10. 2016두44674).

답 ①

009 □□□

정보공개에 대한 설명으로 옳지 않은 것은?

① 정보공개거부처분의 취소를 구하는 행정소송에서 정보공개청구인이 정보공개거부처분을 받은 것 외에 추가로 법률상 이익이 있어야 하는 것도 아니며, 정보공개청구의 대상이 되는 정보가 이미 공개되어 있다는 사정만으로 소의 이익이 없는 것도 아니다.
② 「공공기관의 정보공개에 관한 법률」에 따라 중앙행정기관은 전자적 형태로 보유·관리하는 정보 중 공개대상으로 분류된 정보를 국민의 정보공개 청구가 없더라도 정보통신망을 활용한 정보공개시스템 등을 통하여 공개하여야 한다.
③ 정보공개청구인이 공공기관의 비공개 결정 또는 부분 공개 결정에 대한 이의신청을 하여 공공기관으로부터 이의신청에 대한 결과를 통지받은 후 취소소송을 제기하는 경우, 그 제소기간은 이의신청에 대한 결과를 통지받은 날부터 기산한다.
④ 견책의 징계처분을 받은 자가 소속기관의 장에게 징계위원회에 참여한 징계위원의 성명과 직위에 대한 정보공개청구를 하였으나 해당 정보가 비공개 대상이라는 이유로 거부된 경우, 그 견책처분에 대한 취소소송의 기각판결이 확정되었다면 정보공개거부처분의 취소를 구할 법률상 이익은 인정되지 않는다.

| 2024년 국가직 7급

① (○)

1. 정보공개청구권은 법률상 보호되는 구체적인 권리이므로 청구인이 공공기관에 대하여 정보공개를 청구하였다가 거부처분을 받은 것 자체가 법률상 이익의 침해에 해당한다고 할 것이고, 거부처분을 받은 것 이외에 추가로 어떤 법률상의 이익을 가질 것을 요구하는 것은 아니다(대판 2004.9.23. 2003두1370).
2. 공개청구의 대상이 되는 정보가 이미 다른 사람에게 공개하여 널리 알려져 있다거나 인터넷이나 관보 등을 통하여 공개하여 인터넷 검색이나 도서관에서의 열람 등을 통하여 쉽게 알 수 있다는 사정만으로는 소의 이익이 없다거나 비공개 결정이 정당화될 수는 없다(대판 2008.11.27. 2005두15694).

② (○)

> 「공공기관의 정보공개에 관한 법률」 제8조의2 【공개대상 정보의 원문공개】 공공기관 중 중앙행정기관 및 대통령령으로 정하는 기관은 전자적 형태로 보유·관리하는 정보 중 공개대상으로 분류된 정보를 국민의 정보공개 청구가 없더라도 정보통신망을 활용한 정보공개시스템 등을 통하여 공개하여야 한다.

③ (○) 공공기관의 정보공개에 관한 법률 제18조 제1항, 제3항, 제4항, 제20조 제1항, 행정소송법 제20조 제1항의 규정 내용과 그 취지 등을 종합하여 보면, 청구인이 공공기관의 비공개 결정 또는 부분 공개 결정에 대한 이의신청을 하여 공공기관으로부터 이의신청에 대한 결과를 통지받은 후 취소소송을 제기하는 경우 그 제소기간은 이의신청에 대한 결과를 통지받은 날부터 기산한다고 봄이 타당하다(대판 2023.7.27. 2022두52980).

🎯 문제 DATA

출제가능 지수 ▶▶▷
난이도 지수 ★★☆

📋 함께 정리하기

정보공개

정보공개를 청구하였다가 거부처분을 받은 것
▷ 그 자체로 법률상 이익 침해 해당○(추가적 이익 不要)

이미 공개된 정보
▷ 소의 이익○

중앙행정기관
▷ 전자적 형태로 보유·관리하는 정보 중 공개대상으로 분류된 정보
▷ 공개 청구가 없더라도 정보공개시스템 등을 통한 공개의무 有

이의신청을 거쳐 제기된 비공개·부분공개결정에 대한 취소소송의 제소기간 기산점
▷ 이의신청에 대한 결과를 통지받은 날

견책처분을 받은 공무원이 징계처분취소소송에서 기각된 경우
▷ 정보공개거부처분 취소 구할 법률상 이익 소멸×

④ (×) 견책의 징계처분을 받은 甲이 사단장에게 징계위원회에 참여한 징계위원의 성명과 직위에 대한 정보공개청구를 하였으나 위 정보가 공공기관의 정보공개에 관한 법률 제9조 제1항 제1호, 제2호, 제5호, 제6호에 해당한다는 이유로 공개를 거부한 사안에서, 비록 징계처분 취소사건에서 甲의 청구를 기각하는 판결이 확정되었더라도 이러한 사정만으로 위 처분의 취소를 구할 이익이 없어지지 않고, 사단장이 甲의 정보공개청구를 거부한 이상 甲으로서는 여전히 정보공개거부처분의 취소를 구할 법률상 이익이 있다(대판 2022.5.26. 2022두33439).

답 ④

010

정보공개에 대한 설명으로 옳지 않은 것은?

① 구「학교폭력예방 및 대책에 관한 법률」에 따른 학교폭력대책 자치위원회의 회의록은「공공기관의 정보공개에 관한 법률」소정의 '공개될 경우 업무의 공정한 수행에 현저한 지장을 초래한다고 인정할 만한 상당한 이유가 있는 정보'에 해당한다.

② 정보공개를 청구하는 자가 공공기관에 대해 정보의 사본 또는 출력물의 교부 방법으로 공개방법을 선택하여 정보공개청구를 한 경우, 공개청구를 받은 공공기관은「공공기관의 정보공개에 관한 법률」에서 규정한 정보의 사본 또는 복제물의 교부를 제한할 수 있는 사유에 해당하지 않는 한 그 공개방법을 선택할 재량권이 없다.

③ '2002학년도부터 2005학년도까지의 대학수학능력시험 원데이터'는 연구목적으로 그 정보의 공개를 청구하는 경우「공공기관의 정보공개에 관한 법률」소정의 비공개대상정보에 해당한다.

④ 「공공기관의 정보공개에 관한 법률」상 '공개하는 것이 공익 또는 개인의 권리구제를 위하여 필요하다고 인정되는 정보'에 해당하는지 여부는 비공개에 의하여 보호되는 개인의 사생활의 비밀 등 이익과 공개에 의하여 보호되는 국정운영의 투명성 확보 등의 공익 또는 개인의 권리구제 등 이익을 비교·교량하여 구체적 사안에 따라 신중히 판단하여야 한다.

2024년 국가직 9급

① (○) 학교폭력대책자치위원회에서의 자유롭고 활발한 심의·의결이 보장되기 위해서는 위원회가 종료된 후라도 심의·의결 과정에서 개개 위원들이 한 발언 내용이 외부에 공개되지 않는다는 것이 철저히 보장되어야 한다는 점, 학교폭력예방 및 대책에 관한 법률 제21조 제3항이 학교폭력대책자치위원회의 회의를 공개하지 못하도록 명문으로 규정하고 있는 것은 … 학교폭력대책자치위원회 업무수행의 공정성을 최대한 확보하기 위한 것으로 보이는 점 등을 고려하면, 학교폭력대책자치위원회의 회의록은 공공기관의 정보공개에 관한 법률 제9조 제1항 제5호의 '공개될 경우 업무의 공정한 수행에 현저한 지장을 초래한다고 인정할 만한 상당한 이유가 있는 정보'에 해당한다(대판 2010.6.10. 2010두2913).

② (○) 정보공개를 청구하는 자가 공공기관에 대해 정보의 사본 또는 출력물의 교부의 방법으로 공개방법을 선택하여 정보공개청구를 한 경우에 공개청구를 받은 공공기관으로서는 같은 법 제8조 제2항에서 규정한 정보의 사본 또는 복제물의 교부를 제한할 수 있는 사유에 해당하지 않는 한 정보공개청구자가 선택한 공개방법에 따라 정보를 공개하여야 하므로 그 공개방법을 선택할 재량권이 없다고 해석함이 상당하다(대판 2003.12.12. 2003두8050).

③ (×) '2002학년도부터 2005학년도까지의 대학수학능력시험 원데이터'는 연구목적으로 그 정보의 공개를 청구하는 경우, 공개로 인하여 초래될 부작용이 공개로 얻을 수 있는 이익보다 더 클 것이라고 단정하기 어려우므로 그 공개로 대학수학능력시험 업무의 공정한 수행이 객관적으로 현저하게 지장을 받을 것이라는 고도의 개연성이 존재한다고 볼 수 없어 위 조항의 비공개 대상 정보에 해당하지 않는다(대판 2010.2.25. 2007두9877).

문제 DATA
출제가능 지수 ▶▶▷
난이도 지수 ★★☆

함께 정리하기
정보공개

학교폭력대책자치위원회의 회의록
▷ 비공개대상 ○

공공기관의 공개방법 선택재량권 無
▷ 정보공개청구자의 선택에 따라야 함

2002학년도~2005학년도 대학수학능력시험 원데이터
▷ 비공개대상 정보 ×

공개하는 것이 개인의 권리구제를 위하여 필요하다고 인정되는 정보인지 판단 방법
▷ 이익형량(사생활의 비밀·자유 vs 알권리)

④ (○) '공개하는 것이 공익이나 개인의 권리구제를 위하여 필요하다고 인정되는 정보'에 해당하는지 여부는 비공개에 의하여 보호되는 개인의 사생활의 비밀 등의 이익과 공개에 의하여 보호되는 개인의 권리구제 등의 이익을 비교·교량하여 구체적 사안에 따라 신중히 판단하여야 한다(대판 2012.6.28. 2011두16735).

답 ③

011

「공공기관의 정보공개에 관한 법률」상 정보공개청구에 대한 설명으로 옳지 않은 것은?

① 정보의 공개를 청구하는 자는 정보공개청구서에 청구대상 정보를 기재함에 있어서 사회일반인의 관점에서 청구대상정보의 내용과 범위를 확정할 수 있을 정도로 특정함을 요한다.
② 공공기관이 공개청구의 대상이 된 정보를 공개는 하되, 청구인이 신청한 공개방법 이외의 방법으로 공개하기로 하는 결정을 하였다면, 이는 정보공개청구 중 정보공개방법에 관한 부분에 대하여 일부 거부처분을 한 것이고, 청구인은 그에 대하여 항고소송으로 다툴 수 있다.
③ 「유아교육법」에 따른 사립유치원은 공공기관의 정보공개에 관한 법령상 공공기관에 해당하지 않는다.
④ 행정청이 정보를 공개하는 경우에 그 정보의 원본이 더럽혀지거나 파손될 우려가 있거나 그 밖에 상당한 이유가 있다고 인정할 때에는 그 정보의 사본·복제물을 공개할 수 있다.

| 2024년 지방직 9급

① (○) 공공기관의 정보공개에 관한 법률 제10조 제1항 제2호는 정보의 공개를 청구하는 자는 정보공개청구서에 '공개를 청구하는 정보의 내용' 등을 기재할 것을 규정하고 있는바, 청구대상정보를 기재함에 있어서는 사회일반인의 관점에서 청구대상정보의 내용과 범위를 확정할 수 있을 정도로 특정함을 요한다(대판 2007.6.1. 2007두2555).
② (○) 청구인에게는 특정한 공개방법을 지정하여 정보공개를 청구할 수 있는 법령상 신청권이 있다. 따라서 공공기관이 공개청구의 대상이 된 정보를 공개는 하되, 청구인이 신청한 공개방법 이외의 방법으로 공개하기로 하는 결정을 하였다면, 이는 정보공개청구 중 정보공개방법에 관한 부분에 대하여 일부 거부처분을 한 것이고, 청구인은 그에 대하여 항고소송으로 다툴 수 있다(대판 2016.11.10. 2016두44674).
③ (×)

> 「공공기관의 정보공개에 관한 법률」 제2조 【정의】 이 법에서 사용하는 용어의 뜻은 다음과 같다.
>   3. "공공기관"이란 다음 각 목의 기관을 말한다.
>   마. 그 밖에 대통령령으로 정하는 기관
> 「공공기관의 정보공개에 관한 법률 시행령」 제2조 【공공기관의 범위】「공공기관의 정보공개에 관한 법률」(이하 "법"이라 한다) 제2조 제3호 마목에서 "대통령령으로 정하는 기관"이란 다음 각 호의 기관 또는 단체를 말한다.
>   1. 「유아교육법」, 「초·중등교육법」, 「고등교육법」에 따른 각급 학교 또는 그 밖의 다른 법률에 따라 설치된 학교

문제 DATA
출제가능 지수 ▶▶▷
난이도 지수 ★★☆

함께 정리하기
정보공개청구
공개청구시 사회일반인의 관점에서 특정 要
신청한 방법 이외의 방법으로 공개결정
▷ 일부 거부처분에 해당
사립유치원
▷ 정보공개의무를 지는 공공기관○
원본이 더럽혀지거나 파손될 우려
▷ 사본·복제물 공개可

④ (○)

> 「공공기관의 정보공개에 관한 법률」 제13조【정보공개 여부 결정의 통지】 ④ 공공기관은 제1항에 따라 정보를 공개하는 경우에 그 정보의 원본이 더럽혀지거나 파손될 우려가 있거나 그 밖에 상당한 이유가 있다고 인정할 때에는 그 정보의 사본·복제물을 공개할 수 있다.

답 ③

012 □□□

다음 중 「공공기관의 정보공개에 관한 법률」에 대한 설명으로 가장 옳지 않은 것은? (다툼이 있는 경우 판례에 의함)

① 공공기관은 정보공개의 청구가 있는 때에는 원칙적으로 10일 이내에 공개 여부를 결정하여야 한다.
② 청구인이 공공기관에 대하여 정보공개를 청구하였다가 거부처분을 받은 것 자체는 법률상 이익의 침해에 해당하지는 않는다.
③ 공개거부결정에 대하여 「공공기관의 정보공개에 관한 법률」상의 이의신청절차를 거치지 아니하고서도 행정심판을 청구할 수 있다.
④ 공개대상정보는 공공기관이 직무상 작성 또는 취득하여 현재 보유·관리하고 있는 문서에 한정되며, 그 문서가 반드시 원본일 필요는 없다.

| 2024년 군무원 9급

① (○)

> 「공공기관의 정보공개에 관한 법률」 제11조【정보공개 여부의 결정】 ① 공공기관은 제10조에 따라 정보공개의 청구를 받으면 그 청구를 받은 날부터 10일 이내에 공개 여부를 결정하여야 한다.

② (×) 정보공개청구권은 법률상 보호되는 구체적인 권리이므로 청구인이 공공기관에 대하여 정보공개를 청구하였다가 거부처분을 받은 것 자체가 법률상 이익의 침해에 해당한다(대판 2003.12.12. 2003두8050).

③ (○)

> 「공공기관의 정보공개에 관한 법률」 제19조【행정심판】 ① 청구인이 정보공개와 관련한 공공기관의 결정에 대하여 불복이 있거나 정보공개 청구 후 20일이 경과하도록 정보공개 결정이 없는 때에는 「행정심판법」에서 정하는 바에 따라 행정심판을 청구할 수 있다. 이 경우 국가기관 및 지방자치단체 외의 공공기관의 결정에 대한 감독행정기관은 관계 중앙행정기관의 장 또는 지방자치단체의 장으로 한다.
> ② 청구인은 제18조에 따른 이의신청 절차를 거치지 아니하고 행정심판을 청구할 수 있다.

④ (○) 공공기관의 정보공개에 관한 법률상 공개청구의 대상이 되는 정보란 공공기관이 직무상 작성 또는 취득하여 현재 보유·관리하고 있는 문서에 한정되는 것이기는 하나, 그 문서가 반드시 원본일 필요는 없다(대판 2006.5.25. 2006두3049).

답 ②

🔵 문제 DATA
출제가능 지수 ▶▶▷
난이도 지수 ★★☆

📋 함께 정리하기
공공기관의 정보공개에 관한 법률

공공기관
▷ 정보공개청구 받으면 10일 이내에 공개 여부 결정해야 함

정보공개를 청구하였다가 거부처분 받은 것 자체
▷ 법률상 이익 침해

정보공개법상 이의신청
▷ 임의적 절차

공개대상정보
▷ 문서가 반드시 원본 不要

013

다음 중 「공공기관의 정보공개에 관한 법률」에 대한 설명으로 가장 옳지 않은 것은?

① 공공기관은 정보의 공개를 청구하는 국민의 권리가 존중될 수 있도록 이 법을 운영하고 소관 관계 법령을 정비하며, 정보를 투명하고 적극적으로 공개하는 조직문화 형성에 노력하여야 한다.
② 외국인을 포함하여 모든 사람은 정보의 청구할 권리를 가진다.
③ 행정안전부장관은 공공기관의 정보공개에 관한 업무를 종합적·체계적·효율적으로 지원하기 위하여 통합정보공개시스템을 구축·운영하여야 한다.
④ 공공기관은 정보의 공개에 관한 사무를 신속하고 원활하게 수행하기 위하여 정보공개 장소를 확보하고 공개에 필요한 시설을 갖추어야 한다.

| 2024년 군무원 7급

①, ③ (○)

> 「공공기관의 정보공개에 관한 법률」 제6조 【공공기관의 의무】 ① 공공기관은 정보의 공개를 청구하는 국민의 권리가 존중될 수 있도록 이 법을 운영하고 소관 관계 법령을 정비하며, 정보를 투명하고 적극적으로 공개하는 조직문화 형성에 노력하여야 한다(①).
> ③ 행정안전부장관은 공공기관의 정보공개에 관한 업무를 종합적·체계적·효율적으로 지원하기 위하여 통합정보공개시스템을 구축·운영하여야 한다(③).

② (×)

> 「공공기관의 정보공개에 관한 법률」 제5조 【정보공개 청구권자】 ① 모든 국민은 정보의 공개를 청구할 권리를 가진다.
> ② 외국인의 정보공개 청구에 관하여는 대통령령으로 정한다.
> 「공공기관의 정보공개에 관한 법률 시행령」 제3조 【외국인의 정보공개 청구】 법 제5조 제2항에 따라 정보공개를 청구할 수 있는 외국인은 다음 각 호의 어느 하나에 해당하는 자로 한다.
> 1. 국내에 일정한 주소를 두고 거주하거나 학술·연구를 위하여 일시적으로 체류하는 사람
> 2. 국내에 사무소를 두고 있는 법인 또는 단체

④ (○)

> 「공공기관의 정보공개에 관한 법률」 제8조 【정보목록의 작성·비치 등】 ② 공공기관은 정보의 공개에 관한 사무를 신속하고 원활하게 수행하기 위하여 정보공개 장소를 확보하고 공개에 필요한 시설을 갖추어야 한다.

답 ②

014

「공공기관의 정보공개에 관한 법률」에 관한 설명으로 옳은 것은? (다툼이 있는 경우 판례에 의함)

① 대법원은 정보공개청구권의 헌법적 근거를 헌법 제21조 표현의 자유에서 도출하고 있다.
② 모든 국민은 정보의 공개를 청구할 권리를 가지나, 외국인은 정보공개를 청구할 수 없다.
③ 사법시험 제2차 시험의 답안지 열람은 사법시험업무의 수행에 현저한 지장을 초래한다고 볼 수 있으므로 비공개 사유에 해당한다.
④ 청구인이 정보공개와 관련한 공공기관의 결정에 대하여 불복이 있거나 정보공개 청구 후 30일이 경과하도록 정보공개 결정이 없는 때에는 「행정소송법」에서 정하는 바에 따라 행정소송을 제기할 수 있다.

2024년 소방직

① (○) 국민의 알 권리, 특히 국가정보에의 접근의 권리는 우리 헌법상 기본적으로 표현의 자유와 관련하여 인정되는 것으로 그 권리의 내용에는 일반 국민 누구나 국가에 대하여 보유·관리하고 있는 정보의 공개를 청구할 수 있는 이른바 일반적인 정보공개청구권이 포함된다(대판 1999.9.21. 97누5114).

② (×)

> 「공공기관의 정보공개에 관한 법률」 제5조【정보공개 청구권자】② 외국인의 정보공개 청구에 관하여는 대통령령으로 정한다.
> 「공공기관의 정보공개에 관한 법률 시행령」 제3조【외국인의 정보공개 청구】법 제5조 제2항에 따라 정보공개를 청구할 수 있는 외국인은 다음 각 호의 어느 하나에 해당하는 자로 한다.
> 1. 국내에 일정한 주소를 두고 거주하거나 학술·연구를 위하여 일시적으로 체류하는 사람
> 2. 국내에 사무소를 두고 있는 법인 또는 단체

③ (×) 답안지를 열람하도록 할 경우 업무의 증가가 다소 있을 것으로 예상되고, 다른 논술형시험의 열람 여부에도 영향이 있는 등 파급효과로 인하여 시험업무의 수행에 다소 지장을 초래한다고 볼 수 있기는 하지만, 답안지는 응시자의 시험문제에 대한 답안이 기재되어 있을 뿐 평가자의 평가기준이나 평가결과가 반영되어 있는 것은 아니므로 응시자가 자신의 답안지를 열람한다고 하더라도 시험문항에 대한 채점위원별 채점 결과가 열람되는 경우와 달리 평가자가 시험에 대한 평가업무를 수행함에 있어서 지장을 초래할 가능성이 적은 점, 답안지에 대한 열람이 허용된다고 하더라도 답안지를 상호비교함으로써 생기는 부작용이 생길 가능성이 희박하고, 열람업무의 폭증이 예상된다고 볼만한 자료도 없는 점 등을 종합적으로 고려하면, 답안지의 열람으로 인하여 시험업무의 수행에 현저한 지장을 초래한다고 볼 수 없다(대판 2003.3.14. 2000두6114).

④ (×)

> 「공공기관의 정보공개에 관한 법률」 제20조【행정소송】① 청구인이 정보공개와 관련한 공공기관의 결정에 대하여 불복이 있거나 정보공개 청구 후 20일이 경과하도록 정보공개 결정이 없는 때에는 「행정소송법」에서 정하는 바에 따라 행정소송을 제기할 수 있다.

답 ①

함께 정리하기

공공기관의 정보공개에 관한 법률

정보공개청구권(알 권리)의 헌법적 근거
▷ 헌법 제21조 표현의 자유

모든 국민은 정보공개청구권자

외국인도 일정한 조건하에 정보공개청구권○

사법시험 제2차 시험 답안지
▷ 공개(cf. 채점위원별 채점 결과: 비공개)

공공기관 결정에 불복 또는 20일이 경과하도록 정보공개결정 無
▷ 행정소송 제기 可

015 □□□

정보공개에 관한 설명으로 옳지 않은 것은? (다툼이 있는 경우 판례에 의함)

① 모든 국민은 정보공개청구권을 가지며, 여기서 국민에는 자연인뿐만 아니라 권리능력 없는 사단과 재단도 포함된다.
② 국내에 일정한 주소를 두고 있지 않은 외국인이 학술대회 발표를 위해 1주일간 체류하는 경우에는 정보공개청구권자가 될 수 없다.
③ 정보공개법령상 공개의 대상이 되는 정보는 공공기관이 직무상 작성 또는 취득하여 관리하고 있는 문서(전자문서 포함) 및 전자매체를 비롯한 모든 형태의 매체 등에 기록된 사항을 말한다.
④ 정보공개청구는 정보공개를 구하는 자가 공개를 구하는 정보를 행정기관이 보유·관리하고 있을 상당한 개연성이 있다는 점을 입증함으로써 족하다 할 것이지만, 공공기관이 그 정보를 보유·관리하고 있지 아니한 경우에는 특별한 사정이 없는 한 정보공개거부처분의 취소를 구할 법률상의 이익이 없다.
⑤ 한국방송공사(KBS)는 정보공개의무가 있는 「공공기관의 정보공개에 관한 법률」 제2조 제3호의 '공공기관'에 해당한다.

문제 DATA

출제가능 지수 ▶▶▷
난이도 지수 ★★☆

함께 정리하기

정보공개

정보공개청구권자인 국민
▷ 자연인, 법인·권리능력 없는 사단·재단 포함

국내에 일정한 주소를 두고 거주 or 학술·연구 위해 일시 체류 외국인
▷ 정보공개청구 可

정보
▷ 공공기관이 직무상 작성 또는 취득하여 관리하고 있는 모든 형태의 매체 등에 기록된 사항

공공기관이 보유·관리하고 있는 정보라는 증명책임
▷ 공개청구자(상당한 개연성 입증)

공공기관이 그 정보를 보유·관리 ×
▷ 공개거부처분취소 법률상 이익 ×

한국방송공사(KBS)
▷ 정보공개의무 있는 공공기관에 해당

2024년 소방간부

① (○) 공공기관의 정보공개에 관한 법률 제6조 제1항은 "모든 국민은 정보의 공개를 청구할 권리를 가진다."고 규정하고 있는데, 여기에서 말하는 국민에는 자연인은 물론 법인, 권리능력 없는 사단·재단도 포함되고, 법인, 권리능력 없는 사단·재단 등의 경우에는 설립목적을 불문하며, 한편 정보공개청구권은 법률상 보호되는 구체적인 권리이므로 청구인이 공공기관에 대하여 정보공개를 청구하였다가 거부처분을 받은 것 자체가 법률상 이익의 침해에 해당한다(대판 2003.12.12. 2003두8050).

② (×) 국내에 일정한 주소를 두고 있지 않은 외국인도 학술·연구를 위하여 일시적으로 체류하는 경우 정보공개청구권자가 될 수 있다.

> 「공공기관의 정보공개에 관한 법률」 제5조【정보공개 청구권자】① 모든 국민은 정보의 공개를 청구할 권리를 가진다.
> ② 외국인의 정보공개 청구에 관하여는 대통령령으로 정한다.
> 「공공기관의 정보공개에 관한 법률 시행령」 제3조【외국인의 정보공개 청구】법 제5조 제2항에 따라 정보공개를 청구할 수 있는 외국인은 다음 각 호의 어느 하나에 해당하는 자로 한다.
> 1. 국내에 일정한 주소를 두고 거주하거나 학술·연구를 위하여 일시적으로 체류하는 사람
> 2. 국내에 사무소를 두고 있는 법인 또는 단체

③ (○)

> 「공공기관의 정보공개에 관한 법률」 제2조【정의】이 법에서 사용하는 용어의 뜻은 다음과 같다.
> 1. "정보"란 공공기관이 직무상 작성 또는 취득하여 관리하고 있는 문서(전자문서를 포함한다. 이하 같다) 및 전자매체를 비롯한 모든 형태의 매체 등에 기록된 사항을 말한다.

④ (○) 정보공개제도는 공공기관이 보유·관리하는 정보를 그 상태대로 공개하는 제도라는 점 등에 비추어 보면, 정보공개를 구하는 자가 공개를 구하는 정보를 행정기관이 보유·관리하고 있을 상당한 개연성이 있다는 점을 입증함으로써 족하다 할 것이지만, 공공기관이 그 정보를 보유·관리하고 있지 아니한 경우에는 특별한 사정이 없는 한 정보공개거부처분의 취소를 구할 법률상의 이익이 없다(대판 2006.1.13. 2003두9459).

⑤ (○)

[1] 어느 법인이 공공기관의 정보공개에 관한 법률 제2조 제3호, 같은 법 시행령 제2조 제4호에 따라 정보를 공개할 의무가 있는 '특별법에 의하여 설립된 특수법인'에 해당하는지 여부는, 국민의 알 권리를 보장하고 국정에 대한 국민의 참여와 국정운영의 투명성을 확보하고자 하는 위 법의 입법 목적을 염두에 두고, 해당 법인에게 부여된 업무가 국가행정업무이거나 이에 해당하지 않더라도 그 업무 수행으로써 추구하는 이익이 해당 법인 내부의 이익에 그치지 않고 공동체 전체의 이익에 해당하는 공익적 성격을 갖는지 여부를 중심으로 개별적으로 판단하되, 해당 법인의 설립근거가 되는 법률이 법인의 조직구성과 활동에 대한 행정적 관리·감독 등에서 민법이나 상법 등에 의하여 설립된 일반 법인과 달리 규율한 취지, 국가나 지방자치단체의 해당 법인에 대한 재정적 지원·보조의 유무와 그 정도, 해당 법인의 공공적 업무와 관련하여 국가기관·지방자치단체 등 다른 공공기관에 대한 정보공개청구와는 별도로 해당 법인에 대하여 직접 정보공개청구를 구할 필요성이 있는지 여부 등을 종합적으로 고려하여야 한다.

[2] 방송법이라는 특별법에 의하여 설립 운영되는 한국방송공사(KBS)는 공공기관의 정보공개에 관한 법률 시행령 제2조 제4호의 '특별법에 의하여 설립된 특수법인'으로서 정보공개의무가 있는 공공기관의 정보공개에 관한 법률 제2조 제3호의 '공공기관'에 해당한다고 판단한 원심판결을 수긍한 사례(대판 2010.12.23. 2008두13101)

답 ②

016

「공공기관의 정보공개에 관한 법률」에 대한 설명으로 옳은 것은? (다툼이 있는 경우 판례에 의함)

① 지방자치단체는 공법상 법인으로서 정보공개청구권자가 될 수 있다.
② 정보공개를 청구하여 정보공개 여부에 대한 결정의 통지를 받은 자가 정당한 사유 없이 해당 정보의 공개를 다시 청구하는 경우, 공공기관은 종전 청구와 동일한 답변을 할 수밖에 없는 사정 등을 종합적으로 고려하여 해당 청구를 종결 처리할 수 있다.
③ 정보공개청구의 대상이 되는 정보란 공공기관이 직무상 작성 또는 취득하여 현재 보유·관리하고 있는 문서에 한정되며, 그 문서는 반드시 원본이어야 한다.
④ 사업자등록번호 등에 관한 정보는 법인 등의 영업상 비밀에 관한 사항으로서 공개될 경우 법인 등의 정당한 이익을 현저히 해할 우려가 있다고 인정되는 정보에 해당한다.

2024년 경찰간부

① (×) 공공기관의 정보공개에 관한 법률은 국민을 정보공개청구권자로, 지방자치단체를 국민에 대응하는 정보공개의무자로 상정하고 있다고 할 것이므로, 지방자치단체는 공공기관의 정보공개에 관한 법률 제5조에서 정한 정보공개청구권자인 '국민'에 해당되지 아니한다(서울행법 2005.10.12. 2005구합10484).

② (○)

> 「공공기관의 정보공개에 관한 법률」 제11조의2 【반복 청구 등의 처리】 ① 공공기관은 제11조에도 불구하고 제10조 제1항 및 제2항에 따른 정보공개 청구가 다음 각 호의 어느 하나에 해당하는 경우에는 정보공개 청구 대상 정보의 성격, 종전 청구와의 내용적 유사성·관련성, 종전 청구와 동일한 답변을 할 수밖에 없는 사정 등을 종합적으로 고려하여 해당 청구를 종결 처리할 수 있다. 이 경우 종결 처리 사실을 청구인에게 알려야 한다.
> 1. 정보공개를 청구하여 정보공개 여부에 대한 결정의 통지를 받은 자가 정당한 사유 없이 해당 정보의 공개를 다시 청구하는 경우
> 2. 정보공개 청구가 제11조 제5항에 따라 민원으로 처리되었으나 다시 같은 청구를 하는 경우

③ (×) 대판 2006.5.25. 2006두3049
④ (×) 법 제7조 제1항 제7호의 입법 취지와 내용에 비추어 볼 때, 법인등의 상호, 단체명, 영업소명, 사업자등록번호 등에 관한 정보는 법인등의 영업상 비밀에 관한 사항으로서 공개될 경우 법인등의 정당한 이익을 현저히 해할 우려가 있다고 인정되는 정보에 해당하지 아니하지만, 법인등이 거래하는 금융기관의 계좌번호에 관한 정보는 법인등의 영업상 비밀에 관한 사항으로서 법인등의 이름과 결합하여 공개될 경우 당해 법인등의 영업상 지위가 위협받을 우려가 있다고 할 것이므로 위 정보는 법인등의 영업상 비밀에 관한 사항으로서 공개될 경우 법인등의 정당한 이익을 현저히 해할 우려가 있다고 인정되는 정보에 해당한다고 할 것이다(대판 2004.8.20. 2003두8302).

답 ②

함께 정리하기

공공기관의 정보공개에 관한 법률

지방자치단체
▷ 정보공개청구권자인 국민×

정당한 사유 없는 반복 청구
▷ 종전 청구와 동일한 답변을 할 수밖에 없는 사정등 고려하여 종결 처리 可

정보공개청구의 대상인 정보
▷ 반드시 원본×

법인등의 사업자등록번호 등에 관한 정보
▷ 비공개정보×(cf. 법인이 거래하는 금융기관의 계좌번호: 비공개정보○)

문제 DATA

출제가능 지수 ▶▶▷
난이도 지수 ★★★

017 ☐☐☐

「공공기관의 정보공개에 관한 법률」(이하 '정보공개법'이라 한다)에 따른 정보공개에 관한 설명 중 옳지 않은 것은? (다툼이 있는 경우 판례에 의함)

① 사립대학교에 대한 국비 지원이 한정적·일시적·국부적이라는 점을 고려하더라도, 정보공개법 시행령에서 정보공개의무를 지는 공공기관의 하나로 사립대학교를 들고 있는 것이 헌법이 정한 대학의 자율성 보장 이념 등에 반하거나 모법인 정보공개법의 위임 범위를 벗어나는 것이라고 볼 수 없다.
② 청구인이 정보공개거부처분의 취소를 구하는 소송에서 공공기관이 청구정보를 증거 등으로 법원에 제출하여 법원을 통하여 그 사본을 청구인에게 교부 또는 송달되게 하여 결과적으로 청구인에게 정보를 공개하는 셈이 되었다면 이는 정보공개법에 의한 공개라고 볼 수 있다.
③ 자신과 관련된 정보공개가 청구된 사실을 통지받은 제3자는 그 통지를 받은 날부터 3일 이내에 해당 공공기관에 대하여 이를 공개하지 아니할 것을 요청할 수 있고, 이러한 비공개 요청에도 불구하고 공공기관이 공개 결정을 할 때에는 공개 결정 이유와 공개 실시일을 분명히 밝혀 지체 없이 문서로 통지하여야 한다.
④ 청구인에게는 특정한 공개방법을 지정하여 정보공개를 청구할 수 있는 법령상 신청권이 있으므로, 공공기관이 청구인이 신청한 공개방법 이외의 방법으로 공개하기로 하는 결정을 하였다면, 이는 정보공개 청구 중 정보공개방법에 관한 부분에 대하여 일부 거부처분을 한 것이고, 청구인은 그에 대하여 항고소송으로 다툴 수 있다.
⑤ 정보공개를 청구하여 정보공개 여부에 대한 결정의 통지를 받은 자가 정당한 사유 없이 해당 정보의 공개를 다시 청구하는 경우, 정보공개 청구를 받은 공공기관은 정보공개 청구 대상 정보의 성격, 종전 청구와의 내용적 유사성·관련성, 종전 청구와 동일한 답변을 할 수밖에 없는 사정 등을 종합적으로 고려하여 해당 청구를 종결 처리할 수 있고, 종결 처리 사실을 청구인에게 알려야 한다.

2024년 변호사

① (○) 사립대학교에 대한 국비 지원이 한정적·일시적·국부적이라는 점을 고려하더라도, 같은 법 시행령 제2조 제1호가 정보공개의무를 지는 공공기관의 하나로 사립대학교를 들고 있는 것이 모법인 구 공공기관의 정보공개에 관한 법률의 위임 범위를 벗어났다거나 사립대학교가 국비의 지원을 받는 범위 내에서만 공공기관의 성격을 가진다고 볼 수 없다(대판 2006.8.24. 2004두2783).
② (×) 청구인이 정보공개거부처분의 취소를 구하는 소송에서 공공기관이 청구정보를 증거 등으로 법원에 제출하여 법원을 통하여 그 사본을 청구인에게 교부 또는 송달하게 하여 결과적으로 청구인에게 정보를 공개하는 셈이 되었다고 하더라도, 이러한 우회적인 방법은 법이 예정하고 있지 아니한 방법으로서 법에 의한 공개라고 볼 수는 없으므로, 당해 문서의 비공개결정의 취소를 구할 소의 이익은 소멸되지 않는다고 할 것이다(대판 2004.3.26. 2002두6583).
③ (○)

> 「공공기관의 정보공개에 관한 법률」 제21조 【제3자의 비공개 요청 등】 ① 제11조 제3항에 따라 공개 청구된 사실을 통지받은 제3자는 그 통지를 받은 날부터 3일 이내에 해당 공공기관에 대하여 자신과 관련된 정보를 공개하지 아니할 것을 요청할 수 있다.
> ② 제1항에 따른 비공개 요청에도 불구하고 공공기관이 공개 결정을 할 때에는 공개 결정 이유와 공개 실시일을 분명히 밝혀 지체 없이 문서로 통지하여야 하며, 제3자는 해당 공공기관에 문서로 이의신청을 하거나 행정심판 또는 행정소송을 제기할 수 있다. 이 경우 이의신청은 통지를 받은 날부터 7일 이내에 하여야 한다.

④ (○) 대판 2016.11.10. 2016두44674

함께 정리하기

공공기관의 정보공개에 관한 법률

사립대학교
▷ 정보공개 의무 있는 공공기관 해당 ○

정보공개거부처분취소소송에서 공공기관이 청구정보를 증거로 법원에 제출한 것
▷ 정보공개법에 의한 공개 ×

공개청구사실 통지받은 제3자
▷ 3일 이내에 비공개요청 可
▷ 공개결정시 이유 & 실시일 명시하여 지체 없이 문서로 통지 要

신청한 방법 이외의 방법으로 공개 결정
▷ 일부 거부처분 해당

정당한 사유 없는 반복 청구
▷ 종전 청구와의 내용적 유사성·관련성 등 고려하여 종결 처리 可
▷ 종결 처리 사실을 청구인에게 알려야 함

⑤ (○)

> 「공공기관의 정보공개에 관한 법률」 제11조의2 【반복 청구 등의 처리】 ① 공공기관은 제11조에도 불구하고 제10조 제1항 및 제2항에 따른 정보공개 청구가 다음 각 호의 어느 하나에 해당하는 경우에는 정보공개 청구 대상 정보의 성격, 종전 청구와의 내용적 유사성·관련성, 종전 청구와 동일한 답변을 할 수밖에 없는 사정 등을 종합적으로 고려하여 해당 청구를 종결 처리할 수 있다. 이 경우 종결 처리 사실을 청구인에게 알려야 한다.
> 1. 정보공개를 청구하여 정보공개 여부에 대한 결정의 통지를 받은 자가 정당한 사유 없이 해당 정보의 공개를 다시 청구하는 경우
> 2. 정보공개 청구가 제11조 제5항에 따라 민원으로 처리되었으나 다시 같은 청구를 하는 경우

답 ②

018

「공공기관의 정보공개에 관한 법률」의 내용에 대한 설명으로 옳지 않은 것은?

① 행정안전부장관은 전년도의 정보공개 운영에 관한 보고서를 매년 정기국회 개회 전까지 국회에 제출하여야 한다.
② 청구인이 정보공개와 관련한 공공기관의 비공개 결정 또는 부분 공개 결정에 대하여 불복이 있거나 정보공개 청구 후 20일이 경과하도록 정보공개 결정이 없는 때에는 공공기관으로부터 정보공개여부의 결정 통지를 받은 날 또는 정보공개 청구 후 20일이 경과한 날부터 7일 이내에 해당 공공기관에 문서로 이의신청을 할 수 있다.
③ 공공기관은 국가의 시책으로 시행하는 공사(工事) 등 대규모 예산이 투입되는 사업에 관한 정보에 대해서는 공개의 구체적 범위, 주기, 시기 및 방법 등을 미리 정하여 정보통신망 등을 통하여 알리고, 이에 따라 정기적으로 공개하여야 한다.
④ 공공기관은 공개 청구된 정보가 공공기관이 보유·관리하지 아니하는 정보인 경우, 「민원 처리에 관한 법률」에 따른 민원으로 처리할 수 있는 경우에는 민원으로 처리할 수 있다.
⑤ 공공기관은 정보공개를 청구하여 정보공개 여부에 대한 결정의 통지를 받은 자가 정당한 사유 없이 해당 정보의 공개를 다시 청구하는 경우에는 정보공개 청구 대상 정보의 성격, 종전 청구와의 내용적 유사성·관련성 등을 종합적으로 고려하여 해당 청구를 종결처리할 수 있다.

| 2024년 국회직 8급

① (○)

> 「공공기관의 정보공개에 관한 법률」 제26조 【국회에의 보고】 ① 행정안전부장관은 전년도의 정보공개 운영에 관한 보고서를 매년 정기국회 개회 전까지 국회에 제출하여야 한다.

② (×)

> 「공공기관의 정보공개에 관한 법률」 제18조 【이의신청】 ① 청구인이 정보공개와 관련한 공공기관의 비공개 결정 또는 부분 공개 결정에 대하여 불복이 있거나 정보공개 청구 후 20일이 경과하도록 정보공개 결정이 없는 때에는 공공기관으로부터 정보공개 여부의 결정 통지를 받은 날 또는 정보공개 청구 후 20일이 경과한 날부터 30일 이내에 해당 공공기관에 문서로 이의신청을 할 수 있다.

③ (○)

> 「공공기관의 정보공개에 관한 법률」 제7조 【정보의 사전적 공개 등】 ① 공공기관은 다음 각 호의 어느 하나에 해당하는 정보에 대해서는 공개의 구체적 범위, 주기, 시기 및 방법 등을 미리 정하여 정보통신망 등을 통하여 알리고, 이에 따라 정기적으로 공개하여야 한다. 다만, 제9조 제1항 각 호의 어느 하나에 해당하는 정보에 대해서는 그러하지 아니하다.
> 1. 국민생활에 매우 큰 영향을 미치는 정책에 관한 정보
> 2. 국가의 시책으로 시행하는 공사(工事) 등 대규모 예산이 투입되는 사업에 관한 정보
> 3. 예산집행의 내용과 사업평가 결과 등 행정감시를 위하여 필요한 정보
> 4. 그 밖에 공공기관의 장이 정하는 정보

④ (○)

> 「공공기관의 정보공개에 관한 법률」 제11조 【정보공개 여부의 결정】 ⑤ 공공기관은 정보공개 청구가 다음 각 호의 어느 하나에 해당하는 경우로서 「민원 처리에 관한 법률」에 따른 민원으로 처리할 수 있는 경우에는 민원으로 처리할 수 있다.
> 1. 공개 청구된 정보가 공공기관이 보유·관리하지 아니하는 정보인 경우
> 2. 공개 청구의 내용이 진정·질의 등으로 이 법에 따른 정보공개 청구로 보기 어려운 경우

⑤ (○)

> 「공공기관의 정보공개에 관한 법률」 제11조의2 【반복 청구 등의 처리】 ① 공공기관은 제11조에도 불구하고 제10조 제1항 및 제2항에 따른 정보공개 청구가 다음 각 호의 어느 하나에 해당하는 경우에는 정보공개 청구 대상 정보의 성격, 종전 청구와의 내용적 유사성·관련성, 종전 청구와 동일한 답변을 할 수밖에 없는 사정 등을 종합적으로 고려하여 해당 청구를 종결 처리할 수 있다. 이 경우 종결 처리 사실을 청구인에게 알려야 한다.
> 1. 정보공개를 청구하여 정보공개 여부에 대한 결정의 통지를 받은 자가 정당한 사유 없이 해당 정보의 공개를 다시 청구하는 경우
> 2. 정보공개 청구가 제11조 제5항에 따라 민원으로 처리되었으나 다시 같은 청구를 하는 경우

답 ②

019

「공공기관의 정보공개에 관한 법률」(이하 '정보공개법'이라 한다)에 대한 설명으로 옳지 않은 것은?

① 도시공원위원회의 회의관련자료 및 회의록은 시장 등의 결정의 대외적 공표행위가 있은 후에는 이를 의사결정과정이나 내부검토과정에 있는 사항이라고 할 수 없고 위 위원회의 회의관련자료 및 회의록을 공개하더라도 업무의 공정한 수행에 지장을 초래할 염려가 없으므로 공개대상이 된다.

② 전자적 형태로 보유·관리되는 정보의 경우에 그 정보가 청구인이 구하는 대로 되어 있지 않더라도 공개청구를 받은 공공기관이 공개청구대상정보의 기초자료를 검색하여 청구인이 구하는 대로 편집할 수 있으며, 그 작업이 당해 기관의 업무수행에 별다른 지장을 초래하지 않는다면 그 공공기관이 공개청구대상정보를 보유·관리하고 있는 것으로 볼 수 있다.

③ 정보공개법에서 공개대상의 예외로 규정하고 있는 '다른 법률 또는 법률에서 위임한 명령(국회규칙·대법원규칙·헌법재판소규칙·중앙선거관리위원회규칙·대통령령 및 조례로 한정함)에 따라 비밀이나 비공개 사항으로 규정된 정보'의 해석에 있어서 '법률에서 위임한 명령'은 정보의 공개에 관하여 법률의 구체적인 위임 아래 제정된 법규명령(위임명령)을 의미한다.

④ 정보공개청구인이 정보공개와 관련한 공공기관의 비공개 결정 또는 부분 공개 결정에 대하여 불복하는 경우에는 정보공개법상 이의신청절차를 거친 후에야 비로소 행정심판을 청구할 수 있다.

2023년 지방직 7급

① (○) 지방자치단체의 도시공원에 관한 조례에서 규정된 도시공원위원회의 심의사항에 관하여 위 위원회의 심의를 거친 후 시장이나 구청장이 위 사항들에 대한 결정을 대외적으로 공표하기 전에 위 위원회의 회의관련자료 및 회의록이 공개된다면 업무의 공정한 수행에 현저한 지장을 초래한다고 할 것이므로, 위 위원회의 심의 후 그 심의사항들에 대한 시장 등의 결정의 대외적 공표행위가 있기 전까지는 위 위원회의 회의관련자료 및 회의록은 공공기관의 정보공개에 관한 법률 제7조 제1항 제5호에서 규정하는 비공개대상정보에 해당한다고 할 것이고, 다만 시장 등의 결정의 대외적 공표행위가 있은 후에는 이를 의사결정과정이나 내부검토과정에 있는 사항이라고 할 수 없고 위 위원회의 회의관련자료 및 회의록을 공개하더라도 업무의 공정한 수행에 지장을 초래할 염려가 없으므로, 시장 등의 결정의 대외적 공표행위가 있은 후에는 위 위원회의 회의관련자료 및 회의록은 같은 법 제7조 제2항에 의하여 공개대상이 된다고 할 것인바, 지방자치단체의 도시공원에 관한 조례안에서 공개시기 등에 관한 아무런 제한 규정 없이 위 위원회의 회의관련자료 및 회의록은 공개하여야 한다고 규정하였다면 이는 같은 법 제7조 제1항 제5호에 위반된다고 할 것이다(대판 2000.5.30. 99추85).

② (○) 공공기관의 정보공개에 관한 법률에 의한 정보공개제도는 공공기관이 보유·관리하는 정보를 그 상태대로 공개하는 제도이지만, 전자적 형태로 보유·관리되는 정보의 경우에는, 그 정보가 청구인이 구하는 대로는 되어 있지 않다고 하더라도, 공개청구를 받은 공공기관이 공개청구대상정보의 기초자료를 전자적 형태로 보유·관리하고 있고, 당해 기관에서 통상 사용되는 컴퓨터 하드웨어 및 소프트웨어와 기술적 전문지식을 사용하여 그 기초자료를 검색하여 청구인이 구하는 대로 편집할 수 있으며, 그러한 작업이 당해 기관의 컴퓨터 시스템 운용에 별다른 지장을 초래하지 아니한다면, 그 공공기관이 공개청구대상정보를 보유·관리하고 있는 것으로 볼 수 있고, 이러한 경우에 기초자료를 검색·편집하는 것은 새로운 정보의 생산 또는 가공에 해당한다고 할 수 없다(대판 2010.2.11. 2009두6001).

③ (○) 공공기관의 정보공개에 관한 법률 제9조 제1항 본문은 "공공기관이 보유관리하는 정보는 공개대상이 된다"고 규정하면서 그 단서 제1호에서는 "다른 법률 또는 법률이 위임한 명령(국회규칙·대법원규칙·중앙선거관리위원회규칙·대통령령 및 조례에 한한다)에 의하여 비밀 또는 비공개 사항으로 규정된 정보"는 이를 공개하지 아니할 수 있다고 규정하고 있는바, 그 입법 취지는 비밀 또는 비공개 사항으로 다른 법률 등에 규정되어 있는 경우는 이를 존중함으로써 법률 간의 마찰을 피하기 위한 것이고, 여기에서 '법률에 의한 명령'은 정보의 공개에 관하여 법률의 구체적 위임 아래 제정된 법규명령(위임명령)을 의미한다(대판 2010.6.10. 2010두2913).

④ (×) 이의신청은 임의적 절차이다.

> 「공공기관의 정보공개에 관한 법률」 제19조【행정심판】 ① 청구인이 정보공개와 관련한 공공기관의 결정에 대하여 불복이 있거나 정보공개 청구 후 20일이 경과하도록 정보공개 결정이 없는 때에는 「행정심판법」에서 정하는 바에 따라 행정심판을 청구할 수 있다. 이 경우 국가기관 및 지방자치단체 외의 공공기관의 결정에 대한 감독행정기관은 관계 중앙행정기관의 장 또는 지방자치단체의 장으로 한다.
> ② 청구인은 제18조에 따른 이의신청 절차를 거치지 아니하고 행정심판을 청구할 수 있다.

답 ④

함께 정리하기

공공기관의 정보공개에 관한 법률

공표 후 도시공원위원회의 심의사항 회의록
▷ 비공개대상정보 ×

전자적 형태로 보유·관리되는 정보
▷ 정보를 검색·편집해야 하는 경우에도 공개대상정보 ○

정보공개법 제9조 제1항 제1호의 '법률에서 위임한 명령'
▷ 법률의 구체적인 위임 아래 제정된 위임명령 ○

이의신청
▷ 임의적 절차

문제 DATA

출제가능 지수 ▶▶▷
난이도 지수 ★★☆

020 ☐☐☐

「공공기관의 정보공개에 관한 법률」상 정보공개에 대한 설명으로 옳지 않은 것은? (다툼이 있는 경우 판례에 의함)

① 지방자치단체는 그 소관 사무에 관하여 법령의 범위에서 정보공개에 관한 조례를 정할 수 있다.
② 정보공개청구인은 공공기관의 비공개결정에 불복하는 행정심판을 청구하려면 「공공기관의 정보공개에 관한 법률」에서 정하는 이의신청 절차를 거쳐야 한다.
③ 정보공개거부처분 취소소송에서 공개청구의 취지에 어긋나지 아니하는 범위 안에서 공개를 거부한 정보가 비공개대상정보에 해당하는 부분과 공개가 가능한 부분으로 분리될 수 있다고 인정되면 법원은 공개가 가능한 부분을 특정하고 판결의 주문에 공개가 가능한 정보에 관한 부분만을 취소한다고 표시해야 한다.
④ 공공기관이 공개청구의 대상이 된 정보를 청구인이 신청한 공개방법 이외의 방법으로 공개하는 결정을 하였다면, 이는 정보공개청구 중 정보공개방법에 관한 부분에 대하여 일부 거부처분을 한 것이므로 청구인은 그에 대하여 항고소송으로 다툴 수 있다.

함께 정리하기

정보공개

지자체
▷ 법령의 범위에서 정보공개 조례 제정 가

정보공개법상 이의신청
▷ 임의적 절차

공개거부된 정보에 비공개·공개대상 정보가 혼재하고 분리 가능
▷ 판결주문에 공개가능부분만 취소 표시 (일부취소O)

신청한 방법 이외의 방법으로 공개결정
▷ 일부 거부처분 해당

2023년 국가직 7급

① (O)

> 「공공기관의 정보공개에 관한 법률」 제4조 【적용범위】 ② 지방자치단체는 그 소관 사무에 관하여 법령의 범위에서 정보공개에 관한 조례를 정할 수 있다.

유제 15. 지방직 9급 지방자치단체는 그 소관 사무에 관하여 법령의 범위에서 정보공개에 관한 조례를 정할 수 있다. (O)

② (×)

> 「공공기관의 정보공개에 관한 법률」 제18조 【이의신청】 ① 청구인이 정보공개와 관련한 공공기관의 비공개 결정 또는 부분 공개 결정에 대하여 불복이 있거나 정보공개 청구 후 20일이 경과하도록 정보공개 결정이 없는 때에는 공공기관으로부터 정보공개 여부의 결정 통지를 받은 날 또는 정보공개 청구 후 20일이 경과한 날부터 30일 이내에 해당 공공기관에 문서로 이의신청을 할 수 있다.
> 제19조 【행정심판】 ② 청구인은 제18조에 따른 이의신청 절차를 거치지 아니하고 행정심판을 청구할 수 있다.

유제 19. 서울시 9급 「공공기관의 정보공개에 관한 법률」상 정보공개청구인은 공공기관의 비공개 결정에 대해 이의신청절차를 거치지 아니하면 행정심판을 청구할 수 없다. (×)
19. 국가직 9급 정보공개 청구 후 20일이 경과하도록 정보공개 결정이 없는 경우, 이의신청은 허용되나 행정심판청구는 허용되지 않는다. (×)
19. 소방직, 17. 국가직 9급 정보공개청구에 대하여 공공기관이 비공개 결정을 한 경우, 청구인이 이에 불복한다면 이의신청절차를 거치지 않고 행정심판을 청구할 수 있다. (O)
16. 국가직 9급 정보공개청구에 대해 공공기관의 비공개 결정이 있는 경우 이의신청절차를 거치지 않더라도 행정심판을 청구할 수 있다. (O)
16. 교행 청구인은 이의신청을 거치지 않고 행정심판을 청구할 수 없다. (×)
15. 국회직 8급 정보공개청구인은 공공기관의 결정에 따른 이의신청 절차를 거치지 아니하고 행정심판을 청구할 수 있다. (O)

③ (O) 법원이 정보공개 거부처분의 위법 여부를 심리한 결과, 공개가 거부된 정보에 비공개 대상 정보에 해당하는 부분과 공개가 가능한 부분이 혼합되어 있으며, 공개 청구의 취지에 어긋나지 아니하는 범위 안에서 두 부분을 분리할 수 있다고 인정할 수 있을 때에는, 공개가 거부된 정보 중 공개가 가능한 부분을 특정하고, 판결의 주문에 정보공개거부처분 중 공개가 가능한 정보에 관한 부분만을 취소한다고 표시하여야 한다(대판 2010.2.11. 2009두6001).

유제 10. 국가직 9급 공개를 거부한 정보에 비공개대상 정보에 해당하는 부분과 공개가 가능한 부분이 혼합되어 있는 경우라면 법원은 정보공개거부처분 전부를 취소해야 한다. (×)

④ (○) 청구인에게는 특정한 공개방법을 지정하여 정보공개를 청구할 수 있는 법령상 신청권이 있다. 따라서 공공기관이 공개청구의 대상이 된 정보를 공개는 하되, 청구인이 신청한 공개방법 이외의 방법으로 공개하기로 하는 결정을 하였다면, 이는 정보공개청구 중 정보공개방법에 관한 부분에 대하여 일부 거부처분을 한 것이고, 청구인은 그에 대하여 항고소송으로 다툴 수 있다(대판 2016.11.10. 2016두44674).

유제 22. 지방직 7급 공공기관이 공개청구의 대상이 된 정보를 공개는 하되, 청구인이 신청한 공개방법 이외의 방법으로 공개하기로 하는 결정을 하였다면, 이는 정보공개청구 중 정보공개방법에 관한 부분만을 달리한 것이므로 일부 거부처분이라 할 수 없다. (×)

21. 경찰 2차 정보공개청구인은 특정한 정보공개 방법을 지정하여 청구할 수 있는 법령상 신청권이 있다고 할 것이므로 공공기관이 공개청구의 대상이 된 정보를 정보공개청구인이 신청한 공개방법 이외의 방법으로 공개하기로 하는 결정을 하였다면, 이는 정보공개 방법에 관한 부분에 대하여 일부 거부처분을 한 것이고 정보공개청구인은 그에 대해 항고소송을 제기할 수 있다. (○)

20. 서울시·지방직·교행 9급 공공기관이 공개청구의 대상이 된 정보를 공개는 하되, 청구인이 신청한 공개방법 이외의 방법으로 공개하기로 하는 결정을 한 경우 이는 정보공개방법만을 달리 한 것이므로 일부거부처분이라 할 수 없다. (×)

20. 소방간부 공공기관이 청구인이 신청한 공개방법 이외의 방법으로 공개하기로 결정하였다면 이는 정보공개방법에 관한 부분에 대하여 일부 거부처분을 한 것이고, 청구인은 그에 대하여 항고소송으로 다툴 수 있다. (○)

19. 5급 승진 공공기관이 공개청구의 대상이 된 정보를 공개하였다면, 설령 청구인이 신청한 공개방법 이외의 방법으로 공개하기로 하는 결정을 하였더라도, 청구인은 그에 대하여 항고소송으로 다툴 수 없다. (×)

답 ②

021 □□□

「공공기관의 정보공개에 관한 법률」상 정보공개제도에 대한 설명으로 옳은 것은? (다툼이 있는 경우 판례에 의함)

① 정보의 공개 및 우송에 드는 비용은 모두 정보공개 의무가 있는 공공기관이 부담한다.
② 사립대학교는 정보공개를 할 의무가 있는 공공기관에 해당하지 않는다.
③ 정보공개청구의 대상이 되는 정보를 공공기관이 보유·관리하고 있다는 점에 관하여는 정보공개를 구하는 사람에게 증명책임이 있다.
④ 국내에 사무소를 두고 있는 외국법인 또는 외국단체는 학술·연구를 위한 목적으로만 정보공개를 청구할 수 있다.

문제 DATA
출제가능 지수 ▶▶▷
난이도 지수 ★★☆

| 2023년 군무원 9급

① (×)

> 「공공기관의 정보공개에 관한 법률」 제17조【비용부담】① 정보의 공개 및 우송 등에 드는 비용은 실비(實費)의 범위에서 청구인이 부담한다.
> ② 공개를 청구하는 정보의 사용목적이 공공복리의 유지·증진을 위하여 필요하다고 인정되는 경우에는 제1항에 따른 비용을 감면할 수 있다.

유제 19. 국가직 9급 정보의 공개 및 우송 등에 드는 비용은 정보공개청구를 받은 행정청이 부담한다. (×)

18. 서울시 7급 정보의 공개 및 우송 등에 소요되는 비용은 실비의 범위에서 청구인의 부담으로 한다. 다만, 그 액수가 너무 많아서 청구인에게 과중한 부담을 주는 경우에는 비용을 감면할 수 있다. (×)

18. 소방직 정보의 공개 및 우송 등에 드는 비용은 실비의 범위에서 청구인이 부담한다. (○)

15. 지방직 9급 정보의 공개 및 우송 등에 소요되는 비용은 실비의 범위에서 청구인이 부담하나, 공개를 청구하는 정보의 사용 목적이 공공복리의 유지·증진을 위하여 필요하다고 인정되는 경우에는 그 비용을 감면할 수 있다. (○)

14. 서울시 9급 국민의 정보공개청구권을 보장하기 위하여 정보공개에 드는 비용은 무료로 한다. (×)

함께 정리하기

정보공개제도

비용
▷ 청구인이 실비부담

사립대학교
▷ 정보공개의무 있는 공공기관 해당○

공공기관이 보유·관리하고 있는 정보라는 증명책임
▷ 공개청구자

국내에 사무소 두고 있는 외국법인·단체
▷ 정보공개청구 可

② (×) 사립대학교는 정보공개법상의 공공기관이다. 사립대학교에 정보공개를 청구하였다가 거부되면 사립대학교 총장을 피고로 하여 취소소송을 제기할 수 있다.

> 정보공개 의무기관을 정하는 것은 입법자의 입법형성권에 속하고, 이에 따라 입법자는 구 공공기관의 정보공개에 관한 법률(2004.1.29. 법률 제7127호로 전문 개정되기 전의 것) 제2조 제3호에서 정보공개 의무기관을 공공기관으로 정하였는바, 공공기관은 국가기관에 한정되는 것이 아니라 지방자치단체, 정부투자기관, 그 밖에 공동체 전체의 이익에 중요한 역할이나 기능을 수행하는 기관도 포함되는 것으로 해석되고, 여기에 정보공개의 목적, 교육의 공공성 및 공·사립학교의 동질성, 사립대학교에 대한 국가의 재정지원 및 보조 등 여러 사정을 고려해 보면, <u>사립대학교에 대한 국비 지원이 한정적·일시적·국부적이라는 점을 고려하더라도, 구 공공기관의 정보공개에 관한 법률 시행령 제2조 제1호가 정보공개의무를 지는 공공기관의 하나로 사립대학교를 들고 있는 것이 모법의 위임범위를 벗어났다거나 사립대학교가 국비의 지원을 받는 범위 내에서만 공공기관의 성격을 가진다고 볼 수 없다</u>(대판 2006.8.24. 2004두2783).

유제 22. 국회직 8급 사립대학교는 정보공개법 시행령에 따른 정보공개의무를 지는 공공기관에 해당하나, 국비의 지원을 받는 범위 내에서만 그러한 공공기관의 성격을 가진다. (×)
21. 국회직 8급 · 행정사 사립대학교는 정보공개 의무기관인 공공기관에 해당하지 않는다. (×)
20. 지방직 7급 사립대학교에 정보공개를 청구하였다가 거부될 경우 사립대학교에 대한 국가의 지원이 한정적·국부적·일시적임을 고려한다면 사립대학교 총장을 피고로 하여 취소소송을 제기할 수 없다. (×)
17. 지방직 9급 사립대학교는 「공공기관의 정보공개에 관한 법률 시행령」에 따른 공공기관에 해당하나, 국비의 지원을 받는 범위 내에서만 공공기관의 성격을 가진다. (×)
15. 국가직 9급 구 「공공기관의 정보공개에 관한 법률 시행령」 제2조 제1호가 정보공개의무기관으로 사립대학교를 들고 있는 것은 모법의 위임범위를 벗어난 것으로 위법하다. (×)

③ (○) 정보공개제도는 공공기관이 보유·관리하는 정보를 그 상태대로 공개하는 제도로서 <u>공개를 구하는 정보를 공공기관이 보유·관리하고 있을 상당한 개연성이 있다는 점에 대하여 원칙적으로 공개청구자에게 증명책임이 있다</u>고 할 것이지만, 공개를 구하는 정보를 공공기관이 한때 보유·관리하였으나 후에 그 정보가 담긴 문서 등이 폐기되어 존재하지 않게 된 것이라면 그 정보를 더 이상 보유·관리하고 있지 아니하다는 점에 대한 증명책임은 공공기관에게 있다(대판 2004.12.9. 2003두12707).

유제 22. 지방직 9급, 20. 지방직 7급·경찰 2차 등 공개를 구하는 정보를 공공기관이 한때 보유·관리하였으나 후에 그 정보가 담긴 문서 등이 폐기되어 존재하지 않게 된 것이라면 그 정보를 더 이상 보유·관리하고 있지 아니하다는 점에 대한 증명책임은 공공기관에게 있다. (○)
20. 지방직 7급 정보공개를 청구하는 자가 공개를 구하는 정보를 행정기관이 보유·관리하고 있을 상당한 개연성이 있다는 점을 입증하여야 한다. (○)
20. 서울시 7급 공개를 구하는 정보를 공공기관이 한때 보유·관리하였으나 후에 그 정보가 담긴 문서 등이 폐기되어 그 정보를 더 이상 보유·관리하고 있지 않다는 점에 대한 입증책임은 공공기관에 있다. (○)
19. 국가직 7급 공개청구된 정보를 공공기관이 한때 보유·관리하였으나 후에 그 정보가 담긴 문서가 정당하게 폐기되어 존재하지 않게 된 경우, 정보 보유·관리 여부의 입증책임은 정보공개청구자에게 있다. (×)

④ (×) 학술·연구를 위한 목적에 한정되지 않는다.

> 「공공기관의 정보공개에 관한 법률」 제5조 【정보공개청구권자】 ② 외국인의 정보공개청구에 관하여는 대통령령으로 정한다.
> **시행령 제3조 【외국인의 정보공개청구】** 법 제5조 제2항에 따라 <u>정보공개를 청구할 수 있는 외국인</u>은 다음 각 호의 어느 하나에 해당하는 자로 한다.
> 1. 국내에 일정한 주소를 두고 거주하거나 학술·연구를 위하여 일시적으로 체류하는 사람
> 2. <u>국내에 사무소를 두고 있는 법인 또는 단체</u>

유제 22. 행정사 일정한 요건을 갖춘 외국인은 정보공개 청구를 할 수 있다. (○)
21. 행정사 국내에 학술·연구를 위하여 일시적으로 체류하는 외국인은 정보공개를 청구할 권리가 없다. (×)
17. 교행 외국인의 정보공개청구권은 인정될 여지가 없다. (×)
15. 교행 외국인은 국내에 주소를 두고 거주하는 경우에도 정보공개청구권이 인정되지 않는다. (×)
14. 서울시 9급 외국인에게도 국민과 동일하게 정보공개청구권이 인정된다. (×)

답 ③

022

「공공기관의 정보공개에 관한 법률」에 대한 다음 설명으로 옳지 않은 것은? (다툼이 있는 경우 판례에 의함)

① 자연인은 물론 법인도 정보공개청구를 할 수 있으나 지방자치단체는 정보공개청구를 할 수 없다.
② 사법시험 답안지는 비공개대상정보가 아니다.
③ 「공공기관의 정보공개에 관한 법률」은 공공기관이 보유·관리하는 정보공개에 관한 일반법이지만, 국가안보에 관련되는 정보는 이 법의 적용대상이 아니다.
④ 통상적으로 정보에 포함되어 있는 개인식별정보는 비공개대상이나, 독립유공자 서훈 공적심사위원회 회의록이나 형사재판확정기록은 공개청구대상이다.

문제 DATA
출제가능 지수 ▶▶▷
난이도 지수 ★★☆

2023년 군무원 7급

① (○) 정보공개청구권을 가지는 국민에는 자연인뿐만 아니라 법인, 법인격 없는(권리능력 없는) 사단·재단도 포함된다는 것이 판례의 입장이며, 또한 이해관계 유무를 불문하므로 시민단체 등에 의한 행정 감시목적의 정보공개청구도 가능하다. 한편, 지방자치단체는 법인이기는 하지만 정보공개의무자에 해당할 뿐 정보공개청구권자인 국민에는 해당하지 않는다.

② (○) 시험문항에 대한 채점위원별 채점 결과는 비공개정보에 해당하지만, 답안지 자체는 비공개정보에 해당하지 않는다.

> 답안지는 응시자의 시험문제에 대한 답안이 기재되어 있을 뿐 평가자의 평가기준이나 평가 결과가 반영되어 있는 것은 아니므로 응시자가 자신의 답안지를 열람한다고 하더라도 시험문항에 대한 채점위원별 채점 결과가 열람되는 경우와 달리 평가자가 시험에 대한 평가업무를 수행함에 있어서 지장을 초래할 가능성이 적은 점, 답안지에 대한 열람이 허용된다고 하더라도 답안지를 상호비교함으로써 생기는 부작용이 생길 가능성이 희박하고, 열람업무의 폭증이 예상된다고 볼만한 자료도 없는 점 등을 종합적으로 고려하면, 답안지의 열람으로 인하여 시험업무의 수행에 현저한 지장을 초래한다고 볼 수 없다(대판 2003.3.14. 2000두6114).

유제 15. 사복직 사법시험 응시자가 자신의 제2차 시험 답안지에 대한 열람청구를 한 경우 그 답안지는 정보공개의 대상이 된다. (○)
13. 국가직 9급 사법시험 제2차시험의 답안지와 시험문항에 대한 채점위원별 채점결과는 비공개정보에 해당한다. (×)

③ (○)

> 「공공기관의 정보공개에 관한 법률」제4조【적용 범위】① 정보의 공개에 관하여는 다른 법률에 특별한 규정이 있는 경우를 제외하고는 이 법에서 정하는 바에 따른다.
> ③ 국가안전보장에 관련되는 정보 및 보안 업무를 관장하는 기관에서 국가안전보장과 관련된 정보의 분석을 목적으로 수집하거나 작성한 정보에 대해서는 이 법을 적용하지 아니한다. 다만, 제8조 제1항에 따른 정보목록의 작성·비치 및 공개에 대해서는 그러하지 아니한다.

함께 정리하기
정보공개법
지방자치단체
▷ 정보공개청구 不可
사법시험 답안지
▷ 공개대상
국가안보에 관련 정보
▷ 정보공개법 적용대상×
개인식별정보, 독립유공자 서훈 공적심사위원회 회의록, 형사재판확정기록
▷ 비공개대상

④ (×) 통상적으로 정보에 포함되어 있는 개인식별정보는 비공개대상에 해당하며(정보공개법 제9조 제1항 제6호 참조), 독립유공자서훈 공적심사위원회의 회의록과 형사재판확정기록도 비공개대상 정보에 해당한다.

> [1] 甲이 친족인 망 乙 등에 대한 독립유공자 포상신청을 하였다가 독립유공자서훈 공적심사위원회의 심사를 거쳐 포상에 포함되지 못하였다는 내용의 공적심사 결과를 통지받자 국가보훈처장에게 '망인들에 대한 공적심사위원회의 심의·의결 과정 및 그 내용을 기재한 회의록' 등의 공개를 청구하였는데, 국가보훈처장이 위 회의록은 공공기관의 정보공개에 관한 법률 제9조 제1항 제5호에 따라 공개할 수 없다는 통보를 한 사안에서, … 위 회의록 공개에 의하여 보호되는 알 권리의 보장과 비공개에 의하여 보호되는 업무수행의 공정성 등의 이익 등을 비교·교량해 볼 때, 위 회의록은 정보공개법 제9조 제1항 제5호에서 정한 '공개될 경우 업무의 공정한 수행에 현저한 지장을 초래한다고 인정할 만한 상당한 이유가 있는 정보'에 해당한다(대판 2014.7.24. 2013두20301).

[2] 형사소송법 제59조의2는 형사재판확정기록의 공개 여부나 공개 범위, 불복절차 등에 대하여 구 공공기관의 정보공개에 관한 법률과 달리 규정하고 있는 것으로 정보공개법 제4조 제1항에서 정한 '정보의 공개에 관하여 다른 법률에 특별한 규정이 있는 경우'에 해당한다. 따라서 형사재판확정기록의 공개에 관하여는 정보공개법에 의한 공개청구가 허용되지 아니한다(대판 2016.12.15. 2013두20882).

유제 17. 지방직 9급 '독립유공자서훈 공적심사위원회의 심의·의결 과정 및 그 내용을 기재한 회의록'은 공개될 경우에 업무의 공정한 수행에 현저한 지장을 초래한다고 인정할 만한 상당한 이유가 있는 정보에 해당한다. (O)
22. 국가직 7급 「형사소송법」은 형사재판확정기록의 공개 여부 등에 대하여 「공공기관의 정보공개에 관한 법률」과 달리 규정하고 있으므로, 형사재판확정기록의 공개에 관하여는 「공공기관의 정보공개에 관한 법률」에 의한 공개청구가 허용되지 아니한다. (O)
21. 국회직 8급 「형사소송법」이 형사재판확정기록의 공개 여부나 공개 범위, 불복절차 등에 대하여 규정하고 있는 것은 정보공개법 제4조 제1항에서 정한 '정보의 공개에 관하여 다른 법률에 특별한 규정이 있는 경우'에 해당한다고 볼 수 없으므로 형사재판확정기록의 공개에 관하여는 정보공개법에 의한 공개청구가 허용된다. (×)
19. 지방직 7급 형사재판확정기록의 공개에 관하여는 「형사소송법」의 규정이 적용되므로 「공공기관의 정보공개에 관한 법률」에 의한 공개청구는 허용되지 아니한다. (O)

답 ④

023 ☐☐☐

다음 중 「공공기관의 정보공개에 관한 법률」상 정보공개에 대한 설명으로 옳은 것만을 모두 고르면?

> ㄱ. 모든 국민은 정보의 공개를 청구할 권리를 가진다.
> ㄴ. 법무부령인 검찰보존사무규칙은 행정기관 내부의 사무처리준칙인 행정규칙이지만, 검찰보존사무규칙상의 열람·등사의 제한은 「공공기관의 정보공개에 관한 법률」 제9조 제1항 제1호의 '다른 법률 또는 법률에 의한 명령에 의하여 비공개사항으로 규정된 경우'에 해당한다.
> ㄷ. 해당 정보를 취득 또는 활용할 의사가 전혀 없이 정보공개제도를 이용하여 사회통념상 용인될 수 없는 부당한 이득을 얻으려 하거나, 오로지 공공기관의 담당공무원을 괴롭힐 목적으로 정보공개청구를 하는 경우 권리남용에 해당함이 명백하므로 정보공개청구권의 행사가 허용되지 아니한다.
> ㄹ. 청구인이 정보공개와 관련한 공공기관의 결정에 대하여 불복이 있거나 정보공개청구 후 10일이 경과하도록 정보공개 결정이 없는 때에는 「행정심판법」에서 정하는 바에 따라 행정심판을 청구할 수 있다.

① ㄱ, ㄴ
② ㄱ, ㄷ
③ ㄴ, ㄹ
④ ㄷ, ㄹ

2023년 지방직 9급

ㄱ. (○)

> 「공공기관의 정보공개에 관한 법률」 제5조 【정보공개 청구권자】 ① 모든 국민은 정보의 공개를 청구할 권리를 가진다.

ㄴ. (✕) 검찰보존사무규칙은 법무부령으로 되어 있으나, 그 중 재판확정기록 등의 열람·등사에 대하여 제한하고 있는 부분은 위임근거가 없어 행정기관 내부의 사무처리준칙으로서 행정규칙에 불과하므로, 위 규칙에 의한 열람·등사의 제한을 「공공기관의 정보공개에 관한 법률」 제4조 제1항의 '정보의 공개에 관하여 다른 법률에 특별한 규정이 있는 경우' 또는 제7조 제1항 제1호의 '다른 법률 또는 법률에 의한 명령에 의하여 비공개사항으로 규정된 경우'에 해당한다고 볼 수는 없다(대판 2003.12.26. 2002두1342).

유제 17. 지방직 9급 법무부령인 「검찰보존사무규칙」에서 불기소사건 기록 등의 열람·등사 등을 제한하는 것은 「공공기관의 정보공개에 관한 법률」에 따른 '다른 법률 또는 명령에 의하여 비공개사항으로 규정된 경우'에 해당되어 적법하다. (✕)
17. 국가직 7급 「검찰보존사무규칙」상의 정보의 열람·등사의 제한은 「공공기관의 정보공개에 관한 법률」 제9조 제1항 제1호의 '다른 법률 또는 법률에 의한 명령에 의하여 비공개사항으로 규정된 경우'에 해당한다. (✕)
14. 지방직 9급 판례에 의하면 법무부령으로 제정된 「검찰보존사무규칙」상의 기록의 열람·등사의 제한규정은 구 「공공기관의 정보공개에 관한 법률」 제9조 제1항 제1호의 '다른 법률 또는 법률에 의한 명령에 의하여 비공개사항으로 규정된 경우'에 해당한다. (✕)
13. 국회직 8급 '검찰보존사무규칙'은 행정기관 내부의 사무처리준칙으로서 '검찰보존사무규칙'상의 열람·등사의 제한은 「공공기관의 정보공개에 관한 법률」 제9조 제1항 제1호의 '다른 법률 또는 법률에 의한 명령에 의하여 비공개사항으로 규정된 경우'에 해당한다. (✕)
12. 국회직 9급 「검찰보존사무규칙」은 법무부령이어서 「공공기관의 정보공개에 관한 법률」상의 다른 법률 또는 법률에 의한 명령에 의하여 비공개사항으로 규정된 경우에 해당하므로 「검찰보존사무규칙」상 열람·등사를 제한할 수 있다. (✕)

ㄷ. (○) 국민의 정보공개청구는 정보공개법 제9조에 정한 비공개 대상 정보에 해당하지 아니하는 한 원칙적으로 폭넓게 허용되어야 하지만, 실제로는 해당 정보를 취득 또는 활용할 의사가 전혀 없이 정보공개제도를 이용하여 사회통념상 용인될 수 없는 부당한 이득을 얻으려 하거나, 오로지 공공기관의 담당공무원을 괴롭힐 목적으로 정보공개청구를 하는 경우처럼 권리의 남용에 해당하는 것이 명백한 경우에는 정보공개청구권의 행사를 허용하지 아니하는 것이 옳다(대판 2014.12.24. 2014두9349).

유제 23. 소방직, 19. 군무원 9급 국민의 정보공개청구가 오로지 공공기관의 담당공무원을 괴롭힐 목적으로 정보공개청구를 하는 경우처럼 권리의 남용에 해당하는 것이 명백한 경우에는 정보공개청구권의 행사가 허용되지 아니한다. (○)
21. 지방직 9급 오로지 공공기관의 담당공무원을 괴롭힐 목적으로 정보공개청구를 하는 경우에도 정보공개청구의 행사는 허용되어야 한다. (✕)
20. 행정사 정보공개청구의 목적이 오로지 담당공무원을 괴롭힐 목적인 경우처럼 권리의 남용이 명백한 경우에는 정보공개청구권의 행사가 허용되지 않는다. (○)
19. 서울시 9급 정보를 취득 또는 활용할 의사가 전혀 없이 사회통념상 용인될 수 없는 부당이득을 얻으려는 목적의 정보공개청구는 권리남용행위로서 허용되지 않는다. (○)
17. 지방직 9급 정보공개제도를 이용하여 사회통념상 용인될 수 없는 부당한 이득을 얻으려 하거나, 오로지 공공기관의 담당공무원을 괴롭힐 목적으로 정보공개청구를 하는 경우라 하더라도 적법한 공개청구 요건을 갖추고 있는 경우라면 정보공개청구권 행사 자체를 권리남용으로 볼 수는 없다. (✕)

ㄹ. (✕)

> 「공공기관의 정보공개에 관한 법률」 제19조 【행정심판】 ① 청구인이 정보공개와 관련한 공공기관의 결정에 대하여 불복이 있거나 정보공개 청구 후 20일이 경과하도록 정보공개 결정이 없는 때에는 「행정심판법」에서 정하는 바에 따라 행정심판을 청구할 수 있다. 이 경우 국가기관 및 지방자치단체 외의 공공기관의 결정에 대한 감독행정기관은 관계 중앙행정기관의 장 또는 지방자치단체의 장으로 한다.

유제 19. 국가직 9급 「공공기관의 정보공개에 관한 법률」상 정보공개청구 후 20일이 경과하도록 정보공개결정이 없는 경우, 이의신청은 허용되나 행정심판청구는 허용되지 않는다. (✕)
18. 서울시 7급 정보공개청구의 거부에 대해서는 의무이행심판을 제기할 수 없다. (✕)

답 ②

함께 정리하기

정보공개

정보공개 청구권자
▷ 모든 국민

검찰보존사무규칙
▷ 다른 법률 or 법률에 의한 명령에 의하여 비공개사항으로 규정된 경우 ✕

오로지 상대방 괴롭힐 목적 정보공개청구
▷ 권리남용으로 거부 可

공공기관의 결정에 불복 또는 20일이 경과하도록 정보공개결정 無
▷ 행정심판 청구 可

024

「공공기관의 정보공개에 관한 법률」상 정보공개에 대한 설명으로 옳지 않은 것은? (다툼이 있는 경우 판례에 의함)

① 정보비공개결정 취소소송에서 원고인 청구인이 소송과정에서 공공기관이 법원에 제출한 정보의 사본을 송달받은 경우, 그 정보의 비공개결정의 취소를 구할 소의 이익이 소멸한다.

② 공공기관은 공개청구된 공개대상정보의 전부 또는 일부가 제3자와 관련이 있다고 인정할 때에는 그 사실을 제3자에게 지체 없이 통지하여야 하며, 필요한 경우에는 그의 의견을 들을 수 있다.

③ 정보공개를 청구하여 정보공개 여부에 대한 결정의 통지를 받은 자가 정당한 사유 없이 해당 정보의 공개를 다시 청구하는 경우, 공공기관은 종전 청구와의 내용적 유사성·관련성 등을 고려하여 해당 청구를 종결 처리할 수 있다.

④ 제3자가 자신과 관련된 정보를 공개하지 아니할 것을 요청하였음에도 불구하고 공공기관이 공개결정을 한 경우, 그 제3자는 해당 공공기관에 문서로 이의신청을 하거나 행정심판 또는 행정소송을 제기할 수 있다.

⑤ 어떤 정보를 공공기관이 보유·관리하고 있다는 점에 관하여는 입증책임이 정보공개를 구하는 자에게 있으며, 그 입증의 정도는 그러한 정보를 공공기관이 보유·관리하고 있을 상당한 개연성이 있다는 점을 증명하는 것으로 족하다.

2023년 국회직 8급

① (×) 청구인이 정보공개거부처분의 취소를 구하는 소송에서 공공기관이 청구정보를 증거 등으로 법원에 제출하여 법원을 통하여 그 사본을 청구인에게 교부 또는 송달되게 하여 결과적으로 청구인에게 정보를 공개하는 셈이 되었다고 하더라도, 이러한 우회적인 방법은 정보공개법이 예정하고 있지 아니한 방법으로서 정보공개법에 의한 공개라고 볼 수는 없으므로, 당해 정보의 비공개 결정의 취소를 구할 소의 이익은 소멸되지 않는다(대판 2016.12.15. 2012두11409·11416).

유제 22. 지방직 7급 정보공개거부처분의 취소를 구하는 소송에서 공공기관이 청구정보를 증거 등으로 법원에 제출하여 법원을 통하여 그 사본을 청구인에게 교부 또는 송달되게 하여 결과적으로 청구인에게 정보를 공개하는 셈이 되었다면, 당해 정보의 비공개결정의 취소를 구할 소의 이익은 소멸된다. (×)
21. 소방간부 「공공기관의 정보공개에 관한 법률」이 예정하고 있지 아니하지만 우회적인 방법으로 정보를 공개하였다면, 해당 정보의 비공개결정의 취소를 구할 소의 이익은 소멸된다. (×)
20. 국가직 9급 정보공개거부처분의 취소를 구하는 소송에서 공공기관이 청구정보를 증거 등으로 법원에 제출하여 법원을 통하여 그 사본을 청구인에게 교부 또는 송달되게 하여 청구인에게 정보를 공개하는 셈이 되었다면, 이러한 우회적인 방법에 의한 공개는 「공공기관의 정보공개에 관한 법률」에 의한 공개라고 볼 수 있다. (×)
20. 소방간부 정보공개거부처분의 취소소송에서 공공기관이 청구정보를 증거 등으로 법원에 제출한 것은 「공공기관의 정보공개에 관한 법률」상 공개에 해당된다. (×)
18. 국가직 7급 정보비공개 결정 취소소송에서 공공기관이 청구정보를 증거로 법원에 제출하여 법원을 통하여 그 사본을 청구인에게 교부되게 하여 정보를 공개하게 된 경우에는 비공개 결정의 취소를 구할 소의 이익이 소멸한다. (×)

② (○)

> 「공공기관의 정보공개에 관한 법률」 제11조【정보공개 여부의 결정】③ 공공기관은 공개 청구된 공개 대상 정보의 전부 또는 일부가 제3자와 관련이 있다고 인정할 때에는 그 사실을 제3자에게 지체 없이 통지하여야 하며, 필요한 경우에는 그의 의견을 들을 수 있다.

③ (○)

> 「공공기관의 정보공개에 관한 법률」 제11조의2 【반복청구 등의 처리】 ① 공공기관은 제11조에도 불구하고 제10조 제1항 및 제2항에 따른 정보공개청구가 다음 각 호의 어느 하나에 해당하는 경우에는 정보공개청구대상정보의 성격, 종전 청구와의 내용적 유사성·관련성, 종전 청구와 동일한 답변을 할 수밖에 없는 사정 등을 종합적으로 고려하여 해당 청구를 종결 처리할 수 있다. 이 경우 종결처리사실을 청구인에게 알려야 한다.
> 1. 정보공개를 청구하여 정보공개 여부에 대한 결정의 통지를 받은 자가 정당한 사유 없이 해당 정보의 공개를 다시 청구하는 경우
> 2. 정보공개청구가 제11조 제5항에 따라 민원으로 처리되었으나 다시 같은 청구를 하는 경우

④ (○)

> 「공공기관의 정보공개에 관한 법률」 제21조 【제3자의 비공개 요청 등】 ① 제11조 제3항에 따라 공개 청구된 사실을 통지받은 제3자는 그 통지를 받은 날부터 3일 이내에 해당 공공기관에 대하여 자신과 관련된 정보를 공개하지 아니할 것을 요청할 수 있다.
> ② 제1항에 따른 비공개 요청에도 불구하고 공공기관이 공개 결정을 할 때에는 공개 결정 이유와 공개 실시일을 분명히 밝혀 지체 없이 문서로 통지하여야 하며, 제3자는 해당 공공기관에 문서로 이의신청을 하거나 행정심판 또는 행정소송을 제기할 수 있다. 이 경우 이의신청은 통지를 받은 날부터 7일 이내에 하여야 한다.

⑤ (○) 정보공개법에 의한 정보공개제도는 공공기관이 보유·관리하는 정보를 그 상태대로 공개하는 제도라는 점 등에 비추어 보면, 해당 정보를 공공기관이 보유·관리하고 있다는 점에 관하여 <u>정보공개를 구하는 자에게 증명책임이 있다고 보아야 하나, 그 증명의 정도는 그러한 정보를 공공기관이 보유·관리하고 있을 상당한 개연성이 있다는 점을 증명하면 족하다</u>(대판 2010.12.23. 2010두14800).

답 ①

025

「공공기관의 정보공개에 관한 법률」에 대한 설명으로 옳지 않은 것은? (다툼이 있는 경우 판례에 의함)

① 국민의 정보공개청구가 오로지 공공기관의 담당공무원을 괴롭힐 목적으로 정보공개청구를 하는 경우처럼 권리의 남용에 해당하는 것이 명백한 경우에는 정보공개청구권의 행사가 허용되지 아니한다.
② 정보공개청구권자인 국민에는 자연인은 물론 법인, 권리능력 없는 사단·재단도 포함되고, 법인, 권리능력 없는 사단·재단 등의 경우에는 설립목적을 불문한다.
③ 공개청구의 대상이 되는 정보란 공공기관이 직무상 작성 또는 취득하여 현재 보유·관리하고 있는 문서에 한정되며, 그 문서가 반드시 원본일 필요는 없다.
④ '진행 중인 재판에 관련된 정보'에 해당한다는 사유로 정보공개청구를 거부하기 위하여는 그 정보가 진행 중인 재판에 관련된 일체의 정보일 뿐만 아니라, 진행 중인 재판의 소송기록 그 자체에 포함된 내용의 정보에 해당하여야 한다.

| 2023년 소방직

① (○) 국민의 정보공개청구는 정보공개법 제9조에 정한 비공개 대상 정보에 해당하지 아니하는 한 원칙적으로 폭넓게 허용되어야 하지만, 실제로는 해당 정보를 취득 또는 활용할 의사가 전혀 없이 정보공개제도를 이용하여 <u>사회통념상 용인될 수 없는 부당한 이득을 얻으려 하거나, 오로지 공공기관의 담당공무원을 괴롭힐 목적으로 정보공개청구를 하는 경우처럼 권리의 남용에 해당하는 것이 명백한 경우에는 정보공개청구권의 행사를 허용하지 아니하는 것이 옳다</u>(대판 2014.12.24. 2014두9349).

② (○) (환경운동연합이, 행정청이 주최한 간담회 등 각종 행사관련지출 자료에 포함된 행사참석자정보 등의 공개를 청구한 것에 대해 정보공개를 청구할 능력이 있다고 판시하면서) 구 공공기관의 정보공개에 관한 법률 제6조 제1항은 "모든 국민은 정보의 공개를 청구할 권리를 가진다"고 규정하고 있는데, 여기에서 말하는 국민에는 자연인은 물론 법인, 권리능력 없는 사단·재단도 포함되고, 법인, 권리능력 없는 사단·재단 등의 경우에는 설립목적을 불문한다(대판 2003.12.12. 2003두8050).

유제 23. 소방간부 「공공기관의 정보공개에 관한 법률」 제5조 제1항의 국민에는 자연인은 물론 법인을 포함하지만 권리능력 없는 사단이나 재단은 이에 해당하지 아니한다. (×)

22. 서울시 7급 정보공개를 청구할 수 있는 권리를 가진 자에는 자연인 이외에 법인, 권리능력 없는 사단 및 재단이 포함되며, 법인, 권리능력 없는 사단 및 재단의 경우 정보공개청구 남용방지를 위해 법률상 이익의 존부 판단에 설립목적을 고려하여야 한다. (×)

22. 군무원 7급 자연인은 물론 법인과 법인격 없는 사단·재단도 공공기관이 보유·관리하는 정보의 공개를 청구할 수 있다. (○)

20. 국가직 9급·국가직 7급 정보공개청구권자에는 자연인은 물론 법인, 권리능력 없는 사단·재단도 포함되고, 법인, 권리능력 없는 사단·재단 등의 경우에는 설립목적을 불문한다. (○)

19. 서울시 9급 판례에 따르면 자연인과 법인은 정보공개를 청구할 권리를 갖지만 권리능력 없는 사단은 그러하지 아니하다. (×)

16. 교행 법인도 정보공개청구권의 주체가 될 수 있다. (○)

③ (○) 공공기관의 정보공개에 관한 법률상 공개청구의 대상이 되는 정보란 공공기관이 직무상 작성 또는 취득하여 현재 보유·관리하고 있는 문서에 한정되는 것이기는 하나, 그 문서가 반드시 원본일 필요는 없다(대판 2006.5.25. 2006두3049).

> 「공공기관의 정보공개에 관한 법률」 제13조【정보공개 여부 결정의 통지】④ 공공기관은 제1항에 따라 정보를 공개하는 경우에 그 정보의 원본이 더럽혀지거나 파손될 우려가 있거나 그 밖에 상당한 이유가 있다고 인정할 때에는 그 정보의 사본·복제물을 공개할 수 있다.

유제 21. 국가직 9급 「공공기관의 정보공개에 관한 법률」상 공개청구의 대상이 되는 정보란 공공기관이 직무상 작성 또는 취득하여 현재 보유·관리하고 있는 원본인 문서만을 의미한다. (×)

21. 소방간부, 20. 경찰 2차 「공공기관의 정보공개에 관한 법률」상 공개청구의 대상이 되는 정보란 공공기관이 직무상 작성 또는 취득하여 현재 보유·관리하고 있는 문서에 한정되는 것이기는 하나, 그 문서가 반드시 원본일 필요는 없다. (○)

19. 행정사 정보공개청구의 대상이 되는 문서는 원본이어야 한다. (×)

18. 서울시 9급 「공공기관의 정보공개에 관한 법률」상 공개 대상이 되는 정보는 공공기관이 직무상 작성 또는 취득하여 현재 보유·관리하고 있는 문서에 한정되기는 하지만, 반드시 원본일 필요는 없다. (○)

17. 국가직 7급 「공공기관의 정보공개에 관한 법률」상 공개청구의 대상이 되는 정보는 반드시 원본일 필요는 없고 사본도 가능하다. (○)

④ (×) 법원 이외의 공공기관이 정보공개법 제9조 제1항 제4호에서 정한 '진행 중인 재판에 관련된 정보'에 해당한다는 사유로 정보공개를 거부하기 위하여는 반드시 그 정보가 진행 중인 재판의 소송기록 자체에 포함된 내용일 필요는 없다. 그러나 재판에 관련된 일체의 정보가 그에 해당하는 것은 아니고 진행 중인 재판의 심리 또는 재판결과에 구체적으로 영향을 미칠 위험이 있는 정보에 한정된다고 보는 것이 타당하다(대판 2011.11.24. 2009두19021).

유제 23. 소방간부 「공공기관의 정보공개에 관한 법률」 제9조 제1항 제4호의 '진행 중인 재판에 관련된 정보'에 해당한다는 사유로 정보공개를 거부하려면 그 정보가 진행 중인 재판의 소송기록 자체에 포함된 내용이어야만 한다. (×)

21. 지방직 7급 비공개 대상 정보로 '진행 중인 재판에 관련된 정보'는 재판에 관련된 일체의 정보가 그에 해당하는 것은 아니고, 진행 중인 재판의 심리 또는 재판결과에 구체적으로 영향을 미칠 위험이 있는 정보에 한정된다. (○)

21. 국회직 8급 법원 이외의 공공기관이 정보공개법 제9조 제1항 제4호에서 정한 '진행 중인 재판에 관련된 정보'에 해당한다는 사유로 정보공개를 거부하기 위하여는 원칙적으로 그 정보가 진행 중인 재판의 소송기록 자체에 포함된 내용이어야 한다. (×)

20. 군무원 9급 정보공개를 거부하기 위해서는 반드시 그 정보가 진행 중인 재판의 소송기록 그 자체에 포함된 내용의 정보일 필요는 없으나, 재판에 관련된 일체의 정보가 그에 해당하는 것은 아니고 진행 중인 재판의 심리 또는 재판 결과에 구체적으로 영향을 미칠 위험이 있는 정보에 한정된다고 보는 것이 타당하다. (○)

20. 5급 승진 법원 이외의 공공기관이 「공공기관의 정보공개에 관한 법률」 제9조 제1항 제4호에서 정한 '진행 중인 재판에 관련된 정보'에 해당한다는 사유로 정보공개를 거부하기 위하여는 그 정보가 진행 중인 재판의 소송기록 자체에 포함된 내용이어야 한다. (×)

답 ④

026

정보공개에 대한 설명으로 옳은 것은? (다툼이 있는 경우 판례에 의함)

① 「공공기관의 정보공개에 관한 법률」 제9조 제1항 제4호의 '진행 중인 재판에 관련된 정보'에 해당한다는 사유로 정보공개를 거부하려면 그 정보가 진행 중인 재판의 소송기록 자체에 포함된 내용이어야만 한다.
② 「공공기관의 정보공개에 관한 법률」 제9조 제1항 제6호 본문 규정에 따라 비공개대상이 되는 정보는 성명·주민등록번호 등 개인식별정보에 한정된다.
③ 「공공기관의 정보공개에 관한 법률」 제9조 제1항 제5호의 '공개될 경우 업무의 공정한 수행에 현저한 지장을 초래한다고 인정할 만한 상당한 이유가 있는 경우'란 공개될 경우 업무의 공정한 수행이 객관적으로 현저하게 지장을 받을 것이라는 고도의 개연성이 존재하는 경우를 의미한다.
④ 「공공기관의 정보공개에 관한 법률」 제5조 제1항의 국민에는 자연인은 물론 법인을 포함하지만 권리능력 없는 사단이나 재단은 이에 해당하지 아니한다.
⑤ 공공기관은 「공공기관의 정보공개에 관한 법률」상 개별적 비공개사유에 해당하는 경우 이에 대한 주장이나 입증 없이 개괄적인 사유의 제시만으로 그 공개를 거부할 수 있다.

2023년 소방간부

① (×) 법원 이외의 공공기관이 정보공개법 제9조 제1항 제4호에서 정한 '진행 중인 재판에 관련된 정보'에 해당한다는 사유로 정보공개를 거부하기 위하여는 반드시 그 정보가 진행 중인 재판의 소송기록 자체에 포함된 내용일 필요는 없다. 그러나 재판에 관련된 일체의 정보가 그에 해당하는 것은 아니고 진행 중인 재판의 심리 또는 재판결과에 구체적으로 영향을 미칠 위험이 있는 정보에 한정된다고 보는 것이 타당하다(대판 2011.11.24. 2009두19021).

② (×) 공공기관의 정보공개에 관한 법률의 개정 연혁, 내용 및 취지 등에 헌법상 보장되는 사생활의 비밀 및 자유의 내용을 보태어 보면, 정보공개법 제9조 제1항 제6호 본문의 규정에 따라 비공개 대상이 되는 정보에는 구 공공기관의 정보공개에 관한 법률의 이름·주민등록번호 등 정보 형식이나 유형을 기준으로 비공개 대상 정보에 해당하는지를 판단하는 '개인식별정보'뿐만 아니라 그 외에 정보의 내용을 구체적으로 살펴 '개인에 관한 사항의 공개로 개인의 내밀한 내용의 비밀 등이 알려지게 되고, 그 결과 인격적·정신적 내면생활에 지장을 초래하거나 자유로운 사생활을 영위할 수 없게 될 위험성이 있는 정보'도 포함된다(대판 2012.6.18. 2011두2361 전합).

유제 20. 지방직 9급 국민의 알 권리를 두텁게 보호하기 위해 「공공기관의 정보공개에 관한 법률」 제9조 제1항 제6호 본문의 규정에 따라 비공개대상이 되는 정보는 이름·주민등록번호 등 '개인식별정보'로 한정된다. (×)
13. 국회직 8급 「공공기관의 정보공개에 관한 법률」 제9조 제1항 제6호 소정의 '당해 정보에 포함되어 있는 이름, 주민등록번호 등 개인에 대한 사항으로서 공개될 경우 개인의 사생활의 비밀 또는 자유를 침해할 우려가 있다고 인정되는 정보'의 의미와 범위는 구법과 마찬가지로 개인식별정보에 제한된다고 해석해야 한다. (×)

③ (○) 공공기관의 정보공개에 관한 법률 제9조 제1항 제5호에서 비공개 대상 정보로 규정하고 있는 '감사·감독·검사·시험·규제·입찰계약·기술개발·인사관리에 관한 사항이나 의사결정 과정 또는 내부검토 과정에 있는 사항 등으로서 공개될 경우 업무의 공정한 수행에 현저한 지장을 초래한다고 인정할 만한 상당한 이유가 있는 정보'란 … 공개될 경우 업무의 공정한 수행이 객관적으로 현저하게 지장을 받을 것이라는 고도의 개연성이 존재하는 경우를 말한다(대판 2012.10.11. 2010두18758).

유제 18. 소방간부 「공공기관의 정보공개에 관한 법률」 제9조 제1항 제5호에서 규정하고 있는 '공개될 경우 업무의 공정한 수행에 현저한 지장을 초래한다고 인정할 만한 상당한 이유가 있는 경우'의 의미는 공개될 경우 업무의 공정한 수행이 객관적으로 현저하게 지장을 받을 것이라는 고도의 개연성이 존재하는 경우를 말한다. (○)

④ (×) 구 공공기관의 정보공개에 관한 법률 제6조 제1항은 "모든 국민은 정보의 공개를 청구할 권리를 가진다"고 규정하고 있는데, 여기에서 말하는 국민에는 자연인은 물론 법인, 권리능력 없는 사단·재단도 포함되고, 법인, 권리능력 없는 사단·재단 등의 경우에는 설립목적을 불문한다(대판 2003.12.12. 2003두8050).

문제 DATA
출제가능 지수 ▶▶▷
난이도 지수 ★★☆

함께 정리하기

정보공개

진행 중인 재판 관련 정보
▷ 반드시 소송기록 자체에 포함된 내용일 필요×

사생활 비밀·자유를 침해 우려 정보
▷ 개인식별정보에 한정×

공개될 경우 업무에 현저한 지장 초래 인정 정보
▷ 고도의 개연성 존재를 의미

정보공개청구권자인 국민
▷ 자연인, 법인·권리능력 없는 사단·재단(설립목적 불문) 포함

비공개사유에 대한 증명책임
▷ 공공기관(개괄적인 사유만 들어 공개거부 불가)

⑤ (×) 공공기관의 정보공개에 관한 법률 제1조, 제3조, 제6조는 국민의 알 권리를 보장하고 국정에 대한 국민의 참여와 국정운영의 투명성을 확보하기 위하여 공공기관이 보유·관리하는 정보를 모든 국민에게 원칙적으로 공개하도록 하고 있으므로, 국민으로부터 보유·관리하는 정보에 대한 공개를 요구받은 공공기관으로서는 같은 법 제7조 제1항 각 호에서 정하고 있는 비공개사유에 해당하지 않는 한 이를 공개하여야 할 것이고, 만일 이를 거부하는 경우라 할지라도 대상이 된 정보의 내용을 구체적으로 확인·검토하여 어느 부분이 어떠한 법익 또는 기본권과 충돌되어 같은 법 제7조 제1항 몇 호에서 정하고 있는 비공개사유에 해당하는지를 주장·입증하여야만 할 것이며, 그에 이르지 아니한 채 개괄적인 사유만을 들어 공개를 거부하는 것은 허용되지 아니한다(대판 2003.12.11. 2001두8827).

유제 22. 지방직 9급 공공기관이 정보공개를 거부하는 경우에는 어느 부분이 어떠한 법익 또는 기본권과 충돌되어 비공개사유에 해당하는지를 주장·증명하여야 하고, 그에 이르지 아니한 채 개괄적인 사유만을 들어 공개를 거부하는 것은 허용되지 아니한다. (○)

22. 국회직 8급 공공기관이 정보공개를 거부할 때에는 개괄적인 사유만을 들 수 없고 어느 부분이 어떠한 법익 또는 기본권과 충돌하여 비공개사유에 해당하는지를 밝혀야 하나, 정보공개법 제9조 제1항 몇 호에서 정하고 있는 비공개사유에 해당하는지 주장·입증할 필요까지는 없다. (×)

21. 지방직 7급·소방간부 정보공개를 요구받은 공공기관이 법률에서 정한 비공개사유에 해당하는지를 주장·증명하지 아니한 채 개괄적인 사유만을 들어 공개를 거부하는 것은 허용되지 아니한다. (○)

17. 국회직 8급 공공기관은 정보공개청구를 거부할 경우에도 대상이 된 정보의 내용을 구체적으로 확인·검토하여 어느 부분이 어떠한 법익 또는 기본권과 충돌되어 정보공개법 제9조 제1항 몇 호에서 정하고 있는 비공개사유에 해당하는지를 주장·입증하여야 하며 그에 이르지 아니한 채 개괄적인 사유만 들어 공개를 거부하는 것은 허용되지 아니한다. (○)

답 ③

027

정보공개에 대한 판례의 입장으로 옳지 않은 것은?

① 정보공개 청구권자의 권리구제 가능성은 정보의 공개 여부 결정에 영향을 미치지 못한다.
② 정보공개청구에 대하여 행정청이 전부공개 결정을 하는 경우에는, 청구인이 지정한 정보공개방법에 의하지 않았다고 하더라도 청구인은 이를 다툴 수 없다.
③ 정보공개거부처분취소소송에서 행정기관이 청구정보를 증거 등으로 법원에 제출하여 결과적으로 청구인에게 정보를 공개하는 결과가 되었다고 하더라도, 당해 정보의 비공개 결정의 취소를 구할 소의 이익은 소멸되지 않는다.
④ 「형사소송법」은 형사재판확정기록의 공개 여부 등에 대하여 「공공기관의 정보공개에 관한 법률」과 달리 규정하고 있으므로, 형사재판확정기록의 공개에 관하여는 「공공기관의 정보공개에 관한 법률」에 의한 공개청구가 허용되지 아니한다.

2022년 국가직 7급

① (○) 공공기관의 정보공개에 관한 법률은 국민의 알 권리를 보장하고 국정에 대한 국민의 참여와 국정운영의 투명성을 확보함을 목적으로 하고(제1조), 공공기관이 보유·관리하는 정보는 국민의 알 권리 보장 등을 위하여 적극적으로 공개하여야 한다는 정보공개의 원칙을 선언하고 있으며(제3조), 모든 국민은 정보의 공개를 청구할 권리를 가진다고 하면서(제5조 제1항) 비공개 대상 정보에 해당하지 않는 한 공공기관이 보유·관리하는 정보는 공개 대상이 된다고 규정하고 있을 뿐(제9조 제1항) 정보공개 청구권자가 공개를 청구하는 정보와 어떤 관련성을 가질 것을 요구하거나 정보공개청구의 목적에 특별한 제한을 두고 있지 아니하므로 정보공개 청구권자의 권리구제 가능성 등은 정보의 공개 여부 결정에 아무런 영향을 미치지 못한다(대판 2017.9.7. 2017두44558).

◆ 문제 DATA

출제가능 지수 ▶▶☆
난이도 지수 ★★☆

☐ 함께 정리하기

정보공개

정보공개 청구권자의 권리구제 가능성
▷ 공개 여부 결정에 영향×

신청한 방법 이외의 방법으로 공개결정
▷ 일부 거부처분 해당

소송과정에서 공공기관이 법원에 제출한 정보의 사본을 청구인이 송달받은 경우
▷ 소의 이익 소멸×

형사재판확정기록
▷ 정보공개법에 의한 공개청구 허용×

유제 22. 지방직 9급, 19. 지방직 7급 정보공개 청구권자의 권리구제 가능성 등은 정보의 공개 여부 결정에 아무런 영향을 미치지 못한다. (○)
22. 행정사 정보공개 청구권자의 권리구제 가능성이 없는 경우에는 비공개대상정보에 해당하지 않는 정보라도 공개하지 않을 수 있다. (×)
20. 국가직 9급 「공공기관의 정보공개에 관한 법률」은 정보공개 청구권자가 공개를 청구하는 정보와 어떤 관련성을 가질 것을 요구하거나 정보공개청구의 목적에 특별한 제한을 두고 있지 아니하므로 정보공개 청구권자의 권리구제 가능성 등은 정보의 공개 여부 결정에 아무런 영향을 미치지 못한다. (○)

② (×) 청구인에게는 특정한 공개방법을 지정하여 정보공개를 청구할 수 있는 법령상 신청권이 있다. 따라서 공공기관이 공개청구의 대상이 된 정보를 공개하되, 청구인이 신청한 공개방법 이외의 방법으로 공개하기로 하는 결정을 하였다면, 이는 정보공개청구 중 정보공개방법에 관한 부분에 대하여 일부 거부처분을 한 것이고, 청구인은 그에 대하여 항고소송으로 다툴 수 있다(대판 2016.11.10. 2016두44674).

③ (○) 청구인이 정보공개거부처분의 취소를 구하는 소송에서 공공기관이 청구정보를 증거 등으로 법원에 제출하여 법원을 통하여 그 사본을 청구인에게 교부 또는 송달되게 하여 결과적으로 청구인에게 정보를 공개하는 셈이 되었다고 하더라도, 이러한 우회적인 방법은 정보공개법이 예정하고 있지 아니한 방법으로서 정보공개법에 의한 공개라고 볼 수는 없으므로, 당해 정보의 비공개 결정의 취소를 구할 소의 이익은 소멸되지 않는다(대판 2016.12.15. 2012두11409·11416).

④ (○) 형사소송법 제59조의2는 형사재판확정기록의 공개 여부나 공개 범위, 불복절차 등에 대하여 구 공공기관의 정보공개에 관한 법률과 달리 규정하고 있는 것으로 정보공개법 제4조 제1항에서 정한 '정보의 공개에 관하여 다른 법률에 특별한 규정이 있는 경우'에 해당한다. 따라서 형사재판확정기록의 공개에 관하여는 정보공개법에 의한 공개청구가 허용되지 아니한다(대판 2016.12.15. 2013두20882).

답 ②

028 □□□

다음 사례에 대한 설명으로 옳은 것은? (다툼이 있는 경우 판례에 의함)

> 민간시민단체 A는 관할 행정청 B에게 개발사업의 승인과 관련한 정보공개를 청구하였으나 B는 현재 재판 진행 중인 사안이 포함되어 있다는 이유로 「공공기관의 정보공개에 관한 법률」 제9조 제1항 제4호의 사유를 들어 A의 정보공개청구를 거부하였다.

① A는 공개청구한 정보에 대해 개별·구체적 이익이 없는 경우에도 B의 정보공개거부에 대해 취소소송으로 다툴 수 있다.
② A가 공개청구한 정보에 대해 직접적인 이해관계가 있는 경우에는 B의 정보공개거부에 대해 정보공개의 이행을 구하는 당사자소송을 제기하여 다툴 수 있다.
③ A가 공개청구한 정보의 일부가 「공공기관의 정보공개에 관한 법률」상 비공개사유에 해당하는 때에는 그 나머지 정보만을 공개하는 것이 가능한 경우라 하더라도 법원은 공개 가능한 정보에 관한 부분만의 일부취소를 명할 수는 없다.
④ B의 비공개사유가 정당화되기 위해서는 A가 공개청구한 정보가 진행 중인 재판의 소송기록 자체에 포함된 내용이어야 한다.

◎ 문제 DATA
출제가능 지수 ▶▶▷
난이도 지수 ★★☆

함께 정리하기

정보공개 사례

정보공개를 청구하였다가 거부처분을 받은 것 자체
▷ 법률상 이익 침해 해당

정보공개거부
▷ 항고소송 대상

진행 중인 재판 관련 정보
▷ 반드시 소송기록 자체에 포함된 내용일 필요 ✕

공개가 가능한 정보에 국한하여 일부취소 可

진행 중인 재판 관련정보
▷ 재판소송기록 자체 포함 불요

2022년 국가직 9급

① (○) 정보공개청구권을 가지는 국민에는 자연인은 물론 법인, 권리능력 없는 사단·재단도 포함되고 법인, 권리능력 없는 사단·재단의 경우에는 설립목적을 불문한다. 따라서 민간시민단체 A는 공개청구한 정보에 대해 개별·구체적 이익이 없더라도 정보공개청구가 가능하다. 그리고 정보공개청구권은 법률상 보호되는 구체적인 권리이므로 정보공개를 청구하였다가 거부처분을 받은 것 자체가 법률상 이익의 침해에 해당하여 공개거부를 다툴 수 있는 원고적격이 인정되므로 민간시민단체 A는 관할 행정청 B의 정보공개거부에 대해 취소소송으로 다툴 수 있다.

> 공공기관의 정보공개에 관한 법률 제6조 제1항은 "모든 국민은 정보의 공개를 청구할 권리를 가진다."고 규정하고 있는데, 여기에서 말하는 국민에는 자연인은 물론 법인, 권리능력 없는 사단·재단도 포함되고, 법인, 권리능력 없는 사단·재단 등의 경우에는 설립목적을 불문하며, 한편 정보공개청구권은 법률상 보호되는 구체적인 권리이므로 청구인이 공공기관에 대하여 정보공개를 청구하였다가 거부처분을 받은 것 자체가 법률상 이익의 침해에 해당한다. 원심은 이유는 다르지만 권리능력 없는 사단인 원고(충주환경운동연합)에게 이 사건 정보공개를 청구할 수 있는 당사자능력과 이 사건 정보공개거부처분의 취소를 구할 법률상 이익이 있다고 판단한 결론은 정당하고, 거기에 상고이유에서 주장하는 바와 같은 정보공개청구에 있어서의 당사자능력이나 당사자적격 등에 관한 법리를 오해한 위법이 없다(대판 2003.12.12. 2003두8050).

유제 14. 지방직 7급 이해관계가 없는 시민단체는 정보의 공개를 청구할 수 있는 당사자능력이 없으므로 정보공개거부처분의 취소를 구할 법률상 이익이 없다. (✕)

② (✕) 정보공개청구에 대한 관할 행정청 B의 정보공개거부는 '처분'이므로 항고소송으로 다투어야 한다.

유제 18. 교행 공공기관이 정보공개청구에 대해 이를 거부하는 행위는 취소소송의 대상이 되는 처분이다. (○)

③ (✕) 법원이 행정기관의 정보공개거부처분의 위법 여부를 심리한 결과 공개를 거부한 정보에 비공개사유에 해당하는 부분과 그렇지 않은 부분이 혼합되어 있고, 공개청구의 취지에 어긋나지 않는 범위 안에서 두 부분을 분리할 수 있음을 인정할 수 있을 때에는 공개가 가능한 정보에 국한하여 일부취소를 명할 수 있다(대판 2009.12.10. 2009두12785).

유제 22. 서울시 7급 정보공개를 거부한 비공개사유에 해당하는 부분과 그렇지 않은 부분이 혼합되어 있고 공개청구의 취지상 두 부분을 분리할 수 있는 경우 법원은 공개가 가능한 정보에 국한하여 일부취소를 명할 수 있다. (○)

22. 국회직 8급 정보공개거부처분 취소소송에 있어서 정보의 분리공개가 가능하다 하더라도 원고가 공개가 가능한 정보에 관한 부분만의 일부취소로 청구취지를 변경하지 않았다면 법원은 일부취소를 명할 수 없다. (✕)

21. 지방직 7급 법원이 행정기관의 정보공개거부처분의 위법 여부를 심리한 결과 공개를 거부한 정보에 비공개사유에 해당하는 부분과 그렇지 않은 부분이 혼합되어 있고, 공개청구의 취지에 어긋나지 않는 범위 안에서 두 부분을 분리할 수 있음을 인정할 수 있을 때에도 공개가 가능한 정보에 국한하여 정보공개 거부처분의 일부취소를 명할 수는 없다. (✕)

19. 서울시 7급 공개를 거부한 정보에 비공개사유에 해당하는 부분과 그렇지 않은 부분이 혼합되어 있고, 공개청구의 취지에 어긋나지 않는 범위 안에서 두 부분을 분리할 수 있는 경우에는 법원은 공개가 가능한 정보에 한하여 일부취소를 명할 수 있다. (○)

④ (✕) 법원 이외의 공공기관이 정보공개법 제9조 제1항 제4호에서 정한 '진행 중인 재판에 관련된 정보'에 해당한다는 사유로 정보공개를 거부하기 위하여는 반드시 그 정보가 진행 중인 재판의 소송기록 자체에 포함된 내용일 필요는 없다. 그러나 재판에 관련된 일체의 정보가 그에 해당하는 것은 아니고 진행 중인 재판의 심리 또는 재판결과에 구체적으로 영향을 미칠 위험이 있는 정보에 한정된다고 보는 것이 타당하다(대판 2011.11.24. 2009두19021).

답 ①

029

정보공개제도에 대한 설명으로 옳은 것은? (다툼이 있는 경우 판례에 의함)

① 공개를 구하는 정보를 공공기관이 한때 보유·관리하였으나 후에 그 정보가 담긴 문서 등이 폐기되어 존재하지 않게 된 것이라면 그 정보를 더 이상 보유·관리하고 있지 아니하다는 점에 대한 증명책임은 공공기관에 있다.

② 의사결정과정에 제공된 회의관련자료나 의사결정과정이 기록된 회의록은 의사가 결정되거나 의사가 집행된 경우에는 더 이상 의사결정과정에 있는 사항 그 자체라고는 할 수 없으므로 비공개 대상 정보에 포함될 수 없다.

③ 정보공개거부처분의 취소를 구하는 소송에서 공공기관이 청구정보를 증거 등으로 법원에 제출하여 법원을 통하여 그 사본을 청구인에게 교부 또는 송달되게 하여 결과적으로 청구인에게 정보를 공개하는 셈이 되었다면, 당해 정보의 비공개결정의 취소를 구할 소의 이익은 소멸된다.

④ 공공기관이 공개청구의 대상이 된 정보를 공개는 하되, 청구인이 신청한 공개방법 이외의 방법으로 공개하기로 하는 결정을 하였다면, 이는 정보공개청구 중 정보공개방법에 관한 부분만을 달리한 것이므로 일부 거부처분이라 할 수 없다.

2022년 지방직 7급

① (○) 정보공개제도는 공공기관이 보유·관리하는 정보를 그 상태대로 공개하는 제도로서 공개를 구하는 정보를 공공기관이 보유·관리하고 있을 상당한 개연성이 있다는 점에 대하여 원칙적으로 공개청구자에게 증명책임이 있다고 할 것이지만, 공개를 구하는 정보를 공공기관이 한때 보유·관리하였으나 후에 그 정보가 담긴 문서 등이 폐기되어 존재하지 않게 된 것이라면 그 정보를 더 이상 보유·관리하고 있지 아니하다는 점에 대한 증명책임은 공공기관에게 있다(대판 2004.12.9. 2003두12707).

② (×) 공공기관의 정보공개에 관한 법률상 비공개대상정보의 입법 취지에 비추어 살펴보면, 같은 법 제7조 제1항 제5호에서의 '감사·감독·검사·시험·규제·입찰계약·기술개발·인사관리·의사결정과정 또는 내부검토과정에 있는 사항'은 비공개대상정보를 예시적으로 열거한 것이라고 할 것이므로 의사결정과정에 제공된 회의관련자료나 의사결정과정이 기록된 회의록 등은 의사가 결정되거나 의사가 집행된 경우에는 더 이상 의사결정과정에 있는 사항 그 자체라고는 할 수 없으나, 의사결정과정에 있는 사항에 준하는 사항으로서 비공개대상정보에 포함될 수 있다(대판 2003.8.22. 2002두12946).

> 유사 21. 국가직 7급 의사결정과정에 제공된 회의관련자료나 의사결정과정이 기록된 회의록은 의사가 결정되거나 의사가 집행된 경우에도 비공개대상정보에 포함될 수 있다. (○)
> 21. 행정사, 20. 군무원 9급·7급 의사결정과정에 제공된 회의 관련 자료나 의사결정과정이 기록된 회의록은 의사가 결정되거나 의사가 집행된 경우에는 더 이상 의사결정과정에 있는 사항 그 자체라고는 할 수 없으나, 의사결정과정에 있는 사항에 준하는 사항으로서 비공개대상정보에 포함될 수 있다. (○)

③ (×) 대판 2016.12.15. 2012두11409·11416

④ (×) 대판 2016.11.10. 2016두44674

답 ①

정보공개제도

한때 보유·관리한 문서 폐기로 인한 부존재 입증책임
▷ 공공기관

의사결정과정에 제공된 회의관련자료나 의사결정과정이 기록된 회의록 등
▷ 비공개대상 정보 포함 가(의사결정과정에 있는 사항에 준하는 사항)

소송과정에서 공공기관이 법원에 제출한 정보의 사본을 청구인이 송달받은 경우
▷ 소의 이익 소멸×

신청한 방법 이외의 방법으로 공개 결정
▷ 일부 거부처분 해당

030

「공공기관의 정보공개에 관한 법률」상 정보공개에 대한 설명으로 옳지 않은 것은? (다툼이 있는 경우 판례에 의함)

① 정보공개 청구권자의 권리구제 가능성은 정보의 공개 여부 결정에 아무런 영향을 미치지 못한다.
② 학교환경위생구역 내 금지행위 해제결정에 관한 학교환경위생정화위원회의 회의록에 기재된 발언내용에 대한 해당 발언자의 인적사항 부분에 관한 정보는 비공개 대상에 해당하지 아니한다.
③ 공공기관이 정보공개를 거부하는 경우에는 어느 부분이 어떠한 법익 또는 기본권과 충돌되어 비공개사유에 해당하는지를 주장·증명하여야 하고, 그에 이르지 아니한 채 개괄적인 사유만을 들어 공개를 거부하는 것은 허용되지 아니한다.
④ 공개를 구하는 정보를 공공기관이 한때 보유·관리하였으나 후에 그 정보가 담긴 문서 등이 폐기되어 존재하지 않게 된 것이라면 그 정보를 더 이상 보유·관리하고 있지 아니하다는 점에 대한 증명책임은 공공기관에게 있다.

> 2022년 지방직 9급

① (○) 대판 2017.9.7. 2017두44558
② (×) 학교환경위생구역 내 금지행위(숙박시설) 해제결정에 관한 학교환경위생정화위원회의 회의록에 기재된 발언내용에 대한 해당 발언자의 인적사항 부분에 관한 정보는 공공기관의 정보공개에 관한 법률 제7조(현 제9조) 제1항 제5호 소정의 비공개 대상에 해당한다(대판 2003.8.22. 2002두12946).

유제 20. 군무원 9급 학교환경위생구역 내 금지행위(숙박시설) 해제결정에 관한 학교환경위생정화위원회의 회의록에 기재된 발언내용에 대한 해당 발언자의 인적사항 부분에 관한 정보는 「공공기관의 정보공개에 관한 법률」 제7조 제1항 제5호 소정의 비공개 대상에 해당한다고 볼 수 없다. (×)
19. 지방직 9급 학교환경위생구역 내 금지행위(숙박시설) 해제결정에 관한 학교환경위생정화위원회의 회의록에 기재된 발언내용에 대한 해당 발언자의 인적사항 부분에 관한 정보는 「공공기관의 정보공개에 관한 법률」 소정의 비공개 대상 정보에 해당하지 않는다. (×)
17. 5급 승진 구 「학교보건법」상 학교환경위생구역 내 금지행위(숙박시설) 해제결정에 관한 학교환경위생정화위원회의 회의록에 기재된 발언내용에 대한 해당 발언자의 인적사항 부분에 관한 정보는 비공개대상에 해당한다. (○)
16. 사복직 학교환경위생구역 내 금지행위(숙박시설) 해제결정에 관한 학교환경위생정화위원회의 회의록에 기재된 발언내용에 대한 해당 발언자의 인적사항 부분에 관한 정보는 「공공기관의 정보공개에 관한 법률」상 비공개 대상에 해당한다. (○)

③ (○) 공공기관의 정보공개에 관한 법률 제1조, 제3조, 제6조는 국민의 알 권리를 보장하고 국정에 대한 국민의 참여와 국정운영의 투명성을 확보하기 위하여 공공기관이 보유·관리하는 정보를 모든 국민에게 원칙적으로 공개하도록 하고 있으므로, 국민으로부터 보유·관리하는 정보에 대한 공개를 요구받은 공공기관으로서는 같은 법 제7조 제1항 각 호에서 정하고 있는 비공개사유에 해당하지 않는 한 이를 공개하여야 할 것이고, 만일 이를 거부하는 경우라 할지라도 대상이 된 정보의 내용을 구체적으로 확인·검토하여 어느 부분이 어떠한 법익 또는 기본권과 충돌되어 같은 법 제7조 제1항 몇 호에서 정하고 있는 비공개사유에 해당하는지를 주장·입증하여야만 할 것이며, 그에 이르지 아니한 채 개괄적인 사유만을 들어 공개를 거부하는 것은 허용되지 아니한다(대판 2003.12.11. 2001두8827).
④ (○) 대판 2004.12.9. 2003두12707

답 ②

031 □□□

정보공개에 대한 설명으로 가장 옳은 것은? (다툼이 있는 경우 판례에 의함)

① 견책처분을 받은 공무원이 징계위원회 참여 위원의 성명과 직위에 대한 정보공개청구를 하였으나 거부처분을 받았는데, 대상 징계처분에 대한 취소소송에서 해당 공무원의 취소청구가 기각된 경우에는 정보공개거부처분의 취소를 구할 법률상 이익이 없다.
② 「공공기관의 정보공개에 관한 법률」상 정보공개를 제한하는 타법령상의 근거에는 대통령령과 부령을 포함한다.
③ 정보공개를 청구할 수 있는 권리를 가진 자에는 자연인 이외에 법인, 권리능력 없는 사단 및 재단이 포함되며, 법인, 권리능력 없는 사단 및 재단의 경우 정보공개청구 남용 방지를 위해 법률상 이익의 존부 판단에 설립목적을 고려하여야 한다.
④ 정보공개를 거부한 비공개사유에 해당하는 부분과 그렇지 않은 부분이 혼합되어 있고 공개청구의 취지상 두 부분을 분리할 수 있는 경우 법원은 공개가 가능한 정보에 국한하여 일부취소를 명할 수 있다.

문제 DATA
출제가능 지수 ▶▶▷
난이도 지수 ★★☆

2022년 서울시 7급

① (×) 견책의 징계처분을 받은 甲이 사단장에게 징계위원회에 참여한 징계위원의 성명과 직위에 대한 정보공개청구를 하였으나 위 정보가 공공기관의 정보공개에 관한 법률 제9조 제1항 제1호, 제2호, 제5호, 제6호에 해당한다는 이유로 공개를 거부한 사안에서, 비록 <u>징계처분 취소사건에서 甲의 청구를 기각하는 판결이 확정되었더라도 이러한 사정만으로 위 처분의 취소를 구할 이익이 없어지지 않고, 사단장이 甲의 정보공개청구를 거부한 이상 甲으로서는 여전히 정보공개거부처분의 취소를 구할 법률상 이익이 있다</u>(대판 2022.5.26. 2022두33439).
② (×) 정보공개를 제한하는 타법령상의 근거에 부령은 포함되지 않는다.

> 「공공기관의 정보공개에 관한 법률」 제9조【비공개 대상 정보】 ① 공공기관이 보유·관리하는 정보는 공개 대상이 된다. 다만, <u>다음 각 호의 어느 하나에 해당하는 정보는 공개하지 아니할 수 있다.</u>
> 1. 다른 법률 또는 <u>법률에서 위임한 명령(국회규칙·대법원규칙·헌법재판소규칙·중앙선거관리위원회규칙·대통령령 및 조례로 한정한다)</u>에 따라 비밀이나 비공개 사항으로 규정된 정보

③ (×) 구 공공기관의 정보공개에 관한 법률 제6조 제1항은 "<u>모든 국민은 정보의 공개를 청구할 권리를 가진다</u>"고 규정하고 있는데, 여기에서 말하는 국민에는 자연인은 물론 법인, 권리능력 없는 사단·재단도 포함되고, 법인, 권리능력 없는 사단·재단 등의 경우에는 설립목적을 불문한다(대판 2003.12.12. 2003두8050).
④ (○) 대판 2009.12.10. 2009두12785

답 ④

함께 정리하기

정보공개

견책처분을 받은 공무원이 징계처분취소소송에서 취소청구기각된 경우
▷ 정보공개거부처분 취소 구할 법률상 이익 소멸×

정보공개를 제한하는 타법령상의 근거
▷ 부령 포함×

정보공개청구권자
▷ 자연인, 법인·권리능력 없는 사단·재단(설립목적 불문)

공개가 가능한 정보에 국한하여 일부취소 可

032

정보공개제도에 대한 설명으로 옳지 않은 것은? (다툼이 있는 경우 판례에 의함)

① 정보공개청구권은 헌법 제21조에 의하여 보장되는 알 권리에 근거하여 인정되고, 알 권리는 자유권적 성질과 청구권적 성질을 함께 가진다.
② 「공공기관의 정보공개에 관한 법률」 제4조 제1항에서 '정보공개에 관하여 다른 법률에 특별한 규정이 있는 경우'에 해당한다고 하여 정보공개법의 적용을 배제하기 위해서는, 특별한 규정이 '법률'이어야 하고, 정보공개의 대상 및 범위, 정보공개의 절차 등의 내용에서 정보공개법과 달리 규정하고 있는 것이어야 한다.
③ 「공공기관의 정보공개에 관한 법률」에서 정한 공개 대상 정보는 정보 그 자체가 아닌 제2조 제1호에서 예시하고 있는 매체 등에 기록된 사항을 의미한다.
④ 사립대학교는 국비의 지원을 받는 범위 내에서만 공공기관의 성격을 가지므로 정보가 그에 해당하지 않는 경우 공개청구의 대상이 되지 아니한다.
⑤ 정보의 공개방법 및 절차에 비추어 당해 정보에서 비공개 대상 정보에 관련된 기술 등을 제외 혹은 삭제하고 나머지 정보만을 공개하는 것이 가능하고 나머지 부분의 정보만으로도 공개가치가 있는 경우 정보의 부분 공개가 허용된다.

2022년 소방간부

① (O) 헌법재판소 판례에 따르면 정보공개청구권은 헌법 제21조에 의하여 보장되는 알 권리에 근거하여 인정되고 알 권리는 자유권적 성질과 청구권적 성질을 공유한다.

> 헌법 제21조는 언론·출판의 자유, 즉 표현의 자유를 규정하고 있는데 이 자유는 전통적으로 사상 또는 의견의 자유로운 표명(발표의 자유)과 그것을 전달할 자유(전달의 자유)를 의미하는 것으로서 사상 또는 의견의 자유로운 표명은 자유로운 의사의 형성을 전제로 한다. 자유로운 의사의 형성은 정보에의 접근이 충분히 보장됨으로써 비로소 가능한 것이며, 그러한 의미에서 정보에의 접근·수집·처리의 자유, 즉 "알 권리"는 표현의 자유와 표리일체의 관계에 있으며 자유권적 성질과 청구권적 성질을 공유하는 것이다. 자유권적 성질은 일반적으로 정보에 접근하고 수집·처리함에 있어서 국가권력의 방해를 받지 아니한다는 것을 말하며, 청구권적 성질은 의사형성이나 여론 형성에 필요한 정보를 적극적으로 수집하고 수집을 방해하는 방해제거를 청구할 수 있다는 것을 의미하는 바 이는 정보수집권 또는 정보공개청구권으로 나타난다(헌재 1991.5.13. 90헌마133).

② (O) 구 공공기관의 정보공개에 관한 법률 제4조 제1항은 "정보의 공개에 관하여는 다른 법률에 특별한 규정이 있는 경우를 제외하고는 이 법이 정하는 바에 의한다."라고 규정하고 있다. 여기서 '정보공개에 관하여 다른 법률에 특별한 규정이 있는 경우'에 해당한다고 하여 정보공개법의 적용을 배제하기 위해서는, 특별한 규정이 '법률'이어야 하고, 내용이 정보공개의 대상 및 범위, 정보공개의 절차, 비공개 대상 정보 등에 관하여 정보공개법과 달리 규정하고 있는 것이어야 한다(대판 2014.4.10. 2012두17384).

유제 15. 국회직 8급 '정보공개에 관하여 다른 법률에 특별한 규정이 있는 경우'에 해당한다고 하여 정보공개법의 적용을 배제하기 위해서는, 특별한 규정이 '법률'이어야 하고, 내용이 정보공개의 대상 및 범위, 정보공개의 절차, 비공개 대상 정보 등에 관하여 정보공개법과 달리 규정하고 있는 것이어야 한다. (O)

③ (O) 공공기관의 정보공개에 관한 법률(이하 '정보공개법'이라고 한다)에서 말하는 공개 대상 정보는 정보 그 자체가 아닌 정보공개법 제2조 제1호에서 예시하고 있는 매체 등에 기록된 사항을 의미하고, 공개 대상 정보는 원칙적으로 공개를 청구하는 자가 정보공개법 제10조 제1항 제2호에 따라 작성한 정보공개청구서의 기재내용에 의하여 특정된다(대판 2013.1.24. 2010두18918).

> 「공공기관의 정보공개에 관한 법률」 제2조【정의】이 법에서 사용하는 용어의 뜻은 다음과 같다.
> 1. "정보"란 공공기관이 직무상 작성 또는 취득하여 관리하고 있는 문서(전자문서를 포함한다. 이하 같다) 및 전자매체를 비롯한 모든 형태의 매체 등에 기록된 사항을 말한다.

문제 DATA

출제가능 지수 ▶▶▷
난이도 지수 ★★☆

함께 정리하기

정보공개제도

정보공개청구권
▷ 알 권리에 근거하여 인정
▷ 알 권리는 자유권적 성질과 청구권적 성질 공유

정보공개법 배제
▷ 다른 법률에 대상·범위, 절차, 비공개대상정보 등 달리 규정 要

사립대학교
▷ 정보공개 의무 있는 공공기관 해당O

분리 가능의 의미
▷ 물리적 분리 가능 의미x(나머지 부분만 공개가능 & 공개가치 有 의미)

④ (×) 정보공개 의무기관을 정하는 것은 입법자의 입법형성권에 속하고, 이에 따라 입법자는 구 공공기관의 정보공개에 관한 법률 제2조 제3호에서 정보공개 의무기관을 공공기관으로 정하였는바, 공공기관은 국가기관에 한정되는 것이 아니라 지방자치단체, 정부투자기관, 그 밖에 공동체 전체의 이익에 중요한 역할이나 기능을 수행하는 기관도 포함되는 것으로 해석되고, 여기에 정보공개의 목적, 교육의 공공성 및 공·사립학교의 동질성, 사립대학교에 대한 국가의 재정지원 및 보조 등 여러 사정을 고려해 보면, 사립대학교에 대한 국비 지원이 한정적·일시적·국부적이라는 점을 고려하더라도, 같은 법 시행령 제2조 제1호가 정보공개의무를 지는 공공기관의 하나로 사립대학교를 들고 있는 것이 모법인 구 공공기관의 정보공개에 관한 법률의 위임범위를 벗어났다거나 사립대학교가 국비의 지원을 받는 범위 내에서만 공공기관의 성격을 가진다고 볼 수 없다(대판 2006.8.24. 2004두2783).
⑤ (○) 법원이 행정기관의 정보공개거부처분의 위법 여부를 심리한 결과 공개를 거부한 정보에 비공개 대상 정보에 해당하는 부분과 공개가 가능한 부분이 혼합되어 있고 공개청구의 취지에 어긋나지 아니하는 범위 안에서 두 부분을 분리할 수 있음을 인정할 수 있을 때에는 청구취지의 변경이 없더라도 공개가 가능한 정보에 관한 부분만의 일부취소를 명할 수 있다 할 것이고, 공개청구의 취지에 어긋나지 아니하는 범위 안에서 비공개 대상 정보에 해당하는 부분과 공개가 가능한 부분을 분리할 수 있다고 함은, 이 두 부분이 물리적으로 분리가능한 경우를 의미하는 것이 아니고 당해 정보의 공개방법 및 절차에 비추어 당해 정보에서 비공개 대상 정보에 관련된 기술 등을 제외 내지 삭제하고 그 나머지 정보만을 공개하는 것이 가능하고 나머지 부분의 정보만으로도 공개의 가치가 있는 경우를 의미한다고 해석하여야 한다(대판 2004.12.9. 2003두12707).

답 ④

033

정보공개에 대한 설명으로 가장 옳지 않은 것은? (다툼이 있는 경우 판례에 의함)

① 자연인은 물론 법인과 법인격 없는 사단·재단도 공공기관이 보유·관리하는 정보의 공개를 청구할 수 있다.
② 국내에 일정한 주소를 두고 거주하는 외국인은 정보공개청구권을 가진다.
③ 이미 다른 사람에게 공개되어 널리 알려져 있거나 인터넷을 통해 공개되어 인터넷 검색 등을 통하여 쉽게 검색할 수 있는 경우에는 공개청구의 대상이 될 수 없다.
④ 정보란 공공기관이 직무상 작성 또는 취득하여 관리하고 있는 문서(전자문서를 포함한다) 및 전자매체를 비롯한 모든 매체 등에 기록된 사항을 말한다.

2022년 군무원 7급

① (○) 대판 2003.12.12. 2003두8050
② (○)
> 「공공기관의 정보공개에 관한 법률」 제5조【정보공개 청구권자】② 외국인의 정보공개 청구에 관하여는 대통령령으로 정한다.
> 「공공기관의 정보공개에 관한 법률 시행령」 제3조【외국인의 정보공개 청구】법 제5조 제2항에 따라 정보공개를 청구할 수 있는 외국인은 다음 각 호의 어느 하나에 해당하는 자로 한다.
> 1. 국내에 일정한 주소를 두고 거주하거나 학술·연구를 위하여 일시적으로 체류하는 사람
> 2. 국내에 사무소를 두고 있는 법인 또는 단체

③ (×) 구법(정보공개법) 제8조 제2항은 정보공개청구의 대상이 이미 널리 알려진 사항이라 하더라도 그 공개의 방법만을 제한할 수 있도록 규정하고 있을 뿐 공개 자체를 제한하고 있지는 아니하므로, 공개청구의 대상이 되는 정보가 이미 다른 사람에게 공개하여 널리 알려져 있다거나 인터넷이나 관보 등을 통하여 공개하여 인터넷 검색이나 도서관에서의 열람 등을 통하여 쉽게 알 수 있다는 사정만으로는 소의 이익이 없다거나 비공개 결정이 정당화될 수는 없다(대판 2008.11.27. 2005두15694).

문제 DATA
출제가능 지수 ▶▶▷
난이도 지수 ★☆☆

함께 정리하기

정보공개

정보공개청구권자인 국민
▷ 자연인, 법인·권리능력 없는 사단·재단(설립목적 불문) 포함

국내에 일정한 주소를 두고 거주하는 외국인
▷ 정보공개청구 可

정보가 공개되어 널리 알려지거나 쉽게 검색할 수 있는 경우
▷ 비공개 사유 ×

정보
▷ 공공기관이 직무상 작성 또는 취득하여 관리하고 있는 모든 형태의 매체 등에 기록된 사항

유제 22. 국회직 8급 공개청구된 정보가 이미 인터넷을 통해 공개되어 인터넷 검색으로 쉽게 접근할 수 있는 경우에는 비공개 결정이 정당화될 수 있다. (×)
21. 국가직 7급 공개청구의 대상이 되는 정보가 인터넷 등을 통하여 공개되어 인터넷 검색 등을 통하여 쉽게 알 수 있는 경우에는 비공개 결정이 정당화될 수 있다. (×)
20. 국가직 9급, 17. 지방직 7급 공개청구의 대상이 되는 정보가 이미 다른 사람에게 공개되어 널리 알려져 있다거나 인터넷 등을 통하여 공개되어 인터넷 검색 등을 통하여 쉽게 알 수 있다는 사정만으로는 비공개 결정이 정당화될 수 없다. (○)
20. 경찰 2차 공개청구의 대상이 되는 정보가 이미 다른 사람에게 공개되어 널리 알려져 있다거나 인터넷 등을 통하여 공개되어 인터넷 검색 등을 통하여 쉽게 알 수 있다는 사정만으로는 소의 이익이 없다거나 비공개 결정이 정당화될 수 없다. (○)
20. 지방직 9급 공개청구의 대상이 되는 정보가 이미 다른 사람에게 공개되어 널리 알려져 있다거나 인터넷 등을 통하여 공개되어 인터넷 검색 등을 통하여 쉽게 알 수 있다면 행정청의 정보비공개 결정이 정당화될 수 있다. (×)

④ (○)

> 「공공기관의 정보공개에 관한 법률」 제2조 【정의】 이 법에서 사용하는 용어의 뜻은 다음과 같다.
> 1. "정보"란 공공기관이 직무상 작성 또는 취득하여 관리하고 있는 문서(전자문서를 포함한다. 이하 같다) 및 전자매체를 비롯한 모든 형태의 매체 등에 기록된 사항을 말한다.

유제 19. 군무원 9급 변형, 11. 지방직 9급 변형 "정보"란 공공기관이 직무상 작성 또는 취득하여 관리하고 있는 문서(전자문서를 포함한다) 및 전자매체를 비롯한 모든 형태의 매체 등에 기록된 사항을 말한다. (○)

답 ③

034

「공공기관의 정보공개에 관한 법률」(이하 '정보공개법'이라 한다)상 정보공개에 대한 설명으로 옳은 것은? (다툼이 있는 경우 판례에 의함)

① 공개청구된 정보가 이미 인터넷을 통해 공개되어 인터넷 검색으로 쉽게 접근할 수 있는 경우에는 비공개 결정이 정당화될 수 있다.
② 정보공개거부처분 취소소송에 있어서 정보의 분리공개가 가능하다 하더라도 원고가 공개가 가능한 정보에 관한 부분만의 일부취소로 청구취지를 변경하지 않았다면 법원은 일부취소를 명할 수 없다.
③ 공공기관은 공개청구된 공개 대상 정보의 전부 또는 일부가 제3자와 관련이 있다고 인정할 때에는 그 사실을 제3자에게 지체 없이 통지하여야 하며, 공개청구된 사실을 통지 받은 제3자는 그 통지를 받은 날부터 3일 이내에 해당 공공기관에 대하여 자신과 관련된 정보를 공개하지 아니할 것을 요청할 수 있다.
④ 공공기관이 정보공개를 거부할 때에는 개괄적인 사유만을 들 수 없고 어느 부분이 어떠한 법익 또는 기본권과 충돌하여 비공개사유에 해당하는지를 밝혀야 하나, 정보공개법 제9조 제1항 몇 호에서 정하고 있는 비공개사유에 해당하는지 주장·입증할 필요까지는 없다.
⑤ 사립대학교는 정보공개법 시행령에 따른 정보공개의무를 지는 공공기관에 해당하나, 국비의 지원을 받는 범위 내에서만 그러한 공공기관의 성격을 가진다.

2022년 국회직 8급

① (×) 공개청구의 대상이 되는 정보가 이미 다른 사람에게 공개하여 널리 알려져 있다거나 인터넷이나 관보 등을 통하여 공개하여 인터넷 검색이나 도서관에서의 열람 등을 통하여 쉽게 알 수 있다는 사정만으로는 소의 이익이 없다거나 비공개 결정이 정당화될 수는 없다(대판 2008.11.27. 2005두15694).

② (×) 법원이 행정기관의 정보공개거부처분의 위법 여부를 심리한 결과 공개를 거부한 정보에 비공개사유에 해당하는 부분과 그렇지 않은 부분이 혼합되어 있고, 공개청구의 취지에 어긋나지 않는 범위 안에서 두 부분을 분리할 수 있음을 인정할 수 있을 때에는 공개가 가능한 정보에 국한하여 일부취소를 명할 수 있다(대판 2009.12.10. 2009두12785).

③ (○)

> 「공공기관의 정보공개에 관한 법률」제11조【정보공개 여부의 결정】③ 공공기관은 공개 청구된 공개 대상 정보의 전부 또는 일부가 제3자와 관련이 있다고 인정할 때에는 그 사실을 제3자에게 지체 없이 통지하여야 하며, 필요한 경우에는 그의 의견을 들을 수 있다.
> 제21조【제3자의 비공개 요청 등】① 제11조 제3항에 따라 공개 청구된 사실을 통지받은 제3자는 그 통지를 받은 날부터 3일 이내에 해당 공공기관에 대하여 자신과 관련된 정보를 공개하지 아니할 것을 요청할 수 있다.

유제 20. 군무원 9급, 09. 국가직 9급 공공기관은 공개청구된 공개 대상 정보의 전부 또는 일부가 제3자와 관련이 있다고 인정할 때에는 그 사실을 제3자에게 지체 없이 통지하여야 하며, 필요한 경우에는 그의 의견을 들을 수 있다. (○)
20. 군무원 9급 「공공기관의 정보공개에 관한 법률」제11조 제3항에 따라 공개 청구된 사실을 통지받은 제3자는 그 통지를 받은 날부터 7일 이내에 해당 공공기관에 대하여 자신과 관련된 정보를 공개하지 아니할 것을 요청할 수 있다. (×)
19. 서울시 9급 공개청구된 정보가 제3자와 관련이 있는 경우 행정청은 제3자에게 통지하여야 하고 의견을 들을 수 있으나, 제3자가 비공개를 요청할 권리를 갖지는 않는다. (×)
18. 교행 공공기관은 정보공개청구의 대상이 된 정보가 제3자와 관련된 경우 해당 제3자의 의견을 청취할 수 있으나, 그에게 통지할 의무는 없다. (×)
18. 행정사 공개 대상 정보로서 자신과 관련된 정보에 대하여 공개 청구된 사실을 통지받은 제3자는 그 통지를 받은 날부터 3일 이내에 해당 공공기관에 대하여 자신과 관련된 정보를 공개하지 아니할 것을 요청할 수 있다. (○)

④ (×) 국민으로부터 보유·관리하는 정보에 대한 공개를 요구받은 공공기관으로서는 같은 법 제7조 제1항 각 호에서 정하고 있는 비공개사유에 해당하지 않는 한 이를 공개하여야 할 것이고, 만일 이를 거부하는 경우라 할지라도 대상이 된 정보의 내용을 구체적으로 확인·검토하여 어느 부분이 어떠한 법익 또는 기본권과 충돌되어 같은 법 제7조 제1항 몇 호에서 정하고 있는 비공개사유에 해당하는지를 주장·입증하여야만 할 것이며, 그에 이르지 아니한 채 개괄적인 사유만을 들어 공개를 거부하는 것은 허용되지 아니한다(대판 2003.12.11. 2001두8827).

⑤ (×) 사립대학교에 대한 국비 지원이 한정적·일시적·국부적이라는 점을 고려하더라도, 구 공공기관의 정보공개에 관한 법률 시행령 제2조 제1호가 정보공개의무를 지는 공공기관의 하나로 사립대학교를 들고 있는 것이 모법의 위임범위를 벗어났다거나 사립대학교가 국비의 지원을 받는 범위 내에서만 공공기관의 성격을 가진다고 볼 수 없다(대판 2006.8.24. 2004두2783).

답 ③

함께 정리하기

정보공개

정보가 공개되어 널리 알려진 사정
▷ 비공개 사유×

제3자 관련 有
▷ 지체 없이 통지 要
▷ 통지받은 제3자는 3일 이내에 비공개요청 可

비공개사유에 대한 증명책임
▷ 공공기관(개괄적인 사유만 들어 공개거부 不可)

사립대학교
▷ 정보공개의무 있는 공공기관 해당○(국비지원을 받는 범위 내에서만×)

035

「공공기관의 정보공개에 관한 법률」의 내용에 대한 설명으로 옳지 않은 것은? (다툼이 있는 경우 판례에 의함)

① 정보공개청구권자인 '모든 국민'에는 자연인 외에 법인, 권리능력 없는 사단·재단은 물론이고 지방자치단체도 포함된다.
② 공공기관이 보유·관리하는 정보는 국민의 알 권리 보장 등을 위하여 「공공기관의 정보공개에 관한 법률」에서 정하는 바에 따라 적극적으로 공개하여야 한다.
③ 재판장은 필요하다고 인정하면 당사자를 참여시키지 아니하고 제출된 공개 청구 정보를 비공개로 열람·심사할 수 있다.
④ 공공기관 중 중앙행정기관 및 대통령령으로 정하는 기관은 전자적 형태로 보유·관리하는 정보 중 공개대상으로 분류된 정보를 국민의 정보공개 청구가 없더라도 정보통신망을 활용한 정보공개시스템 등을 통하여 공개하여야 한다.
⑤ 공공기관의 정보공개 담당자는 정보공개 업무를 성실하게 수행하여야 하며, 공개 여부의 자의적인 결정, 고의적인 처리 지연 또는 위법한 공개 거부 및 회피 등 부당한 행위를 하여서는 아니 된다.

2022년 국회직 9급

① (X) 정보공개청구권자인 '모든 국민'에 자연인, 법인, 권리능력 없는 사단·재단은 포함되지만, 지방자치단체는 포함되지 않는다.

> 지방자치단체에게는 알 권리로서의 정보공개청구권이 인정된다고 보기는 어렵고, 나아가 공공기관의 정보공개에 관한 법률 제4조, 제5조, 제6조의 각 규정의 취지를 종합하면, 공공기관의 정보공개에 관한 법률은 국민을 정보공개청구권자로, 지방자치단체를 국민에 대응하는 정보공개의무자로 상정하고 있다고 할 것이므로, 지방자치단체는 공공기관의 정보공개에 관한 법률 제5조에서 정한 정보공개청구권자인 '국민'에 해당되지 아니한다(서울행법 2005.10.12. 2005구합10484).

유제 20. 국회직 9급 지방자치단체는 「공공기관의 정보공개에 관한 법률」에서 정한 정보공개청구권자인 국민에 해당되지 않는다. (○)
19. 서울시 9급 정보공개청구권자인 '모든 국민'에는 자연인 외에 법인, 권리능력 없는 사단·재단도 포함되므로 지방자치단체도 포함된다. (X)
18. 서울시 9급 지방자치단체 또한 법인격을 가지므로 「공공기관의 정보공개에 관한 법률」 제5조에서 정한 정보공개청구권자인 '국민'에 해당한다. (X)
16. 국가직 7급 「공공기관의 정보공개에 관한 법률」은 모든 국민을 정보공개청구권자로 규정하고 있는데, 이에는 자연인은 물론 법인, 권리능력 없는 사단·재단, 지방자치단체 등이 포함된다. (X)
14. 국가직 7급 지방자치단체는 정보공개청구권자에 해당하지 아니한다. (○)

② (○)

> 「공공기관의 정보공개에 관한 법률」 제3조 【정보공개의 원칙】 공공기관이 보유·관리하는 정보는 국민의 알 권리 보장 등을 위하여 이 법에서 정하는 바에 따라 적극적으로 공개하여야 한다.

유제 21. 군무원 9급 정보공개의 원칙에 따라 공공기관이 보유·관리하는 정보는 국민의 알 권리 보장 등을 위하여 「공공기관의 정보공개에 관한 법률」에서 정하는 바에 따라 적극적으로 공개하여야 한다. (○)
10. 국가직 7급 공공기관이 보유·관리하는 정보는 「공공기관의 정보공개에 관한 법률」이 정하는 바에 따라 공개하여야 한다. (○)

③ (○)

> 「공공기관의 정보공개에 관한 법률」 제20조 【행정소송】 ② 재판장은 필요하다고 인정하면 당사자를 참여시키지 아니하고 제출된 공개 청구 정보를 비공개로 열람·심사할 수 있다.

유제 11. 국가직 9급 정보공개 관련 결정에 대하여 행정소송이 제기된 경우에 재판장은 필요시 당사자 없이 비공개로 해당 정보를 열람할 수 있다. (○)

문제 DATA

출제가능 지수 ▶▶▷
난이도 지수 ★★☆

함께 정리하기

정보공개법

정보공개청구권자인 국민
▷ 지방자치단체는 포함 X

공공기관이 보유·관리하는 정보
▷ 알 권리 보장 등을 위하여 적극적으로 공개하여야 함

재판장이 필요하다고 인정
▷ 비공개로 열람·심사 可

중앙행정기관 및 대통령령으로 정하는 기관
▷ 전자적 형태로 보유·관리하는 정보 중 공개대상으로 분류된 정보를 공개 청구가 없더라도 정보통신망을 활용한 정보공개시스템 등을 통하여 공개하여야 함

정보공개 담당자
▷ 정보공개업무 성실수행, 부당행위 금지

④ (○)

> 「공공기관의 정보공개에 관한 법률」 제8조의2【공개대상 정보의 원문공개】공공기관 중 중앙행정기관 및 대통령령으로 정하는 기관은 전자적 형태로 보유·관리하는 정보 중 공개대상으로 분류된 정보를 국민의 정보공개 청구가 없더라도 정보통신망을 활용한 정보공개시스템 등을 통하여 공개하여야 한다.

유제 21. 경찰 2차 공공기관 중 중앙행정기관 및 대통령령으로 정하는 기관은 전자적 형태로 보유·관리하는 정보 중 공개대상으로 분류된 정보를 국민의 정보공개 청구가 없더라도 정보통신망을 활용한 정보공개시스템 등을 통하여 공개하여야 한다. (○)

⑤ (○)

> 「공공기관의 정보공개에 관한 법률」 제6조의2【정보공개 담당자의 의무】공공기관의 정보공개 담당자(정보공개 청구 대상 정보와 관련된 업무 담당자를 포함한다)는 정보공개 업무를 성실하게 수행하여야 하며, 공개 여부의 자의적인 결정, 고의적인 처리 지연 또는 위법한 공개 거부 및 회피 등 부당한 행위를 하여서는 아니 된다.

유제 21. 군무원 9급 공공기관의 정보공개 담당자(정보공개 청구 대상 정보와 관련된 업무 담당자를 포함한다)는 정보공개 업무를 성실하게 수행하여야 하며, 공개 여부의 자의적인 결정, 고의적인 처리 지연 또는 위법한 공개 거부 및 회피 등 부당한 행위를 하여서는 아니 된다. (○)

답 ①

036 □□□

공공기관의 정보공개에 관한 법령상 정보공개에 대한 설명으로 옳지 않은 것은? (다툼이 있는 경우 판례에 의함)

① 공개청구의 대상이 되는 정보는 공공기관이 보유·관리하고 있는 정보에 한정된다.
② 일정한 요건을 갖춘 외국인은 정보공개 청구를 할 수 있다.
③ 정보공개 청구권자의 권리구제 가능성이 없는 경우에는 비공개 대상 정보에 해당하지 않는 정보라도 공개하지 않을 수 있다.
④ 정보공개청구에 대한 공공기관의 비공개 결정에 대한 불복절차로 이의신청, 행정심판, 행정소송이 있다.
⑤ 법인이 거래하는 금융기관의 계좌번호에 관한 정보는 법인의 영업상 비밀에 관한 사항으로서 비공개 대상 정보에 해당한다.

2022년 행정사

① (○) 공공기관의 정보공개에 관한 법률상 공개청구의 대상이 되는 정보란 공공기관이 직무상 작성 또는 취득하여 현재 보유·관리하고 있는 문서에 한정되는 것이기는 하나, 그 문서가 반드시 원본일 필요는 없다(대판 2006.5.25. 2006두3049).

② (○)

> 「공공기관의 정보공개에 관한 법률」 제5조【정보공개 청구권자】② 외국인의 정보공개 청구에 관하여는 대통령령으로 정한다.
> 「공공기관의 정보공개에 관한 법률 시행령」 제3조【외국인의 정보공개 청구】법 제5조 제2항에 따라 정보공개를 청구할 수 있는 외국인은 다음 각 호의 어느 하나에 해당하는 자로 한다.
> 1. 국내에 일정한 주소를 두고 거주하거나 학술·연구를 위하여 일시적으로 체류하는 사람
> 2. 국내에 사무소를 두고 있는 법인 또는 단체

③ (×) 정보공개 청구권자가 공개를 청구하는 정보와 어떤 관련성을 가질 것을 요구하거나 정보공개청구의 목적에 특별한 제한을 두고 있지 아니하므로 정보공개 청구권자의 권리구제 가능성 등은 정보의 공개 여부 결정에 아무런 영향을 미치지 못한다(대판 2017.9.7. 2017두44558).

문제 DATA

출제가능 지수 ▶▶▷
난이도 지수 ★★☆

함께 정리하기

정보공개

정보공개청구의 대상인 정보
▷ 공공기관이 보유·관리하고 있는 정보에 한정

일정한 요건을 갖춘 외국인
▷ 정보공개 청구 可

정보공개 청구권자의 권리구제 가능성
▷ 공개 여부 결정에 영향×

비공개 결정에 대한 불복절차
▷ 이의신청, 행정심판, 행정소송

법인이 거래하는 금융기관의 계좌번호
▷ 비공개 대상 정보○

④ (○) 「공공기관의 정보공개에 관한 법률」은 정보공개청구에 대한 공공기관의 비공개 결정에 대한 불복절차로 이의신청(제18조), 행정심판(제19조), 행정소송(제20조)을 규정하고 있다.

유제 17. 행정사 (「공공기관의 정보공개에 관한 법률」에 의거하여, 甲이 A대학교에 대하여 재학 중인 체육특기생들의 일정기간 동안의 출석 및 성적 관리에 관한 정보공개를 청구한 사안에서) 甲의 청구에 대하여 A대학교가 제3자의 권리침해를 이유로 하여 비공개 결정을 하였다면 이에 대한 甲의 불복절차는 없다. (×)

⑤ (○) 법인등의 상호, 단체명, 영업소명, 사업자등록번호 등에 관한 정보는 법인등의 영업상 비밀에 관한 사항으로서 공개될 경우 법인등의 정당한 이익을 현저히 해할 우려가 있다고 인정되는 정보에 해당하지 아니하지만, 법인등이 거래하는 금융기관의 계좌번호에 관한 정보는 법인등의 영업상 비밀에 관한 사항으로서 법인등의 이름과 결합하여 공개될 경우 당해 법인등의 영업상 지위가 위협받을 우려가 있다고 할 것이므로 위 정보는 법인등의 영업상 비밀에 관한 사항으로서 공개될 경우 법인등의 정당한 이익을 현저히 해할 우려가 있다고 인정되는 정보에 해당한다고 할 것이다(대판 2004.8.20. 2003두8302).

유제 17. 국가직 7급 법인 등이 거래하는 금융기관의 계좌번호에 관한 정보는 법인 등의 영업상 비밀에 관한 사항으로서 공개될 경우 법인 등의 정당한 이익을 현저히 해할 우려가 있다고 인정되는 정보에 해당한다. (○)
16. 국가직 7급 법인 등이 거래하는 금융기관의 계좌번호에 관한 정보는 영업상 비밀에 관한 사항으로서 「공공기관의 정보공개에 관한 법률」상 비공개 대상 정보에 해당한다. (○)

답 ③

037

행정정보의 공개에 대한 설명으로 옳지 않은 것은? (다툼이 있는 경우 판례에 의함)

① 공개청구의 대상이 되는 정보가 인터넷 등을 통하여 공개되어 인터넷 검색 등을 통하여 쉽게 알 수 있는 경우에는 비공개 결정이 정당화될 수 있다.
② 정보의 공개에 관하여 법률의 구체적인 위임이 없는 「교육공무원승진규정」상 근무성적 평정 결과를 공개하지 않는다는 규정을 근거로 정보공개청구를 거부할 수 없다.
③ 의사결정과정에 제공된 회의관련자료나 의사결정과정이 기록된 회의록은 의사가 결정되거나 의사가 집행된 경우에도 비공개 대상 정보에 포함될 수 있다.
④ 공공기관이 정보를 보유·관리하고 있지 아니한 경우에는 특별한 사정이 없는 한 정보 공개거부처분의 취소를 구할 법률상의 이익이 없다.

> 2021년 국가직 7급

① (×) 공개청구의 대상이 되는 정보가 이미 다른 사람에게 공개하여 널리 알려져 있다거나 인터넷이나 관보 등을 통하여 공개하여 인터넷 검색이나 도서관에서의 열람 등을 통하여 쉽게 알 수 있다는 사정만으로는 소의 이익이 없다거나 비공개 결정이 정당화될 수는 없다(대판 2008.11.27. 2005두15694)
② (○) 교육공무원법 제13조, 제14조의 위임에 따라 제정된 교육공무원승진규정은 정보공개에 관한 사항에 관하여 구체적인 법률의 위임에 따라 제정된 명령이라고 할 수 없고, 따라서 교육공무원승진규정 제26조에서 근무성적평정의 결과를 공개하지 아니한다고 규정하고 있다고 하더라도 위 교육공무원승진규정은 공공기관의 정보공개에 관한 법률 제9조 제1항 제1호에서 말하는 법률이 위임한 명령에 해당하지 아니하므로 위 규정을 근거로 정보공개청구를 거부하는 것은 잘못이다(대판 2006.10.26. 2006두11910).

> 「공공기관의 정보공개에 관한 법률」 제9조【비공개 대상 정보】① 공공기관이 보유·관리하는 정보는 공개 대상이 된다. 다만, 다음 각 호의 어느 하나에 해당하는 정보는 공개하지 아니할 수 있다.
> 1. 다른 법률 또는 법률에서 위임한 명령(국회규칙·대법원규칙·헌법재판소규칙·중앙선거관리위원회규칙·대통령령 및 조례로 한정한다)에 따라 비밀이나 비공개 사항으로 규정된 정보

문제 DATA
출제가능 지수 ▶▶▷
난이도 지수 ★★☆

함께 정리하기
행정정보의 공개
정보가 인터넷 등을 통하여 공개된 사정
▷ 비공개 사유×

교육공무원승진규정을 근거로 정보공개 거부
▷ 위법

의사결정과정에 제공된 회의관련자료나 의사결정과정이 기록된 회의록 등
▷ 비공개대상 정보 포함 가

공공기관이 그 정보를 보유·관리×
▷ 공개거부처분취소 법률상 이익×

유제 20. 국가직 7급 교육공무원의 근무성적평정 결과를 공개하지 아니한다고 규정하고 있는 「교육공무원승진규정」을 근거로 정보공개청구를 거부하는 것은 위법하다. (○)
10. 국가직 9급 대법원 판례에 의할 때 교육공무원에 대한 근무성적평정의 결과는 비공개대상 정보에 해당한다. (×)
10. 지방직 9급 「교육공무원법」의 위임에 따라 제정된 「교육공무원승진규정」은 정보공개에 관한 사항에 관하여 구체적인 법률의 위임에 의하여 제정된 법규명령이라고 할 수 있다. (×)
10. 지방직 9급 「교육공무원승진규정」이 근무성적평정 결과를 공개하지 아니한다고 규정하고 있는 경우 동 규정을 근거로 정보공개청구를 거부할 수 있다. (×)
08. 지방직 7급 교육공무원의 근무성적평정의 결과를 공개하지 아니한다고 규정하고 있는 「교육공무원승진규정」 제26조를 근거로 정보공개 청구를 거부하는 것은 타당하지 않다. (○)

③ (○) 대판 2003.8.22. 2002두12946
④ (○) 정보공개제도는 공공기관이 보유·관리하는 정보를 그 상태대로 공개하는 제도라는 점 등에 비추어 보면, 정보공개를 구하는 자가 공개를 구하는 정보를 행정기관이 보유·관리하고 있을 상당한 개연성이 있다는 점을 입증함으로써 족하다 할 것이지만, <u>공공기관이 그 정보를 보유·관리하고 있지 아니한 경우에는 특별한 사정이 없는 한 정보공개거부처분의 취소를 구할 법률상의 이익이 없다.</u> … 원심으로서는 원고들이 공개를 구하는 정보를 피고가 보유·관리하고 있는지 심리한 다음, 피고가 실제로 보유·관리하고 있지 않는 정보에 대한 공개거부처분의 취소를 구하는 부분은 이를 각하하였어야 한다(대판 2006.1.13. 2003두9459).

유제 21. 국가직 9급, 10. 지방직 7급 정보공개가 신청된 정보를 공공기관이 보유·관리하고 있지 아니한 경우에는 특별한 사정이 없는 한 정보공개거부처분의 취소를 구할 법률상의 이익이 없다. (○)
17. 국회직 8급 정보공개청구를 거부하는 처분이 있은 후 대상정보가 폐기되었다든가 하여 공공기관이 그 정보를 보유·관리하지 아니하게 된 경우에는 특별한 사정이 없는 한 정보공개거부처분의 취소를 구할 법률상의 이익이 없다. (○)
16. 국가직 7급 공공기관이 그 정보를 보유·관리하고 있지 아니한 경우에는 특별한 사정이 없는 한 정보공개를 구하는 자에게 정보공개거부처분의 취소를 구할 법률상의 이익이 없다. (○)
20. 5급 승진 정보공개거부처분 취소소송에서 공공기관이 해당 정보를 더 이상 보유·관리하지 않게 되었다면 법원은 특별한 사정이 없는 한 각하판결을 하여야 한다. (○)
10. 국회직 8급 정보공개거부처분 후 대상정보의 폐기 등으로 공공기관이 그 정보를 보유·관리하지 않게 된 경우에는 특별한 사정이 없는 한 소의 이익이 없으므로 각하사유에 해당된다. (○)

답 ①

038 □□□

정보공개에 대한 판례의 입장으로 옳지 않은 것은?

① 국민의 알 권리의 내용에는 일반 국민 누구나 국가에 대하여 보유·관리하고 있는 정보의 공개를 청구할 수 있는 이른바 일반적인 정보공개청구권이 포함된다.
② 정보공개청구권은 법률상 보호되는 구체적인 권리이므로 청구인이 공공기관에 대하여 정보공개를 청구하였다가 거부처분을 받은 것 자체가 법률상 이익의 침해에 해당한다.
③ 「공공기관의 정보공개에 관한 법률」상 공개청구의 대상이 되는 정보란 공공기관이 직무상 작성 또는 취득하여 현재 보유·관리하고 있는 원본인 문서만을 의미한다.
④ 정보공개가 신청된 정보를 공공기관이 보유·관리하고 있지 아니한 경우에는 특별한 사정이 없는 한 정보공개거부처분의 취소를 구할 법률상의 이익이 없다.

문제 DATA

출제가능 시수 ▶▶▷
난이도 지수 ★★☆

함께 정리하기

정보공개

알 권리의 내용
▷ 일반적 정보공개청구권 포함

정보공개를 청구하였다가 거부처분을 받은 것
▷ 그 자체로 법률상 이익 침해 해당○

정보공개청구의 대상인 정보
▷ 반드시 원본×

공공기관이 그 정보를 보유·관리×
▷ 공개거부처분취소 법률상 이익×

문제 DATA

출제가능 지수 ▶▶▷
난이도 지수 ★★☆

2021년 국가직 9급

① (○) 국민의 알 권리, 특히 국가정보에의 접근의 권리는 우리 헌법상 기본적으로 표현의 자유와 관련하여 인정되는 것으로 그 권리의 내용에는 일반 국민 누구나 국가에 대하여 보유·관리하고 있는 정보의 공개를 청구할 수 있는 이른바 일반적인 정보공개청구권이 포함된다(대판 1999.9.21. 97누5114).
② (○) 대판 2003.12.12. 2003두8050
③ (×) 공공기관의 정보공개에 관한 법률상 공개청구의 대상이 되는 정보란 공공기관이 직무상 작성 또는 취득하여 현재 보유·관리하고 있는 문서에 한정되는 것이기는 하나, 그 문서가 반드시 원본일 필요는 없다(대판 2006.5.25. 2006두3049).
④ (○) 대판 2006.1.13. 2003두9459

답 ③

039 □□□

「공공기관의 정보공개에 관한 법률」상 정보공개에 대한 설명으로 옳지 않은 것은? (다툼이 있는 경우 판례에 의함)

① 청구인이 공공기관에 대하여 정보공개를 청구하였다가 거부처분을 받은 것 자체가 법률상 이익의 침해에 해당한다고 할 것이고, 거부처분을 받은 것 이외에 추가로 어떤 법률상의 이익을 가질 것을 요구하는 것은 아니다.
② 비공개 대상 정보로 '진행 중인 재판에 관련된 정보'는 재판에 관련된 일체의 정보가 그에 해당하는 것은 아니고, 진행 중인 재판의 심리 또는 재판결과에 구체적으로 영향을 미칠 위험이 있는 정보에 한정된다.
③ 법원이 행정기관의 정보공개거부처분의 위법 여부를 심리한 결과 공개를 거부한 정보에 비공개사유에 해당하는 부분과 그렇지 않은 부분이 혼합되어 있고, 공개청구의 취지에 어긋나지 않는 범위 안에서 두 부분을 분리할 수 있음을 인정할 수 있을 때에도 공개가 가능한 정보에 국한하여 정보공개 거부처분의 일부취소를 명할 수는 없다.
④ 정보공개를 요구받은 공공기관이 법률에서 정한 비공개사유에 해당하는지를 주장·증명하지 아니한 채 개괄적인 사유만을 들어 공개를 거부하는 것은 허용되지 아니한다.

2021년 지방직 7급

① (○) 정보공개청구권은 법률상 보호되는 구체적인 권리이므로 청구인이 공공기관에 대하여 정보공개를 청구하였다가 거부처분을 받은 것 자체가 법률상 이익의 침해에 해당한다고 할 것이고, 거부처분을 받은 것 이외에 추가로 어떤 법률상의 이익을 가질 것을 요구하는 것은 아니다(대판 2004.9.23. 2003두1370).

유제 10. 국가직 7급 공공기관에 정보공개를 청구하였다가 거부처분을 받은 것만으로 정보공개청구권이 인정되는 것이 아니라 추가로 어떤 법률상 이익을 가져야 한다는 것이 판례의 입장이다. (×)

② (○) 대판 2011.11.24. 2009두19021
③ (×) 법원이 행정기관의 정보공개거부처분의 위법 여부를 심리한 결과 공개를 거부한 정보에 비공개사유에 해당하는 부분과 그렇지 않은 부분이 혼합되어 있고, 공개청구의 취지에 어긋나지 않는 범위 안에서 두 부분을 분리할 수 있음을 인정할 수 있을 때에는 공개가 가능한 정보에 국한하여 일부취소를 명할 수 있다(대판 2009.12.10. 2009두12785).
④ (○) 대판 2003.12.11. 2001두8827

답 ③

함께 정리하기

정보공개

정보공개를 청구하였다가 거부처분을 받은 것
▷ 그 자체로 법률상 이익 침해 해당○

진행 중인 재판에 관련된 정보
▷ 재판에 구체적으로 영향을 미칠 위험 있는 정보에 한정

공개가 가능한 정보에 국한하여 일부취소 可

비공개사유에 대한 증명책임
▷ 공공기관(개괄적인 사유만 들어 공개거부 不可)

040

「공공기관의 정보공개에 관한 법률」상 정보공개에 대한 설명으로 옳지 않은 것은? (다툼이 있는 경우 판례에 의함)

① 정보의 공개 및 우송 등에 드는 비용은 실비의 범위에서 청구인이 부담한다.
② 공공기관은 공개 청구된 정보가 공공기관이 보유·관리하지 아니하는 정보인 경우로서 「민원 처리에 관한 법률」에 따른 민원으로 처리할 수 있는 경우에는 민원으로 처리할 수 있다.
③ 청구인이 공공기관에 대하여 정보공개를 청구하였다가 거부처분을 받은 것 자체가 법률상 이익의 침해에 해당한다.
④ 오로지 공공기관의 담당공무원을 괴롭힐 목적으로 정보공개청구를 하는 경우에도 정보공개청구권의 행사는 허용되어야 한다.

문제 DATA
출제가능 지수 ▶▶▷
난이도 지수 ★★☆

2021년 지방직 9급

① (○)
> 「공공기관의 정보공개에 관한 법률」 제17조 【비용 부담】 ① 정보의 공개 및 우송 등에 드는 비용은 실비(實費)의 범위에서 청구인이 부담한다.
> ② 공개를 청구하는 정보의 사용 목적이 공공복리의 유지·증진을 위하여 필요하다고 인정되는 경우에는 제1항에 따른 비용을 감면할 수 있다.

② (○)
> 「공공기관의 정보공개에 관한 법률」 제11조 【정보공개 여부의 결정】 ⑤ 공공기관은 정보공개 청구가 다음 각 호의 어느 하나에 해당하는 경우로서 「민원 처리에 관한 법률」에 따른 민원으로 처리할 수 있는 경우에는 민원으로 처리할 수 있다.
> 1. 공개 청구된 정보가 공공기관이 보유·관리하지 아니하는 정보인 경우

③ (○) 대판 2003.12.12. 2003두8050
④ (×) 국민의 정보공개청구는 정보공개법 제9조에 정한 비공개 대상 정보에 해당하지 아니하는 한 원칙적으로 폭넓게 허용되어야 하지만, 실제로는 해당 정보를 취득 또는 활용할 의사가 전혀 없이 정보공개제도를 이용하여 사회통념상 용인될 수 없는 부당한 이득을 얻으려 하거나, 오로지 공공기관의 담당공무원을 괴롭힐 목적으로 정보공개청구를 하는 경우처럼 권리의 남용에 해당하는 것이 명백한 경우에는 정보공개청구권의 행사를 허용하지 아니하는 것이 옳다(대판 2014.12.24. 2014두9349).

답 ④

함께 정리하기

정보공개

비용
▷ 청구인이 실비부담

공개청구된 정보가 공공기관이 보유·관리×인 정보로서 민원처리법에 따른 민원으로 처리할 수 있는 경우
▷ 민원으로 처리 可

정보공개를 청구하였다가 거부처분을 받은 것
▷ 그 자체로 법률상 이익 침해 해당○

오로지 상대방 괴롭힐 목적 정보공개청구
▷ 권리남용으로 거부 可

문제 DATA

출제가능 지수 ▶▶▷
난이도 지수 ★★☆

041 □□□

「공공기관의 정보공개에 관한 법률」에 대한 설명으로 옳지 않은 것은?

① 정보공개의 원칙에 따라 공공기관이 보유·관리하는 정보는 국민의 알 권리 보장 등을 위하여 이 법에서 정하는 바에 따라 적극적으로 공개하여야 한다.
② 모든 국민은 정보의 공개를 청구할 권리를 가진다.
③ 공공기관의 정보공개 담당자(정보공개 청구 대상 정보와 관련된 업무 담당자를 포함한다)는 정보공개 업무를 성실하게 수행하여야 하며, 공개 여부의 자의적인 결정, 고의적인 처리 지연 또는 위법한 공개 거부 및 회피 등 부당한 행위를 하여서는 아니 된다.
④ 공공기관은 예산집행의 내용과 사업평가 결과 등 행정감시를 위하여 필요한 정보에 대해서는 공개의 구체적 범위, 주기, 시기 및 방법 등을 미리 정하여 정보통신망 등을 통하여 알릴 필요까지는 없으나, 정기적으로 공개하여야 한다.

| 2021년 군무원 9급

① (○)

> 「공공기관의 정보공개에 관한 법률」 제3조【정보공개의 원칙】 공공기관이 보유·관리하는 정보는 국민의 알 권리 보장 등을 위하여 이 법에서 정하는 바에 따라 적극적으로 공개하여야 한다.

② (○)

> 「공공기관의 정보공개에 관한 법률」 제5조【정보공개 청구권자】 ① 모든 국민은 정보의 공개를 청구할 권리를 가진다.

유제 14. 서울시 9급 정보공개청구권은 해당 정보와 이해관계가 있는 자에 한해서만 인정된다. (×)

③ (○)

> 「공공기관의 정보공개에 관한 법률」 제6조의2【정보공개 담당자의 의무】 공공기관의 정보공개 담당자(정보공개 청구 대상 정보와 관련된 업무 담당자를 포함한다)는 정보공개 업무를 성실하게 수행하여야 하며, 공개 여부의 자의적인 결정, 고의적인 처리 지연 또는 위법한 공개 거부 및 회피 등 부당한 행위를 하여서는 아니 된다.

④ (×) 행정감시를 위하여 필요한 정보는 공개의 구체적 범위, 주기, 시기 및 방법 등을 미리 정하여 정보통신망 등을 통하여 알리고 정기적으로 공개하여야 한다.

> 「공공기관의 정보공개에 관한 법률」 제7조【정보의 사전적 공개 등】 ① 공공기관은 다음 각 호의 어느 하나에 해당하는 정보에 대해서는 공개의 구체적 범위, 주기, 시기 및 방법 등을 미리 정하여 정보통신망 등을 통하여 알리고, 이에 따라 정기적으로 공개하여야 한다. 다만, 제9조 제1항 각 호의 어느 하나에 해당하는 정보에 대해서는 그러하지 아니하다.
> 1. 국민생활에 매우 큰 영향을 미치는 정책에 관한 정보
> 2. 국가의 시책으로 시행하는 공사(工事) 등 대규모 예산이 투입되는 사업에 관한 정보
> 3. 예산집행의 내용과 사업평가 결과 등 행정감시를 위하여 필요한 정보
> 4. 그 밖에 공공기관의 장이 정하는 정보

유제 07. 국가직 9급 국가의 시책으로 시행하는 공사 등 대규모의 예산이 투입되는 사업에 관한 정보는 정기적으로 공개하여야 한다. (○)

답 ④

함께 정리하기

「공공기관의 정보공개에 관한 법률」

공공기관이 보유·관리하는 정보
▷ 적극적으로 공개

모든 국민
▷ 정보공개청구권 有

정보공개 담당자
▷ 공개여부 자의적 결정·고의적인 처리지연·위법한 공개거부등 행위 금지

행정감시를 위하여 필요한 정보
▷ 공개의 구체적 범위·주기·시기·방법 등 미리 알리고 정기적으로 공개

042

「공공기관의 정보공개에 관한 법률」(이하 '정보공개법'이라 한다)상 정보공개제도에 대한 설명으로 옳은 것은? (다툼이 있는 경우 판례에 의함)

① 사립대학교는 정보공개 의무기관인 공공기관에 해당하지 않는다.
② 정보공개제도는 공공기관이 보유·관리하는 정보를 그 상태대로 공개하는 제도이므로, 전자적 형태로 보유·관리하는 정보를 검색·편집하여야 하는 경우는 새로운 정보의 생산으로서 정보공개의 대상이 아니다.
③ 예산집행의 내용과 사업평가 결과 등 행정감시를 위하여 필요한 정보 등 공개를 목적으로 작성되고 이미 정보통신망 등을 통하여 공개된 정보는 해당 정보의 소재 안내의 방법으로 공개한다.
④ 「형사소송법」이 형사재판확정기록의 공개 여부나 공개 범위, 불복절차 등에 대하여 규정하고 있는 것은 정보공개법 제4조 제1항에서 정한 '정보의 공개에 관하여 다른 법률에 특별한 규정이 있는 경우'에 해당한다고 볼 수 없으므로 형사재판확정기록의 공개에 관하여는 정보공개법에 의한 공개청구가 허용된다.
⑤ 법원 이외의 공공기관이 정보공개법 제9조 제1항 제4호에서 정한 '진행 중인 재판에 관련된 정보'에 해당한다는 사유로 정보공개를 거부하기 위하여는 원칙적으로 그 정보가 진행 중인 재판의 소송기록 자체에 포함된 내용이어야 한다.

2021년 국회직 8급

① (×) 사립대학교에 대한 국비 지원이 한정적·일시적·국부적이라는 점을 고려하더라도, 구 공공기관의 정보공개에 관한 법률 시행령 제2조 제1호가 정보공개의무를 지는 공공기관의 하나로 사립대학교를 들고 있는 것이 모법의 위임범위를 벗어났다거나 사립대학교가 국비의 지원을 받는 범위 내에서만 공공기관의 성격을 가진다고 볼 수 없다(대판 2006.8.24. 2004두2783).

② (×) 공공기관의 정보공개에 관한 법률에 의한 정보공개제도는 공공기관이 보유·관리하는 정보를 그 상태대로 공개하는 제도이지만, 전자적 형태로 보유·관리되는 정보의 경우에는, 그 정보가 청구인이 구하는 대로는 되어 있지 않다고 하더라도, 공개청구를 받은 공공기관이 공개청구대상정보의 기초자료를 전자적 형태로 보유·관리하고 있고, 당해 기관에서 통상 사용되는 컴퓨터 하드웨어 및 소프트웨어와 기술적 전문지식을 사용하여 그 기초자료를 검색하여 청구인이 구하는 대로 편집할 수 있으며, 그러한 작업이 당해 기관의 컴퓨터 시스템 운용에 별다른 지장을 초래하지 아니한다면, 그 공공기관이 공개청구대상정보를 보유·관리하고 있는 것으로 볼 수 있고, 이러한 경우에 기초자료를 검색·편집하는 것은 새로운 정보의 생산 또는 가공에 해당한다고 할 수 없다(대판 2010.2.11. 2009두6001).

유제 21. 경찰 2차 공개청구를 받은 공공기관이 공개청구대상 정보의 기초자료를 전자적 형태로 보유·관리하고 있고, 당해 기관에서 통상 사용되는 컴퓨터 하드웨어 및 소프트웨어와 기술적 전문지식을 사용하여 그 기초자료를 검색하여 청구인이 구하는 대로 편집할 수 있으며, 그러한 작업이 당해 기관의 컴퓨터 시스템 운용에 별다른 지장을 초래하지 아니한다면, 그 공공기관이 공개청구대상 정보를 보유·관리하고 있는 것으로 볼 수 있다. (○)

17. 지방직 9급 정보공개청구의 대상이 되는 공공기관이 보유하는 정보는 공공기관이 직무상 작성 또는 취득한 원본문서이어야 하며 전자적 형태로 보유·관리되는 경우에는 행정기관의 업무수행에 큰 지장을 주지 않는 한도 내에서 검색·편집하여 제공하여야 한다. (×)

③ (○)

「공공기관의 정보공개에 관한 법률」 제11조의2 【반복 청구 등의 처리】 ② 공공기관은 제11조에도 불구하고 제10조 제1항 및 제2항에 따른 정보공개 청구가 다음 각 호의 어느 하나에 해당하는 경우에는 다음 각 호의 구분에 따라 안내하고, 해당 청구를 종결 처리할 수 있다.
  1. 제7조 제1항에 따른 정보 등 공개를 목적으로 작성되어 이미 정보통신망 등을 통하여 공개된 정보를 청구하는 경우: 해당 정보의 소재(所在)를 안내

문제 DATA
출제가능 지수 ▶▶▷
난이도 지수 ★★★

함께 정리하기

정보공개제도

사립대학교
▷ 정보공개 의무 있는 공공기관 해당○

전자적 형태 정보라도 별다른 지장 없이 청구인이 구하는 대로 편집할 수 있는 경우
▷ 정보공개 대상○

공개를 목적으로 작성되어 이미 정보통신망 등을 통하여 공개된 정보
▷ 소재 안내 방법으로 공개

형사재판확정기록
▷ 정보공개법에 의한 공개청구 不可

진행 중인 재판 관련 정보
▷ 반드시 소송기록 자체에 포함된 내용일 필요×

제7조 【정보의 사전적 공개 등】 ① 공공기관은 다음 각 호의 어느 하나에 해당하는 정보에 대해서는 공개의 구체적 범위, 주기, 시기 및 방법 등을 미리 정하여 정보통신망 등을 통하여 알리고, 이에 따라 정기적으로 공개하여야 한다. 다만, 제9조 제1항 각 호의 어느 하나에 해당하는 정보에 대해서는 그러하지 아니하다.
3. 예산집행의 내용과 사업평가 결과 등 행정감시를 위하여 필요한 정보

④ (×) 형사소송법 제59조의2는 형사재판확정기록의 공개 여부나 공개 범위, 불복절차 등에 대하여 구 공공기관의 정보공개에 관한 법률과 달리 규정하고 있는 것으로 정보공개법 제4조 제1항에서 정한 '정보의 공개에 관하여 다른 법률에 특별한 규정이 있는 경우'에 해당한다. 따라서 형사재판확정기록의 공개에 관하여는 정보공개법에 의한 공개청구가 허용되지 아니한다(대판 2016.12.15. 2013두20882).

⑤ (×) 법원 이외의 공공기관이 정보공개법 제9조 제1항 제4호에서 정한 '진행 중인 재판에 관련된 정보'에 해당한다는 사유로 정보공개를 거부하기 위하여는 반드시 그 정보가 진행 중인 재판의 소송기록 자체에 포함된 내용일 필요는 없다. 그러나 재판에 관련된 일체의 정보가 그에 해당하는 것은 아니고 진행 중인 재판의 심리 또는 재판결과에 구체적으로 영향을 미칠 위험이 있는 정보에 한정된다고 보는 것이 타당하다(대판 2011.11.24. 2009두19021).

답 ③

043

「공공기관의 정보공개에 관한 법률」에 의한 정보공개에 대한 설명으로 가장 옳지 않은 것은? (다툼이 있는 경우 판례에 의함)

① 공공기관 중 중앙행정기관 및 대통령령으로 정하는 기관은 전자적 형태로 보유·관리하는 정보 중 공개 대상으로 분류된 정보를 국민의 정보공개 청구가 없더라도 정보통신망을 활용한 정보공개시스템 등을 통하여 공개하여야 한다.
② 정당한 사유 없이 반복적으로 동일 대상에 대한 정보를 청구하거나 「민원 처리에 관한 법률」에 따른 민원으로 처리된 정보를 다시 청구하는 공개청구의 남용이 있는 경우 「질서위반행위규제법」에 따른 과태료 부과처분의 대상이 된다.
③ 공개청구를 받은 공공기관이 공개청구대상정보의 기초자료를 전자적 형태로 보유·관리하고 있고, 당해 기관에서 통상 사용되는 컴퓨터 하드웨어 및 소프트웨어와 기술적 전문지식을 사용하여 그 기초자료를 검색하여 청구인이 구하는 대로 편집할 수 있으며, 그러한 작업이 당해 기관의 컴퓨터 시스템 운용에 별다른 지장을 초래하지 아니한다면, 그 공공기관이 공개청구대상정보를 보유·관리하고 있는 것으로 볼 수 있다.
④ 정보공개청구인은 특정한 정보공개 방법을 지정하여 청구할 수 있는 법령상 신청권이 있다고 할 것이므로 공공기관이 공개청구의 대상이 된 정보를 정보공개청구인이 신청한 공개방법 이외의 방법으로 공개하기로 하는 결정을 하였다면, 이는 정보공개 방법에 관한 부분에 대하여 일부 거부처분을 한 것이고 정보공개청구인은 그에 대해 항고소송을 제기할 수 있다.

| 2021년 경찰 2차

① (○)

「공공기관의 정보공개에 관한 법률」 제8조의2 【공개 대상 정보의 원문공개】 공공기관 중 중앙행정기관 및 대통령령으로 정하는 기관은 전자적 형태로 보유·관리하는 정보 중 공개 대상으로 분류된 정보를 국민의 정보공개 청구가 없더라도 정보통신망을 활용한 정보공개시스템 등을 통하여 공개하여야 한다.

② (×) 과태료 부과처분의 대상이 되는 것이 아니라 해당 청구를 종결 처리를 할 수 있다.

> 「공공기관의 정보공개에 관한 법률」 제11조의2 【반복 청구 등의 처리】 ① 공공기관은 제11조에도 불구하고 제10조 제1항 및 제2항에 따른 정보공개 청구가 다음 각 호의 어느 하나에 해당하는 경우에는 정보공개 청구 대상 정보의 성격, 종전 청구와의 내용적 유사성·관련성, 종전 청구와 동일한 답변을 할 수밖에 없는 사정 등을 종합적으로 고려하여 해당 청구를 종결 처리할 수 있다. 이 경우 종결 처리 사실을 청구인에게 알려야 한다.
> 1. 정보공개를 청구하여 정보공개 여부에 대한 결정의 통지를 받은 자가 정당한 사유 없이 해당 정보의 공개를 다시 청구하는 경우
> 2. 정보공개 청구가 제11조 제5항에 따라 민원으로 처리되었으나 다시 같은 청구를 하는 경우

③ (○) 대판 2010.2.11. 2009두6001
④ (○) 대판 2016.11.10. 2016두44674

답 ②

044

「공공기관의 정보공개에 관한 법률」에 대한 설명으로 옳은 것을 모두 고른 것은? (다툼이 있는 경우 판례에 의함)

> ㄱ. 학교폭력대책자치위원회의 회의록은 '공개될 경우 업무의 공정한 수행에 현저한 지장을 초래한다고 인정할 만한 상당한 이유가 있는 정보'에 해당한다.
> ㄴ. 의사결정과정에 제공된 회의관련자료나 의사결정과정이 기록된 회의록은 '의사가 결정되거나 의사가 집행된 경우에는 더 이상 의사결정과정에 있는 사항 그 자체라고는 할 수 없으나, 의사결정과정에 있는 사항에 준하는 사항으로서 비공개 대상 정보에 포함될 수 있다.
> ㄷ. '진행 중인 재판에 관련된 정보'에 해당한다는 사유로 정보공개를 거부하기 위하여는 반드시 그 정보가 진행 중인 재판의 소송기록 자체에 포함되어야 한다.

① ㄱ
② ㄴ
③ ㄱ, ㄴ
④ ㄴ, ㄷ
⑤ ㄱ, ㄴ, ㄷ

2021년 행정사

ㄱ. (○) 학교폭력대책자치위원회에서의 자유롭고 활발한 심의·의결이 보장되기 위해서는 위원회가 종료된 후라도 심의·의결 과정에서 개개 위원들이 한 발언 내용이 외부에 공개되지 않는다는 것이 철저히 보장되어야 한다는 점, 학교폭력예방 및 대책에 관한 법률 제21조 제3항이 학교폭력대책자치위원회의 회의를 공개하지 못하도록 명문으로 규정하고 있는 것은 … 학교폭력대책자치위원회 업무수행의 공정성을 최대한 확보하기 위한 것으로 보이는 점 등을 고려하면, 학교폭력대책자치위원회의 회의록은 공공기관의 정보공개에 관한 법률 제9조 제1항 제5호의 '공개될 경우 업무의 공정한 수행에 현저한 지장을 초래한다고 인정할 만한 상당한 이유가 있는 정보'에 해당한다(대판 2010.6.10. 2010두2913).
ㄴ. (○) 대판 2003.8.22. 2002두12946
ㄷ. (×) 법원 이외의 공공기관이 정보공개법 제9조 제1항 제4호에서 정한 '진행 중인 재판에 관련된 정보'에 해당한다는 사유로 정보공개를 거부하기 위하여는 반드시 그 정보가 진행 중인 재판의 소송기록 자체에 포함된 내용일 필요는 없다. 그러나 재판에 관련된 일체의 정보가 그에 해당하는 것은 아니고 진행 중인 재판의 심리 또는 재판결과에 구체적으로 영향을 미칠 위험이 있는 정보에 한정된다고 보는 것이 타당하다(대판 2011.11.24. 2009두19021).

답 ③

함께 정리하기

정보공개법

학교폭력대책자치위원회의 회의록
▷ 비공개대상 ○

의사결정과정에 제공된 회의관련자료나 의사결정과정이 기록된 회의록 등
▷ 비공개대상 정보 포함 가

진행 중인 재판 관련 정보
▷ 반드시 소송기록 자체에 포함된 내용일 필요 ×

문제 DATA

출제가능 지수 ▶▶▷
난이도 지수 ★★☆

045 ☐☐☐

「공공기관의 정보공개에 관한 법률」상 정보공개에 대한 설명으로 옳지 않은 것은? (다툼이 있는 경우 판례에 의함)

① 정보공개청구권자에는 자연인은 물론 법인, 권리능력 없는 사단·재단도 포함되며, 법인, 권리능력 없는 사단·재단의 경우에는 설립목적을 불문한다.
② 공개청구된 정보가 수사의견서인 경우 수사의 방법 및 절차 등이 공개되더라도 수사기관의 직무수행을 현저히 곤란하게 하지 않는 때에는 비공개 대상 정보에 해당하지 않는다.
③ 외국 또는 외국 기관으로부터 비공개를 전제로 입수한 정보는 비공개를 전제로 하였다는 이유만으로 비공개 대상 정보에 해당한다.
④ 교육공무원의 근무성적평정 결과를 공개하지 아니한다고 규정하고 있는 교육공무원승진규정을 근거로 정보공개청구를 거부하는 것은 위법하다.

함께 정리하기

정보공개

정보공개청구권자인 국민
▷ 자연인, 법인·권리능력 없는 사단·재단(설립목적 불문)포함

수사의견서
▷ 수사기관 직무수행을 현저히 곤란하게 한다고 인정할 상당한 이유가 있어야 비공개 대상

외국으로부터 비공개 전제로 입수하였다는 이유
▷ 비공개 사유 ✕

교육공무원승진규정을 근거로 정보공개 거부
▷ 위법

| 2020년 국가직 7급

① (○) 대판 2003.12.12. 2003두8050
② (○) 공공기관의 정보공개에 관한 법률(이하 '정보공개법'이라고 한다) 제9조 제1항 제4호는 '수사에 관한 사항으로서 공개될 경우 그 직무수행을 현저히 곤란하게 한다고 인정할 만한 상당한 이유가 있는 정보'를 비공개 대상 정보의 하나로 규정하고 있다. 그 취지는 수사의 방법 및 절차 등이 공개되어 수사기관의 직무수행에 현저한 곤란을 초래할 위험을 막고자 하는 것으로서, 수사기록 중의 의견서, 보고문서, 메모, 법률검토, 내사자료 등(이하 '의견서 등'이라고 한다)이 이에 해당하나, <u>공개청구대상인 정보가 의견서 등에 해당한다고 하여 곧바로 정보공개법 제9조 제1항 제4호에 규정된 비공개 대상 정보라고 볼 것은 아니고, 의견서 등의 실질적인 내용을 구체적으로 살펴 수사의 방법 및 절차 등이 공개됨으로써 수사기관의 직무수행을 현저히 곤란하게 한다고 인정할 만한 상당한 이유가 있어야만 위 비공개 대상 정보에 해당한다</u>(대판 2017.9.7. 2017두44558).
③ (✕) <u>외국 또는 외국 기관으로부터 비공개를 전제로 정보를 입수하였다는 이유만으로 이를 공개할 경우 업무의 공정한 수행에 현저한 지장을 받을 것이라고 단정할 수는 없다.</u> 다만 위와 같은 사정은 정보제공자와의 관계, 정보제공자의 의사, 정보의 취득 경위, 정보의 내용 등과 함께 업무의 공정한 수행에 현저한 지장이 있는지를 판단할 때 고려하여야 할 형량요소이다(대판 2018.9.28. 2017두69892).

유제 19. 서울시 7급 외국 기관으로부터 비공개를 전제로 정보를 입수하였다는 이유만으로, 이를 공개할 경우 업무의 공정한 수행에 현저한 지장을 받을 것이라 단정할 수 없다. (○)

④ (○) 대판 2006.10.26. 2006두11910

답 ③

046

정보공개에 대한 설명으로 옳지 않은 것은? (다툼이 있는 경우 판례에 의함)

① 정보공개거부처분의 취소를 구하는 소송에서 공공기관이 청구정보를 증거 등으로 법원에 제출하여 법원을 통하여 그 사본을 청구인에게 교부 또는 송달되게 하여 청구인에게 정보를 공개하는 셈이 되었다면, 이러한 우회적인 방법에 의한 공개는 「공공기관의 정보공개에 관한 법률」에 의한 공개라고 볼 수 있다.
② 정보공개청구권자에는 자연인은 물론 법인, 권리능력 없는 사단·재단도 포함되고, 법인, 권리능력 없는 사단·재단 등의 경우에는 설립목적을 불문한다.
③ 공개청구의 대상이 되는 정보가 이미 다른 사람에게 공개되어 널리 알려져 있다거나 인터넷 등을 통하여 공개되어 인터넷 검색 등을 통하여 쉽게 알 수 있다는 사정만으로는 비공개 결정이 정당화될 수 없다.
④ 「공공기관의 정보공개에 관한 법률」은 정보공개청구권자가 공개를 청구하는 정보와 어떤 관련성을 가질 것을 요구하거나 정보공개청구의 목적에 특별한 제한을 두고 있지 아니하므로 정보공개청구권자의 권리구제 가능성 등은 정보의 공개 여부 결정에 아무런 영향을 미치지 못한다.

| 2020년 국가직 9급

① (×) 대판 2016.12.15. 2012두11409·11416
② (○) 대판 2003.12.12. 2003두8050
③ (○) 대판 2008.11.27. 2005두15694
④ (○) 대판 2017.9.7. 2017두44558

답 ①

047

정보공개제도에 대한 설명으로 옳지 않은 것은 (다툼이 있는 경우 판례에 의함)

① 정보공개를 청구하는 자가 공개를 구하는 정보를 행정기관이 보유·관리하고 있을 상당한 개연성이 있다는 점을 입증하여야 한다.
② 국민의 알 권리, 즉 정보에의 접근·수집·처리의 자유는 자유권적 성질과 청구권적 성질을 공유하는 것으로서, 헌법 제21조에 의하여 직접 보장되는 권리이다.
③ 사립대학교에 정보공개를 청구하였다가 거부될 경우 사립대학교에 대한 국가의 지원이 한정적·국부적·일시적임을 고려한다면 사립대학교 총장을 피고로 하여 취소소송을 제기할 수 없다.
④ 공개를 구하는 정보를 공공기관이 한때 보유·관리하였으나 그 후에 그 정보가 담긴 문서 등이 폐기되어 존재하지 않게 된 것이라면 그 정보를 더 이상 보유·관리하고 있지 아니하다는 점에 대한 증명책임은 공공기관에 있다.

함께 정리하기

정보공개제도

공공기관이 보유·관리하고 있는 정보라는 증명책임
▷ 공개청구자(상당한 개연성 입증)

알 권리
▷ 헌법에 의해 직접 보장되는 권리(자유권 + 청구권)

사립대학교
▷ 공개의무를 부담하는 공공기관○
▷ 사립대 총장 피고로 소제기 可

한때 보유·관리한 문서 폐기로 인한 부존재 입증책임
▷ 공공기관

문제 DATA

출제가능 지수 ▶▶▷
난이도 지수 ★★☆

함께 정리하기

행정정보공개

정보공개청구권자인 국민
▷ 자연인, 법인·권리능력 없는 사단·재단(설립목적 불문)포함

한때 보유·관리한 문서 폐기로 인한 부존재 입증책임
▷ 공공기관

전자적 형태로 보유·관리하지 않는 정보를 청구인이 전자적 형태로 공개 요청
▷ 전자적 형태로 변환하여 공개 可

제3자의 비공개 요청
▷ 공개결정 可

2020년 지방직 7급

① (○) 정보공개제도는 공공기관이 보유·관리하는 정보를 그 상태대로 공개하는 제도라는 점 등에 비추어 보면, 정보공개를 구하는 자가 공개를 구하는 정보를 행정기관이 보유·관리하고 있을 상당한 개연성이 있다는 점을 입증함으로써 족하다 할 것이지만, 공공기관이 그 정보를 보유·관리하고 있지 아니한 경우에는 특별한 사정이 없는 한 정보공개거부처분의 취소를 구할 법률상의 이익이 없다(대판 2006.1.13. 2003두9459).

② (○) 국민의 '알 권리', 즉 정보에의 접근·수집·처리의 자유는 자유권적 성질과 청구권적 성질을 공유하는 것으로서 헌법 제21조에 의하여 직접 보장되는 권리이고, 그 구체적 실현을 위하여 제정된 공공기관의 정보공개에 관한 법률도 제3조에서 공공기관이 보유·관리하는 정보를 원칙적으로 공개하도록 하여 정보공개의 원칙을 천명하고 있다(대판 2009.12.10. 2009두12785).

유제 17. 국가직 7급 정보에의 접근·수집·처리의 자유는 자유권적 성질과 청구권적 성질을 공유하는 것으로서 헌법 제21조에 의하여 직접 보장되는 권리이다. (○)

③ (×) 대판 2006.8.24. 2004두2783
④ (○) 대판 2004.12.9. 2003두12707

답 ③

048 ☐☐☐

행정정보의 공개에 대한 설명으로 가장 옳지 않은 것은? (다툼이 있는 경우 판례에 의함)

① 「공공기관의 정보공개에 관한 법률」에 따라 정보의 공개를 청구할 권리를 가지는 국민에는 자연인뿐만 아니라 법인, 권리능력 없는 사단·재단도 포함된다.
② 공개를 구하는 정보를 공공기관이 한때 보유·관리하였으나 후에 그 정보가 담긴 문서 등이 폐기되어 그 정보를 더 이상 보유·관리하고 있지 않다는 점에 대한 입증책임은 공공기관에 있다.
③ 전자적 형태로 보유·관리하지 않는 정보에 대해 청구인이 전자적 형태로 공개해 줄 것을 요청한 경우에는 공공기관은 정상적 업무수행에 현저한 지장을 초래하거나 해당 정보의 성질이 훼손될 우려가 없으면 그 정보를 전자적 형태로 변환하여 공개할 수 있다.
④ 공개 청구된 공개 대상 정보의 전부 또는 일부와 관련있는 제3자가 자신과 관련된 정보를 공개하지 않을 것을 요청한 경우 공공기관은 해당 정보를 비공개하여야 한다.

2020년 서울시 7급

① (○) 대판 2003.12.12. 2003두8050
② (○) 대판 2004.12.9. 2003두12707
③ (○)

> 「공공기관의 정보공개에 관한 법률」 제15조 【정보의 전자적 공개】 ② 공공기관은 전자적 형태로 보유·관리하지 아니하는 정보에 대하여 청구인이 전자적 형태로 공개하여 줄 것을 요청한 경우에는 정상적인 업무수행에 현저한 지장을 초래하거나 그 정보의 성질이 훼손될 우려가 없으면 그 정보를 전자적 형태로 변환하여 공개할 수 있다.

유제 11. 국가직 7급 공공기관은 전자적 형태로 보유·관리하지 않는 정보에 대하여 청구인이 전자적 형태로 공개하여 줄 것을 요청한 경우 특별한 사정이 없으면 그 정보를 전자적 형태로 변환하여 공개할 수 있다. (○)

④ (×) 제3자의 비공개요청이 있다는 사유만으로 정보공개법상 정보의 비공개사유에 해당한다고 볼 수 없다(대판 2008.9.25. 2008두8680).

답 ④

049

「공공기관의 정보공개에 관한 법률」에 대한 설명으로 옳지 않은 것은? (다툼이 있는 경우 판례에 의함)

① 정보공개거부처분의 취소소송에서 공공기관이 청구정보를 증거 등으로 법원에 제출한 것은 「공공기관의 정보공개에 관한 법률」상 공개에 해당된다.
② 공공기관이 청구인이 신청한 공개방법 이외의 방법으로 공개하기로 결정하였다면 이는 정보공개방법에 관한 부분에 대하여 일부 거부처분을 한 것이고, 청구인은 그에 대하여 항고소송으로 다툴 수 있다.
③ 공개가 거부된 정보에 공개 가능한 부분과 비공개에 해당하는 부분이 혼합되어 있고 두 부분을 분리할 수 있는 경우, 판결의 주문에서는 정보공개거부처분 중 공개가 가능한 정보에 관한 부분만을 취소한다고 표시하여야 한다.
④ 국민생활에 매우 큰 영향을 미치는 정책에 관한 정보 등 공개를 목적으로 작성되고 이미 정보통신망 등을 통하여 공개된 정보는 해당 정보의 소재(所在) 안내의 방법으로 공개한다.
⑤ 정보비공개 결정의 취소소송에서 공개청구한 정보의 내용과 범위가 특정되었다고 볼 수 없는 경우, 법원은 공공기관에게 청구대상정보를 제출하도록 하여 이를 비공개로 열람·심사하는 등의 방법으로 그 대상정보의 내용과 범위를 특정시켜야 한다.

2020년 소방간부

① (×) 청구인이 정보공개거부처분의 취소를 구하는 소송에서 공공기관이 청구정보를 증거 등으로 법원에 제출하여 법원을 통하여 그 사본을 청구인에게 교부 또는 송달되게 하여 결과적으로 청구인에게 정보를 공개하는 셈이 되었다고 하더라도, 이러한 우회적인 방법은 정보공개법이 예정하고 있지 아니한 방법으로서 정보공개법에 의한 공개라고 볼 수는 없으므로, 당해 정보의 비공개 결정의 취소를 구할 소의 이익은 소멸되지 않는다(대판 2016.12.15. 2012두11409·11416).
② (○) 대판 2016.11.10. 2016두44674
③ (○) 법원이 정보공개 거부처분의 위법 여부를 심리한 결과, 공개가 거부된 정보에 비공개 대상 정보에 해당하는 부분과 공개가 가능한 부분이 혼합되어 있으며, 공개 청구의 취지에 어긋나지 아니 하는 범위 안에서 두 부분을 분리할 수 있다고 인정할 수 있을 때에는, 공개가 거부된 정보 중 공개가 가능한 부분을 특정하고, 판결의 주문에 정보공개거부처분 중 공개가 가능한 정보에 관한 부분만을 취소한다고 표시하여야 한다(대판 2010.2.11. 2009두6001).
④ (○)

> 「공공기관의 정보공개에 관한 법률」 제11조의2 【반복 청구 등의 처리】 ② 공공기관은 제11조에도 불구하고 제10조 제1항 및 제2항에 따른 정보공개 청구가 다음 각 호의 어느 하나에 해당하는 경우에는 다음 각 호의 구분에 따라 안내하고, 해당 청구를 종결 처리할 수 있다.
> 1. 제7조 제1항에 따른 정보 등 공개를 목적으로 작성되어 이미 정보통신망 등을 통하여 공개된 정보를 청구하는 경우: 해당 정보의 소재(所在)를 안내
>
> 제7조 【정보의 사전적 공개 등】 ① 공공기관은 다음 각 호의 어느 하나에 해당하는 정보에 대해서는 공개의 구체적 범위, 주기, 시기 및 방법 등을 미리 정하여 정보통신망 등을 통하여 알리고, 이에 따라 정기적으로 공개하여야 한다. 다만, 제9조 제1항 각 호의 어느 하나에 해당하는 정보에 대해서는 그러하지 아니하다.
> 1. 국민생활에 매우 큰 영향을 미치는 정책에 관한 정보

문제 DATA
출제가능 지수 ▶▶▷
난이도 지수 ★★☆

함께 정리하기

정보공개법

정보공개거부처분취소소송에서 공공기관이 청구정보를 증거로 법원에 제출한 것
▷ 정보공개법에 의한 공개 ×

신청한 방법 이외의 방법으로 공개 결정
▷ 일부 거부처분 해당

공개거부된 정보에 비공개·공개대상 정보가 혼재하고 분리 가능
▷ 판결주문에 공개가능부분만 취소 표시 (일부취소)

공개를 목적으로 작성되고 이미 정보통신망 등을 통하여 공개된 정보
▷ 소재안내 방법으로 공개

공개청구한 정보가 불특정
▷ 법원은 비공개 열람·심사하는 등 방법으로 특정시켜야 함

⑤ (○) 정보비공개 결정의 취소를 구하는 사건에 있어서, 만일 공개를 청구한 정보의 내용 중 너무 포괄적이거나 막연하여서 사회일반인의 관점에서 그 내용과 범위를 확정할 수 있을 정도로 특정되었다고 볼 수 없는 부분이 포함되어 있다면, 이를 심리하는 법원으로서는 마땅히 공공기관의 정보공개에 관한 법률 제20조 제2항의 규정에 따라 공공기관에게 그가 보유·관리하고 있는 공개청구정보를 제출하도록 하여 이를 비공개로 열람·심사하는 등의 방법으로 공개청구정보의 내용과 범위를 특정시켜야 하고, 나아가 위와 같은 방법으로도 특정이 불가능한 경우에는 특정되지 않은 부분과 나머지 부분을 분리할 수 있고 나머지 부분에 대한 비공개 결정이 위법한 경우라고 하여도 정보공개의 청구 중 특정되지 않은 부분에 대한 비공개 결정의 취소를 구하는 부분은 나머지 부분과 분리하여 이를 기각하여야 한다(대판 2007.6.1. 2007두2555).

유제 10. 국회직 8급 법원은 청구대상정보의 일부가 특정되지 않은 경우 공공기관이 보유·관리하고 있는 공개청구정보를 제출하도록 하여 이를 비공개로 열람·심사하는 등의 방법으로 공개청구정보의 내용과 범위를 특정시킬 수 있다. (○)

답 ①

050 □□□

정보공개에 대한 설명으로 옳지 않은 것은?

① 정보의 공개를 청구하는 자는 해당 정보를 보유하거나 관리하고 있는 공공기관에 법령상의 요건을 갖춘 정보공개 청구서를 제출하거나 말로써 정보의 공개를 청구할 수 있다.
② 공공기관은 공개 청구된 공개 대상 정보의 전부 또는 일부가 제3자와 관련이 있다고 인정할 때에는 그 사실을 제3자에게 지체 없이 통지하여야 하며, 필요한 경우에는 그의 의견을 들을 수 있다.
③ 「공공기관의 정보공개에 관한 법률」 제11조 제3항에 따라 공개 청구된 사실을 통지받은 제3자는 그 통지를 받은 날부터 7일 이내에 해당 공공기관에 대하여 자신과 관련된 정보를 공개하지 아니할 것을 요청할 수 있다.
④ 「공공기관의 정보공개에 관한 법률」 제21조 제2항에 따른 비공개 요청에도 불구하고 공공기관이 공개 결정을 할 때에는 공개 결정이유와 공개 실시일을 분명히 밝혀 지체 없이 문서로 통지하여야 하며, 제3자는 해당 공공기관에 문서로 이의신청을 하거나 행정심판 또는 행정소송을 제기할 수 있다.

| 2020년 군무원 9급

① (○)

> 「공공기관의 정보공개에 관한 법률」 제10조 【정보공개의 청구방법】 ① 정보의 공개를 청구하는 자(이하 "청구인"이라 한다)는 해당 정보를 보유하거나 관리하고 있는 공공기관에 다음 각 호의 사항을 적은 정보공개 청구서를 제출하거나 말로써 정보의 공개를 청구할 수 있다.

유제 18. 경찰 2차 정보의 공개를 청구하는 자는 해당 정보를 보유하거나 관리하고 있는 공공기관에 정보공개 청구서를 제출하거나 말로써 정보의 공개를 청구할 수 있다. (○)
16. 행정사 정보공개 청구는 정보공개 청구서를 제출하는 것 외에 말로써도 할 수 있다. (○)
12. 사복직 정보공개의 청구는 반드시 문서로 하여야 한다. (×)
11. 경찰 1차 정보의 공개를 청구하는 자는 구술로써 정보의 공개를 청구할 수는 없다. (×)
09. 국가직 9급 정보의 공개를 청구하는 자는 해당 정보를 보유하거나 관리하고 있는 공공기관에 대하여 공개를 청구하는 정보의 내용 및 공개방법을 적은 정보공개 청구서를 제출하거나 말로써 정보의 공개를 청구할 수 있으며, 정보공개 청구권자의 인적사항은 익명을 원칙으로 한다. (×)
09. 국가직 7급 정보공개를 청구하는 자는 정보를 보유·관리하고 있는 공공기관에 일정 사항을 기재한 정보공개 청구서를 제출하거나 구술로써 정보의 공개를 청구할 수 있다. (○)
08. 국가직 9급 청구인은 구술로도 정보의 공개를 청구할 수 있다. (○)

② (○)

> 「공공기관의 정보공개에 관한 법률」 제11조 【정보공개 여부의 결정】 ③ 공공기관은 공개 청구된 공개 대상 정보의 전부 또는 일부가 제3자와 관련이 있다고 인정할 때에는 그 사실을 제3자에게 지체 없이 통지하여야 하며, 필요한 경우에는 그의 의견을 들을 수 있다.

③ (×), ④ (○)

> 「공공기관의 정보공개에 관한 법률」 제21조 【제3자의 비공개 요청 등】 ① 제11조 제3항에 따라 공개 청구된 사실을 통지받은 제3자는 그 통지를 받은 날부터 3일 이내에 해당 공공기관에 대하여 자신과 관련된 정보를 공개하지 아니할 것을 요청할 수 있다.
> ② 제1항에 따른 비공개 요청에도 불구하고 공공기관이 공개 결정을 할 때에는 공개 결정 이유와 공개 실시일을 분명히 밝혀 지체 없이 문서로 통지하여야 하며, 제3자는 해당 공공기관에 문서로 이의신청을 하거나 행정심판 또는 행정소송을 제기할 수 있다. 이 경우 이의신청은 통지를 받은 날부터 7일 이내에 하여야 한다.

유제 18. 행정사 공개 대상 정보로서 자신과 관련된 정보의 비공개 요청에도 불구하고 공공기관이 공개 결정을 한 때에는 제3자는 공개 결정 이유와 공개 실시일의 통지를 받은 날부터 7일 이내에 해당 공공기관에 이의신청을 할 수 있다. (○)
13. 서울시 9급 정보공개와 관련하여 법률상 이익을 침해받은 청구인 또는 제3자는 이의신청뿐만 아니라 행정심판, 행정소송도 제기할 수 있다. (○)
11. 사복직 제3자의 비공개 요청에도 불구하고 공공기관이 공개 결정을 하는 때에는 공개 결정 이유와 공개 실시일을 분명히 명시하여 지체 없이 문서로 통지하여야 한다. (○)
11. 사복직 자신과 관련된 정보에 대한 제3자의 비공개 요청에도 불구하고 공공기관이 공개 결정을 하는 때에는 제3자는 해당 공공기관에 문서 또는 구두로 이의신청을 하거나 행정심판 또는 행정소송을 제기할 수 있다. (×)

답 ③

051

「공공기관의 정보공개에 관한 법률」의 내용으로 옳지 않은 것은? (다툼이 있는 경우 판례에 의함)

① 정보공개를 거부하기 위해서는 반드시 그 정보가 진행 중인 재판의 소송기록 그 자체에 포함된 내용의 정보일 필요는 없으나, 재판에 관련된 일체의 정보가 그에 해당하는 것은 아니고 진행 중인 재판의 심리 또는 재판 결과에 구체적으로 영향을 미칠 위험이 있는 정보에 한정된다고 보는 것이 타당하다.

② 처분청이 처분 당시에 적시한 구체적 사실을 변경하지 아니하는 범위 내에서 단지 그 처분의 근거법령만을 추가·변경하거나 당초의 처분사유를 구체적으로 표시하는 것에 불과한 경우에는 새로운 처분사유를 추가하거나 변경하는 것이라고 볼 수 없다.

③ 학교환경위생구역 내 금지행위(숙박시설) 해제결정에 관한 학교환경위생정화위원회의 회의록에 기재된 발언내용에 대한 해당 발언자의 인적사항 부분에 관한 정보는 「공공기관의 정보공개에 관한 법률」 제7조 제1항 제5호 소정의 비공개 대상에 해당한다고 볼 수 없다.

④ 의사결정과정에 제공된 회의관련 자료나 의사결정과정이 기록된 회의록 등은 의사가 결정되거나 의사가 집행된 경우에는 더 이상 의사결정과정에 있는 사항 그 자체라고는 할 수 없으나, 의사결정과정에 있는 사항에 준하는 사항으로서 비공개 대상 정보에 포함될 수 있다.

문제 DATA

출제가능 지수 ▶▶▷
난이도 지수 ★★☆

함께 정리하기

진행 중인 재판에 관련된 정보
▷ 재판에 구체적으로 영향을 미칠 위험 있는 정보에 한정

처분 근거법령만을 추가·변경
▷ 새로운 처분사유의 추가 ✕

학교환경위생정화위원회의 회의록 中 발언자의 인적사항 부분
▷ 비공개 대상

회의관련자료·회의록등
▷ 의사가 결정·집행된 경우에도 비공개 대상정보 포함 可

문제 DATA
출제가능 지수 ▶▶▷
난이도 지수 ★★☆

2020년 군무원 9급

① (O) 대판 2011.11.24. 2009두19021
② (O) 처분청이 처분 당시에 적시한 구체적 사실을 변경하지 아니하는 범위 내에서 단지 그 처분의 근거 법령만을 추가·변경하거나 당초의 처분사유를 구체적으로 표시하는 것에 불과한 경우에는 새로운 처분사유를 추가하거나 변경하는 것이라고 볼 수 없다(대판 2007.2.8. 2006두4899).
③ (✕) 대판 2003.8.22. 2002두12946
④ (O) 대판 2003.8.22. 2002두12946

답 ③

052 □□□

「공공기관의 정보공개에 관한 법률」상 정보공개에 대한 설명으로 옳지 않은 것은? (다툼이 있는 경우 판례에 의함)

① 정보공개청구는 청구인과 직접적인 이해관계가 없는 공익을 위한 경우에도 할 수 있다.
② 지방자치단체는 「공공기관의 정보공개에 관한 법률」에서 정한 정보공개청구권자인 국민에 해당되지 않는다.
③ 「공공기관의 정보공개에 관한 법률」 제9조 제1항 제1호의 '법률에서 위임한 명령'은 일반적인 법률의 위임규정에 따라 제정된 대통령령, 총리령, 부령 전부를 의미한다.
④ 개인정보는 절대적으로 공개가 거부될 수 있는 것은 아니며 공개의 이익과 형량하여 공개 여부를 결정하여야 한다.
⑤ 정보공개의 대상이 되는 정보가 이미 다른 사람에게 널리 알려져 있다는 사정만으로 비공개 결정이 정당화될 수는 없다.

함께 정리하기

정보공개

청구인과 직접적인 이해관계가 없는 공익을 위한 정보공개청구 可

지방자치단체
▷ 정보공개청구권자 ✕

정보공개법 제9조 제1항 제1호의 '법률에서 위임한 명령'
▷ 총리령과 부령 제외

개인정보
▷ 공개의 이익과 형량하여 공개 여부 결정

정보가 공개되어 널리 알려지거나 쉽게 검색할 수 있는 경우 사정
▷ 비공개 사유 ✕

2020년 국회직 9급

① (O) 정보공개청구는 청구인과 직접적인 이해관계가 없는 공익을 위한 경우(예 시민단체의 정보공개청구 등)에도 인정된다.
② (O) 서울행법 2005.10.12. 2005구합10484
③ (✕) 「공공기관의 정보공개에 관한 법률」 제9조 제1항 제1호의 법률에서 위임한 명령은 국회규칙·대법원규칙·헌법재판소규칙·중앙선거관리위원회규칙·대통령령 및 조례로 한정한다. 총리령과 부령은 제외된다.

> 「공공기관의 정보공개에 관한 법률」 제9조【비공개 대상 정보】① 공공기관이 보유·관리하는 정보는 공개 대상이 된다. 다만, 다음 각 호의 어느 하나에 해당하는 정보는 공개하지 아니할 수 있다.
> 1. 다른 법률 또는 법률에서 위임한 명령(국회규칙·대법원규칙·헌법재판소규칙·중앙선거관리위원회규칙·대통령령 및 조례로 한정한다)에 따라 비밀이나 비공개 사항으로 규정된 정보

④ (O) 개인정보는 절대적으로 공개가 거부될 수 있는 것은 아니며 당해 정보의 공개로 달성될 수 있는 이익과 공개로 인해 침해되는 이익을 형량하여 공개 여부를 결정하여야 한다.
⑤ (O) 대판 2008.11.27. 2005두15694

답 ③

053

정보공개에 대한 설명으로 가장 옳지 않은 것은? (다툼이 있는 경우 판례에 의함)

① 「공공기관의 정보공개에 관한 법률」상 공개청구의 대상이 되는 정보란 공공기관이 직무상 작성 또는 취득하여 현재 보유·관리하고 있는 문서에 한정되는 것이기는 하나, 그 문서가 반드시 원본일 필요는 없다.
② 법원이 행정기관의 정보공개거부처분의 위법 여부를 심리한 결과 공개를 거부한 정보에 비공개사유에 해당하는 부분과 그렇지 아니한 부분이 혼합되어 있고, 공개청구의 취지에 어긋나지 않는 범위 안에서 두 부분을 분리할 수 있음을 인정할 수 있다 하여도 공개가 가능한 정보에 국한하여 일부취소를 명할 수는 없다.
③ 공개를 구하는 정보를 공공기관이 한때 보유·관리하였으나 후에 그 정보가 담긴 문서 등이 폐기되어 존재하지 않게 된 것이라면 그 정보를 더 이상 보유·관리하고 있지 않다는 점에 대한 입증책임은 공공기관에게 있다.
④ 공개청구의 대상이 되는 정보가 이미 다른 사람에게 공개되어 널리 알려져 있다거나 인터넷 등을 통하여 공개되어 인터넷 검색 등을 통하여 쉽게 알 수 있다는 사정만으로는 소의 이익이 없다거나 비공개 결정이 정당화될 수 없다.

2020년 경찰 2차

① (○) 대판 2006.5.25. 2006두3049
② (×) 법원이 행정기관의 정보공개거부처분의 위법 여부를 심리한 결과 공개를 거부한 정보에 비공개사유에 해당하는 부분과 그렇지 않은 부분이 혼합되어 있고, 공개청구의 취지에 어긋나지 않는 범위 안에서 두 부분을 분리할 수 있음을 인정할 수 있을 때에는 공개가 가능한 정보에 국한하여 일부취소를 명할 수 있다(대판 2009.12.10. 2009두12785).
③ (○) 대판 2004.12.9. 2003두12707
④ (○) 대판 2008.11.27. 2005두15694

답 ②

함께 정리하기

정보공개

정보공개청구의 대상인 정보
▷ 반드시 원본×

공개거부정보에 공개·비공개부분 혼합
▷ 분리가능하다면 공개 가능한 정보만 일부취소 可

한때 보유·관리한 문서 폐기로 인한 부존재 입증책임
▷ 공공기관

정보가 이미 공개되어 널리 알려졌거나 쉽게 알 수 있다는 사정
▷ 소의 이익 소멸×, 비공개결정 정당화×

054

「공공기관의 정보공개에 관한 법률」에 따른 정보공개제도에 대한 설명으로 옳지 않은 것은? (다툼이 있는 경우 판례에 의함)

① 공개를 청구하는 정보는 사회일반인의 관점에서 청구대상정보의 내용과 범위를 알 수 있을 정도로 특정되어야 한다.
② 공개청구한 정보를 공공기관이 보유·관리하고 있지 않은 경우에는 특별한 사정이 없는 한 해당 정보에 대한 공개거부처분의 취소를 구할 법률상의 이익이 없다.
③ 정보공개청구의 목적이 오로지 담당공무원을 괴롭힐 목적인 경우처럼 권리의 남용이 명백한 경우에는 정보공개청구권의 행사가 허용되지 않는다.
④ 비공개 결정에 대해 이의신청을 거친 경우에는 행정심판을 제기할 수 없다.
⑤ 청구인이 신청한 공개방법 이외의 방법으로 정보를 공개하기로 결정한 경우 청구인은 그에 대하여 항고소송으로 다툴 수 있다.

함께 정리하기

정보공개제도

공개청구시 사회일반인의 관점에서 특정 要

공공기관이 그 정보를 보유·관리 ×
▷ 공개거부처분취소 법률상 이익 ×

오로지 상대방 괴롭힐 목적 정보공개청구
▷ 권리남용으로 거부 可

이의신청 여부 상관없이 행정심판 제기 可

신청한 방법 이외의 방법으로 공개결정
▷ 일부 거부처분 해당

2020년 행정사

① (O) 공공기관의 정보공개에 관한 법률 제10조 제1항 제2호는 정보의 공개를 청구하는 자는 정보공개청구서에 '공개를 청구하는 정보의 내용' 등을 기재할 것을 규정하고 있는바, 청구대상정보를 기재함에 있어서는 사회일반인의 관점에서 청구대상정보의 내용과 범위를 확정할 수 있을 정도로 특정함을 요한다(대판 2007.6.1. 2007두2555).

유제 19. 지방직 7급 정보의 공개를 청구하는 자가 청구대상정보를 기재함에 있어서는 사회일반인의 관점에서 청구대상정보의 내용과 범위를 확정할 수 있을 정도로 특정하여야 한다. (O)
15. 국가직 9급 청구대상정보를 기재할 때는 사회일반인의 관점에서 청구대상정보의 내용과 범위를 확정할 수 있을 정도로 특정하여야 한다. (O)
14. 경찰 1차 정보공개청구 대상정보는 사회일반인의 관점에서 청구대상정보의 내용과 범위를 확정할 수 있는 정도로 특정함을 요한다는 것이 판례의 입장이다. (O)
08. 지방직 9급 정보공개청구서에는 '공개를 청구하는 정보의 내용' 등을 기재할 것이 요구되는데 청구대상정보를 기재함에 있어서는 사회일반인의 관점에서 청구대상정보의 내용과 범위를 확정할 수 있을 정도로 특정함을 요한다. (O)

② (O) 대판 2006.1.13. 2003두9459
③ (O) 대판 2014.12.24. 2014두9349
④ (×) 「공공기관의 정보공개에 관한 법률」 제18조의 이의신청 절차는 임의적 절차이므로 이의신청 여부에 상관없이 행정심판을 제기할 수 있다.
⑤ (O) 대판 2016.11.10. 2016두44674

답 ④

문제 DATA

출제가능 지수 ▶▶▷
난이도 지수 ★★☆

055 □□□

정보공개에 대한 판례의 입장으로 옳은 것은?

① 공공기관이 정보공개청구권자가 신청한 공개방법 이외의 방법으로 정보를 공개하기로 하는 결정을 하였다면, 정보공개청구자는 이에 대하여 항고소송으로 다툴 수 있다.
② 공개청구된 정보가 이미 인터넷을 통해 공개되어 인터넷 검색으로 쉽게 접근할 수 있는 경우는 비공개 사유가 된다.
③ 공개청구된 정보를 공공기관이 한때 보유·관리하였으나 후에 그 정보가 담긴 문서가 정당하게 폐기되어 존재하지 않게 된 경우, 정보 보유·관리 여부의 입증책임은 정보공개청구자에게 있다.
④ 정보공개를 청구한 목적이 손해배상소송에 제출할 증거자료를 획득하기 위한 것이었고 그 소송이 이미 종결되었다면, 그러한 정보공개청구는 권리남용에 해당한다.

함께 정리하기

정보공개

신청한 방법 이외의 방법으로 공개 결정
▷ 일부 거부처분 해당

정보가 공개되어 널리 알려지거나 쉽게 검색할 수 있는 경우 사정
▷ 비공개 사유 ×

한때 보유·관리한 문서 폐기로 인한 부존재 입증책임
▷ 공공기관

소송상 증거자료 획득 목적 정보공개청구
▷ 특별한 사정이 없는 한 권리남용에 해당 ×

2019년 국가직 7급

① (O) 대판 2016.11.10. 2016두44674
② (×) 공개청구의 대상이 되는 정보가 이미 다른 사람에게 공개하여 널리 알려져 있다거나 인터넷이나 관보 등을 통하여 공개하여 인터넷 검색이나 도서관에서의 열람 등을 통하여 쉽게 알 수 있다는 사정만으로는 소의 이익이 없다거나 비공개 결정이 정당화될 수는 없다(대판 2008.11.27. 2005두15694).
③ (×) 대판 2004.12.9. 2003두12707
④ (×) 구 공공기관의 정보공개에 관한 법률의 목적, 규정 내용 및 취지 등에 비추어 보면, 정보공개청구의 목적에 특별한 제한이 있다고 할 수 없으므로, 피고의 주장과 같이 원고가 이 사건 정보공개를 청구한 목적이 이 사건 손해배상소송에 제출할 증거자료를 획득하기 위한 것이었고 위 소송이 이미 종결되었다고 하더라도, 원고가 오로지 피고를 괴롭힐 목적으로 정보공개를 구하고 있다는 등의 특별한 사정이 없는 한, 위와 같은 사정만으로는 원고가 이 사건 소송을 계속하고 있는 것이 권리남용에 해당한다고 볼 수 없다(대판 2004.9.23. 2003두1370).

답 ①

056

「공공기관의 정보공개에 관한 법률」상 정보공개에 대한 설명으로 옳은 것은? (다툼이 있는 경우 판례에 의함)

① 공개청구된 정보가 인터넷을 통하여 공개되어 인터넷 검색을 통하여 쉽게 알 수 있다는 사정만으로 비공개 결정이 정당화될 수는 없다.
② 정보공개 청구 후 20일이 경과하도록 정보공개 결정이 없는 경우, 이의신청은 허용되나 행정심판청구는 허용되지 않는다.
③ 정보의 공개 및 우송 등에 드는 비용은 정보공개청구를 받은 행정청이 부담한다.
④ 행정소송의 재판기록 일부의 정보공개청구에 대한 비공개 결정은 전자문서로 통지할 수 없다.

2019년 국가직 9급

문제 DATA
출제가능 지수 ▶▶▷
난이도 지수 ★★☆

① (○) 대판 2008.11.27. 2005두15694
② (×)

> 「공공기관의 정보공개에 관한 법률」 제18조【이의신청】① 청구인이 정보공개와 관련한 공공기관의 비공개 결정 또는 부분 공개 결정에 대하여 불복이 있거나 정보공개 청구 후 20일이 경과하도록 정보공개 결정이 없는 때에는 공공기관으로부터 정보공개 여부의 결정 통지를 받은 날 또는 정보공개 청구 후 20일이 경과한 날부터 30일 이내에 해당 공공기관에 문서로 이의신청을 할 수 있다.
> 제19조【행정심판】① 청구인이 정보공개와 관련한 공공기관의 결정에 대하여 불복이 있거나 정보공개 청구 후 20일이 경과하도록 정보공개 결정이 없는 때에는 「행정심판법」에서 정하는 바에 따라 행정심판을 청구할 수 있다. 이 경우 국가기관 및 지방자치단체 외의 공공기관의 결정에 대한 감독행정기관은 관계 중앙행정기관의 장 또는 지방자치단체의 장으로 한다.

③ (×)

> 「공공기관의 정보공개에 관한 법률」 제17조【비용 부담】① 정보의 공개 및 우송 등에 드는 비용은 실비(實費)의 범위에서 청구인이 부담한다.

④ (×) 甲이 재판기록 일부의 정보공개를 청구한 데 대하여 서울행정법원장이 민사소송법 제162조를 이유로 소송기록의 정보를 비공개한다는 결정을 전자문서로 통지한 사안에서, '문서'에 '전자문서'를 포함한다고 규정한 구 공공기관의 정보공개에 관한 법률 제2조와 정보의 비공개 결정을 '문서'로 통지하도록 정한 정보공개법 제13조 제4항의 규정에 의하면 정보의 비공개 결정은 전자문서로 통지할 수 있고, 위 규정들은 행정절차법 제3조 제1항에서 행정절차법의 적용이 제외되는 것으로 정한 '다른 법률'에 특별한 규정이 있는 경우에 해당하므로, 비공개 결정 당시 정보의 비공개 결정은 정보공개법 제13조 제4항에 의하여 전자문서로 통지할 수 있다(대판 2014.4.10. 2012두17384).

답 ①

함께 정리하기

정보공개

정보가 공개되어 널리 알려지거나 쉽게 검색할 수 있는 경우사정
▷ 비공개 사유 ×

비용
▷ 청구인이 실비부담

정보공개 청구 후 20일이 경과하도록 정보공개결정 無
▷ 이의신청·행정심판·행정소송 可

비공개 결정
▷ 전자문서로 통지 可

057

정보공개에 대한 판례의 입장으로 옳은 것은?

① 지방자치단체의 업무추진비 세부항목별 집행내역 및 그에 관한 증빙서류에 포함된 개인에 관한 정보는 「공공기관의 정보공개에 관한 법률」 소정의 '공개하는 것이 공익을 위하여 필요하다고 인정되는 정보'에 해당하여 공개 대상이 된다.
② 학교환경위생구역 내 금지행위(숙박시설) 해제결정에 관한 학교환경위생정화위원회의 회의록에 기재된 발언내용에 대한 해당 발언자의 인적사항 부분에 관한 정보는 「공공기관의 정보공개에 관한 법률」 소정의 비공개 대상 정보에 해당하지 않는다.
③ 「보안관찰법」 소정의 보안관찰 관련 통계자료는 「공공기관의 정보공개에 관한 법률」 소정의 비공개 대상 정보에 해당하지 않는다.
④ 학교폭력대책자치위원회가 피해학생의 보호를 위한 조치, 가해학생에 대한 조치, 학교폭력과 관련된 분쟁의 조정 등에 관하여 심의한 결과를 기재한 회의록은 「공공기관의 정보공개에 관한 법률」 소정의 비공개 대상 정보에 해당한다.

2019년 지방직 9급

① (✕) 지방자치단체의 업무추진비 세부항목별 집행내역 및 그에 관한 증빙서류에 포함된 개인에 관한 정보는 '공개하는 것이 공익을 위하여 필요하다고 인정되는 정보'에 해당하지 않는다(대판 2003.3.11. 2001두6425).

유제 18. 서울시 9급 지방자치단체의 업무추진비 세부항목별 집행내역 및 그에 관한 증빙서류에 포함된 개인에 관한 정보는 비공개 대상 정보에 해당한다. (○)
17. 5급 승진, 11. 국가직 9급 지방자치단체의 업무추진비 세부항목별 집행내역 및 그에 대한 증빙서류에 포함된 개인에 대한 정보는 '공개하는 것이 공익을 위하여 필요하다고 인정되는 정보'에 해당한다. (✕)

② (✕) 학교환경위생구역 내 금지행위(숙박시설) 해제결정에 관한 학교환경위생정화위원회의 회의록에 기재된 발언내용에 대한 해당 발언자의 인적사항 부분에 관한 정보는 공공기관의 정보공개에 관한 법률 제7조(현 제9조) 제1항 제5호 소정의 비공개 대상에 해당한다(대판 2003.8.22. 2002두12946).

③ (✕) 보안관찰법 소정의 보안관찰 관련 통계자료는 우리나라 53개 지방검찰청 및 지청관할지역에서 매월 보고된 보안관찰처분에 관한 각종 자료로서, … 위 정보가 북한정보기관에 의한 간첩의 파견, 포섭, 선전선동을 위한 교두보의 확보 등 북한의 대남전략에 있어 매우 유용한 자료로 악용될 우려가 없다고 할 수 없으므로, 위 정보는 공공기관의 정보공개에 관한 법률 제7조 제1항 제2호 소정의 공개될 경우 국가안전보장·국방·통일·외교관계 등 국가의 중대한 이익을 해할 우려가 있는 정보, 또는 제3호 소정의 공개될 경우 국민의 생명·신체 및 재산의 보호 기타 공공의 안전과 이익을 현저히 해할 우려가 있다고 인정되는 정보에 해당한다(대판 2004.1.8. 2001두8254 전합).

유제 15. 지방직 9급 「보안관찰법」 소정의 보안관찰 관련 통계자료는 「공공기관의 정보공개에 관한 법률」상의 공개대상 정보에 해당한다. (✕)
12. 경찰 3차 「보안관찰법」 소정의 보안관찰 관련 통계자료는 비공개대상 정보에 해당한다. (○)
10. 국가직 9급 대법원 판례에 의할 때 「보안관찰법」상 보안관찰 관련 통계자료는 비공개대상 정보에 해당한다. (○)

④ (○) 학교폭력법의 목적, 입법 취지, 특히 학교폭력법 제21조 제3항이 자치위원회의 회의를 공개하지 못하도록 규정하고 있는 점 등에 비추어, 자치위원회가 피해학생의 보호를 위한 조치, 가해학생에 대한 조치, 학교폭력과 관련된 분쟁의 조정 등에 관하여 심의한 결과를 기재한 회의록은 정보공개법 제9조 제1항 제1호의 '다른 법률 또는 법률이 위임한 명령에 의하여 비밀 또는 비공개 사항으로 규정된 정보'에 해당한다고 보아야 할 것이다(대판 2010.6.10. 2010두2913).

유제 19. 소방직 학교폭력대책자치위원회의 회의록은 「공공기관의 정보공개에 관한 법률」 제9조 제1항 제1호의 '다른 법률 또는 법률이 위임한 명령에 의하여 비밀 또는 비공개사항으로 규정된 정보'에 해당하지 않는다. (✕)
15. 경찰 3차 '학교폭력대책자치위원회 회의록'은 「공공기관의 정보공개에 관한 법률」 제9조 제1항 제1호의 비공개대상 정보에 해당한다. (○)
13. 국가직 9급 학교폭력대책자치위원회의 회의록은 공개대상 정보에 해당한다. (✕)
12. 서울시 9급 대법원 판례상 학교폭력대책자치위원회의 회의록은 비공개대상 정보로 인정된다. (○)

답 ④

문제 DATA
출제가능 지수 ▶▶▷
난이도 지수 ★★☆

함께 정리하기

정보공개 판례

지방자치단체의 업무추진비 세부항목별 집행내역 및 증빙서류에 포함된 개인에 관한 정보
▷ 비공개대상

학교환경위생정화위원회의 회의록 中 발언자의 인적사항 부분
▷ 비공개대상

보안관찰 관련 통계자료
▷ 비공개대상

학교폭력대책자치위원회의 회의록
▷ 비공개대상

058

정보공개에 대한 판례의 입장으로 가장 옳지 않은 것은?

① 한·일군사정보 보호협정 및 한·일 상호군수지원협정과 관련하여 각종 회의자료 및 회의록 등의 정보는 정보공개법상 공개가 가능한 부분과 공개가 불가능한 부분을 쉽게 분리하는 것이 불가능한 비공개정보에 해당하지 아니한다.
② 공개를 거부한 정보에 비공개사유에 해당하는 부분과 그렇지 않은 부분이 혼합되어 있고, 공개청구의 취지에 어긋나지 않는 범위 안에서 두 부분을 분리할 수 있는 경우에는 법원은 공개가 가능한 정보에 한하여 일부취소를 명할 수 있다.
③ 외국기관으로부터 비공개를 전제로 정보를 입수하였다는 이유만으로, 이를 공개할 경우 업무의 공정한 수행에 현저한 지장을 받을 것이라 단정할 수 없다.
④ 공공기관이 청구인이 신청한 공개방법 이외의 방법으로 공개하기로 결정하였다면, 이는 정보공개청구 중 정보공개방법에 관한 부분에 대하여 일부 거부처분을 한 것이므로 이에 대해 항고소송으로 다툴 수 있다.

2019년 서울시 7급

① (×) 甲이 외교부장관에게 한·일군사정보 보호협정 및 한·일상호군수지원협정과 관련하여 각종 회의자료 및 회의록 등의 정보에 대한 공개를 청구하였으나 외교부장관이 공개 청구 정보 중 일부를 제외한 나머지 정보들에 대하여 비공개 결정을 한 경우 위 정보는 구 공공기관의 정보공개에 관한 법률 제9조 제1항 제2호, 제5호에 정한 비공개 대상 정보에 해당하고, 공개가 가능한 부분과 공개가 불가능한 부분을 쉽게 분리하는 것이 불가능하여 같은 법 제14조에 따른 부분공개도 가능하지 않다(대판 2019.1.17. 2015두46512).
② (○) 대판 2009.12.10. 2009두12785
③ (○) 대판 2018.9.28. 2017두69892
④ (○) 대판 2016.11.10. 2016두44674

답 ①

059

「공공기관의 정보공개에 관한 법률」에 대한 설명으로 가장 옳은 것은?

① 판례에 따르면 자연인과 법인은 정보공개를 청구할 권리를 갖지만 권리능력 없는 사단은 그러하지 아니하다.
② 비공개 대상 정보의 공개 여부에 대한 결정은 공공기관의 재량행위에 속한다.
③ 직무를 수행한 공무원의 성명·직위는 비공개 대상 정보이다.
④ 정보공개 청구인은 공공기관의 비공개 결정에 대해 이의신청 절차를 거치지 아니하면 행정심판을 청구할 수 없다.

2019년 서울시 9급

① (×) 대판 2003.12.12. 2003두8050
② (○) 법규정상 비공개 대상 정보의 공개 여부는 재량행위에 속한다.

> 「공공기관의 정보공개에 관한 법률」 제9조【비공개 대상 정보】 ① 공공기관이 보유·관리하는 정보는 공개 대상이 된다. 다만, 다음 각 호의 어느 하나에 해당하는 정보는 공개하지 아니할 수 있다.

③ (×) 직무를 수행한 공무원의 성명·직위는 비공개 대상 정보에 해당하지 않는다.

> 「공공기관의 정보공개에 관한 법률」 제9조【비공개 대상 정보】① 공공기관이 보유·관리하는 정보는 공개 대상이 된다. 다만, 다음 각 호의 어느 하나에 해당하는 정보는 공개하지 아니할 수 있다.
> 6. 해당 정보에 포함되어 있는 성명·주민등록번호 등 「개인정보 보호법」 제2조 제1호에 따른 개인정보로서 공개될 경우 사생활의 비밀 또는 자유를 침해할 우려가 있다고 인정되는 정보. 다만, 다음 각 목에 열거한 사항은 제외한다.
>   라. 직무를 수행한 공무원의 성명·직위

유제 16. 국가직 7급 직무를 수행한 공무원의 성명과 직위는 「공공기관의 정보공개에 관한 법률」에 의하여 공개 대상 정보에 해당한다. (O)
15. 지방직 9급 직무를 수행한 공무원의 성명과 직위는 공개될 경우 개인의 사생활의 비밀 또는 자유를 침해할 우려가 있다면 비공개 대상 정보에 해당한다. (×)

④ (×)

> 「공공기관의 정보공개에 관한 법률」 제19조【행정심판】① 청구인이 정보공개와 관련한 공공기관의 결정에 대하여 불복이 있거나 정보공개 청구 후 20일이 경과하도록 정보공개 결정이 없는 때에는 「행정심판법」에서 정하는 바에 따라 행정심판을 청구할 수 있다. 이 경우 국가기관 및 지방자치단체 외의 공공기관의 결정에 대한 감독행정기관은 관계 중앙행정기관의 장 또는 지방자치단체의 장으로 한다.
> ② 청구인은 제18조에 따른 이의신청 절차를 거치지 아니하고 행정심판을 청구할 수 있다.

답 ②

060

「공공기관의 정보공개에 관한 법률」에 따른 정보공개제도에 대한 설명으로 가장 옳은 것은? (다툼이 있는 경우 판례에 의함)

① 정보공개청구권자인 '모든 국민'에는 자연인 외에 법인, 권리능력 없는 사단·재단도 포함되므로 지방자치단체도 포함된다.
② 공개청구의 대상정보가 이미 다른 사람에게 널리 알려져 있거나 인터넷 검색을 통해 쉽게 알 수 있는 경우에는 비공개 결정을 할 수 있다.
③ 정보를 취득 또는 활용할 의사가 전혀 없이 사회통념상 용인될 수 없는 부당이득을 얻으려는 목적의 정보공개청구는 권리남용행위로서 허용되지 않는다.
④ 공개청구된 정보가 제3자와 관련이 있는 경우 행정청은 제3자에게 통지하여야 하고 의견을 들을 수 있으나, 제3자가 비공개를 요청할 권리를 갖지는 않는다.

2019년 서울시 9급

① (×) 서울행법 2005.10.12. 2005구합10484
② (×) 공개청구의 대상이 되는 정보가 이미 다른 사람에게 공개하여 널리 알려져 있다거나 인터넷이나 관보 등을 통하여 공개하여 인터넷 검색이나 도서관에서의 열람 등을 통하여 쉽게 알 수 있다는 사정만으로는 소의 이익이 없다거나 비공개 결정이 정당화될 수는 없다(대판 2008.11.27. 2005두15694).
③ (O) 대판 2014.12.24. 2014두9349
④ (×)

> 「공공기관의 정보공개에 관한 법률」 제11조【정보공개 여부의 결정】③ 공공기관은 공개 청구된 공개 대상 정보의 전부 또는 일부가 제3자와 관련이 있다고 인정할 때에는 그 사실을 제3자에게 지체 없이 통지하여야 하며, 필요한 경우에는 그의 의견을 들을 수 있다.
> 제21조【제3자의 비공개 요청 등】① 제11조 제3항에 따라 공개 청구된 사실을 통지받은 제3자는 그 통지를 받은 날부터 3일 이내에 해당 공공기관에 대하여 자신과 관련된 정보를 공개하지 아니할 것을 요청할 수 있다.

답 ③

문제 DATA
출제가능 지수 ▶▶▷
난이도 지수 ★★☆

함께 정리하기
「공공기관의 정보공개에 관한 법률」

지방자치단체
▷ 정보공개청구권자 ×

정보가 이미 공개되어 널리 알려졌거나 쉽게 알 수 있다는 사정
▷ 비공개사유 ×

정보를 취득·활용할 의사 없이 부당이득을 얻으려는 목적 정보공개청구
▷ 권리남용으로 공개거부

제3자 관련 정보
▷ 지체 없이 통지 要 & 필요한 경우 의견 청취 可
▷ 제3자 비공개요청권 可

061

「공공기관의 정보공개에 관한 법률」에 대한 설명으로 옳지 않은 것은? (다툼이 있는 경우 판례에 의함)

① 국가안전보장·국방·통일·외교관계 분야 업무를 주로 하는 국가기관의 정보공개심의회 구성 시 최소한 3분의 1 이상은 외부전문가로 위촉하여야 한다.
② 공개될 경우 부동산 투기로 특정인에게 이익 또는 불이익을 줄 우려가 있다고 인정되는 정보는 비공개 대상에 해당한다.
③ 학교폭력대책자치위원회의 회의록은 「공공기관의 정보공개에 관한 법률」 제9조 제1항 제1호의 '다른 법률 또는 법률이 위임한 명령에 의하여 비밀 또는 비공개사항으로 규정된 정보'에 해당하지 않는다.
④ 정보공개청구에 대하여 공공기관이 비공개 결정을 한 경우, 청구인이 이에 불복한다면 이의신청절차를 거치지 않고 행정심판을 청구할 수 있다.

문제 DATA
출제가능 지수 ▶▶▷
난이도 지수 ★★☆

2019년 소방직

① (○) 시험 시행 이전에는 정보공개심의회 위원의 2분의 1을 외부 전문가로 위촉해야 했으나 시험 시행 이후 법이 개정되어 정보공개심의회 위원의 3분의 2를 외부 전문가로 위촉하도록 변경되었다. 그러나 국가안전보장·국방·통일·외교관계 분야 업무를 주로 하는 국가기관의 정보공개심의회 구성 시 외부 전문가의 비율은 그대로이므로 답은 종전과 같다.

> 「공공기관의 정보공개에 관한 법률」 제12조【정보공개심의회】③ 심의회의 위원은 소속 공무원, 임직원 또는 외부 전문가로 지명하거나 위촉하되, 그 중 3분의 2는 해당 국가기관등의 업무 또는 정보공개의 업무에 관한 지식을 가진 외부 전문가로 위촉하여야 한다. 다만, <u>제9조 제1항 제2호 및 제4호에 해당하는 업무를 주로 하는</u> 국가기관은 그 국가기관의 장이 외부 전문가의 위촉 비율을 따로 정하되, <u>최소한 3분의 1 이상은 외부 전문가로 위촉하여야 한다.</u>
> 제9조【비공개 대상 정보】① 공공기관이 보유·관리하는 정보는 공개 대상이 된다. 다만, 다음 각 호의 어느 하나에 해당하는 정보는 공개하지 아니할 수 있다.
> 2. <u>국가안전보장·국방·통일·외교관계 등</u>에 관한 사항으로서 공개될 경우 국가의 중대한 이익을 현저히 해칠 우려가 있다고 인정되는 정보

유제 18. 서울시 7급 국가안전보장·국방·통일·외교관계 분야 업무를 주로 하는 국가기관의 정보공개심의회 구성 시 최소한 3분의 1 이상은 외부전문가로 위촉하여야 한다. (○)

② (○)

> 「공공기관의 정보공개에 관한 법률」 제9조【비공개 대상 정보】① 공공기관이 보유·관리하는 정보는 공개 대상이 된다. 다만, <u>다음 각 호의 어느 하나에 해당하는 정보는 공개하지 아니할 수 있다.</u>
> 8. <u>공개될 경우 부동산 투기, 매점매석 등으로 특정인에게 이익 또는 불이익을 줄 우려가 있다고 인정되는 정보</u>

유제 18. 지방직 9급 공개될 경우 부동산 투기로 특정인에게 이익 또는 불이익을 줄 우려가 있다고 인정되는 정보는 비공개 대상에 해당한다. (○)
10. 국가직 7급 공개될 경우 부동산 투기 등으로 특정인에게 이익을 줄 우려가 있다고 인정되는 정보는 공개하지 아니할 수 있다. (○)

③ (×) 학교폭력대책자치위원회의 회의록은 공공기관의 정보공개에 관한 법률 제9조 제1항 제5호의 '<u>공개될 경우 업무의 공정한 수행에 현저한 지장을 초래한다고 인정할 만한 상당한 이유가 있는 정보</u>'에 해당한다(대판 2010.6.10. 2010두2913).

④ (○)

> 「공공기관의 정보공개에 관한 법률」 제19조【행정심판】① 청구인이 <u>정보공개와 관련한 공공기관의 결정</u>에 대하여 불복이 있거나 정보공개 청구 후 20일이 경과하도록 정보공개 결정이 없는 때에는 「행정심판법」에서 정하는 바에 따라 행정심판을 청구할 수 있다. 이 경우 국가기관 및 지방자치단체 외의 공공기관의 결정에 대한 감독행정기관은 관계 중앙행정기관의 장 또는 지방자치단체의 장으로 한다.
> ② 청구인은 제18조에 따른 <u>이의신청 절차를 거치지 아니하고 행정심판을 청구할 수 있다.</u>

함께 정리하기
정보공개법

국가안전보장·국방·통일·외교관계 분야 업무를 주로 하는 국가기관의 정보공개심의회 구성
▷ 3분의 1 이상은 외부전문가 위촉

공개 시 부동산투기 등으로 특정인에게 이익·불이익을 줄 우려 有
▷ 비공개대상

학교폭력대책자치위원회의 회의록
▷ 제9조 제1항 제5호의 비공개대상

정보공개법상 이의신청
▷ 임의적 절차

답 ③

062

「공공기관의 정보공개에 관한 법률」(이하 '정보공개법'이라 한다)에 대한 설명으로 옳은 것은? (다툼이 있는 경우 판례에 의함)

① 어떠한 정보가 국가·지방자치단체 등의 사경제작용의 주체라는 지위에서 행한 사업과 관련된 정보는 공개 대상 정보가 될 수 없다.
② 공무원이 직무와 관계없이 개인적인 자격으로 간담회, 연찬회 등 행사에 참석하고 금품을 수령한 정보는 정보공개법 제9조 제1항 제6호 단서에 해당하지 않아 비공개 대상 정보이다.
③ 정보공개청구대상정보가 이미 다른 사람에게 공개되어 널리 알려져 있다거나 인터넷 검색이나 도서관열람 등을 통해 쉽게 알 수 있다는 사정이 있다면 비공개 결정은 정당화될 수 있다.
④ 교도소에 수용 중이던 재소자가 담당 교도관들을 상대로 가혹행위를 이유로 형사고소 및 민사소송을 제기하면서 그 증명자료의 확보를 위해 정보공개를 요청한 '근무보고서'는 비공개 대상 정보이다.
⑤ 정보공개법 제9조 제1항 제1호에서 '다른 법률 또는 법률에서 위임한 명령에 따라 비밀이나 비공개 사항으로 규정된 정보'를 비공개 대상 정보로 규정하고 있는데 여기서, '법률에서 위임한 명령'이란 법규명령은 물론 행정규칙을 포함한다.

2019년 소방간부

① (×) 정보공개법 제2조 제1호, 제3조에 의하면, 공공기관이 직무상 작성하여 관리하고 있는 정보는 정보공개법이 정하는 바에 따라 공개하여야 하는 것인바, 이 사건 정보는 피고가 주택건설사업과 분양업무라는 직무와 관련하여 작성하고 관리하는 정보임이 기록상 분명하므로, 정보공개법의 적용대상인 정보에 해당한다고 할 것이다. 따라서 이 사건 정보는 피고가 사경제의 주체라는 지위에서 행한 사업과 관련된 정보이니 정보공개법이 적용될 여지가 없다는 피고의 상고이유의 주장은 이유 없다(대판 2007.6.1. 2006두20587).
② (○) 공무원이 직무와 관련 없이 개인적인 자격으로 간담회·연찬회 등 행사에 참석하고 금품을 수령한 정보는 공공기관의 정보공개에 관한 법률 제7조 제1항 제6호 단서 다목 소정의 '공개하는 것이 공익을 위하여 필요하다고 인정되는 정보'에 해당하지 않는다(대판 2003.12.12. 2003두8050).

유제 15. 사복직 공무원이 직무와 관련 없이 개인적 자격으로 금품을 수령한 정보는 공개 대상이 되는 정보이다. (×)
13. 국회직 8급 공무원이 직무와 관련 없이 개인적인 자격으로 행사에 참석하고 금품을 수령한 정보는 '공개하는 것이 공익을 위하여 필요하다고 인정되는 정보'에 해당한다. (×)

③ (×) 공개청구의 대상이 되는 정보가 이미 다른 사람에게 공개하여 널리 알려져 있다거나 인터넷이나 관보 등을 통하여 공개하여 인터넷 검색이나 도서관에서의 열람 등을 통하여 쉽게 알 수 있다는 사정만으로는 소의 이익이 없다거나 비공개 결정이 정당화될 수는 없다(대판 2008.11.27. 2005두15694).
④ (×) 교도소에 수용 중이던 재소자가 담당 교도관들을 상대로 가혹행위를 이유로 형사고소 및 민사소송을 제기하면서 그 증명자료 확보를 위해 '근무보고서'와 '징벌위원회 회의록'등의 정보공개를 요청하였으나 교도소장이 이를 거부한 사안에서, 근무보고서는 공공기관의 정보공개에 관한 법률 제9조 제1항 제4호에 정한 비공개 대상 정보에 해당한다고 볼 수 없다(대판 2009.12.10. 2009두12785).

유제 15. 경찰 1차 교도소에 수용 중이던 재소자가 담당 교도관들을 상대로 가혹행위를 이유로 형사고소 및 민사소송을 제기하면서 그 증명자료 확보를 위해 정보공개를 요청한 '근무보고서'는 공개 대상 정보에 해당한다. (○)
13. 국가직 9급 교도관이 직무 중 발생한 사유에 관하여 작성한 근무보고서는 비공개 대상 정보에 해당한다. (×)

⑤ (×) 행정규칙은 제외된다(대판 2010.6.10. 2010두2913).

답 ②

함께 정리하기

정보공개법

국가·지자체등이 사경제작용 주체에서 행한 사업 관련 정보
▷ 비공개 사유 ×

공무원이 직무와 관련 없이 개인적 자격으로 금품을 수령한 정보
▷ 비공개 대상

정보가 공개되어 널리 알려졌다는 사정
▷ 비공개 사유 ×

교도관의 근무보고서
▷ 공개대상

정보공개법 제9조 제1항 제1호의 법률에서 위임한 명령
▷ 행정규칙 포함 ×

063

대한민국 국민 甲은 A 대학교 총장에게 해당 학교 체육특기생들의 3년간 출석 및 성적 관리에 대한 정보공개청구를 하였으나, A대학교 총장은 제3자에 대한 정보라는 이유로 이를 거부하였다. 다음 설명으로 옳지 않은 것은? (다툼이 있는 경우 판례에 의함)

① 대한민국 국민인 甲은 해당 정보에 대한 공개를 청구할 권리를 가진다.
② 甲이 정보공개를 청구하였다가 거부처분을 받은 것 자체가 법률상 이익의 침해에 해당한다.
③ 체육특기생들의 비공개요청이 있는 경우 A 대학교 총장은 해당 정보를 공개하여서는 아니 된다.
④ 정보공개의무를 지는 공공기관에는 국·공립대학교뿐만 아니라 사립대학교도 포함된다.

| 2019년 군무원 9급

① (O)
> 「공공기관의 정보공개에 관한 법률」 제5조 【정보공개 청구권자】 ① 모든 국민은 정보의 공개를 청구할 권리를 가진다.

② (O) 대판 2003.12.12. 2003두8050
③ (×) 제3자의 비공개요청이 있다는 사유만으로 정보공개법상 정보의 비공개사유에 해당한다고 볼 수 없다(대판 2008.9.25. 2008두8680).
④ (O) 대판 2006.8.24. 2004두2783

답 ③

함께 정리하기

정보공개 사례

정보공개 청구권자
▷ 모든 국민

정보공개를 청구하였다가 거부처분을 받은 것
▷ 그 자체로 법률상 이익 침해 해당O

제3자의 비공개 요청
▷ 공개결정 可

사립대학교
▷ 정보공개의무를 지는 공공기관O

064

행정상 정보공개에 대한 설명으로 옳은 것은? (다툼이 있는 경우 판례에 의함)

① 국회는 「공공기관의 정보공개에 관한 법률」상 공공기관에 해당하지만 동법이 적용되는 것이 아니라 '국회정보공개규직'이 적용된다.
② 국내에 일정한 주소를 두고 있는 외국인은 오로지 상대방을 괴롭힐 목적으로 정보공개를 구하고 있다는 등의 특별한 사정이 없는 한 한국방송공사(KBS)에 대하여 정보공개를 청구할 수 있다.
③ 독립유공자서훈 공적심사위원회의 심의·의결 과정 및 그 내용을 기재한 회의록은 독립유공자 등록에 관한 신청당사자의 알 권리 보장과 공정한 업무수행을 위해서 공개되어야 한다.
④ 정보공개에 관한 정책 수립 및 제도 개선에 관한 사항을 심의·조정하기 위하여 국무총리 소속으로 정보공개위원회를 둔다.
⑤ 행정안전부장관은 정보공개에 관하여 필요할 경우에 국회사무총장에게 정보공개 처리 실태의 개선을 권고할 수 있고 전년도의 정보공개 운영에 관한 보고서를 매년 국정감사 시작 30일 전까지 국회에 제출하여야 한다.

함께 정리하기

행정상 정보공개

국회정보공개규칙
▷ 정보공개법 적용 배제하는 다른 법률 ✕

한국방송공사(KBS)
▷ 정보공개의무 있는 공공기관에 해당

독립유공자 서훈 공적심사위원회 회의록
▷ 비공개 대상 정보

정보공개위원회
▷ 정보공개 정책수립 및 제도개선 사항 심의·조정
▷ 행정안전부장관 소속

행정안전부장관
▷ 공공기관(국회·법원·헌재 및 중선위 제외)의 장에게 정보공개처리 실태 개선 권고 可
▷ 정보공개운영 보고서 매년 정기국회 개회 전까지 국회에 제출

2019년 국회직 8급

① (✕) 「공공기관의 정보공개에 관한 법률」 제2조 제3호에 따르면 국회는 「공공기관의 정보공개에 관한 법률」상 공공기관에 해당한다. 그리고 다른 법률에 특별한 규정이 있는 경우'에 해당한다고 하여서 「공공기관의 정보공개에 관한 법률」의 적용을 배제하기 위해서는, 그 특별한 규정이 '법률'이어야 하는데, 「국회정보공개규칙」은 법률이 아니므로 정보공개에 관하여 적용되지 않는다.

> 「공공기관의 정보공개에 관한 법률」 제2조【정의】이 법에서 사용하는 용어의 뜻은 다음과 같다.
> 3. "공공기관"이란 다음 각 목의 기관을 말한다.
>   가. 국가기관
>   1) 국회, 법원, 헌법재판소, 중앙선거관리위원회

공공기관의 정보공개에 관한 법률(이하 '정보공개법'이라 한다) 제4조 제1항은 "정보의 공개에 관하여는 다른 법률에 특별한 규정이 있는 경우를 제외하고는 이 법이 정하는 바에 의한다"고 규정하고 있는바, 여기서 '정보공개에 관하여 다른 법률에 특별한 규정이 있는 경우'에 해당한다고 하여서 정보공개법의 적용을 배제하기 위해서는, 그 특별한 규정이 '법률'이어야 하고, 나아가 그 내용이 정보공개의 대상 및 범위, 정보공개의 절차, 비공개 대상 정보 등에 관하여 정보공개법과 달리 규정하고 있는 것이어야 할 것이다 (대판 2007.6.1. 2007두2555).

② (○)

> 「공공기관의 정보공개에 관한 법률」 제5조【정보공개 청구권자】② 외국인의 정보공개 청구에 관하여는 대통령령으로 정한다.
> 「공공기관의 정보공개에 관한 법률 시행령」 제3조【외국인의 정보공개 청구】법 제5조 제2항에 따라 정보공개를 청구할 수 있는 외국인은 다음 각 호의 어느 하나에 해당하는 자로 한다.
> 1. 국내에 일정한 주소를 두고 거주하거나 학술·연구를 위하여 일시적으로 체류하는 사람
> 2. 국내에 사무소를 두고 있는 법인 또는 단체

1. 방송법이라는 특별법에 의하여 설립·운영되는 한국방송공사(KBS)는 공공기관의 정보공개에 관한 법률 시행령 제2조 제4호의 '특별법에 의하여 설립된 특수법인'으로서 정보공개의무가 있는 공공기관의 정보공개에 관한 법률 제2조 제3호의 '공공기관'에 해당한다(대판 2010.12.23. 2008두13101).
2. 정보공개청구의 목적에 특별한 제한이 없으므로, 오로지 상대방을 괴롭힐 목적으로 정보공개를 구하고 있다는 등의 특별한 사정이 없는 한 정보공개의 청구가 신의칙에 반하거나 권리남용에 해당한다고 볼 수 없다(대판 2006.8.24. 2004두2783).

③ (✕) 독립유공자서훈 공적심사위원회의 회의록은 비공개 대상 정보에 해당한다.

甲이 친족인 망 乙 등에 대한 독립유공자 포상신청을 하였다가 독립유공자서훈 공적심사위원회의 심사를 거쳐 포상에 포함되지 못하였다는 내용의 공적심사 결과를 통지받자 국가보훈처장에게 '망인들에 대한 공적심사위원회의 심의·의결 과정 및 그 내용을 기재한 회의록' 등의 공개를 청구하였는데, 국가보훈처장이 위 회의록은 공공기관의 정보공개에 관한 법률 제9조 제1항 제5호에 따라 공개할 수 없다는 통보를 한 사안에서, … 위 회의록 공개에 의하여 보호되는 알 권리의 보장과 비공개에 의하여 보호되는 업무수행의 공정성 등의 이익 등을 비교·교량해 볼 때, 위 회의록은 정보공개법 제9조 제1항 제5호에서 정한 '공개될 경우 업무의 공정한 수행에 현저한 지장을 초래한다고 인정할만한 상당한 이유가 있는 정보'에 해당한다(대판 2014.7.24. 2013두20301).

유제 17. 지방직 9급 '독립유공자서훈 공적심사위원회의 심의·의결 과정 및 그 내용을 기재한 회의록'은 공개될 경우에 업무의 공정한 수행에 현저한 지장을 초래한다고 인정할 만한 상당한 이유가 있는 정보에 해당한다. (○)

④ (✕) 시험 시행 이후 2020년에 법이 개정되어 정보공개위원회가 행정안전부장관 소속에서 국무총리 소속으로 변경되었다가 다시 2023년에 행정안전부장관 소속으로 개정되었다.

> 「공공기관의 정보공개에 관한 법률」 제22조【정보공개위원회의 설치】다음 각 호의 사항을 심의·조정하기 위하여 행정안전부장관 소속으로 정보공개위원회(이하 "위원회"라 한다)를 둔다.
> 1. 정보공개에 관한 정책 수립 및 제도 개선에 관한 사항

유제 18. 경찰 2차 정보공개에 관한 정책 수립 및 제도 개선에 관한 사항을 심의·조정하기 위하여 행정안전부장관 소속으로 정보공개위원회를 둔다. (○)

⑤ (×) 행정안전부장관은 정보공개에 관하여 필요할 경우에 공공기관의 장에게 정보공개 처리실태의 개선을 권고할 수 있는데 공공기관 중 국회·법원·헌법재판소 및 중앙선거관리위원회는 제외된다. 또한 전년도의 정보공개 운영에 관한 보고서는 매년 정기국회 개회 전까지 국회에 제출하여야 한다.

> 「공공기관의 정보공개에 관한 법률」 제24조【제도 총괄 등】 ④ 행정안전부장관은 정보공개에 관하여 필요할 경우에 공공기관(국회·법원·헌법재판소 및 중앙선거관리위원회는 제외한다)의 장에게 정보공개 처리실태의 개선을 권고할 수 있다. 이 경우 권고를 받은 공공기관은 이를 이행하기 위하여 성실하게 노력하여야 하며, 그 조치 결과를 행정안전부장관에게 알려야 한다.
> 제26조【국회에의 보고】 ① 행정안전부장관은 전년도의 정보공개 운영에 관한 보고서를 매년 정기국회 개회 전까지 국회에 제출하여야 한다.

유제 18. 소방직 행정안전부장관은 전년도의 정보공개 운영에 관한 보고서를 매년 정기국회 개회 전까지 국회에 제출하여야 한다. (○)

답 ②

065

「공공기관의 정보공개에 관한 법률」에 대한 설명으로 옳지 않은 것은? (다툼이 있는 경우 판례에 의함)

① 공공기관이 공개청구대상 정보를 청구인이 신청한 공개방법 이외의 방법으로 공개하는 결정을 한 경우, 정보공개청구 중 정보공개방법 부분에 대하여 일부 거부처분을 한 것이다.
② 정보비공개 결정 취소소송에서 공공기관이 청구정보를 증거로 법원에 제출하여 법원을 통하여 그 사본을 청구인에게 교부되게 하여 정보를 공개하게 된 경우에는 비공개 결정의 취소를 구할 소의 이익이 소멸한다.
③ 통일에 관한 사항으로서 공개될 경우 국가의 중대한 이익을 현저히 해칠 우려가 있다고 인정되는 정보는 비공개 대상 정보에 해당한다.
④ 공개하는 것이 공익을 위하여 필요한 경우로서 법령에 따라 국가가 업무의 일부를 위탁 또는 위촉한 개인의 성명·직업은, 공개되면 사생활의 비밀 또는 자유가 침해될 우려가 있다고 인정되더라도 공개 대상 정보에 해당한다.

2018년 국가직 7급

① (○) 대판 2016.11.10. 2016두44674
② (×) 대판 2016.12.15. 2012두11409·11416
③ (○)

> 「공공기관의 정보공개에 관한 법률」 제9조【비공개 대상 정보】 ① 공공기관이 보유·관리하는 정보는 공개 대상이 된다. 다만, 다음 각 호의 어느 하나에 해당하는 정보는 공개하지 아니할 수 있다.
> 2. 국가안전보장·국방·통일·외교관계 등에 관한 사항으로서 공개될 경우 국가의 중대한 이익을 현저히 해칠 우려가 있다고 인정되는 정보

④ (○)

> 「공공기관의 정보공개에 관한 법률」 제9조【비공개 대상 정보】 ① 공공기관이 보유·관리하는 정보는 공개 대상이 된다. 다만, 다음 각 호의 어느 하나에 해당하는 정보는 공개하지 아니할 수 있다.
> 6. 해당 정보에 포함되어 있는 성명·주민등록번호 등 「개인정보 보호법」 제2조 제1호에 따른 개인정보로서 공개될 경우 사생활의 비밀 또는 자유를 침해할 우려가 있다고 인정되는 정보. 다만, 다음 각 목에 열거한 사항은 제외한다.
> 마. 공개하는 것이 공익을 위하여 필요한 경우로서 법령에 따라 국가 또는 지방자치단체가 업무의 일부를 위탁 또는 위촉한 개인의 성명·직업

답 ②

함께 정리하기

정보공개법

신청한 방법 이외의 방법으로 공개 결정
▷ 일부 거부처분 해당

청구인이 소송과정에서 공공기관이 법원에 제출한 정보의 사본을 송달받은 경우
▷ 소의 이익 소멸×

통일에 관한 사항으로서 공개될 경우 국가의 중대한 이익을 현저히 해칠 우려
▷ 비공개 대상 정보

국가가 업무의 일부를 위탁 또는 위촉한 개인의 성명·직업
▷ 공개 대상 정보

문제 DATA

출제가능 지수 ▶▶Σ
난이도 지수 ★★☆

066

「공공기관의 정보공개에 관한 법률」상 정보공개에 대한 설명으로 옳지 않은 것은? (다툼이 있는 경우 판례에 의함)

① 정보공개거부처분취소소송에서 공개를 거부한 정보에 비공개 대상 부분과 공개가 가능한 부분이 혼합되어 있는 경우, 공개청구의 취지에 어긋나지 아니하는 범위 안에서 두 부분을 분리할 수 있다면 법원은 청구취지의 변경이 없더라도 공개가 가능한 정보에 관한 부분만의 일부취소를 명할 수 있다.

② 불기소처분기록 중 피의자신문조서 등에 기재된 피의자 등의 인적사항 이외의 진술내용이 개인의 사생활의 비밀 또는 자유를 침해할 우려가 인정된다면 비공개 대상에 해당한다.

③ 공개청구의 대상이 되는 정보가 인터넷에 공개되어 인터넷 검색 등을 통하여 쉽게 알 수 있다면 정보공개청구권자는 공개거부처분의 취소를 구할 법률상의 이익이 없다.

④ 공개될 경우 부동산 투기로 특정인에게 이익 또는 불이익을 줄 우려가 있다고 인정되는 정보는 비공개 대상에 해당한다.

함께 정리하기

정보공개법

공개거부정보에 비공개대상과 공개가능 부분이 혼합
▷ 공개가능부분만의 일부취소 可

불기소처분기록 중 인적사항 이외의 진술내용
▷ 비공개대상정보 可

널리 알려졌거나 쉽게 알 수 있다는 사정
▷ 정보공개청구권자의 소의 이익 부정 ✕

공개 시 부동산투기 등으로 특정인에게 이익·불이익을 줄 우려 有
▷ 비공개대상정보

2018년 지방직 9급

① (○) 법원이 행정기관의 정보공개거부처분의 위법 여부를 심리한 결과 공개를 거부한 정보에 비공개 대상 정보에 해당하는 부분과 공개가 가능한 부분이 혼합되어 있고 공개청구의 취지에 어긋나지 아니하는 범위 안에서 두 부분을 분리할 수 있음을 인정할 수 있을 때에는 청구취지의 변경이 없더라도 공개가 가능한 정보에 관한 부분만의 일부취소를 명할 수 있다(대판 2004.12.9. 2003두12707).

유제 15. 국가직 9급 공개를 거부한 정보에 비공개 대상 정보에 해당하는 부분과 공개가 가능한 부분이 혼합되어 있고, 공개청구의 취지에 어긋나지 아니하는 범위 안에서 두 부분을 분리할 수 있을 때에는 청구취지의 변경이 없더라도 공개가 가능한 부분만의 일부취소를 명할 수 있다. (○)

② (○) 정보공개법 제9조 제1항 제6호 본문의 규정에 따라 비공개 대상이 되는 정보에는 구 정보공개법상 이름·주민등록번호 등 정보의 형식이나 유형을 기준으로 비공개 대상 정보에 해당하는지 여부를 판단하는 '개인식별정보'뿐만 아니라 그 외에 정보의 내용을 구체적으로 살펴 '개인에 관한 사항의 공개로 인하여 개인의 내밀한 내용의 비밀 등이 알려지게 되고, 그 결과 인격적·정신적 내면생활에 지장을 초래하거나 자유로운 사생활을 영위할 수 없게 될 위험성이 있는 정보'도 포함된다고 새겨야 한다. 따라서 불기소처분 기록 중 피의자신문조서 등에 기재된 피의자 등의 인적사항 이외의 진술내용 역시 개인의 사생활의 비밀 또는 자유를 침해할 우려가 인정되는 경우 정보공개법 제9조 제1항 제6호 본문 소정의 비공개 대상에 해당한다고 할 것이다(대판 2012.6.18. 2011두2361 전합).

유제 19. 경찰 2차 불기소처분의 기록 중 피의자신문조서 등에 기재된 피의자 등의 인적사항 이외의 진술내용 역시 개인의 사생활의 비밀 또는 자유를 침해할 우려가 인정되는 경우 「공공기관의 정보공개에 관한 법률」상 비공개 대상 정보에 해당된다. (○)

③ (✕) 공개청구의 대상이 되는 정보가 이미 다른 사람에게 공개하여 널리 알려져 있다거나 인터넷이나 관보 등을 통하여 공개하여 인터넷 검색이나 도서관에서의 열람 등을 통하여 쉽게 알 수 있다는 사정만으로는 소의 이익이 없다거나 비공개 결정이 정당화될 수는 없다(대판 2008.11.27. 2005두15694).

④ (○)

> 「공공기관의 정보공개에 관한 법률」 제9조【비공개 대상 정보】① 공공기관이 보유·관리하는 정보는 공개 대상이 된다. 다만, 다음 각 호의 어느 하나에 해당하는 정보는 공개하지 아니할 수 있다.
> 8. 공개될 경우 부동산 투기, 매점매석 등으로 특정인에게 이익 또는 불이익을 줄 우려가 있다고 인정되는 정보

답 ③

067

「공공기관의 정보공개에 관한 법률」에 대한 설명으로 가장 옳은 것은? (다툼이 있는 경우 판례에 의함)

① 정보공개청구의 거부에 대해서는 의무이행심판을 제기할 수 없다.
② 검찰보존사무규칙에서 정한 기록의 열람·등사의 제한은 「공공기관의 정보공개에 관한 법률」에 의한 비공개 대상에 해당한다.
③ 법인 등의 경영·영업상 비밀은 사업활동에 관한 일체의 비밀사항을 의미한다.
④ 국가정보원이 직원에게 지급하는 현금급여 및 월초수당에 대한 정보는 비공개 대상에 해당하지 아니한다.

문제 DATA
출제가능 지수 ▶▶▷
난이도 지수 ★★☆

2018년 서울시 7급

① (×)

> 「행정심판법」 제13조 【청구인 적격】 ③ 의무이행심판은 처분을 신청한 자로서 행정청의 거부처분 또는 부작위에 대하여 일정한 처분을 구할 법률상 이익이 있는 자가 청구할 수 있다.

② (×) 검찰보존사무규칙은 법무부령으로 되어 있으나, 그 중 재판확정기록 등의 열람·등사에 대하여 제한하고 있는 부분은 위임근거가 없어 행정기관 내부의 사무처리준칙으로서 행정규칙에 불과하므로, 위 규칙에 의한 열람·등사의 제한을 공공기관의 정보공개에 관한 법률 제4조 제1항의 '정보의 공개에 관하여 다른 법률에 특별한 규정이 있는 경우' 또는 제7조 제1항 제1호의 '다른 법률 또는 법률에 의한 명령에 의하여 비공개사항으로 규정된 경우'에 해당한다고 볼 수는 없다(대판 2003.12.26. 2002두1342).

③ (○) 정보공개법 제9조 제1항 제7호 소정의 '법인 등의 경영·영업상 비밀'은 부정경쟁방지법 제2조 제2호 소정의 '영업비밀'에 한하지 않고, '타인에게 알려지지 아니함이 유리한 사업활동에 관한 일체의 정보' 또는 '사업활동에 관한 일체의 비밀사항'으로 해석함이 상당하다(대판 2008.10.23. 2007두1798).

유제 14. 지방직 9급 비공개 대상인 「공공기관의 정보공개에 관한 법률」 제9조 제1항 제7호 소정의 '법인 등의 경영상·영업상 비밀'은 「부정경쟁방지 및 영업비밀보호에 관한 법률」 제2조 제2호에 규정된 '영업비밀'에 한하지 않고, '타인에게 알려지지 아니함이 유리한 사업활동에 관한 일체의 정보' 또는 '사업활동에 관한 일체의 비밀사항'을 말한다. (○)

④ (×) 국가정보원이 그 직원에게 지급하는 현금급여 및 월초수당에 관한 정보는 국가정보원법 제12조에 의하여 비공개 사항으로 규정된 정보로서 공공기관의 정보공개에 관한 법률 제9조 제1항 제1호의 비공개 내상 정보인 '다른 법률에 의하여 비공개 사항으로 규정된 정보'에 해당한다고 보아야 하고, 위 현금급여 및 월초수당이 근로의 대가로서의 성격을 가진다거나 정보공개청구인이 해당 직원의 배우자라고 하여 달리 볼 것은 아니다(대판 2010.12.23. 2010두14800).

유제 14. 지방직 9급 국가정보원이 그 직원에게 지급하는 현금급여 및 월초수당에 관한 정보는 비공개 대상 정보에 해당한다. (○)
14. 경찰 1차 국가정보원이 그 직원에게 지급하는 현금급여 및 월초수당에 관한 정보는 공개 대상이다. (×)
11. 국가직 7급 판례에 의하면 국가정보원이 직원에게 지급하는 현금급여 및 월초수당에 관한 정보는 공개 대상이다. (×)

답 ③

함께 정리하기

정보공개법

정보공개청구 거부
▷ 의무이행심판 제기 可

검찰보존사무규칙
▷ 행정규칙 → 다른 법률 or 법률에 의한 명령에 의하여 비공개사항으로 규정된 경우×

법인 등의 경영·영업상 비밀
▷ 사업활동에 관한 일체의 비밀사항을 의미

국가정보원이 직원에게 지급하는 현금급여·월초수당 정보
▷ 비공개대상○

문제 DATA

출제가능 지수 ▶▶▷
난이도 지수 ★★☆

068

공공기관의 정보공개 절차에 대한 설명으로 가장 옳지 않은 것은?

① 정보의 공개 및 우송 등에 소요되는 비용은 실비의 범위에서 청구인의 부담으로 한다. 다만 그 액수가 너무 많아서 청구인에게 과중한 부담을 주는 경우에는 비용을 감면할 수 있다.
② 공개 대상의 양이 과다하여 정상적인 업무수행에 현저한 지장을 초래할 우려가 있는 경우에는 해당 정보를 일정 기간별로 나누어 제공하거나 사본·복제물의 교부 또는 열람과 병행하여 제공할 수 있다.
③ 국가안전보장·국방·통일·외교관계 분야 업무를 주로 하는 국가기관의 정보공개심의회 구성 시 최소한 3분의 1 이상은 외부 전문가로 위촉하여야 한다.
④ 공개 대상 정보의 일부 또는 전부가 제3자와 관련이 있다고 인정하는 때에는 공공기관은 지체 없이 관련된 제3자에게 통지하여야 한다.

2018년 서울시 7급 변형

함께 정리하기

공공기관의 정보공개 절차

비용
▷ 청구인이 실비부담
▷ 정보 사용목적이 공공복리 위하여 필요
→ 비용 감면 可

국가안전보장·국방·통일·외교관계 분야 업무를 주로 하는 국가기관의 정보공개심의회 구성
▷ 3분의 1 이상은 외부전문가 위촉

공개대상정보의 양이 과다하여 정상적인 업무수행 지장
▷ 사본·복제물을 일정 기간별 나누어 교부 또는 열람과 병행교부 可

제3자 관련 有
▷ 지체 없이 통지 要 & 필요한 경우 의견 청취 可

① (×)

> 「공공기관의 정보공개에 관한 법률」 제17조 【비용 부담】 ① 정보의 공개 및 우송 등에 드는 비용은 실비(實費)의 범위에서 청구인이 부담한다.
> ② 공개를 청구하는 정보의 사용 목적이 공공복리의 유지·증진을 위하여 필요하다고 인정되는 경우에는 제1항에 따른 비용을 감면할 수 있다.

② (○) 시험 시행 이후 법이 개정됨에 따라 개정법에 맞게 지문을 변형하여 옳은 지문이다.

> 「공공기관의 정보공개에 관한 법률」 제13조 【정보공개 여부 결정의 통지】 ② 공공기관은 청구인이 사본 또는 복제물의 교부를 원하는 경우에는 이를 교부하여야 한다.
> ③ 공공기관은 공개 대상 정보의 양이 너무 많아 정상적인 업무수행에 현저한 지장을 초래할 우려가 있는 경우에는 해당 정보를 일정 기간별로 나누어 제공하거나 사본·복제물의 교부 또는 열람과 병행하여 제공할 수 있다.

유제 15. 서울시 7급 변형 공공기관은 청구인이 사본 또는 복제물의 교부를 원하는 경우에는 이를 교부하여야 하나, 공개 대상 정보의 양이 너무 많아 정상적인 업무수행에 현저한 지장을 초래할 우려가 있는 경우에는 해당 정보를 일정 기간별로 나누어 제공하거나 사본·복제물의 교부 또는 열람과 병행하여 제공할 수 있다. (○)

③ (○)

> 「공공기관의 정보공개에 관한 법률」 제12조 【정보공개심의회】 ③ 심의회의 위원은 소속 공무원, 임직원 또는 외부 전문가로 지명하거나 위촉하되, 그 중 3분의 2는 해당 국가기관등의 업무 또는 정보공개의 업무에 관한 지식을 가진 외부 전문가로 위촉하여야 한다. 다만, 제9조 제1항 제2호 및 제4호에 해당하는 업무를 주로 하는 국가기관은 그 국가기관의 장이 외부 전문가의 위촉 비율을 따로 정하되, 최소한 3분의 1 이상은 외부 전문가로 위촉하여야 한다.
> 제9조 【비공개 대상 정보】 ① 공공기관이 보유·관리하는 정보는 공개 대상이 된다. 다만, 다음 각 호의 어느 하나에 해당하는 정보는 공개하지 아니할 수 있다.
> 2. 국가안전보장·국방·통일·외교관계 등에 관한 사항으로서 공개될 경우 국가의 중대한 이익을 현저히 해칠 우려가 있다고 인정되는 정보

④ (○)

> 「공공기관의 정보공개에 관한 법률」 제11조 【정보공개 여부의 결정】 ③ 공공기관은 공개 청구된 공개 대상 정보의 전부 또는 일부가 제3자와 관련이 있다고 인정할 때에는 그 사실을 제3자에게 지체 없이 통지하여야 하며, 필요한 경우에는 그의 의견을 들을 수 있다.

답 ①

069

정보공개청구제도에 대한 설명으로 옳은 것을 <보기>에서 고른 것은? (다툼이 있는 경우 판례에 의함)

<보기>
ㄱ. 정보공개청구인은 자신에게 해당 정보의 공개를 구할 법률상 이익이 있음을 입증하여야 한다.
ㄴ. 정보공개신청이 오로지 권리남용의 목적임이 명백하다면 행정청은 공개를 거부할 수 있다.
ㄷ. 공공기관이 정보공개청구에 대해 이를 거부하는 행위는 취소소송의 대상이 되는 처분이다.
ㄹ. 공공기관은 정보공개청구의 대상이 된 정보가 제3자와 관련된 경우 해당 제3자의 의견을 청취할 수 있으나, 그에게 통지할 의무는 없다.

① ㄱ, ㄴ
② ㄱ, ㄹ
③ ㄴ, ㄷ
④ ㄷ, ㄹ

2018년 교육행정직

ㄱ. (×) 정보공개청구권은 법률상 보호되는 구체적인 권리이므로 청구인이 공공기관에 대하여 정보공개를 청구하였다가 거부처분을 받은 것 자체가 법률상 이익의 침해에 해당한다(대판 2003.12.12. 2003두8050).
ㄴ. (○) 대판 2014.12.24. 2014두9349
ㄷ. (○) 대판 2003.12.12. 2003두8050
ㄹ. (×)

> 「공공기관의 정보공개에 관한 법률」 제11조 【정보공개 여부의 결정】 ③ 공공기관은 공개 청구된 공개 대상 정보의 전부 또는 일부가 제3자와 관련이 있다고 인정할 때에는 그 사실을 제3자에게 지체 없이 통지하여야 하며, 필요한 경우에는 그의 의견을 들을 수 있다.

답 ③

함께 정리하기
정보공개청구제도

정보공개청구인
▷ 법률상 이익 입증 不要

오로지 상대방 괴롭힐 목적 정보공개청구
▷ 권리남용으로 거부 可

정보공개청구 거부
▷ 거부처분 ○

제3자 관련 정보
▷ 통지의무 有 & 필요한 경우 의견청취 可

070

「공공기관의 정보공개에 관한 법률」상 정보공개에 대한 설명으로 옳지 않은 것은?

① 공공기관은 제10조에 따라 정보공개의 청구를 받으면 그 청구를 받은 날부터 30일 이내에 공개 여부를 결정하여야 한다.
② 정보의 공개 및 우송 등에 드는 비용은 실비(實費)의 범위에서 청구인이 부담한다.
③ 행정안전부장관은 전년도의 정보공개 운영에 관한 보고서를 매년 정기국회 개회 전까지 국회에 제출하여야 한다.
④ 지방자치단체는 그 소관 사무에 관하여 법령의 범위에서 정보공개에 관한 조례를 정할 수 있다.

2018년 소방직

① (×)

> 「공공기관의 정보공개에 관한 법률」 제11조 【정보공개 여부의 결정】 ① 공공기관은 제10조에 따라 정보공개의 청구를 받으면 그 청구를 받은 날부터 10일 이내에 공개 여부를 결정하여야 한다.

함께 정리하기
정보공개

공공기관
▷ 정보공개청구 받으면 10일 이내에 공개 여부 결정해야 함

비용
▷ 청구인이 실비부담

행정안전부장관
▷ 정보공개운영 보고서 매년 정기국회 개회 전까지 국회에 제출

지자체
▷ 법령의 범위에서 정보공개 조례 제정 可

유제 16. 경찰 2차 공공기관은 정보공개의 청구를 받으면 그 청구를 받은 날부터 20일 이내에 공개 여부를 결정하여야 한다. (×)
16. 교행 공공기관은 원칙적으로 정보공개의 청구를 받은 날부터 10일 이내에 공개 여부를 결정하여야 한다. (○)
11. 경찰 1차 공공기관은 정보공개의 청구를 받은 날부터 30일 이내에 공개 여부를 결정하여야 한다. (×)
10. 국가직 7급 공공기관은 정보공개의 청구가 있는 때에는 청구를 받은 날부터 10일 이내에 공개 여부를 결정하여야 한다. (○)

② (○)

> 「공공기관의 정보공개에 관한 법률」 제17조【비용 부담】① 정보의 공개 및 우송 등에 드는 비용은 실비(實費)의 범위에서 청구인이 부담한다.

③ (○)

> 「공공기관의 정보공개에 관한 법률」 제26조【국회에의 보고】① 행정안전부장관은 전년도의 정보공개 운영에 관한 보고서를 매년 정기국회 개회 전까지 국회에 제출하여야 한다.

④ (○)

> 「공공기관의 정보공개에 관한 법률」 제4조【적용 범위】② 지방자치단체는 그 소관 사무에 관하여 법령의 범위에서 정보공개에 관한 조례를 정할 수 있다.

답 ①

071

「공공기관의 정보공개에 관한 법률」상 정보공개절차에 대한 설명으로 가장 옳지 않은 것은? (다툼이 있는 경우 판례에 의함)

① 청구인이 정보공개와 관련하여 공공기관의 처분에 대하여 행정소송을 제기하고자 하는 때에는 먼저 이의신청 및 행정심판을 거치도록 하고 있다.
② 공개를 구하는 정보를 공공기관이 한때 보유·관리하였으나 후에 그 정보가 담긴 문서들이 폐기되어 존재하지 않게 된 것이라면 그 정보를 더 이상 보유·관리하고 있지 않다는 점에 대한 증명책임은 공공기관에 있다.
③ 정보공개에 관한 정책 수립 및 제도개선에 관한 사항을 심의·조정하기 위하여 행정안전부장관 소속으로 정보공개위원회를 둔다.
④ 정보의 공개를 청구하는 자는 해당 정보를 보유하거나 관리하고 있는 공공기관에 정보공개청구서를 제출하거나 말로써 정보의 공개를 청구할 수 있다.

2018년 경찰 2차

① (×) 이의신청과 행정심판 모두 임의적 절차에 해당한다. 따라서 이의신청과 행정심판을 거치지 않고도 행정소송을 제기할 수 있다.

유제 14. 행정사 정보공개거부결정에 대해서는 행정심판을 거치지 아니하고 행정소송을 제기할 수 있다. (○)
12. 국가직 7급 공공기관에 대한 정보공개청구가 받아들여지지 않았을 때 행정심판을 거치지 않고 바로 항고소송을 제기할 수 없다. (×)
11. 지방직 9급 정보공개와 관련한 공공기관의 처분에 대하여 행정소송을 제기하는 경우에는 이의신청을 반드시 거쳐야 한다. (×)
10. 국가직 9급 공개거부결정에 대하여 「공공기관의 정보공개에 관한 법률」상의 이의신청을 거치지 아니하고 직접 행정소송을 제기할 수 있다. (○)

② (○) 대판 2004.12.9. 2003두12707
③ (○) 시험 시행 이후 2020년에 법이 개정되어 정보공개위원회가 행정안전부장관 소속에서 국무총리 소속으로 변경되었다가 다시 2023년에 행정안전부장관 소속으로 개정되었다. 따라서 옳은 지문이다.

「공공기관의 정보공개에 관한 법률」 제22조【정보공개위원회의 설치】 다음 각 호의 사항을 심의·조정하기 위하여 행정안전부 장관 소속으로 정보공개위원회(이하 "위원회"라 한다)를 둔다.
1. 정보공개에 관한 정책 수립 및 제도 개선에 관한 사항

④ (○)

「공공기관의 정보공개에 관한 법률」 제10조【정보공개의 청구방법】 ① 정보의 공개를 청구하는 자(이하 "청구인"이라 한다)는 해당 정보를 보유하거나 관리하고 있는 공공기관에 다음 각 호의 사항을 적은 정보공개 청구서를 제출하거나 말로써 정보의 공개를 청구할 수 있다.

답 ①

072

甲은 행정청 A가 보유·관리하는 정보 중 乙과 관련이 있는 정보를 사본 교부의 방법으로 공개하여 줄 것을 청구하였다. 이에 대한 설명으로 옳은 것은? (다툼이 있는 경우 판례에 의함)

① A는 甲이 청구한 사본 교부의 방법이 아닌 열람의 방법으로 정보를 공개할 수 있는 재량을 가진다.
② A가 정보의 주체인 乙로부터 의견을 들은 결과, 乙이 정보의 비공개를 요청한 경우에는 A는 정보를 공개할 수 없다.
③ A가 내부적인 의사결정 과정임을 이유로 정보공개를 거부하였다가 정보공개거부처분 취소소송의 계속 중에 개인의 사생활침해 우려를 공개거부사유로 추가하는 것은 허용되지 않는다.
④ 甲이 공개청구한 정보가 甲과 아무런 이해관계가 없는 경우라면, 정보공개가 거부되더라도 甲은 이를 항고소송으로 다툴 수 있는 법률상 이익이 없다.

2017년 국가직 9급

① (×) 정보공개를 청구하는 자가 공공기관에 대해 정보의 사본 또는 출력물의 교부의 방법으로 공개방법을 선택하여 정보공개청구를 한 경우에 공개청구를 받은 공공기관으로서는 같은 법 제8조 제2항에서 규정한 정보의 사본 또는 복제물의 교부를 제한할 수 있는 사유에 해당하지 않는 한 정보공개청구자가 선택한 공개방법에 따라 정보를 공개하여야 하므로 그 공개방법을 선택할 재량권이 없다고 해석함이 상당하다(대판 2003.12.12. 2003두8050).
② (×) 제3자의 비공개요청이 있다는 사유만으로 정보공개법상 정보의 비공개사유에 해당한다고 볼 수 없다(대판 2008.9.25. 2008두8680).
③ (○) 행정처분의 취소를 구하는 항고소송에 있어서, 처분청은 당초 처분의 근거로 삼은 사유와 기본적 사실관계가 동일성이 있다고 인정되는 한도 내에서만 다른 사유를 추가하거나 변경할 수 있고, 여기서 기본적 사실관계의 동일성 유무는 처분사유를 법률적으로 평가하기 이전의 구체적인 사실에 착안하여 그 기초인 사회적 사실관계가 기본적인 점에서 동일한지 여부에 따라 결정되며 이와 같이 기본적 사실관계와 동일성이 인정되지 않는 별개의 사실을 들어 처분사유로 주장하는 것이 허용되지 않는다고 해석하는 이유는 행정처분의 상대방의 방어권을 보장함으로써 실질적 법치주의를 구현하고 행정처분의 상대방에 대한 신뢰를 보호하고자 함에 그 취지가 있고, 추가 또는 변경된 사유가 당초의 처분시 그 사유를 명기하지 않았을 뿐 처분시에 이미 존재하고 있었고 당사자도 그 사실을 알고 있었다 하여 당초의 처분사유와 동일성이 있는 것이라 할 수 없다. 당초의 정보공개거부처분사유인 「공공기관의 정보공개에 관한 법률」 제7조 제1항 제4호 및 제6호의 사유는 새로이 추가된 같은 항 제5호의 사유와 기본적 사실관계의 동일성이 없다(대판 2003.12.11. 2001두8827).
④ (×) 정보공개청구권은 법률상 보호되는 구체적인 권리이므로 청구인이 공공기관에 대하여 정보공개를 청구하였다가 거부처분을 받은 것 자체가 법률상 이익의 침해에 해당한다(대판 2003.12.12. 2003두 8050).

답 ③

함께 정리하기

정보공개 사례

공공기관의 공개방법 선택재량권 無
▷ 정보공개청구자의 선택에 따라야 함

제3자의 비공개 요청
▷ 공개결정 可

'내부적인 의사결정'과 '사생활침해우려'
▷ 공개거부사유로 추가·변경 不可(∵기본적 사실관계 동일성 ×)

정보공개를 청구하였다가 거부처분 받은 것 자체
▷ 법률상 이익 침해

문제 DATA

출제가능 지수 ▶▶▷
난이도 지수 ★★☆

073 □□□

「공공기관의 정보공개에 관한 법률」에 따른 정보공개에 대한 설명으로 옳지 않은 것은? (다툼이 있는 경우 판례에 의함)

① 한국증권업협회는 증권회사 상호간의 업무질서를 유지하고 유가증권의 공정한 매매거래 및 투자자보호를 위하여 구성된 회원조직으로, 「증권거래법」 또는 그 법에 의한 명령에 대하여 특별한 규정이 있는 것을 제외하고는 「민법」 중 사단법인에 관한 규정을 적용받으므로 구 「공공기관의 정보공개에 관한 법률 시행령」상의 '특별법에 의하여 설립된 특수법인'에 해당하지 않는다.

② 정보공개청구에 대하여 공공기관이 비공개 결정을 한 경우 청구인이 이에 불복한다면 이의신청 절차를 거치지 않고 행정심판을 청구할 수 있다.

③ 모든 국민은 정보의 공개를 청구할 권리를 가진다고 규정하고 있고, 여기의 국민에는 자연인과 법인이 포함되지만 권리능력 없는 사단은 포함되지 않는다.

④ 공공기관은 정보공개의 청구를 받으면 그 청구를 받은 날부터 10일 이내에 공개 여부를 결정하여야 하나 부득이한 사유로 이 기간 이내에 공개 여부를 결정할 수 없는 때에는 그 기간이 끝나는 날의 다음 날부터 기산하여 10일의 범위에서 공개 여부 결정기간을 연장할 수 있다.

2017년 국가직 9급

① (○) '한국증권업협회'는 증권회사 상호간의 업무질서를 유지하고 유가증권의 공정한 매매거래 및 투자자보호를 위하여 일정 규모 이상인 증권회사 등으로 구성된 회원조직으로서, 증권거래법 또는 그 법에 의한 명령에 대하여 특별한 규정이 있는 것을 제외하고는 민법 중 사단법인에 관한 규정을 준용 받는 점, 그 업무가 국가기관 등에 준할 정도로 공동체 전체의 이익에 중요한 역할이나 기능에 해당하는 공공성을 갖는다고 볼 수 없는 점 등에 비추어, 공공기관의 정보공개에 관한 법률 시행령 제2조 제4호의 '특별법에 의하여 설립된 특수법인'에 해당한다고 보기 어렵다(대판 2010.4.29. 2008두5643).

유제 18. 소방간부 '한국증권업협회'는 증권회사 상호간의 업무질서를 유지하고 유가증권의 공정한 매매거래 및 투자자 보호를 위하여 일정 규모 이상인 증권회사 등으로 구성된 회원조직으로서, 그 업무가 국가기관 등에 준할 정도로 공동체 전체의 이익에 중요한 역할이나 기능에 해당하는 공공성을 갖는다고 볼 수 있어, 「공공기관의 정보공개에 관한 법률 시행령」 제2조 제4호의 '특별법에 따라 설립된 특수법인'에 해당한다고 볼 수 있다. (×)
17. 지방직 9급 한국증권업협회는 「공공기관의 정보공개에 관한 법률 시행령」 제2조 제4호에 규정된 '특별법에 따라 설립된 특수법인'에 해당하지 아니한다. (○)
12. 지방직 7급 한국방송공사(KBS)는 「공공기관의 정보공개에 관한 법률」에 따라 정보공개의무가 있는 공공기관에 해당하는 반면, 한국증권업협회는 그에 해당하지 아니한다. (○)
11. 국가직 7급 판례에 의하면 '한국증권업협회'는 정보공개의무를 지는 '특별법에 의하여 설립된 특수법인'에 해당한다. (×)

② (○)

> 「공공기관의 정보공개에 관한 법률」 제19조 【행정심판】 ② 청구인은 제18조에 따른 이의신청 절차를 거치지 아니하고 행정심판을 청구할 수 있다.

③ (×) 대판 2003.12.12. 2003두8050

④ (○)

> 「공공기관의 정보공개에 관한 법률」 제11조 【정보공개 여부의 결정】 ① 공공기관은 제10조에 따라 정보공개의 청구를 받으면 그 청구를 받은 날부터 10일 이내에 공개 여부를 결정하여야 한다.
> ② 공공기관은 부득이한 사유로 제1항에 따른 기간 이내에 공개 여부를 결정할 수 없을 때에는 그 기간이 끝나는 날의 다음 날부터 기산(기산)하여 10일의 범위에서 공개 여부 결정기간을 연장할 수 있다. 이 경우 공공기관은 연장된 사실과 연장 사유를 청구인에게 지체 없이 문서로 통지하여야 한다.

답 ③

함께 정리하기

정보공개

한국증권업협회
▷ 특별법에 의하여 설립된 특수법인×

정보공개법상 이의신청
▷ 임의적 절차

모든 국민은 정보공개청구권자
▷ 국민에는 자연, 법인, 비법인사단·재단 포함○

10일의 공개 여부 결정기간
▷ 10일의 범위에서 연장 可

074

정보공개의무를 부담하는 공공기관에 대한 설명으로 옳지 않은 것은? (다툼이 있는 경우 판례에 의함)

① 사립대학교는 「공공기관의 정보공개에 관한 법률 시행령」에 따른 공공기관에 해당하나, 국비의 지원을 받는 범위 내에서만 공공기관의 성격을 가진다.
② 한국방송공사는 「공공기관의 정보공개에 관한 법률 시행령」 제2조 제4호에 규정된 '특별법에 따라 설립된 특수법인'에 해당한다.
③ 한국증권업협회는 「공공기관의 정보공개에 관한 법률 시행령」 제2조 제4호에 규정된 '특별법에 따라 설립된 특수법인'에 해당하지 아니한다.
④ 사립학교에 대하여 「교육관련기관의 정보공개에 관한 특례법」이 적용되는 경우에도 「공공기관의 정보공개에 관한 법률」을 적용할 수 없는 것은 아니다.

문제 DATA
출제가능 지수 ▶▶▷
난이도 지수 ★★☆

2017년 지방직 9급

① (×) 사립대학교에 대한 국비 지원이 한정적·일시적·국부적이라는 점을 고려하더라도, 구 공공기관의 정보공개에 관한 법률 시행령 제2조 제1호가 정보공개의무를 지는 공공기관의 하나로 사립대학교를 들고 있는 것이 모법의 위임범위를 벗어났다거나 사립대학교가 국비의 지원을 받는 범위 내에서만 공공기관의 성격을 가진다고 볼 수 없다(대판 2006.8.24. 2004두2783).
② (○) 방송법이라는 특별법에 의하여 설립·운영되는 한국방송공사(KBS)는 공공기관의 정보공개에 관한 법률 시행령 제2조 제4호의 '특별법에 의하여 설립된 특수법인'으로서 정보공개의무가 있는 공공기관의 정보공개에 관한 법률 제2조 제3호의 '공공기관'에 해당한다(대판 2010.12.23. 2008두13101).

유제 19. 군무원 9급 한국방송공사(KBS)는 「공공기관의 정보공개에 관한 법률 시행령」 제2조 제4호의 특별법에 의하여 설립된 특수법인으로서 정보공개의무가 있는 「공공기관의 정보공개에 관한 법률」 제2조 제3호의 공공기관에 해당한다. (○)
16. 사복직 「방송법」에 의하여 설립·운영되는 한국방송공사는 「공공기관의 정보공개에 관한 법률 시행령」 제2조 제4호의 '특별법에 따라 설립된 특수법인'으로서 정보공개의무가 있는 공공기관에 해당한다. (○)

③ (○) 대판 2010.4.29. 2008두5643
④ (○) 교육기관정보공개법은 공공기관이 직무상 작성 또는 취득하여 관리하고 있는 정보 가운데 교육관련기관이 학교교육과 관련하여 직무상 작성 또는 취득하여 관리하고 있는 정보의 공개에 관하여 특별히 규율하는 법률이므로, 학교에 대하여 교육기관정보공개법이 적용된다고 하여 더 이상 정보공개법을 적용할 수 없게 되는 것은 아니라고 할 것이다(대판 2013.11.28. 2011두5049).

답 ①

함께 정리하기
정보공개의무 부담 공공기관
사립대학교 ○
▷ 국비지원을 받는 범위 내에서만 ×
한국방송공사(KBS) ○
한국증권업협회 ×
「교육관련기관의 정보공개에 관한 특례법」이 적용되는 사립학교 ○

075

「공공기관의 정보공개에 관한 법률」에 대한 설명으로 가장 옳지 않은 것은? (다툼이 있는 경우 판례에 의함)

① 이해관계자인 당사자에게 문서열람권을 인정하는 「행정절차법」상의 정보공개와는 달리 「공공기관의 정보공개에 관한 법률」은 모든 국민에게 정보공개청구를 허용한다.
② 행정정보공개의 출발점은 국민의 알 권리인데, 알 권리 자체는 헌법상으로 명문화되어 있지 않음에도 불구하고, 우리 헌법재판소는 초기부터 국민의 알 권리를 헌법상의 기본권으로 인정하여 왔다.
③ 재건축사업계약에 의하여 조합원들에게 제공될 무상보상평수 산출내역은 법인 등의 영업상 비밀에 관한 사항이 아니며 비공개 대상 정보에 해당되지 않는다.
④ 판례는 특별법에 의하여 설립된 특수법인이라는 점만으로 정보공개의무를 인정하고 있으며, 다시금 해당 법인의 역할과 기능에서 정보공개의무를 지는 공공기관에 해당하는지 여부를 판단하지 않는다.

2017년 서울시 9급

① (○)

> 「행정절차법」 제37조【문서의 열람 및 비밀유지】① 당사자등은 의견제출의 경우에는 처분의 사전 통지가 있는 날부터 의견제출기한까지, 청문의 경우에는 청문의 통지가 있는 날부터 청문이 끝날 때까지 행정청에 해당 사안의 조사결과에 관한 문서와 그 밖에 해당 처분과 관련되는 문서의 열람 또는 복사를 요청할 수 있다. 이 경우 행정청은 다른 법령에 따라 공개가 제한되는 경우를 제외하고는 그 요청을 거부할 수 없다.
> 「공공기관의 정보공개에 관한 법률」 제5조【정보공개 청구권자】① 모든 국민은 정보의 공개를 청구할 권리를 가진다.

② (○) 헌법상 입법의 공개(제50조 제1항), 재판의 공개(제109조)와는 달리 행정의 공개에 대하여서는 명문규정을 두고 있지 않지만 "알 권리"의 생성기반을 살펴볼 때 이 권리의 핵심은 정부가 보유하고 있는 정보에 대한 국민의 "알 권리", 즉 국민의 정부에 대한 일반적 정보공개를 구할 권리(청구권적 기본권)라고 할 것이며, 이러한 "알 권리"의 실현은 법률의 제정이 뒤따라 이를 구체화시키는 것이 충실하고도 바람직하지만, 그러한 법률이 제정되어 있지 않다고 하더라도 불가능한 것은 아니고 헌법 제21조에 의해 직접 보장될 수 있다고 하는 것이 헌법재판소의 확립된 판례인 것이다(헌재 1991.5.13. 90헌마133).

③ (○) 아파트재건축주택조합의 조합원들에게 제공될 무상보상평수의 사업수익성 등을 검토한 자료가 구 공공기관의 정보공개에 관한 법률 제7조 제1항에서 정한 비공개 대상 정보에 해당하지 않는다(대판 2006.1.13. 2003두9459).

④ (×) 어느 법인이 공공기관의 정보공개에 관한 법률 제2조 제3호 등에 따라 정보를 공개할 의무가 있는 '특별법에 의하여 설립된 특수법인'에 해당하는가는, 국민의 알 권리를 보장하고 국정에 대한 국민의 참여와 국정운영의 투명성을 확보하고자 하는 위 법의 입법 목적을 염두에 두고, 당해 법인에게 부여된 업무가 국가행정업무이거나, 이에 해당하지 않더라도 그 업무 수행으로써 추구하는 이익이 당해 법인 내부의 이익에 그치지 않고 공동체 전체의 이익에 해당하는 공익적 성격을 갖는지 여부를 중심으로 개별적으로 판단하되, 당해 법인의 설립근거가 되는 법률이 법인의 조직구성과 활동에 대한 행정적 관리·감독 등에서 민법이나 상법 등에 의하여 설립된 일반 법인과 달리 규율한 취지, 국가나 지방자치단체의 당해 법인에 대한 재정적 지원·보조의 유무와 그 정도, 당해 법인의 공공적 업무와 관련하여 국가기관·지방자치단체 등 다른 공공기관에 대한 정보공개청구와는 별도로 당해 법인에 대하여 직접 정보공개청구를 구할 필요성이 있는지 여부 등을 종합적으로 고려하여야 한다(대판 2010.4.29. 2008두5643).

답 ④

문제 DATA

출제가능 지수 ▶▶▷
난이도 지수 ★★☆

함께 정리하기

정보공개법

「행정절차법」
▷ 이해관계자인 당사자의 문서열람권○

정보공개법
▷ 모든 국민의 정보공개청구권○

헌재는 국민의 알 권리를 헌법상 기본권으로 인정

무상보상 평수 산출내역
▷ 법인의 영업상 비밀× & 비공개대상정보×

정보공개의무 있는 특별법상 특수법인
▷ 역할과 기능에서 정보공개의무 있는 공공기관 해당 여부

076

「공공기관의 정보공개에 관한 법률」(이하 '정보공개법'이라 한다)에 대한 판례의 입장으로 옳지 않은 것은?

① 정보공개청구를 거부하는 처분이 있은 후 대상정보가 폐기되었다든가 하여 공공기관이 그 정보를 보유·관리하지 아니하게 된 경우에는 특별한 사정이 없는 한 정보공개거부처분의 취소를 구할 법률상의 이익이 없다.

② 「공직자윤리법」상의 등록의무자가 구 「공직자윤리법 시행규칙」 제2조에 따라 제출한 '자신의 재산등록사항의 고지를 거부한 직계존비속의 본인과의 관계, 성명, 고지거부사유, 서명'이 기재되어있는 문서는 정보공개법상의 비공개 대상 정보에 해당한다.

③ 정보공개를 구하는 정보를 공공기관이 한때 보유·관리하였으나 후에 그 정보가 담긴 문서들이 폐기되어 존재하지 않게 된 것이라면 그 정보를 더 이상 보유·관리하고 있지 아니하다는 점에 대한 증명책임은 공공기관에 있다.

④ 정보공개법 제13조 제2항에서 규정한 정보의 사본 또는 복제물의 교부를 제한할 수 있는 사유에 해당하지 아니하는 한 정보공개청구자가 선택한 공개방법에 따라 공개하여야 하므로 공공기관은 정보공개방법을 선택할 재량권이 없다.

⑤ 공공기관은 정보공개청구를 거부할 경우에도 대상이 된 정보의 내용을 구체적으로 확인·검토하여 어느 부분이 어떠한 법익 또는 기본권과 충돌되어 정보공개법 제9조 제1항 몇 호에서 정하고 있는 비공개사유에 해당하는지를 주장·입증하여야 하며 그에 이르지 아니한 채 개괄적인 사유만 들어 공개를 거부하는 것은 허용되지 아니한다.

2017년 국회직 8급

① (○) 대판 2006.1.13. 2003두9459
② (×) 공직자윤리법상의 등록의무자가 제출한 '자신의 재산등록사항의 고지를 거부한 직계존비속의 본인과의 관계, 성명, 고지거부사유, 서명(날인)'이 기재되어 있는 구 공직자윤리법 시행규칙 제12조 관련 [별지 14호 서식]의 문서는 구 공직자윤리법에 의한 등록사항이 아니므로, 같은 법 제10조 제3항 및 제14조의 각 규정에 의하여 열람·복사가 금지되거나 누설이 금지된 정보가 아니고, 나아가 구 공공기관의 정보공개에 관한 법률 제7조 제1항 제1호에 정한 법령비정보에도 해당하지 않는다(대판 2007.12.13. 2005두13117).
③ (○) 대판 2004.12.9. 2003두12707
④ (○) 대판 2003.12.12. 2003두8050
⑤ (○) 대판 2003.12.11. 2001두8827

답 ②

077

「공공기관의 정보공개에 관한 법률」에 의거하여, 甲은 A대학교에 대하여 재학 중인 체육특기생들의 일정기간 동안의 출석 및 성적 관리에 대한 정보공개를 청구하였다. 이에 대한 설명으로 옳은 것은? (다툼이 있는 경우 판례에 의함)

① 甲은 A대학교와 체육특기생들과는 아무런 이해관계가 없으므로 정보공개청구권을 가지지 아니한다.
② A대학교가 사립대학교라면 정보공개의무를 지는 공공기관에 해당하지 않는다.
③ 甲의 청구에 대하여 A대학교가 제3자의 권리침해를 이유로 하여 비공개 결정을 하였다면 이에 대한 甲의 불복절차는 없다.
④ A대학교 체육특기생 乙이 자신의 정보를 공개하지 아니할 것을 요청한 경우에도, A대학교는 乙에 대한 정보의 공개를 결정할 수 있다.
⑤ 甲의 A대학교에 대한 정보공개청구의 비용은 공익적 차원에서 A대학교가 부담한다.

2017년 행정사

① (×) 「공공기관의 정보공개에 관한 법률」 제5조 제1항에 의하면 모든 국민은 정보공개청구권을 가진다. 여기서 '모든 국민'에는 자연인은 물론이고 법인, 법인격 없는 단체도 포함되고, 이해관계가 있는지는 불문한다. 따라서 甲은 A대학교와 체육특기생들과는 아무런 이해관계가 없더라도 정보공개청구권을 갖는다.

> 「공공기관의 정보공개에 관한 법률」 제5조 【정보공개 청구권자】 ① 모든 국민은 정보의 공개를 청구할 권리를 가진다.

② (×) 사립대학교는 정보공개의무를 지는 공공기관에 해당한다(대판 2006.8.24. 2004두2783)
③ (×) 甲은 A대학교의 정보 비공개 결정에 대하여 이의신청, 행정심판, 행정소송을 통하여 불복할 수 있다.
④ (○) 대판 2008.9.25. 2008두8680
⑤ (×)

> 「공공기관의 정보공개에 관한 법률」 제17조 【비용 부담】 ① 정보의 공개 및 우송 등에 드는 비용은 실비의 범위에서 청구인이 부담한다.

답 ④

문제 DATA
출제가능 지수 ▶▶▷
난이도 지수 ★★☆

함께 정리하기
정보공개 사례
이해관계 없는 자
▷ 정보공개 청구 可
사립대학교
▷ 정보공개의무 지는 공공기관 O
정보공개법상 불복절차
▷ 이의신청·행정심판·행정소송
제3자의 비공개 요청
▷ 공개결정 可
비용
▷ 청구인이 실비부담

제2절 | 개인정보 보호법

001 □□□

「개인정보 보호법」에 대한 설명으로 가장 옳은 것은?

① 사망한 사람의 민감한 개인정보는 「개인정보 보호법」의 보호대상에 해당한다.
② 개인정보처리자는 재화 또는 서비스를 제공하는 과정에서 공개되는 정보에 정보주체의 민감정보가 포함됨으로써 사생활 침해의 위험성이 있다고 판단하는 때에는 재화 또는 서비스의 제공을 즉시 중단하여야 한다.
③ 개인정보처리자는 정보주체의 재산의 이익을 위하여 명백히 필요하다고 인정되는 경우에도 다른 법률에서 구체적으로 주민등록번호의 처리를 요구하거나 허용한 경우가 아니라면 주민등록번호를 처리할 수 없다.
④ 「개인정보 보호법」에서는 고정형 영상정보처리기기와 이동형 영상정보처리기기를 분리하여 규정하고 있다.

문제 DATA
출제가능 지수 ▶▶▷
난이도 지수 ★★★

2025년 군무원 9급

① (×) 사망한 사람의 개인정보는 개인정보 보호법의 보호대상에 해당하지 않는다.

> 「개인정보 보호법」 제2조【정의】이 법에서 사용하는 용어의 뜻은 다음과 같다.
> 1. "개인정보"란 살아 있는 개인에 관한 정보로서 다음 각 목의 어느 하나에 해당하는 정보를 말한다.
>   가. 성명, 주민등록번호 및 영상 등을 통하여 개인을 알아볼 수 있는 정보
>   나. 해당 정보만으로는 특정 개인을 알아볼 수 없더라도 다른 정보와 쉽게 결합하여 알아볼 수 있는 정보. 이 경우 쉽게 결합할 수 있는지 여부는 다른 정보의 입수 가능성 등 개인을 알아보는 데 소요되는 시간, 비용, 기술 등을 합리적으로 고려하여야 한다.
>   다. 가목 또는 나목을 제1호의2에 따라 가명처리함으로써 원래의 상태로 복원하기 위한 추가 정보의 사용·결합 없이는 특정 개인을 알아볼 수 없는 정보(이하 "가명정보"라 한다)

② (×)

> 「개인정보 보호법」 제23조【민감정보의 처리 제한】③ 개인정보처리자는 재화 또는 서비스를 제공하는 과정에서 공개되는 정보에 정보주체의 민감정보가 포함됨으로써 사생활 침해의 위험성이 있다고 판단하는 때에는 재화 또는 서비스의 제공 전에 민감정보의 공개 가능성 및 비공개를 선택하는 방법을 정보주체가 알아보기 쉽게 알려야 한다.

③ (×)

> 「개인정보 보호법」 제24조의2【주민등록번호 처리의 제한】① 제24조 제1항에도 불구하고 개인정보처리자는 다음 각 호의 어느 하나에 해당하는 경우를 제외하고는 주민등록번호를 처리할 수 없다.
> 1. 법률·대통령령·국회규칙·대법원규칙·헌법재판소규칙·중앙선거관리위원회규칙 및 감사원규칙에서 구체적으로 주민등록번호의 처리를 요구하거나 허용한 경우
> 2. 정보주체 또는 제3자의 급박한 생명, 신체, 재산의 이익을 위하여 명백히 필요하다고 인정되는 경우
> 3. 제1호 및 제2호에 준하여 주민등록번호 처리가 불가피한 경우로서 보호위원회가 고시로 정하는 경우

④ (○)

> 「개인정보 보호법」 제25조【고정형 영상정보처리기기의 설치·운영 제한】① 누구든지 다음 각 호의 경우를 제외하고는 공개된 장소에 고정형 영상정보처리기기를 설치·운영하여서는 아니 된다.
> 1. 법령에서 구체적으로 허용하고 있는 경우
> 2. 범죄의 예방 및 수사를 위하여 필요한 경우
> 3. 시설의 안전 및 관리, 화재 예방을 위하여 정당한 권한을 가진 자가 설치·운영하는 경우
> 4. 교통단속을 위하여 정당한 권한을 가진 자가 설치·운영하는 경우
> 5. 교통정보의 수집·분석 및 제공을 위하여 정당한 권한을 가진 자가 설치·운영하는 경우
> 6. 촬영된 영상정보를 저장하지 아니하는 경우로서 대통령령으로 정하는 경우

함께 정리하기

「개인정보 보호법」

개인정보는 살아있는 개인에 관한 정보로 한정

개인정보처리자가 재화 또는 서비스를 제공하는 과정에서 공개정보에 민감정보 포함 시
▷ 재화 또는 서비스 제공 즉시 중단

법률 등에서 구체적 처리 요구·허용 or 정보주체 또는 제3자의 급박한 생명·신체·재산상 이익을 위한 명백한 필요 or 보호위원회 고시로 정하는 경우
▷ 주민등록번호 처리 可

영상정보처리기기
▷ 고정형과 이동형으로 구분하여 규정

제25조의2 【이동형 영상정보처리기기의 운영 제한】 ① 업무를 목적으로 이동형 영상정보처리기기를 운영하려는 자는 다음 각 호의 경우를 제외하고는 공개된 장소에서 이동형 영상정보처리기기로 사람 또는 그 사람과 관련된 사물의 영상(개인정보에 해당하는 경우로 한정한다. 이하 같다)을 촬영하여서는 아니 된다.
1. 제15조 제1항 각 호의 어느 하나에 해당하는 경우
2. 촬영 사실을 명확히 표시하여 정보주체가 촬영 사실을 알 수 있도록 하였음에도 불구하고 촬영 거부 의사를 밝히지 아니한 경우. 이 경우 정보주체의 권리를 부당하게 침해할 우려가 없고 합리적인 범위를 초과하지 아니하는 경우로 한정한다.
3. 그 밖에 제1호 및 제2호에 준하는 경우로서 대통령령으로 정하는 경우

답 ④

002

「개인정보 보호법」상 영상정보처리기기 및 자동화된 결정에 대한 설명으로 옳지 않은 것은?

① 공개된 장소에는 고정형 영상정보처리기기의 설치·운영이 제한되나, 시설의 안전 및 관리, 화재 예방을 위해서는 공개된 장소라도 권한 유무를 불문하고 누구나 고정형 영상정보처리기기를 설치·운영할 수 있다.
② 불특정 다수가 이용하는 목욕실, 화장실 등 개인의 사생활을 현저히 침해할 우려가 있는 장소의 내부를 볼 수 있는 곳에서라도 소방공무원이 화재 발생시 인명의 구조·구급을 위하여 필요한 경우에는 이동형 영상정보처리기기로 개인정보에 해당하는 사람 또는 그 사람과 관련된 사물의 영상을 촬영할 수 있다.
③ 자동화된 결정은 인공지능 기술을 적용한 시스템을 포함하여 완전히 자동화된 시스템으로 개인정보를 처리하여 이루어지는 결정으로서, 「행정기본법」 제20조에 따른 행정청의 자동적 처분은 제외된다.
④ 개인정보처리자는 정보주체가 자동화된 결정을 거부하거나 그 결정에 대한 설명 등을 요구한 경우에는 정당한 사유가 없는 한 자동화된 결정을 적용하지 아니하거나 인적 개입에 의한 재처리·설명 등 필요한 조치를 하여야 한다.

| 2025년 소방직

① (×)

「개인정보 보호법」 제25조 【고정형 영상정보처리기기의 설치·운영 제한】 ① 누구든지 다음 각 호의 경우를 제외하고는 공개된 장소에 고정형 영상정보처리기기를 설치·운영하여서는 아니 된다.
1. 법령에서 구체적으로 허용하고 있는 경우
2. 범죄의 예방 및 수사를 위하여 필요한 경우
3. 시설의 안전 및 관리, 화재 예방을 위하여 정당한 권한을 가진 자가 설치·운영하는 경우
4. 교통단속을 위하여 정당한 권한을 가진 자가 설치·운영하는 경우
5. 교통정보의 수집·분석 및 제공을 위하여 정당한 권한을 가진 자가 설치·운영하는 경우
6. 촬영된 영상정보를 저장하지 아니하는 경우로서 대통령령으로 정하는 경우

② (○)

「개인정보 보호법」 제25조의2 【이동형 영상정보처리기기의 운영 제한】 ② 누구든지 불특정 다수가 이용하는 목욕실, 화장실, 발한실, 탈의실 등 개인의 사생활을 현저히 침해할 우려가 있는 장소의 내부를 볼 수 있는 곳에서 이동형 영상정보처리기기로 사람 또는 그 사람과 관련된 사물의 영상을 촬영하여서는 아니 된다. 다만, 인명의 구조·구급 등을 위하여 필요한 경우로서 대통령령으로 정하는 경우에는 그러하지 아니하다.

> **시행령 제27조 【이동형 영상정보처리기기 운영 제한의 예외】** 법 제25조의2 제2항 단서에서 "대통령령으로 정하는 경우"란 범죄, 화재, 재난 또는 이에 준하는 상황에서 인명의 구조·구급 등을 위하여 사람 또는 그 사람과 관련된 사물의 영상(개인정보에 해당하는 경우로 한정한다. 이하 같다)의 촬영이 필요한 경우를 말한다.

③, ④ (O)

> 「개인정보 보호법」 제37조의2 【자동화된 결정에 대한 정보주체의 권리 등】 ① 정보주체는 완전히 자동화된 시스템(인공지능 기술을 적용한 시스템을 포함한다)으로 개인정보를 처리하여 이루어지는 결정(「행정기본법」 제20조에 따른 행정청의 자동적 처분은 제외하며(③), 이하 이 조에서 "자동화된 결정"이라 한다)이 자신의 권리 또는 의무에 중대한 영향을 미치는 경우에는 해당 개인정보처리자에 대하여 해당 결정을 거부할 수 있는 권리를 가진다. 다만, 자동화된 결정이 제15조 제1항 제1호·제2호 및 제4호에 따라 이루어지는 경우에는 그러하지 아니하다.
> ② 정보주체는 개인정보처리자가 자동화된 결정을 한 경우에는 그 결정에 대하여 설명 등을 요구할 수 있다.
> ③ 개인정보처리자는 제1항 또는 제2항에 따라 정보주체가 자동화된 결정을 거부하거나 이에 대한 설명 등을 요구한 경우에는 정당한 사유가 없는 한 자동화된 결정을 적용하지 아니하거나 인적 개입에 의한 재처리·설명 등 필요한 조치를 하여야 한다(④).

답 ①

003

「개인정보 보호법」에 대한 내용으로 옳지 않은 것은?

① 고정형영상정보처리기기운영자는 고정형 영상정보처리기기의 설치 목적과 다른 목적으로 고정형 영상정보처리기기를 임의로 조작하거나 다른 곳을 비춰서는 아니 되며, 녹음기능은 사용할 수 없다.
② 개인정보처리자는 공중위생 등 공공의 안전과 안녕을 위하여 긴급히 필요한 경우에는 개인정보를 수집할 수 있으며 그 수집 목적의 범위에서 이용할 수 있다.
③ 개인정보처리자는 정보주체가 필요한 최소한의 정보 외의 개인정보 수집에 동의하지 아니한다는 이유로 정보주체에게 재화 또는 서비스의 제공을 거부하여서는 아니 된다.
④ 정보주체는 「행정기본법」 제20조에 따른 행정청이 자동적 처분이 자신의 권리 또는 의무에 중대한 영향을 미치는 경우에는 해당 개인정보처리자에 대하여 해당 결정을 거부할 수 있는 권리를 가진다.

2024년 국가직 7급

① (O)

> 「개인정보 보호법」 제25조 【고정형 영상정보처리기기의 설치·운영 제한】 ⑤ 고정형영상정보처리기기운영자는 고정형 영상정보처리기기의 설치 목적과 다른 목적으로 고정형 영상정보처리기기를 임의로 조작하거나 다른 곳을 비춰서는 아니 되며, 녹음기능은 사용할 수 없다.

② (O)

> 「개인정보 보호법」 제15조 【개인정보의 수집·이용】 ① 개인정보처리자는 다음 각 호의 어느 하나에 해당하는 경우에는 개인정보를 수집할 수 있으며 그 수집 목적의 범위에서 이용할 수 있다.
> 1. 정보주체의 동의를 받은 경우
> 2. 법률에 특별한 규정이 있거나 법령상 의무를 준수하기 위하여 불가피한 경우
> 3. 공공기관이 법령 등에서 정하는 소관 업무의 수행을 위하여 불가피한 경우
> 4. 정보주체와 체결한 계약을 이행하거나 계약을 체결하는 과정에서 정보주체의 요청에 따른 조치를 이행하기 위하여 필요한 경우

함께 정리하기

「개인정보 보호법」

고정형 영상정보처리기기
▷ 임의로 조작 or 다른 곳을 비춰서는 ✕
▷ 녹음기능 ✕

개인정보처리자
▷ 공중위생 등 공공의 안전과 안녕을 위하여 긴급히 필요한 경우 개인정보 수집·이용 可
▷ 필요 최소한의 정보 외 개인정보 수집에 부동의 한다는 이유로 재화·서비스 제공 거부 금지

「행정기본법」 제20조에 따른 행정청의 자동적 처분
▷ 「개인정보 보호법」에 따른 거부권 행사 ✕

5. 명백히 정보주체 또는 제3자의 급박한 생명, 신체, 재산의 이익을 위하여 필요하다고 인정되는 경우
6. 개인정보처리자의 정당한 이익을 달성하기 위하여 필요한 경우로서 명백하게 정보주체의 권리보다 우선하는 경우. 이 경우 개인정보처리자의 정당한 이익과 상당한 관련이 있고 합리적인 범위를 초과하지 아니하는 경우에 한한다.
7. <u>공중위생 등 공공의 안전과 안녕을 위하여 긴급히 필요한 경우</u>

③ (○)

「개인정보 보호법」 제16조【개인정보의 수집 제한】③ 개인정보처리자는 정보주체가 필요한 최소한의 정보 외의 개인정보 수집에 동의하지 아니한다는 이유로 정보주체에게 재화 또는 서비스의 제공을 거부하여서는 아니 된다

④ (×)

「개인정보 보호법」 제37조의2【자동화된 결정에 대한 정보주체의 권리 등】① 정보주체는 완전히 자동화된 시스템(인공지능 기술을 적용한 시스템을 포함한다)으로 개인정보를 처리하여 이루어지는 결정(「행정기본법」 제20조에 따른 행정청의 자동적 처분은 제외하며, 이하 이 조에서 "자동화된 결정"이라 한다)이 자신의 권리 또는 의무에 중대한 영향을 미치는 경우에는 해당 개인정보처리자에 대하여 해당 결정을 거부할 수 있는 권리를 가진다. 다만, 자동화된 결정이 제15조 제1항 제1호·제2호 및 제4호에 따라 이루어지는 경우에는 그러하지 아니하다.

답 ④

004

행정정보공개 및 개인정보 보호에 관한 설명으로 옳지 않은 것은? (다툼이 있는 경우 판례에 의함)

① 정보공개청구의 대상이 되는 정보는 반드시 원본이어야 한다.
② 「공공기관의 정보공개에 관한 법률」에 따르면 지방자치단체는 그 소관 사무에 관하여 법령에 위배되지 않는 범위에서 정보공개에 관한 조례를 제정할 수 있다.
③ 「개인정보 보호법」에 따르면 정보주체는 개인정보처리자가 이 법을 위반한 행위로 손해를 입으면 개인정보처리자에게 손해배상을 청구할 수 있다. 이 경우 그 개인정보처리자는 고의 또는 과실이 없음을 입증하지 아니하면 책임을 면할 수 없다.
④ 「개인정보 보호법」에 따르면 개인정보와 관련한 분쟁의 조정을 원하는 자는 개인정보 분쟁조정위원회에 조정을 신청할 수 있으며, 개인정보 분쟁조정위원회는 그 신청 내용을 상대방에게 알려야 하며, 상대방은 특별한 사유가 없는 한 분쟁조정에 응하여야 한다.

| 2024년 소방직

① (×) 대판 2006.5.25. 2006두3049
② (○)

「공공기관의 정보공개에 관한 법률」 제4조【적용 범위】② 지방자치단체는 그 소관 사무에 관하여 법령의 범위에서 정보공개에 관한 조례를 정할 수 있다.

③ (○)

「개인정보 보호법」 제39조【손해배상책임】① 정보주체는 개인정보처리자가 이 법을 위반한 행위로 손해를 입으면 개인정보처리자에게 손해배상을 청구할 수 있다. 이 경우 그 <u>개인정보처리자는 고의 또는 과실이 없음을 입증하지 아니하면 책임을 면할 수 없다</u>.

④ (O)

> 「개인정보 보호법」 제43조【조정의 신청 등】① 개인정보와 관련한 분쟁의 조정을 원하는 자는 분쟁조정위원회에 분쟁조정을 신청할 수 있다.
> ② 분쟁조정위원회는 당사자 일방으로부터 분쟁조정 신청을 받았을 때에는 그 신청내용을 상대방에게 알려야 한다.
> ③ 개인정보처리자가 제2항에 따른 분쟁조정의 통지를 받은 경우에는 특별한 사유가 없으면 분쟁조정에 응하여야 한다.

답 ①

005

다음 중 「개인정보 보호법」에 대한 설명으로 가장 옳지 않은 것은?

① 공중위생 등 공공의 안전과 안녕을 위하여 긴급히 필요한 경우는 개인정보처리자는 정보주체의 동의가 없더라도 개인정보를 수집 또는 이용할 수 있다.
② 공공기관은 등록대상이 되는 개인정보파일에 대하여는 개인정보 처리방침을 정하여야 한다.
③ 공공기관의 장은 일정한 기준에 해당하는 개인 정보파일의 운용으로 인하여 정보주체의 개인 정보 침해가 우려되는 경우에는 그 위험요인의 분석과 개선 사항 도출을 위한 평가를 하고 그 결과를 정보주체에게 알려야 한다.
④ 정보주체가 자신의 개인정보에 대한 열람을 공공기관에 요구하고자 할 때에는 공공기관에 직접 열람을 요구할 수도 있고, 아니면 개인정보 보호위원회를 통하여 열람을 요구할 수도 있다.

| 2024년 군무원 9급

① (O)

> 「개인정보 보호법」 제15조【개인정보의 수집·이용】① 개인정보처리자는 다음 각 호의 어느 하나에 해당하는 경우에는 개인정보를 수집할 수 있으며 그 수집 목적의 범위에서 이용할 수 있다.
> 7. 공중위생 등 공공의 안전과 안녕을 위하여 긴급히 필요한 경우

② (O)

> 「개인정보 보호법」 제30조【개인정보 처리방침의 수립 및 공개】① 개인정보처리자는 다음 각 호의 사항이 포함된 개인정보의 처리 방침(이하 "개인정보 처리방침"이라 한다)을 정하여야 한다. 이 경우 공공기관은 제32조에 따라 등록대상이 되는 개인정보파일에 대하여 개인정보 처리방침을 정한다.
> <각 호 생략>
> 제32조【개인정보파일의 등록 및 공개】① 공공기관의 장이 개인정보파일을 운용하는 경우에는 다음 각 호의 사항을 보호위원회에 등록하여야 한다. 등록한 사항이 변경된 경우에도 또한 같다.

③ (×) 개인정보 영향평가를 하고 그 결과를 보호위원회에 제출한다.

> 「개인정보 보호법」 제33조【개인정보 영향평가】① 공공기관의 장은 대통령령으로 정하는 기준에 해당하는 개인정보파일의 운용으로 인하여 정보주체의 개인정보 침해가 우려되는 경우에는 그 위험요인의 분석과 개선 사항 도출을 위한 평가(이하 "영향평가"라 한다)를 하고 그 결과를 보호위원회에 제출하여야 한다.

문제 DATA
출제가능 지수 ▶▶▷
난이도 지수 ★★☆

함께 정리하기

개인정보 보호법

공중위생 등 공공의 안전과 안녕을 위하여 긴급히 필요한 경우
▷ 개인정부 수집·이용 可

공공기관
▷ 등록대상이 되는 개인정보파일에 대하여 개인정보처리방침 수립

공공기관의 장
▷ 개인정보 영향평가를 하고 그 결과를 보호위원회에 제출

공공기관에 개인정보 열람요구
▷ 직접 요구 or 보호위원회 통해 요구 可

④ (○)

> 「개인정보 보호법」 제35조【개인정보의 열람】① 정보주체는 개인정보처리자가 처리하는 자신의 개인정보에 대한 열람을 해당 개인정보처리자에게 요구할 수 있다.
> ② 제1항에도 불구하고 정보주체가 자신의 개인정보에 대한 열람을 공공기관에 요구하고자 할 때에는 공공기관에 직접 열람을 요구하거나 대통령령으로 정하는 바에 따라 보호위원회를 통하여 열람을 요구할 수 있다.

답 ③

006

「개인정보 보호법」의 내용으로 옳지 않은 것은? (다툼이 있는 경우 판례에 의함)

① 개인정보처리자는 개인정보를 익명 또는 가명으로 처리하여도 개인정보 수집목적을 달성할 수 있는 경우 익명처리가 가능한 경우에는 익명에 의하여, 익명처리로 목적을 달성할 수 없는경우에는 가명에 의하여 처리될 수 있도록 하여야 한다.
② 개인정보처리자가 이 법에 따른 집단분쟁조정을 거부하거나 집단분쟁조정의 결과를 수락하지 아니한 경우 이 법 소정의 일정한 요건을 갖춘 소비자단체나 비영리단체는 법원에 권리침해에 대한 손해배상소송을 제기할 수 있다.
③ 업무를 목적으로 이동형 영상정보처리기기를 운영하려는 자는 이 법에서 정한 예외사항을 제외하고는 공개된 장소에서 이동형 영상정보처리기기로 사람 또는 그 사람과 관련된 사물의 영상(개인정보에 해당하는 경우로 한정)을 촬영하여서는 아니 된다.
④ 이 법을 위반한 개인정보처리자의 행위로 손해를 입은 정보주체는 개인정보처리자에게 손해배상을 청구할 수 있으며, 이 경우 개인정보처리자는 고의 또는 과실이 없음을 입증하지 아니하면 책임을 면할 수 없다.

| 2024년 경찰간부

① (○)

> 「개인정보 보호법」 제3조【개인정보 보호 원칙】⑦ 개인정보처리자는 개인정보를 익명 또는 가명으로 처리하여도 개인정보 수집목적을 달성할 수 있는 경우 익명처리가 가능한 경우에는 익명에 의하여, 익명처리로 목적을 달성할 수 없는 경우에는 가명에 의하여 처리될 수 있도록 하여야 한다.

② (×) 권리침해 행위의 금지·중지를 구하는 소송을 제기할 수 있다.

> 「개인정보 보호법」 제51조【단체소송의 대상 등】다음 각 호의 어느 하나에 해당하는 단체는 개인정보처리자가 제49조에 따른 집단분쟁조정을 거부하거나 집단분쟁조정의 결과를 수락하지 아니한 경우에는 법원에 권리침해 행위의 금지·중지를 구하는 소송(이하 "단체소송"이라 한다)을 제기할 수 있다.
> 1. 「소비자기본법」 제29조에 따라 공정거래위원회에 등록한 소비자단체로서 다음 각 목의 요건을 모두 갖춘 단체
> 가. 정관에 따라 상시적으로 정보주체의 권익증진을 주된 목적으로 하는 단체일 것
> 나. 단체의 정회원수가 1천명 이상일 것
> 다. 「소비자기본법」 제29조에 따른 등록 후 3년이 경과하였을 것
> 2. 「비영리민간단체 지원법」 제2조에 따른 비영리민간단체로서 다음 각 목의 요건을 모두 갖춘 단체
> 가. 법률상 또는 사실상 동일한 침해를 입은 100명 이상의 정보주체로부터 단체소송의 제기를 요청받을 것
> 나. 정관에 개인정보 보호를 단체의 목적으로 명시한 후 최근 3년 이상 이를 위한 활동실적이 있을 것
> 다. 단체의 상시 구성원수가 5천명 이상일 것
> 라. 중앙행정기관에 등록되어 있을 것

문제 DATA

출제가능 지수 ▶▶▷
난이도 지수 ★★☆

함께 정리하기

개인정보 보호법

익명처리의 원칙
▷ 가능하면 익명처리, 익명처리로 목적 달성 불가시 가명 처리

개인정보처리자가 집단분쟁조정 거부 or 결과수락×
▷ 법원에 단체소송(권리침해 행위의 금지·중지를 구하는 소송) 제기 可

업무를 목적으로 이동형 영상정보처리기기 운영하려는 자
▷ 공개된 장소에서 사람 또는 그 사람과 관련된 사물의 영상(개인정보)을 촬영하여서는 ×(원칙)

손배청구 시
▷ 개인정보처리자가 고의·과실 없음 입증해야 면책

③ (○)

> 「개인정보 보호법」 제25조의2 【이동형 영상정보처리기기의 운영 제한】 ① 업무를 목적으로 이동형 영상정보처리기기를 운영하려는 자는 다음 각 호의 경우를 제외하고는 공개된 장소에서 이동형 영상정보처리기기로 사람 또는 그 사람과 관련된 사물의 영상(개인정보에 해당하는 경우로 한정한다. 이하 같다)을 촬영하여서는 아니 된다.
> 1. 제15조 제1항 각 호의 어느 하나에 해당하는 경우
> 2. 촬영 사실을 명확히 표시하여 정보주체가 촬영 사실을 알 수 있도록 하였음에도 불구하고 촬영 거부 의사를 밝히지 아니한 경우. 이 경우 정보주체의 권리를 부당하게 침해할 우려가 없고 합리적인 범위를 초과하지 아니하는 경우로 한정한다.
> 3. 그 밖에 제1호 및 제2호에 준하는 경우로서 대통령령으로 정하는 경우

④ (○)

> 「개인정보 보호법」 제39조 【손해배상책임】 ① 정보주체는 개인정보처리자가 이 법을 위반한 행위로 손해를 입으면 개인정보처리자에게 손해배상을 청구할 수 있다. 이 경우 그 개인정보처리자는 고의 또는 과실이 없음을 입증하지 아니하면 책임을 면할 수 없다.

답 ②

007 □□□

「개인정보 보호법」에 대한 설명으로 옳지 않은 것은? (다툼이 있는 경우 판례에 의함)

① 개인정보처리자는 개인정보를 익명 또는 가명으로 처리하여도 개인정보 수집목적을 달성할 수 있는 경우 익명처리가 가능한 경우에는 익명에 의하여, 익명처리로 목적을 달성할 수 없는 경우에는 가명에 의하여 처리될 수 있도록 하여야 한다.
② 개인정보처리자는 정보주체가 필요한 최소한의 정보 외의 개인정보 수집에 동의하지 아니한다는 이유로 정보주체에게 재화 또는 서비스의 제공을 거부할 수 있다.
③ 개인정보처리자는 공공기관이 법령 등에서 정하는 소관 업무의 수행을 위하여 불가피한 경우에는 개인정보를 수집할 수 있으며 그 수집 목적의 범위에서 이용할 수 있다.
④ 개인정보처리자는 보유기간의 경과, 개인정보의 처리 목적 달성, 가명정보의 처리 기간 경과 등 그 개인정보가 불필요하게 되었을 때에는 지체 없이 그 개인정보를 파기하여야 한다. 다만, 다른 법령에 따라 보존하여야 하는 경우에는 그러하지 아니하다.

| 2023년 군무원 9급 변형

① (○)

> 「개인정보 보호법」 제3조 【개인정보 보호 원칙】 ⑦ 개인정보처리자는 개인정보를 익명 또는 가명으로 처리하여도 개인정보 수집목적을 달성할 수 있는 경우 익명처리가 가능한 경우에는 익명에 의하여, 익명처리로 목적을 달성할 수 없는 경우에는 가명에 의하여 처리될 수 있도록 하여야 한다.

② (×)

> 「개인정보 보호법」 제16조 【개인정보의 수집 제한】 ③ 개인정보처리자는 정보주체가 필요한 최소한의 정보 외의 개인정보 수집에 동의하지 아니한다는 이유로 정보주체에게 재화 또는 서비스의 제공을 거부하여서는 아니 된다.

③ (O)

> 「개인정보 보호법」 제15조【개인정보의 수집·이용】① 개인정보처리자는 다음 각 호의 어느 하나에 해당하는 경우에는 개인정보를 수집할 수 있으며 그 수집 목적의 범위에서 이용할 수 있다.
> 1. 정보주체의 동의를 받은 경우
> 2. 법률에 특별한 규정이 있거나 법령상 의무를 준수하기 위하여 불가피한 경우
> 3. 공공기관이 법령 등에서 정하는 소관 업무의 수행을 위하여 불가피한 경우
> 4. 정보주체와 체결한 계약을 이행하거나 계약을 체결하는 과정에서 정보주체의 요청에 따른 조치를 이행하기 위하여 필요한 경우
> 5. 명백히 정보주체 또는 제3자의 급박한 생명, 신체, 재산의 이익을 위하여 필요하다고 인정되는 경우
> 7. 공중위생 등 공공의 안전과 안녕을 위하여 긴급히 필요한 경우

④ (O) 지문을 개정법에 맞게 변형하였다.

> 「개인정보 보호법」 제21조【개인정보의 파기】① 개인정보처리자는 보유기간의 경과, 개인정보의 처리 목적 달성, 가명정보의 처리 기간 경과 등 그 개인정보가 불필요하게 되었을 때에는 지체 없이 그 개인정보를 파기하여야 한다. 다만, 다른 법령에 따라 보존하여야 하는 경우에는 그러하지 아니하다.

답 ②

008

「개인정보 보호법」상 개인정보 보호원칙에 대한 설명으로 옳지 않은 것은?

① 개인정보처리자는 개인정보의 처리 목적에 필요한 범위에서 적합하게 개인정보를 처리하여야 한다.
② 개인정보처리자는 개인정보의 처리 목적에 필요한 범위에서 개인정보의 정확성, 완전성 및 최신성이 보장되도록 하여야 한다.
③ 개인정보처리자는 정보주체의 사생활 침해를 최소화하는 방법으로 개인정보를 처리하여야 한다.
④ 개인정보처리자는 개인정보 처리방침 등 개인정보의 처리에 관한 사항을 공개하여야 한다.
⑤ 개인정보처리자는 개인정보를 익명 또는 가명으로 처리하여서는 아니 된다.

2023년 행정사

① (O)

> 「개인정보 보호법」 제3조【개인정보 보호 원칙】② 개인정보처리자는 개인정보의 처리 목적에 필요한 범위에서 적합하게 개인정보를 처리하여야 하며, 그 목적 외의 용도로 활용하여서는 아니 된다.

② (O)

> 「개인정보 보호법」 제3조【개인정보 보호 원칙】③ 개인정보처리자는 개인정보의 처리 목적에 필요한 범위에서 개인정보의 정확성, 완전성 및 최신성이 보장되도록 하여야 한다.

③ (O)

> 「개인정보 보호법」 제3조【개인정보 보호 원칙】⑥ 개인정보처리자는 정보주체의 사생활 침해를 최소화하는 방법으로 개인정보를 처리하여야 한다.

함께 정리하기

개인정보 보호원칙

이용제한의 원칙
▷ 목적에 필요한 범위에서 적합하게 처리, 목적 외의 용도 활용 금지

정보 정확성의 원칙
▷ 개인정보의 정확성, 완전성 및 최신성 보장

사생활 침해 최소화 원칙
▷ 정보주체의 사생활 침해를 최소화하는 방법으로 처리

공개의 원칙
▷ 개인정보 처리방침 등 개인정보의 처리에 관한 사항 공개, 정보주체의 권리를 보장

익명처리의 원칙
▷ 가능하면 익명처리, 익명처리로 목적 달성 불가 시 가명 처리

④ (○) 2023년 개정이 있었지만 지문의 정오와는 무관하다.

> 「개인정보 보호법」 제3조 【개인정보 보호 원칙】 ⑤ 개인정보처리자는 제30조에 따른 개인정보 처리방침 등 개인정보의 처리에 관한 사항을 공개하여야 하며, 열람청구권 등 정보주체의 권리를 보장하여야 한다.

⑤ (×)

> 「개인정보 보호법」 제3조 【개인정보 보호 원칙】 ⑦ 개인정보처리자는 개인정보를 익명 또는 가명으로 처리하여도 개인정보 수집목적을 달성할 수 있는 경우 익명처리가 가능한 경우에는 익명에 의하여, 익명처리로 목적을 달성할 수 없는 경우에는 가명에 의하여 처리될 수 있도록 하여야 한다.

답 ⑤

009 □□□

「개인정보 보호법」상 개인정보 보호에 대한 설명으로 옳지 않은 것은? (다툼이 있는 경우 판례에 의함)

① 정보주체는 개인정보처리자가 「개인정보 보호법」을 위반한 행위로 손해를 입으면 개인정보처리자에게 손해배상을 청구할 수 있다. 이 경우 그 개인정보처리자는 고의 또는 과실이 없음을 입증하지 아니하면 책임을 면할 수 없다.
② 헌법재판소는 개인정보자기결정권을 사생활의 비밀과 자유, 일반적 인격권, 국민주권원리 등을 이념적 기초로 하는 독자적 기본권으로서 헌법에 명시되지 않은 기본권으로 보고 있다.
③ 「개인정보 보호법」상의 개인정보란 살아 있는 개인에 관한 정보로서 사자(死者)에 관한 정보는 해당되지 않는다.
④ 국가 및 지방자치단체, 개인정보 보호단체는 정보주체의 피해 또는 권리침해가 다수의 정보주체에게 같거나 비슷한 유형으로 발생하는 경우로서 대통령령으로 정하는 사건에 대하여는 분쟁조정위원회에 집단분쟁조정을 의뢰 또는 신청할 수 있다.
⑤ 개인정보처리자가 「개인정보 보호법」 제49조에 따른 집단분쟁조정의 결과를 수락하지 아니한 경우, 「소비자기본법」 제29조에 따라 공정거래위원회에 등록한 후 1년이 경과한 소비자단체는 법원에 권리침해 행위의 중지를 구하는 단체소송을 제기할 수 있다.

| 2023년 국회직 8급

① (○)

> 「개인정보 보호법」 제39조 【손해배상책임】 ① <u>정보주체는 개인정보처리자가 이 법을 위반한 행위로 손해를 입으면 개인정보처리자에게 손해배상을 청구할 수 있다. 이 경우 그 개인정보처리자는 고의 또는 과실이 없음을 입증하지 아니하면 책임을 면할 수 없다.</u>

유제 19. 군무원 9급 정보주체는 개인정보처리자가 「개인정보 보호법」을 위반한 행위로 손해를 입으면 개인정보처리자에게 손해배상을 청구할 수 있다. 이 경우 그 개인정보처리자는 고의 또는 과실이 없음을 입증하지 아니하면 책임을 면할 수 없다. (○)
19. 행정사 개인정보처리자가 「개인정보 보호법」에 위반한 행위로 정보주체에게 손해를 입힌 경우, 개인정보처리자의 손해배상책임은 무과실책임이다. (×)
14. 국가직 9급 정보주체는 개인정보처리자가 「개인정보 보호법」을 위반한 행위로 손해를 입으면 개인정보처리자에게 손해배상을 청구할 수 있으며, 이 경우 그 정보주체는 고의 또는 과실을 입증해야 한다. (×)

문제 DATA
출제가능 지수 ▶▶▷
난이도 지수 ★★★

함께 정리하기

「개인정보 보호법」

손배청구 시
▷ 개인정보처리자가 고의·과실 없음 입증해야 면책

헌법재판소
▷ 독자적 기본권으로서 헌법에 명시되지 않은 기본권으로 인정

「개인정보 보호법」상의 개인정보
▷ 살아 있는 개인에 관한 정보
▷ 사자(死者)나 법인의 정보는 대상×

정보주체의 피해 또는 권리침해가 다수에게 비슷한 유형으로 발생
▷ 집단분쟁조정 가

「소비자기본법」에 따라 공정위에 등록 후 3년이 경과한 소비자단체
▷ 단체소송 제기 가

② (○) 개인정보자기결정권은 자신에 관한 정보가 언제 누구에게 어느 범위까지 알려지고 또 이용되도록 할 것인지를 그 정보주체가 스스로 결정할 수 있는 권리이다. 즉 정보주체가 개인정보의 공개와 이용에 관하여 스스로 결정할 권리를 말한다. … 개인정보자기결정권의 헌법상 근거로는 헌법 제17조의 사생활의 비밀과 자유, 헌법 제10조 제1문의 인간의 존엄과 가치 및 행복추구권에 근거를 둔 일반적 인격권 또는 위 조문들과 동시에 우리 헌법의 자유민주적 기본질서 규정 또는 국민주권원리와 민주주의원리 등을 고려할 수 있으나, 개인정보자기결정권으로 보호하려는 내용을 위 각 기본권들 및 헌법원리들 중 일부에 완전히 포섭시키는 것은 불가능하다고 할 것이므로, 그 헌법적 근거를 굳이 어느 한 두개에 국한시키는 것은 바람직하지 않은 것으로 보이고, 오히려 개인정보자기결정권은 이들을 이념적 기초로 하는 독자적 기본권으로서 헌법에 명시되지 아니한 기본권이라고 보아야 할 것이다(헌재 2005.5.26. 2004헌마190).

유제 18. 국가직 9급 헌법재판소는 개인정보자기결정권을 사생활의 비밀과 자유, 일반적 인격권 등을 이념적 기초로 하는 독자적 기본권으로서 헌법에 명시되지 않은 기본권으로 보고 있다. (○)

③ (○) 사자(死者)나 법인의 정보는 「개인정보 보호법」의 대상이 아니다.

> 「개인정보 보호법」 제2조 【정의】 이 법에서 사용하는 용어의 뜻은 다음과 같다.
> 1. '개인정보'란 살아 있는 개인에 관한 정보로서 다음 각 목의 어느 하나에 해당하는 정보를 말한다.
>   가. 성명, 주민등록번호 및 영상 등을 통하여 개인을 알아볼 수 있는 정보
>   나. 해당 정보만으로는 특정 개인을 알아볼 수 없더라도 다른 정보와 쉽게 결합하여 알아볼 수 있는 정보. 이 경우 쉽게 결합할 수 있는지 여부는 다른 정보의 입수 가능성 등 개인을 알아보는 데 소요되는 시간, 비용, 기술 등을 합리적으로 고려하여야 한다.
>   다. 가목 또는 나목을 제1호의2에 따라 가명처리함으로써 원래의 상태로 복원하기 위한 추가 정보의 사용·결합 없이는 특정 개인을 알아볼 수 없는 정보(이하 '가명정보'라 한다)
> 1의2. '가명처리'란 개인정보의 일부를 삭제하거나 일부 또는 전부를 대체하는 등의 방법으로 추가 정보가 없이는 특정 개인을 알아볼 수 없도록 처리하는 것을 말한다.

④ (○)

> 「개인정보 보호법」 제49조 【집단분쟁조정】 ① 국가 및 지방자치단체, 개인정보 보호단체 및 기관, 정보주체, 개인정보처리자는 정보주체의 피해 또는 권리침해가 다수의 정보주체에게 같거나 비슷한 유형으로 발생하는 경우로서 대통령령으로 정하는 사건에 대하여는 분쟁조정위원회에 일괄적인 분쟁조정(이하 '집단분쟁조정'이라 한다)을 의뢰 또는 신청할 수 있다.

⑤ (×)

> 「개인정보 보호법」 제51조 【단체소송의 대상 등】 다음 각 호의 어느 하나에 해당하는 단체는 개인정보처리자가 제49조에 따른 집단분쟁조정을 거부하거나 집단분쟁조정의 결과를 수락하지 아니한 경우에는 법원에 권리침해행위의 금지·중지를 구하는 소송(이하 '단체소송'이라 한다)을 제기할 수 있다.
> 1. 「소비자기본법」 제29조에 따라 공정거래위원회에 등록한 소비자단체로서 다음 각 목의 요건을 모두 갖춘 단체
>   가. 정관에 따라 상시적으로 정보주체의 권익증진을 주된 목적으로 하는 단체일 것
>   나. 단체의 정회원 수가 1천명 이상일 것
>   다. 「소비자기본법」 제29조에 따른 등록 후 3년이 경과하였을 것

답 ⑤

010

개인정보 보호에 대한 설명으로 옳은 것은? (다툼이 있는 경우 판례에 의함)

① 개인정보처리자의 「개인정보 보호법」 위반에 대한 손해배상의 경우 「국가배상법」상 배상책임과 마찬 가지로 정보주체가 고의나 과실을 입증해야 한다.
② 「개인정보 보호법」에 따르면 개인정보처리자는 개인정보의 처리 목적에 필요한 범위에서 개인정보의 정확성, 안전성 및 최신성이 보장되도록 하여야 한다.
③ 집단분쟁조정의 기간은 「개인정보 보호법」 제49조 제2항에 따른 공고가 종료된 날의 다음 날부터 30일 이내로 하며, 부득이한 사정이 있는 경우에는 분쟁조정위원회의 의결로 처리기간을 연장할 수 있다.
④ 이미 공개된 개인정보를 정보주체의 동의가 있었다고 객관적으로 인정되는 범위 내에서 처리를 할 때는 정보주체의 별도의 동의는 불필요하다고 보아야 하고, 별도의 동의를 받지 아니하였다고 하여 「개인정보 보호법」을 위반한 것으로 볼 수 없다.
⑤ 「개인정보 보호법」에 따라 개인정보를 보호해야 하는 개인정보처리자는 스스로 또는 다른 사람을 통하여 개인정보를 처리하는 공공기관과 법인을 말하며 단체 및 개인은 포함되지 않는다.

| 2023년 소방간부

① (×)

> 「개인정보 보호법」 제39조 【손해배상책임】 ③ 개인정보처리자의 고의 또는 중대한 과실로 인하여 개인정보가 분실·도난·유출·위조·변조 또는 훼손된 경우로서 정보주체에게 손해가 발생한 때에는 법원은 그 손해액의 5배를 넘지 아니하는 범위에서 손해배상액을 정할 수 있다. 다만, 개인정보처리자가 고의 또는 중대한 과실이 없음을 증명한 경우에는 그러하지 아니하다.

② (×) 안전성이 아니라 완전성이다.

> 「개인정보 보호법」 제3조 【개인정보 보호 원칙】 ① 개인정보처리자는 개인정보의 처리 목적을 명확하게 하여야 하고 그 목적에 필요한 범위에서 최소한의 개인정보만을 적법하고 정당하게 수집하여야 한다.
> ② 개인정보처리자는 개인정보의 처리 목적에 필요한 범위에서 적합하게 개인정보를 처리하여야 하며, 그 목적 외의 용도로 활용하여서는 아니 된다.
> ③ 개인정보처리자는 개인정보의 처리 목적에 필요한 범위에서 개인정보의 정확성, 완전성 및 최신성이 보장되도록 하여야 한다.

③ (×)

> 「개인정보 보호법」 제49조 【집단분쟁조정】 ① 국가 및 지방자치단체, 개인정보 보호단체 및 기관, 정보주체, 개인정보처리자는 정보주체의 피해 또는 권리침해가 다수의 정보주체에게 같거나 비슷한 유형으로 발생하는 경우로서 대통령령으로 정하는 사건에 대하여는 분쟁조정위원회에 일괄적인 분쟁조정(이하 '집단분쟁조정'이라 한다)을 의뢰 또는 신청할 수 있다.
> ② 제1항에 따라 집단분쟁조정을 의뢰받거나 신청받은 분쟁조정위원회는 그 의결로써 제3항부터 제7항까지의 규정에 따른 집단분쟁조정의 절차를 개시할 수 있다. 이 경우 분쟁조정위원회는 대통령령으로 정하는 기간 동안 그 절차의 개시를 공고하여야 한다.
> ⑦ 집단분쟁조정의 기간은 제2항에 따른 공고가 종료된 날의 다음 날부터 60일 이내로 한다. 다만, 부득이한 사정이 있는 경우에는 분쟁조정위원회의 의결로 처리기간을 연장할 수 있다.
> ⑧ 집단분쟁조정의 절차 등에 관하여 필요한 사항은 대통령령으로 정한다.

④ (○) 이미 공개된 개인정보를 정보주체의 동의가 있었다고 객관적으로 인정되는 범위 내에서 수집·이용·제공 등 처리를 할 때는 정보주체의 별도의 동의는 불필요하다고 보아야 하고, 별도의 동의를 받지 아니하였다고 하여 개인정보 보호법 제15조나 제17조를 위반한 것으로 볼 수 없다. 그리고 정보주체의 동의가 있었다고 인정되는 범위 내인지는 공개된 개인정보의 성격, 공개의 형태와 대상 범위, 그로부터 추단되는 정보주체의 공개 의도 내지 목적뿐만 아니라, 정보처리자의 정보제공 등 처리의 형태와 정보제공으로 공개의 대상범위가 원래의 것과 달라졌는지, 정보제공이 정보주체의 원래의 공개목적과 상당한 관련성이 있는지 등을 검토하여 객관적으로 판단하여야 한다(대판 2016.8.17. 2014다235080).

문제 DATA
출제가능 지수 ▶▶▷
난이도 지수 ★★☆

함께 정리하기

개인정보 보호

손배청구시
▷ 개인정보처리자가 고의·과실 없음 입증해야 면책

정보 정확성의 원칙
▷ 개인정보의 정확성, 완전성 및 최신성 보장

집단분쟁조정 기간
▷ 공고가 종료된 날의 다음 날부터 60일 이내, 부득이한 사정 有 → 분쟁조정위원회의 의결로 연장 可

이미 공개된 개인정보를 동의가 있었다고 객관적으로 인정되는 범위 내에서 처리
▷ 별도동의 不要

개인정보처리자
▷ 스스로 또는 다른 사람을 통하여 개인정보를 처리하는 공공기관, 법인, 단체 및 개인

유제 21. 국가직 9급 이미 공개된 개인정보를 정보주체의 동의가 있었다고 객관적으로 인정되는 범위 내에서 처리를 할 때는 정보주체의 별도의 동의는 불필요하다고 보아야 하고, 별도의 동의를 받지 아니하였다고 하여 「개인정보 보호법」을 위반한 것으로 볼 수 없다. (○)

⑤ (×)

> 「개인정보 보호법」 제2조【정의】이 법에서 사용하는 용어의 뜻은 다음과 같다.
> 5. '개인정보처리자'란 업무를 목적으로 개인정보파일을 운용하기 위하여 스스로 또는 다른 사람을 통하여 개인정보를 처리하는 공공기관, 법인, 단체 및 개인 등을 말한다.

답 ④

011

「개인정보 보호법」상 개인정보 보호제도에 대한 설명으로 옳은 것은?

① 살아 있는 개인에 관하여 알아볼 수 있는 정보라도 가명처리함으로써 원래의 상태로 복원하기 위한 추가 정보의 사용·결합 없이는 특정 개인을 알아볼 수 없게 된 정보는 이 법에 따른 개인정보에 해당하지 아니한다.
② 개인정보 보호위원회는 대통령 직속 기관으로 대통령이 직접 지휘·감독한다.
③ 정보주체가 자신의 개인정보에 대한 열람을 공공기관에 요구하고자 할 때에는 공공기관에 직접 열람을 요구하거나 대통령령으로 정하는 바에 따라 개인정보 보호위원회를 통하여 열람을 요구할 수 있다.
④ 개인정보처리자는 당초 수집 목적과 합리적으로 관련된 범위에서 정보주체에게 불이익이 발생하는지 여부, 암호화 등 안전성 확보에 필요한 조치를 하였는지 여부 등을 고려하더라도 정보주체의 동의 없이는 개인정보를 제3자에게 제공할 수 없다.

| 2022년 소방직

① (×) 가명정보도 「개인정보 보호법」에 따른 개인정보에 해당한다.

> 「개인정보 보호법」 제2조【정의】이 법에서 사용하는 용어의 뜻은 다음과 같다.
> 1. "개인정보"란 살아 있는 개인에 관한 정보로서 다음 각 목의 어느 하나에 해당하는 정보를 말한다.
> 가. 성명, 주민등록번호 및 영상 등을 통하여 개인을 알아볼 수 있는 정보
> 나. 해당 정보만으로는 특정 개인을 알아볼 수 없더라도 다른 정보와 쉽게 결합하여 알아볼 수 있는 정보. 이 경우 쉽게 결합할 수 있는지 여부는 다른 정보의 입수 가능성 등 개인을 알아보는 데 소요되는 시간, 비용, 기술 등을 합리적으로 고려하여야 한다.
> 다. 가목 또는 나목을 제1호의2에 따라 가명처리함으로써 원래의 상태로 복원하기 위한 추가 정보의 사용·결합 없이는 특정 개인을 알아볼 수 없는 정보(이하 "가명정보"라 한다)

유제 21. 소방간부 가명정보는 원래의 상태로 복원하기 위한 추가 정보의 사용·결합 없이는 특정 개인을 알아볼 수 없는 정보이기 때문에 개인정보에 해당하지 않는다. (×)

② (×)

> 「개인정보 보호법」 제7조【개인정보 보호위원회】① 개인정보 보호에 관한 사무를 독립적으로 수행하기 위하여 국무총리 소속으로 개인정보 보호위원회(이하 "보호위원회"라 한다)를 둔다.

유제 21. 국회직 9급 개인정보 보호에 관한 사무를 독립적으로 수행하기 위하여 행정안전부 소속으로 개인정보 보호위원회를 둔다. (×)
17. 경찰 2차, 13. 국회직 9급·경찰 2차 개인정보 보호에 관한 사항을 심의·의결하기 위하여 대통령 소속으로 개인정보 보호위원회를 둔다. (×)
12. 국회직 9급 개인정보 보호에 관한 사항을 심의·의결하기 위하여 국무총리 소속으로 합의제 의결기관인 '개인정보 심의위원회'가 설치되어 있다. (×)

문제 DATA
출제가능 지수 ▶▶▷
난이도 지수 ★★☆

함께 정리하기

「개인정보 보호법」상 개인정보 보호제도

가명정보
▷ 개인정보에 해당 ○

개인정보 보호위원회
▷ 국무총리 소속

자신의 개인정보 열람을 공공기관에 요구시
▷ 직접 열람요구 or 보호위원회 통하여 열람요구 可

개인정보처리자
▷ 당초 수집목적과 합리적관련범위 내 정보주체 동의 없이 개인정보이용 可

③ (○)

> 「개인정보 보호법」 제35조【개인정보의 열람】 ① 정보주체는 개인정보처리자가 처리하는 자신의 개인정보에 대한 열람을 해당 개인정보처리자에게 요구할 수 있다.
> ② 제1항에도 불구하고 정보주체가 자신의 개인정보에 대한 열람을 공공기관에 요구하고자 할 때에는 공공기관에 직접 열람을 요구하거나 대통령령으로 정하는 바에 따라 보호위원회를 통하여 열람을 요구할 수 있다.

④ (×)

> 「개인정보 보호법」 제17조【개인정보의 제공】 ④ 개인정보처리자는 당초 수집 목적과 합리적으로 관련된 범위에서 정보주체에게 불이익이 발생하는지 여부, 암호화 등 안전성 확보에 필요한 조치를 하였는지 여부 등을 고려하여 대통령령으로 정하는 바에 따라 정보주체의 동의 없이 개인정보를 제공할 수 있다.

유제 21. 국회직 8급 개인정보처리자는 당초 수집 목적과 합리적으로 관련된 범위에서 정보주체에게 불이익이 발생하는지 여부, 암호화 등 안전성 확보에 필요한 조치를 하였는지 여부 등을 고려하여 대통령령으로 정하는 바에 따라 정보주체의 동의 없이 개인정보를 제공할 수 있다. (○)

답 ③

012 □□□

「개인정보 보호법」상 정보주체가 자신의 개인정보 처리와 관련하여 가지는 권리가 아닌 것은?

① 개인정보의 처리에 관한 정보를 제공받을 권리
② 개인정보의 처리 정지를 요구할 권리
③ 개인정보의 처리 여부를 확인하고 개인정보에 대하여 사본의 발급을 요구할 권리
④ 개인정보의 처리에 관한 동의 여부, 동의 범위 등을 결정할 권리
⑤ 개인정보처리자의 가명정보 처리에 동의할 권리

2022년 행정사

⑤ (×) 2023년 개정이 있었지만 지문의 정오와는 무관하다.

> 「개인정보 보호법」 제4조【정보주체의 권리】 정보주체는 자신의 개인정보 처리와 관련하여 다음 각 호의 권리를 가진다.
> 1. 개인정보의 처리에 관한 정보를 제공받을 권리(①)
> 2. 개인정보의 처리에 관한 동의 여부, 동의 범위 등을 선택하고 결정할 권리(④)
> 3. 개인정보의 처리 여부를 확인하고 개인정보에 대한 열람(사본의 발급을 포함한다. 이하 같다) 및 전송을 요구할 권리(③)
> 4. 개인정보의 처리 정지, 정정·삭제 및 파기를 요구할 권리(②)
> 5. 개인정보의 처리로 인하여 발생한 피해를 신속하고 공정한 절차에 따라 구제받을 권리
> 6. 완전히 자동화된 개인정보 처리에 따른 결정을 거부하거나 그에 대한 설명 등을 요구할 권리

유제 12. 지방직 9급 정보주체는 자신의 개인정보 처리와 관련하여 개인정보의 처리 정지, 정정·삭제 및 파기를 요구할 권리를 가진다. (○)

답 ⑤

문제 DATA

출제가능 지수 ▶▶▶Σ
난이도 지수 ★★☆

013 □□□

개인정보의 보호에 대한 판례의 입장으로 옳은 것만을 모두 고르면?

ㄱ. 개인정보자기결정권의 보호대상이 되는 개인정보는 반드시 개인의 내밀한 영역에 속하는 정보에 국한되지 않고 공적 생활에서 형성되었거나 이미 공개된 개인정보까지 포함한다.
ㄴ. 이미 공개된 개인정보를 정보주체의 동의가 있었다고 객관적으로 인정되는 범위 내에서 처리를 할 때는 정보주체의 별도의 동의는 불필요하다고 보아야 하고, 별도의 동의를 받지 아니하였다고 하여 「개인정보 보호법」을 위반한 것으로 볼 수 없다.
ㄷ. 개인정보 처리위탁에 있어 수탁자는 정보제공자의 관리·감독 아래 위탁받은 범위 내에서만 개인정보를 처리하게 되지만, 위탁자로부터 위탁사무 처리에 따른 대가를 지급받는 이상 개인정보 처리에 관하여 독자적인 이익을 가지므로, 그러한 수탁자는 「개인정보 보호법」 제17조에 의해 개인정보처리자가 정보주체의 개인정보를 제공할 수 있는 '제3자'에 해당한다.
ㄹ. 인터넷 포털사이트 등의 개인정보 유출사고로 주민등록번호가 불법 유출되어 그 피해자가 주민등록번호 변경을 신청했으나 구청장이 거부 통지를 한 사안에서, 피해자의 의사와 무관하게 주민등록번호가 유출된 경우에는 조리상 주민등록번호의 변경요구신청권을 인정함이 타당하다.

① ㄱ, ㄷ
② ㄴ, ㄹ
③ ㄱ, ㄴ, ㄷ
④ ㄱ, ㄴ, ㄹ

2021년 국가직 9급

ㄱ. (○) 개인정보자기결정권의 보호대상이 되는 개인정보는 개인의 신체, 신념, 사회적 지위, 신분 등과 같이 개인의 인격주체성을 특징짓는 사항으로서 그 개인의 동일성을 식별할 수 있게 하는 일체의 정보라고 할 수 있고, 반드시 개인의 내밀한 영역이나 사사의 영역에 속하는 정보에 국한되지 않고 공적 생활에서 형성되었거나 이미 공개된 개인정보까지 포함한다. 또한 그러한 개인정보를 대상으로 한 조사·수집·보관·처리·이용 등의 행위는 모두 원칙적으로 개인정보자기결정권에 대한 제한에 해당한다(헌재 2005.5.26. 99헌마513·2004헌마190).

유제 21. 군무원 9급 개인정보자기결정권의 보호대상이 되는 개인정보는 개인의 내밀한 영역에 속하는 영역뿐만 아니라 공적 생활에서 형성되었거나 이미 공개된 개인정보까지 포함한다. (○)
20. 군무원 7급 개인정보자기결정권의 보호대상이 되는 개인정보는 인격주체성을 특징짓는 사항으로서 개인의 동일성을 식별할 수 있게 하는 일체의 정보를 의미하며, 반드시 개인의 내밀한 영역에 속하는 정보에 국한되지 않고 공적 생활에서 형성되었거나 이미 공개된 개인정보까지도 포함한다. (○)
18. 지방직 7급 개인정보자기결정권의 보호대상이 되는 개인정보는 개인의 신체, 신념, 사회적 지위, 신분 등과 같이 개인의 인격주체성을 특정 짓는 사항으로서 그 개인의 동일성을 식별할 수 있는 일체의 정보이고, 이미 공개된 개인정보는 포함되지 않는다. (×)
19. 군무원 9급, 18. 국회직 8급 개인정보자기결정권의 보호대상이 되는 개인정보는 개인의 신체, 신념, 사회적 지위, 신분 등과 같이 인격주체성을 특징짓는 사항으로서 개인의 동일성을 식별할 수 있게 하는 일체의 정보를 의미하는 것이므로 개인의 내밀한 영역에 속하는 정보에 국한되고 공적 생활에서 형성되었거나 이미 공개된 개인정보는 포함되지 않는다. (×)

ㄴ. (○) 이미 공개된 개인정보를 정보주체의 동의가 있었다고 객관적으로 인정되는 범위 내에서 수집·이용·제공 등 처리를 할 때는 정보주체의 별도의 동의는 불필요하다고 보아야 하고, 별도의 동의를 받지 아니하였다고 하여 개인정보 보호법 제15조나 제17조를 위반한 것으로 볼 수 없다(대판 2016.8.17. 2014다235080).

유제 19. 군무원 9급 이미 공개된 개인정보를 정보주체의 동의가 있었다고 객관적으로 인정되는 범위 내에서 수집·이용·제공 등 처리를 할 때는 정보주체의 별도의 동의는 불필요하다고 보아야 한다. (○)

함께 정리하기

개인정보 보호 판례

개인정보자기결정권의 보호대상이 되는 개인정보
▷ 공적생활에서 형성 or 이미 공개된 개인정보까지 포함

이미 공개된 개인정보를 정보주체의 동의가 있었다고 객관적으로 인정되는 범위 내에서 처리
▷ 정보주체의 별도동의 不要

개인정보처리위탁에 있어 수탁자
▷ 「개인정보 보호법」상 제3자에 해당×

주민등록번호 불법 유출된 자
▷ 주민등록번호 변경신청권○

ㄷ. (×) 개인정보 보호법 제17조와 정보통신망법 제24조의2에서 말하는 개인정보의 '제3자 제공'은 본래의 개인정보 수집·이용 목적의 범위를 넘어 정보를 제공받는 자의 업무처리와 이익을 위하여 개인정보가 이전되는 경우인 반면, 개인정보 보호법 제26조와 정보통신망법 제25조에서 말하는 개인정보의 '처리위탁'은 본래의 개인정보 수집·이용 목적과 관련된 위탁자 본인의 업무 처리와 이익을 위하여 개인정보가 이전되는 경우를 의미한다. 개인정보 처리위탁에 있어 수탁자는 위탁자로부터 위탁사무 처리에 따른 대가를 지급받는 것 외에는 개인정보 처리에 관하여 독자적인 이익을 가지지 않고, 정보제공자의 관리·감독 아래 위탁받은 범위 내에서만 개인정보를 처리하게 되므로, 개인정보 보호법 제17조와 정보통신망법 제24조의2에 정한 '제3자'에 해당하지 않는다. 한편 어떠한 행위가 개인정보의 제공인지 아니면 처리위탁인지는 개인정보의 취득 목적과 방법, 대가 수수 여부, 수탁자에 대한 실질적인 관리·감독 여부, 정보주체 또는 이용자의 개인정보 보호 필요성에 미치는 영향 및 이러한 개인정보를 이용할 필요가 있는 자가 실질적으로 누구인지 등을 종합하여 판단하여야 한다(대판 2016.3.10. 2012다105482).

ㄹ. (○) 甲 등이 인터넷 포털사이트 등의 개인정보 유출사고로 자신들의 주민등록번호 등 개인정보가 불법 유출되자 이를 이유로 관할 구청장에게 주민등록번호를 변경해 줄 것을 신청하였으나 주민등록번호 변경을 거부하는 취지의 통지를 한 사안에서, 피해자의 의사와 무관하게 주민등록번호가 유출된 경우에는 조리상 주민등록번호의 변경을 요구할 신청권을 인정함이 타당하고, 구청장의 주민등록번호 변경신청 거부행위는 항고소송의 대상이 되는 행정처분에 해당한다(대판 2017.6.15. 2013두2945).

유제 19. 군무원 9급 피해자의 의사와 무관하게 주민등록번호가 유출된 경우에는 조리상 주민등록번호의 변경을 요구할 신청권을 인정함이 타당하고, 구청장의 주민등록번호 변경신청 거부행위는 항고소송의 대상이 되는 행정처분에 해당한다. (○)

답 ④

014 □□□

「개인정보 보호법」상 개인정보 단체소송에 대한 설명으로 옳지 않은 것은?

① 단체소송의 원고는 변호사를 소송대리인으로 선임하여야 한다.
② 단체소송에 관하여 「개인정보 보호법」에 특별한 규정이 없는 경우에는 「민사소송법」을 적용한다.
③ 법원은 개인정보처리자가 분쟁조정위원회의 조정을 거부하지 않을 경우에만, 결정으로 단체소송을 허가한다.
④ 단체소송의 설차에 관하여 필요한 사항은 대법원규칙으로 정한다.

| 2021년 소방직

① (○)

> 「개인정보 보호법」 제53조 【소송대리인의 선임】 단체소송의 원고는 변호사를 소송대리인으로 선임하여야 한다.

유제 18. 경찰 2차 개인정보 단체소송의 원고는 변호사를 소송대리인으로 선임하여야 한다. (○)

② (○)

> 「개인정보 보호법」 제57조 【「민사소송법」의 적용 등】 ① 단체소송에 관하여 이 법에 특별한 규정이 없는 경우에는 「민사소송법」을 적용한다.

유제 16. 지방직 9급 개인정보 단체소송에 관하여 「개인정보 보호법」에 특별한 규정이 없는 경우에는 행정소송법을 적용한다. (×)

문제 DATA

출제가능 지수 ▶▶▷
난이도 지수 ★★☆

함께 정리하기

개인정보 단체소송

단체소송 원고
▷ 변호사를 소송대리인으로 선임해야 함

단체소송에 관해 「개인정보 보호법」에 특별한 규정×
▷ 「민사소송법」 적용

단체소송
▷ 개인정보처리자가 집단분쟁조정을 거부 or 결과를 수락하지 아니한 경우 법원의 허가를 받아 제기

단체소송의 절차에 관하여 필요한 사항
▷ 대법원규칙으로 정함

③ (×)

> 「개인정보 보호법」 제55조【소송허가요건 등】① 법원은 다음 각 호의 요건을 모두 갖춘 경우에 한하여 결정으로 단체소송을 허가한다.
> 1. 개인정보처리자가 분쟁조정위원회의 조정을 거부하거나 조정결과를 수락하지 아니하였을 것
> 2. 제54조에 따른 소송허가신청서의 기재사항에 흠결이 없을 것

유제 16. 지방직 9급 개인정보 단체소송은 개인정보처리자가 「개인정보 보호법」상의 집단분쟁조정을 거부하거나 집단분쟁조정의 결과를 수락하지 아니한 경우에 법원의 허가를 받아 제기할 수 있다. (○)

④ (○)

> 「개인정보 보호법」 제57조【「민사소송법」의 적용 등】③ 단체소송의 절차에 관하여 필요한 사항은 대법원규칙으로 정한다.

답 ③

015

「개인정보 보호법」에 대한 설명으로 옳지 않은 것은? (다툼이 있는 경우 판례에 의함)

① 가명정보는 원래의 상태로 복원하기 위한 추가 정보의 사용·결합 없이는 특정 개인을 알아볼 수 없는 정보이기 때문에 개인정보에 해당하지 않는다.
② 법률정보 제공 사이트를 운영하는 甲 주식회사가 乙 대학교 법학과 교수로 재직 중인 丙의 개인정보를 별도 동의없이 위 법학과 홈페이지 등을 통해 수집하여 위 사이트 내 법조인 항목에서 유료로 제공하더라도 위법하다고 할 수 없다.
③ 검사 또는 수사관서의 장이 수사를 위하여 구 「전기통신사업법」 제54조 제3항·제4항에 의하여 전기통신사업자에게 통신자료의 제공을 요청하고, 이에 전기통신사업자가 위 규정에서 정한 형식적·절차적 요건을 심사하여 이용자의 통신자료를 제공하였다면, 특별한 사정이 없는 한 이로 인하여 이용자의 개인정보자기결정권이나 익명표현의 자유 등이 위법하게 침해된 것은 아니다.
④ 정보주체와 체결한 계약을 이행하거나 계약을 체결하는 과정에서 정보주체의 요청에 따른 조치를 이행하기 위하여 필요한 경우에도 정보주체의 별도 동의 없이 개인정보처리자가 개인정보를 수집할 수 있으며 그 수집 목적의 범위에서 이용할 수 있다.
⑤ 시설의 안전 및 관리, 화재 예방을 위하여 정당한 권한을 가진 자가 설치·운영하는 경우 공개된 장소에 고정형 영상정보기기를 설치·운영할 수 있다.

2021년 소방간부 변형

① (×) 가명정보도 「개인정보 보호법」에 따른 개인정보에 해당한다.

> 「개인정보 보호법」 제2조【정의】이 법에서 사용하는 용어의 뜻은 다음과 같다.
> 1. "개인정보"란 살아 있는 개인에 관한 정보로서 다음 각 목의 어느 하나에 해당하는 정보를 말한다.
>   가. 성명, 주민등록번호 및 영상 등을 통하여 개인을 알아볼 수 있는 정보
>   나. 해당 정보만으로는 특정 개인을 알아볼 수 없더라도 다른 정보와 쉽게 결합하여 알아볼 수 있는 정보. 이 경우 쉽게 결합할 수 있는지 여부는 다른 정보의 입수 가능성 등 개인을 알아보는 데 소요되는 시간, 비용, 기술 등을 합리적으로 고려하여야 한다.
>   다. 가목 또는 나목을 제1호의2에 따라 가명처리함으로써 원래의 상태로 복원하기 위한 추가 정보의 사용·결합 없이는 특정 개인을 알아볼 수 없는 정보(이하 "가명정보"라 한다)

② (○) 법률정보 제공 사이트를 운영하는 甲 주식회사가 공립대학교인 乙 대학교 법과대학 법학과 교수로 재직 중인 丙의 사진, 성명, 성별, 출생연도, 직업, 직장, 학력, 경력 등의 개인정보를 위 법학과 홈페이지 등을 통해 수집하여 위 사이트 내 '법조인' 항목에서 유료로 제공한 사안에서, 甲 회사의 행위를 병의 개인정보자기결정권을 침해하는 위법한 행위로 평가하거나, 甲 회사가 개인정보 보호법 제15조나 제17조를 위반하였다고 볼 수 없다(대판 2016.8.17. 2014다235080).

③ (○) 검사 또는 수사관서의 장이 수사를 위하여 구 전기통신사업법 제54조 제3항, 제4항에 의하여 전기통신사업자에게 통신자료의 제공을 요청하고, 이에 전기통신사업자가 위 규정에서 정한 형식적·절차적 요건을 심사하여 검사 또는 수사관서의 장에게 이용자의 통신자료를 제공하였다면, 검사 또는 수사관서의 장이 통신자료의 제공 요청 권한을 남용하여 정보주체 또는 제3자의 이익을 부당하게 침해하는 것임이 객관적으로 명백한 경우와 같은 특별한 사정이 없는 한, 이로 인하여 이용자의 개인정보자기결정권이나 익명표현의 자유 등이 위법하게 침해된 것이라고 볼 수 없다(대판 2016.3.10. 2012다105482).

④ (○)

> 「개인정보 보호법」 제15조【개인정보의 수집·이용】 ① 개인정보처리자는 다음 각 호의 어느 하나에 해당하는 경우에는 개인정보를 수집할 수 있으며 그 수집 목적의 범위에서 이용할 수 있다.
> 4. 정보주체와 체결한 계약을 이행하거나 계약을 체결하는 과정에서 정보주체의 요청에 따른 조치를 이행하기 위하여 필요한 경우

⑤ (○) 지문을 개정법에 맞게 변형하였다.

> 「개인정보 보호법」 제25조【고정형 영상정보처리기기의 설치·운영 제한】 ① 누구든지 다음 각 호의 경우를 제외하고는 공개된 장소에 고정형 영상정보처리기기를 설치·운영하여서는 아니 된다.
> 3. 시설의 안전 및 관리, 화재 예방을 위하여 정당한 권한을 가진 자가 설치·운영하는 경우

답 ①

016 □□□

「개인정보 보호법」상 개인정보 보호에 대한 설명으로 옳은 것은? (다툼이 있는 경우 판례에 의함)

① 많은 양의 트위터 정보처럼 개인정보와 이에 해당하지 않은 정보가 혼재된 경우 전체적으로 「개인정보 보호법」상 개인정보에 관한 규정이 적용된다.
② 개인정보자기결정권은 자신에 관한 정보가 언제 누구에게 어느 범위까지 알려지고 또 이용되도록 할 것인지를 정보주체가 스스로 결정할 수 있는 권리로서 헌법에 명시된 권리이다.
③ 「개인정보 보호법」상 개인정보는 살아있는 개인뿐만 아니라 사자(死者)에 관한 정보로서 성명, 주민등록번호 및 영상 등을 통하여 개인을 알아볼 수 있는 정보를 말한다.
④ 「개인정보 보호법」은 민간부분의 개인정보를 규율하고 있고, 공공부분에 관하여는 「공공기관의 개인정보 보호에 관한 법률」에서 규율하고 있다.

2021년 군무원 7급

① (○) 검사가 공소외 2 주식회사로부터 임의제출 받은 28,765,148건에 달하는 대량의 트위터 정보에는 개인정보와 이에 해당하지 않는 정보가 혼재되어 있을 수 있는데, 국민의 사생활의 비밀을 보호하고 개인정보에 관한 권리를 보장하고자 하는 개인정보 보호법의 입법 취지에 비추어 그 정보의 제공에는 개인정보 보호법의 개인정보에 관한 규정이 적용되어야 하므로, 개인정보 보호법 제18조 제2항 제7호, 제2조 제6호에 따라 공공기관에 해당하지 아니하는 공소외 2 주식회사가 수사기관에 그러한 트위터 정보를 임의로 제출한 것은 위법하여 그 증거능력이 없으나, 이를 기초로 취득한 증거는 제반 사정에 비추어 증거능력이 있다고 판단하였다(대판 2015.7.16. 2015도2625).

함께 정리하기

「개인정보 보호법」상 개인정보 보호

개인정보와 해당하지 않은 정보 혼재
▷ 「개인정보 보호법」상 개인정보규정 적용 ○

개인정보자기결정권
▷ 헌법에 명시 ×

「개인정보 보호법」상의 개인정보
▷ 사자(死者)의 정보는 대상 ×

「개인정보 보호법」
▷ 공공부분의 개인정보도 규율

② (×) 헌법재판소는 개인정보자기결정권을 헌법에 명시되지 않은 기본권으로 보고 있다.

> 개인정보자기결정권의 헌법상 근거로는 헌법 제17조의 사생활의 비밀과 자유, 헌법 제10조 제1문의 인간의 존엄과 가치 및 행복추구권에 근거를 둔 일반적 인격권 또는 위 조문들과 동시에 우리 헌법의 자유민주적 기본질서 규정 또는 국민주권원리와 민주주의원리 등을 고려할 수 있으나, 개인정보자기결정권으로 보호하려는 내용을 위 각 기본권들 및 헌법원리들 중 일부에 완전히 포섭시키는 것은 불가능하다고 할 것이므로, 그 헌법적 근거를 굳이 어느 한 두개에 국한시키는 것은 바람직하지 않은 것으로 보이고, 오히려 개인정보자기결정권은 이들을 이념적 기초로 하는 독자적 기본권으로서 헌법에 명시되지 아니한 기본권이라고 보아야 할 것이다(헌재 2005.5.26. 2004헌마190).

③ (×) 「개인정보 보호법」상 '개인정보'란 살아있는 개인에 관한 정보이다. 사자(死者)의 정보는 포함되지 않는다.

> 「개인정보 보호법」 제2조 【정의】 이 법에서 사용하는 용어의 뜻은 다음과 같다.
> 1. "개인정보"란 살아 있는 개인에 관한 정보로서 다음 각 목의 어느 하나에 해당하는 정보를 말한다.
>   가. 성명, 주민등록번호 및 영상 등을 통하여 개인을 알아볼 수 있는 정보

유제 19. 행정사 사자(死者)의 정보는 「개인정보 보호법」의 보호대상이다. (×)
17. 사복직 개인정보는 살아 있는 개인뿐만 아니라 사망자의 성명, 주민등록번호 및 영상 등을 통하여 개인을 알아볼 수 있는 정보도 포함한다. (×)

④ (×) 현행 「개인정보 보호법」은 사인(민간)에 의해 처리되는 정보뿐만 아니라 공공기관에 의해 처리되는 정보까지 규율대상으로 하고 있다. 「개인정보 보호법」의 제정에 따라 「공공기관의 개인정보 보호에 관한 법률」은 폐지되었다.

> 「개인정보 보호법」 제6조 【다른 법률과의 관계】 ① 개인정보의 처리 및 보호에 관하여는 다른 법률에 특별한 규정이 있는 경우를 제외하고는 이 법에서 정하는 바에 따른다.

답 ①

017

「개인정보 보호법」에 대한 설명으로 옳지 않은 것은? (다툼이 있는 경우 판례에 의함)

① 개인정보처리자가 주민등록번호를 처리하기 위해서는 정보주체에게 다른 개인정보의 처리에 대한 동의와 별도로 동의를 받아야 한다.
② 가명처리란 개인정보의 일부를 삭제하거나 일부 또는 전부를 대체하는 등의 방법으로 추가 정보가 없이는 특정 개인을 알아볼 수 없도록 처리하는 것을 말한다.
③ 개인정보처리자는 당초 수집 목적과 합리적으로 관련된 범위에서 정보주체에게 불이익이 발생하는지 여부, 암호화 등 안전성 확보에 필요한 조치를 하였는지 여부 등을 고려하여 대통령령으로 정하는 바에 따라 정보주체의 동의 없이 개인정보를 제공할 수 있다.
④ 개인정보처리자는 개인정보처리자의 정당한 이익을 달성하기 위하여 필요한 경우로서 명백하게 정보주체의 권리보다 우선하는 경우에는 개인정보처리자의 정당한 이익과 상당한 관련이 있고 합리적인 범위를 초과하지 않는다면 정보주체의 동의가 없더라도 개인정보를 수집할 수 있다.
⑤ 살아 있는 개인에 관한 정보로서 해당 정보만으로는 특정 개인을 알아볼 수 없더라도 다른 정보와 쉽게 결합하여 알아볼 수 있는 정보는 개인정보에 해당한다.

2021년 국회직 8급

① (×) 개인정보처리자는 정보주체에게 다른 개인정보의 처리에 대한 동의와 별도로 동의를 받은 경우 고유식별정보를 처리할 수 있지만, 주민등록번호의 경우에는 고유식별정보에 해당함에도 불구하고 별도의 동의를 받은 경우에도 처리할 수 없고, 법령에서 허용한 경우 등 일정한 경우에 한하여 처리할 수 있다.

> 「개인정보 보호법」 제24조【고유식별정보의 처리 제한】 ① 개인정보처리자는 다음 각 호의 경우를 제외하고는 법령에 따라 개인을 고유하게 구별하기 위하여 부여된 식별정보로서 대통령령으로 정하는 정보(이하 "고유식별정보"라 한다)를 처리할 수 없다.
> 1. 정보주체에게 제15조 제2항 각 호 또는 제17조 제2항 각 호의 사항을 알리고 다른 개인정보의 처리에 대한 동의와 별도로 동의를 받은 경우
> 2. 법령에서 구체적으로 고유식별정보의 처리를 요구하거나 허용하는 경우
>
> 「개인정보 보호법 시행령」 제19조【고유식별정보의 범위】 법 제24조 제1항 각 호 외의 부분에서 "대통령령으로 정하는 정보"란 다음 각 호의 어느 하나에 해당하는 정보를 말한다. 다만, 공공기관이 법 제18조 제2항 제5호부터 제9호까지의 규정에 따라 다음 각 호의 어느 하나에 해당하는 정보를 처리하는 경우의 해당 정보는 제외한다.
> 1. 「주민등록법」 제7조의2 제1항에 따른 주민등록번호
> 2. 「여권법」 제7조 제1항 제1호에 따른 여권번호
> 3. 「도로교통법」 제80조에 따른 운전면허의 면허번호
> 4. 「출입국관리법」 제31조 제5항에 따른 외국인등록번호
>
> 제24조의2【주민등록번호 처리의 제한】 ① 제24조 제1항에도 불구하고 개인정보처리자는 다음 각 호의 어느 하나에 해당하는 경우를 제외하고는 주민등록번호를 처리할 수 없다.
> 1. 법률·대통령령·국회규칙·대법원규칙·헌법재판소규칙·중앙선거관리위원회규칙 및 감사원규칙에서 구체적으로 주민등록번호의 처리를 요구하거나 허용한 경우
> 2. 정보주체 또는 제3자의 급박한 생명, 신체, 재산의 이익을 위하여 명백히 필요하다고 인정되는 경우
> 3. 제1호 및 제2호에 준하여 주민등록번호 처리가 불가피한 경우로서 보호위원회가 고시로 정하는 경우

유제 21. 국회직 9급 개인정보처리자는 정보주체 또는 제3자의 급박한 생명, 신체, 재산의 이익을 위하여 명백히 필요하다고 인정되는 경우에 주민등록번호를 처리할 수 있다. (○)
20. 군무원 9급 개인정보처리자는 다른 개인정보의 처리에 대한 동의와 별도로 동의를 받은 경우라 하더라도 주민등록번호는 법에서 정한 예외적 인정사유에 해당하지 않는 한 처리할 수 없다. (○)

② (○)

> 「개인정보 보호법」 제2조【정의】 이 법에서 사용하는 용어의 뜻은 다음과 같다.
> 1의2. "가명처리"란 개인정보의 일부를 삭제하거나 일부 또는 전부를 대체하는 등의 방법으로 추가 정보가 없이는 특정 개인을 알아볼 수 없도록 처리하는 것을 말한다.

③ (○)

> 「개인정보 보호법」 제17조【개인정보의 제공】 ④ 개인정보처리자는 당초 수집 목적과 합리적으로 관련된 범위에서 정보주체에게 불이익이 발생하는지 여부, 암호화 등 안전성 확보에 필요한 조치를 하였는지 여부 등을 고려하여 대통령령으로 정하는 바에 따라 정보주체의 동의 없이 개인정보를 제공할 수 있다.

④ (○)

> 「개인정보 보호법」 제15조【개인정보의 수집·이용】 ① 개인정보처리자는 다음 각 호의 어느 하나에 해당하는 경우에는 개인정보를 수집할 수 있으며 그 수집 목적의 범위에서 이용할 수 있다.
> 6. 개인정보처리자의 정당한 이익을 달성하기 위하여 필요한 경우로서 명백하게 정보주체의 권리보다 우선하는 경우. 이 경우 개인정보처리자의 정당한 이익과 상당한 관련이 있고 합리적인 범위를 초과하지 아니하는 경우에 한한다.

유제 19. 경찰 2차 「개인정보 보호법」에 따르면, '개인정보처리자의 정당한 이익을 달성하기 위하여 필요한 경우로서 명백하게 정보주체의 권리보다 우선하는 경우'라도, 그 개인정보의 수집·이용은 위법한 것으로 평가된다. (×)

함께 정리하기

「개인정보 보호법」

주민등록번호
▷ 일정한 경우에 한정하여 처리 可(별도의 동의를 받은 경우에도 처리 不可)

가명처리
▷ 추가정보 없이는 특정개인을 알아볼 수 없도록 처리하는 것

개인정보처리자
▷ 당초 수집목적과 합리적 관련 범위 내 정보주체 동의 없이 개인정보 이용 可

개인정보처리자의 정당한 이익 위하여 필요 & 명백하게 정보주체의 권리보다 우선
▷ 정보주체 동의없이도 개인정보 수집 可

다른 정보와 쉽게 결합하여 특정 개인을 알아볼 수 있는 정보
▷ 개인정보에 포함

⑤ (○)

> 「개인정보 보호법」 제2조 【정의】 이 법에서 사용하는 용어의 뜻은 다음과 같다.
> 1. "개인정보"란 살아 있는 개인에 관한 정보로서 다음 각 목의 어느 하나에 해당하는 정보를 말한다.
>   가. 성명, 주민등록번호 및 영상 등을 통하여 개인을 알아볼 수 있는 정보
>   나. 해당 정보만으로는 특정 개인을 알아볼 수 없더라도 다른 정보와 쉽게 결합하여 알아볼 수 있는 정보. 이 경우 쉽게 결합할 수 있는지 여부는 다른 정보의 입수 가능성 등 개인을 알아보는 데 소요되는 시간, 비용, 기술 등을 합리적으로 고려하여야 한다.
>   다. 가목 또는 나목을 제1호의2에 따라 가명처리함으로써 원래의 상태로 복원하기 위한 추가 정보의 사용·결합 없이는 특정 개인을 알아볼 수 없는 정보(이하 "가명정보"라 한다)

유제 18. 서울시 7급 개인정보는 살아 있는 개인에 관한 정보로서 성명, 주민등록번호 및 영상 등을 통하여 개인을 알아볼 수 있는 정보이며, 해당 정보만으로는 특정 개인을 알아볼 수 없다면, 다른 정보와 쉽게 결합하여 그 개인을 알아볼 수 있는 경우라도 개인정보라 할 수 없다. (×)
18. 경찰 2차 개인정보는 살아 있는 개인에 관한 정보로서 성명, 주민등록번호 및 영상 등을 통하여 개인을 알아볼 수 있는 정보를 말하며 해당 정보만으로 특정 개인을 알아볼 수 없더라도 다른 정보와 쉽게 결합하여 알아볼 수 있는 것을 포함한다. (○)
17. 5급 승진 살아 있는 개인에 관한 정보로서 해당 정보만으로는 특정 개인을 알아볼 수 없더라도 다른 정보와 쉽게 결합하여 알아볼 수 있는 정보는 「개인정보 보호법」상 개인정보에 포함되지 아니한다. (×)

답 ①

018

「개인정보 보호법」의 내용으로 옳지 않은 것은?

① 개인정보처리자는 통계작성, 과학적 연구, 공익적 기록보존 등을 위하여 정보주체의 동의 없이도 가명(假名)정보를 처리할 수 있다.
② 개인정보 보호에 관한 사무를 독립적으로 수행하기 위하여 행정안전부 소속으로 개인정보 보호위원회를 둔다.
③ 개인정보처리자는 정보주체 또는 제3자의 급박한 생명, 신체, 재산의 이익을 위하여 명백히 필요하다고 인정되는 경우에 주민등록번호를 처리할 수 있다.
④ 개인정보처리자가 집단분쟁조정을 거부하거나 집단분쟁조정의 결과를 수락하지 아니한 경우에는 법원에 권리침해 행위의 금지·중지를 구하는 단체소송을 제기할 수 있다.
⑤ 개인정보 보호위원회는 개인정보처리자가 특정 개인을 알아보기 위한 목적으로 가명정보를 처리한 경우 전체 매출액의 100분의 3 이하에 해당하는 금액을 과징금으로 부과할 수 있다.

2021년 국회직 9급

① (○)

> 「개인정보 보호법」 제28조의2 【가명정보의 처리 등】 ① 개인정보처리자는 통계작성, 과학적 연구, 공익적 기록보존 등을 위하여 정보주체의 동의 없이 가명정보를 처리할 수 있다.

② (×)

> 「개인정보 보호법」 제7조 【개인정보 보호위원회】 ① 개인정보 보호에 관한 사무를 독립적으로 수행하기 위하여 국무총리 소속으로 개인정보 보호위원회(이하 "보호위원회"라 한다)를 둔다.

③ (○)

> 「개인정보 보호법」 제24조의2 【주민등록번호 처리의 제한】 ① 제24조 제1항에도 불구하고 개인정보처리자는 다음 각 호의 어느 하나에 해당하는 경우를 제외하고는 주민등록번호를 처리할 수 없다.
> 1. 법률·대통령령·국회규칙·대법원규칙·헌법재판소규칙·중앙선거관리위원회규칙 및 감사원규칙에서 구체적으로 주민등록번호의 처리를 요구하거나 허용한 경우
> 2. 정보주체 또는 제3자의 급박한 생명, 신체, 재산의 이익을 위하여 명백히 필요하다고 인정되는 경우
> 3. 제1호 및 제2호에 준하여 주민등록번호 처리가 불가피한 경우로서 보호위원회가 고시로 정하는 경우

④ (○)

> 「개인정보 보호법」 제51조 【단체소송의 대상 등】 다음 각 호의 어느 하나에 해당하는 단체는 개인정보처리자가 제49조에 따른 집단분쟁조정을 거부하거나 집단분쟁조정의 결과를 수락하지 아니한 경우에는 법원에 권리침해 행위의 금지·중지를 구하는 소송(이하 "단체소송"이라 한다)을 제기할 수 있다.

⑤ (○) 2023.3.14. 개정 개인정보 보호법은 종전 제28조의6 규정을 삭제하고, 제64조의2 규정을 신설하여 위반행위에 대한 과징금의 상한액을 전체 매출액의 100분의 3 이하에 해당하는 금액으로 하되, 전체 매출액에서 위반행위와 관련이 없는 매출액을 제외한 금액을 기준으로 과징금을 산정하도록 하였다(제64조의2 신설). 지문은 개정 전에 출제된 것이지만 개정법에 따르더라도 옳은 지문이다.

> 구 「개인정보 보호법」 제28조의6 【가명정보 처리에 대한 과징금 부과 등】 ① 보호위원회는 개인정보처리자가 제28조의5 제1항을 위반하여 특정 개인을 알아보기 위한 목적으로 정보를 처리한 경우 전체 매출액의 100분의 3 이하에 해당하는 금액을 과징금으로 부과할 수 있다. 다만, 매출액이 없거나 매출액의 산정이 곤란한 경우로서 대통령령으로 정하는 경우에는 4억원 또는 자본금의 100분의 3 중 큰 금액 이하로 과징금을 부과할 수 있다.
> 제64조의2 【과징금의 부과】 ① 보호위원회는 다음 각 호의 어느 하나에 해당하는 경우에는 해당 개인정보처리자에게 전체 매출액의 100분의 3을 초과하지 아니하는 범위에서 과징금을 부과할 수 있다. 다만, 매출액이 없거나 매출액의 산정이 곤란한 경우로서 대통령령으로 정하는 경우에는 20억원을 초과하지 아니하는 범위에서 과징금을 부과할 수 있다.
> 6. 제28조의5 제1항(제26조 제8항에 따라 준용되는 경우를 포함한다)을 위반하여 특정 개인을 알아보기 위한 목적으로 정보를 처리한 경우
> ② 보호위원회는 제1항에 따른 과징금을 부과하려는 경우 전체 매출액에서 위반행위와 관련이 없는 매출액을 제외한 매출액을 기준으로 과징금을 산정한다.

답 ②

문제 DATA

출제가능 지수 ▶▶▷
난이도 지수 ★★☆

019 □□□

「개인정보 보호법」상 고유식별정보에 대한 설명으로 옳지 않은 것은?

① 「여권법」에 따른 여권번호나 「출입국관리법」에 따른 외국인등록번호는 고유식별정보다.
② 고유식별정보를 처리하려면 정보주체에게 정보의 수집·이용·제공 등에 필요한 사항을 알리고 다른 개인정보의 처리에 대한 동의와 함께 일괄적으로 동의를 받아야 한다.
③ 개인정보처리자가 이 법에 따라 고유식별정보를 처리하는 경우에는 그 고유식별정보가 분실·도난·유출·위조·변조 또는 훼손되지 아니하도록 대통령령으로 정하는 바에 따라 암호화 등 안전성 확보에 필요한 조치를 하여야 한다.
④ 개인정보처리자는 다른 개인정보의 처리에 대한 동의와 별도로 동의를 받은 경우라 하더라도 주민등록번호는 법에서 정한 예외적 인정사유에 해당하지 않는 한 처리할 수 없다.

> 2020년 군무원 9급

함께 정리하기

「개인정보 보호법」상 고유식별정보

여권번호, 외국인등록번호
▷ 고유식별정보〇

고유식별정보처리
▷ 별도 동의 要

고유식별정보 처리시
▷ 암호화 등 안전성 확보에 필요한 조치를 하여야 함

주민등록번호
▷ 일정한 경우에 한정하여 처리 可(별도의 동의 받은 경우도 처리 불가)

① (〇)

> 「개인정보 보호법 시행령」 제19조【고유식별정보의 범위】법 제24조 제1항 각 호 외의 부분에서 "대통령령으로 정하는 정보"란 다음 각 호의 어느 하나에 해당하는 정보를 말한다
> 1. 「주민등록법」 제7조의2 제1항에 따른 주민등록번호
> 2. 「여권법」 제7조 제1항 제1호에 따른 여권번호
> 3. 「도로교통법」 제80조에 따른 운전면허의 면허번호
> 4. 「출입국관리법」 제31조 제4항에 따른 외국인등록번호

② (✕) 다른 개인정보의 처리에 대한 동의와 일괄적으로 받아야 하는 것이 아니라 별도로 받아야 한다.

> 「개인정보 보호법」 제24조【고유식별정보의 처리 제한】① 개인정보처리자는 다음 각 호의 경우를 제외하고는 법령에 따라 개인을 고유하게 구별하기 위하여 부여된 식별정보로서 대통령령으로 정하는 정보(이하 "고유식별정보"라 한다)를 처리할 수 없다
> 1. 정보주체에게 제15조 제2항 각 호 또는 제17조 제2항 각 호의 사항을 알리고 다른 개인정보의 처리에 대한 동의와 별도로 동의를 받은 경우
> 2. 법령에서 구체적으로 고유식별정보의 처리를 요구하거나 허용하는 경우

③ (〇)

> 「개인정보 보호법」 제24조【고유식별정보의 처리 제한】③ 개인정보처리자가 제1항 각 호에 따라 고유식별정보를 처리하는 경우에는 그 고유식별정보가 분실·도난·유출·위조·변조 또는 훼손되지 아니하도록 대통령령으로 정하는 바에 따라 암호화 등 안전성 확보에 필요한 조치를 하여야 한다.

④ (〇)

> 「개인정보 보호법」 제24조의2【주민등록번호 처리의 제한】① 제24조 제1항에도 불구하고 개인정보처리자는 다음 각 호의 어느 하나에 해당하는 경우를 제외하고는 주민등록번호를 처리할 수 없다.
> 1. 법률·대통령령·국회규칙·대법원규칙·헌법재판소규칙·중앙선거관리위원회규칙 및 감사원규칙에서 구체적으로 주민등록번호의 처리를 요구하거나 허용한 경우
> 2. 정보주체 또는 제3자의 급박한 생명, 신체, 재산의 이익을 위하여 명백히 필요하다고 인정되는 경우
> 3. 제1호 및 제2호에 준하여 주민등록번호 처리가 불가피한 경우로서 보호위원회가 고시로 정하는 경우

답 ②

020 ☐☐☐

「개인정보 보호법」상 개인정보 보호에 대한 설명으로 옳지 않은 것은?

① 법인 등의 단체는 개인정보의 주체가 될 수 없다.
② 개인정보처리자는 법령에서 민감정보의 처리를 요구하거나 허용하는 경우 민감정보를 처리할 수 있다.
③ 개인정보처리자의 「개인정보 보호법」 위반행위로 손해를 입은 정보주체가 개인정보처리자에게 손해배상을 청구한 경우 개인정보처리자는 고의 또는 과실이 없음을 입증하지 아니하면 책임을 면할 수 없다.
④ 개인정보에 관한 분쟁의 조정을 위하여 개인정보 보호위원회를 둔다.
⑤ 일정한 단체는 개인정보처리자가 집단분쟁조정을 거부하거나 집단분쟁조정의 결과를 수락하지 아니한 경우에는 법원에 권리침해 행위의 금지·중지를 구하는 단체소송을 제기할 수 있다.

문제 DATA
출제가능 지수 ▶▶▷
난이도 지수 ★★☆

2020년 국회직 9급

① (○) 「개인정보 보호법」상 '개인정보'란 살아있는 개인에 관한 정보이므로 법인 등 단체는 개인정보의 주체가 될 수 없다.

> 「개인정보 보호법」 제2조 【정의】 이 법에서 사용하는 용어의 뜻은 다음과 같다.
> 1. "개인정보"란 살아 있는 개인에 관한 정보로서 다음 각 목의 어느 하나에 해당하는 정보를 말한다.

유제 19. 군무원 9급 「개인정보 보호법」상 개인정보는 살아 있는 개인에 대한 정보를 대상으로 하므로 법인과 사자(死者)의 정보는 포함되지 않는다. (○)
19. 행정사 법인의 정보는 「개인정보 보호법」의 보호대상이다. (×)
18. 지방직 7급 법인의 정보는 「개인정보 보호법」의 보호대상이 아니다. (○)
14. 국가직 9급 「개인정보 보호법」상 '개인정보'란 살아 있는 개인에 관한 정보로서 사자(死者)나 법인의 정보는 포함되지 않는다. (○)

② (○)

> 「개인정보 보호법」 제23조 【민감정보의 처리 제한】 ① 개인정보처리자는 사상·신념, 노동조합·정당의 가입·탈퇴, 정치적 견해, 건강, 성생활 등에 관한 정보, 그 밖에 정보주체의 사생활을 현저히 침해할 우려가 있는 개인정보로서 대통령령으로 정하는 정보(이하 "민감정보"라 한다)를 처리하여서는 아니 된다. 다만, 다음 각 호의 어느 하나에 해당하는 경우에는 그러하지 아니하다.
> 1. 정보주체에게 제15조 제2항 각 호 또는 제17조 제2항 각 호의 사항을 알리고 다른 개인정보의 처리에 대한 동의와 별도로 동의를 받은 경우
> 2. 법령에서 민감정보의 처리를 요구하거나 허용하는 경우

유제 16. 서울시 7급 개인정보처리자는 법령에서 민감정보의 처리를 요구 또는 허용하는 경우에도 정보주체의 동의를 받지 못하면 민감정보를 처리할 수 없다. (×)

③ (○)

> 「개인정보 보호법」 제39조 【손해배상책임】 ① 정보주체는 개인정보처리자가 이 법을 위반한 행위로 손해를 입으면 개인정보처리자에게 손해배상을 청구할 수 있다. 이 경우 그 개인정보처리자는 고의 또는 과실이 없음을 입증하지 아니하면 책임을 면할 수 없다.

④ (×) 개인정보 보호위원회가 아니라 개인정보 분쟁조정위원회를 둔다.

> 「개인정보 보호법」 제40조 【설치 및 구성】 ① 개인정보에 관한 분쟁의 조정(調停)을 위하여 개인정보 분쟁조정위원회(이하 "분쟁조정위원회"라 한다)를 둔다.

함께 정리하기

「개인정보 보호법」상 개인정보 보호

법인 등 단체
▷ 개인정보의 주체×

법령에서 민감정보의 처리를 요구하거나 허용
▷ 민감정보 처리 可

손배청구 시
▷ 개인정보처리자가 고의·과실 없음 입증해야 면책

개인정보에 관한 분쟁의 조정을 위하여 개인정보 분쟁조정위원회(개인정보 보호위원회×)를 둠

단체소송
▷ 개인정보처리자가 집단분쟁조정 거부 or 결과를 수락하지 아니한 경우 법원 허가받아 제기 可

⑤ (○)

> 「개인정보 보호법」 제51조 【단체소송의 대상 등】 다음 각 호의 어느 하나에 해당하는 단체는 개인정보처리자가 제49조에 따른 집단분쟁조정을 거부하거나 집단분쟁조정의 결과를 수락하지 아니한 경우에는 법원에 권리침해 행위의 금지·중지를 구하는 소송(이하 "단체소송"이라 한다)을 제기할 수 있다.

답 ④

021

「개인정보 보호법」에 대한 설명으로 옳지 않은 것은? (다툼이 있는 경우 판례에 의함)

① 개인정보자기결정권의 보호대상이 되는 개인정보는 공적 생활에서 형성되었거나 이미 공개된 개인정보까지도 포함한다.
② 개인정보 분쟁조정위원회는 집단분쟁조정의 당사자인 다수의 정보주체 중 일부의 정보주체가 법원에 소를 제기한 경우에는 그 조정절차를 중지하고, 이를 당사자에게 알려야 한다.
③ 개인정보 분쟁조정위원회 위원장은 위원 중에서 공무원이 아닌 사람으로 개인정보 보호위원회 위원장이 위촉한다.
④ 개인정보를 처리하거나 처리하였던 자로부터 직접 개인정보를 제공받지 아니하더라도, 개인정보를 처리하거나 처리하였던 자가 업무상 알게 된 개인정보를 누설하거나 권한 없이 다른 사람이 이용하도록 제공한 것이라는 사정을 알면서도 영리 또는 부정한 목적으로 개인정보를 제공받은 자라면, 「개인정보 보호법」상 벌칙의 대상자가 된다.

| 2019년 소방직

① (○) 헌재 2005.5.26. 99헌마513·2004헌마190
② (×)

> 「개인정보 보호법」 제49조 【집단분쟁조정】 ⑥ 제48조 제2항에도 불구하고 분쟁조정위원회는 집단분쟁조정의 당사자인 다수의 정보주체 중 일부의 정보주체가 법원에 소를 제기한 경우에는 그 절차를 중지하지 아니하고, 소를 제기한 일부의 정보주체를 그 절차에서 제외한다.

③ (○)

> 「개인정보 보호법」 제40조 【설치 및 구성】 ① 개인정보에 관한 분쟁의 조정(調停)을 위하여 개인정보 분쟁조정위원회(이하 "분쟁조정위원회"라 한다)를 둔다.
> ④ 위원장은 위원 중에서 공무원이 아닌 사람으로 보호위원회 위원장이 위촉한다.

④ (○)

> 「개인정보 보호법」 제71조 【벌칙】 다음 각 호의 어느 하나에 해당하는 자는 5년 이하의 징역 또는 5천만원 이하의 벌금에 처한다.
> 9. 제59조 제2호를 위반하여 업무상 알게 된 개인정보를 누설하거나 권한 없이 다른 사람이 이용하도록 제공한 자 및 그 사정을 알면서도 영리 또는 부정한 목적으로 개인정보를 제공받은 자

답 ②

022

「개인정보 보호법」에 대한 설명으로 옳지 않은 것은?

① 「개인정보 보호법」상 개인정보는 살아 있는 개인에 대한 정보를 대상으로 하므로 법인과 사자(死者)의 정보는 포함되지 않는다.
② 「개인정보 보호법」은 공공기관이 아닌 민간에 의하여 처리되는 정보까지 보호대상으로 하지 않는다.
③ 「행정절차법」도 사생활이나 경영상 또는 거래상의 비밀누설금지 등 개인정보 보호에 관한 규정을 두고 있다.
④ 정보주체는 개인정보처리자가 「개인정보 보호법」을 위반한 행위로 손해를 입으면 개인정보처리자에게 손해배상을 청구할 수 있다. 이 경우 그 개인정보처리자는 고의 또는 과실이 없음을 입증하지 아니하면 책임을 면할 수 없다.

문제 DATA
출제가능 지수 ▶▶▷
난이도 지수 ★★☆

2019년 군무원 9급

① (○) 시험 시행 이후 법이 개정되어 가명처리, 가명정보에 관한 내용이 추가되었으나 살아있는 개인에 관한 정보만이 「개인정보 보호법」에 의해 보호되는 개인정보에 해당한다는 것은 변경이 없으므로, 정답은 동일하다.

> 「개인정보 보호법」 제2조【정의】이 법에서 사용하는 용어의 뜻은 다음과 같다.
> 1. "개인정보"란 살아 있는 개인에 관한 정보로서 다음 각 목의 어느 하나에 해당하는 정보를 말한다.
>   가. 성명, 주민등록번호 및 영상 등을 통하여 개인을 알아볼 수 있는 정보
>   나. 해당 정보만으로는 특정 개인을 알아볼 수 없더라도 다른 정보와 쉽게 결합하여 알아볼 수 있는 정보. 이 경우 쉽게 결합할 수 있는지 여부는 다른 정보의 입수 가능성 등 개인을 알아보는 데 소요되는 시간, 비용, 기술 등을 합리적으로 고려하여야 한다.
>   다. 가목 또는 나목을 제1호의2에 따라 가명처리함으로써 원래의 상태로 복원하기 위한 추가 정보의 사용·결합 없이는 특정 개인을 알아볼 수 없는 정보(이하 "가명정보"라 한다)
> 1의2. "가명처리"란 개인정보의 일부를 삭제하거나 일부 또는 전부를 대체하는 등의 방법으로 추가 정보가 없이는 특정 개인을 알아볼 수 없도록 처리하는 것을 말한다.

② (×) 현행 「개인정보 보호법」은 공공기관에 의해 처리되는 정보뿐만 아니라 사인(민간)에 의해 처리되는 정보까지 보호대상으로 하고 있다.

③ (○) 시험 시행 이후 법이 개정되어 비밀유지 조항에 의견제출도 추가되었으나 정답은 동일하다.

> 「행정절차법」 제37조【문서의 열람 및 비밀유지】⑥ 누구든지 의견제출 또는 청문을 통하여 알게 된 사생활이나 경영상 또는 거래상의 비밀을 정당한 이유 없이 누설하거나 다른 목적으로 사용하여서는 아니 된다.

[유제] 14. 국가직 9급 「행정절차법」도 비밀누설금지·목적 외 사용금지 등 개인의 정보 보호에 관한 규정을 두고 있다. (○)

④ (○)

> 「개인정보 보호법」 제39조【손해배상책임】① 정보주체는 개인정보처리자가 이 법을 위반한 행위로 손해를 입으면 개인정보처리자에게 손해배상을 청구할 수 있다. 이 경우 그 개인정보처리자는 고의 또는 과실이 없음을 입증하지 아니하면 책임을 면할 수 없다.

답 ②

함께 정리하기

「개인정보 보호법」

「개인정보 보호법」상 개인정보
▷ 법인과 사자(死者)의 정보는 포함×

「개인정보 보호법」
▷ 민간에 의하여 처리되는 정보도 보호대상○

「행정절차법」도 개인정보 보호에 관한 규정 有

손배청구 시
▷ 개인정보처리자가 고의·과실 없음 입증해야 면책

023

「개인정보 보호법」에 대한 설명으로 옳지 않은 것은? (다툼이 있는 경우 판례에 의함)

① 개인정보를 처리하거나 처리하였던 자가 업무상 알게 된 개인정보를 누설하거나 권한 없이 다른 사람이 이용하도록 제공한 것이라는 사정을 알면서도 영리 또는 부정한 목적으로 개인정보를 제공받은 자라면, 개인정보를 처리하거나 처리하였던 자로부터 직접 개인정보를 제공받지 아니하더라도 '개인정보를 제공 받은 자'에 해당한다.

② 이미 공개된 개인정보를 정보주체의 동의가 있었다고 객관적으로 인정되는 범위 내에서 수집·이용·제공 등 처리를 할 때는 정보주체의 별도의 동의는 불필요하다고 보아야 한다.

③ 피해자의 의사와 무관하게 주민등록번호가 유출된 경우에는 조리상 주민등록번호의 변경을 요구할 신청권을 인정함이 타당하고, 구청장의 주민등록번호 변경신청 거부행위는 항고소송의 대상이 되는 행정처분에 해당한다.

④ 개인정보처리자의 고의 또는 중대한 과실로 인하여 개인정보가 분실·도난·유출·위조·변조 또는 훼손된 경우로서 정보주체에게 손해가 발생한 때에는 법원은 그 손해액의 5배를 넘지 아니하는 범위에서 손해배상액을 정할 수 있다. 이 경우 일반손해배상을 청구한 정보주체는 사실심변론종결시까지 법정손해배상의 청구로 변경할 수 없다.

2019년 군무원 9급 변형

① (○) 개인정보를 처리하거나 처리하였던 자가 업무상 알게 된 개인정보를 누설하거나 권한 없이 다른 사람이 이용하도록 제공한 것이라는 사정을 알면서도 영리 또는 부정한 목적으로 개인정보를 제공받은 자라면, 개인정보를 처리하거나 처리하였던 자로부터 직접 개인정보를 제공받지 아니하더라도 개인정보 보호법 제71조 제5호의 '개인정보를 제공받은 자'에 해당한다(대판 2018.1.24. 2015도16508).

② (○) 대판 2016.8.17. 2014다235080

③ (○) 대판 2017.6.15. 2013두2945

④ (×) 일반손해배상을 청구한 정보주체는 사실심변론종결시까지 법정손해배상의 청구로 변경할 수 있다. 개정법에 맞추어 지문을 변형하였으나 정답에는 변동이 없다.

> 「개인정보 보호법」제39조【손해배상책임】③ 개인정보처리자의 고의 또는 중대한 과실로 인하여 개인정보가 분실·도난·유출·위조·변조 또는 훼손된 경우로서 정보주체에게 손해가 발생한 때에는 법원은 그 손해액의 5배를 넘지 아니하는 범위에서 손해배상액을 정할 수 있다. 다만, 개인정보처리자가 고의 또는 중대한 과실이 없음을 증명한 경우에는 그러하지 아니하다.
> 제39조의2【법정손해배상의 청구】① 제39조 제1항에도 불구하고 정보주체는 개인정보처리자의 고의 또는 과실로 인하여 개인정보가 분실·도난·유출·위조·변조 또는 훼손된 경우에는 300만원 이하의 범위에서 상당한 금액을 손해액으로 하여 배상을 청구할 수 있다. 이 경우 해당 개인정보처리자는 고의 또는 과실이 없음을 입증하지 아니하면 책임을 면할 수 없다.
> ② 법원은 제1항에 따른 청구가 있는 경우에 변론 전체의 취지와 증거조사의 결과를 고려하여 제1항의 범위에서 상당한 손해액을 인정할 수 있다.
> ③ 제39조에 따라 손해배상을 청구한 정보주체는 사실심(事實審)의 변론이 종결되기 전까지 그 청구를 제1항에 따른 청구로 변경할 수 있다.

유제 19. 경찰 2차 변형 「개인정보 보호법」에 따르면, 개인정보처리자의 고의 또는 중대한 과실로 인하여 개인정보가 분실·도난·유출·위조·변조 또는 훼손된 경우로서 정보주체에게 손해가 발생한 때에는 법원은 그 손해액의 5배를 넘지 아니하는 범위에서 손해배상액을 정할 수 있다. (○)

18. 서울시 7급 변형 개인정보처리자의 고의 또는 중대한 과실로 인하여 개인정보가 유출된 경우로서 정보주체에게 손해가 발생한 때에는 법원은 그 손해액의 5배를 넘지 아니하는 범위에서 손해배상액을 정할 수 있다. (○)

답 ④

문제 DATA
출제가능 지수 ▶▶▷
난이도 지수 ★★☆

함께 정리하기
「개인정보 보호법」
누설 정보임을 알면서도 영리 또는 부정 목적으로 제공받은 자
▷ 정보처리자로부터 직접 제공받지 않은 경우에도 개인정보를 제공받은 자 해당

이미 공개된 개인정보를 동의가 있었다고 객관적으로 인정되는 범위 내에서 처리
▷ 별도동의 不要

개인정보 불법유출로 인한 주민등록번호 변경신청거부
▷ 행정처분○

일반손해배상 청구한 정보주체
▷ 사실심변론종시까지 법정손해배상 청구로 변경 可

024 □□□

정보공개와 개인정보 보호에 대한 설명으로 가장 옳지 않은 것은? (다툼이 있는 경우 판례에 의함)

① 「공공기관의 정보공개에 관한 법률」상 비공개 대상 정보에는 성명·주민등록번호 등 「개인정보 보호법」 제2조 제1호에 따른 개인정보로서 공개될 경우 사생활의 비밀 또는 자유를 침해할 우려가 있다고 인정되는 정보도 포함된다.

② 불기소처분의 기록 중 피의자신문조서 등에 기재된 피의자 등의 인적사항 이외의 진술 내용 역시 개인의 사생활의 비밀 또는 자유를 침해할 우려가 인정되는 경우 「공공기관의 정보공개에 관한 법률」상 비공개 대상 정보에 해당된다.

③ 「개인정보 보호법」에 따르면, '개인정보처리자의 정당한 이익을 달성하기 위하여 필요한 경우로서 명백하게 정보주체의 권리보다 우선하는 경우'라도, 그 개인정보의 수집·이용은 위법한 것으로 평가된다.

④ 「개인정보 보호법」에 따르면, 개인정보처리자의 고의 또는 중대한 과실로 인하여 개인정보가 분실·도난·유출·위조·변조 또는 훼손된 경우로서 정보주체에게 손해가 발생한 때에는 법원은 그 손해액의 5배를 넘지 아니하는 범위에서 손해배상액을 정할 수 있다.

문제 DATA
출제가능 지수 ▶▶Σ
난이도 지수 ★★☆

함께 정리하기

정보공개와 개인정보 보호

정보공개법상 비공개대상정보
▷ 「개인정보 보호법」에 따른 개인정보로서 공개될 경우 사생활 비밀·자유 침해우려정보 포함

불기소처분기록 중 인적사항 이외의 진술내용
▷ 비공개대상정보 可

개인정보처리자의 정당이익 위하여 필요 & 명백히 정보주체의 권리보다 우선
▷ 개인정보의 수집·이용 可

개인정보처리자의 고의·중과실로 손해 발생
▷ 손해액의 3배 한도에서 손해배상액 인정 可

2019년 경찰 2차 변형

① (○) 시험 시행 이후 법이 개정되어 '성명·주민등록번호 등 개인에 관한 사항'이 '성명·주민등록번호 등 「개인정보 보호법」 제2조 제1호에 따른 개인정보'로 변경됨에 따라 개정법에 맞게 지문을 변형하였으므로 옳은 지문이다.

> 「공공기관의 정보공개에 관한 법률」 제9조 【비공개 대상 정보】 ① 공공기관이 보유·관리하는 정보는 공개 대상이 된다. 다만, <u>다음 각 호의 어느 하나에 해당하는 정보는 공개하지 아니할 수 있다.</u>
> 6. 해당 정보에 포함되어 있는 <u>성명·주민등록번호 등 「개인정보 보호법」 제2조 제1호에 따른 개인정보로서 공개될 경우 사생활의 비밀 또는 자유를 침해할 우려가 있다고 인정되는 정보</u>

유지 14. 경찰 2차 변형 성명·주민등록번호 등 「개인정보 보호법」 제2조 제1호에 따른 개인정보는 「공공기관의 정보공개에 관한 법률」상 비공개대상정보 유형에 해당한다. (○)

② (○) 불기소처분 기록 중 피의자신문조서 등에 기재된 피의자 등의 인적사항 이외의 진술 내용 역시 개인의 사생활의 비밀 또는 자유를 침해할 우려가 인정되는 경우 정보공개법 제9조 제1항 제6호 본문 소정의 비공개 대상에 해당한다(대판 2012.6.18. 2011두2361 전합).

③ (×)

> 「개인정보 보호법」 제15조 【개인정보의 수집·이용】 ① <u>개인정보처리자는 다음 각 호의 어느 하나에 해당하는 경우에는 개인정보를 수집할 수 있으며 그 수집 목적의 범위에서 이용할 수 있다.</u>
> 6. 개인정보처리자의 정당한 이익을 달성하기 위하여 필요한 경우로서 <u>명백하게 정보주체의 권리보다 우선하는 경우</u>. 이 경우 개인정보처리자의 정당한 이익과 상당한 관련이 있고 합리적인 범위를 초과하지 아니하는 경우에 한한다.

④ (○) 시험이후 23년 개정법에서 손해배상액이 손해액의 3배에서 5배로 개정되었다. 개정법에 맞게 지문을 변형하였다.

> 「개인정보 보호법」 제39조 【손해배상책임】 ③ 개인정보처리자의 고의 또는 중대한 과실로 인하여 개인정보가 분실·도난·유출·위조·변조 또는 훼손된 경우로서 정보주체에게 손해가 발생한 때에는 <u>법원은 그 손해액의 5배를 넘지 아니하는 범위에서 손해배상액을 정할 수 있다.</u> 다만, 개인정보처리자가 고의 또는 중대한 과실이 없음을 증명한 경우에는 그러하지 아니하다.

답 ③

문제 DATA

출제가능 지수 ▶▶▷
난이도 지수 ★★☆

025 □□□

「개인정보 보호법」상 개인정보 보호에 대한 설명으로 옳지 않은 것은? (다툼이 있는 경우 판례에 의함)

① 헌법재판소는 개인정보자기결정권을 사생활의 비밀과 자유, 일반적 인격권 등을 이념적 기초로 하는 독자적 기본권으로서 헌법에 명시되지 않은 기본권으로 보고 있다.
② 「개인정보 보호법」에는 개인정보 단체소송을 제기할 수 있는 단체에 대한 제한을 두고 있지 않으므로 법인격이 있는 단체라면 어느 단체든지 권리침해 행위의 금지·중지를 구하는 소송을 제기할 수 있다.
③ 개인정보처리자의 「개인정보 보호법」 위반행위로 손해를 입은 정보주체는 개인정보처리자에게 손해배상을 청구할 수 있고, 그 개인정보처리자는 고의 또는 과실이 없음을 입증하지 않으면 책임을 면할 수 없다.
④ 「개인정보 보호법」은 집단분쟁조정제도에 대하여 규정하고 있다.

2018년 국가직 9급

① (○) 헌재 2005.5.26. 2004헌마190
② (×) 「개인정보 보호법」은 개인정보 단체소송을 제기할 수 있는 단체에 대한 제한을 두고 있다.

> 「개인정보 보호법」 제51조【단체소송의 대상 등】 다음 각 호의 어느 하나에 해당하는 단체는 개인정보처리자가 제49조에 따른 집단분쟁조정을 거부하거나 집단분쟁조정의 결과를 수락하지 아니한 경우에는 법원에 권리침해 행위의 금지·중지를 구하는 소송(이하 "단체소송"이라 한다)을 제기할 수 있다.
> 1. 「소비자기본법」 제29조에 따라 공정거래위원회에 등록한 소비자단체로서 다음 각 목의 요건을 모두 갖춘 단체
>   가. 정관에 따라 상시적으로 정보주체의 권익증진을 주된 목적으로 하는 단체일 것
>   나. 단체의 정회원수가 1천명 이상일 것
>   다. 「소비자기본법」 제29조에 따른 등록 후 3년이 경과하였을 것
> 2. 「비영리민간단체 지원법」 제2조에 따른 비영리민간단체로서 다음 각 목의 요건을 모두 갖춘 단체
>   가. 법률상 또는 사실상 동일한 침해를 입은 100명 이상의 정보주체로부터 단체소송의 제기를 요청받을 것
>   나. 정관에 개인정보 보호를 단체의 목적으로 명시한 후 최근 3년 이상 이를 위한 활동실적이 있을 것
>   다. 단체의 상시 구성원수가 5천명 이상일 것
>   라. 중앙행정기관에 등록되어 있을 것

③ (○)

> 「개인정보 보호법」 제39조【손해배상책임】 ① 정보주체는 개인정보처리자가 이 법을 위반한 행위로 손해를 입으면 개인정보처리자에게 손해배상을 청구할 수 있다. 이 경우 그 개인정보처리자는 고의 또는 과실이 없음을 입증하지 아니하면 책임을 면할 수 없다.

④ (○)

> 「개인정보 보호법」 제49조【집단분쟁조정】 ① 국가 및 지방자치단체, 개인정보 보호단체 및 기관, 정보주체, 개인정보처리자는 정보주체의 피해 또는 권리침해가 다수의 정보주체에게 같거나 비슷한 유형으로 발생하는 경우로서 대통령령으로 정하는 사건에 대하여는 분쟁조정위원회에 일괄적인 분쟁조정(이하 "집단분쟁조정"이라 한다)을 의뢰 또는 신청할 수 있다.

유제 13. 국회직 9급 국가 및 지방자치단체, 개인정보 보호단체 및 기관, 정보주체, 개인정보처리자는 정보주체의 피해 또는 권리침해가 다수의 정보주체에게 같거나 비슷한 유형으로 발생하는 경우로서 일정한 사건에 대하여는 분쟁조정위원회에 집단분쟁조정을 의뢰 또는 신청할 수 있다. (○)

답 ②

함께 정리하기

「개인정보 보호법」

헌법재판소
▷ 개인정보자기결정권 독자적 기본권으로 인정

단체소송
▷ 제51조 요건 충족하는 단체여야 함

손배청구 시
▷ 개인정보처리자가 고의·과실 없음 입증해야 면책

집단분쟁조정제도 규정 有

026

「개인정보 보호법」에 대한 설명으로 옳지 않은 것은? (다툼이 있는 경우 판례에 의함)

① 시장·군수 또는 구청장이 개인의 지문정보를 수집하고, 경찰청장이 이를 보관·전산화하여 범죄수사 목적에 이용하는 것은 모두 개인정보자기결정권을 제한하는 것이다.
② 개인정보자기결정권의 보호대상이 되는 개인정보는 개인의 신체, 신념, 사회적 지위, 신분 등과 같이 개인의 인격주체성을 특징짓는 사항으로서 그 개인의 동일성을 식별할 수 있는 일체의 정보이고, 이미 공개된 개인정보는 포함하지 않는다.
③ 「개인정보 보호법」을 위반한 개인정보처리자의 행위로 손해를 입은 정보주체가 개인정보처리자에게 손해배상을 청구한 경우, 그 개인정보처리자는 고의 또는 과실이 없음을 입증하지 아니하면 책임을 면할 수 없다.
④ 법인의 정보는 「개인정보 보호법」의 보호대상이 아니다.

2018년 지방직 7급

① (○) 개인정보자기결정권은 자신에 관한 정보가 언제 누구에게 어느 범위까지 알려지고 또 이용되도록 할 것인지를 그 정보주체가 스스로 결정할 수 있는 권리, 즉 정보주체가 개인정보의 공개와 이용에 관하여 스스로 결정할 권리를 말하는바, 개인의 고유성, 동일성을 나타내는 지문은 그 정보주체를 타인으로부터 식별가능하게 하는 개인정보이므로, 시장·군수 또는 구청장이 개인의 지문정보를 수집하고, 경찰청장이 이를 보관·전산화하여 범죄수사목적에 이용하는 것은 모두 개인정보자기결정권을 제한하는 것이다(헌재 2005.5.26. 99헌마513·2004헌마190).

유제 21. 지방직 9급 개인의 고유성, 동일성을 나타내는 지문은 그 정보주체를 타인으로부터 식별가능하게 하는 개인정보이다. (○)
16. 교행 판례는 지문(指紋)을 개인정보에 해당하지 않는 것으로 본다. (×)

② (×) 헌재 2005.5.26. 99헌마513·2004헌마190
③ (○)

> 「개인정보 보호법」 제39조【손해배상책임】① 정보주체는 개인정보처리자가 이 법을 위반한 행위로 손해를 입으면 개인정보처리자에게 손해배상을 청구할 수 있다. 이 경우 그 개인정보처리자는 고의 또는 과실이 없음을 입증하지 아니하면 책임을 면할 수 없다.

④ (○) 시험 시행 이후 법이 개정되어 가명처리, 가명정보에 관한 내용이 추가되었으나 살아있는 개인에 관한 정보만이 「개인정보 보호법」에 의해 보호되는 개인정보에 해당된다는 것은 변경이 없으므로, 정답은 동일하다.

> 「개인정보 보호법」 제2조【정의】이 법에서 사용하는 용어의 뜻은 다음과 같다.
> 1. "개인정보"란 살아 있는 개인에 관한 정보로서 다음 각 목의 어느 하나에 해당하는 정보를 말한다.
>   가. 성명, 주민등록번호 및 영상 등을 통하여 개인을 알아볼 수 있는 정보
>   나. 해당 정보만으로는 특정 개인을 알아볼 수 없더라도 다른 정보와 쉽게 결합하여 알아볼 수 있는 정보. 이 경우 쉽게 결합할 수 있는지 여부는 다른 정보의 입수 가능성 등 개인을 알아보는 데 소요되는 시간, 비용, 기술 등을 합리적으로 고려하여야 한다.
>   다. 가목 또는 나목을 제1호의2에 따라 가명처리함으로써 원래의 상태로 복원하기 위한 추가 정보의 사용·결합 없이는 특정 개인을 알아볼 수 없는 정보(이하 "가명정보"라 한다)
> 1의2. "가명처리"란 개인정보의 일부를 삭제하거나 일부 또는 전부를 대체하는 등의 방법으로 추가 정보가 없이는 특정 개인을 알아볼 수 없도록 처리하는 것을 말한다.

답 ②

문제 DATA
출제가능 지수 ▶▶▷
난이도 지수 ★★☆

함께 정리하기

「개인정보 보호법」

지문 수집·이용
▷ 개인정보자기결정권 제한

개인정보자기결정권의 보호대상이 되는 개인정보
▷ 이미 공개된 개인정보 포함

손배청구 시
▷ 개인정보처리자가 고의·과실 없음 입증해야 면책

법인의 정보
▷ 「개인정보 보호법」 보호대상 ×

027

「개인정보 보호법」의 내용으로 가장 옳지 않은 것은?

① 개인정보는 살아 있는 개인에 관한 정보로서 성명, 주민등록번호 및 영상 등을 통하여 개인을 알아볼 수 있는 정보이며, 해당 정보만으로는 특정 개인을 알아볼 수 없다면, 다른 정보와 쉽게 결합하여 그 개인을 알아볼 수 있는 경우라도 개인정보라 할 수 없다.
② 개인정보처리자는 법령상 의무를 준수하기 위하여 불가피한 경우에는 개인정보를 수집할 수 있으며 그 수집 목적의 범위 내에서 이용할 수 있다.
③ 개인정보처리자로부터 개인정보를 제공받은 자는 정보주체로부터 별도의 동의를 받은 경우나 다른 법률에 특별한 규정이 있는 경우를 제외하고는 개인정보를 제공받은 목적 외의 용도로 이용하거나 이를 제3자에게 제공하여서는 아니 된다.
④ 개인정보처리자의 고의 또는 중대한 과실로 인하여 개인정보가 유출된 경우로서 정보주체에게 손해가 발생한 때에는 법원은 그 손해액의 5배를 넘지 아니하는 범위에서 손해배상액을 정할 수 있다.

2018년 서울시 7급 변형

① (×) 시험 시행 이후 법이 개정되어 가명처리, 가명정보에 관한 내용이 추가되었다. 구법 내용은 변경이 없으므로 정답은 동일하다.

> 「개인정보 보호법」 제2조 【정의】 이 법에서 사용하는 용어의 뜻은 다음과 같다.
> 1. "개인정보"란 살아 있는 개인에 관한 정보로서 다음 각 목의 어느 하나에 해당하는 정보를 말한다.
>   가. 성명, 주민등록번호 및 영상 등을 통하여 개인을 알아볼 수 있는 정보
>   나. 해당 정보만으로는 특정 개인을 알아볼 수 없더라도 다른 정보와 쉽게 결합하여 알아볼 수 있는 정보. 이 경우 쉽게 결합할 수 있는지 여부는 다른 정보의 입수 가능성 등 개인을 알아보는 데 소요되는 시간, 비용, 기술 등을 합리적으로 고려하여야 한다.
>   다. 가목 또는 나목을 제1호의2에 따라 가명처리함으로써 원래의 상태로 복원하기 위한 추가 정보의 사용·결합 없이는 특정 개인을 알아볼 수 없는 정보(이하 "가명정보"라 한다)
> 1의2. "가명처리"란 개인정보의 일부를 삭제하거나 일부 또는 전부를 대체하는 등의 방법으로 추가 정보가 없이는 특정 개인을 알아볼 수 없도록 처리하는 것을 말한다.

② (○)

> 「개인정보 보호법」 제15조 【개인정보의 수집·이용】 ① 개인정보처리자는 다음 각 호의 어느 하나에 해당하는 경우에는 개인정보를 수집할 수 있으며 그 수집 목적의 범위에서 이용할 수 있다.
> 2. 법률에 특별한 규정이 있거나 법령상 의무를 준수하기 위하여 불가피한 경우

③ (○)

> 「개인정보 보호법」 제19조 【개인정보를 제공받은 자의 이용·제공 제한】 개인정보처리자로부터 개인정보를 제공받은 자는 다음 각 호의 어느 하나에 해당하는 경우를 제외하고는 개인정보를 제공받은 목적 외의 용도로 이용하거나 이를 제3자에게 제공하여서는 아니 된다.
> 1. 정보주체로부터 별도의 동의를 받은 경우
> 2. 다른 법률에 특별한 규정이 있는 경우

④ (○) 시험 이후 2023년 개정법에서 손해배상액이 손해액의 3배에서 5배로 개정되었다. 개정법에 맞게 지문을 변형하였다.

> 「개인정보 보호법」 제39조 【손해배상책임】 ③ 개인정보처리자의 고의 또는 중대한 과실로 인하여 개인정보가 분실·도난·유출·위조·변조 또는 훼손된 경우로서 정보주체에게 손해가 발생한 때에는 법원은 그 손해액의 5배를 넘지 아니하는 범위에서 손해배상액을 정할 수 있다. 다만, 개인정보처리자가 고의 또는 중대한 과실이 없음을 증명한 경우에는 그러하지 아니하다.

답 ①

문제 DATA

출제가능 지수 ▶▶▷
난이도 지수 ★★☆

함께 정리하기

「개인정보 보호법」

다른 정보와 쉽게 결합하여 개인을 알아볼 수 있는 경우
▷ 개인정보 해당

법령상 의무를 준수하기 위하여 불가피한 경우
▷ 개인정보 수집·이용 가

개인정보를 제공받은 자
▷ 정보주체 동의 또는 법률규정 있는 경우 제외 목적 외 이용·제공 금지

개인정보처리자의 고의·중과실로 손해 발생
▷ 손해액의 5배 한도에서 손해배상액 인정 가

028

「개인정보 보호법」상 개인정보의 처리와 보호에 대한 설명으로 옳은 것(○)과 옳지 않은 것(×)을 바르게 연결한 것은? (다툼이 있는 경우 판례에 의함)

> ㄱ. 개인정보는 살아 있는 개인에 관한 정보로서 성명, 주민등록번호 및 영상 등을 통하여 개인을 알아볼 수 있는 정보를 말하며 해당 정보만으로 특정 개인을 알아볼 수 없더라도 다른 정보와 쉽게 결합하여 알아볼 수 있는 것을 포함한다.
> ㄴ. 자신의 개인정보를 열람한 정보주체는 개인정보처리자에게 직접 자신의 개인정보의 정정 또는 삭제를 요구할 수 없으며 개인정보 분쟁조정위원회를 통해서만 이를 요청할 수 있다.
> ㄷ. 개인정보처리자는 만 14세 미만 아동의 개인정보를 처리하기 위하여 「개인정보 보호법」에 따른 동의를 받아야 할 때에는 그 법정대리인의 동의를 받아야 하며, 법정대리인이 동의하였는지를 확인하여야 한다. 이 경우 법정대리인의 동의를 받기 위하여 필요한 최소한의 정보로서 대통령령으로 정하는 정보는 법정대리인의 동의 없이 해당 아동으로부터 직접 수집할 수 있다.
> ㄹ. 개인정보 단체소송의 원고는 변호사를 소송대리인으로 선임하여야 한다.

	ㄱ	ㄴ	ㄷ	ㄹ
①	×	○	○	○
②	○	×	×	×
③	○	×	○	○
④	×	×	○	○

2018년 경찰 2차 변형

ㄱ. (○) 시험 시행 이후 가명처리, 가명정보에 관한 내용이 추가되었으나 구법 내용은 변경이 없으므로 정답은 동일하다.

> 「개인정보 보호법」 제2조【정의】이 법에서 사용하는 용어의 뜻은 다음과 같다.
> 1. "개인정보"란 살아 있는 개인에 관한 정보로서 다음 각 목의 어느 하나에 해당하는 정보를 말한다.
>   가. 성명, 주민등록번호 및 영상 등을 통하여 개인을 알아볼 수 있는 정보
>   나. 해당 정보만으로는 특정 개인을 알아볼 수 없더라도 다른 정보와 쉽게 결합하여 알아볼 수 있는 정보. 이 경우 쉽게 결합할 수 있는지 여부는 다른 정보의 입수 가능성 등 개인을 알아보는 데 소요되는 시간, 비용, 기술 등을 합리적으로 고려하여야 한다.
>   다. 가목 또는 나목을 제1호의2에 따라 가명처리함으로써 원래의 상태로 복원하기 위한 추가 정보의 사용·결합 없이는 특정 개인을 알아볼 수 없는 정보(이하 "가명정보"라 한다)
> 1의2. "가명처리"란 개인정보의 일부를 삭제하거나 일부 또는 전부를 대체하는 등의 방법으로 추가 정보가 없이는 특정 개인을 알아볼 수 없도록 처리하는 것을 말한다.

ㄴ. (×)

> 「개인정보 보호법」 제36조【개인정보의 정정·삭제】① 제35조에 따라 자신의 개인정보를 열람한 정보주체는 개인정보처리자에게 그 개인정보의 정정 또는 삭제를 요구할 수 있다.

ㄷ. (○) 지문을 개정법에 맞게 변형하였다.

> 「개인정보 보호법」 제22조의2【아동의 개인정보 보호】① 개인정보처리자는 만 14세 미만 아동의 개인정보를 처리하기 위하여 이 법에 따른 동의를 받아야 할 때에는 그 법정대리인의 동의를 받아야 하며, 법정대리인이 동의하였는지를 확인하여야 한다.
> ② 제1항에도 불구하고 법정대리인의 동의를 받기 위하여 필요한 최소한의 정보로서 대통령령으로 정하는 정보는 법정대리인의 동의 없이 해당 아동으로부터 직접 수집할 수 있다.

유제 17. 5급 승진 개인정보처리자는 만 14세 미만 아동의 개인정보처리를 위한 법정대리인의 동의를 받기 위하여 필요한 최소한의 정보는 법정대리인의 동의를 얻지 않으면 해당 아동으로부터 직접 수집할 수 없다. (×)

문제 DATA
출제가능 지수 ▶▶▷
난이도 지수 ★★☆

함께 정리하기

「개인정보 보호법」상 개인정보의 처리와 보호

다른 정보와 쉽게 결합하여 특정 개인을 알아볼 수 있는 정보
▷ 개인정보에 포함

자신의 개인정보를 열람한 정보주체
▷ 직접 개인정보의 정정·삭제를 요구 가

만 14세 미만 아동의 동의를 받아야 할 때
▷ 그 법정대리인의 동의를 받아야
▷ 법정대리인 동의 받기 위해 필요한 최소한의 정보는 아동으로부터 직접 수집 가

단체소송 원고
▷ 변호사를 소송대리인으로 선임해야 함

ㄹ. (○)

> 「개인정보 보호법」제53조【소송대리인의 선임】단체소송의 원고는 변호사를 소송대리인으로 선임하여야 한다.

답 ③

029

행정정보의 공개와 개인정보의 보호에 대한 설명으로 옳은 것은? (다툼이 있는 경우 판례에 의함)

① 개인정보의 열람청구와 삭제 또는 정정청구는 정보주체가 직접 하여야 하고 대리인에 의한 청구는 허용되지 않는다.
② 공공기관이 정보를 한때 보유·관리하였으나 후에 그 정보를 더 이상 보유·관리하고 있지 아니하다는 점에 대한 증명책임의 소재는 정보공개청구권자에게 있다.
③ 법인등이 거래하는 금융기관의 계좌번호에 관한 정보는 법인등의 영업상 비밀에 관한 사항으로서 공개될 경우 법인등의 정당한 이익을 현저히 해할 우려가 있다고 인정되는 정보에 해당한다.
④ 「검찰보존사무규칙」상의 정보의 열람·등사의 제한은 「공공기관의 정보공개에 관한 법률」제9조 제1항 제1호의 '다른 법률 또는 법률에 의한 명령에 의하여 비공개사항으로 규정된 경우'에 해당한다.

| 2017년 국가직 7급

① (×) 시험 시행 이후 내용이 추가되었으나, 정답은 동일하다.

> 「개인정보 보호법」제38조【권리행사의 방법 및 절차】① 정보주체는 제35조에 따른 열람, 제35조의2에 따른 전송, 제36조에 따른 정정·삭제, 제37조에 따른 처리정지 및 동의 철회, 제37조의2에 따른 거부·설명 등의 요구(이하 "열람등요구"라 한다)를 문서 등 대통령령으로 정하는 방법·절차에 따라 대리인에게 하게 할 수 있다.

② (×) 공개청구자는 그가 공개를 구하는 정보를 공공기관이 보유·관리하고 있을 상당한 개연성이 있다는 점에 대하여 입증할 책임이 있으나, 공개를 구하는 정보를 공공기관이 한때 보유·관리하였으나 후에 그 정보가 담긴 문서들이 폐기되어 존재하지 않게 된 것이라면 그 정보를 더 이상 보유·관리하고 있지 않다는 점에 대한 증명책임은 공공기관에 있다(대판 2004.12.9. 2003두12707).
③ (○) 법인등이 거래하는 금융기관의 계좌번호에 관한 정보는 법인등의 영업상 비밀에 관한 사항으로서 법인등의 이름과 결합하여 공개될 경우 당해 법인등의 영업상 지위가 위협받을 우려가 있다고 할 것이므로 위 정보는 법인등의 영업상 비밀에 관한 사항으로서 공개될 경우 법인등의 정당한 이익을 현저히 해할 우려가 있다고 인정되는 (비공개)정보에 해당한다(대판 2004.8.20. 2003두8302).
④ (×) 검찰보존사무규칙은 법무부령으로 되어 있으나, 그 중 재판확정기록 등의 열람·등사에 대하여 제한하고 있는 부분은 위임근거가 없어 행정기관 내부의 사무처리준칙으로서 행정규칙에 불과하므로, 위 규칙에 의한 열람·등사의 제한을 공공기관의 정보공개에 관한 법률 제4조 제1항의 '정보의 공개에 관하여 다른 법률에 특별한 규정이 있는 경우' 또는 제7조 제1항 제1호(현 제9조 제1항 제1호)의 '다른 법률 또는 법률에 의한 명령에 의하여 비공개사항으로 규정된 경우'에 해당한다고 볼 수는 없다(대판 2003.12.26. 2002두1342).

답 ③

문제 DATA
출제가능 지수 ▶▶▷
난이도 지수 ★★☆

함께 정리하기
행정정보공개와 개인정보 보호제도
열람·삭제·정정청구
▷ 대리인에 의한 청구 可

정보를 보유·관리하지 않는다는 증명책임
▷ 공공기관

법인등의 계좌번호는 영업상비밀
▷ 공개거부 可

검찰보존사무규칙은 행정규칙
▷ 이에 근거하여 비공개 不可

030 □□□

「개인정보 보호법」의 내용으로 옳은 것은?

① 개인정보처리자가 「개인정보 보호법」을 위반한 행위로 손해를 입힌 경우 정보주체는 손해배상을 청구할 수 있는데, 이때 개인정보처리자가 고의·과실이 없음에 대한 입증책임을 진다.
② 개인정보는 살아있는 개인뿐만 아니라 사망자의 성명, 주민등록번호 및 영상 등을 통하여 개인을 알아볼 수 있는 정보도 포함한다.
③ 「개인정보 보호법」의 대상정보의 범위에는 공공기관·법인·단체에 의하여 처리되는 정보가 포함되고, 개인에 의해서 처리되는 정보는 포함되지 않는다.
④ 개인정보처리자는 개인정보가 유출되었음을 알게 되었을 때에는 지체 없이 방송통신위원회 위원장에게 신고하여야 한다.

문제 DATA
출제가능 지수 ▶▶▷
난이도 지수 ★★☆

2017년 사회복지직

① (○)

> 「개인정보 보호법」 제39조 【손해배상책임】 ① 정보주체는 개인정보처리자가 이 법을 위반한 행위로 손해를 입으면 개인정보처리자에게 손해배상을 청구할 수 있다. 이 경우 그 개인정보처리자는 고의 또는 과실이 없음을 입증하지 아니하면 책임을 면할 수 없다.

② (×) 시험 시행 이후 가명처리, 가명정보에 관한 내용이 추가되었으나 살아있는 개인에 관한 정보만이 「개인정보 보호법」에 의해 보호되는 개인정보에 해당한다는 것은 변경이 없으므로, 정답은 동일하다.

> 「개인정보 보호법」 제2조 【정의】 이 법에서 사용하는 용어의 뜻은 다음과 같다.
> 1. "개인정보"란 살아 있는 개인에 관한 정보로서 다음 각 목의 어느 하나에 해당하는 정보를 말한다.
>   가. 성명, 주민등록번호 및 영상 등을 통하여 개인을 알아볼 수 있는 정보
>   나. 해당 정보만으로는 특정 개인을 알아볼 수 없더라도 다른 정보와 쉽게 결합하여 알아볼 수 있는 정보. 이 경우 쉽게 결합할 수 있는지 여부는 다른 정보의 입수 가능성 등 개인을 알아보는 데 소요되는 시간, 비용, 기술 등을 합리적으로 고려하여야 한다.
>   다. 가목 또는 나목을 제1호의2에 따라 가명처리함으로써 원래의 상태로 복원하기 위한 추가 정보의 사용·결합 없이는 특정 개인을 알아볼 수 없는 정보(이하 "가명정보"라 한다)
> 1의2. "가명처리"란 개인정보의 일부를 삭제하거나 일부 또는 전부를 대체하는 등의 방법으로 추가 정보 없이는 특정 개인을 알아볼 수 없도록 처리하는 것을 말한다.

③ (×) 개인에 의해서 처리되는 정보도 「개인정보 보호법」의 대상정보의 범위에 포함된다.

> 「개인정보 보호법」 제2조 【정의】 이 법에서 사용하는 용어의 뜻은 다음과 같다.
> 5. "개인정보처리자"란 업무를 목적으로 개인정보파일을 운용하기 위하여 스스로 또는 다른 사람을 통하여 개인정보를 처리하는 공공기관, 법인, 단체 및 개인 등을 말한다.

유제 16. 지방직 7급 개인정보처리자란 개인정보파일을 운용하기 위하여 스스로 개인정보를 처리하는 공공기관, 법인, 단체 및 개인 등을 말한다. (×)
14. 국가직 9급 「개인정보 보호법」은 공공기관에 의해 처리되는 정보뿐만 아니라 민간에 의해 처리되는 정보까지 보호대상으로 하고 있다. (○)
13. 경찰 2차, 12. 지방직 9급 개인정보처리자란 업무를 목적으로 개인정보파일을 운용하기 위하여 스스로 또는 다른 사람을 통하여 개인정보를 처리하는 공공기관, 법인, 단체 및 개인 등을 말한다. (○)

함께 정리하기

「개인정보 보호법」

정보주체의 손해배상 청구
▷ 고의·과실이 없음의 입증책임은 개인정보처리자 有

개인정보는 살아있는 개인에 관한 정보로 한정

「개인정보 보호법」 대상정보의 범위
▷ 공공기관 & 법인 & 단체 & 개인에 의해서 처리되는 정보 포함

개인정보처리자가 개인정보의 유출사실 인지
▷ 지체 없이 해당 정보주체에게 통지 要

④ (×) 개인정보가 유출되었음을 알게 되었을 때에는 지체 없이 해당 정보주체에게 통지해야 한다. 개정이 있었으나 지문의 정오에는 영향이 없다.

> 「개인정보 보호법」 제34조【개인정보 유출 등의 통지·신고】① 개인정보처리자는 개인정보가 분실·도난·유출(이하 이 조에서 "유출등"이라 한다)되었음을 알게 되었을 때에는 지체 없이 해당 정보주체에게 다음 각 호의 사항을 알려야 한다. 다만, 정보주체의 연락처를 알 수 없는 경우 등 정당한 사유가 있는 경우에는 대통령령으로 정하는 바에 따라 통지를 갈음하는 조치를 취할 수 있다.
> 1. 유출등이 된 개인정보의 항목
> 2. 유출등이 된 시점과 그 경위
> 3. 유출등으로 인하여 발생할 수 있는 피해를 최소화하기 위하여 정보주체가 할 수 있는 방법 등에 관한 정보
> 4. 개인정보처리자의 대응조치 및 피해 구제절차
> 5. 정보주체에게 피해가 발생한 경우 신고 등을 접수할 수 있는 담당부서 및 연락처
> ② 개인정보처리자는 개인정보가 유출등이 된 경우 그 피해를 최소화하기 위한 대책을 마련하고 필요한 조치를 하여야 한다.
> ③ 개인정보처리자는 개인정보의 유출등이 있음을 알게 되었을 때에는 개인정보의 유형, 유출등의 경로 및 규모 등을 고려하여 대통령령으로 정하는 바에 따라 제1항 각 호의 사항을 지체 없이 보호위원회 또는 대통령령으로 정하는 전문기관에 신고하여야 한다.
> ④ 제1항에 따른 유출등의 통지 및 제3항에 따른 유출등의 신고의 시기, 방법, 절차 등에 필요한 사항은 대통령령으로 정한다.

유제 18. 경찰 3차 개인정보처리자는 개인정보가 유출되었음을 알게 되었을 때에는 지체 없이 해당 정보주체에게 유출로 인하여 발생할 수 있는 피해를 최소화하기 위하여 정보주체가 할 수 있는 방법 등에 관한 정보 등을 알려야 한다. (○)

답 ①

031 □□□

「개인정보 보호법」상 개인정보 보호위원회에 대한 설명으로 옳은 것(○)과 옳지 않은 것(×)을 바르게 연결한 것은?

> ㄱ. 개인정보 보호에 관한 사항을 심의·의결하기 위하여 대통령 소속으로 개인정보 보호위원회(이하 "보호위원회"라 한다)를 둔다.
> ㄴ. 보호위원회는 위원장 1명, 비상임위원 1명을 포함한 15명 이내의 위원으로 구성하되, 비상임위원은 정무직 공무원으로 임명한다.
> ㄷ. 위원의 임기는 3년으로 하되, 한 차례만 연임할 수 있다.
> ㄹ. 보호위원회의 회의는 위원장이 필요하다고 인정하거나 재적위원 5분의 1 이상의 요구가 있는 경우에 위원장이 소집한다.
> ㅁ. 보호위원회는 재적위원 과반수의 출석과 출석위원 3분의 2 이상의 찬성으로 의결한다.

	ㄱ	ㄴ	ㄷ	ㄹ	ㅁ
①	○	○	○	×	×
②	×	×	○	×	×
③	○	×	×	○	○
④	×	○	×	○	○

문제 DATA
출제가능 지수 ▶▶∑
난이도 지수 ★★★

2017년 경찰 2차 변형

ㄱ. (×) 법개정에 의해 대통령 소속에서 국무총리 소속으로 변경되었다. 따라서 시험 당시에는 옳은 지문이었으나 현행법상으로는 옳지 않은 지문이다.

> 「개인정보 보호법」제7조【개인정보 보호위원회】① 개인정보 보호에 관한 사무를 독립적으로 수행하기 위하여 <u>국무총리 소속으로 개인정보 보호위원회(이하 "보호위원회"라 한다)를 둔다</u>.

ㄴ. (×) 시험 시행 당시에는 보호위원회를 위원장 1명, 상임위원 1명을 포함한 15명 이내의 위원으로 구성하되, 상임위원은 정무직 공무원으로 임명하도록 했으므로 옳지 않은 지문이었다. 개정법하에서 보호위원회는 상임위원 2명(위원장 1명, 부위원장 1명)을 포함한 9명의 위원으로 구성하고, 위원장과 부위원장은 정무직 공무원으로 임명하므로 여전히 옳지 않은 지문이다.

> 「개인정보 보호법」제7조의2【보호위원회의 구성 등】① <u>보호위원회는 상임위원 2명(위원장 1명, 부위원장 1명)을 포함한 9명의 위원으로 구성한다.</u>
> ③ <u>위원장과 부위원장은 정무직 공무원으로 임명한다</u>.
> ④ 위원장, 부위원장, 제7조의13에 따른 사무처의 장은 「정부조직법」제10조에도 불구하고 정부위원이 된다.

ㄷ. (○) 원 지문은 '위원장과 위원의 임기는 3년으로 하되, 1차에 한하여 연임할 수 있다.'였으나 개정법에 맞게 지문을 변형하였다.

> 「개인정보 보호법」제7조의4【위원의 임기】① <u>위원의 임기는 3년으로 하되, 한 차례만 연임할 수 있다</u>.

ㄹ, ㅁ (×)

> 「개인정보 보호법」제7조의10【회의】① 보호위원회의 회의는 위원장이 필요하다고 인정하거나 <u>재적위원 4분의 1 이상의 요구</u>가 있는 경우에 위원장이 소집한다.
> ② 위원장 또는 2명 이상의 위원은 보호위원회에 의안을 제의할 수 있다.
> ③ <u>보호위원회의 회의는 재적위원 과반수의 출석으로 개의하고, 출석위원 과반수의 찬성으로 의결한다</u>.

답 ②

📋 함께 정리하기

개인정보 보호위원회

국무총리 소속

구성
▷ 상임위원 2명(위원장 1명 + 부위원장 1명) 포함 9명 이내

상임위원
▷ 정무직공무원

위원장·위원임기
▷ 3년(1차에 한해 연임 可)

소집
▷ 위원장 or 재적 1/4 이상의 요구

의결
▷ 재적 과반 출석 + 출석 과반 찬성

제4편

행정의 실효성 확보수단

해커스공무원
함수민 행정법총론
단원별 기출문제집

제1장   행정강제
제2장   행정조사
제3장   행정벌
제4장   새로운 실효성 확보수단

제1장 행정강제

제1절 | 행정상 강제집행

I 대집행

001 ☐☐☐

행정대집행에 대한 설명으로 가장 옳지 않은 것은? (다툼이 있는 경우 판례에 의함)

① 법률에 의하여 직접 명령되었거나 또는 법률에 의거한 행정청의 명령에 의한 행위로서 타인이 대신하여 행할 수 있는 행위를 의무자가 이행하지 아니하는 경우 다른 수단으로써 그 이행을 확보하기 곤란하고 또한 그 불이행을 방치함이 심히 공익을 해할 것으로 인정될 때에는 당해 행정청은 스스로 의무자가 하여야 할 행위를 하거나 또는 제삼자로 하여금 이를 하게 하여 그 비용을 의무자로부터 징수할 수 있다.
② 행정대집행은 행정기관에 의해서 실시되어야 하며, 행정기관이 아닌 자에게 위탁할 수 없다.
③ 「행정대집행법」상 대집행의 대상이 되는 대체적 작위의무는 공법상 의무이어야 한다.
④ 도시공원시설 점유자의 퇴거 및 명도의무는 「행정대집행법」에 의한 대집행의 대상이 되지 못한다.

| 2025년 군무원 9급

① (○)

> 「행정대집행법」 제2조 【대집행과 그 비용징수】 법률(법률의 위임에 의한 명령, 지방자치단체의 조례를 포함한다. 이하 같다)에 의하여 직접명령되었거나 또는 법률에 의거한 행정청의 명령에 의한 행위로서 타인이 대신하여 행할 수 있는 행위를 의무자가 이행하지 아니하는 경우 다른 수단으로써 그 이행을 확보하기 곤란하고 또한 그 불이행을 방치함이 심히 공익을 해할 것으로 인정될 때에는 당해 행정청은 스스로 의무자가 하여야 할 행위를 하거나 또는 제삼자로 하여금 이를 하게 하여 그 비용을 의무자로부터 징수할 수 있다.

② (×) 행정기관이 아닌 제3자에게 위탁할 수 있다. 즉 행정대집행은 당해 행정청이 주체가 되지만, 행정청은 제3자(행정기관이 아닌 자 포함)에게 대집행을 위탁할 수 있다. 다만, 이러한 위탁은 대집행권한 자체를 이전하는 것이 아니라 행정보조자로서 대집행을 실행하도록 하는 사실상의 위탁(대집행 보조를 위한 위탁)이다.
③ (○) 대집행은 공법상 의무의 불이행을 대상으로 해야 한다. 따라서 사법상 의무의 불이행은 대집행의 대상이 되지 않는다. 다만, 「국유재산법」과 같이 「행정대집행법」을 준용하는 특별한 규정이 있다면 사법상 의무의 불이행도 대집행의 대상이 될 수 있다.
④ (○) 도시공원시설인 매점의 관리청이 그 공동점유자 중의 1인에 대하여 소정의 기간 내에 위 매점으로부터 퇴거하고 이에 부수하여 그 판매 시설물 및 상품을 반출하지 아니할 때에는 이를 대집행하겠다는 내용의 계고처분은 그 주된 목적이 매점의 원형을 보존하기 위하여 점유자가 설치한 불법 시설물을 철거하고자 하는 것이 아니라, 매점에 대한 점유자의 점유를 배제하고 그 점유이전을 받는 데 있다고 할 것인데, 이러한 의무는 그것을 강제적으로 실현함에 있어 직접적인 실력행사가 필요한 것이지 대체적 작위의무에 해당하는 것은 아니어서 직접강제의 방법에 의하는 것은 별론으로 하고 행정대집행법에 의한 대집행의 대상이 되는 것은 아니다(대판 1998.10.23. 97누157).

답 ②

문제 DATA

출제가능 지수 ▶▶▷
난이도 지수 ★★☆

함께 정리하기

행정대집행

대집행 대상
▷ 법률에 의해 직접 명령 or 법률에 의한 행정청의 명령에 따른 대체적 작위의무

대집행의 실행
▷ 행정기관 아닌 제3자에게 위탁 可

대집행 대상
▷ 공법상 대체적 작위의무 불이행

도시공원시설 명도·퇴거의무
▷ 대집행 불가
▷ 직접강제 ○

002

행정대집행에 대한 설명으로 옳지 않은 것은?

① 정당한 사유 없이 공유재산에 시설물을 설치한 경우 행정청은 행정대집행의 방법으로 이 시설물을 철거할 수 있고, 이러한 행정대집행이 인정되는 경우에는 민사소송의 방법으로 시설물의 철거를 구하는 것은 허용되지 아니한다.
② 건물의 점유자가 철거의무자일 때에도 건물철거의무에 퇴거의무가 포함되어 있지 않으므로 별도로 퇴거를 명하는 집행권원이 필요하다.
③ 아무런 권원 없이 국유재산에 설치한 시설물에 대하여 행정청이 행정대집행을 실시하지 않는 경우, 그 국유재산에 대한 사용청구권을 가지고 있는 자는 국가를 대위하여 민사소송으로 그 시설물의 철거를 구할 수 있다.
④ 공공사업에 필요한 토지와 건물을 사업시행자가 협의취득할 때 건물소유자가 매매대상 건물에 대한 철거의무를 부담하겠다는 취지의 약정을 하였다고 하더라도 이러한 철거의무는 「행정대집행법」에 의한 대집행의 대상이 되는 공법상의 의무가 아니다.

문제 DATA
출제가능 지수 ▶▶▷
난이도 지수 ★★☆

2024년 국가직 7급

① (○) 공유재산 및 물품 관리법 제83조 제1항은 "지방자치단체의 장은 정당한 사유 없이 공유재산을 점유하거나 공유재산에 시설물을 설치한 경우에는 원상복구 또는 시설물의 철거 등을 명하거나 이에 필요한 조치를 할 수 있다."라고 규정하고, 제2항은 "제1항에 따른 명령을 받은 자가 그 명령을 이행하지 아니할 때에는 '행정대집행법'에 따라 원상복구 또는 시설물의 철거 등을 하고 그 비용을 징수할 수 있다."라고 규정하고 있다. 위 규정에 따라 지방자치단체장은 행정대집행의 방법으로 공유재산에 설치한 시설물을 철거할 수 있고, 이러한 행정대집행의 절차가 인정되는 경우에는 민사소송의 방법으로 시설물의 철거를 구하는 것은 허용되지 아니한다(대판 2017.4.13. 2013다207941).
② (×) 관계법령상 행정대집행의 절차가 인정되어 행정청이 행정대집행의 방법으로 건물의 철거 등 대체적 작위의무의 이행을 실현할 수 있는 경우에는 따로 민사소송의 방법으로 그 의무의 이행을 구할 수 없다. 한편, 건물의 점유자가 철거의무자일 때에는 건물철거의무에 퇴거의무도 포함되어 있는 것이어서 별도로 퇴거를 명하는 집행권원이 필요하지 않다. 또한, 행정청이 건물소유자들을 상대로 건물철거 대집행을 실시하기에 앞서, 건물소유자들을 건물에서 퇴거시키기 위해 별도로 퇴거를 구하는 민사소송은 부적법하다(대판 2017.4.28. 2016다213916).
③ (○) (아무런 권원 없이 국유재산에 설치한 시설물에 대하여 행정청이 행정대집행을 실시하지 않는 경우, 그 국유재산에 대한 사용청구권을 가지고 있는 자가 국가를 대위하여 민사소송으로 그 시설물의 철거를 구할 수 있는지 여부) 관리권자인 보령시장이 행정대집행을 실시하지 아니하는 경우 국가에 대하여 이 사건 토지 사용청구권을 가지는 원고로서는 위 청구권을 보전하기 위하여 국가를 대위하여 피고들을 상대로 민사소송의 방법으로 이 사건 시설물의 철거를 구하는 이외에는 이를 실현할 수 있는 다른 절차와 방법이 없어 그 보전의 필요성이 인정되므로, 원고는 국가를 대위하여 피고들을 상대로 민사소송의 방법으로 이 사건 시설물의 철거를 구할 수 있다고 보아야 할 것이다(대판 2009.6.11. 2009다1122).
④ (○) 행정대집행법상 대집행의 대상이 되는 대체적 작위의무는 공법상 의무이어야 할 것인데, 구 공공용지의 취득 및 손실보상에 관한 특례법에 따른 토지 등의 협의취득은 공공사업에 필요한 토지 등을 그 소유자와의 협의에 의하여 취득하는 것으로서 공공기관이 사경제주체로서 행하는 사법상 매매 내지 사법상 계약의 실질을 가지는 것이므로, 그 협의취득 시 건물소유자가 매매 대상 건물에 대한 철거의무를 부담하겠다는 취지의 약정을 하였다고 하더라도 이러한 철거의무는 공법상의 의무가 될 수 없고, 이 경우에도 행정대집행법을 준용하여 대집행을 허용하는 별도의 규정이 없는 한 위와 같은 철거의무는 행정대집행법에 의한 대집행의 대상이 되지 않는다(대판 2006.10.13. 2006두7096).

답 ②

함께 정리하기

행정대집행

「공유재산 및 물품 관리법」에 따라 강제집행 가능한 경우
▷ 민사소송으로 시설물의 철거 청구 불가

점유자가 철거의무자
▷ 퇴거 명하는 집행권원 불요

행정청이 대집행을 실시하지 않는 경우
▷ 사인은 국가를 대위하여 민사소송으로 철거 청구 가

토지보상법 협의취득 약정에 따른 철거의무
▷ 사법상 의무, 대집행 불가

문제 DATA

출제가능 지수 ▶▶Σ
난이도 지수 ★★★

003 □□□

다음 사례에 대한 설명으로 옳은 것만을 모두 고르면?

> A시는 관광지개발사업을 시행하기 위하여 공익사업을 위한 토지 등의 취득 및 보상에 관한 법률의 절차에 따라 甲 소유 토지 및 건물을 포함하고 있는 지역 일대의 토지 및 건물들을 수용하였다. A시 시장은 甲에게 적법하게 토지의 인도와 건물의 철거 및 퇴거를 명하였으나 甲이 건물을 점유한 채 그 의무를 이행하지 않고 있다.

> ㄱ. A시 시장의 토지인도명령에 대해 甲이 이를 불이행하더라도 그 불이행에 대해서 A시 시장은 행정대집행을 할 수 없다.
> ㄴ. 甲이 위 건물철거의무를 이행하지 않을 경우, A시 시장은 행정대집행의 방법으로 건물의 철거 등 대체적 작위의무의 이행을 실현할 수 있는 경우에는 따로 민사소송의 방법으로 그 의무의 이행을 구할 수 없다.
> ㄷ. 甲이 토지 인도의무를 이행하지 않을 경우, 甲의 토지 인도 의무는 공법상 의무에 해당하므로 그 권리에 끼칠 현저한 손해를 피하기 위한 경우라 하더라도 A시 시장이 그 권리를 피보전권리로 하는 민사상 명도단행가처분을 구할 수는 없다.
> ㄹ. 甲이 위력을 행사하여 적법한 행정대집행을 방해하는 경우 대집행 행정청은 필요한 경우에는 경찰관 직무집행법에 근거한 위험발생 방지조치 또는 형법 상 공무집행방해죄의 범행방지 내지 현행범체포의 차원에서 경찰의 도움을 받을 수 있다.

① ㄱ, ㄷ
② ㄴ, ㄹ
③ ㄱ, ㄴ, ㄹ
④ ㄴ, ㄷ, ㄹ

2024년 국가직 9급

ㄱ. (○), ㄷ. (×) 토지 인도의무 불이행시, 민사소송으로 토지인도(명도)소송을 제기하거나 인도(명도)단행가처분을 신청할 수 있다.

> [1] 피수용자 등이 기업자에 대하여 부담하는 수용대상 토지의 인도의무에 관한 구 토지수용법 제63조, 제64조, 제77조 규정에서의 '인도'에는 명도도 포함되는 것으로 보아야 하고, 이러한 명도의무는 그것을 강제적으로 실현하면서 직접적인 실력행사가 필요한 것이지 대체적 작위의무라고 볼 수 없으므로 특별한사정이 없는 한 행정대집행법에 의한 대집행의 대상이 될 수 있는 것이 아니다(ㄱ).
> [2] 구 토지수용법(2002.2.4. 법률 제6656호 공익사업을 위한 토지 등의 취득 및 보상에 관한 법률 부칙 제2조로 폐지) 제63조의 규정에 따라 피수용자 등이 기업자에 대하여 부담하는 수용대상 토지의 인도 또는 그 지장물의 명도의무 등이 비록 공법상의 법률관계라고 하더라도, 그 권리를 피보전권리로 하는 명도단행가처분은 그 권리에 끼칠 현저한 손해를 피하거나 급박한 위험을 방지하기 위하여 또는 그 밖의 필요한 이유가 있을 경우에는 허용될 수 있다(ㄷ)(대판 2005.8.19. 2004다2809).

ㄴ. (○), ㄹ. (○)

> [1] 관계법령상 행정대집행의 절차가 인정되어 행정청이 행정대집행의 방법으로 건물의 철거등 대체적 작위의무의 이행을 실현할 수 있는 경우에는 따로 민사소송의 방법으로 그 의무의 이행을 구할 수 없다(ㄴ).
> [2] 행정청이 행정대집행의 방법으로 건물철거의무의 이행을 실현할 수 있는 경우에는 건물철거 대집행 과정에서 부수적으로 건물의 점유자들에 대한 퇴거 조치를 할 수 있고, 점유자들이 적법한 행정대집행을 위력을 행사하여 방해하는 경우 형법상 공무집행방해죄가 성립하므로 필요한 경우에는 '경찰관 직무집행법'에 근거한 위험발생 방지조치 또는 형법상 공무집행방해죄의 범행방지 내지 현행범체포의 차원에서 경찰의 도움을 받을 수도 있다(ㄹ)(대판 2017.4.28. 2016다213916).

답 ③

함께 정리하기

사례해결

토지 인도의무
▷ 대집행 대상×(직접강제 가)
▷ 법적근거 없을때: 민사상 토지 인도(명도)소송, 인도(명도)단행가처분 가

행정대집행 가
▷ 민사소송으로 의무이행소구 불가

건물철거 대집행
▷ 부수적 퇴거 조치, 경찰의 도움 가

004

행정대집행에 대한 설명으로 옳지 않은 것은?

① 관계 법령상 행정대집행의 절차가 인정되어 행정청이 행정대집행의 방법으로 건물의 철거 등 대체적 작위의무의 이행을 실현할 수 있는 경우에는 따로 민사소송의 방법으로 그 의무의 이행을 구할 수 없다.
② 「공익사업을 위한 토지 등의 취득 및 보상에 관한 법률」에 따른 토지 등의 협의취득은 사법상 계약에 해당하므로, 협의취득시 부담한 의무는 행정대집행의 대상이 되지 않는다.
③ 「행정대집행법」에 따르면 대집행에 요한 비용을 징수하였을 때에는 그 징수금은 사무비의 소속에 따라 국고 또는 지방자치단체의 수입으로 한다.
④ 자기완결적 신고에 해당하는 대문설치신고가 형식적 하자가 없는 적법한 요건을 갖춘 신고임에도 불구하고 관할 행정청이 수리를 거부한 후 당해 대문의 철거명령을 하였더라도, 후행행위인 대문철거 대집행계고처분이 당연무효가 되는 것은 아니다.

2024년 지방직 9급

① (○) 관계 법령상 행정대집행의 절차가 인정되어 행정청이 행정대집행의 방법으로 건물의 철거 등 대체적 작위의무의 이행을 실현할 수 있는 경우에는 따로 민사소송의 방법으로 그 의무의 이행을 구할 수 없다(대판 2017.4.28. 2016다213916).
② (○) 행정대집행법상 대집행의 대상이 되는 대체적 작위의무는 공법상 의무이어야 할 것인데, 구 공공용지의 취득 및 손실보상에 관한 특례법(2002.2.4. 법률 제6656호 공익사업을 위한 토지 등의 취득 및 보상에 관한 법률 부칙 제2조로 폐지)에 따른 토지 등의 협의취득은 공공사업에 필요한 토지 등을 그 소유자와의 협의에 의하여 취득하는 것으로서 공공기관이 사경제주체로서 행하는 사법상 매매 내지 사법상 계약의 실질을 가지는 것이므로, 그 협의취득시 건물소유자가 매매대상 건물에 대한 철거의무를 부담하겠다는 취지의 약정을 하였다고 하더라도 이러한 철거의무는 공법상의 의무가 될 수 없고, 이 경우에도 행정대집행법을 준용하여 대집행을 허용하는 별도의 규정이 없는 한 위와 같은 철거의무는 행정대집행법에 의한 대집행의 대상이 되지 않는다(대판 2006.10.13. 2006두7096).
③ (○)

> 「행정대집행법」 제6조【비용징수】① 대집행에 요한 비용은 국세징수법의 예에 의하여 징수할 수 있다.
> ③ 대집행에 요한 비용을 징수하였을 때에는 그 징수금은 사무비의 소속에 따라 국고 또는 지방자치단체의 수입으로 한다.

④ (×)

> [1] 적법한 건축물에 대한 철거명령은 그 하자가 중대하고 명백하여 당연무효라고 할 것이고, 그 후행행위인 건축물철거 대집행계고처분 역시 당연무효라고 할 것이다.
> [2] 대문설치신고는 형식적 하자가 없는 적법한 요건을 갖춘 신고라고 할 것이어서 피고의 신고증 교부 또는 수리처분 등 별단의 조처를 기다릴 필요가 없이 그 신고의 효력이 발생하였다고 할 것이어서 이 사건 대문은 적법한 것임에도 피고가 원고에 대하여 명한 이 사건 대문의 철거명령은 그 하자가 중대하고 명백하여 당연무효라고 할 것이고, 그 후행행위인 이 사건 계고처분 역시 당연무효라고 할 것이다(대판 1999.4.27. 97누6780).

답 ④

함께 정리하기

행정대집행

행정대집행 可
▷ 민사소송으로 의무이행소구 不可

토지보상법상 협의취득 약정에 따른 철거의무
▷ 사법상 의무, 대집행 不可

대집행 비용징수금
▷ 사무비의 소속에 따라 국고 또는 지방자치단체 수입

적법한 건축물에 대한 철거명령·계고
▷ 무효

문제 DATA

출제가능 지수 ▶▶▷
난이도 지수 ★★☆

005 □□□

다음 중 행정상 대집행에 대한 판례의 설명으로 가장 옳지 않은 것은?

① 하천유수인용허가신청이 불허되었음을 이유로 하천유수인용행위를 중단할 것과 이를 불이행할 경우 「행정대집행법」에 의하여 대집행을 하겠다는 내용의 계고처분은 대집행의 대상이 될 수 없는 부작위의무에 대한 것으로 그 자체로 위법하다.

② 피수용자 등이 사업시행자에 대하여 부담하는 수용대상 토지의 인도의무는 「행정대집행법」에 의한 대집행의 대상이 될 수 있다.

③ 대집행의 실행이 완료된 경우에는 행위가 위법한 것이라는 이유로 손해배상이나 원상회복 등을 청구하는 것은 별론으로 하고 처분의 취소를 구할 법률상 이익은 없다.

④ 계고서라는 명칭의 1장의 문서로서 일정기간 내에 위법건축물의 자진철거를 명함과 동시에 그 소정기한 내에 자진철거를 하지 아니할 때에는 대집행할 뜻을 미리 계고한 경우라도 「건축법」에 의한 철거명령과 「행정대집행법」에 의한 계고처분은 독립하여 있는 것으로서 각 그 요건이 충족되었다고 볼 것이다.

2024년 군무원 9급

① (○) 하천유수인용허가신청이 불허되었음을 이유로 하천유수인용행위를 중단할 것과 이를 불이행할 경우 행정대집행법에 의하여 대집행하겠다는 내용의 계고처분은 대집행의 대상이 될 수 없는 부작위의무에 대한 것으로서 그 자체로 위법함이 명백하다(대판 1998.10.2. 96누5445).

② (×) 피수용자 등이 기업자에 대하여 부담하는 수용대상 토지의 인도의무에 관한 구 토지수용법 제63조, 제64조, 제77조 규정에서의 '인도'에는 명도도 포함되는 것으로 보아야 하고, 이러한 명도의무는 그것을 강제적으로 실현하면서 직접적인 실력행사가 필요한 것이지 대체적 작위의무라고 볼 수 없으므로 특별한 사정이 없는 한 행정대집행법에 의한 대집행의 대상이 될 수 있는 것이 아니다(대판 2005.8.19. 2004다2809).

③ (○) 대집행계고처분 취소소송의 변론종결 전에 대집행영장에 의한 통지절차를 거쳐 사실행위로서 대집행의 실행이 완료된 경우에는 행위가 위법한 것이라는 이유로 손해배상이나 원상회복 등을 청구하는 것은 별론으로 하고 처분의 취소를 구할 법률상 이익은 없다(대판 1993.6.8. 93누6164).

④ (○) 계고서라는 명칭의 1장의 문서로서 일정기간 내에 위법건축물의 자진철거를 명함과 동시에 그 소정기한 내에 자진철거를 하지 아니할 때에는 대집행할 뜻을 미리 계고한 경우라도 건축법에 의한 철거명령과 행정대집행법에 의한 계고처분은 독립하여 있는 것으로서 각 그 요건이 충족되었다고 볼 것이다. 이 경우에 철거명령에서 주어진 일정기간이 자진철거에 필요한 상당한 기간이라면 그 기간 속에는 계고시에 필요한 '상당한 이행기간'도 포함되어 있다고 보아야 할 것이다(대판 1992.6.12. 91누13564).

답 ②

함께 정리하기

행정상 대집행

하천유수인용행위 중단명령 불이행
▷ 대집행 不可(∵부작위의무)

토지 인도의무
▷ 대집행 대상×(∵비대체적 작위의무)

대집행실행 완료
▷ 계고처분취소의 법률상 이익×, But 국가배상청구 可

철거명령·계고처분
▷ 1장의 문서로 可

006

「행정대집행법」상 행정대집행에 대한 설명으로 옳지 않은 것은? (다툼이 있는 경우 판례에 의함)

① 토지나 건물의 명도의무를 강제적으로 실현하는 데는 직접적인 실력행사가 필요한 것이지 대체적 작위의무에 해당하는 것은 아니어서 대집행의 대상이 되는 것은 아니다.
② 대집행의 방법으로 건물의 철거 등을 실현할 때 건물의 점유자가 철거의무자일 때에는 건물철거의무에 퇴거의무도 포함되어 있는 것이어서 별도로 퇴거를 명하는 집행권원이 필요하지 않다.
③ 행정청이 대집행의 방법으로 건물의 철거 등 대체적 작위의무의 이행을 실현할 수 있는 경우라도 따로 민사소송의 방법으로 그 의무의 이행을 구할 수 있다.
④ 일정기간까지 위법건축물의 철거를 명하고 불이행시 대집행한다는 내용의 계고처분을 한 후, 상대방이 이에 불응하자 제2차, 제3차 계고서를 발송하여 일정기간까지의 자진철거를 촉구하고 불이행 시 대집행한다는 뜻을 고지하였다면 제2차, 제3차의 계고처분은 대집행기한의 연기통지에 불과하므로 행정처분이 아니다.

문제 DATA
출제가능 지수 ▶▶▷
난이도 지수 ★★☆

| 2024년 경찰간부

① (O) 토지·물건의 인도(명도)의무는 대체적 작위의무가 아니기 때문에(비대체적 작위의무) 대집행의 대상이 되지 않고, 직접강제(또는 민사소송)에 의하여야 한다는 것이 판례의 입장이다.

1. 도시공원시설인 매점의 관리청이 그 공동점유자 중의 1인에 대하여 소정의 기간 내에 위 매점으로부터 퇴거하고 이에 부수하여 그 판매 시설물 및 상품을 반출하지 아니할 때에는 이를 대집행하겠다는 내용의 계고처분은 그 주된 목적이 매점의 원형을 보존하기 위하여 점유자가 설치한 불법 시설물을 철거하고자 하는 것이 아니라, 매점에 대한 점유자의 점유를 배제하고 그 점유이전을 받는 데 있다고 할 것인데, 이러한 의무는 그것을 강제적으로 실현함에 있어 직접적인 실력행사가 필요한 것이지 대체적 작위의무에 해당하는 것은 아니어서 직접강제의 방법에 의하는 것은 별론으로 하고 행정대집행법에 의한 대집행의 대상이 되는 것은 아니다(대판 1998.10.23. 97누157).
2. 피수용자 등이 기업자에 대하여 부담하는 수용대상 토지의 인도의무에 관한 구 토지수용법 제63조, 제64조, 제77조 규정에서의 '인도'에는 명도도 포함되는 것으로 보아야 하고, 이러한 명도의무는 그것을 강제적으로 실현하면서 직접적인 실력행사가 필요한 것이지 대체적 작위의무라고 볼 수 없으므로 특별한 사정이 없는 한 행정대집행법에 의한 대집행의 대상이 될 수 있는 것이 아니다(대판 2005.8.19. 2004다2809).

② (O), ③ (×)

[1] 관계 법령상 행정대집행의 절차가 인정되어 행정청이 행정대집행의 방법으로 건물의 철거 등 대체적 작위의무의 이행을 실현할 수 있는 경우에는 따로 민사소송의 방법으로 그 의무의 이행을 구할 수 없다(③). 한편 건물의 점유자가 철거의무자일 때에는 건물철거의무에 퇴거의무도 포함되어 있는 것이어서 별도로 퇴거를 명하는 집행권원이 필요하지 않다(②).
[2] 행정청이 행정대집행의 방법으로 건물철거의무의 이행을 실현할 수 있는 경우에는 건물철거 대집행 과정에서 부수적으로 건물의 점유자들에 대한 퇴거 조치를 할 수 있고, 점유자들이 적법한 행정대집행을 위력을 행사하여 방해하는 경우 형법상 공무집행방해죄가 성립하므로, 필요한 경우에는 '경찰관 직무집행법'에 근거한 위험발생 방지조치 또는 형법상 공무집행방해죄의 범행방지 내지 현행범체포의 차원에서 경찰의 도움을 받을 수도 있다(대판 2017.4.28. 2016다213916).

④ (O) 건물의 소유자에게 철거대집행 계고처분을 고지한 후 이에 불응하자 다시 제2차, 제3차 계고서를 발송하여 일정기간까지의 자진철거를 촉구하고 불이행하면 대집행을 한다는 뜻을 고지한 경우에 행정대집행법상의 건물철거의무는 제1차 철거명령 및 계고처분으로서 발생하였고 제2차, 제3차의 계고처분은 새로운 철거의무를 부과한 것이 아니고, 다만 대집행기한의 연기 통지에 불과하므로 행정처분이 아니다(대판 1994.10.28. 94누5144).

답 ③

함께 정리하기

행정대집행

토지나 건물의 명도의무
▷ 대집행 대상×(∵비대체적 작위의무), 직접강제 可

건물점유자가 철거의무자
▷ 퇴거 명하는 집행권원 不要(∵철거의무에 퇴거의무 포함)

대집행 可
▷ 민사소송 不可

반복된 계고
▷ 1차 계고만 처분O, 2·3차 계고는 연기통지(독립된 처분×)

문제 DATA

출제가능 지수 ▶▶▷
난이도 지수 ★★☆

007 □□□

행정법상 실효성(의무이행) 확보수단에 관한 설명으로 옳지 않은 것은? (다툼이 있는 경우 판례에 의함)

① 행정청은 행정목적을 달성하기 위하여 필요한 경우에는 법률로 정하는 바에 따라 행정대집행, 이행강제금의 부과, 직접강제, 강제징수, 즉시강제 등의 조치를 취할 수 있으며, 이러한 조치는 필요한 최소 범위에서 취해야 한다.

② 직접강제는 보충성을 특징으로 삼기 때문에 행정대집행이나 이행강제금 부과의 방법으로는 행정상 의무 이행을 확보할 수 없거나 그 실현이 불가능한 경우에 실시하여야 한다.

③ 토지의 명도의무는 특별한 사정이 없는 한 「행정대집행법」에 의한 대집행의 대상이 될 수 있다.

④ 행정상 즉시강제와 관련하여 급박한 상황에 대처하기 위한 것으로 그 불가피성과 정당성이 충분히 인정되는 경우에 헌법상 영장주의에 반하지 않는다고 본 헌법재판소 판례가 있다.

| 2024년 소방직

① (○)

> 「행정기본법」 제30조【행정상 강제】① 행정청은 행정목적을 달성하기 위하여 필요한 경우에는 법률로 정하는 바에 따라 필요한 최소한의 범위에서 다음 각 호의 어느 하나에 해당하는 조치를 할 수 있다.
> 1. 행정대집행: 의무자가 행정상 의무(법령등에서 직접 부과하거나 행정청이 법령등에 따라 부과한 의무를 말한다. 이하 이 절에서 같다)로서 타인이 대신하여 행할 수 있는 의무를 이행하지 아니하는 경우 법률로 정하는 다른 수단으로는 그 이행을 확보하기 곤란하고 그 불이행을 방치하면 공익을 크게 해칠 것으로 인정될 때에 행정청이 의무자가 하여야 할 행위를 스스로 하거나 제3자에게 하게 하고 그 비용을 의무자로부터 징수하는 것
> 2. 이행강제금의 부과: 의무자가 행정상 의무를 이행하지 아니하는 경우 행정청이 적절한 이행기간을 부여하고, 그 기한까지 행정상 의무를 이행하지 아니하면 금전급부의무를 부과하는 것
> 3. 직접강제: 의무자가 행정상 의무를 이행하지 아니하는 경우 행정청이 의무자의 신체나 재산에 실력을 행사하여 그 행정상 의무의 이행이 있었던 것과 같은 상태를 실현하는 것
> 4. 강제징수: 의무자가 행정상 의무 중 금전급부의무를 이행하지 아니하는 경우 행정청이 의무자의 재산에 실력을 행사하여 그 행정상 의무가 실현된 것과 같은 상태를 실현하는 것
> 5. 즉시강제: 현재의 급박한 행정상의 장해를 제거하기 위한 경우로서 다음 각 목의 어느 하나에 해당하는 경우에 행정청이 곧바로 국민의 신체 또는 재산에 실력을 행사하여 행정목적을 달성하는 것
>   가. 행정청이 미리 행정상 의무 이행을 명할 시간적 여유가 없는 경우
>   나. 그 성질상 행정상 의무의 이행을 명하는 것만으로는 행정목적 달성이 곤란한 경우

② (○)

> 「행정기본법」 제32조【직접강제】① 직접강제는 행정대집행이나 이행강제금 부과의 방법으로는 행정상 의무 이행을 확보할 수 없거나 그 실현이 불가능한 경우에 실시하여야 한다.

③ (×) 명도의무는 그것을 강제적으로 실현하면서 직접적인 실력행사가 필요한 것이지 대체적 작위의무라고 볼 수 없으므로 특별한 사정이 없는 한 행정대집행법에 의한 대집행의 대상이 될 수 있는 것이 아니다(대판 2005.8.19. 2004다2809).

④ (○) 영장주의가 행정상 즉시강제에도 적용되는지에 관하여는 논란이 있으나, 행정상 즉시강제는 상대방의 임의이행을 기다릴 시간적 여유가 없을 때 하명 없이 바로 실력을 행사하는 것으로서, 그 본질상 급박성을 요건으로 하고 있어 법관의 영장을 기다려서는 그 목적을 달성할 수 없다고 할 것이므로, 원칙적으로 영장주의가 적용되지 않는다고 보아야 할 것이다. 만일 어떤 법률조항이 영장주의를 배제할 만한 합리적인 이유가 없을 정도로 급박성이 인정되지 아니함에도 행정상 즉시강제를 인정하고 있다면, 이러한 법률조항은 이미 그 자체로 과잉금지의 원칙에 위반되는 것으로서 위헌이라고 할 것이다. 이 사건 법률조항은 앞에서 본바와 같이 급박한 상황에 대처하기 위한 것으로서 그 불가피성과 정당성이 충분히 인정되는 경우이므로, 이 사건 법률조항이 영장 없는 수거를 인정한다고 하더라도 이를 두고 헌법상 영장주의에 위배되는 것으로는 볼 수 없다(헌재 2002.10.31. 2000헌가12).

답 ③

함께 정리하기

행정법상 실효성(의무이행) 확보수단

행정상 강제
▷ 법률로 정하는 바에 따라, 필요한 최소한의 조치

직접강제
▷ 대집행, 이행강제금으로 의무이행확보, 실현불가능할 때 실시(보충적 수단)

토지의 인도(명도)의무
▷ 대집행 대상×

즉시강제
▷ 급박한 상황에 대처, 영장주의 적용× (헌재)

008

행정상 강제에 관한 설명으로 옳지 않은 것은? (다툼이 있는 경우 판례에 의함)

① 외국인의 출입국에 관한 사항에 관하여는 「행정기본법」상 행정상 강제에 관한 규정을 적용하지 아니한다.
② 행정청이 건물소유자들을 상대로 건물철거 대집행을 실시하기에 앞서, 건물소유자들을 건물에서 퇴거시키기 위해 별도로 퇴거를 구하는 민사소송은 부적법하다.
③ 관계 법령을 위반하여 장례식장을 영업하고 있는 자의 장례식장 사용중지의무 위반에 대해서는 「행정대집행법」에 의한 대집행이 가능하다.
④ 개발제한구역법에 따른 행정청의 시정명령 불이행에 대한 이행강제금의 부과·징수를 위한 계고는 시정명령을 불이행한 경우에 취할 수 있는 절차라 할 것이고, 따라서 이행강제금을 부과·징수할 때마다 그에 앞서 시정명령 절차를 다시 거쳐야 할 필요는 없다.
⑤ 즉시강제를 실시하기 위하여 현장에 파견되는 집행책임자는 그가 집행책임자임을 표시하는 증표를 보여 주어야 하며, 즉시강제의 이유와 내용을 고지하여야 한다

문제 DATA

출제가능 지수 ▶▶▷
난이도 지수 ★★☆

2024년 소방간부

① (○)

> 「행정기본법」 제30조【행정상 강제】 ③ 형사(刑事), 행형(行刑) 및 보안처분 관계 법령에 따라 행하는 사항이나 <u>외국인의 출입국·난민인정·귀화·국적회복에 관한 사항에 관하여는 이 절(제5절 행정상 강제)을 적용하지 아니한다.</u>

② (○)

> [1] 관계 법령상 행정대집행의 절차가 인정되어 행정청이 행정대집행의 방법으로 건물의 철거 등 대체적 작위의무의 이행을 실현할 수 있는 경우에는 따로 민사소송의 방법으로 그 의무의 이행을 구할 수 없다. 한편 <u>건물의 점유자가 철거의무자일 때에는 건물철거의무에 퇴거의무도 포함되어 있는 것이어서 별도로 퇴거를 명하는 집행권원이 필요하지 않다.</u>
> [2] <u>행정청이 행정대집행의 방법으로 건물철거의무의 이행을 실현할 수 있는 경우에는 건물철거 대집행 과정에서 부수적으로 건물의 점유자들에 대한 퇴거 조치를 할 수 있고,</u> 점유자들이 적법한 행정대집행을 위력을 행사하여 방해하는 경우 형법상 공무집행방해죄가 성립하므로, 필요한 경우에는 '경찰관 직무집행법'에 근거한 위험발생 방지조치 또는 형법상 공무집행방해죄의 범행방지 내지 현행범체포의 차원에서 경찰의 도움을 받을 수도 있다(대판 2017.4.28. 2016다213916).

③ (×) 행정대집행법 제2조는 '행정청의 명령에 의한 행위로서 타인이 대신하여 행할 수 있는 행위를 의무자가 이행하지 아니하는 경우'에 대집행할 수 있도록 규정하고 있는데, 이 사건 용도위반 부분을 장례식장으로 사용하는 것이 관계 법령에 위반한 것이라는 이유로 장례식장의 사용을 중지할 것과 이를 불이행할 경우 행정대집행법에 의하여 대집행하겠다는 내용의 이 사건 처분은, 이 사건 처분에 따른 '<u>장례식장 사용중지 의무</u>'가 원고 이외의 '타인이 대신'할 수도 없고, 타인이 대신하여 '행할 수 있는 행위'라고도 할 수 없는 비대체적 부작위 의무에 대한 것이므로, 그 자체로 위법함이 명백하다(대판 2005.9.28. 2005두7464).

④ (○) 개발제한구역의 지정 및 관리에 관한 특별조치법 제30조 제1항, 제30조의2 제1항 및 제2항의 규정에 의하면 시정명령을 받은 후 그 시정명령의 이행을 하지 아니한 자에 대하여 이행강제금을 부과할 수 있고, 이행강제금을 부과하기 전에 상당한 기간을 정하여 그 기한까지 이행되지 아니할 때에 이행강제금을 부과·징수한다는 뜻을 문서로 계고하여야 하므로, <u>이행강제금의 부과·징수를 위한 계고는 시정명령을 불이행한 경우에 취할 수 있는 절차라 할 것이고, 따라서 이행강제금을 부과·징수할 때마다 그에 앞서 시정명령 절차를 다시 거쳐야 할 필요는 없다</u>(대판 2013.12.12. 2012두20397).

⑤ (○)

> 「행정기본법」 제33조【즉시강제】 ② 즉시강제를 실시하기 위하여 현장에 파견되는 집행책임자는 그가 집행책임자임을 표시하는 증표를 보여 주어야 하며, 즉시강제의 이유와 내용을 고지하여야 한다.

답 ③

함께 정리하기

행정상 강제

외국인의 출입국에 관한 사항
▷ 「행정기본법」상 행정상 강제규정 적용×

건물점유자가 철거의무자
▷ 퇴거 명하는 집행권원 不要

장례식장 사용중지의무
▷ 대집행 대상× (∵비대체적 부작위의무)

시정명령 불이행시
▷ 계고

이행강제금을 부과·징수할 때마다 시정명령 절차를 다시 거쳐야 할 필요 無

현장파견 집행책임자
▷ 증표제시, 즉시강제 이유·내용 고지 要

문제 DATA

출제가능 지수 ▶▶▷
난이도 지수 ★★☆

함께 정리하기

행정의 실효성 확보수단

공유재산에 설치한 시설물철거
▷ 행정대집행 可, 민사소송 不可

한국토지공사
▷ 행정주체○
▷ 「국가배상법」제2조상의 공무원×

이행강제금
▷ 대체적 작위의무 위반에 대해서도 부과 可

공매통지
▷ 행정처분×

009

다음 중 행정의 실효성 확보수단에 대한 설명으로 가장 옳은 것은? (다툼이 있는 경우 판례에 의함)

① 구 「공유재산 및 물품 관리법」에 따라 지방자치단체장은 행정대집행의 방법으로 공유재산에 설치한 시설물을 철거할 수 있고, 이러한 행정대집행의 절차가 인정되는 경우에는 민사소송의 방법으로 시설물의 철거를 구하는 것은 허용되지 아니한다.
② 법령에 의해 대집행권한을 위탁받은 한국토지공사(현 한국토지주택공사)가 「국가배상법」 제2조에서 말하는 공무원에 해당한다.
③ 이행강제금은 대체적 작위의무의 위반에 대하여 부과될 수 없다.
④ 「국세징수법」상 공매통지 자체는 원칙적으로 그 공매통지 자체를 항고소송의 대상으로 삼아 그 취소 등을 구할 수 있다.

2024년 군무원 9급

① (○) 공유재산 및 물품 관리법 제83조 제1항은 "지방자치단체의 장은 정당한 사유 없이 공유재산을 점유하거나 공유재산에 시설물을 설치한 경우에는 원상복구 또는 시설물의 철거 등을 명하거나 이에 필요한 조치를 할 수 있다."라고 규정하고, 제2항은 "제1항에 따른 명령을 받은 자가 그 명령을 이행하지 아니할 때에는 '행정대집행법'에 따라 원상복구 또는 시설물의 철거 등을 하고 그 비용을 징수할 수 있다."라고 규정하고 있다. 이 규정에 따라 <u>지방자치단체장은 행정대집행의 방법으로 공유재산에 설치한 시설물을 철거할 수 있고, 이러한 행정대집행의 절차가 인정되는 경우에는 민사소송의 방법으로 시설물의 철거를 구하는 것은 허용되지 아니한다</u>(대판 2017.4.13. 2013다207941).
② (×) <u>한국토지공사는</u> 이러한 법령의 위탁에 의하여 대집행을 수권 받은 자로서 공무인 대집행을 실시함에 따르는 권리·의무 및 책임이 귀속되는 <u>행정주체의 지위에 있다고 볼 것이지</u> 지방자치단체 등의 기관으로서 <u>국가배상법 제2조 소정의 공무원에 해당한다고 볼 것은 아니다</u>(대판 2010.1.28. 2007다82950).
③ (×) 전통적으로 행정대집행은 대체적 작위의무에 대한 강제집행수단으로, 이행강제금은 부작위의무나 비대체적 작위의무에 대한 강제집행수단으로 이해되어왔으나, 이는 이행강제금 제도의 본질에서 오는 제약은 아니며, <u>이행강제금은 대체적 작위의무의 위반에 대하여도 부과될 수 있다</u>. 현행법상 위법건축물에 대한 이행강제수단으로 대집행과 이행강제금이 인정되고 있는데, 양 제도는 각각의 장·단점이 있으므로 행정청은 개별사건에 있어서 위반내용, 위반자의 시정의지 등을 감안하여 대집행과 이행강제금을 선택적으로 활용할 수 있으며, 이처럼 그 합리적인 재량에 의해 선택하여 활용하는 이상 중첩적인 제재에 해당한다고 볼 수 없다(헌재 2004.2.26. 2001헌바80 등).
④ (×) <u>공매통지 자체가 그 상대방인 체납자 등의 법적 지위나 권리·의무에 직접적인 영향을 주는 행정처분에 해당한다고 할 것은 아니므로</u> 다른 특별한 사정이 없는 한 체납자 등은 공매통지의 결여나 위법을 들어 공매처분의 취소 등을 구할 수 있는 것이지 <u>공매통지 자체를 항고소송의 대상으로 삼아 그 취소 등을 구할 수는 없다</u>(대판 2011.3.24. 2010두25527).

답 ①

010

행정상 강제에 대한 설명으로 옳지 않은 것은? (다툼이 있는 경우 판례에 의함)

① 관계법령상 행정대집행의 절차가 인정되어 행정청이 행정대집행의 방법으로 건물의 철거 등 대체적 작위의무의 이행을 실현할 수 있는 경우에는 따로 민사소송의 방법으로 그 의무의 이행을 구할 수 없다.
② 「행정대집행법」에 따른 행정대집행에서 건물의 점유자가 철거의무자일 때에는 별도로 퇴거를 명하는 집행권원이 필요하다.
③ 「건축법」에 위반하여 건축한 것이어서 철거의무가 있는 건물이라 하더라도 그 철거의무를 대집행하기 위한 계고처분을 하려면 다른 방법으로는 이행의 확보가 어렵고 불이행을 방치함이 심히 공익을 해하는 것으로 인정될 때에 한하여 허용되고 이러한 요건의 주장·입증책임은 처분 행정청에 있다.
④ 과세관청이 체납처분으로서 행하는 공매는 우월한 공권력의 행사로서 행정소송의 대상이 되는 공법상의 행정처분이며 공매에 의하여 재산을 매수한 자는 그 공매처분이 취소된 경우에 그 취소처분의 위법을 주장하여 행정소송을 제기할 법률상 이익이 있다.

2023년 군무원 9급

① (○), ② (×) 관계법령상 행정대집행의 절차가 인정되어 행정청이 행정대집행의 방법으로 건물의 철거 등 대체적 작위의무의 이행을 실현할 수 있는 경우에는 따로 민사소송의 방법으로 그 의무의 이행을 구할 수 없다(①). 한편, 건물의 점유자가 철거의무자일 때에는 건물철거의무에 퇴거의무도 포함되어 있는 것이어서 별도로 퇴거를 명하는 집행권원이 필요하지 않다(②). 또한, 행정청이 건물소유자들을 상대로 건물철거 대집행을 실시하기에 앞서, 건물소유자들을 건물에서 퇴거시키기 위해 별도로 퇴거를 구하는 민사소송은 부적법하다(대판 2017.4.28. 2016다213916).

유제 23. 지방직·서울시 9급, 22. 지방직 7급 관계법령상 행정대집행의 절차가 인정되어 행정청이 행정대집행의 방법으로 건물의 철거 등 대체적 작위의무의 이행을 실현할 수 있는 경우에는 따로 민사소송의 방법으로 그 의무의 이행을 구할 수 없다. (○)
22. 지방직 7급·국회직 8급 행정대집행에 있어 대집행대상인 건물의 점유자가 철거의무자일 때에는 건물철거의무에 퇴거의무도 포함되어 있는 것이어서 별도로 퇴거를 명하는 집행권원이 필요하지 않다. (○)

③ (○) 대집행요건을 구비하였는지에 관한 주장 및 입증책임은 처분행정청에 있다.

> 건축법에 위반하여 건축한 것이어서 철거의무가 있는 건물이라 하더라도 그 철거의무를 대집행하기 위한 계고처분을 하려면 다른 방법으로는 이행의 확보가 어렵고 불이행을 방치함이 심히 공익을 해하는 것으로 인정될 때에 한하여 허용되고 이러한 요건의 주장·입증책임은 처분행정청에 있다(대판 1996.10.11. 96누8086).

유제 20. 지방직·서울시 9급 대집행을 함에 있어 계고요건의 주장과 입증책임은 처분행정청에 있는 것이지, 의무불이행자에 있는 것이 아니다. (○)
19. 지방직 7급 「행정대집행법」상 건물철거 대집행은 다른 방법으로는 이행의 확보가 어렵고 불이행을 방치함이 심히 공익을 해하는 것으로 인정될 때에 한하여 허용되고 이러한 요건의 주장·입증책임은 처분행정청에 있다. (○)
22. 소방간부 「건축법」에 위반하여 철거의무가 있는 건물이라 하더라도 그 철거의무를 대집행하기 위한 계고처분을 하려면 다른 방법으로는 이행의 확보가 어려운 사정만 있으면 충분하며 이러한 사정이 없다는 주장·입증책임은 건물의 소유자가 부담한다. (×)

④ (○) 공매는 공법상 행정처분으로서 공매에 의하여 재산을 매수한 자는 그 공매처분이 취소된 경우 그 취소처분의 위법을 주장하여 행정소송을 제기할 법률상의 이익이 있다.

> 과세관청이 체납처분으로서 행하는 공매는 우월한 공권력의 행사로서 행정소송의 대상이 되는 공법상의 행정처분이며 … (대판 1984.9.25. 84누201).

문제 DATA
출제가능 지수 ▶▶▷
난이도 지수 ★★☆

함께 정리하기

행정상 강제

행정대집행 可
▷ 민사소송으로 의무이행소구 不可

점유자가 철거의무자
▷ 퇴거 명하는 집행권원 不要

계고 시
▷ 다른 방법으로 이행확보 어렵고 심히 공익 해하는 경우 허용
▷ 그 입증은 행정청이 해야 함

공매
▷ 처분○

공매처분 취소
▷ 매수인은 그 취소 구할 법률상 이익○

유제 21. 국회직 8급 과세관청이 체납처분(현 강제징수)으로서 행하는 공매는 우월한 공권력의 행사로서 행정소송의 대상이 되는 공법상의 행정처분이며 공매에 의하여 재산을 매수한 자는 그 공매처분이 취소된 경우에 그 취소처분의 취소를 구할 법률상 이익이 있다. (○)
16. 지방직 9급 과세관청이 체납처분(현 강제징수)으로서 행하는 공매는 우월한 공권력의 행사로서 행정소송의 대상이 되는 행정처분이나, 공매에 의하여 재산을 매수한 자는 그 공매처분이 취소된 경우에 그 취소처분의 위법을 주장하여 행정소송을 제기할 법률상 이익이 없다. (×)

답 ②

문제 DATA
출제가능 지수 ▶▶▷
난이도 지수 ★★☆

011 □□□

「행정대집행법」상 대집행에 대한 설명으로 옳지 않은 것은? (다툼이 있는 경우 판례에 의함)

① 대집행 계고처분의 취소소송의 사실심변론종결 전에 대집행영장에 의한 통지절차를 거쳐 대집행 실행이 완료된 경우 계고처분에 대한 취소소송의 법률상 이익이 인정된다.
② 대집행권한을 한국토지공사에 위탁한 경우 한국토지공사는 행정주체의 지위에 있고, 「국가배상법」 제2조에서 정한 공무원에 해당한다고 볼 수 없다.
③ 대집행은 대체적 작위의무의 불이행을 요건으로 하므로, 도시공원시설 점유자의 퇴거의무는 대집행의 대상이 되는 대체적 작위의무에 해당하지 않는다.
④ 행정청이 건물철거 대집행과정에서 부수적으로 건물의 점유자에 대한 퇴거조치를 할 수 있다.

2023년 군무원 7급

① (×) 행정대집행이 실행완료된 경우 대집행계고처분의 취소를 구할 법률상 이익은 없다.

> 대집행계고처분 취소소송의 변론종결 전에 대집행영장에 의한 통지절차를 거쳐 사실행위로서 대집행의 실행이 완료된 경우에는 행위가 위법한 것이라는 이유로 손해배상이나 원상회복 등을 청구하는 것은 별론으로 하고 처분의 취소를 구할 법률상 이익은 없다(대판 1995.7.28. 95누2623 ; 대판 1993.6.8. 93누6164).

유제 21. 국회직 8급 대집행계고처분 취소소송의 변론종결 전에 사실행위로서 대집행의 실행이 완료된 경우에는 손해배상이나 원상회복 등을 청구하는 것은 별론으로 하고 대집행계고처분의 취소를 구할 법률상 이익은 없다. (○)
20. 군무원 9급 건물철거대집행계고처분취소 소송계속 중 건물철거대집행의 계고처분에 이어 대집행의 실행으로 건물에 대한 철거가 이미 사실행위로서 완료된 경우에는 원고로서는 계고처분의 취소를 구할 소의 이익이 없게 된다. (○)
11. 사복직 대집행계고처분 취소소송의 변론종결 전에 대집행영장에 의한 통지절차를 거쳐 대집행의 실행이 완료된 경우에도 처분의 취소를 구할 법률상 이익이 있다. (×)

② (○) 법령에 의해 대집행권한을 위탁받은 한국토지공사(현 한국토지주택공사)는 「국가배상법」 제2조에서 말하는 공무원에 해당하지 않는다.

> 한국토지공사는 이러한 법령의 위탁에 의하여 대집행을 수권받은 자로서 공무인 대집행을 실시함에 따르는 권리·의무 및 책임이 귀속되는 행정주체의 지위에 있다고 볼 것이지 지방자치단체 등의 기관으로서 국가배상법 제2조 소정의 공무원에 해당한다고 볼 것은 아니다(대판 2010.1.28. 2007다82950·82967).

함께 정리하기

행정대집행
대집행 실행완료
▷ 계고처분 취소 구할 법률상 이익×
한국토지공사
▷ 행정주체○
▷ 「국가배상법」 제2조상의 공무원×
퇴거의무
▷ 비대체적 작위의무
▷ 대집행 불가
건물철거 대집행
▷ 부수적으로 점유자 퇴거조치 可

③ (○) 도시공원시설 점유자의 퇴거 및 명도의무는 대체적 작위의무가 아니므로 대집행의 대상이 되지 않는다.

<u>도시공원시설인 매점의 관리청이 그 공동점유자 중의 1인에 대하여 소정의 기간 내에 위 매점으로부터 퇴거하고 이에 부수하여 그 판매시설물 및 상품을 반출하지 아니할 경우 이를 대집행하겠다는 내용의 계고처분의 목적이 된 의무는</u> 그 주된 목적이 매점의 원형을 보존하기 위하여 원고가 설치한 불법시설물을 철거하고자 하는 것이 아니라, 매점에 대한 원고의 점유를 배제하고 그 점유이전을 받는 데 있다고 할 것인데, 이러한 의무는 그것을 강제적으로 실현함에 있어 직접적인 실력행사가 필요한 것이지 <u>대체적 작위의무에 해당하는 것은 아니어서 직접강제의 방법에 의하는 것은 별론으로 하고 행정대집행법에 의한 대집행의 대상이 되는 것은 아니다</u>(대판 1998.10.23. 97누157).

④ (○) 행정청이 행정대집행의 방법으로 건물철거의무의 이행을 실현할 수 있는 경우에는 건물철거 대집행 과정에서 부수적으로 건물의 점유자들에 대한 퇴거조치를 할 수 있고, 점유자들이 적법한 행정대집행을 위력을 행사하여 방해하는 경우 형법상 공무집행방해죄가 성립하므로, 필요한 경우에는 경찰관 직무집행법에 근거한 위험발생 방지조치 또는 형법상 공무집행방해죄의 범행방지 내지 현행범체포의 차원에서 경찰의 도움을 받을 수도 있다(대판 2017.4.28. 2016다213916).

답 ①

012

「행정대집행법」의 내용에 대한 설명으로 옳은 것은?

① 의무자가 동의한 경우라도 행정청은 해가 뜨기 전에는 대집행을 착수 할 수 없다.
② 해가 지기 전에 대집행을 착수한 경우라도 해가 진 후에는 행정청은 즉시 대집행을 중단해야 한다.
③ 대집행에 대하여는 행정심판을 제기할 수 없다.
④ 대집행에 요한 비용은 「민사집행법」의 예에 의하여 징수하여야 한다.
⑤ 대집행에 요한 비용에 대하여서는 행정청은 사무비의 소속에 따라 국세에 다음가는 순위의 선취득권을 가진다.

| 2023년 행정사 |

①, ② (×)

> 「행정대집행법」 제4조【대집행의 실행 등】① 행정청(제2조에 따라 대집행을 실행하는 제3자를 포함한다. 이하 이 조에서 같다)은 해가 뜨기 전이나 해가 진 후에는 대집행을 하여서는 아니 된다. 다만, 다음 각 호의 어느 하나에 해당하는 경우에는 그러하지 아니하다.
> 1. 의무자가 동의한 경우(①)
> 2. 해가 지기 전에 대집행을 착수한 경우(②)
> 3. 해가 뜬 후부터 해가 지기 전까지 대집행을 하는 경우에는 대집행의 목적 달성이 불가능한 경우

③ (×)

> 「행정대집행법」 제7조【행정심판】대집행에 대하여는 행정심판을 제기할 수 있다.

④ (×), ⑤ (○)

> 「행정대집행법」 제6조【비용징수】① <u>대집행에 요한 비용은 「국세징수법」의 예에 의하여 징수할 수 있다</u>(④).
> ② 대집행에 요한 비용에 대하여서는 행정청은 사무비의 소속에 따라 국세에 다음가는 순위의 선취득권을 가진다(⑤).

답 ⑤

함께 정리하기

행정대집행

의무자가 동의
▷ 해뜨기 전 대집행 가

해지기 전에 대집행 착수한 경우
▷ 해가 진 후라도 대집행 가

대집행
▷ 행정심판 가

대집행 비용
▷ 「국세징수법」의 예에 의해 강제징수
▷ 행정청은 국세에 다음가는 순위의 선취득권 有

013

행정의 실효성 확보수단에 대한 설명으로 옳지 않은 것은? (다툼이 있는 경우 판례에 의함)

① 「행정기본법」에 따르면, 행정청은 의무자가 행정상 의무를 이행할 때까지 이행강제금을 반복하여 부과할 수 있다. 다만, 의무자가 의무를 이행하면 새로운 이행강제금의 부과를 즉시 중지하되, 이미 부과한 이행강제금은 징수하여야 한다.

② 경찰서장이 경범죄처벌법상 범칙행위에 대하여 통고처분을 하였는데 통고처분에서 정한 범칙금 납부기간이 지나지 아니한 경우, 경찰서장이 즉결심판을 청구하거나 검사가 동일한 범칙행위에 대하여 공소를 제기할 수 없다.

③ 행정청이 행정대집행의 방법으로 건물철거의무의 이행을 실현할 수 있는 경우에 건물철거 대집행 과정에서 부수적으로 건물의 점유자들에 대한 퇴거조치를 할 수 없다.

④ 「가맹사업거래의 공정화에 관한 법률」(이하 '가맹사업법'이라 한다)에 따르면, 공정거래위원회는 가맹사업법 위반행위에 대하여 과징금을 부과할 것인지, 부과할 경우 과징금 액수를 구체적으로 얼마로 정할 것인지를 재량으로 판단할 수 있다.

⑤ 질서위반행위의 과태료 부과의 근거법률이 개정되어 행위시 법률에 의하면 과태료 부과대상이었지만 재판시 법률에 의하면 과태료 부과대상이 아니게 된 때에는 개정법률 부칙에서 종전법률 시행 당시에 행해진 질서위반행위에 행위시 법률을 적용하도록 특별한 규정을 두지 않은 이상 재판시 법률을 적용하여야 하므로 과태료를 부과하지 못한다.

2023년 국회직 8급

① (○)

> 「행정기본법」 제31조【이행강제금의 부과】⑤ 행정청은 의무자가 행정상 의무를 이행할 때까지 이행강제금을 반복하여 부과할 수 있다. 다만, 의무자가 의무를 이행하면 새로운 이행강제금의 부과를 즉시 중지하되, 이미 부과한 이행강제금은 징수하여야 한다.

② (○) 경찰서장이 범칙행위에 대하여 통고처분을 한 이상, 범칙자의 위와 같은 절차적 지위를 보장하기 위하여 통고처분에서 정한 범칙금 납부기간까지는 원칙적으로 경찰서장은 즉결심판을 청구할 수 없고, 검사도 동일한 범칙행위에 대하여 공소를 제기할 수 없다(대판 2020.4.29. 2017도13409).

③ (×) 행정청이 행정대집행의 방법으로 건물철거의무의 이행을 실현할 수 있는 경우에는 건물철거 대집행 과정에서 부수적으로 건물의 점유자들에 대한 퇴거조치를 할 수 있고, 점유자들이 적법한 행정대집행을 위력을 행사하여 방해하는 경우 형법상 공무집행방해죄가 성립하므로, 필요한 경우에는 경찰관 직무집행법에 근거한 위험발생 방지조치 또는 형법상 공무집행방해죄의 범행방지 내지 현행범체포의 차원에서 경찰의 도움을 받을 수도 있다(대판 2017.4.28. 2016다213916).

유제 23. 군무원 7급 행정청이 건물철거 대집행과정에서 부수적으로 건물의 점유자에 대한 퇴거조치를 할 수 있다. (○)

22. 지방직·서울시 9급 행정청은 퇴거를 명하는 집행권원이 없더라도 건물철거 대집행 과정에서 부수적으로 철거의무자인 건물의 점유자들에 대해 퇴거 조치를 할 수 있다. (○)

20. 소방직 건물철거의무에 퇴거의무도 포함되어 있어 건물철거 대집행과정에서 부수적으로 건물의 점유자들에 대한 퇴거조치를 할 수 있다. (○)

④ (○) 가맹사업거래의 공정화에 관한 법률(이하 '가맹사업법'이라 한다) 제35조 제1항에 따르면, 공정거래위원회는 가맹사업법 위반행위에 대하여 과징금을 부과할 것인지와 만일 과징금을 부과할 경우 가맹사업법과 가맹사업거래의 공정화에 관한 법률 시행령이 정하고 있는 일정한 범위 안에서 과징금의 액수를 구체적으로 얼마로 정할 것인지를 재량으로 판단할 수 있으므로, 공정거래위원회의 법 위반행위자에 대한 과징금 부과처분은 재량행위이다. 다만 이러한 재량을 행사하면서 과징금 부과의 기초가 되는 사실을 오인하였거나, 비례·평등원칙에 반하는 사유가 있다면 이는 재량권의 일탈·남용으로서 위법하다(대판 2021.9.30. 2020두48857).

⑤ (○) 질서위반행위에 대하여 과태료를 부과하는 근거법령이 개정되어 행위시의 법률에 의하면 과태료 부과대상이었지만 재판시의 법률에 의하면 부과대상이 아니게 된 때에는 개정법률의 부칙 등에서 행위시의 법률을 적용하도록 명시하는 등 특별한 사정이 없는 한 재판시의 법률을 적용하여야 하므로 과태료를 부과할 수 없다(대결 2017.4.7. 2016마1626).

답 ③

014

행정대집행에 대한 설명으로 옳지 않은 것은?

① 행정대집행은 「행정기본법」상 행정상 강제에 해당한다.
② 대집행에 요한 비용은 「국세징수법」의 예에 의하여 징수할 수 있다.
③ 「행정대집행법」상 대집행의 대상이 되는 대체적 작위의무는 공법상 의무이어야 한다.
④ 대집행에 요한 비용에 대하여서는 행정청은 사무비의 소속에 따라 국세와 동일한 순위의 선취득권을 가지며, 대집행에 요한 비용을 징수하였을 때에는 그 징수금은 국고의 수입으로 한다.

2023년 국가직 9급

① (○)

> 「행정기본법」 제30조 【행정상 강제】 ① 행정청은 행정목적을 달성하기 위하여 필요한 경우에는 법률로 정하는 바에 따라 필요한 최소한의 범위에서 다음 각 호의 어느 하나에 해당하는 조치를 할 수 있다.
> 1. 행정대집행: 의무자가 행정상 의무(법령 등에서 직접 부과하거나 행정청이 법령 등에 따라 부과한 의무를 말한다. 이하 이 절에서 같다)로서 타인이 대신하여 행할 수 있는 의무를 이행하지 아니하는 경우 법률로 정하는 다른 수단으로는 그 이행을 확보하기 곤란하고 그 불이행을 방치하면 공익을 크게 해칠 것으로 인정될 때에 행정청이 의무자가 하여야 할 행위를 스스로 하거나 제3자에게 하게 하고 그 비용을 의무자로부터 징수하는 것

② (○)

> 「행정대집행법」 제6조 【비용징수】 ① 대집행에 요한 비용은 「국세징수법」의 예에 의하여 징수할 수 있다.

③ (○) 대집행의 대상이 되는 의무는 원칙적으로 공법(公法)상의 의무이며 건축도급계약상의 의무와 같은 사법(私法)상의 의무는 법령에 특별한 규정이 없는 한 대집행의 대상이 되지 않는다.

④ (×)

> 「행정대집행법」 제6조 【비용징수】 ② 대집행에 요한 비용에 대하여서는 행정청은 사무비의 소속에 따라 국세에 다음가는 순위의 선취득권을 가진다.
> ③ 대집행에 요한 비용을 징수하였을 때에는 그 징수금은 사무비의 소속에 따라 국고 또는 지방자치단체의 수입으로 한다.

답 ④

함께 정리하기

행정대집행

대집행
▷ 행정강제

대집행 비용
▷ 「국세징수법」의 예에 의해 강제징수
▷ 행정청은 국세에 다음 가는 순위의 선취득권 有

징수금
▷ 국고 or 지자체 수입

대집행 대상
▷ 공법상 대체적 작위의무 불이행

문제 DATA

출제가능 지수 ▶▶▷
난이도 지수 ★★☆

함께 정리하기

행정대집행

조례에 의해 직접 명령된 의무
▷ 대집행 대상O

반복된 계고
▷ 1차 계고만 처분
▷ 2차 계고는 연기통지(독립된 처분✕)

대집행 비용
▷「국세징수법」의 예에 의해 강제징수

철거명령·계고처분
▷ 동시발령 可

015

행정대집행에 대한 설명으로 옳지 않은 것은? (다툼이 있는 경우 판례에 의함)

① 타인이 대신하여 행할 수 있는 행위가 조례에 의하여 직접 명령된 경우에는 행정대집행의 대상이 될 수 있다.
② 위법건축물에 대한 철거명령 및 계고처분에 불응하자 제2차로 계고처분을 행한 경우, 제2차 계고처분은 항고소송의 대상인 행정처분에 해당한다.
③ 대집행비용은 「국세징수법」의 예에 의하여 징수할 수 있다.
④ 계고처분은 독립한 처분으로서, 위법건축물에 대한 철거명령과 동시에 발령할 수 있다.

| 2023년 소방직

① (○)

> 「행정대집행법」제2조【대집행과 그 비용징수】법률(법률의 위임에 의한 명령, 지방자치단체의 조례를 포함한다. 이하 같다)에 의하여 직접 명령되었거나 또는 법률에 의거한 행정청의 명령에 의한 행위로서 타인이 대신하여 행할 수 있는 행위를 의무자가 이행하지 아니하는 경우 다른 수단으로써 그 이행을 확보하기 곤란하고 또한 그 불이행을 방치함이 심히 공익을 해할 것으로 인정될 때에는 당해 행정청은 스스로 의무자가 하여야 할 행위를 하거나 또는 제3자로 하여금 이를 하게 하여 그 비용을 의무자로부터 징수할 수 있다.

② (✕) 계고처분 자체도 행정소송의 대상이 되나, 2차·3차의 계고처분은 새로운 철거의무를 부과한 것이 아니고, 다만 대집행기한의 연기통지에 불과하므로 행정처분이 아니다(대판 1994.10.28. 94누5144).

③ (○)

> 「행정대집행법」제6조【비용징수】① 대집행에 요한 비용은 「국세징수법」의 예에 의하여 징수할 수 있다.

④ (○) 계고서라는 명칭의 1장의 문서로써, 일정기간 내에 위법건축물의 자진철거를 명함과 동시에 그 소정 기한 내에 자진철거를 하지 아니할 때에는 대집행할 뜻을 미리 계고한 경우라도 철거명령 및 계고처분은 적법하다.

> 계고서라는 명칭의 1장의 문서로써 일정기간 내에 위법건축물의 자진철거를 명함과 동시에 그 소정 기한 내에 자진철거를 하지 아니할 때에는 대집행할 뜻을 미리 계고한 경우라도 위 건축법에 의한 철거명령과 행정대집행법에 의한 계고처분은 독립하여 있는 것으로서 각 그 요건이 충족되었다고 볼 것이고, 이 경우 철거명령에서 주어진 일정기간이 자진철거에 필요한 상당한 기간이라면 그 기간 속에는 계고시에 필요한 '상당한 이행기간'도 포함되어 있다고 보아야 할 것이다(대판 1992.6.12. 91누13564).

답 ②

016

행정대집행에 대한 설명으로 옳지 않은 것은? (다툼이 있는 경우 판례에 의함)

① 토지나 건물의 인도·명도의무는 대집행의 대상이 될 수 없다.
② 대집행은 대체적 작위의무에 대하여 행사할 수 있는 것이 원칙이지만 부작위의무의 위반에 대하여도 가능하다.
③ 대집행비용납부명령의 취소를 청구하는 소송에서 선행처분인 계고처분이 위법한 것이기 때문에 그 계고처분을 전제로 행하여진 대집행비용납부명령의 효력을 다툴 수 있다.
④ 계고를 함에 있어서 그 행위의 내용과 범위는 반드시 시정명령서나 대집행계고서에 의하여서만 특정되어야 하는 것은 아니고, 그 처분 전후에 송달된 문서나 기타 사정을 종합하여 이를 특정할 수 있으면 족하다.
⑤ 「공익사업을 위한 토지 등의 취득 및 보상에 관한 법률」에 의한 협의취득 시 건물소유자가 협의취득 대상 건물에 대하여 약정을 하고서 불이행한 경우, 그 건물의 강제철거에 대해서는 「행정대집행법」이 적용되지 아니한다.

문제 DATA
출제가능 지수 ▶▶▷
난이도 지수 ★★☆

2023년 소방간부

① (○) 토지나 건물의 인도·명도의무는 토지·건물을 점유하고 있는 사람의 퇴거를 필요로 하는데, 이는 대체적 작위의무가 아니므로 대집행의 대상이 될 수 없다. 따라서 도시공원시설 점유자의 퇴거 및 명도의무는 대체적 작위의무가 아니므로 대집행의 대상이 되지 않는다.

> 도시공원시설인 매점의 관리청이 그 공동점유자 중의 1인에 대하여 소정의 기간 내에 위 매점으로부터 퇴거하고 이에 부수하여 그 판매시설물 및 상품을 반출하지 아니할 경우 이를 대집행하겠다는 내용의 계고처분의 목적이 된 의무는 그 주된 목적이 매점의 원형을 보존하기 위하여 원고가 설치한 불법시설물을 철거하고자 하는 것이 아니라, 매점에 대한 원고의 점유를 배제하고 그 점유이전을 받는 데 있다고 할 것인데, 이러한 의무는 그것을 강제적으로 실현함에 있어 직접적인 실력행사가 필요한 것이지 대체적 작위의무에 해당하는 것은 아니어서 직접강제의 방법에 의하는 것은 별론으로 하고 행정대집행법에 의한 대집행의 대상이 되는 것은 아니다(대판 1998.10.23. 97누157).

② (×) 대집행의 대상이 될 수 있는 의무는 작위의무에 한하므로 부작위의무를 위반한 경우에는 원칙적으로 대집행의 대상이 되지 않는다. 따라서 장례식장 사용중지의무는 부작위의무로서 대집행의 대상이 되지 않는다.

> 관계법령에 위반한 것이라는 이유로 장례식장의 사용을 중지할 것과 이를 불이행할 경우 행정대집행법에 의하여 대집행하겠다는 내용의 이 사건 처분은, 이 사건 처분에 따른 '장례식장 사용중지의무'가 원고 이외의 '타인이 대신'할 수도 없고, 타인이 대신하여 '행할 수 있는 행위'라고도 할 수 없는 비대체적 부작위의무에 대한 것이므로, 그 자체로 위법함이 명백하다(대판 2005.9.28. 2005두7464).

유제 22. 지방직·서울시 9급 관계법령에 위반하여 장례식장 영업을 하고 있는 자에게 부과된 장례식장 사용중지의무는 공법상 의무로서 행정대집행의 대상이 된다. (×)
18. 서울시 9급 건물의 용도에 위반되어 장례식장으로 사용하는 것을 중지할 것을 명한 경우, 이 중지의무는 대집행의 대상이 아니다. (○)
18. 국회직 8급 관계법령을 위반하였음을 이유로 장례식장의 사용중지를 명하고 이를 불이행할 경우 「행정대집행법」에 의하여 대집행하겠다는 내용의 장례식장 사용중지 계고처분은 적법하다. (×)

③ (○) 대집행의 각 단계 행위(계고, 통지, 실행, 비용납부명령)는 하자의 승계가 긍정된다. 따라서 계고처분과 대집행비용납부명령은 하자가 승계된다.

> 계고처분이 위법하다면 후행처분인 비용납부명령 그 자체에는 아무런 하자가 없다고 하더라도 비용납부명령의 취소를 구하는 소송에서 선행행위인 계고처분이 위법하므로 후행처분인 비용납부명령도 위법하다는 것을 주장할 수 있다(대판 1993. 11.9.93누14271).

함께 정리하기

행정대집행

토지·건물 인도·명도의무
▷ 대집행대상×
▷ 직접강제○

부작위의무
▷ 대집행대상×

선행처분인 계고처분의 하자
▷ 대집행비용납부명령의 취소사유로 주장○(하자승계)

계고 시 대집행의 내용 및 범위의 특정
▷ 종합하여 특정되면 족함(계고서에만 의하는 것×)

토지보상법상 협의취득 약정에 따른 철거의무
▷ 사법상 의무
▷ 대집행 불가

유제 22. 군무원 7급 대집행계고처분과 비용납부명령은 하자의 승계가 인정된다. (O)
17. 경행경채 대집행에 있어서 선행처분인 계고처분이 하자가 있는 위법한 처분이라면 후행처분인 대집행영장발부통보처분의 취소를 청구하는 소송에서 청구원인으로 선행처분인 계고처분이 위법한 것이기 때문에 그 계고처분을 전제로 행하여진 대집행영장발부통보처분도 위법한 것이라는 주장을 할 수 있다. (O)
22. 소방간부 계고처분과 대집행비용납부명령은 그 목적을 달리하여 별개의 법률효과를 발생시키는 처분이므로 이미 불가쟁력이 발생한 계고처분에 존재하는 하자를 이유로 아무런 하자가 없는 대집행비용납부명령의 효력을 다툴 수 없다. (X)
17. 국가직(하) 7급 행정대집행에 있어 대집행계고, 대집행영장에 의한 통지, 대집행실행, 비용징수의 일련의 절차 중 대집행계고와 대집행영장에 의한 통지 간에는 하자의 승계가 인정되나, 대집행계고와 비용징수 간에는 하자의 승계가 인정되지 않는다. (X)

④ (O) 대집행계고를 함에 있어 대집행할 행위의 내용·범위가 반드시 대집행계고서에 의하여만 특정될 필요는 없고 계고예고서, 기타 사정 등을 통해 알 수 있으면 족하다.

> 행정청이 행정대집행법 제3조 제1항에 의한 대집행계고를 함에 있어서는 의무자가 스스로 이행하지 아니하는 경우에 대집행할 행위의 내용 및 범위가 구체적으로 특정되어야 하나, 그 행위의 내용 및 범위는 반드시 대집행계고서에 의하여서만 특정되어야 하는 것이 아니고, 계고처분 전후에 송달된 문서나 기타 사정을 종합하여 행위의 내용이 특정되거나 실제 건물의 위치, 구조, 평수 등을 계고서의 표시와 대조·검토하여 대집행의무자가 그 이행의무의 범위를 알 수 있을 정도로 하면 족하다(대판 1996.10.11. 96누8086).

⑤ (O) 대집행의 대상이 되는 의무는 공법상 의무이므로 사법(私法)상 의무는 대집행의 대상이 되지 않는다. 협의취득은 사법상 계약이므로 협의취득시 건물을 철거하겠다는 약정을 하였다고 하더라도 이는 사법상의 의무에 불과하여 이를 불이행하였다고 하더라도 대집행의 대상이 되지 아니한다.

> 구 공공용지의 취득 및 손실보상에 관한 특례법에 의한 협의취득시 건물소유자가 매매대상 건물에 대한 철거의무를 부담하겠다는 취지의 약정을 한 경우, 그 철거의무는 사법상 의무이므로 행정대집행법에 의한 대집행의 대상이 되지 않는다. 구 공공용지의 취득 및 손실보상에 관한 특례법에 의한 협의취득시 건물소유자가 협의취득대상 건물에 대하여 약정한 철거의무의 강제적 이행을 행정대집행법상 대집행의 방법으로 실현할 수는 없다(대판 2006.10.13. 2006두7096).

유제 22. 국회직 8급 구 「공공용지의 취득 및 손실보상에 관한 특례법」에 의한 협의취득시 건물소유자가 협의취득대상 건물에 대한 철거의무를 부담하겠다는 취지의 약정을 하였다고 하더라도 이러한 철거의무는 공법상의 의무가 될 수 없고, 대집행을 허용하는 별도의 규정이 없는 한 대집행의 대상이 될 수 없다. (O)
22. 소방간부 「공익사업을 위한 토지 등의 취득 및 보상에 관한 법률」에 의한 토지 등의 협의취득시 건물소유자가 협의취득 대상 건물에 대한 철거의무를 부담하겠다는 취지의 약정을 하였음에도 이러한 철거의무를 불이행한 경우 행정대집행을 할 수 있다. (X)

답 ②

017

「행정대집행법」상 행정대집행에 대한 설명으로 옳은 것은? (다툼이 있는 경우 판례에 의함)

① 행정청이 해가 지기 전에 대집행을 착수한 경우라 하더라도 해가 진 후에는 대집행을 할 수 없다.
② 공법인은 법령에 의하여 행정청의 대집행권한을 위탁받아 대집행을 실시하기 위하여 지출한 비용을 「행정대집행법」상 절차에 따라 징수할 수 있는 것과는 별개로, 민사소송절차에 의하여 그 비용의 상환을 구할 소의 이익이 있다.
③ 「공익사업을 위한 토지 등의 취득 및 보상에 관한 법률」상 토지소유자가 수용 또는 사용의 개시일까지 토지를 사업시행자에게 인도하여야 할 의무는 「행정대집행법」에 의한 대집행의 대상이 된다.
④ 행정청이 대집행계고를 함에 있어서 대집행할 행위의 내용 및 범위는 대집행계고서 자체만으로 특정되어야 하는 것이지, 계고처분 전후에 송달된 문서 등을 종합하여 그 특정 여부를 판단할 것은 아니다.
⑤ 「공익사업을 위한 토지 등의 취득 및 보상에 관한 법률」에 의한 협의취득시 건물소유자가 매매대상 건물에 대한 철거의무를 부담하겠다는 취지의 약정을 하였다 하더라도, 이러한 철거의무는 「행정대집행법」에 의한 대집행의 대상이 될 수 없다.

문제 DATA
출제가능 지수 ▶▶▷
난이도 지수 ★★☆

2023년 변호사

① (×)

> 「행정대집행법」 제4조 【대집행의 실행 등】 ① 행정청(제2조에 따라 대집행을 실행하는 제3자를 포함한다. 이하 이 조에서 같다)은 해가 뜨기 전이나 해가 진 후에는 대집행을 하여서는 아니 된다. 다만, 다음 각 호의 어느 하나에 해당하는 경우에는 그러하지 아니하다.
> 1. 의무자가 동의한 경우
> 2. 해가 지기 전에 대집행을 착수한 경우
> 3. 해가 뜬 후부터 해가 지기 전까지 대집행을 하는 경우에는 대집행의 목적 달성이 불가능한 경우

② (×) 대한주택공사(현 한국토지주택공사)가 법령에 의하여 대집행권한을 위탁받아 공무인 대집행을 실시하기 위하여 지출한 비용을 행정대집행법 절차에 따라 국세징수법의 예에 의하여 징수할 수 있다. 대한주택공사가 법령에 의하여 대집행권한을 위탁받아 공무인 대집행을 실시하기 위하여 지출한 비용을 행정대집행법 절차에 따라 징수할 수 있음에도 민사소송절차에 의하여 그 비용의 상환을 청구할 수는 없다(대판 2011.9.8. 2010다48240).

> 「행정대집행법」 제6조 【비용징수】 ① 대집행에 요한 비용은 「국세징수법」의 예에 의하여 징수할 수 있다.

[유제] 22. 지방직 7급 행정청이 행정대집행을 한 경우 그에 따른 비용의 징수는 「행정대집행법」의 절차에 따라 「국세징수법」의 예에 의하여 징수하여야 하며, 손해배상을 구하는 민사소송으로 징수할 수는 없다. (O)
21. 경행경채 행정대집행을 실시하기 위하여 지출한 비용은 민사소송절차에 의하여 그 비용의 상환을 청구할 수 있다. (×)

③ (×) 토지의 인도의무와 같은 비대체적인 의무는 「행정대집행법」상의 대집행 대상이 되지 않는다.

피수용자 등이 기업자에 대하여 부담하는 수용대상 토지의 인도의무에 관한 구 토지수용법(2002.2.4. 법률 제6656호 공익사업을 위한 토지 등의 취득 및 보상에 관한 법률 부칙 제2조로 폐지) 제63조, 제64조, 제77조 규정에서의 '인도'에는 명도도 포함되는 것으로 보아야 하고, 이러한 명도의무는 그것을 강제적으로 실현하면서 직접적인 실력행사가 필요한 것이지 대체적 작위의무라고 볼 수 없으므로 특별한 사정이 없는 한 행정대집행법에 의한 대집행의 대상이 될 수 있는 것이 아니다(대판 2005.8.19. 2004다2809).

[유제] 20. 국회직 8급 토지의 명도의무를 이행하지 않을 경우 직접강제 또는 대집행을 통해 이를 실현할 수 있다. (×)
19. 서울시 9급 구 토지수용법상 피수용자 등이 기업자에 대하여 부담하는 수용대상 토지의 인도의무는 특별한 사정이 없는 한 「행정대집행법」에 의한 대집행의 대상이 될 수 없다. (O)
18. 국가직 9급 퇴거의무 및 점유인도의무의 불이행은 행정대집행의 대상이 되지 않는다. (O)

함께 정리하기

행정대집행

해지기 전에 착수
▷ 해가 진 후라도 대집행 可

대집행비용 강제징수 可
▷ 민사소송 소의 이익 無

토지 인도의무
▷ 대집행 대상×
▷ 직접강제○

계고 시 대집행의 내용 및 범위의 특정
▷ 종합하여 특정되면 족함(계고서에만 의하는 것×)

토지보상법상 협의취득 약정에 따른 철거의무
▷ 사법상 의무
▷ 대집행대상×

④ (×) 대집행계고를 함에 있어 대집행할 행위의 내용·범위가 반드시 대집행계고서에 의하여만 특정될 필요는 없고 계고예고서, 기타 사정 등을 통해 알 수 있으면 족하다.

> 행정청이 행정대집행법 제3조 제1항에 의한 대집행계고를 함에 있어서는 의무자가 스스로 이행하지 아니하는 경우에 대집행할 행위의 내용 및 범위가 구체적으로 특정되어야 하나, 그 행위의 내용 및 범위는 반드시 대집행계고서에 의하여서만 특정되어야 하는 것이 아니고, 계고처분 전후에 송달된 문서나 기타 사정을 종합하여 행위의 내용이 특정되거나 실제 건물의 위치, 구조, 평수 등을 계고서의 표시와 대조·검토하여 대집행의무자가 그 이행의무의 범위를 알 수 있을 정도로 하면 족하다(대판 1996.10.11. 96누8086).

⑤ (○) 구 공공용지의 취득 및 손실보상에 관한 특례법에 의한 협의취득시 건물소유자가 매매대상 건물에 대한 철거의무를 부담하겠다는 취지의 약정을 한 경우, 그 철거의무는 사법상 의무이므로 행정대집행법에 의한 대집행의 대상이 되지 않는다. 구 공공용지의 취득 및 손실보상에 관한 특례법에 의한 협의취득시 건물소유자가 협의취득대상 건물에 대하여 약정한 철거의무의 강제적 이행을 행정대집행법상 대집행의 방법으로 실현할 수는 없다(대판 2006.10.13. 2006두7096).

답 ⑤

018

「행정대집행법」상 행정대집행에 대한 설명으로 옳지 않은 것은? (다툼이 있는 경우 판례에 의함)

① 관계법령상 행정대집행의 절차가 인정되어 행정청이 행정대집행의 방법으로 건물의 철거 등 대체적 작위의무의 이행을 실현할 수 있는 경우에는 따로 민사소송의 방법으로 그 의무의 이행을 구할 수 없다.
② 행정청이 행정대집행을 한 경우 그에 따른 비용의 징수는 「행정대집행법」의 절차에 따라 「국세징수법」의 예에 의하여 징수하여야 하며, 손해배상을 구하는 민사소송으로 징수할 수는 없다.
③ 행정대집행에 있어 대집행대상인 건물의 점유자가 철거의무자일 때에는 건물철거의무에 퇴거의무도 포함되어 있는 것이어서 별도로 퇴거를 명하는 집행권원이 필요하지 않다.
④ 법령이 일정한 행위를 금지하고 있는 경우, 그 금지규정으로부터 위반결과의 시정을 명하는 행정청의 처분권한은 당연히 도출되므로 행정청은 그 금지규정에 근거하여 시정을 명하고 행정대집행에 나아갈 수 있다.

| 2022년 지방직 7급

①, ③ (○) 관계법령상 행정대집행의 절차가 인정되어 행정청이 행정대집행의 방법으로 건물의 철거 등 대체적 작위의무의 이행을 실현할 수 있는 경우에는 따로 민사소송의 방법으로 그 의무의 이행을 구할 수 없다(①). 한편, 건물의 점유자가 철거의무자일 때에는 건물철거의무에 퇴거의무도 포함되어 있는 것이어서 별도로 퇴거를 명하는 집행권원이 필요하지 않다(③). 또한, 행정청이 건물소유자들을 상대로 건물철거 대집행을 실시하기에 앞서, 건물소유자들을 건물에서 퇴거시키기 위해 별도로 퇴거를 구하는 민사소송은 부적법하다(대판 2017.4.28. 2016다213916).
② (○) 대한주택공사(현 한국토지주택공사)가 법령에 의하여 대집행권한을 위탁받아 공무인 대집행을 실시하기 위하여 지출한 비용을 행정대집행법 절차에 따라 국세징수법의 예에 의하여 징수할 수 있다. 대한주택공사가 법령에 의하여 대집행권한을 위탁받아 공무인 대집행을 실시하기 위하여 지출한 비용을 행정대집행법 절차에 따라 징수할 수 있음에도 민사소송절차에 의하여 그 비용의 상환을 청구할 수는 없다(대판 2011.9.8. 2010다48240).

문제 DATA
출제가능 지수 ▶▶▷
난이도 지수 ★★☆

함께 정리하기
행정대집행
대집행 可
▷ 민사소송으로 의무이행 소구 不可
대집행비용 강제징수 可
▷ 민사소송 제기 不可
건물철거의무에 퇴거의무 포함
▷ 퇴거위해 별도 집행권원 不要
금지규정
▷ 위반결과 시정명령권한 당연 도출×

④ (×) 대집행계고처분을 하기 위하여는 법령에 의하여 직접 명령되거나 법령에 근거한 행정청의 명령에 의한 의무자의 대체적 작위의무위반행위가 있어야 한다. 따라서 단순한 부작위의무의 위반, 즉 관계법령에 정하고 있는 절대적 금지나 허가를 유보한 상대적 금지를 위반한 경우에는 당해 법령에서 그 위반자에 대하여 위반에 의하여 생긴 유형적 결과의 시정을 명하는 행정처분의 권한을 인정하는 규정을 두고 있지 아니한 이상, 법치주의의 원리에 비추어 볼 때 위와 같은 부작위의무로부터 그 의무를 위반함으로써 생긴 결과를 시정하기 위한 작위의무를 당연히 끌어낼 수는 없으며, 또 위 금지규정(특히 허가를 유보한 상대적 금지규정)으로부터 작위의무, 즉 위반결과의 시정을 명하는 권한이 당연히 추론(推論)되는 것도 아니다(대판 1996.6.28. 96누4374).

유제 22. 소방간부 법령에 규정된 절대적 금지나 허가를 유보한 상대적 금지를 위반한 경우 비록 당해 법령에서 그 위반자에 대하여 위반으로 생긴 유형적 결과의 시정을 명하는 행정처분의 권한을 인정하는 규정을 두고 있지 않더라도 위 금지규정을 위반한 결과를 시정하기 위하여 행정대집행을 할 수 있다. (×)
21. 국가직 7급 위반 결과의 시정을 명하는 권한은 금지규정으로부터 당연히 추론되는 것은 아니다. (○)
20. 지방직·서울시 9급 대집행의 대상은 원칙적으로 대체적 작위의무에 한하며, 부작위의무 위반의 경우 대체적 작위의무로 전환하는 규정을 두고 있지 아니하는 한 대집행의 대상이 되지 않는다. (○)

답 ④

019 □□□

대집행에 대한 설명으로 가장 옳지 않은 것은? (다툼이 있는 경우 판례에 의함)

① 정당한 사유 없이 공유재산에 시설물을 설치한 경우 행정청은 행정대집행의 방법을 통해 해당 시설물을 철거할 수 있고, 이 경우에는 민사소송의 방법으로 시설물 철거를 할 수 없다.
② 불법시설물의 철거는 대집행이 가능하지만, 점유를 이전하는 것은 비대체적인 것으로 「행정대집행법」에 의한 대집행의 대상이 되는 것은 아니다.
③ 처분 등의 효과가 처분 등의 집행, 그 밖의 사유로 인하여 소멸된 후에도 처분의 취소를 구할 법률상 이익이 인정될 수 있다.
④ 위법한 대집행이 완료되었더라도 미리 그 행정처분의 취소판결이 있어야만, 그 행정처분의 위법을 이유로 한 손해배상청구를 할 수 있다.

2022년 서울시 지적직 7급

① (○) 대집행이 가능한 경우에는 대집행을 하여야 하고 민사상 강제집행수단을 사용할 수는 없다.

공유재산 및 물품관리법 제83조 제1항은 "지방자치단체의 장은 정당한 사유 없이 공유재산을 점유하거나 공유재산에 시설물을 설치한 경우에는 원상복구 또는 시설물의 철거 등을 명하거나 이에 필요한 조치를 할 수 있다."라고 규정하고, 제2항은 "제1항에 따른 명령을 받은 자가 그 명령을 이행하지 아니할 때에는 '행정대집행법'에 따라 원상복구 또는 시설물의 철거 등을 하고 그 비용을 징수할 수 있다."라고 규정하고 있다. 위 규정에 따라 지방자치단체장은 행정대집행의 방법으로 공유재산에 설치한 시설물을 철거할 수 있고, 이러한 행정대집행의 절차가 인정되는 경우에는 민사소송의 방법으로 시설물의 철거를 구하는 것은 허용되지 아니한다(대판 2017.4.13. 2013다207941).

유제 22. 지방직·서울시 9급 공유일반재산의 대부료 지급은 사법상 법률관계이므로 행정상 강제집행절차가 인정되더라도 따로 민사소송으로 대부료의 지급을 구하는 것이 허용된다. (×)
17. 지방직(하) 9급 「공유재산 및 물품관리법」 제83조에 따라 지방자치단체장이 행정대집행의 방법으로 공유재산에 설치한 시설물을 철거할 수 있는 경우, 민사소송의 방법으로도 시설물의 철거를 구하는 것이 허용된다. (×)

② (○) 불법시설물의 철거의무는 대체적인 (작위)의무이므로 대집행의 대상이 되지만, 토지·건물의 점유이전의무는 토지·건물을 점유하고 있는 사람의 퇴거를 필요로 하는데, 이는 대체적 작위의무라고 할 수 없으므로 대집행의 대상이 될 수 없다.

문제 DATA
출제가능 지수 ▶▶▷
난이도 지수 ★★☆

함께 정리하기

행정대집행

공유재산에 설치한 시설물철거
▷ 행정대집행 可
▷ 민사소송 不可

점유이전의무
▷ 비대체적 작위의무
▷ 대집행 대상 ×

처분등의 효력이 소멸
▷ 회복되는 법률상이익 있다면 소의 이익 有

위법한 대집행완료
▷ 국가배상청구 可(취소판결 不要)

③ (○) 처분의 효력이 소멸한 경우에는 통상 취소소송을 제기할 소의 이익이 없다. 그러나 비록 처분의 효력기간의 경과 등으로 그 행정처분의 효력이 상실된 경우에도 당해 처분을 취소할 현실적 이익이 있는 경우, 즉 그 처분이 외형상 잔존함으로 인하여 어떠한 법률상 이익이 침해되고 있다고 볼 만한 특별한 사정이 있는 경우 등에는 그 처분의 취소를 구할 소의 이익이 있다는 것이 판례의 입장이다.

> 「행정소송법」 제12조 【원고적격】 취소소송은 처분 등의 취소를 구할 법률상 이익이 있는 자가 제기할 수 있다. 처분 등의 효과가 기간의 경과, 처분 등의 집행 그 밖의 사유로 인하여 소멸된 뒤에도 그 처분 등의 취소로 인하여 회복되는 법률상 이익이 있는 자의 경우에는 또한 같다.

④ (×) 행정처분의 취소판결이 있어야만 그 행정처분이 위법임을 이유로 손해배상청구를 할 수 있는 것은 아니다.

> 본건 계고처분 행정처분이 위법임을 이유로 배상을 청구하는 취지로 인정될 수 있는 본건에 있어 미리 그 행정처분의 취소판결이 있어야만 그 행정처분의 위법임을 이유로 피고에게 배상을 청구할 수 있는 것은 아니라고 해석함이 상당할 것임에도 불구하고 행정처분의 취소가 있어 그 효력이 상실되어야만 배상을 청구할 수 있는 법리인 것같이 판단한 원판결에는 배상청구와 행정처분 취소판결의 관계에 관한 법리를 오해한 위법이 있다 할 것이다(대판 1972.4.28. 72다337).

답 ④

020 ☐☐☐

행정상 강제집행에 대한 설명으로 옳은 것만을 모두 고르면? (다툼이 있는 경우 판례에 의함)

> ㄱ. 행정청은 퇴거를 명하는 집행권원이 없더라도 건물철거 대집행 과정에서 부수적으로 철거의무자인 건물의 점유자들에 대해 퇴거 조치를 할 수 있다.
> ㄴ. 권원 없이 국유재산에 설치한 시설물에 대하여 관리청이 행정대집행을 통해 철거를 하지 않는 경우 그 국유재산에 대하여 사용청구권을 가진 자는 국가를 대위하여 민사소송으로 그 시설물의 철거를 구할 수 있다.
> ㄷ. 공유 일반재산의 대부료 지급은 사법상 법률관계이므로 행정상 강제집행절차가 인정되더라도 따로 민사소송으로 대부료의 지급을 구하는 것이 허용된다.
> ㄹ. 관계법령에 위반하여 장례식장 영업을 하고 있는 자에게 부과된 장례식장 사용중지의무는 공법상 의무로서 행정대집행의 대상이 된다.

① ㄱ, ㄴ
② ㄱ, ㄹ
③ ㄴ, ㄷ
④ ㄷ, ㄹ

| 2022년 지방직 9급

ㄱ. (○) 관계법령상 행정대집행의 절차가 인정되어 행정청이 행정대집행의 방법으로 건물의 철거 등 대체적 작위의무의 이행을 실현할 수 있는 경우에는 따로 민사소송의 방법으로 그 의무의 이행을 구할 수 없다. 한편, 건물의 점유자가 철거의무자일 때에는 건물철거의무에 퇴거의무도 포함되어 있는 것이어서 별도로 퇴거를 명하는 집행권원이 필요하지 않다. 따라서 행정청이 행정대집행의 방법으로 건물철거의무의 이행을 실현할 수 있는 경우에는 건물철거 대집행 과정에서 부수적으로 그 건물의 점유자들에 대한 퇴거 조치를 할 수 있는 것이고, 그 점유자들이 적법한 행정대집행을 위력을 행사하여 방해하는 경우 형법상 공무집행방해죄가 성립하므로, 필요한 경우에는 경찰관 직무집행법에 근거한 위험발생 방지조치 또는 형법상 공무집행방해죄의 범행방지 내지 현행범체포의 차원에서 경찰의 도움을 받을 수도 있다(대판 2017.4.28. 2016다213916).

유제 22. 국회직 8급 「행정대집행법」에 따른 행정대집행에서 건물의 점유자가 철거의무자일 때에는 건물철거의무에 퇴거의무도 포함되어 있는 것이어서 별도로 퇴거를 명하는 집행권원이 필요하지 않다. (○)
　　　20. 국가직 9급 행정청이 건물 철거의무를 행정대집행의 방법으로 실현하는 과정에서, 건물을 점유하고 있는 철거의무자들에 대하여 제기한 건물퇴거를 구하는 소송은 적법하다. (×)

ㄴ. (○) 이 사건 토지는 잡종재산인 국유재산으로서, 국유재산법 제52조는 "정당한 사유 없이 국유재산을 점유하거나 이에 시설물을 설치한 때에는 행정대집행법을 준용하여 철거 기타 필요한 조치를 할 수 있다."고 규정하고 있으므로, 관리권자인 보령시장으로서는 행정대집행의 방법으로 이 사건 시설물을 철거할 수 있고, 이러한 행정대집행의 절차가 인정되는 경우에는 따로 민사소송의 방법으로 피고들에 대하여 이 사건 시설물의 철거를 구하는 것은 허용되지 않는다고 할 것이다. 다만, <u>관리권자인 보령시장이 행정대집행을 실시하지 아니하는 경우 국가에 대하여 이 사건 토지 사용청구권을 가지는 원고로서는 위 청구권을 보전하기 위하여 국가를 대위하여 피고들을 상대로 민사소송의 방법으로 이 사건 시설물의 철거를 구하는 이외에는 이를 실현할 수 있는 다른 절차와 방법이 없어 그 보전의 필요성이 인정되므로, 원고는 국가를 대위하여 피고들을 상대로 민사소송의 방법으로 이 사건 시설물의 철거를 구할 수 있다</u>고 보아야 할 것이다(대판 2009.6.11. 2009다1122).

유제 20. 국회직 8급 행정청이 대집행을 실시하지 않는 경우, 그 국유재산에 대한 사용청구권을 가지고 있는 자가 국가를 대위하여 민사소송으로 그 시설물의 철거를 구할 수 있다. (○)
　　　13. 지방직 7급 제3자가 아무런 권원 없이 국유재산에 설치한 시설물에 대해 해당 국유재산에 대한 사용청구권을 가진 사인은 일정한 경우에는 국가를 대위하여 민사소송으로 해당 시설물의 철거를 구할 수 있다. (○)

ㄷ. (×) 공유 일반재산의 대부료와 연체료를 납부기한까지 내지 아니한 경우에도 공유재산 및 물품 관리법 제97조 제2항에 의하여 지방세 체납처분의 예에 따라 이를 징수할 수 있다. 이와 같이 <u>공유 일반재산의 대부료의 징수에 관하여도 지방세 체납처분의 예에 따른 간이하고 경제적인 특별한 구제절차가 마련되어 있으므로, 특별한 사정이 없는 한 민사소송으로 공유 일반재산의 대부료의 지급을 구하는 것은 허용되지 아니한다</u>(대판 2017.4.13. 2013다207941).

유제 18. 국가직 7급 국유 일반재산의 대부료 징수에 관하여 국세 체납처분의 예에 따른 간이하고 경제적인 특별한 구제절차가 마련되어 있으므로, 특별한 사정이 없는 한 민사소송으로 일반재산의 대부료 지급을 구하는 것은 허용되지 않는다. (○)

ㄹ. (×) 행정대집행의 대상은 공법상 대체적 작위의무이므로 비대체적 부작위의무인 장례식장 사용중지의무는 행정대집행의 대상이 아니다.

　행정대집행법 제2조는 '행정청의 명령에 의한 행위로서 타인이 대신하여 행할 수 있는 행위를 의무자가 이행하지 아니하는 경우'에 대집행할 수 있도록 규정하고 있는데, 이 사건 용도위반 부분을 장례식장으로 사용하는 것이 관계 법령에 위반한 것이라는 이유로 <u>장례식장의 사용을 중지할 것과 이를 불이행할 경우 행정대집행법에 의하여 대집행하겠다는 내용의 이 사건 처분</u>은, 이 사건 처분에 따른 '<u>장례식장 사용중지 의무</u>'가 원고 이외의 '<u>타인이 대신</u>'할 수도 없고, <u>타인이 대신하여 '행할 수 있는 행위'라고도 할 수 없는 비대체적 부작위 의무에 대한 것이므로, 그 자체로 위법함이 명백하다</u>(대판 2005.9.28. 2005두7464).

유제 20. 국가직 7급 관계 법령에 위반하여 장례식장 영업을 하고 있는 자에 대한 장례식장 사용중지의무는 대집행의 대상이 된다. (×)
　　　19. 행정사·소방간부 관계 법령에 위반하여 장례식장 영업을 하고 있는 자의 장례식장 사용중지의무는 대집행의 대상이 아니다. (○)

답 ①

문제 DATA

출제가능 지수 ▶▶▷
난이도 지수 ★★☆

021 ☐☐☐

행정대집행에 대한 설명으로 옳은 것은? (다툼이 있는 경우 판례에 의함)

① 「공익사업을 위한 토지 등의 취득 및 보상에 관한 법률」에 의한 토지 등의 협의취득시 건물소유자가 협의취득 대상 건물에 대한 철거의무를 부담하겠다는 취지의 약정을 하였음에도 이러한 철거의무를 불이행한 경우 행정대집행을 할 수 있다.

② 계고서라는 명칭의 1장의 문서로서 일정 기간 내에 위법건축물의 자진철거를 명함과 동시에 그 소정 기한 내에 자진철거를 하지 않을 때에는 대집행할 뜻을 미리 계고한 경우라도 「건축법」에 의한 철거명령과 「행정대집행법」에 의한 계고처분은 독립하여 있는 것으로서 각 그 요건이 충족되었다고 볼 것이다.

③ 「건축법」에 위반하여 철거의무가 있는 건물이라 하더라도 그 철거의무를 대집행하기 위한 계고처분을 하려면 다른 방법으로는 이행의 확보가 어려운 사정만 있으면 충분하며 이러한 사정이 없다는 주장·입증책임은 건물의 소유자가 부담한다.

④ 법령에 규정된 절대적 금지나 허가를 유보한 상대적 금지를 위반한 경우 비록 당해 법령에서 그 위반자에 대하여 위반으로 생긴 유형적 결과의 시정을 명하는 행정처분의 권한을 인정하는 규정을 두고 있지 않더라도 위 금지규정을 위반한 결과를 시정하기 위하여 행정대집행을 할 수 있다.

⑤ 계고처분과 대집행비용납부명령은 그 목적을 달리하여 별개의 법률효과를 발생시키는 처분이므로 이미 불가쟁력이 발생한 계고처분에 존재하는 하자를 이유로 아무런 하자가 없는 대집행비용납부명령의 효력을 다툴 수 없다.

2022년 소방간부

① (×) 행정대집행법상 대집행의 대상이 되는 대체적 작위의무는 공법상 의무이어야 할 것인데, 구 공공용지의 취득 및 손실보상에 관한 특례법에 따른 토지 등의 협의취득은 공공사업에 필요한 토지 등을 그 소유자와의 협의에 의하여 취득하는 것으로서 공공기관이 사경제주체로서 행하는 사법상 매매 내지 사법상 계약의 실질을 가지는 것이므로, 그 협의취득시 건물소유자가 매매대상 건물에 대한 철거의무를 부담하겠다는 취지의 약정을 하였다고 하더라도 이러한 철거의무는 공법상의 의무가 될 수 없고, 이 경우에도 행정대집행법을 준용하여 대집행을 허용하는 별도의 규정이 없는 한 위와 같은 철거의무는 행정대집행법에 의한 대집행의 대상이 되지 않는다(대판 2006.10.13. 2006두7096).

유제 22. 국회직 8급 구 「공공용지의 취득 및 손실보상에 관한 특례법」에 의한 협의취득시 건물소유자가 협의취득대상 건물에 대한 철거의무를 부담하겠다는 취지의 약정을 하였다고 하더라도 이러한 철거의무는 공법상의 의무가 될 수 없고 대집행을 허용하는 별도의 규정이 없는 한 대집행의 대상이 될 수 없다. (○)

15. 지방직 7급 구 「공공용지의 취득 및 손실보상에 관한 특례법」에 의한 협의취득시 건물소유자가 매매대상 건물에 대한 철거의무를 부담하겠다는 취지의 약정을 한 경우, 그 철거의무는 「행정대집행법」에 의한 대집행의 대상이 된다. (×)

② (○) 계고서라는 명칭의 1장의 문서로서 일정기간 내에 위법건축물의 자진철거를 명함과 동시에 그 소정기한 내에 자진철거를 하지 아니할 때에는 대집행할 뜻을 미리 계고한 경우라도 건축법에 의한 철거명령과 행정대집행법에 의한 계고처분은 독립하여 있는 것으로서 각 그 요건이 충족되었다고 볼 것이다 (대판 1992.6.12. 91누13564).

유제 21. 군무원 9급, 14. 행정사 계고서라는 명칭의 1장의 문서로서 일정기간 내에 위법건축물의 자진철거를 명함과 동시에 그 소정기한 내에 자진철거를 하지 아니할 때에는 대집행할 뜻을 미리 계고한 경우라도 「건축법」에 의한 철거명령과 「행정대집행법」에 의한 계고처분은 독립하여 있는 것으로서 각 그 요건이 충족되었다고 볼 것이다. (○)

13. 지방직 7급 철거명령과 계고를 각각 따로 하지 않고, 일정한 기간 내에 위법건축물의 자진철거를 명함과 동시에 그 소정기간 내에 자진철거하지 아니하면 대집행할 뜻을 미리 계고하는 것과 같이 1장의 문서로 철거명령과 계고를 행하는 것은 허용되지 아니한다. (×)

함께 정리하기

행정대집행

토지보상법 협의취득 약정에 따른 철거의무
▷ 사법상 의무
▷ 대집행 불가

철거명령·계고처분
▷ 1장의 문서로 可

행정대집행
▷ 다른 방법으로 이행확보 어렵고 심히 공익 해하는 경우 허용, 그 입증은 행정청이 해야 함

부작위의무
▷ 부작위의무위반으로 생긴 결과를 시정하기 위한 작위의무 당연히 도출×

계고·대집행비용납부명령
▷ 하자승계○

③ (×) 건축법에 위반하여 건축한 것이어서 철거의무가 있는 건물이라 하더라도 그 철거의무를 대집행하기 위한 계고처분을 하려면 다른 방법으로는 이행의 확보가 어렵고 불이행을 방치함이 심히 공익을 해하는 것으로 인정될 때에 한하여 허용되고 이러한 요건의 주장·입증책임은 처분 행정청에게 있다(대판 1993.9.14. 92누16690).

유제 20. 지방직 9급 대집행을 함에 있어 계고요건의 주장과 입증책임은 처분행정청에 있는 것이지, 의무불이행자에 있는 것이 아니다. (○)

19. 5급 승진 「건축법」에 위반하여 건축한 것이어서 철거의무가 있는 건물이라 하더라도 그 철거의무를 대집행하기 위한 계고처분을 하려면, 다른 방법으로는 이행의 확보가 어렵고 불이행을 방치함이 심히 공익을 해하는 것으로 인정될 때에 한하여 허용되고, 이러한 요건의 주장·입증책임은 의무위반자에게 있다. (×)

④ (×) 대집행계고처분을 하기 위하여는 법령에 의하여 직접 명령되거나 법령에 근거한 행정청의 명령에 의한 의무자의 대체적 작위의무 위반행위가 있어야 한다. 따라서 단순한 부작위의무의 위반, 즉 관계 법령에 정하고 있는 절대적 금지나 허가를 유보한 상대적 금지를 위반한 경우에는 당해 법령에서 그 위반자에 대하여 위반에 의하여 생긴 유형적 결과의 시정을 명하는 행정처분의 권한을 인정하는 규정(예 건축법 제69조, 도로법 제74조, 하천법 제67조, 도시공원법 제20조, 옥외광고물등관리법 제10조 등)을 두고 있지 아니한 이상, 법치주의의 원리에 비추어 볼 때 위와 같은 부작위의무로부터 그 의무를 위반함으로써 생긴 결과를 시정하기 위한 작위의무를 당연히 끌어낼 수는 없으며, 또 위 금지규정(특히 허가를 유보한 상대적 금지규정)으로부터 작위의무, 즉 위반결과의 시정을 명하는 권한이 당연히 추론되는 것도 아니다(대판 1996.6.28. 96누4374).

유제 21. 국가직 7급 위반 결과의 시정을 명하는 권한은 금지규정으로부터 당연히 추론되는 것은 아니다. (○)

20. 지방직 9급 대집행의 대상은 원칙적으로 대체적 작위의무에 한하며, 부작위의무 위반의 경우 대체적 작위의무로 전환하는 규정을 두고 있지 아니하는 한 대집행의 대상이 되지 않는다. (○)

19. 지방직 7급 부작위의무를 위반함으로써 생긴 결과를 시정하기 위한 작위의무를 명하는 행위는 행정청이 별도의 법령상의 근거 없이도 할 수 있는 행위이다. (×)

19. 서울시 7급(추) 부작위의무 위반행위에 대하여 대체적 작위의무로 전환하는 규정을 두고 있지 아니하더라도 그 금지규정으로부터 그 위반결과의 시정을 명하는 원상복구명령을 할 수 있는 권한이 도출될 수 있다. (×)

⑤ (×) 대집행의 계고·대집행영장에 의한 통지·대집행의·실행·대집행에 요한 비용의 납부명령 등은, 동일한 행정목적을 달성하기 위하여 단계적인 일련의 절차로 연속하여 행하여지는 것으로서, 서로 결합하여 하나의 법률효과를 발생시키는 것이므로, 선행처분인 계고처분이 하자가 있는 위법한 처분이라면, 비록 하자가 중대하고도 명백한 것이 아니어서 당연무효의 처분이라고 볼 수 없고 대집행의 실행이 이미 사실행위로서 완료되어 계고처분의 취소를 구할 법률상 이익이 없게 되었으며, 또 대집행비용납부명령 자체에는 아무런 하자가 없다 하더라도, 후행처분인 대집행비용납부명령의 취소를 청구하는 소송에서 청구원인으로 선행처분인 계고처분이 위법한 것이기 때문에 그 계고처분을 전제로 행하여진 대집행비용납부명령도 위법한 것이라는 주장을 할 수 있다(대판 1993.11.9. 93누14271).

유제 21. 소방간부 후행처분인 대집행비용납부명령 취소청구 소송에서 선행처분인 계고처분이 위법하나는 이유로 대집행비용납부명령의 취소를 구할 수 있다. (○)

20. 국회직 9급 대집행 계고처분과 대집행 비용납부명령은 각각 별개의 법률효과를 발생시키는 것이어서 선행처분의 하자가 후행처분에 승계되지 아니한다. (×)

답 ②

문제 DATA

출제가능 지수 ▶▶▷
난이도 지수 ★★☆

함께 정리하기

행정대집행

점유자가 철거의무자
▷ 퇴거 명하는 집행권원 不要

법률의 위임을 받은 조례에 의해 직접 부과된 대체적 작위의무
▷ 대집행 대상 ○

부작위의무 전환규정 無
▷ 원상복구명령: 무효
▷ 계고: 무효

토지보상법 협의취득 약정에 따른 철거의무
▷ 사법상 의무
▷ 대집행 불가

건물철거의무
▷ 1차 철거명령·계고로 발생
▷ 2차 계고는 연기통지

022

행정대집행에 대한 설명으로 옳지 않은 것은? (다툼이 있는 경우 판례에 의함)

① 「행정대집행법」에 따른 행정대집행에서 건물의 점유자가 철거의무자일 때에는 건물철거의무에 퇴거의무도 포함되어 있는 것이어서 별도로 퇴거를 명하는 집행권원이 필요하지 않다.

② 법률에 의해서뿐만 아니라 법률의 위임을 받은 조례에 의해 직접 부과된 대체적 작위의무도 대집행의 대상이 된다.

③ 부작위의무 위반행위에 대하여 대체적 작위의무로 전환하는 규정이 없는 경우, 부작위의무 위반결과의 시정을 명하는 원상복구명령은 무효이고, 원상복구명령의 실효성 확보를 위한 대집행의 계고처분 역시 무효로 봄이 타당하다.

④ 구 「공공용지의 취득 및 손실보상에 관한 특례법」에 의한 협의취득시 건물소유자가 협의취득대상 건물에 대한 철거의무를 부담하겠다는 취지의 약정을 하였다고 하더라도 이러한 철거의무는 공법상의 의무가 될 수 없고, 대집행을 허용하는 별도의 규정이 없는 한 대집행의 대상이 될 수 없다.

⑤ 건물의 소유자에게 위법건축물을 일정기간까지 철거할 것을 명함과 아울러 불이행하면 대집행한다는 내용의 계고처분을 고지한 후, 이에 불응하자 다시 제2차 계고서로 일정기간까지의 철거를 촉구하고 불이행하면 대집행한다는 뜻을 고지하였다면, 「행정대집행법」상 건물철거의무는 제2차 계고처분으로 인하여 발생한다.

▎2022년 국회직 8급

① (○) 대판 2017.4.28. 2016다213916

② (○)

> 「행정대집행법」 제2조 【대집행과 그 비용징수】 법률(법률의 위임에 의한 명령, 지방자치단체의 조례를 포함한다. 이하 같다)에 의하여 직접명령되었거나 또는 법률에 의거한 행정청의 명령에 의한 행위로서 타인이 대신하여 행할 수 있는 행위를 의무자가 이행하지 아니하는 경우 다른 수단으로써 그 이행을 확보하기 곤란하고 또한 그 불이행을 방치함이 심히 공익을 해할 것으로 인정될 때에는 당해 행정청은 스스로 의무자가 하여야 할 행위를 하거나 또는 제삼자로 하여금 이를 하게 하여 그 비용을 의무자로부터 징수할 수 있다.

유제 20. 국가직 7급 대체적 작위의무가 법률의 위임을 받은 조례에 의해 직접 부과된 경우에는 대집행의 대상이 되지 아니한다. (×)
13. 국회직 9급 법령이나 조례에 의해 직접 명령되었거나 법령에 근거한 처분에 의한 행위를 대상으로 한다. (○)
09. 국가직 7급 조례는 「행정대집행법」상의 대체적 작위의무 부과의 근거가 되는 법령에 해당하지 않는다. (×)

③ (○) 주택건설촉진법 제38조 제2항은 공동주택 및 부대시설·복리시설의 소유자·입주자·사용자 등은 부대시설 등에 대하여 도지사의 허가를 받지 않고 사업계획에 따른 용도 이외의 용도에 사용하는 행위 등을 금지하고, 그 위반행위에 대하여 위 주택건설촉진법 제52조의2 제1호에서 1천만 원 이하의 벌금에 처하도록 하는 벌칙규정만을 두고 있을 뿐, 건축법 제69조 등과 같은 부작위의무 위반행위에 대하여 대체적 작위의무로 전환하는 규정을 두고 있지 아니하므로 위 금지규정으로부터 그 위반결과의 시정을 명하는 원상복구명령을 할 수 있는 권한이 도출되는 것은 아니다. 결국 행정청의 원고에 대한 원상복구명령은 권한 없는 자의 처분으로 무효라고 할 것이고, 위 원상복구명령이 당연무효인 이상 후행처분인 계고처분의 효력에 당연히 영향을 미쳐 그 계고처분 역시 무효로 된다(대판 1996.6.28. 96누4374).

유제 16. 지방직 7급 법령상 부작위의무 위반에 대해 작위의무를 부과할 수 있는 법령의 근거가 없음에도, 행정청이 작위의무를 명한 후 그 의무불이행을 이유로 대집행계고처분을 한 경우 그 계고처분은 유효하다. (×)

④ (○) 대판 2006.10.13. 2006두7096

⑤ (×) 건물의 소유자에게 위법건축물을 일정기간까지 철거할 것을 명함과 아울러 불이행할 때에는 대집행한다는 내용의 철거대집행 계고처분을 고지한 후 이에 불응하자 다시 제2차, 제3차 계고서를 발송하여 일정기간까지의 자진철거를 촉구하고 불이행하면 대집행을 한다는 뜻을 고지하였다면 <u>행정대집행법상의 건물철거의무는 제1차 철거명령 및 계고처분으로서 발생하였고 제2차, 제3차의 계고처분은 새로운 철거의무를 부과한 것이 아니고 다만 대집행기한의 연기통지에 불과하므로 행정처분이 아니다</u>(대판 1994.10.28. 94누5144).

유제 21. 소방직 대집행의 절차인 '대집행의 계고'의 법적 성질은 준법률행위적 행정행위이므로 계고 그 자체가 독립하여 항고소송의 대상이나, 2차 계고는 새로운 철거의무를 부과하는 것이 아니고 대집행기한의 연기 통지에 불과하므로 행정처분으로 볼 수 없다는 판례가 있다. (○)
21. 행정사 철거대집행 계고처분 후 행한 제2차 계고는 대집행기한의 연기통지가 아니라 새로운 철거의무를 부과한 것이다. (×)
20. 국회직 9급 대집행에 대한 계고는 행정처분이고, 1차 계고 이후 대집행기한을 연기하기 위한 2차 계고, 3차 계고 또한 독립된 행정처분이다. (×)

답 ⑤

---

023 □□□

행정대집행에 대한 설명으로 옳은 것을 모두 고른 것은? (다툼이 있는 경우 판례에 의함)

> ㄱ. 대집행영장에 의한 통지는 취소소송의 대상이 된다.
> ㄴ. 「행정대집행법」에서는 대집행에 대해 행정심판을 제기할 수 있음을 규정하고 있다.
> ㄷ. 계고처분의 후속절차인 대집행에 위법이 있다고 하더라도, 그와 같은 후속절차에 위법성이 있다는 점을 들어 선행절차인 계고처분이 부적법하다는 사유로 삼을 수는 없다.
> ㄹ. 대집행은 대집행의 대상이 되는 의무를 명하는 처분청이 그 주체가 되며 타인에게 위탁할 수 없다.

① ㄱ
② ㄴ, ㄷ
③ ㄱ, ㄴ, ㄷ
④ ㄴ, ㄷ, ㄹ
⑤ ㄱ, ㄴ, ㄷ, ㄹ

문제 DATA
출제가능 지수 ▶▶▷
난이도 지수 ★★☆

| 2022년 행정사 |

ㄱ. (○) 대집행영장에 의한 통지의 법적 성질은 준법률행위적 행정행위로서의 통지이다. 따라서 그 자체가 독립하여 항고소송의 대상이 되는 처분에 해당한다.

유제 15. 지방직 7급 대집행의 계고와 대집행 영장에 의한 통지는 그 자체가 독립하여 취소소송의 대상이 된다. (○)
13. 행정사 대집행영장에 의한 통지는 준법률행위적 행정행위로서 취소소송의 대상이 될 수 없다. (×)

ㄴ. (○)

> 「행정대집행법」 제7조 【행정심판】 대집행에 대하여는 행정심판을 제기할 수 있다.

유제 21. 지방직 9급 대집행에 대하여는 행정심판을 제기할 수 있다. (○)
19. 5급 승진, 17. 행정사 대집행에 대하여는 행정심판을 제기할 수 없다. (×)

ㄷ. (○) <u>계고처분의 후속절차인 대집행에 위법이 있다고 하더라도, 그와 같은 후속절차에 위법성이 있다는 점을 들어 선행절차인 계고처분이 부적법하다는 사유로 삼을 수는 없다</u>(대판 1997.2.14. 96누15428).

유제 21. 소방직, 20. 지방직 7급 계고처분의 후속절차인 대집행에 위법이 있다고 하더라도, 그와 같은 후속절차에 위법성이 있다는 점을 들어 선행절차인 계고처분이 부적법하다는 사유로 삼을 수는 없다. (○)

함께 정리하기
행정대집행

대집행영장에 의한 통지
▷ 처분성○

「행정대집행법」
▷ 행정심판규정 有

후속절차인 대집행의 하자
▷ 선행절차인 계고처분의 부적법 사유로 주장×

대집행권한
▷ 제3자에게 위임·위탁 可

ㄹ. (×) 대집행은 대집행 주체인 행정청뿐만 아니라 제3자에 의해서도 가능하다.

> 「행정대집행법」제2조【대집행과 그 비용징수】법률(법률의 위임에 의한 명령, 지방자치단체의 조례를 포함한다. 이하 같다)에 의하여 직접명령되었거나 또는 법률에 의거한 행정청의 명령에 의한 행위로서 타인이 대신하여 행할 수 있는 행위를 의무자가 이행하지 아니하는 경우 다른 수단으로써 그 이행을 확보하기 곤란하고 또한 그 불이행을 방치함이 심히 공익을 해할 것으로 인정될 때에는 <u>당해 행정청은 스스로 의무자가 하여야 할 행위를 하거나 또는 제삼자로 하여금 이를 하게 하여</u> 그 비용을 의무자로부터 징수할 수 있다.

유제 21. 행정사 대집행은 처분청 스스로 하여야 하며 대집행 권한을 제3자에게 위임·위탁할 수 없다. (×)
19. 행정사 대집행을 할 수 있는 권한을 가진 행정청은 대집행권한을 타인에게 위탁할 수 있다. (○)
13. 서울시 9급 대집행의 주체는 해당 행정청이 되나, 대집행의 실행행위는 행정청에 의한 경우 이외에 제3자에 의해서도 가능하다. (○)
13. 국가직 7급 행정청의 위임을 받아 대집행을 실행하는 제3자는 대집행의 주체가 아니다. (○)

답 ③

024 □□□

행정의 실효성 확보수단에 대한 설명으로 옳은 것만을 모두 고른 것은? (다툼이 있는 경우 판례에 의함)

> ㄱ. 위반 결과의 시정을 명하는 권한은 금지규정으로부터 당연히 추론되는 것은 아니다.
> ㄴ. 양벌규정에 의해 영업주를 처벌하는 경우, 금지위반행위자인 종업원을 처벌할 수 없는 경우에도 영업주만 따로 처벌할 수 있다.
> ㄷ. 「농지법」상 이행강제금 부과처분은 행정소송의 대상이다.
> ㄹ. 행정상 의무위반행위자에 대하여 과징금을 부과하기 위해서는 원칙적으로 위반자의 고의 또는 과실이 있어야 한다.

① ㄱ
② ㄱ, ㄴ
③ ㄷ, ㄹ
④ ㄱ, ㄴ, ㄷ, ㄹ

2021년 국가직 7급

ㄱ. (○) 대판 1996.6.28. 96누4374
ㄴ. (○) <u>양벌규정에 의한 영업주의 처벌</u>은 금지위반행위자인 종업원의 처벌에 종속하는 것이 아니라 독립하여 그 자신의 종업원에 대한 선임감독상의 과실로 인하여 처벌되는 것이므로 <u>종업원의 범죄성립이나 처벌이 영업주 처벌의 전제조건이 될 필요는 없다</u>(대판 2006.2.24. 2005도7673).
ㄷ. (×) 농지법은 농지 처분명령에 대한 이행강제금 부과처분에 불복하는 자가 그 처분을 고지받은 날부터 30일 이내에 부과권자에게 이의를 제기할 수 있고, 이의를 받은 부과권자는 지체 없이 관할 법원에 그 사실을 통보하여야 하며, 그 통보를 받은 관할 법원은 비송사건절차법에 따른 과태료 재판에 준하여 재판을 하도록 정하고 있다(제62조 제1항, 제6항, 제7항). 따라서 <u>농지법 제62조 제1항에 따른 이행강제금 부과처분에 불복하는 경우에는 비송사건절차법에 따른 재판절차가 적용되어야 하고, 행정소송법상 항고소송의 대상은 될 수 없다</u>(대판 2019.4.11. 2018두42955).
ㄹ. (×) 구 여객자동차 운수사업법 제88조 제1항의 <u>과징금부과처분</u>은 제재적 행정처분으로서 행정목적의 달성을 위하여 행정법규 위반이라는 객관적 사실에 착안하여 가하는 제재이므로 반드시 현실적인 행위자가 아니라도 법령상 책임자로 규정된 자에게 부과되고 <u>원칙적으로 위반자의 고의·과실을 요하지 아니하나</u>, 위반자의 의무 해태를 탓할 수 없는 정당한 사유가 있는 등의 특별한 사정이 있는 경우에는 이를 부과할 수 없다(대판 2014.10.15. 2013두5005).

답 ②

문제 DATA
출제가능 지수 ▶▶▷
난이도 지수 ★★☆

함께 정리하기
행정대집행
금지규정
▷ 위반결과 시정명령권한 당연 도출×
양벌규정상 영업주 처벌
▷ 종업원의 범죄성립·처벌을 전제×
「농지법」상 이행강제금
▷ 행정소송 대상×
과징금
▷ 객관적 사실에 착안하여 부과(고의·과실 不要)

025

행정의 실효성 확보수단의 예와 그 법적 성질의 연결이 옳지 않은 것은? (다툼이 있는 경우 판례에 의함)

① 「건축법」에 따른 이행강제금의 부과 – 집행벌
② 「식품위생법」에 따른 영업소 폐쇄 – 직접강제
③ 「공유재산 및 물품 관리법」에 따른 공유재산 원상복구명령의 강제적 이행 – 즉시강제
④ 「부동산등기 특별조치법」에 따른 과태료의 부과 – 행정벌

2021년 국가직 9급

① (○) 이행강제금은 일정 기한까지 행정법상의 의무자가 의무를 이행하지 않는 경우 일정한 금전적 부담을 과할 뜻'을 미리 '계고'함으로써 의무자에게 심리적 압박을 주어 장래를 향하여 의무의 이행을 확보하려는 행정상 강제집행 수단이다. 이행강제금은 간접적인 의무이행강제수단으로서 집행벌이라고도 한다.

② (○) 행정청의 영업소폐쇄명령을 받은 후에 식품접객업자가 이를 불이행하는 경우 행정청이 사용할 수 있는 수단인 「식품위생법」 제79조에 의한 영업장 또는 사업장의 폐쇄는 직접강제에 해당한다. 직접강제는 의무자의 신체·재산에 직접 실력을 가함으로써 의무이행이 있었던 것과 같은 상태를 실현시키는 가장 강력한 강제집행 수단이다.

③ (×) 「공유재산 및 물품 관리법」에 따른 공유재산 원상복구명령의 강제적 이행은 행정대집행에 해당한다.

> 공유재산 및 물품 관리법 제83조 제1항은 "지방자치단체의 장은 정당한 사유 없이 공유재산을 점유하거나 공유재산에 시설물을 설치한 경우에는 원상복구 또는 시설물의 철거 등을 명하거나 이에 필요한 조치를 할 수 있다."라고 규정하고, 제2항은 "제1항에 따른 명령을 받은 자가 그 명령을 이행하지 아니할 때에는 '행정대집행법'에 따라 원상복구 또는 시설물의 철거 등을 하고 그 비용을 징수할 수 있다."라고 규정하고 있다. 위 규정에 따라 지방자치단체장은 행정대집행의 방법으로 공유재산에 설치한 시설물을 철거할 수 있고, 이러한 행정대집행의 절차가 인정되는 경우에는 민사소송의 방법으로 시설물의 철거를 구하는 것은 허용되지 아니한다(대판 2017.4.13. 2013다207941).

④ (○) 「부동산등기 특별조치법」에 따른 과태료의 부과는 행정질서벌에 해당한다. 행정질서벌은 행정형벌과 함께 행정벌에 해당한다.

> 죄형법정주의는 무엇이 범죄이며 그에 대한 형벌이 어떠한 것인가는 국민의 대표로 구성된 입법부가 제정한 법률로써 정하여야 한다는 원칙인데, 부동산등기 특별조치법 제11조 제1항 본문 중 제2조 제1항에 관한 부분이 정하고 있는 과태료는 행정상의 질서유지를 위한 행정질서벌에 해당할 뿐 형벌이라고 할 수 없어 죄형법정주의의 규율대상에 해당하지 아니한다(헌재 1998.5.28. 96헌바83).

답 ③

함께 정리하기

행정의 실효성 확보수단

이행강제금
▷ 집행벌

영업소폐쇄
▷ 직접강제

공유재산 원상복구명령
▷ 대집행

과태료
▷ 행정벌

026

행정대집행에 대한 설명으로 옳지 않은 것은? (다툼이 있는 경우 판례에 의함)

① 도시공원시설 점유자의 퇴거 및 명도 의무는 「행정대집행법」에 의한 대집행의 대상이 아니다.
② 후행처분인 대집행비용납부명령 취소청구 소송에서 선행처분인 계고처분이 위법하다는 이유로 대집행비용납부명령의 취소를 구할 수 없다.
③ 대집행에 요한 비용을 징수하였을 때에는 그 징수금은 사무비의 소속에 따라 국고 또는 지방자치단체의 수입으로 한다.
④ 대집행에 대하여는 행정심판을 제기할 수 있다.

함께 정리하기

행정대집행

도시공원시설 명도·퇴거의무
▷ 대집행 불가
▷ 직접강제○

선행처분인 계고처분의 하자
▷ 대집행비용납부명령의 취소사유로 주장○

대집행 비용징수금
▷ 사무비의 소속에 따라 국고 또는 지방자치단체 수입

대집행
▷ 행정심판 가

2021년 지방직 9급

① (○) 도시공원시설인 매점의 관리청이 그 공동점유자 중의 1인에 대하여 소정의 기간 내에 위 매점으로부터 퇴거하고 이에 부수하여 그 판매 시설물 및 상품을 반출하지 아니할 때에는 이를 대집행하겠다는 내용의 계고처분은 그 주된 목적이 매점의 원형을 보존하기 위하여 점유자가 설치한 불법 시설물을 철거하고자 하는 것이 아니라, 매점에 대한 점유자의 점유를 배제하고 그 점유이전을 받는 데 있다고 할 것인데, 이러한 의무는 그것을 강제적으로 실현함에 있어 직접적인 실력행사가 필요한 것이지 대체적 작위의무에 해당하는 것은 아니어서 직접강제의 방법에 의하는 것은 별론으로 하고 행정대집행법에 의한 대집행의 대상이 되는 것은 아니다(대판 1998.10.23. 97누157).

유제 21. 국회직 9급 매점의 명도는 대체적 작위의무에 해당하지 아니하여 대집행의 대상이 아니다. (○)
19. 소방간부 공원점용허가를 받아 설치한 매점의 소유자가 점용기간 만료 후에 그 매점으로부터 퇴거할 의무는「행정대집행법」에 의한 대집행의 대상이 되지 않는다. (○)
15. 지방직 7급·국회직 8급·경찰 3차, 13. 경찰 2차 도시공원시설 점유자의 퇴거 및 명도의무는「행정대집행법」에 의한 대집행의 대상이 되지 않는다. (○)
15. 서울시 9급 공원매점에서 퇴거할 의무는 비대체적 작위의무이기 때문에「행정대집행법」에 의한 대집행의 대상이 되는 것은 아니다. (○)

② (X) 대판 1993.11.9. 93누14271
③ (○)

「행정대집행법」 제6조【비용징수】③ 대집행에 요한 비용을 징수하였을 때에는 그 징수금은 사무비의 소속에 따라 국고 또는 지방자치단체의 수입으로 한다.

④ (○)

「행정대집행법」 제7조【행정심판】대집행에 대하여는 행정심판을 제기할 수 있다.

답 ②

---

027 ☐☐☐

행정대집행에 대한 설명으로 옳지 않은 것은? (다툼이 있는 경우 판례에 의함)

① 대집행의 근거법으로는 대집행에 관한 일반법인「행정대집행법」과 대집행에 관한 개별법 규정이 있다.
② 대집행의 요건을 충족한 경우에 행정청이 대집행을 할 것인지 여부에 관해서 소수설은 재량행위로 보나, 다수설과 판례는 기속행위로 본다.
③ 대집행의 절차인 '대집행의 계고'의 법적 성질은 준법률행위적 행정행위이므로 계고 그 자체가 독립하여 항고소송의 대상이나, 2차 계고는 새로운 철거의무를 부과하는 것이 아니고 대집행기한의 연기 통지에 불과하므로 행정처분으로 볼 수 없다는 판례가 있다.
④ 계고처분의 후속절차인 대집행에 위법이 있다고 하여 그와 같은 후속절차에 위법성이 있다는 점을 들어 선행절차인 계고처분이 부적법하다는 사유로 삼을 수는 없다.

문제 DATA

출제가능 지수 ▶▶▷
난이도 지수 ★★☆

함께 정리하기

행정대집행

대집행에 관한 일반법
▷「행정대집행법」

대집행 실시 여부
▷ 행정청의 재량

계고
▷ 준법률행위적 행정행위

반복된 계고
▷ 1차 계고만 처분○
▷ 2차 계고 처분×

후속절차인 대집행의 하자
▷ 선행절차인 계고처분의 부적법 사유로 주장×

2021년 소방직

① (○) 대집행의 근거법으로는 대집행에 관한 일반법인「행정대집행법」이 있으며 그 밖에도「건축법」제85조,「도로교통법」제35조 제6항 및「공익사업을 위한 토지 등의 취득 및 보상에 관한 법률」제89조 등의 개별법 규정이 있다.
② (X) 대집행의 요건이 모두 충족된 경우, 대집행을 하여야 한다는 견해(소수설)도 있으나,「행정대집행법」제2조의 규정형식이 가능규정(~할 수 있다)의 형태를 취하고 있는 점을 근거로 판례와 다수설은 재량행위로 보고 있다.

> 「행정대집행법」 제2조 【대집행과 그 비용징수】 법률에 의하여 직접 명령되었거나 또는 법률에 의거한 행정청의 명령에 의한 행위로서 타인이 대신하여 행할 수 있는 행위를 의무자가 이행하지 아니하는 경우 다른 수단으로써 그 이행을 확보하기 곤란하고 또한 그 불이행을 방치함이 심히 공익을 해할 것으로 인정될 때에는 당해 행정청은 스스로 의무자가 하여야 할 행위를 하거나 또는 제삼자로 하여금 이를 하게 하여 그 비용을 의무자로부터 징수할 수 있다.

건물 중 위법하게 구조변경을 한 건축물 부분은 제반 사정에 비추어 그 원상복구로 인한 불이익의 정도가 그로 인하여 유지하고자 하는 공익상의 필요 또는 제3자의 이익보호의 필요에 비하여 현저히 크므로, 그 건축물 부분에 대한 대집행계고처분은 재량권의 범위를 벗어난 위법한 처분이다(대판 1996.10.11. 96누8086).

유제 17. 국가직 9급 「행정대집행법」 제2조에 따른 대집행의 실시 여부는 행정청의 재량에 속하지 않는다. (×)

③ (○) 대판 1994.10.28. 94누5144
④ (○) 대판 1997.2.14. 96누15428

답 ②

028 □□□

행정상 강제집행에 대한 설명으로 옳지 않은 것은? (다툼이 있는 경우 판례에 의함)

① 대집행은 비금전적인 대체적 작위의무를 의무자가 이행하지 않는 경우 행정청이 스스로 의무자가 행하여야 할 행위를 하거나 제3자로 하여금 행하게 하는 것으로, 그 대집행의 대상은 공법상 의무에만 한정하지 않는다.
② 행정청이 대집행에 대한 계고를 함에 있어서 의무자가 스스로 이행하지 아니하는 경우 대집행할 행위의 내용과 범위가 구체적으로 특정되어야 하지만, 그 내용 및 범위는 대집행계고서에 의해서만 특정되어야 하는 것은 아니고 그 처분 전후에 송달된 문서나 기타 사정을 종합하여 이를 특정할 수 있으면 족하다.
③ 비상시 또는 위험이 절박한 경우에 있어 당해 행위의 급속한 실시를 요하여 대집행영장에 의한 통지절차를 취할 여유가 없을 때에는 이 절차를 거치지 아니하고 대집행할 수 있다.
④ 개발제한구역 내의 건축물에 대하여 허가를 받지 않고 한 용도변경행위에 대한 형사처벌과 「건축법」 제83조 제1항에 의한 시정명령 위반에 대한 이행강제금 부과는 이중처벌에 해당하지 아니한다.

| 2021년 소방직

① (×) 대집행은 대체적 작위의무를 의무자가 이행하지 않는 경우 행정청이 스스로 의무자가 행하여야 할 행위를 하거나 제3자로 하여금 행하게 하여 의무이행이 있었던 것과 동일한 상태를 실현시킨 후 그 비용을 의무자로부터 징수하는 행정작용을 말하는데, 대집행은 공법상 의무의 불이행을 그 대상으로 한다.
② (○) 행정청이 행정대집행법 제3조 제1항에 의한 대집행계고를 함에 있어서는 의무자가 스스로 이행하지 아니하는 경우에 대집행할 행위의 내용 및 범위가 구체적으로 특정되어야 하나, 그 행위의 내용 및 범위는 반드시 대집행계고서에 의하여서만 특정되어야 하는 것이 아니고 계고처분 전후에 송달된 문서나 기타 사정을 종합하여 행위의 내용이 특정되면 족하다(대판 1994.10.28. 94누5144).

유제 20. 국가직 7급 대집행계고 시 대집행할 행위의 내용 및 범위는 반드시 대집행계고서에 의해서만 특정되어야 하는 것은 아니다. (○)
20. 지방직 9급 행정청이 계고를 함에 있어 의무자가 스스로 이행하지 아니하는 경우 대집행의 내용과 범위가 구체적으로 특정되어야 하며, 대집행의 내용과 범위는 반드시 대집행 계고서에 의해서만 특정되어야 한다. (×)

문제 DATA
출제가능 지수 ▶▶▷
난이도 지수 ★★☆

함께 정리하기
행정상 강제집행

대집행 대상
▷ 공법상 의무 불이행

계고 시 대집행의 내용 및 범위의 특정
▷ 종합하여 특정되면 족함(계고서에만 의하는 것×)

비상시 또는 위험 절박한 경우
▷ 통지 생략 가

형사처벌과 이행강제금
▷ 병과 가(이중처벌금지원칙 위반×)

18. 국가직 9급 대집행계고를 함에 있어서는 의무자가 스스로 이행하지 않는 경우에 대집행할 행위의 내용 및 범위가 구체적으로 특정되어야 하는데 그 내용과 범위는 대집행 계고서뿐만 아니라 계고처분 전후에 송달된 문서나 기타 사정 등을 종합하여 특정될 수 있다. (○)

③ (○)

> 「행정대집행법」제3조【대집행의 절차】② 의무자가 전항의 계고를 받고 지정기한까지 그 의무를 이행하지 아니할 때에는 당해 행정청은 대집행영장으로써 대집행을 할 시기, 대집행을 시키기 위하여 파견하는 집행책임자의 성명과 대집행에 요하는 비용의 개산에 의한 견적액을 의무자에게 통지하여야 한다.
> ③ 비상시 또는 위험이 절박한 경우에 있어서 당해 행위의 급속한 실시를 요하여 전2항에 규정한 수속을 취할 여유가 없을 때에는 그 수속을 거치지 아니하고 대집행을 할 수 있다.

유제 19. 서울시 7급 비상시 또는 위험이 절박한 경우에 있어서 계고·대집행영장의 통지규정에서 정하는 수속을 취할 여유가 없을 경우라도 위의 두 소속 모두를 거치지 아니하고는 대집행을 할 수 없다. (×)
17. 지방직 7급 비상시 또는 위험이 절박한 경우에 있어서 당해 행위의 급속한 실시를 요하여 대집행영장에 의한 통지절차를 취할 여유가 없을 때에는 그 절차를 거치지 아니하고 대집행을 할 수 있다. (○)
16. 국가직 9급 행정대집행을 함에 있어 비상시 또는 위험이 절박한 경우에 당해 행위의 급속한 실시를 요하여 절차를 취할 여유가 없을 때에는 계고 및 대집행영장 통지 절차를 생략할 수 있다. (○)

④ (○) 개발제한구역 내의 건축물에 대하여 허가를 받지 않고 한 용도변경행위에 대한 형사처벌과 건축법 제83조 제1항에 의한 시정명령 위반에 대한 이행강제금의 부과는 그 처벌 내지 제재대상이 되는 기본적 사실관계로서의 행위를 달리하며, 또한 그 보호법익과 목적에서도 차이가 있으므로 이중처벌에 해당한다고 할 수 없다(대결 2005.8.19. 2005마30).

답 ①

029 □□□

행정상 강제집행에 대한 판례의 설명으로 옳지 않은 것은?

① 건물의 점유자가 철거의무자일 때에는 건물철거 의무에 퇴거의무도 포함되어 있는 것이어서 별도로 퇴거를 명하는 집행권원이 필요하지 않다.
② 구「토지수용법」상 피수용자 등이 기업자에 대하여 부담하는 수용대상 토지의 인도의무는「행정대집행법」에 의한 대집행의 대상이 될 수 있다.
③ 상당한 의무이행기간을 부여하지 아니한 대집행계고처분 후에 대집행영장으로써 대집행의 시기를 늦춘 경우 그 계고처분은 대집행의 적법절차에 위배한 것으로 위법한 처분이라고 할 것이다.
④ 법령에 의하여 대집행권한을 위탁받아 공무인 대집행을 실시하기 위하여 지출한 비용을「행정대집행법」절차에 따라 징수할 수 있음에도 민사소송절차에 의하여 그 비용의 상환을 청구한 것은 소의 이익이 없어 부적법하다.
⑤ 후행처분인 대집행비용납부명령 취소청구 소송에서 선행처분인 계고처분이 위법하다는 이유로 대집행비용납부명령의 취소를 구할 수 있다.

2021년 소방간부

① (○) 대판 2017.4.28. 2016다213916
② (×) 피수용자 등이 기업자(현 사업시행자)에 대하여 부담하는 수용대상 토지의 인도의무에 관한 구 토지수용법 제63조, 제64조, 제77조 규정에서의 '인도'에는 명도도 포함되는 것으로 보아야 하고, 이러한 명도의무는 그것을 강제적으로 실현하면서 직접적인 실력행사가 필요한 것이지 대체적 작위의무라고 볼 수 없으므로 특별한 사정이 없는 한 행정대집행법에 의한 대집행의 대상이 될 수 있는 것이 아니다(대판 2005.8.19. 2004다2809).

유제 21. 군무원 9급 토지·건물 등의 인도의무는 비대체적 작위의무이므로 「행정대집행법」상 대집행 대상이 될 수 없다. (○)

20. 국회직 8급 토지의 명도 의무를 이행하지 않을 경우 직접강제 또는 대집행을 통해 이를 실현할 수 있다. (×)

③ (○) 행정대집행법 제3조 제1항은 행정청이 의무자에게 대집행영장으로써 대집행할 시기 등을 통지하기 위하여는 그 전제로서 대집행계고처분을 함에 있어서 의무이행을 할 수 있는 상당한 기간을 부여할 것을 요구하고 있으므로, 행정청인 피고가 의무이행기한이 1988.5.24.까지로 된 이 사건 대집행계고서를 5.19. 원고에게 발송하여 원고가 그 이행종기인 5.24. 이를 수령하였다면, 설사 피고가 대집행영장으로써 대집행의 시기를 1988.5.27. 15:00로 늦추었더라도 위 대집행계고처분은 상당한 이행기한을 정하여 한 것이 아니어서 대집행의 적법절차에 위배한 것으로 위법한 처분이라고 할 것이다(대판 1990.9.14. 90누2048).

유제 21. 군무원 7급 대집행계고처분에서 정한 의무이행기간의 이행종기인 날짜에 그 계고서를 수령하였고 행정청이 대집행영장으로써 대집행의 시기를 늦추었다고 하여도 대집행의 적법절차에 위배한 것으로 위법한 처분이다. (○)

17. 지방직 9급(추) 대집행계고처분을 함에 있어서 의무이행을 할 수 있는 상당한 기간을 부여하지 아니하였다 하더라도, 행정청이 대집행계고처분 후에 대집행영장으로써 대집행의 시기를 늦추었다면 그 대집행계고처분은 적법한 처분이다. (×)

④ (○) 대한주택공사가 구 대한주택공사법 및 구 대한주택공사법 시행령에 의하여 대집행권한을 위탁받아 공무인 대집행을 실시하기 위하여 지출한 비용을 행정대집행법 절차에 따라 국세징수법의 예에 의하여 징수할 수 있음에도 민사소송절차에 의하여 그 비용의 상환을 청구한 사안에서, 행정대집행법이 대집행비용의 징수에 관하여 민사소송절차에 의한 소송이 아닌 간이하고 경제적인 특별구제절차를 마련해 놓고 있으므로, 위 청구는 소의 이익이 없어 부적법하다(대판 2011.9.8. 2010다48240).

유제 21. 경찰 2차 행정대집행을 실시하기 위하여 지출한 비용은 민사소송절차에 의하여 그 비용의 상환을 청구할 수 있다. (×)

19. 지방직 9급 구 대한주택공사가 대집행권한을 위탁받아 공무인 대집행을 실시하기 위하여 지출한 비용을 「행정대집행법」 절차에 따라 「국세징수법」의 예에 의하여 징수할 수 있음에도 민사소송절차에 의하여 그 비용의 상환을 구하는 청구는 소의 이익이 없어 부적법하다. (○)

19. 국가직 9급 공법인이 대집행 권한을 위탁받아 공무인 대집행실시에 지출한 비용을 「행정대집행법」에 따라 강제징수할 수 있음에도 민사소송절차에 의하여 상환을 청구하는 것은 허용되지 않는다. (○)

⑤ (○) 대판 1993.11.9. 93누14271

답 ②

030 □□□

행정의 실효성 확보제도에 대한 설명으로 가장 옳은 것은? (다툼이 있는 경우 판례에 의함)

① 「학원의 설립·운영 및 과외교습에 관한 법령」상 등록을 요하는 학원을 설립·운영하고자 하는 자가 등록절차를 거치지 않은 경우 관할 행정청이 직접 그 무등록 학원의 폐쇄를 위하여 출입제한 시설물의 설치와 같은 조치를 할 수 있게 규정되어 있는데, 이러한 규정은 동시에 그와 같은 폐쇄명령의 근거규정이 된다.
② 행정대집행은 대체적 작위의무에 대한 강제집행수단으로, 이행강제금은 부작위의무나 비대체적 작위의무에 대한 강제집행수단으로 이해되어 왔으므로, 이행강제금은 대체적 작위의무의 위반에 대해서는 부과될 수 없다.
③ 대집행계고처분에서 정한 의무이행기간의 이행종기인 날짜에 그 계고서를 수령하였고 행정청이 대집행영장으로써 대집행의 시기를 늦추었다고 하여도 대집행의 적법절차에 위배한 것으로 위법한 처분이다.
④ 한국자산공사의 재공매결정과 공매통지는 행정처분에 해당한다.

● 문제 DATA

출제가능 지수 ▶▶▷
난이도 지수 ★★☆

함께 정리하기

행정의 실효성 확보
무등록 학원 폐쇄조치규정
▷ 폐쇄명령의 근거 ✕

이행강제금
▷ 대체적 작위의무 위반에 대해서도 부과 가능

계고시 상당한 이행기간 부여 ✕
▷ 대집행영장으로 시기 늦추어도 위법

재공매결정, 공매통지
▷ 행정처분 ✕

2021년 군무원 7급

① (✕) 학원의 설립·운영에 관한 법률 제2조 제1호와 제6조 및 제19조 등의 관련 규정에 의하면, 같은 법상의 학원을 설립·운영하고자 하는 자는 소정의 시설과 설비를 갖추어 등록을 하여야 하고, 그와 같은 등록절차를 거치지 아니한 경우에는 관할 행정청이 직접 그 무등록 학원의 폐쇄를 위하여 출입제한 시설물의 설치와 같은 조치를 취할 수 있게 되어 있으나, 달리 무등록 학원의 설립·운영자에 대하여 그 폐쇄를 명할 수 있는 것으로는 규정하고 있지 아니하고, 위와 같은 폐쇄조치에 관한 규정이 그와 같은 폐쇄명령의 근거 규정이 된다고 할 수도 없다(대판 2001.2.23. 99두6002).

② (✕) 전통적으로 행정대집행은 대체적 작위의무에 대한 강제집행수단으로, 이행강제금은 부작위의무나 비대체적 작위의무에 대한 강제집행수단으로 이해되어 왔으나, 이는 이행강제금제도의 본질에서 오는 제약은 아니며, 이행강제금은 대체적 작위의무의 위반에 대하여도 부과될 수 있다(헌재 2004.2.26. 2001헌바80 등).

③ (○) 대판 1990.9.14. 90누2048

④ (✕) 한국자산공사가 당해 부동산을 인터넷을 통하여 재공매(입찰)하기로 한 결정 자체는 내부적인 의사결정에 불과하여 항고소송의 대상이 되는 행정처분이라고 볼 수 없고, 또한 한국자산공사가 공매통지는 공매의 요건이 아니라 공매사실 자체를 체납자에게 알려주는 데 불과한 것으로서, 통지의 상대방의 법적 지위나 권리·의무에 직접 영향을 주는 것이 아니라고 할 것이므로 이것 역시 행정처분에 해당한다고 할 수 없다(대판 2007.7.27. 2006두8464).

답 ③

문제 DATA
출제가능 지수 ▶▶▷
난이도 지수 ★★☆

031

행정의 실효성 확보수단에 대한 설명으로 옳지 않은 것은? (다툼이 있는 경우 판례에 의함)

① 계고서라는 명칭의 1장의 문서로서 일정기간 내에 위법건축물의 자진철거를 명함과 동시에 그 소정기한 내에 자진철거를 하지 아니할 때에는 대집행할 뜻을 미리 계고한 경우라도 「건축법」에 의한 철거명령과 「행정대집행법」에 의한 계고처분은 독립하여 있는 것으로서 각 그 요건이 충족되었다고 볼 것이다.

② 이행강제금은 행정상 간접적인 강제집행 수단의 하나로서, 과거의 일정한 법률위반 행위에 대한 제재인 형벌이 아니라 장래의 의무이행 확보를 위한 강제수단일 뿐이어서, 범죄에 대하여 국가가 형벌권을 실행하는 과벌에 해당하지 아니한다.

③ 세무조사결정은 납세의무자의 권리·의무에 직접 영향을 미치는 공권력의 행사에 따른 행정작용으로 보기 어려우므로 항고소송의 대상이 될 수 없다.

④ 토지·건물 등의 인도의무는 비대체적 작위의무이므로 「행정대집행법」상 대집행 대상이 될 수 없다.

함께 정리하기

행정대집행
철거명령 + 계고
▷ 1장의 문서로 가능

이행강제금
▷ 간접적인 강제집행 수단○, 형벌✕

세무조사결정
▷ 항고소송 대상○

토지·건물 등의 인도의무
▷ 비대체적 작위의무
▷ 대집행 대상✕

2021년 군무원 9급

① (○) 대판 1992.6.12. 91누13564

② (○) 이행강제금은 일정한 기한까지 의무를 이행하지 않을 때에는 일정한 금전적 부담을 과할 뜻을 미리 계고함으로써 의무자에게 심리적 압박을 주어 장래에 그 의무를 이행하게 하려는 행정상 간접적인 강제집행 수단의 하나로서 과거의 일정한 법률위반 행위에 대한 제재로서의 형벌이 아니라 장래의 의무이행의 확보를 위한 강제수단일 뿐이어서 범죄에 대하여 국가가 형벌권을 실행한다고 하는 과벌에 해당하지 아니하므로 헌법 제13조 제1항이 금지하는 이중처벌금지의 원칙이 적용될 여지가 없다(헌재 2011.10.25. 2009헌바140).

③ (×) 부과처분을 위한 과세관청의 질문조사권이 행해지는 <u>세무조사결정이 있는 경우 납세의무자는 세무공무원의 과세자료 수집을 위한 질문에 대답하고 검사를 수인하여야 할 법적 의무를 부담하게 되는 점 … 등을 종합하면, 세무조사결정은 납세의무자의 권리·의무에 직접 영향을 미치는 공권력의 행사에 따른 행정작용으로서 항고소송의 대상이 된다</u>(대판 2011.3.10. 2009두23617).

④ (○) 대판 2005.8.19. 2004다2809

답 ③

032 □□□

행정대집행에 대한 설명으로 옳지 않은 것은? (다툼이 있는 경우 판례에 의함)

① 의무자가 동의한 경우 해가 뜨기 전이나 해가 진 후에도 대집행을 할 수 있다.
② 법령상의 용도 이외에 사용하는 행위를 금지하는 부작위의무의 위반은 대집행의 대상이 될 수 없다.
③ 대집행에 요한 비용은 「국세징수법」의 예에 의하여 징수할 수 있다.
④ 매점의 명도는 대체적 작위의무에 해당하지 아니하여 대집행의 대상이 아니다.
⑤ 「공유재산 및 물품 관리법」에 따라 지방자치단체장이 행정대집행의 방법으로 공유재산에 설치한 시설물을 철거할 수 있는 경우에도 민사소송의 방법으로 시설물의 철거를 구할 수 있다.

2021년 국회직 9급

◈ 문제 DATA
출제가능 지수 ▶▶▷
난이도 지수 ★★☆

① (○)

> 「행정대집행법」 제4조 【대집행의 실행 등】 ① 행정청(제2조에 따라 대집행을 실행하는 제3자를 포함한다. 이하 이 조에서 같다)은 해가 뜨기 전이나 해가 진 후에는 대집행을 하여서는 아니 된다. 다만, 다음 각 호의 어느 하나에 해당하는 경우에는 그러하지 아니하다.
> 1. 의무자가 동의한 경우

② (○) 대집행의 대상은 원칙적으로 대체적 작위의무에 한하며, 부작위의무 위반의 경우 대체적 작위의무로 전환하는 규정을 두고 있지 아니하는 한 대집행의 대상이 되지 않는다.

③ (○)

> 「행정대집행법」 제6조 【비용징수】 ① <u>대집행에 요한 비용은 「국세징수법」의 예에 의하여 징수할 수 있다.</u>

유제 21. 행정사, 20. 국회직 9급, 19. 행정사 대집행에 요한 비용은 국세징수법의 예에 의하여 징수할 수 없다. (×)
17. 지방직 7급 대집행권한을 위탁받아 공무인 대집행을 실시하기 위하여 지출한 비용은 「행정대집행법」의 절차에 따라 「국세징수법」의 예에 의하여 징수할 수 있다. (○)
16. 지방직 9급 대집행에 소용된 비용을 납부하지 아니할 때에는 국세징수의 예에 의하여 징수할 수 있다. (○)

④ (○) 대판 1998.10.23. 97누157

⑤ (×) 공유재산 및 물품 관리법 제83조 제1항은 "지방자치단체의 장은 정당한 사유 없이 공유재산을 점유하거나 공유재산에 시설물을 설치한 경우에는 원상복구 또는 시설물의 철거 등을 명하거나 이에 필요한 조치를 할 수 있다."라고 규정하고, 제2항은 "제1항에 따른 명령을 받은 자가 그 명령을 이행하지 아니할 때에는 '행정대집행법'에 따라 원상복구 또는 시설물의 철거 등을 하고 그 비용을 징수할 수 있다."라고 규정하고 있다. 위 규정에 따라 <u>지방자치단체장은 행정대집행의 방법으로 공유재산에 설치한 시설물을 철거할 수 있고, 이러한 행정대집행의 절차가 인정되는 경우에는 민사소송의 방법으로 시설물의 철거를 구하는 것은 허용되지 아니한다</u>(대판 2017.4.13. 2013다207941).

유제 17. 지방직 9급(추) 「공유재산 및 물품관리법」 제83조에 따라 지방자치단체장이 행정대집행의 방법으로 공유재산에 설치한 시설물을 철거할 수 있는 경우, 민사소송의 방법으로도 시설물의 철거를 구하는 것이 허용된다. (×)

답 ⑤

☑ 함께 정리하기

행정대집행

의무자 동의 有
▷ 해가 뜨기 전이나 해가 진 후 대집행 可

부작위의무
▷ 대집행 不可

대집행 비용
▷ 강제징수

매점의 명도의무
▷ 비대체적 작위의무
▷ 대집행 不可

공유재산에 설치한 시설물철거
▷ 행정대집행 可
▷ 민사소송 不可

문제 DATA

출제가능 지수 ▶▶▷
난이도 지수 ★★☆

033 ☐☐☐

「행정대집행법」상 대집행에 대한 설명으로 가장 옳지 않은 것은? (다툼이 있는 경우 판례에 의함)

① 적법한 건축물에 대한 철거명령은 그 하자가 중대하고 명백하여 당연무효이고, 그 후행 행위인 건축물철거 대집행계고 역시 당연무효이다.
② 제1차로 철거명령 및 대집행계고를 한 데 이어 제2차로 대집행계고를 하였는데도 불응하여 대집행을 일부 실행한 후 철거의무자의 연기 요청을 받아들여 중단하였다가 그 기한이 지나 다시 제3차로 철거명령 및 대집행계고를 한 경우에 제3차로 한 철거명령 및 대집행계고는 항고소송의 대상이 되지 않는다.
③ 행정청이 행정대집행의 방법으로 건물의 철거 등 대체적 작위의무의 이행을 실현할 수 있는 경우에는 따로 민사소송의 방법으로 그 의무의 이행을 구할 수 없다.
④ 행정대집행을 실시하기 위하여 지출한 비용은 민사소송절차에 의하여 그 비용의 상환을 청구할 수 있다.

2021년 경찰 2차

① (○) 적법한 건축물에 대한 철거명령은 그 하자가 중대하고 명백하여 당연무효라고 할 것이고, 그 후행행위인 건축물철거 대집행계고처분 역시 당연무효라고 할 것이다(대판 1999.4.27. 97누6780).

유제 19. 서울시 7급 적법한 건축물에 대한 철거명령은 그 하자가 중대하고 명백하여 당연무효이고 그 후행행위인 건축물 철거 대집행계고처분 역시 당연무효이다. (○)
19. 5급 승진 적법한 건축물에 대해 하자가 중대·명백한 철거명령이 행해진 경우, 이를 전제로 행하여진 후행행위인 건축물 철거대집행 계고처분은 당연무효라 할 수 없다. (×)

② (○) 제1차로 철거명령 및 계고처분을 한 데 이어 제2차로 계고서를 송달하였음에도 불응함에 따라 대집행을 일부 실행한 후 철거의무자의 연기원을 받아들여 나머지 부분의 철거를 진행하지 않고 있다가 연기기한이 지나자 다시 제3차로 철거명령 및 대집행계고를 한 경우, 행정대집행법상의 철거의무는 제1차 철거명령 및 계고처분으로써 발생하였다고 할 것이고, 제3차 철거명령 및 대집행계고는 새로운 철거의무를 부과하는 것이라고는 볼 수 없으며, 단지 종전의 계고처분에 의한 건물철거를 독촉하거나 그 대집행기한을 연기한다는 통지에 불과하므로 취소소송의 대상이 되는 독립한 행정처분이라고 할 수 없다(대판 2000.2.22. 98두4665).

③ (○) 관계 법령상 행정대집행의 절차가 인정되어 행정청이 행정대집행의 방법으로 건물의 철거 등 대체적 작위의무의 이행을 실현할 수 있는 경우에는 따로 민사소송의 방법으로 그 의무의 이행을 구할 수 없다(대판 2017.4.28. 2016다213916).

유제 20. 국회직 9급, 19. 5급 승진·지방직 9급, 18. 지방직 9급, 17. 국가직 9급(추) 관계 법령상 행정대집행의 절차가 인정되어 행정청이 행정대집행의 방법으로 건물의 철거 등 대체적 작위의무의 이행을 실현할 수 있는 경우에도 따로 민사소송의 방법으로 그 의무의 이행을 구할 수 있다. (×)
20. 5급 승진 관계 법령상 행정청이 행정대집행의 방법으로 건물의 철거 등 대체적 작위의무의 이행을 실현할 수 있는 경우에는 따로 민사소송의 방법으로 그 의무의 이행을 구할 수 없다. (○)

④ (×) 대판 2011.9.8. 2010다48240

답 ④

함께 정리하기

행정대집행

적법한 건축물에 대한 철거명령·계고
▷ 무효

반복된 철거명령·계고
▷ 1차만 처분, 2·3차는 연기통지(처분×)

대집행 가
▷ 민사소송 불가

대집행비용 강제징수 가
▷ 민사소송 불가

034

「행정대집행법」상 대집행에 대한 설명으로 옳은 것은? (다툼이 있는 경우 판례에 의함)

① 철거대집행 계고처분 후 행한 제2차 계고는 대집행기한의 연기통지가 아니라 새로운 철거의무를 부과한 것이다.
② 철거명령과 계고처분은 계고서라는 명칭의 1장의 문서로 이루어질 수 있다.
③ 대집행은 처분청 스스로 하여야 하며 대집행 권한을 제3자에게 위임·위탁할 수 없다.
④ 후행처분인 대집행영장발부통보처분의 취소소송에서 선행처분인 계고처분의 위법을 이유로 대집행영장발부통보처분이 위법하다는 주장을 할 수 없다.
⑤ 행정청이 대집행의 방법으로 건물철거의무의 이행을 실현할 수 있는 경우 건물철거 대집행 과정에서 부수적으로 건물의 점유자들에 대한 퇴거 조치를 할 수 없다.

| 2021년 행정사

① (×) 대판 1994.10.28. 94누5144
② (○) 대판 1992.6.12. 91누13564
③ (×) 대집행 권한을 제3자에게 위임·위탁할 수도 있다.

> 「행정대집행법」제2조【대집행과 그 비용징수】법률(법률의 위임에 의한 명령, 지방자치단체의 조례를 포함한다. 이하 같다)에 의하여 직접명령되었거나 또는 법률에 의거한 행정청의 명령에 의한 행위로서 타인이 대신하여 행할 수 있는 행위를 의무자가 이행하지 아니하는 경우 다른 수단으로써 그 이행을 확보하기 곤란하고 또한 그 불이행을 방치함이 심히 공익을 해할 것으로 인정될 때에는 당해 행정청은 스스로 의무자가 하여야 할 행위를 하거나 또는 제삼자로 하여금 이를 하게 하여 그 비용을 의무자로부터 징수할 수 있다.

④ (×) 대집행의 계고, 대집행영장에 의한 통지, 대집행의 실행, 대집행에 요한 비용의 납부명령 등은 타인이 대신하여 행할 수 있는 행정의무의 이행을 의무자의 비용부담하에 확보하고자 하는, 동일한 행정목적을 달성하기 위하여 단계적인 일련의 절차로 연속하여 행하여지는 것으로서, 서로 결합하여 하나의 법률효과를 발생시키는 것이므로, 선행처분인 계고처분이 하자가 있는 위법한 처분이라면, 비록 그 하자가 중대하고도 명백한 것이 아니어서 당연무효의 처분이라고 볼 수 없고 행정소송으로 효력이 다투어지지도 아니하여 이미 불가쟁력이 생겼으며, 후행처분인 대집행영장발부통보처분 자체에는 아무런 하자가 없다고 하더라도, 후행처분인 대집행영장발부통보처분의 취소를 청구하는 소송에서 청구원인으로 선행처분인 계고처분이 위법한 것이기 때문에 그 계고처분을 전제로 행하여진 대집행영장발부통보처분도 위법한 것이라는 주장을 할 수 있다(대판 1996.2.9. 95누12507).

⑤ (×) 대판 2017.4.28. 2016다213916

답 ②

문제 DATA
출제가능 지수 ▶▶▷
난이도 지수 ★★☆

함께 정리하기
행정대집행

반복된 계고
▷ 1차 계고만 처분
▷ 2차 계고는 연기통지(새로운 처분×)

철거명령·계고처분
▷ 1장의 문서로 可

대집행권한
▷ 제3자에게 위임·위탁 可

선행처분인 계고처분의 하자
▷ 대집행비용납부명령의 취소사유로 주장○(하자승계)

행정대집행으로 건물철거 시 부수적으로 퇴거조치 可
▷ 별도의 집행권원 不要

035

「행정대집행법」상 행정대집행에 대한 설명으로 옳은 것은? (다툼이 있는 경우 판례에 의함)

① 대집행계고 시 대집행할 행위의 내용 및 범위는 반드시 대집행계고서에 의해서만 특정되어야 하는 것은 아니다.
② 관계 법령에 위반하여 장례식장 영업을 하고 있는 자에 대한 장례식장 사용중지의무는 대집행의 대상이 된다.
③ 대체적 작위의무가 법률의 위임을 받은 조례에 의해 직접 부과된 경우에는 대집행의 대상이 되지 아니한다.
④ 대집행의 계고는 대집행의 의무적 절차의 하나이므로 생략할 수 없지만, 철거명령과 계고처분을 1장의 문서로 동시에 행할 수는 있다.

문제 DATA
출제가능 지수 ▶▶▷
난이도 지수 ★★☆

함께 정리하기

행정대집행

계고 시 대집행의 내용 및 범위의 특정
▷ 종합하여 특정되면 족함(계고서에만 의하는 것×)

장례식장 사용중지의무
▷ 비대체적 부작위의무
▷ 대집행 대상×

법률의 위임을 받은 조례에 의해 직접 부과된 대체적 작위의무
▷ 대집행 대상○

비상시 또는 위험 절박한 경우
▷ 계고 생략 가

철거명령·계고처분
▷ 1장의 문서로 가

2020년 국가직 7급

① (○) 대판 1994.10.28. 94누5144
② (×) 대판 2005.9.28. 2005두7464
③ (×) 대체적 작위의무가 법률의 위임을 받은 조례에 의해 직접 부과된 경우에도 대집행의 대상이 된다.

> 「행정대집행법」 제2조 【대집행과 그 비용징수】 법률(법률의 위임에 의한 명령, 지방자치단체의 조례를 포함한다. 이하 같다)에 의하여 직접명령되었거나 또는 법률에 의거한 행정청의 명령에 의한 행위로서 타인이 대신하여 행할 수 있는 행위를 의무자가 이행하지 아니하는 경우 다른 수단으로써 그 이행을 확보하기 곤란하고 또한 그 불이행을 방치함이 심히 공익을 해할 것으로 인정될 때에는 당해 행정청은 스스로 의무자가 하여야 할 행위를 하거나 또는 제삼자로 하여금 이를 하게 하여 그 비용을 의무자로부터 징수할 수 있다.

④ (×) 대집행의 계고는 비상시 또는 위험이 절박한 경우에 생략할 수 있고(「행정대집행법」 제3조 제3항), 철거명령과 계고처분은 1장의 문서로 동시에 행할 수 있다(대판 1992.6.12. 91누13564).

> 「행정대집행법」 제3조 【대집행의 절차】 ① 전조의 규정에 의한 처분을 하려함에 있어서는 상당한 이행기한을 정하여 그 기한까지 이행되지 아니할 때에는 대집행을 한다는 뜻을 미리 문서로써 계고하여야 한다. 이 경우 행정청은 상당한 이행기한을 정함에 있어 의무의 성질·내용 등을 고려하여 사회통념상 해당 의무를 이행하는 데 필요한 기간이 확보되도록 하여야 한다.
> ② 의무자가 전항의 계고를 받고 지정기한까지 그 의무를 이행하지 아니할 때에는 당해 행정청은 대집행영장으로써 대집행을 할 시기, 대집행을 시키기 위하여 파견하는 집행책임자의 성명과 대집행에 요하는 비용의 개산에 의한 견적액을 의무자에게 통지하여야 한다.
> ③ 비상시 또는 위험이 절박한 경우에 있어서 당해 행위의 급속한 실시를 요하여 전2항에 규정한 수속을 취할 여유가 없을 때에는 그 수속을 거치지 아니하고 대집행을 할 수 있다.

유제 16. 경찰 2차 행정청은 비상시 또는 위험이 절박한 경우에 있어서 당해 행위의 급속한 실시를 요하여 계고절차를 취할 여유가 없더라도 계고절차를 생략할 수 없다. (×)

답 ①

문제 DATA

출제가능 지수 ▶▶☆
난이도 지수 ★★☆

036 ☐☐☐

「행정대집행법」상 대집행에 대한 설명으로 옳지 않은 것은? (다툼이 있는 경우 판례에 의함)

① 「공익사업을 위한 토지 등의 취득 및 보상에 관한 법률」상의 협의취득시에 매매대상 건물에 대한 철거의무를 부담하겠다는 취지의 약정을 건물소유자가 하였다고 하더라도, 그 철거의무는 대집행의 대상이 되지 않는다.
② 공유수면에 설치한 건물을 철거하여 공유수면을 원상회복하여야 할 의무는 대체적 작위의무에 해당하므로 행정대집행의 대상이 된다.
③ 행정청이 건물 철거의무를 행정대집행의 방법으로 실현하는 과정에서, 건물을 점유하고 있는 철거의무자들에 대하여 제기한 건물퇴거를 구하는 소송은 적법하다.
④ 철거대상건물의 점유자들이 적법한 행정대집행을 위력을 행사하여 방해하는 경우, 행정청은 필요하다면 「경찰관 직무집행법」에 근거한 위험발생 방지조치 차원에서 경찰의 도움을 받을 수 있다.

2020년 국가직 9급

① (○) 대판 2006.10.13. 2006두7096
② (○) 이 사건 건물을 철거하여 이 사건 공유수면을 원상회복하여야 할 의무는 대체적 작위의무에 해당하므로 행정대집행의 대상이 된다(대판 2017.4.28. 2016다213916).
③ (×) 대판 2017.4.28. 2016다213916

함께 정리하기

행정대집행

토지보상법 협의취득 약정에 따른 철거의무
▷ 사법상 의무
▷ 대집행 불가

건물철거의 원상회복의무
▷ 대체적 작위의무
▷ 대집행 가

건물철거의무에 퇴거의무 포함
▷ 퇴거위해 별도 집행권원 불요

건물철거 대집행
▷ 부수적으로 점유자 퇴거조치 가
▷ 경찰 도움 가

④ (O) 행정청이 행정대집행의 방법으로 건물철거의무의 이행을 실현할 수 있는 경우에는 <u>건물철거 대집행 과정에서 부수적으로 건물의 점유자들에 대한 퇴거 조치를 할 수 있고, 점유자들이 적법한 행정대집행을 위력을 행사하여 방해하는 경우 형법상 공무집행방해죄가 성립하므로 필요한 경우에는 '경찰관 직무집행법'에 근거한 위험발생 방지조치 또는 형법상 공무집행방해죄의 범행방지 내지 현행범체포의 차원에서 경찰의 도움을 받을 수도 있다</u>(대판 2017.4.28. 2016다213916).

유제 19. 국가직 7급 행정청이 행정대집행의 방법으로 건물철거의무의 이행을 실현할 수 있는 경우에는 건물철거 대집행 과정에서 부수적으로 건물의 점유자들에 대한 퇴거 조치를 할 수 있고, 점유자들이 적법한 행정대집행을 위력을 행사하여 방해하는 경우 「경찰관 직무집행법」에 근거한 위험발생 방지조치 차원에서 경찰의 도움을 받을 수도 있다. (O)

19. 지방직 7급 「행정대집행법」상 적법한 행정대집행을 점유자들이 위력을 행사하여 방해하는 경우, 「행정대집행법」상의 근거가 없으므로 대집행을 하는 행정청은 경찰의 도움을 받을 수 없다. (X)

답 ③

037 □□□

「행정대집행법」상 대집행에 대한 설명으로 옳지 않은 것은? (다툼이 있는 경우 판례에 의함)

① 행정청은 해가 지기 전에 대집행을 착수한 경우라도 해가 진 후에는 대집행을 할 수 없다.
② 무허가증축부분으로 인하여 건물의 미관이 나아지고 증축부분을 철거하는 데 비용이 많이 소요된다고 하더라도 건물철거대집행계고처분을 할 요건에 해당된다.
③ 계고처분의 후속절차인 대집행에 위법이 있다고 하더라도, 그와 같은 후속절차에 위법성이 있다는 점을 들어 선행절차인 계고처분이 부적법하다는 사유로 삼을 수는 없다.
④ 「건축법」에 위반하여 증·개축함으로써 철거의무가 있더라도 그 철거의무를 대집행하기 위한 계고처분을 하려면 다른 방법으로는 그 이행의 확보가 어렵고, 그 불이행을 방치함이 심히 공익을 해하는 것으로 인정되는 경우에 한한다.

2020년 지방직 7급

① (X) 해가 지기 전에 대집행을 착수한 경우에는 해가 진 후에 대집행을 할 수 있다.

> 「행정대집행법」 제4조【대집행의 실행 등】① 행정청(제2조에 따라 대집행을 실행하는 제3자를 포함한다. 이하 이 조에서 같다)은 해가 뜨기 전이나 해가 진 후에는 대집행을 하여서는 아니 된다. 다만, 다음 각 호의 어느 하나에 해당하는 경우에는 <u>그러하지 아니하다</u>.
> 1. 의무자가 동의한 경우
> 2. <u>해가 지기 전에 대집행을 착수한 경우</u>
> 3. 해가 뜬 후부터 해가 지기 전까지 대집행을 하는 경우에는 대집행의 목적 달성이 불가능한 경우
> 4. 그 밖에 비상시 또는 위험이 절박한 경우

유제 19. 서울시 9급 해가 지기 전에 대집행에 착수한 경우라고 할지라도 해가 진 후에는 대집행을 할 수 없다. (X)

② (O) <u>무허가 증축부분으로 인하여 건물의 미관이 나아지고 위 증축부분을 철거하는 데 비용이 많이 소요된다고 하더라도</u> 위 무허가 증축부분을 그대로 방치한다면 이를 단속하는 당국의 권능이 무력화되어 건축행정의 원활한 수행이 위태롭게 되며 건축법 소정의 제한규정을 회피하는 것을 사전예방하고 또한 도시계획구역 안에서 토지의 경제적이고 효율적인 이용을 도모한다는 더 큰 공익을 심히 해할 우려가 있는 경우에 해당하므로 <u>건물철거대집행계고처분을 할 요건에 해당한다</u>(대판 1992.3.10. 91누4140).

③ (O) 대판 1997.2.14. 96누15428

④ (O) 건축허가 조건에 위배하여 증축한 것이어서 건축법상 철거할 의무가 있는 건물이라 하더라도 행정대집행법 제3조 및 제2조의 규정에 비추어 보면, <u>다른 방법으로는 그 이행의 확보가 어렵고 그 불이행을 방치함이 심히 공익을 해치는 것으로 인정될 때에 한하여 그 철거의무를 대집행하기 위한 계고처분이 허용된다</u> 할 것이고 이러한 요건의 주장과 입증책임은 처분행정청에 있다(대판 1982.5.11. 81누232).

답 ①

문제 DATA

출제가능 지수 ▶▶▷
난이도 지수 ★★☆

함께 정리하기

행정대집행

해지기 전에 대집행 착수
▷ 해가 진 후 대집행 可

무허가증축으로 건물의 미관이 나아지고 철거비용이 많이 소요되는 경우
▷ 심히 공익을 해할 우려O

후속절차인 대집행의 하자
▷ 선행절차인 계고처분의 부적법 사유로 주장X

계고 시
▷ 다른 방법으로는 이행확보 어려움, 불이행을 방치함이 심히 공익을 해할 것

038

행정상 강제집행 중 대집행에 대한 설명으로 옳지 않은 것은? (다툼이 있는 경우 판례에 의함)

① 대집행의 대상은 원칙적으로 대체적 작위의무에 한하며, 부작위의무 위반의 경우 대체적 작위의무로 전환하는 규정을 두고 있지 아니하는 한 대집행의 대상이 되지 않는다.
② 행정청이 계고를 함에 있어 의무자가 스스로 이행하지 아니하는 경우 대집행의 내용과 범위가 구체적으로 특정되어야 하며, 대집행의 내용과 범위는 반드시 대집행 계고서에 의해서만 특정되어야 한다.
③ 대집행을 함에 있어 계고요건의 주장과 입증책임은 처분행정청에 있는 것이지, 의무불이행자에 있는 것이 아니다.
④ 대집행 비용은 원칙상 의무자가 부담하며 행정청은 그 비용액과 납기일을 정하여 의무자에게 문서로 납부를 명하여야 한다.

| 2020년 지방직 9급

① (O) 대판 1996.6.28. 96누4374
② (X) 대판 1994.10.28. 94누5144
③ (O) 대판 1993.9.14. 92누16690
④ (O)

> 「행정대집행법」 제2조【대집행과 그 비용징수】법률(법률의 위임에 의한 명령, 지방자치단체의 조례를 포함한다. 이하 같다)에 의하여 직접명령되었거나 또는 법률에 의거한 행정청의 명령에 의한 행위로서 타인이 대신하여 행할 수 있는 행위를 의무자가 이행하지 아니하는 경우 다른 수단으로써 그 이행을 확보하기 곤란하고 또한 그 불이행을 방치함이 심히 공익을 해할 것으로 인정될 때에는 당해 행정청은 스스로 의무자가 하여야 할 행위를 하거나 또는 제삼자로 하여금 이를 하게 하여 그 비용을 의무자로부터 징수할 수 있다.
> 제5조【비용납부명령서】대집행에 요한 비용의 징수에 있어서는 실제에 요한 비용액과 그 납기일을 정하여 의무자에게 문서로써 그 납부를 명하여야 한다.

답 ②

039

행정의 실효성 확보수단에 대한 설명으로 옳지 않은 것은? (다툼이 있는 경우 판례에 의함)

① 행정법규 위반에 대하여 가하는 제재조치는 행정목적의 달성을 위하여 행정법규 위반이라는 객관적 사실에 착안하여 가하는 제재이므로 반드시 현실적인 행위자가 아니라도 법령상 책임자로 규정된 자에게 부과되고, 특별한 사정이 없는 한 위반자에게 고의나 과실이 없더라도 부과할 수 있다.

② 아무런 권원 없이 국유재산에 설치한 시설물에 대하여 행정청이 행정대집행을 할 수 있음에도 민사소송의 방법으로 그 시설물의 철거를 구하는 것은 허용되지 않는다.

③ 구 「공공용지의 취득 및 보상에 관한 특례법」에 의한 협의취득 시 건물소유자가 협의취득대상 건물에 대하여 약정한 철거의무는 별도의 규정이 없는 한 행정대집행의 방법으로 강제이행할 수 없다.

④ 제1차로 창고건물의 철거 및 하천부지에 대한 원상복구명령을 하였음에도 불구하고 이에 불응하므로 대집행계고를 하면서 다시 자진철거 및 토사를 반출하여 하천부지를 원상복구할 것을 명한 경우, 대집행계고서에 기재된 자진철거 및 원상복구명령은 취소소송의 대상이 되는 독립한 행정처분이라 할 수 없다.

⑤ 위법한 행정대집행이 완료되면 그 처분의 무효확인 또는 취소를 구할 소의 이익은 없다 하더라도 미리 그 행정처분의 취소판결이 있어야만 그 행정처분의 위법임을 이유로 한 손해배상청구를 할 수 있다.

2020년 소방간부

① (O) 행정법규 위반에 대한 제재조치는 행정목적의 달성을 위하여 행정법규 위반이라는 객관적 사실에 착안하여 가하는 제재이므로, 반드시 현실적인 행위자가 아니라도 법령상 책임자로 규정된 자에게 부과되고, 특별한 사정이 없는 한 위반자에게 고의나 과실이 없더라도 부과할 수 있다(대판 2017.5.11. 2014두8773).

② (O) 이 사건 토지는 잡종재산인 국유재산으로서, 국유재산법 제52조는 "정당한 사유 없이 국유재산을 점유하거나 이에 시설물을 설치한 때에는 행정대집행법을 준용하여 철거 기타 필요한 조치를 할 수 있다."고 규정하고 있으므로, 관리권자인 보령시장으로서는 행정대집행의 방법으로 이 사건 시설물을 철거할 수 있고, 이러한 행정대집행의 절차가 인정되는 경우에는 따로 민사소송의 방법으로 피고들에 대하여 이 사건 시설물의 철거를 구하는 것은 허용되지 않는다고 할 것이다(대판 2009.6.11. 2009다1122).

유제 19. 지방직 7급·국회직 8급 관계법령상 행정대집행의 절차가 인정되어 행정청이 행정대집행의 방법으로 건물의 철거 등 대체적 작위의무의 이행을 실현할 수 있는 경우에는 따로 민사소송의 방법으로 그 의무의 이행을 구할 수 없다. (O)

19. 5급 승진, 17. 국가직 9급(추) 관계 법령상 행정대집행의 절차가 인정되어 행정청이 행정대집행의 방법으로 건물의 철거 등 대체적 작위의무의 이행을 실현할 수 있는 경우에 따로 민사소송의 방법으로 그 의무의 이행을 구할 수도 있다. (×)

③ (O) 대판 2006.10.13. 2006두7096

④ (O) 제1차로 창고건물의 철거 및 하천부지에 대한 원상복구명령을 하였음에도 이에 불응하므로 대집행계고를 하면서 다시 자진철거 및 토사를 반출하여 하천부지를 원상복구할 것을 명한 경우, 행정대집행법상의 철거 및 원상복구의무는 제1차 철거 및 원상복구명령에 의하여 이미 발생하였다 할 것이어서, 대집행계고서에 기재된 자진철거 및 원상복구명령은 새로운 의무를 부과하는 것이라고 볼 수 없으며, 단지 종전의 철거 및 원상복구를 독촉하는 통지에 불과하므로 취소소송의 대상이 되는 독립한 행정처분이라고 할 수 없고, 대집행계고서에 기재된 철거 및 원상복구의무의 이행기한은 행정대집행법 제3조 제1항에 따른 이행기한을 정한 것에 불과하다고 할 것이다(대판 2004.6.10. 2002두12618).

⑤ (×) 위법한 행정대집행이 완료되면 그 처분의 무효확인 또는 취소를 구할 소의 이익은 없다 하더라도, 미리 그 행정처분의 취소판결이 있어야만, 그 행정처분의 위법임을 이유로 한 손해배상 청구를 할 수 있는 것은 아니다(대판 1972.4.28. 72다337).

답 ⑤

문제 DATA
출제가능 지수 ▶▶▷
난이도 지수 ★★☆

함께 정리하기

행정의 실효성 확보수단

행정상 제재
▷ 객관적 사실에 착안하여 법령상 책임자에게 부과(고의·과실 不要)

국유재산에 설치한 시설물철거
▷ 행정대집행 可
▷ 민사소송 不可

협의취득 약정에 따른 철거의무
▷ 사법상 의무
▷ 대집행 不可

반복된 철거명령·계고
▷ 1차만 처분
▷ 2·3차는 연기통지(처분×)

위법한 행정대집행 완료
▷ 처분의 취소판결 없어도 국가배상청구 可

문제 DATA

출제가능 지수 ▶▶☆
난이도 지수 ★★☆

040 □□□

대집행에 대한 설명으로 옳은 것은? (다툼이 있는 경우 판례에 의함)

① 토지의 명도 의무를 이행하지 않을 경우 직접강제 또는 대집행을 통해 이를 실현할 수 있다.
② 구두에 의한 계고는 무효이며, 계고와 통지는 동시에 생략할 수 없다.
③ 공유재산 대부계약 해지에 따라 원상회복을 위하여 실시하는 지상물의 철거는 대집행의 대상이 아니다.
④ 행정청이 대집행을 실시하지 않는 경우, 그 국유재산에 대한 사용청구권을 가지고 있는 자가 국가를 대위하여 민사소송으로 그 시설물의 철거를 구할 수 있다.
⑤ 위법건축물 철거명령과 대집행한다는 계고처분이 각각 별도의 처분서에 의하여야만 한다.

| 2020년 국회직 8급

① (×) 토지의 명도 의무를 이행하지 않을 경우 직접강제를 통해 이를 실현할 수는 있으나, 대집행을 통해 실현할 수는 없다(대판 2005.8.19. 2004다2809).
② (×) 계고처분은 반드시 문서로 하여야 하고 구두에 의한 계고는 무효이다. 비상시 또는 위험이 절박한 경우 계고와 통지는 동시에 생략할 수 있다.

> 「행정대집행법」 제3조 【대집행의 절차】 ① 전조의 규정에 의한 처분(이하 "대집행"이라 한다)을 하려함에 있어서는 상당한 이행기한을 정하여 그 기한까지 이행되지 아니할 때에는 대집행을 한다는 뜻을 미리 <u>문서로써 계고하여야</u> 한다. 이 경우 행정청은 상당한 이행기한을 정함에 있어 의무의 성질·내용 등을 고려하여 사회통념상 해당 의무를 이행하는 데 필요한 기간이 확보되도록 하여야 한다.
> ② 의무자가 전항의 계고를 받고 지정기한까지 그 의무를 이행하지 아니할 때에는 당해 행정청은 대집행영장으로써 대집행을 할 시기, 대집행을 시키기 위하여 파견하는 집행책임자의 성명과 대집행에 요하는 비용의 개산에 의한 견적액을 의무자에게 <u>통지</u>하여야 한다.
> ③ <u>비상시 또는 위험이 절박한 경우</u>에 있어서 당해 행위의 급속한 실시를 요하여 전2항에 규정한 수속을 취할 여유가 없을 때에는 그 수속을 거치지 아니하고 대집행을 할 수 있다.

③ (×) 지방재정법 제85조 제1항은, 공유재산을 정당한 이유 없이 점유하거나 그에 시설을 한 때에는 <u>이를 강제로 철거하게 할 수 있다고 규정하고, 그 제2항은, 지방자치단체의 장이 제1항의 규정에 의한 강제철거를 하게 하고자 할 때에는 행정대집행법 제3조 내지 제6조의 규정을 준용한다고 규정하고 있는바</u>, 공유재산의 점유자가 그 공유재산에 관하여 대부계약 외 달리 정당한 권원이 있다는 자료가 없는 경우 그 대부계약이 적법하게 해지된 이상 그 점유자의 공유재산에 대한 점유는 <u>정당한 이유 없는 점유라 할 것이고, 따라서 지방자치단체의 장은 지방재정법 제85조에 의하여 행정대집행의 방법으로 그 지상물을 철거시킬 수 있다</u>(대판 2001.10.12. 2001두4078).

유제 19. 소방간부 공유재산 대부계약의 해지에 따라 원상회복을 위하여 실시하는 지상물 철거의무는 「행정대집행법」상 대집행의 대상이 되는 의무이다. (○)
18. 국가직 7급 국유 일반재산인 대지에 대한 계약이 해지되어 국가가 원상회복으로 지상의 시설물을 철거하려는 경우, 「행정대집행법」에 따라 대집행을 하여야 하고 민사소송의 방법으로 시설물의 철거를 구하는 것은 허용되지 않는다. (○)
17. 지방직 7급 공유재산대부계약이 적법하게 해지되었음에도 불구하고 공유재산의 점유자가 그 지상물을 점유하고 있는 경우, 지방자치단체의 장은 원상회복을 위해 행정대집행의 방법으로 그 지상물을 철거시킬 수는 없다. (×)

④ (○) 대판 2009.6.11. 2009다1122
⑤ (×) 대판 1992.6.12. 91누13564

답 ④

함께 정리하기

행정대집행

토지 명도의무 불이행
▷ 대집행 불가
▷ 직접강제 가

구두에 의한 계고
▷ 무효

비상시 또는 위험 절박한 경우
▷ 계고·통지 동시 생략 가

공유재산 대부계약 해지 후 지상물 철거
▷ 대집행 가

행정청의 대집행 부작위 시
▷ 국유재산에 대한 사용청구권을 가지고 있는 자
▷ 민사소송제기 가

철거명령·계고처분
▷ 1장의 문서로 가

041

다음 사례에 대한 설명으로 옳은 것은? (다툼이 있는 경우 판례에 의함)

> 甲은 새롭게 개발된 A시 외곽에서 대형마트를 신축 개점하여 운영하고 있다. 甲은 신도시 입주가 완료되면서 마트 이용객들이 늘어나자 마트 인근 부지에 주차장을 추가로 확보하기 위해 토지를 매입하기로 하였다. 乙은 마트 인근 토지에서 작물농사를 하고 있다. 甲은 乙로부터 매매를 통해 토지를 취득 후 고객용 임시주차장으로 사용 중이다. 그런데 A시장이 甲에 대하여 해당 부지는 도로인 공공용물이며, 이를 무단으로 점유·사용하였으므로 주차시설 철거명령 및 변상금부과처분을 하였다. 해당 부지는 공공용물이나, A시에서 제대로 관리하지 않은 지난 25년 동안 乙이 계속해서 농사를 지어온 것으로 밝혀졌다.

① 乙이 25년 동안 평온·공연하게 해당 부지를 사용해왔으므로 점유취득시효의 완성으로 乙의 소유권이 인정되어, A시는 철거명령 및 변상금부과처분을 할 수 없다.
② 공공용물인 해당 부지를 사용하기 위해서는 별도로 점용허가를 받아야 하며 해당 점용허가의 법적 성질은 허가이다.
③ 甲은 정당한 사유 없이 공유재산을 점유하고 시설물을 설치하였으므로 A시장은 원상복구를 명할 수 있으며, 이를 이행하지 않을 경우 「행정대집행법」에 따라 시설물을 철거하고 그 비용을 징수할 수 있다.
④ 변상금부과처분은 행정청이 사경제주체로서 행하는 사법상의 행위이다.
⑤ 만약 해당 부지가 일반재산이라면 甲과 A시장은 대부계약을 체결할 수 있으며, 이 계약은 지방자치단체가 상대방과 대등한 지위에서 행하는 공법상 계약으로 이를 다투는 소송은 당사자소송이다.

2020년 국회직 8급

① (×) 공공용물인 해당 부지는 행정재산에 해당하고 행정재산은 공용폐지가 되지 않는 한 취득시효의 대상이 되지 않는다. 따라서 乙이 25년 동안 평온·공연하게 해당 부지를 사용해왔다고 해서 소유권이 인정될 수는 없고, A시는 주차시설 철거명령 및 변상금부과처분을 할 수 있다.

> 행정재산은 공용이 폐지되지 않는 한 사법상 거래의 대상이 될 수 없으므로 취득시효의 대상이 되지 않는다. 공용폐지의 의사표시는 명시적이든 묵시적이든 상관이 없으나 적법한 의사표시가 있어야 하고, 행정재산이 사실상 본래의 용도에 사용되지 않고 있다는 사실만으로 용도폐지의 의사표시가 있었다고 볼 수는 없으며, 원래의 행정재산이 공용폐지되어 취득시효의 대상이 된다는 사실에 대한 입증책임은 시효취득을 주장하는 자에게 있다(대판 1994.3.22. 93다56220).

② (×) 도로 점용허가는 강학상 특허에 해당한다.

> 도로법 제40조 제1항에 의한 도로점용은 일반공중의 교통에 사용되는 도로에 대하여 이러한 일반사용과는 별도로 도로의 특정부분을 유형적·고정적으로 특정한 목적을 위하여 사용하는 이른바 특별사용을 뜻하는 것이고, 이러한 도로점용의 허가는 특정인에게 일정한 내용의 공물사용권을 설정하는 설권행위로서, 공물관리자가 신청인의 적격성, 사용목적 및 공익상 영향 등을 참작하여 허가를 할 것인지의 여부를 결정하는 재량행위이다(대판 2002.10.25. 2002두5795).

③ (○) 대판 2017.4.13. 2013다207941
④ (×) 국유재산의 관리청이 그 무단점유자에 대하여 하는 변상금부과처분은 순전히 사경제 주체로서 행하는 사법상의 법률행위라 할 수 없고 이는 관리청이 공권력을 가진 우월적 지위에서 행한 것으로서 행정소송의 대상이 되는 행정처분이라고 보아야 한다(대판 1988.2.23. 87누1046·1047).
⑤ (×) 국유잡종재산(현 일반재산)에 관한 관리 처분의 권한을 위임받은 기관이 국유잡종재산(현 일반재산)을 대부하는 행위는 국가가 사경제 주체로서 상대방과 대등한 위치에서 행하는 사법상의 계약이고, 행정청이 공권력의 주체로서 상대방의 의사 여하에 불구하고 일방적으로 행하는 행정처분이라고 볼 수 없으며, 국유잡종재산(현 일반재산)에 관한 대부료의 납부고지 역시 사법상의 이행청구에 해당하고, 이를 행정처분이라고 할 수 없다(대판 2000.2.11. 99다61675).

답 ③

문제 DATA
출제가능 지수 ▶▶▷
난이도 지수 ★★★

함께 정리하기

행정대집행

행정재산
▷ 공용폐지되지 않는 한 취득시효 대상×

도로점용허가
▷ 특허

공유재산에 설치한 시설물철거
▷ 행정대집행 可

변상금부과처분
▷ 행정처분○

공유재산 대부계약
▷ 사법상 계약, 민사소송

042

행정상 강제집행에 대한 설명으로 옳지 않은 것은? (다툼이 있는 경우 판례에 의함)

① 관계 법령상 행정청이 행정대집행의 방법으로 건물의 철거 등 대체적 작위의무의 이행을 실현할 수 있는 경우에는 따로 민사소송의 방법으로 그 의무의 이행을 구할 수 없다.
② 토지나 건물의 명도의무는 「행정대집행법」에 의한 대집행의 대상이 된다.
③ 상당한 의무이행기간을 부여하지 아니한 채 「행정대집행법」상 대집행계고처분을 한 경우 대집행영장으로써 대집행의 시기를 늦추었다 하더라도 그 계고처분은 위법하다.
④ 「건축법」에 위반한 건축물의 철거의무를 대집행하기 위한 계고처분은 다른 방법으로는 이행의 확보가 어렵고 불이행을 방치함이 심히 공익을 해하는 것으로 인정될 때에 한하여 허용되고 이러한 요건의 주장·입증책임은 처분행정청에 있다.
⑤ 「건축법」상 이행강제금 납부의무는 상속인 기타의 사람에게 승계될 수 없는 일신전속적인 성질의 것이므로 이미 사망한 사람에게 이행강제금을 부과하는 내용의 처분이나 결정은 당연무효이다.

| 2020년 5급 승진

① (○) 대판 2017.4.28. 2016다213916
② (×) 대판 2005.8.19. 2004다2809
③ (○) 대판 1990.9.14. 90누2048
④ (○) 대판 1993.9.14. 92누16690
⑤ (○) 구 건축법상의 이행강제금은 구 건축법의 위반행위에 대하여 시정명령을 받은 후 시정기간 내에 당해 시정명령을 이행하지 아니한 건축주 등에 대하여 부과되는 간접강제의 일종으로서 그 <u>이행강제금 납부의무는 상속인 기타의 사람에게 승계될 수 없는 일신전속적인 성질의 것이므로 이미 사망한 사람에게 이행강제금을 부과하는 내용의 처분이나 결정은 당연무효</u>이고, 이행강제금을 부과받은 사람의 이의에 의하여 비송사건절차법에 의한 재판절차가 개시된 후에 그 이의한 사람이 사망한 때에는 사건 자체가 목적을 잃고 절차가 종료한다(대결 2006.12.8. 2006마470).

답 ②

043

「행정대집행법」상 대집행의 요건이 아닌 것은?

① 공법상 의무의 불이행이 있을 것
② 불이행된 의무를 타인이 대신하여 행할 수 있을 것
③ 의무를 명하는 처분에 불가쟁력이 발생하였을 것
④ 다른 수단으로써 의무 이행의 확보가 곤란할 것
⑤ 의무불이행을 방치하는 것이 심히 공익을 해할 것

2020년 행정사

③ (×) 「행정대집행법」은 '의무를 명하는 처분에 불가쟁력이 발생하였을 것'을 대집행 요건으로 규정하고 있지 않다. 불가쟁력이 발생하기 전에도 대집행이 가능하다.

> 「행정대집행법」제2조【대집행과 그 비용징수】법률(법률의 위임에 의한 명령, 지방자치단체의 조례를 포함한다. 이하 같다)에 의하여 직접명령되었거나 또는 법률에 의거한 행정청의 명령에 의한 행위로서 타인이 대신하여 행할 수 있는 행위를 의무자가 이행하지 아니하는 경우 다른 수단으로써 그 이행을 확보하기 곤란하고 또한 그 불이행을 방치함이 심히 공익을 해할 것으로 인정될 때에는 당해 행정청은 스스로 의무자가 하여야 할 행위를 하거나 또는 제삼자로 하여금 이를 하게 하여 그 비용을 의무자로부터 징수할 수 있다.

답 ③

함께 정리하기
대집행의 요건
▷ 공법상 의무 불이행 O
▷ 대체적 작위의무 O
▷ 불가쟁력 발생 ×
▷ 다른 수단으로써 이행확보 곤란 O
▷ 불이행을 방치함이 심히 공익을 해할 것 O

044 □□□

행정의 실효성 확보수단에 대한 판례의 입장으로 옳지 않은 것은?

① 체납자 등에 대한 공매처분을 하면서 체납자 등에게 공매통지를 하지 않았거나 공매통지를 하였더라도 그것이 적법하지 않은 경우 절차상의 흠이 있어 그 공매처분이 위법하게 되는 것인바, 공매통지는 상대방인 체납자 등의 법적 지위나 권리·의무에 직접적인 영향을 주는 행정처분으로서 항고소송의 대상이 된다.

② 사용자가 이행하여야 할 행정법상 의무의 내용을 초과하는 것을 '불이행 내용'으로 기재한 이행강제금 부과 예고서에 의하여 이행강제금 부과 예고를 한 다음 이를 이행하지 않았다는 이유로 이행강제금을 부과하였다면, 초과한 정도가 근소하다는 등의 특별한 사정이 없는 한 이행강제금 부과 예고는 위법하며, 이에 터 잡은 이행강제금 부과처분 역시 위법하다.

③ 대집행계고를 하기 위하여는 법령에 의하여 직접 명령되거나 법령에 근거한 행정청의 명령에 의한 의무자의 대체적 작위의무 위반행위가 있어야 하는데, 단순한 부작위의무 위반의 경우에는 당해 법령에서 그 위반자에게 위반에 의해 생긴 유형적 결과의 시정을 명하는 행정처분 권한을 인정하는 규정을 두고 있지 않은 이상, 이와 같은 부작위의무로부터 그 의무를 위반함으로써 생긴 결과를 시정하기 위한 작위의무를 당연히 끌어낼 수는 없다.

④ 행정청이 행정대집행의 방법으로 건물철거의무의 이행을 실현할 수 있는 경우에는 건물철거 대집행과정에서 부수적으로 건물의 점유자들에 대한 퇴거 조치를 할 수 있고, 점유자들이 적법한 행정대집행을 위력을 행사하여 방해하는 경우 「경찰관 직무집행법」에 근거한 위험발생 방지조치 차원에서 경찰의 도움을 받을 수도 있다.

문제 DATA
출제가능 지수 ▶▶▷
난이도 지수 ★★☆

2019년 국가직 7급

① (×) 체납자 등에 대한 공매통지는 국가의 강제력에 의하여 진행되는 공매에서 체납자 등의 권리 내지 재산상의 이익을 보호하기 위하여 법률로 규정한 절차적 요건이라고 보아야 하며, 공매처분을 하면서 체납자 등에게 공매통지를 하지 않았거나 공매통지를 하였더라도 그것이 적법하지 아니한 경우에는 절차상의 흠이 있어 그 공매처분이 위법하게 되는 것이지만, 공매통지 자체가 그 상대방인 체납자 등의 법적 지위나 권리·의무에 직접적인 영향을 주는 행정처분에 해당한다고 할 것은 아니므로 다른 특별한 사정이 없는 한 체납자 등은 공매통지의 결여나 위법을 들어 공매처분의 취소 등을 구할 수 있는 것이지 공매통지 자체를 항고소송의 대상으로 삼아 그 취소 등을 구할 수는 없다(대판 2011.3.24. 2010두25527).

함께 정리하기
행정대집행

공매통지 자체
▷ 행정처분 ×

이행강제금 부과 예고가 위법
▷ 이행강제금 부과처분 역시 위법

부작위의무
▷ 부작위의무위반으로 생긴 결과를 시정하기 위한 작위의무 당연히 도출 ×

건물철거 대집행
▷ 부수적 퇴거 조치 可
▷ 경찰의 도움 可

② (○) 사용자가 이행하여야 할 행정법상 의무의 내용을 초과하는 것을 '불이행 내용'으로 기재한 이행강제금 부과 예고서에 의하여 이행강제금 부과 예고를 한 다음 이를 이행하지 않았다는 이유로 이행강제금을 부과하였다면, 초과한 정도가 근소하다는 등의 특별한 사정이 없는 한 이행강제금 부과 예고는 이행강제금 제도의 취지에 반하는 것으로서 위법하고, 이에 터 잡은 이행강제금 부과처분 역시 위법하다 (대판 2015.6.24. 2011두2170).
③ (○) 대판 1996.6.28. 96누4374
④ (○) 대판 2017.4.28. 2016다213916

답 ①

문제 DATA

출제가능 지수 ▶▶▷
난이도 지수 ★★☆

045 □□□

행정청이 별도의 법령상의 근거 없이도 할 수 있는 행위를 모두 고르면? (다툼이 있는 경우 판례에 의함)

ㄱ. 수익적 행정처분인 재량행위를 하면서 침익적 성격의 부관을 부가하는 행위
ㄴ. 부관인 부담의 불이행을 이유로 수익적 행정행위를 철회하는 행위
ㄷ. 부작위의무를 위반함으로써 생긴 결과를 시정하기 위한 작위의무를 명하는 행위
ㄹ. 철거명령의 위반을 이유로 행정대집행을 하면서 철거의무자인 점유자에 대해 퇴거명령을 하는 행위

① ㄱ, ㄴ
② ㄴ, ㄷ
③ ㄷ, ㄹ
④ ㄱ, ㄴ, ㄹ

함께 정리하기

법령상의 근거 없이도 할 수 있는 행위

재량행위에 부관 부가
▷ 법적 근거 불요

부담불이행을 이유로 한 수익적 행정행위 철회
▷ 법적 근거 불요

부작위의무로부터 작위의무 도출
▷ 별도의 전환규범(명령규범) 필요

대집행하면서 철거의무자인 점유자에게 퇴거명령
▷ 법적 근거 불요

| 2019년 지방직 7급

ㄱ. (○) 수익적 행정처분에 있어서는 법령에 특별한 근거규정이 없다고 하더라도 그 부관으로서 부담을 붙일 수 있고, 그와 같은 부담은 행정청이 행정처분을 하면서 일방적으로 부가할 수도 있지만 부담을 부가하기 이전에 상대방과 협의하여 부담의 내용을 협약의 형식으로 미리 정한 다음 행정처분을 하면서 이를 부가할 수도 있다(대판 2009.2.12. 2005다65500).
ㄴ. (○) 행정청은 상대방의 의무위반(부담의 불이행 등)이 있는 경우 별도의 법적 근거가 없더라도 행정행위를 철회할 수 있다.
행정행위를 한 처분청은 비록 그 처분 당시에 별다른 하자가 없었고, 또 그 처분 후에 이를 철회할 별도의 법적 근거가 없다 하더라도 원래의 처분을 존속시킬 필요가 없게 된 사정변경이 생겼거나 또는 중대한 공익상의 필요가 발생한 경우에는 그 효력을 상실케 하는 별개의 행정행위로 이를 철회할 수 있다 (대판 2004.7.22. 2003두7607).
ㄷ. (×) 대판 1996.6.28. 96누4374
ㄹ. (○) 대판 2017.4.28. 2016다213916

답 ④

046

행정대집행에 대한 설명으로 옳지 않은 것은? (다툼이 있는 경우 판례에 의함)

① 구 대한주택공사가 대집행권한을 위탁받아 공무인 대집행을 실시하기 위하여 지출한 비용을 「행정대집행법」 절차에 따라 「국세징수법」의 예에 의하여 징수할 수 있음에도 민사소송절차에 의하여 그 비용의 상환을 구하는 청구는 소의 이익이 없어 부적법하다.
② 건물의 점유자가 철거의무자일 때에는 건물철거의무에 퇴거의무도 포함되어 있는 것이어서 별도로 퇴거를 명하는 집행권원이 필요하지 않다.
③ 철거명령에서 주어진 일정기간이 자진철거에 필요한 상당한 기간이라고 하여도 그 기간 속에는 계고시에 필요한 '상당한 이행기간'이 포함되어 있다고 볼 수 없다.
④ 대집행계고처분 취소소송의 변론이 종결되기 전에 대집행영장에 의한 통지절차를 거쳐 사실행위로서 대집행의 실행이 완료된 경우에는 계고처분의 취소를 구할 법률상의 이익이 없다.

문제 DATA
출제가능 지수 ▶▶▷
난이도 지수 ★★☆

2019년 지방직 9급

① (○) 대판 2011.9.8. 2010다48240
② (○) 대판 2017.4.28. 2016다213916
③ (×) 계고서라는 명칭의 1장의 문서로서 일정기간 내에 위법건축물의 자진철거를 명함과 동시에 그 소정기한 내에 자진철거를 하지 아니할 때에는 대집행할 뜻을 미리 계고한 경우라도 건축법에 의한 철거명령과 행정대집행법에 의한 계고처분은 독립하여 있는 것으로서 각 그 요건이 충족되었다고 볼 것이고, 이 경우 철거명령에서 주어진 일정기간이 자진철거에 필요한 상당한 기간이라면 그 기간 속에는 계고시에 필요한 '상당한 이행기간'도 포함되어 있다고 보아야 할 것이다(대판 1992.6.12. 91누13564).

유제 16. 지방직 7급 계고서라는 명칭의 1장의 문서로 일정기간 내에 위법건축물의 자진철거를 명함과 동시에 그 소정기한 내에 자진철거를 하지 아니할 때에는 대집행할 뜻을 미리 계고한 경우, 철거명령에서 주어진 일정기간이 자진철거에 필요한 상당한 기간이라도 그 기간 속에 계고 시에 필요한 '상당한 이행기간'이 포함된다고 볼 수 없다. (×)
12. 경찰 3차 계고서라는 명칭의 1장의 문서에 의한 철거명령에서 주어진 일정기간이 자진철거에 필요한 상당한 기간이라면 그 기간 속에는 계고시에 필요한 상당한 이행기간도 포함되어 있다고 보아야 한다. (○)

④ (○) 대집행계고처분 취소소송의 변론종결 전에 대집행영장에 의한 통지절차를 거쳐 사실행위로서 대집행의 실행이 완료된 경우에는 행위가 위법한 것이라는 이유로 손해배상이나 원상회복 등을 청구하는 것은 별론으로 하고 처분의 취소를 구할 법률상 이익은 없다(대판 1993.6.8. 93누6164).

유제 21. 국회직 8급 대집행계고처분 취소소송의 변론종결 전에 사실행위로서 대집행의 실행이 완료된 경우에는 손해배상이나 원상회복 등을 청구하는 것은 별론으로 하고 대집행계고처분의 취소를 구할 법률상 이익은 없다. (○)
20. 군무원 9급 건물철거대집행계고처분 취소소송 계속 중 건물철거대집행의 계고처분에 이어 대집행의 실행으로 건물에 대한 철거가 이미 사실행위로서 완료된 경우에는 원고로서는 계고처분의 취소를 구할 소의 이익이 없게 된다. (○)
10. 국가직 9급 대집행계고처분 취소소송의 변론이 종결되기 전에 대집행의 실행이 완료된 경우라도 그 계고처분의 취소 또는 무효확인을 구할 법률상 이익이 있다. (×)

답 ③

함께 정리하기
행정대집행

대한주택공사 「국세징수법」에 의해 징수 可
▷ 민사소송 소의 이익 無

점유자가 철거의무자
▷ 퇴거 명하는 집행권원 不要

철거명령 상당한 기간
▷ 계고시 필요한 상당한 이행기간 포함

계고처분취소소송 변론종결 전 대집행 실행완료
▷ 계고처분 소의 이익 無

047

「행정대집행법」상 대집행에 대한 설명으로 가장 옳지 않은 것은?

① 계고서라는 명칭의 1장의 문서로서 일정기간 내에 위법건축물의 자진철거를 명함과 동시에 그 소정기한 내에 자진철거를 하지 아니할 때에는 대집행할 뜻을 미리 계고한 경우라도 「건축법」에 의한 철거명령과 「행정대집행법」에 의한 계고처분의 각 요건이 충족되었다고 볼 수 있다.
② 부작위의무 위반행위에 대하여 대체적 작위의무로 전환하는 규정을 두고 있지 아니하더라도 그 금지규정으로부터 그 위반결과의 시정을 명하는 원상복구명령을 할 수 있는 권한이 도출될 수 있다.
③ 명도의무는 대체적 작위의무라고 볼 수 없으므로 특별한 사정이 없는 한 「행정대집행법」에 의한 대집행의 대상이 될 수 없다.
④ 행정청이 대집행계고를 함에 있어서는 의무자가 스스로 이행하지 아니하는 경우에 대집행할 행위의 내용 및 범위가 구체적으로 특정되어야 하지만, 그 행위의 내용 및 범위는 반드시 대집행계고서에 의하여서만 특정되어야 하는 것은 아니다.

2019년 서울시 7급

① (O) 대판 1992.6.12. 91누13564
② (X) 대판 1996.6.28. 96누4374
③ (O) 비대체적 작위의무인 건물·토지의 명도·퇴거의무는 대집행의 대상이 될 수 없다.
④ (O) 대판 1994.10.28. 94누5144

답 ②

048

대집행에 대한 설명으로 가장 옳지 않은 것은?

① 건물의 점유자가 철거의무자일 때에는 건물철거의무에 퇴거의무도 포함되어 있는 것이어서 별도로 퇴거를 명하는 집행권원이 필요하지 않다.
② 구 「토지수용법」상 피수용자 등이 기업자에 대하여 부담하는 수용대상 토지의 인도의무는 특별한 사정이 없는 한 「행정대집행법」에 의한 대집행의 대상이 될 수 없다.
③ 민사소송절차에 따라 「민법」 제750조에 기한 손해배상으로서 대집행비용의 상환을 구하는 청구는 소의 이익이 없어 부적법하다.
④ 해가 지기 전에 대집행에 착수한 경우라고 할지라도 해가 진 후에는 대집행을 할 수 없다.

2019년 서울시 9급

① (○) 대판 2017.4.28. 2016다213916
② (○) 대판 2005.8.19. 2004다2809
③ (○) 대판 2011.9.8. 2010다48240
④ (×)

> 「행정대집행법」 제4조【대집행의 실행 등】① 행정청(제2조에 따라 대집행을 실행하는 제3자를 포함한다. 이하 이 조에서 같다)은 해가 뜨기 전이나 해가 진 후에는 대집행을 하여서는 아니 된다. 다만, 다음 각 호의 어느 하나에 해당하는 경우에는 그러하지 아니하다.
> 1. 의무자가 동의한 경우
> 2. 해가 지기 전에 대집행을 착수한 경우
> 3. 해가 뜬 후부터 해가 지기 전까지 대집행을 하는 경우에는 대집행의 목적 달성이 불가능한 경우
> 4. 그 밖에 비상시 또는 위험이 절박한 경우

답 ④

함께 정리하기

행정대집행

점유자가 철거의무자
▷ 퇴거 명하는 집행권원 不要

토지 인도의무
▷ 비대체적 작위의무
▷ 대집행 대상×

손해배상으로 대집행비용 상환청구
▷ 소의 이익 無

해가 진 후
▷ 지기 전에 대집행 착수한 경우 대집행 可

049 □□□

「행정대집행법」상 대집행의 대상이 되는 의무는? (다툼이 있는 경우 판례에 의함)

① 관계 법령을 위반하여 장례식장 영업을 하고 있는 자의 장례식장 사용 중지의무
② 피수용자 등이 기업자에 대하여 부담하는 수용대상 토지의 인도의무
③ 공유재산 대부계약의 해지에 따라 원상회복을 위하여 실시하는 지상물 철거의무
④ 공원점용허가를 받아 설치한 매점의 소유자가 점용기간 만료 후에 그 매점으로부터 퇴거할 의무
⑤ 구 「공공용지의 취득 및 손실보상에 관한 특례법」에 따른 토지 등의 협의취득시 건물소유자가 매매대상 건물에 대한 철거의무를 부담하겠다는 취지의 약정을 한 경우 그 철거의무

2019년 소방간부

① (×) 대판 2005.9.28. 2005두7464
② (×) 대판 2005.8.19. 2004다2809
③ (○) 대판 2001.10.12. 2001두4078
④ (×) 대판 1998.10.23. 97누157
⑤ (×) 대판 2006.10.13. 2006두7096

답 ③

문제 DATA

출제가능 지수 ▶▶▷
난이도 지수 ★★☆

함께 정리하기

행정대집행

장례식장 사용 중지의무
▷ 대집행 대상×

피수용자의 수용대상 토지 인도의무
▷ 대집행 대상×

공유재산 대부계약 해지에 따라 부담하는 지상물 철거의무
▷ 대집행 대상○

공원점용허가 기간만료 후 매점에서 퇴거할 의무
▷ 대집행 대상×

「공공용지의 취득 및 손실보상에 관한 특례법」상 협의취득시 건물소유자가 체결한 약정에 기한 철거의무
▷ 대집행 대상×

문제 DATA

출제가능 지수 ▶▶▷
난이도 지수 ★★☆

050 □□□

「행정대집행법」상 대집행에 대한 설명으로 가장 옳지 않은 것은? (다툼이 있는 경우 판례에 의함)

① 행정청의 명령에 의한 행위뿐만 아니라 법률에 의하여 직접 명령된 행위도 행정대집행의 대상이 된다.
② 도시공원시설인 매점에 대해서 관리청이 점유자에게 매점으로부터 퇴거하고 이에 부수하여 그 판매 시설물 및 상품을 반출하라고 명한 경우에 행정대집행을 할 수 있다.
③ 행정대집행의 절차가 인정되는 경우에 따로 민사소송의 방법으로 공작물의 철거를 구할 수는 없다.
④ 건물의 점유자가 철거의무자일 때에 행정청이 행정대집행의 방법으로 건물철거의무의 이행을 실현할 수 있는 경우에 건물철거 대집행과정에서 부수적으로 그 건물의 점유자들에 대한 퇴거 조치를 할 수 있다.

2019년 경찰

① (O)

> 「행정대집행법」 제2조 【대집행과 그 비용징수】 법률(법률의 위임에 의한 명령, 지방자치단체의 조례를 포함한다. 이하 같다)에 의하여 직접 명령되었거나 또는 법률에 의거한 행정청의 명령에 의한 행위로서 타인이 대신하여 할 수 있는 행위를 의무자가 이행하지 아니하는 경우 다른 수단으로써 그 이행을 확보하기 곤란하고 또한 그 불이행을 방치함이 심히 공익을 해할 것으로 인정될 때에는 당해 행정청은 스스로 의무자가 하여야 할 행위를 하거나 또는 제삼자로 하여금 이를 하게 하여 그 비용을 의무자로부터 징수할 수 있다.

② (×) 대판 1998.10.23. 97누157
③ (O) 대판 2009.6.11. 2009다1122
④ (O) 대판 2017.4.28. 2016다213916

답 ②

함께 정리하기

행정대집행
대집행 대상
▷ 법률에 의해 직접 명령 or 법률에 의한 행정청의 명령에 따른 대체적 작위의무
건물 명도·퇴거의무
▷ 대집행 불가
대집행 가
▷ 민사소송으로 철거청구×
건물철거 대집행
▷ 부수적으로 점유자 퇴거조치 可

문제 DATA

출제가능 지수 ▶▶▷
난이도 지수 ★★☆

051 □□□

행정상 대집행에 대한 설명으로 옳은 것은? (다툼이 있는 경우 판례에 의함)

① 사법(私法)상 적법한 임대차계약관계에 의해 국유지상에 건물을 소유하는 자에 대하여 한 건물철거계고처분은 법에 근거 없는 처분으로서 그 하자가 중대하고 명백한 것이어서 당연무효라 할 것이다.
② 대집행을 결정하고 이를 실행할 수 있는 권한을 가진 대집행주체는 의무를 부과한 당해 행정청이다. 이때 대집행을 현실로 수행하는 자도 반드시 당해 행정청이어야 한다.
③ 「건축법」에 위반하여 건축한 것이어서 철거의무가 있는 건물이라 하더라도 그 철거의무를 대집행하기 위한 계고처분을 하려면, 다른 방법으로는 이행의 확보가 어렵고 불이행을 방치함이 심히 공익을 해하는 것으로 인정될 때에 한하여 허용되고, 이러한 요건의 주장·입증책임은 의무위반자에게 있다.
④ 관계 법령상 행정대집행의 절차가 인정되어 행정청이 행정대집행의 방법으로 건물의 철거 등 대체적 작위의무의 이행을 실현할 수 있는 경우에 따로 민사소송의 방법으로 그 의무의 이행을 구할 수도 있다.
⑤ 대집행에 대하여는 행정심판을 제기할 수 없다.

2019년 5급 승진

① (O) 피고와 원고간의 본건 원판시의 각 임대차계약관계는 위 설시와 같이 사법상의 법률관계에 불과하여 원고에게 공법상의 행위의무가 생하는 것이 아니므로 이건 건물의 철거는 민사소송의 방법으로 구함은 모르되 행정대집행법에 의한 철거계고처분을 한 조치는 법에 근거없는 처분으로써 그 하자가 중대하고 명백한 것이어서 당연무효라 할 것이다(대판 1975.4.22. 73누215).
② (×) 대집행주체는 의무를 부과한 당해 행정이다. 다만 대집행을 현실로 수행하는 자는 행정청 스스로인 경우도 있고(자기집행), 제3자인 경우도 있다(타자집행).
③ (×) 대집행요건의 주장·입증책임은 처분행정청에 있다(대판 1993.9.14. 92누16690).
④ (×) 대판 2009.6.11. 2009다1122
⑤ (×)

> 「행정대집행법」 제7조【행정심판】 대집행에 대하여는 행정심판을 제기할 수 있다.

답 ①

함께 정리하기

행정대집행

적법한 건축물에 대한 철거명령
▷ 당연무효 → 후행 계고처분 역시 당연무효

대집행 결정·실행 권한
▷ 의무를 부과한 당해행정청(집행은 자기 or 타자집행 可)

계고
▷ 다른 방법으로 이행확보 어렵고 심히 공익 해하는 경우 허용, 그 입증은 행정청이 해야

행정대집행 可
▷ 민사소송으로 의무이행 소구 不可

대집행
▷ 행정심판 可

---

052 □□□

「행정대집행법」상 행정대집행에 대한 설명으로 옳지 않은 것은? (다툼이 있는 경우 판례에 의함)

① 퇴거의무 및 점유인도의무의 불이행은 행정대집행의 대상이 되지 않는다.
② 건물철거명령 및 철거대집행계고를 한 후에 이에 불응하자 다시 제2차, 제3차의 계고를 하였다면 철거의무는 처음에 한 건물철거명령 및 철거대집행계고로 이미 발생하였고 그 이후에 한 제2차, 제3차의 계고는 새로운 철거의무를 부과한 것이 아니라 대집행 기한을 연기하는 통지에 불과하다.
③ 관계 법령에서 금지규정 및 그 위반에 대한 벌칙규정은 두고 있으나 금지규정 위반행위에 대한 시정명령의 권한에 대해서는 규정하고 있지 않은 경우에 그 금지규정 및 벌칙규정은 당연히 금지규정 위반행위로 인해 발생한 유형적 결과를 시정하게 하는 것도 예정하고 있다고 할 것이어서 금지규정 위반으로 인한 결과의 시정을 명하는 권한도 인정하고 있는 것으로 해석된다.
④ 대집행계고를 함에 있어서는 의무자가 스스로 이행하지 않는 경우에 대집행할 행위의 내용 및 범위가 구체적으로 특정되어야 하는데 그 내용과 범위는 대집행 계고서뿐만 아니라 계고처분 전후에 송달된 문서나 기타 사정 등을 종합하여 특정될 수 있다.

2018년 국가직 9급

① (O) 퇴거의무·점유인도의무는 대체적 작위의무가 아니므로 대집행의 대상이 되지 않는다.

> 「행정대집행법」 제2조【대집행과 그 비용징수】 법률(법률의 위임에 의한 명령, 지방자치단체의 조례를 포함한다. 이하 같다)에 의하여 직접명령되었거나 또는 법률에 의거한 행정청의 명령에 의한 행위로서 타인이 대신하여 행할 수 있는 행위를 의무자가 이행하지 아니하는 경우 다른 수단으로써 그 이행을 확보하기 곤란하고 또한 그 불이행을 방치함이 심히 공익을 해할 것으로 인정될 때에는 당해 행정청은 스스로 의무자가 하여야 할 행위를 하거나 또는 제삼자로 하여금 이를 하게 하여 그 비용을 의무자로부터 징수할 수 있다.

②, ④ (O) 대판 1994.10.28. 94누5144
③ (×) 대판 1996.6.28. 96누4374

답 ③

함께 정리하기

행정대집행

퇴거의무·점유인도의무
▷ 비대체적 작위의무
▷ 대집행 대상 ×

반복된 계고에 있어 제2·3차의 계고
▷ 대집행 기한의 연기 통지(처분 ×)

금지규정
▷ 시정 명하는 권한 인정 ×

대집행계고
▷ 대집행의 내용·범위 구체적 특정 要(계고서뿐만 아니라 종합적으로 특정)

문제 DATA
출제가능 지수 ▶▶▷
난이도 지수 ★★☆

053 □□□

행정강제에 대한 설명으로 옳지 않은 것은? (다툼이 있는 경우 판례에 의함)

① 관계 법령상 행정대집행의 절차가 인정되어 행정청이 행정대집행의 방법으로 건물의 철거 등 대체적 작위의무의 이행을 실현할 수 있는 경우에는 따로 민사소송의 방법으로 그 의무의 이행을 구할 수 없다.
② 「국세징수법」상 체납자 등에 대한 공매통지는 체납자 등의 법적 지위나 권리·의무에 직접적인 영향을 주는 행정처분에 해당하지 아니하므로 공매통지가 적법하지 아니한 경우에도 그에 따른 공매처분이 위법하게 되는 것은 아니다.
③ 이행강제금 납부의무는 상속인 기타의 사람에게 승계될 수 없는 일신전속적인 성질의 것이므로 이미 사망한 사람에게 이행강제금을 부과하는 내용의 처분이나 결정은 당연무효이다.
④ 행정청이 행정대집행의 방법으로 건물철거의무의 이행을 실현할 수 있는 경우, 점유자들이 적법한 행정대집행을 위력을 행사하여 방해한다면 「형법」상 공무집행방해죄의 범행방지차원에서 경찰의 도움을 받을 수 있다.

| 2018년 지방직 9급

①, ④ (O) 대판 2017.4.28. 2016다213916
② (×) 체납자 등에 대한 공매통지는 국가의 강제력에 의하여 진행되는 공매에서 체납자 등의 권리 내지 재산상의 이익을 보호하기 위하여 법률로 규정한 절차적 요건이라고 보아야 하며, 공매처분을 하면서 체납자 등에게 공매통지를 하지 않았거나 공매통지를 하였더라도 그것이 적법하지 아니한 경우에는 절차상의 흠이 있어 그 공매처분은 위법하다(대판 2008.11.20. 2007두18154 전합).
③ (O) 구 건축법상의 이행강제금은 구 건축법의 위반행위에 대하여 시정명령을 받은 후 시정기간 내에 당해 시정명령을 이행하지 아니한 건축주 등에 대하여 부과되는 간접강제의 일종으로서 그 이행강제금 납부의무는 상속인 기타의 사람에게 승계될 수 없는 일신전속적인 성질의 것이므로 이미 사망한 사람에게 이행강제금을 부과하는 내용의 처분이나 결정은 당연무효이고, 이행강제금을 부과받은 사람의 이의에 의하여 비송사건절차법에 의한 재판절차가 개시된 후에 그 이의한 사람이 사망한 때에는 사건 자체가 목적을 잃고 절차가 종료한다(대결 2006.12.8. 2006마470).

답 ②

함께 정리하기

행정대집행

대집행 可
▷ 민사소송으로 의무이행 소구 不可

위법한 공매통지
▷ 공매처분에 절차하자 有

이행강제금 납부의무
▷ 일신전속적(승계×)

대집행시 점유자들이 위력으로 방해
▷ 경찰 도움 可

문제 DATA
출제가능 지수 ▶▶▷
난이도 지수 ★★☆

054 □□□

「행정대집행법」 제2조가 규정하고 있는 행정대집행의 요건에 대한 설명으로 가장 옳은 것은?

① 의무자에게 부과된 의무는 행정청에 의해서 행해진 명령에 한하며 법률에 의해 혹은 법률에 근거하여 행해진 명령은 해당되지 않는다.
② 대체적, 비대체적 의무 모두 해당되지만 부작위의무가 아니어야 한다.
③ 당해 행정청은 의무자가 하여야 할 행위를 제3자로 하여금 행하게 할 수도 있다.
④ 다른 수단에 의한 이행의 확보도 가능하지만 그 수단이 행정대집행보다 비용이 많이 들어야 한다.

2018년 서울시 7급

① (×) 의무자에게 부과된 의무는 법률에 의하여 직접 명령되었거나 또는 법률에 의거한 행정청의 명령에 의한 행위여도 된다.
② (×) 행정대집행이 가능하기 위해서는 대체적 작위의무의 위반이 있어야 한다.

유제 17. 행정사 비대체적 작위의무의 불이행에 대해서는 대집행이 가능하지 아니하다. (○)
15. 교행 비대체적 작위의무의 위반은 그 자체로서 대집행의 대상이 될 수 없다. (○)
13. 서울시 7급 군복무를 위한 징집 소환영장에의 불응의 경우 행정대집행을 할 수 있다. (×)

③ (○) 행정대집행은 제3자로 하여금 행하게 하는 타자집행도 가능하다.
④ (×) 다른 수단으로는 그 이행을 확보할 수 없어야 한다(보충성 요건).

> 「**행정대집행법**」 제2조 【대집행과 그 비용징수】 법률(법률의 위임에 의한 명령, 지방자치단체의 조례를 포함한다. 이하 같다)에 의하여 직접명령되었거나 또는 법률에 의거한 행정청의 명령에 의한 행위로서 타인이 대신하여 행할 수 있는 행위를 의무자가 이행하지 아니하는 경우 다른 수단으로써 그 이행을 확보하기 곤란하고 또한 그 불이행을 방치함이 심히 공익을 해할 것으로 인정될 때에는 당해 행정청은 스스로 의무자가 하여야 할 행위를 하거나 또는 제삼자로 하여금 이를 하게 하여 그 비용을 의무자로부터 징수할 수 있다.

답 ③

함께 정리하기
행정대집행

의무자의 의무
▷ 법률상 or 법률에 의한 행정청의 명령에 따른 대체적 작위의무

의무위반
▷ 대체적 작위의무 위반

자기집행·타자집행 可

보충성
▷ 다른 수단으로 이행확보할 수 없어야 함

---

055 □□□

행정대집행에 대한 설명으로 가장 옳지 않은 것은? (다툼이 있는 경우 판례에 의함)

① 대집행의 대상이 되는 행위는 법률에서 직접 명령된 것이 아니라, 법률에 의거한 행정청의 명령에 의한 행위를 말한다.
② 법령에서 정한 부작위의무자체에서 의무위반으로 인해 형성된 현상을 제거할 작위의무가 바로 도출되는 것은 아니다.
③ 건물의 용도에 위반되어 장례식장으로 사용하는 것을 중지할 것을 명한 경우, 이 중지의무는 대집행의 대상이 아니다.
④ 공익사업을 위해 토지를 협의 매도한 종전 토지소유자가 토지 위의 건물을 철거하겠다는 약정을 하였다고 하더라도 이러한 약정 불이행시 대집행의 대상이 되지 아니한다.

문제 DATA
출제가능 지수 ▶▶▷
난이도 지수 ★★☆

2018년 서울시 9급

① (×) 법률에 의하여 직접 명령된 경우(법규하명)에도 행정대집행을 할 수 있다.

> 「**행정대집행법**」 제2조 【대집행과 그 비용징수】 법률(법률의 위임에 의한 명령, 지방자치단체의 조례를 포함한다. 이하 같다)에 의하여 직접 명령되었거나 또는 법률에 의거한 행정청의 명령에 의한 행위로서 타인이 대신하여 행할 수 있는 행위를 의무자가 이행하지 아니하는 경우 다른 수단으로써 그 이행을 확보하기 곤란하고 또한 그 불이행을 방치함이 심히 공익을 해할 것으로 인정될 때에는 당해 행정청은 스스로 의무자가 하여야 할 행위를 하거나 또는 제삼자로 하여금 이를 하게 하여 그 비용을 의무자로부터 징수할 수 있다.

② (○) 대판 1996.6.28. 96누4374
③ (○) 대판 2005.9.28. 2005두7464
④ (○) 대판 2006.10.13. 2006두7096

답 ①

함께 정리하기
행정대집행

대상
▷ 법규하명, 처분하명

부작위의무자체에서 작위의무 도출×

용도위반 장례식장 사용중지의무
▷ 비대체적 부작위의무
▷ 대집행 대상×

협의취득시 토지소유자의 건물철거의무
▷ 사법상 의무
▷ 대집행 대상×

문제 DATA

출제가능 지수 ▶▶▷
난이도 지수 ★★☆

056 □□□

행정대집행에 대한 설명으로 옳은 것만을 모두 고른 것은? (다툼이 있는 경우 판례에 의함)

> ㄱ. 행정대집행에 있어 대집행계고, 대집행영장에 의한 통지, 대집행실행, 비용징수의 일련의 절차 중 대집행계고와 대집행영장에 의한 통지 간에는 하자의 승계가 인정되나, 대집행계고와 비용징수간에는 하자의 승계가 인정되지 않는다.
> ㄴ. 자진철거에 필요한 상당한 이행기간을 정하고 있다면 계고와 철거명령을 하나의 문서로 할 수 있다.
> ㄷ. 계고처분을 하려면 다른 방법으로는 이행의 확보가 어렵고 불이행을 방치함이 심히 공익을 해하는 것으로 인정될 때에 한하여 허용되고 이러한 요건의 주장·입증 책임은 처분 행정청에 있다.
> ㄹ. 군수가 군사무위임조례의 규정에 따라 무허가 건축물에 대한 철거대집행사무를 하부 행정기관인 읍·면에 위임한 경우라도, 읍·면장에게는 관할구역 내의 무허가건축물에 대하여 그 철거대집행을 위한 계고처분을 할 권한이 없다.

① ㄱ
② ㄴ, ㄷ
③ ㄴ, ㄹ
④ ㄱ, ㄴ, ㄷ, ㄹ

2017년 국가직 7급

ㄱ. (✕) 대집행의 각 절차들은 서로 결합하여 하나의 법적 효과를 목적으로 하므로 선행행위의 하자가 후행행위에 승계된다. 따라서 대집행계고와 비용징수 간에도 하자의 승계가 인정된다.
ㄴ. (○) 대판 1992.6.12. 91누13564
ㄷ. (○) 대판 1993.9.14. 92누16690
ㄹ. (✕) 군수가 군사무위임조례의 규정에 따라 무허가 건축물에 대한 철거대집행사무를 하부 행정기관인 읍·면에 위임하였다면, 읍·면장에게는 관할구역 내의 무허가 건축물에 대하여 그 철거대집행을 위한 계고처분을 할 권한이 있다(대판 1997.2.14. 96누15428).

답 ②

함께 정리하기

행정대집행

계고처분과 대집행영장의 통지 & 실행 & 비용징수
▷ 하자승계 ○

계고 & 철거명령
▷ 하나의 문서로 可

계고처분
▷ 보충성 & 심히 공익을 해함
▷ 처분행정청 입증책임

군수가 조례로 철거대집행사무 하부기관에 위임
▷ 하부기관 계고처분권한 有

문제 DATA

출제가능 지수 ▶▶▷
난이도 지수 ★★☆

057 □□□

행정대집행에 대한 설명으로 옳은 것은? (다툼이 있는 경우 판례에 의함)

① 부작위의무의 근거 규정인 금지규정으로부터 그 의무를 위반함으로써 생긴 결과를 시정할 작위의무나 위반 결과의 시정을 명할 행정청의 권한이 당연히 추론되는 것은 아니다.
② 관계 법령상 행정대집행의 절차가 인정되어 행정청이 행정대집행의 방법으로 대체적 작위의무의 이행을 실현할 수 있는 경우에「민사소송법」상 강제집행의 방법으로도 그 의무의 이행을 구할 수 있다.
③ 관계 법령에 위반하여 장례식장 영업을 한 사람이 행정청으로부터 장례식장 사용중지명령을 받고도 이에 따르지 않은 경우에 그의 사용중지의무 불이행은 행정청의 명령에 의한 대체적 작위의무의 불이행에 해당하므로 대집행의 대상이 된다.
④ 대집행할 행위의 내용과 범위는 반드시 철거명령서와 대집행계고서에 의해 구체적으로 특정되어야 한다.

2017년 국가직 9급

① (O) 대판 1996.6.28. 96누4374
② (×) 대판 2009.6.11. 2009다1122
③ (×) 대판 2005.9.28. 2005두7464
④ (×) 대판 1997.2.14. 96누15428

답 ①

함께 정리하기
행정대집행
부작위의무의 근거규정
▷ 의무위반결과 시정작위의무 도출×
대집행 可
▷ 「민사소송법」 강제집행×
장례식장 사용중지의무불이행
▷ 비대체적 부작위의무
▷ 대집행×
내용과 범위
▷ 계고처분 전후 문서 등으로 특정되면 足

문제 DATA
출제가능 지수 ▶▶▷
난이도 지수 ★★☆

058 □□□

「행정대집행법」상 행정대집행에 대한 설명으로 옳은 것은? (다툼이 있는 경우 판례에 의함)

① 의무를 명하는 행정행위가 불가쟁력이 발생하지 않은 경우에는 그 행정행위에 따른 의무의 불이행에 대하여 대집행을 할 수 없다.
② 부작위하명에는 행정행위의 강제력의 효력이 있으므로 당해 하명에 따른 부작위 의무의 불이행에 대하여는 별도의 법적 근거 없이 대집행이 가능하다.
③ 원칙적으로 '의무의 불이행을 방치하는 것이 심히 공익을 해하는 것으로 인정되는 경우'의 요건은 계고를 할 때에 충족되어 있어야 한다.
④ 「행정대집행법」 제2조에 따른 대집행의 실시 여부는 행정청의 재량에 속하지 않는다.

2017년 국가직 9급

① (×) 불가쟁력이란 제소기간이 도과하거나 쟁송수단을 다 거친 경우 행정행위의 상대방은 그 행정행위에 대해 다툴 수 없게 되는 효력으로서, 불가쟁력의 발생은 대집행의 요건이 아니다. 따라서 의무를 명하는 행정행위가 불가쟁력이 발생하지 않은 경우라도 대집행요건을 갖추면 대집행을 할 수 있다.

유제 14. 서울시 9급 의무를 명한 행정처분에 불가쟁력이 발생해야 한다는 것은 「행정대집행법」상 대집행을 위한 요건으로 볼 수 없다. (O)

② (×) 대판 1996.6.28. 96누4374
③ (O) 계고를 함에 있어서는 이미 대집행의 요건이 충족되어 있어야 하는 것이 원칙이다.
④ (×) 대집행의 요건이 모두 충족된 경우, 대집행을 하여야 한다는 견해(소수설)도 있으나, 「행정대집행법」 제2조의 규정형식이 가능규정(~할 수 있다)의 형태를 취하고 있는 점을 근거로 판례와 다수설은 재량행위로 보고 있다.

답 ③

함께 정리하기
행정대집행
대집행 실행
▷ 불가쟁력 不要
부작위의무
▷ 대집행대상×
의무불이행을 방치함이 심히 공익을 해할 것
▷ 계고시 충족 필요
대집행 실시 여부
▷ 행정청이 재량

문제 DATA

출제가능 지수 ▶▶▷
난이도 지수 ★★☆

059 □□□

행정대집행에 대한 설명으로 옳은 것을 모두 고른 것은? (다툼이 있는 경우 판례에 의함)

> ㄱ. 토지나 건물의 명도는 대집행의 대상이 된다.
> ㄴ. 대집행권한을 위탁받아 공무인 대집행을 실시하기 위하여 지출한 비용은 「행정대집행법」의 절차에 따라 「국세징수법」의 예에 의하여 징수할 수 있다.
> ㄷ. 비상시 또는 위험이 절박한 경우에 있어서 당해 행위의 급속한 실시를 요하여 대집행영장에 의한 통지절차를 취할 여유가 없을 때에는 그 절차를 거치지 아니하고 대집행을 할 수 있다.
> ㄹ. 행정대집행의 절차가 인정되는 경우에는 따로 민사소송의 방법으로 의무이행을 구할 수는 없다.
> ㅁ. 공유재산대부계약이 적법하게 해지되었음에도 불구하고 공유재산의 점유자가 그 지상물을 점유하고 있는 경우, 지방자치단체의 장은 원상회복을 위해 행정대집행의 방법으로 그 지상물을 철거시킬 수는 없다.

① ㄱ, ㄴ, ㄷ
② ㄱ, ㄹ, ㅁ
③ ㄴ, ㄷ, ㄹ
④ ㄷ, ㄹ, ㅁ

함께 정리하기

행정대집행

토지·건물 명도의무 불이행
▷ 대집행의 대상 ✕
▷ 직접강제 ○

대집행 실시비용
▷ 「국세징수법」의 예에 의하여 강제징수 가

비상시 or 위험절박 & 급속한 실시 要
▷ 계고·통지 생략 가

행정대집행 절차 & 민사소송 절차
▷ 양립 불가

공유재산대부계약 해지 후 지상물을 계속 점유 시
▷ 행정대집행으로 철거 가

| 2017년 지방직 7급

ㄱ. (✕) 건물·토지의 명도의무는 대체성이 없으므로 대집행의 대상이 될 수 없다(대판 2005.8.19. 2004다2809).

ㄴ. (○)

> 「행정대집행법」 제6조【비용징수】① 대집행에 요한 비용은 「국세징수법」의 예에 의하여 징수할 수 있다.

ㄷ. (○)

> 「행정대집행법」 제3조【대집행의 절차】② 의무자가 전항의 계고를 받고 지정기한까지 그 의무를 이행하지 아니할 때에는 당해 행정청은 대집행영장으로써 대집행을 할 시기, 대집행을 시키기 위하여 파견하는 집행책임자의 성명과 대집행에 요하는 비용의 개산에 의한 견적액을 의무자에게 통지하여야 한다.
> ③ 비상시 또는 위험이 절박한 경우에 있어서 당해 행위의 급속한 실시를 요하여 전2항에 규정한 수속을 취할 여유가 없을 때에는 그 수속을 거치지 아니하고 대집행을 할 수 있다.

ㄹ. (○) 대판 2009.6.11. 2009다1122
ㅁ. (✕) 대판 2001.10.12. 2001두4078

답 ③

060

행정대집행에 대한 설명으로 옳은 것은? (다툼이 있는 경우 판례에 의함)

① 대집행계고처분을 함에 있어서 의무이행을 할 수 있는 상당한 기간을 부여하지 아니하였다 하더라도, 행정청이 대집행계고처분 후에 대집행영장으로써 대집행의 시기를 늦추었다면 그 대집행계고처분은 적법한 처분이다.
② 의무자가 대집행에 요한 비용을 납부하지 않으면 당해 행정청은 「민법」 제570조에 기한 손해배상으로서 대집행비용의 상환을 구할 수 있다.
③ 「공유재산 및 물품관리법」 제83조에 따라 지방자치단체장이 행정대집행의 방법으로 공유재산에 설치한 시설물을 철거할 수 있는 경우, 민사소송의 방법으로도 시설물의 철거를 구하는 것이 허용된다.
④ 구「공공용지의 취득 및 손실보상에 관한 특례법」에 의한 협의취득시 건물소유자가 협의취득대상 건물에 대하여 철거의무를 부담하겠다는 취지의 약정을 한 경우, 그 철거의무는 「행정대집행법」에 의한 대집행의 대상이 되지 않는다.

| 2017년 지방직 9급

① (×) 대판 1990.9.14. 90누2048
② (×) 대판 2011.9.8. 2010다48240
③ (×) 대판 2017.4.13. 2013다207941
④ (○) 대판 2006.10.13. 2006두7096

답 ④

문제 DATA
출제가능 지수 ▶▶▷
난이도 지수 ★★☆

함께 정리하기
행정대집행
상당한 의무이행기한 부여 없는 계고 처분
▷ 대집행영장으로 시기 늦추어도 위법
대집행비용 미납부
▷ 강제징수 可
▷ 민사소송 不可
공유재산에 설치한 시설물철거
▷ 행정대집행 可
▷ 민사소송 不可
협의취득시 철거약정은 공법상 의무×
▷ 사법상 의무○
▷ 대집행 대상×

061

「행정대집행법」상 대집행에 대한 설명으로 옳지 않은 것은?

① 비대체적 작위의무의 불이행에 대해서는 대집행이 가능하지 않다.
② 대집행은 대체적 작위의무의 불이행이 있다고 하여 언제든지 인정되는 것은 아니다.
③ 대집행을 실제 수행하는 자는 당해 행정청이어야 하는 것은 아니다.
④ 대집행을 한다는 뜻의 계고는 문서로 하여야 한다.
⑤ 대집행에 대하여는 행정심판을 제기할 수 없다.

| 2017년 행정사

① (○) 대집행의 대상이 되는 의무는 타인이 대신하여 행할 수 있는 의무, 즉 대체적 작위의무(예 건물의 철거의무, 공장 등 시설의 개선의무, 불법광고물의 철거의무, 토지형질의 원상회복의무 등)이다. 따라서 타인이 대신하여 행할 수 없는 의무, 즉 비대체적인 작위의무[예 의사의 진료의무, 증인의 출석의무, 국유지로부터의 퇴거의무, 감염병 예방접종의무, 토지·건물의 인도(명도)의무 등]나 부작위의무(예 장례식장 사용중지의무, 허가 없이 영업을 하지 않을 의무 등)는 대집행의 대상이 될 수 없다
② (○) 대집행은 ㉠ 공법상 대체적 작위의무의 불이행이 있는 경우에, ㉡ 다른 수단으로는 그 이행의 확보가 곤란하고, ㉢ 의무불이행을 방치함이 심히 공익을 해할 것으로 인정될 때에 가능하다.
③ (○) 대집행의 주체는 당해 행정청이다(「행정대집행법」 제2조). 여기서 당해 행정청이라 함은 대집행의 대상이 되는 의무를 명한 '처분청'을 말한다. 대집행의 실행은 당해 행정청이 주체가 되어 스스로 수행할 수도 있고(자기집행), 제3자로 하여금 이를 대신 행하게 할 수도 있다(타자집행).

문제 DATA
출제가능 지수 ▶▶▷
난이도 지수 ★★☆

함께 정리하기
행정대집행
비대체적 작위의무의 불이행
▷ 대집행×
대집행 요건 모두 갖출 것 要
자기집행 or 타자집행
계고
▷ 문서주의
행정심판청구 可

> 「행정대집행법」제2조【대집행과 그 비용징수】법률(법률의 위임에 의한 명령, 지방자치단체의 조례를 포함한다. 이하 같다)에 의하여 직접 명령되었거나 또는 법률에 의거한 행정청의 명령에 의한 행위로서 타인이 대신하여 행할 수 있는 행위를 의무자가 이행하지 아니하는 경우 다른 수단으로써 그 이행을 확보하기 곤란하고 또한 그 불이행을 방치함이 심히 공익을 해할 것으로 인정될 때에는 당해 행정청은 스스로 의무자가 하여야 할 행위를 하거나 또는 제삼자로 하여금 이를 하게 하여 그 비용을 의무자로부터 징수할 수 있다.

④ (○) 계고처분은 반드시 문서로 하여야 한다.

> 「행정대집행법」제3조【대집행의 절차】① 전조의 규정에 의한 처분(이하 "대집행"이라 한다)을 하려함에 있어서는 상당한 이행기한을 정하여 그 기한까지 이행되지 아니할 때에는 대집행을 한다는 뜻을 미리 문서로써 계고하여야 한다. 이 경우 행정청은 상당한 이행기한을 정함에 있어 의무의 성질·내용 등을 고려하여 사회통념상 해당 의무를 이행하는 데 필요한 기간이 확보되도록 하여야 한다.

⑤ (×)

> 「행정대집행법」제7조【행정심판】대집행에 대하여는 행정심판을 제기할 수 있다.

답 ⑤

Ⅱ 이행강제금(집행벌)

062 □□□

이행강제금에 대한 설명으로 가장 옳지 않은 것은? (다툼이 있는 경우 판례에 의함)

① 현행 「건축법」상 위법건축물에 대한 이행강제수단으로 대집행과 이행강제금이 인정되고 있는데, 행정청은 개별사건에 있어서 위반내용, 위반자의 시정의지 등을 감안하여 대집행과 이행강제금을 선택적으로 활용할 수 있다.
② 이행강제금 부과처분에 대해 「비송사건절차법」에 의한 특별한 불복절차가 마련되어 있는 경우에도 이행강제금 부과처분에 대한 취소소송 등 항고소송을 제기할 수 있다.
③ 이행강제금 납부의무는 상속인 기타의 사람에게 승계될 수 없는 일신전속적인 성질의 것이므로 이미 사망한 사람에게 이행강제금을 부과하는 내용의 처분이나 결정은 당연무효이고, 이행강제금을 부과받은 사람의 이의에 의하여 「비송사건절차법」에 의한 재판절차가 개시된 후에 그 이의한 사람이 사망한 때에는 사건 자체가 목적을 잃고 절차가 종료된다.
④ 이행강제금의 본질상 시정명령을 받은 의무자가 이행강제금이 부과되기 전에 그 의무를 이행한 경우에는 비록 시정명령에서 정한 기간을 지나서 이행한 경우라도 이행강제금을 부과할 수 없다.

2025년 군무원 9급

① (○) 현행 건축법상 위법건축물에 대한 이행강제수단으로 대집행과 이행강제금(제83조 제1항)이 인정되고 있는데, 양 제도는 각각의 장·단점이 있으므로 행정청은 개별사건에 있어서 위반내용, 위반자의 시정의지 등을 감안하여 대집행과 이행강제금을 선택적으로 활용할 수 있으며, 이처럼 그 합리적인 재량에 의해 선택하여 활용하는 이상 중첩적인 제재에 해당한다고 볼 수 없다(헌재 2004.2.26. 2001헌바80 등).

② (×)

　[1] 농지법은 농지 처분명령에 대한 이행강제금 부과처분에 불복하는 자가 그 처분을 고지받은 날부터 30일 이내에 부과권자에게 이의를 제기할 수 있고, 이의를 받은 부과권자는 지체 없이 관할 법원에 그 사실을 통보하여야 하며, 그 통보를 받은 관할 법원은 비송사건절차법에 따른 과태료 재판에 준하여 재판을 하도록 정하고 있다(제62조 제1항, 제6항, 제7항). 따라서 농지법 제62조 제1항에 따른 이행강제금 부과처분에 불복하는 경우에는 비송사건절차법에 따른 재판절차가 적용되어야 하고, 행정소송법상 항고소송의 대상은 될 수 없다.

　[2] 농지법 제62조 제6항, 제7항이 위와 같이 이행강제금 부과처분에 대한 불복절차를 분명하게 규정하고 있으므로, 이와 다른 불복절차를 허용할 수는 없다. 설령 관할청이 이행강제금 부과처분을 하면서 재결청에 행정심판을 청구하거나 관할 행정법원에 행정소송을 할 수 있다고 잘못 안내하거나 관할 행정심판위원회가 각하재결이 아닌 기각재결을 하면서 관할 법원에 행정소송을 할 수 있다고 잘못 안내하였다고 하더라도, 그러한 잘못된 안내로 행정법원의 항고소송 재판관할이 생긴다고 볼 수도 없다(대판 2019.4.11. 2018두42955).

③ (○) 구 건축법(2005.11.8. 법률 제7696호로 개정되기 전의 것)상의 이행강제금은 구 건축법의 위반행위에 대하여 시정명령을 받은 후 시정기간 내에 당해 시정명령을 이행하지 아니한 건축주 등에 대하여 부과되는 간접강제의 일종으로서 그 이행강제금 납부의무는 상속인 기타의 사람에게 승계될 수 없는 일신전속적인 성질의 것이므로 이미 사망한 사람에게 이행강제금을 부과하는 내용의 처분이나 결정은 당연무효이고, 이행강제금을 부과받은 사람의 이의에 의하여 비송사건절차법에 의한 재판절차가 개시된 후에 그 이의한 사람이 사망한 때에는 사건 자체가 목적을 잃고 절차가 종료한다(대결 2006.12.8. 2006마470).

④ (○) 건축법상의 이행강제금은 시정명령의 불이행이라는 과거의 위반행위에 대한 제재가 아니라, 의무자에게 시정명령을 받은 의무의 이행을 명하고 그 이행기간 안에 의무를 이행하지 않으면 이행강제금이 부과된다는 사실을 고지함으로써 의무자에게 심리적 압박을 주어 의무의 이행을 간접적으로 강제하는 행정상의 간접강제 수단에 해당한다. 이러한 이행강제금의 본질상 시정명령을 받은 의무자가 이행강제금이 부과되기 전에 그 의무를 이행한 경우에는 비록 시정명령에서 정한 기간을 지나서 이행한 경우라도 이행강제금을 부과할 수 없다. 나아가 시정명령을 받은 의무자가 그 시정명령의 취지에 부합하는 의무를 이행하기 위한 정당한 방법으로 행정청에 신청 또는 신고를 하였으나 행정청이 위법하게 이를 거부 또는 반려함으로써 결국 그 처분이 취소되기에 이르렀다면, 특별한 사정이 없는 한 그 시정명령의 불이행을 이유로 이행강제금을 부과할 수는 없다고 보는 것이 위와 같은 이행강제금 제도의 취지에 부합한다(대판 2018.1.25. 2015두35116).

답 ②

함께 정리하기

이행강제금

위법건축물에 대한 이행강제
▷ 대집행, 이행강제금 선택적 활용 가

「비송사건절차법」에 의한 특별한 불복절차○
▷ 항고소송의 대상×

이행강제금 납부의무
▷ 일신전속적(승계×)
▷ 사망시 재판절차 종료

시정명령에서 정한 기간 지나서 이행
▷ 이행강제금 부과 불가

문제 DATA

출제가능 지수 ▶▶▶
난이도 지수 ★★☆

063 □□□

행정상 강제집행에 대한 설명으로 옳지 않은 것은? (다툼이 있는 경우 판례에 의함)

① 직접강제는 행정대집행이나 이행강제금 부과의 방법으로는 행정상 의무이행을 확보할 수 없거나 그 실현이 불가능한 경우에 실시하여야 한다.
② 국세체납절차에 의한 강제징수에 있어 금전 납부를 독촉한 후 다시 동일한 내용의 독촉을 하는 경우 최초의 독촉만 처분성이 인정되고 이후 반복한 독촉은 처분성이 인정되지 않는다.
③ 행정청이 의무자가 행정상 의무를 이행할 때까지 이행강제금을 반복하여 부과하는 경우에 의무자가 의무를 이행하더라도 이미 부과한 이행강제금은 징수하여야 한다.
④ 이행강제금은 대체적 작위의무의 위반에 대해서도 부과될 수 있으나 개별사건에 있어 행정청이 대집행과 이행강제금을 선택적으로 활용하는 것은 허용되지 않는다.

| 2025년 소방직

① (O)

> 「행정기본법」 제32조 【직접강제】 ① 직접강제는 행정대집행이나 이행강제금 부과의 방법으로는 행정상 의무 이행을 확보할 수 없거나 그 실현이 불가능한 경우에 실시하여야 한다.

② (O) 구 의료보험법(1994.1.7. 법률 제4728호로 전문 개정되기 전의 것) 제45조, 제55조, 제55조의2의 각 규정에 의하면, 보험자 또는 보험자단체가 사기 기타 부정한 방법으로 보험급여비용을 받은 의료기관에게 그 급여비용에 상당하는 금액을 부당이득으로 징수할 수 있고, 그 의료기관이 납부고지에서 지정된 납부기한까지 징수금을 납부하지 아니한 경우 국세체납절차에 의하여 강제징수할 수 있는바, 보험자 또는 보험자단체가 부당이득금 또는 가산금의 납부를 독촉한 후 다시 동일한 내용의 독촉을 하는 경우 최초의 독촉만이 징수처분으로서 항고소송의 대상이 되는 행정처분이 되고 그 후에 한 동일한 내용의 독촉은 체납처분의 전제요건인 징수처분으로서 소멸시효 중단사유가 되는 독촉이 아니라 민법상의 단순한 최고에 불과하여 국민의 권리의무나 법률상의 지위에 직접적으로 영향을 미치는 것이 아니므로 항고소송의 대상이 되는 행정처분이라 할 수 없다(대판 1999.7.13. 97누119).

③ (O)

> 「행정기본법」 제31조 【이행강제금의 부과】 ⑤ 행정청은 의무자가 행정상 의무를 이행할 때까지 이행강제금을 반복하여 부과할 수 있다. 다만, 의무자가 의무를 이행하면 새로운 이행강제금의 부과를 즉시 중지하되, 이미 부과한 이행강제금은 징수하여야 한다.

④ (×) 전통적으로 행정대집행은 대체적 작위의무에 대한 강제집행수단으로, 이행강제금은 부작위의무나 비대체적 작위의무에 대한 강제집행수단으로 이해되어왔으나, 이는 이행강제금 제도의 본질에서 오는 제약은 아니며, 이행강제금은 대체적 작위의무의 위반에 대하여도 부과될 수 있다. 현행법상 위법건축물에 대한 이행강제수단으로 대집행과 이행강제금이 인정되고 있는데, 양 제도는 각각의 장·단점이 있으므로 행정청은 개별사건에 있어서 위반내용, 위반자의 시정의지 등을 감안하여 대집행과 이행강제금을 선택적으로 활용할 수 있으며, 이처럼 그 합리적인 재량에 의해 선택하여 활용하는 이상 중첩적인 제재에 해당한다고 볼 수 없다(헌재 2004.2.26. 2001헌바80 등).

답 ④

함께 정리하기

행정상 강제집행

직접강제(가장 강력한 강제집행 수단, 보충적 수단)
▷ 대집행, 이행강제금으로 의무이행확보·실현불가능한 경우 실시

반복된 독촉
▷ 1차 독촉만 처분성O
▷ 2차 독촉은 처분성×

의무자의 의무이행시
▷ 즉시 부과 중지
▷ 이미 부과된 부분 징수O

이행강제금
▷ 대체적 작위의무 위반에 대해서도 부과 可
▷ 대집행, 이행강제금 선택적 활용 可

064

A 행정청은 甲 소유의 건축물이 법령에 위반됨을 이유로 甲에게 「건축법」에 따른 시정명령을 하였는데, 甲이 시정명령에서 정한 의무를 이행하지 않으면 이행강제금을 부과하려 한다. 이에 대한 설명으로 옳은 것(○)과 옳지 않은 것(×)을 올바르게 조합한 것은? (다툼이 있는 경우 판례에 의함)

> ㄱ. A 행정청이 甲에 대한 이행강제금의 부과·징수를 게을리하더라도 이는 재무회계와 직접적인 관련이 없는 행위이므로 주민소송의 대상이 되는 사항에 해당하지 않는다.
> ㄴ. 甲의 사망 이후 甲에게 이행강제금이 부과된 경우 그 납부 의무는 甲의 상속인에게 승계된다.
> ㄷ. A 행정청이 이행강제금을 부과하기 전에 甲이 시정명령에서 정한 의무를 이행하였더라도, 시정명령에서 정한 기간을 지나서 그 의무를 이행한 경우라면, A 행정청은 甲에게 이행강제금을 부과할 수 있다.
> ㄹ. 甲이 시정명령의 취지에 부합하는 의무를 이행하기 위한 정당한 방법으로 A 행정청에 신고를 하였으나 A 행정청이 이를 위법하게 반려함으로써 그 반려처분이 취소를 면할 수 없는 경우, 특별한 사정이 없는 한 A 행정청은 시정명령 불이행을 이유로 甲에게 이행강제금을 부과할 수 없다.

① ㄱ(○), ㄴ(○), ㄷ(○), ㄹ(×)
② ㄱ(○), ㄴ(○), ㄷ(×), ㄹ(○)
③ ㄱ(×), ㄴ(○), ㄷ(○), ㄹ(×)
④ ㄱ(×), ㄴ(×), ㄷ(×), ㄹ(○)
⑤ ㄱ(×), ㄴ(×), ㄷ(×), ㄹ(×)

문제 DATA
출제가능 지수 ▶▶▷
난이도 지수 ★★★

2025년 변호사

ㄱ. (×)

> [1] 주민소송 제도는 주민으로 하여금 지방자치단체의 위법한 재무회계행위의 방지 또는 시정을 구할 수 있도록 함으로써 지방재무회계에 관한 행정의 적법성을 확보하려는 데 목적이 있다. 그러므로 지방자치법 제17조 제1항, 제2항 제2호, 제3호 등에 따라 주민소송의 대상이 되는 '재산의 관리·처분에 관한 사항'이나 '공금의 부과·징수를 게을리한 사항'이란 지방자치단체의 소유에 속하는 재산의 가치를 유지·보전 또는 실현함을 직접 목적으로 하는 행위 또는 그와 관련된 공금의 부과·징수를 게을리한 행위를 말하고, 그 밖에 재무회계와 관련이 없는 행위는 그것이 지방자치단체의 재정에 어떤 영향을 미친다고 하더라도, 주민소송의 대상이 되는 '재산의 관리·처분에 관한 사항' 또는 '공금의 부과·징수를 게을리한 사항'에 해당하지 않는다.
> [2] 이행강제금은 지방자치단체의 재정수입을 구성하는 재원 중 하나로서 '지방세외수입금의 징수 등에 관한 법률'에서 이행강제금의 효율적인 징수 등에 필요한 사항을 특별히 규정하는 등 그 부과·징수를 재무회계 관점에서도 규율하고 있으므로, 이행강제금의 부과·징수를 게을리한 행위는 주민소송의 대상이 되는 공금의 부과·징수를 게을리한 사항에 해당한다(대판 2015.9.10. 2013두16746).

ㄴ. (×) 구 건축법(2005.11.8. 법률 제7696호로 개정되기 전의 것)상의 이행강제금은 구 건축법의 위반행위에 대하여 시정명령을 받은 후 시정기간 내에 당해 시정명령을 이행하지 아니한 건축주 등에 대하여 부과되는 간접강제의 일종으로서 그 이행강제금 납부의무는 상속인 기타의 사람에게 승계될 수 없는 일신전속적인 성질의 것이므로 이미 사망한 사람에게 이행강제금을 부과하는 내용의 처분이나 결정은 당연무효이고, 이행강제금을 부과받은 사람의 이의에 의하여 비송사건절차법에 의한 재판절차가 개시된 후에 그 이의한 사람이 사망한 때에는 사건 자체가 목적을 잃고 절차가 종료한다(대결 2006.12.8. 2006마470).

ㄷ. (×), ㄹ. (○) 건축법상의 이행강제금은 시정명령의 불이행이라는 과거의 위반행위에 대한 제재가 아니라, 의무자에게 시정명령을 받은 의무의 이행을 명하고 그 이행기간 안에 의무를 이행하지 않으면 이행강제금이 부과된다는 사실을 고지함으로써 의무자에게 심리적 압박을 주어 의무의 이행을 간접적으로 강제하는 행정상의 간접강제 수단에 해당한다. 이러한 이행강제금의 본질상 시정명령을 받은 의무자가 이행강제금이 부과되기 전에 그 의무를 이행한 경우에는 비록 시정명령에서 정한 기간을 지나서 이행한 경우라도 이행강제금을 부과할 수 없다(ㄷ).

함께 정리하기

사례

이행강제금 부과·징수 게을리한 행위
▷ 주민소송의 대상○(∵재무회계와 직접 관련)

이행강제금 납부의무
▷ 일신전속적(승계×)

이행강제금 부과 전 시정명령 이행
▷ 이행강제금 부과 불가

시정명령 이행에 대한 행정청의 위법한 거부
▷ 이행강제금 부과 불가

나아가 시정명령을 받은 의무자가 그 시정명령의 취지에 부합하는 의무를 이행하기 위한 정당한 방법으로 행정청에 신청 또는 신고를 하였으나 행정청이 위법하게 이를 거부 또는 반려함으로써 결국 그 처분이 취소되기에 이르렀다면, 특별한 사정이 없는 한 그 시정명령의 불이행을 이유로 이행강제금을 부과할 수는 없다고 보는 것이 위와 같은 이행강제금 제도의 취지에 부합한다(ㄹ)(대판 2018.1.25. 2015두35116).

답 ④

065

행정의 실효성 확보수단에 대한 설명으로 옳지 않은 것은?

① 「행정기본법」에 따르면, 행정청은 이행강제금을 부과받은 자가 납부기한까지 이행강제금을 내지 아니하면 국세강제징수의 예 또는 「지방행정제재·부과금의 징수 등에 관한 법률」에 따라 징수한다.
② 「농지법」상 이행강제금의 부과는 행정처분이므로 취소소송을 제기할 수 있으며 법원은 당해 사건에서 과도한 이행강제금이 부과되었다고 판단하면 그 금액을 감액하여야 한다.
③ 구 「주택건설촉진법」의 규정을 위반하여 주택을 공급한 자에게 과태료를 부과한다고 하여 주택을 공급한 자와 제3자 간에 체결한 주택공급계약의 사법적 효력까지 부인된다고 볼 수는 없다.
④ 수도조례 및 하수도사용조례에 기한 과태료의 부과 여부 및 그 당부는 최종적으로 「질서위반행위규제법」에 의한 절차에 의하여 판단되어야 하므로, 그 과태료 부과처분은 행정소송의 대상이 되는 행정처분이라고 할 수 없다.

2024년 국가직 7급

① (○)

> 「행정기본법」제31조【이행강제금의 부과】⑥ 행정청은 이행강제금을 부과받은 자가 납부기한까지 이행강제금을 내지 아니하면 국세강제징수의 예 또는 「지방행정제재·부과금의 징수 등에 관한 법률」에 따라 징수한다.

② (×) 농지법은 농지 처분명령에 대한 이행강제금 부과처분에 불복하는 자가 그 처분을 고지받은 날부터 30일 이내에 부과권자에게 이의를 제기할 수 있고, 이의를 받은 부과권자는 지체 없이 관할 법원에 그 사실을 통보하여야 하며, 그 통보를 받은 관할 법원은 비송사건절차법에 따른 과태료 재판에 준하여 재판을 하도록 정하고 있다(제62조 제1항, 제6항, 제7항). 따라서 농지법 제62조 제1항에 따른 이행강제금 부과처분에 불복하는 경우에는 비송사건절차법에 따른 재판절차가 적용되어야 하고, 행정소송법상 항고소송의 대상은 될 수 없다(대판 2019.4.11. 2018두42955).
③ (○) 이 사건 각 주택공급계약의 체결 당시 시행되던 구 주택건설촉진법(2000.1.28. 법률 제6250호로 개정되어 2002.8.26. 법률 제6732호로 개정되기 전의 것, 이하 같다) 제32조 제2호는 "사업주체가 건설하는 주택을 사용검사 이전에 공급하고자 하는 경우에는 건설교통부령이 정하는 입주자 모집조건·방법·절차, 입주금의 납부방법·시기·절차, 주택공급계약방법·절차 등에 적합할 것"을 규정하고, 구 주택공급에 관한 규칙(1995.2.11. 건설교통부령 제6호로 전문 개정된 것, 이하 같다) 제27조 제3항 전문은 "사업주체와 계약을 체결한 자가 제26조 제4항 및 제6항의 규정에 의한 중도금과 잔금을 기한 내에 납부하지 아니한 경우에는 계약시 정한 금융기관에서 적용하는 연체금리의 범위 안에서 정한 연체료율에 따라 산출하는 연체료를 납부할 것과 해약조건 등을 정할 수 있다.", 같은 조 제4항은 "사업주체가 입주자모집공고에서 정한 입주예정일 내에 입주시키지 못한 경우에는 실입주개시일 이전에 납부한 입주금에 대하여 입주시 입주자에게 제3항의 규정에서 정한 연체료율을 적용한 금액을 지체상금으로 지급하거나 주택잔금에서 해당액을 공제하여야 한다."고 규정하고 있으며, 위 법 제52조의3 제1항 제6호는 " 제32조 제2호의 규정을 위반하여 주택을 공급한 자"를 과태료에 처하도록 규정하고 있으나, 주택공급계약이 위 법 제32조, 위 규칙 제27조 제4항, 제3항에 위반하였다고 하더라도 그 사법적 효력까지 부인된다고 할 수는 없다(대판 2007.8.23. 2005다59475·59482·59499).

문제 DATA

출제가능 지수 ▶▶▷
난이도 지수 ★★☆

함께 정리하기

행정의 실효성 확보수단

「행정기본법」상 이행강제금 미납시
▷ 국세강제징수의 예 또는 「지방행정제재·부과금의 징수 등에 관한 법률」에 따라 징수

「농지법」상 이행강제금
▷ 행정소송 대상×

구 「주택건설촉진법」 규정을 위반한 주택공급자에게 과태료 부과
▷ 주택공급자와 제3자간 주택공급계약의 사법적 효력까지 부인×

과태료 부과처분
▷ 행정소송 대상×

④ (○) 수도조례 및 하수도사용조례에 기한 과태료의 부과 여부 및 그 당부는 최종적으로 질서위반행위규제법에 의한 절차에 의하여 판단되어야 한다고 할 것이므로, 그 과태료 부과처분은 행정청을 피고로 하는 행정소송의 대상이 되는 행정처분이라고 볼 수 없다(대판 2012.10.11. 2011두19369).

답 ②

066

이행강제금에 대한 설명으로 옳지 않은 것은?

① 「건축법」상 이행강제금은 시정명령의 불이행이라는 과거의 위반행위에 대한 제재이다.
② 행정청은 이행강제금을 부과받은 자가 납부기한까지 이행강제금을 내지 아니하면 국세강제징수의 예 또는 「지방행정제재·부과금의 징수 등에 관한 법률」에 따라 징수한다.
③ 처분의 근거법령에 의하면 「비송사건절차법」에 따라 이행강제금 부과처분에 불복하도록 규정하고 있었지만, 관할청이 이행강제금 부과처분을 하면서 재결청에 행정심판을 청구하거나 관할 행정법원에 행정소송을 할 수 있다고 잘못 안내한 경우라도 이행강제금 부과처분에 대해 행정법원에 항고소송을 제기할 수 없다.
④ 「건축법」상 이행강제금을 부과받은 사람이 이행강제금사건의 제1심결정 후 항고심결정이 있기 전에 사망한 경우, 항고심결정은 당연무효이고, 이미 사망한 사람의 이름으로 제기된 재항고는 보정할 수 없는 흠결이 있는 것으로서 부적법하다.

2024년 지방직 9급

① (×) 건축법상의 이행강제금은 시정명령의 불이행이라는 과거의 위반행위에 대한 제재가 아니라, 의무자에게 시정명령을 받은 의무의 이행을 명하고 그 이행기간 안에 의무를 이행하지 않으면 이행강제금이 부과된다는 사실을 고지함으로써 의무자에게 심리적 압박을 주어 의무의 이행을 간접적으로 강제하는 행정상의 간접강제 수단에 해당한다. 이러한 이행강제금의 본질상 시정명령을 받은 의무자가 이행강제금이 부과되기 전에 그 의무를 이행한 경우에는 비록 시정명령에서 정한 기간을 지나서 이행한 경우라도 이행강제금을 부과할 수 없다(대판 2018.1.25. 2015두35116).

② (○)

> 「행정기본법」 제31조 【이행강제금의 부과】 ⑥ 행정청은 이행강제금을 부과받은 자가 납부기한까지 이행강제금을 내지 아니하면 국세강제징수의 예 또는 「지방행정제재·부과금의 징수 등에 관한 법률」에 따라 징수한다.

③ (○) 농지법은 농지 처분명령에 대한 이행강제금 부과처분에 불복하는 자가 그 처분을 고지받은 날부터 30일 이내에 부과권자에게 이의를 제기할 수 있고, 이의를 받은 부과권자는 지체 없이 관할 법원에 그 사실을 통보하여야 하며, 그 통보를 받은 관할 법원은 비송사건절차법에 따른 과태료 재판에 준하여 재판을 하도록 정하고 있다(제62조 제1항, 제6항, 제7항). 따라서 농지법 제62조 제1항에 따른 이행강제금 부과처분에 불복하는 경우에는 비송사건절차법에 따른 재판절차가 적용되어야 하고, 행정소송법상 항고소송의 대상은 될 수 없다. 농지법 제62조 제6항, 제7항이 위와 같이 이행강제금 부과처분에 대한 불복절차를 분명하게 규정하고 있으므로, 이와 다른 불복절차를 허용할 수는 없다. 설령 관할청이 이행강제금 부과처분을 하면서 재결청에 행정심판을 청구하거나 관할 행정법원에 행정소송을 할 수 있다고 잘못 안내하거나 관할 행정심판위원회가 각하재결이 아닌 기각재결을 하면서 관할 법원에 행정소송을 할 수 있다고 잘못 안내하였다고 하더라도, 그러한 잘못된 안내로 행정법원의 항고소송 재판관할이 생긴다고 볼 수도 없다(대판 2019.4.11. 2018두42955).

문제 DATA

출제가능 지수 ▶▶▷
난이도 지수 ★★☆

함께 정리하기

이행강제금

의무자에게 심리적압박을 주어 장래 의무 이행확보
▷ 간접강제

이행강제금 미납시
▷ 강제징수

비송사건절차법에 따른 불복 可
▷ 행정소송 대상×
▷ 잘못 안내 시에도 마찬가지

이행강제금 납부의무
▷ 일신전속적(승계×)
▷ 사망시 재판절차 종료, 재항고 부적법

④ (○)
> [1] 구 건축법(2005.11.8. 법률 제7696호로 개정되기 전의 것)상의 이행강제금은 구 건축법의 위반행위에 대하여 시정명령을 받은 후 시정기간 내에 당해 시정명령을 이행하지 아니한 건축주 등에 대하여 부과되는 간접강제의 일종으로서 그 이행강제금 납부의무는 상속인 기타의 사람에게 승계될 수 없는 일신전속적인 성질의 것이므로 이미 사망한 사람에게 이행강제금을 부과하는 내용의 처분이나 결정은 당연무효이고, 이행강제금을 부과받은 사람의 이의에 의하여 비송사건절차법에 의한 재판절차가 개시된 후에 그 이의의 사람이 사망한 때에는 사건 자체가 목적을 잃고 절차가 종료한다.
> [2] 구 건축법상 이행강제금을 부과받은 사람이 이행강제금사건의 제1심결정 후 항고심결정이 있기 전에 사망한 경우, 항고심결정은 당연무효이고, 이미 사망한 사람의 이름으로 제기된 재항고는 보정할 수 없는 흠결이 있는 것으로서 부적법하다(대결 2006.12.8. 2006마470).

답 ①

067

다음 중 「행정기본법」상 이행강제금에 대한 설명으로 가장 옳지 않은 것은?

① 행정청은 이행강제금을 부과하기 전에 미리 의무자에게 적절한 이행기간을 정하여 그 기한까지 행정상 의무를 이행하지 아니하면 이행강제금을 부과한다는 뜻을 문서로 계고(戒告)하여야 한다.
② 행정청은 의무자가 계고에서 정한 기한까지 행정상 의무를 이행하지 아니한 경우 이행강제금의 부과 금액·사유·시기를 문서로 명확하게 적어 의무자에게 통지하여야 한다.
③ 행정청은 의무자가 행정상 의무를 이행할 때까지 이행강제금을 반복하여 부과할 수 있다.
④ 의무자가 의무를 이행하면 새로운 이행강제금의 부과를 즉시 중지하고, 이미 부과한 이행강제금은 징수하지 아니한다.

2024년 군무원 7급

④ (✗) 이미 부과한 이행강제금은 징수하여야 한다.

> 「행정기본법」 제31조【이행강제금의 부과】① 이행강제금 부과의 근거가 되는 법률에는 이행강제금에 관한 다음 각 호의 사항을 명확하게 규정하여야 한다. 다만, 제4호 또는 제5호를 규정할 경우 입법목적이나 입법취지를 훼손할 우려가 크다고 인정되는 경우로서 대통령령으로 정하는 경우는 제외한다.
> 1. 부과·징수 주체
> 2. 부과 요건
> 3. 부과 금액
> 4. 부과 금액 산정기준
> 5. 연간 부과 횟수나 횟수의 상한
> ② 행정청은 다음 각 호의 사항을 고려하여 이행강제금의 부과 금액을 가중하거나 감경할 수 있다.
> 1. 의무 불이행의 동기, 목적 및 결과
> 2. 의무 불이행의 정도 및 상습성
> 3. 그 밖에 행정목적을 달성하는 데 필요하다고 인정되는 사유
> ③ 행정청은 이행강제금을 부과하기 전에 미리 의무자에게 적절한 이행기간을 정하여 그 기한까지 행정상 의무를 이행하지 아니하면 이행강제금을 부과한다는 뜻을 문서로 계고(戒告)하여야 한다(①).
> ④ 행정청은 의무자가 제3항에 따른 계고에서 정한 기한까지 행정상 의무를 이행하지 아니한 경우 이행강제금의 부과 금액·사유·시기를 문서로 명확하게 적어 의무자에게 통지하여야 한다(②).
> ⑤ 행정청은 의무자가 행정상 의무를 이행할 때까지 이행강제금을 반복하여 부과할 수 있다(③). 다만, 의무자가 의무를 이행하면 새로운 이행강제금의 부과를 즉시 중지하되, 이미 부과한 이행강제금은 징수하여야 한다(④).
> ⑥ 행정청은 이행강제금을 부과받은 자가 납부기한까지 이행강제금을 내지 아니하면 국세강제징수의 예 또는 「지방행정제재·부과금의 징수 등에 관한 법률」에 따라 징수한다.

답 ④

문제 DATA
출제가능 지수 ▶▶▷
난이도 지수 ★★☆

함께 정리하기
「행정기본법」상 이행강제금

이행강제금 부과 전
▷ 이행기간 정하여 계고

계고에서 정한 기한까지 의무불이행
▷ 이행강제금의 부과금액·사유·시기등 구체적 통지

의무자가 의무를 이행할 때까지
▷ 반복부과 可

의무자의 의무이행시
▷ 즉시 부과 중지
▷ 이미 부과된 부분 징수○

068

이행강제금에 관한 설명으로 옳은 것은? (다툼이 있는 경우 판례에 의함)

① 이행강제금은 부작위의무나 비대체적 작위의무에 대한 강제집행수단이므로 대체적 작위의무의 위반에 대하여는 부과될 수 없다.
② 이행강제금과 행정벌을 병과하는 것은 헌법에서 금지하는 이중처벌에 해당한다.
③ 이행강제금 납부의무는 일신전속적인 성질을 가지므로 상속인 등에게 승계되지 않는다.
④ 「농지법」상 이행강제금 부과처분은 「행정소송법」상 항고소송의 대상이 된다.

문제 DATA
출제가능 지수 ▶▶▷
난이도 지수 ★★☆

2024년 소방직

① (×) 전통적으로 행정대집행은 대체적 작위의무에 대한 강제집행수단으로, 이행강제금은 부작위의무나 비대체적 작위의무에 대한 강제집행수단으로 이해되어 왔으나, 이는 이행강제금제도의 본질에서 오는 제약은 아니며, 이행강제금은 대체적 작위의무의 위반에 대하여도 부과될 수 있다(헌재 2004.2.26. 2001헌바80).
② (×) 건축법 제78조에 의한 무허가 건축행위에 대한 형사처벌과 건축법 제83조 제1항에 의한 시정명령 위반에 대한 이행강제금의 부과는 그 처벌 내지 제재대상이 되는 기본적 사실관계로서의 행위를 달리하며, 또한 그 보호법익과 목적에서도 차이가 있으므로 헌법 제13조 제1항이 금지하는 이중처벌에 해당한다고 할 수 없다(헌재 2004.2.26. 2001헌바80).
③ (○) 대결 2006.12.8. 2006마470
④ (×) 농지법 제62조 제1항에 따른 이행강제금 부과처분에 불복하는 경우에는 비송사건절차법에 따른 재판절차가 적용되어야 하고, 행정소송법상 항고소송의 대상은 될 수 없다(대판 2019.4.11. 2018두42955).

> 「농지법」 제63조 【이행강제금】 ⑦ 제1항에 따른 이행강제금 부과처분을 받은 자가 제6항에 따른 이의를 제기하면 시장·군수 또는 구청장은 지체 없이 관할 법원에 그 사실을 통보하여야 하며, 그 통보를 받은 관할 법원은 「비송사건절차법」에 따른 과태료 재판에 준하여 재판을 한다.

답 ③

함께 정리하기
이행강제금

이행강제금
▷ 대체적 작위의무 위반에 대해서도 부과 可

이행강제금·행정벌
▷ 병과 可

이행강제금 납부의무
▷ 일신전속적(승계×)

「농지법」상 이행강제금
▷ 항고소송 대상×

문제 DATA

출제가능 지수 ▶▶▷
난이도 지수 ★★☆

069 ☐☐☐

이행강제금에 관한 설명으로 옳지 않은 것은? (다툼이 있는 경우 판례에 의함)

① 이행강제금의 본질상 시정명령을 받은 의무자가 이행강제금이 부과되기 전에 그 의무를 이행한 경우라도 시정명령에서 정한 기간을 지나서 이행하였다면 이행강제금을 부과할 수 있다.
② 행정청은 이행강제금을 부과받은 자가 납부기한까지 이행강제금을 내지 아니하면 국세강제징수의 예 또는 「지방행정제재·부과금의 징수 등에 관한 법률」에 따라 징수한다.
③ 이행강제금은 의무자에게 시정명령을 받은 의무의 이행을 명하고 그 이행기간 안에 의무를 이행하지 않으면 이행강제금이 부과된다는 사실을 고지함으로써 의무자에게 심리적 압박을 주어 의무의 이행을 간접적으로 강제하는 행정상의 간접강제 수단에 해당한다.
④ 이행강제금은 부작위의무나 비대체적 작위의무에 대한 강제집행수단으로 이해되어 왔으나, 이는 이행강제금제도의 본질에서 오는 제약은 아니며, 이행강제금은 대체적 작위의무의 위반에 대하여도 부과될 수 있다.
⑤ 현행 「건축법」상 위법건축물에 대한 이행강제수단으로 대집행과 이행강제금이 인정되고 있는데, 행정청은 개별사건에 있어서 위반내용, 위반자의 시정의지 등을 감안하여 대집행과 이행강제금을 재량에 의해 선택적으로 활용할 수 있다

2024년 소방간부

① (×), ③ (○) 건축법상의 이행강제금은 시정명령의 불이행이라는 과거의 위반행위에 대한 제재가 아니라, 의무자에게 시정명령을 받은 의무의 이행을 명하고 그 이행기간 안에 의무를 이행하지 않으면 이행강제금이 부과된다는 사실을 고지함으로써 <u>의무자에게 심리적 압박을 주어 의무의 이행을 간접적으로 강제하는 행정상의 간접강제 수단에 해당한다</u>(③). 이러한 <u>이행강제금의 본질상 시정명령을 받은 의무자가 이행강제금이 부과되기 전에 그 의무를 이행한 경우에는 비록 시정명령에서 정한 기간을 지나서 이행한 경우라도 이행강제금을 부과할 수 없다</u>(①). 나아가 시정명령을 받은 의무자가 그 시정명령의 취지에 부합하는 의무를 이행하기 위한 정당한 방법으로 행정청에 신청 또는 신고를 하였으나 행정청이 위법하게 이를 거부 또는 반려함으로써 결국 그 처분이 취소되기에 이르렀다면, 특별한 사정이 없는 한 그 시정명령의 불이행을 이유로 이행강제금을 부과할 수는 없다고 보는 것이 위와 같은 이행강제금 제도의 취지에 부합한다(대판 2018.1.25. 2015두35116).

② (○)

> 「행정기본법」 제31조 【이행강제금의 부과】 ⑤ 행정청은 의무자가 행정상 의무를 이행할 때까지 이행강제금을 반복하여 부과할 수 있다. 다만, 의무자가 의무를 이행하면 새로운 이행강제금의 부과를 즉시 중지하되, <u>이미 부과한 이행강제금은 징수하여야 한다.</u>
> ⑥ 행정청은 이행강제금을 부과받은 자가 납부기한까지 이행강제금을 내지 아니하면 국세강제징수의 예 또는 「지방행정제재·부과금의 징수 등에 관한 법률」에 따라 징수한다.

④, ⑤ (○) <u>전통적으로 행정대집행은 대체적 작위의무에 대한 강제집행수단으로, 이행강제금은 부작위의무나 비대체적 작위의무에 대한 강제집행수단으로 이해되어 왔으나, 이는 이행강제금제도의 본질에서 오는 제약은 아니며, 이행강제금은 대체적 작위의무의 위반에 대하여도 부과될 수 있다</u>(④). 현행법상 위법건축물에 대한 이행강제수단으로 인정되는 대집행과 이행강제금을 비교하면, 대집행은 위반 행위자가 위법상태를 치유하지 않아 그 이행의 확보가 곤란하고 또한 이를 방치함이 심히 공익을 해할 것으로 인정될 때에 행정청 또는 제3자가 이를 치유하는 것인 반면, 이행강제금은 위반행위자 스스로가 이를 시정할 수 있는 기회를 부여하여 불필요한 행정력의 낭비를 억제하고 위반행위로 인한 경제적 이익을 환수하기 위한 제도로서 양 제도의 각각의 장·단점이 있다. 따라서 <u>행정청은 개별사건에 있어서 위반내용, 위반자의 시정의지 등을 감안하여 행정청은 대집행과 이행강제금을 선택적으로 활용할 수 있다</u>고 할 것이며(⑤), 이처럼 그 합리적인 재량에 의해 선택하여 활용하는 이상 중첩적인 제재에 해당한다고 볼 수 없다. 건축법 제78조에 의한 무허가 건축행위에 대한 형사처벌과 건축법 제83조 제1항에 의한 시정명령 위반에 대한 이행강제금의 부과는 그 처벌 내지 제재대상이 되는 기본적 사실관계로서의 행위를 달리하며, 또한 그 보호법익과 목적에서도 차이가 있으므로 헌법 제13조 제1항이 금지하는 이중처벌에 해당한다고 할 수 없다(헌재 2004.2.26. 2001헌바80등).

답 ①

함께 정리하기

이행강제금

시정명령에서 정한 기간 지나서 이행
▷ 이행강제금 부과 불가

이행강제금 미납시
▷ 강제징수

이행강제금
▷ 심리적 압박 통한 간접강제 수단

이행강제금
▷ 대체적 작위의무 위반에 대해서도 부과 可

위법건축물에 대한 이행강제
▷ 대집행, 이행강제금 선택적 활용 可

070

행정대집행과 이행강제금에 관한 설명 중 옳은 것을 모두 고른 것은? (다툼이 있는 경우 판례에 의함)

> ㄱ. 법률에 이행강제수단으로 대집행과 이행강제금이 인정되고 있는 경우 행정청은 대집행과 이행강제금을 선택적으로 활용할 수 있으며, 합리적인 재량에 의해 선택하여 활용하는 이상 중첩적인 제재에 해당한다고 볼 수 없다.
> ㄴ. 「건축법」상 허가권자는 시정기간 내에 시정명령을 이행하지 아니한 건축주등에 대하여 시정명령의 이행에 필요한 상당한 이행기한을 정하여 그 기한까지 시정명령을 이행하지 아니하면 이행강제금을 부과한다.
> ㄷ. 행정청은 의무자가 행정상 의무를 이행할 때까지 이행강제금을 반복하여 부과할 수 있으나, 의무자가 의무를 이행하면 새로운 이행강제금의 부과를 즉시 중지하여야 하며, 이미 부과된 이행강제금도 징수할 수 없다.
> ㄹ. 「공익사업을 위한 토지 등의 취득 및 보상에 관한 법률」상 토지소유자가 수용 또는 사용의 개시일까지 토지를 사업시행자에게 인도하여야 할 의무는 「행정대집행법」에 의한 대집행의 대상이 되지 않는다.

① ㄱ, ㄴ
② ㄱ, ㄷ
③ ㄱ, ㄴ, ㄷ
④ ㄱ, ㄴ, ㄹ
⑤ ㄴ, ㄷ, ㄹ

2024년 변호사

㉠ (○) 현행법상 위법건축물에 대한 이행강제수단으로 인정되는 대집행과 이행강제금을 비교하면, 대집행은 위반 행위자가 위법상태를 치유하지 않아 그 이행의 확보가 곤란하고 또한 이를 방치함이 심히 공익을 해할 것으로 인정될 때에 행정청 또는 제3자가 이를 치유하는 것인 반면, 이행강제금은 위반행위자 스스로가 이를 시정할 수 있는 기회를 부여하여 불필요한 행정력의 낭비를 억제하고 위반행위로 인한 경제적 이익을 환수하기 위한 제도로서 양 제도의 각각의 장·단점이 있다. 따라서 개별사건에 있어서 위반내용, 위반자의 시정의지 등을 감안하여 행정청은 대집행과 이행강제금을 선택적으로 활용할 수 있다고 할 것이며, 이처럼 그 합리적인 재량에 의해 선택하여 활용하는 이상 중첩적인 제재에 해당한다고 볼 수 없다(헌재 2004.2.26. 2001헌바80 등).

㉡ (○)
> 「건축법」 제80조 【이행강제금】 ① 허가권자는 제79조 제1항에 따라 시정명령을 받은 후 시정기간 내에 시정명령을 이행하지 아니한 건축주등에 대하여는 그 시정명령의 이행에 필요한 상당한 이행기한을 정하여 그 기한까지 시정명령을 이행하지 아니하면 다음 각 호의 이행강제금을 부과한다.

㉢ (×) 이미 부과한 이행강제금은 징수하여야 한다.
> 「행정기본법」 제31조 【이행강제금의 부과】 ⑤ 행정청은 의무자가 행정상 의무를 이행할 때까지 이행강제금을 반복하여 부과할 수 있다. 다만, 의무자가 의무를 이행하면 새로운 이행강제금의 부과를 즉시 중지하되, 이미 부과한 이행강제금은 징수하여야 한다.

㉣ (○) 「공익사업을 위한 토지 등의 취득 및 보상에 관한 법률」 제89조는 수용목적물인 토지의 이전에 관한 대집행을 규정하고 있어 토지의 이전의무는 비대체적 작위의무임에도 불구하고 본조에 따라 대집행의 대상이 될 수 있는지가 문제되나, 판례는 부정적인 입장이다.
피수용자 등이 기업자에 대하여 부담하는 수용대상 토지의 인도의무에 관한 구 토지수용법 제63조, 제64조, 제77조 규정에서의 '인도'에는 명도도 포함되는 것으로 보아야 하고, 이러한 명도의무는 그것을 강제적으로 실현하면서 직접적인 실력행사가 필요한 것이지 대체적 작위의무라고 볼 수 없으므로 특별한 사정이 없는 한 행정대집행법에 의한 대집행의 대상이 될 수 있는 것이 아니다(대판 2005.8.19. 2004다2809).

답 ④

함께 정리하기

행정대집행과 이행강제금

법률에서 이행강제수단으로 대집행과 이행강제금이 인정되는 경우
▷ 대집행·이행강제금 선택적 활용 可(중첩적 제재×)

시정명령 불이행시
▷ 상당한 기한 + 이행의 기회, 그 기한까지 시정명령 불이행시 강제금 부과

의무자가 의무를 이행할 때까지 반복부과 可

의무자의 의무이행시
▷ 즉시 부과 중지, 이미 부과된 부분 징수○

토지 인도의무
▷ 대집행 대상×

071

행정상 강제집행에 대한 설명으로 옳은 것만을 모두 고르면?

ㄱ. 이행강제금은 행정상 간접적인 강제집행 수단이다.
ㄴ. 행정청은 의무자가 행정상 의무를 이행할 때까지 이행강제금을 반복하여 부과할 수 없다.
ㄷ. 토지·건물의 명도의무는 대체적 작위의무가 아니므로 대집행의 대상이 아니다.
ㄹ. 부작위의무도 대체적 작위의무로 전환하는 규정을 두고 있는 경우에는 대체적 작위의무로 전환한 후에 대집행의 대상이 될 수 있다.

① ㄱ, ㄷ
② ㄱ, ㄴ, ㄹ
③ ㄱ, ㄷ, ㄹ
④ ㄴ, ㄷ, ㄹ

2023년 지방직 7급

ㄱ. (○) 이행강제금은 일정한 기한까지 의무를 이행하지 않을 때에는 일정한 금전적 부담을 과할 뜻을 미리 계고함으로써 의무자에게 심리적 압박을 주어 장래에 그 의무를 이행하게 하려는 행정상 간접적인 강제집행 수단의 하나로서 과거의 일정한 법률위반 행위에 대한 제재로서의 형벌이 아니라 장래의 의무이행의 확보를 위한 강제수단일 뿐이어서 범죄에 대하여 국가가 형벌권을 실행한다고 하는 과벌에 해당하지 아니하므로 헌법 제13조 제1항이 금지하는 이중처벌금지의 원칙이 적용될 여지가 없을 뿐 아니라, 건축법 제108조, 제110조에 의한 형사처벌의 대상이 되는 행위와 이 사건 법률조항에 따라 이행강제금이 부과되는 행위는 기초적 사실관계가 동일한 행위가 아니라 할 것이므로 이런 점에서도 이 사건 법률조항이 헌법 제13조 제1항의 이중처벌금지의 원칙에 위반되지 아니한다(헌재 2011.10.25. 2009헌바140).

ㄴ. (×) 이행강제금은 반복부과가 가능하다.

> 「행정기본법」 제31조【이행강제금의 부과】⑤ 행정청은 의무자가 행정상 의무를 이행할 때까지 이행강제금을 반복하여 부과할 수 있다. 다만, 의무자가 의무를 이행하면 새로운 이행강제금의 부과를 즉시 중지하되, 이미 부과한 이행강제금은 징수하여야 한다.

ㄷ. (○) 토지나 건물의 인도·명도의무는 토지·건물을 점유하고 있는 사람의 퇴거를 필요로 하는데, 이는 대체적 작위의무가 아니므로 대집행의 대상이 될 수 없다. 다만, 법령에 근거가 있다면 직접강제가 가능하다.

1. 도시공원시설인 매점의 관리청이 그 공동점유자 중의 1인에 대하여 소정의 기간 내에 위 매점으로부터 퇴거하고 이에 부수하여 그 판매시설물 및 상품을 반출하지 아니할 경우 이를 대집행하겠다는 내용의 계고처분의 목적이 된 의무는 그 주된 목적이 매점의 원형을 보존하기 위하여 원고가 설치한 불법시설물을 철거하고자 하는 것이 아니라, 매점에 대한 원고의 점유를 배제하고 그 점유이전을 받는 데 있다고 할 것인데, 이러한 의무는 그것을 강제적으로 실현함에 있어 직접적인 실력행사가 필요한 것이지 대체적 작위의무에 해당하는 것은 아니어서 직접강제의 방법에 의하는 것은 별론으로 하고 행정대집행법에 의한 대집행의 대상이 되는 것은 아니다(대판 1998.10.23. 97누157).
2. 피수용자 등이 기업자에 대하여 부담하는 수용대상 토지의 인도의무에 관한 구 토지수용법 제63조, 제64조, 제77조 규정에서의 '인도'에는 명도도 포함되는 것으로 보아야 하고, 이러한 명도의무는 그것을 강제적으로 실현하면서 직접적인 실력행사가 필요한 것이지 대체적 작위의무라고 볼 수 없으므로 특별한 사정이 없는 한 행정대집행법에 의한 대집행의 대상이 될 수 있는 것이 아니다(대판 2005.8.19. 2004다2809).

ㄹ. (○) 대집행계고처분을 하기 위하여는 법률에 의하여 직접 명령되거나 법률에 근거한 행정청의 명령에 의한 의무자의 대체적 작위의무 위반행위가 있어야 한다. 따라서 단순한 부작위의무의 위반, 즉 관계 법령에 정하고 있는 절대적 금지나 허가를 유보한 상대적 금지를 위반한 경우에는 당해 법령에서 그 위반자에 대하여 위반에 의하여 생긴 유형적 결과의 시정을 명하는 행정처분의 권한을 인정하는 규정(예 건축법 제69조, 도로법 제74조, 하천법 제67조, 도시공원법 제20조, 옥외광고물등관리법 제10조 등)을 두고 있지 아니한 이상, 법치주의의 원리에 비추어 볼 때 위와 같은 부작위의무로부터 그 의무를 위반함으로써 생긴 결과를 시정하기 위한 작위의무를 당연히 끌어낼 수는 없으며, 또 위 금지규정(특히 허가를 유보한 상대적 금지규정)으로부터 작위의무, 즉 위반결과의 시정을 명하는 권한이 당연히 추론되는 것도 아니다(대판 1996.6.28. 96누4374).

답 ③

072

이행강제금에 대한 설명으로 옳지 않은 것은? (다툼이 있는 경우 판례에 의함)

① 이행강제금 납부의무는 상속인 기타의 사람에게 승계될 수 없는 일신전속적인 성질의 것이므로 이미 사망한 사람에게 이행강제금을 부과하는 내용의 처분이나 결정은 당연무효이다.

② 이행강제금은 대체적 작위의무의 위반에 대하여도 부과될 수 있으며, 「건축법」상 위법건축물에 대한 이행강제수단으로 행정대집행과 이행강제금을 합리적인 재량에 의해 선택적으로 활용하는 이상 이는 중첩적인 제재에 해당하지 않는다.

③ 「건축법」상 시정명령을 받은 의무자가 이행강제금이 부과되기 전에 그 의무를 이행하였더라도 그 시정명령에서 정한 기간을 지나서 이행한 경우라면 행정청은 이행강제금을 부과할 수 있다.

④ 건축주 등이 「건축법」상 시정명령을 장기간 이행하지 아니하였더라도, 그 기간 중에는 시정명령의 이행 기회가 제공되지 아니하였다가 뒤늦게 시정명령의 이행 기회가 제공된 경우라면, 행정청은 시정명령의 이행 기회 제공을 전제로 한 1회분의 이행강제금만을 부과할 수 있고 시정명령의 이행 기회가 제공되지 아니한 과거의 기간에 대한 이행강제금까지 한꺼번에 부과할 수는 없다.

2023년 국가직 7급

① (O) 건축법상의 이행강제금은 간접강제의 일종으로서 그 이행강제금 납부의무는 상속인에게 승계될 수 없는 일신전속적인 성질의 것이므로 이미 사망한 사람에게 이행강제금을 부과하는 내용의 처분이나 결정은 당연무효이다(대결 2006.12.8. 2006마470).

② (O) 이행강제금은 대체적 작위의무의 위반에 대하여도 부과될 수 있다. 행정청은 대집행과 이행강제금을 선택적으로 활용할 수 있다고 할 것이며, 이처럼 그 합리적인 재량에 의해 선택하여 활용하는 이상 중첩적인 제재에 해당한다고 볼 수 없다.

> 전통적으로 행정대집행은 대체적 작위 의무에 대한 강제집행수단으로, 이행강제금은 부작위의무나 비대체적 작위의무에 대한 강제집행수단으로 이해되어 왔으나, 이는 이행강제금제도의 본질에서 오는 제약은 아니며, 이행강제금은 대체적 작위의무의 위반에 대하여도 부과될 수 있다. 현행 건축법상 위법건축물에 대한 이행강제수단으로 대집행과 이행강제금(제83조 제1항)이 인정되고 있는데, 양 제도는 각각의 장단점이 있으므로 행정청은 개별사건에 있어서 위반내용, 위반자의 시정의지 등을 감안하여 대집행과 이행강제금을 선택적으로 활용할 수 있으며, 이처럼 그 합리적인 재량에 의해 선택하여 활용하는 이상, 중첩적인 제재에 해당한다고 볼 수 없다(헌재 2004.2.26. 2001헌바80·84·102·103·2002헌바26 병합).

③ (X) 건축법상의 이행강제금은 시정명령의 불이행이라는 과거의 위반행위에 대한 제재가 아니라, 의무자에게 시정명령을 받은 의무의 이행을 명하고 그 이행기간 안에 의무를 이행하지 않으면 이행강제금이 부과된다는 사실을 고지함으로써 의무자에게 심리적 압박을 주어 의무의 이행을 간접적으로 강제하는 행정상의 간접강제수단에 해당한다. 이러한 이행강제금의 본질상 시정명령을 받은 의무자가 이행강제금이 부과되기 전에 그 의무를 이행한 경우에는 비록 시정명령에서 정한 기간을 지나서 이행한 경우라도 이행강제금을 부과할 수 없다(대판 2014.12.11. 2013두15750).

④ (O) 건축주 등이 장기간 시정명령을 이행하지 아니하였으나 그 기간 중에 시정명령의 이행 기회가 제공되지 아니하였다가 뒤늦게 이행 기회가 제공된 경우, 이행 기회가 제공되지 아니한 과거의 기간에 대한 이행강제금까지 한꺼번에 부과할 수는 없다. 이를 위반하여 이루어진 이행강제금 부과처분의 하자는 중대하고 명백하다.

함께 정리하기

이행강제금

이행강제금 납부의무
▷ 일신전속적(승계×)

대체적 작위의무 위반
▷ 대집행, 이행강제금 선택적 활용 가

시정명령에서 정한 기간 지나서 이행
▷ 이행강제금 부과 불가

이행기회가 제공되지 않은 과거 기간까지 포함한 이행강제금 부과
▷ 무효

문제 DATA

출제가능 지수 ▶▶▷
난이도 지수 ★★☆

073 ☐☐☐

행정의 실효성 확보수단에 대한 설명으로 옳지 않은 것은? (다툼이 있는 경우 판례에 의함)

① 「농지법」상 이행강제금 부과처분에 대한 불복은 「비송사건절차법」에 따른 재판절차뿐만 아니라 「행정소송법」상 항고소송절차에 따를 수 있다.
② 관계법령상 행정대집행의 절차가 인정되어 행정청이 행정대집행의 방법으로 건물의 철거 등 대체적 작위의무의 이행을 실현할 수 있는 경우에는 따로 민사소송의 방법으로 그 의무의 이행을 구할 수 없다.
③ 「행정조사기본법」에 따르면 조사대상자의 자발적인 협조를 얻어 행정조사를 실시하고자 하는 경우 조사대상자는 문서·전화·구두 등의 방법으로 당해 행정조사를 거부할 수 있다.
④ 통고처분은 상대방의 임의의 승복을 그 발효요건으로 하기 때문에 그 자체만으로는 통고이행을 강제하거나 상대방에게 아무런 권리·의무를 형성하지 않으므로 행정심판이나 행정소송의 대상으로서의 처분성을 인정할 수 없다.

> 2023년 지방직·서울시 9급

① (×) 이행강제금에 불복하는 자는 이의를 제기하고, 이의를 제기한 경우 「비송사건절차법」에 의해 이행강제금(집행벌)을 결정하도록 특별한 불복규정을 두고 있는 경우가 있다. 이 경우에는 항고소송을 제기할 수 없다(「농지법」 제62조).

> 농지법 제62조 제1항에 따른 이행강제금 부과처분에 불복하는 경우에는 비송사건절차법에 따른 재판절차가 적용되어야 하고, 행정소송법상 항고소송의 대상은 될 수 없다. 농지법 제62조 제6항, 제7항이 위와 같이 이행강제금 부과처분에 대한 불복절차를 분명하게 규정하고 있으므로, 이와 다른 불복절차를 허용할 수는 없다. 설령 피고가 이행강제금 부과처분을 하면서 재결청에 행정심판을 청구하거나 관할 행정법원에 행정소송을 할 수 있다고 잘못 안내하거나 경기도행정심판위원회가 각하재결이 아닌 기각재결을 하면서 관할법원에 행정소송을 할 수 있다고 잘못 안내하였다고 하더라도, 그러한 잘못된 안내로 행정법원의 항고소송 재판관할이 생긴다고 볼 수도 없다(대판 2019.4.11. 2018두42955).

유제 20. 경행경채 이행강제금 부과처분에 대해 「비송사건절차법」에 의한 특별한 불복절차가 마련되어 있는 경우 이행강제금 부과처분은 항고소송의 대상이 되는 행정처분이 아니다. (○)
21. 국가직 7급 「농지법」상 이행강제금부과처분은 행정소송의 대상이다. (×)
20. 국가직 7급 「농지법」상 이행강제금 부과처분은 항고소송의 대상이 되는 처분에 해당하므로 이에 불복하는 경우 항고소송을 제기할 수 있다. (×)
22. 국가직 9급 관할청이 「농지법」상의 이행강제금 부과처분을 하면서 재결청에 행정심판을 청구하거나 관할 행정법원에 행정소송을 할 수 있다고 잘못 안내한 경우 행정법원의 항고소송 재판관할이 생긴다. (×)

함께 정리하기

행정의 실효성 확보수단

「농지법」상 이행강제금
▷ 행정소송 대상×(비송재판)

행정대집행 可
▷ 민사소송으로 의무이행 소구 不可

임의조사 (자발적 협조)
▷ 문서·전화·구두 등 방법으로 조사거부 可

통고처분
▷ 처분성×(∵임의성)

비록 건축주 등이 장기간 시정명령을 이행하지 아니하였더라도, 그 기간 중에는 시정명령의 이행 기회가 제공되지 아니하였다가 뒤늦게 시정명령의 이행 기회가 제공된 경우라면, 시정명령의 이행 기회 제공을 전제로 한 1회분의 이행강제금만을 부과할 수 있고, 시정명령의 이행 기회가 제공되지 아니한 과거의 기간에 대한 이행강제금까지 한꺼번에 부과할 수는 없다. 그리고 이를 위반하여 이루어진 이행강제금 부과처분은 과거의 위반행위에 대한 제재가 아니라 행정상의 간접강제수단이라는 이행강제금의 본질에 반하여 구 건축법 제80조 제1·4항 등 법규의 중요한 부분을 위반한 것으로서, 그러한 하자는 중대할 뿐만 아니라 객관적으로도 명백하다고 할 것이다(대판 2016.7.14. 2015두46598).

답 ③

② (○) 관계법령상 행정대집행의 절차가 인정되어 행정청이 행정대집행의 방법으로 건물의 철거 등 대체적 작위의무의 이행을 실현할 수 있는 경우에는 따로 민사소송의 방법으로 그 의무의 이행을 구할 수 없다(대판 2017.4.28. 2016다213916).

③ (○)

> 「행정조사기본법」 제20조【자발적인 협조에 따라 실시하는 행정조사】① 행정기관의 장이 제5조 단서에 따라 조사대상자의 자발적인 협조를 얻어 행정조사를 실시하고자 하는 경우 조사대상자는 문서·전화·구두 등의 방법으로 당해 행정조사를 거부할 수 있다.

④ (○) 통고처분은 상대방의 임의의 승복을 그 발효요건으로 하기 때문에 그 자체만으로는 통고이행을 강제하거나 상대방에게 아무런 권리·의무를 형성하지 않으므로 행정심판이나 행정소송의 대상으로서의 처분성을 부여할 수 없고, 통고처분에 대하여 이의가 있으면 통고내용을 이행하지 않음으로써 고발되어 형사재판절차에서 통고처분의 위법·부당함을 얼마든지 다툴 수 있기 때문에 관세법 제38조 제3항 제2호가 법관에 의한 재판받을 권리를 침해한다든가 적법절차의 원칙에 저촉된다고 볼 수 없다(헌재 1998.5.28. 96헌바4).

답 ①

074

행정의 실효성 확보수단에 대한 대법원 판례의 입장으로 옳지 않은 것은?

① 행정법상의 질서벌인 과태료의 부과처분과 형사처벌은 그 성질이나 목적을 달리하는 별개의 것이므로 행정법상의 질서벌인 과태료를 납부한 후에 형사처벌을 한다고 하여 이를 일사부재리의 원칙에 반하는 것이라고 할 수는 없다.

② 「건축법」상 시정명령을 받은 의무자가 그 시정명령의 취지에 부합하는 의무를 이행하기 위한 정당한 방법으로 행정청에 신청 또는 신고를 하였으나 행정청이 위법하게 이를 거부 또는 반려함으로써 결국 그 처분이 취소되기에 이르렀더라도, 이행강제금제도의 취지에 비추어 볼 때 그 시정명령의 불이행을 이유로 이행강제금을 부과할 수 있다.

③ 건물의 소유자에게 위법건축물을 일정기간까지 철거할 것을 명함과 아울러 불이행할 때에는 대집행한다는 내용의 철거대집행 계고처분을 고지한 후 이에 불응하자 다시 제2차, 제3차 계고서를 발송하여 일정기간까지의 자진철거를 촉구하고 불이행하면 대집행을 한다는 뜻을 고지한 경우, 제2차, 제3차의 계고처분은 새로운 철거의무를 부과한 것이 아니라 대집행기한을 연기통지한 것에 불과하다.

④ 관할행정청이 여객자동차운송사업자가 범한 여러 가지 위반행위 중 일부만 인지하여 과징금 부과처분을 하였는데 그 후 과징금 부과처분 시점 이전에 이루어진 다른 위반행위를 인지하여 이에 대하여 별도의 과징금 부과처분을 하게 되는 경우, 종전 과징금 부과처분의 대상이 된 위반행위와 추가 과징금 부과처분의 대상이 된 위반행위에 대하여 일괄하여 하나의 과징금 부과처분을 하는 경우와의 형평을 고려하여 추가 과징금 부과처분의 처분양정이 이루어져야 한다.

함께 정리하기

행정의 실효성 확보수단

과태료와 형사처벌의 병과
▷ 일사부재리원칙 위반✕

시정명령 이행에 대한 행정청의 위법한 거부
▷ 이행강제금 부과 불가

반복된 계고
▷ 1차 계고만 처분
▷ 2·3차 계고는 연기통지(독립된 처분✕)

과징금부과 후, 그 이전에 있었던 다른 과징금부과사유 인지
▷ 일괄하여 하나의 처분을 하는 경우의 액수를 총 한도로 별도 부과 可

2023년 국가직 9급

① (○) (10일간 임시운행허가를 받은 자가 그 기간이 경과한 다음에도 자동차등록원부에 등록하지 아니한 채 무등록차량을 운행한 자에 대한 과태료의 제재 후 형사처벌을 하는 것이 일사부재리의 원칙에 위반하는 것이 아니라고 판시하면서) 과태료와 형사처벌은 성질이나 목적을 달리하는 별개의 것이므로 행정법상의 질서벌인 과태료를 납부한 후 형사처벌을 한다고 하여 일사부재리의 원칙에 위반되는 것이라고 할 수 없다(대판 1996.4.12. 96도158).

② (✕) (건축법상) 시정명령을 받은 의무자가 그 시정명령의 취지에 부합하는 의무를 이행하기 위한 정당한 방법으로 행정청에 신청 또는 신고를 하였으나 행정청이 위법하게 이를 거부 또는 반려함으로써 결국 그 처분이 취소되기에 이르렀다면, 특별한 사정이 없는 한 그 시정명령의 불이행을 이유로 이행강제금을 부과할 수는 없다고 보는 것이 위와 같은 이행강제금 제도의 취지에 부합한다(대판 2018.1.25. 2015두35116).

③ (○) 계고는 준법률행위적 행정행위인 통지에 해당하여 항고소송의 대상이 되는 행정처분이다. 판례도 계고에 대해 처분성을 인정하나 반복된 계고의 경우 1차 계고에 대해서만 처분성을 긍정하며, 2차·3차의 계고는 새로운 철거의무를 부과한 것이 아니고, 대집행기한의 연기통지에 불과하므로 행정처분이 아니라고 본다.

> 건물의 소유자에게 위법건축물을 일정기간까지 철거할 것을 명함과 아울러 불이행할 때에는 대집행한다는 내용의 철거대집행 계고처분을 고지한 후 이에 불응하자 다시 제2차, 제3차 계고서를 발송하여 일정기간까지의 자진철거를 촉구하고 불이행하면 대집행을 한다는 뜻을 고지하였다면 행정대집행법상의 건물철거의무는 제1차 철거명령 및 계고처분으로서 발생하였고 제2차, 제3차의 계고처분은 새로운 철거의무를 부과한 것이 아니고 다만 대집행기한의 연기통지에 불과하므로 행정처분이 아니다(대판 1994.10.28. 94누5144).

유제 21. 경행경채 제1차로 철거명령 및 대집행계고를 한 데 이어 제2차로 대집행계고를 하였는데도 불응하여 대집행을 일부 실행한 후 철거의무자의 연기 요청을 받아들여 중단하였다가 그 기한이 지나 다시 제3차로 철거명령 및 대집행계고를 한 경우에 제3차로 한 철거명령 및 대집행계고는 항고소송의 대상이 되지 않는다. (○)
21. 소방직 대집행의 절차인 '대집행의 계고'의 법적 성질은 준법률행위적 행정행위이므로 계고 그 자체가 독립하여 항고소송의 대상이나, 2차 계고는 새로운 철거의무를 부과하는 것이 아니고 대집행기한의 연기통지에 불과하므로 행정처분으로 볼 수 없다는 판례가 있다. (○)
23. 소방직 위법건축물에 대한 철거명령 및 계고처분에 불응하자 제2차로 계고처분을 행한 경우, 제2차 계고처분은 항고소송의 대상인 행정처분에 해당한다. (✕)
22. 국회직 8급 건물의 소유자에게 위법건축물을 일정기간까지 철거할 것을 명함과 아울러 불이행하면 대집행한다는 내용의 계고처분을 고지한 후, 이에 불응하자 다시 제2차 계고서로 일정기간까지의 철거를 촉구하고 불이행하면 대집행한다는 뜻을 고지하였다면,「행정대집행법」상 건물철거의무는 제2차 계고처분으로 인하여 발생한다. (✕)

④ (○) 관할행정청이 여객자동차운송사업자의 여러 가지 위반행위를 인지한 경우, 인지한 여러 가지 위반행위 중 일부에 대해서만 우선 과징금 부과처분을 하고 나머지에 대해서 차후에 별도의 과징금 부과처분을 하는 것은 다른 특별한 사정이 없는 한 허용되지 않는다. <u>관할행정청이 여객자동차운송사업자가 범한 여러 가지 위반행위 중 일부만 인지하여 과징금 부과처분을 하였는데 그 후 과징금 부과처분 시점 이전에 이루어진 다른 위반행위를 인지하여 이에 대하여 별도의 과징금 부과처분을 하게 되는 경우에도 종전 과징금 부과처분의 대상이 된 위반행위와 추가 과징금 부과처분의 대상이 된 위반행위에 대하여 일괄하여 하나의 과징금 부과처분을 하는 경우와의 형평을 고려하여 추가 과징금 부과처분의 처분양정이 이루어져야 한다.</u> 다시 말해, 행정청이 전체 위반행위에 대하여 하나의 과징금 부과처분을 할 경우에 산정되었을 정당한 과징금액에서 이미 부과된 과징금액을 뺀 나머지 금액을 한도로 하여서만 추가 과징금 부과처분을 할 수 있다. 행정청이 여러 가지 위반행위를 언제 인지하였느냐는 우연한 사정에 따라 처분상대방에게 부과되는 과징금의 총액이 달라지는 것은 그 자체로 불합리하기 때문이다(대판 2021.2.4. 2020두48390).

답 ②

075

행정의 실효성 확보수단에 대한 설명으로 옳지 않은 것은? (다툼이 있는 경우 판례에 의함)

① 「소방기본법」상 소방본부장, 소방서장 또는 소방대장이 소방활동을 위하여 긴급하게 출동할 때에는 소방자동차의 통행과 소방활동에 방해가 되는 주차 또는 정차된 차량 및 물건 등을 제거하거나 이동시킬 수 있는 것은 즉시강제에 해당한다.
② 「건축법」상 시정명령을 받은 자가 이를 이행하면 이미 부과된 이행강제금은 징수하여야 하지만, 새로이 이행강제금을 부과하지는 않는다.
③ 통고처분에 대하여 이의가 있으면 통고내용을 이행하지 않음으로써 고발되어 형사재판절차에서 통고처분의 위법·부당함을 다툴 수 있으므로 행정소송의 대상으로서의 처분성이 인정되지 않는다.
④ 조세부과의 근거가 되었던 법률규정이 위헌결정되었다 하더라도, 그에 기한 과세처분이 위헌결정 전에 이루어졌다면 위헌결정 이후에 조세채권의 집행을 위한 새로운 체납처분에 착수할 수 있다.

2023년 소방직

① (○) 「소방기본법」상의 소방활동에 방해가 되는 물건 등에 대한 강제처분은 선행의 의무불이행을 전제로 하지 않으므로 행정상 즉시강제에 해당한다.

> 「소방기본법」 제25조【강제처분 등】③ 소방본부장, 소방서장 또는 소방대장은 소방활동을 위하여 긴급하게 출동할 때에는 소방자동차의 통행과 소방활동에 방해가 되는 주차 또는 정차된 차량 및 물건 등을 제거하거나 이동시킬 수 있다.

② (○)

> 「건축법」 제80조【이행강제금】⑥ 허가권자는 제79조 제1항에 따라 시정명령을 받은 자가 이를 이행하면 새로운 이행강제금의 부과를 즉시 중지하되, 이미 부과된 이행강제금은 징수하여야 한다.

③ (○) 통고처분은 상대방의 임의의 승복을 그 발효요건으로 하기 때문에 그 자체만으로는 통고이행을 강제하거나 상대방에게 아무런 권리·의무를 형성하지 않으므로 행정심판이나 행정소송의 대상으로서의 처분성을 부여할 수 없고, 통고처분에 대하여 이의가 있으면 통고내용을 이행하지 않음으로써 고발되어 형사재판절차에서 통고처분의 위법·부당함을 얼마든지 다툴 수 있기 때문에 관세법 제38조 제3항 제2호가 법관에 의한 재판받을 권리를 침해한다든가 적법절차의 원칙에 저촉된다고 볼 수 없다(헌재 1998.5.28. 96헌바4).

④ (×) 과세처분 이후 조세 부과의 근거가 되었던 법률규정에 대하여 위헌결정이 내려진 경우, 그 조세채권의 집행을 위한 체납처분은 당연무효가 된다.

> 구 헌법재판소법 제47조 제1항은 "법률의 위헌결정은 법원 기타 국가기관 및 지방자치단체를 기속한다."고 규정하고 있는데, 이러한 위헌결정의 기속력과 헌법을 최고규범으로 하는 법질서의 체계적 요청에 비추어 국가기관 및 지방자치단체는 위헌으로 선언된 법률규정에 근거하여 새로운 행정처분을 할 수 없음은 물론이고, 위헌결정 전에 이미 형성된 법률관계에 기한 후속처분이라도 그것이 새로운 위헌적 법률관계를 생성·확대하는 경우라면 이를 허용할 수 없다. 따라서 조세 부과의 근거가 되었던 법률규정이 위헌으로 선언된 경우, 비록 그에 기한 과세처분이 위헌결정 전에 이루어졌고, 과세 처분에 대한 제소기간이 이미 경과하여 조세채권이 확정되었으며, 조세채권의 집행을 위한 체납처분의 근거 규정 자체에 대하여는 따로 위헌결정이 내려진 바 없다고 하더라도, 위와 같은 위헌결정 이후에 조세채권의 집행을 위한 새로운 체납처분에 착수하거나 이를 속행하는 것은 더 이상 허용되지 않고, 나아가 이러한 위헌 결정의 효력에 위배하여 이루어진 체납처분은 그 사유만으로 하자가 중대하고 객관적으로 명백하여 당연무효라고 보아야 한다(대판 2012.2.16. 2010두10907 전합).

답 ④

함께 정리하기

행정의 실효성 확보수단

소방대상물에 대한 강제처분
▷ 즉시강제

시정명령이행
▷ 새로운 부과×, 이미 부과된 부분 징수○

통고처분
▷ 처분성×(∵임의성)

과세처분 후 근거규정 위헌결정
▷ 후속 체납처분 불가

076

행정상 강제집행에 대한 설명으로 옳은 것만을 <보기>에서 모두 고르면? (다툼이 있는 경우 판례에 의함)

<보기>
ㄱ. 행정청은 개별사건에 있어서 위반내용, 위반자의 시정의지 등을 감안하여 대집행과 이행강제금을 선택적으로 활용할 수 있으며, 이처럼 그 합리적인 재량에 의해 선택하여 활용하는 이상 중첩적인 제재에 해당한다고 볼 수 없다.
ㄴ. 「국세징수법」상의 공매통지는 그 상대방인 체납자 등의 법적 지위나 권리·의무에 직접적인 영향을 주는 행정처분이므로 공매통지 자체를 취소소송의 대상으로 삼을 수 있다.
ㄷ. 행정청이 행정대집행을 할 수 있는 경우에도 필요하면 별도로 민사소송의 방법을 통하여 의무이행을 구할 수 있다.
ㄹ. 장기간 시정명령을 이행하지 아니하였더라도, 그 기간 중에는 시정명령의 이행 기회가 제공되지 아니하였다가 뒤늦게 시정명령의 이행 기회가 제공된 경우라면, 시정명령의 이행 기회 제공을 전제로 한 1회분의 이행강제금만을 부과할 수 있고, 시정명령의 이행 기회가 제공되지 아니한 과거의 기간에 대한 이행강제금까지 한꺼번에 부과할 수는 없으며 이를 위반하여 이루어진 이행강제금 부과처분은 무효이다.

① ㄱ, ㄴ
② ㄱ, ㄹ
③ ㄴ, ㄷ
④ ㄴ, ㄹ
⑤ ㄷ, ㄹ

2022년 국회직 8급

ㄱ. (O) 전통적으로 행정대집행은 대체적 작위의무에 대한 강제집행수단으로, 이행강제금은 부작위의무나 비대체적 작위의무에 대한 강제집행수단으로 이해되어 왔으나, 이는 이행강제금제도의 본질에서 오는 제약은 아니며, 이행강제금은 대체적 작위의무의 위반에 대하여도 부과될 수 있다. 현행 건축법상 위법건축물에 대한 이행강제수단으로 대집행과 이행강제금이 인정되고 있는데, 양 제도는 각각의 장·단점이 있으므로 행정청은 개별사건에 있어서 위반내용, 위반자의 시정의지 등을 감안하여 대집행과 이행강제금을 선택적으로 활용할 수 있으며, 이처럼 그 합리적인 재량에 의해 선택하여 활용하는 이상 중첩적인 제재에 해당한다고 볼 수 없다(헌재 2004.2.26. 2001헌바80 등).

유제 22. 국회직 8급 행정청은 개별사건에 있어서 위반내용, 위반자의 시정의지 등을 감안하여 대집행과 이행강제금을 선택적으로 활용할 수 있으며, 이처럼 그 합리적인 재량에 의해 선택하여 활용하는 이상 중첩적인 제재에 해당한다고 볼 수 없다. (O)
22. 군무원 7급 행정대집행은 대체적 작위의무에 대한 강제집행수단이고, 이행강제금은 부작위의무나 비대체적 작위의무에 대한 강제집행수단이므로 이행강제금은 대체적 작위의무의 위반에 대하여는 부과될 수 없다. (×)

ㄴ. (×) 공매처분을 하면서 체납자 등에게 공매통지를 하지 않았거나 공매통지를 하였더라도 그것이 적법하지 아니한 경우에는 절차상의 흠이 있어 그 공매처분이 위법하게 되는 것이지만, 공매통지 자체가 그 상대방인 체납자 등의 법적 지위나 권리·의무에 직접적인 영향을 주는 행정처분에 해당한다고 할 것은 아니므로 다른 특별한 사정이 없는 한 체납자 등은 공매통지의 결여나 위법을 들어 공매처분의 취소 등을 구할 수 있는 것이지 공매통지 자체를 항고소송의 대상으로 삼아 그 취소 등을 구할 수는 없다(대판 2011.3.24. 2010두25527).

ㄷ. (×) 관계 법령상 행정대집행의 절차가 인정되어 행정청이 행정대집행의 방법으로 건물의 철거 등 대체적 작위의무의 이행을 실현할 수 있는 경우에는 따로 민사소송의 방법으로 그 의무의 이행을 구할 수 없다(대판 2017.4.28. 2016다213916).

ㄹ. (O) 비록 건축주 등이 장기간 시정명령을 이행하지 아니하였더라도, 그 기간 중에는 시정명령의 이행 기회가 제공되지 아니하였다가 뒤늦게 시정명령의 이행 기회가 제공된 경우라면, 시정명령의 이행 기회 제공을 전제로 한 1회분의 이행강제금만을 부과할 수 있고, 시정명령의 이행 기회가 제공되지 아니한 과거의 기간에 대한 이행강제금까지 한꺼번에 부과할 수는 없다.

그리고 이를 위반하여 이루어진 이행강제금 부과처분은 과거의 위반행위에 대한 제재가 아니라 행정상의 간접강제 수단이라는 이행강제금의 본질에 반하여 <u>하자는 중대할 뿐만 아니라 객관적으로도 명백하다</u>(대판 2016.7.14. 2015두46598).

유제 20. 군무원 9급 비록 건축주 등이 장기간 시정명령을 이행하지 아니하였더라도, 그 기간 중에는 시정명령의 이행 기회가 제공되지 아니하였다가 뒤늦게 시정명령의 이행기회가 제공된 경우라면, 시정명령의 이행 기회가 제공되지 아니한 과거의 기간에 대한 이행강제금까지 한꺼번에 부과할 수 있다. (×)

19. 국가직 7급 건축주 등이 장기간 시정명령을 이행하지 아니하였으나 그 기간 중에 시정명령의 이행 기회가 제공되지 아니하였다가 뒤늦게 이행 기회가 제공된 경우, 이행 기회가 제공되지 아니한 과거의 기간에 대한 이행강제금까지 한꺼번에 부과하였다면 그러한 이행강제금 부과처분은 하자가 중대·명백하여 당연무효이다. (○)

답 ②

077

「행정대집행법」상 대집행과 이행강제금에 대한 甲과 乙의 대화 중 乙의 답변이 옳지 않은 것은? (다툼이 있는 경우 판례에 의함)

① 甲: 행정대집행의 절차가 인정되는 경우에도 행정청이 민사상 강제집행수단을 이용할 수 있나요?
  乙: 행정대집행의 절차가 인정되어 실현할 수 있는 경우에는 따로 민사소송의 방법을 이용할 수 없습니다.

② 甲: 대집행의 적용대상은 무엇인가요?
  乙: 대집행은 공법상 대체적 작위의무의 불이행이 있는 경우에 행할 수 있습니다.

③ 甲: 행정청은 대집행의 대상이 될 수 있는 것에 대하여 이행강제금을 부과할 수도 있나요?
  乙: 행정청은 개별사건에 있어서 위법건축물에 대하여 대집행과 이행강제금을 선택적으로 활용할 수 있습니다.

④ 甲: 만약 이행강제금을 부과받은 사람이 사망하였다면 이행강제금의 납부의무는 상속인에게 승계되나요?
  乙: 이행강제금의 납부의무는 상속의 대상이 되므로, 상속인이 납부의무를 승계합니다.

2021년 국가직 9급

① (○) 관계 법령상 행정대집행의 절차가 인정되어 행정청이 행정대집행의 방법으로 건물의 철거 등 대체적 작위의무의 이행을 실현할 수 있는 경우에는 따로 민사소송의 방법으로 그 의무의 이행을 구할 수 없다. 한편 건물의 점유자가 철거의무자일 때에는 건물철거의무에 퇴거의무도 포함되어 있는 것이어서 별도로 퇴거를 명하는 집행권원이 필요하지 않다(대판 2017.4.28. 2016다213916).

② (○) 행정대집행법상 대집행의 대상이 되는 대체적 작위의무는 공법상 의무이어야 할 것인데, 토지 등의 협의취득은 사법상 매매 내지 사법상 계약의 실질을 가지는 것이므로, 이러한 철거의무는 공법상의 의무가 될 수 없고, 이 경우에도 행정대집행법을 준용하여 대집행을 허용하는 별도의 규정이 없는 한 위와 같은 철거의무는 행정대집행법에 의한 대집행의 대상이 되지 않는다(대판 2006.10.13. 2006두7096).

③ (○) 헌재 2004.2.26. 2001헌바80 등

④ (×) 구 건축법상의 이행강제금은 구 건축법의 위반행위에 대하여 시정명령을 받은 후 시정기간 내에 당해 시정명령을 이행하지 아니한 건축주 등에 대하여 부과되는 간접강제의 일종으로서 그 <u>이행강제금 납부의무는 상속인 기타의 사람에게 승계될 수 없는 일신전속적인 성질의 것이므로 이미 사망한 사람에게 이행강제금을 부과하는 내용의 처분이나 결정은 당연무효이고</u>, 이행강제금을 부과받은 사람의 이의에 의하여 비송사건절차법에 의한 재판절차가 개시된 후에 그 이의한 사람이 사망한 때에는 사건 자체가 목적을 잃고 절차가 종료한다(대결 2006.12.8. 2006마470).

문제 DATA
출제가능 지수 ▶▶▷
난이도 지수 ★★☆

함께 정리하기
대집행과 이행강제금

대집행 가능한 경우
▷ 민사소송 不可

대집행 대상
▷ 공법상 대체적 작위의무 불이행

대체적 작위의무 위반
▷ 대집행, 이행강제금 선택적 활용 可

이행강제금 납부의무
▷ 일신전속적
▷ 상속인에게 승계×

유제 19. 지방직 7급, 14. 사복직, 10. 국가직 9급 「건축법」상 이행강제금 납부의무는 상속인 기타의 사람에게 승계될 수 없는 일신전속적인 성질을 갖는다. (○)
15. 경찰 3차 이행강제금을 부과 받은 자가 사망한 경우 이행강제금 납부의무는 상속인에게 승계된다. (×)

답 ④

문제 DATA
출제가능 지수 ▶▶▷
난이도 지수 ★★☆

078

이행강제금에 대한 설명으로 옳지 않은 것은? (다툼이 있는 경우 판례에 의함)

① 「건축법」상 이행강제금은 시정명령의 불이행이라는 과거의 위반행위에 대한 제재가 아니라 시정명령을 이행하지 않고 있는 건축주 등에 대하여 다시 상당한 이행기한을 부여하고 기한 안에 시정명령을 이행하지 않으면 이행강제금이 부과된다는 사실을 고지함으로써 의무자에게 심리적 압박을 주어 시정명령에 따른 의무의 이행을 간접적으로 강제하는 수단의 성질을 가진다.

② 「건축법」상 행정청은 의무자가 행정상 의무를 이행할 때까지 이행강제금을 반복하여 부과할 수 있으나, 의무자가 의무를 이행하면 새로운 이행강제금의 부과를 즉시 중지하여야 하고 이미 부과한 이행강제금은 징수하지 아니한다.

③ 「농지법」에 따른 이행강제금을 부과할 때에는 그때마다 이행강제금을 부과·징수한다는 뜻을 미리 문서로 알려야 하고, 이와 같은 절차를 거치지 아니한 채 이행강제금을 부과하는 것은 이행강제금 제도의 취지에 반하는 것으로써 위법하다.

④ 「건축법」상 이행강제금은 위반행위에 대하여 시정명령을 받은 후 시정기간 내에 당해 시정명령을 이행하지 아니한 건축주 등에 대하여 부과하는 것으로서 그 이행강제금 납부의무는 상속인 기타의 사람에게 승계될 수 없는 일신전속적인 성질의 것이므로 이미 사망한 사람에게 이행강제금을 부과하는 내용의 처분이나 결정은 당연무효이다.

> 2021년 지방직 7급

함께 정리하기
이행강제금
의무자에게 심리적 압박을 주어 장래 의무이행 확보 목적, 간접적 강제집행수단
반복부과 可
이행
▷ 새로운 부과 중지, 이미 부과된 이행강제금 징수
부과할 때마다 미리 문서로 알려야
납부의무
▷ 일신전속적
▷ 상속인에게 승계×

① (○) 구 건축법상 이행강제금은 시정명령의 불이행이라는 과거의 위반행위에 대한 제재가 아니라, 시정명령을 이행하지 않고 있는 건축주·공사시공자·현장관리인·소유자·관리자 또는 점유자(이하 '건축주 등'이라 한다)에 대하여 다시 상당한 이행기한을 부여하고 기한 안에 시정명령을 이행하지 않으면 이행강제금이 부과된다는 사실을 고지함으로써 의무자에게 심리적 압박을 주어 시정명령에 따른 의무의 이행을 간접적으로 강제하는 행정상의 간접강제 수단에 해당한다(대판 2016.7.14. 2015두46598).

유제 19. 국회직 8급 「건축법」상 이행강제금은 의무자에게 심리적 압박을 주어 시정명령에 따른 의무이행을 간접적으로 강제하는 강제집행수단이 아니라 시정명령의 불이행이라는 과거의 위반행위에 대한 금전적 제재에 해당한다. (×)

② (×) 이미 부과한 이행강제금은 징수하여야 한다.

> 「건축법」 제80조【이행강제금】⑤ 허가권자는 최초의 시정명령이 있었던 날을 기준으로 하여 1년에 2회 이내의 범위에서 해당 지방자치단체의 조례로 정하는 횟수만큼 그 시정명령이 이행될 때까지 반복하여 제1항 및 제2항에 따른 이행강제금을 부과·징수할 수 있다. 다만, 제1항 각 호 외의 부분 단서에 해당하면 총 부과 횟수가 5회를 넘지 아니하는 범위에서 해당 지방자치단체의 조례로 부과 횟수를 따로 정할 수 있다.
> ⑥ 허가권자는 제79조 제1항에 따라 시정명령을 받은 자가 이를 이행하면 새로운 이행강제금의 부과를 즉시 중지하되, 이미 부과된 이행강제금은 징수하여야 한다.

유제 17. 지방직 9급 「건축법」 제79조 제1항에 따른 위반건축물 등에 대한 시정명령을 받은 자가 이를 이행하면, 허가권자는 새로운 이행강제금의 부과를 즉시 중지하되 이미 부과된 이행강제금은 징수하여야 한다. (○)

③ (○) **농지법** 제62조 제1항은 농지소유자가 농지를 농업경영에 이용하지 아니하여 농지처분명령을 받았음에도 불구하고 정당한 사유 없이 이를 이행하지 아니하는 경우 당해 농지의 토지가액의 100분의 20에 해당하는 이행강제금을 부과하도록 하고 있고, 제2항에서는 "시장·군수 또는 구청장은 제1항에 따른 이행강제금을 부과하기 전에 이행강제금을 부과·징수한다는 뜻을 미리 문서로 알려야 한다."라고 규정하고 있으며, 제4항에서는 "최초로 처분명령을 한 날을 기준으로 하여 그 처분명령이 이행될 때까지 이행강제금을 매년 1회 부과·징수할 수 있다."라고 규정하고 있다. 이행강제금은 행정법상의 부작위의무 또는 비대체적 작위의무를 이행하지 않은 경우에 '일정한 기한까지 의무를 이행하지 않을 때에는 일정한 금전적 부담을 과할 뜻'을 미리 알림으로써 의무자에게 심리적 압박을 주어 장래를 향하여 그 의무의 이행을 확보하려는 간접적인 행정상 강제집행 수단이므로, 농지법 제62조 제1항에 따른 이행강제금을 부과할 때에는 그때마다 이행강제금을 부과·징수한다는 뜻을 미리 문서로 알려야 하고, 이와 같은 절차를 거치지 아니한 채 이행강제금을 부과하는 것은 이행강제금 제도의 취지에 반하는 것으로서 위법하다(대판 2018.11.2. 2018마5608).

④ (○) 대결 2006.12.8. 2006마470

답 ②

079 □□□

이행강제금에 대한 설명으로 옳지 않은 것은? (다툼이 있는 경우 판례에 의함)

① 이행강제금은 대체적 작위의무의 위반에 대하여도 부과될 수 있다.
② 이미 사망한 사람에게 「건축법」상의 이행강제금을 부과하는 내용의 처분이나 결정은 당연무효이다.
③ 「부동산 실권리자명의 등기에 관한 법률」상 장기미등기자가 이행강제금 부과 전에 등기신청의무를 이행하였더라도 동법에 규정된 기간이 지나서 등기신청의무를 이행하였다면 이행강제금을 부과할 수 있다.
④ 「건축법」상 위법건축물에 대한 이행강제수단으로 대집행과 이행강제금이 인정되고 있는데, 행정청은 개별사건에 있어서 위반내용, 위반자의 시정의지 등을 감안하여 대집행과 이행강제금을 선택적으로 활용할 수 있다.

| 2021년 지방직 9급

① (○) 헌재 2004.2.26. 2001헌바80 등
② (○) 대결 2006.12.8. 2006마470
③ (×) 부동산 실권리자의 등기에 관한 법률상 장기미등기자에 대하여 부과되는 이행강제금은 심리적 압박을 주어 그 의무의 이행을 간접적으로 강제하는 행정상의 간접강제 수단에 해당한다. 따라서 장기미등기자가 이행강제금 부과 전에 등기신청의무를 이행하였다면 이행강제금의 부과로써 이행을 확보하고자 하는 목적은 이미 실현된 것이므로 부동산실명법 제6조 제2항에 규정된 기간이 지나서 등기신청의무를 이행한 경우라 하더라도 이행강제금을 부과할 수 없다고 보아야 한다(대판 2016.6.23. 2015두36454).

유제 20. 군무원 9급 「부동산 실권리자명의 등기에 관한 법률」상 장기미등기자가 이행강제금 부과 전에 등기신청의무를 이행하였다면 이행강제금의 부과로써 이행을 확보하고자 하는 목적은 이미 실현된 것이므로 이 법상 규정된 기간이 지나서 등기신청의무를 이행한 경우라 하더라도 이행강제금을 부과할 수 없다. (○)
17. 교행 장기미등기자가 등기신청의무의 이행기간이 지나서 등기신청을 한 경우에도 이행강제금을 부과할 수 있다. (×)

④ (○) 헌재 2004.2.26. 2001헌바80 등

답 ③

문제 DATA
출제가능 지수 ▶▶▶▷
난이도 지수 ★★☆

함께 정리하기
이행강제금
대체적 작위의무 위반에 대해서도
▷ 부과 可

이미 사망한 사람에 대한 이행강제금 부과
▷ 무효

이행강제금 부과 전 시정명령 이행
▷ 이행강제금 부과 不可

위법건축물에 대한 이행강제
▷ 대집행, 이행강제금 선택적 활용 可

080

이행강제금제도에 대한 설명으로 옳지 않은 것은? (다툼이 있는 경우 판례에 의함)

① 이행강제금은 집행벌이라고도 하며 행정벌과는 구분된다.
② 동일한 의무위반에 대해 의무를 이행할 때까지 이행강제금을 반복해서 부과하는 것도 가능하다.
③ 대체적 작위의무의 강제방법으로 이행강제금제도를 활용해서는 안 된다.
④ 이행강제금부과를 위해서는 반드시 법적 근거가 필요하다.
⑤ 이행강제금 금액을 법률에서 규정하고 있는 경우 법원이 그 금액보다 적은 이행강제금을 판결을 통해 부과할 수 없다.

2021년 국회직 9급

① (○) 이행강제금은 일정 기한까지 의무자가 작위의무 또는 부작위의무를 이행하지 않는 경우 일정한 금액을 부과한다는 뜻을 계고하여 심리적 압박을 줌으로써 장래에 그 의무를 스스로 이행하게 하려는 행정상 강제집행 수단으로, 집행벌이라고도 한다. 과거의 의무위반에 가해지는 제재인 행정벌과는 구분된다.

> **유제** 15. 서울시 7급 이행강제금은 간접벌이라고도 하는 것으로서 과거의 잘못에 대한 비난으로서의 제재수단이다. (×)
> 12. 국회직 9급 이행강제금은 현재의 의무위반에 대한 의무이행확보 수단이라는 점에서 과거의 위반행위에 대한 제재인 행정형벌과 구별된다. (○)

② (○)

> 「행정기본법」제31조【이행강제금의 부과】⑤ 행정청은 의무자가 행정상 의무를 이행할 때까지 이행강제금을 반복하여 부과할 수 있다. 다만, 의무자가 의무를 이행하면 새로운 이행강제금의 부과를 즉시 중지하되, 이미 부과한 이행강제금은 징수하여야 한다.

③ (×) 헌재 2004.2.26. 2001헌바80 등
④ (○) 이행강제금의 부과는 의무자에게 부담을 주는 강제수단이므로 법적 근거를 필요로 한다.

> **유제** 20. 지방직 9급 이행강제금은 침익적 강제수단이므로 법적 근거를 요한다. (○)
> 16. 행정사 이행강제금은 그에 관한 법적 근거가 없더라도 부과할 수 있다. (×)

⑤ (○) 농지법 제65조 제1항이 처분명령을 정당한 사유 없이 이행하지 아니한 자에 대하여 당해 농지의 토지가액의 100분의 20에 상당하는 이행강제금을 부과한다고 정하고 있으므로, 처분명령이 효력이 없거나 그 불이행에 같은 항 소정의 정당한 사유가 있어 이행강제금에 처하지 아니하는 결정을 하지 않는 한, 법원으로서는 그보다 적은 이행강제금을 부과할 수도 없다(대결 2005.11.30. 2005마1031).

답 ③

081

행정의 실효성 확보수단에 대한 설명으로 옳은 것은? (다툼이 있는 경우 판례에 의함)

① 「건축법」상 이행강제금 부과처분은 항고소송으로 다툴 수는 없다.
② 이행강제금은 대체적 작위의무의 위반에 대하여 부과될 수 없다.
③ 「건축법」상 이행강제금의 납부의무는 상속인에게 승계될 수 없는 일신전속적인 성질의 것이다.
④ 대집행에 요한 비용은 「국세징수법」의 예에 의하여 징수할 수 없다.
⑤ 병무청장이 「병역법」에 따라 병역의무 기피자의 인적사항을 인터넷 홈페이지에 공개하는 결정은 항고소송의 대상이 되는 행정처분이 아니다.

2021년 행정사

① (×) 「건축법」상 이행강제금 부과는 금전급부명령(하명)으로서 항고소송의 대상이 되는 행정처분에 해당한다.

유제 17. 지방직 9급 「건축법」상 이행강제금의 부과에 대해서는 항고소송을 제기할 수 없고 「비송사건절차법」에 따라 재판을 청구할 수 있다. (×)
16. 서울시 9급 「건축법」상 이행강제금 부과처분은 이에 대한 불복방법에 관하여 별도의 규정을 두지 않고 있으므로 이는 행정소송의 대상이 된다. (○)
17 5급 승진 현행 「건축법」은 이행강제금 부과처분에 대한 불복방법에 관하여 「비송사건절차법」에 의한다는 별도의 규정을 두고 있지 않으므로 그 부과처분에 관하여 행정소송으로 다툴 수 있다. (○)
14. 서울시 9급 「건축법」상 이행강제금 부과처분에 대한 불복방법은 과태료와 마찬가지로 「비송사건절차법」에 따른 재판에 의한다. (×)

② (×) 헌재 2004.2.26. 2001헌바80 등
③ (○) 대결 2006.12.8. 2006마470
④ (×)

「행정대집행법」제6조【비용징수】① 대집행에 요한 비용은 「국세징수법」의 예에 의하여 징수할 수 있다.

⑤ (×) 병무청장이 병역법 제81조의2 제1항에 따라 병역의무 기피자의 인적사항 등을 인터넷 홈페이지에 게시하는 등의 방법으로 공개한 경우 병무청장의 공개결정을 항고소송의 대상이 되는 행정처분으로 보아야 한다(대판 2019.6.27. 2018두49130).

답 ③

함께 정리하기

행정의 실효성 확보수단

「건축법」상 이행강제금
▷ 특별한 불복절차×
▷ 항고소송의 대상○

대체적 작위의무 위반에 대해서도 부과 可

이행강제금 납부의무
▷ 일신전속적(승계×)

대집행에 요한 비용
▷ 강제징수

병역의무기피자 인적사항 공개결정
▷ 행정처분○

---

082 □□□

행정의 실효성 확보수단에 대한 설명으로 옳지 않은 것은? (다툼이 있는 경우 판례에 의함)

① 대집행과 이행강제금 중 어떠한 강제수단을 선택할 것인지에 대하여 행정청의 재량이 인정된다.
② 「건축법」상 시정명령을 받은 의무자가 이행강제금이 부과되기 전에 그 의무를 이행한 경우에는 비록 시정명령에서 정한 기간을 지나서 이행한 경우라도 이행강제금을 부과할 수 없다.
③ 「여객자동차 운수사업법」상 과징금부과처분은 원칙적으로 위반자의 고의·과실을 요하지 않는다.
④ 「국세징수법」상 공매통지에 하자가 있는 경우, 다른 특별한 사정이 없는 한 체납자는 공매통지 자체를 항고소송의 대상으로 삼아 그 취소 등을 구할 수 있다.

문제 DATA
출제가능 지수 ▶▶∑
난이도 지수 ★★☆

2020년 국가직 9급

① (○) 헌재 2004.2.26. 2001헌바80 등
② (○) 건축법상의 이행강제금은 시정명령의 불이행이라는 과거의 위반행위에 대한 제재가 아니라, 의무자에게 시정명령을 받은 의무의 이행을 명하고 그 이행기간 안에 의무를 이행하지 않으면 이행강제금이 부과된다는 사실을 고지함으로써 의무자에게 심리적 압박을 주어 의무의 이행을 간접적으로 강제하는 행정상의 간접강제수단에 해당한다. 이러한 이행강제금의 본질상 시정명령을 받은 의무자가 이행강제금이 부과되기 전에 그 의무를 이행한 경우에는 비록 시정명령에서 정한 기간을 지나서 이행한 경우라도 이행강제금을 부과할 수 없다(대판 2018.1.25. 2015두35116).

유제 21. 변호사 「건축법」에 의하여 시정명령을 받은 의무자가 이행강제금이 부과되기 전에 그 의무를 이행하였다 하더라도 시정명령에서 정한 기간을 지나서 이행한 이상 행정청은 이행강제금을 부과할 수 있다. (×)
20. 국회직 8급 이행강제금은 금전의 징수가 목적이 아니라 의무이행을 촉구하기 위한 것으로 일단 의무이행이 있으면 비록 시정명령에서 정한 기간을 지나서 이행한 경우라도 이행강제금을 부과할 수 없다. (○)

함께 정리하기

행정의 실효성확보수단

대집행과 이행강제금의 선택적 활용
▷ 중첩 제재×

이행강제금 부과 전 시정명령 이행
▷ 이행강제금 부과 不可

과징금부과
▷ 고의·과실 不要
▷ 정당한 사유 있는 경우 부과 不可

공매통지
▷ 행정처분×(절차적 요건일 뿐)

제1장 행정강제 **1091**

③ (○) 구 여객자동차 운수사업법 제88조 제1항의 과징금부과처분은 제재적 행정처분으로서 행정목적의 달성을 위하여 행정법규 위반이라는 객관적 사실에 착안하여 가하는 제재이므로 반드시 현실적인 행위자가 아니라도 법령상 책임자로 규정된 자에게 부과되고 원칙적으로 위반자의 고의·과실을 요하지 아니하나, 위반자의 의무 해태를 탓할 수 없는 정당한 사유가 있는 등의 특별한 사정이 있는 경우에는 이를 부과할 수 없다(대판 2014.10.15. 2013두5005).

④ (×) 공매처분을 하면서 체납자 등에게 공매통지를 하지 않았거나 공매통지를 하였더라도 그것이 적법하지 아니한 경우에는 절차상의 흠이 있어 그 공매처분이 위법하게 되는 것이지만, 공매통지 자체가 그 상대방인 체납자 등의 법적 지위나 권리·의무에 직접적인 영향을 주는 행정처분에 해당한다고 할 것은 아니므로 다른 특별한 사정이 없는 한 체납자 등은 공매통지의 결여나 위법을 들어 공매처분의 취소 등을 구할 수 있는 것이지 공매통지 자체를 항고소송의 대상으로 삼아 그 취소 등을 구할 수는 없다(대판 2011.3.24. 2010두25527).

답 ④

083

행정상 강제집행에 대한 설명으로 옳지 않은 것은? (다툼이 있는 경우 판례에 의함)

① 군수가 군사무위임조례의 규정에 따라 무허가 건축물에 대한 철거대집행사무를 하부 행정기관인 읍·면에 위임하였다면, 읍·면장에게는 관할구역 내의 무허가 건축물에 대하여 그 철거대집행을 위한 계고처분을 할 권한이 있다.

② 이행강제금은 간접적인 행정상 강제집행 수단이며, 대체적 작위의무 위반에 대하여도 부과될 수 있다.

③ 직접강제는 대체적 작위의무뿐만 아니라 비대체적 작위의무·부작위의무·수인의무 등 일체의 의무의 불이행에 대해 행할 수 있다.

④ 「개발제한구역의 지정 및 관리에 관한 특별조치법」에 따르면, 이행강제금을 부과·징수할 때마다 그에 앞서 시정명령 절차를 다시 거쳐야 한다.

| 2020년 군무원 7급

① (○) 군수가 사무위임조례에 의하여 무허가 건축물에 대한 철거대집행사무를 읍·면에 위임한 경우, 읍·면장이 대집행 계고처분권을 가진다.

> 군수가 군사무위임조례의 규정에 따라 무허가 건축물에 대한 철거대집행사무를 하부 행정기관인 읍·면에 위임하였다면, 읍·면장에게는 관할구역 내의 무허가 건축물에 대하여 그 철거대집행을 위한 계고처분을 할 권한이 있다(대판 1997.2.14. 96누15428).

② (○) 이행강제금은 대체적 작위의무의 위반에 대해서도 부과될 수 있으며, 간접적인 행정상 강제집행 수단이다.

1. 전통적으로 행정대집행은 대체적 작위의무에 대한 강제집행수단으로, 이행강제금은 부작위의무나 비대체적 작위의무에 대한 강제집행수단으로 이해되어왔으나, 이는 이행강제금 제도의 본질에서 오는 제약은 아니며, 이행강제금은 대체적 작위의무의 위반에 대하여도 부과될 수 있다(헌재 2004.2.26. 2001헌바80 등).

2. 이행강제금은 행정법상의 부작위의무 또는 비대체적 작위의무를 이행하지 않은 경우에 '일정한 기한까지 의무를 이행하지 않을 때에는 일정한 금전적 부담을 과할 뜻'을 미리 '계고'함으로써 의무자에게 심리적 압박을 주어 장래를 향하여 의무의 이행을 확보하려는 간접적인 행정상 강제집행수단이고, 노동위원회가 근로기준법 제33조에 따라 이행강제금을 부과하는 경우 그 30일 전까지 하여야 하는 이행강제금 부과 예고는 이러한 '계고'에 해당한다(대판 2015.6.24. 2011두2170).

유제 19. 국회직 8급 「건축법」상 이행강제금은 의무자에게 심리적 압박을 주어 시정명령에 따른 의무이행을 간접적으로 강제하는 강제집행수단이 아니라 시정명령의 불이행이라는 과거의 위반행위에 대한 금전적 제재에 해당한다. (×)

③ (○) 직접강제는 대체적 작위의무뿐만 아니라 비대체적 작위의무·부작위의무·수인의무 등 일체의 의무불이행에 대해 가능하다.
④ (×) 「개발제한구역의 지정 및 관리에 관한 특별조치법」상 이행강제금을 부과·징수할 때마다 시정명령 절차를 거쳐야 할 필요 없다.

> 개발제한구역의 지정 및 관리에 관한 특별조치법 제30조 제1항, 제30조의2 제1항 및 제2항의 규정에 의하면 시정명령을 받은 후 그 시정명령의 이행을 하지 아니한 자에 대하여 이행강제금을 부과할 수 있고, 이행강제금을 부과하기 전에 상당한 기간을 정하여 그 기한까지 이행되지 아니할 때에 이행강제금을 부과·징수한다는 뜻을 문서로 계고하여야 하므로, 이행강제금의 부과·징수를 위한 계고는 시정명령을 불이행한 경우에 취할 수 있는 절차라 할 것이고, 따라서 이행강제금을 부과·징수할 때마다 그에 앞서 시정명령 절차를 다시 거쳐야 할 필요는 없다(대판 2013.12.12. 2012두20397).

답 ④

084

이행강제금에 대한 설명으로 옳지 않은 것은? (다툼이 있는 경우 판례에 의함)

① 현행 「건축법」상 위법건축물에 대한 이행강제수단으로 대집행과 이행강제금이 인정되고 있는데, 행정청은 개별사건에 있어서 위반내용, 위반자의 시정의지 등을 감안하여 대집행과 이행강제금을 선택적으로 활용할 수 있다.
② 「건축법」에서 무허가 건축행위에 대한 형사처벌과 「건축법」 제80조 제1항에 의한 시정명령 위반에 대한 이행강제금의 부과는 헌법 제13조 제1항이 금지하는 이중처벌에 해당한다고 할 수 없다.
③ 비록 건축주 등이 장기간 시정명령을 이행하지 아니하였더라도, 그 기간 중에는 시정명령의 이행 기회가 제공되지 아니하였다가 뒤늦게 시정명령의 이행기회가 제공된 경우라면, 시정명령의 이행 기회가 제공되지 아니한 과거의 기간에 대한 이행강제금까지 한꺼번에 부과할 수 있다.
④ 「부동산 실권리자명의 등기에 관한 법률」상 장기미등기자가 이행강제금 부과 전에 등기신청의무를 이행하였다면 이행강제금의 부과로써 이행을 확보하고자 하는 목적은 이미 실현된 것이므로 이 법상 규정된 기간이 지나서 등기신청의무를 이행한 경우라 하더라도 이행강제금을 부과할 수 없다.

| 2020년 군무원 9급

① (○) 전통적으로 행정대집행은 대체적 작위의무에 대한 강제집행수단으로, 이행강제금은 부작위의무나 비대체적 작위의무에 대한 강제집행수단으로 이해되어 왔으나, 이는 이행강제금제도의 본질에서 오는 제약은 아니며, 이행강제금은 대체적 작위의무의 위반에 대하여도 부과될 수 있다. 현행 건축법상 위법건축물에 대한 이행강제수단으로 대집행과 이행강제금이 인정되고 있는데, 양 제도는 각각의 장단점이 있으므로 행정청은 개별사건에 있어서 위반내용, 위반자의 시정의지 등을 감안하여 대집행과 이행강제금을 선택적으로 활용할 수 있으며, 이처럼 그 합리적인 재량에 의해 선택하여 활용하는 이상 중첩적인 제재에 해당한다고 볼 수 없다(헌재 2004.2.26. 2001헌바80 등).
② (○) 개발제한구역 내의 건축물에 대하여 허가를 받지 않고 한 용도변경행위에 대한 형사처벌과 건축법 제83조 제1항에 의한 시정명령 위반에 대한 이행강제금의 부과는 그 처벌 내지 제재대상이 되는 기본적 사실관계로서의 행위를 달리하며, 또한 그 보호법익과 목적에서도 차이가 있으므로 이중처벌에 해당한다고 할 수 없다(대결 2005.8.19. 2005마30).

③ (×) 비록 건축주 등이 장기간 시정명령을 이행하지 아니하였더라도, 그 기간 중에는 시정명령의 이행 기회가 제공되지 아니하였다가 뒤늦게 시정명령의 이행 기회가 제공된 경우라면, 시정명령의 이행 기회 제공을 전제로 한 1회분의 이행강제금만을 부과할 수 있고, 시정명령의 이행 기회가 제공되지 아니한 과거의 기간에 대한 이행강제금까지 한꺼번에 부과할 수는 없다. 그리고 이를 위반하여 이루어진 이행강제금 부과처분은 과거의 위반행위에 대한 제재가 아니라 행정상의 간접강제 수단이라는 이행강제금의 본질에 반하여 하자는 중대할 뿐만 아니라 객관적으로도 명백하다(대판 2016.7.14. 2015두46598).

④ (○) 부동산 실권리자명의 등기에 관한 법률상 이행강제금은 소유권이전등기신청의무 불이행이라는 과거의 사실에 대한 제재인 과징금과 달리, 장기미등기자에게 등기신청의무를 이행하지 아니하면 이행강제금이 부과된다는 심리적 압박을 주어 의무의 이행을 간접적으로 강제하는 행정상의 간접강제 수단에 해당한다. 따라서 장기미등기자가 이행강제금 부과 전에 등기신청의무를 이행하였다면 이행강제금의 부과로써 이행을 확보하고자 하는 목적은 이미 실현된 것이므로 부동산실명법 제6조 제2항에 규정된 기간이 지나서 등기신청의무를 이행한 경우라 하더라도 이행강제금을 부과할 수 없다(대판 2016.6.23. 2015두36454).

답 ③

085 ☐☐☐

이행강제금에 대한 설명으로 옳지 않은 것은? (다툼이 있는 경우 판례에 의함)

① 이행강제금은 법령으로 정하는 바에 따라 계고나 시정명령 없이 부과할 수 있으며 법령으로 정하는 바에 따라 반복적으로 이행할 때까지 부과할 수 있다.
② 이행강제금은 금전의 징수가 목적이 아니라 의무이행을 촉구하기 위한 것이므로 일단 의무이행이 있으면 비록 시정명령에서 정한 기간을 지나서 이행한 경우라도 이행강제금을 부과할 수 없다.
③ 「건축법」 제80조 제6항에 따르면 시정명령을 받은 자가 시정명령을 이행한 경우에는 더 이상 이행강제금을 부과하지 않지만, 이미 부과된 이행강제금은 징수한다.
④ 이행강제금은 대체적 작위의무 위반에 대해서도 부과될 수 있고 대집행과 선택적으로 활용될 수 있다.
⑤ 「건축법」상 시정명령 위반에 따른 이행강제금의 부과와 건축행위에 대한 형사처벌은 그 처벌 내지 제재대상이 되는 기본적 사실관계가 다르므로 이중처벌에 해당하지 않는다.

| 2020년 국회직 8급

① (×) 이행강제금은 계고나 시정명령 없이는 부과할 수 없다.

> 「건축법」 제80조【이행강제금】① 허가권자는 제79조 제1항에 따라 시정명령을 받은 후 시정기간 내에 시정명령을 이행하지 아니한 건축주등에 대하여는 그 시정명령의 이행에 필요한 상당한 이행기한을 정하여 그 기한까지 시정명령을 이행하지 아니하면 다음 각 호의 이행강제금을 부과한다.
> ③ 허가권자는 제1항 및 제2항에 따른 이행강제금을 부과하기 전에 제1항 및 제2항에 따른 이행강제금을 부과·징수한다는 뜻을 미리 문서로써 계고(戒告)하여야 한다.

② (○) 기간(이행기한)을 지나서 의무를 이행한 경우에도 이행강제금을 부과할 수 없다

장기미등기자가 이행강제금 부과 전에 등기신청의무를 이행하였다면 이행강제금의 부과로써 이행을 확보하고자 하는 목적은 이미 실현된 것이므로 부동산실명법 제6조 제2항에 규정된 기간이 지나서 등기신청의무를 이행한 경우라 하더라도 이행강제금을 부과할 수 없다고 보아야 한다(대판 2016.6.23. 2015두36454).

유제 19. 지방직 9급, 18. 국가직 7급 이행강제금은 과거의 의무불이행에 대한 제재의 기능을 지니고 있으므로, 이행강제금이 부과되기 전에 의무를 이행한 경우에도 시정명령에서 정한 기간을 지나서 이행한 경우라면 이행강제금을 부과할 수 있다. (×)

③ (○)

> 「건축법」제80조【이행강제금】⑥ 허가권자는 제79조 제1항에 따라 시정명령을 받은 자가 이를 이행하면 새로운 이행강제금의 부과를 즉시 중지하되, 이미 부과된 이행강제금은 징수하여야 한다.

④ (○) 대체적 작위의무위반에 대하여 대집행과 이행강제금은 선택적 활용이 가능하다.

전통적으로 행정대집행은 대체적 작위의무에 대한 강제집행수단으로, 이행강제금은 부작위의무나 비대체적 작위의무에 대한 강제집행수단으로 이해되어 왔으나, 이는 이행강제금제도의 본질에서 오는 제약은 아니며, 이행강제금은 대체적 작위의무의 위반에 대하여도 부과될 수 있다. 현행법상 위법건축물에 대한 이행강제수단으로 대집행과 이행강제금이 인정되고 있는데, 양 제도는 각각의 장·단점이 있으므로 행정청은 개별사건에 있어서 위반내용, 위반자의 시정의지 등을 감안하여 대집행과 이행강제금을 선택적으로 활용할 수 있으며, 이처럼 그 합리적인 재량에 의해 선택하여 활용하는 이상 중첩적인 제재에 해당한다고 볼 수 없다(헌재 2004.2.26. 2001헌바80 등).

유제 20. 국가직 9급 대집행과 이행강제금 중 어떠한 강제수단을 선택할 것인지에 대하여 행정청의 재량이 인정된다. (○)

⑤ (○) 「건축법」상 형사처벌과 이행강제금의 병과는 이중처벌에 해당하지 않는다.

이행강제금은 과거의 일정한 법률 위반 행위에 대한 제재로서의 형벌이 아니라 장래의 의무이행의 확보를 위한 강제수단일 뿐이어서 범죄에 대하여 국가 형벌권을 실행한다고 하는 과벌에 해당하지 아니하므로 헌법 제13조 제1항이 금지하는 이중처벌금지의 원칙이 적용될 여지가 없을 뿐 아니라, 건축법 제108조, 제110조에 의한 형사처벌의 대상이 되는 행위와 건축법을 위반한 건축주 등이 건축허가권자로부터 위반건축물의 철거 등 시정명령을 받고도 그 이행을 하지 않는 경우 건축법 위반자에 대하여 시정명령 이행시까지 반복적으로 이행강제금을 부과할 수 있도록 규정한 건축법 제80조 제1항 및 제4항에 따라 이행강제금이 부과되는 행위는 기초적 사실관계가 동일한 행위가 아니라 할 것이므로 이런 점에서도 헌법 제13조 제1항의 이중처벌금지의 원칙에 위반되지 아니한다(헌재 2011.10.25. 2009헌바140).

유제 20. 서울시·지방직·교행 9급, 18. 소방직 형사처벌과 이행강제금은 병과될 수 있다. (○)

답 ①

086

다음 중 이행강제금에 대한 설명으로 옳은 것만을 모두 고른 것은? (다툼이 있는 경우 판례에 의함)

> ㄱ. 「건축법」상 이행강제금은 시정명령의 위반이라는 과거의 위반행위에 대한 제재이다.
> ㄴ. 이행강제금 부과처분에 대해 「비송사건절차법」에 의한 특별한 불복절차가 마련되어 있는 경우 이행강제금 부과처분은 항고소송의 대상이 되는 행정처분이 아니다.
> ㄷ. 「근로기준법」상 이행강제금의 부과 예고는 '계고'에 해당한다.
> ㄹ. 이행강제금은 대체적 작위의무의 위반에 대하여도 부과될 수 있다.
> ㅁ. 이행강제금은 일정한 기한까지 의무를 이행하지 않았을 때에는 일정한 금전적 부담을 과하는 것으로서, 헌법 제13조 제1항이 금지하는 이중처벌금지의 원칙의 적용대상이 된다.

① ㄱ, ㄴ, ㄹ
② ㄱ, ㄴ, ㅁ
③ ㄴ, ㄷ, ㄹ
④ ㄷ, ㄹ, ㅁ

함께 정리하기

이행강제금

의무자에게 심리적 압박을 주어 장래 의무이행 확보 목적(과거 위반행위에 대한 제재×)

「비송사건절차법」에 의한 특별한 불복규정이 있는 이행강제금
▷ 항고소송의 대상×

이행강제금의 부과예고
▷ 계고

대체적 작위의무의 위반에 대하여도 부과 가능

이중처벌금지원칙 적용대상×

2020년 경찰

ㄱ. (×) 건축법상의 이행강제금은 시정명령의 불이행이라는 과거의 위반행위에 대한 제재가 아니라, 의무자에게 시정명령을 받은 의무의 이행을 명하고 그 이행기간 안에 의무를 이행하지 않으면 이행강제금이 부과된다는 사실을 고지함으로써 의무자에게 심리적 압박을 주어 의무의 이행을 간접적으로 강제하는 행정상의 간접강제수단에 해당한다. 이러한 이행강제금의 본질상 시정명령을 받은 의무자가 이행강제금이 부과되기 전에 그 의무를 이행한 경우에는 비록 시정명령에서 정한 기간을 지나서 이행한 경우라도 이행강제금을 부과할 수 없다(대판 2018.1.25. 2015두35116).

ㄴ. (○) 농지법은 농지 처분명령에 대한 이행강제금 부과처분에 불복하는 자가 그 처분을 고지받은 날부터 30일 이내에 부과권자에게 이의를 제기할 수 있고, 이의를 받은 부과권자는 지체 없이 관할 법원에 그 사실을 통보하여야 하며, 그 통보를 받은 관할 법원은 비송사건절차법에 따른 과태료 재판에 준하여 재판을 하도록 정하고 있다(제62조 제1항, 제6항, 제7항). 따라서 농지법 제62조 제1항에 따른 이행강제금 부과처분에 불복하는 경우에는 비송사건절차법에 따른 재판절차가 적용되어야 하고, 행정소송법상 항고소송의 대상은 될 수 없다(대판 2019.4.11. 2018두42955).

ㄷ. (○) 이행강제금은 행정법상의 부작위의무 또는 비대체적 작위의무를 이행하지 않은 경우에 '일정한 기한까지 의무를 이행하지 않을 때에는 일정한 금전적 부담을 과할 뜻'을 미리 '계고'함으로써 의무자에게 심리적 압박을 주어 장래를 향하여 의무의 이행을 확보하려는 간접적인 행정상 강제집행 수단이고, 노동위원회가 근로기준법 제33조에 따라 이행강제금을 부과하는 경우 그 30일 전까지 하여야 하는 이행강제금 부과 예고는 이러한 '계고'에 해당한다(대판 2015.6.24. 2011두2170).

ㄹ. (○) 전통적으로 행정대집행은 대체적 작위의무에 대한 강제집행수단으로, 이행강제금은 부작위의무나 비대체적 작위의무에 대한 강제집행수단으로 이해되어왔으나, 이는 이행강제금 제도의 본질에서 오는 제약은 아니며, 이행강제금은 대체적 작위의무의 위반에 대하여도 부과될 수 있다. 현행법상 위법건축물에 대한 이행강제수단으로 대집행과 이행강제금이 인정되고 있는데, 양 제도는 각각의 장·단점이 있으므로 행정청은 개별사건에 있어서 위반내용, 위반자의 시정의지 등을 감안하여 대집행과 이행강제금을 선택적으로 활용할 수 있으며, 이처럼 그 합리적인 재량에 의해 선택하여 활용하는 이상 중첩적인 제재에 해당한다고 볼 수 없다(헌재 2004.2.26. 2001헌바80 등).

ㅁ. (×) 개발제한구역 내의 건축물에 대하여 허가를 받지 않고 한 용도변경행위에 대한 형사처벌과 건축법 제83조 제1항에 의한 시정명령 위반에 대한 이행강제금의 부과는 그 처벌 내지 제재대상이 되는 기본적 사실관계로서의 행위를 달리하며, 또한 그 보호법익과 목적에서도 차이가 있으므로 이중처벌에 해당한다고 할 수 없다(대결 2005.8.19. 2005마30).

답 ③

문제 DATA

출제가능 지수 ▶▶▷
난이도 지수 ★★☆

087

이행강제금에 대한 설명으로 옳지 않은 것은? (다툼이 있는 경우 판례에 의함)

① 이행강제금은 과거의 의무불이행에 대한 제재의 기능을 지니고 있으므로, 이행강제금이 부과되기 전에 의무를 이행한 경우에도 시정명령에서 정한 기간을 지나서 이행한 경우라면 이행강제금을 부과할 수 있다.

② 「건축법」상 허가권자는 이행강제금을 부과하기 전에 이행강제금을 부과·징수한다는 뜻을 미리 문서로써 계고하여야 한다.

③ 「건축법」상 이행강제금 납부의 최초 독촉은 징수처분으로서 항고소송의 대상이 되는 행정처분이 될 수 있다.

④ 부작위의무나 비대체적 작위의무뿐만 아니라 대체적 작위의무의 위반에 대하여도 이행강제금을 부과할 수 있다.

2019년 지방직 9급

① (×) 이행강제금은 이행기간 지나서 이행이 있으면 부과할 수 없다.

> 건축법상의 이행강제금은 시정명령의 불이행이라는 과거의 위반행위에 대한 제재가 아니라, 의무자에게 심리적 압박을 주어 의무의 이행을 간접적으로 강제하는 행정상의 간접강제 수단에 해당한다. 이러한 이행강제금의 본질상 시정명령을 받은 의무자가 이행강제금이 부과되기 전에 그 의무를 이행한 경우에는 비록 시정명령에서 정한 기간을 지나서 이행한 경우라도 이행강제금을 부과할 수 없다(대판 2018.1.25. 2015두35116).

② (○)

> 「건축법」 제80조【이행강제금】③ 허가권자는 제1항 및 제2항에 따른 이행강제금을 부과하기 전에 제1항 및 제2항에 따른 이행강제금을 부과·징수한다는 뜻을 미리 문서로써 계고(戒告)하여야 한다.

③ (○) 이행강제금납부의 최초 독촉은 행정처분에 해당한다.

> 납부독촉에도 불구하고 이행강제금을 납부하지 않으면 체납절차에 의하여 이행강제금을 징수할 수 있고, 이때 이행강제금 납부의 최초 독촉은 징수처분으로서 항고소송의 대상이 되는 행정처분이 될 수 있다고 할 것이다(대판 2009.12.24. 2009두14507).

④ (○) 이행강제금은 대체적 작위의무 위반에도 부과할 수 있다.

> 이행강제금은 부작위의무나 비대체적 작위의무 위반의 경우뿐만 아니라 대체적 작위의무 위반에 대하여도 부과될 수 있는 것이므로, 이 사건 법률조항에서 이행강제금을 규정하고 있다고 하여 이행강제금 제도의 본질에 반한다고 할 수 없다(헌재 2011.10.25. 2009헌바140).

답 ①

함께 정리하기
이행강제금

심리적 간접강제수단
▷ 이행기간 지나 이행해도 부과 불가

허가권자
▷ 부과 전 부과·징수 문서로 계고

납부의 최초 독촉
▷ 항고소송 대상적격 有

대체적 작위의무 위반에도 부과 可

---

088 □□□

이행강제금에 대한 설명으로 옳지 않은 것은? (다툼이 있는 경우 판례에 의함)

① 이행강제금의 부과에 관한 일반법은 존재하지 않으며 「건축법」, 「농지법」 등 개별법에서 인정되고 있다.
② 현행 「건축법」상 시정명령을 위반한 자와 관련하여 이행강제금은 대체적 작위의무위반으로 인한 행정대집행과 선택적 관계이다.
③ 이행강제금은 의무위반에 대한 제재보다 의무이행확보에 주안점이 있으므로 의무자가 의무를 이행하지 않으면 이행강제금의 부과를 반복할 수 있다.
④ 현행 「건축법」상의 이행강제금에 대한 불복은 「비송사건절차법」에 의하도록 규정하고 있으므로 이행강제금부과처분은 항고소송의 대상이 될 수 없다.
⑤ 사용자가 이행하여야 할 행정법상 의무의 내용을 초과하는 것을 '불이행 내용'으로 기재한 이행강제금 부과예고서에 의하여 이행강제금 부과예고를 한 다음 이행강제금을 부과한 경우 초과한 정도가, 근소하다는 등의 특별한 사정이 없는 한 이 이행강제금 부과예고 및 이행강제금부과처분은 위법하다.

2019년 소방간부

① (○) 이행강제금도 행정상 강제집행의 수단이므로 법적 근거가 요구된다. 일반법은 없고 「부동산실권리자명의 등기에 관한 법률」, 「독점규제 및 공정거래에 관한 법률」, 「장사(葬事) 등에 관한 법률」 등 개별법이 존재한다.
② (○) 대체적 작위의무에 대하여 대집행과 이행강제금을 선택적으로 활용할 수 있다.

문제 DATA
출제가능 지수 ▶▶▷
난이도 지수 ★★☆

함께 정리하기
이행강제금

이행강제금에 관한 일반법 無
▷ 개별법상 근거 有

「건축법」상 시정명령 위반
▷ 대집행, 이행강제금 선택적 활용 可

의무불이행시 이행강제금 반복부과 可
▷ 이중처벌 금지 위반×

「건축법」상 이행강제금 부과처분
▷ 특별한 불복절차×
▷ 항고소송의 대상○

불이행내용 초과 기재한 이행강제금 부과예고 위법
▷ 이행강제금 부과처분도 위법

현행 건축법상 위법건축물에 대한 이행강제수단으로 대집행과 이행강제금이 인정되고 있는데, 양 제도는 각각의 장단점이 있으므로 행정청은 개별사건에 있어서 위반내용, 위반자의 시정의지 등을 감안하여 <u>대집행과 이행강제금을 선택적으로 활용할 수 있으며, 이처럼 그 합리적인 재량에 의해 선택하여 활용하는 이상 중첩적인 제재에 해당한다고 볼 수 없다</u>(헌재 2004.2.26. 2001헌바80).

유제 20. 서울시·지방직·교행 9급 대체적 작위의무 위반에 대해서는 이행강제금이 부과될 수 없다. (×)

③ (○) 이행강제금은 장래의 의무이행을 심리적으로 강제하기 위한 것으로서 의무이행이 있기까지 반복적으로 부과할 수 있다.

유제 16. 지방직 9급「건축법」상 이행강제금은 일정한 기한까지 의무를 이행하지 않을 때에는 일정한 금전적 부담을 과할 뜻을 미리 계고함으로써 의무자에게 심리적 압박을 주어 장래에 그 의무를 이행하게 하려는 행정상 간접적인 강제집행 수단의 하나로서 반복적으로 부과되더라도 헌법상 이중처벌금지의 원칙이 적용될 여지가 없다. (○)
15. 서울시 7급, 14. 서울시 9급 이행강제금은 처벌이 아니므로 반복하여 부과·징수할 수 있다는 점에서 행정벌과 구별된다. (○)

④ (×) 2005년 10월 19일 건축법 개정으로「비송사건절차법」에 의한 절차를 준용하는 규정을 삭제하였으므로, 현재는「건축법」상 이행강제금 부과처분은 항고소송의 대상이 되는 행정처분에 해당한다.

⑤ (○) 의무내용을 초과한 부과예고시 초과가 근소하지 않은 한 그 부과예고 및 이행강제금 부과처분은 위법하다.

사용자가 <u>이행하여야 할 행정법상 의무의 내용을 초과하는 것을 '불이행 내용'으로 기재한 이행강제금 부과 예고서에 의하여 이행강제금 부과 예고를 한 다음 이를 이행하지 않았다는 이유로 이행강제금을 부과하였다면, 초과한 정도가 근소하다는 등의 특별한 사정이 없는 한 이행강제금 부과 예고는 이행강제금 제도의 취지에 반하는 것으로서 위법하고, 이에 터 잡은 이행강제금 부과처분 역시 위법하다</u>(대판 2015.6.24. 2011두2170).

답 ④

089

행정강제에 대한 설명으로 옳지 않은 것은?

① 행정상 강제집행은 법률에 근거하여서만 행하여질 수 있다.
② 비대체적 작위의무 또는 부작위의무를 이행하지 아니하는 경우에 그 의무자에게 심리적 압박을 가하여 의무의 이행을 강제하기 위하여 과하는 금전벌을 직접강제라 한다.
③ 대집행을 위해서는 먼저 의무의 이행을 최고하는 행위로서의 계고를 하여야 한다.
④ 강제징수를 위한 독촉은 통지행위인 점에서 대집행에 있어서의 계고와 성질이 같다.

| 2019년 군무원 9급

① (○) 행정상의 강제집행은 의무의 불이행에 대하여 행정주체가 실력을 가하여 그 의무를 이행시키거나 또는 이행된 것과 동일한 상태를 실현하는 작용을 말한다. 행정상 의무의 강제는 국민의 자유·재산의 침해가 되므로 반드시 법률의 근거가 있어야 한다.
② (×) 비대체적 작위의무 또는 부작위의무를 이행하지 아니하는 경우에 그 의무자에게 심리적 압박을 가하여 의무의 이행을 강제하기 위하여 과하는 금전벌은 이행강제금이다.
③ (○)

>「행정대집행법」제3조【대집행의 절차】① 전조의 규정에 의한 처분을 하려함에 있어서는 <u>상당한 이행기한을 정하여 그 기한까지 이행되지 아니할 때에는 대집행을 한다는 뜻을 미리 문서로써 계고하여야 한다</u>. 이 경우 행정청은 상당한 이행기한을 정함에 있어 의무의 성질·내용 등을 고려하여 사회통념상 해당 의무를 이행하는 데 필요한 기간이 확보되도록 하여야 한다.

④ (○) 대집행의 계고와 강제징수의 독촉은 준법률행위인 통지에 해당한다.

답 ②

090

행정상 강제집행에 대한 설명으로 옳지 않은 것은? (다툼이 있는 경우 판례에 의함)

① 관계 법령상 행정대집행의 절차가 인정되어 행정청이 행정대집행의 방법으로 건물 철거 등 대체적 작위의무의 이행을 실현할 수 있는 경우에는 따로 민사소송의 방법으로 그 의무의 이행을 구할 수 없다.
② 「건축법」에 위반된 건축물의 철거를 명하였으나 불응하자 이행강제금을 부과·징수한 후 이후에도 철거를 하지 아니하자 다시 행정대집행계고처분을 한 경우 그 계고처분은 유효하다.
③ 한국자산공사의 공매통지는 공매의 요건이 아니라 공매사실 자체를 체납자에게 알려주는 데 불과한 것으로서 행정처분에 해당한다고 할 수 없다.
④ 「건축법」상 이행강제금은 의무자에게 심리적 압박을 주어 시정명령에 따른 의무이행을 간접적으로 강제하는 강제집행수단이 아니라 시정명령의 불이행이라는 과거의 위반행위에 대한 금전적 제재에 해당한다.
⑤ 위법건축물에 대한 철거명령 및 계고처분에 불응하여 제2차, 제3차로 계고처분을 한 경우에 제2차, 제3차의 후행 계고처분은 행정처분에 해당하지 아니한다.

2019년 국회직 8급

① (○) 대집행이 가능한 경우 민사소송으로 의무이행을 소구할 수 없다.

> 관계 법령상 행정대집행의 절차가 인정되어 행정청이 행정대집행의 방법으로 건물의 철거 등 대체적 작위의무의 이행을 실현할 수 있는 경우에는 따로 민사소송의 방법으로 그 의무의 이행을 구할 수 없다(대판 2017.4.28. 2016다213916).

② (○) 이행강제금과 행정대집행은 별개의 제도이므로 이행강제금을 부과·징수한 후 대집행 계고처분을 하여도 계고처분은 유효하게 된다.

③ (○) 자산관리공사의 공매통지는 처분에 해당하지 않는다.

> 한국자산공사가 당해 부동산을 인터넷을 통하여 재공매(입찰)하기로 한 결정 자체는 내부적인 의사결정에 불과하여 항고소송의 대상이 되는 행정처분이라고 볼 수 없고, 또한 한국자산공사가 공매통지는 공매의 요건이 아니라 공매사실 자체를 체납자에게 알려주는 데 불과한 것으로서, 통지의 상대방의 법적 지위나 권리·의무에 직접 영향을 주는 것이 아니라고 할 것이므로 이것 역시 행정처분에 해당한다고 할 수 없다(대판 2007.7.27. 2006두8464).

유제 13. 변호사 한국자산관리공사의 공매통지는 공매의 요건이 아니라 공매사실 자체를 체납자에게 알려주는 데 불과한 것으로서, 통지받은 상대방의 법적 지위나 권리의무에 직접 영향을 주는 것이 아니라고 할 것이므로 행정처분이 아니다. (○)

④ (×) 이행강제금은 간접적 의무이행확보수단이다.

> 이행강제금은 일정한 기한까지 의무를 이행하지 않을 때에는 일정한 금전적 부담을 과할 뜻을 미리 계고함으로써 의무자에게 심리적 압박을 주어 장래에 그 의무를 이행하게 하려는 행정상 간접적인 강제집행수단의 하나이다. 이행강제금 부과 처분은 행정행위의 성질을 갖는다(헌재 2011.10.25. 2009헌바140).

⑤ (○) 반복된 계고는 처분에 해당하지 않는다.

> 철거대집행 계고처분을 고지한 후 이에 불응하자 다시 제2차, 제3차 계고서를 발송하여 일정기간까지의 자진철거를 촉구하고 불이행하면 대집행을 한다는 뜻을 고지하였다면 행정대집행법상의 건물철거의무는 제1차 철거명령 및 계고처분으로서 발생하였고 제2차, 제3차의 계고처분은 새로운 철거의무를 부과한 것이 아니고 다만 대집행기한의 연기통지에 불과하므로 행정처분이 아니다(대판 1994.10.28. 94누5144).

답 ④

함께 정리하기

행정상 강제집행

대집행 가능한 경우
▷ 민사소송으로 의무이행 소구 불가

이행강제금 부과·징수 후 대집행 계고
▷ 계고처분 유효

한국자산관리공사의 공매통지
▷ 행정처분 ×

이행강제금
▷ 간접적 의무이행 확보수단

반복된 계고
▷ 행정처분 ×
▷ 단, 1차 계고는 처분성 有

문제 DATA

출제가능 지수 ▶▶▷
난이도 지수 ★★☆

091 ☐☐☐

행정의 실효성 확보수단에 대한 설명으로 옳은 것만을 모두 고르면? (다툼이 있는 경우 판례에 의함)

> ㄱ. 「건축법」상의 이행강제금과 관련하여, 시정명령을 받은 의무자가 시정명령에서 정한 기간을 지나서 시정명령을 이행한 경우, 이행강제금이 부과되기 전에 그 이행이 있었다 하더라도 시정명령상의 기간을 준수하지 않은 이상 이행강제금을 부과하는 것은 정당하다.
> ㄴ. 과징금부과처분의 경우 원칙적으로 위반자의 고의·과실을 요하지 아니하나, 위반자의 의무 해태를 탓할 수 없는 정당한 사유가 있는 등의 특별한 사정이 있는 경우에는 이를 부과할 수 없다.
> ㄷ. 「건축법」상 위법 건축물에 대하여 행정청은 대집행과 이행강제금을 선택적으로 활용할 수 있으며, 이러한 선택적 활용이 중첩적 제재에 해당한다고 볼 수 없다.
> ㄹ. 「질서위반행위규제법」에 의한 과태료 부과처분은 처분의 상대방이 이의제기하지 않은 채 납부기간까지 과태료를 납부하지 않으면 「도로교통법」상 통고처분과 마찬가지로 그 효력을 상실한다.

① ㄷ
② ㄴ, ㄷ
③ ㄱ, ㄴ, ㄹ
④ ㄴ, ㄷ, ㄹ

함께 정리하기

행정의 실효성 확보수단

시정명령기간 지나서 이행
▷ 이행강제금 부과 불가

과징금
▷ 고의·과실 不要
▷ 정당한 사유 있으면 부과 불가

「건축법」상 이행강제금·대집행 선택적 활용
▷ 중첩적 제재 ✕

과태료 부과 이의제기
▷ 효력상실

2018년 국가직 7급

ㄱ. (✕) 시정명령기간 지나서 이행을 한 경우 이행강제금을 부과할 수 없다.

> 건축법상의 이행강제금은 시정명령의 불이행이라는 과거의 위반행위에 대한 제재가 아니라, 의무자에게 심리적 압박을 주어 의무의 이행을 간접적으로 강제하는 행정상의 간접강제 수단에 해당한다. 이러한 이행강제금의 본질상 시정명령을 받은 의무자가 이행강제금이 부과되기 전에 그 의무를 이행한 경우에는 비록 시정명령에서 정한 기간을 지나서 이행한 경우라도 이행강제금을 부과할 수 없다(대판 2018.1.25. 2015두35116).

ㄴ. (○) 과징금부과는 고의과실을 요하지 않으나, 정당한 사유가 있으면 부과할 수 없다.

> 과징금부과처분은 제재적 행정처분으로서 행정법규 위반이라는 객관적 사실에 착안하여 가하는 제재이므로 반드시 현실적인 행위자가 아니라도 법령상 책임자로 규정된 자에게 부과되고 원칙적으로 위반자의 고의·과실을 요하지 아니하나, 위반자의 의무 해태를 탓할 수 없는 정당한 사유가 있는 등의 특별한 사정이 있는 경우에는 이를 부과할 수 없다(대판 2014.10.15. 2013두5005).

ㄷ. (○) 이행강제금과 대집행의 선택적 활용은 중첩적 제재에 해당하지 않는다.

> 개별사건에 있어서 위반내용, 위반자의 시정의지 등을 감안하여 허가권자는 행정대집행과 이행강제금을 선택적으로 활용할 수 있고, 행정대집행과 이행강제금 부과가 동시에 이루어지는 것이 아니라 허가권자의 합리적인 재량에 의해 선택하여 활용하는 이상 이를 중첩적인 제재에 해당한다고 볼 수 없다(헌재 2011.10.25. 2009헌바140).

ㄹ. (✕) 과태료 부과처분은 이의제기가 있어야 효력을 상실한다.

> 「질서위반행위규제법」 제20조 【이의제기】 ① 행정청의 과태료 부과에 불복하는 당사자는 제17조 제1항에 따른 과태료 부과통지를 받은 날부터 60일 이내에 해당 행정청에 서면으로 이의제기를 할 수 있다.
> ② 제1항에 따른 이의제기가 있는 경우에는 행정청의 과태료 부과처분은 그 효력을 상실한다.

답 ②

092

행정의 실효성 확보수단에 대한 설명으로 옳지 않은 것은? (다툼이 있는 경우 판례에 의함)

① 질서위반행위에 대하여 과태료를 부과하는 근거 법령이 개정되어 행위 시의 법률에 의하면 과태료 부과대상이었지만 재판 시의 법률에 의하면 부과대상이 아니게 된 때에는 개정 법률의 부칙 등에서 행위 시의 법률을 적용하도록 명시하는 등 특별한 사정이 없는 한 재판시의 법률을 적용하여야 한다.

② 「건축법」상 이행강제금은 시정명령의 불이행이라는 과거의 위반행위에 대한 제재이므로, 건축주가 장기간 시정명령을 이행하지 않았다면 그 기간 중에 시정명령의 이행 기회가 제공되지 않았다가 뒤늦게 이행 기회가 제공된 경우라 하더라도 이행 기회가 제공되지 않은 과거의 기간에 대한 이행강제금까지 한꺼번에 부과할 수 있다.

③ 세법상 가산세를 부과할 때 납세자에게 조세납부를 거부 또는 지연하는데 고의 또는 과실이 있었는지는 원칙적으로 고려하지 않지만, 납세의무자의 의무해태를 탓할 수 없는 정당한 사유가 있는 경우에는 가산세를 부과할 수 없다.

④ 재량행위인 과징금부과처분이 해당 법령이 정한 한도액을 초과하여 부과된 경우 이러한 과징금부과처분은 법이 정한 한도액을 초과하여 위법하므로 법원으로서는 그 전부를 취소할 수밖에 없고, 그 한도액을 초과한 부분만 취소할 수는 없다.

2018년 국가직 9급

① (○) 질서위반행위규제법은 '질서위반행위의 성립과 과태료 처분은 행위 시의 법률에 따른다'고 하면서도(제3조 제1항), "질서위반행위 후 법률이 변경되어 그 행위가 질서위반행위에 해당하지 아니하게 되거나 과태료가 변경되기 전의 법률보다 가볍게 된 때에는 법률에 특별한 규정이 없는 한 변경된 법률을 적용한다."고 규정하고 있다(제3조 제2항). 따라서 질서위반행위에 대하여 과태료를 부과하는 근거 법령이 개정되어 행위 시의 법률에 의하면 과태료 부과대상이었지만 재판 시의 법률에 의하면 부과대상이 아니게 된 때에는 개정 법률의 부칙 등에서 행위 시의 법률을 적용하도록 명시하는 등 특별한 사정이 없는 한 재판 시의 법률을 적용하여야 하므로 과태료를 부과할 수 없다(대결 2017.4.7. 2016마1626).

② (×) 구 건축법상 이행강제금은 시정명령의 불이행이라는 과거의 위반행위에 대한 제재가 아니라, 시정명령을 이행하지 않고 있는 건축주·공사시공자·현장관리인·소유자·관리자 또는 점유자(이하 '건축주 등'이라 한다)에 대하여 다시 상당한 이행기한을 부여하고 기한 안에 시정명령을 이행하지 않으면 이행강제금이 부과된다는 사실을 고지함으로써 의무자에게 심리적 압박을 주어 시정명령에 따른 의무의 이행을 간접적으로 강제하는 행정상의 간접강제 수단에 해당한다. … 따라서 비록 건축주 등이 장기간 시정명령을 이행하지 아니하였더라도, 그 기간 중에는 시정명령의 이행 기회가 제공되지 아니하였다가 뒤늦게 시정명령의 이행 기회가 제공된 경우라면, 시정명령의 이행 기회 제공을 전제로 한 1회분의 이행강제금만을 부과할 수 있고, 시정명령의 이행 기회가 제공되지 아니한 과거의 기간에 대한 이행강제금까지 한꺼번에 부과할 수는 없다. 그리고 이를 위반하여 이루어진 이행강제금 부과처분은 과거의 위반행위에 대한 제재가 아니라 행정상의 간접강제 수단이라는 이행강제금의 본질에 반하여 구 건축법 제80조 제1항, 제4항 등 법규의 중요한 부분을 위반한 것으로서, 그러한 하자는 중대할 뿐만 아니라 객관적으로도 명백하다(대판 2016.7.14. 2015두46598).

③ (○) 세법상 가산세는 과세권의 행사 및 조세채권의 실현을 용이하게 하기 위하여 납세자가 정당한 이유 없이 법에 규정된 신고, 납세 등 각종 의무를 위반한 경우에 개별세법이 정하는 바에 따라 부과되는 행정상의 제재로서 납세자의 고의, 과실은 고려되지 않는 반면, 납세의무자가 그 의무를 알지 못한 것이 무리가 아니었다고 할 수 있어 그를 정당시할 수 있는 사정이 있거나 그 의무의 이행을 당사자에게 기대하는 것이 무리라고 하는 사정이 있을 때 등 그 의무해태를 탓할 수 없는 정당한 사유가 있는 경우에는 이를 부과할 수 없고, 납세의무자가 세무공무원의 잘못된 설명을 믿고 그 신고납부의무를 이행하지 아니하였다 하더라도 그것이 관계 법령에 어긋나는 것임이 명백한 때에는 그러한 사유만으로 정당한 사유가 있다고 볼 수 없다(대판 1997.8.22. 96누15404).

문제 DATA

출제가능 지수 ▶▶▷
난이도 지수 ★★☆

함께 정리하기

행정의 실효성 확보수단

재판시 법률에 의해 과태료 부과대상×
▷ 재판시 법률 적용(과태료 부과 불가)

이행기회가 제공되지 않은 과거 기간까지 포함한 이행강제금 부과
▷ 무효

가산세
▷ 고의·과실 불요
▷ 정당한 사유 있는 경우 부과 불가

재량행위인 과징금부과처분이 법이 정한 한도액을 초과하여 위법
▷ 전부 취소

④ (○) 자동차운수사업면허조건 등을 위반한 사업자에 대하여 행정청이 행정제재수단으로 사업 정지를 명할 것인지, 과징금을 부과할 것인지, 과징금을 부과키로 한다면 그 금액은 얼마로 할 것인지에 관하여 재량권이 부여되었다할 것이므로 과징금부과처분이 법이 정한 한도액을 초과하여 위법할 경우 법원으로서는 그 전부를 취소할 수밖에 없고, 그 한도액을 초과한 부분이나 법원이 적정하다고 인정되는 부분을 초과한 부분만을 취소할 수 없다(대판 1998.4.10. 98두2270).

답 ②

093

행정상 강제집행에 대한 설명으로 가장 옳지 않은 것은? (다툼이 있는 경우 판례에 의함)

① 계고처분의 후속절차인 대집행에 위법이 있다 하더라도 선행절차인 계고처분이 부적법하게 되는 것은 아니다.
② 구 「건축법」상의 이행강제금 납부의무는 상속인 기타의 사람에게 승계될 수 있다.
③ 행정상 강제징수에 있어 독촉은 처분성이 인정되나 최초 독촉 후에 동일한 내용에 대해 반복한 독촉은 처분성이 인정되지 않는다.
④ 직접강제는 권력적 사실행위로서 처분성이 인정되므로 항고소송의 대상이 되지만 통상 단기간에 종료되므로 소의 이익이 부정될 가능성이 크다.

2018년 경찰

① (○) 계고처분의 후속절차인 대집행에 위법이 있다고 하더라도, 그와 같은 후속절차에 위법성이 있다는 점을 들어 선행절차인 계고처분이 부적법하다는 사유로 삼을 수는 없다(대판 1997.2.14. 96누15428).
② (×) 구 건축법상의 이행강제금은 구 건축법의 위반행위에 대하여 시정명령을 받은 후 시정기간 내에 당해 시정명령을 이행하지 아니한 건축주 등에 대하여 부과되는 간접강제의 일종으로서 그 이행강제금 납부의무는 상속인 기타의 사람에게 승계될 수 없는 일신전속적인 성질의 것이므로 이미 사망한 사람에게 이행강제금을 부과하는 내용의 처분이나 결정은 당연무효이고, 이행강제금을 부과받은 사람의 이의에 의하여 비송사건절차법에 의한 재판절차가 개시된 후에 그 이의한 사람이 사망한 때에는 사건 자체가 목적을 잃고 절차가 종료한다(대결 2006.12.8. 2006마470).
③ (○) 구 의료보험법 제45조, 제55조, 제55조의2의 각 규정에 의하면, 보험자 또는 보험자단체가 사기 기타 부정한 방법으로 보험급여비용을 받은 의료기관에게 그 급여비용에 상당하는 금액을 부당이득으로 징수할 수 있고, 그 의료기관이 납부고지에서 지정된 납부기한까지 징수금을 납부하지 아니한 경우 국세체납절차에 의하여 강제징수할 수 있는바, 보험자 또는 보험자단체가 부당이득금 또는 가산금의 납부를 독촉한 후 다시 동일한 내용의 독촉을 하는 경우 최초의 독촉만이 징수처분으로서 항고소송의 대상이 되는 행정처분이 되고 그 후에 한 동일한 내용의 독촉은 체납처분의 전제요건인 징수처분으로서 소멸시효 중단사유가 되는 독촉이 아니라 민법상의 단순한 최고에 불과하여 국민의 권리의무나 법률상의 지위에 직접적으로 영향을 미치는 것이 아니므로 항고소송의 대상이 되는 행정처분이라 할 수 없다(대판 1999.7.13. 97누119).
④ (○) 직접강제는 행정상 의무의 불이행이 있는 경우에 행정청이 직접 의무자의 신체나 재산에 실력을 가하여 의무의 이행이 있는 것과 동일한 상태를 실현하는 행정작용을 말하는 것으로 권력적 사실행위에 해당하며 처분성이 인정된다. 직접강제는 항고소송의 대상이 되지만 통상 단기간에 종료되므로 소의 이익이 부정될 가능성이 크다.

답 ②

문제 DATA

출제가능 지수 ▶▶▷
난이도 지수 ★★☆

함께 정리하기

행정상 강제집행

후속절차인 대집행에 하자
▷ 선행절차인 계고처분 부적법×

이행강제금 납부의무
▷ 일신전속적(승계×)

반복된 독촉
▷ 1차 독촉만 처분성○
▷ 2차 독촉은 처분성×

직접강제
▷ 권력적 사실행위: 처분성○
▷ But 단기간에 집행종료: 소의 이익×

094 □□□

행정의 실효성 확보수단에 대한 설명으로 옳은 것을 모두 고른 것은? (다툼이 있는 경우 판례에 의함)

> ㄱ. 이행강제금부과처분의 상대방이 사망하면 미납된 이행강제금의 납부의무는 상속인에게 승계된다.
> ㄴ. 권원 없이 국유재산에 설치된 시설물에 대하여 대집행을 실시할 수 있는 경우 행정청은 민사소송의 방법으로 그 시설물의 철거를 구할 수 없다.
> ㄷ. 「건축법」상 시정명령이 없으면 이행강제금을 부과할 수 없다.
> ㄹ. 「질서위반행위규제법」상 과태료는 고의 또는 과실이 없는 질서위반행위에 대해서도 부과될 수 있다.

① ㄱ, ㄴ   ② ㄱ, ㄷ
③ ㄱ, ㄹ   ④ ㄴ, ㄷ
⑤ ㄷ, ㄹ

문제 DATA
출제가능 지수 ▶▶▷
난이도 지수 ★★☆

2018년 행정사

ㄱ. (✕) 이행강제금부과 후 상대방 사망시 납부의무는 상속되지 않는다.

구 건축법상의 이행강제금은 간접강제의 일종으로서 그 이행강제금 납부의무는 상속인 기타의 사람에게 승계될 수 없는 일신전속적인 성질의 것이므로 이미 사망한 사람에게 이행강제금을 부과하는 내용의 처분이나 결정은 당연무효이고, 이행강제금을 부과받은 사람의 이의에 의하여 비송사건절차법에 의한 재판절차가 개시된 후에 그 이의한 사람이 사망한 때에는 사건 자체가 목적을 잃고 절차가 종료한다(대결 2006.12.8. 2006마470).

ㄴ. (○) 대집행이 가능한 경우에는 민사소송으로 철거청구를 할 수 없다.

이 사건 토지는 잡종재산인 국유재산으로서, 국유재산법 제52조는 "정당한 사유 없이 국유재산을 점유하거나 이에 시설물을 설치한 때에는 행정대집행법을 준용하여 철거 기타 필요한 조치를 할 수 있다."고 규정하고 있으므로, 관리권자인 보령시장으로서는 행정대집행의 방법으로 이 사건 시설물을 철거할 수 있고, 이러한 행정대집행의 절차가 인정되는 경우에는 따로 민사소송의 방법으로 피고들에 대하여 이 사건 시설물의 철거를 구하는 것은 허용되지 않는다고 할 것이다(대판 2009.6.11. 2009다1122).

유제 19. 지방직 9급 · 5급 승진, 17. 국가직 9급 관계법령상 행정대집행의 절차가 인정되어 행정청이 행정대집행의 방법으로 건물의 철거 등 대체적 작위의무의 이행을 실현할 수 있는 경우에도 따로 민사소송의 방법으로 그 의무의 이행을 구할 수 있다. (✕)

ㄷ. (○) 이행강제금의 부과는 시정명령을 전제로 한다.

허가권자는 먼저 건축주 등에 대하여 상당한 기간을 정하여 시정명령을 하고, 건축주 등이 그 시정기간 내에 시정명령을 이행하지 아니하면, 다시 그 시정명령의 이행에 필요한 상당한 이행기한을 정하여 그 기한까지 시정명령을 이행할 수 있는 기회를 준 후가 아니면 이행강제금을 부과할 수 없다(대판 2010.6.24. 2010두3978).

유제 20. 국회직 8급 이행강제금은 법령으로 정하는 바에 따라 계고나 시정명령 없이 부과할 수 있으며 법령으로 정하는 바에 따라 반복적으로 이행할 때까지 부과할 수 있다. (✕)

ㄹ. (✕) 「질서위반행위규제법」상 과태료는 고의 또는 과실을 요한다.

질서위반행위규제법은 과태료의 부과대상인 질서위반행위에 대하여도 책임주의 원칙을 채택하여 제7조에서 "고의 또는 과실이 없는 질서위반행위는 과태료를 부과하지 아니한다."고 규정하고 있으므로, 질서위반행위를 한 자가 자신의 책임 없는 사유로 위반행위에 이르렀다고 주장하는 경우 법원으로서는 그 내용을 살펴 행위자에게 고의나 과실이 있는지를 따져보아야 한다(대결 2011.7.14. 2011마364).

답 ④

함께 정리하기
행정의 실효성 확보수단

이행강제금 부과처분 후 상대방 사망
▷ 납부의무 상속✕

대집행 가능한 경우
▷ 민사소송으로 철거청구 불가

이행강제금 부과
▷ 시정명령 전제

「질서위반행위규제법」상 과태료
▷ 고의 · 과실 요함

095 ☐☐☐

이행강제금에 대한 설명으로 옳지 않은 것은? (다툼이 있는 경우 판례에 의함)

① 형사처벌과 이행강제금의 병과는 이중처벌에 해당하지 않는다.
② 이행강제금은 장래에 의무이행을 확보하기 위한 강제수단이다.
③ 구 「건축법」상 이행강제금 납부의무는 일신전속적인 성질을 갖는다.
④ 장기미등기자가 등기신청의무의 이행기간이 지나서 등기신청을 한 경우에도 이행강제금을 부과할 수 있다.

2017년 교육행정직

① (○) 형사처벌과 이행강제금의 병과는 이중처벌에 해당하지 않는다.

> 건축법 제78조에 의한 무허가 건축행위에 대한 형사처벌과 건축법 제83조 제1항에 의한 시정명령 위반에 대한 이행강제금의 부과는 그 처벌 내지 제재대상이 되는 기본적 사실관계로서의 행위를 달리하며, 또한 그 보호법익과 목적에서도 차이가 있으므로 헌법 제13조 제1항이 금지하는 이중처벌에 해당한다고 할 수 없다(헌재 2004.2.26. 2001헌바80).

② (○) 이행강제금이란 일정한 기한까지 의무자가 이행하지 않는 경우에는 일정액수의 금전이 부과될 것임을 의무자에게 미리 계고함으로써 심리적 압박에 의하여 장래에 향하여 행정상 의무이행을 확보하려는 강제집행수단의 일종이다.

유제 18. 국회직 8급 이행강제금은 행정법상의 작위 또는 부작위의무를 이행하지 않은 경우에 '일정한 기한까지 의무를 이행하지 않을 때에는 일정한 금전적 부담을 과할 뜻'을 미리 '계고'함으로써 의무자에게 심리적 압박을 주어 장래를 향하여 의무의 이행을 확보하려는 간접적인 행정상 강제집행 수단이다. (○)

③ (○) 이행강제금 납부의무는 일신전속적 성질을 갖는다.

> 구 건축법상의 이행강제금은 간접강제의 일종으로서 그 이행강제금 납부의무는 상속인 기타의 사람에게 승계될 수 없는 일신전속적인 성질의 것이므로 이미 사망한 사람에게 이행강제금을 부과하는 내용의 처분이나 결정은 당연무효이고, 이행강제금을 부과 받은 사람의 이의에 의하여 비송사건절차법에 의한 재판절차가 개시된 후에 그 이의한 사람이 사망한 때에는 사건 자체가 목적을 잃고 절차가 종료한다(대결 2006.12.8. 2006마470).

④ (✕) 이행기간 경과 후 이행시 이행강제금을 부과할 수 없다.

> 장기미등기자에 대하여 부과되는 이행강제금은 행정상의 간접강제 수단에 해당한다. 따라서 장기미등기자가 이행강제금 부과 전에 등기신청의무를 이행하였다면 이행강제금의 부과로써 이행을 확보하고자 하는 목적은 이미 실현된 것이므로 부동산실명법 제6조 제2항에 규정된 기간이 지나서 등기신청의무를 이행한 경우라 하더라도 이행강제금을 부과할 수 없다고 보아야 한다(대판 2016.6.23. 2015두36454).

답 ④

III 직접강제

096 □□□

「식품위생법」은 표시의무를 위반한 유전자변형식품의 판매 또는 판매목적의 수입·진열·운반 등을 금지하고 있다. 동법상 그 실효성 확보수단에 대한 설명으로 옳지 않은 것은?

① 실효성 확보수단을 그 성질에 따라 행정강제와 행정벌로 구분하는 경우 제79조의 영업소 폐쇄조치는 전자에, 제97조에서 정한 벌칙('3년 이하의 징역 또는 3천만원 이하의 벌금')은 후자에 속한다.
② 제75조에 따른 영업소 폐쇄명령의 불이행에 대한 제79조 제1항 제3호의 '해당 영업소의 시설물과 영업에 사용하는 기구 등을 사용할 수 없게 하는 봉인'은 행정청이 직접 의무자의 신체·재산에 실력을 가하는 강제수단으로서 강학상으로는 행정상 즉시강제에 해당한다.
③ 제82조의 '영업정지 등의 처분에 갈음하여 부과하는 과징금처분'은 과거의 법위반에 대한 행정제재로서 불이행한 의무를 장래에 향해 실현시키는 행정상 강제집행과는 구분된다.
④ 제97조의 벌칙은 형법총칙이 적용되는 행정형벌이라는 점에서 「질서위반행위규제법」이 적용되는 과태료와는 구별된다.
⑤ 제100조의 양벌규정의 적용에 있어서 법인이 종업원의 위반행위를 방지하기 위하여 상당한 주의와 감독을 게을리하지 아니한 때에는 처벌할 수 없다.

2018년 5급 승진

① (○) 영업소의 폐쇄조치는 직접강제에 해당하므로 행정강제에 해당하고, 벌칙규정은 형벌을 수단으로 하므로 행정벌 중 행정형벌에 해당한다.

> 「식품위생법」 제79조 【폐쇄조치 등】① 식품의약품안전처장, 시·도지사 또는 시장·군수·구청장은 제37조 제1항, 제4항 또는 제5항을 위반하여 허가받지 아니하거나 신고 또는 등록하지 아니하고 영업을 하는 경우 또는 제75조 제1항 또는 제2항에 따라 허가 또는 등록이 취소되거나 영업소 폐쇄명령을 받은 후에도 계속하여 영업을 하는 경우에는 해당 영업소를 폐쇄하기 위하여 관계 공무원에게 다음 각 호의 조치를 하게 할 수 있다.
> 1. 해당 영업소의 간판 등 영업 표지물의 제거나 삭제
> 2. 해당 영업소가 적법한 영업소가 아님을 알리는 게시문 등의 부착
> 3. 해당 영업소의 시설물과 영업에 사용하는 기구 등을 사용할 수 없게 하는 봉인(封印)
> 제97조 【벌칙】 다음 각 호의 어느 하나에 해당하는 자는 3년 이하의 징역 또는 3천만원 이하의 벌금에 처한다.

② (×) 설문에서 폐쇄명령의 불이행이 전제되고 있다. 사전에 부과된 의무불이행을 전제로 행해지므로 직접강제에 해당한다. 즉시강제는 의무부과 없이 행해지는 작용을 의미한다.

> 「식품위생법」 제79조 【폐쇄조치 등】① 식품의약품안전처장, 시·도지사 또는 시장·군수·구청장은 제37조 제1항, 제4항 또는 제5항을 위반하여 허가받지 아니하거나 신고 또는 등록하지 아니하고 영업을 하는 경우 또는 제75조 제1항 또는 제2항에 따라 허가 또는 등록이 취소되거나 영업소 폐쇄명령을 받은 후에도 계속하여 영업을 하는 경우에는 해당 영업소를 폐쇄하기 위하여 관계 공무원에게 다음 각 호의 조치를 하게 할 수 있다.
> 1. 해당 영업소의 간판 등 영업 표지물의 제거나 삭제
> 2. 해당 영업소가 적법한 영업소가 아님을 알리는 게시문 등의 부착
> 3. 해당 영업소의 시설물과 영업에 사용하는 기구 등을 사용할 수 없게 하는 봉인(封印)

유제 19. 소방직, 14. 지방직 9급 「식품위생법」상 영업소 폐쇄명령을 받은 자가 영업을 계속할 경우 강제폐쇄하는 조치는 행정상 즉시강제에 해당한다. (×)

③ (○) 영업정지에 갈음하여 부과하는 과징금은 변형된 과징금으로 사업자체는 존속시키되 당해 사업으로부터 발생되는 이익을 박탈함으로써 의무이행을 확보시키는 금전상 제재를 말한다. 따라서 강제집행과 구별되는 개념이다.

문제 DATA
출제가능 지수 ▶▶▷
난이도 지수 ★☆☆

함께 정리하기
행정의 실효성 확보수단

영업소 폐쇄조치
▷ 행정강제

벌금
▷ 행정벌

영업소 폐쇄명령 불이행에 대한 봉인
▷ 직접강제

과징금
▷ 금전상 제재

벌칙
▷ ~~행정형벌~~(과태료×)

종업원에 대한 주의감독을 게을리하지 않은 법인
▷ 양벌규정에 따라 처벌 불가

> 「식품위생법」 제82조 【영업정지 등의 처분에 갈음하여 부과하는 과징금 처분】 ① 식품의약품안전처장, 시·도지사 또는 시장·군수·구청장은 영업자가 제75조 제1항 각 호 또는 제76조 제1항 각 호의 어느 하나에 해당하는 경우에는 대통령령으로 정하는 바에 따라 영업정지, 품목 제조정지 또는 품목류 제조정지 처분을 갈음하여 10억원 이하의 과징금을 부과할 수 있다. (이하 생략)

④ (○) 행정벌은 행정형벌(형법총칙 적용)과 행정질서벌(「질서위반행위규제법」 적용)로 나뉘는바, 벌칙에서는 징역·벌금을 수단으로 하고 있으므로 행정형벌에 해당한다.

> 「식품위생법」 제97조 【벌칙】 다음 각 호의 어느 하나에 해당하는 자는 3년 이하의 징역 또는 3천만원 이하의 벌금에 처한다.

⑤ (○)

> 「식품위생법」 제100조 【양벌규정】 법인의 대표자나 법인 또는 개인의 대리인, 사용인, 그 밖의 종업원이 그 법인 또는 개인의 업무에 관하여 제93조 제3항 또는 제94조부터 제97조까지의 어느 하나에 해당하는 위반행위를 하면 그 행위자를 벌하는 외에 그 법인 또는 개인에게도 해당 조문의 벌금형을 과(科)하고, 제93조 제1항의 위반행위를 하면 그 법인 또는 개인에 대하여도 1억5천만원 이하의 벌금에 처하며, 제93조 제2항의 위반행위를 하면 그 법인 또는 개인에 대하여도 5천만원 이하의 벌금에 처한다. 다만, 법인 또는 개인이 그 위반행위를 방지하기 위하여 해당 업무에 관하여 상당한 주의와 감독을 게을리하지 아니한 경우에는 그러하지 아니하다.

답 ②

097

허가업의 식품접객업자가 행정청의 영업소폐쇄명령을 받은 후에 계속하여 영업을 하는 경우 행정청이 사용할 수 있는 행정의 실효성 확보수단은?

① 집행벌
② 행정상 강제징수
③ 직접강제
④ 행정상 즉시강제

2007년 국가직 9급

③ (○) 행정청의 영업소폐쇄명령을 받은 후에 식품접객업자가 이를 불이행하는 경우 행정청이 사용할 수 있는 수단인 「식품위생법」 제79조에 의한 영업장 또는 사업장의 폐쇄는 직접강제에 해당한다. 직접강제란 의무자의 신체·재산에 직접 실력을 가함으로써 의무이행이 있었던 것과 같은 상태를 실현시키는 가장 강력한 강제집행수단이다. 직접강제는 사전에 부과된 의무불이행을 전제로 행해진다는 점에서 의무불이행의 전제 없이 이루어지는 즉시강제와 구별된다.

> 「식품위생법」 제79조 【폐쇄조치 등】 ① 식품의약품안전처장, 시·도지사 또는 시장·군수·구청장은 제37조 제1항, 제4항 또는 제5항을 위반하여 허가받지 아니하거나 신고 또는 등록하지 아니하고 영업을 하는 경우 또는 제75조 제1항 또는 제2항에 따라 허가 또는 등록이 취소되거나 영업소 폐쇄명령을 받은 후에도 계속하여 영업을 하는 경우에는 해당 영업소를 폐쇄하기 위하여 관계 공무원에게 다음 각 호의 조치를 하게 할 수 있다.
> 1. 해당 영업소의 간판 등 영업 표지물의 제거나 삭제
> 2. 해당 영업소가 적법한 영업소가 아님을 알리는 게시문 등의 부착
> 3. 해당 영업소의 시설물과 영업에 사용하는 기구 등을 사용할 수 없게 하는 봉인

답 ③

Ⅳ 강제징수

098 □□□

행정상 강제에 대한 설명으로 옳은 것은? (다툼이 있는 경우 판례에 의함)

① 관계 법령상 행정대집행의 절차가 인정되어 행정청이 행정대집행의 방법으로 건물의 철거 등 대체적 작위의무의 이행을 실현할 수 있는 경우에도 따로 민사소송의 방법으로 그 의무의 이행을 구할 수 있다.
② 건물의 점유자가 철거의무자이더라도 건물철거의무에 퇴거의무는 포함되어 있는 것이 아니어서 그 건물철거를 위한 행정대집행을 하려면 별도로 퇴거를 명하는 집행권원이 필요하다.
③ 직접강제는 행정대집행이나 이행강제금 부과의 방법으로 행정상 의무 이행을 확보할 수 있는 경우에도 실시할 수 있다.
④ 이행강제금은 일신전속적인 성질의 것이 아니어서 그 이행강제금 납부의무는 상속인 기타의 사람에게 승계된다.
⑤ 독촉절차 없이 압류처분을 하였다고 하더라도 이러한 사유만으로는 압류처분을 무효로 되게 하는 중대하고도 명백한 하자가 되지 아니한다.

> **문제 DATA**
> 출제가능 지수 ▶▶▷
> 난이도 지수 ★★☆

2025년 소방간부

①, ② (✕) 관계 법령상 행정대집행의 절차가 인정되어 행정청이 행정대집행의 방법으로 건물의 철거 등 대체적 작위의무의 이행을 실현할 수 있는 경우에는 따로 민사소송의 방법으로 그 의무의 이행을 구할 수 없다(①). 한편 건물의 점유자가 철거의무자일 때에는 건물철거의무에 퇴거의무도 포함되어 있는 것이어서 별도로 퇴거를 명하는 집행권원이 필요하지 않다(②)(대판 2017.4.28. 2016다213916).

③ (✕)

> 「행정기본법」제32조【직접강제】① 직접강제는 행정대집행이나 이행강제금 부과의 방법으로는 행정상 의무 이행을 확보할 수 없거나 그 실현이 불가능한 경우에 실시하여야 한다.
> ② 직접강제를 실시하기 위하여 현장에 파견되는 집행책임자는 그가 집행책임자임을 표시하는 증표를 보여 주어야 한다.
> ③ 직접강제의 계고 및 통지에 관하여는 제31조 제3항 및 제4항을 준용한다.

④ (✕) 구 건축법(2005.11.8. 법률 제7696호로 개정되기 전의 것)상의 이행강제금은 구 건축법의 위반 행위에 대하여 시정명령을 받은 후 시정기간 내에 당해 시정명령을 이행하지 아니한 건축주 등에 대하여 부과되는 간접강제의 일종으로서 그 이행강제금 납부의무는 상속인 기타의 사람에게 승계될 수 없는 일신전속적인 성질의 것이므로 이미 사망한 사람에게 이행강제금을 부과하는 내용의 처분이나 결정은 당연무효이고, 이행강제금을 부과받은 사람의 이의에 의하여 비송사건절차법에 의한 재판절차가 개시된 후에 그 이의한 사람이 사망한 때에는 사건 자체가 목적을 잃고 절차가 종료한다(대결 2006.12.8. 2006마470).

⑤ (○) 납세의무자가 세금을 납부기한까지 납부하지 아니하자 과세청이 그 징수를 위하여 압류처분에 이른 것이라면 비록 독촉절차없이 압류처분을 하였다 하더라도 이러한 사유만으로는 압류처분을 무효로 되게 하는 중대하고도 명백한 하자로는 되지 않는다(대판 1987.9.22. 87누383).

답 ⑤

> **함께 정리하기**
> **행정상 강제**
>
> **행정대집행 可**
> ▷ 민사소송으로 의무이행 소구 不可
>
> **건물점유자가 철거의무자**
> ▷ 퇴거 명하는 집행권원 不要(∵철거의무에 퇴거의무 포함)
>
> **직접강제**
> ▷ 대집행, 이행강제금으로 의무이행확보·실현불가능한 경우 실시
>
> **이행강제금 납부의무**
> ▷ 일신전속적(승계✕)
>
> **독촉절차 없이 압류처분**
> ▷ 취소사유

문제 DATA

출제가능 지수 ▶▶▷
난이도 지수 ★★★

099 □□□

다음 사례에 대한 설명으로 옳은 것을 모두 고른 것은? (다툼이 있는 경우 판례에 의함)

> 甲은 X토지를 소유하고 있는데, X토지에 인접한 토지로서 등기부상 乙의 명의임이 명백한 Y토지에 대한 재산세가 2024.2.1. 甲에게 부과되었다. 자기 토지의 위치를 정확히 기억하지 못하고 있던 甲은 이를 납부하지 않고 있다가 2024.4.1. 「지방세징수법」상 독촉을 받았고, 2024.5.1.과 2024.6.3.에도 재차 독촉을 받은 후, 2024.6.17. 세금을 납부하였다. 甲은 자신이 재산세를 납부할 의무자가 아니라는 사실을 알고 쟁송을 통해 구제받고자 한다.
> * 위 사례는 가상으로 구성한 것임

> ㄱ. 「지방세법」에 따른 재산세 부과처분에 관한 조세심판사항에는 「행정절차법」이 적용되지 아니한다.
> ㄴ. 「지방세징수법」상 지방자치단체장은 납세자가 재산세를 체납하면 허가등이 필요한 사업의 주무관청에 대하여 그 납세자에게 허가등을 하지 아니할 것을 요구할 수 있다.
> ㄷ. 독촉에 대하여 쟁송절차로 다툴 경우 그 대상이 되는 것은 맨 마지막에 한 2024.6.3.자 독촉이다.
> ㄹ. 2024.2.1. 甲에 대한 재산세 부과처분은 의무자가 아닌 자에게 납부의무를 부여한 것이므로 당연무효에 해당한다.

① ㄱ, ㄴ
② ㄴ, ㄷ
③ ㄱ, ㄴ, ㄹ
④ ㄱ, ㄷ, ㄹ
⑤ ㄱ, ㄴ, ㄷ, ㄹ

2025년 변호사

ㄱ. (○)

> 「행정절차법」 제3조 【적용 범위】 ① 처분, 신고, 확약, 위반사실 등의 공표, 행정계획, 행정상 입법예고, 행정예고 및 행정지도의 절차(이하 "행정절차"라 한다)에 관하여 다른 법률에 특별한 규정이 있는 경우를 제외하고는 이 법에서 정하는 바에 따른다.
> ② 이 법은 다음 각 호의 어느 하나에 해당하는 사항에 대하여는 적용하지 아니한다.
> 1. 국회 또는 지방의회의 의결을 거치거나 동의 또는 승인을 받아 행하는 사항
> 2. 법원 또는 군사법원의 재판에 의하거나 그 집행으로 행하는 사항
> 3. 헌법재판소의 심판을 거쳐 행하는 사항
> 4. 각급 선거관리위원회의 의결을 거쳐 행하는 사항
> 5. 감사원이 감사위원회의의 결정을 거쳐 행하는 사항
> 6. 형사(刑事), 행형(行刑) 및 보안처분 관계 법령에 따라 행하는 사항
> 7. 국가안전보장·국방·외교 또는 통일에 관한 사항 중 행정절차를 거칠 경우 국가의 중대한 이익을 현저히 해칠 우려가 있는 사항
> 8. 심사청구, 해양안전심판, 조세심판, 특허심판, 행정심판, 그 밖의 불복절차에 따른 사항
> 9. 「병역법」에 따른 징집·소집, 외국인의 출입국·난민인정·귀화, 공무원 인사 관계 법령에 따른 징계와 그 밖의 처분, 이해 조정을 목적으로 하는 법령에 따른 알선·조정·중재(仲裁)·재정(裁定) 또는 그 밖의 처분 등 해당 행정작용의 성질상 행정절차를 거치기 곤란하거나 거칠 필요가 없다고 인정되는 사항과 행정절차에 준하는 절차를 거친 사항으로서 대통령령으로 정하는 사항

ㄴ. (○)

> 「지방세징수법」 제7조 【관허사업의 제한】 ① 지방자치단체의 장은 납세자가 대통령령으로 정하는 사유 없이 지방세를 체납하면 허가·인가·면허·등록 및 대통령령으로 정하는 신고와 그 갱신(이하 "허가등"이라 한다)이 필요한 사업의 주무관청에 그 납세자에게 허가등을 하지 아니할 것을 요구할 수 있다.

ㄷ. (×) 쟁송대상이 되는 독촉은 최초의 독촉인 2024.4.1.자 독촉이다. 이후의 독촉은 단순한 최고에 불과하여 항고소송의 대상이 되는 행정처분이라 할 수 없다.

함께 정리하기

사례

조세부과처분에 관한 조세심판사항
▷ 「행정절차법」 적용 ×

「지방세징수법」상 관허사업제한
▷ 체납자에게 허가 등 제한요구 가

반복된 독촉
▷ 1차 독촉만 처분성 ○
▷ 2차 독촉은 처분성 ×

납세의무자 아닌 자에 대한 부과처분
▷ 무효

구 의료보험법(1994.1.7. 법률 제4728호로 전문 개정되기 전의 것) 제45조, 제55조, 제55조의2의 각 규정에 의하면, 보험자 또는 보험자단체가 사기 기타 부정한 방법으로 보험급여비용을 받은 의료기관에게 그 급여비용에 상당하는 금액을 부당이득으로 징수할 수 있고, 그 의료기관이 납부고지에서 지정된 납부기한까지 징수금을 납부하지 아니한 경우 국세체납절차에 의하여 강제징수할 수 있는바, 보험자 또는 보험자단체가 부당이득금 또는 가산금의 납부를 독촉한 후 다시 동일한 내용의 독촉을 하는 경우 최초의 독촉만이 징수처분으로서 항고소송의 대상이 되는 행정처분이 되고 그 후에 한 동일한 내용의 독촉은 체납처분의 전제요건인 징수처분으로서 소멸시효 중단사유가 되는 독촉이 아니라 민법상의 단순한 최고에 불과하여 국민의 권리의무나 법률상의 지위에 직접적으로 영향을 미치는 것이 아니므로 항고소송의 대상이 되는 행정처분이라 할 수 없다(대판 1999.7.13. 97누119).

ㄹ. (○) 등기부상 乙의 명의임이 명백한 Y토지에 대한 재산세가 甲에게 부과되었으므로 이는 납세의무자가 아닌 자에 대한 재산세 부과처분으로 무효이다.

개발부담금 납부의무자는 사업시행자인 주택조합이고 그 조합원들이 아니므로, 납부의무자가 아닌 조합원들에 대한 개발부담금 부과처분은 그 처분의 법적 근거가 없는 것으로서 그 하자가 중대하고 명백하여 무효이다(대판 1998.2.8. 95다30390).

답 ③

100 □□□

행정상 강제집행에 대한 설명으로 옳은 것은?

① 「농지법」상 이행강제금 부과처분에 대하여 부과권자가 관할 법원에 행정소송을 할 수 있다고 잘못 안내하면서 이행강제금을 부과한 경우 상대방은 항고소송을 통해 다툴 수 있다.
② 관계 법령상 행정대집행의 절차가 인정되어 행정청이 행정대집행의 방법으로 건물의 철거 등 대체적 작위의무의 이행을 실현할 수 있는 경우, 건물의 점유자가 철거의무자일 때에는 별도로 퇴거를 명하는 집행권원이 필요하다.
③ 구 「지방세징수법」상 지방세의 결손처분은 국세의 결손처분과 마찬가지로 더 이상 납세의무가 소멸하는 사유가 아니라 체납처분을 종료하는 의미만을 가지고, 결손처분의 취소는 국민의 권리와 의무에 영향을 미치는 행정처분이 아니다.
④ 납세자가 아닌 제3자의 재산을 대상으로 한 압류처분은 당연무효가 아니라 취소사유에 해당한다.

2024년 지방직 7급

① (×) 농지법은 농지 처분명령에 대한 이행강제금 부과처분에 불복하는 자가 그 처분을 고지받은 날부터 30일 이내에 부과권자에게 이의를 제기할 수 있고, 이의를 받은 부과권자는 지체 없이 관할 법원에 그 사실을 통보하여야 하며, 그 통보를 받은 관할 법원은 비송사건절차법에 따른 과태료 재판에 준하여 재판을 하도록 정하고 있다(제62조 제1항, 제6항, 제7항). 따라서 농지법 제62조 제1항에 따른 이행강제금 부과처분에 불복하는 경우에는 비송사건절차법에 따른 재판절차가 적용되어야 하고, 행정소송법상 항고소송의 대상은 될 수 없다. 농지법 제62조 제6항, 제7항이 위와 같이 이행강제금 부과처분에 대한 불복절차를 분명하게 규정하고 있으므로, 이와 다른 불복절차를 허용할 수는 없다. 설령 피고가 이행강제금 부과처분을 하면서 재결청에 행정심판을 청구하거나 관할 행정법원에 행정소송을 할 수 있다고 잘못 안내하거나 경기도행정심판위원회가 각하재결이 아닌 기각재결을 하면서 관할 법원에 행정소송을 할 수 있다고 잘못 안내하였다고 하더라도, 그러한 잘못된 안내로 행정법원의 항고소송 재판관할이 생긴다고 볼 수도 없다(대판 2019.4.11. 2018두42955).

문제 DATA

출제가능 지수 ▶▶▷
난이도 지수 ★★☆

함께 정리하기

행정상 강제집행

「농지법」상 이행강제금
▷ 행정소송 대상×(비송재판)
▷ 잘못 안내 시에도 마찬가지

건물점유자가 철거의무자
▷ 퇴거 명하는 집행권원 不要(∵철거의무에 퇴거의무 포함)

지방세 결손처분 취소
▷ 행정처분×

제3자 재산의 압류처분
▷ 당연무효

② (×)

> [1] 관계 법령상 행정대집행의 절차가 인정되어 행정청이 행정대집행의 방법으로 건물의 철거 등 대체적 작위의무의 이행을 실현할 수 있는 경우에는 따로 민사소송의 방법으로 그 의무의 이행을 구할 수 없다. 한편 건물의 점유자가 철거의무자일 때에는 건물철거의무에 퇴거의무도 포함되어 있는 것이어서 별도로 퇴거를 명하는 집행권원이 필요하지 않다.
> [2] 행정청이 행정대집행의 방법으로 건물철거의무의 이행을 실현할 수 있는 경우에는 건물철거 대집행 과정에서 부수적으로 건물의 점유자들에 대한 퇴거 조치를 할 수 있고, 점유자들이 적법한 행정대집행을 위력을 행사하여 방해하는 경우 형법상 공무집행방해죄가 성립하므로, 필요한 경우에는 '경찰관 직무집행법'에 근거한 위험발생 방지조치 또는 형법상 공무집행방해죄의 범행방지 내지 현행범체포의 차원에서 경찰의 도움을 받을 수도 있다(대판 2017.4.28. 2016다213916).

③ (○) 1997.8.30. 법률 제5406호로 개정되기 전의 지방세법 제30조의2 제1호는 "결손처분이 된 때"에 납세의무가 소멸한다고 규정하였다가 위 개정으로 결손처분을 납세의무의 소멸사유에서 제외하였다. 2000.12.29. 법률 제6312호로 개정되기 전의 지방세법 제30조의3 제2항은 "결손처분을 한 후 그 처분 당시 다른 압류할 수 있는 재산이 있었던 것을 발견한 때"에는 지체 없이 결손처분을 취소하고 체납처분을 하여야 한다고 규정하였다가, 위와 같이 개정된 지방세법 제30조의3 제2항은 "결손처분을 한 후 압류할 수 있는 다른 재산을 발견한 때"에는 지체 없이 결손처분을 취소하고 체납처분을 하여야 한다고 규정하였다. 지방세의 결손처분 취소에 관하여 위와 같이 개정된 내용은 2010.3.31. 법률 제10219호로 제정된 지방세기본법 제96조 제2항과 2016.12.27. 법률 제14476호로 제정된 지방세징수법 제106조 제2항으로 조문 위치만 바뀌어 현재까지 그대로 유지되고 있다. 이와 같은 지방세법 및 지방세기본법, 지방세징수법의 개정 연혁에 따르면, 이 사건에 적용되는 구 지방세기본법(2016.12.27. 법률 제14474호로 전부 개정되기 전의 것, 이하 '법'이라고 한다)은 물론 현행 지방세징수법하에서도, 지방세의 결손처분은 국세의 결손처분과 마찬가지로 더 이상 납세의무가 소멸하는 사유가 아니라 체납처분을 종료하는 의미만을 가지게 되었고, 결손처분의 취소 역시 국민의 권리와 의무에 영향을 미치는 행정처분이 아니라 과거에 종료되었던 체납처분 절차를 다시 시작한다는 행정절차로서의 의미만을 가지게 되었다고 할 것이다(대판 2019.8.9. 2018다272407).

④ (×) 체납처분으로서 압류의 요건을 규정하는 국세징수법 제24조 각 항의 규정을 보면, 어느 경우에나 압류의 대상을 납세자의 재산에 국한하고 있으므로, 납세자가 아닌 제3자의 재산을 대상으로 한 압류처분은 그 처분의 내용이 법률상 실현될 수 없는 것이어서 당연무효이다(대판 2001.2.23. 2000다68924).

답 ③

101

행정의 실효성 확보수단에 대한 설명으로 옳지 않은 것은? (다툼이 있는 경우 판례에 의함)

① 공매처분을 하면서 체납자 등에게 공매통지를 하지 않았거나 공매통지를 하였더라도 그것이 적법하지 아니한 경우에는 절차상의 흠이 있어 그 공매처분은 위법하다.
② 행정기관의 장이 조사대상자의 자발적인 협조를 얻어 행정조사를 실시하고자 하는 경우 조사대상자는 문서·전화·구두 등의 방법으로 당해 행정조사를 거부할 수 있다.
③ 회사분할시 특별한 규정이 없는 한 신설회사에 대하여 분할하는 회사의 분할 전 법위반행위를 이유로 과징금을 부과하는 것은 허용되지 않는다.
④ 체납자 등은 다른 권리자에 대한 공매통지의 하자를 들어 공매처분의 위법사유로 주장할 수 있다.

| 2023년 군무원 7급

① (○) 체납자 등에 대한 공매통지는 국가의 강제력에 의하여 진행되는 공매에서 체납자 등의 권리 내지 재산상의 이익을 보호하기 위하여 법률로 규정한 절차적 요건이라고 보아야 하며, 공매처분을 하면서 체납자 등에게 공매통지를 하지 않았거나 공매통지를 하였더라도 그것이 적법하지 아니한 경우에는 절차상의 흠이 있어 그 공매처분이 위법하게 되는 것이지만, 공매통지 자체가 그 상대방인 체납자 등의 법적 지위나 권리·의무에 직접적인 영향을 주는 행정처분에 해당한다고 할 것은 아니므로 다른 특별한 사정이 없는 한 체납자 등은 공매통지의 결여나 위법을 들어 공매처분의 취소 등을 구할 수 있는 것이지 공매통지 자체를 항고소송의 대상으로 삼아 그 취소 등을 구할 수는 없다(대판 2011.3.24. 2010두25527).

유제 17. 국가직 7급 「국세징수법」상 체납자에 대한 공매통지는 국가의 강제력에 의하여 진행되는 공매에서 체납자의 권리 내지 재산상의 이익을 보호하기 위하여 법률로 규정한 절차적 요건으로, 이를 이행하지 않은 경우 그 공매처분은 위법하다. (○)
17. 사복직 「국세징수법」상 공매처분을 하면서 체납자에게 공매통지를 하였다면 공매통지가 적법하지 않다 하더라도 공매처분에 절차상 하자가 있다고 할 수는 없다. (×)
23. 지방직·서울시 9급 공매처분을 하면서 체납자에게 공매통지를 하지 않았거나 공매통지를 하였지만 그것이 적법하지 아니하다 하더라도 공매처분 자체는 위법하지 않다. (×)
18. 지방직 9급 「국세징수법」상 체납자 등에 대한 공매통지는 체납자 등의 법적 지위나 권리·의무에 직접적인 영향을 주는 행정처분에 해당하지 아니하므로 공매통지가 적법하지 아니한 경우에도 그에 따른 공매처분이 위법하게 되는 것은 아니다. (×)

② (○)

> 「행정조사기본법」 제20조 【자발적인 협조에 따라 실시하는 행정조사】 ① 행정기관의 장이 제5조 단서에 따라 조사대상자의 자발적인 협조를 얻어 행정조사를 실시하고자 하는 경우 조사대상자는 문서·전화·구두 등의 방법으로 당해 행정조사를 거부할 수 있다.

③ (○) 회사가 분할된 경우, 원칙적으로 신설회사에 대하여 분할하는 회사의 분할 전 법 위반행위를 이유로 과징금을 부과할 수는 없다.

> 회사분할시 신설회사 또는 존속회사가 승계하는 것은 분할하는 회사의 권리와 의무이고, 분할하는 회사의 분할 전 법 위반행위를 이유로 과징금이 부과되기 전까지는 단순한 사실행위만 존재할 뿐 과징금과 관련하여 분할하는 회사에 승계대상이 되는 어떠한 의무가 있다고 할 수 없으므로, 특별한 규정이 없는 한 신설회사에 대하여 분할하는 회사의 분할 전 법 위반행위를 이유로 과징금을 부과하는 것은 허용되지 않는다(대판 2011.5.26. 2008두18335).

④ (×) 체납자 등에 대한 공매통지는 공매의 절차적 요건에 해당하므로, 체납자 등에게 공매통지를 하지 않았거나 적법하지 않은 공매통지를 한 경우 그 공매처분은 위법하다. 다만, 체납자 등은 자신에 대한 공매통지의 하자만을 공매처분의 위법사유로 주장할 수 있을 뿐 다른 권리자에 대한 공매통지의 하자를 들어 공매처분의 위법사유로 주장하는 것은 허용되지 않는다(대판 2008.11.20. 2007두18154 전합).

답 ④

문제 DATA

출제가능 지수 ▶▶▷
난이도 지수 ★★☆

함께 정리하기

행정의 실효성 확보수단

공매통지 하지 않거나 부적법한 공매통지
▷ 공매처분 위법

자발적 협조에 따른 행정조사의 거부
▷ 문서·전화·구두 등의 방법으로 可

회사분할
▷ 제재사유승계×(분할 전 법 위반을 이유로 분할 후 회사에 과징금 부과 불가)

다른 권리자에 대한 공매통지 하자
▷ 체납자 자신이 위법사유로 주장 불가

문제 DATA

출제가능 지수 ▶▶▷
난이도 지수 ★★☆

102 ☐☐☐

행정의 실효성 확보수단에 대한 설명으로 옳지 않은 것은? (다툼이 있는 경우 판례에 의함)

① 구 「국세징수법」상 가산금 또는 중가산금의 고지는 항고소송의 대상이 되는 처분이 아니다.
② 지방자치단체 소속 공무원이 지방자치단체 고유의 자치사무를 수행하던 중 구 「도로법」에 위반하는 행위를 한 경우 지방자치단체는 구 「도로법」상 양벌규정에 따라 처벌대상이 되는 법인에 해당한다.
③ 구 「음반·비디오물 및 게임물에 관한 법률」상 불법게임물에 대한 수거 및 폐기조치는 행정상 즉시강제에 해당한다.
④ 공매처분을 하면서 체납자에게 공매통지를 하지 않았거나 공매통지를 하였지만 그것이 적법하지 아니하다 하더라도 공매처분 자체는 위법하지 않다.

> 2023년 지방직·서울시 9급

① (○) 구 「국세징수법」상 가산금 또는 중가산금의 고지는 항고소송의 대상이 되는 처분이 아니다.

> 국세징수법 제21조, 제22조(현행 삭제)가 규정하는 가산금 또는 중가산금은 국세를 납부기한까지 납부하지 아니하면 과세청의 확정절차 없이도 법률규정에 의하여 당연히 발생하는 것이므로 가산금 또는 중가산금의 고지가 항고소송의 대상이 되는 처분이라고 볼 수 없다(대판 2005.6.10. 2005다15482).

② (○)

> [1] 국가가 본래 그의 사무의 일부를 지방자치단체의 장에게 위임하여 그 사무를 처리하게 하는 기관위임사무의 경우에는 지방자치단체는 국가기관의 일부로 볼 수 있는 것이지만, 지방자치단체가 그 고유의 자치사무를 처리하는 경우에는 지방자치단체는 국가기관의 일부가 아니라 국가기관과는 별도의 독립한 공법인이므로, 지방자치단체 소속 공무원이 지방자치단체 고유의 자치사무를 수행하던 중 도로법 제81조 내지 제85조의 규정에 의한 위반행위를 한 경우에는 지방자치단체는 도로법 제86조의 양벌규정에 따라 처벌대상이 되는 법인에 해당한다.
> [2] 지방자치단체 소속 공무원이 압축트럭 청소차를 운전하여 고속도로를 운행하던 중 제한축중을 초과 적재 운행함으로써 도로관리청의 차량운행제한을 위반한 사안에서, 해당 지방자치단체는 도로법 제86조의 양벌규정에 따른 처벌대상이 된다(대판 2005.11.10. 2004도2657).

③ (○) 행정상 즉시강제 중 대물적 강제에 해당한다.

> 불법게임물은 불법현장에서 이를 즉시 수거하지 않으면 증거인멸의 가능성이 있고, 그 사행성으로 인한 폐해를 막기 어려우며, 대량으로 복제되어 유통될 가능성이 있어, 불법게임물에 대하여 관계당사자에게 수거·폐기를 명하고 그 불이행을 기다려 직접강제 등 행정상의 강제집행으로 나아가는 원칙적인 방법으로는 목적달성이 곤란하다고 할 수 있으므로, 이 사건 법률조항의 설정은 위와 같은 급박한 상황에 대처하기 위한 것으로서 그 불가피성과 정당성이 인정된다. … 또한 이 사건 법률조항이 불법게임물의 수거·폐기에 관한 행정상 즉시강제를 허용함으로써 게임제공업주 등이 입게 되는 불이익보다는 이를 허용함으로써 보호되는 공익이 더 크다고 볼 수 있으므로, 법익의 균형성의 원칙에 위배되는 것도 아니다(헌재 2002.10.31. 2000헌가12).

④ (×) 체납자 등에 대한 공매통지는 공매의 절차적 요건에 해당하므로, 체납자 등에게 공매통지를 하지 않았거나 적법하지 않은 공매통지를 한 경우 그 공매처분은 위법하다(대판 2008.11.20. 2007두18154 전합).

답 ④

함께 정리하기

행정의 실효성 확보수단

구 「국세징수법」상 가산금·중가산금 고지
▷ 행정처분 ✕

자치사무 수행 중 법위반
▷ 지자체 양벌규정 의해 처벌 ○

불법게임물 수거·폐기
▷ 즉시강제

공매통지 하지 않거나 부적법한 공매통지
▷ 공매처분 위법(절차하자)

103

행정법상 실효성 확보수단에 대한 설명으로 옳지 않은 것은? (다툼이 있는 경우 판례에 의함)

① 대집행계고처분 취소소송의 변론종결 전에 사실행위로서 대집행의 실행이 완료된 경우에는 손해배상이나 원상회복 등을 청구하는 것은 별론으로 하고 대집행계고처분의 취소를 구할 법률상 이익은 없다.
② 과세관청이 체납처분으로서 행하는 공매는 우월한 공권력의 행사로서 행정소송의 대상이 되는 공법상의 행정처분이며 공매에 의하여 재산을 매수한 자는 그 공매처분이 취소된 경우에 그 취소처분의 취소를 구할 법률상 이익이 있다.
③ 행정청이 위법 건축물에 대한 시정명령을 하고 나서 위반자가 이를 이행하지 아니하여 전기·전화의 공급자에게 그 위법 건축물에 대한 전기·전화공급을 하지 말아 줄 것을 요청한 행위는 권고적 성격의 행위에 불과한 것으로서 전기·전화공급자나 특정인의 법률상 지위에 직접적인 변동을 가져오는 것은 아니므로 이를 항고소송의 대상이 되는 행정처분이라고 볼 수 없다.
④ 체납자 등에 대한 공매통지는 국가의 강제력에 의하여 진행되는 공매에서 체납자 등의 권리 내지 재산상의 이익을 보호하기 위하여 법률로 규정한 절차적 요건이라고 보아야 하며, 공매처분을 하면서 체납자 등에게 공매통지를 하지 않았거나 공매통지를 하였더라도 그것이 적법하지 아니한 경우에는 절차상의 흠이 있어 그 공매처분이 위법하게 되는 것이므로 위법한 공매통지에 대해서는 처분성이 인정된다.
⑤ 전통적으로 행정대집행은 대체적 작위의무에 대한 강제집행수단으로, 이행강제금은 부작위의무나 비대체적 작위의무에 대한 강제집행수단으로 이해되어 왔으나, 이는 이행강제금제도의 본질에서 오는 제약은 아니며, 이행강제금은 대체적 작위의무의 위반에 대하여도 부과될 수 있다.

2021년 국회직 8급

① (○) 대집행계고처분 취소소송의 변론종결 전에 대집행영장에 의한 통지절차를 거쳐 사실행위로서 대집행의 실행이 완료된 경우에는 행위가 위법한 것이라는 이유로 손해배상이나 원상회복 등을 청구하는 것은 별론으로 하고 처분의 취소를 구할 법률상 이익은 없다(대판 1993.6.8. 93누6164).
② (○) 과세관청이 체납처분으로서 행하는 공매는 우월한 공권력의 행사로서 행정소송의 대상이 되는 공법상의 행정처분이며 공매에 의하여 재산을 매수한 자는 그 공매처분이 취소된 경우에 그 취소처분의 위법을 주장하여 행정소송을 제기할 법률상 이익이 있다(대판 1984.9.25. 84누201).
③ (○) 행정청이 위법 건축물에 대한 시정명령을 하고 나서 위반자가 이를 이행하지 아니하여 전기·전화의 공급자에게 그 위법건축물에 대한 전기·전화공급을 하지 말아 줄 것을 요청한 행위는 권고적 성격의 행위에 불과한 것으로서 이를 항고소송의 대상이 되는 행정처분이라고 볼 수 없다(대판 1996.3.22. 96누433).
④ (✕) 체납자 등에 대한 공매통지는 국가의 강제력에 의하여 진행되는 공매에서 체납자 등의 권리 내지 재산상의 이익을 보호하기 위하여 법률로 규정한 절차적 요건이라고 보아야 하며, 공매통지 자체가 그 상대방인 체납자 등의 법적 지위나 권리·의무에 직접적인 영향을 주는 행정처분에 해당한다고 할 것은 아니므로 다른 특별한 사정이 없는 한 체납자 등은 공매통지의 결여나 위법을 들어 공매처분의 취소 등을 구할 수 있는 것이지 공매통지 자체를 항고소송의 대상으로 삼아 그 취소 등을 구할 수는 없다(대판 2011.3.24. 2010두25527).

> **유제** 17. 국가직 9급 공매통지가 적법하지 아니하다면 특별한 사정이 없는 한, 공매통지를 직접 항고소송의 대상으로 삼아 다툴 수 없고 통지 후에 이루어진 공매처분에 대하여 다투어야 한다. (○)
> 22. 국회직 8급「국세징수법」상의 공매통지는 그 상대방인 체납자 등의 법적 지위나 권리·의무에 직접적인 영향을 주는 행정처분이므로 공매통지 자체를 취소소송의 대상으로 삼을 수 있다. (✕)

문제 DATA
출제가능 지수 ▶▶▷
난이도 지수 ★★☆

함께 정리하기
행정법상 실효성 확보수단

대집행 완료
▷ 계고처분 취소구할 소의 이익 無
▷ 국가배상청구 可

공매로 매수한 자
▷ 공매처분 취소에 대해 다툴 법률상 이익 有

위법건축물 단전·단전화 요청행위
▷ 행정처분✕

공매통지 자체
▷ 행정처분✕

이행강제금
▷ 대체적 작위의무 위반에 대해서도 부과 可

⑤ (○) 전통적으로 행정대집행은 대체적 작위의무에 대한 강제집행수단으로, 이행강제금은 부작위의무나 비대체적 작위의무에 대한 강제집행수단으로 이해되어왔으나, 이는 이행강제금 제도의 본질에서 오는 제약은 아니며, 이행강제금은 대체적 작위의무의 위반에 대하여도 부과될 수 있다(헌재 2004.2.26. 2001헌바80 등).

답 ④

104

행정상 강제징수에 대한 설명으로 가장 옳지 않은 것은? (다툼이 있는 경우 판례에 의함)

① 행정상 강제징수란 국민이 국가 등 행정주체에 대하여 부담하고 있는 공법상의 금전급부의무를 이행하지 않은 경우 행정청이 의무자의 재산에 실력을 가하여 의무가 이행된 것과 동일한 상태를 실현하는 행정상 강제집행수단을 말한다.
② 「국세징수법」상 공매통지는 국가의 강제력에 의하여 진행되는 공매절차에서 체납자 등의 권리 내지 재산상 이익을 보호하기 위하여 법률로 규정한 절차적 요건에 해당하기 때문에 그 통지를 하지 아니한 채 공매처분을 한 경우에는 그 공매처분은 당연무효이다.
③ 「국세징수법」상 압류 후 부과처분의 근거법률이 위헌으로 결정된 경우에는 압류를 해제하여야 한다.
④ 「국세징수법」상 재판상의 가압류 또는 가처분 재산이 체납처분의 대상인 경우에도 「국세징수법」에 따른 체납처분을 한다.

| 2020년 경찰

① (○) 행정상 강제징수란 행정법상의 금전급부의무가 이행되지 않고 있는 경우에, 행정청이 의무자의 재산에 실력을 가하여 의무가 이행된 것과 동일한 상태를 실현하는 행정상 강제집행 수단을 말한다.
② (×) 공매통지를 하지 않은 채 공매처분을 한 경우, 위법의 정도는 무효가 아니고 취소사유에 해당한다.

구 국세징수법 제68조는 세무서장이 압류된 재산의 공매를 공고한 때에는 즉시 그 내용을 체납자 등에게 통지하도록 정하고 있다. 이러한 체납자 등에 대한 공매통지는 국가의 강제력에 의하여 진행되는 공매절차에서 체납자 등의 권리 내지 재산상 이익을 보호하기 위하여 법률로 규정한 절차적 요건에 해당하지만, 그 통지를 하지 아니한 채 공매처분을 하였다 하여도 그 공매처분이 당연무효로 되는 것은 아니다(대판 2012.7.26. 2010다50625).

③ (○) 국세징수법 제53조 제1항 제1호는 압류의 필요적 해제사유로 '납부, 충당, 공매의 중지, 부과의 취소 기타의 사유로 압류의 필요가 없게 된 때'를 들고 있는바, 여기에서의 납부·충당·공매의 중지·부과의 취소는 '압류의 필요가 없게 된 때'에 해당하는 사유를 예시적으로 열거한 것이라고 할 것이므로 '기타의 사유'는 위 법정사유와 같이 납세의무가 소멸되거나 혹은 체납처분을 하여도 체납세액에 충당할 잉여가망이 없게 된 경우는 물론 과세처분 및 그 체납처분절차의 근거 법령에 대한 위헌결정으로 후속 체납처분을 진행할 수 없어 체납세액에 충당할 가망이 없게 되는 등으로 압류의 근거를 상실하거나 압류를 지속할 필요성이 없게 된 경우도 포함하는 의미라고 새겨야 한다(대판 2002.8.23. 2001두2959).
④ (○)

「국세징수법」 제26조 【가압류·가처분 재산에 대한 강제징수】 관할 세무서장은 재판상의 가압류 또는 가처분 재산이 강제징수 대상인 경우에도 이 법에 따른 강제징수를 한다.

답 ②

문제 DATA
출제가능 지수 ▶▶▷
난이도 지수 ★★☆

함께 정리하기

행정상 강제징수

강제징수
▷ 금전급부의무 불이행시 강제집행수단

공매통지 흠결
▷ 절차적 하자
▷ 공매처분 당연무효×

과세·체납처분 근거법률 위헌결정
▷ 압류 필요적 해제사유

체납처분의 효력
▷ 가압류·가처분에 영향받지×

105

행정강제에 대한 설명으로 옳은 것은? (다툼이 있는 경우 판례에 의함)

① 행정대집행의 방법으로 건물철거의무이행을 실현할 수 있는 경우, 철거의무자인 건물 점유자의 퇴거의무를 실현하려면 퇴거를 명하는 별도의 집행권원이 있어야 하고, 철거 대집행 과정에서 부수적으로 건물 점유자들에 대한 퇴거조치를 할 수는 없다.
② 즉시강제란 법령 또는 행정처분에 의한 선행의 구체적 의무의 불이행으로 인한 목전의 급박한 장해를 제거할 필요가 있는 경우에 행정기관이 즉시 국민의 신체 또는 재산에 실력을 행사하여 행정상의 필요한 상태를 실현하는 작용을 말한다.
③ 공법인이 대집행권한을 위탁받아 공무인 대집행 실시에 지출한 비용을 「행정대집행법」에 따라 강제징수할 수 있음에도 민사소송절차에 의하여 상환을 청구하는 것은 허용되지 않는다.
④ 이행강제금은 심리적 압박을 통하여 간접적으로 의무이행을 확보하는 수단인 행정벌과는 달리 의무이행의 강제를 직접적인 목적으로 하므로, 강학상 직접강제에 해당한다.

문제 DATA
출제가능 지수 ▶▶▷
난이도 지수 ★★☆

2019년 국가직 9급

① (✕) 대집행과정에서 부수적 퇴거조치가 가능하고, 경찰의 도움을 받을 수 있다.

> 행정청이 행정대집행의 방법으로 건물철거의무의 이행을 실현할 수 있는 경우에는 건물철거 대집행 과정에서 부수적으로 건물의 점유자들에 대한 퇴거 조치를 할 수 있고, 점유자들이 적법한 행정대집행을 위력을 행사하여 방해하는 경우 형법상 공무집행방해죄가 성립하므로, 필요한 경우에는 '경찰관 직무집행법'에 근거한 위험발생 방지조치 또는 형법상 공무집행방해죄의 범행방지 내지 현행범체포의 차원에서 경찰의 도움을 받을 수도 있다(대판 2017.4.28. 2016다213916).

유제 20. 국가직 9급 행정청이 건물 철거의무를 행정대집행의 방법으로 실현하는 과정에서, 건물을 점유하고 있는 철거의무자들에 대하여 제기한 건물퇴거를 구하는 소송은 적법하다. (✕)

② (✕) 행정상의 즉시강제란 급박한 위험·장애를 제거하기 위해 미리 의무를 명할 시간적 여유가 없거나 또는 성질상 의무를 명해서는 그 목적을 달성하기 곤란한 때, 직접 개인의 신체나 재산에 실력을 가함으로써 필요한 상태를 실현하는 작용을 의미한다. 즉시강제에는 의무부과가 전제되지 않는다.

③ (○) 강제징수가 가능하면 민사소송으로 대집행비용을 청구할 수 없다.

> 대한주택공사가 대집행을 실시하기 위하여 지출한 비용을 행정대집행법 절차에 따라 국세징수법의 예에 의하여 징수할 수 있음에도 민사소송절차에 의하여 그 비용의 상환을 청구한 사안에서, 행정대집행법이 대집행비용의 징수에 관하여 민사소송절차에 의한 소송이 아닌 간이하고 경제적인 특별구제절차를 마련해 놓고 있으므로, 위 청구는 소의 이익이 없어 부적법하다(대판 2011.9.8. 2010다48240).

유제 19. 서울시 7급·지방직 9급 「행정대집행법」절차에 따라 국세징수의 대집행비용을 징수할 수 있음에도 불구하고 민사소송절차에 의하여 그 비용의 상환을 청구할 수 있다. (✕)

④ (✕) 이행강제금은 심리적 압박을 줌으로써 장래에 그 의무를 스스로 이행하게 하려는 강제집행수단으로 간접적 의무이행 확보수단에 해당한다는 점에서 직접강제와 구별되고, 과거 의무위반에 대한 제재된 행정벌과 구별된다.

답 ③

함께 정리하기

행정강제

행정대집행으로 건물철거
▷ 퇴거조치·경찰도움 可

즉시강제
▷ 의무부과 ✕

대집행비용 강제징수 可
▷ 민사소송 제기 不可

이행강제금
▷ 장래 의무이행 확보위한 간접강제의 수단

문제 DATA

출제가능 지수 ▶▶▷
난이도 지수 ★★☆

106 □□□

행정상 강제집행에 대한 설명으로 옳지 않은 것은? (다툼이 있는 경우 판례에 의함)

① 「건축법」상 이행강제금 납부의무는 상속인 기타의 사람에게 승계될 수 없는 일신전속적인 성질을 갖는다.
② 「행정대집행법」상 건물철거 대집행은 다른 방법으로는 이행의 확보가 어렵고 불이행을 방치함이 심히 공익을 해하는 것으로 인정될 때에 한하여 허용되고 이러한 요건의 주장·입증책임은 처분 행정청에 있다.
③ 관계 법령상 행정대집행의 절차가 인정되어 행정청이 행정대집행의 방법으로 건물의 철거 등 대체적 작위의무의 이행을 실현할 수 있는 경우에는 따로 민사소송의 방법으로 그 의무의 이행을 구할 수 없다.
④ 「국세징수법」상의 공매통지 자체는 그 상대방인 체납자 등의 법적 지위나 권리·의무에 직접적인 영향을 주는 행정처분에 해당한다고 할 것이므로 공매통지 자체를 항고소송의 대상으로 삼아 그 취소 등을 구할 수 있다.

> 2019년 지방직 7급

① (○) 이행강제금 납부의무는 일신전속적 성질을 가지므로 승계될 수 없다.

> 구 건축법상의 이행강제금은 간접강제의 일종으로서 그 이행강제금 납부의무는 상속인 기타의 사람에게 승계될 수 없는 일신전속적인 성질의 것이므로 이미 사망한 사람에게 이행강제금을 부과하는 내용의 처분이나 결정은 당연무효이고, 이행강제금을 부과 받은 사람의 이의에 의하여 비송사건절차법에 의한 재판절차가 개시된 후에 그 이의한 사람이 사망한 때에는 사건 자체가 목적을 잃고 절차가 종료한다(대판 2006.12.8. 2006마470).

② (○) 대집행요건의 주장·입증책임은 처분행정청에 있다.

> 건축허가 조건에 위배하여 증축한 것이어서 건축법상 철거할 의무가 있는 건물이라 하더라도 행정대집행법 제3조 및 제2조의 규정에 비추어 보면, 다른 방법으로는 그 이행의 확보가 어렵고 그 불이행을 방치함이 심히 공익을 해치는 것으로 인정될 때에 한하여 그 철거의무를 대집행하기 위한 계고처분이 허용된다 할 것이고 이러한 요건의 주장과 입증책임은 처분행정청에 있다(대판 1982.5.11. 81누232).

유제 17. 국가직 7급, 12. 서울시 9급 위법한 건축물에 대한 철거의무를 대집행하기 위한 계고처분을 하려면 다른 방법으로는 이행의 확보가 어렵고 불이행을 방치함이 심히 공익을 해하는 것으로 인정될 때에 한하여 허용되고, 이러한 요건의 주장·입증책임은 대집행에 불복하는 처분의 상대방에게 있음이 원칙이다. (×)

③ (○) 대집행이 가능한 경우에는 민사소송으로 철거청구를 할 수 없다.

> 관계 법령상 행정대집행의 절차가 인정되어 행정청이 행정대집행의 방법으로 건물의 철거 등 대체적 작위의무의 이행을 실현할 수 있는 경우에는 따로 민사소송의 방법으로 그 의무의 이행을 구할 수 없다(대판 2017.4.28. 2016다213916).

④ (×) 공매는 항고소송의 대상이 되는 처분에 해당하나, 공매통지는 항고소송의 대상이 되는 처분이 아니라는 것이 판례의 입장이다.

> 공매처분을 하면서 체납자 등에게 공매통지를 하지 않았거나 공매통지를 하였더라도 그것이 적법하지 아니한 경우에는 절차상의 흠이 있어 그 공매처분이 위법하게 되는 것이지만, 공매통지 자체가 그 상대방인 체납자 등의 법적 지위나 권리·의무에 직접적인 영향을 주는 행정처분에 해당한다고 할 것은 아니므로 다른 특별한 사정이 없는 한 체납자 등은 공매통지의 결여나 위법을 들어 공매처분의 취소 등을 구할 수 있는 것이지 공매통지 자체를 항고소송의 대상으로 삼아 그 취소 등을 구할 수는 없다(대판 2011.3.24. 2010두25527).

답 ④

함께 정리하기

행정상 강제집행

이행강제금 납부의무
▷ 일신전속적(승계×)

건물철거대집행요건의 입증책임
▷ 처분행정청

행정대집행에 의한 대체적 작위의무 이행 실현 可
▷ 민사소송으로 의무 이행청구 불가

공매통지
▷ 행정처분×

107

행정상 강제집행에 대한 설명으로 옳지 않은 것은? (다툼이 있는 경우 판례에 의함)

① 행정청이 행정대집행의 방법으로 건물의 철거 등 대체적 작위의무의 이행을 실현할 수 있는 경우에는 건물철거대집행 과정에서 부수적으로 그 건물의 점유자들에 대한 퇴거조치를 할 수 있는 것이고, 건물의 점유자가 철거의무자일 때에는 건물철거의무에 퇴거의무도 포함되어 있는 것이어서 별도로 퇴거를 명하는 집행권원이 필요하지 않다.

② 과세관청이 체납처분으로서 행하는 공매는 우월한 공권력의 행사로서 행정소송의 대상이 되는 공법상의 행정처분이며, 공매에 의하여 재산을 매수한 자는 그 공매처분이 취소된 경우에 그 취소처분의 위법을 주장하여 행정소송을 제기할 법률상 이익이 있다.

③ 전통적으로 행정대집행은 대체적 작위의무에 대한 강제집행수단으로, 이행강제금은 부작위의무나 비대체적 작위의무에 대한 강제집행수단으로 이해되어 왔으며, 이는 이행강제금제도의 본질에서 오는 제약이므로, 이행강제금은 대체적 작위의무의 위반에 대하여는 부과될 수 없다.

④ 공매예정가격이란 본시 최저공매가격을 나타내는 것일 뿐 원매자가 많을 경우 가격을 경쟁하는 데는 지장이 있을 리 없으므로, 그것이 실세보다 저렴하다 하여 바로 공매처분이 위법하게 되는 것은 아니다.

⑤ 공매통지의 목적이나 취지 등에 비추어 보면, 체납자 등은 자신에 대한 공매통지의 하자만을 공매처분의 위법사유로 주장할 수 있을 뿐 다른 권리자에 대한 공매통지의 하자를 들어 공매처분의 위법사유로 주장하는 것은 허용되지 않는다.

2019년 5급 승진

① (○) 점유자가 철거의무자인 경우 퇴거를 명하는 집행권원은 불필요하다.

> 관계 법령상 행정대집행의 절차가 인정되어 행정청이 행정대집행의 방법으로 건물의 철거 등 대체적 작위의무의 이행을 실현할 수 있는 경우에는 따로 민사소송의 방법으로 그 의무의 이행을 구할 수 없다. 한편 건물의 점유자가 철거의무자일 때에는 건물철거의무에 퇴거의무도 포함되어 있는 것이어서 별도로 퇴거를 명하는 집행권원이 필요하지 않다(대판 2017.4.28. 2016다213916).

유제 20. 국가직 9급 행정청이 건물 철거의무를 행정대집행의 방법으로 실현하는 과정에서, 건물을 점유하고 있는 철거의무자들에 대하여 제기한 건물퇴거를 구하는 소송은 적법하다. (×)

② (○) 공매로 재산을 매수한 자는 공매처분이 취소된 경우 원고적격이 인정된다.

> 과세관청이 체납처분으로서 행하는 공매는 우월한 공권력의 행사로서 행정소송의 대상이 되는 공법상의 행정처분이며 공매에 의하여 재산을 매수한 자는 그 공매처분이 취소된 경우에 그 취소처분의 위법을 주장하여 행정소송을 제기할 법률상 이익이 있다(대판 1984.9.25. 84누201).

③ (×) 대체적 작위의무에 대하여 대집행과 이행강제금을 선택적으로 활용할 수 있다.

> 전통적으로 행정대집행은 대체적 작위의무에 대한 강제집행수단으로, 이행강제금은 부작위의무나 비대체적 작위의무에 대한 강제집행수단으로 이해되어 왔으나, 이는 이행강제금제도의 본질에서 오는 제약은 아니며, 이행강제금은 대체적 작위의무의 위반에 대하여도 부과될 수 있다(헌재 2004.2.26. 2001헌바80).

④ (○) 공매예정가격이 실세보다 저렴해도 바로 공매처분이 위법하게 되는 것은 아니다.

> 공매예정가격이란 본시 최저공매가격을 나타내는 것일 뿐 원매자가 많을 경우 가격을 경쟁하는 데는 지장이 있을 리 없으므로 그것이 실세보다 저렴하다 하여 바로 공매처분이 위법하게 되는 것은 아니고 예정가격을 낮추었기 때문에 부당하게 저렴한 가격으로 공매가 되었다는 사정이 있을 때에만 그 공매를 위법하다고 보아야 할 것이다(대판 1990.2.9. 89누5553).

문제 DATA
출제가능 지수 ▶▶▷
난이도 지수 ★★☆

함께 정리하기

행정상 강제집행

행정대집행으로 건물철거시 부수적으로 퇴거조치 可
▷ 별도의 집행권원 不要

체납처분으로서 공매
▷ 공법상 행정처분○

공매에 의한 매수자
▷ 공매처분 취소시 항고소송 제기할 법률상 이익 有

이행강제금
▷ 대체적 작위의무 위반에 대해서도 부과 可

공매예정가격
▷ 실세보다 저렴하다 하여 바로 위법×

공매절차의 체납자
▷ 자신에 대한 공매통지의 하자만을 위법사유로 주장 可

⑤ (○) 체납자는 다른 권리자에 대한 공매통지의 하자를 주장할 수 없다.

> 공매통지의 목적이나 취지 등에 비추어 보면, 체납자 등은 자신에 대한 공매통지의 하자만을 공매처분의 위법사유로 주장할 수 있을 뿐 다른 권리자에 대한 공매통지의 하자를 들어 공매처분의 위법사유로 주장하는 것은 허용되지 않는다(대판 2008.11.20. 2007두18154).

답 ③

문제 DATA

출제가능 지수 ▶▶▷
난이도 지수 ★★☆

108 □□□

A시장은 새로 확장한 시청 청사 1층의 휴게공간을 甲에게 커피 전문점 공간으로 임대하였다. 임대기간이 만료되었으나 甲은 투자금보전 등을 요구하면서 휴게공간을 불법적으로 점유하고 있다. 이에 대한 설명으로 가장 옳은 것은? (다툼이 있는 경우 판례에 의함)

① A시장은 휴게공간을 종합민원실로 사용하기 위해서는 즉시강제 형태로 공간을 확보할 수 있다.
② A시장은 甲에게 퇴거와 공간반환을 독촉한 후 강제징수절차를 밟을 수 있다.
③ A시장은 甲에게 퇴거를 명하고 甲이 불응하면 행정대집행에 의한 대집행을 실시할 수 있다.
④ A시장은 甲에 대하여 변상금을 부과징수 할 수 있으며 원상회복명령을 하거나 甲을 상대로 점유의 이전을 구하는 민사소송을 제기할 수 있다.

| 2018년 서울시 9급

① (✕) 행정상 즉시강제는 다른 수단으로는 목적달성이 불가능하거나 시간적인 여유가 없는 경우에 미리 의무를 명하지 않고 직접 개인의 신체나 재산에 실력을 가함으로써 필요한 상태를 실현하는 작용을 의미한다. 따라서 미리 의무를 명하는 행정상 강제집행이 가능한 경우라면 즉시강제는 인정될 수 없다. 사안의 경우는 별도의 법적 근거가 있다면 퇴거의무·인도의무 불이행에 대해 직접강제가 가능하다.
② (✕) 행정상 강제징수라 함은 행정법상의 금전급부의무가 이행되지 않고 있는 경우에, 행정청이 의무자의 재산에 실력을 가하여, 의무가 이행된 것과 동일한 상태를 직접적으로 실현하는 작용을 말한다. 따라서 사안의 경우는 비금전상의 의무 불이행이므로 강제징수절차를 밟을 수는 없다.
③ (✕) 퇴거의무·인도의무는 대체적 작위의무가 아니므로(비대체적 작위의무) 공유재산이지만 대집행의 대상이 되지 않는다. 사안의 경우 직접적인 실력행사가 요구되어 직접강제가 적합한 수단이나 직접강제는 다른 강제집행 수단과 마찬가지로 법률의 근거가 필요하다.

함께 정리하기

행정의 실효성 확보수단

행정상 즉시강제
▷ 보충적 수단

행정상 강제징수
▷ 금전급부의무 불이행 전제

퇴거의무·점유인도의무 불이행
▷ 대집행 대상✕

공유재산 퇴거의무·점유인도의무 불이행
▷ 변상금부과(or 부당이득반환청구), 원상회복명령, 민사상 점유물반환 청구소송 가

> 「행정대집행법」 제2조【대집행과 그 비용징수】 법률(법률의 위임에 의한 명령, 지방자치단체의 조례를 포함한다. 이하 같다)에 의하여 직접명령되었거나 또는 법률에 의거한 행정청의 명령에 의한 행위로서 타인이 대신하여 행할 수 있는 행위를 의무자가 이행하지 아니하는 경우 다른 수단으로써 그 이행을 확보하기 곤란하고 또한 그 불이행을 방치함이 심히 공익을 해할 것으로 인정될 때에는 당해 행정청은 스스로 의무자가 하여야 할 행위를 하거나 또는 제삼자로 하여금 이를 하게 하여 그 비용을 의무자로부터 징수할 수 있다.

퇴거 및 점유인도의무는 대집행의 대상이 아니다.
1. 매점으로부터 퇴거하고 이에 부수하여 그 판매 시설물 및 상품을 반출하지 아니할 때에는 이를 대집행하겠다는 내용의 계고처분은 …, 매점에 대한 점유자의 점유를 배제하고 그 점유이전을 받는 데 있다고 할 것인데, 이러한 의무는 그것을 강제적으로 실현함에 있어 직접적인 실력행사가 필요한 것이지 대체적 작위의무에 해당하는 것은 아니어서 직접강제의 방법에 의하는 것은 별론으로 하고 행정대집행법에 의한 대집행의 대상이 되는 것은 아니다 (대판 1998.10.23. 97누157).
2. '인도'에는 명도도 포함되는 것으로 보아야 하고, 이러한 명도의무는 그것을 강제적으로 실현하면서 직접적인 실력행사가 필요한 것이지 대체적 작위의무라고 볼 수 없으므로 특별한 사정이 없는 한 행정대집행법에 의한 대집행의 대상이 될 수 있는 것이 아니다(대판 2005.8.19. 2004다2809).

④ (○) 행정상 직접강제는 대집행이나 이행강제금 등으로 그 이행을 확보하기가 어려운 경우에 마지막 수단으로 행사되는 가장 강력한 강제집행수단이다. 또한 개인의 자유·권리를 침해하는 성격이 매우 강하므로 하명의 근거와는 별도로 엄격한 집행상의 법적 근거를 요한다. 그러나 현행 공유재산 및 물품관리법에는 그에 대한 법적 근거가 마련되어 있지 않다. 따라서 직접강제에 관한 별도의 법적 근거가 존재하지 않는 사안의 경우 A시장은 무단점유자인 甲에 대하여 변상금을 부과·징수하거나(또는 부당이득반환청구소송 제기도 가능) 원상회복의 명령 또는 민사상 명도소송을 제기할 수 있다.

변상금부과권의 행사와 더불어 민사상 부당이득반환의 소를 제기할 수 있다.
구 국유재산법 제51조 제1항, 제4항, 제5항에 의한 변상금 부과·징수권은 민사상 부당이득반환청구권과 법적 성질을 달리하므로, 국가는 무단점유자를 상대로 변상금 부과·징수권의 행사와 별도로 국유재산의 소유자로서 민사상 부당이득반환청구의 소를 제기할 수 있다(대판 2014.7.16. 2011다76402 전합).

답 ④

109 □□□

행정상 강제징수에 대한 설명으로 옳지 않은 것은? (다툼이 있는 경우 판례에 의함)

① 국세납부의무의 불이행에 대하여는 「국세징수법」에서 강제징수를 인정하고 있다.
② 독촉은 이후에 행해지는 압류의 적법요건이 되며 최고기간 동안 조세채권의 소멸시효를 중단시키는 법적 효과를 갖는다.
③ 「국세징수법」상의 독촉·압류·압류해제거부 및 공매처분에 대하여는 이의신청을 제기할 수 있고, 심사청구와 심판청구의 결정을 모두 거친 후에 행정소송을 제기할 수 있다.
④ 과세관청이 체납처분으로서 행하는 공매는 우월한 공권력의 행사로서 행정소송의 대상이 되는 공법상의 행정처분이며 공매에 의하여 재산을 매수한 자는 그 공매처분이 취소된 경우에 그 취소처분의 위법을 주장하여 행정소송을 제기할 법률상 이익이 있다.

📑 문제 DATA
출제가능 지수 ▶▶▷
난이도 지수 ★★☆

| 2018년 소방직

① (○) 국세납부의무의 불이행에 대해서는 「국세징수법」에서 일반적으로 규정하고 있다.
② (○) 독촉은 상당한 이행기간을 정하여 금전납부의무의 이행을 최고하고, 이행기간 내에 의무를 이행하지 않는 경우에는 체납처분을 할 뜻을 미리 알려주는 행위로 이후의 체납처분의 전제요건이 되고 채권의 소멸시효를 중단시키는 법적 효과가 있다.
③ (×) 「국세징수법」상의 독촉·압류·압류해제거부 및 공매처분에 대하여는 이의신청을 제기할 수 있고, 심사청구 또는 심판청구 중 어느 하나의 절차를 거친 후에 행정소송을 제기할 수 있다.

> 「국세기본법」 제56조 【다른 법률과의 관계】 ② 제55조에 규정된 위법한 처분에 대한 행정소송은 「행정소송법」 제18조 제1항 본문, 제2항 및 제3항에도 불구하고 이 법에 따른 심사청구 또는 심판청구와 그에 대한 결정을 거치지 아니하면 제기할 수 없다. 다만, 심사청구 또는 심판청구에 대한 제65조 제1항 제3호 단서(제80조의2에서 준용하는 경우를 포함한다)의 재조사 결정에 따른 처분청의 처분에 대한 행정소송은 그러하지 아니하다.
> 제55조 【불복】 ① 이 법 또는 세법에 따른 처분으로서 위법 또는 부당한 처분을 받거나 필요한 처분을 받지 못함으로 인하여 권리나 이익을 침해당한 자는 이 장의 규정에 따라 그 처분의 취소 또는 변경을 청구하거나 필요한 처분을 청구할 수 있다. 다만, 다음 각 호의 처분에 대해서는 그러하지 아니하다. (이하 생략)
> ③ 제1항과 제2항에 따른 처분이 국세청장이 조사·결정 또는 처리하거나 하였어야 할 것인 경우를 제외하고는 그 처분에 대하여 심사청구 또는 심판청구에 앞서 이 장의 규정에 따른 이의신청을 할 수 있다.
> ⑨ 동일한 처분에 대해서는 심사청구와 심판청구를 중복하여 제기할 수 없다.

④ (○) 과세관청이 체납처분으로서 행하는 공매는 우월한 공권력의 행사로서 행정소송의 대상이 되는 공법상의 행정처분이며 공매에 의하여 재산을 매수한 자는 그 공매처분이 취소된 경우에 그 취소처분의 위법을 주장하여 행정소송을 제기할 법률상 이익이 있다(대판 1984.9.25. 84누201).

답 ③

📋 함께 정리하기
행정상 강제징수

국세납부의무의 불이행
▷ 강제징수(「국세징수법」)

독촉
▷ 압류의 적법요건
▷ 국세징수권 소멸시효 중단사유

권리구제
▷ 이의신청: 임의적 절차
▷ 심사청구 or 심판청구: 선택적·필요적 전심절차

공매로 매수한 자
▷ 공매처분 취소에 대해 다툴 법률상 이익 有

문제 DATA

출제가능 지수 ▶▶▷
난이도 지수 ★★☆

110 ☐☐☐

행정상 강제징수에 대한 설명으로 옳지 않은 것은? (다툼이 있는 경우 판례에 의함)

① 한국자산공사가 당해 부동산을 인터넷을 통하여 재공매(입찰)하기로 한 결정 자체는 내부적인 의사결정에 불과하여 항고소송의 대상이 되는 행정처분이라고 볼 수 없다.
② 「국세징수법」상의 강제징수에 대한 행정심판은 「국세기본법」상의 절차가 적용된다.
③ 「국세징수법」상 압류재산의 매각에 있어서 공매는 공법상의 행정처분의 성질을 가지지만 체납자에게 행하는 공매통지는 공매의 절차적 요건으로서 행정처분이라고 볼 수 없다.
④ 「국세징수법」상 독촉은 체납처분의 전제요건을 충족시키며, 시효중단의 효과를 발생하게 한다.
⑤ 「국세징수법」이 압류의 대상을 납세자의 재산에 국한하는 것은 아니므로 납세자가 아닌 제3자의 재산을 대상으로 한 압류처분도 유효하다.

2018년 5급 승진 변형

① (○) 자산관리공사의 공매결정·통지는 처분에 해당하지 않는다.

> 한국자산공사가 당해 부동산을 인터넷을 통하여 재공매(입찰)하기로 한 결정 자체는 내부적인 의사결정에 불과하여 항고소송의 대상이 되는 행정처분이라고 볼 수 없고, 또한 한국자산공사가 공매통지는 공매의 요건이 아니라 공매사실 자체를 체납자에게 알려주는 데 불과한 것으로서, 통지의 상대방의 법적 지위나 권리·의무에 직접 영향을 주는 것이 아니라고 할 것이므로 이것 역시 행정처분에 해당한다고 할 수 없다(대판 2007.7.27. 2006두8464).

② (○) 조세사건의 특수성을 고려하여 「국세기본법」은 「행정심판법」의 적용을 배제하고 있다.

> 「국세기본법」 제56조 【다른 법률과의 관계】 ① 제55조에 규정된 처분에 대해서는 「행정심판법」의 규정을 적용하지 아니한다. 다만, 심사청구 또는 심판청구에 관하여는 「행정심판법」 제15조, 제16조, 제20조부터 제22조까지, 제29조, 제36조 제1항, 제39조, 제40조, 제42조 및 제51조를 준용하며, 이 경우 "위원회"는 "국세심사위원회", "조세심판관회의" 또는 "조세심판관합동회의"로 본다.
> 제55조 【불복】 ① 이 법 또는 세법에 따른 처분으로서 위법 또는 부당한 처분을 받거나 필요한 처분을 받지 못함으로 인하여 권리나 이익을 침해당한 자는 이 장의 규정에 따라 그 처분의 취소 또는 변경을 청구하거나 필요한 처분을 청구할 수 있다. 다만, 다음 각 호의 처분에 대해서는 그러하지 아니하다.
> 1. 「조세범 처벌절차법」에 따른 통고처분
> 2. 「감사원법」에 따라 심사청구를 한 처분이나 그 심사청구에 대한 처분

③ (○) 공매는 처분성이 인정되나, 공매통지는 처분성이 부정된다.

> 1. 과세관청이 체납처분으로서 행하는 공매는 우월한 공권력의 행사로서 행정소송의 대상이 되는 공법상의 행정처분이며 공매에 의하여 재산을 매수한 자는 그 공매처분이 취소된 경우에 그 취소처분의 위법을 주장하여 행정소송을 제기할 법률상 이익이 있다(대판 1984.9.25. 84누201).
> 2. 체납자 등에 대한 공매통지는 국가의 강제력에 의하여 진행되는 공매에서 체납자 등의 권리 내지 재산상의 이익을 보호하기 위하여 법률로 규정한 절차적 요건이라고 보아야 하며, 공매통지 자체가 그 상대방인 체납자 등의 법적 지위나 권리·의무에 직접적인 영향을 주는 행정처분에 해당한다고 할 것은 아니므로 다른 특별한 사정이 없는 한 체납자 등은 공매통지의 결여나 위법을 들어 공매처분의 취소 등을 구할 수 있는 것이지 공매통지 자체를 항고소송의 대상으로 삼아 그 취소 등을 구할 수는 없다(대판 2011.3.24. 2010두25527).

유제 20. 국가직 9급, 19. 서울시 7급·국가직 7급 공매통지 자체가 그 상대방인 체납자 등의 법적 지위나 권리·의무에 직접적인 영향을 주는 행정처분에 해당한다고 할 것이므로 다른 특별한 사정이 없는 한 체납자 등은 공매통지 자체를 항고소송의 대상으로 삼아 그 취소 등을 구할 수 있다. (×)

④ (○)

> 「국세기본법」 제28조 【소멸시효의 중단과 정지】 ① 제27조에 따른 소멸시효는 다음 각 호의 사유로 중단된다.
> 1. 납부고지 2. 독촉
> 3. 교부청구 4. 압류

함께 정리하기

행정상 강제징수

한국자산관리공사의 공매결정·통지
▷ 행정처분 ×

「국세징수법」상 강제징수에 대한 행정심판
▷ 「국세기본법」 적용

공매
▷ 처분성 ○

공매통지
▷ 처분성 ×

「국세징수법」상 독촉
▷ 시효중단 ○

제3자 재산의 압류처분
▷ 당연무효

⑤ (×) 제3자 재산에 대한 압류처분은 당연무효에 해당한다.

> 압류의 대상을 납세자의 재산에 국한하고 있으므로, 납세자가 아닌 제3자의 재산을 대상으로 한 압류처분은 그 처분의 내용이 법률상 실현될 수 없는 것이어서 당연무효이다(대판 2006.4.13. 2005두15151).

답 ⑤

111 □□□

행정상 강제징수에 대한 설명으로 옳지 않은 것은? (다툼이 있는 경우 판례에 의함)

① 체납자는 공매처분취소소송에서 다른 권리자에 대한 공매통지의 하자를 이유로 공매처분의 취소를 구할 수 있다.
② 한국자산관리공사가 압류재산을 인터넷을 통하여 재공매하기로 한 결정은 항고소송의 대상이 될 수 없다.
③ 압류처분과 공매처분 간에는 하자가 승계된다.
④ 압류처분 후 과세처분의 근거법률이 위헌으로 결정된 경우에 체납자의 압류해제신청을 거부한 행정청의 행위는 위법하다.
⑤ 세무서장이 독촉하면 국세징수권의 소멸시효는 중단된다.

2018년 행정사 변형

① (×) 체납자는 다른 권리자에 대한 공매통지의 하자를 주장할 수 없다.

> 공매통지의 목적이나 취지 등에 비추어 보면, 체납자 등은 자신에 대한 공매통지의 하자만을 공매처분의 위법사유로 주장할 수 있을 뿐 다른 권리자에 대한 공매통지의 하자를 들어 공매처분의 위법사유로 주장하는 것은 허용되지 않는다(대판 2008.11.20. 2007두18154).

② (○) 자산관리공사의 인터넷재공매결정에는 처분성이 인정되지 않는다.

> 한국자산공사가 당해 부동산을 인터넷을 통하여 재공매(입찰)하기로 한 결정 자체는 내부적인 의사결정에 불과하여 항고소송의 대상이 되는 행정처분이라고 볼 수 없고, 또한 한국자산공사가 공매통지는 공매의 요건이 아니라 공매사실 자체를 체납자에게 알려주는 데 불과한 것으로서, 통지의 상대방의 법적 지위나 권리·의무에 직접 영향을 주는 것이 아니라고 할 것이므로 이것 역시 행정처분에 해당한다고 할 수 없다(대판 2007.7.27. 2006두8464).

③ (○) 판례는 전통적 견해와 마찬가지로 각 행위가 결합하여 하나의 법률효과를 발생시키는지 아니면 독립하여 별개의 법률효과를 목적으로 하는지에 따라서 하자의 승계 여부를 판단하는 것이 원칙이다. 독촉 ⇨ 압류 ⇨ 매각 ⇨ 청산의 절차는 조세채권의 확보라는 동일한 법률효과를 목적으로 하므로 압류처분의 하자는 공매처분에 승계된다.

④ (○) 과세처분 근거법률이 위헌으로 결정되면 행정청은 압류를 해제해야 한다.

> 국세징수법 제53조 제1항 제1호는 압류의 필요적 해제사유로 '납부, 충당, 공매의 중지, 부과의 취소 기타의 사유로 압류의 필요가 없게 된 때'를 들고 있는데, 여기에서의 '기타의 사유'라 함은 납세의무가 소멸되거나 혹은 체납처분을 하여도 체납세액에 충당할 잉여가망이 없게 된 경우는 물론 과세처분 및 그 체납처분절차의 근거 법률에 대한 위헌결정으로 후속 체납처분을 진행할 수 없는 등의 사유로 압류의 근거가 상실되었거나 압류를 지속할 필요성이 없게 된 경우도 포함한다(대판 2002.8.27. 2002두2383).

⑤ (○)

> 「국세기본법」제28조【소멸시효의 중단과 정지】① 제27조에 따른 소멸시효는 다음 각 호의 사유로 중단된다.
> 1. 납부고지   2. 독촉
> 3. 교부청구   4. 압류

답 ①

문제 DATA

출제가능 지수 ▶▶▷
난이도 지수 ★★☆

함께 정리하기

행정상 강제징수

체납자
▷ 다른 권리자에 대한 공매통지의 하자 주장 불가

한국자산관리공사의 압류재산 인터넷 재공매결정
▷ 처분성×

압류처분 – 공매처분
▷ 하자승계○

과세처분 근거법률 위헌결정
▷ 행정청 압류 해제하여야 함

세무서장의 독촉
▷ 국세징수권 소멸시효 중단

문제 DATA

출제가능 지수 ▶▶▷
난이도 지수 ★★☆

112 □□□

「국세징수법」상 강제징수절차에 대한 판례의 입장으로 옳지 않은 것은?

① 세무공무원이 국세의 징수를 위해 납세자의 재산을 압류하는 경우 그 재산의 가액이 징수할 국세액을 초과한다면 당해 압류처분은 무효이다.
② 국세를 납부기한까지 납부하지 아니하면 과세권자의 가산금 확정절차 없이 「국세징수법」 제21조에 의하여 가산금이 당연히 발생하고 그 액수도 확정된다.
③ 조세부과처분의 근거규정이 위헌으로 선언된 경우, 그에 기한 조세부과처분이 위헌결정 전에 이루어졌다 하더라도 위헌결정 이후에 조세채권의 집행을 위해 새로이 착수된 체납처분은 당연무효이다.
④ 공매통지가 적법하지 아니하다면 특별한 사정이 없는 한, 공매통지를 직접 항고소송의 대상으로 삼아 다툴 수 없고 통지 후에 이루어진 공매처분에 대하여 다투어야 한다.

2017년 국가직 9급

① (×) 징수할 국세액을 초과하는 압류는 당연무효에 해당하지 않는다.

> 세무공무원이 국세의 징수를 위해 납세자의 재산을 압류하는 경우 그 재산의 가액이 징수할 국세액을 초과한다 하여 위 압류가 당연무효의 처분이라고는 할 수 없다(대판 1986.11.11. 86누479).

② (○) 참고로 2018.12.31. 「국세징수법」이 개정되어 가산금 규정이 삭제되고, 기존 가산금에 상당하는 납부지연가산세(「국세기본법」 제47조의4 제1항 제3호) 규정이 신설되었는바, 출제지문 및 아래의 판례는 구법상 가산금에 관한 내용에 해당한다.

> **가산금은 법규정에 의해 당연히 발생하고 확정된다.**
> 국세징수법상의 가산금과 중가산금은 미납분에 관한 지연이자의 의미로 부과되는 부대세의 일종으로서, 과세권자의 확정절차 없이 국세를 납부기한까지 납부하지 아니하면 같은 법 제21조·제22조의 규정에 의하여 당연히 발생하고 그 액수도 확정되는 것이다(대판 2000.9.22. 2000두2013).

③ (○) 조세부과 근거규정이 위헌결정되면 체납처분은 당연무효에 해당한다.

> 조세 부과의 근거가 되었던 법률규정이 위헌으로 선언된 경우, 비록 그에 기한 과세처분이 위헌결정 전에 이루어졌고, 과세처분에 대한 제소기간이 이미 경과하여 조세채권이 확정되었으며, 조세채권의 집행을 위한 체납처분의 근거규정 자체에 대하여는 따로 위헌결정이 내려진 바 없다고 하더라도, 위와 같은 위헌결정 이후에 조세채권의 집행을 위한 새로운 체납처분에 착수하거나 이를 속행하는 것은 더 이상 허용되지 않고, 나아가 이러한 위헌결정의 효력에 위배하여 이루어진 체납처분은 그 사유만으로 하자가 중대하고 객관적으로 명백하여 당연무효라고 보아야 한다(대판 2012.2.16. 2010두10907 전합).

④ (○) 공매통지는 절차요건이고 처분성이 인정되지 않는다.

> 공매통지 자체가 그 상대방인 체납자 등의 법적 지위나 권리·의무에 직접적인 영향을 주는 행정처분에 해당한다고 할 것은 아니므로 다른 특별한 사정이 없는 한 체납자 등은 공매통지의 결여나 위법을 들어 공매처분의 취소 등을 구할 수 있는 것이지 공매통지 자체를 항고소송의 대상으로 삼아 그 취소 등을 구할 수는 없다(대판 2011.3.24. 2010두25527).

유제 18. 지방직 9급 「국세징수법」상 체납자 등에 대한 공매통지는 체납자 등의 법적 지위나 권리·의무에 직접적인 영향을 주는 행정처분에 해당하지 아니하므로 공매통지가 적법하지 아니한 경우에도 그에 따른 공매처분이 위법하게 되는 것은 아니다. (×)

답 ①

함께 정리하기

「국세징수법」상 강제징수

징수할 국세액 초과압류
▷ 당연무효×

가산금
▷ 미납분의 지연이자 의미
▷ 규정에 의하여 당연히 발생·확정

조세부과근거규정 위헌확정
▷ 체납처분 당연무효

공매통지
▷ 절차요건, 처분성×

113

행정상 강제징수에 대한 설명으로 옳지 않은 것은? (다툼이 있는 경우 판례에 의함)

① 행정상의 금전급부의무를 이행하지 않는 경우를 대상으로 한다.
② 독촉만으로는 시효중단의 효과가 발생하지 않는다.
③ 매각은 원칙적으로 공매에 의하나 예외적으로 수의계약에 의할 수도 있다.
④ 판례에 따르면 공매행위는 행정행위에 해당된다.

| 2017년 사회복지직

① (○) 행정상 강제징수라 함은 행정법상의 금전급부의무가 이행되지 않고 있는 경우에, 행정청이 의무자의 재산에 실력을 가하여, 의무가 이행된 것과 동일한 상태를 직접적으로 실현하는 작용을 말한다.

② (×) 독촉이란 납세의무자에게 납세의무의 이행을 최고하고 최고기한까지 납부하지 않을 때에는 강제징수 하겠다는 뜻을 알리는 통지행위이다. 독촉은 체납처분의 전제요건을 충족시키며 국세징수권의 소멸시효 진행을 중단시킨다.

③ (○) 세무서장은 통화를 제외한 모든 물건을 원칙적으로 공매하여야 하지만, 예외적으로 수의계약에 의하여 이를 매각할 수 있다.

> 「국세징수법」 제66조 【공매】 ① 관할 세무서장은 압류한 부동산등, 동산, 유가증권, 그 밖의 재산권과 제52조 제2항에 따라 체납자를 대위하여 받은 물건(금전은 제외한다)을 대통령령으로 정하는 바에 따라 공매한다.
> 제67조 【수의계약】 관할 세무서장은 압류재산이 다음 각 호의 어느 하나에 해당하는 경우 수의계약으로 매각할 수 있다.
> 1. 수의계약으로 매각하지 아니하면 매각대금이 강제징수비 금액 이하가 될 것으로 예상되는 경우
> 2. 부패·변질 또는 감량되기 쉬운 재산으로서 속히 매각하지 아니하면 그 재산가액이 줄어들 우려가 있는 경우
> 3. 압류한 재산의 추산가격이 1천만원 미만인 경우
> 4. 법령으로 소지(所持) 또는 매매가 금지 및 제한된 재산인 경우
> 5. 제1회 공매 후 1년간 5회 이상 공매하여도 매각되지 아니한 경우
> 6. 공매가 공익(公益)을 위하여 적절하지 아니한 경우

④ (○) 공매에는 처분성이 인정된다.

> 과세관청이 체납처분으로서 행하는 공매는 우월한 공권력의 행사로서 행정소송의 대상이 되는 공법상의 행정처분이며 공매에 의하여 재산을 매수한 자는 그 공매처분이 취소된 경우에 그 취소처분의 위법을 주장하여 행정소송을 제기할 법률상 이익이 있다(대판 1984.9.25. 84누201).

유제 15. 국가직 9급 과세관청이 체납처분으로서 행하는 공매는 우월한 공권력의 행사로서 행정소송의 대상이 되는 행정처분이다. (○)

답 ②

문제 DATA

출제가능 지수 ▶▶▷
난이도 지수 ★★☆

함께 정리하기

행정상 강제징수

금전급부의무 불이행

독촉은 통지행위
▷ 소멸시효 중단○

매각
▷ 원칙: 공매
▷ 예외: 수의계약

공매
▷ 처분성○

제2절 | 행정상 즉시강제

001 ☐☐☐

행정상 강제에 대한 설명으로 옳은 것은?

① 외국인의 출입국에 관한 사항에 대하여는 「행정기본법」상 행정상 강제에 대한 규정이 적용된다.
② 행정상 강제조치에 관하여 「행정기본법」에서 정한 사항 이외의 사항을 다른 법률에서 정할 수 없다.
③ 행정상 즉시강제는 현재의 급박한 행정상의 장해를 제거하기 위한 경우로서 의무를 명할 시간적 여유가 없는 상황에서 의무불이행을 전제로 하지 않고 행정청이 곧바로 국민의 신체 또는 재산에 실력을 행사하여 행정목적을 달성하는 것을 말한다.
④ 보안처분 관계 법령에 따라 행하는 사항에 관하여는 「행정기본법」상 행정상 강제에 대한 규정이 적용된다.

| 2025년 지방직 9급

①, ②, ④ (✕), ③ (○)

> 「행정기본법」 제30조【행정상 강제】① 행정청은 행정목적을 달성하기 위하여 필요한 경우에는 법률로 정하는 바에 따라 필요한 최소한의 범위에서 다음 각 호의 어느 하나에 해당하는 조치를 할 수 있다.
> 1. 행정대집행: 의무자가 행정상 의무(법령등에서 직접 부과하거나 행정청이 법령등에 따라 부과한 의무를 말한다. 이하 이 절에서 같다)로서 타인이 대신하여 행할 수 있는 의무를 이행하지 아니하는 경우 법률로 정하는 다른 수단으로는 그 이행을 확보하기 곤란하고 그 불이행을 방치하면 공익을 크게 해칠 것으로 인정될 때에 행정청이 의무자가 하여야 할 행위를 스스로 하거나 제3자에게 하게 하고 그 비용을 의무자로부터 징수하는 것
> 2. 이행강제금의 부과: 의무자가 행정상 의무를 이행하지 아니하는 경우 행정청이 적절한 이행기간을 부여하고, 그 기한까지 행정상 의무를 이행하지 아니하면 금전급부의무를 부과하는 것
> 3. 직접강제: 의무자가 행정상 의무를 이행하지 아니하는 경우 행정청이 의무자의 신체나 재산에 실력을 행사하여 그 행정상 의무의 이행이 있었던 것과 같은 상태를 실현하는 것
> 4. 강제징수: 의무자가 행정상 의무 중 금전급부의무를 이행하지 아니하는 경우 행정청이 의무자의 재산에 실력을 행사하여 그 행정상 의무가 실현된 것과 같은 상태를 실현하는 것
> 5. 즉시강제: 현재의 급박한 행정상의 장해를 제거하기 위한 경우로서 다음 각 목의 어느 하나에 해당하는 경우에 행정청이 곧바로 국민의 신체 또는 재산에 실력을 행사하여 행정목적을 달성하는 것(③)
>   가. 행정청이 미리 행정상 의무 이행을 명할 시간적 여유가 없는 경우
>   나. 그 성질상 행정상 의무의 이행을 명하는 것만으로는 행정목적 달성이 곤란한 경우
> ② 행정상 강제 조치에 관하여 이 법에서 정한 사항 외에 필요한 사항은 따로 법률로 정한다(②).
> ③ 형사(刑事), 행형(行刑) 및 보안처분 관계 법령에 따라 행하는 사항이나 외국인의 출입국·난민인정·귀화·국적회복에 관한 사항에 관하여는 이 절을 적용하지 아니한다(①, ④).

답 ③

문제 DATA
출제가능 지수 ▶▶▷
난이도 지수 ★★☆

함께 정리하기
행정상 강제

외국인의 출입국에 관한 사항
▷ 「행정기본법」상 행정강제 적용✕

「행정기본법」에서 정한 사항 이외의 사항
▷ 타 법 적용 가

행정상 즉시강제
▷ 의무불이행 전제✕, 곧바로 국민의 신체·재산에 실력행사

보안처분 관계 법령에 따라 행하는 사항
▷ 「행정기본법」상 행정강제 적용✕

002

「행정기본법」상 행정의 실효성 확보수단에 대한 설명으로 가장 옳지 않은 것은? (다툼이 있는 경우 판례에 의함)

① 즉시강제는 다른 수단으로 행정목적을 달성할 수 있는 경우에도 허용되나, 최소한으로만 실시하여야 한다.
② 행정청은 이행강제금을 부과하기 전에 미리 의무자에게 적절한 이행기간을 정하여 그 기한까지 행정상 의무를 이행하지 아니하면 이행강제금을 부과한다는 뜻을 문서로 계고(戒告)하여야 한다.
③ 의무자가 행정상 의무로서 타인이 대신하여 행할 수 있는 의무를 이행하지 아니하는 경우 법률로 정하는 다른 수단으로는 그 이행을 확보하기 곤란하고 그 불이행을 방치하면 공익을 크게 해칠 것으로 인정될 때에 행정청이 의무자가 하여야 할 행위를 스스로 하거나 제3자에게 하게 하고 그 비용을 의무자로부터 징수하는 것을 행정대집행이라 한다.
④ 직접강제는 행정대집행이나 이행강제금 부과의 방법으로는 행정상 의무 이행을 확보할 수 없거나 그 실현이 불가능한 경우에 실시하여야 한다.

2025년 군무원 7급

① (X)

> 「행정기본법」제33조【즉시강제】① 즉시강제는 다른 수단으로는 행정목적을 달성할 수 없는 경우에만 허용되며, 이 경우에도 최소한으로만 실시하여야 한다.

② (O)

> 「행정기본법」제31조【이행강제금의 부과】③ 행정청은 이행강제금을 부과하기 전에 미리 의무자에게 적절한 이행기간을 정하여 그 기한까지 행정상 의무를 이행하지 아니하면 이행강제금을 부과한다는 뜻을 문서로 계고(戒告)하여야 한다.

③ (O)

> 「행정기본법」제30조【행정상 강제】① 행정청은 행정목적을 달성하기 위하여 필요한 경우에는 법률로 정하는 바에 따라 필요한 최소한의 범위에서 다음 각 호의 어느 하나에 해당하는 조치를 할 수 있다.
> 1. 행정대집행: 의무자가 행정상 의무(법령등에서 직접 부과하거나 행정청이 법령등에 따라 부과한 의무를 말한다. 이하 이 절에서 같다)로서 타인이 대신하여 행할 수 있는 의무를 이행하지 아니하는 경우 법률로 정하는 다른 수단으로는 그 이행을 확보하기 곤란하고 그 불이행을 방치하면 공익을 크게 해칠 것으로 인정될 때에 행정청이 의무자가 하여야 할 행위를 스스로 하거나 제3자에게 하게 하고 그 비용을 의무자로부터 징수하는 것

④ (O)

> 「행정기본법」제32조【직접강제】① 직접강제는 행정대집행이나 이행강제금 부과의 방법으로는 행정상 의무 이행을 확보할 수 없거나 그 실현이 불가능한 경우에 실시하여야 한다.

답 ①

함께 정리하기

「행정기본법」상 행정의 실효성 확보수단

즉시강제
▷ 다른 수단으로 행정목적을 달성할 수 없어야 함

이행강제금 부과 전
▷ 이행기간 정하여 문서로 계고

대집행 요건
▷ 공법상 대체적 작위의무 위반
▷ 다른 수단으로 이행확보 곤란
▷ 불이행방치가 심히 공익을 해할 것

직접강제
▷ 대집행, 이행강제금으로 의무이행확보, 실현불가능할 때 실시(보충적 수단)

문제 DATA

출제가능 지수 ▶▶▷
난이도 지수 ★★☆

003 □□□

<보기>는 어떠한 행정강제의 개별법상 근거를 나타낸 것이다. 이러한 행정강제에 대한 설명으로 옳지 않은 것은? (다툼이 있는 경우 판례에 의함)

<보기>
소방본부장, 소방서장 또는 소방대장은 소방활동을 위하여 긴급하게 출동할 때에는 소방자동차의 통행과 소방활동에 방해가 되는 주차 또는 정차된 차량 및 물건 등을 제거하거나 이동시킬 수 있다(「소방기본법」 제25조 제3항).

① 「행정기본법」은 <보기>와 같은 행정강제에 관하여 "다른 수단으로는 행정목적을 달성할 수 없는 경우에만 허용되며 이 경우에도 최소한으로만 실시하여야 한다."는 내용을 명시적으로 규정하고 있다.
② <보기>에서 소방활동에 방해되는 차량 및 물건을 제거하거나 이동시키는 것은 소방대상물에 대한 대물적 강제처분의 성질을 갖는다.
③ <보기>와 같은 행정강제는 법령 또는 행정처분에 의한 선행의 구체적 의무의 존재와 그 불이행을 전제로 한다.
④ <보기>와 같은 행정강제에 대하여 헌법재판소는 그 본질상 급박성을 요건으로 하고 있어 법관의 영장을 기다려서는 그 목적을 달성할 수 없다고 할 것이므로, 원칙적으로 영장주의가 적용되지 않는다고 보았다.

2025년 소방직

① (○) <보기>의 행정강제는 즉시강제에 해당한다.

「행정기본법」 제33조 【즉시강제】 ① 즉시강제는 다른 수단으로는 행정목적을 달성할 수 없는 경우에만 허용되며, 이 경우에도 최소한으로만 실시하여야 한다.

② (○) <보기>에서 소방활동 등에 방해가 되는 소방대상물에 대한 강제처분은 대물적 강제수단이다.
③ (×) <보기>와 같은 즉시강제는 선행하는 의무부과와 그 불이행을 전제로 하지 않는 점에서 선행하는 의무부과와 그 불이행을 전제로 하는 행정상 강제집행과 구별된다.

「행정기본법」 제30조 【행정상 강제】 ① 행정청은 행정목적을 달성하기 위하여 필요한 경우에는 법률로 정하는 바에 따라 필요한 최소한의 범위에서 다음 각 호의 어느 하나에 해당하는 조치를 할 수 있다.
  5. 즉시강제: 현재의 급박한 행정상의 장해를 제거하기 위한 경우로서 다음 각 목의 어느 하나에 해당하는 경우에 행정청이 곧바로 국민의 신체 또는 재산에 실력을 행사하여 행정목적을 달성하는 것
    가. 행정청이 미리 행정상 의무 이행을 명할 시간적 여유가 없는 경우
    나. 그 성질상 행정상 의무의 이행을 명하는 것만으로는 행정목적 달성이 곤란한 경우

④ (○)

[1] 영장주의가 행정상 즉시강제에도 적용되는지에 관하여는 논란이 있으나, 행정상 즉시강제는 상대방의 임의이행을 기다릴 시간적 여유가 없을 때 하명 없이 바로 실력을 행사하는 것으로서, 그 본질상 급박성을 요건으로 하고 있어 법관의 영장을 기다려서는 그 목적을 달성할 수 없다고 할 것이므로, 원칙적으로 영장주의가 적용되지 않는다고 보아야 할 것이다.
[2] 관계행정청이 등급분류를 받지 아니하거나 등급분류를 받은 게임물과 다른 내용의 게임물을 발견한 경우 관계공무원으로 하여금 이를 수거·폐기하게 할 수 있도록 한 구 음반·비디오물 및 게임물에 관한 법률 제24조 제3항 제4호(현행법 제42조 제3항 제4호)는 앞에서 본바와 같이 급박한 상황에 대처하기 위한 것으로서 그 불가피성과 정당성이 충분히 인정되는 경우이므로, 이 사건 법률조항이 영장 없는 수거를 인정한다고 하더라도 이를 두고 헌법상 영장주의에 위배되는 것으로는 볼 수 없다 (헌재 2002.10.31. 2000헌가12).

답 ③

함께 정리하기

즉시강제

「행정기본법」
▷ 보충성·비례원칙 규정○

소방활동에 방해되는 차량 및 물건 제거·이동
▷ 대물적 즉시강제

즉시강제
▷ 선행의 의무불이행 전제✕

본질상 급박성
▷ 영장주의 적용✕(원칙)

004

행정상 즉시강제에 대한 설명으로 옳지 않은 것은? (다툼이 있는 경우 판례에 의함)

① 술에 취한 상태로 인하여 자기 또는 타인의 생명·신체와 재산에 위해를 미칠 우려가 있는 피구호자에 대한 보호조치는 경찰 행정상 즉시강제에 해당한다.
② 영업소 폐쇄명령 불이행에 따른 영업소폐쇄조치는 즉시강제에 해당한다.
③ 즉시강제는 다른 수단으로는 행정목적을 달성할 수 없는 경우에만 허용되며 이 경우에도 최소한으로만 실시하여야 한다.
④ 구「음반·비디오물 및 게임물에 관한 법률」상 불법게임물의 수거·폐기조치에 관한 조항이 영장없는 수거를 인정한다고 하더라도 헌법상 영장주의에 위배되는 것으로 볼 수 없다.

문제 DATA
출제가능 지수 ▶▶▷
난이도 지수 ★★☆

2025년 경찰간부

① (○) 경찰관직무집행법 제4조 제1항 제1호에서 규정하는 술에 취한 상태로 인하여 자기 또는 타인의 생명·신체와 재산에 위해를 미칠 우려가 있는 피구호자에 대한 보호조치는 경찰 행정상 즉시강제에 해당한다(대판 2012.12.13. 2012도11162).

> 「경찰관 직무집행법」 제4조 【보호조치 등】 ① 경찰관은 수상한 행동이나 그 밖의 주위 사정을 합리적으로 판단해 볼 때 다음 각 호의 어느 하나에 해당하는 것이 명백하고 응급구호가 필요하다고 믿을 만한 상당한 이유가 있는 사람(이하 "구호대상자"라 한다)을 발견하였을 때에는 보건의료기관이나 공공구호기관에 긴급구호를 요청하거나 경찰서에 보호하는 등 적절한 조치를 할 수 있다.
> 1. 정신착란을 일으키거나 술에 취하여 자신 또는 다른 사람의 생명·신체·재산에 위해를 끼칠 우려가 있는 사람
> 2. 자살을 시도하는 사람
> 3. 미아, 병자, 부상자 등으로서 적당한 보호자가 없으며 응급구호가 필요하다고 인정되는 사람. 다만, 본인이 구호를 거절하는 경우는 제외한다.

② (✕) 영업소 폐쇄명령은 행정청이 법령에 근거하여 영업자에게 영업소를 폐쇄할 것을 명령하는 것으로, 이는 행정상 의무를 부과하는 처분이고, 이러한 명령에 불응할 경우 행정청이 취하는 영업소폐쇄조치는 행정상 강제집행의 일종인 '직접강제'에 해당한다. 즉시강제는 사전에 의무를 명하지 않고 직접 실력을 행사하는 것인 반면, 영업소 폐쇄명령 불이행에 따른 영업소폐쇄조치는 사전에 영업소 폐쇄명령이라는 의무를 부과하고 그 불이행을 전제로 하는 것이므로 즉시강제가 아닌 직접강제에 해당한다.

③ (○)

> 「행정기본법」 제33조 【즉시강제】 ① 즉시강제는 다른 수단으로는 행정목적을 달성할 수 없는 경우에만 허용되며, 이 경우에도 최소한으로만 실시하여야 한다.

④ (○) 영장주의가 행정상 즉시강제에도 적용되는지에 관하여는 논란이 있으나, 행정상 즉시강제는 상대방의 임의이행을 기다릴 시간적 여유가 없을 때 하명 없이 바로 실력을 행사하는 것으로서, 그 본질상 급박성을 요건으로 하고 있어 법관의 영장을 기다려서는 그 목적을 달성할 수 없다고 할 것이므로, 원칙적으로 영장주의가 적용되지 않는다고 보아야 할 것이다. 만일 어떤 법률조항이 영장주의를 배제할 만한 합리적인 이유가 없을 정도로 급박성이 인정되지 아니함에도 행정상 즉시강제를 인정하고 있다면, 이러한 법률조항은 이미 그 자체로 과잉금지의 원칙에 위반되는 것으로서 위헌이라고 할 것이다. 이 사건 법률조항은 앞에서 본바와 같이 급박한 상황에 대처하기 위한 것으로서 그 불가피성과 정당성이 충분히 인정되는 경우이므로, 이 사건 법률조항이 영장 없는 수거를 인정한다고 하더라도 이를 두고 헌법상 영장주의에 위배되는 것으로는 볼 수 없다(헌재 2002.10.31. 2000헌가12).

답 ②

함께 정리하기

행정상 즉시강제

주취자 보호조치
▷ 즉시강제

영업소 폐쇄명령 후 강제폐쇄
▷ 직접강제

행정상 장해 목전에 급박·보충성·필요최소한도

불법게임물 영장 없이 수거·폐기
▷ 영장주의 위반✕

문제 DATA

출제가능 지수 ▶▶▷
난이도 지수 ★★☆

005 □□□

행정상 즉시강제에 대한 설명으로 옳지 않은 것은? (다툼이 있는 경우 판례에 의함)

① 지방의회에서의 사무감사·조사를 위한 증인의 동행명령장제도는 현행범 체포와 같이 사후에 영장을 발부받지 아니하면 목적을 달성할 수 없는 긴박성이 있다고 인정할 수 있다.
② 행정강제는 행정상 강제집행을 원칙으로 하며, 법치국가적 요청인 예측가능성과 법적 안정성에 반하고 기본권 침해의 소지가 큰 권력작용인 행정상 즉시강제는 예외적으로 인정되는 강제수단이다.
③ 행정상 즉시강제의 경우 법관의 영장을 기다려서는 그 목적을 달성할 수 없으므로 원칙적으로 영장주의가 적용되지 아니한다.
④ 「경찰관 직무집행법」 제4조 제1항 제1호에서 규정하는 '술에 취한 상태로 인하여 자기 또는 타인의 생명·신체와 재산에 위해를 미칠 우려가 있는' 피구호자에 대한 보호조치는 행정상 즉시강제에 해당한다.
⑤ 행정상 즉시강제는 엄격한 실정법상의 근거를 필요로 할 뿐만 아니라 그 발동에 있어서는 법규의 범위 안에서도 다시 행정상의 장해가 목전에 급박하고 다른 수단으로는 행정목적을 달성할 수 없는 경우이어야 한다.

함께 정리하기

행정상 즉시강제

지방의회 사무감사·조사를 위한 증인의 동행명령장제도
▷ 영장 必要(긴박성 無)

행정강제
▷ 강제집행(원칙)
▷ 즉시강제(예외)

즉시강제
▷ 영장주의 적용×(원칙)

주취자 보호조치
▷ 즉시강제

엄격한 법적 근거 要, 급박한 장해의 제거 등이 다른 수단으로 불가능할 때 허용

2023년 소방간부

① (×) 사전영장주의원칙은 인신보호를 위한 헌법상의 기속원리이기 때문에 인신의 자유를 제한하는 국가의 모든 영역(예 행정상의 즉시강제)에서도 존중되어야 하고, 다만 사전영장주의를 고수하다가는 도저히 그 목적을 달성할 수 없는 지극히 예외적인 경우에만 형사절차에서와 같은 예외가 인정된다고 할 것이다. 그런데 지방의회에서의 사무감사·조사를 위한 증인의 동행명령장제도도 증인의 신체의 자유를 억압하여 일정 장소로 인치하는 것으로서 헌법 제12조 제3항의 "체포 또는 구속"에 준하는 사태로 보아야 하고, 거기에 현행범 체포와 같이 사후에 영장을 발부받지 아니하면 목적을 달성할 수 없는 긴박성이 있다고 인정할 수는 없으므로, 헌법 제12조 제3항에 의하여 법관이 발부한 영장의제시가 있어야 함에도 불구하고 동행명령장을 법관이 아닌 지방의회 의장이 발부하고 이에 기하여 증인의 신체의 자유를 침해하여 증인을 일정 장소에 인치하도록 규정된 조례안은 영장주의원칙을 규정한 헌법 제12조 제3항에 위반된 것이다(대판 1995.6.30. 93추83).

②, ⑤ (○)

행정상 즉시강제는 법치국가의 요청인 예측가능성과 법적 안정성에 반하고 기본권침해의 소지가 큰 권력작용이므로 행정강제는 행정상 강제집행을 원칙으로 하고 행정상 즉시강제는 예외적으로 인정되어야 한다(②). 행정상 즉시강제는 엄격한 실정법상의 근거를 필요로 할 뿐만 아니라, 그 발동에 있어서는 법규의 범위 안에서도 다시 행정상의 장해가 목전에 급박하고, 다른 수단으로는 행정목적을 달성할 수 없는 경우이어야 하며, 이러한 경우에도 그 행사는 필요 최소한도에 그쳐야 함을 내용으로 하는 조리상의 한계에 기속된다(⑤). 불법게임물은 불법현장에서 이를 즉시 수거하지 않으면 증거인멸의 가능성이 있고, 그 사행성으로 인한 폐해를 막기 어려우며, 대량으로 복제되어 유통될 가능성이 있어, 불법게임물에 대하여 관계당사자에게 수거·폐기를 명하고 그 불이행을 기다려 직접강제 등 행정상의 강제집행으로 나아가는 원칙적인 방법으로는 목적달성이 곤란하다고 할 수 있으므로, 이 사건 법률조항의 설정은 위와 같은 급박한 상황에 대처하기 위한 것으로서 그 불가피성과 정당성이 인정된다. … 또한 이 사건 법률조항이 불법게임물의 수거·폐기에 관한 행정상 즉시강제를 허용함으로써 게임제공업주 등이 입게 되는 불이익보다는 이를 허용함으로써 보호되는 공익이 더 크다고 볼 수 있으므로, 법익의 균형성의 원칙에 위배되는 것도 아니다(헌재 2002.10.31. 2000헌가12).

유제 17. 국가직(하) 9급 행정강제는 행정상 강제집행을 원칙으로 하고, 행정상 즉시강제는 예외적으로 인정되는 강제수단이다. (○)
21. 국가직 9급 (행정상 즉시강제는) 다른 수단으로는 행정목적을 달성할 수 없는 경우에만 허용되며, 이 경우에도 최소한으로만 실시하여야 한다. (○)
17. 국가직(하) 9급 행정상 즉시강제는 실정법의 근거를 필요로 하고, 그 발동에 있어서는 법규의 범위 안에서도 행정상의 장해가 목전에 급박하고, 다른 수단으로는 행정목적을 달성할 수 없는 경우이어야 하며, 이러한 경우에도 그 행사는 필요 최소한도에 그쳐야 함을 내용으로 하는 한계에 기속된다. (○)

③ (○) 헌법재판소의 태도에 의하면 옳은 지문이다. 헌법재판소는 급박성을 본질로 하는 즉시강제에는 원칙적으로 영장주의가 적용되지 않는다는 입장이다. 이와 비교하여 대법원에 따르면, 헌법상 영장주의는 행정상 즉시강제에도 적용되어야 하나, 즉시강제 중에서 행정목적의 달성을 위해 불가피하다고 인정할 만한 합리적인 이유가 있는 특별한 경우에 한하여 영장주의가 적용되지 않는다고 본다(위 ① 참조).

> 관계행정청이 등급분류를 받지 아니하거나 등급분류를 받은 게임물과 다른 내용의 게임물을 발견한 경우 관계공무원으로 하여금 이를 수거·폐기하게 할 수 있도록 한 구 「음반·비디오물 및 게임물에 관한 법률」의 조항은 급박한 상황에 대처하기 위한 것으로서 그 불가피성과 정당성이 충분히 인정되는 경우이므로, 이 사건 법률조항이 비록 영장 없는 수거를 인정한다고 하더라도 이를 두고 헌법상 영장주의에 위배되는 것으로는 볼 수 없다.
> 행정상 즉시강제는 상대방의 임의이행을 기다릴 시간적 여유가 없을 때 하명 없이 바로 실력을 행사하는 것으로서, 그 본질상 급박성을 요건으로 하고 있어 법관의 영장을 기다려서는 그 목적을 달성할 수 없다고 할 것이므로, 원칙적으로 영장주의가 적용되지 않는다고 보아야 할 것이다(헌재 2002.10.31. 2000헌가12).

유제 21. 국가직 9급 행정상 즉시강제는 국민의 권리침해를 필연적으로 수반하므로, 이에 대해서는 항상 영장주의가 적용된다. (×)
17. 국가직(하) 9급 불법게임물을 발견한 경우 관계공무원으로 하여금 영장 없이 이를 수거하여 폐기하게 할 수 있도록 규정한 구 「음반·비디오물 및 게임물에 관한 법률」의 조항은 급박한 상황에 대처하기 위해 행정상 즉시강제를 행할 불가피성과 정당성이 인정되지 않으므로 헌법상 영장주의에 위배된다. (×)

④ (○) 경찰관 직무집행법 제4조 제1항 제1호에서 규정하는 술에 취한 상태로 인하여 자기 또는 타인의 생명·신체와 재산에 위해를 미칠 우려가 있는 피구호자에 대한 보호조치는 경찰행정상 즉시강제에 해당하므로, 그 조치가 불가피한 최소한도 내에서만 행사되도록 발동·행사 요건을 신중하고 엄격하게 해석하여야 한다(대판 2012.12.13. 2012도11162).

유제 19. 경행경채 2차 「경찰관 직무집행법」 제4조 제1항 제1호에서 규정하는 "술에 취하여 자신 또는 다른 사람의 생명·신체·재산에 위해를 끼칠 우려가 있는 사람"에 대한 보호조치는 행정상 즉시강제에 해당한다. (○)
17. 지방직 7급 술에 취한 상태로 인하여 자기 또는 타인의 생명·신체와 재산에 위해를 미칠 우려가 있는 피구호자에 대한 보호조치는 경찰행정상 즉시강제에 해당한다. (○)

답 ①

006 □□□

행정상 즉시강제에 대한 설명으로 옳은 것만을 모두 고르면?

> ㄱ. 항고소송의 대상이 되는 처분의 성질을 갖는다.
> ㄴ. 과거의 의무위반에 대하여 가해지는 제재이다.
> ㄷ. 목전에 급박한 장해를 예방하기 위한 경우에는 예외적으로 법률의 근거가 없이도 발동될 수 있다는 것이 일반적인 견해이다.
> ㄹ. 강제 건강진단과 예방접종은 대인적 강제수단에 해당한다.
> ㅁ. 위법한 즉시강제작용으로 손해를 입은 자는 국가나 지방자치단체를 상대로 「국가배상법」이 정한 바에 따라 손해배상을 청구할 수 있다.

① ㄴ, ㄷ
② ㄱ, ㄴ, ㅁ
③ ㄱ, ㄹ, ㅁ
④ ㄷ, ㄹ, ㅁ

함께 정리하기

행정상 즉시강제

처분성○(권력적 사실행위)

장래 필요한 상태 실현(과거 의무위반 제재×)

침해행정
▷ 엄격한 실정법적 근거 要

강제 건강진단, 예방접종
▷ 대인적 즉시강제

위법한 즉시강제로 손해발생
▷ 국가배상청구 可

문제 DATA

출제가능 지수 ▶▶▷
난이도 지수 ★★☆

2022년 국가직 9급

ㄱ. (○) 행정상 즉시강제는 권력적 사실행위로서 항고소송의 대상이 되는 '처분'에 해당한다.
ㄴ. (×) 행정상 즉시강제는 의무부과와 불이행을 전제로 하지 않으므로 과거의 의무위반에 대하여 가해지는 제재가 아니다.
ㄷ. (×) 행정상 즉시강제는 상대방의 임의이행을 기다릴 시간적 여유가 없을 때 하명 없이 개인의 신체나 재산에 바로 실력을 행사하는 것으로서, 기본권이 침해될 소지가 큰 행정작용에 해당한다. 따라서 실정법상 명백한 근거를 요한다.
ㄹ. (○) 「감염병의 예방 및 관리에 관한 법률」상의 강제 건강진단과 예방접종은 대인적 즉시강제에 해당한다.
ㅁ. (○) 위법한 즉시강제로 손해가 발생한 경우 「국가배상법」에 따라 국가나 지방자치단체를 상대로 손해배상을 청구할 수 있다.

답 ③

007 ☐☐☐

행정상 즉시강제에 대한 설명으로 옳지 않은 것은? (다툼이 있는 경우 판례에 의함)

① 행정상 즉시강제는 국민의 권리침해를 필연적으로 수반하므로, 이에 대해서는 항상 영장주의가 적용된다.
② 행정상 즉시강제는 직접강제와는 달리 행정상 강제집행에 해당하지 않는다.
③ 구 「음반·비디오물 및 게임물에 관한 법률」상 불법게임물에 대한 수거 및 폐기 조치는 행정상 즉시강제에 해당한다.
④ 다른 수단으로는 행정목적을 달성할 수 없는 경우에만 허용되며, 이 경우에도 최소한으로만 실시하여야 한다.

함께 정리하기

행정상 즉시강제

영장주의
▷ 대법원: 절충설
▷ 헌법재판소: 불요설

행정강제
▷ 강제집행(⊃직접강제) vs 즉시강제

불법게임물 수거·폐기
▷ 즉시강제

다른 수단으로 불가능할 때 허용(보충성), 비례원칙 적용

2021년 국가직 9급

① (×) 우리 헌법 제12조 제3항은 현행법 등 일정한 예외를 제외하고는 인신의 체포, 구금에는 반드시 법관이 발부한 사전영장이 제시되어야 하도록 규정하고 있는데, 이러한 사전영장주의원칙은 인신보호를 위한 헌법상의 기속원리이기 때문에 인신의 자유를 제한하는 국가의 모든 영역(예 행정상의 즉시강제)에서도 존중되어야 하고 다만 사전영장주의를 고수하다가는 도저히 그 목적을 달성할 수 없는 지극히 예외적인 경우에만 형사절차에서와 같은 예외가 인정된다고 할 것이다(대판 1995.6.30. 93추83).
② (○) 행정상 즉시강제란 행정강제의 일종으로서 목전의 급박한 행정상 장해를 제거할 필요가 있는 경우에, 미리 의무를 명할 시간적 여유가 없을 때 또는 그 성질상 의무를 명하여 가지고는 목적달성이 곤란할 때에, 직접 국민의 신체 또는 재산에 실력을 가하여 행정상 필요한 상태를 실현하는 작용이며, 법령 또는 행정처분에 의한 선행의 구체적 의무의 존재와 그 불이행을 전제로 하는 행정상 강제집행과 구별된다(헌재 2002.10.31. 2000헌가12).
③ (○) 불법게임물에 대하여 관계당사자에게 수거·폐기를 명하고 그 불이행을 기다려 직접강제 등 행정상의 강제집행으로 나아가는 원칙적인 방법으로는 목적달성이 곤란하다고 할 수 있으므로, 등급분류를 받지 아니하거나 등급분류를 받은 게임물과 다른 내용의 게임물을 발견한 때에는 관계공무원으로 하여금 이를 수거하여 폐기하게 할 수 있도록 규정(즉시강제 규정)의 설정은 위와 같은 급박한 상황에 대처하기 위한 것으로서 그 불가피성과 정당성이 충분히 인정되는 것으로 판단된다(헌재 2002.10.31. 2000헌가12).
④ (○) 행정강제는 행정상 강제집행을 원칙으로 하며, 법치국가적 요청인 예측가능성과 법적 안정성에 반하고, 기본권 침해의 소지가 큰 권력작용인 행정상 즉시강제는 어디까지나 예외적인 강제수단이라고 할 것이다. 이러한 행정상 즉시강제는 엄격한 실정법상의 근거를 필요로 할 뿐만 아니라, 그 발동에 있어서는 법규의 범위 안에서도 다시 행정상의 장해가 목전에 급박하고, 다른 수단으로는 행정목적을 달성할 수 없는 경우이어야 하며, 이러한 경우에도 그 행사는 필요 최소한도에 그쳐야 함을 내용으로 하는 조리상의 한계에 기속된다(헌재 2002.10.31. 2000헌가12).

답 ①

008

아래의 법률 조항에 대한 설명으로 옳지 않은 것은?

> 「감염병의 예방 및 관리에 관한 법률」 제49조【감염병의 예방 조치】① 질병관리청장, 시·도지사 또는 시장·군수·구청장은 감염병을 예방하기 위하여 다음 각 호에 해당하는 모든 조치를 하거나 그에 필요한 일부 조치를 하여야 하며, 보건복지부장관은 감염병을 예방하기 위하여 제2호, 제2호의2부터 제2호의4까지, 제12호 및 제12호의2에 해당하는 조치를 할 수 있다.
> 14. 감염병의심자를 적당한 장소에 일정한 기간 입원 또는 격리시키는 것

① 감염병의심자에 대한 격리조치는 직접강제에 해당한다.
② 그 성질상 행정상 의무의 이행을 명하는 것만으로는 행정 목적 달성이 곤란한 경우에 가능하다.
③ 다른 수단으로는 행정 목적을 달성할 수 없는 경우에만 허용된다.
④ 현장에 파견되는 집행책임자는 강제하는 이유와 내용을 고지하여야 한다.

문제 DATA
출제가능 지수 ▶▶▷
난이도 지수 ★★☆

2021년 군무원 7급

① (✕) 감염병의심자에 대한 격리조치는 즉시강제에 해당한다.
② (O)

> 「행정기본법」 제30조【행정상 강제】① 행정청은 행정목적을 달성하기 위하여 필요한 경우에는 법률로 정하는 바에 따라 필요한 최소한의 범위에서 다음 각 호의 어느 하나에 해당하는 조치를 할 수 있다.
> 5. 즉시강제: 현재의 급박한 행정상의 장해를 제거하기 위한 경우로서 다음 각 목의 어느 하나에 해당하는 경우에 행정청이 곧바로 국민의 신체 또는 재산에 실력을 행사하여 행정목적을 달성하는 것
>   가. 행정청이 미리 행정상 의무 이행을 명할 시간적 여유가 없는 경우
>   나. <u>그 성질상 행정상 의무의 이행을 명하는 것만으로는 행정목적 달성이 곤란한 경우</u>

③ (O)

> 「행정기본법」 제33조【즉시강제】① 즉시강제는 <u>다른 수단으로는 행정목적을 달성할 수 없는 경우에만</u> 허용되며, 이 경우에도 최소한으로만 실시하여야 한다.

④ (O)

> 「행정기본법」 제33조【즉시강제】② 즉시강제를 실시하기 위하여 <u>현장에 파견되는 집행책임자</u>는 그가 집행책임자임을 표시하는 증표를 보여 주어야 하며, <u>즉시강제의 이유와 내용을 고지하여야 한다</u>.

답 ①

함께 정리하기
「감염병의 예방 및 관리에 관한 법률」

감염병의심자 격리조치
▷ 대인적 즉시강제

의무불이행 전제✕(급박·곤란시 직접실력행사 결과실현)

다른 수단으로 불가능할 때 허용(보충성)

현장파견 집행책임자
▷ 즉시강제 이유·내용 고지 要

문제 DATA

출제가능 지수 ▶▶▷
난이도 지수 ★★☆

함께 정리하기

행정강제수단

자발적 협조에 의한 행정조사
▷ 법적 근거 不要

불법주차위반차량 제거 · 견인
▷ 대물적 즉시강제
▷ 법적 근거 要

해지기 전에 대집행 착수
▷ 야간 대집행 可

이행강제금 납부의 최초 독촉
▷ 행정처분○

009 □□□

행정강제수단에 대한 설명으로 옳지 않은 것은? (다툼이 있는 경우 판례에 의함)

① 행정기관은 법령 등에서 행정조사를 규정하고 있는 경우에 한하여 행정조사를 실시할 수 있지만 조사대상자의 자발적인 협조를 얻어 실시하는 경우에는 그러하지 아니하다.
② 화재진압작업을 위해서 화재발생현장에 불법주차차량을 제거하는 것은 급박성을 이유로 법적 근거가 없더라도 최후수단으로서 실행이 가능하다.
③ 해가 지기 전에 대집행을 착수한 경우에는 야간에 대집행실행이 가능하다.
④ 「건축법」상 이행강제금 납부의 최초 독촉은 항고소송의 대상이 되는 행정처분에 해당한다는 것이 판례의 태도이다.

| 2020년 소방직

① (○)

> 「행정조사기본법」 제5조 【행정조사의 근거】 행정기관은 법령등에서 행정조사를 규정하고 있는 경우에 한하여 행정조사를 실시할 수 있다. 다만, 조사대상자의 자발적인 협조를 얻어 실시하는 행정조사의 경우에는 그러하지 아니하다.

② (×) 화재진압작업을 위해서 화재발생현장에 있는 불법주차 차량을 제거하는 것은 행정상 즉시강제에 해당하는데 즉시강제는 전형적인 침해행정의 일종이므로 법적 근거가 필요하다.
③ (○)

> 「행정대집행법」 제4조 【대집행의 실행 등】 ① 행정청(제2조에 따라 대집행을 실행하는 제3자를 포함한다. 이하 이 조에서 같다)은 해가 뜨기 전이나 해가 진 후에는 대집행을 하여서는 아니 된다. 다만, 다음 각 호의 어느 하나에 해당하는 경우에는 그러하지 아니하다.
> 1. 의무자가 동의한 경우
> 2. 해가 지기 전에 대집행을 착수한 경우
> 3. 해가 뜬 후부터 해가 지기 전까지 대집행을 하는 경우에는 대집행의 목적 달성이 불가능한 경우
> 4. 그 밖에 비상시 또는 위험이 절박한 경우

④ (○) 구 건축법 제69조의2 제6항, 지방세법 제28조, 제82조, 국세징수법 제23조의 각 규정에 의하면, 이행강제금 부과처분을 받은 자가 이행강제금을 기한 내에 납부하지 아니한 때에는 그 납부를 독촉할 수 있으며, 납부독촉에도 불구하고 이행강제금을 납부하지 않으면 체납절차에 의하여 이행강제금을 징수할 수 있고, 이때 이행강제금 납부의 최초 독촉은 징수처분으로서 항고소송의 대상이 되는 행정처분이 될 수 있다(대판 2009.12.24. 2009두14507).

답 ②

문제 DATA

출제가능 지수 ▶▶▷
난이도 지수 ★☆☆

010 □□□

직접강제와 즉시강제에 대한 설명으로 가장 옳지 않은 것은?

① 직접강제와 즉시강제는 권력적 사실행위로서의 성격을 가지고 있다.
② 즉시강제의 목적과 침해되는 상대방의 권익 사이에는 비례관계가 유지되어야 한다.
③ 행정강제는 행정상 강제집행을 원칙으로 하므로 불법게임물에 대해서도 관계당사자에게 수거 · 폐기를 명하고 그 불이행 시 직접강제 등 행정상 강제집행으로 나아가야 한다.
④ 즉시강제는 법치국가의 요청인 예측가능성과 법적 안정성에 반하고 기본권 침해의 소지가 큰 권력작용이라는 비판이 존재한다.

2019년 서울시 9급

① (○) 권력적 사실행위란 행정주체가 우월적 지위를 가지고 하는 사실행위로, 공권력 행사의 실체를 가진다. 직접강제와 즉시강제는 국민의 신체·재산 등에 직접 물리력을 행사하므로 권력적 사실행위에 해당한다.
② (○) 즉시강제는 법률에 적합해야 하며(법률우위의 원칙), 행정법의 일반원리를 비롯한 불문법에도 위배되어서는 안 된다. 따라서 일반원칙인 비례원칙이 준수되어야 한다.

유제 18. 교행 즉시강제로써 행정상 장해를 제거하여 보호하고자 하는 공익과 즉시강제에 따른 권익침해 사이에는 비례관계가 있어야 한다. (○)

③ (×) 불법게임물의 폐기는 미리 의무를 명할 시간적 여유가 없거나 성질상 의무를 명해서는 목적을 달성하기 곤란하므로 즉시강제가 적합한 수단에 해당한다.
④ (○) 즉시강제는 의무의 존재 및 그 불이행을 전제로 하는 강제집행과 구별된다. 의무를 명하는 과정이 생략되므로 상대방의 예측가능성 확보의 관점에서 문제되고, 기본권이 침해될 소지가 큰 행정작용에 해당한다. 따라서 실정법상 명백한 근거를 요한다.

답 ③

함께 정리하기

직접강제와 즉시강제

직접강제·즉시강제
▷ 권력적 사실행위

즉시강제
▷ 비례원칙 준수 要

불법게임물 폐기
▷ 즉시강제가 적합한 수단

즉시강제
▷ 예측가능성·법적 안정성에 反
▷ 기본권 침해소지 큼

011 □□□

행정상 즉시강제에 대한 설명으로 옳지 않은 것은? (다툼이 있는 경우 판례에 의함)

① 「소방기본법」상 소방활동에 방해가 되는 물건 등에 대한 강제처분은 행정상 즉시강제에 해당한다.
② 행정상 즉시강제는 권력적 사실행위이므로, 항고소송의 대상이 되는 처분성이 인정된다.
③ 「식품위생법」상 영업소 폐쇄명령을 받은 자가 영업을 계속할 경우 강제폐쇄하는 조치는 행정상 즉시강제에 해당한다.
④ 행정상 즉시강제에서 그 목적을 달성할 수 없는 지극히 예외적인 경우에만 헌법상 사전영장주의 원칙의 예외가 인정된다.

문제 DATA

출제가능 지수 ▶▶▷
난이도 지수 ★★☆

2019년 소방직

① (○) 「소방기본법」상 소방활동에 방해가 되는 물건 등에 대한 강제처분은 급박한 위험·장애를 제거하기 위해 미리 의무를 명할 시간적 여유가 없거나 또는 성질상 의무를 명해서는 그 목적을 달성하기 곤란한 때, 직접 개인의 신체나 재산에 실력을 가함으로써 필요한 상태를 실현하는 작용이므로 행정상 즉시강제에 해당한다.
② (○) 행정상 즉시강제는 권력적 사실행위로서 항고소송의 대상이 되는 처분의 성질을 갖는다고 보는 것이 다수설이다.
③ (×) 행정청의 영업소 폐쇄명령을 받은 후에 식품접객업자가 이를 불이행하는 경우 행정청이 사용할 수 있는 수단인 「식품위생법」 제79조에 의한 영업장 또는 사업장의 폐쇄는 직접강제에 해당한다. 직접강제는 사전에 부과된 의무불이행을 전제로 행해진다는 점에서 의무불이행의 전제 없이 이루어지는 즉시강제와 구별된다.
④ (○) 대법원은 원칙적으로 영장주의가 적용되어야 하나, 행정목적 달성을 위하여 불가피한 경우에는 예외적으로 영장주의가 적용되지 않는다고 한다(절충설).

<u>사전영장주의는 인신보호를 위한 헌법상의 기속원리이기 때문에 인신의 자유를 제한하는 모든 국가작용의 영역에서 존중되어야 하지만, 헌법 제12조 제3항 단서도 사전영장주의의 예외를 인정하고 있는 것처럼 사전영장주의를 고수하다가는 도저히 행정목적을 달성할 수 없는 지극히 예외적인 경우에는 형사절차에서와 같은 예외가 인정되므로</u>, 구 사회안전법 제11조 소정의 동행보호규정은 재범의 위험성이 현저한 자를 상대로 긴급히 보호할 필요가 있는 경우에 한하여 단기간의 동행보호를 허용한 것으로서 그 요건을 엄격히 해석하는 한, 동 규정 자체가 사전영장주의를 규정한 헌법규정에 반한다고 볼 수는 없다(대판 1997.6.13. 96다56115).

답 ③

함께 정리하기

행정상 즉시강제

소방대상물 강제처분
▷ 대물적 즉시강제

권력적 사실행위
▷ 처분성 O

영업소 폐쇄명령 후 강제폐쇄
▷ 직접강제

영장주의
▷ 대법원: 불가피한 경우 적용×(절충설)

문제 DATA

출제가능 지수 ▶▶▷
난이도 지수 ★★☆

012 ☐☐☐

행정상 즉시강제에 대한 설명으로 가장 옳지 않은 것은? (다툼이 있는 경우 판례에 의함)

① 「경찰관 직무집행법」제4조 제1항 제1호에서 규정하는 "술에 취하여 자신 또는 다른 사람의 생명 신체 재산에 위해를 끼칠 우려가 있는 사람"에 대한 보호조치는 행정상 즉시강제에 해당한다.

② 「경찰관 직무집행법」제6조 제1항("경찰관은 범죄행위가 목전에 행하여지려고 하고 있다고 인정될 때에는 이를 예방하기 위하여 관계인에게 필요한 경고를 하고, 그 행위로 인하여 사람의 생명·신체에 위해를 끼치거나 재산에 중대한 손해를 끼칠 우려가 있는 긴급한 경우에는 그 행위를 제지할 수 있다.") 중 경찰관의 제지에 관한 부분은 범죄의 예방을 위한 행정상 즉시강제에 관한 근거 조항이다.

③ 사전영장주의원칙은 인신보호를 위한 헌법상의 기속원리이기 때문에 인신의 자유를 제한하는 행정상 즉시강제에서도 존중되어야 하고, 다만 사전영장주의를 고수하다가는 도저히 그 목적을 달성할 수 없는 지극히 예외적인 경우에만 형사절차에서와 같은 예외가 인정된다.

④ 「출입국관리법」에 따른 강제퇴거명령을 받은 외국인의 '보호'(출국시키기 위하여 외국인 보호실, 외국인보호소 또는 그 밖에 법무부장관이 지정하는 장소에 인치하고 수용하는 집행활동)는 행정상 즉시강제로서 그 기간의 상한을 법률에서 규정하지 않은 것은 헌법에 위반된다.

함께 정리하기

행정상 즉시강제

주취자 보호조치
▷ 즉시강제○

범죄의 예방 및 제지
▷ 즉시강제○

영장주의
▷ 대법원: 불가피한 경우 적용✕(절충설)

강제퇴거명령 받은 외국인보호
▷ 즉시강제✕
▷ 보호기간의 상한 없는 부분: 헌법불합치

2019년 경찰

① (○) 경찰관 직무집행법 제4조 제1항 제1호에서 규정하는 술에 취한 상태로 인하여 자기 또는 타인의 생명·신체와 재산에 위해를 미칠 우려가 있는 피구호자에 대한 보호조치는 경찰 행정상 즉시강제에 해당하므로, 그 조치가 불가피한 최소한도 내에서만 행사되도록 발동·행사 요건을 신중하고 엄격하게 해석하여야 한다(대판 2012.12.13. 2012도11162).

② (○) 경찰관 직무집행법 제6조 제1항 중 경찰관의 제지에 관한 부분은 범죄의 예방을 위한 경찰 행정상 즉시강제에 관한 근거 조항이다(대판 2008.11.13. 2007도9794).

③ (○) 우리 헌법 제12조 제3항은 현행법 등 일정한 예외를 제외하고는 인신의 체포, 구금에는 반드시 법관이 발부한 사전영장이 제시되어야 하도록 규정하고 있는데, 이러한 사전영장주의원칙은 인신보호를 위한 헌법상의 기속원리이기 때문에 인신의 자유를 제한하는 국가의 모든 영역(예 행정상의 즉시강제)에서도 존중되어야 하고 다만 사전영장주의를 고수하다가는 도저히 그 목적을 달성할 수 없는 지극히 예외적인 경우에만 형사절차에서와 같은 예외가 인정된다고 할 것이다(대판 1995.6.30. 93추83).

④ (✕) 강제퇴거명령을 받은 외국인에 대한 보호조치는 의무불이행을 전제로 하기 때문에 즉시강제에 해당하지 않는다. 다만, 보호기간의 상한이 없는 부분은 출제당시에는 합헌이었으나 2023.3.23. 2020헌가1 등 사건에서 헌법불합치결정으로 견해를 변경하였다.

1. 강제퇴거대상자를 출국 요건이 구비될 때까지 보호시설에 보호하는 것은 강제퇴거명령의 신속하고 효율적인 집행과 외국인의 출입국·체류관리를 위한 효과적인 방법이므로 수단의 적정성도 인정된다. 강제퇴거대상자의 송환이 언제 가능해질 것인지 미리 알 수가 없으므로, 심판대상조항이 보호기간의 상한을 두지 않은 것은 입법목적 달성을 위해 불가피한 측면이 있다. 보호기간의 상한이 규정될 경우, 그 상한을 초과하면 보호는 해제되어야 하는데, 강제퇴거대상자들이 보호해제 된 후 잠적할 경우 강제퇴거명령의 집행이 현저히 어려워질 수 있고, 그들이 범죄에 연루되거나 범죄의 대상이 될 수도 있다. … 그러므로 심판대상조항은 과잉금지원칙에 위배되어 신체의 자유를 침해하지 아니한다(헌재 2018.2.22. 2017헌가29).

2. 심판대상조항은 강제퇴거대상자를 대한민국 밖으로 송환할 수 있을 때까지 보호시설에 인치·수용하여 강제퇴거명령을 효율적으로 집행할 수 있도록 함으로써 외국인의 출입국과 체류를 적절하게 통제하고 조정하여 국가의 안전과 질서를 도모하고자 하는 것으로, 입법목적의 정당성과 수단의 적합성은 인정된다. 그러나 <u>보호기간의 상한을 두지 아니함으로써 강제퇴거대상자를 무기한 보호하는 것을 가능하게 하는 것은</u> 보호의 일시적·잠정적 강제조치로서의 한계를 벗어나는 것이라는 점, 보호기간의 상한을 법에 명시함으로써 보호기간의 비합리적인 장기화 내지 불확실성에서 야기되는 피해를 방지할 수 있어야 하는데, 단지 강제퇴거명령의 효율적 집행이라는 행정목적 때문에 기간의 제한이 없는 보호를 가능하게 하는 것은 행정의 편의성과 획일성만을 강조한 것으로 피보호자의 신체의 자유를 과도하게 제한하는 것인 점, 강제퇴거명령을 받은 사람을 보호함에 있어 그 기간의 상한을 두고 있는 국제적 기준이나 외국의 입법례에 비추어 볼 때 보호기간의 상한을 정하는 것이 불가능하다고 볼 수 없는 점, 강제퇴거명령의 집행 확보는 심판대상조항에 의한 보호 외에 주거지 제한이나 보고, 신원보증인의 지정, 적정한 보증금의 납부, 감독관 등을 통한 지속적인 관찰 등 다양한 수단으로도 가능한 점, 현행 보호일시해제제도나 보호명령에 대한 이의신청, 보호기간 연장에 대한 법무부장관의 승인제도만으로는 보호기간의 상한을 두지 않은 문제가 보완된다고 보기 어려운 점 등을 고려하면, 심판대상조항은 <u>침해의 최소성과 법익균형성을 충족하지 못한다. 따라서 심판대상조항은 과잉금지원칙을 위반하여 피보호자의 신체의 자유를 침해한다</u>(헌재 2023.3.23. 2020헌가1).

답 ④

013

행정상 즉시강제에 대한 설명으로 옳은 것은?

① 즉시강제는 대체적 작위의무의 불이행이 있는 경우에 행정청이 스스로 의무자가 행할 행위를 대신 수행하는 조치이다.
② 신체의 자유를 제한하는 즉시강제는 헌법상 기본권 침해에 해당하여 법률의 규정에 의해서도 허용되지 아니한다.
③ 권력적 사실행위인 즉시강제는 그 조치가 계속 중인 상태에 있는 경우에도 취소소송의 대상이 될 수는 없다.
④ 즉시강제로써 행정상 장해를 제거하여 보호하고자 하는 공익과 즉시강제에 따른 권익침해 사이에는 비례관계가 있어야 한다.

2018년 교육행정직

① (×) 즉시강제란 급박한 위험·장애를 제거하기 위해 미리 의무를 명할 시간적 여유가 없거나 성질상 의무를 명해서는 그 목적을 달성하기 곤란할 때, 직접 개인의 신체나 재산에 실력을 가함으로써 필요한 상태를 실현하는 작용을 의미한다. 설문은 대집행을 의미한다.
② (×) 현행법상 즉시강제에 관한 일반법은 없다. 다만 경찰상 즉시강제에 관한 일반법으로서 「경찰관 직무집행법」이 있으며, 그 밖에 개별법상에 여러 근거규범들이 있다(예 「마약류 관리에 관한 법률」, 「식품위생법」, 「소방기본법」, 「감염병의 예방 및 관리에 관한 법률」, 「재난 및 안전관리기본법」 등).
③ (×) 즉시강제는 권력적 사실행위로서 항고쟁송의 대상이 되는 처분에 해당하나 대부분 단기간에 종료되므로 소의 이익이 부정될 확률이 높다. 다만, 계속적 성질을 가지는 즉시강제(강제입원, 물건 영치 등)의 경우에는 소의 이익이 인정된다.
④ (○) 즉시강제의 실체법적 한계로 급박성의 원칙, 비례의 원칙, 소극성의 원칙, 보충성의 원칙이 논의된다. 따라서 즉시강제는 행정목적 달성을 위해 적합하여야 하고(적합성의 원칙), 개인에게 최소로 피해를 주는 수단이어야 하며(필요성의 원칙), 즉시강제를 통하여 추구하는 공익보다 개인의 권익에 대한 침해가 커서는 안 된다(상당성의 원칙). 따라서 타인의 재산에 대한 위해를 제거하기 위하여 인신을 구속할 수는 없다.

유제 19. 서울시 9급 즉시강제의 목적과 침해되는 상대방의 권익 사이에는 비례관계가 유지되어야 한다. (○)

답 ④

◎ 문제 DATA

출제가능 지수 ▶▶▷
난이도 지수 ★★☆

함께 정리하기

행정상 즉시강제

급박한 장애·성질상 목적달성 불가
▷ 실력 가하여 필요한 상태 실현

신체 자유 제한하는 즉시강제
▷ 법률 규정 있는 경우 허용

계속적 성질의 즉시강제
▷ 취소소송 대상○

비례원칙 적용○

014

「감염병의 예방 및 관리에 관한 법률」의 규정에 대한 설명으로 옳은 것을 <보기>에서 모두 고르면? (다툼이 있는 경우 판례에 의함)

「감염병의 예방 및 관리에 관한 법률」 제47조【감염병 유행에 대한 방역조치】 보건복지부장관 … 은 감염병이 유행하면 감염병 전파를 막기 위하여 다음 각 호에 해당하는 … 조치를 하여야 한다.
1. 감염병환자등이 있는 장소나 감염병병원체에 오염되었다고 인정되는 장소에 대한 다음 각 목의 조치
    가. 일시적 폐쇄
    나. <이하 생략>
3. 감염병병원체에 감염되었다고 의심되는 사람을 적당한 장소에 일정한 기간 입원 또는 격리시키는 것
4. <이하 생략>

제80조【벌칙】 다음 각 호의 어느 하나에 해당하는 자는 300만원 이하의 벌금에 처한다.
    1 ~ 4. <생략>
    5. 제47조 … 에 따른 조치에 위반한 자.
    6. <이하 생략>

<보기>
ㄱ. 제47조 제1호의 '일시적 폐쇄'는 의무의 불이행을 전제로 하지 않으므로 강학상 '직접강제'에 해당한다.
ㄴ. 제47조 제3호의 '입원 또는 격리'가 항고소송의 대상이 된다고 하더라도 입원 또는 격리가 이미 종료된 경우에는 권리보호의 필요성이 부정될 수 있다.
ㄷ. 제47조의 각 호 조치가 급박한 상황에 대처하기 위한 것으로서 그 불가피성과 정당성이 충분히 인정된다면 헌법상의 사전영장주의 원칙에 위배되는 것은 아니라 할 것이다.
ㄹ. 제80조의 벌금은 과실범 처벌에 관한 명문규정이 있거나 해석상 과실범도 벌할 뜻이 명확한 경우를 제외하고는 「형법」의 원칙에 따라 고의가 있어야 벌할 수 있다.
ㅁ. 법인의 종업원이 제80조의 위반행위를 하였음을 이유로 종업원과 함께 법인도 처벌하고자 한다면, 종업원의 행위의 결과에 대하여 법인에게 독자적인 책임이 있어야 한다.

① ㄱ, ㄴ, ㄷ
② ㄱ, ㄹ, ㅁ
③ ㄴ, ㄷ, ㅁ
④ ㄴ, ㄷ, ㄹ, ㅁ
⑤ ㄱ, ㄴ, ㄷ, ㄹ, ㅁ

2018년 국회직 8급

ㄱ. (×) 법문의 규정상 사전에 부과된 의무불이행을 전제로 하지 않으므로 즉시강제에 해당한다. 직접강제는 의무의 불이행을 전제로 한다.
ㄴ. (○) 입원·격리는 국민의 권리·의무에 영향을 미치는 행위이므로 항고소송의 대상이 되나, 입원·격리가 종료된 경우 권리침해의 상태가 해소되었으므로 권리보호의 필요성이 부정될 가능성이 높다.
ㄷ. (○) 헌법재판소는 즉시강제인 불법게임물의 수거·폐기를 허용하는 조항에 대하여 합헌결정을 내렸다.

영장없는 즉시강제는 영장주의원칙에 위배되지 않는다.
이 사건 법률조항은 앞에서 본바와 같이 급박한 상황에 대처하기 위한 것으로서 그 불가피성과 정당성이 충분히 인정되는 경우이므로, 이 사건 법률조항이 영장 없는 수거를 인정한다고 하더라도 이를 두고 헌법상 영장주의에 위배되는 것으로는 볼 수 없다(헌재 2002.10.31. 2000헌가12).

ㄹ. (○) 행정형벌은 규정해석상 과실범처벌이 명백하지 않으면 고의가 있어야 처벌할 수 있다.

행정상의 단속을 주안으로 하는 법규라 하더라도 '명문규정이 있거나 해석상 과실범도 벌할 뜻이 명확한 경우'를 제외하고는 형법의 원칙에 따라 '고의'가 있어야 벌할 수 있다(대판 2010.2.11. 2009도9807).

ㅁ. (○) 양벌규정상 법인의 처벌은 법인의 책임이 긍정되어야 가능하다.

이 사건 법률조항은 단순히 법인이 고용한 종업원 등이 업무에 관하여 범죄행위를 하였다는 이유만으로 법인에 대하여 형사처벌을 과하고 있는바, 이는 다른 사람의 범죄에 대하여 그 책임 유무를 묻지 않고 형벌을 부과하는 것으로서, 헌법상 법치국가의 원리 및 죄형법정주의로부터 도출되는 책임주의원칙에 반하여 헌법에 위반된다(헌재 2011.11.24. 2011헌가30).

답 ④

함께 정리하기
사례해결

의무불이행을 전제로 하지 않음
▷ 즉시강제

입원·격리 종료
▷ 권리보호필요성 부정될 수 있음

급박한 상황에 대처
▷ 영장주의 위배×

규정·해석상 과실범처벌 명백×
▷ 행정형벌은 고의 있어야 처벌

양벌규정상 법인처벌
▷ 법인의 책임 긍정되어야 함

015

행정상 즉시강제에 대한 설명으로 옳지 않은 것은? (다툼이 있는 경우 판례에 의함)

① 행정강제는 행정상 강제집행을 원칙으로 하고, 행정상 즉시강제는 예외적으로 인정되는 강제수단이다.
② 행정상 즉시강제는 실정법의 근거를 필요로 하고, 그 발동에 있어서는 법규의 범위 안에서도 행정상의 장해가 목전에 급박하고, 다른 수단으로는 행정목적을 달성할 수 없는 경우이어야 하며, 이러한 경우에도 그 행사는 필요 최소한도에 그쳐야 함을 내용으로 하는 한계에 기속한다.
③ 행정상 즉시강제에 관한 일반법은 없고 개별법에 행정상 즉시강제에 해당하는 수단을 규정하고 있다.
④ 불법게임물을 발견한 경우 관계공무원으로 하여금 영장 없이 이를 수거하여 폐기할 수 있도록 규정한 「음반·비디오물 및 게임물에 관한 법률」의 조항은 급박한 상황에 대처하기 위해 행정상 즉시강제를 행할 불가피성과 정당성이 인정되지 않으므로 헌법상 영장주의에 위배된다.

문제 DATA
출제가능 지수 ▶▶▷
난이도 지수 ★★☆

함께 정리하기

행정상 즉시강제

행정강제
▷ 행정상 강제집행(원칙)
▷ 행정상 즉시강제(예외)

실정법 근거 要

행정상 장해 목전에 급박·보충성·필요 최소한도

일반법 無

불법게임물 영장 없이 수거·폐기
▷ 영장주의 위반 ✕

2017년 국가직 9급

① (O) 행정상 즉시강제는 다른 수단(예 행정지도 등)으로는 목적달성이 불가능하거나 시간적인 여유가 없는 경우에 보충적으로 허용된다. 따라서 행정상 강제집행이 가능한 경우라면 행정상 즉시강제는 인정될 수 없다.

② (O) 행정상 즉시강제는 전형적인 침해행정의 일종이므로 엄격한 실정법적 근거가 필요하다고 보는 것이 일반적이다. 또한 실정법의 근거가 있다고 하더라도 실제 발동에 있어서 급박성의 원칙, 비례의 원칙, 소극성의 원칙, 보충성의 원칙 등을 준수하여야 한다.

유제 13. 변호사 행정상 즉시강제는 긴급성을 고려할 때 법적 근거 없이도 가능하다. (✕)

③ (O) 현행법상 즉시강제에 관한 일반법은 없다. 다만, 경찰상 즉시강제 관한 일반법으로서 「경찰관 직무집행법」이 있으며, 그 밖에 개별법상에 여러 근거규범들이 있다(예 「마약류 관리에 관한 법률」, 「식품위생법」, 「소방기본법」, 「감염병의 예방 및 관리에 관한 법률」, 「재난 및 안전관리기본법」 등).

④ (✕) 영장없는 불법게임물 수거폐기는 영장주의에 위반되지 않는다.

> 행정상 즉시강제는 상대방의 임의이행을 기다릴 시간적 여유가 없을 때 하명 없이 바로 실력을 행사하는 것으로서, 그 본질상 급박성을 요건으로 하고 있어 법관의 영장을 기다려서는 그 목적을 달성할 수 없다고 할 것이므로, 원칙적으로 영장주의가 적용되지 않는다고 보아야 할 것이다. 관계행정청이 등급분류를 받지 아니하거나 등급분류를 받은 게임물과 다른 내용의 게임물을 발견한 경우 관계공무원으로 하여금 이를 수거·폐기하게 할 수 있도록 한 구 음반·비디오물 및 게임물에 관한 법률이 비록 영장 없는 수거를 인정한다고 하더라도 이를 두고 헌법상 영장주의에 위배되는 것으로는 볼 수 없다(헌재 2002.10.31. 2000헌가12).

답 ④

제2장 행정조사

001 □□□

행정조사에 대한 설명으로 옳은 것은? (다툼이 있는 경우 판례에 의함)

① 「행정조사기본법」상 화재가 진화된 현장에서 소방공무원이 화재 원인을 분석하기 위해 시료를 채취하는 것은 행정조사에 해당하나 조사대상자에게 자료제출을 요구하거나 출석·진술을 요구하는 활동은 이에 포함되지 않는다.
② 헌법상 적법절차의 원칙은 형사소송절차에 국한된 것으로서 모든 국가작용 전반에 대해 적용되는 것은 아니므로 행정목적 달성을 위한 행정조사에는 적용되지 않는다.
③ 행정기관이 행정조사를 행하는 경우 조사대상자의 자발적인 협조가 있다면 법령등에서 행정조사를 규정하고 있지 않더라도 실시할 수 있다.
④ 세관공무원이 「마약류 불법거래 방지에 관한 특례법」에 따른 조치의 일환으로 특정한 수출입물품을 개봉하여 검사하고 그 내용물의 점유를 취득한 행위는 수출입물품에 대한 적정한 통관 등을 목적으로 실시하는 행정조사라는 점에서 사전 또는 사후 영장을 요하지 않는다.

문제 DATA
출제가능 지수 ▶▶▷
난이도 지수 ★★☆

| 2025년 소방직

① (×)

> 「행정조사기본법」 제2조 【정의】 이 법에서 사용하는 용어의 정의는 다음과 같다.
> 1. "행정조사"란 행정기관이 정책을 결정하거나 직무를 수행하는 데 필요한 정보나 자료를 수집하기 위하여 현장조사·문서열람·시료채취 등을 하거나 조사대상자에게 보고요구·자료제출요구 및 출석·진술요구를 행하는 활동을 말한다.

② (×) 헌법 제12조 제1항에서 규정하고 있는 적법절차의 원칙은 형사소송절차에 국한되지 아니하고 모든 국가작용 전반에 대하여 적용된다(헌재 1992.12.24. 92헌가8 전원재판부 결정, 헌재 1998.5.28. 96헌바4 전원재판부 결정 등 참조). 세무조사는 국가의 과세권을 실현하기 위한 행정조사의 일종으로서 과세자료의 수집 또는 신고내용의 정확성 검증 등을 위하여 필요불가결하며, 종국적으로는 조세의 탈루를 막고 납세자의 성실한 신고를 담보하는 중요한 기능을 수행한다. 이러한 세무공무원의 세무조사권의 행사에서도 적법절차의 원칙은 마땅히 준수되어야 한다(대판 2014.6.26. 2012두911).

③ (○)

> 「행정조사기본법」 제5조 【행정조사의 근거】 행정기관은 법령등에서 행정조사를 규정하고 있는 경우에 한하여 행정조사를 실시할 수 있다. 다만, 조사대상자의 자발적인 협조를 얻어 실시하는 행정조사의 경우에는 그러하지 아니하다.

④ (×) 수사기관에 의한 압수·수색의 경우 헌법과 형사소송법이 정한 적법절차와 영장주의 원칙은 법률에 따라 허용된 예외사유에 해당하지 않는 한 관철되어야 한다. 세관공무원이 수출입물품을 검사하는 과정에서 마약류가 감추어져 있다고 밝혀지거나 그러한 의심이 드는 경우, 검사는 마약류의 분산을 방지하기 위하여 충분한 감시체제를 확보하고 있어 수사를 위하여 이를 외국으로 반출하거나 대한민국으로 반입할 필요가 있다는 요청을 세관장에게 할 수 있고, 세관장은 그 요청에 응하기 위하여 필요한 조치를 할 수 있다(마약류 불법거래 방지에 관한 특례법 제4조 제1항). 그러나 이러한 조치가 수사기관에 의한 압수·수색에 해당하는 경우에는 영장주의 원칙이 적용된다. 물론 수출입물품 통관검사절차에서 이루어지는 물품의 개봉, 시료채취, 성분분석 등의 검사는 수출입물품에 대한 적정한 통관 등을 목적으로 조사를 하는 것으로서 이를 수사기관의 강제처분이라고 할 수 없으므로, 세관공무원은 압수·수색영장 없이 이러한 검사를 진행할 수 있다. 세관공무원이 통관검사를 위하여 직무상 소지하거나 보관하는 물품을 수사기관에 임의로 제출한 경우에는 비록 소유자의 동의를 받지 않았더라도 수사기관이 강제로 점유를 취득하지 않은 이상 해당 물품을 압수하였다고 할 수 없다. 그러나 마약류 불법거래 방지에 관한

함께 정리하기

행정조사

「행정조사기본법」상 행정조사
▷ 시료채취·자료제출요구·출석·진술요구 可

적법절차원칙
▷ 행정조사에서도 준수 要

자발적 협조 얻어 실시하는 행정조사(임의조사)
▷ 조사의 법적 근거 不要

「마약거래방지법」에 따라 수출입물품 개봉검사·내용물 점유취득
▷ 사전·사후 영장 필요

특례법 제4조 제1항에 따른 조치의 일환으로 특정한 수출입물품을 개봉하여 검사하고 그 내용물의 점유를 취득한 행위는 위에서 본 수출입물품에 대한 적정한 통관 등을 목적으로 조사를 하는 경우와는 달리, 범죄수사인 압수 또는 수색에 해당하여 사전 또는 사후에 영장을 받아야 한다(대판 2017.7.18. 2014도8719).

답 ③

002

행정조사에 대한 설명으로 옳지 않은 것은?

① 조사대상자의 자발적인 협조를 얻어 실시하는 행정조사 외에는, 행정기관은 법령 등에서 행정조사를 규정하고 있는 경우에 한하여 행정조사를 실시할 수 있다.
② 조사원이 현장조사 중에 자료·서류·물건 등을 영치하는 때에는 조사대상자 또는 그 대리인을 입회시켜야 한다.
③ 행정조사를 실시하고자 하는 행정기관의 장은 「행정조사기본법」에 따른 출석요구서, 보고요구서·자료제출요구서 및 현장출입조사서를 조사개시 7일 전까지 조사대상자에게 서면으로 통지하여야 한다.
④ 행정조사의 범위에는 행정기관이 정책을 결정하거나 직무를 수행하는 데 필요한 정보나 자료를 수집하기 위한 문서열람 활동이 포함된다.
⑤ 근로감독관이 특별사법경찰관으로서 중대재해와 관련한 「산업안전보건법」위반 또는 「근로기준법」위반 여부를 수사하는 경우에 관계법령의 특별한 근거가 없다면 그 수사 절차는 「행정조사기본법」상 행정조사 절차에 해당한다.

2025년 국회직 8급

① (O)

> 「행정조사기본법」 제5조 【행정조사의 근거】 행정기관은 법령등에서 행정조사를 규정하고 있는 경우에 한하여 행정조사를 실시할 수 있다. 다만, 조사대상자의 자발적인 협조를 얻어 실시하는 행정조사의 경우에는 그러하지 아니하다.

② (O)

> 행정조사기본법 제13조 【자료등의 영치】 ① 조사원이 현장조사 중에 자료·서류·물건 등(이하 "자료등"이라 한다)을 영치하는 때에는 조사대상자 또는 그 대리인을 입회시켜야 한다.

③ (O)

> 「행정조사기본법」 제17조 【조사의 사전통지】 ① 행정조사를 실시하고자 하는 행정기관의 장은 제9조에 따른 출석요구서, 제10조에 따른 보고요구서·자료제출요구서 및 제11조에 따른 현장출입조사서(이하 "출석요구서등"이라 한다)를 조사개시 7일 전까지 조사대상자에게 서면으로 통지하여야 한다. 다만, 다음 각 호의 어느 하나에 해당하는 경우에는 행정조사의 개시와 동시에 출석요구서등을 조사대상자에게 제시하거나 행정조사의 목적 등을 조사대상자에게 구두로 통지할 수 있다.
> 1. 행정조사를 실시하기 전에 관련 사항을 미리 통지하는 때에는 증거인멸 등으로 행정조사의 목적을 달성할 수 없다고 판단되는 경우
> 2. 「통계법」 제3조 제2호에 따른 지정통계의 작성을 위하여 조사하는 경우
> 3. 제5조 단서에 따라 조사대상자의 자발적인 협조를 얻어 실시하는 행정조사의 경우

문제 DATA
출제가능 지수 ▶▶▷
난이도 지수 ★★☆

함께 정리하기
행정조사
원칙
▷ 법적 근거 필요
예외
▷ 임의조사(자발적 협조): 법적 근거 不要
현장조사 중 자료·서류·물건등 영치
▷ 조사대상자 또는 그 대리인을 입회시켜야 함
행정기관의 장
▷ 조사개시 7일 전 사전 서면 통지
행정조사
▷ 정책결정하거나 직무수행시 필요한 정보·자료 수집
「행정조사기본법」 적용제외
▷ 근로감독관의 직무에 관한 사항

④ (○)

> 「행정조사기본법」제2조【정의】이 법에서 사용하는 용어의 정의는 다음과 같다.
> 1. "행정조사"란 행정기관이 정책을 결정하거나 직무를 수행하는 데 필요한 정보나 자료를 수집하기 위하여 현장조사·문서열람·시료채취 등을 하거나 조사대상자에게 보고요구·자료제출요구 및 출석·진술요구를 행하는 활동을 말한다.

⑤ (×)

> 「행정조사기본법」제3조【적용범위】② 다음 각 호의 어느 하나에 해당하는 사항에 대하여는 이 법을 적용하지 아니한다.
> 4. 「근로기준법」제101조에 따른 근로감독관의 직무에 관한 사항

구 산업안전보건법(2019.1.15. 법률 제16272호로 전부 개정되기 전의 것) 제2조 제1호, 제7호, 제26조 제4항, 근로감독관 집무규정(산업안전보건) 제27조 제1항, 제2항, 근로기준법 제102조 제1항, 제104조 제1항, 근로감독관 집무규정 제40조 제1항 본문, 제44조 제2항, 사법경찰관리의 직무를 수행할 자와 그 직무범위에 관한 법률(이하 '사법경찰직무법'이라 한다) 제6조의2 제1항 제1호, 제5호, 구 형사소송법(2019.12.31. 법률 제16850호로 개정되기 전의 것) 제196조, 제198조 이하, 구 특별사법경찰관리 집무규칙(2021.1.1. 법무부령 제995호로 폐지되고 '특별사법경찰관리에 대한 검사의 수사지휘 및 특별사법경찰관리의 수사준칙에 관한 규칙'이 제정되었다)을 종합하여 보면, 중대재해가 발생하여 근로감독관이 그 발생원인 등을 조사하는 것은 산업안전보건법 및 그 하위법령에 따른 절차이고, 근로감독관이 근로기준법 제104조 제1항에서 정한 근로자의 통보에 따라 현장조사 등을 하는 것은 근로기준법 및 그 하위법령에 따른 절차라고 할 것이나, 근로감독관이 특별사법경찰관으로서 중대재해와 관련한 산업안전보건법 위반 내지 근로기준법 위반을 수사하는 경우에는 산업안전보건법, 근로기준법 등에 특별한 근거가 없는 이상, 그 수사절차는 형사소송법, 사법경찰직무법, 구 특별사법경찰관리 집무규칙에 따른 절차라고 보는 것이 타당하다(대판 2022.1.13. 2015도6326).

답 ⑤

003

행정조사에 대한 설명으로 옳지 않은 것은?

① 「행정조사기본법」상 조사원이 가택·사무실 또는 사업장 등에 출입하여 현장조사를 실시하는 경우, 그 권한을 나타내는 증표를 지니고 이를 조사대상자에게 내보여야 한다.
② 「행정조사기본법」제5조 단서에서 정한 '조사대상자의 자발적인 협조를 얻어 실시하는 행정조사'는 개별 법령 등에서 행정조사를 규정하고 있는 경우에도 실시할 수 있다.
③ 납세자 등이 대답하거나 수인할 의무가 없고 납세자의 영업의 자유 등을 침해하거나 세무조사권이 남용될 염려가 없는 조사행위라 하더라도 재조사가 금지되는 세무조사에 해당한다.
④ 우편물 통관검사절차에서 이루어지는 우편물의 개봉, 시료채취, 성분분석 등의 검사는 행정조사의 성격을 가지는 것으로서 압수·수색영장 없이 우편물의 개봉, 시료채취, 성분분석 등 검사가 진행되었다 하더라도 특별한 사정이 없는 한 위법하다고 볼 수 없다.

함께 정리하기

행정조사

조사원
▷ 현장조사시 신분증표를 지니고 제시의무 有

자발적 협조 얻어 실시하는 행정조사(임의조사)
▷ 법적 근거 있어도 可

질문대답 수인의무 無

자유권 침해·남용우려 無
▷ 재조사가 금지되는 세무조사✕

우편물 통관검사절차
▷ 압수·수색영장 不要

2024년 국가직 7급

① (〇)

> 「행정조사기본법」제11조【현장조사】① 조사원이 가택·사무실 또는 사업장 등에 출입하여 현장조사를 실시하는 경우에는 행정기관의 장은 다음 각 호의 사항이 기재된 현장출입조사서 또는 법령등에서 현장조사시 제시하도록 규정하고 있는 문서를 조사대상자에게 발송하여야 한다.
> ③ 제1항 및 제2항에 따라 현장조사를 하는 조사원은 그 권한을 나타내는 증표를 지니고 이를 조사대상자에게 내보여야 한다.

② (〇) 행정조사기본법 제5조에 의하면 행정기관은 법령 등에서 행정조사를 규정하고 있는 경우에 한하여 행정조사를 실시할 수 있으나(본문), 한편 '조사대상자의 자발적인 협조를 얻어 실시하는 행정조사'의 경우에는 그러한 제한이 없이 실시가 허용된다(단서). 행정조사기본법 제5조는 행정기관이 정책을 결정하거나 직무를 수행하는 데에 필요한 정보나 자료를 수집하기 위하여 행정조사를 실시할 수 있는 근거에 관하여 정한 것으로서, 이러한 규정의 취지와 아울러 문언에 비추어 보면, 단서에서 정한 '조사대상자의 자발적인 협조를 얻어 실시하는 행정조사'는 개별 법령 등에서 행정조사를 규정하고 있는 경우에도 실시할 수 있다(대판 2016.10.27. 2016두41811).

③ (✕) 세무공무원의 조사행위가 실질적으로 납세자 등으로 하여금 질문에 대답하고 검사를 수인하도록 함으로써 납세자의 영업의 자유 등에 영향을 미치는 경우에는 국세청 훈령인 구 조사사무처리규정에서 정한 '현지확인'의 절차에 따른 것이라고 하더라도 그것은 재조사가 금지되는 '세무조사'에 해당한다고 보아야 한다. 그러나 과세자료의 수집 또는 신고내용의 정확성 검증 등을 위한 과세관청의 모든 조사행위가 재조사가 금지되는 세무조사에 해당한다고 볼 경우에는 과세관청으로서는 단순한 사실관계의 확인만으로 충분한 사안에서 언제나 정식의 세무조사에 착수할 수밖에 없고 납세자 등으로서도 불필요하게 정식의 세무조사에 응하여야 하므로, 납세자 등이 대답하거나 수인할 의무가 없고 납세자의 영업의 자유 등을 침해하거나 세무조사권이 남용될 염려가 없는 조사행위까지 재조사가 금지되는 '세무조사'에 해당한다고 볼 것은 아니다(대판 2017.3.16. 2014두8360).

④ (〇) 우편물 통관검사절차에서 이루어지는 우편물의 개봉, 시료채취, 성분분석 등의 검사는 수출입물품 등에 대한 적정한 통관 등을 목적으로 한 행정조사의 성격을 가지는 것으로서 수사기관의 강제처분이라고 할 수 없으므로, 압수·수색영장 없이 우편물의 개봉, 시료채취, 성분분석 등 검사가 진행되었다 하더라도 특별한 사정이 없는 한 위법하다고 볼 수 없다(대판 2013.9.26. 2013도7718).

답 ③

004

행정조사에 대한 설명으로 옳지 않은 것은?

① 우편물 통관검사절차에서 이루어지는 우편물의 개봉, 시료채취, 성분분석 등의 검사는 수출입물품에 대한 적정한 통관 등을 목적으로 한 행정조사의 성격을 가지는 것으로서 압수·수색영장 없이도 이러한 검사를 진행할 수 있다.
② 세무조사결정은 납세자의 권리·의무에 직접 영향을 미치는 공권력의 행사에 따른 행정작용으로서 항고소송의 대상이 된다.
③ 「행정조사기본법」에 따르면 조사대상자의 자발적인 협조에 따라 실시하는 행정조사에 대하여 조사대상자가 조사에 응할 것인지에 대한 응답을 하지 아니하는 경우에는 법령 등에 특별한 규정이 없는 한 그 조사를 거부한 것으로 본다.
④ 「행정조사기본법」상 행정조사를 실시하기 전에 관련 사항을 미리 통지하는 경우 증거인멸 등으로 행정조사의 목적을 달성할 수 없다고 판단되는 때에는, 행정기관의 장은 행정조사 종료 후 지체 없이 행정조사의 목적 등을 조사대상자에게 구두로 통지할 수 있다.

2024년 지방직 9급

① (○) 우편물 통관검사절차에서 이루어지는 우편물의 개봉, 시료채취, 성분분석 등의 검사는 수출입물품에 대한 적정한 통관 등을 목적으로 한 행정조사의 성격을 가지는 것으로서 수사기관의 강제처분이라고 할 수 없으므로, 압수·수색영장 없이 우편물의 개봉, 시료채취, 성분분석 등 검사가 진행되었다 하더라도 특별한 사정이 없는 한 위법하다고 볼 수 없다(대판 2013.9.26. 2013도7718).

② (○) 부과처분을 위한 과세관청의 질문조사권이 행해지는 세무조사결정이 있는 경우 납세의무자는 세무공무원의 과세자료 수집을 위한 질문에 대답하고 검사를 수인하여야 할 법적 의무를 부담하게 되는 점, 세무조사는 기본적으로 적정하고 공평한 과세의 실현을 위하여 필요한 최소한의 범위 안에서 행하여져야 하고, 더욱이 동일한 세목 및 과세기간에 대한 재조사는 납세자의 영업의 자유 등 권익을 심각하게 침해할 뿐만 아니라 과세관청에 의한 자의적인 세무조사의 위험마저 있으므로 조세공평의 원칙에 현저히 반하는 예외적인 경우를 제외하고는 금지될 필요가 있는 점, 납세의무자로 하여금 개개의 과태료처분에 대하여 불복하거나 조사 종료 후의 과세처분에 대하여만 다툴 수 있도록 하는 것보다는 그에 앞서 세무조사결정에 대하여 다툼으로써 분쟁을 조기에 근본적으로 해결할 수 있는 점 등을 종합하면, 세무조사결정은 납세의무자의 권리·의무에 직접 영향을 미치는 공권력의 행사에 따른 행정작용으로서 항고소송의 대상이 된다(대판 2011.3.10. 2009두23617·23624).

③ (○)

> 「행정조사기본법」 제20조 【자발적인 협조에 따라 실시하는 행정조사】 ① 행정기관의 장이 제5조 단서에 따라 조사대상자의 자발적인 협조를 얻어 행정조사를 실시하고자 하는 경우 조사대상자는 문서·전화·구두 등의 방법으로 당해 행정조사를 거부할 수 있다.
> ② 제1항에 따른 행정조사에 대하여 조사대상자가 조사에 응할 것인지에 대한 응답을 하지 아니하는 경우에는 법령등에 특별한 규정이 없는 한 그 조사를 거부한 것으로 본다.

④ (×)

> 「행정조사기본법」 제17조 【조사의 사전통지】 ① 행정조사를 실시하고자 하는 행정기관의 장은 제9조에 따른 출석요구서, 제10조에 따른 보고요구서·자료제출요구서 및 제11조에 따른 현장출입조사서(이하 "출석요구서등"이라 한다)를 조사개시 7일 전까지 조사대상자에게 서면으로 통지하여야 한다. 다만, 다음 각 호의 어느 하나에 해당하는 경우에는 행정조사의 개시와 동시에 출석요구서등을 조사대상자에게 제시하거나 행정조사의 목적 등을 조사대상자에게 구두로 통지할 수 있다.
> 1. 행정조사를 실시하기 전에 관련 사항을 미리 통지하는 때에는 증거인멸 등으로 행정조사의 목적을 달성할 수 없다고 판단되는 경우
> 2. 「통계법」 제3조 제2호에 따른 지정통계의 작성을 위하여 조사하는 경우
> 3. 제5조 단서에 따라 조사대상자의 자발적인 협조를 얻어 실시하는 행정조사의 경우

답 ④

문제 DATA

출제가능 지수 ▶▶▷
난이도 지수 ★★☆

함께 정리하기

행정조사

우편물 통관검사절차
▷ 압수·수색영장 不要

세무조사결정
▷ 항고소송 대상 ○

자발적 협조에 의한 행정조사
▷ 미응답시 조사거부 간주

사전통지
▷ 7일 전 서면통지가 원칙
▷ 예외: 증거인멸의 우려 有 → 조사개시와 동시에 구두통지 可

문제 DATA

출제가능 지수 ▶▶▷
난이도 지수 ★★☆

005 □□□

다음 중 행정조사에 대한 설명으로 가장 옳지 않은 것은? (다툼이 있는 경우 판례에 의함)

① 행정기관은 조사대상자의 자발적인 협조를 얻어 행정조사를 실시할 수 있는데, 이 경우에도 조사 개시 7일 전까지 조사대상자에게 서면으로 통지하여야 한다.
② 「국세기본법」이 정한 세무조사대상 선정사유가 없음에도 세무조사대상으로 선정하여 과세자료를 수집하고 그에 기하여 과세처분을 하는 것은 위법하다.
③ 부과처분을 위한 과세관청의 질문조사권이 행해지는 세무조사결정이 있는 경우 납세의무자는 세무공무원의 과세자료 수집을 위한 질문에 대답하고 검사를 수인하여야 할 법적 의무를 부담하게 된다는 점에서 세무조사결정은 항고소송의 대상이 된다.
④ 세무조사가 과세자료의 수집 또는 신고내용의 정확성 검증이라는 본연의 목적이 아니라 부정한 목적을 위하여 행하여진 것이라면 이는 세무조사에 중대한 위법사유가 있는 경우에 해당하고 이러한 세무조사에 의하여 수집된 과세자료를 기초로 한 과세처분 역시 위법하다.

| 2024년 군무원 9급

① (×)

> 「행정조사기본법」 제17조 【조사의 사전통지】 ① 행정조사를 실시하고자 하는 행정기관의 장은 제9조에 따른 출석요구서, 제10조에 따른 보고요구서·자료제출요구서 및 제11조에 따른 현장출입조사서(이하 "출석요구서등"이라 한다)를 조사개시 7일 전까지 조사대상자에게 서면으로 통지하여야 한다. 다만, 다음 각 호의 어느 하나에 해당하는 경우에는 행정조사의 개시와 동시에 출석요구서등을 조사대상자에게 제시하거나 행정조사의 목적 등을 조사대상자에게 구두로 통지할 수 있다.
> 1. 행정조사를 실시하기 전에 관련 사항을 미리 통지하는 때에는 증거인멸 등으로 행정조사의 목적을 달성할 수 없다고 판단되는 경우
> 2. 「통계법」 제3조 제2호에 따른 지정통계의 작성을 위하여 조사하는 경우
> 3. 제5조 단서에 따라 조사대상자의 자발적인 협조를 얻어 실시하는 행정조사의 경우

② (○) 구 「국세기본법」 제81조의5가 정한 세무조사대상 선정사유가 없음에도 세무조사대상으로 선정하여 과세자료를 수집하고 그에 기하여 과세처분을 하는 것은 적법절차의 원칙을 어기고 구 「국세기본법」 제81조의5와 제81조의3 제1항을 위반한 것으로서 특별한 사정이 없는 한 과세처분은 위법하다(대판 2014.6.26. 2012두911).
③ (○) 대판 2011.3.10. 2009두23617·23624
④ (○) 세무조사가 과세자료의 수집 또는 신고내용의 정확성 검증이라는 본연의 목적이 아니라 부정한 목적을 위하여 행하여진 것이라면 이는 세무조사에 중대한 위법사유가 있는 경우에 해당하고 이러한 세무조사에 의하여 수집된 과세자료를 기초로 한 과세처분 역시 위법하다(대판 2016.12.15. 2016두47659).

답 ①

함께 정리하기

행정조사

자발적 협조 얻어 실시하는 행정조사
▷ 7일 전 서면통지 불요
▷ 행정조사 개시와 동시에 출석요구서등 제시 또는 구두통지 가

선정사유 없이 세무조사대상으로 선정하여 행한 과세처분
▷ 위법

세무조사결정
▷ 항고소송의 대상○

부정한 목적 위한 세무조사에 기초한 과세처분
▷ 위법

006

다음 중 「행정조사기본법」상 행정조사에 대한 설명으로 가장 옳지 않은 것은?

① 행정조사는 법령 등을 준수하도록 유도하기 보다는 법령 등의 위반에 대한 처벌에 중점을 두어야 한다.
② 조사대상자의 자발적인 협조를 얻어 실시하는 행정조사 외에는, 행정기관은 법령 등에서 행정조사를 규정하고 있는 경우에 한하여 행정조사를 실시할 수 있다.
③ 행정기관의 장은 행정조사의 목적, 법령준수의 실적, 자율적인 준수를 위한 노력, 규모와 업종 등을 고려하여 명백하고 객관적인 기준에 따라 행정조사의 대상을 선정하여야 한다.
④ 조사대상자는 조사대상 선정기준에 대한 열람을 행정기관의 장에게 신청할 수 있다.

2024년 군무원 7급

① (×)

> 「행정조사기본법」제4조【행정조사의 기본원칙】④ 행정조사는 법령등의 위반에 대한 처벌보다는 법령등을 준수하도록 유도하는 데 중점을 두어야 한다.

② (○)

> 「행정조사기본법」제5조【행정조사의 근거】행정기관은 법령등에서 행정조사를 규정하고 있는 경우에 한하여 행정조사를 실시할 수 있다. 다만, 조사대상자의 자발적인 협조를 얻어 실시하는 행정조사의 경우에는 그러하지 아니하다.

③, ④ (○)

> 「행정조사기본법」제8조【조사대상의 선정】① 행정기관의 장은 행정조사의 목적, 법령준수의 실적, 자율적인 준수를 위한 노력, 규모와 업종 등을 고려하여 명백하고 객관적인 기준에 따라 행정조사의 대상을 선정하여야 한다.
> ② 조사대상자는 조사대상 선정기준에 대한 열람을 행정기관의 장에게 신청할 수 있다.

답 ①

함께 정리하기

「행정조사기본법」상 행정조사

법령등 준수 유도 중점(처벌에 중점×)
법적 근거 要
▷ cf. 임의조사 → 법적 근거 不要
행정기관 장의 조사대상 선정
▷ 자율적인 준수를 위한 노력 등을 고려하여 명백·객관적 기준에 따라 선정
조사대상자
▷ 행정기관의 장에게 선정기준 열람신청 可

007

행정조사에 관한 설명으로 옳지 않은 것은? (다툼이 있는 경우 판례에 의함)

① 조사대상자의 자발적 협조를 얻는 경우가 아니라면 행정기관은 법령등에서 행정조사를 규정하고 있는 경우에 한하여 행정조사를 실시할 수 있다.
② 행정기관의 장은 당해 행정기관 내의 2 이상의 부서가 동일하거나 유사한 업무분야에 대하여 동일한 조사대상자에게 행정조사를 실시하는 경우에는 공동조사를 하여야 한다.
③ 우편물 통관검사절차에서 이루어지는 우편물의 개봉, 시료채취, 성분분석 등의 검사를 함에 있어 이에 대한 압수·수색영장 없이 이루어진 것이라도 특별한 사정이 없는 한 위법하다고 볼 수 없다.
④ 세무조사가 과세자료의 수집 또는 신고내용의 정확성 검증이라는 본연의 목적이 아니라 부정한 목적을 위하여 행하여진 경우, 세무조사에 의하여 수집된 과세자료를 기초로 한 과세처분 역시 위법하다.
⑤ 부과처분을 위한 과세관청의 질문조사권이 행해지는 세무조사결정이 있는 경우 그 세무조사결정은 납세의무자의 권리·의무에 직접 영향을 미치지 아니하므로 항고소송의 대상이 되지 않는다.

함께 정리하기

행정조사

법적 근거
▷ 원칙: 필요
▷ 예외: 불요 → 임의조사(자발적 협조)

2 이상 부서가 동일·유사분야에 대하여 동일대상자 조사
▷ 공동조사 의무 有

우편물 통관검사절차
▷ 압수·수색영장 不要

부정한 목적 위한 세무조사에 기초한 과세처분
▷ 위법

세무조사결정
▷ 항고소송의 대상 ○

문제 DATA

출제가능 지수 ▶▶▷
난이도 지수 ★★☆

함께 정리하기

행정조사

재조사금지원칙
▷ 위법행위가 의심되는 새로운 증거 확보 시 예외

자발적 협조 얻어 실시하는 행정조사(임의조사)
▷ 조사의 법적근거 不要

시료채취가 행정규칙에 정한 절차 위반
▷ 곧바로 그에 기초한 행정처분 위법 ✕

우편물 통관검사절차
▷ 수사기관의 강제처분 ✕

2024년 소방간부

① (○)

> 「행정조사기본법」 제5조 【행정조사의 근거】 행정기관은 법령등에서 행정조사를 규정하고 있는 경우에 한하여 행정조사를 실시할 수 있다. 다만, 조사대상자의 자발적인 협조를 얻어 실시하는 행정조사의 경우에는 그러하지 아니하다.

② (○)

> 「행정조사기본법」 제14조 【공동조사】 ① 행정기관의 장은 다음 각 호의 어느 하나에 해당하는 행정조사를 하는 경우에는 공동조사를 하여야 한다.
> 1. 당해 행정기관 내의 2 이상의 부서가 동일하거나 유사한 업무분야에 대하여 동일한 조사대상자에게 행정조사를 실시하는 경우
> 2. 서로 다른 행정기관이 대통령령으로 정하는 분야에 대하여 동일한 조사대상자에게 행정조사를 실시하는 경우

③ (○) 우편물 통관검사절차에서 이루어지는 우편물의 개봉, 시료채취, 성분분석 등의 검사는 수출입물품에 대한 적정한 통관 등을 목적으로 한 행정조사의 성격을 가지는 것으로서 수사기관의 강제처분이라고 할 수 없으므로, 압수·수색영장 없이 우편물의 개봉, 시료채취, 성분분석 등 검사가 진행되었다 하더라도 특별한 사정이 없는 한 위법하다고 볼 수 없다(대판 2013.9.26. 2013도7718).

④ (○) 대판 2016.12.15. 2016두47659

⑤ (✕) 세무조사결정은 납세의무자의 권리·의무에 직접 영향을 미치는 공권력의 행사에 따른 행정작용으로서 항고소송의 대상이 된다(대판 2011.3.10. 2009두23617·23624).

답 ⑤

008 □□□

행정조사에 대한 설명으로 옳지 않은 것은? (다툼이 있는 경우 판례에 의함)

① 「행정조사기본법」에 따르면 행정기관은 이미 조사받은 조사대상자에 대하여 위법행위가 의심되는 새로운 증거를 확보한 경우 동일한 사안에 대하여 동일한 대상자를 재조사할 수 있다.
② 「행정조사기본법」에 의할 경우 조사대상자의 자발적인 협조를 얻어 실시하는 행정조사 등을 포함하여 행정기관이 실시하는 행정조사는 법령 등에서 행정조사를 규정하고 있는 경우에 한하여 실시할 수 있다.
③ 행정조사의 한 단계인 시료의 채취가 행정규칙에 정한 절차를 위반하였더라도 그러한 사정만으로 곧바로 그에 기초하여 내려진 행정처분이 위법하다고 볼 수는 없고, 그 위법의 여부는 관계 법령의 규정 내용과 취지 등에 비추어 그 절차상 하자가 채취된 시료를 객관적인 자료로 활용할 수 없을 정도로 중대한지에 따라 판단되어야 한다.
④ 우편물 통관검사절차에서 이루어진 우편물의 개봉, 시료채취, 성분분석 등의 검사는 수출입물품에 대한 적정한 통관을 목적으로 한 행정조사의 성격을 가지며, 수사기관의 강제처분이라고 할 수 없다.

2024년 경찰간부

① (○)

> 「행정조사기본법」 제15조 【중복조사의 제한】 ① 제7조에 따라 정기조사 또는 수시조사를 실시한 행정기관의 장은 동일한 사안에 대하여 동일한 조사대상자를 재조사 하여서는 아니 된다. 다만, 당해 행정기관이 이미 조사를 받은 조사대상자에 대하여 위법행위가 의심되는 새로운 증거를 확보한 경우에는 그러하지 아니하다.

② (×) 자발적인 협조를 얻어 실시하는 행정조사(임의조사)의 경우에는 법적근거가 없어도 실시할 수 있다.

> 「행정조사기본법」 제5조 【행정조사의 근거】 행정기관은 법령등에서 행정조사를 규정하고 있는 경우에 한하여 행정조사를 실시할 수 있다. 다만, 조사대상자의 자발적인 협조를 얻어 실시하는 행정조사의 경우에는 그러하지 아니하다.

③ (○)

[1] 행정청이 관계 법령이 정하는 바에 따라 고도의 전문적이고 기술적인 사항에 관하여 전문적인 판단을 하였다면, 판단의 기초가 된 사실인정에 중대한 오류가 있거나 판단이 객관적으로 불합리하거나 부당하다는 등의 특별한 사정이 없는 한 존중되어야 한다. 환경오염물질의 배출허용기준이 법령에 정량적으로 규정되어 있는 경우 행정청이 채취한 시료를 전문연구기관에 의뢰하여 배출허용기준을 초과한다는 검사결과를 회신받아 제재처분을 한 경우, 이 역시 고도의 전문적이고 기술적인 사항에 관한 판단으로서 그 전제가 되는 실험결과의 신빙성을 의심할 만한 사정이 없는 한 존중되어야 함은 물론이다.

[2] 수질오염물질을 측정하는 경우 시료채취의 방법, 오염물질 측정의 방법 등을 정한 구 수질오염공정시험기준(2019.12.24. 국립환경과학원고시 제2019-63호로 개정되기 전의 것)은 형식 및 내용에 비추어 행정기관 내부의 사무처리준칙에 불과하므로 일반 국민이나 법원을 구속하는 대외적 구속력은 없다. 따라서 시료채취의 방법 등이 위 고시에서 정한 절차에 위반된다고 하여 그러한 사정만으로 곧바로 그에 기초하여 내려진 행정처분이 위법하다고 볼 수는 없고, 관계 법령의 규정 내용과 취지 등에 비추어 절차상 하자가 채취된 시료를 객관적인 자료로 활용할 수 없을 정도로 중대한지에 따라 판단되어야 한다. 다만 이때에도 시료의 채취와 보존, 검사방법의 적법성 또는 적절성이 담보되어 시료를 객관적인 자료로 활용할 수 있고 그에 따른 실험결과를 믿을 수 있다는 사정은 행정청이 증명책임을 부담하는 것이 원칙이다(대판 2022.9.16. 2021두58912).

④ (○) 우편물 통관검사절차에서 이루어지는 우편물의 개봉, 시료채취, 성분분석 등의 검사는 수출입물품에 대한 적정한 통관 등을 목적으로 한 행정조사의 성격을 가지는 것으로서 수사기관의 강제처분이라고 할 수 없으므로, 압수·수색영장 없이 우편물의 개봉, 시료채취, 성분분석 등 검사가 진행되었다 하더라도 특별한 사정이 없는 한 위법하다고 볼 수 없다(대판 2013.9.26. 2013도7718).

답 ②

009

「행정조사기본법」상 행정조사에 대한 설명으로 옳은 것은?

① 행정조사는 법령등 또는 행정조사운영계획으로 정하는 바에 따라 정기적으로 실시함을 원칙으로 하나, 법령등의 위반에 대한 신고를 받거나 민원이 접수된 경우에는 수시조사를 할 수 있다.
② 사무실 또는 사업장 등의 업무시간에 행정조사를 실시하는 경우에도 현장조사는 해가 뜨기 전이나 해가 진 뒤에는 할 수 없다.
③ 자발적인 협조에 따라 실시하는 행정조사에 대하여 조사대상자가 조사에 응할 것인지에 대한 응답을 하지 아니하는 경우에는 법령 등에 특별한 규정이 없는 한 그 조사를 인정한 것으로 본다.
④ 행정기관의 장은 매년 12월 말까지 다음 연도의 행정조사운영계획을 수립하여 국회 소관 상임위원회에 제출하여야 한다.
⑤ 세무조사결정만으로는 납세의무자의 권리·의무에 구체적으로 직접 어떠한 영향을 미치는 것은 아니므로 이는 항고소송의 대상이 되지 아니한다.

함께 정리하기

「행정조사기본법」상 행정조사

정기조사 원칙 But 법령등 위반에 대한 신고를 받거나 민원이 접수된 경우
▷ 수시조사 可

사무실·사업장 등의 업무시간에 행정조사
▷ 야간 현장조사 可

자발적 협조에 의한 조사에 있어 응답×
▷ 조사거부 간주

행정기관의 장
▷ 매년 12월 말까지 다음 연도 행정조사운영계획을 수립하여 국무조정실장에게 제출

세무조사결정
▷ 항고소송의 대상○

문제 DATA

출제가능 지수 ▶▶▷
난이도 지수 ★★☆

2024년 국회직 8급

① (○)

> 「행정조사기본법」제7조【조사의 주기】행정조사는 법령등 또는 행정조사운영계획으로 정하는 바에 따라 정기적으로 실시함을 원칙으로 한다. 다만, 다음 각 호 중 어느 하나에 해당하는 경우에는 수시조사를 할 수 있다.
> 1. 법률에서 수시조사를 규정하고 있는 경우
> 2. 법령등의 위반에 대하여 혐의가 있는 경우
> 3. 다른 행정기관으로부터 법령등의 위반에 관한 혐의를 통보 또는 이첩받은 경우
> 4. 법령등의 위반에 대한 신고를 받거나 민원이 접수된 경우
> 5. 그 밖에 행정조사의 필요성이 인정되는 사항으로서 대통령령으로 정하는 경우

② (×)

> 「행정조사기본법」제11조【현장조사】② 제1항에 따른 현장조사는 해가 뜨기 전이나 해가 진 뒤에는 할 수 없다. 다만, 다음 각 호의 어느 하나에 해당하는 경우에는 그러하지 아니하다.
> 1. 조사대상자(대리인 및 관리책임이 있는 자를 포함한다)가 동의한 경우
> 2. 사무실 또는 사업장 등의 업무시간에 행정조사를 실시하는 경우
> 3. 해가 뜬 후부터 해가 지기 전까지 행정조사를 실시하는 경우에는 조사목적의 달성이 불가능하거나 증거인멸로 인하여 조사대상자의 법령등의 위반 여부를 확인할 수 없는 경우

③ (×)

> 「행정조사기본법」제20조【자발적인 협조에 따라 실시하는 행정조사】① 행정기관의 장이 제5조 단서에 따라 조사대상자의 자발적인 협조를 얻어 행정조사를 실시하고자 하는 경우 조사대상자는 문서·전화·구두 등의 방법으로 당해 행정조사를 거부할 수 있다.
> ② 제1항에 따른 행정조사에 대하여 조사대상자가 조사에 응할 것인지에 대한 응답을 하지 아니하는 경우에는 법령등에 특별한 규정이 없는 한 그 조사를 거부한 것으로 본다.

④ (×)

> 「행정조사기본법」제6조【연도별 행정조사운영계획의 수립 및 제출】① 행정기관의 장은 매년 12월말까지 다음 연도의 행정조사운영계획을 수립하여 국무조정실장에게 제출하여야 한다. 다만, 행정조사운영계획을 제출해야 하는 행정기관의 구체적인 범위는 대통령령으로 정한다.

⑤ (×) 세무조사결정은 납세의무자의 권리·의무에 직접 영향을 미치는 공권력의 행사에 따른 행정작용으로서 항고소송의 대상이 된다(대판 2011.3.10. 2009두23617·23624).

답 ①

010 ☐☐☐

「행정조사기본법」에 대한 설명으로 옳은 것은?

① 행정기관의 장은 법령 등에 특별한 규정이 있는 경우를 제외하고는 행정조사의 결과를 확정한 날부터 10일 이내에 그 결과를 조사대상자에게 통지하여야 한다.
② 유사하거나 동일한 사안에 대하여 서로 다른 기관이 공동으로 조사하는 것은 원칙적으로 허용되지 않는다.
③ 행정조사는 수시로 실시함을 원칙으로 한다.
④ 행정조사의 기본원칙은 군사시설·군사기밀보호 및 방위사업에 관한 사항에 대하여도 적용한다.
⑤ 행정조사를 실시한 행정기관의 장은 이미 조사를 받은 조사대상자에 대하여 위법행위가 의심되는 새로운 증거를 확보한 경우에도 동일한 사안에 대하여 동일한 조사대상자를 재조사하여서는 아니 된다.

2023년 국회직 8급

① (×)

> 「행정조사기본법」 제24조 【조사결과의 통지】 행정기관의 장은 법령 등에 특별한 규정이 있는 경우를 제외하고는 행정조사의 결과를 확정한 날부터 7일 이내에 그 결과를 조사대상자에게 통지하여야 한다.

[유제] 22. 국가직 7급, 21. 국회직 8급 행정기관의 장은 법령 등에 특별한 규정이 있는 경우를 제외 하고는 행정조사의 결과를 확정한 날부터 7일 이내에 그 결과를 조사대상자에게 통지하여야 한다. (○)

② (×)

> 「행정조사기본법」 제4조 【행정조사의 기본원칙】 ③ 행정기관은 유사하거나 동일한 사안에 대하여는 공동조사 등을 실시함으로써 행정조사가 중복되지 아니하도록 하여야 한다.

[유제] 21. 군무원 9급, 14 경행특채 1차 행정기관은 유사하거나 동일한 사안에 대하여는 공동조사 등을 실시함으로써 행정조사가 중복되지 아니하도록 하여야 한다. (○)

③ (×)

> 「행정조사기본법」 제7조 【조사의 주기】 행정조사는 법령 등 또는 행정조사운영계획으로 정하는 바에 따라 정기적으로 실시함을 원칙으로 한다. 다만, 다음 각 호 중 어느 하나에 해당하는 경우에는 수시조사를 할 수 있다.
> 1. 법률에서 수시조사를 규정하고 있는 경우
> 2. 법령 등의 위반에 대하여 혐의가 있는 경우
> 3. 다른 행정기관으로부터 법령 등의 위반에 관한 혐의를 통보 또는 이첩받은 경우
> 4. 법령 등의 위반에 대한 신고를 받거나 민원이 접수된 경우
> 5. 그 밖에 행정조사의 필요성이 인정되는 사항으로서 대통령령으로 정하는 경우

[유제] 10. 경행특채 행정조사는 법령 등 또는 행정조사운영계획으로 정하는 바에 따라 정기적으로 실시함을 원칙으로 한다. (○)
21. 소방직, 15. 경행특채 1차 행정조사는 수시로 실시함을 원칙으로 한다. (×)

④ (○)

> 「행정조사기본법」 제3조 【적용범위】 ① 행정조사에 관하여 다른 법률에 특별한 규정이 있는 경우를 제외하고는 이 법으로 정하는 바에 따른다.
> ② 다음 각 호의 어느 하나에 해당하는 사항에 대하여는 이 법을 적용하지 아니한다.
>   2. 국방 및 안전에 관한 사항 중 다음 각 목의 어느 하나에 해당하는 사항
>   가. 군사시설·군사기밀보호 또는 방위사업에 관한 사항
>   나. 「병역법」, 「예비군법」, 「민방위기본법」, 「비상대비자원 관리법」에 따른 징집·소집·동원 및 훈련에 관한 사항
> ③ 제2항에도 불구하고 제4조(행정조사의 기본원칙), 제5조(행정조사의 근거) 및 제28조(정보통신수단을 통한 행정조사)는 제2항 각 호의 사항에 대하여 적용한다.

⑤ (×)

> 「행정조사기본법」 제15조 【중복조사의 제한】 ① 제7조에 따라 정기조사 또는 수시조사를 실시한 행정기관의 장은 동일한 사안에 대하여 동일한 조사대상자를 재조사하여서는 아니 된다. 다만, 당해 행정기관이 이미 조사를 받은 조사대상자에 대하여 위법행위가 의심되는 새로운 증거를 확보한 경우에는 그러하지 아니하다.

[유제] 18. 서울시(하) 7급 행정기관의 장은 당해 행정기관이 이미 조사를 받은 조사대상자에 대하여 위법행위가 의심되는 새로운 증거를 확보하는 경우에는 재조사할 수 있다. (○)
18. 지방직 9급 정기조사 또는 수시조사를 실시한 행정기관의 장은 조사대상자의 자발적인 협조를 얻어 실시하는 경우가 아닌 한, 동일한 사안에 대하여 동일한 조사대상자를 재조사하여서는 아니 된다. (×)

답 ④

함께 정리하기

행정조사

행정기관장
▷ 행정조사결과 확정 후 7일 내 통지

유사·동일 사안
▷ 공동조사(∵중복방지)

정기조사 원칙

행정조사 기본원칙
▷ 군사시설·기밀보호·방위사업 관련 사항에 적용

재조사금지원칙
▷ 위법행위가 의심되는 새로운 증거 확보 시 예외

문제 DATA

출제가능 지수 ▶▶▷
난이도 지수 ★★☆

011 □□□

「행정조사기본법」상 행정조사에 대한 설명으로 옳지 않은 것은?

① 행정기관의 장은 조사원이 조사목적의 달성을 위하여 한 시료채취로 조사대상자에게 손실을 입힌 때에는 그 손실을 보상하여야 한다.
② 개별법령 등에서 행정조사를 규정하고 있지 않더라도, 행정기관은 조사대상자가 자발적으로 협조하는 경우에는 행정조사를 실시할 수 있다.
③ 행정기관의 장은 조사대상자의 신상이나 사업비밀 등이 유출될 우려가 있으므로 인터넷 등 정보통신망을 통하여 조사대상자로 하여금 자료의 제출 등을 하게 할 수 없다.
④ 행정기관의 장은 당해 행정기관 내의 2 이상의 부서가 동일하거나 유사한 업무분야에 대하여 동일한 조사대상자에게 행정조사를 실시하는 경우에는 공동조사를 하여야 한다.

> 2023년 국가직 9급

함께 정리하기

행정조사

「행정조사기본법」
▷ 시료채취시 손실보상규정 有

자발적 협조 얻어 실시하는 행정조사(임의조사)
▷ 조사의 법적 근거 不要

행정기관장
▷ 정보통신망 통한 행정조사 可

2 이상 부서의 동일·유사분야에 대한 동일대상자 조사
▷ 공동조사 의무 有

① (○)

> 「행정조사기본법」 제12조【시료채취】① 조사원이 조사목적의 달성을 위하여 시료채취를 하는 경우에는 그 시료의 소유자 및 관리자의 정상적인 경제활동을 방해하지 아니하는 범위 안에서 최소한도로 하여야 한다.
> ② 행정기관의 장은 제1항에 따른 <u>시료채취로 조사대상자에게 손실을 입힌 때에는</u> 대통령령으로 정하는 절차와 방법에 따라 그 <u>손실을 보상하여야 한다.</u>

유제 18. 소방직 시료채취로 조사대상자에게 손실을 입힌 경우 그 손실보상에 관한 명문규정이 있다. (○)
08. 지방직(하) 7급 조사원이 조사목적의 달성을 위하여 시료채취를 하는 경우 이로 인하여 조사대상자에게 손실을 입힌 때에는 법령이 정하는 절차와 방법에 따라 그 손실을 보상하여야 한다. (○)

② (○)

> 「행정조사기본법」 제5조【행정조사의 근거】행정기관은 법령 등에서 행정조사를 규정하고 있는 경우에 한하여 행정조사를 실시할 수 있다. 다만, 조사대상자의 자발적인 협조를 얻어 실시하는 행정조사의 경우에는 그러하지 아니하다.

유제 21. 국회직 8급 행정기관은 법령 등에서 행정조사를 규정하고 있는 경우가 아니라도 조사대상자의 자발적인 협조를 얻어 행정조사를 실시할 수 있다. (○)
18. 국가직 9급 「행정조사기본법」에 따르면, 행정기관은 법령 등에서 행정조사를 규정하고 있는 경우에 한하여 행정조사를 실시할 수 있지만 조사대상자가 자발적으로 협조하는 경우에는 법령 등에서 행정조사를 규정하고 있지 않더라도 행정조사를 실시할 수 있다. (○)
17. 서울시 9급 조사대상자의 자발적 협조가 있을지라도 법령 등에서 행정조사를 규정하고 있어야 실시가 가능하다. (×)

③ (×)

> 「행정조사기본법」 제28조【정보통신수단을 통한 행정조사】① 행정기관의 장은 인터넷 등 정보통신망을 통하여 조사대상자로 하여금 자료의 제출 등을 하게 할 수 있다.

④ (○)

> 「행정조사기본법」 제14조【공동조사】① 행정기관의 장은 다음 각 호의 어느 하나에 해당하는 행정조사를 하는 경우에는 <u>공동조사를 하여야 한다.</u>
> 1. 당해 행정기관 내의 2 이상의 부서가 동일하거나 유사한 업무분야에 대하여 동일한 조사대상자에게 <u>행정조사를 실시하는 경우</u>
> 2. 서로 다른 행정기관이 대통령령으로 정하는 분야에 대하여 동일한 조사대상자에게 행정조사를 실시하는 경우

유제 14. 국회직 8급 행정조사는 조사목적을 달성하는 데 필요한 최소한의 범위 안에서 실시하여야 하며, 행정기관 내의 2 이상의 부서가 동일하거나 유사한 업무분야에 대하여 동일한 조사대상자에게 행정조사를 실시하는 경우 행정기관의 장은 공동조사를 실시하여야 한다. (○)

21. 국회직 8급 당해 행정기관 내의 2 이상의 부서가 동일하거나 유사한 업무분야에 대하여 동일한 조사대상자에게 행정조사를 실시하는 경우에는 공동조사를 할 수 있다. (×)

답 ③

012

행정조사에 대한 설명으로 옳지 않은 것은? (다툼이 있는 경우 판례에 의함)

① 행정조사는 조사목적을 달성하는 데 필요한 최소한의 범위 안에서 실시하여야 하며, 다른 목적 등을 위하여 조사권을 남용하여서는 아니 된다.

② 조사대상자의 자발적인 협조를 전제할 뿐 조사 거부에 대한 어떠한 제재도 없는 임의적 행정조사라면 법령상 명확한 위임 근거가 없다고 하더라도 가능하다.

③ 부과처분을 위한 과세관청의 질문조사권이 행하여지는 세무조사의 경우 납세자 또는 그 납세자와 거래가 있다고 인정되는 자 등은 세무공무원의 과세자료 수집을 위한 질문에 대답하고 검사를 수인하여야 할 법적 의무를 부담한다.

④ 행정조사를 실시하고자 하는 행정기관의 장은 「통계법」 제3조 제2호에 따른 지정통계의 작성을 위하여 조사하는 경우에 반드시 서면으로 조사대상자에게 행정조사 목적 등을 통지하여야 한다.

⑤ 음주운전 여부에 대한 조사 과정에서 운전자 본인의 동의를 받지 아니하고 법원의 영장 없이 채혈조사를 한 결과를 근거로 한 운전면허 정지·취소처분은 특별한 사정이 없는 한 위법한 처분으로 볼 수밖에 없다.

2023년 소방간부

① (○)

> 「행정조사기본법」 제4조 【행정조사의 기본원칙】 ① 행정조사는 조사목적을 달성하는데 필요한 최소한의 범위 안에서 실시하여야 하며, 다른 목적 등을 위하여 조사권을 남용하여서는 아니 된다.

유제 21. 군무원 9급 행정조사는 조사목적을 달성하는 데 필요한 최소한의 범위 안에서 실시하여야 하며, 다른 목적 등을 위하여 조사권을 남용하여서는 아니 된다. (○)

② (○)

> 「행정조사기본법」 제5조 【행정조사의 근거】 행정기관은 법령 등에서 행정조사를 규정하고 있는 경우에 한하여 행정조사를 실시할 수 있다. 다만, 조사대상자의 자발적인 협조를 얻어 실시하는 행정조사의 경우에는 그러하지 아니하다.

③ (○) 세무조사결정은 항고소송의 대상이 되는 행정처분에 해당한다.

> 부과처분을 위한 과세관청의 질문조사권이 행해지는 세무조사결정이 있는 경우 납세의무자는 세무공무원의 과세자료 수집을 위한 질문에 대답하고 검사를 수인하여야 할 법적 의무를 부담하게 되는 점, … 납세의무자로 하여금 개개의 과태료 처분에 대하여 불복하거나 조사 종료 후의 과세처분에 대하여만 다툴 수 있도록 하는 것보다는 그에 앞서 세무조사결정에 대하여 다툼으로써 분쟁을 조기에 근본적으로 해결할 수 있는 점 등을 종합하면, 세무조사결정은 납세의무자의 권리·의무에 직접 영향을 미치는 공권력의 행사에 따른 행정작용으로서 항고소송의 대상이 된다(대판 2011.3.10. 2009두23617·23624).

함께 정리하기

행정조사

목적달성에 필요 최소범위, 조사권 남용 금지

자발적 협조 얻어 실시하는 행정조사(임의조사)
▷ 조사의 법적 근거 不要

사전통지
▷ 서면통지가 원칙
▷ But 통계작성을 위한 조사는 구두 통지 可

세무조사
▷ 질문대답·검사 수인의무

동의·영장 결여한 채혈조사에 근거한 운전면허정지·취소
▷ 위법

유제 22. 국가직 7급 과세관청의 질문조사권이 행해지는 세무조사결정은 납세의무자의 권리·의무에 직접 영향을 미치는 공권력의 행사에 따른 행정작용으로서 항고소송의 대상이 된다. (○)
21. 군무원 9급 세무조사결정은 납세의무자의 권리·의무에 직접 영향을 미치는 공권력의 행사에 따른 행정작용으로 보기 어려우므로 항고소송의 대상이 될 수 없다. (×)

④ (×)

> 「행정조사기본법」 제17조 【조사의 사전통지】 ① 행정조사를 실시하고자 하는 행정기관의 장은 제9조에 따른 출석요구서, 제10조에 따른 보고요구서·자료제출요구서 및 제11조에 따른 현장출입조사서(이하 '출석요구서 등'이라 한다)를 조사개시 7일 전까지 조사대상자에게 서면으로 통지하여야 한다. 다만, 다음 각 호의 어느 하나에 해당하는 경우에는 행정조사의 개시와 동시에 출석요구서 등을 조사대상자에게 제시하거나 행정조사의 목적 등을 조사대상자에게 구두로 통지할 수 있다.
> 1. 행정조사를 실시하기 전에 관련 사항을 미리 통지하는 때에는 증거인멸 등으로 행정조사의 목적을 달성할 수 없다고 판단되는 경우
> 2. 「통계법」 제3조 제2호에 따른 지정통계의 작성을 위하여 조사하는 경우
> 3. 제5조 단서에 따라 조사대상자의 자발적인 협조를 얻어 실시하는 행정조사의 경우

유제 21. 국회직 8급 행정기관은 조사대상자의 자발적인 협조를 얻어 실시하는 행정조사인 경우 「행정조사기본법」 제17조 제1항 본문에 따른 사전통지를 하지 않을 수 있다. (○)
18. 국가직 9급 「행정조사기본법」에 따르면, 행정조사를 실시하는 경우 조사개시 7일 전까지 조사대상자에게 출석요구서, 보고요구서·자료제출요구서, 현장출입조사서서를 서면으로 통지하여야 하나, 조사대상자의 자발적인 협조를 얻어 행정조사를 실시하는 경우에는 미리 서면으로 통지하지 않고 행정조사의 개시와 동시에 이를 조사대상자에게 제시할 수 있다. (○)

⑤ (○) 음주운전 여부에 관한 조사방법 중 혈액 채취(이하 '채혈'이라고 한다)는 상대방의 신체에 대한 직접적인 침해를 수반하는 방법으로서, 이에 관하여 도로교통법은 호흡조사와 달리 운전자에게 조사에 응할 의무를 부과하는 규정을 두지 아니할 뿐만 아니라, 측정에 앞서 운전자의 동의를 받도록 규정하고 있으므로(제44조 제3항), 운전자의 동의 없이 임의로 채혈조사를 하는 것은 허용되지 아니한다. … 따라서 음주운전 여부에 대한 조사과정에서 운전자 본인의 동의를 받지 아니하고 또한 법원의 영장도 없이 채혈조사를 한 결과를 근거로 한 운전면허 정지·취소 처분은 도로교통법 제44조 제3항을 위반한 것으로서 특별한 사정이 없는 한 위법한 처분으로 볼 수밖에 없다(대판 2016.12.27. 2014두46850).

유제 22. 소방간부, 20. 국가직 7급 조사 과정에서 운전자 본인의 동의를 받지 아니하고 또한 법원의 영장도 없이 채혈조사를 한 결과를 근거로 한 운전면허 정지·취소 처분은 특별한 사정이 없는 한 위법한 처분에 해당한다. (○)

답 ④

013

「행정조사기본법」상 행정조사제도에 대한 설명으로 가장 옳지 않은 것은? (다툼이 있는 경우 판례에 의함)

① 조사대상자는 지정된 출석일시에 출석하는 경우 업무 또는 생활에 지장이 있는 때에는 행정기관의 장에게 출석일시를 변경하여 줄 것을 신청할 수 있으며, 변경신청을 받은 행정기관의 장은 행정조사의 목적을 달성할 수 있는 범위 안에서 출석일시를 변경하여야 한다.
② 사무실 또는 사업장 등의 업무시간에 행정조사를 실시하는 경우에는 해가 뜨기 전이나 해가 진 뒤라 할지라도 현장조사를 할 수 있다.
③ 당해 행정기관 내의 2 이상의 부서가 동일하거나 유사한 업무분야에 대하여 동일한 조사대상자에게 행정조사를 실시하는 경우에는 반드시 공동조사를 하여야 한다.
④ 제7조에 따라 정기조사 또는 수시조사를 실시한 행정기관의 장은 동일한 사안에 대하여 동일한 조사대상자를 재조사하여서는 아니 된다. 다만, 당해 행정기관이 이미 조사를 받은 조사대상자에 대하여 위법행위가 의심되는 새로운 증거를 확보한 경우에는 그러하지 아니하다.

2022년 서울시 7급

① (×)
> 「행정조사기본법」제9조【출석·진술 요구】② 조사대상자는 지정된 출석일시에 출석하는 경우 업무 또는 생활에 지장이 있는 때에는 행정기관의 장에게 출석일시를 변경하여 줄 것을 신청할 수 있으며, 변경신청을 받은 행정기관의 장은 행정조사의 목적을 달성할 수 있는 범위 안에서 출석일시를 변경할 수 있다.

② (○)
> 「행정조사기본법」제11조【현장조사】② 제1항에 따른 현장조사는 해가 뜨기 전이나 해가 진 뒤에는 할 수 없다. 다만, 다음 각 호의 어느 하나에 해당하는 경우에는 그러하지 아니하다.
> 1. 조사대상자(대리인 및 관리책임이 있는 자를 포함한다)가 동의한 경우
> 2. 사무실 또는 사업장 등의 업무시간에 행정조사를 실시하는 경우
> 3. 해가 뜬 후부터 해가 지기 전까지 행정조사를 실시하는 경우에는 조사목적의 달성이 불가능하거나 증거인멸로 인하여 조사대상자의 법령 등의 위반 여부를 확인할 수 없는 경우

③ (○)
> 「행정조사기본법」제14조【공동조사】① 행정기관의 장은 다음 각 호의 어느 하나에 해당하는 행정조사를 하는 경우에는 공동조사를 하여야 한다.
> 1. 당해 행정기관 내의 2 이상의 부서가 동일하거나 유사한 업무분야에 대하여 동일한 조사대상자에게 행정조사를 실시하는 경우

④ (○)
> 「행정조사기본법」제15조【중복조사의 제한】① 제7조에 따라 정기조사 또는 수시조사를 실시한 행정기관의 장은 동일한 사안에 대하여 동일한 조사대상자를 재조사하여서는 아니 된다. 다만, 당해 행정기관이 이미 조사를 받은 조사대상자에 대하여 위법행위가 의심되는 새로운 증거를 확보한 경우에는 그러하지 아니하다.

답 ①

문제 DATA
출제가능 지수 ▶▶▷
난이도 지수 ★★☆

함께 정리하기
행정조사

행정기관장
▷ 조사목적 범위 안에서 조사대상자 출석일시변경 可

사무실·사업장 등의 업무시간에 행정조사
▷ 야간 현장조사 可

2 이상 부서의 동일·유사분야에 대한 동일대상자 조사
▷ 공동조사 의무 有

재조사금지원칙
▷ 위법행위가 의심되는 새로운 증거 확보 시 예외

문제 DATA

출제가능 지수 ▶▶▷
난이도 지수 ★★☆

014 □□□

행정조사에 대한 설명으로 옳지 않은 것은? (다툼이 있는 경우 판례에 의함)

① 세무조사에 중대한 위법사유가 있는 경우 이러한 세무조사에 의하여 수집된 과세자료를 기초로 한 과세처분 역시 위법하다.
② 과세관청의 질문조사권이 행해지는 세무조사결정은 납세의무자의 권리·의무에 직접 영향을 미치는 공권력의 행사에 따른 행정작용으로서 항고소송의 대상이 된다.
③ 「행정조사기본법」 제4조(행정조사의 기본원칙)는 조세·보안처분에 관한 사항에 대하여 적용하지 아니한다.
④ 행정기관의 장은 법령 등에 특별한 규정이 있는 경우를 제외하고는 행정조사의 결과를 확정한 날부터 7일 이내에 그 결과를 조사대상자에게 통지하여야 한다.

> 2022년 국가직 7급

함께 정리하기

행정조사

위법한 세무조사
▷ 과세처분: 위법

세무조사결정
▷ 처분성 有

행정조사 기본원칙
▷ 조세·보안처분 관련 사항에 적용

행정기관장
▷ 행정조사결과 확정 후 7일 내 통지

① (○) 세무조사가 과세자료의 수집 또는 신고내용의 정확성 검증이라는 본연의 목적이 아니라 부정한 목적을 위하여 행하여진 것이라면 이는 세무조사에 중대한 위법사유가 있는 경우에 해당하고 이러한 세무조사에 의하여 수집된 과세자료를 기초로 한 과세처분 역시 위법하다(대판 2016.12.15. 2016두47659).

유제 22. 소방간부 과세자료의 수집 또는 신고내용의 정확성 검증이라는 그 본연의 목적이 아니라 부정한 목적을 위하여 세무조사가 행하여진 것이라면 이러한 세무조사에 의하여 수집된 과세자료를 기초로 한 과세처분 역시 위법하다. (○)
16. 국가직 9급 위법한 세무조사를 통하여 수집된 과세자료에 기초하여 과세처분을 하였더라도 그러한 사정만으로 그 과세처분이 위법하게 되는 것은 아니다. (×)

② (○) 세무조사결정은 항고소송의 대상이 되는 행정처분에 해당한다.

> 부과처분을 위한 과세관청의 질문조사권이 행해지는 세무조사결정이 있는 경우 납세의무자는 세무공무원의 과세자료 수집을 위한 질문에 대답하고 검사를 수인하여야 할 법적 의무를 부담하게 되는 점, … 납세의무자로 하여금 개개의 과태료 처분에 대하여 불복하거나 조사 종료 후의 과세처분에 대하여만 다툴 수 있도록 하는 것보다는 그에 앞서 세무조사결정에 대하여 다툼으로써 분쟁을 조기에 근본적으로 해결할 수 있는 점 등을 종합하면, 세무조사결정은 납세의무자의 권리·의무에 직접 영향을 미치는 공권력의 행사에 따른 행정작용으로서 항고소송의 대상이 된다(대판 2011.3.10. 2009두23617·23624).

③ (×)

> 「행정조사기본법」 제3조【적용범위】 ② 다음 각 호의 어느 하나에 해당하는 사항에 대하여는 이 법을 적용하지 아니한다.
> 5. 조세·형사·행형 및 보안처분에 관한 사항
> ③ 제2항에도 불구하고 제4조(행정조사의 기본원칙), 제5조(행정조사의 근거) 및 제28조(정보통신수단을 통한 행정조사)는 제2항 각 호의 사항에 대하여 적용한다.

④ (○)

> 「행정조사기본법」 제24조【조사결과의 통지】 행정기관의 장은 법령 등에 특별한 규정이 있는 경우를 제외하고는 행정조사의 결과를 확정한 날부터 7일 이내에 그 결과를 조사대상자에게 통지하여야 한다.

답 ③

015

행정조사에 대한 설명으로 옳지 않은 것은? (다툼이 있는 경우 판례에 의함)

① 납세자 등이 대답하거나 수인할 의무가 없고 납세자의 영업의 자유 등을 침해하거나 세무조사권이 남용될 염려가 없는 조사행위는 원칙적으로 「국세기본법」 제7장의2 내의 각 규정이 적용되는 세무조사에 해당한다고 볼 것은 아니다.

② 우편물 통관검사절차에서 이루어지는 우편물의 개봉, 시료채취, 성분분석 등의 검사는 행정조사의 성격을 가지는 것으로서 수사기관의 강제처분이라고 볼 수 있으므로, 압수·수색영장 없이 우편물의 개봉, 시료채취, 성분분석 등 검사가 진행되었다면 특별한 사정이 없는 한 위법하다.

③ 과세자료의 수집 또는 신고내용의 정확성 검증이라는 그 본연의 목적이 아니라 부정한 목적을 위하여 세무조사가 행하여진 것이라면 이러한 세무조사에 의하여 수집된 과세자료를 기초로 한 과세처분 역시 위법하다.

④ 「마약류 불법거래 방지에 관한 특례법」에 따른 조치의 일환으로 특정한 수출입물품을 개봉하여 검사하고 그 내용물의 점유를 취득한 행위는 사전 또는 사후에 영장을 받아야 한다.

⑤ 조사 과정에서 운전자 본인의 동의를 받지 아니하고 또한 법원의 영장도 없이 채혈조사를 한 결과를 근거로 한 운전면허 정지·취소 처분은 특별한 사정이 없는 한 위법한 처분에 해당한다.

2022년 소방간부

① (○) 세무공무원의 조사행위가 실질적으로 납세자 등으로 하여금 질문에 대답하고 검사를 수인하도록 함으로써 납세자의 영업의 자유 등에 영향을 미치는 경우에는 국세청 훈령인 구 조사사무처리규정에서 정한 '현지확인'의 절차에 따른 것이라고 하더라도 그것은 재조사가 금지되는 '세무조사'에 해당한다고 보아야 한다. 그러나 과세자료의 수집 또는 신고내용의 정확성 검증 등을 위한 과세관청의 모든 조사행위가 재조사가 금지되는 세무조사에 해당한다고 볼 경우에는 과세관청으로서는 단순한 사실관계의 확인만으로 충분한 사안에서 언제나 정식의 세무조사에 착수할 수밖에 없고 납세자 등으로서도 불필요하게 정식의 세무조사에 응하여야 하므로, 납세자 등이 대답하거나 수인할 의무가 없고 납세자의 영업의 자유 등을 침해하거나 세무조사권이 남용될 염려가 없는 조사행위까지 재조사가 금지되는 '세무조사'에 해당한다고 볼 것은 아니다(대판 2017.3.16. 2014두8360).

② (×) 우편물 통관검사절차에서 이루어지는 우편물의 개봉, 시료채취, 성분분석 등의 검사는 수출입물품에 대한 적정한 통관 등을 목적으로 한 행정조사의 성격을 가지는 것으로서 수사기관의 강제처분이라고 할 수 없으므로, 압수·수색영장 없이 우편물의 개봉, 시료채취, 성분분석 등 검사가 진행되었다 하더라도 특별한 사정이 없는 한 위법하다고 볼 수 없다(대판 2013.9.26. 2013도7718).

③ (○) 세무조사가 과세자료의 수집 또는 신고내용의 정확성 검증이라는 본연의 목적이 아니라 부정한 목적을 위하여 행하여진 것이라면 이는 세무조사에 중대한 위법사유가 있는 경우에 해당하고 이러한 세무조사에 의하여 수집된 과세자료를 기초로 한 과세처분 역시 위법하다(대판 2016.12.15. 2016두47659).

④ (○) 수출입품 통관검사절차에서 이루어지는 물품의 개봉, 시료채취, 성분분석 등의 검사는 수출입물품에 대한 적정한 통관 등을 목적으로 조사를 하는 것으로서 이를 수사기관의 강제처분이라고 할 수 없으므로, 세관공무원은 압수·수색영장 없이 이러한 검사를 진행할 수 있다. … 그러나 마약류 불법거래 방지에 관한 특례법 제4조 제1항에 따른 조치의 일환으로 특정한 수출입물품을 개봉하여 검사하고 그 내용물의 점유를 취득한 행위는 위에서 본 수출입물품에 대한 적정한 통관 등을 목적으로 조사를 하는 경우와는 달리, 범죄수사인 압수 또는 수색에 해당하여 사전 또는 사후에 영장을 받아야 한다(대판 2017.7.18. 2014도8719).

⑤ (○) 음주운전 여부에 대한 조사 과정에서 운전자 본인의 동의를 받지 아니하고 또한 법원의 영장도 없이 채혈조사를 한 결과를 근거로 한 운전면허 정지·취소 처분은 도로교통법 제44조 제3항을 위반한 것으로서 특별한 사정이 없는 한 위법한 처분으로 볼 수밖에 없다(대판 2016.12.27. 2014두46850).

답 ②

문제 DATA
출제가능 지수 ▶▶▷
난이도 지수 ★★☆

함께 정리하기
행정조사

질문대답 수인의무 無·남용우려 無
▷ 재조사가 금지되는 세무조사 ✕

우편물 통관검사절차
▷ 압수·수색영장 不要

부정한 목적 위해 행해진 세무조사를 기초로 한 과세처분
▷ 위법

「마약거래방지법」에 따라 수출입물품 개봉검사·내용물 점유취득
▷ 사전·사후 영장 필요

동의·영장 결여한 채혈조사에 근거한 운전면허정지·취소
▷ 위법

016

행정지도와 행정조사에 대한 설명으로 옳지 않은 것은? (다툼이 있는 경우 판례에 의함)

① 헌법재판소에 따르면 행정지도가 단순한 행정지도로서의 한계를 넘어 규제적·구속적 성격을 상당히 강하게 갖는 것이면 헌법소원의 대상이 되는 공권력 행사라고 볼 수 있다.
② 행정지도가 그에 따를 의사가 없는 상대방에게 이를 부당하게 강요하는 것으로서 행정지도의 한계를 일탈하였다면 위법하다.
③ 「국세기본법」상 금지되는 재조사에 기하여 과세처분을 하는 것은 과세관청이 그러한 재조사로 얻은 과세자료를 배제하고서도 동일한 과세처분이 가능한 경우라면 적법하다.
④ 우편물 통관검사절차에서 이루어지는 우편물의 개봉, 시료채취, 성분분석 등의 검사는 행정조사의 성격을 가지는 것으로서 압수·수색영장 없이 우편물의 개봉, 시료채취, 성분분석 등 검사가 진행되었다 하더라도 특별한 사정이 없는 한 위법하다고 볼 수 없다.
⑤ 행정기관의 장은 법령등에 특별한 규정이 있는 경우를 제외하고는 행정조사의 결과를 확정한 날부터 7일 이내에 그 결과를 조사대상자에게 통지하여야 한다.

> 2022년 국회직 8급

① (O) 교육인적자원부장관의 대학총장들에 대한 이 사건 학칙시정요구는 고등교육법 제6조 제2항, 동법 시행령 제4조 제3항에 따른 것으로서 그 법적 성격은 대학총장의 임의적인 협력을 통하여 사실상의 효과를 발생시키는 행정지도의 일종이지만, 그에 따르지 않을 경우 일정한 불이익조치를 예정하고 있어 사실상 상대방에게 그에 따를 의무를 부과하는 것과 다를 바 없으므로 단순한 행정지도로서의 한계를 넘어 규제적·구속적 성격을 상당히 강하게 갖는 것으로서 헌법소원의 대상이 되는 공권력의 행사라고 볼 수 있다(헌재 2003.6.26. 2002헌마337·2003헌마7·8).
② (O)

> 「행정절차법」 제48조 【행정지도의 원칙】 ① 행정지도는 그 목적 달성에 필요한 최소한도에 그쳐야 하며, 행정지도의 상대방의 의사에 반하여 부당하게 강요하여서는 아니 된다.

피고가 1995.1.3. 행한 행정지도는 그에 따를 의사가 없는 원고에게 이를 부당하게 강요하는 것으로서 행정지도의 한계를 일탈한 위법한 행정지도에 해당하여 불법행위를 구성한다(대판 2008.9.25. 2006다18228).

③ (X) 구 국세기본법 제81조의4 제2항에 따라 금지되는 재조사에 기하여 과세처분을 하는 것은 단순히 당초 과세처분의 오류를 경정하는 경우에 불과하다는 등의 특별한 사정이 없는 한 그 자체로 위법하고, 이는 과세관청이 그러한 재조사로 얻은 과세자료를 과세처분의 근거로 삼지 않았다거나 이를 배제하고서도 동일한 과세처분이 가능한 경우라고 하여 달리 볼 것은 아니다(대판 2017.12.13. 2016두55421).
④ (O) 우편물 통관검사절차에서 이루어지는 우편물의 개봉, 시료채취, 성분분석 등의 검사는 수출입물품에 대한 적정한 통관 등을 목적으로 한 행정조사의 성격을 가지는 것으로서 수사기관의 강제처분이라고 할 수 없으므로, 압수·수색영장 없이 우편물의 개봉, 시료채취, 성분분석 등 검사가 진행되었다 하더라도 특별한 사정이 없는 한 위법하다고 볼 수 없다(대판 2013.9.26. 2013도7718).
⑤ (O)

> 「행정조사기본법」 제24조 【조사결과의 통지】 행정기관의 장은 법령등에 특별한 규정이 있는 경우를 제외하고는 행정조사의 결과를 확정한 날부터 7일 이내에 그 결과를 조사대상자에게 통지하여야 한다.

답 ③

017

행정조사에 대한 설명으로 옳은 것(○)과 옳지 않은 것(×)을 바르게 표기한 것은? (다툼이 있는 경우 판례에 의함)

> ㄱ. 행정조사는 그 실효성 확보를 위해 수시조사를 원칙으로 한다.
> ㄴ. 「행정절차법」은 행정조사절차에 관한 명문의 규정을 일부 두고 있다.
> ㄷ. 구 「국세기본법」에 따른 금지되는 재조사에 기초한 과세처분은 특별한 사정이 없는 한 위법하다.
> ㄹ. 우편물 통관검사절차에서 이루어지는 우편물의 개봉, 시료채취, 성분분석 등의 검사는 행정조사의 성격을 가지는 것으로 압수·수색영장 없이 진행되었다고 해도 특별한 사정이 없는 한 위법하다고 볼 수 없다.

	ㄱ	ㄴ	ㄷ	ㄹ
①	×	×	○	○
②	×	○	×	○
③	○	×	○	×
④	×	○	○	○

2021년 소방직

ㄱ. (×)

> 「행정조사기본법」 제7조 【조사의 주기】 행정조사는 법령등 또는 행정조사운영계획으로 정하는 바에 따라 정기적으로 실시함을 원칙으로 한다. 다만, 다음 각 호 중 어느 하나에 해당하는 경우에는 수시조사를 할 수 있다.

ㄴ. (×) 「행정절차법」은 행정조사절차에 관한 명문의 규정을 두고 있지 않다.

> 「행정절차법」 제3조 【적용 범위】 ① 처분, 신고, 확약, 위반사실 등의 공표, 행정계획, 행정상 입법예고, 행정예고 및 행정지도의 절차(이하 "행정절차"라 한다)에 관하여 다른 법률에 특별한 규정이 있는 경우를 제외하고는 이 법에서 정하는 바에 따른다.

ㄷ. (○) 국세기본법은 재조사가 예외적으로 허용되는 경우를 엄격히 제한하고 있는바, 그와 같이 한정적으로 열거된 요건을 갖추지 못한 경우 같은 세목 및 같은 과세기간에 대한 재조사는 원칙적으로 금지되고, 나아가 이러한 중복세무조사금지의 원칙을 위반한 때에는 과세처분의 효력을 부정하는 방법으로 통제할 수밖에 없는 중대한 절차적 하자가 존재한다고 보아야 한다(대판 2017.12.13. 2016두55421).

ㄹ. (○) 우편물 통관검사절차에서 이루어지는 우편물의 개봉, 시료채취, 성분분석 등의 검사는 수출입물품에 대한 적정한 통관 등을 목적으로 한 행정조사의 성격을 가지는 것으로서 수사기관의 강제처분이라고 할 수 없으므로, 압수·수색영장 없이 우편물의 개봉, 시료채취, 성분분석 등 검사가 진행되었다 하더라도 특별한 사정이 없는 한 위법하다고 볼 수 없다(대판 2013.9.26. 2013도7718).

답 ①

문제 DATA

출제가능 지수 ▶▶▷
난이도 지수 ★★☆

함께 정리하기

「행정조사기본법」

조사목적 적합 조사대상자 선정, 제3자에 대한 보충조사 可

자발적 협조 얻어 실시하는 행정조사(임의조사)
▷ 조사의 법적 근거 不要

사전통지
▷ 서면통지가 원칙
▷ But 자발적 협조에 의한 조사는 구두 통지 可

2 이상 부서의 동일·유사분야에 대한 동일대상자 조사
▷ 공동조사 의무 有

행정기관장
▷ 행정조사결과 확정 후 7일 내 통지

018

「행정조사기본법」에 대한 설명으로 옳지 않은 것은?

① 행정기관은 조사목적에 적합하도록 조사대상자를 선정하여 행정조사를 실시하는 것을 원칙으로 하나 필요한 경우 제3자에 대하여도 조사할 수 있다.
② 행정기관은 법령 등에서 행정조사를 규정하고 있는 경우가 아니라도 조사대상자의 자발적인 협조를 얻어 행정조사를 실시할 수 있다.
③ 행정기관은 조사대상자의 자발적인 협조를 얻어 실시하는 행정조사인 경우 「행정조사기본법」 제17조 제1항 본문에 따른 사전통지를 하지 않을 수 있다.
④ 당해 행정기관 내의 2 이상의 부서가 동일하거나 유사한 업무분야에 대하여 동일한 조사대상자에게 행정조사를 실시하는 경우에는 공동조사를 할 수 있다.
⑤ 행정기관의 장은 법령등에 특별한 규정이 있는 경우를 제외하고는 행정조사의 결과를 확정한 날부터 7일 이내에 그 결과를 조사대상자에게 통지하여야 한다.

| 2021년 국회직 8급

① (O)

> 「행정조사기본법」 제4조 【행정조사의 기본원칙】 ② 행정기관은 조사목적에 적합하도록 조사대상자를 선정하여 행정조사를 실시하여야 한다.
> 제19조 【제3자에 대한 보충조사】 ① 행정기관의 장은 조사대상자에 대한 조사만으로는 당해 행정조사의 목적을 달성할 수 없거나 조사대상이 되는 행위에 대한 사실 여부 등을 입증하는 데 과도한 비용 등이 소요되는 경우로서 다음 각 호의 어느 하나에 해당하는 경우에는 제3자에 대하여 보충조사를 할 수 있다.
> 1. 다른 법률에서 제3자에 대한 조사를 허용하고 있는 경우
> 2. 제3자의 동의가 있는 경우

② (O)

> 「행정조사기본법」 제5조 【행정조사의 근거】 행정기관은 법령등에서 행정조사를 규정하고 있는 경우에 한하여 행정조사를 실시할 수 있다. 다만, 조사대상자의 자발적인 협조를 얻어 실시하는 행정조사의 경우에는 그러하지 아니하다.

③ (O)

> 「행정조사기본법」 제17조 【조사의 사전통지】 ① 행정조사를 실시하고자 하는 행정기관의 장은 제9조에 따른 출석요구서, 제10조에 따른 보고요구서·자료제출요구서 및 제11조에 따른 현장출입조사서(이하 "출석요구서등"이라 한다)를 조사개시 7일 전까지 조사대상자에게 서면으로 통지하여야 한다. 다만, 다음 각 호의 어느 하나에 해당하는 경우에는 행정조사의 개시와 동시에 출석요구서등을 조사대상자에게 제시하거나 행정조사의 목적 등을 조사대상자에게 구두로 통지할 수 있다.
> 1. 행정조사를 실시하기 전에 관련 사항을 미리 통지하는 때에는 증거인멸 등으로 행정조사의 목적을 달성할 수 없다고 판단되는 경우
> 2. 「통계법」 제3조 제2호에 따른 지정통계의 작성을 위하여 조사하는 경우
> 3. 제5조 단서에 따라 조사대상자의 자발적인 협조를 얻어 실시하는 행정조사의 경우

④ (X) 당해 행정기관 내의 2 이상의 부서가 동일하거나 유사한 업무분야에 대하여 동일한 조사대상자에게 행정조사를 실시하는 경우에는 공동조사를 하여야 한다.

> 「행정조사기본법」 제14조 【공동조사】 ① 행정기관의 장은 다음 각 호의 어느 하나에 해당하는 행정조사를 하는 경우에는 공동조사를 하여야 한다.
> 1. 당해 행정기관 내의 2 이상의 부서가 동일하거나 유사한 업무분야에 대하여 동일한 조사대상자에게 행정조사를 실시하는 경우
> 2. 서로 다른 행정기관이 대통령령으로 정하는 분야에 대하여 동일한 조사대상자에게 행정조사를 실시하는 경우

⑤ (○)

> 「행정조사기본법」 제24조【조사결과의 통지】 행정기관의 장은 법령등에 특별한 규정이 있는 경우를 제외하고는 행정조사의 결과를 확정한 날부터 7일 이내에 그 결과를 조사대상자에게 통지하여야 한다.

답 ④

019 □□□

행정조사에 대한 설명으로 옳지 않은 것은? (다툼이 있는 경우 판례에 의함)

① 세무조사결정은 행정조사의 일종으로 사실행위에 불과하여 취소소송의 대상이 되지 아니한다.
② 위법한 행정조사에 대해 예방적 금지소송이 효과적인 방어수단이나 현재는 인정되고 있지 않다
③ 중복하여 실시되어 위법하게 된 세무조사에 기초하여 이루어진 부가가치세 부과처분은 위법하다.
④ 행정기관의 장은 조사목적의 달성을 위하여 행하여진 시료채취로 조사대상자에게 손실을 입힌 때에는 그 손실을 보상하여야 한다.
⑤ 개별 법령 등에서 행정조사를 규정하고 있는 경우에도 행정기관이 「행정조사기본법」 제5조 단서에서 정한 '조사대상자의 자발적인 협조를 얻어 실시하는 행정조사'를 실시할 수 있다.

2021년 국회직 9급

① (×) 부과처분을 위한 과세관청의 질문조사권이 행해지는 세무조사결정이 있는 경우 납세의무자는 세무공무원의 과세자료 수집을 위한 질문에 대답하고 검사를 수인하여야 할 법적 의무를 부담하게 되는 점, 세무조사결정에 대하여 다툼으로써 분쟁을 조기에 근본적으로 해결할 수 있는 점 등을 종합하면, 세무조사결정은 납세의무자의 권리·의무에 직접 영향을 미치는 공권력의 행사에 따른 행정작용으로서 항고소송의 대상이 된다(대판 2011.3.10. 2009두23617).
② (○) 예방적 금지소송은 현재는 인정되고 있지 않다.

> 행정소송법상 행정청이 일정한 처분을 하지 못하도록 그 부작위를 구하는 청구는 허용되지 않는 부적법한 소송이다(대판 2006.5.25. 2003두11988).

③ (○) 납세자에 대한 부가가치세부과처분이, 종전의 부가가치세 경정조사와 같은 세목 및 같은 과세기간에 대하여 중복하여 실시된 위법한 세무조사에 기초하여 이루어진 것이어서 위법하다(대판 2006.6.2. 2004두12070).
④ (○)

> 「행정조사기본법」 제12조【시료채취】② 행정기관의 장은 제1항에 따른 시료채취로 조사대상자에게 손실을 입힌 때에는 대통령령으로 정하는 절차와 방법에 따라 그 손실을 보상하여야 한다.

⑤ (○) 행정조사기본법 제5조에 의하면 행정기관은 법령 등에서 행정조사를 규정하고 있는 경우에 한하여 행정조사를 실시할 수 있으나(본문), 한편 '조사대상자의 자발적인 협조를 얻어 실시하는 행정조사'의 경우에는 그러한 제한이 없이 실시가 허용된다(단서). 행정조사기본법 제5조는 행정기관이 정책을 결정하거나 직무를 수행하는 데에 필요한 정보나 자료를 수집하기 위하여 행정조사를 실시할 수 있는 근거에 관하여 정한 것으로서, 이러한 규정의 취지와 아울러 문언에 비추어 보면, 단서에서 정한 '조사대상자의 자발적인 협조를 얻어 실시하는 행정조사'는 개별 법령 등에서 행정조사를 규정하고 있는 경우에도 실시할 수 있다(대판 2016.10.27. 2016두41811).

답 ①

문제 DATA

출제가능 지수 ▶▶▷
난이도 지수 ★★☆

함께 정리하기

행정조사

세무조사결정
▷ 항고소송 대상 ○

예방적 금지소송
▷ 현행법상 부정

중복 실시된 위법한 세무조사에 기초한 부가가치세부과처분
▷ 위법

시료채취로 조사대상자에게 손실
▷ 보상규정 有

자발적 협조 얻어 실시하는 행정조사(임의조사)
▷ 법적 근거 있어도 可

문제 DATA

출제가능 지수 ▶▶▷
난이도 지수 ★★☆

020 □□□

행정조사에 대한 설명으로 가장 옳은 것은? (다툼이 있는 경우 판례에 의함)

① 행정조사를 통하여 획득한 정보가 정확하지 않은 경우에 그 정보에 기초한 행정처분의 효력은 행정조사의 위법 여부에 따라 결정된다.
② 수출입물품에 대한 통관 등을 목적으로 한 우편물의 개봉, 시료채취, 성분분석 등과 같이 강제적 행정조사를 하는 경우 압수·수색영장이 요구된다는 것이 판례의 태도이다.
③ 조사원이 조사목적의 달성을 위하여 시료채취를 하는 경우에는 그 시료의 소유자 및 관리자의 정상적인 경제활동을 방해하지 아니하는 범위 안에서 최소한도로 하여야 하며, 그로 인한 손실을 보상할 필요가 없다.
④ 「행정조사기본법」 제5조 단서에서 정한 '조사대상자의 자발적인 협조를 얻어 실시하는 행정조사'는 개별법령 등에서 행정조사를 규정하고 있는 경우에도 실시할 수 있다.

> 2020년 서울시 7급

함께 정리하기

행정조사

부정확한 정보에 기초한 처분
▷ 조사의 위법과 무관하게 위법

수출입물품 통관절차에서 개봉·시료채취·성분분석검사
▷ 영장없이 진행 가

시료채취
▷ 정상적인 경제활동 방해하지 않는 범위에서 최소한도로 하여야, 손실보상규정 有

자발적 협조 얻어 실시하는 행정조사(임의조사)
▷ 법적 근거 있어도 可

---

① (✗) 행정조사를 통하여 획득한 정보가 정확하지 않은 경우에 그 정보에 기초하여 내려진 행정처분은 사실의 기초에 흠이 있는 행정처분이므로 행정조사의 위법 여부를 묻지 않고 당연히 위법하다.
② (✗) 우편물 통관검사절차에서 이루어지는 우편물의 개봉, 시료채취, 성분분석 등의 검사는 수출입물품에 대한 적정한 통관 등을 목적으로 한 행정조사의 성격을 가지는 것으로서 수사기관의 강제처분이라고 할 수 없으므로, 압수·수색영장 없이 우편물의 개봉, 시료채취, 성분분석 등 검사가 진행되었다 하더라도 특별한 사정이 없는 한 위법하다고 볼 수 없다(대판 2013.9.26. 2013도7718).
③ (✗) 시료채취로 조사대상자에게 손실을 입힌 때에는 그 손실을 보상해야 한다.

> 「행정조사기본법」 제12조 【시료채취】 ① 조사원이 조사목적의 달성을 위하여 시료채취를 하는 경우에는 그 시료의 소유자 및 관리자의 정상적인 경제활동을 방해하지 아니하는 범위 안에서 최소한도로 하여야 한다.
> ② 행정기관의 장은 제1항에 따른 시료채취로 조사대상자에게 손실을 입힌 때에는 대통령령으로 정하는 절차와 방법에 따라 그 손실을 보상하여야 한다.

④ (○) 행정조사기본법 제5조에 의하면 행정기관은 법령 등에서 행정조사를 규정하고 있는 경우에 한하여 행정조사를 실시할 수 있으나(본문), 한편 '조사대상자의 자발적인 협조를 얻어 실시하는 행정조사'의 경우에는 그러한 제한이 없이 실시가 허용된다(단서). 행정조사기본법 제5조는 행정기관이 정책을 결정하거나 직무를 수행하는 데에 필요한 정보나 자료를 수집하기 위하여 행정조사를 실시할 수 있는 근거에 관하여 정한 것으로서, 이러한 규정의 취지와 아울러 문언에 비추어 보면, 단서에서 정한 '조사대상자의 자발적인 협조를 얻어 실시하는 행정조사'는 개별 법령 등에서 행정조사를 규정하고 있는 경우에도 실시할 수 있다(대판 2016.10.27. 2016두41811).

답 ④

021 □□□

행정조사에 대한 설명으로 옳지 않은 것은?

① 행정조사는 법령 등의 준수를 유도하기보다는 법령 등의 위반에 대한 처벌에 중점을 두어야 한다.
② 행정조사는 조사대상자의 자발적 협조를 얻어서 실시하는 경우에는 개별 법령의 근거규정이 없어도 할 수 있다.
③ 행정기관의 장은 법령 등에서 규정하고 있는 조사사항을 조사대상자로 하여금 스스로 신고하도록 하는 자율신고제도를 운영할 수 있다.
④ 조사원이 조사목적을 달성하기 위하여 시료채취를 하는 경우에는 그 시료의 소유자 및 관리자의 정상적인 경제활동을 방해하지 아니하는 범위 안에서 최소한도로 하여야 한다.

2020년 소방직

① (×)

> 「행정조사기본법」 제4조【행정조사의 기본원칙】 ④ 행정조사는 법령등의 위반에 대한 처벌보다는 법령 등을 준수하도록 유도하는 데 중점을 두어야 한다.

② (○)

> 「행정조사기본법」 제5조【행정조사의 근거】 행정기관은 법령등에서 행정조사를 규정하고 있는 경우에 한하여 행정조사를 실시할 수 있다. 다만, 조사대상자의 자발적인 협조를 얻어 실시하는 행정조사의 경우에는 그러하지 아니하다.

③ (○)

> 「행정조사기본법」 제25조【자율신고제도】 ① 행정기관의 장은 법령등에서 규정하고 있는 조사사항을 조사대상자로 하여금 스스로 신고하도록 하는 제도를 운영할 수 있다.

④ (○)

> 「행정조사기본법」 제12조【시료채취】 ① 조사원이 조사목적의 달성을 위하여 시료채취를 하는 경우에는 그 시료의 소유자 및 관리자의 정상적인 경제활동을 방해하지 아니하는 범위 안에서 최소한도로 하여야 한다.

답 ①

문제 DATA
출제가능 지수 ▶▶▷
난이도 지수 ★★☆

함께 정리하기
행정조사

법령등 준수 유도 목적(처벌에 중점×)

자발적 협조 얻어 실시하는 행정조사(임의조사)
▷ 법적 근거 不要

행정기관장
▷ 자율신고제도 운영 可

시료채취
▷ 정상적인 경제활동 방해하지 않는 범위에서 최소한도로 하여야 함

문제 DATA

출제가능 지수 ▶▶▷
난이도 지수 ★★☆

022 ☐☐☐

행정조사에 대한 설명으로 옳지 않은 것은? (다툼이 있는 경우 판례에 의함)

① 행정기관은 조사목적에 적합하도록 조사대상자를 선정하여 행정조사를 실시하는 것을 원칙으로 하나 필요한 경우 제3자에 대하여도 조사할 수 있다.
② 행정기관은 이미 조사를 받은 조사대상자에 대하여 위법행위가 의심되는 새로운 증거를 확보한 경우에는 재조사할 수 있다.
③ 행정기관은 조사대상자의 법령위반행위의 예방 또는 확인을 위하여 긴급하게 실시하는 것으로서 일정한 주기 또는 시기를 정하여 정기적으로 실시하여서는 그 목적을 달성하기 어려운 경우에 수시조사를 할 수 있다.
④ 행정기관은 조사대상자의 자발적인 협조를 얻어 실시하는 행정조사인 경우, 「행정조사기본법」 제17조 제1항 본문에 따른 사전통지를 하여야 한다.
⑤ 세무조사결정은 납세의무자의 권리·의무에 직접 영향을 미치는 공권력의 행사에 따른 행정작용으로서 항고소송의 대상이 된다.

| 2020년 소방간부

① (O)

> 「행정조사기본법」 제4조【행정조사의 기본원칙】② 행정기관은 조사목적에 적합하도록 조사대상자를 선정하여 행정조사를 실시하여야 한다.
> 제19조【제3자에 대한 보충조사】① 행정기관의 장은 조사대상자에 대한 조사만으로는 당해 행정조사의 목적을 달성할 수 없거나 조사대상이 되는 행위에 대한 사실 여부 등을 입증하는 데 과도한 비용 등이 소요되는 경우로서 다음 각 호의 어느 하나에 해당하는 경우에는 제3자에 대하여 보충조사를 할 수 있다.
> 1. 다른 법률에서 제3자에 대한 조사를 허용하고 있는 경우
> 2. 제3자의 동의가 있는 경우

② (O)

> 「행정조사기본법」 제15조【중복조사의 제한】① 제7조에 따라 정기조사 또는 수시조사를 실시한 행정기관의 장은 동일한 사안에 대하여 동일한 조사대상자를 재조사 하여서는 아니 된다. 다만, 당해 행정기관이 이미 조사를 받은 조사대상자에 대하여 위법행위가 의심되는 새로운 증거를 확보한 경우에는 그러하지 아니하다.

③ (O)

> 「행정조사기본법」 제7조【조사의 주기】행정조사는 법령등 또는 행정조사운영계획으로 정하는 바에 따라 정기적으로 실시함을 원칙으로 한다. 다만, 다음 각 호 중 어느 하나에 해당하는 경우에는 수시조사를 할 수 있다.
> 1. 법률에서 수시조사를 규정하고 있는 경우
> 2. 법령등의 위반에 대하여 혐의가 있는 경우
> 3. 다른 행정기관으로부터 법령등의 위반에 관한 혐의를 통보 또는 이첩받은 경우
> 4. 법령등의 위반에 대한 신고를 받거나 민원이 접수된 경우
> 5. 그 밖에 행정조사의 필요성이 인정되는 사항으로서 대통령령으로 정하는 경우
> 시행령 제3조【수시조사】법 제7조 제5호에서 "대통령령이 정하는 경우"란 행정기관이 조사대상자의 법령위반행위의 예방 또는 확인을 위하여 긴급하게 실시하는 것으로서 일정한 주기 또는 시기를 정하여 정기적으로 실시하여서는 그 목적을 달성하기 어려운 경우를 말한다.

④ (X)

> 「행정조사기본법」 제17조【조사의 사전통지】① 행정조사를 실시하고자 하는 행정기관의 장은 제9조에 따른 출석요구서, 제10조에 따른 보고요구서·자료제출요구서 및 제11조에 따른 현장출입조사서(이하 "출석요구서등"이라 한다)를 조사개시 7일 전까지 조사대상자에게 서면으로 통지하여야 한다. 다만, 다음 각 호의 어느 하나에 해당하는 경우에는 행정조사의 개시와 동시에 출석요구서등을 조사대상자에게 제시하거나 행정조사의 목적 등을 조사대상자에게 구두로 통지할 수 있다.

함께 정리하기

행정조사

조사목적 적합 조사대상자 선정, 제3자에 대한 보충조사 可

재조사금지원칙
▷ 위법행위가 의심되는 새로운 증거 확보 시 예외

법령위반행위의 예방·확인을 위해 긴급히 실시하는 것으로서 정기조사로는 목적달성 어려운 경우
▷ 수시조사 可

자발적 협조 얻어 실시하는 행정조사
▷ 7일 전 서면통지 불요
▷ 행정조사개시와 동시에 출석요구서등 제시 또는 구두통지 可

세무조사결정
▷ 항고소송의 대상○

> 1. 행정조사를 실시하기 전에 관련 사항을 미리 통지하는 때에는 증거인멸 등으로 행정조사의 목적을 달성할 수 없다고 판단되는 경우
> 2. 「통계법」 제3조 제2호에 따른 지정통계의 작성을 위하여 조사하는 경우
> 3. 제5조 단서에 따라 조사대상자의 자발적인 협조를 얻어 실시하는 행정조사의 경우

⑤ (○) 세무조사결정이 있는 경우 납세의무자는 세무공무원의 과세자료 수집을 위한 질문에 대답하고 검사를 수인하여야 할 법적 의무를 부담하게 되는 점, 세무조사결정에 대하여 다툼으로써 분쟁을 조기에 근본적으로 해결할 수 있는 점 등을 종합하면, 세무조사결정은 납세의무자의 권리·의무에 직접 영향을 미치는 공권력의 행사에 따른 행정작용으로서 항고소송의 대상이 된다(대판 2011.3.10. 2009두23617).

답 ④

023

행정조사에 대한 설명으로 옳지 않은 것은? (다툼이 있는 경우 판례에 의함)

① 법령상 서면조사에 의하도록 한 것을 실지조사를 행하여 과세처분을 하였다면 그 과세처분은 위법하다.
② 세무조사가 동일기간, 동일세목에 관한 것인 한 내용이 중첩되지 않아도 중복조사에 해당한다.
③ 「토양환경보전법」상 토양오염실태조사를 실시할 권한은 시·도지사에게 있으나 토양오염실태조사가 감사원 소속 감사관의 주도하에 실시되었다는 사정만으로 그에 기초하여 내려진 토양정밀조사명령이 위법하다고 할 수 없다.
④ 다른 세목, 다른 과세기간에 대한 세무조사 도중 해당 세목 및 과세기간에 대한 조사가 부분적으로 이루어진 경우 추후 이루어진 재조사는 위법한 중복조사에 해당한다.
⑤ 행정조사는 조사목적을 달성하는 데 필요한 최소한의 범위 안에서 실시하여야 한다.

2020년 국회직 8급

① (○) 법령상 서면조사에 의하도록 한 것을 실지조사를 통해 과세처분을 한 경우 위법함이 원칙이다.

> 구 소득세법 제119조 제1항에서 신고한 수입금액을 신뢰할 수 있거나 총수입금액이 쉽게 산출될 수 있는 자 등 일정한 소득세 납세의무자에 한하여 그들이 세무사 등이 작성한 조정계산서를 첨부하여 과세표준 확정신고서를 제출한 경우에 과세표준과 세액을 서면심리로 결정하도록 한 것은, 서면조사결정 대상자와 세무사 등을 신뢰하여 세무사 등에게 과세표준조사서와 소득금액계산서에 의하여 과세표준확정신고서의 기재내용이 정확하다는 것을 확인한 조정계산서를 작성·제출하게 함으로써 정부가 하여야 할 실지조사를 대행하게 한 것으로서, 징세행정의 능률을 올리는 한편 납세의무자의 편의를 도모하려는 데에 그 의의가 있으므로, 조정계산서가 증빙서류 등의 근거 없이 전혀 허위·가공으로 작성되었음이 명백하거나, 수입금액이 전혀 신고내용에 포함되지 아니하고 처음부터 탈루되었음이 명백한 경우, 혹은 수입금액이 신고되었으나 그 신고내용 자체에 의하여 탈루 또는 오류를 범한 것임이 객관적으로 명백한 경우 등과 같이, 과세표준과 세액을 서면조사만으로 결정하도록 하는 것이 부당하다고 인정되는 경우에는 서면조사로 결정하지 아니하고 실지조사 또는 추계조사로 결정하거나 서면조사결정 후에라도 실지조사 등을 통하여 과세표준과 세액을 경정할 수 있으나, 그렇지 아니한 경우에는 과세표준확정신고서와 조정계산서의 기재내용을 기초로 결정하여야 하므로, 그 신고내용 자체를 부인하고 그와 다른 내용의 사실을 인정하거나 서면조사결정 이후에 다시 과세표준과 세액을 경정할 수 없음이 원칙이라 할 것이다(대판 1995.12.8. 94누11200).

문제 DATA

출제가능 지수 ▶▶▷
난이도 지수 ★★★

함께 정리하기

행정조사

법령상 서면조사에 의하도록 한 것을 실지조사를 행하여 과세처분
▷ 위법(원칙)

같은 세목 같은 과세기간에 관한 세무조사
▷ 내용이 중첩되지 않아도 위법한 중복조사 ○

감사원의 직무감찰권의 범위
▷ 지방자치단체의 사무와 그에 소속한 지방공무원의 직무 포함

다른 세목, 다른 과세기간에 대한 세무조사 중 해당 세목 및 과세기간에 대한 조사가 부분적으로 이뤄진 경우
▷ 추후 재조사: 위법한 중복조사 ✕

조사목적을 달성하는 데 필요 최소한의 범위 안에서 실시

② (○), ④ (×) 세무조사가 동일 세목·동일 과세기간에 관한 것이면 내용이 중첩되지 않더라도 금지되는 재조사에 해당하나, 다른 세목·다른 과세기간에 관한 것이면 허용될 수도 있다.

> 세무공무원이 어느 세목의 특정 과세기간에 대하여 모든 항목에 걸쳐 세무조사를 한 경우는 물론 그 과세기간의 특정 항목에 대하여만 세무조사를 한 경우에도 <u>다시 그 세목의 같은 과세기간에 대하여 세무조사를 하는 것</u>은 구 국세기본법 제81조의4 제2항에서 <u>금지하는 재조사에 해당</u>하고, 세무공무원이 당초 세무조사를 한 특정 항목을 제외한 다른 항목에 대하여만 다시 세무조사를 함으로써 <u>세무조사의 내용이 중첩되지 아니하였다고 하여 달리 볼 것은 아니다.</u> 다만 당초의 세무조사가 다른 세목이나 다른 과세기간에 대한 세무조사 도중에 해당 세목이나 과세기간에도 동일한 잘못이나 세금탈루 혐의가 있다고 인정되어 관련 항목에 대하여 세무조사 범위가 확대됨에 따라 <u>부분적으로만 이루어진 경우</u>와 같이 당초 세무조사 당시 모든 항목에 걸쳐 세무조사를 하는 것이 무리였다는 등의 특별한 사정이 있는 경우에는 당초 세무조사를 한 항목을 제외한 나머지 항목에 대하여 향후 다시 세무조사를 하는 것은 구 국세기본법 제81조의4 제2항에서 <u>금지하는 재조사에 해당하지 아니한다</u>(대판 2015.2.26. 2014두12062).

③ (○) 감사원의 직무감찰권의 범위에 지방자치단체의 사무가 포함되므로 토양오염실태조사가 감사원에 의해 실시되었다는 사정만으로 그에 기초하여 내려진 토양정밀조사명령이 위법하다고 할 수 없다.

> 「감사원법」제24조【감찰 사항】① 감사원은 다음 각 호의 사항을 감찰한다.
> 2. 지방자치단체의 사무와 그에 소속한 지방공무원의 직무
> 제32조【징계 요구 등】① 감사원은「국가공무원법」과 그 밖의 법령에 규정된 징계 사유에 해당하거나 정당한 사유 없이 이 법에 따른 감사를 거부하거나 자료의 제출을 게을리한 공무원에 대하여 그 소속 장관 또는 임용권자에게 징계를 요구할 수 있다.

감사원은 지방자치단체의 자치사무에 대한 합목적성의 감사도 가능하다.
<u>감사원법 규정들의 구체적 내용을 살펴보면 감사원의 직무감찰권의 범위에 인사권자에 대하여 징계 등을 요구할 권한이 포함되고, 위법성뿐 아니라 부당성도 감사의 기준이 되는 것은 명백하며, 지방자치단체의 사무의 성격이나 종류에 따른 어떠한 제한이나 감사기준의 구별도 찾아볼 수 없다.</u>
이러한 점에 비추어 보면, <u>지방자치단체의 위임사무나 자치사무의 구별 없이 합법성 감사뿐만 아니라 합목적성 감사도 허용하고 있는 것으로 보이므로, 감사원의 지방자치단체에 대한 이 사건 감사는 법률상 권한 없이 이루어진 것은 아니다.</u> … 이 사건 관련규정이 지방자치단체의 고유한 권한을 유명무실하게 할 정도로 지나친 제한을 함으로써 지방자치권의 본질적 내용을 침해하였다고는 볼 수 없다(헌재 2008.5.29. 2005헌라3).

⑤ (○)

> 「행정조사기본법」제4조【행정조사의 기본원칙】① 행정조사는 <u>조사목적을 달성하는데 필요한 최소한의 범위 안에서 실시하여야 하며,</u> 다른 목적 등을 위하여 조사권을 남용하여서는 아니 된다.

답 ④

024

「행정조사기본법」에 대한 설명으로 가장 옳은 것은?

① 행정기관의 장은 매년 12월말까지 다음 연도의 행정조사운영계획을 수립하여 국무총리에게 제출하여야 한다.
② 행정조사를 실시할 행정기관의 장은 행정조사를 실시하기 전에 다른 행정기관에서 동일한 조사대상자에게 동일하거나 유사한 사안에 대하여 행정조사를 실시하였는지 여부를 반드시 확인해야 한다.
③ 행정기관의 장은 법령등에 특별한 규정이 있는 경우를 제외하고는 행정조사의 결과를 확정한 날부터 7일 이내에 그 결과를 조사대상자에게 통지하여야 한다.
④ 행정조사를 실시하고자 하는 행정기관의 장은 출석요구서, 보고요구서, 자료제출요구서 및 현장출입조사서를 조사개시 7일 전까지 조사대상자에게 구두로 통지하여야 한다.

2020년 경찰

① (×)

> 「행정조사기본법」제6조【연도별 행정조사운영계획의 수립 및 제출】① 행정기관의 장은 매년 12월말까지 다음 연도의 행정조사운영계획을 수립하여 국무조정실장에게 제출하여야 한다. 다만, 행정조사운영계획을 제출해야 하는 행정기관의 구체적인 범위는 대통령령으로 정한다.

② (×)

> 「행정조사기본법」제15조【중복조사의 제한】① 제7조에 따라 정기조사 또는 수시조사를 실시한 행정기관의 장은 동일한 사안에 대하여 동일한 조사대상자를 재조사 하여서는 아니 된다. 다만, 당해 행정기관이 이미 조사를 받은 조사대상자에 대하여 위법행위가 의심되는 새로운 증거를 확보한 경우에는 그러하지 아니하다.
> ② 행정조사를 실시할 행정기관의 장은 행정조사를 실시하기 전에 다른 행정기관에서 동일한 조사대상자에게 동일하거나 유사한 사안에 대하여 행정조사를 실시하였는지 여부를 확인할 수 있다.

③ (○)

> 「행정조사기본법」제24조【조사결과의 통지】행정기관의 장은 법령등에 특별한 규정이 있는 경우를 제외하고는 행정조사의 결과를 확정한 날부터 7일 이내에 그 결과를 조사대상자에게 통지하여야 한다.

④ (×)

> 「행정조사기본법」제17조【조사의 사전통지】① 행정조사를 실시하고자 하는 행정기관의 장은 제9조에 따른 출석요구서, 제10조에 따른 보고요구서·자료제출요구서 및 제11조에 따른 현장출입조사서(이하 "출석요구서등"이라 한다)를 조사개시 7일 전까지 조사대상자에게 서면으로 통지하여야 한다. 다만, 다음 각 호의 어느 하나에 해당하는 경우에는 행정조사의 개시와 동시에 출석요구서등을 조사대상자에게 제시하거나 행정조사의 목적 등을 조사대상자에게 구두로 통지할 수 있다.
> 1. 행정조사를 실시하기 전에 관련 사항을 미리 통지하는 때에는 증거인멸 등으로 행정조사의 목적을 달성할 수 없다고 판단되는 경우
> 2. 「통계법」 제3조 제2호에 따른 지정통계의 작성을 위하여 조사하는 경우
> 3. 제5조 단서에 따라 조사대상자의 자발적인 협조를 얻어 실시하는 행정조사의 경우

답 ③

025

행정조사에 대한 설명으로 옳지 않은 것은? (다툼이 있는 경우 판례에 의함)

① 조사대상자의 자발적인 협조가 있는 경우에는 법령에 근거가 없더라도 행정조사를 실시할 수 있다.

② 관세법령에 따른 우편물 통관검사절차에서 이루어지는 우편물의 개봉, 시료채취, 성분분석 등의 검사가 압수·수색영장 없이 진행되었다 하더라도 수사기관의 강제처분이라고 할 수 없으므로 특별한 사정이 없는 한 위법하다고 볼 수 없다.

③ 음주운전 여부에 대한 조사 과정에서 운전자 본인의 동의를 받지 아니하고 또한 법원의 영장도 없이 채혈조사를 한 결과를 근거로 한 운전면허 정지·취소 처분은 특별한 사정이 없는 한 위법한 처분으로 볼 수밖에 없다.

④ 세무조사가 과세자료의 수집 또는 신고내용의 정확성 검증이라는 본연의 목적이 아니라 부정한 목적을 위하여 행하여진 것이라 하더라도, 이러한 세무조사에 의하여 수집된 과세자료를 기초로 한 과세처분이 정당한 세액의 범위 내에 있는 한 위법하다고 볼 수는 없다.

⑤ 같은 세목 및 과세기간에 대한 거듭된 세무조사는 조세공평의 원칙에 현저히 반하는 예외적인 경우를 제외하고는 금지될 필요가 있으나, 납세자가 대답하거나 수인할 의무가 없고 납세자의 영업의 자유 등을 침해하거나 세무조사권이 남용될 염려가 없는 조사행위까지 재조사가 금지되는 세무조사에 해당하는 것은 아니다.

2020년 5급 승진

① (○)
> 「행정조사기본법」제5조 【행정조사의 근거】 행정기관은 법령등에서 행정조사를 규정하고 있는 경우에 한하여 행정조사를 실시할 수 있다. 다만, 조사대상자의 자발적인 협조를 얻어 실시하는 행정조사의 경우에는 그러하지 아니하다.

② (○) 우편물 통관검사절차에서 이루어지는 우편물의 개봉, 시료채취, 성분분석 등의 검사는 수출입물품에 대한 적정한 통관 등을 목적으로 한 행정조사의 성격을 가지는 것으로서 수사기관의 강제처분이라고 할 수 없으므로, 압수·수색영장 없이 우편물의 개봉, 시료채취, 성분분석 등 검사가 진행되었다 하더라도 특별한 사정이 없는 한 위법하다고 볼 수 없다(대판 2013.9.26. 2013도7718).

③ (○) 음주운전 여부에 관한 조사방법 중 혈액 채취(이하 '채혈'이라고 한다)는 상대방의 신체에 대한 직접적인 침해를 수반하는 방법으로서, 이에 관하여 도로교통법은 호흡조사와 달리 운전자에게 조사에 응할 의무를 부과하는 규정을 두지 아니할 뿐만 아니라, 측정에 앞서 운전자의 동의를 받도록 규정하고 있으므로(제44조 제3항), 운전자의 동의 없이 임의로 채혈조사를 하는 것은 허용되지 아니한다. 그리고 수사기관이 범죄 증거를 수집할 목적으로 운전자의 동의 없이 혈액을 취득·보관하는 행위는 형사소송법상 '감정에 필요한 처분' 또는 '압수'로서 법원의 감정처분허가장이나 압수영장이 있어야 가능하고, … 예외적인 요건하에 음주운전 범죄의 증거 수집을 위하여 운전자의 동의나 사전 영장 없이 혈액을 채취하여 압수할 수 있으나 이 경우에도 형사소송법에 따라 사후에 지체 없이 법원으로부터 압수영장을 받아야 한다. 따라서 음주운전 여부에 대한 조사 과정에서 운전자 본인의 동의를 받지 아니하고 또한 법원의 영장도 없이 채혈조사를 한 결과를 근거로 한 운전면허 정지·취소 처분은 도로교통법 제44조 제3항을 위반한 것으로서 특별한 사정이 없는 한 위법한 처분으로 볼 수밖에 없다(대판 2016.12.27. 2014두46850).

④ (×) 세무조사가 과세자료의 수집 또는 신고내용의 정확성 검증이라는 본연의 목적이 아니라 부정한 목적을 위하여 행하여진 것이라면 이는 세무조사에 중대한 위법사유가 있는 경우에 해당하고 이러한 세무조사에 의하여 수집된 과세자료를 기초로 한 과세처분 역시 위법하다(대판 2016.12.15. 2016두47659).

⑤ (○) 같은 세목 및 과세기간에 대한 거듭된 세무조사는 납세자의 영업의 자유나 법적 안정성 등을 심각하게 침해할 뿐만 아니라 세무조사권의 남용으로 이어질 우려가 있으므로 조세공평의 원칙에 현저히 반하는 예외적인 경우를 제외하고는 금지될 필요가 있다. … 그러나 과세자료의 수집 또는 신고내용의 정확성 검증 등을 위한 과세관청의 모든 조사행위가 재조사가 금지되는 세무조사에 해당한다고 볼 경우에는 과세관청으로서는 단순한 사실관계의 확인만으로 충분한 사안에서 언제나 정식의 세무조사에 착수할 수밖에 없고 납세자 등으로서도 불필요하게 정식의 세무조사에 응하여야 하므로, 납세자 등이 대답하거나 수인할 의무가 없고 납세자의 영업의 자유 등을 침해하거나 세무조사권이 남용될 염려가 없는 조사행위까지 재조사가 금지되는 '세무조사'에 해당한다고 볼 것은 아니다(대판 2017.3.16. 2014두8360).

답 ④

026 □□□

행정조사에 대한 설명으로 옳지 않은 것은? (다툼이 있는 경우 판례에 의함)

① 조세부과처분을 위한 과세관청의 세무조사결정은 사실행위로서 납세의무자의 권리·의무에 직접 영향을 미치는 것은 아니므로 항고소송의 대상이 되지 아니한다.
② 부가가치세부과처분이 종전의 부가가치세 경정조사와 같은 세목 및 같은 과세기간에 대하여 중복하여 실시한 위법한 세무조사에 기초하여 이루어진 경우 그 과세처분은 위법하다.
③ 「행정조사기본법」에 의하면 행정기관은 행정조사를 통하여 알게 된 정보를 다른 법률에 따라 내부에서 용하거나 다른 기관에 제공하는 경우를 제외하고는 원래의 조사목적 이외의 용도로 이용하거나 타인에게 제공하여서는 아니 된다.
④ 「행정조사기본법」에 의하면 조사대상자의 자발적인 협조를 얻어 실시하는 행정조사의 경우에는 법령등의 근거 없이도 행할 수 있으며, 이러한 행정조사에 대하여 조사대상자가 조사에 응할 것인지에 대한 응답을 하지 아니하는 경우에는 법령 등에 특별한 규정이 없는 한 그 조사를 거부한 것으로 본다.

| 2019년 지방직 7급

① (✕) 세무조사결정은 행정처분에 해당한다.

> 부과처분을 위한 과세관청의 질문조사권이 행해지는 세무조사결정이 있는 경우 납세의무자는 세무공무원의 과세자료 수집을 위한 질문에 대답하고 검사를 수인하여야 할 법적 의무를 부담하게 되는 점 … 등을 종합하면, 세무조사결정은 납세의무자의 권리·의무에 직접 영향을 미치는 공권력의 행사에 따른 행정작용으로서 항고소송의 대상이 된다(대판 2011.3.10. 2009두23617).

② (○) 중복실시한 세무조사에 기초한 과세처분은 위법하다.

> 납세자에 대한 부가가치세부과처분이, 종전의 부가가치세 경정조사와 같은 세목 및 같은 과세기간에 대하여 중복하여 실시된 위법한 세무조사에 기초하여 이루어진 것이어서 위법하다(대판 2006.6.2. 2004두12070).

③ (○)

> 「행정조사기본법」 제4조【행정조사의 기본원칙】⑥ 행정기관은 행정조사를 통하여 알게 된 정보를 다른 법률에 따라 내부에서 이용하거나 다른 기관에 제공하는 경우를 제외하고는 원래의 조사목적 이외의 용도로 이용하거나 타인에게 제공하여서는 아니 된다.

함께 정리하기

행정조사

세무조사결정
▷ 항고소송의 대상 ○

중복하여 실시된 위법한 세무조사에 기초한 부가가치세부과처분
▷ 위법

행정조사로 알게 된 정보
▷ 원래 조사 목적 이외 이용·제공 금지 (원칙)

자발적 협조에 의한 행정조사
▷ 법령근거 不要 → 미응답시 조사거부 간주

④ (○)

> 「행정조사기본법」 제5조【행정조사의 근거】행정기관은 법령등에서 행정조사를 규정하고 있는 경우에 한하여 행정조사를 실시할 수 있다. 다만, 조사대상자의 자발적인 협조를 얻어 실시하는 행정조사의 경우에는 그러하지 아니하다.
> 제20조【자발적인 협조에 따라 실시하는 행정조사】① 행정기관의 장이 제5조 단서에 따라 조사대상자의 자발적인 협조를 얻어 행정조사를 실시하고자 하는 경우 조사대상자는 문서·전화·구두 등의 방법으로 당해 행정조사를 거부할 수 있다.
> ② 제1항에 따른 행정조사에 대하여 조사대상자가 조사에 응할 것인지에 대한 응답을 하지 아니하는 경우에는 법령등에 특별한 규정이 없는 한 그 조사를 거부한 것으로 본다.

답 ①

027

행정조사에 대한 설명으로 옳지 않은 것은? (다툼이 있는 경우 판례에 의함)

① 세무조사결정은 항고소송의 대상이 된다.
②「행정조사기본법」에 의하면, 조사목적달성을 위한 시료채취로 조사대상자에게 손실이 발생하였더라도 행정기관의 장은 이에 대한 보상책임을 지지 않는다.
③「행정절차법」은 행정조사에 관한 명문의 규정을 두고 있지 않다.
④ 우편물 통관검사절차에서 이루어지는 성분분석 등의 검사가 압수·수색영장 없이 이루어졌다 하더라도 특별한 사정이 없는 한 위법하지 않다.

2019년 소방직

① (○) 부과처분을 위한 과세관청의 질문조사권이 행해지는 세무조사결정이 있는 경우 납세의무자는 세무공무원의 과세자료 수집을 위한 질문에 대답하고 검사를 수인하여야 할 법적 의무를 부담하게 되는 점,… 납세의무자로 하여금 개개의 과태료 처분에 대하여 불복하거나 조사 종료 후의 과세처분에 대하여만 다툴 수 있도록 하는 것보다는 그에 앞서 세무조사결정에 대하여 다툼으로써 분쟁을 조기에 근본적으로 해결할 수 있는 점 등을 종합하면, 세무조사결정은 납세의무자의 권리·의무에 직접 영향을 미치는 공권력의 행사에 따른 행정작용으로서 항고소송의 대상이 된다(대판 2011.3.10. 2009두23617·23624).

② (×)

> 「행정조사기본법」 제12조【시료채취】① 조사원이 조사목적의 달성을 위하여 시료채취를 하는 경우에는 그 시료의 소유자 및 관리자의 정상적인 경제활동을 방해하지 아니하는 범위 안에서 최소한도로 하여야 한다.
> ② 행정기관의 장은 제1항에 따른 시료채취로 조사대상자에게 손실을 입힌 때에는 대통령령으로 정하는 절차와 방법에 따라 그 손실을 보상하여야 한다.

③ (○)

> 「행정절차법」 제3조【적용 범위】① 처분, 신고, 확약, 위반사실 등의 공표, 행정계획, 행정상 입법예고, 행정예고 및 행정지도의 절차(이하 "행정절차"라 한다)에 관하여 다른 법률에 특별한 규정이 있는 경우를 제외하고는 이 법에서 정하는 바에 따른다.

④ (○) 우편물 통관검사절차에서 이루어지는 우편물의 개봉, 시료채취, 성분분석 등의 검사는 수출입물품에 대한 적정한 통관 등을 목적으로 한 행정조사의 성격을 가지는 것으로서 수사기관의 강제처분이라고 할 수 없으므로, 압수·수색영장 없이 우편물의 개봉, 시료채취, 성분분석 등 검사가 진행되었다 하더라도 특별한 사정이 없는 한 위법하다고 볼 수 없다(대판 2013.9.26. 2013도7718).

답 ②

◎ 문제 DATA

출제가능 지수 ▶▶▷
난이도 지수 ★★☆

ⓘ 함께 정리하기

행정조사

세무조사결정
▷ 항고소송의 대상 ○

「행정조사기본법」
▷ 시료채취로 인한 손실보상규정 有

「행정절차법」
▷ 행정조사에 관한 명문규정 無

우편물 통관검사절차
▷ 압수·수색영장 不要

028

「행정조사기본법」에 대한 설명으로 가장 옳지 않은 것은? (다툼이 있는 경우 판례에 의함)

① 우편물 통관검사절차에서 이루어지는 우편물의 개봉, 시료채취, 성분분석 등의 검사는 수출입물품에 대한 적정한 통관 등을 목적으로 한 행정조사의 성격을 가지는 것으로서 압수·수색영장 없이 검사가 진행되었다 하더라도 특별한 사정이 없는 한 위법하다고 볼 수 없다.
② 「행정조사기본법」 제10조는 보고요구와 자료제출의 요구를 규정하고 있는데, 「행정조사기본법」은 이러한 요구에 불응한 자에 대해 과태료를 부과할 수 있는 근거를 두고 있다.
③ 세무조사가 과세자료의 수집 또는 신고내용의 정확성 검증이라는 본연의 목적이 아니라 부정한 목적을 위하여 행하여진 것이라면 이는 세무조사에 중대한 위법사유가 있는 경우에 해당하고 이러한 세무조사에 의하여 수집된 과세자료를 기초로 한 과세처분 역시 위법하다.
④ 세무조사결정은 납세의무자의 권리 의무에 직접 영향을 미치는 공권력의 행사에 따른 행정작용으로서 항고소송의 대상이 된다.

2019년 경찰

① (O) 우편물 통관검사절차에서 이루어지는 우편물의 개봉, 시료채취, 성분분석 등의 검사는 수출입물품에 대한 적정한 통관 등을 목적으로 한 행정조사의 성격을 가지는 것으로서 수사기관의 강제처분이라고 할 수 없으므로, 압수·수색영장 없이 우편물의 개봉, 시료채취, 성분분석 등 검사가 진행되었다 하더라도 특별한 사정이 없는 한 위법하다고 볼 수 없다(대판 2013.9.26. 2013도7718).
② (X) 「행정조사기본법」 제10조는 "행정기관의 장은 조사대상자에게 조사사항에 대하여 보고를 요구하는 때에는 일정한 사항이 포함된 보고요구서와 자료제출요구서를 발송하여야 한다."고 규정하고 있을 뿐 이러한 요구에 불응한 자에 대해 과태료를 부과할 수 있다는 근거를 두고 있지는 않다.

> 「행정조사기본법」 제10조【보고요구와 자료제출의 요구】① 행정기관의 장은 조사대상자에게 조사사항에 대하여 보고를 요구하는 때에는 다음 각 호의 사항이 포함된 보고요구서를 발송하여야 한다.
> ② 행정기관의 장은 조사대상자에게 장부·서류나 그 밖의 자료를 제출하도록 요구하는 때에는 다음 각 호의 사항이 기재된 자료제출요구서를 발송하여야 한다.

③ (O) 세무조사가 과세자료의 수집 또는 신고내용의 정확성 검증이라는 본연의 목적이 아니라 부정한 목적을 위하여 행하여진 것이라면 이는 세무조사에 중대한 위법사유가 있는 경우에 해당하고 이러한 세무조사에 의하여 수집된 과세자료를 기초로 한 과세처분 역시 위법하다(대판 2016.12.15. 2016두47659).
④ (O) 부과처분을 위한 과세관청의 질문조사권이 행해지는 세무조사결정이 있는 경우 납세의무자는 세무공무원의 과세자료 수집을 위한 질문에 대답하고 검사를 수인하여야 할 법적 의무를 부담하게 되는 점,… 납세의무자로 하여금 개개의 과태료 처분에 대하여 불복하거나 조사 종료 후의 과세처분에 대하여만 다툴 수 있도록 하는 것보다는 그에 앞서 세무조사결정에 대하여 다툼으로써 분쟁을 조기에 근본적으로 해결할 수 있는 점 등을 종합하면, 세무조사결정은 납세의무자의 권리·의무에 직접 영향을 미치는 공권력의 행사에 따른 행정작용으로서 항고소송의 대상이 된다(대판 2011.3.10. 2009두23617.23624).

답 ②

문제 DATA
출제가능 지수 ▶▶▷
난이도 지수 ★★☆

함께 정리하기

「행정조사기본법」

우편물 통관검사절차
▷ 압수·수색영장 不要

「행정조사기본법」
▷ 보고요구·자료제출요구에 불응시 과태료 부과 근거규정 無

부정한 목적 위한 세무조사에 기초한 과세처분
▷ 위법

세무조사결정
▷ 항고소송의 대상O

029

행정조사 및 「행정조사기본법」에 대한 설명으로 옳은 것(○)과 옳지 않은 것(×)을 바르게 연결한 것은? (다툼이 있는 경우 판례에 의함)

> ㄱ. 우편물 통관검사절차에서 이루어지는 우편물의 개봉, 시료채취, 성분분석 등의 검사는 수출입물품에 대한 적정한 통관 등을 목적으로 한 행정조사의 성격을 가지는 것으로서 수사기관의 강제처분이라고 할 수 없다.
> ㄴ. 조사원이 현장조사 중에 자료·서류·물건 등을 영치하는 경우에 조사대상자의 생활이나 영업이 사실상 불가능하게 될 우려가 있는 때에는 조사원은 증거인멸의 우려가 있는 경우가 아니라면 사진촬영 등의 방법으로 영치에 갈음할 수 있다.
> ㄷ. 행정기관의 장이 조사대상자의 자발적인 협조를 얻어 행정조사를 실시하고자 하는 경우 조사대상자는 문서·전화·구두 등의 방법으로 당해 행정조사를 거부할 수 있다.
> ㄹ. 조사대상자가 행정조사의 실시를 거부하거나 방해하는 경우 「행정조사기본법」상의 명문규정에 의하여 조사대상자의 신체와 재산에 대해 실력을 행사할 수 있다.

	ㄱ	ㄴ	ㄷ	ㄹ
①	○	○	○	×
②	○	×	○	×
③	×	×	○	○
④	○	○	×	×

2018년 국가직 7급

ㄱ. (○) 우편물 통관검사절차는 수사기관의 강제처분이 아니다.

> 우편물 통관검사절차에서 이루어지는 우편물의 개봉, 시료채취, 성분분석 등의 검사는 수출입물품에 대한 적정한 통관 등을 목적으로 한 행정조사의 성격을 가지는 것으로서 수사기관의 강제처분이라고 할 수 없으므로, 압수·수색영장 없이 우편물의 개봉, 시료채취, 성분분석 등 검사가 진행되었다 하더라도 특별한 사정이 없는 한 위법하다고 볼 수 없다(대판 2013.9.26. 20135도7718).

ㄴ. (○)

> 「행정조사기본법」제13조【자료등의 영치】② 조사원이 제1항에 따라 자료등을 영치하는 경우에 조사대상자의 생활이나 영업이 사실상 불가능하게 될 우려가 있는 때에는 조사원은 자료등을 사진으로 촬영하거나 사본을 작성하는 등의 방법으로 영치에 갈음할 수 있다. 다만, 증거인멸의 우려가 있는 자료등을 영치하는 경우에는 그러하지 아니하다.

ㄷ. (○)

> 「행정조사기본법」제20조【자발적인 협조에 따라 실시하는 행정조사】① 행정기관의 장이 제5조 단서에 따라 조사대상자의 자발적인 협조를 얻어 행정조사를 실시하고자 하는 경우 조사대상자는 문서·전화·구두 등의 방법으로 당해 행정조사를 거부할 수 있다.

ㄹ. (×) 「행정조사기본법」상 실력행사에 관한 규정은 존재하지 않으며, 조사대상자가 행정조사의 실시를 거부하거나 방해하는 경우에는 공무집행방해죄 현행범체포 등으로 해결을 하여야 한다.

답 ①

030

행정조사에 대한 설명으로 옳지 않은 것은? (다툼이 있는 경우 판례에 의함)

① 「행정조사기본법」에 따르면, 행정기관은 법령 등에서 행정조사를 규정하고 있는 경우에 한하여 행정조사를 실시할 수 있지만 조사대상자가 자발적으로 협조하는 경우에는 법령 등에서 행정조사를 규정하고 있지 않더라도 행정조사를 실시할 수 있다.
② 「행정조사기본법」에 따르면, 행정조사를 실시하는 경우 조사개시 7일 전까지 조사대상자에게 출석요구서, 보고요구서·자료제출요구서, 현장출입조사서를 서면으로 통지하여야 하나, 조사대상자의 자발적인 협조를 얻어 행정조사를 실시하는 경우에는 미리 서면으로 통지하지 않고 행정조사의 개시와 동시에 이를 조사대상자에게 제시할 수 있다.
③ 헌법 제12조 제1항에서 규정하고 있는 적법절차의 원칙은 형사소송절차에 국한되지 않고 모든 국가작용 전반에 대하여 적용되는 원칙이므로 세무공무원의 세무조사권의 행사에서도 적법절차의 원칙은 준수되어야 한다.
④ 행정조사는 처분성이 인정되지 않으므로 세무조사결정이 위법하더라도 이에 대해서는 항고소송을 제기할 수 없다.

| 2018년 국가직 9급

① (○)

> 「행정조사기본법」 제5조 【행정조사의 근거】 행정기관은 법령 등에서 행정조사를 규정하고 있는 경우에 한하여 행정조사를 실시할 수 있다. 다만, 조사대상자의 자발적인 협조를 얻어 실시하는 행정조사의 경우에는 그러하지 아니하다.

② (○)

> 「행정조사기본법」 제17조 【조사의 사전통지】 ① 행정조사를 실시하고자 하는 행정기관의 장은 제9조에 따른 출석요구서, 제10조에 따른 보고요구서·자료제출요구서 및 제11조에 따른 현장출입조사서(이하 "출석요구서등"이라 한다)를 조사개시 7일 전까지 조사대상자에게 서면으로 통지하여야 한다. 다만, 다음 각 호의 어느 하나에 해당하는 경우에는 행정조사의 개시와 동시에 출석요구서등을 조사대상자에게 제시하거나 행정조사의 목적 등을 조사대상자에게 구두로 통지할 수 있다.
> 1. 행정조사를 실시하기 전에 관련 사항을 미리 통지하는 때에는 증거인멸 등으로 행정조사의 목적을 달성할 수 없다고 판단되는 경우
> 2. 「통계법」 제3조 제2호에 따른 지정통계의 작성을 위하여 조사하는 경우
> 3. 제5조 단서에 따라 조사대상자의 자발적인 협조를 얻어 실시하는 행정조사의 경우

③ (○) 적법절차원칙은 세무조사에서도 준수되어야 한다.

> 1. 헌법 제12조 제3항의 본문은 동조 제1항과 함께 적법절차원리의 일반조항에 해당하는 것으로서 형사절차상의 입법에 한정되지 않고 입법·행정 등 국가의 모든 공권력의 작용에는 절차상의 적법성뿐만 아니라 법률의 실체적 내용도 합리성과 정당성을 갖춘 실체적인 적법성이 있어야 한다는 적법절차의 원리를 헌법의 기본원리로 명시한 것이다(헌재 1992.12.24. 92헌마78·92헌가8).
> 2. 구 국세기본법 제81조의5가 정한 세무조사대상 선정사유가 없음에도 세무조사대상으로 선정하여 과세자료를 수집하고 그에 기하여 과세처분을 하는 것은 적법절차의 원칙을 어기고 구 국세기본법 제81조의5와 제81조의3 제1항을 위반한 것으로서 특별한 사정이 없는 한 과세처분은 위법하다(대판 2014.6.26. 2012두911).

④ (×) 세무조사결정에는 처분성이 인정된다.

> 세무조사결정이 있는 경우 납세의무자는 세무공무원의 과세자료 수집을 위한 질문에 대답하고 검사를 수인하여야 할 법적 의무를 부담하게 되는 점 … 등을 종합하면, 세무조사결정은 납세의무자의 권리·의무에 직접 영향을 미치는 공권력의 행사에 따른 행정작용으로서 항고소송의 대상이 된다(대판 2011.3.10. 2009두23617).

답 ④

함께 정리하기

행정조사

자발적 협조 얻어 실시하는 행정조사 (임의조사)
▷ 조사의 법적 근거 不要

사전통지
▷ 서면통지가 원칙
▷ 임의조사 조사개시와 동시에 출석요구서등 제시 또는 구두통지 可

적법절차원칙
▷ 세무조사에서도 준수 要

세무조사결정
▷ 처분성 有

031

「행정조사기본법」상 행정조사에 대한 설명으로 옳은 것은?

① 행정조사를 행하는 행정기관에는 법령 및 조례·규칙에 따라 행정권한이 있는 기관뿐만 아니라 그 권한을 위임 또는 위탁받은 법인·단체 또는 그 기관이나 개인이 포함된다.
② 「행정조사기본법」은 행정조사 실시를 위한 일반적인 근거규범으로서 행정기관은 다른 법령 등에서 따로 행정조사를 규정하고 있지 않더라도 「행정조사기본법」을 근거로 행정조사를 실시할 수 있다.
③ 조사대상자가 조사대상 선정기준에 대한 열람을 신청한 경우에 행정기관은 그 열람이 당해 행정조사업무를 수행할 수 없을 정도로 조사활동에 지장을 초래한다는 이유로 열람을 거부할 수 없다.
④ 정기조사 또는 수시조사를 실시한 행정기관의 장은 조사대상자의 자발적인 협조를 얻어 실시하는 경우가 아닌 한 동일한 사안에 대하여 동일한 조사대상자를 재조사하여서는 아니 된다.

| 2018년 지방직 9급

① (○)

> 「행정조사기본법」 제2조 【정의】 이 법에서 사용하는 용어의 정의는 다음과 같다.
> 2. "행정기관"이란 법령 및 조례·규칙(이하 "법령등"이라 한다)에 따라 행정권한이 있는 기관과 그 권한을 위임 또는 위탁받은 법인·단체 또는 그 기관이나 개인을 말한다.

② (×)

> 「행정조사기본법」 제5조 【행정조사의 근거】 행정기관은 법령등에서 행정조사를 규정하고 있는 경우에 한하여 행정조사를 실시할 수 있다. 다만, 조사대상자의 자발적인 협조를 얻어 실시하는 행정조사의 경우에는 그러하지 아니하다.

③ (×) 행정기관은 당해 행정조사업무를 수행할 수 없을 정도로 조사활동에 지장을 초래한다는 이유로 조사대상 선정기준에 대한 열람신청을 거부할 수 있다.

> 「행정조사기본법」 제8조 【조사대상의 선정】 ① 행정기관의 장은 행정조사의 목적, 법령준수의 실적, 자율적인 준수를 위한 노력, 규모와 업종 등을 고려하여 명백하고 객관적인 기준에 따라 행정조사의 대상을 선정하여야 한다.
> ② 조사대상자는 조사대상 선정기준에 대한 열람을 행정기관의 장에게 신청할 수 있다.
> ③ 행정기관의 장이 제2항에 따라 열람신청을 받은 때에는 다음 각 호의 어느 하나에 해당하는 경우를 제외하고 신청인이 조사대상 선정기준을 열람할 수 있도록 하여야 한다.
> 1. 행정기관이 당해 행정조사업무를 수행할 수 없을 정도로 조사활동에 지장을 초래하는 경우
> 2. 내부고발자 등 제3자에 대한 보호가 필요한 경우

④ (×)

> 「행정조사기본법」 제15조 【중복조사의 제한】 ① 제7조에 따라 정기조사 또는 수시조사를 실시한 행정기관의 장은 동일한 사안에 대하여 동일한 조사대상자를 재조사 하여서는 아니 된다. 다만, 당해 행정기관이 이미 조사를 받은 조사대상자에 대하여 위법행위가 의심되는 새로운 증거를 확보한 경우에는 그러하지 아니하다.

답 ①

문제 DATA

출제가능 지수 ▶▶▷
난이도 지수 ★★☆

함께 정리하기

행정조사

행정조사기관
▷ 법령·조례·규칙상 권한있는 기관 및 그 권한을 위임·위탁받은 법인·단체·기관·개인

개별법상 근거 필요(원칙)

조사대상 선정기준 열람
▷ 행정조사업무 수행할 수 없을 정도로 지장초래시 거부 可

정기조사 또는 수시조사를 실시한 행정기관장
▷ 동일사안, 동일대상자 재조사금지

032

행정조사에 대한 설명으로 옳지 않은 것은?

① 행정조사의 실시는 행정기관의 장이 출석요구서, 보고요구서·자료제출요구서 등을 조사개시 7일 전까지 조사대상자에게 서면으로 통지함으로써 이루어진다.
② 조사원은 사전에 발송된 사항에 한하여 조사하되, 사전통지한 사항과 관련된 추가적인 행정조사가 필요할 경우에는 조사대상자에게 추가조사의 필요성과 조사내용 등을 서면이나 구두로 통보한 후 추가조사를 실시할 수 있다.
③ 조사대상자는 법률·회계 등의 관계 전문가로 하여금 행정조사 과정에 입회하게 하거나 의견을 진술하게 할 수 있다.
④ 조사대상자와 조사원은 조사과정을 방해받지 아니하는 범위 안에서 행정조사의 과정을 상호 협의하여 녹음하거나 녹화할 수 있다.
⑤ 행정기관의 장은 법령 등 특별한 규정이 있는 경우를 제외하고는 행정조사의 결과를 즉시 조사대상자에게 통지하여야 한다.

| 2018년 소방간부

① (○)

> 「행정조사기본법」 제17조【조사의 사전통지】① 행정조사를 실시하고자 하는 행정기관의 장은 제9조에 따른 출석요구서, 제10조에 따른 보고요구서·자료제출요구서 및 제11조에 따른 현장출입조사서(이하 "출석요구서등"이라 한다)를 조사개시 7일 전까지 조사대상자에게 서면으로 통지하여야 한다. 다만, 다음 각 호의 어느 하나에 해당하는 경우에는 행정조사의 개시와 동시에 출석요구서등을 조사대상자에게 제시하거나 행정조사의 목적 등을 조사대상자에게 구두로 통지할 수 있다.

② (○)

> 「행정조사기본법」 제23조【조사권 행사의 제한】① 조사원은 제9조부터 제11조까지에 따라 사전에 발송된 사항에 한하여 조사대상자를 조사하되, 사전통지한 사항과 관련된 추가적인 행정조사가 필요할 경우에는 조사대상자에게 추가조사의 필요성과 조사내용 등에 관한 사항을 서면이나 구두로 통보한 후 추가조사를 실시할 수 있다.

③ (○)

> 「행정조사기본법」 제23조【조사권 행사의 제한】② 조사대상자는 법률·회계 등에 대하여 전문지식이 있는 관계 전문가로 하여금 행정조사를 받는 과정에 입회하게 하거나 의견을 진술하게 할 수 있다.

④ (○)

> 「행정조사기본법」 제23조【조사권 행사의 제한】③ 조사대상자와 조사원은 조사과정을 방해하지 아니하는 범위 안에서 행정조사의 과정을 녹음하거나 녹화할 수 있다. 이 경우 녹음·녹화의 범위 등은 상호 협의하여 정하여야 한다.

⑤ (×)

> 「행정조사기본법」 제24조【조사결과의 통지】 행정기관의 장은 법령등에 특별한 규정이 있는 경우를 제외하고는 행정조사의 결과를 확정한 날부터 7일 이내에 그 결과를 조사대상자에게 통지하여야 한다.

답 ⑤

문제 DATA
출제가능 지수 ▶▶▷
난이도 지수 ★★☆

함께 정리하기

행정조사

행정조사 실시
▷ 조사개시 7일 전 사전 서면 통지

조사원
▷ 사전통지한 사항과 관련된 추가조사 可

조사대상자
▷ 법률·회계 등 관계 전문가로 하여금 조사과정에 입회·의견진술하게 할 수 있음

조사대상자와 조사원
▷ 조사과정 방해받지 않는 범위 내 녹음·녹화 可

행정기관장
▷ 행정조사결과 확정 후 7일 내 통지

문제 DATA

출제가능 지수 ▶▶▷
난이도 지수 ★★☆

033 □□□

「행정조사기본법」 규정에 대한 설명으로 가장 옳은 것은?

① 조사대상자는 조사원에게 공정한 행정조사를 기대하기 어려운 사정이 있다고 판단되는 경우에는 행정기관의 장에게 구두의 방법으로 당해 조사원의 교체를 신청할 수 있다.
② 행정조사를 실시할 행정기관의 장은 행정조사를 실시하기 전에 다른 행정기관에서 동일한 조사대상자에게 동일하거나 유사한 사안에 대하여 행정조사를 실시하였는지 여부를 반드시 확인하여야 한다.
③ 행정조사는 법령등 또는 행정조사운영계획으로 정하는 바에 따라 정기적으로 실시함을 원칙으로 하되 다른 행정기관으로부터 법령 등의 위반에 관한 혐의를 통보받은 때에는 수시조사를 할 수 있다.
④ 행정조사란 행정기관이 법령을 집행하거나 직무를 수행하는 데 필요한 문서를 수집하기 위하여 현장조사·문서열람·시료채취 등을 하거나 조사대상자에게 보고요구·자료제출요구 및 출석 진술요구를 행하는 활동을 말한다.

2018년 경찰

① (✕) 조사원의 교체신청은 서면으로 해야 한다.

> 「행정조사기본법」 제22조【조사원 교체신청】① 조사대상자는 조사원에게 공정한 행정조사를 기대하기 어려운 사정이 있다고 판단되는 경우에는 행정기관의 장에게 당해 조사원의 교체를 신청할 수 있다.
> ② 제1항에 따른 교체신청은 그 이유를 명시한 서면으로 행정기관의 장에게 하여야 한다.

② (✕) 행정조사를 실시하기 전에 다른 행정기관에서 동일한 조사대상자에게 동일하거나 유사한 사안에 대하여 행정조사를 실시하였는지 여부를 확인할 수 있다.

> 「행정조사기본법」 제15조【중복조사의 제한】② 행정조사를 실시할 행정기관의 장은 행정조사를 실시하기 전에 다른 행정기관에서 동일한 조사대상자에게 동일하거나 유사한 사안에 대하여 행정조사를 실시하였는지 여부를 확인할 수 있다.

③ (○)

> 「행정조사기본법」 제7조【조사의 주기】행정조사는 법령등 또는 행정조사운영계획으로 정하는 바에 따라 정기적으로 실시함을 원칙으로 한다. 다만, 다음 각 호 중 어느 하나에 해당하는 경우에는 수시조사를 할 수 있다.
> 1. 법률에서 수시조사를 규정하고 있는 경우
> 2. 법령등의 위반에 대하여 혐의가 있는 경우
> 3. 다른 행정기관으로부터 법령등의 위반에 관한 혐의를 통보 또는 이첩받은 경우
> 4. 법령등의 위반에 대한 신고를 받거나 민원이 접수된 경우
> 5. 그 밖에 행정조사의 필요성이 인정되는 사항으로서 대통령령으로 정하는 경우

④ (✕) 행정조사는 행정기관이 정책을 결정하거나 직무를 수행하는 데 필요한 정보나 자료를 수집하기 위한 것이다.

> 「행정조사기본법」 제2조【정의】이 법에서 사용하는 용어의 정의는 다음과 같다.
> 1. "행정조사"란 행정기관이 정책을 결정하거나 직무를 수행하는 데 필요한 정보나 자료를 수집하기 위하여 현장조사·문서열람·시료채취 등을 하거나 조사대상자에게 보고요구·자료제출요구 및 출석·진술요구를 행하는 활동을 말한다.

답 ③

함께 정리하기

「행정조사기본법」

조사대상자
▷ 조사원에게 공정한 행정조사 기대하기 어려운 사정이 있는 경우 조사원 교체신청 可

행정기관장
▷ 행정조사 실시 전 다른 행정기관이 동일 대상자에게 동일·유사사안에 대해 조사하였는지 확인 可

다른 행정기관으로부터 법령등위반혐의 통보받은 때
▷ 수시조사 可

행정조사
▷ 정책결정하거나 직무수행시 필요한 정보·자료 수집

034

행정조사에 대한 설명으로 옳은 것은?

① 행정조사는 사실행위의 형식으로만 가능하다.
② 조사대상자의 자발적 협조가 있을지라도 법령 등에서 행정조사를 규정하고 있어야 실시가 가능하다.
③ 조사대상자의 동의가 있는 경우 해가 뜨기 전이나 해가 진 뒤에도 현장조사가 가능하다.
④ 자발적인 협조에 따라 실시하는 행정조사에 대하여 조사 대상자가 조사에 응할 것인지에 대한 응답을 하지 아니하는 경우에는 법령 등에 특별한 규정이 없는 한 그 조사에 동의한 것으로 본다.

문제 DATA
출제가능 지수 ▶▶▷
난이도 지수 ★★☆

| 2017년 서울시 9급

① (×) 행정조사는 통상 그 자체로서 직접적인 법적 효과를 발생시키지 않는 사실행위의 형식으로 행하여진다. 다만, 보고요구·자료제출요구 및 출석·진술요구와 같이 행정행위의 형식으로 이루어 질 수도 있다.

> 「행정조사기본법」제2조【정의】이 법에서 사용하는 용어의 정의는 다음과 같다.
> 1. "행정조사"란 행정기관이 정책을 결정하거나 직무를 수행하는 데 필요한 정보나 자료를 수집하기 위하여 현장조사·문서열람·시료채취 등을 하거나 조사대상자에게 보고요구·자료제출요구 및 출석·진술요구를 행하는 활동을 말한다.

② (×) 법령 등에 규정이 없는 경우에도 조사대상자의 임의적인 협력을 얻어 행정조사를 실시할 수 있다.

> 「행정조사기본법」제5조【행정조사의 근거】행정기관은 법령 등에서 행정조사를 규정하고 있는 경우에 한하여 행정조사를 실시할 수 있다. 다만, 조사대상자의 자발적인 협조를 얻어 실시하는 행정조사의 경우에는 그러하지 아니하다.

유제 15. 지방직 7급 행정기관이 조사대상자의 자발적인 협조를 얻어 실시하는 행정조사의 경우에도 법령 등에서 행정조사를 규정하고 있지 아니한 경우에는 행정조사를 실시할 수 없다. (×)

③ (○)

> 「행정조사기본법」제11조【현장조사】② 제1항에 따른 현장조사는 해가 뜨기 전이나 해가 진 뒤에는 할 수 없다. 다만, 다음 각 호의 어느 하나에 해당하는 경우에는 그러하지 아니하다.
> 1. 조사대상자(대리인 및 관리책임이 있는 자를 포함한다)가 동의한 경우

④ (×)

> 「행정조사기본법」제20조【자발적인 협조에 따라 실시하는 행정조사】① 행정기관의 장이 제5조 단서에 따라 조사대상자의 자발적인 협조를 얻어 행정조사를 실시하고자 하는 경우 조사대상자는 문서·전화·구두 등의 방법으로 당해 행정조사를 거부할 수 있다.
> ② 제1항에 따른 행정조사에 대하여 조사대상자가 조사에 응할 것인지에 대한 응답을 하지 아니하는 경우에는 법령등에 특별한 규정이 없는 한 그 조사를 거부한 것으로 본다.

답 ③

함께 정리하기

행정조사

행정조사
▷ 사실행위형식(원칙)
▷ 행정행위형식(예외)

임의협력
▷ 법적 근거 불요

상대방 동의
▷ 현장 야간조사 可

협조에 의한 조사에 있어 응답×
▷ 조사거부간주

문제 DATA

출제가능 지수 ▶▶▷
난이도 지수 ★★★

035 □□□

행정조사에 대한 설명으로 옳은 것을 <보기>에서 모두 고르면? (다툼이 있는 경우 판례에 의함)

<보기>
ㄱ. 행정조사가 사인에게 미치는 중요한 사항인 경우에는 설령 비권력적 행정조사라고 하더라도 중요사항유보설에 의하면 법률의 근거를 필요로 한다.
ㄴ. 행정기관의 장은 법령 등에서 규정하고 있는 조사사항을 조사대상자로 하여금 스스로 신고하도록 하는 제도를 운영할 의무가 있다.
ㄷ. 「행정절차법」은 행정조사절차에 관한 명문의 규정을 두고 있다.
ㄹ. 판례에 의하면 우편물 통관검사절차에서 이루어지는 우편물의 개봉·시료채취·성분분석 등의 검사는 행정조사의 성격을 가지므로 압수·수색영장 없이 진행되어도 특별한 사정이 없는 한 위법하지 않다.
ㅁ. 판례에 의하면 세무조사결정은 납세의무자의 권리·의무에 직접 영향을 미치는 것이 아니라 행정내부의 행위로서 항고소송의 대상이 아니다.

① ㄹ
② ㄱ, ㄴ
③ ㄱ, ㄹ
④ ㄱ, ㄴ, ㄹ
⑤ ㄷ, ㄹ, ㅁ

함께 정리하기

행정조사

중요사항유보설
▷ 비권력적 행정조사 중 중요사항
▷ 법적 근거 필요

자율신고제도
▷ 운영 可(재량)

「행정절차법」
▷ 행정조사 규정 X

우편물 통관검사절차
▷ 압수·수색영장 不要

세무조사결정
▷ 상대방 수인의무 O
▷ 처분성 O

2017년 국회직 8급

ㄱ. (O) 헌법상의 법치국가원칙·민주주의원칙 및 기본권규정을 고려하여, 국민에게 중요하고 본질적인 사항은 국회가 제정한 법률상의 수권이 있어야 한다는 견해가 중요사항유보설이다. 이에 의하면 비권력적 행정조사라고 하더라도 행정조사가 사인에게 미치는 중요한 사항인 경우에는 법률의 근거가 필요하다.

ㄴ. (X)

> 「행정조사기본법」 제25조【자율신고제도】 ① 행정기관의 장은 법령등에서 규정하고 있는 조사사항을 조사대상자로 하여금 스스로 신고하도록 하는 제도를 운영할 수 있다.

ㄷ. (X) 「행정절차법」은 행정조사에 관한 명문의 규정을 두고 있지 않다. 다만 권력적 행정조사와 같이 행정조사가 처분에 해당하는 경우에는 「행정절차법」상의 처분절차에 관한 규정이 적용된다.

유제 16. 사복직 적법절차의 원칙상 행정조사에 관한 사전통지와 이유제시를 하여야 한다. 다만, 긴급한 경우 또는 사전통지나 이유제시를 하면 조사의 목적을 달성할 수 없는 경우에는 예외를 인정할 수 있다. (O)
16. 사복직 「행정절차법」은 행정조사에 관한 명문의 규정을 두고 있지 않으므로 행정조사가 처분에 해당하는 경우에도 「행정절차법」상의 처분절차에 관한 규정이 적용되지 않는다. (X)

ㄹ. (O) 우편물 통관절차에서는 압수수색영장을 필요로 하지 않는다.

> 우편물 통관검사절차에서 이루어지는 우편물의 개봉, 시료채취, 성분분석 등의 검사는 수출입물품에 대한 적정한 통관 등을 목적으로 한 행정조사의 성격을 가지는 것으로서 수사기관의 강제처분이라고 할 수 없으므로, 압수·수색영장 없이 우편물의 개봉, 시료채취, 성분분석 등 검사가 진행되었다 하더라도 특별한 사정이 없는 한 위법하다고 볼 수 없다(대판 2013.9.26. 2013도7718).

유제 16. 사복직 우편물 통관검사절차에서 우편물의 개봉, 시료채취, 성분분석 등의 검사는 수출입품목에 대한 적정한 통관 등을 목적으로 한 행정조사의 성격을 가지는 것으로서 수사기관의 강제처분이라고 할 수 없으므로 영장은 요구되지 않는다. (O)

ㅁ. (X) 세무조사결정에는 처분성이 인정된다.

> 세무조사결정이 있는 경우 납세의무자는 세무공무원의 과세자료 수집을 위한 질문에 대답하고 검사를 수인하여야 할 법적 의무를 부담하게 되는 점 … 등을 종합하면, 세무조사결정은 납세의무자의 권리·의무에 직접 영향을 미치는 공권력의 행사에 따른 행정작용으로서 항고소송의 대상이 된다(대판 2011.3.10. 2009두23617).

유제 18. 서울시 7급 지방자치단체장의 세무조사결정은 납세의무자의 권리·의무에 간접적 영향을 미치는 행정작용으로서 항고소송의 대상이 되지 않는다. (X)

답 ③

제3장 행정벌

제1절 | 행정형벌의 특수성

001 ☐☐☐

행정벌에 대한 설명으로 옳지 않은 것은? (다툼이 있는 경우 판례에 의함)

① 양벌규정에 의한 영업주의 처벌은 금지위반행위자인 종업원의 처벌에 종속하는 것이므로 종업원의 범죄성립이나 처벌이 영업주 처벌의 전제조건이 되어야 한다.
② 행정형벌에 있어 행정상의 단속을 주안으로 하는 법규라 하더라도 명문규정이 있거나 해석상 과실범도 벌할 뜻이 명확한 경우를 제외하고는 「형법」의 원칙에 따라 고의가 있어야 벌할 수 있다.
③ 특별한 사정이 없는 이상 경찰서장은 범칙행위에 대한 형사소추를 위하여 이미 한 통고처분을 임의로 취소할 수 없다.
④ 「질서위반행위규제법」에 따르면 당사자와 검사는 과태료 재판에 대하여 즉시항고를 할 수 있으며, 이 경우 항고는 집행정지의 효력이 있다.
⑤ 「질서위반행위규제법」에 따르면 과태료 사건은 다른 법령에 특별한 규정이 있는 경우를 제외하고는 당사자의 주소지의 지방법원 또는 그 지원의 관할로 한다.

2025년 소방간부

① (✕) 양벌규정에 의한 영업주의 처벌은 금지위반행위자인 종업원의 처벌에 종속하는 것이 아니라 독립하여 그 자신의 종업원에 대한 선임감독상의 과실로 인하여 처벌되는 것이므로 종업원의 범죄성립이나 처벌이 영업주 처벌의 전제조건이 될 필요는 없다(대판 2006.2.24. 2005도7673).
② (○) 행정상의 단속을 주안으로 하는 법규라 하더라도, 명문규정이 있거나, 해석상 과실범도 벌할 뜻이 명확한 경우를 제외하고는 형법의 원칙에 따라 고의가 있어야 벌할 수 있다고 할 것이다(대판 1986.7.22. 85도108).
③ (○) 경찰서장이 범칙행위에 대하여 통고처분을 한 이상, 범칙자의 위와 같은 절차적 지위를 보장하기 위하여 통고처분에서 정한 범칙금 납부기간까지는 원칙적으로 경찰서장은 즉결심판을 청구할 수 없고, 검사도 동일한 범칙행위에 대하여 공소를 제기할 수 없다. 또한 범칙자가 범칙금 납부기간이 지나도록 범칙금을 납부하지 아니하였다면 경찰서장이 즉결심판을 청구하여야 하고, 검사는 동일한 범칙행위에 대하여 공소를 제기할 수 없다. 나아가 특별한 사정이 없는 이상 경찰서장은 범칙행위에 대한 형사소추를 위하여 이미 한 통고처분을 임의로 취소할 수 없다(대판 2021.4.1. 2020도15194).
④ (○)

> 「질서위반행위규제법」 제38조【항고】① 당사자와 검사는 과태료 재판에 대하여 즉시항고를 할 수 있다. 이 경우 항고는 집행정지의 효력이 있다.

⑤ (○)

> 「질서위반행위규제법」 제25조【관할 법원】과태료 사건은 다른 법령에 특별한 규정이 있는 경우를 제외하고는 당사자의 주소지의 지방법원 또는 그 지원의 관할로 한다.

답 ①

문제 DATA
출제가능 지수 ▶▶▷
난이도 지수 ★★☆

함께 정리하기
행정벌

영업주의 처벌
▷ 종업원처벌에 종속✕

규정·해석상 과실범벌 명백✕
▷ 행정형벌은 고의 있어야 처벌

경찰서장
▷ 이미 한 통고처분 임의로 취소 불가

과태료 재판에 대한 당사자 또는 검사의 즉시항고
▷ 집행정지의 효력○

과태료사건 관할
▷ 당사자 주소지의 지방법원 or 지원

문제 DATA

출제가능 지수 ▶▶▷
난이도 지수 ★★☆

002 □□□

행정벌에 대한 설명으로 옳지 않은 것은?

① 지방자치단체가 고유의 자치사무를 처리하는 경우 당해 지방자치단체는 국가기관과는 별도의 독립한 공법인이므로 양벌규정에 따라 처벌대상이 되는 법인에 해당한다.
② 「개인정보 보호법」상 법인격 없는 공공기관은 양벌규정에 의하여 처벌될 수 있으며, 이 경우 행위자 역시 위 양벌규정으로 처벌될 수 있다.
③ 「질서위반행위규제법」에 따르면 고의 또는 과실이 없는 질서위반행위는 과태료를 부과하지 아니한다.
④ 질서위반행위에 대하여 과태료를 부과하는 근거 법령이 개정되어 행위 시의 법률에 의하면 과태료 부과대상이었지만 재판 시의 법률에 의하면 부과대상이 아니게 된 때에는 개정 법률의 부칙 등에서 행위 시의 법률을 적용하도록 명시하는 등 특별한 사정이 없는 한 재판 시의 법률을 적용하여야 하므로 과태료를 부과할 수 없다.

2024년 국가직 7급

① (○) 기관위임사무의 경우에는 지방자치단체는 국가기관의 일부로 볼 수 있는 것이지만, 지방자치단체가 그 고유의 자치사무를 처리하는 경우에는 지방자치단체는 국가기관의 일부가 아니라 국가기관과는 별도의 독립한 공법인이므로, 지방자치단체 소속 공무원이 지방자치단체 고유의 자치사무를 수행하던 중 도로법 제81조 내지 제85조의 규정에 의한 위반행위를 한 경우에는 지방자치단체는 도로법 제86조의 양벌규정에 따라 처벌대상이 되는 법인에 해당한다(대판 2005.11.10. 2004도2657).

② (×) 구 개인정보 보호법(2020.2.4. 법률 제16930호로 개정되기 전의 것, 이하 같다) 제71조 제2호는 같은 법 제18조 제1항을 위반하여 이용 범위를 초과하여 개인정보를 이용한 개인정보처리자를 처벌하도록 규정하고 있고, 같은 법 제74조 제2항에서는 법인의 대표자나 법인 또는 개인의 대리인, 사용인, 그 밖의 종업원이 그 법인 또는 개인의 업무에 관하여 같은 법 제71조에 해당하는 위반행위를 하면 그 행위자를 벌하는 외에 그 법인 또는 개인에게도 해당 조문의 벌금형을 과하도록 하는 양벌규정을 두고 있다.
위 법 제71조 제2호, 제18조 제1항에서 벌칙규정의 적용대상자를 개인정보처리자로 한정하고 있기는 하나, 위 양벌규정은 벌칙규정의 적용대상인 개인정보처리자가 아니면서 그러한 업무를 실제로 처리하는 자가 있을 때 벌칙규정의 실효성을 확보하기 위하여 적용대상자를 해당 업무를 실제로 처리하는 행위자까지 확장하여 그 행위자나 개인정보처리자인 법인 또는 개인을 모두 처벌하려는 데 그 취지가 있으므로, 위 양벌규정에 의하여 개인정보처리자 아닌 행위자도 위 벌칙규정의 적용대상이 된다.
그러나 구 개인정보 보호법은 제2조 제5호, 제6호에서 공공기관 중 법인격이 없는 '중앙행정기관 및 그 소속 기관' 등을 개인정보처리자 중 하나로 규정하고 있으면서도, 양벌규정에 의하여 처벌되는 개인정보처리자로는 같은 법 제74조 제2항에서 '법인 또는 개인'만을 규정하고 있을 뿐이고, 법인격 없는 공공기관에 대하여도 위 양벌규정을 적용할 것인지 여부에 대하여는 명문의 규정을 두고 있지 않으므로, 죄형법정주의의 원칙상 '법인격 없는 공공기관'을 위 양벌규정에 의하여 처벌할 수 없고, 그 경우 행위자 역시 위 양벌규정으로 처벌할 수 없다고 봄이 타당하다(대판 2021.10.28. 2020도1942).

> [사실관계] 경찰공무원인 피고인이 사무실에서 형사사법정보시스템(KICS)에 접속하여 자신의 채무자 지명수배 여부 등을 조회하는 등 이용 범위를 초과하여 개인정보를 이용하였다는 공소사실로 기소된 사안에서, 피고인이 이용한 개인정보의 개인정보처리자는 경찰청으로서 법인격 없는 '중앙행정기관 또는 그 소속기관'에 해당한다고 할 것이므로, 피고인이 소속된 위 공공기관은 양벌규정에 의하여 처벌되는 개인정보처리자에 포함된다고 볼 수 없고, 따라서 피고인 역시 위 양벌규정에 의하여 처벌할 수 있는 행위자에 해당하지 않는다고 판단한 사례

③ (○)

> 「질서위반행위규제법」 제7조【고의 또는 과실】고의 또는 과실이 없는 질서위반행위는 과태료를 부과하지 아니한다.

함께 정리하기

행정벌

자치사무 수행 중 법위반
▷ 지자체 양벌규정 의해 처벌 ○

「개인정보 보호법」상 양벌규정상의 '법인'
▷ 법인격 없는 공공기관 불포함

「질서위반행위규제법」상 과태료
▷ 고의·과실 要

재판 시 법률에 의해 부과대상 ×
▷ 과태료 부과 불가(원칙)

④ (○) 과태료 부과에 관한 일반법인 질서위반행위규제법에 의하면, 질서위반행위의 성립과 과태료 처분은 원칙적으로 행위 시의 법률에 따르지만(제3조 제1항), 질서위반행위 후 법률이 변경되어 그 행위가 질서위반행위에 해당하지 아니하게 되거나 과태료가 변경되기 전의 법률보다 가볍게 된 때에는 법률에 특별한 규정이 없는 한 변경된 법률을 적용하여야 한다(제3조 제2항). 따라서 질서위반행위에 대하여 과태료 부과의 근거 법률이 개정되어 행위 시의 법률에 의하면 과태료 부과대상이었지만 재판 시의 법률에 의하면 과태료 부과대상이 아니게 된 때에는, 개정 법률의 부칙에서 종전 법률 시행 당시에 행해진 질서위반행위에 대해서는 행위 시의 법률을 적용하도록 특별한 규정을 두지 않은 이상 재판 시의 법률을 적용하여야 하므로 과태료를 부과할 수 없다(대결 2020.12.18. 2020마6912).

답 ②

003 ☐☐☐

행정벌에 대한 설명으로 옳지 않은 것은?

① 지방자치단체 소속 공무원이 지방자치단체 고유의 자치사무를 수행하던 중 「도로법」 규정에 의한 위반행위를 한 경우 지방자치단체는 「도로법」 소정의 양벌규정에 따라 처벌대상이 되는 법인에 해당하지 않는다.
② 「개인정보 보호법」에 따르면, 죄형법정주의의 원칙상 '법인격 없는 공공기관'을 「개인정보 보호법」 소정의 양벌규정에 의하여 처벌할 수 없고, 그 경우 행위자 역시 위 양벌규정으로 처벌할 수 없다.
③ 과태료의 부과·징수, 재판 및 집행 등의 절차에 관한 다른 법률의 규정 중 질서위반행위규제법 의 규정에 저촉되는 것은 「질서위반행위규제법」으로 정하는 바에 따른다.
④ 「질서위반행위규제법」에 따르면, 당사자와 검사는 과태료 재판에 대하여 즉시항고를 할 수 있으며, 이 경우 항고는 집행정지의 효력이 있다.

2024년 국가직 9급

① (×) 국가가 본래 그의 사무의 일부를 지방자치단체의 장에게 위임하여 그 사무를 처리하게 하는 기관위임사무의 경우에는 지방자치단체는 국가기관의 일부로 볼 수 있는 것이지만, 지방자치단체가 그 고유의 자치사무를 처리하는 경우에는 지방자치단체는 국가기관의 일부가 아니라 국가기관과는 별도의 독립한 공법인이므로, 지방자치단체 소속 공무원이 지방자치단체 고유의 자치사무를 수행하던 중 도로법 제81조 내지 제85조의 규정에 의한 위반행위를 한 경우에는 지방자치단체는 도로법 제86조의 양벌규정에 따라 처벌대상이 되는 법인에 해당한다(대판 2005.11.10. 2004도2657).
② (○) 구 개인정보 보호법(2020.2.4. 법률 제16930호로 개정되기 전의 것, 이하 같다) 제71조 제2호는 같은 법 제18조 제1항을 위반하여 이용 범위를 초과하여 개인정보를 이용한 개인정보처리자를 처벌하도록 규정하고 있고, 같은 법 제74조 제2항에서는 법인의 대표자나 법인 또는 개인의 대리인, 사용인, 그 밖의 종업원이 그 법인 또는 개인의 업무에 관하여 같은 법 제71조에 해당하는 위반행위를 하면 그 행위자를 벌하는 외에 그 법인 또는 개인에게도 해당 조문의 벌금형을 과하도록 하는 양벌규정을 두고 있다. 위 법 제71조 제2호, 제18조 제1항에서 벌칙규정의 적용대상자를 개인정보처리자로 한정하고 있기는 하나, 위 양벌규정은 벌칙규정의 적용대상인 개인정보처리자가 아니면서 그러한 업무를 실제로 처리하는 자가 있을 때 벌칙규정의 실효성을 확보하기 위하여 적용대상자를 해당 업무를 실제로 처리하는 행위자까지 확장하여 그 행위자나 개인정보처리자인 법인 또는 개인을 모두 처벌하려는 데 그 취지가 있으므로, 위 양벌규정에 의하여 개인정보처리자 아닌 행위자도 위 벌칙규정의 적용대상이 된다.
그러나 구 개인정보 보호법은 제2조 제5호, 제6호에서 공공기관 중 법인격이 없는 '중앙행정기관 및 그 소속 기관' 등을 개인정보처리자 중 하나로 규정하고 있으면서도, 양벌규정에 의하여 처벌되는 개인정보처리자로는 같은 법 제74조 제2항에서 '법인 또는 개인'만을 규정하고 있을 뿐이고, 법인격 없는 공공기관에 대하여도 위 양벌규정을 적용할 것인지 여부에 대하여는 명문의 규정을 두고 있지 않으므로, 죄형법정주의의 원칙상 '법인격 없는 공공기관'을 위 양벌규정에 의하여 처벌할 수 없고, 그 경우 행위자 역시 위 양벌규정으로 처벌할 수 없다고 봄이 타당하다(대판 2021.10.28. 2020도1942).

📊 문제 DATA

출제가능 지수 ▶▶▷
난이도 지수 ★★☆

📋 함께 정리하기

행정벌

자치사무 수행 중 법위반
▷ 지자체 양벌규정 의해 처벌○

「개인정보 보호법」상 양벌규정상의 '법인'
▷ 법인격 없는 공공기관 불포함

질서위반행위규제법 vs 타 법률
▷ 질서위반행위규제법 적용

과태료 재판
▷ 즉시항고 可, 집행정지효○

[사실관계] 경찰공무원인 피고인이 사무실에서 형사사법정보시스템(KICS)에 접속하여 자신의 채무자 지명수배 여부 등을 조회하는 등 이용 범위를 초과하여 개인정보를 이용하였다는 공소사실로 기소된 사안에서, 피고인이 이용한 개인정보의 개인정보처리자는 경찰청으로서 법인격 없는 '중앙행정기관 또는 그 소속기관'에 해당한다고 할 것이므로, 피고인이 소속된 위 공공기관은 양벌규정에 의하여 처벌되는 개인정보처리자에 포함된다고 볼 수 없고, 따라서 피고인 역시 위 양벌규정에 의하여 처벌할 수 있는 행위자에 해당하지 않는다고 판단한 사례

③ (○)

「질서위반행위규제법」 제5조【다른 법률과의 관계】과태료의 부과·징수, 재판 및 집행 등의 절차에 관한 다른 법률의 규정 중 이 법의 규정에 저촉되는 것은 이 법으로 정하는 바에 따른다.

④ (○)

「질서위반행위규제법」 제38조【항고】① 당사자와 검사는 과태료 재판에 대하여 즉시항고를 할 수 있다. 이 경우 항고는 집행정지의 효력이 있다.

답 ①

004

다음 중 행정벌에 대한 설명으로 가장 옳지 않은 것은? (다툼이 있는 경우 판례에 의함)

① 양벌규정에 의한 영업주의 처벌은 독립하여 그 자신의 종업원에 대한 선임감독상의 과실로 인하여 처벌되는 것이므로 종업원의 범죄성립이나 처벌이 영업주 처벌의 전제조건이 될 필요는 없다.
② 구 「도로교통법」에서 규정하는 경찰서장의 통고처분은 행정소송의 대상이 되는 행정처분이다.
③ 구 「관세법」상 통고처분을 할 것인지의 여부는 관세청장 또는 세관장의 재량에 맡겨져 있다.
④ 지방자치단체가 그 고유의 자치사무를 처리하는 경우 지방자치단체는 국가기관과는 별도의 독립한 공법인으로서 양벌규정에 의한 처벌대상이 되는 법인에 해당한다.

> 2024년 군무원 9급

① (○) 양벌규정에 의한 영업주의 처벌은 금지위반행위자인 종업원의 처벌에 종속하는 것이 아니라 독립하여 그 자신의 종업원에 대한 선임·감독상의 과실로 인하여 처벌되는 것이므로 종업원의 범죄성립이나 처벌이 영업주 처벌의 전제조건이 될 필요는 없다(따라서 영업주의 위 과실 책임을 묻는 경우 금지위반행위자인 종업원에게 구성요건상의 자격이 없다고 하더라도 영업주의 범죄성립에는 아무런 지장이 없다)(대판 1987.11.10. 87도1213 등).
② (×) 도로교통법 제118조에서 규정하는 경찰서장의 통고처분은 행정소송의 대상이 되는 행정처분이 아니므로 그 처분의 취소를 구하는 소송은 부적법하고, 도로교통법상의 통고처분을 받은 자가 그 처분에 대하여 이의가 있는 경우에는 통고처분에 따른 범칙금의 납부를 이행하지 아니함으로써 경찰서장의 즉결심판청구에 의하여 법원의 심판을 받을 수 있게 될 뿐이다(대판 1995.6.29. 95누4674).
③ (○) 관세법상 통고처분을 할 것인지의 여부는 관세청장 또는 세관장의 재량에 맡겨져 있고, 따라서 관세청장 또는 세관장이 관세범에 대하여 통고처분을 하지 아니한 채 고발하였다는 것만으로는 그 고발 및 이에 기한 공소의 제기가 부적법하게 되는 것은 아니다(대판 2007.5.11. 2006도1993).
④ (○) 기관위임사무의 경우에는 지방자치단체는 국가기관의 일부로 볼 수 있는 것이지만, 지방자치단체가 그 고유의 자치사무를 처리하는 경우에는 지방자치단체는 국가기관의 일부가 아니라 국가기관과는 별도의 독립한 공법인이므로, 지방자치단체 소속 공무원이 지방자치단체 고유의 자치사무를 수행하던 중 도로법 제81조 내지 제85조의 규정에 의한 위반행위를 한 경우에는 지방자치단체는 도로법 제86조의 양벌규정에 따라 처벌대상이 되는 법인에 해당한다(대판 2005.11.10. 2004도2657).

답 ②

문제 DATA

출제가능 지수 ▶▶▷
난이도 지수 ★★☆

함께 정리하기

행정벌
양벌규정상 영업주 처벌
▷ 종업원의 범죄성립·처벌 전제 ×
통고처분
▷ 행정처분 ×(형사재판 ○)
통고처분 여부
▷ 행정기관의 재량
지방공무원이 자치사무 수행 중 법위반
▷ 지자체 양벌규정 의해 처벌 ○

005

행정법규의 양별규정에 대한 설명으로 옳지 않은 것은? (다툼이 있는 경우 판례에 의함)

① 양벌규정은 행위자에 대한 처벌규정임과 동시에 그 위반행위의 이익귀속주체인 영업주에 대한 처벌규정이다.
② 종업원의 범죄성립이나 처벌이 영업주 처벌의 전제조건이 되는 것은 아니다.
③ 법인 대표자의 법규위반행위에 대한 법인의 책임은 법인 자신의 법규위반행위로 평가될 수 있는 행위에 대한 법인의 직접책임이다.
④ 양벌규정에 의한 법인의 처벌은 어디까지나 행정적 제재처분일 뿐 형벌과는 성격을 달리한다.

문제 DATA
출제가능 지수 ▶▶▷
난이도 지수 ★★☆

2022년 국가직 9급

① (○) 양벌규정은 업무주가 아니면서 당해 업무를 실제로 집행하는 자가 있는 때에 위 벌칙규정의 실효성을 확보하기 위하여 그 적용대상자를 당해 업무를 실제로 집행하는 자에게까지 확장함으로써 그러한 자가 당해 업무집행과 관련하여 위 벌칙규정의 위반행위를 한 경우 위 양벌규정에 의하여 처벌할 수 있도록 한 행위자의 처벌규정임과 동시에 그 위반행위의 이익귀속주체인 업무주에 대한 처벌규정이라고 할 것이다(대판 1999.7.15. 95도2870 전합).
② (○) 양벌규정에 의한 영업주의 처벌은 금지위반행위자인 종업원의 처벌에 종속하는 것이 아니라 독립하여 그 자신의 종업원에 대한 선임감독상의 과실로 인하여 처벌되는 것이므로 종업원의 범죄성립이나 처벌이 영업주 처벌의 전제조건이 될 필요는 없다(대판 2006.2.24. 2005도7673).
③ (○) 법인의 행위는 법인을 대표하는 자연인인 대표기관의 의사결정에 따른 행위에 의하여 실현되므로, 자연인인 대표기관의 의사결정 및 행위에 따라 법인의 책임 유무를 판단할 수 있다. 즉, 법인은 기관을 통하여 행위하므로 법인이 대표자를 선임한 이상 그의 행위로 인한 법률효과는 법인에게 귀속되어야 하고, 법인 대표자의 범죄행위에 대하여는 법인 자신이 자신의 행위에 대한 책임을 부담하는 것이다. … 결국 법인 대표자의 법규위반행위에 대한 법인의 책임은 법인 자신의 법규위반행위로 평가될 수 있는 행위에 대한 법인의 직접책임이므로, 대표자의 고의에 의한 위반행위에 대하여는 법인이 고의 책임을, 대표자의 과실에 의한 위반행위에 대하여는 법인이 과실 책임을 부담한다(헌재 2020.4.23. 2019헌가25).
④ (×) 양벌규정에 의한 법인의 처벌은 어디까지나 형벌의 일종으로서 행정적 제재처분이나 민사상 불법행위책임과는 성격을 달리한다(대판 2019.11.14. 2017도4111).

답 ④

함께 정리하기
행정법규의 양벌규정

양벌규정
▷ 행위자 처벌규정 & 위반행위의 이익귀속주체인 영업주 처벌규정

영업주의 처벌
▷ 종업원처벌 전제×

법인의 책임
▷ 법인 자신의 직접책임

법인의 처벌
▷ 형벌○(행정제재×, 민사상 불법행위×)

006

행정벌에 대한 설명으로 옳지 않은 것은? (다툼이 있는 경우 판례에 의함)

① 지방자치단체 소속 공무원이 지방자치단체 고유의 자치사무를 처리하면서 위반행위를 한 경우 지방자치단체도 양벌규정에 따라 처벌대상이 되는 법인에 해당한다.
② 지방국세청장이 조세범칙행위에 대하여 고발을 한 후에 동일한 조세범칙행위에 대하여 통고처분을 하는 경우, 이러한 통고처분은 법적 권한 소멸 후 이루어진 것으로 특별한 사정이 없는 한 효력이 없고 조세범칙행위자가 이를 이행하였더라도 일사부재리의 원칙이 적용될 수 없다.
③ 경찰서장이 범칙행위에 대하여 통고처분을 하더라도 통고처분에서 정한 납부기간까지는 검사가 공소를 제기할 수 있다.
④ 하나의 행위가 둘 이상의 질서위반행위에 해당하는 경우에는 각 질서위반행위에 대하여 정한 과태료 중 가장 중한 과태료를 부과한다.

문제 DATA
출제가능 지수 ▶▶▷
난이도 지수 ★★☆

함께 정리하기

행정벌

자치사무 수행 중 법위반
▷ 지자체 양벌규정 의해 처벌

고발 후 이루어진 통고처분을 이행해도
▷ 일사부재리원칙 적용×

통고처분
▷ 납부기간까지 검사 공소제기 불가

하나의 행위, 둘 이상 질서위반
▷ 가장 중한 과태료 부과

2022년 소방직

① (○) 국가가 본래 그의 사무의 일부를 지방자치단체의 장에게 위임하여 그 사무를 처리하게 하는 기관위임사무의 경우에는 지방자치단체는 국가기관의 일부로 볼 수 있는 것이지만, 지방자치단체가 그 고유의 자치사무를 처리하는 경우에는 지방자치단체는 국가기관의 일부가 아니라 국가기관과는 별도의 독립한 공법인이므로, 지방자치단체 소속 공무원이 지방자치단체 고유의 자치사무를 수행하던 중 도로법 제81조 내지 제85조의 규정에 의한 위반행위를 한 경우에는 지방자치단체는 도로법 제86조의 양벌규정에 따라 처벌대상이 되는 법인에 해당한다(대판 2005.11.10. 2004도2657).

② (○) 지방국세청장 또는 세무서장이 조세범 처벌절차법 제17조 제1항에 따라 통고처분을 거치지 아니하고 즉시 고발하였다면 이로써 조세범칙사건에 대한 조사 및 처분 절차는 종료되고 형사사건 절차로 이행되어 지방국세청장 또는 세무서장으로서는 동일한 조세범칙행위에 대하여 더 이상 통고처분을 할 권한이 없다. 따라서 지방국세청장 또는 세무서장이 조세범칙행위에 대하여 고발을 한 후에 동일한 조세범칙행위에 대하여 통고처분을 하였더라도, 이는 법적 권한 소멸 후에 이루어진 것으로서 특별한 사정이 없는 한 효력이 없고, 조세범칙행위자가 이러한 통고처분을 이행하였더라도 조세범 처벌절차법 제15조 제3항에서 정한 일사부재리의 원칙이 적용될 수 없다(대판 2016.9.28. 2014도10748).

③ (×) 경찰서장이 범칙행위에 대하여 통고처분을 한 이상, 범칙자의 위와 같은 절차적 지위를 보장하기 위하여 통고처분에서 정한 범칙금 납부기간까지는 원칙적으로 경찰서장은 즉결심판을 청구할 수 없고, 검사도 동일한 범칙행위에 대하여 공소를 제기할 수 없다고 보아야 한다(대판 2020.4.29. 2017도13409).

④ (○)

> 「질서위반행위규제법」제13조【수개의 질서위반행위의 처리】① 하나의 행위가 2 이상의 질서위반행위에 해당하는 경우에는 각 질서위반행위에 대하여 정한 과태료 중 가장 중한 과태료를 부과한다.

답 ③

문제 DATA

출제가능 지수 ▶▶▷
난이도 지수 ★★☆

007 □□□

행정상 제재에 대한 설명으로 옳지 않은 것은? (다툼이 있는 경우 판례에 의함)

① 「도로교통법」에 따른 경찰서장의 통고처분은 행정소송의 대상이 되는 행정처분이다.
② 지방자치단체 소속 공무원이 지방자치단체 고유의 자치사무를 수행하던 중 「도로법」규정에 의한 위반행위를 한 경우에는 지방자치단체는 「도로법」의 양벌규정에 따라 처벌대상이 되는 법인에 해당한다.
③ 「독점규제 및 공정거래에 관한 법률」상 부당내부거래에 대한 과징금에는 행정상의 제재금으로서의 기본적 성격에 부당이득환수적 요소도 부가되어 있다.
④ 「법인세법」상 가산세는 형벌이 아니므로 행위자의 고의 또는 과실·책임능력·책임조건 등을 고려하지 아니하며, 조세의 부과절차에 따라 과징할 수 있다.

2021년 지방직 7급

① (×) 도로교통법 제118조에서 규정하는 경찰서장의 통고처분은 행정소송의 대상이 되는 행정처분이 아니므로 그 처분의 취소를 구하는 소송은 부적법하고, 도로교통법상의 통고처분을 받은 자가 그 처분에 대하여 이의가 있는 경우에는 통고처분에 따른 범칙금의 납부를 이행하지 아니함으로써 경찰서장의 즉결심판청구에 의하여 법원의 심판을 받을 수 있게 될 뿐이다(대판 1995.6.29. 95누4674).

② (○) 지방자치단체가 그 고유의 자치사무를 처리하는 경우에는 지방자치단체는 국가기관의 일부가 아니라 국가기관과는 별도의 독립한 공법인이므로, 지방자치단체 소속 공무원이 지방자치단체 고유의 자치사무를 수행하던 중 도로법 제81조 내지 제85조의 규정에 의한 위반행위를 한 경우에는 지방자치단체는 도로법 제86조의 양벌규정에 따라 처벌대상이 되는 법인에 해당한다(대판 2005.11.10. 2004도2657).

함께 정리하기

행정상 제재

경찰서장의 통고처분
▷ 행정처분×

자치사무 수행 중 법위반
▷ 지자체 양벌규정 의해 처벌

부당내부거래 대한 과징금
▷ 행정상 제재금 + 부당이득 환수

가산세
▷ 고의·과실·책임능력·책임 조건 고려×

③ (○) 구 독점규제 및 공정거래에 관한 법률 제24조의2에 의한 부당내부거래에 대한 과징금은 부당내부거래 억지라는 행정목적을 실현하기 위하여 그 위반행위에 대하여 제재를 가하는 행정상의 제재금으로서의 기본적 성격에 부당이득환수적 요소도 부가되어 있는 것이라 할 것이고, 이를 두고 헌법 제13조 제1항에서 금지하는 국가형벌권 행사로서의 '처벌'에 해당한다고는 할 수 없다(헌재 2003.7.24. 2001헌가25).
④ (○) 이 사건 법률조항은 납세자의 고의과실을 묻지 아니하나, 가산세는 형벌이 아니므로 행위자의 고의 또는 과실·책임능력·책임조건 등을 고려하지 아니하고 가산세 과세요건의 충족 여부만을 확인하여 조세의 부과 절차에 따라 과징할 수 있다(헌재 2006.7.27. 2004헌가13).

답 ①

008

통고처분에 대한 설명으로 가장 옳지 않은 것은? (다툼이 있는 경우 판례에 의함)

① 「조세범 처벌절차법」상 지방국세청장 또는 세무서장이 조세범칙행위에 대하여 고발을 한 후에 동일한 조세범칙행위에 대하여 통고처분을 하였다면 조세범칙행위에 대한 고발은 효력을 상실한다.
② 구 「도로교통법」상 범칙금 납부통고서를 받은 자가 그 범칙금을 납부한 경우 그 범칙행위에 대하여 다시 벌받지 아니한다고 규정하고 있는바, 이는 범칙금의 납부에 확정재판의 효력에 준하는 효력을 인정하는 취지로 해석하여야 한다.
③ 「도로교통법」에 따른 경찰서장의 통고처분은 행정소송의 대상이 되는 행정처분이 아니므로 그 처분의 취소를 구하는 소송은 부적법하다.
④ 「관세법」상 통고처분을 할 것인지의 여부는 관세청장 또는 세관장의 재량에 맡겨져 있으므로 관세청장 또는 세관장이 관세범에 대하여 통고처분을 하지 아니한 채 고발하였다는 것만으로 그 고발이 부적법한 것은 아니다.

2021년 서울시 7급

① (×) 지방국세청장 또는 세무서장이 조세범 처벌절차법 제17조 제1항에 따라 통고처분을 거치지 아니하고 즉시 고발하였다면 이로써 조세범칙사건에 대한 조사 및 처분 절차는 종료되고 형사사건 절차로 이행되어 지방국세청장 또는 세무서장으로서는 동일한 조세범칙행위에 대하여 더 이상 통고처분을 할 권한이 없다. 따라서 지방국세청장 또는 세무서장이 조세범칙행위에 대하여 고발을 한 후에 동일한 조세범칙행위에 대하여 통고처분을 하였더라도, 이는 법적 권한 소멸 후에 이루어진 것으로서 특별한 사정이 없는 한 효력이 없고, 조세범칙행위자가 이러한 통고처분을 이행하였더라도 조세범처벌절차법에서 정한 일사부재리의 원칙이 적용될 수 없다(대판 2016.9.28. 2014도10748).
② (○) 도로교통법 제119조 제3항은 그 법 제118조에 의하여 범칙금 납부통고서를 받은 사람이 그 범칙금을 납부한 경우 그 범칙행위에 대하여 다시 벌받지 아니한다고 규정하고 있는바, 이는 범칙금의 납부에 확정재판의 효력에 준하는 효력을 인정하는 취지로 해석하여야 한다(대판 2002.11.22. 2001도849).
③ (○) 도로교통법 제118조에서 규정하는 경찰서장의 통고처분은 행정소송의 대상이 되는 행정처분이 아니므로 그 처분의 취소를 구하는 소송은 부적법하고, 도로교통법상의 통고처분을 받은 자가 그 처분에 대하여 이의가 있는 경우에는 통고처분에 따른 범칙금의 납부를 이행하지 아니함으로써 경찰서장의 즉결심판청구에 의하여 법원의 심판을 받을 수 있게 될 뿐이다(대판 1995.6.29. 95누4674).
④ (○) 통고처분을 할 것인지의 여부는 관세청장 또는 세관장의 재량에 맡겨져 있고, 따라서 관세청장 또는 세관장이 관세범에 대하여 통고처분을 하지 아니한 채 고발하였다는 것만으로는 그 고발 및 이에 기한 공소의 제기가 부적법하게 되는 것은 아니다 (대판 2007.5.11. 2006도1993).

답 ①

문제 DATA

출제가능 지수 ▶▶▷
난이도 지수 ★★☆

함께 정리하기

통고처분

고발 후 이루어진 통고처분
▷ 무효(고발: 유효)

범칙금 납부
▷ 일사부재리 원칙 적용○

경찰서장의 통고처분
▷ 행정처분×
▷ 취소소송 부적법

통고처분 여부
▷ 행정기관의 재량

009

통고처분에 대한 설명으로 옳지 않은 것은? (다툼이 있는 경우 판례에 의함)

① 통고처분은 조세범, 관세범, 출입국사범, 교통사범 등의 경우 허용된다.
② 행정청이 벌금·과료에 상당하는 금액의 납부를 통고하며 당사자가 법정기간 내에 통고된 내용을 이행한 때에 처벌절차는 종료된다.
③ 통고처분에 따른 범칙금을 납부하지 않은 경우에는 고발 등의 절차를 거쳐 형사소송절차로 이행되는 것이 일반적이다.
④ 위법한 통고처분에 대해서는 제소기간 내에 취소소송을 제기할 수 있다.
⑤ 통고처분은 법관에 의한 재판을 받을 권리를 침해한다든가 적법절차의 원칙에 저촉된다고 볼 수 없다.

| 2021년 국회직 9급

① (O) 통고처분은 현행법상 조세범, 관세범, 출입국관리사범, 교통사범 등의 경우에 허용된다.
② (O) 통고처분이란 일정한 행정범 등에 대해 정식형사소송절차에 대신하여 행정청이 상대방의 동의를 조건으로 벌금 또는 과료에 상당하는 금액(범칙금)의 납부 등을 통고하는 준사법적행위를 말한다. 이는 행정형벌의 특별과벌절차이다. 행정법규 위반자가 법정기간 내에 통고된 내용을 이행한 때에 과벌절차는 종료된다.
③ (O) 법정기간 내에 통고처분에 따른 범칙금을 납부하지 않은 경우 통고처분은 효력을 상실하며 고발 또는 즉결심판 청구에 의해 형사소송절차로 이행된다.
④ (X) 도로교통법 제118조에서 규정하는 경찰서장의 통고처분은 행정소송의 대상이 되는 행정처분이 아니므로 그 처분의 취소를 구하는 소송은 부적법하고, 도로교통법상의 통고처분을 받은 자가 그 처분에 대하여 이의가 있는 경우에는 통고처분에 따른 범칙금의 납부를 이행하지 아니함으로써 경찰서장의 즉결심판청구에 의하여 법원의 심판을 받을 수 있게 될 뿐이다(대판 1995.6.29. 95누4674).
⑤ (O) 통고처분은 상대방의 임의의 승복을 그 발효요건으로 하기 때문에 그 자체만으로는 통고이행을 강제하거나 상대방에게 아무런 권리의무를 형성하지 않으므로 행정심판이나 행정소송의 대상으로서의 처분성을 부여할 수 없고, 통고처분에 대하여 이의가 있으면 통고내용을 이행하지 않음으로써 고발되어 형사재판절차에서 통고처분의 위법·부당함을 얼마든지 다툴 수 있기 때문에 관세법 제38조 제3항 제2호가 법관에 의한 재판받을 권리를 침해한다든가 적법절차의 원칙에 저촉된다고 볼 수 없다(헌재 1998.5.28. 96헌바4).

답 ④

문제 DATA (009)
출제가능 지수 ▶▶▷
난이도 지수 ★★☆

함께 정리하기
통고처분
현행법상 조세범, 관세범, 출입국사범, 교통사범 등의 경우 허용

통고처분 이행 시
▷ 처벌절차 종료

범칙금 미납 시
▷ 고발등 거쳐 형사소송절차로 이행

위법한 통고처분
▷ 항고소송 대상× (∵처분성 無)

합헌
▷ 재판받을 권리 침해×
▷ 적법절차 위배×

010

행정의 실효성 확보수단에 대한 설명으로 옳은 것은? (다툼이 있는 경우 판례에 의함)

① 「건축법」상 이행강제금은 형벌에 해당하므로 이중처벌금지의 원칙이 적용된다.
② 양벌규정에 의한 영업주의 처벌은 금지위반행위자인 종업원의 처벌에 종속되는 것이다.
③ 「도로교통법」상 경찰서장의 통고처분은 항고소송의 대상이 되는 처분이다.
④ 건물철거의무에 퇴거의무도 포함되어 있어 건물철거대집행 과정에서 부수적으로 건물의 점유자들에 대한 퇴거조치를 할 수 있다.

문제 DATA (010)
출제가능 지수 ▶▶▷
난이도 지수 ★★☆

2020년 소방직

① (×) 개발제한구역 내의 건축물에 대하여 허가를 받지 않고 한 용도변경행위에 대한 형사처벌과 건축법 제83조 제1항에 의한 시정명령 위반에 대한 이행강제금의 부과는 그 처벌 내지 제재대상이 되는 기본적 사실관계로서의 행위를 달리하며, 또한 그 보호법익과 목적에서도 차이가 있으므로 이중처벌에 해당한다고 할 수 없다(대결 2005.8.19. 2005마30).
② (×) 양벌규정에 의한 영업주의 처벌은 금지위반행위자인 종업원의 처벌에 종속하는 것이 아니라 독립하여 그 자신의 종업원에 대한 선임감독상의 과실로 인하여 처벌되는 것이므로 종업원의 범죄성립이나 처벌이 영업주 처벌의 전제조건이 될 필요는 없다(대판 2006.2.24. 2005도7673).
③ (×) 도로교통법 제118조에서 규정하는 경찰서장의 통고처분은 행정소송의 대상이 되는 행정처분이 아니므로 그 처분의 취소를 구하는 소송은 부적법하고 도로교통법상의 통고처분을 받은 자가 그 처분에 대하여 이의가 있는 경우에는 통고처분에 따른 범칙금의 납부를 이행하지 아니함으로써 경찰서장의 즉결심판청구에 이하여 법원의 심판을 받을 수 있게 될 뿐이다(대판 1995.6.29. 95누4674).
④ (○) 행정청이 행정대집행의 방법으로 건물철거의무의 이행을 실현할 수 있는 경우에는 건물철거 대집행 과정에서 부수적으로 건물의 점유자들에 대한 퇴거 조치를 할 수 있고, 점유자들이 적법한 행정대집행을 위력을 행사하여 방해하는 경우 형법상 공무집행방해죄가 성립하므로 필요한 경우에는 '경찰관 직무집행법'에 근거한 위험발생 방지조치 또는 형법상 공무집행방해죄의 범행방지 내지 현행범체포의 차원에서 경찰의 도움을 받을 수도 있다(대판 2017.4.28. 2016다213916).

답 ④

함께 정리하기

행정의 실효성 확보수단

이행강제금
▷ 형벌×
▷ 이중처벌금지원칙 적용×

영업주의 처벌
▷ 종업원처벌에 종속×

경찰서장의 통고처분
▷ 행정처분×

건물철거의무에 퇴거의무 포함
▷ 부수적으로 점유자 퇴거조치 可

---

011 □□□

통고처분에 대한 설명으로 옳지 않은 것은? (다툼이 있는 경우 판례에 의함)

① 지방국세청장이 조세범칙행위에 대하여 고발을 한 후에 동일한 조세범칙행위에 대하여 통고처분을 하여 조세범칙행위자가 이를 이행하였다면 고발에 따른 형사절차의 이행은 일사부재리의 원칙에 반하여 위법하다.
② 「도로교통법」에 따른 경찰서장의 통고처분은 행정소송의 대상이 되는 행정처분이 아니다.
③ 통고처분은 상대방의 임의의 승복을 그 발효요건으로 하는 것으로서 상대방의 재판받을 권리를 침해하는 것으로 인정되지 않는다.
④ 「관세법」상 통고처분을 할 것인지의 여부는 관세청장 또는 세관장의 재량에 맡겨져 있고, 따라서 관세청장 또는 세관장이 관세범에 대하여 통고처분을 하지 아니한 채 고발하였다는 것만으로는 그 고발 및 이에 기한 공소의 제기가 부적법하게 되는 것은 아니다.

문제 DATA
출제가능 지수 ▶▶▷
난이도 지수 ★★☆

2020년 군무원 9급

① (×) 형사절차의 사전절차로서 통고처분은 통고처분권자의 고발이 있는 때 자동으로 효력이 상실되고, 이후 통고처분권자가 다시 통고처분을 하였더라도 무효이며 이를 이행하더라도 일사부재리 원칙이 적용되지 않는다.

> 지방국세청장 또는 세무서장이 조세범 처벌절차법 제17조 제1항에 따라 통고처분을 거치지 아니하고 즉시 고발하였다면 이로써 조세범칙사건에 대한 조사 및 처분 절차는 종료되고 형사사건 절차로 이행되어 지방국세청장 또는 세무서장으로서는 동일한 조세범칙행위에 대하여 더 이상 통고처분을 할 권한이 없다. 따라서 지방국세청장 또는 세무서장이 조세범칙행위에 대하여 고발을 한 후에 동일한 조세범칙행위에 대하여 통고처분을 하였더라도, 이는 법적 권한 소멸 후에 이루어진 것으로서 특별한 사정이 없는 한 효력이 없고, 조세범칙행위자가 이러한 통고처분을 이행하였더라도 조세범처벌절차법 제15조 제3항에서 정한 일사부재리의 원칙이 적용될 수 없다(대판 2016.9.28. 2014도10748).

유제 18. 지방직 7급 지방국세청장이 조세범칙행위에 대하여 형사고발을 한 후에 동일한 조세범칙행위에 대하여 한 통고처분은 특별한 사정이 없는 한 위법하지만 무효는 아니다. (×)

함께 정리하기

통고처분

고발 후 이루어진 통고처분을 이행해도
▷ 일사부재리원칙 적용×

경찰서장의 통고처분
▷ 행정처분×

임의의 승복 발효요건
▷ 재판받을 권리 침해×
▷ 적법절차 위배×

통고처분 여부
▷ 행정기관의 재량

통고처분 하지 않은 채 고발·기소
▷ 적법

② (○) 경찰서장의 통고처분은 행정처분이 아니다.

> 도로교통법 제118조에서 규정하는 경찰서장의 통고처분은 행정소송의 대상이 되는 행정처분이 아니므로 그 처분의 취소를 구하는 소송은 부적법하고, 도로교통법상의 통고처분을 받은 자가 그 처분에 대하여 이의가 있는 경우에는 통고처분에 따른 범칙금의 납부를 이행하지 아니함으로써 경찰서장의 즉결심판청구에 의하여 법원의 심판을 받을 수 있게 될 뿐이다(대판 1995.6.29. 95누4674).

유제 20. 서울시·지방직·교행 9급, 18. 서울시 7급「도로교통법」에서 규정하는 경찰서장의 통고처분은 행정소송의 대상이 되는 행정처분이다. (×)

③ (○) 통고처분은 그 불이행시 형사재판절차에서 통고처분을 얼마든지 다툴 수 있으므로 재판받을 권리를 침해하거나 적법절차의 원칙에 저촉된다고 볼 수 없다.

> 통고처분은 상대방의 임의의 승복을 그 발효요건으로 하기 때문에 그 자체만으로는 통고이행을 강제하거나 상대방에게 아무런 권리의무를 형성하지 않으므로 행정심판이나 행정소송의 대상으로서의 처분성을 부여할 수 없고, 통고처분에 대하여 이의가 있으면 통고내용을 이행하지 않음으로써 고발되어 형사재판절차에서 통고처분의 위법·부당함을 얼마든지 다툴 수 있기 때문에 관세법 제38조 제3항 제2호가 법관에 의한 재판받을 권리를 침해한다든가 적법절차의 원칙에 저촉된다고 볼 수 없다(헌재 1998.5.28. 96헌바4).

유제 18. 경찰, 08. 국가직 9급 헌법재판소는 통고처분에 대해 행정심판이나 행정소송의 대상에서 제외하고 있는「관세법」제119조 제2항 제2호(구 제38조 제3항 제2호)가 법관에 의해 재판을 받을 권리를 침해한다든가 적법절차의 원칙을 위반하지 않는다고 보았다. (○)

④ (○) 통고처분을 할 것인지의 여부는 권한 행정청의 재량에 속한다.

> 통고처분을 할 것인지의 여부는 관세청장 또는 세관장의 재량에 맡겨져 있고, 따라서 관세청장 또는 세관장이 관세범에 대하여 통고처분을 하지 아니한 채 고발하였다는 것만으로는 그 고발 및 이에 기한 공소의 제기가 부적법하게 되는 것은 아니다(대판 2007.5.11. 2006도1993)

유제 18. 경찰 관세청장 또는 세관장이 관세범에 대하여 통고처분을 하지 않은 채 고발하였다는 것만으로는 그 고발 및 이에 기한 공소의 제기가 부적법한 것은 아니다. (○)
15. 지방직 9급, 12. 국가직 9급·지방직 7급「관세법」상 통고처분과 관련하여 통고처분을 할 것인지의 여부는 행정청의 재량에 맡겨져 있다는 것이 판례의 입장이다. (○)

답 ①

012 □□□

행정벌에 대한 설명으로 옳은 것은? (다툼이 있는 경우 판례에 의함)

① 지방자치단체가 그 고유의 자치사무를 처리하는 경우 지방자치단체는 양벌규정에 의한 처벌대상이 되지 않는다.
②「관세법」상 통고처분은 상대방의 임의의 승복을 그 발효요건으로 하기 때문에 그 자체만으로는 통고이행을 강제하거나 상대방에게 아무런 권리의무를 형성하지 않는다.
③ 질서위반행위 후 법률이 변경되어 그 행위가 질서위반행위에 해당하지 아니하게 된 때에는 법률에 특별한 규정이 없는 한 변경되기 전의 법률을 적용한다.
④ 스스로 심신장애 상태를 일으켜 질서위반행위를 한 자에 대하여는 과태료를 감경한다.

2019년 국가직 7급

① (×) 양벌규정에 의한 처벌대상이 된다.

> 지방자치단체가 고유의 자치사무를 처리하는 경우 양벌규정의 대상이 되는 법인에 해당한다.
> 국가가 본래 그의 사무의 일부를 지방자치단체의 장에게 위임하여 그 사무를 처리하게 하는 기관위임사무의 경우에는 지방자치단체는 국가기관의 일부로 볼 수 있는 것이지만, 지방자치단체가 그 고유의 자치사무를 처리하는 경우에는 지방자치단체는 국가기관의 일부가 아니라 국가기관과는 별도의 독립한 공법인이므로, 지방자치단체 소속 공무원이 지방자치단체 고유의 자치사무를 수행하던 중 도로법 제81조 내지 제85조의 규정에 의한 위반행위를한 경우에는 지방자치단체는 도로법 제86조의 양벌규정에 따라 처벌대상이 되는 법인에 해당한다(대판 2005.11.10. 2004도2657).

② (○) 통고처분 자체만으로는 통고이행을 강제하거나 상대방의 권리의무를 형성하지 않는다.

> 통고처분은 상대방의 임의의 승복을 그 발효요건으로 하기 때문에 그 자체만으로는 통고이행을 강제하거나 상대방에게 아무런 권리의무를 형성하지 않으므로 행정심판이나 행정소송의 대상으로서의 처분성을 부여할 수 없고, 통고처분에 대하여 이의가 있으면 통고내용을 이행하지 않음으로써 고발되어 형사재판 절차에서 통고처분의 위법·부당함을 얼마든지 다툴 수 있기 때문에 관세법 제38조 제3항 제2호가 법관에 의한 재판받을 권리를 침해한다든가 적법절차의 원칙에 저촉된다고 볼 수 없다(헌재 1998.5.28. 96헌바4).

③ (×)

> 「질서위반행위규제법」제3조【법 적용의 시간적 범위】② 질서위반행위 후 법률이 변경되어 그 행위가 질서위반행위에 해당하지 아니하게 되거나 과태료가 변경되기 전의 법률보다 가볍게 된 때에는 법률에 특별한 규정이 없는 한 변경된 법률을 적용한다.

④ (×) 과태료를 부과한다.

> 「질서위반행위규제법」제10조【심신장애】① 심신(心神)장애로 인하여 행위의 옳고 그름을 판단할 능력이 없거나 그 판단에 따른 행위를 할 능력이 없는 자의 질서위반행위는 과태료를 부과하지 아니한다.
> ② 심신장애로 인하여 제1항에 따른 능력이 미약한 자의 질서위반행위는 과태료를 감경한다.
> ③ 스스로 심신장애 상태를 일으켜 질서위반행위를 한 자에 대하여는 제1항 및 제2항을 적용하지 아니한다.

답 ②

함께 정리하기

행정벌

지자체가 고유의 자치사무를 처리
▷ 양벌규정의 대상○

통고처분 자체
▷ 통고이행 강제×, 상대방의 권리의무 형성×

법률변경으로 질서위반행위 해당하지 않거나 과태료가 가볍게 된 때
▷ 변경된 법률 적용

스스로 심신장애 상태를 일으켜 질서위반행위를 한 경우
▷ 과태료 부과○

013 □□□

행정벌에 대한 설명으로 옳지 않은 것은? (다툼이 있는 경우 판례에 의함)

① 과실범을 처벌한다는 명문의 규정이 없더라도 행정형벌법규의 해석에 의하여 과실행위도 처벌한다는 뜻이 도출되는 경우에는 과실범도 처벌될 수 있다.
② 통고처분에 따른 범칙금을 납부한 후에 동일한 사건에 대하여 다시 형사처벌을 하는 것이 일사부재리의 원칙에 반하는 것은 아니다.
③ 과태료는 행정질서벌에 해당할 뿐 형벌이라고 할 수 없어 죄형법정주의의 규율대상에 해당하지 아니한다.
④ 과태료를 부과하는 근거 법령이 개정되어 행위 시의 법률에 의하면 과태료 부과대상이었지만 재판 시의 법률에 의하면 부과대상이 아니게 된 때에는 특별한 사정이 없는 한 과태료를 부과할 수 없다.

문제 DATA

출제가능 지수 ▶▶▷
난이도 지수 ★★☆

함께 정리하기

행정벌

과실범 처벌
▷ 명문규정 有 or 해석상 벌할 뜻이 명확해야

통고처분 이행 후 형사처벌
▷ 동일 사건이면 일사부재리 위배

과태료는 행정질서벌
▷ 죄형법정주의 규율대상×

재판 시 법률에 의해 부과대상×
▷ 과태료 부과 불가(원칙)

2019년 국가직 9급

① (○) 명문규정이 있거나 해석상 벌할 뜻이 명확하면 과실범 처벌이 가능하다.

> 행정상의 단속을 주안으로 하는 법규라 하더라도 명문규정이 있거나 해석상 과실범도 벌할 뜻이 명확한 경우를 제외하고는 형법의 원칙에 따라 고의가 있어야 벌할 수 있다(대판 1986.7.22. 85도108).

유제 18. 지방직 9급 행위자 외에 사업주를 처벌한다는 명문의 규정이 없더라도 관계규정의 해석에 의해 과실있는 사업주도 벌할 뜻이 명확한 경우에는 종업원 외에 고용주도 처벌할 수 있다. (○)

② (×) 통고처분을 받은 자가 법정기간 내에 통고된 내용에 따라 이행한 경우에는 과벌절차가 종료되며, 일사부재리의 원칙의 적용을 받아 동일사건에 대하여 다시 형사소추를 받지 않는다(확정판결과 동일한 효과).

> 도로교통법 제119조 제3항은 그 법 제118조에 의하여 범칙금 납부통고서를 받은 사람이 그 범칙금을 납부한 경우 그 범칙행위에 대하여 다시 벌받지 아니한다고 규정하고 있는바, 이는 범칙금의 납부에 확정재판의 효력에 준하는 효력을 인정하는 취지로 해석하여야 한다(대판 2002.11.22. 2001도849).

③ (○) 과태료는 질서벌이므로 죄형법정주의가 적용되지 않는다.

> 죄형법정주의는 무엇이 범죄이며 그에 대한 형벌이 어떠한 것인가는 국민의 대표로 구성된 입법부가 제정한 법률로써 정하여야 한다는 원칙인데, 과태료는 행정상의 질서유지를 위한 행정질서벌에 해당할 뿐 형벌이라고 할 수 없어 죄형법정주의의 규율대상에 해당하지 아니한다(헌재 1998.5.28. 96헌바83).

④ (○)

> 「질서위반행위규제법」 제3조【법 적용의 시간적 범위】① 질서위반행위의 성립과 과태료 처분은 행위 시의 법률에 따른다.
> ② 질서위반행위 후 법률이 변경되어 그 행위가 질서위반행위에 해당하지 아니하게 되거나 과태료가 변경되기 전의 법률보다 가볍게 된 때에는 법률에 특별한 규정이 없는 한 변경된 법률을 적용한다.

답 ②

문제 DATA
출제가능 지수 ▶▶▷
난이도 지수 ★★☆

014

행정벌에 대한 설명으로 가장 옳지 않은 것은? (다툼이 있는 경우 판례에 의함)

① 법인의 독자적인 책임에 관한 규정이 없이 단순히 종업원이 업무에 관한 범죄행위를 하였다는 이유만으로 법인에게 형사처벌을 과하는 것은 책임주의 원칙에 반한다.
② 죄형법정주의 원칙 등 형벌법규의 해석 원리는 행정형벌에 관한 규정을 해석할 때에도 적용되어야 한다.
③ 양벌규정에 의해 영업주가 처벌되기 위해서는 종업원의 범죄가 성립하거나 처벌이 이루어져야 함이 전제조건이 되어야 한다.
④ 지방자치단체 소속 공무원이 자치사무를 수행하던 중 법 위반행위를 한 경우 지방자치단체는 같은 법의 양벌규정에 따라 처벌되는 법인에 해당한다.

함께 정리하기

행정벌

종업원 범죄행위로 귀책사유 없는 법인처벌
▷ 책임주의원칙 위반

죄형법정주의
▷ 행정형벌해석에도 적용

영업주의 처벌
▷ 종업원처벌 전제×

자치사무 수행 중 법 위반
▷ 지자체 양벌규정 의해 처벌

2019년 서울시 9급

① (○) 종업원의 범죄행위로 법인을 무조건 처벌하는 것은 책임주의 원칙에 반한다.

> '종업원'관련 부분은 법인이 고용한 종업원 등의 범죄행위에 관하여 비난할 근거가 되는 법인의 의사결정 및 행위구조, 즉 종업원 등이 저지른 행위의 결과에 대한 법인의 독자적인 책임에 관하여 전혀 규정하지 않은 채, 단순히 법인이 고용한 종업원 등이 업무에 관하여 범죄행위를 하였다는 이유만으로 법인에 대하여 형사처벌을 과하고 있는바, 이는 다른 사람의 범죄에 대하여 그 책임 유무를 묻지 않고 형벌을 부과함으로써 법치국가의 원리 및 죄형법정주의로부터 도출되는 책임주의원칙에 반한다(헌재 2010.7.29. 2009헌가25).

② (○) 죄형법정주의에 관한 형법총칙의 규정은 행정형벌에도 적용된다.

형벌법규의 해석은 엄격하여야 하고 명문규정의 의미를 피고인에게 불리한 방향으로 지나치게 확장 해석하거나 유추 해석하는 것은 죄형법정주의의 원칙에 어긋나는 것으로서 허용되지 않으며, 이러한 법해석의 원리는 그 형벌법규의 적용대상이 행정법규가 규정한 사항을 내용으로 하고 있는 경우에 그 행정법규의 규정을 해석하는 데에도 마찬가지로 적용된다(대판 2007.6.29. 2006도4582).

③ (×) 영업주의 처벌은 종업원의 처벌을 전제하지 않는다.

양벌규정에 의한 영업주의 처벌은 금지위반행위자인 종업원의 처벌에 종속하는 것이 아니라 독립하여 그 자신의 종업원에 대한 선임감독상의 과실로 인하여 처벌되는 것이므로 종업원의 범죄성립이나 처벌이 영업주 처벌의 전제조건이 될 필요는 없다(대판 1987.11.10. 87도1213).

④ (○) 자치사무 수행 중 법위반이 있으면 지자체는 양벌규정에 의해 처벌된다.

지방자치단체가 그 고유의 자치사무를 처리하는 경우에는 지방자치단체는 국가기관의 일부가 아니라 국가기관과는 별도의 독립한 공법인이므로, 지방자치단체 소속 공무원이 지방자치단체 고유의 자치사무를 수행하던 중 도로법 제81조 내지 제85조의 규정에 의한 위반행위를 한 경우에는 지방자치단체는 도로법 제86조의 양벌규정에 따라 처벌대상이 되는 법인에 해당한다(대판 2005.11.10. 2004도2657).

답 ③

015

통고처분에 대한 설명으로 옳지 않은 것은? (다툼이 있는 경우 판례에 의함)

① 통고처분은 현행법상 조세범, 관세범, 출입국관리사범, 교통사범 등에 대하여 인정되고 있다.
② 통고처분에 의해 부과된 금액(범칙금)은 벌금이다.
③ 판례는 통고처분을 행정소송의 대상이 되는 행정처분이 아니라고 보고 있다.
④ 판례는 통고처분에 의해 부과된 범칙금을 납부한 경우 다시 처벌받지 아니한다고 규정하고 있는 것은 범칙금의 납부에 확정재판의 효력에 준하는 효력을 인정하는 취지로 해석하고 있다.

| 2018년 소방직

① (○) 통고처분은 현행법상 모든 범죄에서 인정되는 것이 아니고, 조세범, 관세범, 출입국관리사범, 교통사범 등에 대하여 인정되고 있다.
② (×) 통고처분이란 일정한 행정범 등에 대해 정식형사소송절차에 대신하여 행정청이 상대방의 동의를 조건으로 벌금 또는 과료에 상당하는 금액(범칙금)의 납부 등을 통고하는 준사법적행위를 말한다. 통고처분에 의해 부과된 금액(범칙금)은 벌금이 아니다.
③ (○) 도로교통법 제118조에서 규정하는 경찰서장의 통고처분은 행정소송의 대상이 되는 행정처분이 아니므로 그 처분의 취소를 구하는 소송은 부적법하고, 도로교통법상의 통고처분을 받은 자가 그 처분에 대하여 이의가 있는 경우에는 통고처분에 따른 범칙금의 납부를 이행하지 아니함으로써 경찰서장의 즉결심판청구에 의하여 법원의 심판을 받을 수 있게 될 뿐이다(대판 1995.6.29 95누4674).
④ (○) 도로교통법 제119조 제3항은 그 법 제118조에 의하여 범칙금 납부통고서를 받은 사람이 그 범칙금을 납부한 경우 그 범칙행위에 대하여 다시 벌받지 아니한다고 규정하고 있는바, 이는 범칙금의 납부에 확정재판의 효력에 준하는 효력을 인정하는 취지로 해석하여야 한다(대판 2002.11.22. 2001도849).

답 ②

문제 DATA
출제가능 지수 ▶▶▷
난이도 지수 ★★☆

함께 정리하기
통고처분

현행법상 조세범, 관세범, 출입국관리사범, 교통사범 등에 인정

범칙금≠벌금

통고처분
▷ 임의승복 요건
▷ 처분성×
▷ 범칙금 납부에 일사부재리 원칙 적용

문제 DATA

출제가능 지수 ▶▶⊃
난이도 지수 ★★☆

016 □□□

통고처분에 대한 설명으로 가장 옳지 않은 것은? (다툼이 있는 경우 판례에 의함)

① 범칙자가 범칙금을 납부하면 과형절차는 종료되고, 범칙자는 다시 형사소추 되지 아니한다.
② 「조세범 처벌절차법」에 따른 통고처분이 있는 경우 공소시효의 진행은 중단되지 아니한다.
③ 「도로교통법」에 따라 통고처분을 받은 사람은 그 통고처분에 대해 항고소송을 제기하지 못한다.
④ 헌법재판소는 행정심판이나 행정소송의 대상에서 통고처분을 제외하고 있는 「관세법」 조항은 법관에 의한 재판받을 권리를 침해하지 않는다고 하였다.

| 2018년 경찰

① (○) 통고처분을 받은 자가 법정기간 내에 통고된 내용에 따라 이행한 경우에는 과벌절차가 종료되며, 일사부재리의 원칙의 적용을 받아 동일사건에 대하여 다시 형사소추를 받지 않는다(확정판결과 동일한 효과).
② (×)

> 「조세범 처벌절차법」 제16조 【공소시효의 정지】 제15조 제1항에 따른 통고처분이 있는 경우에는 통고일부터 고발일까지의 기간 동안 공소시효는 정지된다.

③ (○) 「도로교통법」상 통고처분은 항고소송의 대상이 되지 않는다.

> 도로교통법 제118조에서 규정하는 경찰서장의 통고처분은 행정소송의 대상이되는 행정처분이 아니므로 그 처분의 취소를 구하는 소송은 부적법하고, 도로교통법상의 통고처분을 받은 자가 그 처분에 대하여 이의가 있는 경우에는 통고처분에 따른 범칙금의 납부를 이행하지 아니함으로써 경찰서장의 즉결심판청구에 의하여 법원의 심판을 받을 수 있게 될 뿐이다(대판 1995.6.29. 95누4674).

④ (○) 통고처분을 행정심판·행정소송의 대상에서 제외한 과세법조항은 합헌이다.

> 통고처분에 대하여 이의가 있으면 통고내용을 이행하지 않음으로써 고발되어 형사재판절차에서 통고처분의 위법·부당함을 얼마든지 다툴 수 있기 때문에 관세법 제38조 제3항 제2호가 법관에 의한 재판받을 권리를 침해한다든가 적법절차의 원칙에 저촉된다고 볼 수 없다(헌재 1998.5.28. 96헌바4).

답 ②

함께 정리하기

통고처분

통고처분의 이행 시
▷ 과형절차 종료 및 형사소추×

「조세범 처벌절차법」에 따른 통고처분 시
▷ 공소시효 진행 중단효 발생

「도로교통법」에 따른 통고처분
▷ 항고소송의 대상×

행정심판 또는 행정소송의 재판에서 통고처분을 제외한 관세법 조항
▷ 합헌

문제 DATA

출제가능 지수 ▶▶⊃
난이도 지수 ★★☆

017 □□□

행정벌에 대한 설명으로 가장 옳지 않은 것은? (다툼이 있는 경우 판례에 의함)

① 지방자치단체가 국가로부터 위임받은 기관위임사무를 처리하는 경우, 지방자치단체는 양벌규정에 의한 처벌대상이 되는 법인에 해당된다.
② 행정벌은 법률의 근거가 있어야 부과할 수 있으며 법률의 위임을 받은 경우에는 명령이나 조례로도 부과할 수 있다.
③ 과태료와 같은 행정질서벌은 행정질서유지를 위한 의무의 위반이라는 객관적 사실에 대하여 과하는 제재이므로 반드시 현실적인 행위자가 아니라도 법령상 책임자로 규정된 자에게 부과된다.
④ 관세청장 또는 세관장이 관세범에 대하여 통고처분을 하지 않은 채 고발하였다는 것만으로는 그 고발 및 이에 기한 공소의 제기가 부적법한 것은 아니다.

2018년 경찰

① (×) 국가와 지방자치단체도 법인에 해당하지만 국가는 형벌권의 주체이지 객체는 될 수 없으므로 국가와 국가의 기관위임사무를 수행하는 지방자치단체는 양벌규정에 의한 처벌대상이 되지 않는다.

> 국가가 본래 그의 사무의 일부를 지방자치단체의 장에게 위임하여 처리하게 하는 기관위임사무의 경우 지방자치단체는 국가기관의 일부로 볼 수 있고, 지방자치단체가 그 고유의 자치사무를 처리하는 경우 지방자치단체는 국가기관의 일부가 아니라 국가기관과는 별도의 독립한 공법인으로서 양벌규정에 의한 처벌대상이 되는 법인에 해당한다.… 지방자치단체 소속 공무원이 지정항만순찰 등의 업무를 위해 관할관청의 승인 없이 개조한 승합차를 운행함으로써 구 자동차관리법을 위반한 사안에서, 지방자치법, 구 항만법, 구 항만법 시행령 등에 비추어 위 항만순찰 등의 업무가 지방자치단체의 장이 국가로부터 위임받은 기관위임사무에 해당하여, 해당 지방자치단체가 구 자동차관리법 제83조의 양벌규정에 따른 처벌대상이 될 수 없다(대판 2009.6.11. 2008도6530).

② (○) 행정벌은 국민의 권익을 침해하는 제재이므로 법률의 근거가 있어야 부과할 수 있으며 법률의 위임을 받은 경우에는 명령이나 조례로도 부과할 수 있다.

③ (○) 과태료와 같은 행정질서벌은 행정질서유지를 위하여 행정법규위반이라는 객관적 사실에 대하여 과하는 제재이므로 반드시 현실적인 행위자가 아니라도 법령상 책임자로 규정된 자에게 부과되고 또한 특별한 규정이 없는 한 원칙적으로 위반자의 고의·과실을 요하지 아니한다(대판 1994.8.26. 94누6949).

④ (○) 관세청장 또는 세관장은 관세범에 대하여 통고처분을 할 수 있고, 범죄의 정상이 징역형에 처하여질 것으로 인정되는 때에는 즉시 고발하여야 하며, 관세범인이 통고를 이행할 수 있는 자금능력이 없다고 인정되거나 주소 및 거소의 불명 기타의 사유로 인하여 통고를 하기 곤란하다고 인정되는 때에도 즉시 고발하여야 하는바, 이들 규정을 종합하여 보면, 통고처분을 할 것인지의 여부는 관세청장 또는 세관장의 재량에 맡겨져 있고, 따라서 관세청장 또는 세관장이 관세범에 대하여 통고처분을 하지 아니한 채 고발하였다는 것만으로는 그 고발 및 이에 기한 공소의 제기가 부적법하게 되는 것은 아니다(대판 2007.5.11. 2006도1993).

답 ①

함께 정리하기

행정벌

기관위임사무처리 지방자치단체
▷ 양벌규정의 법인×

행정벌
▷ 법률의 근거 要, 위임받은 경우 명령·조례로도 부과 可

행정질서벌
▷ 법령상 책임자로 규정된 자에게 부과

통고처분 여부
▷ 행정기관의 재량

통고처분 하지 않은 채 고발·기소
▷ 적법

018 ☐☐☐

행정벌에 대한 설명으로 옳은 것은? (다툼이 있는 경우 판례에 의함)

① 종업원 등의 범죄에 대해 법인에게 어떠한 잘못이 있는지를 전혀 묻지 않고, 곧바로 그 종업원 등을 고용한 법인에게도 종업원 등에 대한 처벌조항에 규정된 벌금형을 과하도록 규정하는 것은 책임주의에 반한다.

② 행정벌과 이행강제금은 장래에 의무의 이행을 강제하기 위한 제재로서 직접적으로 행정작용의 실효성을 확보하기 위한 수단이라는 점에서는 동일하다.

③ 「질서위반행위규제법」상 개인의 대리인이 업무에 관하여 그 개인에게 부과된 법률상의 의무를 위반한 때에는 행위자인 대리인에게 과태료를 부과한다.

④ 일반형사소송절차에 앞선 절차로서 통고처분은 그 자체로 상대방에게 금전납부의무를 부과하는 행위로서 항고소송의 대상이 된다.

문제 DATA

출제가능 지수 ▶▶▷
난이도 지수 ★★☆

함께 정리하기

행정벌
영업주 과실없이 영업주 처벌
▷ 책임주의 위반

행정벌
▷ 과거 의무위반 제재

이행강제금
▷ 장래 이행 강제

「질서위반행위규제법」상 대리인·사용인 행위
▷ 법인·개인 책임

통고처분
▷ 항고소송대상 ✕

2017년 국가직 9급

① (○) 영업주의 책임이 없음에도 영업주를 처벌하는 것은 책임주의 위반이다.

> 이 사건 법률조항이 종업원의 업무 관련 무면허의료행위가 있으면 이에 대해 영업주가 비난받을 만한 행위가 있었는지 여부와는 관계없이 자동적으로 영업주도 처벌하도록 규정하고 있고, 다른 사람의 범죄에 대해 그 책임 유무를 묻지 않고 형벌을 부과함으로써, 법정형에 나아가 판단할 것 없이, 형사법의 기본원리인 '책임없는 자에게 형벌을 부과할 수 없다'는 책임주의에 반한다(헌재 2007.11.29. 2005헌가10).

② (✕) 행정벌은 과거의 의무위반에 대하여 가하는 제재인 반면에, 이행강제금은 의무불이행이 있는 경우 장래의 방향으로 이행을 강제하기 위한 강제집행 수단이라는 점이 다르다.

③ (✕)

> 「질서위반행위규제법」제11조【법인의 처리 등】① 법인의 대표자, 법인 또는 개인의 대리인·사용인 및 그 밖의 종업원이 업무에 관하여 법인 또는 그 개인에게 부과된 법률상의 의무를 위반한 때에는 법인 또는 그 개인에게 과태료를 부과한다.

④ (✕) 판례에 따르면 통고처분은 상대방의 임의의 승복을 그 발효요건으로 하기 때문에 그 자체만으로는 통고이행을 강제하거나 상대방에게 아무런 권리·의무를 형성하지 않는다. 따라서 행정쟁송의 대상으로서의 처분성이 부정된다.

통고처분은 항고소송의 대상이 되지 않는다.
> 도로교통법 제118조에서 규정하는 경찰서장의 통고처분은 행정소송의 대상이 되는 행정처분이 아니므로 그 처분의 취소를 구하는 소송은 부적법하고, 도로교통법상의 통고처분을 받은 자가 그 처분에 대하여 이의가 있는 경우에는 통고처분에 따른 범칙금의 납부를 이행하지 아니함으로써 경찰서장의 즉결심판청구에 의하여 법원의 심판을 받을 수 있게 될 뿐이다(대판 1995.6.29. 95누4674).

유제 18. 서울시 7급 「도로교통법」에서 규정하는 경찰서장의 통고처분은 행정소송의 대상이 되는 행정처분이다. (✕)

답 ①

문제 DATA

출제가능 지수 ▶▶▷
난이도 지수 ★★☆

019 □□□

행정의 실효성 확보수단에 대한 설명으로 옳은 것은? (다툼이 있는 경우 판례에 의함)

① 행정벌에 대하여 명문규정이 없는 경우에도 법령의 입법목적이나 제반 관계규정의 취지 등을 고려하여 과실범을 처벌할 수 있다는 것이 대법원의 입장이다.
② 대법원은 행정법규 위반에 대하여 가하는 제재조치로서의 행정처분에도 특별한 경우가 아닌 한 고의 또는 과실을 그 요건으로 한다고 판시하였다.
③ 양벌규정의 대상이 되는 법인에 국가는 포함되지 않지만 기관위임사무를 행하는 지방자치단체는 포함된다.
④ 통고처분은 실체법상 행정행위이므로 행정쟁송법상의 처분이 되고 취소소송의 대상이 된다.

2017년 서울시 7급

① (○) 행정벌은 취지 등을 고려하여 과실범을 처벌할 수 있다.

> 법정의 배출허용기준을 초과하는 배출가스를 배출하면서 자동차를 운행하는 행위를 처벌하는 위 법 제57조 제6호의 규정은 자동차의 운행자가 그 자동차에서 배출되는 배출가스가 소정의 운행 자동차 배출허용기준을 초과한다는 점을 실제로 인식하면서 운행한 고의범의 경우는 물론 과실로 인하여 그러한 내용을 인식하지 못한 과실범의 경우도 함께 처벌하는 규정이다(대판 1993.9.10. 92도1136).

함께 정리하기

행정의 실효성 확보수단

행정벌
▷ 명문규정 없이 과실범 처벌 可

행정법규 위반제재
▷ 고의·과실 불요(원칙)

기관위임사무처리 지방자치단체
▷ 양벌규정의 법인 ✕

통고처분
▷ 취소소송 대상 ✕(∵처분성 無)

② (×) 행정법규 위반에 대한 제재시 고의·과실은 원칙적으로 필요하지 않다. 판례는 과징금부과와 관련하여 이와 같이 판시한 바 있다.

과징금부과에는 고의과실을 요하지 않으나, 정당한 사유가 있으면 부과할 수 없다.
구 여객자동차 운수사업법 제88조 제1항의 과징금부과처분은 제재적 행정처분으로서 여객자동차 운수사업에 관한 질서를 확립하고 여객의 원활한 운송과 여객자동차 운수사업의 종합적인 발달을 도모하여 공공복리를 증진한다는 행정목적의 달성을 위하여 행정법규 위반이라는 객관적 사실에 착안하여 가하는 제재이므로 반드시 현실적인 행위자가 아니라도 법령상 책임자로 규정된 자에게 부과되고 원칙적으로 위반자의 고의·과실을 요하지 아니하나, 위반자의 의무 해태를 탓할 수 없는 정당한 사유가 있는 등의 특별한 사정이 있는 경우에는 이를 부과할 수 없다(대판 2014.10.15. 2013두5005).

유제 18. 서울시 7급 과징금은 원칙적으로 행위자의 고의·과실이 있는 경우에 부과된다. (×)

③ (×) 지자체가 기관위임사무를 처리하는 경우에는 양벌규정에 의해 처벌되지 않는다.

지방자치단체 소속 공무원이 지정항만순찰 등의 업무를 위해 관할관청의 승인 없이 개조한 승합차를 운행함으로써 구 자동차관리법을 위반한 사안에서, 지방자치법, 구 항만법, 구 항만법 시행령 등에 비추어 위 항만순찰 등의 업무가 지방자치단체의 장이 국가로부터 위임받은 기관위임사무에 해당하여, 해당 지방자치단체가 구 자동차관리법 제83조의 양벌규정에 따른 처벌대상이 될 수 없다(대판 2009.6.11. 2008도6530).

④ (×) 판례에 따르면 통고처분은 상대방의 임의의 승복을 그 발효요건으로 하기 때문에 그 자체만으로는 통고이행을 강제하거나 상대방에게 아무런 권리·의무를 형성하지 않는다. 따라서 행정쟁송의 대상으로서의 처분성이 부정된다.

통고처분은 행정처분에 해당하지 않는다.
도로교통법 제118조에서 규정하는 경찰서장의 통고처분은 행정소송의 대상이 되는 행정처분이 아니므로 그 처분의 취소를 구하는 소송은 부적법하고, 도로교통법상의 통고처분을 받은 자가 그 처분에 대하여 이의가 있는 경우에는 통고처분에 따른 범칙금의 납부를 이행하지 아니함으로써 경찰서장의 즉결심판청구에 의하여 법원의 심판을 받을 수 있게 될 뿐이다(대판 1995.6.29 95누4674).

유제 20. 서울시·지방직·교행 9급, 18. 서울시 7급 「도로교통법」에서 규정하는 경찰서장의 통고처분은 행정소송의 대상이 되는 행정처분이다. (×)

답 ①

020 □□□

행정벌에 대한 설명으로 옳지 않은 것은? (다툼이 있는 경우 판례에 의함)

① 명문의 규정이 없더라도 관련 행정형벌법규의 해석에 따라 과실행위도 처벌한다는 뜻이 명확한 경우에는 과실행위를 처벌할 수 있다.
② 영업주에 대한 양벌규정이 존재하는 경우, 영업주의 처벌은 금지위반행위자인 종업원의 범죄성립이나 처벌을 전제로 하지 않는다.
③ 통고처분에 의해 범칙금을 납부한 경우, 그 납부의 효력에 따라 다시 벌 받지 아니하게 되는 행위사실은 범칙금 통고의 이유에 기재된 당해 범칙행위 자체에 한정될 뿐, 그 범칙행위와 동일성이 인정되는 범칙행위에는 미치지 않는다.
④ 「질서위반행위규제법」에 의하면 행정청은 질서위반행위가 종료된 날부터 5년이 경과한 경우에는 해당 질서위반행위에 대하여 과태료를 부과할 수 없다.

함께 정리하기

행정벌

법규해석상 과실행위 처벌의사 명확
▷ 처벌 可

양벌규정상 영업주 처벌
▷ 종업원의 범죄성립·처벌을 전제 ×

통고처분 범칙금 납부의 효력
▷ 당해 범칙행위와 동일성이 인정되는 범칙행위에도 미침

질서위반행위 종료 후 5년 경과
▷ 과태료 부과 不可

2017년 국회직 8급

① (O) 해석상 과실행위의 처벌이 명확해야 과실범을 처벌할 수 있다.

> 행정상의 단속을 주안으로 하는 법규라 하더라도 명문규정이 있거나 해석상 과실범도 벌할 뜻이 명확한 경우를 제외하고는 형법의 원칙에 따라 고의가 있어야 벌할 수 있다(대판 1986.7.22. 85도108).

유제 18. 지방직 9급 행위자 외에 사업주를 처벌한다는 명문의 규정이 없더라도 관계규정의 해석에 의해 과실있는 사업주도 벌할 뜻이 명확한 경우에는 종업원 외에 고용주도 처벌할 수 있다. (O)

② (O) 양벌규정상 영업주의 처벌은 종업원의 처벌을 전제로 하지 않는다.

> 양벌규정에 의한 영업주의 처벌은 금지위반행위자인 종업원의 처벌에 종속하는 것이 아니라 독립하여 그 자신의 종업원에 대한 선임감독상의 과실로 인하여 처벌되는 것이므로 종업원의 범죄성립이나 처벌이 영업주 처벌의 전제조건이 될 필요는 없다(대판 2006.2.24. 2005도7673).

③ (×) 범칙금납부의 효력은 동일성이 인정되는 범칙행위에도 미친다.

> 범칙자가 경찰서장으로부터 범칙행위를 하였음을 이유로 범칙금의 통고를 받고 납부기간 내에 그 범칙금을 납부한 경우 범칙금의 납부에 확정판결에 준하는 효력이 인정됨에 따라 다시 벌받지 아니하게 되는 행위사실은 범칙금 통고의 이유에 기재된 당해 범칙행위 자체 및 그 범칙행위와 동일성이 인정되는 범칙행위에 한정된다고 해석함이 상당하다(대판 2002.11.22. 2001도849).

④ (O) 과태료 부과의 제척기간은 행위종료 후 5년이다.

> 「질서위반행위규제법」 제19조 【과태료 부과의 제척기간】 ① 행정청은 질서위반행위가 종료된 날(다수인이 질서위반행위에 가담한 경우에는 최종행위가 종료된 날을 말한다)부터 5년이 경과한 경우에는 해당 질서위반행위에 대하여 과태료를 부과할 수 없다.

답 ③

제2절 | 행정질서벌(과태료)의 특수성

001 □□□

문제 DATA
출제가능 지수 ▶▶⭐
난이도 지수 ★★☆

행정의 실효성 확보수단에 대한 설명으로 옳지 않은 것은?

① 행정법상의 질서벌인 과태료의 부과처분과 형사처벌을 병과하는 것은 일사부재리의 원칙에 반하지 않는다는 것이 대법원의 입장이다.
② 계고서라는 명칭의 1장의 문서로서 일정기간 내에 위법건축물의 자진철거를 명함과 동시에 그 소정기한 내에 자진철거를 하지 아니할 때에는 대집행할 뜻을 미리 계고한 경우라면 「건축법」에 의한 철거명령과 「행정대집행법」에 의한 계고처분의 요건이 충족된 것은 아니다.
③ 직접강제는 행정대집행이나 이행강제금 부과의 방법으로는 행정상 의무 이행을 확보할 수 없거나 그 실현이 불가능한 경우에 실시하여야 한다.
④ 과세관청이 체납처분으로서 행하는 공매는 우월한 공권력의 행사로서 행정소송의 대상이 되는 공법상의 행정처분이며 공매에 의하여 재산을 매수한 자는 그 공매처분이 취소된 경우에 그 취소처분의 위법을 주장하여 행정소송을 제기할 법률상 이익이 있다.

2024년 지방직 9급

① (○) 행정법상의 질서벌인 과태료의 부과처분과 형사처벌은 그 성질이나 목적을 달리하는 별개의 것이므로 행정법상의 질서벌인 과태료를 납부한 후에 형사처벌을 한다고 하여 이를 일사부재리의 원칙에 반하는 것이라고 할 수는 없으며, 자동차의 임시운행허가를 받은 자가 그 허가 목적 및 기간의 범위 안에서 운행하지 아니한 경우에 과태료를 부과하는 것은 당해 자동차가 무등록 자동차인지 여부와는 관계없이, 이미 등록된 자동차의 등록번호표 또는 봉인이 멸실되거나 식별하기 어렵게 되어 임시운행허가를 받은 경우까지를 포함하여, 허가받은 목적과 기간의 범위를 벗어나 운행하는 행위 전반에 대하여 행정질서벌로써 제재를 가하고자 하는 취지라고 해석되므로, 만일 임시운행허가기간을 넘어 운행한 자가 등록된 차량에 관하여 그러한 행위를 한 경우라면 과태료의 제재만을 받게 되겠지만, 무등록 차량에 관하여 그러한 행위를 한 경우라면 과태료와 별도로 형사처벌의 대상이 된다(대판 1996.4.12. 96도158).

② (×)

[1] 계고서라는 명칭의 1장의 문서로서 일정기간 내에 위법건축물의 자진철거를 명함과 동시에 그 소정기한 내에 자진철거를 하지 아니할 때에는 대집행할 뜻을 미리 계고한 경우라도 건축법에 의한 철거명령과 행정대집행법에 의한 계고처분은 독립하여 있는 것으로서 각 그 요건이 충족되었다고 볼 것이다.
[2] 위 [1]의 경우, 철거명령에서 주어진 일정기간이 자진철거에 필요한 상당한 기간이라면 그 기간 속에는 계고시에 필요한 '상당한 이행기간'도 포함되어 있다(대판 1992.6.12. 91누13564).

③ (○)

「행정기본법」제32조【직접강제】① 직접강제는 행정대집행이나 이행강제금 부과의 방법으로는 행정상 의무 이행을 확보할 수 없거나 그 실현이 불가능한 경우에 실시하여야 한다.

④ (○) 과세관청이 체납처분으로서 행하는 공매는 우월한 공권력의 행사로서 행정소송의 대상이 되는 공법상의 행정처분이며 공매에 의하여 재산을 매수한 자는 그 공매처분이 취소된 경우에 그 취소처분의 위법을 주장하여 행정소송을 제기할 법률상 이익이 있다(대판 1984.9.25. 84누201).

답 ②

함께 정리하기

행정의 실효성 확보수단

과태료와 형사처벌 병과 可
▷ 일사부재리원칙 위반×

철거명령·계고처분
▷ 상당한 기간을 정하여 1장의 문서로 可

직접강제(가장 강력한 강제집행 수단, 보충적 수단)
▷ 대집행, 이행강제금으로 의무이행확보·실현불가능한 경우 실시

공매절차 매수인
▷ 공매처분 취소에 대해 다툴 법률상 이익 有

---

002 □□□

다음 중 「질서위반행위규제법」에 대한 설명으로 가장 옳지 않은 것은?

① 고의 또는 과실이 없는 질서위반행위는 과태료를 부과하지 아니한다.
② 하나의 행위가 2 이상의 질서위반행위에 해당하는 경우에는 각 질서위반행위에 대하여 정한 과태료를 각각 부과한다.
③ 과태료는 행정청의 과태료 부과처분이나 법원의 과태료 재판이 확정된 후 5년간 징수하지 아니하거나 집행하지 아니하면 시효로 인하여 소멸한다.
④ 과태료 부과에 불복하는 당사자는 과태료 부과 통지를 받은 날부터 60일 이내에 해당 행정청에 서면으로 이의제기를 할 수 있고, 이의제기가 있는 경우에는 행정청의 과태료 부과처분은 그 효력을 상실한다.

2024년 군무원 9급

① (○)

「질서위반행위규제법」제7조【고의 또는 과실】고의 또는 과실이 없는 질서위반행위는 과태료를 부과하지 아니한다.

문제 DATA
출제가능 지수 ▶▶▷
난이도 지수 ★★☆

함께 정리하기

「질서위반행위규제법」

고의·과실 없는 질서위반행위
▷ 과태료 부과×

하나의 행위로 2 이상의 위반행위시
▷ 각 행위에 정한 과태료 중 가장 중한 것 부과

과태료 징수권의 소멸시효
▷ 부과처분 or 재판확정 후 5년경과로 소멸

과태료 부과에 불복
▷ 60일 이내에 서면으로 이의제기 可
▷ 이의제기 시 과태료 부과처분 효력 상실

② (×)

> 「질서위반행위규제법」제13조【수개의 질서위반행위의 처리】① 하나의 행위가 2 이상의 질서위반행위에 해당하는 경우에는 각 질서위반행위에 대하여 정한 과태료 중 가장 중한 과태료를 부과한다.
> ② 제1항의 경우를 제외하고 2 이상의 질서위반행위가 경합하는 경우에는 각 질서위반행위에 대하여 정한 과태료를 각각 부과한다. 다만, 다른 법령(지방자치단체의 조례를 포함한다. 이하 같다)에 특별한 규정이 있는 경우에는 그 법령으로 정하는 바에 따른다.

③ (○)

> 「질서위반행위규제법」제15조【과태료의 시효】① 과태료는 행정청의 과태료 부과처분이나 법원의 과태료 재판이 확정된 후 5년간 징수하지 아니하거나 집행하지 아니하면 시효로 인하여 소멸한다.

④ (○)

> 「질서위반행위규제법」제20조【이의제기】① 행정청의 과태료 부과에 불복하는 당사자는 제17조 제1항에 따른 과태료 부과 통지를 받은 날부터 60일 이내에 해당 행정청에 서면으로 이의제기를 할 수 있다.
> ② 제1항에 따른 이의제기가 있는 경우에는 행정청의 과태료 부과처분은 그 효력을 상실한다.

답 ②

003 □□□

행정벌에 관한 설명으로 옳지 않은 것은? (다툼이 있는 경우 판례에 의함)

① 행정질서벌은 형벌이 아니므로 형법총칙이 적용되지 않기 때문에, 「질서위반행위규제법」에서도 고의나 과실을 질서위반행위의 성립요건으로 하지 않고 있다.
② 행정청의 과태료 처분이나 법원의 과태료 재판이 확정된 후 법률이 변경되어 그 행위가 질서위반행위에 해당하지 아니하게 된 때에는 변경된 법률에 특별한 규정이 없는 한 과태료의 징수 또는 집행을 면제한다.
③ 통고처분은 행정청에 의해 부과되기는 하나 행정처분이 아니므로 그에 대한 불복절차는 행정쟁송으로 할 수 없다.
④ 당사자의 이의제기가 있으면 행정청의 과태료 부과처분은 그 효력을 상실한다.
⑤ 특별한 사정이 없는 이상 경찰서장은 범칙행위에 대한 형사소추를 위하여 이미 한 통고처분을 임의로 취소할 수 없다.

| 2024년 소방간부

① (×) 행정질서벌은 질서위반행위에 대하여 과태료를 부과하는 것이고, 형벌을 부과하는 것이 아니므로 형법총칙이 적용되지 않는다. 그런데 「질서위반행위규제법」은 형법총칙상 죄의 성립요건과 유사하게 고의나 과실을 질서위반행위의 성립요건으로 규정하고 있다.

> 「질서위반행위규제법」제7조【고의 또는 과실】고의 또는 과실이 없는 질서위반행위는 과태료를 부과하지 아니한다.

② (○)

> 「질서위반행위규제법」제3조【법 적용의 시간적 범위】① 질서위반행위의 성립과 과태료 처분은 행위 시의 법률에 따른다.
> ② 질서위반행위 후 법률이 변경되어 그 행위가 질서위반행위에 해당하지 아니하게 되거나 과태료가 변경되기 전의 법률보다 가볍게 된 때에는 법률에 특별한 규정이 없는 한 변경된 법률을 적용한다.
> ③ 행정청의 과태료 처분이나 법원의 과태료 재판이 확정된 후 법률이 변경되어 그 행위가 질서위반행위에 해당하지 아니하게 된 때에는 변경된 법률에 특별한 규정이 없는 한 과태료의 징수 또는 집행을 면제한다.

③ (○) 취소소송의 대상으로서의 "처분"이 되기 위하여는 무엇보다 공권력의 발동으로서의 행위로 국민에 대하여 권리설정 또는 의무의 부담을 명하며, 기타 법률상의 효과를 발생하게 하는 행위일 것을 요구하고 있다. 그런데 통고처분은 상대방의 임의의 승복을 발효요건으로 하기 때문에 통고처분 그 자체만으로는 통고이행을 강제하거나 상대방에게 아무런 권리의무를 형성하지 않는다. 피통고자가 통고이행을 하지 않는다고 하여 강제집행에 의하여 실현시킬 수 없다. 조문상은 관세범에게 "벌금에 상당하는 금액…을 납부할 것을 통고할 수 있다"라고 표현하고 있기 때문에 마치 의무를 부과하는 것처럼 볼 여지가 있으나 법구조의 전체의 취지는 어디까지나 본인의 임의이행에 맡겨져 있다고 보는 것이 일반적인 견해이다. 따라서 통고처분은 행정쟁송 대상으로서의 처분성이 없고 통고처분 그 자체가 위법·부당하여 이의가 있는 경우에 그 취소·변경을 구하는 행정쟁송을 제기할 수 없다고 할 것이다(헌재 1998.5. 28. 96헌바4).

④ (○)

> 「질서위반행위규제법」 제20조【이의제기】 ① 행정청의 과태료 부과에 불복하는 당사자는 제17조 제1항에 따른 과태료 부과 통지를 받은 날부터 60일 이내에 해당 행정청에 서면으로 이의제기를 할 수 있다.
> ② 제1항에 따른 이의제기가 있는 경우에는 행정청의 과태료 부과처분은 그 효력을 상실한다.

⑤ (○) 경찰서장이 범칙행위에 대하여 통고처분을 한 이상, 범칙자의 위와 같은 절차적 지위를 보장하기 위하여 통고처분에서 정한 범칙금 납부기간까지는 원칙적으로 경찰서장은 즉결심판을 청구할 수 없고, 검사도 동일한 범칙행위에 대하여 공소를 제기할 수 없다. 또한 범칙자가 범칙금 납부기간이 지나도록 범칙금을 납부하지 아니하였다면 경찰서장이 즉결심판을 청구하여야 하고, 검사는 동일한 범칙행위에 대하여 공소를 제기할 수 없다. 나아가 특별한 사정이 없는 이상 경찰서장은 범칙행위에 대한 형사소추를 위하여 이미 한 통고처분을 임의로 취소할 수 없다(대판 2021.4.1. 2020도15194).

답 ①

004

행정의 실효성 확보수단에 대한 설명으로 옳은 것은?

① 관계 법령에서 정하고 있는 절대적 금지나 허가를 유보한 상대적 금지를 위반한 경우, 행정청은 당연히 위법상태 제거 의무가 있으므로 위반 결과의 시정을 위한 대집행에 나설 수 있다.
② 국가에 토지를 매도한 자가 매매계약에 따라 지상건물을 철거할 의무가 있음에도 이를 이행하지 아니하는 경우에는 당연히 「행정대집행법」에 의한 대집행을 통해 그 의무의 이행을 확보할 수 있다.
③ 「농지법」에 근거한 이행강제금 부과처분은 금전급부의무를 부과하는 하명행위로서 처분에 해당하므로 이에 불복하는 경우에는 행정심판이나 행정소송을 통해서 다투어야 한다.
④ 「질서위반행위규제법」에 따르면, 행정청은 당사자가 「고용보험법」에 따른 실업급여수급자에 해당하여 과태료를 납부하기가 곤란하다고 인정되면 3년의 범위에서 대통령령으로 정하는 바에 따라 과태료의 분할납부나 납부기일의 연기를 결정할 수 있다.
⑤ 「질서위반행위규제법」에 따르면, 행정청은 질서위반행위가 발생하였다는 합리적 의심이 있어 그에 대한 조사가 필요하다고 인정할 때에는 그 소속 직원으로 하여금 당사자의 사무소 또는 영업소에 출입하여 장부·서류 또는 그 밖의 물건을 검사하게 할 수 있고, 해당 검사를 거부·방해 또는 기피한 자에게는 500만 원 이하의 과태료를 부과한다.

함께 정리하기

행정의 실효성 확보수단

금지규정 위반만으로 대집행×
▷ 부작위의무로부터 작위의무 당연 도출
×(전환규범 要)

매매계약에 따른 철거의무
▷ 사법상 의무, 대집행대상×

「농지법」상 이행강제금
▷ 행정쟁송×(비송재판○)

「고용보험법」에 따른 실업급여수급자
▷ 1년의 범위에서 과태료의 분할납부나 납부기일 연기 可

질서위반행위의 조사
▷ 사무소·영업소에 출입하여 장부·서류 또는 그 밖의 물건 검사 可

2024년 국회직 8급

① (×) 대집행계고처분을 하기 위하여는 법령에 의하여 직접 명령되거나 법령에 근거한 행정청의 명령에 의한 의무자의 대체적 작위의무 위반행위가 있어야 한다. 따라서 단순한 부작위의무의 위반, 즉 관계 법령에 정하고 있는 절대적 금지나 허가를 유보한 상대적 금지를 위반한 경우에는 당해 법령에서 그 위반자에 대하여 위반에 의하여 생긴 유형적 결과의 시정을 명하는 행정처분의 권한을 인정하는 규정(예 건축법 제69조, 도로법 제74조, 하천법 제67조, 도시공원법 제20조, 옥외광고물등관리법 제10조 등)을 두고 있지 아니한 이상, 법치주의의 원리에 비추어 볼 때 위와 같은 부작위의무로부터 그 의무를 위반함으로써 생긴 결과를 시정하기 위한 작위의무를 당연히 끌어낼 수는 없으며, 또 위 금지규정(특히 허가를 유보한 상대적 금지규정)으로부터 작위의무, 즉 위반결과의 시정을 명하는 권한이 당연히 추론(추론)되는 것도 아니다(대판 1996.6.28. 96누4374).

② (×) 협의취득시 건물소유자가 매매대상 건물에 대한 철거의무를 부담하겠다는 취지의 약정을 하였다고 하더라도 이러한 철거의무는 공법상의 의무가 될 수 없고, 이 경우에도 행정대집행법을 준용하여 대집행을 허용하는 별도의 규정이 없는 한 위와 같은 철거의무는 행정대집행법에 의한 대집행의 대상이 되지 않는다(대판 2006.10.13. 2006두7096).

③ (×) 농지법은 농지 처분명령에 대한 이행강제금 부과처분에 불복하는 자가 그 처분을 고지받은 날부터 30일 이내에 부과권자에게 이의를 제기할 수 있고, 이의를 받은 부과권자는 지체 없이 관할 법원에 그 사실을 통보하여야 하며, 그 통보를 받은 관할 법원은 비송사건절차법에 따른 과태료 재판에 준하여 재판을 하도록 정하고 있다(제62조 제1항, 제6항, 제7항). 따라서 농지법 제62조 제1항에 따른 이행강제금 부과처분에 불복하는 경우에는 비송사건절차법에 따른 재판절차가 적용되어야 하고, 행정소송법상 항고소송의 대상은 될 수 없다(대판 2019.4.11. 2018두42955).

④ (×)

> 「질서위반행위규제법」제24조의3 【과태료의 징수유예 등】 ① 행정청은 당사자가 다음 각 호의 어느 하나에 해당하여 과태료(체납된 과태료와 가산금, 중가산금 및 체납처분비를 포함한다. 이하 이 조에서 같다)를 납부하기가 곤란하다고 인정되면 1년의 범위에서 대통령령으로 정하는 바에 따라 과태료의 분할납부나 납부기일의 연기(이하 "징수유예등"이라 한다)를 결정할 수 있다.
> 1. 「국민기초생활 보장법」에 따른 수급권자
> 2. 「국민기초생활 보장법」에 따른 차상위계층 중 다음 각 목의 대상자
>   가. 「의료급여법」에 따른 수급권자
>   나. 「한부모가족지원법」에 따른 지원대상자
>   다. 자활사업 참여자
> 3. 「장애인복지법」 제2조 제2항에 따른 장애인
> 4. 본인 외에는 가족을 부양할 사람이 없는 사람
> 5. 불의의 재난으로 피해를 당한 사람
> 6. 납부의무자 또는 그 동거 가족이 질병이나 중상해로 1개월 이상의 장기 치료를 받아야 하는 경우
> 7. 「채무자 회생 및 파산에 관한 법률」에 따른 개인회생절차개시결정자
> 8. 「고용보험법」에 따른 실업급여수급자
> 9. 그 밖에 제1호부터 제8호까지에 준하는 것으로서 대통령령으로 정하는 부득이한 사유가 있는 경우

⑤ (○)

> 「질서위반행위규제법」 제22조 【질서위반행위의 조사】 ② 행정청은 질서위반행위가 발생하였다는 합리적 의심이 있어 그에 대한 조사가 필요하다고 인정할 때에는 그 소속 직원으로 하여금 당사자의 사무소 또는 영업소에 출입하여 장부·서류 또는 그 밖의 물건을 검사하게 할 수 있다.
> 제57조 【과태료】 ① 제22조 제2항에 따른 검사를 거부·방해 또는 기피한 자에게는 500만원 이하의 과태료를 부과한다.

답 ⑤

005

「질서위반행위규제법」에 대한 설명으로 옳지 않은 것은?

① 행정청의 과태료 처분이 확정된 후 법률이 변경되어 그 행위가 질서위반행위에 해당하지 아니하게 된 때에는 변경된 법률에 특별한 규정이 없는 한 과태료의 징수를 면제한다.
② 심신(心神)장애로 인하여 행위의 옳고 그름을 판단할 능력이 없거나 그 판단에 따른 행위를 할 능력이 없는 자의 질서위반행위는 과태료를 부과하지 아니한다.
③ 행정청은 질서위반행위가 종료된 날(다수인이 질서위반행위에 가담한 경우에는 최종행위가 종료된 날을 말함)부터 5년이 경과한 경우에는 해당 질서위반행위에 대하여 과태료를 부과할 수 없다.
④ 행정청의 과태료 부과에 불복하는 당사자는 과태료 부과 통지를 받은 날부터 90일 이내에 관할 법원에 취소소송을 제기할 수 있다.

문제 DATA
출제가능 지수 ▶▶▷
난이도 지수 ★★☆

| 2023년 지방직 7급

① (○)
> 「질서위반행위규제법」 제3조【법 적용의 시간적 범위】③ 행정청의 과태료 처분이나 법원의 과태료 재판이 확정된 후 법률이 변경되어 그 행위가 질서위반행위에 해당하지 아니하게 된 때에는 변경된 법률에 특별한 규정이 없는 한 과태료의 징수 또는 집행을 면제한다.

② (○)
> 「질서위반행위규제법」 제10조【심신장애】① 심신(心神)장애로 인하여 행위의 옳고 그름을 판단할 능력이 없거나 그 판단에 따른 행위를 할 능력이 없는 자의 질서위반행위는 과태료를 부과하지 아니한다.

③ (○)
> 「질서위반행위규제법」 제19조【과태료 부과의 제척기간】① 행정청은 질서위반행위가 종료된 날(다수인이 질서위반행위에 가담한 경우에는 최종행위가 종료된 날을 말한다)부터 5년이 경과한 경우에는 해당 질서위반행위에 대하여 과태료를 부과할 수 없다.

④ (✕) 과태료는 60일 이내에 이의제기하여 과태료(비송)재판을 받을 수 있어 취소소송의 대상이 아니다.
> 「질서위반행위규제법」 제20조【이의제기】① 행정청의 과태료 부과에 불복하는 당사자는 제17조 제1항에 따른 과태료 부과 통지를 받은 날부터 60일 이내에 해당 행정청에 서면으로 이의제기를 할 수 있다.
> 제21조【법원에의 통보】① 제20조 제1항에 따른 이의제기를 받은 행정청은 이의제기를 받은 날부터 14일 이내에 이에 대한 의견 및 증빙서류를 첨부하여 관할 법원에 통보하여야 한다. 다만, 다음 각 호의 어느 하나에 해당하는 경우에는 그러하지 아니하다.
> 제28조【준용규정】「비송사건절차법」 제2조부터 제4조까지, 제6조, 제7조, 제10조(인증과 감정을 제외한다) 및 제24조부터 제26조까지의 규정은 이 법에 따른 과태료 재판(이하 "과태료 재판"이라 한다)에 준용한다.

수도조례 및 하수도사용조례에 기한 과태료의 부과 여부 및 그 당부는 최종적으로 질서위반행위규제법에 의한 절차에 의하여 판단되어야 한다고 할 것이므로, 그 과태료 부과처분은 행정청을 피고로 하는 행정소송의 대상이 되는 행정처분이라고 볼 수 없다(대판 2012.10.11. 2011두19369).

답 ④

함께 정리하기
질서위반행위규제법

과태료 처분 확정 후
▷ 질서위반행위에 해당하지 않는 것으로 법률변경
▷ 과태료의 징수 면제

심신상실자의 질서위반행위
▷ 과태료 면제

과태료 부과의 제척기간
▷ 위반행위 종료된 날부터 5년

과태료 부과처분
▷ 행정처분✕
▷ 취소소송 대상✕

문제 DATA

출제가능 지수 ▶▶▷
난이도 지수 ★★☆

006 □□□

행정벌에 대한 설명으로 옳지 않은 것은? (다툼이 있는 경우 판례에 의함)

① 양벌규정에 의한 영업주의 처벌은 그 자신의 종업원에 대한 선임·감독상의 과실로 인하여 처벌되는 것이므로 종업원의 범죄성립이나 처벌이 영업주 처벌의 전제조건이 될 필요는 없다.

② 질서위반행위를 한 자가 자신의 책임 없는 사유로 위반행위에 이르렀다고 주장하는 경우 법원은 그 내용을 살펴 행위자에게 고의나 과실이 있는지를 따져보아야 한다.

③ 지방국세청장 또는 세무서장이 「조세범 처벌절차법」에 따라 통고처분을 거치지 아니하고 즉시 고발하였다면 이로써 조세범칙사건에 대한 조사 및 처분 절차는 종료되고 형사사건 절차로 이행되어 지방국세청장 또는 세무서장으로서는 동일한 조세범칙행위에 대하여 더 이상 통고처분을 할 권한이 없다.

④ 「질서위반행위규제법」상 과태료 사건은 다른 법령에 특별한 규정이 있는 경우를 제외하고는 행정청의 주소지의 지방법원 또는 그 지원의 관할로 한다.

2023년 국가직 7급

함께 정리하기

행정질서벌

영업주의 처벌
▷ 종업원처벌 전제 X

질서위반행위자의 책임 없음 주장
▷ 법원은 고의·과실 있는지 살펴야 함

통고처분 거치지 않고 고발
▷ 형사사건 절차로 이행, 더 이상 통고처분할 권한 無

과태료사건 관할
▷ 당사자 주소지의 지법·지원(원칙)

① (○) 양벌규정에 의해 영업주를 처벌함에 있어서 종업원의 범죄성립이나 처벌을 요하지는 않는다.

> 양벌규정에 의한 영업주의 처벌은 금지위반행위자인 종업원의 처벌에 종속하는 것이 아니라 독립하여 그 자신의 종업원에 대한 선임·감독상의 과실로 인하여 처벌되는 것이므로 종업원의 범죄성립이나 처벌이 영업주 처벌의 전제조건이 될 필요는 없다(대판 2006.2.24. 2005도7673).

② (○) 질서위반행위규제법은 과태료의 부과대상인 질서위반행위에 대하여도 책임주의 원칙을 채택하여 제7조에서 "고의 또는 과실이 없는 질서위반행위는 과태료를 부과하지 아니한다."고 규정하고 있으므로, 질서위반행위를 한 자가 자신의 책임 없는 사유로 위반행위에 이르렀다고 주장하는 경우 법원으로서는 그 내용을 살펴 행위자에게 고의나 과실이 있는지를 따져보아야 한다(대결 2011.7.14. 2011마364).

③ (○) 통고처분과 고발의 법적 성질 및 효과 등을 조세범칙사건의 처리 절차에 관한 조세범 처벌절차법 관련 규정들의 내용과 취지에 비추어 보면, 지방국세청장 또는 세무서장이 조세범 처벌절차법 제17조 제1항에 따라 통고처분을 거치지 아니하고 즉시 고발하였다면 이로써 조세범칙사건에 대한 조사 및 처분 절차는 종료되고 형사사건 절차로 이행되어 지방국세청장 또는 세무서장으로서는 동일한 조세범칙행위에 대하여 더 이상 통고처분을 할 권한이 없다. 따라서 지방국세청장 또는 세무서장이 조세범칙행위에 대하여 고발을 한 후에 동일한 조세범칙행위에 대하여 통고처분을 하였더라도, 이는 법적 권한 소멸 후에 이루어진 것으로서 특별한 사정이 없는 한 효력이 없고, 조세범칙행위자가 이러한 통고처분을 이행하였더라도 조세범 처벌절차법 제15조 제3항에서 정한 일사부재리의 원칙이 적용될 수 없다(대판 2016.9.28. 2014도10748).

④ (X)

> 「질서위반행위규제법」 제25조 【관할 법원】 과태료 사건은 다른 법령에 특별한 규정이 있는 경우를 제외하고는 당사자의 주소지의 지방법원 또는 그 지원의 관할로 한다.

답 ④

007

「질서위반행위규제법」에 대한 설명으로 옳지 않은 것은?

① 질서위반행위 후 법률이 변경되어 그 행위가 질서위반행위에 해당하지 아니하게 되거나 과태료가 변경되기 전의 법률보다 가볍게 된 때에는 법률에 특별한 규정이 없는 한 변경된 법률을 적용하여야 한다.
② 고의 또는 과실이 없는 질서위반행위라고 하더라도 과태료를 부과할 수 있다.
③ 행정청의 과태료 부과에 불복하는 당사자는 과태료 부과통지를 받은 날부터 60일 이내에 해당 행정청에 서면으로 이의제기를 할 수 있다.
④ 법원이 심문 없이 과태료재판을 하고자 하는 때에는 당사자와 검사는 특별한 사정이 없는 한 약식재판의 고지를 받은 날부터 7일 이내에 이의신청을 할 수 있다.

문제 DATA
출제가능 지수 ▶▶▷
난이도 지수 ★★☆

2023년 지방직 · 서울시 9급

① (○)
> 「질서위반행위규제법」제3조【법 적용의 시간적 범위】② 질서위반행위 후 법률이 변경되어 그 행위가 질서위반행위에 해당하지 아니하게 되거나 과태료가 변경되기 전의 법률보다 가볍게 된 때에는 법률에 특별한 규정이 없는 한 변경된 법률을 적용한다.

유제 16. 경행경채, 11. 국회직 8급 질서위반행위 후 법률이 변경되어 그 행위가 질서위반행위에 해당하지 아니하게 되거나 과태료가 변경되기 전의 법률보다 가볍게 된 때에는 법률에 특별한 규정이 없는 한 변경된 법률을 적용한다. (○)
21. 경행경채 행정청의 과태료 처분이나 법원의 과태료 재판이 확정된 후 법률이 변경되어 그 행위가 질서위반행위에 해당하지 아니하게 되거나 과태료가 변경되기 전의 법률보다 가볍게 된 때에는 변경된 법률에 특별한 규정이 없는 한 과태료의 징수 또는 집행을 면제한다. (×)

② (×)
> 「질서위반행위규제법」제7조【고의 또는 과실】고의 또는 과실이 없는 질서위반행위는 과태료를 부과하지 아니한다.

유제 20. 국회직 8급, 19. 서울시(하) 7급, 18 소방직 (「질서위반행위규제법」상) 고의 또는 과실이 없는 질서위반행위는 과태료를 부과하지 아니한다. (○)
17. 서울시 9급 과태료는 행정질서유지를 위한 의무위반이라는 객관적 사실에 대하여 과하는 제재이므로 과태료 부과에는 고의·과실을 요하지 않는다. (×)
16. 지방직 7급 (「질서위반행위규제법」상 과태료는) 행정형벌이 아니므로 고의 또는 과실과 무관하게 부과할 수 있다. (×)

③ (○)
> 「질서위반행위규제법」제20조【이의제기】① 행정청의 과태료 부과에 불복하는 당사자는 제17조 제1항에 따른 과태료 부과 통지를 받은 날부터 60일 이내에 해당 행정청에 서면으로 이의제기를 할 수 있다.

④ (○)
> 「질서위반행위규제법」제44조【약식재판】법원은 상당하다고 인정하는 때에는 제31조 제1항에 따른 심문 없이 과태료 재판을 할 수 있다.
> 제45조【이의신청】① 당사자와 검사는 제44조에 따른 약식재판의 고지를 받은 날부터 7일 이내에 이의신청을 할 수 있다.

답 ②

함께 정리하기
행정질서벌

법률변경으로 질서위반행위 해당하지 않거나 과태료가 가볍게 된 때
▷ 변경된 법률 적용

고의·과실 없는 질서위반행위
▷ 과태료 부과 ×

과태료 부과에 불복
▷ 60일 이내에 서면으로 이의제기 可

과태료 약식재판
▷ 당사자·검사는 고지받은 날부터 7일 내 이의신청 可

문제 DATA

출제가능 지수 ▶▶▷
난이도 지수 ★★☆

함께 정리하기

「질서위반행위규제법」

14세 미만 자의 질서위반행위
▷ 과태료 부과✕

고의·과실없는 질서위반행위
▷ 과태료 부과✕

질서위반행위에 대한 과태료 부과
▷ 법정주의

적용범위
▷ 대한민국의 선박 또는 항공기 안 외국인
▷ 대한민국 밖 국민

008 ☐☐☐

「질서위반행위규제법」의 내용에 대한 설명으로 옳지 않은 것은?

① 다른 법률에 특별한 규정이 없는 한 14세가 되지 아니한 자의 질서위반행위에 대해서도 과태료를 부과한다.
② 고의 또는 과실이 없는 질서위반행위는 과태료를 부과하지 아니한다.
③ 법률에 따르지 아니하고는 어떤 행위도 질서위반행위로 과태료를 부과하지 아니한다.
④ 대한민국 영역 밖에 있는 대한민국의 선박 또는 항공기 안에서 질서위반행위를 한 외국인에게도 적용한다.
⑤ 대한민국 영역 밖에서 질서위반행위를 한 대한민국의 국민에게도 적용한다.

| 2023년 행정사

① (✕)

> 「질서위반행위규제법」 제9조【책임연령】 14세가 되지 아니한 자의 질서위반행위는 과태료를 부과하지 아니한다. 다만, 다른 법률에 특별한 규정이 있는 경우에는 그러하지 아니하다.

유제 20. 국가직 9급, 14. 경행특채 2차 다른 법률에 특별한 규정이 없는 경우, 14세가 되지 아니한 자의 질서위반행위는 과태료를 부과하지 아니한다. (○)

② (○)

> 「질서위반행위규제법」 제7조【고의 또는 과실】 고의 또는 과실이 없는 질서위반행위는 과태료를 부과하지 아니한다.

③ (○)

> 「질서위반행위규제법」 제6조【질서위반행위 법정주의】 법률에 따르지 아니하고는 어떤 행위도 질서위반행위로 과태료를 부과하지 아니한다.

유제 22. 군무원 7급, 17. 교행 (「질서위반행위규제법」상) 법률에 따르지 아니하고는 어떤 행위도 질서위반행위로 과태료를 부과하지 아니한다. (○)

④, ⑤ (○)

> 「질서위반행위규제법」 제4조【법 적용의 장소적 범위】 ① 이 법은 대한민국 영역 안에서 질서위반행위를 한 자에게 적용한다.
> ② 이 법은 대한민국 영역 밖에서 질서위반행위를 한 대한민국의 국민에게 적용한다(⑤).
> ③ 이 법은 대한민국 영역 밖에 있는 대한민국의 선박 또는 항공기 안에서 질서위반행위를 한 외국인에게 적용한다(④).

유제 15. 경행특채 1차 「질서위반행위규제법」은 대한민국 영역 밖에서 질서위반행위를 한 대한민국의 국민에게 적용한다. (○)
10. 지방직 9급 질서위반행위는 행정질서벌이므로 대한민국 영역 밖에서 질서위반행위를 한 대한민국의 국민에게는 적용되지 않는다. (✕)

답 ①

009

「질서위반행위규제법」상 과태료에 대한 설명으로 옳지 않은 것은?

① 신분에 의하여 성립하는 질서위반행위에 신분이 없는 자가 가담한 때에는 신분이 없는 자에 대하여도 질서위반행위가 성립한다.
② 하나의 행위가 2 이상의 질서위반행위에 해당하는 경우에는 각 질서위반행위에 대하여 정한 과태료 중 가장 중한 과태료를 부과한다.
③ 자신의 행위가 위법하지 아니한 것으로 오인하고 행한 질서위반행위는 그 오인에 정당한 이유가 있는 때에 한하여 과태료를 부과하지 아니한다.
④ 행정청이 위반사실을 적발하면 과태료를 부과받을 자의 주소지를 관할하는 지방법원에 통보하여야 하고, 당해 법원은「비송사건절차법」에 따라 결정으로써 과태료를 부과한다.

문제 DATA
출제가능 지수 ▶▶Σ
난이도 지수 ★★☆

2023년 국가직 9급

① (○)

> 「질서위반행위규제법」제12조【다수인의 질서위반행위 가담】② 신분에 의하여 성립하는 질서위반행위에 신분이 없는 자가 가담한 때에는 신분이 없는 자에 대하여도 질서위반행위가 성립한다.

유제 18. 지방직 7급, 12. 국가직 7급 신분에 의하여 성립하는 질서위반행위에 신분이 없는 자가 가담한 때에는 신분이 없는 자에 대하여도 질서위반행위가 성립한다. (○)
22. 군무원 7급, 18. 소방직 신분에·의하여 성립하는 질서위반행위에 신분이 없는 자가 가담한 때에 신분이 없는 자에 대하여는 질서위반행위가 성립하지 아니한다. (×)

② (○)

> 「질서위반행위규제법」제13조【수개의 질서위반행위의 처리】① 하나의 행위가 2 이상의 질서위반행위에 해당하는 경우에는 각 질서위반행위에 대하여 정한 과태료 중 가장 중한 과태료를 부과한다.

유제 22. 소방직, 19. 서울시 9급 하나의 행위가 둘 이상의 질서위반행위에 해당하는 경우에는 각 질서위반행위에 대하여 정한 과태료 중 가장 중한 과태료를 부과한다. (○)
17. 경행경채 (「질서위반행위규제법」상) 하나의 행위가 2 이상의 질서위반행위에 해당하는 경우에는 각 질서위반행위에 대하여 정한 과태료를 합산하여 과태료를 부과한다. (×)

③ (○)

> 「질서위반행위규제법」제8조【위법성의 착오】자신의 행위가 위법하지 아니한 것으로 오인하고 행한 질서위반행위는 그 오인에 정당한 이유가 있는 때에 한하여 과태료를 부과하지 아니한다.

유제 20. 군무원 7급, 17. 국회직 8급 (「질서위반행위규제법」상) 자신의 행위가 위법하지 아니한 것으로 오인하고 행한 질서위반행위는 그 오인에 정당한 이유가 있는 때에 한하여 과태료를 부과하지 아니한다. (○)
11. 지방직(하) 7급 자신의 행위가 위법하지 아니한 것으로 오인하고 행한 질서위반행위에 대해서는 과태료를 부과하지 아니한다. (×)
16. 지방직 7급 위법성의 착오는 과태료 부과에 영향을 미치지 않는다. (×)

④ (×) 위반사실을 적발하면 행정청이 과태료를 부과한다. 당사자가 이의제기를 한 경우에 행정청은 과태료를 부과받을 자의 주소지를 관할하는 지방법원에 통보하여야 하고, 당해 법원은「비송사건절차법」에 따라 결정으로써 과태료를 부과한다.

> 「질서위반행위규제법」제17조【과태료의 부과】① 행정청은 제16조의 의견제출절차를 마친 후에 서면 (당사자가 동의하는 경우에는 전자문서를 포함한다. 이하 이 조에서 같다)으로 과태료를 부과하여야 한다.
> 제20조【이의제기】① 행정청의 과태료 부과에 불복하는 당사자는 제17조 제1항에 따른 과태료 부과 통지를 받은 날부터 60일 이내에 해당 행정청에 서면으로 이의제기를 할 수 있다.
> 제21조【법원에의 통보】① 제20조 제1항에 따른 이의제기를 받은 행정청은 이의제기를 받은 날부터 14일 이내에 이에 대한 의견 및 증빙서류를 첨부하여 관할법원에 통보하여야 한다. 다만, 다음 각 호의 어느 하나에 해당하는 경우에는 그러하지 아니하다.

함께 정리하기

행정질서벌

신분에 의해 성립하는 질서위반행위에 신분없는 자 가담 시
▷ 신분없는 자도 위반행위 성립○

하나의 행위로 2 이상의 위반행위시
▷ 각 행위에 정한 과태료 중 가장 중한 것 부과

위법하지 않다고 오인한 질서위반행위
▷ 정당한 이유 있어야 과태료 부과×

이의제기 받은 행정청
▷ 14일 내에 관할 법원에 통보, 법원은「비송사건절차법」에 따라 결정으로써 과태료 부과

제25조【관할법원】 과태료 사건은 다른 법령에 특별한 규정이 있는 경우를 제외하고는 당사자의 주소지의 지방법원 또는 그 지원의 관할로 한다.
제36조【재판】 ① 과태료 재판은 이유를 붙인 결정으로써 한다.

답 ④

010

행정질서벌에 대한 설명으로 옳은 것은? (다툼이 있는 경우 판례에 의함)

① 과태료 부과와 형사처벌은 그 성질이나 목적이 다를 바가 없으므로 과태료 부과 후에 형사처벌을 할 경우 이중처벌금지원칙에 반한다.
② 과태료와 같은 행정질서벌은 행정질서유지를 위한 의무의 위반이라는 객관적 사실에 대하여 과하는 제재이므로 현실적인 행위자가 아니더라도 법령상 책임자로 규정된 자에게 부과된다.
③ 자신의 행위가 위법하지 아니한 것으로 오인하고 행한 질서위반행위에 대하여는 그 오인에 정당한 이유가 있는 때에도 과태료를 부과한다.
④ 질서위반행위 후 법률이 변경되어 그 행위가 질서위반행위에 해당하지 아니하게 되면 법률에 특별한 규정이 없는 한 변경되기 전의 법률을 적용한다.

| 2023년 소방직

① (×) (10일간 임시운행허가를 받은 자가 그 기간이 경과한 다음에도 자동차등록원부에 등록하지 아니한 채 무등록차량을 운행하여 과태료의 제재 후 형사처벌을 하는 것이 일사부재리의 원칙에 위반하는 것이 아니라고 판시하면서) 과태료와 형사처벌은 성질이나 목적을 달리하는 별개의 것이므로 행정법상의 질서벌인 과태료를 납부한 후 형사처벌을 한다고 하여 일사부재리의 원칙에 위반되는 것이라고 할 수 없다(대판 1996.4.12. 96도158).

유제 23. 국가직 9급 행정법상의 질서벌인 과태료의 부과처분과 형사처벌은 그 성질이나 목적을 달리하는 별개의 것이므로 행정법상의 질서벌인 과태료를 납부한 후에 형사처벌을 한다고 하여 이를 일사부재리의 원칙에 반하는 것이라고 할 수는 없다. (○)
15. 사복직 과태료처분을 받고 이를 납부한 후에 형사처벌을 한다고 하여 일사부재리원칙에 반하지 않는다는 것이 대법원의 입장이다. (○)

② (○) 과태료와 같은 행정질서벌은 행정질서유지를 위하여 행정법규위반이라는 객관적 사실에 대하여 과하는 제재이므로 반드시 현실적인 행위자가 아니라도 법령상 책임자로 규정된 자에게 부과되고 또한 특별한 규정이 없는 한 원칙적으로 위반자의 고의·과실을 요하지 아니한다(대판 1994.8.26. 94누6949).
※ 「질서위반행위규제법」이 제정되기 전 판례이다. 현행법상 행정질서벌인 과태료를 부과하기 위해서는 고의 또는 과실이 있어야 한다.

③ (×)

「질서위반행위규제법」제8조【위법성의 착오】 자신의 행위가 위법하지 아니한 것으로 오인하고 행한 질서위반행위는 그 오인에 정당한 이유가 있는 때에 한하여 과태료를 부과하지 아니한다.

④ (×)

「질서위반행위규제법」제3조【법 적용의 시간적 범위】② 질서위반행위 후 법률이 변경되어 그 행위가 질서위반행위에 해당하지 아니하게 되거나 과태료가 변경되기 전의 법률보다 가볍게 된 때에는 법률에 특별한 규정이 없는 한 변경된 법률을 적용한다.

답 ②

문제 DATA
출제가능 지수 ▶▶▷
난이도 지수 ★★☆

함께 정리하기
행정질서벌
과태료 부과 후 형사처벌
▷ 이중처벌금지원칙 위반×
행정질서벌
▷ 법령상 책임자로 규정된 자에게 부과
위법하지 않다고 오인한 질서위반행위
▷ 정당한 이유 있어야 과태료 부과×
질서위반행위 후 법률변경으로 질서위반행위×
▷ 변경된 법률 적용

011

행정벌에 대한 설명으로 옳은 것은? (다툼이 있는 경우 판례에 의함)

① 양벌규정에 의한 영업주의 처벌은 금지위반행위자인 종업원의 처벌에 종속되는 것이므로 영업주만 따로 처벌할 수는 없다.
② 통고처분은 법정기간 내에 납부하지 않는 것을 해제조건으로 하는 행정처분이므로 행정소송의 대상이 된다.
③ 행정청의 과태료 부과에 대해 서면으로 이의가 제기된 경우 과태료 부과처분은 그 효력을 상실한다.
④ 법원이 하는 과태료재판에는 원칙적으로 행정소송에서와 같은 신뢰보호의 원칙이 적용된다.

문제 DATA
출제가능 지수 ▶▶▷
난이도 지수 ★★☆

2022년 서울시·지방직·교육행정직 9급

① (×) 양벌규정에 의한 영업주의 처벌은 금지위반행위자인 종업원의 처벌에 종속하는 것이 아니라 독립하여 그 자신의 종업원에 대한 선임감독상의 과실로 인하여 처벌되는 것이므로 종업원의 범죄성립이나 처벌이 영업주 처벌의 전제조건이 될 필요는 없다(대판 2006.2.24. 2005도7673).
② (×) 도로교통법 제118조에서 규정하는 경찰서장의 통고처분은 행정소송의 대상이되는 행정처분이 아니므로 그 처분의 취소를 구하는 소송은 부적법하다(대판 1995.6.29. 95누4674).
③ (○)

> 「질서위반행위규제법」제20조【이의제기】① 행정청의 과태료 부과에 불복하는 당사자는 제17조 제1항에 따른 과태료 부과 통지를 받은 날부터 60일 이내에 해당 행정청에 서면으로 이의제기를 할 수 있다.
> ② 제1항에 따른 이의제기가 있는 경우에는 행정청의 과태료 부과처분은 그 효력을 상실한다.

④ (×) 법원의 과태료 재판은 법원이 과태료에 처하여야 할 사실이 있다고 판단되면 비송사건절차법에 의해 직권으로 개시하는 절차이고, 관할 관청의 통지는 법원의 직권발동을 촉구하는 데에 지나지 않는다. 따라서 과태료 재판절차는 행정청의 견해표명을 전제로 한 과태료부과의 위법성을 다투는 절차가 아니므로 신뢰보호원칙이 적용되지 않는다.

> 법원이 비송사건절차법에 따라서 하는 과태료 재판은 관할 관청이 부과한 과태료처분에 대한 당부를 심판하는 행정소송절차가 아니라 법원이 직권으로 개시·결정하는 것이므로, 원칙적으로 과태료 재판에서는 행정소송에서와 같은 신뢰보호의 원칙 위반 여부가 문제로 되지 아니하고, 다만 위반자가 그 의무를 알지 못하는 것이 무리가 아니었다고 할 수 있어 그것을 정당시할 수 있는 사정이 있을 때 또는 그 의무의 이행을 그 당사자에게 기대하는 것이 무리라고 하는 사정이 있을 때 등 그 의무 해태를 탓할 수 없는 정당한 사유가 있는 때에는 이를 부과할 수 없다(대결 2006.4.28. 2003마715).

답 ③

함께 정리하기

행정벌

영업주의 처벌
▷ 종업원처벌에 종속×(∵영업주만 따로 처벌 可)

통고처분
▷ 행정소송 대상×(∵처분성 無)

과태료 부과에 대한 이의제기
▷ 과태료 부과처분 효력상실

법원의 과태료재판
▷ 신뢰보호원칙 적용×

문제 DATA

출제가능 지수 ▶▶▷
난이도 지수 ★★☆

012 □□□

행정벌에 대한 설명으로 옳은 것은? (다툼이 있는 경우 판례에 의함)

① 지방자치단체가 국가의 기관위임사무를 처리하는 경우에도 별도의 독립한 공법인으로서「자동차관리법」제83조의 양벌규정에 의한 처벌대상이 된다.

② 경찰서장이 범칙행위에 대하여「경범죄처벌법」상 통고처분을 하였다면, 통고처분에서 정한 범칙금 납부기간까지는 원칙적으로 경찰서장은 즉결심판을 청구할 수 없지만 검사는 동일한 범칙행위에 대하여 공소를 제기할 수 있다.

③「도로교통법」상 경찰서장의 통고처분은 행정청에 의한 행정처분에 해당하여 그 처분에 대하여 이의가 있는 경우 처분의 취소를 구하는 행정소송을 제기하거나 그 범칙금의 납부를 이행하지 아니함으로써 경찰서장의 즉결심판청구에 의하여 법원의 심판을 받을 수 있다.

④「질서위반행위규제법」에 따르면 행정청의 과태료 부과처분에 대하여 당사자가 이의제기를 통해 불복할 수 있고, 이의제기가 있게 되면 행정청의 과태료 부과처분은 그 효력을 상실한다.

⑤「서울특별시 수도조례」및「서울특별시 하수도 사용조례」에 근거한 과태료 부과처분은 행정소송의 대상이 되는 행정처분이라고 볼 수 있다.

2022년 소방간부

① (×)

[1] 국가가 본래 그의 사무의 일부를 지방자치단체의 장에게 위임하여 처리하게 하는 기관위임사무의 경우 지방자치단체는 국가기관의 일부로 볼 수 있고, 지방자치단체가 그 고유의 자치사무를 처리하는 경우 지방자치단체는 국가기관의 일부가 아니라 국가기관과는 별도의 독립한 공법인으로서 양벌규정에 의한 처벌대상이 되는 법인에 해당한다.

[2] 지방자치단체 소속 공무원이 지정항만순찰 등의 업무를 위해 관할관청의 승인 없이 개조한 승합차를 운행함으로써 구 자동차관리법을 위반한 사안에서, 지방자치법, 구 항만법, 구 항만법 시행령 등에 비추어 위 항만순찰 등의 업무가 지방자치단체의 장이 국가로부터 위임받은 기관위임사무에 해당하여, 해당 지방자치단체가 구 자동차관리법 제83조의 양벌규정에 따른 처벌대상이 될 수 없다(대판 2009.6.11. 2008도6530).

② (×) 경찰서장이 범칙행위에 대하여 통고처분을 한 이상, 범칙자의 위와 같은 절차적 지위를 보장하기 위하여 통고처분에서 정한 범칙금 납부기간까지는 원칙적으로 경찰서장은 즉결심판을 청구할 수 없고, 검사도 동일한 범칙행위에 대하여 공소를 제기할 수 없다(대판 2021.4.1. 2020도15194).

③ (×) 도로교통법 제118조에서 규정하는 경찰서장의 통고처분은 행정소송의 대상이 되는 행정처분이 아니므로 그 처분의 취소를 구하는 소송은 부적법하고, 도로교통법상의 통고처분을 받은 자가 그 처분에 대하여 이의가 있는 경우에는 통고처분에 따른 범칙금의 납부를 이행하지 아니함으로써 경찰서장의 즉결심판청구에 의하여 법원의 심판을 받을 수 있게 될 뿐이다(대판 1995.6.29. 95누4674).

④ (○)

>「질서위반행위규제법」제20조【이의제기】① 행정청의 과태료 부과에 불복하는 당사자는 제17조 제1항에 따른 과태료 부과 통지를 받은 날부터 60일 이내에 해당 행정청에 서면으로 이의제기를 할 수 있다.
> ② 제1항에 따른 이의제기가 있는 경우에는 행정청의 과태료 부과처분은 그 효력을 상실한다.

⑤ (×) 수도조례 및 하수도사용조례에 기한 과태료의 부과 여부 및 그 당부는 최종적으로 질서위반행위규제법에 의한 절차에 의하여 판단되어야 한다고 할 것이므로, 그 과태료 부과처분은 행정청을 피고로 하는 행정소송의 대상이 되는 행정처분이라고 볼 수 없다(대판 2012.10.11. 2011두19369).

답 ④

함께 정리하기

행정벌

기관위임사무처리 지방자치단체
▷ 양벌규정의 법인×

경찰서장이 통고처분
▷ 범칙금 납부기간까지 즉결심판청구, 공소제기 불가

경찰서장의 통고처분에 대한 이의
▷ 즉결심판청구에 의해 법원심판(행정소송 대상×)

과태료 부과처분
▷ 행정처분×(행정소송 대상×)

013

「질서위반행위규제법」상 과태료에 대한 설명으로 옳은 것은?

① 행정청은 당사자가 납부기한까지 과태료를 납부하지 아니한 때에는 납부기한을 경과한 날부터 체납된 과태료에 대하여 100분의 5에 상당하는 가산금을 징수한다.
② 질서위반행위가 종료된 날부터 3년이 경과한 경우에는 해당 질서위반행위에 대하여 과태료를 부과할 수 없다.
③ 신분에 의하여 과태료를 감경 또는 가중하거나 과태료를 부과하지 아니하는 때에는 그 신분의 효과는 신분이 없는 자에게는 미치지 아니한다.
④ 고의 또는 과실이 없는 질서위반행위는 그에 대한 정당한 이유가 있는 때에 한하여 과태료를 부과하지 아니한다.
⑤ 법인의 대표자, 법인 또는 개인의 대리인·사용인 및 그 밖의 종업원이 업무에 관하여 법인 또는 그 개인에게 부과된 법률상의 의무를 위반한 때에 법인 또는 그 개인에게 과태료를 부과하는 것은 위법하다.

2022년 국회직 8급

① (×)

> 「질서위반행위규제법」제24조【가산금 징수 및 체납처분 등】① 행정청은 당사자가 납부기한까지 과태료를 납부하지 아니한 때에는 납부기한을 경과한 날부터 체납된 과태료에 대하여 100분의 3에 상당하는 가산금을 징수한다.

② (×)

> 「질서위반행위규제법」제19조【과태료 부과의 제척기간】① 행정청은 질서위반행위가 종료된 날(다수인이 질서위반행위에 가담한 경우에는 최종행위가 종료된 날을 말한다)부터 5년이 경과한 경우에는 해당 질서위반행위에 대하여 과태료를 부과할 수 없다

③ (○)

> 「질서위반행위규제법」제12조【다수인의 질서위반행위 가담】③ 신분에 의하여 과태료를 감경 또는 가중하거나 과태료를 부과하지 아니하는 때에는 그 신분의 효과는 신분이 없는 자에게는 미치지 아니한다.

④ (×)

> 「질서위반행위규제법」제7조【고의 또는 과실】고의 또는 과실이 없는 질서위반행위는 과태료를 부과하지 아니한다.

⑤ (×)

> 「질서위반행위규제법」제11조【법인의 처리 등】① 법인의 대표자, 법인 또는 개인의 대리인·사용인 및 그 밖의 종업원이 업무에 관하여 법인 또는 그 개인에게 부과된 법률상의 의무를 위반한 때에는 법인 또는 그 개인에게 과태료를 부과한다.

답 ③

함께 정리하기

「질서위반행위규제법」상 과태료

가산금
▷ 납부기한 경과한 날부터 체납된 과태료의 3/100 징수

과태료 부과 제척기간
▷ 질서위반행위 종료된 날부터 5년

신분에 의해 가중감경 면제
▷ 신분효과는 일신전속

고의·과실없는 질서위반행위
▷ 과태료 부과×

대리인·사용인·종업원이 법인·개인에게 부과된 법률상 의무위반
▷ 법인·개인에게 과태료 부과

014

행정질서벌과 「질서위반행위규제법」에 대한 설명으로 옳은 것은? (다툼이 있는 경우 판례에 의함)

① 신분에 의하여 과태료를 감경 또는 가중하거나 과태료를 부과하지 아니하는 때에는 그 신분의 효과는 신분이 없는 자에게는 미치지 않는다.
② 「질서위반행위규제법」 원칙상 고의 또는 과실이 없는 질서위반행위에 대해서도 과태료를 부과할 수 있다.
③ 행정청의 과태료 부과에 불복하는 이의제기가 있더라도 과태료 부과처분은 그 효력을 상실하지 않는다.
④ 행정질서벌인 과태료는 죄형법정주의의 규율 대상이다.

> 2021년 국가직 7급

① (○)

> 「질서위반행위규제법」 제12조 【다수인의 질서위반행위 가담】 ③ 신분에 의하여 과태료를 감경 또는 가중하거나 과태료를 부과하지 아니하는 때에는 그 신분의 효과는 신분이 없는 자에게는 미치지 아니한다.

② (×)

> 「질서위반행위규제법」 제7조 【고의 또는 과실】 고의 또는 과실이 없는 질서위반행위는 과태료를 부과하지 아니한다.

③ (×)

> 「질서위반행위규제법」 제20조 【이의제기】 ① 행정청의 과태료 부과에 불복하는 당사자는 제17조 제1항에 따른 과태료 부과 통지를 받은 날부터 60일 이내에 해당 행정청에 서면으로 이의제기를 할 수 있다.
> ② 제1항에 따른 이의제기가 있는 경우에는 행정청의 과태료 부과처분은 그 효력을 상실한다.

④ (×) 죄형법정주의는 무엇이 범죄이며 그에 대한 형벌이 어떠한 것인가는 국민의 대표로 구성된 입법부가 제정한 법률로써 정하여야 한다는 원칙인데, 부동산등기특별조치법 제11조 제1항 본문 중 제2조 제1항에 관한 부분이 정하고 있는 과태료는 행정상의 질서유지를 위한 행정질서벌에 해당할 뿐 형벌이라고 할 수 없어 죄형법정주의의 규율대상에 해당하지 아니한다(헌재 1998.5.28. 96헌바83).

답 ①

015

행정벌에 대한 설명으로 옳지 않은 것은? (다툼이 있는 경우 판례에 의함)

① 법률에 따르지 아니하고는 어떤 행위도 질서위반행위로 과태료를 부과하지 아니한다.
② 경찰서장이 범칙행위에 대하여 통고처분을 한 이상, 통고처분에서 정한 범칙금 납부 기간까지는 원칙적으로 경찰서장은 즉결심판을 청구할 수 없고, 검사도 동일한 범칙행위에 대하여 공소를 제기할 수 없다.
③ 행정청의 과태료 부과에 대해 이의가 제기된 경우에는 행정청의 과태료 부과처분은 그 효력을 상실한다.
④ 신분에 의하여 성립하는 질서위반행위에 신분이 없는 자가 가담한 경우 신분이 없는 자에 대하여는 질서위반행위가 성립하지 않는다.

2021년 지방직 9급

① (○)

> 「질서위반행위규제법」 제6조【질서위반행위 법정주의】법률에 따르지 아니하고는 어떤 행위도 질서위반행위로 과태료를 부과하지 아니한다.

② (○) 경찰서장이 범칙행위에 대하여 통고처분을 한 이상, 범칙자의 위와 같은 절차적 지위를 보장하기 위하여 통고처분에서 정한 범칙금 납부기간까지는 원칙적으로 경찰서장은 즉결심판을 청구할 수 없고, 검사도 동일한 범칙행위에 대하여 공소를 제기할 수 없다고 보아야 한다(대판 2020.4.29. 2017도13409).

③ (○)

> 「질서위반행위규제법」 제20조【이의제기】 ① 행정청의 과태료 부과에 불복하는 당사자는 제17조 제1항에 따른 과태료 부과 통지를 받은 날부터 60일 이내에 해당 행정청에 서면으로 이의제기를 할 수 있다.
> ② 제1항에 따른 이의제기가 있는 경우에는 행정청의 과태료 부과처분은 그 효력을 상실한다.

④ (×)

> 「질서위반행위규제법」 제12조【다수인의 질서위반행위 가담】② 신분에 의하여 성립하는 질서위반행위에 신분이 없는 자가 가담한 때에는 신분이 없는 자에 대하여도 질서위반행위가 성립한다.

답 ④

함께 정리하기
행정벌

질서위반행위에 대한 과태료 부과
▷ 법정주의

경찰서장이 통고처분
▷ 범칙금 납부기간까지 즉결심판청구, 공소제기 불가

과태료 부과에 대해 이의제기
▷ 과태료 부과처분 효력상실

신분에 의해 성립하는 질서위반행위에 신분없는 자 가담시
▷ 신분없는 자도 위반행위 성립○

---

016 □□□

행정벌에 대한 설명으로 옳지 않은 것은? (다툼이 있는 경우 판례에 의함)

① 과태료는 행정상의 질서유지를 위한 행정질서벌에 해당할 뿐 형벌이라 할 수 없어 죄형법정주의의 규율 대상에 해당하지 않는다.

② 행정형벌은 행정법상 의무위반에 대한 제재로 과하는 처벌로 법인이 법인으로서 행정법상 의무자인 경우 그 의무위반에 대하여 형벌의 성질이 허용하는 한도 내에서 그 법인을 처벌하는 것은 당연하며, 행정범에 관한 한 법인의 범죄능력을 인정함이 일반적이나, 지방자치단체와 같은 공법인의 경우는 범죄능력 및 형벌 능력 모두 부정된다.

③ 과태료 재판은 이유를 붙인 결정으로써 하며, 결정은 당사자와 검사에게 고지함으로써 효력이 발생하고, 당사자와 검사는 과태료 재판에 대하여 즉시항고할 수 있으며 이 경우 항고는 집행정지의 효력이 있다.

④ 행정청이 질서위반행위에 대하여 과태료를 부과하고자 하는 때에는 미리 당사자에게 과태료 부과의 원인이 되는 사실, 과태료 금액 및 적용법령 등을 통지하고 10일 이상의 기간을 정하여 의견을 제출할 기회를 주어야 한다.

문제 DATA
출제가능 지수 ▶▶▷
난이도 지수 ★★☆

2021년 소방직

① (○) 죄형법정주의는 무엇이 범죄이며 그에 대한 형벌이 어떠한 것인가는 국민의 대표로 구성된 입법부가 제정한 법률로써 정하여야 한다는 원칙인데, 부동산등기특별조치법 제11조 제1항 본문 중 제2조 제1항에 관한 부분이 정하고 있는 과태료는 행정상의 질서유지를 위한 행정질서벌에 해당할 뿐 형벌이라고 할 수 없어 죄형법정주의의 규율대상에 해당하지 아니한다(헌재 1998.5.28. 96헌바83).

② (×) 판례에 따르면 지방자치단체도 일정한 경우에는 양벌규정이 적용되는 법인에 해당한다. 따라서 지방자치단체도 형벌능력은 인정된다.

함께 정리하기
행정벌

과태료는 행정질서벌
▷ 죄형법정주의 규율대상×

지방자치단체
▷ 양벌규정이 적용되는 경우 형벌능력 인정

과태료결정
▷ 고지로 효력발생

과태료 재판에 대한 당사자 또는 검사의 즉시항고
▷ 집행정지의 효력○

과태료 부과절차
▷ 사전통지 + 10일 이상 의견제출 기회

지방자치단체가 그 고유의 자치사무를 처리하는 경우에는 지방자치단체는 국가기관의 일부가 아니라 국가기관과는 별도의 독립한 공법인이므로, 지방자치단체 소속 공무원이 지방자치단체 고유의 자치사무를 수행하던 중 도로법 제81조 내지 제85조의 규정에 의한 위반행위를 한 경우에는 지방자치단체는 도로법 제86조의 양벌규정에 따라 처벌대상이 되는 법인에 해당한다(대판 2005.11.10. 2004도2657).

③ (○)

「질서위반행위규제법」 제36조【재판】① 과태료 재판은 이유를 붙인 결정으로써 한다.
제37조【결정의 고지】① 결정은 당사자와 검사에게 고지함으로써 효력이 생긴다.
제38조【항고】① 당사자와 검사는 과태료 재판에 대하여 즉시항고를 할 수 있다. 이 경우 항고는 집행정지의 효력이 있다.

④ (○)

「질서위반행위규제법」 제16조【사전통지 및 의견 제출 등】① 행정청이 질서위반행위에 대하여 과태료를 부과하고자 하는 때에는 미리 당사자(제11조 제2항에 따른 고용주등을 포함한다. 이하 같다)에게 대통령령으로 정하는 사항을 통지하고, 10일 이상의 기간을 정하여 의견을 제출할 기회를 주어야 한다. 이 경우 지정된 기일까지 의견 제출이 없는 경우에는 의견이 없는 것으로 본다.
시행령 제3조【사전통지 및 의견제출 등】① 법 제16조 제1항에 따라 행정청이 과태료 부과에 관하여 미리 통지 하는 경우에는 다음 각 호의 사항을 모두 적은 서면(당사자가 동의하는 경우에는 전자문서를 포함한다)으로 하여야 한다.
2. 과태료 부과의 원인이 되는 사실, 과태료 금액 및 적용 법령

답 ②

017

「질서위반행위규제법」의 내용으로 옳지 않은 것은?

① 질서위반행위의 성립과 과태료 처분은 행위시의 법률에 따른다.
② 과태료 사건은 다른 법령에 특별한 규정이 있는 경우를 제외하고는 당사자의 주소지의 지방법원 또는 그 지원의 관할로 한다.
③ 질서위반행위란 법률(조례를 포함한다)상의 의무를 위반하여 과태료를 부과하는 행위를 말하고, 이에는 대통령령으로 정하는 사법(私法)상·소송법상 의무를 위반하여 과태료를 부과하는 행위가 포함된다.
④ 「질서위반행위규제법」에 의하면, 고의 또는 과실이 없는 질서위반행위는 과태료를 부과하지 아니한다.
⑤ 「질서위반행위규제법」에 의한 과태료는 행정청의 과태료 부과처분이나 법원의 과태료 재판이 확정된 후 5년간 징수하지 아니하거나 집행하지 아니하면 시효로 인하여 소멸한다.

| 2021년 국회직 9급

① (○)

「질서위반행위규제법」 제3조【법 적용의 시간적 범위】① 질서위반행위의 성립과 과태료 처분은 행위 시의 법률에 따른다.

② (○)

「질서위반행위규제법」 제25조【관할 법원】과태료 사건은 다른 법령에 특별한 규정이 있는 경우를 제외하고는 당사자의 주소지의 지방법원 또는 그 지원의 관할로 한다.

③ (×) 대통령령으로 정하는 사법(私法)상·소송법상 의무를 위반하여 과태료를 부과하는 행위는 질서위반행위에 포함되지 않는다.

> 「질서위반행위규제법」제2조【정의】이 법에서 사용하는 용어의 뜻은 다음과 같다.
> 1. "질서위반행위"란 법률(지방자치단체의 조례를 포함한다. 이하 같다)상의 의무를 위반하여 과태료를 부과하는 행위를 말한다. 다만, 다음 각 목의 어느 하나에 해당하는 행위를 제외한다.
>   가. 대통령령으로 정하는 사법(私法)상·소송법상 의무를 위반하여 과태료를 부과하는 행위
>   나. 대통령령으로 정하는 법률에 따른 징계사유에 해당하여 과태료를 부과하는 행위

④ (○)

> 「질서위반행위규제법」제7조【고의 또는 과실】고의 또는 과실이 없는 질서위반행위는 과태료를 부과하지 아니한다.

⑤ (○)

> 「질서위반행위규제법」제15조【과태료의 시효】① 과태료는 행정청의 과태료 부과처분이나 법원의 과태료 재판이 확정된 후 5년간 징수하지 아니하거나 집행하지 아니하면 시효로 인하여 소멸한다.

답 ③

018 □□□

이행강제금, 과태료, 과징금, 가산세에 대한 설명으로 가장 옳지 않은 것은? (다툼이 있는 경우 판례에 의함)

① 「건축법」상 이행강제금 부과처분을 받은 자가 이행강제금을 납부기한까지 내지 아니하면 「지방행정제재·부과금의 징수 등에 관한 법률」에 따라 징수한다.

② 행정청의 과태료 처분이나 법원의 과태료 재판이 확정된 후 법률이 변경되어 그 행위가 질서위반행위에 해당하지 아니하게 되거나 과태료가 변경되기 전의 법률보다 가볍게 된 때에는 변경된 법률에 특별한 규정이 없는 한 과태료의 징수 또는 집행을 면제한다.

③ 공정거래위원회가 여러 개의 위반행위에 대하여 하나의 과징금납부명령을 하였으나 여러 개의 위반행위 중 일부 위반행위에 대한 과징금 부과만이 위법하고 소송상 그 일부 위반행위를 기초로 한 과징금액을 산정할 수 있는 자료가 있는 경우에 그 일부 위반행위에 대한 과징금액에 해당하는 부분만을 취소하여야 한다.

④ 세법상 가산세는 납세의무자가 정당한 이유 없이 법에 규정된 신고, 납세 등 각종 의무를 위반한 경우에 법이 정하는 바에 따라 부과하는 행정상의 제재로서, 그 의무를 게을리한 점을 탓할 수 없는 정당한 사유가 있는 경우에는 부과할 수 없다.

2021년 경찰

① (○)

> 「건축법」제80조【이행강제금】⑦ 허가권자는 제4항에 따라 이행강제금 부과처분을 받은 자가 이행강제금을 납부기한까지 내지 아니하면 「지방행정제재·부과금의 징수 등에 관한 법률」에 따라 징수한다.

② (×)

> 「질서위반행위규제법」제3조【법 적용의 시간적 범위】① 질서위반행위의 성립과 과태료 처분은 행위 시의 법률에 따른다.
> ③ 행정청의 과태료 처분이나 법원의 과태료 재판이 확정된 후 법률이 변경되어 그 행위가 질서위반행위에 해당하지 아니하게 된 때에는 변경된 법률에 특별한 규정이 없는 한 과태료의 징수 또는 집행을 면제한다.

문제 DATA
출제가능 지수 ▶▶▷
난이도 지수 ★★★

함께 정리하기

이행강제금, 과태료, 과징금, 가산세

「건축법」상 이행강제금 미납시
▷ 「지방행정제재·부과금의 징수 등에 관한 법률」에 따라 징수

과태료처분 or 과태료재판 확정 후 법률이 변경되어 질서위반행위가 아니게 된 때
▷ 과태료 징수 또는 집행 면제

여러 위반행위에 대한 하나의 과징금납부명령
▷ 일부 행위에 대한 과징금부과만 위법 & 금액산정자료 有: 일부 금액만 취소 可

가산세
▷ 신고, 납세 등 각종 의무 위반 제재
▷ 고의·과실 불요, But 정당한 이유 有 부과×

③ (○) 공정거래위원회가 부당지원행위에 대한 과징금을 부과함에 있어 여러 개의 위반행위에 대하여 하나의 과징금 납부명령을 하였으나 여러 개의 위반행위 중 일부의 위반행위만이 위법하고 소송상 그 일부의 위반행위를 기초로 한 과징금액을 산정할 수 있는 자료가 있는 경우에는, 하나의 과징금 납부명령일지라도 그 중 위법하여 그 처분을 취소하게 된 일부의 위반행위에 대한 과징금액에 해당하는 부분만을 취소할 수 있다(대판 2006.12.22. 2004두1483).

④ (○) 세법상 가산세는 과세권의 행사 및 조세채권의 실현을 용이하게 하기 위하여 납세자가 정당한 이유 없이 법에 규정된 신고, 납세 등 각종 의무를 위반한 경우에 개별세법이 정하는 바에 따라 부과되는 행정상의 제재로서 납세자의 고의, 과실은 고려되지 않는 것이고, 다만 납세의무자가 그 의무를 알지 못한 것이 무리가 아니었다거나 그 의무의 이행을 당사자에게 기대하는 것이 무리라고 하는 사정이 있을 때 등 그 의무해태를 탓할 수 없는 정당한 사유가 있는 경우에는 이를 부과할 수 없다(대판 2003.9.5. 2001두403).

답 ②

019 ☐☐☐

「질서위반행위규제법」의 내용으로 옳은 것만을 모두 고르면?

ㄱ. 행정청이 질서위반행위에 대하여 과태료를 부과하고자 하는 때에는 미리 당사자에게 대통령령으로 정하는 사항을 통지하고, 10일 이상의 기간을 정하여 의견을 제출할 기회를 주어야 한다.
ㄴ. 행정청에 의해 부과된 과태료는 질서위반행위가 종료된 날(다수인이 질서위반행위에 가담한 경우에는 최종행위가 종료된 날을 말한다)부터 5년간 징수하지 아니하거나 집행하지 아니하면 시효로 인하여 소멸한다.
ㄷ. 과태료 사건은 다른 법령에 특별한 규정이 있는 경우를 제외하고는 과태료 부과관청의 소재지의 지방법원 또는 그 지원의 관할로 한다.
ㄹ. 다른 법률에 특별한 규정이 없는 경우, 14세가 되지 아니한 자의 질서위반행위는 과태료를 부과하지 아니한다.

① ㄱ, ㄹ
② ㄴ, ㄹ
③ ㄱ, ㄴ, ㄷ
④ ㄱ, ㄷ, ㄹ

2020년 국가직 9급

ㄱ. (○)

「질서위반행위규제법」 제16조【사전통지 및 의견 제출 등】① 행정청이 질서위반행위에 대하여 과태료를 부과하고자 하는 때에는 미리 당사자(제11조 제2항에 따른 고용주등을 포함한다. 이하 같다)에게 대통령령으로 정하는 사항을 통지하고, 10일 이상의 기간을 정하여 의견을 제출할 기회를 주어야 한다. 이 경우 지정된 기일까지 의견 제출이 없는 경우에는 의견이 없는 것으로 본다.

ㄴ. (×)

「질서위반행위규제법」 제15조【과태료의 시효】① 과태료는 행정청의 과태료 부과처분이나 법원의 과태료 재판이 확정된 후 5년간 징수하지 아니하거나 집행하지 아니하면 시효로 인하여 소멸한다.
제19조【과태료 부과의 제척기간】① 행정청은 질서위반행위가 종료된 날(다수인이 질서위반행위에 가담한 경우에는 최종행위가 종료된 날을 말한다)부터 5년이 경과한 경우에는 해당 질서위반행위에 대하여 과태료를 부과할 수 없다.

ㄷ. (×)

> 「질서위반행위규제법」 제25조 【관할 법원】 과태료 사건은 다른 법령에 특별한 규정이 있는 경우를 제외하고는 당사자의 주소지의 지방법원 또는 그 지원의 관할로 한다.

ㄹ. (○)

> 「질서위반행위규제법」 제9조 【책임연령】 14세가 되지 아니한 자의 질서위반행위는 과태료를 부과하지 아니한다. 다만, 다른 법률에 특별한 규정이 있는 경우에는 그러하지 아니하다.

답 ①

020 □□□

행정벌에 대한 설명으로 옳은 것만을 고른 것은? (다툼이 있는 경우 판례에 의함)

> ㄱ. 행정청의 과태료 부과에 불복하는 자는 서면으로 이의제기를 할 수 있으나, 이의제기가 있더라도 과태료 부과처분은 그 효력을 유지한다.
> ㄴ. 「도로교통법」상 범칙금 통고처분은 항고소송의 대상이 되는 행정처분에 해당하지 않는다.
> ㄷ. 과징금은 어떤 경우에도 영업정지에 갈음하여 부과할 수 없다.
> ㄹ. 「질서위반행위규제법」에 따른 과태료는 행정청의 과태료 부과처분이나 법원의 과태료 재판이 확정된 후 5년간 징수하지 아니하거나 집행하지 아니하면 시효로 소멸한다.

① ㄱ, ㄴ
② ㄱ, ㄷ
③ ㄴ, ㄷ
④ ㄴ, ㄹ

| 2020년 서울시·지방직·교육행정직 9급

ㄱ. (×)

> 「질서위반행위규제법」 제20조 【이의제기】 ① 행정청의 과태료 부과에 불복하는 당사자는 제17조 제1항에 따른 과태료 부과통지를 받은 날부터 60일 이내에 해당 행정청에 서면으로 이의제기를 할 수 있다.
> ② 제1항에 따른 이의제기가 있는 경우에는 행정청의 과태료 부과처분은 그 효력을 상실한다.

ㄴ. (○) 통고처분은 행정처분에 해당하지 않는다.

> 도로교통법 제118조에서 규정하는 경찰서장의 통고처분은 행정소송의 대상이 되는 행정처분이 아니므로 그 처분의 취소를 구하는 소송은 부적법하고, 도로교통법상의 통고처분을 받은 자가 그 처분에 대하여 이의가 있는 경우에는 통고처분에 따른 범칙금의 납부를 이행하지 아니함으로써 경찰서장의 즉결심판청구에 의하여 법원의 심판을 받을 수 있게 될 뿐이다(대판 1995.6.29 95누4674).

유제 19. 국회직 8급, 12. 지방직 9급 「도로교통법」에 의한 경찰서장의 통고처분에 대한 항고소송은 부적법하고 이에 대하여 이의가 있는 경우에는 통고처분에 따른 범칙금을 이행하지 아니함으로써 경찰서장의 즉결심판청구에 의하여 법원의 심판을 받을 수 있게 된다. (○)

ㄷ. (×) 변형된 과징금이란 의무위반행위가 사업의 인·허가 등의 철회·정지사유에 해당하나 그 사업이 공중의 일상생활에 필요불가결한 사업인 경우 인·허가 등을 철회·정지하는 대신 사업 자체는 존속시키되 당해 사업으로부터 발생되는 이익을 박탈함으로써 의무이행을 확보시키는 금전적 제재를 말한다. 이는 공공성이 강한 사업에 대해 영업정지 등의 처분이 있을 경우, 국민은 현저한 생활상의 불편을 겪기 때문에 개별법에서 인정되고 있다.

> 「공중위생관리법」 제11조의2 【과징금처분】 ① 시장·군수·구청장은 제11조 제1항의 규정에 의한 영업정지가 이용자에게 심한 불편을 주거나 그 밖에 공익을 해할 우려가 있는 경우에는 영업정지 처분에 갈음하여 1억원 이하의 과징금을 부과할 수 있다. 다만, 제5조, 「성매매알선 등 행위의 처벌에 관한 법률」, 「아동·청소년의 성보호에 관한 법률」, 「풍속영업의 규제에 관한 법률」 제3조 각 호의 1 또는 이에 상응하는 위반행위로 인하여 처분을 받게 되는 경우를 제외한다.

ㄹ. (○)

> 「질서위반행위규제법」 제15조 【과태료의 시효】 ① 과태료는 행정청의 과태료 부과처분이나 법원의 과태료 재판이 확정된 후 5년간 징수하지 아니하거나 집행하지 아니하면 시효로 인하여 소멸한다.

답 ④

021

다음 중 옳지 않은 것은?

① 「질서위반행위규제법」상의 질서위반행위는 고의 또는 과실이 있는 경우에 과태료를 부과할 수 있다.
② 질서위반행위의 성립은 행위 시의 법률을 따르고 과태료 처분은 판결 시의 법률에 따른다.
③ 행정청은 질서위반행위가 발생하였다는 합리적 의심이 있어 그에 대한 조사가 필요하다고 인정하는 경우에 법정조사권을 행사할 수 있다.
④ 행정질서벌인 과태료는 형벌이 아니므로 행정질서벌에는 형법총칙이 적용되지 않는다.

| 2020년 소방직

① (○)

> 「질서위반행위규제법」 제7조 【고의 또는 과실】 고의 또는 과실이 없는 질서위반행위는 과태료를 부과하지 아니한다.

② (×)

> 「질서위반행위규제법」 제3조 【법 적용의 시간적 범위】 ① 질서위반행위의 성립과 과태료 처분은 행위 시의 법률에 따른다.

③ (○)

> 「질서위반행위규제법」 제22조 【질서위반행위의 조사】 ① 행정청은 질서위반행위가 발생하였다는 합리적 의심이 있어 그에 대한 조사가 필요하다고 인정할 때에는 대통령령으로 정하는 바에 따라 다음 각 호의 조치를 할 수 있다.
> 1. 당사자 또는 참고인의 출석 요구 및 진술의 청취
> 2. 당사자에 대한 보고 명령 또는 자료 제출의 명령

④ (○) 행정법상의 의무위반에 대하여 과태료가 과하여지는 행정질서벌은 「형법」상의 형벌이 아니므로 형법총칙이 적용되지 않으며, 「질서위반행위규제법」을 따른다.

> 「질서위반행위규제법」 제1조 【목적】 이 법은 법률상 의무의 효율적인 이행을 확보하고 국민의 권리와 이익을 보호하기 위하여 질서위반행위의 성립요건과 과태료의 부과·징수 및 재판 등에 관한 사항을 규정하는 것을 목적으로 한다.
> 제5조 【다른 법률과의 관계】 과태료의 부과·징수, 재판 및 집행 등의 절차에 관한 다른 법률의 규정 중 이 법의 규정에 저촉되는 것은 이 법으로 정하는 바에 따른다.

답 ②

022 ☐☐☐

행정벌에 대한 설명으로 옳지 않은 것은? (다툼이 있는 경우 판례에 의함)

① 「조세범처벌절차법」에 의하여 범칙자에 대한 세무관서의 통고처분은 행정소송의 대상이다.
② 고의 또는 과실이 없는 질서위반행위는 과태료를 부과하지 아니한다.
③ 자신의 행위가 위법하지 아니한 것으로 오인하고 행한 질서위반행위는 그 오인에 정당한 이유가 있는 때에 한하여 과태료를 부과하지 아니한다.
④ 행정청은 당사자가 납부기한까지 과태료를 납부하지 아니한 때에는 납부기한을 경과한 날부터 체납된 과태료에 대하여 100분의 3에 상당하는 가산금을 징수한다.

문제 DATA
출제가능 지수 ▶▶▷
난이도 지수 ★★☆

| 2020년 군무원 7급

① (✕) 조세범처벌절차법에 의하여 범칙자에 대한 세무관서의 통고처분은 행정소송의 대상이 아니다(대판 1980.10.14. 80누380).

② (○)
> 「질서위반행위규제법」 제7조【고의 또는 과실】 고의 또는 과실이 없는 질서위반행위는 과태료를 부과하지 아니한다.

③ (○)
> 「질서위반행위규제법」 제8조【위법성의 착오】 자신의 행위가 위법하지 아니한 것으로 오인하고 행한 질서위반행위는 그 오인에 정당한 이유가 있는 때에 한하여 과태료를 부과하지 아니한다.

④ (○)
> 「질서위반행위규제법」 제24조【가산금 징수 및 체납처분 등】 ① 행정청은 당사자가 납부기한까지 과태료를 납부하지 아니한 때에는 납부기한을 경과한 날부터 체납된 과태료에 대하여 100분의 3에 상당하는 가산금을 징수한다.

답 ①

함께 정리하기

행정벌

세무관서의 통고처분
▷ 행정처분✕

고의·과실없는 질서위반행위
▷ 과태료 부과✕

위법하지 않다고 오인한 질서위반행위
▷ 정당한 이유 있어야 과태료 부과✕

가산금
▷ 체납된 과태료의 3/100

023 ☐☐☐

「질서위반행위규제법」상 과태료에 대한 내용으로 옳지 않은 것은?

① 행정청의 과태료 부과에 불복하는 당사자는 과태료 부과 통지를 받은 날부터 60일 이내에 해당 행정청에 서면으로 이의제기를 할 수 있다.
② 하나의 행위가 2 이상의 질서위반행위에 해당하는 경우에는 각 질서위반행위에 대하여 정한 과태료 중 가장 중한 과태료를 부과한다.
③ 행정청은 과태료 부과에 앞서 7일 이상의 기간을 정하여 당사자에게 의견을 제출할 기회를 주어야 한다.
④ 과태료는 행정청의 과태료 부과 처분 이후 5년간 징수하지 아니하면 시효로 인하여 소멸한다.
⑤ 고의 또는 과실이 없는 질서위반행위에는 과태료를 부과하지 아니한다.

문제 DATA
출제가능 지수 ▶▶▷
난이도 지수 ★★☆

함께 정리하기

과태료

과태료 부과에 불복
▷ 60일 이내에 서면으로 이의제기

하나의 행위가 2 이상의 질서위반행위
▷ 가장 중한 과태료 부과

의견제출기한
▷ 10일 이상

시효
▷ 5년

고의 또는 과실 要

2020년 국회직 8급

① (○)

> 「질서위반행위규제법」 제20조【이의제기】① 행정청의 과태료 부과에 불복하는 당사자는 제17조 제1항에 따른 과태료 부과 통지를 받은 날부터 60일 이내에 해당 행정청에 서면으로 이의제기를 할 수 있다.

② (○)

> 「질서위반행위규제법」 제13조【수개의 질서위반행위의 처리】① 하나의 행위가 2 이상의 질서위반행위에 해당하는 경우에는 각 질서위반행위에 대하여 정한 과태료 중 가장 중한 과태료를 부과한다.

③ (✕)

> 「질서위반행위규제법」 제16조【사전통지 및 의견 제출 등】① 행정청이 질서위반행위에 대하여 과태료를 부과하고자 하는 때에는 미리 당사자(제11조 제2항에 따른 고용주등을 포함한다. 이하 같다)에게 대통령령으로 정하는 사항을 통지하고, 10일 이상의 기간을 정하여 의견을 제출할 기회를 주어야 한다. 이 경우 지정된 기일까지 의견 제출이 없는 경우에는 의견이 없는 것으로 본다.

④ (○)

> 「질서위반행위규제법」 제15조【과태료의 시효】① 과태료는 행정청의 과태료 부과처분이나 법원의 과태료 재판이 확정된 후 5년간 징수하지 아니하거나 집행하지 아니하면 시효로 인하여 소멸한다.

⑤ (○)

> 「질서위반행위규제법」 제7조【고의 또는 과실】고의 또는 과실이 없는 질서위반행위는 과태료를 부과하지 아니한다.

유제 18. 변호사, 16. 국가직 9급, 15. 지방직 7급 「질서위반행위규제법」에 규정된 과태료는 객관적인 법질서 위반에 대한 제재라는 점에서 행위자의 고의나 과실은 요하지 아니한다. (✕)

답 ③

문제 DATA

출제가능 지수 ▶▶▷
난이도 지수 ★★☆

024 □□□

행정벌에 대한 설명으로 옳은 것은? (다툼이 있는 경우 판례에 의함)

① 과태료의 제재에는 구 「예산회계법」상 국가의 금전채권에 관한 소멸시효의 규정이 적용된다.
② 질서위반행위를 한 자가 자신의 책임 없는 사유로 위반행위에 이르렀다고 주장하는 경우 법원은 그 내용을 살펴 행위자에게 고의나 과실이 있는지를 따져보아야 한다.
③ 지방자치단체의 장이 국가의 기관위임사무를 처리하는 경우 지방자치단체는 양벌규정에 의한 처벌대상이 되는 법인에 해당한다.
④ 과태료처분을 받고 이를 납부한 일이 있음에도 그 후에 동일한 사유로 형사처벌을 하는 것은 일사부재리의 원칙에 어긋난다.
⑤ 지방국세청장 또는 세무서장이 조세범칙행위에 대하여 통고처분을 거치지 아니하고 고발을 한 후라 하더라도 당해 지방국세청장 또는 세무서장은 동일한 조세범칙행위에 대하여 통고처분을 할 권한을 가진다.

| 2020년 5급 승진

① (×) 과태료의 제재는 범죄에 대한 형벌이 아니므로 그 성질상 처음부터 공소시효(형사소송법 제249조)나 형의 시효(형법 제78조)에 상당하는 것은 있을 수 없고, 이에 상당하는 규정도 없으므로 일단 한번 과태료에 처해질 위반행위를 한 자는 그 처벌을 면할 수 없는 것이며, 예산회계법 제96조 제1항은 "금전의 급부를 목적으로 하는 국가의 권리로서 시효에 관하여 다른 법률에 규정이 없는 것은 5년간 행사하지 아니할 때에는 시효로 인하여 소멸한다."고 규정하고 있으므로 과태료 결정 후 징수의 시효, 즉 과태료 재판의 효력이 소멸하는 시효에 관하여는 국가의 금전채권으로서 예산회계법에 의하여 그 기간은 5년이라고 할 것이지만, 위반행위자에 대한 과태료의 처벌권을 국가의 금전채권과 동일하게 볼 수는 없으므로 예산회계법 제96조에서 정해진 국가의 금전채권에 관한 소멸시효의 규정이 과태료의 처벌권에 적용되거나 준용되지는 않는다(대결 2000.8.24. 2000마1350).

② (○) 질서위반행위규제법은 과태료의 부과대상인 질서위반행위에 대하여도 책임주의 원칙을 채택하여 제7조에서 "고의 또는 과실이 없는 질서위반행위는 과태료를 부과하지 아니한다."고 규정하고 있으므로, 질서위반행위를 한 자가 자신의 책임 없는 사유로 위반행위에 이르렀다고 주장하는 경우 법원으로서는 그 내용을 살펴 행위자에게 고의나 과실이 있는지를 따져보아야 한다(대결 2011.7.14. 2011마364).

③ (×) 국가와 지방자치단체도 법인에 해당하지만 국가는 형벌권의 주체이지 객체는 될 수 없으므로 국가와 국가의 기관위임사무를 수행하는 지방자치단체는 양벌규정에 의한 처벌대상이 되지 않는다.

> 국가가 본래 그의 사무의 일부를 지방자치단체의 장에게 위임하여 처리하게 하는 기관위임사무의 경우 지방자치단체는 국가기관의 일부로 볼 수 있고, 지방자치단체가 그 고유의 자치사무를 처리하는 경우 지방자치단체는 국가기관의 일부가 아니라 국가기관과는 별도의 독립한 공법인으로서 양벌규정에 의한 처벌대상이 되는 법인에 해당한다.… 지방자치단체 소속 공무원이 지정항만순찰 등의 업무를 위해 관할관청의 승인 없이 개조한 승합차를 운행함으로써 구 자동차관리법을 위반한 사안에서, 지방자치법, 구 항만법, 구 항만법 시행령 등에 비추어 위 항만순찰 등의 업무가 지방자치단체의 장이 국가로부터 위임받은 기관위임사무에 해당하여, 해당 지방자치단체가 구 자동차관리법 제83조의 양벌규정에 따른 처벌대상이 될 수 없다(대판 2009.6.11. 2008도6530).

④ (×) 일사부재리의 효력은 확정재판이 있을 때에 발생하는 것이고 과태료는 행정법상의 질서벌에 불과하므로 과태료처분을 받고 이를 납부한 일이 있더라도 그 후에 형사처벌을 한다고 해서 일사부재리의 원칙에 어긋난다고 할 수 없다(대판 1989.6.13. 88도1983).

⑤ (×) 지방국세청장 또는 세무서장이 조세범 처벌절차법 제17조 제1항에 따라 통고처분을 거치지 아니하고 즉시 고발하였다면 이로써 조세범칙사건에 대한 조사 및 처분 절차는 종료되고 형사사건 절차로 이행되어 지방국세청장 또는 세무서장으로서는 동일한 조세범칙행위에 대하여 더 이상 통고처분을 할 권한이 없다. 따라서 지방국세청장 또는 세무서장이 조세범칙행위에 대하여 고발을 한 후에 동일한 조세범칙행위에 대하여 통고처분을 하였더라도, 이는 법적 권한 소멸 후에 이루어진 것으로서 특별한 사정이 없는 한 효력이 없고, 조세범칙행위자가 이러한 통고처분을 이행하였더라도 조세범 처벌절차법 제15조 제3항에서 정한 일사부재리의 원칙이 적용될 수 없다(대판 2016.9.28. 2014도10748).

답 ②

함께 정리하기

행정벌

과태료 제재
▷ 국가의 금전채권에 관한 소멸시효 적용×

질서위반행위자의 책임없음 주장
▷ 법원은 고의·과실 있는지 살펴야 함

기관위임사무처리 지방자치단체
▷ 지자체는 양벌규정의 법인×

과태료납부 후 형사처벌
▷ 일사부재리 원칙 위반×

고발 후
▷ 행정청: 동일한 범칙행위에 대해 통고처분 할 권한 無

---

025 □□□

「질서위반행위규제법」의 내용으로 옳지 않은 것은?

① 행정청이 부과한 과태료는 부과처분이 확정된 후 5년간 징수하지 아니하면 시효로 인하여 소멸한다.
② 질서위반행위의 성립과 과태료 처분은 처분 시의 법률에 따른다.
③ 고의 또는 과실이 없는 질서위반행위는 과태료를 부과하지 않는다.
④ 2인 이상이 질서위반행위에 가담한 때에는 각자가 질서위반행위를 한 것으로 본다.
⑤ 행정청의 과태료 부과에 대해 당사자의 이의제기가 있는 경우에는 행정청의 과태료 부과처분은 효력을 상실한다.

문제 DATA

출제가능 지수 ▶▶▷
난이도 지수 ★★☆

함께 정리하기

「질서위반행위규제법」

행정청의 부과처분 확정 후 5년 경과 시
▷ 과태료 징수권 시효소멸

질서위반행위의 성립과 과태료 처분
▷ 행위 시 법률

고의·과실없는 질서위반행위
▷ 과태료 부과×

2인 이상 질서위반행위에 가담
▷ 각자가 책임

과태료 부과에 대한 이의제기
▷ 과태료 부과처분 효력상실

2020년 행정사

① (○)

> 「질서위반행위규제법」 제15조【과태료의 시효】① 과태료는 행정청의 과태료 부과처분이나 법원의 과태료 재판이 확정된 후 5년간 징수하지 아니하거나 집행하지 아니하면 시효로 인하여 소멸한다.

② (×)

> 「질서위반행위규제법」 제3조【법 적용의 시간적 범위】① 질서위반행위의 성립과 과태료 처분은 행위 시의 법률에 따른다.

③ (○)

> 「질서위반행위규제법」 제7조【고의 또는 과실】 고의 또는 과실이 없는 질서위반행위는 과태료를 부과하지 아니한다.

④ (○)

> 「질서위반행위규제법」 제12조【다수인의 질서위반행위 가담】① 2인 이상이 질서위반행위에 가담한 때에는 각자가 질서위반행위를 한 것으로 본다.

⑤ (○)

> 「질서위반행위규제법」 제20조【이의제기】① 행정청의 과태료 부과에 불복하는 당사자는 제17조 제1항에 따른 과태료 부과 통지를 받은 날부터 60일 이내에 해당 행정청에 서면으로 이의제기를 할 수 있다. ② 제1항에 따른 이의제기가 있는 경우에는 행정청의 과태료 부과처분은 그 효력을 상실한다.

답 ②

문제 DATA

출제가능 지수 ▶▶▷
난이도 지수 ★★☆

026 □□□

「질서위반행위규제법」의 내용에 대한 설명으로 옳은 것은?

① 지방자치단체의 조례상의 의무를 위반하여 과태료를 부과하는 행위는 질서위반행위에 해당되지 않는다.
② 법원의 과태료 재판이 확정된 후 법률이 변경되어 그 행위가 질서위반행위에 해당하지 아니하게 된 때에는 변경된 법률에 특별한 규정이 없는 한 과태료의 집행을 면제한다.
③ 과태료는 행정청의 과태료 부과처분이 있은 후 3년간 징수하지 아니하면 시효로 인하여 소멸한다.
④ 행정청의 과태료 부과에 대한 이의제기는 과태료 부과처분의 효력에 영향을 주지 아니한다.

함께 정리하기

「질서위반행위규제법」

질서위반행위
▷ 조례상 의무위반 포함

재판확정 후 법률변경으로 질서위반행위×
▷ 집행면제(원칙)

과태료 시효
▷ 5년

과태료 부과에 대한 이의제기
▷ 과태료 부과처분 효력상실

2019년 지방직 9급

① (×)

> 「질서위반행위규제법」 제2조【정의】이 법에서 사용하는 용어의 뜻은 다음과 같다.
> 1. "질서위반행위"란 법률(지방자치단체의 조례를 포함한다. 이하 같다)상의 의무를 위반하여 과태료를 부과하는 행위를 말한다. 다만, 다음 각 목의 어느 하나에 해당하는 행위를 제외한다.

② (○)

> 「질서위반행위규제법」 제3조【법 적용의 시간적 범위】③ 행정청의 과태료 처분이나 법원의 과태료 재판이 확정된 후 법률이 변경되어 그 행위가 질서위반행위에 해당하지 아니하게 된 때에는 변경된 법률에 특별한 규정이 없는 한 과태료의 징수 또는 집행을 면제한다.

③ (×)

> 「질서위반행위규제법」 제15조【과태료의 시효】① 과태료는 행정청의 과태료 부과처분이나 법원의 과태료 재판이 확정된 후 5년간 징수하지 아니하거나 집행하지 아니하면 시효로 인하여 소멸한다.

④ (×)

> 「질서위반행위규제법」 제20조【이의제기】② 제1항에 따른 이의제기가 있는 경우에는 행정청의 과태료 부과처분은 그 효력을 상실한다.

답 ②

027

「질서위반행위규제법」의 내용으로 가장 옳지 않은 것은?

① 고의 또는 과실이 없는 질서위반행위는 과태료를 부과하지 아니한다.
② 자신의 행위가 위법하지 아니한 것으로 오인하고 행한 질서위반행위는 그 오인에 정당한 이유가 있는 때에 한하여 과태료를 부과하지 아니한다.
③ 법률에 따르지 아니하고는 어떤 행위도 질서위반행위로 과태료를 부과하지 아니한다.
④ 행정청의 과태료 부과에 불복하려는 당사자는 과태료 부과 통지를 받은 날부터 90일 이내에 해당 행정청에 서면으로 이의제기를 할 수 있다.

2019년 서울시 7급

① (○)

> 「질서위반행위규제법」 제7조【고의 또는 과실】고의 또는 과실이 없는 질서위반행위는 과태료를 부과하지 아니한다.

② (○)

> 「질서위반행위규제법」 제8조【위법성의 착오】자신의 행위가 위법하지 아니한 것으로 오인하고 행한 질서위반행위는 그 오인에 정당한 이유가 있는 때에 한하여 과태료를 부과하지 아니한다.

③ (○)

> 「질서위반행위규제법」 제6조【질서위반행위 법정주의】법률에 따르지 아니하고는 어떤 행위도 질서위반행위로 과태료를 부과하지 아니한다.

④ (×) 60일 이내에 제기할 수 있다.

> 「질서위반행위규제법」 제20조【이의제기】① 행정청의 과태료 부과에 불복하는 당사자는 제17조 제1항에 따른 과태료 부과통지를 받은 날부터 60일 이내에 해당 행정청에 서면으로 이의제기를 할 수 있다.

답 ④

문제 DATA

출제가능 지수 ▶▶▷
난이도 지수 ★★☆

함께 정리하기

「질서위반행위규제법」

「민법」상 의무위반
▷ 질서위반행위 X

하나 행위가 2 이상의 위반행위
▷ 가장 중한 과태료 부과

과태료 시효
▷ 5년

관할
▷ 당사자 주소지의 지법·지원(원칙)

028 □□□

「질서위반행위규제법」에 대한 설명으로 가장 옳은 것은?

① 「민법」상의 의무를 위반하여 과태료를 부과하는 행위는 「질서위반행위규제법」상 질서위반행위에 해당한다.
② 하나의 행위가 2 이상의 질서위반행위에 해당하는 경우에는 각 질서위반행위에 대하여 정한 과태료를 합산하여 부과한다.
③ 과태료는 행정청의 과태료 부과처분이나 법원의 과태료 재판이 확정된 후 3년간 징수하지 아니하거나 집행하지 아니하면 시효로 인하여 소멸한다.
④ 과태료 사건은 다른 법령에 특별한 규정이 있는 경우를 제외하고는 당사자의 주소지의 지방법원 또는 그 지원의 관할로 한다.

| 2019년 서울시 9급

① (X)

> 「질서위반행위규제법」 제2조 【정의】 이 법에서 사용하는 용어의 뜻은 다음과 같다.
> 1. "질서위반행위"란 법률(지방자치단체의 조례를 포함한다. 이하 같다)상의 의무를 위반하여 과태료를 부과하는 행위를 말한다. 다만, 다음 각 목의 어느 하나에 해당하는 행위를 제외한다.
>   가. 대통령령으로 정하는 사법(私法)상·소송법상 의무를 위반하여 과태료를 부과하는 행위
> 시행령 제2조 【질서위반행위에서 제외되는 행위】 ① 「질서위반행위규제법」(이하 "법"이라 한다) 제2조 제1호 가목에서 "대통령령으로 정하는 사법(私法)상·소송법상 의무를 위반하여 과태료를 부과하는 행위"란 「민법」, 「상법」 등 사인(私人) 간의 법률관계를 규율하는 법 또는 「민사소송법」, 「가사소송법」, 「민사집행법」, 「형사소송법」, 「민사조정법」 등 분쟁 해결에 관한 절차를 규율하는 법률상의 의무를 위반하여 과태료를 부과하는 행위를 말한다.

② (X)

> 「질서위반행위규제법」 제13조 【수개의 질서위반행위의 처리】 ① 하나의 행위가 2 이상의 질서위반행위에 해당하는 경우에는 각 질서위반행위에 대하여 정한 과태료 중 가장 중한 과태료를 부과한다.

③ (X)

> 「질서위반행위규제법」 제15조 【과태료의 시효】 ① 과태료는 행정청의 과태료 부과처분이나 법원의 과태료 재판이 확정된 후 5년간 징수하지 아니하거나 집행하지 아니하면 시효로 인하여 소멸한다.

④ (O)

> 「질서위반행위규제법」 제25조 【관할 법원】 과태료 사건은 다른 법령에 특별한 규정이 있는 경우를 제외하고는 당사자의 주소지의 지방법원 또는 그 지원의 관할로 한다.

유제 20. 국가직 9급 과태료 사건은 다른 법령에 특별한 규정이 있는 경우를 제외하고는 과태료 부과관청의 소재지의 지방법원 또는 그 지원의 관할로 한다. (X)

답 ④

029

「질서위반행위규제법」에 대한 설명으로 옳지 않은 것은?

① 행정청이 질서위반행위에 대하여 과태료를 부과하고자 하는 때에는 미리 당사자에게 대통령령으로 정하는 사항을 통지하고, 10일 이상의 기간을 정하여 의견을 제출할 기회를 주어야 한다.
② 질서위반행위를 한 자가 자신의 책임 없는 사유로 위반행위에 이르렀다고 주장하는 경우 법원으로서는 그 내용을 살펴 행위자에게 고의나 과실이 있는지를 따져보아야 하는 것은 아니다.
③ 행정청의 과태료 부과에 불복하는 당사자는 과태료 부과 통지를 받은 날부터 60일 이내에 해당 행정청에 서면으로 이의제기를 할 수 있다.
④ 행정청의 과태료 처분이나 법원의 과태료 재판이 확정된 후 법률이 변경되어 그 행위가 질서위반행위에 해당하지 아니하게 된 때에는 변경된 법률에 특별한 규정이 없는 한 과태료의 징수 또는 집행을 면제한다.

| 2019년 군무원 9급

① (○)

> 「질서위반행위규제법」 제16조【사전통지 및 의견 제출 등】① 행정청이 질서위반행위에 대하여 과태료를 부과하고자 하는 때에는 미리 당사자(제11조 제2항에 따른 고용주등을 포함한다. 이하 같다)에게 대통령령으로 정하는 사항을 통지하고, 10일 이상의 기간을 정하여 의견을 제출할 기회를 주어야 한다. 이 경우 지정된 기일까지 의견 제출이 없는 경우에는 의견이 없는 것으로 본다.

② (×) 질서위반행위규제법은 과태료의 부과대상인 질서위반행위에 대하여도 책임주의 원칙을 채택하여 제7조에서 "고의 또는 과실이 없는 질서위반행위는 과태료를 부과하지 아니한다."고 규정하고 있으므로, 질서위반행위를 한 자가 자신의 책임 없는 사유로 위반행위에 이르렀다고 주장하는 경우 법원으로서는 그 내용을 살펴 행위자에게 고의나 과실이 있는지를 따져보아야 한다(대결 2011.7.14. 2011마361).

③ (○)

> 「질서위반행위규제법」 제20조【이의제기】① 행정청의 과태료 부과에 불복하는 당사자는 제17조 제1항에 따른 과태료 부과 통지를 받은 날부터 60일 이내에 해당 행정청에 서면으로 이의제기를 할 수 있다.

④ (○)

> 「질서위반행위규제법」 제3조【법 적용의 시간적 범위】③ 행정청의 과태료 처분이나 법원의 과태료 재판이 확정된 후 법률이 변경되어 그 행위가 질서위반행위에 해당하지 아니하게 된 때에는 변경된 법률에 특별한 규정이 없는 한 과태료의 징수 또는 집행을 면제한다.

답 ②

함께 정리하기

「질서위반행위규제법」

과태료 부과절차
▷ 사전통지 + 10일 이상 의견제출 기회

질서위반행위자의 책임 없음 주장
▷ 법원은 고의·과실 있는지 살펴야 함

과태료 부과에 불복
▷ 60일 이내에 서면으로 이의제기

과태료처분 or 과태료재판 확정 후 법률이 변경되어 질서위반행위가 아니게 된 경우
▷ 과태료 징수 또는 집행 면제

030

행정벌에 대한 설명으로 옳지 않은 것은? (다툼이 있는 경우 판례에 의함)

① 「도로교통법」에 의한 경찰서장의 통고처분에 대한 항고소송은 부적법하고 이에 대하여 이의가 있는 경우에는 통고처분에 따른 범칙금을 이행하지 아니함으로써 경찰서장의 즉결심판 청구에 의하여 법원의 심판을 받을 수 있게 된다.

② 행정청의 과태료 부과에 불복하는 당사자는 과태료 부과 통지를 받은 날부터 60일 이내에 해당 행정청에 서면으로 이의제기를 할 수 있다.

③ 피고인이 「행형법」에 의한 징벌을 받아 그 집행을 종료한 뒤에 형사처벌을 한다고 하여 일사부재리의 원칙에 반하는 것은 아니다.

④ 과태료는 행정청의 과태료 부과처분이나 법원의 과태료 재판이 확정된 후 5년간 징수하지 아니하거나 집행하지 아니하면 시효로 인하여 소멸한다.

⑤ 질서위반행위에 대하여 과태료를 부과하는 근거 법령이 개정되어 행위시의 법률에 의하면 과태료 부과대상이었으나 재판시의 법률에 의하면 부과대상이 아닌 때에도 특별한 사정이 없는 한 행위시의 법률에 의하여 과태료를 부과할 수 있다.

2019년 국회직 8급

① (○) 통고처분에 의한 범칙금을 이행하지 않으면 즉결심판청구에 의해 법원의 심판을 받는다.

> 도로교통법 제118조에서 규정하는 경찰서장의 통고처분은 행정소송의 대상이되는 행정처분이 아니므로 그 처분의 취소를 구하는 소송은 부적법하고, 도로교통법상의 통고처분을 받은 자가 그 처분에 대하여 이의가 있는 경우에는 통고처분에 따른 범칙금의 납부를 이행하지 아니함으로써 경찰서장의 즉결심판청구에 의하여 법원의 심판을 받을 수 있게 될 뿐이다(대판 1995.6.29. 95누4674).

유제 19. 국가직 9급, 18. 경찰, 15. 지방직 9급 통고처분을 받은 자가 금액을 법정기한 내에 납부하면 과벌절차가 종료되며, 일사부재리의 원칙에 따라 형사소추가 불가능해진다. (○)

② (○)

> 「질서위반행위규제법」 제20조【이의제기】① 행정청의 과태료 부과에 불복하는 당사자는 제17조 제1항에 따른 과태료 부과 통지를 받은 날부터 60일 이내에 해당 행정청에 서면으로 이의제기를 할 수 있다.

③ (○) 행형법상 징벌 후 형사처벌은 일사부재리원칙을 위반한 것이 아니다.

> 피고인이 행형법에 의한 징벌을 받아 그 집행을 종료하였다고 하더라도 행형법상의 징벌은 수형자의 교도소 내의 준수사항위반에 대하여 과하는 행정상의 질서벌의 일종으로서 형법 법령에 위반한 행위에 대한 형사책임과는 그 목적, 성격을 달리하는 것이므로 징벌을 받은 뒤에 형사처벌을 한다고 하여 일사부재리의 원칙에 반하는 것은 아니다(대판 2000.10.27. 2000도3874).

④ (○)

> 「질서위반행위규제법」 제15조【과태료의 시효】① 과태료는 행정청의 과태료 부과처분이나 법원의 과태료 재판이 확정된 후 5년간 징수하지 아니하거나 집행하지 아니하면 시효로 인하여 소멸한다.

⑤ (×)

> 「질서위반행위규제법」 제3조【법 적용의 시간적 범위】② 질서위반행위 후 법률이 변경되어 그 행위가 질서위반행위에 해당하지 아니하게 되거나 과태료가 변경되기 전의 법률보다 가볍게 된 때에는 법률에 특별한 규정이 없는 한 변경된 법률을 적용한다.

유제 18. 지방직 7급 질서위반행위 후 법률이 변경되어 그 행위가 질서위반행위에 해당하지 아니하게 된 경우, 법률에 특별한 규정이 없는 한 질서위반행위의 성립은 행위시의 법률에 따른다. (×)

답 ⑤

문제 DATA
출제가능 지수 ▶▶▷
난이도 지수 ★★★

함께 정리하기

행정벌

경찰서장의 통고처분에 대한 이의
▷ 즉결심판청구에 대한 법원심판

과태료 부과 불복
▷ 통지를 받은 날부터 60일 이내에 이의제기

행형법에 의한 징벌 집행 후 형사처벌
▷ 일사부재리원칙 위반×

과태료 시효
▷ 부과처분 or 재판확정 후 5년 경과로 소멸

질서위반행위
▷ 유리한 재판시 법률 적용

031 □□□

「질서위반행위규제법」상 행정질서벌에 대한 설명으로 옳지 않은 것은?

① 고의 또는 과실이 없는 질서위반행위는 과태료를 부과하지 아니한다.
② 과태료는 행정청의 과태료 부과처분이나 법원의 과태료 재판이 확정된 후 5년간 징수하지 아니하거나 집행하지 아니하면 시효로 인하여 소멸한다.
③ 과태료 재판은 검사의 명령으로써 집행하나, 검사는 과태료를 최초 부과한 행정청에 대하여 과태료 재판의 집행을 위탁할 수 있고, 위탁을 받은 행정청은 국세 또는 지방세 체납처분의 예에 따라 집행한다.
④ 신분에 의하여 성립하는 질서위반행위에 신분이 없는 자가 가담한 경우 신분이 없는 자에 대하여는 질서위반행위가 성립하지 않는다.
⑤ 하나의 행위가 2 이상의 질서위반행위에 해당하는 경우에는 각 질서위반행위에 대하여 정한 과태료 중 가장 중한 과태료를 부과한다.

문제 DATA
출제가능 지수 ▶▶▷
난이도 지수 ★★☆

2019년 5급 승진

① (○)

「질서위반행위규제법」제7조【고의 또는 과실】고의 또는 과실이 없는 질서위반행위는 과태료를 부과하지 아니한다.

② (○)

「질서위반행위규제법」제15조【과태료의 시효】① 과태료는 행정청의 과태료 부과처분이나 법원의 과태료 재판이 확정된 후 5년간 징수하지 아니하거나 집행하지 아니하면 시효로 인하여 소멸한다.

③ (○)

「질서위반행위규제법」제42조【과태료 재판의 집행】① 과태료 재판은 검사의 명령으로써 집행한다. 이 경우 그 명령은 집행력 있는 집행권원과 동일한 효력이 있다.
② 과태료 재판의 집행절차는「민사집행법」에 따르거나 국세 또는 지방세 체납처분의 예에 따른다. 다만,「민사집행법」에 따를 경우에는 집행을 하기 전에 과태료 재판의 송달은 하지 아니한다.
제43조【과태료 재판 집행의 위탁】① 검사는 과태료를 최초 부과한 행정청에 대하여 과태료 재판의 집행을 위탁할 수 있고, 위탁을 받은 행정청은 국세 또는 지방세 체납처분의 예에 따라 집행한다.

④ (×)

「질서위반행위규제법」제12조【다수인의 질서위반행위 가담】① 2인 이상이 질서위반행위에 가담한 때에는 각자가 질서위반행위를 한 것으로 본다.
② 신분에 의하여 성립하는 질서위반행위에 신분이 없는 자가 가담한 때에는 신분이 없는 자에 대하여도 질서위반행위가 성립한다.
③ 신분에 의하여 과태료를 감경 또는 가중하거나 과태료를 부과하지 아니하는 때에는 그 신분의 효과는 신분이 없는 자에게는 미치지 아니한다.

⑤ (○)

「질서위반행위규제법」제13조【수개의 질서위반행위의 처리】① 하나의 행위가 2 이상의 질서위반행위에 해당하는 경우에는 각 질서위반행위에 대하여 정한 과태료 중 가장 중한 과태료를 부과한다.

답 ④

함께 정리하기

행정질서벌(「질서위반행위규제법」)

고의·과실없는 질서위반행위
▷ 과태료 부과×

행정청의 부과처분 또는 법원의 과태료 재판확정 후 5년 경과 시
▷ 과태료 시효소멸

과태료 재판은 검사의 명령으로 집행
▷ 최초의 과태료 부과 행정청에 집행 위탁 가
▷ 체납처분의 예에 따라 집행

신분에 의해 성립하는 질서위반행위에 신분없는 자 가담 시
▷ 신분없는 자도 위반행위 성립○

하나의 행위로 2 이상의 위반행위 시
▷ 각 행위에 정한 과태료 중 가장 중한 것 부과

문제 DATA

출제가능 지수 ▶▶▷
난이도 지수 ★★☆

032 □□□

사업주 甲에게 고용된 종업원 乙이 영업행위 중 행정법규를 위반한 경우 행정벌의 부과에 대한 설명으로 옳은 것은? (다툼이 있는 경우 판례에 의함)

① 乙의 위반행위가 과태료 부과대상인 경우에 乙이 자신의 행위가 위법하지 아니한 것으로 오인하였다면 乙에 대해서 과태료를 부과할 수 없다.
② 甲의 처벌을 규정한 양벌규정이 있는 경우에도 乙이 처벌을 받지 않는 경우에는 甲만 처벌할 수 없다.
③ 행위자 외에 사업주를 처벌한다는 명문의 규정이 없더라도 관계규정의 해석에 의해 과실 있는 사업주도 벌할 뜻이 명확한 경우에는 乙 외에 甲도 처벌할 수 있다.
④ 위 위반행위에 대해 내려진 시정명령에 따르지 않았다는 이유로 乙이 과태료 부과처분을 받고 이를 납부하였다면, 당초의 위반행위를 이유로 乙을 형사처벌할 수 없다.

> 2018년 지방직 9급

① (×) 오인에 정당한 이유가 있어야 한다.

> 「질서위반행위규제법」 제8조 【위법성의 착오】 자신의 행위가 위법하지 아니한 것으로 오인하고 행한 질서위반행위는 그 오인에 정당한 이유가 있는 때에 한하여 과태료를 부과하지 아니한다.

② (×) 양벌규정상 사업주의 처벌은 종업원의 처벌을 전제하지 않는다.

> 양벌규정에 의한 영업주의 처벌은 금지위반행위자인 종업원의 처벌에 종속하는 것이 아니라 독립하여 그 자신의 종업원에 대한 선임감독상의 과실로 인하여 처벌되는 것이므로 종업원의 범죄성립이나 처벌이 영업주 처벌의 전제조건이 될 필요는 없다(대판 1987.11.10. 87도1213).

③ (○) 해석상 과실범 처벌의 뜻이 명확하면 명문규정 없이도 과실범처벌이 가능하다.

> 행정상의 단속을 주안으로 하는 법규라 하더라도 명문규정이 있거나 해석상 과실범도 벌할 뜻이 명확한 경우를 제외하고는 형법의 원칙에 따라 고의가 있어야 벌할 수 있다(대판 1986.7.22. 85도108).

④ (×) 과태료 부과 후 형사처벌을 하는 것은 일사부재리원칙에 위배되는 것이 아니다.

> 일사부재리의 효력은 확정재판이 있을 때에 발생하는 것이고 과태료는 행정법상의 질서벌에 불과하므로 과태료처분을 받고 이를 납부한 일이 있더라도 그후에 형사처벌을 한다고 해서 일사부재리의 원칙에 어긋난다고 할 수 없다(대판 1989.6.13. 88도1983).

답 ③

함께 정리하기

행정벌

위법하지 않다고 오인한 질서위반행위
▷ 정당한 이유 있어야 과태료 부과×

양벌규정에서 사업주
▷ 종업원 처벌에 종속×

해석상 과실범처벌 명확
▷ 명문규정 없이도 처벌 可

과태료납부 후 형사처벌
▷ 일사부재리 원칙 위반×

문제 DATA

출제가능 지수 ▶▶▷
난이도 지수 ★★☆

033 □□□

「질서위반행위규제법」의 내용으로 가장 옳은 것은?

① 지방자치단체의 조례상의 의무를 위반하여 과태료를 부과하는 행위는 질서위반행위에 해당되지 않는다.
② 법원의 과태료 재판이 확정된 후 법률이 변경되어 그 행위가 질서위반행위에 해당하지 아니하게 된 때에는 변경된 법률에 특별한 규정이 없는 한 과태료의 징수 또는 집행을 면제한다.
③ 과태료는 행정청의 과태료 부과처분이 있은 후 3년간 징수하지 아니하면 시효로 인하여 소멸한다.
④ 과태료 부과에 대한 이의제기는 과태료 부과처분의 효력에 영향을 주지 아니한다.

2018년 서울시 7급

① (×)
> 「질서위반행위규제법」 제2조【정의】이 법에서 사용하는 용어의 뜻은 다음과 같다.
> 1. "질서위반행위"란 법률(지방자치단체의 조례를 포함한다. 이하 같다)상의 의무를 위반하여 과태료를 부과하는 행위를 말한다. 다만, 다음 각 목의 어느 하나에 해당하는 행위를 제외한다.
>   가. 대통령령으로 정하는 사법(私法)상·소송법상 의무를 위반하여 과태료를 부과하는 행위
>   나. 대통령령으로 정하는 법률에 따른 징계사유에 해당하여 과태료를 부과하는 행위

② (○)
> 「질서위반행위규제법」 제3조【법 적용의 시간적 범위】③ 행정청의 과태료 처분이나 법원의 과태료 재판이 확정된 후 법률이 변경되어 그 행위가 질서위반행위에 해당하지 아니하게 된 때에는 변경된 법률에 특별한 규정이 없는 한 과태료의 징수 또는 집행을 면제한다.

③ (×)
> 「질서위반행위규제법」 제15조【과태료의 시효】① 과태료는 행정청의 과태료 부과처분이나 법원의 과태료 재판이 확정된 후 5년간 징수하지 아니하거나 집행하지 아니하면 시효로 인하여 소멸한다.

④ (×)
> 「질서위반행위규제법」 제20조【이의제기】① 행정청의 과태료 부과에 불복하는 당사자는 제17조 제1항에 따른 과태료 부과 통지를 받은 날부터 60일 이내에 해당 행정청에 서면으로 이의제기를 할 수 있다.
> ② 제1항에 따른 이의제기가 있는 경우에는 행정청의 과태료 부과처분은 그 효력을 상실한다.

답 ②

함께 정리하기

「질서위반행위규제법」

질서위반행위
▷ 조례상 의무위반 포함

과태료재판 확정 후 법률이 변경되어 질서위반행위×
▷ 과태료 징수·집행 면제

과태료 시효
▷ 5년

과태료 부과에 대한 이의제기
▷ 과태료 부과처분 효력상실

034

행정질서벌에 대한 설명으로 옳지 않은 것은?

① 「질서위반행위규제법」은 고의 또는 과실이 없는 질서위반행위는 과태료를 부과하지 않는다고 규정한다.
② 당사자와 검사는 과태료 재판에 대하여 즉시항고를 할 수 있다. 이 경우 항고는 집행정지의 효력이 있다.
③ 신분에 의하여 성립하는 질서위반행위에 신분이 없는 자가 가담한 때에는 신분이 없는 자에 대하여는 질서위반행위가 성립하지 않는다.
④ 신분에 의하여 과태료를 감경 또는 가중하거나 과태료를 부과하지 아니하는 때에는, 그 신분의 효과는 신분이 없는 자에게는 미치지 아니한다.

2018년 소방직

① (○)
> 「질서위반행위규제법」 제7조【고의 또는 과실】고의 또는 과실이 없는 질서위반행위는 과태료를 부과하지 아니한다.

② (○)
> 「질서위반행위규제법」 제38조【항고】① 당사자와 검사는 과태료 재판에 대하여 즉시항고를 할 수 있다. 이 경우 항고는 집행정지의 효력이 있다

함께 정리하기

행정질서벌

고의·과실×
▷ 과태료 부과×

과태료 재판에 대한 당사자 또는 검사의 즉시항고
▷ 집행정지의 효력○

신분에 의해 성립하는 질서위반행위에 비신분자가담
▷ 비신분자도 질서위반행위성립

신분에 의해 가중감경 면제
▷ 신분효과는 일신전속

③ (×)

> 「질서위반행위규제법」 제12조【다수인의 질서위반행위 가담】② 신분에 의하여 성립하는 질서위반행위에 신분이 없는 자가 가담한 때에는 신분이 없는 자에 대하여도 질서위반행위가 성립한다.

④ (○)

> 「질서위반행위규제법」 제12조【다수인의 질서위반행위 가담】③ 신분에 의하여 과태료를 감경 또는 가중하거나 과태료를 부과하지 아니하는 때에는 그 신분의 효과는 신분이 없는 자에게는 미치지 아니한다.

답 ③

035

「질서위반행위규제법」의 내용으로 옳지 않은 것은?

① 고의 또는 과실이 없는 질서위반행위는 과태료를 부과하지 아니한다.
② 자신의 행위가 위법하지 아니한 것으로 오인하고 행한 질서위반행위는 그 오인에 정당한 이유가 있는 때에 한하여 과태료를 부과하지 아니한다.
③ 과태료는 행정청의 과태료 부과처분이나 법원의 과태료 재판이 확정된 후 5년간 징수하지 아니하거나 집행하지 아니하면 시효로 인하여 소멸한다.
④ 행정청은 질서위반행위가 종료된 날부터 3년이 경과한 경우에는 해당 질서위반행위에 대하여 과태료를 부과할 수 없다.
⑤ 하나의 행위가 2 이상의 질서위반행위에 해당하는 경우에는 각 질서위반행위에 대하여 정한 과태료 중 가장 중한 과태료를 부과한다.

| 2018년 소방간부

① (○)

> 「질서위반행위규제법」 제7조【고의 또는 과실】고의 또는 과실이 없는 질서위반행위는 과태료를 부과하지 아니한다.

② (○)

> 「질서위반행위규제법」 제8조【위법성의 착오】자신의 행위가 위법하지 아니한 것으로 오인하고 행한 질서위반행위는 그 오인에 정당한 이유가 있는 때에 한하여 과태료를 부과하지 아니한다.

③ (○)

> 「질서위반행위규제법」 제15조【과태료의 시효】① 과태료는 행정청의 과태료 부과처분이나 법원의 과태료 재판이 확정된 후 5년간 징수하지 아니하거나 집행하지 아니하면 시효로 인하여 소멸한다.

④ (×)

> 「질서위반행위규제법」 제19조【과태료 부과의 제척기간】① 행정청은 질서위반행위가 종료된 날(다수인이 질서위반행위에 가담한 경우에는 최종행위가 종료된 날을 말한다)부터 5년이 경과한 경우에는 해당 질서위반행위에 대하여 과태료를 부과할 수 없다.

⑤ (○)

> 「질서위반행위규제법」 제13조【수개의 질서위반행위의 처리】① 하나의 행위가 2 이상의 질서위반행위에 해당하는 경우에는 각 질서위반행위에 대하여 정한 과태료 중 가장 중한 과태료를 부과한다.

답 ④

문제 DATA

출제가능 지수 ▶▶▷
난이도 지수 ★★☆

함께 정리하기

「질서위반행위규제법」

고의 또는 과실이 없는 질서위반행위
▷ 과태료 부과×

위법하지 않다고 오인한 질서위반행위
▷ 정당한 이유 있어야 과태료 부과×

과태료의 시효
▷ 부과처분 or 재판의 확정 후 5년간 징수 or 집행 없으면 시효소멸

질서위반행위 종료 후 5년 경과
▷ 과태료 부과 불가

하나의 행위, 둘 이상 질서위반
▷ 가장 중한 과태료 부과

036

행정질서벌(과태료)에 대한 설명으로 옳은 것(○)과 옳지 않은 것(×)을 바르게 연결한 것은? (다툼이 있는 경우 판례에 의함)

> ㄱ. 「질서위반행위규제법」에 의하면 고의나 과실이 없어도 과태료를 부과할 수 있다.
> ㄴ. 「질서위반행위규제법」에 의하면 과태료 재판에 대한 검사의 즉시항고는 당사자가 제기하는 즉시항고와는 달리 집행정지의 효력을 가지지 않는다.
> ㄷ. 신규등록신청을 위한 임시운행허가를 받고 그 기간이 끝났음에도 자동차등록원부에 등록하지 않은 채 허가기간의 범위를 넘어 운행한 차량소유자가 관련 법조항에 의한 과태료를 부과 받아 납부하였다 하더라도 그 차량소유자에 대해 형사처벌을 하는 것은 일사부재리원칙에 위반하는 것이 아니다.
> ㄹ. 「질서위반행위규제법」에 의하면 행정청의 과태료 처분이나 법원의 과태료 재판이 확정된 후 법률이 변경되어 그 행위가 질서위반행위에 해당하지 아니하게 된 때에는 변경된 법률에 특별한 규정이 없는 한 과태료의 징수 또는 집행을 면제한다.

	ㄱ	ㄴ	ㄷ	ㄹ
①	×	○	○	×
②	○	○	×	×
③	○	×	×	○
④	×	×	○	○

2018년 경찰

ㄱ. (×)

> 「질서위반행위규제법」 제7조【고의 또는 과실】 고의 또는 과실이 없는 질서위반행위는 과태료를 부과하지 아니한다.

ㄴ. (×)

> 「질서위반행위규제법」 제38조【항고】 ① 당사자와 검사는 과태료 재판에 대하여 즉시항고를 할 수 있다. 이 경우 항고는 집행정지의 효력이 있다.

ㄷ. (○) 과태료와 형사처벌의 병과는 일사부재리원칙에 위배되지 않는다.

> 우선 행정법상의 질서벌인 과태료의 부과처분과 형사처벌은 그 성질이나 목적을 달리하는 별개의 것이므로 행정법상의 질서벌인 과태료를 납부한 후에 형사처벌을 한다고 하여 이를 일사부재리의 원칙에 반하는 것이라고 할 수는 없으며, 만일 임시운행허가기간을 넘어 운행한 자가 등록된 차량에 관하여 그러한 행위를 한 경우라면 과태료의 제재만을 받게 되겠지만, 무등록 차량에 관하여 그러한 행위를 한 경우라면 과태료와 별도로 형사처벌의 대상이 된다고 보아야 할 것이다(대판 1996.4.12. 96도158).

ㄹ. (○)

> 「질서위반행위규제법」 제3조【법 적용의 시간적 범위】 ③ 행정청의 과태료 처분이나 법원의 과태료 재판이 확정된 후 법률이 변경되어 그 행위가 질서위반행위에 해당하지 아니하게 된 때에는 변경된 법률에 특별한 규정이 없는 한 과태료의 징수 또는 집행을 면제한다.

답 ④

함께 정리하기

행정질서벌(과태료)

고의 또는 과실이 없는 질서위반행위
▷ 과태료 부과 ×

과태료 재판에 대한 검사의 즉시항고
▷ 집행정지의 효력 ○

과태료와 형사처벌의 병과
▷ 일사부재리 원칙 위반 ×

과태료 처분 확정 후 법률이 변경되어 질서위반행위가 아니게 된 경우
▷ 과태료의 징수 또는 집행 면제

문제 DATA

출제가능 지수 ▶▶▷
난이도 지수 ★★☆

037 □□□

질서위반행위와 과태료처분에 대한 설명으로 옳은 것은?

① 과태료의 부과 징수, 재판 및 집행 등의 절차에 관하여 「질서위반행위규제법」과 타 법률이 달리 규정하고 있는 경우에는 후자를 따른다.
② 하나의 행위가 2 이상의 질서위반행위에 해당하는 경우에는 각 질서위반행위에 대하여 정한 과태료 중 가장 중한 과태료를 부과하는 것이 원칙이다.
③ 과태료는 행정질서유지를 위한 의무 위반이라는 객관적 사실에 대하여 과하는 제재이므로 과태료 부과에는 고의, 과실을 요하지 않는다.
④ 과태료에는 소멸시효가 없으므로 행정청의 과태료처분이나 법원의 과태료재판이 확정된 이상 일정한 시간이 지나더라도 그 처벌을 면할 수는 없다.

| 2017년 서울시 9급

① (×)

> 「질서위반행위규제법」 제5조【다른 법률과의 관계】 과태료의 부과·징수, 재판 및 집행 등의 절차에 관한 다른 법률의 규정 중 이 법의 규정에 저촉되는 것은 이 법으로 정하는 바에 따른다.

② (○)

> 「질서위반행위규제법」 제13조【수개의 질서위반행위의 처리】 ① 하나의 행위가 2 이상의 질서위반행위에 해당하는 경우에는 각 질서위반행위에 대하여 정한 과태료 중 가장 중한 과태료를 부과한다.
> ② 제1항의 경우를 제외하고 2 이상의 질서위반행위가 경합하는 경우에는 각 질서위반행위에 대하여 정한 과태료를 각각 부과한다. 다만, 다른 법령(지방자치단체의 조례를 포함한다. 이하 같다)에 특별한 규정이 있는 경우에는 그 법령으로 정하는 바에 따른다.

③ (×) 「질서위반행위규제법」이 제정되기 전, 판례는 행정질서벌의 대상이 되는 행위는 단순한 업무해태행위로서 반윤리성이 희박하기 때문에 객관적 법규위반이 있으면 과벌할 수 있으며, 원칙적으로 행위자의 고의·과실은 문제되지 않는다는 입장이었다(대판 2000.5.26. 98두5972 참조). 그러나 「질서위반행위규제법」은 질서위반행위의 성립요건으로서 고의 또는 과실을 요구하고 있다(제7조). 따라서 현행법상 과태료를 부과하기 위해서는 고의 또는 과실이 있어야 한다.

> 「질서위반행위규제법」 제7조【고의 또는 과실】 고의 또는 과실이 없는 질서위반행위는 과태료를 부과하지 아니한다.

유제 15. 국가직 7급, 11. 지방직 7급 고의 또는 과실이 없는 질서위반행위는 과태료를 부과하지 아니한다. (○)

④ (×)

> 「질서위반행위규제법」 제15조【과태료의 시효】 ① 과태료는 행정청의 과태료 부과처분이나 법원의 과태료 재판이 확정된 후 5년간 징수하지 아니하거나 집행하지 아니하면 시효로 인하여 소멸한다.

답 ②

함께 정리하기

질서위반행위와 과태료처분

「질서위반행위규제법」 vs 타 법률
▷ 「질서위반행위규제법」 적용

하나의 행위, 둘 이상 질서위반
▷ 가장 중한 과태료 부과

고의 또는 과실이 없는 질서위반행위
▷ 과태료 부과 ×

과태료의 시효
▷ 부과처분 or 재판 확정 후 5년간 징수 or 집행 없으면 시효소멸

038

행정의 실효성 확보수단에 대한 설명으로 옳은 것을 모두 고른 것은? (다툼이 있는 경우 판례에 의함)

> ㄱ. 이행강제금과 행정벌의 병과는 허용된다.
> ㄴ. 직접강제는 일반적으로 목전에 급박한 행정상 장해를 제거할 필요가 있는 경우에 미리 의무를 명할 시간적 여유가 없는 경우에 사용하는 수단이다.
> ㄷ. 「질서위반행위규제법」상 질서위반행위의 성립과 과태료 처분은 처분시의 법률에 따른다.
> ㄹ. 「도로교통법」상 경찰서장의 통고처분은 행정소송의 대상이 되는 처분이 아니다.

① ㄱ, ㄴ
② ㄱ, ㄹ
③ ㄴ, ㄷ
④ ㄴ, ㄹ
⑤ ㄷ, ㄹ

문제 DATA
출제가능 지수 ▶▶▷
난이도 지수 ★★☆

2017년 교육행정직

ㄱ. (○) 이행강제금과 행정벌은 병과될 수 있다.

> 이행강제금은 과거의 일정한 법률 위반 행위에 대한 제재로서의 형벌이 아니라 장래의 의무이행의 확보를 위한 강제수단일 뿐이어서 범죄에 대하여 국가 형벌권을 실행한다고 하는 과벌에 해당하지 아니하므로 헌법 제13조 제1항이 금지하는 이중처벌금지의 원칙이 적용될 여지가 없을 뿐 아니라, 건축법 제108조, 제110조에 의한 형사처벌의 대상이 되는 행위와 건축법을 위반한 건축주 등이 건축허가권자로부터 위반 건축물의 철거 등 시정명령을 받고도 그 이행을 하지 않는 경우 건축법 위반자에 대하여 시정명령 이행시까지 반복적으로 이행강제금을 부과할 수 있도록 규정한 건축법 제80조 제1항 및 제4항에 따라 이행강제금이 부과되는 행위는 기초적 사실관계가 동일한 행위가 아니라 할 것이므로 이런 점에서도 헌법 제13조 제1항의 이중처벌금지의 원칙에 위반되지 아니한다(헌재 2011.10.25. 2009헌바140).

유제 14. 지방직 9급 「건축법」상 무허가 건축행위에 대한 형사처벌과 시정명령 위반에 대한 이행강제금의 부과는 헌법 제13조 제1항이 금지하는 이중처벌에 해당한다. (×)

ㄴ. (×) 직접강제란 의무자의 신체·재산에 직접 실력을 가함으로써 의무이행이 있었던 것과 같은 상태를 실현시키는 가장 강력한 강제집행수단으로서 대집행, 이행강제금이 부적합하거나 아무 성과를 기대할 수 없는 경우 마지막으로 사용하는 작위, 부작위, 수인의무에 대한 강제수단이다. 지문은 즉시강제에 대한 설명이다.

ㄷ. (×)

> 「질서위반행위규제법」 제3조 【법 적용의 시간적 범위】 ① 질서위반행위의 성립과 과태료 처분은 행위시의 법률에 따른다.

ㄹ. (○) 통고처분에는 처분성이 인정되지 않는다.

> 도로교통법 제118조에서 규정하는 경찰서장의 통고처분은 행정소송의 대상이 되는 행정처분이 아니므로 그 처분의 취소를 구하는 소송은 부적법하고, 도로교통법상의 통고처분을 받은 자가 그 처분에 대하여 이의가 있는 경우에는 통고처분에 따른 범칙금의 납부를 이행하지 아니함으로써 경찰서장의 즉결심판청구에 의하여 법원의 심판을 받을 수 있게 될 뿐이다(대판 1995.6.29 95누4674).

답 ②

함께 정리하기
행정의 실효성 확보수단

이행강제금 & 행정벌
▷ 병과 可

즉시강제
▷ 목전에 급박한 장해제거, 의무불이행 전제 ×

질서위반행위의 성립과 과태료 처분
▷ 행위시 법률

통고처분
▷ 처분 ×

문제 DATA

출제가능 지수 ▶▶▷
난이도 지수 ★★☆

039 □□□

「질서위반행위규제법」상 과태료에 대한 설명으로 가장 옳은 것은?

① 과태료의 부과·징수, 재판 및 집행 등의 절차에 관한 다른 법률의 규정 중 이 법의 규정에 저촉되는 것은 다른 법률이 정하는 바에 따른다.
② 고의 또는 과실이 없는 질서위반행위에도 과태료를 부과한다.
③ 하나의 행위가 2 이상의 질서위반행위에 해당하는 경우에는 각 질서위반행위에 대하여 정한 과태료를 합산하여 과태료를 부과한다.
④ 행정청은 당사자가 납부기한까지 과태료를 납부하지 아니한 때에는 납부기한을 경과한 날부터 체납된 과태료에 대하여 100분의 3에 상당하는 가산금을 징수한다.

2017년 국회직 8급

① (×)

> 「질서위반행위규제법」 제5조【다른 법률과의 관계】과태료의 부과·징수, 재판 및 집행 등의 절차에 관한 다른 법률의 규정 중 이 법의 규정에 저촉되는 것은 이 법으로 정하는 바에 따른다.

② (×)

> 「질서위반행위규제법」 제7조【고의 또는 과실】고의 또는 과실이 없는 질서위반행위는 과태료를 부과하지 아니한다.

③ (×)

> 「질서위반행위규제법」 제13조【수개의 질서위반행위의 처리】① 하나의 행위가 2 이상의 질서위반행위에 해당하는 경우에는 각 질서위반행위에 대하여 정한 과태료 중 가장 중한 과태료를 부과한다.
> ② 제1항의 경우를 제외하고 2 이상의 질서위반행위가 경합하는 경우에는 각 질서위반행위에 대하여 정한 과태료를 각각 부과한다. 다만, 다른 법령(지방자치단체의 조례를 포함한다. 이하 같다)에 특별한 규정이 있는 경우에는 그 법령으로 정하는 바에 따른다.

④ (○)

> 「질서위반행위규제법」 제24조【가산금 징수 및 체납처분 등】① 행정청은 당사자가 납부기한까지 과태료를 납부하지 아니한 때에는 납부기한을 경과한 날부터 체납된 과태료에 대하여 100분의 3에 상당하는 가산금을 징수한다.

답 ④

함께 정리하기

과태료

타 법률과 저촉 시
▷ 질서위반행위규제법 적용

고의·과실 無
▷ 과태료 부과×

하나의 행위가 둘 이상 질서위반
▷ 가장 중한 과태료 부과

가산금
▷ 체납된 과태료의 3/100

040

행정벌에 대한 설명으로 옳지 않은 것은? (다툼이 있는 경우 판례에 의함)

① 행정형벌의 과벌절차로서의 통고처분은 행정소송의 대상이 되는 행정처분이 아니다.
② 고의 또는 과실이 없는 질서위반행위는 과태료를 부과하지 아니한다.
③ 과태료의 부과는 서면으로 하여야 한다. 이때 당사자가 동의하는 경우에는 전자문서도 여기서의 서면에 포함된다.
④ 과태료의 부과·징수의 절차에 관해 「질서위반행위규제법」의 규정에 저촉되는 다른 법률의 규정이 있는 경우에는 그 다른 법률의 규정이 정하는 바에 따른다.
⑤ 자신의 행위가 위법하지 아니한 것으로 오인하고 행한 질서위반행위는 그 오인에 정당한 이유가 있는 때에 한하여 과태료를 부과하지 아니한다.

문제 DATA
출제가능 지수 ▶▶▷
난이도 지수 ★★☆

2017년 국회직 8급

① (O) 판례에 따르면 통고처분은 상대방의 임의 승복을 그 발효요건으로 하기 때문에 그 자체만으로는 통고이행을 강제하거나 상대방에게 아무런 권리·의무를 형성하지 않는다. 따라서 행정쟁송의 대상으로서의 처분성이 부정된다.

통고처분은 임의승복이 요건이므로 처분성이 인정되지 않는다.
도로교통법 제118조에서 규정하는 경찰서장의 통고처분은 행정소송의 대상이 되는 행정처분이 아니므로 그 처분의 취소를 구하는 소송은 부적법하고, 도로교통법상의 통고처분을 받은 자가 그 처분에 대하여 이의가 있는 경우에는 통고처분에 따른 범칙금의 납부를 이행하지 아니함으로써 경찰서장의 즉결심판청구에 의하여 법원의 심판을 받을 수 있게 될 뿐이다(대판 1995.6.29 95누4674).

② (O)

「질서위반행위규제법」 제7조【고의 또는 과실】고의 또는 과실이 없는 질서위반행위는 과태료를 부과하지 아니한다.

유제 12. 국가직 7급 과태료는 객관적인 법질서위반에 대한 제재라는 점에서 행위자의 고의나 과실은 요하지 아니한다. (×)

③ (O)

「질서위반행위규제법」 제17조【과태료의 부과】① 행정청은 제16조의 의견 제출 절차를 마친 후에 서면(당사자가 동의하는 경우에는 전자문서를 포함한다. 이하 이 조에서 같다)으로 과태료를 부과하여야 한다.

④ (×)

「질서위반행위규제법」 제5조【다른 법률과의 관계】과태료의 부과·징수, 재판 및 집행 등의 절차에 관한 다른 법률의 규정 중 이 법의 규정에 저촉되는 것은 이 법으로 정하는 바에 따른다.

⑤ (O)

「질서위반행위규제법」 제8조【위법성의 착오】자신의 행위가 위법하지 아니한 것으로 오인하고 행한 질서위반행위는 그 오인에 정당한 이유가 있는 때에 한하여 과태료를 부과하지 아니한다.

유제 11. 지방직 7급 자신의 행위가 위법하지 아니한 것으로 오인하고 행한 질서위반행위에 대해서는 과태료를 부과하지 아니한다. (×)

답 ④

함께 정리하기

행정벌

통고처분
▷ 임의승복 요건
▷ 처분성×

고의·과실×
▷ 과태료 부과×

과태료 부과방법
▷ 서면(동의 시 전자문서 포함)

「질서위반행위규제법」vs 타 법률
▷ 「질서위반행위규제법」적용

오인에 정당한 이유 有
▷ 과태료 부과×

제4장 새로운 실효성 확보수단

문제 DATA
출제가능 지수 ▶▶▷
난이도 지수 ★★☆

001 □□□

제재처분에 대한 설명으로 옳지 않은 것은?

① 자동차운수사업면허조건 등을 위반한 사업자에 대한 과징금부과처분이 법이 정한 한도액을 초과하여 위법할 경우 법원으로서는 그 전부를 취소할 수밖에 없다.
② 「행정기본법」상 제재처분 제척기간의 적용 대상인 제재처분은 '인허가의 정지·취소·철회, 등록 말소, 영업소 폐쇄와 정지를 갈음하는 과징금 부과'에 한정된다.
③ 여러 처분사유에 관하여 하나의 제재처분을 하였을 때 그중 일부가 인정되지 않고 나머지 처분사유들만으로 처분의 정당성이 인정된다고 하더라도 그 처분은 위법하다고 보아 취소할 수 있다.
④ 효력기간이 정해져 있는 제재적 행정처분의 효력이 발생한 이후에도 행정청은 특별한 사정이 없는 한 상대방에 대한 별도의 처분으로써 효력기간의 시기와 종기를 다시 정할 수 있다.

| 2025년 국가직 9급

① (O) 자동차운수사업면허조건 등에 위반한 사업자에 대하여 행정청이 행정제재수단으로 사업정지를 명할 것인지, 과징금을 부과할 것인지, 과징금을 부과키로 한다면 그 금액은 얼마로 할 것인지에 관하여 재량권이 부여되었다 할 것이므로, 과징금 부과처분이 법이 정한 한도액을 초과하여 위법할 경우 법원으로서는 그 전부를 취소할 수밖에 없고, 그 한도액을 초과한 부분이나 법원이 적정하다고 인정되는 부분을 초과한 부분만을 취소할 수 없다(대판 1993.7.27. 93누1077 ; 대판 1998.4.10. 98두2270).

② (O)

> 「행정기본법」 제23조 【제재처분의 제척기간】 ① 행정청은 법령등의 위반행위가 종료된 날부터 5년이 지나면 해당 위반행위에 대하여 제재처분(인허가의 정지·취소·철회, 등록 말소, 영업소 폐쇄와 정지를 갈음하는 과징금 부과를 말한다. 이하 이 조에서 같다)을 할 수 없다.
> ② 다음 각 호의 어느 하나에 해당하는 경우에는 제1항을 적용하지 아니한다.
>   1. 거짓이나 그 밖의 부정한 방법으로 인허가를 받거나 신고를 한 경우
>   2. 당사자가 인허가나 신고의 위법성을 알고 있었거나 중대한 과실로 알지 못한 경우
>   3. 정당한 사유 없이 행정청의 조사·출입·검사를 기피·방해·거부하여 제척기간이 지난 경우
>   4. 제재처분을 하지 아니하면 국민의 안전·생명 또는 환경을 심각하게 해치거나 해칠 우려가 있는 경우

③ (X) 행정처분에 있어 수개의 처분사유 중 일부가 적법하지 않다고 하더라도 다른 처분사유로써 그 처분의 정당성이 인정되는 경우에는 그 처분을 위법하다고 할 수 없다(대판 2013.10.24. 2013두963).
④ (O) 효력기간이 정해져 있는 제재적 행정처분의 효력이 발생한 이후에도 행정청은 특별한 사정이 없는 한 상대방에 대한 별도의 처분으로써 효력기간의 시기와 종기를 다시 정할 수 있다. 이는 당초의 제재적 행정처분이 유효함을 전제로 그 구체적인 집행시기만을 변경하는 후속 변경처분이다. 이러한 후속 변경처분도 특별한 규정이 없는 한 의사표시에 관한 일반법리에 따라 상대방에게 고지되어야 효력이 발생한다. 위와 같은 후속 변경처분서에 효력기간의 시기와 종기를 다시 특정하는 대신 당초 제재적 행정처분의 집행을 특정 소송사건의 판결 시까지 유예한다고 기재되어 있다면, 처분의 효력기간은 원칙적으로 그 사건의 판결 선고 시까지 진행이 정지되었다가 판결이 선고되면 다시 진행된다. 다만 이러한 후속 변경처분 권한은 특별한 사정이 없는 한 당초의 제재적 행정처분의 효력이 유지되는 동안에만 인정된다. 당초의 제재적 행정처분에서 정한 효력기간이 경과하면 그로써 처분의 집행은 종료되어 처분의 효력이 소멸하는 것이므로(행정소송법 제12조 후문 참조), 그 후 동일한 사유로 다시 제재적 행정처분을 하는 것은 위법한 이중처분에 해당한다(대판 2022.2.11. 2021두40720).

답 ③

함께 정리하기

제재처분

자동차운수사업면허조건 등에 위반한 사업자에 대한 위법한 과징금 부과처분
▷ 전부취소

제재처분 제척기간의 적용 대상
▷ 제재처분 中 인·허가의 정지·취소·철회, 등록말소, 영업소 폐쇄와 정지를 갈음하는 과징금 부과에 한정

수개의 처분사유 중 일부가 위법, 다른 처분사유로써 처분의 정당성 인정
▷ 처분 위법 ✕

효력기간이 있는 제재적 처분의 집행시기 변경처분 可

002

행정상 실효성 확보수단에 대한 설명으로 옳지 않은 것은? (다툼이 있는 경우 판례에 의함)

① 「건축법」상 대지 또는 건축물의 위법상태를 시정할 수 있는 법률상 또는 사실상의 지위에 있지 않은 자는 시정명령의 상대방이 될 수 없다.
② 공급거부란 행정법상의 의무를 위반하거나 불이행한 자에 대하여 행정상의 서비스 또는 재화의 공급을 거부하는 권력적 사실행위로서 판례는 지방자치단체장에 의한 단수조치의 처분성을 인정하였다.
③ 병무청장이 「병역법」에 따라 병역의무 기피자의 인적사항 등을 인터넷 홈페이지에 게시하는 등의 방법으로 공개한 경우, 병무청장의 공개결정은 항고소송의 대상이 되는 행정처분에 해당한다.
④ 과징금은 법령등에 따른 의무를 위반한 자에 대하여 법률로 정하는 바에 따라 그 위반행위에 대해 부과하는 제재로서 분할 납부를 원칙으로 하고 일정한 사유가 인정될 때에는 한꺼번에 납부하게 할 수 있다.

2025년 소방직

① (O) 구 건축법(2019.4.23. 법률 제16380호로 개정되기 전의 것) 제79조 제1항에 따른 시정명령은 대지나 건축물이 건축 관련 법령 또는 건축 허가 조건을 위반한 상태를 해소하기 위한 조치를 명하는 처분으로, 건축 관련 법령 등을 위반한 객관적 사실이 있으면 할 수 있고, 원칙적으로 시정명령의 상대방에게 고의·과실을 요하지 아니하며 대지 또는 건축물의 위법상태를 직접 초래하거나 또는 그에 관여한 바 없다고 하더라도 부과할 수 있다. 그러나 건축법상 위법상태의 해소를 목적으로 하는 시정명령 제도의 본질상, <u>시정명령의 이행을 기대할 수 없는 자, 즉 대지 또는 건축물의 위법상태를 시정할 수 있는 법률상 또는 사실상의 지위에 있지 않은 자는 시정명령의 상대방이 될 수 없다고 보는 것이 타당하다. 시정명령의 이행을 기대할 수 없는 자에 대한 시정명령은 위법상태의 시정이라는 행정목적 달성을 위한 적절한 수단이 될 수 없고, 상대방에게 불가능한 일을 명령하는 결과밖에 되지 않기 때문이다</u>(대판 2022.10.14. 2021두45008).
② (O) 단수처분은 항고소송의 대상이 되는 행정처분에 해당한다(대판 1979.12.28. 79누218).
③ (O) <u>병무청장이 병역법 제81조의2 제1항에 따라 병역의무 기피자의 인적사항 등을 인터넷 홈페이지에 게시하는 등의 방법으로 공개한 경우 병무청장의 공개결정을 항고소송의 대상이 되는 행정처분으로 보아야 한다.</u> 그 구체적인 이유는 다음과 같다.
 (1) 병무청장이 하는 병역의무 기피자의 인적사항 등 공개는, 특정인을 병역의무 기피자로 판단하여 그 사실을 일반 대중에게 공표함으로써 그의 명예를 훼손하고 그에게 수치심을 느끼게 하여 병역의무 이행을 간접적으로 강제하려는 조치로서 병역법에 근거하여 이루어지는 공권력의 행사에 해당한다.
 (2) 병무청장이 하는 병역의무 기피자의 인적사항 등 공개조치에는 특정인을 병역의무 기피자로 판단하여 그에게 불이익을 가한다는 행정결정이 전제되어 있고, 공개라는 사실행위는 행정결정의 집행행위라고 보아야 한다. 병무청장이 그러한 행정결정을 공개 대상자에게 미리 통보하지 않은 것이 적절한지는 본안에서 해당 처분이 적법한가를 판단하는 단계에서 고려할 요소이며, 병무청장이 그러한 행정결정을 공개대상자에게 미리 통보하지 않았다거나 처분서를 작성·교부하지 않았다는 점만으로 항고소송의 대상적격을 부정하여서는 아니 된다(대판 2019.6.27. 2018두49130).
④ (X)

> 「행정기본법」제28조【과징금의 기준】① 행정청은 법령등에 따른 의무를 위반한 자에 대하여 <u>법률로 정하는 바에 따라 그 위반행위에 대한 제재로서 과징금을 부과할 수 있다.</u>
> ② 과징금의 근거가 되는 법률에는 과징금에 관한 다음 각 호의 사항을 명확하게 규정하여야 한다.
> 1. 부과·징수 주체
> 2. 부과 사유
> 3. 상한액
> 4. 가산금을 징수하려는 경우 그 사항
> 5. 과징금 또는 가산금 체납 시 강제징수를 하려는 경우 그 사항

함께 정리하기

행정상 실효성 확보수단

시정명령의 상대방
▷ 위법상태를 시정할 수 있는 법률상·사실상 지위에 있는 자

공급거부
▷ 권력적 사실행위

단수조치
▷ 행정처분 O

병역의무기피자 인적사항 공개결정
▷ 행정처분 O

과징금
▷ 한꺼번에 납부 원칙
▷ 예외: 기한연기·분할납부 가

> 제29조【과징금의 납부기한 연기 및 분할 납부】 과징금은 한꺼번에 납부하는 것을 원칙으로 한다. 다만, 행정청은 과징금을 부과받은 자가 다음 각 호의 어느 하나에 해당하는 사유로 과징금 전액을 한꺼번에 내기 어렵다고 인정될 때에는 그 납부기한을 연기하거나 분할 납부하게 할 수 있으며, 이 경우 필요하다고 인정하면 담보를 제공하게 할 수 있다.
> 1. 재해 등으로 재산에 현저한 손실을 입은 경우
> 2. 사업 여건의 악화로 사업이 중대한 위기에 처한 경우
> 3. 과징금을 한꺼번에 내면 자금 사정에 현저한 어려움이 예상되는 경우
> 4. 그 밖에 제1호부터 제3호까지에 준하는 경우로서 대통령령으로 정하는 사유가 있는 경우

답 ④

003

행정의 실효성 확보수단에 대한 설명으로 옳지 않은 것은? (다툼이 있는 경우 판례에 의함)

① 과징금부과처분은 원칙적으로 위반자의 고의·과실을 요하지 아니하나, 위반자의 의무 해태를 탓할 수 없는 정당한 사유가 있는 등의 특별한 사정이 있는 경우에는 이를 부과할 수 없다.
② 「행정대집행법」에 의한 대집행계고를 함에 있어서는 그 행위의 내용 및 범위는 반드시 대집행계고서에 의하여서만 특정되어야 하는 것이 아니고 계고처분 전후에 송달된 문서나 기타 사정을 종합하여 행위의 내용이 특정되거나 대집행 의무자가 그 이행의무의 범위를 알 수 있으면 족하다.
③ 「독점규제 및 공정거래에 관한 법률」상 시정명령으로 과거의 위반행위에 대한 중지는 물론, 가까운 장래에 반복될 우려가 있는 동일한 유형의 행위의 반복금지까지를 명할 수 있다.
④ 효력기간이 정해져 있는 제재적 행정처분의 효력이 발생한 이후에는 행정청은 상대방에 대한 별도의 처분으로써 효력기간의 시기와 종기를 다시 정할 수 없다.
⑤ 「행정조사기본법」에 따르면 행정조사대상자는 조사원에게 공정한 행정조사를 기대하기 어려운 사정이 있다고 판단되는 경우에는 행정기관의 장에게 당해 조사원의 교체를 신청할 수 있다.

| 2025년 소방간부

① (O) 구 여객자동차 운수사업법(2012.2.1. 법률 제11295호로 개정되기 전의 것) 제88조 제1항의 과징금부과처분은 제재적 행정처분으로서 여객자동차 운수사업에 관한 질서를 확립하고 여객의 원활한 운송과 여객자동차 운수사업의 종합적인 발달을 도모하여 공공복리를 증진한다는 행정목적의 달성을 위하여 행정법규 위반이라는 객관적 사실에 착안하여 가하는 제재이므로 반드시 현실적인 행위자가 아니라도 법령상 책임자로 규정된 자에게 부과되고 원칙적으로 위반자의 고의·과실을 요하지 아니하나, 위반자의 의무 해태를 탓할 수 없는 정당한 사유가 있는 등의 특별한 사정이 있는 경우에는 이를 부과할 수 없다(대판 2014.10.15. 2013두5005).
② (O) 행정청이 행정대집행법 제3조 제1항에 의한 대집행계고를 함에 있어서는 의무자가 스스로 이행하지 아니하는 경우에 대집행할 행위의 내용 및 범위가 구체적으로 특정되어야 하지만, 그 행위의 내용 및 범위는 반드시 대집행계고서에 의하여서만 특정되어야 하는 것이 아니고 계고처분 전후에 송달된 문서나 기타 사정을 종합하여 행위의 내용이 특정되거나 대집행 의무자가 그 이행의무의 범위를 알 수 있으면 족하다고 할 것이다(대판 1997.2.14. 96누15428).

③ (○) 독점규제 및 공정거래에 관한 법률에 의한 시정명령이 지나치게 구체적인 경우 매일 매일 다소간의 변형을 거치면서 행해지는 수많은 거래에서 정합성이 떨어져 결국 무의미한 시정명령이 되므로 그 본질적인 속성상 다소간의 포괄성·추상성을 띨 수밖에 없다 할 것이고, 한편 시정명령 제도를 둔 취지에 비추어 <u>시정명령의 내용은 과거의 위반행위에 대한 중지는 물론 가까운 장래에 반복될 우려가 있는 동일한 유형의 행위의 반복금지까지 명할 수는 있는 것으로 해석함이 상당하다 할 것이다</u>(대판 2003.2.20. 2001두5347 전합).

④ (×) <u>효력기간이 정해져 있는 제재적 행정처분의 효력이 발생한 이후에도 행정청은 특별한 사정이 없는 한 상대방에 대한 별도의 처분으로써 효력기간의 시기와 종기를 다시 정할 수 있다.</u> 이는 당초의 제재적 행정처분이 유효함을 전제로 그 구체적인 집행시기만을 변경하는 후속 변경처분이다. 이러한 후속 변경처분도 특별한 규정이 없는 한 의사표시에 관한 일반법리에 따라 상대방에게 고지되어야 효력이 발생한다. 위와 같은 후속 변경처분서에 효력기간의 시기와 종기를 다시 특정하는 대신 당초 제재적 행정처분의 집행을 특정 소송사건의 판결 시까지 유예한다고 기재되어 있다면, 처분의 효력기간은 원칙적으로 그 사건의 판결 선고 시까지 진행이 정지되었다가 판결이 선고되면 다시 진행된다. <u>다만 이러한 후속 변경처분 권한은 특별한 사정이 없는 한 당초의 제재적 행정처분의 효력이 유지되는 동안에만 인정된다.</u> 당초의 제재적 행정처분에서 정한 효력기간이 경과하면 그로써 처분의 집행은 종료되어 처분의 효력이 소멸하는 것이므로(행정소송법 제12조 후문 참조), 그 후 동일한 사유로 다시 제재적 행정처분을 하는 것은 위법한 이중처분에 해당한다(대판 2022.2.11. 2021두40720).

⑤ (○)

> 「행정조사기본법」 제22조【조사원 교체신청】① <u>조사대상자는 조사원에게 공정한 행정조사를 기대하기 어려운 사정이 있다고 판단되는 경우에는 행정기관의 장에게 당해 조사원의 교체를 신청할 수 있다.</u>
> ② 제1항에 따른 교체신청은 그 이유를 명시한 서면으로 행정기관의 장에게 하여야 한다.
> ③ 제1항에 따른 교체신청을 받은 행정기관의 장은 즉시 이를 심사하여야 한다.
> ④ 행정기관의 장은 제1항에 따른 교체신청이 타당하다고 인정되는 경우에는 다른 조사원으로 하여금 행정조사를 하게 하여야 한다.
> ⑤ 행정기관의 장은 제1항에 따른 교체신청이 조사를 지연할 목적으로 한 것이거나 그 밖에 교체신청에 타당한 이유가 없다고 인정되는 때에는 그 신청을 기각하고 그 취지를 신청인에게 통지하여야 한다.

답 ④

004

「행정기본법」에 대한 설명으로 옳은 것은? (다툼이 있는 경우 판례에 의함)

① 감사원규칙의 위임을 받아 감사원장이 정한 훈령은 법령에 해당하지 않는다.
② 행정청의 처분에 이의가 있는 당사자는 처분을 받은 날부터 60일 이내에 해당 행정청에 이의신청을 할 수 있다.
③ 과징금의 상한액은 과징금의 근거가 되는 법률에 명확하게 규정하여야 할 사항에 포함된다.
④ 처분에 재량이 있는 경우 행정청은 법률로 정하는 바에 따라 완전히 자동화된 시스템으로 처분을 할 수 있다.

함께 정리하기

「행정기본법」

감사원규칙의 위임을 받아 감사원장이 정한 훈령
▷ 법령O

처분에 이의가 있는 당사자
▷ 처분 받은 날부터 30일 이내 이의신청 可

과징금 상한액
▷ 근거법률에 규정 要

재량행위
▷ 완전히 자동화된 시스템으로 처분 不可

2025년 경찰간부

① (×) 행정기본법은 감사원규칙을 법령으로 명시하고 있으며, 그 위임을 받은 감사원장의 훈령 역시 법령에 해당한다.

> 「행정기본법」 제2조【정의】 이 법에서 사용하는 용어의 뜻은 다음과 같다.
> 1. "법령등"이란 다음 각 목의 것을 말한다.
>   가. 법령: 다음의 어느 하나에 해당하는 것
>   1) 법률 및 대통령령·총리령·부령
>   2) 국회규칙·대법원규칙·헌법재판소규칙·중앙선거관리위원회규칙 및 감사원규칙
>   3) 1) 또는 2)의 위임을 받아 중앙행정기관(「정부조직법」 및 그 밖의 법률에 따라 설치된 중앙행정기관을 말한다. 이하 같다)의 장, 국회의장, 대법원장, 헌법재판소장, 중앙선거관리위원회위원장, 감사원장 등이 정한 훈령·예규 및 고시 등 행정규칙
>   나. 자치법규: 지방자치단체의 조례 및 규칙

② (×) 처분을 받은 날부터 30일 이내에 해당 행정청에 이의신청을 할 수 있다.

> 「행정기본법」 제36조【처분에 대한 이의신청】 ① 행정청의 처분(「행정심판법」 제3조에 따라 같은 법에 따른 행정심판의 대상이 되는 처분을 말한다. 이하 이 조에서 같다)에 이의가 있는 당사자는 처분을 받은 날부터 30일 이내에 해당 행정청에 이의신청을 할 수 있다.
> ② 행정청은 제1항에 따른 이의신청을 받으면 그 신청을 받은 날부터 14일 이내에 그 이의신청에 대한 결과를 신청인에게 통지하여야 한다. 다만, 부득이한 사유로 14일 이내에 통지할 수 없는 경우에는 그 기간을 만료일 다음 날부터 기산하여 10일의 범위에서 한 차례 연장할 수 있으며, 연장 사유를 신청인에게 통지하여야 한다.
> ③ 제1항에 따라 이의신청을 한 경우에도 그 이의신청과 관계없이 「행정심판법」에 따른 행정심판 또는 「행정소송법」에 따른 행정소송을 제기할 수 있다.
> ④ 이의신청에 대한 결과를 통지받은 후 행정심판 또는 행정소송을 제기하려는 자는 그 결과를 통지받은 날(제2항에 따른 통지기간 내에 결과를 통지받지 못한 경우에는 같은 항에 따른 통지기간이 만료되는 날의 다음 날을 말한다)부터 90일 이내에 제1항의 처분(이의신청 결과 처분이 변경된 경우에는 변경된 처분으로 한다)에 대하여 행정심판 또는 행정소송을 제기할 수 있다.

③ (○)

> 「행정기본법」 제28조【과징금의 기준】 ① 행정청은 법령등에 따른 의무를 위반한 자에 대하여 법률로 정하는 바에 따라 그 위반행위에 대한 제재로서 과징금을 부과할 수 있다.
> ② 과징금의 근거가 되는 법률에는 과징금에 관한 다음 각 호의 사항을 명확하게 규정하여야 한다.
>   1. 부과·징수 주체
>   2. 부과 사유
>   3. 상한액
>   4. 가산금을 징수하려는 경우 그 사항
>   5. 과징금 또는 가산금 체납 시 강제징수를 하려는 경우 그 사항

④ (×) 처분에 재량이 있는 경우에는 자동화된 시스템으로 처분을 할 수 없다.

> 「행정기본법」 제20조【자동적 처분】 행정청은 법률로 정하는 바에 따라 완전히 자동화된 시스템(인공지능 기술을 적용한 시스템을 포함한다)으로 처분을 할 수 있다. 다만, 처분에 재량이 있는 경우는 그러하지 아니하다.

답 ③

005

과징금에 대한 설명으로 옳지 않은 것은?

① 「부동산 실권리자명의 등기에 관한 법률」 제5조에 의하여 부과된 과징금 채무는 대체적 급부가 가능한 의무이므로 그 과징금을 부과받은 자가 사망한 경우 그 상속인에게 포괄승계된다.
② 「부동산 실권리자명의 등기에 관한 법률」 제5조에 규정된 과징금은 행정청이 명의신탁 행위로 인한 불법적인 이익을 박탈하거나 실명등기의무의 이행을 강제하기 위하여 의무자에게 부과·징수하는 것일 뿐 국가형벌권 행사로서의 처벌에 해당한다고 할 수 없다.
③ 법이 규정한 범위 내에서 부과처분 당시까지 부과관청이 확인한 사실을 기초로 과징금의 부과처분을 하나, 추후에 부과금 산정기준이 되는 새로운 자료가 나온 경우 부과관청은 새로운 부과처분을 하여야 한다.
④ 재량권이 부여된 과징금 부과처분이 법정 한도액을 초과하여 위법할 경우 법원은 그 초과부분만을 취소할 수 없고 부과된 과징금 전부를 취소하여야 한다.

2024년 지방직 7급

① (○) 부동산 실권리자명의 등기에 관한 법률 제5조에 의하여 부과된 과징금 채무는 대체적 급부가 가능한 의무이므로 위 과징금을 부과받은 자가 사망한 경우 그 상속인에게 포괄승계된다(대판 1999.5.14. 99두35).
② (○) 구 부동산 실권리자명의 등기에 관한 법률(2007.5.11. 법률 제8418호로 개정되기 전의 것) 제5조에 규정된 과징금은 그 취지와 기능, 부과의 주체와 절차 등에 비추어 행정청이 명의신탁행위로 인한 불법적인 이익을 박탈하거나 위 법률에 따른 실명등기의무의 이행을 강제하기 위하여 의무자에게 부과·징수하는 것일 뿐 그것이 헌법 제13조 제1항에서 금지하는 국가형벌권 행사로서의 처벌에 해당한다고 할 수 없으므로 위 법률에서 형사처벌과 아울러 과징금의 부과처분을 할 수 있도록 규정하고 있다 하더라도 이중처벌금지 원칙에 위반한다고 볼 수 없다(대판 2007.7.12. 2006두4554).
③ (×) 구 독점규제 및 공정거래에 관한 법률(1996.12.30. 법률 제5235호로 개정되기 전의 것, 이하 '법'이라고 한다) 제23조 제1항의 규정에 위반하여 불공정거래행위를 한 사업자에 대하여 법 제24조의2 제1항의 규정에 의하여 부과되는 과징금은 행정법상의 의무를 위반한 자에 대하여 당해 위반행위로 얻게 된 경제적 이익을 박탈하기 위한 목적으로 부과하는 금전적인 제재로서, 법이 규정한 범위 내에서 그 부과처분 당시까지 부과관청이 확인한 사실을 기초로 일의적으로 확정되어야 할 것이고, 그렇지 아니하고 부과관청이 과징금을 부과하면서 추후에 부과금 산정 기준이 되는 새로운 자료가 나올 경우에는 과징금액이 변경될 수도 있다고 유보한다든지, 실제로 추후에 새로운 자료가 나왔다고 하여 새로운 부과처분을 할 수는 없다 할 것이다. 왜냐하면 과징금의 부과와 같이 재산권의 직접적인 침해를 가져오는 처분을 변경하려면 법령에 그 요건 및 절차가 명백히 규정되어 있어야 할 것인데, 위와 같은 변경처분에 대한 법령상의 근거규정이 없고, 이를 인정하여야 할 합리적인 이유 또한 찾아 볼 수 없기 때문이다(대판 1999.5.28. 99두1571).
④ (○) 자동차운수사업면허조건 등을 위반한 사업자에 대하여 행정청이 행정제재수단으로 사업 정지를 명할 것인지, 과징금을 부과할 것인지, 과징금을 부과키로 한다면 그 금액은 얼마로 할 것인지에 관하여 재량권이 부여되었다 할 것이므로 과징금부과처분이 법이 정한 한도액을 초과하여 위법할 경우 법원으로서는 그 전부를 취소할 수밖에 없고, 그 한도액을 초과한 부분이나 법원이 적정하다고 인정되는 부분을 초과한 부분만을 취소할 수 없다(금 1,000,000원을 부과한 당해 처분 중 금 100,000원을 초과하는 부분은 재량권 일탈·남용으로 위법하다며 그 일부분만을 취소한 원심판결을 파기한 사례)(대판 1998.4.10. 98두2270).

답 ③

006

과징금에 대한 설명으로 옳지 않은 것은?

① 구 「독점규제 및 공정거래에 관한 법률」 소정의 부당지원행위에 대한 과징금은 부당지원행위의 억지라는 행정목적을 실현하기 위한 행정상 제재금으로서의 성격에 부당이득환수적 요소도 부가되어 있으므로 국가형벌권 행사로서의 처벌에 해당하지 아니한다.

② 행정기본법령에 따르면, 과징금 납부 의무자가 과징금을 분할 납부하려는 경우에는 납부기한 7일 전까지 과징금의 분할 납부를 신청하는 문서에 해당 사유를 증명하는 서류를 첨부하여 행정청에 신청해야 한다.

③ 관할 행정청이 여객자동차운송사업자의 여러 가지 위반행위를 인지하였다면 전부에 대하여 일괄하여 최고한도 내에서 하나의 과징금 부과처분을 하는 것이 원칙이고, 인지한 위반행위 중 일부에 대해서만 우선 과징금 부과처분을 하고 나머지에 대해서는 차후에 별도의 과징금 부과처분을 하는 것은 다른 특별한 사정이 없는 한 허용되지 않는다.

④ 과징금의 근거가 되는 법률에는 과징금에 관한 부과·징수 주체, 부과 사유, 상한액, 가산금을 징수하려는 경우 그 사항, 과징금 또는 가산금 체납 시 강제징수를 하려는 경우 그 사항을 명확하게 규정하여야 한다.

2024년 국가직 9급

① (○) 과징금은 부당내부거래 억제라는 행정목적을 실현하기 위하여 그 위반행위에 대하여 가하는 행정상 제재금의 기본적 성격에 부당이득환수적 요소가 부가된 것으로 이를 두고 국가형벌권행사로서의 처벌에 해당한다고 할 수는 없다. 과징금과 형사처벌을 병과하더라도 이중처벌금지원칙에 위반된다고 볼 수 없다(헌재 2003.7.24. 2001헌가25).

② (×) 납부기한 10일 전까지 신청해야 한다.

> 「행정기본법」 제29조 【과징금의 납부기한 연기 및 분할 납부】 과징금은 한꺼번에 납부하는 것을 원칙으로 한다. 다만, 행정청은 과징금을 부과받은 자가 다음 각 호의 어느 하나에 해당하는 사유로 과징금 전액을 한꺼번에 내기 어렵다고 인정될 때에는 그 납부기한을 연기하거나 분할 납부하게 할 수 있으며, 이 경우 필요하다고 인정하면 담보를 제공하게 할 수 있다.
> 1. 재해 등으로 재산에 현저한 손실을 입은 경우
> 2. 사업 여건의 악화로 사업이 중대한 위기에 처한 경우
> 3. 과징금을 한꺼번에 내면 자금 사정에 현저한 어려움이 예상되는 경우
> 4. 그 밖에 제1호부터 제3호까지에 준하는 경우로서 대통령령으로 정하는 사유가 있는 경우
>
> 「행정기본법 시행령」 제7조 【과징금의 납부기한 연기 및 분할 납부】 ① 과징금 납부 의무자는 법 제29조 각 호 외의 부분 단서에 따라 과징금 납부기한을 연기하거나 과징금을 분할 납부하려는 경우에는 납부기한 10일 전까지 과징금 납부기한의 연기나 과징금의 분할 납부를 신청하는 문서에 같은 조 각 호의 사유를 증명하는 서류를 첨부하여 행정청에 신청해야 한다.

③ (○) 관할행정청이 여객자동차운송사업자의 여러 가지 위반행위를 인지한 경우, 인지한 여러 가지 위반행위 중 일부에 대해서만 우선 과징금 부과처분을 하고 나머지에 대해서 차후에 별도의 과징금 부과처분을 하는 것은 다른 특별한 사정이 없는 한 허용되지 않는다. 관할행정청이 여객자동차운송사업자가 범한 여러 가지 위반행위 중 일부만 인지하여 과징금 부과처분을 하였는데 그 후 과징금 부과처분 시점 이전에 이루어진 다른 위반행위를 인지하여 이에 대하여 별도의 과징금 부과처분을 하게 되는 경우에도 종전 과징금 부과처분의 대상이 된 위반행위와 추가 과징금 부과처분의 대상이 된 위반행위에 대하여 일괄하여 하나의 과징금 부과처분을 하는 경우와의 형평을 고려하여 추가 과징금 부과처분의 처분양정이 이루어져야 한다. 다시 말해, 행정청이 전체 위반행위에 대하여 하나의 과징금 부과처분을 할 경우에 산정되었을 정당한 과징금액에서 이미 부과된 과징금액을 뺀 나머지 금액을 한도로 하여서만 추가 과징금 부과처분을 할 수 있다.

행정청이 여러 가지 위반행위를 언제 인지하였느냐는 우연한 사정에 따라 처분상대방에게 부과되는 과징금의 총액이 달라지는 것은 그 자체로 불합리하기 때문이다(대판 2021.2.4. 2020두48390).

문제 DATA
출제가능 지수 ▶▶▷
난이도 지수 ★★☆

함께 정리하기

과징금

제재 + 부당이득환수적 요소
▷ 형벌 ×

과징금 분할납부 신청
▷ 납부기한 10일 전까지

여러 가지 위반행위 인지
▷ 원칙: 일괄하여 하나의 과징금 부과

과징금 근거 법률
▷ 부과·징수주체, 부과사유, 상한액, 가산금을 징수하려는 경우 그 사항 등 규정

④ (○)

> 「행정기본법」 제28조【과징금의 기준】 ② 과징금의 근거가 되는 법률에는 과징금에 관한 다음 각 호의 사항을 명확하게 규정하여야 한다.
> 1. 부과·징수 주체
> 2. 부과 사유
> 3. 상한액
> 4. 가산금을 징수하려는 경우 그 사항
> 5. 과징금 또는 가산금 체납 시 강제징수를 하려는 경우 그 사항

답 ②

007

「행정절차법」상 위반사실등의 공표에 관한 설명으로 옳지 않은 것은?

① 행정청은 위반사실등의 공표를 하기 전에 당사자가 공표와 관련된 의무의 이행, 원상회복, 손해배상 등의 조치를 마친 경우에는 위반사실등의 공표를 하지 아니할 수 있다.
② 위반사실등의 공표에 관하여 당사자가 의견진술의 기회를 포기한다는 뜻을 명백히 밝힌 경우라도 행정청은 미리 당사자에게 그 사실을 통지하고 의견제출의 기회를 주어야 한다.
③ 행정청은 공표된 내용이 사실과 다른 것으로 밝혀지거나 공표에 포함된 처분이 취소된 경우라도 당사자가 원하지 아니하면 정정한 내용을 공표하지 아니할 수 있다.
④ 위반사실등의 공표에 관하여 의견제출의 기회를 받은 당사자는 공표 전에 관할 행정청에 서면이나 말 또는 정보통신망을 이용하여 의견을 제출할 수 있다.

| 2024년 소방직

② (×)

> 「행정절차법」제40조의3【위반사실 등의 공표】① 행정청은 법령에 따른 의무를 위반한 자의 성명·법인명, 위반사실, 의무 위반을 이유로 한 처분사실 등(이하 "위반사실등"이라 한다)을 법률로 정하는 바에 따라 일반에게 공표할 수 있다.
> ② 행정청은 위반사실등의 공표를 하기 전에 사실과 다른 공표로 인하여 당사자의 명예·신용 등이 훼손되지 아니하도록 객관적이고 타당한 증거와 근거가 있는지를 확인하여야 한다.
> ③ 행정청은 위반사실등의 공표를 할 때에는 미리 당사자에게 그 사실을 통지하고 의견제출의 기회를 주어야 한다. 다만, 다음 각 호의 어느 하나에 해당하는 경우에는 그러하지 아니하다.
> 1. 공공의 안전 또는 복리를 위하여 긴급히 공표를 할 필요가 있는 경우
> 2. 해당 공표의 성질상 의견청취가 현저히 곤란하거나 명백히 불필요하다고 인정될 만한 타당한 이유가 있는 경우
> 3. 당사자가 의견진술의 기회를 포기한다는 뜻을 명백히 밝힌 경우(②).
> ④ 제3항에 따라 의견제출의 기회를 받은 당사자는 공표 전에 관할 행정청에 서면이나 말 또는 정보통신망을 이용하여 의견을 제출할 수 있다(④).
> ⑤ 제4항에 따른 의견제출의 방법과 제출 의견의 반영 등에 관하여는 제27조 및 제27조의2를 준용한다. 이 경우 "처분"은 "위반사실등의 공표"로 본다.
> ⑥ 위반사실등의 공표는 관보, 공보 또는 인터넷 홈페이지 등을 통하여 한다.
> ⑦ 행정청은 위반사실등의 공표를 하기 전에 당사자가 공표와 관련된 의무의 이행, 원상회복, 손해배상 등의 조치를 마친 경우에는 위반사실등의 공표를 하지 아니할 수 있다(①).
> ⑧ 행정청은 공표된 내용이 사실과 다른 것으로 밝혀지거나 공표에 포함된 처분이 취소된 경우에는 그 내용을 정정하여, 정정한 내용을 지체 없이 해당 공표와 같은 방법으로 공표된 기간 이상 공표하여야 한다. 다만, 당사자가 원하지 아니하면 공표하지 아니할 수 있다(③).

답 ②

문제 DATA
출제가능 지수 ▶▶Σ
난이도 지수 ★★☆

함께 정리하기

「행정절차법」상 위반사실등의 공표

공표하지 않을 수 있는 경우
▷ 공표 전에 당사자가 의무이행, 원상회복, 손해배상등 조치를 마친 경우

공표시
▷ 사전통지·의견제출기회 제공
▷ 단, 의견진술 기회를 포기한다는 뜻을 명백히 밝힌 경우: 생략 可

공표된 내용이 사실과 다른 것으로 밝혀지거나 공표에 포함된 처분이 취소된 경우
▷ 해당 공표와 같은 방법으로 공표된 기간 이상 정정공표
▷ 단, 당사자가 원하지 않으면 공표하지 않을 수 있음

의견제출 기회 받은 당사자
▷ 서면이나 말 또는 정보통신망을 통하여 의견제출 可

문제 DATA

출제가능 지수 ▶▶▷
난이도 지수 ★★☆

함께 정리하기

행정의 실효성 확보수단

이행강제금
▷ 비대체적·대체적 작위의무 위반에 대해 부과가

직접강제
▷ 대집행이나 이행강제금으로는 의무이행을 확보할 수 없거나 실현불가능한 경우 실시

즉시강제
▷ 현재의 급박한 장해 제거 목적, 예외적 수단(보충성)

「건축법」상 시정명령
▷ 고의·과실 불요
▷ 법령등 위반의 객관적 사실 있으면 가

008 ☐☐☐

행정의 실효성 확보수단에 대한 설명으로 옳지 않은 것은? (다툼이 있는 경우 판례에 의함)

① 이행강제금은 대체적 작위의무 위반과 비대체적 작위의무 위반에 부과될 수 있다.
② 직접강제는 행정대집행이나 이행강제금 부과의 방법으로는 행정상 의무이행을 확보할 수 없거나 그 실현이 불가능한 경우에 하여야 한다.
③ 즉시강제는 현재의 급박한 행정상의 장해를 제거하기 위한 경우로서, 다른 수단으로 행정목적을 달성할 수 있는 경우에는 허용되지 않는다.
④ 「건축법」상 시정명령은 건축 관련 법령을 위반한 객관적 사실이 있는 것만으로는 안 되며, 원칙적으로 상대방의 고의·과실을 요건으로 한다.

| 2024년 경찰간부

① (○) 헌재 2004.2.26. 2001헌바80 등
② (○)

> 「행정기본법」 제32조【직접강제】① 직접강제는 행정대집행이나 이행강제금 부과의 방법으로는 행정상 의무 이행을 확보할 수 없거나 그 실현이 불가능한 경우에 실시하여야 한다.

③ (○)

> 「행정기본법」 제30조【행정상 강제】① 행정청은 행정목적을 달성하기 위하여 필요한 경우에는 법률로 정하는 바에 따라 필요한 최소한의 범위에서 다음 각 호의 어느 하나에 해당하는 조치를 할 수 있다.
> 5. 즉시강제: 현재의 급박한 행정상의 장해를 제거하기 위한 경우로서 다음 각 목의 어느 하나에 해당하는 경우에 행정청이 곧바로 국민의 신체 또는 재산에 실력을 행사하여 행정목적을 달성하는 것
>   가. 행정청이 미리 행정상 의무 이행을 명할 시간적 여유가 없는 경우
>   나. 그 성질상 행정상 의무의 이행을 명하는 것만으로는 행정목적 달성이 곤란한 경우
> 제33조【즉시강제】① 즉시강제는 다른 수단으로는 행정목적을 달성할 수 없는 경우에만 허용되며, 이 경우에도 최소한으로만 실시하여야 한다.

④ (×) 구 건축법 제79조 제1항에 따른 시정명령은 대지나 건축물이 건축 관련 법령 또는 건축 허가 조건을 위반한 상태를 해소하기 위한 조치를 명하는 처분으로, 건축 관련 법령 등을 위반한 객관적 사실이 있으면 할 수 있고, 원칙적으로 시정명령의 상대방에게 고의·과실을 요하지 아니하며 대지 또는 건축물의 위법상태를 직접 초래하거나 또는 그에 관여한 바 없다고 하더라도 부과할 수 있다. 그러나 건축법상 위법상태의 해소를 목적으로 하는 시정명령 제도의 본질상, 시정명령의 이행을 기대할 수 없는 자, 즉 대지 또는 건축물의 위법상태를 시정할 수 있는 법률상 또는 사실상의 지위에 있지 않은 자는 시정명령의 상대방이 될 수 없다고 보는 것이 타당하다. 시정명령의 이행을 기대할 수 없는 자에 대한 시정명령은 위법상태의 시정이라는 행정목적 달성을 위한 적절한 수단이 될 수 없고, 상대방에게 불가능한 일을 명령하는 결과밖에 되지 않기 때문이다(대판 2022.10.14. 2021두45008).

답 ④

009

행정상 의무이행 확보수단에 대한 설명으로 옳은 것은? (다툼이 있는 경우 판례에 의함)

① 병무청장이 구 「병역법」에 따라 병역의무 기피자의 인적사항 등을 인터넷 홈페이지에 게시하는 등의 방법으로 공개한 경우 병무청장의 공개결정은 항고소송의 대상이 되는 행정처분이 아니다.
② 「부동산 실권리자명의 등기에 관한 법률」 제5조에 의하여 부과된 과징금 채무는 대체적 급부가 가능한 의무이므로 과징금을 부과받은 자가 사망한 경우 그 상속인에게 포괄승계된다.
③ 가산세는 세법에서 규정하는 의무의 성실한 이행을 확보하기 위하여 세법에 따라 산출한 본세액에 가산하여 징수하는 조세로서, 본세에 감면사유가 인정된다면 가산세도 감면대상에 포함된다.
④ 가산세는 납세자가 정당한 이유 없이 법에 규정된 신고, 납세 등 각종 의무를 위반한 경우에 개별세법이 정하는 바에 따라 부과되는 행정상의 제재로서 납세자의 고의·과실 또한 중요한 고려 요소가 된다.

2023년 국가직 7급

① (×) 병무청장이 병역법 제81조의2 제1항에 따라 병역의무 기피자의 인적사항 등을 인터넷 홈페이지에 게시하는 등의 방법으로 공개한 경우 병무청장의 공개결정을 항고소송의 대상이 되는 행정처분으로 보아야 한다(대판 2019.6.27. 2018두49130).
② (○) 부동산 실권리자명의 등기에 관한 법률 제5조에 의하여 부과된 과징금채무는 대체적 급부가 가능한 의무이므로 위 과징금을 부과받은 자가 사망한 경우 그 상속인에게 포괄승계된다(대판 1999.5.14. 99두35).
③ (×) 가산세는 세법에서 규정하는 의무의 성실한 이행을 확보하기 위하여 세법에 따라 산출한 본세액에 가산하여 징수하는 독립된 조세로서, 본세에 감면사유가 인정된다고 하여 가산세도 감면대상에 포함되는 것이 아니고, 반면에 그 의무를 이행하지 아니한 데 대한 정당한 사유가 있는 경우에는 본세 납세의무가 있더라도 가산세는 부과하지 않는다(대판 2018.11.29. 2015두56120).
④ (×) 세법상 가산세는 과세권의 행사 및 조세채권의 실현을 용이하게 하기 위하여 납세자가 정당한 이유 없이 법에 규정된 신고, 납세 등 각종 의무를 위반한 경우에 개별 세법이 정하는 바에 따라 부과되는 행정상의 제재로서 납세자의 고의·과실은 고려되지 않는 것이고, 다만 납세의무자가 그 의무를 알지 못한 것이 무리가 아니었다거나 그 의무의 이행을 당사자에게 기대하는 것이 무리라고 하는 사정이 있을 때 등 그 의무해태를 탓할 수 없는 정당한 사유가 있는 경우에는 이를 부과할 수 없다(대판 2003.9.5. 2001두403).

답 ②

문제 DATA
출제가능 지수 ▶▶▷
난이도 지수 ★★☆

함께 정리하기

행정상 의무이행 확보수단

병무청장의 병역의무기피자 명단공개결정
▷ 행정처분 ○

과징금
▷ 대체가능 급부
▷ 상속인에게 포괄승계

가산세
▷ 세법상 성실한 이행 확보위해 본세와 별개로 부과되는 세금
▷ 신고, 납세 등 각종 의무 위반 제재
▷ 고의·과실 불요, But 정당한 이유 有 부과 ×

본세 감면사유 有
▷ 가산세 감면대상 ×

문제 DATA

출제가능 지수 ▶▶▷
난이도 지수 ★★☆

010 ☐☐☐

「행정기본법」상 제재처분의 제척기간인 5년이 지나면 제재처분을 할 수 없는 경우는?

① 제재처분을 하지 아니하면 국민의 안전·생명 또는 환경을 심각하게 해치거나 해칠 우려가 있는 경우
② 거짓이나 그 밖의 부정한 방법으로 인·허가를 받거나 신고를 한 경우
③ 정당한 사유 없이 행정청의 조사·출입·검사를 기피·방해·거부하여 제척기간이 지난 경우
④ 당사자가 인·허가나 신고의 위법성을 경과실로 알지 못한 경우

| 2023년 국가직 9급

④ (○) 당사자가 인·허가나 신고의 위법성을 경과실로 알지 못한 경우에는 제재처분의 제척기간인 5년이 지나면 제재처분을 할 수 없다.

> 「행정기본법」 제23조【제재처분의 제척기간】① 행정청은 법령 등의 위반행위가 종료된 날부터 5년이 지나면 해당 위반행위에 대하여 제재처분(인·허가의 정지·취소·철회, 등록말소, 영업소 폐쇄와 정지를 갈음하는 과징금 부과를 말한다. 이하 이 조에서 같다)을 할 수 없다.
> ② 다음 각 호의 어느 하나에 해당하는 경우에는 제1항을 적용하지 아니한다.
> 1. 거짓이나 그 밖의 부정한 방법으로 인·허가를 받거나 신고를 한 경우(②)
> 2. 당사자가 인·허가나 신고의 위법성을 알고 있었거나 중대한 과실로 알지 못한 경우(④)
> 3. 정당한 사유 없이 행정청의 조사·출입·검사를 기피·방해·거부하여 제척기간이 지난 경우(③)
> 4. 제재처분을 하지 아니하면 국민의 안전·생명 또는 환경을 심각하게 해치거나 해칠 우려가 있는 경우(①)

답 ④

함께 정리하기

제재처분의 제척기간 적용배제 사유

▷ 거짓, 그 밖의 부정한 방법으로 인·허가를 받거나 신고
▷ 당사자가 인·허가나 신고의 위법성을 알았거나 중과실로 알지 못한 경우
▷ 정당한 사유 없이 행정청의 조사·출입·검사를 기피·방해·거부하여 제척기간이 지난 경우
▷ 제재처분을 하지 않으면 국민의 안전·생명 또는 환경을 심각하게 해치거나 해칠 우려가 있는 경우

문제 DATA

출제가능 지수 ▶▶▷
난이도 지수 ★★☆

011 ☐☐☐

과징금에 대한 설명으로 옳지 않은 것은? (다툼이 있는 경우 판례에 의함)

① 초기에는 의무위반으로 취득한 경제적 이익을 박탈하기 위한 행정상 제재수단으로 도입되었으나 최근에는 영업정지에 갈음하여 부과되는 형태로 많이 활용되고 있다.
② 과징금은 한꺼번에 납부하는 것이 원칙이나 행정청은 과징금을 부과받은 자가 재해 등으로 재산에 현저한 손실을 입어 전액을 한꺼번에 내기 어렵다고 인정될 때에는 그 납부기한을 연기하거나 분할 납부하게 할 수 있다.
③ 「부동산 실권리자명의 등기에 관한 법률」상 실권리자명의 등기의무를 위반한 명의신탁자에 대한 과징금의 부과처분은 재량행위에 해당하므로 조세를 포탈하거나 법령에 의한 제한을 회피할 목적이 아닌 경우에는 이를 부과하지 않거나 전액 감면할 수 있다.
④ 금전상 제재인 과징금은 법령이 규정한 범위 내에서 그 부과처분 당시까지 부과관청이 확인한 사실을 기초로 일의적으로 확정되어야 할 것이지, 추후에 부과금 산정기준이 되는 새로운 자료가 나왔다고 하여 새로운 부과처분을 할 수 있는 것은 아니다.
⑤ 구 「독점규제 및 공정거래에 관한 법률」에서 부당지원행위 주체에 대하여 형사처벌과 함께 과징금부과처분을 할 수 있도록 규정한 것은 헌법상 이중처벌금지원칙에 반하는 것은 아니다.

2023년 소방간부

① (○) 본래적(전형적) 의미의 과징금은 행정법규의 위반 또는 행정법상 의무위반으로 경제적 이익을 얻는 경우에 당해 위반으로 인한 경제적 이익을 박탈하기 위해 이득액에 따라 행정기관이 부과하는 행정제재금을 말한다. 이에 반하여, 변형된 과징금은 의무위반행위가 그 사업의 인·허가 등의 철회·정지사유에 해당하지만 공중의 일상생활에 필요불가결한 사업(예 대중교통 등)인 경우 사업 자체는 존속시키면서도 그 사업활동으로 인한 수익을 박탈하기 위해 부과하는 행정제재금을 말한다.

② (○)

> 「행정기본법」 제29조【과징금의 납부기한 연기 및 분할 납부】 과징금은 한꺼번에 납부하는 것을 원칙으로 한다. 다만, 행정청은 과징금을 부과받은 자가 다음 각 호의 어느 하나에 해당하는 사유로 과징금 전액을 한꺼번에 내기 어렵다고 인정될 때에는 그 납부기한을 연기하거나 분할 납부하게 할 수 있으며, 이 경우 필요하다고 인정하면 담보를 제공하게 할 수 있다.
> 1. 재해 등으로 재산에 현저한 손실을 입은 경우

③ (×) 과징금부과행위는 일반적으로 재량행위이나, 기속행위인 경우도 있다. 「부동산 실권리자명의 등기에 관한 법률」 및 시행령상 명의신탁자에 대한 과징금 부과처분의 법적 성질은 기속행위이다.

> 부동산 실권리자명의 등기에 관한 법률 제3조 제1항, 제5조 제1항, 같은 법 시행령 제3조 제1항의 규정을 종합하면, 명의신탁자에 대하여 과징금을 부과할 것인지 여부는 기속행위에 해당하므로, 명의신탁이 조세를 포탈하거나 법령에 의한 제한을 회피할 목적이 아닌 경우에 한하여 그 과징금을 일정한 범위 내에서 감경할 수 있을 뿐이지 그에 대하여 과징금 부과처분을 하지 않거나 과징금을 전액 감면할 수 있는 것은 아니다(대판 2007.7.12. 2005두17287).

유제 09. 지방직(하) 7급 「부동산 실권리자명의 등기에 관한 법률」 및 시행령상 명의신탁자에 대한 과징금 부과처분은 기속행위의 성질을 갖는다. (○)
22. 국가직 9급 「부동산 실권리자명의 등기에 관한 법률」상 명의신탁자에 대한 과징금의 부과 여부는 행정청의 재량행위이다. (×)

④ (○) 과징금은 … 법이 규정한 범위 내에서 그 부과처분 당시까지 부과관청이 확인한 사실을 기초로 일의적으로 확정되어야 할 것이고, 그렇지 아니하고 부과관청이 과징금을 부과하면서 추후에 부과금 산정기준이 되는 새로운 자료가 나올 경우에는 과징금액이 변경될 수도 있다고 유보한다든지, 실제로 추후에 새로운 자료가 나왔다고 하여 새로운 부과처분을 할 수는 없다할 것인바, 왜냐하면 과징금의 부과와 같이 재산권의 직접적인 침해를 가져오는 처분을 변경하려면 법령에 그 요건 및 절차가 명백히 규정되어 있어야 할 것인데, 위와 같은 변경처분에 대한 법령상의 근거규정이 없고, 이를 인정하여야 할 합리적인 이유 또한 찾아볼 수 없기 때문이다(대판 1999.5.28. 99두1571).

유제 22. 국가직 9급 「독점규제 및 공정거래에 관한 법률」상의 과징금은 법이 규정한 범위 내에서 그 부과처분 당시까지 부과관청이 확인한 사실을 기초로 일의적으로 확정되어야 할 것이지, 추후에 부과금 산정기준이 되는 새로운 자료가 나왔다고 하여 새로운 부과처분을 할 수 있는 것은 아니다. (○)
18. 지방직 9급 부과관청이 추후에 부과금 산정기준이 되는 새로운 자료가 나올 경우 과징금액이 변경될 수도 있다고 유보하며 과징금을 부과했다면, 새로운 자료가 나온 것을 이유로 새로이 부과처분을 할 수 있다. (×)

⑤ (○) 과징금은 범죄에 대한 국가의 형벌권 실행으로서의 처벌이 아니므로, 행정법규위반에 대해 행정형벌을 부과하고 별도로 과징금을 부과하는 것은 이중처벌금지에 위반되지 않는다.

> 과징금은 부당내부거래 억제라는 행정목적을 실현하기 위하여 그 위반행위에 대하여 가하는 행정상 제재금의 기본적 성격에 부당이득환수적 요소가 부가된 것으로 이를 두고 국가형벌권행사로서의 처벌에 해당한다고 할 수는 없다. 과징금과 형사처벌을 병과하더라도 이중처벌금지원칙에 위반된다고 볼 수 없다(헌재 2003.7.24. 2001헌가25).

유제 22. 국가직 9급 과징금은 행정상 제재금이고 범죄에 대한 국가형벌권의 실행이 아니므로 행정법규위반에 대해 벌금 이외에 과징금을 부과하는 것은 이중처벌금지의 원칙에 위반되지 않는다. (○)
14. 사복직 「독점규제 및 공정거래에 관한 법률」상 부당지원행위에 대한 과징금은 부당지원행위 억제라는 행정목적을 실현하기 위한 행정상 제재금으로서의 기본적 성격에 부당이득환수적 요소도 부가되어 있는 것으로서, 행정벌과 병과하더라도 이중처벌금지원칙에 위반되지 않는다. (○)
18. 교행 행정법규위반에 대하여 벌금 이외에 과징금을 함께 부과하는 것은 이중처벌금지원칙에 위반된다. (×)

답 ③

함께 정리하기

과징금

전형적 과징금
▷ 의무위반, 금전적 이익 박탈

변형된 과징금
▷ 공익사업, 인·허가 정지에 갈음

「행정기본법」
▷ 한꺼번에 납부 원칙
▷ 재해 등으로 재산에 현저한 손실을 입은 경우: 기한연기·분할납부 可

명의신탁 과징금 부과 여부
▷ 기속행위(부과하지 않거나 전액감면 不可)

부과처분시까지 확인한 사실 기초로 일의적 확정 要
▷ 추후 새로운 자료 나왔다고 하여 새로이 부과처분 不可

벌금 + 과징금
▷ 병과가능
▷ 이중처벌금지원칙에 반하지 ×

문제 DATA

출제가능 지수 ▶▶▷
난이도 지수 ★★☆

함께 정리하기

과징금

「행정기본법」
▷ 과징금 근거법률에 과징금의 상한액 명확히 규정하여야 함

과징금 부과
▷ 개별법상의 구체적 근거 要

변형된 과징금
▷ 과징금·영업정지 행정청의 재량

과징금
▷ 고의·과실 不要
▷ 정당한 사유 있는 경우 부과 不可

012 ☐☐☐

과징금에 대한 설명으로 옳지 않은 것은? (다툼이 있는 경우 판례에 의함)

① 과징금의 근거가 되는 법률에는 과징금의 상한액을 명확하게 규정하여야 한다.
② 「행정기본법」 제28조 제1항에 과징금 부과의 법적 근거를 마련하였으므로 행정청은 직접 이 규정에 근거하여 과징금을 부과할 수 있다.
③ 영업정지처분에 갈음하는 과징금이 규정되어 있는 경우 과징금을 부과할 것인지 영업정지처분을 내릴 것인지는 통상 행정청의 재량에 속한다.
④ 과징금 부과처분은 원칙적으로 위반자의 고의·과실을 요하지 아니하나, 위반자의 의무해태를 탓할 수 없는 정당한 사유가 있는 등의 특별한 사정이 있는 경우에는 이를 부과할 수 없다.

| 2022년 지방직 7급

① (○)

> 「행정기본법」 제28조【과징금의 기준】 ① 행정청은 법령 등에 따른 의무를 위반한 자에 대하여 법률로 정하는 바에 따라 그 위반행위에 대한 제재로서 과징금을 부과할 수 있다.
> ② 과징금의 근거가 되는 법률에는 과징금에 관한 다음 각 호의 사항을 명확하게 규정하여야 한다.
> 1. 부과·징수주체
> 2. 부과사유
> 3. 상한액
> 4. 가산금을 징수하려는 경우 그 사항
> 5. 과징금 또는 가산금 체납시 강제징수를 하려는 경우 그 사항

② (✕) 과징금은 재산권의 직접적인 침해를 가져오는 것이므로 법치행정의 원리상 법률의 구체적 근거가 있는 경우에만 부과할 수 있다. 「행정기본법」은 과징금 부과의 통일적 원칙과 기준을 제시한 일반조항일 뿐이므로 개별법상의 구체적 근거 없이 「행정기본법」 제28조 제1항만으로 과징금을 부과할 수 없다.

③ (○) 영업정지처분에 갈음하는 과징금이 규정되어 있는 경우 과징금을 부과할 것인지, 아니면 영업정지처분을 할 것인지는 통상 행정청의 재량에 속한다.

> 자동차운수사업면허조건 등을 위반한 사업자에 대하여 행정청이 행정제재수단으로 사업정지를 명할 것인지, 과징금을 부과할 것인지, 과징금을 부과하기로 한다면 그 금액은 얼마로 할 것인지에 관하여 재량권이 부여되었다 할 것이므로 과징금 부과처분이 법이 정한 한도액을 초과하여 위법할 경우 법원으로서는 그 전부를 취소할 수밖에 없고, 그 한도액을 초과한 부분이나 법원이 적정하다고 인정되는 부분을 초과한 부분만을 취소할 수 없다(대판 1998.4.10. 98두2270 ; 대판 2017.1.12. 2015두2352).

유제 22. 국가직 9급 영업정지에 갈음하여 부과되는 이른바 변형된 과징금의 부과 여부는 통상 행정청의 재량행위이다. (○)

④ (○) 과징금은 현실적인 행위자가 아닌 법령상 책임자에게 부과할 수 있으며 원칙적으로 위반자의 고의·과실을 요하지 아니하나, 위반자의 의무해태를 탓할 수 없는 정당한 사유가 있는 경우에는 부과할 수 없다.

> (구 여객자동차운수사업법 제88조 제1항의) 과징금 부과처분은 제재적 행정처분으로서 여객자동차 운수사업에 관한 질서를 확립하고 여객의 원활한 운송과 여객자동차 운수사업의 종합적인 발달을 도모하여 공공복리를 증진한다는 행정목적의 달성을 위하여 행정법규위반이라는 객관적 사실에 착안하여 가하는 제재이므로 반드시 현실적인 행위자가 아니라도 법령상 책임자로 규정된 자에게 부과되고 원칙적으로 위반자의 고의·과실을 요하지 아니하나, 위반자의 의무해태를 탓할 수 없는 정당한 사유가 있는 등의 특별한 사정이 있는 경우에는 이를 부과할 수 없다(대판 2014.10.15. 2013두5005).

유제 20. 국가직 9급 「여객자동차 운수사업법」상 과징금 부과처분은 원칙적으로 위반자의 고의·과실을 요하지 않는다. (○)
20. 국가직 7급 구 「여객자동차 운수사업법」상 과징금 부과처분은 원칙적으로 위반자의 고의·과실을 요하지 아니하나, 위반자의 의무해태를 탓할 수 없는 정당한 사유가 있는 등의 특별한 사정이 있는 경우에는 이를 부과할 수 없다. (○)
21. 국가직 7급 행정상 의무위반행위자에 대하여 과징금을 부과하기 위해서는 원칙적으로 위반자의 고의 또는 과실이 있어야 한다. (×)
19. 서울시 9급 (「여객자동차 운수사업법」제88조의 과징금 부과처분과 관련하여) 과징금 부과처분은 제재적 행정처분이므로 현실적인 행위자에 부과하여야 하며 위반자의 고의·과실을 요한다. (×)

답 ②

013 □□□

제재처분에 대한 설명으로 옳지 않은 것은? (다툼이 있는 경우 판례에 의함)

① 일정한 법규위반 사실이 행정처분의 전제사실이자 형사법규의 위반사실이 되는 경우, 형사판결이 확정되기 전에 그 위반사실을 이유로 제재처분을 하였다면 절차적 위반에 해당한다.
② 행정청이 여러 개의 위반행위에 대하여 하나의 제재처분을 하였으나, 위반행위별로 제재처분의 내용을 구분하는 것이 가능하고 여러 개의 위반행위 중 일부의 위반행위에 대한 제재처분 부분만이 위법하다면, 법원은 제재처분 전부를 취소하여서는 아니 된다.
③ 법령위반 행위가 2022년 3월 23일 있은 후 법령이 개정되어 그 위반행위에 대한 제재처분 기준이 감경된 경우, 특별한 규정이 없다면 해당 제재처분에 대해서는 개정된 법령을 적용한다.
④ 행정법규위반에 대한 영업정지처분은 행정목적의 달성을 위하여 행정법규 위반이라는 객관적 사실에 착안하여 가하는 제재이므로, 반드시 현실적인 행위자가 아니라도 법령상 책임자로 규정된 자에게 부과되고, 특별한 사정이 없는 한 위반자에게 고의나 과실이 없더라도 부과할 수 있다.

2022년 국가직 7급

① (×) 행정처분과 형벌은 각각 그 권력적 기초, 대상, 목적이 다르다. 일정한 법규위반사실이 행정처분의 전제사실이자 형사법규의 위반사실이 되는 경우에 동일한 행위에 관하여 독립적으로 행정처분이나 형벌을 부과하거나 이를 병과할 수 있다. <u>법규가 예외적으로 형사소추 선행 원칙을 규정하고 있지 않은 이상 형사판결 확정에 앞서 일정한 위반사실을 들어 행정처분을 하였다고 하여 절차적 위반이 있다고 할 수 없다</u>(대판 2017.6.19. 2015두59808).

유제 20. 군무원 9급 법규가 예외적으로 형사소추 선행 원칙을 규정하고 있지 않은 이상 형사판결 확정에 앞서 일정한 위반사실을 들어 행정처분을 하였다고 하여 절차적 위반이 있다고 할 수 없다. (○)

② (○) 행정청이 여러 개의 위반행위에 대하여 하나의 제재처분을 하였으나, 위반행위별로 제재처분의 내용을 구분하는 것이 가능하고 여러 개의 위반행위 중 일부의 위반행위에 대한 제재처분 부분만이 위법하다면, 법원은 그 제재처분 중 위법성이 인정되는 부분만 취소하여야 하고 그 제재처분 전부를 취소하여서는 아니 된다(대판 2020.5.14. 2019두63515).

유제 22. 국가직 7급·군무원 7급 행정청이 여러 개의 위반행위에 대하여 하나의 제재처분을 하였으나, 위반행위별로 제재처분의 내용을 구분하는 것이 가능하고 여러 개의 위반행위 중 일부의 위반행위에 대한 제재처분 부분만이 위법하다면, 법원은 제재처분 전부를 취소하여서는 아니 된다. (○)

문제 DATA

출제가능 지수 ▶▶▶
난이도 지수 ★★☆

함께 정리하기

제재처분

형사판결 확정에 앞서 제재처분
▷ 절차위반 × (제재처분·형벌: 병과 可)

여러 위반행위에 대한 하나의 제재처분
▷ 위반행위별로 처분내용 구분 可 & 일부 행위에 대한 제재만 위법: 일부취소○ (전부취소×)

법령위반행위 후 법령개정으로 제재처분 기준 감경
▷ 유리한 개정법 적용

행정상 제재 (예 영업정지처분)
▷ 객관적 사실에 착안하여 법령상 책임자에게 부과 (고의·과실 不要)

③ (○)

> 「행정기본법」제14조【법 적용의 기준】③ 법령등을 위반한 행위의 성립과 이에 대한 제재처분은 법령 등에 특별한 규정이 있는 경우를 제외하고는 법령등을 위반한 행위 당시의 법령등에 따른다. 다만, 법령 등을 위반한 행위 후 법령등의 변경에 의하여 그 행위가 법령등을 위반한 행위에 해당하지 아니하거나 제재처분 기준이 가벼워진 경우로서 해당 법령등에 특별한 규정이 없는 경우에는 변경된 법령등을 적용한다.
> 부칙 제2조【제재처분에 관한 법령등 변경에 관한 적용례】제14조 제3항 단서의 규정은 이 법 시행일(2021.3.23.) 이후 제재처분에 관한 법령등이 변경된 경우부터 적용한다.

④ (○) 행정법규위반에 대한 제재처분은 행정목적의 달성을 위하여 행정법규위반이라는 객관적 사실에 착안하여 가하는 제재이므로, 반드시 현실적인 행위자가 아니라도 법령상 책임자로 규정된 자에게 부과되고, 특별한 사정이 없는 한 위반자에게 고의나 과실이 없더라도 부과할 수 있다(대판 2017.5.11. 2014두8773).

유제 18. 지방직 7급 행정법규위반에 대하여 가하는 제재조치(영업정지처분)는 반드시 현실적인 행위자가 아니라도 법령상 책임자로 규정된 자에게 부과되고, 특별한 사정이 없는 한 위반자에게 고의나 과실이 없더라도 부과할 수 있다. (○)
22. 소방간부 행정법규위반에 대한 제재조치는 법령상의 책임자로 규정된 자가 아닌 현실적 행위자에게 부과 되어야 하고, 특별한 사정이 없는 한 위반자에게 고의나 과실이 있어야 부과할 수 있다. (×)
20. 군무원 9급 행정법규위반에 대한 제재조치는 행정목적의 달성을 위하여 행정법규위반이라는 객관적 사실에 착안하여 가하는 제재이므로, 반드시 현실적인 행위자가 아니라도 법령상 책임자로 규정된 자에게 부과되며, 그러한 제재조치의 위반자에게 고의나 과실이 있어야 부과할 수 있다. (×)

답 ①

문제 DATA
출제가능 지수 ▶▶▷
난이도 지수 ★★☆

014 □□□

과징금 부과처분에 대한 설명으로 옳지 않은 것은? (다툼이 있는 경우 판례에 의함)

① 「독점규제 및 공정거래에 관한 법률」상의 과징금은 법이 규정한 범위 내에서 그 부과처분 당시까지 부과관청이 확인한 사실을 기초로 일의적으로 확정되어야 할 것이지, 추후에 부과금 산정기준이 되는 새로운 자료가 나왔다고 하여 새로운 부과처분을 할 수 있는 것은 아니다.
② 영업정지에 갈음하여 부과되는 이른바 변형된 과징금의 부과 여부는 통상 행정청의 재량행위이다.
③ 과징금은 행정상 제재금이고 범죄에 대한 국가 형벌권의 실행이 아니므로 행정법규 위반에 대해 벌금 이외에 과징금을 부과하는 것은 이중처벌금지의 원칙에 위반되지 않는다.
④ 「부동산 실권리자명의 등기에 관한 법률」상 명의신탁자에 대한 과징금의 부과 여부는 행정청의 재량행위이다.

| 2022년 국가직 9급

① (○) 구 독점규제 및 공정거래에 관한 법률 제24조의2 제1항의 규정에 의하여 부과되는 과징금은 행정법상의 의무를 위반한 자에 대하여 당해 위반행위로 얻게 된 경제적 이익을 박탈하기 위한 목적으로 부과하는 금전적인 제재로서, 같은 법이 규정한 범위 내에서 그 부과처분 당시까지 부과관청이 확인한 사실을 기초로 일의적으로 확정되어야 할 것이고, 그렇지 아니하고 부과관청이 과징금을 부과하면서 추후에 부과금 산정 기준이 되는 새로운 자료가 나올 경우에는 과징금액이 변경될 수도 있다고 유보한다든지, 실제로 추후에 새로운 자료가 나왔다고 하여 새로운 부과처분을 할 수는 없다 할 것이다(대판 1999.5.28. 99두1571).

함께 정리하기

과징금

부과처분시까지 확인한 사실 기초로 일의적 확정 要
▷ 추후 새로운 자료 나왔다고 하여 새로이 부과처분 不可

변형된 과징금 부과 여부
▷ 행정청의 재량

벌금 + 과징금
▷ 병과가능(이중처벌금지원칙에 반하지×)

명의신탁 과징금 부과 여부
▷ 기속행위

② (○) 구 영유아보육법 제45조 제1항 각 호의 사유가 인정되는 경우, 행정청에는 운영정지 처분이 영유아 및 보호자에게 초래할 불편의 정도 또는 그 밖에 공익을 해칠 우려가 있는지 등을 고려하여 어린이집 운영정지 처분을 할 것인지 또는 이에 갈음하여 과징금을 부과할 것인지를 선택할 수 있는 재량이 인정된다(대판 2015.6.24. 2015두39378).
③ (○) 구 독점규제 및 공정거래에 관한 법률 제24조의2에 의한 부당내부거래에 대한 과징금은 그 취지와 기능, 부과의 주체와 절차 등을 종합할 때 부당내부거래 억지라는 행정목적을 실현하기 위하여 그 위반행위에 대하여 제재를 가하는 행정상의 제재금으로서의 기본적 성격에 부당이득환수적 요소도 부가되어 있는 것이라 할 것이고, 이를 두고 헌법 제13조 제1항에서 금지하는 국가형벌권 행사로서의 '처벌'에 해당한다고는 할 수 없으므로, 공정거래법에서 형사처벌과 아울러 과징금의 병과를 예정하고 있더라도 이중처벌금지원칙에 위반된다고 볼 수 없다(헌재 2003.7.24. 2001헌가25).
④ (×) 부동산 실권리자명의 등기에 관한 법률 제3조 제1항, 제5조 제1항, 같은 법 시행령 제3조 제1항의 규정을 종합하면, 명의신탁자에 대하여 과징금을 부과할 것인지 여부는 기속행위에 해당한다(대판 2007.7.12. 2005두17287).

답 ④

015 ☐☐☐

여객자동차운송사업을 하는 甲은 관련법규 위반을 이유로 사업정지 처분에 갈음하는 과징금 부과처분을 받았다. 이에 대한 설명으로 옳지 않은 것은? (다툼이 있는 경우 판례에 의함)

① 甲이 현실적인 위반행위자가 아닌 법령상 책임자인 경우에도 甲에게 과징금을 부과할 수 있다.
② 甲에게 고의·과실이 없는 경우에는 과징금을 부과할 수 없다.
③ 과징금부과처분에 대해 甲은 취소소송을 제기하여 다툴 수 있다.
④ 甲에게 부과된 과징금이 법이 정한 한도액을 초과하여 위법한 경우, 법원은 그 초과부분에 대하여 일부 취소할 수 없고 그 전부를 취소하여야 한다.

| 2022년 서울시·지방직·교육행정직 9급

① (○), ② (×) 구 여객자동차 운수사업법 제88조 제1항의 (①) 과징금부과처분은 제재적 행정처분으로서 … 행정법규 위반이라는 객관적 사실에 착안하여 가하는 제재이므로 반드시 현실적인 행위자가 아니라도 법령상 책임자로 규정된 자에게 부과되고 (②) 원칙적으로 위반자의 고의·과실을 요하지 아니하나, 위반자의 의무 해태를 탓할 수 없는 정당한 사유가 있는 등의 특별한 사정이 있는 경우에는 이를 부과할 수 없다(대판 2014.10.15. 2013두5005).
③ (○) 과징금 부과행위는 행정쟁송법상 처분에 해당하므로 甲은 이에 대해 취소소송을 제기하여 다툴 수 있다.
④ (○) 자동차운수사업 면허조건 등에 위반한 사업자에 대하여 행정청이 행정제재수단으로서 사업정지를 명할 것인지, 과징금을 부과할 것인지, 과징금을 부과키로 하였다면 그 금액은 얼마로 할 것인지 등에 관하여 재량권이 부여되어 있다 할 것이고, 과징금 최고한도액 5,000,000원의 부과처분만으로는 적절치 않다고 여길 경우 사업정지쪽을 택할 수도 있다 할 것이므로 과징금 부과처분이 법이 정한 한도액을 초과하여 위법할 경우 법원으로서는 그 전부를 취소할 수밖에 없고, 그 한도액을 초과한 부분이나 법원이 적정하다고 인정되는 부분을 초과한 부분만을 취소할 수는 없다(대판 1993.7.27. 93누1077).

답 ②

문제 DATA
출제가능 지수 ▶▶▷
난이도 지수 ★★☆

함께 정리하기
과징금
법령상 책임자에게 부과
고의·과실 不要
과징금 부과·징수
▷ 행정처분○(취소소송 可)
과징금부과처분 한도액 초과
▷ 법원 전부취소○(일부취소×)

016

행정의 실효성 확보수단에 대한 설명으로 옳은 것은? (다툼이 있는 경우 판례에 의함)

① 행정법규 위반에 대한 제재조치는 법령상의 책임자로 규정된 자가 아닌 현실적 행위자에게 부과되어야 하고, 특별한 사정이 없는 한 위반자에게 고의나 과실이 있어야 부과할 수 있다.
② 행정청이 행정제재수단으로 사업정지 또는 과징금을 부과할 것인지, 과징금의 경우 얼마로 할 것인지의 재량이 부여된 경우 과징금부과처분이 법이 정한 한도액을 초과하여 위법한 경우 법원은 그 초과된 부분만을 취소할 수 있다.
③ 공정거래위원회가 위반행위에 대한 과징금을 부과하면서 여러 개의 위반행위에 대하여 외형상 하나의 과징금 납부명령을 하였으나 여러 개의 위반행위 중 일부의 위반행위에 대한 과징금 부과만이 위법하고 소송상 그 일부의 위반행위를 기초로 한 과징금액을 산정할 수 있는 자료가 있는 경우에는, 하나의 과징금 납부명령일지라도 그 일부의 위반행위에 대한 과징금액에 해당하는 부분만을 취소하여야 한다.
④ 세법상 가산세는 행정상 제재로서 납세자의 고의·과실은 고려되지 않으므로 설령 납세자에게 그 의무해태를 탓할 수 없는 정당한 사유가 있는 경우라도 이를 부과할 수 있다.
⑤ 국가기관이 행정목적 달성을 위하여 언론을 통해 행정상 공표의 방법으로 실명을 공개함으로써 타인의 명예를 훼손한 경우라면 사인의 행위에 의한 경우보다 훨씬 엄격한 기준이 요구되므로 국가기관이 공표 당시 이를 진실이라고 믿었고 또 그렇게 믿을 만한 상당한 이유가 있더라도 위법성이 인정된다.

| 2022년 소방간부

① (×) 행정법규 위반에 대한 제재조치는 행정목적의 달성을 위하여 행정법규 위반이라는 객관적 사실에 착안하여 가하는 제재이므로, 반드시 현실적인 행위자가 아니라도 법령상 책임자로 규정된 자에게 부과되고, 특별한 사정이 없는 한 위반자에게 고의나 과실이 없더라도 부과할 수 있다(대판 2017.5.11. 2014두8773).
② (×) 자동차운수사업면허조건 등을 위반한 사업자에 대하여 행정청이 행정제재수단으로 사업 정지를 명할 것인지, 과징금을 부과할 것인지, 과징금을 부과키로 한다면 그 금액은 얼마로 할 것인지에 관하여 재량권이 부여되었다 할 것이므로 과징금부과처분이 법이 정한 한도액을 초과하여 위법할 경우 법원으로서는 그 전부를 취소할 수밖에 없고, 그 한도액을 초과한 부분이나 법원이 적정하다고 인정되는 부분을 초과한 부분만을 취소할 수 없다(대판 1998.4.10. 98두2270).
③ (○) 공정거래위원회가 부당지원행위에 대한 과징금을 부과함에 있어 여러 개의 위반행위에 대하여 하나의 과징금 납부명령을 하였으나 여러 개의 위반행위 중 일부의 위반행위만이 위법하고 소송상 그 일부의 위반행위를 기초로 한 과징금액을 산정할 수 있는 자료가 있는 경우에는, 하나의 과징금 납부명령일지라도 그 중 위법하여 그 처분을 취소하게 된 일부의 위반행위에 대한 과징금액에 해당하는 부분만을 취소할 수 있다(대판 2006.12.22. 2004두1483).
④ (×) 세법상 가산세는 과세권의 행사 및 조세채권의 실현을 용이하게 하기 위하여 납세자가 정당한 이유 없이 법에 규정된 신고, 납세 등 각종 의무를 위반한 경우에 개별세법이 정하는 바에 따라 부과되는 행정상의 제재로서 납세자의 고의, 과실은 고려되지 않는 것이고, 다만 납세의무자가 그 의무를 알지 못한 것이 무리가 아니었다거나 그 의무의 이행을 당사자에게 기대하는 것이 무리라고 하는 사정이 있을 때 등 그 의무해태를 탓할 수 없는 정당한 사유가 있는 경우에는 이를 부과할 수 없다(대판 2003.9.5. 2001두403).

문제 DATA

출제가능 지수 ▶▶▷
난이도 지수 ★★☆

함께 정리하기

행정의 실효성 확보수단

행정상 제재
▷ 법령상 책임자에게 부과(고의·과실 不要)

과징금부과
▷ 재량행위

과징금부과처분이 법정한도액 초과하여 위법
▷ 법원: 전부취소(초과부분만 일부취소×)

여러 위반행위에 대한 하나의 과징금납부명령
▷ 일부 행위에 대한 과징금부과만 위법 & 금액산정자료 有: 일부 금액만 취소 可

가산세
▷ 고의·과실 不要
▷ 정당한 사유 있는 경우 부과 不可

진실로 믿었고 + 상당한 이유 有
▷ 국가배상 위법성 조각

행정상 공표
▷ 상당한 이유 엄격히 판단

⑤ (×)

[1] 국가기관이 행정목적달성을 위하여 언론에 보도자료를 제공하는 등 이른바 행정상 공표의 방법으로 실명을 공개함으로써 타인의 명예를 훼손한 경우, 그 공표된 사람에 관하여 적시된 사실의 내용이 진실이라는 증명이 없더라도 국가기관이 공표 당시 이를 진실이라고 믿었고 또 그렇게 믿을 만한 상당한 이유가 있다면 위법성이 없는 것이고, 이 점은 언론을 포함한 사인에 의한 명예훼손의 경우에서와 마찬가지이다.

[2] 위 [1]의 경우 상당한 이유의 존부의 판단에 있어서는, 실명공표 자체가 매우 신중하게 이루어져야 한다는 요청에서 비롯되는 무거운 주의의무와 공권력의 광범한 사실조사능력, 공표된 사실이 진실하리라는 점에 대한 국민의 강한 기대와 신뢰, 공무원의 비밀엄수의무와 법령준수의무 등에 비추어, 사인의 행위에 의한 경우보다는 훨씬 더 엄격한 기준이 요구된다 할 것이므로, 그 사실이 의심의 여지 없이 확실히 진실이라고 믿을 만한 객관적이고도 타당한 확증과 근거가 있는 경우가 아니라면 그러한 상당한 이유가 있다고 할 수 없다(대판 1993.11.26. 93다18389).

답 ③

017

병무청장이 하는 병역의무 기피자의 인적사항 공개에 대한 설명으로 옳은 것만을 <보기>에서 모두 고르면? (다툼이 있는 경우 판례에 의함)

<보기>
ㄱ. 병무청장이 하는 병역의무 기피자의 인적사항 공개는 특정인을 병역의무 기피자로 판단하여 그 사실을 일반 대중에게 공표함으로써 그의 명예를 훼손하고 그에게 수치심을 느끼게 하여 병역의무 이행을 간접적으로 강제하려는 조치로서 공권력의 행사에 해당한다.
ㄴ. 관할 지방병무청장이 1차로 공개 대상자 공개 결정을 하고, 그에 따라 병무청장이 같은 내용으로 최종적 공개결정을 하였더라도, 공개 대상자는 관할 지방병무청장의 공개 대상자 결정을 별도로 다툴 소의 이익이 있다.
ㄷ. 병무청장의 인적사항 공개처분이 취소되면 병무청장은 취소판결의 기속력에 따라 위법한 결과를 제거하는 조치를 할 의무가 있다.

① ㄱ
② ㄴ
③ ㄱ, ㄴ
④ ㄱ, ㄷ
⑤ ㄴ, ㄷ

2022년 국회직 8급

ㄱ. (○) 병무청장이 하는 병역의무 기피자의 인적사항 등 공개는, 특정인을 병역의무 기피자로 판단하여 그 사실을 일반 대중에게 공표함으로써 그의 명예를 훼손하고 그에게 수치심을 느끼게 하여 병역의무 이행을 간접적으로 강제하려는 조치로서 병역법에 근거하여 이루어지는 공권력의 행사에 해당한다(대판 2019.6.27. 2018두49130).

ㄴ. (×) 관할 지방병무청장의 공개 대상자 결정은 병무청장의 최종적인 결정에 앞서 이루어지는 행정기관 내부의 중간적 결정에 불과하다.… 관할 지방병무청장이 1차로 공개 대상자 결정을 하고, 그에 따라 병무청장이 같은 내용으로 최종적 공개결정을 하였다면, 공개 대상자는 병무청장의 최종적 공개결정만을 다투는 것으로 충분하고, 관할 지방병무청장의 공개 대상자 결정을 별도로 다툴 소의 이익은 없어진다(대판 2019.6.27. 2018두49130).

문제 DATA
출제가능 지수 ▶▶▷
난이도 지수 ★★★

함께 정리하기
병역기피자의 인적사항 공개

병무청장의 병역의무기피자 인적사항 공개
▷ 공권력 행사○

병무청장의 최종 공개결정에 앞서 이루어진 관할 지방병무청장의 1차 공개대상자 결정
▷ 소의 이익×

이미 공개된 경우
▷ 공개처분이 취소되면 취소판결의 기속력에 따라 병무청장에게 결과제거의무 인정○

ㄷ. (O) 병무청장이 인터넷 홈페이지 등에 게시하는 사실행위를 함으로써 공개 대상자의 인적사항 등이 이미 공개되었더라도, 재판에서 병무청장의 공개결정이 위법함이 확인되어 취소판결이 선고되는 경우, 병무청장은 취소판결의 기속력에 따라 위법한 결과를 제거하는 조치를 할 의무가 있으므로 공개 대상자의 실효적 권리구제를 위해 병무청장의 공개결정을 행정처분으로 인정할 필요성이 있다(대판 2019.6.27. 2018두49130).

답 ④

018

과징금에 대한 설명으로 옳지 않은 것은? (다툼이 있는 경우 판례에 의함)

① 행정법규 위반에 대해 벌금 이외에 과징금을 부과하는 것은 이중처벌금지의 원칙에 반하지 않는다.
② 제재적 행정처분으로서의 과징금은 현실적인 행위자가 아닌 법령상 책임자에게 부과할 수 있다.
③ 제재적 행정처분으로서의 과징금은 원칙적으로 위반자의 고의 또는 과실을 요한다.
④ 과징금은 국가의 형벌권을 실행하는 과벌이 아니다.
⑤ 법령으로 정한 '과징금을 부과하는 위반행위와 과징금의 금액'에 열거되지 않은 위반행위에 대해 사업정지처분을 갈음하여 과징금을 부과할 수 없다.

| 2022년 행정사

①, ④ (O) 구 독점규제 및 공정거래에 관한 법률 제24조의2에 의한 부당내부거래에 대한 과징금은 행정상의 제재금으로서의 기본적 성격에 부당이득환수적 요소도 부가되어 있는 것이라 할 것이고, 이를 두고 헌법 제13조 제1항에서 금지하는 국가형벌권 행사로서의 '처벌'에 해당한다고는 할 수 없으므로(④), 공정거래법에서 형사처벌과 아울러 과징금의 병과를 예정하고 있더라도 이중처벌금지원칙에 위반된다고 볼 수 없으며(①), 이 과징금 부과처분에 대하여 공정력과 집행력을 인정한다고 하여 이를 확정판결 전의 형벌집행과 같은 것으로 보아 무죄추정의 원칙에 위반된다고도 할 수 없다(헌재 2003.7.24. 2001헌가25).

② (O), ③ (X) 구 여객자동차 운수사업법 제88조 제1항의 과징금부과처분은 제재적 행정처분으로서 행정목적의 달성을 위하여 행정법규 위반이라는 객관적 사실에 착안하여 가하는 제재이므로 법령상 책임자로 규정된 자에게 부과되고(②) 원칙적으로 위반자의 고의·과실을 요하지 아니하나(③), 위반자의 의무 해태를 탓할 수 없는 정당한 사유가 있는 등의 특별한 사정이 있는 경우에는 이를 부과할 수 없다(대판 2014.10.15. 2013두5005).

⑤ (O) 화물자동차 운송사업자가 화물자동차 운수사업법(이하 '화물자동차법'이라 한다) 제19조 제1항 각 호에서 정한 사업정지처분사유에 해당하는 위반행위를 한 경우에는 화물자동차법 제19조 제1항에 따라 사업정지처분을 하는 것이 원칙이다. 다만 입법자는 화물자동차 운송사업자에 대하여 사업정지처분을 하는 것이 운송사업의 이용자에게 불편을 주거나 그 밖에 공익을 해칠 우려가 있으면 대통령령으로 정하는 바에 따라 사업정지처분을 갈음하여 과징금을 부과할 수 있도록 허용하고 있다. 이처럼 입법자는 대통령령에 단순히 '과징금의 산정기준'을 구체화하는 임무만을 위임한 것이 아니라, 사업정지처분을 갈음하여 과징금을 부과할 수 있는 '위반행위의 종류'를 구체화하는 임무까지 위임한 것이라고 보아야 한다. 따라서 구 화물자동차 운수사업법 시행령 제7조 제1항 [별표 2] '과징금을 부과하는 위반행위의 종류와 과징금의 금액'에 열거되지 않은 위반행위의 종류에 대해서 사업정지처분을 갈음하여 과징금을 부과하는 것은 허용되지 않는다고 보아야 한다(대판 2020.5.28. 2017두73693).

답 ③

문제 DATA

출제가능 지수 ▶▶▷
난이도 지수 ★★☆

함께 정리하기

과징금

벌금 + 과징금
▷ 병과가능
▷ 이중처벌금지원칙에 반하지×

부과대상자
▷ 법령상 책임자

과징금
▷ 고의·과실 불요

과징금 ≠ 형벌

영업정지에 갈음하여 부과하는 과징금
▷ 변형된 과징금
▷ 개별법에 근거 要

019

행정상 제재에 대한 설명으로 옳지 않은 것은? (다툼이 있는 경우 판례에 의함)

① 관할 행정청이 이행강제금의 부과·징수를 게을리한 행위는 주민소송의 대상이 되는 공금의 부과·징수를 게을리한 사항에 해당한다.
② 구 「독점규제 및 공정거래에 관한 법률」상의 부당내부거래에 대한 과징금에는 행정상의 제재금으로서의 기본적 성격에 부당이득환수적 요소도 부가되어 있다.
③ 구 「법인세법」 제76조 제9항에 근거하여 부과하는 가산세는 형벌이 아니므로 행위자의 고의 또는 과실·책임능력·책임조건 등을 고려하지 아니하며, 조세의 부과절차에 따라 과징할 수 있다.
④ 양벌규정에 의한 영업주의 처벌은 금지위반행위자인 종업원의 처벌에 종속하는 것이므로 종업원의 범죄성립이나 처벌이 영업주 처벌의 전제조건이 된다.

문제 DATA
출제가능 지수 ▶▶▷
난이도 지수 ★★☆

2020년 지방직 7급

① (○) 이행강제금은 지방자치단체의 재정수입을 구성하는 재원 중 하나로서 '지방세외수입금의 징수 등에 관한 법률'에서 이행강제금의 효율적인 징수 등에 필요한 사항을 특별히 규정하는 등 그 부과·징수를 재무회계 관점에서도 규율하고 있으므로, 이행강제금의 부과·징수를 게을리한 행위는 주민소송의 대상이 되는 공금의 부과·징수를 게을리한 사항에 해당한다(대판 2015.9.10., 2013두16746).
② (○) 구 독점규제 및 공정거래에 관한 법률 제24조의2에 의한 부당내부거래에 대한 과징금은 부당내부거래 억지라는 행정목적을 실현하기 위하여 그 위반행위에 대하여 제재를 가하는 행정상의 제재금으로서의 기본적 성격에 부당이득환수적 요소도 부가되어 있는 것이라 할 것이고, 이를 두고 헌법 제13조 제1항에서 금지하는 국가형벌권 행사로서의 '처벌'에 해당한다고는 할 수 없다(헌재 2003.7.24. 2001헌가25).
③ (○) 가산세는 형벌이 아니므로 행위자의 고의 또는 과실·책임능력·책임조건 등을 고려하지 아니하고 가산세 과세요건의 충족 여부만을 확인하여 조세의 부과 절차에 따라 과징할 수 있다(헌재 2006.7.27. 2004헌가13).
④ (×) 양벌규정에 의한 영업주의 처벌은 금지위반행위자인 종업원의 처벌에 종속하는 것이 아니라 독립하여 그 자신의 종업원에 대한 선임감독상의 과실로 인하여 처벌되는 것이므로 종업원의 범죄성립이나 처벌이 영업주 처벌의 전제조건이 될 필요는 없다(대판 1987.11.10. 87도1213).

답 ④

함께 정리하기

행정상 제재

이행강제금 부과·징수를 게을리한 행위
▷ 주민소송의 대상인 공금의 부과·징수를 게을리한 사항

부당내부거래 대한 과징금
▷ 행정상 제재금 + 부당이득 환수

가산세(≠형벌)
▷ 고의·과실·책임능력·책임조건 등 고려×

양벌규정상 영업주 처벌
▷ 종업원의 처벌에 종속×

문제 DATA

출제가능 지수 ▶▶▷
난이도 지수 ★★☆

020 ☐☐☐

행정법규 위반에 대한 제재조치의 설명으로 옳지 않은 것은? (다툼이 있는 경우 판례에 의함)

① 행정법규 위반에 대한 제재조치는 행정목적의 달성을 위하여 행정법규 위반이라는 객관적 사실에 착안하여 가하는 제재이므로, 반드시 현실적인 행위자가 아니라도 법령상 책임자로 규정된 자에게 부과되며, 그러한 제재조치의 위반자에게 고의나 과실이 있어야 부과할 수 있다.

② 법규가 예외적으로 형사소추 선행 원칙을 규정하고 있지 않은 이상 형사판결 확정에 앞서 일정한 위반사실을 들어 행정처분을 하였다고 하여 절차적 위반이 있다고 할 수 없다.

③ 제재적 행정처분은 권익침해의 효과를 가져오므로 철회권이 유보되어 있거나, 법률유보의 원칙상 명문의 근거가 있어야 하며, 행정청이 이러한 권한을 갖고 있다고 하여도 그러한 권한의 행사는 의무에 합당한 재량에 따라야 한다.

④ 세무서장 등은 납세자가 허가·인가·면허 및 등록을 받은 사업과 관련된 소득세, 법인세 및 부가가치세를 대통령령으로 정하는 사유 없이 체납하였을 때에는 해당 사업의 주무관서에 그 납세자에 대하여 허가 등의 갱신과 그 허가 등의 근거 법률에 따른 신규 허가 등을 하지 아니할 것을 요구할 수 있다.

| 2020년 군무원 9급

① (X) 행정법규위반 제재조치는 법령상 책임자로 규정된 자에게 고의나 과실이 없더라도 부과할 수 있다.

> 행정법규 위반에 대한 제재조치는 행정목적의 달성을 위하여 행정법규 위반이라는 객관적 사실에 착안하여 가하는 제재이므로, 반드시 현실적인 행위자가 아니라도 법령상 책임자로 규정된 자에게 부과되고, 특별한 사정이 없는 한 위반자에게 고의나 과실이 없더라도 부과할 수 있다(대판 2017.5.11. 2014두8773).

② (O) 형사소송선행원칙을 규정하지 않은 이상 형사판결 확정에 앞서 위반사실을 이유로 행정처분하였다고 하여 절차적 위반이 있는 것은 아니다.

> 행정처분과 형벌은 각각 그 권력적 기초, 대상, 목적이 다르다. 일정한 법규 위반 사실이 행정처분의 전제사실이자 형사법규의 위반 사실이 되는 경우에 동일한 행위에 관하여 독립적으로 행정처분이나 형벌을 부과하거나 이를 병과할 수 있다. 법규가 예외적으로 형사소추 선행 원칙을 규정하고 있지 않은 이상 형사판결 확정에 앞서 일정한 위반사실을 들어 행정처분을 하였다고 하여 절차적 위반이 있다고 할 수 없다 (대판 2017.6.19. 2015두59808).

③ (O) 제재적 행정처분을 하려면 반드시 철회권이 유보되어야 하는 것은 아니다. 철회권이 유보되지 않는 단순 철회의 경우 법적 근거 요부에 관하여 견해대립이 있으나, 판례는 불요설의 입장이기 때문이다. 지문은 표현이 다소 모호하다. 따라서 이 문제에서는 ①이 더 확실한 오답이므로 ①을 정답으로 골라야 한다.

④ (O)

> 「국세징수법」 제112조 【사업에 관한 허가등의 제한】 ① 관할 세무서장은 납세자가 허가·인가·면허 및 등록 등(이하 이 조에서 "허가등"이라 한다)을 받은 사업과 관련된 소득세, 법인세 및 부가가치세를 체납한 경우 해당 사업의 주무관청에 그 납세자에 대하여 허가등의 갱신과 그 허가등의 근거 법률에 따른 신규 허가등을 하지 아니할 것을 요구할 수 있다. 다만, 재난, 질병 또는 사업의 현저한 손실, 그 밖에 대통령령으로 정하는 사유가 있는 경우에는 그러하지 아니하다.

답 ①

함께 정리하기

행정법규 위반에 대한 제재

행정상 제재
▷ 객관적 사실에 착안하여 법령상 책임자에게 부과(고의·과실 不要)

형사판결 확정에 앞서 제재처분
▷ 절차위반 ✕

제재적 행정처분
▷ 철회권의 유보 또는 법적 근거 要
▷ 의무에 합당한 재량행사일 것

「국세징수법」상 관허사업제한
▷ 체납된 국세의 부과원인과 관련된 관허사업제한

021

행정의 실효성 확보수단에 대한 설명으로 옳은 것만을 모두 고르면? (다툼이 있는 경우 판례에 의함)

> ㄱ. 조세부과처분에 취소사유인 하자가 있는 경우 그 하자는 후행 강제징수절차인 독촉·압류·매각·청산절차에 승계된다.
> ㄴ. 세법상 가산세는 과세권 행사 및 조세채권 실현을 용이하게 하기 위하여 납세자가 정당한 이유 없이 법에 규정된 신고, 납세 등의 의무를 위반한 경우에 개별세법에 따라 부과하는 행정상 제재로서, 납세자의 고의·과실은 고려되지 아니하고 법령의 부지·착오 등은 그 의무위반을 탓할 수 없는 정당한 사유에 해당하지 아니한다.
> ㄷ. 세무공무원이 체납처분을 하기 위하여 질문·검사 또는 수색을 하거나 재산을 압류할 때에는 그 신분을 표시하는 증표를 지니고 이를 관계자에게 보여 주어야 한다.
> ㄹ. 구 「국세징수법」상 가산금은 국세를 납부기한까지 납부하지 아니하면 과세청의 확정절차 없이도 법률에 의하여 당연히 발생하는 것이므로 가산금의 고지는 항고소송의 대상이 되는 처분이라고 볼 수 없다.

① ㄱ, ㄴ
② ㄴ, ㄷ
③ ㄷ, ㄹ
④ ㄴ, ㄷ, ㄹ

문제 DATA
출제가능 지수 ▶▶▷
난이도 지수 ★★☆

2019년 국가직 9급

ㄱ. (✕) 조세부과처분의 하자는 체납처분에 승계되지 않는다.

> 조세의 부과처분과 압류 등의 체납처분은 별개의 행정처분으로서 독립성을 가지므로 부과처분에 하자가 있더라도 그 부과처분이 취소되지 아니하는 한 그 부과처분에 의한 체납처분은 위법이라고 할 수는 없지만, 체납처분은 부과처분의 집행을 위한 절차에 불과하므로 그 부과처분에 중대하고도 명백한 하자가 있어 무효인 경우에는 그 부과처분의 집행을 위한 체납처분도 무효라 할 것이다(대판 1987.9.22. 87누383).

ㄴ. (○) 법령의 부지·착오는 가산세부과에서 정당한 사유에 해당하지 않는다.

> 세법상 가산세는 과세권의 행사 및 조세채권의 실현을 용이하게 하기 위하여 납세자가 정당한 이유 없이 법에 규정된 신고, 납세 등 각종 의무를 위반한 경우에 법이 정하는 바에 따라 부과하는 행정상 제재로서 납세자의 고의·과실은 고려되지 아니하고 법령의 부지·착오 등은 그 의무위반을 탓할 수 없는 정당한 사유에 해당하지 아니한다(대판 2004.6.24. 2002두10780).

ㄷ. (○)

> 「국세징수법」 제38조 【증표 등의 제시】 세무공무원은 다음 각 호의 어느 하나를 하는 경우 그 신분을 나타내는 증표 및 압류·수색 등 통지서를 지니고 이를 관계자에게 보여 주어야 한다.

ㄹ. (○) 가산금·중가산금의 고지는 처분에 해당하지 않는다.

> 국세징수법 제21조, 제22조가 규정하는 가산금 또는 중가산금은 국세를 납부기한까지 납부하지 아니하면 과세청의 확정절차 없이도 법률 규정에 의하여 당연히 발생하는 것이므로 가산금 또는 중가산금의 고지가 항고소송의 대상이 되는 처분이라고 볼 수 없다(대판 2005.6.10. 2005다15482).

답 ④

함께 정리하기

행정의 실효성 확보수단

조세부과처분의 하자
▷ 독촉·압류·매각·청산절차에 승계✕

가산세
▷ 신고, 납세등 의무위반시 행정상 제재
▷ 고의·과실 불요, But 정당한 이유 有 부과✕
▷ 법령의 부지·착오 등은 정당한 사유✕

세무공무원
▷ 체납처분 진행시 신분증표를 지니고 제시의무 有

가산금
▷ 법률규정에 의하여 당연히 발생·액수 확정

가산금 고지
▷ 행정처분✕

022

<보기>의 법률 규정에 대한 설명으로 가장 옳지 않은 것은? (다툼이 있는 경우 판례에 의함)

<보기>
「여객자동차 운수사업법」 제88조 【과징금 처분】 ① 국토교통부장관 또는 시·도지사는 여객자동차 운수사업자가 제49조의6 제1항 또는 제85조 제1항 각 호의 어느 하나에 해당하여 사업정지 처분을 하여야 하는 경우에 그 사업정지처분이 그 여객자동차 운수사업을 이용하는 사람들에게 심한 불편을 주거나 공익을 해칠 우려가 있는 때에는 그 사업정지 처분을 갈음하여 5천만원 이하의 과징금을 부과·징수할 수 있다.

① 과징금 부과처분은 제재적 행정처분이므로 현실적인 행위자에 부과하여야 하며 위반자의 고의·과실을 요한다.
② 사업정지처분을 내릴 것인지 과징금을 부과할 것인지는 통상 행정청의 재량에 속한다.
③ 과징금 부과처분에는 원칙적으로 「행정절차법」이 적용된다.
④ 과징금은 행정목적 달성을 위하여, 행정법규 위반이라는 객관적 사실에 착안하여 부과된다.

2019년 서울시 9급

① (✕) 과징금의 부과대상자는 법령상 책임자이고 위반자의 고의·과실은 요하지 않는다.

> 행정법규 위반이라는 객관적 사실에 착안하여 가하는 제재이므로 법령상 책임자로 규정된 자에게 부과되고 원칙적으로 위반자의 고의·과실을 요하지 아니하나, 위반자의 의무 해태를 탓할 수 없는 정당한 사유가 있는 등의 특별한 사정이 있는 경우에는 이를 부과할 수 없다(대판 2014.10.15. 2013두5005).

유제 20. 국가직 9급 「여객자동차 운수사업법」상 과징금부과처분은 원칙적으로 위반자의 고의·과실을 요하지 않는다. (O)

② (O) 영업정지 등에 갈음하는 과징금의 경우 과징금을 부과할 것인지, 아니면 영업정지처분을 할 것인지는 통상 행정청의 재량에 속한다.
③ (O) 과징금 부과처분은 행정처분에 해당하므로 사전통지 등 「행정절차법」상의 절차를 거쳐야 한다.

> 「행정절차법」 제3조 【적용 범위】 ① 처분, 신고, 확약, 위반사실 등의 공표, 행정계획, 행정상 입법예고, 행정예고 및 행정지도의 절차(이하 "행정절차"라 한다)에 관하여 다른 법률에 특별한 규정이 있는 경우를 제외하고는 이 법에서 정하는 바에 따른다.

④ (O) 과징금은 객관적 사실에 착안하여 부과되므로 고의·과실을 요하지 않는다.

> 구 여객자동차 운수사업법 제88조 제1항의 과징금부과처분은 제재적 행정처분으로서 행정목적의 달성을 위하여 행정법규 위반이라는 객관적 사실에 착안하여 가하는 제재이므로 반드시 현실적인 행위자가 아니라도 법령상 책임자로 규정된 자에게 부과되고 원칙적으로 위반자의 고의·과실을 요하지 아니하나, 위반자의 의무 해태를 탓할 수 없는 정당한 사유가 있는 등의 특별한 사정이 있는 경우에는 이를 부과할 수 없다(대판 2014.10.15. 2013두5005).

답 ①

문제 DATA
출제가능 지수 ▶▶▷
난이도 지수 ★★☆

함께 정리하기

과징금
부과대상자
▷ 법령상 책임자(고의·과실 不要)

변형된 과징금
▷ 과징금·영업정지 행정청의 재량

과징금부과는 처분
▷ 「행정절차법」 적용

객관적 사실에 착안하여 부과

023

행정의 실효성 확보수단에 대한 설명으로 옳지 않은 것은? (다툼이 있는 경우 판례에 의함)

① 의무위반자의 명단공표는 법에 근거가 있는 경우에 한하여 가능하다.
② 「독점규제 및 공정거래에 관한 법률」상의 시정명령은 과거의 위반행위는 물론 가까운 장래에 반복될 우려가 있는 위반행위에 대해서도 할 수 있다.
③ 「건축법」상 위법건축물이라고 하여 해당 건축물을 이용한 영업허가를 제한하는 것은 부당결부금지원칙에 반한다.
④ 지방자치단체의 장에 의한 수도의 공급거부는 항고소송의 대상이 된다.
⑤ 영업정지처분에 갈음하는 과징금을 부과할 것인지 아니면 영업정지처분을 내릴 것인지는 통상 행정의 재량에 속한다.

2019년 소방간부

① (○) 명단공표는 명예나 신용 등에 불이익을 초래하게 되는 침익적 작용이라는 점에서 원칙적으로 법적 근거가 필요하다.

유제 18. 교행 법령상 의무를 위반한 자의 명단을 공표하는 조치는 「행정절차법」상의 근거규정에 따라 행하여진다. (✕)

② (○) 시정명령은 가까운 장래에 반복될 우려가 있는 경우에도 발할 수 있다.

독점규제 및 공정거래에 관한 법률에서 시정명령 제도를 둔 취지에 비추어 시정명령의 내용은 가까운 장래에 반복될 우려가 있는 동일한 유형의 행위의 반복금지까지 명할 수 있는 것으로 해석함이 상당하다(대판 2010.11.25. 2008두23177).

유제 18. 교행 행정청은 시정명령으로 과거의 위반행위에 대한 중지는 물론 가까운 장래에 반복될 우려가 있는 동일한 유형의 행위의 반복금지까지 명할 수 있다. (○)

③ (✕) 법령에 근거한 행위이며 부당결부금지원칙에 위반되지 않는다.

> 「건축법」 제79조 【위반 건축물 등에 대한 조치 등】 ① 허가권자는 이 법 또는 이 법에 따른 명령이나 처분에 위반되는 대지나 건축물에 대하여 이 법에 따른 허가 또는 승인을 취소하거나 그 건축물의 건축주·공사시공자·현장관리인·소유자·관리자 또는 점유자(이하 "건축주등"이라 한다)에게 공사의 중지를 명하거나 상당한 기간을 정하여 그 건축물의 해체·개축·증축·수선·용도변경·사용금지·사용제한, 그 밖에 필요한 조치를 명할 수 있다.
> ② 허가권자는 제1항에 따라 허가나 승인이 취소된 건축물 또는 제1항에 따른 시정명령을 받고 이행하지 아니한 건축물에 대하여는 다른 법령에 따른 영업이나 그 밖의 행위를 허가·면허·인가·등록·지정 등을 하지 아니하도록 요청할 수 있다. 다만, 허가권자가 기간을 정하여 그 사용 또는 영업, 그 밖의 행위를 허용한 주택과 대통령령으로 정하는 경우에는 그러하지 아니하다.
> ③ 제2항에 따른 요청을 받은 자는 특별한 이유가 없으면 요청에 따라야 한다.

④ (○) 단수처분은 처분에 해당한다.

종로구청장이 한 단수처분은 항고소송의 대상이 되는 행정처분에 해당한다(대판 1979.12.28. 79누218).

⑤ (○) 변형된 과징금의 부과 여부는 행정청의 재량에 속한다.

변형된 과징금은 영업정지 등에 갈음하여 부과하는 것이다. 따라서 동일한 위반사유에 대하여 과징금과 영업정지를 병과할 수는 없다. 다만, 과징금을 부과할 것인지 영업정지처분을 할 것인지는 보통 행정청의 재량이다(대판 2006.5.12. 2004두12315).

답 ③

문제 DATA
출제가능 지수 ▶▶▷
난이도 지수 ★★☆

함께 정리하기

행정의 실효성 확보수단

의무위반자의 명단공표
▷ 법적 근거 필요

가까운 장래에 반복될 우려가 있는 위반행위
▷ 시정명령 대상○

위법건축물을 이용한 영업허가 제한
▷ 부당결부금지원칙에 반하지✕

단체장에 의한 수도 공급거부
▷ 행정처분○

변형된 과징금 부과 여부
▷ 행정청의 재량

문제 DATA

출제가능 지수 ▶▶▷
난이도 지수 ★★☆

함께 정리하기

행정의 실효성 확보수단

전형적 과징금
▷ 의무위반행위로 인한 불법적 이익 박탈
▷ 고의·과실 不要

대집행 요건
▷ 공법상 대체적 작위의무 위반
▷ 다른 수단으로 이행확보 곤란
▷ 불이행방치가 심히 공익을 해할 것

벌금 + 과징금
▷ 병과가능(이중처벌금지원칙에 반하지×)

이행강제금
▷ 대체적 작위의무 위반에 대해서도 부과 可

---

024 □□□

행정의 실효성 확보수단에 대한 설명으로 옳지 않은 것은? (다툼이 있는 경우 판례에 의함)

① 과징금은 의무위반행위로 인한 불법적인 이익을 박탈하기 위하여 부과하는 것으로서, 과징금부과처분을 할 때 위반자의 고의 또는 과실을 요건으로 한다.
② 대집행은 타인이 대신하여 행할 수 있는 행위를 의무자가 이행하지 아니하는 경우 다른 수단으로써 그 이행을 확보하기 곤란하고 또한 그 불이행을 방치함이 심히 공익을 해할 것으로 인정될 때 실시할 수 있다.
③ 행정법규위반에 대하여 벌금 이외에 과징금을 부과하는 것은 이중처벌금지의 원칙에 반하지 않는다.
④ 이행강제금은 대체적 작위의무의 위반에 대하여도 부과될 수 있다.

> 2019년 군무원 9급

① (✕) 과징금부과처분에 있어서 고의·과실은 그 요건에 해당하지 않는다.

> 구 여객자동차 운수사업법 제88조 제1항의 과징금부과처분은 제재적 행정처분으로서 여객자동차 운수사업에 관한 질서를 확립하고 여객의 원활한 운송과 여객자동차 운수사업의 종합적인 발달을 도모하여 공공복리를 증진한다는 행정목적의 달성을 위하여 행정법규 위반이라는 객관적 사실에 착안하여 가하는 제재이므로 반드시 현실적인 행위자가 아니라도 법령상 책임자로 규정된 자에게 부과되고 원칙적으로 위반자의 고의·과실을 요하지 아니하나, 위반자의 의무 해태를 탓할 수 없는 정당한 사유가 있는 등의 특별한 사정이 있는 경우에는 이를 부과할 수 없다(대판 2014.10.15. 2013두5005).

② (〇)

> 「행정대집행법」 제2조【대집행과 그 비용징수】법률(법률의 위임에 의한 명령, 지방자치단체의 조례를 포함한다. 이하 같다)에 의하여 직접명령되었거나 또는 법률에 의거한 행정청의 명령에 의한 행위로서 타인이 대신하여 행할 수 있는 행위를 의무자가 이행하지 아니하는 경우 다른 수단으로써 그 이행을 확보하기 곤란하고 또한 그 불이행을 방치함이 심히 공익을 해할 것으로 인정될 때에는 당해 행정청은 스스로 의무자가 하여야 할 행위를 하거나 또는 제삼자로 하여금 이를 하게 하여 그 비용을 의무자로부터 징수할 수 있다.

③ (〇) 공정거래법에서 형사처벌과 아울러 과징금의 병과를 예정하고 있더라도 이중처벌금지원칙에 위반된다고 볼 수 없으며, 이 과징금 부과처분에 대하여 공력력과 집행력을 인정한다고 하여 이를 확정판결 전의 형벌집행과 같은 것으로 보아 무죄추정의 원칙에 위반된다고도 할 수 없다(헌재 2003.7.24. 2001헌가25).

④ (〇) 전통적으로 행정대집행은 대체적 작위의무에 대한 강제집행수단으로, 이행강제금은 부작위의무나 비대체적 작위의무에 대한 강제집행수단으로 이해되어왔으나, 이는 이행강제금 제도의 본질에서 오는 제약은 아니며, 이행강제금은 대체적 작위의무의 위반에 대하여도 부과될 수 있다(헌재 2004.2.26. 2001헌바80 등).

답 ①

025

행정의 실효성 확보수단에 대한 설명으로 옳은 것만을 모두 고르면? (다툼이 있는 경우 판례에 의함)

ㄱ. 시정명령이란 행정법령의 위반행위로 초래된 위법상태의 제거 내지 시정을 명하는 행정행위를 말하는 것으로서, 그 위반행위의 결과가 더 이상 존재하지 않는다면 시정명령을 할 수 없다.

ㄴ. 납세의무자가 세무공무원의 잘못된 설명을 믿고 신고납부의무를 이행하지 아니하였다 하더라도 그것이 관계 법령에 어긋나는 것임이 명백한 때에는 그러한 사유만으로는 가산세를 부과할 수 없는 정당한 사유가 있는 경우에 해당한다고 할 수 없다.

ㄷ. 행정법규 위반에 대하여 가하는 제재조치(영업정지처분)는 반드시 현실적인 행위자가 아니라도 법령상 책임자로 규정된 자에게 부과되고, 특별한 사정이 없는 한 위반자에게 고의나 과실이 없더라도 부과할 수 있다.

ㄹ. 행정청의 재량권이 부여되어 있는 과징금부과처분이 법이 정한 한도액을 초과하여 위법할 경우, 법원으로서는 그 한도액을 초과한 부분이나 법원이 적정하다고 인정되는 부분을 초과한 부분만을 취소할 수 있다.

① ㄱ, ㄷ
② ㄴ, ㄹ
③ ㄱ, ㄴ, ㄷ
④ ㄱ, ㄷ, ㄹ

2018년 지방직 7급

ㄱ. (○) 위법행위의 결과가 소멸하면 시정명령을 할 수 없다.

> 이익침해적 제재규정의 엄격해석원칙 등에 비추어 볼 때, 비록 위 법 제13조 등의 위반행위가 있었더라도 그 위반행위의 결과가 더 이상 존재하지 않는다면 위 법 제25조 제1항에 의한 시정명령은 할 수 없다고 보아야 한다(대판 2011.3.10. 2009두1990).

ㄴ. (○) 법령에 어긋나는 것이 명백한 의무불이행은 정당한 사유에 해당하지 않는다.

> 납세의무자가 세무공무원의 잘못된 설명을 믿고 그 신고·납부의무를 이행하지 아니하였다 하더라도 그것이 관계 법령에 어긋나는 것임이 명백한 때에는 그러한 사유만으로는 정당한 사유가 있는 경우에 해당한다고 할 수 없다(대판 2004.9.24. 2003두10350).

ㄷ. (○) 영업정지처분은 법령상 책임자에게 고의·과실 없어도 부과가 가능하다.

> 행정법규 위반에 대한 제재조치는 법령상 책임자로 규정된 자에게 부과되고, 특별한 사정이 없는 한 위반자에게 고의나 과실이 없더라도 부과할 수 있다. 이러한 법리는 대부업법 제13조 제1항이 정하는 대부업자등의 불법추심행위를 이유로 한 영업정지 처분에도 마찬가지로 적용된다고 보아야 한다(대판 2017.5.11. 2014두8773).

ㄹ. (×) 과징금부과처분이 한도액을 초과하면 법원은 전부를 취소한다.

> 과징금 부과처분이 법이 정한 한도액을 초과하여 위법할 경우 법원으로서는 그 전부를 취소할 수밖에 없고, 그 한도액을 초과한 부분이나 법원이 적정하다고 인정되는 부분을 초과한 부분만을 취소할 수는 없다(대판 1993.7.27. 93누1077).

답 ③

함께 정리하기

행정의 실효성 확보수단

위법행위 결과 소멸
▷ 시정명령 불가

법령에 어긋나는 것이 명백한 신고납부 불이행
▷ 정당한 사유 ×

영업정지처분
▷ 법령상 책임자에게 고의·과실 없어도 부과 可

과징금부과처분 한도액초과
▷ 전부취소 ○
▷ 일부취소 ×

문제 DATA

출제가능 지수 ▶▶▷
난이도 지수 ★★☆

026 □□□

과징금에 대한 설명으로 옳은 것은? (다툼이 있는 경우 판례에 의함)

① 과징금은 원칙적으로 행위자의 고의·과실이 있는 경우에 부과된다.
② 과징금부과처분의 기준을 규정하고 있는 구「청소년보호법 시행령」제40조 [별표 6]은 행정규칙의 성질을 갖는다.
③ 부과관청이 추후에 부과금 산정 기준이 되는 새로운 자료가 나올 경우 과징금액이 변경될 수도 있다고 유보하며 과징금을 부과했다면, 새로운 자료가 나온 것을 이유로 새로이 부과처분을 할 수 있다.
④ 자동차운수사업면허조건 등을 위반한 사업자에 대한 과징금부과처분이 법이 정한 한도액을 초과하여 위법한 경우 법원은 그 처분 전부를 취소하여야 한다.

| 2018년 지방직 9급

① (×) 과징금 등 제재적 행정처분은 행정목적의 달성을 위하여 행정법규 위반이라는 객관적 사실에 착안하여 가하는 제재로, 법령상 책임자라면 행위자가 아니더라도 부과대상이 되고, 원칙적으로 위반자의 고의나 과실은 그 요건이 아니다.

과징금 부과에는 고의과실을 요하지 않으나, 정당한 사유가 있으면 부과할 수 없다.
여객자동차 운수사업법 제88조 제1항의 과징금 부과처분은 행정법규 위반이라는 객관적 사실에 착안하여 가하는 제재이므로 반드시 현실적인 행위자가 아니라도 법령상 책임자로 규정된 자에게 부과되고 원칙적으로 위반자의 고의·과실을 요하지 아니하나, 위반자의 의무 해태를 탓할 수 없는 정당한 사유가 있는 등의 특별한 사정이 있는 경우에는 이를 부과할 수 없다(대판 2014.10.15. 2013두5005).

② (×) 과징금처분기준을 정한「청소년보호법 시행령」규정은 법규명령에 해당한다.

청소년보호법 시행령상의 과징금부과기준은 법규명령에 해당한다.
구 청소년보호법 제49조 제1항, 제2항에 따른 같은 법 시행령 제40조 [별표 6]의 '위반행위의 종별에 따른 과징금처분기준'은 법규명령이기는 하나 같은 유형의 위반행위라 하더라도 그 규모나 기간·사회적 비난 정도·위반행위로 인하여 다른 법률에 의하여 처벌받은 다른 사정·행위자의 개인적 사정 및 위반행위로 얻은 불법이익의 규모 등 여러 요소를 종합적으로 고려하여 사안에 따라 적정한 과징금의 액수를 정하여야 할 것이므로 그 수액은 정액이 아니라 최고한도액이다(대판 2001.3.9. 99두5207).

③ (×) 과징금은 부과처분 당시까지 부과관청이 확인한 사실을 기초로 일의적으로 확정되어야 할 것이고, 과징금의 부과와 같이 재산권의 직접적인 침해를 가져오는 처분을 변경하려면 법령에 그 요건 및 절차가 명백히 규정되어 있어야 할 것이지 부과관청이 과징금을 부과하면서 추후에 부과금 산정 기준이 되는 새로운 자료가 나올 경우에는 과징금액이 변경될 수도 있다고 유보한다든지, 실제로 추후에 새로운 자료가 나왔다고 하여 새로운 부과처분을 할 수는 없다. 따라서 동일한 법령위반행위에 대하여 새로운 부과기준 자료를 발견한 경우 새로 산정한 과징금액과 당초의 과징금액의 차액을 다시 부과할 수 없다.

과징금은 부과처분 당시까지 확인된 자료를 기초로 확정되어야 한다.
부과관청이 과징금을 부과하면서 추후에 부과금산정기준이 되는 새로운 자료가 나올 경우에는 과징금액이 변경될 수도 있다고 유보한다든지, 실제로 추후에 새로운 자료가 나왔다고 하여 새로운 부과처분을 할 수는 없다(대판 1999.5.28. 99두1571).

④ (○) 과징금 부과처분은 재량행위이다.

과징금 부과처분이 법정한도액을 초과하여 위법하더라도 법원은 일부취소를 할 수 없다.
자동차운수사업면허조건 등에 위반한 사업자에 대하여 행정청이 행정제재수단으로 사업정지를 명할 것인지, 과징금을 부과할 것인지, 과징금을 부과키로 한다면 그 금액은 얼마로 할 것인지에 관하여 재량권이 부여되었다할 것이므로, 과징금부과처분이 법이 정한 한도액을 초과하여 위법할 경우 법원으로서는 그 전부를 취소할 수밖에 없고, 그 한도액을 초과한 부분이나 법원이 적정하다고 인정되는 부분을 초과한 부분만을 취소할 수 없다(대판 1993.7.27. 93누1077 ; 대판 1998.4.10. 98두2270).

답 ④

함께 정리하기

과징금

과징금
▷ 고의·과실 不要

과징금처분기준을 정한「청소년보호법 시행령」규정
▷ 법규명령

동일한 법령위반행위에 대한 새로운 부과기준자료 발견
▷ 새로운 부과처분 不可

과징금 부과처분이 법정한도액을 초과하여 위법
▷ 전부취소

027

행정상 의무이행 확보수단에 대한 설명으로 옳지 않은 것은? (다툼이 있는 경우 판례에 의함)

① 이행강제금은 행정법상의 작위 또는 부작위의무를 이행하지 않은 경우에 '일정한 기한까지 의무를 이행하지 않을 때에는 일정한 금전적 부담을 과할 뜻'을 미리 '계고'함으로써 의무자에게 심리적 압박을 주어 장래를 향하여 의무의 이행을 확보하려는 간접적인 행정상 강제집행 수단이다.
② 행정상 즉시강제는 그 본질상 행정 목적 달성을 위하여 불가피한 한도 내에서 예외적으로 허용되는 것이므로, 「경찰관 직무집행법」 제6조 경찰관의 범죄의 제재 조치 역시 그러한 조치가 불가피한 최소한도내에서만 행사되도록 그 발동·행사 요건을 신중하고 엄격하게 해석하여야 한다.
③ 세무조사는 국가의 과세권을 실현하기 위한 행정조사의 일종으로서 국세의 과세표준과 세액을 결정 또는 경정하기 위하여 질문을 하고 장부·서류 그 밖의 물건을 검사·조사하거나 그 제출을 명하는 일체의 행위를 말한다.
④ 공정거래위원회의 과징금 납부명령이 재량권 일탈남용으로 위법한지는 다른 특별한 사정이 없는 한 과징금 납부명령이 행하여진 '의결일' 당시의 사실상태를 기준으로 판단하여야 한다.
⑤ 하천구역의 무단 점용을 이유로 부당이득금 부과처분과 그 부당이득금 미납으로 인한 가산금 징수처분을 받은 사람이 가산금 징수처분에 대하여 행정청이 안내한 전심절차를 거쳤다 하더라도 가산금 징수처분에 대하여는 부당이득금 부과처분과 함께 행정소송으로 다툴 수 없다.

2018년 국회직 8급

① (○) 이행강제금은 심리적 압박을 통한 간접적 의무이행확보수단이다.

> 이행강제금은 행정법상의 부작위의무 또는 비대체적 작위의무를 이행하지 않은 경우에 '일정한 기한까지 의무를 이행하지 않을 때에는 일정한 금전적 부담을 과할 뜻'을 미리 '계고'함으로써 의무자에게 심리적 압박을 주어 장래를 향하여 의무의 이행을 확보하려는 간접적인 행정상 강제집행 수단이다(대판 2015.6.24. 2011두2170).

유제 19. 국회직 8급 「건축법」상 이행강제금은 의무자에게 심리적 압박을 주어 시정명령에 따른 의무이행을 간접적으로 강제하는 강제집행수단이 아니라 시정명령의 불이행이라는 과거의 위반행위에 대한 금전적 제재에 해당한다. (×)

19. 국가직 9급 이행강제금은 심리적 압박을 통하여 간접적으로 의무이행을 확보하는 수단인 행정벌과는 달리 의무이행의 강제를 직접적인 목적으로 하므로, 강학상 직접강제에 해당한다. (×)

② (○) 경찰관의 제지조치는 즉시강제에 해당하므로 엄격하게 해석해야 한다.

> 경찰관 직무집행법 제6조 제1항 중 경찰관의 제지에 관한 부분은 범죄의 예방을 위한 경찰 행정상 즉시강제에 관한 근거 조항이다. 행정상 즉시강제는 그 본질상 행정 목적 달성을 위하여 불가피한 한도 내에서 예외적으로 허용되는 것이므로, 위 조항에 의한 경찰관의 제지 조치 역시 그러한 조치가 불가피한 최소한도 내에서만 행사되도록 그 발동·행사 요건을 신중하고 엄격하게 해석하여야 한다(대판 2008.11.13. 2007도9794).

③ (○) 세무조사는 질문 검사 조사 등의 일체의 행의를 의미한다.

> 세무조사는 국가의 과세권을 실현하기 위한 행정조사의 일종으로서 국세의 과세표준과 세액을 결정 또는 경정하기 위하여 질문을 하고 장부·서류 그 밖의 물건을 검사·조사하거나 그 제출을 명하는 일체의 행위를 말하며, 부과처분을 위한 과세관청의 질문조사권이 행하여지는 세무조사의 경우 납세자 또는 그 납세자와 거래가 있다고 인정되는 자 등(이하 '납세자 등'이라 한다)은 세무공무원의 과세자료 수집을 위한 질문에 대답하고 검사를 수인하여야할 법적 의무를 부담한다(대판 2017.3.16. 2014두8360).

함께 정리하기

행정상 의무이행 확보수단

이행강제금
▷ 심리적 압박 통한 간접적 의무이행 확보수단

경찰관 제지조치
▷ 즉시강제이므로 엄격해석

세무조사
▷ 질문·검사·조사 등 일체 행위

과징금 납부명령의 위법 여부
▷ 의결일 당시 사실상태 기준

부당이득금 부과처분 전심절차 거치면 가산금 징수처분도 소송제기 可

④ (○) 과징금 납부명령의 위법 여부는 의결일 당시의 사실상태를 기준으로 한다.

> 행정소송에서 행정처분의 위법 여부는 행정처분이 행하여졌을 때의 법령과 사실상태를 기준으로 하여 판단해야 하고, 이는 독점규제 및 공정거래에 관한 법률에 기한 공정거래위원회의 시정명령 및 과징금 납부명령에서도 마찬가지이다. 따라서 공정거래위원회의 과징금 납부명령 등이 재량권 일탈·남용으로 위법한지는 다른 특별한 사정이 없는 한 과징금 납부명령 등이 행하여진 '의결일' 당시의 사실상태를 기준으로 판단하여야 한다(대판 2015.5.28. 2015두36256).

⑤ (×) 부당이득금부과에 대한 전심절차를 거친 경우에는 가산금 징수처분도 소송제기가 가능하다.

> 하천구역의 무단 점용을 이유로 부당이득금 부과처분과 가산금 징수처분을 받은 사람이 가산금 징수처분에 대하여 행정청이 안내한 전심절차를 밟지 않았다 하더라도 부당이득금 부과처분에 대하여 전심절차를 거친 이상 가산금 징수처분에 대하여도 부당이득금 부과처분과 함께 행정소송으로 다툴 수 있다(대판 2006.9.8. 2004두947).

답 ⑤

028

행정의 새로운 실효성 확보수단에 대한 설명으로 가장 옳지 않은 것은? (다툼이 있는 경우 판례에 의함)

① 행정청의 감액처분에 의하여 감액된 부분에 대한 부과처분 취소청구는 이미 소멸하고 없는 부분에 대한 것이라 하여도 소의 이익은 존재한다.
② 가산금과 중가산금은 납부기한까지 세금이 납부되지 아니하면 과세권자의 확정절차 없이 관련 법률규정에 의하여 당연히 발생되고 그 액수도 확정된다.
③ 「독점규제 및 공정거래에 관한 법률」상 시정명령의 내용은 과거의 위반행위에 대한 중지는 물론 가까운 장래에 반복될 우려가 있는 동일 유형의 반복금지까지 명할 수 있다.
④ 행정상 공급거부에 대한 권리구제에 있어 단수처분은 항고소송의 대상이 되는 행정처분이므로 위법한 단수처분에 대해서는 행정소송을 제기하여 그 취소를 구할 수 있다.

2018년 경찰

① (×) 과징금 부과처분에 있어 행정청이 납부의무자에 대하여 부과처분을 한 후 그 부과처분의 하자를 이유로 과징금의 액수를 감액하는 경우에 그 감액처분은 감액된 과징금 부분에 관하여만 법적 효과가 미치는 것으로서 당초 부과처분과 별개 독립의 과징금 부과처분이 아니라 그 실질은 당초 부과처분의 변경이고, 그에 의하여 과징금의 일부취소라는 납부의무자에게 유리한 결과를 가져오는 처분이므로 당초 부과처분이 전부 실효되는 것은 아니다. 따라서 그 감액처분에 의하여 감액된 부분에 대한 부과처분 취소청구는 이미 소멸하고 없는 부분에 대한 것으로서 그 소의 이익이 없어 부적법하다고 할 것이다(대판 2008.2.15. 2006두4226).
② (○) 국세기본법 제2조 제5호와 국세징수법 제21조의 규정에 의하면, 국세를 납부기한까지 납부하지 아니하는 때에는 같은 법에 의하여 고지세액에 가산금을 가산하여 징수하도록 규정하고 있으므로, 가산금은 국세징수법 제9조 소정의 납세고지서에 의한 본세의 납부고지에서 고지된 납부기한까지 세금을 납부하지 아니하면 과세관청에 의한 별도의 확정절차 없이 위 규정에 의하여 당연히 발생하고 그 액수도 확정되는 것이다(대판 2010.12.9. 2010다70605).

③ (○) 독점규제 및 공정거래에 관한 법률에 의한 시정명령이 지나치게 구체적인 경우 매일 매일 다소간의 변형을 거치면서 행해지는 수많은 거래에서 정합성이 떨어져 결국 무의미한 시정명령이 되므로 그 본질적인 속성상 다소간의 포괄성·추상성을 띨 수밖에 없다 할 것이고, 한편 시정명령 제도를 둔 취지에 비추어 <u>시정명령의 내용은 과거의 위반행위에 대한 중지는 물론 가까운 장래에 반복될 우려가 있는 동일한 유형의 행위의 반복금지까지 명할 수는 있는 것으로 해석함이 상당하다</u>(대판 2003.2.20. 2001두5347 전합).

④ (○) 종로구청장이 한 단수처분은 항고소송의 대상이 되는 행정처분에 해당한다(대판 1979.12.28. 79누218).

답 ①

029 □□□

행정의 실효성 확보수단으로서 금전상 제재에 대한 설명으로 옳은 것만을 모두 고른 것은? (다툼이 있는 경우 판례에 의함)

> ㄱ. 구 「독점규제 및 공정거래에 관한 법률」 제24조의2에 의한 부당내부거래행위에 대한 과징금은 부당내부거래 억지라는 행정목적을 실현하기 위하여 그 위반행위에 대한 행정상의 제재금으로서의 기본적 성격에 부당이득환수적 요소도 부가되어 있는 것으로, 이는 헌법 제13조 제1항에서 금지하는 국가형벌권의 행사로서의 '처벌'에 해당하지 아니한다.
> ㄴ. 가산금은 행정법상의 금전급부의무의 불이행에 대한 제재로서 가해지는 금전부담으로, 금전채무의 이행에 대한 간접강제의 효과를 갖는다.
> ㄷ. 세법상 가산세는 납세자가 정당한 이유 없이 법에 규정된 신고·납세의무 등을 위반한 경우에 부과되는 행정상 제재로서, 납세의무자가 세무공무원의 잘못된 설명을 믿고 그 신고납부의무를 이행하지 아니한 경우에는 그것이 관계 법령에 어긋나는 것임이 명백하다고 하더라도 정당한 사유가 있는 경우에 해당한다.

① ㄱ
② ㄱ, ㄴ
③ ㄴ, ㄷ
④ ㄱ, ㄴ, ㄷ

2017년 지방직 7급

ㄱ. (○) 과징금은 국가형벌권 행사로서의 처벌에 해당하지 않는다.

> 구 독점규제 및 공정거래에 관한 법률 제24조2에 의한 부당내부거래에 대한 과징금은 <u>행정상의 제재금으로서의 기본적 성격에 부당이득환수적 요소도 부가되어 있는 것이라 할 것이고, 이를 두고 헌법 제13조 제1항에서 금지하는 국가형벌권 행사로서의 '처벌'에 해당한다고는 할 수 없으므로</u>, 공정거래법에서 형사처벌과 아울러 과징금의 병과를 예정하고 있더라도 이중처벌금지원칙에 위반된다고 볼 수 없으며, 이 과징금 부과처분에 대하여 공정력과 집행력을 인정한다고 하여 이를 확정판결 전의 형벌집행과 같은 것으로 보아 무죄추정의 원칙에 위반된다고도 할 수 없다(헌재 2003.7.24. 2001헌가25).

유제 18. 교행 행정법규위반에 대하여 벌금 이외에 과징금을 함께 부과하는 것은 이중처벌금지원칙에 위반된다. (×)
18. 서울시 7급 「독점규제 및 공정거래에 관한 법률」상의 부당내부거래에 대한 과징금에는 행정상의 제재금으로서의 기본적 성격에 부당이득환수적 요소도 부가되어 있다. (○)
06. 국회직 8급 형사처벌과 과징금의 병과는 이중처벌금지원칙에 위반되지 않는다. (○)

문제 DATA

출제가능 지수 ▶▶▷
난이도 지수 ★★☆

함께 정리하기

행정의 실효성 확보수단

과징금
▷ 행정상 제재금 & 부당이득환수
▷ 국가형벌권의 행사로서의 처벌 ×

가산금
▷ 금전급부의무불이행에 대한 제재 & 간접강제

관계법령에 어긋남이 명백한 신고납부 의무 불이행
▷ 정당한 사유 ×

ㄴ. (○) 가산금은 납부기한까지 행정상 급부의무가 이행되지 않는 경우 미납분에 대한 지연배상(지연이자)의 의미를 가진다고 설명된다. 다만, 출제의 기준이 되는 「국세징수법」이 개정되어 가산금 규정이 삭제되고, 기존 가산금에 상당하는 납부지연가산세(「국세기본법」 제47조의4 제1항 제3호)규정이 신설되었다.

ㄷ. (×) 관계법령에 명백히 어긋나는 신고납부의무 불이행은 정당한 사유에 해당하지 않는다.

> 세법상 가산세는 행정상의 제재로서 납세자의 고의, 과실은 고려되지 않는 반면, 납세의무자가 그 의무를 알지 못한 것이 무리가 아니었다고 할 수 있어 그를 정당시할 수 있는 사정이 있거나 그 의무의 이행을 당사자에게 기대하는 것이 무리라고 하는 사정이 있을 때 등 그 의무해태를 탓할 수 없는 정당한 사유가 있는 경우에는 이를 부과할 수 없고, 납세의무자가 세무공무원의 잘못된 설명을 믿고 그 신고납부의무를 이행하지 아니하였다 하더라도 그것이 관계 법령에 어긋나는 것임이 명백한 때에는 그러한 사유만으로 정당한 사유가 있다고 볼 수 없다(대판 1997.8.22.96누15404).

답 ②

MEMO

MEMO

2026 대비 최신개정판

해커스공무원
함수민
행정법총론

단원별 기출문제집 | 2권

개정 3판 1쇄 발행 2025년 10월 31일

지은이	함수민 편저
펴낸곳	해커스패스
펴낸이	해커스공무원 출판팀
주소	서울특별시 강남구 강남대로 428 해커스공무원
고객센터	1588-4055
교재 관련 문의	gosi@hackerspass.com
	해커스공무원 사이트(gosi.Hackers.com) 교재 Q&A 게시판
	카카오톡 채널 [해커스공무원 노량진캠퍼스]
학원 강의 및 동영상강의	gosi.Hackers.com
ISBN	2권: 979-11-7404-589-8 (14360)
	세트: 979-11-7404-587-4 (14360)
Serial Number	03-01-01

저작권자 ⓒ 2025, 함수민

이 책의 모든 내용, 이미지, 디자인, 편집 형태는 저작권법에 의해 보호받고 있습니다.
서면에 의한 저자와 출판사의 허락 없이 내용의 일부 혹은 전부를 인용, 발췌하거나 복제, 배포할 수 없습니다.

공무원 교육 1위,
해커스공무원 gosi.Hackers.com

해커스공무원

· 해커스공무원 학원 및 인강(교재 내 인강 할인쿠폰 수록)
· 해커스 스타강사의 **공무원 행정법 무료 특강**
· 다회독에 최적화된 **회독용 답안지**
· 정확한 성적 분석으로 약점 극복이 가능한 **합격예측 온라인 모의고사**(교재 내 응시권 및 해설강의 수강권 수록)

한경비즈니스 2024 한국품질만족도 교육(온·오프라인 공무원학원) 1위

여러분의 합격을 응원하는
해커스공무원의 특별 혜택

FREE 공무원 행정법 특강

해커스공무원(gosi.Hackers.com) 접속 후 로그인 ▶ 상단의 [무료강좌] 클릭하여 이용

회독용 답안지(PDF)

해커스공무원(gosi.Hackers.com) 접속 후 로그인 ▶ 상단의 [교재·서점 → 무료 학습 자료] 클릭 ▶
본 교재의 [자료받기] 클릭하여 이용

▲ 바로가기

해커스공무원 온라인 단과강의 20% 할인쿠폰

83382E64DC28FBDN

해커스공무원(gosi.Hackers.com) 접속 후 로그인 ▶ 상단의 [나의 강의실] 클릭 ▶
좌측의 [쿠폰등록] 클릭 ▶ 위 쿠폰번호 입력 후 이용

* 등록 후 7일간 사용 가능(ID당 1회에 한해 등록 가능)

합격예측 온라인 모의고사 응시권 + 해설강의 수강권

AE8784E66CD6C4DT

해커스공무원(gosi.Hackers.com) 접속 후 로그인 ▶ 상단의 [나의 강의실] 클릭 ▶
좌측의 [쿠폰등록] 클릭 ▶ 위 쿠폰번호 입력 후 이용

* ID당 1회에 한해 등록 가능

쿠폰 이용 관련 문의 **1588-4055**

단기 합격을 위한 해커스공무원 커리큘럼

입문
탄탄한 기본기와 핵심 개념 완성!

누구나 이해하기 쉬운 개념 설명과 풍부한 예시로 부담없이 쌩기초 다지기

TIP 베이스가 있다면 **기본 단계**부터!

▼

기본+심화
필수 개념 학습으로 이론 완성!

반드시 알아야 할 기본 개념과 문제풀이 전략을 학습하고
심화 개념 학습으로 고득점을 위한 응용력 다지기

▼

기출+예상 문제풀이
문제풀이로 집중 학습하고 실력 업그레이드!

기출문제의 유형과 출제 의도를 이해하고 최신 출제 경향을 반영한
예상문제를 풀어보며 본인의 취약영역을 파악 및 보완하기

▼

동형모의고사
동형모의고사로 실전력 강화!

실제 시험과 같은 형태의 실전모의고사를 풀어보며 실전감각 극대화

▼

마무리
시험 직전 실전 시뮬레이션!

각 과목별 시험에 출제되는 내용들을 최종 점검하며 실전 완성

PASS

* 커리큘럼 및 세부 일정은 상이할 수 있으며,
자세한 사항은 해커스공무원 사이트에서 확인하세요.

단계별 교재 확인 및 수강신청은 여기서!

gosi.Hackers.com

해커스공무원
함수민
행정법총론

단원별 기출문제집 | 3권

해커스공무원

함수민

약력

제56회 사법시험 합격
제32회 법원행정고등고시 합격

현 | 해커스공무원 행정법 강의
전 | 노량진 윌비스고시학원 전임교수

저서

해커스공무원 함수민 행정법총론 기본서
해커스공무원 함수민 행정법총론 단원별 기출문제집
해커스공무원 함수민 행정법총론 진도별 모의고사
해커스공무원 함수민 행정법총론 실전동형모의고사
해커스공무원 함수민 행정법총론 단권화 노트

공무원 시험의 해답
행정법총론 시험 합격을 위한 필독서

방대한 기출문제의 학습을 앞두고 막막할 수험생 여러분을 위해 해커스가 쉽고 명료하게 풀어내고 암기할 수 있는 기출문제집을 만들었습니다.

행정법총론 학습에 기본이 되는 기출문제를 효과적으로 학습할 수 있도록 다음과 같은 특징을 가지고 있습니다.
첫째, 각 단원별로 재출제 가능성이 높은 기출문제를 엄선하여 수록하였습니다.
둘째, 상세한 해설과 다회독을 위한 다양한 장치를 수록·제공하였습니다.
셋째, 각 선지의 내용을 빠르게 정리하기 위한 '함께 정리하기'를 문제 옆에 수록하였습니다.

최소한의 시간으로 최대한의 학습 효과를 낼 수 있는 다음의 학습 방법을 추천합니다.
첫째, 단원별 학습을 통해 각 단원에 맞는 기본 이론을 확인하고 쉽게 복습할 수 있습니다.
둘째, 정답이 아닌 선지까지 모두 학습함으로써 다채로운 문제 유형에 대처할 수 있는 능력을 기를 수 있습니다.
셋째, 본문의 주요 내용을 간단하게 요약·정리한 '함께 정리하기'로 핵심만을 빠르게 학습할 수 있습니다.

더불어, 공무원 시험 전문 사이트인 해커스공무원(gosi.Hackers.com)에서 교재 학습 중 궁금한 점을 나누고 다양한 무료 학습 자료를 함께 이용하여 학습 효과를 극대화할 수 있습니다.

부디 <해커스공무원 함수민 행정법총론 단원별 기출문제집>과 함께 공무원 행정법총론 시험의 고득점을 달성하고 합격을 향해 한걸음 더 나아가시기를 바랍니다.

함수민

차례

1권

제1편 행정법 통론

제1장 행정법의 의의 … 10
- 제1절 행정법의 개념 … 10
- 제2절 행정법의 법원(法源) … 54
- 제3절 행정법의 일반원칙 … 60
- 제4절 행정법의 효력 … 136

제2장 행정상의 법률관계 … 146
- 제1절 당사자 … 146
- 제2절 공권과 공의무 … 153
- 제3절 행정상 법률관계의 종류 … 163

제3장 행정상의 법률요건과 법률사실(행정법관계의 변동) … 167
- 제1절 행정법상 사건 … 167
- 제2절 공법상의 행위 … 179

제2편 행정작용법

제1장 행정입법 … 232
- 제1절 개설 … 232
- 제2절 법규명령 … 234
- 제3절 행정규칙 … 305

제2장 행정행위 … 329
- 제1절 행정행위의 개념 … 329
- 제2절 행정행위의 분류 … 330
- 제3절 기속행위와 재량행위, 불확정 개념과 판단여지 … 338
- 제4절 행정행위의 내용 … 361
- 제5절 행정행위의 부관 … 446
- 제6절 행정행위의 성립요건·적법요건·효력발생요건 … 495
- 제7절 행정행위의 효력 … 515
- 제8절 행정행위의 하자(흠) … 551
- 제9절 행정행위의 취소·철회·실효 … 620

제3장 그 밖의 행정의 주요 행위형식 … 662
- 제1절 확약 … 662
- 제2절 행정계획 … 668
- 제3절 공법상 계약 … 708
- 제4절 행정상 사실행위 … 746
- 제5절 행정지도 … 752
- 제6절 그 밖의 행정작용 … 774

2권

제3편 행정절차와 행정정보

제1장 행정절차 … 784
- 제1절 행정절차법 내용 … 784
- 제2절 처분절차 … 802
- 제3절 처분 이외의 절차 … 880
- 제4절 행정절차의 하자 … 884
- 제5절 민원 처리에 관한 법률 … 895

제2장 행정정보공개와 개인정보 보호제도 … 896
- 제1절 행정정보공개 … 896
- 제2절 개인정보 보호법 … 977

제4편 행정의 실효성 확보수단

제1장 행정강제 … 1014
- 제1절 행정상 강제집행 … 1014
- 제2절 행정상 즉시강제 … 1124

제2장 행정조사 … 1139

제3장 행정벌 … 1177
- 제1절 행정형벌의 특수성 … 1177
- 제2절 행정질서벌(과태료)의 특수성 … 1194

제4장 새로운 실효성 확보수단 … 1232

3권

제5편 행정상 손해배상

제1장 국가배상 — 1270
- 제1절 공무원의 직무상 불법행위로 인한 손해배상(제2조) — 1270
- 제2절 영조물의 설치·관리의 하자로 인한 손해배상 — 1339
- 제3절 배상책임자 — 1360
- 제4절 이중배상금지(청구권자의 제한) — 1363
- 제5절 손해배상의 범위 — 1374
- 제6절 국가배상의 청구절차 — 1375

제2장 행정상 손실보상 — 1379
- 제1절 손실보상청구권의 요건 — 1379
- 제2절 손실보상의 내용 — 1386
- 제3절 그 밖의 손실보상제도 — 1445

제6편 행정쟁송

제1장 행정심판 일반론 — 1452

제2장 행정심판청구의 요건 — 1468
- 제1절 행정심판의 당사자 및 관계인 — 1468
- 제2절 행정심판의 대상 — 1471
- 제3절 행정심판기관 — 1472
- 제4절 행정심판청구의 절차 — 1477
- 제5절 가구제(잠정적 권리보호) — 1479

제3장 행정심판의 심리·재결 — 1482
- 제1절 행정심판의 심리 — 1482
- 제2절 행정심판의 재결 — 1486

제4장 행정소송 일반론 — 1522

제5장 항고소송 1(취소소송) — 1528
- 제1절 취소소송의 의의 — 1528
- 제2절 소송요건 — 1528
- 제3절 소의 변경 — 1682
- 제4절 가구제 — 1686
- 제5절 취소소송의 심리 — 1702
- 제6절 취소소송의 판결 — 1721
- 제7절 취소소송의 불복절차[상소, 항고(재항고, 재심)] — 1757

제6장 항고소송 2(무효등 확인소송) — 1759

제7장 항고소송 3(부작위위법확인소송) — 1773

제8장 당사자소송 — 1788

제9장 객관소송 — 1817

제10장 기타의 권리구제 — 1827
- 제1절 헌법소송 — 1827
- 제2절 부패방지 및 국민권익위원회의 설치와 운영에 관한 법률 — 1829

제5편

행정상 손해배상

제1장 국가배상
제2장 행정상 손실보상

제1장 국가배상

제1절 | 공무원의 직무상 불법행위로 인한 손해배상(제2조)

I 배상책임의 요건

001 □□□

국가배상에 대한 설명으로 옳지 않은 것은? (다툼이 있는 경우 판례에 의함)

① 어떠한 행정처분이 후에 항고소송에서 취소되었다면 그 기판력에 의하여 당해 행정처분은 곧바로 공무원의 고의 또는 과실로 인한 것으로서 불법행위를 구성한다.
② 국가배상책임은 공무원의 직무집행이 법령에 위반한 것임을 요건으로 하는 것으로서, 공무원의 직무집행이 법령이 정한 요건과 절차에 따라 이루어진 것이라면 특별한 사정이 없는 한 그 과정에서 개인의 권리가 침해되는 일이 생긴다고 하여 법령 적합성이 곧바로 부정되는 것은 아니다.
③ 공무원이 자기를 위하여 자동차를 운행하지 않고 직무를 집행하기 위하여 국가소유의 관용차를 운행하다가 다른 사람을 사망하게 하거나 부상하게 한 때에는 해당 공무원은 「자동차손해배상보장법」상 손해배상책임의 주체가 될 수 없다.
④ 「국가배상법」은 외국인이 피해자인 경우에는 해당 국가와 상호 보증이 있을 때에만 적용한다.

> 2025년 소방직

① (×) 어떠한 행정처분이 후에 항고소송에서 취소되었다고 할지라도 그 기판력에 의하여 당해 행정처분이 곧바로 공무원의 고의 또는 과실로 인한 것으로서 불법행위를 구성한다고 단정할 수는 없는 것이고, 그 행정처분의 담당공무원이 보통 일반의 공무원을 표준으로 하여 볼 때 객관적 주의의무를 결하여 그 행정처분이 객관적 정당성을 상실하였다고 인정될 정도에 이른 경우에 국가배상법 제2조 소정의 국가배상책임의 요건을 충족하였다고 봄이 상당할 것이며, 이 때에 객관적 정당성을 상실하였는지 여부는 피침해이익의 종류 및 성질, 침해행위가 되는 행정처분의 태양 및 그 원인, 행정처분의 발동에 대한 피해자측의 관여의 유무, 정도 및 손해의 정도 등 제반 사정을 종합하여 손해의 전보책임을 국가 또는 지방자치단체에게 부담시켜야 할 실질적인 이유가 있는지 여부에 의하여 판단하여야 한다(대판 2000.5.12. 99다70600).
② (○) 국가배상책임은 공무원의 직무집행이 법령에 위반한 것임을 요건으로 하는 것으로서, 공무원의 직무집행이 법령이 정한 요건과 절차에 따라 이루어진 것이라면 특별한 사정이 없는 한 이는 법령에 적합한 것이고 그 과정에서 개인의 권리가 침해되는 일이 생긴다고 하여 그 법령적합성이 곧바로 부정되는 것은 아니다(대판 2000.11.10. 2000다26807·26814).
③ (○) 자동차손해배상보장법 제3조 소정의 "자기를 위하여 자동차를 운행하는 자"라고 함은 자동차에 대한 운행을 지배하여 그 이익을 향수하는 책임주체로서의 지위에 있는 자를 뜻하는 것인바, 공무원이 그 직무를 집행하기 위하여 국가 또는 지방자치단체 소유의 관용차를 운행하는 경우, 그 자동차에 대한 운행지배나 운행이익은 그 공무원이 소속한 국가 또는 지방자치단체에 귀속된다고 할 것이고, 그 공무원 자신이 개인적으로 그 자동차에 대한 운행지배나 운행이익을 가지는 것이라고는 볼 수 없으므로, 그 공무원이 자기를 위하여 관용차를 운행하는 자로서 같은 법조 소정의 손해배상책임의 주체가 될 수는 없다(대판 1992.2.25. 91다12356).

문제 DATA
출제가능 지수 ▶▶▷
난이도 지수 ★★☆

함께 정리하기
국가배상
항고소송 취소판결
▷ 고의·과실 곧바로 인정×
법령에 따른 직무집행
▷ 법령적합성○
공무 위한 국가소유 관용차 운행
▷ 국가가 자배법상 배상책임○
외국인이 피해자
▷ 상호보증하에 국가배상 可

④ (O)

> 「국가배상법」제7조【외국인에 대한 책임】이 법은 외국인이 피해자인 경우에는 해당 국가와 상호 보증이 있을 때에만 적용한다.

답 ①

002 □□□

「국가배상법」상 배상책임에 대한 설명으로 가장 옳지 않은 것은? (다툼이 있는 경우 판례에 의함)

① 「국가배상법」은 국가나 지방자치단체의 손해배상의 책임과 배상절차를 규정함을 목적으로 하는 법으로서, 외국인이 피해자인 경우에는 해당 국가와 상호 보증이 있을 때에만 적용한다.
② 공법인이 국가로부터 위탁받은 공행정사무를 집행하는 과정에서 공법인의 임직원이나 피용인이 고의 또는 과실로 법령을 위반하여 타인에게 손해를 입힌 경우에는, 공법인은 위탁받은 공행정사무에 관한 행정주체의 지위에서 배상책임을 부담하여야 한다.
③ 국가배상청구의 요건인 '공무원의 직무'에는 권력적 작용만이 아니라 비권력적 작용, 행정주체가 사경제주체로서 하는 활동도 포함된다.
④ 국민의 생명·신체·재산 등에 대하여 절박하고 중대한 위험상태가 발생하였거나 발생할 상당한 우려가 있어서 국민의 생명 등을 보호하는 것을 본래적 사명으로 하는 국가가 초법규적·일차적으로 그 위험의 배제에 나서지 아니하면 국민의 생명 등을 보호할 수 없는 경우에는 형식적 의미의 법령에 근거가 없더라도 국가나 관련 공무원에 대하여 그러한 위험을 배제할 작위의무를 인정할 수 있다.

| 2025년 군무원 7급

문제 DATA
출제가능 지수 ▶▶▷
난이도 지수 ★★☆

① (O)

> 「국가배상법」제1조【목적】이 법은 국가나 지방자치단체의 손해배상(損害賠償)의 책임과 배상절차를 규정함을 목적으로 한다.
> 제7조【외국인에 대한 책임】이 법은 외국인이 피해자인 경우에는 해당 국가와 상호 보증이 있을 때에만 적용한다.

② (O)

> [1] 공법인이 국가로부터 위탁받은 공행정사무를 집행하는 과정에서 공법인의 임직원이나 피용인이 고의 또는 과실로 법령을 위반하여 타인에게 손해를 입힌 경우에는, 공법인은 위탁받은 공행정사무에 관한 행정주체의 지위에서 배상책임을 부담하여야 하지만, 공법인의 임직원이나 피용인은 실질적인 의미에서 공무를 수행한 사람으로서 국가배상법 제2조에서 정한 공무원에 해당하므로 고의 또는 중과실이 있는 경우에만 배상책임을 부담하고 경과실이 있는 경우에는 배상책임을 면한다.
> [2] 甲이 선고유예 판결의 확정으로 변호사등록이 취소되었다가 선고유예기간이 경과한 후 대한변호사협회에 변호사 등록신청을 하였는데, 협회장 乙이 등록심사위원회에 甲에 대한 변호사등록 거부 안건을 회부하여 소정의 심사과정을 거쳐 대한변호사협회가 甲의 변호사등록을 마쳤고, 이에 甲이 대한변호사협회 및 협회장 乙을 상대로 변호사 등록거부사유가 없음에도 위법하게 등록심사위원회에 회부되어 변호사등록이 2개월간 지연되었음을 이유로 손해배상을 구한 사안에서, 대한변호사협회는 등록신청인이 변호사법 제8조 제1항 각 호에서 정한 등록거부사유에 해당하는 경우에만 변호사등록을 거부할 수 있고, 그 외 다른 사유를 내세워 변호사등록을 거부하거나 지연하는 것은 허용될 수 없는데, 甲의 선고유예 판결에 따른 결격사유 이외에 변호사법이 규정한 다른 등록거부사유가 있는지 여부를 짧은 시간 안에 명백하게 확인할 수 있었음에도 그러한 확인절차를 거치지 않은 채 단순한 의심만으로 변호사등록 거부 안건을 등록심사위원회에 회부하고, 여죄 유무를 추궁한다며 등록심사기간을

함께 정리하기
「국가배상법」상 배상책임

외국인이 피해자
▷ 상호보증하에 국가배상 可

국가로부터 위탁받은 공행정사무를 집행하는 공법인
▷ 행정주체의 지위에서 배상책임

공무원의 직무
▷ 권력적 작용 & 비권력적 작용○
▷ 사경제주체✕

부작위에 의한 국가배상책임
▷ 행정청의 작위의무: 명문규정 없이도 인정 可 → 조리상 작위의무○

지연시킨 것에 관하여 협회장 乙 및 등록심사위원회 위원들의 과실이 인정되므로, 대한변호사협회는 이들이 속한 행정주체의 지위에서 배상책임을 부담하여야 하고, 甲에게 변호사등록이 위법하게 지연됨으로 인하여 얻지 못한 수입 상당액의 손해를 배상할 의무가 있는 반면, 乙은 대한변호사협회의 장(長)으로서 국가로부터 위탁받은 공행정사무인 '변호사등록에 관한 사무'를 수행하는 범위 내에서 국가배상법 제2조에서 정한 공무원에 해당하므로 경과실 공무원의 면책 법리에 따라 甲에 대한 배상책임을 부담하지 않는다고 한 사례(대판 2021.1.28. 2019다260197)

③ (×) 국가배상법이 정한 배상청구의 요건인 '공무원의 직무'에는 권력적 작용만이 아니라 행정지도와 같은 비권력적 작용도 포함되며 단지 행정주체가 사경제주체로서 하는 활동만 제외된다(대판 1998.7.10. 96다38971).

④ (○) 공무원의 부작위로 인한 국가배상책임을 인정하기 위하여는 공무원의 작위로 인한 국가배상책임을 인정하는 경우와 마찬가지로 "공무원이 그 직무를 집행함에 당하여 고의 또는 과실로 법령에 위반하여 타인에게 손해를 가한 때"라고 하는 국가배상법 제2조 제1항의 요건이 충족되어야 할 것이다. 여기서 '법령에 위반하여'라고 함은 엄격하게 형식적 의미의 법령에 명시적으로 공무원의 작위의무가 정하여져 있음에도 이를 위반하는 경우만을 의미하는 것은 아니고, 인권존중 · 권력남용금지 · 신의성실과 같이 공무원으로서 마땅히 지켜야 할 준칙이나 규범을 지키지 아니하고 위반한 경우를 포함하여 널리 그 행위가 객관적인 정당성을 결여하고 있는 경우도 포함한다. 따라서 국민의 생명 · 신체 · 재산 등에 대하여 절박하고 중대한 위험상태가 발생하였거나 발생할 상당한 우려가 있어서 국민의 생명 등을 보호하는 것을 본래적 사명으로 하는 국가가 초법규적 · 일차적으로 그 위험의 배제에 나서지 아니하면 국민의 생명 등을 보호할 수 없는 경우에는 형식적 의미의 법령에 근거가 없더라도 국가나 관련 공무원에 대하여 그러한 위험을 배제할 작위의무를 인정할 수 있을 것이다. 그러나 그와 같은 절박하고 중대한 위험상태가 발생하였거나 발생할 상당한 우려가 있는 경우가 아닌 한, 원칙적으로 공무원이 관련 법령에서 정하여진 대로 직무를 수행하였다면 그와 같은 공무원의 부작위를 가지고 '고의 또는 과실로 법령에 위반'하였다고 할 수는 없다. 따라서 공무원의 부작위로 인한 국가배상책임을 인정할 것인지 여부가 문제되는 경우에 관련 공무원에 대하여 작위의무를 명하는 법령의 규정이 없는 때라면 공무원의 부작위로 인하여 침해되는 국민의 법익 또는 국민에게 발생하는 손해가 어느 정도 심각하고 절박한 것인지, 관련 공무원이 그와 같은 결과를 예견하여 그 결과를 회피하기 위한 조치를 취할 수 있는 가능성이 있는지 등을 종합적으로 고려하여 판단하여야 한다(대판 2012.7.26. 2010다95666).

답 ③

003

「국가배상법」상 국가배상책임에 대한 설명으로 옳은 것은? (다툼이 있는 경우 판례에 의함)

① 국가배상청구의 요건인 직무행위는 공권력적 작용을 말하며 비권력적 공행정작용은 포함하지 않는다.
② 직무상 의무를 부과한 법령의 목적이 단순히 공공일반의 이익을 위한 것이라도 공무원이 그 직무상 의무를 위반하여 손해를 입힌 경우 국가배상책임이 인정된다.
③ 지방자치단체로부터 법령에 의해 대집행권한을 위탁받은 한국토지주택공사가 공무인 대집행을 실시하면서 경과실로 불법행위를 한 경우 한국토지주택공사는 불법행위로 인한 손해배상책임을 진다.
④ 행정처분이 후에 항고소송에서 위법한 것으로 판단되어 취소되었다면 그러한 사정만으로도 그 행정처분은 공무원의 고의나 과실에 의한 불법행위가 되어 국가배상책임이 인정된다.
⑤ 직무수행 중 경과실로 불법행위를 한 국가공무원이 피해자에게 직접 손해를 배상한 경우 그 공무원에게 자신이 변제한 금액에 관하여 국가에 대한 구상권은 인정되지 않는다.

2025년 소방간부

① (×) 국가배상법이 정한 손해배상청구의 요건인 '공무원의 직무'에는 국가나 지방자치단체의 권력적 작용뿐만 아니라 비권력적 작용도 포함되지만 단순한 사경제의 주체로서 하는 작용은 포함되지 않는다(대판 2004.4.9. 2002다10691).

② (×) 공무원에게 부과된 직무상 의무의 내용이 단순히 공공 일반의 추상적 이익을 위한 것이거나 행정기관 내부의 질서를 규율하기 위한 것이 아니고 전적으로 또는 부수적으로 사회구성원 개인의 구체적인 안전과 이익을 보호하기 위하여 설정된 것이라면, 공무원이 그와 같은 직무상 의무를 위반함으로 인하여 개인이 입게 된 손해에 대하여는 상당인과관계가 인정되는 범위 안에서 국가가 그 손해배상책임을 부담하여야 할 것이고, 이 경우 상당인과관계의 유무를 판단함에 있어서는 일반적인 결과발생의 개연성은 물론 직무상의 의무를 부과하는 법령 기타 행동규범의 목적이나 가해행위의 태양 및 피해의 정도 등을 종합적으로 고려하여야 할 것이다(대판 1998.9.22. 98다2631).

③ (○) 한국토지주택공사는 국가배상법 제2조에서 말하는 '공무원'에 해당하지 않으므로 경과실이 있는 경우에도 면책되지 않고 민사상 불법행위책임을 그대로 부담한다.

> 한국토지공사는 구 한국토지공사법(2007.4.6. 법률 제8340호로 개정되기 전의 것) 제2조, 제4조에 의하여 정부가 자본금의 전액을 출자하여 설립한 법인이고, 같은 법 제9조 제4호에 규정된 한국토지공사의 사업에 관하여는 공익사업을 위한 토지 등의 취득 및 보상에 관한 법률 제89조 제1항, 위 한국토지공사법 제22조 제6호 및 같은 법 시행령 제40조의3 제1항의 규정에 의하여 본래 시·도지사나 시장·군수 또는 구청장의 업무에 속하는 대집행권한을 한국토지공사에게 위탁하도록 되어 있는바, 한국토지공사는 이러한 법령의 위탁에 의하여 대집행을 수권받은 자로서 공무인 대집행을 실시함에 따르는 권리·의무 및 책임이 귀속되는 행정주체의 지위에 있다고 볼 것이지 지방자치단체 등의 기관으로서 국가배상법 제2조 소정의 공무원에 해당한다고 볼 것은 아니다(대판 2010.1.28. 2007다82950·82967).

④ (×) 어떠한 행정처분이 후에 항고소송에서 취소되었다고 할지라도 그 기판력에 의하여 당해 행정처분이 곧바로 공무원의 고의 또는 과실로 인한 것으로서 불법행위를 구성한다고 단정할 수는 없는 것이고, 그 행정처분의 담당공무원이 보통 일반의 공무원을 표준으로 하여 볼 때 객관적 주의의무를 결하여 그 행정처분이 객관적 정당성을 상실하였다고 인정될 정도에 이른 경우에 국가배상법 제2조 소정의 국가배상책임의 요건을 충족하였다고 봄이 상당할 것이며, 이 때에 객관적 정당성을 상실하였는지 여부는 피침해이익의 종류 및 성질, 침해행위가 되는 행정처분의 태양 및 그 원인, 행정처분의 발동에 대한 피해자측의 관여의 유무, 정도 및 손해의 정도 등 제반 사정을 종합하여 손해의 전보책임을 국가 또는 지방자치단체에게 부담시켜야 할 실질적인 이유가 있는지 여부에 의하여 판단하여야 한다(대판 2000.5.12. 99다70600).

⑤ (×) 공무원이 직무수행 중 불법행위로 타인에게 손해를 입힌 경우에 국가 등이 국가배상책임을 부담하는 외에 공무원 개인도 고의 또는 중과실이 있는 경우에는 불법행위로 인한 손해배상책임을 지고, 공무원에게 경과실이 있을 뿐인 경우에는 공무원 개인은 손해배상책임을 부담하지 아니한다. 이처럼 경과실이 있는 공무원이 피해자에 대하여 손해배상책임을 부담하지 아니함에도 피해자에게 손해를 배상하였다면 그것은 채무자 아닌 사람이 타인의 채무를 변제한 경우에 해당하고, 이는 민법 제469조의 '제3자의 변제' 또는 민법 제744조의 '도의관념에 적합한 비채변제'에 해당하여 피해자는 공무원에 대하여 이를 반환할 의무가 없고, 그에 따라 피해자의 국가에 대한 손해배상청구권이 소멸하여 국가는 자신의 출연 없이 채무를 면하게 되므로, 피해자에게 손해를 직접 배상한 경과실이 있는 공무원은 특별한 사정이 없는 한 국가에 대하여 국가의 피해자에 대한 손해배상책임의 범위 내에서 공무원이 변제한 금액에 관하여 구상권을 취득한다고 봄이 타당하다(대판 2014.8.20. 2012다54478).

답 ③

함께 정리하기

「국가배상법」상 국가배상책임

공무원의 직무
▷ 비권력적 작용 포함

직무상 의무
▷ 사익보호성 要(인과관계)

대집행권한을 위탁받은 한국토지주택공사의 손해배상책임
▷ 경과실 면책 不可(∵공무원×)

항고소송에서 처분취소
▷ 곧바로 불법행위 구성×

경과실 공무원이 손해배상
▷ 국가에 대해 구상권 취득

004

행정상 손해배상제도에 대한 설명으로 가장 옳지 않은 것은? (다툼이 있는 경우 판례에 의함)

① 영업허가취소처분이 나중에 행정심판에 의하여 재량권을 일탈한 위법한 처분임이 판명되어 취소된 경우 그 처분이 당시 시행되던 「공중위생법 시행규칙」에 정하여진 행정처분의 기준에 따른 것이더라도 그 영업허가취소처분을 한 행정청 공무원에게 그와 같은 위법한 처분을 한 데 있어 어떤 직무집행상의 과실이 있다고 할 수 있다.

② 보통 일반의 공무원을 표준으로 하여 볼 때 위법한 행정처분의 담당 공무원이 객관적 주의의무를 소홀히 하고 그로 인해 행정처분이 객관적 정당성을 잃었다고 볼 수 있는 경우에 「국가배상법」 제2조가 정한 국가배상책임이 성립할 수 있다.

③ 자동차운전면허시험 관리업무는 국가행정사무이고 지방자치단체의 장인 서울특별시장은 국가로부터 그 관리업무를 기관위임받아 국가행정기관의 지위에서 그 업무를 집행하므로, 국가는 면허시험장의 설치 및 보존의 하자로 인한 손해배상책임을 부담한다.

④ 영조물인 도로의 경우 그 설치 및 관리에 있어 완전무결한 상태를 유지할 정도의 고도의 안전성을 갖추지 아니하였다고 하여 하자가 있다고 단정할 수는 없고, 그것을 이용하는 자의 상식적이고 질서 있는 이용 방법을 기대한 상대적인 안전성을 갖추는 것으로 족하다.

2025년 군무원 9급

① (×) 영업허가취소처분이 나중에 행정심판에 의하여 재량권을 일탈한 위법한 처분임이 판명되어 취소되었다고 하더라도 그 처분이 당시 시행되던 공중위생법 시행규칙에 정하여진 행정처분의 기준에 따른 것인 이상 그 영업허가취소처분을 한 행정청 공무원에게 그와 같은 위법한 처분을 한 데 있어 어떤 직무집행상의 과실이 있다고 할 수는 없다(대판 1994.11.8. 94다26141).

② (○) 공무원의 행위를 원인으로 한 국가배상책임을 인정하려면 '공무원이 직무를 집행하면서 고의 또는 과실로 법령을 위반하여 타인에게 손해를 입힌 때'라고 하는 국가배상법 제2조 제1항의 요건이 충족되어야 한다. 보통 일반의 공무원을 표준으로 공무원이 객관적 주의의무를 소홀히 하고 그로 말미암아 객관적 정당성을 잃었다고 볼 수 있으면 국가배상법 제2조가 정한 국가배상책임이 성립할 수 있다. 객관적 정당성을 잃었는지는 행위의 양태와 목적, 피해자의 관여 여부와 정도, 침해된 이익의 종류와 손해의 정도 등 여러 사정을 종합하여 판단하되, 손해의 전보책임을 국가가 부담할 만한 실질적 이유가 있는지도 살펴보아야 한다(대판 2021.10.28. 2017다219218).

③ (○) 자동차운전면허시험 관리업무는 국가행정사무이고 지방자치단체의 장인 서울특별시장은 국가로부터 그 관리업무를 기관위임받아 국가행정기관의 지위에서 그 업무를 집행하므로, 국가는 면허시험장의 설치 및 보존의 하자로 인한 손해배상책임을 부담한다(대판 1991.12.24. 91다34097).

④ (○) 국가배상법 제5조 제1항에 정하여진 '영조물 설치·관리상의 하자'라 함은 공공의 목적에 공여된 영조물이 그 용도에 따라 통상 갖추어야 할 안전성을 갖추지 못한 상태에 있음을 말하는바, 영조물의 설치 및 관리에 있어서 항상 완전무결한 상태를 유지할 정도의 고도의 안전성을 갖추지 아니하였다고 하여 영조물의 설치 또는 관리에 하자가 있다고 단정할 수 없는 것이고, 영조물의 설치자 또는 관리자에게 부과되는 방호조치의무는 영조물의 위험성에 비례하여 사회통념상 일반적으로 요구되는 정도의 것을 의미하므로 영조물인 도로의 경우도 다른 생활필수시설과의 관계나 그것을 설치하고 관리하는 주체의 재정적, 인적, 물적 제약 등을 고려하여 그것을 이용하는 자의 상식적이고 질서 있는 이용방법을 기대한 상대적인 안전성을 갖추는 것으로 족하다(대판 2002.8.23. 2002다9158).

답 ①

문제 DATA
출제가능 지수 ▶▶▷
난이도 지수 ★★☆

함께 정리하기

행정상 손해배상제도

행정처분 기준 따라 처분
▷ 과실×

고의·과실 판단기준
▷ 보통 일반의 공무원을 표준으로 한 객관적 주의의무 위반

자동차운전면허시험 관리업무의 국가배상책임의 주체
▷ 국가

영조물의 설치·관리상 하자의 판단 기준
▷ 상대적 안전성(고도의 안전성×)

005

국가배상에 대한 설명으로 옳지 않은 것은? (다툼이 있는 경우 판례에 의함)

① 피의자가 소년 등 사회적 약자인 경우 수사기관은 수사과정에서 방어권 행사에 불이익이 발생하지 않도록 더욱 세심하게 배려할 직무상 의무가 있으므로, 경찰관이 고의 또는 과실로 위 직무상 의무를 위반하여 피의자신문조서를 작성함으로써 피의자의 방어권이 실질적으로 침해되었다고 인정된다면, 국가는 그로 인하여 피의자가 입은 손해를 배상하여야 한다.

② 공법인이 국가로부터 위탁받은 공행정사무를 집행하는 과정에서 공법인의 임직원이나 피용인이 고의 또는 과실로 법령을 위반하여 타인에게 손해를 입힌 경우, 배상책임의 주체는 위탁받은 공행정사무에 관한 행정주체의 지위에 있는 공법인이므로, 공법인의 임직원이나 피용인은 고의 또는 과실 유무를 불문하고 배상책임을 지지 아니한다.

③ 행정입법에 관여한 공무원이 입법 당시의 상황에서 다양한 요소를 고려하여 나름대로 합리적인 근거를 찾아 어느 하나의 견해에 따라 경과규정을 두는 등의 조치 없이 새 법령을 그대로 시행하거나 적용하였다면, 그와 같은 공무원의 판단이 나중에 대법원이 내린 판단과 같지 않더라도 국가배상책임의 성립요건인 공무원의 과실이 있다고 할 수는 없다.

④ 지방자치단체가 공익사업을 시행하는 과정에서 주민들이 일시적으로 행정절차에 참여할 권리를 침해받은 경우, 관련 행정처분의 성립이나 무효·취소 여부 등을 따지지 않은 채 위와 같은 사정만으로 곧바로 지방자치단체가 주민들에게 정신적 손해에 대한 배상의무를 부담한다고 단정할 수 없다.

2025년 경찰간부

① (○)

> [1] 국가배상책임에 있어 공무원의 가해행위는 법령을 위반한 것이어야 하고, 법령을 위반하였다 함은 엄격한 의미의 법령 위반뿐 아니라 인권존중, 권력남용금지, 신의성실과 같이 공무원으로서 마땅히 지켜야 할 준칙이나 규범을 지키지 않고 위반한 경우를 포함하여 널리 그 행위가 객관적인 정당성을 결여하고 있음을 뜻하는 것이므로, 수사기관이 범죄수사를 하면서 지켜야 할 법규상 또는 조리상의 한계를 위반하였다면 이는 법령을 위반한 경우에 해당한다.
> [2] 수사기관은 수사 등 직무를 수행할 때에 헌법과 법률에 따라 국민의 인권을 존중하고 공정하게 하여야 하며 실체적 진실을 발견하기 위하여 노력하여야 할 법규상 또는 조리상의 의무가 있고, 특히 피의자가 소년 등 사회적 약자인 경우에는 수사과정에서 방어권 행사에 불이익이 발생하지 않도록 더욱 세심하게 배려할 직무상 의무가 있다. 따라서 경찰관은 피의자의 진술을 조서화하는 과정에서 조서의 객관성을 유지하여야 하고, 고의 또는 과실로 위 직무상 의무를 위반하여 피의자신문조서를 작성함으로써 피의자의 방어권이 실질적으로 침해되었다고 인정된다면, 국가는 그로 인하여 피의자가 입은 손해를 배상하여야 한다(대판 2020.4.29. 2015다224797).

② (×)

> [1] 공법인이 국가로부터 위탁받은 공행정사무를 집행하는 과정에서 공법인의 임직원이나 피용인이 고의 또는 과실로 법령을 위반하여 타인에게 손해를 입힌 경우에는, 공법인은 위탁받은 공행정사무에 관한 행정주체의 지위에서 배상책임을 부담하여야 하지만, 공법인의 임직원이나 피용인은 실질적인 의미에서 공무를 수행한 사람으로서 국가배상법 제2조에서 정한 공무원에 해당하므로 고의 또는 중과실이 있는 경우에만 배상책임을 부담하고 경과실이 있는 경우에는 배상책임을 면한다.

문제 DATA
출제가능 지수 ▶▶▷
난이도 지수 ★★☆

함께 정리하기

국가배상

소년 등 사회적 약자인 피의자
▷ 수사기관은 방어권행사에 불이익이 발생하지 않도록 세심하게 배려할 직무상 의무○

공법인의 임직원 또는 피용인(실질적으로 공무를 수행한 사람)
▷ 「국가배상법」 제2조의 공무원○
▷ 고의 또는 중과실: 배상책임○
▷ 경과실: 배상책임×

행정입법 관여 공무원이 다양한 요소를 고려하여 합리적 근거에 따라 판단
▷ 과실인정×

공익사업시행 시 주민들의 행정절차 참여권 일시 침해
▷ 곧바로 지자체가 정신적 손해배상의무 부담×

[2] 甲이 선고유예 판결의 확정으로 변호사등록이 취소되었다가 선고유예기간이 경과한 후 대한변호사협회에 변호사 등록신청을 하였는데, 협회장 乙이 등록심사위원회에 甲에 대한 변호사등록 거부 안건을 회부하여 소정의 심사과정을 거쳐 대한변호사협회가 甲의 변호사등록을 마쳤고, 이에 甲이 대한변호사협회 및 협회장 乙을 상대로 변호사 등록거부사유가 없음에도 위법하게 등록심사위원회에 회부되어 변호사등록이 2개월간 지연되었음을 이유로 손해배상을 구한 사안에서, 대한변호사협회는 乙(협회장) 및 등록심사위원회 위원들이 속한 행정주체의 지위에서 甲에게 변호사등록이 위법하게 지연됨으로 인하여 얻지 못한 수입 상당액의 손해를 배상할 의무가 있는 반면, 乙은 경과실 공무원의 면책 법리에 따라 甲에 대한 배상책임을 부담하지 않는다(대판 2021.1.28. 2019다260197).

③ (○) 법령의 개정에서 입법자의 광범위한 재량이 인정되는 경우라 하더라도 구 법령의 존속에 대한 당사자의 신뢰가 합리적이고도 정당하며 법령의 개정으로 야기되는 당사자의 손해가 극심하여 새로운 법령으로 달성하고자 하는 공익적 목적이 그러한 신뢰의 파괴를 정당화할 수 없다면 입법자는 경과규정을 두는 등 당사자의 신뢰를 보호할 적절한 조치를 하여야 하며 이와 같은 적절한 조치 없이 새 법령을 그대로 시행하거나 적용하는 것은 허용될 수 없는바, 이는 헌법의 기본원리인 법치주의 원리에서 도출되는 신뢰보호의 원칙에 위배되기 때문이다. 그러나 입법자가 이러한 신뢰보호 조치가 필요한지를 판단하기 위하여는 관련 당사자의 신뢰의 정도, 신뢰이익의 보호가치와 새 법령을 통해 실현하고자 하는 공익적 목적 등을 종합적으로 비교·형량하여야 하는데, 이러한 비교·형량에 관하여는 여러 견해가 있을 수 있으므로, 행정입법에 관여한 공무원이 입법 당시의 상황에서 다양한 요소를 고려하여 나름대로 합리적인 근거를 찾아 어느 하나의 견해에 따라 경과규정을 두는 등의 조치 없이 새 법령을 그대로 시행하거나 적용하였다면, 그와 같은 공무원의 판단이 나중에 대법원이 내린 판단과 같지 아니하여 결과적으로 시행령 등이 신뢰보호의 원칙 등에 위배되는 결과가 되었다고 하더라도, 이러한 경우에까지 국가배상법 제2조 제1항에서 정한 국가배상책임의 성립요건인 공무원의 과실이 있다고 할 수는 없다(대판 2013.4.26. 2011다14428).

④ (○) 국가나 지방자치단체가 공익사업을 시행하는 과정에서 해당 사업부지 인근 주민들은 의견제출을 통한 행정절차 참여 등 법령에서 정하는 절차적 권리를 행사하여 환경권이나 재산권 등 사적 이익을 보호할 기회를 가질 수 있다. 그러나 법령에서 주민들의 행정절차 참여에 관하여 정하는 것은 어디까지나 주민들에게 자신의 의사와 이익을 반영할 기회를 보장하고 행정의 공정성, 투명성과 신뢰성을 확보하며 국민의 권익을 보호하기 위한 것일 뿐, 행정절차에 참여할 권리 그 자체가 사적 권리로서의 성질을 가지는 것은 아니다. 이와 같이 행정절차는 그 자체가 독립적으로 의미를 가지는 것이라기보다는 행정의 공정성과 적정성을 보장하는 공법적 수단으로서의 의미가 크므로, 관련 행정처분의 성립이나 무효·취소 여부 등을 따지지 않은 채 주민들이 일시적으로 행정절차에 참여할 권리를 침해받았다는 사정만으로 곧바로 국가나 지방자치단체가 주민들에게 정신적 손해에 대한 배상의무를 부담한다고 단정할 수 없다.
이와 같은 행정절차상 권리의 성격이나 내용 등에 비추어 볼 때, 국가나 지방자치단체가 행정절차를 진행하는 과정에서 주민들의 의견제출 등 절차적 권리를 보장하지 않은 위법이 있다고 하더라도 그 후 이를 시정하여 절차를 다시 진행한 경우, 종국적으로 행정처분 단계까지 이르지 않거나 처분을 직권으로 취소하거나 철회한 경우, 행정소송을 통하여 처분이 취소되거나 처분의 무효를 확인하는 판결이 확정된 경우 등에는 주민들이 절차적 권리의 행사를 통하여 환경권이나 재산권 등 사적 이익을 보호하려던 목적이 실질적으로 달성된 것이므로 특별한 사정이 없는 한 절차적 권리 침해로 인한 정신적 고통에 대한 배상은 인정되지 않는다. 다만 이러한 조치로도 주민들의 절차적 권리 침해로 인한 정신적 고통이 여전히 남아 있다고 볼 특별한 사정이 있는 경우에 국가나 지방자치단체는 그 정신적 고통으로 인한 손해를 배상할 책임이 있다. 이때 특별한 사정이 있다는 사실에 대한 주장·증명책임은 이를 청구하는 주민들에게 있고, 특별한 사정이 있는지는 주민들에게 행정절차 참여권을 보장하는 취지, 행정절차 참여권이 침해된 경위와 정도, 해당 행정절차 대상사업의 시행경과 등을 종합적으로 고려해서 판단해야 한다(대판 2021.7.29. 2015다221668).

답 ②

006

행정상 손해배상에 대한 설명으로 옳은 것만을 고른 것은? (다툼이 있는 경우 판례에 의함)

ㄱ. 가해공무원이 경과실인 경우에는 국가배상책임을 이행한 국가가 그 공무원에 대하여 구상할 수 없다.
ㄴ. 직무집행과 관련하여 공상을 입은 소방공무원이 먼저 「국가배상법」에 따라 손해배상을 받은 경우에는 이후 다른 법령에 따른 보상을 받을 수 없다.
ㄷ. 공무원의 불법행위로 인한 피해자가 외국인인 경우 「국가배상법」은 해당 국가와 상호보증이 있을 때에만 적용한다.
ㄹ. 공무원의 불법행위를 이유로 국가배상청구소송을 제기하려면 배상심의회에 배상신청을 먼저 거쳐야 한다.
ㅁ. 국가배상책임의 요건인 '공공의 영조물'에는 국가나 지방자치단체가 권한에 기하여 관리하는 경우뿐만 아니라 사실상의 관리를 하고 있는 특정 공공의 목적에 공여된 물적 설비도 포함된다.

① ㄱ, ㄴ, ㄷ
② ㄱ, ㄷ, ㅁ
③ ㄱ, ㄹ, ㅁ
④ ㄴ, ㄷ, ㄹ
⑤ ㄴ, ㄹ, ㅁ

문제 DATA
출제가능 지수 ▶▶▷
난이도 지수 ★★☆

2025년 소방간부

ㄱ. (○) 국가배상법 제2조 제2항의 반대해석에 따라 가해공무원이 경과실인 경우에는 국가배상책임을 이행한 국가가 그 공무원에 대하여 구상할 수 없다.

> 「국가배상법」 제2조【배상책임】① 국가나 지방자치단체는 공무원 또는 공무를 위탁받은 사인(이하 "공무원"이라 한다)이 직무를 집행하면서 고의 또는 과실로 법령을 위반하여 타인에게 손해를 입히거나, 「자동차손해배상 보장법」에 따라 손해배상의 책임이 있을 때에는 이 법에 따라 그 손해를 배상하여야 한다. 다만, 군인·군무원·경찰공무원 또는 예비군대원이 전투·훈련 등 직무 집행과 관련하여 전사(戰死)·순직(殉職)하거나 공상(公傷)을 입은 경우에 본인이나 그 유족이 다른 법령에 따라 재해보상금·유족연금·상이연금 등의 보상을 지급받을 수 있을 때에는 이 법 및 「민법」에 따른 손해배상을 청구할 수 없다.
> ② 제1항 본문의 경우에 공무원에게 고의 또는 중대한 과실이 있으면 국가나 지방자치단체는 그 공무원에게 구상(求償)할 수 있다.

ㄴ. (×) 국가배상법 제2조 제1항 단서는 "다른 법령에 따라 보상을 지급받을 수 있을 때에는 국가배상법 등에 따른 손해배상을 청구할 수 없다."고 규정하고 있다. 즉, 다른 법령에 따른 보상을 받을 수 있는 경우 국가배상을 청구할 수 없다는 것이지, 국가배상을 먼저 받은 경우 다른 법령에 따른 보상을 받을 수 없다는 내용이 아니다. 또한 국가유공자법 등 다른 법령에 국가배상법에 따른 손해배상금을 지급받은 자를 보상금 등 보훈급여금의 지급대상에서 제외하도록 하는 명시적인 규정도 없다. 따라서 직무집행과 관련하여 공상을 입은 소방공무원이 먼저 국가배상법에 따라 손해배상을 받은 경우에도 국가유공자법 등 다른 법령에 따른 보상을 청구할 수 있다.
전투·훈련 등 직무집행과 관련하여 공상을 입은 군인 등이 먼저 국가배상법에 따라 손해배상금을 지급받은 다음 보훈보상자법이 정한 보상금 등 보훈급여금의 지급을 청구하는 경우, 피고로서는 다음과 같은 사정에 비추어 국가배상법에 따라 손해배상을 받았다는 사정을 들어 보상금 등 보훈급여금의 지급을 거부할 수 없다고 보아야 한다.
(1) 국가배상법 제2조 제1항 단서가 명시적으로 '다른 법령에 따라 보상을 지급받을 수 있을 때에는 국가배상법 등에 따른 손해배상을 청구할 수 없다.'고 규정하고 있는 것과 달리, 보훈보상자법은 국가배상법에 따른 손해배상금을 지급받은 자를 보상금 등 보훈급여금의 지급대상에서 제외하도록 하는 규정을 두고 있지 아니하다.

함께 정리하기
행정상 손해배상

경과실 공무원이 손해배상
▷ 국가에 대해 구상권 취득

국가배상 받은 후
▷ 다른 법령에 따른 보상청구 可

외국인이 피해자
▷ 상호보증하에 국가배상 可

배상심의회 심의결정
▷ 임의적 전치주의

영조물 관리
▷ 국가·지자체의 권한에 기한 관리, 사실상 관리 모두 포함

(2) 헌법 제29조 제2항 및 국가배상법 제2조 제1항 단서의 취지는, 국가 또는 공공단체가 위험한 직무를 집행하는 군인 등에 대한 피해보상제도를 운영하여, 직무집행과 관련하여 피해를 입은 군인 등이 간편한 보상절차에 의하여 자신의 과실 유무나 그 정도와 관계없이 무자력의 위험부담이 없는 확실하고 통일된 피해보상을 받을 수 있도록 보장하는 대신, 피해 군인 등이 국가 등에 대하여 공무원의 직무상 불법행위로 인한 손해배상을 청구할 수 없게 함으로써, 군인 등의 동일한 피해에 대하여 국가 등의 보상과 배상이 모두 이루어짐으로 인하여 발생할 수 있는 과다한 재정지출과 피해 군인 등 사이의 불균형을 방지하기 위한 것이다.

그런데 보훈보상자법 제11조가 정한 재해부상군경에 대한 보상금의 액수는 해당 군인 등의 과실을 묻지 아니하고 상이등급별로 구분하여 정해지고, 그 지급수준도 가계조사통계의 전국가구 가계소비지출액 등을 고려하여 보훈보상대상자의 희생 정도에 상응하게 결정되며, 이와 같이 정하여진 보상금은 매월 사망시점까지 지급되는 반면, 국가배상법에 따른 손해배상에서는 완치 후 장해가 있는 경우에도 그 장해로 인한 노동력 상실 정도에 따라 피해를 입은 당시의 월급액이나 월실수입액 또는 평균임금에 장래의 취업가능기간을 곱한 금액의 장해배상만을 받을 수 있고, 해당 군인 등의 과실이 있는 경우에는 그 과실의 정도에 따라 책임이 제한되므로, 대부분의 경우 보훈보상자법에 따른 보상금 등 보훈급여금의 규모가 국가배상법상 손해배상금을 상회할 것으로 보인다. 그 밖에 보훈보상자법은 보훈보상대상자에 대한 교육지원, 취업지원, 의료지원, 대부 등의 규정을 두고 있다. 이와 같은 국가배상법 제2조 제1항 단서의 입법 취지, 보훈보상자법이 정한 보상과 국가배상법이 정한 손해배상의 목적과 산정방식의 차이 등을 고려하면, 국가배상법 제2조 제1항 단서가 보훈보상자법 등에 의한 보상을 받을 수 있는 경우 국가배상법에 따른 손해배상청구를 하지 못한다는 것을 넘어, 국가배상법상 손해배상금을 받은 경우 보훈보상자법상 보상금 등 보훈급여금의 지급을 금지하는 것으로 해석하기는 어렵다.

(3) 설령 보훈보상자법상 보상금과 국가배상법에 따른 손해배상 사이에 장래 일실수입 등에서 일부 중첩되는 영역이 존재한다고 하더라도, 보훈보상자법상 보상금은 법령에 따라 급여액 등 구체적인 권리의 내용이 정해지게 되므로, 먼저 국가배상법상 손해배상을 지급받은 자에 대한 보훈보상자법상 보상금과 중첩되는 영역에 관하여 보상금 지급액을 제한하기 위하여는 이미 지급된 손해배상금을 공제하여 보상금을 정하기 위한 근거 규정이 있어야 한다. 그런데 보훈보상자법 제68조 제1항 제3호는 이에 해당하는 규정이 아니고, 그 밖에 달리 보훈보상자법에 이와 같이 선지급된 손해배상액을 장래 지급할 보상금 산정에서 제외하도록 하는 규정을 두고 있지 아니하다(대판 2017.2.3. 2015두60075).

> 「보훈보상대상자 지원에 관한 법률」 제2조【적용 대상 보훈보상대상자】① 다음 각 호의 어느 하나에 해당하는 보훈보상대상자, 그 유족 또는 가족(다른 법률에서 이 법에 규정된 지원 등을 받도록 규정된 사람을 포함한다)은 이 법에 따른 지원을 받는다.
> 1. 재해사망군경: 군인이나 경찰·소방 공무원으로서 국가의 수호·안전보장 또는 국민의 생명·재산 보호와 직접적인 관련이 없는 직무수행이나 교육훈련 중 사망한 사람(질병으로 사망한 사람을 포함한다)
> 2. 재해부상군경: 군인이나 경찰·소방 공무원으로서 국가의 수호·안전보장 또는 국민의 생명·재산 보호와 직접적인 관련이 없는 직무수행이나 교육훈련 중 상이(질병을 포함한다)를 입고 전역(퇴역·면역 또는 상근예비역 소집해제를 포함한다. 이하 이 조에서 같다)하거나 퇴직(면직을 포함한다. 이하 이 조에서 같다)한 사람 또는 6개월 이내에 전역이나 퇴직하는 사람으로서 그 상이정도가 국가보훈부장관이 실시하는 신체검사에서 제6조에 따른 상이등급(이하 "상이등급"이라 한다)으로 판정된 사람
> 3. 재해사망공무원: 「국가공무원법」 제2조 및 「지방공무원법」 제2조에 따른 공무원(군인과 경찰·소방 공무원은 제외한다)과 국가나 지방자치단체에서 일상적으로 공무에 종사하는 대통령령으로 정하는 직원으로서 국민의 생명·재산 보호와 직접적인 관련이 없는 직무수행이나 교육훈련 중 사망한 사람(질병으로 사망한 사람을 포함한다)
> 4. 재해부상공무원: 「국가공무원법」 제2조 및 「지방공무원법」 제2조에 따른 공무원(군인과 경찰·소방 공무원은 제외한다)과 국가나 지방자치단체에서 일상적으로 공무에 종사하는 대통령령으로 정하는 직원으로서 국민의 생명·재산 보호와 직접적인 관련이 없는 직무수행이나 교육훈련 중 상이(질병을 포함한다)를 입고 퇴직하거나 6개월 이내에 퇴직하는 사람으로서 그 상이정도가 국가보훈부장관이 실시하는 신체검사에서 상이등급으로 판정된 사람

ㄷ. (O)

> 「국가배상법」 제7조【외국인에 대한 책임】이 법은 외국인이 피해자인 경우에는 해당 국가와 상호 보증이 있을 때에만 적용한다.

ㄹ. (×)

> 「국가배상법」 제9조 【소송과 배상신청의 관계】 이 법에 따른 손해배상의 소송은 배상심의회(이하 "심의회"라 한다)에 배상신청을 하지 아니하고도 제기할 수 있다.

ㅁ. (○) 「국가배상법」 제5조 제1항 소정의 '공공의 영조물'이라 함은 국가 또는 지방자치단체에 의하여 특정 공공의 목적에 공여된 유체물 내지 물적 설비를 말하며, 국가 또는 지방자치단체가 소유권, 임차권 그 밖의 권한에 기하여 관리하고 있는 경우뿐만 아니라 사실상의 관리를 하고 있는 경우도 포함된다(대판 1998.10.23. 98다17381).

답 ②

007 □□□

「국가배상법」상 국가배상책임에 대한 설명으로 옳지 않은 것은?

① 통장이 전입신고서에 확인인을 찍는 행위는 공무를 위탁받아 실질적으로 공무를 수행하는 것이라고 보아야 하므로, 통장은 그 업무범위 내에서는 「국가배상법」 소정의 공무원에 해당한다.

② 인사업무담당 공무원이 다른 공무원의 공무원증 등을 위조한 행위에 대하여 실질적으로는 직무행위에 속하지 아니한다 할지라도 외관상으로는 「국가배상법」의 직무집행관련성이 인정된다.

③ 「국가배상법」이 정한 손해배상청구의 요건인 '공무원의 직무'에는 국가나 지방자치단체의 권력적 작용뿐만 아니라 비권력적 작용도 포함되지만 단순한 사경제의 주체로서 하는 작용은 포함되지 않는다.

④ 지방자치단체장 간의 기관위임의 경우에는 사무귀속의 주체가 달라진다고 할 수 있으므로, 하위 지방자치단체장을 보조하는 하위 지방자치단체 소속 공무원이 위임사무처리에 있어 고의 또는 과실로 타인에게 손해를 가하였다면 상위 지방자치단체는 그 사무귀속주체로서 손해배상책임을 지지 않는다.

| 2024년 지방직 7급

① (○) 국가배상법 제2조 소정의 "공무원"이라 함은 국가공무원법이나 지방공무원법에 의하여 공무원으로서의 신분을 가진 자에 국한하지 않고, 널리 공무를 위탁받아 실질적으로 공무에 종사하고 있는 일체의 자를 가리키는바, 서울특별시 종로구 통, 반설치조례에 의하면 통장은 동장의 추천에 의하여 구청장이 위촉하고 동장의 감독을 받아 주민의 거주·이동상황 파악 등의 임무를 수행하도록 규정되어 있고, 주민등록법 제14조와, 같은 법 시행령 제7조의2 등에 의하면 주민등록 전입신고를 하여야 할 신고의무자가 전입신고를 할 경우에는 신고서에 관할이장(시에 있어서는 통장)의 확인인을 받아 제출하도록 규정되어 있는 점 등에 비추어 보면 통장이 전입신고서에 확인인을 찍는 행위는 공무를 위탁받아 실질적으로 공무를 수행하는 것이라고 보아야 하므로, 통장은 그 업무범위 내에서는 국가배상법 제2조 소정의 공무원에 해당한다(대판 1991.7.9. 91다5570).

② (○) 울산세관의 통관지원과에서 인사업무를 담당하면서 울산세관 공무원들의 공무원증 및 재직증명서 발급업무를 하는 공무원인 소외인이 울산세관의 다른 공무원의 공무원증 등을 위조하는 행위는 비록 그것이 실질적으로는 직무행위에 속하지 아니한다 할지라도 적어도 외관상으로는 공무원증과 재직증명서를 발급하는 행위로서 직무집행으로 보여지므로 결국 소외인의 공무원증 등 위조행위는 국가배상법 제2조 제1항 소정의 공무원이 직무를 집행함에 당하여 한 행위로 인정되고, 소외인이 실제로는 공무원증 및 재직증명서의 발급권자인 울산세관장의 직무를 보조하는 데 불과한 지위에 있다거나, 신청자의 발급신청 없이 정상의 발급절차를 거치지 아니하고 이를 발급하였으며, 위 공무원증 등 위조행위가 원고로부터 대출을 받기 위한 목적으로 행하여졌다 하더라도 이를 달리 볼 수 없다(대판 2005.1.14. 2004다26805).

📊 문제 DATA
출제가능 지수 ▶▶Σ
난이도 지수 ★★☆

📝 함께 정리하기

국가배상책임

전입신고서에 확인인을 찍는 통장
▷ 「국가배상법」 제2조의 공무원 ○

인사업무담당공무원의 공무원증 위조
▷ 직무관련성 ○

「국가배상법」상 직무행위
▷ 비권력적 작용 ○
▷ 사경제적 작용 ×

상위 지방자치단체의 기관위임사무
▷ 상위 지방자치단체가 사무 귀속주체로서 배상책임

③ (○) 국가배상법이 정한 손해배상청구의 요건인 '공무원의 직무'에는 국가나 지방자치단체의 권력적 작용뿐만 아니라 비권력적 작용도 포함되지만 단순한 사경제의 주체로서 하는 작용은 포함되지 않는다(대판 2004.4.9. 2002다10691).
④ (×) 도로의 유지·관리에 관한 상위 지방자치단체의 행정권한이 행정권한 위임조례로 하위 지방자치단체장에게 위임되었다면 그것은 기관위임이지 단순한 내부위임이 아니다. 기관위임의 경우 위임받은 하위 지방자치단체장은 상위 지방자치단체 산하 행정기관의 지위에서 그 사무를 처리하는 것이므로 사무귀속의 주체가 달라진다고 할 수 없다. 따라서 하위 지방자치단체장을 보조하는 그 지방자치단체 소속 공무원이 위임사무를 처리하면서 고의 또는 과실로 타인에게 손해를 가하거나 위임사무로 설치·관리하는 영조물의 하자로 타인에게 손해를 발생하게 한 경우에는 권한을 위임한 상위 지방자치단체가 그 손해배상책임을 진다(대판 2017.9.21. 2017다223538).

답 ④

008

국가배상에 대한 설명으로 옳은 것은?

① 국가배상청구의 요건인 '공무원의 직무'에는 행정주체가 사경제 주체로서 하는 작용도 포함된다.
② 청구기간 내에 헌법소원이 적법하게 제기되었음에도 헌법재판소 재판관이 청구기간을 오인하여 각하결정을 한 경우, 이에 대한 불복절차 내지 시정절차가 없는 때에는 국가배상책임을 인정할 수 있다.
③ 군 복무 중 사망한 군인 등의 유족인 원고가 「국가배상법」에 따른 손해배상금을 지급받은 경우, 국가는 「군인연금법」 소정의 사망보상금을 지급함에 있어 원고가 받은 손해배상금 상당 금액을 공제할 수 없다.
④ 외국인이 피해자인 경우 해당 국가와 상호보증이 없더라도 「국가배상법」이 적용된다.

2024년 국가직 9급

① (×) 국가배상청구의 요건인 '공무원의 직무'에는 권력적 작용만이 아니라 비권력적 작용도 포함되며 단지 행정주체가 사경제주체로서 하는 활동만 제외된다(대판 2001.1.5. 98다39060).
② (○) 헌법재판소 재판관이 청구기간 내에 제기된 헌법소원심판청구사건에서 청구기간을 오인하여 각하결정을 한 경우, 이에 대한 불복절차 내지 시정절차가 없는 때에는 국가배상책임(위법성)을 인정할 수 있다(대판 2003.7.11. 99다24218).
③ (×) 다른 법령에 따라 지급받는 급여와의 조정에 관한 조항을 두고 있지 아니한 보훈보상대상자 지원에 관한 법률과 달리, 군인연금법 제41조 제1항은 "다른 법령에 따라 국가나 지방자치단체의 부담으로 이 법에 따른 급여와 같은 종류의 급여를 받은 사람에게는 그 급여금에 상당하는 금액에 대하여는 이 법에 따른 급여를 지급하지 아니한다."라고 명시적으로 규정하고 있다. 나아가 군인연금법이 정하고 있는 급여 중 사망보상금(군인연금법 제31조)은 일실손해의 보전을 위한 것으로 불법행위로 인한 소극적 손해배상과 같은 종류의 급여라고 봄이 타당하다(대판 1998.11.19. 97다36873 전합 참조). 따라서 피고에게 군인연금법 제41조 제1항에 따라 원고가 받은 손해배상금 상당 금액에 대하여는 사망보상금을 지급할 의무가 존재하지 아니한다(대판 2018.7.20. 2018두36691).
④ (×)

> 「국가배상법」 제7조 【외국인에 대한 책임】 이 법은 외국인이 피해자인 경우에는 해당 국가와 상호 보증이 있을 때에만 적용한다.

답 ②

문제 DATA
출제가능 지수 ▶▶▷
난이도 지수 ★★☆

함께 정리하기

국가배상

공무원의 직무
▷ 사경제활동 제외

청구기간 오인 헌법소원 각하
▷ 국가배상책임○

사망한 군인의 유족이 국가배상 받은 경우
▷ 「군인연금법」상 사망보상금에서 소극적 손해배상액 공제○

외국인이 피해자
▷ 상호보증하에 국가배상 可

009

위법한 직무집행행위로 인한 손해배상책임에 대한 설명으로 옳지 않은 것은?

① 「국가배상법」상 '공무원'이라 함은 널리 공무를 위탁받아 실질적으로 공무에 종사하고 있는 일체의 자를 가리키는 것으로서, 단지 공무의 위탁이 일시적인 사항에 관한 활동을 위한 것은 포함되지 않는다.
② 「국가배상법」이 정한 배상청구의 요건인 '공무원의 직무'에는 권력적 작용만이 아니라 행정지도와 같은 비권력적 공행정작용도 포함된다.
③ 어떠한 행정처분이 후에 항고소송에서 위법한 것으로서 취소되었다고 하더라도 그로써 곧 당해 행정처분이 공무원의 고의 또는 과실에 의한 불법행위를 구성한다고 단정할 수는 없다.
④ 헌법상 과잉금지의 원칙 내지 비례의 원칙을 위반하여 국민의 기본권을 침해한 국가작용은 국가배상책임에 있어 법령을 위반한 가해행위가 된다.

2024년 지방직 9급

① (×) 국가배상법 제2조 소정의 '공무원'이라 함은 국가공무원법이나 지방공무원법에 의하여 공무원으로서의 신분을 가진 자에 국한하지 않고, 널리 공무를 위탁받아 실질적으로 공무에 종사하고 있는 일체의 자를 가리키는 것으로서, 공무의 위탁이 일시적이고 한정적인 사항에 관한 활동을 위한 것이어도 달리 볼 것은 아니다(대판 2001.1.5. 98다39060).
② (○) 국가배상청구의 요건인 '공무원의 직무'에는 권력적 작용만이 아니라 비권력적 작용도 포함되며 단지 행정주체가 사경제주체로서 하는 활동만 제외된다(대판 2001.1.5. 98다39060).
③ (○) 어떠한 행정처분이 후에 항고소송에서 취소되었다고 할지라도 그 기판력에 의하여 당해 행정처분이 곧바로 공무원의 고의 또는 과실로 인한 것으로서 불법행위를 구성한다고 단정할 수는 없는 것이고, 그 행정처분의 담당공무원이 보통 일반의 공무원을 표준으로 하여 볼 때 객관적 주의의무를 결하여 그 행정처분이 객관적 정당성을 상실하였다고 인정될 정도에 이른 경우에 국가배상법 제2조 소정의 국가배상책임의 요건을 충족하였다고 봄이 상당할 것이며, 이 때에 객관적 정당성을 상실하였는지 여부는 피침해이익의 종류 및 성질, 침해행위가 되는 행정처분의 태양 및 그 원인, 행정처분의 발동에 대한 피해자측의 관여의 유무, 정도 및 손해의 정도 등 제반 사정을 종합하여 손해의 전보책임을 국가 또는 지방자치단체에게 부담시켜야 할 실질적인 이유가 있는지 여부에 의하여 판단하여야 한다(대판 2000.5.12. 99다70600).
④ (○) 국가배상책임에 있어 공무원의 가해행위는 법령을 위반한 것이어야 하는데, 여기서 법령을 위반하였다 함은 엄격한 의미의 법령 위반뿐 아니라 인권존중, 권력남용금지, 신의성실과 같이 공무원으로서 마땅히 지켜야 할 준칙이나 규범을 지키지 아니하고 위반한 경우를 포함하여 널리 그 행위가 객관적인 정당성을 결여하고 있음을 뜻한다. 따라서 헌법상 과잉금지의 원칙 내지 비례의 원칙을 위반하여 국민의 기본권을 침해한 국가작용은 국가배상책임에 있어 법령을 위반한 가해행위가 될 수 있다(대판 2018.10.25. 2013다44720).

답 ①

문제 DATA
출제가능 지수 ▶▶▷
난이도 지수 ★★☆

함께 정리하기

국가배상

일시적·한정적 위탁
▷ 공무원○

공무원의 직무
▷ 행정지도와 같은 비권력적 작용 포함

항고소송에서 처분취소
▷ 공무원의 고의·과실 단정×

헌법 위반
▷ 법령 위반

문제 DATA

출제가능 지수 ▶▶▷
난이도 지수 ★★☆

010 □□□

국가배상에 대한 설명으로 옳은 것은?

① 「국가배상법」에 따른 손해배상의 소송은 배상심의회에 배상신청을 하지 아니하면 제기할 수 없다.
② 국가배상소송을 제기하는 경우 민사소송이 아니라 공법상 당사자소송으로 제기하여야 한다.
③ 군 복무 중 사망한 사람의 유족이 국가배상을 받은 경우, 관할 행정청 등은 「군인연금법」상 사망보상금에서 소극적 손해배상금 상당액을 공제할 수 있을 뿐, 이를 넘어 정신적 손해배상금까지 공제할 수는 없다.
④ 공공시설물의 하자로 손해를 입은 외국인에게는 해당 국가와 상호 보증이 없더라도 「국가배상법」이 적용된다.

| 2024년 지방직 9급

① (×)

> 「국가배상법」 제9조 【소송과 배상신청의 관계】 이 법에 따른 손해배상의 소송은 배상심의회(이하 "심의회"라 한다)에 배상신청을 하지 아니하고도 제기할 수 있다.

② (×) 공무원의 직무상 불법행위로 손해를 받은 국민이 국가 또는 공공단체에 배상을 청구하는 경우 국가 또는 공공단체에 대하여 그의 불법행위를 이유로 손해배상을 구함은 국가배상법이 정한바에 따른다 하여도 이 역시 민사상의 손해배상 책임을 특별법인 국가배상법이 정한데 불과하다(대판 1972.10.10. 69다701).

③ (○)

> [1] 다른 법령에 따라 지급받은 급여와의 조정에 관한 조항을 두고 있지 아니한 보훈보상대상자 지원에 관한 법률과 달리, 군인연금법 제41조 제1항은 "다른 법령에 따라 국가나 지방자치단체의 부담으로 이 법에 따른 급여와 같은 종류의 급여를 받은 사람에게는 그 급여금에 상당하는 금액에 대하여는 이 법에 따른 급여를 지급하지 아니한다."라고 명시적으로 규정하고 있다. 나아가 군인연금법이 정하고 있는 급여 중 사망보상금(군인연금법 제31조)은 일실손해의 보전을 위한 것으로 불법행위로 인한 소극적 손해배상과 같은 종류의 급여라고 봄이 타당하다. 따라서 피고에게 군인연금법 제41조 제1항에 따라 원고가 받은 손해배상금 상당 금액에 대하여는 사망보상금을 지급할 의무가 존재하지 아니한다(대판 2018.7.20. 2018두36691).
> [2] 구 군인연금법(2019.12.10. 법률 제16760호로 전부 개정되기 전의 것, 이하 같다)이 정하고 있는 급여 중 사망보상금은 일실손해의 보전을 위한 것으로 불법행위로 인한 소극적 손해배상과 같은 종류의 급여이므로(대판 2018.7.20. 2018두36691 등 참조), 군 복무 중 사망한 망인의 유족이 국가배상을 받은 경우 피고는 사망보상금에서 소극적 손해배상금 상당액을 공제할 수 있을 뿐, 이를 넘어 정신적 손해배상금 상당액까지 공제할 수는 없다(대판 2022.3.31. 2019두36711).

④ (×)

> 「국가배상법」 제7조 【외국인에 대한 책임】 이 법은 외국인이 피해자인 경우에는 해당 국가와 상호 보증이 있을 때에만 적용한다.

답 ③

함께 정리하기

국가배상

배상심의회에 배상신청
▷ 임의적 절차

민사법원 관할

사망한 군인의 유족이 국가배상 받은 경우
▷ 「군인연금법」상 사망보상금에서 소극적 손해배상액 공제○
▷ 정신적 손해배상 공제×

외국인
▷ 상호주의 적용

011

다음 중 공무원의 직무상 위법행위로 인한 손해배상에 대한 설명으로 가장 옳은 것은? (다툼이 있는 경우 판례에 의함)

① 국가의 철도운행사업은 국가가 공권력의 행사로서 하는 것이 아니고 사경제적 작용이라 할 것이므로, 이로 인한 사고에 공무원이 간여하였다고 하더라도 「국가배상법」을 적용할 것이 아니고 일반 민법의 규정에 따라야 한다.
② 행정지도와 같은 비권력적 사실행위는 공무원의 직무행위의 범위에 속하지 아니한다.
③ 항고소송에서 처분이 위법하다고 확인되었다면, 국가배상청구소송에서 바로 처분을 한 공무원의 과실이 인정된다.
④ 공무원에게 경과실이 있는 경우 피해자에게 민사책임을 지지 않지만 만일 공무원이 피해자에게 배상했다면 국가에 대해 구상할 수는 없다.

문제 DATA
출제가능 지수 ▶▶▷
난이도 지수 ★★☆

2024년 군무원 9급

① (○) 국가 또는 지방자치단체라 할지라도 공권력의 행사가 아니고 단순한 사경제의 주체로 활동하였을 경우에는 그 손해배상책임에 국가배상법이 적용될 수 없고 민법상의 사용자책임 등이 인정되는 것이고 국가의 철도운행사업은 국가가 공권력의 행사로서 하는 것이 아니고 사경제적 작용이라 할 것이므로, 이로 인한 사고에 공무원이 간여하였다고 하더라도 국가배상법을 적용할 것이 아니고 일반 민법의 규정에 따라야 하나, 공공의 영조물인 철도시설물의 설치 또는 관리의 하자로 인한 불법행위를 원인으로 하여 국가에 대하여 손해배상청구를 하는 경우에는 국가배상법이 적용된다(대판 1999.6.22. 99다7008).
② (×) 국가배상법이 정한 배상청구의 요건인 '공무원의 직무'에는 권력적 작용만이 아니라 행정지도와 같은 비권력적 작용도 포함되며 단지 행정주체가 사경제주체로서 하는 활동만 제외된다(대판 1998.7.10. 96다38971 등).
③ (×) 어떠한 행정처분이 후에 항고소송에서 취소되었다고 할지라도 그 기판력에 의하여 당해 행정처분이 곧바로 공무원의 고의 또는 과실로 인한 것으로서 불법행위를 구성한다고 단정할 수 없다(대판 1999.9.17. 96다53413 등).
④ (×) 경과실이 있는 공무원이 피해자에 대하여 손해배상책임을 부담하지 아니함에도 피해자에게 손해를 배상하였다면 그것은 채무자 아닌 사람이 타인의 채무를 변제한 경우에 해당하고, 이는 민법 제469조의 '제3자의 변제' 또는 민법 제744조의 '도의관념에 적합한 비채변제'에 해당하여 피해자는 공무원에 대하여 이를 반환할 의무가 없고, 그에 따라 피해자의 국가에 대한 손해배상청구권이 소멸하여 국가는 자신의 출연 없이 채무를 면하게 되므로, 피해자에게 손해를 직접 배상한 경과실이 있는 공무원은 특별한 사정이 없는 한 국가에 대하여 국가의 피해자에 대한 손해배상책임의 범위 내에서 공무원이 변제한 금액에 관하여 구상권을 취득한다고 봄이 타당하다(대판 2014.8.20. 2012다54478).

답 ①

함께 정리하기

공무원의 직무상 위법행위로 인한 손해배상

공무원이 간여한 철도운행사고로 인한 손해배상청구
▷ 「민법」 적용(∵사경제적 작용)

공무원의 직무
▷ 행정지도와 같은 비권력적 작용○

처분취소판결
▷ 곧바로 국가배상책임×

경과실 공무원
▷ 민사상 책임×
▷ 국가에 대한 구상권○

012

행정상 손해배상에 대한 설명으로 옳은 것만을 <보기>에서 고른 것은? (다툼이 있는 경우 판례에 의함)

<보기>
ㄱ. 행위 자체의 외관을 객관적으로 관찰하여 공무원의 직무행위로 보여진다 하더라도 그것이 실질적으로 직무행위에 해당하지 않는다면 그 행위는 「국가배상법」 소정의 '직무를 집행하면서' 행한 것으로 볼 수 없다.
ㄴ. 공무원에게 부과된 직무상 의무의 내용이 공공 일반의 이익을 위한 것이거나 행정기관 내부의 질서를 규율하기 위한 것이라면 공무원의 당해 직무상 의무위반으로 피해자가 입은 손해에 대해서는 상당인과관계가 인정되는 범위 내에서 공적 주체가 손해배상책임을 진다.
ㄷ. 국가 등의 가해 공무원에 대한 구상권은 손해의 공평한 부담이라는 견지에서 신의칙상 상당하다고 인정되는 한도 내에서만 인정된다.
ㄹ. 장관으로부터 도지사를 거쳐 군수에게 재위임된 국가사무인 기관위임사무를 처리함에 있어서 군수가 고의 또는 과실로 타인에게 손해를 가한 경우, 원칙적으로 그 사무의 귀속 주체인 국가가 손해배상책임을 지며 군은 비용을 부담한다고 볼 수 있는 경우에 한하여 국가와 함께 손해배상책임을 진다.
ㅁ. 생명·신체의 침해로 인한 국가배상을 받을 권리는 양도하거나 압류하지 못한다.

① ㄱ, ㄴ, ㄷ
② ㄱ, ㄴ, ㄹ
③ ㄴ, ㄷ, ㄹ
④ ㄴ, ㄷ, ㅁ
⑤ ㄷ, ㄹ, ㅁ

2024년 소방간부

ㄱ. (×) 직무집행행위(직무관련성)의 판단기준에 관하여 통설·판례는 외형설을 취하고 있다.

국가배상법 제2조 제1항의 '직무를 집행함에 당하여'라 함은 직접 공무원의 직무집행행위이거나 그와 밀접한 관련이 있는 행위를 포함하고, 이를 판단함에 있어서는 행위 자체의 외관을 객관적으로 관찰하여 공무원의 직무행위로 보여질 때에는 비록 그것이 실질적으로 직무행위가 아니거나 또는 행위자로서는 주관적으로 공무집행의 의사가 없었다고 하더라도 그 행위는 공무원이 '직무를 집행함에 당하여' 한 것으로 보아야 한다(대판 2005.1.14. 2004다26805).

ㄴ. (×) 공무원에게 부과된 직무상 의무의 내용이 공공 일반의 이익을 위한 것이거나 행정기관 내부의 질서를 규율하기 위한 것이라면(사익보호성이 없음), 공무원의 당해 직무상 의무위반과 피해자가 입은 손해 사이에 상당인과관계가 없어 국가배상책임이 없다.

1. 공무원이 고의 또는 과실로 그에게 부과된 직무상 의무를 위반하였을 경우라고 하더라도 국가는 그러한 직무상의 의무 위반과 피해자가 입은 손해 사이에 상당인과관계가 인정되는 범위 내에서만 배상책임을 지는 것이고, 이 경우 상당인과관계가 인정되기 위하여는 공무원에게 부과된 직무상 의무의 내용이 단순히 공공 일반의 이익을 위한 것이거나 행정기관 내부의 질서를 규율하기 위한 것이 아니고 전적으로 또는 부수적으로 사회구성원 개인의 안전과 이익을 보호하기 위하여 설정된 것이어야 한다(대판 2010.9.9. 2008다77795).
2. 공무원에게 직무상 의무를 부과한 법령의 보호목적이 사회 구성원 개인의 이익과 안전을 보호하기 위한 것이 아니고 단순히 공공일반의 이익이나 행정기관 내부의 질서를 규율하기 위한 것이라면, 가사 공무원이 그 직무상 의무를 위반한 것을 계기로 하여 제3자가 손해를 입었다 하더라도 공무원이 직무상 의무를 위반한 행위와 제3자가 입은 손해 사이에는 법리상 상당인과관계가 있다고 할 수 없다(대판 2001.4.13. 2000다34891).

ㄷ. (○) 국가 또는 지방자치단체의 산하 공무원이 그 직무를 집행함에 당하여 중대한 과실로 인하여 법령에 위반하여 타인에게 손해를 가함으로써 국가 또는 지방자치단체가 손해배상책임을 부담하고, 그 결과로 손해를 입게 된 경우에는 국가 등은 당해 공무원의 직무내용, 당해 불법행위의 상황, 손해발생에 대한 당해 공무원의 기여정도, 당해 공무원의 평소 근무태도, 불법행위의 예방이나 손실분산에 관한 국가 또는 지방자치단체의 배려의 정도 등 제반사정을 참작하여 손해의 공평한 분담이라는 견지에서 신의칙상 상당하다고 인정되는 한도 내에서만 당해 공무원에 대하여 구상권을 행사할 수 있다(대판 1991.5. 10. 91다6764).

ㄹ. (○) 구 농지확대개발촉진법 제24조와 제27조에 의하여 농수산부장관 소관의 국가사무로 규정되어 있는 개간허가와 개간허가의 취소사무는 같은 법 제61조 제1항, 같은 법 시행령 제37조 제1항에 의하여 도지사에게 위임되고, 같은 법 제61조 제2항에 근거하여 도지사로부터 하위 지방자치단체장인 군수에게 재위임되었으므로 이른바 기관위임사무라 할 것이고, 이러한 경우 군수는 그 사무의 귀속 주체인 국가 산하 행정기관의 지위에서 그 사무를 처리하는 것에 불과하므로, 군수 또는 군수를 보조하는 공무원이 위임사무처리에 있어 고의 또는 과실로 타인에게 손해를 가하였다 하더라도 원칙적으로 군에는 국가배상책임이 없고 그 사무의 귀속 주체인 국가가 손해배상책임을 지는 것이며, 다만 국가배상법 제6조에 의하여 군이 비용을 부담한다고 볼 수 있는 경우에 한하여 국가와 함께 손해배상책임을 부담한다(대판 2000.5.12. 99다70600).

ㅁ. (○)

> 「국가배상법」 제4조 【양도 등 금지】 생명·신체의 침해로 인한 국가배상을 받을 권리는 양도하거나 압류하지 못한다.

답 ⑤

013 □□□

국가배상에 대한 설명으로 옳은 것은? (다툼이 있는 경우 판례에 의함)

① 지방자치단체의 공무수탁사인에 대한 공무의 위탁이 일시적이고 한정적인 사항에 관한 활동을 위한 것이라면, 해당 공무수탁사인이 고의 또는 과실로 법령을 위반하여 행한 직무행위로 인해 타인에게 손해를 입혔더라도, 그 지방자치단체는 「국가배상법」상 배상책임을 부담하지 않는다.
② 「국가배상법」이 정한 손해배상청구의 요건인 공무원의 직무에는 국가나 지방자치단체의 권력적 작용뿐만 아니라 비권력적 작용 및 단순한 사경제의 주체로서 하는 작용도 포함된다.
③ 행정처분의 담당공무원이 보통 일반의 공무원을 표준으로 하여볼 때 객관적 주의의무를 결하여 그 행정처분이 객관적 정당성을 상실하였다고 인정될 정도에 이른 경우에는 「국가배상법」 제2조 소정의 국가배상책임의 해당 요건을 충족하였다고 보아야 한다.
④ 행정처분이 항고소송에서 취소되었다면 그 취소판결의 기판력으로 인해 곧바로 국가배상책임이 인정된다.

| 2024년 경찰간부

① (×) 공무수탁사인도 「국가배상법」 제2조의 공무원에 해당하고, 공무의 위탁은 일시적·한정적이어도 무방하다.

> 국가배상법 제2조 소정의 '공무원'이라 함은 국가공무원법이나 지방공무원법에 의하여 공무원으로서의 신분을 가진 자에 국한하지 않고, 널리 공무를 위탁받아 실질적으로 공무에 종사하고 있는 일체의 자를 가리키는 것으로서, 공무의 위탁이 일시적이고 한정적인 사항에 관한 활동을 위한 것이어도 달리 볼 것은 아니다(대판 2001.1.5. 98다39060).

🗂 문제 DATA

출제가능 지수 ▶▶▷
난이도 지수 ★★☆

☑ 함께 정리하기

국가배상

일시적·한정적 위탁
▷ 공무원○

공무원의 직무
▷ 권력적 작용 & 비권력적 작용○
▷ 사경제주체×

고의·과실 판단기준
▷ 보통 일반의 공무원을 표준으로 한 객관적 주의의무 위반

처분취소판결
▷ 곧바로 국가배상책임×

② (×) 「국가배상법」 제2조에서 말하는 "직무행위"의 범위에 관하여는 ㉠ 권력적 작용만 해당한다는 협의설, ㉡ 권력적 작용뿐만 아니라 행정지도와 같은 비권력적 작용(관리작용)까지도 포함한다는 광의설, ㉢ 광의설에 더하여 사경제 작용(국고작용)까지 포함한다는 최광의설이 있으나, 광의설이 다수설·판례이다.

> 국가배상법이 정한 배상청구의 요건인 '공무원의 직무'에는 권력적 작용만이 아니라 행정지도와 같은 비권력적 작용도 포함되며 단지 행정주체가 사경제주체로서 하는 활동만 제외된다(대판 1998.7.10. 96다38971 등).

③ (○) 「국가배상법」 제2조에서 말하는 '과실'은 행위자의 주관적인 심리상태(구체적 과실)로 보는 것이 아니라 '당해 직무를 담당하는 평균적 공무원'의 주의의무를 기준으로 과실을 판단한다(추상적 과실). 즉, 주의의무의 내용은 공무원의 직종과 직위에 의하여 객관적으로 정하여야 하며, 특정 공무원 개인의 지식·능력·경험의 여하로 좌우되지 않는다.

> 1. 행정처분의 담당공무원이 보통 일반의 공무원을 표준으로 하여 볼 때 객관적 주의의무를 결하여 그 행정처분이 객관적 정당성을 상실하였다고 인정될 정도에 이른 경우에 국가배상법 제2조 소정의 국가배상책임의 요건을 충족하였다고 봄이 상당하다(대판 2003.12.11. 2001다65236 등).
> 2. 공무원의 직무집행상의 과실이라 함은 공무원이 그 직무를 수행함에 있어 당해 직무를 담당하는 평균인이 보통 갖추어야 할 주의의무를 게을리 한 것을 말하는 것이다(대판 1987.9.22. 87다카1164).

④ (×) 직무행위가 위법하게 되었다고 하더라도 그것만으로 곧바로 담당 공무원에게 과실이 있다고 할 수 없다.

> 어떠한 행정처분이 후에 항고소송에서 취소되었다고 할지라도 그 기판력에 의하여 당해 행정처분이 곧바로 공무원의 고의 또는 과실로 인한 것으로서 불법행위를 구성한다고 단정할 수 없다(대판 1999.9.17. 96다53413 등).

답 ③

014

유흥주점에 감금된 채 윤락을 강요받으며 생활하던 여종업원들이 유흥주점에 화재가 났을 때 미처 피신하지 못하고 유독가스에 질식해 사망하였다. 이에 대한 설명으로 옳지 않은 것은? (다툼이 있는 경우 판례에 의함)

① 소방공무원이 위 유흥주점에 대하여 화재 발생 전 실시한 소방점검 등에서 구 「소방법」상 방염 규정 위반에 대한 시정조치 및 화재 발생시 대피에 장애가 되는 잠금장치의 제거 등 시정조치를 명하지 않은 직무상 의무위반은 현저히 불합리한 경우에 해당하여 위법하다.
② 상당인과관계의 유무를 판단함에 있어서는 일반적인 결과발생의 개연성은 물론 직무상 의무를 부과하는 법령 기타 행동규범의 목적이나 가해행위의 태양 및 피해의 정도 등을 종합적으로 고려하여야 한다.
③ 해당 기초 지방자치단체의 담당 공무원이 「식품위생법」상 취하여야 할 조치를 게을리 한 직무상 의무위반행위와 위 사망의 결과 사이에는 상당인과관계가 인정된다.
④ 경찰관이 감금 및 윤락강요행위를 제지하거나 윤락업주들을 체포·수사하는 등 필요한 조치를 취하지 아니하고 오히려 업주들로부터 뇌물을 수수하며 그와 같은 행위를 방치한 것은 경찰관의 직무상 의무에 위반하여 위법하다.

2024년 경찰간부

① (○) 이 사건의 사실관계에 의하면, 피고 전라북도 소속 소방공무원들은 이 사건 화재사고 발생 전에 이미 군산시 대명동에서 발생하였던 유흥주점 화재로 인한 윤락녀들의 사망사건과 그 이후 행해진 각종 소방안전대책 관련 지시 및 관계기관 합동점검 등을 통하여, 이 사건 유흥주점들과 같은 업소들, 특히 '주점명 1 생략'의 경우 1층 외에 2층을 포함한 건물 내부에서 유흥접객과 윤락행위가 행해지고 있다는 점, '주점명 1 생략' 건물의 1층과 2층 사이 계단에 잠금장치가 있는 철제문이 설치되어 있고, 1층에는 현관출입문 외에 창문이 없는 반면 2층에는 별도로 건물 외부로 피난할 수 있도록 철제 사다리가 설치되어 있는 창문이 있으므로, 업주나 건물관리인이 주로 유흥접객과 윤락행위를 하면서 집단적으로 거주하는 여종업원들에 대한 감시·감금 기타 어떠한 통제를 위하여 1층과 2층 사이의 철제문을 잠가두는 경우에는 화재 등 사고 발생시 그 화재의 발생지점 및 진행경과에 따라서는 위 철제문이 2층에서 1층으로뿐만 아니라 1층에서 2층으로의 어느 방향으로든 피난에 장애가 될 수 있고 또한 밀폐된 공간구조에서 유독가스의 소통 및 환기에 악영향을 미쳐 결국 건물 내부에 갇힌 자들의 안전에 심각한 영향을 미칠 수 있다는 점을 쉽사리 알거나 알 수 있었다고 보이고, 또한 이 사건에서 망인들의 사망의 원인과 태양이 바로 위 철제문에 가로막혀 2층으로 피신하지 못한 채 문 앞에서 모두 질식사한 것이었음도 앞서 본 바와 같다. 이러한 사정들을 종합해 보면, 위 각 합동점검에 참여한 소방공무원으로서는 위 소방법 관련 규정에 따라 위 잠금장치가 있는 철제문이 화재시 피난에 장애요인이 되는지 여부를 확인하고 그 문이나 잠금장치의 제거 등 시정조치를 취할 직무상 의무가 있다고 할 것인데, 위 철제문의 존재를 인식하고서도 아무런 조치를 취하지 아니한 채 오히려 점검부에는 피난장애시설이 없다는 취지로 허위 기재 및 보고를 한 잘못이 있다 할 것이고, 이러한 소방공무원의 직무상 의무 위반은 앞서 본 제반 법리에 비추어 현저히 불합리하여 위법하다고 할 것이며, 이러한 직무상 의무 위반 역시 망인들의 사망이라는 결과에 상당인과관계가 있다고 봄이 상당하다(대판 2008.4.10. 2005다48994).

② (○) 공무원에게 부과된 직무상 의무의 내용이 단순히 공공 일반의 이익을 위한 것이거나 행정기관 내부의 질서를 규율하기 위한 것이 아니고 전적으로 또는 부수적으로 사회구성원 개인의 안전과 이익을 보호하기 위하여 설정된 것이라면, 공무원이 그와 같은 직무상 의무를 위반함으로 인하여 피해자가 입은 손해에 대하여는 상당인과관계가 인정되는 범위 내에서 국가가 배상책임을 지는 것이고, 이때 상당인과관계의 유무를 판단함에 있어서는 일반적인 결과 발생의 개연성은 물론 직무상 의무를 부과하는 법령 기타 행동규범의 목적이나 가해행위의 태양 및 피해의 정도 등을 종합적으로 고려하여야 할 것이며, 이는 지방자치단체와 그 소속 공무원에 대하여도 마찬가지라고 할 것이다(대판 2008.4.10. 2005다48994).

③ (×) 식품위생법상 식품접객업의 시설기준을 정하여, 그 위반행위에 대하여 시설개수명령, 영업정지 등을 부과하도록 한 취지 및 건축법에서 무단 용도변경행위를 금지하고, 이에 위반한 건축물에 대하여 철거, 개축 등 필요한 조치를 명할 수 있도록 한 취지는 부수적으로라도 사회구성원 개인의 안전과 이익을 보호하기 위하여 설정된 것이라고 보아야 할 것인바, 원심이 이와 다른 취지로 판단한 것은 잘못이라고 할 것이다. 그러나 식품위생법의 목적과 그밖에 원심판결이 그 판시와 같이 들고 있는 사정들을 앞서 본 법리에 비추어 살펴보면, 이 사건 화재 발생 후 이 사건 유흥주점들 중 '주점명 1 생략'의 1층 내부에 있던 인화성이 강한 실내장식물 등으로 인하여 유독가스가 발생되어 망인들이 1층 출입문이나 2층을 통하여 미처 피신하지 못하고 질식사에 이른 이 사건에서, 이 사건 상고인 원고들이 주장하는 바와 같이 피고 군산시의 담당 공무원이 이 사건 유흥주점들에 관한 용도변경, 무허가 영업 및 시설기준에 위배된 개축에 대하여 시정명령 등 식품위생법상 취하여야 하는 조치를 게을리 한 직무상의 의무위반행위와 망인들의 사망이라는 결과 사이에 상당한 인과관계가 있다고 할 수 없다고 본 원심 판단은 수긍할 수 있고, 거기에 상고이유로 주장하는 바와 같이 국가배상법상 지방자치단체의 배상책임 발생요건으로서의 상당인과관계 판단에 관한 법리를 오해한 위법 등은 없다(대판 2008.4.10. 2005다48994).

④ (○) 윤락녀들이 윤락업소에 감금된 채로 윤락을 강요받으면서 생활하고 있음을 쉽게 알 수 있는 상황이었음에도, 경찰관이 이러한 감금 및 윤락 강요행위를 제지하거나 윤락업주들을 체포·수사하는 등 필요한 조치를 취하지 아니하고 오히려 업주들로부터 뇌물을 수수하며 그와 같은 행위를 방치한 것은 경찰관의 직무상 의무에 위반하여 위법하므로 국가는 이로 인한 정신적 고통에 대하여 위자료를 지급할 의무가 있다(대판 2004.9.23. 2003다49009).

답 ③

함께 정리하기

사례해결

「소방법」상 잠금장치의 제거등 시정명령권한의 불행사
▷ 현저히 불합리하여 위법

상당인과관계
▷ 결과발생개연성, 법령목적, 행위대상, 피해정도등 기준 판단

「식품위생법」상 시정명령권한의 불행사와 유흥주점 화재사망
▷ 상당인과관계×

뇌물수수 후 윤락행위방치
▷ 위법

015

행정상 손해배상에 대한 설명으로 옳지 않은 것은? (다툼이 있는 경우 판례에 의함)

① 「국가배상법」이 정한 손해배상청구의 요건인 '공무원의 직무'에는 국가나 지방자치단체의 권력적 작용뿐만 아니라 비권력적 작용으로서 단순한 사경제의 주체로서 하는 작용도 포함된다.
② 「국가배상법」 제5조 제1항에 정하여진 '영조물의 설치 또는 관리의 하자' 요건에서 안전성을 갖추지 못한 상태의 의미에는 그 영조물이 공공의 목적에 이용됨에 있어 그 이용상태 및 정도가 일정한 한도를 초과하여 제3자에게 사회통념상 수인할 것이 기대되는 한도를 넘는 피해를 입히는 경우까지 포함된다.
③ 외국인이 피해자인 경우에는 해당 국가와 상호 보증이 있을 때에만 「국가배상법」이 적용되는데, 이때 상호보증의 요건 구비를 위해 반드시 당사국과의 조약이 체결되어 있을 필요는 없다.
④ 「국가배상법」에 따른 손해배상의 소송은 배상심의회에 배상신청을 하지 아니하고도 제기할 수 있다.

2023년 군무원 9급

① (×) 공무원의 직무행위에는 권력적 작용만이 아니라 비권력적 작용도 포함되며 사경제주체로의 행위는 제외된다.

> 국가배상청구의 요건인 '공무원의 직무'에는 권력적 작용만이 아니라 비권력적 작용도 포함되며 단지 행정주체가 사경제주체로서 하는 활동만 제외된다(대판 2001.1.5. 98다39060).

② (○) 영조물의 하자에는 영조물이 이용됨에 있어 수인한도를 초과하는 피해가 발생하는 기능적 하자도 포함한다.

> 국가배상법 제5조 제1항에 정하여진 '영조물의 설치 또는 관리의 하자'라 함은 공공의 목적에 공여된 영조물이 그 용도에 따라 갖추어야 할 안전성을 갖추지 못한 상태에 있음을 말하고, 안전성을 갖추지 못한 상태, 즉 타인에게 위해를 끼칠 위험성이 있는 상태라 함은 당해 영조물을 구성하는 물적 시설 그 자체에 있는 물리적·외형적 흠결이나 불비로 인하여 그 이용자에게 위해를 끼칠 위험성이 있는 경우뿐만 아니라, 그 영조물이 공공의 목적에 이용됨에 있어 그 이용상태 및 정도가 일정한 한도를 초과하여 제3자에게 사회통념상 수인할 것이 기대되는 한도를 넘는 피해를 입히는 경우까지 포함된다고 보아야 한다(대판 2005.1.27. 2003다49566).

③ (○) 외국인이 피해자인 경우 상호보증을 위해 반드시 당사국과의 조약이 체결되어 있을 필요는 없다.

> 국가배상법 제7조는 우리나라만이 입을 수 있는 불이익을 방지하고 국제관계에서 형평을 도모하기 위하여 외국인의 국가배상청구권의 발생요건으로 '외국인이 피해자인 경우에는 해당 국가와 상호보증이 있을 것'을 요구하고 있는데, 해당 국가에서 외국인에 대한 국가배상청구권의 발생요건이 우리나라의 그것과 동일하거나 오히려 관대할 것을 요구하는 것은 지나치게 외국인의 국가배상청구권을 제한하는 결과가 되어 국제적인 교류가 빈번한 오늘날의 현실에 맞지 아니할 뿐만 아니라 외국에서 우리나라 국민에 대한 보호를 거부하게 하는 불합리한 결과를 가져올 수 있는 점을 고려할 때, 우리나라와 외국 사이에 국가배상청구권의 발생요건이 현저히 균형을 상실하지 아니하고 외국에서 정한 요건이 우리나라에서 정한 그것보다 전체로서 과중하지 아니하여 중요한 점에서 실질적으로 거의 차이가 없는 정도라면 국가배상법 제7조가 정하는 상호보증의 요건을 구비하였다고 봄이 타당하다. 그리고 상호보증은 외국의 법령, 판례 및 관례 등에 의하여 발생요건을 비교하여 인정되면 충분하고 반드시 당사국과의 조약이 체결되어 있을 필요는 없으며, 당해 외국에서 구체적으로 우리나라 국민에게 국가배상청구를 인정한 사례가 없더라도 실제로 인정될 것이라고 기대할 수 있는 상태이면 충분하다(대판 2015.6.11. 2013다208388).

④ (○)

> 「국가배상법」제9조【소송과 배상신청의 관계】이 법에 따른 손해배상의 소송은 배상심의회(이하 "심의회"라 한다)에 배상신청을 하지 아니하고도 제기할 수 있다.

답 ①

문제 DATA

출제가능 지수 ▶▶▷
난이도 지수 ★★☆

함께 정리하기

국가배상

공무원의 직무
▷ 권력적·비권력적작용 포함
▷ 사경제활동 제외

영조물이 공공의 목적에 이용됨에 있어 제3자에게 수인한도 넘는 피해 입히는 경우
▷ 영조물 설치·관리 하자 인정 可

외국인이 피해자인 경우 상호보증
▷ 당사국과 조약 체결 不要
▷ 실제 인정될 것이라고 기대할 수 있는 상태면 충분

배상심의회 심의결정
▷ 임의적 전치주의

016

국가배상책임의 요건에 대한 설명으로 옳지 않은 것은? (다툼이 있는 경우 판례에 의함)

① 「국가배상법」이 정한 손해배상청구의 요건인 '공무원의 직무'에는 국가나 지방자치단체의 권력적 작용뿐만 아니라 비권력적 작용도 포함되지만 단순한 사경제의 주체로서 하는 작용은 포함되지 않는다.

② 공무원에게 부과된 직무상 의무의 내용이 전적으로 또는 부수적으로 사회구성원 개인의 안전과 이익을 보호하기 위하여 설정된 것이라면, 그와 같은 의무를 위반함으로 인하여 피해자가 입은 손해에 대하여는 상당인과관계가 인정되는 범위 내에서 배상책임이 성립한다.

③ 항고소송에서 위법한 것으로서 취소된 행정처분이 객관적 정당성을 상실하였다고 인정될 정도에 이른 것이 아닌 경우, 당해 행정처분은 공무원의 고의 또는 과실에 의한 불법행위를 구성하게 된다.

④ 공무원 개인이 지는 손해배상책임에서 중과실이란 공무원에게 통상 요구되는 정도의 상당한 주의를 하지 않더라도 약간의 주의를 한다면 손쉽게 위법·유해한 결과를 예견할 수 있는 경우임에도 만연히 이를 간과한 경우와 같이, 거의 고의에 가까운 현저한 주의를 결여한 상태를 의미한다.

2023년 소방직

① (○) 대판 2001.1.5. 98다39060

② (○) 직무상 의무에 사익보호성이 있다면 상당인과관계가 인정되는 범위 내에서 배상책임이 성립한다.

> 공무원에게 직무상 의무를 부과한 법령의 보호목적이 사회 구성원 개인의 이익과 안전을 보호하기 위한 것이 아니고 단순히 공공일반의 이익이나 행정기관 내부의 질서를 규율하기 위한 것이라면 가사 공무원이 그 직무상 의무를 위반한 것을 계기로 하여 제3자가 손해를 입었다 하더라도 공무원이 직무상 의무를 위반한 행위와 제3자가 입은 손해 사이에는 법리상 상당인과관계가 있다고 할 수 없다(대판 1994.6.10. 93다30877).

③ (×) 항고소송에서 취소된 위법한 처분이 객관적 정당성을 상실하지 않았다면, 불법행위를 구성하지 않는다.

> 어떠한 행정처분이 후에 항고소송에서 취소되었다고 할지라도 그 기판력에 의하여 당해 행정처분이 곧바로 공무원의 고의 또는 과실로 인한 것으로서 불법행위를 구성한다고 단정할 수는 없는 것이고, 그 행정처분의 담당공무원이 보통 일반의 공무원을 표준으로 하여 볼 때 객관적 주의의무를 결여하여 그 행정처분이 객관적 정당성을 상실하였다고 인정될 정도에 이른 경우에 국가배상법 제2조 소정의 국가배상책임의 요건을 충족하였다고 봄이 상당하다(대판 2000.5.12. 99다70600).

④ (○) 중과실이란 거의 고의에 가까운 현저한 주의를 결여한 상태를 의미한다.

> 국가배상법 제2조 제2항에 의하면, 공무원의 직무상의 위법행위로 인하여 국가 또는 지방자치단체의 손해배상책임이 인정된 경우 그 위법행위가 고의 또는 중대한 과실에 기한 경우에는 국가 또는 지방자치단체는 당해 공무원에 대하여 구상할 수 있다 할 것이나, 이 경우 공무원의 중과실이라 함은 공무원에게 통상 요구되는 정도의 상당한 주의를 하지 않더라도 약간의 주의를 한다면 손쉽게 위법, 유해한 결과를 예견할 수 있는 경우임에도 만연히 이를 간과함과 같은 거의 고의에 가까운 현저한 주의를 결여한 상태를 의미한다(대판 2003.2.11. 2002다65929).

답 ③

문제 DATA

출제가능 지수 ▶▶▷
난이도 지수 ★★☆

함께 정리하기

국가배상

공무원의 직무
▷ 권력적·비권력적 작용 포함
▷ 사경제활동 제외

직무상 의무
▷ 사익보호성 있어야

항고소송에서 취소된 처분이 객관적 정당성을 상실×
▷ 불법행위 구성×

중과실
▷ 고의에 가까운 현저한 주의의무 결여

문제 DATA

출제가능 지수 ▶▶▷
난이도 지수 ★★☆

함께 정리하기

국가배상

직무상 의무
▷ 사익보호성 있어야

공무원의 직무
▷ 권력적·비권력적작용 포함(사경제활동 제외)

경과실 공무원이 직접 배상
▷ 피해자는 공무원에게 반환의무 無

영조물 관리
▷ 국가·지자체의 권한에 기한 관리, 사실상 관리 모두 포함○

---

017 □□□

국가배상제도에 대한 설명으로 옳은 것은? (다툼이 있는 경우 판례에 의함)

① 공무원에게 부과된 직무상 의무가 단순히 공공일반의 이익만을 위한 경우라면 그러한 직무상 의무위반에 대해서는 국가배상책임이 인정되지 않는다.
② 국가의 비권력적 작용은 국가배상청구의 요건인 직무에 포함되지 않는다.
③ 경과실로 불법행위를 한 공무원이 피해자에게 손해를 배상하였다면 이는 타인의 채무를 변제한 경우에 해당하므로 피해자는 공무원에게 이를 반환할 의무가 있다.
④ 지방자치단체가 권원 없이 사실상 관리하고 있는 도로는 국가배상책임의 대상이 되는 영조물에 해당하지 않는다.

> 2022년 지방직 9급

① (○) 직무상 의무에는 사익보호성이 요구된다.

> 공무원에게 직무상 의무를 부과한 법령의 보호목적이 사회 구성원 개인의 이익과 안전을 보호하기 위한 것이 아니고 단순히 공공일반의 이익이나 행정기관 내부의 질서를 규율하기 위한 것이라면 가사 공무원이 그 직무상 의무를 위반한 것을 계기로 하여 제3자가 손해를 입었다 하더라도 공무원이 직무상 의무를 위반한 행위와 제3자가 입은 손해 사이에는 법리상 상당인과관계가 있다고 할 수 없다(대판 1994.6.10. 93다30877).

② (×) 공무원의 직무행위에는 사경제주체로의 행위는 제외된다.

> 국가배상청구의 요건인 '공무원의 직무'에는 권력적 작용만이 아니라 비권력적 작용도 포함되며 단지 행정주체가 사경제주체로서 하는 활동만 제외된다(대판 2001.1.5. 98다39060).

③ (×) 경과실의 공무원이 피해자에게 손해를 배상하였더라도 피해자는 공무원에 대하여 이를 반환할 의무가 없다.

> 공무원이 직무수행 중 불법행위로 타인에게 손해를 입힌 경우에 국가 등이 국가배상책임을 부담하는 외에 공무원 개인도 고의 또는 중과실이 있는 경우에는 불법행위로 인한 손해배상책임을 지고, 공무원에게 경과실이 있을 뿐인 경우에는 공무원 개인은 손해배상책임을 부담하지 아니한다. 이처럼 경과실이 있는 공무원이 피해자에 대하여 손해배상책임을 부담하지 아니함에도 피해자에게 손해를 배상하였다면 그것은 채무자 아닌 사람이 타인의 채무를 변제한 경우에 해당하고, 이는 민법 제469조의 '제3자의 변제' 또는 민법 제744조의 '도의관념에 적합한 비채변제'에 해당하여 피해자는 공무원에 대하여 이를 반환할 의무가 없고, 그에 따라 피해자의 국가에 대한 손해배상청구권이 소멸하여 국가는 자신의 출연 없이 채무를 면하게 되므로, 피해자에게 손해를 직접 배상한 경과실이 있는 공무원은 특별한 사정이 없는한 국가에 대하여 국가의 피해자에 대한 손해배상책임의 범위 내에서 공무원이 변제한 금액에 관하여 구상권을 취득한다고 봄이 타당하다(대판 2014.8.20. 2012다54478).

④ (×) 영조물의 관리에는 사실상 관리도 포함된다.

> '공공의 영조물'이라 함은 국가 또는 지방자치단체에 의하여 특정 공공의 목적에 공여된 유체물 내지 물적 설비를 말한다. 특정 공공의 목적에 공여된 물이라 함은 일반공중의 자유로운 사용에 직접적으로 제공되는 공공용물에 한하지 아니하고 행정주체 자신의 사용에 제공되는 공용물도 포함하며, 국가 또는 지방자치단체가 소유권, 임차권, 그 밖의 권한에 기하여 관리하고 있는 경우뿐만 아니라 사실상의 관리를 하고 있는 경우도 포함한다(대판 1995.1.24. 94다45302).

답 ①

018

행정상 손해배상에 대한 설명으로 옳은 것은? (다툼이 있는 경우 판례에 의함)

① 국회의원은 원칙적으로 정치적 책임을 질뿐이므로 헌법에 따른 구체적 입법의무를 부담하고 있음에도 그 입법에 필요한 상당한 기간이 경과하도록 고의 또는 과실로 그 입법의무를 이행하지 아니하는 경우 그 배상책임이 인정되기 어렵다.
② 주무 부처인 중앙행정기관이 입법 예고를 통해 법령안의 내용을 국민에게 예고한 적이 있다면, 그것이 법령으로 확정되지 아니하였다고 하더라도 국가는 위 법령안에 관련된 사항에 대해 이해관계자들에게 어떠한 신뢰를 부여한 것으로 볼 수 있다.
③ 공무원에게 부과된 직무상 의무의 내용이 전적으로 또는 부수적으로 사회구성원개인의 안전과 이익을 보호하기 위하여 설정된 것이라면, 공무원이 그와 같은 직무상 의무를 위반함으로써 피해자가 입은 손해에 대해서는 상당인과관계가 인정되는 범위에서 국가가 배상책임을 진다.
④ 「금융위원회의 설치 등에 관한 법률」의 입법 취지에 비추어 볼 때, 금융감독원에 금융기관에 대한 검사·감독의무를 부과한 법령의 목적이 금융상품에 투자한 투자자 개인의 이익을 직접 보호하기 위한 것이라고 할 수 있으므로 피고금융감독원 및 그 직원들의 위법한 직무집행과 해당 저축은행의 후순위사채에 투자한 원고들이 입은 손해 사이에 상당인과관계가 인정된다.

문제 DATA
출제가능 지수 ▶▶▷
난이도 지수 ★★☆

2022년 소방직

① (×) 헌법상 구체적 입법의무가 없는 경우 부작위로 인한 불법행위는 성립하지 않는다.

> 국가가 일정한 사항에 관하여 헌법에 의하여 부과되는 구체적인 입법의무를 부담하고 있음에도 불구하고 그 입법에 필요한 상당한 기간이 경과하도록 고의 또는 과실로 이러한 입법의무를 이행하지 아니하는 등 극히 예외적인 사정이 인정되는 사안에 한정하여 국가배상법 소정의 배상책임이 인정될 수 있으며, 위와 같은 구체적인 입법의무 자체가 인정되지 않는 경우에는 애당초 부작위로 인한 불법행위가 성립될 여지가 없다(대판 2008.5.29. 2004다33469).

② (×) 입법예고를 한 적이 있다 하더라도 법령으로 확정되지 아니한 이상, 어떠한 신뢰를 부여한 것으로 볼 수 없다.

> 정책의 주무부처인 중앙행정기관이 그 소관 사항에 대하여 입안한 법령안은 법제처 심사 등의 절차를 거쳐 공포함으로써 확정되므로, 법령이 확정되기 이전에는 법적 효과가 발생할 수 없다. 따라서 입법예고를 통해 법령안의 내용을 국민에게 예고한 적이 있다고 하더라도 그것이 법령으로 확정되지 아니한 이상 국가가 이해관계자들에게 위 법령안에 관련된 사항을 약속하였다고 볼 수 없으며, 이러한 사정만으로 어떠한 신뢰를 부여하였다고 볼 수도 없다(대판 2018.6.15. 2017다249769).

유제 20. 국가직 9급 입법예고를 통해 법령안의 내용을 국민에게 예고한 적이 있다고 하더라도 그것이 법령으로 확정되지 아니한 이상 국가가 이해관계자들에게 그 법령안에 관련된 사항을 약속하였다고 볼 수 없으며, 이러한 사정만으로 어떠한 신뢰를 부여하였다고 볼 수도 없다. (○)

③ (○) 국가배상책임이 인정되기 위해서는 직무상의 의무가 전적으로 또는 부수적으로 사익보호성이 있어야 한다.

> 소속 공무원이 전적으로 또는 부수적으로라도 국민 개개인의 안전과 이익을 보호하기 위하여 법령에서 정한 직무상의 의무에 위반하여 국민에게 손해를 가하면 상당인과관계가 인정되는 범위 안에서 국가 또는 지방자치단체가 배상책임을 부담하는 것이지만, 공무원이 직무를 수행하면서 그 근거되는 법령의 규정에 따라 구체적으로 의무를 부여받았어도 그것이 국민의 이익과는 관계없이 순전히 행정기관 내부의 질서를 유지하기 위한 것이거나, 또는 국민의 이익과 관련된 것이라도 직접 국민 개개인의 이익을 위한 것이 아니라 전체적으로 공공 일반의 이익을 도모하기 위한 것이라면 그 의무에 위반하여 국민에게 손해를 가하여도 국가 또는 지방자치단체는 배상책임을 부담하지 아니한다(대판 2001.10.23. 99다36280).

함께 정리하기
국가배상

헌법상 구체적 입법의무 부존재
▷ 부작위로 인한 불법행위 불성립

입법예고
▷ 법령안에 관련된 사항의 공적 견해표명×

상당인과관계
▷ 전적으로 또는 부수적으로 사익보호성 要

금융감독원의 금융기관에 대한 검사·감독의무
▷ 투자자 개인의 이익 직접 보호×(상당인과관계 無)

④ (X) 금융감독원의 검사·감독의무 해태와 부산2저축은행 투자자의 손해 사이에는 상당인과관계가 없다.

1. 공무원이 법령에서 부과된 직무상 의무를 위반한 것을 계기로 제3자가 손해를 입은 경우에 제3자에게 손해배상청구권이 발생하기 위하여는 공무원의 직무상 의무 위반행위와 제3자의 손해 사이에 상당인과관계가 있지 아니하면 아니 되는 것이고, 상당인과관계의 유무를 판단함에 있어서는 일반적인 결과 발생의 개연성은 물론 직무상 의무를 부과한 법령 기타 행동규범의 목적이나 가해행위의 태양 및 피해의 정도 등을 종합적으로 고려하여야 할 것인바, 공무원에게 직무상 의무를 부과한 법령의 보호목적이 사회 구성원 <u>개인의 이익과 안전을 보호하기 위한 것이 아니고 단순히 공공일반의 이익이나 행정기관 내부의 질서를 규율하기 위한 것이라면</u>, 가사 공무원이 그 직무상 의무를 위반한 것을 계기로 하여 제3자가 손해를 입었다 하더라도 <u>공무원이 직무상 의무를 위반한 행위와 제3자가 입은 손해 사이에는 법리상 상당인과관계가 있다고 할 수 없다</u>(대판 2001.4.13. 2000다34891).
2. 원심은, 금융위원회의 설치 등에 관한 법률의 입법 취지 등에 비추어 볼 때, 피고 금융감독원에 금융기관에 대한 검사·감독의무를 부과한 법령의 목적이 금융상품에 투자한 투자자 개인의 이익을 직접 보호하기 위한 것이라고 할 수 없으므로, 피고 <u>금융감독원 및 그 직원들의 위법한 직무집행과 부산2저축은행의 후순위사채에 투자한 원고들이 입은 손해 사이에 상당인과관계가 있다고 보기 어렵다</u>(대판 2015.12.23. 2015다210194).

답 ③

019

행정상 손해배상에 대한 설명으로 옳지 않은 것은? (다툼이 있는 경우 판례에 의함)

① 국가배상청구권의 소멸시효 기간은 지났으나 국가가 소멸시효완성을 주장하는 것이 신의성실의 원칙에 반하는 권리남용으로 허용될 수 없어 배상책임을 이행한 경우, 국가는 원칙적으로 해당공무원에 대해 구상권을 행사할 수 있다.
② 공무원이 관계 법령의 해석이 확립되기 전에 어느 한 설을 취하여 업무를 처리한 것이 결과적으로 위법하더라도 처분 당시 그 이상의 업무처리를 성실한 평균적 공무원에게 기대하기 어려웠던 경우라면 원칙적으로 공무원의 과실을 인정할 수 없다.
③ 공무원이 직무를 수행하면서 그 근거가 되는 법령의 규정에 따라 구체적으로 의무를 부여받았어도 그것이 국민의 이익과 관계없이 순전히 행정기관 내부의 질서를 유지하기 위한 것이라면 그 의무에 위반하여 국민에게 손해를 가하여도 국가 등은 배상책임을 부담하지 않는다.
④ 행정처분 이후에 항고소송에서 취소되었다고 할지라도 그 기판력에 의하여 당해 행정처분이 곧바로 공무원의 고의 또는 과실로 인한 것으로서 불법행위를 구성한다고 단정할 수는 없다.

2022년 국가직 9급

① (×) 국가의 소멸시효 주장이 권리남용으로 배척된 경우 국가는 구상권을 행사할 수 없다.

> 공무원의 불법행위로 손해를 입은 피해자의 국가배상청구권의 소멸시효기간이 지났으나 국가가 소멸시효완성을 주장하는 것이 신의성실의 원칙에 반하는 권리남용으로 허용될 수 없어 배상책임을 이행한 경우에는, 그 소멸시효완성 주장이 권리남용에 해당하게 된 원인행위와 관련하여 해당 공무원이 그 원인이 되는 행위를 적극적으로 주도하였다는 등의 특별한 사정이 없는 한, 국가가 해당 공무원에게 구상권을 행사하는 것은 신의칙상 허용되지 않는다고 봄이 상당하다(대판 2016.6.9. 2015다200258).

② (○) 공무원이 관계 법령의 해석이 확립되기 전에 신중을 기해 일설을 취하여 처분한 경우 과실을 인정할 수 없다.

> 법령의 해석이 미묘하여 통일된 학설이 없고 판례도 확정되지 아니한 경우, 공무원이 신중한 태도로 일설을 취하여 처분한 경우에는 사후에 그 처분이 법원에서 위법한 것으로 판명되었다 하더라도 그와 같은 처리방법 이상의 것을 성실한 평균적 공무원에게 기대하기는 어려운 일이므로 국가배상법상 공무원의 과실이 있다고 보기 어렵다(대판 2004.6.11. 2002다31018).

유제 15. 국회직 8급 법령의 해석이 복잡·미묘하여 어렵고 학설·판례가 통일되지 않을 때에 공무원이 신중을 기해 그 중 어느 한 설을 취하여 처리한 경우에는 그 해석이 결과적으로 위법한 것이었다 하더라도 「국가배상법」상 공무원의 과실을 인정할 수 없다. (○)

③ (○) 직무상 의무가 내부질서·공익을 도모하기 위한 것이면 국가배상책임이 인정되지 않는다.

> 공무원에게 직무상 의무를 부과한 법령의 보호목적이 사회구성원 개인의 이익과 안전을 보호하기 위한 것이 아니고 단순히 공공 일반의 이익이나 행정기관 내부의 질서를 규율하기 위한 것이라면, 가사공무원이 그 직무상 의무를 위반한 것을 계기로 하여 제3자가 손해를 입었다 하더라도 공무원이 직무상 의무를 위반한 행위와 제3자가 입은 손해 사이에는 법리상 상당인과관계가 있다고 할 수 없다(대판 2001.4.13. 2000다34891).

④ (○) 항고소송에서 처분이 취소되어도 곧바로 불법행위를 구성하는 것은 아니다.

> 어떠한 행정처분 이후에 항고소송에서 취소된 사실만으로 당해 행정처분이 곧바로 공무원의 고의 또는 과실로 인한 것으로서 불법행위를 구성한다고 단정할 수는 없다(대판 2007.5.10. 2005다31828).

답 ①

함께 정리하기

국가배상

소멸시효완성주장 권리남용
▷ 배상책임이행
▷ 국가구상권×

법령의 해석이 확립되기 전 신중을 기해 일설 취하여 처분
▷ 과실×

직무상 의무가 순전히 내부질서유지, 공공 일반의 이익도모추구
▷ 국가배상책임×

항고소송에서 처분취소
▷ 곧바로 불법행위 구성×

020

국가배상에 대한 설명으로 옳지 않은 것은? (다툼이 있는 경우 판례에 의함)

① 공무원이 고의 또는 과실로 그에게 부과된 직무상 의무를 위반하였을 경우라고 하더라도 국가는 그러한 직무상의 의무위반과 피해자가 입은 손해 사이에 상당인과관계가 인정되는 범위 내에서만 배상책임을 진다.
② 공무원의 부작위로 인한 국가배상책임을 인정할 것인지 여부가 문제되는 경우에 관련 공무원에 대하여 작위의무를 명하는 형식적 법률의 규정이 없는 경우에는 국가배상책임이 인정되지 않는다.
③ 「국가배상법」 제5조 소정의 공공의 영조물이란 공유나 사유임을 불문하고 행정주체에 의하여 특정 공공의 목적에 공여된 유체물 또는 물적 설비를 의미한다.
④ 설치 공사 중인 옹벽은 아직 완성되지 아니하여 일반공중의 이용에 제공되지 않고 있었던 이상 공공의 영조물에 해당한다고 할 수 없다.

문제 DATA

출제가능 지수 ▶▶▷
난이도 지수 ★★☆

함께 정리하기

국가배상

직무행위와 손해
▷ 상당인과관계 要

행정청의 작위의무
▷ 명문규정 없이도 인정 可
▷ 조리상 작위의무○

영조물
▷ 공공목적에 제공된 유체물·물적 설비

공사 중인 옹벽
▷ 영조물×

2021년 지방직 7급

① (○) 국가배상책임이 인정되려면 공무원의 위법한 직무행위와 손해의 발생 사이에 상당한 인과관계가 있어야 한다. 상당인과관계란 어떤 원인이 있으면 그러한 결과가 발생하리라고 보통 인정되는 관계를 말한다. 판례에 따르면 상당인과관계의 유무를 판단함에 있어서는 일반적인 결과발생의 개연성은 물론 직무상의 의무를 부과하는 행동규범의 목적, 가해행위의 태양이나 피해의 정도 등을 종합적으로 고려하여야 한다(대판 1994.12.27. 94다36285).

② (×) 명문규정이 없이도 조리에 의한 작위의무가 인정될 수 있다.

> 공무원의 부작위로 인한 국가배상책임을 인정하기 위하여는 공무원의 작위로 인한 국가배상책임을 인정하는 경우와 마찬가지로 '공무원이 그 직무를 집행함에 당하여 고의 또는 과실로 법령에 위반하여 타인에게 손해를 가한 때'라고 하는 국가배상법 제2조 제1항의 요건이 충족되어야 할 것인바, 여기서 '법령에 위반하여'라고 하는 것이 엄격하게 형식적 의미의 법령에 명시적으로 공무원의 작위의무가 규정되어 있는데도 이를 위반하는 경우만을 의미하는 것은 아니고, 국민의 생명, 신체, 재산 등에 대하여 절박하고 중대한 위험상태가 발생하였거나 발생할 우려가 있어서 국민의 생명, 신체, 재산 등을 보호하는 것을 본래적 사명으로 하는 국가가 초법규적, 일차적으로 그 위험 배제에 나서지 아니하면 국민의 생명, 신체, 재산 등을 보호할 수 없는 경우에는 형식적 의미의 법령에 근거가 없더라도 국가나 관련 공무원에 대하여 그러한 위험을 배제할 작위의무를 인정할 수 있을 것이다. 그러나 그와 같은 절박하고 중대한 위험상태가 발생하였거나 발생할 우려가 있는 경우가 아닌 한, 원칙적으로 공무원이 관련 법령대로만 직무를 수행하였다면 그와 같은 공무원의 부작위를 가지고 '고의 또는 과실로 법령에 위반'하였다고 할 수는 없을 것이므로, 공무원의 부작위로 인한 국가배상책임을 인정할 것인지 여부가 문제되는 경우에 관련 공무원에 대하여 작위의무를 명하는 법령의 규정이 없다면 공무원의 부작위로 인하여 침해된 국민의 법익 또는 국민에게 발생한 손해가 어느 정도 심각하고 절박한 것인지, 관련 공무원이 그와 같은 결과를 예견하여 그 결과를 회피하기 위한 조치를 취할 수 있는 가능성이 있는지 등을 종합적으로 고려하여 판단하여야 할 것이다 (대판 2001.4.24. 2000다57856).

③ (○) 공공의 영조물이란 공유나 사유임을 불문하고 공공의 목적에 공여된 유체물 또는 물적 설비를 의미한다.

> 국가배상법 제5조 소정의 공공의 영조물이란 공유나 사유임을 불문하고 행정주체에 의하여 특정공공의 목적에 공여된 유체물 또는 물적 설비를 의미하므로 사실상 군민의 통행에 제공되고 있던 도로 옆의 암벽으로부터 떨어진 낙석에 맞아 소외인이 사망하는 사고가 발생하였다고 하여도 동 사고지점 도로가 피고 군에 의하여 노선인정 기타 공용개시가 없었으면 이를 영조물이라 할 수 없다(대판 1981.7.7. 80다2478).

④ (○) 아직 완성되지 않아 일반 공중의 이용에 제공되지 않은 공사 중인 옹벽은 영조물이 아니다.

> 지방자치단체가 비탈사면인 언덕에 대하여 현장조사를 한 결과 붕괴의 위험이 있음을 발견하고 이를 붕괴위험지구로 지정하여 관리하여 오다가 붕괴를 예방하기 위하여 언덕에 옹벽을 설치하기로 하고 소외 회사에게 옹벽시설공사를 도급 주어 소외 회사가 공사를 시행하다가 깊이 3m의 구덩이를 파게 되었는데, 피해자가 공사현장 주변을 지나가다가 흙이 무너져 내리면서 위 구덩이에 추락하여 상해를 입게 된 사안에서, 위 사고 당시 설치하고 있던 옹벽은 소외 회사가 공사를 도급받아 공사 중에 있었을 뿐만 아니라 아직 완성도 되지 아니하여 일반 공중의 이용에 제공되지 않고 있었던 이상 국가배상법 제5조 제1항 소정의 영조물에 해당한다고 할 수 없다(대판 1998.10.23. 98다17381).

유제 21. 소방직 지방자치단체가 옹벽시설공사를 업체에게 주어 공사를 시행하다가 사고가 일어난 경우, 옹벽이 공사 중이고 아직 완성되지 아니하여 일반 공중의 이용에 제공되지 않았다면 「국가배상법」 제5조 소정의 영조물에 해당한다고 할 수 없다. (○)

답 ②

021 □□□

「국가배상법」에 대한 설명으로 옳지 않은 것은? (다툼이 있는 경우 판례에 의함)

① 공무원들의 공무원증 발급 업무를 하는 공무원이 다른 공무원의 공무원증을 위조하는 행위는 「국가배상법」상의 직무집행에 해당하지 않는다.
② 국가의 철도운행사업과 관련하여 발생한 사고로 인한 손해배상청구의 경우 그 사고에 공무원이 간여하였다고 하더라도 국가배상법이 아니라 「민법」이 적용되어야 하지만, 철도시설물의 설치 또는 관리의 하자로 인한 손해배상청구의 경우에는 「국가배상법」이 적용된다.
③ 재판작용에 대한 국가배상의 경우, 재판에 대하여 불복절차 내지 시정절차 자체가 없는 경우에는 부당한 재판으로 인하여 불이익 내지 손해를 입은 사람은 국가배상책임의 요건이 충족된다면 국가배상을 청구할 수 있다.
④ 영업허가취소처분이 나중에 행정심판에 의하여 재량권을 일탈한 위법한 처분이 되었더라도 그 처분이 당시 시행되던 「공중위생법 시행규칙」에 정하여진 행정처분의 기준에 따른 것이라면 그 영업허가취소처분을 한 공무원에게 그와 같은 위법한 처분을 한 데 있어 어떤 직무집행상의 과실이 있다고 할 수 없다.

◎ 문제 DATA
출제가능 지수 ▶▶▷
난이도 지수 ★★☆

2021년 국가직 7급

① (×) 인사업무 담당 공무원의 공무원증 위조는 직무관련성이 인정된다.

> [1] 국가배상법 제2조 제1항의 '직무를 집행함에 당하여'라 함은 직접 공무원의 직무집행행위이거나 그와 밀접한 관련이 있는 행위를 포함하고, 이를 판단함에 있어서는 행위 자체의 외관을 객관적으로 관찰하여 공무원의 직무행위로 보여질 때에는 비록 그것이 실질적으로 직무행위가 아니거나 또는 행위자로서는 주관적으로 공무집행의 의사가 없었다고 하더라도 그 행위는 공무원이 '직무를 집행함에 당하여' 한 것으로 보아야 한다.
> [2] 울산세관의 통관지원과에서 인사업무를 담당하면서 울산세관 공무원들의 공무원증 및 재직증명서 발급업무를 하는 공무원인 소외인이 울산세관의 다른 공무원의 공무원증 등을 위조하는 행위는 비록 그것이 실질적으로는 직무행위에 속하지 아니한다 할지라도 적어도 외관상으로는 공무원증과 재직증명서를 발급하는 행위로서 직무집행으로 보여진다(대판 2005.1.14. 2004다26805).

② (○) 철도운행사고로 인한 손해배상청구는 공무원의 직무상 과실을 원인으로 한 경우 민법이, 영조물의 설치·관리의 하자를 원인으로 한 경우에는 국가배상법이 적용된다.

> 국가 또는 지방자치단체라 할지라도 공권력의 행사가 아니고 단순한 사경제의 주체로 활동하였을 경우에는 그 손해배상책임에 국가배상법이 적용될 수 없고 민법상의 사용자책임 등이 인정되는 것이고 국가의 철도운행사업은 국가가 공권력의 행사로서 하는 것이 아니고 사경제적 작용이라 할 것이므로, 이로 인한 사고에 공무원이 간여하였다고 하더라도 국가배상법을 적용할 것이 아니고 일반 민법의 규정에 따라야 하므로, 국가배상법상의 배상전치절차를 거칠 필요가 없으나, 공공의 영조물인 철도시설물의 설치 또는 관리의 하자로 인한 불법행위를 원인으로 하여 국가에 대하여 손해배상청구를 하는 경우에는 국가배상법이 적용되므로 배상전치절차를 거쳐야 한다(대판 1999.6.22. 99다7008).

③ (○) 불복절차가 없는 재판의 경우에는 국가배상책임을 인정할 수 있다.

> 재판에 대하여 따로 불복절차 또는 시정절차가 마련되어 있는 경우에는 재판의 결과로 불이익 내지 손해를 입었다고 여기는 사람은 그 절차에 따라 자신의 권리 내지 이익을 회복하도록 함이 법이 예정하는 바이므로, 불복에 의한 시정을 구할 수 없었던 것 자체가 법관이나 다른 공무원의 귀책사유로 인한 것이라거나 그와 같은 시정을 구할 수 없었던 부득이한 사정이 있었다는 등의 특별한 사정이 없는 한, 스스로 그와 같은 시정을 구하지 아니한 결과 권리 내지 이익을 회복하지 못한 사람은 원칙적으로 국가배상에 의한 권리구제를 받을 수 없다고 봄이 상당하다고 하겠으나, 재판에 대하여 불복절차 내지 시정절차 자체가 없는 경우에는 부당한 재판으로 인하여 불이익 내지 손해를 입은 사람은 국가배상 이외의 방법으로는 자신의 권리 내지 이익을 회복할 방법이 없으므로, 이와 같은 경우에는 배상책임의 요건이 충족되는 한 국가배상책임을 인정하지 않을 수 없다(대판 2003.7.11. 99다24218).

☑ 함께 정리하기

국가배상

인사업무담당공무원의 공무원증 위조
▷ 직무관련성○

철도운행사고로 인한 손해배상청구
▷ 직무상 과실: 「민법」
▷ 설치·관리의 하자: 「국가배상법」

불복·시정절차 없는 재판
▷ 국가배상 책임 인정 可

행정처분 기준따라 처분
▷ 과실×

④ (○) 행정처분 기준에 따른 처분에는 과실이 인정되지 않는다.

> 영업허가취소처분이 나중에 행정심판에 의하여 재량권을 일탈한 위법한 처분임이 판명되어 취소되었다고 하더라도 그 처분이 당시 시행되던 공중위생법 시행규칙에 정해진 행정처분의 기준에 따른 것인 이상 그 영업허가취소처분을 한 행정청 공무원에게 그와 같은 위법한 처분을 한 데 있어 어떤 직무집행상의 과실이 있다고 할 수는 없다(대판 1994.11.8. 94다26141).

답 ①

022 □□□

국가배상에 대한 설명으로 옳지 않은 것은? (다툼이 있는 경우 판례에 의함)

① 국가나 지방자치단체가 손해를 배상할 책임이 있는 경우에 공무원의 선임·감독 또는 영조물의 설치·관리를 맡은 자와 공무원의 봉급·급여, 그 밖의 비용 또는 영조물의 설치·관리비용을 부담하는 자가 동일하지 아니하면 그 비용을 부담하는 자도 손해를 배상하여야 한다.

② 국가배상책임에 있어서 국가는 직무상의 의무위반과 피해자가 입은 손해 사이에 상당인과관계가 인정되는 범위 내에서만 배상책임을 지는 것이고, 이 경우 상당인과관계가 인정되기 위해서는 공무원에게 부과된 직무상 의무의 내용이 전적으로 또는 부수적으로 사회구성원 개인의 안전과 이익을 보호하기 위하여 설정된 것이어야 한다.

③ 「국가배상법」상 '공공의 영조물'은 지방자치단체가 소유권, 임차권 그 밖의 권한에 기하여 관리하고 있는 경우는 포함하지만, 사실상의 관리를 하고 있는 경우는 포함하지 않는다.

④ 공무원 개인이 고의 또는 중과실이 있는 경우에는 불법행위로 인한 손해배상책임을 진다고 할 것이지만, 공무원의 위법행위가 경과실에 기한 경우에는 공무원은 손해배상책임을 부담하지 않는다.

2021년 지방직 9급

① (○) 피해자는 사무귀속주체와 비용부담주체가 동일하지 않을 때에는 선택적으로 배상을 청구할 수 있다.

> 「국가배상법」 제6조 【비용부담자등의 책임】 ① 제2조·제3조 및 제5조에 따라 국가나 지방자치단체가 손해를 배상할 책임이 있는 경우에 공무원의 선임·감독 또는 영조물의 설치·관리를 맡은 자와 공무원의 봉급·급여, 그 밖의 비용 또는 영조물의 설치·관리 비용을 부담하는 자가 동일하지 아니하면 그 비용을 부담하는 자도 손해를 배상하여야 한다.

② (○) 직무상 의무에는 사익보호성이 요구된다.

> 일반적으로 국가 또는 지방자치단체가 권한을 행사할 때에는 국민에 대한 손해를 방지하여야 하고, 국민의 안전을 배려하여야 하며, 소속 공무원이 전적으로 또는 부수적으로라도 국민 개개인의 안전과 이익을 보호하기 위하여 법령에서 정한 직무상의 의무에 위반하여 국민에게 손해를 가하면 상당인과관계가 인정되는 범위 안에서 국가 또는 지방자치단체가 배상책임을 부담하는 것이지만, 공무원이 직무를 수행하면서 그 근거되는 법령의 규정에 따라 구체적으로 의무를 부여받았어도 그것이 국민의 이익과는 관계없이 순전히 행정기관 내부의 질서를 유지하기 위한 것이거나, 또는 국민의 이익과 관련된 것이라도 직접 국민 개개인의 이익을 위한 것이 아니라 전체적으로 공공 일반의 이익을 도모하기 위한 것이라면 그 의무에 위반하여 국민에게 손해를 가하여도 국가 또는 지방자치단체는 배상책임을 부담하지 아니한다(대판 2006.4.14. 2003다41746).

문제 DATA
출제가능 지수 ▶▶▷
난이도 지수 ★★☆

함께 정리하기

국가배상

사무귀속주체≠비용부담주체
▷ 피해자는 선택적 청구 可

직무상 의무
▷ 사익보호성 있어야

영조물관리
▷ 사실상 관리○

고의·중과실 공무원
▷ 민사상책임○

경과실 공무원
▷ 민사상책임×

③ (×) 영조물의 관리에는 사실상의 관리가 포함된다.

> '공공의 영조물'이라 함은 국가 또는 지방자치단체에 의하여 특정 공공의 목적에 공여된 유체물 내지 물적 설비를 말한다. 특정 공공의 목적에 공여된 물이라 함은 일반공중의 자유로운 사용에 직접적으로 제공되는 공공용물에 한하지 아니하고 행정주체 자신의 사용에 제공되는 공용물도 포함하며, 국가 또는 지방자치단체가 소유권, 임차권, 그 밖의 권한에 기하여 관리하고 있는 경우뿐만 아니라 사실상의 관리를 하고 있는 경우도 포함한다(대판 1995.1.24. 94다45302).

④ (○) 고의 또는 중과실이 있는 공무원은 민사상 배상책임을 부담한다.

> 공무원이 직무상 불법행위를 한 경우에 국가 또는 지방자치단체가 배상책임을 부담하는 외에 공무원 개인도 고의 또는 중과실이 있는 경우에는 불법행위로 인한 손해배상책임을 지지만, 공무원에게 경과실뿐인 경우에는 공무원 개인은 손해배상책임을 부담하지 않는다(대판 1996.8.23. 96다19833).

답 ③

023 □□□

「국가배상법」상 공무원의 위법한 직무행위로 인한 손해배상에 대한 설명으로 옳은 것은? (다툼이 있는 경우 판례에 의함)

① 일반적으로 공무원이 필요한 지식을 갖추지 못하고 법규의 해석을 그르쳐 행정처분을 하였다면 그가 법률전문가가 아닌 행정직 공무원이라고 하여 과실이 없다고는 할 수 없다.
② 국가배상의 요건인 '공무원의 직무'에는 국가나 지방자치단체의 비권력적 작용과 사경제주체로서 하는 작용이 포함된다.
③ 손해배상책임을 묻기 위해서는 가해 공무원을 특정하여야 한다.
④ 국가가 가해 공무원에 대하여 구상권을 행사하는 경우 국가가 배상한 배상액 전액에 대하여 구상권을 행사하여야 한다.

2021년 국가직 9급

① (○) 관계법규의 무지에는 과실이 인정된다.

> 법령에 대한 해석이 복잡, 미묘하여 워낙 어렵고, 이에 대한 학설, 판례조차 귀일되어 있지 않는 등의 특별한 사정이 없는 한 일반적으로 공무원이 관계법규를 알지 못하거나 필요한 지식을 갖추지 못하고 법규의 해석을 그르쳐 행정처분을 하였다면 그가 법률전문가 아닌 행정직 공무원이라고 하여 과실이 없다고는 할 수 없는바, 서울특별시 중구청장이 미성년자인 남녀의 혼숙행위를 이유로 숙박업 영업허가를 취소하였다면 서울특별시는 국가배상법상의 손해배상 책임이 있다(대판 1981.8.25. 80다1598).

② (×) 직무행위에는 사경제 주체로서의 작용은 제외된다.

> 국가배상법이 정한 배상청구의 요건인 '공무원의 직무에는 권력적 작용만이 아니라 행정지도와 같은 비권력적 작용도 포함되며 단지 행정주체가 사경제주체로서 하는 활동만 제외된다(대판 2004.4.9. 2002다10691).

③ (×) 가해 공무원이 반드시 개별적으로 특정될 필요는 없다.

> 국가경찰의 과도한 시위진압으로 인하여 시위 참가자가 사망한 경우 국가의 손해배상책임이 인정되고, 피해자의 시위에 참가하여 사망에 이르기까지의 행위에 대한 책임으로 30% 과실상계를 한 사례(대판 1995.11.10. 95다23897)

유제 15. 교행 불법행위를 행한 가해 공무원을 특정할 수 없는 경우에는 국가배상책임이 인정되지 않는다. (×)
12. 국가직 9급 「국가배상법」상 과실을 판단할 경우 보통 일반의 공무원을 그 표준으로 하고 반드시 누구의 행위인지 가해 공무원을 특정하여야 한다. (×)

문제 DATA
출제가능 지수 ▶▶▷
난이도 지수 ★★☆

함께 정리하기
국가배상

관계법규 무지
▷ 과실○

공무원의 직무
▷ 권력적 작용 & 비권력적 작용○/사경제주체×

가해공무원의 개별적 특정
▷ 不要

구상권 행사의 범위
▷ 신의칙상 상당한 범위 내

④ (×) 국가는 신의칙상 상당하다고 인정되는 한도 내에서만 구상권을 행사할 수 있다.

> 국가배상법 제2조는, 공무원이 직무를 집행하면서 고의 또는 과실로 법령을 위반하여 타인에게 손해를 입힌 때에는 국가나 지방자치단체가 배상책임을 부담하고(제1항), 국가 등이 그 책임을 이행한 경우에 해당 공무원에게 고의 또는 중대한 과실이 있으면 그 공무원에게 구상할 수 있다(제2항)고 규정하고 있다. 이 경우 국가나 지방자치단체는 해당 공무원의 직무내용, 불법행위의 상황과 손해발생에 대한 해당 공무원의 기여 정도, 평소 근무태도, 불법행위의 예방이나 손실분산에 관한 국가 또는 지방자치단체의 배려의 정도 등 제반 사정을 참작하여 손해의 공평한 분담이라는 견지에서 신의칙상 상당하다고 인정되는 한도 내에서 구상권을 행사할 수 있다(대판 2016.6.9. 2015다200258).

답 ①

024

국가배상에 대한 설명으로 옳은 것은? (다툼이 있는 경우 판례에 의함)

① 행정처분의 담당공무원이 주관적 주의의무를 결하여 그 행정처분이 주관적 정당성을 상실하였다고 인정될 정도에 이른 경우에 「국가배상법」 제2조의 요건을 충족하였다고 봄이 상당하다.
② 「국가배상법」 제6조 제1항에 의하면 지방자치단체장이 설치하여 관할지방경찰청장에게 관리권한이 위임된 교통신호기의 고장으로 인하여 교통사고가 발생한 경우, 지방자치단체가 손해배상책임을 지고 국가는 피해자에 대하여 배상책임을 지지 않는다.
③ 국민이 법령에 정하여진 수질기준에 미달한 상수원수로 생산된 수돗물을 마심으로써 건강상의 위해 발생에 대한 염려 등에 따른 정신적 고통을 받았다고 하더라도, 이러한 사정만으로는 국가 또는 지방자치단체가 국민에게 손해배상책임을 부담하지 아니한다.
④ 「국가배상법」 제5조 제1항 소정의 '공공의 영조물'이라 함은 국가 또는 지방자치단체에 의하여 특정 공공의 목적에 공여된 유체물 내지 물적 설비를 말하며, 국가 또는 지방자치단체가 소유권, 임차권, 그 밖의 권한에 기하여 관리하고 있는 경우로 한정되고 사실상의 관리를 하고 있는 경우는 포함되지 않는다.

| 2020년 지방직 7급

① (×) 보통 일반의 공무원을 기준으로 객관적 주의의무를 위반하여 객관적 정당성을 상실한 경우 과실이 인정된다.

> 국가배상법상 과실은 행정처분의 담당공무원이 보통 일반의 공무원을 표준으로 하여 볼 때 객관적 주의의무를 결하여 그 행정처분이 객관적 정당성을 상실하였다고 인정될 정도에 이른 경우를 말한다(대판 2003. 11.27. 2001다33789·33796·33802·33819).

② (×) 국가에 기관위임된 사무의 경우 국가는 형식적 비용부담자로서 배상책임을 부담한다.

> 지방자치단체장이 교통신호기를 설치하여 그 관리권한이 도로교통법 제71조의2 제1항의 규정에 의하여 관할지방경찰청장에게 위임되어 지방자치단체 소속 공무원과 지방경찰청 소속 공무원이 합동근무하는 교통종합관제센터에서 그 관리업무를 담당하던 중 위 신호기가 고장난 채 방치되어 교통사고가 발생한 경우, 국가배상법 제2조 또는 제5조에 의한 배상책임을 부담하는 것은 지방경찰청장이 소속된 국가가 아니라, 그 권한을 위임한 지방자치단체장이 소속된 지방자치단체라고 할 것이나, 한편 국가배상법 제6조 제1항은 같은 법 제2조, 제3조 및 제5조의 규정에 의하여 국가 또는 지방자치단체가 손해를 배상할 책임이 있는 경우에 공무원의 선임·감독 또는 영조물의 설치·관리를 맡은 자와 공무원의 봉급·급여 기타의 비용 또는 영조물의 설치·관리의 비용을 부담하는자가 동일하지 아니한 경우에는 그 비용을 부담하는 자도 손해를 배상하여야 한다고 규정하고 있으므로 교통신호기를 관리하는 지방경찰청장 산하 경찰관들에 대한 봉급을 부담하는 국가도 국가배상법 제6조 제1항에 의한 배상책임을 부담한다(대판 1999.6.25. 99다11120).

문제 DATA

출제가능 지수 ▶▶▷
난이도 지수 ★★☆

함께 정리하기

국가배상
고의·과실 판단기준
▷ 보통 일반의 공무원을 표준으로 한 객관적 주의의무 위반
기관위임(to 국가)
▷ 국가(형식적비용부담자)배상책임: 제6조
상수원수 수질미달
▷ 배상책임×
영조물 관리
▷ 국가 or 지방자치단체가 권한에 기해 관리, 사실상 관리 모두 포함O

③ (○) 상수원의 수질이 미달한다는 것만으로는 배상책임이 인정되는 것은 아니다.

> 국민에게 공급된 수돗물의 상수원의 수질이 수질기준에 미달한 경우가 있고, 이로 말미암아 국민이 법령에 정하여진 수질기준에 미달한 상수원수로 생산된 수돗물을 마심으로써 건강상의 위해 발생에 대한 염려 등에 따른 정신적 고통을 받았다고 하더라도, 이러한 사정만으로는 국가 또는 지방자치단체가 국민에게 손해배상책임을 부담하지 아니한다. 또한 상수원수 2급에 미달하는 상수원수는 고도의 정수처리 후 사용하여야 한다는 환경정책기본법령상의 의무 역시 위에서 본 수질기준 유지의무와 같은 성질의 것이므로, 지방자치단체가 상수원수의 수질기준에 미달하는 하천수를 취수하거나 상수원수 3급 이하의 하천수를 취수하여 고도의 정수처리가 아닌 일반적 정수처리 후 수돗물을 생산·공급하였다고 하더라도, 그렇게 공급된 수돗물이 음용수 기준에 적합하고 몸에 해로운 물질이 포함되어 있지 아니한 이상, 지방자치단체의 위와 같은 수돗물 생산·공급행위가 국민에 대한 불법행위가 되지 아니한다(대판 2001.10.23. 99다36280).

④ (×) 국가나 지자체의 영조물 관리에는 사실상 관리도 포함된다.

> ㉠ '공공의 영조물'이라 함은 국가 또는 지방자치단체에 의하여 특정 공공의 목적에 공여된 유체물 내지 물적 설비를 말한다. ㉡ 특정 공공의 목적에 공여된 물이라 함은 일반공중의 자유로운 사용에 직접적으로 제공되는 공공용물에 한하지 아니하고 행정주체 자신의 사용에 제공되는 공용물도 포함하며, 국가 또는 지방자치단체가 소유권, 임차권, 그 밖의 권한에 기하여 관리하고 있는 경우뿐만 아니라 사실상의 관리를 하고 있는 경우도 포함한다 (대판 1995.1.24. 94다45302).

답 ③

025

국가배상에 대한 설명으로 옳지 않은 것은? (다툼이 있는 경우 판례에 의함)

① 국가배상책임에서의 법령위반은, 인권존중·권력남용금지·신의성실·공서양속 등의 위반도 포함해 널리 그 행위가 객관적인 정당성을 결여하고 있음을 의미한다.
② 공무원에게 부과된 직무상 의무는 전적으로 또는 부수적으로 사회구성원 개인의 안전과 이익을 보호하기 위해 설정된 것이어야 국가배상책임이 인정된다.
③ 배상심의회의 결정은 대외적인 법적 구속력을 가지므로 배상신청인과 상대방은 그 결정에 항상 구속된다.
④ 판례는 구「국가배상법」제3조의 배상액기순은 배상심의회 배상액 결정의 기준이 될 뿐 배상범위를 법적으로 제한하는 규정이 아니므로 법원을 기속하지 않는다고 보았다.

2020년 지방직 9급

① (○) 「국가배상법」상 법령위반에는 객관적 정당성의 결여도 포함된다.

> 공무원의 행위를 원인으로 한 국가배상책임을 인정하기 위하여는 '공무원이 직무를 집행하면서 고의 또는 과실로 법령을 위반하여 타인에게 손해를 입힌 때'라고 하는 국가배상법 제2조 제1항의 요건이 충족되어야 한다. 여기서 '법령을 위반하여'라고 함은 엄격하게 형식적 의미의 법령에 명시적으로 공무원의 행위의무가 정하여져 있음에도 이를 위반하는 경우 만을 의미하는 것은 아니고, 인권존중·권력남용금지·신의성실과 같이 공무원으로서 마땅히 지켜야 할 준칙이나 규범을 지키지 아니하고 위반한 경우를 비롯하여 널리 그 행위가 객관적인 정당성을 결여하고 있는 경우도 포함한다(대판 2015.8.27. 2012다204587).

② (○) 「국가배상법」상 상당인과관계에는 공무원의 직무상 의무가 전적·부수적으로 사익보호성이 있을 것이 요구된다.

> 공무원의 직무상 의무위반행위에 대해 국가 또는 지방자치단체가 손해배상책임을 지기 위해서는 법령에서 정한 직무상 의무가 전적으로 또는 부수적으로라도 국민 개개인의 안전과 이익을 보호하기 위한 것이어야 한다(대판 2006.4.14. 2003다41746).

◎ 문제 DATA
출제가능 지수 ▶▶▷
난이도 지수 ★★☆

🗒 함께 정리하기

국가배상

「국가배상법」상 법령위반
▷ 객관적 정당성의 결여 포함

상당인과관계
▷ 전적으로 또는 부수적으로 사익보호성 要

배상심의회 결정
▷ 법적구속력×

「국가배상법」제3조상의 배상기준
▷ 법원을 기속×
▷ 기준액설, 법원은 배상기준보다 초과배상 可

③ (×) 배상심의회의 결정은 법적 구속력을 갖지 않으며 신청인은 그 결정에 대한 동의여부를 결정할 수 있다. 배상결정을 받은 신청인이 배상금지급의 청구를 하지 않거나 지자체가 법령이 정한 기간 내에 배상금을 지급하지 않는 때에는 그 결정에 동의하지 아니한 것으로 본다(「국가배상법」 제15조 제3항). 또한 배상결정에 동의하거나 배상금을 수령한 경우에도 법원에 국가배상청구소송을 제기할 수 있다. 개정 전 「국가배상법」 제16조에서는 "심의회의 배상결정은 신청인이 동의한 때 「민사소송법」의 규정에 의한 재판상의 화해가 성립된 것으로 본다."고 규정하고 있었으나 이는 국민의 재판청구권을 과도하게 제한하는 것이라고 하여 위헌결정(헌재 1995.5.25. 91헌가7)을 받은 후 삭제되었다.

배상심의회의 결정은 대외적으로 법적 구속력을 갖지 않는다.
배상심의회의 결정을 거치는 것은 민사상의 손해배상청구를 하기 전의 전치요건에 불과하다고 할 것이므로 배상심의회의 결정은 이를 행정처분이라고 할 수 없다(대판 1981.2.10. 80누317).

④ (○) 「국가배상법」상 배상기준은 기준액을 정한 것으로서 법원을 기속하지 않는다.

구 국가배상법 제3조 제1항과 제3항의 손해배상의 기준은 배상심의회의 배상금지급기준을 정함에 있어서의 하나의 기준을 정한 것에 지나지 아니하는 것이고, 이로써 배상액의 상한을 제한한 것으로 볼 수 없다 할 것이며, 따라서 법원이 국가배상법에 의한 손해배상액을 산정함에 있어서 그 기준에 구애되는 것이 아니라 할 것이다(대판 1970.1.29. 69다1203).

답 ③

026

「국가배상법」 제2조에 따른 배상책임에 대한 설명으로 가장 옳지 않은 것은? (다툼이 있는 경우 판례에 의함)

① 공무원에게 부과된 직무상 의무의 내용이 순전히 행정기관 내부의 질서를 유지하기 위한 것이거나 전체적으로 공공 일반의 이익을 도모하기 위한 것인 경우, 국가 또는 지방자치단체가 배상책임을 부담하지 아니한다.
② 헌법재판소 재판관이 청구기간 내에 제기된 헌법소원심판청구사건에서 청구기간을 오인하여 각하결정을 한 경우, 이에 대한 불복절차 내지 시정절차가 없는 때에는 국가배상책임(위법성)을 인정할 수 있다.
③ 어떠한 행정처분이 후에 항고소송에서 위법한 것으로서 취소되었다면, 그로써 곧 당해 행정처분은 공무원의 고의 또는 과실에 의한 불법행위를 구성한다고 보아야 한다.
④ 「국가배상법」이 정한 손해배상청구의 요건인 '공무원의 직무'에는 국가나 지방자치단체의 권력적 작용뿐만 아니라 비권력적 작용도 포함되지만 단순한 사경제의 주체로서 하는 작용은 포함되지 않는다.

2019년 서울시 7급

① (○) 직무상 의무가 순전히 내부질서·공익을 도모하기 위한 것이라면 국가배상책임이 인정되지 않는다.

공무원이 직무를 수행하면서 그 근거되는 법령의 규정에 따라 구체적으로 의무를 부여받았어도 그것이 국민의 이익과는 관계없이 순전히 행정기관 내부의 질서를 유지하기 위한 것이거나, 또는 국민의 이익과 관련된 것이라도 직접 국민 개개인의 이익을 위한 것이 아니라 전체적으로 공공 일반의 이익을 도모하기 위한 것이라면 그 의무에 위반하여 국민에게 손해를 가하여도 국가 또는 지방자치단체는 배상책임을 부담하지 아니한다(대판 2006.4.14. 2003다41746).

② (○) 헌재재판관이 청구기간을 오인하여 각하한 경우에는 국가배상책임이 인정된다.

> 민법재판소 재판관이 청구기간 내에 제기된 민법소원심판청구사건에서 청구기간을 오인하여 각하결정을 한 경우, 이에 대한 불복절차 내지 시정절차가 없는 때에는 국가배상책임(위법성)을 인정할 수 있다(대판 2003.7.11. 99다24218).

③ (×) 항고소송에서 처분이 취소되어도 불법행위를 구성한다고 단정할 수는 없다.

> 어떠한 행정처분이 후에 항고소송에서 취소된 사실만으로 당해 행정처분이 곧바로 공무원의 고의 또는 과실로 인한 것으로서 불법행위를 구성한다고 단정할 수는 없다(대판 2007.5.10. 2005다31828).

④ (○) 사경제 주체로서의 작용은 직무행위에 포함되지 않는다.

> 국가배상법이 정한 배상청구의 요건인 '공무원의 직무'에는 권력적 작용만이 아니라 행정지도와 같은 비권력적 작용도 포함되며 단지 행정주체가 사경제주체로서 하는 활동만 제외된다(대판 2004.4.9. 2002다10691).

답 ③

027

행정상 손해배상에 대한 판례의 입장으로 옳지 않은 것은?

① 「국가배상법」 제2조에 따른 공무원은 국가공무원법 등에 의해 공무원의 신분을 가진 자에 국한하지 않고, 널리 공무를 위탁받아 실질적으로 공무에 종사하고 있는 일체의 자를 가리킨다.
② 공무원이 직무를 수행하면서 그 근거법령에 따라 구체적으로 의무를 부여받았어도 그것이 국민 개개인의 이익을 위한 것이 아니라 전체적으로 공공 일반의 이익을 도모하기 위한 것이라면 그 의무에 위반하여 국민에게 손해를 가하여도 국가 또는 지방자치단체는 배상책임을 지지 않는다.
③ 어떠한 행정처분이 항고소송에서 취소되었을 지라도 그 기판력에 의하여 당해 행정처분이 곧바로 공무원의 고의 또는 과실로 인한 것으로서 국가배상책임이 성립한다고 단정할 수는 없다.
④ 「공직선거법」이 후보자가 되고자 하는 자와 그 소속 정당에게 전과기록을 조회할 권리를 부여하고 수사기관에 회보의무를 부과한 것은 공공의 이익만을 위한 것이지 후보자가 되고자 하는 자나 그 소속정당의 개별적 이익까지 보호하기 위한 것은 아니다.

| 2019년 국가직 7급

① (○) 「국가공무원법」상 공무원은 공무에 종사하는 일체의 자를 의미한다.

> 국가배상법 제2조 소정의 '공무원'이라 함은 국가공무원법이나 지방공무원법에 의하여 공무원으로서의 신분을 가진 자에국한하지 않고, 널리 공무를 위탁받아 실질적으로 공무에 종사하고 있는 일체의 자를 가리키는 것으로서, 공무의 위탁이 일시적이고 한정적인 사항에 관한 활동을 위한 것이어도 달리 볼 것은 아니라고 할 것이다(대판 2001.1.5. 93다39060).

② (○) 공무원의 직무상의 의무가 공공 일반의 이익을 도모하기 위한 것이면 배상책임이 없다.

> 일반적으로 국가 또는 지방자치단체가 권한을 행사할 때에는 국민에 대한 손해를 방지하여야 하고, 국민의 안전을 배려하여야 하며, 소속 공무원이 전적으로 또는 부수적으로라도 국민 개개인의 안전과 이익을 보호하기 위하여 법령에서 정한 직무상의 의무에 위반하여 국민에게 손해를 가하면 상당인과관계가 인정되는 범위 안에서 국가 또는 지방자치단체가 배상책임을 부담하는 것이지만, 공무원이 직무를 수행하면서

문제 DATA

출제가능 지수 ▶▶▷
난이도 지수 ★★☆

함께 정리하기

국가배상

공무원
▷ 공무에 종사하는 일체의 자

직무상 의무가 사익 보호를 위한 것이 아닌 경우
▷ 배상책임×

항고소송에서 처분취소
▷ 곧바로 국가 배상성립×

공선법상 전과조회 · 회보의무
▷ 후보자가 되려는 자, 소속 정당의 개별적 이익까지 보호○

그 근거되는 법령의 규정에 따라 구체적으로 의무를 부여받았어도 그것이 국민의 이익과는 관계없이 순전히 행정기관 내부의 질서를 유지하기 위한 것이거나, 또는 국민의 이익과 관련된 것이라도 직접 국민 개개인의 이익을 위한 것이 아니라 전체적으로 공공 일반의 이익을 도모하기 위한 것이라면 그 의무에 위반하여 국민에게 손해를 가하여도 국가 또는 지방자치단체는 배상책임을 부담하지 아니한다(대판 2001.10.23. 99다36280).

③ (○) 처분이 항고소송에서 취소되어도 불법행위를 구성한다고 단정할 수 없다.

행정처분이 후에 항고소송에서 취소된 사실만으로 당해 행정처분이 곧바로 공무원의 고의 또는 과실로 인한 것으로서 불법행위를 구성한다고 단정할 수는 없고, 객관적 정당성을 상실하였다고 인정되어야 국가배상책임의 요건이 충족된다(대판 2000.5.12. 99다70600).

④ (×) 「공직선거법」상 전과기록 회보의무는 후보자가 되려는 자와 소속 정당의 개별적인 이익도 보호하기 위함이다.

공직선거법이 위와 같이 후보자가 되고자 하는 자와 그 소속 정당에게 전과기록을 조회할 권리를 부여하고 수사기관에 회보의무를 부과한 것은 단순히 유권자의 알 권리 보호 등 공공 일반의 이익만을 위한 것이 아니라, 그와 함께 후보자가 되고자 하는 자가 자신의 피선거권 유무를 정확하게 확인할 수 있게 하고, 정당이 후보자가 되고자 하는 자의 범죄경력을 파악함으로써 부적격자를 공천함으로 인하여 생길 수 있는 정당의 신뢰도 하락을 방지할 수 있게 하는 등의 개별적인 이익도 보호하기 위한 것이라고 할 수 있다(대판 2011.9.8. 2011다34521).

※ 10개월 이상 개인용 및 공직선거 후보자용의 범죄경력조회 회보서 발급업무를 담당하던 경찰공무원이 공직선거 후보자용 범죄경력조회서에는 금고 이상의 형은 실효되었더라도 이를 기재하여야 한다는 것을 알고 있었음에도 2008년 총선 당시 이 사건 국회의원 후보자에게 실효된 4건의 금고형 이상의 전과가 있음을 확인하고도 공식선거 후보자용 범죄경력조회 회보서에 이를 기재하지 않은 사안에서, 위 경찰공무원에게 중과실을 인정하여 국가배상 외에 공무원 개인의 배상책임까지도 인정한 원심을 수긍한 사례

답 ④

문제 DATA

출제가능 지수 ▶▶▷
난이도 지수 ★★☆

함께 정리하기

국가배상

「국가배상법」 제2조의 공무원
▷ 공무원신분 가진 자에 국한×(공무수탁사인 포함○)

공무원의 고의 · 중과실
▷ 구상권 행사 可

영조물의 설치 · 관리의 하자
▷ 기능적 하자(이용상 하자)도 포함○

선임 · 감독자≠비용부담자
▷ 비용부담자도 손해배상책임○

생명 · 신체의 침해로 인한 국가배상청구권
▷ 양도 · 압류×

028 ☐☐☐

「국가배상법」에 대한 설명으로 옳은 것은? (다툼이 있는 경우 판례에 의함)

① 「국가배상법」 제2조의 공무원이란 「국가공무원법」이나 「지방공무원법」에 의해 공무원으로서의 신분을 가진 자에 국한한다.
② 국가배상책임에 있어서 공무원에게 중과실이 있는 경우 국가나 지방자치단체는 그 공무원에게 구상할 수 없다.
③ 공공의 영조물의 설치 · 관리의 하자에는 물적 하자만이 아니라 기능적 하자 또는 이용상 하자도 포함된다.
④ 국가배상책임이 있는 경우에 공무원의 선임 · 감독을 맡은 자와 공무원의 봉급 · 급여를 부담하는 자가 동일하지 아니하면 선임 · 감독을 맡은 자만이 손해를 배상한다.
⑤ 생명 · 신체의 침해로 인한 국가배상을 받을 권리는 양도할 수 있지만, 압류할 수는 없다.

> 2019년 행정사

① (×) 국가배상법 제2조상의 공무원은 광의 또는 최광의의 공무원을 의미한다. 즉, 협의의 공무원인 국가공무원법 또는 지방공무원법상의 공무원뿐만 아니라 널리 국가 등 행정주체로부터 공무를 위탁받아 실질적으로 공무에 종사하는 모든 자를 포함한다(대판 2001.1.5. 98다39060).

② (×) 국가나 지방자치단체가 국가배상을 하는 경우 공무원에게 고의 또는 중대한 과실이 있으면 국가나 지방자치단체는 그 공무원에게 구상할 수 있다(국가배상법 제2조 제1항). 공무원에게 경과실이 있는 경우에는 국가나 지방자치단체는 그 공무원에게 구상할 수 없다(대판 2014.8.20. 2012다54478).

「국가배상법」제2조【배상책임】① 국가나 지방자치단체는 공무원 또는 공무를 위탁받은 사인(이하 "공무원"이라 한다)이 직무를 집행하면서 고의 또는 과실로 법령을 위반하여 타인에게 손해를 입히거나, 「자동차손해배상 보장법」에 따라 손해배상의 책임이 있을 때에는 이 법에 따라 그 손해를 배상하여야 한다. 다만, 군인·군무원·경찰공무원 또는 예비군대원이 전투·훈련 등 직무 집행과 관련하여 전사(戰死)·순직(殉職)하거나 공상(公傷)을 입은 경우에 본인이나 그 유족이 다른 법령에 따라 재해보상금·유족연금·상이연금 등의 보상을 지급받을 수 있을 때에는 이 법 및 「민법」에 따른 손해배상을 청구할 수 없다.
② 제1항 본문의 경우에 공무원에게 고의 또는 중대한 과실이 있으면 국가나 지방자치단체는 그 공무원에게 구상(求償)할 수 있다.

③ (○) 영조물의 하자에는 영조물이 이용됨에 있어 수인한도를 초과하는 피해가 발생하는 기능적 하자도 포함한다.

> 안전성을 갖추지 못한 상태, 즉 타인에게 위해를 끼칠 위험성이 있는 상태라 함은 당해 영조물을 구성하는 물적 시설 그 자체에 있는 물리적·외형적 흠결이나 불비로 인하여 그 이용자에게 위해를 끼칠 위험성이 있는 경우뿐만 아니라, 그 영조물이 공공의 목적에 이용됨에 있어 그 이용상태 및 정도가 일정한 한도를 초과하여 제3자에게 사회통념상 수인할 것이 기대되는 한도를 넘는 피해를 입히는 경우까지 포함된다고 보아야 한다(대판 2005.1.27. 2003다49566).

④ (×) 선임·감독자만이 아니라 비용부담자도 손해를 배상한다.

「국가배상법」제6조【비용부담자 등의 책임】① 제2조·제3조 및 제5조에 따라 국가나 지방자치단체가 손해를 배상할 책임이 있는 경우에 공무원의 선임·감독 또는 영조물의 설치·관리를 맡은 자와 공무원의 봉급·급여, 그 밖의 비용 또는 영조물의 설치·관리 비용을 부담하는 자가 동일하지 아니하면 그 비용을 부담하는 자도 손해를 배상하여야 한다.

⑤ (×) 공무원의 직무상 불법행위로 인한 손해배상청구권 중 생명·신체상의 손해로 인한 것은 양도하거나 압류하지 못한다.

「국가배상법」제4조【양도 등 금지】생명·신체의 침해로 인한 국가배상을 받을 권리는 양도하거나 압류하지 못한다.

답 ③

029

국가배상책임에 대한 설명으로 가장 옳지 않은 것은? (다툼이 있는 경우 판례에 의함)

① 국가배상책임에서의 법령위반에는 널리 그 행위가 객관적인 정당성을 결여하고 있는 경우도 포함된다.
② 담당공무원이 주택구입대부제도와 관련하여 지급보증서제도에 관해 알려주지 않은 조치는 법령위반에 해당하지 않는다.
③ 공무원의 직무집행이 법령이 정한 요건과 절차에 따라 이루어진 것이라도, 그 과정에서 개인의 권리가 침해되면 법령위반에 해당한다.
④ 교육공무원 성과상여금 지급지침에서 기간제 교원을 성과상여금 지급대상에서 제외하여도 이에 대해 국가배상책임 있다고 할 수 없다.

| 2018년 서울시 9급

① (○) 객관적 정당성을 결여한 경우도 법령위반에 포함된다.

> 국가배상책임에 있어서 공무원의 가해행위는 '법령에 위반한' 것이어야 하고, 법령위반이라 함은 엄격한 의미의 법령위반뿐만 아니라 인권존중, 권력남용금지, 신의성실, 공서양속 등의 위반도 포함하여 널리 그 행위가 객관적인 정당성을 결여하고 있음을 의미한다고 할 것이다(대판 2009.12.24. 2009다70180).

문제 DATA
출제가능 지수 ▶▶▷
난이도 지수 ★★☆

함께 정리하기

국가배상

법령위반
▷ 인권존중·권력남용금지·신의성실위반 등 객관적 정당성 결여 포함

공무원이 주택구입대부제도 관련 지급보증서제도에 관해 알려주지 않은 부작위
▷ 법령위반 ×

법령에 따른 직무집행
▷ 법령적합성 ○

성과상여금 지급지침에서 기간제 교원을 성과상여금 지급대상에서 제외
▷ 법령위반 ×

② (○) 주택구입대부제도 관련 지급보증서제도 알려주지 않은 것은 법령위반에 해당하지 않는다.

> 甲이 경주보훈지청에 국가유공자에 대한 주택구입대부제도에 관하여 전화로 문의하고 대부신청서까지 제출하였으나, 담당 공무원에게서 주택구입대부금 지급을 보증하는 지급보증서제도에 관한 안내를 받지 못하여 대부제도 이용을 포기하고 시중은행에서 대출을 받아 주택을 구입함으로써 결과적으로 더 많은 이자를 부담하게 되었다고 주장하며 국가를 상대로 정신적 손해의 배상을 구한 사안에서, 담당 공무원이 甲에게 주택구입대부제도에 관한 전화상 문의에 응답하거나 대부신청서의 제출에 따른 대부금지급신청 안내문을 통지하면서 지급보증서제도에 관하여 알려주지 아니한 조치가 객관적 정당성을 결여하여 현저하게 불합리한 것으로서 고의 또는 과실로 법령을 위반하였다고 볼 수 없음에도, 담당 공무원에게 지급보증서제도를 안내하거나 설명할 의무가 있음을 전제로 그 위반에 대한 국가배상책임을 인정한 원심판결에 법리오해의 위법이 있다(대판 2012.7.26. 2010다95666).

③ (×) 법령에 적합한 행위가 개인의 권리를 침해해도 곧바로 위법한 것은 아니다.

> 공무원의 직무집행이 법령이 정한 요건과 절차에 따라 이루어진 것이라면 특별한 사정이 없는 한 이는 법령에 적합한 것이고 그 과정에서 개인의 권리가 침해되는 일이 생긴다고 하여 그 법령적합성이 곧바로 부정되는 것은 아니다(대판 2000.11.10. 2000다26807).

④ (○) 기간제교원을 성과상여금 지급대상에서 제외한 것은 법령위반에 해당하지 않는다.

> 성과상여금 지급대상 교육공무원으로서 '공무원보수규정 [별표 11]을 적용받는 교원'이란 호봉 승급에 따른 급여체계의 적용을 받는 정규 교원만을 의미하고 기간제교원은 포함되지 아니한다. 교육부장관이 甲 등을 비롯한 국·공립학교 기간제교원을 구 공무원수당 등에 관한 규정에 따른 성과상여금 지급대상에서 제외하는 내용의 '교육공무원 성과상여금 지급 지침'을 발표한 사안에서, 위 지침에서 甲 등을 포함한 기간제교원을 성과상여금 지급대상에서 제외한 것은 구 공무원수당 등에 관한 규정 제7조의2 제1항의 해석에 관한 법리에 따른 것이므로, 국가가 甲 등에 대하여 불법행위로 인한 손해배상책임을 진다고 볼 수 없다(대판 2017.2.9. 2013다205778).

답 ③

문제 DATA
출제가능 지수 ▶▶▷
난이도 지수 ★★☆

030 □□□

국가배상책임의 요건에 대한 설명으로 가장 옳지 않은 것은? (다툼이 있는 경우 판례에 의함)

① 공무원에는 조직법상 의미의 공무원뿐만 아니라 기능적 의미의 공무원이 포함된다.
② 공무원의 직무에는 국가나 지방자치단체의 권력적 작용, 비권력적 작용, 단순한 사경제의 주체로서 하는 작용이 포함된다.
③ 과실개념을 객관화하려는 태도는 국가배상책임의 성립을 용이하게 하려는 의도를 지니고 있다.
④ 헌법에 의하여 부과되는 국가의 구체적인 입법의무 자체가 인정되지 않는 경우에는 애당초 부작위로 인한 불법행위가 성립할 여지가 없다.

| 2019년 서울시 9급

① (○) 「국가배상법」 제2조의 공무원은 공무원 또는 공무를 위탁받은 사인으로서 행정조직법상 공무원뿐만 아니라 기능상 의미의 공무원까지 포함한다.
② (×) 공무원의 직무에는 사경제주체로서의 작용은 제외된다.

> 국가배상법이 정한 배상청구의 요건인 '공무원의 직무'에는 권력적 작용만이 아니라 행정지도와 같은 비권력적 작용도 포함되며 단지 행정주체가 사경제주체로서 하는 활동만 제외된다(대판 1998.7.10. 96다38971).

③ (○) 직무를 행하는 당해 공무원을 기준으로 과실이 있는지 판단한다면, 공무원 개인의 주의능력에 따른 과실을 증명하기가 너무 어려워 국민의 권익구제 측면에서 문제가 있다. 따라서 과실을 객관적으로 파악하려는 경향이 나타나고 있다.

함께 정리하기

국가배상
공무원
▷ 기능적 의미의 공무원 포함
공무원의 직무
▷ 사경제주체로서 작용은 제외
과실개념 객관화
▷ 배상책임성립 용이
헌법상 구체적 입법의무 부존재
▷ 부작위로 인한 불법행위 불성립

유제 14. 서울시 9급 국가배상책임에 있어서 과실개념의 주관화(主觀化) 경향이 나타나고 있다. (×)

④ (○) 헌법상 구체적 입법의무가 없는 경우 부작위로 인한 불법행위는 성립하지 않는다.

> 국가가 일정한 사항에 관하여 헌법에 의하여 부과되는 구체적인 입법의무를 부담하고 있음에도 불구하고 그 입법에 필요한 상당한 기간이 경과하도록 고의 또는 과실로 이러한 입법의무를 이행하지 아니하는 등 극히 예외적인 사정이 인정되는 사안에 한정하여 국가배상법 소정의 배상책임이 인정될 수 있으며, 위와 같은 구체적인 입법의무 자체가 인정되지 않는 경우에는 애당초 부작위로 인한 불법행위가 성립될 여지가 없다(대판 2008.5.29. 2004다33469).

답 ②

031 □□□

국가배상에 대한 설명으로 가장 옳지 않은 것은? (다툼이 있는 경우 판례에 의함)

① 국가배상청구의 요건인 공무원의 직무에는 비권력적 작용도 포함되며 행정주체가 사경제주체로서 하는 활동도 포함된다.
② 어떠한 행정처분이 후에 항고소송에서 취소되었다고 할지라도 당해 행정처분이 곧바로 공무원의 고의 또는 과실로 인한 것으로서 불법행위를 구성한다고 단정할 수는 없다.
③ 공무원의 직무집행이 법령이 정한 요건과 절차에 따라 이루어진 것이라면 특별한 사정이 없는 한 이는 법령에 적합한 것이고, 그 과정에서 개인의 권리가 침해되는 일이 생긴다고 하여 그 법령적합성이 곧바로 부정되는 것은 아니다.
④ 국가배상청구권은 피해자나 그 법정대리인이 그 손해 및 가해자를 안 날로부터 3년간 이를 행사하지 아니하면 시효로 인하여 소멸한다.

2018 서울시 7급

① (×) 공무원의 직무행위에는 사경제주체로의 행위는 제외된다.

> 국가배상청구의 요건인 '공무원의 직무'에는 권력적 작용만이 아니라 비권력적 작용도 포함되며 단지 행정주체가 사경제주체로서 하는 활동만 제외된다(대판 2001.1.5. 98다39060).

② (○) 항고소송에서 처분이 취소되어도 곧바로 불법행위를 구성하는 것은 아니다.

> 어떠한 행정처분이 후에 항고소송에서 취소되었다고 할지라도 그 기판력에 의하여 당해 행정처분이 곧바로 공무원의 고의 또는 과실로 인한 것으로서 불법행위를 구성한다고 단정할 수는 없는 것이고, 그 행정처분의 담당공무원이 보통 일반의 공무원을 표준으로 하여 볼 때 객관적 주의의무를 결하여 그 행정처분이 객관적 정당성을 상실하였다고 인정될 정도에 이른 경우에 국가배상법 제2조 소정의 국가배상책임의 요건을 충족하였다고 봄이 상당하다(대판 2000.5.12. 99다70600).

③ (○) 직무집행과정에서 권리가 침해되어도 법령적합성이 곧바로 부정되는 것은 아니다.

> 국가배상책임은 공무원의 직무집행이 법령에 위반한 것임을 요건으로 하는 것으로서, 공무원의 직무집행이 법령이 정한 요건과 절차에 따라 이루어진 것이라면 특별한 사정이 없는 한 이는 법령에 적합한 것이고 그 과정에서 개인의 권리가 침해되는 일이 생긴다고 하여 그 법령적합성이 곧바로 부정되는 것은 아니다(대판 2000.11.10. 2000다26807).

유제 18. 서울시 9급 공무원의 직무집행이 법령이 정한 요건과 절차에 따라 이루어진 것이라도, 그 과정에서 개인의 권리가 침해되면 법령위반에 해당한다. (×)

문제 DATA
출제가능 지수 ▶▶▶▷
난이도 지수 ★★☆

함께 정리하기
국가배상

공무원의 직무
▷ 권력적·비권력적 작용 포함(사경제활동 제외)

항고소송에서 처분취소
▷ 곧바로 불법행위 구성 ×

직무집행 과정에서 권리침해
▷ 법령적합성 곧바로 부정 ×

국가배상청구권 소멸시효
▷ 손해 및 가해자 안 날로부터 3년

④ (○) 국가배상청구권의 소멸시효는 손해 및 가해자를 안 날로부터 3년이다.

> 민법 제766조 제1항은 "불법행위로 인한 손해배상의 청구권은 피해자나 그 법정대리인이 그 손해 및 가해자를 안 날로부터 3년간 이를 행사하지 아니하면 시효로 인하여 소멸한다."고 규정하고 있는바, 여기서 불법행위의 피해자가 미성년자로 행위능력이 제한된 자인 경우에는 다른 특별한 사정이 없는 한 그 법정대리인이 손해 및 가해자를 알아야 위 조항의 소멸시효가 진행한다고 할 것이다(대판 2010.2.11. 2009다79897).

답 ①

032

「국가배상법」 제2조에 대한 설명으로 옳지 않은 것은? (다툼이 있는 경우 판례에 의함)

① 공무원의 직무행위에는 입법작용이 포함된다.
② 헌법재판소 재판관이 청구기간 내에 제기된 헌법소원심판청구 사건에서 청구기간을 오인하여 각하결정을 한 경우 국가배상책임이 성립한다.
③ 중과실에 의한 직무상 불법행위가 있는 경우 가해 공무원의 배상책임이 인정된다.
④ 부작위에 의한 국가배상책임의 성립요건인 직무상 작위의무는 조리에 의해서도 성립할 수 있다.
⑤ 국가공무원이 자신의 승용차를 운전하여 공무수행 중 사람을 치어 사망케 했다면 국가는 「자동차손해배상 보장법」상 운행자로서 배상책임을 진다.

2018년 행정사

① (○) 공무원의 직무행위는 입법행위를 포함한다.

> 국가배상청구의 요건인 '공무원의 직무'에는 권력적 작용만이 아니라 비권력적 작용도 포함되며 단지 행정주체가 사경제주체로서 하는 활동만 제외된다(대판 2001.1.5. 98다39060).

② (○) 헌재재판관이 청구기간을 오인하여 각하한 경우에는 국가배상책임이 인정된다.

> 헌법재판소 재판관이 청구기간 내에 제기된 헌법소원심판청구 사건에서 청구기간을 오인하여 각하결정을 한 경우, 이에 대한 불복절차 내지 시정절차가 없는 때에는 국가배상책임(위법성)을 인정할 수 있다(대판 2003.7.11. 99다24218).

③ (○) 고의 또는 중과실이 있는 공무원은 배상책임을 부담한다.

> 공무원의 위법행위가 고의·중과실에 기한 경우에는 비록 그 행위가 그의 직무와 관련된 것이라고 하더라도 그와 같은 행위는 그 본질에 있어서 기관행위로서의 품격을 상실하여 국가 등에게 그 책임을 귀속시킬 수 없으므로 공무원 개인에게 불법행위로 인한 손해배상책임을 부담시키되, 다만 이러한 경우에도 그 행위의 외관을 객관적으로 관찰하여 공무원의 직무집행으로 보여질 때에는 피해자인 국민을 두텁게 보호하기 위하여 국가 등이 공무원 개인과 중첩적으로 배상책임을 부담하되 국가 등이 배상책임을 지는 경우에는 공무원 개인에게 구상할 수 있도록 함으로써 궁극적으로 그 책임이 공무원 개인에게 귀속되도록 하려는 것이라고 봄이 합당하다(대판 1996.2.15. 95다38677).

④ (○) 직무상 작위의무는 조리에 의하여도 인정될 수 있다.

> '법령에 위반하여'라고 하는 것이 엄격하게 형식적 의미의 법령에 명시적으로 공무원의 작위의무가 규정되어 있는데도 이를 위반하는 경우만을 의미하는 것은 아니고, 국민의 생명, 신체, 재산 등에 대하여 절박하고 중대한 위험상태가 발생하였거나 발생할 우려가 있어서 국민의 생명, 신체, 재산 등을 보호하는 것을 본래적 사명으로 하는 국가가 초법규적, 일차적으로 그 위험 배제에 나서지 아니하면 국민의 생명, 신체, 재산 등을 보호할 수 없는 경우에는 형식적 의미의 법령에 근거가 없더라도 국가나 관련 공무원에 대하여 그러한 위험을 배제할 작위의무를 인정할 수 있다(대판 1998.10.13. 98다18520).

문제 DATA
출제가능 지수 ▶▶▷
난이도 지수 ★★☆

함께 정리하기
국가배상
공무원의 직무행위
▷ 입법행위 포함

헌법재판소 재판관이 청구기간을 오인하여 각하
▷ 국가배상○

고의·중과실의 가해공무원
▷ 배상책임 인정○

직무상 작위의무
▷ 조리에 의하여도 인정 가

자가용으로 공무수행 중 사고
▷ 공무원 개인이 자배법상 책임부담

⑤ (×) 자가용으로 공무수행 중 사고가 난 경우에는 공무원이 자배법상 책임을 부담한다.

> 공무원이 자기 소유의 자동차로 공무수행 중 사고를 일으킨 경우에는 그 손해배상책임은 자동차손해배상 보장법이 정한 바에 의하게 되어, 그 사고가 자동차를 운전한 공무원의 경과실에 의한 것인지 중과실 또는 고의에 의한 것인지를 가리지 않고 그 공무원이 자동차손해배상 보장법 제3조 소정의 '자기를 위하여 자동차를 운행하는 자'에 해당하는 한 손해배상책임을 부담한다(대판 1996.5.31. 94다15271).

답 ⑤

033 □□□

「국가배상법」상 국가배상에 대한 설명으로 옳지 않은 것은? (다툼이 있는 경우 판례에 의함)

① 공무원에는 공무를 위탁받은 사인이 포함된다.
② 국가배상청구소송은 행정소송으로 제기하여야 한다.
③ 공무원의 직무에는 행정주체가 사경제주체로서 하는 활동은 제외된다.
④ 공무원의 직무상 의무 위반과 피해자가 입은 손해 사이에는 상당인과관계가 요구된다.

| 2017년 교육행정직

① (○)

> 「국가배상법」제2조【배상책임】① 국가나 지방자치단체는 공무원 또는 공무를 위탁받은 사인(이하 "공무원"이라 한다)이 직무를 집행하면서 고의 또는 과실로 법령을 위반하여 타인에게 손해를 입히거나, 「자동차손해배상 보장법」에 따라 손해배상의 책임이 있을 때에는 이 법에 따라 그 손해를 배상하여야 한다. (이하 생략)

② (×) 통설은 「국가배상법」을 공법으로 보고 국가배상에 관한 소송은 당사자소송에 의해야 한다고 본다. 판례는 「국가배상법」은 일반적 불법행위의 보상에 관한 규정에 불과한 것으로서 「민법」의 특별법으로서 사법으로 보고 국가배상청구소송을 민사소송으로 처리하고 있다.

> **국가배상청구소송은 민사법원의 관할이다.**
> 공무원의 직무상 불법행위로 손해를 받은 국민이 국가 또는 공공단체에 배상을 청구하는 경우 국가 또는 공공단체에 대하여 그의 불법행위를 이유로 손해배상을 구함은 국가배상법이 정한 바에 따른다 하여도 이 역시 민사상의 손해배상책임을 특별법인 국가배상법이 정한데 불과하다(대판 1972.10.10. 69다701).

③ (○) 사경제작용은 공무원의 직무에 포함되지 않는다.

> 손해배상청구의 요건인 '공무원의 직무'에는 국가나 지방자치단체의 권력적 작용뿐만 아니라 비권력적 작용도 포함되지만 단순한 사경제의 주체로서 하는 작용은 포함되지 않는다(대판 2004.4.9. 2002다10691).

④ (○) 직무상 의무위반과 손해 사이에는 상당인과관계가 있을 것을 요한다.

> 소속 공무원이 전적으로 또는 부수적으로라도 국민 개개인의 안전과 이익을 보호하기 위하여 법령에서 정한 직무상의 의무에 위반하여 국민에게 손해를 가하면 상당인과관계가 인정되는 범위 안에서 국가 또는 지방자치단체가 배상책임을 부담하는 것이지만, 공무원이 직무를 수행하면서 그 근거되는 법령의 규정에 따라 구체적으로 의무를 부여받았어도 그것이 국민의 이익과는 관계없이 순전히 행정기관 내부의 질서를 유지하기 위한 것이거나, 또는 국민의 이익과 관련된 것이라도 직접 국민 개개인의 이익을 위한 것이 아니라 전체적으로 공공 일반의 이익을 도모하기 위한 것이라면 그 의무에 위반하여 국민에게 손해를 가하여도 국가 또는 지방자치단체는 배상책임을 부담하지 아니한다(대판 2001.10.23. 99다36280).

답 ②

문제 DATA
출제가능 지수 ▶▶▷
난이도 지수 ★☆☆

함께 정리하기

국가배상

공무수탁사인
▷ 공무원 ○

민사소송

사경제작용
▷ 직무 ×

직무상의무위반과 손해
▷ 상당인과관계

문제 DATA

출제가능 지수 ▶▶▷
난이도 지수 ★★☆

034 □□□

「국가배상법」 제2조에 대한 설명으로 가장 옳은 것은? (다툼이 있는 경우 판례에 의함)

① 시·도지사 등의 업무에 속하는 대집행권한을 위탁받은 한국토지공사가 대집행을 실시하는 과정에서 국민에게 손해가 발생할 경우 한국토지공사는 공무수탁사인에 해당하므로, 「국가배상법」 제2조의 공무원과 같은 지위를 갖게 된다.
② 공익근무요원은 「국가배상법」 제2조 제1항 단서의 군인·군무원·경찰공무원 또는 향토예비군대원에 해당하지 않으므로 이중배상청구가 제한되지 않는다.
③ 공무원의 직무상 의무위반에 대한 법령의 취지가 전체적으로 공공 일반의 이익을 도모하기 위한 것이라면 「국가배상법」 제2조의 배상책임이 인정된다.
④ 「국가배상법」 제2조의 직무행위에는 국가나 지방자치단체의 권력적 작용만이 포함되며 비권력적 작용은 포함되지 않는다.

2019년 서울시 7급

① (×) 대집행권한을 위탁받은 한국토지공사는 행정주체에 해당한다.

> 한국토지공사는 이러한 법령의 위탁에 의하여 대집행을 수권받은 자로서 공무인 대집행을 실시함에 따르는 권리·의무 및 책임이 귀속되는 행정주체의 지위에 있다고 볼 것이지 지방자치단체 등의 기관으로서 국가배상법 제2조 소정의 공무원에 해당한다고 볼 것은 아니다(대판 2010.1.28. 2007다82950).

② (○) 공익근무요원에게는 이중배상금지규정이 적용되지 않는다.

> 공익근무요원은 병역법 제2조 제1항 제9호, 제5조 제1항의 규정에 의하면 국가기관 또는 지방자치단체의 공익목적수행에 필요한 경비·감시·보호 또는 행정업무 등의 지원과 국제협력 또는 예술·체육의 육성을 위하여 소집되어 공익분야에 종사하는 사람으로서 보충역에 편입되어 있는 자이기 때문에, 소집되어 군에 복무하지 않는 한 군인이라고 말할 수 없으므로, 국가배상법상 손해배상청구가 제한되는 군인·군무원·경찰공무원 또는 향토예비군대원에 해당한다고 할 수 없다(대판 1997.3.28. 97다4036).

유제 18. 지방직 7급 공익근무요원은 「국가배상법」상 손해배상청구가 제한되는 군인·군무원·경찰공무원 또는 향토예비군대원에 해당한다고 할 수 없다. (○)

③ (×) 직무상 의무가 내부질서·공익을 도모하기 위한 것이면 국가배상책임이 인정되지 않는다.

> 공무원이 직무를 수행하면서 근거되는 법령의 규정에 따라 구체적으로 의무를 부여받았어도 그것이 국민의 이익과는 관계없이 순전히 행정기관 내부의 질서를 유지하기 위한 것이거나, 또는 전체적으로 공공 일반의 이익을 도모하기 위한 것이라면 그 의무를 위반하여 국민에게 손해를 가하여도 국가 또는 지방자치단체는 배상책임을 부담하지 아니한다(대판 2015.5.28. 2013다41431).

④ (×) 공무원의 직무에는 사경제주체로의 활동은 제외된다.

> 국가배상청구의 요건인 '공무원의 직무'에는 권력적 작용만이 아니라 비권력적 작용도 포함되며 단지 행정주체가 사경제주체로서 하는 활동만 제외된다(대판 2001.1.5. 98다39060).

답 ②

함께 정리하기

「국가배상법」

대집행권한 위탁받은 한국토지공사
▷ 행정주체(공무원×)

공익근무요원은 군인×
▷ 이중배상금지 규정 적용×

직무상 의무가 내부질서유지, 공공 일반의 이익도모
▷ 국가배상책임×

공무원의 직무
▷ 권력적·비권력적 작용 포함○
▷ 사경제활동 포함×

035

국가배상에 대한 설명으로 옳지 않은 것은? (다툼이 있는 경우 판례에 의함)

① 국가배상책임이 인정되려면 공무원의 직무상 의무위반 행위와 손해 사이에 상당인과관계가 인정되어야 하는데 공무원에게 직무상 의무를 부과한 법령이 단순히 공공의 이익을 위한 것이고 사익을 보호하기 위한 것이 아니라면 상당인과관계가 부인되어 배상책임이 인정되지 않는다.
② 공무를 위탁받아 실질적으로 공무에 종사하고 있더라도 그 위탁이 일시적이고 한정적인 경우에는 「국가배상법」 제2조의 공무원에 해당하지 않는다.
③ 국가배상의 요건 중 법령위반의 의미를 판단하는 데 있어서는 형식적 의미의 법령을 위반한 것뿐만 아니라 인권존중, 권력남용금지, 신의성실과 같이 공무원으로서 당연히 지켜야 할 원칙을 지키지 않은 경우도 포함한다.
④ 어떠한 행정처분이 후에 항고소송에서 취소되었다고 할지라도 그 기판력에 의하여 당해 행정처분이 곧바로 공무원의 고의 또는 과실로 인한 것으로서 불법행위를 구성한다고 볼 수 없다.

2017년 서울시 7급

① (○) 법령에 사익보호성이 있어야 상당인과관계가 인정된다.

> 공무원에게 직무상 의무를 부과한 법령의 보호목적이 사회 구성원 개인의 이익과 안전을 보호하기 위한 것이 아니고 단순히 공공일반의 이익이나 행정기관 내부의 질서를 규율하기 위한 것이라면, 가사 공무원이 그 직무상 의무를 위반한 것을 계기로 하여 제3자가 손해를 입었다 하더라도 공무원이 직무상 의무를 위반한 행위와 제3자가 입은 손해 사이에는 법리상 상당인과관계가 있다고 할 수 없다(대판 2001.4.13. 2000다34891).

유제 12. 지방직 7급 공무원의 직무상 작위의무가 사회구성원 개인의 안전과 이익을 보호하기 위하여 설정된 것이어야 국가배상책임이 인정된다. (○)
10. 국회직 9급 손해는 법률상 이익의 침해뿐만이 아니라 반사적 이익의 침해까지도 포함된다. (×)

② (×) 일시적 한정적 위탁을 받아 공무에 종사하는 사람도 공무원에 해당한다.

> '공무원'이라 함은 국가공무원법이나 지방공무원법에 의하여 공무원으로서의 신분을 가진 자에 국한하지 않고, 널리 공무를 위탁받아 실질적으로 공무에 종사하고 있는 일체의 자를 가리키는 것으로서, 공무의 위탁이 일시적이고 한정적인 사항에 관한 활동을 위한 것이어도 달리 볼 것은 아니다(대판 2001.1.5. 98다39060).

유제 09. 국가직 9급 공무원은 「국가공무원법」 및 「지방공무원법」상의 공무원뿐만 아니라 널리 공무를 위탁받아 그에 종사하는 모든 자를 포함한다. (○)
09. 국가직 9급 공무를 위탁받아 실질적으로 공무에 종사하고 있는 자는 공무의 위탁이 일시적이고 한정적이라고 할지라도 공무원이 될 수 있다. (○)

③ (○) 법령위반에는 행위가 객관적 정당성을 결여하는 경우가 포함된다.

> 국가배상책임에 있어서 공무원의 가해행위는 '법령에 위반한 것'이어야 하고, 법령위반이라 함은 엄격한 의미의 법령위반뿐만 아니라 인권존중, 권력남용금지, 신의성실, 공서양속 등의 위반도 포함하여 널리 그 행위가 객관적인 정당성을 결여하고 있음을 의미하는데, 경찰관이 범죄의 수사를 함에 있어서 법규상 또는 조리상의 한계를 위반하는 경우 이는 법령을 위반한 것이다(대판 2012.7.26. 2010다95666).

함께 정리하기

국가배상

법령의 사익보호성

일시적·한정적 위탁
▷ 공무원 ○

법령위반
▷ 인권존중/권력남용금지/신의성실 위반 포함

처분취소판결
▷ 고의·과실 곧바로 인정 ×

④ (O) 처분이 판결로 취소되어도 고의과실이 곧바로 인정되는 것은 아니다.

> 어떠한 행정처분이 후에 항고소송에서 취소되었다고 할지라도 그 기판력에 의하여 당해 행정처분이 곧바로 공무원의 고의 또는 과실로 인한 것으로서 불법행위를 구성한다고 단정할 수는 없는 것이고, 그 행정처분의 담당공무원이 보통 일반의 공무원을 표준으로 하여 볼 때 객관적 주의의무를 결하여 그 행정처분이 객관적 정당성을 상실하였다고 인정될 정도에 이른 경우에 국가배상법 제2조 소정의 국가배상책임의 요건을 충족하였다고 봄이 상당할 것이며, 이 때에 객관적 정당성을 상실하였는지 여부는 피침해이익의 종류 및 성질, 침해행위가 되는 행정처분의 태양 및 그 원인, 행정처분의 발동에 대한 피해자측의 관여의 유무, 정도 및 손해의 정도 등 제반 사정을 종합하여 손해의 전보책임을 국가 또는 지방자치단체에 부담시켜야 할 실질적인 이유가 있는지 여부에 의하여 판단하여야 한다(대판 2007.5.10. 2005다31828).

유제 12. 지방직 7급 행정처분이 뒤에 항고소송에서 취소되었다면 그 자체만으로 그 행정처분이 곧바로 공무원의 고의 또는 과실로 인한 불법행위를 구성한다. (×)

답 ②

문제 DATA

출제가능 지수 ▶▶▷
난이도 지수 ★★☆

036 ☐☐☐

「국가배상법」상 공무원의 불법행위로 인한 국가배상책임에 대한 설명으로 옳지 않은 것은? (다툼이 있는 경우 판례에 의함)

① 공무원은 법률상 공무원뿐만 아니라 널리 공무를 위탁받아 실질적으로 공무에 종사하는 자를 포함하며 공무를 위탁받은 사인도 포함된다.
② 지방자치단체가 '교통할아버지 봉사활동 계획'을 설립한 후, 이 계획에 따라 관할 동장이 선정한 '교통할아버지'도 공무원에 해당한다.
③ 식품의약품안전청장이 구「식품위생법」상의 규제권한을 행사하지 않아서 미니컵젤리가 수입·유통되어 이를 먹던 아동이 질식사 하였다면 국가는 이에 대한 손해배상책임을 부담해야 한다.
④ 공무원에 대한 전보인사가 법령이 정한 기준과 원칙에 위배되거나 인사권을 다소 부적절하게 행사한 것으로 볼 여지가 있더라도 그 사유만으로, 당연히 해당 전보인사가 불법행위를 구성한다고 볼 수는 없다.
⑤ 손해의 발생에는 적극적 손해뿐만 아니라 소극적 손해를 포함하여 재산상 손해는 물론 생명, 신체, 정신적 손해를 모두 포함한다.

| 2019년 소방간부

함께 정리하기

국가배상

공무원
▷ 법률상 공무원뿐만 아니라, 널리 공무수탁사인 포함O

교통할아버지
▷ 공무원O

미니컵젤리 먹던 아동의 질식사
▷ 국가배상책임×

공무원에 대한 전보인사
▷ 다소 부적절하더라도 당연히 불법행위 구성×

손해에는 법령위반행위로 인한 적극, 소극, 재산적, 비재산적 손해 포함
▷ 반사적 이익은 포함×

① (O) 공무를 위탁받은 실질적 공무종사자도「국가배상법」제2조의 공무원에 포함된다.

> 국가배상법 제2조 소정의 '공무원'이라 함은 국가공무원법이나 지방공무원법에 의하여 공무원으로서의 신분을 가진 자에 국한하지 않고, 널리 공무를 위탁받아 실질적으로 공무에 종사하고 있는 일체의 자를 가리키는 것으로서, 공무의 위탁이 일시적이고 한정적인 사항에 관한 활동을 위한 것이어도 달리 볼 것은 아니다(대판 2001.1.5. 98다39060).

「국가배상법」제2조【배상책임】① 국가나 지방자치단체는 공무원 또는 공무를 위탁받은 사인(이하 "공무원"이라 한다)이 직무를 집행하면서 고의 또는 과실로 법령을 위반하여 타인에게 손해를 입히거나,「자동차손해배상 보장법」에 따라 손해배상의 책임이 있을 때에는 이 법에 따라 그 손해를 배상하여야 한다. 다만, 군인·군무원·경찰공무원 또는 예비군대원이 전투·훈련 등 직무 집행과 관련하여 전사(戰死)·순직(殉職)하거나 공상(公傷)을 입은 경우에 본인이나 그 유족이 다른 법령에 따라 재해보상금·유족연금·상이연금 등의 보상을 지급받을 수 있을 때에는 이 법 및「민법」에 따른 손해배상을 청구할 수 없다.

② (○) 교통할아버지는 「국가배상법」 제2조의 공무원에 포함된다.

'교통할아버지'로 선정된 노인이 위탁받은 업무 범위를 넘어 교차로 중앙에서 교통정리를 하다가 교통사고를 발생시킨 경우, 지방자치단체가 국가배상법 제2조 소정의 배상책임을 부담한다(대판 2001.1.5. 98다39060).

③ (×) 식품의약청장이 미니컵젤리에 대해 강화된 규제조치를 취하지 않았다고 하더라도 국가배상책임이 인정되지 않는다.

어린이가 미니컵젤리를 섭취하던 중 미니컵젤리가 목에 걸려 질식사한 두 건의 사고가 연달아 발생한 뒤 약 8개월 20일 이후 다시 어린이가 미니컵젤리를 먹다가 질식사한 사안에서, 당시의 미니컵젤리에 대한 국제적 규제수준과 식품의약품안전청장 등의 기존의 규제조치의 수준, 이전에 발생한 두 건의 질식사고의 경위와 미니컵젤리로 인한 사고의 빈도, 구 식품위생법이 식품에 대한 규제조치를 식품의약품안전청장 등의 합리적 재량에 맡기고 있는 취지 등에 비추어, 식품의약품안전청장 등이 미니컵젤리의 유통을 금지하거나 물성실험 등을 통하여 미니컵젤리의 위험성을 확인하고 기존의 규제조치보다 강화된 미니컵젤리의 기준 및 규격 등을 마련하지 아니 하였다고 하더라도, 그러한 규제권한을 행사하지 아니한 것이 현저하게 합리성을 잃어 사회적 타당성이 없다고 볼 수 있는 정도에 이른 것이라고 보기 어렵다(대판 2010.11.25. 2008다67828).

④ (○) 공무원에 대한 전보인사가 다소 부적절하더라도 당연히 불법행위를 구성하는 것은 아니다.

공무원에 대한 전보인사가 법령이 정한 기준과 원칙에 위배되거나 인사권을 다소 부적절하게 행사한 것으로 볼 여지가 있다 하더라도 그러한 사유만으로 그 전보인사가 당연히 불법행위를 구성한다고 볼 수는 없고, 인사권자가 당해 공무원에 대한 보복감정 등 다른 의도를 가지고 인사재량권을 일탈·남용하여 객관적 정당성을 상실하였음이 명백한 경우 등 전보인사가 우리의 건전한 사회통념이나 사회상규상 도저히 용인될 수 없음이 분명한 경우에, 그 전보인사는 위법하게 상대방에게 정신적 고통을 가하는 것이 되어 당해 공무원에 대한 관계에서 불법행위를 구성한다(대판 2009.5.28. 2006다16215).

⑤ (○) 「국가배상법」상 손해란 법익침해에 의한 모든 불이익을 말하며, 이러한 손해는 적극적 손해·소극적 손해, 재산적 손해, 비재산적 손해를 불문한다. 그러나 반사적 이익의 침해는 여기서의 손해에 포함되지 않는다.

답 ③

문제 DATA

출제가능 지수 ▶▶▷
난이도 지수 ★★★

037 □□□

다음 중 국가배상에 대한 설명으로 옳은 것만을 모두 고르면? (다툼이 있는 경우 판례에 의함)

> ㄱ. 공무원에게 부과된 직무상 의무의 내용이 공공 일반의 이익을 위한 것이거나 행정기관의 내부질서를 규율하기 위한 경우에도 공무원이 그 직무상 의무를 위반하여 피해자가 입은 손해에 대하여서는 상당인과관계가 인정되는 범위 내에서 국가가 배상책임을 진다.
> ㄴ. 서울특별시가 점유·관리하는 도로에 대하여 행정권한 위임조례에 따라 보도 관리 등을 위임 받은 관할 자치구청장 甲으로부터 도급받은 A 주식회사가 공사를 진행하면서 남은 자갈더미를 그대로 방치하여 오토바이를 타고 이곳을 지나가던 乙이 넘어져 상해를 입은 경우 서울특별시는 「국가배상법」 제5조 제1항에서 정한 설치·관리상의 하자로 인한 국가배상책임을 부담하지 아니 한다.
> ㄷ. 도지사에 의한 지방의료원의 폐업결정과 관련하여 국가배상 책임이 성립하기 위하여서는 공무원의 직무집행이 위법하다는 점만으로는 부족하고 그로 인하여 타인의 권리·이익이 침해되어 구체적 손해가 발생하여야 한다.
> ㄹ. 소방공무원의 권한 행사가 관계 법률의 규정에 의하여 소방공무원의 재량에 맡겨져 있으면 구체적인 상황에서 소방공무원이 권한을 행사하지 아니한 것이 현저하게 합리성을 잃어 사회적 타당성이 없는 경우에도 직무상 의무를 위반하여 위법하게 되는 것은 아니다.

① ㄱ
② ㄷ
③ ㄱ, ㄷ
④ ㄴ, ㄷ
⑤ ㄴ, ㄷ, ㄹ

2019년 국회직 8급

ㄱ. (×) 직무상 의무내용이 내부질서·공익을 도모하는 것이면 배상책임이 성립하지 않는다.

> 공무원이 직무를 수행하면서 그 근거되는 법령의 규정에 따라 구체적으로 의무를 부여받아도 그것이 국민의 이익과는 관계없이 순전히 행정기관 내부의 질서를 유지하기 위한 것이거나, 또는 국민의 이익과 관련된 것이라도 직접 국민 개개인의 이익을 위한 것이 아니라 전체적으로 공공 일반의 이익을 도모하기 위한 것이라면 그 의무에 위반하여 국민에게 손해를 가하여도 국가 또는 지방자치단체는 배상책임을 부담하지 아니한다(대판 2001.10.23. 99다36280).

유제 20. 서울시·지방직·교행 9급, 12. 지방직 7급 공무원에게 부과된 직무상 의무는 전적으로 또는 부수적으로 사회구성원 개인의 안전과 이익을 보호하기 위해 설정된 것이어야 국가배상책임이 인정된다. (○)

ㄴ. (×) 권한의 위임이 있으면 위임주체는 사무귀속주체로서 책임을 진다. 따라서, 서울특별시는 사무를 위임한 사무귀속주체로서 국가배상책임을 진다.

> 서울특별시에 국가배상법 제5조 제1항에서 정한 설치·관리상의 하자가 없다고 본 원심판단에 법리오해의 잘못이 있다(대판 2017.9.21. 2017다223538).

ㄷ. (○) 국가배상책임이 성립하기 위해서는 구체적 손해가 있어야 한다.

> 하위 지방자치단체장을 보조하는 그 지방자치단체 소속 공무원이 위임사무를 처리하면서 고의 또는 과실로 타인에게 손해를 가하거나 위임사무로 설치·관리하는 영조물의 하자로 타인에게 손해를 발생하게 한 경우에는 권한을 위임한 상위 지방자치단체가 그 손해배상책임을 진다(대판 1996.11.8. 96다21331).

함께 정리하기

「국가배상법」

직무상 의무 내용이 내부질서유지 or 공공이익도모
▷ 의무 위반해도 배상책임 無

권한의 위임
▷ 위임주체는 사무귀속주체로 책임○

국가배상책임
▷ 구체적 손해의 발생

재량인 소방공무원의 권한행사
▷ 불행사가 사회적 타당성 없으면 위법

ㄹ. (×) 소방공무원의 권한 불행사가 사회적 타당성이 없으면 위법하다.

> 소방공무원의 행정권한 행사가 관계 법률의 규정 형식상 소방공무원의 재량에 맡겨져 있다고 하더라도 소방공무원에게 그러한 권한을 부여한 취지와 목적에 비추어 볼 때 구체적인 상황 아래에서 소방공무원이 그 권한을 행사하지 않은 것이 현저하게 합리성을 잃어 사회적 타당성이 없는 경우에는 소방공무원의 직무상 의무를 위반한 것으로서 위법하게 된다. 유흥주점에 감금된 채 윤락을 강요받으며 생활하던 여종업원들이 유흥주점에 화재가 났을 때 미처 피신하지 못하고 유독가스에 질식해 사망한 사안에서, 소방공무원이 위 유흥주점에 대하여 화재 발생 전 실시한 소방점검 등에서 구 소방법상 방염 규정 위반에 대한 시정조치 및 화재 발생시 대피에 장애가 되는 잠금장치의 제거 등 시정조치를 명하지 않은 직무상 의무 위반은 현저히 불합리한 경우에 해당하여 위법하고, 이러한 직무상 의무 위반과 위 사망의 결과 사이에 상당인과관계가 존재한다(대판 2008.4.10. 2005다48994).

답 ②

038

국가배상청구에 대한 설명으로 옳지 않은 것은? (다툼이 있는 경우 판례에 의함)

① 「경찰관 직무집행법」 등에 의하여 경찰관에게 부여된 여러 가지 권한이 일반적으로 경찰관의 합리적인 재량에 위임되어 있다 하더라도, 경찰관이 권한을 행사하여 필요한 조치를 하지 아니하는 것이 현저하게 불합리하다고 인정되는 경우에는 권한의 불행사가 직무상의 의무를 위반한 것이 되어 위법하게 된다.
② 교육부장관이 국·공립학교 기간제교원을 구 「공무원수당 등에 관한 규정」에 따른 성과상여금 지급대상에서 제외하는 내용의 지침을 발표한 것은 위 규정의 해석에 관한 법리에 따른 것이므로, 국가는 성과금 지급대상에서 제외된 기간제 교원에 대해 국가배상책임을 지지 않는다.
③ 재판에 대하여 불복절차 또는 시정절차가 마련되어 있는 경우, 법관이나 다른 공무원의 귀책사유로 불복에 의한 시정을 구할 수 없었다는 등의 부득이한 사정이 없는 한, 그와 같은 시정을 구하지 아니한 사람은 원칙적으로 국가배상에 의한 권리구제를 받을 수 없다.
④ 수익적 행정처분이 신청인에 대한 관계에서 「국가배상법」상 위법성이 있는 것으로 평가되기 위하여는, 객관적으로 보아 그 행위로 인하여 신청인이 손해를 입게 될 것이 분명하다고 할 수 있어 신청인을 위하여도 당해 행정처분을 거부할 것이 요구되는 경우이어야 한다.
⑤ 공무원의 직무집행이 위법한 이상, 그 직무집행으로 인해 타인의 권리·이익이 침해되어 구체적 손해가 발생하지 않았다고 하더라도 국가배상책임이 성립한다.

2019년 5급 승진

① (○) 경찰관의 권한행사는 재량이 원칙이나, 현저히 불합리한 권한불행사는 위법하다.

> 형사소송법 등 관계 법령에 의하여 여러 가지 권한이 부여되어 있으므로, 구체적인 직무를 수행하는 경찰관으로서는 제반 상황에 대응하여 자신에게 부여된 여러 가지 권한을 적절하게 행사하여 필요한 조치를 취할 수 있는 것이고, 그러한 권한은 일반적으로 경찰관의 전문적 판단에 기한 합리적인 재량에 위임되어 있는 것이나, 경찰관에게 권한을 부여한 취지와 목적에 비추어 볼 때 구체적인 사정에 따라 경찰관이 그 권한을 행사하여 필요한 조치를 취하지 아니하는 것이 현저하게 불합리하다고 인정되는 경우에는 그러한 권한의 불행사는 직무상의 의무를 위반한 것이 되어 위법하게 된다(대판 2004.9.23. 2003다4009).

② (○) 기간제교원을 성과상여금 지급대상에서 제외한 것은 법령위반에 해당하지 않는다.

> 교육부장관이 甲 등을 비롯한 국·공립학교 기간제교원을 구 공무원수당 등에 관한 규정에 따른 성과상여금 지급대상에서 제외하는 내용의 '교육공무원 성과상여금 지급 지침'을 발표한 사안에서, 위 지침에서 甲 등을 포함한 기간제교원을 성과상여금 지급대상에서 제외한 것은 구 공무원수당 등에 관한 규정 제7조의2 제1항의 해석에 관한 법리에 따른 것이므로, 국가가 甲 등에 대하여 불법행위로 인한 손해배상책임을 진다고 볼 수 없다(대판 2017.2.9. 2013다205778).

③ (○) 불복·시정절차가 있는 재판은 원칙적으로 국가배상에 의한 권리구제를 받을 수 없다.

> 재판에 대하여 따로 불복절차 또는 시정절차가 마련되어 있는 경우에는 재판의 결과로 불이익 내지 손해를 입었다고 여기는 사람은 그 절차에 따라 자신의 권리 내지 이익을 회복하도록 함이 법이 예정하는 바이므로, 불복에 의한 시정을 구할 수 없었던 것 자체가 법관이나 다른 공무원의 귀책사유로 인한 것이라거나 그와 같은 시정을 구할 수 없었던 부득이한 사정이 있었다는 등의 특별한 사정이 없는 한, 스스로 그와 같은 시정을 구하지 아니한 결과 권리 내지 이익을 회복하지 못한 사람은 원칙적으로 국가배상에 의한 권리구제를 받을 수 없다고 봄이 상당하다고 하겠으나, 재판에 대하여 불복절차 내지 시정절차 자체가 없는 경우에는 부당한 재판으로 인하여 불이익 내지 손해를 입은 사람은 국가배상 이외의 방법으로는 자신의 권리 내지 이익을 회복할 방법이 없으므로, 이와 같은 경우에는 배상책임의 요건이 충족되는 한 국가배상책임을 인정하지 않을 수 없다(대판 2003.7.11. 99다24218).

④ (○) 신청인의 손해가 분명해서 신청인을 위해서도 거부가 요구되는 경우라야 수익적 행정처분의 위법성이 인정될 수 있다.

> 수익적 행정처분이 신청인에 대한 관계에서 국가배상법 제2조 제1항의 위법성이 있는 것으로 평가되기 위하여는 당해 행정처분에 관한 법령의 내용, 그 성질과 법률적 효과, 그로 인하여 신청인이 무익한 비용을 지출할 개연성에 관한 구체적 사정 등을 종합적으로 고려하여 객관적으로 보아 그 행위로 인하여 신청인이 손해를 입게 될 것임이 분명하다고 할 수 있어 신청인을 위하여도 당해 행정처분을 거부할 것이 요구되는 경우이어야 할 것이다(대판 2001.5.29. 99다37047).

⑤ (✕) 구체적 손해가 발생해야 국가배상책임이 성립가능하다.

> 국가배상법 제2조 제1항은 "국가나 지방자치단체는 공무원 또는 공무를 위탁받은 사인(이하 '공무원'이라고 한다)이 직무를 집행하면서 고의 또는 과실로 법령을 위반하여 타인에게 손해를 입히거나, 자동차손해배상 보장법에 따라 손해배상의 책임이 있을 때에는 이 법에 따라 그 손해를 배상하여야 한다."라고 규정하고 있다. 따라서 국가배상책임이 성립하기 위해서는 공무원의 직무집행이 위법하다는 점만으로는 부족하고, 그로 인해 타인의 권리·이익이 침해되어 구체적 손해가 발생하여야 한다(대판 2016.8.30. 2015두60617).

답 ⑤

039

국가배상에 대한 설명으로 옳은 것만을 모두 고르면? (다툼이 있는 경우 판례에 의함)

> ㄱ. 헌법재판소 재판관이 청구기간 내에 제기된 헌법소원심판청구 사건에서 청구기간을 오인하여 각하결정을 한 경우, 이에 대한 불복절차 내지 시정절차가 없는 때에는 국가배상책임을 인정할 수 있다.
> ㄴ. 형벌에 관한 법령이 헌법재판소의 위헌결정으로 소급하여 효력을 상실한 경우, 위헌 선언 전 그 법령에 기초하여 수사가 개시되어 공소가 제기되고 유죄판결이 선고되었더라도, 그러한 사정만으로 국가의 손해배상책임이 발생한다고 볼 수 없다.
> ㄷ. 법령의 위탁에 의해 지방자치단체로부터 대집행을 수권받은 구 한국토지공사는 지방자치단체의 기관으로서 「국가배상법」제2조 소정의 공무원에 해당한다.
> ㄹ. 취소판결의 기판력은 국가배상청구소송에도 미치므로, 행정처분이 후에 항고소송에서 위법을 이유로 취소된 경우에는 그 기판력에 의하여 당해 행정처분이 곧바로 공무원의 고의 또는 과실에 의 한 불법행위를 구성한다고 보아야 한다.

① ㄱ, ㄴ
② ㄱ, ㄹ
③ ㄴ, ㄷ
④ ㄷ, ㄹ

2019년 지방직 9급

ㄱ. (○) 헌재 재판관이 청구기간을 오인하여 각하한 경우 국가배상책임이 인정된다.

> 재판에 대하여 불복절차 내지 시정절차 자체가 없는 경우에는 부당한 재판으로 인하여 불이익 내지 손해를 입은 사람은 국가배상 이외의 방법으로는 자신의 권리 내지 이익을 회복할 방법이 없으므로, 이와 같은 경우에는 배상책임의 요건이 충족되는 한 국가배상책임을 인정하지 않을 수 없다. 헌법재판소 재판관이 청구기간 내에 제기된 헌법소원심판청구 사건에서 청구기간을 오인하여 각하결정을 한 경우, 이에 대한 불복절차 내지 시정절차가 없는 때에는 국가배상책임(위법성)을 인정할 수 있다(대판 2003.7.11. 99다24218).

유제 19. 국가직 9급 재판에 대하여 불복절차 내지 시정절차 자체가 없는 경우, 부당한 재판으로 인하여 불이익 내지 손해를 입은 사람에게는 배상책임의 요건이 충족되는 한 국가배상책임이 인정될 수 있다. (○)

ㄴ. (○) 형벌에 대한 위헌결정 전 수사·재판행위는 불법행위에 해당하지 않는다.

> 형벌에 관한 법령이 헌법재판소의 위헌결정으로 소급하여 효력을 상실하였거나 법원에서 위헌·무효로 선언된 경우, 그 법령이 위헌으로 선언되기 전에 그 법령에 기초하여 수사가 개시되어 공소가 제기되고 유죄판결이 선고되었더라도, 그러한 사정만으로 수사기관의 직무행위나 법관의 재판상 직무행위가 국가배상법 제2조 제1항에서 말하는 공무원의 고의 또는 과실에 의한 불법행위에 해당하여 국가의 손해배상책임이 발생한다고 볼 수는 없다(대판 2014.10.27. 2013다217962).

ㄷ. (×) 대집행권한 수권받은 한국토지공사는 행정주체에 해당한다.

> 한국토지공사는 이러한 법령의 위탁에 의하여 대집행을 수권받은 자로서 공무인 대집행을 실시함에 따르는 권리·의무 및 책임이 귀속되는 행정주체의 지위에 있다고 볼 것이지 지방자치단체 등의 기관으로서 국가배상법 제2조 소정의 공무원에 해당한다고 볼 것은 아니다(대판 2010.1.28. 2007다82950).

ㄹ. (×) 항고소송에서 처분이 취소되어도 불법행위를 구성한다고 단정할 수는 없다.

> 어떠한 행정처분이 후에 항고소송에서 취소되었다고 할지라도 그 기판력에 의하여 당해 행정처분이 곧바로 공무원의 고의 또는 과실로 인한 것으로서 불법행위를 구성한다고 단정할 수는 없는 것이고, 그 행정처분의 담당공무원이 보통 일반의 공무원을 표준으로 하여 볼 때 객관적 주의의무를 결하여 그 행정처분이 객관적 정당성을 상실하였다고 인정될 정도에 이른 경우에 국가배상법 제2조 소정의 국가배상책임의 요건을 충족하였다고 봄이 상당하다(대판 2000.5.12. 99다70600).

답 ①

📌 함께 정리하기

「국가배상법」

헌재재판관의 청구기간 오인 각하결정
▷ 국가배상책임 인정 可

형벌 위헌선언 전 수사·재판행위
▷ 불법행위×

대집행권한 수권받은 한국토지공사
▷ 행정주체(공무원×)

항고소송에서 처분취소
▷ 공무원의 고의·과실 단정×

문제 DATA

출제가능 지수 ▶▶▷
난이도 지수 ★★☆

040 □□□

행정상 손해배상에 대한 판례의 입장으로 옳지 않은 것은?

① 「국가배상법」 제2조에 따른 공무원은 「국가공무원법」 등에 의해 공무원의 신분을 가진 자에 국한하지 않고, 널리 공무를 위탁받아 실질적으로 공무에 종사하고 있는 일체의 자를 가리킨다.

② 공무원이 직무를 수행하면서 그 근거법령에 따라 구체적으로 의무를 부여받았어도 그것이 국민 개개인의 이익을 위한 것이 아니라 전체적으로 공공 일반의 이익을 도모하기 위한 것이라면 그 의무에 위반하여 국민에게 손해를 가하여도 국가 또는 지방자치단체는 배상책임을 지지 않는다.

③ 어떠한 행정처분이 항고소송에서 취소되었을지라도 그 기판력에 의하여 당해 행정처분이 곧바로 공무원의 고의 또는 과실로 인한 것으로서 국가배상책임이 성립한다고 단정할 수는 없다.

④ 「공직선거법」이 후보자가 되고자 하는 자와 그 소속 정당에게 전과기록을 조회할 권리를 부여하고 수사기관에 회보의무를 부과한 것은 공공의 이익만을 위한 것이지 후보자가 되고자 하는 자나 그 소속 정당의 개별적 이익까지 보호하기 위한 것은 아니다.

| 2019년 국가직 7급

① (○) 「국가공무원법」상 공무원은 공무에 종사하는 일체의 자를 의미한다.

> 국가배상법 제2조 소정의 '공무원'이라 함은 국가공무원법이나 지방공무원법에 의하여 공무원으로서의 신분을 가진 자에 국한하지 않고, 널리 공무를 위탁받아 실질적으로 공무에 종사하고 있는 일체의 자를 가리키는 것으로서, 공무의 위탁이 일시적이고 한정적인 사항에 관한 활동을 위한 것이어도 달리 볼 것은 아니다(대판 2001.1.5. 98다39060).

② (○) 공무원의 의무가 공공 일반의 이익을 도모하기 위한 것이면 배상책임이 없다.

> 공무원이 직무를 수행하면서 그 근거되는 법령의 규정에 따라 구체적으로 의무를 부여받았어도 그것이 국민의 이익과는 관계없이 순전히 행정기관 내부의 질서를 유지하기 위한 것이거나, 또는 국민의 이익과 관련된 것이라도 직접 국민 개개인의 이익을 위한 것이 아니라 전체적으로 공공 일반의 이익을 도모하기 위한 것이라면 그 의무에 위반하여 국민에게 손해를 가하여도 국가 또는 지방자치단체는 배상책임을 부담하지 아니한다(대판 2006.4.14. 2003다41746).

③ (○) 처분이 항고소송에서 취소되어도 불법행위를 구성한다고 단정할 수 없다.

> 어떠한 행정처분이 후에 항고소송에서 취소되었다고 할지라도 그 기판력에 의하여 당해 행정처분이 곧바로 공무원의 고의 또는 과실로 인한 것으로서 불법행위를 구성한다고 단정할 수는 없는 것이고, 그 행정처분의 담당공무원이 보통 일반의 공무원을 표준으로 하여 볼 때 객관적 주의의무를 결하여 그 행정처분이 객관적 정당성을 상실하였다고 인정될 정도에 이른 경우에 국가배상법 제2조가 정한 국가배상책임의 요건을 충족하였다고 봄이 상당하다(대판 2012.5.24. 2012다11297).

④ (×) 「공직선거법」상 전과기록 조회는 소속정당의 개별적인 이익도 보호하기 위함이다.

> 공직선거법이 위와 같이 후보자가 되고자 하는 자와 그 소속 정당에게 전과기록을 조회할 권리를 부여하고 수사기관에 회보의무를 부과한 것은 단순히 유권자의 알권리 보호 등 공공 일반의 이익만을 위한 것이 아니라, 그와 함께 후보자가 되고자 하는 자가 자신의 피선거권 유무를 정확하게 확인할 수 있게 하고, 정당이 후보자가 되고자 하는 자의 범죄경력을 파악함으로써 부적격자를 공천함으로 인하여 생길 수 있는 정당의 신뢰도 하락을 방지할 수 있게 하는 등 개별적인 이익도 보호하기 위한 것이다(대판 2011.9.8. 2011다34521).

답 ④

함께 정리하기

「국가배상법」

공무원
▷ 공무에 종사하는 일체의 자

공공일반의 이익 도모
▷ 배상책임×

항고소송에서 처분취소
▷ 곧바로 국가배상성립×

「공직선거법」상 전과조회
▷ 개별적 이익까지 보호

041 ☐☐☐

행정상 손해배상에 대한 설명으로 옳은 것은? (다툼이 있는 경우 판례에 의함)

① 민간인과 직무집행 중인 군인의 공동불법행위로 인하여 직무집행 중인 다른 군인이 피해를 입은 경우 민간인이 피해 군인에게 자신의 과실비율에 따라 내부적으로 부담할 부분을 초과하여 피해금액 전부를 배상한 경우에 대법원 판례에 따르면 민간인은 국가에 대해 가해군인의 과실비율에 대한 구상권을 행사할 수 있다.
② 「국가배상법」상 공무원의 직무행위는 객관적으로 직무행위로서의 외형을 갖추고 있어야 할 뿐만 아니라 주관적 공무집행의 의사도 있어야 한다.
③ 국가 또는 지방자치단체가 공무원의 위법한 직무집행으로 발생한 손해에 대해 「국가배상법」에 따라 배상한 경우에 당해 공무원에게 구상권을 행사할 수 있는지에 대해 「국가배상법」은 규정을 두고 있지 않으나, 판례에 따르면 당해 공무원에게 고의 또는 중과실이 인정될 경우 국가 또는 지방자치단체는 그 공무원에게 구상권을 행사할 수 있다.
④ 국가나 지방자치단체는 공무원이 직무를 집행하면서 고의 또는 과실로 위법하게 타인에게 손해를 가한 때에 「국가배상법」상 배상책임을 지고, 공무원의 선임 및 감독에 상당한 주의를 한 경우에도 그 배상책임을 면할 수 없다.

| 2018년 국가직 9급

① (×) 민간인이 손해 전부를 배상한 경우에는 국가에 구상할 수 없다(대법원).

> 공동불법행위자 등이 부진정연대채무자로서 각자 피해자의 손해 전부를 배상할 의무를 부담하는 공동불법행위의 일반적인 경우와 달리 예외적으로 민간인은 피해 군인 등에 대하여 그 손해 중 국가 등이 민간인에 대한 구상의무를 부담한다면 그 내부적인 관계에서 부담하여야 할 부분을 제외한 나머지 자신의 부담부분에 한하여 손해배상의무를 부담하고, 한편 국가 등에 대하여는 그 귀책부분의 구상을 청구할 수 없다고 해석함이 상당하다 할 것이고, 이러한 해석이 손해의 공평·타당한 부담을 그 지도원리로 하는 손해배상제도의 이상에도 맞는다 할 것이다(대판 2001.2.15. 96다42420 전합).

② (×) 직무관련성에는 공무집행의사를 요하지 않는다.

> '직무를 집행함에 당하여'라 함은 직접 공무원의 직무집행행위이거나 그와 밀접한 관련이 있는 행위를 포함하고, 이를 판단함에 있어서는 행위 자체의 외관을 객관적으로 관찰하여 공무원의 직무행위로 보여질 때에는 비록 그것이 실질적으로 직무행위가 아니거나 또는 행위자로서는 주관적으로 공무집행의 의사가 없었다고 하더라도 그 행위는 공무원이 '직무를 집행함에 당하여' 한 것으로 보아야 한다(대판 2005.1.14. 2004다26805).

③ (×) 공무원의 대외적 책임(피해자의 선택적 청구권)의 문제와는 달리 공무원의 대내적 책임에 대해서는 「국가배상법」에 명문 규정이 있다.

> 「국가배상법」제2조【배상책임】① 국가나 지방자치단체는 공무원 또는 공무를 위탁받은 사인(이하 "공무원"이라 한다)이 직무를 집행하면서 고의 또는 과실로 법령을 위반하여 타인에게 손해를 입히거나, 「자동차손해배상 보장법」에 따라 손해배상의 책임이 있을 때에는 이 법에 따라 그 손해를 배상하여야 한다. (이하 생략)
> ② 제1항 본문의 경우에 공무원에게 고의 또는 중대한 과실이 있으면 국가나 지방자치단체는 그 공무원에게 구상(求償)할 수 있다.

유제 19. 소방직, 18. 국가직 9급, 18. 서울시 7급 국가 또는 지방자치단체가 공무원의 위법한 직무집행으로 발생한 손해에 대해 「국가배상법」에 따라 배상한 경우에 당해 공무원에게 구상권을 행사할 수 있는지에 대해 「국가배상법」은 규정을 두고 있지 않으나, 판례에 따르면 당해 공무원에게 고의 또는 중과실이 인정될 경우 국가 또는 지방자치단체는 그 공무원에게 구상권을 행사할 수 있다. (×)

문제 DATA
출제가능 지수 ▶▶▷
난이도 지수 ★★☆

함께 정리하기

국가배상

민간인 손해 전부 배상
▷ 대법원: 구상 不可
▷ 헌법재판소: 구상 可

직무관련성
▷ 공무집행의사 不要(외형설)

고의·중과실 공무원에 대한 국가의 구상권
▷ 국가배상법상 명문규정 有

국가배상법
▷ 면책규정(민법상 면책사유도 적용×)

④ (○) 「민법」과 달리 국가배상법에는 면책규정이 존재하지 않는다.

> 민법이 제756조 제1항 단서에서 사용자가 피용자의 선임·감독에 무과실인 경우에는 면책되도록 면책규정을 둔 것과 달리 국가배상법은 면책규정을 두지 아니함으로써 국가배상책임이 용이하게 인정되도록 하고 있다. 따라서 민법상의 사용자 면책사유는 국가배상법상의 고의·과실의 판단에서는 적용되지 않는다(대판 1996.2.15. 95다38677 전합).

답 ④

042

「국가배상법」상 공무원의 위법한 직무행위로 인한 손해배상에 대한 설명으로 옳지 않은 것은? (다툼이 있는 경우 판례에 의함)

① 특별한 사정이 없는 한 일반적으로 공무원이 관계법규를 알지 못하거나 필요한 지식을 갖추지 못하고 법규의 해석을 그르쳐 행정처분을 하였다면 그가 법률전문가가 아닌 행정직 공무원이라도 과실이 있다.
② 헌법재판소 재판관이 잘못된 각하결정을 하여 청구인으로 하여금 본안판단을 받을 기회를 상실하게 하였더라도, 본안판단에서 어차피 청구가 기각되었을 것이라는 사정이 있다면 국가배상책임이 인정되지 않는다.
③ 공익근무요원은 「국가배상법」상 손해배상청구가 제한되는 군인·군무원·경찰공무원 또는 향토예비군대원에 해당한다고 할 수 없다.
④ 인사업무담당 공무원이 다른 공무원의 공무원증 등을 위조한 행위는 실질적으로 직무행위에 속하지 아니한다 할지라도 외관상으로는 「국가배상법」상의 직무집행에 해당한다.

| 2018년 지방직 7급

① (○) 행정직 공무원이 법규를 오해석하여 처분을 한 것에는 과실이 인정된다.

> 법령에 대한 해석이 복잡, 미묘하여 워낙 어렵고, 이에 대한 학설, 판례조차 귀일되어 있지 않는 등의 특별한 사정이 없는 한 일반적으로 공무원이 관계법규를 알지 못하거나 필요한 지식을 갖추지 못하고 법규의 해석을 그르쳐 행정처분을 하였다면 그가 법률전문가 아닌 행정직 공무원이라고 하여 과실이 없다고는 할 수 없다(대판 1981.8.25. 80다1598).

② (×) 헌법소원을 잘못 각하한 경우 어차피 기각될 사정이 있더라도 위자료를 지급해야 한다.

> 헌법재판소 재판관의 위법한 직무집행의 결과 잘못된 각하결정을 함으로써 청구인으로 하여금 본안판단을 받을 기회를 상실하게 한 이상, 설령 본안판단을 하였더라도 어차피 청구가 기각되었을 것이라는 사정이 있다고 하더라도 그 침해로 인한 정신상 고통에 대하여는 위자료를 지급할 의무가 있다(대판 2003.7.11. 99다24218).

③ (○) 공익근무요원에게는 이중배상금지규정이 적용되지 않는다.

> 공익근무요원이 국가배상법 제2조 제1항 단서의 규정에 의하여 국가배상법상 손해배상청구가 제한되는 군인·군무원·경찰공무원 또는 향토예비군대원에 해당한다고 할 수 없다(대판 1997.3.28. 97다4036).

④ (○) 인사담당 공무원의 공무원증 위조는 직무집행에 해당한다.

> 행위 자체의 외관을 객관적으로 관찰하여 공무원의 직무행위로 보여질 때에는 비록 그것이 실질적으로 직무행위가 아니거나 또는 행위자로서는 주관적으로 공무집행의 의사가 없었다고 하더라도 그 행위는 공무원이 '직무를 집행함에 당하여' 한 것으로 보아야 한다. 인사업무담당 공무원이 다른 공무원의 공무원증 등을 위조한 행위에 대하여 실질적으로는 직무행위에 속하지 아니한다 할지라도 외관상으로 국가배상법 제2조 제1항의 직무집행관련성이 인정된다(대판 2005.1.14. 2004다26805).

답 ②

043

국가배상책임에 대한 판례의 입장으로 옳지 않은 것은?

① 공무원이 경과실로 직무상 불법행위를 한 후 직접 피해자에게 손해배상하였다면 국가에 대하여 구상권을 행사할 수 없다.
② 헌법재판소 재판관의 잘못된 각하결정으로 말미암아 본안판단기회를 상실한 경우, 본안판단을 하면 어차피 청구가 기각될 사정이 있더라도 본안판단에 대한 원고의 합리적 기대가 침해된 데 따른 정신상 고통에 대해 위자료를 지급할 의무가 국가에게 인정된다.
③ 국민의 이익과 관련된 것이라도 직접 국민 개개인의 이익을 위한 것이 아니라 전체적으로 공공 일반의 이익을 도모하기 위한 것이라면, 그 의무에 위반하였다는 사유로 국가 또는 지방자치단체가 배상책임을 부담하지는 아니한다.
④ 행위 자체의 외관을 객관적으로 관찰하여 공무원의 직무행위로 보여질 때에는 비록 그것이 실질적으로 직무행위가 아니거나 또는 행위자로서는 주관적으로 공무집행의 의사가 없었다고 하더라도 그 행위는 직무행위라고 판단한다.
⑤ 국가의사를 형성하는 국가기관으로서 국회의원은 입법에 관하여 원칙적으로 국민 전체에 대한 관계에서 정치적 책임을 질 뿐 국민 개개인의 권리에 대응하여 법적 의무를 지는 것은 아니다.

| 2018년 5급 승진

① (×) 경과실의 공무원이 손해를 배상한 경우 국가에 대해 구상권을 취득한다.

> 경과실이 있는 공무원이 피해자에 대하여 손해배상책임을 부담하지 아니함에도 피해자에게 손해를 배상하였다면 그것은 채무자 아닌 사람이 타인의 채무를 변제한 경우에 해당하고, 그에 따라 피해자의 국가에 대한 손해배상청구권이 소멸하여 국가는 자신의 출연 없이 채무를 면하게 되므로, 피해자에게 손해를 직접 배상한 경과실이 있는 공무원은 특별한 사정이 없는 한 국가에 대하여 국가의 피해자에 대한 손해배상책임의 범위 내에서 공무원이 변제한 금액에 관하여 구상권을 취득한다고 봄이 타당하다(대판 2014.8.20. 2012다54478).

② (○) 청구기간을 오인하여 헌법소원을 각하한 경우 국가배상책임이 인정된다.

> 헌법재판소 재판관의 위법한 직무집행의 결과 잘못된 각하결정을 함으로써 청구인으로 하여금 본안판단을 받을 기회를 상실하게 한 이상, 설령 본안판단을 하였더라도 어차피 청구가 기각되었을 것이라는 사정이 있다고 하더라도 그 침해로 인한 정신상 고통에 대하여는 위자료를 지급할 의무가 있다(대판 2003.7.11. 99다24218).

③ (○) 직무상 의무가 내부질서·공익을 도모하는 경우에는 상당인과관계가 인정되지 않는다.

> 공무원이 직무를 수행하면서 그 근거되는 법령의 규정에 따라 구체적으로 의무를 부여받았어도 그것이 국민의 이익과는 관계없이 순전히 행정기관 내부의 질서를 유지하기 위한 것이거나, 또는 국민의 이익과 관련된 것이라도 직접 국민 개개인의 이익을 위한 것이 아니라 전체적으로 공공 일반의 이익을 도모하기 위한 것이라면 그 의무에 위반하여 국민에게 손해를 가하여도 국가 또는 지방자치단체는 배상책임을 부담하지 아니한다(대판 2001.10.23. 99다36280).

④ (○) 직무행위는 행위 자체의 외관을 객관적으로 관찰하여 판단한다.

> 국가배상법 제2조 제1항의 "직무를 집행함에 당하여"라 함은 직접 공무원의 직무집행행위이거나 그와 밀접한 관계에 있는 행위를 포함하고, 이를 판단함에 있어서는 행위 자체의 외관을 객관적으로 관찰하여 공무원의 직무행위로 보여질 때에는 비록 그것이 실질적으로 직무행위가 아니거나 또는 행위자로서는 주관적으로 공무집행의 의사가 없었다고 하더라도 그 행위는 공무원이 "직무를 집행함에 당하여""한 것으로 보아야 한다(대판 1995.4.21. 93다14240).

⑤ (○) 국회의원은 국민 개인에게 정치적 책임만을 부담한다.

> 국회의원은 입법에 관하여 원칙적으로 국민 전체에 대한 관계에서 정치적 책임을 질 뿐 국민 개개인의 권리에 대응하여 법적 의무를 지는 것은 아니므로, 국회의원의 입법행위는 그 입법 내용이 헌법의 문언에 명백히 위반됨에도 불구하고 국회가 굳이 당해 입법을 한 것과 같은 특수한 경우가 아닌 한 국가배상법 제2조 제1항 소정의 위법행위에 해당된다고 볼 수 없다(대판 1997.6.13. 96다56115).

답 ①

044

행정상 손해배상에 대한 설명으로 옳지 않은 것은? (다툼이 있는 경우 판례에 의함)

① 산업기술혁신 촉진법령에 따른 중앙행정기관과 지방자치단체 등의 인증신제품 구매의무는 공공 일반의 전체적인 이익을 도모하기 위한 것으로 봄이 타당하고, 신제품 인증을 받은 자의 재산상 이익은 법령이 보호하고자 하는 이익으로 보기는 어려우므로, 지방자치단체가 위 법령에서 정한 인증신제품 구매의무를 위반하였다고 하더라도, 이를 이유로 신제품 인증을 받은 자에 대하여 국가배상책임을 지는 것은 아니다.

② 국가배상청구의 요건인 '공무원의 직무'에는 국가나 지방자치단체의 권력적 작용뿐만 아니라 비권력적 작용도 포함되지만, 단순한 사경제주체로서 하는 작용은 포함되지 않는다.

③ 행위 자체의 외관을 객관적으로 관찰하여 공무원의 직무행위로 보여진다 하더라도 그것이 실질적으로 직무행위에 해당하지 않는다면 그 행위는 '직무를 집행하면서' 행한 것으로 볼 수 없다.

④ 국가배상청구권의 소멸시효기간이 지났으나, 국가가 소멸시효완성을 주장하는 것이 신의성실의 원칙에 반하는 권리남용으로 허용될 수 없어 배상책임을 이행한 경우에는, 그 소멸시효 완성 주장이 권리남용에 해당하게 된 원인행위와 관련하여 해당 공무원이 그 원인이 되는 행위를 적극적으로 주도하였다는 등의 특별한 사정이 없는 한, 국가의 해당 공무원에 대한 구상권 행사는 신의칙상 허용되지 않는다.

⑤ 국가에게 국가배상책임이 있는 경우에, 경과실이 있는 공무원이 피해자에 대하여 손해배상책임을 부담하지 아니함에도 피해자에게 손해를 배상하였다면 경과실이 있는 그 공무원은 특별한 사정이 없는 한 국가에 대하여 자신이 변제한 금액에 관하여 구상권을 취득한다.

2017년 변호사

① (○) 인증신제품의 구매의무는 공공 일반의 이익을 도모하는 규정이다.

구 산업기술혁신 촉진법 및 그 시행령의 목적과 내용 등을 종합 하여 보면, 위 법령이 공공기관에 부과한 인증신제품 구매의무는 공공 일반의 이익을 도모하기 위한 것으로 봄이 타당하고, 공공기관이 구매의무를 이행한 결과 신제품 인증을 받은 자가 재산상 이익을 얻게 되더라도 이는 반사적 이익에 불과할 뿐 위 법령이 보호하고자 하는 이익으로 보기는 어렵다(대판 2015.5.28. 2013다41431).

② (○) 사경제 주체로서의 작용은 직무행위에 포함되지 않는다.

'공무원의 직무'에는 국가나 지방자치단체의 권력적 작용뿐만 아니라 비권력적 작용도 포함되지만 단순한 사경제의 주체로서 하는 작용은 포함되지 않는다(대판 2004.4.9. 2002다10691).

③ (×) 직무관련성은 외형설에 의해 판단한다.

'직무를 집행함에 당하여'라 함은 직접 공무원의 직무집행행위이거나 그와 밀접한 관련이 있는 행위를 포함하고, 이를 판단함에 있어서는 행위 자체의 외관을 객관적으로 관찰하여 공무원의 직무행위로 보여질 때에는 비록 그것이 실질적으로 직무행위가 아니거나 또는 행위자로서는 주관적으로 공무집행의 의사가 없었다고 하더라도 그 행위는 공무원이 '직무를 집행함에 당하여' 한 것으로 보아야 한다(대판 2005.1.14. 2004다26805).

유제 18. 국가직 9급 「국가배상법」상 공무원의 직무행위는 객관적으로 직무행위로서의 외형을 갖추고 있어야 할 뿐만 아니라 주관적 공무집행의 의사도 있어야 한다. (×)

④ (○) 국가의 소멸시효 주장이 권리남용으로 배척된 경우 국가는 구상권을 행사할 수 없다.

공무원의 불법행위로 손해를 입은 피해자의 국가배상청구권의 소멸시효 기간이 지났으나 국가가 소멸시효 완성을 주장하는 것이 신의성실의 원칙에 반하는 권리남용으로 허용될 수 없어 배상책임을 이행한 경우에는, 그 소멸시효완성 주장이 권리남용에 해당하게 된 원인행위와 관련하여 해당 공무원이 그 원인이 되는 행위를 적극적으로 주도하였다는 등의 특별한 사정이 없는 한, 국가가 해당 공무원에게 구상권을 행사하는 것은 신의칙상 허용되지 않는다(대판 2016.6.9. 2015다200258).

⑤ (○) 손해를 배상한 경과실의 공무원은 국가에 구상권을 행사할 수 있다.

경과실이 있는 공무원이 피해자에 대하여 손해배상책임을 부담하지 아니함에도 피해자에게 손해를 배상하였다면 그것은 채무자 아닌 사람이 타인의 채무를 변제한 경우에 해당하고, 피해자에게 손해를 직접 배상한 경과실이 있는 공무원은 특별한 사정이 없는 한 국가에 대하여 국가의 피해자에 대한 손해배상책임의 범위 내에서 공무원이 변제한 금액에 관하여 구상권을 취득한다고 봄이 타당하다(대판 2014.8.20. 2012다54478).

답 ③

함께 정리하기

행정상 손해배상

인증신제품구매의무
▷ 공공일반이익도모

사경제작용
▷ 직무×

직무관련성
▷ 외형설

소멸시효완성주장 권리남용
▷ 배상책임이행
▷ 국가구상권×

경과실 공무원
▷ 구상권○

문제 DATA

출제가능 지수 ▶▶▷
난이도 지수 ★★☆

045 □□□

행정상 손해배상에 대한 설명으로 옳은 것만을 모두 고른 것은? (다툼이 있는 경우 판례에 의함)

> ㄱ. 공무원의 직무상 불법행위로 손해를 입은 피해자의 국가배상청구권의 소멸시효 기간이 지났으나 국가가 소멸시효 완성을 주장하는 것이 권리남용으로 허용될 수 없어 배상책임을 이행한 경우에는, 소멸시효 완성 주장이 권리남용에 해당하게 된 원인행위와 관련하여 공무원이 원인이 되는 행위를 적극적으로 주도하였다는 등의 특별한 사정이 없는 한, 국가가 공무원에게 구상권을 행사하는 것은 신의칙상 허용되지 않는다.
> ㄴ. 경찰은 국민의 생명, 신체 및 재산의 보호 등과 기타 공공의 안녕과 질서유지도 직무로 하고 있고 그 직무의 원활한 수행을 위한 권한은 일반적으로 경찰관의 전문적 판단에 기한 합리적인 재량에 위임되어 있는 것이나, 그 취지와 목적에 비추어 볼 때 구체적인 사정에 따라 경찰관이 그 권한을 행사하여 필요한 조치를 취하지 아니하는 것이 현저하게 불합리하다고 인정되는 경우에는 그러한 권한의 불행사는 직무상의 의무를 위반한 것이 되어 위법하게 된다.
> ㄷ. 지방자치단체의 장이 기관위임된 국가행정사무를 처리하는 경우 그에 소요되는 경비의 실질적·궁극적 부담자는 국가라고 하더라도 당해 지방자치단체는 국가로부터 내부적으로 교부된 금원으로 그 사무에 필요한 경비를 대외적으로 지출하는 자이므로, 이러한 경우 지방자치단체는 「국가배상법」 제6조 제1항의 비용부담자로서 공무원의 직무상 불법행위로 인한 손해를 배상할 책임이 있다.

① ㄱ, ㄴ
② ㄱ, ㄷ
③ ㄴ, ㄷ
④ ㄱ, ㄴ, ㄷ

2017년 지방직 9급

ㄱ. (○) 국가의 소멸시효완성 주장이 배척되어 배상책임을 이행한 경우 구상권을 행사할 수 없다.

> 공무원의 불법행위로 손해를 입은 피해자의 국가배상청구권의 소멸시효 기간이 지났으나 국가가 소멸시효 완성을 주장하는 것이 신의성실의 원칙에 반하는 권리남용으로 허용될 수 없어 배상책임을 이행한 경우에는, 그 소멸시효 완성 주장이 권리남용에 해당하게 된 원인행위와 관련하여 해당 공무원이 그 원인이 되는 행위를 적극적으로 주도하였다는 등의 특별한 사정이 없는 한, 국가가 해당 공무원에게 구상권을 행사하는 것은 신의칙상 허용되지 않는다고 봄이 상당하다(대판 2016.6.9. 2015다200258).

ㄴ. (○) 재량권 행사가 현저히 불합리하면 직무위반에 해당한다.

> 구체적인 직무를 수행하는 경찰관으로서는 제반 상황에 대응하여 자신에게 부여된 여러 가지 권한을 적절하게 행사하여 필요한 조치를 할 수 있고, 그러한 권한은 일반적으로 경찰관의 전문적 판단에 기한 합리적인 재량에 위임되어 있으나, 경찰관에게 권한을 부여한 취지와 목적에 비추어 볼 때 구체적인 사정에 따라 경찰관이 권한을 행사하여 필요한 조치를 하지 아니하는 것이 현저하게 불합리하다고 인정되는 경우에는 권한의 불행사는 직무상 의무를 위반한 것이 되어 위법하게 된다(대판 2016.4.15. 2013다20427).

ㄷ. (○) 기관위임사무를 처리하는 지자체는 경비지출자이므로 제6조의 책임을 부담한다.

> 지방자치단체의 장이 기관위임된 국가행정사무를 처리하는 경우 그에 소요되는 경비의 실질적·궁극적 부담자는 국가라고 하더라도 당해 지방자치단체는 국가로부터 내부적으로 교부된 금원으로 그 사무에 필요한 경비를 대외적으로 지출하는 자이므로, 이러한 경우 지방자치단체는 국가배상법 제6조 제1항 소정의 비용부담자로서 공무원의 불법행위로 인한 같은 법에 의한 손해를 배상할 책임이 있다(대판 1994.12.9. 94다38137).

답 ④

함께 정리하기

행정상 손해배상

소멸시효완성주장 권리남용
▷ 배상책임이행
▷ 국가구상권✕

재량불행사 현저히 불합리
▷ 직무위반○

기관위임사무를 처리하는 지자체는 대외적 경비지출자
▷ 비용부담자 손배책임○

046

행정상 손해배상에 대한 설명으로 옳지 않은 것은? (다툼이 있는 경우 판례에 의함)

① 법관의 재판행위가 위법행위로서 국가배상책임이 인정되려면 당해 법관이 위법 또는 부당한 목적을 가지고 재판하는 등 법관에게 부여된 권한의 취지에 명백히 어긋나게 이를 행사하였다고 인정할 특별한 사정이 있어야 한다.
② 「경찰관 직무집행법」상 경찰관에게 재량에 의한 직무수행권한을 부여한 것처럼 되어 있으나, 경찰관에게 권한을 부여한 취지와 목적에 비추어 볼 때 구체적인 사정에 따라 경찰관이 그 권한을 행사하여 필요한 조치를 취하지 않는 것이 현저하게 불합리하다고 인정되는 경우에 권한의 불행사는 직무상 의무를 위반한 것으로 위법하다.
③ 국가배상책임에서 '법령을 위반하여'라고 함은 엄격하게 형식적 의미의 법령에서 명시적으로 공무원의 행위의무가 정하여져 있음에도 이를 위반하는 경우만을 의미한다.
④ 재판에 대하여 불복절차 내지 시정절차 자체가 없는 경우에는 부당한 재판으로 인하여 불이익 내지 손해를 입은 사람에게 배상책임의 요건이 충족되는 한 국가배상책임이 인정된다.

문제 DATA
출제가능 지수 ▶▶▷
난이도 지수 ★★☆

2017년 국가직 7급

① (○) 법원의 재판은 권한취지에 명백히 어긋나야 국가배상이 인정된다.

> 법관의 재판에 법령의 규정을 따르지 아니한 잘못이 있다 하더라도 이로써 바로 그 재판상 직무행위가 국가배상법 제2조 제1항에서 말하는 위법한 행위로 되어 국가의 손해배상책임이 발생하는 것은 아니고, 그 국가배상책임이 인정되려면 당해 법관이 위법 또는 부당한 목적을 가지고 재판을 하는 등 법관이 그에게 부여된 권한의 취지에 명백히 어긋나게 이를 행사하였다고 인정할 만한 특별한 사정이 있어야 한다고 해석함이 상당하다(대판 2001.4.24. 2000다16114).

② (○) 경찰권의 불행사가 현저히 불합리한 경우에는 위법하다.

> 경찰관 직무집행법 제5조는 경찰관은 인명 또는 신체에 위해를 미치거나 재산에 중대한 손해를 끼칠 우려가 있는 위험한 사태가 있을 때에는 그 각 호의 조치를 취할 수 있다고 규정하여 형식상 경찰관에게 재량에 의한 직무수행권한을 부여한 것처럼 되어 있으나, 경찰관에게 그러한 권한을 부여한 취지와 목적에 비추어 볼 때 구체적인 사정에 따라 경찰관이 그 권한을 행사하여 필요한 조치를 취하지 아니하는 것이 현저하게 불합리하다고 인정되는 경우에는 그러한 권한의 불행사는 직무상 의무를 위반한 것이 되어 위법하게 된다(대판 1998.8.25. 98다16890).

③ (✕) 형식적 법령에 근거가 없더라도 작위의무를 인정할 수 있다.

> 여기서 '법령에 위반하여'라고 하는 것이 엄격하게 형식적 의미의 법령에 명시적으로 공무원의 작위의무가 규정되어 있는데도 이를 위반하는 경우만을 의미하는 것은 아니고, 국민의 생명, 신체, 재산 등을 보호하는 것을 본래적 사명으로 하는 국가가 초법규적, 일차적으로 그 위험 배제에 나서지 아니하면 국민의 생명, 신체, 재산 등을 보호할 수 없는 경우에는 형식적 의미의 법령에 근거가 없더라도 국가나 관련 공무원에 대하여 그러한 위험을 배제할 작위의무를 인정할 수 있을 것이다(대판 2001.4.24. 2000다57856).

④ (○) 불복절차가 없는 재판의 경우에는 국가배상책임을 인정할 수 있다.

> 재판에 대하여 따로 불복절차 또는 시정절차가 마련되어 있는 경우에는 스스로 그와 같은 시정을 구하지 아니한 결과 권리 내지 이익을 회복하지 못한 사람은 원칙적으로 국가배상에 의한 권리구제를 받을 수 없다고 봄이 상당하다고 하겠으나, 재판에 대하여 불복절차 내지 시정절차 자체가 없는 경우에는 부당한 재판으로 인하여 불이익 내지 손해를 입은 사람은 국가배상 이외의 방법으로는 자신의 권리 내지 이익을 회복할 방법이 없으므로, 이와 같은 경우에는 배상책임의 요건이 충족되는 한 국가배상책임을 인정하지 않을 수 없다(대판 2003.7.11. 99다24218).

답 ③

함께 정리하기

국가배상

법원의 재판행위
▷ 권한취지 명백히 어긋나야 국가배상

경찰권한의 불행사
▷ 현저히 불합리한 경우 위법

법령위반
▷ 형식적 법령에 근거 없이도 작위의무 인정 可

불복·시정절차 없는 재판
▷ 국가배상책임 인정 可

문제 DATA

출제가능 지수 ▶▶▷
난이도 지수 ★★☆

047 ☐☐☐

국가배상청구에 대한 설명으로 옳지 않은 것은? (다툼이 있는 경우 판례에 의함)

① 수사서류의 열람·등사에 대해 법원이 열람·등사를 허용할 것을 명하는 판결이 있었고, 관련 법령의 해석상 그러한 법원의 결정에 따르는 것이 당연하고 그와 달리 해석될 여지가 없는 데도 불구하고 검사가 열람·등사를 거부했다면 특별한 사정이 없는 한 직무상 의무를 위반한 과실이 있다고 할 수 있다.

② 행정처분의 담당공무원이 일반의 공무원을 표준으로 하여 볼 때 객관적 주의의무를 결하여 그 행정처분이 객관적 정당성을 상실하였다고 인정될 정도에 이른 경우에는 국가배상책임이 인정된다.

③ 행정처분이 뒤에 행정소송에서 취소되었다면, 그 자체만으로 그 행정처분이 곧바로 공무원의 고의 또는 과실로 인한 불법행위를 구성한다.

④ 구체적인 경우 어느 행정처분을 할 것인가에 관하여 행정청 내부에 일응의 기준을 정해 둔 경우에 공무원이 그 기준에 따른 행정처분을 하였다면 그에게 직무상의 과실이 있다고 할 수 없다.

⑤ 위법성을 인정하게 하는 법령의 범위에는 형식적인 의미의 법령만이 아니라, 인권존중이나 신의성실의 원칙도 포함된다.

2019년 5급 승진

① (○) 법원이 서류에 대한 열람·등사허용을 명하는 결정을 하였는데도 검사가 거부한 경우 과실이 인정된다.

> 법원이 형사소송절차에서 피고인의 권리를 실질적으로 보장하기 위하여 마련되어 있는 형사소송법 등 관련 법령에 근거하여 검사에게 어떠한 조치를 이행할 것을 명하였고, 관련 법령의 해석상 그러한 법원의 결정에 따르는 것이 당연하고 그와 달리 해석될 여지가 없는 경우라면, 법에 기속되는 검사로서는 법원의 결정에 따라야 할 직무상 의무도 있다. 그런데도 그와 같은 상황에서 검사가 관련 법령의 해석에 관하여 대법원판례 등의 선례가 없다는 이유 등으로 법원의 결정에 어긋나는 행위를 하였다면 특별한 사정이 없는 한 당해 검사에게 직무상 의무를 위반한 과실이 있다고 보아야 한다(대판 2012.11.15. 2011다48452).

② (○), ③ (×) 처분이 항고소송에서 취소되어도 곧바로 불법행위를 구성하는 것은 아니다.

> 어떠한 행정처분이 후에 항고소송에서 취소되었다고 할지라도 그 기판력에 의하여 당해 행정처분이 곧바로 공무원의 고의 또는 과실로 인한 것으로서 불법행위를 구성한다고 단정할 수는 없는 것이고, 행정처분의 담당공무원이 보통 일반의 공무원을 표준으로 하여 볼 때 객관적 주의의무를 결하여 그 행정처분이 객관적 정당성을 상실하였다고 인정될 정도에 이른 경우에 국가배상법 제2조가 정한 국가배상책임의 요건을 충족하였다고 봄이 상당할 것이다(대판 2012.5.24. 2012다11297).

④ (○) 행정청 내부의 기준에 따라 처분한 경우 과실을 인정할 수 없다.

> 구체적인 경우 어느 행정처분을 할 것인가에 관하여 행정청 내부에 일응의 기준을 정해 둔 경우 그 기준에 따른 행정처분을 하였다면 이에 관여한 공무원에게 그 직무상의 과실이 있다고 할 수 없다(대판 1984.7.24. 84다카597).

⑤ (○) 「국가배상법」의 법령위반에는 인권존중·신의칙 등 객관적 정당성의 결여가 포함된다.

> 국가배상책임에 있어 공무원의 가해행위는 법령을 위반한 것이어야 하고, 법령을 위반하였다 함은 엄격한 의미의 법령 위반뿐 아니라 인권존중, 권력남용금지, 신의성실과 같이 공무원으로서 마땅히 지켜야 할 준칙이나 규범을 지키지 아니하고 위반한 경우를 포함하여 널리 그 행위가 객관적인 정당성을 결여하고 있음을 뜻하는 것이다(대판 2008.6.12. 2007다64365).

답 ③

함께 정리하기

국가배상책임

법원의 수사서류 열람·등사 허용 명하는 결정 有, 달리 해석 여지 無
▷ 검사의 열람·등사를 거부는 직무위반의 과실○

담당공무원의 과실 여부
▷ 일반의 공무원 기준

행정처분이 행정소송에서 취소되었다는 것만으로
▷ 곧바로 담당공무원의 불법행위×

행정청 내부 처분기준
▷ 기준에 따른 행위 과실×

위법성 판단기준
▷ 형식적 의미의 법령, 신의성실원칙 등 널리 객관적 정당성 결여 여부

048

경찰작용에 대한 설명으로 옳지 않은 것은? (다툼이 있는 경우 판례에 의함)

① 행정청이 행정대집행의 방법으로 건물철거의무이행을 실현하는 과정에서 부수적으로 건물 점유자에 대한 퇴거조치를 실현하려하자 점유자들이 이를 위력을 행사하여 방해하는 경우에, 행정청은 「행정대집행법」에 명문의 규정이 없는 이상 「경찰관 직무집행법」에 근거하여서는 경찰의 도움을 받을 수 없다.

② 경찰관이 구체적 상황 하에서 그 인적 · 물적 능력의 범위 내의 적절한 조치라는 판단에 따라 범죄수사 직무를 수행한 경우, 그것이 객관적 정당성을 상실하여 현저하게 불합리하다고 인정되지 않는다면 그와 다른 조치를 취하지 아니한 부작위는 국가배상책임의 요건인 법령 위반에 해당하지 않는다.

③ 경찰관의 무기 사용이 법률에 정한 요건을 충족하는지 여부를 판단함에 있어, 사람에게 위해를 가할 위험성이 큰 권총의 사용에 있어서는 그 요건을 더욱 엄격하게 판단하여야 한다.

④ 경찰관이 교통법규 등을 위반하고 도주하는 차량을 순찰차로 추적하는 직무를 집행하는 중에 그 도주차량의 주행에 의하여 제3자가 손해를 입었다고 하더라도 그 추적이 당해 직무목적을 수행하는 데에 불필요하다거나 추적의 개시 · 계속 혹은 추적의 방법이 상당하지 않다는 등의 특별한 사정이 없는 한 그 추적행위를 위법하다고 할 수는 없다.

문제 DATA
출제가능 지수 ▶▶▷
난이도 지수 ★★☆

2018년 국가직 7급

① (×) 대집행 시 퇴거조치가 가능하며, 경찰의 도움을 받을 수 있다.

> 행정청이 행정대집행의 방법으로 건물철거의무의 이행을 실현할 수 있는 경우에는 건물철거 대집행 과정에서 부수적으로 그 건물의 점유자들에 대한 퇴거 조치를 할 수 있는 것이고, 그 점유자들이 적법한 행정대집행을 위력을 행사하여 방해하는 경우 형법상 공무집행방해죄가 성립하므로, 필요한 경우에는 경찰관 직무집행법에 근거한 위험발생 방지조치 또는 형법상 공무집행방해죄의 범행방지 내지 현행범체포의 차원에서 경찰의 도움을 받을 수도 있다(대판 2017.4.28. 2016다213916).

② (○) 다른 조치를 취하지 않은 부작위는 현저히 불합리하면 법령위반에 해당한다.

> 경찰관이 구체적 상황하에서 그 인적 · 물적 능력의 범위 내에서의 적절한 조치라는 판단에 따라 범죄의 진압 및 수사에 관한 직무를 수행한 경우, 그것이 객관적 정당성을 상실하여 현저하게 불합리하다고 인정되지 않는다면 그와 다른 조치를 취하지 아니한 부작위를 내세워 국가배상책임의 요건인 법령 위반에 해당한다고 할 수 없다(대판 2007.10.25. 2005다23438).

③ (○) 경찰관의 무기사용은 사회통념에 따라 엄격하게 판단한다.

> 경찰관의 무기사용이 이러한 요건을 충족하는지 여부는 범죄의 종류, 죄질, 피해법익의 경중, 위해의 급박성, 저항의 강약, 범인과 경찰관의 수, 무기의 종류, 무기 사용의 태양, 주변의 상황 등을 고려하여 사회통념상 상당하다고 평가되는지 여부에 따라 판단하여야 하고, 특히 사람에게 위해를 가할 위험성이 큰 총기의 사용에 있어서는 그 요건을 더욱 엄격하게 판단하여야 한다(대판 1999.3.23. 98다63445).

④ (○) 도주차량 추적 중 제3자가 손해를 입은 경우 추적이 상당하면 위법행위에 해당하지 않는다.

> 정지 조치나 질문 또는 체포 직무의 수행을 위하여 필요한 경우에는 대상자를 추적할 수도 있으므로, 경찰관이 교통법규 등을 위반하고 도주하는 차량을 순찰차로 추적하는 직무를 집행하는 중에 그 도주차량의 주행에 의하여 제3자가 손해를 입었다고 하더라도 추적의 개시 · 계속 혹은 추적의 방법이 상당하지 않다는 등의 특별한 사정이 없는 한 그 추적행위를 위법하다고 할 수는 없다(대판 2000.11.10. 2000다26807).

답 ①

함께 정리하기

경찰행정작용

대집행 시
▷ 퇴거조치 可
▷ 경찰관의 도움받을 수 ○

다른 조치 취하지 않은 부작위
▷ 현저히 불합리한 경우 법령위반 ○

경찰관의 무기사용
▷ 사회통념에 따라 판단(권총은 엄격하게 판단)

도주차량 추적 중 제3자 손해
▷ 추적 상당한 경우 위법행위 ×

문제 DATA

출제가능 지수 ▶▶▷
난이도 지수 ★★☆

049 ☐☐☐

제시문에 대한 설명으로 옳지 않은 것은? (다툼이 있는 경우 판례에 의함)

> 甲이 A시에 공장을 설립하였는데 그 공장이 들어선 이후로 공장 인근에 거주하는 주민들에게 중한 피부질환과 호흡기 질환이 발생하였다. 환경운동실천시민단체와 주민들은 역학조사를 실시하였고 그 결과에 따라 甲의 공장에서 배출되는 매연물질과 오염물질이 주민들에게 발생한 질환의 원인이 라고 판단하고 있다. 주민들은 규제권한이 있는 A시장에게 甲의 공장에 대해 개선조치를 해줄 것을 요청하였으나, A시장은 상당한 기간이 지나도록 아무런 조치를 취하지 않고 있다.

① 관계 법령에서 A시장에게 일정한 조치를 취하여야 할 작위의무를 규정하고 있지 않더라도 甲의 공장에서 나온 매연물질과 오염물질로 인해 질환을 앓게 된 주민들이 많고 그 정도가 심각하여 주민들의 생명, 신체에 가해지는 위험이 절박하고 중대하다고 인정된다면 A시장에게 그러한 위험을 배제하는 조치를 하여야 할 작위의무를 인정할 수 있다.

② 개선조치를 요청한 주민이 A시장을 상대로 개선조치를 해달라는 행정쟁송을 하고자 할 때 가능한 쟁송유형으로 의무이행심판은 가능하나 의무이행소송은 허용되지 않는다.

③ 甲의 공장에서 배출된 물질 때문에 피해를 입은 주민이 A시장의 부작위를 원인으로 하여 국가배상을 청구한 경우에 국가배상책임이 인정되기 위해서는 A시장의 작위의무위반이 인정되면 충분하고, A시장이 그와 같은 결과를 예견하여 그 결과를 회피하기 위한 조치를 취할 수 있는 가능성까지 인정되어야 하는 것은 아니다.

④ 부작위위법확인소송에서 A시장의 부작위가 위법하다고 확인한 인용판결이 확정되어도 A시장의 부작위를 원인으로 한 국가배상소송에서 A시장의 부작위가 고의 또는 과실에 의한 불법행위를 구성한다는 점이 곧바로 인정되는 것은 아니다.

2018년 국가직 9급

① (O), ③ (×) 행정청의 작위의무는 명문규정 없이도 인정가능하다.

> '법령을 위반하여'라고 하는 것은 공무원의 작위의무를 명시적으로 규정한 형식적 의미의 법령을 위반한 경우만을 의미하는 것이 아니라, 형식적 의미의 법령에 작위의무가 명시되어 있지 않더라도 국민의 생명·신체·재산 등에 대하여 절박하고 중대한 위험상태가 발생하였거나 발생할 우려가 있어서 국민의 생명 등을 보호하는 것을 본래적 사명으로 하는 국가가 일차적으로 그 위험 배제에 나서지 아니하면 이를 보호할 수 없는 때에 국가나 관련 공무원에 대하여 인정되는 작위의무를 위반한 경우도 포함되어야 할 것이나, 그와 같은 절박하고 중대한 위험상태가 발생하였거나 발생할 우려가 있는 경우가 아닌 한 원칙적으로 관련 법령을 준수하여 직무를 수행한 공무원의 부작위를 가리켜 '고의 또는 과실로 법령을 위반'하였다고 할 수는 없으므로, 공무원의 부작위로 인한 국가배상책임을 인정할 것인지 여부가 문제되는 때에 관련 공무원에 대하여 작위의무를 명하는 법령의 규정이 없다면 공무원의 부작위로 인하여 침해된 국민의 법익 또는 국민에게 발생한 손해가 어느 정도 심각하고 절박한 것인지, 관련 공무원이 그와 같은 결과를 예견하여 그 결과를 회피하기 위한 조치를 취할 수 있는 가능성이 있는지 등을 종합적으로 고려하여 판단하여야 한다(대판 2009.9.24. 2006다82649).

② (O) 행정청의 부작위에 대해서는 의무이행심판은 가능하나, 의무이행소송은 불가능하다.

> 행정심판법 제3조에 의하면 행정청의 위법 또는 부당한 거부처분이나 부작위에 대하여 의무이행 심판청구를 할 수 있으나 행정소송법 제4조에서는 행정심판법상의 의무이행심판청구에 대응하여 부작위위법확인소송만을 규정하고 있으므로 행정청의 부작위에 대한 의무이행소송은 현행법상 허용되지 않는다(대판 1989.9.12. 87누868).

함께 정리하기

국가배상

행정청의 작위의무
▷ 명문규정 없이도 인정 可

행정청의 부작위
▷ 의무이행심판 可
▷ 의무이행소송 不可

부작위에 대한 국가배상책임
▷ 결과에 대한 예견가능성 & 회피가능성

부작위위법확인소송 인용판결확정
▷ 고의·과실에 의한 불법행위 곧바로 인정×

④ (○) 부작위위법확인소송이 인용되어도 고의과실에 의한 불법행위로 곧바로 인정되는 것은 아니다.

> 어떠한 행정처분이 결과적으로 위법한 것으로 평가될 수 있다 하더라도 그 행정처분이 곧바로 공무원의 고의 또는 과실로 인한 것으로서 불법행위를 구성한다고 단정할 수는 없는 것이고, 객관적 주의의무를 위반함으로써 그 행정처분이 객관적 정당성을 상실하였다고 인정될 수 있는 정도에 이르러야 국가배상법 제2조가 정한 국가배상책임의 요건을 충족하였다고 봄이 타당하다(대판 2013.11.14. 2013다206368).

답 ③

050

국가배상제도에 대한 설명으로 옳은 것은? (다툼이 있는 경우 판례에 의함)

① 사인이 받은 손해란 생명·신체·재산상의 손해는 인정하지만, 정신상의 손해는 인정하지 않는다.
② 국가배상책임에 있어서 공무원의 행위는 법령에 위반한 것이어야 하고, 법령위반이라 함은 엄격한 의미의 법령 위반뿐만 아니라 인권존중, 권력남용금지, 신의성실 등의 위반도 포함하여 그 행위가 객관적인 정당성을 결여하고 있음을 의미한다.
③ 「국가배상법」이 정한 손해배상청구의 요건인 공무원의 직무에는 권력적 작용뿐만 아니라 비권력적 작용과 단순한 사경제의 주체로서 하는 작용도 포함된다.
④ 부작위로 인한 손해에 대한 국가배상청구는 공무원의 작위의무를 명시한 형식적 의미의 법령에 위배된 경우에 한한다.

2017년 사회복지직

① (×)

> 「국가배상법」 제3조【배상기준】⑤ 사망하거나 신체의 해를 입은 피해자의 직계존속(直系尊屬)·직계비속(直系卑屬) 및 배우자, 신체의 해나 그 밖의 해를 입은 피해자에게는 대통령령으로 정하는 기준 내에서 피해자의 사회적 지위, 과실(過失)의 정도, 생계 상태, 손해배상액 등을 고려하여 그 정신적 고통에 대한 위자료를 배상하여야 한다.

② (○) 법령위반은 그 행위가 객관적인 정당성을 결여하고 있는 경우를 포함한다.

> '법령을 위반하여'라고 함은 엄격하게 형식적 의미의 법령에 명시적으로 공무원의 행위의무가 정하여져 있음에도 이를 위반하는 경우만을 의미하는 것은 아니고, 인권존중·권력남용금지·신의성실과 같이 공무원으로서 마땅히 지켜야 할 준칙이나 규범을 지키지 아니하고 위반한 경우를 비롯하여 널리 그 행위가 객관적인 정당성을 결여하고 있는 경우도 포함한다(대판 2015.8.27. 2012다204587).

③ (×) 사경제작용은 직무행위에 포함되지 않는다.

> 국가배상법이 정한 손해배상청구의 요건인 '공무원의 직무'에는 국가나 지방자치단체의 권력적 작용뿐만 아니라 비권력적 작용도 포함되지만 단순한 사경제의 주체로서 하는 작용은 포함되지 않는다(대판 2004.4.9. 2002다10691).

④ (×) 법률의 규정이 없더라도 조리에 의해 작위의무가 인정될 수 있다.

> '법령에 위반하여'라고 하는 것이 엄격하게 형식적 의미의 법령에 명시적으로 공무원의 작위의무가 규정되어 있는데도 이를 위반하는 경우만을 의미하는 것은 아니고, 국민의 생명, 신체, 재산 등에 대하여 절박하고 중대한 위험상태가 발생하였거나 발생할 우려가 있어서 국민의 생명, 신체, 재산 등을 보호하는 것을 본래적 사명으로 하는 국가가 초법규적, 일차적으로 그 위험 배제에 나서지 아니하면 국민의 생명, 신체, 재산 등을 보호할 수 없는 경우에는 형식적 의미의 법령에 근거가 없더라도 국가나 관련 공무원에 대하여 그러한 위험을 배제할 작위의무를 인정할 수 있을 것이다(대판 1998.10.13. 98다18520).

문제 DATA
출제가능 지수 ▶▶▷
난이도 지수 ★★☆

함께 정리하기

국가배상제도

정신적 손해 ○

법령위반
▷ 인권존중/권력남용금지/신의성실 위반 포함

사경제작용
▷ 직무 ×

조리상 작위의무 ○

유제 13. 지방직 7급 '법령에 위반하여'라 함은 엄격하게 형식적 의미의 법령에 명시적으로 공무원의 작위의무가 정하여져 있음에도 이를 위반하는 경우만을 의미한다. (×)

13. 지방직 7급 절박하고 중대한 위험상태가 발생하였거나 발생할 우려가 있는 경우가 아닌 한, 원칙적으로 공무원이 관련 법령대로만 직무를 수행하였다면 그와 같은 공무원의 부작위를 가지고 '고의 또는 과실로 법령에 위반'하였다고 할 수는 없다. (○)

11. 국회직 9급 부작위에 대해 국가배상책임이 인정되기 위해서는 법령상 명문의 작위의무가 있어야 하며, 조리에 의한 작위의무는 인정되지 않는다. (×)

답 ②

051 □□□

국가배상제도에 대한 설명으로 옳지 않은 것은? (다툼이 있는 경우 판례에 의함)

① 「국가배상법」은 외국인이 피해자인 경우에는 해당 국가와 상호 보증이 있는 때에만 「국가배상법」이 적용된다고 규정하고 있다.
② 국가나 지방자치단체가 공무원의 위법한 직무집행으로 발생한 손해를 배상한 경우에 공무원에게 고의 또는 중과실이 있으면 국가나 지방자치단체는 그 공무원에게 구상권을 행사할 수 있다.
③ 국가나 지방자치단체가 배상책임을 지는 외에 공무원 개인도 고의 또는 중과실이 있는 경우에는 피해자에 대하여 불법행위로 인한 손해배상책임을 진다.
④ 공무원이 직무를 집행하면서 고의 또는 과실로 위법하게 타인에게 손해를 가하였어도 국가나 지방자치단체가 그 공무원의 선임 및 감독에 상당한 주의를 하였다면 국가나 지방자치단체는 국가배상책임을 면한다.

| 2017년 국가직 9급

① (○)

> 「국가배상법」 제7조 【외국인에 대한 책임】 이 법은 외국인이 피해자인 경우에는 해당 국가와 상호 보증이 있을 때에만 적용한다.

② (○)

> 「국가배상법」 제2조 【배상책임】 ① 국가나 지방자치단체는 공무원 또는 공무를 위탁받은 사인(이하 "공무원"이라 한다)이 직무를 집행하면서 고의 또는 과실로 법령을 위반하여 타인에게 손해를 입히거나, 「자동차손해배상 보장법」에 따라 손해배상의 책임이 있을 때에는 이 법에 따라 그 손해를 배상하여야 한다. 다만, 군인·군무원·경찰공무원 또는 예비군대원이 전투·훈련 등 직무 집행과 관련하여 전사(戰死)·순직(殉職)하거나 공상(公傷)을 입은 경우에 본인이나 그 유족이 다른 법령에 따라 재해보상금·유족연금·상이연금 등의 보상을 지급받을 수 있을 때에는 이 법 및 「민법」에 따른 손해배상을 청구할 수 없다.
> ② 제1항 본문의 경우에 공무원에게 고의 또는 중대한 과실이 있으면 국가나 지방자치단체는 그 공무원에게 구상(求償)할 수 있다.

문제 DATA
출제가능 지수 ▶▶▷
난이도 지수 ★★☆

함께 정리하기
「국가배상법」

외국인이 피해자
▷ 상호보증하에 국가배상 可

공무원의 고의·중과실
▷ 국가·지방자치단체는 구상권 행사 可
▷ 피해자에 대하여 배상책임 有

면책규정 부존재

③ (○) 고의 또는 중과실이 있는 공무원은 피해자에 대해 배상책임을 부담한다.

> 공무원이 직무를 수행함에 있어 경과실로 타인에게 손해를 입힌 경우에는 그 직무수행상 통상 예기할 수 있는 흠이 있는 것에 불과하므로, 이러한 공무원의 행위는 여전히 국가 등의 기관의 행위로 보아 그로 인하여 발생한 손해에 대한 배상책임도 전적으로 국가 등에만 귀속시키고 공무원 개인에게는 그로 인한 책임을 부담시키지 아니하여 공무원의 공무집행의 안정성을 확보하고, 반면에 공무원의 위법행위가 고의·중과실에 기한 경우에는 비록 그 행위가 그의 직무와 관련된 것이라고 하더라도 그와 같은 행위는 그 본질에 있어서 기관행위로서의 품격을 상실하여 국가 등에게 그 책임을 귀속시킬 수 없으므로 공무원 개인에게 불법행위로 인한 손해배상책임을 부담시키되, 다만 이러한 경우에도 그 행위의 외관을 객관적으로 관찰하여 공무원의 직무집행으로 보여질 때에는 피해자인 국민을 두텁게 보호하기 위하여 국가 등이 공무원 개인과 중첩적으로 배상책임을 부담하되 국가 등이 배상책임을 지는 경우에는 공무원 개인에게 구상할 수 있도록 함으로써 궁극적으로 그 책임이 공무원 개인에게 귀속되도록 하려는 것이라고 봄이 합당하다(대판 1996.2.15. 95다38677).

④ (×) 「민법」은 "사용자가 피용자의 선임 및 그 사무감독에 상당한 주의를 한 때"에는 책임이 없다는 규정(사용자의 면책규정)이 있으나, 「국가배상법」에는 이러한 면책규정이 없다.

> 「민법」 제756조【사용자의 배상책임】 ① 타인을 사용하여 어느 사무에 종사하게 한 자는 피용자가 그 사무집행에 관하여 제삼자에게 가한 손해를 배상할 책임이 있다. 그러나 사용자가 피용자의 선임 및 그 사무감독에 상당한 주의를 한 때 또는 상당한 주의를 하여도 손해가 있을 경우에는 그러하지 아니하다.

답 ④

052

행정상 손해배상에 대한 설명으로 옳지 않은 것은? (다툼이 있는 경우 판례에 의함)

① 자기책임설은 공무원의 직무상 행위의 위법여부와 상관없이 국가가 자기의 행위에 대한 배상책임을 지는 것으로 보는 견해이다.
② 법관의 재판에 법령의 규정을 따르지 아니한 잘못이 있는 경우에는 이로써 바로 그 재판상 직무행위가 「국가배상법」 제2조 제1항에서 말하는 위법한 행위로 되어 국가의 손해배상책임이 발생한다.
③ 과실의 기준은 당해 공무원이 아니라 당해 직무를 담당하는 평균적 공무원을 기준으로 한다는 견해는 과실의 객관화(과실 개념을 객관적으로 접근)를 위한 시도라 할 수 있다.
④ 손해는 법익침해로 인한 모든 불이익을 말하며, 재산상의 손해이든 비재산적 손해(생명·신체·정신상의 손해)이든, 적극적 손해이든 소극적 손해이든 불문한다.

2020년 군무원 7급

① (○) 자기책임설이란 국가 등이 지는 배상책임은 공무원을 대신하여 지는 책임이 아니고 비록 형식적으로는 그의 기관인 공무원의 행위이기는 하나 실질적으로는 국가 자신의 행위이므로 직접 책임을 진다는 견해(논리적으로 공무원 개인의 대외적 책임 긍정함)이다.
② (×) 법관의 재판에 법령의 규정을 따르지 않은 잘못이 있다고 하여 바로 국가배상이 성립하지 않는다.

> 법관의 재판에 법령의 규정을 따르지 아니한 잘못이 있다 하더라도 이로써 바로 그 재판상 직무행위가 국가배상법 제2조 제1항에서 말하는 위법한 행위로 되어 국가의 손해배상책임이 발생하는 것은 아니고, 그 국가배상책임이 인정되려면 당해 법관이 위법 또는 부당한 목적을 가지고 재판을 하였다거나 법이 법관의 직무수행 상 준수할 것을 요구하고 있는 기준을 현저하게 위반하는 등 법관이 그에게 부여된 권한의 취지에 명백히 어긋나게 이를 행사하였다고 인정할 만한 특별한 사정이 있어야 한다(대판 2003.7.11. 99다24218).

③ (○) 과실이라 함은 평균인이 보통 갖추어야 할 주의의무의위반을 의미한다.
→ 과실의 객관화, ㉠ 취지: 국민 권익구제, ㉡ 추상적 과실

> 공무원의 직무집행상의 과실이라 함은 공무원이 그 직무를 수행함에 있어 당해 직무를 담당하는 평균인이 보통 갖추어야 할 주의의무를 게을리 한 것을 말하는 것이다(대판 1987.9.22. 87다카1164).

유제 15. 서울시 9급 국가배상에 있어서 공무원의 직무 집행상의 과실이라 함은 공무원이 그 직무를 수행함에 있어 당해 직무를 담당하는 평균인이 통상 갖추어야 할 주의의무를 게을리한 것을 말한다. (○)

㉢ 가해공무원의 특정화 포기: 가해공무원의 특정이 어려운 경우 반드시 가해공무원을 특정하지 않더라도 공무원의 행위로 인정된다면 국가배상책임이 인정된다.

유제 12. 국가직 9급 「국가배상법」상 과실을 판단할 경우 보통 일반의 공무원을 그 표준으로 하고 반드시 누구의 행위인지 가해 공무원을 특정하여야 한다. (×)

④ (○) "손해"는 가해행위로 인한 일체의 손해를 의미하며, 적극적 손해, 소극적 손해, 정신적 손해 (위자료)를 가리지 않고 모두 포함된다. 다만, 법률상 이익의 침해를 의미하며, 반사적 이익이나 사회공공 일반의 이익침해는 해당하지 않는다.

유제 09. 지방직 9급 국가배상의 대상이 되는 손해는 적극적 손해인지 소극적 손해인지를 불문하나, 적어도 재산상의 손해이어야 하며 정신적 손해(위자료)는 포함되지 않는다. (×)

답 ②

053

국가배상에 대한 설명으로 옳지 않은 것은? (다툼이 있는 경우 판례에 의함)

① 생명·신체의 침해로 인한 국가배상을 받을 권리는 양도하거나 압류하지 못한다.
② 「국가배상법」 제7조가 정하는 상호보증은 반드시 당사국과의 조약이 체결되어 있을 필요는 없지만, 당해 외국에서 구체적으로 우리나라 국민에게 국가배상청구를 인정한 사례가 있어 실제로 국가배상이 상호 인정될 수 있는 상태가 인정되어야 한다.
③ 행정입법에 관여한 공무원이 입법 당시의 상황에서 다양한 요소를 고려하여 나름대로 합리적인 근거를 찾아 어느 하나의 견해에 따라 경과규정을 두는 등의 조치 없이 새 법령을 그대로 시행하거나 적용한 경우, 그와 같은 공무원의 판단이 나중에 대법원이 내린 판단과 같지 않다고 하더라도 국가배상책임의 성립요건인 공무원의 과실이 있다고 할 수는 없다.
④ 「국가배상법」 제2조 제1항의 '법령에 위반하여'라고 함은 엄격하게 형식적 의미의 법령에 명시적으로 공무원의 행위의무가 정하여져 있음에도 이를 위반하는 경우만을 의미하는 것이 아니고, 널리 그 행위가 객관적인 정당성을 결여하고 있는 경우도 포함한다.
⑤ 국민의 생명·신체·재산 등에 대하여 절박하고 중대한 위험상태가 발생하였거나 발생할 상당한 우려가 있는 경우가 아닌 한, 원칙적으로 공무원이 관련법령에서 정하여진 대로 직무를 수행하였다면 손해방지조치를 제대로 이행하지 않은 부작위를 가지고 '고의 또는 과실로 법령에 위반'하였다고 할 수는 없다.

2020년 변호사

① (○)

> 「국가배상법」 제4조 【양도 등 금지】 생명·신체의 침해로 인한 국가배상을 받을 권리는 양도하거나 압류하지 못한다.

② (×) 상호보증은 당사국과의 조약이 체결되어 있을 필요는 없으며, 실제로 인정될 것이라고 기대할 수 있는 상태이면 충분하다.

> 상호보증은 외국의 법령, 판례 및 관례 등에 의하여 발생요건을 비교하여 인정되면 충분하고 반드시 당사국과의 조약이 체결되어 있을 필요는 없으며, 당해 외국에서 구체적으로 우리나라 국민에게 국가배상청구를 인정한 사례가 없더라도 실제로 인정될 것이라고 기대할 수 있는 상태이면 충분하다(대판 2015.6.11. 2013다208388).

③ (○) 행정입법 관여 공무원이 합리적 근거에 따라 판단하였으면 추후 대법원의 판단과 같지 않더라도 과실이 인정되지 않는다.

> 행정입법에 관여한 공무원이 입법 당시의 상황에서 다양한 요소를 고려하여 나름대로 합리적인 근거를 찾아 어느 하나의 견해에 따라 경과규정을 두는 등의 조치 없이 새 법령을 그대로 시행하거나 적용하였다면, 그와 같은 공무원의 판단이 나중에 대법원이 내린 판단과 같지 아니하여 결과적으로 시행령 등이 신뢰보호의 원칙 등에 위배되는 결과가 되었다고 하더라도, 이러한 경우에까지 국가배상법 제2조 제1항에서 정한 국가배상책임의 성립요건인 공무원의 과실이 있다고 할 수는 없다(대판 2013.4.26. 2011다14428).

④ (○) 법령위반은 그 행위가 객관적인 정당성을 결여하고 있는 경우를 포함한다.

> '법령을 위반하여'라고 함은 엄격하게 형식적 의미의 법령에 명시적으로 공무원의 행위의무가 정하여져 있음에도 이를 위반하는 경우만을 의미하는 것은 아니고, 인권존중·권력남용금지·신의성실과 같이 공무원으로서 마땅히 지켜야 할 준칙이나 규범을 지키지 아니하고 위반한 경우를 비롯하여 널리 그 행위가 객관적인 정당성을 결여하고 있는 경우도 포함한다(대판 2015.8.27. 2012다204587).

⑤ (○) 법령을 준수한 직무수행은 원칙적으로 고의·과실의 법령위반을 인정할 수 없다.

> 절박하고 중대한 위험상태가 발생하였거나 발생할 우려가 있는 경우가 아닌 한 원칙적으로 관련 법령을 준수하여 직무를 수행한 공무원의 부작위를 가리켜 '고의 또는 과실로 법령을 위반'하였다고 할 수는 없다(대판 2009.9.24. 2006다82649).

답 ②

📋 함께 정리하기

국가배상

생명·신체침해의 국가배상청구권
▷ 양도·압류 불가

국가배상 상호보증
▷ 당사국과 조약 체결 불요
▷ 실제 인정될 기대로 충분

행정입법 관여 공무원이 다양한 요소를 고려하여 합리적 근거에 따라 판단
▷ 과실인정 ×

법령위반
▷ 행위가 객관적 정당성을 결여하는 경우를 포함

법령준수 직무수행
▷ 고의·과실에 의한 법령위반 인정할 수 없음이 원칙

054

「국가배상법」제2조에 의한 손해배상에 대한 설명으로 옳은 것은? (다툼이 있는 경우 판례에 의함)

① 헌법에 의하여 일반적으로 부과된 의무가 있음에도 불구하고 국회가 그 입법을 하지 않고 있다면 「국가배상법」상 배상책임이 인정된다.
② 헌법재판소 재판관이 청구기간을 오인하여 청구기간 내에 제기된 헌법소원심판청구를 위법하게 각하한 경우, 설령 본안판단을 하였더라도 어차피 청구가 기각되었을 것이라는 사정이 있다면 국가배상책임이 인정될 수 없다.
③ 공무원의 가해행위에 대해 형사상 무죄판결이 있었더라도 그 가해행위를 이유로 국가배상책임이 인정 될 수 있다.
④ 배상청구권의 시효와 관련하여 '가해자를 안다는 것'은 피해자나 그 법정대리인이 가해 공무원의 불법행위가 그 직무를 집행함에 있어서 행해진 것이라는 사실까지 인식함을 요구하지 않는다.

> 2017년 국가직 7급

① (×) 일반적인 입법의무가 있다는 사실만으로는 국가배상책임이 인정되지 않는다.

> **일반적인 입법의무의 불이행은 위법하지 않는 것이 원칙이다.**
> 국가가 일정한 사항에 관하여 헌법에 의하여 부과되는 구체적인 입법의무를 부담하고 있음에도 불구하고 그 입법에 필요한 상당한 기간이 경과하도록 고의 또는 과실로 이러한 입법의무를 이행하지 아니하는 등 극히 예외적인 사정이 인정되는 사안에 한정하여 국가배상법 소정의 배상책임이 인정될 수 있으며, 위와 같은 구체적인 입법의무 자체가 인정되지 않는 경우에는 애당초 부작위로 인한 불법행위가 성립될 여지가 없다(대판 2008.5.29 2004다33469 등).

유제 16. 사복직 국가에게 일정한 사항에 관하여 헌법에 의하여 부과되는 구체적인 입법의무 자체가 인정되지 아니하는 경우에는 애당초 입법부작위로 인한 불법행위가 성립할 여지가 없다. (○)

② (×) 청구기간을 오인하여 헌법소원을 각하한 경우 국가배상책임이 인정된다.

> 헌법재판소 재판관의 위법한 직무집행의 결과 잘못된 각하결정을 함으로써 청구인으로 하여금 본안판단을 받을 기회를 상실하게 한 이상, 설령 본안판단을 하였더라도 어차피 청구가 기각되었을 것이라는 사정이 있다고 하더라도 잘못된 판단으로 인하여 헌법소원심판 청구인의 위와 같은 합리적인 기대를 침해한 것이고 이러한 기대는 인격적 이익으로서 보호할 가치가 있다고 할 것이므로 그 침해로 인한 정신상 고통에 대하여는 위자료를 지급할 의무가 있다(대판 2003.7.11. 99다24218).

유제 12. 변호사 헌법재판소 재판관이 청구기간을 준수한 헌법소원심판청구에 대하여 청구기간을 도과한 것으로 오인하여 심판청구를 각하하였고, 이에 대한 불복절차 내지 시정절차가 없는 경우 「국가배상법」제2조에 의하여 피해자가 국가나 지방자치단체에 대하여 배상 책임을 물을 수 있다. (○)

③ (○) 형사상 무죄판결이 나오더라도 민사상 불법행위의 성립이 가능하다.

> 불법행위에 따른 형사책임은 사회의 법질서를 위반한 행위에 대한 책임을 묻는 것으로서 행위자에 대한 공적인 제재(형벌)를 그 내용으로 함에 비하여, 민사책임은 타인의 법익을 침해한 데 대하여 행위자의 개인적 책임을 묻는 것으로서 피해자에게 발생한 손해의 전보를 그 내용으로 하는 것이므로, 형사상 범죄를 구성하지 아니하는 침해행위라고 하더라도 그것이 민사상 불법행위를 구성하는지 여부는 형사책임과 별개의 관점에서 검토하여야 한다(대판 2008.2.1. 2006다6713).

④ (×) 시효의 진행을 위해서는 직무집행사실을 인식해야 한다.

> 가해자를 안다는 것은 피해자나 그 법정대리인이 가해 공무원이 국가 또는 지방자치단체와 공법상 근무관계가 있다는 사실을 알고, 또한 일반인이 당해 공무원의 불법행위가 국가 또는 지방자치단체의 직무를 집행함에 있어서 행해진 것이라고 판단하기에 족한 사실까지 인식하는 것을 의미한다(대판 2008.5.29. 2004다33469).

답 ③

문제 DATA
출제가능 지수 ▶▶▷
난이도 지수 ★★☆

함께 정리하기

「국가배상법」제2조 손해배상

일반적 입법의무 불이행
▷ 위법 ×

청구기간오인으로 적법한 헌법소원심판 청구를 각하
▷ 국가배상 ○

형사상 무죄판결
▷ 민사상 불법행위 성립 可

시효기간의 진행
▷ 불법행위 직무집행사실 인식 필요

Ⅱ 국가배상책임의 성질

055 □□□

다음 사안에 대한 설명으로 가장 옳지 않은 것은? (다툼이 있는 경우 판례에 의함)

> 甲은 공중보건의로 근무하면서 乙을 치료하였는데 그 과정에서 乙은 패혈증으로 사망하였다. 유족들은 甲을 상대로 손해배상청구의 소를 제기하였고, 甲의 의료상 경과실이 인정된다는 이유로 甲에게 손해배상책임을 인정한 판결이 확정되었다. 이에 甲은 乙의 유족들에게 판결금 채무를 지급하였고, 이후 국가에 대해 구상권을 행사하였다.

① 공중보건의 甲은 「국가배상법」상의 공무원에 해당한다.
② 공중보건의 甲이 직무수행 중 불법행위로 乙에게 손해를 입힌 경우 국가 등이 국가배상책임을 부담하는 외에 甲개인도 고의 또는 중과실이 있다고 한다면 민사상 불법행위로 인한 손해배상책임을 진다.
③ 乙의 유족에게 손해를 직접 배상한 경과실이 있는 공중보건의 甲은 국가에 대하여 자신이 변제한 금액에 대하여 구상권을 취득할 수 없다.
④ 공무원의 직무수행 중 불법행위로 인한 배상과 관련하여, 피해자가 공무원에 대해 직접적으로 손해배상을 청구할 수 있는지 여부에 대한 명시적 규정은 「국가배상법」상으로 존재하지 않는다.

문제 DATA
출제가능 지수 ▶▶▷
난이도 지수 ★★☆

| 2017년 서울시 9급

①, ② (O), ③ (×) 경과실이 있는 공무원은 국가에 대해 구상권을 행사할 수 있다.

> 공무원이 직무수행 중 불법행위로 타인에게 손해를 입힌 경우에 국가 등이 국가배상책임을 부담하는 외에 공무원 개인도 고의 또는 중과실이 있는 경우에는 불법행위로 인한 손해배상책임을 지고, 공무원에게 경과실이 있을 뿐인 경우에는 공무원 개인은 손해배상책임을 부담하지 아니한다. 이처럼 경과실이 있는 공무원이 피해자에 대하여 손해배상책임을 부담하지 아니함에도 피해자에게 손해를 배상하였다면 그것은 채무자 아닌 사람이 타인의 채무를 변제한 경우에 해당하고, 피해자에게 손해를 직접 배상한 경과실이 있는 공무원은 특별한 사정이 없는 한 국가에 대하여 국가의 피해자에 대한 손해배상책임의 범위 내에서 공무원이 변제한 금액에 관하여 구상권을 취득한다고 봄이 타당하다.

> 공중보건의인 甲에게 치료를 받던 乙이 사망하자 乙의 유족들이 甲 등을 상대로 손해배상청구의 소를 제기하였고, 甲의 의료과실이 인정된다는 이유로 甲 등의 손해배상책임을 인정한 판결이 확정되어 甲이 乙의 유족들에게 판결금 채무를 지급한 사안에서, 甲은 공무원으로서 직무 수행 중 경과실로 타인에게 손해를 입힌 것이어서 乙과 유족들에 대하여 손해배상책임을 부담하지 아니함에도 乙의 유족들에 대한 패소판결에 따라 그들에게 손해를 배상한 것이고, 甲은 국가에 대하여 변제금액에 관하여 구상권을 취득한다(대판 2014.8.20. 2012다54478).

④ (O) 피해자가 공무원에 대해 직접적으로 손해배상을 청구할 수 있는지 여부에 대한 명문의 규정은 없으며 선택적 청구를 긍정하는 견해와 부정하는 견해, 절충설의 대립이 있다.

답 ③

함께 정리하기

사례해결

공중보건의
▷ 공무원 O

고의중과실 공무원
▷ 민사상책임

경과실 공무원
▷ 구상권 O

공무원 외부적 배상책임
▷ 「국가배상법」 규정 無

문제 DATA
출제가능 지수 ▶▶▷
난이도 지수 ★★☆

056 □□□

「국가배상법」상 공무원의 개인책임에 대한 설명으로 가장 옳지 않은 것은? (다툼이 있는 경우 판례에 의함)

① 공무원책임에 대한 규정인 헌법 제29조 제1항 단서는 그 조항 자체로 공무원 개인의 구체적인 손해배상책임의 범위까지 규정한 것으로 보기는 어렵다.
② 공무원의 불법행위책임을 국가 자신의 책임으로 보는 입장에서는 일반적으로 공무원의 피해자에 대한 책임을 부인한다.
③ 공무원의 위법행위가 고의·중과실인 경우에는 공무원의 개인책임이 인정된다.
④ 국가가 공무원의 불법행위로 인한 손해배상을 한 경우에 공무원에게 고의 또는 중대한 과실이 있으면 국가는 그 공무원에게 구상권을 행사할 수 있다.

▎2018년 서울시 7급

① (O) 이 경우 공무원 자신의 책임은 면제되지 아니한다(헌법 제29조 제1항 단서). 공무원 개인의 구체적인 손해배상책임의 범위, 즉 공무원의 대외적 책임(=피해자의 선택적 청구권의 문제)에 관한 명시적인 규정은 없지만 판례는 해석상으로 고의 또는 중과실이 있는 공무원의 피해자에 대한 민사상 손배책임을 인정하고 있다.

> **헌법 제29조 제1항 단서는 공무원 개인의 책임범위를 규정한 것이 아니다.**
> 헌법 제29조 제1항 단서는 공무원이 한 직무상 불법행위로 인하여 국가 등이 배상책임을 진다고 할지라도 그 때문에 공무원 자신의 민·형사책임이나 징계책임이 면제되지 아니한다는 원칙을 규정한 것이나, 그 조항 자체로 공무원 개인의 구체적인 손해배상책임의 범위까지 규정한 것으로 보기는 어렵다(대판 1996.2.15. 95다38677 전합).

② (×) 국가배상 책임에 관한 자기책임설의 입장에서는 국가의 책임과 공무원 개인의 책임이 독립하여 성립된다고 보므로 별도로 공무원의 책임을 인정하는 것이 논리적이며, 대위책임설의 입장에서는 공무원의 책임을 국가가 갈음하여 지는 것이므로 공무원의 책임을 부정하는 것이 논리적이다.

③ (O) 고의 또는 중과실이 있는 공무원은 민사상 책임을 부담한다.

> 공무원의 위법행위가 고의·중과실에 기한 경우에는 비록 그 행위가 그의 직무와 관련된 것이라고 하더라도 그와 같은 행위는 그 본질에 있어서 기관행위로서의 품격을 상실하여 국가 등에게 그 책임을 귀속시킬 수 없으므로 공무원 개인에게 불법행위로 인한 손해배상책임을 부담시키되, 다만 이러한 경우에도 그 행위의 외관을 객관적으로 관찰하여 공무원의 직무집행으로 보여질 때에는 피해자인 국민을 두텁게 보호하기 위하여 국가 등이 공무원 개인과 중첩적으로 배상책임을 부담하되 국가 등이 배상책임을 지는 경우에는 공무원 개인에게 구상할 수 있도록 함으로써 궁극적으로 그 책임이 공무원 개인에게 귀속되도록 하려는 것이라고 봄이 합당하다(대판 1996.2.15. 95다38677 전합).

④ (O)

> 「국가배상법」제2조【배상책임】① 국가나 지방자치단체는 공무원 또는 공무를 위탁받은 사인(이하 "공무원"이라 한다)이 직무를 집행하면서 고의 또는 과실로 법령을 위반하여 타인에게 손해를 입히거나, 「자동차손해배상 보장법」에 따라 손해배상의 책임이 있을 때에는 이 법에 따라 그 손해를 배상하여야 한다. (이하 생략)
> ② 제1항 본문의 경우에 공무원에게 고의 또는 중대한 과실이 있으면 국가나 지방자치단체는 그 공무원에게 구상(求償)할 수 있다.

유제 19. 소방직, 18. 국가직 9급, 18. 서울시 7급 국가 또는 지방자치단체가 공무원의 위법한 직무집행으로 발생한 손해에 대해 「국가배상법」에 따라 배상한 경우에 당해 공무원에게 구상권을 행사할 수 있는지에 대해 「국가배상법」은 규정을 두고 있지 않으나, 판례에 따르면 당해 공무원에게 고의 또는 중과실이 인정될 경우 국가 또는 지방자치단체는 그 공무원에게 구상권을 행사할 수 있다. (×)

답 ②

함께 정리하기

공무원의 외부적책임

헌법 제29조 제1항 단서
▷ 공무원 책임범위 규정한 것×

자기책임설
▷ 개인책임 인정

대위책임설
▷ 개인책임 부정

고의·중과실인 공무원
▷ 개인책임인정

고의·중과실인 공무원
▷ 국가가 구상권행사 可

057

「국가배상법」상 공무원의 책임에 대한 설명으로 옳지 않은 것은? (다툼이 있는 경우 판례에 의함)

① 공무원이 직무수행 중 불법행위로 타인에게 손해를 입힌 경우에 국가 등이 국가배상책임을 부담하는 외에 공무원 개인도 고의 또는 중과실이 있는 경우에는 불법행위로 인한 손해배상책임을 진다.
② 공무원에게 경과실이 있을 뿐인 경우에는 공무원 개인은 손해배상책임을 부담하지 아니한다.
③ 경과실이 있는 공무원이 피해자에게 직접 손해를 배상하였다면 그것은 채무자 아닌 사람이 타인의 채무를 변제한 경우에 해당한다.
④ 피해자에게 손해를 직접 배상한 경과실이 있는 공무원이 국가에 대하여 국가의 손해배상책임의 범위 내에서 자신이 변제한 금액에 관하여 구상권을 행사하는 것은 권리남용으로 허용되지 아니한다.

| 2015년 서울시 7급

④ (×) 고의 또는 중과실이 있는 공무원은 민사상 책임을 부담하며, 손해를 배상한 경과실이 있는 공무원은 국가에 구상권을 행사할 수 있다.

> 공무원이 직무수행 중 불법행위로 타인에게 손해를 입힌 경우에 국가 등이 국가배상책임을 부담하는 외에 공무원 개인도 고의 또는 중과실이 있는 경우에는 불법행위로 인한 손해배상책임을 지고(①), 공무원에게 경과실이 있을 뿐인 경우에는 공무원 개인은 손해배상책임을 부담하지 아니한다(②). 이처럼 경과실이 있는 공무원이 피해자에 대하여 손해배상책임을 부담하지 아니함에도 피해자에게 손해를 배상하였다면 그것은 채무자 아닌 사람이 타인의 채무를 변제한 경우에 해당하고(③), 피해자에게 손해를 직접 배상한 경과실이 있는 공무원은 특별한 사정이 없는 한 국가에 대하여 국가의 피해자에 대한 손해배상책임의 범위 내에서 공무원이 변제한 금액에 관하여 구상권을 취득한다고 봄이 타당하다(④)(대판 2014.8.20. 2012다54478).

유제 09. 지방직 9급 「국가배상법」 제2조의 배상책임은 고의·과실을 요건으로 하며, 과실에는 중과실은 물론 경과실도 포함된다. (○)

답 ④

문제 DATA
출제가능 지수 ▶▶▷
난이도 지수 ★★☆

함께 정리하기
공무원의 책임
고의·중과실 공무원
▷ 민사상책임
▷ 구상책임

경과실 공무원 직접 배상
▷ 구상권○

Ⅲ 자동차손해배상책임

058

국가배상에 대한 설명으로 옳지 않은 것은? (다툼이 있는 경우 판례에 의함)

① 국가배상청구소송을 제기하기 전에 반드시 국가배상심의회의결정을 거치지 않아도 된다.
② 법령의 해석이 복잡·미묘하여 어렵고 학설·판례가 통일되지 않을 때에 공무원이 신중을 기해 그중 어느 한설을 취하여 처리한 경우에는 그 해석이 결과적으로 위법한 것이었다 하더라도 「국가배상법」상 공무원의 과실을 인정할 수 없다.
③ 법령에 의해 대집행권한을 위탁받은 한국토지공사는 「국가배상법」 제2조에서 말하는 공무원에 해당한다.
④ 공무원이 자기 소유차량으로 공무수행 중 사고를 일으킨 경우 공무원 개인은 경과실에 의한 것인지 또는 고의 또는 중과실에 의한 것인지를 가리지 않고 「자동차손해배상 보장법」상의 운행자성이 인정되는 한 배상책임을 부담한다.
⑤ 행정처분이 후에 항고소송에서 취소된 사실만으로 당해 행정처분이 곧바로 공무원의 고의 또는 과실로 인한 불법행위를 구성한다고 단정할 수 없다.

2015년 국회직 8급

① (○)

> 「국가배상법」 제9조 【소송과 배상신청의 관계】 이 법에 따른 손해배상의 소송은 배상심의회(이하 "심의회"라 한다)에 배상신청을 하지 아니하고도 제기할 수 있다.

② (○) 신중을 기해 여러 해석 중 일설을 취해 처분을 한 것에는 과실이 인정되지 않는다.

> 법령에 대한 해석이 그 문언 자체만으로는 명백하지 아니하여 여러 견해가 있을 수 있는데다가 이에 대한 선례나 학설·판례 등도 귀일된 바 없어 이의가 없을 수 없는 경우에 관계 공무원이 그 나름대로 신중을 다하여 합리적인 근거를 찾아 그 중 어느 한 견해를 따라 내린 해석 이후에 대법원이 내린 입장과 같지 않아 결과적으로 잘못된 해석에 돌아가고, 그 법령의 부당집행이라는 결과를 가져오게 되었다고 하더라도 그와 같은 처리방법 이상의 것을 성실한 평균적 공무원에게 기대하기는 어려운 일이고, 따라서 이러한 경우에까지 공무원의 과실을 인정할 수는 없다(대판 2010.4.29. 2009다97925).

③ (×) 한국토지공사는 공무원에 해당하지 않는다.

> 한국토지공사는 이러한 법령의 위탁에 의하여 대집행을 수권 받은 자로서 공무인 대집행을 실시함에 따르는 권리·의무 및 책임이 귀속되는 행정주체의 지위에 있다고 볼 것이지 지방자치단체 등의 기관으로서 국가배상법 제2조 소정의 공무원에 해당한다고 볼 것은 아니다(대판 2010.1.28. 2007다82950·82867).

④ (○) 자기 차량으로 공무수행 중 사고가 난 경우 공무원 개인이 자배법상 책임을 부담한다.

> 공무원이 자기 소유의 자동차로 공무수행 중 사고를 일으킨 경우에는 그 손해배상책임은 자동차손해배상 보장법이 정한 바에 의하게 되어, 그 사고가 자동차를 운전한 공무원의 경과실에 의한 것인지 중과실 또는 고의에 의한 것인지를 가리지 않고 그 공무원이 자동차손해배상 보장법 제3조 소정의 '자기를 위하여 자동차를 운행하는 자'에 해당하는 한 손해배상책임을 부담한다(대판 1996.5.31. 94다15271).

유제 14. 경찰 공무원이 그 직무를 집행하기 위하여 국가 또는 지방자치단체 소유의 공용차를 운행하는 경우, 그 자동차에 대한 운행지배나 운행이익은 그 공무원이 소속한 국가 또는 지방자치단체에 귀속된다고 할 것이므로, 그 공무원이 자기를 위하여 공용차를 운행하는 자로서 「자동차손해배상 보장법」 제3조 소정의 손해배상책임의 주체가 될 수는 없다. (○)

⑤ (○) 항고소송에서 취소판결이 나와도 고의과실이 곧바로 인정되는 것은 아니다.

> 어떠한 행정처분이 후에 항고소송에서 취소되었다고 할지라도 그 기판력에 의하여 당해 행정처분이 곧바로 공무원의 고의 또는 과실로 인한 것으로서 불법행위를 구성한다고 단정할 수는 없는 것이다(대판 2007.5.10. 2005다31828).

답 ③

문제 DATA
출제가능 지수 ▶▶▷
난이도 지수 ★★☆

함께 정리하기

국가배상

배상심의회 배상결정
▷ 임의적 전치주의

신중을 기해 여러 법령해석 중 일설 취해 처분
▷ 과실×

한국토지공사
▷ 공무원×

공무원소유차량으로 공무수행 중 사고
▷ 공무원 자배법 책임○

항고소송 취소판결
▷ 고의·과실 곧바로 인정×

059

국가배상책임에 대한 설명으로 옳은 것은? (다툼이 있는 경우 판례에 의함)

① 「국가배상법」이 정하는 배상기준의 성격에 대하여 판례는 한정액설을 취함으로써 국가배상법이 정하는 배상금액 이상의 배상을 인정하지 아니한다.
② 피해자가 손해를 입은 동시에 이익을 얻은 경우 이를 공제할 수 없으며, 이것은 「국가배상법」이 가지는 생계보장적 성격에서 타당하다.
③ 공무원이 자기 소유의 자동차로 공무수행 중 사고를 일으킨 경우 그 공무원은 '자기를 위하여 자동차를 운행하는 자'에 해당하는 한 「자동차손해배상 보장법」에 따른 손해배상책임을 부담한다.
④ 국가배상청구권의 소멸시효기간은 피해자나 그 법정대리인이 손해 및 가해자를 안 날로부터 10년이다.

2008년 국가직 7급

① (×) 판례는 기준액설을 취하고 있다.

> **국가배상법상 배상기준은 기준액을 정한 것이다.**
> 국가배상법 제3조 제1항과 제3항의 손해배상 기준은 배상심의회의 배상금 지급기준을 정함에 있어서의 하나의 기준을 정한 것에 지나지 아니하는 것이고 이로써 배상액의 상한을 제한한 것으로 볼 수는 없다 할 것이며 따라서 법원이 국가배상법에 의한 손해배상액을 산정함에 있어서는 같은 법 제3조 소정의 기준에 구애되는 것이 아니라 할 것이니 이 규정은 국가 또는 공공단체에 대한 손해배상청구권을 규정한 헌법 제26조에 위배된다고는 볼 수 없다(대판 1970.1.29. 69다1203).

② (×) 피해자가 손해를 입은 동시에 이익을 얻은 경우 이를 공제한다.

> 「국가배상법」 제3조의2 【공제액】 ① 제2조 제1항을 적용할 때 피해자가 손해를 입은 동시에 이익을 얻은 경우에는 손해배상액에서 그 이익에 상당하는 금액을 빼야 한다.

③ (○) 자기 차량으로 공무수행 중 사고가 난 경우 공무원 개인이 자배법상 책임을 부담한다.

> 공무원이 자기 소유의 자동차로 공무수행 중 사고를 일으킨 경우에는 그 손해배상책임은 자동차손해배상 보장법이 정한 바에 의하게 되어, 그 사고가 자동차를 운전한 공무원의 경과실에 의한 것인지 중과실 또는 고의에 의한 것인지를 가리지 않고 그 공무원이 자동차손해배상 보장법 제3조 소정의 '자기를 위하여 자동차를 운행하는 자'에 해당하는 한 손해배상책임을 부담한다(대판 1996.5.31. 94다15271).

④ (×) 「국가배상법」 제8조에 의해 「민법」 제766조 제1항이 적용되어 3년의 소멸시효에 걸린다.

> 「국가배상법」 제8조 【다른 법률과의 관계】 국가나 지방자치단체의 손해배상 책임에 관하여는 이 법에 규정된 사항 외에는 「민법」에 따른다. 다만, 「민법」 외의 법률에 다른 규정이 있을 때에는 그 규정에 따른다.
> 「민법」 제766조 【손해배상청구권의 소멸시효】 ① 불법행위로 인한 손해배상의 청구권은 피해자나 그 법정대리인이 그 손해 및 가해자를 안 날로부터 3년간 이를 행사하지 아니하면 시효로 인하여 소멸한다.

> **국가배상에서의 소멸시효기간은 손해 및 가해자를 안 날로부터 3년이다.**
> 국가배상법 제2조 제1항 본문 전단 규정에 따른 배상책임을 묻는 사건에 대하여는 동법 제8조의 규정에 의하여 민법 제766조 소정의 단기소멸시효제도가 적용되는 것이다(대판 1989.11.14. 88다카32500).

답 ③

문제 DATA
출제가능 지수 ▶▶▷
난이도 지수 ★★☆

함께 정리하기
국가배상책임

배상기준
▷ 기준액설(판례)

손해와 동시에 이득
▷ 손익공제

공무원소유차량으로 공무수행 중 사고
▷ 공무원 자배법 책임○

소멸시효기간
▷ 「민법」 적용(손해가해자 안 날 3년)

ALL KILL 기출

제1절 공무원의 직무상 불법행위로 인한 손해배상

01 공무원의 부작위로 인한 국가배상책임을 인정하기 위하여는 공무원의 작위로 인한 국가배상책임을 인정하는 경우와 마찬가지로 「국가배상법」 제2조 제1항의 요건이 충족되어야 한다. 13. 지방직 7급 ( )

02 한국수자원공사는 「국가배상법」상 손해배상의 책임자가 될 수 있다. 11. 국가직 7급 ( )

03 통장이 전입신고서에 확인인을 찍는 행위는 공무를 위탁받아 실질적으로 공무를 수행하는 것이라고 보아야 하므로, 통장은 그 업무범위 내에서는 「국가배상법」 제2조 소정의 공무원에 해당한다. 11. 국회직 8급 ( )

04 상급자가 전입사병인 하급자에게 암기사항에 관하여 교육하던 중 훈계하다가 도가 지나쳐 폭행한 경우에 그 폭행은 「국가배상법」상의 직무 집행에 해당한다. 11. 국회직 8급 ( )

05 담당공무원이 내부전산망을 통해 후보자에 대한 범죄경력자료를 조회하여 구 「공직선거 및 선거부정방지법」 위반죄로 실형을 선고받는 등 실효된 4건의 금고형 전과가 있음을 확인하고도 후보자의 공직선거 후보자용 범죄경력조회 회보서에 이를 기재하지 않은 경우 「국가배상법」 제2조에 의하여 피해자가 국가나 지방자치단체에 대하여 배상책임을 물을 수 있다. 12. 변호사 ( )

06 경매담당공무원이 매각물건명세서를 작성하면서 매각으로 소멸되지 않는 최선순위 전세권이 매수인에게 인수된다는 취지의 기재를 하지 아니한 경우 국가의 배상책임이 인정된다. 12. 변호사 ( )

07 「국가배상법」은 생명·신체의 침해에 대한 위자료의 지급만을 규정하고 있으므로, 재산권의 침해에 대해서는 위자료를 청구할 수 없다. 12. 경찰 ( )

08 「자동차손해배상 보장법」은 배상책임의 성립요건에 관하여 「국가배상법」에 우선하여 적용된다. 15. 지방직 9급 ( )

09 「국가배상법」상 과실을 판단할 경우 보통 일반의 공무원을 그 표준으로 하고 반드시 누구의 행위인지 가해공무원을 특정하여야 한다. 12. 국가직 9급 ( )

10 지방자치단체장이 설치하여 관할 지방경찰청장에게 관리권한이 위임된 교통신호기 고장에 의한 교통사고가 발생한 경우 해당 지방자치단체뿐만 아니라 국가도 손해배상책임을 진다. 13. 국가직 9급 ( )

11 성폭력범죄의 수사를 담당하거나 수사에 관여하는 경찰관이 직무상 의무에 위반하여 피해자의 인적사항 등을 공개 또는 누설한 경우, 그로 인하여 피해자가 입은 손해에 대하여 국가는 배상책임을 진다. 14. 국가직 7급 ( )

정답 및 해설

01 ○ 공무원의 부작위로 인한 배상책임 역시 작위로 인한 국가배상책임을 인정하는 경우와 마찬가지로 「국가배상법」 제2조 제1항의 요건이 충족되어야 함(대판 2001.4.24, 2000다57856)

02 × 「국가배상법」상 손해배상의 책임자는 국가 또는 지방자치단체이며, 한국수자원공사는 공공단체이므로 「민법」상 손해배상의 책임자임

03 ○ 통장이 전입신고서에 확인인을 찍는 행위는 공무를 위탁받아 실질적으로 공무를 수행하는 것이며, 그 업무범위 내에서는 「국가배상법」상 공무원임(대판 1991.7.9, 91다5570)

04 ○ 상급자의 교육·훈계행위는 외관상으로 직무집행이며, 교육·훈계 중에 한 폭행도 그 직무집행과 밀접한 관련이 있어 「국가배상법」상 직무집행에 해당함(대판 1995.4.21, 93다14240)

05 ○ 공무원이 내부전산망을 통해 후보자의 금고형 이상의 전과가 있음을 확인하고도 회보서에 이를 기재하지 않은 것은 중과실이 인정되어 배상책임이 인정됨(대판 2011.9.8, 2011다34521)

06 ○ 매각물건명세서의 오기재로 인해, 매각대상 부동산을 매수했다가 손해를 입은 매수인에 대하여 경매담당 공무원 등의 과실 및 국가배상책임이 인정됨(대판 2010.6.24, 2009다40790)

07 × 「국가배상법」 제3조 제5항에 재산권 침해에 대한 위자료의 지급에 관하여 명시한 규정을 두진 않았으나, 동법 제5항의 규정이 그 지급의무를 배제한다고 볼 수 없음(대판 1990.12.21, 90다6033 등)

08 ○ 「국가배상법」과 저촉되는 범위에서는 「자동차손해배상 보장법」 제3조가 「국가배상법」의 관계규정보다 우선 적용된다고 보는 것이 상당함(대판 1970.3.24, 70다135)

09 × 과실을 판단할 경우 보통 일반의 공무원을 그 표준으로 판단함. 그러나 가해공무원의 특정이 어려운 경우 반드시 가해공무원을 특정하지 않더라도 공무원의 행위로 인정 된다면 국가배상책임이 인정됨

10 ○ 설치관리자와 비용부담자가 다른 경우 피해자는 선택적 청구가 가능함

11 ○ 성폭력 수사담당자의 피해자 인적사항 공개에 국가배상책임이 인정됨(대판 2008.6.12, 2007다64365)

제2절 | 영조물의 설치·관리의 하자로 인한 손해배상

001 □□□

「국가배상법」상 영조물의 설치·관리의 하자로 인한 손해배상책임에 대한 설명으로 옳지 않은 것은?

① 「국가배상법」상의 영조물의 설치·관리상의 하자로 인한 책임은 무과실책임이고 나아가 「민법」상의 공작물의 점유자의 책임과는 달리 면책사유도 규정되어 있지 않다.
② '공공의 영조물'이라 함은 국가 또는 지방자치단체에 의하여 특정 공공의 목적에 공여된 유체물 내지 물적 설비를 말하며, 국가 또는 지방자치단체가 소유권, 임차권 그 밖의 권한에 기하여 관리하고 있는 경우뿐만 아니라 사실상의 관리를 하고 있는 경우도 포함된다.
③ '영조물의 설치 또는 관리의 하자'에는 영조물이 공공의 목적에 이용됨에 있어 그 이용상태 및 정도가 일정한 한도를 초과하여 제3자에게 사회통념상 수인할 것이 기대되는 한도를 넘는 피해를 입히는 경우까지 포함된다.
④ 공유나 사유임을 불문하고 사실상 도로로 사용되고 있었다면, 도로의 노선인정 기타 공용개시가 없었다고 하여도 해당 도로는 「국가배상법」상 영조물이라고 할 수 있다.

> **문제 DATA**
> 출제가능 지수 ▶▶▷
> 난이도 지수 ★★☆

2025년 국가직 9급

① (○) 국가배상법 제5조 소정의 영조물의 설치·관리상의 하자로 인한 책임은 무과실책임이고 나아가 민법 제758조 소정의 공작물의 점유자의 책임과는 달리 면책사유도 규정되어 있지 않으므로 국가 또는 지방자치단체는 영조물의 설치·관리상의 하자로 인하여 타인에게 손해를 가한 경우에 그 손해의 방지에 필요한 주의를 해태하지 아니하였다 하여 면책을 주장할 수 없다(대판 1994.11.22. 94다32924).
② (○) 국가배상법 제5조 제1항 소정의 "공공의 영조물"이라 함은 공유나 사유임을 불문하고 국가 또는 지방자치단체에 의하여 특정 공공의 목적에 공여된 유체물 내지 물적 설비를 지칭하며, 특정 공공의 목적에 공여된 물이라 함은 일반공중의 자유로운 사용에 직접적으로 제공되는 공공용물에 한하지 아니하고, 행정주체 자신의 사용에 제공되는 공용물도 포함하며 국가 또는 지방자치단체가 소유권, 임차권 그 밖의 권한에 기하여 관리하고 있는 경우뿐만 아니라 사실상의 관리를 하고 있는 경우도 포함된다(대판 1995.1.24. 94다45302 ; 대판 1998.10.23. 98다17381).
③ (○) 국가배상법 제5조 제1항에 정하여진 '영조물의 설치 또는 관리의 하자'라 함은 공공의 목적에 공여된 영조물이 그 용도에 따라 갖추어야 할 안전성을 갖추지 못한 상태에 있음을 말하고, 여기서 안전성을 갖추지 못한 상태, 즉 타인에게 위해를 끼칠 위험성이 있는 상태라 함은 ① 당해 영조물을 구성하는 물적 시설 그 자체에 있는 물리적·외형적 흠결이나 불비로 인하여 그 이용자에게 위해를 끼칠 위험성이 있는 경우(물적 하자)뿐만 아니라, ② 그 영조물이 공공의 목적에 이용됨에 있어 그 이용상태 및 정도가 일정한 한도를 초과하여 제3자에게 사회통념상 참을 수 없는 피해를 입히는 경우(기능상 하자)까지 포함된다고 보아야 할 것이고, 사회통념상 참을 수 있는 피해인지의 여부는 그 영조물의 공공성, 피해의 내용과 정도, 이를 방지하기 위하여 노력한 정도 등을 종합적으로 고려하여 판단하여야 한다(대판 2004.3.12. 2002다14242).
④ (✕) 사실상 군민의 통행에 제공되고 있던 도로 옆의 암벽으로부터 떨어진 낙석에 맞아 소외인이 사망하는 사고가 발생하였다고 하여도 동 사고지점 도로가 피고 군에 의하여 노선인정 기타 공용개시가 없었으면 이를 영조물이라 할 수 없다(대판 1981.7.7. 80다2478).

답 ④

> **함께 정리하기**
>
> **영조물 책임**
>
> **면책규정**
> ▷ 「민법」○, 「국가배상법」✕
>
> **국가·지방자치단체의 관리**
> ▷ 소유권, 임차권 그 밖의 권한에 기하여 관리뿐만 아니라 사실상 관리도 포함
>
> **하자**
> ▷ 기능적 하자 포함
>
> **노선인정 기타 공용개시가 없었던 도로**
> ▷ 영조물✕

002

「국가배상법」상 영조물의 설치·관리상의 하자로 인한 손해배상에 대한 설명으로 옳지 않은 것은? (다툼이 있는 경우 판례에 의함)

① 영조물이 그 설치 및 관리에 있어 완전무결한 상태를 유지할 정도의 고도의 안전성을 갖추지 아니하였다고 하여 하자가 있다고 단정할 수는 없고, 영조물 이용자의 상식적이고 질서 있는 이용 방법을 기대한 상대적인 안전성을 갖추는 것으로 족하다.

② 도로의 설치 후 제3자의 행위에 의하여 그 본래 목적인 통행상의 안전에 결함이 발생한 경우에는 도로에 그와 같은 결함이 있다는 것만으로 성급하게 도로의 보존상 하자를 인정하여서는 안되고, 제반 사정을 종합하여 그와 같은 결함을 제거하여 원상으로 복구할 수 있는데도 이를 방치한 것인지 여부를 개별적, 구체적으로 심리하여 하자의 유무를 판단하여야 한다.

③ 국도의 관리사무가 지방자치단체의 장에게 위임되어 지방자치단체장이 국도의 관리청이 된 경우, 국가는 해당 국도의 도로관리상의 하자로 인한 손해에 대하여 책임이 없다.

④ 영조물의 설치·관리상의 하자로 인한 손해가 발생한 경우 피해자의 위자료청구권이 반드시 배제되는 것은 아니다.

문제 DATA
출제가능 지수 ▶▶▷
난이도 지수 ★★☆

함께 정리하기

영조물 책임

영조물의 설치·관리상 하자의 판단 기준
▷ 상대적 안전성(고도의 안전성×)

제3자에 의해 발생한 도로의 보존상 하자
▷ 결함제거·원상복구(관리)가능성 개별·구체적 심리

일반국도 관리사무
▷ 기관위임사무
▷ 국가: 사무귀속주체로서 배상책임

하자와 상당인과관계 있는 손해 위자료청구 可

2025년 경찰간부

① (○) 국가배상법 제5조 제1항에 정하여진 '영조물 설치·관리상의 하자'라 함은 공공의 목적에 공여된 영조물이 그 용도에 따라 통상 갖추어야 할 안전성을 갖추지 못한 상태에 있음을 말하는바, 영조물의 설치 및 관리에 있어서 항상 완전무결한 상태를 유지할 정도의 고도의 안전성을 갖추지 아니하였다고 하여 영조물의 설치 또는 관리에 하자가 있다고 단정할 수 없는 것이고, 영조물의 설치자 또는 관리자에게 부과되는 방호조치의무는 영조물의 위험성에 비례하여 사회통념상 일반적으로 요구되는 정도의 것을 의미하므로 영조물인 도로의 경우도 다른 생활필수시설과의 관계나 그것을 설치하고 관리하는 주체의 재정적, 인적, 물적 제약 등을 고려하여 그것을 이용하는 자의 상식적이고 질서 있는 이용 방법을 기대한 상대적인 안전성을 갖추는 것으로 족하다(대판 2002.8.23. 2002다9158).

② (○) 도로의 설치 또는 관리·보존상의 하자는 도로의 위치 등 장소적인 조건, 도로의 구조, 교통량, 사고시에 있어서의 교통 사정 등 도로의 이용 상황과 그 본래의 이용 목적 등 제반 사정과 물적 결함의 위치, 형상 등을 종합적으로 고려하여 사회통념에 따라 구체적으로 판단하여야 하는바, 도로의 설치 후 제3자의 행위에 의하여 그 본래의 목적인 통행상의 안전에 결함이 발생한 경우에는 도로에 그와 같은 결함이 있다는 것만으로 성급하게 도로의 보존상 하자를 인정하여서는 안 되고, 당해 도로의 구조, 장소적 환경과 이용 상황 등 제반 사정을 종합하여 그와 같은 결함을 제거하여 원상으로 복구할 수 있는데도 이를 방치한 것인지 여부를 개별적·구체적으로 심리하여 하자의 유무를 판단하여야 한다(대판 1998.2.10. 97다32536).

③ (×)
  [1] 도로법 제22조 제2항에 의하여 지방자치단체의 장인 시장이 국도의 관리청이 되었다 하더라도 이는 시장이 국가로부터 관리업무를 위임받아 국가행정기관의 지위에서 집행하는 것이므로 국가는 도로관리상 하자로 인한 손해배상책임을 면할 수 없다.
  [2] 시가 국도의 관리상 비용부담자로서 책임을 지는 것은 국가배상법이 정한 자신의 고유한 배상책임이므로 도로의 하자로 인한 손해에 대하여 시는 부진정연대채무자인 공동불법행위자와의 내부관계에서 배상책임을 분담하는 관계에 있으며 국가배상법 제6조 제2항의 규정은 도로의 관리주체인 국가와 그 비용을 부담하는 경제주체인 시 상호간에 내부적으로 구상의 범위를 정하는데 적용될 뿐 이를 들어 구상권자인 공동불법행위자에게 대항할 수 없다(대판 1993.1.26. 92다2684).

④ (○) 국가배상법 제3조 제5항에 생명, 신체에 대한 침해로 인한 위자료의 지급을 규정하였을 뿐이고 재산권 침해에 대한 위자료의 지급에 관하여 명시한 규정을 두지 아니하였으나 같은 법조 제4항의 규정이 재산권 침해로 인한 위자료의 지급의무를 배제하는 것이라고 볼 수는 없다(대판 1990.12.21. 90다6033·6040·6057).

답 ③

003

「국가배상법」 제5조(공공시설 등의 하자로 인한 책임)에 대한 설명으로 옳지 않은 것은?

① 강설의 특성, 기상적 요인과 지리적 요인, 이에 따른 도로의 상대적 안전성을 고려하면 겨울철 산간지역에 위치한 도로에 강설로 생긴 빙판을 그대로 방치하고 도로상황에 대한 경고나 위험표지판을 설치하지 않았다는 사정만으로도 도로관리상의 하자가 있다고 보아야 한다.

② 「국가배상법」 제5조 제1항에 규정된 영조물이 그 설치·관리에 있어 완전무결한 상태를 유지할 정도의 고도의 안전성을 갖추지 아니하였다고 하여 하자가 있다고 단정할 수는 없고, 영조물 이용자의 상식적이고 질서 있는 이용 방법을 기대한 상대적인 안전성을 갖추는 것으로 족하다.

③ 하천 관리주체로서는 익사사고의 위험성이 있는 모든 하천구역에 대해 위험관리를 하는 것은 불가능하므로 해당 하천의 현황과 이용 상황, 과거에 발생한 사고 이력 등을 종합적으로 고려하여 하천구역의 위험성에 비례하여 사회통념상 일반적으로 요구되는 정도의 방호조치의무를 다하였다면 하천의 설치·관리상의 하자를 인정할 수 없다.

④ 소음 등을 포함한 공해 등의 위험지역으로 이주하여 들어가 거주하는 경우와 같이 위험의 존재를 인식하거나 과실로 인식하지 못하고 이주한 경우에는 손해배상액의 산정에 있어 형평의 원칙상 과실상계에 준하여 감경 또는 면제사유로 고려하여야 한다.

⑤ '영조물의 설치 또는 관리의 하자'에 관한 제3자의 수인한도의 기준을 결정함에 있어서는 일반적으로 침해되는 권리나 이익의 성질과 침해의 정도뿐만 아니라 침해행위가 갖는 공공성의 내용과 정도, 그 지역환경의 특수성, 공법적인 규제에 의하여 확보하려는 환경기준, 침해를 방지 또는 경감시키거나 손해를 회피할 방안의 유무 및 그 난이 정도 등 여러 사정을 종합적으로 고려하여 구체적 사건에 따라 개별적으로 결정하여야 한다.

| 2025년 국회직 8급

① (×)

[1] 도로의 설치·관리상의 하자는 도로의 위치 등 장소적인 조건, 도로의 구조, 교통량, 사고시에 있어서의 교통 사정 등 도로의 이용 상황과 본래의 이용 목적 등 제반 사정과 물적 결함의 위치, 형상 등을 종합적으로 고려하여 사회통념에 따라 구체적으로 판단하여야 하는바, 특히 강설은 기본적 환경의 하나인 자연현상으로서 그것이 도로교통의 안전을 해치는 위험성의 정도나 그 시기를 예측하기 어렵고 통상 광범위한 지역에 걸쳐 일시에 나타나고 일정한 시간을 경과하면 소멸되는 일과성을 띠는 경우가 많은 점에 비하여, 이로 인하여 발생되는 도로상의 위험에 대처하기 위한 완벽한 방법으로서 도로 자체에 융설 설비를 갖추는 것은 현대의 과학기술의 수준이나 재정사정에 비추어 사실상 불가능하고, 가능한 방법으로 인위적으로 제설작업을 하거나 제설제를 살포하는 등의 방법을 택할 수밖에 없는데, 그러한 경우에 있어서도 <u>적설지대에 속하는 지역의 도로라든가 최저속도의 제한이 있는 고속도로 등 특수 목적을 갖고 있는 도로가 아닌 일반 보통의 도로까지도 도로관리자에게 완전한 인적, 물적 설비를 갖추고 제설작업을 하여 도로통행상의 위험을 즉시 배제하여 그 안전성을 확보하도록 하는 관리의무를 부과하는 것은 도로의 안전성의 성질에 비추어 적당하지 않고, 오히려 그러한 경우의 도로통행의 안전성은 그와 같은 위험에 대면하여 도로를 이용하는 통행자 개개인의 책임으로 확보하여야 한다.</u>

[2] 강설의 특성, 기상적 요인과 지리적 요인, 이에 따른 도로의 상대적 안전성을 고려하면 겨울철 산간지역에 위치한 도로에 강설로 생긴 빙판을 그대로 방치하고 <u>도로상황에 대한 경고나 위험표지판을 설치하지 않았다는 사정만으로 도로관리상의 하자가 있다고 볼 수 없다고 한 사례</u>(대판 2000.4.25. 99다54998)

문제 DATA

출제가능 지수 ▶▶▷
난이도 지수 ★★★

함께 정리하기

「국가배상법」 제5조

빙판길 위험 경고·위험표지판 미설치
▷ 도로관리상 하자책임 ×

영조물의 설치·관리상 하자의 판단 기준
▷ 상대적 안전성(고도의 안전성 ×)

위험의 존재를 인식하지 못한 피해자의 과실
▷ 감경·면제사유로 고려(과실상계)

기능적 하자 판단시 수인한도 기준
▷ 여러 사정 종합하여 구체적·개별적 결정

② (O) 국가배상법 제5조 제1항에 정하여진 '영조물 설치·관리상의 하자'라 함은 공공의 목적에 공여된 영조물이 그 용도에 따라 통상 갖추어야 할 안전성을 갖추지 못한 상태에 있음을 말하는바, 영조물의 설치 및 관리에 있어서 항상 완전무결한 상태를 유지할 정도의 고도의 안전성을 갖추지 아니하였다고 하여 영조물의 설치 또는 관리에 하자가 있다고 단정할 수 없는 것이고, 영조물의 설치자 또는 관리자에게 부과되는 방호조치의무는 영조물의 위험성에 비례하여 사회통념상 일반적으로 요구되는 정도의 것을 의미하므로 영조물인 도로의 경우도 다른 생활필수시설과의 관계나 그것을 설치하고 관리하는 주체의 재정적, 인적, 물적 제약 등을 고려하여 그것을 이용하는 자의 상식적이고 질서 있는 이용방법을 기대한 상대적인 안전성을 갖추는 것으로 족하다(대판 2002.8.23. 2002다9158).

③ (O) 자연영조물로서 하천은 이를 설치할 것인지 여부에 대한 선택의 여지가 없고, 위험을 내포한 상태에서 자연적으로 존재하고 있으며, 그 유역의 광범위성과 유수(류수)의 상황에 따른 하상의 가변성 등으로 인하여 익사사고에 대비한 하천 자체의 위험관리에는 일정한 한계가 있을 수밖에 없어, 하천 관리주체로서는 익사사고의 위험성이 있는 모든 하천구역에 대해 위험관리를 하는 것은 불가능하므로, 당해 하천의 현황과 이용 상황, 과거에 발생한 사고 이력 등을 종합적으로 고려하여 하천구역의 위험성에 비례하여 사회통념상 일반적으로 요구되는 정도의 방호조치의무를 다하였다면 하천의 설치·관리상의 하자를 인정할 수 없다(대판 2014.1.23. 2013다211865).

④ (O) 소음 등을 포함한 공해 등의 위험지역으로 이주하여 들어가 거주하는 경우와 같이 위험의 존재를 인식하거나 과실로 인식하지 못하고 이주한 경우에는 손해배상액의 산정에 있어 형평의 원칙상 과실상계에 준하여 감경 또는 면제사유로 고려하여야 한다(대판 2010.11.11. 2008다57975).

⑤ (O)

[1] 국가배상법 제5조 제1항에 정하여진 '영조물의 설치 또는 관리의 하자'라 함은 공공의 목적에 공여된 영조물이 그 용도에 따라 갖추어야 할 안전성을 갖추지 못한 상태에 있음을 말하고, 안전성을 갖추지 못한 상태, 즉 타인에게 위해를 끼칠 위험성이 있는 상태라 함은 당해 영조물을 구성하는 물적 시설 그 자체에 있는 물리적·외형적 흠결이나 불비로 인하여 그 이용자에게 위해를 끼칠 위험성이 있는 경우뿐만 아니라, 그 영조물이 공공의 목적에 이용됨에 있어 그 이용상태 및 정도가 일정한 한도를 초과하여 제3자에게 사회통념상 수인할 것이 기대되는 한도를 넘는 피해를 입히는 경우까지 포함된다고 보아야 한다.

[2] '영조물 설치 또는 하자'에 관한 제3자의 수인한도의 기준을 결정함에 있어서는 일반적으로 침해되는 권리나 이익의 성질과 침해의 정도뿐만 아니라 침해행위가 갖는 공공성의 내용과 정도, 그 지역환경의 특수성, 공법적인 규제에 의하여 확보하려는 환경기준, 침해를 방지 또는 경감시키거나 손해를 회피할 방안의 유무 및 그 난이 정도 등 여러 사정을 종합적으로 고려하여 구체적 사건에 따라 개별적으로 결정하여야 한다(대판 2005.1.27. 2003다49566).

답 ①

004

국가배상책임에 대한 설명으로 옳은 것(○)과 옳지 않은 것(×)을 올바르게 조합한 것은? (다툼이 있는 경우 판례에 의함)

ㄱ. 공법인이 국가로부터 위탁받은 공행정사무를 집행하는 과정에서 공법인의 임직원이나 피용인이 고의 또는 과실로 법령을 위반하여 타인에게 손해를 입힌 경우, 공법인의 임직원이나 피용인은「국가배상법」제2조에서 정한 공무원에 해당하므로 고의 또는 중과실이 있는 경우에만 배상책임을 부담한다.

ㄴ. 군인·군무원 등에 관한「국가배상법」제2조 제1항 단서 규정은, 다른 법령에 보상제도가 규정되어 있고 그 법령에 규정된 요건에 해당되어 위 단서 규정에 열거된 사람에게 보상을 받을 수 있는 권리가 발생한 이상, 실제로 그 권리를 행사하였는지 또는 그 권리를 행사하고 있는지 여부에 관계없이 적용된다.

ㄷ. 국가나 지방자치단체가 행정절차를 진행하는 과정에서 주민들의 의견제출 등 절차적 권리를 보장하지 않은 위법이 있어서 그 후 이를 시정하여 절차를 다시 진행한 경우, 이러한 조치로도 주민들의 절차적 권리 침해로 인한 정신적 고통이 여전히 남아 있다고 볼 특별한 사정이 있다면 국가나 지방자치단체는 그 정신적 고통으로 인한 손해를 배상할 책임이 있고, 이때 특별한 사정이 있다는 사실에 대한 주장·증명책임은 이를 청구하는 주민들에게 있다.

ㄹ. 영조물이 그 설치 및 관리에 있어 완전무결한 상태를 유지할 정도의 고도의 안전성을 갖추지 아니하였다고 하여 하자가 있다고 단정할 수는 없고, 영조물 이용자의 상식적이고 질서 있는 이용 방법을 기대한 상대적인 안전성을 갖추는 것으로 족하다.

① ㄱ(○), ㄴ(○), ㄷ(○), ㄹ(○)
② ㄱ(○), ㄴ(○), ㄷ(×), ㄹ(○)
③ ㄱ(○), ㄴ(×), ㄷ(○), ㄹ(×)
④ ㄱ(×), ㄴ(○), ㄷ(×), ㄹ(○)
⑤ ㄱ(×), ㄴ(×), ㄷ(×), ㄹ(○)

2025년 변호사

ㄱ. (○) 공법인이 국가로부터 위탁받은 공행정사무를 집행하는 과정에서 공법인의 임직원이나 피용인이 고의 또는 과실로 법령을 위반하여 타인에게 손해를 입힌 경우에는, 공법인은 위탁받은 공행정사무에 관한 행정주체의 지위에서 배상책임을 부담하여야 하지만, 공법인의 임직원이나 피용인은 실질적인 의미에서 공무를 수행한 사람으로서 국가배상법 제2조에서 정한 공무원에 해당하므로 고의 또는 중과실이 있는 경우에만 배상책임을 부담하고 경과실이 있는 경우에는 배상책임을 면한다. 한편 공무원의 중과실이란 공무원에게 통상 요구되는 정도의 상당한 주의를 하지 않더라도 약간의 주의를 한다면 손쉽게 위법·유해한 결과를 예견할 수 있는 경우임에도 만연히 이를 간과한 경우와 같이, 거의 고의에 가까운 현저한 주의를 결여한 상태를 의미한다(대판 2021.1.28. 2019다260197).

ㄴ. (○) 헌법 제29조 제2항 및 이를 근거로 한 국가배상법 제2조 제1항 단서 규정의 입법 취지는, 국가 또는 공공단체가 위험한 직무를 집행하는 군인·군무원·경찰공무원 또는 향토예비군대원에 대한 피해보상제도를 운영하여, 직무집행과 관련하여 피해를 입은 군인 등이 간편한 보상절차에 의하여 자신의 과실 유무나 그 정도와 관계없이 무자력의 위험부담이 없는 확실하고 통일된 피해보상을 받을 수 있도록 보장하는 대신에, 피해 군인 등이 국가 등에 대하여 공무원의 직무상 불법행위로 인한 손해배상을 청구할 수 없게 함으로써, 군인 등의 동일한 피해에 대하여 국가 등의 보상과 배상이 모두 이루어짐으로 인하여 발생할 수 있는 과다한 재정지출과 피해 군인 등 사이의 불균형을 방지하고, 또한 가해자인 군인 등과 피해자인 군인 등의 직무상 잘못을 따지는 쟁송이 가져올 폐해를 예방하려는 데에 있고, 또 군인, 군무원 등 이 법률 규정에 열거된 자가 전투, 훈련 기타 직무집행과 관련하는 등으로 공상을 입은 데 대하여 재해보상금, 유족연금, 상이연금 등 별도의 보상제도가 마련되어 있는 경우에는 이중배상의 금지를 위하여 이들의 국가에 대한 국가배상법 또는 민법상의 손해배상청구권 자체를 절대적으로 배제하는 규정이므로, 이들은 국가에 대하여 손해배상청구권을 행사할 수 없는 것인바, 따라서 국가배상법 제2조 제1항 단서 규정은 다른 법령에 보상제도가 규정되어 있고, 그 법령에 규정된 상이등급 또는 장애등급 등의 요건에 해당되어 그 권리가 발생한 이상, 실제로 그 권리를 행사하였는지 또는 그 권리를 행사하고

있는지 여부에 관계없이 적용된다고 보아야 하고, 그 각 법률에 의한 보상금청구권이 시효로 소멸되었다 하여 적용되지 않는다고 할 수는 없다(대판 2002.5.10. 2000다39735).

ㄷ. (○) 국가나 지방자치단체가 공익사업을 시행하는 과정에서 해당 사업부지 인근 주민들은 의견제출을 통한 행정절차 참여 등 법령에서 정하는 절차적 권리를 행사하여 환경권이나 재산권 등 사적 이익을 보호할 기회를 가질 수 있다. 그러나 법령에서 주민들의 행정절차 참여에 관하여 정하는 것은 어디까지나 주민들에게 자신의 의사와 이익을 반영할 기회를 보장하고 행정의 공정성, 투명성과 신뢰성을 확보하며 국민의 권익을 보호하기 위한 것일 뿐, 행정절차에 참여할 권리 그 자체가 사적 권리로서의 성질을 가지는 것은 아니다. 이와 같이 행정절차는 그 자체가 독립적으로 의미를 가지는 것이라기보다는 행정의 공정성과 적정성을 보장하는 공법적 수단으로서의 의미가 크므로, 관련 행정처분의 성립이나 무효·취소 여부 등을 따지지 않은 채 주민들이 일시적으로 행정절차에 참여할 권리를 침해받았다는 사정만으로 곧바로 국가나 지방자치단체가 주민들에게 정신적 손해에 대한 배상의무를 부담한다고 단정할 수 없다. 이와 같은 행정절차상 권리의 성격이나 내용 등에 비추어 볼 때, <u>국가나 지방자치단체가 행정절차를 진행하는 과정에서 주민들의 의견제출 등 절차적 권리를 보장하지 않은 위법이 있다고 하더라도 그 후 이를 시정하여 절차를 다시 진행한 경우</u>, 종국적으로 행정처분 단계까지 이르지 않거나 처분을 직권으로 취소하거나 철회한 경우, 행정소송을 통하여 처분이 취소되거나 처분의 무효를 확인하는 판결이 확정된 경우 등에는 주민들이 절차적 권리의 행사를 통하여 환경권이나 재산권 등 사적 이익을 보호하려던 목적이 실질적으로 달성된 것이므로 특별한 사정이 없는 한 절차적 권리 침해로 인한 정신적 고통에 대한 배상은 인정되지 않는다. 다만 <u>이러한 조치로도 주민들의 절차적 권리 침해로 인한 정신적 고통이 여전히 남아 있다고 볼 특별한 사정이 있는 경우에 국가나 지방자치단체는 그 정신적 고통으로 인한 손해를 배상할 책임이 있다. 이때 특별한 사정이 있다는 사실에 대한 주장·증명책임은 이를 청구하는 주민들에게 있고</u>, 특별한 사정이 있는지는 주민들에게 행정절차 참여권을 보장하는 취지, 행정절차 참여권이 침해된 경위와 정도, 해당 행정절차 대상사업의 시행경과 등을 종합적으로 고려해서 판단해야 한다(대판 2021.7.29. 2015다221668).

ㄹ. (○) 국가배상법 제5조 제1항에 규정된 '영조물 설치·관리상의 하자'는 공공의 목적에 공여된 영조물이 그 용도에 따라 통상 갖추어야 할 안전성을 갖추지 못한 상태에 있음을 말한다. 그리고 위와 같은 안전성의 구비 여부는 영조물의 설치자 또는 관리자가 그 영조물의 위험성에 비례하여 사회통념상 일반적으로 요구되는 정도의 방호조치의무를 다하였는지를 기준으로 판단하여야 하고, 아울러 그 설치자 또는 관리자의 재정적·인적·물적 제약 등도 고려하여야 한다. 따라서 <u>영조물이 그 설치 및 관리에 있어 완전무결한 상태를 유지할 정도의 고도의 안전성을 갖추지 아니하였다고 하여 하자가 있다고 단정할 수는 없고, 영조물 이용자의 상식적이고 질서 있는 이용 방법을 기대한 상대적인 안전성을 갖추는 것으로 족하다</u>(대판 2022.7.28. 2022다225910).

답 ①

005

국가배상책임에 관한 설명으로 옳지 않은 것은? (다툼이 있는 경우 판례에 의함)

① 영조물이 그 설치 및 관리에 있어 완전무결한 상태를 유지할 정도의 고도의 안전성을 갖추지 아니하였다고 하여 하자가 있다고 단정할 수는 없고, 영조물 이용자의 상식적이고 질서 있는 이용 방법을 기대한 상대적인 안전성을 갖추는 것으로 족하다.

② '영조물의 설치나 관리의 하자'란 공공의 목적에 공여된 영조물이 그 용도에 따라 갖추어야 할 안전성을 갖추지 못한 상태에 있음을 말하고, 여기서 안전성을 갖추지 못한 상태란 그 영조물을 구성하는 물적 시설 자체에 있는 물리적·외형적 흠결이나 불비로 인하여 그 이용자에게 위해를 끼칠 위험성이 있는 경우에 한한다.

③ 대법원의 판단으로 관계 법령의 해석이 확립되고 이어 상급 행정기관 내지 유관 행정부서로부터 시달된 업무지침이나 업무연락 등을 통하여 이를 충분히 인식할 수 있게 된 상태에서, 확립된 법령의 해석에 어긋나는 견해를 고집하여 계속하여 위법한 행정처분을 하거나 이에 준하는 행위로 평가될 수 있는 불이익을 처분상대방에게 주게 된다면, 이는 그 공무원의 고의 또는 과실로 인한 것이 되어 그 손해를 배상할 책임이 있다.

④ 상위 지방자치단체가 하위 지방자치단체장에게 영조물의 설치·관리 권한을 기관위임한 경우(단, 비용은 상위 지방자치단체가 부담하기로 함), 하위 지방자치단체장이 기관위임사무로 설치·관리하는 영조물의 하자로 타인에게 손해를 발생하게 한 경우에는 권한을 위임한 상위 지방자치단체가 그 손해배상책임을 진다.

2024년 소방직

① (○) 국가배상법 제5조 제1항에 규정된 '영조물 설치·관리상의 하자'는 공공의 목적에 공여된 영조물이 그 용도에 따라 통상 갖추어야 할 안전성을 갖추지 못한 상태에 있음을 말한다. 그리고 위와 같은 안전성의 구비 여부는 영조물의 설치자 또는 관리자가 그 영조물의 위험성에 비례하여 사회통념상 일반적으로 요구되는 정도의 방호조치의무를 다하였는지를 기준으로 판단하여야 하고, 아울러 그 설치자 또는 관리자의 재정적·인적·물적 제약 등도 고려하여야 한다. 따라서 영조물이 그 설치 및 관리에 있어 완전무결한 상태를 유지할 정도의 고도의 안전성을 갖추지 아니하였다고 하여 하자가 있다고 단정할 수는 없고, 영조물 이용자의 상식적이고 질서 있는 이용 방법을 기대한 상대적인 안전성을 갖추는 것으로 족하다(대판 2022.7.28. 2022다225910).

② (×) 국가배상법 제5조 제1항에 정하여진 '영조물의 설치 또는 관리의 하자'라 함은 공공의 목적에 공여된 영조물이 그 용도에 따라 갖추어야 할 안전성을 갖추지 못한 상태에 있음을 말하고, 여기서 안전성을 갖추지 못한 상태, 즉 타인에게 위해를 끼칠 위험성이 있는 상태라 함은 당해 영조물을 구성하는 물적 시설 그 자체에 있는 물리적·외형적 흠결이나 불비로 인하여 그 이용자에게 위해를 끼칠 위험성이 있는 경우뿐만 아니라 그 영조물이 공공의 목적에 이용됨에 있어 그 이용상태 및 정도가 일정한 한도를 초과하여 제3자에게 사회통념상 참을 수 없는 피해를 입히는 경우까지 포함된다고 보아야 할 것이고, 사회통념상 참을 수 있는 피해인지의 여부는 그 영조물의 공공성, 피해의 내용과 정도, 이를 방지하기 위하여 노력한 정도 등을 종합적으로 고려하여 판단하여야 한다(대판 2004.3.12. 2002다14242).

③ (○) 행정청이 관계 법령의 해석이 확립되기 전에 어느 한 견해를 취하여 업무를 처리한 것이 결과적으로 위법하게 되어 그 법령의 부당집행이라는 결과를 빚었다고 하더라도 처분 당시 그와 같은 처리방법 이상의 것을 성실한 평균적 공무원에게 기대하기 어려웠던 경우라면 특별한 사정이 없는 한 이를 두고 공무원의 과실로 인한 것이라고 볼 수는 없다 할 것이지만, 대법원의 판단으로 관계 법령의 해석이 확립되고 이어 상급 행정기관 내지 유관 행정부서로부터 시달된 업무지침이나 업무연락 등을 통하여 이를 충분히 인식할 수 있게 된 상태에서, 확립된 법령의 해석에 어긋나는 견해를 고집하여 계속하여 위법한 행정처분을 하거나 이에 준하는 행위로 평가될 수 있는 불이익을 처분상대방에게 주게 된다면, 이는 그 공무원의 고의 또는 과실로 인한 것이 되어 그 손해를 배상할 책임이 있다(대판 2007.5.10. 2005다31828).

문제 DATA

출제가능 지수 ▶▶∑
난이도 지수 ★★☆

함께 정리하기

국가배상책임

영조물의 설치·관리상 하자의 판단 기준
▷ 상대적 안전성(고도의 안전성×)

영조물의 설치·관리상 하자
▷ 물적 하자 or 기능적 하자(이용상 하자)

대법원에 의해 확립된 법령해석에 어긋난 견해를 고집하여 위법한 행정처분
▷ 과실○

상위 지방자치단체의 기관위임사무
▷ 상위 지방자치단체가 사무 귀속주체로서 배상책임

④ (○) 도로의 유지·관리에 관한 상위 지방자치단체의 행정권한이 행정권한 위임조례로 하위 지방자치단체장에게 위임되었다면 그것은 기관위임이지 단순한 내부위임이 아니다. 기관위임의 경우 위임받은 하위 지방자치단체장은 상위 지방자치단체 산하 행정기관의 지위에서 그 사무를 처리하는 것이므로 사무귀속의 주체가 달라진다고 할 수 없다. 따라서 하위 지방자치단체장을 보조하는 그 지방자치단체 소속 공무원이 위임사무를 처리하면서 고의 또는 과실로 타인에게 손해를 가하거나 위임사무로 설치·관리하는 영조물의 하자로 타인에게 손해를 발생하게 한 경우에는 권한을 위임한 상위 지방자치단체가 그 손해배상책임을 진다(대판 2017.9.21. 2017다223538).

답 ②

006

영조물의 설치·관리의 하자로 인한 국가배상책임에 대한 설명으로 옳지 않은 것은? (다툼이 있는 경우 판례에 의함)

① 공사 중이며 아직 완성되지 않아 일반 공중의 이용에 제공되지 않는 옹벽은 「국가배상법」 제5조 제1항 소정의 영조물에 해당하지 않는다.
② 학교관리자에게 고등학교 학생이 교사의 단속을 피해 담배를 피우기 위하여 3층 건물 화장실 밖의 난간을 지나다가 실족할 경우까지 대비하여 화장실 창문에 난간으로의 출입을 막는 출입금지장치를 설치할 의무가 있다고 볼 수는 없다.
③ 가변차로에 설치된 두 개의 신호등에서 서로 모순되는 신호가 들어오는 오작동이 발생하였고 그 고장이 현재의 기술수준상 부득이한 것이라면 영조물의 하자를 인정할 수 없다.
④ 100년 발생빈도의 강우량을 기준으로 책정된 계획홍수위를 초과하여 600년 또는 1,000년 발생빈도의 강우량에 의한 하천의 범람으로 발생한 재해의 경우 그 영조물의 관리청에게 책임을 물을 수 없다.
⑤ 예산부족 등 재정사정은 영조물의 안전성의 정도에 참작사유는 될 수 있으나, 절대적인 면책사유는 되지 않는다.

2024년 소방간부

① (○) 지방자치단체가 비탈사면인 언덕에 대하여 현장조사를 한 결과 붕괴의 위험이 있음을 발견하고 이를 붕괴위험지구로 지정하여 관리하여 오다가 붕괴를 예방하기 위하여 언덕에 옹벽을 설치하기로 하고 소외 회사에게 옹벽시설공사를 도급 주어 소외 회사가 공사를 시행하다가 깊이 3m의 구덩이를 파게 되었는데, 피해자가 공사현장 주변을 지나가다가 흙이 무너져 내리면서 위 구덩이에 추락하여 상해를 입게 된 사안에서, 위 사고 당시 설치하고 있던 옹벽은 소외 회사가 공사를 도급받아 공사 중에 있었을 뿐만 아니라 아직 완성도 되지 아니하여 일반 공중의 이용에 제공되지 않고 있었던 이상 국가배상법 제5조 제1항 소정의 영조물에 해당한다고 할 수 없다(대판 1998.10.23. 98다17381).
② (○)

[1] 영조물의 설치·보존의 하자라 함은 영조물이 그 용도에 따라 통상 갖추어야 할 안전성을 갖추지 못한 상태에 있음을 말하는 것이고, 영조물의 설치 및 보존에 있어서 항상 완전무결한 상태를 유지할 정도의 고도의 안전성을 갖추지 아니하였다고 하여 영조물의 설치 또는 관리에 하자가 있는 것으로는 할 수 없는 것이므로, 따라서 영조물의 설치자 또는 관리자에게 부과되는 방호조치의무의 정도는 영조물의 위험성에 비례하여 사회통념상 일반적으로 요구되는 정도의 것을 말한다.
[2] 고등학교 3학년 학생이 교사의 단속을 피해 담배를 피우기 위하여 3층 건물 화장실 밖의 난간을 지나다가 실족하여 사망한 사안에서 학교 관리자에게 그와 같은 이례적인 사고가 있을 것을 예상하여 복도나 화장실 창문에 난간으로의 출입을 막기 위하여 출입금지장치나 추락위험을 알리는 경고표지판을 설치할 의무가 있다고 볼 수는 없다는 이유로 학교시설의 설치·관리상의 하자가 없다고 본 사례(대판 1997.5.16. 96다54102)

◎ 문제 DATA
출제가능 지수 ▶▶▷
난이도 지수 ★★☆

☑ 함께 정리하기

영조물책임

공사 중인 옹벽
▷ 영조물×

흡연위해 학교건물난간 지나다 실족사
▷ 책임×

가변차로에 설치된 신호등 모순된 신호
▷ 하자○

6백년·1천년 발생빈도의 강우량
▷ 불가항력○, 면책○

설치자의 예산부족
▷ 면책사유×(참작사유○)

③ (×) 가변차로에 설치된 신호등의 용도와 오작동시에 발생하는 사고의 위험성과 심각성을 감안할 때, 만일 가변차로에 설치된 두 개의 신호기에서 서로 모순되는 신호가 들어오는 고장을 예방할 방법이 없음에도 그와 같은 신호기를 설치하여 그와 같은 고장을 발생하게 한 것이라면, 그 고장이 자연재해 등 외부요인에 의한 불가항력에 기인한 것이 아닌 한 그 자체로 설치·관리자의 방호조치의무를 다하지 못한 것으로서 신호등이 그 용도에 따라 통상 갖추어야 할 안전성을 갖추지 못한 상태에 있었다고 할 것이고, 따라서 설령 적정전압보다 낮은 저전압이 원인이 되어 위와 같은 오작동이 발생하였고 그 고장은 현재의 기술수준상 부득이한 것이라고 가정하더라도 그와 같은 사정만으로 손해발생의 예견가능성이나 회피가능성이 없어 영조물의 하자를 인정할 수 없는 경우라고 단정할 수 없다고 한 사례(대판 2001.7.27. 2000다56822)

④ (○) 100년 발생빈도의 강우량을 기준으로 책정된 계획홍수위를 초과하여 600년 또는 1,000년 발생빈도의 강우량에 의한 하천의 범람은 예측가능성 및 회피가능성이 없는 불가항력적인 재해로서 그 영조물의 관리청에게 책임을 물을 수 없다고 본 사례(대판 2003.10.23. 2001다48057)

⑤ (○) 영조물 설치의 '하자'라 함은 영조물의 축조에 불완전한 점이 있어 이 때문에 영조물 자체가 통상 갖추어야 할 완전성을 갖추지 못한 상태에 있음을 말한다고 할 것인바 그 '하자' 유무는 객관적 견지에서 본 안전성의 문제이고 그 설치자의 재정사정이나 영조물의 사용목적에 의한 사정은 안전성을 요구하는데 대한 정도 문제로서 참작사유에는 해당할지언정 안전성을 결정지을 절대적 요건에는 해당하지 아니한다 할 것이다(대판 1967.2.21. 66다1723).

답 ③

007

다음 중 행정상 손해배상에 대한 설명으로 가장 옳지 않은 것은? (다툼이 있는 경우 판례에 의함)

① 이미 존재하는 하천의 제방이 계획홍수위를 넘고 있다면 그 하천은 용도에 따라 통상 갖추어야 할 안전성을 갖추고 있다고 보아야 하고, 그와 같은 하천이 그 후 새로운 하천시설을 설치할 때 기준으로 삼기 위하여 제정한 '하천 시설기준'이 정한 여유고를 확보하지 못하고 있다는 사정만으로 바로 안전성이 결여된 하자가 있다고 볼 수는 없다.

② 국토해양부장관이 하천공사를 대행하던 중 지방 하천의 관리상 하자로 인하여 손해가 발생하였다면 하천관리청이 속한 지방자치단체는 국가와 함께 「국가배상법」 제5조 제1항에 따라 지방 하천의 관리자로서 손해배상책임을 부담한다.

③ 동일한 손해가 공무원의 직무상 불법행위와 영조물 설치·관리상 하자로 인하여 발생된 경우 결국 영조물 설치·관리상 하자는 공무원의 직무와 관련된 것이므로 전자만을 근거로 국가배상을 청구하여야 한다.

④ 「국가배상법」상 배상결정을 받은 신청인은 지체 없이 그 결정에 대한 동의서를 첨부하여 국가나 지방자치단체에 배상금 지급을 청구하여야 하고 청구하지 아니한 경우에는 그 결정에 동의하지 아니한 것으로 본다.

| 2024년 군무원 9급

① (○) 관리상의 특질과 특수성을 감안한다면, 하천의 관리청이 관계 규정에 따라 설정한 계획홍수위를 변경시켜야 할 사정이 생기는 등 특별한 사정이 없는 한, 이미 존재하는 하천의 제방이 계획홍수위를 넘고 있다면 그 하천은 용도에 따라 통상 갖추어야 할 안전성을 갖추고 있다고 보아야 하고, 그와 같은 하천이 그 후 새로운 하천시설을 설치할 때 기준으로 삼기 위하여 제정한 '하천시설기준'이 정한 여유고를 확보하지 못하고 있다는 사정만으로 바로 안전성이 결여된 하자가 있다고 볼 수는 없다(대판 2003.10.23. 2001다48057).

문제 DATA
출제가능 지수 ▶▶▷
난이도 지수 ★★★

함께 정리하기
행정상 손해배상

하천제방이 계획홍수위 충족
▷ 안전성 구비

국토부장관의 지방하천 공사대행
▷ 지방자치단체는 사무귀속주체로서 배상책임○

「국가배상법」 제2조, 제5조 책임
▷ 경합하여 발생 可

심의회의 배상결정 후 신청인이 배상금 지급청구×
▷ 배상결정에 부동의 한 것으로 간주

② (○) 구 하천법 제28조 제1항에 따라 국토해양부장관이 하천공사를 대행하더라도 이는 국토해양부 장관이 하천 관리에 관한 일부 권한을 일시적으로 행사하는 것으로 볼 수 있을 뿐 하천관리청이 국토해양부장관으로 변경되는 것은 아니므로, 국토해양부장관이 하천공사를 대행하던 중 지방 하천의 관리상 하자로 인하여 손해가 발생하였다면 하천관리청이 속한 지방자치단체는 국가와 함께 국가배상법 제5조 제1항에 따라 지방 하천의 관리자로서 손해배상책임을 부담한다(대판 2014.6.26. 2011다85413).

③ (×) 「국가배상법」 제2조는 과실책임이고, 제5조는 무과실책임이라는 점 등을 감안하면, 양자의 책임은 경합할 수 있다(서로 성립요건이 다르므로 청구권 경합관계). 양자의 책임이 중복하여 발생한 경우 피해자는 양자 중 어느 것에 의해서도 배상을 청구할 수 있다. 이 경우 피해자의 입장에서 볼 때 무과실책임인 제5조의 배상책임을 청구하는 것이 요건 입증에 유리할 것이다.

> 집중호우시 침수될 위험성이 있음에도 불구하고 지방자치단체가 그 위험성에 비례하여 사회통념상 일반적으로 요구되는 정도의 방호조치의무를 다하지 못하였고, 소속 공무원이 침수의 방지 등 재해 상황에 필요한 조치를 충분히 시행하지 아니한 경우, 침수사고로 인한 재산상 손해에 대하여 지방자치단체에게 지하차도 및 주변 하수도시설물의 설치·관리상의 하자 및 공무원의 부작위로 인한 손해배상책임을 인정하되, 자연력 등의 경합을 인정하여 책임을 50%로 제한한 사례(서울중앙지법 2005.8.26. 2001가합57360)

④ (○)

> 「국가배상법」 제15조 【신청인의 동의와 배상금 지급】 ① 배상결정을 받은 신청인은 지체 없이 그 결정에 대한 동의서를 첨부하여 국가나 지방자치단체에 배상금 지급을 청구하여야 한다.
> ③ 배상결정을 받은 신청인이 배상금 지급을 청구하지 아니하거나 지방자치단체가 대통령령으로 정하는 기간 내에 배상금을 지급하지 아니하면 그 결정에 동의하지 아니한 것으로 본다.

답 ③

008

국가배상책임에 대한 설명으로 <보기>에서 옳은 것(○)과 옳지 않은 것(×)을 올바르게 조합한 것은?

<보기>
ㄱ. 국가배상책임의 요건으로서 법령 위반은 엄격한 의미의 법령위반뿐아니라 인권존중, 권력남용금지, 신의성실과 같이 공무원으로서 마땅히 지켜야 할 준칙이나 규범을 지키지 않고 위반한 경우를 포함한다.
ㄴ. 공무원이 법령에 따라 직무 수행에 관한 의무를 부여받았어도 그것이 직접 국민 개개인의 이익을 위한 것이 아니라 전체적으로 공공 일반의 이익을 도모하기 위한 것이라면 그 의무를 위반하여 국민에게 손해를 가하여도 국가 또는 지방자치단체는 배상책임을 부담하지 아니한다.
ㄷ. 공법인이 국가나 지방자치단체의 행정작용을 대신하여 공익사업을 시행하면서 행정절차를 진행하는 과정상 주민들의 절차적 권리를 보장하지 않은 위법이 있는 경우, 절차상 위법의 시정으로도 주민들에게 정신적 고통이 남아있다고 볼 특별한 사정이 있어도 정신적 손해의 배상을 구하는 것은 불가능하다.
ㄹ. 「국가배상법」 제5조 제1항의 공공의 영조물은 국가 또는 지방자치단체가 소유권 등 권한에 기하여 관리하고 있는 경우 뿐만 아니라 사실상의 관리를 하고 있는 경우도 포함된다.

	ㄱ	ㄴ	ㄷ	ㄹ		ㄱ	ㄴ	ㄷ	ㄹ
①	×	×	○	○	②	×	○	○	×
③	○	×	×	×	④	○	○	×	○
⑤	○	○	○	○					

2024년 국회직 8급

ㄱ. (○) 국가배상책임에서 공무원의 가해행위는 법령을 위반한 것이어야 한다. 여기에서 법령 위반이란 엄격한 의미의 법령 위반뿐 아니라 인권존중, 권력남용금지, 신의성실과 같이 공무원으로서 마땅히 지켜야 할 준칙이나 규범을 지키지 않고 위반한 경우를 포함하여 널리 그 행위가 객관적인 정당성을 잃고 있음을 뜻한다(대판 2022.7.14. 2020다253287).

ㄴ. (○) 일반적으로 국가 또는 지방자치단체가 권한을 행사할 때에는 국민에 대한 손해를 방지하여야 하고, 국민의 안전을 배려하여야 하며, 소속 공무원이 전적으로 또는 부수적으로라도 국민 개개인의 안전과 이익을 보호하기 위하여 법령에서 정한 직무상 의무를 위반하여 국민에게 손해를 가하면 상당인과관계가 인정되는 범위 안에서 국가 또는 지방자치단체가 배상책임을 부담하는 것이지만, 공무원이 직무를 수행하면서 근거되는 법령의 규정에 따라 구체적으로 의무를 부여받았어도 그것이 국민의 이익과는 관계없이 순전히 행정기관 내부의 질서를 유지하기 위한 것이거나, 또는 국민의 이익과 관련된 것이라도 직접 국민 개개인의 이익을 위한 것이 아니라 전체적으로 공공 일반의 이익을 도모하기 위한 것이라면 그 의무를 위반하여 국민에게 손해를 가하여도 국가 또는 지방자치단체는 배상책임을 부담하지 아니한다(대판 2015.5.28. 2013다41431).

ㄷ. (×)

[1] 공법인이 국가나 지방자치단체의 행정작용을 대신하여 공익사업을 시행하면서 행정절차를 진행하는 과정에서 주민들의 절차적 권리를 보장하지 않은 위법이 있더라도 곧바로 정신적 손해를 배상할 책임이 인정되는 것은 아니지만, 절차상 위법의 시정으로도 주민들에게 정신적 고통이 남아 있다고 볼 특별한 사정이 있는 경우에는 정신적 손해의 배상을 구하는 것이 가능하다.

[2] 한국전력공사가 송전선로 예정경과지를 선정하면서 당초 예정경과지의 주민들의 반대로 甲 지역을 예정경과지로 변경하면서 甲 지역 주민들을 상대로 구 환경·교통·재해 등에 관한 영향평가법상 주민의견수렴절차를 거치지 않았는데, 사업관할청으로부터 甲 지역을 사업부지로 포함하는 송전선로 건설사업 승인을 받은 사안에서, 사업부지가 변경된 후 한국전력공사가 甲 지역에 대한 환경영향평가서 초안을 재작성하고 甲 지역 주민들의 의견을 수렴하는 절차를 거치지 않은 채 사업을 진행함으로써, 甲 지역 주민들이 환경상 이익의 침해를 최소화할 수 있는 의견을 제출할 수 있는 기회를 박탈하여 甲 지역 주민들에게 상당한 정신적 고통을 가하였다고 보아 한국전력공사에 甲 지역 주민들이 입은 정신적 손해를 배상할 의무가 있다고 한 사례(대판 2021.8.12. 2015다208320)

ㄹ. (○) 국가배상법 제5조 제1항 소정의 "공공의 영조물"이라 함은 국가 또는지방자치단체에 의하여 특정 공공의 목적에 공여된 유체물 내지 물적 설비를 지칭하며, 특정 공공의 목적에 공여된 물이라 함은 일반 공중의 자유로운 사용에 직접적으로 제공되는 공공용물에 한하지 아니하고, 행정주체 자신의 사용에 제공되는 공용물도 포함하며 국가 또는 지방자치단체가 소유권, 임차권 그밖의 권한에 기하여 관리하고 있는 경우뿐만 아니라 사실상의 관리를 하고 있는 경우도 포함한다(대판 1995.1.24. 94다45302).

답 ④

함께 정리하기

국가배상책임

위법성 판단기준
▷ 형식적 의미의 법령, 신의성실원칙 등 널리 객관적 정당성 결여 여부

직무상 의무가 사익보호성 없이 공공일반의 이익추구
▷ 국가배상책임×

주민들의 절차적권리 보장×
▷ 절차상 위법 시정으로도 정신적 고통있다는 특별한 사정 有 → 손해배상 可

영조물 관리
▷ 권한 & 사실상 관리 모두○

문제 DATA
출제가능 지수 ▶▶⟩
난이도 지수 ★★☆

009 ☐☐☐

「국가배상법」제5조에 대한 설명으로 옳지 않은 것은? (다툼이 있는 경우 판례에 의함)

① '공공의 영조물'이라 함은 국가 또는 지방자치단체에 의하여 특정 공공의 목적에 공여된 유체물 내지 물적 설비를 말하며, 국가 또는 지방자치단체가 소유권, 임차권 그 밖의 권한에 기하여 관리하는 경우는 이에 해당하나 사실상 관리하는 경우는 이에 해당하지 아니한다.

② '영조물의 설치 또는 관리의 하자'란 공공의 목적에 공여된 영조물이 그 용도에 따라 통상 갖추어야 할 안전성을 갖추지 못한 상태에 있음을 말한다.

③ '영조물의 설치 또는 관리의 하자'에는 영조물이 공공의 목적에 이용됨에 있어 그 이용상태 및 정도가 일정한 한도를 초과하여 제3자에게 사회통념상 수인할 것이 기대되는 한도를 넘는 피해를 입히는 경우까지 포함된다.

④ 도로의 설치 후 제3자의 행위에 의하여 그 본래 목적인 통행상의 안전에 결함이 발생한 경우에는 도로에 그와 같은 결함이 있다는 것만으로 성급하게 도로의 보존상 하자를 인정하여서는 안 되고, 당해 도로의 구조, 장소적 환경과 이용상황 등 제반 사정을 종합하여 그와 같은 결함을 제거하여 원상으로 복구할 수 있는데도 이를 방치한 것인지를 개별적, 구체적으로 심리하여 하자의 유무를 판단하여야 한다.

⑤ 100년 발생빈도의 강우량을 기준으로 책정된 계획홍수위를 초과하여 600년 또는 1,000년 발생빈도의 강우량에 의한 하천의 범람은 예측가능성 및 회피가능성이 없는 불가항력적인 재해로서 영조물의 관리청에게 책임을 물을 수 없다.

함께 정리하기

「국가배상법」제5조

국가 · 지자체의 관리
▷ 사실상 관리도 포함

영조물 설치 · 관리상의 하자
▷ 통상 갖추어야 할 안전성을 갖추지 못한 상태

영조물이 공공의 목적에 이용됨에 있어 제3자에게 수인한도 넘는 피해 입히는 경우
▷ 기능적 하자(이용상 하자)○

제3자에 의해 발생한 도로의 보존상 하자
▷ 결함제거 · 원상복구(관리) 가능성 개별 · 구체적 심리

6백년 · 1천년 발생빈도의 강우
▷ 불가항력○, 면책○

2024년 변호사

① (×) 국가배상법 제5조 제1항 소정의 "공공의 영조물"이라 함은 국가 또는 지방자치단체에 의하여 특정 공공의 목적에 공여된 유체물 내지 물적 설비를 지칭하며, 특정 공공의 목적에 공여된 물이라 함은 일반 공중의 자유로운 사용에 직접적으로 제공되는 공공용물에 한하지 아니하고, 행정주체 자신의 사용에 제공되는 공용물도 포함하며 국가 또는 지방자치단체가 소유권, 임차권 그밖의 권한에 기하여 관리하고 있는 경우뿐만 아니라 사실상의 관리를 하고 있는 경우도 포함한다(대판 1995.1.24. 94다45302).

② (○) 국가배상법 제5조 제1항 소정의 영조물의 설치 또는 관리의 하자라 함은 영조물이 그 용도에 따라 통상 갖추어야 할 안전성을 갖추지 못한 상태에 있음을 말하는 것으로서, 영조물이 완전무결한 상태에 있지 아니하고 그 기능상 어떠한 결함이 있다는 것만으로 영조물의 설치 또는 관리에 하자가 있다고 할 수 없고, 위와 같은 안전성의 구비 여부는 당해 영조물의 용도, 그 설치장소의 현황 및 이용 상황 등 제반 사정을 종합적으로 고려하여 설치 · 관리자가 그 영조물의 위험성에 비례하여 사회통념상 일반적으로 요구되는 정도의 방호조치의무를 다하였는지 여부를 그 기준으로 삼아 판단하여야 한다(대판 2007.10.25. 2005다62235).

③ (○) 국가배상법 제5조 제1항에 정하여진 '영조물의 설치 또는 관리의 하자'라 함은 공공의 목적에 공여된 영조물이 그 용도에 따라 갖추어야 할 안전성을 갖추지 못한 상태에 있음을 말하고, 여기서 안전성을 갖추지 못한 상태, 즉 타인에게 위해를 끼칠 위험성이 있는 상태라 함은 당해 영조물을 구성하는 물적 시설 그 자체에 있는 물리적 · 외형적 흠결이나 불비로 인하여 그 이용자에게 위해를 끼칠 위험성이 있는 경우뿐만 아니라 그 영조물이 공공의 목적에 이용됨에 있어 그 이용상태 및 정도가 일정한 한도를 초과하여 제3자에게 사회통념상 참을 수 없는 피해를 입히는 경우까지 포함된다고 보아야 할 것이고, 사회통념상 참을 수 있는 피해인지의 여부는 그 영조물의 공공성, 피해의 내용과 정도, 이를 방지하기 위하여 노력한 정도 등을 종합적으로 고려하여 판단하여야 한다(대판 2004.3.12. 2002다14242).

④ (○) 도로의 설치 또는 관리 · 보존상의 하자는 도로의 위치 등 장소적인 조건, 도로의 구조, 교통량, 사고시에 있어서의 교통 사정 등 도로의 이용 상황과 그 본래의 이용 목적 등 제반 사정과 물적 결함의 위치, 형상 등을 종합적으로 고려하여 사회통념에 따라 구체적으로 판단하여야 하는바, 도로의 설치 후 제3자의 행위에 의하여 그 본래의 목적인 통행상의 안전에 결함이 발생한 경우에는 도로에 그와 같은 결함이 있다는 것만으로 성급하게 도로의 보존상 하자를 인정하여서는 안 되고, 당해 도로의 구조, 장소적 환경과 이용 상황 등 제반 사정을 종합하여 그와 같은 결함을 제거하여 원상으로 복구할 수 있는데도 이를 방치한 것인지 여부를 개별적 · 구체적으로 심리하여 하자의 유무를 판단하여야 한다(대판 1998.2.10. 97다32536).

⑤ (O) 100년 발생빈도의 강우량을 기준으로 책정된 계획홍수위를 초과하여 600년 또는 1,000년 발생빈도의 강우량에 의한 하천의 범람은 예측가능성 및 회피가능성이 없는 불가항력적인 재해로서 그 영조물의 관리청에게 책임을 물을 수 없다(대판 2003.10.23. 2001다48057).

답 ①

010 □□□

판례의 입장으로 옳지 않은 것은?

① 「도로교통법」상의 통고처분은 처분을 받은 당사자의 임의의 승복을 발효요건으로 하고 있으며, 행정공무원에 의하여 발하여지는 것이지만, 통고처분에 따르지 않고자 하는 당사자에게는 정식재판의 절차가 보장되어 있다.
② 행정처분의 집행정지를 구하는 신청사건에서는 행정처분 자체의 적법 여부는 원칙적으로 판단의 대상이 아니나, 집행정지사건 자체에 의하여도 신청인의 본안청구가 이유 없음이 명백할 때에는 행정처분의 집행정지를 명할 수 없다.
③ 「국가배상법」상의 '공공의 영조물'은 일반공중의 자유로운 사용에 직접적으로 제공되는 공공용물에 한하고, 행정주체 자신의 사용에 제공되는 공용물은 포함하지 않는다.
④ 행정처분에 그 효력기간이 정하여져 있는 경우, 그 처분의 효력 또는 집행이 정지된 바 없다면 위 기간의 경과로 그 행정처분의 효력은 상실되므로 그 기간 경과 후에는 그 처분이 외형상 잔존함으로 인하여 어떠한 법률상 이익이 침해되고 있다고 볼 만한 별다른 사정이 없는 한 그 처분의 취소를 구할 법률상 이익이 없다.

문제 DATA

출제가능 지수 ▶▶▷
난이도 지수 ★★☆

| 2023년 지방직 7급

① (O) 통고처분에 대하여 이의가 있으면 통고내용을 이행하지 않음으로써 고발되어(관세법 제232조) 형사재판절차에서 통고처분의 위법·부당함을 얼마든지 다툴 수 있다. 범죄자측에서먼저 적극적·능동적으로 이의제기할 수는 없지만 통고불이행이라는 묵시적·소극적 이의제기에 의하여 형사재판절차로 이행되는 것이다. 통고처분은 이와 같이 법관이 아닌 행정공무원에 의한 것이지만 처분을 받은 당사자의 임의의 승복을 발효요건으로 하고 불응시 정식재판의 절차가 보장되어 있으므로 통고처분에 대하여 행정쟁송을 배제하고 있는 이 사건 법률조항이 법관에 의한 재판받을 권리를 침해한다든가 적법절차의 원칙에 저촉된다고 볼 수 없다(헌재 1998.5.28. 96헌바4).
② (O) 행정처분의 효력정지나 집행정지를 구하는 신청사건에서는 행정처분 자체의 적법 여부는 원칙적으로 판단의 대상이 아니고, 그 행정처분의 효력이나 집행을 정지할 것인가에 관한 행정소송법 제23조 제2항에서 정한 요건의 존부만이 판단의 대상이 되는 것이다. 다만, 집행정지는 행정처분의 집행부정지원칙의 예외로서 인정되는 것이고, 또 본안에서 원고가 승소할 수 있는 가능성을 전제로 한 권리보호수단이라는 점에 비추어 보면, 집행정지사건 자체에 의하여도 신청인의 본안청구가 적법한 것이어야 한다는 것을 집행정지의 요건에 포함시키는 것이 옳다(대결 2010.11.26. 2010무137).
③ (×) 공공의 영조물에는 공용물도 포함된다.

> 국가배상법 제5조 제1항 소정의 "공공의 영조물"이라 함은 국가 또는지방자치단체에 의하여 특정 공공의 목적에 공여된 유체물 내지 물적 설비를 지칭하며, 특정 공공의 목적에 공여된 물이라 함은 일반공중의 자유로운 사용에 직접적으로 제공되는 공공용물에 한하지 아니하고, 행정주체 자신의 사용에 제공되는 공용물도 포함하며 국가 또는 지방자치단체가 소유권, 임차권 그밖의 권한에 기하여 관리하고 있는 경우뿐만 아니라 사실상의 관리를 하고 있는 경우도 포함한다(대판 1995.1.24. 94다45302).

④ (O) 행정처분에 그 효력기간이 정하여져 있는 경우, 그 처분의 효력 또는 집행이 정지된 바 없다면 위 기간의 경과로 그 행정처분의 효력은 상실되므로 그 기간 경과 후에는 그 처분이 외형상 잔존함으로 인하여 어떠한 법률상 이익이 침해되고 있다고 볼 만한 별다른 사정이 없는 한 그 처분의 취소를 구할 법률상의 이익이 없다(대판 2002.7.26. 2000두7254).

답 ③

함께 정리하기

판례

통고처분
▷ 재판받을 권리 침해×
▷ 적법절차 위배×(합헌)

본안청구의 적법
▷ 집행정지의 요건

공공의 영조물
▷ 공공용물에 한정×
▷ 공용물도 포함

효력기간 경과한 행정처분
▷ 소의 이익×

문제 DATA

출제가능 지수 ▶▶▷
난이도 지수 ★★★

011 □□□

공공의 영조물의 설치·관리의 하자로 인한 「국가배상법」상 배상책임에 대한 설명으로 옳지 않은 것은? (다툼이 있는 경우 판례에 의함)

① 영조물의 설치·관리의 하자란 '영조물이 그 용도에 따라 통상 갖추어야 할 안전성을 갖추지 못한 상태에 있음'을 말한다.
② 영조물의 설치관리상의 하자로 인한 배상책임은 무과실책임이고, 국가는 영조물의 설치관리상의 하자로 인하여 타인에게 손해를 가한 경우에 그 손해방지에 필요한 주의를 해태하지 아니하였다 하여 면책을 주장할 수 없다.
③ 객관적으로 보아 시간적·장소적으로 영조물의 기능상 결함으로 인한 손해발생의 예견가능성과 회피가능성이 없는 경우에는 영조물의 설치관리상의 하자를 인정할 수 없다.
④ 영조물의 설치·관리의 하자에는 영조물이 공공의 목적에 이용됨에 있어 그 이용상태 및 정도가 일정한 한도를 초과하여 제3자에게 사회통념상 참을 수 없는 피해를 입히는 경우도 포함된다.
⑤ 광역시와 국가 모두가 도로의 점유자 및 관리자, 비용부담자로서의 책임을 중첩적으로 지는 경우 국가만이 「국가배상법」에 따라 궁극적으로 손해를 배상할 책임이 있는 자가 된다.

2018년 국회직 8급

① (O) 영조물의 하자란 용도에 따라 통상 갖추어야 할 안전성을 결여한 것을 의미한다.

> 국가배상법 제5조 제1항에 정하여진 '영조물 설치·관리상의 하자'란 공공의 목적에 공여된 영조물이 그 용도에 따라 통상 갖추어야 할 안전성을 갖추지 못한 상태에 있음을 말한다. 위와 같은 안전성의 구비 여부는 영조물의 설치자 또는 관리자가 그 영조물의 위험성에 비례하여 사회통념상 일반적으로 요구되는 정도의 방호조치의무를 다 하였는지를 기준으로 판단하여야 하고, 아울러 그 설치자 또는 관리자의 재정적·인적·물적 제약 등도 고려되어야 한다(대판 2013.5.23. 2012다72018).

유제 20. 국가직 9급 위 도로의 설치·관리상의 하자가 있는지 여부는 위 도로가 그 용도에 따라 통상 갖추어야 할 안전성을 갖추었는지 여부에 따라 결정된다. (O)

② (O) 영조물책임은 무과실책임이므로 면책주장을 할 수 없다.

> 국가배상법 제5조 소정의 영조물의 설치·관리상의 하자로 인한 책임은 무과실책임이고 나아가 민법 제758조 소정의 공작물의 점유자의 책임과는 달리 면책사유도 규정되어 있지 아니하므로, 국가 또는 지방자치단체는 영조물의 설치·관리상의 하자로 인하여 타인에게 손해를 가한 경우에 그 손해의 방지에 필요한 주의를 해태하지 아니하였다 하여 면책을 주장할 수 없다(대판 1994.11.22. 94다32924).

③ (O) 손해발생의 예견가능성과 회피가능성이 없는 경우 하자를 인정할 수 없다.

> 객관적으로 보아 시간적·장소적으로 영조물의 기능상 결함으로 인한 손해발생의 예견가능성과 회피가능성이 없는 경우 즉 그 영조물의 결함이 영조물의 설치관리자의 관리행위가 미칠 수 없는 상황 아래에 있는 경우에는 영조물의 설치관리상의 하자를 인정할 수 없다(대판 2000.2.25. 99다54004).

④ (O) 영조물의 하자는 이용됨에 있어 수인한도를 초과하는 피해가 발생하는 경우를 포함한다.

> 타인에게 위해를 끼칠 위험성이 있는 상태라 함은 당해 영조물을 구성하는 물적 시설 그 자체에 있는 물리적·외형적 흠결이나 불비로 인하여 그 이용자에게 위해를 끼칠 위험성이 있는 경우뿐만 아니라, 그 영조물이 공공의 목적에 이용됨에 있어 그 이용상태 및 정도가 일정한 한도를 초과하여 제3자에게 사회통념상 수인할 것이 기대되는 한도를 넘는 피해를 입히는 경우까지 포함된다고 보아야 한다(대판 2005.1.27. 2003다49566).

함께 정리하기

영조물책임

영조물하자
▷ 통상 갖추어야 할 안전성 결여

무과실책임
▷ 면책주장 불가

예견·회피가능성 없는 경우
▷ 하자인정 불가

하자
▷ 공공목적에 이용됨에 있어 수인한도 초과하는 피해 입히는 경우 포함

광역시·국가 중첩적 책임지는 경우
▷ 모두가 손해배상책임 有

⑤ (×) 국가와 지자체가 중첩적 책임을 부담하는 경우 모두가 손해배상책임을 부담한다.

> 광역시와 국가 모두가 도로의 점유자 및 관리자, 비용부담자로서의 책임을 중첩적으로 지는 경우에는, 광역시와 국가 모두가 국가배상법 제6조 제2항 소정의 궁극적으로 손해를 배상할 책임이 있는 자라고 할 것이고, 결국 광역시와 국가의 내부적인 부담 부분은, 그 도로의 인계·인수 경위, 사고의 발생 경위, 광역시와 국가의 그 도로에 관한 분담비용 등 제반 사정을 종합하여 결정함이 상당하다(대판 1998.7.10. 96다42819).

답 ⑤

012

「국가배상법」에 대한 설명으로 옳지 않은 것은? (다툼이 있는 경우 판례에 의함)

① 어떠한 행정처분이 후에 항고소송에서 취소되었다고 할지라도 그 판결의 기판력에 의하여 당해 처분이 곧바로 공무원의 고의 또는 과실로 인한 것으로서 불법행위를 구성한다고 단정할 수는 없다.
② 「국가배상법」 제5조 제1항의 '공공의 영조물'이란 국가 또는 지방자치단체에 의하여 공공의 목적에 공여된 유체물 내지 물적 설비로서 국가 또는 지방자치단체가 소유권, 임차권 그 밖의 권한에 기하여 관리하고 있는 경우를 말하는 것으로, 그러한 권원 없이 사실상 관리하고 있는 경우는 포함되지 않는다.
③ 영조물의 설치·관리상의 하자로 인한 손해의 원인에 대하여 책임을 질 사람이 따로 있는 경우에는 국가·지방자치단체는 그 사람에게 구상할 수 있다.
④ 「국가배상법」 제2조 제1항의 공무원의 직무에는 권력적 작용만이 아니라 행정지도와 같은 비권력적 작용도 포함되지만, 행정주체가 사경제주체로서 하는 활동은 제외된다.

2017년 지방직 7급

① (○) 처분이 항고소송에서 취소되어도 불법행위로 단정할 수 없다.

> 어떠한 행정처분이 후에 항고소송에서 취소되었다고 할지라도 그 기판력에 의하여 당해 행정처분이 곧바로 공무원의 고의 또는 과실로 인한 것으로서 불법행위를 구성한다고 단정할 수 없는바, 그 이유는 행정청이 관계법령의 해석이 확립되기 전에 어느 한 설을 취하여 업무를 처리한 것이 결과적으로 위법하게 되어 그 법령의 부당집행이라는 결과를 빚었다고 하더라도 처분 당시 그와 같은 처리방법 이상의 것을 성실한 평균적 공무원에게 기대하기 어려웠던 경우라면 특단의 사정이 없는 한 이를 두고 공무원의 과실로 인한 것이라고는 할 수 없기 때문이다(대판 1999.9.17. 96다53413).

② (×) 영조물의 관리에는 사실상 관리도 포함된다.

> 국가배상법 제5조 제1항 소정의 "공공의 영조물"이라 함은 국가 또는 지방자치단체에 의하여 특정 공공의 목적에 공여된 유체물 내지 물적 설비를 말하며, 국가 또는 지방자치단체가 소유권, 임차권 그 밖의 권한에 기하여 관리하고 있는 경우뿐만 아니라 사실상의 관리를 하고 있는 경우도 포함된다(대판 1998.10.23. 98다17381).

③ (○)

> 「국가배상법」 제5조 【공공시설 등의 하자로 인한 책임】 ① 도로·하천, 그 밖의 공공의 영조물(營造物)의 설치나 관리에 하자(瑕疵)가 있기 때문에 타인에게 손해를 발생하게 하였을 때에는 국가나 지방자치단체는 그 손해를 배상하여야 한다. 이 경우 제2조 제1항 단서, 제3조 및 제3조의2를 준용한다.
> ② 제1항을 적용할 때 손해의 원인에 대하여 책임을 질 자가 따로 있으면 국가나 지방자치단체는 그 자에게 구상할 수 있다.

문제 DATA

출제가능 지수 ▶▶▷
난이도 지수 ★★☆

함께 정리하기

국가배상법

처분이 항고소송에서 취소
▷ 불법행위로 단정 ×

영조물
▷ 국가 or 지자체·공공의 목적에 공여·유체물 & 물적 설비
▷ 권한 & 사실상 관리 모두 ○

영조물책임의 손해의 원인자에게 구상 可

공무원의 직무
▷ 권력적 작용 & 비권력적 작용 ○
▷ 사경제주체 ×

④ (○) 직무행위에는 사경제 주체로서의 작용은 제외된다.

> '공무원의 직무'에는 국가나 지방자치단체의 권력적 작용뿐만 아니라 비권력적 작용도 포함되지만 단순한 사경제의 주체로서 하는 작용은 포함되지 않는다(대판 2004.4.9. 2002다10691).

답 ②

013 □□□

「국가배상법」상 영조물의 설치·관리의 하자로 인한 국가배상책임에 대한 설명으로 옳지 않은 것은? (다툼이 있는 경우 판례에 의함)

① 국가 또는 지방자치단체가 공공의 영조물을 소유권, 임차권 그 밖의 권한에 기하여 관리하고 있는 경우에는 국가배상책임이 있으나 사실상 관리하고 있는 경우에는 국가배상책임이 발생하지 않는다.
② 영조물 설치의 하자 유무는 객관적 견지에서 본 안전성의 문제이고, 그 설치자의 재정사정이나 영조물의 사용목적에 의한 사정은 안전성을 결정짓는 절대적 요건에는 해당하지 않는다.
③ 사격장이나 공항을 구성하는 물적 시설 그 자체에 있는 물리적·외형적 흠결이나 불비로 인하여 그 이용자에게 위해를 끼칠 위험성이 있는 경우에도 영조물의 설치·관리의 하자가 인정될 수 있다.
④ 사격장이나 공항과 같은 영조물 자체에 물적 결함이 존재하지 않는 경우에도 영조물의 설치·관리의 하자가 인정될 수 있다.
⑤ 영조물이 공공의 목적에 이용됨에 있어 그 이용상태 및 정도가 일정한 한도를 초과하여 제3자에게 사회통념상 수인할 것이 기대되는 한도를 넘는 피해를 입히는 경우에도 영조물의 설치·관리의 하자가 인정될 수 있다.

| 2019년 소방간부

① (×) 국가나 지자체의 영조물관리에는 사실상 관리도 포함된다.

> 국가배상법 제5조 제1항 소정의 '공공의 영조물'이라 함은 국가 또는 지방자치단체에 의하여 특정 공공의 목적에 공여된 유체물 내지 물적 설비를 지칭하며, 공공용물에 한하지 아니하고, 공용물도 포함하며, 국가 또는 지방자치단체가 소유권·임차권 그 밖의 권한에 기하여 관리하고 있는 경우뿐만 아니라 사실상의 관리를 하고 있는 경우도 포함한다(대판 1995.1.24. 94다45302).

유제 17. 지방직 7급 「국가배상법」 제5조 제1항의 '공공의 영조물'이란 국가 또는 지방자치단체에 의하여 공공의 목적에 공여된 유체물 내지 물적 설비로서 국가 또는 지방자치단체가 소유권, 임차권 그 밖의 권한에 기하여 관리하고 있는 경우를 말하는 것으로, 그러한 권원 없이 사실상 관리하고 있는 경우는 포함되지 않는다. (×)

② (○) 재정·사용목적에 의한 사정은 참작사유에 해당할 뿐이다.

> 영조물 설치의 하자라 함은 영조물의 축조에 불완전한 점이 있어 이 때문에 영조물 자체가 통상 갖추어야 할 완전성을 갖추지 못한 상태에 있음을 말한다고 할 것인바 그 하자 유무는 객관적 견지에서 본 안전성의 문제이고 그 설치자의 재정사정이나 영조물의 사용목적에 의한 사정은 안전성을 요구하는데 대한 정도 문제로서 참작사유에는 해당할지언정 안전성을 결정지을 절대적 요건에는 해당하지 아니한다 할 것이다(대판 1967.2.21. 66다1723).

유제 16. 국회직 8급 주관적 요소를 고려하는 최근의 판례에 따르면 영조물의 결함이 영조물의 설치·관리자의 관리행위가 미칠 수 없는 상황 아래에 있는 것이 입증되는 경우 영조물의 설치·관리상의 하자를 인정할 수 있다. (×)

문제 DATA
출제가능 지수 ▶▶☆
난이도 지수 ★★☆

함께 정리하기
「국가배상법」제5조
영조물 관리
▷ 국가 or 지방자치단체가 권한에 기해 관리, 사실상 관리 모두 포함 ○
영조물 설치의 하자
▷ 객관적 견지에서 판단
물리적·외형적 흠결·불비로 이용자에게 위해를 끼칠 위험성 有
▷ 영조물 설치·관리의 하자 인정 可
영조물 자체에 물적 결함 없는 경우
▷ 영조물 설치·관리의 하자 인정 可
▷ 예 사격장, 공항(소음, 공해)
영조물이 공공의 목적에 이용됨에 있어 제3자에게 수인한도 넘는 피해 입히는 경우
▷ 영조물 설치·관리의 하자 인정 可

③, ④, ⑤ (○) 영조물의 하자는 이용됨에 있어 수인한도를 초과하는 피해가 발생하는 경우를 포함한다.

> 국가배상법 제5조 제1항에 정하여진 '영조물의 설치 또는 관리의 하자'라 함은 공공의 목적에 공여된 영조물이 그 용도에 따라 갖추어야 할 안전성을 갖추지 못한 상태에 있음을 말하고, 안전성을 갖추지 못한 상태, 즉 타인에게 위해를 끼칠 위험성이 있는 상태라 함은 당해 영조물을 구성하는 물적 시설 그 자체에 있는 물리적·외형적 흠결이나 불비로 인하여 그 이용자에게 위해를 끼칠 위험성이 있는 경우뿐만 아니라, 그 영조물이 공공의 목적에 이용됨에 있어 그 이용상태 및 정도가 일정한 한도를 초과하여 제3자에게 사회통념상 수인할 것이 기대되는 한도를 넘는 피해를 입힌 경우까지 포함된다고 보아야 한다(대판 2005.1.27. 2003다49566).

답 ①

014 ☐☐☐

영조물의 설치·관리상 하자책임에 대한 설명으로 옳지 않은 것은? (다툼이 있는 경우 판례에 의함)

① 일반 공중이 사용하는 공공용물 외에 행정주체가 직접 사용하는 공용물이나 하천과 같은 자연공물도 「국가배상법」 제5조의 '공공의 영조물'에 포함된다.
② 영조물의 하자 유무는 객관적 견지에서 본 안전성의 문제이며, 국가의 예산 부족으로 인해 영조물의 설치·관리에 하자가 생긴 경우에도 국가는 면책될 수 없다.
③ 고속도로의 관리상 하자가 인정되더라도 고속도로의 관리상 하자를 판단할 때 고속도로의 점유관리자가 손해의 방지에 필요한 주의의무를 해태하였다는 주장·입증책임은 피해자에게 있다.
④ 소음 등의 공해로 인한 법적 쟁송이 제기되거나 그 피해에 대한 보상이 실시되는 등 피해지역임이 구체적으로 드러나고 이러한 사실이 그 지역에 널리 알려진 이후에 이주하여 오는 경우에는 위와 같은 위험에의 접근에 따른 가해자의 면책 여부를 보다 적극적으로 인정할 여지가 있다.

2017년 지방직 9급

① (○) "공공의 영조물"이란 본래적 의미의 영조물(공적 목적을 위하여 제공된 인적·물적 시설의 결합체)이 아니라 국유·공유·사유를 불문하고 행정주체가 직접 행정목적을 달성하기 위하여 제공한 물건(강학상 공물)을 말한다. 공물에는 자연공물(하천 등), 인공공물(도로, 관공서 등), 동산(관용차 등), 부동산, 동물(경찰견 등) 등이 모두 포함된다.
② (○) 예산부족은 면책사유에 해당하지 않는다.

> 설치자의 재정사정은 안전성을 요구하는데 대한 정도 문제로서 참작사유에는 해당할지언정 안전성을 결정지을 절대적 요건에는 해당하지 아니한다(대판 1967.2.21. 66다1723).

③ (×) 면책사유의 입증책임은 관리주체가 부담한다.

> 고속도로의 관리상 하자가 인정되는 이상 고속도로의 점유관리자는 그 하자가 불가항력에 의한 것이거나 손해의 방지에 필요한 주의를 해태하지 아니하였다는 점을 주장·입증하여야 비로소 그 책임을 면할 수 있다(대판 2008.3.13. 2007다29287).

문제 DATA

출제가능 지수 ▶▶▷
난이도 지수 ★★☆

함께 정리하기

영조물책임

공공용물/공용물/자연공물

하자
▷ 객관설

예산부족
▷ 면책사유×

면책사유입증
▷ 관리주체

위험존재인식·피해용인접근
▷ 면책사유

④ (O) 위험의 존재를 인식하거나 피해를 용인하며 접근한 경우는 면책사유가 될 수 있다.

> 소음 등 공해의 위험지역으로 이주하였을 때 그 위험의 존재를 인식하고 그로 인한 피해를 용인하면서 접근한 것으로 볼 수 있다면, 그 피해가 직접 생명이나 신체에 관련된 것이 아니라 정신적 고통이나 생활방해의 정도에 그치고 침해행위에 고도의 공공성이 인정되는 경우에는, 위험에 접근한 후 실제로 입은 피해 정도가 위험에 접근할 당시 인식하고 있었던 위험의 정도를 초과하는 것이거나 위험에 접근한 후 그 위험이 특별히 증대하였다는 등의 특별한 사정이 없는 한 가해자의 면책을 인정할 수도 있을 것이다(대판 2015.10.15. 2013다23914).

답 ③

015

행정상 손해배상과 관련된 사례에 대한 설명으로 옳은 것은? (다툼이 있는 경우 판례에 의함)

> (가) 甲은 자동차로 좌로 굽은 내리막 국도 편도 1차로를 달리던 중 커브 길에서 앞선 차량을 무리하게 추월하기 위하여 중앙선을 침범하여 반대편 도로를 벗어나 도로 옆 계곡으로 떨어져 중상해를 입었다.
> (나) 乙은 자동차로 겨울철 눈이 내린 직후에 산간지역에 위치한 국도를 달리던 중 도로에 생긴 빙판길에 미끄러져 상해를 입었다.

① (가)와 (나) 사례에서 만약 도로의 관리상 하자가 인정된다면 비록 그 사고의 원인에 제3자의 행위가 개입되었더라도 甲과 乙은 국가에 대하여 손해배상책임을 물을 수 있다.
② (나) 사례에서 乙은 산악지역의 특성상 빙판길 위험 경고나 위험표지판이 설치되었다면 주의를 기울여 운행하여 상해를 입지 않았을 것이므로 그 미설치만으로도 국가에 대한 손해배상책임을 묻기에 충분하다.
③ (가) 사례에서 만약 반대편 갓길에 차량용 방호울타리가 설치되었다면 甲이 상해를 입지 않았거나 경미한 상해를 입었을 것이므로 그 방호울타리 미설치만으로도 손해배상을 받기에 충분한 요건을 갖추었다고 볼 수 있다.
④ (가)와 (나) 사례에서 국가가 甲과 乙에게 손해배상책임을 부담할 것인지 여부는 위 도로들이 모든 가능한 경우를 예상하여 고도의 안전성을 갖추었는지 여부에 따라 결정될 것이다.

| 2018년 지방직 9급

① (O) 제3자의 행위와 경합되어 손해가 발생하여도 관리상 하자로 인정된다.

> 영조물의 설치 또는 관리상의 하자로 인한 사고라 함은 영조물의 설치 또는 관리상의 하자만이 손해발생의 원인이 되는 경우만을 말하는 것이 아니라, 다른 자연적 사실이나 제3자의 행위 또는 피해자의 행위와 경합하여 손해가 발생하더라도 영조물의 설치 또는 관리상의 하자가 공동원인의 하나가 되는 이상 그 손해는 영조물의 설치 또는 관리상의 하자에 의하여 발생한 것이라고 해석함이 상당하다(대판 1994.11.22. 94다32924).

②, ③ (X) 위와 같은 사정만으로는 도로관리상의 하자를 인정하지 않는다.

위험경고판 등을 설치하지 않은 것만으로는 하자가 인정되는 것이 아니다.
강설의 특성, 기상적 요인과 지리적 요인, 이에 따른 도로의 상대적 안전성을 고려하면 겨울철 산간지역에 위치한 도로에 강설로 생긴 빙판을 그대로 방치하고 도로상황에 대한 경고나 위험표지판을 설치하지 않았다는 사정만으로 도로관리상의 하자가 있다고 볼 수 없다고 할 것이다(대판 2000.4.25. 99다54998).

문제 DATA
출제가능 지수 ▶▶▷
난이도 지수 ★★☆

함께 정리하기
국가배상
영조물 관리상 하자와 제3자의 행위가 경합하여 손해
▷ 영조물 관리상 하자 책임O

빙판길 위험 경고·위험표지판 미설치
▷ 도로관리상 하자책임✕

차량용 방호울타리 미설치
▷ 도로관리상 하자책임✕

영조물의 설치·관리상의 하자의 판단 기준
▷ 상대적인 안전성(고도의 안전성✕)

④ (×) 영조물의 설치 및 관리에 있어서 항상 완전무결한 상태를 유지할 정도의 고도의 안전성을 갖추지 아니하였다고 하여 영조물의 설치 또는 관리에 하자가 있다고 단정할 수 없다.

하자의 판단기준은 상대적인 안전성을 구비하고 있는지의 여부이다.
영조물의 설치 및 관리에 있어서 항상 완전무결한 상태를 유지할 정도의 고도의 안전성을 갖추지 아니하였다고 하여 영조물의 설치 또는 관리에 하자가 있다고 단정할 수 없는 것이고, 영조물의 설치자 또는 관리자에게 부과되는 방호조치의무는 영조물의 위험성에 비례하여 사회통념상 일반적으로 요구되는 정도의 것을 의미하므로 영조물인 도로의 경우도 다른 생활필수시설과의 관계나 그것을 설치하고 관리하는 주체의 재정적, 인적, 물적 제약 등을 고려하여 그것을 이용하는 자의 상식적이고 질서 있는 이용방법을 기대한 상대적인 안전성을 갖추는 것으로 족하다(대판 2002.8.23. 2002다9158).

답 ①

016 □□□

甲은 A지방자치단체가 관리하는 도로를 운행하던 중 도로에 방치된 낙하물로 인하여 손해를 입었고, 이를 이유로 「국가배상법」상 손해배상을 청구하려고 한다. 이에 대한 설명으로 옳지 않은 것은? (다툼이 있는 경우 판례에 의함)

① A지방자치단체가 위 도로를 권원 없이 사실상 관리하고 있는 경우에는 A지방자치단체의 배상책임은 인정될 수 없다.
② 위 도로의 설치·관리상의 하자가 있는지 여부는 위 도로가 그 용도에 따라 통상 갖추어야 할 안전성을 갖추었는지 여부에 따라 결정된다.
③ 위 도로가 국도이며 그 관리권이 A지방자치단체의 장에게 위임되었다면, A지방자치단체가 도로의 관리에 필요한 일체의 경비를 대외적으로 지출하는 자에 불과하더라도 甲은 A지방자치단체에 대해 국가배상을 청구할 수 있다.
④ 甲이 배상을 받기 위하여 소송을 제기하는 경우에는 민사소송을 제기하여야 한다.

2020년 국가직 9급

① (×) '공공의 영조물'에는 국가 또는 지방자치단체가 사실상 관리를 하는 경우도 포함된다.

국가배상법 제5조 제1항 소정의 "공공의 영조물"이라 함은 국가 또는 지방자치단체에 의하여 특정 공공의 목적에 공여된 유체물 내지 물적 설비를 말하며, 국가 또는 지방자치단체가 소유권, 임차권 그 밖의 권한에 기하여 관리하고 있는 경우뿐만 아니라 사실상의 관리를 하고 있는 경우도 포함된다(대판 1998.10.23. 98다17381 ; 대판 1995.1.24. 94다45302).

② (○) 영조물의 하자란 통상 갖추어야 할 안전성을 결여한 것을 의미한다.

국가배상법 제5조 제1항에 정하여진 '영조물 설치·관리상의 하자'라 함은 공공의 목적에 공여된 영조물이 그 용도에 따라 통상 갖추어야 할 안전성을 갖추지 못한 상태에 있음을 말한다(대판 2002.8.23. 2002다9158).

유제 18. 국회직 8급 영조물의 설치·관리의 하자란 '영조물이 그 용도에 따라 통상 갖추어야 할 안전성을 갖추지 못한 상태에 있음'을 말한다. (○)

③ (○) 국가위임사무에 소요되는 경비의 실질적 부담자는 국가라고 하더라도 지방자치단체는 비용을 대외적으로 지출하는 형식적 비용부담자로서 국가배상법 제6조 제1항 소정의 비용부담자에 해당한다.

지방자치단체의 장이 기관위임 된 국가행정사무를 처리하는 경우 그에 소요되는 경비의 실질적, 궁극적 부담자는 국가라고 하더라도 당해 지방자치단체는 국가로부터 내부적으로 교부된 금원으로 그 사무에 필요한 경비를 대외적으로 지출하는 자이므로, 이러한 경우 지방자치단체는 국가배상법 제6조 제1항 소정의 비용부담자로서 공무원의 불법행위로 인한 위법에 의한 손해를 배상할 책임이 있다(대판 1994.12.9. 94다38137).

◎ 문제 DATA
출제가능 지수 ▶▶▷
난이도 지수 ★★☆

☑ 함께 정리하기

「국가배상법」 제5조 손해배상

국가·지자체의 관리
▷ 사실상 관리도 포함

영조물 설치·관리상의 하자
▷ 통상 갖추어야 할 안전성을 갖추지 못한 상태(전통적 하자)

국가위임사무
▷ 국가: 실질적 비용부담자
▷ 지자체: 형식적 비용부담자

판례
▷ 국가배상을 민사소송으로 해결

④ (○) 국가배상은 민사소송으로 처리한다.

> 공무원의 직무상 불법행위로 손해를 받은 국민이 국가 또는 공공단체에 배상을 청구하는 경우 국가 또는 공공단체에 대하여 그의 불법행위를 이유로 손해배상을 구함은 국가배상법이 정한 바에 따른다 하여도 이 역시 민사상의 손해배상책임을 특별법인 국가배상법이 정한데 불과하다(대판 1972.10.10. 69다701).

답 ①

017

「국가배상법」 제5조의 배상책임에 대한 설명으로 옳은 것은? (다툼이 있는 경우 판례에 의함)

① '공공의 영조물' 이란 국가 또는 지방자치단체에 의하여 특정 공공의 목적에 공여된 유체물 및 물적 설비 등을 말하며, 국가 또는 지방자치단체가 소유권, 임차권 그 밖의 권한에 기하여 관리하고 있는 경우뿐만 아니라 사실상의 관리를 하고 있는 경우도 포함한다.
② 고등학교 3학년 학생이 교사의 단속을 피해 담배를 피우기 위하여 3층 건물 화장실 밖의 학생들이 출입할 수 없는 난간을 지나다가 실족하여 사망한 경우 학교시설의 설치·관리상의 하자가 있다.
③ 공항에서 발생하는 소음 등으로 인근주민들이 피해를 입었다면 수인한도를 넘는지 여부를 불문하고 도로의 경우와 같이 '공공의 영조물'에 관한 일반적인 설치·관리상의 하자에 대한 판단방법에 따라 국가책임이 인정된다.
④ 편도 2차로 도로의 1차로 상에 교통사고의 원인이 될 수 있는 크기의 돌멩이가 방치되어 있었고 이로 인하여 사고가 발생하였다면, 도로의 점유·관리자의 관리 가능성과 무관하게 이는 도로 관리·보존상의 하자에 해당한다.
⑤ 국·공유나 사유 여부를 불문하고 사실상 도로로 사용되고 있었다면 도로의 노선인정의 공고 기타 공용 개시가 없었다고 하여도 「국가배상법」 제5조의 배상책임이 인정된다.

| 2018년 변호사

① (○) 영조물은 특정 공적 목적에 제공된 유체물(공물)을 의미한다.

> 국가배상법 제5조 제1항 소정의 '공공의 영조물'이라 함은 국가 또는 지방자치단체에 의하여 특정 공공의 목적에 공여된 유체물 내지 물적 설비를 말하며, 국가 또는 지방자치단체가 소유권, 임차권 그 밖의 권한에 기하여 관리하고 있는 경우뿐만 아니라 사실상의 관리를 하고 있는 경우도 포함된다(대판 1998.10.23. 98다17381).

② (×) 흡연하기 위해 학교 난간에서 실족사 한 경우에는 배상책임이 부정된다.

> 학교 관리자에게 그와 같은 이례적인 사고가 있을 것을 예상하여 복도나 화장실 창문에 난간으로의 출입을 막기 위하여 출입금지장치나 추락위험을 알리는 경고표지판을 설치할 의무가 있다고 볼 수는 없다는 이유로 학교시설의 설치·관리상의 하자가 없다(대판 1997.5.16. 96다54102).

③ (×) 영조물의 이용이 수인한도를 초과하는 경우에는 배상책임이 인정된다.

> 국가배상법 제5조 제1항에 정하여진 '영조물의 설치 또는 관리의 하자'라 함은 … 물적 시설 그 자체에 있는 물리적·외형적 흠결이나 불비로 인하여 그 이용자에게 위해를 끼칠 위험성이 있는 경우뿐만 아니라, 그 영조물이 공공의 목적에 이용됨에 있어 그 이용상태 및 정도가 일정한 한도를 초과하여 제3자에게 사회통념상 수인할 것이 기대되는 한도를 넘는 피해를 입히는 경우까지 포함된다고 보아야 할 것이다. 피고가 이 사건 비행장을 설치·관리함에 있어 여러 가지 소음대책을 시행하였음에도 이 사건 비행장을 전투기 비행훈련이라는 공공의 목적에 이용하면서 여기에서 발생한 소음 등의 침해가 인근 주민들에게

⊕ 문제 DATA

출제가능 지수 ▶▶▷
난이도 지수 ★★☆

함께 정리하기

영조물책임

영조물
▷ 공공목적에 제공된 유체물(사실상 관리 포함)

흡연하기 위해 난간출입하던 고3학생 실족사
▷ 설치·관리상의 하자×

영조물(비행장)이용으로 인한 하자
▷ 수인한도 초과해야 국가책임○

도로 관리·보존상하자
▷ 관리가능성 있어야 하자○

도로
▷ 노선인정 기타 공용개시행위 要

통상의 수인한도를 넘는 피해를 발생하게 하였다면 이 사건 비행장의 설치·관리상 하자가 있다고 보아야 할 것이다(대판 2010.11.25. 2007다20112).

④ (×) 도로의 하자는 관리가능성이 있어야 하자로 인정된다.

제3자의 행위로 인해 도로에 결함이 발생한 경우 도로에 그런 결함이 있다는 것만으로는 도로의 보존상 하자가 있는 것으로 보아서는 안 되고, 당해 도로의 구조, 장소적 환경과 이용 상황 등 제반사정을 고려하여 그 결함을 제거하여 원상으로 복구 할 수 있는데도 이를 방치한 경우에 비로소 손해배상책임의 원인이 되는 도로 관리상의 하자가 있는 것으로 보아야 한다. 고속도로의 관리상 하자가 인정되는 이상 고속도로의 점유관리자는 그 하자가 불가항력에 의한 것이거나 손해의 방지에 필요한 주의를 해태하지 아니하였다는 점을 주장·입증하여야 비로소 그 책임을 면할 수가 있다(대판 2008.3.13. 2007다29287).

⑤ (×) 도로는 노선인정 등 공용개시행위를 요한다.

국가배상법 제5조 소정의 공공의 영조물이란 공유나 사유임을 불문하고 행정주체에 의하여 특정공공의 목적에 공여된 유체물 또는 물적 설비를 의미하므로 사실상 군민의 통행에 제공되고 있던 도로 옆의 암벽으로부터 떨어진 낙석에 맞아 소외인이 사망하는 사고가 발생하였다고 하여도 동 사고지점 도로가 피고 군에 의하여 노선인정 기타 공용개시가 없었으면 이를 영조물이라 할 수 없다(대판 1981.7.7. 80다2478).

답 ①

ALL KILL 기출 — 제2절 영조물의 설치·관리의 하자로 인한 손해배상

01 영조물의 설치·관리상 하자로 인한 국가배상에 관하여는 명문의 헌법상 근거가 없다.
16. 교행 (　)

02 아직 물적 시설이 완성되지 아니하여 일반 공중의 이용에 제공되지 않은 옹벽도 「국가배상법」상의 영조물에 해당한다.
11. 국회직 8급 (　)

03 도로나 하천과 달리 경찰견은 영조물에 포함되지 않는다는 것이 판례의 입장이다.
07. 국가직 9급 (　)

04 불가항력 등 영조물책임의 감면사유가 있는 경우에도 공무원의 과실로 피해가 확대된 경우에는 그 한도 내에서 「국가배상법」 제2조의 배상책임이 인정된다.
09. 국가직 7급 (　)

05 판례는 사격장에서 발생하는 소음 등으로 지역주민들이 입은 피해가 수인한도를 넘는 경우 사격장의 설치 또는 관리에 하자가 있다고 한다.
07. 국가직 9급 (　)

06 국가배상청구소송에서 공공의 영조물에 하자가 있다는 입증책임은 피해자가 지지만, 관리주체에게 손해발생의 예견가능성과 회피가능성이 없다는 입증책임은 관리주체가 진다.
17. 국가직 9급 (　)

정답 및 해설

01 ○ 헌법은 제29조에서 공무원의 직무상 불법행위로 손해를 입은 경우의 국가배상책임과 이중배상금지원칙만을 규정하고 있음

02 × 사고 당시 설치하고 있던 옹벽은 아직 완성도 되지 아니하여 일반 공중의 이용에 제공되지 않고 있었던 이상 「국가배상법」 제5조 제1항 소정의 영조물이라 할 수 없음(대판 1998.10.23. 98다17381)

03 × 공공의 영조물이란 강학상 공물로서 자연공물(하천 등), 인공공물(도로, 관공서 등), 동산(관용차 등), 부동산, 동물(경찰견 등) 등이 모두 포함됨

04 ○ 공무원의 과실로 피해가 발생한 경우뿐만 아니라, 공무원의 과실로 피해가 확대된 경우에도 「국가배상법」 제2조의 배상책임은 인정됨

05 ○ 사격장 소음이 수인한도 초과한 경우 설치·관리상 하자가 있음(대판 2004.3.12. 2002다14242)

06 ○ 하자의 입증책임은 원고에게, 예견 및 회피가능성의 입증책임은 관리주체에게 있음(대판 1998.2.10. 97다32536)

제3절 | 배상책임자

001 □□□

다음 <보기>의 ( )에 들어갈 말이 옳게 연결된 것은? (다툼이 있는 경우 판례에 의함)

<보기>
광역시인 A시의 구역 내에 A시장이 교통신호기를 설치였는데 그 관리권한은 「도로교통법」 관련규정에 의하여 A시 관할 지방경찰청장에게 기관위임되어 있다. A시 관할 지방경찰청 소속 공무원이 교통종합관제센터에서 그 관리업무를 담당하던 중 위 신호기가 고장난 채 방치되어 교통사고가 발생하였다. 이 경우 배상책임은 사무 귀속주체로서 (ㄱ)에게, 비용부담자로서 (ㄴ)에게 귀속된다.

「도로교통법」 제3조【신호기 등의 설치 및 관리】① 특별시장·광역시장·제주특별자치도지사 또는 시장.군수(광역시의 군수는 제외한다. 이하 "시장등"이라 한다)는 도로에서의 위험을 방지하고 교통의 안전과 원활한 소통을 확보하기 위하여 필요하다고 인정하는 경우에는 신호기 및 안전표지(이하 교통안전시설 이라 한다)를 설치·관리하여야 한다. (이하 생략)
제147조【위임 및 위탁 등】① 시장등은 이 법에 따른 권한 또는 사무의 일부를 대통령령으로 정하는 바에 따라 지방경찰청장이나 경찰서장에게 위임 또는 위탁할 수 있다.

	ㄱ	ㄴ
①	A시	국가
②	지방경찰청	A시
③	국가	A시
④	지방경찰청	국가
⑤	A시	지방경찰청

2014년 국회직 8급

① (O) 기관위임사무의 경우에는 사무귀속주체와 비용부담자 모두 배상책임을 부담한다.

> 지방자치단체장이 교통신호기를 설치하여 그 관리권한이 도로교통법 제71조의2 제1항의 규정에 의하여 관할 지방경찰청장에게 위임되어 지방자치단체 소속 공무원과 지방경찰청 소속 공무원이 합동근무하는 교통종합관제센터에서 그 관리업무를 담당하던 중 위 신호기가 고장난 채 방치되어 교통사고가 발생한 경우, 국가배상법 제2조 또는 제5조에 의한 배상책임을 부담하는 것은 지방경찰청장이 소속된 국가가 아니라, 그 권한을 위임한 지방자치단체장이 소속된 지방자치단체라고 할 것이나, 한편 국가배상법 제6조 제1항은 같은 법 제2조, 제3조 및 제5조의 규정에 의하여 국가 또는 지방자치단체가 손해를 배상할 책임이 있는 경우에 공무원의 선임·감독 또는 영조물의 설치·관리를 맡은 자와 공무원의 봉급·급여 기타의 비용 또는 영조물의 설치·관리의 비용을 부담하는 자가 동일하지 아니한 경우에는 그 비용을 부담하는 자도 손해를 배상하여야 한다고 규정하고 있으므로 교통신호기를 관리하는 지방경찰청장 산하 경찰관들에 대한 봉급을 부담하는 국가도 국가배상법 제6조 제1항에 의한 배상책임을 부담한다(대판 1999.6.25. 99다11120).

유제 15. 경찰 지방자치단체의 장인 시장이 국도의 관리청이 되었다 하더라도 국가는 도로관리상 하자로 인한 손해배상책임을 면할 수 없다. (O)

답 ①

문제 DATA
출제가능 지수 ▶▶▷
난이도 지수 ★★☆

함께 정리하기
배상책임자
기관위임사무(신호기 관리 사무)
▷ 사무귀속주체: 지자체(A시)
▷ 비용부담자: 국가

002

국가배상에 대한 설명으로 옳지 않은 것은? (다툼이 있는 경우 판례에 의함)

① 시·도경찰청장 또는 경찰서장이 지방자치단체의 장으로부터 권한을 위탁받아 설치·관리하는 신호기의 하자로 인해 손해가 발생한 경우 「국가배상법」 제5조 소정의 배상책임의 귀속 주체는 국가뿐이다.
② 헌법재판소 재판관이 청구기간 내에 제기된 헌법소원심판청구 사건에서 청구기간을 오인하여 각하결정을 한 경우, 이에 대한 불복절차 내지 시정절차가 없는 때에는 배상책임의 요건이 충족되는 한 국가배상책임을 인정할 수 있다.
③ 영조물의 설치·관리자와 비용부담자가 다른 경우 피해자에게 손해를 배상한 자는 내부관계에서 그 손해를 배상할 책임이 있는 자에게 구상할 수 있다.
④ 군 복무 중 사망한 군인 등의 유족이 「국가배상법」에 따른 손해배상금을 지급받은 경우 그 손해배상금 상당 금액에 대해서는 「군인연금법」에서 정한 사망보상금을 지급받을 수 없다.

문제 DATA
출제가능 지수 ▶▶▷
난이도 지수 ★★☆

2023년 지방직 9급

① (✕) 교통신호기 고장으로 교통사고가 발생한 경우, 지방자치단체는 사무귀속주체로서 배상책임을 진다.

> 지방자치단체장이 교통신호기를 설치하여 그 관리권한이 도로교통법 제71조의2 제1항의 규정에 의하여 관할 지방경찰청장에게 위임되어 지방경찰청 소속 공무원이 그 관리업무를 담당하던 중 위 신호기가 고장난 채 방치되어 교통사고가 발생한 경우, 국가배상법 제2조 또는 제5조에 의한 배상책임을 부담하는 것은 지방경찰청장이 소속된 국가가 아니라, 그 권한을 위임한 지방자치단체장이 소속된 지방자치단체라고 할 것이나, 한편 국가배상법 제6조 제1항은 공무원의 선임·감독 또는 영조물의 설치·관리를 맡은 자와 공무원의 봉급·급여 기타의 비용 또는 영조물의 설치·관리의 비용을 부담하는 자가 동일하지 아니한 경우에는 그 비용을 부담하는 자도 손해를 배상하여야 한다고 규정하고 있으므로 교통신호기를 관리하는 지방경찰청장 산하 경찰관들에 대한 봉급을 부담하는 국가도 국가배상법 제6조 제1항에 의한 배상책임을 부담한다(대판 1999.6.25. 99다11120).

② (○) 헌재재판관이 청구기간을 오인하여 각하한 경우에는 국가배상책임이 인정된다.

> 재판에 대하여 따로 불복절차 또는 시정절차가 마련되어 있는 경우에는 재판의 결과로 불이익 내지 손해를 입었다고 여기는 사람은 그 절차에 따라 자신의 권리 내지 이익을 회복하도록 함이 법이 예정하는 바이므로, 불복에 의한 시정을 구할 수 없었던 것 자체가 법관이나 다른 공무원의 귀책사유로 인한 것이라거나 그와 같은 시정을 구할 수 없었던 부득이한 사정이 있었다는 등의 특별한 사정이 없는 한, 스스로 그와 같은 시정을 구하지 아니한 결과 권리 내지 이익을 회복하지 못한 사람은 원칙적으로 국가배상에 의한 권리구제를 받을 수 없다고 봄이 상당하다고 하겠으나, 재판에 대하여 불복절차 내지 시정절차 자체가 없는 경우에는 부당한 재판으로 인하여 불이익 내지 손해를 입은 사람은 국가배상 이외의 방법으로는 자신의 권리 내지 이익을 회복할 방법이 없으므로, 이와 같은 경우에는 배상책임의 요건이 충족되는 한 국가배상책임을 인정하지 않을 수 없다. 헌법소원심판을 청구한 자로서는 헌법재판소 재판관이 일자 계산을 정확하게 하여 본안판단을 할 것으로 기대하는 것이 당연하고, 따라서 헌법재판소 재판관의 위법한 직무집행의 결과 잘못된 각하결정을 함으로써 청구인으로 하여금 본안판단을 받을 기회를 상실하게 한 이상, 설령 본안판단을 하였더라도 어차피 청구가 기각되었을 것이라는 사정이 있다고 하더라도 잘못된 판단으로 인하여 헌법소원심판 청구인의 위와 같은 합리적인 기대를 침해한 것이고 이러한 기대는 인격적 이익으로서 보호할 가치가 있다고 할 것이므로 그 침해로 인한 정신상 고통에 대하여는 위자료를 지급할 의무가 있다(대판 2003.7.11. 99다24218).

③ (○)

> 「국가배상법」 제6조【비용부담자 등의 책임】① 제2조·제3조 및 제5조에 따라 국가나 지방자치단체가 손해를 배상할 책임이 있는 경우에 공무원의 선임·감독 또는 영조물의 설치·관리를 맡은 자와 공무원의 봉급·급여, 그 밖의 비용 또는 영조물의 설치·관리 비용을 부담하는 자가 동일하지 아니하면 그 비용을 부담하는 자도 손해를 배상하여야 한다.
> ② 제1항의 경우에 손해를 배상한 자는 내부관계에서 그 손해를 배상할 책임이 있는 자에게 구상할 수 있다.

함께 정리하기

국가배상

교통신호기 설치관리 사무귀속주체(제5조 책임)
▷ 지자체

헌법재판소 재판관의 청구기간을 오인한 위법한 각하결정
▷ 국가배상책임○

「국가배상법」 제6조 제2항
▷ 내부적 구상권○

군복무 중 사망한 군인의 유족이 국가배상금 지급받은 경우
▷ 군인연금법상 사망보상금 지급✕

④ (○) 「국가배상법」에 따라 지급받은 손해배상금액에 대해서는 군인연금법상 사망보상금을 지급받을 수 없다.

> 다른 법령에 따라 지급받은 급여와의 조정에 관한 조항을 두고 있지 아니한 보훈보상대상자 지원에 관한 법률과 달리, 군인연금법 제41조 제1항은 "다른 법령에 따라 국가나 지방자치단체의 부담으로 이 법에 따른 급여와 같은 종류의 급여를 받은 사람에게는 그 급여금에 상당하는 금액에 대하여는 이 법에 따른 급여를 지급하지 아니한다."라고 명시적으로 규정하고 있다. 나아가 군인연금법이 정하고 있는 급여 중 사망보상금(군인연금법 제31조)은 일실손해의 보전을 위한 것으로 불법행위로 인한 소극적 손해배상과 같은 종류의 급여라고 봄이 타당하다(대판 1998.11.19. 97다36873 전합 참조). 따라서 피고에게 군인연금법 제41조 제1항에 따라 원고가 받은 손해배상금 상당 금액에 대하여는 사망보상금을 지급할 의무가 존재하지 아니한다(대판 2018.7.20. 2018두36691).

답 ①

003 □□□

甲은 A시장의 영업허가 취소처분이 위법함을 이유로 국가배상청구소송을 제기하였다. 이에 대한 설명으로 옳은 것은? (다툼이 있는 경우 판례에 의함)

① 甲의 국가배상청구소송은 공법상 당사자소송에 해당한다.
② 甲의 소송이 인용되려면 미리 영업허가취소 처분에 대한 취소의 인용판결이 있어야 한다.
③ 甲이 국가배상청구소송을 제기한 이후에 영업허가취소처분에 대한 취소소송을 제기한 경우 그 취소소송은 국가배상청구소송에 병합될 수 있다.
④ A시장의 영업허가취소사무가 국가사무로서 국가가 실질적인 비용을 부담하는 자인 경우에는 甲은 국가를 상대로 국가배상을 청구하여야 한다.
⑤ A시장의 영업허가취소처분에 대한 취소소송에서 인용판결이 확정된 이후에도 甲의 국가배상청구소송은 기각될 수 있다.

| 2017년 국회직 8급

① (✕) 판례는 사법설에 의해 국가배상청구소송을 민사소송으로 처리하고 있다.

> **판례는 국가배상청구소송을 민사소송으로 처리한다.**
> 공무원의 직무상 불법행위로 손해를 받은 국민이 국가 또는 공공단체에 배상을 청구하는 경우 국가 또는 공공단체에 대하여 그의 불법행위를 이유로 손해배상을 구함은 국가배상법이 정한 바에 따른다 하여도 이 역시 민사상의 손해배상책임을 특별법인 국가배상법이 정한데 불과하다(대판 1972.10.10. 69다701).

② (✕) 처분에 대한 취소판결 없이도 배상청구를 할 수 있다.

> 미리 그 행정처분의 취소판결이 있어야만 그 행정처분의 위법임을 이유로 피고에게 배상을 청구할 수 있는 것은 아니다(대판 1972.4.28. 72다337).

③ (✕) 취소소송에는 사실심의 변론종결시까지 관련청구소송을 병합하거나 피고외의 자를 상대로 한 관련청구소송을 취소소송이 계속된 법원에 병합하여 제기할 수 있다(「행정소송법」 제10조 제2항). 여기의 관련청구소송에는 당해 처분등과 관련되는 손해배상청구 소송이 포함되므로(「행정소송법」 제10조 제1항 제1호) 병합의 요건을 갖춘 경우에는 국가배상청구를 취소소송이 계속된 법원에 병합할 수 있다. 그러나 「민사소송법」 제253조에서는 같은 종류의 소송절차에 따르는 경우에만 병합을 인정함으로써 민사소송인 국가배상청구와 행정소송인 취소소송을 민사소송에 병합할 수는 없기 때문에 취소소송을 국가배상청구소송에 병합할 수는 없다.

문제 DATA
출제가능 지수 ▶▶Σ
난이도 지수 ★★★

함께 정리하기
국가배상
국가배상청구소송
▷ 민사소송으로 처리
처분에 대한 취소판결 없이도 배상청구 가능
소송절차가 다름
▷ 국가배상청구소송에 취소소송 병합 불가
형식적 비용부담자와 실질적 비용부담자가 다른 경우
▷ 피해자 선택적 배상청구 可
취소소송과 국가배상청구소송은 요건 다름
▷ 결론 달라질 수 있음

④ (×) 사무귀속주체(실질적 비용부담자)와 대외적·형식적 비용부담자가 동일하지 않을 때 피해자는 선택적으로 배상을 청구할 수 있다. 이는 피해자가 피고를 잘못 지정함으로써 불이익을 받는 일이 없도록 하기 위한 것이다. 따라서 甲은 국가(실질적 비용부담자) 또는 A시(대외적 비용부담자)에 대하여 선택적으로 배상청구가 가능하다.

⑤ (○) 취소소송과 국가배상청구소송은 각각 요건을 달리하므로 결론이 달라질 수 있다. 가령, 「국가배상법」은 그 요건으로 고의 또는 과실을 요구하고 있는바 공무원의 고의나 과실이 인정되지 않는다면 설사 처분이 취소소송에 의해 취소되었다고 하더라도 국가배상은 인정되지 않을 수 있다.

취소소송과 국가배상청구소송은 다른 결론을 도출할 수 있다.
어떠한 행정처분이 후에 항고소송에서 취소되었다고 할지라도 그 기판력에 의하여 당해 행정처분이 곧바로 공무원의 고의 또는 과실로 인한 것으로서 불법행위를 구성한다고 단정할 수 없다(대판 1999.9.17. 96다53413).

답 ⑤

ALL KILL 기출

제3절 배상책임자

사무귀속주체와 비용부담주체가 동일하지 아니한 경우에는 사무귀속주체가 손해를 우선적으로 배상하여야 한다.
16. 서울시 9급 ( )

정답 및 해설
× 사무귀속주체와 비용부담주체가 다른 경우 피해자는 선택적 청구가 가능(「국가배상법」 제6조)

제4절 | 이중배상금지(청구권자의 제한)

001 □□□

「국가배상법」 제2조의 이중배상배제에 대한 설명으로 옳지 않은 것은? (다툼이 있는 경우 판례에 의함)

① 「국가배상법」 제2조 제1항 단서에서 '군인·군무원·경찰공무원 또는 향토예비군대원'에 대하여 이중배상에 관한 배제조항을 두고 있으며, 헌법재판소는 이중배상을 금지하는 이러한 단서를 합헌으로 보았다.
② 판례는 이중배상이 배제되는 자는 전투경찰순경과 공익근무요원 등이라고 하였다.
③ 군인·군무원·경찰공무원의 경우에는 헌법상으로도 이중배상배제가 인정되는 자로 규정되어 있다.
④ 이중배상이 배제되는 군인 및 경찰공무원 등의 경우에도 다른 법령에 의하여 재해보상금·유족연금·상이연금 등의 보상을 지급받을 수 없을 때에는 「국가배상법」에 의하여 배상을 청구할 수 있다.

함께 정리하기

이중배상금지

합헌

전투경찰순경 ○
공익근무요원 ×

군인·군무원·경찰공무원
▷ 헌법규정 有
▷ 별도 보상 불가 → 배상청구 可

2009년 지방직 7급

① (○) 이중배상금지규정은 헌법에 위반되지 않는다.

> 국가배상법 제2조 제1항 단서는 헌법 제29조 제1항에 의하여 보장되는 국가배상청구권을 헌법 내재적으로 제한하는 헌법 제29조 제2항에 직접 근거하고, 실질적으로 그 내용을 같이하는 것이므로 헌법에 위반되지 아니한다(헌재 2001.2.22. 2000헌바38).

② (×) 전투경찰순경은 경찰공무원에 해당하나, 공익근무요원은 군인에 해당하지 않는다.

> 1. 전투경찰순경은 그 직무수행상의 위험성이 다른 경찰공무원의 경우보다 낮다고 할 수 없을 뿐만 아니라, … 전투경찰순경은 헌법 제29조 제2항 및 국가배상법 제2조 제1항 단서 중의 '경찰공무원'에 해당한다고 보아야 할 것이다(헌재 1996.6.13. 94헌마118·95헌바39).
> 2. 공익근무요원은 보충역에 편입되어 있는 자이기 때문에, 소집되어 군에 복무하지 않는 한 군인이라고 말할 수 없으므로, … 공익근무요원이 국가배상법 제2조 제1항 단서의 규정에 의하여 국가배상법상 손해배상청구가 제한되는 군인·군무원·경찰공무원 또는 향토예비군대원에 해당한다고 할 수 없다 (대판 1997.3.28. 97다4036).

③ (○)

> **헌법 제29조** ② 군인·군무원·경찰공무원 기타 법률이 정하는 자가 전투·훈련등 직무집행과 관련하여 받은 손해에 대하여는 법률이 정하는 보상 외에 국가 또는 공공단체에 공무원의 직무상 불법행위로 인한 배상은 청구할 수 없다.

④ (○) 보상을 받을 수 없는 경우에는 배상을 청구할 수 있다.

> 군인·군무원 등 국가배상법 제2조 제1항에 열거된 자가 전투, 훈련 기타 직무집행과 관련하는 등으로 공상을 입은 경우라고 하더라도 군인연금법 또는 국가 유공자예우 등에 관한 법률에 의하여 재해보상금, 유족연금, 상이연금 등 별도의 보상을 받을 수 없는 경우에는 국가배상법 제2조 제1항 단서의 적용대상에서 제외하여야 한다(대판 1997.2.14. 96다28066).

답 ②

문제 DATA

출제가능 지수 ▶▶▷
난이도 지수 ★★☆

002 □□□

「국가배상법」상 이중배상금지에 대한 판례의 입장으로 옳지 않은 것은?

① 「국가배상법」제2조 제1항 단서에서 정한 '다른 법령의 규정'에 따른 보상금청구권이 모두 시효로 소멸된 경우라고 하더라도 「국가배상법」제2조 제1항 단서 규정이 적용된다.
② 경찰공무원인 피해자가 「공무원연금법」에 따라 공무상 요양비를 지급받는 것은 「국가배상법」제2조 제1항 단서에서 정한 '다른 법령의 규정'에 따라 보상을 지급받는 것에 해당하지 않는다.
③ 훈련으로 공상을 입은 군인이 「국가배상법」에 따라 손해배상금을 지급받은 다음 「보훈보상대상자 지원에 관한 법률」이 정한 보훈급여금의 지급을 청구하는 경우, 국가는 「국가배상법」제2조 제1항 단서에 따라 그 지급을 거부할 수 있다.
④ 군인이 교육훈련으로 공상을 입은 경우라도 「군인연금법」또는 「국가유공자 예우 등에 관한 법률」에 의하여 재해보상금·유족연금·상이연금 등 별도의 보상을 받을 수 없는 경우에는 「국가배상법」제2조 제1항 단서의 적용 대상에서 제외하여야 한다.

2023년 국가직 9급

① (○) 보상에 대한 권리가 발생한 이상 실제 행사하였는지와 무관하게 시효소멸되었다면 국가배상을 청구할 수 없다.

> 국가배상법 제2조 제1항 단서 규정은 다른 법령에 보상제도가 규정되어 있고, 그 법령에 규정된 상이등급 또는 장애등급 등의 요건에 해당되어 그 권리가 발생한 이상, 실제로 그 권리를 행사하였는지 또는 그 권리를 행사하고 있는지 여부에 관계없이 적용된다고 보아야 하고, 그 각 법률에 의한 보상금청구권이 시효로 소멸되었다 하여 적용되지 않는다고 할 수는 없다. … 공상을 입은 군인이 국가배상법에 의한 손해배상청구 소송 도중에 국가유공자 등 예우 및 지원에 관한 법률에 의한 국가유공자 등록신청을 하였다가 인과관계가 없어 공상군경 요건에 해당 되지 않는다는 이유로 비해당결정통보를 받고 이에 불복하지 아니한 후 위 법률에 의한 보상금청구권과 군인연금법에 의한 재해보상금청구권이 모두 시효완성된 경우, 국가배상법 제2조 제1항 단서 소정의 '다른 법률에 의하여 보상을 받을 수 있는 경우'에 해당하므로 국가배상청구를 할 수 없다(대판 2002.5.10. 2000다39735).

② (○) 경찰공무원인 피해자가 공무상 요양비를 지급받는 것은 보상을 지급받는 것에 해당하지 않는다.

> 구 공무원연금법(2018.3.20. 법률 제15523호로 전부 개정되기 전의 것, 이하 '구 공무원연금법'이라고 한다)에 따라 각종 급여를 지급하는 제도는 공무원의 생활안정과 복리향상에 이바지하기 위한 것이라는 점에서 국가배상법 제2조 제1항 단서에 따라 손해배상금을 지급하는 제도와 그 취지 및 목적을 달리하므로, 경찰공무원인 피해자가 구 공무원연금법의 규정에 따라 공무상 요양비를 지급받는 것은 국가배상법 제2조 제1항 단서에서 정한 '다른 법령의 규정'에 따라 보상을 지급받는 것에 해당하지 않는다(대판 2019.5.30. 2017다16174).

③ (×) 먼저 국가배상법에 따라 손해배상을 받았다는 사정을 들어 보훈급여금의 지급을 거부할 수 없다. 국가배상법 제2조 제1항 단서는 손해배상 받은 경우 보훈급여청구를 금지하는 취지가 아니다.

> 1. 전투·훈련 등 직무집행과 관련하여 공상을 입은 군인·군무원·경찰공무원 또는 향토예비군 대원이 먼저 국가배상법에 따라 손해배상금을 지급받은 다음 보훈보상대상자 지원에 관한 법률(이하 '보훈보상자법'이라 한다)이 정한 보상금 등 보훈급여금의 지급을 청구하는 경우, … 국가보훈처장은 국가배상법에 따라 손해배상을 받았다는 사정을 들어 보상금 등 보훈급여금의 지급을 거부할 수 없다(대판 2017.2.3. 2015두60075).
> 2. 국가배상법 제2조 제1항 단서의 입법취지, 구 국가유공자법이 정한 보상과 국가배상법이 정한 손해배상의 목적과 산정방식의 차이 등을 고려하면, 구 국가배상법 제2조 제1항 단서가 구 국가유공자법 등에 의한 보상을 받을 수 있는 경우 추가로 국가배상법에 따른 손해배상청구를 하지 못한다는 것을 넘어 국가배상법상 손해배상금을 받은 경우 일률적으로 구 국가유공자법상 보상금 등 보훈급여금의 지급을 금지하는 취지로까지 해석하기는 어렵다(대판 2017.2.13. 2014두40012).

④ (○) 보상을 받을 수 없는 경우에는 배상을 청구할 수 있다.

> 군인·군무원 등 국가배상법 제2조 제1항에 열거된 자가 전투, 훈련 기타 직무집행과 관련하는 등으로 공상을 입은 경우라고 하더라도 군인연금법 또는 국가 유공자예우 등에 관한 법률에 의하여 재해보상금·유족연금·상이연금 등 별도의 보상을 받을 수 없는 경우에는 국가배상법 제2조 제1항 단서의 적용대상에서 제외하여야 한다(대판 1997.2.14. 96다28066).

답 ③

📌 함께 정리하기

이중배상금지

보상청구권 시효완성
▷ 국가배상청구 불가

경찰공무원이 「공무원연금법」에 따라 공무상 요양비 수령
▷ 다른 법령에 따른 보상×

국가배상 받은 후
▷ 보훈보상자법이 정한 보훈급여금의 지급 청구 가

재해보상금·유족연금·상이연금 등의 보상 받을 수 없는 경우
▷ 국가배상청구 가

문제 DATA
출제가능 지수 ▶▶▷
난이도 지수 ★★☆

003 □□□

다음 중 군인과 관련한 판례로 가장 옳지 않은 것은?

① 「국가배상법」 제2조 단서의 군인과 관련하여, 예비군이 소집명령서를 받고 실역에 복무하기 위하여 지정된 시간과 장소에 맞추어 경로이탈 없이 곧 바로 출발하였다는 것이 합리적으로 인정된다면, 해당 예비군은 출발한 시점부터 「국가배상법」상 군인의 신분을 취득하게 된다.

② 직무집행과 관련하여 공상을 입은 군인이 먼저 「국가배상법」에 따라 손해배상금을 지급받은 다음 「보훈보상대상자 지원에 관한 법률」이 정한 보상금 등 보훈급여금의 지급을 청구할 경우, 국가보훈처장은 「국가배상법」에 따라 손해배상을 받았다는 사정을 들어 보상금 등 보훈급여금의 지급을 거부할 수 없다.

③ 공상 군인이 「국가배상법」에 의한 손해배상청구소송 중 「국가유공자 등 예우 및 지원에 관한 법률」에 의한 국가유공자 등록신청을 하였으나 거부되고 이에 불복하지 아니한 상태로 앞의 법률상의 보상금청구권과 「군인연금법」상의 재해보상금청구권이 모두 시효 완성된 경우라면, 「국가배상법」 제2조 제1항 단서 소정의 '다른 법령에 의하여 보상을 받을 수 있는 경우'에 해당되어 국가배상청구는 할 수 없다.

④ 영외에 거주하는 군인이 정기휴가 마지막날에 다음날의 근무를 위하여 휴가 목적지에서 소속 부대 및 자택이 위치한 지역으로 운전하여 귀가 하던 중 교통사고를 당한 경우, 사고장소가 휴가 목적지와 소속 부대 및 자택 사이의 순리적인 경로에 있었다면 이는 '귀대중 사고'에 해당한다.

2024년 군무원 7급

① (×)

> [1] 국가배상법상의 군인의 신분은 예비역군인인 경우에 있어서는 소집명령서를 받고 실역에 복무하기 위하여 지정된 장소에 도착하여 군통수권의 지휘하에 들어가 군부대의 구성원이 되었을 때 비로소 시작되는 것이고 부대 영문인 위병소가 있는 곳에 도착한 것만으로서는 아직 국가배상법상의 군인의 신분을 취득하였다고 할 수 없다.
>
> [2] 국가배상법상의 군인의 신분은 예비역군인인 경우에 있어서는 소집명령서를 받고 실역에 복무하기 위하여 지정된 장소에 도착하여 군통수권의 지휘하에 들어가 군부대의 구성원이 되었을 때 비로소 시작되는 것이라고 할 것인바, 원심이 적법히 확정한 사실에 의하면 망 소외 1은 예비역 해병 병장으로서 1973.4.16. 08:00부터 동일 17:00까지 사이에 해병 제21연대에 입영하라는 73년도 해병예비역장병 근무소집명령서를 받고 위 소집일시를 경과한 1973.4.17 10:00경 만취된 채 위 부대 영문인 해병포항지구 헌병대 남문 위병소에 도착하여 입영하려 하였으나 그때는 이미 소집부대장인 위 21연대장이 늦게 도착한 예비역장병들의 입영을 금지하고 있는 터여서 입영을 하려는 동 소외인과 이를 제지하던 위병 사이에 싸움이 되어 동 소외인은 동 헌병대 보안과장 대위 소외 2에 의하여 헌병대 유치실로 강제로 연행되어 폭행을 당하고 그로 인하여 사망하였다는 것이므로 위 소외인이 위 위병소가 있는 곳에 도착한 것만으로서는 아직 국가배상법상의 군인의 신분을 취득하였다고 할 수 없다(대판 1976.12.14. 74다1441).

② (○) 전투·훈련 등 직무집행과 관련하여 공상을 입은 군인·군무원·경찰공무원 또는 향토예비군대원이 먼저 국가배상법에 따라 손해배상금을 지급받은 다음 보훈보상대상자 지원에 관한 법률(이하 '보훈보상자법'이라 한다)이 정한 보상금 등 보훈급여금의 지급을 청구하는 경우, … 국가배상법 제2조 제1항 단서가 보훈보상자법 등에 의한 보상을 받을 수 있는 경우 국가배상법에 따른 손해배상청구를 하지 못한다는 것을 넘어 국가배상법상 손해배상금을 받은 경우 보훈보상자법상 보상금 등 보훈급여금의 지급을 금지하는 것으로 해석하기는 어려운 점 등에 비추어, 국가보훈처장은 국가배상법에 따라 손해배상을 받았다는 사정을 들어 보상금 등 보훈급여금의 지급을 거부할 수 없다(대판 2017.2.3. 2015두60075).

함께 정리하기

군인 관련 판례

예비군의 「국가배상법」상 군인신분 취득시점
▷ 군통수권의 지휘하에 들어가 군부대의 구성원이 되었을 때

국가배상 받은 후
▷ 보훈보상자법이 정한 보훈급여금의 지급 청구 可

보상청구권 시효완성
▷ 국가배상청구 不可

귀대의 연속선상에서 발생한 사고
▷ 귀대중 사고

③ (○)

[1] 채권자가 동일한 목적을 달성하기 위하여 복수의 채권을 갖고 있는 경우, 어느 하나의 청구권을 행사하는 것이 다른 채권에 대한 소멸시효 중단의 효력이 있다고 할 수 없다.
[2] 국가배상법 제2조 제1항 단서 규정은 다른 법령에 보상제도가 규정되어 있고, 그 법령에 규정된 상이등급 또는 장애등급 등의 요건에 해당되어 그 권리가 발생한 이상, 실제로 그 권리를 행사하였는지 또는 그 권리를 행사하고 있는지 여부에 관계없이 적용된다고 보아야 하고, 그 각 법률에 의한 보상금청구권이 시효로 소멸되었다 하여 적용되지 않는다고 할 수는 없다.
[3] 공상을 입은 군인이 국가배상법에 의한 손해배상청구 소송 도중에 국가유공자 등 예우 및 지원에 관한 법률에 의한 국가유공자 등록신청을 하였다가 인과관계가 없어 공상군경 요건에 해당되지 않는다는 이유로 비해당결정 통보를 받고 이에 불복하지 아니한 후 위 법률에 의한 보상금청구권과 군인연금법에 의한 재해보상금청구권이 모두 시효완성된 경우, 국가배상법 제2조 제1항 단서 소정의 '다른 법령에 의하여 보상을 받을 수 있는 경우'라 하여 국가배상청구를 할 수 없다고 한 사례(대판 2002.5.10. 2000다39735)

④ (○)

[1] 구 국가유공자 등 예우 및 지원에 관한 법률 제4조 제1항 제6호는 군인 또는 경찰공무원으로서 교육훈련 또는 직무수행 중 상이를 입고 전역 또는 퇴직한 자로서 그 상이 정도가 일정한 등급에 해당하는 것으로 판정된 자를 국가유공자의 하나인 공상군경으로 들고 있고, 같은 법 제4조 제2항에 근거한 같은 법 시행령 제3조의2 [별표 1]의 1. 2-10은 '휴가, 외출, 외박허가를 얻어 목적지로 가는 도중 또는 귀대중 사고 또는 재해로 발생한 상이'의 경우를 공상군경의 인정 요건에 해당하는 것으로 규정하고 있는바, 이 규정은 개념필연적으로 영내 거주하는 군인 또는 경찰공무원에 한정하여 적용되어야 한다고 볼 수는 없으나, 다만 영외에서 거주하는 군인 등이 휴가를 얻어 목적지에 갔다가 귀가하던 중에 사고 또는 재해를 당하여 상이를 입은 경우에 그것이 '귀대중 사고 또는 재해'로 인정받기 위해서는 휴가기간이 끝날 무렵 귀대를 위하여 귀가하는 경우와 같이 순전히 사적인 영역에서 발생한 것이 아니라 귀대의 연속선상에 있다고 평가할 수 있을 정도가 되어야 한다.
[2] 영외에서 거주하는 군인이 정기휴가 마지막날에 다음날의 근무를 위하여 소속 부대 및 자택이 위치한 지역으로 운전하여 귀가하던 중 교통사고를 당한 경우, 사고장소가 휴가 목적지와 소속 부대 및 자택 사이의 순리적인 경로에 있다는 점에서 이는 귀대의 연속선상에 있는 것으로 볼 수 있으므로 '귀대중 사고'에 해당한다고 한 사례(대판 2003.2.11. 2002두9544)

답 ①

004

국가배상에 대한 설명으로 가장 옳지 않은 것은? (다툼이 있는 경우 판례에 의함)

① 소방공무원들이 다중이용업소인 주점의 비상구와 피난시설 등에 대한 점검을 소홀히 함으로써 주점의 피난통로 등에 중대한 피난 장애요인이 있음을 발견하지 못하여 업주들에 대한 적절한 지도·감독을 하지 아니한 경우 직무상 의무 위반과 주점 손님들의 사망 사이에 상당인과관계가 인정된다.

② 일본 「국가배상법」이 국가배상청구권의 발생요건 및 상호보증에 관하여 우리나라 「국가배상법」과 동일한 내용을 규정하고 있는 점 등에 비추어 우리나라와 일본 사이에 우리나라 「국가배상법」 제7조가 정하는 상호보증이 있다.

③ 국가배상청구권의 소멸시효 기간이 지났으나 국가가 소멸시효 완성을 주장하는 것이 신의성실의 원칙에 반하는 권리남용으로 허용될 수 없어 배상책임을 이행한 경우에는, 그 소멸시효 완성 주장이 권리남용에 해당하게 된 원인행위와 관련하여 해당 공무원이 그 원인이 되는 행위를 적극적으로 주도하였다는 등의 특별한 사정이 없는 한, 국가가 해당 공무원에게 구상권을 행사하는 것은 신의칙상 허용되지 않는다.

④ 전투·훈련 등 직무집행과 관련하여 공상을 입은 군인 등이 먼저 「국가배상법」에 따라 손해배상금을 지급받은 다음 「보훈보상대상자 지원에 관한 법률」이 정한 보상금 등 보훈급여금의 지급을 청구하는 경우, 보훈지청장은 「국가배상법」에 따라 손해배상을 받았다는 사정을 들어 지급을 거부할 수 있다.

2019년 서울시 9급

① (O) 소방공무원의 의무위반과 주점손님의 사망간에는 상당인과관계가 인정된다.

> 소방공무원들이 업주들에 대하여 필요한 지도·감독을 제대로 수행하였더라면 화재 당시 손님들에 대한 대피조치가 보다 신속히 이루어지고 피난통로 안내가 적절히 이루어지는 등으로 甲 등이 대피할 수 있었을 것이고, 사망 경위 등에 비추어 소방공무원들의 직무상 의무 위반과 甲 등의 사망 사이에 상당인과관계가 인정된다(대판 2016.8.25. 2014다225083).

② (O) 우리나라와 일본국 사이에는 상호보증이 존재한다.

> 일본 국가배상법 제1조 제1항, 제6조가 국가배상청구권의 발생요건 및 상호보증에 관하여 우리나라 국가배상법과 동일한 내용을 규정하고 있는 점 등에 비추어 우리나라와 일본 사이에 국가배상법 제7조가 정하는 상호보증이 있다(대판 2015.6.11. 2013다208388).

③ (O) 소멸시효주장이 배척되어 국가가 배상한 경우 국가는 구상권을 행사할 수 없음이 원칙이다.

> 공무원의 불법행위로 손해를 입은 피해자의 국가배상청구권의 소멸시효 기간이 지났으나 국가가 소멸시효 완성을 주장하는 것이 신의성실의 원칙에 반하는 권리남용으로 허용될 수 없어 배상책임을 이행한 경우에는, 소멸시효 완성 주장이 권리남용에 해당하게 된 원인행위와 관련하여 공무원이 원인이 되는 행위를 적극적으로 주도하였다는 등의 특별한 사정이 없는 한, 국가가 공무원에게 구상권을 행사하는 것은 신의칙상 허용되지 않는다(대판 2016.6.10. 2015다217843).

④ (×) 국가배상법상 배상금 수령 후 보훈급여청구가 가능하다.

> 국가배상법 제2조 제1항 단서가 보훈보상자법 등에 의한 보상을 받을 수 있는 경우 국가배상법에 따른 손해배상청구를 하지 못한다는 것을 넘어 국가배상법상 손해배상금을 받은 경우 보훈보상자법상 보상금 등 보훈급여금의 지급을 금지하는 것으로 해석하기는 어려운 점 등에 비추어, 국가보훈처장은 국가배상법에 따라 손해배상을 받았다는 사정을 들어 보상금 등 보훈급여금의 지급을 거부할 수 없다(대판 2017.2.3. 2015두60075).

유제 19. 국가직 9급, 19. 국회직 8급 직무집행과 관련하여 공상을 입은 군인이 먼저 「국가배상법」상 손해배상을 받은 다음 구 「국가유공자 등 예우 및 지원에 관한 법률」상 보훈급여금을 지급청구하는 경우, 국가배상을 받았다는 이유로 그 지급을 거부할 수 없다. (O)

답 ④

문제 DATA

출제가능 지수 ▶▶▷
난이도 지수 ★★☆

함께 정리하기

「국가배상법」

소방공무원 의무위반·주점손님사망
▷ 상당인과관계 有

우리나라·일본
▷ 제7조의 상호보증有

소멸시효완성주장 권리남용으로 배척
▷ 국가구상권행사 不可(원칙)

「국가배상법」상 배상금 수령 후
▷ 보훈급여청구 可

005

「국가배상법」 제2조 제1항 단서는 "군인·군무원·경찰공무원 또는 향토예비군대원이 전투·훈련 등 직무집행과 관련하여 전사·순직하거나 공상을 입은 경우에 본인이나 그 유족이 다른 법령에 따라 재해보상금·유족연금·상이연금 등의 보상을 지급받을 수 있을 때에는 이 법 및 「민법」에 따른 손해배상을 청구할 수 없다."고 규정하고 있다. 이에 대한 내용으로 옳지 않은 것은? (다툼이 있는 경우 판례에 의함)

① 「국가배상법」 제2조 제1항 단서에 대해서는 위헌성 시비가 있으나, 헌법재판소와 대법원은 헌법에 위반되지 않는 것으로 보고 있다.
② 경비교도나 공익근무요원은 「국가배상법」 제2조 제1항 단서의 적용대상에 해당하지 아니하나, 전투경찰순경은 「국가배상법」 제2조 제1항 단서의 적용대상에 해당한다.
③ 헌법재판소는 일반국민이 직무집행 중인 군인과의 공동불법행위로 다른 군인에게 공상을 입혀 그 피해자에게 손해 전부를 배상했을지라도, 공동불법행위자인 군인의 부담부분에 관하여 국가에 대한 구상권은 허용되지 않는다고 본다.
④ 경찰서 숙직실에서 순직한 경찰공무원의 유족들은 「국가배상법」에 의한 손해배상을 청구할 권리가 있다.

2011년 지방직 7급

① (○) 헌법재판소는 동 조항을 헌법에 근거하고 있어 합헌이라고 보고 있고, 대법원도 동 조항이 헌법의 위임을 벗어나지 않았다 고 보고 있다.

이중배상금지규정은 헌법에 위반되지 않는다.
1. 국가배상법 제2조 제1항 단서는 헌법 제29조 제1항에 의하여 보장되는 국가배상청구권을 헌법 내재적으로 제한하는 헌법 제29조 제2항에 직접 근거하고, 실질적으로 그 내용을 같이하는 것이므로 헌법에 위반되지 아니한다(헌재 2001.2.22. 2000헌바38).
2. 국가배상법에서 국방 또는 치안유지의 목적상 사용하는 시설 및 자동차, 함선, 항공기 기타 운반기구 안에서 사망하거나 부상한 경우 중 전사, 순직 또는 공상을 입은 경우에 한하여 그 배상청구를 제한하고 있어 결국 헌법 제29조 제2항에서 규정하고 있는 전투, 훈련등 직무집행과 관련하여 사망하거나 부상을 입은 경우에 해당된다 할 것이므로, 국가배상법 제2조 제1항 단서가 헌법 제29조 제2항의 위임범위를 벗어났다고 할 수 없다(대판 1994.12.13. 93다29969).

② (○) 경비교도대원(대판 1998.2.10. 97다45914)과 공익근무요원(대판 1997.3.28. 97다4036)은 이중배상청구가 금지되는 군인 등에 해당하지 않지만, 전투경찰순경(헌재 1996.6.13. 94헌마11)이 이중배상청구가 금지되는 경찰공무원에 해당한다.

경비교도나 공익근무요원은 공무원에 해당하지 않는다.
현역병으로 입영하여 소정의 군사교육을 마치고 경비교도로 임용된 자는, 군인의 신분을 상실하고 군인과는 다른 경비교도로서의 신분을 취득하게 되었다고 할 것이어서 국가배상법 제2조 제1항 단서가 정하는 군인 등에 해당하지 아니한다(대판 1998.2.10. 97다45914).

[유제] 15. 경찰, 09. 국회직 8급 현역병으로 입영한 후 군사교육을 마치고 경비교도로 전임되어 근무하는 자는 「국가배상법」 제2조 제1항 단서 소정의 군인 등에 해당하므로 국가배상청구권 행사에 제한을 받는다. (×)

③ (×) 헌재는 민간인이 손해 전부를 배상한 경우에는 구상권을 행사할 수 있다고 본다.

국가배상법 제2조 제1항 단서 중 군인에 관련되는 부분을, 일반국민이 직무집행 중인 군인과의 공동불법행위로 직무집행 중인 다른 군인에게 공상을 입혀 그 피해자에게 공동의 불법행위로 인한 손해를 배상한 다음 공동불법행위자인 군인의 부담부분에 관하여 국가에 대하여 구상권을 행사하는 것을 허용하지 않는다고 해석한다면, 이는 합리적인 이유 없이 일반국민을 국가에 대하여 지나치게 차별하는 경우에 해당하므로 헌법 제11조, 제29조에 위반되며, 또한 헌법 제37조 제2항에 의하여 기본권을 제한할 때 요구되는 비례의 원칙에 위배하여 일반국민의 재산권을 과잉제한하는 경우에 해당하여 헌법 제23조 제1항 및 제37조 제2항에도 위반된다(헌재 1994.12.29. 93헌바21).

함께 정리하기

사례정리

이중배상금지
▷ 합헌(헌재/대법)

전투경찰순경 ○

공익근무요원 ×

경비 교도 ×

민간인 손해전부배상
▷ 구상 ○ (헌법재판소)
▷ × (대법원)

숙직실순직
▷ 전투훈련 ×

④ (O) 숙직실에서 순직한 것은 전투훈련에 해당하지 않아 배상청구가 가능하다.

> 경찰서 지서의 숙직실은 국가배상법 제2조 제1항 단서에서 말하는 '전투·훈련'에 관련된 시설이라고 볼 수 없으므로, 위 숙직실에서 순직한 경찰공무원의 유족들은 국가배상법 제2조 제1항 본문에 의하여 국가배상법 및 민법의 규정에 의한 손해배상을 청구할 권리가 있다(대판 1979.1.30. 77다2389 전합).

답 ③

006

운전병인 군인 甲은 전투훈련 중 같은 부대 소속 군인 丙을 태우고 군용차량을 운전하여 훈련지로 이동하다가 민간인 乙이 운전하던 차량과 쌍방과실로 충돌하였고, 이로 인해 군인 丙이 사망하였다. 이 경우 손해배상책임 및 구상권에 대한 설명으로 옳지 않은 것은? (단, 자동차손해보험과 관련된 법적 책임은 고려하지 않음)

① 현행법상 丙의 유족이 다른 법령에 따라 유족연금 등 보상을 받은 경우에는 국가배상청구를 할 수 없다.
② 대법원은 甲이 고의·중과실이 있는 경우에만 丙의 유족에 대한 손해배상책임을 부담하고, 甲에게 경과실만 인정되는 경우에는 丙의 유족에 대한 손해배상책임을 부담하지 않는다고 보았다.
③ 대법원은 공동불법행위의 일반적인 경우와 달리 乙은 자신의 부담부분만을 丙의 유족에게 배상하면 된다고 하였다.
④ 대법원은 만일 乙이 손해배상액 전부를 丙의 유족에게 배상한 경우에는 자신의 귀책부분을 넘는 금액에 대해 국가에 구상청구를 할 수 있다고 하였다.
⑤ 헌법재판소는 乙이 공동불법행위자로서 丙의 유족에게 전액 손해배상한 후에 甲의 부담부분에 대해 국가에 구상청구하는 것을 부인하는 것은 헌법상 국가배상청구권 규정과 평등의 원칙을 위반하는 것이며, 비례의 원칙에 위배하여 재산권을 침해하는 것이라고 판시하였다.

2012년 변호사

① (O) 「국가배상법」 제2조 제1항 단서에 의해 이중배상청구가 부정된다.

> 「국가배상법」 제2조【배상책임】① 국가나 지방자치단체는 공무원 또는 공무를 위탁받은 사인(이하 "공무원"이라 한다)이 직무를 집행하면서 고의 또는 과실로 법령을 위반하여 타인에게 손해를 입히거나, 「자동차손해배상 보장법」에 따라 손해배상의 책임이 있을 때에는 이 법에 따라 그 손해를 배상하여야 한다. 다만, 군인·군무원·경찰공무원 또는 예비군대원이 전투·훈련 등 직무 집행과 관련하여 전사(戰死)·순직(殉職)하거나 공상(公傷)을 입은 경우에 본인이나 그 유족이 다른 법령에 따라 재해보상금·유족연금·상이연금 등의 보상을 지급받을 수 있을 때에는 이 법 및 「민법」에 따른 손해배상을 청구할 수 없다.

② (O) 고의 또는 중과실이 있는 공무원은 민사상 배상책임을 부담한다.

> 공무원이 직무수행 중 불법행위로 타인에게 손해를 입힌 경우에 국가 등이 국가배상책임을 부담하는 외에 공무원 개인도 고의 또는 중과실이 있는 경우에는 불법행위로 인한 손해배상책임을 진다고 할 것이지만, 공무원에게 경과실뿐인 경우에는 공무원 개인은 손해배상책임을 부담하지 아니한다고 해석하는 것이 올바른 해석이다(대판 1996.2.15. 95다38677 전합).

문제 DATA

출제가능 지수 ▶▶▷
난이도 지수 ★★★

함께 정리하기

사례정리

이중배상금지
▷ 보상받은 후 배상청구 불가

고의중과실 공무원
▷ 민사상책임

민간인
▷ 자기부담부분만 배상(대법)

민간인 손해전부배상
▷ 구상O(헌법재판소)
▷ ×(대법원)

③ (○), ④ (×) 대법원은 민간인은 피해자에게 자기 부담부분만 배상해야 한다고 본다.

> 공동불법행위자 등이 부진정연대채무자로서 각자 피해자의 손해 전부를 배상할 의무를 부담하는 공동불법행위의 일반적인 경우와 달리 예외적으로 민간인은 피해 군인 등에 대하여 그 손해 중 국가 등이 민간인에 대한 구상의무를 부담한다면 그 내부적인 관계에서 부담하여야 할 부분을 제외한 나머지 자신의 부담부분에 한하여 손해배상의무를 부담하고, 한편 국가 등에 대하여는 그 귀책부분의 구상을 청구할 수 없다고 해석함이 상당하다 할 것이고, 이러한 해석이 손해의 공평·타당한 부담을 그 지도원리로 하는 손해배상제도의 이상에도 맞는다 할 것이다(대판 2001.2.15. 96다42420 전합).

유제 10. 국가직 7급 민간인과 직무집행 중인 군인의 공동불법행위로 인하여 직무집행 중인 다른 군인이 피해를 입은 경우, 민간인이 공동불법행위 자로 부담하는 책임은 공동불법행위의 일반적 경우와는 달리 모든 손해에 대한 것이 아니라 귀책비율에 따른 부분으로 한정된다는 것이 대법원의 입장이다. (○)

⑤ (○) 헌재는 민간인이 피해자에게 전부를 배상한 경우 구상권의 행사를 긍정한다.

> 국가배상법 제2조 제1항 단서 중 군인에 관련되는 부분을, 일반국민이 직무집행 중인 군인과의 공동불법행위로 직무집행 중인 다른 군인에게 공상을 입혀 그 피해자에게 공동의 불법행위로 인한 손해를 배상한 다음 공동불법행위자인 군인의 부담부분에 관하여 국가에 대하여 구상권을 행사하는 것을 허용하지 않는다고 해석한다면, 이는 합리적인 이유 없이 일반국민을 국가에 대하여 지나치게 차별하는 경우에 해당하므로 헌법 제11조, 제29조에 위반되며, 또한 헌법 제37조 제2항에 의하여 기본권을 제한할 때 요구되는 비례의 원칙에 위배하여 일반국민의 재산권을 과잉제한하는 경우에 해당하여 헌법 제23조 제1항 및 제37조 제2항에도 위반된다(헌재 1994.12.29. 93헌바21).

답 ④

007

국가배상에 대한 설명으로 옳지 않은 것은? (다툼이 있는 경우 판례에 의함)

① 「국가공무원법」 및 「지방공무원법」상 공무원뿐만 아니라 공무를 위탁받은 사인의 직무행위도 국가배상청구의 대상이 된다.
② 경찰공무원이 전투·훈련 등 직무집행과 관련하여 전사 순직하거나 공상을 입은 경우에 본인이나 그 유족이 다른 법령에 따라 재해보상금이나 유족연금 등의 보상을 지급받은 때에는 「국가배상법」 및 「민법」에 따른 손해배상을 청구할 수 없다.
③ 직무집행과 관련하여 공상을 입은 군인이 먼저 「국가배상법」에 따라 손해배상금을 지급받은 후 「보훈보상대상자 지원에 관한 법률」이 정한 보상금 등 보훈급여금의 지급을 청구하는 경우에 국가보훈처장은 「국가배상법」에 따라 손해배상을 받았다는 것을 이유로 그 지급을 거부할 수 있다.
④ 경찰공무원이 낙석사고 현장 부근으로 이동하던 중 대형 낙석이 순찰차를 덮쳐 사망한 사안에서 「국가배상법」의 이중배상 금지 규정에 따른 면책조항은 전투·훈련 또는 이에 준하는 직무집행뿐만 아니라 일반 직무집행에 관하여도 국가나 지방자치단체의 배상책임을 제한하는 것으로 해석하여야 한다.
⑤ 우편집배원이 압류 및 전부명령 결정 정본을 특별송달함에 있어 부적법한 송달을 하고도 적법한 송달을 한 것처럼 보고서를 작성하여 압류 및 전부의 효력이 발생하지 않아 집행채권자가 피압류 채권을 전부 받지 못한 경우 우편집배원의 직무상 의무위반과 집행채권자의 손해 사이에는 상당인과관계가 있다.

함께 정리하기

국가배상법

공무원
▷ 국가·지방공무원법상 공무원, 공무수탁사인

경찰공무원이 다른 법령에 따라 보상 지급받은 때
▷ 「국가배상법」,「민법」따른 손해배상청구 ×

「국가배상법」에 따른 손해배상금을 지급받은 후 보훈급여금 지급청구
▷ 지급거부 ×

이중배상금지 규정에 따른 면책조항
▷ 일반직무집행에 관한 배상책임도 제한

우편집배원의 부적법한 특별송달로 인한 직무상 의무위반과 집행채권자의 손해
▷ 상당인과관계 ○

2019년 국회직 8급

① (○) 공무수탁사인도 국가배상법상 공무원에 해당한다.

> 국가배상법 제2조 소정의 '공무원'이라 함은 국가공무원법이나 지방공무원법에 의하여 공무원으로서의 신분을 가진 자에 국한하지 않고, 널리 공무를 위탁받아 실질적으로 공무에 종사하고 있는 일체의 자를 가리키는 것으로서, 공무의 위탁이 일시적이고 한정적인 사항에 관한 활동을 위한 것이어도 달리 볼 것은 아니다(대판 2001.1.5. 98다39060).

② (○)

> 「국가배상법」제2조【배상책임】① 국가나 지방자치단체는 공무원 또는 공무를 위탁받은 사인(이하 "공무원"이라 한다)이 직무를 집행하면서 고의 또는 과실로 법령을 위반하여 타인에게 손해를 입히거나, 「자동차손해배상 보장법」에 따라 손해배상의 책임이 있을 때에는 이 법에 따라 그 손해를 배상하여야 한다. 다만, 군인·군무원·경찰공무원 또는 예비군대원이 전투·훈련 등 직무 집행과 관련하여 전사(戰死)·순직(殉職)하거나 공상(公傷)을 입은 경우에 본인이나 그 유족이 다른 법령에 따라 재해보상금·유족연금·상이연금 등의 보상을 지급받을 수 있을 때에는 이 법 및 「민법」에 따른 손해배상을 청구할 수 없다.

③ (×) 국가배상을 받은 후에도 보훈급여금 지급청구가 가능하다.

> 전투·훈련 등 직무집행과 관련하여 공상을 입은 군인·군무원·경찰공무원 또는 향토예비군대원이 먼저 국가배상법에 따라 손해배상금을 지급받은 다음 보훈보상대상자 지원에 관한 법률이 정한 보상금 등 보훈급여금의 지급을 청구하는 경우, 국가배상법 제2조 제1항 단서가 보훈보상자법 등에 의한 보상을 받을 수 있는 경우 국가배상법에 따른 손해배상청구를 하지 못한다는 것을 넘어 국가배상법상 손해배상금을 받은 경우 보훈보상자법상 보상금 등 보훈급여금의 지급을 금지하는 것으로 해석하기는 어려운 점 등에 비추어, 국가보훈처장은 국가배상법에 따라 손해배상을 받았다는 사정을 들어 보상금 등 보훈급여금의 지급을 거부할 수 없다(대판 2017.2.3. 2015두60075).

유제 19. 국가직 9급, 19. 서울시 9급 직무집행과 관련하여 공상을 입은 군인이 먼저 「국가배상법」상 손해배상을 받은 다음 구「국가유공자 등 예우 및 지원에 관한 법률」상 보훈급여금을 지급청구하는 경우, 국가배상을 받았다는 이유로 그 지급을 거부할 수 없다. (○)

④ (○) 이중배상금지조항은 일반직무집행에 의한 배상책임에도 적용된다.

> 경찰공무원 등이 '전투·훈련 등 직무집행과 관련하여' 순직 등을 한 경우 같은 법 및 민법에 의한 손해배상책임을 청구할 수 없다고 정한 국가배상법 제2조 제1항 단서의 면책조항은 구 국가배상법 제2조 제1항 단서의 면책조항과 마찬가지로 전투·훈련 또는 이에 준하는 직무집행뿐만 아니라 '일반 직무집행'에 관하여도 국가나 지방자치단체의 배상책임을 제한하는 것이라고 해석해야 한다(대판 2011.3.10. 2010다85942).

⑤ (○) 우편집배원의 부적법한 특별 송달과 채권자의 손해 사이에는 상당인과관계가 인정된다.

> 우편집배원이 압류 및 전부명령 결정 정본을 특별송달하는 과정에서 민사소송법을 위반하여 부적법한 송달을 하고도 적법한 송달을 한 것처럼 우편송달보고서를 작성하여 압류 및 전부의 효력이 발생한 것과 같은 외관을 형성시켰으나, 실제로는 압류 및 전부의 효력이 발생하지 아니하여 집행채권자로 하여금 피압류채권을 전부 받지 못하게 함으로써 손해를 입게 한 경우에는, 우편집배원의 위와 같은 직무상 의무위반과 집행채권자의 손해 사이에는 상당인과관계가 있다고 봄이 상당하고, 국가는 국가배상법에 의하여 그 손해에 대하여 배상할 책임이 있다(대판 2009.7.23. 2006다87798).

답 ③

008

국가배상제도에 대한 설명으로 옳은 것(○)과 옳지 않은 것(×)을 올바르게 조합한 것은? (다툼이 있는 경우 판례에 의함)

ㄱ. 공무원증 및 재직증명서 발급 업무를 담당하는 공무원이 다른 공무원의 공무원증을 위조한 행위는 그 실질이 직무행위에 속하지 아니하므로 「국가배상법」 제2조 제1항 소정의 직무집행에 해당하지 아니한다.
ㄴ. 어떠한 행정처분이 항고소송에서 위법한 것으로서 취소되었다면 이로써 당해 행정처분은 공무원의 고의 또는 과실에 의한 불법행위를 구성한다.
ㄷ. 헌법재판소는 「국가배상법」 제2조 제1항 단서를, 일반국민이 직무집행 중인 군인과의 공동불법행위로 직무집행 중인 다른 군인에게 공상을 입혀 그 피해자에게 공동의 불법행위로 인한 손해를 배상한 다음 공동불법행위자인 군인의 부담부분에 관하여 국가에 대하여 구상권을 행사하는 것을 허용하지 아니한다고 해석하는 한 헌법에 위반된다고 판단하였다.
ㄹ. 대법원은 공무원의 직무상 불법행위로 인하여 직무집행과 관련하여 피해를 입은 군인 등에 대하여 그 불법행위와 관련하여 공동불법행위책임을 지는 일반국민은 자신의 귀책부분을 초과하는 부분까지도 손해배상의무를 부담하며, 이를 전부 배상한 경우 다른 공동불법행위자인 군인의 부담부분에 관하여 국가를 상대로 구상권을 행사할 수 있다고 판단하였다.

① ㄱ(○), ㄴ(×), ㄷ(○), ㄹ(○)
② ㄱ(○), ㄴ(○), ㄷ(○), ㄹ(×)
③ ㄱ(×), ㄴ(×), ㄷ(○), ㄹ(×)
④ ㄱ(×), ㄴ(○), ㄷ(×), ㄹ(○)
⑤ ㄱ(×), ㄴ(×), ㄷ(○), ㄹ(○)

문제 DATA
출제가능 지수 ▶▶▷
난이도 지수 ★★★

2018년 변호사

ㄱ. (×) 인사업무 담당 공무원의 공무원증 위조는 직무관련성이 인정된다.

> 인사업무담당 공무원이 다른 공무원의 공무원증 등을 위조한 행위에 대하여 실질적으로는 직무행위에 속하지 아니 한다 할지라도 외관상으로 국가배상법 제2조 제1항의 직무집행관련성이 인정된다(대판 2005.1.14. 2004다26805).

ㄴ. (×) 처분이 항고소송에서 취소되어도 곧바로 불법행위를 구성하는 것은 아니다.

> 어떠한 행정처분이 후에 항고소송에서 취소되었다고 할지라도 그 기판력에 의하여 당해 행정처분이 곧바로 공무원의 고의 또는 과실로 인한 것으로서 불법행위를 구성한다고 단정할 수는 없는 것이다(대판 2012.5.24. 2012다11297).

ㄷ. (○) 헌재는 피해자에게 손해 전부를 배상한 민간인의 구상권 행사를 긍정한다.

> 일반국민이 직무집행 중인 군인과의 공동불법행위로 직무집행 중인 다른 군인에게 공상을 입혀 그 피해자에게 공동의 불법행위로 인한 손해를 배상한 다음 공동불법행위자인 군인의 부담부분에 관하여 국가에 대하여 구상권을 행사하는 것을 허용하지 아니한다고 해석하는 한, 헌법에 위반된다(헌재 1994.12.29. 93헌바21).

ㄹ. (×) 대법원은 민간인은 자기의 부담부분에 한하여 피해자에게 배상책임을 부담한다고 본다.

> 공동불법행위의 일반적인 경우와 달리 예외적으로 민간인은 피해 군인 등에 대하여 그 손해 중 국가 등이 민간인에 대한 구상의무를 부담한다면 그 내부적인 관계에서 부담하여야 할 부분을 제외한 나머지 자신의 부담부분에 한하여 손해배상의무를 부담하고, 한편 자신의 귀책부분을 넘어서 배상한 경우에도 국가 등에 대하여는 그 귀책 부분의 구상을 청구할 수 없다고 해석함이 상당하다(대판 2001.2.15. 96다42420 전합).

함께 정리하기
국가배상제도

인사업무담당공무원의 공무원증위조
▷ 직무관련성○

취소된 행정처분
▷ 곧바로 고의·과실에 의한 불법행위×

손해배상한 국민의 국가에 대한 구상권 행사 부정
▷ 헌법위반(헌재)

국민은 귀책범위에서만 배상의무부담
▷ 국가에 대한 구상권 행사불가(대법원)

유제 18. 국가직 9급 민간인과 직무집행 중인 군인의 공동불법행위로 인하여 직무집행 중인 다른 군인이 피해를 입은 경우 민간인이 피해 군인에게 자신의 과실비율에 따라 내부적으로 부담할 부분을 초과하여 피해금액 전부를 배상한 경우에 대법원 판례에 따르면 민간인은 국가에 대해 가해군인의 과실비율에 대한 구상권을 행사할 수 있다. (×)

답 ③

ALL KILL 기출   제4절 이중배상금지(청구권자의 제한)

01 판례는 이중배상이 배제되는 자는 전투경찰순경과 공익근무요원 등이라고 하였다.
09. 지방직 7급 ( )

02 대법원은 공동불법행위의 일반적인 경우와 달리 민간인은 자신의 부담부분만을 피해군인의 유족에게 배상하면 된다고 하였다.
12. 변호사 ( )

03 헌법재판소는 민간인이 공동불법행위자로서 피해군인의 유족에게 전액 손해배상한 후에 가해군인의 부담부분에 대해 국가에 구상청구하는 것을 부인하는 것은 헌법상 국가배상청구권 규정과 평등의 원칙을 위반하는 것이며, 비례의 원칙에 위배하여 재산권을 침해하는 것이라고 판시하였다.
12. 변호사 ( )

정답 및 해설

01 × 공익근무요원은 이중배상금지조항이 적용되지 않음(헌재 1996.6.13. 94헌마118·95헌바39 ; 대판 1997.3.28. 97다4036)

02 ○ 대법원은 민간인은 자기부담부분만 배상하면 된다고 봄(대판 2001.2.15. 96다42420 전합)

03 ○ 헌재는 민간인이 손해전부를 배상한 경우 국가에 대한 구상권을 인정(헌재 1994.12.29. 93헌바21)

제5절 | 손해배상의 범위

001 □□□

「국가배상법」에 대한 설명으로 옳지 않은 것은?

① 「국가배상법」은 국가배상책임의 주체를 국가 또는 공공단체로 규정하고 있다.
② 피해자가 손해를 입은 동시에 이익을 얻은 경우에는 손해배상액에서 그 이익에 상당하는 금액을 빼야 한다.
③ 국가배상소송은 배상심의회에 배상신청을 하지 아니하고도 제기할 수 있다.
④ 국가배상청구권은 피해자나 그 법정대리인이 그 손해 및 가해자를 안 날로부터 3년간 이를 행사하지 아니하면 시효로 인하여 소멸한다.

| 2015년 사회복지직

① (×) 「국가배상법」은 국가배상책임의 주체를 국가 또는 지방자치단체로 규정하고 있다.

「국가배상법」 제2조 【배상책임】 ① 국가나 지방자치단체는 공무원 또는 공무를 위탁받은 사인(이하 "공무원"이라 한다)이 직무를 집행하면서 고의 또는 과실로 법령을 위반하여 타인에게 손해를 입히거나, 「자동차손해배상 보장법」에 따라 손해배상의 책임이 있을 때에는 이 법에 따라 그 손해를 배상하여야 한다. (이하 생략)

문제 DATA
출제가능 지수 ▶▶▷
난이도 지수 ★★☆

함께 정리하기

국가배상법

배상책임자
▷ 국가
▷ 지방자치단체

손해와 동시에 이익
▷ 손익공제

배상심의회 심의결정
▷ 임의적 전치주의

소멸시효기간
▷ 손해가해자 안 날 3년

② (○)

> 「국가배상법」 제3조의2 【공제액】 ① 제2조 제1항을 적용할 때 피해자가 손해를 입은 동시에 이익을 얻은 경우에는 손해배상액에서 그 이익에 상당하는 금액을 빼야 한다.

③ (○)

> 「국가배상법」 제9조 【소송과 배상신청의 관계】 이 법에 따른 손해배상의 소송은 배상심의회(이하 "심의회"라 한다)에 배상신청을 하지 아니하고도 제기할 수 있다.

④ (○)

> 「국가배상법」 제8조 【다른 법률과의 관계】 국가나 지방자치단체의 손해배상 책임에 관하여는 이 법에 규정된 사항 외에는 「민법」에 따른다. 다만, 「민법」 외의 법률에 다른 규정이 있을 때에는 그 규정에 따른다.
> 「민법」 제766조 【손해배상청구권의 소멸시효】 ① 불법행위로 인한 손해배상의 청구권은 피해자나 그 법정대리인이 그 손해 및 가해자를 안 날로부터 3년간 이를 행사하지 아니하면 시효로 인하여 소멸한다.
> ② 불법행위를 한 날로부터 10년을 경과한 때에도 전항과 같다.

답 ①

제6절 | 국가배상의 청구절차

001 □□□

국가배상에 대한 설명으로 옳지 않은 것은? (다툼이 있는 경우 판례에 의함)

① 국가배상책임에서의 법령위반은, 인권존중·권력남용금지·신의성실·공서양속 등의 위반도 포함해 널리 그 행위가 객관적인 정당성을 결여하고 있음을 의미한다.
② 공무원에게 부과된 직무상 의무는 전적으로 또는 부수적으로 사회구성원 개인의 안전과 이익을 보호하기 위해 설정된 것이어야 국가배상책임이 인정된다.
③ 배상심의회의 결정은 대외적인 법적 구속력을 가지므로 배상 신청인과 상대방은 그 결정에 항상 구속된다.
④ 판례는 구 「국가배상법」 제3조의 배상액 기준은 배상심의회 배상액 결정의 기준이 될 뿐 배상 범위를 법적으로 제한하는 규정이 아니므로 법원을 기속하지 않는다고 보았다.

| 2020년 서울시·지방직·교육행정직 9급

① (○) 「국가배상법」상 법령위반에는 객관적 정당성의 결여도 포함된다.

> 국가배상책임에 있어서 공무원의 가해행위는 '법령에 위반한' 것이어야 하고, 법령 위반이라 함은 엄격한 의미의 법령 위반뿐만 아니라 인권존중, 권력남용금지, 신의성실, 공서양속 등의 위반도 포함하여 널리 그 행위가 객관적인 정당성을 결여하고 있음을 의미한다고 할 것이다(대판 2009.12.24. 2009다70180; 대판 2008.6.12. 2007다64365).

유제 20. 변호사 「국가배상법」 제2조 제1항의 '법령에 위반하여'라고 함은 엄격하게 형식적 의미의 법령에 명시적으로 공무원의 행위의무가 정하여져 있음에도 이를 위반하는 경우만을 의미하는 것이 아니고, 널리 그 행위가 객관적인 정당성을 결여하고 있는 경우도 포함한다. (○)

문제 DATA

출제가능 지수 ▶▶▷
난이도 지수 ★★☆

함께 정리하기

국가배상

「국가배상법」상 법령위반
▷ 객관적 정당성의 결여 포함

상당인과관계
▷ 전적으로 또는 부수적으로 사익보호성 要

배상심의회 결정
▷ 법적 구속력 ×

「국가배상법」 제3조상의 배상기준
▷ 법원을 기속 ×
▷ 기준액설, 법원은 배상기준보다 초과배상 可

② (○) 「국가배상법」상 상당인과관계에는 공무원의 직무상 의무가 전적·부수적으로 사익보호성이 있을 것이 요구된다.

> 국가배상법상 상당인과관계를 인정하기 위하여는 전적 또는 부수적으로 사익보호성이 공무원이 고의 또는 과실로 그에게 부과된 직무상 의무를 위반하였을 경우라고 하더라도 국가는 그러한 직무상의 의무 위반과 피해자가 입은 손해 사이에 상당인과관계가 인정되는 범위 내에서만 배상책임을 지는 것이고, 이 경우 상당인과관계가 인정되기 위하여는 공무원에게 부과된 직무상 의무의 내용이 단순히 공공 일반의 이익을 위한 것이거나 행정기관 내부의 질서를 규율하기 위한 것이 아니고 전적으로 또는 부수적으로 사회구성원 개인의 안전과 이익을 보호하기 위하여 설정된 것이어야 한다(대판 2011.9.8. 2011다34521).

유제 19. 국회직 8급 공무원에게 부과된 직무상 의무의 내용이 공공 일반의 이익을 위한 것이거나 행정기관의 내부질서를 규율하기 위한 경우에도 공무원이 그 직무상 의무를 위반하여 피해자가 입은 손해에 대하여서는 상당인과관계가 인정되는 범위 내에서 국가가 배상책임을 진다. (×)

③ (×) 배상심의회의 결정은 법적 구속력을 갖지 않으며 신청인은 그 결정에 대한 동의여부를 결정할 수 있다. 배상결정을 받은 신청인이 배상금지급의 청구를 하지 않거나 지자체가 법령이 정한 기간 내에 배상금을 지급하지 않는 때에는 그 결정에 동의하지 아니한 것으로 본다(「국가배상법」 제15조 제3항). 또한 배상결정에 동의하거나 배상금을 수령한 경우에도 법원에 국가배상청구소송을 제기할 수 있다. 개정 전 「국가배상법」 제16조에서는 "심의회의 배상결정은 신청인이 동의한 때 「민사소송법」의 규정에 의한 재판상의 화해가 성립된 것으로 본다."고 규정하고 있었으나 이는 국민의 재판청구권을 과도하게 제한하는 것이라고 하여 위헌결정(헌재 1995.5.25. 91헌가7)을 받은 후 삭제되었다.

> **신청인이 동의한 때 배상심의회의 배상결정에 재판상 화해의 효력을 부여하던 구 국가배상법 규정은 헌법에 위반된다.**
> 이 사건 심판대상조항부분은 국가배상에 관한 분쟁을 신속히 종결·이행시키고 배상결정에 안정성을 부여하여 국고의 손실을 가능한 한 경감하려는 입법목적을 달성하기 위하여 동의된 배상결정에 재판상의 화해의 효력과 같은, 강력하고도 최종적인 효력을 부여하여 재심의 소에 의하여 취소 또는 변경되지 않는 한 그 효력을 다툴 수 없도록 하고 있는바, 사법절차에 준한다고 볼 수 있는 각종 중재·조정절차와는 달리 배상결정절차에 있어서는 심의회의 제3자성·독립성이 희박한 점, 심리절차의 공정성·신중성도 결여되어 있는 점, 심의회에서 결정되는 배상액이 법원의 그것보다 하회하는 점 및 불제소합의의 경우와는 달리 신청인의 배상결정에 대한 동의에 재판청구권을 포기할 의사까지 포함되는 것으로 볼 수도 없는 점을 종합하여 볼 때, 이는 신청인의 재판청구권을 과도하게 제한하는 것이어서 헌법 제37조 제2항에서 규정하고 있는 기본권 제한입법에 있어서의 과잉입법금지의 원칙에 반할 뿐 아니라, 권력을 입법·행정 및 사법 등으로 분립한 뒤 실질적 의미의 사법작용인 분쟁해결에 관한 종국적인 권한은 원칙적으로 이를 헌법과 법률에 의한 법관으로 구성되는 사법부에 귀속시키고 나아가 국민에게 그러한 법관에 의한 재판을 청구할 수 있는 기본권을 보장하고자 하는 헌법의 정신에도 충실하지 못한 것이다. 따라서 국가배상법(1967.3.3. 법률 제1899호) 제16조 중 "심의회의 배상결정은 신청인이 동의한 때에는 민사소송법의 규정에 의한 재판상의 화해가 성립된 것으로 본다."라는 부분은 헌법에 위반된다(헌재 1995.5.25. 91헌가7).

④ (○) 「국가배상법」상 배상기준은 기준액을 정한 것으로서 법원을 기속하지 않는다.

> 국가배상법 제3조 제1항과 제3항의 손해배상 기준은 배상심의회의 배상금 지급기준을 정함에 있어서의 하나의 기준을 정한 것에 지나지 아니하는 것이고 이로써 배상액의 상한을 제한한 것으로 볼 수는 없다 할 것이며 따라서 법원이 국가배상법에 의한 손해배상액을 산정함에 있어서는 같은 법 제3조 소정의 기준에 구애되는 것이 아니라 할 것이니 이 규정은 국가 또는 공공단체에 대한 손해배상청구권을 규정한 헌법 제26조에 위배된다고는 볼 수 없다 (대판 1970.1.29. 69다1203).

답 ③

002

「국가배상법」상의 배상청구절차에 대한 설명으로 옳은 것은? (다툼이 있는 경우 판례에 의함)

① 「국가배상법」에 의한 손해배상소송을 제기하려면 먼저 배상심의회에 배상신청을 하여야 한다.
② 군인 또는 군무원이 타인에게 가한 손해에 대한 배상신청사건을 심의하기 위하여 국방부에 두는 특별심의회는 법무부장관의 지휘를 받지 않는다.
③ 판례에 따르면 「국가배상법」상 배상심의회에 의한 배상결정은 행정처분이 아니다.
④ 지구배상심의회와 본부배상심의회의 관할은 배상금의 개산액에 따라 구분되는 것이므로 지구배상심의회에서 배상신청이 기각 또는 각하되면 본부배상심의회에 재심을 청구할 수 없다.

문제 DATA
출제가능 지수 ▶▶▷
난이도 지수 ★★☆

2008년 선관위

① (×)

> 「국가배상법」 제9조【소송과 배상신청의 관계】이 법에 따른 손해배상의 소송은 배상심의회(이하 "심의회"라 한다)에 배상신청을 하지 아니하고도 제기할 수 있다.

② (×)

> 「국가배상법」 제10조【배상심의회】① 국가나 지방자치단체에 대한 배상신청사건을 심의하기 위하여 법무부에 본부심의회를 둔다. 다만, 군인이나 군무원이 타인에게 입힌 손해에 대한 배상신청사건을 심의하기 위하여 국방부에 특별심의회를 둔다.
> ③ 본부심의회와 특별심의회와 지구심의회는 법무부장관의 지휘를 받아야 한다.

③ (○) 배상심의회의 배상결정은 행정처분에 해당하지 않는다.

> 국가배상법에 의한 배상심의회의 결정은 행정처분이 아니므로 행정소송의 대상이 아니다(대판 1981.2.10. 80누317).

④ (×)

> 「국가배상법」 제15조의2【재심신청】① 지구심의회에서 배상신청이 기각(일부기각된 경우를 포함한다) 또는 각하된 신청인은 결정정본이 송달된 날부터 2주일 이내에 그 심의회를 거쳐 본부심의회나 특별심의회에 재심(再審)을 신청할 수 있다.

답 ③

함께 정리하기
국가배상청구절차

배상심의회 배상결정
▷ 임의적 전치주의
▷ 행정처분×

국방부특별심의회
▷ 법무부장관지휘

지구배상심의회 배상기각·각하
▷ 본부배상심의회에 재심청구 可

문제 DATA

출제가능 지수 ▶▶▷
난이도 지수 ★★☆

함께 정리하기

국가배상

배상심의회 심의결정
▷ 임의적 전치주의

공익근무요원
▷ 이중배상이 금지되는 자 ✕

피해자에게 직접 손해배상한 경과실 공무원
▷ 국가에 대해 구상권 행사 可

국가배상청구권의 소멸시효
▷ 손해 및 가해자를 안 날로부터 3년
▷ 불법행위가 있은 날로부터 5년

003 □□□

「국가배상법」상의 배상책임에 대한 설명으로 옳은 것은? (다툼이 있는 경우 판례에 의함)

① 「국가배상법」상 손해배상의 소송은 배상심의회의 배상심의를 거치지 아니하면 이를 제기할 수 없다.
② 공익근무요원도 「국가배상법」 제2조 제1항 단서의 이중배상이 금지되는 자에 해당한다.
③ 피해자에게 직접 손해를 배상한 경과실이 있는 공무원은 국가에 대해 구상권을 행사할 수 없다.
④ 국가배상청구권은 피해자나 법정대리인이 손해 및 가해자를 안 날로부터 3년간, 불법행위가 있은 날로부터 5년간 이를 행사하지 않으면 시효로 인하여 소멸된다.

| 2023년 군무원 7급

① (✕)

> 「국가배상법」 제9조 【소송과 배상신청의 관계】 이 법에 따른 손해배상의 소송은 배상심의회(이하 "심의회"라 한다)에 배상신청을 하지 아니하고도 제기할 수 있다.

② (✕) 공익근무요원은 이중배상이 금지되는 자에 해당하지 않는다.

> 공익근무요원(현 사회복무요원)은 보충역에 편입되어 있는 자이기 때문에, 소집되어 군에 복무하지 않는 한 군인이라고 말할 수 없으므로, 비록 병역법 제75조 제2항이 공익근무요원으로 복무 중 순직한 사람의 유족에 대하여 국가유공자 등 예우 및 지원에 관한 법률에 따른 보상을 하도록 규정하고 있다고 하여도, 공익근무요원이 국가배상법 제2조 제1항 단서의 규정에 의하여 국가배상법상 손해배상청구가 제한되는 군인·군무원·경찰공무원 또는 향토예비군대원에 해당한다고 할 수 없다(대판 1997.3.28. 97다4036).

③ (✕) 경과실의 공무원이 피해자에게 손해를 직접 배상한 경우 국가에 대해 변제금액에 관하여 구상권을 취득한다.

> 공무원이 직무수행 중 불법행위로 타인에게 손해를 입힌 경우에 국가 등이 국가배상책임을 부담하는 외에 공무원 개인도 고의 또는 중과실이 있는 경우에는 불법행위로 인한 손해배상책임을 지고, 공무원에게 경과실이 있을 뿐인 경우에는 공무원 개인은 손해배상책임을 부담하지 아니한다. 이처럼 경과실이 있는 공무원이 피해자에 대하여 손해배상책임을 부담하지 아니함에도 피해자에게 손해를 배상하였다면 그것은 채무자 아닌 사람이 타인의 채무를 변제한 경우에 해당하고, 이는 민법 제469조의 '제3자의 변제' 또는 민법 제744조의 '도의관념에 적합한 비채변제'에 해당하여 피해자는 공무원에 대하여 이를 반환할 의무가 없고, 그에 따라 피해자의 국가에 대한 손해배상청구권이 소멸하여 국가는 자신의 출연 없이 채무를 면하게 되므로, 피해자에게 손해를 직접 배상한 경과실이 있는 공무원은 특별한 사정이 없는 한 국가에 대하여 국가의 피해자에 대한 손해배상책임의 범위 내에서 공무원이 변제한 금액에 관하여 구상권을 취득한다고 봄이 타당하다(대판 2014.8.20. 2012다54478).

④ (〇) 국가배상법에는 배상청구권의 소멸시효에 관하여 특별한 규정이 없으므로, 국가배상법 제8조에 따라 민법 제766조 제1항이 적용된다. 따라서 손해배상청구권은 피해자나 그 법정대리인이 손해 및 그 가해자를 안 날로부터 3년 간 이를 행사하지 아니하면 시효로 인하여 소멸한다. 한편, 손해와 그 가해자를 알지 못한 경우에는 국가배상법 제8조의 단서 및 국가재정법 제96조 제2항에 따라 불법행위를 한 날부터 5년간 행사하지 않으면 시효로 인하여 소멸한다(대판 2001.4.24. 2000다57856).

답 ④

제2장 행정상 손실보상

제1절 | 손실보상청구권의 요건

001 □□□

행정상 손실보상에 대한 설명으로 옳지 않은 것은? (다툼이 있는 경우 판례에 의함)

① 분리이론과 경계이론은 재산권의 내용·한계 설정과 공용침해를 보다 합리적으로 구분하려는 이론이다.
② 헌법 제23조 제3항에서 보상은 법률로써 하되 정당한 보상을 지급하여야 한다고 하여 구체적인 보상액의 산출기준은 법률에 유보하고 있다.
③ 중앙토지수용위원회의 이의재결에 대한 행정소송은 재결서를 받은 날부터 60일 이내에 제기해야 한다.
④ 헌법재판소는 헌법 제23조 제3항의 정당한 보상에 세입자의 이주대책까지 포함된다고 본다.

> 문제 DATA
> 출제가능 지수 ▶▶▷
> 난이도 지수 ★★☆

2018년 교육행정직 변형

① (O) 경계이론은 헌법 제23조 제1항·제2항과 제3항 모두 보상의 근거가 되며, 단지 제한정도의 차이가 있는 것에 불과하다고 보는 견해이고, 분리이론은 헌법 제23조 제1항·제2항과 제3항을 별개의 제도를 규정하고 있는 것으로 보는 견해이다. 즉, 분리이론과 경계이론은 손실보상의 헌법적 근거인 헌법 제1항·제2항과 제3항의 의미와 관련된 견해의 대립으로 재산권의 내용·한계설정과 공용침해를 합리적으로 구분하려는 견해이다.

② (O)
> 헌법 제23조 ③ 공공필요에 의한 재산권의 수용·사용 또는 제한 및 그에 대한 보상은 법률로써 하되, 정당한 보상을 지급하여야 한다.

③ (O)
> 「공익사업을 위한 토지 등의 취득 및 보상에 관한 법률」제85조 【행정소송의 제기】① 사업시행자, 토지소유자 또는 관계인은 제34조에 따른 재결에 불복할 때에는 재결서를 받은 날부터 90일 이내에, 이의신청을 거쳤을 때에는 이의신청에 대한 재결서를 받은 날부터 60일 이내에 각각 행정소송을 제기할 수 있다. 이 경우 사업시행자는 행정소송을 제기하기 전에 제84조에 따라 늘어난 보상금을 공탁하여야 하며, 보상금을 받을 자는 공탁된 보상금을 소송이 종결될 때까지 수령할 수 없다.

④ (×) 정당한 보상의 내용에는 세입자 이주대책이 포함되지 않는다.

> 이주대책의 실시 여부는 입법자의 입법정책적 재량의 영역에 속하므로 공익사업을 위한 토지 등의 취득 및 보상에 관한 법률 시행령 제40조 제3항 제3호가 이주대책의 대상자에서 세입자를 제외하고 있는 것이 세입자의 재산권을 침해하는 것이라 볼 수 없다. 입법자가 이주대책 대상자에서 세입자를 제외하고 있는 이 사건 조항을 불합리한 차별로서 세입자의 평등권을 침해하는 것이라 볼 수는 없다(헌재 2006.2.23. 2004헌마19).

답 ④

> 함께 정리하기
> **손실보상**
> **경계이론·분리이론**
> ▷ 재산권 내용·한계와 공용침해 합리적으로 구분
> **헌법 제23조**
> ▷ 보상액 산출기준 법률에 유보
> **이의재결에 대한 행정소송**
> ▷ 재결서 받은 날로 60일 내
> **헌법상 정당한 보상**
> ▷ 세입자 이주대책 불포함(입법재량)

문제 DATA

출제가능 지수 ▶▶▷
난이도 지수 ★★☆

함께 정리하기

행정상 손실보상

대법원
▷ 보상규정 → 관련규정 유추해 보상 可

공공용물의 적법한 개발행위로 일반 사용 제한
▷ 특별한 손실 ✕

토석채취허가 미연장으로 인한 손실
▷ 손실보상의 대상 ✕

개발제한구역지정으로 인한 지가하락
▷ 사회적 제약의 범주 ○

---

002 ☐☐☐

행정상 손실보상에 대한 설명으로 가장 옳은 것은? (다툼이 있는 경우 판례에 의함)

① 헌법재판소는 공용침해로 인한 특별한 손해에 대한 보상규정이 없는 경우에 관련 보상규정을 유추적용하여 보상하려는 경향이 있다.
② 공공용물에 관하여 적법한 개발행위 등이 이루어져 일정 범위의 사람들의 일반사용이 종전에 비하여 제한받게 되었다 하더라도 특별한 사정이 없는 한 이는 특별한 손실에 해당한다고 할 수 없다.
③ 공익사업의 시행으로 토석채취허가를 연장받지 못한 경우 그로 인한 손실은 적법한 공권력의 행사로 가하여진 재산상의 특별한 희생으로서 손실보상의 대상이 된다.
④ 개발제한구역 지정으로 인한 지가의 하락은 원칙적으로 토지소유자가 감수해야 하는 사회적 제약의 범주에 속하나, 지가의 하락이 20% 이상으로 과도한 경우에는 특별한 희생에 해당한다.

2018년 서울시 9급

① (✕) 헌법재판소는 보상규정이 없는 경우 위헌으로 보고 보상입법 후 보상청구가 가능하다는 입장이다. 반면, 대법원은 제외지(堤外地)에 대하여 「하천법」의 보상규정을 유추적용하거나(대판 1987.7.21. 84누126), 공공사업의 시행으로 발생한 간접손실의 경우에 구 「공공용지의 취득 및 손실보상에 관한 특례법 시행규칙」을 유추적용한 바 있어(대판 2004.9.23. 2004다25581), 원칙적으로 개별 법령상의 관련 보상규정을 유추적용하여 보상하는 입장이다.

유제 18. 국회직 8급 대법원은 손실보상규정이 없는 경우에 다른 손실보상규정의 유추적용을 인정하는 경우가 있다. (○)

② (○) 공공용물의 적법한 개발로 일반사용이 제한되어도 특별한 손실에 해당하지 않는다.

> 공공용물에 관하여 적법한 개발행위 등이 이루어짐으로 말미암아 이에 대한 일정범위의 사람들의 일반사용이 종전에 비하여 제한받게 되었다 하더라도 특별한 사정이 없는 한 그로 인한 불이익은 손실보상의 대상이 되는 특별한 손실에 해당한다고 할 수 없다(대판 2002.2.26. 99다35300).

③ (✕) 토석채취허가의 미연장으로 인한 손실은 손실보상의 대상이 아니다.

> 중대한 공익상의 필요가 있는 공익사업이 시행되어 토석채취허가를 연장받지 못하게 되었다고 하더라도 토석채취허가가 연장되지 않게 됨으로 인한 손실과 공익사업 사이에 상당인과관계가 있다고 할 수 없을 뿐 아니라, 특별한 사정이 없는 한 그러한 손실이 적법한 공권력의 행사로 가하여진 재산상의 특별한 희생으로서 손실보상의 대상이 된다고 볼 수도 없다(대판 2009.6.23. 2009두2672).

④ (✕) 헌법재판소는 개발제한구역지정 후 토지를 종래의 목적으로 사용할 수 없거나 또는 토지를 전혀 이용할 수 있는 방법이 없는 예외적인 경우에는 사회적 제약의 한계를 넘는 특별한 희생에 해당한다고 보아 그에 대한 보상규정의 흠결을 위헌으로 보았으나 지가의 하락 자체는 토지소유자가 감수해야 할 사회적 제약의 범주로 보았다.

개발제한구역의 지정으로 인한 지가하락은 사회적 제약의 범주 내이다.
개발제한구역의 지정으로 인한 개발가능성의 소멸과 그에 따른 지가의 하락이나 지가상승률의 상대적 감소는 토지 소유자가 감수해야 하는 사회적 제약의 범주에 속하는 것으로 … 구 도시계획법 제21조에 규정된 개발제한구역제도 그 자체는 원칙적으로 합헌적인 규정인데, 다만 개발제한구역의 지정으로 말미암아 일부 토지소유자에게 사회적 제약의 범위를 넘는 가혹한 부담이 발생하는 예외적인 경우에 대하여 보상규정을 두지 않은 것에 위헌성이 있는 것이고, 보상의 구체적 기준과 방법은 헌법재판소가 결정할 성질의 것이 아니라 광범위한 입법형성권을 가진 입법자가 입법정책적으로 정할 사항이므로, 입법자는 되도록 빠른 시일 내에 보상입법을 하여 위헌적 상태를 제거할 의무가 있고, 입법자가 보상입법을 마련함으로써 위헌적인 상태를 제거할 때까지 위 조항을 형식적으로 존속케 하기 위하여 헌법불합치결정을 하는 것이다(헌재 1998.12.24. 89헌마214).

유제 19. 지방직 9급 토지를 종래의 목적으로 사용할 수 없거나 더 이상 법상 허용된 이용방법이 없는 경우에 해당하지 않는 제약은 사회적 제약의 범주 내에 있는 것이고, 그렇지 않은 제약은 손실을 완화하는 보상적 조치가 있어야 비로소 허용되는 범주 내에 있는 것이다. (O)

답 ②

003

행정상 손실보상에 대한 설명으로 옳은 것은? (다툼이 있는 경우 판례에 의함)

① 손실보상의 이론적 근거로서 특별희생설에 의하면, 공공복지와 개인의 권리 사이에 충돌이 있는 경우에는 개인의 권리가 우선한다.
② 손실보상청구권을 공권으로 보게 되면 손실보상청구권을 발생시키는 침해의 대상이 되는 재산권에는 공법상의 권리만이 포함될 뿐 사법상의 권리는 포함되지 않는다.
③ 헌법재판소는 헌법 제23조 제3항의 '공공필요'는 '국민의 재산권을 그 의사에 반하여 강제적으로라도 취득해야 할 공익적 필요성'을 의미하고, 이 요건 중 공익성은 기본권 일반의 제한사유인 '공공복리'보다 좁은 것으로 보고 있다.
④ 헌법 제23조 제3항을 국민에 대한 직접적인 효력이 있는 규정으로 보는 견해는 동조항의 재산권의 수용·사용·제한 규정과 보상규정을 불가분조항으로 본다.

2017년 국가직 9급

① (✕) 경계이론(특별희생설)은 헌법 제23조 제1항·제2항과 제3항 모두 보상의 근거가 되며, 단지 제한 정도의 차이가 있는 것에 불과하다고 보는 견해이다. 재산권의 '사용'과 '제한' 그리고 '수용' 모두 재산권에 내재하는 사회적 제약을 넘어 특별한 희생이 발생한 경우에는 보상을 해야 하는 공용침해에 해당한다고 본다. 경계이론에 따르면 공공복지와 개인의 권리 사이에 충돌이 있는 경우에는 공공복지를 우선하고 특별희생을 받게 되는 개인에게는 보상을 주는 것으로 족하다.
② (✕) 헌법 제23조 제1항에 의하여 보호되는 재산권에는 공법상의 권리만이 아니라 사법상의 권리(물권, 채권, 공유수면매립권, 저작권, 특허권 등)까지 포함되고 이는 손실보상청구권의 법적 성격에 대하여 공권으로 보는 견해에 의하여도 마찬가지이다.
③ (O) 우리 헌법재판소는 헌법 제37조 제2항의 공공복리의 헌법 제23조 제3항의 공공필요의 관계에 대하여 공공필요를 기본권 일반의 제한사유인 공공복리보다 좁게 보고 있다(헌재 2014.10.30. 2011헌바129·172).
④ (✕) 헌법 제23조 제3항은 국민에게 직접효력이 있다는 직접효력설에 의하면 동 조항을 불가분조항이 아니라고 본다. 이 견해는 적법한 공행정작용으로 인하여 재산권에 대한 특별한 희생이 발생하였으나 개별 법률에 손실보상에 관한 규정이 없는 경우, 헌법 제23조 제3항의 규정만으로 손실보상을 청구할 수 있다고 보기 때문이다.

답 ③

문제 DATA

출제가능 지수 ▶▶▷
난이도 지수 ★★☆

함께 정리하기

손실보상

특별희생설(경계이론)
▷ 공공복리 우선

재산권 보장 대상
▷ 공법상 권리 + 사법상 권리

헌법 제23조 제3항 '공공필요'
▷ 헌법 제37조 제2항 '공공복리'보다 좁은 개념

직접효력설
▷ 재산권 수용·사용·제한 규정과 보상 규정 → 불가분조항✕

문제 DATA
출제가능 지수 ▶▶▷
난이도 지수 ★★☆

004 □□□

행정상 손실보상제도에 대한 설명으로 옳지 않은 것은? (다툼이 있는 경우 판례에 의함)

① 헌법 제23조 제1항의 규정이 재산권의 존속을 보호하는 것이라면 제23조 제3항의 수용제도를 통해 존속보장은 가치보장으로 변하게 된다.
② 평등의 원칙으로부터 파생된 '공적 부담 앞의 평등'은 손실보상의 이론적 근거가 될 수 있다.
③ 헌법 제23조 제3항을 불가분조항으로 볼 경우, 보상규정을 두지 아니한 수용법률은 헌법위반이 된다.
④ 대법원은 구 「하천법」 부칙 제2조와 이에 따른 특별조치법에 의한 손실보상청구권의 법적 성질을 사법상의 권리로 보아 그에 대한 쟁송은 행정소송이 아닌 민사소송절차에 의하여야 한다고 판시하고 있다.

2017년 지방직 9급

함께 정리하기

손실보상

헌법 제23조 제1항
▷ 존속보장

헌법 제23조 제3항의 수용
▷ 가치보장

공적 부담 앞의 평등
▷ 손실보상근거

헌법 제23조 제3항을 불가분조항으로 볼 경우
▷ 보상규정 無 → 위헌

「하천법」상 손실보상
▷ 공법상 권리 & 당사자소송 대상

① (○) 재산권의 존속보장은 재산적 가치가 있는 구체적 권리의 존속을 보장하는데 일차적 의의를 두는 것을 말한다. 헌법 제23조에 의해 보장되는 재산권은 일차적으로 존속보장이 우선하여야 할 것이지만, 공공필요에 의해 재산권에 대한 공용침해가 행하여지고 정당한 보상이 지급되는 경우에는 재산권의 존속보장은 가치보장으로 변하게 된다고 할 것이다.

> 헌법 제23조 ① 모든 국민의 재산권은 보장된다. 그 내용과 한계는 법률로 정한다.
> ② 재산권의 행사는 공공복리에 적합하도록 하여야 한다.
> ③ 공공필요에 의한 재산권의 수용·사용 또는 제한 및 그에 대한 보상은 법률로써 하되, 정당한 보상을 지급하여야 한다.

② (○) 손실보상이란 공공필요에 의한 적법한 공행정작용으로 개인의 재산권이 침해되는 특별한 희생이 발생한 경우의 보상규정에 따른 보상을 말한다. 즉, 적법·무책한 공행정작용에 의한 침해에 대한 보상이다. 이는 재산권의 보장과 공적 부담 앞의 평등을 실현하기 위한 것이다.
③ (○) 불가분조항이란 동일한 법률 중에 재산권의 제한과 보상의 방법이 함께 규정되어 있어야 한다는 것을 말하는데, 헌법 제23조 제3항을 불가분조항으로 인정하게 되면 보상규정은 공용제한 등의 효력요건·전제요건을 의미하게 되고 보상규정이 없는 재산권 제한 법률은 위헌·무효로 된다.
④ (×) 「하천법」상 손실보상청구권은 공권이므로 당사자소송의 대상이 된다.

> 개정 하천법 등이 하천구역으로 편입된 토지에 대하여 손실보상청구권을 규정한 것은 헌법 제23조 제3항이 선언하고 있는 손실보상 청구권을 하천법에서 구체화한 것으로서, 하천구역 편입 토지에 대한 손실보상청구권은 공법상의 권리임이 분명하고, 따라서 그 손실보상을 둘러싼 쟁송은 사인 간 분쟁을 대상으로 하는 민사소송이 아니라 공법상의 법률관계를 대상으로 하는 당사자소송 절차에 의하여야 할 것이다(대판 2006.5.18. 2004다6207 전합).

유제 14. 서울시 7급 판례는 구 「하천법」상 하천구역 편입토지에 대한 손실보상청구를 공법상의 권리라고 보아 항고소송에 의하여야 한다고 보고 있다. (×)
19. 지방직 9급 하천구역 편입토지에 대한 손실보상청구권은 사법상의 권리라는 것이 판례의 입장이다. (×)

답 ④

005

손실보상에 대한 설명으로 가장 옳지 않은 것은? (다툼이 있는 경우 판례에 의함)

① 우리 헌법상 수용의 주체를 국가로 한정하고 있지 않으므로 민간기업도 수용의 주체가 될 수 있다.
② 토지를 종래의 목적으로도 사용할 수 없는 경우에는 토지소유자가 수인해야 할 사회적 제약의 한계를 넘는 것으로 보아야 한다.
③ 헌법 제23조 제3항의 정당한 보상이란 원칙적으로 피수용재산의 객관적인 재산가치를 완전하게 보상하는 것이어야 한다는 완전보상을 뜻한다.
④ 간접적 영업손실은 특별한 희생이 될 수 없다.

2019년 서울시 9급

① (○) 민간기업도 수용의 주체가 될 수 있다.

> 헌법 제23조 제3항은 정당한 보상을 전제로 하여 재산권의 수용 등에 관한 가능성을 규정하고 있지만, 재산권 수용의 주체를 한정하지 않고 있다. 위 헌법조항의 핵심은 당해 수용이 공공필요에 부합하는가, 정당한 보상이 지급되고 있는가 여부 등에 있는 것이지, 그 수용의 주체가 국가인지 민간기업인지 여부에 달려 있다고 볼 수 없다. 따라서 위 수용 등의 주체를 국가 등의 공적 기관에 한정하여 해석할 이유가 없다(헌재 2009.9.24. 2007헌바114).

유제 19. 변호사 헌법 제23조 제3항은 정당한 보상을 전제로 하여 재산권의 수용 등에 관한 가능성을 규정하고 있지만 재산권 수용의 주체를 정하고 있지 않으므로 민간기업을 수용의 주체로 규정한 자체를 두고 위헌이라고 할 수 없다. (○)

② (○) 개발제한구역지정으로 종래목적으로 사용할 수 없으면 사회적 제약의 한계를 일탈한 것이다.

> 개발제한구역 지정으로 인하여 토지를 종래의 목적으로도 사용할 수 없거나 또는 더 이상 법적으로 허용된 토지 이용의 방법이 없기 때문에 실질적으로 토지의 사용·수익의 길이 없는 경우에는 토지소유자가 수인해야 하는 사회적 제약의 한계를 넘는 것으로 보아야 한다(헌재 1998.12.24. 89헌마214).

③ (○) 헌법상 정당보상은 완전보상을 의미한다.

> 헌법 제23조 제3항이 규정하는 정당한 보상이란 원칙적으로 피수용재산의 객관적인 재산가치를 완전하게 보상하는 것이어야 한다는 완전보상을 의미한다. … 토지수용으로 인한 손실보상액의 산정을 공시지가를 기준으로 하되 개발이익을 배제 … 헌법상의 정당보상의 원칙에 위배되는 것이 아니다(헌재 1995.4.20. 93헌바20).

④ (×) 간접적 영업손실은 시행규칙을 유추하여 보상할 수 있다.

> 같은 법 시행규칙 제23조의2 내지 7에서 공공사업시행지구 밖에 위치한 영업과 공작물 등에 대한 간접손실에 대하여도 일정한 조건하에서 이를 보상하도록 규정하고 있는 점 … 공공사업의 시행으로 인하여 그러한 손실이 발생하리라는 것을 쉽게 예견할 수 있고 그 손실의 범위도 구체적으로 이를 특정할 수 있는 경우라면 그 손실의 보상에 관하여 공공용지의 취득 및 손실보상에 관한 특례법 시행규칙의 관련 규정 등을 유추적용할 수 있다고 해석함이 상당하다(대판 1999.10.8. 99다27231).

답 ④

문제 DATA
출제가능 지수 ▶▶▷
난이도 지수 ★★☆

함께 정리하기

손실보상

수용의 주체
▷ 민간기업 可

개발제한구역 지정으로 종래목적으로 사용 不可
▷ 사회적 제약 한계일탈

헌법상 정당보상
▷ 재산가치 완전하게 보상(완전보상)

간접적 영업손실
▷ 특별한 희생 可(시행규칙 유추하여 보상)

문제 DATA

출제가능 지수 ▶▶▷
난이도 지수 ★★☆

006 □□□

손실보상의 근거규정이 없이 법령상 규정에 의하여 재산권 행사에 제약을 받은 사람이 손실보상을 청구할 수 있는지에 대한 설명으로 옳지 않은 것은? (다툼이 있는 경우 판례에 의함)

① 재산권의 사회적 제약에 해당하는 공용제한에 대해서는 보상규정을 두지 않아도 된다.
② 보상규정이 없다고 하여 당연히 보상이 이루어질 수 없는 것이 아니라 헌법해석론에 따라서는 특별한 희생에 해당하는 재산권제약에 대해서는 손실보상이 이루어질 수도 있다.
③ 우리 헌법재판소는 손실보상규정이 없어 손실보상을 할 수 없으나 수인한도를 넘는 침해가 있는 경우에는 침해를 야기한 행위가 위법하므로 그에 대한 항고소송을 제기할 수 있다고 한다.
④ 대법원은 손실보상규정이 없는 경우에 다른 손실보상규정의 유추적용을 인정하는 경우가 있다.
⑤ 손실보상규정이 없으나 수인한도를 넘는 침해가 이루어진 경우 헌법소원으로 이를 다툴 수 있다.

함께 정리하기

손실보상

사회적 제약에 해당하는 공용제한
▷ 보상불요

보상규정 無
▷ 손실보상 인정 가

헌법재판소
▷ 보상입법을 기다려 권리행사

대법원
▷ 보상규정 유추하여 보상

보상규정 없는 수인한도 초과 손해
▷ 헌법소원 可

2018년 국회직 8급

① (○) 손실보상은 재산권에 특별한 희생이 발생하여야 인정되는 것인바, 특별희생이란 재산권의 사회적 기속을 넘어서는 손실을 의미하므로 사회적 제약에 해당하는 공용제한에 대하여는 보상규정을 두지 않아도 된다.
② (○) 보상규정이 없는 경우 대법원은 개별법령상의 관련 보상규정을 유추적용하여 보상하거나 불법행위에 기한 손해배상을 인정한다. 따라서 보상규정이 없는 경우에도 손실보상이 인정될 수 있다.
③ (×) 헌법재판소는 위헌무효설의 입장으로 토지소유자는 보상입법을 기다려 권리행사를 하여야 한다고 보았다.

   토지소유자는 보상입법을 기다려 권리를 행사해야 한다.
   입법자는 되도록 빠른 시일 내에 보상입법을 하여 위헌적 상태를 제거할 의무가 있고, 행정청은 보상입법이 마련되기 전에는 새로 개발제한구역을 지정하여서는 아니되며, 토지소유자는 보상입법을 기다려 그에 따른 권리행사를 할 수 있을 뿐 개발제한구역의 지정이나 그에 따른 토지재산권의 제한 그 자체의 효력을 다투거나 위 조항에 위반하여 행한 자신들의 행위의 정당성을 주장할 수는 없다(헌재 1998.12.24. 89헌마214).

④ (○) 대법원은 보상규정을 유추하여 보상하는 입장이다.

   하천법 제2조 제1항 제2호·제3조에 의하면 제외지는 하천구역에 속하는 토지로서 법률의 규정에 의하여 당연히 그 소유권이 국가에 귀속된다고 할 것인바, 한편 동법에서는 위 법의 시행으로 인하여 국유화가 된 제외지의 소유자에 대하여 그 손실을 보상한다는 직접적인 보상규정을 둔 바가 없으나 동법 제74조의 손실보상요건에 관한 규정은 보상사유를 제한적으로 열거한 것이라기 보다는 예시적으로 열거하고 있으므로 국유로 된 제외지의 소유자에 대하여는 위 법조를 유추적용하여 관리청은 그 손실을 보상하여야 한다(대판 1987.7.21. 84누126).

⑤ (○) 헌법재판소는 소유자에게 사회적 제약의 범위를 넘는 가혹한 부담이 발생하는 경우에 대하여 보상규정을 두지 않은 것은 위헌이라는 입장이므로, 그 당연한 전제로 헌법소원으로 다툴 수 있다고 할 것이다.

답 ③

007

헌법 제23조 제3항의 공용수용의 요건에 대한 설명으로 옳지 않은 것은? (다툼이 있는 경우 판례에 의함)

① 헌법 제23조의 근본적 취지는 원칙적으로 모든 국민의 구체적 재산권의 자유로운 이용·수익·처분을 보장하면서 공공필요에 의한 재산권의 수용·사용 또는 제한은 헌법이 규정하는 요건을 갖춘 경우에만 예외적으로 허용되는 것으로 해석된다.
② 공용수용이 허용될 수 있는 공익사업의 범위는 법률유보 원칙에 따라 법률에서 명확히 규정되어야 한다. 따라서 공공의 이익에 도움이 되는 사업이라도 '공익사업'으로 실정법에 열거되어있지 아니한 사업은 공용수용이 허용될 수 없다.
③ 재산권의 존속보장과의 조화를 위하여서는 '공공필요'의 요건에 관하여 공익성은 추상적인 공익 일반 또는 국가의 이익 이상의 중대한 공익을 요구하므로 기본권 일반의 제한사유인 '공공복리'보다 넓게 보는 것이 타당하다.
④ 헌법적 요청에 의한 수용이라 하더라도 국민의 재산을 그 의사에 반하여 강제적으로라도 취득하여야 할 정도의 필요성이 인정되어야 하고, 그 필요성이 인정되기 위하여서는 사인의 재산권침해를 정당화 할 정도의 공익의 우월성이 인정되어야 한다.
⑤ 사업시행자가 사인인 경우에는 공익의 우월성이 인정되는 것 외에 그 사업시행으로 획득할 수 있는 공익이 현저히 해태되지 아니하도록 보장하는 제도적 규율도 갖추어져 있어야 한다.

2017년 국회직 8급

① (○) 헌법 제23조의 근본취지는 재산권의 수용 등은 예외적으로 허용된다는 것이다.

> 헌법 제23조의 근본취지는 우리 헌법이 사유재산제도의 보장이라는 기조 위에서 원칙적으로 모든 국민의 구체적 재산권의 자유로운 이용·수익·처분을 보장하면서 공공필요에 의한 재산권의 수용·사용 또는 제한은 헌법이 규정하는 요건을 갖춘 경우에만 예외적으로 허용한다는 것으로 해석된다(헌재 2014.10.30. 2011헌바129·172).

② (○) 공익사업의 범위는 법률상 명확한 규정이 있을 것을 요한다.

> 공용수용이 허용될 수 있는 공익성을 가진 사업, 즉 공익사업의 범위는 사업시행자와 토지소유자 등의 이해가 상반되는 중요한 사항으로서, 공용수용에 대한 법률유보의 원칙에 따라 법률에서 명확히 규정되어야 한다. 공공의 이익에 도움이 되는 사업이라도 '공익사업'으로 실정법에 열거되어 있지 않은 사업은 공용수용이 허용될 수 없다(헌재 2014.10.30. 2011헌바129·172).

③ (×) 우리 헌법재판소는 헌법 제37조 제2항의 공공복리와 헌법 제23조 제3항의 공공필요의 관계에 대하여 공공필요를 기본권 일반의 제한사유인 공공복리보다 좁게 보고 있다(헌재 2014.10.30. 2011헌바129·172).

④ (○) 수용은 재산권침해를 정당화 할 공익의 우월성을 요건으로 한다.

> 헌법적 요청에 의한 수용이라 하더라도 국민의 재산을 그 의사에 반하여 강제적으로라도 취득해야 할 정도의 필요성이 인정되어야 하고, 그 필요성이 인정되기 위해서는 공용수용을 통하여 달성하려는 공익과 그로 인하여 재산권을 침해당하는 사인의 이익 사이의 형량에서 사인의 재산권침해를 정당화할 정도의 공익의 우월성이 인정되어야 한다(헌재 2014.10.30. 2011헌바129·172).

⑤ (○) 사업시행자가 사인인 경우 공익을 보장하는 제도규율을 요한다.

> 사업시행자가 사인인 경우에는 위와 같은 공익의 우월성이 인정되는 것 외에도 사인은 경제활동의 근본적인 목적이 이윤을 추구하는 일에 있으므로, 그 사업 시행으로 획득할 수 있는 공익이 현저히 해태되지 않도록 보장하는 제도적 규율도 갖추어져 있어야 한다(헌재 2014.10.30. 2011헌바129·172).

유제 09. 관세사 공공필요를 이유로 하는 재산권의 수용 등은 행정기관 이외에 사인을 위해서도 인정할 수 있다. (○)

답 ③

문제 DATA
출제가능 지수 ▶▶▷
난이도 지수 ★★★

함께 정리하기

공용수용

헌법 제23조 근본취지
▷ 재산권의 수용·사용·제한의 예외적 허용

공익사업범위
▷ 법률상 명확한 규정 要

헌법 제23조 제3항 '공공필요'
▷ 헌법 제37조 제2항 '공공복리'보다 좁은 개념

재산권침해 정당화할 공익우월성要

사업시행자가 사인
▷ 공익 보장 제도적 규율 要

ALL KILL 기출

제1절 손실보상청구권의 요건

01 재산권의 사회적 제약과 공용침해는 별개의 제도가 아니라 재산권규제의 강도에 따라서 상대적으로 구분되는 것으로 사회적 제약의 경계를 벗어나면 보상의무가 있는 공용침해로 전환된다고 보는 경계이론은 독일의 연방헌법재판소의 판결에서 유래한다. 08. 국가직 7급 ( )

02 「하천법」상 하천구역에의 편입에 따른 손실보상청구권은 공법상 권리이다. 16. 지방직 9급 ( )

03 손실보상에 관한 일반법으로 「손실보상법」이 있다. 17. 경찰 ( )

04 헌법재판소의 판례이론에 의할 경우 토지소유자는 개발제한구역의 지정에 대한 취소소송과 손해배상청구소송을 통하여 재산권 침해의 구제를 받을 수 있다. 13. 서울시 7급 ( )

정답 및 해설

01 × 독일 연방헌법재판소에서 분리이론이 유래하였고, 경계이론은 연방최고법원에서 유래하였음
02 ○ 하천구역 편입 손실보상청구권은 공법상 권리(대판 2006.5.18. 2004다6207 전합)
03 × 손실보상에 관한 일반법은 없음
04 × 헌재는 보상규정이 없는 경우 개발제한구역 지정 취소소송의 제기 또는 손해배상청구가 불가능하다고 봄(헌재 1998.12.24. 89헌마214 등)

제2절 | 손실보상의 내용

001 □□□

「공익사업을 위한 토지 등의 취득 및 보상에 관한 법률」의 내용으로 옳지 않은 것은?

① 사업시행자가 사업인정고시가 된 날부터 1년 이내에 재결신청을 하지 아니한 경우에는 사업인정고시가 된 날부터 1년이 되는 날의 다음 날에 사업인정은 그 효력을 상실한다.
② 재결에 계산상 또는 기재상의 잘못이 있는 것이 명백할 때에는 토지수용위원회는 직권으로 또는 당사자의 신청에 의하여 경정재결을 할 수 있다.
③ 보상액의 산정은 협의에 의한 경우에는 협의 성립 당시의 가격을, 재결에 의한 경우에는 수용 또는 사용의 재결 당시의 가격을 기준으로 한다.
④ 중앙토지수용위원회는 이의신청을 받은 경우 재결이 위법하다고 인정할 때에는 그 재결의 전부 또는 일부를 취소할 수 있고 보상액을 변경할 수는 없다.

2025년 국가직 9급

① (○)

> 「공익사업을 위한 토지 등의 취득 및 보상에 관한 법률」 제23조 【사업인정의 실효】 ① 사업시행자가 제22조 제1항에 따른 사업인정의 고시(이하 "사업인정고시"라 한다)가 된 날부터 1년 이내에 제28조 제1항에 따른 재결신청을 하지 아니한 경우에는 사업인정고시가 된 날부터 1년이 되는 날의 다음 날에 사업인정은 그 효력을 상실한다.

문제 DATA
출제가능 지수 ▶▶▷
난이도 지수 ★★☆

함께 정리하기

「공익사업을 위한 토지 등의 취득 및 보상에 관한 법률」

사업인정 고시가 있은 날부터 1년 내 재결신청 無
▷ 1년이 되는 날의 다음 날에 사업인정 실효

재결에 계산상, 기재상 잘못 명백
▷ 경정재결 可

보상액의 가격시점
▷ 협의취득: 협의성립당시
▷ 재결취득: 재결당시

이의신청 받은 중앙토지수용위원회
▷ 원재결이 위법부당: 재결의 전부 or 일부 취소·변경 可

② (O)

> 「공익사업을 위한 토지 등의 취득 및 보상에 관한 법률」 제36조【재결의 경정】① 재결에 계산상 또는 기재상의 잘못이나 그 밖에 이와 비슷한 잘못이 있는 것이 명백할 때에는 토지수용위원회는 직권으로 또는 당사자의 신청에 의하여 경정재결(更正裁決)을 할 수 있다.

③ (O)

> 「공익사업을 위한 토지 등의 취득 및 보상에 관한 법률」 제67조【보상액의 가격시점 등】① 보상액의 산정은 협의에 의한 경우에는 협의 성립 당시의 가격을, 재결에 의한 경우에는 수용 또는 사용의 재결 당시의 가격을 기준으로 한다.

④ (×)

> 「공익사업을 위한 토지 등의 취득 및 보상에 관한 법률」 제84조【이의신청에 대한 재결】① 중앙토지수용위원회는 제83조에 따른 이의신청을 받은 경우 제34조에 따른 재결이 위법하거나 부당하다고 인정할 때에는 그 재결의 전부 또는 일부를 취소하거나 보상액을 변경할 수 있다.

답 ④

002

행정상 손실보상제도에 대한 설명으로 옳지 않은 것은?

① 「공익사업을 위한 토지 등의 취득 및 보상에 관한 법률」상 토지소유자가 행정소송으로 손실보상금의 증액을 구하는 경우에는 관할 토지수용위원회를 피고로 하여 보상금 증액 청구의 소를 제기하여야 한다.

② 손실보상은 공공필요에 의한 행정작용에 의하여 사인에게 발생한 특별한 희생에 대한 전보라는 점에서 그 사인에게 특별한 희생이 발생하여야 하는 것은 당연히 요구되는 것이고, 공유수면 매립면허의 고시가 있다고 하여 반드시 간척사업이 시행되고 그로 인하여 손실이 발생한다고 할 수 없다.

③ 「산업입지 및 개발에 관한 법률」상 민간기업에게 산업단지개발 사업에 필요한 토지 등을 수용할 수 있도록 규정한 조항은 헌법 제23조 제3항의 '공공필요'에 위반되지 않는다.

④ 「공익사업을 위한 토지 등의 취득 및 보상에 관한 법률」상 적법하게 시행된 공익사업으로 인하여 이주하게 된 주거용 건축물 세입자의 주거이전비 보상청구권은 공법상의 권리이고, 주거이전비 보상청구소송은 공법상의 법률관계를 대상으로 하는 행정소송에 의하여야 한다.

2025년 지방직 9급

① (×)

> 「공익사업을 위한 토지 등의 취득 및 보상에 관한 법률」 제85조【행정소송의 제기】② 제1항에 따라 제기하려는 행정소송이 보상금의 증감(增減)에 관한 소송인 경우 그 소송을 제기하는 자가 토지소유자 또는 관계인일 때에는 사업시행자를, 사업시행자일 때에는 토지소유자 또는 관계인을 각각 피고로 한다.

② (O) 손실보상은 공공필요에 의한 행정작용에 의하여 사인에게 발생한 특별한 희생에 대한 전보라는 점에서 그 사인에게 특별한 희생이 발생하여야 하는 것은 당연히 요구되는 것이고, 공유수면 매립면허의 고시가 있다고 하여 반드시 그 사업이 시행되고 그로 인하여 손실이 발생한다고 할 수 없으므로, 매립면허 고시 이후 매립공사가 실행되어 관행어업권자에게 실질적이고 현실적인 피해가 발생한 경우에만 공유수면매립법에서 정하는 손실보상청구권이 발생하였다고 할 것이다(대판 2010.12.9. 2007두6571).

③ (○) 헌법 제23조 제3항은 정당한 보상을 전제로 하여 재산권의 수용 등에 관한 가능성을 규정하고 있지만, 재산권 수용의 주체를 한정하지 않고 있다. 위 헌법조항의 핵심은 당해 수용이 공공필요에 부합하는가, 정당한 보상이 지급되고 있는가 여부 등에 있는 것이지, 그 수용의 주체가 국가인지 민간기업인지 여부에 달려 있다고 볼 수 없다. … 따라서 위 수용 등의 주체를 국가 등의 공적기관에 한정하여 해석할 이유가 없다(헌재 2009.9.24. 2007헌바114).

④ (○) 주거이전비는 당해 공익사업 시행지구 안에 거주하는 세입자들의 조기이주를 장려하여 사업추진을 원활하게 하려는 정책적인 목적과 주거이전으로 인하여 특별한 어려움을 겪게 될 세입자들을 대상으로 하는 사회보장적인 차원에서 지급되는 금원의 성격을 가지므로, 적법하게 시행된 공익사업으로 인하여 이주하게 된 주거용 건축물 세입자의 주거이전비 보상청구권은 공법상의 권리이고, 따라서 그 보상을 둘러싼 쟁송은 민사소송이 아니라 공법상의 법률관계를 대상으로 하는 행정소송에 의하여야 한다(대판 2008.5.29. 2007다8129).

답 ①

003

행정상의 손실보상에 대한 설명으로 옳지 않은 것은? (다툼이 있는 경우 판례에 의함)

① 헌법은 재산권 수용의 주체를 국가 등 공적기관으로 한정한 바 없으므로 민간기업도 수용의 주체가 될 수 있다.

② 구 「약사법」상 약사에게 인정된 한약조제권은 재산 가치 있는 구체적 권리이므로 헌법 제23조 제1항 및 제13조 제2항에 의하여 보호되는 재산권의 보장대상이다.

③ 「공익사업을 위한 토지 등의 취득 및 보상에 관한 법률」에 따르면 농업의 손실에 대하여는 농지소유자가 해당 지역에 거주하는 농민인 경우가 아니라면 농지의 단위면적당 소득 등을 고려하여 실제 경작자에게 보상하여야 한다.

④ 헌법 제23조 제3항이 규정하는 "정당한 보상"이란 원칙적으로 피수용재산의 객관적인 재산가치를 완전하게 보상하는 것이어야 한다는 완전보상을 뜻하는 것으로서 보상금액뿐만 아니라 보상의 시기나 방법 등에 있어서도 어떠한 제한을 두어서는 아니 된다는 것을 의미한다.

| 2025년 소방직

① (○) 헌법 제23조 제3항은 정당한 보상을 전제로 하여 재산권의 수용 등에 관한 가능성을 규정하고 있지만, 재산권 수용의 주체를 한정하지 않고 있다. 위 헌법조항의 핵심은 당해 수용이 공공필요에 부합하는가, 정당한 보상이 지급되고 있는가 여부 등에 있는 것이지, 그 수용의 주체가 국가인지 민간기업인지 여부에 달려 있다고 볼 수 없다. 또한 국가 등의 공적 기관이 직접 수용의 주체가 되는 것이든 그러한 공적 기관의 최종적인 허부판단과 승인결정하에 민간기업이 수용의 주체가 되는 것이든, 양자 사이에 공공필요에 대한 판단과 수용의 범위에 있어서 본질적인 차이를 가져올 것으로 보이지 않는다. 따라서 위 수용 등의 주체를 국가 등의 공적 기관에 한정하여 해석할 이유가 없다(헌재 2009.9.24. 2007헌바114).

② (×) 헌법조항들에 의하여 보호되는 재산권은 사적유용성 및 그에 대한 원칙적 처분권을 내포하는 재산가치있는 구체적 권리이므로 구체적인 권리가 아닌 단순한 이익이나 재화의 획득에 관한 기회 등은 재산권 보장의 대상이 아니라 할 것이다. 그런데 약사면허는 약국의 개설과 관련하여 약품의 판매, 조제 등으로 경제적 활동을 할 수 있다는 점에서 경제적 가치와 무관하다고 볼 수는 없으나, 약사는 단순히 의약품의 판매뿐만 아니라 의약품의 분석, 관리 등의 업무를 다루며, 약사면허 그 자체는 양도·양수할 수 없고 상속의 대상도 되지 아니한다. 또한 약사의 한약조제권이란 그것이 타인에 의하여 침해되었을 때 방해를 배제하거나 원상회복 내지 손해배상을 청구할 수 있는 이른바 권리(청구권)가 아니라, 법률에 의하여 약사의 지위에서 인정되는 하나의 권능에 불과하다. 더욱이 의약품을 판매하여 얻게 되는 이익이란 장래의 불확실한 기대이익에 불과한 것이다. 그렇다면 약사의 한약조제권은 위 헌법조항들이 말하는 재산권의 범위에 속하지 아니한다 할 것이다(헌재 1997.11.27. 97헌바10).

문제 DATA

출제가능 지수 ▶▶▷
난이도 지수 ★★☆

함께 정리하기

행정상의 손실보상

수용주체
▷ 민간기업도 可

약사의 한약조제권
▷ 재산권의 보장대상 ×

농업손실
▷ 실제경작자 보상
▷ 해당지역 거주농민소유: 농지소유자·경작자 협의

헌법상 정당보상
▷ 재산가치 완전하게 보상(완전보상)

③ (○)

> 「공익사업을 위한 토지 등의 취득 및 보상에 관한 법률」 제77조【영업의 손실 등에 대한 보상】② 농업의 손실에 대하여는 농지의 단위면적당 소득 등을 고려하여 실제 경작자에게 보상하여야 한다. 다만, 농지소유자가 해당 지역에 거주하는 농민인 경우에는 농지소유자와 실제 경작자가 협의하는 바에 따라 보상할 수 있다.

④ (○) 공공필요에 의한 재산권의 공권력적·강제적 박탈을 의미하는 공용수용은 헌법 제23조 제3항에 명시된 대로 국민의 재산권을 그 의사에 반하여 강제적으로라도 취득하여야 할 공익적 필요성이 있을 것, 수용과 그에 대한 보상은 모두 법률에 의거할 것, 그리고 정당한 보상을 지급할 것의 요건을 갖추어야 한다. 여기서 정당한 보상이란 "원칙적으로 피수용재산의 객관적인 재산가치를 완전하게 보상하는 것이어야 한다는 완전보상을 의미하는 것으로서 그 보상금액뿐만 아니라 보상의 시기·방법 및 절차까지도 정당하여야 한다는 것"을 의미한다(헌재 2011.10.25. 2009헌바281).

답 ②

004

「공익사업을 위한 토지 등의 취득 및 보상에 관한 법률」과 토지보상에 대한 설명으로 가장 옳지 않은 것은? (다툼이 있는 경우 판례에 의함)

① 사업시행자는 천재지변 등 특별한 사정이 없는 한 해당 공익사업을 위한 공사에 착수하기 이전에 토지소유자와 관계인에게 보상액 전액을 지급하여야 한다.
② 토지수용위원회의 수용재결이 있었던 후라면, 토지소유자와 사업시행자는 다시 협의하여 임의로 계약을 체결할 수 없다.
③ 보상액의 산정은 협의에 의한 경우에는 협의 성립 당시의 가격을, 재결에 의한 경우에는 수용 또는 사용의 재결 당시의 가격을 기준으로 하며 보상액을 산정할 경우에 해당 공익사업으로 인하여 토지등의 가격이 변동되었을 때에는 이를 고려하지 아니한다.
④ 사업시행자가 동일한 토지소유자에 속하는 일단의 토지 일부를 취득함으로 인하여 잔여지의 가격이 감소하거나 그 밖의 손실이 있을 때에는 잔여지를 종래의 목적으로 사용하는 것이 가능한 경우라도 잔여지 손실보상의 대상이 된다.

| 2025년 군무원 9급

① (○)

> 「공익사업을 위한 토지 등의 취득 및 보상에 관한 법률」 제62조【사전보상】사업시행자는 해당 공익사업을 위한 공사에 착수하기 이전에 토지소유자와 관계인에게 보상액 전액(全額)을 지급하여야 한다. 다만, 제38조에 따른 천재지변 시의 토지 사용과 제39조에 따른 시급한 토지 사용의 경우 또는 토지소유자 및 관계인의 승낙이 있는 경우에는 그러하지 아니하다.

② (×) 공익사업을 위한 토지 등의 취득 및 보상에 관한 법률(이하 '토지보상법'이라 한다)은 사업시행자로 하여금 우선 협의취득 절차를 거치도록 하고, 협의가 성립되지 않거나 협의를 할 수 없을 때에 수용재결취득 절차를 밟도록 예정하고 있기는 하다. 그렇지만 일단 토지수용위원회가 수용재결을 하였더라도 사업시행자로서는 수용 또는 사용의 개시일까지 토지수용위원회가 재결한 보상금을 지급 또는 공탁하지 아니함으로써 재결의 효력을 상실시킬 수 있는 점, 토지소유자 등은 수용재결에 대하여 이의를 신청하거나 행정소송을 제기하여 보상금의 적정 여부를 다툴 수 있는데, 그 절차에서 사업시행자와 보상금액에 관하여 임의로 합의할 수 있는 점, 공익사업의 효율적인 수행을 통하여 공공복리를 증진시키고, 재산권을 적정하게 보호하려는 토지보상법의 입법 목적(제1조)에 비추어 보더라도 수용재결이 있은 후에 사법상 계약의 실질을 가지는 협의취득 절차를 금지해야 할 별다른 필요성을 찾기 어려운 점 등을 종합해 보면, 토지수용위원회의 수용재결이 있은 후라고 하더라도 토지소유자 등과 사업시행자가 다시 협의하여 토지 등의 취득이나 사용 및 그에 대한 보상에 관하여 임의로 계약을 체결할 수 있다고 보아야 한다(대판 2017.4.13. 2016두64241).

문제 DATA

출제가능 지수 ▶▶∑
난이도 지수 ★★☆

함께 정리하기

「공익사업을 위한 토지 등의 취득 및 보상에 관한 법률」과 토지보상

손실보상의 방법, 지급원칙
▷ 사업시행자보상, 사전보상, 전액보상

수용재결 후
▷ 토지소유자와 사업시행자는 재협의하여 임의로 계약체결 可

보상액 산정기준
▷ 협의: 협의성립 당시 가격
▷ 재결: 재결시 가격
▷ 해당 사업으로 인한 가격 변동
▷ 고려×

잔여지감가보상
▷ 잔여지를 종래의 목적에 사용하는 것이 가능한 경우라도 손실보상대상○

③ (○)

> 「공익사업을 위한 토지 등의 취득 및 보상에 관한 법률」 제67조【보상액의 가격시점 등】① 보상액의 산정은 협의에 의한 경우에는 협의 성립 당시의 가격을, 재결에 의한 경우에는 수용 또는 사용의 재결 당시의 가격을 기준으로 한다.
> ② 보상액을 산정할 경우에 해당 공익사업으로 인하여 토지등의 가격이 변동되었을 때에는 이를 고려하지 아니한다.

④ (○) 사업시행자가 동일한 토지소유자에 속하는 일단의 토지 일부를 취득함으로 인하여 잔여지의 가격이 감소하거나 그 밖의 손실이 있을 때 등에는 잔여지를 종래의 목적으로 사용하는 것이 가능한 경우라도 잔여지 손실보상의 대상이 되며, 잔여지를 종래의 목적에 사용하는 것이 불가능하거나 현저히 곤란한 경우이어야만 잔여지 손실보상청구를 할 수 있는 것이 아니다(대판 2018.7.20. 2015두4044).

답 ②

005

「공익사업을 위한 토지 등의 취득 및 보상에 관한 법률」에 따른 손실보상에 대한 설명으로 옳지 않은 것은? (다툼이 있는 경우 판례에 의함)

① 건축물의 일부가 공익사업에 편입됨으로 인하여 잔여 건축물의 가격감소 손실이 발생한 경우에 「공익사업을 위한 토지 등의 취득 및 보상에 관한 법률」에 규정된 재결절차를 거치지 않은 채 곧바로 사업시행자를 상대로 손실보상을 청구하는 것은 허용되지 않고, 이는 수용대상 건축물에 대하여 재결절차를 거친 경우에도 마찬가지이다.
② 수용재결에서 정한 보상금의 액수에 관하여 보상금증액소송을 제기하려는 자가 토지소유자인 때에는 관할 토지수용위원회를 피고로 한다.
③ 하나의 재결에서 피보상자별로 여러 가지의 토지, 물건, 권리 또는 영업의 손실에 관하여 심리·판단이 이루어졌을 때, 피보상자 또는 사업시행자가 반드시 재결 전부에 관하여 불복하여야 하는 것은 아니다.
④ 토지소유자로부터 재결신청 청구를 받은 사업시행자가 재결신청을 지연한 경우에 보상금에 가산하여 지급하여야 하는 지연가산금은 사업시행자가 정해진 기간 내에 재결신청을 하지않고 지연한 데 대한 제재와 토지소유자 등의 손해에 대한 보전이라는 성격을 아울러 가진다.

2025년 경찰간부

① (○) 구 공익사업을 위한 토지 등의 취득 및 보상에 관한 법률(2011.8.4. 법률 제11017호로 개정되기 전의 것, 이하 '공익사업법'이라고 한다) 제73조, 제75조의2와 같은 법 제34조, 제50조, 제61조, 제83조 내지 제85조의 규정 내용 및 입법 취지 등을 종합하면, 토지소유자가 사업시행자로부터 공익사업법 제73조, 제75조의2에 따른 잔여지 또는 잔여 건축물 가격감소 등으로 인한 손실보상을 받기 위해서는 공익사업법 제34조, 제50조 등에 규정된 재결절차를 거친 다음 그 재결에 대하여 불복할 때 비로소 공익사업법 제83조 내지 제85조에 따라 권리구제를 받을 수 있을 뿐이며, 특별한 사정이 없는 한 이러한 재결절차를 거치지 않은 채 곧바로 사업시행자를 상대로 손실보상을 청구하는 것은 허용되지 않는다 할 것이고, 이는 잔여지 또는 잔여 건축물 수용청구에 대한 재결절차를 거친 경우라고 하여 달리 볼 것은 아니다(대판 2014.9.25. 2012두24092).

문제 DATA

출제가능 지수 ▶▶▷
난이도 지수 ★★☆

함께 정리하기

「공익사업을 위한 토지 등의 취득 및 보상에 관한 법률」에 따른 손실보상

잔여 건축물의 손실보상
▷ 재결 거친 후 행정소송(곧바로 손실보상 청구×)
▷ 수용대상 건축물에 대한 재결절차를 거친 경우에도 마찬가지

토지소유자가 보상금증감 소제기
▷ 사업시행자가 피고

보상항목의 일부에 대한 불복 가

재결신청 지연가산금의 성격
▷ 지연에 대한 제재 & 토지소유자등의 손해에 대한 보전

② (×)

> 「공익사업을 위한 토지 등의 취득 및 보상에 관한 법률」 제85조【행정소송의 제기】① 사업시행자, 토지소유자 또는 관계인은 제34조에 따른 재결에 불복할 때에는 재결서를 받은 날부터 90일 이내에, 이의신청을 거쳤을 때에는 이의신청에 대한 재결서를 받은 날부터 60일 이내에 각각 행정소송을 제기할 수 있다. 이 경우 사업시행자는 행정소송을 제기하기 전에 제84조에 따라 늘어난 보상금을 공탁하여야 하며, 보상금을 받을 자는 공탁된 보상금을 소송이 종결될 때까지 수령할 수 없다.
> ② 제1항에 따라 제기하려는 행정소송이 보상금의 증감(增減)에 관한 소송인 경우 그 소송을 제기하는 자가 토지소유자 또는 관계인일 때에는 사업시행자를, 사업시행자일 때에는 토지소유자 또는 관계인을 각각 피고로 한다.

③ (○) 하나의 재결에서 피보상자별로 여러 가지의 토지, 물건, 권리 또는 영업(이처럼 손실보상 대상에 해당하는지, 나아가 그 보상금액이 얼마인지를 심리·판단하는 기초 단위를 이하 '보상항목'이라고 한다)의 손실에 관하여 심리·판단이 이루어졌을 때, 피보상자 또는 사업시행자가 반드시 재결 전부에 관하여 불복하여야 하는 것은 아니며, 여러 보상항목들 중 일부에 관해서만 불복하는 경우에는 그 부분에 관해서만 개별적으로 불복의 사유를 주장하여 행정소송을 제기할 수 있다. 이러한 보상금 증감 소송에서 법원의 심판범위는 하나의 재결 내에서 소송당사자가 구체적으로 불복신청을 한 보상항목들로 제한된다. 법원이 구체적인 불복신청이 있는 보상항목들에 관해서 감정을 실시하는 등 심리한 결과, 재결에서 정한 보상금액이 일부 보상항목의 경우 과소하고 다른 보상항목의 경우 과다한 것으로 판명되었다면, 법원은 보상항목 상호 간의 유용을 허용하여 항목별로 과다 부분과 과소 부분을 합산하여 보상금의 합계액을 정당한 보상금으로 결정할 수 있다(대판 2018.5.15. 2017두41221).

④ (○) 공익사업을 위한 토지 등의 취득 및 보상에 관한 법률 제30조 제3항에 따른 재결신청 지연가산금은 사업시행자가 정해진 기간 내에 재결신청을 하지 않고 지연한 데 대한 제재와 토지소유자 등의 손해에 대한 보전이라는 성격을 아울러 가진다. 따라서 토지소유자 등이 적법하게 재결신청청구를 하였다고 볼 수 없거나 사업시행자가 재결신청을 지연하였다고 볼 수 없는 특별한 사정이 있는 경우에는 그 해당 기간 동안은 지연가산금이 발생하지 않는다(대판 2020.8.20. 2019두34630).

답 ②

006

행정상 손실보상에 대한 설명으로 옳은 것은? (다툼이 있는 경우 판례에 의함)

① 토지수용위원회의 수용재결에 대해 이의신청을 거쳐 취소소송을 제기하는 경우, 이의재결에 고유한 위법이 있는 때에는 이의재결의 취소를 구할 수 있다.
② 공공의 필요에 따른 재산권의 수용 주체는 행정주체에 한정되며, 사인에 의한 수용은 허용되지 않는다.
③ 공법상의 제한을 받는 토지의 수용보상액을 산정함에 있어 그 공법상의 제한이 당해 공공사업의 시행을 직접 목적으로 하여 가하여진 경우에는 그러한 제한을 받는 상태 그대로 평가하여야 한다.
④ 공익사업의 시행자가 이주자의 이주대책대상자 선정신청을 거부하는 경우, 이주자는 공법상 당사자소송을 통하여 그 거부행위를 다투어야 한다.
⑤ 어떤 보상항목이 손실보상의 대상에 해당함에도 토지수용위원회가 손실보상에서 제외하는 잘못된 내용의 재결을 한 경우, 토지수용위원회를 상대로 그 재결에 대한 취소소송을 제기하여야 하며 보상금 증액 청구소송을 제기할 수는 없다.

함께 정리하기

행정상 손실보상

이의신청 거친 경우 취소소송의 대상
▷ 원칙: 수용재결
▷ 예외: 이의재결(이의재결에 고유한 위법O)

수용주체
▷ 민간기업도 可

공법상 제한을 받는 토지의 수용보상액
▷ 당해 공공사업 시행을 직접 목적O: 제한받지 않은 상태대로 평가

이주대책대상자 선정신청 거부
▷ 취소소송

잘못된 보상재결에 대한 불복
▷ 사업시행자 피고 & 보상금증감청구소송

2025년 소방간부

① (○) 수용재결에 불복하여 취소소송을 제기하는 때에는 이의신청을 거친 경우에도 수용재결을 한 중앙토지수용위원회 또는 지방토지수용위원회를 피고로 하여 수용재결의 취소를 구하여야 하고, 다만 이의신청에 대한 재결 자체에 고유한 위법이 있음을 이유로 하는 경우에는 그 이의재결을 한 중앙토지수용위원회를 피고로 하여 이의재결의 취소를 구할 수 있다고 보아야 한다(대판 2010.1.28. 2008두1504).

② (×) 헌법 제23조 제3항은 정당한 보상을 전제로 하여 재산권의 수용 등에 관한 가능성을 규정하고 있지만, 재산권 수용의 주체를 한정하지 않고 있다. 위 헌법조항의 핵심은 당해 수용이 공공필요에 부합하는가, 정당한 보상이 지급되고 있는가 여부 등에 있는 것이지, 그 수용의 주체가 국가인지 민간기업인지 여부에 달려 있다고 볼 수 없다. 또한 국가 등의 공적 기관이 직접 수용의 주체가 되는 것이든 그러한 공적 기관의 최종적인 허부판단과 승인결정하에 민간기업이 수용의 주체가 되는 것이든, 양자 사이에 공공필요에 대한 판단과 수용의 범위에 있어서 본질적인 차이를 가져올 것으로 보이지는 않는다. 따라서 위 수용 등의 주체를 국가 등의 공적 기관에 한정하여 해석할 이유가 없다. 오늘날 산업단지의 개발에 투입되는 자본은 대규모로 요구될 수 있는데, 이러한 경우 산업단지개발의 사업시행자를 국가나 지방자치단체로 제한한다면 예산상의 제약으로 인해 개발사업의 추진에 어려움이 있을 수 있고, 만약 이른바 공영개발방식만을 고수할 경우에는 수요에 맞지 않는 산업단지가 개발되어 자원이 비효율적으로 소모될 개연성도 있다. 또한 기업으로 하여금 산업단지를 직접 개발하도록 한다면, 기업들의 참여를 유도할 수 있는 측면도 있을 것이다. 그렇다면 민간기업을 수용의 주체로 규정한 자체를 두고 위헌이라고 할 수 없으며, 나아가 이 사건 수용조항을 통해 민간기업에게 사업시행에 필요한 토지를 수용할 수 있도록 규정할 필요가 있다는 입법자의 인식에도 합리적인 이유가 있다 할 것이다(헌재 2009.9.24. 2007헌바114).

③ (×) 공법상의 제한을 받는 토지의 수용보상액을 산정함에 있어서는 그 공법상의 제한이 당해 공공사업의 시행을 직접 목적으로 하여 가하여진 경우에는 그 제한을 받지 아니하는 상태대로 평가하여야 할 것이지만, 공법상 제한이 당해 공공사업의 시행을 직접 목적으로 하여 가하여진 경우가 아니라면 그러한 제한을 받는 상태 그대로 평가하여야 하고, 그와 같은 제한이 당해 공공사업의 시행 이후에 가하여진 경우라고 하여 달리 볼 것은 아니다. 문화재보호구역의 확대 지정이 당해 공공사업인 택지개발사업의 시행을 직접 목적으로 하여 가하여진 것이 아님이 명백하므로 토지의 수용보상액은 그러한 공법상 제한을 받는 상태대로 평가하여야 한다(대판 2005.2.18. 2003두14222).

④ (×) 공익사업을 위한 토지 등의 취득 및 보상에 관한 법률상의 공익사업시행자가 하는 이주대책대상자 확인·결정은 구체적인 이주대책상의 수분양권을 부여하는 요건이 되는 행정작용으로서의 처분이지 이를 단순히 절차상의 필요에 따른 사실행위에 불과한 것으로 평가할 수는 없다. 따라서 수분양권의 취득을 희망하는 이주자가 소정의 절차에 따라 이주대책대상자 선정신청을 한 데 대하여 사업시행자가 이주대책대상자가 아니라고 하여 위 확인·결정 등의 처분을 하지 않고 이를 제외시키거나 거부조치한 경우에는, 이주자로서는 사업시행자를 상대로 항고소송에 의하여 제외처분이나 거부처분의 취소를 구할 수 있다. 나아가 이주대책의 종류가 달라 각 그 보장하는 내용에 차이가 있는 경우 이주자의 희망에도 불구하고 사업시행자가 요건 미달 등을 이유로 그중 더 이익이 되는 내용의 이주대책대상자로 선정하지 않았다면 이 또한 이주자의 권리의무에 직접적 변동을 초래하는 행위로서 항고소송의 대상이 된다(대판 2014.2.27. 2013두10885).

⑤ (×) 어떤 보상항목이 토지보상법령상 손실보상대상에 해당하는데도 관할 토지수용위원회가 사실을 오인하거나 법리를 오해함으로써 손실보상대상에 해당하지 않는다고 잘못된 내용의 재결을 한 경우에는, 피보상자는 관할 토지수용위원회를 상대로 그 재결에 대한 취소소송을 제기할 것이 아니라 사업시행자를 상대로 토지보상법 제85조 제2항에 따른 보상금 증감의 소를 제기하여야 한다(대판 2020.4.9. 2017두275).

답 ①

007

행정상 손실보상제도에 대한 설명으로 옳지 않은 것은?

① 공공사업의 시행에 따른 손실보상청구권은 적법한 공익사업에 따라 필연적으로 발생하는 손실에 대한 보상을 구하는 권리로서「국가배상법」에 따른 손해배상청구권이나 민법상 채무불이행 또는 불법행위로 인한 손해배상청구권 등과 같은 사법상의 권리와는 그 성질을 달리한다.
②「감염병의 예방 및 관리에 관한 법률」에 근거한 집합제한조치로 인하여 영업이 제한되어 영업이익이 감소되었다 하더라도, 청구인들이 소유하는 영업시설·장비 등에 대한 구체적인 사용·수익 및 처분 권한을 제한받는 것은 아니므로 보상규정의 부재가 청구인들의 재산권을 제한한다고 볼 수 없다.
③ 사업시행자가 동일한 토지소유자에 속하는 일단의 토지 일부를 취득함으로써 잔여지의 가격이 감소하거나 그 밖의 손실이 있을 때에 잔여지를 종래의 목적으로 사용할 수 있는 경우라면 잔여지 손실보상의 대상이 되지 못한다.
④「공익사업을 위한 토지 등의 취득 및 보상에 관한 법률」상 보상금증감소송의 당사자는 토지소유자 또는 관계인과 사업시행자이므로 소송당사자에서 재결청은 제외된다.
⑤ 헌법 제23조 제3항에 의한 손실보상의 대상은 재산권으로 명시되어 있으나, 개별 법령에 의해 생명·신체의 침해에 대한 손실보상이 가능하다.

2025년 국회직 8급

① (O) 공공사업의 시행에 따른 손실보상청구권은 적법한 공익사업에 따라 필연적으로 발생하는 손실에 대한 보상을 구하는 권리로서 국가배상법에 따른 손해배상청구권이나 민법상 채무불이행 또는 불법행위로 인한 손해배상청구권 등과 같은 사법상의 권리와는 그 성질을 달리하는 것으로, 그에 관한 쟁송은 민사소송이 아니라 행정소송법 제3조 제2호에서 정하고 있는 공법상 당사자소송 절차에 의하여야 한다(대판 2019.11.28. 2018두227).
② (O) 청구인들은 감염병예방법 제49조 제1항 제2호에 근거한 집합제한 조치로 인하여 일반음식점업을 운영하는 청구인들의 영업권이 제한되었음에도 이에 관한 보상규정을 두지 않은 것이 청구인들의 재산권을 침해한다고 주장한다. 그러나 헌법 제23조에서 보장하는 재산권은 사적 유용성 및 그에 대한 원칙적 처분권을 내포하는 재산가치 있는 구체적 권리이므로, 구체적인 권리가 아닌 단순한 이익이나 재화의 획득에 관한 기회 또는 기업활동의 사실적·법적 여건 등은 재산권보장의 대상에 포함되지 아니한다(헌재 1996.8.29. 95헌바36; 헌재 1997.11.27. 97헌바10 참조). 감염병예방법 제49조 제1항 제2호에 근거한 집합제한 조치로 인하여 청구인들의 일반음식점 영업이 제한되어 영업이익이 감소되었다 하더라도, 청구인들이 소유하는 영업 시설·장비 등에 대한 구체적인 사용·수익 및 처분권한을 제한받는 것은 아니므로, 보상규정의 부재가 청구인들의 재산권을 제한한다고 볼 수 없다(헌재 2023.6.29. 2020헌마1669).
③ (X) 사업시행자가 동일한 토지소유자에 속하는 일단의 토지 일부를 취득함으로 인하여 잔여지의 가격이 감소하거나 그 밖의 손실이 있을 때 등에는 잔여지를 종래의 목적으로 사용하는 것이 가능한 경우라도 잔여지 손실보상의 대상이 되며, 잔여지를 종래의 목적에 사용하는 것이 불가능하거나 현저히 곤란한 경우이어야만 잔여지 손실보상청구를 할 수 있는 것이 아니다(대판 2018.7.20. 2015두4044).
④ (O)

>「공익사업을 위한 토지 등의 취득 및 보상에 관한 법률」제85조 【행정소송의 제기】① 사업시행자, 토지소유자 또는 관계인은 제34조에 따른 재결에 불복할 때에는 재결서를 받은 날부터 90일 이내에, 이의신청을 거쳤을 때에는 이의신청에 대한 재결서를 받은 날부터 60일 이내에 각각 행정소송을 제기할 수 있다. 이 경우 사업시행자는 행정소송을 제기하기 전에 제84조에 따라 늘어난 보상금을 공탁하여야 하며, 보상금을 받을 자는 공탁된 보상금을 소송이 종결될 때까지 수령할 수 없다.
> ② 제1항에 따라 제기하려는 행정소송이 보상금의 증감(增減)에 관한 소송인 경우 그 소송을 제기하는 자가 토지소유자 또는 관계인일 때에는 사업시행자를, 사업시행자일 때에는 토지소유자 또는 관계인을 각각 피고로 한다.

문제 DATA
출제가능 지수 ▶▶▷
난이도 지수 ★★★

함께 정리하기
행정상 손실보상제도

공공사업 시행에 따른 손실보상청구권
▷ 손해배상청구권등 사법상권리와는 그 성질이 상이함

집합제한조치로 인해 영업이익 감소시 보상규정의 부재
▷ 재산권을 제한×

잔여지감가보상
▷ 잔여지를 종래의 목적에 사용하는 것이 가능한 경우라도 손실보상대상O

토지수용위원회(재결청)
▷ 보상금증감소송 피고×

헌법 제23조 제3항상의 손실보상 대상
▷ 재산권

개별법령
▷ 생명·신체의 침해 손실보상 可

⑤ (○) 헌법 제23조 제3항에 의한 손실보상의 대상은 재산권으로 명시되어 있으나, 경찰관직무집행법이나 감염병예방법 등 개별 법령에 의해 생명·신체의 침해에 대한 손실보상이 가능하다.

> **헌법 제23조** ③ 공공필요에 의한 재산권의 수용·사용 또는 제한 및 그에 대한 보상은 법률로써 하되, 정당한 보상을 지급하여야 한다.
> 「**경찰관 직무집행법**」**제11조의2【손실보상】**① 국가는 경찰관의 적법한 직무집행으로 인하여 다음 각 호의 어느 하나에 해당하는 손실을 입은 자에 대하여 정당한 보상을 하여야 한다.
> 1. 손실발생의 원인에 대하여 책임이 없는 자가 생명·신체 또는 재산상의 손실을 입은 경우(손실발생의 원인에 대하여 책임이 없는 자가 경찰관의 직무집행에 자발적으로 협조하거나 물건을 제공하여 생명·신체 또는 재산상의 손실을 입은 경우를 포함한다)
> 2. 손실발생의 원인에 대하여 책임이 있는 자가 자신의 책임에 상응하는 정도를 초과하는 생명·신체 또는 재산상의 손실을 입은 경우
> 「**감염병의 예방 및 관리에 관한 법률**」**제71조【예방접종 등에 따른 피해의 국가보상】**① 국가는 제24조 및 제25조에 따라 예방접종을 받은 사람 또는 제40조 제2항에 따라 생산된 예방·치료 의약품을 투여받은 사람이 그 예방접종 또는 예방·치료 의약품으로 인하여 질병에 걸리거나 장애인이 되거나 사망하였을 때에는 대통령령으로 정하는 기준과 절차에 따라 다음 각 호의 구분에 따른 보상을 하여야 한다.
> 1. 질병으로 진료를 받은 사람: 진료비 전액 및 정액 간병비
> 2. 장애인이 된 사람: 일시보상금
> 3. 사망한 사람: 대통령령으로 정하는 유족에 대한 일시보상금 및 장제비

답 ③

008

재산권과 손실보상에 대한 설명으로 옳은 것을 모두 고른 것은? (다툼이 있는 경우 판례에 의함)

> ㄱ. 사업시행자가 법령이 정한 이주대책대상자의 범위를 넘어 미거주 소유자까지 이주대책대상자에 포함시킨다고 하더라도, 법령에서 정한 이주대책대상자가 아닌 미거주 소유자에게 제공하는 이주대책은 법령에 의한 의무로서가 아니라 시혜적인 것이다.
> ㄴ. 헌법 제23조 제3항에서 정한 '정당한 보상'이란 피수용재산의 객관적인 재산가치를 완전하게 보상하여야 한다는 의미이므로, 해당 공익사업의 시행으로 인한 개발이익을 배제하고 손실보상액을 산정하는 것은 정당보상의 원리에 어긋난다.
> ㄷ. 헌법 제23조 제3항은 재산권 수용의 주체를 한정하지 않고 있는바, 공공필요가 있는 사업으로 인정되어 국가가 토지를 수용하는 것이 문제되지 않는 경우라면, 같은 사업에서 사인이 수용권을 가진다고 하여 그 사업에서의 공공필요에 대한 판단이 본질적으로 달라진다고 할 수는 없다.
> ㄹ. 공법상의 제한을 받는 토지의 수용보상액을 산정함에 있어서는 그 공법상 제한이 해당 공공사업의 시행을 직접 목적으로 하여 가하여진 경우가 아니라면 그러한 제한을 받는 상태 그대로 평가하여야 하지만, 그와 같은 제한이 해당 공공사업의 시행 이후에 가하여진 경우라고 하면 그 제한을 받지 아니하는 상태대로 평가하여야 한다.

① ㄱ, ㄴ
② ㄱ, ㄷ
③ ㄴ, ㄷ
④ ㄴ, ㄹ
⑤ ㄱ, ㄷ, ㄹ

2025년 변호사

ㄱ. (○) 사업시행자가 공익사업법 제78조 제1항, 공익사업법 시행령 제40조 제3항이 정한 이주대책대상자의 범위를 넘어 미거주 소유자까지 이주대책대상자에 포함시킨다고 하더라도, 법령에서 정한 이주대책대상자가 아닌 미거주 소유자에게 제공하는 이주대책은 법령에 의한 의무로서가 아니라 시혜적인 것으로 볼 것이므로, 사업시행자가 이러한 미거주 소유자에 대하여도 공익사업법 제78조 제4항에 따라 생활기본시설을 설치하여 줄 의무를 부담한다고 볼 수는 없다(대판 2014.9.4. 2012다109811).

ㄴ. (×) 헌법 제23조 제3항에서 규정한 "정당한 보상"이란 원칙적으로 피수용재산의 객관적인 재산가치를 완전하게 보상하여야 한다는 완전보상을 뜻하는 것이다. 그러나 공익사업의 시행으로 지가가 상승하여 발생하는 개발이익은 궁극적으로는 국민 모두에게 귀속되어야 할 성질의 것이며, 완전보상의 범위에 포함되는 피수용토지의 객관적 가치 내지 피수용자의 손실이라고는 볼 수 없다(헌재 1991.2.11. 90헌바17 ; 대판 1993.7.13. 93누2131).
공익사업법 제67조 제2항은 보상액을 산정함에 있어 당해 공익사업으로 인한 개발이익을 배제하는 조항인데, 공익사업의 시행으로 지가가 상승하여 발생하는 개발이익은 사업시행자의 투자에 의한 것으로서 피수용자인 토지소유자의 노력이나 자본에 의하여 발생하는 것이 아니므로, 이러한 개발이익은 형평의 관념에 비추어 볼 때 토지소유자에게 당연히 귀속되어야 할 성질의 것이 아니고, 또한 개발이익은 공공사업의 시행에 의하여 비로소 발생하는 것이므로, 그것이 피수용 토지가 수용 당시 갖는 객관적 가치에 포함된다고 볼 수도 없다. 따라서 개발이익은 그 성질상 완전보상의 범위에 포함되는 피수용자의 손실이라고 볼 수 없으므로, 이러한 개발이익을 배제하고 손실보상액을 산정한다 하여 헌법이 규정한 정당보상의 원리에 어긋나는 것이라고 할 수 없다(헌재 2009.9.24. 2008헌바112).

ㄷ. (○) 헌법 제23조 제3항은 정당한 보상을 전제로 하여 재산권의 수용 등에 관한 가능성을 규정하고 있지만, 재산권 수용의 주체를 한정하지 않고 있다. 위 헌법조항의 핵심은 당해 수용이 공공필요에 부합하는가, 정당한 보상이 지급되고 있는가 여부 등에 있는 것이지, 그 수용의 주체가 국가인지 민간기업인지 여부에 달려 있다고 볼 수 없다. 또한 국가 등의 공적 기관이 직접 수용의 주체가 되는 것이든 그러한 공적 기관의 최종적인 허부판단과 승인결정하에 민간기업이 수용의 주체가 되는 것이든, 양자 사이에 공공필요에 대한 판단과 수용의 범위에 있어서 본질적인 차이를 가져올 것으로 보이지 않는다. 따라서 위 수용 등의 주체를 국가 등의 공적 기관에 한정하여 해석할 이유가 없다. 오늘날 산업단지의 개발에 투입되는 자본은 대규모로 요구될 수 있는데, 이러한 경우 산업단지개발의 사업시행자를 국가나 지방자치단체로 제한한다면 예산상의 제약으로 인해 개발사업의 추진에 어려움이 있을 수 있고, 만약 이른바 공영개발방식만을 고수할 경우에는 수요에 맞지 않는 산업단지가 개발되어 자원이 비효율적으로 소모될 개연성도 있다. 또한 기업으로 하여금 산업단지를 직접 개발하도록 한다면, 기업들의 참여를 유도할 수 있는 측면도 있을 것이다. 그렇다면 민간기업을 수용의 주체로 규정한 자체를 두고 위헌이라고 할 수 없으며, 나아가 이 사건 수용조항을 통해 민간기업에게 사업시행에 필요한 토지를 수용할 수 있도록 규정할 필요가 있다는 입법자의 인식에도 합리적인 이유가 있다 할 것이다(헌재 2009.9.24. 2007헌바114).

ㄹ. (×)

[1] 공법상의 제한을 받는 토지의 수용보상액을 산정함에 있어서는 그 공법상의 제한이 당해 공공사업의 시행을 직접 목적으로 하여 가하여진 경우에는 그 제한을 받지 아니하는 상태대로 평가하여야 할 것이지만, 공법상 제한이 당해 공공사업의 시행을 직접 목적으로 하여 가하여진 경우가 아니라면 그러한 제한을 받는 상태 그대로 평가하여야 하고, 그와 같은 제한이 당해 공공사업의 시행 이후에 가하여진 경우라고 하여 달리 볼 것은 아니다.
[2] 문화재보호구역의 확대 지정이 당해 공공사업인 택지개발사업의 시행을 직접 목적으로 하여 가하여진 것이 아님이 명백하므로 토지의 수용보상액은 그러한 공법상 제한을 받는 상태대로 평가하여야 한다고 한 사례(대판 2005.2.18. 2003두14222)

답 ②

함께 정리하기

재산권과 손실보상

법령이 정한 이주대책대상자가 아닌 미거주 소유자에게 제공하는 이주대책
▷ 시혜적 재량

개발이익을 손실보상액산정에서 배제
▷ 정당보상○(개발이익: 완전보상 포함×)

수용주체인 국가·민간기업
▷ 본질적인 차이 無

공법상 제한을 받는 토지의 수용보상액
▷ 당해 공공사업의 시행을 직접 목적×
▷ 제한받는 상태대로 평가(시행 이후 제한 여부 불문)

문제 DATA

출제가능 지수 ▶▶▷
난이도 지수 ★★☆

009 ☐☐☐

「공익사업을 위한 토지 등의 취득 및 보상에 관한 법률」에 따른 토지 등의 취득 및 보상에 대한 내용으로 옳지 않은 것은?

① 사업시행자는 공익사업을 준비하기 위하여 타인이 점유하는 토지에 출입하여 측량하거나 조사할 수 있다.
② 공익사업에 필요한 토지등의 취득 또는 사용으로 인하여 토지소유자나 관계인이 입은 손실은 사업시행자가 보상하여야 한다.
③ 보상액을 산정할 경우에 해당 공익사업으로 인하여 토지등의 가격이 변동되었을 때에는 이를 고려하여야 한다.
④ 토지소유자가 제기하는 행정소송이 보상금의 증감에 관한 소송인 경우 사업시행자를 피고로 한다.

2024년 국가직 7급

① (O)
> 「공익사업을 위한 토지 등의 취득 및 보상에 관한 법률」 제9조 【사업 준비를 위한 출입의 허가 등】 ① 사업시행자는 공익사업을 준비하기 위하여 타인이 점유하는 토지에 출입하여 측량하거나 조사할 수 있다.

② (O)
> 「공익사업을 위한 토지 등의 취득 및 보상에 관한 법률」 제61조 【사업시행자 보상】 공익사업에 필요한 토지등의 취득 또는 사용으로 인하여 토지소유자나 관계인이 입은 손실은 사업시행자가 보상하여야 한다.

③ (✗)
> 「공익사업을 위한 토지 등의 취득 및 보상에 관한 법률」 제67조 【보상액의 가격시점 등】 ② 보상액을 산정할 경우에 해당 공익사업으로 인하여 토지등의 가격이 변동되었을 때에는 이를 고려하지 아니한다.

④ (O)
> 「공익사업을 위한 토지 등의 취득 및 보상에 관한 법률」 제85조 【행정소송의 제기】 ① 사업시행자, 토지소유자 또는 관계인은 제34조에 따른 재결에 불복할 때에는 재결서를 받은 날부터 90일 이내에, 이의신청을 거쳤을 때에는 이의신청에 대한 재결서를 받은 날부터 60일 이내에 각각 행정소송을 제기할 수 있다. 이 경우 사업시행자는 행정소송을 제기하기 전에 제84조에 따라 늘어난 보상금을 공탁하여야 하며, 보상금을 받을 자는 공탁된 보상금을 소송이 종결될 때까지 수령할 수 없다.
> ② 제1항에 따라 제기하려는 행정소송이 보상금의 증감(增減)에 관한 소송인 경우 그 소송을 제기하는 자가 토지소유자 또는 관계인일 때에는 사업시행자를, 사업시행자일 때에는 토지소유자 또는 관계인을 각각 피고로 한다.

답 ③

함께 정리하기

「공익사업을 위한 토지 등의 취득 및 보상에 관한 법률」에 따른 토지 등의 취득 및 보상

사업시행자
▷ 사업준비를 위한 토지 출입, 측량, 조사 가

사업시행자 보상의 원칙

보상액 산정시
▷ 해당 공익사업으로 인한 가격변동 고려✗

토지소유자가 제기한 보상금증감소송의 피고
▷ 사업시행자

010

「공익사업을 위한 토지 등의 취득 및 보상에 관한 법률」에 대한 설명으로 옳지 않은 것은?

① 「공익사업을 위한 토지 등의 취득 및 보상에 관한 법률」의 규정에 의한 사업인정처분은 공익사업을 토지 등을 수용 또는 사용할 사업으로 결정하는 것으로서 단순한 확인행위가 아니라 형성행위이다.
② 보상금 증감에 관한 행정소송의 경우 그 소송을 제기하는 자가 토지소유자일 때에는 사업시행자와 관할 토지수용위원회를, 사업시행자일 때에는 토지소유자와 관할 토지수용위원회를 각각 피고로 한다.
③ 「공익사업을 위한 토지 등의 취득 및 보상에 관한 법률」에 의한 보상을 하면서 손실보상금에 관한 당사자 간의 합의가 성립한 경우, 그 보상합의는 공공기관이 사경제주체로서 행하는 사법상 계약의 실질을 가진다.
④ 사업시행자에게 해당 공익사업을 수행할 의사와 능력이 있어야 한다는 것은 사업인정의 한 요건이라고 보아야 한다.

2024년 지방직 7급

① (○) 공익사업을 위한 토지 등의 취득 및 보상에 관한 법률의 규정에 의한 사업인정처분이라 함은 공익사업을 토지 등을 수용 또는 사용할 사업으로 결정하는 것으로서(같은 법 제2조 제7호) 단순한 확인행위가 아니라 형성행위이므로, 당해 사업이 외형상 토지 등을 수용 또는 사용할 수 있는 사업에 해당된다 하더라도 행정주체로서는 그 사업이 공용수용을 할 만한 공익성이 있는지의 여부와 공익성이 있는 경우에도 그 사업의 내용과 방법에 대하여 사업인정처분에 관련된 자들의 이익을 공익과 사익 간에서는 물론, 공익 상호간 및 사익 상호간에도 정당하게 비교·교량하여야 하고, 그 비교·교량은 비례의 원칙에 적합하도록 하여야 한다(대판 2005.4.29. 2004두14670).

② (×)

> 「공익사업을 위한 토지 등의 취득 및 보상에 관한 법률」 제85조 【행정소송의 제기】 ① 사업시행자, 토지소유자 또는 관계인은 제34조에 따른 재결에 불복할 때에는 재결서를 받은 날부터 90일 이내에, 이의신청을 거쳤을 때에는 이의신청에 대한 재결서를 받은 날부터 60일 이내에 각각 행정소송을 제기할 수 있다. 이 경우 사업시행자는 행정소송을 제기하기 전에 제84조에 따라 늘어난 보상금을 공탁하여야 하며, 보상금을 받을 자는 공탁된 보상금을 소송이 종결될 때까지 수령할 수 없다.
> ② 제1항에 따라 제기하려는 행정소송이 보상금의 증감(增減)에 관한 소송인 경우 그 소송을 제기하는 자가 토지소유자 또는 관계인일 때에는 사업시행자를, 사업시행자일 때에는 토지소유자 또는 관계인을 각각 피고로 한다.

③ (○) 공익사업을 위한 토지 등의 취득 및 보상에 관한 법률(이하 '공익사업법'이라고 한다)에 의한 보상합의는 공공기관이 사경제주체로서 행하는 사법상 계약의 실질을 가지는 것으로서, 당사자 간의 합의로 같은 법 소정의 손실보상의 기준에 의하지 아니한 손실보상금을 정할 수 있으며, 이와 같이 같은 법이 정하는 기준에 따르지 아니하고 손실보상액에 관한 합의를 하였다고 하더라도 그 합의가 착오 등을 이유로 적법하게 취소되지 않는 한 유효하다. 따라서 공익사업법에 의한 보상을 하면서 손실보상금에 관한 당사자 간의 합의가 성립하면 그 합의 내용대로 구속력이 있고, 손실보상금에 관한 합의 내용이 공익사업법에서 정하는 손실보상 기준에 맞지 않는다고 하더라도 합의가 적법하게 취소되는 등의 특별한 사정이 없는 한 추가로 공익사업법상 기준에 따른 손실보상금 청구를 할 수는 없다(대판 2013.8.22. 2012다3517).

문제 DATA
출제가능 지수 ▶▶▷
난이도 지수 ★★☆

함께 정리하기
「공익사업을 위한 토지 등의 취득 및 보상에 관한 법률」

사업인정
▷ 수용권 설정(형성행위)

토지수용위원회
▷ 보상금증감소송 피고×

보상합의
▷ 사법상 계약

공익사업 수행할 의사·능력
▷ 사업인정의 요건

④ (○) 사업인정이라 함은 공익사업을 토지 등을 수용 또는 사용할 사업으로 결정하는 것으로서 공익사업의 시행자에게 그 후 일정한 절차를 거칠 것을 조건으로 일정한 내용의 수용권을 설정하여 주는 형성행위이므로, 해당 사업이 외형상 토지 등을 수용 또는 사용할 수 있는 사업에 해당한다고 하더라도 사업인정기관으로서는 그 사업이 공용수용을 할 만한 공익성이 있는지의 여부와 공익성이 있는 경우에도 그 사업의 내용과 방법에 관하여 사업인정에 관련된 자들의 이익을 공익과 사익 사이에서는 물론, 공익 상호간 및 사익 상호간에도 정당하게 비교·교량하여야 하고, 그 비교·교량은 비례의 원칙에 적합하도록 하여야 한다. 그뿐만 아니라 해당 <u>공익사업을 수행하여 공익을 실현할 의사나 능력이 없는 자에게 타인의 재산권을 공권력적·강제적으로 박탈할 수 있는 수용권을 설정하여 줄 수는 없으므로, 사업시행자에게 해당 공익사업을 수행할 의사와 능력이 있어야 한다는 것도 사업인정의 한 요건이라고 보아야 한다</u>(대판 2011.1.27. 2009두1051).

답 ②

011

「공익사업을 위한 토지 등의 취득 및 보상에 관한 법률」상 손실보상에 대한 설명으로 옳지 않은 것은?

① 영업을 하기 위해 투자한 비용이나 그 영업을 통해 얻을 것으로 기대되는 이익에 대한 손실은 영업손실보상의 대상이 된다고 할 수 없다.
② 토지소유자가 손실보상금의 액수를 다투고자 하는 경우 토지 수용위원회가 아니라 사업시행자를 상대로 보상금의 증액을 구하는 소송을 제기해야 한다.
③ 토지수용위원회의 재결에 대한 토지소유자의 행정소송 제기는 사업의 진행 및 토지의 수용 또는 사용을 정지시키지 아니한다.
④ 어떤 보상항목이 손실보상대상에 해당함에도 관할 토지수용위원회가 사실을 오인하거나 법리를 오해함으로써 손실보상대상에 해당하지 않는다고 잘못된 내용의 재결을 한 경우에는, 피보상자는 관할 토지수용위원회를 상대로 재결취소소송을 제기하여야 한다.

| 2024년 국가직 9급

① (○) 구 토지수용법(2002.2.4. 법률 제6656호 공익사업을 위한 토지 등의 취득 및 보상에 관한 법률 부칙 제2조로 폐지) 제51조가 규정하고 있는 '영업상의 손실'이란 수용의 대상이 된 토지·건물 등을 이용하여 영업을 하다가 그 토지·건물 등이 수용됨으로 인하여 영업을 할 수 없거나 제한을 받게 됨으로 인하여 생기는 직접적인 손실을 말하는 것이므로 위 규정은 영업을 하기 위하여 투자한 비용이나 그 영업을 통하여 얻을 것으로 기대되는 이익에 대한 손실보상의 근거규정이 될 수 없고, 그 외 구 토지수용법이나 구 '공공용지의 취득 및 손실보상에 관한 특례법'(2002.2.4. 법률 제6656호 공익사업을 위한 토지 등의 취득 및 보상에 관한 법률 부칙 제2조로 폐지), 그 시행령 및 시행규칙 등 관계 법령에도 <u>영업을 하기 위하여 투자한 비용이나 그 영업을 통하여 얻을 것으로 기대되는 이익에 대한 손실보상의 근거규정이나 그 보상의 기준과 방법 등에 관한 규정이 없으므로, 이러한 손실은 그 보상의 대상이 된다고 할 수 없다</u>(대판 2006.1.27. 2003두13106).
② (○)

> 「공익사업을 위한 토지 등의 취득 및 보상에 관한 법률」 제85조 【행정소송의 제기】 ① 사업시행자, 토지소유자 또는 관계인은 제34조에 따른 재결에 불복할 때에는 재결서를 받은 날부터 90일 이내에, 이의신청을 거쳤을 때에는 이의신청에 대한 재결서를 받은 날부터 60일 이내에 각각 행정소송을 제기할 수 있다. 이 경우 사업시행자는 행정소송을 제기하기 전에 제84조에 따라 늘어난 보상금을 공탁하여야 하며, 보상금을 받을 자는 공탁된 보상금을 소송이 종결될 때까지 수령할 수 없다.
> ② <u>제1항에 따라 제기하려는 행정소송이 보상금의 증감(增減)에 관한 소송인 경우 그 소송을 제기하는 자가 토지소유자 또는 관계인일 때에는 사업시행자를, 사업시행자일 때에는 토지소유자 또는 관계인을 각각 피고로 한다.</u>

문제 DATA

출제가능 지수 ▶▶☆
난이도 지수 ★★☆

함께 정리하기

손실보상

영업을 위한 투자비용, 기대이익
▷ 손실보상의 대상 ✕

토지소유자가 보상금 액수 다툼
▷ 사업시행자 상대로 보상금소송

행정소송 제기
▷ 사업진행, 토지수용·사용정지 ✕

잘못된 보상재결에 대한 불복
▷ 사업시행자 피고 & 보상금증감청구소송

③ (○) 공익사업을 위한 토지 등의 취득 및 보상에 관한 법률 제88조(처분효력의 부정지) 제83조에 따른 이의의 신청이나 제85조에 따른 행정소송의 제기는 사업의 진행 및 토지의 수용 또는 사용을 정지시키지 아니한다.
④ (×) 어떤 보상항목이 공익사업을 위한 토지 등의 취득 및 보상에 관한 법령상 손실보상 대상에 해당함에도 관할 토지수용위원회가 사실을 오인하거나 법리를 오해함으로써 손실보상 대상에 해당하지 않는다고 잘못된 내용의 재결을 한 경우에는, 피보상자는 관할 토지수용위원회를 상대로 그 재결에 대한 취소소송을 제기할 것이 아니라, 사업시행자를 상대로 구 공익사업을 위한 토지 등의 취득 및 보상에 관한 법률(2013.3.23. 법률 제11690호로 개정되기 전의 것) 제85조 제2항에 따른 보상금증감소송을 제기하여야 한다(대판 2018.7.20. 2015두4044).

답 ④

012 □□□

손실보상에 대한 설명으로 옳은 것만을 모두 고르면?

ㄱ. 공공필요에 의한 재산권의 수용·사용 또는 제한 및 그에 대한 보상은 법률로써 하되, 정당한 보상을 지급하여야 한다.
ㄴ. 「하천법」 부칙과 이에 따른 특별조치법이 하천구역으로 편입된 토지에 대하여 손실보상청구권을 규정하였다고 하더라도 당해 법률규정이 아니라 관리청의 보상금지급결정에 의하여 비로소 손실보상청구권이 발생한다.
ㄷ. 「공익사업을 위한 토지 등의 취득 및 보상에 관한 법률」상 보상금의 증감에 관한 소송인 경우 그 소송을 제기하는 자가 토지소유자 또는 관계인일 때에는 지방토지수용위원회 또는 중앙토지수용위원회를 피고로 한다.
ㄹ. 수용재결에 불복하여 취소소송을 제기하는 때에는 이의신청을 거친 경우에도 수용재결을 한 중앙토지수용위원회 또는 지방토지수용위원회를 피고로 하여 수용재결의 취소를 구하여야 하지만, 이의신청에 대한 재결 자체에 고유한 위법이 있는 경우에는 그 이의재결을 한 중앙토지수용위원회를 피고로 하여 이의재결의 취소를 구할 수 있다.

① ㄱ, ㄴ
② ㄱ, ㄹ
③ ㄴ, ㄷ
④ ㄴ, ㄷ, ㄹ

문제 DATA
출제가능 지수 ▶▶▷
난이도 지수 ★★☆

함께 정리하기
손실보상

헌법 제23조 제3항
▷ 재산권 수용·사용·제한·보상 → 법률
▷ 정당한 보상 규정

「하천법」상 손실보상
▷ 공법상 권리 & 당사자소송 대상

토지소유자가 보상금증감 소제기
▷ 사업시행자가 피고

이의신청 거친 경우 취소소송의 대상
▷ 원칙: 수용재결
▷ 예외: 이의재결

| 2024년 지방직 9급

ㄱ. (○)

> 헌법 제23조 ① 모든 국민의 재산권은 보장된다. 그 내용과 한계는 법률로 정한다.
> ② 재산권의 행사는 공공복리에 적합하도록 하여야 한다.
> ③ 공공필요에 의한 재산권의 수용·사용 또는 제한 및 그에 대한 보상은 법률로써 하되, 정당한 보상을 지급하여야 한다.

ㄴ. (×)

> [1] 법률 제3782호 하천법 중 개정법률(이하 '개정 하천법'이라 한다)은 그 부칙 제2조 제1항에서 개정 하천법의 시행일인 1984.12.31. 전에 유수지에 해당되어 하천구역으로 된 토지 및 구 하천법(1971.1.19. 법률 제2292호로 전문 개정된 것)의 시행으로 국유로 된 제외지 안의 토지에 대하여는 관리청이 그 손실을 보상하도록 규정하였고, '법률 제3782호 하천법 중 개정법률 부칙 제2조의 규정에 의한 보상청구권의 소멸시효가 만료된 하천구역 편입토지 보상에 관한 특별조치법' 제2조는 개정 하천법 부칙 제2조 제1항에 해당하는 토지로서 개정 하천법 부칙 제2조 제2항에서 규정하고 있는 소멸시효의 만료로 보상청구권이 소멸되어 보상을 받지 못한 토지에 대하여는 시·도지사가 그 손실을 보상하도록 규정하고 있는바, 위 각 규정들에 의한 손실보상청구권은 모두 종전의 하천법 규정 자체에 의하여 하천구역으로 편입되어 국유로 되었으나 그에 대한 보상규정이 없었거나 보상청구권이

시효로 소멸되어 보상을 받지 못한 토지들에 대하여, 국가가 반성적 고려와 국민의 권리구제 차원에서 그 손실을 보상하기 위하여 규정한 것으로서, 그 법적 성질은 하천법 본칙이 원래부터 규정하고 있던 하천구역에의 편입에 의한 손실보상청구권과 하등 다를 바가 없는 것이어서 공법상의 권리임이 분명하므로 그에 관한 쟁송도 행정소송절차에 의하여야 한다.

[2] 위 규정들에 의한 손실보상청구권은 1984.12.31. 전에 토지가 하천구역으로 된 경우에는 당연히 발생되는 것이지, 관리청의 보상금지급결정에 의하여 비로소 발생하는 것은 아니므로, 위 규정들에 의한 손실보상금의 지급을 구하거나 손실보상청구권의 확인을 구하는 소송은 행정소송법 제3조 제2호 소정의 당사자소송에 의하여야 한다(대판 2006.5.18. 2004다6207 전합).

ㄷ. (×)

> 「공익사업을 위한 토지 등의 취득 및 보상에 관한 법률」 제85조【행정소송의 제기】① 사업시행자, 토지소유자 또는 관계인은 제34조에 따른 재결에 불복할 때에는 재결서를 받은 날부터 90일 이내에, 이의신청을 거쳤을 때에는 이의신청에 대한 재결서를 받은 날부터 60일 이내에 각각 행정소송을 제기할 수 있다. 이 경우 사업시행자는 행정소송을 제기하기 전에 제84조에 따라 늘어난 보상금을 공탁하여야 하며, 보상금을 받을 자는 공탁된 보상금을 소송이 종결될 때까지 수령할 수 없다.
> ② 제1항에 따라 제기하려는 행정소송이 보상금의 증감(增減)에 관한 소송인 경우 그 소송을 제기하는 자가 토지소유자 또는 관계인일 때에는 사업시행자를, 사업시행자일 때에는 토지소유자 또는 관계인을 각각 피고로 한다.

ㄹ. (○) 수용재결에 불복하여 취소소송을 제기하는 때에는 이의신청을 거친 경우에도 수용재결을 한 중앙토지수용위원회 또는 지방토지수용위원회를 피고로 하여 수용재결의 취소를 구하여야 하고, 다만 이의신청에 대한 재결 자체에 고유한 위법이 있음을 이유로 하는 경우에는 그 이의재결을 한 중앙토지수용위원회를 피고로 하여 이의재결의 취소를 구할 수 있다고 보아야 한다(대판 2010.1.28. 2008두1504).

답 ②

문제 DATA

출제가능 지수 ▶▶▷
난이도 지수 ★★☆

013 □□□

행정상 손실보상에 대한 설명으로 옳은 것은? (다툼이 있는 경우 판례에 의함)

① 헌법재판소는 공시지가에 의한 보상을 하는 것은 합헌으로 보았으나, 개발이익을 배제하여 보상금액을 결정하는 것은 위헌이라고 결정하였다.
② 「공익사업을 위한 토지 등의 취득 및 보상에 관한 법률」에 따라 공익사업에 필요한 토지 등의 취득 또는 사용으로 인하여 토지소유자나 관계인이 입은 손실은 사업시행자가 보상하여야 한다. 이때 보상은 해당 공익사업을 위한 공사에 착수하기 이전에 이루어지며, 다른 특별한 규정이 없는 한 현금 지급을 원칙으로 한다.
③ 대법원은 국군보안사가 사인 소유의 방송사 주식을 강제로 국가에게 증여하게 한 사건에서 수용유사적 침해이론에 근거해 손실보상을 인정한다고 판시하였다.
④ 대법원은 하천구역으로 편입된 토지에 대한 손실보상청구권과 관련하여 공법상의 법률관계를 대상으로 하는 당사자소송 절차에 의하지 않고 민사소송 절차에 따라야 한다고 판시하였다.

2024년 소방직

① (×) 헌법 제23조 제3항이 규정하는 정당한 보상이란 원칙적으로 피수용 재산의 객관적인 재산 가치를 완전하게 보상하는 완전보상을 의미한다. 이 사건 토지보상조항은 '부동산 가격공시 및 감정평가에 관한 법률'에 의한 공시지가를 기준으로 토지수용으로 인한 손실보상액을 산정하되, 개발이익을 배제하고 공시기준일부터 가격시점까지의 시점보정을 해당 공익사업으로 인한 토지 가격의 영향을 받지 않는 지역의 대통령령이 정하는 지가변동률과 생산자물가상승률 등을 고려하여 행하도록 규정하고 있다.

함께 정리하기

행정상 손실보상

공시지가 보상, 개발이익 배제
▷ 합헌

손실보상의 방법, 지급원칙
▷ 사업시행자보상, 사전보상, 현금보상

사인 소유 방송사 주식을 강압적으로 국가에 증여하게 한 것
▷ 수용유사적 침해 ×

「하천법」상 손실보상
▷ 공법상 권리 & 당사자소송 대상

그런데 개발이익은 사업시행자의 사업시행으로 의하여 비로소 발생하는 것이므로 토지소유자에게 당연히 귀속되어야 할 것은 아니고 오히려 사업시행자 또는 궁극적으로 국민에게 귀속되어야 할 성질의 것이고, 그것이 피수용토지가 갖는 객관적 가치에 포함된다고 볼 수도 없으며, 한편, 위 법률의 규정에 의한 공시지가가 공시기준일 당시의 표준지의 객관적 가치를 정당하게 반영하는 것이고, 지가산정 대상 토지와 표준지 사이에 가격의 유사성을 인정할 수 있도록 표준지의 선정이 적정하며, 공시기준일 이후 가격시점까지의 시가변동을 산출하는 시점보정의 방법도 적정한 것으로 보이므로 공시지가를 기준으로 한 보상금액의 산정은 수용당시의 피수용토지의 객관적 가치를 반영한 것이 된다. 그렇다면 이 사건 토지보상조항은 헌법 제23조 제3항이 규정한 정당보상의 원칙에 위배되지 않는다(헌재 2013.12.26. 2011헌바162).

② (○)

> 「공익사업을 위한 토지 등의 취득 및 보상에 관한 법률」 제61조 【사업시행자 보상】 공익사업에 필요한 토지등의 취득 또는 사용으로 인하여 토지소유자나 관계인이 입은 손실은 사업시행자가 보상하여야 한다.
> 제62조 【사전보상】 사업시행자는 해당 공익사업을 위한 공사에 착수하기 이전에 토지소유자와 관계인에게 보상액 전액(全額)을 지급하여야 한다. 다만, 제38조에 따른 천재지변 시의 토지 사용과 제39조에 따른 시급한 토지 사용의 경우 또는 토지소유자 및 관계인의 승낙이 있는 경우에는 그러하지 아니하다.
> 제63조 【현금보상 등】 ① 손실보상은 다른 법률에 특별한 규정이 있는 경우를 제외하고는 현금으로 지급하여야 한다. 다만, 토지소유자가 원하는 경우로서 사업시행자가 해당 공익사업의 합리적인 토지이용계획과 사업계획 등을 고려하여 토지로 보상이 가능한 경우에는 토지소유자가 받을 보상금 중 본문에 따른 현금 또는 제7항 및 제8항에 따른 채권으로 보상받는 금액을 제외한 부분에 대하여 다음 각 호에서 정하는 기준과 절차에 따라 그 공익사업의 시행으로 조성한 토지로 보상할 수 있다.

③ (×) 수용유사적 침해의 이론은 국가 기타 공권력의 주체가 위법하게 공권력을 행사하여 국민의 재산권을 침해하였고 그 효과가 실제에 있어서 수용과 다름없을 때에는 적법한 수용이 있는 것과 마찬가지로 국민이 그로 인한 손실의 보상을 청구할 수 있다는 것인데, 1980.6.말경의 비상계엄 당시 국군보안사령부 정보처장이 언론통폐합조치의 일환으로 사인 소유의 방송사 주식을 강압적으로 국가에 증여하게 한 것이 위 수용유사행위에 해당되지 않는다고 한 사례(대판 1993.10.26. 93다6409)

④ (×)

> [1] 하천법 관련 규정들에 의한 손실보상청구권은 모두 종전의 하천법 규정 자체에 의하여 하천구역으로 편입되어 국유로 되었으나 그에 대한 보상규정이 없었거나 보상청구권이 시효로 소멸되어 보상을 받지 못한 토지들에 대하여, 국가가 반성적 고려와 국민의 권리구제 차원에서 그 손실을 보상하기 위하여 규정한 것으로서, 그 법적 성질은 하천법 본칙이 원래부터 규정하고 있던 하천구역에의 편입에 의한 손실보상청구권과 하등 다를 바 없는 것이어서 공법상의 권리임이 분명하므로 그에 관한 쟁송도 행정소송절차에 의하여야 한다.
> [2] 하천법 부칙(1984.12.31.) 제2조와 '법률 제3782호 하천법 중 개정법률 부칙 제2조의 규정에 의한 보상청구권의 소멸시효가 만료된 하천구역 편입토지 보상에 관한 특별조치법' 제2조, 제6조의 각 규정들을 종합하면, 위 규정들에 의한 손실보상청구권은 1984.12.31. 전에 토지가 하천구역으로 된 경우에는 당연히 발생되는 것이지, 관리청의 보상금지급결정에 의하여 비로소 발생하는 것은 아니므로, 위 규정들에 의한 손실보상금의 지급을 구하거나 손실보상청구권의 확인을 구하는 소송은 행정소송법 제3조 제2호 소정의 당사자소송에 의하여야 한다(대판 2006.5.18. 2004다6207 전합).

답 ②

문제 DATA

출제가능 지수 ▶▶▷
난이도 지수 ★★☆

014 □□□

공용수용 및 손실보상에 대한 설명으로 옳지 않은 것은? (다툼이 있는 경우 판례에 의함)

① 「공익사업을 위한 토지 등의 취득 및 보상에 관한 법률」상 주거용 건축물 세입자의 주거이전비 보상청구권은 그 요건을 충족하는 경우에 당연히 발생하는 것이므로 주거이전비 보상청구소송은 「행정소송법」상 당사자소송에 의하여야 한다.
② 구 「공공용지의 취득 및 손실보상에 관한 특례법」상 사업시행자가 이주대책을 수립하여 이주대책에서 정한 절차에 따라 이주대책대상자로 확인·결정하여야만 이주자에게 비로소 구체적인 수분양권이 발생한다.
③ 토지수용위원회의 수용재결이 있은 후라고 하더라도 토지소유자와 사업시행자가 다시 협의하여 토지 등의 취득·사용 및 그에 대한 보상에 관하여 임의로 계약을 체결할 수 있다.
④ 헌법 제23조 제3항이 규정하는 정당한 보상이란 원칙적으로 피수용재산의 객관적인 재산가치를 완전하게 보상하는 것이어야 한다는 완전보상을 뜻한다.
⑤ 일반 공중의 이용에 제공되는 공공용물을 허가나 특허 없이 일반사용하고 있던 자가 당해 공공용물에 관한 적법한 개발행위로 인하여 종전에 비하여 그 일반사용이 제한을 받게 되었다면 그로 인한 불이익은 특별한 사정이 없는 한 손실보상의 대상이 된다.

2024년 소방간부

함께 정리하기

공용수용 및 손실보상

주거이전비보상청구
▷ 당사자소송

구체적 수분양권
▷ 사업시행자가 이주대책자로 확인·결정해야 발생

수용재결 후
▷ 토지소유자와 사업시행자는 재협의하여 임의로 계약체결 可

헌법상 정당보상
▷ 재산가치 완전하게 보상(완전보상)

공공용물의 적법한 개발행위로 일반사용 제한
▷ 특별한 손실✕

① (○) 구 공익사업을 위한 토지 등의 취득 및 보상에 관한 법률 제78조 제5항, 제7항, 같은 법 시행규칙 제54조 제2항 본문, 제3항의 각 조문을 종합하여 보면, 세입자의 주거이전비 보상청구권은 그 요건을 충족하는 경우에 당연히 발생하는 것이므로, 주거이전비 보상청구소송은 행정소송법 제3조 제2호에 규정된 당사자소송에 의하여야 한다. 다만, 구 도시 및 주거환경정비법 제40조 제1항에 의하여 준용되는 구 공익사업을 위한 토지 등의 취득 및 보상에 관한 법률 제2조, 제50조, 제78조, 제85조 등의 각 조문을 종합하여 보면, 세입자의 주거이전비 보상에 관하여 재결이 이루어진 다음 세입자가 보상금의 증감 부분을 다투는 경우에는 같은 법 제85조 제2항에 규정된 행정소송에 따라, 보상금의 증감 이외의 부분을 다투는 경우에는 같은 조 제1항에 규정된 행정소송에 따라 권리구제를 받을 수 있다(대판 2008.5.29. 2007다8129).

② (○) 공공용지의 취득 및 손실보상에 관한 특례법 제8조 제1항이 사업시행자에게 이주대책의 수립·실시의무를 부과하고 있다고 하더라도 그 규정 자체만으로 이주자에게 사업시행자가 수립한 이주대책상의 택지분양권이나 아파트 입주권 등을 받을 수 있는 구체적인 권리(수분양권)가 직접 발생하는 것이라고는 볼 수 없고, 사업시행자가 이주대책에 관한 구체적인 계획을 수립하여 이를 해당자에게 통지 내지 공고한 후, 이주자가 수분양권을 취득하기를 희망하여 이주대책에 정한 절차에 따라 사업시행자에게 이주대책 대상자 선정신청을 하고 사업시행자가 이를 받아들여 이주대책 대상자로 확인·결정하여야만 비로소 구체적인 수분양권이 발생하게 된다(대판 1995.10.12. 94누11279).

③ (○) 공익사업을 위한 토지 등의 취득 및 보상에 관한 법률(이하 '토지보상법'이라 한다)은 사업시행자로 하여금 우선 협의취득 절차를 거치도록 하고, 협의가 성립되지 않거나 협의를 할 수 없을 때에 수용재결취득 절차를 밟도록 예정하고 있기는 하다. 그렇지만 일단 토지수용위원회가 수용재결을 하였더라도 사업시행자로서는 수용 또는 사용의 개시일까지 토지수용위원회가 재결한 보상금을 지급 또는 공탁하지 아니함으로써 재결의 효력을 상실시킬 수 있는 점, 토지소유자 등은 수용재결에 대하여 이의를 신청하거나 행정소송을 제기하여 보상금의 적정 여부를 다툴 수 있는데, 그 절차에서 사업시행자와 보상금액에 관하여 임의로 합의할 수 있는 점, 공익사업의 효율적인 수행을 통하여 공공복리를 증진시키고, 재산권을 적정하게 보호하려는 토지보상법의 입법 목적(제1조)에 비추어 보더라도 수용재결이 있은 후에 사법상 계약의 실질을 가지는 협의취득 절차를 금지해야 할 별다른 필요성을 찾기 어려운 점 등을 종합해 보면, 토지수용위원회의 수용재결이 있은 후라고 하더라도 토지소유자 등과 사업시행자가 다시 협의하여 토지 등의 취득이나 사용 및 그에 대한 보상에 관하여 임의로 계약을 체결할 수 있다고 보아야 한다(대판 2017.4.13. 2016두64241).

④ (○) 헌법 제23조 제3항에서 규정한 "정당한 보상"이란 원칙적으로 피수용재산의 객관적인 재산가치를 완전하게 보상하여야 한다는 완전보상을 뜻하는 것이지만, 공익사업의 시행으로 인한 개발이익은 완전보상의 범위에 포함되는 피수용토지의 객관적 가치 내지 피수용자의 손실이라고는 볼 수 없다(헌재 1990.6.25. 89헌마107).
⑤ (×) 일반 공중의 이용에 제공되는 공공용물에 대하여 특허 또는 허가를 받지 않고 하는 일반사용은 다른 개인의 자유이용과 국가 또는 지방자치단체 등의 공공목적을 위한 개발 또는 관리·보존행위를 방해하지 않는 범위 내에서만 허용된다 할 것이므로, 공공용물에 관하여 적법한 개발행위 등이 이루어짐으로 말미암아 이에 대한 일정범위의 사람들의 일반사용이 종전에 비하여 제한받게 되었다 하더라도 특별한 사정이 없는 한 그로 인한 불이익은 손실보상의 대상이 되는 특별한 손실에 해당한다고 할 수 없다(대판 2002.2.26. 99다35300).

답 ⑤

015 □□□

「공익사업을 위한 토지 등의 취득 및 보상에 관한 법률」(이하 '토지보상법'이라 함)상 행정상 손실보상에 대한 설명으로 옳지 않은 것은?

① 사업시행자, 토지소유자 또는 관계인은 토지수용위원회의 재결에 불복할 때에는 재결서를 받은 날부터 90일 이내에, 이의신청을 거쳤을 때에는 이의신청에 대한 재결서를 받은 날부터 60일 이내에 각각 행정소송을 제기할 수 있으며, 이 경우 행정소송의 제기는 사업의 진행 및 토지의 수용 또는 사용을 정지시키지 아니한다.
② 동일한 소유자에게 속하는 일단의 토지의 일부가 협의에 의하여 매수되거나 수용됨으로 인하여 잔여지를 종래의 목적에 사용하는 것이 현저히 곤란할 때에는 해당 토지소유자는 사업시행자에게 잔여지를 매수하여 줄 것을 청구할 수 있으며, 사업인정 이후에는 관할 토지수용위원회에 수용을 청구할 수 있고, 이 경우 수용의 청구는 매수에 관한 협의가 성립되지 아니한 경우에만 할 수 있으며 사업완료일까지 하여야 한다.
③ 토지보상법에 의한 보상금증감청구소송은 보상금의 증액 또는 감액 청구에 관한 소송이므로 잔여지 수용청구를 거절한 재결에 불복하는 소송은 '보상금의 증감에 관한 소송'에 해당되지 아니한다.
④ 하나의 재결에서 피보상자별로 여러 가지의 토지, 물건, 권리 또는 영업의 손실에 관하여 심리·판단이 이루어졌을 때, 피보상자 또는 사업시행자가 여러 보상항목들 중 일부에 관해서만 불복하는 경우 반드시 재결 전부에 관하여 불복하여야 하는 것은 아니다.

| 2023년 지방직 7급

① (○)

> 「공익사업을 위한 토지 등의 취득 및 보상에 관한 법률」 제85조 【행정소송의 제기】 ① 사업시행자, 토지소유자 또는 관계인은 제34조에 따른 재결에 불복할 때에는 재결서를 받은 날부터 90일 이내에, 이의신청을 거쳤을 때에는 이의신청에 대한 재결서를 받은 날부터 60일 이내에 각각 행정소송을 제기할 수 있다. 이 경우 사업시행자는 행정소송을 제기하기 전에 제84조에 따라 늘어난 보상금을 공탁하여야 하며, 보상금을 받을 자는 공탁된 보상금을 소송이 종결될 때까지 수령할 수 없다.
> 제88조【처분효력의 부정지】 제83조에 따른 이의의 신청이나 제85조에 따른 행정소송의 제기는 사업의 진행 및 토지의 수용 또는 사용을 정지시키지 아니한다.

② (○)

> 「공익사업을 위한 토지 등의 취득 및 보상에 관한 법률」 제74조 【잔여지 등의 매수 및 수용 청구】 ① 동일한 소유자에게 속하는 일단의 토지의 일부가 협의에 의하여 매수되거나 수용됨으로 인하여 잔여지를 종래의 목적에 사용하는 것이 현저히 곤란할 때에는 해당 토지소유자는 사업시행자에게 잔여지를 매수하여 줄 것을 청구할 수 있으며, 사업인정 이후에는 관할 토지수용위원회에 수용을 청구할 수 있다. 이 경우 수용의 청구는 매수에 관한 협의가 성립되지 아니한 경우에만 할 수 있으며, 사업완료일까지 하여야 한다.

③ (✕) 잔여지 수용청구권은 요건을 구비한 때 재결이 없더라도 청구에 의하여 수용의 효과가 발생하는 형성권이므로 불복소송은 보상금증감소송이다.

> 잔여지 수용청구권은 그 청구에 의하여 수용의 효과가 발생하는 형성권적 성질을 가지므로, 잔여지 수용청구를 받아들이지 않은 토지수용위원회의 재결에 대하여 토지소유자가 불복하여 제기하는 소송은 위 법 제85조 제2항에 규정되어 있는 '보상금의 증감에 관한 소송'에 해당하여 사업시행자를 피고로 하여야 한다(대판 2010.8.19. 2007다63089).

④ (○) 하나의 재결에서 피보상자별로 여러 가지의 토지, 물건, 권리 또는 영업(이처럼 손실보상 대상에 해당하는지, 나아가 그 보상금액이 얼마인지를 심리·판단하는 기초 단위를 이하 '보상항목'이라고 한다)의 손실에 관하여 심리·판단이 이루어졌을 때, 피보상자 또는 사업시행자가 반드시 재결 전부에 관하여 불복하여야 하는 것은 아니며, 여러 보상항목들 중 일부에 관해서만 불복하는 경우에는 그 부분에 관해서만 개별적으로 불복의 사유를 주장하여 행정소송을 제기할 수 있다(대판 2018.5.15. 2017두41221).

답 ③

016

행정상 손실보상에 대한 설명으로 옳지 않은 것은? (다툼이 있는 경우 판례에 의함)

① 잔여지 수용청구를 받아들이지 않은 토지수용위원회의 재결에 대하여 토지소유자가 불복하여 제기하는 소송은 보상금의 증액에 관한 소송에 해당하여 사업시행자를 피고로 하여야 한다.
② 수용재결에 불복하여 취소소송을 제기하는 때에는 이의신청을 거친 경우에도 수용재결을 한 중앙토지수용위원회 또는 지방토지수용위원회를 피고로 하여 수용재결의 취소를 구하여야 한다.
③ 「공익사업을 위한 토지 등의 취득 및 보상에 관한 법률」에 의한 보상금 증감에 관한 소송은 수용재결서를 받은 날부터 90일 이내에, 이의신청을 거쳤을 때에는 이의신청에 대한 재결서를 받은 날부터 60일 이내에 각각 행정소송을 제기할 수 있다.
④ 「공익사업을 위한 토지 등의 취득 및 보상에 관한 법률」에 의한 사업인정의 고시 절차를 누락한 것을 이유로 수용재결처분의 취소를 구할 수 있다.

| 2023년 군무원 9급

① (○) 잔여지 수용청구를 받아들이지 않은 재결에 대한 보상금증액소송은 사업시행자를 피고로 하여야 한다.

> 구 '공익사업을 위한 토지 등의 취득 및 보상에 관한 법률' 제4조7 제1항에 규정되어 있는 잔여지 수용청구권은 손실 보상의 일환으로 토지소유자에게 부여되는 권리로서 그 요건을 구비한 때에는 잔여지를 수용하는 토지수용위원회의 재결이 없더라도 그 청구에 의하여 수용의 효과가 발생하는 형성권적 성질을 가지므로, 잔여지 수용청구를 받아 들이지 않은 토지수용위원회의 재결에 대하여 토지 소유자가 불복하여 제기하는 소송은 위 법 제85조 제2항에 규정되어 있는 '보상금의 증감에 관한 소송'에 해당하여 사업시행자를 피고로 하여야 한다(대판 2010.8.19. 2008두822).

② (○) 이의신청을 거친 경우에도 수용재결의 취소를 구하는 것이 원칙이다.

> 수용재결에 불복하여 취소소송을 제기하는 때에는 이의신청을 거친 경우에도 수용재결을 한 중앙토지수용위원회 또는 지방토지수용위원회를 피고로 하여 수용재결의 취소를 구하여야 한다. 다만 이의신청에 대한 재결 자체에 고유한 위법이 있음을 이유로 하는 경우에도 그 이의재결을 한 중앙토지수용위원회를 피고로 하여 이의재결의 취소를 구할 수 있다고 보아야 한다(대판 2010.1.28. 2008두1504).

③ (○)

> 「공익사업을 위한 토지 등의 취득 및 보상에 관한 법률」 제85조 【행정소송의 제기】 ① 사업시행자, 토지소유자 또는 관계인은 제34조에 따른 재결에 불복할 때에는 재결서를 받은 날부터 90일 이내에, 이의신청을 거쳤을 때에는 이의신청에 대한 재결서를 받은 날부터 60일 이내에 각각 행정소송을 제기할 수 있다. 이 경우 사업시행자는 행정소송을 제기하기 전에 제84조에 따라 늘어난 보상금을 공탁하여야 하며, 보상금을 받을 자는 공탁된 보상금을 소송이 종결될 때까지 수령할 수 없다.

④ (✕) 사업인정의 고시 절차를 누락한 것을 이유로 수용재결처분의 취소를 구하거나 무효확인을 구할 수 없다.

> 구 토지수용법(1990.4.7. 법률 제4231호로 개정되기 전의 것) 제16조 제1항에서는 건설부장관이 사업인정을 하는 때에는 지체 없이 그 뜻을 기업자·토지소유자·관계인 및 관계도지사에게 통보하고 기업자의 성명 또는 명칭, 사업의 종류, 기업지 및 수용 또는 사용할 토지의 세목을 관보에 공시하여야 한다고 규정하고 있는바, 가령 건설부장관이 위와 같은 절차를 누락한 경우 이는 절차상의 위법으로서 수용재결 단계 전의 사업인정 단계에서 다툴 수 있는 취소사유에 해당하기는 하나, 더 나아가 그 사업인정 자체를 무효로 할 중대하고 명백한 하자라고 보기는 어렵고, 따라서 이러한 위법을 들어 수용재결처분의 취소를 구하거나 무효확인을 구할 수는 없다(대판 2000.10.13. 2000두5142).

답 ④

017

행정상 손실보상제도에 대한 설명으로 옳지 않은 것은? (다툼이 있는 경우 판례에 의함)

① 구 「소하천정비법」에 따라 소하천구역으로 편입된 토지의 소유자가 사용·수익에 대한 권리행사에 제한을 받아 손해를 입고 있는 경우, 손실보상을 청구할 수 있을 뿐만 아니라, 관리청의 제방부지에 대한 점유를 권원 없는 점유와 같이 보아 관리청을 상대로 손해배상이나 부당이득의 반환을 청구할 수 있다.

② 구 「전염병예방법」에 의한 피해보상제도가 수익적 행정처분의 형식을 취하고는 있지만, 구 「전염병예방법」의 취지와 입법 경위 등을 고려하면 그 실질은 피해자의 특별한 희생에 대한 보상에 가까우므로 그 인정 여부는 객관적으로 합리적인 재량권의 범위 내에서 타당하게 결정하여야 한다.

③ 제방부지 및 제외지가 유수지와 더불어 하천구역이 되어 국유로 되는 이상 그로 인하여 소유자가 입은 손실은 특별한 희생에 해당하고, 보상방법을 유수지에 대한 것과 달리할 아무런 합리적인 이유가 없으므로 소유자에게 손실을 보상하여야 한다.

④ 「국토의 계획 및 이용에 관한 법률」에서 규정하는 도시계획시설사업은 도로·철도·항만·공항·주차장 등 교통시설, 수도·전기·가스공급설비 등 공급시설과 같은 도시계획시설을 설치·정비 또는 개량하여 공공복리를 증진시키고 국민의 삶의 질을 향상시키는 것을 목적으로 하고 있으므로, 그 자체로 공공필요성의 요건이 충족된다.

함께 정리하기

손실보상

토지가 소하천구역으로 적법하게 편입된 경우
▷ 손해배상, 부당이득반환청구 불가

구 「전염병예방법」에 의한 피해보상 인정 여부
▷ 보건복지부장관의 재량행위

하천 제방부지·제외지
▷ 구 하천법 부칙조항 유추하여 손실보상 ○

도시계획시설사업
▷ 공공필요성 ○

2023년 소방직

① (×) 토지가 소하천구역으로 적법하게 편입된 경우 손해배상이나 부당이득반환을 청구할 수 없다.

> 토지가 구 소하천정비법(2016.1.27. 법률 제13919호로 개정되기 전의 것, 이하 같다)에 의하여 소하천구역으로 적법하게 편입된 경우 그로 인하여 그 토지의 소유자가 사용·수익에 관한 권리행사에 제한을 받아 손해를 입고 있다고 하더라도 구 소하천정비법 제24조에서 정한 절차에 따라 손실보상을 청구할 수 있음은 별론으로 하고, 관리청의 제방 부지에 대한 점유를 권원 없는 점유와 같이 보아 손해배상이나 부당이득의 반환을 청구할 수 없다(대판 2021.12.30. 2018다284608).

② (○) 구 「전염병예방법」에 따른 예방접종으로 인한 질병, 장애, 사망의 인정 여부는 보건복지부장관의 재량이다.

> 특정인에게 권리나 이익을 부여하는 이른바 수익적 행정처분은 법령에 특별한 규정이 없는 한 재량행위이고, 구 전염병예방법(2009.12.29. 법률 제9847호 감염병의 예방 및 관리에 관한 법률로 전부 개정되기 전의 것, 이하 '구 전염병예방법'이라 한다) 제54조의2 제2항에 의하여 보건복지가족부장관에게 예방접종으로 인한 질병, 장애 또는 사망(이하 '장애 등'이라 한다)의 인정 권한을 부여한 것은, 예방접종과 장애 등 사이에 인과관계가 있는지를 판단하는 것은 고도의 전문적 의학 지식이나 기술이 필요한 점과 전국적으로 일관되고 통일적인 해석이 필요한 점을 감안한 것으로 역시 보건복지가족부장관의 재량에 속하는 것이므로, 인정에 관한 보건복지가족부장관의 결정은 가능한 한 존중되어야 한다(대판 2014.5.16. 2014두274).

③ (○) 하천부속물의 부지가 하천구역이 되어 국유로 된 경우, 명시적인 보상규정이 없더라도 손실보상을 해야 한다.

> 하천법 제2조 제1항 제1호 소정의 하천의 제방 부지로서 같은 법 제11조 단서 소정의 관리청이 그 지상에 제방을 축조하였다면, 그 제방의 부지는 관리청에 의한 지정 처분이 없어도 법률의 규정에 의하여 당연히 하천구역이 되어 국유로 된다. 구 하천법 부칙(1984.12.31.) 제2조 제1항의 규정상 하천법 제2조 제1항 제2호 나목 소정의 하천부속물의 부지에 관하여는 명시적인 보상규정이 없다고 하더라도, 그것이 유수지 및 제외지와 더불어 하천구역이 되어 국유로 된 이상 그로 인하여 소유자가 입은 손실은 보상되어야 하고, 그 보상 방법을 유수지 및 제외지 등에 관한 것과 달리할 아무런 합리적인 이유를 찾아볼 수 없으므로, 1971.1.19. 법률 제2292호로 공포된 구 하천법의 시행일인 같은 해 7.20. 이전에 그 제방을 축조한 관리청은 위 개정된 구 하천법 부칙 제2조 제1항을 유추적용하여 그 제방 부지의 소유자에게 그 손실을 보상하여야 한다고 봄이 상당하다(대판 1995.11.24. 94다34630).

④ (○) 도시계획시설사업은 그 자체로 공공필요성의 요건이 충족된다.

> 도시계획시설사업은 도로·철도·항만·공항·주차장 등 교통시설, 수도·전기·가스공급설비 등 공급시설과 같은 도시계획시설을 설치·정비 또는 개량하여 공공복리를 증진시키고 국민의 삶의 질을 향상시키는 것을 목적으로 하고 있으므로, 도시계획시설사업은 그 자체로 공공필요성의 요건이 충족된다(헌재 2014.7.24. 2013헌바294).

답 ①

018

「공익사업을 위한 토지 등의 취득 및 보상에 관한 법률」에 대한 설명으로 옳지 않은 것은? (다툼이 있는 경우 판례에 의함)

① 구 「하천법」에 의한 하천수 사용권은 「공익사업을 위한 토지 등의 취득 및 보상에 관한 법률」이 손실보상의 대상으로 규정하고 있는 '물의 사용에 관한 권리'에 해당한다.

② 토지수용위원회의 재결에 대한 토지소유자의 행정소송 제기는 사업의 진행 및 토지의 수용 또는 사용을 정지시키지 아니한다.

③ 사업인정은 공익사업의 시행자에게 그 후 일정한 절차를 거칠 것을 조건으로 일정한 내용의 수용권을 설정하여 주는 형성행위이다.

④ 어떤 보상항목이 공익사업을 위한 토지 등의 취득 및 보상에 관한 법령상 손실보상 대상에 해당함에도 관할 토지수용위원회가 사실을 오인하거나 법리를 오해함으로써 손실보상 대상에 해당하지 않는다고 잘못된 내용의 재결을 한 경우에는, 피보상자는 관할 토지수용위원회를 상대로 재결취소소송을 제기하여야 한다.

2023년 지방직 9급

① (○) 하천수 사용권은 토지보상법상 손실보상의 대상으로 규정하고 있는 '물의 사용에 관한 권리'에 해당한다.

> 하천법 제50조에 의한 하천수 사용권(2007.4.6. 하천법 개정 이전에 종전의 규정에 따라 유수의 점용·사용을 위한 관리청의 허가를 받음으로써 2007.4.6. 개정 하천법 부칙 제9조에 따라 현행 하천법 제50조에 의한 하천수 사용허가를 받은 것으로 보는 경우를 포함한다. 이하 같다)은 하천법 제33조에 의한 하천의 점용허가에 따라 해당 하천을 점용할 수 있는 권리와 마찬가지로 특허에 의한 공물사용권의 일종으로서, 양도가 가능하고 이에 대한 민사집행법상의 집행 역시 가능한 독립된 재산적 가치가 있는 구체적인 권리라고 보아야 한다. 따라서 하천법 제50조에 의한 하천수 사용권은 공익사업을 위한 토지 등의 취득 및 보상에 관한 법률 제76조 제1항이 손실보상의 대상으로 규정하고 있는 '물의 사용에 관한 권리'에 해당한다(대판 2018.12.27. 2014두11601).

유제 22. 변호사 「하천법」에 의한 하천수 사용권은 특허에 의한 공물사용권의 일종이다. (○)

> 「공익사업을 위한 토지 등의 취득 및 보상에 관한 법률」 제76조 【권리의 보상】 ① 광업권·어업권·양식업권 및 물(용수시설을 포함한다) 등의 사용에 관한 권리에 대하여는 투자비용, 예상 수익 및 거래가격 등을 고려하여 평가한 적정가격으로 보상하여야 한다.

② (○)

> 「공익사업을 위한 토지 등의 취득 및 보상에 관한 법률」 제88조 【처분효력의 부정지】 제83조에 따른 이의의 신청이나 제85조에 따른 행정소송의 제기는 사업의 진행 및 토지의 수용 또는 사용을 정지시키지 아니한다.

③ (○) 사업인정은 사업시행자에게 수용권을 설정하여 주는 형성행위이다.

> 사업인정이란 공익사업을 토지 등을 수용 또는 사용할 사업으로 결정하는 것으로서 공익사업의 시행자에게 그 후 일정한 절차를 거칠 것을 조건으로 일정한 내용의 수용권을 설정하여 주는 형성행위이므로, 해당 사업이 외형상 토지 등을 수용 또는 사용할 수 있는 사업에 해당한다고 하더라도 사업인정기관으로서는 그 사업이 공용수용을 할 만한 공익성이 있는지의 여부와 공익성이 있는 경우에도 그 사업의 내용과 방법에 관하여 사업인정에 관련된 자들의 이익을 공익과 사익 사이에서는 물론, 공익 상호간 및 사익 상호간에도 정당하게 비교·교량하여야 하고, 그 비교·교량은 비례의 원칙에 적합하도록 하여야 한다. 그뿐만 아니라 해당 공익사업을 수행하여 공익을 실현할 의사나 능력이 없는 자에게 타인의 재산권을 공권력적·강제적으로 박탈할 수 있는 수용권을 설정하여 줄 수는 없으므로, 사업시행자에게 해당 공익사업을 수행할 의사와 능력이 있어야 한다는 것도 사업인정의 한 요건이라고 보아야 한다(대판 2011.1.27. 2009두1051).

문제 DATA

출제가능 지수 ▶▶▶▷
난이도 지수 ★★☆

함께 정리하기

손실보상

하천수 사용권
▷ 손실보상 대상인 '물의 사용에 관한 권리'

재결에 대한 행정소송
▷ 처분효력 정지✕

사업인정
▷ 수용권 설정(형성행위)

잘못된 보상재결에 대한 불복
▷ 사업시행자 피고 & 보상금증감청구소송

④ (×) 토지수용위원회의 잘못된 보상재결이 있는 경우 사업시행자를 상대로 보상금증감청구소송을 제기해야 한다.

> 어떤 보상항목이 공익사업을 위한 토지 등의 취득 및 보상에 관한 법령상 손실보상 대상에 해당함에도 관할 토지수용위원회가 사실을 오인하거나 법리를 오해함으로써 손실보상 대상에 해당하지 않는다고 잘못된 내용의 재결을 한 경우에는, 피보상자는 관할 토지수용위원회를 상대로 그 재결에 대한 취소소송을 제기할 것이 아니라, 사업시행자를 상대로 구 공익사업을 위한 토지 등의 취득 및 보상에 관한 법률(2013.3.23. 법률 제11690호로 개정되기 전의 것) 제85조 제2항에 따른 보상금증감소송을 제기하여야 한다(대판 2018.7.20. 2015두4044).

답 ④

019 □□□

손실보상에 대한 설명으로 옳은 것은? (다툼이 있는 경우 판례에 의함)

① 「공익사업을 위한 토지 등의 취득 및 보상에 관한 법률」상 사업시행자와 토지소유자 사이의 협의취득에 대한 분쟁은 민사소송으로 다투어야 한다.
② 「공익사업을 위한 토지 등의 취득 및 보상에 관한 법률」에 따라 사업인정고시가 된 후 토지의 사용으로 인하여 토지의 형질이 변경되는 경우에 토지소유자는 중앙토지수용위원회에 그 토지의 매수청구권을 행사할 수 있다.
③ 헌법재판소는 「개발제한구역의 지정 및 관리에 관한 특별조치법」 제11조 제1항 등에 대한 위헌소원사건에서 토지의 효용이 감소한 토지소유자에게 토지매수청구권을 인정하는 등 보상규정을 두었지만 적절한 손실보상에 해당하지 않는다고 위헌결정을 하였다.
④ 사업시행자는 동일한 사업지역에 보상시기를 달리하는 동일인 소유의 토지등이 여러 개가 있는 경우 토지등의 소유자가 일괄보상을 요구하더라도 「공익사업을 위한 토지 등의 취득 및 보상에 관한 법률」에 따라 단계적으로 보상금을 지급하여야 한다.

| 2023년 국가직 9급

① (○) 협의취득은 사법상의 법률행위이므로 민사소송으로 다투어야 한다.

> 공익사업을 위한 토지 등의 취득 및 보상에 관한 법령에 의한 협의취득은 사법상의 법률행위이므로 당사자 사이의 자유로운 의사에 따라 채무불이행책임이나 매매대금 과부족금에 대한 지급 의무를 약정할 수 있다(대판 2012.2.23. 2010다91206).

② (×) 매수청구는 사업시행자에게, 수용청구는 토지수용위원회에 한다.

> 「공익사업을 위한 토지 등의 취득 및 보상에 관한 법률」 제72조 【사용하는 토지의 매수청구 등】사업인정고시가 된 후 다음 각 호의 어느 하나에 해당할 때에는 해당 토지소유자는 사업시행자에게 해당 토지의 매수를 청구하거나 관할 토지수용위원회에 그 토지의 수용을 청구할 수 있다. 이 경우 관계인은 사업시행자나 관할 토지수용위원회에 그 권리의 존속(存續)을 청구할 수 있다.
> 1. 토지를 사용하는 기간이 3년 이상인 경우
> 2. 토지의 사용으로 인하여 토지의 형질이 변경되는 경우
> 3. 사용하려는 토지에 그 토지소유자의 건축물이 있는 경우

◎ 문제 DATA
출제가능 지수 ▶▶▷
난이도 지수 ★★☆

📋 함께 정리하기

손실보상

협의취득
▷ 사법상의 법률행위
▷ 민사소송

토지사용으로 토지형질변경
▷ 사업시행자에 매수청구 가
▷ 토지수용위원회에 수용청구 가

개발제한구역법상 토지매수청구권 등 보상규정
▷ 합헌

동일한 사업지역에 보상시기 달리하는 동일인소유 여러 개 토지
▷ 요구시 일괄보상 원칙

③ (×) 개발제한구역법상 토지소유자에게 토지매수청구권을 인정하는 보상규정을 둔 것은 적절한 손실보상이다.

> 헌법재판소는 개발제한구역의 지정에 관하여 규정하고 있던 구 도시계획법 제21조에 대하여 1998.12.24. 89헌마214·90헌바16·97헌바78(병합) 사건에서 개발제한구역의 지정이라는 제도 그 자체는 토지재산권에 내재하는 사회적 기속성을 구체화한 것으로서 원칙적으로 합헌적인 규정인데, 다만, 구역지정으로 말미암아 일부 토지소유자에게 사회적 제약의 범위를 넘는 가혹한 부담이 발생하는 경우에도 보상규정을 두지 않은 것에 위헌성이 있다는 취지로 헌법불합치결정을 선고한 바 있다. 위 헌법재판소의 결정 이후 개발제한구역의 지정절차와 개발제한구역의 종합적·체계적인 관리를 위한 법적 기반을 마련함으로써 개발제한구역의 보전과 주민의 생활편익의 조화를 도모하며, 개발제한구역으로 지정된 토지에 대하여 정부에 매수를 청구할 수 있도록 함으로써 국민의 재산권을 보장하는 등 위헌의 소지를 없애기 위하여 2000.1.28. 법률 제6241호로「개발제한구역의 지정 및 관리에 관한 특별조치법」이 제정되었다. … 개발제한구역의 구역지정 후 토지를 종래의 목적으로 사용할 수 있는 경우에 있어서 개발제한구역의 지정으로 인한 토지재산권의 제한은 재산권에 내재하는 사회적 제약의 범위 내의 것이라 할 것이다. 한편, 1999.6.16. 구 도시계획법 시행령(대통령령 제16403호)이 개정되어 개발제한구역 지정 당시 지적법상 지목이 대인 토지 중 나대지에서의 주택의 건축이 허용되었으며, 2000.1.28. 제정된 특조법 제16조에서는 개발제한구역의 지정으로 인하여 개발제한구역 안의 토지를 종래의 용도로 사용할 수 없어 그 효용이 현저히 감소한 토지 또는 당해토지의 사용 및 수익이 사실상 불가능한 토지의 소유자에게 토지매수청구권을 인정하고 있다. 위와 같은 점을 종합할 때, 이 사건 특조법조항에 의한 개발제한구역 내에서의 행위제한은 토지재산권의 사회적 제약의 범주 내에 있는 것으로서 비례의 원칙에 위반하여 당해토지의 소유자의 재산권을 과도하게 침해한 것으로 보기 어렵다(헌재 2004.11.25. 2003헌바29 등).

④ (×)

> 「공익사업을 위한 토지 등의 취득 및 보상에 관한 법률」제65조【일괄보상】사업시행자는 동일한 사업지역에 보상시기를 달리하는 동일인 소유의 토지등이 여러 개 있는 경우 토지소유자나 관계인이 요구할 때에는 한꺼번에 보상금을 지급하도록 하여야 한다.

답 ①

020

행정상 손실보상에 대한 설명으로 옳지 않은 것은? (다툼이 있는 경우 판례에 의함)

① 손실보상과 손해배상은 근거규정 및 요건·효과를 달리하지만 손실보상청구권에 '손해전보'라는 요소가 포함되어 있어 실질적으로 같은 내용의 손해에 관하여 양자의 청구권이 동시에 성립한다면 청구권자는 어느 하나만을 선택적으로 행사할 수 있을 뿐이다.

② 공공사업시행지구 밖에서 발생한 간접손실에 관하여 그 피해자와 사업시행자 사이에 협의가 이루어지지 아니하고, 그 보상에 관한 명문의 근거 법령이 없는 경우라고 하더라도 공공사업의 시행으로 인하여 그러한 손실이 발생하리라는 것을 쉽게 예견할 수 있고, 그 손실의 범위도 구체적으로 특정할 수 있다면 그 손실보상에 관하여 관련 규정 등을 유추적용할 수 있다.

③ 수용재결에 불복하여 취소소송을 제기하는 때에는 이의신청을 거친 경우에도 이의신청에 대한 재결 자체에 고유한 위법이 없는 한 수용재결을 한 중앙토지수용위원회 또는 지방토지수용위원회를 피고로 하여 수용재결의 취소를 구하여야 한다.

④ 어떤 보상항목이 공익사업을 위한 토지 등의 취득 및 보상에 관한 법령상 손실보상 대상에 해당함에도 관할 토지수용위원회가 법리를 오해함으로써 손실보상 대상에 해당하지 않는다고 잘못된 내용의 재결을 한 경우에는, 피보상자는 관할 토지수용위원회를 상대로 그 재결에 대한 취소소송을 제기하여야 한다.

함께 정리하기

손실보상

손해배상과 손실보상의 경합 시
▷ 선택적 행사O, 동시에 행사×

사업지구 밖 손실
▷ 예상가능·손실 범위 특정 → 간접보상 규정 유추적용

이의신청 거친 경우
▷ 토지수용위원회 피고 & 수용재결 취소 원칙

잘못된 보상재결에 대한 불복
▷ 사업시행자 피고 & 보상금증감청구소송

2022년 소방직

① (O) 같은 내용의 손해에 대하여 손해배상청구권과 손실보상청구권이 경합시 양자를 동시에 행사할 수 없다.

> 공익사업을 위한 토지 등의 취득 및 보상에 관한 법률(이하 '토지보상법'이라 한다) 제79조 제2항(그 밖의 토지에 관한 비용보상 등)에 따른 손실보상과 환경정책기본법 제44조 제1항(환경오염의 피해에 대한 무과실책임)에 따른 손해배상은 근거 규정과 요건·효과를 달리하는 것으로서, 각 요건이 충족되면 성립하는 별개의 청구권이다. 다만 손실보상청구권에는 이미 '손해 전보'라는 요소가 포함되어 있어 실질적으로 같은 내용의 손해에 관하여 양자의 청구권을 동시에 행사할 수 있다고 본다면 이중배상의 문제가 발생하므로, 실질적으로 같은 내용의 손해에 관하여 양자의 청구권이 동시에 성립하더라도 영업자는 어느 하나만을 선택적으로 행사할 수 있을 뿐이고, 양자의 청구권을 동시에 행사할 수는 없다. 또한 '해당 사업의 공사완료일로부터 1년'이라는 손실보상 청구기간(토지보상법 제79조 제5항, 제73조 제2항)이 도과하여 손실보상청구권을 더 이상 행사할 수 없는 경우에도 손해배상의 요건이 충족되는 이상 여전히 손해배상 청구는 가능하다(대판 2019.11.28. 2018두227).

② (O) 사업손실보상이란 대규모 공공사업의 시행으로 또는 완성 후의 시설에 의해 간접적으로 사업지 밖의 재산권에 가해지는 손실에 대한 보상을 말한다. '제3자 보상' 또는 '간접손실보상'이라고도 한다. 판례도 간접손실의 경우 헌법 제23조 제3항에 규정한 손실보상의 대상이 되는 것으로 보고 있다. 이와 같은 간접보상은 의도하지 않은 피해가 부수적 효과로서 발생하는 것이므로 수용적 침해에 대한 보상에 해당한다고 볼 수 있다.

> **사업지구 밖의 간접손실은 예상가능하고 특정가능하면 시행규칙을 유추적용할 수 있다.**
> 공공용지의 취득 및 손실보상에 관한 특례법 제3조 제1항은 "공공사업을 위한 토지 등의 취득 또는 사용으로 인하여 토지 등의 소유자가 입은 손실은 사업시행자가 이를 보상하여야 한다."고 규정하고, 같은 법 시행규칙 제23조의 2 내지 7에서 공공사업시행지구 밖에 위치한 영업과 공작물 등에 대한 간접손실에 대하여도 일정한 조건하에서 이를 보상하도록 규정하고 있는 점에 비추어, 공공사업의 시행으로 인하여 그러한 손실이 발생하리라는 것을 쉽게 예견할 수 있고 그 손실의 범위도 구체적으로 이를 특정할 수 있는 경우라면 그 손실의 보상에 관하여 공공용지의 취득 및 손실보상에 관한 특례법 시행규칙의 관련 규정 등을 유추적용할 수 있다고 해석함이 상당하다(대판 1999.10.8. 99두27231).

③ (O) 현행 토지보상법 제85조 제1항은 수용재결(재결신청에 대한 재결 또는 원처분)에 대해서도 행정소송을 제기할 수 있다고 규정하고 있다. 이에 대해 명문의 규정은 없으나 학설의 다수설은 현행법이 원처분주의를 채택하고 있는 것으로 보고 있다. 최근 판례도 현행법은 원처분주의를 채택하고 있다고 판시한 바 있다.

> **이의신청을 거친 경우에도 수용재결의 취소를 구하는 것이 원칙이다.**
> 수용재결에 불복하여 취소소송을 제기하는 때에는 이의신청을 거친 경우에도 수용재결을 한 중앙토지수용위원회 또는 지방토지수용위원회를 피고로 하여 수용재결의 취소를 구하여야 한다. 다만 이의신청에 대한 재결 자체에 고유한 위법이 있음을 이유로 하는 경우에도 그 이의재결을 한 중앙토지수용위원회를 피고로 하여 이의재결의 취소를 구할 수 있다고 보아야 한다(대판 2010.1.28. 2008두1504).

④ (×) 토지수용위원회의 잘못된 보상재결이 있는 경우 사업시행자를 상대로 보상금증감청구소송을 제기해야 한다.

> 어떤 보상항목이 공익사업을 위한 토지 등의 취득 및 보상에 관한 법령상 손실보상대상에 해당함에도 관할 토지수용위원회가 사실을 오인하거나 법리를 오해함으로써 손실보상대상에 해당하지 않는다고 잘못된 내용의 재결을 한 경우에는, 피보상자는 관할 토지수용위원회를 상대로 그 재결에 대한 취소소송을 제기할 것이 아니라, 사업시행자를 상대로 구 공익사업을 위한 토지 등의 취득 및 보상에 관한 법률(2013.3.23. 법률 제11690호로 개정되기 전의 것) 제85조 제2항에 따른 보상금증감소송을 제기하여야 한다(대판 2018.7.20. 2015두4044).

답 ④

021

다음 사례에 대한 설명으로 옳은 것은? (다툼이 있는 경우 판례에 의함)

> 건설회사 A는 택지개발사업을 위해 관련 법령에 따른 절차를 거쳐 甲 소유의 토지 등을 취득하고자 甲과 보상에 관한 협의를 하였으나 협의가 성립되지 않았다. 이에 관할 지방토지수용위원회에 재결을 신청하여 토지의 수용 및 보상금에 대한 수용재결을 받았다.

① 甲이 수용재결에 대하여 이의신청을 제기하면 사업의 진행 및 토지의 수용 또는 사용을 정지시키는 효력이 있다.
② 甲이 수용 자체를 다투는 경우 관할 지방토지수용위원회를 상대로 수용재결에 대하여 취소소송을 제기할 수 있다.
③ 甲은 보상금 증액을 위해 A를 상대로 손실보상을 구하는 민사소송을 제기할 수 있다.
④ 甲이 계속 거주하고 있는 건물과 토지의 인도를 거부할 경우 행정대집행의 대상이 될 수 있다.

2022년 국가직 9급

① (✕)

> 「공익사업을 위한 토지 등의 취득 및 보상에 관한 법률」제88조 【처분효력의 부정지】 제83조에 따른 이의의 신청이나 제85조에 따른 행정소송의 제기는 <u>사업의 진행 및 토지의 수용 또는 사용을 정지시키지 아니한다.</u>

② (○) 수용 자체를 다투는 경우 토지수용위원회를 상대로 수용재결에 대하여 취소소송을 제기한다.

> <u>수용재결에 불복하여 취소소송을 제기하는 때에는</u> 이의신청을 거친 경우에도 <u>수용재결을 한 중앙토지수용위원회 또는 지방토지수용위원회를 피고로 하여 수용재결의 취소를 구하여야 한다.</u> 다만 이의신청에 대한 재결 자체에 고유한 위법이 있음을 이유로 하는 경우에도 그 이의재결을 한 중앙토지수용위원회를 피고로 하여 이의재결의 취소를 구할 수 있다고 보아야 한다(대판 2010.1.28. 2008두1504).

③ (✕) 보상금의 증감에 관한 소송은 공법상 당사자소송이다.

> 구 토지수용법 제75조의2 제2항이 규정하는 보상금의 증감에 관한 소송은 이의재결에서 정한 보상금이 증액 변경될 것을 전제로 하여 사업시행자를 상대로 보상금의 지급을 구하는 <u>공법상 당사자소송이다</u>(대판 1991.11.26. 91누285).

④ (✕) 수용대상 토지의 인도의무는 비대체적 작위의무이므로 대집행의 대상이 아니다.

> 구 토지수용법상 피수용자 등이 기업자에 대하여 부담하는 수용대상 <u>토지의 인도의무는 행정대집행법에 의한 대집행의 대상이 될 수 있는 것이 아니다</u>(대판 2005.8.19. 2004다2809).

답 ②

함께 정리하기

손실보상

토지수용위원회의 수용재결에 대한 이의
▷ 처분효력 정지✕

수용 자체를 다투는 경우
▷ 토지수용위원회 피고 & 수용재결 취소소송

보상금증감청구소송
▷ 당사자소송

토지의 인도의무 불이행
▷ 대집행 불가

문제 DATA

출제가능 지수 ▶▶▷
난이도 지수 ★★☆

022 □□□

행정상 손실보상에 대한 설명으로 옳지 않은 것은? (다툼이 있는 경우 판례에 의함)

① 수용에 따른 손실보상액 산정의 경우 헌법 제23조 제3항에 따른 정당한 보상이란 원칙적으로 피수용재산의 객관적인 재산가치를 완전하게 보상하여야 한다는 완전보상을 뜻한다.

② 「공익사업을 위한 토지 등의 취득 및 보상에 관한 법률」상 잔여지 수용청구를 받아들이지 않은 토지수용위원회의 재결에 대하여 토지 소유자가 불복하여 제기하는 소송은 항고소송에 해당하여 토지수용위원회를 피고로 하여야 한다.

③ 「공익사업을 위한 토지 등의 취득 및 보상에 관한 법률」에 의한 보상합의는 공공기관이 사경제주체로서 행하는 사법상 계약의 실질을 가지는 것이다.

④ 공익사업으로 인하여 영업을 폐지하거나 휴업하는 자는 「공익사업을 위한 토지 등의 취득 및 보상에 관한 법률」상의 재결절차를 거치지 않은 채 곧바로 사업시행자를 상대로 손실보상을 청구하는 것은 허용되지 않는다.

함께 정리하기

손실보상

정당한 보상
▷ 객관적 재산가치의 완전보상

잔여지 수용청구를 받아들이지 않은 토지수용위원회의 재결에 대한 불복
▷ 사업시행자가 피고적격

「공익사업을 위한 토지 등의 취득 및 보상에 관한 법률」에 의한 보상합의
▷ 사법상 계약

영업손실보상
▷ 재결 거친 후 행정소송
▷ 곧바로 손실보상청구 ✕

2020년 군무원 7급

① (○) 정당한 보상은 완전보상을 의미한다.

> 헌법 제23조 제3항이 규정하는 정당한 보상이란 원칙적으로 피수용재산의 객관적인 재산가치를 완전하게 보상하는 것이어야 한다는 완전보상을 의미한다(헌재 1995.4.20. 93헌바20·66·94헌바4·9·95헌바6).

유제 19. 서울시 9급, 19. 지방직 9급, 14. 서울시 9급 헌법 제23조 제3항이 규정하는 '정당한 보상'이란 원칙적으로 피수용재산의 객관적인 재산가치를 완전하게 보상하는 완전보상을 의미한다. (○)

② (✕) 잔여지 수용청구를 받아들이지 않은 토지수용위원회의 재결에 대한 불복은 사업시행자가 피고적격이 있다.

> 구 '공익사업을 위한 토지 등의 취득 및 보상에 관한 법률' 제74조 제1항에 규정되어 있는 잔여지 수용청구권은 손실 보상의 일환으로 토지소유자에게 부여되는 권리로서 그 요건을 구비한 때에는 잔여지를 수용하는 토지수용위원회의 재결이 없더라도 그 청구에 의하여 수용의 효과가 발생하는 형성권적 성질을 가지므로, 잔여지 수용청구를 받아들이지 않은 토지수용위원회의 재결에 대하여 토지 소유자가 불복하여 제기하는 소송은 위 법 제85조 제2항에 규정되어 있는 '보상금의 증감에 관한 소송'에 해당하여 사업시행자를 피고로 하여야 한다(대판 2010.8.19. 2008두822).

유제 18. 5급 승진 잔여지 수용청구를 받아들이지 않은 토지수용위원회의 재결에 대하여 토지소유자가 불복하여 제기하는 행정소송은 토지수용위원회를 피고로 하여야 한다. (✕)

③ (○) 「공익사업을 위한 토지 등의 취득 및 보상에 관한 법률」에 의한 보상합의는 사법상 계약이다.

> 공익사업을 위한 토지 등의 취득 및 보상에 관한 법률에 의한 보상합의는 공공기관이 사경제주체로서 행하는 사법상 계약의 실질을 가지는 것이다(대판 2013.8.22. 2012다3517).

유제 19. 지방직 9급 「공익사업을 위한 토지 등의 취득 및 보상에 관한 법률」에 의한 보상합의는 공공기관이 사경제주체로서 행하는 사법상 계약의 실질을 가진다. (○)

④ (○) 영업손실의 보상은 토지보상법상 재결절차를 거친 후 행정소송을 해야 하며 곧바로 사업시행자를 상대로 손실보상 청구는 허용되지 않는다.

> 공익사업으로 인하여 영업을 폐지하거나 휴업하는 자가 사업시행자로부터 구 공익사업을 위한 토지 등의 취득 및 보상에 관한 법률 제77조 제1항에 따라 영업손실에 대한 보상을 받기 위해서는 재결절차를 거치지 않은 채 곧바로 사업시행자를 상대로 손실보상을 청구하는 것은 허용되지 않는다고 봄이 타당하다(대판 2011.9.29. 2009두10963).

답 ②

023

「공익사업을 위한 토지 등의 취득 및 보상에 관한 법률」상 손실보상의 원칙에 대한 내용으로 옳지 않은 것은?

① 공익사업에 필요한 토지 등의 취득 또는 사용으로 인하여 토지소유자나 관계인이 입은 손실은 사업시행자가 보상하여야 한다.
② 손실보상은 토지소유자나 관계인에게 개인별로 하여야 한다. 다만, 개인별로 보상액을 산정할 수 없을 때에는 그러하지 아니하다.
③ 사업시행자는 동일한 소유자에게 속하는 일단의 토지의 일부를 취득하거나 사용하는 경우, 해당 공익사업의 시행으로 인하여 잔여지의 가격이 증가하거나 그 밖의 이익이 발생한 경우에도 그 이익을 취득 또는 사용으로 인한 손실과 상계할 수 없다.
④ 토지에 대한 보상액은 가격시점에서의 현실적인 이용상황, 일반적인 이용방법에 의한 객관적 상황, 일시적인 이용상황 및 토지소유자가 관계인이 갖는 주관적 가치 및 특별한 용도에 사용할 것을 전제로 한 경우 등을 고려한다.
⑤ 영업을 폐지하거나 휴업함에 따라 휴직하거나 실직하는 근로자의 임금손실에 대하여는 「근로기준법」에 따른 평균임금 등을 고려하여 보상하여야 한다.

| 2020년 국회직 8급

문제 DATA
출제가능 지수 ▶▶▷
난이도 지수 ★★★

① (O)
> 「공익사업을 위한 토지 등의 취득 및 보상에 관한 법률」 제61조 【사업시행자 보상】 공익사업에 필요한 토지등의 취득 또는 사용으로 인하여 토지소유자나 관계인이 입은 손실은 사업시행자가 보상하여야 한다.

② (O)
> 「공익사업을 위한 토지 등의 취득 및 보상에 관한 법률」 제64조 【개인별 보상】 손실보상은 토지소유자나 관계인에게 개인별로 하여야 한다. 다만, 개인별로 보상액을 산정할 수 없을 때에는 그러하지 아니하다.

③ (O)
> 「공익사업을 위한 토지 등의 취득 및 보상에 관한 법률」 제66조 【사업시행 이익과의 상계금지】 사업시행자는 동일한 소유자에게 속하는 일단(一團)의 토지의 일부를 취득하거나 사용하는 경우 해당 공익사업의 시행으로 인하여 잔여지(殘餘地)의 가격이 증가하거나 그 밖의 이익이 발생한 경우에도 그 이익을 그 취득 또는 사용으로 인한 손실과 상계(相計)할 수 없다.

④ (×)
> 「공익사업을 위한 토지 등의 취득 및 보상에 관한 법률」 제70조 【취득하는 토지의 보상】 ② 토지에 대한 보상액은 가격시점에서의 현실적인 이용상황과 일반적인 이용방법에 의한 객관적 상황을 고려하여 산정하되, 일시적인 이용상황과 토지소유자나 관계인이 갖는 주관적 가치 및 특별한 용도에 사용할 것을 전제로 한 경우 등은 고려하지 아니한다.

⑤ (O)
> 「공익사업을 위한 토지 등의 취득 및 보상에 관한 법률」 제77조 【영업의 손실 등에 대한 보상】 ① 영업을 폐업하거나 휴업함에 따른 영업손실에 대하여는 영업이익과 시설의 이전비용 등을 고려하여 보상하여야 한다.
> ③ 휴직하거나 실직하는 근로자의 임금손실에 대하여는 「근로기준법」에 따른 평균임금 등을 고려하여 보상하여야 한다.

답 ④

함께 정리하기
「공익사업을 위한 토지 등의 취득 및 보상에 관한 법률」

사업시행자 보상의 원칙

개인별 보상의 원칙

사업시행 이익과의 상계금지

토지보상액
▷ 현실적인 이용상황, 일반적인 이용방법에 의한 객관적 상황 고려O
▷ 일시적인 이용상황, 주관적 가치, 특별 사용 고려×

영업을 폐지·휴업함에 따라 휴직하거나 실직하는 근로자의 임금손실
▷ 평균 임금 등 고려하여 보상

문제 DATA
출제가능 지수 ▶▶▷
난이도 지수 ★★☆

024 □□□

행정상 손실보상에 대한 설명으로 옳지 않은 것은? (다툼이 있는 경우 판례에 의함)

① 손실보상은 공공필요에 의한 행정작용에 의하여 사인에게 발생한 특별한 희생에 대한 전보이므로 재산권 침해로 인한 손실이 특별한 희생에 해당하여야 한다.
② 「공익사업을 위한 토지 등의 취득 및 보상에 관한 법률」상 손실보상은 원칙적으로 토지 등의 현물로 보상하여야 하고, 현금으로 지급하는 것은 다른 법률에 특별한 규정이 있는 경우에 예외적으로 허용된다.
③ 당해 공익사업으로 인한 개발이익을 손실보상액 산정에서 배제하는 것은 헌법상 정당보상의 원칙에 위배되지 아니한다.
④ 이주대책은 이주자들에게 종전의 생활상태를 회복시키기 위한 생활보상의 일환으로서 국가의 정책적인 배려에 의하여 마련된 제도이므로, 이주대책의 실시 여부는 입법자의 입법정책적 재량의 영역에 속한다.

2017년 국가직 9급

함께 정리하기
행정상 손실보상

손실보상요건
▷ 재산권침해가 특별한 희생일 것

손실보상
▷ 현금보상이 원칙

개발이익을 손실보상액산정에서 배제
▷ 정당보상○(개발이익: 완전보상 포함×)

이주대책 실시 여부
▷ 입법재량

① (○) 손실보상을 청구하기 위하여는 ㉠ 공공의 필요, ㉡ 침해의 적법성, ㉢ 공행정작용에 의한 재산권 침해, ㉣ 특별한 희생, ㉤ 손실보상규정의 존재가 충족되어야 한다.

> **재산권의 침해가 특별한 희생에 해당해야 손실보상청구가 가능하다.**
> 공공용물에 관하여 적법한 개발행위 등이 이루어짐으로 말미암아 이에 대한 일정범위의 사람들의 일반사용이 종전에 비하여 제한받게 되었다 하더라도 특별한 사정이 없는 한 그로 인한 불이익은 손실보상의 대상이 되는 특별한 손실에 해당한다고 할 수 없다(대판 2002.2.26. 99다35300).

② (×) 현금보상을 원칙으로 한다.

> 「공익사업을 위한 토지 등의 취득 및 보상에 관한 법률」 제63조 【현금보상 등】 ① 손실보상은 다른 법률에 특별한 규정이 있는 경우를 제외하고는 현금으로 지급하여야 한다. 다만, 토지소유자가 원하는 경우로서 사업시행자가 해당 공익사업의 합리적인 토지이용계획과 사업계획 등을 고려하여 토지로 보상이 가능한 경우에는 토지소유자가 받을 보상금 중 본문에 따른 현금 또는 제7항 및 제8항에 따른 채권으로 보상받는 금액을 제외한 부분에 대하여 다음 각 호에서 정하는 기준과 절차에 따라 그 공익사업의 시행으로 조성한 토지로 보상할 수 있다.

③ (○) 헌법 제23조 제3항의 '정당한 보상'의 의미에 '완전보상'이라고 보는 견해가 판례와 다수설의 입장이다. 다만, 당해 사업으로 인한 개발이익은 완전한 보상에 포함되지 않는다.

> **개발이익을 손실보상에서 배제한 것은 정당한 보상원칙에 위배되지 않는다.**
> 공익사업의 시행으로 지가가 상승하여 발생한 개발이익은 사업시행자의 투자에 의한 것으로서 피수용자인 토지소유자의 노력이나 자본에 의하여 발생하는 것이 아니어서 피수용 토지가 수용 당시 갖는 객관적 가치에 포함된다고 볼 수 없고, 이 사건 개발이익배제조항이 이러한 개발이익을 배제하고 손실보상액을 산정한다 하여 헌법이 규정한 정당보상의 원칙에 어긋나는 것이라고 할 수 없다(헌재 2010.12.28. 2008헌바57).

④ (○) 판례에 의하면 이주대책은 그 본래의 취지에 있어 헌법 제23조 제3항의 정당한 보상에 포함되는 것이라기보다는 정당한 보상에 부가하여, 이주자들에 대하여 종전의 생활상태를 원상으로 회복시키면서 동시에 인간다운 생활을 보장하여 주기 위한 이른바 생활보상의 일환으로 국가의 정책적인 배려에 의하여 마련된 제도이다. 그러므로 <u>이주대책의 실시 여부는 입법자의 입법정책적 재량의 영역에 속한다</u>고 볼 것이다. 그러나 토지보상법 제78조 제1항에 의한 <u>공익사업시행자의 이주대책수립·실시 혹은 이주정착금지급은 법적 의무이다</u>. 단, <u>사업시행자의 구체적인 이주대책의 내용결정은 재량행위</u>이다.

> **이주대책의 실시여부는 입법재량이 인정된다.**
> 이주대책은 헌법 제23조 제3항에 규정된 정당한 보상에 포함되는 것이라기보다는 이에 부가하여 이주자들에게 종전의 생활상태를 회복시키기 위한 생활보상의 일환으로서 국가의 정책적인 배려에 의하여 마련된 제도라고 볼 것이다. 따라서 이주대책의 실시 여부는 입법자의 입법정책적 재량의 영역에 속하므로 세입자를 제외하고 있는 것이 세입자의 재산권을 침해하는 것이라 볼 수 없다(헌재 2006.2.23. 2004헌마19).

유제 18. 교행 헌법재판소는 헌법 제23조 제3항의 정당한 보상에 세입자의 이주대책까지 포함된다고 본다. (×)

> 「공익사업을 위한 토지 등의 취득 및 보상에 관한 법률」 제78조 【이주대책의 수립 등】 ① 사업시행자는 공익사업의 시행으로 인하여 주거용 건축물을 제공함에 따라 생활의 근거를 상실하게 되는 자(이하 "이주대책대상자"라 한다)를 위하여 대통령령으로 정하는 바에 따라 이주대책을 수립·실시하거나 이주정착금을 지급하여야 한다.

답 ②

025 □□□

손실보상에 대한 설명으로 옳은 것은? (다툼이 있는 경우 판례에 의함)

① 「공익사업을 위한 토지 등의 취득 및 보상에 관한 법률」에 의한 잔여지 수용청구를 받아들이지 않은 토지수용위원회의 재결에 대하여 토지소유자가 불복하여 제기하는 소송은 항고소송에 해당한다.
② 「공익사업을 위한 토지 등의 취득 및 보상에 관한 법률」에 따른 사업폐지 등에 대한 보상청구권은 사법상 권리로서 그에 관한 소송은 민사소송절차에 의하여야 한다.
③ 「공익사업을 위한 토지 등의 취득 및 보상에 관한 법률」에 의한 보상합의는 공공기관이 사경제주체로서 행하는 사법상 계약의 실질을 가진다.
④ 공유수면매립면허의 고시가 있는 경우 그 사업이 시행되고 그로 인하여 직접 손실이 발생한다고 할 수 있으므로, 관행어업권자는 공유수면매립면허의 고시를 이유로 손실보상을 청구할 수 있다.

2019년 지방직 9급

① (×) 잔여지 수용청구를 거부한 재결에 대한 불복은 보상금증감청구소송이 된다.

> 잔여지 수용청구권은 그 청구에 의하여 수용의 효과가 발생하는 형성권적 성질을 가지므로, 잔여지 수용청구를 받아들이지 않은 토지수용위원회의 재결에 대하여 토지소유자가 불복하여 제기하는 소송은 위 법 제85조 제2항에 규정되어 있는 '보상금의 증감에 관한 소송'에 해당하여 사업시행자를 피고로 하여야 한다(대판 2010.8.19. 2008두822).

② (×) 사업폐지보상청구권은 공권이므로 행정소송에 의한다.

> 사업폐지 등에 대한 보상청구권은 공익사업의 시행 등 적법한 공권력의 행사에 의한 재산상 특별한 희생에 대하여 전체적인 공평부담의 견지에서 공익사업의 주체가 손해를 보상하여 주는 손실보상의 일종으로 공법상 권리임이 분명하므로 그에 관한 쟁송은 민사소송이 아닌 행정소송절차에 의하여야 한다(대판 2012.10.11. 2010다23210).

③ (○) 토지보상법상 보상합의는 사법상 계약을 성질을 가진다.

> 구 공공용지의 취득 및 손실보상에 관한 특례법은 사업시행자가 토지 등의 소유자로부터 토지 등의 협의취득 및 그 손실보상의 기준과 방법을 정한 법으로서, 이에 의한 협의취득 또는 보상합의는 공공기관이 사경제주체로서 행하는 사법상 매매 내지 사법상 계약의 실질을 가진다(대판 2004.9.24. 2002다68713).

④ (×) 손실보상은 현실적 피해가 발생할 것을 요한다.

> 손실보상은 공공필요에 의한 행정작용에 의하여 사인에게 발생한 특별한 희생에 대한 전보라는 점에서 그 사인에게 특별한 희생이 발생하여야 하는 것은 당연히 요구되는 것이고, 공유수면 매립면허의 고시가 있다고 하여 반드시 그 사업이 시행되고 그로 인하여 손실이 발생한다고 할 수 없으므로, 매립면허 고시 이후 매립공사가 실행되어 관행어업권자에게 실질적이고 현실적인 피해가 발생한 경우에만 공유수면매립법에서 정하는 손실보상청구권이 발생하였다고 할 것이다(대판 2010.12.9. 2007두6571).

답 ③

문제 DATA

출제가능 지수 ▶▶▷
난이도 지수 ★★☆

함께 정리하기

손실보상

잔여지수용청구 거부한 토지수용위재결 불복
▷ 보상금증감구소송

사업폐지보상청구권은 공법상 권리
▷ 행정소송에 의하여야

토지보상법상 보상합의
▷ 사법상 계약의 성질

현실적 피해발생
▷ 공유수면매립면허 고시만으로는 불가

문제 DATA

출제가능 지수 ▶▶▷
난이도 지수 ★★☆

026 □□□

「공익사업을 위한 토지 등의 취득 및 보상에 관한 법률」에 따른 손실보상에 대한 설명으로 옳지 않은 것은?

① 손실보상은 다른 법률에 특별한 규정이 있는 경우를 제외하고는 현금지급을 원칙으로 한다.
② 토지소유자가 토지수용위원회의 재결에 불복하여 제기하려는 행정소송이 보상금의 증감(增減)에 관한 소송인 경우 토지수용위원회를 피고로 한다.
③ 공익사업에 필요한 토지 등의 취득으로 인하여 토지소유자가 입은 손실은 사업시행자가 보상하여야 한다.
④ 지방토지수용위원회의 재결에 이의가 있는 자는 해당 지방토지수용위원회를 거쳐 중앙토지수용위원회에 이의를 신청할 수 있다.
⑤ 보상액의 산정은 협의에 의한 경우에는 협의 성립 당시의 가격을, 재결에 의한 경우에는 수용 또는 사용의 재결 당시의 가격을 기준으로 한다.

2019년 행정사

① (O) 손실보상은 다른 법률에 특별한 규정이 있는 경우를 제외하고는 현금으로 지급하여야 한다.

> 「공익사업을 위한 토지 등의 취득 및 보상에 관한 법률」 제63조 【현금보상 등】 ① 손실보상은 다른 법률에 특별한 규정이 있는 경우를 제외하고는 현금으로 지급하여야 한다. 다만, 토지소유자가 원하는 경우로서 사업시행자가 해당 공익사업의 합리적인 토지이용계획과 사업계획 등을 고려하여 토지로 보상이 가능한 경우에는 토지소유자가 받을 보상금 중 본문에 따른 현금 또는 제7항 및 제8항에 따른 채권으로 보상받는 금액을 제외한 부분에 대하여 다음 각 호에서 정하는 기준과 절차에 따라 그 공익사업의 시행으로 조성한 토지로 보상할 수 있다.

② (×)

> 「공익사업을 위한 토지 등의 취득 및 보상에 관한 법률」 제85조 【행정소송의 제기】 ① 사업시행자, 토지소유자 또는 관계인은 제34조에 따른 재결에 불복할 때에는 재결서를 받은 날부터 90일 이내에, 이의신청을 거쳤을 때에는 이의신청에 대한 재결서를 받은 날부터 60일 이내에 각각 행정소송을 제기할 수 있다. 이 경우 사업시행자는 행정소송을 제기하기 전에 제84조에 따라 늘어난 보상금을 공탁하여야 하며, 보상금을 받을 자는 공탁된 보상금을 소송이 종결될 때까지 수령할 수 없다.
> ② 제1항에 따라 제기하려는 행정소송이 보상금의 증감(增減)에 관한 소송인 경우 그 소송을 제기하는 자가 토지소유자 또는 관계인일 때에는 사업시행자를, 사업시행자일 때에는 토지소유자 또는 관계인을 각각 피고로 한다.

③ (O)

> 「공익사업을 위한 토지 등의 취득 및 보상에 관한 법률」 제61조 【사업시행자 보상】 공익사업에 필요한 토지등의 취득 또는 사용으로 인하여 토지소유자나 관계인이 입은 손실은 사업시행자가 보상하여야 한다.

④ (O)

> 「공익사업을 위한 토지 등의 취득 및 보상에 관한 법률」 제83조 【이의의 신청】 ① 중앙토지수용위원회의 제34조에 따른 재결에 이의가 있는 자는 중앙토지수용위원회에 이의를 신청할 수 있다.
> ② 지방토지수용위원회의 제34조에 따른 재결에 이의가 있는 자는 해당 지방토지수용위원회를 거쳐 중앙토지수용위원회에 이의를 신청할 수 있다.

⑤ (O)

> 「공익사업을 위한 토지 등의 취득 및 보상에 관한 법률」 제67조 【보상액의 가격시점 등】 ① 보상액의 산정은 협의에 의한 경우에는 협의 성립 당시의 가격을, 재결에 의한 경우에는 수용 또는 사용의 재결 당시의 가격을 기준으로 한다.

답 ②

함께 정리하기

손실보상

현금지급의 원칙

토지소유자가 보상금증감소송 제기
▷ 사업시행자가 피고

지토위의 재결에 이의
▷ 지토위를 거쳐 중토위에 이의신청

보상액 산정기준
▷ 협의: 협의성립 당시 가격
▷ 재결: 재결시 가격

027

「공익사업을 위한 토지 등의 취득 및 보상에 관한 법률」상 손실보상의 원칙에 대한 설명으로 옳지 않은 것은?

① 동일한 사업지역에 보상시기를 달리하는 동일인 소유의 토지 등이 여러 개 있는 경우 토지소유자나 관계인이 요구할 때에는 한꺼번에 보상금을 지급하도록 하여야 한다.
② 공익사업에 필요한 토지 등의 취득 또는 사용으로 인하여 토지소유자나 관계인이 입은 손실은 사업시행자가 보상하여야 한다.
③ 보상액의 산정은 협의에 의한 경우에는 협의 성립 당시의 가격을, 재결에 의한 경우에는 수용 또는 사용의 재결 당시의 가격을 기준으로 한다.
④ 보상액을 산정할 경우에 해당 공익사업으로 인하여 토지 등의 가격이 변동되었을 때에는 이를 고려하여야 한다.

문제 DATA
출제가능 지수 ▶▶▷
난이도 지수 ★★☆

2017년 서울시 9급

① (○)
> 「공익사업을 위한 토지 등의 취득 및 보상에 관한 법률」 제65조【일괄보상】 사업시행자는 동일한 사업지역에 보상시기를 달리하는 동일인 소유의 토지등이 여러 개 있는 경우 토지소유자나 관계인이 요구할 때에는 한꺼번에 보상금을 지급하도록 하여야 한다.

② (○)
> 「공익사업을 위한 토지 등의 취득 및 보상에 관한 법률」 제61조【사업시행자 보상】 공익사업에 필요한 토지등의 취득 또는 사용으로 인하여 토지소유자나 관계인이 입은 손실은 사업시행자가 보상하여야 한다.

③ (○)
> 「공익사업을 위한 토지 등의 취득 및 보상에 관한 법률」 제67조【보상액의 가격시점 등】 ① 보상액의 산정은 협의에 의한 경우에는 협의 성립 당시의 가격을, 재결에 의한 경우에는 수용 또는 사용의 재결 당시의 가격을 기준으로 한다.

④ (×) 보상액 산정에 있어 당해 사업으로 인한 개발이익은 배제하여야 한다.
> 「공익사업을 위한 토지 등의 취득 및 보상에 관한 법률」 제67조【보상액의 가격시점 등】 ② 보상액을 산정할 경우에 해당 공익사업으로 인하여 토지등의 가격이 변동되었을 때에는 이를 고려하지 아니한다.

유제 08. 지방직 7급 토지수용 보상액 산정 시 당해 공공사업의 시행을 직접 목적으로 하는 계획의 승인·고시로 인한 가격변동을 고려하여야 한다. (×)

답 ④

함께 정리하기
토지보상법상 손실보상

일괄보상
▷ 동일한 사업지역 + 동일인 소유 토지

토지소유자나 관계인이 입은 손실
▷ 사업시행자가 보상

보상액산정 기준시기
▷ 협의 → 협의 성립시
▷ 재결 → 재결시

당해 사업으로 인한 가격 변동
▷ 고려×

028

「공익사업을 위한 토지 등의 취득 및 보상에 관한 법률」상 토지수용에 따른 권리구제에 대한 설명으로 옳은 것은? (다툼이 있는 경우 판례에 의함)

① 사업폐지에 대한 손실보상청구권은 사법상 권리로서 민사소송 절차에 의해야 한다.
② 농업손실에 대한 보상청구권은 「행정소송법」상 당사자소송에 의해야 한다.
③ 수용재결에 불복하여 이의신청을 거쳐 취소소송을 제기하는 때에는 이의재결을 한 중앙토지수용위원회를 피고로 해야 한다.
④ 잔여지 수용청구를 받아들이지 않는 토지수용위원회의 재결에 대해서는 취소소송을 제기할 수 있다.

2017년 사회복지직

① (×) 손실보상청구권의 성질에 관하여 대법원은 전통적으로 사권설의 입장에서 민사소송으로 다루어 왔으나 사업폐지에 대한 보상청구사건에서 보상청구권을 공법상의 권리로 보아 민사소송이 아닌 당사자소송에 의하여야 한다고 판시하였다.

> **사업폐지로 인한 손실보상청구소송은 당사자소송에 해당한다.**
> 사업폐지 등에 대한 보상청구권은 공익사업의 시행 등 적법한 공권력의 행사에 의한 재산상의 특별한 희생에 대하여 손실보상의 일종으로 공법상의 권리임이 분명하므로 그에 관한 쟁송은 민사소송이 아닌 행정소송절차에 의하여야 할 것이다(대판 2012.10.11. 2010다23210).

② (○) 손실보상청구권의 성질에 관한 전통적 입장과 달리 농업손실에 대한 보상청구권을 공법상의 권리로 보아 민사소송이 아닌 당사자소송에 의하여야 한다고 판시하였다.

> **농업손실에 대한 손실보상청구 소송은 당사자소송에 해당한다.**
> 농업손실에 대한 보상청구권은 공익사업의 시행 등 적법한 공권력의 행사에 의한 재산상의 특별한 희생에 대하여 손실보상의 일종으로 공법상의 권리임이 분명하므로 그에 관한 쟁송은 민사소송이 아닌 행정소송절차에 의하여야 할 것이다(대판 2011.10.13. 2009다43461).

③ (×) 수용재결 취소소송의 피고는 수용재결을 한 토지수용위원회가 된다.

> 이의신청을 거친 경우에도 수용재결을 한 중앙토지수용위원회 또는 지방토지수용위원회를 피고로 하여 수용재결의 취소를 구하여야 하고, 다만 이의신청에 대한 재결 자체에 고유한 위법이 있음을 이유로 하는 경우에는 그 이의재결을 한 중앙토지수용위원회를 피고로 하여 이의재결의 취소를 구할 수 있다고 보아야 한다(대판 2010.1.28. 2008두1504).

유제 16. 국회직 8급 수용재결에 불복하여 이의신청을 거친 후 취소소송을 제기하는 때에는 원칙적으로 지방토지수용위원회 또는 중앙토지수용위원회를 피고로 하여 수용재결의 취소를 구하여야 한다. (○)

④ (×) 잔여지 수용청구를 받아들이지 않는 재결에 대하여는 보상금증감소송을 제기해야 한다.

> 잔여지 수용청구권은 그 청구에 의하여 수용의 효과가 발생하는 형성권적 성질을 가지므로, 잔여지 수용청구를 받아들이지 않은 토지수용위원회의 재결에 대하여 토지소유자가 불복하여 제기하는 소송은 위 법 제85조 제2항에 규정되어 있는 '보상금의 증감에 관한 소송'에 해당하여 사업시행자를 피고로 하여야 한다(대판 2010.8.19. 2007다63089).

답 ②

함께 정리하기

토지수용

사업폐지손실보상청구
▷ 당사자소송

농업손실보상청구
▷ 당사자소송

수용재결 취소소송의 피고
▷ 수용재결을 한 해당 중앙토지수용위원회 or 지방토지수용위원회

잔여지 수용청구권
▷ 재결유무 불문하고 수용효과 有(∵형성권)

029

공용수용 및 손실보상에 대한 설명으로 옳지 않은 것은? (다툼이 있는 경우 판례에 의함)

① 국가 등의 공적 기관이 직접 수용의 주체가 되는 것이든 그러한 공적 기관의 최종적인 허부판단과 승인 결정 하에 민간기업이 수용의 주체가 되는 것이든, 양자 사이에 공공필요에 대한 판단과 수용의 범위에 있어서 본질적인 차이가 있는 것은 아니다.
② 「공익사업을 위한 토지 등의 취득 및 보상에 관한 법률」상 토지소유자가 사업시행자로부터 잔여지가 격감소로 인한 손실보상을 받고자 하는 경우 토지수용위원회의 재결절차를 거치지 않은 채 곧바로 사업시행자를 상대로 손실보상을 청구하는 것은 허용되지 아니 한다.
③ 개발제한구역 지정으로 인하여 토지를 종래의 목적으로도 사용할 수 없거나 또는 더 이상 법적으로 허용된 토지이용의 방법이 없기 때문에 실질적으로 토지의 사용·수익의 길이 없는 경우에는 토지소유자가 수인해야 하는 사회적 제약의 한계를 넘는 것으로 보아야 한다.
④ 「공익사업을 위한 토지 등의 취득 및 보상에 관한 법률」상 사업시행자가 3년 이상 사용한 토지에 대해 해당 토지소유자가 지방토지수용위원회에 수용청구를 하였으나 받아들여지지 않은 경우, 이에 불복하여 소송을 제기하고자 하는 토지소유자는 사업시행자를 상대로 '보상금의 증감에 관한 소송'을 제기하여야 한다.
⑤ 「공익사업을 위한 토지 등의 취득 및 보상에 관한 법률」상 주거용 건축물 세입자의 주거이전비보상청구권은 사법상의 권리이고, 주거이전비 보상청구소송은 민사소송에 의하여야 한다.

2017년 변호사

① (○) 수용주체가 공적기관이든 민간기업이든 본질적인 차이가 있는 것은 아니다.

> 헌법 제23조 제3항은 정당한 보상을 전제로 하여 재산권의 수용 등에 관한 가능성을 규정하고 있지만, 재산권 수용의 주체를 한정하지 않고 있다. 위 헌법조항의 핵심은 당해 수용이 공공필요에 부합하는가, 정당한 보상이 지급되고 있는가 여부 등에 있는 것이지, 그 수용의 주체가 국가인지 민간기업인지 여부에 달려 있다고 볼 수 없다. … 따라서 위 수용 등의 주체를 국가 등의 공적기관에 한정하여 해석할 이유가 없다(헌재 2009.9.24. 2007헌바114).

유제 14. 사복직 헌법재판소는 「산업입지 및 개발에 관한 법률」에서 민간기업에게 산업단지개발사업에 필요한 토지 등을 수용할 수 있도록 규정한 조항이 헌법 제23조 제3항에 위반되지 않는다고 판시하였다. (○)

② (○) 잔여지감가보상은 토지수용위원회의 재결을 거친 후 청구해야 한다.

> 토지소유자가 사업시행자로부터 토지보상법 제73조에 따른 잔여지 가격감소 등으로 인한 손실보상을 받기 위해서는 토지보상법 제34조, 제50조 등에 규정된 재결절차를 거친 다음 그 재결에 대하여 불복이 있는 때에 비로소 토지보상법 제83조 내지 제85조에 따라 권리구제를 받을 수 있을 뿐, 이러한 재결절차를 거치지 않은 채 곧바로 사업시행자를 상대로 손실보상을 청구하는 것은 허용되지 않는다고 봄이 상당하고, 이는 수용대상토지에 대하여 재결절차를 거친 경우에도 마찬가지라 할 것이다(대판 2008.7.10. 2006두19495).

유제 19. 지방직 7급 토지소유자가 잔여지 수용청구에 대한 재결절차를 거친 경우에는 곧바로 사업시행자를 상대로 잔여지 가격감소 등으로 인한 손실보상을 청구할 수 있다. (×)

③ (○) 개발제한구역으로 토지사용이 불가능한 경우는 사회적 제약의 한계를 일탈한 것이다.

> 개발제한구역 지정으로 인하여 토지를 종래의 목적으로도 사용할 수 없거나 또는 더 이상 법적으로 허용된 토지 이용의 방법이 없기 때문에 실질적으로 토지의 사용·수익의 길이 없는 경우에는 토지소유자가 수인해야 하는 사회적 제약의 한계를 넘는 것으로 보아야 한다(헌재 1998.12.24. 89헌마214 등).

문제 DATA
출제가능 지수 ▶▶▷
난이도 지수 ★★★

함께 정리하기
수용·손실보상

수용주체인 국가·민간기업
▷ 본질적인 차이 無

잔여지감가보상
▷ 토지수용위원회 재결전치주의

개발제한구역 지정으로 토지 사용·수익 不可
▷ 사회적 제약·한계일탈

사용하는 토지의 수용청구거부 불복소송
▷ 보상금증감소송(∵형성권)

주거이전비보상청구
▷ 당사자소송

④ (○) 수용청구를 거부한 경우 보상금증감청구소송을 제기할 수 있다.

> 공익사업을 위한 토지 등의 취득 및 보상에 관한 법률 제72조의 문언, 연혁 및 취지 등에 비추어 보면, 위 규정이 정한 수용청구권은 토지보상법 제74조 제1항이 정한 잔여지 수용청구권과 같이 손실보상의 일환으로 토지소유자에게 부여되는 권리로서 그 청구에 의하여 수용효과가 생기는 형성권의 성질을 지니므로, 토지소유자의 토지수용청구를 받아들이지 아니한 토지수용위원회의 재결에 대하여 토지소유자가 불복하여 제기하는 소송은 토지보상법 제85조 제2항에 규정되어 있는 '보상금의 증감에 관한 소송'에 해당하고, 피고는 토지수용위원회가 아니라 사업시행자로 하여야 한다(대판 2015.4.9. 2014두46669).

⑤ (×) 주거이전비보상청구는 당사자소송의 대상이 된다.

> 세입자의 주거이전비 보상청구권은 그 요건을 충족하는 경우에 당연히 발생하는 것이므로, 주거이전비 보상청구소송은 행정소송법 제3조 제2호에 규정된 당사자소송에 의하여야 한다. 다만, 세입자의 주거이전비 보상에 관하여 재결이 이루어진 다음 세입자가 보상금의 증감 부분을 다투는 경우에는 같은 법 제85조 제2항에 규정된 행정소송에 따라, 보상금의 증감 이외의 부분을 다투는 경우에는 같은 조 제1항에 규정된 행정소송에 따라 권리구제를 받을 수 있다(대판 2008.5.29. 2007다8129).

답 ⑤

030

「공익사업을 위한 토지 등의 취득 및 보상에 관한 법률」에 대한 설명으로 옳지 않은 것은? (다툼이 있는 경우 판례에 의함)

① 해당 공익사업의 성격, 구체적인 경위나 내용, 원만한 시행을 위한 필요 등 제반 사정을 고려하여, 사업시행자는 법이 정한 이주대책대상자를 포함하여 그 밖의 이해관계인에게까지 넓혀 이주대책 수립 등을 시행할 수 있다.
② 사업인정이란 공익사업을 토지 등을 수용 또는 사용할 사업으로 결정하는 것인데, 사업시행자에게 해당 공익사업을 수행할 의사와 능력이 있어야 한다는 것도 사업인정의 한 요건이라고 보아야 한다.
③ 환매제도는 재산권보장, 원소유자의 보호 및 공평의 원칙에 바탕을 두기에, 환매의 목적물은 토지소유권에 한하지 않고, 토지 이외의 물건이나 토지소유권 이외의 권리 역시 환매의 대상이 될 수 있다.
④ 사업시행자가 공익사업에 필요한 토지를 협의취득하는 행위는 사경제주체로서 행하는 사법상의 법률행위이다.

2019년 서울시 9급

① (○) 사업시행자는 법상의 대상자 이외의 이해관계인을 위한 이주대책을 수립할 수 있다.

> 사업시행자는 해당 공익사업의 성격, 구체적인 경위나 내용, 그 원만한 시행을 위한 필요 등 제반 사정을 고려하여 법이 정한 이주대책대상자를 포함하여 그 밖의 이해관계인에게까지 넓혀 이주대책 수립 등을 시행할 수 있다고 할 것이다(대판 2015.7.23. 2012두22911).

② (○) 공익사업을 수행할 의사와 능력도 사업인정의 요건이 된다.

> 해당 공익사업을 수행하여 공익을 실현할 의사나 능력이 없는 자에게 타인의 재산권을 공권력적·강제적으로 박탈할 수 있는 수용권을 설정하여 줄 수는 없으므로, 사업시행자에게 해당 공익사업을 수행할 의사와 능력이 있어야 한다는 것도 사업인정의 한 요건이라고 보아야 한다(대판 2011.1.27. 2009두1051).

③ (×) 환매의 목적물은 취득한 '토지'의 전부 또는 일부이다.

> 「공익사업을 위한 토지 등의 취득 및 보상에 관한 법률」 제91조【환매권】① 공익사업의 폐지·변경 또는 그 밖의 사유로 취득한 토지의 전부 또는 일부가 필요 없게 된 경우 토지의 협의취득일 또는 수용의 개시일(이하 이 조에서 "취득일"이라 한다) 당시의 토지소유자 또는 그 포괄승계인(이하 "환매권자"라 한다)은 다음 각 호의 구분에 따른 날부터 10년 이내에 그 토지에 대하여 받은 보상금에 상당하는 금액을 사업시행자에게 지급하고 그 토지를 환매할 수 있다.

입법자가 건물에 대한 환매권을 부인한 것은 헌법적 한계 내에 있는 입법재량권의 행사이므로 재산권을 침해하는 것이라 볼 수 없다(헌재 2005.5.26. 2004헌가10).

④ (○) 사업시행자의 토지협의취득은 사법상의 법률행위에 해당한다.

공공사업의 시행자가 토지를 협의취득하는 행위는 사경제주체로서 행하는 사법상의 법률행위이므로 그 일방 당사자의 채무불이행에 대하여 민법에 따른 손해배상 또는 하자담보책임을 물을 수 있다(대판 2004. 7.22. 2002다51586).

답 ③

031

손실보상에 대한 설명으로 옳지 않은 것은? (다툼이 있는 경우 판례에 의함)

① 사업시행자에게 한 잔여지매수청구의 의사표시는 일반적으로 관할 토지수용위원회에 한 잔여지수용청구의 의사표시로 볼 수 있다.
② 구 「하천법」의 시행으로 국유로 된 제외지 안의 토지에 대하여는 관리청이 그 손실을 보상하도록 규정하고 있는 동법 부칙 제2조 제1항에 의한 손실보상청구권은 공법상 권리이다.
③ 구 「공익사업을 위한 토지 등의 취득 및 보상에 관한 법률」의 관련 규정에 의하여 취득하는 어업피해에 관한 손실보상청구권은 민사소송의 방법으로 행사할 수는 없고 재결절차를 거치지 않은 채 곧바로 사업시행자를 상대로 손실보상을 청구하는 것도 허용되지 않는다.
④ 한국토지주택공사가 택지개발사업의 시행자로서 일정 기준을 충족하는 손실보상 대상자들에 대하여 생활대책을 수립·시행하면서 직권으로 甲이 생활대책대상자에 해당하지 않는다는 결정을 하고 이에 대한 甲의 이의신청에 대하여 재심사 결과로도 생활대책대상자로 선정되지 않았다는 통보를 한 경우 그 재심사 결과의 통보는 독립한 행정처분이다.
⑤ 체육시설업의 영업주체가 영업시설의 양도나 임대 등에 의하여 변경되었으나 그에 관한 신고를 하지 않은 채 영업을 하던 중에 공익사업으로 영업을 폐지 또는 휴업하게 된 경우 그 임차인 등의 영업은 보상대상에서 제외되지 않는다.

2019년 국회직 8급

① (×) 사업시행자에게 한 잔여지매수청구의 의사표시는 일반적으로 관할 토지수용위원회에 잔여지수용청구의 의사표시를 한 것으로 볼 수 없다.

> **잔여지 수용청구는 토지수용위원회에 하여야 한다.**
> 잔여지 수용청구의 의사표시는 관할 토지수용위원회에 하여야 하는 것으로서, 사업시행자에게 한 잔여지 매수청구의 의사표시를 관할 토지수용위원회에 한 잔여지 수용청구의 의사표시로 볼 수는 없다(대판 2010.8.19. 2008두82).

문제 DATA
출제가능 지수 ▶▶▷
난이도 지수 ★★★

함께 정리하기
손실보상

잔여지 수용청구
▷ 관할 토지수용위원회에 해야(사업시행자×)

하천법 부칙의 손실보상청구권
▷ 공법상 권리

어업피해 손실보상청구
▷ 재결거친 후 손실보상청구해야(민사소송 불가)

한국토지주택공사의 생활대책대상자 비선정 재심사결과통보
▷ 행정처분○

체육시설 영업주체 변경신고 없이 영업하다가 폐지·휴업
▷ 보상대상○

유제 19. 서울시 7급 잔여지 수용의 청구는 사업시행자가 관할 토지수용위원회에 하여야 하고, 토지소유자는 사업시행자에게 잔여지 수용을 청구해 줄 것을 요청할 수 있다. (×)

② (○)「하천법」부칙의 손실보상청구권은 공법상의 권리이다.

> 법적 성질은 하천법이 원래부터 규정하고 있던 하천구역에의 편입에 의한 손실보상청구권과 다를 바가 없는 공법상의 권리이다(대판 2016.8.24. 2014두46966).

③ (○) 어업피해 손실보상청구는 재결을 거친 후 하여야 한다.

> 구 공익사업을 위한 토지 등의 취득 및 보상에 관한 법률의 관련 규정에 의하여 취득하는 어업피해에 관한 손실보상청구권은 민사소송의 방법으로 행사할 수는 없고, 구 공익사업법 제34조, 제50조 등에 규정된 재결절차를 거친 다음 그 재결에 대하여 불복이 있는 때에 비로소 구 공익사업법 제83조 내지 제85조에 따라 권리구제를 받아야 하며, 이러한 재결절차를 거치지 않은 채 곧바로 사업시행자를 상대로 손실보상을 청구하는 것은 허용되지 않는다고 봄이 타당하다(대판 2014.5.29. 2013두12478).

④ (○) 한국토지주택공사의 생활대책자 대상자 비선정 결과통보는 처분에 해당한다.

> 비록 재심사통보가 부적격통보와 결론이 같더라도, 단순히 한국토지주택공사의 업무처리의 적정 및 甲 등의 편의를 위한 조치에 불과한 것이 아니라 별도의 의사결정 과정과 절차를 거쳐 이루어진 독립한 행정처분으로서 항고소송의 대상이 된다(대판 2016.7.14. 2015두58646).

⑤ (○) 체육시설 영업주체 변경신고 없이 영업하다가 폐지·휴업한 경우 보상대상이 된다.

> 체육시설업의 영업주체가 영업시설의 양도나 임대 등에 의하여 변경되었음에도 그에 관한 신고를 하지 않은 채 영업을 하던 중에 공익사업으로 영업을 폐지 또는 휴업하게 된 경우라 하더라도, 그 임차인 등의 영업을 보상대상에서 제외되는 위법한 영업이라고 할 것은 아니다. 따라서 그로 인한 영업손실에 대해서는 법령에 따른 정당한 보상이 이루어져야 마땅하다(대판 2012.12.13. 2010두12842).

답 ①

032

「공익사업을 위한 토지 등의 취득 및 보상에 관한 법률」상 공익사업의 수행을 위한 토지 등의 수용 또는 사용의 절차에 대한 설명으로 옳지 않은 것은? (다툼이 있는 경우 판례에 의함)

① 공익사업으로 인하여 영업을 폐지하거나 휴업하는 자는 구「공익사업을 위한 토지 등의 취득 및 보상에 관한 법률」에 규정된 재결절차를 거치지 않은 채 곧바로 사업시행자를 상대로 영업손실보상을 청구할 수 없다.

② 사업시행자는 사업인정이 실효됨으로 인하여 토지소유자나 관계인이 입은 손실을 보상하여야 한다.

③ 국가나 지방자치단체가 사업시행자인 경우 재결신청을 받은 토지수용위원회는 그 재결을 기다려서는 재해를 방지하기 곤란하거나 그 밖에 공공의 이익에 현저한 지장을 줄 우려가 있다고 인정할 때에는 사업시행자의 신청을 받아 대통령령으로 정하는 바에 따라 담보를 제공하게 한 후 해당 토지의 사용을 허가하여야 한다.

④ 사업인정고시가 된 후 협의가 성립되지 아니하였을 때에는 토지소유자와 관계인은 대통령령으로 정하는 바에 따라 서면으로 사업시행자에게 재결을 신청할 것을 청구할 수 있다.

⑤ 협의가 성립되지 아니하거나 협의를 할 수 없을 때에는 사업시행자는 사업인정고시가 된 날부터 1년 이내에 대통령령으로 정하는 바에 따라 관할 토지수용위원회에 재결을 신청할 수 있다.

2019년 국회직 8급

① (O) 영업손실보상은 재결절차를 거치지 않은 채 곧바로 사업시행자를 상대로 손실보상청구를 할 수 없다.

> 구 공익사업을 위한 토지 등의 취득 및 보상에 관한 법률(2007.10.17. 법률 제8665호로 개정되기 전의 것, 이하 '구 공익사업법'이라 한다) 제77조 제1항·제4항, 구 공익사업을 위한 토지 등의 취득 및 보상에 관한 법률 시행규칙(2007.4.12. 건설교통부령 제556호로 개정되기 전의 것) 제45조, 제46조, 제47조와 구 공익사업법 제26조, 제28조, 제30조, 제34조, 제50조, 제61조, 제83조 내지 제85조의 규정 내용 및 입법 취지 등을 종합하여 보면, 공익사업으로 인하여 영업을 폐지하거나 휴업하는 자가 사업시행자에게서 구 공익사업법 제77조 제1항에 따라 영업손실에 대한 보상을 받기 위해서는 구 공익사업법 제34조, 제50조 등에 규정된 재결절차를 거친 다음 재결에 대하여 불복이 있는 때에 비로소 구 공익사업법 제83조 내지 제85조에 따라 권리구제를 받을 수 있을 뿐, 이러한 재결절차를 거치지 않은 채 곧바로 사업시행자를 상대로 손실보상을 청구하는 것은 허용되지 않는다고 보는 것이 타당하다(대판 2011.9.29. 2009두10963).

② (O)

> 「공익사업을 위한 토지 등의 취득 및 보상에 관한 법률」 제23조【사업인정의 실효】 ① 사업시행자가 제22조 제1항에 따른 사업인정의 고시(이하 "사업인정고시"라 한다)가 된 날부터 1년 이내에 제28조 제1항에 따른 재결신청을 하지 아니한 경우에는 사업인정고시가 된 날부터 1년이 되는 날의 다음 날에 사업인정은 그 효력을 상실한다.
> ② 사업시행자는 제1항에 따라 사업인정이 실효됨으로 인하여 토지소유자나 관계인이 입은 손실을 보상하여야 한다.

③ (×)

> 「공익사업을 위한 토지 등의 취득 및 보상에 관한 법률」 제39조【시급한 토지 사용에 대한 허가】 ① 제28조에 따른 재결신청을 받은 토지수용위원회는 그 재결을 기다려서는 재해를 방지하기 곤란하거나 그 밖에 공공의 이익에 현저한 지장을 줄 우려가 있다고 인정할 때에는 사업시행자의 신청을 받아 대통령령으로 정하는 바에 따라 담보를 제공하게 한 후 즉시 해당 토지의 사용을 허가할 수 있다. 다만, 국가나 지방자치단체가 사업시행자인 경우에는 담보를 제공하지 아니할 수 있다.

④ (O)

> 「공익사업을 위한 토지 등의 취득 및 보상에 관한 법률」 제30조【재결 신청의 청구】 ① 사업인정고시가 된 후 협의가 성립되지 아니하였을 때에는 토지소유자와 관계인은 대통령령으로 정하는 바에 따라 서면으로 사업시행자에게 재결을 신청할 것을 청구할 수 있다.

⑤ (O)

> 「공익사업을 위한 토지 등의 취득 및 보상에 관한 법률」 제28조【재결의 신청】 ① 제26조에 따른 협의가 성립되지 아니하거나 협의를 할 수 없을 때(제26조 제2항 단서에 따른 협의 요구가 없을 때를 포함한다)에는 사업시행자는 사업인정고시가 된 날부터 1년 이내에 대통령령으로 정하는 바에 따라 관할 토지수용위원회에 재결을 신청할 수 있다.

답 ③

함께 정리하기

손실보상

영업손실보상
▷ 재결 거친 후 행정소송(곧바로 손실보상청구×)

사업시행자
▷ 사업인정 실효되면 손실보상하여야 함

토지수용위원회의 시급한 토지사용 허가
▷ 국가·지자체가 사업시행자라면 담보제공 不要

토지소유자·관계인
▷ 협의 불성립시 사업시행자에게 재결신청구 可

협의 불성립·협의불가
▷ 사업시행자는 사업인정고시 후 1년 이내에 토지수용위원회에 재결신청 可

033

손실보상제도에 대한 설명으로 옳지 않은 것은? (다툼이 있는 경우 판례에 의함)

① 헌법 제23조 제3항에서 규정하고 있는 '공공필요'의 의미는 국민의 재산권을 그 의사에 반하여 강제적으로라도 취득해야 할 공익적 필요성을 의미하고 여기서 공익성은 기본권 일반의 제한사유인 '공공복리'보다 좁게 보는 것이 타당하다.

② 「공익사업을 위한 토지 등의 취득 및 보상에 관한 법률」 및 동법 시행규칙에 따른 사업폐지 등에 대한 보상청구권에 관한 쟁송은 민사소송이 아닌 행정소송절차에 의하여야 한다.

③ 토지가 가지는 문화적·학술적 가치는 특별한 사정이 없는 한, 토지의 부동산으로서의 경제적·재산적 가치를 높여 주는 것이 아니므로 손실보상의 대상이 될 수 없다.

④ 「공익사업을 위한 토지 등의 취득 및 보상에 관한 법률」에 의한 보상합의는 공공기관이 공행정주체로 서 행하는 공법상 계약의 실질을 갖는다.

⑤ 「공익사업을 위한 토지 등의 취득 및 보상에 관한 법률」에 의한 이주대책은 이주자들에게 종전의 생활상태를 회복시키기 위한 생활보상의 일환으로서 국가의 정책적인 배려에 의하여 마련된 제도이다.

2018년 5급 승진

① (O) 공공필요는 공공복리보다 좁게 해석하는 것이 타당하다.

> 오늘날 공익사업의 범위가 확대되는 경향에 대응하여 재산권의 존속보장과의 조화를 위해서는, '공공필요'의 요건에 관하여, 공익성은 추상적인 공익 일반 또는 국가의 이익 이상의 중대한 공익을 요구하므로 기본권 일반의 제한 사유인 '공공복리'보다 좁게 보는 것이 타당하다(헌재 2014.10.30. 2011헌바172).

② (O) 사업폐지 보상청구권에 관한 쟁송은 행정소송절차에 의한다.

> 사업폐지 등에 대한 보상청구권은 공익사업의 시행 등 적법한 공권력의 행사에 의한 재산상 특별한 희생에 대하여 전체적인 공평부담의 견지에서 공익사업의 주체가 손해를 보상하여 주는 손실보상의 일종으로 공법상 권리임이 분명하므로 그에 관한 쟁송은 민사소송이 아닌 행정소송절차에 의하여야 한다(대판 2012.10.11. 2010다23210).

③ (O) 문화적·학술적 가치는 손실보상의 대상이 아니다.

> 문화적, 학술적 가치는 특별한 사정이 없는 한 그 토지의 부동산으로서의 경제적, 재산적 가치를 높여주는 것이 아니므로 토지수용법 제51조 소정의 손실보상의 대상이 될 수 없으니, 이 사건 토지가 철새 도래지로서 자연문화적인 학술가치를 지녔다 하더라도 손실보상의 대상이 될 수 없다(대판 1989.9.12. 88누11216).

④ (X) 보상합의는 사법상 계약의 실질을 갖는다.

> 공공용지의 취득 및 손실보상에 관한 특례법에 의한 협의취득 또는 보상합의는 공공기관이 사경제주체로서 행하는 사법상 매매 내지 사법상 계약의 실질을 가지는 것으로서, 당사자 간의 합의로 같은 법 소정의 손실보상의 기준에 의하지 아니한 매매대금을 정할 수도 있으며, 또한 같은 법이 정하는 기준에 따르지 아니하고 손실보상액에 관한 합의를 하였다고 하더라도 그 합의가 착오 등을 이유로 취소되지 않는 한 유효하다(대판 1998.5.22. 98다2242).

⑤ (O) 이주대책은 국가의 정책적 배려에 의해 도입된 제도이다.

> 이주대책은 헌법 제23조 제3항에 규정된 정당한 보상에 포함되는 것이라기보다는 이에 부가하여 이주자들에게 종전의 생활상태를 회복시키기 위한 생활보상의 일환으로서 국가의 정책적인 배려에 의하여 마련된 제도라고 볼 것이다. 따라서 이주대책의 실시 여부는 입법자의 입법정책적 재량의 영역에 속한다(헌재 2006.2.23. 2004헌마19).

답 ④

034 □□□

「공익사업을 위한 토지 등의 취득 및 보상에 관한 법률」에 대한 설명으로 옳은 것은? (다툼이 있는 경우 판례에 의함)

① 수용재결에 대하여 불복하는 경우 이의재결을 거치지 아니하면 취소소송을 제기할 수 없다.
② 이의신청을 거쳐 중앙토지수용위원회에서 이의재결이 내려진 경우 취소소송의 대상은 이의재결이고, 수용재결을 취소소송의 대상으로 할 수 없다.
③ 이의신청을 받은 중앙토지수용위원회는 수용재결이 위법 또는 부당한 때에는 그 재결의 전부 또는 일부를 취소하거나 보상액을 변경할 수 있다.
④ 이의재결에서 보상금이 늘어난 경우 사업시행자는 재결의 취소 또는 변경의 재결서 정본을 받은 날부터 60일 이내에 보상금을 받을 자에게 그 늘어난 보상금을 지급해야 한다.

문제 DATA
출제가능 지수 ▶▶▷
난이도 지수 ★★☆

2023년 군무원 7급

① (✕) 수용재결에 불복하는 경우 이의재결을 거치지 않고도 취소소송을 제기할 수 있다.

유제 16. 서울시 7급 수용재결에 대해 항고소송으로 다투려면 우선적으로 이의재결을 거쳐야만 한다. (✕)
13. 국회직 8급 수용재결에 대해 취소소송으로 다투기 위해서는 중앙토지수용위원회의 이의재결을 거쳐야 한다. (✕)

> 공익사업을 위한 토지 등의 취득 및 보상에 관한 법률 제83조【이의의 신청】① 중앙토지수용위원회의 제34조에 따른 재결에 이의가 있는 자는 중앙토지수용위원회에 이의를 신청할 수 있다.
> ② 지방토지수용위원회의 제34조에 따른 재결에 이의가 있는 자는 해당 지방토지수용위원회를 거쳐 중앙토지수용위원회에 이의를 신청할 수 있다.

② (✕) 현행 토지보상법 제85조 제1항은 수용재결(재결신청에 대한 재결 또는 원처분)에 대해서도 행정소송을 제기할 수 있다고 규정하고 있다. 이에 대해 명문의 규정은 없으나 학설의 다수설은 현행법이 원처분주의를 채택하고 있는 것으로 보고 있다. 최근 판례도 현행법은 원처분주의를 채택하고 있다고 판시한 바 있다.

> **이의신청을 거친 경우에도 수용재결의 취소를 구하는 것이 원칙이다.**
> 수용재결에 불복하여 취소소송을 제기하는 때에는 이의신청을 거친 경우에도 수용재결을 한 중앙토지수용위원회 또는 지방토지수용위원회를 피고로 하여 수용재결의 취소를 구하여야 한다. 다만 이의신청에 대한 재결 자체에 고유한 위법이 있음을 이유로 하는 경우에도 그 이의재결을 한 중앙토지수용위원회를 피고로 하여 이의재결의 취소를 구할 수 있다고 보아야 한다(대판 2010.1.28. 2008두1504).

③ (○), ④ (✕)

> 공익사업을 위한 토지 등의 취득 및 보상에 관한 법률 제84조【이의신청에 대한 재결】① 중앙토지수용위원회는 제83조에 따른 이의신청을 받은 경우 제34조에 따른 재결이 위법하거나 부당하다고 인정할 때에는 그 재결의 전부 또는 일부를 취소하거나 보상액을 변경할 수 있다.
> ② 제1항에 따라 보상금이 늘어난 경우 사업시행자는 재결의 취소 또는 변경의 재결서 정본을 받은 날부터 30일 이내에 보상금을 받을 자에게 그 늘어난 보상금을 지급하여야 한다. 다만, 제40조 제2항 제1호·제2호 또는 제4호에 해당할 때에는 그 금액을 공탁할 수 있다.

답 ③

함께 정리하기

손실보상

재결에 대한 이의신청
▷ 임의적 절차

이의신청 거친 경우 취소소송의 대상
▷ 원칙: 수용재결
▷ 예외: 이의재결

이의신청 받은 중앙토지수용위원회
▷ 위법·부당한 수용재결취소, 보상액 변경 可

이의재결에서 보상금이 늘어난 경우 사업시행자
▷ 재결서 정본 받은 날부터 30일 이내에 늘어난 보상금 지급의무○

문제 DATA

출제가능 지수 ▶▶▷
난이도 지수 ★★☆

035 □□□

행정상 손실보상에 대한 설명으로 옳지 않은 것은? (다툼이 있는 경우 판례에 의함)

① 「하천법」 제50조에 따른 하천수 사용권은 「공익사업을 위한 토지 등의 취득 및 보상에 관한 법률」이 손실보상의 대상으로 규정하고 있는 '물의 사용에 관한 권리'에 해당한다.
② 국가지정문화재에 대하여 관리단체로 지정된 지방자치단체의 장은 「문화재보호법」 및 「공익사업을 위한 토지 등의 취득 및 보상에 관한 법률」에 따라 국가지정문화재나 그 보호구역에 있는 토지 등을 수용할 수 있다.
③ 공익사업을 위한 토지 등의 취득 및 보상에 관한 법률상 보상대상이 되는 '기타 토지에 정착한 물건에 대한 소유권 그 밖의 권리를 가진 관계인'에는 수거·철거권 등 실질적 처분권을 가진 자도 포함된다.
④ 「공익사업을 위한 토지 등의 취득 및 보상에 관한 법률」상 보상금증액소송은 처분청인 토지수용위원회를 피고로 한다.

2021년 국가직 7급

① (O) 하천수 사용권은 토지보상법상 손실보상의 대상으로 규정하고 있는 '물의 사용에 관한 권리'에 해당한다.

> 하천법 제50조에 의한 하천수 사용권은 특허에 의한 공물사용권의 일종으로서, 독립된 재산적 가치가 있는 구체적인 권리라고 보아야 한다. 따라서 하천법 제50조에 따른 하천수 사용권이 공익사업을 위한 토지 등의 취득 및 보상에 관한 법률 제76조 제1항에서 손실보상의 대상으로 규정하고 있는 '물의 사용에 관한 권리'에 해당한다(대판 2018.12.27. 2014두11601).

② (O) 국가지정문화재의 관리단체로 지정된 지자체장은 국가지정문화재나 보호구역 내의 토지 등을 수용할 수 있다.

> 문화재보호법 제83조 제1항은 "문화재청장이나 지방자치단체의 장은 문화재의 보존·관리를 위하여 필요하면 지정문화재나 그 보호구역에 있는 토지, 건물, 입목, 죽, 그 밖의 공작물을 공익사업을 위한 토지 등의 취득 및 보상에 관한 법률(이하 '토지보상법'이라 한다)에 따라 수용하거나 사용할 수 있다."라고 규정하고 있다. 한편 국가는 문화재의 보존·관리 및 활용을 위한 종합적인 시책을 수립·추진하여야 하고, 지방자치단체는 국가의 시책과 지역적 특색을 고려하여 문화재의 보존·관리 및 활용을 위한 시책을 수립·추진하여야 하며(문화재보호법 제4조), 문화재청장은 국가지정문화재 관리를 위하여 지방자치단체 등을 관리단체로 지정할 수 있고(문화재보호법 제34조), 지방자치단체의 장은 국가지정문화재와 역사문화환경 보존지역의 관리·보호를 위하여 필요하다고 인정하면 일정한 행위의 금지나 제한, 시설의 설치나 장애물의 제거, 문화재 보존에 필요한 긴급한 조치 등을 명할 수 있다(문화재보호법 제42조 제1항). 이와 같이 문화재보호법은 지방자치단체 또는 지방자치단체의 장에게 시·도지정문화재뿐 아니라 국가지정문화재에 대하여도 일정한 권한 또는 책무를 부여하고 있고, 문화재보호법에 해당 문화재의 지정권자만이 토지 등을 수용할 수 있다는 등의 제한을 두고 있지 않으므로, 국가지정문화재에 대하여 관리단체로 지정된 지방자치단체의 장은 문화재보호법 제83조 제1항 및 토지보상법에 따라 국가지정문화재나 그 보호구역에 있는 토지 등을 수용할 수 있다(대판 2019.2.28. 2017두71031).

③ (O) 보상대상이 되는 지장물에 대한 수거·철거권 등 실질적 처분권을 가진 자도 보상금청구권자에 포함된다.

> [1] 공익사업을 위한 토지 등의 취득 및 보상에 관한 법률상 보상 대상이 되는 '기타 토지에 정착한 물건에 대한 소유권 그 밖의 권리를 가진 관계인'에는 수거·철거권 등 실질적 처분권을 가진 자도 포함된다.

함께 정리하기

손실보상

하천수 사용권
▷ 손실보상 대상인 '물의 사용에 관한 권리'

국가지정문화재의 관리단체로 지정된 지자체장
▷ 국가지정문화재나 보호구역 내의 토지 등 수용 可

지장물에 대한 수거·철거권 등 실질적 처분권을 가진 자
▷ 보상금청구권자O

보상금증액소송
▷ 사업시행자가 피고

[2] 철도건설사업 시행자인 甲 공단이 乙 소유의 건물 등 지장물에 관하여 중앙토지수용위원회의 수용재결에 따라 건물 등의 가격 및 이전보상금을 공탁한 다음 乙이 공탁금을 출급하자 위 건물의 일부를 철거하였고, 乙은 위 건물 중 철거되지 않은 나머지 부분을 계속 사용하고 있었는데, 그 후 丙 재개발정비사업조합이 위 건물을 다시 수용하면서 수용보상금 중 위 건물 등에 관한 설치이전비용 상당액을 丙 조합과 乙 사이에 성립한 조정에 따라 피공탁자를 甲 공단 또는 乙로 하여 채권자불확지 공탁을 한 사안에서, 甲 공단은 수용재결에 따라 위 건물에 관한 이전보상금을 지급함으로써 위 건물을 철거·제거할 권한을 가지게 되었으므로 공익사업을 위한 토지 등의 취득 및 보상에 관한 법률상 보상 대상이 되는 '기타 토지에 정착한 물건에 대한 소유권 그 밖의 권리를 가진 관계인'에 해당하고, 乙은 甲 공단으로부터 공익사업의 시행을 위하여 지장물 가격보상을 받음으로써 사업시행자인 甲 공단의 위 건물 철거·제거를 수인할 지위에 있을 뿐이므로, 丙 조합에 대한 지장물 보상청구권은 乙이 아니라 위 건물에 대한 가격보상 완료 후 이를 인도받아 철거할 권리를 보유한 甲 공단에 귀속된다고 보아야 하는데도, 위 건물의 소유권이 乙에게 있다는 이유만으로 공탁금출급청구권이 乙에게 귀속된다고 본 원심판단에는 법리오해의 잘못이 있다고 한 사례(대판 2019.4.11. 2018다277419)

④ (×) 행정소송이 보상금의 증감에 관한 소송인 경우 <u>그 소송을 제기하는 자가 토지소유자 또는 관계인</u>일 때에는 사업시행자를, 사업시행자일 때에는 토지소유자 또는 관계인을 각각 피고로 한다(동법 제85조 제2항). 현행 토지보상법에서는 구 토지수용법상 보상금증감청구소송의 경우에 소송상대방으로 포함되었던 재결청을 제외하였다.

답 ④

036

재산권 보장과 손실보상에 대한 설명으로 옳은 것은? (다툼이 있는 경우 판례에 의함)

① 공용수용은 공공필요에 부합하여야 하므로, 수용 등의 주체를 국가 등의 공적 기관에 한정하여야 한다.
② 공익사업 시행으로 인한 개발이익은 완전보상의 범위에 포함되는 피수용토지의 객관적 가치 내지 피수용자의 손실에 해당한다.
③ 구 「공유수면매립법」상 간척사업의 시행으로 인하여 관행어업권이 상실된 경우, 실질적이고 현실적인 피해가 발생한 경우에만 공유수면매립법에서 정하는 손실보상청구권이 발생한다.
④ 「공익사업을 위한 토지 등의 취득 및 보상에 관한 법률」에 따른 보상은 토지소유자나 관계인 개인별로 하는 것이 아니라 수용 또는 사용의 대상이 되는 물건별로 행해지는 것이다.

2021년 국가직 7급

① (×) 수용의 주체는 민간기업도 가능하다.

> **수용의 주체는 국가 등의 공적 기관에 한정되지 않는다.**
> 헌법 제23조 제3항은 정당한 보상을 전제로 하여 재산권의 수용 등에 관한 가능성을 규정하고 있지만, <u>재산권 수용의 주체를 한정하지 않고 있다</u>. 위 헌법조항의 핵심은 당해 수용이 공공필요에 부합하는가, 정당한 보상이 지급되고 있는가 여부 등에 있는 것이지, 그 수용의 주체가 국가인지 민간기업인지 여부에 달려 있다고 볼 수 없다. 또한 국가 등의 공적 기관이 직접 수용의 주체가 되는 것이든 그러한 공적 기관의 최종적인 허부판단과 승인결정하에 민간기업이 수용의 주체가 되는 것이든, 양자 사이에 공공필요에 대한 판단과 수용의 범위에 있어서 본질적인 차이를 가져올 것으로 보이지 않는다. 따라서 위 수용 등의 주체를 국가 등의 공적 기관에 한정하여 해석할 이유가 없다. …
> 그렇다면 <u>민간기업을 수용의 주체로 규정한 자체를 두고 위헌이라고 할 수 없으며</u>, 나아가 이 사건 수용조항을 통해 민간기업에게 사업시행에 필요한 토지를 수용할 수 있도록 규정할 필요가 있다는 입법자의 인식에도 합리적인 이유가 있다 할 것이다(헌재 2009.9.24. 2007헌바114).

문제 DATA
출제가능 지수 ▶▶▷
난이도 지수 ★★☆

함께 정리하기
손실보상

수용주체
▷ 민간기업도 可

개발이익
▷ 완전보상의 범위×

재산권침해
▷ 실질적·현실적 피해 발생해야 함

원칙
▷ 개인별 보상

② (X) 수용에 따른 손실보상액 산정의 경우 헌법 제23조 제3항에 따른 정당한 보상이란 원칙적으로 피수용재산의 객관적인 재산가치를 완전하게 보상하여야 한다는 완전보상을 뜻하는 것이다(대판 2001.9.25. 2000두2426). 그러나 완전보상의 범위에 개발이익은 포함되지 않는다(「공익사업을 위한 토지 등의 취득 및 보상에 관한 법률」 제67조 제2항).

> **개발이익은 완전보상의 범위에 포함되는 피수용토지의 객관적 가치 내지 피수용자의 손실에 해당하지 않는다.**
> 구 토지수용법 제46조 제2항 및 지가공시 및 토지 등의 평가에 관한 법률 제10조 제1항 제1호가 토지수용으로 인한 손실보상액의 산정을 공시지가를 기준으로 하되 개발이익을 배제하고, 공시기준일부터 재결시까지의 시점보정을 인근토지의 가격변동률과 도매물가상승률 등에 의하여 행하도록 규정한 것은 법상의 정당보상의 원칙에 위배되는 것이 아니다(헌재 1995.4.20. 93헌바20).

③ (O) 손실보상청구권이 인정되려면 재산권침해가 현실적으로 발생할 것을 요한다.

> 공유수면 매립면허의 고시가 있다고 하여 반드시 그 사업이 시행되고 그로 인하여 손실이 발생한다고 할 수 없으므로, 매립면허 고시 이후 매립공사가 실행되어 관행어업권자에게 실질적이고 현실적인 피해가 발생한 경우에만 공유수면매립법에서 정하는 손실보상청구권이 발생하였다고 할 것이다(대판 2010.12.9. 2007두6571).

유제 20. 경찰 2차, 19. 변호사 공유수면 매립면허의 고시가 있다고 하여 반드시 그 사업이 시행되고 그로 인하여 손실이 발생한다고 할 수 없고, 매립면허 고시 이후 매립공사가 실행되어 어업권자에게 실질적이고 현실적인 피해가 발생한 경우에「공유수면 관리 및 매립에 관한 법률」에서 정하는 손실보상청구권이 발생한다. (O)

④ (X) 개인별 보상이 원칙이다.

> 「공익사업을 위한 토지 등의 취득 및 보상에 관한 법률」 제64조 【개인별 보상】 손실보상은 토지소유자나 관계인에게 개인별로 하여야 한다. 다만, 개인별로 보상액을 산정할 수 없을 때에는 그러하지 아니하다.

답 ③

037

「공익사업을 위한 토지 등의 취득 및 보상에 관한 법률」상 토지수용절차로서 사업인정에 대한 설명으로 옳은 것만을 모두 고른 것은? (다툼이 있는 경우 판례에 의함)

> ㄱ. 사업시행자가 해당 공익사업을 수행할 의사와 능력이 있어야 한다는 것은 사업인정의 요건에 해당한다.
> ㄴ. 사업인정의 고시로 수용의 목적물은 확정되고 관계인의 범위가 제한된다.
> ㄷ. 사업인정은 고시한 날부터 효력이 발생한다.
> ㄹ. 사업시행자가 사업인정고시가 된 날부터 1년 이내에 재결신청을 하지 아니한 경우에는 사업인정 고시가 된 날부터 1년이 되는 날의 다음 날에 사업인정은 그 효력을 상실한다.

① ㄱ
② ㄴ, ㄷ
③ ㄱ, ㄴ, ㄷ
④ ㄱ, ㄴ, ㄷ, ㄹ

2021년 국가직 7급

ㄱ. (O) 공익사업을 수행할 의사와 능력도 사업인정의 요건이 된다.

> 사업인정이란 공익사업을 토지 등을 수용 또는 사용할 사업으로 결정하는 것으로서 공익사업의 시행자에게 그 후 일정한 절차를 거칠 것을 조건으로 일정한 내용의 수용권을 설정하여 주는 형성행위이므로, 해당 사업이 외형상 토지 등을 수용 또는 사용할 수 있는 사업에 해당한다고 하더라도 사업인정기관으로서는 그 사업이 공용수용을 할 만한 공익성이 있는지의 여부와 공익성이 있는 경우에도 그 사업의 내용과 방법에 관하여 사업인정에 관련된 자들의 이익을 공익과 사익 사이에서는 물론, 공익 상호간 및 사익 상호간에도 정당하게 비교·교량하여야 하고, 그 비교·교량은 비례의 원칙에 적합하도록 하여야 한다. 그 뿐만 아니라 해당 공익사업을 수행하여 공익을 실현할 의사나 능력이 없는 자에게 타인의 재산권을 공권력적·강제적으로 박탈할 수 있는 수용권을 설정하여 줄 수는 없으므로, 사업시행자에게 해당 공익사업을 수행할 의사와 능력이 있어야 한다는 것도 사업인정의 한 요건이라고 보아야 한다(대판 2011.1.27. 2009두1051).

ㄴ. (O) 사업인정의 고시에 토지세목이 포함되므로 사업인정이 고시되면 수용의 목적물이 확정된다(사업인정의 기본적 효력). 또 관계인의 범위가 확정되어 사업인정의 고시가 있은 후에는 새로운 권리를 취득한 자는 기존 권리를 승계한 자를 제외하고는 피수용자로서의 권리가 인정되지 않는다(공익사업을 위한 토지 등의 취득 및 보상에 관한 법률 제2조 제5호).

ㄷ. (O) 국토교통부장관은 사업인정을 하였을 때에는 지체 없이 그 뜻을 사업시행자, 토지소유자, 관계인 및 관계 시·도지사에 통지하고 사업시행자의 성명이나 명칭, 사업의 종류, 사업지역 및 수용하거나 사용할 토지의 세목을 관보에 고시하여야 한다(동법 제22조 제1항). 고시는 사업인정의 효력발생요건이며, 사업인정은 고시한 날부터 그 효력이 발생한다(동법 제22조 제3항).

> 「공익사업을 위한 토지 등의 취득 및 보상에 관한 법률」 제22조 【사업인정의 고시】 ① 국토교통부장관은 제20조에 따른 사업인정을 하였을 때에는 지체 없이 그 뜻을 사업시행자, 토지소유자 및 관계인, 관계 시·도지사에게 통지하고 사업시행자의 성명이나 명칭, 사업의 종류, 사업지역 및 수용하거나 사용할 토지의 세목을 관보에 고시하여야 한다.
> ③ 사업인정은 제1항에 따라 고시한 날부터 그 효력이 발생한다.

ㄹ. (O) 사업시행자가 사업인정 고시가 된 날부터 1년 이내에 토지수용위원회에 재결신청을 하지 아니한 경우에는 사업인정고시가 된 날부터 1년이 되는 날의 다음 날에 사업인정은 그 효력을 상실한다(동법 제23조 제1항).

> 「공익사업을 위한 토지 등의 취득 및 보상에 관한 법률」 제23조 【사업인정의 실효】 ① 사업시행자가 제22조 제1항에 따른 사업인정의 고시(이하 "사업인정고시"라 한다)가 된 날부터 1년 이내에 제28조 제1항에 따른 재결신청을 하지 아니한 경우에는 사업인정고시가 된 날부터 1년이 되는 날의 다음 날에 사업인정은 그 효력을 상실한다.
> 제28조 【재결의 신청】 ① 제26조에 따른 협의가 성립되지 아니하거나 협의를 할 수 없을 때(제26조 제2항 단서에 따른 협의 요구가 없을 때를 포함한다)에는 사업시행자는 사업인정고시가 된 날부터 1년 이내에 대통령령으로 정하는 바에 따라 관할 토지수용위원회에 재결을 신청할 수 있다.

답 ④

함께 정리하기

손실보상

공익사업 수행할 의사·능력
▷ 사업인정의 요건

사업인정의 효력
▷ 수용목적물 확정, 관계인의 범위 확정

사업인정의 효력발생일
▷ 고시한 날

사업인정고시가 있은 날부터 1년 내 재결신청이 없는 경우
▷ 1년이 되는 날의 다음 날에 사업인정 효력상실

문제 DATA

출제가능 지수 ▶▶▷
난이도 지수 ★★☆

038 ☐☐☐

「공익사업을 위한 토지 등의 취득 및 보상에 관한 법률」상 토지수용절차 및 보상에 대한 설명으로 옳지 않은 것은? (다툼이 있는 경우 판례에 의함)

① 토지수용위원회가 토지에 대하여 사용재결을 하는 경우 사용할 토지의 위치와 면적, 권리자, 손실보상액, 사용 개시일뿐만 아니라 사용방법, 사용기간도 구체적으로 재결서에 특정하여야 한다.
② 사업인정기관은 어떠한 사업이 외형상 토지 등을 수용 또는 사용할 수 있는 사업에 해당한다 하더라도, 사업시행자에게 해당 공익사업을 수행할 의사와 능력이 없다면 사업인정을 거부할 수 있다.
③ 협의취득으로 인한 사업시행자의 토지에 대한 소유권 취득은 승계취득이므로 관할 토지수용위원회에 의한 협의 성립의 확인이 있었더라도 사업시행자는 수용재결의 경우와 동일하게 그 토지에 대한 원시취득의 효과를 누릴 수 없다.
④ 사업시행자의 이주대책 수립·실시의무 및 이주대책의 내용에 관한 규정은 당사자의 합의 또는 사업시행자의 재량에 의하여 적용을 배제할 수 없는 강행법규이다.

| 2020년 국가직 7급

① (O) 토지수용위원회는 토지에 관한 사용재결시, 사용할 토지의 구역, 사용방법, 기간 등을 재결서에 특정해야 한다.

> 공익사업을 위한 토지 등의 취득 및 보상에 관한 법령이 재결을 서면으로 하도록 하고, '사용할 토지의 구역, 사용의 방법과 기간'을 재결사항의 하나로 규정한 취지는, 재결에 의하여 설정되는 사용권의 내용을 구체적으로 특정함으로써 재결 내용의 명확성을 확보하고 재결로 인하여 제한받는 권리의 구체적인 내용이나 범위 등에 관한 다툼을 방지하기 위한 것이다. 따라서 관할 토지수용위원회가 토지에 관하여 사용재결을 하는 경우에는 재결서에 사용할 토지의 위치와 면적, 권리자, 손실보상액, 사용 개시일 외에도 사용방법, 사용기간을 구체적으로 특정하여야 한다(대판 2019.6.13. 2018두42641).

② (O) 공익사업을 수행할 의사와 능력도 사업인정의 요건이 된다.

> [1] 공익사업을 수행하여 공익을 실현할 의사나 능력이 없는 자에게 타인의 재산권을 공권력적·강제적으로 박탈할 수 있는 수용권을 설정하여 줄 수는 없으므로, 사업시행자에게 해당 공익사업을 수행할 의사와 능력이 있어야 한다는 것도 사업인정의 한 요건이라고 보아야 한다.
> [2] 공용수용은 헌법상의 재산권 보장의 요청상 불가피한 최소한에 그쳐야 한다는 헌법 제23조의 근본취지에 비추어 볼 때, 사업시행자가 사업인정을 받은 후 그 사업이 공용수용을 할 만한 공익성을 상실하거나 사업인정에 관련된 자들의 이익이 현저히 비례의 원칙에 어긋나게 된 경우 또는 사업시행자가 해당 공익사업을 수행할 의사나 능력을 상실하였음에도 여전히 그 사업인정에 기하여 수용권을 행사하는 것은 수용권의 공익 목적에 반하는 수용권의 남용에 해당하여 허용되지 않는다(대판 2011.1.27. 2009두1051).

③ (X) 협의성립의 확인이 있으면 수용재결의 경우와 동일하게 원시취득의 효과가 있다.

> 토지보상법상 수용은 일정한 요건하에 그 소유권을 사업시행자에게 귀속시키는 행정처분으로서 이로 인한 효과는 소유자가 누구인지와 무관하게 사업시행자가 그 소유권을 취득하게 하는 원시취득이다. 반면, 토지보상법상 '협의취득'의 성격은 사법상 매매계약이므로 그 이행으로 인한 사업시행자의 소유권 취득도 승계취득이다. 그런데 토지보상법 제29조 제3항에 따른 신청이 수리됨으로써 협의 성립의 확인이 있었던 것으로 간주되면, 토지보상법 제29조 제4항에 따라 그에 관한 재결이 있었던 것으로 재차 의제되고, 그에 따라 사업시행자는 사법상 매매의 효력만을 갖는 협의취득과는 달리 확인대상 토지를 수용재결의 경우와 동일하게 원시취득하는 효과를 누리게 된다(대판 2018.12.13. 2016두51719).

함께 정리하기

손실보상

토지수용위원회
▷ 토지의 사용구역, 방법, 기간 등 재결서에 특정 要

공익사업을 수행할 의사나 능력이 없는 경우
▷ 사업인정 거부 可

협의성립 확인의 효과
▷ 확인은 재결로 간주, 사업시행자는 토지·물건을 원시취득

토지보상법상 이주대책 수립·실시의무 및 내용 규정
▷ 강행법규

④ (○) 이주대책의 수립·실시의무 및 내용에 관한 토지보상법 규정은 강행법규이다.

> 구 공익사업법은 공익사업에 필요한 토지 등을 협의 또는 수용에 의하여 취득하거나 사용함에 따른 손실의 보상에 관한 사항을 규정함으로써 공익사업의 효율적인 수행을 통하여 공공복리의 증진과 재산권의 적정한 보호를 도모함을 목적으로 하고 있고, 위 법에 의한 이주대책은 공익사업의 시행에 필요한 토지 등을 제공함으로 인하여 생활의 근거를 상실하게 되는 이주대책대상자들에게 종전의 생활상태를 원상으로 회복시키면서 동시에 인간다운 생활을 보장하여 주기 위하여 마련된 제도이므로, 사업시행자의 이주대책 수립·실시의무를 정하고 있는 구 공익사업법 제78조 제1항은 물론 그 이주대책의 내용에 관하여 규정하고 있는 같은 법 제78조 제4항 본문 역시 당사자의 합의 또는 사업시행자의 재량에 의하여 그 적용을 배제할 수 없는 강행법규이다(대판 2013.6.28. 2011다40465).

답 ③

039 □□□

「공익사업을 위한 토지 등의 취득 및 보상에 관한 법률」상 손실보상에 대한 설명으로 옳지 않은 것은? (다툼이 있는 경우 판례에 의함)

① 잔여지수용청구권은 그 요건을 구비한 때에는 잔여지를 수용하는 토지수용위원회의 재결이 없더라도 그 청구에 의하여 수용의 효과가 발생하는 형성권적 성질을 가진다.
② 공익사업에 영업시설 일부가 편입됨으로 인하여 잔여 영업시설에 손실을 입은 자는 재결절차를 거치지 않은 채 곧바로 사업시행자를 상대로 잔여 영업시설의 손실에 대한 보상을 청구할 수 있다.
③ 국가 등의 공적 기관이 직접 수용의 주체가 되는 것이든 그러한 공적 기관의 최종적인 허부판단과 승인결정하에 민간기업이 수용의 주체가 되는 것이든, 양자 사이에 공공 필요에 대한 판단과 수용의 범위에 있어서 본질적인 차이가 있는 것은 아니다.
④ 손실보상금 산정을 위한 감정평가 중 어느 한 가지 점이라도 위법사유가 있으면 그것으로써 감정평가결과는 위법하게 되나, 법원은 그 감정내용 중 위법하지 않은 부분을 추출하여 판결에서 참작할 수 있다.

문제 DATA
출제가능 지수 ▶▶▷
난이도 지수 ★★☆

2020년 국가직 7급

① (○) 잔여지수용청구권은 재결이 없더라도 그 청구에 의하여 수용의 효과가 발생하는 형성권적 성질을 가진다.

> 잔여지 수용청구권은 손실보상의 일환으로 토지소유자에게 부여되는 권리로서 그 요건을 구비한 때에는 잔여지를 수용하는 토지수용위원회의 재결이 없더라도 그 청구에 의하여 수용의 효과가 발생하는 형성권적 성질을 가지므로, 잔여지 수용청구를 받아들이지 않은 토지수용위원회의 재결에 대하여 토지소유자가 불복하여 제기하는 소송은 위 법 제85조 제2항에 규정되어 있는 '보상금의 증감에 관한 소송'에 해당하여 사업시행자를 피고로 하여야 한다(대판 2010.8.19. 2008두822).

유제 20. 서울시 7급 잔여지수용청구권은 그 요건을 구비한 때에는 토지수용위원회의 특별한 조치를 기다릴 것 없이 청구에 의하여 수용의 효과가 발생하는 형성권적 성질을 가진다. (○)
16. 국회직 8급 공익사업을 위한 토지 등의 취득 및 보상에 관한 법령에 의한 잔여지 수용청구권은 토지수용위원회의 재결이 없더라도 그 청구에 의하여 수용의 효과가 발생하는 청구권적 성질을 가진다. (×)

함께 정리하기
손실보상

잔여지수용청구권
▷ 형성권

잔여 영업시설의 손실보상
▷ 재결 거친 후 행정소송(곧바로 손실보상 청구×)

수용주체인 국가·민간기업
▷ 본질적인 차이 無

법원
▷ 감정평가내용 중 위법하지 않은 부분은 판결에서 참작 可

② (×) 잔여 영업시설에 손실을 입은 자는 재결절차를 거치지 않은 채 곧바로 영업손실보상을 청구할 수 없다.

> 구 공익사업을 위한 토지 등의 취득 및 보상에 관한 법률(2013.3.23. 법률 제11690호로 개정되기 전의 것, 이하 '토지보상법'이라 한다) 제26조, 제28조, 제30조, 제34조, 제50조, 제61조, 제83조 내지 제85조의 규정 내용과 입법 취지 등을 종합하여 보면, 공익사업에 영업시설 일부가 편입됨으로 인하여 잔여 영업시설에 손실을 입은 자가 사업시행자로부터 토지보상법 시행규칙 제47조 제3항에 따라 잔여 영업시설의 손실에 대한 보상을 받기 위해서는, 토지보상법 제34조, 제50조 등에 규정된 재결절차를 거친 다음 그 재결에 대하여 불복이 있는 때에 비로소 토지보상법 제83조 내지 제85조에 따라 권리구제를 받을 수 있을 뿐이다. 이러한 재결절차를 거치지 않은 채 곧바로 사업시행자를 상대로 손실보상을 청구하는 것은 허용되지 않는다(대판 2018.7.20. 2015두4044).

③ (○) 수용주체가 공적기관이든 민간기업이든 본질적인 차이가 있는 것은 아니다.

> 헌법 제23조 제3항은 정당한 보상을 전제로 하여 재산권의 수용 등에 관한 가능성을 규정하고 있지만, 재산권 수용의 주체를 한정하지 않고 있다. 위 헌법조항의 핵심은 당해 수용이 공공필요에 부합하는가, 정당한 보상이 지급되고 있는가 여부 등에 있는 것이지, 그 수용의 주체가 국가인지 민간기업인지 여부에 달려 있다고 볼 수 없다. 또한 국가 등의 공적 기관이 직접 수용의 주체가 되는 것이든 그러한 공적 기관의 최종적인 허부판단과 승인결정하에 민간기업이 수용의 주체가 되는 것이든, 양자 사이에 공공필요에 대한 판단과 수용의 범위에 있어서 본질적인 차이를 가져올 것으로 보이지 않는다. 따라서 위 수용 등의 주체를 국가 등의 공적 기관에 한정하여 해석할 이유가 없다(헌재 2009.9.24. 2007헌바114).

④ (○) 법원은 손실보상금 산정을 위한 감정평가내용 중 위법하지 않은 부분을 추출하여 판결에서 참작할 수 있다.

> 감정은 법원이 어떤 사항을 판단하기 위하여 특별한 지식과 경험을 필요로 하는 경우 판단의 보조수단으로 그러한 지식이나 경험을 이용하는 데 지나지 아니하는 것이므로, 보상금의 증감에 관한 소송에서 동일한 사실에 관하여 상반되는 여러 개의 감정평가가 있고, 그 중 어느 하나의 감정평가가 오류가 있음을 인정할 자료가 없는 이상 법원이 각 감정평가 중 어느 하나를 채용하거나 하나의 감정평가 중 일부만에 의거하여 사실을 인정하였다 하더라도 그것이 논리나 경험의 법칙에 반하지 않는 한 위법하다고 할 수 없다. 그리고 손실보상금 산정을 위한 감정평가 중 어느 한 가지 점이라도 위법사유가 있으면 그것으로써 감정평가결과는 위법하게 되나, 감정평가가 위법하다고 하여도 법원은 그 감정내용 중 위법하지 않은 부분을 추출하여 판결에서 참작할 수 있다(대판 2014.12.11. 2012두1570).

답 ②

040

「공익사업을 위한 토지 등의 취득 및 보상에 관한 법률」상 잔여지 수용청구 및 손실보상에 대한 설명으로 옳은 것은? (다툼이 있는 경우 판례에 의함)

① 동일한 토지소유자에 속하는 일단의 토지의 일부가 취득됨으로써 잔여지의 가격이 감소한 때에는 잔여지를 종래의 목적으로 사용하는 것이 가능한 경우라도 그 잔여지는 손실보상의 대상이 된다.
② 토지소유자가 잔여지 수용청구에 대한 재결절차를 거친 경우에는 곧바로 사업시행자를 상대로 잔여지 가격감소 등으로 인한 손실보상을 청구할 수 있다.
③ 잔여지 수용청구는 당해 공익사업의 공사완료일까지 해야 하지만, 토지소유자가 그 기간 내에 잔여지 수용청구권을 행사하지 않았더라도 그 권리가 소멸하는 것은 아니다.
④ 토지소유자가 사업시행자에게 잔여지 매수청구의 의사표시를 하였다면, 그 의사표시는 특별한 사정이 없는 한 관할 토지수용위원회에 한 잔여지 수용청구의 의사표시로 볼 수 있다.

| 2019년 지방직 7급

① (○) 잔여지 가격이 감소한 경우 잔여지를 종래의 목적에 사용하는 것이 가능한 경우에도 손실보상의 대상이 된다.

> 수용대상토지 지상에 건물이 건립되어 있는 경우 그 건물에 대한 보상은 취득가액을 초과하지 아니하는 한도 내에서 건물의 구조·이용상태·면적·내구연한·유용성·이전 가능성 및 난이도 등의 여러 요인을 종합적으로 고려하여 원가법으로 산정한 이전비용으로 보상하고, 건물의 일부가 공공사업지구에 편입되어 그 건물의 잔여부분을 종래의 목적대로 사용할 수 없거나 사용이 현저히 곤란한 경우에는 그 잔여부분에 대하여는 위와 같이 평가하여 보상하되, 그 건물의 잔여부분을 보수하여 사용할 수 있는 경우에는 보수비로 평가하여 보상하도록 하고 있을 뿐, 보수를 하여도 제거 또는 보전될 수 없는 잔여건물의 가치하락이 있을 경우 이에 대하여 어떻게 보상하여야 할 것인지에 관하여는 명문의 규정을 두고 있지 아니하나, … 동일한 토지소유자의 소유에 속하는 일단의 토지 일부가 공공사업용지로 편입됨으로써 잔여지의 가격이 하락한 경우에는 공공사업용지로 편입되는 토지의 가격으로 환산한 잔여지의 가격에서 가격이 하락된 잔여지의 평가액을 차감한 잔액을 손실액으로 평가하도록 되어 있는 공공용지의 취득 및 손실보상에 관한 특례법 시행규칙 제26조 제2항을 유추적용하여 잔여건물의 가치하락분에 대한 감가보상을 인정함이 상당하다(대판 2001.9.25. 2000두2426).

유제 22. 군무원 7급 사업시행자가 동일한 토지소유자에 속하는 일단의 토지 일부를 취득함으로 잔여지를 종래의 목적에 사용하는 것이 불가능하거나 현저히 곤란한 경우이어야만 잔여지 손실보상청구를 할 수 있다. (×)

② (×) 잔여지 수용청구에 대한 재결절차를 거친 경우에도 곧바로 잔여지 감가보상을 청구할 수 없다.

> 공익사업을 위한 토지 등의 취득 및 보상에 관한 법률(이하 '공익사업법'이라 한다) 제73조는 "사업시행자는 동일한 소유자에게 속하는 일단의 토지의 일부가 취득되거나 사용됨으로 인하여 잔여지의 가격이 감소하거나 그 밖의 손실이 있을 때 또는 잔여지에 통로·도랑·담장 등의 신설이나 그 밖의 공사가 필요할 때에는 국토해양부령으로 정하는 바에 따라 그 손실이나 공사의 비용을 보상하여야 한다. 다만 잔여지의 가격 감소분과 잔여지에 대한 공사의 비용을 합한 금액이 잔여지의 가격보다 큰 경우에는 사업시행자는 그 잔여지를 매수할 수 있다"고 규정하고 있다. 이러한 공익사업법 제73조 및 같은 법 제34조, 제50조, 제61조, 제83조 내지 제85조의 규정 내용 및 입법 취지 등을 종합하여 보면, 토지소유자가 사업시행자로부터 공익사업법 제73조에 따른 잔여지 가격감소 등으로 인한 손실보상을 받기 위해서는 공익사업법 제34조, 제50조 등에 규정된 재결절차를 거친 다음 그 재결에 대하여 불복이 있는 때에 비로소 공익사업법 제83조 내지 제85조에 따라 권리구제를 받을 수 있을 뿐, 이러한 재결절차를 거치지 않은 채 곧바로 사업시행자를 상대로 손실보상을 청구하는 것은 허용되지 않는다고 봄이 상당하고(대판 2008.7.10. 2006두19495 참조), 이는 수용대상토지에 대하여 재결절차를 거친 경우에도 마찬가지라 할 것이다(대판 2012.11.29. 2011두22587).

③ (×) 잔여지 수용청구는 공사완료일까지 해야 하고, 토지소유자가 그 기간 내에 행사하지 않으면 권리는 소멸한다.

> 토지수용법에 의한 잔여지 수용청구권은 그 요건을 구비한 때에는 토지수용위원회의 특별한 조치를 기다릴 것 없이 청구에 의하여 수용의 효과가 발생하는 형성권적 성질을 가지고, 그 행사기간은 제척기간으로서, 토지소유자가 그 행사기간 내에 잔여지수용청구권을 행사하지 아니하면 그 권리가 소멸한다(대판 2001.9.4. 99두11080).

> 「공익사업을 위한 토지 등의 취득 및 보상에 관한 법률」 제74조 【잔여지 등의 매수 및 수용 청구】① 동일한 소유자에게 속하는 일단의 토지의 일부가 협의에 의하여 매수되거나 수용됨으로 인하여 잔여지를 종래의 목적에 사용하는 것이 현저히 곤란할 때에는 해당 토지소유자는 사업시행자에게 잔여지를 매수하여 줄 것을 청구할 수 있으며, 사업인정 이후에는 관할 토지수용위원회에 수용을 청구할 수 있다. 이 경우 수용의 청구는 매수에 관한 협의가 성립되지 아니한 경우에만 할 수 있으며, 그 사업의 공사완료일까지 하여야 한다.

④ (×) 잔여지 매수청구는 사업시행자에게, 잔여지 수용청구는 토지수용위원회에 하여야 한다.

> 구 '공익사업을 위한 토지 등의 취득 및 보상에 관한 법률'(2007.10.17. 법률 제8665호로 개정되기 전의 것) 제74조 제1항에 의하면, 잔여지 수용청구는 사업시행자와 사이에 매수에 관한 협의가 성립되지 아니한 경우 일단의 토지의 일부에 대한 관할 토지수용위원회의 수용재결이 있기 전까지 관할 토지수용위원회에 하여야 하고, 잔여지 수용청구권의 행사기간은 제척기간으로서, 토지소유자가 그 행사기간 내에 잔여지 수용청구권을 행사하지 아니하면 그 권리가 소멸한다.

함께 정리하기

손실보상

잔여지감가보상
▷ 잔여지를 종래의 목적에 사용하는 것이 가능한 경우라도 손실보상 대상○
▷ 재결전치주의, 수용청구에 대해 재결 거친 경우에도 마찬가지

잔여지 수용청구권
▷ 형성권, 행사기간: 공사완료일까지(제척기간)

잔여지 수용청구
▷ 토지수용위원회에 하여야(사업시행자×)

또한 위 조항의 문언 내용 등에 비추어 볼 때, 잔여지 수용청구의 의사표시는 관할 토지수용위원회에 하여야 하는 것으로서, 관할 토지수용위원회가 사업시행자에게 잔여지 수용청구의 의사표시를 수령할 권한을 부여하였다고 인정할 만한 사정이 없는 한, 사업시행자에게 한 잔여지 매수청구의 의사표시를 관할 토지수용위원회에 한 잔여지 수용청구의 의사표시로 볼 수는 없다(대판 2010.8.19. 2008두822).

유제 19. 국회직 8급 사업시행자에게 한 잔여지매수청구의 의사표시는 일반적으로 관할 토지수용위원회에 한 잔여지수용청구의 의사표시로 볼 수 있다. (X)
16. 지방직 7급 잔여지 수용청구의 의사표시는 관할 토지수용위원회에 하여야 하므로, 원칙적으로 사업시행자에게 한 잔여지 매수청구의 의사표시를 관할 토지수용위원회에 한 잔여지 수용청구의 의사표시로 볼 수 없다. (O)

답 ①

041 ☐☐☐

「공익사업을 위한 토지 등의 취득 및 보상에 관한 법률」(이하 '토지보상법'이라 함)에 대한 설명으로 옳지 않은 것은? (다툼이 있는 경우 판례에 의함)

① 사업인정고시가 된 후 사업시행자가 토지를 사용하는 기간이 3년 이상인 경우 토지소유자는 토지수용위원회에 토지의 수용을 청구할 수 있고, 토지수용위원회가 이를 받아들이지 않는 재결을 한 경우에는 사업시행자를 피고로 하여 토지보상법상 보상금의 증감에 관한 소송을 제기할 수 있다.
② 토지수용위원회의 수용재결이 있은 후라고 하더라도 토지소유자와 사업시행자가 다시 협의하여 토지 등의 취득·사용 및 그에 대한 보상에 관하여 임의로 계약을 체결할 수 있다.
③ 하나의 수용재결에서 여러가지의 토지, 물건, 권리 또는 영업의 손실의 보상에 관하여 심리·판단이 이루어졌을 때, 피보상자는 재결 전부에 관하여 불복하여야 하고 여러 보상항목들 중 일부에 관해서만 개별적으로 불복할 수는 없다.
④ 손실보상금에 관한 당사자 간의 합의가 성립하면, 그 합의내용이 토지보상법에서 정하는 손실보상 기준에 맞지 않는다고 하더라도 합의가 적법하게 취소되는 등의 특별한 사정이 없는 한 추가로 토지보상법상 기준에 따른 손실보상금 청구를 할 수 없다.

2018년 국가직 7급

① (O) 사업시행자의 토지 사용기간이 3년 이상이라면, 토지소유자는 토지수용위원회에 수용청구할 수 있고, 재결에 불복하는 경우 사업시행자를 피고로 보상금증감소송을 제기할 수 있다.

공익사업을 위한 토지 등의 취득 및 보상에 관한 법률 제72조의 문언, 연혁 및 취지 등에 비추어 보면, 위 규정이 정한 수용청구권은 토지보상법 제74조 제1항이 정한 잔여지 수용청구권과 같이 손실보상의 일환으로 토지소유자에게 부여되는 권리로서 그 청구에 의하여 수용효과가 생기는 형성권의 성질을 지니므로, 토지소유자의 토지수용청구를 받아들이지아니한 토지수용위원회의 재결에 대하여 토지소유자가 불복하여 제기하는 소송은 토지보상법 제85조 제2항에 규정되어 있는 '보상금의 증감에 관한 소송'에 해당하고, 피고는 토지수용위원회가 아니라 사업시행자로 하여야 한다(대판 2015.4.9. 2014두46669).

「공익사업을 위한 토지 등의 취득 및 보상에 관한 법률」 제72조 【사용하는 토지의 매수청구 등】 사업인정고시가 된 후 다음 각 호의 어느 하나에 해당할 때에는 해당 토지소유자는 사업시행자에게 해당 토지의 매수를 청구하거나 관할 토지수용위원회에 그 토지의 수용을 청구할 수 있다. 이 경우 관계인은 사업시행자나 관할 토지수용위원회에 그 권리의 존속(存續)을 청구할 수 있다.
1. 토지를 사용하는 기간이 3년 이상인 경우
2. 토지의 사용으로 인하여 토지의 형질이 변경되는 경우
3. 사용하려는 토지에 그 토지소유자의 건축물이 있는 경우

문제 DATA
출제가능 지수 ▶▶▷
난이도 지수 ★★☆

함께 정리하기
손실보상
사업시행자의 토지사용기간이 3년 이상
▷ 토수위에 수용청구, 사업시행자 피고로 보상금증감소송 可
수용재결 후
▷ 토지소유자와 사업시행자는 재협의하여 임의로 계약체결 可
여러 보상항목 중 일부에 대해서만
▷ 보상금증감소송 제기 可
보상금 합의성립시
▷ 합의가 취소되지 않는 한, 법정기준에 따른 추가 손실보상청구 X

유제 22. 국회직 8급 사업인정고시가 된 후 사업시행자가 토지를 사용하는 기간이 3년 이상인 경우 토지소유자는 토지수용위원회에 토지의 수용을 청구할 수 있고 토지수용위원회가 이를 받아들이지 않는 재결을 한 경우에는 사업시행자를 피고로 하여 토지보상법상 보상금의 증감에 관한 소송을 제기할 수 있다. (O)

16. **지방직 7급** 토지보상법 제72조에 의한 사용토지에 대한 수용청구를 받아들이지 아니한 토지수용위원회의 재결에 대하여 토지소유자는 당해 토지수용위원회를 피고로 하여 항고소송을 제기할 수 있다. (×)

② (O) 토지수용위원회의 수용재결 후라도 토지소유자와 사업시행자는 다시 협의하여 임의로 계약을 체결할 수 있다.

> 공익사업을 위한 토지 등의 취득 및 보상에 관한 법률(이하 '토지보상법'이라 한다)은 사업시행자로 하여금 우선 협의취득 절차를 거치도록 하고, 협의가 성립되지 않거나 협의를 할 수 없을 때에 수용재결취득 절차를 밟도록 예정하고 있기는 하다. 그렇지만 일단 토지수용위원회가 수용재결을 하였더라도 사업시행자로서는 수용 또는 사용의 개시일까지 토지수용위원회가 재결한 보상금을 지급 또는 공탁하지 아니함으로써 재결의 효력을 상실시킬 수 있는 점, 토지소유자 등은 수용재결에 대하여 이의를 신청하거나 행정소송을 제기하여 보상금의 적정 여부를 다툴 수 있는데, 그 절차에서 사업시행자와 보상금액에 관하여 임의로 합의할 수 있는 점, 공익사업의 효율적인 수행을 통하여 공공복리를 증진시키고, 재산권을 적정하게 보호하려는 토지보상법의 입법 목적(제1조)에 비추어 보더라도 수용재결이 있은 후에 사법상 계약의 실질을 가지는 협의취득 절차를 금지해야 할 별다른 필요성을 찾기 어려운 점 등을 종합해 보면, <u>토지수용위원회의 수용재결이 있은 후라고 하더라도 토지소유자 등과 사업시행자가 다시 협의하여 토지 등의 취득이나 사용 및 그에 대한 보상에 관하여 임의로 계약을 체결할 수 있다고 보아야 한다</u>(대판 2017.4.13. 2016두64241).

유제 21. 서울시 7급 토지수용위원회의 수용재결이 있은 후라고 하더라도 토지소유자와 사업시행자가 다시 협의하여 토지 등의 취득사용 및 그에 대한 보상에 관하여 임의로 계약을 체결할 수 있다. (O)

③ (×) 여러 보상항목들 중 일부에 관해서만 개별적으로 불복할 수 있다.

> <u>하나의 재결에서 피보상자별로 여러 가지의 토지, 물건, 권리 또는 영업(이처럼 손실보상 대상에 해당하는지, 나아가 그 보상금액이 얼마인지를 심리·판단하는 기초 단위를 이하 '보상항목'이라고 한다)의 손실에 관하여 심리·판단이 이루어졌을 때, 피보상자 또는 사업시행자가 반드시 재결 전부에 관하여 불복하여야 하는 것은 아니며, 여러 보상항목들 중 일부에 관해서만 불복하는 경우에는 그 부분에 관해서만 개별적으로 불복의 사유를 주장하여 행정소송을 제기할 수 있다.</u> 이러한 보상금 증감 소송에서 법원의 심판범위는 하나의 재결 내에서 소송당사자가 구체적으로 불복신청을 한 보상항목들로 제한된다. 법원이 구체적인 불복신청이 있는 보상항목들에 관해서 감정을 실시하는 등 심리한 결과, 재결에서 정한 보상금액이 일부 보상항목의 경우 과소하고 다른 보상항목의 경우 과다한 것으로 판명되었다면, 법원은 보상항목 상호간의 유용을 허용하여 항목별로 과다 부분과 과소 부분을 합산하여 보상금의 합계액을 정당한 보상금으로 결정할 수 있다(대판 2018.5.15. 2017두41221).

유제 21. 변호사, 21. 국회직 8급 하나의 재결에서 피보상자별로 여러 가지의 토지, 물건, 권리 또는 영업의 손실에 관하여 심리·판단이 이루어졌을 때, 피보상자 또는 사업시행자가 반드시 재결 전부에 관하여 불복하여야 하는 것은 아니다. (O)

18. **국가직 7급** 하나의 수용재결에서 여러 가지의 토지, 물건, 권리 또는 영업의 손실의 보상에 관하여 심리 판단이 이루어졌을 때, 피보상자는 재결 전부에 관하여 불복하여야 하고 여러 보상항목들 중 일부에 관해서만 개별적으로 불복할 수는 없다. (×)

④ (O) 보상금 합의가 성립되면 그것이 적법하게 취소되지 않는 한 추가로 법정기준에 따른 보상금청구를 할 수 없다.

> 공익사업을 위한 토지 등의 취득 및 보상에 관한 법률(이하 '공익사업법'이라고 한다)에 의한 보상합의는 공공기관이 사경제주체로서 행하는 사법상 계약의 실질을 가지는 것으로서, 당사자 간의 합의로 같은 법 소정의 손실보상의 기준에 의하지 아니한 손실보상금을 정할 수 있으며, 이와 같이 같은 법이 정하는 기준에 따르지 아니하고 손실보상액에 관한 합의를 하였다고 하더라도 그 합의가 착오 등을 이유로 적법하게 취소되지 않는 한 유효하다. 따라서 <u>공익사업법에 의한 보상을 하면서 손실보상금에 관한 당사자 간의 합의가 성립하면 그 합의 내용대로 구속력이 있고, 손실보상금에 관한 합의 내용이 공익사업법에서 정하는 손실보상 기준에 맞지 않는다고 하더라도 합의가 적법하게 취소되는 등의 특별한 사정이 없는 한 추가로 공익사업법상 기준에 따른 손실보상금 청구를 할 수는 없다</u>(대판 2013.8.22. 2012다3517).

유제 21. 국회직 8급 손실보상금에 관한 당사자 간의 합의가 성립하면, 그 합의내용이 토지보상법에서 정하는 손실보상 기준에 맞지 않는다고 하더라도 합의가 적법하게 취소되는 등의 특별한 사정이 없는 한 추가로 토지보상법상 기준에 따른 손실보상금 청구를 할 수 없다. (O)

답 ③

문제 DATA

출제가능 지수 ▶▶▷
난이도 지수 ★★☆

042 □□□

「공익사업을 위한 토지 등의 취득 및 보상에 관한 법률」상 잔여지 수용에 대한 설명으로 가장 옳은 것은? (다툼이 있는 경우 판례에 의함)

① 잔여지에 현실적 이용상황 변경 또는 사용가치 및 교환가치의 하락 등이 발생하였더라도 그 손실이 토지가 공익사업에 취득·사용됨으로써 발생한 것이 아닌 경우에는 손실보상의 대상이 되지 않는다.
② 잔여지 수용의 청구는 사업시행자가 관할 토지수용위원회에 하여야 하고, 토지소유자는 사업시행자에게 잔여지 수용을 청구해 줄 것을 요청할 수 있다.
③ 잔여지 수용 청구가 있으면 그 잔여지에 있는 물건에 대한 권리를 가진 자는 사업시행자에게 그 권리의 존속을 주장할 수 없게 된다.
④ 토지소유자는 사업시행자에게 잔여지 매수 청구를 할 수 있는데, 이 매수 청구는 토지수용위원회의 잔여지 수용재결 전 또는 후에 할 수 있다.

2019년 서울시 7급

① (○) 잔여지 손실보상은 손실이 공익사업으로 인해 발생해야 한다.

> 잔여지에 대하여 현실적 이용상황 변경 또는 사용가치 및 교환가치의 하락 등이 발생하였더라도, 그 손실이 토지의 일부가 공익사업에 취득되거나 사용됨으로 인하여 발생하는 것이 아니라면 특별한 사정이 없는 한 토지보상법 제73조 제1항 본문에 따른 잔여지 손실보상 대상에 해당한다고 볼 수 없다(대판 2017.7.11. 2017두40860).

② (×)

> 「공익사업을 위한 토지 등의 취득 및 보상에 관한 법률」제74조【잔여지 등의 매수 및 수용 청구】① 동일한 소유자에게 속하는 일단의 토지의 일부가 협의에 의하여 매수되거나 수용됨으로 인하여 잔여지를 종래의 목적에 사용하는 것이 현저히 곤란할 때에는 해당 토지소유자는 사업시행자에게 잔여지를 매수하여 줄 것을 청구할 수 있으며, 사업인정 이후에는 관할 토지수용위원회에 수용을 청구할 수 있다. 이 경우 수용의 청구는 매수에 관한 협의가 성립되지 아니한 경우에만 할 수 있으며, 사업완료일까지 하여야 한다.

유제 19. 국회직 8급 사업시행자에게 한 잔여지매수청구의 의사표시는 일반적으로 관할 토지수용위원회에 한 잔여지수용청구의 의사표시로 볼 수 있다. (×)

③ (×)

> 「공익사업을 위한 토지 등의 취득 및 보상에 관한 법률」제74조【잔여지 등의 매수 및 수용 청구】② 제1항에 따라 매수 또는 수용의 청구가 있는 잔여지 및 잔여지에 있는 물건에 관하여 권리를 가진 자는 사업시행자나 관할 토지수용위원회에 그 권리의 존속을 청구할 수 있다.

④ (×)

> 「공익사업을 위한 토지 등의 취득 및 보상에 관한 법률」제74조【잔여지 등의 매수 및 수용 청구】① 동일한 소유자에게 속하는 일단의 토지의 일부가 협의에 의하여 매수되거나 수용됨으로 인하여 잔여지를 종래의 목적에 사용하는 것이 현저히 곤란할 때에는 해당 토지소유자는 사업시행자에게 잔여지를 매수하여 줄 것을 청구할 수 있으며, 사업인정 이후에는 관할 토지수용위원회에 수용을 청구할 수 있다. 이 경우 수용의 청구는 매수에 관한 협의가 성립되지 아니한 경우에만 할 수 있으며, 사업완료일까지 하여야 한다.

답 ①

함께 정리하기

잔여지 수용

잔여지 손실보상
▷ 손실이 공익사업에 취득·사용으로 인해 발생해야

토지소유자의 잔여지 수용청구
▷ 토지 수용위원회(사업인정 후)에 청구

잔여지·잔여지상 물건에 권리 가지는 자
▷ 권리존속청구 可

토지소유자의 잔여지 매수청구
▷ 토지수용위원회의 잔여지 수용재결 전

043

손실보상에 대한 판례의 입장으로 옳은 것은?

① 이주대책은 이른바 생활보상에 해당하는 것으로서 헌법 제23조 제3항이 규정하는 손실보상의 한 형태로 보아야 하므로, 법률이 사업시행자에게 이주대책의 수립·실시의무를 부과하였다면 이로부터 사업시행자가 수립한 이주대책상의 택지분양권 등의 구체적 권리가 이주자에게 직접 발생한다.
② 공공사업 시행으로 사업시행지 밖에서 발생한 간접손실은 손실 발생을 쉽게 예견할 수 있고 손실 범위도 구체적으로 특정할 수 있더라도, 사업시행자와 협의가 이루어지지 않고 그 보상에 관한 명문의 근거법령이 없는 경우에는 보상의 대상이 아니다.
③ 공익사업으로 인해 농업손실을 입은 자가 사업시행자에게서 「공익사업을 위한 토지 등의 취득 및 보상에 관한 법률」에 따른 보상을 받으려면 재결절차를 거쳐야 하고, 이를 거치지 않고 곧바로 민사소송으로 보상금을 청구하는 것은 허용되지 않는다.
④ 「공익사업을 위한 토지 등의 취득 및 보상에 관한 법률」상 주거용 건축물 세입자의 주거이전비 보상청구권은 사법상의 권리이고, 주거이전비 보상청구소송은 민사소송에 의해야 한다.

문제 DATA

출제가능 지수 ▶▶▷
난이도 지수 ★★☆

2019년 국가직 7급

① (✕) 이주대책자로 확인·결정되어야 구체적인 수분양권이 발생한다.

> 사업시행자에게 이주대책을 수립·실시할 의무를 부과하고 있다고 하여 그 규정 자체만에 의하여 이주자에게 사업시행자가 수립한 이주대책상의 택지분양권이나 아파트 입주권 등을 분양받을 수 있는 구체적인 권리(수분양권)가 직접 발생하는 것이라고는 볼 수 없고, 사업시행자가 이주대책에 관한 구체적인 계획을 수립하여 이를 이주자에게 통지하거나 공고한 후 이주자가 수분양권을 취득하기를 희망하여 이주대책에 정한 절차에 따라 사업시행자에게 이주대책 대상자 선정신청을 하고 사업시행자가 그 신청을 받아들여 이주대책 대상자로 확인·결정을 하여야만 비로소 구체적인 수분양권이 발생하게 된다(대판 1995.6.30. 94다14391).

② (✕) 예견가능하고 특정가능한 간접손실은 보상의 대상이 된다.

> 공공사업시행지구 밖에서 발생한 간접손실에 관하여 그 피해자와 사업시행자 사이에 협의가 이루어지지 아니하고, 그 보상에 관한 명문의 근거 법령이 없는 경우라고 하더라도, 공공사업의 시행으로 인하여 그러한 손실이 발생하리라는 것을 쉽게 예견할 수 있고, 그 손실의 범위도 구체적으로 이를 특정할 수 있는 경우에는 그 손실의 보상에 관하여 구 공공용지의 취득 및 손실보상에 관한 특례법 시행규칙의 관련 규정 등을 유추적용할 수 있다(대판 2004.9.23. 2004다25581).

③ (○) 농업손실보상을 청구하려면 재결절차를 거쳐야 한다.

> 농업손실보상청구권은 공익사업의 시행 등 적법한 공권력의 행사에 의한 재산상의 특별한 희생에 대하여 전체적인 공평부담의 견지에서 공익사업의 주체가 그 손해를 보상하여 주는 손실보상의 일종으로 공법상의 권리임이 분명하므로 그에 관한 쟁송은 민사소송이 아닌 행정소송절차에 의하여야 할 것이고, 공익사업으로 인하여 농업의 손실을 입게 된 자가 사업시행자로부터 구 공익사업법 제77조 제2항에 따라 농업손실에 대한 보상을 받기 위해서는 구 공익사업법 제34조, 제50조 등에 규정된 재결절차를 거친 다음 그 재결에 대하여 불복이 있는 때에 비로소 구 공익사업법 제83조 내지 제85조에 따라 권리구제를 받을 수 있다(대판 2011.10.13. 2009다43461).

④ (✕) 주거이전비 보상청구권은 공법상 권리이므로 행정소송에 의한다.

> 주거이전비는 당해 공익사업 시행지구 안에 거주하는 세입자들의 조기이주를 장려하여 사업추진을 원활하게 하려는 정책적인 목적과 주거이전으로 인하여 특별한 어려움을 겪게 될 세입자들을 대상으로 하는 사회보장적인 차원에서 지급되는 금원의 성격을 가지므로, 적법하게 시행된 공익사업으로 인하여 이주하게 된 주거용 건축물 세입자의 주거이전비 보상청구권은 공법상의 권리이고, 따라서 그 보상을 둘러싼 쟁송은 민사소송이 아니라 공법상의 법률관계를 대상으로 하는 행정소송에 의하여야 한다(대판 2008.5.29. 2007다8129).

함께 정리하기

손실보상

이주대책자 확인·결정
▷ 구체적 수분양권 발생

간접손실
▷ 예견·특정 가능하면 보상의 대상

농업손실보상청구
▷ 재결절차 거쳐야

주거이전비 보상청구
▷ 행정소송의 대상

답 ③

문제 DATA

출제가능 지수 ▶▶▷
난이도 지수 ★★☆

044 □□□

행정상 손실보상에 대한 설명으로 옳은 것을 모두 고른 것은? (다툼이 있는 경우 판례에 의함)

> ㄱ. 헌법 제23조 제3항은 정당한 보상을 전제로 하여 재산권의 수용 등에 관한 가능성을 규정하고 있지만 재산권 수용의 주체를 정하고 있지 않으므로 민간기업을 수용의 주체로 규정한 자체를 두고 위헌이라고 할 수 없다.
> ㄴ. 공유수면 매립면허의 고시가 있다고 하여 반드시 그 사업이 시행되고 그로 인하여 손실이 발생한 다고 할 수 없고, 매립면허 고시 이후 매립공사가 실행되어 어업권자에게 실질적이고 현실적인 피해가 발생한 경우에만「공유수면 관리 및 매립에 관한 법률」에서 정하는 손실보상청구권이 발생 한다.
> ㄷ. 공공사업의 시행으로 인하여 사업지 밖에 미치는 간접손실에 관하여 그 피해자와 사업시행자 사이에 협의가 이루어지지 아니하고 그 보상에 관한 명문의 근거법령이 없는 경우에 손실의 예견 및 특정이 가능하여도「공익사업을 위한 토지 등의 취득 및 보상에 관한 법률 시행규칙」의 관련 규정을 유추하여 적용할 수는 없다.
> ㄹ. 이주대책은 이주자들에게 종전의 생활상태를 회복시켜 주려는 생활보상의 일환으로서 헌법 제23조 제3항에 규정된 정당한 보상에 당연히 포함되는 것이므로 이주대책의 실시 여부는 입법자의 입법재량의 영역에 속한다고 할 수 없다.

① ㄱ
② ㄱ, ㄴ
③ ㄷ, ㄹ
④ ㄱ, ㄴ, ㄷ
⑤ ㄴ, ㄷ, ㄹ

함께 정리하기

손실보상

수용주체 민간기업 可
▷ 합헌

손실보상청구권
▷ 현실적 피해가 발생한 경우에만 발생

예견·특정가능한 간접손실
▷ 시행규칙 유추하여 보상 可

이주대책 실시여부는 입법자의 재량
▷ 세입자 제외해도 재산권 침해×

2019년 변호사

ㄱ. (○) 민간기업을 토지수용의 주체로 규정한 것은 헌법에 위반되지 않는다.

> 헌법 제23조 제3항은 정당한 보상을 전제로 하여 재산권의 수용 등에 관한 가능성을 규정하고 있지만, 재산권 수용의 주체를 한정하지 않고 있다. 위 헌법조항의 핵심은 당해 수용이 공공필요에 부합하는가, 정당한 보상이 지급되고 있는가 여부 등에 있는 것이지, 그 수용의 주체가 국가인지 민간기업인지 여부가 아니다. … 따라서 위 수용 등의 주체를 국가 등의 공적 기관에 한정하여 해석할 이유가 없다(헌재 2009.9.24. 2007헌바114).

유제 19. 서울시 9급 우리 헌법상 수용의 주체를 국가로 한정하고 있지 않으므로 민간기업도 수용의 주체가 될 수 있다. (○)

ㄴ. (○) 손실보상은 현실적 피해가 발생할 것을 요한다.

> 공유수면 매립면허의 고시가 있다고 하여 반드시 그 사업이 시행되고 그로 인하여 손실이 발생한다고 할 수 없으므로, 매립면허 고시 이후 매립공사가 실행되어 관행어업권자에게 실질적이고 현실적인 피해가 발생한 경우에만 공유수면매립법에서 정하는 손실보상청구권이 발생하였다고 할 것이다(대판 2010.12.9. 2007두6571).

ㄷ. (×) 예견가능하고 특정가능한 간접손실은 보상의 대상이 된다.

> 공공사업의 시행 결과 공공사업시행지구 밖에서 발생한 간접손실에 관하여 그 피해자와 사업시행자 사이에 협의가 이루어지지 아니하고, 그 보상에 관한 명문의 근거 법령이 없는 경우라고 하더라도, … 공공사업의 시행으로 인하여 그러한 손실이 발생하리라는 것을 쉽게 예견할 수 있고, 그 손실의 범위도 구체적으로 이를 특정할 수 있는 경우에는 그 손실의 보상에 관하여 구 공공용지의 취득 및 손실보상에 관한 특례법 시행규칙의 관련 규정 등을 유추적용할 수 있다(대판 2004.9.23. 2004다25581).

ㄹ. (×) 이주대책의 실시여부는 입법정책적 재량의 영역에 속한다.

> 이주대책은 헌법 제23조 제3항에 규정된 정당한 보상에 포함되는 것이라기보다는 이에 부가하여 이주자들에게 종전의 생활상태를 회복시키기 위한 생활보상의 일환으로서 국가의 정책적인 배려에 의하여 마련된 제도라고 볼 것이다. 따라서 이주대책의 실시 여부는 입법자의 입법정책적 재량의 영역에 속한다(헌재 2006.2.23. 2004헌마19).

답 ②

045 □□□

손실보상에 대한 설명으로 옳지 않은 것은? (다툼이 있는 경우 판례에 의함)

① 농지개량사업 시행지역 내의 토지 등 소유자가 토지사용에 관한 승낙을 한 경우, 그에 대한 정당한 보상을 받지 않았더라도 농지개량사업 시행자는 토지소유자 및 그 승계인에 대하여 보상할 의무가 없다.
② 「공익사업을 위한 토지 등의 취득 및 보상에 관한 법률」상 토지수용위원회의 수용재결에 대한 이의절차는 실질적으로 행정심판의 성질을 갖는 것이므로 동법에 특별한 규정이 있는 것을 제외하고는 「행정심판법」의 규정이 적용된다.
③ 「공익사업을 위한 토지 등의 취득 및 보상에 관한 법률」상 수용재결이나 이의신청에 대한 재결에 불복하는 행정소송의 제기는 사업의 진행 및 토지 수용 또는 사용을 정지시키지 아니한다.
④ 「공익사업을 위한 토지 등의 취득 및 보상에 관한 법률」상 잔여지 수용 청구권은 형성권적 성질을 가지므로, 잔여지 수용청구를 받아들이지 않은 재결에 대하여 토지소유자가 불복하여 제기하는 소송은 보상금증감청구소송에 해당한다.

| 2017년 지방직 9급

① (×) 토지사용에 관한 승낙이 있었던 경우에도 농지개량사업 시행자는 보상의무가 있다.

> **토지소유자가 사용을 승낙해도 사업시행자는 보상의무가 있다.**
> 농지개량사업 시행지역 내의 토지 등 소유자가 토지사용에 관한 승낙을 하였다고 하더라도 그에 대한 정당한 보상을 받은 바가 없다면 농지개량사업 시행자는 토지 소유자 및 그 승계인에 대하여 보상할 의무가 있다 할 것이고, 그러한 보상 없이 타인의 토지를 점유·사용하는 것은 법률상 원인 없이 이득을 얻은 때에 해당한다고 보아야 한다(대판 2016.6.23. 2016다206369).

② (○) 수용재결에 대한 이의절차에는 행정심판법의 규정이 적용된다.

> 토지수용위원회의 수용재결에 대한 이의절차는 실질적으로 행정심판의 성질을 갖는 것이므로 토지수용법에 특별한 규정이 있는 것을 제외하고는 행정심판법의 규정이 적용된다고 할 것이다(대판 1992.6.9. 92누565).

③ (○)

> 「공익사업을 위한 토지 등의 취득 및 보상에 관한 법률」 제88조 【처분효력의 부정지】 제83조에 따른 이의의 신청이나 제85조에 따른 행정소송의 제기는 사업의 진행 및 토지의 수용 또는 사용을 정지시키지 아니한다.
> 제85조 【행정소송의 제기】 ① 사업시행자, 토지소유자 또는 관계인은 제34조에 따른 재결에 불복할 때에는 재결서를 받은 날부터 90일 이내에, 이의신청을 거쳤을 때에는 이의신청에 대한 재결서를 받은 날부터 60일 이내에 각각 행정소송을 제기할 수 있다. 이 경우 사업시행자는 행정소송을 제기하기 전에 제84조에 따라 늘어난 보상금을 공탁하여야 하며, 보상금을 받을 자는 공탁된 보상금을 소송이 종결될 때까지 수령할 수 없다.

문제 DATA
출제가능 지수 ▶▶▷
난이도 지수 ★★☆

함께 정리하기

손실보상

농지개량사업 지역 내 토지소유자가 사용 승낙한 경우
▷ 보상의무 有

토지수용위원회의 수용재결에 대한 이의
▷ 행정심판법 적용(∵실질 → 행정심판성질)

재결에 불복하는 행정소송 제기
▷ 처분효력정지 ×

잔여지 수용청구 거부한 재결에 대한 불복
▷ 보상금증감청구소송(∵잔여지 수용청구권 → 형성권)

④ (○) 잔여지수용청구를 거부한 재결에 대한 불복은 보상금증감청구소송으로 한다.

> 잔여지 수용청구권은 그 청구에 의하여 수용의 효과가 발생하는 형성권적 성질을 가지므로, 잔여지 수용청구를 받아들이지 않은 토지수용위원회의 재결에 대하여 토지소유자가 불복하여 제기하는 소송은 위 법 제85조 제2항에 규정되어 있는 '보상금의 증감에 관한 소송'에 해당하여 사업시행자를 피고로 하여야 한다(대판 2010.8.19. 2007다63089).

답 ①

046

「공익사업을 위한 토지 등의 취득 및 보상에 관한 법률」에 대한 설명으로 옳은 것은? (다툼이 있는 경우 판례에 의함)

① 형식적 당사자소송인 보상금의 증감에 관한 소송을 제기하는 경우 그 소송을 제기하는 자가 토지소유자일 때에는 사업시행자와 토지수용위원회를, 사업시행자일 때에는 토지소유자와 토지수용위원회를 각각 피고로 한다.
② 국가, 지방자치단체 또는 「공공기관의 운영에 관한 법률」 제4조에 따른 공공기관 중 대통령령으로 정하는 공공기관이 사업인정을 받아 공익사업에 필요한 토지를 수용한 후 해당 공익사업이 다른 공익사업으로 변경된 경우, 변경된 공익사업의 시행자가 국가·지방자치단체 또는 「공공기관의 운영에 관한 법률」 제4조에 따른 공공기관 중 대통령령으로 정하는 일정한 공공기관에 해당하지 아니하면 공익사업의 변환은 인정될 수 없다.
③ 공익사업을 위해 수용한 토지가 변경된 사업시행자가 아닌 제3자에게 처분된 경우에도 특별한 사정이 없는 한 공익사업의 변환은 인정된다.
④ 사업시행자, 토지소유자 또는 관계인은 토지수용위원회의 수용재결에 불복할 때에는 재결서를 받은 날부터 90일 이내에, 이의신청을 거쳤을 때에는 이의신청에 대한 재결서를 받은 날부터 60일 이내에 각각 행정소송을 제기할 수 있다.

| 2017년 지방직 7급 변형

① (×) 보상금증감소송에서 토지수용위원회는 피고가 아니다.

> 「공익사업을 위한 토지 등의 취득 및 보상에 관한 법률」 제85조【행정소송의 제기】② 제1항에 따라 제기하려는 행정소송이 보상금의 증감(增減)에 관한 소송인 경우 그 소송을 제기하는 자가 토지소유자 또는 관계인일 때에는 사업시행자를, 사업시행자일 때에는 토지소유자 또는 관계인을 각각 피고로 한다.

② (×) 공익사업의 변환에서 변경된 사업시행자가 국가 등 공공기관일 필요는 없다.

> 공익사업 변환 제도는 기존에 공익사업을 위해 수용된 토지를 그 후의 사정변경으로 다른 공익사업을 위해 전용할 필요가 있는 경우에는 환매권을 제한함으로써 무용한 수용절차의 반복을 피하자는 데 주안점을 두었을 뿐 변경된 공익사업의 사업주체에 관하여는 큰 의미를 두지 않았던 점, … 변경된 공익사업이 토지보상법 제4조 제1~5호에 정한 공익사업에 해당하면 공익사업의 변환이 인정되는 것이지, 변경된 공익사업의 시행자가 국가·지방자치단체 또는 일정한 공공기관일 필요까지는 없다(대판 2015.8.19. 2014다201391).

③ (×) 공익사업의 변환은 변경된 사업시행자가 수용토지를 소유할 것을 요한다.

> 만약 사업시행자가 협의취득하거나 수용한 당해 토지를 제3자에게 처분해 버린 경우에는 어차피 변경된 사업시행자는 그 사업의 시행을 위하여 제3자로부터 토지를 재취득해야 하는 절차를 새로 거쳐야 하는 관계로 위와 같은 공익사업의 변환을 인정할 필요성도 없게 되므로, 공익사업의 변환을 인정하기 위해서는 적어도 변경된 사업의 사업시행자가 당해 토지를 소유하고 있어야 한다(대판 2010.9.30. 2010다30782).

④ (○) 2018년 개정법에 따라 지문을 변형하였다.

> 「공익사업을 위한 토지 등의 취득 및 보상에 관한 법률」 제85조 【행정소송의 제기】 ① 사업시행자, 토지소유자 또는 관계인은 제34조에 따른 재결에 불복할 때에는 재결서를 받은 날부터 90일 이내에, 이의신청을 거쳤을 때에는 이의신청에 대한 재결서를 받은 날부터 60일 이내에 각각 행정소송을 제기할 수 있다. 이 경우 사업시행자는 행정소송을 제기하기 전에 제84조에 따라 늘어난 보상금을 공탁하여야 하며, 보상금을 받을 자는 공탁된 보상금을 소송이 종결될 때까지 수령할 수 없다.

답 ④

047

행정소송으로 청구할 수 없는 것은? (다툼이 있는 경우 판례에 의함)

① 공익사업으로 인하여 영업을 폐지하거나 휴업하는 자의 영업손실로 인한 보상에 관한 소송
② 동일한 소유자에게 속하는 일단의 건축물의 일부가 수용됨으로써 발생한 잔여 건축물 가격감소 등으로 인한 손실보상에 관한 소송
③ 「공익사업을 위한 토지 등의 취득 및 보상에 관한 법률」상 환매권의 존부에 관한 확인 및 환매금액의 증감을 구하는 소송
④ 잔여지 수용청구를 받아들이지 않은 토지수용위원회의 재결에 불복하여 제기하는 소송

2017년 국가직 7급

① (○) 공익사업으로 인한 영업손실보상소송은 행정소송으로 청구할 수 있다.

> 공익사업으로 인하여 영업을 폐지하거나 휴업하는 자가 영업손실에 대한 보상을 받기 위해서는 구 토지보상법 제34조, 제50조 등에 규정된 재결절차를 거친 다음 그 재결에 대하여 불복이 있는 때에 비로소 구 공익사업법 제83조 내지 제85조에 따라 권리구제를 받을 수 있을 뿐, 이러한 재결절차를 거치지 않은 채 곧바로 사업시행자를 상대로 손실보상을 청구하는 것은 허용되지 않는다고 봄이 타당하다(대판 2011.9.29. 2009두10963).

② (○) 건축물의 일부수용으로 인한 잔여건축물보상은 행정소송으로 청구할 수 있다.

> 잔여 건축물 가격감소 등으로 인한 손실보상을 받기 위해서는 토지보상법 제34조, 제50조 등에 규정된 재결절차를 거친 다음 재결에 대하여 불복이 있는 때에 비로소 토지보상법 제83조 내지 제85조에 따라 권리구제를 받을 수 있을 뿐, 재결절차를 거치지 않은 채 곧바로 사업시행자를 상대로 손실보상을 청구하는 것은 허용되지 않고, 이는 수용대상 건축물에 대하여 재결절차를 거친 경우에도 마찬가지이다(대판 2015.11.12. 2015두2963).

③ (×) 환매권 존부확인 및 환매금액 증감소송은 민사소송의 대상이다.

> 구 공익사업을 위한 토지 등의 취득 및 보상에 관한 법률 제91조에 규정된 환매권의 존부에 관한 확인을 구하는 소송 및 구 토지보상법 제91조 제4항에 따라 환매금액의 증감을 구하는 소송 역시 민사소송에 해당한다(대판 2013.2.28. 2010두22368).

④ (○) 토지수용위원회의 재결에 대한 불복은 행정소송으로 제기할 수 있다.

> 구 '공익사업을 위한 토지 등의 취득 및 보상에 관한 법률' 제74조 제1항에 규정되어 있는 잔여지 수용청구권은 그 청구에 의하여 수용의 효과가 발생하는 형성권적 성질을 가지므로, 잔여지 수용청구를 받아들이지 않은 토지수용위원회의 재결에 대하여 토지소유자가 불복하여 제기하는 소송은 위 법 제85조 제2항에 규정되어 있는 '보상금의 증감에 관한 소송'에 해당하여 사업시행자를 피고로 하여야 한다(대판 2010.8.19. 2007다63089·2008두822).

답 ③

행정소송 인정여부

공익사업으로 인한 영업손실 보상○
건축물 일부 수용 잔여건축물 보상○
환매권존부 확인·환매금액 증감×(민사소송)
토지수용위원회 재결 불복○

문제 DATA

출제가능 지수 ▶▶▷
난이도 지수 ★★☆

048 □□□

「공익사업을 위한 토지 등의 취득 및 보상에 관한 법률」상 이주대책에 대한 설명으로 옳지 않은 것은? (다툼이 있는 경우 판례에 의함)

① 이주대책은 생활보상의 일환으로 국가의 적극적이고 정책적인 배려에 의하여 마련된 제도이다.
② 이주대책의 수립의무자는 사업시행자이며, 법령에서 정한 일정한 경우 이주대책을 수립할 의무가 있다.
③ 사업시행자는 이주대책을 수립하려면 미리 관할 지방자치단체의 장과 협의하여야 한다.
④ 도시개발사업의 사업시행자가 이주대책기준을 정하여 이주대책대상자 가운데 이주대책을 수립·실시하여야 할 자를 선정하여 그들에게 공급할 택지 등을 정할 때는 재량권을 갖는다.
⑤ 주거용 건물의 거주자에 대하여는 주거이전에 필요한 비용 외에 가재도구 등 동산의 운반에 필요한 비용은 보상하지 않아도 된다.

| 2020년 국회직 8급

① (○) 이주대책은 생활보상의 일환으로 정책적 배려에 의해 마련된 제도이다.

> 이주대책은 헌법 제23조 제3항에 규정된 정당한 보상에 포함되는 것이라기보다는 이에 부가하여 이주자들에게 종전의 생활상태를 회복시키기 위한 생활보상의 일환으로서 국가의 정책적인 배려에 의하여 마련된 제도라고 볼 것이다. 따라서 이주대책의 실시 여부는 입법자의 입법정책적 재량의 영역에 속하므로 공익사업을 위한 토지 등의 취득 및 보상에 관한 법률 시행령 제40조 제3항 제3호가 이주대책의 대상자에서 세입자를 제외하고 있는 것이 세입자의 재산권을 침해하는 것이라 볼 수 없다(헌재 2006.2.23. 2004헌마19).

② (○)

> 「공익사업을 위한 토지 등의 취득 및 보상에 관한 법률」 제78조【이주대책의 수립 등】① 사업시행자는 공익사업의 시행으로 인하여 주거용 건축물을 제공함에 따라 생활의 근거를 상실하게 되는 자(이하 "이주대책대상자"라 한다)를 위하여 대통령령으로 정하는 바에 따라 이주대책을 수립·실시하거나 이주정착금을 지급하여야 한다.

③ (○)

> 「공익사업을 위한 토지 등의 취득 및 보상에 관한 법률」 제78조【이주대책의 수립 등】② 사업시행자는 제1항에 따라 이주대책을 수립하려면 미리 관할 지방자치단체의 장과 협의하여야 한다.

④ (○) 이주대책의 내용·수량 결정에는 사업시행자에게 재량이 인정된다.

> 사업시행자는 이주대책기준을 정하여 이주대책대상자 중에서 이주대책을 수립·실시하여야 할 자를 선정하여 그들에게 공급할 택지 또는 주택의 내용이나 수량을 정할 수 있고, 이를 정하는데 재량을 가지므로, 이를 위해 사업시행자가 설정한 기준은 그것이 객관적으로 합리적이 아니라거나 타당하지 않다고 볼 만한 다른 특별한 사정이 없는 한 존중되어야 한다(대판 2009.3.12. 2008두12610).

⑤ (×)

> 「공익사업을 위한 토지 등의 취득 및 보상에 관한 법률」 제78조【이주대책의 수립 등】⑥ 주거용 건물의 거주자에 대하여는 주거 이전에 필요한 비용과 가재도구 등 동산의 운반에 필요한 비용을 산정하여 보상하여야 한다.

답 ⑤

함께 정리하기

이주대책

이주대책
▷ 생활보상의 일환
▷ 입법정책적 제도

사업시행자
▷ 이주대책 수립 의무○

이주대책을 수립
▷ 미리 단체장과 협의 要

사업시행자
▷ 이주대책 내용·수량 결정 재량○

주거용 건물의 거주자
▷ 주거이전비·운반비 보상

049

「공익사업을 위한 토지 등의 취득 및 보상에 관한 법률」(이하 '토지보상법'이라고 함)상 이주대책에 대한 설명으로 옳은 것(○)과 옳지 않은 것(×)을 올바르게 조합한 것은? (다툼이 있는 경우 판례에 의함)

> ㄱ. 이주대책은 헌법 제23조 제3항의 정당한 보상에 포함되는 것이라기보다는 정당한 보상에 부가하여, 이주자들에게 종전의 생활상태를 회복시키기 위한 생활보상의 하나로서, 이주대책의 실시 여부는 입법자의 입법정책적 재량의 영역에 속한다고 볼 것이므로, 세입자를 이주대책대상자에서 제외하는 토지보상법 시행령 규정은 세입자의 재산권을 침해하는 것이라 볼 수 없다.
> ㄴ. 사업시행자의 이주대책 수립·실시의무뿐만 아니라 이주대책의 내용에 관하여 규정하고 있는 토지보상법상의 관련규정은 당사자의 합의 또는 사업시행자의 재량에 의하여 적용을 배제할 수 없는 강행법규이다.
> ㄷ. 사업시행자 스스로 공익사업의 원활한 시행을 위하여 생활대책을 수립·실시할 수 있도록 하는 내부규정을 두고 이에 따라 생활대책대상자 선정기준을 마련하여 생활대책을 수립·실시하는 경우, 생활대책대상자 선정기준에 해당하는 자는 자신을 생활대책대상자에서 제외하거나 선정을 거부한 행위에 대해 사업시행자를 상대로 항고소송을 제기할 수는 없다.
> ㄹ. 이주자의 수분양권은 이주자가 이주대책에서 정한 절차에 따라 사업시행자에게 이주대책대상자 선정신청을 하고 사업시행자가 이를 받아들여 이주대책대상자로 확인·결정하여야만 비로소 구체적으로 발생하게 된다.

	ㄱ	ㄴ	ㄷ	ㄹ
①	○	○	×	○
②	×	○	×	○
③	×	×	○	○
④	○	○	○	×
⑤	○	×	○	×

2020년 변호사

ㄱ. (○) 이주대책의 실시여부는 입법정책적 재량의 영역에 속한다.

> 이주대책은 헌법 제23조 제3항에 규정된 정당한 보상에 포함되는 것이라기보다는 이에 부가하여 이주자들에게 종전의 생활상태를 회복시키기 위한 생활보상의 일환으로서 국가의 정책적인 배려에 의하여 마련된 제도라고 볼 것이다. 따라서 이주대책의 실시 여부는 입법자의 입법정책적 재량의 영역에 속하므로 세입자를 제외하고 있는 것이 세입자의 재산권을 침해하는 것이라 볼 수 없다(헌재 2006.2.23. 2004헌마19).

ㄴ. (○) 이주대책의 수립·실시의무 및 내용에 관한 토지보상법 규정은 강행법규이다.

> 사업시행자의 이주대책 수립·실시의무를 정하고 있는 구 공익사업법 제78조 제1항은 물론 이주대책의 내용에 관하여 규정하고 있는 같은 조 제4항 본문 역시 당사자의 합의 또는 사업시행자의 재량에 의하여 적용을 배제할 수 없는 강행법규이다(대판 2011.6.23. 2007다63089·63096 전합).

ㄷ. (×) 사업시행자가 내부규정을 두고 생활대책을 수립·실시하는 경우에는 정당한 보상에 포함되고, 생활대책대상자 선정기준에 해당하는 자는 확인·결정 신청권이 있고, 거부시 항고소송이 가능하다.

> 사업시행자 스스로 공익사업의 원활한 시행을 위하여 필요하다고 인정함으로써 생활대책을 수립·실시할 수 있도록 하는 내부규정을 두고 있고 내부규정에 따라 생활대책대상자 선정기준을 마련하여 생활 대책을 수립·실시하는 경우에는, 이러한 생활대책 역시 헌법 제23조 제3항에 따른 정당한 보상에 포함되는 것으로 보아야 한다.

함께 정리하기

이주대책

이주대책 실시여부
▷ 입법재량○

토지보상법상 이주대책 수립·실시의무 및 내용 규정
▷ 강행법규

사업시행자가 내부규정에 따라 생활대책을 수립·실시하는 경우
▷ 선정기준에 해당하는 자는 대상자제외 및 선정 거부에 대해 항고소송 可

구체적 수분양권
▷ 사업시행자가 이주 대책자로 확인·결정해야 발생

이러한 생활대책대상자 선정기준에 해당하는 자는 사업시행자에 대하여 생활대책대상자 선정 여부의 확인·결정을 신청할 수 있는 권리를 가진다. 만일 사업시행자가 그러한 자를 생활대책 대상자에서 제외하거나 그 선정을 거부하면, 이러한 생활대책대상자 선정기준에 해당하는 자는 사업시행자를 상대로 항고소송을 제기할 수 있다고 봄이 타당하다(대판 2011.10.13. 2008두17905).

ㄹ. (○) 사업시행자가 이주대책 대상자로 확인·결정하여야 구체적 수분양권이 발생한다.

사업시행자에게 이주대책대상자 선정신청을 하고 사업시행자가 이를 받아들여 이주대책 대상자로 확인·결정하여야만 비로소 구체적인 수분양권이 발생하게 된다(대판 1994.5.24. 92다35783 전합).

답 ①

ALL KILL 기출
제2절 손실보상의 내용

01 환매권의 존부에 관한 확인을 구하는 소송은 민사소송의 방식으로 제기하여야 한다.
16. 국회직 8급 ( )

02 수용재결에 대한 취소소송의 제기는 사업의 진행 및 토지의 수용 또는 사용을 정지시키지 아니한다.
16. 국회직 8급 ( )

03 「공익사업을 위한 토지 등의 취득 및 손실보상에 관한 법률」에 따를 경우, 피수용자는 수용재결을 신청할 수 없고 사업인정고시가 있은 후 협의가 성립되지 아니한 때에는 토지소유자 및 관계인은 서면으로 사업시행자에게 재결을 신청할 것을 청구할 수 있다.
14. 국회직 8급 ( )

04 행정소송의 제기는 사업의 진행 및 토지의 수용 또는 사용을 정지시킨다.
14. 국회직 8급 ( )

05 「공익사업을 위한 토지 등의 취득 및 보상에 관한 법률」에 의한 토지수용위원회의 수용재결에 대해 취소소송으로 다투는 경우에 「행정소송법」 제20조의 제소기간 규정이 적용되지 않는다.
13. 국회직 8급 ( )

06 사업시행자가 사업인정을 받은 이후 수용재결 당시 사업을 수행할 능력을 상실한 상태에서 수용재결을 신청하여 그 재결을 받았다 하더라도 수용권의 남용에 해당한다고 볼 수 없다.
13. 국회직 8급 ( )

07 영업손실에 관한 보상에 있어서 영업의 휴업과 폐지를 구별하는 기준은 당해 영업을 다른 장소로 실제로 이전하였는지의 여부에 달려있다.
08. 지방직 7급 ( )

정답 및 해설

01 ○ 판례는 구 토지보상법 상 환매권을 사권으로 보는 전제하에, 환매권존부확인소송을 민사소송으로 소구하라고 판시(대판 2013.2.28. 2010두22368)

02 ○ 제83조에 따른 이의의 신청이나 제85조에 따른 행정소송의 제기는 사업의 진행 및 토지의 수용 또는 사용을 정지시키지 아니함(공익사업법 제88조)

03 ○ 사업인정고시가 된 후 협의가 불성립 시 토지소유자와 관계인은 … 서면으로 사업시행자에게 재결을 신청할 것을 청구할 수 있음(공익사업법 제30조 제1항)

04 × 제83조에 따른 이의의 신청이나 제85조에 따른 행정소송의 제기는 사업의 진행 및 토지의 수용 또는 사용을 정지시키지 아니함(공익사업법 제88조)

05 ○ 공익사업법 제85조 제1항이 제소기간을 규정하고 있는 특별규정이므로 행정소송법보다 우선 적용함

06 × 사업시행자가 사업인정 이후 그 공익사업을 수행할 의사나 능력을 상실하였음에도 여전히 수용권을 행사하는 것은 수용권의 남용에 해당하여 허용되지 않음(대판 2011.1.27. 2009두1051)

07 × 영업의 폐지나 휴업 구별기준은 당해 영업을 다른 장소로 이전하는 것이 가능한지 여부에 달려 있음(대판 2000.11.10. 99두3645)

제3절 | 그 밖의 손실보상제도

I 손해전보제도의 흠결과 그 보완

001 ☐☐☐

다음 중 수용적 침해와 가장 관련이 많은 것은?

① 사법적 책임
② 위법침해
③ 결과책임
④ 고의적 침해
⑤ 위법·무책의 책임

| 2012년 서울시 9급

①, ④ (×), ③ (○) 수용적 침해이론이란 재산권에 대한 비의도적인 침해에 의하여 특별한 희생이 발생한 경우에도 보상을 해주자는 이론이다. 수용적 침해이론은 비의도적 비정형적인 재산권침해로서 책임원인은 묻지 않고 결과에 대해 책임을 묻는 것으로 결과책임론에 근거하고, 행정활동에 의하여 발생하는 것으로 공법적 책임이다.
②, ⑤ (×) 수용적 침해란 적법한 행정작용의 이형적, 비의욕적인 부수적 결과로서 타인의 재산권에 수용적 영향을 가하는 침해를 말하는 바, 적법·무책의 침해에 대한 책임이다.

답 ③

문제 DATA
출제가능 지수 ▶△△
난이도 지수 ★☆☆

함께 정리하기
수용적 침해이론
▷ 공법적 책임
▷ 적법한 침해
▷ 결과 책임
▷ 비의도적 침해
▷ 적법·무책의 책임

---

002 ☐☐☐

도시계획결정으로 도로구역으로 고시되었으나 공사를 하지 않고 오랫동안 방치함으로써 도시구역 내의 토지소유자가 큰 재산상의 불이익을 입게 되는 경우 이에 대한 보상이론으로 옳은 것은?

① 손실보상
② 수용적 침해보상
③ 수용유사침해보상
④ 생활보상
⑤ 희생보상

| 2009년 서울시 9급

② (○) 행정청이 도시계획결정으로 도로구역지정 및 고시한 행위는 적법한 공용제한이라 볼 수 있다. 하지만 공사를 하지 않고 오랫동안 방치함으로써 도시구역 내의 토지소유자가 큰 재산상의 불이익을 입게 되는 경우 도시계획결정시 의도하지 않은 재산권에 대한 침해이자, 특별한 희생이 발생한 경우이므로 수용적 침해보상이론이 타당하다.

답 ②

문제 DATA
출제가능 지수 ▶△△
난이도 지수 ★☆☆

함께 정리하기
수용적 침해이론
▷ 적법한 행정작용
▷ 재산권 비의도적인 침해
▷ 특별한 희생

003

수용유사침해보상에 대한 설명으로 옳은 것은? (다툼이 있는 경우 판례에 의함)

① 적법한 공행정작용의 비전형적이고 비의도적인 부수적 효과로써 발생한 개인의 재산권에 대한 손해를 전보하는 것을 말한다.
② 분리이론보다는 경계이론과 밀접한 관련이 있다.
③ 통상적인 공용침해가 적법·무책인데 비하여, 수용유사침해는 위법·유책이다.
④ 수용유사침해는 우리 대법원의 판례를 통해서 발전된 이론으로 그에 관한 명시적인 법률규정은 없다.

> 2008년 국가직 9급

① (×) 수용유사침해이론이란 위법한 공용침해로 인하여 재산권의 침해가 있고 특별한 희생을 당한 자에 대하여 수용에 준해서 손실보상을 하자는 이론이다. 재산권에 대한 비의도적인 침해에 의하여 특별한 희생이 발생한 경우에도 보상을 해주자는 이론은 수용적 침해이론이다.
② (○) 수용유사침해보상은 분리이론보다는 경계이론과 밀접한 관련이 있다. 경계이론은 가치보장에 중점을 두는 이론이다. 따라서 수용유사침해이론은 보상규정이 없는 경우에도 특별한 희생에 해당할 경우 손실보상을 요한다는 견해로서 경계이론과 밀접한 관련이 있다.
③ (×) 수용유사침해는 위법·무책의 침해에 대한 손해전보제도이다. 국가배상책임은 공무원의 고의·과실을 전제로 하기 때문에 위법·무책의 직무행위로 인하여 발생한 손해에 있어서는 구제를 받을 수 없다. 적법한 공용침해에 대해서도 손실보상이 주어지는 사정에 비추어 볼 때 이는 법의 흠결의 영역으로 보상이 필요할 것이다.
④ (×) 수용유사침해이론은 독일의 관습법인 희생보상청구권에 근거한 것으로서 독일연방최고법원에 의하여 발전한 이론이다. 독일의 수용유사침해이론을 우리나라에 도입하고자 하는 학자들에 의하면 헌법 제23조 제1항(재산권 보장)과 제11조(평등원칙)를 근거로 하여 헌법 제23조 제3항 및 관계 법률의 보상조항을 유추적용할 수 있다고 한다. 대법원은 수용유사적 침해이론을 언급한 적은 있으나(대판 1993.10.26. 93다6409), 아직 수용유사침해보상을 정면으로 인정한 예는 없다.

대법원은 수용유사적 침해이론을 받아들이지 않고 있다.
수용유사적 침해의 이론은 우리 법제하에서 그와 같은 이론을 채택할 수 있는 것인가는 별론으로 하더라도 위에서 본 바에 의하여 이 사건에서 피고 대한민국의 이 사건 주식취득이 그러한 공권력의 행사에 의한 수용유사적 침해에 해당한다고 볼 수는 없다(대판 1993.10.26. 93다6409).

답 ②

II 결과제거청구권

004

공법상 결과제거청구권에 대한 설명으로 옳지 않은 것은?

① 공법상 결과제거청구권은 공행정작용으로 인하여 야기된 위법한 상태를 제거하여 그 원상회복을 목적으로 하는 권리이다.
② 공법상 결과제거청구는 가해행위의 위법 및 가해자의 고의 또는 과실을 요건으로 한다.
③ 공법상 결과제거청구권은 공행정작용의 직접적인 결과만을 그 대상으로 한다.
④ 공법상 결과제거청구에 있어서 위법한 상태는 적법한 행정작용의 효력의 상실에 의해 사후적으로 발생할 수도 있다.

2010년 지방직 7급

① (O) 결과제거청구권이란, 공행정작용으로 인하여 야기된 위법한 상태로 인하여 자기의 권익을 침해받고 있는 자가 행정주체에 대하여 그 위법한 상태를 제거하여 침해 이전의 원래의 상태로 회복시켜줄 것을 요구하는 권리이다.
② (×) 손해배상청구권에서는 가해행위의 위법과 가해자의 고의·과실을 요구하지만, 결과제거청구권에서는 행위자의 고의·과실을 묻지 않는다.

유제 10. 경북교행 공법상 결과제거청구권은 가해행위의 위법 및 가해자의 과실이 필요하다. (×)

③ (O) 공법상 결과제거청구권은 공행정작용으로 인한 모든 위법상태를 의미하는 것이 아니라 직접적인 결과만을 그 대상으로 한다.
④ (O) 공법상 결과제거청구에 있어서 위법한 상태는 적법한 행정작용의 효력의 상실에 의해 사후적으로 발생할 수도 있다. 일반적으로 위법한 행정행위에 의한 침해가 위법한 상태를 발생시키지만 적법한 행정행위가 종기의 도래나 해제조건의 성취로 인하여 소멸된 경우에도 위법한 상태가 초래된다.

답 ②

함께 정리하기

공법상 결과제거청구권
공행정작용 + 위법한 상태 제거
고의·과실 不要
공행정작용의 직접적 결과 제거
적법한 행정작용 효력 상실
▷ 사후적 발생 可

---

005 □□□

A시(市)는 복지시설의 운영자인 B에게 무주택 상태에 있는 C가 6개월간 동 시설에 거주할 수 있게 하도록 명령하였다. 그러나 C가 거주한지 6개월이 지났는데도 방을 비워주지 않고 있는 상태이고, A시도 더 이상 아무런 조치를 취하지 않고 있다. 더욱이 C는 본인이 거주하던 방의 일부를 파손하였다. 이 사례에 대한 설명으로 옳지 않은 것은?

① B는 A시가 명령한 6개월의 기간이 종료되었으므로 A시에 대하여 C가 퇴거하도록 해줄 것을 요구할 수 있다.
② B가 A시에 대하여 C에 대한 퇴거조치를 요구하는 것은 공법적 관계이므로, 이에 대한 소송은 당사자소송으로 하여야 한다는 것이 일반적인 견해이다.
③ B는 A시에 대하여 C에 대한 퇴거조치를 요구함에 있어 C가 파손한 부분에 대한 원상회복도 청구할 수 있다.
④ B는 C를 상대로 민사상의 손해배상을 청구할 수 있다.
⑤ A시의 명령은「행정소송법」상 처분에 해당되므로 B는 취소소송을 통하여 이를 다툴 수 있으나, 이미 제소기간이 경과되어 부적법 각하될 것이다.

문제 DATA
출제가능 지수 ▷▷▷
난이도 지수 ★★☆

2008년 국회직 8급

① (O) 6개월의 기간이 종료되었으므로 C의 점유는 위법하다. 이로 인하여 자신의 권리가 침해되고 있는 B는 결과제거청구권의 행사로서 A시에 대하여 C가 퇴거하도록 해줄 것을 요구할 수 있다.
② (O) 행정주체에 대하여 일정한 결과의 제거를 요구하는 소송은 이행소송의 형태가 된다.「행정소송법」제3조 제2호의 당사자소송은 확인소송과 이행소송을 포함하고 있는바, 결과제거청구권은 처분등을 원인으로 하는 법률관계에 관한 소송으로서 당사자소송으로 다루어져야하고 행정법원에 제기되어야 한다는 것이 통설이다.
③ (×), ④ (O) 결과제거청구권은 위법한 공행정작용으로 인하여 직접적 결과의 제거만을 대상으로 하고, 간접적인 결과의 제거를 목적으로 하지 않는다. 따라서 B는 A시에 대하여 C가 파손한 부분에 대한 원상회복 청구는 하지 못한다. 이는 A시의 거주명령의 직접적인 결과가 아니기 때문이다. 다만, C를 상대로 민사상 손해배상을 청구하는 것은 가능할 것이다.

유제 10. 경북교행 공법상 결과제거청구권과 손해배상청구권은 병존할 수 없다. (×)

함께 정리하기

공법상 결과제거청구권
B → A
▷ C의 퇴거요구 可 (결과제거 청구권)
결과제거청구소송
▷ 당사자소송
간접적 결과
▷ 제거청구 不可
B → C
▷ 민사상 손해배상 청구 可
A시명령
▷ 취소소송의 대상 O
▷ 제소기간도과 → 각하

⑤ (O) A시의 명령은 B에 대하여 수인의무를 발생시키는 하명으로 「행정소송법」상 처분에 해당된다고 볼 수 있다. 따라서 B는 처분이 있음을 안 날로부터 90일 이내는 위 명령의 취소소송을 제기할 수 있다 (「행정소송법」 제20조). 그러나 사례에서는 C가 거주 한지 6개월이 지난 상태로, B는 C의 거주 시작 시부터 처분이 있음을 알았다고 할 것이므로, 이미 제소기간이 경과되어 부적법 각하될 것이다.

답 ③

006

문제 DATA
출제가능 지수 ▶▷▷
난이도 지수 ★★☆

다음 <보기> 안의 내용으로 옳지 않은 것은?

<보기>
이것은 예컨대, 토지수용재결이 취소되었음에도 불구하고 행정주체가 사인의 토지를 정당한 권원 없이 도로로 사용하고 있는 경우에 불법 점유된 토지를 반환받고자 할 때와 같이 기존의 행정구제방식인 손해배상이나 행정쟁송으로는 권익구제가 어려운 경우, 구제제도를 보완하기 위해서 나온 제도이다.

① 이것은 종래 행정청의 정당한 권원 없는 행위로 인해 사인의 물권적 지배권이 침해된 경우에 발생하는 물권적 청구권이라는 견해도 있었으나, 비재산적 침해에 대해서도 발생할 수 있으므로 물권적 청구권으로 한정할 것은 아니라는 것이 일반적인 견해이다.
② 이것은 위법한 즉시강제로 위법한 권리침해 상태가 '계속'되고 있는 경우, 위법한 상태를 제거해 줄 것을 요구할 수 있는 청구권이다.
③ 이것의 청구와 별도로 손해배상청구가 가능하다.
④ 이것이 청구되기 위해서는 행정주체의 고의·과실을 요건으로 하며, 위법한 행정작용의 결과로 자신의 법률상 이익이 침해받는 경우에 성립한다.
⑤ 이것에 의해 보호되는 개인의 권리는 법률상 보호받을 만한 가치가 있는 것으로, 재산적 가치뿐만 아니라 명예 등 비재산적 가치도 포함될 수 있다.

| 2007년 국회직 8급

<보기>는 공법상 결과제거청구권에 관한 설명이다.
① (O) 결과제거청구권은 종래 행정청의 정당한 권원 없는 행위로 인해 사인의 물권적 지배권이 침해된 경우에 발생하는 물권적 청구권이라는 견해도 있었으나, 명예훼손의 회복을 청구하는 것과 같이 비재산적 침해에 대해서도 발생할 수 있으므로 물권적 청구권으로 한정할 것은 아니라는 것이 일반적인 견해 (포괄적 권리설, 다수설)이다.
② (O) 공행정작용의 결과로서 발생한 위법상태가 계속되고 있어야 한다. 그렇지 않은 경우(위법한 상태가 적법하게 되었거나, 그러한 상태가 더 이상 존재하지 않는 경우)에는 손실보상의 문제가 된다.

유제 10. 경북교행 공법상 결과제거청구권은 위법한 침해상태가 계속 존재할 필요는 없다. (×)

③ (O) 결과제거청구권은 원상회복을 목적으로 하는 권리이므로, 원상회복시까지 발생한 손해배상청구도 별도로 가능하다.
④ (×) 손해배상청구권에서는 가해행위의 위법과 가해자의 고의·과실을 요구하지만, 결과제거청구권에서는 행위자의 고의·과실을 묻지 않는다. 따라서 지문의 전단이 틀렸다. 단순한 반사적 이익의 침해의 경우, 결과제거청구권은 성립하지 않는다. 특히 독일의 지배적인 견해는 권리의 범주를 더욱 제한시켜 개인의 자유권 및 재산권 등 소극적 지위의 침해를 요구하고 있다. 따라서 지문의 후단은 맞다.
⑤ (O) 침해된 이익은 재산적 가치 외에 정신적인 것도 포함된다(가령 위법한 명예훼손적 발언으로 명예를 침해당한 자의 그 발언의 철회 요구 등). 또한 침해된 이익이나 지위가 보호받을 만한 가치가 있는 경우에만 결과제거청구권이 인정된다.

함께 정리하기

공법상 결과제거청구권

물권적 권리 + 비재산적 권리(포괄적 권리설)

공행정작용 + 위법상태 계속

손해배상청구
▷ 별도청구 可

고의·과실
▷ 不要

법률상 이익 침해

유제 10. 경북교행 공법상 결과제거청구권은 침해된 이익이 재산적 가치 외에 정신적인 것도 포함된다. (○)
10. 경북교행 공법상 결과제거청구권은 불법주차한 자동차를 경찰이 다른 곳으로 옮겨 놓은 경우에 인정된다. (×)

답 ④

ALL KILL 기출   제3절 그 밖의 손실보상제도

01 수용유사침해보상은 적법한 공행정작용의 비전형적이고 비의도적인 부수적 효과로써 발생한 개인의 재산권에 대한 손해를 전보하는 것을 말한다. 08. 국가직 9급 ( )

02 공법상 결과제거청구권은 공행정작용으로 인하여 야기된 위법한 상태를 제거하여 그 원상회복을 목적으로 하는 권리이다. 10. 지방직 7급 ( )

03 공법상 결과제거청구는 가해행위의 위법 및 가해자의 고의 또는 과실을 요건으로 한다. 10. 지방직 7급 ( )

04 결과제거청구권행사시에 간접적 결과의 제거를 위해 원상회복청구도 할 수 있다. 08. 국회직 8급 ( )

05 공법상 결과제거청구권에 관한 소송은 당사자소송으로 하여야 한다는 것이 일반적인 견해이다. 08. 국회직 8급 ( )

06 공법상 결과제거청구권과 민사상 손해배상청구권은 병존할 수 있다. 08. 국회직 8급 ( )

정답 및 해설

01 × 수용유사침해이론이란 위법한 공용침해로 인하여 재산권의 침해가 있고 특별한 희생을 당한 자에 대하여 수용에 준해서 손실보상을 하자는 이론
02 ○ 공법상 결과제거청구권은 공행정작용으로 인한 위법한 상태를 제거하여 원상회복하기 위한 권리
03 × 공법상 결과제거청구는 고의·과실을 요하지 않음
04 × 공법상 결과제거청구권은 직접적 결과의 제거만을 대상으로 함
05 ○ 공법상 결과제거청구소송은 당사자소송에 해당
06 ○ 공법상 결과제거청구권과 민사상 손해배상청구권은 병존 가능

제 6 편

행정쟁송

해커스공무원
함수민 행정법총론
단원별 기출문제집

제1장　행정심판 일반론
제2장　행정심판청구의 요건
제3장　행정심판의 심리·재결
제4장　행정소송 일반론
제5장　항고소송 1(취소소송)
제6장　항고소송 2(무효등 확인소송)
제7장　항고소송 3(부작위위법확인소송)
제8장　당사자소송
제9장　객관소송
제10장　기타의 권리구제

제1장 행정심판 일반론

문제 DATA
출제가능 지수 ▶▶▷
난이도 지수 ★★☆

함께 정리하기
행정심판

진정형식, But 행정심판의 실체
▷ 행정심판

「행정심판법」상 행정심판의 종류
▷ 취소심판, 무효등확인심판, 의무이행심판

행정심판 청구기간
▷ 안 날 90일, 있은 날 180일

시·도 소속 행정청 처분·부작위
▷ 시·도 소속 행정심판위원회

001 □□□

행정심판에 대한 설명으로 옳지 않은 것은? (다툼이 있는 경우 판례에 의함)

① '진정'이란 국민이 법정의 절차나 형식에 구애됨이 없이 행정청에 대하여 어떠한 희망을 진술하는 것을 말하며, 경우에 따라 진정서의 형식을 취하고 있더라도 행정심판청구로 볼 수 있는 경우가 있다.
② 「행정심판법」에서는 취소심판, 무효등확인심판, 의무이행심판에 대해서 규정하고 있다.
③ 행정심판은 원칙적으로 처분이 있음을 알게 된 날부터 90일, 처분이 있었던 날부터 1년 이내에 청구하여야 한다.
④ 시·도 소속 행정청의 처분 또는 부작위에 대한 심판청구에 대하여는 시·도지사 소속으로 두는 행정심판위원회가 심리·재결한다.

> 2024년 소방직

① (O) 진정(陳情)이란 행정청에 대하여 사정을 진술하고 어떤 조치를 희망하는 행위를 뜻한다. 진정은 법정의 절차와 형식에 의하지 않고 법적 구속력이나 효과를 발생하지 않는 사실행위에 불과하다. 이에 형식적으로 제목이 '진정서'로 되어 있어도 심판청구의 주요사항이 기재되어 있다면 행정심판청구로 볼 수 있다는 것이 판례의 입장이다.

> [1] 행정심판법 제19조, 제23조의 규정 취지와 행정심판제도의 목적에 비추어 보면 행정소송의 전치요건인 행정심판청구는 엄격한 형식을 요하지 아니하는 서면행위로 해석되므로, 위법 부당한 행정처분으로 인하여 권리나 이익을 침해당한 자로부터 그 처분의 취소나 변경을 구하는 서면이 제출되었을 때에는 그 표제와 제출기관의 여하를 불문하고 이를 행정소송법 제18조 소정의 행정심판청구로 보고, 불비된 사항이 보정가능한 때에는 보정을 명하고 보정이 불가능하거나 보정명령에 따르지 아니한 때에 비로소 부적법 각하를 하여야 할 것이며, 더욱이 심판청구인은 일반적으로 전문적 법률지식을 갖고 있지 못하여 제출된 서면의 취지가 불명확한 경우도 적지 않으나, 이러한 경우에도 행정청으로서는 그 서면을 가능한 한 제출자의 이익이 되도록 해석하고 처리하여야 한다.
> [2] 비록 제목이 '진정서'로 되어 있고, 재결청의 표시, 심판청구의 취지 및 이유, 처분을 한 행정청의 고지의 유무 및 그 내용 등 행정심판법 제19조 제2항 소정의 사항들을 구분하여 기재하고 있지 아니하여 행정심판청구서로서의 형식을 다 갖추고 있다고 볼 수는 없으나, 피청구인인 처분청과 청구인의 이름과 주소가 기재되어 있고, 청구인의 기명이 되어 있으며, 문서의 기재 내용에 의하여 심판청구의 대상이 되는 행정처분의 내용과 심판청구의 취지 및 이유, 처분이 있은 것을 안 날을 알 수 있는 경우, 위 문서에 기재되어 있지 않은 재결청, 처분을 한 행정청의 고지의 유무 등의 내용과 날인 등의 불비한 점은 보정이 가능하므로 위 문서를 행정처분에 대한 행정심판청구로 보는 것이 옳다(대판 2000.6.9. 98두2621).

② (O)

> 「행정심판법」 제5조 【행정심판의 종류】 행정심판의 종류는 다음 각 호와 같다.
> 1. 취소심판: 행정청의 위법 또는 부당한 처분을 취소하거나 변경하는 행정심판
> 2. 무효등확인심판: 행정청의 처분의 효력 유무 또는 존재 여부를 확인하는 행정심판
> 3. 의무이행심판: 당사자의 신청에 대한 행정청의 위법 또는 부당한 거부처분이나 부작위에 대하여 일정한 처분을 하도록 하는 행정심판

③ (✕)

> 「행정심판법」 제27조 【심판청구의 기간】 ① 행정심판은 처분이 있음을 알게 된 날부터 90일 이내에 청구하여야 한다.
> ③ 행정심판은 처분이 있었던 날부터 180일이 지나면 청구하지 못한다. 다만, 정당한 사유가 있는 경우에는 그러하지 아니하다.

④ (O)

> 「행정심판법」제6조【행정심판위원회의 설치】③ 다음 각 호의 행정청의 처분 또는 부작위에 대한 심판청구에 대하여는 시·도지사 소속으로 두는 행정심판위원회에서 심리·재결한다.
> 1. 시·도 소속 행정청
> 2. 시·도의 관할구역에 있는 시·군·자치구의 장, 소속 행정청 또는 시·군·자치구의 의회(의장, 위원회의 위원장, 사무국장, 사무과장 등 의회 소속 모든 행정청을 포함한다)
> 3. 시·도의 관할구역에 있는 둘 이상의 지방자치단체(시·군·자치구를 말한다)·공공법인 등이 공동으로 설립한 행정청

답 ③

002

A라는 행정처분에 불복하는 甲이 이의신청 또는 행정심판 등을 제기하여 B라는 결과를 받은 경우 이에 대한 설명으로 가장 옳지 않은 것은? (다툼이 있는 경우 판례에 의함)

① A처분이 「도로교통법」상 3개월의 운전면허 정지처분이라면 甲은 반드시 행정심판을 거쳐 A처분에 대해서 항고소송을 제기하여야 한다.
② B의 결과가 甲의 신청을 전부 인용한 재결이라면, 당해 재결이 부당한 재결이라고 하더라도 처분청은 행정소송을 제기할 수 없다.
③ 甲이 「행정기본법」상 이의신청을 하여 B라는 결과를 통지받은 경우, 그 통지를 받은 날부터 60일 이내에 행정심판 또는 행정소송을 제기하여야 한다.
④ A라는 처분의 처분청이 대법원장이라고 하더라도 법원공무원인 甲은 법원행정처장을 피고로 행정소송을 제기하여야 한다.

2025년 군무원 9급

① (O) 운전면허정지 또는 취소처분에 대한 행정소송 제기시 도로교통법에 따라 필요적 행정심판전치주의가 적용된다.

> 「도로교통법」제142조【행정소송과의 관계】이 법에 따른 처분으로서 해당 처분에 대한 행정소송은 행정심판의 재결(裁決)을 거치지 아니하면 제기할 수 없다.

② (O) 행정감독의 수단으로서 통일적이고 능률적인 행정을 위하여 중앙행정기관 내부의 의사를 자율적으로 통제하고 국민의 권리구제를 신속하게 할 목적의 일환으로 행정심판제도를 도입하였는데, 심판청구의 대상이 된 행정청에 대하여 재결에 관한 항쟁수단을 별도로 인정하는 것은 행정상의 통제를 스스로 파괴함은 물론, 국민의 신속한 권리구제를 지연시키는 작용을 하게 될 것이다. 그리하여 행정심판법 제49조 제1항은 "심판청구를 인용하는 재결은 피청구인과 그 밖의 관계 행정청을 기속한다." 라고 규정하였고, 이에 따라 처분행정청은 재결에 기속되어 재결의 취지에 따른 처분의무를 부담하게 되므로 이에 불복하여 행정소송을 제기할 수 없다(대판 1998.5.8. 97누15432).

③ (×) 통지를 받은 날부터 90일 이내에 행정심판 또는 행정소송을 제기하여야 한다.

> 「행정기본법」제36조【처분에 대한 이의신청】① 행정청의 처분(「행정심판법」제3조에 따라 같은 법에 따른 행정심판의 대상이 되는 처분을 말한다. 이하 이 조에서 같다)에 이의가 있는 당사자는 처분을 받은 날부터 30일 이내에 해당 행정청에 이의신청을 할 수 있다.
> ② 행정청은 제1항에 따른 이의신청을 받으면 그 신청을 받은 날부터 14일 이내에 그 이의신청에 대한 결과를 신청인에게 통지하여야 한다. 다만, 부득이한 사유로 14일 이내에 통지할 수 없는 경우에는 그 기간을 만료일 다음 날부터 기산하여 10일의 범위에서 한 차례 연장할 수 있으며, 연장 사유를 신청인에게 통지하여야 한다.
> ③ 제1항에 따라 이의신청을 한 경우에도 그 이의신청과 관계없이 「행정심판법」에 따른 행정심판 또는 「행정소송법」에 따른 행정소송을 제기할 수 있다.

문제 DATA

출제가능 지수 ▶▶▷
난이도 지수 ★★☆

함께 정리하기

사례

「도로교통법」상 처분
▷ 필요적 행정심판전치주의

행정심판에서 인용재결시
▷ 처분청은 행정소송 제기 불가

이의신청시 행정심판이나 행정소송의 제기기간
▷ 이의신청결과 통지받은 날부터 90일 內

대법원장의 처분에 대한 행정소송 제기시 피고
▷ 법원행정처장

④ 이의신청에 대한 결과를 통지받은 후 행정심판 또는 행정소송을 제기하려는 자는 그 결과를 통지받은 날(제2항에 따른 통지기간 내에 결과를 통지받지 못한 경우에는 같은 항에 따른 통지기간이 만료되는 날의 다음 날을 말한다)부터 90일 이내에 제1항의 처분(이의신청 결과 처분이 변경된 경우에는 변경된 처분으로 한다)에 대하여 행정심판 또는 행정소송을 제기할 수 있다(③).
⑤ 다른 법률에서 이의신청과 이에 준하는 절차에 대하여 정하고 있는 경우에도 그 법률에서 규정하지 아니한 사항에 관하여는 이 조에서 정하는 바에 따른다.
⑥ 제1항부터 제5항까지에서 규정한 사항 외에 이의신청의 방법 및 절차 등에 관한 사항은 대통령령으로 정한다.
⑦ 다음 각 호의 어느 하나에 해당하는 사항에 관하여는 이 조를 적용하지 아니한다.
  1. 공무원 인사 관계 법령에 따른 징계 등 처분에 관한 사항
  2. 「국가인권위원회법」 제30조에 따른 진정에 대한 국가인권위원회의 결정
  3. 「노동위원회법」 제2조의2에 따라 노동위원회의 의결을 거쳐 행하는 사항
  4. 형사, 행형 및 보안처분 관계 법령에 따라 행하는 사항
  5. 외국인의 출입국·난민인정·귀화·국적회복에 관한 사항
  6. 과태료 부과 및 징수에 관한 사항

④ (○)

「법원조직법」 제70조 【행정소송의 피고】 대법원장이 한 처분에 대한 행정소송의 피고는 법원행정처장으로 한다.

답 ③

003

「행정기본법」에 대한 설명으로 옳은 것은?

① 법령등 시행일의 기간 계산에 있어서 법령등을 공포한 날부터 일정 기간이 경과한 날부터 시행하는 경우 법령등을 공포한 날을 첫날에 산입한다.
② 당사자의 신청에 따른 처분은 법령등에 특별한 규정이 있는 경우를 제외하고는 신청 당시의 법령등에 따른다.
③ 행정청은 재량이 있는 경우에도 완전히 자동화된 시스템으로 처분을 할 수 있다.
④ 행정청의 처분에 대해 이의신청을 한 경우에도 그 이의신청과 관계없이 「행정심판법」에 따른 행정심판 또는 「행정소송법」에 따른 행정소송을 제기할 수 있다.

| 2024년 지방직 7급

① (×)

「행정기본법」 제7조 【법령등 시행일의 기간 계산】 법령등(훈령·예규·고시·지침 등을 포함한다. 이하 이 조에서 같다)의 시행일을 정하거나 계산할 때에는 다음 각 호의 기준에 따른다.
  1. 법령등을 공포한 날(훈령·예규·고시·지침 등은 고시·공고 등의 방법으로 발령한 날을 말한다. 이하 이 조에서 같다)부터 시행하는 경우에는 공포한 날을 시행일로 한다.
  2. 법령등을 공포한 날부터 일정 기간이 경과한 날부터 시행하는 경우 법령등을 공포한 날을 첫날에 산입하지 아니한다.
  3. 법령등을 공포한 날부터 일정 기간이 경과한 날부터 시행하는 경우 그 기간의 말일이 토요일 또는 공휴일인 때에는 그 말일로 기간이 만료한다.

② (×)

「행정기본법」 제14조 【법 적용의 기준】 ② 당사자의 신청에 따른 처분은 법령등에 특별한 규정이 있거나 처분 당시의 법령등을 적용하기 곤란한 특별한 사정이 있는 경우를 제외하고는 처분 당시의 법령등에 따른다.

③ (×)

> 「행정기본법」 제20조 【자동적 처분】 행정청은 법률로 정하는 바에 따라 완전히 자동화된 시스템(인공지능 기술을 적용한 시스템을 포함한다)으로 처분을 할 수 있다. 다만, 처분에 재량이 있는 경우는 그러하지 아니하다.

④ (○)

> 「행정기본법」 제36조 【처분에 대한 이의신청】 ③ 제1항에 따라 이의신청을 한 경우에도 그 이의신청과 관계없이 「행정심판법」에 따른 행정심판 또는 「행정소송법」에 따른 행정소송을 제기할 수 있다.

답 ④

004

「행정기본법」상 처분에 대한 이의신청에 대한 설명으로 옳지 않은 것은?

① 행정청의 처분에 이의가 있는 당사자는 처분을 받은 날부터 30일 이내에 해당 행정청에 이의신청을 할 수 있다.
② 행정청은 이의신청을 받으면 부득이한 사유가 아니라면 그 신청을 받은 날부터 14일 이내에 그 이의신청에 대한 결과를 신청인에게 통지하여야 한다.
③ 처분에 대한 이의신청을 한 경우에는 「행정심판법」에 따른 행정심판을 제기할 수 없다.
④ 과태료 부과 및 징수에 관한 사항은 「행정기본법」에 따른 이의신청이 인정되지 아니한다.
⑤ 다른 법률에서 이의신청과 이에 준하는 절차에 대하여 정하고 있는 경우에도 그 법률에서 규정하지 아니한 사항에 관하여는 「행정기본법」에서 정하는 바에 따른다.

2024년 소방간부

③ (×) 이의신청을 한 경우에도 행정심판, 행정소송이 가능하다.

> 「행정기본법」 제36조 【처분에 대한 이의신청】 ① 행정청의 처분(「행정심판법」 제3조에 따라 같은 법에 따른 행정심판의 대상이 되는 처분을 말한다. 이하 이 조에서 같다)에 이의가 있는 당사자는 처분을 받은 날부터 30일 이내에 해당 행정청에 이의신청을 할 수 있다(①).
> ② 행정청은 제1항에 따른 이의신청을 받으면 그 신청을 받은 날부터 14일 이내에 그 이의신청에 대한 결과를 신청인에게 통지하여야 한다(②). 다만, 부득이한 사유로 14일 이내에 통지할 수 없는 경우에는 그 기간을 만료일 다음 날부터 기산하여 10일의 범위에서 한 차례 연장할 수 있으며, 연장 사유를 신청인에게 통지하여야 한다.
> ③ 제1항에 따라 이의신청을 한 경우에도 그 이의신청과 관계없이 「행정심판법」에 따른 행정심판 또는 「행정소송법」에 따른 행정소송을 제기할 수 있다(③).
> ④ 이의신청에 대한 결과를 통지받은 후 행정심판 또는 행정소송을 제기하려는 자는 그 결과를 통지받은 날(제2항에 따른 통지기간 내에 결과를 통지받지 못한 경우에는 같은 항에 따른 통지기간이 만료되는 날의 다음 날을 말한다)부터 90일 이내에 제1항의 처분(이의신청 결과 처분이 변경된 경우에는 변경된 처분으로 한다)에 대하여 행정심판 또는 행정소송을 제기할 수 있다.
> ⑤ 다른 법률에서 이의신청과 이에 준하는 절차에 대하여 정하고 있는 경우에도 그 법률에서 규정하지 아니한 사항에 관하여는 이 조에서 정하는 바에 따른다(⑤).
> ⑥ 제1항부터 제5항까지에서 규정한 사항 외에 이의신청의 방법 및 절차 등에 관한 사항은 대통령령으로 정한다.
> ⑦ 다음 각 호의 어느 하나에 해당하는 사항에 관하여는 이 조를 적용하지 아니한다.
> 1. 공무원 인사 관계 법령에 따른 징계 등 처분에 관한 사항
> 2. 「국가인권위원회법」 제30조에 따른 진정에 대한 국가인권위원회의 결정
> 3. 「노동위원회법」 제2조의2에 따라 노동위원회의 의결을 거쳐 행하는 사항
> 4. 형사, 행형 및 보안처분 관계 법령에 따라 행하는 사항
> 5. 외국인의 출입국·난민인정·귀화·국적회복에 관한 사항
> 6. 과태료 부과 및 징수에 관한 사항(④)

답 ③

문제 DATA

출제가능 지수 ▶▶▷
난이도 지수 ★★☆

함께 정리하기

「행정기본법」상 처분에 대한 이의신청

신청기간
▷ 처분을 받은 날부터 30일 內

처리기간
▷ 14일
▷ 단, 부득이한 사유: 기간만료일 다음날부터 10일 범위에서 한차례 연장 可

임의적 절차
▷ 이의신청과 관계없이 행정심판·행정소송 제기 可

과태료 부과 및 징수에 관한 사항
▷ 「행정기본법」상 이의신청 적용×

「행정기본법」상 이의신청
▷ 이의신청에 관한 일반법

005

「행정심판법」의 내용에 대한 설명으로 옳지 않은 것은?

① 심판청구기간은 부작위에 대한 의무이행심판청구에는 적용되지 아니한다.
② 청구의 변경결정이 있으면 처음 행정심판이 청구되었을 때부터 변경된 청구의 취지나 이유로 행정심판이 청구된 것으로 본다.
③ 중앙행정심판위원회의 상임위원은 위원장의 제청으로 국무총리를 거쳐 대통령이 임명하고, 상임위원의 임기는 2년으로 하되 1차에 한하여 연임할 수 있다.
④ 위원회는 당사자의 권리 및 권한의 범위에서 당사자의 동의를 받아 심판청구의 신속하고 공정한 해결을 위하여 조정을 할 수 있고, 조정은 당사자가 합의한 사항을 조정서에 기재한 후 당사자가 서명 또는 날인하고 위원회가 이를 확인함으로써 성립하며, 성립한 조정에는 「행정심판법」 제50조(위원회의 직접처분)의 규정을 준용한다.
⑤ 관계 행정기관의 장이 특별행정심판 또는 「행정심판법」에 따른 행정심판 절차에 대한 특례를 신설하거나 변경하는 법령을 제정·개정할 때에는 미리 중앙행정심판위원회와 협의하여야 한다.

| 2024년 국회직 8급

① (○)

> 「행정심판법」 제27조【심판청구의 기간】⑦ 제1항부터 제6항까지의 규정은 무효등확인심판청구와 부작위에 대한 의무이행심판청구에는 적용하지 아니한다.

② (○)

> 「행정심판법」 제29조【청구의 변경】⑧ 청구의 변경결정이 있으면 처음 행정심판이 청구되었을 때부터 변경된 청구의 취지나 이유로 행정심판이 청구된 것으로 본다.

③ (×)

> 「행정심판법」 제8조【중앙행정심판위원회의 구성】③ 중앙행정심판위원회의 상임위원은 일반직공무원으로서 「국가공무원법」 제26조의5에 따른 임기제공무원으로 임명하되, 3급 이상 공무원 또는 고위공무원단에 속하는 일반직공무원으로 3년 이상 근무한 사람이나 그 밖에 행정심판에 관한 지식과 경험이 풍부한 사람 중에서 중앙행정심판위원회 위원장의 제청으로 국무총리를 거쳐 대통령이 임명한다.
> 제9조【위원의 임기 및 신분보장 등】② 제8조 제3항에 따라 임명된 중앙행정심판위원회 상임위원의 임기는 3년으로 하며, 1차에 한하여 연임할 수 있다.

④ (○)

> 「행정심판법」 제43조의2【조정】① 위원회는 당사자의 권리 및 권한의 범위에서 당사자의 동의를 받아 심판청구의 신속하고 공정한 해결을 위하여 조정을 할 수 있다. 다만, 그 조정이 공공복리에 적합하지 아니하거나 해당 처분의 성질에 반하는 경우에는 그러하지 아니하다.
> ③ 조정은 당사자가 합의한 사항을 조정서에 기재한 후 당사자가 서명 또는 날인하고 위원회가 이를 확인함으로써 성립한다.
> ④ 제3항에 따른 조정에 대하여는 제48조부터 제50조(직접처분)까지, 제50조의2, 제51조의 규정을 준용한다.

⑤ (○)

> 「행정심판법」 제4조【특별행정심판 등】③ 관계 행정기관의 장이 특별행정심판 또는 이 법에 따른 행정심판 절차에 대한 특례를 신설하거나 변경하는 법령을 제정·개정할 때에는 미리 중앙행정심판위원회와 협의하여야 한다.

답 ③

문제 DATA
출제가능 지수 ▶▶▷
난이도 지수 ★★★

함께 정리하기

「행정심판법」의 내용

부작위에 대한 의무이행심판청구
▷ 청구기간 제한×

심판청구의 변경
▷ 처음 행정심판이 청구된 때부터 변경된 청구취지나 이유로 행정심판이 청구된 것으로 봄(소급효)

중앙행정심판위원회 상임위원
▷ 위원장 제청으로 국무총리 거쳐 대통령이 임명
▷ 임기 3년 & 1차 연임 가

행정심판위원회의 조정
▷ 당사자의 동의 필요
▷ 조정서에 합의사항 기재 후 당사자가 서명날인하고 위원회가 확인함으로써 성립
▷ 위원회의 직접처분 규정 준용

행정심판절차 특례 신설·변경
▷ 미리 중앙행정심판위원회와 협의

006

행정심판제도에 대한 설명으로 가장 옳지 않은 것은? (다툼이 있는 경우 판례에 의함)

① 행정심판청구는 엄격한 형식을 요하지 않는 서면행위로 해석된다.
② 행정처분이 있은 날이라 함은 그 행정처분의 효력이 발생한 날을 의미한다.
③ 행정심판의 가구제 제도에는 집행정지제도와 임시처분제도가 있다.
④ 행정심판 재결의 기속력은 인용재결뿐만 아니라 각하재결과 기각재결에도 인정되는 효력이다.

2018년 서울시 9급

① (○) 행정심판청구는 엄격한 형식을 요하지 아니하는 서면행위로 해석되므로, 위법·부당한 행정처분으로 인하여 권리나 이익을 침해당한 자로부터 그 처분의 취소나 변경을 구하는 서면이 제출되었을 때에는 그 표제와 제출기관의 여하를 불문하고 행정심판청구로 보아야 한다(대판 2000.6.9. 98두2621).

② (○) 처분이 있은 날은 처분이 고지되어 효력이 발생한 날을 의미한다.

> "처분이 있은 날"이라 함은 상대방이 있는 행정처분의 경우는 특별한 규정이 없는 한 의사표시의 일반적 법리에 따라 그 행정처분이 상대방에게 고지되어 효력이 발생한 날을 말한다고 할 것이다(대판 1990.7.13. 90누2284).

③ (○) 「행정심판법」은 가구제를 위한 제도로서 집행정지결정과 임시처분을 규정하고 있다.

> 「행정심판법」제30조【집행정지】② 위원회는 처분, 처분의 집행 또는 절차의 속행 때문에 중대한 손해가 생기는 것을 예방할 필요성이 긴급하다고 인정할 때에는 직권으로 또는 당사자의 신청에 의하여 처분의 효력, 처분의 집행 또는 절차의 속행의 전부 또는 일부의 정지(이하 "집행정지"라 한다)를 결정할 수 있다. 다만, 처분의 효력정지는 처분의 집행 또는 절차의 속행을 정지함으로써 그 목적을 달성할 수 있을 때에는 허용되지 아니한다.
> 제31조【임시처분】위원회는 처분 또는 부작위가 위법·부당하다고 상당히 의심되는 경우로서 처분 또는 부작위 때문에 당사자가 받을 우려가 있는 중대한 불이익이나 당사자에게 생길 급박한 위험을 막기 위하여 임시지위를 정하여야 할 필요가 있는 경우에는 직권으로 또는 당사자의 신청에 의하여 임시처분을 결정할 수 있다.

④ (✕) 기속력이란 피청구인인 행정청이나 관계행정청이 인용재결의 취지에 따르도록 구속하는 효력을 말한다. 따라서 각하재결이나 기각재결에는 기속력이 발생하지 않는다.

> 「행정심판법」제49조【재결의 기속력 등】① 심판청구를 인용하는 재결은 피청구인과 그 밖의 관계 행정청을 기속한다.

답 ④

문제 DATA
출제가능 지수 ▶▶▷
난이도 지수 ★★☆

함께 정리하기

행정심판제도

행정심판청구
▷ 서면행위(엄격한 형식 不要)

처분이 있은 날
▷ 처분이 상대방에 고지되어 효력이 발생한 날

「행정심판법」상 가구제
▷ 집행정지, 임시처분

재결의 기속력
▷ 인용재결○
▷ 각하재결✕, 기각재결✕

문제 DATA

출제가능 지수 ▶▶▷
난이도 지수 ★★☆

함께 정리하기

행정심판
취소심판의 인용재결
▷ 취소재결, 변경재결, 변경명령재결
위원회의 직접처분
▷ 당사자의 신청 要
취소재결
▷ 재처분의무 有
거부에 대한 의무이행심판
▷ 청구기간 제한O, 사정재결O
▷ 집행정지X

007 □□□

현행 「행정심판법」상 행정심판제도에 대한 설명으로 가장 옳은 것은?

① 취소심판의 재결로서 처분취소재결, 처분변경재결, 처분변경명령재결을 할 수 있으며, 처분취소명령재결은 할 수 없다.
② 처분청이 처분이행명령재결에 따른 처분을 하지 아니한 경우에는 행정심판위원회는 당사자의 신청 여부를 불문하고 직권으로 직접처분을 할 수 있다.
③ 취소재결의 기속력으로서 재처분의무가 없으므로 현행법상 거부처분에 불복할 때에는 취소심판보다 의무이행심판이 더 효과적이다.
④ 거부에 대한 의무이행심판에는 청구기간의 제한과 사정재결, 집행정지 규정이 적용되지 않는다.

| 2019년 서울시 7급

① (○)

> 「행정심판법」 제43조【재결의 구분】③ 위원회는 취소심판의 청구가 이유가 있다고 인정하면 처분을 취소 또는 다른 처분으로 변경하거나 처분을 다른 처분으로 변경할 것을 피청구인에게 명한다.

② (X)

> 「행정심판법」 제50조【위원회의 직접 처분】① 위원회는 피청구인이 제49조 제3항에도 불구하고 처분을 하지 아니하는 경우에는 당사자가 신청하면 기간을 정하여 서면으로 시정을 명하고 그 기간에 이행하지 아니하면 직접 처분을 할 수 있다. 다만, 그 처분의 성질이나 그 밖의 불가피한 사유로 위원회가 직접 처분을 할 수 없는 경우에는 그러하지 아니하다.

유제 17. 교행 행정심판위원회는 처분이행명령재결이 있음에도 피청구인이 처분을 하지 않은 경우 당사자의 신청에 의해 기간을 정하여 서면으로 시정을 명하고 그 기간 안에 이행하지 않으면 원칙적으로 직접처분을 할 수 있다. (○)

③ (X) 종래 재처분의무를 인정할 것인지에 대하여 견해의 대립이 있었으나, 재결의 실효성을 높이기 위하여 재처분의무가 도입되었다.

> 「행정심판법」 제49조【재결의 기속력 등】② 재결에 의하여 취소되거나 무효 또는 부존재로 확인되는 처분이 당사자의 신청을 거부하는 것을 내용으로 하는 경우에는 그 처분을 한 행정청은 재결의 취지에 따라 다시 이전의 신청에 대한 처분을 하여야 한다.

④ (X) 거부처분에 대한 의무이행심판에는 처분이 존재하므로 청구기간의 제한이 있지만, 부작위에 대한 의무이행심판에는 청구기간의 제한이 없다(동법 제27조 제7항). 또한 의무이행심판에는 사정재결에 관한 규정이 적용된다(동법 제44조). 그러나 성질상 집행정지에 관한 규정은 적용되지 않고, 임시처분이 가능하다(동법 제31조).

> 「행정심판법」 제27조【심판청구의 기간】⑦ 제1항부터 제6항까지의 규정은 무효등확인심판청구와 부작위에 대한 의무이행심판청구에는 적용하지 아니한다.
> 제44조【사정재결】③ 제1항과 제2항은 무효등확인심판에는 적용하지 아니한다.
> 제30조【집행정지】② 위원회는 처분, 처분의 집행 또는 절차의 속행 때문에 중대한 손해가 생기는 것을 예방할 필요성이 긴급하다고 인정할 때에는 직권으로 또는 당사자의 신청에 의하여 처분의 효력, 처분의 집행 또는 절차의 속행의 전부 또는 일부의 정지(이하 "집행정지"라 한다)를 결정할 수 있다. 다만, 처분의 효력정지는 처분의 집행 또는 절차의 속행을 정지함으로써 그 목적을 달성할 수 있을 때에는 허용되지 아니한다.
> 제31조【임시처분】① 위원회는 처분 또는 부작위가 위법·부당하다고 상당히 의심되는 경우로서 처분 또는 부작위 때문에 당사자가 받을 우려가 있는 중대한 불이익이나 당사자에게 생길 급박한 위험을 막기 위하여 임시지위를 정하여야 할 필요가 있는 경우에는 직권으로 또는 당사자의 신청에 의하여 임시처분을 결정할 수 있다.

답 ①

008

A도 내 B시에 거주하는 甲은 「학교폭력예방 및 대책에 관한 법률」에 의하여 교내에서 출석정지 5일의 처분을 받고 이에 대해서 행정심판을 제기하여 다투고자 한다. 이에 대한 설명으로 가장 옳지 않은 것은?

① 행정심판의 제기기간은 처분 통지서를 받은 날부터 90일 이내이다.
② 행정심판기관은 A도교육청에 설치된 행정심판위원회이다.
③ 행정심판기관은 출석정지 처분을 피해학생에 대한 서면사과 처분으로 변경하는 재결을 할 수 있다.
④ 서면사과도 과중한 처벌이라고 하여 불복하는 경우에는 재결을 취소소송의 대상으로 한다.

문제 DATA
출제가능 지수 ▶▶▷
난이도 지수 ★★☆

2018년 서울시 7급

① (O) 처분이 있음을 안 날(=처분 통지서를 받은 날)로부터 90일 이내에 심판청구가 가능하다.

> 「행정심판법」 제27조 【심판청구의 기간】 ① 행정심판은 처분이 있음을 알게 된 날부터 90일 이내에 청구하여야 한다.

② (O) 시·도 소속 행정청이 내린 처분에 대한 행정심판청구에 대하여 시·도 소속 행정심판위원회가 관할을 가진다.

> 「행정심판법」 제6조 【행정심판위원회의 설치】 ③ 다음 각 호의 행정청의 처분 또는 부작위에 대한 심판청구에 대하여는 시·도지사 소속으로 두는 행정심판위원회에서 심리·재결한다.
> 1. 시·도 소속 행정청

③ (O) 행정심판위원회는 처분을 취소 또는 변경하는 재결을 할 수 있고 이 때 변경재결에서의 변경에는 적극적 변경도 포함된다.

> 「행정심판법」 제43조 【재결의 구분】 ③ 위원회는 취소심판의 청구가 이유가 있다고 인정하면 처분을 취소 또는 다른 처분으로 변경하거나 처분을 다른 처분으로 변경할 것을 피청구인에게 명한다.

④ (×) 서면사과도 과중한 처벌이라고 하여 불복하는 경우는 원처분인 출석정지처분에는 없고 재결에만 있는 위원회의 권한 또는 구성의 위법, 재결의 절차나 형식의 위법, 내용의 위법 등을 주장하는 것이 아니므로 원처분을 대상으로 취소소송을 제기하여야 한다(원처분주의).

> 「행정소송법」 제19조 【취소소송의 대상】 취소소송은 처분등을 대상으로 한다. 다만, 재결취소소송의 경우에는 재결 자체에 고유한 위법이 있음을 이유로 하는 경우에 한한다.

답 ④

함께 정리하기

행정심판

청구기간
▷ 안 날 90일
▷ 처분 있은 날 180일

시·도 소속 행정청처분
▷ 시·도 소속 행정심판위원회

변경재결
▷ 적극적 변경도 포함

재결에 대한 취소소송
▷ 재결고유의 위법(원처분주의)

문제 DATA

출제가능 지수 ▶▶▷
난이도 지수 ★★☆

009 ☐☐☐

행정심판에 대한 설명으로 가장 옳은 것은? (다툼이 있는 경우 판례에 의함)

① 취소재결의 경우 기판력과 기속력이 인정된다.
② 무효등확인심판은 심판청구기간의 제한이 없고, 사정재결도 인정되지 않는다.
③ 피청구인의 경정이 있으면 심판청구는 피청구인의 경정시에 제기된 것으로 본다.
④ 고시 또는 공고에 의하여 행정처분을 하는 경우에는 고시 또는 공고의 효력발생일을 처분이 있는 날로 보아 그 날로부터 180일 이내에 행정심판을 청구할 수 있다.

> 2018년 서울시 7급

① (×) 행정심판에서 취소재결이 나온 경우 불가쟁력, 불가변력, 형성력, 기속력이 발생하나, 기판력은 판결의 효력이므로 행정심판의 경우에는 인정되지 않는다.
② (○) 무효는 언제든지 다툴 수 있고, 존치시킬 효력 있는 행정행위가 없는 것이므로 사정재결도 인정되지 않는다(사정판결과 동일).

> 「행정심판법」 제27조【심판청구의 기간】⑦ 제1항부터 제6항까지의 규정은 무효등확인심판청구와 부작위에 대한 의무이행심판청구에는 적용하지 아니한다.
> 제44조【사정재결】③ 제1항과 제2항은 무효등확인심판에는 적용하지 아니한다.

유제 18. 국회직 8급 행정심판위원회는 무효확인심판의 청구가 이유가 있더라도 이를 인용하는 것이 공공복리에 크게 위배된다고 인정되면 그 청구를 기각하는 재결을 할 수 있다. (×)

③ (×)

> 「행정심판법」 제17조【피청구인의 적격 및 경정】② 청구인이 피청구인을 잘못 지정한 경우에는 위원회는 직권으로 또는 당사자의 신청에 의하여 결정으로써 피청구인을 경정(更正)할 수 있다.
> ④ 제2항에 따른 결정이 있으면 종전의 피청구인에 대한 심판청구는 취하되고 종전의 피청구인에 대한 행정심판이 청구된 때에 새로운 피청구인에 대한 행정심판이 청구된 것으로 본다.

④ (×) 고시 또는 공고에 의하여 행정처분을 하는 경우 이해관계자가 고시 또는 공고가 있었다는 것을 현실적으로 알았는지 여부에 관계없이 고시가 효력을 발생한 날에 행정처분이 있음을 알았다고 보므로(대판 2006.4.14. 2004두3847), 효력발생일로부터 90일 이내에 행정심판을 청구해야 한다.

답 ②

함께 정리하기

행정심판

취소재결
▷ 불가쟁력·불가변력·형성력·기속력(기판력×)

무효등확인심판
▷ 청구기간·사정재결×

피청구인 경정
▷ 종전 피청구인에 대한 심판청구 시에 청구된 것

고시·공고 효력발생일이 처분이 있음을 안날
▷ 90일 내 청구해야

문제 DATA

출제가능 지수 ▶▶▷
난이도 지수 ★★☆

010 ☐☐☐

「행정심판법」상 행정심판에 대한 설명으로 옳지 않은 것은? (다툼이 있는 경우 판례에 의함)

① 대통령의 처분 또는 부작위에 대하여는 다른 법률에서 행정심판을 청구할 수 있도록 정한 경우 외에는 행정심판을 청구할 수 없다.
② 당사자의 신청에 대한 행정청의 부당한 거부처분에 대하여 일정한 처분을 하도록 하는 행정심판의 청구는 현행법상 허용되고 있다.
③ 「행정심판법」에 따른 서류의 송달에 관하여는 「행정절차법」 중 송달에 관한 규정을 준용한다.
④ 행정심판 청구인이 경제적 능력으로 인해 대리인을 선임할 수 없는 경우에는 행정심판위원회에 국선대리인을 선임하여줄 것을 신청할 수 있다.

2019년 국가직 9급

① (O)

> 「행정심판법」 제3조 【행정심판의 대상】 ② 대통령의 처분 또는 부작위에 대하여는 다른 법률에서 행정심판을 청구할 수 있도록 정한 경우 외에는 행정심판을 청구할 수 없다.

② (O)

> 「행정심판법」 제5조 【행정심판의 종류】 행정심판의 종류는 다음 각 호와 같다.
> 3. 의무이행심판: 당사자의 신청에 대한 행정청의 위법 또는 부당한 거부처분이나 부작위에 대하여 일정한 처분을 하도록 하는 행정심판

③ (×)

> 「행정심판법」 제57조 【서류의 송달】 이 법에 따른 서류의 송달에 관하여는 「민사소송법」 중 송달에 관한 규정을 준용한다.

④ (O)

> 「행정심판법」 제18조의2 【국선대리인】 ① 청구인이 경제적 능력으로 인해 대리인을 선임할 수 없는 경우에는 위원회에 국선대리인을 선임하여 줄 것을 신청할 수 있다.

답 ③

함께 정리하기

「행정심판법」

대통령의 처분·부작위
▷ 행정심판청구불가(원칙)

부당한 거부·부작위
▷ 행정소송과 달리 의무이행심판 可

서류의 송달
▷ 「민사소송법」의 송달규정 준용

청구인의 경제적 무능력
▷ 위원회에 국선대리인 선임신청 可

---

011 □□□

「행정심판법」상의 행정심판에 대한 설명으로 옳지 않은 것은? (다툼이 있는 경우 판례에 의함)

① 행정청의 부당한 처분을 변경하는 행정심판은 현행법상 허용된다.
② 당사자의 신청에 대한 행정청의 부당한 거부처분에 대하여 일정한 처분을 하도록 하는 행정심판은 현행법상 허용된다.
③ 당사자의 신청에 대한 행정청의 위법한 부작위에 대하여 행정청의 부작위가 위법하다는 것을 확인하는 행정심판은 현행법상 허용되지 않는다.
④ 당사자의 신청에 대한 행정청의 부당한 거부처분을 취소하는 행정심판은 현행법상 허용되지 않는다.

2020년 서울시·지방직·교육행정직 9급

④ (×)

> 「행정심판법」 제5조 【행정심판의 종류】 행정심판의 종류는 다음 각 호와 같다.
> 1. 취소심판: 행정청의 위법 또는 부당한 처분을 취소하거나 변경하는 행정심판
> 2. 무효등확인심판: 행정청의 처분의 효력 유무 또는 존재 여부를 확인하는 행정심판
> 3. 의무이행심판: 당사자의 신청에 대한 행정청의 위법 또는 부당한 거부처분이나 부작위에 대하여 일정한 처분을 하도록 하는 행정심판

답 ④

문제 DATA

출제가능 지수 ▶▶▷
난이도 지수 ★★☆

함께 정리하기

행정심판

부당한 처분을 변경하는 행정심판
▷ 취소심판

부당한 거부처분에 대하여 일정한 처분을 하도록 하는 행정심판
▷ 의무이행심판

부작위위법확인심판
▷ 현행법상 不許

부당한 거부처분을 취소하는 행정심판
▷ 취소심판

문제 DATA
출제가능 지수 ▶▶▷
난이도 지수 ★★☆

012 ☐☐☐

「행정심판법」상 행정심판에 대한 설명으로 옳은 것은?

① 시·도행정심판위원회와 중앙행정심판위원회는 모두 행정심판의 심리권한과 재결권한을 가진다.
② 중앙행정심판위원회의 위원장은 법제처장이 되고 유고시에는 법제처 차장이 그 직무를 대행한다.
③ 행정심판위원회는 필요하다고 판단하는 경우에는 심판청구의 대상이 되는 처분보다 청구인에게 불리한 재결을 할 수 있다.
④ 예외적으로 당해 지방자치단체의 조례에서 시·도 행정심판위원회의 위원장을 공무원이 아닌 위원으로 정한 경우에 그는 상임으로 직무를 수행한다.

| 2018년 교육행정직

① (○) 종래 「행정심판법」은 심리와 의결을 분리하여 심리는 위원회에, 재결은 재결청에 맡기고 있었으나 현행 「행정심판법」은 심리와 재결 모두를 행정심판위원회로 일원화하고 있다.
② (×)

> 「행정심판법」 제8조【중앙행정심판위원회의 구성】② 중앙행정심판위원회의 위원장은 국민권익위원회의 부위원장 중 1명이 되며, 위원장이 없거나 부득이한 사유로 직무를 수행할 수 없거나 위원장이 필요하다고 인정하는 경우에는 상임위원(상임으로 재직한 기간이 긴 위원 순서로, 재직기간이 같은 경우에는 연장자 순서로 한다)이 위원장의 직무를 대행한다.

③ (×)

> 「행정심판법」 제47조【재결의 범위】② 위원회는 심판청구의 대상이 되는 처분보다 청구인에게 불리한 재결을 하지 못한다.

④ (×)

> 「행정심판법」 제7조【행정심판위원회의 구성】③ 제2항에도 불구하고 제6조 제3항에 따라 시·도지사 소속으로 두는 행정심판위원회의 경우에는 해당 지방자치단체의 조례로 정하는 바에 따라 공무원이 아닌 위원을 위원장으로 정할 수 있다. 이 경우 위원장은 비상임으로 한다.

답 ①

함께 정리하기
행정심판법
행정심판위원회
▷ 심리·재결기능 일원화
중앙심판위원회 위원장
▷ 국민권익위원회 부위원장 중 1인
▷ 유고시 대행자: 상임위원
심판청구 대상처분보다 불이익하게 변경 불가
공무원 아닌 시·도행정심판위원회 위원장
▷ 비상임

문제 DATA
출제가능 지수 ▶▶▷
난이도 지수 ★★☆

013 ☐☐☐

「행정심판법」상 행정심판에 대한 설명으로 옳지 않은 것은?

① 행정심판청구는 처분의 효력이나 그 집행 또는 절차의 속행에 영향을 주지 않는다.
② 「행정심판법」에서 규정한 행정심판의 종류로는 「행정소송법」상 항고소송에 대응하는 취소심판, 무효등확인심판, 의무이행심판과 당사자소송에 대응하는 당사자심판이 있다.
③ 행정심판위원회는 취소심판청구가 이유 있다고 인정하는 경우에도 이를 인용하는 것이 공공복리에 크게 위배된다고 인정하면 그 심판청구를 기각하는 재결을 할 수 있다.
④ 행정심판청구에 대한 재결이 있으면 그 재결에 대하여 다시 행정심판을 청구할 수 없다.

2017년 국가직 9급

① (○)

> 「행정심판법」제30조【집행정지】① 심판청구는 처분의 효력이나 그 집행 또는 절차의 속행에 영향을 주지 아니한다.

② (×) 「행정심판법」은 취소심판, 무효등확인심판, 의무이행심판의 항고소송에 대응하는 심판의 형태만을 규정하고 있을 뿐, 당사자소송에 대응하는 심판의 형태를 규정하고 있지 않다.

> 「행정심판법」제5조【행정심판의 종류】행정심판의 종류는 다음 각 호와 같다.
> 1. 취소심판: 행정청의 위법 또는 부당한 처분을 취소하거나 변경하는 행정심판
> 2. 무효등확인심판: 행정청의 처분의 효력 유무 또는 존재 여부를 확인하는 행정심판
> 3. 의무이행심판: 당사자의 신청에 대한 행정청의 위법 또는 부당한 거부처분이나 부작위에 대하여 일정한 처분을 하도록 하는 행정심판

③ (○)

> 「행정심판법」제44조【사정재결】① 위원회는 심판청구가 이유가 있다고 인정하는 경우에도 이를 인용하는 것이 공공복리에 크게 위배된다고 인정하면 그 심판청구를 기각하는 재결을 할 수 있다. 이 경우 위원회는 재결의 주문에서 그 처분 또는 부작위가 위법하거나 부당하다는 것을 구체적으로 밝혀야 한다.

④ (○)

> 「행정심판법」제51조【행정심판 재청구의 금지】심판청구에 대한 재결이 있으면 그 재결 및 같은 처분 또는 부작위에 대하여 다시 행정심판을 청구할 수 없다.

답 ②

함께 정리하기

행정심판

행정심판의 청구
▷ 집행·절차의 속행에 영향 無

당사자소송에 대응하는 당사자심판 無

공공복리 크게 위배 시
▷ 사정재결 可

재결 후
▷ 행정심판 재청구 금지

014 □□□

이의신청에 대한 설명으로 옳지 않은 것은? (다툼이 있는 경우 판례에 의함)

① 「국가유공자 등 예우 및 지원에 관한 법률」은 국가유공자 등록신청을 거부한 경우 신청대상자가 이의신청을 제기할 수 있도록 규정하고 있는데, 행정청이 그 이의신청을 받아들이지 아니하는 내용의 결정을 한 경우 그 결정은 원결정과 별개로 항고소송의 대상이 되지 않는다.

② 「국세기본법」의 관련규정들의 취지에 비추어 볼 때 동일 사항에 관하여 특별한 사유 없이 종전 처분에 대한 취소를 번복하고 다시 종전 처분을 되풀이할 수는 없는 것이므로, 과세처분에 관한 이의신청 절차에서 과세관청이 과세처분을 직권으로 취소한 이상 그 후 특별한 사유 없이 이를 번복하고 종전 처분을 되풀이하는 것은 허용되지 않는다.

③ 도로점용료 부과처분에 대한 「지방자치법」상의 이의신청은 행정심판과는 구별되는 제도이므로, 이의신청을 제기해야 할 사람이 처분청에 표제를 '행정심판청구서'로 한 서류를 제출한 경우 이를 처분에 대한 이의신청으로 볼 수 없다.

④ 「감염병의 예방 및 관리에 관한 법률」상 예방접종 피해보상 거부처분에 대하여 법령의 규정 없이 제기한 이의신청은 행정심판으로 볼 수 없으므로, 그 거부처분에 대한 신청인의 이의신청에 대해 기각결정이 내려진 경우에는 그 기각결정을 새로운 거부처분으로 본다.

⑤ 개별공시지가에 대하여 「부동산 가격공시에 관한 법률」에 따른 이의신청을 하여 그 결과 통지를 받은 후 다시 행정심판을 거친 경우 행정소송의 제소기간은 그 행정심판 재결서 정본을 송달받은 날부터 기산한다.

문제 DATA

출제가능 지수 ▶▶▷
난이도 지수 ★★★

함께 정리하기

이의신청

「국가유공자법」상 이의신청을 받아들이지 않는 결정
▷ 항고소송의 대상✕

이의신청에 따른 과세처분의 직권취소
▷ 불가변력 인정O(취소번복 불가)

「지방자치법」상 이의신청
▷ 표제불문(내용으로 이의신청 판단)

감염병 예방 법령상 피해보상거부에 대한 이의신청
▷ 이의신청 기각결정은 새로운 거부처분O

개별공시지가에 대하여 이의신청 및 행정심판을 거친 경우 제소기간
▷ 행정심판 재결서 정본 송달받은 날부터 기산

2020년 변호사

① (O) 「국가유공자법」상 이의신청을 받아들이지 않는 결정은 원결정과 별개로 항고소송의 대상이 되지 않는다.

> 국가유공자법 제74조의18 제1항이 정한 이의신청을 받아들이는 것을 내용으로 하는 결정은 당초 국가유공자 등록신청을 받아들이는 새로운 처분으로 볼 수 있으나, 이와 달리 이의신청을 받아들이지 아니하는 내용의 결정은 종전의 결정 내용을 그대로 유지하는 것에 불과한 점 등을 종합하면, … 이의신청인의 권리·의무에 새로운 변동을 가져오는 공권력의 행사나 이에 준하는 행정작용이라고 할 수 없으므로 원결정과 별개로 항고소송의 대상이 되지는 않는다(대판 2016.7.27. 2015두45953).

② (O) 과세처분에 대한 이의신청에 따른 직권취소는 불가변력이 인정된다.

> 과세처분에 관한 이의신청 절차에서 과세관청이 이의신청 사유가 옳다고 인정하여 과세처분을 직권으로 취소한 이상 그 후 특별한 사유 없이 이를 번복하고 종전 처분을 되풀이하는 것은 허용되지 않는다(대판 2010.9.30. 2009두1020).

③ (✕) 「지방자치법」상 이의신청은 단순한 진정이고, 행정심판청구서 제하 서류라도 내용이 이의신청일 때에는 이의신청으로 볼 수 있다.

> 지방자치법 제140조 제3항에서 정한 이의신청은 행정청의 위법·부당한 처분에 대하여 행정기관이 심판하는 행정심판과는 구별되는 별개의 제도이나, … 이의신청을 제기해야 할 사람이 처분청에 표제를 '행정심판청구서'로 한 서류를 제출한 경우라 할지라도 서류의 내용에 이의신청 요건에 맞는 불복취지와 사유가 충분히 기재되어 있다면 표제에도 불구하고 이를 처분에 대한 이의신청으로 볼 수 있다(대판 2012.3.29. 2011두26886).

④ (O) 감염병예방법령상 피해보상거부에 대한 이의신청의 기각결정은 새로운 거부처분이다.

> 비록 원고가 제1차 거부통보에 대하여 이의신청 형식으로 불복하였고 제2차 거부통보의 결론이 제1차 거부통보와 같다고 하더라도, 제2차 거부통보는 실질적으로 새로운 처분에 해당하여 독립한 행정처분으로서 항고소송의 대상이 된다고 볼 수 있다(대판 2019.4.3. 2017두52764).

⑤ (O) 행정심판을 거치는 경우 제소기간은 재결서 송달일·재결이 있은 날부터 기산한다.

> 개별공시지가에 대하여 이의가 있는 자는 곧바로 행정소송을 제기하거나 부동산 가격공시 및 감정평가에 관한 법률에 따른 이의신청과 행정심판법에 따른 행정심판청구 중 어느 하나만을 거쳐 행정소송을 제기할 수 있을 뿐 아니라, 이의신청을 하여 그 결과 통지를 받은 후 다시 행정심판을 거쳐 행정소송을 제기할 수도 있다고 보아야 하고, 이 경우 행정소송의 제소기간은 그 행정심판 재결서 정본을 송달받은 날부터 기산한다(대판 2010.1.28. 2008두19987).

답 ③

015

「행정심판법」에 대한 설명으로 옳은 것(○)과 옳지 않은 것(×)을 올바르게 조합한 것은?

ㄱ. 행정청의 처분 또는 부작위에 대하여는 다른 법률에 특별한 규정이 있는 경우 외에는 이 법에 따라 행정심판을 청구할 수 있다.
ㄴ. 대통령의 처분 또는 부작위에 대하여는 다른 법률에서 행정심판을 청구할 수 있도록 정한 경우 외에는 행정심판을 청구할 수 없다.
ㄷ. 사안(事案)의 전문성과 특수성을 살리기 위하여 특히 필요한 경우 외에는 이 법에 따른 행정심판을 갈음하는 특별한 행정불복절차(이하 "특별행정심판"이라 한다)나 이 법에 따른 행정심판 절차에 대한 특례를 다른 법률로 정할 수 있다.
ㄹ. 다른 법률에서 특별행정심판이나 이 법에 따른 행정심판 절차에 대한 특례를 정한 경우에도 그 법률에서 규정하지 아니한 사항에 관하여는 이 법에서 정하는 바에 따른다.
ㅁ. 관계 행정기관의 장이 특별행정심판 또는 이 법에 따른 행정심판 절차에 대한 특례를 신설하거나 변경하는 법령을 제정·개정할 때에는 미리 중앙행정심판위원회의 동의를 구하여야 한다.

	ㄱ	ㄴ	ㄷ	ㄹ	ㅁ
①	○	○	○	○	×
②	○	○	×	○	×
③	○	○	×	○	○
④	×	×	○	○	○

2017년 경찰

ㄱ. (○)
> 「행정심판법」 제3조【행정심판의 대상】① 행정청의 처분 또는 부작위에 대하여는 다른 법률에 특별한 규정이 있는 경우 외에는 이 법에 따라 행정심판을 청구할 수 있다.

ㄴ. (○)
> 「행정심판법」 제3조【행정심판의 대상】② 대통령의 처분 또는 부작위에 대하여는 다른 법률에서 행정심판을 청구할 수 있도록 정한 경우 외에는 행정심판을 청구할 수 없다.

ㄷ. (×)
> 「행정심판법」 제4조【특별행정심판 등】① 사안의 전문성과 특수성을 살리기 위하여 특히 필요한 경우 외에는 이 법에 따른 행정심판을 갈음하는 특별한 행정불복절차(이하 "특별행정심판"이라 한다)나 이 법에 따른 행정심판 절차에 대한 특례를 다른 법률로 정할 수 없다.

ㄹ. (○)
> 「행정심판법」 제4조【특별행정심판 등】② 다른 법률에서 특별행정심판이나 이 법에 따른 행정심판 절차에 대한 특례를 정한 경우에도 그 법률에서 규정하지 아니한 사항에 관하여는 이 법에서 정하는 바에 따른다.

ㅁ. (×)
> 「행정심판법」 제4조【특별행정심판 등】③ 관계 행정기관의 장이 특별행정심판 또는 이 법에 따른 행정심판 절차에 대한 특례를 신설하거나 변경하는 법령을 제정·개정할 때에는 미리 중앙행정심판위원회와 협의하여야 한다.

답 ②

문제 DATA
출제가능 지수 ▶▶▷
난이도 지수 ★★☆

함께 정리하기
「행정심판법」

행정청의 처분·부작위
▷ 원칙적으로 행정심판청구 可

대통령의 처분 or 부작위
▷ 원칙적으로 행정심판 不可

전문성·특수성 특히 필요
▷ 특별행정심판 or 특례 可

특별행정심판·특례 정한 경우
▷ 미규정사항 → 「행정심판법」 적용

특별행정심판·특례 신설·변경
▷ 중앙행정심판위원회와 협의 要

문제 DATA
출제가능 지수 ▶▶▷
난이도 지수 ★★☆

016 □□□

다음 중 「행정심판법」에 따른 행정심판을 제기할 수 없는 경우만을 모두 고르면?

> ㄱ. 「공공기관의 정보공개에 관한 법률」상 정보공개와 관련한 공공기관의 비공개결정에 대하여 이의신청을 한 경우
> ㄴ. 「공익사업을 위한 토지 등의 취득 및 보상에 관한 법률」상 토지수용위원회의 수용재결에 이의가 있어 중앙토지수용위원회에 이의를 신청한 경우
> ㄷ. 「난민법」상 난민불인정결정에 대해 법무부장관에게 이의신청을 한 경우
> ㄹ. 「민원 처리에 관한 법률」상 법정민원에 대한 행정기관의 장의 거부처분에 대해 그 행정기관의 장에게 이의신청을 한 경우

① ㄱ, ㄴ
② ㄱ, ㄹ
③ ㄴ, ㄷ
④ ㄷ, ㄹ

2022년 국가직 9급

ㄱ, ㄹ은 「행정심판법」상의 일반행정심판에 해당하고, ㄴ, ㄷ은 개별법에 규정된 특별행정심판에 해당한다. 특별행정심판이란 「행정심판법」에 따른 행정심판이 아니라 개별법에서 정한 다른 기관에서 심리·재결하는 행정심판을 말한다. 각 개별법률에서는 행정심판에 대하여 이의신청, 심사청구, 심판청구, 재심청구 등의 용어를 사용하고 있다. 특별행정심판의 대상은 「행정심판법」상의 행정심판의 대상이 아니다.
ㄴ. (×) 토지수용재결에 대한 이의신청은 중앙토지수용위원회에서 심판하는 특별행정심판에 해당한다.
ㄷ. (×) 난민불인정에 대한 이의신청은 「난민법」상의 난민위원회에서 심판하는 특별행정심판에 해당한다.

답 ③

함께 정리하기
행정심판

공공기관의 비공개결정에 대한 이의신청 거친 후
▷ 「행정심판법」상 행정심판

수용재결에 대한 이의신청
▷ 중앙토지수용위원회의 특별행정심판

난민불인정에 대한 이의신청
▷ 난민위원회의 특별행정심판

민원처리법상 거부처분에 대한 이의신청 거친 후
▷ 「행정심판법」상 행정심판

문제 DATA
출제가능 지수 ▶▶▷
난이도 지수 ★★☆

017 □□□

처분에 관하여 이해관계가 있는 제3자의 법적 지위에 대한 설명으로 옳은 것만을 모두 고르면? (다툼이 있는 경우 판례에 의함)

> ㄱ. 행정청이 처분을 서면으로 하는 경우 상대방과 제3자에게 행정심판을 제기할 수 있는지 여부와 제기하는 경우의 행정심판절차 및 청구기간을 직접 알려야 한다.
> ㄴ. 행정소송의 결과에 따라 권리 또는 이익의 침해 우려가 있는 제3자는 당해 행정소송에 참가할 수 있으며, 이 때 참가인인 제3자는 실제로 소송에 참가하여 소송행위를 하였는지 여부를 불문하고 판결의 효력을 받는다.
> ㄷ. 처분을 취소하는 판결에 의하여 권리의 침해를 받는 제3자는 자기에게 책임 없는 사유로 인하여 소송에 참가하지 못함으로써 판결의 결과에 영향을 미칠 공격 또는 방어방법을 제출하지 못한 때에는 이를 이유로 확정된 종국 판결에 대하여 재심의 청구를 할 수 있다.
> ㄹ. 이해관계가 있는 제3자는 자신의 신청 또는 행정청의 직권에 의하여 행정절차에 참여하여 처분 전에 그 처분의 관할 행정청에 서면이나 말로 또는 정보통신망을 이용하여 의견제출을 할 수 있다.

① ㄱ, ㄴ
② ㄷ, ㄹ
③ ㄴ, ㄷ, ㄹ
④ ㄱ, ㄴ, ㄷ, ㄹ

2018년 지방직 9급

함께 정리하기

이해관계 있는 제3자의 지위

「행정심판법」상 직권고지
▷ 처분의 상대방에게만

처분의 제3자
▷ 판결효력 미침

책임 없이 참가 못한 제3자
▷ 재심청구 可

행정절차에 참여한 제3자
▷ 서면·말·정보통신망 의견제출 可

ㄱ. (×)

> 「행정심판법」제58조【행정심판의 고지】① 행정청이 처분을 할 때에는 처분의 상대방에게 다음 각 호의 사항을 알려야 한다.
> 1. 해당 처분에 대하여 행정심판을 청구할 수 있는지
> 2. 행정심판을 청구하는 경우의 심판청구 절차 및 심판청구 기간

ㄴ. (○) 제3자의 소송참가는 공동소송적 보조참가의 성질을 갖는다.

> 「행정소송법」제16조【제3자의 소송참가】① 법원은 소송의 결과에 따라 권리 또는 이익의 침해를 받을 제3자가 있는 경우에는 당사자 또는 제3자의 신청 또는 직권에 의하여 결정으로써 그 제3자를 소송에 참가시킬 수 있다.

행정소송 사건에서 참가인이 한 보조참가가 행정소송법 제16조가 규정한 제3자의 소송참가에 해당하지 않는 경우에도, 판결의 효력이 참가인에게까지 미치는 점 등 행정소송의 성질에 비추어 보면 그 참가는 민사소송법 제78조에 규정된 공동소송적 보조참가이다(대판 2013.3.28. 2011두13729).

ㄷ. (○)

> 「행정소송법」제31조【제3자에 의한 재심청구】① 처분등을 취소하는 판결에 의하여 권리 또는 이익의 침해를 받은 제3자는 자기에게 책임없는 사유로 소송에 참가하지 못함으로써 판결의 결과에 영향을 미칠 공격 또는 방어방법을 제출하지 못한 때에는 이를 이유로 확정된 종국판결에 대하여 재심의 청구를 할 수 있다.

ㄹ. (○)

> 「행정절차법」제2조【정의】이 법에서 사용하는 용어의 뜻은 다음과 같다.
> 4. "당사자등"이란 다음 각 목의 자를 말한다.
>   가. 행정청의 처분에 대하여 직접 그 상대가 되는 당사자
>   나. 행정청이 직권으로 또는 신청에 따라 행정절차에 참여하게 한 이해관계인
> 제27조【의견제출】① 당사자등은 처분 전에 그 처분의 관할 행정청에 서면이나 말로 또는 정보통신망을 이용하여 의견제출을 할 수 있다.

답 ③

ⓥ ALL KILL 기출   제1장 행정심판 일반론

01 이의신청은 그것이 준사법적 절차의 성격을 띠어 실질적으로 행정심판의 성질을 가지더라도 이를 행정심판으로 볼 수 없다.   16. 국회직 8급 (   )

02 의무이행심판은 행정청의 적극적인 행위로 인한 침해로부터 권익을 보호하는 기능을 한다.   14. 서울시 9급 (   )

03 「행정심판법」상의 고지에서 직권에 의하여 고지하는 경우 처분의 상대방에 대해서만 고지하면 된다.   11. 국회직 8급 (   )

정답 및 해설

01 × 이의신청의 실질이 행정심판인 경우에 행정심판으로 보아야 함(대판 1992.8.18. 92누565)
02 × 의무이행심판은 소극적인 행위로 인한 권익침해를 보호
03 ○ 「행정심판법」상 직권고지의 경우 처분 상대방에 대해서만 고지하면 됨(「행정심판법」제58조 제1항)

제2장 행정심판청구의 요건

문제 DATA
출제가능 지수 ▶▶▷
난이도 지수 ★★☆

함께 정리하기
행정심판
적법한 행정심판청구를 각하한 재결
▷ 재결자체의 고유한 하자

선정대표자가 선정시
▷ 다른 청구인들은 선정대표자를 통해서만 사건에 관한 행위 可

집행정지로 목적 달성 可
▷ 임시처분✕

제3자의 심판청구
▷ 재결서 등본 피청구인 거쳐 처분상대방에게 송달

제1절 ㅣ 행정심판의 당사자 및 관계인

001 □□□

행정심판에 대한 설명으로 옳지 않은 것은?

① 행정심판청구가 부적법하지 않음에도 각하한 재결은 심판청구인의 실체심리를 받을 권리를 박탈한 것으로서 원처분에 없는 고유한 하자가 있는 경우에 해당한다.
② 선정대표자가 선정되더라도 다른 청구인들은 그 선정대표자를 통해서만 그 사건에 관한 행위를 할 수 있는 것은 아니다.
③ 「행정심판법」상 임시처분은 집행정지로 목적을 달성할 수 있는 경우에는 허용되지 아니한다.
④ 처분의 상대방이 아닌 제3자가 심판청구를 한 경우 행정심판위원회는 재결서의 등본을 지체 없이 피청구인을 거쳐 처분의 상대방에게 송달하여야 한다.

> 2024년 지방직 7급

① (○) 행정소송법 제19조에 의하면 행정심판에 대한 재결에 대하여도 그 재결 자체에 고유한 위법이 있음을 이유로 하는 경우에는 항고소송을 제기하여 그 취소를 구할 수 있고, 여기에서 말하는 '재결 자체에 고유한 위법'이란 그 재결자체에 주체, 절차, 형식 또는 내용상의 위법이 있는 경우를 의미하는데, <u>행정심판청구가 부적법하지 않음에도 각하한 재결은 심판청구인의 실체심리를 받을 권리를 박탈한 것으로서 원처분에 없는 고유한 하자가 있는 경우에 해당하고, 따라서 위 재결은 취소소송의 대상이 된다</u>(대판 2001.7.27. 99두2970).

② (✕)

> 「행정심판법」 제15조【선정대표자】① 여러 명의 청구인이 공동으로 심판청구를 할 때에는 청구인들 중에서 3명 이하의 선정대표자를 선정할 수 있다.
> ② 청구인들이 제1항에 따라 선정대표자를 선정하지 아니한 경우에 위원회는 필요하다고 인정하면 청구인들에게 선정대표자를 선정할 것을 권고할 수 있다.
> ③ 선정대표자는 다른 청구인들을 위하여 그 사건에 관한 모든 행위를 할 수 있다. 다만, 심판청구를 취하하려면 다른 청구인들의 동의를 받아야 하며, 이 경우 동의받은 사실을 서면으로 소명하여야 한다.
> ④ <u>선정대표자가 선정되면 다른 청구인들은 그 선정대표자를 통해서만 그 사건에 관한 행위를 할 수 있다.</u>

③ (○)

> 「행정심판법」 제31조【임시처분】① 위원회는 처분 또는 부작위가 위법·부당하다고 상당히 의심되는 경우로서 처분 또는 부작위 때문에 당사자가 받을 우려가 있는 중대한 불이익이나 당사자에게 생길 급박한 위험을 막기 위하여 임시지위를 정하여야 할 필요가 있는 경우에는 직권으로 또는 당사자의 신청에 의하여 임시처분을 결정할 수 있다.
> ③ <u>제1항에 따른 임시처분은 제30조 제2항에 따른 집행정지로 목적을 달성할 수 있는 경우에는 허용되지 아니한다.</u>

④ (○)

> 「행정심판법」 제48조【재결의 송달과 효력 발생】① 위원회는 지체 없이 당사자에게 재결서의 정본을 송달하여야 한다. 이 경우 중앙행정심판위원회는 재결 결과를 소관 중앙행정기관의 장에게도 알려야 한다.
> ② 재결은 청구인에게 제1항 전단에 따라 송달되었을 때에 그 효력이 생긴다.
> ③ 위원회는 재결서의 등본을 지체 없이 참가인에게 송달하여야 한다.
> ④ <u>처분의 상대방이 아닌 제3자가 심판청구를 한 경우 위원회는 재결서의 등본을 지체 없이 피청구인을 거쳐 처분의 상대방에게 송달하여야 한다.</u>

답 ②

002

다음 중 「행정심판법」에 대한 설명으로 옳은 것을 모두 고른 것은?

> ㄱ. 대통령의 처분 또는 부작위에 대하여는 다른 법률에서 행정심판을 청구할 수 있도록 정한 경우 외에는 행정심판을 청구할 수 없다.
> ㄴ. 관계 행정기관의 장이 특별행정심판 또는 이 법에 따른 행정심판 절차에 대한 특례를 신설하거나 변경하는 법령을 제정·개정할 때에는 미리 중앙행정심판위원회와 협의하여야 한다.
> ㄷ. 법인이 아닌 사단 또는 재단으로서 대표자나 관리인이 정하여져 있는 경우에는 그 사단이나 재단의 이름으로 심판청구를 할 수 있다.
> ㄹ. 여러 명의 청구인이 공동으로 심판청구를 할 때에는 청구인들 중에서 7명 이하의 선정대표자를 선정할 수 있다.
> ㅁ. 선정대표자로 선정된 후에는 다른 청구인들의 동의를 받지 아니하고도 다른 청구인들을 위하여 심판청구의 취하를 포함해서 그 사건에 관한 모든 행위를 할 수 있다.

① ㄱ, ㄴ, ㄷ
② ㄱ, ㄴ, ㅁ
③ ㄴ, ㄷ, ㄹ
④ ㄷ, ㄹ, ㅁ

문제 DATA
출제가능 지수 ▶▶▷
난이도 지수 ★★★

2024년 군무원 7급

ㄱ. (O)

> 「행정심판법」 제3조 【행정심판의 대상】 ② 대통령의 처분 또는 부작위에 대하여는 다른 법률에서 행정심판을 청구할 수 있도록 정한 경우 외에는 행정심판을 청구할 수 없다.

ㄴ. (O)

> 「행정심판법」 제4조 【특별행정심판 등】 ① 사안(事案)의 전문성과 특수성을 살리기 위하여 특히 필요한 경우 외에는 이 법에 따른 행정심판을 갈음하는 특별한 행정불복절차(이하 "특별행정심판"이라 한다)나 이 법에 따른 행정심판 절차에 대한 특례를 다른 법률로 정할 수 없다.
> ③ 관계 행정기관의 장이 특별행정심판 또는 이 법에 따른 행정심판 절차에 대한 특례를 신설하거나 변경하는 법령을 제정·개정할 때에는 미리 중앙행정심판위원회와 협의하여야 한다.

ㄷ. (O)

> 「행정심판법」 제14조 【법인이 아닌 사단 또는 재단의 청구인 능력】 법인이 아닌 사단 또는 재단으로서 대표자나 관리인이 정하여져 있는 경우에는 그 사단이나 재단의 이름으로 심판청구를 할 수 있다.

ㄹ, ㅁ. (X)

> 「행정심판법」 제15조 【선정대표자】 ① 여러 명의 청구인이 공동으로 심판청구를 할 때에는 청구인들 중에서 3명 이하의 선정대표자를 선정할 수 있다(ㄹ).
> ③ 선정대표자는 다른 청구인들을 위하여 그 사건에 관한 모든 행위를 할 수 있다. 다만, 심판청구를 취하하려면 다른 청구인들의 동의를 받아야 하며, 이 경우 동의받은 사실을 서면으로 소명하여야 한다(ㅁ).

답 ①

함께 정리하기

행정심판법

대통령의 처분·부작위
▷ 행정심판청구불가(원칙)

특별행정심판·특례 신설·변경
▷ 중앙행정심판위원회와 협의 要

비법인사단·재단의 대표자 or 관리인 有
▷ 사단·재단 명의로 심판청구 可

공동 심판청구
▷ 3명 이하 선정대표자 선정 可

선정대표자
▷ 다른 청구인 위해 모든 행위 可
▷ 심판청구 취하: 다른 청구인 동의 要

문제 DATA

출제가능 지수 ▶▶∑
난이도 지수 ★★☆

003 □□□

행정심판에 있어서 당사자와 관계인에 대한 설명으로 옳지 않은 것은?

① 심판청구의 대상과 관계되는 권리나 이익을 양수한 자는 위원회의 허가를 받아 청구인의 지위를 승계할 수 있다.
② 법인이 아닌 사단 또는 재단으로서 대표자나 관리인이 정하여져 있는 경우에는 그 대표자나 관리인의 이름으로 심판청구를 할 수 있다.
③ 청구인이 피청구인을 잘못 지정한 경우에는 위원회는 직권으로 또는 당사자의 신청에 의하여 결정으로써 피청구인을 경정할 수 있다.
④ 행정심판의 경우 여러 명의 청구인이 공동으로 심판청구를 할 때에는 청구인들 중에서 3명 이하의 선정대표자를 선정할 수 있다.
⑤ 참가인은 행정심판 절차에서 당사자가 할 수 있는 심판절차상의 행위를 할 수 있다.

| 2018년 국회직 8급

① (○)

> 「행정심판법」 제16조 【청구인의 지위 승계】 ⑤ 심판청구의 대상과 관계되는 권리나 이익을 양수한 자는 위원회의 허가를 받아 청구인의 지위를 승계할 수 있다.

② (✕)

> 「행정심판법」 제14조 【법인이 아닌 사단 또는 재단의 청구인 능력】 법인이 아닌 사단 또는 재단으로서 대표자나 관리인이 정하여져 있는 경우에는 그 사단이나 재단의 이름으로 심판청구를 할 수 있다.

③ (○)

> 「행정심판법」 제17조 【피청구인의 적격 및 경정】 ② 청구인이 피청구인을 잘못 지정한 경우에는 위원회는 직권으로 또는 당사자의 신청에 의하여 결정으로써 피청구인을 경정(更正)할 수 있다.

④ (○)

> 「행정심판법」 제15조 【선정대표자】 ① 여러 명의 청구인이 공동으로 심판청구를 할 때에는 청구인들 중에서 3명 이하의 선정대표자를 선정할 수 있다.

⑤ (○)

> 「행정심판법」 제22조 【참가인의 지위】 ① 참가인은 행정심판 절차에서 당사자가 할 수 있는 심판절차상의 행위를 할 수 있다.

답 ②

함께 정리하기

「행정심판법」

권리·이익 양수한자
▷ 위원회 허가 얻어 지위승계

법인 아닌 사단·재단
▷ 사단·재단의 이름으로 심판청구

피청구인 잘못 지정
▷ 직권·신청 의해 피청구인경정

공동 심판청구
▷ 3명 이하 선정대표자 선정 可

참가인
▷ 당사자가 할 수 있는 행위 可

제2절 | 행정심판의 대상

001 ☐☐☐

행정심판에 대한 설명으로 옳은 것은?

① 청구인적격이 없는 자가 제기한 행정심판이라고 하더라도 본안심리를 거쳐서 기각하여야 한다.
② 행정심판의 대상은 행정청의 위법·부당한 처분에 한정되며, 부작위는 대상이 될 수 없다.
③ 대통령의 처분에 대하여는 다른 법률에서 행정심판을 청구할 수 있도록 정한 경우 외에는 행정심판을 청구할 수 없다.
④ 취소심판의 청구기간은 무효등확인심판청구에도 적용한다.
⑤ 법인이 아닌 사단은 대표자나 관리인이 정하여져 있는 경우에도 그 사단의 이름으로 심판청구를 할 수 없다.

2017년 5급 행정

① (×) 청구인적격이란 당해 사건에서 청구인이 되어 재결을 받을 수 있는 법적 자격을 말하고 이는 행정소송의 원고적격에 대응되는 개념이다. 청구인적격이 없는 자가 제기한 행정심판은 부적법하여 각하된다.

> 「행정심판법」 제43조 【재결의 구분】 ① 위원회는 심판청구가 적법하지 아니하면 그 심판청구를 각하한다.

② (×), ③ (○)

> 「행정심판법」 제3조 【행정심판의 대상】 ① 행정청의 <u>처분 또는 부작위</u>에 대하여는 다른 법률에 특별한 규정이 있는 경우 외에는 이 법에 따라 행정심판을 청구할 수 있다.
> ② 대통령의 처분 또는 부작위에 대하여는 <u>다른 법률에서 행정심판을 청구할 수 있도록 정한 경우 외에는 행정심판을 청구할 수 없다.</u>

④ (×)

> 「행정심판법」 제27조 【심판청구의 기간】 ① 행정심판은 처분이 있음을 알게 된 날부터 90일 이내에 청구하여야 한다.
> ③ 행정심판은 처분이 있었던 날부터 180일이 지나면 청구하지 못한다. 다만, 정당한 사유가 있는 경우에는 그러하지 아니하다.
> ⑦ <u>제1항부터 제6항까지의 규정은 무효등확인심판청구와 부작위에 대한 의무이행심판청구에는 적용하지 아니한다.</u>

⑤ (×)

> 「행정심판법」 제14조 【법인이 아닌 사단 또는 재단의 청구인 능력】 법인이 아닌 사단 또는 재단으로서 대표자나 관리인이 정하여져 있는 경우에는 그 사단이나 재단의 이름으로 심판청구를 할 수 있다.

답 ③

문제 DATA
출제가능 지수 ▶▶▷
난이도 지수 ★★☆

함께 정리하기
행정심판청구 요건

청구인적격 ×
▷ 각하

대상
▷ 행정청의 위법·부당한 처분 & 부작위

대통령의 처분
▷ 원칙 행정심판 ×

청구기간
▷ 무효등확인심판청구 ×

비법인사단의 대표자 or 관리인 有
▷ 사단명의로 심판청구 可

💡 ALL KILL 기출　　　　　　제2절 행정심판의 대상

01 행정심판의 결과에 이해관계가 있는 제3자 또는 행정청은 행정심판위원회의 허가를 받아 그 사건에 참가할 수 있다.　　　　　　　　　　　15. 사복직 (　)

02 행정심판사항에 대해 개괄주의가 채택되고 있다.　　　　　　09. 지방직 7급 (　)

정답 및 해설
01 ○ 「행정심판법」 제20조 제1항 참조
02 ○ 「행정심판법」은 쟁송사항에 대하여 행정소송과 마찬가지로 개괄주의를 취하고 있음

제3절 | 행정심판기관

001 ☐☐☐

「행정심판법」상 중앙행정심판위원회에만 인정되는 고유한 권한인 것은?

① 심리·재결권
② 불합리한 법령 등의 개선을 위한 시정조치요청권
③ 청구인 지위의 승계허가권
④ 대리인 선임허가권
⑤ 피청구인 경정결정권

| 2020년 국회직 8급

① (×)

> 「행정심판법」 제6조 【행정심판위원회의 설치】 ① 다음 각 호의 행정청 또는 그 소속 행정청(행정기관의 계층구조와 관계없이 그 감독을 받거나 위탁을 받은 모든 행정청을 말하되, 위탁을 받은 행정청은 그 위탁받은 사무에 관하여는 위탁한 행정청의 소속 행정청으로 본다. 이하 같다)의 처분 또는 부작위에 대한 행정심판의 청구(이하 "심판청구"라 한다)에 대하여는 다음 각 호의 행정청에 두는 행정심판위원회에서 심리·재결한다.
> 1. 감사원, 국가정보원장, 그 밖에 대통령령으로 정하는 대통령 소속기관의 장
> 2. 국회사무총장·법원행정처장·헌법재판소사무처장 및 중앙선거관리위원회사무총장
> 3. 국가인권위원회, 그 밖에 지위·성격의 독립성과 특수성 등이 인정되어 대통령령으로 정하는 행정청
> ② 다음 각 호의 행정청의 처분 또는 부작위에 대한 심판청구에 대하여는 「부패방지 및 국민권익위원회의 설치와 운영에 관한 법률」에 따른 국민권익위원회(이하 "국민권익위원회"라 한다)에 두는 중앙행정심판위원회에서 심리·재결한다.
> 1. 제1항에 따른 행정청 외의 국가행정기관의 장 또는 그 소속 행정청
> 2. 특별시장·광역시장·특별자치시장·도지사·특별자치도지사(특별시·광역시·특별자치시·도 또는 특별자치도의 교육감을 포함한다. 이하 "시·도지사"라 한다) 또는 특별시·광역시·특별자치시·도·특별자치도(이하 "시·도"라 한다)의 의회(의장, 위원회의 위원장, 사무처장 등 의회 소속 모든 행정청을 포함한다)
> 3. 「지방자치법」에 따른 지방자치단체조합 등 관계 법률에 따라 국가·지방자치단체·공공법인 등이 공동으로 설립한 행정청. 다만, 제3항 제3호에 해당하는 행정청은 제외한다.
> ③ 다음 각 호의 행정청의 처분 또는 부작위에 대한 심판청구에 대하여는 시·도지사 소속으로 두는 행정심판위원회에서 심리·재결한다.
> 1. 시·도 소속 행정청
> 2. 시·도의 관할구역에 있는 시·군·자치구의 장, 소속 행정청 또는 시·군·자치구의 의회(의장, 위원회의 위원장, 사무국장, 사무과장 등 의회 소속 모든 행정청을 포함한다)
> 3. 시·도의 관할구역에 있는 둘 이상의 지방자치단체(시·군·자치구를 말한다)·공공법인 등이 공동으로 설립한 행정청
> ④ 제2항 제1호에도 불구하고 대통령령으로 정하는 국가행정기관 소속 특별지방행정기관의 장의 처분 또는 부작위에 대한 심판청구에 대하여는 해당 행정청의 직근 상급 행정기관에 두는 행정심판위원회에서 심리·재결한다.

② (○)

> 「행정심판법」 제59조 【불합리한 법령 등의 개선】 ① 중앙행정심판위원회는 심판청구를 심리·재결할 때에 처분 또는 부작위의 근거가 되는 명령 등(대통령령·총리령·부령·훈령·예규·고시·조례·규칙 등을 말한다. 이하 같다)이 법령에 근거가 없거나 상위 법령에 위배되거나 국민에게 과도한 부담을 주는 등 크게 불합리하면 관계 행정기관에 그 명령 등의 개정·폐지 등 적절한 시정조치를 요청할 수 있다. 이 경우 중앙행정심판위원회는 시정조치를 요청한 사실을 법제처장에게 통보하여야 한다.
> ② 제1항에 따른 요청을 받은 관계 행정기관은 정당한 사유가 없으면 이에 따라야 한다.

문제 DATA
출제가능 지수 ▶▶▷
난이도 지수 ★☆☆

함께 정리하기
중앙행정심판위원회에만 인정되는 고유한 권한
▷ 심리·재결권✕
▷ 불합리한 법령 등의 개선을 위한 시정조치요청권○
▷ 청구인 지위의 승계허가권✕
▷ 대리인 선임허가권✕
▷ 피청구인 경정결정권✕

③ (×)

> 「행정심판법」 제16조【청구인의 지위 승계】 ① 청구인이 사망한 경우에는 상속인이나 그 밖에 법령에 따라 심판청구의 대상에 관계되는 권리나 이익을 승계한 자가 청구인의 지위를 승계한다.
> ② 법인인 청구인이 합병에 따라 소멸하였을 때에는 합병 후 존속하는 법인이나 합병에 따라 설립된 법인이 청구인의 지위를 승계한다.
> ⑤ 심판청구의 대상과 관계되는 권리나 이익을 양수한 자는 위원회의 허가를 받아 청구인의 지위를 승계할 수 있다.

④ (×)

> 「행정심판법」 제18조【대리인의 선임】 ① 청구인은 법정대리인 외에 다음 각 호의 어느 하나에 해당하는 자를 대리인으로 선임할 수 있다.
> 1. 청구인의 배우자, 청구인 또는 배우자의 사촌 이내의 혈족
> 2. 청구인이 법인이거나 제14조에 따른 청구인 능력이 있는 법인이 아닌 사단 또는 재단인 경우 그 소속 임직원
> 3. 변호사
> 4. 다른 법률에 따라 심판청구를 대리할 수 있는 자
> 5. 그 밖에 위원회의 허가를 받은 자

⑤ (×)

> 「행정심판법」 제17조【피청구인의 적격 및 경정】 ① 행정심판은 처분을 한 행정청(의무이행심판의 경우에는 청구인의 신청을 받은 행정청)을 피청구인으로 하여 청구하여야 한다. 다만, 심판청구의 대상과 관계되는 권한이 다른 행정청에 승계된 경우에는 권한을 승계한 행정청을 피청구인으로 하여야 한다.
> ② 청구인이 피청구인을 잘못 지정한 경우에는 위원회는 직권으로 또는 당사자의 신청에 의하여 결정으로써 피청구인을 경정할 수 있다.

답 ②

002 □□□

국민권익위원회에 두는 중앙행정심판위원회가 심리·재결하는 행정처분이 아닌 것은?

① 국가정보원장의 행정처분
② 서울특별시 의회의 행정처분
③ 대구광역시 교육감의 행정처분
④ 해양경찰청장의 행정처분

| 2014년 국가직 9급

① (×)

> 「행정심판법」 제6조【행정심판위원회의 설치】 ① 다음 각 호의 행정청 또는 그 소속 행정청(행정기관의 계층구조와 관계없이 그 감독을 받거나 위탁을 받은 모든 행정청을 말하되, 위탁을 받은 행정청은 그 위탁받은 사무에 관하여는 위탁한 행정청의 소속 행정청으로 본다. 이하 같다)의 처분 또는 부작위에 대한 행정심판의 청구(이하 "심판청구"라 한다)에 대하여는 다음 각 호의 행정청에 두는 행정심판위원회에서 심리·재결한다.
> 1. 감사원, 국가정보원장, 그 밖에 대통령령으로 정하는 대통령 소속기관의 장
> 2. 국회사무총장·법원행정처장·헌법재판소사무처장 및 중앙선거관리위원회사무총장
> 3. 국가인권위원회, 그 밖에 지위·성격의 독립성과 특수성 등이 인정되어 대통령령으로 정하는 행정청

유제 15. 서울시 7급 법원행정처장의 부당한 처분에 대해서는 중앙행정심판위원회에 행정심판을 제기할 수 있다. (×)

②, ③, ④ (○)

> 「행정심판법」 제6조【행정심판위원회의 설치】 ② 다음 각 호의 행정청의 처분 또는 부작위에 대한 심판청구에 대하여는 「부패방지 및 국민권익위원회의 설치와 운영에 관한 법률」에 따른 국민권익위원회(이하 "국민권익위원회"라 한다)에 두는 중앙행정심판위원회에서 심리·재결한다.

문제 DATA
출제가능 지수 ▶▶▷
난이도 지수 ★☆☆

함께 정리하기

행정심판위원회의 관할

국정원장 처분
▷ 국정원 소속 행정심판위원회

서울특별시 의회 처분
▷ 중앙행정심판위원회

대구광역시 교육감 처분
▷ 중앙행정심판위원회

해양경찰청장 처분
▷ 중앙행정심판위원회

1. 제1항에 따른 행정청 외의 국가행정기관의 장 또는 그 소속 행정청
2. 특별시장·광역시장·특별자치시장·도지사·특별자치도지사(특별시·광역시·특별자치시·도 또는 특별자치도의 교육감을 포함한다. 이하 "시·도지사"라 한다) 또는 특별시·광역시·특별자치시·도·특별자치도(이하 "시·도"라 한다)의 의회(의장, 위원회의 위원장, 사무처장 등 의회 소속 모든 행정청을 포함한다)

답 ①

문제 DATA

출제가능 지수 ▶▶▷
난이도 지수 ★☆☆

003 □□□

서울특별시 소속 행정청의 처분에 대한 행정심판을 관할하는 기관은?

① 서울특별시행정심판위원회
② 해당 행정청이 위치한 구(區)행정심판위원회
③ 중앙행정심판위원회
④ 서울특별시장
⑤ 행정심판청구인이 임의적으로 선택할 수 있다.

2014년 서울시 9급

① (O) 서울특별시 소속 행정청의 처분에 대한 행정심판은 서울특별시행정심판위원회의 관할이다.

함께 정리하기

행정심판위원회의 관할

서울특별시 소속 행정청의 처분
▷ 서울특별시 행정심판위원회

해당 행정청 위치한 구 행정심판위원회
▷ 규정×

서울특별시장 처분
▷ 중앙행정심판위원회

행정심판위원회 관할
▷ 청구인이 임의 선택×

관련 이론 행정심판위원회

행정심판위원회	해당 조문	대상(예시)
처분청에 설치된 행정심판위원회(제1항)	• 감사원, 국가정보원장, 그 밖에 대통령령으로 정하는 대통령 소속기관의 장(방송통신위원회 등) • 국회사무총장·법원행정처장·헌법재판소사무처장 및 중앙 선거관리위원회사무총장 • 국가인권위원회 그 밖에 지위·성격의 독립성과 특수성 등 이 인정되어 대통령령으로 정하는 행정청	• 국가정보원장의 처분 • 법원행정처장의 처분
국민권익위원회에 설치된 중앙행정심판위원회 (제2항)	• 제1항 외 국가기관 • 특별시장·광역시장·도지사(교육감을 포함, 이하 시·도지 사) 또는 시·도의 의회(의장, 위원회의 위원장, 사무처장 등 의회 소속 모든 행정청을 포함) • 「지방자치법」에 따른 지방자치단체조합 등 관계 법률에 따라 국가·지방자치단체·공공법인 등이 공동으로 설립한 행정청(제3항 제3호에 해당하는 행정청 제외)	• 경찰청장의 처분 • 서울특별시장의 식품위생업무에 관한 처분 • 서울특별시의회의 처분 • 대구광역시 교육감의 처분 • 국무총리나 행정부장관의 처분 • 병무청장의 징집처분
직근 상급 행정기관에 설치된 행정심판위원회(제4항)	대통령령으로 정하는 국가행정기관 소속 특별지방행정기관의 장의 처분 또는 부작위에 대한 심판청구	법무부 및 대검찰청 소속 특별지방행정기관
시·도에 설치된 행정심판위원회(제3항)	• 시·도 소속 행정청 • 시·군·자치구의 장, 소속 행정청 또는 시·군·자치구의 의회(의장, 위원회의 위원장, 사무국장, 사무과장 등 의회 소속 모든 행정청을 포함) • 둘 이상의 지방자치단체·공공법인 등이 공동으로 설립한 행정청	• 서울특별시 소속 행정청의 처분 • 종로구청장이 행한 처분

유제 15. 지방직 9급 시·도의 관할구역에 있는 둘 이상의 시·군·자치구 등이 공동으로 설립한 행정청의 처분에 대하여는 시·도지사 소속 행정심판위원회에서 심리·재결한다. (O)

답 ①

004

「행정심판법」상 중앙행정심판위원회의 구성에 대한 내용으로 옳은 것만을 <보기>에서 모두 고르면?

<보기>
ㄱ. 중앙행정심판위원회는 위원장 1명을 포함하여 50명 이내의 위원으로 구성하되 위원 중 상임위원은 5명 이내로 한다.
ㄴ. 중앙행정심판위원회의 위원장은 국민권익위원회의 부위원장 중 1명이 된다.
ㄷ. 중앙행정심판위원회의 상임위원은 행정심판에 관한 지식과 경험이 풍부한 사람 중에서 중앙행정심판위원회 위원장의 제청으로 국무총리를 거쳐 대통령이 임명할 수 있다.
ㄹ. 중앙행정심판위원회의 비상임위원은 변호사 자격을 취득한 후 3년 이상의 실무 경험이 있는 사람 중에서 중앙행정심판위원회 위원장의 제청으로 국무총리가 성별을 고려하여 위촉할 수 있다.
ㅁ. 중앙행정심판위원회의 회의는 소위원회 회의를 제외하고 위원장, 상임위원 및 위원장이 회의마다 지정하는 비상임위원을 포함하여 총 7명으로 구성한다.

① ㄱ
② ㄱ, ㄴ
③ ㄴ, ㄷ
④ ㄴ, ㄷ, ㄹ
⑤ ㄷ, ㄹ, ㅁ

문제 DATA
출제가능 지수 ▶▶▷
난이도 지수 ★★★

| 2019년 국회직 8급

ㄱ. (×) 상임위원은 4명 이내로 한다.

> 「행정심판법」제8조【중앙행정심판위원회의 구성】① 중앙행정심판위원회는 위원장 1명을 포함하여 70명 이내의 위원으로 구성하되, 위원 중 상임위원은 4명 이내로 한다.

ㄴ. (○)

> 「행정심판법」제8조【중앙행정심판위원회의 구성】② 중앙행정심판위원회의 위원장은 국민권익위원회의 부위원장 중 1명이 되며, 위원장이 없거나 부득이한 사유로 직무를 수행할 수 없거나 위원장이 필요하다고 인정하는 경우에는 상임위원(상임으로 재직한 기간이 긴 위원 순서로, 재직기간이 같은 경우에는 연장자 순서로 한다)이 위원장의 직무를 대행한다.

ㄷ. (○)

> 「행정심판법」제8조【중앙행정심판위원회의 구성】③ 중앙행정심판위원회의 상임위원은 일반직공무원으로서「국가공무원법」제26조의5에 따른 임기제공무원으로 임명하되, 3급 이상 공무원 또는 고위공무원단에 속하는 일반직공무원으로 3년 이상 근무한 사람이나 그 밖에 행정심판에 관한 지식과 경험이 풍부한 사람 중에서 중앙행정심판위원회 위원장의 제청으로 국무총리를 거쳐 대통령이 임명한다.

ㄹ. (×)

> 「행정심판법」제8조【중앙행정심판위원회의 구성】④ 중앙행정심판위원회의 비상임위원은 제7조 제4항 각 호의 어느 하나에 해당하는 사람 중에서 중앙행정심판위원회 위원장의 제청으로 국무총리가 성별을 고려하여 위촉한다.
> 제7조【행정심판위원회의 구성】④ 행정심판위원회의 위원은 해당 행정심판위원회가 소속된 행정청이 다음 각 호의 어느 하나에 해당하는 사람 중에서 성별을 고려하여 위촉하거나 그 소속 공무원 중에서 지명한다.
> 1. 변호사 자격을 취득한 후 5년 이상의 실무 경험이 있는 사람

ㅁ. (×)

> 「행정심판법」제8조【중앙행정심판위원회의 구성】⑤ 중앙행정심판위원회의 회의(제6항에 따른 소위원회 회의는 제외한다)는 위원장, 상임위원 및 위원장이 회의마다 지정하는 비상임위원을 포함하여 총 9명으로 구성한다.

답 ③

함께 정리하기

중앙행정심판위원회의 구성

중앙행정심판위원회
▷ 구성원: 70명 내
▷ 상임위원: 4명 내
▷ 위원장: 국민권익위원회 부위원장 중 1명

중앙행정심판위원회 상임위원
▷ 위원장 제청으로 국무총리 거쳐 대통령이 임명

변호사인 비상임위원
▷ 5년 이상 실무 경험

중앙행정심판위원회 회의(소위원회 제외)
▷ 9명으로 구성

문제 DATA
출제가능 지수 ▶▶▶
난이도 지수 ★★☆

005 ☐☐☐

행정심판위원회의 구성과 권한에 대한 설명으로 옳지 않은 것을 모두 고르면?

① 국무총리행정심판위원회의 위원장은 국민권익위원회의 부위원장 중 1명이 되며, 상임위원은 위원장의 제청으로 대통령이 임명하고 그 임기는 3년이며 연임할 수 없다.
② 행정심판위원회는 취소심판의 청구가 이유 있다고 인정할 때에는 처분을 취소 또는 변경하거나 처분청에게 취소 또는 변경할 것을 명한다.
③ 국무총리행정심판위원회는 심판청구를 심리·의결함에 있어서 처분 또는 부작위의 근거가 되는 명령 등이 법령에 근거가 없거나 상위법령에 위반되거나 국민에게 과도한 부담을 주는 등 현저히 불합리하다고 인정되는 경우에는 적절한 시정조치를 요청할 수 있다.
④ 행정심판위원회는 집행정지 또는 집행정지의 취소에 관하여 심리·결정한 때에는 지체 없이 결정서를 당사자에게 송달하여야 한다.

2008년 국가직 7급

함께 정리하기
행정심판위원회 구성·권한
상임위원
▷ 임기 3년 & 1차 연임 可
취소심판
▷ 취소재결·변경재결·변경 명령재결
▷ 취소명령재결 삭제
중앙행정심판위원회는 시정조치 요청 可
집행정지 or 집행정지의 취소 심리·결정
▷ 지체 없이 결정서 정본 송달

① (×) 명칭이 "국무총리행정심판위원회"에서 "중앙행정심판위원회"로 변경되었고, 상임위원은 연임할 수 없다는 부분이 틀렸다.

> 「행정심판법」제8조【중앙행정심판위원회의 구성】② 중앙행정심판위원회의 위원장은 국민권익위원회의 부위원장 중 1명이 되며, 위원장이 없거나 부득이한 사유로 직무를 수행할 수 없거나 위원장이 필요하다고 인정하는 경우에는 상임위원(상임으로 재직한 기간이 긴 위원 순서로, 재직기간이 같은 경우에는 연장자 순서로 한다)이 위원장의 직무를 대행한다.
> ③ 중앙행정심판위원회의 상임위원은 일반직공무원으로서 「국가공무원법」 제26조의5에 따른 임기제공무원으로 임명하되, 3급 이상 공무원 또는 고위공무원단에 속하는 일반직공무원으로 3년 이상 근무한 사람이나 그 밖에 행정심판에 관한 지식과 경험이 풍부한 사람 중에서 중앙행정심판위원회 위원장의 제청으로 국무총리를 거쳐 대통령이 임명한다.
> 제9조【위원의 임기 및 신분보장 등】② 제8조 제3항에 따라 임명된 중앙행정심판위원회 상임위원의 임기는 3년으로 하며, 1차에 한하여 연임할 수 있다.

유제 16. 국회직 8급 중앙행정심판위원회의 상임위원은 별정직 국가공무원으로 임명하며, 중앙행정심판위원회 위원장의 제청으로 국무총리를 거쳐 대통령이 임명한다. (×)

② (×) 출제 당시에는 옳은 지문이었으나, 법개정으로 인하여 취소명령재결이 삭제되어 현재는 옳지 않은 지문이 된다.

> 「행정심판법」제43조【재결의 구분】③ 위원회는 취소심판의 청구가 이유가 있다고 인정하면 처분을 취소 또는 다른 처분으로 변경하거나 처분을 다른 처분으로 변경할 것을 피청구인에게 명한다.

③ (○) 다만, 명칭이 "국무총리행정심판위원회"에서 "중앙행정심판위원회"로 변경되었다.

> 「행정심판법」제59조【불합리한 법령 등의 개선】① 중앙행정심판위원회는 심판청구를 심리·재결할 때에 처분 또는 부작위의 근거가 되는 명령 등(대통령령·총리령·부령·훈령·예규·고시·조례·규칙 등을 말한다. 이하 같다)이 법령에 근거가 없거나 상위 법령에 위배되거나 국민에게 과도한 부담을 주는 등 크게 불합리하면 관계 행정기관에 그 명령 등의 개정·폐지 등 적절한 시정조치를 요청할 수 있다. 이 경우 중앙행정심판위원회는 시정조치를 요청한 사실을 법제처장에게 통보하여야 한다.

유제 13. 국회직 9급 중앙행정심판위원회는 심판청구의 심리·재결시 처분 또는 부작위의 근거가 되는 명령 등이 크게 불합리한 경우 관계 행정기관에 그 개정·폐지 등 적절한 시정조치를 요청할 수 있다. (○)

④ (○)

> 「행정심판법」제30조【집행정지】⑦ 위원회는 집행정지 또는 집행정지의 취소에 관하여 심리·결정하면 지체 없이 당사자에게 결정서 정본을 송달하여야 한다.

답 ①, ②

💡 ALL KILL 기출
제3절 행정심판기관

행정심판위원회의 위원에 대한 기피신청은 그 사유를 소명한 문서로 하여야 한다.
15. 서울시 7급 ( )

정답 및 해설
○ 위원에 대한 제척신청이나 기피신청은 그 사유를 소명한 문서로 하여야 함(「행정심판법」 제10조 제3항)

제4절 | 행정심판청구의 절차

001 □□□

「행정심판법」상 행정심판에 대한 내용이다. ( ) 안에 들어갈 숫자를 모두 더한 값은?

> ㄱ. 행정심판은 처분이 있음을 알게 된 날부터 ( )일 이내에 청구하여야 한다.
> ㄴ. 청구인이 천재지변, 전쟁, 사변, 그 밖의 불가항력으로 인하여 ㄱ의 기간에 심판청구를 할 수 없었을 때에는 그 사유가 소멸한 날부터 ( )일 이내에 행정심판을 청구할 수 있다. 다만, 국외에서 행정심판을 청구하는 경우에는 그 기간을 ( )일로 한다.
> ㄷ. 재결은 「행정심판법」 제23조에 따라 피청구인 또는 위원회가 심판청구서를 받은 날부터 ( )일 이내에 하여야 한다. 다만, 부득이한 사정이 있는 경우에는 위원장이 직권으로 ( )일을 연장할 수 있다.

① 134
② 164
③ 224
④ 254

📋 문제 DATA
출제가능 지수 ▶▶▷
난이도 지수 ★★☆

| 2016년 경찰 |

빈칸에 들어갈 숫자를 모두 더하면 '90 + 14 + 30 + 60 + 30 = 224'이다.

ㄱ. 90
> 「행정심판법」 제27조 【심판청구의 기간】 ① 행정심판은 처분이 있음을 알게 된 날부터 90일 이내에 청구하여야 한다.

ㄴ. 14, 30
> 「행정심판법」 제27조 【심판청구의 기간】 ② 청구인이 천재지변, 전쟁, 사변, 그 밖의 불가항력으로 인하여 제1항에서 정한 기간에 심판청구를 할 수 없었을 때에는 그 사유가 소멸한 날부터 14일 이내에 행정심판을 청구할 수 있다. 다만, 국외에서 행정심판을 청구하는 경우에는 그 기간을 30일로 한다.

ㄷ. 60, 30
> 「행정심판법」 제45조 【재결 기간】 ① 재결은 제23조에 따라 피청구인 또는 위원회가 심판청구서를 받은 날부터 60일 이내에 하여야 한다. 다만, 부득이한 사정이 있는 경우에는 위원장이 직권으로 30일을 연장할 수 있다.

답 ③

📋 함께 정리하기

행정심판 기간

행정심판 청구
▷ 안 날 90일

불가항력
▷ 소멸한 날 14일
▷ 국외 30일

심판 심리기간
▷ 60일
▷ 부득이 30일 연장

문제 DATA

출제가능 지수 ▶▶▷
난이도 지수 ★★☆

함께 정리하기

행정심판청구

대통령의 처분·부작위에 대한 행정심판청구
▷ 다른 법률에서 정한 경우 외 불가

처분의 취소로 회복되는 법률상 이익 有
▷ 취소심판 청구 可

불고지시 행정심판청구기간
▷ 180일

행정심판청구
▷ 심판청구서 작성 → 피청구인 또는 위원회에 제출

---

002 ☐☐☐

「행정심판법」상 행정심판의 청구에 대한 설명으로 가장 옳지 않은 것은?

① 대통령의 처분 또는 부작위에 대하여는 다른 법률에서 행정심판을 청구할 수 있도록 정한 경우 외에는 행정심판을 청구할 수 없다.
② 처분의 효과가 기간의 경과, 처분의 집행, 그 밖의 사유로 소멸된 뒤에도 그 처분의 취소로 회복되는 법률상 이익이 있는 자는 취소심판을 청구할 수 있다.
③ 행정청이 심판청구 기간을 알리지 아니한 경우에는 청구인은 언제든지 심판청구를 할 수 있다.
④ 행정심판을 청구하려는 자는 심판청구서를 작성하여 피청구인이나 위원회에 제출하여야 한다.

| 2019년 서울시 7급

① (○)

> 「행정심판법」 제3조 【행정심판의 대상】 ② 대통령의 처분 또는 부작위에 대하여는 다른 법률에서 행정심판을 청구할 수 있도록 정한 경우 외에는 행정심판을 청구할 수 없다.

② (○)

> 「행정심판법」 제13조 【청구인 적격】 ① 취소심판은 처분의 취소 또는 변경을 구할 법률상 이익이 있는 자가 청구할 수 있다. 처분의 효과가 기간의 경과, 처분의 집행, 그 밖의 사유로 소멸된 뒤에도 그 처분의 취소로 회복되는 법률상 이익이 있는 자의 경우에도 또한 같다.

③ (✕) 처분이 있었던 날부터 180일 이내에 청구하여야 한다.

> 「행정심판법」 제27조 【심판청구의 기간】 ③ 행정심판은 처분이 있었던 날부터 180일이 지나면 청구하지 못한다. 다만, 정당한 사유가 있는 경우에는 그러하지 아니하다.
> ⑥ 행정청이 심판청구 기간을 알리지 아니한 경우에는 제3항에 규정된 기간에 심판청구를 할 수 있다.

④ (○)

> 「행정심판법」 제23조 【심판청구서의 제출】 ① 행정심판을 청구하려는 자는 제28조에 따라 심판청구서를 작성하여 피청구인이나 위원회에 제출하여야 한다. 이 경우 피청구인의 수만큼 심판청구서 부본을 함께 제출하여야 한다.

답 ③

제5절 | 가구제(잠정적 권리보호)

001 □□□

「행정심판법」 및 「행정소송법」상의 집행정지에 대한 설명으로 옳지 않은 것은?

① 행정심판청구와 취소소송의 제기는 모두 처분의 효력이나 그 집행 또는 절차의 속행에 영향을 주지 아니한다.
② 공공복리에 중대한 영향을 미칠 우려가 있을 때에는 「행정심판법」 및 「행정소송법」상의 집행정지가 모두 허용되지 아니한다.
③ 「행정소송법」은 집행정지결정에 대한 즉시항고에 관하여 규정하고 있는 반면, 「행정심판법」에는 집행정지결정에 대한 즉시항고에 관하여 규정하고 있지 아니하다.
④ 「행정심판법」은 위원회의 심리결정을 갈음하는 위원장의 직권결정에 관한 규정을 두고 있는 반면, 「행정소송법」은 법원의 결정에 갈음하는 재판장의 직권결정에 관한 규정을 두고 있지 아니하다.
⑤ 「행정소송법」이 집행정지의 요건 중 하나로 '중대한 손해'가 생기는 것을 예방할 필요성에 관하여 규정하고 있는 반면, 「행정심판법」은 집행정지의 요건 중 하나로 '회복하기 어려운 손해'를 예방할 필요성에 관하여 규정하고 있다.

2017년 국회직 8급

① (○)

> 「행정심판법」 제30조 【집행정지】 ① 심판청구는 처분의 효력이나 그 집행 또는 절차의 속행에 영향을 주지 아니한다.
> 「행정소송법」 제23조 【집행정지】 ① 취소소송의 제기는 처분등의 효력이나 그 집행 또는 절차의 속행에 영향을 주지 아니한다.

② (○)

> 「행정심판법」 제30조 【집행정지】 ③ 집행정지는 공공복리에 중대한 영향을 미칠 우려가 있을 때에는 허용되지 아니한다.
> 「행정소송법」 제23조 【집행정지】 ③ 집행정지는 공공복리에 중대한 영향을 미칠 우려가 있을 때에는 허용되지 아니한다.

③ (○)

> 「행정소송법」 제23조 【집행정지】 ⑤ 제2항의 규정에 의한 집행정지의 결정 또는 기각의 결정에 대하여는 즉시항고할 수 있다. 이 경우 집행정지의 결정에 대한 즉시항고에는 결정의 집행을 정지하는 효력이 없다.

④ (○) 「행정심판법」 제30조 제6항과 달리 「행정소송법」은 법원의 결정에 갈음하는 재판장의 직권결정에 관한 규정을 두고 있지 않다.

> 「행정심판법」 제30조 【집행정지】 ⑥ 제2항과 제4항에도 불구하고 위원회의 심리·결정을 기다릴 경우 중대한 손해가 생길 우려가 있다고 인정되면 위원장은 직권으로 위원회의 심리·결정을 갈음하는 결정을 할 수 있다. 이 경우 위원장은 지체 없이 위원회에 그 사실을 보고하고 추인을 받아야 하며, 위원회의 추인을 받지 못하면 위원장은 집행정지 또는 집행정지 취소에 관한 결정을 취소하여야 한다.

문제 DATA
출제가능 지수 ▶▶▷
난이도 지수 ★★★

함께 정리하기

행정심판·행정소송 집행정지 비교

집행부정지 원칙
▷ 행정소송 & 행정심판 모두 ○

공공복리에 중대한 영향을 미칠 우려 ×
▷ 행정소송 & 행정심판 모두 ○

집행정지결정에 대한 즉시항고
▷ 행정소송 ○
▷ 행정심판 ×

위원장의 직권결정
▷ 행정소송 ×
▷ 행정심판 ○

중대한 손해
▷ 행정심판

회복하기 어려운 손해
▷ 행정소송

⑤ (×)

> 「행정심판법」제30조【집행정지】② 위원회는 처분, 처분의 집행 또는 절차의 속행 때문에 중대한 손해가 생기는 것을 예방할 필요성이 긴급하다고 인정할 때에는 직권으로 또는 당사자의 신청에 의하여 처분의 효력, 처분의 집행 또는 절차의 속행의 전부 또는 일부의 정지(이하 "집행정지"라 한다)를 결정할 수 있다. 다만, 처분의 효력정지는 처분의 집행 또는 절차의 속행을 정지함으로써 그 목적을 달성할 수 있을 때에는 허용되지 아니한다.
> 「행정소송법」제23조【집행정지】② 소소송이 제기된 경우에 처분등이나 그 집행 또는 절차의 속행으로 인하여 생길 회복하기 어려운 손해를 예방하기 위하여 긴급한 필요가 있다고 인정할 때에는 본안이 계속되고 있는 법원은 당사자의 신청 또는 직권에 의하여 처분등의 효력이나 그 집행 또는 절차의 속행의 전부 또는 일부의 정지(이하 "집행정지"라 한다)를 결정할 수 있다. 다만, 처분의 효력정지는 처분등의 집행 또는 절차의 속행을 정지함으로써 목적을 달성할 수 있는 경우에는 허용되지 아니한다.

답 ⑤

002

「행정심판법」상 (　) 안에 들어갈 용어로 옳은 것은?

> 행정심판위원회는 처분 또는 부작위가 위법·부당하다고 상당히 의심되는 경우로서 처분 또는 부작위 때문에 당사자가 받을 우려가 있는 중대한 불이익이나 당사자에게 생길 급박한 위험을 막기 위하여 임시지위를 정하여야 할 필요가 있는 경우에는 직권으로 또는 당사자의 신청에 의하여 (　)을/를 결정할 수 있다.

① 집행정지　　　　　　　　　　② 직접강제
③ 간접강제　　　　　　　　　　④ 임시처분
⑤ 의무이행청구

2017년 5급 행정

문제 DATA
출제가능 지수 ▶▶▷
난이도 지수 ★☆☆

함께 정리하기
임시처분 요건
▷ 심판청구의 계속 중
▷ 거부처분이나 부작위가 위법·부당하다고 상당히 의심되는 경우
▷ 당사자에게 중대한 불이익이나 급박한 위험이 존재
▷ 이를 막기 위하여 임시처분이 필요
▷ 공공복리에 중대한 영향을 미칠 우려가 없을 것
▷ 집행정지로는 목적을 달성할 수 없는 경우(보충성의 원칙)

① (×)

> 「행정심판법」제30조【집행정지】② 위원회는 처분, 처분의 집행 또는 절차의 속행 때문에 중대한 손해가 생기는 것을 예방할 필요성이 긴급하다고 인정할 때에는 직권으로 또는 당사자의 신청에 의하여 처분의 효력, 처분의 집행 또는 절차의 속행의 전부 또는 일부의 정지(이하 "집행정지"라 한다)를 결정할 수 있다. 다만, 처분의 효력정지는 처분의 집행 또는 절차의 속행을 정지함으로써 그 목적을 달성할 수 있을 때에는 허용되지 아니한다.

② (×) 「행정심판법」에는 직접강제에 관한 내용은 없다.
③ (×)

> 「행정심판법」제50조의2【위원회의 간접강제】① 위원회는 피청구인이 제49조 제2항(제49조 제4항에서 준용하는 경우를 포함한다) 또는 제3항에 따른 처분을 하지 아니하면 청구인의 신청에 의하여 결정으로 상당한 기간을 정하고 피청구인이 그 기간 내에 이행하지 아니하는 경우에는 그 지연기간에 따라 일정한 배상을 하도록 명하거나 즉시 배상을 할 것을 명할 수 있다.

④ (○)

> 「행정심판법」제31조【임시처분】① 위원회는 처분 또는 부작위가 위법·부당하다고 상당히 의심되는 경우로서 처분 또는 부작위 때문에 당사자가 받을 우려가 있는 중대한 불이익이나 당사자에게 생길 급박한 위험을 막기 위하여 임시지위를 정하여야 할 필요가 있는 경우에는 직권으로 또는 당사자의 신청에 의하여 임시처분을 결정할 수 있다.

유제 19. 국가직 9급·지방직 9급, 18. 국가직 7급 행정심판위원회는 처분 또는 부작위가 위법·부당하다고 상당히 의심되는 경우로서 당사자가 받을 우려가 있는 중대한 불이익이나 급박한 위험을 막기 위하여 필요한 경우 직권으로 또는 당사자의 신청에 의하여 임시처분을 결정할 수 있다. (○)

⑤ (×)「행정심판법」에서는 의무이행심판을 규정하고 있다.

> 「행정심판법」제5조【행정심판의 종류】행정심판의 종류는 다음 각 호와 같다.
> 3. 의무이행심판: 당사자의 신청에 대한 행정청의 위법 또는 부당한 거부처분이나 부작위에 대하여 일정한 처분을 하도록 하는 행정심판

답 ④

ALL KILL 기출   제5절 가구제(잠정적 권리보호)

01 행정처분에 대한 효력정지를 신청함에 있어서는 그 효력정지를 구할 법률상 이익을 요하지 아니한다.   09. 국회직 8급 ( )

02 집행정지결정은 장래에 향하여서만 효력이 발생하며, 당사자와 관계행정청 그리고 제3자에게도 효력을 미친다.   09. 국회직 8급 ( )

03 행정심판청구는 엄격한 형식을 요하지 않는 서면행위로 해석된다.   18. 서울시 9급 ( )

04 무효등확인심판에는 심판청구기간의 제한이 없다.   13. 서울시 7급 ( )

05 부재시 등기우편물을 수령하여 전달해 온 주거지 아파트 경비원은 수령권한을 위임받은 것으로 볼 수 있으므로, 경비원이 처분서를 수령하였다면 적법한 송달이 있는 것으로 보게 된다.   10. 국회직 8급 ( )

06 행정처분의 직접 상대방이 아닌 제3자는「행정심판법」제27조 제3항 소정의 심판청구의 제척기간 내에 처분이 있었음을 알았다는 특별한 사정이 없는 한 그 제척기간의 적용을 배제할 같은 조항 단서 소정의 정당한 사유가 있는 때에 해당한다.   16. 서울시 7급 ( )

정답 및 해설

01 × 행정처분에 대한 효력정지신청을 구함에 있어서도 이를 구할 법률상 이익이 있어야 함(대결 2000.10.10. 2000무17)

02 ○ 집행정지결정의 효력에 관하여 소급효를 인정하는 규정이 없으므로 장래효를 가지며, 제3자효를 지님

03 ○ 표제와 제출기관의 여하를 불문하고 행정심판의 주요사항이 기재되어있다면 행정심판청구로 봄

04 ○「행정심판법」제27조 참조

05 ○ 주민들이 평소 이러한 배달방법에 아무런 이의제기 없었다면, 수령권한을 경비원에게 묵시적으로 위임한 것으로 봄이 상당

06 ○ 따라서 청구기간의 제한을 받지 않음(대판 2002.5.24. 2000두3641)

제3장 행정심판의 심리·재결

제1절 | 행정심판의 심리

001 ☐☐☐

「행정심판법」에 대한 설명으로 옳지 않은 것은? (다툼이 있는 경우 판례에 의함)

① 심판청구에 대하여 일부 인용하는 재결이 있는 경우에도 그 재결 및 같은 처분에 대하여 다시 행정심판을 청구할 수 없다.
② 행정처분이 있음을 안 날부터 90일을 넘겨 행정심판을 청구하였다가 각하재결을 받은 후 그 재결서를 송달받은 날부터 90일 내에 원래의 처분에 대하여 취소소송을 제기한 경우, 취소소송의 제소기간을 준수한 것으로 볼 수 없다.
③ 행정심판의 재결이 확정되었다 하더라도 처분의 기초가 된 사실관계나 법률적 판단이 확정되는 것은 아니므로, 당사자들이나 법원이 이에 기속되어 모순되는 주장이나 판단을 할 수 없게 되는 것은 아니다.
④ 행정청은 당초 처분사유와 기본적 사실관계가 동일하지 아니한 처분사유를 행정소송 계속 중에는 추가·변경할 수 없으나 행정심판 단계에서는 추가·변경할 수 있다.

> 2017년 지방직 7급

① (O)

> 「행정심판법」제51조【행정심판 재청구의 금지】심판청구에 대한 재결이 있으면 그 재결 및 같은 처분 또는 부작위에 대하여 다시 행정심판을 청구할 수 없다.

② (O) 부적법한 행정심판청구의 각하재결 후 90일 내 취소소송을 제기해도 제소기간을 준수한 것이 아니다.

> 처분이 있음을 안 날부터 90일 이내에 행정심판을 청구하지도 않고 취소소송을 제기하지도 않은 경우에는 그 후 제기된 취소소송은 제소기간을 경과한 것으로서 부적법하고, 처분이 있음을 안 날부터 90일을 넘겨 청구한 부적법한 행정심판청구에 대한 재결이 있은 후 재결서를 송달받은 날부터 90일 이내에 원래의 처분에 대하여 취소소송을 제기하였다고 하여 취소소송이 다시 제소기간을 준수한 것으로 되는 것은 아니다(대판 2011.11.24. 2011두18786).

③ (O) 불가쟁력이 발생한 경우 당해 처분의 효력에 대해서는 다툴 수 없으나 처분의 기초된 사실에 대하여 기판력이 인정되는 것은 아니다. 따라서 재결이 확정되어도 소송에서 모순된 주장이나 판단이 가능하다.

> 일반적으로 행정처분이나 행정심판 재결이 불복기간의 경과로 확정될 경우 그 확정력은 처분으로 법률상 이익을 침해받은 자가 당해 처분이나 재결의 효력을 더 이상 다툴 수 없다는 의미일 뿐, 더 나아가 판결과 같은 기판력이 인정되는 것은 아니어서 그 처분의 기초가 된 사실관계나 법률적 판단이 확정되고 당사자들이나 법원이 이에 기속되어 모순되는 주장이나 판단을 할 수 없게 되는 것은 아니다(대판 2004.7.8. 2002두11288).

④ (X) 행정심판에서도 기본적 사실관계의 동일성이 인정되는 한도 내에서만 처분사유의 추가·변경이 가능하다.

> 행정처분의 취소를 구하는 항고소송에서 처분청은 당초 처분의 근거로 삼은 사유와 기본적 사실관계가 동일성이 있다고 인정되는 한도 내에서만 다른 사유를 추가 또는 변경할 수 있고, 이러한 법리는 행정심판 단계에서도 그대로 적용된다(대판 2014.5.16. 2013두26118).

유제 18. 국가직 9급 행정심판에서는 항고소송에서와 달리 처분청이 당초 처분의 근거로 삼은 사유와 기본적 사실관계가 동일성이 인정되지 않는 다른 사유를 처분사유로 추가하거나 변경할 수 있다. (×)
16. 국회직 8급 처분사유의 추가·변경에 관한 법리는 행정심판의 단계에서도 적용된다. (○)

답 ④

002 □□□

문제 DATA
출제가능 지수 ▶▶▷
난이도 지수 ★★☆

행정심판의 심리에 대한 설명으로 옳은 것은?

① 행정심판의 심리는 원칙적으로 행정심판위원회가 주도하며, 당사자의 처분권주의는 예외적으로 인정된다.
② 행정심판위원회의 심리는 당사자가 주장한 사실에 한정되지 않으며, 필요한 때에는 당사자가 주장하지 아니한 사실에 대하여도 심리할 수 있다.
③ 「행정심판법」은 구술심리를 원칙으로 하며, 당사자의 신청이 있는 때에는 서면심리로 할 것을 규정하고 있다.
④ 「행정심판법」은 원칙적으로 공개심리주의를 채택하고 있다.

2013년 지방직 7급

① (×) 우리 「행정심판법」은 심판의 개시, 심판대상의 결정, 심판의 종료를 당사자의 의사에 맡기는 "처분권주의"에 입각하고 있다. 다만, 심판청구기간의 제한, 청구인낙의 부인 등 공익적 견지에서 여러 가지 제한을 가하기도 한다. 즉, 행정심판의 심리는 당사자가 주도하는 것이 원칙이며, 행정심판위원회가 직권으로 심리하는 것은 예외적이다.
② (○) 행정심판은 대심주의를 기본으로 하여 소송자료의 제출·주장을 원칙적으로 당사자에게 맡기는 변론주의를 따르면서도 보충적으로 직권심리를 인정하고 있다.

> 「행정심판법」 제39조【직권심리】 위원회는 필요하면 당사자가 주장하지 아니한 사실에 대하여도 심리할 수 있다.

③ (×) 행정소송은 구술심리주의가 원칙임에 반하여 행정심판은 구술심리주의가 원칙이 아니며 심판위원회의 재량에 의하여 정할 수 있다.

> 「행정심판법」 제40조【심리의 방식】 ① 행정심판의 심리는 구술심리나 서면심리로 한다. 다만, 당사자가 구술심리를 신청한 경우에는 서면심리만으로 결정할 수 있다고 인정되는 경우 외에는 구술심리를 하여야 한다.

유제 16. 서울시 7급 행정심판의 심리는 당사자가 구술심리를 신청한 경우를 제외하고는 서면심리주의를 원칙으로 하고 있다. (×)

④ (×) 비공개주의란 행정심판위원회의 심리와 재결과정을 일반에게 공개하지 않는 것으로서 「행정심판법」에는 이에 관하여 명문의 규정이 없지만 서면심리와 직권심리를 인정하고 있다는 점과 제41조 등에 비추어 비공개주의를 채택하고 있다고 볼 수 있다.

> 「행정심판법」 제41조【발언 내용 등의 비공개】 위원회에서 위원이 발언한 내용이나 그 밖에 공개되면 위원회의 심리·재결의 공정성을 해칠 우려가 있는 사항으로서 대통령령으로 정하는 사항은 공개하지 아니한다.

함께 정리하기
행정심판의 심리
처분권주의·변론주의 원칙
보충적 직권심리 可
구술심리 or 서면심리
▷ 재량
원칙
▷ 비공개심리주의

답 ②

문제 DATA

출제가능 지수 ▶▶▷
난이도 지수 ★★☆

003 □□□

행정심판에 대한 설명으로 옳지 않은 것은? (다툼이 있는 경우 판례에 의함)

① 행정심판위원회는 피청구인이 거부처분의 취소재결에도 불구하고 처분을 하지 아니하는 경우에는 당사자가 신청하면 기간을 정하여 서면으로 시정을 명하고, 그 기간에 이행하지 아니하면 직접 처분을 할 수 있다.
② 개별공시지가의 결정에 이의가 있는 자가 행정심판을 거쳐 취소소송을 제기하는 경우 취소소송의 제소기간은 그 행정심판 재결서 정본을 송달받은 날부터 또는 재결이 있은 날부터 기산한다.
③ 행정처분의 취소를 구하는 항고소송에서 처분청은 당초 처분의 근거로 삼은 사유와 기본적 사실관계가 동일성이 있다고 인정되는 한도 내에서만 다른 사유를 추가 또는 변경할 수 있다는 법리는 행정심판 단계에서도 그대로 적용된다.
④ 행정심판위원회는 당사자의 권리 및 권한의 범위에서 당사자의 동의를 받아 행정심판청구의 신속하고 공정한 해결을 위하여 조정을 할 수 있으나, 그 조정이 공공복리에 적합하지 아니하거나 해당 처분의 성질에 반하는 경우에는 그러하지 아니하다.

2018년 지방직 7급

① (×) 직접처분은 의무이행심판에서 처분명령재결이 나온 경우 그 실효성을 확보하기 위한 것이다. 따라서 거부처분에 대한 취소심판이나 무효등확인심판청구에서 인용재결이 나온 경우에는 간접강제만 허용되고 직접처분은 인정되지 않는다.

> 「행정심판법」제50조【위원회의 직접 처분】① 위원회는 피청구인이 제49조 제3항에도 불구하고 처분을 하지 아니하는 경우에는 당사자가 신청하면 기간을 정하여 서면으로 시정을 명하고 그 기간에 이행하지 아니하면 직접 처분을 할 수 있다. 다만, 그 처분의 성질이나 그 밖의 불가피한 사유로 위원회가 직접 처분을 할 수 없는 경우에는 그러하지 아니하다.
> 제49조【재결의 기속력 등】③ 당사자의 신청을 거부하거나 부작위로 방치한 처분의 이행을 명하는 재결이 있으면 행정청은 지체 없이 이전의 신청에 대하여 재결의 취지에 따라 처분을 하여야 한다.

② (○) 행정심판을 거치는 경우 제소기간은 재결서 송달일·재결이 있은 날부터 기산한다.

> 개별공시지가에 대하여 이의가 있는 자는 곧바로 행정소송을 제기하거나 부동산 가격공시 및 감정평가에 관한 법률에 따른 이의신청과 행정심판법에 따른 행정심판청구 중 어느 하나만을 거쳐 행정소송을 제기할 수 있을 뿐 아니라, 이의신청을 하여 그 결과 통지를 받은 후 다시 행정심판을 거쳐 행정소송을 제기할 수도 있다고 보아야 하고, 이 경우 행정소송의 제소기간은 그 행정심판 재결서 정본을 송달받은 날부터 기산한다(대판 2010.1.28. 2008두19987).

③ (○) 행정심판에서의 처분사유추가변경은 기본적 사실관계의 동일성이 있어야 한다.

> 행정처분의 취소를 구하는 항고소송에서 처분청은 당초 처분의 근거로 삼은 사유와 기본적 사실관계가 동일성이 있다고 인정되는 한도 내에서만 다른 사유를 추가 또는 변경할 수 있고, 이러한 법리는 행정심판 단계에서도 그대로 적용된다(대판 2014.5.16. 2013두26118).

④ (○)

> 「행정심판법」제43조의2【조정】① 위원회는 당사자의 권리 및 권한의 범위에서 당사자의 동의를 받아 심판청구의 신속하고 공정한 해결을 위하여 조정을 할 수 있다. 다만, 그 조정이 공공복리에 적합하지 아니하거나 해당 처분의 성질에 반하는 경우에는 그러하지 아니하다.

답 ①

함께 정리하기

행정심판

직접처분
▷ 처분명령재결 이행하지 않는 경우

행정심판 거치는 경우 제소기간
▷ 재결서 송달일·재결이 있은 날부터 기산

행정심판에서의 처분사유추가변경
▷ 행정소송과 동일(기본적 사실관계 동일성)

위원회의 조정
▷ 공공복리 부적합 또는 처분의 성질에 반하면 불가

004

행정심판에 대한 설명으로 옳은 것은? (다툼이 있는 경우 판례에 의함)

① 행정심판의 재결이 확정되면 피청구인인 행정청을 기속하는 효력이 있고 그 처분의 기초가 된 사실관계나 법률적 판단이 확정되므로 이후 당사자 및 법원은 이에 모순되는 주장이나 판단을 할 수 없다.
② 행정심판에서는 항고소송에서와 달리 처분청이 당초 처분의 근거로 삼은 사유와 기본적 사실관계가 동일성이 인정되지 않는 다른 사유를 처분사유로 추가하거나 변경할 수 있다.
③ 행정심판의 대상과 관련되는 권리나 이익을 양수한 특정승계인은 행정심판위원회의 허가를 받아 청구인의 지위를 승계할 수 있다.
④ 종중이나 교회와 같은 비법인사단은 사단 자체의 명의로 행정심판을 청구할 수 없고 대표자가 청구인이 되어 행정심판을 청구하여야 한다.

2018년 국가직 9급

① (×) 재결이 확정되어도 소송에서 모순된 주장이나 판단이 가능하다.

> 행정처분이나 행정심판 재결이 불복기간의 경과로 인하여 확정될 경우 확정력은 처분으로 인하여 법률상 이익을 침해받은 자가 처분이나 재결의 효력을 더 이상 다툴 수 없다는 의미일 뿐 판결에 있어서와 같은 기판력이 인정되는 것은 아니어서 처분의 기초가 된 사실관계나 법률적 판단이 확정되고 당사자들이나 법원이 이에 기속되어 모순되는 주장이나 판단을 할 수 없게 되는 것은 아니다(대판 1993.4.13. 92누17181).

② (×) 행정심판에서의 처분사유 추가변경도 기본적 사실관계의 동일성을 요한다.

> 행정처분의 취소를 구하는 항고소송에서 처분청은 당초 처분의 근거로 삼은 사유와 기본적 사실관계가 동일성이 있다고 인정되는 한도 내에서만 다른 사유를 추가 또는 변경할 수 있고, 이러한 기본적 사실관계의 동일성 유무는 처분사유를 법률적으로 평가하기 이전의 구체적 사실에 착안하여 그 기초인 사회적 사실관계가 기본적인 점에서 동일한지에 따라 결정되므로, 추가 또는 변경된 사유가 처분 당시에 이미 존재하고 있었다거나 당사자가 그 사실을 알고 있었다고 하여 당초의 처분사유와 동일성이 있다고 할 수 없다. 그리고 이러한 법리는 행정심판 단계에서도 그대로 적용된다(대판 2014.5.16. 2013두26118).

③ (○)

> 「행정심판법」제16조【청구인의 지위승계】⑤ 심판청구의 대상과 관계되는 권리나 이익을 양수한 자는 위원회의 허가를 받아 청구인의 지위를 승계할 수 있다.

④ (×)

> 「행정심판법」제14조【법인이 아닌 사단 또는 재단의 청구인 능력】법인이 아닌 사단 또는 재단으로서 대표자나 관리인이 정하여져 있는 경우에는 그 사단이나 재단의 이름으로 심판청구를 할 수 있다.

답 ③

문제 DATA
출제가능 지수 ▶▶▷
난이도 지수 ★★☆

함께 정리하기

행정심판

행정심판 재결 확정
▷ 소송에서 당사자, 법원은 모순 주장 or 판단 可

행정심판에서의 처분사유 추가·변경
▷ 기본적 사실관계의 동일성 要

행정심판
▷ 허가승계(특정승계) 可

비법인사단
▷ 사단명으로 행정심판 청구 可

ALL KILL 기출
제1절 행정심판의 심리

행정심판에 있어서 행정처분의 위법·부당 여부는 원칙적으로 처분시를 기준으로 판단하여야 할 것이나, 재결 당시까지 제출된 모든 자료를 종합하여 처분 당시 존재하였던 객관적 사실을 확정하고 그 사실에 기초하여 처분의 위법·부당 여부를 판단할 수 있다. 15. 지방직 9급 ( )

정답 및 해설
○ 행정심판에 있어서 행정처분의 위법·부당판단시점은 원칙적으로 처분시이며, 재결 당시까지 제출된 모든 자료를 종합하여 처분의 위법·부당 여부를 판단해야 함(대판 2001.7.27. 99두5092)

제2절 | 행정심판의 재결

001 ☐☐☐

「행정심판법」상 행정심판에 대한 설명으로 옳지 않은 것은? (다툼이 있는 경우 판례에 의함)

① 고지절차에 관한 규정은 행정처분의 상대방이 그 처분에 대한 행정심판의 절차를 밟는데 있어 편의를 제공하려는데 있으며 처분청이 위 규정에 따른 고지의무를 이행하지 아니하였다고 하더라도 경우에 따라서는 행정심판의 제기기간이 연장될 수 있는 것에 그치고 이로 인하여 심판의 대상이 되는 행정처분에 어떤 하자가 수반된다고 할 수 없다.
② 양도소득세 및 방위세부과처분이 국세청장에 대한 불복심사 청구에 의하여 그 불복사유가 이유있다고 인정되어 취소되었음에도 처분청이 동일한 사실에 관하여 특별한 사유 없이 부과처분을 되풀이 한 경우 그 부과처분이 감사원의 시정요구에 따른 것이라면 위법하지 않다.
③ 법인이 아닌 사단 또는 재단으로서 대표자나 관리인이 정하여져 있는 경우에는 그 사단이나 재단의 이름으로 심판청구를 할 수 있다.
④ 행정심판의 재결은 피청구인 또는 행정심판위원회가 심판청구서를 받은 날부터 60일 이내에 하여야 하나 부득이한 사정이 있는 경우에는 위원장이 직권으로 30일을 연장할 수 있다.

2025년 소방직

① (○) 자동차운수사업법 제31조 등의 규정에 의한 사업면허의 취소 등의 처분에 관한 규칙(교통부령) 제7조 제3항의 고지절차에 관한 규정은 행정처분의 상대방이 그 처분에 대한 행정심판의 절차를 밟는데 있어 편의를 제공하려는데 있으며 처분청이 위 규정에 따른 고지의무를 이행하지 아니하였다고 하더라도 경우에 따라서는 행정심판의 제기기간이 연장될 수 있는 것에 그치고 이로 인하여 심판의 대상이 되는 행정처분에 어떤 하자가 수반된다고 할 수 없다(대판 1987.11.24. 87누529).
② (×) 국세심사청구제도는 특별행정심판절차로서, 과세처분의 취소를 구하는 심사청구에 따른 인용결정은 기속력을 가진다. 이에 따라 처분청에게는 반복금지 의무가 발생하여, 동일한 사정 하에서 동일인에게 결정 내용에 모순되는 동일한 처분을 반복할 수 없다.

> 1. 양도소득세 및 방위세부과처분이 국세청장에 대한 불복심사청구에 의하여 그 불복사유가 이유있다고 인정되어 취소되었음에도 처분청이 동일한 사실에 관하여 부과처분을 되풀이 한 것이라면 설령 그 부과처분이 감사원의 시정요구에 의한 것이라 하더라도 위법하다(대판 1986.5.27. 86누127).
> 2. 재결행정청의 취소결정은 당해 행정청 및 처분청을 기속하는 것이고 그 결정에 따라 처분청이 한 본건 증여세 부과처분의 취소는 확정적으로 그 효력이 당사자에게 미치게 되며, 이후 재결청이나 처분청은 그에 어긋나는 어떤 결정이나 처분을 할 수 없고 처분청이 감사원의 지시에 따라 다시 증여세 부과처분을 하였다 하더라도 이는 무효라 할 것이다(대판 1972.2.29. 71누110).

③ (○)

> 「행정심판법」 제14조【법인이 아닌 사단 또는 재단의 청구인 능력】법인이 아닌 사단 또는 재단으로서 대표자나 관리인이 정하여져 있는 경우에는 그 사단이나 재단의 이름으로 심판청구를 할 수 있다.

④ (○)

> 「행정심판법」 제45조【재결 기간】① 재결은 제23조에 따라 피청구인 또는 위원회가 심판청구서를 받은 날부터 60일 이내에 하여야 한다. 다만, 부득이한 사정이 있는 경우에는 위원장이 직권으로 30일을 연장할 수 있다.

답 ②

◎ 문제 DATA
출제가능 지수 ▶▶▷
난이도 지수 ★★☆

함께 정리하기

「행정심판법」상 행정심판

불고지 or 오고지
▷ 처분 자체의 효력에 직접 영향 ×

양도소득세 부과처분에 대한 국세청장의 취소 후 감사원 시정요구에 따른 재부과
▷ 위법

비법인사단·재단의 대표자 or 관리인 有
▷ 사단·재단 명의로 심판청구 可

심리(재결)기간
▷ 60일
▷ 부득이: 위원장이 직권으로 30일 연장 可

002

재결의 효력에 대한 설명으로 가장 옳지 않은 것은? (다툼이 있는 경우 판례에 의함)

① 심판청구를 인용하는 재결은 기속력이 발생하지만 재결의 취지에 따른 취소처분이 위법한 경우 그 취소처분의 상대방은 이를 항고소송으로 다툴 수 없는 것은 아니다.
② 재결의 사실인정 및 판단과 기본적인 사실관계가 동일하지 아니한 사유를 바탕으로 처분을 하였다면 재결의 기속력에 저촉되지 않는다.
③ 재결이 확정된 경우에는 처분의 기초가 된 사실관계나 법률적 판단이 확정되고 당사자들이나 법원이 이에 기속되어 모순되는 주장이나 판단을 할 수 없게 된다.
④ 재결의 효력은 청구인에게 재결서의 정본이 송달되었을 때에 그 효력이 생긴다.

2025년 군무원 7급

① (○) 행정심판법 제37조 제1항의 규정에 의하면 재결은 행정청을 기속하는 효력을 가지므로 재결청이 취소심판의 청구가 이유 있다고 인정하여 처분청에게 처분의 취소를 명하면 처분청으로서는 그 재결의 취지에 따라 처분을 취소하여야 하지만, 그렇다고 하여 그 재결의 취지에 따른 취소처분이 위법할 경우 그 취소처분의 상대방이 이를 항고소송으로 다툴 수 없는 것은 아니다(대판 1993.9.28. 92누15093).
② (○) 재결의 기속력은 재결의 주문 및 그 전제가 된 요건사실의 인정과 판단, 즉 처분의 구체적 위법사유에 관한 판단에만 미친다. 따라서 종전 처분이 재결에 의하여 취소되었더라도 종전 처분시와 다른 사유를 들어 처분을 하는 것은 기속력에 저촉되지 아니한다. 여기서 동일한 사유인지 다른 사유인지는 종전 처분에 관하여 위법한 것으로 재결에서 판단된 사유와 기본적 사실관계에서 동일성이 인정되는 사유인지 여부에 따라 판단하여야 한다. 그리고 새로운 처분의 처분사유가 종전 처분의 처분사유와 기본적 사실관계에서 동일하지 않은 다른 사유에 해당하는 이상, 해당 처분사유가 종전 처분 당시 이미 존재하고 있었고 당사자가 이를 알고 있었다 하더라도 이를 내세워 새로이 처분을 하는 것은 재결의 기속력에 저촉되지 않는다(서울행정 2017.6.30. 2017구합56933).
③ (×) 행정심판의 재결은 피청구인인 행정청을 기속하는 효력을 가지므로 재결청이 취소심판의 청구가 이유 있다고 인정하여 처분청에 처분을 취소할 것을 명하면 처분청으로서는 재결의 취지에 따라 처분을 취소하여야 하지만, 나아가 재결에 판결에서와 같은 기판력이 인정되는 것은 아니어서 재결이 확정된 경우에도 처분의 기초가 된 사실관계나 법률적 판단이 확정되고 당사자들이나 법원이 이에 기속되어 모순되는 주장이나 판단을 할 수 없게 되는 것은 아니다(대판 2015.11.27. 2013다6759).
④ (○)

> 「행정심판법」 제48조【재결의 송달과 효력 발생】 ① 위원회는 지체 없이 당사자에게 재결서의 정본을 송달하여야 한다. 이 경우 중앙행정심판위원회는 재결 결과를 소관 중앙행정기관의 장에게도 알려야 한다.
> ② 재결은 청구인에게 제1항 전단에 따라 송달되었을 때에 그 효력이 생긴다.

답 ③

문제 DATA
출제가능 지수 ▶▶▷
난이도 지수 ★★☆

함께 정리하기

재결의 효력

재결의 취지에 따른 취소처분이 위법
▷ 상대방: 항고소송 제기 可

재결의 기속력 범위
▷ 재결의 사실인정 및 판단과 기본적 사실관계의 동일성이 없는 사유에 미치지×

행정심판 재결 확정
▷ 소송에서 당사자, 법원은 모순 주장 or 판단 可

재결의 효력 발생
▷ 청구인에게 재결서의 정본이 송달시

문제 DATA

출제가능 지수 ▶▶▶
난이도 지수 ★★☆

함께 정리하기

「행정심판법」상 행정심판

피청구인 경정
▷ 종전 피청구인에 대한 심판청구 시에 청구된 것

재결에 대한 불복
▷ 재심판청구금지

취소재결
▷ 기속력○, 기판력×

적법한 행정심판청구를 각하한 재결
▷ 재결자체의 고유한 하자○
▷ 각하재결 취소소송 可

003 □□□

「행정심판법」상 행정심판에 대한 설명으로 옳은 것은? (다툼이 있는 경우 판례에 의함)

① 행정심판위원회의 피청구인 경정결정이 있으면 경정결정을 한 때에 새로운 피청구인에 대한 행정심판이 청구된 것으로 본다.
② 시·도행정심판위원회의 재결에 불복하는 경우 청구인은 그 재결에 대하여 중앙행정심판위원회에 행정심판을 청구할 수 있다.
③ 취소재결의 경우 기속력 및 기판력이 인정된다.
④ 행정심판청구가 부적법하지 않음에도 각하한 재결은 취소소송의 대상이 된다.

| 2025년 경찰간부

① (×)

> 「행정심판법」 제17조【피청구인의 적격 및 경정】② 청구인이 피청구인을 잘못 지정한 경우에는 위원회는 직권으로 또는 당사자의 신청에 의하여 결정으로써 피청구인을 경정(更正)할 수 있다.
> ④ 제2항에 따른 결정이 있으면 종전의 피청구인에 대한 심판청구는 취하되고 종전의 피청구인에 대한 행정심판이 청구된 때에 새로운 피청구인에 대한 행정심판이 청구된 것으로 본다.

② (×)

> 「행정심판법」 제51조【행정심판 재청구의 금지】 심판청구에 대한 재결이 있으면 그 재결 및 같은 처분 또는 부작위에 대하여 다시 행정심판을 청구할 수 없다.

③ (×) 재결에 기판력은 인정되지 않는다.

> 「행정심판법」 제49조【재결의 기속력 등】① 심판청구를 인용하는 재결은 피청구인과 그 밖의 관계 행정청을 기속(羈束)한다.

> 일반적으로 행정처분이나 행정심판 재결이 불복기간의 경과로 인하여 확정될 경우 그 확정력은, 그 처분으로 인하여 법률상 이익을 침해받은 자가 당해 처분이나 재결의 효력을 더 이상 다툴 수 없다는 의미일 뿐, 더 나아가 판결에 있어서와 같은 기판력이 인정되는 것은 아니어서 그 처분의 기초가 된 사실관계나 법률적 판단이 확정되고 당사자들이나 법원이 이에 기속되어 모순되는 주장이나 판단을 할 수 없게 되는 것은 아니라고 할 것이다(대판 2004.7.8. 2002두11288).

④ (○) 행정소송법 제19조에 의하면 행정심판에 대한 재결에 대하여도 그 재결 자체에 고유한 위법이 있음을 이유로 하는 경우에는 항고소송을 제기하여 그 취소를 구할 수 있고, 여기에서 말하는 '재결 자체에 고유한 위법'이란 그 재결자체에 주체, 절차, 형식 또는 내용상의 위법이 있는 경우를 의미하는데, 행정심판청구가 부적법하지 않음에도 각하한 재결은 심판청구인의 실체심리를 받을 권리를 박탈한 것으로서 원처분에 없는 고유한 하자가 있는 경우에 해당하고, 따라서 위 재결은 취소소송의 대상이 된다(대판 2001.7.27. 99두2970).

답 ④

004

甲은 관할 행정청인 A시장에게 처분을 신청하였으나 A시장은 甲의 신청을 거부하는 처분을 하였고, 이에 대해 甲은 행정심판을 통해 다투고자 한다. 이에 대한 설명으로 옳지 않은 것은? (다툼이 있는 경우 판례에 의함)

① 甲은 거부처분취소심판을 제기할 수도 있고 의무이행심판을 제기할 수도 있다.
② 甲은 행정심판을 청구하는 경우 행정심판청구서를 A시장에게 제출하여도 된다.
③ 甲이 제기한 행정심판에서 A시장은 당초 거부처분의 사유와 기본적 사실관계의 동일성이 인정되지 않는 다른 처분사유를 추가 또는 변경할 수 없다.
④ 甲의 행정심판청구에 대해 재결이 있으면 甲은 그 재결 및 같은 처분에 대하여 다시 행정심판을 청구할 수 없다.
⑤ 甲이 제기한 거부처분취소심판의 청구가 이유가 있다고 인정하면 행정심판위원회는 거부처분을 취소할 것을 A시장에게 명한다.

2025년 소방간부

① (○) 거부처분에 대해서는 취소심판뿐만 아니라 무효등확인심판, 의무이행심판 제기도 가능하다.

> 「행정심판법」 제5조【행정심판의 종류】행정심판의 종류는 다음 각 호와 같다.
> 1. 취소심판: 행정청의 위법 또는 부당한 처분을 취소하거나 변경하는 행정심판
> 2. 무효등확인심판: 행정청의 처분의 효력 유무 또는 존재 여부를 확인하는 행정심판
> 3. 의무이행심판: 당사자의 신청에 대한 행정청의 위법 또는 부당한 거부처분이나 부작위에 대하여 일정한 처분을 하도록 하는 행정심판

② (○)

> 「행정심판법」 제23조【심판청구서의 제출】① 행정심판을 청구하려는 자는 제28조에 따라 심판청구서를 작성하여 피청구인이나 위원회에 제출하여야 한다. 이 경우 피청구인의 수만큼 심판청구서 부본을 함께 제출하여야 한다.
> ④ 제27조에 따른 심판청구 기간을 계산할 때에는 제1항에 따른 피청구인이나 위원회 또는 제2항에 따른 행정기관에 심판청구서가 제출되었을 때에 행정심판이 청구된 것으로 본다.

③ (○) 행정처분의 취소를 구하는 항고소송에서 처분청은 당초 처분의 근거로 삼은 사유와 기본적 사실관계가 동일성이 있다고 인정되는 한도 내에서만 다른 사유를 추가 또는 변경할 수 있고, 이러한 기본적 사실관계의 동일성 유무는 처분사유를 법률적으로 평가하기 이전의 구체적 사실에 착안하여 그 기초인 사회적 사실관계가 기본적인 점에서 동일한지에 따라 결정되므로, 추가 또는 변경된 사유가 처분 당시에 이미 존재하고 있었다거나 당사자가 그 사실을 알고 있었다고 하여 당초의 처분사유와 동일성이 있다고 할 수 없다. 그리고 이러한 법리는 행정심판 단계에서도 그대로 적용된다(대판 2014.5.16. 2013두26118).

④ (○)

> 「행정심판법」 제51조【행정심판 재청구의 금지】심판청구에 대한 재결이 있으면 그 재결 및 같은 처분 또는 부작위에 대하여 다시 행정심판을 청구할 수 없다.

⑤ (×) '취소명령재결'은 현행 행정심판법에서 인정되지 않는다.

> 「행정심판법」 제43조【재결의 구분】③ 위원회는 취소심판의 청구가 이유가 있다고 인정하면 처분을 취소 또는 다른 처분으로 변경하거나 처분을 다른 처분으로 변경할 것을 피청구인에게 명한다.

답 ⑤

문제 DATA

출제가능 지수 ▶▶▷
난이도 지수 ★★☆

함께 정리하기

사례

거부처분에 대한 행정심판
▷ 거부처분취소심판과 의무이행심판 중 선택하여 청구 可

행정심판청구서
▷ 처분청에게도 제출 可

행정심판에서의 처분사유 추가·변경
▷ 기본적 사실관계의 동일성 要

재결에 대한 불복
▷ 재심판청구금지

취소심판시 인용재결의 내용
▷ 취소재결·변경재결·변경 명령재결
▷ 취소명령재결 삭제

문제 DATA

출제가능 지수 ▶▶▷
난이도 지수 ★★☆

005 □□□

「행정심판법」상 행정심판에 대한 설명으로 옳지 않은 것은?

① 특별시장·광역시장·특별자치시장·도지사·특별자치도지사의 처분 또는 부작위에 대한 심판청구에 대하여는 국민권익위원회에 두는 중앙행정심판위원회에서 심리·재결한다.
② 행정심판청구에 대한 재결이 있으면 그 재결 및 같은 처분 또는 부작위에 대하여 다시 행정심판을 청구할 수 없다.
③ 항고소송에 있어서 당초 처분의 근거로 삼은 사유와 기본적 사실관계의 동일성이 인정되는 한도에서만 다른 사유를 추가하거나 변경할 수 있는데 이러한 법리는 행정심판에도 그대로 적용된다.
④ 「행정심판법」은 적극적 처분의무의 실효성 확보를 위하여 직접처분제도만을 규정하고 행정소송에 있어서와 같은 간접강제제도에 관한 근거는 규정하고 있지 않다.
⑤ 재결에 의하여 취소되거나 무효 또는 부존재로 확인되는 처분이 당사자의 신청을 거부하는 것을 내용으로 하는 경우에는 그 처분을 한 행정청은 재결의 취지에 따라 다시 이전의 신청에 대한 처분을 하여야 한다.

| 2025년 국회직 8급

① (○)

> 「행정심판법」제6조【행정심판위원회의 설치】② 다음 각 호의 행정청의 처분 또는 부작위에 대한 심판청구에 대하여는 「부패방지 및 국민권익위원회의 설치와 운영에 관한 법률」에 따른 국민권익위원회(이하 "국민권익위원회"라 한다)에 두는 중앙행정심판위원회에서 심리·재결한다.
> 1. 제1항에 따른 행정청 외의 국가행정기관의 장 또는 그 소속 행정청
> 2. 특별시장·광역시장·특별자치시장·도지사·특별자치도지사(특별시·광역시·특별자치시·도 또는 특별자치도의 교육감을 포함한다. 이하 "시·도지사"라 한다) 또는 특별시·광역시·특별자치시·도·특별자치도(이하 "시·도"라 한다)의 의회(의장, 위원회의 위원장, 사무처장 등 의회 소속 모든 행정청을 포함한다)
> 3. 「지방자치법」에 따른 지방자치단체조합 등 관계 법률에 따라 국가·지방자치단체·공공법인 등이 공동으로 설립한 행정청. 다만, 제3항 제3호에 해당하는 행정청은 제외한다.

② (○)

> 「행정심판법」제51조【행정심판 재청구의 금지】심판청구에 대한 재결이 있으면 그 재결 및 같은 처분 또는 부작위에 대하여 다시 행정심판을 청구할 수 없다.

③ (○) 행정처분의 취소를 구하는 항고소송에서 처분청은 당초 처분의 근거로 삼은 사유와 기본적 사실관계가 동일성이 있다고 인정되는 한도 내에서만 다른 사유를 추가 또는 변경할 수 있고, 이러한 기본적 사실관계의 동일성 유무는 처분사유를 법률적으로 평가하기 이전의 구체적 사실에 착안하여 그 기초인 사회적 사실관계가 기본적인 점에서 동일한지에 따라 결정되므로, 추가 또는 변경된 사유가 처분 당시에 이미 존재하고 있었다거나 당사자가 그 사실을 알고 있었다고 하여 당초의 처분사유와 동일성이 있다고 할 수 없다. 그리고 이러한 법리는 행정심판 단계에서도 그대로 적용된다(대판 2014.5.16. 2013두26118).
④ (×) 행정소송법과 마찬가지로 행정심판법에도 간접강제 규정이 있다.

> 「행정심판법」제50조의2【위원회의 간접강제】① 위원회는 피청구인이 제49조 제2항(제49조 제4항에서 준용하는 경우를 포함한다) 또는 제3항에 따른 처분을 하지 아니하면 청구인의 신청에 의하여 결정으로 상당한 기간을 정하고 피청구인이 그 기간 내에 이행하지 아니하는 경우에는 그 지연기간에 따라 일정한 배상을 하도록 명하거나 즉시 배상을 할 것을 명할 수 있다.
> 제50조【위원회의 직접 처분】① 위원회는 피청구인이 제49조 제3항에도 불구하고 처분을 하지 아니하는 경우에는 당사자가 신청하면 기간을 정하여 서면으로 시정을 명하고 그 기간에 이행하지 아니하면 직접 처분을 할 수 있다. 다만, 그 처분의 성질이나 그 밖의 불가피한 사유로 위원회가 직접 처분을 할 수 없는 경우에는 그러하지 아니하다.

함께 정리하기

「행정심판법」상 행정심판

특별시장·광역시장·특별자치시장·도지사·특별자치도지사의 처분 또는 부작위
▷ 중앙행정심판위원회의 관할

재결에 대한 불복
▷ 재심판청구금지

행정심판에서의 처분사유 추가·변경
▷ 행정소송과 동일(기본적 사실관계 동일성 要)

처분의무의 실효성 확보
▷ 직접처분 및 간접강제제도 규정 有

거부처분에 대한 취소·무효·부존재재결
▷ 재결취지에 따른 재처분의무○

⑤ (○)

> 「행정심판법」제49조【재결의 기속력 등】② 재결에 의하여 취소되거나 무효 또는 부존재로 확인되는 처분이 당사자의 신청을 거부하는 것을 내용으로 하는 경우에는 그 처분을 한 행정청은 재결의 취지에 따라 다시 이전의 신청에 대한 처분을 하여야 한다.

답 ④

006 □□□

다음 사례에 대한 설명 중 옳은 것을 모두 고른 것은? (다툼이 있는 경우 판례에 의함)

> 甲은 A시 B구 소재 점포에 관하여 종전 영업자(식품위생법령상 일반음식점영업자)인 X로부터 영업자지위승계를 받아 2021.11.9. 신고하였는데, B구 구청장 乙은 X가 2021.8. 26. 유흥접객원을 고용하여 유흥접객행위를 하였다는 이유로 2022.12.26. 甲에 대하여 3월의 영업정지처분을 하였다.
> 이에 대하여 甲이 취소심판을 청구함에 따라, 행정심판위원회는 2023.3.6. 甲에 대하여 3월의 영업정지처분을 2월의 영업정지처분에 갈음하는 560만 원의 과징금부과처분으로 변경하라는 취지의 일부인용재결을 하였고, 그 취지에 따라 乙은 2023.3.13. 과징금부과처분을 하였다. 甲은 乙의 처분에 대하여 취소소송을 제기하여 다투려고 한다.

> ㄱ. 甲의 2021.11.9.자 영업자지위승계신고를 乙이 수리하면 X의 기존 영업수행권은 취소되고 甲에게 새로운 영업수행권이 설정되는 식품위생영업자의 지위변경이라는 공법상 법률효과가 발생한다.
> ㄴ. 乙이 2022.12.26. 甲에게 영업정지처분을 하기 위해서는 X에 대해 「행정절차법」상의 사전통지, 의견제출 절차를 거쳐야 한다.
> ㄷ. 행정심판위원회의 2023.3.6.자 재결에 대해 乙이 따르지 않을 경우 행정심판위원회가 「행정심판법」제50조에 의하여 직접 甲에게 과징금부과처분을 하는 것은 허용되지 않는다.
> ㄹ. 甲은 2023.3.13.자 과징금부과처분을 대상으로 취소소송을 제기하여야 한다.

① ㄱ, ㄷ
② ㄱ, ㄹ
③ ㄴ, ㄹ
④ ㄱ, ㄴ, ㄷ
⑤ ㄱ, ㄴ, ㄹ

문제 DATA
출제가능 지수 ▶▶▷
난이도 지수 ★★★

2025년 변호사

ㄱ. (○) 구 식품위생법(1995.12.29. 법률 제5099호로 개정되기 전의 것) 제25조 제1항, 제3항에 의하여 <u>영업양도에 따른 지위승계신고를 수리하는 허가관청의 행위는</u>, 단순히 양도·양수인 사이에 이미 발생한 사법상의 사업양도의 법률효과에 의하여 양수인이 그 영업을 승계하였다는 사실의 신고를 접수하는 행위에 그치는 것이 아니라, <u>실질에 있어서 양도자의 사업허가를 취소함과 아울러 양수자에게 적법히 사업을 할 수 있는 권리를 설정하여 주는 행위로서 사업허가자의 변경이라는 법률효과를 발생시키는 행위이다</u>(대판 1996.10.25. 96도2165).

ㄴ. (×) 乙이 甲에게 영업정지처분을 하는 것은 甲에게 불이익한 처분이므로 甲에게 사전통지 및 의견제출 기회를 부여해야 한다. X는 지위승계신고 수리처분을 통해 이미 영업자의 지위를 상실했으므로 X에게 사전통지 및 의견제출 절차를 거칠 필요는 없다.

함께 정리하기
사례

영업자지위승계신고 수리
▷ 종전 영업자의 영업수행권 취소 & 양수인에게 새로운 영업수행권 설정

지위승계신고 수리 후 영업정지처분시
▷ 양수인에게 「행정절차법」상 사전통지, 의견제출절차 要

취소심판 제기시
▷ 직접처분 不可

행정제재처분 후 유리한 변경이 있는 경우
▷ 취소소송의 대상: 변경된 당초처분

> 「행정절차법」제21조【처분의 사전 통지】① 행정청은 당사자에게 의무를 부과하거나 권익을 제한하는 처분을 하는 경우에는 미리 다음 각 호의 사항을 당사자등에게 통지하여야 한다.
> 1. 처분의 제목
> 2. 당사자의 성명 또는 명칭과 주소
> 3. 처분하려는 원인이 되는 사실과 처분의 내용 및 법적 근거
> 4. 제3호에 대하여 의견을 제출할 수 있다는 뜻과 의견을 제출하지 아니하는 경우의 처리방법
> 5. 의견제출기관의 명칭과 주소
> 6. 의견제출기한
> 7. 그 밖에 필요한 사항

ㄷ. (○) 행정심판법 제50조의 직접처분은 의무이행심판시 처분명령재결에 대해서만 적용되고 취소심판시 변경명령재결에는 적용되지 않는다.

> 「행정심판법」제50조【위원회의 직접 처분】① 위원회는 피청구인이 제49조 제3항에도 불구하고 처분을 하지 아니하는 경우에는 당사자가 신청하면 기간을 정하여 서면으로 시정을 명하고 그 기간에 이행하지 아니하면 직접 처분을 할 수 있다. 다만, 그 처분의 성질이나 그 밖의 불가피한 사유로 위원회가 직접 처분을 할 수 없는 경우에는 그러하지 아니하다.
> 제49조【재결의 기속력 등】③ 당사자의 신청을 거부하거나 부작위로 방치한 처분의 이행을 명하는 재결(처분명령재결)이 있으면 행정청은 지체 없이 이전의 신청에 대하여 재결의 취지에 따라 처분을 하여야 한다.

ㄹ. (×) 제재처분 후 유리한 변경이 있으면 변경된 원처분이 취소소송의 대상이 된다. 즉 행정심판위원회의 변경명령재결에 따라 처분청이 변경처분을 한 경우, 변경처분에 의해 원처분이 소멸하는 것이 아니라 당초부터 유리하게 변경된 원처분으로 존재하기 때문에 소송의 대상은 변경된 내용의 원처분(당초처분)이다. 따라서 (2023.3.13.자 과징금부과처분이 아니라) 변경된 당초처분(원처분)인 2022.12.26.자 변경된 과징금부과처분을 대상으로 취소소송을 제기하여야 하며, 재결을 거친 경우이므로 재결서 정본 송달시부터 90일 이내에 원처분청인 B구 구청장 乙을 상대로 제기하여야 한다(통설·판례에 따르면 변경명령재결과 같은 일부취소재결의 경우 원처분과 재결 사이에는 질적인 차이가 없고 양적인 차이만 존재하므로 재결 자체의 고유한 위법을 인정하기 어렵다).
행정청이 식품위생법령에 따라 영업자에게 행정제재처분을 한 후 그 처분을 영업자에게 유리하게 변경하는 처분을 한 경우, 변경처분에 의하여 당초 처분은 소멸하는 것이 아니고 당초부터 유리하게 변경된 내용의 처분으로 존재하는 것이므로, 변경처분에 의하여 유리하게 변경된 내용의 행정제재가 위법하다 하여 그 취소를 구하는 경우 그 취소소송의 대상은 변경된 내용의 당초 처분이지 변경처분은 아니다(대판 2007.4.27. 2004두9302).

답 ①

007

다음 중 「행정심판법」상 간접강제와 직접처분에 대한 설명으로 가장 옳지 않은 것은?

① 간접강제는 행정심판위원회가 청구인의 신청이 있는 때에만 명할 수 있고 직권으로는 할 수 없다.
② 간접강제결정에 불복할 경우에는 청구인은 그 결정에 대하여 행정심판위원회를 상대로 행정소송을 제기할 수 있다.
③ 직접처분은 당사자의 신청을 거부하거나 부작위로 방치한 처분의 이행을 명하는 재결에 적용된다.
④ 행정심판위원회가 직접 처분을 하였을 때에는 그 사실을 해당 행정청에 통보하여야 하며, 그 통보를 받은 행정청은 행정심판위원회의 직접 처분 취지에 따라 처분을 하고 관계 법령에 따라 관리·감독 등 필요한 조치를 하여야 한다.

문제 DATA
출제가능 지수 ▶▶▷
난이도 지수 ★★☆

①, ② (○)

> 「행정심판법」제50조의2【위원회의 간접강제】① 위원회는 피청구인이 제49조 제2항(제49조 제4항에서 준용하는 경우를 포함한다) 또는 제3항에 따른 처분을 하지 아니하면 청구인의 신청에 의하여 결정으로(①) 상당한 기간을 정하고 피청구인이 그 기간 내에 이행하지 아니하는 경우에는 그 지연기간에 따라 일정한 배상을 하도록 명하거나 즉시 배상을 할 것을 명할 수 있다.
> ④ 청구인은 제1항 또는 제2항에 따른 결정에 불복하는 경우 그 결정에 대하여 행정소송을 제기할 수 있다(②).

③ (○), ④ (×) 통보를 받은 행정청은 위원회의 직접 처분 취지에 따라 처분을 하여야 하는 것이 아니라 위원회가 한 직접처분을 자기가 한 처분으로 보아 관리·감독 등 필요한 조치를 하여야 한다.

> 「행정심판법」제50조【위원회의 직접 처분】① 위원회는 피청구인이 제49조 제3항(처분명령재결)에도 불구하고 처분을 하지 아니하는 경우에는 당사자가 신청하면 기간을 정하여 서면으로 시정을 명하고 그 기간에 이행하지 아니하면 직접 처분을 할 수 있다(③). 다만, 그 처분의 성질이나 그 밖의 불가피한 사유로 위원회가 직접 처분을 할 수 없는 경우에는 그러하지 아니하다.
> ② 위원회는 제1항 본문에 따라 직접 처분을 하였을 때에는 그 사실을 해당 행정청에 통보하여야 하며, 그 통보를 받은 행정청은 위원회가 한 처분을 자기가 한 처분으로 보아 관계 법령에 따라 관리·감독 등 필요한 조치를 하여야 한다(④).
> 제49조【재결의 기속력 등】③ 당사자의 신청을 거부하거나 부작위로 방치한 처분의 이행을 명하는 재결이 있으면 행정청은 지체 없이 이전의 신청에 대하여 재결의 취지에 따라 처분을 하여야 한다.

답 ④

함께 정리하기

「행정심판법」상 간접강제와 직접처분

위원회의 간접강제
▷ 직권 불가(신청 要)

간접강제결정에 불복
▷ 행정소송 제기 可

직접 처분
▷ 처분명령재결 불이행시

직접 처분 시 행정청에 통보
▷ 행정청은 자기가 한 처분으로 보아 관리·감독등 조치하여야 함

008

「행정심판법」과 「행정소송법」에 대한 내용으로 가장 옳은 것은? (다툼이 있는 경우 판례에 의함)

① 그 실질이 사법권의 행사가 아니라 행정권의 행사에 속하는 '법원행정처장에 의한 처분이나 부작위 등'에 대한 행정심판의 청구가 있게 되면, 국가권익위원회에 두는 '중앙행정심판위원회'가 해당 심판청구를 심리·재결하게 된다.

② 당사자의 신청을 거부하거나 부작위로 방치한 처분에 대한 다툼과 관련하여 「행정심판법」은 행정심판위원회에 의한 직접처분을 허용하면서도, 「행정소송법」과 마찬가지로 간접강제 제도를 도입하여 재결의 실효성을 담보하고 있다.

③ 당사자의 주소 등을 통상적인 방법으로 알 수 없어 「행정절차법」이 정한 바에 따라 관보와 인터넷으로 공고하여 소정의 기간이 경과하면, 그때부터 당사자는 '처분이 있음을 안' 것으로 의제되어 「행정심판법」 또는 「행정소송법」상의 불변기간이 개시된다.

④ 회사의 내부규정으로 운수회사에 부과된 과징금은 그 원인행위를 제공한 운전자가 납부하도록 되어 있다면, 해당 운전자는 부과된 과징금의 취소심판 또는 취소소송을 제기할 수 있는 법적 지위를 갖게 된다.

문제 DATA

출제가능 지수 ▶▶▷
난이도 지수 ★★☆

함께 정리하기

「행정심판법」과 「행정소송법」

법원행정처장의 처분이나 부작위
▷ 법원행정처 소속 행정심판위원회

행정심판
▷ 간접강제 可

특정인에 대한 송달불능으로 공고시 90일의 기산일
▷ 처분 있음을 현실적으로 안 날

회사에 대한 과징금부과처분의 직접 당사자 아닌 운전기사
▷ 원고적격 無

2024년 군무원 7급

① (✕) '법원행정처장'에 의한 처분이나 부작위 등에 대한 행정심판청구는 국민권익위원회에 두는 중앙행정심판위원회가 아니라 '법원행정처 행정심판위원회'가 관할권을 가진다.

> 「행정심판법」제6조 【행정심판위원회의 설치】 ① 다음 각 호의 행정청 또는 그 소속 행정청(행정기관의 계층구조와 관계없이 그 감독을 받거나 위탁을 받은 모든 행정청을 말하되, 위탁을 받은 행정청은 그 위탁받은 사무에 관하여는 위탁한 행정청의 소속 행정청으로 본다. 이하 같다)의 처분 또는 부작위에 대한 행정심판의 청구(이하 "심판청구"라 한다)에 대하여는 다음 각 호의 행정청에 두는 행정심판위원회에서 심리·재결한다.
> 1. 감사원, 국가정보원장, 그 밖에 대통령령으로 정하는 대통령 소속기관의 장
> 2. 국회사무총장·법원행정처장·헌법재판소사무처장 및 중앙선거관리위원회사무총장
> 3. 국가인권위원회, 그 밖에 지위·성격의 독립성과 특수성 등이 인정되어 대통령령으로 정하는 행정청
> ② 다음 각 호의 행정청의 처분 또는 부작위에 대한 심판청구에 대하여는 「부패방지 및 국민권익위원회의 설치와 운영에 관한 법률」에 따른 국민권익위원회(이하 "국민권익위원회"라 한다)에 두는 중앙행정심판위원회에서 심리·재결한다.
> 1. 제1항에 따른 행정청 외의 국가행정기관의 장 또는 그 소속 행정청
> 2. 특별시장·광역시장·특별자치시장·도지사·특별자치도지사(특별시·광역시·특별자치시·도 또는 특별자치도의 교육감을 포함한다. 이하 "시·도지사"라 한다) 또는 특별시·광역시·특별자치시·도·특별자치도(이하 "시·도"라 한다)의 의회(의장, 위원회의 위원장, 사무처장 등 의회 소속 모든 행정청을 포함한다)
> 3. 「지방자치법」에 따른 지방자치단체조합 등 관계 법률에 따라 국가·지방자치단체·공공법인 등이 공동으로 설립한 행정청. 다만, 제3항 제3호에 해당하는 행정청은 제외한다.

② (○)

> 「행정심판법」제50조 【위원회의 직접 처분】 ① 위원회는 피청구인이 제49조 제3항에도 불구하고 처분을 하지 아니하는 경우에는 당사자가 신청하면 기간을 정하여 서면으로 시정을 명하고 그 기간에 이행하지 아니하면 직접 처분을 할 수 있다. 다만, 그 처분의 성질이나 그 밖의 불가피한 사유로 위원회가 직접 처분을 할 수 없는 경우에는 그러하지 아니하다.
> 제50조의2 【위원회의 간접강제】 ① 위원회는 피청구인이 제49조 제2항(제49조 제4항에서 준용하는 경우를 포함한다) 또는 제3항에 따른 처분을 하지 아니하면 청구인의 신청에 의하여 결정으로 상당한 기간을 정하고 피청구인이 그 기간 내에 이행하지 아니하는 경우에는 그 지연기간에 따라 일정한 배상을 하도록 명하거나 즉시 배상을 할 것을 명할 수 있다.
> 제49조 【재결의 기속력 등】 ③ 당사자의 신청을 거부하거나 부작위로 방치한 처분의 이행을 명하는 재결이 있으면 행정청은 지체 없이 이전의 신청에 대하여 재결의 취지에 따라 처분을 하여야 한다.

③ (✕) 고시 또는 공고의 효력이 발생하는 날에 그 처분이 있음을 안 것으로 의제되는 일반처분과 달리, 특정인에 대한 처분을 주소불명 등의 이유로 송달할 수 없어 관보 등에 공고한 경우에는(「행정절차법」 제14조 제4항에 의한 공고), 공고의 효력발생일이 아니라 상대방(특정인)이 그 처분이 있었다는 사실을 현실적으로 안 날에 처분이 있음을 알았다고 보아야 한다. 따라서 상대방은 공고 또는 고시의 효력발생일로부터 90일 이내가 아닌 처분이 있음을 안 날로부터 90일 이내에 제소할 수 있다.

> 특정인에 대한 행정처분을 주소불명 등의 이유로 송달할 수 없어 관보·공보·게시판·일간신문 등에 공고한 경우에는, 공고가 효력을 발생하는 날에 상대방이 그 행정처분이 있음을 알았다고 볼 수는 없고, 상대방이 당해 처분이 있었다는 사실을 현실적으로 안 날에 그 처분이 있음을 알았다고 보아야 한다(대판 2006.4.28. 2005두14851).

④ (✕) 회사의 노사 간에 임금협정을 체결함에 있어 운전기사의 합승행위 등으로 회사에 대하여 과징금이 부과되면 당해 운전기사에 대한 상여금지급시 그 금액상당을 공제하기로 함으로써 과징금의 부담을 당해 운전기사에게 전가하도록 규정하고 있고 이에 따라 당해 운전기사의 합승행위를 이유로 회사에 대하여 한 과징금부과처분으로 말미암아 당해 운전기사의 상여금지급이 제한되었다고 하더라도, 과징금부과처분의 직접 당사자 아닌 당해 운전기사로서는 그 처분의 취소를 구할 직접적이고 구체적인 이익이 있다고 볼 수 없다(대판 1994.4.12. 93누24247).

답 ②

009

甲은 단란주점영업을 하던 중 관할 행정청으로부터 「식품위생법」 위반을 이유로 1개월의 영업정지처분을 받게 되었다. 이에 甲이 관할 행정청을 피청구인으로 하여 취소심판을 제기한 경우에 대한 설명으로 옳은 것은?

① 행정심판위원회는 1개월의 영업정지처분의 취소를 명하는 재결을 할 수 있다.
② 행정심판위원회가 1개월의 영업정지처분 취소재결을 내린 경우, 관할 행정청은 취소재결 취소소송을 제기할 수 있다.
③ 행정심판위원회는 취소심판청구가 이유 있다고 인정하면 처분을 다른 처분으로 변경할 수 있다.
④ 甲이 구술심리를 신청하는 경우 행정심판위원회는 구술심리를 하여야 한다.
⑤ 甲은 심판청구에 대하여 구두로 심판청구를 취하할 수 있다.

문제 DATA
출제가능 지수 ▶▶▷
난이도 지수 ★★☆

2024년 소방간부

① (×) 취소심판 제기시 인용재결의 유형으로 취소재결, 변경재결, 변경명령재결은 있으나, 취소명령재결은 없다.

> 「행정심판법」 제43조【재결의 구분】③ 위원회는 취소심판의 청구가 이유가 있다고 인정하면(인용재결) 처분을 취소(취소재결) 또는 다른 처분으로 변경(변경재결)하거나 처분을 다른 처분으로 변경할 것을 피청구인에게 명(변경명령재결)한다.

② (×) 행정심판법 제49조 제1항은 "재결은 피청구인인 행정청과 그 밖의 관계행정청을 기속한다."라고 규정하였고, 이에 따라 처분행정청은 재결에 기속되어 재결의 취지에 따른 처분의무를 부담하게 되므로 이에 불복하여 행정소송을 제기할 수 없다 할 것이며 그렇다고 하더라도 위 법령의 규정이 지방자치의 내재적 제약의 범위를 일탈하여 헌법상의 지방자치의 제도적 보장을 침해하는 것으로 볼 수는 없다고 할 것이다(대판 1998.5.8. 97누15432).

③ (○) 행정심판 재결의 경우는 권력분립이 문제되는 행정소송 판결의 경우와 달리 적극적 변경재결을 자유롭게 할 수 있다. 즉 「행정심판법」 제5조 제1호는 취소심판에 관하여 '행정청의 위법 또는 부당한 처분을 취소하거나 변경하는 행정심판'이라고 규정하고 있는데, 여기에서 '변경'은 소극적 변경인 일부취소뿐만 아니라 적극적 변경(예 영업허가취소처분을 영업정지처분으로 변경, 파면처분을 정직처분으로 변경 등)도 포함된다.

④ (×)

> 「행정심판법」 제40조【심리의 방식】① 행정심판의 심리는 구술심리나 서면심리로 한다. 다만, 당사자가 구술심리를 신청한 경우에는 서면심리만으로 결정할 수 있다고 인정되는 경우 외에는 구술심리를 하여야 한다.

⑤ (×)

> 「행정심판법」 제42조【심판청구 등의 취하】① 청구인은 심판청구에 대하여 제7조 제6항 또는 제8조 제7항에 따른 의결이 있을 때까지 서면으로 심판청구를 취하할 수 있다.

답 ③

함께 정리하기

취소심판

취소심판시 인용재결의 내용
▷ 취소재결 · 변경재결 · 변경 명령재결
▷ 취소명령재결 삭제

피청구인인 행정청
▷ 취소재결에 대해 항고소송 불가(∵ 기속력)

변경재결
▷ 적극적 변경도 포함

구술심리 or 서면심리
▷ 재량

심판청구의 취하
▷ 서면으로 可

문제 DATA

출제가능 지수 ▶▶▷
난이도 지수 ★★☆

010 □□□

판례의 입장으로 옳지 않은 것은?

① 교원소청심사위원회의 결정은 학교법인에 대하여 기속력을 가지지만 기속력은 그 결정의 주문에 포함된 사항에 미치는 것이지 그 전제가 된 요건사실의 인정과 불리한 처분 등의 구체적 위법사유에 관한 판단에까지 미치는 것은 아니다.

② 어업권면허에 선행하는 우선순위결정은 행정청이 우선권자로 결정된 자의 신청이 있으면 어업권면허처분을 하겠다는 것을 약속하는 행위로서 행정처분이 아니다.

③ 행정지도가 강제성을 띠지 않은 비권력적 작용으로서 행정지도의 한계를 일탈하지 않았다면, 그로 인하여 상대방에게 어떤 손해가 발생하였다 하더라도 행정기관은 그에 대한 손해배상책임이 없다.

④ 「공익사업을 위한 토지 등의 취득 및 보상에 관한 법률」상 적법하게 시행된 공익사업으로 인하여 이주하게 된 주거용 건축물 세입자의 주거이전비 보상청구권은 공법상의 권리이고, 따라서 그 보상을 둘러싼 쟁송은 민사소송이 아니라 공법상의 법률관계를 대상으로 하는 행정소송에 의하여야 한다.

> 2024년 지방직 9급

① (×) 교원소청심사위원회(이하 '위원회'라 한다)의 결정은 처분청에 대하여 기속력을 가지고 이는 그 결정의 주문에 포함된 사항뿐 아니라 그 전제가 된 요건사실의 인정과 판단, 즉 처분 등의 구체적 위법사유에 관한 판단에까지 미친다(대판 2013.7.25. 2012두12297).

② (○) 어업권면허에 선행하는 우선순위결정은 행정청이 우선권자로 결정된 자의 신청이 있으면 어업권면허처분을 하겠다는 것을 약속하는 행위로서 강학상 확약에 불과하고 행정처분은 아니므로, 우선순위결정에 공정력이나 불가쟁력과 같은 효력은 인정되지 아니하며, 따라서 우선순위결정이 잘못되었다는 이유로 종전의 어업권면허처분이 취소되면 행정청은 종전의 우선순위결정을 무시하고 다시 우선순위를 결정한 다음 새로운 우선순위결정에 기하여 새로운 어업권면허를 할 수 있다(대판 1995.1.20. 94누6529).

③ (○) 행정지도가 강제성을 띠지 않은 비권력적 작용으로서 행정지도의 한계를 일탈하지 아니하였다면, 그로 인하여 상대방에게 어떤 손해가 발생하였다 하더라도 행정기관은 그에 대한 손해배상책임이 없다(대판 2008.9.25. 2006다18228).

④ (○) 주거이전비는 당해 공익사업 시행지구 안에 거주하는 세입자들의 조기이주를 장려하여 사업추진을 원활하게 하려는 정책적인 목적과 주거이전으로 인하여 특별한 어려움을 겪게 될 세입자들을 대상으로 하는 사회보장적인 차원에서 지급되는 금원의 성격을 가지므로, 적법하게 시행된 공익사업으로 인하여 이주하게 된 주거용 건축물 세입자의 주거이전비 보상청구권은 공법상의 권리이고, 따라서 그 보상을 둘러싼 쟁송은 민사소송이 아니라 공법상의 법률관계를 대상으로 하는 행정소송에 의하여야 한다(대판 2008.5.29. 2007다8129).

답 ①

함께 정리하기

판례

교원소청심사위원회의 인용결정
▷ 주문과 이유 중 판단에 기속력 ○

어업권면허에 선행하는 우선순위결정
▷ 행정처분 ×

한계를 일탈하지 않은 행정지도
▷ 손해배상책임 ×

주거이전비 보상청구
▷ 행정소송의 대상(당사자소송)

011

행정심판 재결의 효력에 대한 설명으로 옳지 않은 것은?

① 행정심판 재결의 내용이 처분청의 처분을 스스로 취소하는 것일 때에는 그 재결의 형성력이 발생하여 당해 행정처분은 별도의 행정처분을 기다릴 것 없이 당연히 취소되어 소멸된다.
② 행정처분이나 행정심판 재결이 불복기간의 경과로 확정될 경우 그 확정력은 처분으로 법률상 이익을 침해받은 자가 당해 처분이나 재결의 효력을 더 이상 다툴 수 없다는 의미일 뿐 판결과 같은 기판력이 인정되는 것은 아니다.
③ 당사자의 신청을 받아들이지 않은 거부처분이 재결에서 취소된 경우에 행정청은 종전 거부처분 또는 재결 후에 발생한 새로운 사유를 내세워 다시 거부처분을 할 수 없다.
④ 교원소청심사위원회의 결정은 처분청에 대하여 기속력을 가지고 이는 그 결정의 주문에 포함된 사항뿐 아니라 처분 등의 구체적 위법사유에 관한 판단에까지 미친다.

2024년 국가직 9급

① (○) 행정심판에 있어서 재결청의 재결 내용이 처분청의 취소를 명하는 것이 아니라 처분청의 처분을 스스로 취소하는 것일 때에는 그 재결의 형성력이 발생하여 당해 행정처분은 별도의 행정처분을 기다릴 것 없이 당연히 취소되어 소멸되는 것이다(대판 1997.5.30. 96누14678).
② (○) 일반적으로 행정처분이나 행정심판 재결이 불복기간의 경과로 인하여 확정될 경우 확정력은 처분으로 인하여 법률상 이익을 침해받은 자가 처분이나 재결의 효력을 더 이상 다툴 수 없다는 의미일 뿐 판결에 있어서와 같은 기판력이 인정되는 것은 아니어서 처분의 기초가 된 사실관계나 법률적 판단이 확정되고 당사자들이나 법원이 이에 기속되어 모순되는 주장이나 판단을 할 수 없게 되는 것은 아니다(대판 1993.4.13. 92누17181).
③ (×) 당사자의 신청을 받아들이지 않은 거부처분이 재결에서 취소된 경우에 행정청은 종전 거부처분 또는 재결 후에 발생한 새로운 사유를 내세워 다시 거부처분을 할 수 있다. 그 재결의 취지에 따라 이전의 신청에 대하여 다시 어떠한 처분을 하여야 할지는 처분을 할 때의 법령과 사실을 기준으로 판단하여야 하기 때문이다(대판 2017.10.31. 2015두45045).
④ (○) 교원소청심사위원회(이하 '위원회'라 한다)의 결정은 처분청에 대하여 기속력을 가지고 이는 그 결정의 주문에 포함된 사항뿐 아니라 그 전제가 된 요건사실의 인정과 판단, 즉 처분 등의 구체적 위법사유에 관한 판단에까지 미친다(대판 2013.7.25. 2012두12297).

답 ③

문제 DATA
출제가능 지수 ▶▶▷
난이도 지수 ★★☆

함께 정리하기

재결의 효력

취소재결의 효력
▷ 형성력○ (별도의 처분 不要)

행정심판 재결 확정
▷ 기판력× / 소송에서 당사자, 법원은 이와 모순주장 or 판단 可

거부처분이 재결에서 취소
▷ 종전 거부 처분 또는 재결 후 발생한 사유 내세워 다시 거부처분 可

인용재결의 기속력
▷ 재결의 주문 및 위법사유에 관한 이유 중 판단에 미침

문제 DATA

출제가능 지수 ▶▶▷
난이도 지수 ★★☆

012

「행정심판법」상 행정심판에 대한 설명으로 옳은 것만을 모두 고르면?

ㄱ. 심판청구에 대한 재결이 있으면 그 재결 및 같은 처분 또는 부작위에 대하여 다시 행정심판을 청구할 수 없다.
ㄴ. 행정심판위원회는 처분 또는 부작위가 위법·부당하다고 상당히 의심되는 경우로서 처분 또는 부작위 때문에 당사자가 받을 우려가 있는 중대한 불이익이나 당사자에게 생길 급박한 위험을 막기 위하여 임시지위를 정하여야 할 필요가 있는 경우에는 집행정지로 목적을 달성할 수 있더라도 직권으로 또는 당사자의 신청에 의하여 임시처분을 결정할 수 있다.
ㄷ. 행정심판위원회는 피청구인이 의무이행재결 중 처분명령재결의 취지에 따른 처분을 하지 아니하는 경우에, 청구인의 신청에 의하여 결정으로 상당한 기간을 정하고 피청구인이 그 기간 내에 이행하지 아니하는 경우에는 그 지연기간에 따라 일정한 배상을 하도록 명하거나 즉시 배상을 할 것을 명할 수 있다.
ㄹ. 피청구인 또는 행정심판위원회는 전자정보처리조직을 통하여 행정심판을 청구하거나 심판참가를 한 자가 동의한 경우에 전자정보처리조직과 그와 연계된 정보통신망을 이용하여 재결서나 「행정심판법」에 따른 각종 서류를 청구인 또는 참가인에게 송달할 수 있다.

① ㄱ, ㄷ
② ㄱ, ㄴ, ㄹ
③ ㄱ, ㄷ, ㄹ
④ ㄴ, ㄷ, ㄹ

함께 정리하기

행정심판

재결에 대한 불복
▷ 행정심판 재청구 금지

집행정지로 목적달성可
▷ 임시처분✕

재결에 따른 처분 없는 경우
▷ 신청에 의해 간접강제可

전자정보처리조직을 이용한 송달
▷ 청구인이나 참가인 동의시 可

2023년 지방직 7급

ㄱ. (○)

> 「행정심판법」제51조【행정심판 재청구의 금지】심판청구에 대한 재결이 있으면 그 재결 및 같은 처분 또는 부작위에 대하여 다시 행정심판을 청구할 수 없다.

ㄴ. (✕) 집행정지로 목적달성이 가능하면 임시처분은 불가하다(보충성).

> 「행정심판법」제31조【임시처분】① 위원회는 처분 또는 부작위가 위법·부당하다고 상당히 의심되는 경우로서 처분 또는 부작위 때문에 당사자가 받을 우려가 있는 중대한 불이익이나 당사자에게 생길 급박한 위험을 막기 위하여 임시지위를 정하여야 할 필요가 있는 경우에는 직권으로 또는 당사자의 신청에 의하여 임시처분을 결정할 수 있다.
> ③ 제1항에 따른 임시처분은 제30조 제2항에 따른 집행정지로 목적을 달성할 수 있는 경우에는 허용되지 아니한다.

ㄷ. (○)

> 「행정심판법」제50조의2【위원회의 간접강제】① 위원회는 피청구인이 제49조 제2항(제49조 제4항에서 준용하는 경우를 포함한다) 또는 제3항에 따른 처분을 하지 아니하면 청구인의 신청에 의하여 결정으로 상당한 기간을 정하고 피청구인이 그 기간 내에 이행하지 아니하는 경우에는 그 지연기간에 따라 일정한 배상을 하도록 명하거나 즉시 배상을 할 것을 명할 수 있다.

ㄹ. (○)

> 「행정심판법」제54조【전자정보처리조직을 이용한 송달 등】① 피청구인 또는 위원회는 제52조 제1항에 따라 행정심판을 청구하거나 심판참가를 한 자에게 전자정보처리조직과 그와 연계된 정보통신망을 이용하여 재결서나 이 법에 따른 각종 서류를 송달할 수 있다. 다만, 청구인이나 참가인이 동의하지 아니하는 경우에는 그러하지 아니하다.

답 ③

013

A 행정청이 甲에게 B 행정심판위원회에 행정심판을 청구하였다. 이에 대한 설명으로 옳은 것은? (다툼이 있는 경우 판례에 의함)

① B 행정심판위원회의 기각재결이 있은 후에는 A 행정청은 원처분을 직권으로 취소할 수 없다.
② 甲이 취소심판을 제기한 경우, B 행정심판위원회는 심판청구가 이유가 있다고 인정하면 처분변경명령재결을 할 수 있다.
③ 甲이 무효확인심판을 제기한 경우, B 행정심판위원회는 심판청구가 이유있다고 인정하면서도 이를 인용하는 것이 공공복리에 크게 위배된다고 인정하면 甲의 심판청구를 기각할 수 있다.
④ B 행정심판위원회의 재결에 고유한 위법이 있는 경우에는 甲은 다시 행정심판을 청구할 수 있다.

문제 DATA
출제가능 지수 ▶▶▷
난이도 지수 ★★☆

2022년 지방직 9급

① (✕) 재결의 기속력은 인용재결에 인정되며, 기각재결에는 인정되지 않는다.

> 「행정심판법」 제49조【재결의 기속력 등】① 심판청구를 인용하는 재결은 피청구인과 그 밖의 관계 행정청을 기속한다.

② (○) 인용재결이란 본안심리의 결과 심판청구가 이유 있다고 인정하여 청구인의 청구취지를 받아들이는 재결을 말한다. 인용재결은 청구의 내용에 따라 취소·변경재결, 무효등확인재결, 의무이행재결로 구분된다. 취소·변경재결에는 ㉠ 처분취소재결, ㉡ 처분변경재결, ㉢ 처분변경명령재결이 있다. ㉠과 ㉡은 형성재결이고, ㉢은 이행재결이다. 처분을 변경하거나 변경을 명하는 재결은 행정심판기관이 행정기관이므로 처분 내용을 적극적으로 변경하거나 변경을 명하는 재결을 포함한다.

> 「행정심판법」 제43조【재결의 구분】③ 위원회는 취소심판의 청구가 이유가 있다고 인정하면 처분을 취소 또는 다른 처분으로 변경하거나 처분을 다른 처분으로 변경할 것을 피청구인에게 명한다.

③ (✕) 사정재결은 취소심판·의무이행심판에만 인정되고, 무효등확인심판에는 적용되지 아니한다(「행정심판법」제44조 제3항). 처분이 처음부터 무효 또는 부존재인 경우에는 그 효력을 유지시킨다는 것이 논리적으로 불가능하기 때문이다.

> 「행정심판법」 제44조【사정재결】① 위원회는 심판청구가 이유가 있다고 인정하는 경우에도 이를 인용하는 것이 공공복리에 크게 위배된다고 인정하면 그 심판청구를 기각하는 재결을 할 수 있다. 이 경우 위원회는 재결의 주문(主文)에서 그 처분 또는 부작위가 위법하거나 부당하다는 것을 구체적으로 밝혀야 한다.
> ② 위원회는 제1항에 따른 재결을 할 때에는 청구인에 대하여 상당한 구제방법을 취하거나 상당한 구제방법을 취할 것을 피청구인에게 명할 수 있다.
> ③ 제1항과 제2항은 무효등확인심판에는 적용하지 아니한다.

④ (✕) 재결 자체에 고유한 위법이 있는 경우에는 재결을 대상으로 하는 행정소송을 제기할 수 있다(「행정소송법」제19조 단서). 하지만 행정심판위원회의 재결에 고유한 위법이 있는 경우에도 다시 행정심판을 청구할 수는 없다.

> 「행정심판법」 제51조【행정심판 재청구의 금지】심판청구에 대한 재결이 있으면 그 재결 및 같은 처분 또는 부작위에 대하여 다시 행정심판을 청구할 수 없다.

답 ②

함께 정리하기

사례해결

기각재결
▷ 직권취소 可

취소심판의 인용재결
▷ 취소재결, 변경재결, 변경명령재결

무효등확인심판
▷ 사정재결✕

재결에 고유한 위법
▷ 재심판청구✕
▷ 재결취소소송○

문제 DATA

출제가능 지수 ▶▶▷
난이도 지수 ★★☆

014

행정쟁송에 대한 설명으로 옳은 것은? (다툼이 있는 경우 판례에 의함)

① 행정심판의 재결에도 판결에서와 같은 기판력이 인정되는 것이어서 재결이 확정되면 처분의 기초가 된 사실관계나 법률적 판단이 확정되는 것이므로 당사자는 이와 모순되는 주장을 할 수 없게 된다.

② 무효인 처분에 대해 무효선언을 구하는 취소소송을 제기하는 경우에는 제소기간의 제한이 없다.

③ 거부행위가 항고소송의 대상인 처분이 되기 위해서는 그 거부행위가 신청인의 실체상의 권리관계에 직접적인 변동을 일으키는 것이어야 하며, 신청인이 실체상의 권리자로서 권리를 행사함에 중대한 지장을 초래하는 것만으로는 부족하다.

④ 처분 시에 행정청으로부터 행정심판 제기기간에 관하여 법정심판청구기간보다 긴 기간으로 잘못 통지받은 경우에 보호할 신뢰 이익은 그 통지받은 기간 내에 행정소송을 제기한 경우에까지 확대되지 않는다.

함께 정리하기

행정쟁송

행정심판 재결 확정
▷ 소송에서 당사자, 법원은 모순 주장 or 판단 可

무효선언을 구하는 취소소송
▷ 제소기간 준수 要

항고소송의 대상인 거부행위
▷ 권리행사에 중대한 지장 초래하는 것 포함

청구기간 오고지의 효과
▷ 행정소송에 적용×

2022년 지방직 9급

① (×) 일반적으로 <u>행정처분이나 행정심판 재결이 불복기간의 경과로 인하여 확정될 경우 확정력은 처분으로 인하여 법률상 이익을 침해받은 자가 처분이나 재결의 효력을 더 이상 다툴 수 없다는 의미일 뿐 판결에 있어서와 같은 기판력이 인정되는 것은 아니어서</u> 처분의 기초가 된 사실관계나 법률적 판단이 확정되고 당사자들이나 법원이 이에 기속되어 모순되는 주장이나 판단을 할 수 없게 되는 것은 아니다 (대판 1993.4.13. 92누17181).

② (×) <u>무효선언적 의미의 취소소송 또한 형식적으로는 취소소송의 형태를 취하고 있으므로 취소소송의 제기요건(예외적 행정심판전치, 제소기간 등)을 갖추어야 한다</u>는 것이 판례의 태도이다(대판 1993.3.12. 92누11039).

③ (×) 국민의 적극적 행위 신청에 대하여 행정청이 그 신청에 따른 행위를 하지 않겠다고 거부한 행위가 항고소송의 대상이 되는 행정처분에 해당하는 것이라고 하려면, 그 신청한 행위가 공권력의 행사 또는 이에 준하는 행정작용이어야 하고, 그 거부행위가 신청인의 법률관계에 어떤 변동을 일으키는 것이어야 하며, 그 국민에게 그 행위발동을 요구할 법규상 또는 조리상의 신청권이 있어야 하는바, 여기에서 '신청인의 법률관계에 어떤 변동을 일으키는 것'이라는 의미는 신청인의 실체상의 권리관계에 직접적인 변동을 일으키는 것은 물론, 그렇지 않다 하더라도 <u>신청인이 실체상의 권리자로서 권리를 행사함에 중대한 지장을 초래하는 것도 포함한다</u>(대판 2007.10.11. 2007두1316).

④ (○) 행정청이 심판청구기간을 실제보다 긴 기간으로 잘못 알린 경우에는 그 잘못 알린 기간에 행정심판을 청구하면 된다(「행정심판법」 제27조 제5항). 그러나 이러한 「행정심판법」상 오고지 규정은 행정소송에 적용되지 않는다.

> 행정처분시나 그 이후 행정청으로부터 행정심판 제기기간에 관하여 법정 심판청구기간보다 긴 기간으로 잘못 통지받은 경우에 보호할 신뢰 이익은 그 통지받은 기간 내에 행정심판을 제기한 경우에 한하는 것이지 행정소송을 제기한 경우에까지 확대된다고 할 수 없으므로, 당사자가 행정처분이나 그 이후 행정청으로부터 행정심판 제기기간에 관하여 법정 심판청구기간보다 긴 기간으로 잘못 통지받아 행정소송법상 법정 제소기간을 도과하였다고 하더라도, 그것이 당사자가 책임질 수 없는 사유로 인한 것이라고 할 수는 없다(대판 2001.5.8. 2000두6916).

유제 18. 국가직 9급 행정심판에서는 행정청이 상대방에게 심판청구기간을 법정심판청구기간보다 긴 기간으로 잘못 알린 경우에 그 잘못 알린 기간 내에 심판청구가 있으면 그 심판청구는 법정심판청구기간 내에 제기된 것으로 보나 행정소송에서는 그렇지 않다. (○)

답 ④

015 □□□

행정처분의 위법성에 대한 설명으로 옳지 않은 것은? (다툼이 있는 경우 판례에 의함)

① 행정청이 행정처분을 하면서 상대방에게 불복절차에 관한 고지의무를 이행하지 않았다면 이는 절차적 하자로서 그 행정처분은 위법하게 된다.
② 행정처분이 나중에 항고소송에서 위법하다고 판단되어 취소되더라도 그러한 사실만으로 바로 행정처분이 공무원의 고의나 과실로 인한 불법행위를 구성한다고 할 수 없다.
③ 절차상의 하자를 이유로 행정처분을 취소하는 판결이 선고되어 확정된 경우, 그 확정판결의 기속력은 취소사유로 된 절차의 위법에 한하여 미치는 것이므로 행정청은 적법한 절차를 갖추어 동일한 내용의 처분을 다시 할 수 있다.
④ 권한 없는 행정청이 한 위법한 행정처분을 취소할 수 있는 권한은 그 행정처분을 한 처분청에게 속하는 것이고, 그 행정처분을 할 수 있는 적법한 권한을 가지는 행정청에게 그 취소권이 귀속되는 것은 아니다.

문제 DATA
출제가능 지수 ▶▶▷
난이도 지수 ★★☆

2022년 지방직 9급

① (×) 자동차운수사업법 제31조 등의 규정에 의한 사업면허의 취소 등의 처분에 관한 규칙(교통부령) 제7조 제3항의 고지절차에 관한 규정은 행정처분의 상대방이 그 처분에 대한 행정심판의 절차를 밟는데 있어 편의를 제공하려는데 있으며 처분청이 위 규정에 따른 고지의무를 이행하지 아니하였다고 하더라도 경우에 따라서는 행정심판의 제기기간이 연장될 수 있는 것에 그치고 이로 인하여 심판의 대상이 되는 행정처분에 어떤 하자가 수반된다고 할 수 없다(대판 1987.11.24. 87누529).
② (○) 어떠한 행정처분이 후에 항고소송에서 취소된 사실만으로 당해 행정처분이 곧바로 공무원의 고의 또는 과실로 인한 것으로서 불법행위를 구성한다고 단정할 수는 없다(대판 2007.5.10. 2005다31828).
③ (○) 과세처분 시 납세고지서에 과세표준, 세율, 세액의 산출근거등이 누락되어 있어 이러한 절차 내지 형식의 위법을 이유로 과세처분을 취소하는 판결이 확정된 경우에 그 확정판결의 기판력은 확정판결에 적시된 절차 내지 형식의 위법사유에 한하여 미친다고 할 것이므로 과세처분권자가 그 확정판결에 적시된 위법사유를 보완하여 행한 새로운 과세처분은 확정판결에 의하여 취소된 종전의 과세처분과는 별개의 처분으로서 확정판결의 기판력에 저촉되는 것은 아니다(대판 1986.11.11. 85누231).

> **유제** 17. 국회직 8급 취소 확정판결의 기판력은 판결에 적시된 위법사유에 한하여 미치므로 행정청이 그 확정판결에 적시된 위법사유를 보완하여 행한 새로운 행정처분은 확정판결에 의하여 취소된 종전 처분과는 별개의 처분으로서 확정판결의 기판력에 저촉되지 않는다. (○)
> 20. 국가직 9급 절차상의 하자를 이유로 과세처분을 취소하는 판결이 확정된 후 그 위법사유를 보완하여 이루어신 새로운 부과처분은 확정판결의 기판력에 저촉된다. (×)
> 14. 지방직 9급 과세처분 시 납세고지서에 절차 내지 형식의 위법을 이유로 과세처분을 취소하는 판결이 확정된 경우에, 과세처분권자가 그 확정판결에 적시된 위법사유를 보완하여 행한 새로운 과세처분은 확정판결의 기판력에 저촉되지 아니한다. (○)

④ (○) 권한 없는 행정기관이 한 당연무효인 행정처분을 취소할 수 있는 권한은 해당 행정처분을 한 처분청에게 속하고, 해당 행정처분을 할 수 있는 적법한 권한을 가지는 행정청에게 그 취소권이 귀속되는 것이 아니다(대판 1984.10.10. 84누463).

답 ①

함께 정리하기
행정처분의 위법성

불고지
▷ 당해 처분 위법×

처분취소판결
▷ 고의·과실 곧바로 인정×

절차상 하자를 이유로 취소판결 확정 후 적법한 절차 갖추어 동일한 처분
▷ 기속력 위반×

권한 없는 기관이 한 처분의 취소권한
▷ 실제로 처분을 한 행정청에 귀속(적법한 처분권한을 가진 행정청×)

문제 DATA

출제가능 지수 ▶▶▷
난이도 지수 ★★☆

016 ☐☐☐

「행정심판법」에 대한 설명으로 옳지 않은 것은?

① 청구인이 피청구인을 잘못 지정한 경우에는 위원회는 직권으로 또는 당사자의 신청에 의하여 결정으로써 피청구인을 경정할 수 있다.
② 행정심판위원회는 심판청구의 대상이 되는 처분보다 청구인에게 불리한 재결을 할 수 있다.
③ 중앙행정심판위원회는 위법 또는 불합리한 명령 등의 시정조치를 관계 행정기관에 요청할 수 있다.
④ 법령의 규정에 따라 공고하거나 고시한 처분이 재결로써 취소되거나 변경되면 처분을 한 행정청은 지체 없이 그 처분이 취소 또는 변경되었다는 것을 공고하거나 고시하여야 한다.

함께 정리하기

「행정심판법」

피청구인 잘못 지정
▷ 직권·신청 의해 피청구인경정

행정심판위원회
▷ 심판대상인 처분보다 불리한 재결 불가

중앙행정심판위원회
▷ 불합리한 법령등 시정조치요청권○

공고 처분을 취소
▷ 지체 없이 취소 공고 要

| 2022년 소방직

① (○)
> 「행정심판법」 제17조 【피청구인의 적격 및 경정】 ② 청구인이 피청구인을 잘못 지정한 경우에는 위원회는 직권으로 또는 당사자의 신청에 의하여 결정으로써 피청구인을 경정(更正)할 수 있다.

② (×)
> 「행정심판법」 제47조 【재결의 범위】 ① 위원회는 심판청구의 대상이 되는 처분 또는 부작위 외의 사항에 대하여는 재결하지 못한다.
> ② 위원회는 심판청구의 대상이 되는 처분보다 청구인에게 불리한 재결을 하지 못한다.

③ (○)
> 「행정심판법」 제59조 【불합리한 법령 등의 개선】 ① 중앙행정심판위원회는 심판청구를 심리·재결할 때에 처분 또는 부작위의 근거가 되는 명령 등(대통령령·총리령·부령·훈령·예규·고시·조례·규칙 등을 말한다. 이하 같다)이 법령에 근거가 없거나 상위 법령에 위배되거나 국민에게 과도한 부담을 주는 등 크게 불합리하면 관계 행정기관에 그 명령 등의 개정·폐지 등 적절한 시정조치를 요청할 수 있다. 이 경우 중앙행정심판위원회는 시정조치를 요청한 사실을 법제처장에게 통보하여야 한다.
> ② 제1항에 따른 요청을 받은 관계 행정기관은 정당한 사유가 없으면 이에 따라야 한다.

④ (○)
> 「행정심판법」 제49조 【재결의 기속력 등】 ⑤ 법령의 규정에 따라 공고하거나 고시한 처분이 재결로써 취소되거나 변경되면 처분을 한 행정청은 지체 없이 그 처분이 취소 또는 변경되었다는 것을 공고하거나 고시하여야 한다.

답 ②

문제 DATA

출제가능 지수 ▶▶▷
난이도 지수 ★★☆

017 ☐☐☐

「행정심판법」상 행정심판위원회가 취소심판의 청구가 이유가 있다고 인정하는 경우에 행할 수 있는 재결에 해당하지 않는 것은?

① 처분을 취소하는 재결
② 처분을 할 것을 명하는 재결
③ 처분을 다른 처분으로 변경하는 재결
④ 처분을 다른 처분으로 변경할 것을 명하는 재결

2021년 국가직 9급

② (×) 취소심판의 청구가 이유가 있다고 인정하는 경우 취소·변경재결을 한다. 취소·변경재결에는 ㉠ 처분취소재결, ㉡ 처분변경재결, ㉢ 처분변경명령재결이 있다. ㉠과 ㉡은 형성재결이고, ㉢은 이행재결이다. 처분을 변경하거나 변경을 명하는 재결은 행정심판기관이 행정기관이므로 처분 내용을 적극적으로 변경하거나 변경을 명하는 재결을 포함한다. 처분명령재결은 규정되어 있지 않고 이는 의무이행심판제기시 인용재결의 한 유형이다.

> 「행정심판법」 제43조 【재결의 구분】 ③ 위원회는 취소심판의 청구가 이유가 있다고 인정하면 처분을 취소 또는 다른 처분으로 변경하거나 처분을 다른 처분으로 변경할 것을 피청구인에게 명한다.

답 ②

함께 정리하기
취소심판의 인용재결
▷ 취소재결O, 변경재결O, 변경명령재결O
▷ 처분명령재결×

---

018 □□□

「행정심판법」상 행정심판에 대한 설명으로 옳지 않은 것은? (다툼이 있는 경우 판례에 의함)

① 심판청구기간의 기산점인 '처분이 있음을 안 날'이라 함은 당사자가 통지·공고 기타의 방법에 의하여 당해 처분이 있었다는 사실을 현실적으로 안 날을 의미한다.
② 행정청의 부작위에 대한 의무이행심판은 심판청구기간 규정의 적용을 받지 않고, 사정재결이 인정되지 아니한다.
③ 심판청구에 대한 재결이 있으면 그 재결 및 같은 처분 또는 부작위에 대하여 다시 행정심판을 청구할 수 없다.
④ 재결이 확정된 경우에도 처분의 기초가 된 사실관계나 법률적 판단이 확정되고 당사자들이나 법원이 이에 기속되어 모순되는 주장이나 판단을 할 수 없게 되는 것은 아니다.

문제 DATA
출제가능 지수 ▶▶∑
난이도 지수 ★★☆

2021년 지방직 9급

① (O) 행정심판법 제18조 제1항 소정의 심판청구기간 기산점인 '처분이 있음을 안 날'이라 함은 당사자가 통지·공고 기타의 방법에 의하여 당해 처분이 있었다는 사실을 현실적으로 안 날을 의미하고, 추상적으로 알 수 있었던 날을 의미하는 것은 아니지만, 처분에 관한 서류가 당사자의 주소지에 송달되는 등 사회통념상 처분이 있음을 당사자가 알 수 있는 상태에 놓여진 때에는 반증이 없는 한 그 처분이 있음을 알았다고 추정할 수 있다(대판 1999.12.28. 99두9742).
② (×) 거부를 심판대상으로 하는 경우에는 심판청구기간의 제한이 있지만, 부작위에 대한 의무이행심판에는 심판청구기간의 제한이 적용되지 않는다. 따라서 거부를 심판대상으로 하는 경우의 심판청구기간은 원칙적으로 처분이 있음을 알게 된 날부터 90일 이내, 처분이 있었던 날부터 180일이고, 부작위를 심판대상으로 하는 경우에는 부작위가 계속되는 한 심판청구가 가능하다. 사정재결은 취소심판·의무이행심판에만 인정되고, 무효등확인심판에는 적용되지 아니한다(「행정심판법」 제44조 제3항). 처분이 처음부터 무효 또는 부존재인 경우에는 그 효력을 유지시킨다는 것이 논리적으로 불가능하기 때문이다.
③ (O)

> 「행정심판법」 제51조 【행정심판 재청구의 금지】 심판청구에 대한 재결이 있으면 그 재결 및 같은 처분 또는 부작위에 대하여 다시 행정심판을 청구할 수 없다.

④ (O) 행정처분이나 행정심판 재결이 불복기간의 경과로 인하여 확정될 경우 확정력은 처분으로 인하여 법률상 이익을 침해받은 자가 처분이나 재결의 효력을 더 이상 다툴 수 없다는 의미일 뿐 판결에 있어서와 같은 기판력이 인정되는 것은 아니어서 처분의 기초가 된 사실관계나 법률적 판단이 확정되고 당사자들이나 법원이 이에 기속되어 모순되는 주장이나 판단을 할 수 없게 되는 것은 아니다(대판 1993.4.13. 92누17181).

답 ②

함께 정리하기
행정심판
처분이 있음을 안 날
▷ 처분이 있었다는 사실을 현실적으로 안 날
부작위에 대한 의무이행심판
▷ 청구기간×, 사정재결O
재심판청구금지
행정심판 재결 확정
▷ 소송에서 당사자, 법원은 모순 주장 or 판단 可

문제 DATA
출제가능 지수 ▶▶▷
난이도 지수 ★★☆

019 ☐☐☐

재결의 기속력에 대한 설명으로 옳은 것만을 모두 고르면? (다툼이 있는 경우 판례에 의함)

> ㄱ. 재결에 의하여 취소되거나 무효 또는 부존재로 확인되는 처분이 당사자의 신청을 거부하는 것을 내용으로 하는 경우에는 그 처분을 한 행정청은 재결의 취지에 따라 다시 이전의 신청에 대한 처분을 하여야 한다.
> ㄴ. 재결의 기속력은 인용재결의 경우에만 인정되고 기각재결에서는 인정되지 않는다.
> ㄷ. 기속력은 재결의 주문에만 미치고, 처분 등의 구체적 위법사유에 관한 판단에는 미치지 않는다.
> ㄹ. 행정심판 인용재결에 따른 행정청의 재처분 의무에도 불구하고 행정청이 인용재결에 따른 처분을 하지 아니하는 경우에, 행정심판위원회는 청구인의 신청이 없어도 결정으로 일정한 배상을 하도록 명할 수 있다.

① ㄱ, ㄴ
② ㄱ, ㄴ, ㄹ
③ ㄱ, ㄷ, ㄹ
④ ㄴ, ㄷ, ㄹ

함께 정리하기

재결의 기속력

거부처분에 대한 취소·무효·부존재재결
▷ 재결취지에 따른 재처분의무○

인용재결에만○

재결의 주문과 요건사실의 인정·판단에 대하여 미침

재결에 따른 처분 없는 경우
▷ 신청에 의해 간접강제 可

2021년 지방직 9급

ㄱ. (○)

> 「행정심판법」 제49조【재결의 기속력 등】② 재결에 의하여 취소되거나 무효 또는 부존재로 확인되는 처분이 당사자의 신청을 거부하는 것을 내용으로 하는 경우에는 그 처분을 한 행정청은 재결의 취지에 따라 다시 이전의 신청에 대한 처분을 하여야 한다.

ㄴ. (○)

> 「행정심판법」 제49조【재결의 기속력 등】① 심판청구를 인용하는 재결은 피청구인과 그 밖의 관계 행정청을 기속한다.

ㄷ. (×) 재결의 기속력은 재결의 주문 및 그 전제가 된 요건사실의 인정과 판단, 즉 처분 등의 구체적 위법사유에 관한 판단에만 미친다고 할 것이고, 종전 처분이 재결에 의하여 취소되었다 하더라도 종전 처분 시와는 다른 사유를 들어서 처분을 하는 것은 기속력에 저촉되지 않는다고 할 것이며, 여기에서 동일 사유인지 다른 사유인지는 종전 처분에 관하여 위법한 것으로 재결에서 판단된 사유와 기본적 사실관계에 있어 동일성이 인정되는 사유인지 여부에 따라 판단되어야 한다(대판 2005.12.9. 2003두7705).

ㄹ. (×)

> 「행정심판법」 제50조의2【위원회의 간접강제】① 위원회는 피청구인이 제49조 제2항(제49조 제4항에서 준용하는 경우를 포함한다) 또는 제3항에 따른 처분을 하지 아니하면 청구인의 신청에 의하여 결정으로 상당한 기간을 정하고 피청구인이 그 기간 내에 이행하지 아니하는 경우에는 그 지연기간에 따라 배상을 하도록 명하거나 즉시 배상을 할 것을 명할 수 있다.

답 ①

020 □□□

행정심판에 대한 설명으로 옳지 않은 것은? (다툼이 있는 경우 판례에 의함)

① 취소심판의 인용재결로서 취소재결, 변경재결, 변경명령재결을 할 수 있다.
② 당사자의 신청을 받아들이지 않은 거부처분이 재결에서 취소된 경우에 행정청은 재결 후에 발생한 새로운 사유를 내세워 다시 거부처분을 할 수 있다.
③ 정보공개명령재결은 행정심판위원회에 의한 직접처분의 대상이 된다.
④ 인용재결의 기속력은 피청구인과 그 밖의 관계 행정청에 미치고, 행정심판위원회의 간접강제 결정의 효력은 피청구인인 행정청이 소속된 국가·지방자치단체 또는 공공단체에 미친다.

2021년 국가직 7급

① (○) 취소심판의 인용재결의 종류에는 처분취소재결, 처분변경재결, 처분변경명령재결이 있다. 처분취소명령재결은 없다.

> 「행정심판법」 제43조【재결의 구분】③ 위원회는 취소심판의 청구가 이유가 있다고 인정하면 처분을 취소 또는 다른 처분으로 변경하거나 처분을 다른 처분으로 변경할 것을 피청구인에게 명한다.

② (○) 재결의 기속력은 재결의 주문 및 그 전제가 된 요건사실의 인정과 판단, 즉 처분 등의 구체적 위법사유에 관한 판단에만 미친다고 할 것이고, 종전 처분이 재결에 의하여 취소되었다 하더라도 종전 처분 시와는 다른 사유를 들어서 처분을 하는 것은 기속력에 저촉되지 않는다고 할 것이며, 여기에서 동일 사유인지 다른 사유인지는 종전 처분에 관하여 위법한 것으로 재결에서 판단된 사유와 기본적 사실관계에 있어 동일성이 인정되는 사유인지 여부에 따라 판단되어야 한다(대판 2005.12.9. 2003두7705).

③ (×) 정보공개는 정보보유기관이 직접 행하여야 하므로, 그 처분의 성질상 행정심판위원회가 직접처분을 할 수 없는 경우에 해당한다(「행정심판법」제50조 제1항 단서).

④ (○)

> 「행정심판법」 제49조【재결의 기속력 등】① 심판청구를 인용하는 재결은 피청구인과 그 밖의 관계 행정청을 기속한다.
> 제50조의2【위원회의 간접강제】① 위원회는 피청구인이 제49조 제2항(제49조 제4항에서 준용하는 경우를 포함한다) 또는 제3항에 따른 처분을 하지 아니하면 청구인의 신청에 의하여 결정으로 상당한 기간을 정하고 피청구인이 그 기간 내에 이행하지 아니하는 경우에는 그 지연기간에 따라 일정한 배상을 하도록 명하거나 즉시 배상을 할 것을 명할 수 있다.
> ⑤ 제1항 또는 제2항에 따른 결정의 효력은 피청구인인 행정청이 소속된 국가·지방자치단체 또는 공공단체에 미치며, 결정서 정본은 제4항에 따른 소송제기와 관계없이 「민사집행법」에 따른 강제집행에 관하여는 집행권원과 같은 효력을 가진다. 이 경우 집행문은 위원장의 명에 따라 위원회가 소속된 행정청 소속 공무원이 부여한다.

답 ③

📌 문제 DATA

출제가능 지수 ▶▶▷
난이도 지수 ★★☆

함께 정리하기

행정심판

취소심판의 인용재결
▷ 취소재결, 변경재결, 변경명령재결

거부처분이 재결에서 취소
▷ 재결 후 발생한 사유 내세워 다시 거부처분 가

정보공개명령재결
▷ 직접처분 불가

간접강제결정의 효력
▷ 피청구인이 소속된 행정주체에 미침

문제 DATA

출제가능 지수 ▶▶▷
난이도 지수 ★★☆

함께 정리하기

행정심판

「행정심판법」
▷ 당사자심판 규정✕

피청구인 경정
▷ 위원회의 직권 또는 신청에 의해 可

조정
▷ 조정서에 합의사항 기재 후 당사자가 서명날인하고 위원회가 확인함으로써 성립

공고 처분을 취소
▷ 지체 없이 취소 공고 要

021 ☐☐☐

행정심판에 대한 설명으로 옳은 것은?

① 「행정심판법」은 당사자심판을 규정하여 당사자소송과 연동시키고 있다.
② 피청구인의 경정은 행정심판위원회에서 결정하며 언제나 당사자의 신청을 전제로 한다.
③ 조정은 당사자가 합의한 사항을 조정서에 기재한 후 당사자가 서명 또는 날인함으로써 완성된다.
④ 법령의 규정에 따라 공고하거나 고시한 처분이 재결로써 취소되거나 변경되면 처분을 한 행정청은 지체 없이 그 처분이 취소 또는 변경되었다는 것을 공고하거나 고시하여야 한다.

| 2020년 지방직 7급

① (✕)

> 「행정심판법」 제5조 【행정심판의 종류】 행정심판의 종류는 다음 각 호와 같다.
> 1. 취소심판: 행정청의 위법 또는 부당한 처분을 취소하거나 변경하는 행정심판
> 2. 무효등확인심판: 행정청의 처분의 효력 유무 또는 존재 여부를 확인하는 행정심판
> 3. 의무이행심판: 당사자의 신청에 대한 행정청의 위법 또는 부당한 거부처분이나 부작위에 대하여 일정한 처분을 하도록 하는 행정심판

② (✕)

> 「행정심판법」 제17조 【피청구인의 적격 및 경정】 ② 청구인이 피청구인을 잘못 지정한 경우에는 위원회는 직권으로 또는 당사자의 신청에 의하여 결정으로써 피청구인을 경정(更正)할 수 있다.

③ (✕)

> 「행정심판법」 제43조의2【조정】 ③ 조정은 당사자가 합의한 사항을 조정서에 기재한 후 당사자가 서명 또는 날인하고 위원회가 이를 확인함으로써 성립한다.

④ (○)

> 「행정심판법」 제49조 【재결의 기속력 등】 ⑤ 법령의 규정에 따라 공고하거나 고시한 처분이 재결로써 취소되거나 변경되면 처분을 한 행정청은 지체 없이 그 처분이 취소 또는 변경되었다는 것을 공고하거나 고시하여야 한다.

답 ④

022

「행정심판법」에 따른 행정심판에 대한 설명으로 가장 옳은 것은? (다툼이 있는 경우 판례에 의함)

① 취소심판의 인용재결에는 취소재결, 변경재결, 취소명령재결, 변경명령재결이 있다.
② 거부처분은 취소심판의 대상이므로 거부처분의 상대방은 이에 대하여 취소심판만 청구할 수 있다.
③ 행정심판위원회가 처분을 취소하거나 변경하는 재결을 하면, 행정청은 재결의 기속력에 따라 처분을 취소 또는 변경하는 처분을 하여야 하고, 이를 통하여 당해 처분은 처분시에 소급하여 소멸되거나 변경된다.
④ 거부처분취소재결이 있는 경우에는 행정청은 그 재결의 취지에 따라 이전의 신청에 대한 처분을 하여야 하는 것이므로 행정청이 그 재결의 취지에 따른 처분을 하지 아니하고 그 처분과는 양립할 수 없는 다른 처분을 하는 것은 재결의 기속력에 반하여 위법하다.

2017년 서울시 9급

① (×) 과거 「행정심판법」에는 취소명령재결이 있었으나, 처분청이 처분을 취소하지 않는 경우가 많아 실효성이 떨어진다는 이유로 삭제되었다.

> 「행정심판법」 제43조 【재결의 구분】 ③ 위원회는 취소심판의 청구가 이유가 있다고 인정하면 처분을 취소 또는 다른 처분으로 변경하거나 처분을 다른 처분으로 변경할 것을 피청구인에게 명한다.

② (×) 거부처분에 대해서는 취소심판뿐만 아니라 의무이행심판도 청구할 수 있다.

> 「행정심판법」 제2조 【정의】 이 법에서 사용하는 용어의 뜻은 다음과 같다.
> 1. "처분"이란 행정청이 행하는 구체적 사실에 관한 법집행으로서의 공권력의 행사 또는 그 거부, 그 밖에 이에 준하는 행정작용을 말한다.
> 제5조 【행정심판의 종류】 행정심판의 종류는 다음 각 호와 같다.
> 1. 취소심판: 행정청의 위법 또는 부당한 처분을 취소하거나 변경하는 행정심판
> 3. 의무이행심판: 당사자의 신청에 대한 행정청의 위법 또는 부당한 거부처분이나 부작위에 대하여 일정한 처분을 하도록 하는 행정심판

③ (×) 취소심판의 법적 성질에 대해 처분의 확인적 쟁송으로 보는 견해와 법률관계의 변경·소멸을 가져오는 형성적 쟁송으로 보는 견해가 대립하고 있으나, 과거로 소급해 처분이 소멸되므로 형성적 쟁송으로 보는 견해가 통설이다. 따라서 행정청의 별도 취소·변경행위가 없더라도 당연히 소멸·변경된다.

④ (○) 취소재결 후 재결 취지에 따르지 않는 재처분은 위법하다.

> 당사자의 신청을 거부하는 처분을 취소하는 재결이 있는 경우에는 행정청은 그 재결의 취지에 따라 이전의 신청에 대한 처분을 하여야 하는 것이므로 행정청이 그 재결의 취지에 따른 처분을 하지 아니하고 그 처분과는 양립할 수 없는 다른 처분을 하는 것은 위법한 것이라 할 것이고 이 경우 그 재결의 신청인은 위법한 다른 처분의 취소를 소구할 이익이 있다(대판 1988.12.13. 88누7880).

답 ④

문제 DATA
출제가능 지수 ▶▶▷
난이도 지수 ★★☆

함께 정리하기

행정심판 재결

취소심판의 인용
▷ 취소재결, 변경재결, 변경명령재결
▷ 취소명령재결 삭제

거부처분
▷ 취소심판 & 의무이행심판청구 모두 可

취소 or 변경재결
▷ 바로 처분시 소급 소멸·변경

거부처분취소재결
▷ 재결 취지에 따르지 않은 양립할 수 없는 다른 재처분은 위법

023

「행정심판법」상 재결에 대한 설명으로 옳지 않은 것은?

① 심판청구를 인용하는 재결은 청구인과 피청구인, 그 밖의 관계 행정청을 기속한다.
② 재결에 의하여 취소되거나 무효 또는 부존재로 확인되는 처분이 당사자의 신청을 거부하는 것을 내용으로 하는 경우에는 그 처분을 한 행정청은 재결의 취지에 따라 다시 이전의 신청에 대한 처분을 하여야 한다.
③ 재결은 서면으로 하며 재결서에 적는 이유에는 주문 내용이 정당하다는 것을 인정할 수 있는 정도의 판단을 표시하여야 한다.
④ 처분의 상대방이 아닌 제3자가 심판청구를 한 경우 위원회는 재결서의 등본을 지체 없이 피청구인을 거쳐 처분의 상대방에게 송달하여야 한다.
⑤ 위원회는 의무이행심판의 청구가 이유가 있다고 인정하면 지체 없이 신청에 따른 처분을 하거나 처분을 할 것을 피청구인에게 명한다.

2019년 국회직 8급

① (×) 인용재결이 청구인을 기속하는 것은 아니다.

> 「행정심판법」제49조【재결의 기속력 등】① 심판청구를 인용하는 재결은 피청구인과 그 밖의 관계 행정청을 기속한다.

② (○)

> 「행정심판법」제49조【재결의 기속력 등】② 재결에 의하여 취소되거나 무효 또는 부존재로 확인되는 처분이 당사자의 신청을 거부하는 것을 내용으로 하는 경우에는 그 처분을 한 행정청은 재결의 취지에 따라 다시 이전의 신청에 대한 처분을 하여야 한다.

③ (○)

> 「행정심판법」제46조【재결의 방식】① 재결은 서면으로 한다.
> ③ 재결서에 적는 이유에는 주문 내용이 정당하다는 것을 인정할 수 있는 정도의 판단을 표시하여야 한다.

④ (○)

> 「행정심판법」제48조【재결의 송달과 효력 발생】④ 처분의 상대방이 아닌 제3자가 심판청구를 한 경우 위원회는 재결서의 등본을 지체 없이 피청구인을 거쳐 처분의 상대방에게 송달하여야 한다.

⑤ (○)

> 「행정심판법」제43조【재결의 구분】⑤ 위원회는 의무이행심판의 청구가 이유가 있다고 인정하면 지체 없이 신청에 따른 처분을 하거나 처분을 할 것을 피청구인에게 명한다.

답 ①

문제 DATA

출제가능 지수 ▶▶▷
난이도 지수 ★★☆

함께 정리하기

재결

기속력
▷ 피청구인·관계 행정청에게 미침

거부처분에 대한 취소·무효·부존재재결
▷ 신청에 대한 처분하여야 함

서면주의, 주문 정당성 인정할 수 있는 판단 표시하여야 함

제3자의 심판청구
▷ 재결서등본 피청구인 거쳐 처분상대방에게 송달

이유 있는 의무이행심판
▷ 신청에 따른 처분(처분재결) or 피청구인에게 처분을 명(처분명령재결)

024

행정심판의 재결의 기속력에 대한 설명으로 옳지 않은 것은? (다툼이 있는 경우 판례에 의함)

① 재결이 확정된 경우에는 처분의 기초가 된 사실관계나 법률적 판단이 확정되고 당사자들이나 법원은 이에 기속되어 모순되는 주장이나 판단을 할 수 없게 된다.
② 재결에 의하여 취소되거나 무효 또는 부존재로 확인되는 처분이 당사자의 신청을 거부하는 것을 내용으로 하는 경우에는 그 처분을 한 행정청은 재결의 취지에 따라 다시 이전의 신청에 대한 처분을 하여야 한다.
③ 재결의 기속력은 재결의 주문 및 그 전제가 된 요건사실의 인정과 판단에 대하여만 미친다.
④ 당사자의 신청을 받아들이지 않은 거부처분이 재결에서 취소된 경우, 그 재결의 취지에 따라 이전의 신청에 대하여 다시 어떠한 처분을 하여야 할지는 처분을 할 때의 법령과 사실을 기준으로 판단하여야 하므로, 행정청은 종전 거부처분 또는 재결 후에 발생한 새로운 사유를 내세워 다시 거부처분을 할 수 있다.

문제 DATA
출제가능 지수 ▶▶▷
난이도 지수 ★★☆

2019년 국가직 7급

① (✕) 재결이 확정되더라도 당사자나 법원은 모순된 주장이나 판단을 할 수 있다.

> 행정심판의 재결은 피청구인인 행정청을 기속하는 효력을 가지므로 재결청이 취소심판의 청구가 이유 있다고 인정하여 처분청에 처분을 취소할 것을 명하면 처분청으로서는 재결의 취지에 따라 처분을 취소하여야 하지만, 나아가 재결에 판결에서와 같은 기판력이 인정되는 것은 아니어서 재결이 확정된 경우에도 처분의 기초가 된 사실관계나 법률적 판단이 확정되고 당사자들이나 법원이 이에 기속되어 모순되는 주장이나 판단을 할 수 없게 되는 것은 아니다(대판 2015.11.27. 2013다6759).

② (○)

> 「행정심판법」 제49조【재결의 기속력 등】② 재결에 의하여 취소되거나 무효 또는 부존재로 확인되는 처분이 당사자의 신청을 거부하는 것을 내용으로 하는 경우에는 그 처분을 한 행정청은 재결의 취지에 따라 다시 이전의 신청에 대한 처분을 하여야 한다.

③ (○) 재결의 기속력은 재결의 주문 및 그 전제가 된 요건사실의 인정과 판단에 대하여만 미친다.

> 재결의 기속력은 재결의 주문 및 그 전제가 된 요건사실의 인정과 판단, 즉 처분 등의 구체적 위법사유에 관한 판단에만 미친다(대판 2005.12.9. 2003두7705).

④ (○) 거부처분이 재결에서 취소된 경우 행정청은 종전 거부처분 또는 재결 후에 발생한 새로운 사유를 내세워 다시 거부처분을 할 수 있다.

> 당사자의 신청을 받아들이지 않은 거부처분이 재결에서 취소된 경우에 행정청은 종전 거부처분 또는 재결 후에 발생한 새로운 사유를 내세워 다시 거부처분을 할 수 있다. 그 재결의 취지에 따라 이전의 신청에 대하여 다시 어떠한 처분을 하여야 할지는 처분을 할 때의 법령과 사실을 기준으로 판단하여야 하기 때문이다(대판 2017.10.31. 2015두45045).

답 ①

함께 정리하기

재결의 기속력

재결 확정
▷ 모순된 주장·판단 可

처분이 당사자의 신청 거부를 내용
▷ 재결취지에 따라 다시 이전신청에 대한 처분

재결의 기속력
▷ 재결의 주문과 요건사실의 인정과 판단에 대하여만 미침

거부처분이 재결에서 취소
▷ 종전 거부 처분·재결 후 발생한 사유 내세워 다시 거부처분 可

문제 DATA

출제가능 지수 ▶▶▷
난이도 지수 ★★★

025 ☐☐☐

「행정심판법」의 규정에 대한 설명으로 옳은 것은?

① 특별행정심판 또는 「행정심판법」에 따를 행정심판절차에 대한 특례를 신설하거나 변경하는 법령을 제정·개정할 때 중앙행정심판위원회와 사전에 협의하여야 하는 것은 아니다.
② 대통령의 처분 또는 부작위에 대하여는 다른 법률에서 행정심판을 청구할 수 있도록 규정한 경우 외에는 행정심판을 청구할 수 없다.
③ 국가인권위원회의 처분 또는 부작위에 대한 행정심판의 청구는 국민권익위원회에 두는 중앙행정심판위원회에서 심리·재결한다.
④ 행정심판결과에 이해관계가 있는 제3자나 행정청은 신청에 의하여 행정심판에 참가할 수 있으나, 행정심판위원회가 직권으로 심판에 참가할 것을 요구할 수는 없다.
⑤ 행정심판위원회는 무효확인심판의 청구가 이유가 있더라도 이를 인용하는 것이 공공복리에 크게 위배된다고 인정되면 그 청구를 기각하는 재결을 할 수 있다.

| 2018년 국회직 8급

① (×)

> 「행정심판법」 제4조 【특별행정심판 등】 ③ 관계 행정기관의 장이 특별행정심판 또는 이 법에 따른 행정심판 절차에 대한 특례를 신설하거나 변경하는 법령을 제정·개정할 때에는 미리 중앙행정심판위원회와 협의하여야 한다.

② (○)

> 「행정심판법」 제3조 【행정심판의 대상】 ② 대통령의 처분 또는 부작위에 대하여는 다른 법률에서 행정심판을 청구할 수 있도록 정한 경우 외에는 행정심판을 청구할 수 없다.

③ (×)

> 「행정심판법」 제6조 【행정심판위원회의 설치】 ① 다음 각 호의 행정청 또는 그 소속 행정청(행정기관의 계층구조와 관계없이 그 감독을 받거나 위탁을 받은 모든 행정청을 말하되, 위탁을 받은 행정청은 그 위탁받은 사무에 관하여는 위탁한 행정청의 소속 행정청으로 본다. 이하 같다)의 처분 또는 부작위에 대한 행정심판의 청구(이하 "심판청구"라 한다)에 대하여는 다음 각 호의 행정청에 두는 행정심판위원회에서 심리·재결한다.
> 3. 국가인권위원회, 그 밖에 지위·성격의 독립성과 특수성 등이 인정되어 대통령령으로 정하는 행정청

④ (×)

> 「행정심판법」 제21조 【심판참가의 요구】 ① 위원회는 필요하다고 인정하면 그 행정심판 결과에 이해관계가 있는 제3자나 행정청에 그 사건 심판에 참가할 것을 요구할 수 있다.

⑤ (×)

> 「행정심판법」 제44조 【사정재결】 ① 위원회는 심판청구가 이유가 있다고 인정하는 경우에도 이를 인용(認容)하는 것이 공공복리에 크게 위배된다고 인정하면 그 심판청구를 기각하는 재결을 할 수 있다. 이 경우 위원회는 재결의 주문(主文)에서 그 처분 또는 부작위가 위법하거나 부당하다는 것을 구체적으로 밝혀야 한다.
> ③ 제1항과 제2항은 무효등확인심판에는 적용하지 아니한다.

답 ②

함께 정리하기

「행정심판법」

행정심판절차 특례 신설·변경
▷ 미리 중앙행정심판위원회와 협의

대통령의 처분·부작위
▷ 행정심판청구 불가(원칙)

국가인권위원회의 처분·부작위
▷ 국가인권위원회 소속 행정심판위원회

행정심판의 참가
▷ 직권으로 참가요구 可

사정재결
▷ 무효등확인심판에 적용×

026

행정심판에 대한 설명으로 가장 옳은 것은? (다툼이 있는 경우 판례에 의함)

① 「행정심판법」은 당사자심판을 청구할 수 있는 자는 행정소송의 경우와 동일하게 행정처분의 법률관계에 대한 법률상 이익이 있어야 한다고 규정하고 있다.
② 행정심판위원회는 당사자의 권리 및 권한의 범위에서 당사자의 동의를 받아 조정을 할 수 있다. 다만, 그 조정이 공공복리에 적합하지 아니하거나 해당 처분의 성질에 반하는 경우에는 그러하지 아니하다.
③ 개별 법률에 특별규정이 없는 경우에 행정심판 청구에 대한 재결이 있으면 그 재결 및 같은 처분 또는 부작위에 대하여 다시 행정심판을 청구할 수 있다.
④ 행정심판은 정당한 사유가 없는 경우 처분이 있었던 날부터 90일 이내에 청구하여야 하고, 처분이 있음을 알게 된 날부터 180일이 지나면 청구하지 못한다.

2018년 경찰

① (×) 「행정심판법」은 당사자심판을 규정하고 있지 않다.

> 「행정심판법」 제5조 【행정심판의 종류】 행정심판의 종류는 다음 각 호와 같다.
> 1. 취소심판: 행정청의 위법 또는 부당한 처분을 취소하거나 변경하는 행정심판
> 2. 무효등확인심판: 행정청의 처분의 효력 유무 또는 존재 여부를 확인하는 행정심판
> 3. 의무이행심판: 당사자의 신청에 대한 행정청의 위법 또는 부당한 거부처분이나 부작위에 대하여 일정한 처분을 하도록 하는 행정심판

② (○)

> 「행정심판법」 제43조의2 【조정】 ① 위원회는 당사자의 권리 및 권한의 범위에서 당사자의 동의를 받아 심판청구의 신속하고 공정한 해결을 위하여 조정을 할 수 있다. 다만, 그 조정이 공공복리에 적합하지 아니하거나 해당 처분의 성질에 반하는 경우에는 그러하지 아니하다.

③ (×)

> 「행정심판법」 제51조 【행정심판 재청구의 금지】 심판청구에 대한 재결이 있으면 그 재결 및 같은 처분 또는 부작위에 대하여 다시 행정심판을 청구할 수 없다.

④ (×)

> 「행정심판법」 제27조 【심판청구의 기간】 ① 행정심판은 처분이 있음을 알게 된 날부터 90일 이내에 청구하여야 한다.
> ③ 행정심판은 처분이 있었던 날부터 180일이 지나면 청구하지 못한다. 단, 정당한 사유가 있는 경우에는 그러하지 아니하다.
> ④ 제1항과 제2항의 기간은 불변기간으로 한다.

답 ②

문제 DATA
출제가능 지수 ▶▶▷
난이도 지수 ★★☆

함께 정리하기

행정심판

「행정심판법」
▷ 당사자심판 규정×
▷ 행정심판 재청구 금지

행정심판위원회의 조정
▷ 공공복리에 적합하여야
▷ 해당처분의 성질에 반해선 안 됨
▷ 당사자의 동의 필요

행정심판의 청구기간
▷ 처분이 있음을 안 날로부터 90일(불변기간)
▷ 처분이 있은 날로부터 180일

027

「행정심판법」상 행정심판에 대한 설명으로 옳지 않은 것은?

① 무효등확인심판에는 사정재결이 인정되지 아니한다.
② 임시처분은 집행정지로 목적을 달성할 수 있는 경우에는 허용되지 않는다.
③ 행정심판의 재결에 불복하는 경우 그 재결 및 같은 처분 또는 부작위에 대하여 다시 행정심판을 청구할 수 있다.
④ 행정심판위원회는 처분이행명령재결이 있음에도 피청구인이 처분을 하지 않은 경우 당사자의 신청에 의해 기간을 정하여 서면으로 시정을 명하고 그 기간 안에 이행하지 않으면 원칙적으로 직접처분을 할 수 있다.

2017년 교육행정직

① (O)

> 「행정심판법」 제44조【사정재결】① 위원회는 심판청구가 이유가 있다고 인정하는 경우에도 이를 인용(認容)하는 것이 공공복리에 크게 위배된다고 인정하면 그 심판청구를 기각하는 재결을 할 수 있다. 이 경우 위원회는 재결의 주문(主文)에서 그 처분 또는 부작위가 위법하거나 부당하다는 것을 구체적으로 밝혀야 한다.
> ③ 제1항과 제2항은 무효등확인심판에는 적용하지 아니한다.

② (O)

> 「행정심판법」 제31조【임시처분】③ 제1항에 따른 임시처분은 제30조 제2항에 따른 집행정지로 목적을 달성할 수 있는 경우에는 허용되지 아니한다.

③ (X)

> 「행정심판법」 제51조【행정심판 재청구의 금지】 심판청구에 대한 재결이 있으면 그 재결 및 같은 처분 또는 부작위에 대하여 다시 행정심판을 청구할 수 없다.

④ (O)

> 「행정심판법」 제50조【위원회의 직접 처분】① 위원회는 피청구인이 제49조 제3항에도 불구하고 처분을 하지 아니하는 경우에는 당사자가 신청하면 기간을 정하여 서면으로 시정을 명하고 그 기간에 이행하지 아니하면 직접 처분을 할 수 있다. 다만, 그 처분의 성질이나 그 밖의 불가피한 사유로 위원회가 직접 처분을 할 수 없는 경우에는 그러하지 아니하다.

답 ③

028

행정심판에 대한 설명으로 옳은 것은? (다툼이 있는 경우 판례에 의함)

① 거부처분에 대하여서는 의무이행심판을 제기하여야 하며 취소심판을 제기할 수 없다.
② 행정심판청구서는 피청구인인 행정청을 거쳐 행정심판위원회에 제출하여야 한다.
③ 임시처분은 집행정지로 목적을 달성할 수 있는 경우에는 허용되지 아니한다.
④ 행정심판의 재결에 고유한 위법이 있는 경우에는 재결에 대하여 다시 행정심판을 청구할 수 있다.
⑤ 행정청이 재결의 기속력에도 불구하고 처분명령재결의 취지에 따라 이전의 신청에 대한 처분을 하지 아니하는 때에는 행정심판위원회는 손해배상을 명할 수 있다.

2017년 국회직 8급

① (×) 거부처분에 대하여서는 의무이행심판뿐만 아니라 취소심판을 제기할 수도 있다.

> 「행정심판법」 제2조【정의】이 법에서 사용하는 용어의 뜻은 다음과 같다.
> 1. "처분"이란 행정청이 행하는 구체적 사실에 관한 법집행으로서의 공권력의 행사 또는 그 거부, 그 밖에 이에 준하는 행정작용을 말한다.
> 제5조【행정심판의 종류】행정심판의 종류는 다음 각 호와 같다.
> 1. 취소심판: 행정청의 위법 또는 부당한 처분을 취소하거나 변경하는 행정심판
> 3. 의무이행심판: 당사자의 신청에 대한 행정청의 위법 또는 부당한 거부처분이나 부작위에 대하여 일정한 처분을 하도록 하는 행정심판

② (×)

> 「행정심판법」 제23조【심판청구서의 제출】① 행정심판을 청구하려는 자는 제28조에 따라 심판청구서를 작성하여 피청구인이나 위원회에 제출하여야 한다. 이 경우 피청구인의 수만큼 심판청구서 부본을 함께 제출하여야 한다.

유제 09. 지방직 7급 행정심판의 제기는 처분청을 경유하여야 한다. (×)

③ (○)

> 「행정심판법」 제31조【임시처분】③ 제1항에 따른 임시처분은 제30조 제2항에 따른 집행정지로 목적을 달성할 수 있는 경우에는 허용되지 아니한다.

유제 16. 서울시 7급 임시처분은 의무이행심판을 인정하면서도 가처분제도를 인정하지 않아 제한된 재결의 실효성을 제고하기 위한 것이므로 집행정지로 그 목적을 달성할 수 있는 경우에도 허용된다. (×)

④ (×) 재결 자체에 고유한 위법이 있는 경우라도 다시 행정심판은 청구할 수 없으나 재결에 대한 행정소송을 통해 구제받을 수 있다.

> 「행정심판법」 제51조【행정심판 재청구의 금지】심판청구에 대한 재결이 있으면 그 재결 및 같은 처분 또는 부작위에 대하여 다시 행정심판을 청구할 수 없다.
> 「행정소송법」 제19조【취소소송의 대상】취소소송은 처분등을 대상으로 한다. 다만, 재결취소소송의 경우에는 재결 자체에 고유한 위법이 있음을 이유로 하는 경우에 한한다.

⑤ (○) 출제 당시에는 옳지 않은 지문으로 출제되었으나, 법개정으로 인해 현행법에 의하면 옳은 지문이 된다. 즉, 종래 「행정심판법」에서는 행정청이 재처분의무를 이행하지 않는 경우 「행정소송법」과는 달리 간접강제조항을 두지 않아 배상을 명하는 것이 불가능하였으나, 2017년 4월 「행정심판법」 개정을 통해 위원회에 의한 간접강제조항이 신설되어 해당 지문은 옳은 지문이 된다.

> 「행정심판법」 제50조의2【위원회의 간접강제】① 위원회는 피청구인이 제49조 제2항(제49조 제4항에서 준용하는 경우를 포함한다) 또는 제3항에 따른 처분을 하지 아니하면 청구인의 신청에 의하여 결정으로 상당한 기간을 정하고 피청구인이 그 기간 내에 이행하지 아니하는 경우에는 그 지연기간에 따라 일정한 배상을 하도록 명하거나 즉시 배상을 할 것을 명할 수 있다.

관련 이론 행정심판에서의 직접처분과 간접강제

직접처분(제50조)	의무이행심판에서 처분명령재결(제49조 제3항)
간접강제(제50조의2)	• 거부처분에 대한 취소재결, 무효·부존재확인재결(제49조 제2항) • 의무이행심판에서 처분명령재결(제49조 제3항) • 취소심판에서 절차하자로 인한 인용재결(제49조 제4항)

답 ③, ⑤

함께 정리하기

행정심판 일반

거부처분
▷ 의무이행심판 & 취소심판청구 모두 가

행정심판청구서
▷ 피청구인 or 행정심판위원회에 제출

집행정지로 목적을 달성 가
▷ 임시처분×

재결에 고유한 위법
▷ 재심판청구×
▷ 재결취소소송○

행정심판도 간접강제○

문제 DATA

출제가능 지수 ▶▶▷
난이도 지수 ★★☆

029 ☐☐☐

행정심판과 행정소송에 대한 설명으로 옳지 않은 것은? (다툼이 있는 경우 판례에 의함)

① 행정심판을 청구하려는 자는 행정심판위원회뿐만 아니라 피청구인인 행정청에도 행정심판청구서를 제출할 수 있으나 행정소송을 제기하려는 자는 법원에 소장을 제출하여야 한다.

② 행정심판에서는 행정청이 상대방에게 심판청구기간을 법정심판청구기간보다 긴 기간으로 잘못 알린 경우에 그 잘못 알린 기간 내에 심판청구가 있으면 그 심판청구는 법정심판청구기간 내에 제기된 것으로 보나 행정소송에서는 그렇지 않다.

③ 「행정심판법」은 「행정소송법」과는 달리 집행정지뿐만 아니라 임시처분도 규정하고 있다.

④ 행정심판에서 행정심판위원회는 행정청의 부작위가 위법, 부당하다고 판단되면 직접 처분을 할 수 있으나 행정소송에서 법원은 행정청의 부작위가 위법한 경우에만 직접 처분을 할 수 있다.

2018년 국가직 9급

① (O)

> 「행정심판법」 제23조 【심판청구서의 제출】 ① 행정심판을 청구하려는 자는 제28조에 따라 심판청구서를 작성하여 피청구인이나 위원회에 제출하여야 한다. 이 경우 피청구인의 수만큼 심판청구서 부본을 함께 제출하여야 한다.
> 「행정소송법」 제8조 【법적용예】 ② 행정소송에 관하여 이 법에 특별한 규정이 없는 사항에 대하여는 「법원조직법」과 「민사소송법」 및 「민사집행법」의 규정을 준용한다.
> 「민사소송법」 제248조 【소제기의 방식】 ① 소를 제기하려는 자는 법원에 소장을 제출하여야 한다.

② (O) 청구기간 오고지의 효과에 관한 「행정심판법」 규정은 행정소송에는 적용되지 않는다.

> 「행정심판법」 제27조 【심판청구의 기간】 ① 행정심판은 처분이 있음을 알게 된 날부터 90일 이내에 청구하여야 한다.
> ⑤ 행정청이 심판청구 기간을 제1항에 규정된 기간보다 긴 기간으로 잘못 알린 경우 그 잘못 알린 기간에 심판청구가 있으면 그 행정심판은 제1항에 규정된 기간에 청구된 것으로 본다.

> 당사자가 행정청으로부터 행정심판청구기간을 법정심판청구기간보다 긴 기간으로 잘못 통지받아 행정소송법상 법정 제소기간을 도과하였다고 하여도 그것이 당사자가 책임질 수 없는 사유로 인한 것이라고 할 수는 없다(대판 2001.5.8. 2000두6916).

③ (O) 「행정심판법」은 임시처분제도를 두고 있으나, 권력분립의 원칙상 「행정소송법」에는 임시처분에 관한 규정이 존재하지 않는다.

> 「행정심판법」 제31조 【임시처분】 ① 위원회는 처분 또는 부작위가 위법·부당하다고 상당히 의심되는 경우로서 처분 또는 부작위 때문에 당사자가 받을 우려가 있는 중대한 불이익이나 당사자에게 생길 급박한 위험을 막기 위하여 임시지위를 정하여야 할 필요가 있는 경우에는 직권으로 또는 당사자의 신청에 의하여 임시처분을 결정할 수 있다.
> ② 제1항에 따른 임시처분에 관하여는 제30조 제3항부터 제7항까지를 준용한다. 이 경우 같은 조 제6항 전단 중 "중대한 손해가 생길 우려"는 "중대한 불이익이나 급박한 위험이 생길 우려"로 본다.
> ③ 제1항에 따른 임시처분은 제30조 제2항에 따른 집행정지로 목적을 달성할 수 있는 경우에는 허용되지 아니한다.

유제 18. 서울시 9급 행정심판의 가구제 제도에는 집행정지제도와 임시처분제도가 있다. (O)

함께 정리하기

행정심판과 행정소송

심판
▷ 피청구인 or 위원회에 심판청구서 제출

소송
▷ 법원에 소장 제출

청구기간 오고지의 효과
▷ 행정소송에 적용×

임시처분규정
▷ 행정심판법 有
▷ 행정소송법 ×

직접처분
▷ 행정심판 可
▷ 행정소송 불가

④ (×) 행정심판에 있어 행정심판위원회의 직접 처분이 허용되는 것과 달리 행정소송에 있어 법원의 직접처분은 권력분립의 원칙상 허용되지 않는다.

> 「행정심판법」 제50조【위원회의 직접 처분】 ① 위원회는 피청구인이 제49조 제3항에도 불구하고 처분을 하지 아니하는 경우에는 당사자가 신청하면 기간을 정하여 서면으로 시정을 명하고 그 기간에 이행하지 아니하면 직접 처분을 할 수 있다. 다만, 그 처분의 성질이나 그 밖의 불가피한 사유로 위원회가 직접 처분을 할 수 없는 경우에는 그러하지 아니하다.
> 제49조【재결의 기속력 등】 ③ 당사자의 신청을 거부하거나 부작위로 방치한 처분의 이행을 명하는 재결이 있으면 행정청은 지체 없이 이전의 신청에 대하여 재결의 취지에 따라 처분을 하여야 한다.

답 ④

030 ☐☐☐

행정심판과 행정소송에 대한 설명으로 옳지 않은 것만을 모두 고르면? (다툼이 있는 경우 판례에 의함)

> ㄱ. 행정심판위원회는 심판청구의 대상이 되는 처분보다 청구인에게 불리한 재결을 하지 못한다.
> ㄴ. 행정심판을 제기하였다가 기각재결을 받은 후 무효확인소송을 제기하는 경우에는, 재결서 정본을 송달받은 날부터 90일 이내에 소송을 제기하여야 한다.
> ㄷ. 행정심판청구에 대한 재결이 있으면 그 재결 자체에 고유한 위법이 있는 경우를 제외하고는 같은 처분 또는 부작위에 대하여 다시 행정심판을 청구할 수 없다.
> ㄹ. 당사자의 신청을 거부하는 처분을 취소하는 재결이 있는 경우에는 행정청은 그 재결의 취지에 따라 이전의 신청에 대한 처분을 하여야 한다.
> ㅁ. 「도로교통법」에 따른 운전면허취소처분에 대한 행정소송에 대해서는 필요적 행정심판전치주의가 적용된다.

① ㄱ, ㄴ
② ㄱ, ㅁ
③ ㄴ, ㄷ
④ ㄴ, ㄹ
⑤ ㄷ, ㅁ

2019년 5급 승진

ㄱ. (○)

> 「행정심판법」 제47조【재결의 범위】 ② 위원회는 심판청구의 대상이 되는 처분보다 청구인에게 불리한 재결을 하지 못한다.

ㄴ. (×) 무효확인소송에 「행정소송법」 제20조의 제소기간에 관한 규정은 준용되지 않는다. 따라서 제소기간의 제한이 없다.

> 「행정소송법」 제38조【준용규정】 ① 제9조, 제10조, 제13조 내지 제17조, 제19조, 제22조 내지 제26조, 제29조 내지 제31조 및 제33조의 규정은 무효등 확인소송의 경우에 준용한다.

ㄷ. (×) 「행정심판법」 제51조의 규정상, 재결이 있는 이상 재결 자체의 고유한 위법이 있는 경우라도 다시 행정심판을 청구할 수 없고 행정소송을 제기할 수 있을 뿐이다.

> 「행정심판법」 제51조【행정심판 재청구의 금지】 심판청구에 대한 재결이 있으면 그 재결 및 같은 처분 또는 부작위에 대하여 다시 행정심판을 청구할 수 없다.

문제 DATA
출제가능 지수 ▶▶▷
난이도 지수 ★★☆

함께 정리하기

행정심판과 행정소송

행정심판위원회
▷ 심판대상인 처분보다 불리한 재결 불가

행정심판 기각재결 후 무효확인소송 제기 시
▷ 제소기간 규정 준용×, 기간의 제한×

행정심판 재결 후
▷ 재심판청구 금지

행정심판 재결의 기속력○
▷ 거부처분 취소재결 시 재처분의무○

「도로교통법」상 처분
▷ 필요적 행정심판전치주의

ㄹ. (○)

> 「행정심판법」 제49조【재결의 기속력 등】② 재결에 의하여 취소되거나 무효 또는 부존재로 확인되는 처분이 당사자의 신청을 거부하는 것을 내용으로 하는 경우에는 그 처분을 한 행정청은 재결의 취지에 따라 다시 이전의 신청에 대한 처분을 하여야 한다.

ㅁ. (○) 「도로교통법」상 처분에 대해서 필요적 행정심판전치주의를 취하고 있다.

> 「도로교통법」 제142조【행정소송과의 관계】이 법에 따른 처분으로서 해당 처분에 대한 행정소송은 행정심판의 재결(裁決)을 거치지 아니하면 제기할 수 없다.

답 ③

031

「행정심판법」에 의해 행정청이 행정심판위원회의 재결의 취지에 따라 재처분을 할 의무가 있음에도 그 의무를 이행하지 않은 경우에 행정심판위원회가 직접 처분을 할 수 있는 재결은?

① 당사자의 신청에 따른 처분을 절차가 부당함을 이유로 취소하는 재결
② 당사자의 신청을 거부한 처분의 이행을 명하는 재결
③ 당사자의 신청을 거부하는 처분을 취소하는 재결
④ 당사자의 신청을 거부하는 처분을 부존재로 확인하는 재결

2020년 국가직 9급

② (○)

> 「행정심판법」 제49조【재결의 기속력 등】③ 당사자의 신청을 거부하거나 부작위로 방치한 처분의 이행을 명하는 재결이 있으면 행정청은 지체 없이 이전의 신청에 대하여 재결의 취지에 따라 처분을 하여야 한다.
> 제50조【위원회의 직접 처분】① 위원회는 피청구인이 제49조 제3항에도 불구하고 처분을 하지 아니하는 경우에는 당사자가 신청하면 기간을 정하여 서면으로 시정을 명하고 그 기간에 이행하지 아니하면 직접 처분을 할 수 있다. 다만, 그 처분의 성질이나 그 밖의 불가피한 사유로 위원회가 직접 처분을 할 수 없는 경우에는 그러하지 아니하다.

답 ②

032

「행정심판법」상 재결에 대한 내용으로 가장 옳은 것은?

① 재결에 의하여 취소되는 처분이 당사자의 신청을 거부하는 것을 내용으로 하는 경우라도 그 처분을 한 행정청이 재결의 취지에 따라 다시 이전의 신청에 대한 처분을 하여야 할 의무는 없다.
② 행정심판위원회는 재처분의무가 있는 피청구인이 재처분의무를 이행하지 아니하면 지연기간에 따라 일정한 배상을 하도록 명할 수는 있으나 즉시 배상을 할 것을 명할 수는 없다.
③ 행정심판 청구인은 행정심판위원회의 간접강제 결정에 불복하는 경우 그 결정에 대하여 행정소송을 제기할 수 없다.
④ 행정심판청구에 대한 재결이 있으면 그 재결 및 같은 처분 또는 부작위에 대하여 다시 행정심판을 청구할 수 없다.

문제 DATA
출제가능 지수 ▶▶▷
난이도 지수 ★☆☆

함께 정리하기
직접 처분
처분명령재결(의무이행심판)
▷ 직접 처분 可

문제 DATA
출제가능 지수 ▶▶▷
난이도 지수 ★★☆

2018년 서울시 7급

① (×)

> 「행정심판법」 제49조【재결의 기속력 등】② 재결에 의하여 취소되거나 무효 또는 부존재로 확인되는 처분이 당사자의 신청을 거부하는 것을 내용으로 하는 경우에는 그 처분을 한 행정청은 재결의 취지에 따라 다시 이전의 신청에 대한 처분을 하여야 한다.

② (×)

> 「행정심판법」 제50조의2【위원회의 간접강제】① 위원회는 피청구인이 제49조 제2항(제49조 제4항에서 준용하는 경우를 포함한다) 또는 제3항에 따른 처분을 하지 아니하면 청구인의 신청에 의하여 결정으로 상당한 기간을 정하고 피청구인이 그 기간 내에 이행하지 아니하는 경우에는 그 지연기간에 따라 일정한 배상을 하도록 명하거나 즉시 배상을 할 것을 명할 수 있다.

③ (×)

> 「행정심판법」 제50조의2【위원회의 간접강제】④ 청구인은 제1항 또는 제2항에 따른 결정에 불복하는 경우 그 결정에 대하여 행정소송을 제기할 수 있다.

④ (○)

> 「행정심판법」 제51조【행정심판 재청구의 금지】심판청구에 대한 재결이 있으면 그 재결 및 같은 처분 또는 부작위에 대하여 다시 행정심판을 청구할 수 없다.

답 ④

함께 정리하기

행정심판의 재결

재결에 의해 거부처분취소
▷ 재처분의무 有

간접강제
▷ 지연기간 따라 배상 or 즉시 배상 명할 수

위원회의 간접강제결정
▷ 청구인 행정소송 제기 可

행정심판의 재결 有
▷ 재심판청구 금지

033 □□□

「행정심판법」의 내용에 대한 설명으로 옳지 않은 것은?

① 행정심판위원회는 필요하면 당사자가 주장하지 아니한 사실에 대하여도 심리할 수 있다.
② 행정심판위원회는 임시처분을 결정한 후에 임시처분이 공공복리에 중대한 영향을 미치는 경우에는 직권으로 또는 당사자의 신청에 의하여 이 결정을 취소할 수 있다.
③ 청구인은 행정심판위원회의 간접강제 결정에 불복하는 경우 그 결정에 대하여 행정소송을 제기할 수 있다.
④ 당사자의 신청을 거부하는 처분에 대한 취소심판에서 인용재결이 내려진 경우, 의무이행심판과 달리 행정청은 재처분의무를 지지 않는다.

문제 DATA

출제가능 지수 ▶▶▷
난이도 지수 ★★☆

2019년 지방직 9급

① (○)

> 「행정심판법」 제39조【직권심리】위원회는 필요하면 당사자가 주장하지 아니한 사실에 대하여도 심리할 수 있다.

② (○)

> 「행정심판법」 제31조【임시처분】② 제1항에 따른 임시처분에 관하여는 제30조 제3항부터 제7항까지를 준용한다. 이 경우 같은 조 제6항 전단 중 "중대한 손해가 생길 우려"는 "중대한 불이익이나 급박한 위험이 생길 우려"로 본다.
> 제30조【집행정지】④ 위원회는 집행정지를 결정한 후에 집행정지가 공공복리에 중대한 영향을 미치거나 그 정지사유가 없어진 경우에는 직권으로 또는 당사자의 신청에 의하여 집행정지 결정을 취소할 수 있다.

함께 정리하기

「행정심판법」

행정심판
▷ 보충적 직권심리 可

임시처분이 공공복리 중대영향
▷ 직권·신청으로 결정취소 可

청구인
▷ 간접강제결정에 대해 행정소송 제기 可

거부처분 취소심판에서 인용재결
▷ 재처분의무 有

③ (○)

> 「행정심판법」 제50조의2 【위원회의 간접강제】 ④ 청구인은 제1항 또는 제2항에 따른 결정에 불복하는 경우 그 결정에 대하여 행정소송을 제기할 수 있다.

④ (×)

> 「행정심판법」 제49조 【재결의 기속력 등】 ② 재결에 의하여 취소되거나 무효 또는 부존재로 확인되는 처분이 당사자의 신청을 거부하는 것을 내용으로 하는 경우에는 그 처분을 한 행정청은 재결의 취지에 따라 다시 이전의 신청에 대한 처분을 하여야 한다.

답 ④

문제 DATA
출제가능 지수 ▶▶▷
난이도 지수 ★★☆

034 □□□

행정심판에 대한 설명으로 옳지 않은 것은?

① 부당한 처분에 대해서도 행정심판을 제기할 수 있다.
② 재결을 한 행정심판위원회는 재결에 위법이 있는 경우 이를 취소·변경할 수 있다.
③ 행정심판위원회는 의무이행심판청구가 이유가 있다고 인정하면 지체 없이 신청에 따른 처분을 하거나 처분을 할 것을 피청구인에게 명한다.
④ 심판청구에 대한 재결이 있는 경우에는 그 재결 및 같은 처분 또는 부작위에 대하여 다시 행정심판을 청구할 수 없다.
⑤ 처분청이 행정심판청구기간을 고지하지 아니한 때에는 심판청구기간은 처분이 있음을 안 경우에도 당해 처분이 있은 날로부터 180일이 된다.

| 2019년 소방간부

① (○) 행정소송의 대상이 위법한 처분에 한정되는 것에 반해, 행정심판은 행정청의 위법·부당한 처분을 대상으로 한다.

> 「행정심판법」 제1조 【목적】 이 법은 행정심판 절차를 통하여 행정청의 위법 또는 부당한 처분이나 부작위로 침해된 국민의 권리 또는 이익을 구제하고, 아울러 행정의 적정한 운영을 꾀함을 목적으로 한다.

② (×) 행정심판의 재결의 효력에는 불가변력이 있다. 즉 일단 재결을 한 이상 행정심판위원회 자신도 이에 구속되어 상소절차에 의하여 취소 또는 변경되는 경우를 제외하고는 행정심판위원회 스스로 이를 취소 또는 변경할 수 없다.

③ (○)

> 「행정심판법」 제43조 【재결의 구분】 ⑤ 위원회는 의무이행심판의 청구가 이유가 있다고 인정하면 지체 없이 신청에 따른 처분을 하거나 처분을 할 것을 피청구인에게 명한다.

④ (○)

> 「행정심판법」 제51조 【행정심판 재청구의 금지】 심판청구에 대한 재결이 있으면 그 재결 및 같은 처분 또는 부작위에 대하여 다시 행정심판을 청구할 수 없다.

⑤ (○)

> 「행정심판법」 제27조 【심판청구의 기간】 ③ 행정심판은 처분이 있었던 날부터 180일이 지나면 청구하지 못한다. 다만, 정당한 사유가 있는 경우에는 그러하지 아니하다.
> ⑥ 행정청이 심판청구 기간을 알리지 아니한 경우에는 제3항에 규정된 기간에 심판청구를 할 수 있다.

답 ②

함께 정리하기
행정심판
행정심판의 대상
▷ 위법·부당한 행정처분

재결 시
▷ 불가변력 有
▷ 당해 행정심판 위원회도 취소·변경 不可

의무이행심판제기시 인용재결의 형태
▷ 처분재결 or 처분명령재결

행정심판 재청구의 금지

심판청구기간
▷ 청구기간을 알지 않은 경우: 처분이 있었던 날부터 180일

035

음식점을 운영하는 甲은 미성년자인 乙에게 음주를 제공한 사실이 적발되어, 관련 법령에 따라 A자치구의 구청장인 丙으로부터 영업정지 2개월의 처분을 받았다. 이에 甲은 A자치구를 관할로 하는 B광역시 산하의 행정심판위원회(이하, 'C'라 한다)에 행정심판을 제기하고자 한다. 이에 대한 설명으로 가장 옳지 않은 것은?

① 甲은 丙의 영업정지처분에 대하여 C에 취소심판청구 및 집행정지 신청을 할 수 있다.
② C는 필요하면 甲이 주장하지 아니한 사실에 대해서도 심리할 수 있다.
③ C는 甲의 취소심판청구가 이유 있다고 인정하면 2개월의 영업정지처분을 1개월의 영업정지처분으로 변경하는 재결을 할 수 있다.
④ C는 甲의 심판청구를 받은 날로부터 90일 이내에 재결을 하여야 한다.

2019년 서울시 9급

① (O) 영업정지처분은 행정청의 처분에 해당하므로 취소심판을 청구할 수 있고, 중대한 손해가 예상되는 경우 요건을 갖추면 집행정지를 신청할 수 있다.

> 「행정심판법」제3조【행정심판의 대상】① 행정청의 처분 또는 부작위에 대하여는 다른 법률에 특별한 규정이 있는 경우 외에는 이 법에 따라 행정심판을 청구할 수 있다.
> 제30조【집행정지】② 위원회는 처분, 처분의 집행 또는 절차의 속행 때문에 중대한 손해가 생기는 것을 예방할 필요성이 긴급하다고 인정할 때에는 직권으로 또는 당사자의 신청에 의하여 처분의 효력, 처분의 집행 또는 절차의 속행의 전부 또는 일부의 정지(이하 "집행정지"라 한다)를 결정할 수 있다. 다만, 처분의 효력정지는 처분의 집행 또는 절차의 속행을 정지함으로써 그 목적을 달성할 수 있을 때에는 허용되지 아니한다.
> ③ 집행정지는 공공복리에 중대한 영향을 미칠 우려가 있을 때에는 허용되지 아니한다.

② (O)

> 「행정심판법」제39조【직권심리】위원회는 필요하면 당사자가 주장하지 아니한 사실에 대하여도 심리할 수 있다.

③ (O)

> 「행정심판법」제43조【재결의 구분】③ 위원회는 취소심판의 청구가 이유가 있다고 인정하면 처분을 취소 또는 다른 처분으로 변경하거나 처분을 다른 처분으로 변경할 것을 피청구인에게 명한다.

④ (X)

> 「행정심판법」제45조【재결 기간】① 재결은 제23조에 따라 피청구인 또는 위원회가 심판청구서를 받은 날부터 60일 이내에 하여야 한다. 다만, 부득이한 사정이 있는 경우에는 위원장이 직권으로 30일을 연장할 수 있다.

답 ④

함께 정리하기

행정심판 사례

영업정지처분
▷ 취소심판제기 및 집행정지 신청 可

행정심판위원회
▷ 보충적 직권심리 可

이유 있는 취소 심판청구
▷ 취소 · 변경 · 변경명령 可

재결기간
▷ 60일 내
▷ 부득이한 경우 30일 직권연장 可

문제 DATA

출제가능 지수 ▶▶▷
난이도 지수 ★★☆

036 □□□

「행정심판법」상 행정심판에 대한 설명으로 가장 옳지 않은 것은?

① 무효등확인심판에서는 사정재결이 허용되지 아니한다.
② 거부처분에 대한 취소심판이나 무효등확인심판청구에서 인용재결이 있었음에도 불구하고 피청구인인 행정청이 재결의 취지에 따른 처분을 하지 아니한 경우에는 당사자가 신청하면 행정심판위원회는 기간을 정하여 서면으로 시정을 명하고 그 기간에 이행하지 아니하면 직접 처분을 할 수 있다.
③ 행정청이 처분을 할 때에 처분의 상대방에게 심판청구 기간을 알리지 아니한 경우에는 처분이 있었던 날부터 180일까지가 취소심판이나 의무이행심판의 청구기간이 된다.
④ 종로구청장의 처분이나 부작위에 대한 행정심판청구는 서울특별시 행정심판위원회에서 심리·재결하여야 한다.

| 2019년 서울시 9급

① (○)

「행정심판법」제44조【사정재결】① 위원회는 심판청구가 이유가 있다고 인정하는 경우에도 이를 인용(認容)하는 것이 공공복리에 크게 위배된다고 인정하면 그 심판청구를 기각하는 재결을 할 수 있다. 이 경우 위원회는 재결의 주문(主文)에서 그 처분 또는 부작위가 위법하거나 부당하다는 것을 구체적으로 밝혀야 한다.
③ 제1항과 제2항은 무효등확인심판에는 적용하지 아니한다.

② (✕) 처분명령재결이 있어야 직접처분이 가능하다.

「행정심판법」제50조【위원회의 직접 처분】① 위원회는 피청구인이 제49조 제3항에도 불구하고 처분을 하지 아니하는 경우에는 당사자가 신청하면 기간을 정하여 서면으로 시정을 명하고 그 기간에 이행하지 아니하면 직접 처분을 할 수 있다. 다만, 그 처분의 성질이나 그 밖의 불가피한 사유로 위원회가 직접 처분을 할 수 없는 경우에는 그러하지 아니하다.
제49조【재결의 기속력 등】③ 당사자의 신청을 거부하거나 부작위로 방치한 처분의 이행을 명하는 재결이 있으면 행정청은 지체 없이 이전의 신청에 대하여 재결의 취지에 따라 처분을 하여야 한다.

③ (○)

「행정심판법」제27조【심판청구의 기간】③ 행정심판은 처분이 있었던 날부터 180일이 지나면 청구하지 못한다. 다만, 정당한 사유가 있는 경우에는 그러하지 아니하다.
⑥ 행정청이 심판청구 기간을 알리지 아니한 경우에는 제3항에 규정된 기간에 심판청구를 할 수 있다.

④ (○)

「행정심판법」제6조【행정심판위원회의 설치】③ 다음 각 호의 행정청의 처분 또는 부작위에 대한 심판청구에 대하여는 시·도지사 소속으로 두는 행정심판위원회에서 심리·재결한다.
1. 시·도 소속 행정청
2. 시·도의 관할구역에 있는 시·군·자치구의 장, 소속 행정청 또는 시·군·자치구의 의회(의장, 위원회의 위원장, 사무국장, 사무과장 등 의회 소속 모든 행정청을 포함한다)

답 ②

함께 정리하기

행정심판법

무효등확인심판
▷ 사정재결 불가

직접처분
▷ 처분명령재결을 전제로 함

상대방에게 청구기간 불고지
▷ 처분이 있던 날부터 180일

종로구청장의 처분·부작위
▷ 서울특별시 행정심판위원회

💡 ALL KILL 기출
제2절 행정심판의 재결

01 의무이행심판의 재결에서 처분재결은 형성재결의 성질을, 처분명령재결은 이행재결의 성격을 가지고 있다. 16. 서울시 7급 ( )

02 행정심판의 대상이 된 처분이 기간의 경과, 처분의 집행, 그 밖의 사유로 효력이 소멸한 경우에는 각하재결을 하여야 한다. 12. 교행 ( )

03 위원회는 의무이행심판의 청구가 이유 있다고 인정할 때에는 지체 없이 신청에 따른 처분을 하거나 이를 할 것을 명한다. 10. 국가직 9급 ( )

04 형성력을 가지는 취소재결이 있는 경우 그 대상이 된 행정 처분은 재결 자체에 의해 당연취소되어 소멸한다. 12. 지방직 9급 ( )

05 요건심리의 결과 심판청구의 제기요건을 갖추고 있지 못한 것으로 판단되는 경우에는 기각재결을 한다. 09. 지방직 9급 ( )

06 행정심판에서는 변경재결과 같이 원처분을 적극적으로 변경하는 것도 가능하다. 15. 서울시 9급 ( )

정답 및 해설

01 ○ 의무이행심판의 처분재결은 형성재결의 성질을, 처분명령재결은 이행재결의 성격을 가지고 있음

02 ○ 위원회는 심판청구가 적법하지 아니하면(처분이 소멸된 경우 포함) 그 심판청구를 각하(却下)함(「행정심판법」 제43조 제1항)

03 ○ 「행정심판법」 제43조 제5항은 의무이행심판의 인용재결방식을 규정하고 있음

04 ○ 재결의 내용이 행정심판위원회가 처분청의 처분을 스스로 취소하는 것일 때에는 형성력에 의해 별도의 행정처분을 기다릴 것 없이 당연히 취소되어 소멸되는 것임(대판 1997.5.30. 96누14678)

05 × 각하재결을 함

06 ○ 「행정심판법」 제43조 제3항의 변경이란 당해 처분의 내용을 적극적으로 변경하는 것 포함

제4장 행정소송 일반론

문제 DATA
출제가능 지수 ▶▶▷
난이도 지수 ★★☆

001 □□□

행정소송에 대한 설명으로 가장 옳지 않은 것은? (다툼이 있는 경우 판례에 의함)

① 사업시행자가 환매권의 존부에 관한 확인을 구하는 소송은 민사소송이다.
② 명예퇴직한 법관이 명예퇴직수당액의 차액 지급을 신청한 것에 대해 법원행정처장이 거부하는 의사표시를 한 경우 항고소송으로 이를 다투어야 한다.
③ 국가에 대한 납세의무자의 부가가치세 환급세액청구는 민사소송이 아니라 당사자소송으로 다투어야 한다.
④ 공무원연금법령상 급여를 받으려고 하는 자는 구체적 권리가 발생하지 않은 상태에서 곧바로 공무원연금공단을 상대로 한 당사자소송을 제기할 수 없다.

2018년 서울시 7급

① (O) 환매권 존부확인과 환매금액 증감은 민사소송의 영역이다.

> 구 공익사업을 위한 토지 등의 취득 및 보상에 관한 법률 제91조에 규정된 환매권은 상대방에 대한 의사표시를 요하는 형성권의 일종으로서 재판상이든 재판 외이든 위 규정에 따른 기간 내에 행사하면 매매의 효력이 생기는 바, 이러한 환매권의 존부에 관한 확인을 구하는 소송 및 구 공익사업법 제91조 제4항에 따라 환매금액의 증감을 구하는 소송 역시 민사소송에 해당한다(대판 2013.2.28. 2010두22368).

② (X) 명예퇴직한 법관의 명예퇴직수당청구는 당사자소송의 대상이 된다.

> 명예퇴직수당 지급대상자로 결정된 법관에 대하여 지급할 수당액은 명예퇴직수당규칙 제4조 [별표 1]에 그 산정 기준이 정해져 있으므로, 위 법관은 위 규정에서 정한 정당한 산정기준에 따라 산정된 명예퇴직수당액을 수령할 구체적인 권리를 가진다. 그 지급을 구하는 소송은 행정소송법의 당사자소송에 해당하며, 그 법률관계의 당사자인 국가를 상대로 제기하여야 한다(대판 2016.5.24. 2013두14863).

유제 18. 국가직 9급 법관이 이미 수령한 명예퇴직수당액이 구 「법관 및 법원공무원 명예퇴직수당 등 지급규칙」에서 정한 정당한 명예퇴직수당액에 미치지 못한다고 주장하며 차액의 지급을 신청하였으나 법원행정처장이 이를 거부한 경우 제기해야 할 소송은 미지급명예퇴직 수당액지급을 구하는 당사자소송이다. (O)

③ (O) 부가가치세 환급세액청구는 당사자소송의 대상이다.

> 납세의무자에 대한 국가의 부가가치세 환급세액 지급의무는 그 납세의무자로부터 어느 과세기간에 과다하게 거래징수된 세액 상당을 국가가 실제로 납부받았는지와 관계없이 부가가치세법령의 규정에 의하여 직접 발생하는 것으로서, 그 법적 성질은 정의와 공평의 관념에서 수익자와 손실자 사이의 재산상태 조정을 위해 인정되는 부당이득반환의무가 아니라 부가가치세법령에 의하여 그 존부나 범위가 구체적으로 확정되고 조세 정책적 관점에서 특별히 인정되는 공법상 의무라고 봄이 타당하다. 그렇다면 국가에 대한 납세의무자의 부가가치세 환급세액 지급청구는 민사소송이 아니라 행정소송법 제3조 제2호에 규정된 당사자소송의 절차에 따라야 한다(대판 2013.3.21. 2011다95564 전합).

유제 18. 교행 국가에 대한 납세의무자의 부가가치세 환급세액지급청구는 당사자소송의 절차에 따라야 한다. (O)

④ (O) 공무원연금법령상 급여를 받으려고 하는 자는 먼저 구체적 권리를 인정받아야 한다.

> 공무원연금법령상 급여를 받으려고 하는 자는 우선 관계 법령에 따라 공무원연금공단에 급여지급을 신청하여 공무원연금공단이 이를 거부하거나 일부 금액만 인정하는 급여지급결정을 하는 경우 그 결정을 대상으로 항고소송을 제기하는 등으로 구체적 권리를 인정받아야 하고, 구체적인 권리가 발생하지 않은 상태에서 곧바로 공무원연금공단을 상대로 한 당사자소송으로 권리의 확인이나 급여의 지급을 소구하는 것은 허용되지 아니한다(대판 2017.2.9. 2014두43264).

답 ②

함께 정리하기
행정소송
환매권존부확인·환매금액증감소송
▷ 민사소송
명예퇴직한 법관의 명예퇴직수당청구
▷ 당사자소송(피고는 국가)
납세의무자의 부가가치세 환급세액청구
▷ 당사자소송
공무원연금법령상 급여청구
▷ 우선 구체적 권리 인정받아야 함

002

행정소송의 제기에 대한 설명으로 옳지 않은 것은? (다툼이 있는 경우 판례에 의함)

① 국가가 당사자소송의 피고인 경우에는 관계 행정청의 소재지를 피고의 소재지로 본다.
② 「행정소송법」은 취소소송의 경우에 집행정지 외에 임시처분까지 규정하고 있다.
③ 대법원은 종래 무효확인소송에서 요구해 왔던 보충성을 더 이상 요구하지 않는 것으로 판례태도를 변경하였다.
④ 「행정소송법」에서는 민중소송으로써 처분 등의 취소를 구하는 소송에는 그 성질에 반하지 아니하는 한 취소소송에 관한 규정을 준용한다.

2018년 교육행정직

① (○)

> 「행정소송법」제40조【재판관할】제9조의 규정은 당사자소송의 경우에 준용한다. 다만, 국가 또는 공공단체가 피고인 경우에는 관계행정청의 소재지를 피고의 소재지로 본다.
> 제9조【재판관할】① 취소소송의 제1심관할법원은 피고의 소재지를 관할하는 행정법원으로 한다.
> ② 제1항에도 불구하고 다음 각 호의 어느 하나에 해당하는 피고에 대하여 취소소송을 제기하는 경우에는 대법원소재지를 관할하는 행정법원에 제기할 수 있다.
> 1. 중앙행정기관, 중앙행정기관의 부속기관과 합의제행정기관 또는 그 장
> 2. 국가의 사무를 위임 또는 위탁받은 공공단체 또는 그 장
> ③ 토지의 수용 기타 부동산 또는 특정의 장소에 관계되는 처분등에 대한 취소소송은 그 부동산 또는 장소의 소재지를 관할하는 행정법원에 이를 제기할 수 있다.

② (×) 2010년 「행정심판법」의 개정으로 행정심판의 경우 임시처분이 허용된다. 이는 청구인의 권익 보호를 위한 제도인 바, 권력분립의 원칙상 「행정소송법」에는 임시처분에 관한 규정이 존재하지 않는다.

③ (○) 무효등 확인소송에서는 보충성이 요구되지 않는다.

> 행정처분의 근거 법률에 의하여 보호되는 직접적이고 구체적인 이익이 있는 경우에는 행정소송법 제35조에 규정된 '무효확인을 구할 법률상 이익'이 있다고 보아야 하고, 이와 별도로 무효확인소송의 보충성이 요구되는 것은 아니므로 행정처분의 무효를 전제로 한 이행소송 등과 같은 직접적인 구제수단이 있는지 여부를 따질 필요가 없다고 해석함이 상당하다(대판 2008.3.20. 2007두6342 전합).

④ (○)

> 「행정소송법」제46조【준용규정】① 민중소송 또는 기관소송으로써 처분 등의 취소를 구하는 소송에는 그 성질에 반하지 아니하는 한 취소소송에 관한 규정을 준용한다.

답 ②

003

행정소송에 대한 설명으로 옳지 않은 것은? (다툼이 있는 경우 판례에 의함)

① 국가에 대한 납세의무자의 부가가치세 환급세액지급청구는 당사자소송의 절차에 따라야 한다.
② 무효선언을 구하는 의미의 취소소송에 있어서는 제소기간이 준수되어야 한다.
③ 지방자치단체의 장의 재의요구에도 불구하고 지방의회가 조례안을 재의결한 경우 단체장이 지방의회를 상대로 제기하는 소송은 기관소송이다.
④ 신축건물의 준공처분을 하여서는 아니된다는 내용의 부작위를 청구하는 행정소송은 예외적으로 허용된다.

문제 DATA (002)
출제가능 지수 ▶▶▷
난이도 지수 ★★☆

함께 정리하기

「행정소송법」
국가가 당사자소송의 피고
▷ 관계행정청 소재지에 관할 有

「행정소송법」
▷ 집행정지 有

「행정심판법」
▷ 집행정지·임시처분 有

무효확인소송
▷ 보충성 不要(판례변경)

처분취소 구하는 민중·기관소송
▷ 취소소송규정 준용

문제 DATA (003)
출제가능 지수 ▶▶▷
난이도 지수 ★★☆

함께 정리하기

행정소송

납세의무자의 부가가치세 환급세액
지급청구
▷ 당사자소송

무효선언 구하는 취소소송
▷ 취소소송 제기요건 갖추어야 함

지자체장의 재의요구에도 재의결
▷ 대법원에 기관소송제기 가능

예방적 금지소송
▷ 불허

2018년 교육행정직

① (O) 대판 2013.3.21. 2011다95564
② (O) 무효선언을 구하는 취소소송은 형식이 취소소송이므로 취소소송의 요건을 구비하여야 한다.

> 행정처분의 당연무효를 선언하는 의미에서 취소를 구하는 행정소송을 제기한 경우에도 제소기간의 준수 등 취소소송의 제소요건을 갖추어야 한다(대판 1993.3.12. 92누11039).

③ (O) 기관소송은 개별 법률에 특별한 규정이 있는 경우에 인정되고 그 법률에 정한 자만이 제기할 수 있는바(기관소송 법정주의), 「지방자치법」 제120조 제3항의 소송은 기관소송에 해당한다.

> 「지방자치법」 제120조 【지방의회의 의결에 대한 재의 요구와 제소】 ① 지방자치단체의 장은 지방의회의 의결이 월권이거나 법령에 위반되거나 공익을 현저히 해친다고 인정되면 그 의결사항을 이송받은 날부터 20일 이내에 이유를 붙여 재의를 요구할 수 있다.
> ② 제1항의 요구에 대하여 재의한 결과 재적의원 과반수의 출석과 출석의원 3분의 2 이상의 찬성으로 전과 같은 의결을 하면 그 의결사항은 확정된다.
> ③ 지방자치단체의 장은 제2항에 따라 재의결된 사항이 법령에 위반된다고 인정되면 대법원에 소(訴)를 제기할 수 있다. 이 경우에는 제192조 제4항을 준용한다.

④ (×) 국민의 재판청구권 보장을 위해 예방적 금지소송을 인정할 수 있다는 견해가 있으나, 다수설과 판례는 부정적이다.

> 신축건물의 준공처분을 하여서는 아니된다는 내용의 부작위를 구하는 청구는 행정소송에서 허용되지 아니하는 것이므로 부적법하다(대판 1987.3.24. 86누182).

답 ④

문제 DATA

출제가능 지수 ▶▶▷
난이도 지수 ★★☆

004 □□□

「행정소송법」상 행정소송의 종류에 대한 설명으로 옳은 것(○)과 옳지 않은 것(×)을 올바르게 조합한 것은?

> ㄱ. 항고소송이란 행정청의 처분 등이나 부작위에 대하여 제기하는 소송이다.
> ㄴ. 당사자소송이란 행정청의 처분 등을 원인으로 하는 법률관계에 관한 소송 그 밖에 공법상의 법률관계에 관한 소송으로서 그 법률관계의 한쪽 당사자를 피고로 하는 소송이다.
> ㄷ. 민중소송이란 국가 또는 공공단체의 기관이 법률에 위반되는 행위를 한 때에 직접 자기의 법률상 이익과 관계없이 그 시정을 구하기 위하여 제기하는 소송이다.
> ㄹ. 기관소송이란 국가 또는 공공단체의 기관 상호간에 있어서의 권한의 존부 또는 그 행사에 관한 다툼이 있는 때에 이에 대하여 제기하는 소송이다. 다만, 「헌법재판소법」 제2조의 규정에 의하여 헌법재판소의 관장사항으로 되는 소송은 제외한다.

	ㄱ	ㄴ	ㄷ	ㄹ
①	○	○	○	○
②	○	○	×	○
③	○	○	×	×
④	×	×	○	×

2017년 경찰

ㄱ, ㄴ, ㄷ, ㄹ. (O)

> 「행정소송법」 제3조【행정소송의 종류】행정소송은 다음의 네가지로 구분한다.
> 1. 항고소송: 행정청의 처분등이나 부작위에 대하여 제기하는 소송
> 2. 당사자소송: 행정청의 처분등을 원인으로 하는 법률관계에 관한 소송 그 밖에 공법상의 법률관계에 관한 소송으로서 그 법률관계의 한쪽 당사자를 피고로 하는 소송
> 3. 민중소송: 국가 또는 공공단체의 기관이 법률에 위반되는 행위를 한 때에 직접 자기의 법률상 이익과 관계없이 그 시정을 구하기 위하여 제기하는 소송
> 4. 기관소송: 국가 또는 공공단체의 기관상호간에 있어서의 권한의 존부 또는 그 행사에 관한 다툼이 있을 때에 이에 대하여 제기하는 소송. 다만, 「헌법재판소법」제2조의 규정에 의하여 헌법재판소의 관장사항으로 되는 소송은 제외한다.

답 ①

함께 정리하기
행정소송의 종류
▷ 항고소송
▷ 당사자소송
▷ 민중소송
▷ 기관소송

005 □□□

「행정소송법」상 행정소송에 해당하지 않는 것은? (다툼이 있는 경우 판례에 의함)

① 행정재산의 사용·수익 허가에 따른 사용료를 미납한 경우에 부과된 가산금의 징수를 다투는 소송
② 행정편의를 위하여 사법상의 금전급부의무의 불이행에 대하여 「국세징수법」상 체납처분에 관한 규정을 준용하는 규정에 체납처분을 다투는 소송
③ 국가나 지방자치단체에 근무하는 청원경찰의 징계처분에 대한 소송
④ 「개발이익환수에 관한 법률」상 개발부담금부과처분이 취소된 경우 그 과오납금의 반환을 청구하는 소송

문제 DATA
출제가능 지수 ▶▶▷
난이도 지수 ★★☆

2018년 지방직 9급

① (O) 행정재산의 사용료 미납으로 인한 가산금징수는 행정소송의 대상이다.

> 국유재산 등의 관리청이 하는 행정재산의 사용·수익에 대한 허가는 순전히 사경제주체로서 행하는 사법상의 행위가 아니라 강학상 특허에 해당한다. … 원고가 그 수상과 같이 이 사건 가산금 지급채무의 부존재를 주장하여 구제를 받으려면, 적절한 행정쟁송절차를 통하여 권리관계를 다투어야 할 것이지, 이 사건과 같이 피고에 대하여 민사소송으로 위 지급의무의 부존확인을 구할 수는 없는 것이다(대판 2006.3.9. 2004다31074).

② (O) 판례는 「국세징수법」제23조와 같은 법의 체납처분에 관한 규정을 준용하는 경우, 「산업재해보상보험법」이나 「근로기준법」이 아닌 「공무원연금법」에 따른 재해보상과 퇴직급여를 지급받는 경우, 강학상 특허에 해당하는 경우 등을 공법관계로 보고 있다. 따라서 행정소송의 대상이 된다.

③ (O) 국가나 지자체에 근무하는 청원경찰 징계처분은 행정소송의 대상이다.

> 국가나 지방자치단체에 근무하는 청원경찰은 국가공무원법이나 지방공무원법상의 공무원은 아니지만, 다른 청원경찰과는 달리 그 임용권자가 행정기관의 장이고, 국가나 지방자치단체로부터 보수를 받으며, 산업재해보상보험법이나 근로기준법이 아닌 공무원연금법에 따른 재해보상과 퇴직급여를 지급받고, 직무상의 불법행위에 대하여도 민법이 아닌 국가배상법이 적용되는 등의 특질이 있으며 그외 임용자격, 직무, 복무의무 내용 등을 종합하여 볼 때, 그 근무관계를 사법상의 고용계약관계로 보기는 어려우므로 그에 대한 징계처분의 시정을 구하는 소는 행정소송의 대상이지 민사소송의 대상이 아니다(대판 1993.7.13. 92다47564).

함께 정리하기
행정소송 해당 여부

행정재산 사용료 미납 가산금징수
▷ 행정소송

「국세징수법」상 체납처분 규정 준용하는 체납처분
▷ 행정소송

국가·지자체근무 청원경찰 징계처분
▷ 행정소송

개발부담금부과처분취소 과오납금반환청구
▷ 민사소송

④ (×) 개발부담금부과처분이 취소된 후 과오납금 반환청구는 민사소송의 대상이다.

> 개발부담금 부과처분이 취소된 이상 그 후의 부당이득으로서의 과오납금 반환에 관한 법률관계는 단순한 민사관계에 불과한 것이고, 행정소송 절차에 따라야 하는 관계로 볼 수 없다(대판 1995.12.22. 94다51253).

답 ④

문제 DATA

출제가능 지수 ▶▷▷
난이도 지수 ★☆☆

006

「행정소송법」에서 규정하고 있는 항고소송이 아닌 것은?

① 기관소송
② 무효등 확인소송
③ 부작위위법확인소송
④ 취소소송

2020년 서울시·지방직·교육행정직 9급

① (×) 행정소송의 종류는 항고소송, 당사자소송, 민중소송, 기관소송으로 구분하며, 이 중 항고소송은 취소소송, 무효등 확인소송, 부작위위법확인소송으로 구분한다.

> 「행정소송법」제3조【행정소송의 종류】행정소송은 다음의 네가지로 구분한다.
> 1. 항고소송: 행정청의 처분등이나 부작위에 대하여 제기하는 소송
> 2. 당사자소송: 행정청의 처분등을 원인으로 하는 법률관계에 관한 소송 그 밖에 공법상의 법률관계에 관한 소송으로서 그 법률관계의 한쪽 당사자를 피고로 하는 소송
> 3. 민중소송: 국가 또는 공공단체의 기관이 법률에 위반되는 행위를 한 때에 직접 자기의 법률상 이익과 관계없이 그 시정을 구하기 위하여 제기하는 소송
> 4. 기관소송: 국가 또는 공공단체의 기관상호간에 있어서의 권한의 존부 또는 그 행사에 관한 다툼이 있을 때에 이에 대하여 제기하는 소송. 다만, 「헌법재판소법」제2조의 규정에 의하여 헌법재판소의 관장사항으로 되는 소송은 제외한다.
>
> 제4조【항고소송】항고소송은 다음과 같이 구분한다.
> 1. 취소소송: 행정청의 위법한 처분등을 취소 또는 변경하는 소송
> 2. 무효등 확인소송: 행정청의 처분등의 효력 유무 또는 존재 여부를 확인하는 소송
> 3. 부작위위법확인소송: 행정청의 부작위가 위법하다는 것을 확인하는 소송

답 ①

함께 정리하기

항고소송의 종류

▷ 취소소송
▷ 무효등 확인소송
▷ 부작위위법확인소송

ALL KILL 기출

제4장 행정소송 일반론

01 행정소송은 행정청의 위법한 처분 등으로 인한 국민의 권리 또는 이익의 침해를 구제하고 공법상 권리관계 또는 법률 적용에 관한 다툼을 적정하게 해결함을 목적으로 한다.
17. 서울시 7급 (　)

02 객관소송의 성격을 갖는 행정소송을 인정할 것인가 여부는 입법정책의 문제이다.
15. 세무사 (　)

03 어떤 법규가 단순히 행정상의 방침만을 정하고 있는 훈시규정인 경우 그 규정의 준수와 실현을 소송으로써 주장할 수 없다.
15. 세무 (　)

04 항고소송의 대상적격 여부는 행위의 성질·효과 이외에 행정소송 제도의 목적이나 사법권(司法權)에 의한 국민의 권익보호기능도 충분히 고려하여 합목적적으로 판단해야 한다.
17. 서울시 7급 (　)

05 행정청이 한 행위가 단지 사인 간 법률관계의 존부를 공적으로 증명하는 공증행위에 불과하더라도 그 효력을 둘러싼 분쟁의 해결이 사법원리(私法原理)에 맡겨져 있는 경우에는 항고소송의 대상이 된다.
17. 서울시 7급 (　)

06 어떤 행위가 상대방의 권리를 제한하는 행위라 하더라도 행정청 또는 그 소속기관이나 권한을 위임받은 공공단체 등의 행위가 아닌 한 이를 행정처분이라고 할 수 없다. 17. 서울시 7급 (　)

정답 및 해설

01 ○ 「행정소송법」 제1조 참조

02 ○ 현행 「행정소송법」은 객관소송으로 민중소송과 기관소송을 규정하고 있는바, 객관소송 인정 여부는 입법정책의 영역으로서 법정주의를 택함

03 ○ 훈시규정에의 위반은 부적법이 아니므로 행위의 효력에는 아무런 영향이 없다는 것이 통설이며, 그 준수와 실현을 소송으로써 주장할 수 없음

04 ○ 행정청의 어떤 행위가 항고소송의 대상이 될 수 있는지의 문제는 추상적·일반적으로 결정할 수 없고 … 구체적 사안에 따라 개별적으로 결정해야 함(대판 2010.11.18. 2008두167 전합)

05 × 공증행위의 효력을 둘러싼 분쟁해결이 사법원리 또는 행정소송 외의 기타 절차에 의할 것을 예정한 경우에는 항고소송의 대상이 될 수 없음(대판 2012.6.14. 2010두19720)

06 ○ 상대방의 권리를 제한하는 행위라 하더라도 행정청 또는 그 소속기관이나 권한을 위임받은 공공단체 등의 행위가 아닌 한 행정처분이라고 할 수 없음(대판 2008.1.31. 2005두8269)

제5장 항고소송 1(취소소송)

제1절 | 취소소송의 의의

001 □□□

다수설에 의하면 취소소송의 법적 성질로 옳은 것은?

① 당사자소송, 형성소송, 주관적 소송
② 당사자소송, 확인소송, 객관적 소송
③ 항고소송, 형성소송, 주관적 소송
④ 항고소송, 확인소송, 객관적 소송
⑤ 기관소송, 확인소송, 객관적 소송

2009년 세무사

③ (○) 취소소송은 항고소송의 하나이며, 개인의 권리구제를 직접적 목적으로 하는 주관적 소송에 해당한다. 취소소송의 성질에 대해서는 확인소송설, 준형성소송설 등이 있으나, 통설·판례는 취소소송이 법률관계를 변경 또는 소멸시키는 형성적 성질을 가진다는 점에서 형성소송설을 취하고 있다. 즉, 취소소송은 위법한 처분에 의하여 발생한 위법상태를 배제하여 원상으로 회복시키는 형성소송이다.

답 ③

문제 DATA
출제가능 지수 ▶▷▷
난이도 지수 ★☆☆

함께 정리하기
취소소송의 법적 성질
▷ 항고소송
▷ 형성소송
▷ 주관적 소송

제2절 | 소송요건

I 대상적격(처분 등의 존재)

001 □□□

항고소송의 대상에 대한 설명으로 가장 옳지 않은 것은? (다툼이 있는 경우 판례에 의함)

① 선행처분의 내용 중 일부만을 소폭 변경하는 후행처분이 있는 경우 선행처분도 후행처분에 의하여 변경되지 아니한 범위 내에서 존속하고, 후행처분은 선행처분의 내용 중 일부를 변경하는 범위 내에서 효력을 가지지만, 선행처분의 주요 부분을 실질적으로 변경하는 내용으로 후행처분을 한 경우에는 선행처분은 특별한 사정이 없는 한 그 효력을 상실한다.
② 위헌결정의 소급효가 인정된다고 해서 위헌인 법률에 근거한 행정처분이 당연무효가 된다고는 할 수 없고, 이미 취소소송의 제기기간을 경과하여 불가쟁력이 발생한 행정처분에도 위헌결정의 소급효가 미친다.
③ 수익적 행정처분을 구하는 신청에 대한 거부처분이 있은 후 당사자가 다시 신청을 한 경우에는 신청의 제목 여하에 불구하고 그 내용이 새로운 신청을 하는 취지라면 관할 행정청이 이를 다시 거절하는 것은 새로운 거부처분이라고 보아야 한다.
④ 공법인인 총포·화약안전기술협회가 자신의 공행정 활동에 필요한 재원을 마련하기 위하여 회비납부의무자에 대하여 한 회비납부통지는 납부의무자의 구체적인 부담금액을 산정·고지하는 부담금 부과처분으로서 항고소송의 대상이 된다고 보아야 한다.

문제 DATA
출제가능 지수 ▶▶▷
난이도 지수 ★★☆

2025년 군무원 9급

① (○)

[1] 선행처분의 주요 부분을 실질적으로 변경하는 내용으로 후행처분을 한 경우에 선행처분은 특별한 사정이 없는 한 그 효력을 상실하지만, 후행처분이 있었다고 하여 일률적으로 선행처분이 존재하지 않게 되는 것은 아니고 선행처분의 내용 중 일부만을 소폭 변경하는 정도에 불과한 경우에는 선행처분이 소멸한다고 볼 수 없다.

[2] 선행처분이 후행처분에 의하여 변경되지 아니한 범위 내에서 존속하고 후행처분은 선행처분의 내용 중 일부를 변경하는 범위 내에서 효력을 가지는 경우에, 선행처분의 취소를 구하는 소를 제기한 후 후행처분의 취소를 구하는 청구를 추가하여 청구를 변경하였다면 후행처분에 관한 제소기간 준수 여부는 청구변경 당시를 기준으로 판단하여야 하나, 선행처분에만 존재하는 취소사유를 이유로 후행처분의 취소를 청구할 수는 없다(대판 2012.12.13. 2010두20782·20799).

② (×)

[1] 법률에 근거하여 행정처분이 발하여진 후에 헌법재판소가 그 행정처분의 근거가 된 법률을 위헌으로 결정하였다면 결과적으로 행정처분은 법률의 근거가 없이 행하여진 것과 마찬가지가 되어 하자가 있는 것이 되나, 하자 있는 행정처분이 당연무효가 되기 위하여는 그 하자가 중대할 뿐만 아니라 명백한 것이어야 하는데, 일반적으로 법률이 헌법에 위반된다는 사정이 헌법재판소의 위헌결정이 있기 전에는 객관적으로 명백한 것이라고 할 수는 없으므로 헌법재판소의 위헌결정 전에 행정처분의 근거되는 당해 법률이 헌법에 위반된다는 사유는 특별한 사정이 없는 한 그 행정처분의 취소소송의 전제가 될 수 있을 뿐 당연무효사유는 아니라고 봄이 상당하다.

[2] 위헌인 법률에 근거한 행정처분이 당연무효인지의 여부는 위헌결정의 소급효와는 별개의 문제로서, 위헌결정의 소급효가 인정된다고 하여 위헌인 법률에 근거한 행정처분이 당연무효가 된다고는 할 수 없고, 오히려 이미 취소소송의 제기기간을 경과하여 확정력이 발생한 행정처분에는 위헌결정의 소급효가 미치지 않는다고 보아야 한다.

[3] 어느 행정처분에 대하여 그 행정처분의 근거가 된 법률이 위헌이라는 이유로 무효확인청구의 소가 제기된 경우에는 다른 특별한 사정이 없는 한 법원으로서는 그 법률이 위헌인지 여부에 대하여는 판단할 필요 없이 그 무효확인청구를 기각하여야 한다(대판 1994.10.28. 92누9463).

③ (○) 수익적 행정행위 신청에 대한 거부처분은 당사자의 신청에 대하여 관할 행정청이 거절하는 의사를 대외적으로 명백히 표시함으로써 성립되고, 거부처분이 있은 후 당사자가 다시 신청을 한 경우에는 신청의 제목 여하에 불구하고 그 내용이 새로운 신청을 하는 취지라면 관할 행정청이 이를 다시 거절하는 것은 새로운 거부처분으로 봄이 원칙이다(대판 2019.4.3. 2017두52764).

④ (○)

[1] 총포·도검·화약류 등의 안전관리에 관한 법률(이하 '총포화약법'이라 한다) 제48조, 제52조, 제62조의 규정 내용과 총포·화약안전기술협회(이하 '협회'라 한다)가 수행하는 업무, 총포화약류로 인한 위험과 재해를 미리 방지함으로써 공공의 안전을 유지하고자 하는 총포화약법의 입법 취지(제1조)를 고려하면, 협회는 총포화약류의 안전관리와 기술지원 등에 관한 국가사무를 수행하기 위하여 법률에 따라 설립된 '공법상 재단법인'이라고 보아야 한다.

[2] 항고소송의 대상인 '처분'이란 '행정청이 행하는 구체적 사실에 관한 법집행으로서의 공권력의 행사 또는 그 거부와 그 밖에 이에 준하는 행정작용'을 말한다(행정소송법 제2조 제1항 제1호). 행정청의 행위가 항고소송의 대상이 될 수 있는지는 추상적·일반적으로 결정할 수 없고, 구체적인 경우에 관련 법령의 내용과 취지, 그 행위의 주체·내용·형식·절차, 그 행위와 상대방 등 이해관계인이 입는 불이익 사이의 실질적 견련성, 법치행정의 원리와 그 행위에 관련된 행정청이나 이해관계인의 태도 등을 고려하여 개별적으로 결정해야 한다. 어떠한 처분에 법령상 근거가 있는지, 행정절차법에서 정한 처분 절차를 준수하였는지는 본안에서 해당 처분이 적법한가를 판단하는 단계에서 고려할 요소이지, 소송요건 심사단계에서 고려할 요소가 아니다. 행정청의 행위가 '처분'에 해당하는지가 불분명한 경우에는 그에 대한 불복방법 선택에 중대한 이해관계를 가지는 상대방의 인식가능성과 예측가능성을 중요하게 고려해서 규범적으로 판단해야 한다.
총포·도검·화약류 등의 안전관리에 관한 법률 시행령 제78조 제1항 제3호, 제79조 및 총포·화약안전기술협회(이하 '협회'라 한다) 정관의 관련 규정의 내용을 위 법리에 비추어 살펴보면, 공법인인 협회가 자신의 공행정활동에 필요한 재원을 마련하기 위하여 회비납부의무자에 대하여 한 '회비납부통지'는 납부의무자의 구체적인 부담금액을 산정·고지하는 '부담금 부과처분'으로서 항고소송의 대상이 된다고 보아야 한다(대판 2021.12.30. 2018다241458).

답 ②

함께 정리하기

항고소송의 대상

선행처분의 일부만 소폭 변경하는 후행처분
▷ 선행처분 효력 존속

주요 부분을 실질적으로 변경하는 후행처분
▷ 선행처분 효력 상실

제소기간 경과
▷ 위헌결정의 소급효×

2차 거부
▷ 새로운 행정처분○

총포·화약안전기술협회가 공행정활동에 필요한 재원마련을 위해 회비납부통지
▷ 처분성○

문제 DATA

출제가능 지수 ▶▶▷
난이도 지수 ★★☆

002 ☐☐☐

항고소송의 대상이 되는 행정처분에 해당하는 것만을 모두 고르면? (다툼이 있는 경우 판례에 의함)

> ㄱ. 구 「도시계획법」 제12조에 의하여 고시된 도시계획결정
> ㄴ. 구 「택지개발촉진법」에 의한 건설부장관의 택지개발예정지구의 지정
> ㄷ. 구 「공공기관 지방이전에 따른 혁신도시 건설 및 지원에 관한 특별법」에 따라 국토해양부장관이 발표한 한국토지주택공사의 지방이전방안
> ㄹ. 구 도시계획법령에 의한 도시기본계획

① ㄱ, ㄴ
② ㄱ, ㄷ
③ ㄱ, ㄷ, ㄹ
④ ㄴ, ㄷ, ㄹ

함께 정리하기

항고소송의 대상이 되는 행정처분 여부
도시계획결정(현 도시·군관리계획결정)○
택지개발예정지구 지정○
국토해양부장관이 발표한 한국토지주택공사의 지방이전방안✕
도시기본계획✕

2025년 소방직

ㄱ. (○) 도시계획법 제12조 소정의 고시된 도시계획결정은 특정 개인의 권리 내지 법률상의 이익을 개별적이고 구체적으로 규제하는 효과를 가져오게 하는 행정청의 처분이라 할 것이고, 이는 행정소송의 대상이 된다(대판 1982.3.9. 80누105).

ㄴ. (○) 택지개발촉진법 제3조에 의한 건설교통부장관의 택지개발예정지구의 지정은 그 처분의 고시에 의하여 개발할 토지의 위치, 면적과 그 행사가 제한되는 권리내용 등이 특정되는 처분인 반면에, 같은 법 제8조에 의한 건설교통부장관의 택지개발계획 시행자에 대한 택지개발계획의 승인은 당해 사업이 택지개발촉진법상의 택지개발사업에 해당함을 인정하여 시행자가 그 후 일정한 절차를 거칠 것을 조건으로 하여 일정한 내용의 수용권을 설정하여 주는 처분으로서 그 승인고시에 의하여 수용할 목적물의 범위가 확정되는 것이므로, 그 두 처분은 후자가 전자의 처분을 전제로 하는 것이기는 하나 각각 단계적으로 별개의 법률효과를 발생하는 독립한 행정처분이다(대판 1996.12.6. 95누8409).

ㄷ. (✕) 공공기관 지방이전에 따른 혁신도시 건설 및 지원에 관한 특별법에 따르면, 지방이전계획을 수립하는 주체는 이전공공기관의 장이고, 그 제출받은 계획을 검토·조정하여 국토해양부장관에게 제출하는 주체는 소관 행정기관의 장이며, 그에 따라 지역발전위원회의 심의를 거친 후 승인하는 주체가 국토해양부장관일 뿐이므로, 피청구인(국토교통부장관)이 발표한 이 사건 이전방안은 한국토지주택공사와 각 광역시·도, 관련 행정부처 사이의 의견 조율 과정에서 행정청으로서의 내부 의사를 밝힌 행정계획안 정도에 불과하다. 한국토지주택공사의 지방이전계획은 지역발전위원회의 심의를 거쳐 피청구인의 최종 승인에 의하여 확정되는 것이며, 그 이전 단계에서 발표된 이 사건 이전방안이 국민의 권리의무 또는 법적지위에 어떠한 변동을 가져온다고 할 수 없다. 따라서 이 사건 이전방안은 헌법재판소법 제68조 제1항의 공권력의 행사에 해당한다고 할 수 없다(헌재 2014.3.27. 2011헌마291).

ㄹ. (✕) 도시기본계획은 도시의 기본적인 공간구조와 장기발전방향을 제시하는 종합계획으로서 그 계획에는 토지이용계획, 환경계획, 공원녹지계획 등 장래의 도시개발의 일반적인 방향이 제시되지만, 그 계획은 도시계획입안의 지침이 되는 것에 불과하여 일반 국민에 대한 직접적인 구속력은 없다(대판 2002.10.11. 2000두8226).

답 ①

003

항고소송의 대상인 처분에 대한 설명으로 옳은 것을 모두 고른 것은? (다툼이 있는 경우 판례에 의함)

> ㄱ. 어떠한 처분에 법령상 근거가 있는지, 「행정절차법」에서 정한 처분절차를 준수하였는지는 본안에서 해당 처분이 적법한가를 판단하는 단계에서 고려할 요소이지, 소송요건 심사단계에서 고려할 요소가 아니다.
> ㄴ. 근로복지공단이 사업주의 사업종류 변경 신청에 대해 이를 거부하는 행위는 항고소송의 대상인 거부처분에 해당하지 아니한다.
> ㄷ. 수익적 행정처분을 구하는 신청에 대한 거부처분이 있은 후 당사자가 다시 신청을 한 경우에는 신청의 제목 여하에 불구하고 그 내용이 새로운 신청을 하는 취지라면 관할 행정청이 이를 다시 거절하는 것은 새로운 거부처분이라고 보아야 한다.

① ㄱ, ㄴ
② ㄱ, ㄷ
③ ㄴ, ㄷ
④ ㄱ, ㄴ, ㄷ

문제 DATA
출제가능 지수 ▶▶▷
난이도 지수 ★★☆

2025년 경찰간부

ㄱ. (○) 어떠한 처분에 법령상 근거가 있는지, 행정절차법에서 정한 처분절차를 준수하였는지는 본안에서 당해 처분이 적법한가를 판단하는 단계에서 고려할 요소이지, 소송요건 심사단계에서 고려할 요소가 아니다(대판 2020.1.16. 2019다264700).

ㄴ. (×) 국민의 적극적 행위 신청에 대하여 행정청이 그 신청에 따른 행위를 하지 않겠다고 거부한 행위가 항고소송의 대상이 되는 행정처분에 해당하는 것이라고 하려면, 그 신청한 행위가 공권력의 행사 또는 이에 준하는 행정작용이어야 하고, 그 거부행위가 신청인의 법률관계에 영향을 미치는 것이어야 하며, 그 국민에게 그 행위발동을 요구할 법규상 또는 조리상의 신청권이 있어야 한다고 할 것인바, 여기에서 '신청인의 법률관계에 영향을 미치는 것'이라는 의미는 신청인의 실체상의 권리의무관계에 직접적인 변동을 일으키는 것은 물론, 그렇지 않다 하더라도 신청인이 권리를 행사하거나 의무를 이행함에 중대한 지장을 초래하는 것도 포함한다고 해석함이 상당하다. 법 제11조 제1항, 제14조 제3항, 법 시행규칙 제7조 제1항, 제9조 등 관련 규정에 의하면 사업주는 법 제5조 제3항의 규정에 따라 당연히 산업재해보상보험법에 의한 산업재해보상보험(이하 '산재보험'이라 한다)의 보험가입자가 된 경우에는 사업종류 등 필요한 사항을 기재하여 피고에게 보험관계성립신고서를 제출하여야 하고, 그 신고서를 받은 피고는 당해 사업주에게 적용될 사업종류 등을 검토한 다음 보험관계성립통지서에 피고가 적정하다고 판단한 사업종류(업송코느)를 기재하여 통지하도록 되어 있으며, 이와 같이 확인된 <u>사업종류에 따라 산재보험의 보험료율이 정해진다</u>. 따라서 그 사업종류는 사업주가 매 보험연도마다 피고에게 신고납부하여야 하는 산재보험의 개산보험료 및 확정보험료 산정의 기초가 된다. 그런데 이 사건의 경우와 같이 피고가 사업주에게 통지한 사업종류에 대하여 사업주가 사업장의 사업실태 내지 현황에 대한 피고의 평가 잘못 등을 이유로 피고에게 사업종류의 변경을 신청하였으나 피고가 이를 거부한 상황에서, 사업주가 자신이 적정하다고 보는 사업종류의 적용을 주장하면서 피고가 통지한 사업종류에 기초한 산재보험료를 납부하지 아니한 경우, 사업주는 연체금이나 가산금을 징수당하게 됨은 물론(법 제24조, 제25조), 체납처분도 받게 되고(법 제28조), 산재보험료를 납부하지 아니한 기간 중에 재해가 발생한 경우 그 보험급여의 전부 또는 일부를 징수당할 수 있는(법 제26조 제1항 제2호) 등의 불이익이 있는 점을 감안해 보면, <u>사업주의 사업종류변경신청을 받아들이지 않는 피고의 거부행위는 사업주의 권리의무에 직접 영향을 미치는 행위라고 할 것이다</u>. 나아가 보험가입자인 사업주가 사업종류의 변경을 통하여 보험료율의 시정을 구하고자 하는 경우, 사업주는 피고가 통지한 사업종류에 따른 개산보험료나 확정보험료를 신고납부하지 아니한 후 피고가 소정 절차에 따라 산정한 보험료 또는 차액의 납부를 명하는 징수통지를 받을 때까지 기다렸다가 비로소 그 징수처분에 불복하여 그 절차에서 사업종류의 변경 여부를 다툴 수 있다고 하면 앞서 본 바와 같은 불이익을 입을 수 있는 등 산재보험관계상의 불안정한 법률상 지위에 놓이게 되는데 이는 사업주의 권리보호에 미흡하며, 사업종류는 보험가입자인 사업주가 매 보험연도마다 계속 납부하여야 하는 산재보험료 산정에 있어 필수불가결한 기초가 되는 것이므로 <u>사업종류 변경신청에 대한 거부행위가 있을 경우 바로 사업주로 하여금 이를 다툴 수 있게 하는 것이 분쟁을 조기에 발본적으로 해결할 수 있는 방안이기도 하다</u>.

함께 정리하기

항고소송의 대상인 처분

어떠한 처분에 법령상 근거가 있는지, 「행정절차법」에서 정한 처분 절차를 준수하였는지
▷ 본안단계에서 고려

사업종류 변경신청 거부
▷ 거부처분○

2차 거부
▷ 새로운 행정처분○

이와 같은 사정을 모두 고려하여 보면, 보험가입자인 사업주에게 보험료율의 산정의 기초가 되는 사업종류의 변경에 대한 조리상 신청권이 있다고 봄이 상당하다(대판 2008.5.8. 2007두10488).

ㄷ. (○) 수익적 행정행위 신청에 대한 거부처분은 당사자의 신청에 대하여 관할 행정청이 거절하는 의사를 대외적으로 명백히 표시함으로써 성립되고, 거부처분이 있은 후 당사자가 다시 신청을 한 경우에는 신청의 제목 여하에 불구하고 그 내용이 새로운 신청을 하는 취지라면 관할 행정청이 이를 다시 거절하는 것은 새로운 거부처분으로 봄이 원칙이다(대판 2019.4.3. 2017두52764).

답 ②

004

항고소송의 대상적격에 대한 설명으로 가장 옳은 것은? (다툼이 있는 경우 판례에 의함)

① 「교육공무원법」상 승진후보자 명부에 의한 승진심사 방식으로 행해지는 승진임용에서 승진후보자 명부에 포함되어 있던 후보자를 승진임용인사발령에서 제외하는 행위는 항고소송의 대상인 처분에 해당하지 아니한다.
② 운전면허 행정처분처리대장상 벌점의 배점은 그 무효확인 또는 취소를 구하는 소송의 대상이 되는 행정처분이라고 할 수 있다.
③ 감사원의 징계요구와 재심의결정은 항고소송의 대상이 되는 행정처분이라고 할 수 없다.
④ 친일반민족행위자재산조사위원회의 재산조사개시결정은 조사대상자의 권리·의무에 직접 영향을 미치는 독립한 행정처분으로 볼 수 없다.

| 2025년 군무원 7급

① (×) 교육공무원법 제29조의2 제1항, 제13조, 제14조 제1항, 제2항, 교육공무원 승진규정 제1조, 제2조 제1항 제1호, 제40조 제1항, 교육공무원임용령 제14조 제1항, 제16조 제1항에 따르면 임용자는 3배수의 범위 안에 들어간 후보자들을 대상으로 승진임용 여부를 심사하여야 하고, 이에 따라 승진후보자 명부에 포함된 후보자는 임용권자로부터 정당한 심사를 받게 될 것에 관한 절차적 기대를 하게 된다. 그런데 임용권자 등이 자의적인 이유로 승진후보자 명부에 포함된 후보자를 승진임용에서 제외하는 처분을 한 경우에, 이러한 승진임용제외처분을 항고소송의 대상이 되는 처분으로 보지 않는다면, 달리 이에 대하여는 불복하여 침해된 권리 또는 법률상 이익을 구제받을 방법이 없다. 따라서 교육공무원법상 승진후보자 명부에 의한 승진심사 방식으로 행해지는 승진임용에서 승진후보자 명부에 포함되어 있던 후보자를 승진임용인사발령에서 제외하는 행위는 불이익처분으로서 항고소송의 대상인 처분에 해당한다고 보아야 한다(대판 2018.3.27. 2015두47492).

② (×) 운전면허 행정처분처리대장상 벌점의 배점은 도로교통법규 위반행위를 단속하는 기관이 도로교통법시행규칙 별표 16의 정하는 바에 의하여 도로교통법규 위반의 경중, 피해의 정도 등에 따라 배점하는 점수를 말하는 것으로 자동차운전면허의 취소, 정지처분의 기초자료로 제공하기 위한 것이고 그 배점 자체만으로는 아직 국민에 대하여 구체적으로 어떤 권리를 제한하거나 의무를 명하는 등 법률적 규제를 하는 효과를 발생하는 요건을 갖춘 것이 아니어서 그 무효확인 또는 취소를 구하는 소송의 대상이 되는 행정처분이라고 할 수 없다(대판 1994.8.12. 94누2190).

③ (○) 甲 시장이 감사원으로부터 감사원법 제32조에 따라 乙에 대하여 징계의 종류를 정직으로 정한 징계 요구를 받게 되자 감사원법 제36조 제2항에 따라 감사원에 징계 요구에 대한 재심의를 청구하였고, 감사원이 재심의청구를 기각하자 乙이 감사원의 징계 요구와 그에 대한 재심의결정의 취소를 구하고 甲 시장이 감사원의 재심의결정 취소를 구하는 소를 제기한 사안에서, 징계 요구는 징계 요구를 받은 기관의 장이 요구받은 내용대로 처분하지 않더라도 불이익을 받는 규정도 없고, 징계 요구 내용대로 효과가 발생하는 것도 아니며, 징계 요구에 의하여 행정청이 일정한 행정처분을 하였을 때 비로소 이해관계인의 권리관계에 영향을 미칠 뿐, 징계 요구 자체만으로는 징계 요구 대상 공무원의 권리·의무에 직접적인 변동을 초래하지도 아니하므로, 행정청 사이의 내부적인 의사결정의 경로로서 '징계 요구, 징계 절차 회부, 징계'로 이어지는 과정에서의 중간처분에 불과하여, 감사원의 징계 요구와 재심의결정이 항고소송의 대상이 되는 행정처분이라고 할 수 없고, 감사원법 제40조 제2항을 甲 시장에게 감사원을

상대로 한 기관소송을 허용하는 규정으로 볼 수는 없고 그 밖에 행정소송법을 비롯한 어떠한 법률에도 甲 시장에게 '감사원의 재심의 판결'에 대하여 기관소송을 허용하는 규정을 두고 있지 않으므로, 甲 시장이 제기한 소송이 기관소송으로서 감사원법 제40조 제2항에 따라 허용된다고 볼 수 없다고 한 사례(대판 2016.12.27. 2014두5637)

④ (×) 친일반민족행위자재산조사위원회의 재산조사개시결정이 있는 경우 조사대상자는 위 위원회의 보전처분 신청을 통하여 재산권행사에 실질적인 제한을 받게 되고, 위 위원회의 자료제출요구나 출석요구 등의 조사행위에 응하여야 하는 법적 의무를 부담하게 되는 점, '친일반민족행위자 재산의 국가귀속에 관한 특별법'에서 인정된 재산조사결정에 대한 이의신청절차만으로는 조사대상자에 대한 권리구제 방법으로 충분치 아니한 점, 조사대상자로 하여금 개개의 과태료 처분에 대하여 불복하거나 조사 종료 후의 국가귀속결정에 대하여만 다툴 수 있도록 하는 것보다는 그에 앞서 재산조사개시결정에 대하여 다툼으로써 분쟁을 조기에 근본적으로 해결할 수 있는 점 등을 종합하면, 친일반민족행위자재산조사위원회의 재산조사개시결정은 조사대상자의 권리·의무에 직접 영향을 미치는 독립한 행정처분으로서 항고소송의 대상이 된다고 봄이 상당하다(대판 2009.10.15. 2009두6513).

답 ③

005 □□□

거부처분의 취소소송에 대한 설명으로 옳지 않은 것은?

① 도시계획구역 내 토지 등을 소유하고 있는 주민으로서는 도시시설계획의 입안권자 내지 결정권자에게 도시시설계획의 입안 내지 변경을 요구할 수 있는 법규상 또는 조리상 신청권이 있다.
② 주민등록번호가 피해자의 의사와 무관하게 유출된 경우 조리상 주민등록번호의 변경을 요구할 신청권이 인정된다.
③ 신청권은 그 신청에 따른 단순한 응답을 받을 권리를 넘어서 신청의 인용이라는 만족적 결과를 얻을 권리를 의미한다.
④ 「민원사무 처리에 관한 법률」에서 민원사항의 신청에 대한 행정기관의 절차적인 접수의무를 규정하고 있다고 하더라도, 그로써 바로 민원인에게 그 민원에서 요구하는 행정기관의 행위에 대한 실체적인 신청권까지 인정되는 것이라고 볼 수 없다.

| 2025년 지방직 9급

① (○) 도시계획구역 내 토지 등을 소유하고 있는 사람과 같이 당해 도시계획시설결정에 이해관계가 있는 주민으로서는 도시시설계획의 입안권자 내지 결정권자에게 도시시설계획의 입안 내지 변경을 요구할 수 있는 법규상 또는 조리상의 신청권이 있고, 이러한 신청에 대한 거부행위는 항고소송의 대상이 되는 행정처분에 해당한다(대판 2015.3.26. 2014두42742).

② (○) (甲 등이 인터넷 포털사이트 등의 개인정보 유출사고로 자신들의 주민등록번호 등 개인정보가 불법 유출되자 이를 이유로 관할 구청장에게 주민등록번호를 변경해 줄 것을 신청하였으나 구청장이 '주민등록번호가 불법 유출된 경우 주민등록법상 변경이 허용되지 않는다'는 이유로 주민등록번호 변경을 거부하는 취지의 통지를 한 사안에서) 피해자의 의사와 무관하게 주민등록번호가 유출된 경우에는 조리상 주민등록번호의 변경을 요구할 신청권을 인정함이 타당하고, 구청장의 주민등록번호 변경신청 거부행위는 항고소송의 대상이 되는 행정처분에 해당한다(대판 2017.6.15. 2013두2945).

③ (×) 거부처분의 처분성을 인정하기 위한 전제요건이 되는 신청권의 존부는 구체적 사건에서 신청인이 누구인가를 고려하지 않고 관계 법규의 해석에 의하여 일반 국민에게 그러한 신청권을 인정하고 있는가를 살펴 추상적으로 결정되는 것이고, <u>신청인이 그 신청에 따른 단순한 응답을 받을 권리를 넘어서 신청의 인용이라는 만족적 결과를 얻을 권리를 의미하는 것은 아니다</u>(대판 2009.9.10. 2007두20638).

문제 DATA
출제가능 지수 ▶▶▷
난이도 지수 ★★☆

함께 정리하기

거부처분의 취소소송

도시계획시설결정에 이해관계가 있는 주민
▷ 도시계획 입안을 입안권자에게 요구할 수 있는 신청권○

주민등록번호 불법 유출된 자
▷ 주민등록번호 변경신청권○

신청권
▷ 신청의 인용이라는 만족적 결과 얻을 권리×
▷ 행정청의 응답을 구하는 권리○

민원사항의 신청에 대한 행정기관의 절차적인 접수의무
▷ 그로써 바로 행정기관에 대한 실체적인 신청권 인정×

④ (○) 구 행정규제 및 민원사무기본법 제2조 제3호와 제9조 제3항 및 같은 법 시행령 제2조 제3호 (바)목의 규정은, 행정기관에 대하여 특정한 행위를 요구하는 행위도 민원사항의 하나로 규정하면서 그에 관한 신청이 있을 경우 행정기관은 그 접수를 보류 또는 거부하거나 혹은 접수된 서류를 부당하게 되돌려 보낼 수 없도록 규정하고 있으나, 위 법이 민원사무의 처리에 관한 기본적인 사항을 정하는 것을 그 입법목적으로 하여 주로 절차적인 사항을 정하고 있는 점에 비추어 볼 때, 위 각 규정에서 위와 같이 <u>민원사항의 신청에 대한 행정기관의 절차적인 접수의무를 규정하고 있다고 하더라도 그로써 바로 민원인에게 그 민원에서 요구하는 행정기관의 행위에 대한 실체적인 신청권까지 인정되는 것이라고 볼 수는 없다</u>(대판 1999.8.24. 97누7004).

답 ③

006 □□□

항고소송의 대상인 처분에 대한 설명으로 옳지 않은 것은?

① 병무청장이 병역의무 기피자의 인적사항 등을 인터넷 홈페이지에 게시하는 등의 방법으로 공개한 경우 병무청장의 공개결정은 항고소송의 대상이 되는 행정처분에 해당하지 않는다.
② 어떠한 처분의 근거나 법적인 효과가 행정규칙에 규정되어 있다고 하더라도, 그 처분이 행정규칙의 내부적 구속력에 의하여 상대방에게 권리의 설정 또는 의무의 부담을 명하거나 기타 법적인 효과를 발생하게 하는 등으로 그 상대방의 권리·의무에 직접 영향을 미치는 행위라면, 이 경우에도 항고소송의 대상이 되는 행정처분에 해당한다.
③ 공정거래위원회가 「하도급거래 공정화에 관한 법률」 제26조(관계 행정기관의 장의 협조)에 따라 관계 행정기관의 장에게 한 원사업자 또는 수급사업자에 대한 입찰참가자격의 제한을 요청한 결정은 항고소송의 대상이 되는 처분에 해당한다.
④ 산업단지개발계획상 산업단지 안의 토지소유자로서 산업단지개발계획에 적합한 시설을 설치하여 입주하려는 자는 산업단지지정권자 또는 그로부터 권한을 위임받은 기관에 대하여 산업단지개발계획의 변경을 요청할 수 있는 법규상 또는 조리상 신청권이 있고, 이러한 신청에 대한 거부행위는 항고소송의 대상이 되는 행정처분에 해당한다.

| 2024년 국가직 7급

① (×) 병무청장이 병역법 제81조의2 제1항에 따라 병역의무 기피자의 인적사항 등을 인터넷 홈페이지에 게시하는 등의 방법으로 공개한 경우 병무청장의 공개결정을 항고소송의 대상이 되는 행정처분으로 보아야 한다(대판 2019.6.27. 2018두49130).
② (○) 어떠한 처분의 근거가 행정규칙에 규정되어 있다고 하더라도, 그 처분이 상대방에게 권리 설정 또는 의무 부담을 명하거나 기타 법적 효과를 발생하게 하는 등으로 상대방의 권리의무에 직접 영향을 미치는 행위라면, 이 경우에도 항고소송의 대상이 되는 행정처분에 해당한다고 보아야 한다(대판 2012.9.27. 2010두3541).
③ (○) 하도급거래 공정화에 관한 법률(2022.1.11. 법률 제18757호로 개정되기 전의 것, 이하 '법'이라 한다) 제26조 제2항은 입찰참가자격제한 요청의 요건을 구 하도급거래 공정화에 관한 법률 시행령(2021.1.12. 대통령령 제31393호로 개정되기 전의 것, 이하 '시행령'이라 한다)으로 정하는 기준에 따라 부과한 벌점의 누산점수가 일정 기준을 초과하는 경우로 구체화하고, 위 요건을 충족하는 경우 공정거래위원회는 법 제26조 제2항 후단에 따라 관계 행정기관의 장에게 해당 사업자에 대한 입찰참가자격제한 요청 결정을 하게 되며, 이를 요청받은 관계 행정기관의 장은 특별한 사정이 없는 한 그 사업자에 대하여 입찰참가자격을 제한하는 처분을 해야 하므로, 사업자로서는 입찰참가자격제한 요청 결정이 있으면 장차 후속 처분으로 입찰참가자격이 제한될 수 있는 법률상 불이익이 존재한다. 이때 입찰참가자격제한 요청 결정이 있음을 알고 있는 사업자로 하여금 입찰참가자격제한처분에 대하여만 다툴 수 있도록 하는 것보다는 그에 앞서 직접 입찰참가자격제한 요청 결정의 적법성을 다툴 수 있도록 함으로써

문제 DATA
출제가능 지수 ▶▶▷
난이도 지수 ★★☆

함께 정리하기

항고소송의 대상인 처분

병무청장의 병역의무 기피자의 인적사항 공개 결정○

행정규칙에 근거한 상대방의 권리·의무에 직접 영향을 미치는 행위○

공정거래위원회의 입찰참가자격제한 요청결정○

산업단지 안 토지소유자로서 시설 설치하여 입주하려는 자
▷ 산업단지개발계획 변경신청권○, 거부처분○

분쟁을 조기에 근본적으로 해결하도록 하는 것이 법치행정의 원리에도 부합한다. 따라서 공정거래위원회의 입찰참가자격제한 요청 결정은 항고소송의 대상이 되는 처분에 해당한다(대판 2023.2.2. 2020두48260).

④ (○) 산업단지개발계획상 산업단지 안의 토지 소유자로서 산업단지개발계획에 적합한 시설을 설치하여 입주하려는 자는 산업단지지정권자 또는 그로부터 권한을 위임받은 기관에 대하여 산업단지개발계획의 변경을 요청할 수 있는 법규상 또는 조리상 신청권이 있고, 이러한 신청에 대한 거부행위는 항고소송의 대상이 되는 행정처분에 해당한다고 보아야 한다(대판 2017.8.29. 2016두44186).

답 ①

007 □□□

항고소송의 대상에 대한 설명으로 옳지 않은 것은? (다툼이 있는 경우 판례에 의함)

① 어떤 고시가 다른 집행행위의 매개없이 그 자체로 직접 국민의 구체적인 권리의무나 법률관계를 규율하는 성격을 가질 때에는 항고소송의 대상이 되는 행정처분에 해당한다.
② 세무조사는 과세처분을 위한 중간행위에 불과하여 세무조사결정은 상대방의 권리·의무에 직접적으로 법률적 변동을 일으키지 아니하므로 항고소송의 대상이 되지 않는다.
③ 「국가공무원법」상 당연퇴직의 결격사유가 있어 행하여진 당연퇴직의 인사발령은 관념의 통지에 불과하여 항고소송의 대상이 되지 않는다.
④ 공정거래위원회가 관계 행정기관의 장에게 「하도급법」을 위반한 사업자에 대한 입찰참가자격제한 등을 요청하는 결정은 해당 사업자에게 장차 후속처분으로 인한 법률상 불이익을 주게 되므로, 항고소송의 대상이 되는 처분에 해당한다.

| 2024년 경찰간부

① (○)
> [1] 어떠한 고시가 일반적·추상적 성격을 가질 때에는 법규명령 또는 행정규칙에 해당할 것이지만, 다른 집행행위의 매개 없이 그 자체로서 직접 국민의 구체적인 권리의무나 법률관계를 규율하는 성격을 가질 때에는 항고소송의 대상이 되는 행정처분에 해당한다.
> [2] 항정신병 치료제의 요양급여 인정기준에 관한 보건복지부 고시가 다른 집행행위의 매개 없이 그 자체로서 제약회사, 요양기관, 환자 및 국민건강보험공단 사이의 법률관계를 직접 규율한다는 이유로 항고소송의 대상이 되는 행정처분에 해당한다고 한 사례(대결 2003.10.9. 2003무23)

② (×) 부과처분을 위한 과세관청의 질문조사권이 행해지는 세무조사결정이 있는 경우 납세의무자는 세무공무원의 과세자료 수집을 위한 질문에 대답하고 검사를 수인하여야 할 법적 의무를 부담하게 되는 점, … 납세의무자로 하여금 개개의 과태료 처분에 대하여 불복하거나 조사 종료 후의 과세처분에 대하여만 다툴 수 있도록 하는 것보다는 그에 앞서 세무조사결정에 대하여 다툼으로써 분쟁을 조기에 근본적으로 해결할 수 있는 점 등을 종합하면, 세무조사결정은 납세의무자의 권리·의무에 직접 영향을 미치는 공권력의 행사에 따른 행정작용으로서 항고소송의 대상이 된다(대판 2011.3.10. 2009두23617·23624).

③ (○) 국가공무원법 제69조에 의하면 공무원이 제33조 각 호의 1에 해당할 때에는 당연히 퇴직한다고 규정하고 있으므로, 국가공무원법상 당연퇴직은 결격사유가 있을 때 법률상 당연히 퇴직하는 것이지 공무원관계를 소멸시키기 위한 별도의 행정처분을 요하는 것이 아니며, 당연퇴직의 인사발령은 법률상 당연히 발생하는 퇴직사유를 공적으로 확인하여 알려주는 이른바 관념의 통지에 불과하고 공무원의 신분을 상실시키는 새로운 형성적 행위가 아니므로 행정소송의 대상이 되는 독립한 행정처분이라고 할 수 없다(대판 1995.11.14. 95누2036).

문제 DATA
출제가능 지수 ▶▶∑
난이도 지수 ★★☆

함께 정리하기
항고소송의 대상

고시가 다른 집행행위의 매개 없이 그 자체로서 권리의무·법률관계 규율
▷ 행정처분○

세무조사결정
▷ 항고소송 대상○

당연퇴직 인사발령
▷ 항고소송 대상×

공정거래위원회의 입찰참가자격제한등 요청 결정
▷ 행정처분○

④ (○) 구 하도급거래 공정화에 관한 법률 제26조 제2항은 입찰참가자격제한 등 요청의 요건을 시행령으로 정한 기준에 따라 부과한 벌점의 누산점수가 일정 기준을 초과하는 경우로 구체화하고, 위 요건을 충족하는 경우 공정거래위원회는 구 하도급법 제26조 제2항 후단에 따라 관계 행정기관의 장에게 해당 사업자에 대한 입찰참가자격제한 등 요청 결정을 하게 되며, 이를 요청받은 관계 행정기관의 장은 특별한 사정이 없는 한 그 사업자에 대하여 입찰참가자격제한 등의 처분을 해야 하므로, 사업자로서는 입찰참가자격제한 등 요청 결정이 있으면 장차 후속 처분으로 입찰참가자격이 제한되고 영업이 정지될 수 있는 등의 법률상 불이익이 존재한다. 이때 입찰참가자격제한 등 요청 결정이 있음을 알고 있는 사업자로 하여금 입찰참가자격제한처분 등에 대하여만 다툴 수 있도록 하는 것보다는 그에 앞서 직접 입찰참가자격제한 등 요청 결정의 적법성을 다툴 수 있도록 함으로써 분쟁을 조기에 근본적으로 해결하도록 하는 것이 법치행정의 원리에도 부합하므로, 공정거래위원회의 입찰참가자격제한 등 요청 결정은 항고소송의 대상이 되는 처분에 해당한다(대판 2023.4.27. 2020두47892).

답 ②

008 □□□

행정행위에 대한 설명으로 옳지 않은 것은? (다툼이 있는 경우 판례에 의함)

① 구 「원자력법」 제11조 제3항에 따른 부지사전승인처분은 그 자체로서 건설부지를 확정하고 사전공사를 허용하는 법률효과를 지닌 독립한 행정처분이다.
② 일반적으로 처분이 주체·내용·절차와 형식의 요건을 모두 갖추고 외부에 표시된 경우에는 처분의 존재가 인정된다.
③ 법무사의 사무원 채용승인 신청에 대하여 소속 지방법무사회가 채용승인을 거부하는 조치 또는 일단 채용승인을 하였으나 「법무사규칙」을 근거로 채용승인을 취소하는 조치는 항고소송의 대상인 처분이라고 볼 수 없다.
④ 「도시공원 및 녹지 등에 관한 법률」상 행정청이 복수의 민간공원추진자로부터 자기의 비용과 책임으로 공원을 조성하는 내용의 공원조성계획 입안 제안을 받은 후 도시·군계획시설사업 시행자지정 및 협약체결 등을 위하여 순위를 정하여 특정 제안자를 우선협상자로 지정하는 행위는 재량행위로 보아야 한다.

▎2024년 경찰간부

① (○) 원자로 및 관계 시설의 부지사전승인처분은 그 자체로서 건설부지를 확정하고 사전공사를 허용하는 법률효과를 지닌 독립한 행정처분이기는 하지만, 건설허가 전에 신청자의 편의를 위하여 미리 그 건설허가의 일부 요건을 심사하여 행하는 사전적 부분 건설허가처분의 성격을 갖고 있는 것이어서 나중에 건설허가처분이 있게 되면 그 건설허가처분에 흡수되어 독립된 존재가치를 상실함으로써 그 건설허가처분만이 쟁송의 대상이 되는 것이므로, 부지사전승인처분의 취소를 구하는 소는 소의 이익을 잃게 된다고 할 것이다(따라서 부지사전승인처분의 위법성은 나중에 내려진 건설허가처분의 취소를 구하는 소송에서 이를 다투면 될 것이다)(대판 1998.9.4. 97누19588).
② (○) 일반적으로 행정처분이 주체·내용·절차와 형식이라는 내부적 성립요건과 외부에 대한 표시라는 외부적 성립요건을 모두 갖춘 경우에는 행정처분이 존재한다고 할 수 있다. 행정처분의 외부적 성립은 행정의사가 외부에 표시되어 행정청이 자유롭게 취소·철회할 수 없는 구속을 받게 되는 시점을 확정하는 의미를 가지므로, 어떠한 처분의 외부적 성립 여부는 행정청에 의해 행정의사가 공식적인 방법으로 외부에 표시되었는지를 기준으로 판단하여야 한다(대판 2017.7.11. 2016두35120 등).

◆ 문제 DATA

출제가능 지수 ▶▶▷
난이도 지수 ★★☆

▣ 함께 정리하기

행정행위

원자로 & 관계시설 부지사전승인처분
▷ 독립된 행정처분

처분의 존재
▷ 주체·내용·절차·형식요건 모두 갖추고 외부 표시된 경우 인정

지방법무사회의 채용승인 거부 또는 취소
▷ 행정처분○

도시·군계획시설사업시행자 지정등을 위한 우선협상자 지정행위
▷ 재량행위

③ (×) 법무사의 사무원 채용승인 신청에 대하여 소속 지방법무사회가 '채용승인을 거부'하는 조치 또는 일단 채용승인을 하였으나 법무사규칙 제37조 제6항을 근거로 '채용승인을 취소'하는 조치는 공법인인 지방법무사회가 행하는 구체적 사실에 관한 법집행으로서 공권력의 행사 또는 그 거부에 해당하므로 항고소송의 대상인 '처분'이라고 보아야 한다. 구체적인 이유는 다음과 같다. … 이러한 법무사 사무원 채용승인 제도의 법적 성질 및 연혁, 사무원 채용승인 거부에 대한 불복절차로서 소관 지방법원장에게 이의신청을 하도록 제도를 규정한 점 등에 비추어 보면, 지방법무사회의 법무사 사무원 채용승인은 단순히 지방법무사회와 소속 법무사 사이의 내부 법률문제라거나 지방법무사회의 고유사무라고 볼 수 없고, 법무사 감독이라는 국가사무를 위임받아 수행하는 것이라고 보아야 한다. 따라서 지방법무사회는 법무사 감독 사무를 수행하기 위하여 법률에 의하여 설립과 법무사의 회원 가입이 강제된 공법인으로서 법무사 사무원 채용승인에 관한 한 공권력 행사의 주체라고 보아야 한다(대판 2020.4.9. 2015다34444).

④ (○) 도시공원 및 녹지 등에 관한 법률 제16조 제3항, 제4항, 제21조 제1항, 제21조의2 제1항, 제8항, 제12항의 내용과 취지, 공원녹지법령이 공원조성계획 입안 제안에 대한 심사기준 등에 대하여 특별한 규정을 두고 있지 않은 점, 쾌적한 도시환경을 조성하여 건전하고 문화적인 도시생활을 확보하고 공공의 복리를 증진시키는 데 이바지하기 위한 공원녹지법의 목적 등을 종합하여 볼 때, 행정청이 복수의 민간공원추진자로부터 자기의 비용과 책임으로 공원을 조성하는 내용의 공원조성계획 입안 제안을 받은 후 도시·군계획시설사업 시행자지정 및 협약체결 등을 위하여 순위를 정하여 그 제안을 받아들이거나 거부하는 행위 또는 특정 제안자를 우선협상자로 지정하는 행위는 재량행위로 보아야 한다(대판 2019.1.10. 2017두43319).

답 ③

009

다음 중 판례가 그 처분성을 인정하지 않은 것은 모두 몇 개인가?

> ㄱ. 코로나바이러스감염증-19의 예방을 위해 음식점 및 PC방 운영자 등에게 영업시간을 제한하거나 이용자 간 거리를 둘 의무를 부여하는 서울특별시고시
> ㄴ. 금융감독원장이 종합금융주식회사의 전 대표이사에게 재직 중 위법·부당행위 사례를 첨부하여 금융 관련 법규를 위반하고 신용질서를 심히 문란하게 한 사실이 있다는 내용으로 '문책경고장(상당)'을 보낸 행위
> ㄷ. 무단 용도변경을 이유로 단전조치된 건물의 소유자로부터 새로이 전기공급신청을 받은 한국전력공사가 관할 구청장에게 전기공급의 적법 여부를 조회한 데 대하여, 관할 구청장이 한국전력공사에 대하여 「건축법」 규정에 의하여 해당 건물에 대한 전기공급이 불가하다는 내용의 회신
> ㄹ. 공법상 재단법인인 총포·화약안전기술협회가 자신의 공행정 활동에 필요한 재원을 마련하기 위하여 회비납부의무자에 대하여 한 회비납부통지
> ㅁ. 「자본시장과 금융투자업에 관한 법률」 제172조 제3항에 따라 관할관청이 주권상장법인에 한 단기매매차익 발생사실 통보

① 1개
② 2개
③ 3개
④ 4개
⑤ 5개

문제 DATA
출제가능 지수 ▶▶▷
난이도 지수 ★★★

함께 정리하기

처분성 인정 여부

▷ 코로나19 예방 위한 영업시간제한 및 이용자간 거리두기에 관한 서울특별시고시 O
▷ 금융감독원장이 종금회사 전 대표이사에게 한 '문책경고장(상당)' 통보 ×
▷ 한국전력공사가 전기공급의 적법 여부를 조회한 데 대한 구청장의 전기공급 불가 회신 ×
▷ 총포·화약안전기술협회가 공행정활동에 필요한 재원마련을 위해 한 회비납부통지 O
▷ 주권상장법인에게 한 단기매매차익 발생사실 통보 O

2024년 국회직 8급

ㄱ. (O) 심판대상고시는 관내 음식점 및 PC방의 관리자·운영자들에게 일정한 방역수칙을 준수할 의무를 부과하는 것으로서, 피청구인 서울특별시장은 구 감염병예방법 제49조 제1항 제2호에 근거하여 행정처분을 발하려는 의도에서 심판대상고시를 발령한 것이다. 그러므로 심판대상고시는 항고소송의 대상인 행정처분에 해당한다.

> 심판대상고시의 효력기간이 경과하여 그 효력이 소멸하였으므로, 이를 취소하더라도 그 원상회복은 불가능하다. 그러나 피청구인은 심판대상고시의 효력이 소멸한 이후에도 2022.4.경 코로나19 방역조치가 종료될 때까지 심판대상고시와 동일·유사한 방역조치를 시행하여 왔고, 향후 다른 종류의 감염병이 발생할 경우 피청구인은 그 감염병의 확산을 방지하기 위하여 심판대상고시와 동일·유사한 방역조치를 취할 가능성도 있다. 그렇다면 심판대상고시와 동일·유사한 방역조치가 앞으로도 반복될 가능성이 있고 이에 대한 법률적 해명이 필요한 경우에 해당하므로 예외적으로 그 처분의 취소를 구할 소의 이익이 인정되는 경우에 해당한다. 그렇다면 심판대상고시는 항고소송의 대상이 되는 행정처분에 해당하고 그 취소를 구할 소의 이익이 인정된다. 따라서 이에 대한 다툼은 우선 행정심판이나 행정소송이라는 구제절차를 거쳤어야 함에도, 이 사건 심판청구는 이러한 구제절차를 거치지 아니하고 제기된 것이므로 보충성 요건을 충족하지 못하였다(헌재 2023.5.25. 2021헌마21).

ㄴ. (×) 이 사건 서면 통보행위는 어떠한 법적 근거에 기하여 발하여진 것이 아니고, 단지 종합금융회사의 업무와 재산상황에 대한 일반적인 검사권한을 가진 피고가 소외 주식회사에 대하여 검사를 실시한 결과, 원고가 소외 주식회사의 대표이사로 근무할 당시 행한 것으로 인정된 위법·부당행위 사례에 관한 단순한 사실의 통지에 불과한 것으로서, 다만 원고가 재직중인 임원이었다고 한다면 이는 금융기관검사 및 제재에 관한 규정 제18조 제1항 제3호 소정의 문책경고의 제재에 해당하는 사례라는 취지로 '문책경고장(상당)'이라는 제목을 붙인 것일 뿐 금융업 관련 법규에 근거한 문책경고의 제재처분 자체와는 다르고, 피고로부터 같은 내용을 통보받은 소외 주식회사가 금융기관검사 및 제재에 관한 규정 시행세칙 제64조 제2항에 따라 인사기록부에 원고의 위법·부당사실 등을 기록·유지함으로 인하여 원고가 소외 주식회사나 다른 금융기관에 취업함에 있어 지장을 받는 불이익이 있다고 하더라도, 이는 이 사건 서면 통보행위로 인한 것이 아닐 뿐만 아니라 사실상의 불이익에 불과한 것이고, 원고가 주장하는 취업제한 자체도 불분명하며, … 달리 위 통보행위로 인하여 이미 소외 주식회사로부터 퇴직한 후의 원고의 권리의무에 직접적 변동을 초래하는 하등의 법률상의 효과가 발생하거나 그러한 법적 불안이 존재한다고 할 수 없으므로, 이 사건 서면 통보행위는 항고소송의 대상이 되는 행정처분에 해당하지 않는다(대판 2005.2.17. 2003두10312).

ㄷ. (×) 무단 용도변경을 이유로 단전조치된 건물의 소유자로부터 새로이 전기공급신청을 받은 한국전력공사가 관할 구청장에게 전기공급의 적법 여부를 조회한 데 대하여, 관할 구청장이 한국전력공사에 대하여 건축법 제69조 제2항, 제3항의 규정에 의하여 위 건물에 대한 전기공급이 불가하다는 내용의 회신을 하였다면, 그 회신은 권고적 성격의 행위에 불과한 것으로서 한국전력공사나 특정인의 법률상 지위에 직접적인 변동을 가져오는 것은 아니므로 항고소송의 대상이 되는 행정처분이라고 볼 수 없다(대판 1995.11.21. 95누9099).

ㄹ. (O) 총포·도검·화약류 등의 안전관리에 관한 법률 시행령 제78조 제1항 제3호, 제79조 및 총포·화약안전기술협회(이하 '협회'라 한다) 정관의 관련 규정의 내용을 위 법리에 비추어 살펴보면, 공법인인 협회가 자신의 공행정활동에 필요한 재원을 마련하기 위하여 회비납부의무자에 대하여 한 '회비납부통지'는 납부의무자의 구체적인 부담금액을 산정·고지하는 '부담금 부과처분'으로서 항고소송의 대상이 된다고 보아야 한다(대판 2021.12.30. 2018다241458).

ㅁ. (O) 다음과 같은 측면에서 단기매매차익 발생사실 통보는 항고소송의 대상이 되는 처분에 해당한다고 봄이 타당하다.

> [1] 단기매매차익 발생사실 통보를 받은 주권상장법인은 통보받은 내용을 일정한 방법에 따라 공시하여야 한다. 단기매매차익 발생사실 통보는 주권상장법인의 공시의무를 발생시키는 효력을 가져 상대방의 법적 지위에 직접적인 영향을 준다. 행정청이 주권상장법인의 공시의무 이행을 강제할 직접적인 수단이 없다고 하더라도, 실체법상 법적 지위의 변동이 생긴다는 점을 부인할 수 없다.
> [2] 단기매매차익 발생사실 통보를 항고소송의 대상으로 인정할 필요가 있다. 주권상장법인의 공시의무는 단기매매차익 발생이라는 객관적 사실에 의존하는 것이 아니라, 단기매매차익 발생사실을 인식한 행정청의 통보에 의하여 비로소 발생한다. 단기매매차익 발생사실 통보가 위법하다고 주장하면서 그로 인하여 발생한 공시의무를 다투고자 하는 주권상장법인 등은 단기매매차익 발생사실 통보의 효력을 다투는 방법 외에는 다른 사법적 구제수단이 없다(대판 2022.8.19. 2020두44930).

답 ②

010

판례의 입장으로 옳지 않은 것은?

① 「여객자동차 운수사업법」에 따르면, 여객자동차 운수사업자가 거짓이나 부정한 방법으로 지급받은 보조금에 대한 국토교통부 장관 또는 시·도지사의 환수처분은 기속행위에 해당한다.
② 재량권의 일탈·남용에 관하여는 행정행위의 효력을 다투는 사람이 주장·증명책임을 부담한다.
③ 사업주가 당연가입자가 되는 고용보험 및 산업재해보상보험에서 보험료 납부의무 부존재확인은 당사자소송으로 다투어야 한다.
④ 지방자치단체의 장이 「공유재산 및 물품관리법」에 근거하여 기부채납 및 사용·수익허가 방식으로 민간투자사업을 추진하는 과정에서 사업시행자를 지정하기 위한 전 단계에서 공모 제안을 받아 일정한 심사를 거쳐 우선협상대상자를 선정하는 행위는 항고소송의 대상이 되는 행정처분에 해당하지 않는다.

2024년 국가직 9급

① (○) 구 여객자동차 운수사업법(2012.2.1. 법률 제11295호로 개정되기 전의 것) 제51조 제3항은 "국토해양부장관 또는 시·도지사는 여객자동차 운수사업자가 거짓이나 부정한 방법으로 제50조에 따른 보조금 또는 융자금을 받은 경우 여객자동차 운수사업자에게 보조금 또는 융자금을 반환할 것을 명하여야 하며, 그 여객자동차 운수사업자가 이에 따르지 아니하면 국세 또는 지방세 체납처분의 예에 따라 보조금 또는 융자금을 회수할 수 있다."고 규정하고 있다. 원심판결 이유에 의하면, 원심은 위 규정에 따라 국토해양부장관 또는 시·도지사는 여객자동차 운수사업자가 '거짓이나 부정한 방법으로 지급받은 보조금'에 대하여 이를 반환할 것을 명하여야 하고 위 규정을 '정상적으로 지급받은 보조금'까지 반환할 것을 명할 수 있는 것으로 해석하는 것은 그 문언의 범위를 넘어서는 것이며, 위 규정의 형식이나 체재 등에 비추어 보면, 이 사건 환수처분은 국토해양부장관 또는 시·도지사가 그 지급받은 보조금을 반환할 것을 명하여야 하는 기속행위라고 판단하였다. 위 법리 및 기록에 비추어 보면, 원심의 이러한 판단은 정당하고, 거기에 상고이유의 주장과 같은 유가보조금 환수처분의 법적 성질이나 환수처분의 대상 범위에 관한 법리오해 등의 위법이 없다. 이 부분 상고이유의 주장은 이유 없다(대판 2013.12.12. 2011두3388).
② (○) 재량행위에 해당하는 행정행위에 대한 사법심사는 기속행위에 대한 사법심사와는 달리 행정청의 재량에 기초한 공익 판단의 여지를 감안하여 법원이 독자적인 결론을 내리지 않고 해당 행위에 재량권의 일탈·남용이 있는지 여부만을 심사하게 되고, 이러한 재량권의 일탈·남용 여부에 대한 심사는 사실오인, 비례·평등의 원칙 위배 등을 그 판단 대상으로 하며, 이러한 재량권의 일탈·남용에 대하여는 그 행정행위의 효력을 다투는 사람이 증명책임을 진다(대판 2016.10.27. 2015두41579).
③ (○) 고용보험 및 산업재해보상보험의 보험료징수 등에 관한 법률 제4조, 제16조의2, 제17조, 제19조, 제23조의 각 규정에 의하면, 사업주가 당연가입자가 되는 고용보험 및 산재보험에서 보험료 납부의무 부존재확인의 소는 공법상의 법률관계 자체를 다투는 소송으로서 공법상 당사자소송이다(대판 2016.10.13. 2016다221658).
④ (×) 지방자치단체의 장이 공유재산법에 근거하여 기부채납 및 사용·수익허가 방식으로 민간투자사업을 추진하는 과정에서 사업시행자를 지정하기 위한 전 단계에서 공모제안을 받아 일정한 심사를 거쳐 우선협상대상자를 선정하는 행위와 이미 선정된 우선협상대상자를 그 지위에서 배제하는 행위는 민간투자사업의 세부내용에 관한 협상을 거쳐 공유재산법에 따른 공유재산의 사용·수익허가를 우선적으로 부여받을 수 있는 지위를 설정하거나 또는 이미 설정한 지위를 박탈하는 조치이므로 모두 항고소송의 대상이 되는 행정처분으로 보아야 한다(대판 2020.4.29. 2017두31064).

답 ④

문제 DATA

출제가능 지수 ▶▶▷
난이도 지수 ★★☆

011 □□□

「행정소송법」상 취소소송에 대한 설명으로 옳지 않은 것은? (다툼이 있는 경우 판례에 의함)

① 부당해고 구제신청에 관한 중앙노동위원회의 결정에 대하여 취소소송을 제기하는 경우, 법원은 중앙노동위원회의 결정 후에 생긴 사유를 들어 그 결정의 적법 여부를 판단할 수 있다.
② 취소소송에서 쟁송의 대상이 되는 행정처분의 존부는 소송요건으로서 법원의 직권조사사항이고 자백의 대상이 될 수 없다.
③ 이미 직위해제처분을 받아 직위해제된 공무원에 대하여 행정청이 새로운 사유에 기하여 직위해제처분을 하였다면, 이전 직위해제처분의 취소를 구하는 소송을 제기하는 것은 부적법하다.
④ 취소소송 계속 중에 처분청이 계쟁 처분을 직권으로 취소하더라도, 동일한 소송 당사자 사이에서 그 처분과 동일한 사유로 위법한 처분이 반복될 위험성이 있어 그 처분에 대한 위법성의 확인이 필요한 경우에는 그 처분의 취소를 구할 소의 이익이 있다.

> 2023년 국가직 7급

함께 정리하기

취소소송

재결취소소송에서 재결의 위법 여부 판단 기준시(사안: 재결주의)
▷ 재결시

처분의 존부
▷ 직권조사사항O
▷ 자백의 대상×

새로운 사유에 의한 직위해제
▷ 이전 직위해제 소의 이익 無

동일한 사유로 위법한 처분이 반복될 구체적인 위험 有
▷ 소의 이익O

① (×) 부당해고 구제신청에 관한 중앙노동위원회의 명령 또는 결정의 취소를 구하는 소송에서 <u>그 명령 또는 결정이 적법한지는 그 명령 또는 결정이 이루어진 시점을 기준으로 판단하여야 하고, 그 명령 또는 결정 후에 생긴 사유를 들어 적법 여부를 판단할 수는 없으나</u>, 그 명령 또는 결정의 기초가 된 사실이 동일하다면 노동위원회에서 주장하지 아니한 사유도 행정소송에서 주장할 수 있다(대판 2021.7.29. 2016두64876).
② (O) 행정소송에서 쟁송의 대상이 되는 <u>행정처분의 존부는 소송요건으로서 직권조사사항이고, 자백의 대상이 될 수 없는 것</u>이므로, 설사 그 존재를 당사자들이 다투지 아니한다 하더라도 그 존부에 관하여 의심이 있는 경우에는 이를 직권으로 밝혀 보아야 할 것이고, 사실심에서 변론종결시까지 당사자가 주장하지 않던 직권조사사항에 해당하는 사항을 상고심에서 비로소 주장하는 경우 그 <u>직권조사사항에 해당하는 사항은 상고심의 심판범위에 해당한다</u>(대판 2004.12.24. 2003두15195).
③ (O) 행정청이 공무원에 대하여 <u>새로운 직위해제사유에 기한 직위해제처분을 한 경우 그 이전에 한 직위해제처분은 이를 묵시적으로 철회하였다고 봄이 상당하므로, 그 이전 처분의 취소를 구하는 부분은 존재하지 않는 행정처분을 대상으로 한 것으로서 그 소의 이익이 없어 부적법하다</u>(대판 2003.10.10. 2003두5945).
④ (O) 제소 당시에는 권리보호의 이익을 갖추었는데 제소 후 취소 대상 행정처분이 기간의 경과 등으로 <u>그 효과가 소멸한 때, 동일한 소송 당사자 사이에서 동일한 사유로 위법한 처분이 반복될 위험성이 있어 행정처분의 위법성 확인 내지 불분명한 법률문제에 대한 해명이 필요하다고 판단되는 경우</u>, 그리고 선행처분과 후행처분이 단계적인 일련의 절차로 연속하여 행하여져 후행처분이 선행처분의 적법함을 전제로 이루어짐에 따라 선행처분의 하자가 후행처분에 승계된다고 볼 수 있어 이미 소를 제기하여 다투고 있는 선행처분의 위법성을 확인하여 줄 필요가 있는 경우 등에는 행정의 적법성 확보와 그에 대한 사법통제, 국민의 권리구제의 확대 등의 측면에서 <u>여전히 그 처분의 취소를 구할 법률상 이익이 있다</u>(대판 2007.7.19. 2006두19297 전합).

답 ①

012

항고소송의 대상에 대한 설명으로 옳지 않은 것은? (다툼이 있는 경우 판례에 의함)

① 병무청장의 요청에 따른 법무부장관의 입국금지결정은 법무부장관의 의사가 공식적인 방법으로 외부에 표시되어 입국자체를 금지하는 것으로서 그 입국금지결정은 항고소송의 대상이 될 수 있는 처분에 해당한다.

② 병무청장이 「병역법」에 따라 병역의무 기피자의 인적사항 등을 인터넷 홈페이지에 게시하는 등의 방법으로 공개한 경우 병무청장의 공개결정을 항고소송의 대상이 되는 행정처분으로 보아야 한다.

③ 시장이 감사원으로부터 「감사원법」에 따라 징계의 종류를 정직으로 정한 징계요구를 받게 되자 감사원에 징계요구에 대한 재심의를 청구하였고, 감사원이 재심의 청구를 기각한 경우, 감사원의 징계 요구와 재심의결정은 항고소송의 대상이 되는 행정처분이라고 할 수 없다.

④ 국방전력발전업무훈령에 따른 연구개발확인서 발급은 개발업체가 전력지원체계 연구개발사업을 성공적으로 수행하여 군사용 적합판정을 받고 경우에 따라 사업관리기관이 개발업체에게 수의계약의 방식으로 국방조달계약을 체결할 수 있는 지위가 있음을 인정해 주는 확인적 행정행위로서 처분에 해당한다.

2022년 소방직

① (×) 병무청장이 법무부장관에게 '가수 甲이 공연을 위하여 국외여행허가를 받고 출국한 후 미국 시민권을 취득함으로써 사실상 병역의무를 면탈하였으므로 재외동포 자격으로 재입국하고자 하는 경우 국내에서 취업, 가수활동 등 영리활동을 할 수 없도록 하고, 불가능할 경우 입국 자체를 금지해 달라'고 요청함에 따라 법무부장관이 甲의 입국을 금지하는 결정을 하고, 그 정보를 내부전산망인 '출입국관리정보시스템'에 입력하였으나, 甲에게는 통보하지 않은 사안에서, 행정청이 행정의사를 외부에 표시하여 행정청이 자유롭게 취소·철회할 수 없는 구속을 받기 전에는 '처분'이 성립하지 않으므로 법무부장관이 출입국관리법 제11조 제1항 제3호 또는 제4호, 출입국관리법 시행령 제14조 제1항·제2항에 따라 위 입국금지결정을 했다고 해서 '처분'이 성립한다고 볼 수는 없고, 위 입국금지결정은 법무부장관의 의사가 공식적인 방법으로 외부에 표시된 것이 아니라 단지 그 정보를 내부전산망인 '출입국관리정보시스템'에 입력하여 관리한 것에 지나지 않으므로, 위 입국금지결정은 항고소송의 대상이 될 수 있는 '처분'에 해당하지 않는데도, 위 입국금지결정이 처분에 해당하여 공정력과 불가쟁력이 있다고 본 원심판단에 법리를 오해한 잘못이 있다고 한 사례(대판 2019.7.11. 2017두38874)

② (○) 병무청 인터넷 홈페이지에 공개 대상자의 인적사항 등이 게시되는 경우 그의 명예가 훼손되므로, 공개 대상자는 자신에 대한 공개결정이 병역법령에서 정한 요건과 절차를 준수한 것인지를 다툴 법률상 이익이 있다. 병무청장이 인터넷 홈페이지 등에 게시하는 사실행위를 함으로써 공개 대상자의 인적사항 등이 이미 공개되었더라도, 재판에서 병무청장의 공개결정이 위법함이 확인되어 취소판결이 선고되는 경우, 병무청장은 취소판결의 기속력에 따라 위법한 결과를 제거하는 조치를 할 의무가 있으므로 공개 대상자의 실효적 권리구제를 위해 병무청장의 공개결정을 행정처분으로 인정할 필요성이 있다. 만약 병무청장의 공개결정을 항고소송의 대상이 되는 처분으로 보지 않는다면 국가배상청구 외에는 침해된 권리 또는 법률상 이익을 구제받을 적절한 방법이 없다. 관할 지방병무청장의 공개 대상자 결정의 경우 상대방에게 통보하는 등 외부에 표시하는 절차가 관계 법령에 규정되어 있지 않아, 행정실무상으로도 상대방에게 통보되지 않는 경우가 많다. 또한 관할 지방병무청장이 위원회의 심의를 거쳐 공개 대상자를 1차로 결정하기는 하지만, 병무청장에게 최종적으로 공개 여부를 결정할 권한이 있으므로, 관할 지방병무청장의 공개 대상자 결정은 병무청장의 최종적인 결정에 앞서 이루어지는 행정기관 내부의 중간적 결정에 불과하다. 가까운 시일 내에 최종적인 결정과 외부적인 표시가 예정된 상황에서, 외부에 표시되지 않은 행정기관 내부의 결정을 항고소송의 대상인 처분으로 보아야 할 필요성은 크지 않다. 관할 지방병무청장이 1차로 공개 대상자 결정을 하고, 그에 따라 병무청장이 같은 내용으로 최종적 공개결정을 하였다면, 공개 대상자는 병무청장의 최종적 공개결정만을 다투는 것으로 충분하고, 관할 지방병무청장의 공개 대상자 결정을 별도로 다툴 소의 이익은 없어진다(대판 2019.6.27. 2018두49130).

함께 정리하기

항고소송의 대상 여부

▷ 입국금지결정 ×
▷ 병무청장의 병역의무 기피자 인적사항 공개결정 ○
▷ 감사원의 징계요구·재심의결정 ×
▷ 국방전력발전업무훈령에 따른 연구개발확인서 발급 ○

③ (O) 甲 시장이 감사원으로부터 감사원법 제32조에 따라 乙에 대하여 징계의 종류를 정직으로 정한 징계 요구를 받게 되자 감사원법 제36조 제2항에 따라 감사원에 징계 요구에 대한 재심의를 청구하였고, 감사원이 재심의청구를 기각하자 乙이 감사원의 징계 요구와 그에 대한 재심의결정의 취소를 구하고 甲 시장이 감사원의 재심의결정 취소를 구하는 소를 제기한 사안에서, 징계 요구는 징계 요구를 받은 기관의 장이 요구받은 내용대로 처분하지 않더라도 불이익을 받는 규정도 없고, 징계 요구 내용대로 효과가 발생하는 것도 아니며, 징계 요구에 의하여 행정청이 일정한 행정처분을 하였을 때 비로소 이해관계인의 권리관계에 영향을 미칠 뿐, 징계 요구 자체만으로는 징계 요구 대상 공무원의 권리·의무에 직접적인 변동을 초래하지도 아니하므로, 행정청 사이의 내부적인 의사결정의 경로로서 '징계 요구, 징계 절차 회부, 징계'로 이어지는 과정에서의 중간처분에 불과하여, 감사원의 징계 요구와 재심의결정이 항고소송의 대상이 되는 행정처분이라고 할 수 없고, 감사원법 제40조 제2항을 甲 시장에게 감사원을 상대로 한 기관소송을 허용하는 규정으로 볼 수는 없고 그 밖에 행정소송법을 비롯한 어떠한 법률에도 甲 시장에게 '감사원의 재심의 판결'에 대하여 기관소송을 허용하는 규정을 두고 있지 않으므로, 甲 시장이 제기한 소송이 기관소송으로서 감사원법 제40조 제2항에 따라 허용된다고 볼 수 없다고 한 사례(대판 2016.12.27. 2014두5637)

④ (O) 국방전력발전업무훈령 제113조의5 제1항에 의한 연구개발확인서 발급은 개발업체가 '업체투자연구개발' 방식 또는 '정부·업체공동투자연구개발' 방식으로 전력지원체계 연구개발사업을 성공적으로 수행하여 군사용 적합판정을 받고 국방규격이 제·개정된 경우에 사업관리기관이 개발업체에게 해당 품목의 양산과 관련하여 경쟁입찰에 부치지 않고 수의계약의 방식으로 국방조달계약을 체결할 수 있는 지위(경쟁입찰의 예외사유)가 있음을 인정해 주는 '확인적 행정행위'로서 공권력의 행사인 '처분'에 해당하고, 연구개발확인서 발급 거부는 신청에 따른 처분 발급을 거부하는 '거부처분'에 해당한다(대판 2020. 1.16. 2019다264700).

답 ①

013 ☐☐☐

판례상 취소소송의 대상이 되는 행정작용에 해당하는 경우만을 모두 고르면?

> ㄱ. 한국마사회의 조교사·기수 면허취소처분
> ㄴ. 임용기간이 만료된 국립대학 조교수에 대하여 재임용을 거부하는 취지로 한 임용기간만료의 통지
> ㄷ. 「국가공무원법」상 당연퇴직의 인사발령
> ㄹ. 어업권면허에 선행하는 확약인 우선순위결정
> ㅁ. 과세관청의 소득처분에 따른 소득금액변동통지

① ㄱ, ㄷ　　　　② ㄴ, ㅁ
③ ㄱ, ㄴ, ㄹ　　④ ㄷ, ㄹ, ㅁ

| 2021년 지방직 7급

ㄱ. (×) 한국마사회가 조교사 또는 기수의 면허를 부여하거나 취소하는 것은 경마를 독점적으로 개최할 수 있는 지위에서 우수한 능력을 갖추었다고 인정되는 사람에게 경마에서의 일정한 기능과 역할을 수행할 수 있는 자격을 부여하거나 이를 박탈하는 것에 지나지 아니하므로, 이는 국가 기타 행정기관으로부터 위탁받은 행정권한의 행사가 아니라 일반 사법상의 법률관계에서 이루어지는 단체 내부에서의 징계 내지 제재처분이다(대판 2008.1.31. 2005두8269).

ㄴ. (O) 기간제로 임용되어 임용기간이 만료된 국·공립대학의 조교수는 교원으로서의 능력과 자질에 관하여 합리적인 기준에 의한 공정한 심사를 받아 위 기준에 부합되면 특별한 사정이 없는 한 재임용되리라는 기대를 가지고 재임용 여부에 관하여 합리적인 기준에 의한 공정한 심사를 요구할 법규상 또는 조리상 신청권을 가진다고 할 것이니, 임용권자가 임용기간이 만료된 조교수에 대하여 재임용을 거부하는 취지로 한 임용기간만료의 통지는 위와 같은 대학교원의 법률관계에 영향을 주는 것으로서 행정소송의 대상이 되는 처분에 해당한다(대판 2004.4.22. 2000두7735 전합).

문제 DATA
출제가능 지수 ▶▶▷
난이도 지수 ★★☆

함께 정리하기
취소소송의 대상
▷ 한국마사회의 기수면허취소 ×
▷ 기간제 조교수에 대한 임용만료통지 O
▷ 당연퇴직 인사발령 ×
▷ 어업면허에 선행하는 우선순위결정 ×
▷ 원천징수의무자에 대한 소득금액변동통지 O

ㄷ. (✕) 국가공무원법상 당연퇴직의 인사발령은 법률상 당연히 발생하는 퇴직사유를 공적으로 확인하여 알려 주는 관념의 통지에 불과하고 공무원의 신분을 상실시키는 새로운 형성적 행위가 아니므로 행정처분이라고 할 수 없다(대판 1995.11.14. 95누2036).

ㄹ. (✕) 어업권면허에 선행하는 우선순위결정은 강학상 확약에 불과하고 행정처분으로 볼 수 없으므로, 공정력이나 불가쟁력은 인정될 수 없다(대판 1995.1.20. 94누6529).

ㅁ. (○) 과세관청의 소득처분과 그에 따른 소득금액변동통지가 있는 경우 원천징수의무자인 법인은 소득금액변동통지서를 받은 날에 그 통지서에 기재된 소득의 귀속자에게 당해 소득금액을 지급한 것으로 의제되어 그 때 원천징수하는 소득세의 납세의무가 성립함과 동시에 확정되고, 원천징수의무자인 법인으로서는 소득금액변동통지서에 기재된 소득처분의 내용에 따라 원천징수세액을 그 다음달 10일까지 관할 세무서장 등에게 납부하여야 할 의무를 부담하며, 만일 이를 이행하지 아니하는 경우에는 가산세의 제재를 받게 됨은 물론이고 형사처벌까지 받도록 규정되어 있는 점에 비추어 보면, <u>소득금액변동통지는 원천징수의무자인 법인의 납세의무에 직접 영향을 미치는 과세관청의 행위로서, 항고소송의 대상이 되는 조세행정처분</u>이라고 봄이 상당하다(대판 2006.4.20. 2002두1878 전합).

답 ②

014 ☐☐☐

판례상 항고소송의 대상으로 인정되는 것만을 모두 고르면?

> ㄱ. 교도소장이 특정 수형자를 '접견내용 녹음·녹화 및 접견 시 교도관 참여대상자'로 지정한 행위
> ㄴ. 행정청이 토지대장상의 소유자명의변경신청을 거부한 행위
> ㄷ. 지방경찰청장의 횡단보도 설치 행위
> ㄹ. 상표권자인 법인에 대한 청산종결등기가 되었음을 이유로 특허청장이 행한 상표권 말소등록 행위

① ㄱ, ㄴ
② ㄱ, ㄷ
③ ㄴ, ㄹ
④ ㄷ, ㄹ

2020년 서울시·지방직·교육행정직 9급

문제 DATA
출제가능 지수 ▶▶▷
난이도 지수 ★★☆

함께 정리하기
항고소송의 대상
접견시 교도관 참여대상자 지정행위
▷ 처분 ○
토지대장상 소유자명의변경신청 거부행위
▷ 처분 ✕
횡단보도 설치
▷ 대물적 일반처분 ○
상표권 말소등록행위
▷ 처분 ✕

ㄱ. (○) 접견시 교도관참여대상자 지정행위는 처분에 해당한다.

> ㉠ 피고가 위와 같은 지정행위를 함으로써 원고의 접견 시마다 사생활의 비밀 등 권리에 제한을 가하는 교도관의 참여, 접견내용의 청취·기록·녹음·녹화가 이루어졌으므로 이는 피고가 그 우월적 지위에서 수형자인 원고에게 일방적으로 강제하는 성격을 가진 공권력적 사실행위의 성격을 갖고 있는 점, ㉡ 위 지정행위는 그 효과가 일회적인 것이 아니라 이 사건 제1심판결이 선고된 이후인 2013.2.13.까지 오랜 기간 동안 지속되어 왔으며, 원고로 하여금 이를 수인할 것을 강제하는 성격도 아울러 가지고 있는 점, ㉢ 위와 같이 계속성을 갖는 공권력적 사실행위를 취소할 경우 장래에 이루어질지도 모르는 기본권의 침해로부터 수형자들의 기본적 권리를 구제할 실익이 있는 것으로 보이는 점 등을 종합하면, 위와 같은 지정행위는 수형자의 구체적 권리의무에 직접적 변동을 초래하는 행정청의 공법상 행위로서 항고소송의 대상이 되는 '처분'에 해당한다(대판 2014.2.13. 2013두20899).

ㄴ. (✕) 토지대장상 소유자명의변경신청의 거부는 처분에 해당하지 않는다.

> 토지대장에 기재된 일정한 사항을 변경하는 행위는, 그것이 지목의 변경이나 정정 등과 같이 토지소유권 행사의 전제요건으로서 토지소유자의 실체적 권리관계에 영향을 미치는 사항에 관한 것이 아닌 한 행정사무집행의 편의와 사실증명의 자료로 삼기 위한 것일 뿐이어서, 그 소유자 명의가 변경된다고 하여도 이로 인하여 당해 토지에 대한 실체상의 권리관계에 변동을 가져올 수 없고 토지 소유권이 지적공부의 기재만에 의하여 증명되는 것도 아니다. 따라서 소관청이 토지대장상의 소유자명의변경신청을 거부한 행위는 이를 항고소송의 대상이 되는 행정처분이라 할 수 없다(대판 2012.1.12. 2010두12354).

ㄷ. (○) 횡단보도의 설치는 처분에 해당한다.

> 횡단보도의 설치는 보행자의 통행방법을 규제하는 것으로서 국민의 권리·의무에 직접 관계가 있는 행정처분이다(대판 2000.10.27. 98두8964).

ㄹ. (×) 법인에 대한 청산종결등기가 되었음을 이유로 한 상표권 말소등록은 처분에 해당하지 않는다.

> 상표원부에 상표권자인 법인에 대한 청산종결등기가 되었음을 이유로 상표권의 말소등록이 이루어졌다고 해도 이는 상표권이 소멸하였음을 확인하는 사실적·확인적 행위에 지나지 않고, 말소등록으로 비로소 상표권 소멸의 효력이 발생하는 것이 아니어서, 상표권의 말소등록은 국민의 권리의무에 직접적으로 영향을 미치는 행위라고 할 수 없다. … 상표권 설정등록이 말소된 경우에도 등록령 제27조에 따른 회복등록의 신청이 가능하고, 회복신청이 거부된 경우에는 거부처분에 대한 항고소송이 가능하다(대판 2015.10.29. 2014두2362).

답 ②

015

판례의 입장으로 옳은 것(○)과 옳지 않은 것(×)을 바르게 연결한 것은?

> ㄱ. 환지처분이 고시되어 효력을 발생한 이상, 환지처분의 대상이 된 특정 토지에 대한 개별적인 환지가 지정되어 있어야만 환지처분에 따른 소유권 상실의 효과가 그 토지에 대하여 발생하는 것은 아니다.
> ㄴ. 국민건강보험공단에 의한 '직장가입자 자격상실 및 자격변동 안내' 통보 및 '사업장 직권탈퇴에 따른 가입자 자격상실 안내' 통보는 가입자 자격이 변동되는 효력을 가져오므로 항고소송의 대상이 되는 처분에 해당한다.
> ㄷ. 감사원의 변상판정 처분에 대하여 위법 또는 부당하다고 인정하는 본인 등은 이 처분에 대하여 행정소송을 제기할 수 없고, 재결에 해당하는 재심의판정에 대하여서만 감사원을 피고로 행정소송을 제기할 수 있다.
> ㄹ. 직무집행과 관련하여 공상을 입은 군인 등이 먼저 「국가배상법」에 따라 손해배상금을 지급받은 다음, 구 「국가유공자 등 예우 및 지원에 관한 법률」이 정한 보상금 등 보훈급여금의 지급을 청구하는 경우, 「국가배상법」에 따라 손해배상을 받았다는 이유로 그 지급을 거부할 수 없다.

	ㄱ	ㄴ	ㄷ	ㄹ
①	○	○	○	○
②	○	×	○	○
③	○	×	×	○
④	×	○	×	×

2020년 지방직 7급

ㄱ. (○) 환지계획에서 환지를 정하지 아니한 종전의 토지에 있던 권리는 환지계획이 고시된 날의 다음 날에 소멸하는 것으로 보아야 하고, 개인 소유이던 어떤 토지가 구획정리사업의 환지처분에 의하여 소유권이 상실되었다고 하기 위해서는 그 토지가 구획정리사업구역 내의 토지로서 환지처분에 따른 '환지의 대상'에 포함되는 것임이 전제되어야 한다. 일단 <u>환지처분이 고시되어 효력을 발생한 이상, 환지처분의 대상이 된 특정 토지에 대한 개별적인 '환지'가 지정되어 있어야만 환지처분에 따른 소유권 상실의 효과가 그 토지에 대하여 발생하는 것은 아니다</u>(대판 2019.1.31. 2018다255105).

ㄴ. (×) 국민건강보험공단이 甲 등에게 '직장가입자 자격상실 및 자격변동 안내' 통보 및 '사업장 직권탈퇴에 따른 가입자 자격상실 안내' 통보를 한 사안에서, <u>국민건강보험 직장가입자 또는 지역가입자 자격 변동은 법령이 정하는 사유가 생기면 별도 처분 등의 개입 없이 사유가 발생한 날부터 변동의 효력이 당연히 발생하므로</u>, 국민건강보험공단이 甲 등에 대하여 가입자 자격이 변동되었다는 취지의 '직장가입자 자격상실 및 자격변동 안내' 통보를 하였거나, 그로 인하여 사업장이 국민건강보험법상의 적용대상사업장에서 제외되었다는 취지의 '사업장 직권탈퇴에 따른 가입자 자격상실 안내' 통보를 하였더라도, <u>이는 甲 등의 가입자 자격의 변동 여부 및 시기를 확인하는</u> 의미에서 한 사실상 통지행위에 불과할 뿐, 위 각 통보에 의하여 가입자 자격이 변동되는 효력이 발생한다고 볼 수 없고, 또한 위 각 통보로 甲 등에게 지역가입자로서의 건강보험료를 납부하여야 하는 의무가 발생함으로써 甲 등의 권리의무에 직접적 변동을 초래하는 것도 아니라는 이유로, 위 각 통보의 처분성이 인정되지 않는다고 보아 그 취소를 구하는 甲 등의 소를 모두 각하한 원심판단이 정당하다고 한 사례(대판 2019.2.14. 2016두41729).

ㄷ. (○) 감사원법 제36조, 제40조에 따르면, <u>원처분에 해당하는 회계관계 직원에 대한 감사원의 변상판정은 소송의 대상이 되지못하고 감사원의 재심의판정이 소송의 대상이 된다. 따라서 재결에 해당하는 재심의판정에 대해서만 감사원을 피고로 하여 행정소송을 제기할 수 있다</u>(대판 1984.4.10. 84누91).

ㄹ. (○) 전투·훈련 등 직무집행과 관련하여 공상을 입은 군인·군무원·경찰공무원 또는 향토예비군대원이 먼저 국가배상법에 따라 손해배상금을 지급받은 다음 보훈보상대상자 지원에 관한 법률(이하 '보훈보상자법'이라 한다)이 정한 보상금 등 보훈급여금의 지급을 청구하는 경우, 국가배상법 제2조 제1항 단서가 명시적으로 '다른 법령에 따라 보상을 지급받을 수 있을 때에는 국가배상법 등에 따른 손해배상을 청구할 수 없다'고 규정하고 있는 것과 달리 보훈보상자법은 국가배상법에 따른 손해배상금을 지급받은 자를 보상금 등 보훈급여금의 지급대상에서 제외하는 규정을 두고 있지 않은 점, 국가배상법 제2조 제1항 단서의 입법 취지 및 보훈보상자법이 정한 보상과 국가배상법이 정한 손해배상의 목적과 산정방식의 차이 등을 고려하면 국가배상법 제2조 제1항 단서가 보훈보상자법 등에 의한 보상을 받을 수 있는 경우 국가배상법에 따른 손해배상청구를 하지 못한다는 것을 넘어 <u>국가배상법상 손해배상금을 받은 경우 보훈보상자법상 보상금 등 보훈급여금의 지급을 금지하는 것으로 해석하기는 어려운 점</u> 등에 비추어, <u>국가보훈처장은 국가배상법에 따라 손해배상을 받았다는 사정을 들어 보상금 등 보훈급여금의 지급을 거부할 수 없다</u>(대판 2017.2.3. 2015두60075).

답 ②

함께 정리하기

판례

환지처분 고시
▷ 소유권 등 변동 효력발생○(개별적인 환지지정 不要)

국민건강보험공단의 '직장가입자 자격상실 및 자격변동 안내' 통보 등
▷ 행정처분×

감사원의 변상판정처분 有
▷ 대상적격은 재심의판정

국가배상 받은 후 보훈급여금청구
▷ 지급거부 不可

문제 DATA

출제가능 지수 ▶▶▷
난이도 지수 ★★☆

016 □□□

항고소송의 대상인 행정처분에 대한 설명으로 옳지 않은 것은? (다툼이 있는 경우 판례에 의함)

① 중소기업기술정보진흥원장이 甲 주식회사와 체결한 중소기업 정보화지원사업 지원대상인 사업의 지원협약을 甲의 책임 있는 사유로 해지하고 협약에서 정한 대로 지급받은 정부지원금을 반환할 것을 통보한 경우, 협약의 해지 및 그에 따른 환수통보는 행정청이 우월한 지위에서 행하는 공권력의 행사로서 행정처분에 해당한다.

② 재단법인 한국연구재단이 甲 대학교 총장에게 연구개발비의 부당집행을 이유로 두뇌한국(BK)21 사업협약을 해지하고 연구팀장 乙에 대한 대학 자체징계를 요구한 것은 항고소송의 대상인 행정처분에 해당하지 않는다.

③ 지방자치단체 등이 건축물을 건축하기 위해 건축물 소재지 관할 허가권자인 지방자치단체의 장과 건축협의를 하였는데 허가권자인 지방자치단체의 장이 그 협의를 취소한 경우, 건축협의 취소는 항고소송의 대상인 행정처분에 해당한다.

④ 甲 시장이 감사원으로부터 소속 공무원 乙에 대하여 징계의 종류를 정직으로 정한 징계요구를 받게 되자 감사원에 징계 요구에 대한 재심의를 청구하였고 감사원이 재심의청구를 기각한 경우, 감사원의 징계 요구와 재심의결정은 항고소송의 대상이 되는 행정처분에 해당하지 않는다.

2017년 지방직 9급

① (✕) 중소기업 정보화지원사업 협약해지와 환수통보는 처분에 해당하지 않는다.

> 중소기업기술정보진흥원장이 甲 주식회사와 중소기업 정보화지원사업 지원대상인 사업의 지원에 관한 협약을 체결하였는데, 협약이 甲 회사에 책임이 있는 사업실패로 해지되었다는 이유로 협약에서 정한 대로 지급받은 정부지원금을 반환할 것을 통보한 사안에서, 협약의 해지 및 그에 따른 환수통보는 공법상 계약에 따라 행정청이 대등한 당사자의 지위에서 하는 의사표시로 보아야 하고, 이를 행정청이 우월한 지위에서 행하는 공권력의 행사로서 행정처분에 해당한다고 볼 수는 없다(대판 2015.8.27. 2015두41449).

② (○) 부당집행을 이유로 한 한국연구재단의 대학자체징계요구는 처분에 해당하지 않는다.

> 재단법인 한국연구재단이 甲 대학교 총장에게 乙에 대한 대학 자체징계를 요구한 것은 법률상 구속력이 없는 권유 또는 사실상의 통지로서 을의 권리, 의무 등 법률상 지위에 직접적인 법률적 변동을 일으키지 않는 행위에 해당하므로, 항고소송의 대상인 행정처분에 해당하지 않는다(대판 2014.12.11. 2012두28704).

③ (○) 단체장의 건축협의 취소는 처분에 해당한다.

> 건축협의의 실질은 지방자치단체 등에 대한 건축허가와 다르지 않으므로, 건축협의 취소는 상대방이 다른 지방자치단체 등 행정주체라 하더라도 '행정청이 행하는 구체적 사실에 관한 법집행으로서의 공권력 행사'(행정소송법 제2조 제1항 제1호)로서 처분에 해당한다고 볼 수 있고, 지방자치단체인 원고가 이를 다툴 실효적 해결 수단이 없는 이상, 원고는 건축물 소재지 관할 허가권자인 지방자치단체의 장을 상대로 항고소송을 통해 건축협의 취소의 취소를 구할 수 있다(대판 2014.2.27. 2012두22980).

④ (○) 감사원의 징계요구와 재심의결정은 처분에 해당하지 않는다.

> 징계 요구는 징계 요구를 받은 기관의 장이 요구받은 내용대로 처분하지 않더라도 불이익을 받는 규정도 없고, 징계 요구 내용대로 효과가 발생하는 것도 아니며, 징계 요구에 의하여 행정청이 일정한 행정처분을 하였을 때 비로소 이해관계인의 권리관계에 영향을 미칠 뿐, 징계 요구 자체만으로는 징계 요구 대상 공무원의 권리·의무에 직접적인 변동을 초래하지도 아니하므로, 행정청 사이의 내부적인 의사결정의 경로로서 '징계 요구, 징계 절차 회부, 징계'로 이어지는 과정에서의 중간처분에 불과하여, 감사원의 징계 요구와 재심의결정이 항고소송의 대상이 되는 행정처분이라고 할 수 없다(대판 2016.12.27. 2014두5637).

답 ①

함께 정리하기

항고소송 대상 여부
▷ 중소기업 정보화지원사업지원협약해지·환수통보✕
▷ 연구개발비 부당집행을 이유로 한 한국연구재단의 대학자체징계요구✕
▷ 건축협의취소○
▷ 감사원의 징계요구·재심의결정✕

017

판례가 항고소송의 대상인 처분성을 부정한 것을 모두 고른 것은?

> ㄱ. 수도요금체납자에 대한 단수조치
> ㄴ. 전기 전화의 공급자에게 위법건축물에 대한 단전 또는 전화통화 단절조치의 요청행위
> ㄷ. 공무원에 대한 당연퇴직통지
> ㄹ. 「병역법」상의 신체등위판정
> ㅁ. 교육부장관이 내신성적 산정기준의 통일을 기하기 위해 시·도 교육감에게 통보한 대학입시 기본 계획 내의 내신성적 산정지침

① ㄱ, ㄴ, ㄷ
② ㄴ, ㄹ, ㅁ
③ ㄱ, ㄴ, ㄹ, ㅁ
④ ㄴ, ㄷ, ㄹ, ㅁ

문제 DATA
출제가능 지수 ▶▶▷
난이도 지수 ★★☆

2017년 서울시 9급

ㄱ. (긍정) 단수처분은 처분에 해당한다.

> 단수처분(수도의 공급거부)은 항고소송의 대상이 되는 행정처분에 해당한다(대판 1979.12.28. 79누218).

ㄴ. (부정) 위법건축물에 대한 단전 및 단전화 요청행위는 처분에 해당하지 않는다.

> 행정청이 위법 건축물에 대한 시정명령을 하고 나서 위반자가 이를 이행하지 아니하여 전기·전화의 공급자에게 그 위법건축물에 대한 전기·전화공급을 하지 말아 줄 것을 요청한 행위는 권고적 성격의 행위에 불과한 것으로서 이를 항고소송의 대상이 되는 행정처분이라고 볼 수 없다(대판 1996.3.22. 96누433).

ㄷ. (부정) 공무원에 대한 당연퇴직의 통지는 처분에 해당하지 않는다.

> 국가공무원법상 당연퇴직은 결격사유가 있을 때 법률상 당연히 퇴직하는 것이지, 공무원관계를 소멸시키기 위한 별도의 행정처분을 요하는 것이 아니며, 당연퇴직의 인사발령은 법률상 당연히 발생하는 퇴직사유를 공적으로 확인하여 알려주는 이른바 관념의 통지에 불과하고 공무원의 신분을 상실시키는 새로운 형성적 행위가 아니므로 행정소송의 대상이 되는 독립한 행정처분이라고 할 수 없다(대판 1995.11.14. 95누2036).

유제 15. 국회직 8급 법률에 의하여 당연퇴직된 공무원의 복직 또는 재임용신청에 대한 행정청의 거부행위는 항고소송의 대상이 되는 행정처분에 해당한다. (×)

ㄹ. (부정) 군의관의 신체등위판정은 처분에 해당하지 않는다.

> 병역법상 신체등위판정은 행정청이라고 볼 수 없는 군의관이 하도록 되어 있으며, 그 자체만으로 바로 병역법상의 권리 의무가 정하여지는 것이 아니라 그에 따라 지방병무청장이 병역처분을 함으로써 비로소 병역의무의 종류가 정하여지는 것이므로 항고소송의 대상이 되는 행정처분이라 보기 어렵다(대판 1993.8.27. 93누3356).

ㅁ. (부정) 교육부장관의 내신성적 산정지침은 처분에 해당하지 않는다.

> 교육부장관이 내신성적 산정기준의 통일을 기하기 위해 대학입시기본계획의 내용에서 내신성적 산정기준에 관한 시행지침을 마련하여 시·도 교육감에서 통보한 것은 행정조직 내부에서 내신성적 평가에 관한 내부적 심사기준을 시달한 것에 불과하며, 그것만으로는 현실적으로 특정인의 구체적인 권리의무에 직접적으로 변동을 초래하게 하는 것이 아니라 할 것이어서 내신성적 산정지침을 항고소송의 대상이 되는 행정처분으로 볼 수 없다(대판 1994.9.10. 94두33).

답 ④

함께 정리하기

처분성 인정 여부

▷ 수도요금체납자에 대한 단수조치 ○
▷ 위법건축물에 대한 단전·전화통화 단절조치요청 ×
▷ 공무원에 대한 당연퇴직통지 ×
▷ 「병역법」상 신체등위판정 ×
▷ 교육부장관의 내신성적 산정지침 ×

018

항고소송의 대상적격에 대한 설명으로 옳은 것은? (다툼이 있는 경우 판례에 의함)

① 국유재산의 대부계약에 따른 대부료 부과는 처분성이 있다.
② 행정재산의 사용료 부과는 처분성이 없다.
③ 농지개량조합의 직원에 대한 징계처분은 처분성이 인정된다.
④ 한국마사회가 기수의 면허를 취소하는 것은 처분성이 인정된다.

> 2017년 사회복지직

① (×) 국유재산에 대한 대부료 부과는 처분에 해당하지 않는다.

> 국유잡종재산에 관한 관리 처분의 권한을 위임받은 기관이 국유잡종재산을 대부하는 행위는 국가가 사경제 주체로서 상대방과 대등한 위치에서 행하는 사법상의 계약이고, 국유잡종재산에 관한 대부료의 납부고지 역시 사법상의 이행청구에 해당하고, 이를 행정처분이라고 할 수 없다(대판 2000.2.11. 99다61675).

② (×) 행정재산의 사용료 부과는 처분에 해당한다.

> 국유재산의 관리청이 행정재산의 사용·수익을 허가한 다음 그 사용·수익하는 자에 대하여 하는 사용료 부과는 순전히 사경제주체로서 행하는 사법상의 이행청구라 할 수 없고, 이는 관리청이 공권력을 가진 우월적 지위에서 행한 것으로서 항고소송의 대상이 되는 행정처분이라 할 것이다(대판 1996.2.13. 95누11023).

③ (○) 농지개량조합 직원에 대한 징계처분은 처분에 해당한다.

> 농지개량조합과 그 직원과의 관계는 사법상의 근로계약관계가 아닌 공법상의 특별권력관계이고, 그 조합의 직원에 대한 징계처분의 취소를 구하는 소송은 행정소송사항에 속한다(대판 1995.6.9. 94누10870).

④ (×) 마사회의 기수면허취소는 처분에 해당하지 않는다.

> 한국마사회가 조교사 또는 기수의 면허를 부여하거나 취소하는 것은 경마에서의 일정한 기능과 역할을 수행할 수 있는 자격을 부여하거나 이를 박탈하는 것에 지나지 아니하므로, 이는 국가 기타 행정기관으로부터 위탁받은 행정권한의 행사가 아니라 일반 사법상의 법률관계에서 이루어지는 단체 내부에서의 징계 내지 제재처분이다(대판 2008.1.31. 2005두8269).

유제 15. 국회직 8급 한국마사회가 조교사 또는 기수의 면허를 부여하거나 취소하는 것은 국가 기타 행정기관으로부터 위탁받은 행정권한의 행사에 해당하므로 처분성이 인정된다. (×)

답 ③

문제 DATA
출제가능 지수 ▶▶▷
난이도 지수 ★★☆

함께 정리하기
항고소송 대상 여부
▷ 국유재산 대부료 부과 ×
▷ 행정재산 사용료 부과 ○
▷ 농지개량조합직원 징계처분 ○
▷ 한국마사회의 기수면허취소 ×

019

항고소송의 대상이 되는 처분에 대한 설명으로 옳은 것을 <보기>에서 모두 고르면? (다툼이 있는 경우 판례에 의함)

> **문제 DATA**
> 출제가능 지수 ▶▶▷
> 난이도 지수 ★★★

<보기>
ㄱ. 조례가 집행행위의 개입이 없이도 그 자체로서 직접 국민의 구체적인 권리의무나 법적 이익에 영향을 미치는 등의 법률상 효과를 발생하는 경우 그 조례는 항고소송의 대상이 되는 행정처분에 해당한다.
ㄴ. 공정거래위원회의 표준약관 사용권장행위는 비록 그 통지를 받은 해당 사업자등에게 표준약관을 사용할 경우 표준약관과 다르게 정한 주요내용을 고객이 알기 쉽게 표시하여야 할 의무를 부과하고 그 불이행에 대해서는 과태료에 처하도록 되어있으나, 이는 어디까지나 구속력이 없는 행정지도에 불과하므로 행정처분에 해당되지 아니한다.
ㄷ. 국가인권위원회의 각하 및 기각결정은 항고소송의 대상이 되는 처분에 해당하지 아니하므로 헌법소원의 보충성요건을 충족하여 헌법소원의 대상이 된다.
ㄹ. 지방계약직공무원의 보수삭감행위는 대등한 당사자간의 계약관계와 관련된 것이므로 처분성은 인정되지 아니하며 공법상 당사자소송의 대상이 된다.
ㅁ. 3월의 영업정지 처분을 2월의 영업정지처분에 갈음하는 과징금 부과처분으로 변경하는 재결의 경우 취소소송의 대상이 되는 것은 변경된 내용의 당초 처분이지 변경처분은 아니다.

① ㄱ, ㅁ
② ㄷ, ㄹ
③ ㄱ, ㄹ, ㅁ
④ ㄱ, ㄴ, ㄷ, ㄹ
⑤ ㄱ, ㄴ, ㄷ, ㅁ

2017년 국회직 8급

ㄱ. (○) 집행행위의 개입 없이 직접 효력이 발생하는 조례는 처분에 해당한다.

> 조례가 집행행위의 개입 없이도 그 자체로서 직접 국민의 구체적인 권리의무나 법적 이익에 영향을 미치는 등의 법률상 효과를 발생하는 경우 그 조례는 항고소송의 대상이 되는 행정처분에 해당한다(대판 1996.9.20. 95누8003).

유제 18. 서울시 9급 조례가 항고소송의 대상이 되는 경우 피고는 시방자치단체 의결기관으로서 조례를 제정한 지방의회이다. (×)

ㄴ. (×) 공정위의 표준약관 사용권장행위는 처분에 해당한다.

> 공정거래위원회의 '표준약관 사용권장행위'는 그 통지를 받은 해당 사업자 등에게 표준약관과 다른 약관을 사용할 경우 표준약관과 다르게 정한 주요내용을 고객이 알기 쉽게 표시하여야 할 의무를 부과하고, 그 불이행에 대해서는 과태료에 처하도록 되어 있으므로, 이는 사업자 등의 권리·의무에 직접 영향을 미치는 행정처분으로서 항고소송의 대상이 된다(대판 2010.10.14. 2008두23184).

ㄷ. (×) 인권위원회의 진정 각하 및 기각결정은 처분에 해당한다.

> 진정에 대한 국가인권위원회의 각하 및 기각결정은 피해자인 진정인의 권리행사에 중대한 지장을 초래하는 것으로서 항고소송의 대상이 되는 행정처분에 해당하므로, 그에 대한 다툼은 우선 행정심판이나 행정소송에 의하여야 할 것이다. 따라서 이 사건 심판청구는 행정심판이나 행정소송 등의 사전 구제절차를 모두 거친 후 청구된 것이 아니므로 보충성 요건을 충족하지 못하였다(헌재 2015.3.26. 2013헌마214 등).

ㄹ. (×) 지방계약직 공무원의 보수삭감은 처분에 해당한다.

> 지방계약직공무원에 대한 보수의 삭감은 이를 당하는 공무원의 입장에서는 징계처분의 일종인 감봉과 다를 바 없으므로, 채용계약상 특별한 약정이 없는 한 징계절차에 의하지 않고서는 보수를 삭감할 수 없다(대판 2008.6.12. 2006두16328).

> **함께 정리하기**
>
> **항고소송의 대상**
>
> 집행행위 개입 없이 직접 법률상 효과를 발생시키는 조례
> ▷ 처분
>
> 공정거래위원회의 표준약관 사용권장 행위
> ▷ 처분
>
> 국가인권위원회의 각하·기각결정
> ▷ 처분(헌법소원 보충성충족×)
>
> 지방계약직공무원의 보수삭감
> ▷ 처분
>
> 행정제재처분 후 유리한 변경이 있는 경우
> ▷ 변경된 당초처분

ㅁ. (O) 제재처분 후 유리한 변경이 있는 경우 변경된 원처분이 대상이 된다.

> 행정청이 식품위생법령에 따라 영업자에게 행정제재처분을 한 후 그 처분을 영업자에게 유리하게 변경하는 처분을 한 경우, 변경처분에 의하여 유리하게 변경된 내용의 행정제재가 위법하다 하여 그 취소를 구하는 경우 그 취소소송의 대상은 변경된 당초 처분이지 변경처분은 아니고, 제소기간의 준수 여부도 변경처분이 아닌 변경된 내용의 당초 처분을 기준으로 판단하여야 한다(대판 2007.4.27. 2004두9302).

답 ①

020

행정소송에 대한 설명으로 옳지 않은 것은? (다툼이 있는 경우 판례에 의함)

① 행정청의 위법한 처분 등으로 인한 국민의 권리 또는 이익의 침해를 구제하고 공법상 권리관계 또는 법률 적용에 관한 다툼을 적정하게 해결함을 목적으로 한다.
② 항고소송의 대상적격 여부는 행위의 성질·효과 이외에 행정소송 제도의 목적이나 사법권(司法權)에 의한 국민의 권익보호기능도 충분히 고려하여 합목적적으로 판단해야 한다.
③ 행정청이 한 행위가 단지 사인 간 법률관계의 존부를 공적으로 증명하는 공증행위에 불과하더라도 그 효력을 둘러싼 분쟁의 해결이 사법원리(私法原理)에 맡겨져 있는 경우에는 항고소송의 대상이 된다.
④ 어떤 행위가 상대방의 권리를 제한하는 행위라 하더라도 행정청 또는 그 소속기관이나 권한을 위임받은 공공단체 등의 행위가 아닌 한 이를 행정처분이라고 할 수 없다.

| 2017년 서울시 7급

① (O)

> 「행정소송법」제1조【목적】이 법은 행정소송절차를 통하여 행정청의 위법한 처분 그 밖에 공권력의 행사·불행사등으로 인한 국민의 권리 또는 이익의 침해를 구제하고, 공법상의 권리관계 또는 법적용에 관한 다툼을 적정하게 해결함을 목적으로 한다.

② (O) 대상적격은 행정소송 제도의 목적, 권익보호까지 고려하여 합목적적으로 판단한다.

> 행정처분에 해당하는지는 행위의 성질·효과 이외에 행정소송 제도의 목적이나 사법권에 의한 국민의 권익보호 기능도 충분히 고려하여 합목적적으로 판단해야 한다(대판 2012.6.14. 2010두19720).

③ (X) 공증에 불과해 분쟁해결이 사법원리에 맡겨진 경우는 처분에 해당하지 않는다.

> 행정소송 제도의 목적 및 기능 등에 비추어 볼 때, 행정청이 한 행위가 단지 사인 간 법률관계의 존부를 공적으로 증명하는 공증행위에 불과하여 그 효력을 둘러싼 분쟁의 해결이 사법원리에 맡겨져 있거나 행위의 근거 법률에서 행정소송 이외의 다른 절차에 의하여 불복할 것을 예정하고 있는 경우에는 항고소송의 대상이 될 수 없다고 보는 것이 타당하다(대판 2012.6.14. 2010두19720).

④ (O) 행정청 등이 아닌 자의 권리제한행위는 처분에 해당하지 않는다.

> 행정소송의 대상이 되는 행정처분은, 행정청 또는 그 소속기관이나 법령에 의하여 행정권한의 위임 또는 위탁을 받은 공공기관이 국민의 권리의무에 관계되는 사항에 관하여 공권력을 발동하여 행하는 공법상의 행위를 말하며, 그것이 상대방의 권리를 제한하는 행위라 하더라도 행정청 또는 그 소속기관이나 권한을 위임받은 공공기관의 행위가 아닌 한 이를 행정처분이라고 할 수 없다(대판 2014.12.24. 2010두6700).

답 ③

021

항고소송의 제기요건에 대한 판례의 입장으로 옳은 것은?

① 행정소송의 제기요건은 법원의 직권조사사항이므로 행정소송에 있어서 처분청의 처분권한 유무는 직권조사사항이다.
② 법인세법령에 따른 과세관청의 원천징수의무자인 법인에 대한 소득금액변동통지 및 「소득세법 시행령」에 따른 소득의 귀속자에 대한 소득금액변동통지는 항고소송의 대상이다.
③ 절대보전지역 변경처분에 대해 지역주민회와 주민들이 항고소송을 제기한 경우에는 절대보전지역 유지로 지역주민회·주민들이 가지는 주거 및 생활환경상 이익은 지역의 경관 등이 보호됨으로써 누리는 법률상 이익이다.
④ 행정청이 식품위생법령에 따라 영업자에게 행정제재처분을 한 후 당초 처분을 영업자에게 유리하게 변경하는 처분을 한 경우, 취소소송의 대상 및 제소기간 판단기준은 변경처분이 아니라 변경된 내용의 당초처분이다.

문제 DATA
출제가능 지수 ▶▶▷
난이도 지수 ★★☆

2017년 서울시 7급

① (×) 행정소송의 제기요건은 법원의 직권조사사항에 해당하나, 처분청의 처분권한 유무는 본안판단대상으로서 직권조사사항에 해당하지 않는다.

> 행정소송에 있어서 처분청의 처분권한 유무는 직권조사사항이 아니다(대판 1997.6.19. 95누8669 전합).

② (×) 원천징수의무자에 대한 소득금액변동통지는 항고소송의 대상이 되는 처분에 해당하나, 소득의 귀속자에 대한 소득금액변동 통지는 처분성이 부정된다.

> 1. 과세관청의 소득처분과 그에 따른 소득금액변동통지가 있는 경우 원천징수의무자인 법인은 소득금액변동통지서를 받은 날에 그 통지서에 기재된 소득의 귀속자에게 당해 소득금액을 지급한 것으로 의제되어 그 때 원천징수하는 소득세의 납세의무가 성립함과 동시에 확정되고, 원천징수의무자인 법인으로서는 소득금액변동통지서에 기재된 소득처분의 내용에 따라 원천징수세액을 그 다음달 10일까지 관할 세무서장 등에게 납부하여야 할 의무를 부담하며, 만일 이를 이행하지 아니하는 경우에는 가산세의 제재를 받게 됨은 물론이고 형사처벌까지 받도록 규정되어 있는 점에 비추어 보면, 소득금액변동통지는 원천징수의무자인 법인의 납세의무에 직접 영향을 미치는 과세 관청의 행위로서, 항고소송의 대상이 되는 조세행정처분이라고 봄이 상당하다(대판 2006.4.20. 2002두1878 전합).
> 2. 구 소득세법 시행령 제192조 제1항 단서에 따른 소득의 귀속자에 대한 소득금액변동통지는 원천납세의무자인 소득의 귀속자에 대한 법률상 지위에 직접적인 변동을 가져오는 것이 아니므로 항고소송의 대상이 되는 행정처분에 해당하지 않는다(대판 2015.1.29. 2013두4118).

유제 20. 국회직 8급 원천징수의무자인 법인에 대한 소득금액변동통지는 법인의 납세의무에 직접 영향을 미치므로 항고소송의 대상이 되는 처분이다. (○)

③ (×) 절대보전지역의 유지로 인한 주민들의 이익은 반사적 이익에 해당한다.

> 국방부 민·군 복합형 관광미항(제주해군기지) 사업시행을 위한 해군본부의 요청에 따라 제주특별자치도지사가 절대보존지역이던 서귀포시 강정동 해안변지역에 관하여 절대보존지역을 변경(축소)하고 고시한 경우, 절대보존지역의 유지로 지역주민회와 주민들이 가지는 주거 및 생활환경상 이익은 지역의 경관 등이 보호됨으로써 반사적으로 누리는 것일 뿐 근거 법규 또는 관련 법규에 의하여 보호되는 개별적·직접적·구체적 이익이라고 할 수 없다(대판 2012.7.5. 2011두13187).

④ (○) 제재처분이 유리하게 변경된 경우 대상적격과 제소기간은 변경된 원처분이 기준이 된다.

> 행정청이 식품위생법령에 따라 영업자에게 행정제재처분을 한 후 그 처분을 영업자에게 유리하게 변경하는 처분을 한 경우, 변경처분에 의하여 유리하게 변경된 내용의 행정제재가 위법하다 하여 그 취소를 구하는 경우 그 취소소송의 대상은 변경된 내용의 당초 처분이지 변경처분이 아니고, 제소기간의 준수 여부도 변경처분이 아닌 변경된 내용의 당초 처분을 기준으로 판단하여야 한다(대판 2007.4.27. 2004두9302).

답 ④

함께 정리하기

항고소송 제기요건

처분권한유무
▷ 직권조사사항×

원천징수의무자에 대한 소득금액변동 통지
▷ 처분○

소득귀속자에 대한 소득 금액변동통지
▷ 처분×

절대보전지역 유지로 주민들이 가지는 주거·생활환경
▷ 반사적 이익

제재처분을 유리하게 변경한 경우 취소소송대상·제소기간 판단기준
▷ 변경된 당초처분

문제 DATA
출제가능 지수 ▶▶▷
난이도 지수 ★★☆

022 □□□

대법원 판례의 입장으로 옳지 않은 것은?

① 「행정소송법」 제26조는 행정소송에서 직권심리주의가 적용되도록 하고 있지만, 행정소송에서도 당사자주의나 변론주의의 기본구도는 여전히 유지된다.
② 영업자에 대한 행정제재처분에 대하여 행정심판위원회가 영업자에게 유리한 적극적 변경명령재결을 하고 이에 따라 처분청이 변경처분을 한 경우, 그 변경처분에 의해 유리하게 변경된 행정제재가 위법하다는 이유로 그 취소를 구하려면 변경된 내용의 당초처분을 취소소송의 대상으로 하여야 한다.
③ 원자로 및 관계시설의 부지사전승인처분은 그 자체로서 독립한 행정처분은 아니므로 이의 위법성을 직접 항고소송으로 다툴 수는 없고 후에 발령되는 건설허가처분에 대한 항고소송에서 다투어야 한다.
④ 구 「폐기물관리법」 관계 법령상의 폐기물처리업허가를 받기 위한 사업계획에 대한 부적정통보는 허가신청 자체를 제한하는 등 개인의 권리 내지 법률상의 이익을 개별적이고 구체적으로 규제하고 있어 행정처분에 해당한다.

함께 정리하기
행정소송

행정소송
▷ 당사자주의·변론주의·보충적 직권심리주의 적용

제재처분을 유리하게 변경한 경우 취소소송대상
▷ 변경된 내용의 당초처분

원자로 & 관계시설 부지사전승인처분
▷ 독립된 행정처분

「폐기물관리법」상 사업계획 부적정통보
▷ 행정처분

2017년 국가직 9급

① (O) 행정소송에서는 보충적으로 직권심리주의가 적용된다. 「행정소송법」 제26조는 직권심리주의를 규정하고 있으나, 행정소송에서도 당사자주의나 변론주의의 기본구도는 여전히 유지된다.

> 「행정소송법」 제26조 【직권심리】 법원은 필요하다고 인정할 때에는 직권으로 증거조사를 할 수 있고, 당사자가 주장하지 아니한 사실에 대하여도 판단할 수 있다.

행정소송법 제26조는 행정소송의 특수성에 연유하는 당사자주의, 변론주의에 대한 일부예외 규정일 뿐 법원이 아무런 제한 없이 당사자가 주장하지 아니한 사실을 판단할 수 있는 것은 아니고, 일건 기록에 현출되어 있는 사항에 관하여서만 직권으로 증거조사를 하고 이를 기초로 하여 판단할 수 있다(대판 1994.10.11. 94누4820).

② (O) 제재처분이 유리하게 변경된 경우 대상적격은 유리하게 변경된 원처분이다.

행정청이 식품위생법령에 따라 영업자에게 행정제재처분을 한 후 그 처분을 영업자에게 유리하게 변경하는 처분을 한 경우, 변경처분에 의하여 유리하게 변경된 내용의 행정제재가 위법하다 하여 그 취소를 구하는 경우 그 취소소송의 대상은 변경된 내용의 당초 처분이지 변경처분은 아니고, 제소기간의 준수 여부도 변경처분이 아닌 변경된 내용의 당초 처분을 기준으로 판단하여야 한다(대판 2007.4.27. 2004두9302).

③ (×) 원자로 및 관계시설의 부지사전승인처분은 그 자체로서 독립한 행정처분에 해당하나, 후에 건설허가 처분이 있게 되면 이에 흡수되어 소의 이익을 잃게 되므로 부지사전승인의 위법성을 건설허가처분에 대한 취소소송에서 다툴 수 있다.

원자로 및 관계 시설의 부지사전승인처분은 그 자체로서 건설부지를 확정하고 사전공사를 허용하는 법률효과를 지닌 독립한 행정처분이기는 하지만, 나중에 건설허가처분이 있게 되면 그 건설허가처분에 흡수되어 독립된 존재가치를 상실함으로써 그 건설허가처분만이 쟁송의 대상이 되는 것이므로, 부지사전승인처분의 취소를 구하는 소는 소의 이익을 잃게 되고, 따라서 부지사전승인처분의 위법성은 나중에 내려진 건설허가처분의 취소를 구하는 소송에서 이를 다투면 된다(대판 1998.9.4. 97누19588).

유제 19. 서울시 7급 가행정행위인 선행처분이 후행처분으로 흡수되어 소멸하는 경우에도 선행처분의 취소를 구하는 소는 가능하다. (×)

④ (O) 「폐기물관리법」상 사업계획 부적정통보는 처분에 해당한다.

폐기물처리업의 허가를 받기 위하여는 먼저 사업계획서를 제출하여 허가권자로부터 사업계획에 대한 적정통보를 받아야 하고, 그 적정통보를 받은 자만이 일정기간 내에 시설, 장비, 기술능력, 자본금을 갖추어 허가신청을 할 수 있으므로, 결국 부적정통보는 허가신청 자체를 제한하는 등 개인의 권리 내지 법률상의 이익을 개별적이고 구체적으로 규제하고 있어 행정처분에 해당한다(대판 1998.4.28. 97누21086).

답 ③

023

판례의 입장으로 옳은 것은?

① 변상금부과처분이 당연무효인 경우, 당해 변상금부과처분에 의하여 납부한 오납금에 대한 납부자의 부당이득반환청구권의 소멸시효는 변상금부과처분의 부과시부터 진행한다.
② 행정소송에서 쟁송의 대상이 되는 행정처분의 존부에 관한 사항이 상고심에서 비로소 주장된 경우에 행정처분의 존부에 관한 사항은 상고심의 심판범위에 해당한다.
③ 어떠한 처분의 근거나 법적인 효과가 행정규칙에 규정되어 있다면, 그 처분이 행정규칙의 내부적 구속력에 의하여 상대방의 권리 의무에 직접 영향을 미치는 행위라도 항고소송의 대상이 되는 행정처분이라 볼 수 없다.
④ 어떠한 허가처분에 대하여 타법상의 인·허가가 의제된 경우, 의제된 인·허가는 통상적인 인·허가와 동일한 효력을 갖는 것은 아니므로 '부분 인·허가 의제'가 허용되는 경우에도 의제된 인·허가에 대한 쟁송취소는 허용되지 않는다.

문제 DATA
출제가능 지수 ▶▶▷
난이도 지수 ★★☆

2020년 국가직 9급

① (×) 변상금부과처분이 당연무효인 경우 부당이득반환청구권의 소멸시효는 납부 또는 징수시부터 진행한다.

> 지방재정법 제87조 제1항에 의한 변상금부과처분이 당연무효인 경우에 이 변상금부과처분에 의하여 납부자가 납부하거나 징수당한 오납금은 지방자치단체가 법률상 원인 없이 취득한 부당이득에 해당하고, 이러한 오납금에 대한 납부자의 부당이득반환청구권은 처음부터 법률상 원인이 없이 납부 또는 징수된 것이므로 납부 또는 징수 시에 발생하여 확정되며, 그 때부터 소멸시효가 진행한다(대판 2005.1.27. 2004다50143).

② (○) 대상적격으로서의 처분의 존부는 직권조사사항으로 상고심의 심판범위에 속한다.

> 행정소송에서 쟁송의 대상이 되는 행정처분의 존부는 소송요건으로서 직권조사사항이고, 자백의 대상이 될 수 없는 것이므로, 설사 그 존재를 당사자들이 다투지 아니한다 하더라도 그 존부에 관하여 의심이 있는 경우에는 이를 직권으로 밝혀 보아야 할 것이고, 사실심변론종결시까지 당사자가 주장하지 않던 직권조사사항에 해당하는 사항을 상고심에서 비로소 주장하는 경우 그 직권조사사항에 해당하는 사항은 상고심의 심판범위에 해당한다(대판 2004.12.24. 2003두15195).

③ (×) 처분의 근거가 행정규칙에 규정되어 있으나 상대방의 권리·의무에 직접 영향을 미치는 불문경고 조치는 처분에 해당한다.

> 어떠한 처분의 근거나 법적인 효과가 행정규칙에 규정되어 있다고 하더라도, 그 처분이 행정 규칙의 내부적 구속력에 의하여 상대방에게 권리의 설정 또는 의무의 부담을 명하거나 기타 법적인 효과를 발생하게 하는 등으로 그 상대방의 권리 의무에 직접 영향을 미치는 행위라면, 이 경우에도 항고소송의 대상이 되는 행정처분에 해당한다. 행정규칙에 의한 '불문경고조치'가 비록 법률상의 징계처분은 아니지만 위 처분을 받지 아니하였다면 차후 다른 징계처분이나 경고를 받게 될 경우 징계감경사유로 사용될 수 있었던 표창공적의 사용가능성을 소멸시키는 효과와 1년 동안 인사기록카드에 등재됨으로써 그 동안은 장관표창이나 도지사표창 대상자에서 제외시키는 효과 등이 있다는 이유로 항고소송의 대상이 되는 행정처분에 해당한다고 한 사례(대판 2002.7.26. 2001두3532)

④ (×) 의제된 인·허가의 위법함을 다투는 경우 의제된 인·허가가 취소소송의 대상이다.

> 의제된 인·허가는 통상적인 인·허가와 동일한 효력을 가지므로, 적어도 '부분 인·허가 의제'가 허용되는 경우에는 그 효력을 제거하기 위한 법적 수단으로 의제된 인·허가의 취소나 철회가 허용될 수 있고, 이러한 직권 취소·철회가 가능한 이상 그 의제된 인·허가에 대한 쟁송취소 역시 허용된다. 주택건설사업계획 승인처분에 따라 의제된 인·허가가 위법함을 다투고자 하는 이해관계인은, 주택건설사업계획 승인처분의 취소를 구할 것이 아니라 의제된 인·허가의 취소를 구하여야 하며, 의제된 인·허가는 주택건설사업계획 승인처분과 별도로 항고소송의 대상이 되는 처분에 해당한다(대판 2018.11.29. 2016두38792).

답 ②

함께 정리하기

소멸시효, 대상적격

부당이득반환청구권의 소멸시효 기산점
▷ 납부 또는 징수 시

처분의 존부(대상적격)
▷ 상고심판범위○

행정규칙(공무원 징계양정 규정)에 근거한 불문경고
▷ 행정처분○

승인처분에 따른 의제된 인·허가를 다투는 경우
▷ 의제된 인·허가가 대상적격○

문제 DATA

출제가능 지수 ▶▶▷
난이도 지수 ★☆☆

함께 정리하기

처분 해당 여부
▷ 국세환급금결정 ✕
▷ 세무조사결정 ○
▷ 건축신고 반려행위 ○
▷ 지방의회의원 징계의결 ○
▷ 폐기물처리사업계획 부적합통보 ○

024 ☐☐☐

판례에 의할 때 항고소송의 대상이 아닌 것은?

① 국세환급금결정
② 세무조사결정
③ 건축신고 반려행위
④ 지방의회의원 징계의결
⑤ 폐기물처리사업계획 부적합통보

> 2018년 5급 행정

① (✕) 국세환급금결정은 처분에 해당하지 않는다.

> 국세환급금결정에 관한 규정은 이미 납세의무자의 환급청구권이 확정된 국세환급금에 대하여 내부적 사무처리절차로서 과세관청의 환급절차를 규정한 것에 지나지 않고 위 규정에 의한 국세환급금결정에 의하여 비로소 환급청구권이 확정되는 것은 아니므로, 위 국세환급금결정이나 이 결정을 구하는 신청에 대한 환급거부결정은 납세의무자가 갖는 환급청구권의 존부나 범위에 구체적이고 직접적인 영향을 미치는 처분이 아니어서 항고소송의 대상이 되는 처분이라고 볼 수 없다(대판 2009.11.26. 2007두4018).

② (○) 세무조사결정은 처분에 해당한다.

> 세무조사결정은 납세의무자의 권리·의무에 직접 영향을 미치는 공권력의 행사에 따른 행정작용으로서 항고소송의 대상이 된다(대판 2011.3.10. 2009두23617·23624).

③ (○) 건축신고의 반려행위는 처분에 해당한다.

> 건축신고 반려행위가 이루어진 단계에서 당사자로 하여금 반려행위의 적법성을 다투어 그 법적 불안을 해소한 다음 건축행위에 나아가도록 함으로써 장차 있을지도 모르는 위험에서 미리 벗어날 수 있도록 길을 열어 주고, 위법한 건축물의 양산과 그 철거를 둘러싼 분쟁을 조기에 근본적으로 해결할 수 있게 하는 것이 법치행정의 원리에 부합한다. 그러므로 건축신고 반려행위는 항고소송의 대상이 된다고 보는 것이 옳다(대판 2010.11.18. 2008두167 전합).

④ (○) 지방의회의원의 징계의결은 처분에 해당한다.

> 지방자치법 제78조 내지 제81조의 규정에 의거한 지방의회의 의원징계의결은 그로 인해 의원의 권리에 직접 법률 효과를 미치는 행정처분의 일종으로서 행정소송의 대상이 된다(대판 1993.11.26. 93누7341).

⑤ (○) 판례는 폐기물처리사업계획 부적합통보가 처분임을 전제로 본안심리를 진행하였다.

> 甲 주식회사가 제출한 생활폐기물수집·운반업을 위한 폐기물처리사업계획서에 대하여, 관할 구청장이 기존 업체가 보유하고 있는 인력과 장비로 충분한 처리가 이루어지고 있어서 별도의 신규허가가 어렵다는 사유로 부적합통보를 한 사안에서, 처분이 재량권을 일탈·남용하여 위법하다고 본 원심판단을 정당하다고 한 사례(대판 2011.11.10. 2011두12283)

답 ①

025

항고소송의 대상이 되는 처분에 해당하는 사실행위만을 모두 고른 것은? (다툼이 있는 경우 판례에 의함)

> ㄱ. 수형자의 서신을 교도소장이 검열하는 행위
> ㄴ. 구청장이 사회복지법인에 특별감사 결과 지적사항에 대한 시정지시와 그 결과를 관계서류와 함께 보고하도록 지시한 경우, 그 시정지시
> ㄷ. 구「공원법」에 의해 건설부장관이 행한 국립공원지정처분에 따라 공원관리청이 행한 경계측량 및 표지의 설치

① ㄱ
② ㄱ, ㄴ
③ ㄴ, ㄷ
④ ㄱ, ㄴ, ㄷ

문제 DATA
출제가능 지수 ▶▶▷
난이도 지수 ★☆☆

2017년 지방직 9급

ㄱ. (○) 교도소장의 수형자 서신검열행위는 처분에 해당한다.

> 수형자의 서신을 교도소장이 검열하는 행위는 이른바 권력적 사실행위로서 행정심판이나 행정소송의 대상이 되는 행정처분으로 볼 수 있으나, 위 검열행위가 이미 완료되어 행정심판이나 행정소송을 제기하더라도 소의 이익이 부정될 수밖에 없으므로 헌법소원심판을 청구하는 외에 다른 효과적인 구제방법이 있다고 보기 어렵기 때문에 보충성의 원칙에 대한 예외에 해당한다(헌재 1998.8.27. 96헌마398).

ㄴ. (○) 사회복지법인에 대한 구청장의 시정지시는 처분에 해당한다.

> 원고로서는 위 보고명령 및 관련서류 제출명령을 이행하기 위하여 위 시정지시에 따른 시정조치의 이행이 사실상 강제되어 있다고 할 것이고, 만일 피고의 위 명령을 이행하지 않는 경우 시정명령을 받거나 법인설립허가가 취소될 수 있고, 이와 같은 사정에 비추어 보면, 위 시정지시는 단순한 권고적 효력만을 가지는 비권력적 사실행위에 불과하다고 볼 수는 없고, 원고에 대하여 의무의 부담을 명하거나 기타 법률상 효과를 발생하게 하는 것으로서 항고소송의 대상이 되는 행정처분에 해당한다고 해석함이 상당하다고 할 것이다(대판 2008.4.24. 2008두3500).

ㄷ. (×) 공원관리청의 경계측량 및 표지설치행위는 처분에 해당하지 않는다.

> 건설부장관이 행한 국립공원지정처분은 그 결정 및 첨부된 도면의 공고로써 그 경계가 확정되는 것이고, 시장이 행한 경계측량 및 표지의 설치 등은 공원관리청이 공원구역을 효율적인 보호, 관리를 위하여 이미 확정된 경계를 인식, 파악하는 사실상의 행위로 봄이 상당하며, 위와 같은 사실상의 행위를 가리켜 공권력행사로서의 행정처분의 일부라고 볼 수 없고, 이로 인하여 건설부장관이 행한 공원지정처분이나 그 경계에 변동을 가져온다고 할 수 없다(대판 1992.10.13. 92누2325).

답 ②

함께 정리하기

항고소송의 대상

교도소장의 수형자 서신검열
▷ 처분 ○

구청장의 사회복지법인에 대한 시정지시
▷ 처분 ○

공원관리청의 경계측량·표지설치
▷ 처분 ×

문제 DATA

출제가능 지수 ▶▶▷
난이도 지수 ★★☆

026 □□□

판례의 입장에 의할 때, 행정소송의 대상인 행정처분에 해당하는 것만을 모두 고른 것은?

> ㄱ. 「공익사업을 위한 토지 등의 취득 및 보상에 관한 법률」상 공익사업시행자가 하는 이주대책대상자 확인·결정
> ㄴ. 공무원연금관리공단이 퇴직연금의 수급자에 대하여 공무원연금법령의 개정으로 퇴직연금 중 일부금액의 지급정지대상자가 되었음을 통보하는 행위
> ㄷ. 구 「남녀차별금지 및 구제에 관한 법률」상 국가인권위원회가 한 성희롱결정과 이에 따른 시정조치의 권고
> ㄹ. 공무원시험승진후보자명부에 등재된 자에 대하여 이전의 징계처분을 이유로 시험승진후보자명부에서 삭제하는 행위
> ㅁ. 「질서위반행위규제법」에 따라 행정청이 부과한 과태료처분

① ㄱ, ㄷ
② ㄱ, ㅁ
③ ㄴ, ㄷ, ㄹ
④ ㄴ, ㄹ, ㅁ

함께 정리하기

행정처분
▷ 이주대책대상자확인·결정 ○
▷ 법령 개정에 의한 퇴직연금지급정지대상자 통보 ✕
▷ 국가인권위의 성희롱결정과 시정조치 권고 ○
▷ 공무원시험승진후보자명부 삭제행위 ✕
▷ 과태료 부과처분 ✕

2017년 국가직 9급

ㄱ. (○) 사업시행자의 이주대책대상자 확인 및 결정은 처분에 해당한다.

> 이주자가 수분양권을 취득하기를 희망하여 이주대책에 정한 절차에 따라 사업시행자에게 이주대책대상자 선정신청을 하고 사업시행자가 이를 받아 들여 이주대책대상자로 확인·결정하여야만 비로소 구체적인 수분양권이 발생하게 되는 것이며, 이러한 사업시행자가 하는 확인·결정은 행정작용으로서의 공법상의 처분이다(대판 1994.10.25. 93다46919).

ㄴ. (✕) 법령 개정에 의한 퇴직연금 지급정지대상자통보는 처분에 해당하지 않는다.

> 공무원연금관리공단의 지급정지처분 여부에 관계없이 개정된 구 공무원연금법 시행규칙이 시행된 때로부터 그 법규정에 의하여 당연히 퇴직연금 중 일부 금액의 지급이 정지되는 것이므로, 공무원연금관리공단이 위와 같은 법령의 개정사실과 퇴직연금 수급자가 퇴직연금 중 일부 금액의 지급정지대상자가 되었다는 사실을 통보한 것은 단지 위와 같이 법령에서 정한 사유의 발생으로 퇴직연금 중 일부 금액의 지급이 정지된다는 점을 알려주는 관념의 통지에 불과하고, 그로 인하여 비로소 지급이 정지되는 것은 아니므로 항고소송의 대상이 되는 행정처분으로 볼 수 없다(대판 2004.7.8. 2004두244).

ㄷ. (○) 인권위의 성희롱결정과 시정조치권고는 처분에 해당한다.

> 구 남녀차별금지 및 구제에 관한 법률 제28조에 의하면, 국가인권위원회의 성희롱결정과 이에 따른 시정조치의 권고는 성희롱 행위자로 결정된 자의 인격권에 영향을 미침과 동시에 공공기관의 장 또는 사용자에게 일정한 법률상의 의무를 부담시키는 것이므로 국가인권위원회의 성희롱결정 및 시정조치권고는 행정소송의 대상이 되는 행정처분에 해당한다고 보지 않을 수 없다(대판 2005.7.8. 2005두487).

ㄹ. (✕) 공무원시험승진 후보자명부 삭제행위는 처분에 해당하지 않는다.

> 시험승진후보자명부에 등재되어 있던 자가 그 명부에서 삭제됨으로써 승진임용의 대상에서 제외되었다 하더라도, 그와 같은 시험승진후보자명부에서의 삭제행위는 결국 그 명부에 등재된 자에 대한 승진 여부를 결정하기 위한 행정청 내부의 준비과정에 불과하고, 그 자체가 어떠한 권리나 의무를 설정하거나 법률상 이익에 직접적인 변동을 초래하는 별도의 행정처분이 된다고 할 수 없다(대판 1997.11.14. 97누7325).

ㅁ. (✕) 과태료 부과처분은 처분에 해당하지 않는다.

> 수도조례 및 하수도사용조례에 기한 과태료의 부과 여부 및 그 당부는 최종적으로 질서위반행위규제법에 의한 절차에 의하여 판단되어야 한다고 할 것이므로, 그 과태료 부과처분은 행정청을 피고로 하는 행정소송의 대상이 되는 행정처분이라고 볼 수 없다(대판 2012.10.11. 2011두19369).

답 ①

027 □□□

「행정소송법」상 항고소송의 대상에 해당하지 않는 것을 모두 고른 것은? (다툼이 있는 경우 판례에 의함)

> ㄱ. 도지사의 혁신도시 최종입지 선정 행위
> ㄴ. 지방의회의장에 대한 불신임의결
> ㄷ. 「국가공무원법」상의 당연퇴직인사발령
> ㄹ. 「병역법」상 군의관의 신체등위 판정
> ㅁ. 한국마사회의 기수 면허 취소

① ㄴ, ㄷ
② ㄱ, ㄹ, ㅁ
③ ㄴ, ㄹ, ㅁ
④ ㄱ, ㄷ, ㄹ, ㅁ
⑤ ㄱ, ㄴ, ㄷ, ㄹ, ㅁ

문제 DATA
출제가능 지수 ▶▶∑
난이도 지수 ★★☆

2017년 5급 행정

ㄱ. (×) 혁신도시 최종입지선정행위는 처분에 해당하지 않는다.

> 공공기관의 지방이전시책을 추진하는 과정에서 도지사가 도 내 특정시를 공공기관이 이전할 혁신도시 최종입지로 선정한 행위는 항고소송의 대상이 되는 행정처분이 아니다(대판 2007.11.15. 2007두10198).

ㄴ. (○) 지방의회 의장에 대한 불신임의결은 처분에 해당한다.

> 지방의회를 대표하고 의사를 정리하며 회의장 내의 질서를 유지하고 의회의 사무를 감독하며 위원회에 출석하여 발언할 수 있는 등의 직무권한을 가지는 지방의회 의장에 대한 불신임의결은 의장으로서의 권한을 박탈하는 행정처분의 일종으로서 항고소송의 대상이 된다(대결 1994.10.11. 94두23).

ㄷ. (×) 공무원에 대한 당연퇴직의 인사발령은 처분에 해당하지 않는다.

> 국가공무원법상 당연퇴직은 결격사유가 있을 때 법률상 당연히 퇴직하는 것이지, 공무원관계를 소멸시키기 위한 별도의 행정처분을 요하는 것이 아니며, 당연퇴직의 인사발령은 법률상 당연히 발생하는 퇴직사유를 공적으로 확인하여 알려주는 이른바 관념의 통지에 불과하고 공무원의 신분을 상실시키는 새로운 형성적 행위가 아니므로 행정소송의 대상이 되는 독립한 행정처분이라고 할 수 없다(대판 1995.11.14. 95누2036).

ㄹ. (×) 군의관의 신체등위판정은 처분에 해당하지 않는다.

> 병역법상 신체등위판정은 행정청이라고 볼 수 없는 군의관이 하도록 되어 있으며, 그 자체만으로 바로 병역법상의 권리의무가 정하여지는 것이 아니라 그에 따라 지방병무청장이 병역처분을 함으로써 비로소 병역의무의 종류가 정하여지는 것이므로 항고소송의 대상이 되는 행정처분이라 보기 어렵다(대판 1993.8.27. 93누3356).

ㅁ. (×) 마사회의 기수면허 취소는 처분에 해당하지 않는다.

> 한국마사회가 조교사 또는 기수의 면허를 부여하거나 취소하는 것은 경마에서의 일정한 기능과 역할을 수행할 수 있는 자격을 부여하거나 이를 박탈하는 것에 지나지 아니하므로, 이는 국가 기타 행정기관으로부터 위탁받은 행정권한의 행사가 아니라 일반 사법상의 법률관계에서 이루어지는 단체 내부에서의 징계 내지 제재처분이다(대판 2008.1.31. 2005두8269).

함께 정리하기

항고소송 대상 여부
▷ 혁신도시 최종입지선정 ×
▷ 지방의회 의장에 대한 불신임 의결 ○
▷ 공무원에 대한 당연퇴직인사발령 ×
▷ 「병역법」상 신체등위판정 ×
▷ 한국마사회의 기수 면허 취소 ×

답 ④

문제 DATA

출제가능 지수 ▶▶▷
난이도 지수 ★★☆

028 □□□

항고소송의 대상이 되는 행정처분에 해당하는 것은? (다툼이 있는 경우 판례에 의함)

① 소관청이 토지대장상의 소유자명의변경신청을 거부한 행위
② 서울특별시지하철공사 임직원을 징계하는 행위
③ 무허가건물을 무허가건물관리대장에서 삭제하는 행위
④ 각 군 참모총장이 군인 명예전역수당 지급대상자 결정절차에서 국방부장관에게 수당지급대 상자를 추천하는 행위
⑤ 「교육공무원법」상 승진후보자 명부에 의한 승진심사 방식으로 행하여지는 승진임용에서 승진후보자명부에 포함되어 있던 후보자를 승진임용인사발령에서 제외하는 행위

> 2019년 서울시 9급

① (×) 토지대장상 소유자명의 변경신청거부는 행정처분에 해당하지 않는다.

> 행정사무집행의 편의와 사실증명의 자료로 삼기 위한 것일 뿐이어서, 그 소유자 명의가 변경된다고 하여도 이로 인하여 당해 토지에 대한 실체상의 권리관계에 변동을 가져올 수 없고 토지 소유권이 지적공부의 기재만에 의하여 증명되는 것도 아니다. 따라서 소관청이 토지대장상의 소유자명의변경신청을 거부한 행위는 이를 항고소송의 대상이 되는 행정처분이라고 할 수 없다(대판 2012.1.12. 2010두12354).

② (×) 서울지하철공사 임직원의 징계는 행정처분에 해당하지 않는다.

> 서울특별시지하철공사의 임원과 직원의 근무관계의 성질은 지방공기업법의 모든 규정을 살펴보아도 공법상의 특별권력관계라고는 볼 수 없고 사법관계에 속할 뿐만 아니라, 위 지하철공사의 사장이 그 이사회의 결의를 거쳐 제정된 인사규정에 의거하여 소속직원에 대한 징계처분을 한 경우 이에 대한 불복절차는 민사소송에 의할 것이지 행정소송에 의할 수는 없다(대판 1989.9.12. 89누2103).

③ (×) 무허가건물관리대장에서 삭제하는 행위는 행정처분에 해당하지 않는다.

> 무허가건물을 무허가건물관리대장에 등재하거나 등재된 내용을 변경 또는 삭제하는 행위로 인하여 당해 무허가 건물에 대한 실체상의 권리관계에 변동을 가져오는 것이 아니고, 다른 특별한 사정이 없는 한 항고소송의 대상이 되는 행정처분이 아니다(대판 2009.3.12. 2008두11525).

④ (×) 각 군 참모총장의 수당지급대상자 추천행위는 행정처분에 해당하지 않는다.

> 각 군 참모총장이 수당지급대상자 결정절차에 대하여 수당지급대상자를 추천하거나 신청자 중 일부를 추천하지 아니하는 행위는 행정기관 상호간의 내부적인 의사결정과정의 하나일 뿐 그 자체만으로는 직접적으로 국민의 권리·의무가 설정, 변경, 박탈되거나 그 범위가 확정되는 등 기존의 권리상태에 어떤 변동을 가져오는 것이 아니므로 이를 항고소송의 대상이 되는 처분이라고 할 수는 없다(대판 2009.12.10. 2009두14231).

⑤ (○) 승진후보자명부에 포함된 자를 승진임용인사발령에서 제외하는 것은 행정처분에 해당한다.

> 승진후보자 명부에 포함된 후보자는 임용권자로부터 정당한 심사를 받게 될 것에 관한 절차적 기대를 하게 된다. 그런데 임용권자 등이 자의적인 이유로 승진후보자 명부에 포함된 후보자를 승진임용에서 제외하는 처분을 한 경우에, 이러한 승진임용제외처분을 항고소송의 대상이 되는 처분으로 보지 않는다면, 달리 이에 대하여는 불복하여 침해된 권리 또는 법률상 이익을 구제받을 방법이 없다. 따라서 교육공무원법상 승진후보자 명부에 의한 승진심사 방식으로 행해지는 승진임용에서 승진후보자 명부에 포함되어 있던 후보자를 승진임용인사발령에서 제외하는 행위는 불이익처분으로서 항고소송의 대상인 처분에 해당한다고 보아야 한다(대판 2018.3.27. 2015두47492).

답 ⑤

함께 정리하기

대상적격

토지대장상 소유자명의 변경신청 거부
▷ 행정처분×

서울지하철공사 임직원 징계행위
▷ 행정처분×

무허가건물관리대장에서 무허가건물 삭제
▷ 행정처분×

각 군 참모총장의 수당지급대상자 추천
▷ 행정처분×

승진후보자명부에 포함된 자 승진임용인사발령에서 제외
▷ 행정처분○

029

항고소송의 대상이 되는 것만을 <보기>에서 있는 대로 모두 고른 것은? (다툼이 있는 경우 판례에 의함)

<보기>
ㄱ. 「건축법」상 공용건축물에 대한 건축협의 취소
ㄴ. 개별토지가격합동조사지침에 따른 개별공시지가 경정결정신청에 대한 행정청의 정정불가결정 통지
ㄷ. 국립대학교 학칙의 [별표 2] 모집단위별 입학정원을 개정한 학칙개정행위
ㄹ. 구 「국세징수법」상 가산금 또는 중가산금의 고지
ㅁ. 공공기관 입찰의 낙찰적격 심사기준인 점수를 감점한 조치

① ㄱ, ㄷ
② ㄱ, ㄹ
③ ㄱ, ㄴ, ㄷ
④ ㄱ, ㄴ, ㄹ
⑤ ㄱ, ㄷ, ㅁ

2019년 소방간부

ㄱ. (○) 단체장의 건축협의 취소는 처분에 해당한다.

건축협의 취소는 상대방이 다른 지방자치단체 등 행정주체라 하더라도 '행정청이 행하는 구체적 사실에 관한 법집행으로서의 공권력 행사'(행정소송법 제2조 제1항 제1호)로서 처분에 해당한다고 볼 수 있고, 지방자치단체인 원고가 이를 다툴 실효적 해결 수단이 없는 이상, 원고는 건축물 소재지 관할 허가권자인 지방자치단체의 장을 상대로 항고소송을 통해 건축협의 취소의 취소를 구할 수 있다(대판 2014.2.27. 2012두22980).

ㄴ. (×) 개별토지가격합동조사지침에 따른 개별공시지가 정정불가결정 통지는 처분이 아니다.

개별토지가격합동조사지침은 행정청이 개별토지가격결정에 위산·오기 등 명백한 오류가 있음을 발견한 경우 직권으로 이를 경정하도록 한 규정으로서 토지소유자 등 이해관계인이 그 경정결정을 신청할 수 있는 권리를 인정하고 있지 아니하므로, 토지소유자 등의 토지에 대한 개별공시지가 조정신청을 재조사청구가 아닌 경정결정신청으로 본다고 할지라도, 이는 행정청에 대하여 직권발동을 촉구하는 의미밖에 없으므로, 행정청이 위 조정신청에 대하여 정정불가 결정 통지를 한 것은 이른바 관념의 통지에 불과할 뿐 항고소송의 대상이 되는 처분이 아니다(대판 2002.2.5. 2000두5043).

ㄷ. (○) 판례는 국립공주대학교가 학칙의 [별표 2] 모집단위별 입학정원을 개정한 행위를 처분으로 본 바 있다(대판 2009.1.30. 2008두19550). 위 판례의 태도에 비추어 볼 때 국립대학교의 모집단위별 입학정원 학칙개정행위는 항고소송의 대상적격이 인정된다고 봄이 타당하다.

ㄹ. (×) 구 「국세징수법」상 가산금, 중가산금 고지는 처분이 아니다.

국세징수법 제21조, 제22조가 규정하는 가산금 또는 중가산금은 국세를 납부기한까지 납부하지 아니하면 과세청의 확정절차 없이도 법률 규정에 의하여 당연히 발생하는 것이므로 가산금 또는 중가산금의 고지가 항고소송의 대상이 되는 처분이라고 볼 수 없다(대판 2005.6.10. 2005다15482).

ㅁ. (×) 공공기관의 낙찰적격 심사 기준인 점수를 감점한 조치는 처분이 아니다.

피고가 원고에 대하여 한 이 사건 감점조치는 행정청이나 그 소속 기관 또는 그 위임을 받은 공공단체의 공법상의 행위가 아니라 장차 그 대상자인 원고가 피고가 시행하는 입찰에 참가하는 경우에 그 낙찰적격자 심사 등 계약 사무를 처리함에 있어 피고 내부규정인 이 사건 세부기준에 의하여 종합취득점수의 10/100을 감점하게 된다는 뜻의 사법상의 효력을 가지는 통지행위에 불과하다 할 것이고, 또한 피고의 이와 같은 통지행위가 있다고 하여 원고에게 공공기관의 운영에 관한 법률 제39조 제2항, 제3항, 구 공기업·준정부기관 계약사무규칙 제15조에 의한 국가, 지방자치단체 또는 다른 공공기관에서 시행하는 모든 입찰에의 참가자격을 제한하는 효력이 발생한다고 볼 수도 없으므로, 피고의 이 사건 감점조치는 행정소송의 대상이 되는 행정처분이라고 할 수 없다(대판 2014.12.24. 2010두6700).

답 ①

문제 DATA
출제가능 지수 ▶▶▷
난이도 지수 ★★☆

함께 정리하기

항고소송의 대상

관할지자체장의 건축협의 취소
▷ 행정처분 ○

개별토지가격합동조사지침에 따른 개별공시지가 정정불가결정 통지
▷ 행정처분 ✕

국립대학교 모집단위별 입학정원 학칙개정행위
▷ 행정처분 ○

「국세징수법」상 가산금 or 중가산금 고지
▷ 행정처분 ✕

공공기관 입찰의 낙찰적격 심사기준 점수 감점조치
▷ 행정처분 ✕

문제 DATA

출제가능 지수 ▶▶▷
난이도 지수 ★★☆

030 □□□

취소소송을 제기할 수 있는 대상과 관련한 내용으로 옳지 않은 것은? (다툼이 있는 경우 판례에 의함)

① 국방부장관의 인정에 의하여 퇴역연금을 지급받아 오던 중 법령개정으로 퇴역연금액이 변경됨에 따라 국방부장관이 행한 퇴역연금액 감액조치에 대해 취소소송을 제기할 수 없다.

② 한국마사회가 기수의 면허를 부여 또는 취소하는 것은 국가 기타 행정기관으로부터 위탁받은 권한 행사이므로 한국마사회의 기수면허 취소에 대해 취소소송을 제기할 수 있다.

③ 학교폐지조례는 집행행위의 개입 없이도 그 자체로서 직접 국민의 구체적인 권리의무나 법적 이익에 영향을 미치는 등의 법률상 효과를 발생시키므로 처분성이 인정되고 있다.

④ 과세관청의 소득처분에 따른 원천징수의무자에 대한 소득금액변동통지는 원천징수의무자의 납세의무에 직접 영향을 미치므로 원천징수의무자는 그것에 대해 취소소송을 제기할 수 있다.

⑤ 망인(亡人)에 대한 대통령의 서훈취소결정에 따라 국가보훈처장이 망인의 유족에게 서훈취소통보를 한 경우 이 서훈취소통보에 대해 취소소송을 제기할 수 없다.

2019년 5급 승진

함께 정리하기

취소소송의 대상인 처분

법령개정으로 퇴역연금액이 변경됨에 따른 국방부장관의 퇴역연금액 감액처분
▷ 취소소송 대상✕

한국마사회의 기수면허 취소
▷ 사법상 징계처분 → 취소소송 대상✕

처분적 조례
▷ 취소소송의 대상○

과세관청의 소득금액변동통지
▷ 원천 징수의무자에 대한 처분○

유족에 대한 서훈취소통보
▷ 처분성✕

① (○) 법개정에 따른 퇴역연금 감액조치는 당사자소송의 대상이다.

> 국방부장관의 인정에 의하여 퇴역연금을 지급받아 오던 중 군인보수법 및 공무원보수규정에 의한 호봉이나 봉급액의 개정 등으로 퇴역연금액이 변경된 경우에는 법령의 개정에 따라 당연히 개정규정에 따른 퇴역연금액이 확정되는 것이지 국방부장관의 퇴역연금액 결정과 통지에 의하여 비로소 그 금액이 확정되는 것이 아니므로, 법령의 개정에 따른 국방부장관의 퇴역연금액 감액조치에 대하여 이의가 있는 퇴역연금 수급권자는 항고소송을 제기하는 방법으로 감액조치의 효력을 다툴 것이 아니라 직접 국가를 상대로 정당한 퇴역연금액과 결정, 통지된 퇴역연금액과의 차액의 지급을 구하는 공법상 당사자소송을 제기하는 방법으로 다툴 수 있다 할 것이다(대판 2003.9.5. 2002두3522).

② (✕) 마사회의 기수면허취소는 처분에 해당하지 않는다.

> 한국마사회가 조교사 또는 기수의 면허를 부여하거나 취소하는 것은 경마를 독점적으로 개최할 수 있는 지위에서 우수한 능력을 갖추었다고 인정되는 사람에게 경마에서의 일정한 기능과 역할을 수행할 수 있는 자격을 부여하거나 이를 박탈하는 것에 지나지 아니하므로, 이는 국가 기타 행정기관으로부터 위탁받은 행정권한의 행사가 아니라 일반 사법상의 법률관계에서 이루어지는 단체 내부에서의 징계 내지 제재처분이다(대판 2008.1.31. 2005두8269).

③ (○) 처분적 조례는 항고소송의 대상이 된다.

> 조례가 집행행위의 개입 없이도 그 자체로서 직접 국민의 구체적인 권리의무나 법적 이익에 영향을 미치는 등의 법률상 효과를 발생하는 경우 그 조례는 항고소송의 대상이 되는 행정처분에 해당하고, 피고적격이 있는 처분 등을 행한 행정청은 지방자치단체의 의사를 외부에 표시한 권한이 없는 지방의회가 아니라 지방자치단체의 집행기관으로서 조례로서의 효력을 발생시키는 공포권이 있는 지방자치단체의 장이다(대판 1996.9.20. 95누8003).

④ (○) 원천징수의무자에 대한 소득금액변동통지는 처분이다.

> 과세관청의 소득처분과 그에 따른 소득금액변동통지가 있는 경우 원천징수의무자인 법인으로서는 소득금액 변동통지서에 기재된 소득처분의 내용에 따라 원천징수세액을 그 다음달 10일까지 관할 세무서장 등에게 납부하여야 할 의무를 부담하며, 만일 이를 이행하지 아니하는 경우에는 가산세의 제재를 받게 됨은 물론이고 형사처벌까지 받도록 규정되어 있는 점에 비추어 보면, 소득금액변동통지는 원천징수의무자인 법인의 납세의무에 직접영향을 미치는 과세관청의 행위로서, 항고소송의 대상이 되는 조세행정처분이라고 봄이 상당하다(대판 2006.4.20. 2002두1878 전합).

⑤ (○) 유족에 대한 서훈취소통보는 처분에 해당하지 않는다.

> 서훈은 어디까지나 서훈대상자 본인의 공적과 영예를 기리기 위한 것이므로 비록 유족이라고 하더라도 제3자는 서훈수여 처분의 상대방이 될 수 없고, 구 상훈법 등에 따라 망인을 대신하여 단지 사실행위로서 훈장 등을 교부받거나 보관할 수 있는 지위에 있을 뿐이다. 이러한 서훈의 일신전속적 성격은 서훈취소의 경우에도 마찬가지이므로, 망인에게 수여된 서훈의 취소에서도 유족은 그 처분의 상대방이 되는 것이 아니다(대판 2006.11.9. 2006다23503). … 따라서 유족에 대한 서훈취소통보는 상대방 또는 기타 관계자들의 법률상 지위에 직접적인 법률적 변동을 일으키지 아니하는 행위로 항고소송의 대상이 될 수 없는 사실상의 통지에 해당하므로 그 취소를 구하는 이 부분 소는 부적법하다(대판 2015.4.23. 2012두26920).

답 ②

031 □□□

취소소송의 대상이 되는 행정처분에 대한 설명으로 옳은 것은? (다툼이 있는 경우 판례에 의함)

① 군의관의 신체등위판정 자체만으로 권리의무가 정하여지는 것이 아니지만 그것에 전적으로 의거하여 병역처분이 행해지기에 군의관의 신체등위판정은 행정처분에 해당한다.
② 교육부장관이 대학에서 추천한 복수의 총장 후보자들 전부 또는 일부를 임용제청에서 제외하는 행위는 행정처분에 해당한다.
③ 지방의회 의장에 대한 불신임의결은 지방의회의 내부적 결정에 불과하므로 행정처분에 해당하지 않는다.
④ 조달청장의 나라장터 종합쇼핑몰 거래정지조치는 사법상 계약에 해당하는 물품구매계약 추가특수조건에 근거하여 내려진 것이므로, 이는 구체적 사실에 관한 법집행으로서의 공권력의 행사로서 상대방의 권리·의무에 직접 영향을 미친다하더라도 행정처분에 해당하지 않는다.
⑤ 금융감독원장이 종합금융주식회사의 전 대표이사에게 재직 중 위법·부당행위 사례를 첨부하여 금융 관련 법규를 위반하고 신용질서를 심히 문란하게 한 사실이 있다는 내용으로 '문책경고장(상당)'을 보낸 행위는 행정처분에 해당한다.

▌2019년 5급 승진

① (×) 군의관의 신체등위판정은 처분에 해당하지 않는다.

> 병역법상 신체등위판정은 행정청이라고 볼 수 없는 군의관이 하도록 되어 있으며, 그 자체만으로 바로 병역법상의 권리의무가 정하여지는 것이 아니라 그에 따라 지방병무청장이 병역처분을 함으로써 비로소 병역의무의 종류가 정하여지는 것이므로 항고소송의 대상이 되는 행정처분이라 보기 어렵다(대판 1993.8.27. 93누3356).

② (○) 교육부장관의 총장후보자 임용제청제외는 처분에 해당한다.

> 교육부장관이 자의적으로 대학에서 추천한 복수의 총장 후보자들 전부 또는 일부를 임용제청하지 않는다면 대통령으로부터 임용을 받을 기회를 박탈하는 효과가 있다. 이를 항고소송의 대상이 되는 처분으로 보지 않는다면, 침해된 권리 또는 법률상 이익을 구제받을 방법이 없다. 따라서 교육부장관이 대학에서 추천한 복수의 총장 후보자들 전부 또는 일부를 임용제청에서 제외하는 행위는 제외된 후보자들에 대한 불이익처분으로서 항고소송의 대상이 되는 처분에 해당한다고 보아야 한다(대판 2018.6.15. 2016두57564).

문제 DATA

출제가능 지수 ▶▶▷
난이도 지수 ★★☆

함께 정리하기

취소소송의 대상인 처분

군의관의 신체등위판정
▷ 행정처분×

교육부장관이 추천 받은 복수의 총장 후보자들 중 전부 or 일부를 임용제청에서 제외하는 행위
▷ 행정처분○

지방의회 의장에 대한 불신임의결
▷ 행정처분○

조달청장의 나라장터 종합쇼핑몰 거래정지조치
▷ 행정처분○

금융감독원장이 종금회사 전 대표이사에게 한 '문책경고장(상당)' 통보
▷ 행정처분×

③ (×) 지방의회의장에 대한 불신임의결은 처분에 해당한다.

지방의회를 대표하고 의사를 정리하며 회의장 내의 질서를 유지하고 의회의 사무를 감독하며 위원회에 출석하여 발언할 수 있는 등의 직무권한을 가지는 지방의회 의장에 대한 불신임의결은 의장으로서의 권한을 박탈하는 행정처분의 일종으로서 항고소송의 대상이 된다(대판 1994.10.11. 94두23).

④ (×) 조달청장의 나라장터 거래정지조치는 처분에 해당한다.

甲 주식회사가 조달청과 물품구매계약을 체결하고 국가종합전자조달시스템인 나라장터 종합쇼핑몰 인터넷 홈페이지를 통해 요구받은 제품을 수요기관에 납품하였는데, 조달청이 계약이행내역 점검 결과 일부 제품이 계약 규격과 다르다는 이유로 물품구매계약 추가특수조건 규정에 따라 甲 회사에 대하여 6개월의 나라장터 종합쇼핑몰 거래정지 조치를 한 사안에서, 위 거래정지 조치는 항고소송의 대상이 되는 행정처분에 해당한다(대판 2018.11.29. 2015두52395).

⑤ (×) 금감원장이 종금회사 전 대표이사에게 보낸 '문책경고장(상당)'은 처분에 해당하지 않는다.

이 사건 서면 통보행위는 어떠한 법적 근거에 기하여 발하여진 것이 아니고, 단지 종합금융회사의 업무와 재산상황에 대한 일반적인 검사권한을 가진 피고가 소외 주식회사에 대하여 검사를 실시한 결과, 원고가 소외 주식회사의 대표이사로 근무할 당시 행한 것으로 인정된 위법·부당행위 사례에 관한 단순한 사실의 통지에 불과한 것으로서, 다만 원고가 재직중인 임원이었다고 한다면 이는 금융기관검사 및 제재에 관한 규정 제18조 제1항 제3호 소정의 문책경고의 제재에 해당하는 사례라는 취지로 '문책경고장(상당)'이라는 제목을 붙인 것일 뿐 금융업 관련 법규에 근거한 문책경고의 제재처분 자체와는 다르고, 위 통보행위로 인하여 이미 소외 주식회사로부터 퇴직한 후의 원고의 권리의무에 직접적 변동을 초래하는 하등의 법률상의 효과가 발생하거나 그러한 법적 불안이 존재한다고 할 수 없으므로, 이 사건 서면 통보행위는 항고소송의 대상이 되는 행정처분에 해당하지 않는다(대판 2005.2.17. 2003두10312).

답 ②

032

판례의 입장으로 옳지 않은 것은?

① 건축허가관청은 특단의 사정이 없는 한 건축허가내용대로 완공된 건축물의 준공을 거부할 수 없다.
② 지적공부 소관청이 토지대장을 직권으로 말소하는 행위는 항고소송의 대상이 되는 행정처분에 해당한다.
③ 무허가건물을 무허가건물관리대장에서 삭제하는 행위는 다른 특별한 사정이 없는 한 항고소송의 대상이 되는 행정처분에 해당한다.
④ 지목은 토지소유권을 제대로 행사하기 위한 전제요건이므로 지적공부 소관청의 지목변경신청 반려행위는 항고소송의 대상이 되는 행정처분에 해당한다.

2019년 지방직 7급

① (○) 허가내용대로 완공된 건축물은 원칙적으로 준공을 거부할 수 없다.

허가관청은 특단의 사정이 없는 한 건축허가내용대로 완공된 건축물의 준공을 거부할 수 없다고 하겠으나, 만약 건축허가 자체가 건축관계 법령에 위반되는 하자가 있는 경우에는 비록 건축허가내용 대로 완공된 건축물이라 하더라도 위법한 건축물이 되는 것으로서 그 하자의 정도에 따라 건축허가를 취소할 수 있음은 물론 그 준공도 거부할 수 있다고 하여야 할 것이다(대판 1992.4.10. 91누5358).

문제 DATA
출제가능 지수 ▶▶▷
난이도 지수 ★★☆

함께 정리하기
처분성
건축허가 내용대로 완공된 건축물
▷ 준공거부 불가(원칙)

토지대장 직권말소행위
▷ 처분○

무허가건물관리대장 삭제
▷ 처분×

지목변경신청 반려행위
▷ 처분○

② (○) 토지대장의 직권말소행위는 처분에 해당한다.

> 토지대장은 토지의 소유권을 제대로 행사하기 위한 전제요건으로서 토지 소유자의 실체적 권리관계에 밀접하게 관련되어 있으므로, 이러한 토지대장을 직권으로 말소한 행위는 국민의 권리관계에 영향을 미치는 것으로서 항고소송의 대상이 되는 행정처분에 해당한다(대판 2013.10.24. 2011두13286).

③ (×) 무허가건물 관리대장의 삭제행위는 처분에 해당하지 않는다.

> 관할관청이 무허가건물의 무허가건물관리대장 등재요건에 관한 오류를 바로잡으면서 당해 무허가건물을 무허가 건물관리대장에서 삭제하는 행위는 다른 특별한 사정이 없는 한 항고소송의 대상이 되는 행정처분이 아니다(대판 2009.3.12. 2008두11525).

④ (○) 지목변경신청의 반려행위는 처분에 해당한다.

> 지목은 토지소유권을 제대로 행사하기 위한 전제요건으로서 토지소유자의 실체적 권리관계에 밀접하게 관련되어 있으므로 지적공부 소관청의 지목변경신청 반려행위는 항고소송의 대상이 되는 행정처분에 해당한다(대판 2004.4.22. 2003두9015).

답 ③

033

행정소송의 대상인 행정처분에 대한 설명으로 옳지 않은 것은? (다툼이 있는 경우 판례에 의함)

① 구 「민원사무 처리에 관한 법률」에서 정한 사전심사결과 통보는 항고소송의 대상이 되는 행정처분에 해당하지 않는다.
② 「교육공무원법」상 승진후보자 명부에 의한 승진심사 방식으로 행해지는 승진임용에서 승진후보자 명부에 포함되어 있던 후보자를 승진임용인사발령에서 제외하는 행위는 항고소송의 대상인 처분에 해당하지 않는다.
③ 건축주가 토지소유자로부터 토지사용승낙서를 받아 그 토지 위에 건축물을 건축하는 건축허가를 받았다가 착공에 앞서 건축주의 귀책사유로 해당 토지를 사용할 권리를 상실한 경우, 토지소유자의 건축허가 철회신청을 거부한 행위는 항고소송의 대상이 된다.
④ 사업시행자인 한국도로공사가 구 「지적법」에 따라 고속도로 건설공사에 편입되는 토지소유자들을 대위하여 토지면적등록 정정신청을 하였으나 관할 행정청이 이를 반려하였다면, 이러한 반려행위는 항고소송 대상이 되는 행정처분에 해당한다.

2019년 지방직 9급

① (○) 구 민원처리법상 사전심사결과 통보는 행정처분이 아니다.

> 행정청은 사전심사결과 불가능하다고 통보하였더라도 사전심사결과에 구애되지 않고 민원사항을 처리할 수 있으므로 불가능하다는 통보가 민원인의 권리의무에 직접적 영향을 미친다고 볼 수 없고, 통보로 인하여 민원인에게 어떠한 법적 불이익이 발생할 가능성도 없는 점 등 여러 사정을 종합해 보면, 구 민원사무 처리법이 규정하는 사전심사결과 통보는 항고소송의 대상이 되는 행정처분에 해당하지 아니한다(대판 2014.4.24. 2013두7834).

② (×) 승진후보자명부에 포함된 자를 승진임용인사발령에서 제외하는 것은 행정처분에 해당한다.

> 승진임용제외처분을 항고소송의 대상이 되는 처분으로 보지 않는다면, 달리 이에 대하여는 불복하여 침해된 권리 또는 법률상 이익을 구제받을 방법이 없다. 따라서 교육공무원법상 승진후보자 명부에 의한 승진심사 방식으로 행해지는 승진임용에서 승진후보자 명부에 포함되어 있던 후보자를 승진임용인사발령에서 제외하는 행위는 불이익처분으로서 항고소송의 대상인 처분에 해당한다고 보아야 한다(대판 2018.3.27. 2015두47492).

문제 DATA

출제가능 지수 ▶▶▷
난이도 지수 ★★☆

함께 정리하기

대상적격

구 민원사무처리법상 사전심사결과통보
▷ 대상적격 無

승진후보자 승진임용인사발령에서 제외
▷ 대상적격 有

토지소유자의 건축허가 철회신청거부
▷ 대상적격 有

토지면적등록 정정신청 반려행위
▷ 대상적격 有

③ (○) 토지소유자의 건축허가 철회신청을 거부하는 것은 행정처분에 해당한다.

> 건축주가 토지 소유자로부터 토지사용승낙서를 받아 그 토지 위에 건축물을 건축하는 대물적(對物的) 성질의 건축허가를 받았다가 착공에 앞서 건축주의 귀책사유로 해당 토지를 사용할 권리를 상실한 경우, 건축허가의 존재로 말미암아 토지에 대한 소유권 행사에 지장을 받을 수 있는 토지 소유자로서는 건축허가의 철회를 신청할 수 있다고 보아야 한다. 따라서 토지 소유자의 위와 같은 신청을 거부한 행위는 항고소송의 대상이 된다(대판 2017.3.15. 2014두41190).

④ (○) 토지면적등록 정정신청을 반려한 행위는 행정처분에 해당한다.

> 토지소유자들을 대위하여 토지면적등록 정정신청을 하였으나 화성시장이 이를 반려한 사안에서, 반려처분은 공공사업의 원활한 수행을 위하여 부여된 사업시행자의 관계 법령상 권리 또는 이익에 영향을 미치는 공권력의 행사 또는 그 거부에 해당하는 것으로서 항고소송 대상이 되는 행정처분에 해당한다(대판 2011.8.25. 2011두3371).

답 ②

034 □□□

항고소송의 대상에 대한 설명으로 옳은 것을 모두 고른 것은? (다툼이 있는 경우 판례에 의함)

> ㄱ. 「교육공무원법」상 승진후보자 명부에 의한 승진심사 방식으로 행해지는 승진임용에서 승진후보자 명부에 포함되어 있던 후보자를 승진임용인사발령에서 제외하는 행위는 불이익처분으로서 항고소송의 대상인 처분에 해당한다.
> ㄴ. 금융감독원장으로부터 문책경고를 받은 금융기관의 임원이 일정기간 금융업종 임원 선임의 자격제한을 받도록 관계법령에 규정되어 있어도, 그 문책경고는 그 상대방의 권리의무에 직접 영향을 미치는 행위라고 보기 어려우므로 행정처분에 해당하지 않는다.
> ㄷ. 관할 지방병무청장이 병역의무 기피를 이유로 그 인적사항 등을 공개할 대상자를 1차로 결정하고 그에 이어 병무청장의 최종 공개결정이 있는 경우, 지방병무청장의 1차 공개결정은 병무청장의 최종 공개결정과는 별도로 항고소송의 대상이 된다.
> ㄹ. 건축주가 토지소유자로부터 토지사용승낙서를 받아 그 토지 위에 건축물을 건축하는 건축허가를 받았다가 착공하기 전에 건축주의 귀책사유로 그 토지사용권을 상실한 경우 토지소유자는 건축허가의 철회를 신청할 수 있고, 그 신청을 거부한 행위는 항고소송의 대상이 된다.

① ㄹ
② ㄱ, ㄷ
③ ㄱ, ㄹ
④ ㄴ, ㄷ
⑤ ㄱ, ㄷ, ㄹ

| 2020년 변호사

ㄱ. (○) 승진후보자명부에 포함된 자를 승진임용인사발령에서 제외하는 것은 행정처분에 해당한다.

> 교육공무원법상 승진후보자 명부에 의한 승진심사 방식으로 행해지는 승진임용에서 승진후보자 명부에 포함되어 있던 후보자를 승진임용인사발령에서 제외하는 행위는 불이익처분으로 항고소송의 대상인 처분에 해당한다(대판 2018.3.27. 2015두47492).

ㄴ. (×) 금감원장의 금융기관 임원에 대한 문책경고는 처분에 해당한다.

> 금융기관의 임원에 대한 금융감독원장의 문책경고는 그 상대방에 대한 직업선택의 자유를 직접 제한하는 효과를 발생하게 하는 등 상대방의 권리의무에 직접 영향을 미치는 행위로서 항고소송의 대상이 되는 행정처분에 해당한다(대판 2005.2.17. 2003두14765).

유제 18. 지방직 9급 금융기관 임원에 대한 금융감독원장의 문책경고는 상대방의 권리의무에 직접 영향을 미치지 않으므로 행정소송의 대상이 되는 처분에 해당하지 않는다. (×)

ㄷ. (×) 병무청장이 병역의무기피자 인적사항의 최종 공개결정을 하는 경우 지방병무청장의 1차 공개결정은 처분에 해당하지 않는다.

> 관할 지방병무청장의 공개 대상자 결정의 경우 상대방에게 통보하는 등 외부에 표시하는 절차가 관계 법령에 규정되어 있지 않아, 행정실무상으로도 상대방에게 통보되지 않는 경우가 많다. 또한 관할 지방병무청장이 위원회의 심의를 거쳐 공개 대상자를 1차로 결정하기는 하지만, 병무청장에게 최종적으로 공개 여부를 결정할 권한이 있으므로, 관할 지방병무청장의 공개 대상자 결정은 병무청장의 최종적인 결정에 앞서 이루어지는 행정기관 내부의 중간적 결정에 불과하다. 가까운 시일 내에 최종적인 결정과 외부적인 표시가 예정된 상황에서, 외부에 표시되지 않은 행정기관 내부의 결정을 항고소송의 대상인 처분으로 보아야 할 필요성은 크지 않다(대판 2019.6.27. 2018두49130).

ㄹ. (○) 토지소유자의 건축허가 철회신청을 거부하는 것은 행정처분에 해당한다.

> 건축주가 토지 소유자로부터 토지사용승낙서를 받아 그 토지 위에 건축물을 건축하는 대물적(對物的) 성질의 건축허가를 받았다가 착공에 앞서 건축주의 귀책사유로 해당 토지를 사용할 권리를 상실한 경우, 건축허가의 존재로 말미암아 토지에 대한 소유권행사에 지장을 받을 수 있는 토지 소유자로서는 건축허가의 철회를 신청할 수 있다고 보아야 한다. 따라서 토지 소유자의 위와 같은 신청을 거부한 행위는 항고소송의 대상이 된다(대판 2017.3.15. 2014두41190).

답 ③

035

판례에 따를 때 항고소송의 대상이 되는 처분에 해당하는 것은?

① 구「약관의 규제에 관한 법률」에 따른 공정거래위원회의 표준약관 사용권장행위
② 지적 공부 소관청이 토지대장상의 소유자명의변경신청을 거부한 행위
③ 「국세기본법」에 따른 과세관청의 국세환급금결정
④ 「국가균형발전 특별법」에 따른 시·도지사의 혁신도시 최종입지 선정행위

2019년 서울시 9급

① (○) 공정위의 표준약관 사용권장행위는 행정처분에 해당한다.

> 공정거래위원회의 '표준약관 사용권장행위'는 그 통지를 받은 해당 사업자 등에게 표준약관과 다른 약관을 사용할 경우 표준약관과 다르게 정한 주요내용을 고객이 알기 쉽게 표시하여야 할 의무를 부과하고, 그 불이행에 대해서는 과태료에 처하도록 되어 있으므로, 이는 사업자 등의 권리·의무에 직접 영향을 미치는 행정처분으로서 항고소송의 대상이 된다(대판 2010.10.14. 2008두23184).

② (×) 토지대장상 소유자명의 변경신청의 거부는 행정처분에 해당하지 않는다.

> 행정사무집행의 편의와 사실증명의 자료로 삼기 위한 것일 뿐이어서, 소관청이 토지대장상의 소유자명의 변경신청을 거부한 행위는 이를 항고소송의 대상이 되는 행정처분이라고 할 수 없다(대판 2012.1.12. 2010두12354).

③ (×) 국세환급금 결정·거부결정은 행정처분에 해당하지 않는다.

> 국세기본법 제51조 제1항, 제52조 및 같은 법 시행령 제30조에 따른 세무서장의 국세환급금(국세환급가산금 포함)에 대한 결정은 이미 납세의무자의 환급청구권이 확정된 국세환급금에 대하여 내부적인 사무처리절차로서 과세관청의 환급절차를 규정한 것에 지나지 않고 그 규정에 의한 국세환급금의 결정에 의하여 비로소 환급청구권이 확정되는 것이 아니므로, 국세환급금결정이나 그 결정을 구하는 신청에 대한 환급거부결정 등은 항고소송의 대상이 되는 처분이라고 볼 수 없다(대판 1994.12.2. 92누14250).

문제 DATA
출제가능 지수 ▶▶▶
난이도 지수 ★★☆

함께 정리하기
대상적격

공정거래위원회의 표준약관 사용권장행위
▷ 대상적격 ○

토지대장상 소유자명의변경신청 거부
▷ 대상적격 ×

국세환급금결정·거부결정
▷ 대상적격 ×

시·도지사의 혁신도시 최종입지 선정 행위
▷ 대상적격 ×

④ (×) 혁신도시 최종입지 선정행위는 행정처분에 해당하지 않는다.

> 공공기관의 지방이전을 위한 정부 등의 조치와 공공기관이 이전할 혁신도시 입지선정을 위한 사항 등을 규정하고 있을 뿐 혁신도시입지 후보지에 관련된 지역 주민 등의 권리의무에 직접 영향을 미치는 규정을 두고 있지 않으므로, 피고가 원주시를 혁신도시 최종입지로 선정한 행위는 항고소송의 대상이 되는 행정처분으로 볼 수 없다(대판 2007.11.15. 2007두10198).

답 ①

036

문제 DATA
출제가능 지수 ▶▶▷
난이도 지수 ★☆☆

「행정소송법」상 처분에 해당하지 않는 것은?

① 지적공부 소관청의 지목변경신청 반려행위
② 공정거래위원회의 고발조치
③ 국가인권위원회의 성희롱결정 및 시정조치권고
④ 개발부담금 산정을 위한 개별공시지가결정

| 2019년 서울시 7급

① (○) 지목변경신청의 반려행위는 행정처분에 해당한다.

> 지목은 토지에 대한 공법상의 규제, 개발부담금의 부과대상, 지방세의 과세대상, 공시지가의 산정, 손실보상가액의 산정 등 토지행정의 기초로서 공법상의 법률관계에 영향을 미치고, 토지소유자는 지목을 토대로 토지의 사용·수익·처분에 일정한 제한을 받게 되는 점 등을 고려하면, 지적공부 소관청의 지목변경신청 반려행위는 국민의 권리관계에 영향을 미치는 것으로서 항고소송의 대상이 되는 행정처분에 해당한다(대판 2004.4.22. 2003두9015 전합).

② (×) 공정거래위원회의 고발조치는 행정처분에 해당하지 않는다.

> 고발은 수사의 단서에 불과할 뿐 그 자체 국민의 권리의무에 어떤 영향을 미치는 것이 아니고, 공정거래위원회의 고발조치는 사직 당국에 대하여 형벌권 행사를 요구하는 행정기관 상호간의 행위에 불과하여 항고소송의 대상이 되는 행정처분이라 할 수 없으며, 더욱이 공정거래위원회의 고발 의결은 행정청 내부의 의사결정에 불과할 뿐 최종적인 처분은 아닌 것이므로 이 역시 항고소송의 대상이 되는 행정처분이 되지 못한다(대판 1995.5.12. 94누13794).

③ (○) 국가인권위의 성희롱결정 및 시정조치권고는 행정처분에 해당한다.

> 국가인권위원회의 이러한 결정과 시정조치의 권고는 성희롱 행위자로 결정된 자의 인격권에 영향을 미침과 동시에 공공기관의 장 또는 사용자에게 일정한 법률상의 의무를 부담시키는 것이므로 국가인권위원회의 성희롱결정 및 시정조치권고는 행정소송의 대상이 되는 행정처분에 해당한다고 보지 않을 수 없다(대판 2005.7.8. 2005두487).

④ (○) 개발부담금 산정을 위한 개별공시지가결정은 행정처분에 해당한다.

> 시장·군수 또는 구청장의 개별토지가격결정은 관계법령에 의한 토지초과이득세, 택지초과소유부담금 또는 개발부담금 산정의 기준이 되어 국민의 권리나 의무 또는 법률상 이익에 직접적으로 관계되는 것으로서 행정소송법 제2조 제1항 제1호 소정의 행정청이 행하는 구체적 사실에 관한 법집행으로서의 공권력행사이므로 항고소송의 대상이 되는 행정처분에 해당한다(대판 1994.2.8. 93누111).

답 ②

함께 정리하기

대상적격
▷ 지목변경신청 반려행위 ○
▷ 공정거래위원회의 고발조치 ×
▷ 국가인권위원회의 성희롱결정 및 시정조치권고 ○
▷ 개발부담금 산정을 위한 개별공시지가결정 ○

037

항고소송의 대상적격에 대한 설명으로 옳지 않은 것은?

① 피해자의 의사와 무관하게 주민등록번호가 유출된 경우라고 하더라도 주민등록번호의 변경을 요구할 신청권은 인정되지 않으므로, 구청장의 주민등록번호변경신청 거부행위는 항고소송의 대상이 되는 행정처분에 해당하지 않는다.
② 거부행위의 처분성을 인정하기 위한 전제요건이 되는 신청권의 존부는 구체적 사건에서 신청인이 누구인가를 고려하지 말고 관계 법규에서 일반 국민에게 그러한 신청권을 인정하고 있는가를 살펴 추상적으로 결정하여야 한다.
③ 도시계획시설결정에 이해관계가 있는 주민으로서는 도시시설계획의 입안권자 내지 결정권자에게 도시시설계획의 입안 내지 변경을 요구할 수 있는 법규상 또는 조리상의 신청권이 있고, 이러한 신청에 대한 거부행위는 항고소송의 대상이 되는 행정처분에 해당한다.
④ 제소기간이 이미 도과하여 불가쟁력이 생긴 행정처분에 대하여는 개별 법규에서 그 변경을 요구할 신청권을 규정하고 있거나 관계법령의 해석상 그러한 신청권이 인정될 수 있는 등 특별한 사정이 없는 한 국민에게 그 행정처분의 변경을 구할 신청권이 있다 할 수 없다.

2019년 서울시 9급

① (✕) 주민번호가 불법유출된 경우에는 주민번호 변경신청권이 인정된다.

> 피해자의 의사와 무관하게 주민등록번호가 불법 유출된 경우 사회적으로 많은 피해가 발생하고 있는 것이 현실인 점 … 등을 종합하면, 피해자의 의사와 무관하게 주민등록번호가 유출된 경우에는 조리상 주민등록번호의 변경을 요구할 신청권을 인정함이 타당하고, 구청장의 주민등록번호 변경신청 거부행위는 항고소송의 대상이 되는 행정 처분에 해당한다(대판 2017.6.15. 2013두2945).

② (○) 신청권의 존부는 추상적으로 결정한다.

> 거부처분의 처분성을 인정하기 위한 전제요건이 되는 신청권의 존부는 구체적 사건에서 신청인이 누구인가를 고려하지 않고 관계 법규의 해석에 의하여 일반 국민에게 그러한 신청권을 인정하고 있는가를 살펴 추상적으로 결정되는 것이고, 신청인이 그 신청에 따른 단순한 응답을 받을 권리를 넘어서 신청의 인용이라는 만족적 결과를 얻을 권리를 의미하는 것은 아니다(대판 1996.6.11. 95누12460).

③ (○) 이해관계 있는 주민은 도시시설계획 입안·변경 요구할 신청권이 있다.

> 도시계획구역 내 토지 등을 소유하고 있는 사람과 같이 당해 도시계획시설결정에 이해관계가 있는 주민으로서는 도시시설계획의 입안권자 내지 결정권자에게 도시시설계획의 입안 내지 변경을 요구할 수 있는 법규상 또는 조리상의 신청권이 있고, 이러한 신청에 대한 거부행위는 항고소송의 대상이 되는 행정처분에 해당한다(대판 2015.3.26. 2014두42742).

④ (○) 불가쟁력이 발생한 처분에 대하여는 처분변경신청권이 없음이 원칙이다.

> 제소기간이 이미 도과하여 불가쟁력이 생긴 행정처분에 대하여는 개별 법규에서 그 변경을 요구할 신청권을 규정하고 있거나 관계 법령의 해석상 그러한 신청권이 인정될 수 있는 등 특별한 사정이 없는 한 국민에게 그 행정처분의 변경을 구할 신청권이 있다 할 수 없다(대판 2007.4.26. 2005두11104).

답 ①

📋 함께 정리하기

대상적격

의사와 무관하게 주민번호유출
▷ 조리상 주민번호 변경신청권 인정 可

신청권의 존부
▷ 추상적으로 결정

이해관계 있는 주민
▷ 도시시설계획 입안·변경 요구할 법규상·조리상 신청권 有

불가쟁력 발생한 처분
▷ 행정처분 변경 신청권 無(원칙)

문제 DATA

출제가능 지수 ▶▶▷
난이도 지수 ★★☆

038 □□□

행정소송의 대상에 대한 판례의 입장으로 옳지 않은 것은?

① 「수도법」에 의하여 지방자치단체인 수도사업자가 그 수돗물의 공급을 받는 자에게 하는 수도료 부과·징수와 이에 따른 수도료 납부관계는 공법상의 권리의무 관계이므로, 이에 관한 분쟁은 행정소송의 대상이다.
② 구 「예산회계법」상 입찰보증금의 국고귀속조치는 국가가 공권력을 행사하는 것이라는 점에서, 이를 다투는 소송은 행정소송에 해당한다.
③ 「도시 및 주거환경정비법」상 주택재건축정비사업조합을 상대로 관리처분계획안에 대한 조합 총회결의의 효력 등을 다투는 소송은 「행정소송법」상 당사자소송에 해당한다.
④ 공익사업을 위한 토지 등의 취득 및 보상에 관한 법령에 의한 협의취득은 사법상의 법률행위이므로, 이에 관한 분쟁은 민사소송의 대상이다.

| 2019년 서울시 9급

① (○) 지자체의 수도료 부과·징수는 처분에 해당한다.

> 수도법에 의하여 지방자치단체인 수도사업자가 수도물의 공급을 받는 자에 대하여 하는 수도료의 부과징수와 이에 따른 수도료의 납부관계는 공법상의 권리의무관계라 할 것이므로 이에 관한 소송은 행정소송절차에 의하여야 한다(대판 1977.2.22. 76다2517).

② (✕) 입찰보증금의 국고귀속조치는 민사소송의 대상이다.

> 입찰보증금의 국고귀속조치는 국가가 사법상의 재산권의 주체로서 행위하는 것이지 공권력을 행사하는 것이거나 공권력작용과 일체성을 가진 것이 아니라 할 것이므로 이에 관한 분쟁은 행정소송이 아닌 민사소송의 대상이 될 수밖에 없다고 할 것이다(대판 1983.12.27. 81누366).

③ (○) 관리처분계획안의 총회결의를 다투는 소송은 당사자소송이다.

> 도시 및 주거환경정비법상 행정주체인 주택재건축정비사업조합을 상대로 관리처분계획안에 대한 조합 총회결의의 효력 등을 다투는 소송은 공법상 법률관계에 관한 것이므로, 이는 행정소송법상의 당사자소송에 해당한다(대판 2009.9.17. 2007다2428 전합).

유제 20. 국회직 8급 「도시 및 주거환경정비법」상 당초 관리처분계획의 경미한 사항을 변경하는 경우와 달리 관리처분계획의 주요 부분을 실질적으로 변경하는 내용으로 새로운 관리처분계획을 수립하여 관할 행정청의 인가를 받은 경우, 당초 관리처분계획은 원칙적으로 그 효력을 상실한다. (○)

④ (○) 토지보상법상 협의취득은 민사소송의 대상이다.

> 공익사업을 위한 토지 등의 취득 및 보상에 관한 법령에 의한 협의취득은 사법상의 법률행위이므로 당사자 사이의 자유로운 의사에 따라 채무불이행책임이나 매매대금 과부족금에 대한 지급의무를 약정할 수 있다(대판 2012.2.23. 2010다91206).

답 ②

함께 정리하기

대상적격

지자체의 수도료 부과·징수·납부
▷ 행정소송의 대상

「예산회계법」상 입찰보증금 귀속조치
▷ 민사소송의 대상

관리처분계획안 총회결의 효력 다투는 소송
▷ 당사자소송의 대상

토지보상법상 협의취득
▷ 민사소송의 대상

039

판례의 입장으로 옳은 것은?

① 공무원연금법령상 급여를 받으려고 하는 자는 우선 급여지급을 신청하여 공무원연금공단이 이를 거부하거나 일부 금액만 인정하는 급여지급결정을 하는 경우 그 결정을 대상으로 항고소송을 제기하는 등으로 구체적 권리를 인정받아야 한다.
② 행정청이 공무원에게 국가공무원법령상 연가보상비를 지급하지 아니한 행위는 공무원의 연가보상비청구권을 제한하는 행위로서 항고소송의 대상이 되는 처분이다.
③ 법관이 이미 수령한 명예퇴직수당액이 구「법관 및 법원공무원 명예퇴직수당 등 지급규칙」에서 정한 정당한 명예퇴직수당액에 미치지 못한다고 주장하며 차액의 지급을 신청한 것에 대하여 법원행정처장이 행한 거부의 의사표시는 행정처분에 해당한다.
④ 「도시 및 주거환경정비법」상 주택재건축정비사업조합을 상대로 관리처분계획안에 대한 조합총회결의의 효력 등을 다투는 소송은 관리처분계획의 인가·고시가 있은 이후라도 특별한 사정이 없는 한 허용되어야 한다.

2019년 지방직 7급

① (○) 공무원연금법령상 급여를 받으려고 하는 자는 먼저 구체적 권리를 인정받아야 한다.

> 공무원연금법령상 급여를 받으려고 하는 자는 우선 관계 법령에 따라 공무원연금공단에 급여지급을 신청하여 공무원연금공단이 이를 거부하거나 일부 금액만 인정하는 급여지급결정을 하는 경우 그 결정을 대상으로 항고소송을 제기하는 등으로 구체적 권리를 인정받아야 하고, 구체적인 권리가 발생하지 않은 상태에서 곧바로 공무원 연금공단을 상대로 한 당사자소송으로 권리의 확인이나 급여의 지급을 소구하는 것은 허용되지 아니한다(대판 2017.2.9. 2014두43264).

② (×) 연가보상비 부지급행위는 처분에 해당하지 않는다.

> 국가공무원법 제67조, 구 공무원복무규정 제15조, 제16조 제5항, 제17조 등의 각 규정에 비추어 보면, 공무원의 연가보상비청구권은 공무원이 연가를 실시하지 아니하는 등 법령상 정해진 요건이 충족되면 그 자체만으로 지급기준일 또는 보수지급기관의 장이 정한 지급일에 구체적으로 발생하고 행정청의 지급결정에 의하여 비로소 발생하는 것은 아니라고 할 것이므로, 행정청이 공무원에게 연가 보상비를 지급하지 아니한 행위로 인하여 공무원의 연가보상비청구권 등 법률상 지위에 아무런 영향을 미친다고 할 수는 없으므로 행정청의 연가보상비 부지급 행위는 항고소송의 대상이 되는 처분이라고 볼 수 없다(대판 1999.7.23. 97누10857).

③ (×) 명예퇴직한 법관의 미지급수당 지급을 구하는 것은 당사자소송의 대상이다.

> 명예퇴직수당 지급대상자로 결정된 법관에 대하여 지급할 수당액은 명예퇴직수당규칙 제4조 [별표1]에 산정 기준이 정해져 있으므로, 위 법관은 위 규정에서 정한 정당한 산정 기준에 따라 산정된 명예퇴직수당액을 수령할 구체적인 권리를 가진다. 따라서 위 법관이 이미 수령한 수당액이 위 규정에서 정한 정당한 명예퇴직수당액에 미치지 못한다고 주장하며 차액의 지급을 신청함에 대하여 법원행정처장이 거부하는 의사를 표시했더라도, 그 의사표시는 명예퇴직수당액을 형성·확정하는 행정처분이 아니라 공법상의 법률관계의 한쪽 당사자로서 지급의무의 존부 및 범위에 관하여 자신의 의견을 밝힌 것에 불과하므로 행정처분으로 볼 수 없다. 결국 명예퇴직한 법관이 미지급 명예퇴직수당액에 대하여 가지는 권리는 명예퇴직수당 지급대상자 결정절차를 거쳐 명예퇴직수당규칙에 의하여 확정된 공법상 법률관계에 관한 권리로서, 그 지급을 구하는 소송은 행정소송법의 당사자소송에 해당하며, 그 법률관계의 당사자인 국가를 상대로 제기하여야 한다(대판 2016.5.24. 2013두14863).

문제 DATA
출제가능 지수 ▶▶▷
난이도 지수 ★★☆

함께 정리하기

항고소송의 대상

공무원연금 급여지급결정
▷ 항고소송

연가보상비 미지급
▷ 처분×

명예퇴직한 법관의 명예퇴직수당청구
▷ 당사자소송

관리처분계획의 인가고시 이후
▷ 계획에 대해 항고소송

④ (×) 관리처분계획의 인가·고시 후에는 관리처분계획을 항고소송으로 다투어야 하고, 총회결의 부분을 따로 떼어 제소할 수 없다.

> 도시 및 주거환경정비법상 주택재건축정비사업조합이 같은 법 제48조에 따라 수립한 관리처분계획에 대하여 관할 행정청의 인가·고시까지 있게 되면 관리처분계획은 행정처분으로서 효력이 발생하게 되므로, 총회결의의 하자를 이유로 하여 행정처분의 효력을 다투는 항고소송의 방법으로 관리처분계획의 취소 또는 무효확인을 구하여야 하고, 그와 별도로 행정처분에 이르는 절차적 요건 중 하나에 불과한 총회결의 부분만을 따로 떼어내어 효력 유무를 다투는 확인의 소를 제기하는 것은 특별한 사정이 없는 한 허용되지 않는다(대판 2009.9.17. 2007다2428 전합).

답 ①

040

다음 중 항고소송의 대상이 될 수 있는 것은? (다툼이 있는 경우 판례에 의함)

① 상훈대상자를 결정할 권한이 없는 국가보훈처장이 기포상자에게 훈격재심사계획이 없다고 한 회신
② 「농지법」에 의하여 군수가 특정지역의 주민들을 대리경작자로 지정한 행위에 따라 그 지역의 읍장과 면장이 영농할 세대를 선정하는 행위
③ 지방자치단체의 장이 그 지방자치단체 소유의 밭에 측백나무 300그루를 식재하는 행위
④ 교도소장이 수형자를 '접견내용 녹음·녹화 및 접견 시 교도관 참여대상자'로 지정하는 행위
⑤ 제1차 철거대집행 계고처분에 응하지 아니한 경우에 발한 제2차 계고처분

2018년 국회직 8급

① (×) 권한 없는 보훈처장의 재심사계획 없음의 통보는 처분에 해당하지 않는다.

> 행정청의 공권력의 행사로서 구체적인 권리의무에 관한 분쟁이 아닌 단순한 사실행위는 행정소송의 대상이 되지 아니한다. 상훈대상자를 결정할 권한이 없는 국가보훈처장이 기포상자에게 훈격재심사계획이 없다고 한 회신은 단순한 사실행위에 불과하다(대판 1989.1.24. 88누3116).

② (×) 군수 지정에 따른 읍면장의 영농세대 선정행위는 처분에 해당하지 않는다.

> 군수가 농지의 보전 및 이용에 관한 법률에 의하여 특정지역의 주민들을 대리경작자로 지정한 행위는 그 주민들에게 유휴농지를 경작할 수 있는 권리를 부여하는 행정처분이고 이에 따라 그 지역의 읍장과 면장이 영농할 세대를 선정한 행위는 위 행정처분의 통지를 대행한 사실행위에 불과하다(대판 1980.9.9. 80누308).

③ (×) 밭에 나무를 식재한 행위는 처분에 해당하지 않는다.

> 피고의 행위, 즉 부산시 서구청장이 원고 소유의 밭에 측백나무 300주를 식재한 것은 공법상의 법률행위가 아니라 사실행위에 불과하므로 행정소송의 대상이 아니다(대판 1979.7.24. 79누173).

④ (○) 교도소장의 접견내용 녹음·녹화 및 접견시 교도관참여대상자 지정행위는 처분에 해당한다.

> 피고가 위와 같은 지정행위를 함으로써 원고의 접견 시마다 사생활의 비밀 등 권리에 제한을 가하는 교도관의 참여, 접견내용의 청취·기록·녹음·녹화가 이루어졌으므로 이는 피고가 그 우월적 지위에서 수형자인 원고에게 일방적으로 강제하는 성격을 가진 공권력적 사실행위의 성격을 갖고 있는 점, 위 지정행위는 그 효과가 일회적인 것이 아니라 이 사건 제1심판결이 선고된 이후인 2013.2.13.까지 오랜 기간 동안 지속되어 왔으며, 원고로 하여금 이를 수인할 것을 강제하는 성격도 아울러 가지고 있는 점, 위와 같이 계속성을 갖는 공권력적 사실행위를 취소할 경우 장래에 이루어질지도 모르는 기본권의 침해로부터 수형자

문제 DATA

출제가능 지수 ▶▶▷
난이도 지수 ★★☆

함께 정리하기

대상적격
▷ 권한없는 국가보훈처장의 훈격재심사계획 없음의 통보 ×
▷ 군수의 지정에 따라 읍·면장의 영농세대 선정행위 ×
▷ 지자체장의 지자체 소유 밭에 측백나무 300그루 식재행위 ×
▷ 교도소장의 접견내용 녹음·녹화, 접견 시 교도관참여대상자 지정행위 ○
▷ 제1차 계고처분 후의 제2차 계고처분 ×

들의 기본적 권리를 구제할 실익이 있는 것으로 보이는 점 등을 종합하면, 위와 같은 지정행위는 수형자의 구체적 권리의무에 직접적 변동을 초래하는 행정청의 공법상 행위로서 항고소송의 대상이 되는 '처분'에 해당한다(대판 2014.2.13. 2013두20899).

⑤ (×) 제2차 계고처분은 처분에 해당하지 않는다.

> 철거대집행 계고처분을 고지한 후 이에 불응하자 다시 제2차, 제3차 계고서를 발송하여 일정기간까지의 자진철거를 촉구하고 불이행하면 대집행을 한다는 뜻을 고지하였다면 행정대집행법상의 건물철거의무는 제1차 철거명령 및 계고처분으로서 발생하였고 제2차, 제3차의 계고처분은 새로운 철거의무를 부과한 것이 아니고 다만 대집행기한의 연기통지에 불과하므로 행정처분이 아니다(대판 1994.10.28. 94누5144).

답 ④

041 □□□

항고소송의 대상인 처분에 대한 설명으로 옳은 것은? (다툼이 있는 경우 판례에 의함)

① 국립대학교 총장의 임용권한은 대통령에게 있으므로, 교육부장관이 대통령에게 임용제청을 하면서 대학에서 추천한 복수의 총장 후보자들 중 일부를 임용제청에서 제외한 행위는 처분에 해당하지 않는다.
② 인터넷 포털사이트의 개인정보 유출사고로 주민등록번호가 불법 유출되었음을 이유로 주민등록번호 변경신청을 하였으나 관할 구청장이 이를 거부한 경우, 그 거부행위는 처분에 해당하지 않는다.
③ 검사의 불기소결정은 공권력의 행사에 포함되므로, 검사의 자의적인 수사에 의하여 불기소결정이 이루어진 경우 그 불기소결정은 처분에 해당한다.
④ 국가인권위원회가 진정에 대하여 각하 및 기각결정을 할 경우 피해자인 진정인은 인권침해 등에 대한 구제조치를 받을 권리를 박탈당하게 되므로, 국가인권위원회의 진정에 대한 각하 및 기각결정은 처분에 해당한다.

2019년 국가직 9급

① (×) 교육부장관의 총장후보자 임용제청제외는 처분에 해당한다.

> 이를 항고소송의 대상이 되는 처분으로 보지 않는다면, 침해된 권리 또는 법률상 이익을 구제받을 방법이 없다. 따라서 교육부장관이 대학에서 추천한 복수의 총장 후보자 전부 또는 일부를 임용제청에서 제외하는 행위는 제외된 후보자들에 대한 불이익처분으로서 항고소송의 대상이 되는 처분에 해당한다고 보아야 한다(대판 2018.6.15. 2016두57564).

② (×) 주민번호 불법유출로 인한 주민번호 변경신청에 대한 거부는 처분에 해당한다.

> 피해자의 의사와 무관하게 주민등록번호가 유출된 경우에는 조리상 주민등록번호의 변경을 요구할 신청권을 인정함이 타당하고, 구청장의 주민등록번호 변경신청 거부행위는 항고소송의 대상이 되는 행정처분에 해당한다(대판 2017.6.15. 2013두2945).

유제 19. 서울시 9급·지방직 9급 피해자의 의사와 무관하게 주민등록번호가 유출된 경우라고 하더라도 주민등록번호의 변경을 요구할 신청권은 인정되지 않으므로, 구청장의 주민등록번호변경신청 거부행위는 항고소송의 대상이 되는 행정처분에 해당하지 않는다. (×)

문제 DATA

출제가능 지수 ▶▶▷
난이도 지수 ★★☆

함께 정리하기

대상적격

교육부장관의 총장후보자 임용제청제외
▷ 행정처분 ○

개인정보 불법유출로 인한 주민등록번호 변경신청거부
▷ 행정처분 ○

검사의 불기소결정
▷ 행정처분 × (항고·재항고·재정신청 대상)

국가인권위원회의 진정 각하·기각결정
▷ 행정처분 ○

③ (×) 검사의 불기소결정은 처분에 해당하지 않는다.

> 행정소송법 제2조의 처분의 개념 정의에는 해당한다고 하더라도 그 처분의 근거 법률에서 행정소송 이외의 다른 절차에 의하여 불복할 것을 예정하고 있는 처분은 항고소송의 대상이 될 수 없다. 검사의 불기소결정에 대해서는 검찰청법에 의한 항고와 재항고, 형사소송법에 의한 재정신청에 의해서만 불복할 수 있는 것이므로, 이에 대해서는 행정소송법상 항고소송을 제기할 수 없다(대판 2018.9.28. 2017두17465).

④ (○) 국가인권위의 진정 각하·기각결정은 처분에 해당한다.

> 국가인권위원회가 진정을 각하 및 기각결정을 할 경우 피해자인 진정인으로서는 자신의 인격권 등을 침해하는 인권침해 또는 차별행위 등이 시정되고 그에 따른 구제조치를 받을 권리를 박탈당하게 되므로, 진정에 대한 국가인권위원회의 각하 및 기각결정은 피해자인 진정인의 권리행사에 중대한 지장을 초래하는 것으로서 항고소송의 대상이 되는 행정처분에 해당하므로, 그에 대한 다툼은 우선 행정심판이나 행정소송에 의하여야 할 것이다(헌재 2015.3.26. 2013헌마214).

답 ④

042

<보기>의 행정상 법률관계 중 행정소송의 대상이 되는 경우만을 모두 고른 것은?

<보기>
ㄱ. 「지방재정법」에 따라 지방자치단체가 당사자가 되어 체결하는 계약에 있어 계약보증금의 귀속조치
ㄴ. 국유재산의 무단점유자에 대한 변상금의 부과
ㄷ. 시립무용단원의 해촉
ㄹ. 행정재산의 사용·수익허가 신청의 거부

① ㄱ, ㄷ
② ㄴ, ㄹ
③ ㄱ, ㄷ, ㄹ
④ ㄴ, ㄷ, ㄹ

2019년 서울시 9급

ㄱ. (×) 「지방재정법」상 계약보증금의 귀속조치는 민사소송의 대상이다.

> 입찰보증금의 국고귀속조치는 국가가 사법상의 재산권의 주체로서 행위하는 것이지 공권력을 행사하는 것이거나 공권력작용과 일체성을 가진 것이 아니라 할 것이므로 이에 관한 분쟁은 행정소송이 아닌 민사소송의 대상이 될 수밖에 없다고 할 것이다(대판 1983.12.27. 81누366).

ㄴ. (○) 국유재산 무단점유자에 대한 변상금부과는 처분에 해당한다.

> 국유재산의 관리청이 그 무단점유자에 대하여 하는 변상금부과처분은 순전히 사경제 주체로서 행하는 사법상의 법률행위라 할 수 없고 이는 관리청이 공권력을 가진 우월적 지위에서 행한 것으로서 행정소송의 대상이 되는 행정처분이라고 보아야 한다(대판 1988.2.23. 87누1046).

ㄷ. (○) 시립무용단원의 해촉은 당사자소송의 대상에 해당한다.

> 서울특별시립무용단원이 가지는 지위가 공무원과 유사한 것이라면, 서울특별시립무용단 단원의 위촉은 공법상의 계약이라고 할 것이고, 따라서 그 단원의 해촉에 대하여는 공법상의 당사자소송으로 그 무효확인을 청구할 수 있다(대판 1995.12.22. 95누4636).

문제 DATA

출제가능 지수 ▶▶▷
난이도 지수 ★★☆

함께 정리하기

공법·사법관계

「지방재정법」따른 계약보증금 귀속조치
▷ 민사소송

국유재산 무단점유자 변상금부과
▷ 항고소송

시립무용단원 해촉
▷ 당사자소송

행정재산 사용·수익허가신청 거부
▷ 항고소송

ㄹ. (○) 행정재산 사용·수익 허가신청의 거부는 처분에 해당한다.

> 행정재산의 사용·수익허가처분의 성질에 비추어 국민에게는 행정재산의 사용·수익허가를 신청할 법규상 또는 조리상의 권리가 있다고 할 것이므로 공유재산의 관리청이 행정재산의 사용·수익에 대한 허가신청을 거부한 행위 역시 행정처분에 해당한다(대판 1998.2.27. 97누1105).

답 ④

043

처분에 대한 판례의 입장으로 옳지 않은 것은?

① 행정재산의 무단점유자에 대한 변상금부과행위는 처분이나, 대부한 일반재산에 대한 사용료 부과고지행위는 처분이 아니다.
② 제1차 계고처분 이후 고지된 제2차, 제3차의 계고처분은 처분이 아니나, 거부처분이 있은 후 동일한 내용의 신청에 대하여 다시 거절의 의사표시를 한 경우에는 새로운 처분으로 본다.
③ 행정행위의 부관 중 조건이나 기한은 독립하여 행정소송의 대상이 될 수 없으나, 부담은 독립하여 행정소송의 대상이 될 수 있다.
④ 병역처분의 자료로 군의관이 하는 「병역법」상의 신체등급판정은 처분이나, 「산업재해보상보험법」상 장해보상금결정의 기준이 되는 장해등급결정은 처분이 아니다.

| 2017년 지방직 9급

① (○) 변상금부과처분과는 달리, 대부재산 사용료 부과고지행위는 처분에 해당하지 않는다.

> 1. 국유재산의 관리청이 그 무단점유자에 대하여 하는 변상금부과처분은 순전히 사경제주체로서 행하는 사법상의 법률행위라 할 수 없고, 이는 관리청이 공권력을 가진 우월적 지위에서 행한 것으로서 행정소송의 대상이 되는 행정처분이라고 보아야 한다(대판 1988.2.23. 87누1046·1047).
> 2. 국유잡종재산을 대부하는 행위는 국가가 사경제 주체로서 상대방과 대등한 위치에서 행하는 사법상의 계약이지 행정청이 공권력의 주체로서 상대방의 의사 여하에 불구하고 일방적으로 행하는 행정처분이라고 볼 수 없고, 국유잡종재산에 관한 사용료의 납입고지 역시 사법상의 이행청구에 해당하는 것으로서 이를 항고소송의 대상이 되는 행정처분이라고 할 수 없다(대판 1995.5.12. 94누5281).

② (○) 반복된 거부와는 달리, 반복된 계고는 처분에 해당하지 않는다.

> 철거대집행 계고처분을 고지한 후 이에 불응하자 다시 제2차, 제3차 계고서를 발송하여 일정기간까지의 자진철거를 촉구하고 불이행하면 대집행을 한다는 뜻을 고지하였다면 행정대집행법상의 건물철거의무는 제1차 철거명령 및 계고처분으로서 발생하였고 제2차, 제3차의 계고처분은 새로운 철거의무를 부과한 것이 아니고, 다만 대집행기한의 연기통지에 불과하므로 행정처분이 아니다(대판 1994.10.28. 94누5144).

유제 17. 사복직, 15. 지방직 9급·국회직 8급 대집행을 위한 계고가 동일한 내용으로 수회 반복된 경우에는 최후에 행해진 계고가 항고소송의 대상이 되는 처분이다. (×)

> 거부처분은 관할 행정청이 국민의 처분신청에 대하여 거절의 의사표시를 함으로써 성립되고, 그 이후 동일한 내용의 새로운 신청에 대하여 다시 거절의 의사표시를 한 경우에는 새로운 거부처분이 있는 것으로 보아야 할 것이다(대판 2002.3.29. 2000두6084)

문제 DATA
출제가능 지수 ▶▶▷
난이도 지수 ★★☆

함께 정리하기

처분성

변상금부과행위
▷ 처분○

대부한 일반재산에 대한 사용료 부과고지
▷ 처분×

2·3차 계고처분
▷ 처분×

반복된 거부 처분
▷ 각각 독립된 처분○

부관의 독립쟁송
▷ 조건·기한×
▷ 부담○

신체등급판정
▷ 처분×

「산업재해보상 보험법」상 장해등급결정
▷ 처분○

제5장 항고소송 1(취소소송) **1573**

③ (○) 판례의 입장에 따르면 부담이 아닌 부관을 대상으로 취소소송을 제기한 경우에는 대상적격을 충족하지 못해 각하판결을 받는다. 한편, 부관 중 부담은 독립하여 쟁송의 대상이 된다.

> 행정행위의 부관은 부담인 경우를 제외하고는 독립하여 행정소송의 대상이 될 수 없는바, 이 사건 허가에서 피고가 정한 사용·수익허가의 기간은 이 사건 허가의 효력을 제한하기 위한 행정행위의 부관으로서 이러한 사용·수익 허가의 기간에 대해서는 독립하여 행정소송을 제기할 수 없는 것이다(대판 2001.6.15. 99두509).

④ (×) 판례는 신체등급판정에 대해서 처분성을 부정하고 장해등급결정은 처분성을 인정한다. 설명이 반대로 되어 옳지 않은 지문이다.

> 1. 병역법상 신체등위판정은 행정청이라고 볼 수 없는 군의관이 하도록 되어 있으며, 그에 따라 지방병무청장이 병역처분을 함으로써 비로소 병역의무의 종류가 정하여지는 것이므로 항고소송의 대상이 되는 행정처분이라 보기 어렵다(대판 1993.8.27. 93누3356).
> 2. 대법원은 산업재해보상보험법상 장해등급결정처분에 대한 처분성을 긍정하는 전제에서 본안판단을 하였다(대판 2002.4.26. 2001두8155).

답 ④

044

행정의 주요 행위형식에 대한 설명으로 옳지 않은 것은? (다툼이 있는 경우 판례에 의함)

① 행정청인 관리권자로부터 관리업무를 위탁받은 공단이 우월적 지위에서 일정한 법률상 효과를 발생하게 하는 공단입주 변경계약은 공법계약으로 이의 취소는 공법상 당사자소송으로 해야 한다.
② 어업권면허에 선행하는 우선순위결정은 행정청이 우선권자로 결정된 자의 신청이 있으면 어업권 면허처분을 하겠다는 것을 약속하는 행위로서 강학상 확약에 불과하다.
③ 행정사법작용에 관한 법적 분쟁은 특별한 규정이 없는 한 민사소송을 통해 구제를 도모하여야 한다.
④ 행정자동결정이 행정사실행위에 해당한다고 하게 되면 그것은 직접적인 법적 효과는 발생하지 않으며, 다만 국가배상청구권의 발생 등 간접적인 법적 효과만 발생함이 원칙이다.

| 2020년 군무원 7급

① (×) 성남산업단지관리공단의 입주변경계약의 취소는 행정처분에 해당한다.

> 피고 공단(성남산업단지관리공단)의 지위 등을 종합적으로 고려하면, 이 사건 변경계약취소(산업단지 입주 변경계약의 취소)는 행정청인 관리권자로부터 관리 업무를 위탁받은 피고 공단이 우월적 지위에서 원고들에게 일정한 법률상 효과를 발생하게 하는 것으로서 항고소송의 대상이 되는 행정처분에 해당한다(대판 2017.6.15. 2014두46843).

유제 17. 지방직 7급 구「산업집적활성화 및 공장설립에 관한 법률」에 따른 산업단지입주계약의 해지통보는 행정청인 관리권자로부터 관리업무를 위탁받은 한국산업단지공단이 우월적인 지위에서 그 상대방에게 일정한 법률상 효과를 발생하게 하는 것으로서 항고소송의 대상이 되는 행정처분에 해당한다. (○)

② (○) 어업권면허에 선행하는 우선순위 결정은 강학상 확약으로서 그 처분성이 부정된다.

> 어업권면허에 선행하는 우선순위결정은 행정청이 우선권자로 결정된 자의 신청이 있으면 어업권면허처분을 하겠다는 것을 약속하는 행위로서 강학상 확약에 불과하고 행정처분은 아니므로, 우선순위결정에 공정력이나 불가쟁력과 같은 효력은 인정되지 아니하며, 따라서 우선순위결정이 잘못되었다는 이유로 종전의 어업권면허처분이 취소되면 행정청은 종전의 우선순위결정을 무시하고 다시 우선순위를 결정한 다음 새로운 우선순위결정에 기하여 새로운 어업권면허를 할 수 있다(대판 1995.1.20. 94누6529).

문제 DATA

출제가능 지수 ▶▶▷
난이도 지수 ★★☆

함께 정리하기

항고소송의 대상

성남산업단지 관리공단의 입주변경 계약 취소
▷ 행정처분 ○

어업권면허에 선행하는 우선순위결정
▷ 확약(∴처분성 無)

행정사법관계
▷ 공행정작용 수행 위해 사법적 형식을 수단으로 하는 관계
▷ 사법규정 적용
▷ 분쟁해결수단은 민사소송

행정상 사실행위
▷ 행정 목적 달성 위한 물리력의 행사
▷ 직접적인 법적 효과 발생 ×
▷ 간접적 국가배상청구권 발생 ○

유제 19. 소방직, 16. 서울시 9급, 13. 국가직 7급·국가직 9급 등 판례에 따르면 어업권면허에 선행하는 우선순위결정은 강학상 확약에 불과하다고 하여 처분성을 부정한다. (○)

③ (○) 행정사법관계란 행정주체가 공행정작용을 수행하는데 그 수단으로 사법적 형식을 빌려 오는 것을 말한다(예 철도사업, 우편사업, 시영버스사업 등). 행정사법관계의 특징은 수단이 사법적 형식이므로 사법규정이 적용되며 그 분쟁 역시 민사소송에 의한다.

④ (○) 행정상 사실행위는 행정 목적 달성하기 위한 물리력의 행사로서 행정행위와 달리 직접적인 법적 효과를 발생시키지 않고, 다만 간접적으로 국가배상청구권 발생 등의 효력을 발생시킨다.

답 ①

045 □□□

행정소송의 대상이 되는 처분에 대한 판례의 입장으로 옳지 않은 것은? (다툼이 있는 경우 판례에 의함)

① 당사자가 지방노동위원회의 처분에 대하여 불복하기 위해서는 처분 송달일로부터 10일 이내에 중앙노동위원회에 재심을 신청하고 중앙노동위원회의 재심판정서 송달일로부터 15일 이내에 고용노동부장관을 피고로 하여 재심판정취소의 소를 제기하여야 할 것이다.

② 지방의회 의장에 대한 불신임의결은 의장으로서의 권한을 박탈하는 행정처분의 일종으로서 항고소송의 대상이 된다.

③ 조례가 집행행위의 개입 없이도 그 자체로서 직접 국민의 구체적인 권리의무나 법적 이익에 영향을 미치는 등의 법률상 효과를 발생하는 경우 그 조례는 항고소송의 대상이 되는 행정처분에 해당한다.

④ 항정신병 치료제의 요양급여 인정기준에 관한 보건복지부 고시가 다른 집행행위의 매개 없이 그 자체로서 제약회사, 요양기관, 환자 및 국민건강보험공단 사이의 법률관계를 직접 규율 한다는 이유로 항고소송의 대상이 되는 행정처분에 해당한다.

2020년 군무원 9급

① (×) 중앙노동심판위원회의 재심판정에 대한 취소소송의 피고는 중앙노동위원회 위원장이 된다.

> 노동위원회법 제19조의2 제1항의 규정은 행정처분의 성질을 가지는 지방노동위원회의 처분에 대하여 중앙노동위원장을 상대로 행정소송을 제기할 경우의 전치요건에 관한 규정이라 할 것이므로 당사자가 지방노동위원회의 처분에 대하여 불복하기 위하여는 처분 송달일로부터 10일 이내에 중앙노동위원회에 재심을 신청하고 중앙노동위원회의 재심판정서 송달일로부터 15일 이내에 중앙노동위원장을 피고로 하여 재심판정취소의 소를 제기하여야 할 것이다(대판 1995.9.15. 95누6724).

유제 16. 서울시 7급, 15. 국가직 9급 판례에 의하면 지방노동위원회의 처분에 대하여 불복이 있는 경우에 중앙노동위원회에 재심을 신청할 수 있고, 중앙노동위원회의 재심에 불복하는 경우의 취소소송은 중앙노동위원회위원장이 아니라 중앙노동위원회를 피고로 하여야 한다. (×)

08. 국가직 9급 중앙노동위원회의 처분에 대한 행정소송의 피고는 중앙노동위원회가 된다. (×)

② (○) 지방의회 의장에 대한 불신임의결은 행정처분에 해당한다.

> 지방의회를 대표하고 의사를 정리하며 회의장 내의 질서를 유지하고 의회의 사무를 감독하며 위원회에 출석하여 발언할 수 있는 등의 직무권한을 가지는 지방의회 의장에 대한 불신임의결은 의장으로서의 권한을 박탈하는 행정처분의 일종으로서 항고소송의 대상이 된다(대판 1994.10.11. 94두23).

유제 12. 국가직 7급, 09. 지방직 9급 판례에 의하면 지방의회 의장에 대한 불신임의결은 지방의회의 내부적 결정에 불과하므로 행정소송으로 다툴 수 있는 행정처분(행정행위)이 아니다. (×)

문제 DATA

출제가능 지수 ▶▶▷
난이도 지수 ★★☆

함께 정리하기

행정소송의 대상

중앙노동심판위원회 재심판정 취소소송의 피고
▷ 중앙노동위원회 위원장

지방의회 의장에 대한 불신임의결
▷ 행정처분○

직접 권리의무에 영향 미치는 조례
▷ 행정처분○

항정신병 치료제의 요양급여 인정 기준
▷ 처분○(∵직접 규율)

③ (○) 처분적 조례는 항고소송의 대상이 된다.

> 조례가 집행행위의 개입 없이도 그 자체로서 직접 국민의 구체적인 권리의무나 법적 이익에 영향을 미치는 등의 법률상 효과를 발생하는 경우 그 조례는 항고소송의 대상이 되는 행정처분에 해당하고, 이러한 조례에 대한 무효확인소송을 제기함에 있어서 행정소송법 제38조 제1항, 제13조에 의하여 피고적격이 있는 처분 등을 행한 행정청은, 지방자치단체의 집행기관으로서 조례로서의 효력을 발생시키는 공포권이 있는 지방자치단체의 장이다(대판 1996.9.20. 95누8003).

④ (○) 향정신병 치료제의 요양급여 인정기준은 행정처분에 해당한다.

> 향정신병 치료제의 요양급여 인정기준에 관한 보건복지부 고시가 다른 집행행위의 매개 없이 그 자체로서 제약회사, 요양기관, 환자 및 국민건강보험공단 사이의 법률관계를 직접 규율 하여 항고소송의 대상이 되는 행정처분에 해당한다(대결 2003.10.9. 2003무23).

유제 12. 지방직 9급 판례에 의하면 보건복지부 고시가 다른 집행행위의 매개 없이 그 자체로서 요양기관, 국민건강보험공단, 국민건강보험가입자 등의 법률관계를 직접 규율하고 있다면 항고소송의 대상이 된다. (○)

답 ①

046 □□□

「행정소송법」상 거부처분에 대한 설명으로 옳지 않은 것은? (다툼이 있는 경우 판례에 의함)

① 정보공개청구인이 전자적 형태의 정보를 정보통신망을 통하여 송신하는 방법으로 정보공개할 것을 청구하였으나, 공공기관이 대상정보를 공개하되 방문하여 수령하라고 결정하여 통지한 경우, 청구인에게 특정한 공개방법을 지정하여 정보공개를 청구할 수 있는 법령상 신청권이 있다고 볼 수는 없으므로, 이를 항고소송의 대상이 되는 거부처분이라 할 수 없다.

② 개발부담금을 부과할 때는 가능한 한 개발부담금 부과처분 후에 지출한 개발비용도 공제함이 마땅하므로, 이미 부과처분에 따라 납부한 개발부담금 중 부과처분 후 납부한 개발비용인 학교용지부담금에 해당하는 금액에 대하여는 조리상 그 취소나 변경 등 환급에 필요한 처분을 신청할 권리가 인정되므로, 그 환급신청 거절회신은 항고소송의 대상이 된다.

③ 중요무형문화재 보유자의 추가인정 여부는 행정청의 재량에 속하고, 특정 개인에게 자신을 보유자로 인정해 달라는 법규상 또는 조리상 신청권이 있다고 할 수 없어, 중요무형문화인 경기민요 보유자 추가 인정 신청에 대한 거부는 항고소송의 대상이 되지 않는다.

④ 기간제로 임용되어 임용기간이 만료된 국·공립대학의 조교수에 대하여 재임용을 거부하는 취지의 임용기간만료 통지는 항고소송의 대상이 된다.

⑤ 업무상 재해를 당한 甲의 요양급여 신청에 대하여 근로복지공단이 요양승인 처분을 하면서 사업주를 乙주식회사로 보아 요양승인 사실을 통지하자, 乙주식회사가 甲이 자신의 근로자가 아니라고 주장하면서 근로복지공단에 사업주 변경을 신청하였으나 이를 거부하는 통지를 받은 경우, 근로복지공단의 결정에 따라 산업재해보상보험의 가입자지위가 발생하는 것이 아니므로 乙주식회사에게 법규상 또는 조리상 사업주 변경 신청권이 인정되지 않아, 위 거부통지는 항고소송의 대상이 되지 않는다.

문제 DATA

출제가능 지수 ▶▶▷
난이도 지수 ★★★

2019년 변호사

① (✕) 청구인이 신청한 방법 외의 방법으로 정보공개 하는 경우 항고소송을 제기할 수 있다.

정보의 효율적 활용을 도모하고 청구인의 편의를 제고함으로써 구 정보공개법의 목적인 국민의 알 권리를 충실하게 보장하려는 것이므로, 청구인에게는 특정한 공개방법을 지정하여 정보공개를 청구할 수 있는 법령상 신청권이 있다. 따라서 공공기관이 공개청구의 대상이 된 정보를 공개하되, 청구인이 신청한 공개방법 이외의 방법으로 공개하기로 하는 결정을 하였다면, 이는 정보공개청구 중 정보공개방법에 관한 부분에 대하여 일부 거부처분을 한 것이고, 청구인은 그에 대하여 항고소송으로 다툴 수 있다(대판 2016.11.10. 2016두44674).

② (○) 학교용지부담금을 납부한 개발사업시행자는 개발부담금의 환급에 필요한 처분을 신청할 조리상 권리가 인정된다.

개발부담금 부과처분 후에 학교용지부담금을 납부한 개발사업시행자는 마땅히 공제받아야 할 개발비용을 전혀 공제 받지 못하는 법률상 불이익을 입게 될 수 있는데도 구 개발이익 환수에 관한 법률, 같은 법 시행령은 불복방법에 관하여 아무런 규정을 두지 않고 있다. 위와 같은 사정을 앞서 본 법리에 비추어 보면, 개발사업시행자가 납부한 개발부담금 중 부과처분 후에 납부한 학교용지부담금에 해당하는 금액에 대하여는 조리상 개발부담금 부과처분의 취소나 변경 등 개발부담금의 환급에 필요한 처분을 신청할 권리를 인정함이 타당하다. 결국 이 사건 거부행위 중 이 사건 부과처분 후에 납부된 학교용지부담금에 해당하는 개발부담금의 환급을 거절한 부분은 항고소송의 대상이 되는 행정처분에 해당한다(대판 2016.1.28. 2013두2938).

③ (○) 개인에게 중요무형문화재보유자 추가인정에 관한 법규상 · 조리상 신청권이 인정되지 않는다.

중요무형문화재 보유자의 추가인정 여부는 문화재청장의 재량에 속하고, 특정 개인이 자신을 보유자로 인정해 달라고 신청할 수 있다는 근거 규정을 별도로 두고 있지 아니하므로 법규상으로 개인에게 신청권이 있다고 할 수 없고, 전수교육 조교로서 이 사건 조사를 받았다는 사정만으로는 원고에게 중요무형문화재 보유자의 추가인정에 관한 법규상 또는 조리상 신청권이 있다고 볼 수 없다(대판 2015.12.10. 2013두20585).

④ (○) 국 · 공립대조교수 임용만료통지는 항고소송의 대상이다.

기간제로 임용되어 임용기간이 만료된 국 · 공립대학의 조교수는 교원으로서의 능력과 자질에 관하여 합리적인 기준에 의한 공정한 심사를 받아 위 기준에 부합되면 특별한 사정이 없는 한 재임용되리라는 기대를 가지고 재임용 여부에 관하여 합리적인 기준에 의한 공정한 심사를 요구할 법규상 또는 조리상 신청권을 가진다고 할 것이니, 임용권자가 임용기간이 만료된 조교수에 대하여 재임용을 거부하는 취지로 한 임용기간만료의 통지는 위와 같은 대학교원의 법률관계에 영향을 주는 것으로서 행정소송의 대상이 되는 처분에 해당한다(대판 2004.4.22. 2000두7735).

⑤ (○) 근로복지공단의 사업주 변경신청거부는 항고소송의 대상이 아니다.

산업재해보상보험법, 고용보험 및 산업재해보상보험의 보험료징수 등에 관한 법률 등 관련 법령은 사업주가 이미 발생한 업무상 재해와 관련하여 당시 재해근로자의 사용자가 자신이 아니라 제3자임을 근거로 사업주 변경신청을 할 수 있도록 하는 규정을 두고 있지 않으므로 <u>법규상으로 신청권이 인정된다고 볼 수 없고, 산업재해보상보험에서 보험가입자인 사업주와 보험급여를 받을 근로자에 해당하는지는 해당 사실의 실질에 의하여 결정되는 것일 뿐이고 근로복지공단의 결정에 따라 보험가입자(당연가입자) 지위가 발생하는 것은 아닌 점</u> 등을 종합하면, 사업주 변경신청과 같은 내용의 조리상 신청권이 인정된다고 볼 수도 없으므로, 근로복지공단이 신청을 거부하였더라도 乙 회사의 권리나 법적 이익에 어떤 영향을 미치는 것은 아니어서, 위 통지는 항고소송의 대상이 되는 행정처분이 되지 않는다(대판 2016.7.14. 2014두47426).

답 ①

📋 함께 정리하기

거부처분

청구인은 특정한 공개방법 지정 可
▷ 이외의 방법으로 공개는 일부거부처분

납부한 개발부담금 중 학교용지부담금
▷ 조리상 환급신청권 인정(거절회신은 대상적격O)

개인에게 중요무형문화재보유자 인정 해 달라는
▷ 법규상 · 조리상 신청권 無

국 · 공립대학 조교수 임용기간만료통지
▷ 항고소송의 대상O

법규상 · 조리상 사업주 변경신청권 無
▷ 근로복지공단의 거부통지는 항고소송의 대상✕

047

취소소송의 소송요건에 대한 설명으로 옳은 것은? (다툼이 있는 경우 판례에 의함)

① 처분의 근거가 행정규칙에 규정되어 있는 경우에는 취소소송의 대상이 되는 행정처분이 될 수 없다.
② 국유의 일반재산에 대한 대부신청을 거부하는 행위는 취소소송의 대상이 되는 행정처분에 해당한다.
③ 취소소송의 제소시에 원고적격이 인정되어 사실심 변론종결시까지 존속되었다면 이후 상고심에서 원고적격이 흠결되더라도 소는 적법하게 유지된다.
④ 거부처분이 행정심판의 재결에서 취소된 경우 그 재결에 따른 후속처분이 아니라 거부처분 취소재결의 취소를 구하는 소는 법률상의 이익이 없어 허용되지 않는다.
⑤ 재결취소소송이 허용되는 '재결 자체에 고유한 위법'이란 재결 자체의 주체, 절차, 형식상 위법을 말하며, 재결 자체의 내용상 위법은 포함되지 않는다.

> 2025년 소방간부

① (×) 항고소송의 대상이 되는 행정처분이라 함은 원칙적으로 행정청의 공법상 행위로서 특정 사항에 대하여 법규에 의한 권리의 설정 또는 의무의 부담을 명하거나 기타 법률상 효과를 발생하게 하는 등으로 일반 국민의 권리 의무에 직접 영향을 미치는 행위를 가리키는 것이지만, 어떠한 처분의 근거나 법적인 효과가 행정규칙에 규정되어 있다고 하더라도, 그 처분이 행정규칙의 내부적 구속력에 의하여 상대방에게 권리의 설정 또는 의무의 부담을 명하거나 기타 법적인 효과를 발생하게 하는 등으로 그 상대방의 권리 의무에 직접 영향을 미치는 행위라면, 이 경우에도 항고소송의 대상이 되는 행정처분에 해당한다(대판 2002.7.26. 2001두3532).

② (×) 지방자치단체장이 국유 잡종재산을 대부하여 달라는 신청을 거부한 것은 항고소송의 대상이 되는 행정처분이 아니므로 행정소송으로 그 취소를 구할 수 없다(대판 1998.9.22. 98두7602).

③ (×) 행정처분의 직접 상대방이 아닌 제3자라 하더라도 당해 행정처분으로 인하여 법률상 보호되는 이익을 침해당한 경우에는 그 처분의 취소나 무효확인을 구하는 행정소송을 제기하여 그 당부의 판단을 받을 자격 즉 원고적격이 있고, 여기에서 말하는 법률상 보호되는 이익은 당해 처분의 근거 법규 및 관련 법규에 의하여 보호되는 개별적·직접적·구체적 이익을 말하며, 원고적격은 소송요건의 하나이므로 사실심 변론종결시는 물론 상고심에서도 존속하여야 하고 이를 흠결하면 부적법한 소가 된다(대판 2007.4.12. 2004두7924).

④ (○) 행정청이 한 처분 등의 취소를 구하는 소송은 처분에 의하여 발생한 위법 상태를 배제하여 원래 상태로 회복시키고 처분으로 침해된 권리나 이익을 구제하고자 하는 것이다. 따라서 해당 처분 등의 취소를 구하는 것보다 실효적이고 직접적인 구제수단이 있음에도 처분 등의 취소를 구하는 것은 특별한 사정이 없는 한 분쟁해결의 유효적절한 수단이라고 할 수 없어 법률상 이익이 있다고 할 수 없다. 그런데 당사자의 신청을 받아들이지 않은 거부처분이 재결에서 취소된 경우에 행정청은 종전 거부처분 또는 재결 후에 발생한 새로운 사유를 내세워 다시 거부처분을 할 수 있다. 그 재결의 취지에 따라 이전의 신청에 대하여 다시 어떠한 처분을 하여야 할지는 처분을 할 때의 법령과 사실을 기준으로 판단하여야 하기 때문이다. 또한 행정청이 재결에 따라 이전의 신청을 받아들이는 후속처분을 하였더라도 후속처분이 위법한 경우에는 재결에 대한 취소소송을 제기하지 않고도 곧바로 후속처분에 대한 항고소송을 제기하여 다툴 수 있다. 나아가 거부처분을 취소하는 재결이 있더라도 그에 따른 후속처분이 있기까지는 제3자의 권리나 이익에 변동이 있다고 볼 수 없고 후속처분 시에 비로소 제3자의 권리나 이익에 변동이 발생하며, 재결에 대한 항고소송을 제기하여 재결을 취소하는 판결이 확정되더라도 그와 별도로 후속처분이 취소되지 않는 이상 후속처분으로 인한 제3자의 권리나 이익에 대한 침해 상태는 여전히 유지된다. 이러한 점들을 종합하면, 거부처분이 재결에서 취소된 경우 재결에 따른 후속처분이 아니라 그 재결의 취소를 구하는 것은 실효적이고 직접적인 권리구제수단이 될 수 없어 분쟁해결의 유효적절한 수단이라고 할 수 없으므로 법률상 이익이 없다(대판 2017.10.31. 2015두45045).

⑤ (×) 행정소송법 제19조에서 말하는 '재결 자체에 고유한 위법'이란 원처분에는 없고 재결에만 있는 재결청의 권한 또는 구성의 위법, 재결의 절차나 형식의 위법, 내용의 위법 등을 뜻하고, 그 중 내용의 위법에는 위법·부당하게 인용재결을 한 경우가 해당한다(대판 1997.9.12. 96누14661).

답 ④

문제 DATA

출제가능 지수 ▶▶▷
난이도 지수 ★★☆

함께 정리하기

취소소송의 소송요건

행정규칙에 근거한 상대방의 권리·의무에 직접 영향을 미치는 행위
▷ 행정처분 ○

일반재산에 대한 대부신청 거부
▷ 행정처분 ×

원고적격
▷ 상고심에서도 要

거부처분의 취소재결
▷ 재결자체 취소 구할 소의 이익 ×

재결 자체에 내용상 위법
▷ 재결 자체의 고유한 하자에 포함 ○

048

재결취소소송에 대한 설명으로 옳지 않은 것은?

① 행정심판의 재결에 이유모순의 위법이 있다는 사유는 재결처분 자체에 고유한 하자로서 재결처분의 취소를 구하는 소송에서는 그 위법사유로서 주장할 수 있으나, 원처분의 취소를 구하는 소송에서는 그 취소를 구할 위법사유로서 주장할 수 없다.
② 징계혐의자에 대한 감봉 1월의 징계처분을 견책으로 변경한 소청결정 중 그를 견책에 처한 조치는 재량권의 남용 또는 일탈로서 위법하다는 사유는 소청결정 자체에 고유한 위법을 주장하는 것이어서 소청결정의 취소사유가 된다.
③ 행정심판청구가 부적법하지 않음에도 각하한 재결은 심판청구인의 실체심리를 받을 권리를 박탈한 것으로서 원처분에 없는 고유한 하자가 있는 경우에 해당하고, 따라서 위 재결은 취소소송의 대상이 된다.
④ 제3자효를 수반하는 행정행위에 대한 행정심판청구에 있어서 그 청구를 인용하는 내용의 재결로 인하여 비로소 권리이익을 침해받게 되는 자는 그 인용재결에 대하여 다툴 필요가 있고, 그 인용재결은 원처분과 내용을 달리하는 것이므로 그 인용재결의 취소를 구하는 것은 원처분에는 없는 재결에 고유한 하자를 주장하는 셈이어서 당연히 항고소송의 대상이 된다.

2024년 국가직 7급

① (○) 행정처분에 대한 행정심판의 재결에 이유모순의 위법이 있다는 사유는 재결처분 자체에 고유한 하자로서 재결처분의 취소를 구하는 소송에서는 그 위법사유로서 주장할 수 있으나, 원처분의 취소를 구하는 소송에서는 그 취소를 구할 위법사유로서 주장할 수 없다(대판 1996.2.13. 95누8027).
② (×) 항고소송은 원칙적으로 해당처분을 대상으로 하나, 해당 처분에 대한 재결 자체에 고유한 주체, 절차, 형식 또는 내용상의 위법이 있는 경우에 한하여 그 재결을 대상으로 할 수 있다고 해석되므로, 징계혐의자에 대한 감봉 1월의 징계처분을 견책으로 변경한 소청결정 중 그를 견책에 처한 조치는 재량권의 남용 또는 일탈로서 위법하다는 사유는 소청결정 자체에 고유한 위법을 주장하는 것으로 볼 수 없어 소청결정의 취소사유가 될 수 없다(대판 1993.8.24. 93누5673).
③ (○) 행정심판청구가 부적법하지 않음에도 불구하고 실체심리를 하지 않은 채 각하한 재결은 심판청구인의 실체심리를 받을 권리를 박탈한 것으로서 원처분에는 없는 재결에 고유한 하자에 해당하므로, 재결취소소송의 대상이 된다(대판 2001.7.27. 99두2970).
④ (○) 제3자효를 수반하는 행정행위에 대한 행정심판청구에 있어서 그 청구를 인용하는 내용의 재결로 인하여 비로소 권리이익을 침해받게 되는 자는 그 인용재결에 대하여 다툴 필요가 있고, 그 인용재결은 원처분과 내용을 달리하는 것이므로 그 인용재결의 취소를 구하는 것은 원처분에는 없는 재결에 고유한 하자를 주장하는 셈이어서 당연히 항고소송의 대상이 된다(대판 1997.12.23. 96누10911).

답 ②

문제 DATA
출제가능 지수 ▶▶▷
난이도 지수 ★★☆

함께 정리하기

재결취소소송

재결의 이유모순의 위법
▷ 재결 자체의 고유한 하자 ○

감봉을 견책으로 변경한 소청결정이 재량의 일탈·남용으로 위법
▷ 소청결정 자체의 고유한 하자 ×(원처분에는 없고, 재결에만 있는 위법 ×)

적법한 행정심판청구를 각하한 재결
▷ 재결 자체의 고유한 하자 ○

제3자의 청구에 의한 인용재결
▷ 처분상대방은 인용재결 취소소송 可

049

항고소송의 대상인 재결에 대한 설명으로 옳지 않은 것은? (다툼이 있는 경우 판례에 의함)

① 행정심판청구가 부적법하지 않음에도 각하한 재결은 심판청구인의 실체심리를 받을 권리를 박탈한 것으로서 원처분에 없는 고유한 하자가 있는 경우에 해당하고, 따라서 위 재결은 취소소송의 대상이 된다.
② 제3자효를 수반하는 행정행위에 대한 행정심판청구에 있어서 그 청구를 인용하는 내용의 재결로 인하여 비로소 권리이익을 침해받게 되는 자는 그 인용재결에 대하여 다툴 필요가 있고, 그 인용재결은 원처분과 내용을 달리하는 것이므로 그 인용재결의 취소를 구하는 것은 원처분에는 없는 재결에 고유한 하자를 주장하는 셈이어서 당연히 항고소송의 대상이 된다.
③ 토지수용에 관한 행정소송에 있어서 토지소유자는 중앙토지수용위원회의 이의재결에 대하여 불복이 있을 때 제기할 수 있고 수용재결은 행정소송의 대상이 될 수 없다.
④ 제3자효 행정행위에 대하여 재결청이 직접 당해 사업계획승인처분을 취소하는 형성적 재결을 한 경우에는 그 재결 외에 그에 따른 행정청의 별도의 처분이 있지 않기 때문에 재결 자체를 쟁송의 대상으로 할 수 있다.

> 2021년 국가직 7급

① (O) 적법한 심판청구를 각하한 재결에는 고유한 하자가 존재한다.

> 행정심판청구가 부적법하지 않음에도 각하한 재결은 심판청구인의 실체심리를 받을 권리를 박탈한 것으로서 원처분에 없는 고유한 하자가 있는 경우에 해당하므로 그 재결은 취소소송의 대상이 된다(대판 2001.7. 27. 99두2970).

②, ④ (O) 제3자의 청구에 의한 인용재결이 있으면 수익적 처분의 직접 상대방은 취소소송을 제기할 수 있다. 형성재결은 그 자체가 취소소송의 대상이 된다.

> 1. 이른바 복효적 행정행위, 특히 제3자효를 수반하는 행정행위에 대한 행정심판청구에 있어서 그 청구를 인용하는 내용의 재결로 인하여 비로소 권리이익을 침해받게 되는 자는 그 인용재결에 대하여 다툴 필요가 있고, 그 인용재결은 원처분과 내용을 달리하는 것이므로 그 인용재결의 취소를 구하는 것은 원처분에는 없는 재결에 고유한 하자를 주장하는 셈이어서 당연히 항고소송의 대상이 된다(대판 1997.12.23. 96누10911).
> 2. 당해 재결과 같이 그 인용재결청인 문화체육부장관 스스로가 직접 당해 사업계획승인처분을 취소하는 형성적 재결을 한 경우에는 그 재결 외에 그에 따른 행정청의 별도의 처분이 있지 않기 때문에 재결 자체를 쟁송의 대상으로 할 수밖에 없다고 본 사례(대판 1997.12.23. 96누10911)

③ (×) 이의신청을 거친 경우에도 수용재결의 취소를 구하는 것이 원칙이다.

> 수용재결에 불복하여 취소소송을 제기하는 때에는 이의신청을 거친 경우에도 수용재결을 한 중앙토지수용위원회 또는 지방토지수용위원회를 피고로 하여 수용재결의 취소를 구하여야 하고, 다만 이의신청에 대한 재결 자체에 고유한 위법이 있음을 이유로 하는 경우에는 그 이의재결을 한 중앙토지수용위원회를 피고로 하여 이의재결의 취소를 구할 수 있다고 보아야 한다(대판 2010.1.28. 2008두1504).

답 ③

문제 DATA

출제가능 지수 ▶▶▷
난이도 지수 ★★☆

함께 정리하기

손실보상

적법한 행정심판청구를 각하한 재결
▷ 재결자체의 고유한 하자

제3자의 청구에 의한 인용재결
▷ 수익적 처분의 상대방은 인용재결 취소소송 可

이의신청 거친 경우
▷ 수용재결 취소 원칙(원처분주의 적용)

형성재결
▷ 형성재결 그 자체가 취소소송의 대상O

050

재결 자체에 고유한 위법이 있는 경우에 대한 내용으로 옳지 않은 것은? (다툼이 있는 경우 판례에 의함)

① 권한이 없는 행정심판위원회에 의한 재결의 경우가 그 예이다.
② 재결 자체의 내용상 위법도 재결 자체에 고유한 위법이 있는 경우에 포함된다.
③ 제3자효를 수반하는 행정행위에 대한 행정심판청구의 인용재결은 원처분과 내용을 달리하는 것이므로 그 인용재결의 취소를 구하는 것은 원처분에는 없는 재결에 고유한 하자를 주장하는 것이라고 하더라도 당연히 항고소송의 대상이 되는 것은 아니다.
④ 행정처분에 대한 행정심판의 재결에 이유모순의 위법이 있다는 사유는 재결처분 자체에 고유한 하자로서 재결처분의 취소를 구하는 소송에서는 그 위법사유로서 주장할 수 있으나, 원처분의 취소를 구하는 소송에서는 그 취소를 구할 위법 사유로서 주장할 수 없다.

2020년 군무원 9급

①, ② (○) 재결 자체의 주체, 내용상의 위법은 재결 자체의 고유한 위법에 해당한다.

> 행정소송법 제19조에 의하면 행정심판에 대한 재결에 대하여도 그 재결 자체에 고유한 위법이 있음을 이유로 하는 경우에는 항고소송을 제기하여 그 취소를 구할 수 있고, 여기에서 말하는 '재결 자체에 고유한 위법'이란 그 재결 자체에 주체, 절차, 형식 또는 내용상의 위법이 있는 경우를 의미한다(대판 2001.7.27. 99두2970).

③ (✕) 제3자효를 수반하는 인용재결로 권익을 침해받은 제3자는 재결 취소소송을 제기할 수 있다.

> 이른바 복효적 행정행위, 특히 제3자효를 수반하는 행정행위에 대한 행정심판청구에 있어서 그 청구를 인용하는 내용의 재결로 인하여 비로소 권리이익을 침해받게 되는 자는 그 인용재결에 대하여 다툴 필요가 있고, 그 인용재결은 원처분과 내용을 달리하는 것이므로 그 인용재결의 취소를 구하는 것은 원처분에는 없는 재결에 고유한 하자를 주장하는 셈이어서 당연히 항고소송의 대상이 된다(대판 2001.5.29. 99두10292).

유제 15. 서울시 7급, 12. 서울시 9급 판례에 의하면 제3자효 행정행위에서 인용재결이 있는 경우에 그 인용재결로 인하여 비로소 권리이익을 침해받은 자는 그 인용 재결에 대하여 취소를 구할 수 있다. (○)

④ (○) 재결의 이유모순의 위법은 재결 자체의 고유한 위법에 해당한다.

> 행정처분에 대한 행정심판의 재결에 이유모순의 위법이 있다는 사유는 재결처분 자체에 고유한 하자로서 재결처분의 취소를 구하는 소송에서는 그 위법사유로서 주장할 수 있으나, 원처분의 취소를 구하는 소송에서는 그 취소를 구할 위법사유로서 주장할 수 없다(대판 1996.2.13. 95누8027).

답 ③

함께 정리하기

재결의 고유한 하자

권한 없는 행정심판위원회의 재결
▷ 재결 자체에 주체상 하자
▷ 재결의 고유한 하자

재결 자체에 내용상 위법
▷ 재결의 고유한 하자

제3자효를 수반하는 인용재결
▷ 제3자는 항고소송 제기 가

재결의 이유모순의 위법
▷ 재결의 고유한 하자

문제 DATA

출제가능 지수 ▶▶∑
난이도 지수 ★★★

함께 정리하기

재결소송

재결고유의 위법 無
▷ 재결취소소송 기각

소청심사위원회의 감경재결
▷ 대상적격은 변경된 원처분

감사원의 변상판정처분 有
▷ 대상적격은 재심의판정

이의재결에 대한 불복
▷ 대상적격은 수용재결(원처분주의)

소청심사위원회가 처분사유인정불가로 취소결정
▷ 법원은 일부사유 인정시 결정 취소해야 함

051 □□□

재결과 항고소송에 대한 설명으로 옳지 않은 것은? (다툼이 있는 경우 판례에 의함)

① 재결취소소송의 경우 재결 자체에 고유한 위법이 있는지 여부를 심리할 것이고 재결 자체 고유한 위법이 없는 경우에는 원처분의 당부와는 상관없이 당해 재결취소소송은 기각되어야 한다.
② 소청심사위원회가 해임처분을 정직 2월로 변경한 경우 처분의 상대방은 소청심사위원회를 피고로 하여 정직 2월의 재결에 대한 취소소송을 제기할 수 있다.
③ 감사원의 변상판정처분에 대하여서는 행정소송을 제기할 수 없고 그 재결에 해당하는 재심의 판정에 대하여만 감사원을 피고로 하여 행정소송을 제기할 수 있다.
④ 중앙토지수용위원회의 이의재결에 불복하여 취소소송을 제기하는 경우에는 원처분인 수용 재결을 대상으로 하여야 한다.
⑤ 불리한 처분을 받은 사립학교 교원 甲의 소청심사청구에 대하여 교원소청심사위원회가 그 사유 자체가 인정되지 않는다는 이유로 처분을 취소하는 결정을 하고 이에 대하여 乙 학교 법인이 제기한 행정소송 절차에서 심리한 결과 처분사유 중 일부 사유는 인정된다고 판단되는 경우 법원은 교원소청심사위원회의 결정을 취소하여야 한다.

▌2019년 국회직 8급

① (○) 재결 고유의 위법이 없는 경우에는 재결취소소송은 기각된다.

> 행정소송법 제19조는 취소소송은 행정청의 원처분을 대상으로 하되(원처분주의), 다만 "재결 자체에 고유한 위법이 있음을 이유로 하는 경우"에 한하여 행정심판의 재결도 취소소송의 대상으로 삼을 수 있도록 규정하고 있으므로 재결취소소송의 경우 재결 자체에 고유한 위법이 있는지 여부를 심리할 것이고, 재결 자체에 고유한 위법이 없는 경우에는 원처분의 당부와는 상관없이 당해 재결취소소송은 이를 기각하여야 한다(대판 1994.1.25. 93누16901).

② (✕) 소청심사위원회가 해임처분을 정직 2월로 변경한 경우 처분의 상대방은 원처분청을 피고로 하여 정직 2월로 변경된 당초처분에 대한 취소소송을 제기할 수 있다.
③ (○) 감사원의 변상판정이 있더라도 재심의판정에 대상적격이 인정된다.

> 감사원의 변상판정처분에 대하여서는 행정소송을 제기할 수 없고, 재결에 해당하는 재심의 판정에 대하여서만 감사원을 피고로 하여 행정소송을 제기할 수 있다(대판 1984.4.10. 84누91).

④ (○) 이의신청을 거쳐 취소소송을 제기하는 경우, 관할토지수용위원회의 수용재결에 불복하거나 중앙토지수용위원회의 이의재결에 불복하는 경우 모두 관할 토지수용위원회의 수용재결을 대상으로 하여 행정소송을 제기할 수 있다(원처분주의, 「행정소송법」 제19조 본문). 단, 중앙토지수용위원회의 이의재결 자체에 고유한 하자가 있는 경우에는 이를 대상으로 하여 행정소송을 제기할 수 있다(동법 제19조 단서).
⑤ (○) 처분사유 불인정으로 소청심사위원회의 취소결정시 법원은 사유 인정되면 취소한다.

> 교원소청심사위원회가 사립학교 교원의 소청심사청구를 인용하여 불리한 처분 등을 취소한 데 대하여 행정소송이 제기되지 아니하거나 그에 대하여 학교법인 등이 제기한 행정소송에서 법원이 교원소청심사위원회 결정의 취소를 구하는 청구를 기각하여 그 결정이 그대로 확정되면, 결정의 주문과 그 전제가 되는 이유에 관한 판단만이 학교법인 등을 기속하게 되고, 설령 판결 이유에서 교원소청심사위원회의 결정과 달리 판단된 부분이 있더라도 이는 기속력을 가질 수 없다. 그러므로 사립학교 교원이 어떠한 불리한 처분을 받아 교원소청심사위원회에 소청심사청구를 하였고, 이에 대하여 교원소청심사위원회가 그 사유 자체가 인정되지 않는다는 이유로 양정의 당부에 대해서는 나아가 판단하지 않은 채 처분을 취소하는 결정을 한 경우, 그에 대하여 학교법인 등이 제기한 행정소송 절차에서 심리한 결과 처분사유 중 일부 사유는 인정된다고 판단되면 법원으로서는 교원소청심사위원회의 결정을 취소하여야 한다. 법원이 교원소청심사위원회 결정의 결론이 타당하다고 하여 학교법인 등의 청구를 기각하게 되면 결국 행정소송의 대상이 된 교원소청심사위원회의 결정이 유효한 것으로 확정되어 학교법인 등이 이에 기속되므로, 그 결정의 잘못을 바로잡을 길이 없게 되고 학교법인 등도 해당 교원에 대하여 적절한 재처분을 할 수 없게 되기 때문이다(대판 2018.7.12. 2017두65821).

답 ②

052

재결취소소송에 대한 설명으로 가장 옳지 않은 것은? (다툼이 있는 경우 판례에 의함)

① 교원징계처분에 대해 취소소송을 제기하는 경우 사립학교 교원이나 국공립학교 교원 모두 원처분주의가 적용된다.
② 국공립학교 교원의 경우에는 원처분주의에 따라 원처분만이 소의 대상이 된다.
③ 사립학교 교원에 대한 학교법인의 징계는 항고소송의 대상이 되는 처분이 아니다.
④ 사립학교 교원의 경우에는 소청심사위원회의 결정이 원처분이 된다.

문제 DATA
출제가능 지수 ▶▶▷
난이도 지수 ★★☆

2018년 서울시 9급

① (○), ② (×) 교원징계처분에 대한 취소소송에 있어서 사립학교 교원의 경우 소청심사위원회의 결정이 (원)처분으로서 소의 대상이 되고, 국·공립학교 교원의 경우에는 원처분인 징계처분이 원칙적으로 소의 대상이 되지만, 예외적으로 소청심사위원회의 결정 자체에 고유한 하자가 있는 경우에는 소청심사위원회의 결정 자체가 취소소송의 대상이 될 수도 있다(원처분주의).

> [1] 국·공립학교 교원에 대한 징계 등 불리한 처분은 행정처분이므로 국·공립학교 교원이 징계 등 불리한 처분에 대하여 불복이 있으면 교원소청심사위원회에 소청심사를 청구하고 위 심사위원회의 소청심사결정에 불복이 있으면 항고소송으로 이를 다투어야 할 것인데, 이 경우 그 소송의 대상이 되는 처분은 원칙적으로 원처분청의 처분이다.
>
> [2] 소송의 대상이 되는 처분은 원칙적으로 원처분인 국립대학교 총장의 처분이고, 국립대학교 총장의 처분이 정당한 것으로 인정되어 소청심사청구를 기각한 소청심사결정 자체에 대한 항고소송은 원처분의 하자를 이유로 주장할 수 없고, 그 소청심사결정 자체에 고유한 주체, 절차, 형식 또는 내용상의 위법이 있는 경우, 즉 원처분에는 없고 소청심사결정에만 있는 교원소청심사위원회의 권한 또는 구성의 위법, 소청심사결정의 절차나 형식의 위법, 내용의 위법 등이 존재하는 때에 한하고, 신청을 기각하는 소청심사결정에 사실오인이나 재량권 남용·일탈 등의 위법이 있다는 사유는 소청심사결정 자체에 고유한 위법을 주장하는 것으로 볼 수 없다(대판 2009.10.15. 2009두11829 ; 대판 1994.2.8. 93누17874).

③, ④ (○) 사립학교 교원에 대한 소청심사 위원회의 결정은 원처분에 해당한다.

> 사립학교 교원은 학교법인 또는 사립학교 경영자에 의하여 임면되는 것으로서 사립학교 교원과 학교법인의 관계를 공법상의 권력관계라고는 볼 수 없으므로 사립학교 교원에 대한 학교법인의 해임처분을 취소소송의 대상이 되는 행정청의 처분으로 볼 수 없고, 따라서 학교법인을 상대로 한 불복은 행정소송에 의할 수 없고 민사소송절차에 의할 것이다. 다만, 사립학교 교원에 대한 해임처분에 대한 구제방법으로 학교법인을 상대로 한 민사소송 이외에 행정소송(항고소송)을 제기하는 방법이 있다(대판 1993.2.12. 92누13707). 즉, 사립학교 교원에 대한 징계처분 등 그 의사에 반한 불리한 처분에 대하여 교원의 지위 향상 및 교육활동 보호를 위한 특별법 제9조·제10조의 규정에 따라 교원소청심사위원회에 소청심사를 청구하고 이에 불복하여 행정소송을 제기하는 경우, 소송의 대상이 되는 행정처분은 학교법인의 징계처분이 아니라 교원소청심사위원회의 결정이므로 그 결정이 행정심판으로서의 재결에 해당하는 것은 아니라 할 것이고, 이 경우 처분청인 교원소청심사위원회가 항고소송의 피고가 되는 것이며, 그러한 법리는 교원소청심사위원회의 결정이 있은 후에 당해 사립학교의 설립자가 국가나 지방자치단체로 변경된다고 하여 달라지지 아니하는 것이다(대판 1994.12.9. 94누6666).

유제 20. 국회직 9급 사립학교 교원에 대한 학교법인의 해임처분은 행정소송의 대상이 되는 행정처분에 해당한다고 볼 수 없다. (○)

함께 정리하기

재결취소소송

국·공립·사립학교 교원 징계처분에 대한 항고소송
▷ 원처분주의

원처분주의에서 소의 대상
▷ 원칙: 원처분
▷ 예외: 재결 자체의 고유한 위법시 재결

사립학교 교원에 대한 징계
▷ 처분×

사립학교 교원 징계에 대한 교원소청 심사위원회 결정
▷ (원)처분○

관련 이론 국·공립·사립학교 교원 징계처분

구분	국·공립학교 교원	사립학교 교원
징계의 성격	처분○	처분×
소청위원회 결정	행정심판재결	처분○
항고소송 대상	징계처분, 예외적 소청위원회 결정	소청위원회 결정

답 ②

문제 DATA

출제가능 지수 ▶▶▷
난이도 지수 ★★☆

053 □□□

항고소송에서 수소법원이 하여야 하는 판결에 대한 설명으로 옳지 않은 것은? (다툼이 있는 경우 판례에 의함)

① 무효확인소송의 제1심 판결시까지 원고적격을 구비하였는데 제2심 단계에서 원고적격을 흠결하게 된 경우, 제2심 수소법원은 각하판결을 하여야 한다.
② 행정처분이 있음을 안 날부터 90일을 넘겨 행정심판을 청구하였다가 각하재결을 받은 후 그 재결서를 송달받은 날부터 90일 내에 원래의 처분에 대하여 취소소송을 제기한 경우, 수소법원은 각하판결을 하여야 한다.
③ 허가처분 신청에 대한 부작위를 다투는 부작위위법확인소송을 제기하여 제1심에서 승소판결을 받았는데 제2심 단계에서 피고행정청이 허가처분을 한 경우, 제2심 수소법원은 각하판결을 하여야 한다.
④ 행정심판을 청구하여 기각재결을 받은 후 재결 자체에 고유한 위법이 있음을 주장하며 그 기각재결에 대하여 취소소송을 제기한 경우, 수소법원은 심리 결과 재결 자체에 고유한 위법이 없다면 각하판결을 하여야 한다.

| 2019년 서울시 9급

① (○) 원고적격은 소송요건에 해당한다. 소송요건의 구비 여부는 법원에 의한 직권조사사항으로 당사자의 주장에 구속되지 않으며, 사실심 변론종결시는 물론 상고심에서도 존속하여야 하고 이를 흠결하면 부적법한 소가 된다(대판 2010.2.25. 2009다85717). 따라서 제2심 단계에서 원고적격이 흠결된 경우에는 각하판결을 하게 된다.
② (○) 부적법한 재결을 거쳐 취소소송을 제기해도 제소기간이 준수되는 것은 아니다.

> 처분이 있음을 안 날부터 90일 이내에 행정심판을 청구하지도 않고 취소소송을 제기하지도 않은 경우에는 그 후 제기된 취소소송은 제소기간을 경과한 것으로서 부적법하고, 처분이 있음을 안 날부터 90일을 넘겨 청구한 부적법한 행정심판청구에 대한 재결이 있은 후 재결서를 송달받은 날부터 90일 이내에 원래의 처분에 대하여 취소소송을 제기하였다고 하여 취소소송이 다시 제소기간을 준수한 것으로 되는 것은 아니다(대판 2011.11.24. 2011두18786).

③ (○) 부작위위법확인소송에서 부작위는 소송요건에 해당한다. 소송요건은 사실심 변론종결시는 물론 상고심에서도 존속하여야 하는바, 제2심에서 피고행정청의 허가처분으로 부작위라는 소송요건의 흠결이 있게 되므로 각하판결을 하게 된다.
④ (×) 재결고유의 위법이 없으면 재결취소소송은 기각된다.

> 행정소송법 제19조는 취소소송은 행정청의 원처분을 대상으로 하되(원처분주의), 다만 "재결 자체에 고유한 위법이 있음을 이유로 하는 경우"에 한하여 행정심판의 재결도 취소소송의 대상으로 삼을 수 있도록 규정하고 있으므로 재결취소소송의 경우 재결 자체에 고유한 위법이 있는지 여부를 심리할 것이고, 재결 자체에 고유한 위법이 없는 경우에는 원처분의 당부와는 상관없이 당해 재결취소소송은 이를 기각하여야 한다(대판 1994.1.25. 93누16901).

답 ④

함께 정리하기

소송판결

원고적격 흠결
▷ 각하판결

제소기간 흠결
▷ 각하판결

대상적격 흠결
▷ 각하판결

재결취소소송에서 재결 고유의 위법 無
▷ 기각판결

054

「행정소송법」상 항고소송의 대상에 대한 설명으로 옳은 것(○)과 옳지 않은 것(×)을 올바르게 조합한 것은? (다툼이 있는 경우 판례에 의함)

> ㄱ. 자동차운전면허대장에 일정한 사항을 등재하는 행위는 운전면허행정사무집행의 편의와 사실증명의 자료로 삼기 위한 것에 불과하고, 그 등재행위로 인하여 당해 운전면허 취득자에게 새로이 어떠한 권리가 부여되거나 변동 또는 상실되는 것은 아니므로, 소관청의 운전면허대장 등재행위는 항고소송의 대상이 되는 행정처분에 해당하지 아니한다.
> ㄴ. 지목은 토지행정의 기초로서 공법상의 법률관계에 영향을 미치고, 토지소유자는 지목을 토대로 사용·수익·처분에 일정한 제한을 받게 되는 점 등을 고려하면, 소관청의 지목변경신청 반려행위는 국민의 권리관계에 영향을 미치는 것으로서 항고소송의 대상이 되는 행정처분에 해당한다.
> ㄷ. 토지대장은 부동산등기부의 기초자료로서 토지대장에 기재된 일정한 사항을 변경하는 행위는 토지소유권의 구체적 내용과 범위에 영향을 미치게 되므로, 소관청이 토지대장상의 소유자명의변경신청을 거부한 행위는 항고소송의 대상이 되는 행정처분에 해당한다.
> ㄹ. 건축물대장의 용도는 건축물의 소유권을 제대로 행사하기 위한 전제요건으로서 건축물소유자의 실체적 권리관계에 밀접하게 관련되어 있으므로, 소관청이 건축물대장상의 용도변경신청을 거부한 행위는 국민의 권리관계에 영향을 미치는 것으로서 항고소송의 대상이 되는 행정처분에 해당한다.

① ㄱ(×), ㄴ(×), ㄷ(×), ㄹ(×)
② ㄱ(×), ㄴ(○), ㄷ(×), ㄹ(○)
③ ㄱ(○), ㄴ(×), ㄷ(×), ㄹ(×)
④ ㄱ(○), ㄴ(○), ㄷ(×), ㄹ(○)
⑤ ㄱ(○), ㄴ(○), ㄷ(○), ㄹ(○)

문제 DATA
출제가능 지수 ▶▶▶
난이도 지수 ★★☆

2018년 변호사

ㄱ. (○) 자동차 운전면허대장 등재행위는 처분에 해당하지 않는다.

> 자동차운전면허대장상 일정한 사항의 등재행위는 운전면허행정사무집행의 편의와 사실증명의 자료로 삼기 위한 것일 뿐 그 등재행위로 인하여 당해 운전면허 취득자에게 새로이 어떠한 권리가 부여되거나 변동 또는 상실되는 효력이 발생하는 것은 아니므로 이는 행정소송의 대상이 되는 독립한 행정처분으로 볼 수 없다(대판 1991.9.24. 91누1400).

ㄴ. (○) 지목변경신청에 대한 반려행위는 처분에 해당한다.

> 지목은 토지소유권을 제대로 행사하기 위한 전제요건으로서 토지소유자의 실체적 권리관계에 밀접하게 관련되어 있으므로 지적공부 소관청의 지목변경신청 반려행위는 국민의 권리관계에 영향을 미치는 것으로서 항고소송의 대상이 되는 행정처분에 해당한다(대판 2004.4.22. 2003두9015 전합).

ㄷ. (×) 토지대장상 소유자명의 변경신청의 거부는 처분에 해당하지 않는다.

> 토지대장에 기재된 일정한 사항을 변경하는 행위는, 행정사무집행의 편의와 사실증명의 자료로 삼기 위한 것일 뿐이어서, 그 소유자 명의가 변경된다고 하여도 이로 인하여 당해 토지에 대한 실체상의 권리관계에 변동을 가져올 수 없고 토지 소유권이 지적공부의 기재만에 의하여 증명되는 것도 아니다. 따라서 소관청이 토지대장상의 소유자명의변경신청을 거부한 행위는 이를 항고소송의 대상이 되는 행정처분이라고 할 수 없다(대판 2012.1.12. 2010두12354).

함께 정리하기

항고소송의 대상

자동차운전면허대장 등재행위
▷ 행정처분×

지목변경신청 반려행위
▷ 행정처분○

토지대장상 소유자명의변경신청거부
▷ 행정처분×

건축물대장상 용도변경신청거부
▷ 행정처분○

ㄹ. (○) 건축물대장상 용도변경신청의 거부는 처분에 해당한다.

> 건축물대장의 용도는 건축물의 소유권을 제대로 행사하기 위한 전제요건으로서 건축물 소유자의 실체적 권리관계에 밀접하게 관련되어 있으므로, 건축물대장 소관청의 용도변경신청 거부행위는 국민의 권리관계에 영향을 미치는 것으로서 항고소송의 대상이 되는 행정처분에 해당한다(대판 2009.1.30. 2007두7277).

답 ④

055

행정작용 및 권리구제에 대한 설명으로 옳지 않은 것은? (다툼이 있는 경우 판례에 의함)

① 행정행위의 부관 중 부담만이 독립하여 행정쟁송의 대상이 될 수 있다.
② 선행행위와 후행행위가 서로 독립하여 별개의 법률효과를 목적으로 하는 경우라도, 선행처분의 불가쟁력이나 구속력이 그로 인하여 불이익을 입게 되는 자에게 수인한도를 넘는 가혹함을 가져오며, 그 결과가 예측가능한 것이 아닌 경우 선행처분의 후행처분에 대한 구속력은 인정될 수 없다.
③ 행정청이 행정심판의 재결에 따라 이전(以前)의 신청을 받아들이는 후속처분을 하였더라도 후속처분이 위법한 경우에는 그 재결에 대한 취소소송을 제기하지 않고도 곧바로 후속처분에 대한 항고소송을 제기하여 다툴 수 있다.
④ 건축신고 반려행위가 이루어진 단계에서 당사자로 하여금 반려행위의 적법성을 다툴 수 있도록 허용하는 것은 단지 장차 있을지도 모르는 위험에서 벗어날 수 있도록 길을 열어 주는 것에 불과하여, 건축신고 반려행위는 항고소송의 대상이 될 수 없다.
⑤ 행정청이 위법 건축물에 대한 시정명령을 하고 나서 위반자가 이를 이행하지 아니하여 전기·전화의 공급자에게 그 위법 건축물에 대한 전기·전화공급을 하지 말아 줄 것을 요청한 행위는 권고적 성격의 행위에 불과한 것으로서, 전기·전화의 공급자나 특정인의 법률상 지위에 직접적인 변동을 가져오는 것은 아니므로 이를 항고소송의 대상이 되는 행정처분이라고 볼 수 없다.

2019년 5급 승진

① (○) 부관 중 부담은 독립적인 행정쟁송의 대상이 된다.

> 부관은 그 자체로서 직접 법적 효과를 발생하는 독립된 처분이 아니므로, 현행 행정쟁송제도 아래서는 부관 그 자체만을 독립된 쟁송의 대상으로 할 수 없는 것이 원칙이나, 부담의 경우에는 다른 행정행위의 불가분적인 요소가 아니고 그 존속이 본체인 행정행위의 존재를 전제로 하는 것일 뿐이므로, 부담 그 자체로서 행정쟁송의 대상이 될 수 있다고 할 것이다(대판 1992.1.21. 91누1264).

② (○) 선행처분과 후행처분이 서로 독립해 별개 법률효과를 목적으로 하는 경우 선행처분의 구속력이 처분상대방에게 수인한도를 넘는 가혹함을 가져오며 예측가능한 것이 아닌 경우 하자승계가 인정될 수 있다.

> 두 개 이상의 행정처분을 연속적으로 하는 경우 선행처분과 후행처분이 서로 독립하여 별개의 법률효과를 목적으로 하는 때에는 선행처분에 불가쟁력이 생겨 그 효력을 다툴 수 없게 된 경우에는 선행처분의 하자가 중대하고 명백하여 당연무효인 경우를 제외하고는 선행처분의 하자를 이유로 후행처분의 효력을 다툴 수 없는 것이 원칙이다. 그러나 선행처분과 후행처분이 서로 독립하여 별개의 효과를 목적으로 하는 경우에도 선행처분의 불가쟁력이나 구속력이 그로 인하여 불이익을 입게 되는 자에게 수인한도를 넘는 가혹함을 가져오며, 그 결과가 당사자에게 예측가능한 것이 아닌 경우에는 국민의 재판받을 권리를 보장하고 있는 헌법의 이념에 비추어 선행 처분의 후행처분에 대한 구속력은 인정될 수 없다(대판 2013.3.14. 2012두6964).

문제 DATA
출제가능 지수 ▶▶▷
난이도 지수 ★★☆

함께 정리하기
행정작용과 권리구제

부관의 독립쟁송 가부
▷ 부관 중 부담만 可

선·후행행위가 별개의 독립한 행위라도 선행행위가 당연무효·수인한도초과·예측불가능
▷ 선행행위의 구속력 ✕

재결에 따른 후속처분이 위법 시
▷ 재결의 취소소송 없이 후속처분을 대상으로 항고소송 可

건축신고 반려
▷ 항고소송의 대상 ○

행정청의 한전에 대한 단전, 단전화 요청
▷ 항고소송의 대상인 처분 ✕

③ (○) 재결에 따른 후속처분이 위법하면 곧바로 후속처분을 대상으로 항고소송이 가능하다.

> 행정청이 재결에 따라 이전의 신청을 받아들이는 후속처분을 하였더라도 후속처분이 위법한 경우에는 재결에 대한 취소소송을 제기하지 않고도 곧바로 후속처분에 대한 항고소송을 제기하여 다툴 수 있다(대판 2017.10.31. 2015두45045).

④ (×) 건축신고의 반려행위는 처분에 해당한다.

> 건축주 등으로서는 신고제하에서도 건축신고가 반려될 경우 당해 건축물의 건축을 개시하면 시정명령, 이행강제금, 벌금의 대상이 되거나 당해 건축물을 사용하여 행할 행위의 허가가 거부될 우려가 있어 불안정한 지위에 놓이게 된다. 따라서 건축신고 반려행위가 이루어진 단계에서 당사자로 하여금 반려행위의 적법성을 다투어 그 법적 불안을 해소한 다음 건축행위에 나아가도록 함으로써 장차 있을지도 모르는 위험에서 미리 벗어날 수 있도록 길을 열어 주고, 위법한 건축물의 양산과 그 철거를 둘러싼 분쟁을 조기에 근본적으로 해결할 수 있게 하는 것이 법치행정의 원리에 부합한다. 그러므로 이 사건 건축신고 반려행위는 항고소송의 대상이 된다고 보는 것이 옳다(대판 2010.11.18. 2008두167 전합).

⑤ (○) 위법건축물에 대한 단전요청은 처분에 해당하지 않는다.

> 행정청이 위법 건축물에 대한 시정명령을 하고 나서 위반자가 이를 이행하지 아니하여 전기·전화의 공급자에게 그 위법 건축물에 대한 전기·전화공급을 하지 말아 줄 것을 요청한 행위는 권고적 성격의 행위에 불과한 것으로서 항고소송의 대상이 되는 행정처분이라고 볼 수 없다(대판 1996.3.22. 96누433).

답 ④

056

행정소송에 대한 설명으로 가장 옳지 않은 것은?

① 검사의 불기소결정에 대해서는 항고소송을 제기할 수 없다.
② 망인(亡人)에게 수여된 서훈을 취소하는 경우 그 유족은 서훈취소처분의 상대방이 되지 않는다.
③ 주택건설사업계획 승인처분에 따라 의제된 지구단위계획결정에 하자가 있음을 다투고자 하는 경우 의제된 지구단위계획결정이 아니라, 주택건설사업계획 승인처분을 항고소송의 대상으로 삼아야 한다.
④ 공장설립승인처분이 위법하다는 이유로 쟁송취소되었다고 하더라도 그 승인처분에 기초한 공장건축 허가처분이 잔존하는 이상 인근주민들은 여전히 공장건축허가처분의 취소를 구할 법률상 이익이 있다.

| 2019년 서울시 7급

① (○) 검사의 불기소결정에 대하여는 항고소송을 제기할 수 없다.

> 검사의 불기소결정에 대해서는 검찰청법에 의한 항고와 재항고 형사소송법에 의한 재정신청에 의해서만 불복할 수 있는 것이므로 이에 대해서는 행정소송법상 항고소송을 제기할 수 없다(대판 2018.9.28. 2017두47465).

② (○) 유족은 망인에 대한 서훈취소의 상대방이 아니다.

> 서훈은 어디까지나 서훈대상자 본인의 공적과 영예를 기리기 위한 것이므로 비록 유족이라고 하더라도 제3자는 서훈수여 처분의 상대방이 될 수 없고, 구 상훈법 제33조 제34조 등에 따라 망인을 대신하여 단지 사실행위로서 훈장 등을 교부받거나 보관할 수 있는 지위에 있을 뿐이다. 이러한 서훈의 일신전속적 성격은 서훈취소의 경우에도 마찬가지이므로, 망인에게 수여된 서훈의 취소에서도 유족은 그 처분의 상대방이 되는 것이 아니다(대판 2014.9.26. 2013두2518).

③ (×) 의제된 인·허가의 위법함을 다투는 경우 의제된 인·허가가 취소소송의 대상이다.

> 의제된 인·허가는 통상적인 인·허가와 동일한 효력을 가지므로 적어도 '부분인·허가 의제가' 허용되는 경우에는 그 효력을 제거하기 위한 법적 수단으로 의제된 인·허가의 취소나 철회가 허용될 수 있고 이러한 직권 취소·철회가 가능한 이상 그 의제된 인·허가에 대한 쟁송취소 역시 허용된다. 따라서 주택건설사업계획 승인처분에 따라 의제된 인·허가가 위법함을 다투고자 하는 이해관계인은 주택건설사업계획, 승인처분의 취소를 구할 것이 아니라 의제된 인·허가의 취소를 구하여야 하며 의제 인·허가는 주택건설사업계획 승인처분과 별도로 항고소송의 대상이 되는 처분에 해당한다(대판 2018.11.29. 2016두38792).

④ (○) 공장설립승인이 취소되어도 잔존하는 공장건축허가처분을 다툴 소의 이익이 인정된다.

> 개발제한구역 안에서의 공장설립을 승인한 처분이 위법하다는 이유로 쟁송취소되었다고 하더라도 그 승인처분에 기초한 공장건축허가처분이 잔존하는 이상, 공장설립승인처분이 취소되었다는 사정만으로 인근 주민들의 환경상 이익이 침해되는 상태나 침해될 위험이 종료되었다거나 이를 시정할 수 있는 단계가 지나버렸다고 단정할 수는 없고, 인근 주민들은 여전히 공장건축허가처분의 취소를 구할 법률상 이익이 있다고 보아야 한다(대판 2018.7.12. 2015두3485).

답 ③

057

국세에 대한 과세처분에 대한 내용으로 가장 옳지 않은 것은? (다툼이 있는 경우 판례에 의함)

① 과세관청이 과세처분을 한 뒤에 과세표준과 세액을 감액하는 경정처분을 한 경우에는 위 감액경정처분은 처음의 과세표준에서 결정된 과세표준과 세액의 일부를 취소하는 데 지나지 아니하는 것이므로 처음의 과세처분이 감액된 범위 내에서 존속하게 되고 이 처분만이 쟁송의 대상이 되며 이 경우 전심절차의 적법 여부는 당초 처분을 기준으로 하여 판단하여야 한다.

② 증액경정처분이 있는 경우 당초 신고나 결정은 증액경정처분에 흡수됨으로써 독립된 존재가치를 잃게 된다고 보아야 할 것이므로, 원칙적으로는 당초 신고나 결정에 대한 불복기간의 경과 여부 등에 관계 없이 증액경정처분만이 항고소송의 심판대상이 된다.

③ 과세처분이 있은 후 이를 증액하는 경정처분이 있고, 다시 이를 감액하는 재경정처분이 있으면 재경정처분은 위 증액경정처분과는 별개인 독립의 과세처분으로서 그 실질은 위 증액경정처분의 변경이고 그에 의하여 세액의 일부취소라는 납세의무자에게 유리한 효과를 가져오는 처분이라 할 것이므로, 감액재경정결정이 항고소송의 대상이 된다.

④ 원천징수의무자에 대하여 납세의무의 단위를 달리하여 순차 이루어진 2개의 징수처분은 별개의 처분으로서 당초 처분과 증액경정처분에 관한 법리가 적용되지 아니하므로, 당초 처분이 후행 처분에 흡수되어 독립한 존재가치를 잃는다고 볼 수 없고, 후행 처분만이 항고소송의 대상이 되는 것도 아니다.

| 2018년 서울시 7급

① (○) 감액된 내용의 당초처분, 즉 취소되지 않고 남아있는 당초처분이 항고소송의 대상이 되고 전심절차나 제소기간의 적법 여부도 당초 처분을 기준으로 하여 판단하여야 한다(역흡수설).

> 과세관청이 과세처분을 한 뒤에 과세표준과 세액을 감액하는 경정처분을 한 경우에는 처음의 과세처분이 감액된 범위 내에서 존속하게 되고 이 처분만이 쟁송의 대상이 되고 이 경우 전심절차의 적법 여부는 당초 처분을 기준으로 하여 판단하여야 한다(대판 1987.12.22. 85누599).

유제 19. 지방직 7급 감액경정처분이 있는 경우, 항고소송의 대상은 당초의 부과처분 중 경정처분에 의하여 아직 취소되지 않고 남은 부분이고, 적법한 전심절차를 거쳤는지 여부도 당초처분을 기준으로 판단하여야 한다. (○)

② (○) 증액경정처분은 감액경정처분과 달리 당초처분은 증액경정처분에 흡수되어 소멸되므로 증액경정처분만이 항고소송의 대상이 되고 당초처분에 존재하는 절차상의 하자도 증액경정처분에 승계되지 않는다(흡수설).

> 증액경정처분이 있는 경우 원칙적으로는 증액경정처분만이 항고소송의 심판대상이 되고 납세자는 그 항고소송에서 당초 신고나 결정에 대한 위법사유도 함께 주장할 수 있으나, 불복기간이나 경정청구기간의 도과로 더 이상 다툴 수 없게 된 세액에 관하여는 그 취소를 구할 수 없고 증액경정처분에 의하여 증액된 세액의 범위 내에서만 취소를 구할 수 있다고 할 것이다(대판 2012.3.29. 2011두4855).

③ (×) 증액경정 후 감액경정을 한 경우 취소되지 않고 남은 부분에 대상적격이 인정된다. 즉 감액경정처분이 있었으므로 항고소송의 대상은 감액된 내용의 당초 증액처분, 즉 취소되지 않고 남아있는 당초 증액처분이다.

> 과세처분이 있은 후 이를 증액하는 경정처분이 있으면 당초 처분은 경정처분에 흡수되어 독립된 존재가치를 상실하여 소멸하는 것이고, 그 후 다시 이를 감액하는 재경정처분이 있으면 재경정처분은 위 증액경정처분과는 별개인 독립의 과세처분이 아니라 그 실질은 위 증액경정처분의 변경이고 그에 의하여 세액의 일부 취소라는 납세의무자에게 유리한 효과를 가져오는 처분이라 할 것이므로, 그 감액하는 재경정결정으로도 아직 취소되지 않고 남아 있는 부분이 위법하다 하여 다투는 경우 항고소송의 대상은 그 증액경정처분 중 감액재경정결정에 의하여 취소되지 않고 남은 부분이고, 감액재경정결정이 항고소송의 대상이 되는 것은 아니다(대판 1996.7.30. 95누6328).

④ (○) 납세의무단위가 다른 2개의 징수처분은 별개의 처분에 해당한다.

> 원천징수의무자에 대하여 납세의무의 단위를 달리하여 순차 이루어진 2개의 징수처분은 별개의 처분으로서 당초 처분과 증액경정처분에 관한 법리가 적용되지 아니하므로, 당초 처분이 후행 처분에 흡수되어 독립한 존재가치를 잃는다고 볼 수 없고, 후행 처분만이 항고소송의 대상이 되는 것도 아니다(대판 2013.7.11. 2011두7311).

답 ③

058 □□□

행정소송에 대한 판례의 입장으로 옳은 것은?

① 주택건설사업 승인신청 거부처분에 대한 취소의 확정판결이 있은 후 행정청이 재처분을 하였다 하더라도 그 재처분이 종전 거부처분에 대한 취소의 확정판결의 기속력에 반하는 경우, 「행정소송법」상 간접강제신청에 필요한 요건을 갖춘 것으로 보아야 한다.
② 부가가치세 증액경정처분의 취소를 구하는 항고소송에서 납세의무자는 과세관청의 증액경정사유만 다툴 수 있을 뿐이지 당초 신고에 관한 과다신고사유는 함께 주장하여 다툴 수 없다.
③ 금융기관 임원에 대한 금융감독원장의 문책경고는 상대방의 권리의무에 직접 영향을 미치지 않으므로 행정소송의 대상이 되는 처분에 해당하지 않는다.
④ 개발제한구역 중 일부 취락을 개발제한구역에서 해제하는 내용의 도시관리계획변경결정에 대하여 개발제한구역 해제 대상에서 누락된 토지의 소유자는 그 결정의 취소를 구할 법률상 이익이 있다.

문제 DATA
출제가능 지수 ▶▶▷
난이도 지수 ★★☆

함께 정리하기

행정소송

재처분이 거부처분취소의 기속력에 위반
▷ 간접강제신청 可

증액경정처분취소소송
▷ 당초신고에 관한 과다신고사유 함께 다툴 수 있음

금융기관 임원에 대한 금융감독원장의 문책경고
▷ 행정처분○

개발제한구역해제대상에서 누락된 토지의 소유자
▷ 취소를 구할 법률상 이익×

2018년 지방직 9급

① (○) 재처분이 기속력에 반하는 경우 간접강제를 신청할 수 있다.

> 거부처분에 대한 취소의 확정판결이 있음에도 행정청이 아무런 재처분을 하지 아니하거나, 재처분을 하였다 하더라도 그것이 종전 거부처분에 대한 취소의 확정판결의 기속력에 반하는 등으로 당연무효이라면 이는 아무런 재처분을 하지 아니한 때와 마찬가지라 할 것이므로 이러한 경우에는 행정소송법 제30조 제2항, 제34조 제1항 등에 의한 간접강제신청에 필요한 요건을 갖춘 것으로 보아야 한다(대결 2002.12.11. 2002무22).

② (×) 증액경정처분 취소소송에서 증액경정사유뿐만 아니라 당초신고에 관한 과다신고사유도 함께 주장하여 다툴 수 있다.

> 과세표준과 세액을 증액하는 증액경정처분은 당초 납세의무자가 신고하거나 과세관청이 결정한 과세표준과 세액을 그대로 둔 채 탈루된 부분만을 추가로 확정하는 처분이 아니라 당초신고나 결정에서 확정된 과세표준과 세액을 포함하여 전체로서 하나의 과세표준과 세액을 다시 결정하는 것이므로, 납세의무자는 증액경정처분의 취소를 구하는 항고소송에서 과세관청의 증액경정사유뿐만 아니라 당초신고에 관한 과다신고사유도 함께 주장하여 다툴 수 있다고 할 것이다(대판 2013.4.18. 2010두11733 전합).

③ (×) 금융감독원장의 금융기관 임원에 대한 문책경고는 처분에 해당한다.

> 금융기관의 임원에 대한 금융감독원장의 문책경고는 그 상대방에 대한 직업선택의 자유를 직접 제한하는 효과를 발생하게 하는 등 상대방의 권리의무에 직접 영향을 미치는 행위로서 항고소송의 대상이 되는 행정처분에 해당한다(대판 2005.2.17. 2003두14765).

④ (×) 개발제한구역 해제대상에서 누락된 토지의 소유자는 위 변경결정의 취소를 구할 법률상 이익이 없다.

> 이 사건 토지는 위 도시관리계획변경결정 전후를 통하여 개발제한구역으로 지정된 상태에 있으므로 위 도시관리계획변경결정으로 인하여 그 소유자인 원고가 위 토지를 사용·수익·처분하는데 새로운 공법상의 제한을 받거나 종전과 비교하여 더 불이익한 지위에 있게 되는 것은 아니다. 따라서 원고에게 제3자 소유의 토지에 관한 위 도시관리계획변경결정의 취소를 구할 직접적이고 구체적인 이익이 있다고 할 수 없다(대판 2008.7.10. 2007두10242).

답 ①

문제 DATA

출제가능 지수 ▶▶▷
난이도 지수 ★★☆

059 □□□

행정청이 종전의 과세처분에 대한 경정처분을 함에 따라 상대방이 제기하는 항고소송에 대한 설명으로 옳지 않은 것은? (다툼이 있는 경우 판례에 의함)

① 「국세기본법」에 정한 경정청구기간이 도과한 후 제기된 경정청구에 대하여는 과세관청이 과세표준 및 세액을 결정 또는 경정하거나 거부처분을 할 의무가 없으므로, 과세관청의 경정 거절에 대하여 항고소송을 제기할 수 없다.
② 증액경정처분이 있는 경우, 원칙적으로는 당초 신고나 결정에 대한 불복기간의 경과 여부 등에 관계없이 증액경정처분만이 항고소송의 대상이 되고 납세의무자는 그 항고소송에서 당초 신고나 결정에 대한 위법사유를 주장할 수 없다.
③ 증액경정처분이 있는 경우, 당초처분은 증액경정처분에 흡수되어 소멸하고, 소멸한 당초 처분의 절차적 하자는 존속하는 증액경정처분에 승계되지 아니한다.
④ 감액경정처분이 있는 경우, 항고소송의 대상은 당초의 부과처분 중 경정처분에 의하여 아직 취소되지 않고 남은 부분이고, 적법한 전심절차를 거쳤는지 여부도 당초 처분을 기준으로 판단하여야 한다.

2019년 지방직 7급

① (○) 경정청구기간 도과 후 제기된 경정청구에 대한 거절은 항고소송의 대상이 아니다.

경정청구기간이 도과한 후에 제기된 경정청구는 부적법하여 과세관청이 과세표준 및 세액을 결정 또는 경정하거나 거부처분을 할 의무가 없으므로, 과세관청이 경정을 거절하였다고 하더라도 이를 항고소송의 대상이 되는 거부처분으로 볼 수 없다(대판 2017.8.23. 2017두38812).

② (×) 증액경정처분에 대한 항고소송에서 당초 신고·결정에 대한 위법사유도 주장할 수 있다.

증액경정처분이 있는 경우 당초 신고나 결정은 증액경정처분에 흡수됨으로써 독립된 존재가치를 잃게 된다고 보아야 할 것이므로, 원칙적으로는 당초 신고나 결정에 대한 불복기간의 경과 여부 등에 관계없이 증액경정처분만이 항고소송의 심판대상이 되고, 납세의무자는 그 항고소송에서 당초 신고나 결정에 대한 위법사유도 함께 주장할 수 있다(대판 2009.5.14. 2006두17390).

③ (○) 증액경정처분 취소소송에서 당초처분의 절차하자를 주장하여 다툴 수 없다.

증액경정처분이 있는 경우 당초처분은 증액경정처분에 흡수되어 소멸하고, 소멸한 당초처분의 절차적 하자는 존속하는 증액경정처분에 승계되지 아니한다(대판 2010.6.24. 2007두16493).

④ (○) 감액경정처분이 있는 경우 항고소송대상은 감액되고 남은 당초처분이다.

과세표준과 세액을 감액하는 경정처분은 당초의 부과처분과 별개 독립의 과세처분이 아니라 그 실질은 당초의 부과처분의 변경이고, 그에 의하여 세액의 일부 취소라는 납세자에게 유리한 효과를 가져오는 처분이므로, 그 경정처분으로도 아직 취소되지 아니하고 남아 있는 부분이 위법하다 하여 다투는 경우, 항고소송의 대상은 당초의 부과처분 중 경정처분에 의하여 아직 취소되지 않고 남은 부분이고, 그 경정처분이 항고소송의 대상이 되는 것은 아니며, 이 경우 적법한 전심절차를 거쳤는지 여부도 당초 처분을 기준으로 판단하여야 한다(대판 2009.5.28. 2006두16403).

답 ②

함께 정리하기

변경처분

경정청구기간 도과 후 제기된 경정청구 거절
▷ 거부처분 ×

증액경정처분
▷ 증액경정처분이 대상적격 ○
▷ 당초 신고·결정의 위법사유 주장 可
▷ 흡수되어 소멸한 당초 처분의 절차적 하자 승계 ×

감액경정처분
▷ 처음의 부과처분 중 취소되지 않고 남은 부분이 대상적격 ○
▷ 전심절차 적법여부 판단기준: 당초처분

060 □□□

행정처분의 변경에 따른 효과에 대한 설명 중 옳은 것을 모두 고른 것은? (다툼이 있는 경우 판례에 의함)

ㄱ. 집단에너지사업허가의 주요 부분을 실질적으로 변경하는 내용으로 사업변경허가를 한 경우에 본래의 집단에너지사업허가는 특별한 사정이 없는 한 그 효력을 상실한다.
ㄴ. 선행처분이 후행처분에 의하여 변경되지 아니한 범위 내에서 존속하고 후행처분은 선행처분의 내용 중 일부를 변경하는 범위 내에서 효력을 가지는 경우에, 선행처분에만 존재하는 취소사유를 이유로 후행처분의 취소를 청구할 수 있다.
ㄷ. 당초의 조세부과처분의 과세표준과 세액을 증액하는 경정처분이 있으면 당초처분은 경정처분에 흡수됨으로써 독립한 존재가치를 잃게 된다.
ㄹ. 당초의 과징금 부과처분을 한 후 그 과징금 액수를 감액하는 처분을 한 경우, 감액처분은 당초처분과 별개인 독립의 과징금 부과처분이 아니라 그 실질은 당초 과징금의 일부 취소라는 유리한 결과를 가져오는 처분에 불과하므로 독립한 항고소송의 대상이 되지 않는다.
ㅁ. 영업정지처분을 영업자에게 유리하게 변경하는 처분을 한 경우 당초의 영업정지처분은 변경처분에 흡수되어 독립한 존재가치를 잃게 된다.

① ㄱ, ㄴ, ㄷ
② ㄱ, ㄷ, ㄹ
③ ㄱ, ㄹ, ㅁ
④ ㄴ, ㄷ, ㄹ
⑤ ㄴ, ㄹ, ㅁ

문제 DATA

출제가능 지수 ▶▶Σ
난이도 지수 ★★★

함께 정리하기

행정처분의 변경에 따른 효과

주요 부분의 실질적 변경처분
▷ 선행처분 효력 상실

선행처분의 일부만 소폭 변경하는 소극적 변경처분
▷ 선행처분 효력 존속
▷ 하자는 행정행위별로 판단

증액경정처분
▷ 당초 처분은 증액처분에 흡수되어 소멸

감액경정처분
▷ 당초 처분의 일부취소에 불과, 별개의 독립된 처분×

영업정지처분을 유리하게 변경하는 처분
▷ 유리하게 변경된 내용으로 당초 처분 존재

2024년 변호사

ㄱ. (○), ㄴ. (×)

[1] 선행처분의 주요 부분을 실질적으로 변경하는 내용으로 후행처분을 한 경우에 선행처분은 특별한 사정이 없는 한 그 효력을 상실하지만, 후행처분이 있었다고 하여 일률적으로 선행처분이 존재하지 않게 되는 것이 아니고 선행처분의 내용 중 일부만을 소폭 변경하는 정도에 불과한 경우에는 선행처분이 소멸한다고 볼 수 없다.

[2] 선행처분이 후행처분에 의하여 변경되지 아니한 범위 내에서 존속하고 후행처분은 선행처분의 내용 중 일부를 변경하는 범위 내에서 효력을 가지는 경우에, 선행처분의 취소를 구하는 소를 제기한 후 후행처분의 취소를 구하는 청구를 추가하여 청구를 변경하였다면 후행처분에 관한 제소기간 준수 여부는 청구변경 당시를 기준으로 판단하여야 하나, 선행처분에만 존재하는 취소사유를 이유로 후행처분의 취소를 청구할 수는 없다(대판 2012.12.13. 2010두20782·20799).

ㄷ. (○) 증액경정처분은 당초 처분과 증액되는 부분을 포함하여 전체로서 하나의 과세표준과 세액을 다시 결정하는 것이어서 당초 처분은 증액경정처분에 흡수되어 독립된 존재가치를 상실하고 오직 증액경정처분만이 쟁송의 대상이 되어 납세의무자로서는 증액된 부분만이 아니라 당초 처분에서 확정된 과세표준과 세액에 대하여도 그 위법 여부를 다툴 수 있는 것이지만, 증액경정처분이 제척기간 도과 후에 이루어진 경우에는 증액부분만이 무효로 되고 제척기간 도과 전에 있었던 당초 처분은 유효한 것이므로, 납세의무자로서는 그와 같은 증액경정처분이 있었다는 이유만으로 당초 처분에 의하여 이미 확정되었던 부분에 대하여 다시 위법 여부를 다툴 수는 없다(대판 2004.2.13. 2002두9971).

ㄹ. (○) 행정처분을 한 처분청은 처분에 하자가 있는 경우에는 별도의 법적 근거가 없더라도 스스로 이를 취소하거나 변경할 수 있는바, 과징금 부과처분에서 행정청이 납부의무자에 대하여 부과처분을 한 후 부과처분의 하자를 이유로 과징금의 액수를 감액하는 경우에 감액처분은 감액된 과징금 부분에 관하여만 법적 효과가 미치는 것으로서 당초 부과처분과 별개 독립의 과징금 부과처분이 아니라 실질은 당초 부과처분의 변경이고, 그에 의하여 과징금의 일부취소라는 납부의무자에게 유리한 결과를 가져오는 처분이므로 당초 부과처분이 전부 실효되는 것은 아니다. 따라서 감액처분에 의하여 감액된 부분에 대한 부과처분 취소청구는 이미 소멸하고 없는 부분에 대한 것으로서 소의 이익이 없어 부적법하다(대판 2017.1.12. 2015두2352).

ㅁ. (×) 행정청이 식품위생법령에 따라 영업자에게 행정제재처분을 한 후 그 처분을 영업자에게 유리하게 변경하는 처분을 한 경우, 변경처분에 의하여 당초 처분은 소멸하는 것이 아니고 당초부터 유리하게 변경된 내용의 처분으로 존재하는 것이므로, 변경처분에 의하여 유리하게 변경된 내용의 행정제재가 위법하다 하여 그 취소를 구하는 경우 그 취소소송의 대상은 변경된 내용의 당초 처분이지 변경처분은 아니고, 제소기간의 준수 여부도 변경처분이 아닌 변경된 내용의 당초 처분을 기준으로 판단하여야 한다(대판 2007.4.27. 2004두9302).

답 ②

061

「문화재보호법」상 문화재보호구역의 지정에 대한 설명으로 옳은 것은? (다툼이 있는 경우 판례에 의함)

① 문화재보호구역 내에 토지를 소유하고 있는 자가 문화재보호구역의 지정해제를 요구하였으나 거부된 경우, 그 거부행위는 행정처분에 해당한다.
② 문화재보호구역의 확대지정이 공공사업인 택지개발사업의 시행을 직접 목적으로 하여 가하여진 것이 아님이 명백한 이상, 문화재보호구역의 확대지정이 당해 공공사업의 시행 이후에 행해진 경우라 하더라도, 공공사업지구에 포함된 토지에 대한 수용보상액은 문화재보호구역의 확대지정에 의한 공법상 제한을 받지 아니한 것으로 보고 평가하여야 한다.
③ 문화재보호구역 내의 국유토지는 「국유재산법」상 보존재산에 해당하므로 시효취득의 대상이 될 수 있다.
④ 문화재보호구역 내에 토지를 소유하고 있는 자는 문화재보호구역의 지정에 대해 항고소송을 통해 다툴 수 없다.

2018년 지방직 7급

① (○) 토지소유자의 문화재보호구역 지정해제요구에 대한 거부는 처분에 해당한다.

> 문화재보호구역 내에 있는 토지소유자 등으로서는 위 보호구역의 지정해제를 요구할 수 있는 법규상 또는 조리상의 신청권이 있다고 할 것이고, 이러한 신청에 대한 거부행위는 항고소송의 대상이 되는 행정처분에 해당한다(대판 2004.4.27. 2003두8821).

② (×) 수용보상액은 문화재보호구역의 제한을 받는 상태로 평가한다. 문화재보호구역 확대지정이 당해 공공사업시행을 직접 목적으로 하지 않는 경우에는 수용보상액을 문화재보호구역의 제한을 받는 상태대로 평가한다.

> 공법상의 제한을 받는 토지의 수용보상액을 산정함에 있어서는 그 공법상의 제한이 당해 공공사업의 시행을 직접 목적으로 하여 가하여진 경우에는 그 제한을 받지 아니하는 상태대로 평가하여야 할 것이지만, 공법상 제한이 당해 공공사업의 시행을 직접 목적으로 하여 가하여진 경우가 아니라면 그러한 제한을 받는 상태 그대로 평가하여야 하고, 그와 같은 제한이 당해 공공사업의 시행 이후에 가하여진 경우라고 하여 달리 볼 것은 아니다. 문화재보호구역의 확대 지정이 당해 공공사업인 택지개발사업의 시행을 직접 목적으로 하여 가하여진 것이 아님이 명백하므로 토지의 수용보상액은 그러한 공법상 제한을 받는 상태대로 평가하여야 한다(대판 2005.2.18. 2003두14222).

③ (×) 문화재보호구역 내 국유토지는 보존재산이므로 시효취득의 대상이 아니다.

> 문화재보호구역 내의 국유토지는 "법령의 규정에 의하여 국가가 보존하는 재산", 즉 국유재산법 제4조 제3항 소정의 "보존재산"에 해당하므로 구 국유재산법 제5조 제2항에 의하여 시효취득의 대상이 되지 아니한다(대판 1994.5.10. 93다23442).

④ (×) 문화재의 보호를 위하여 특히 필요한 경우 문화재 주변의 일정구역을 설정하여 문화재를 물리적, 환경적, 경관적으로 보호할 필요가 있는 구역을 문화재 보호구역이라고 하는바, 문화재보호구역으로 지정이 되는 경우 토지소유자의 재산권 행사 등이 제한되므로 처분의 취소를 구할 법률상 이익이 인정된다.

답 ①

문제 DATA
출제가능 지수 ▶▶▷
난이도 지수 ★★☆

함께 정리하기

문화재보호구역의 지정

토지소유자의 문화재보호구역 지정해제 요구 거부
▷ 행정처분○

공법상 제한받는 토지의 수용보상액 산정
▷ 당해 공익사업 시행 직접 목적×: 제한받는 상태로 평가

문화재보호구역 내 국유토지는 보존재산
▷ 시효취득 대상×

문화재보호구역 내 토지소유자
▷ 문화재보호구역 지정 시 원고적격○

ALL KILL 기출
제2절 소송요건 〉 I 대상적격(처분 등의 존재)

01 형식적 행정행위 개념을 도입하여, 그것이 실체법상 행정행위는 아니지만 항고소송의 대상인 처분에 포함될 수 있다는 견해도 있다. 08. 세무사 ( )

02 현행 「행정소송법」상 처분 개념 중 '그 밖에 이에 준하는 행정작용'의 의미는 학설과 판례에 의하여 보다 발전되어야 할 부분이다. 08. 세무사 ( )

03 강학상 일반처분은 항고소송의 대상에 해당하지 않는다. 15. 세무사 ( )

04 취소소송의 대상은 행정청의 '처분 등', 즉 처분과 재결이다. 13. 국회직 9급 ( )

05 침해적 행정처분이 내려진 후에 내려진 동일한 내용의 반복된 침해적 행정처분은 처분이 아니다. 13. 국회직 9급 ( )

06 행정청의 재량행위에 속하는 처분은 취소소송의 대상이 되지 않는다. 12. 지방직 9급 ( )

07 통설과 판례는 비권력적 사실행위를 처분개념에 포함시켜 항고소송의 대상으로 본다. 08. 세무사 ( )

08 쟁송법상 처분을 실체법상 행정행위와 별개의 것으로 파악하는 이원설에 의하면 실체법상 행정행위 개념보다 쟁송법상 처분 개념을 넓게 파악한다. 08. 세무사 ( )

09 개별토지가격합동조사지침에 따른 개별공시지가 경정결정신청에 대한 행정청의 정정불가결정 통지는 항고소송의 대상이 된다. 10. 지방직 9급 ( )

10 과세관청이 사업자등록을 관리하는 과정에서 위장사업자의 사업자명의를 직권으로 실사업자의 명의로 정정하는 행위는 항고소송의 대상이 되는 행정처분이 아니다. 15. 국회직 8급 ( )

11 과세관청의 「부가가치세법」상 사업자등록의 직권말소행위는 항고소송의 대상이 되는 처분에 해당한다. 14. 5급 행정 ( )

12 토지수용절차에서의 사업인정은 항고소송의 대상이 된다. 12. 국회직 8급 ( )

13 정부가 행한 경쟁입찰참가자격 제한행위는 행정소송의 대상이 되는 처분에 해당하지 않는다. 08. 지방직 9급 ( )

14 거부처분 이후에 동일한 내용의 신청에 대해 다시 반복된 거부처분은 항고소송의 대상이 되는 처분에 해당한다. 14. 5급 행정 ( )

15 구 「정부투자기관관리 기본법」에 따른 경제기획원장관의 정부투자기관에 대한 예산편성지침통보는 정부투자기관의 경영합리화와 정부투자의 효율적 관리를 도모하기 위한 것으로서 그에 대한 감독작용에 해당하므로 행정처분으로 보아야 한다. 08. 선관위 9급 ( )

16 건축주 명의변경신고 수리거부행위는 항고소송의 대상이 되는 처분에 해당한다. 14. 5급 행정 ( )

17 퇴직연금이 잘못 지급되어 급여가 과오급된 경우 과다하게 지급된 급여의 환수를 위한 행정청의 환수통지는 「행정소송법」상 항고소송의 대상인 처분에 해당하지 않는다. 10. 국회직 8급 ( )

18 '약제급여·비급여목록 및 급여상한 금액표'와 같이 어떤 고시가 다른 집행행위의 매개 없이 그 자체로 직접 국민의 권리의무나 권리관계를 규율하는 성격을 가지는 경우에는 행정처분에 해당한다. 10. 국회직 9급 ( )

19 보건복지부 고시인 제약회사에 대한 '약제급여·비급여 목록 및 급여 상한금액표'는 「행정소송법」상 항고소송의 대상인 처분에 해당하지 않는다. 10. 국회직 8급 ( )

20 행정대집행상 1차 계고처분 후에 이루어진 제2차, 제3차 계고처분은 항고소송의 대상이 되는 행정처분이다. 12. 지방직 9급 ( )

정답 및 해설

01 ○ 이원설에 대한 설명으로, 「행정소송법」과 「행정심판법」의 처분의 개념은 강학상 행정행위보다 처분의 개념이 더 넓다고 봄(대표적으로 비권력적 사실행위)

02 ○ 그 밖에 이에 준하는 행정작용이란 처분개념의 확대여지를 둔 문구로 그 해당 여부는 구체적인 사안에 따라 학설과 판례에 의해 판단될 수 있음

03 × 불특정 다수인에 대한 일반처분도 국민의 법률상 이익을 구체적으로 규제하는 효과가 있는 이상 항고소송의 대상이 됨

04 ○ 취소소송은 처분 등을 대상으로 하며 다만, 재결취소소송의 경우에는 재결 자체에 고유한 위법이 있음을 이유로 하는 경우에 한함(「행정소송법」 제19조)

05 ○ 판례는 반복된 계고처분의 경우 1차 계고만이 소의 대상이 된다고 하여, 반복된 침해적 행정처분은 연기통지로서 사실행위에 불과하다고 봄(대판 1994.10.28. 94누5144)

06 × 행정청의 재량에 속하는 처분이라도 재량권의 한계를 넘거나 그 남용이 있는 때에는 법원은 이를 취소할 수 있음(「행정소송법」 제27조)

07 × 비권력적 사실행위는 국민의 구체적인 권리의무에 직접 변동을 초래하는 행위가 아니므로 항고소송의 대상이 되지 않음

08 ○ 이원설에 따르면 「행정소송법」과 「행정심판법」의 처분의 개념은 강학상 행정행위와 동일하지 않으며 쟁송법상의 처분개념이 더 넓다고 봄

09 × 이른바 관념의 통지에 불과할 뿐 항고소송의 대상이 되는 처분이 아님(대판 2002.2.5. 2000두5043)

10 ○ 위장사업자의 사업자명의를 직권으로 실사업자 명의로 정정하는 것은 정정기재에 불과하여 사업자 지위에 변동을 주지 않으므로, 행정처분이 아님(대판 2011.1.27. 2008두2200)

11 × 사업자등록 직권말소행위는 폐업사실의 기재에 불과하여 사업자로서의 지위에 변동을 가져오지 않는 바 행정처분으로 볼 수 없음(대판 2011.1.27. 2008두2200)

12 ○ 사업인정은 사업시행자에게 토지를 수용할 권리를 설정해주는 것이므로(강학상 특허) 국민의 권리·의무에 영향을 미치는 행정처분임

13 × 국가계약법 제27조에 의한 경쟁입찰참가자격제한은 국민의 권리·의무에 영향을 미치는 행위이므로 처분임

14 ○ 거부처분 이후 동일한 내용의 새로운 신청에 대하여 다시 거절의 의사표시를 한 경우에는 새로운 거부처분이 있는 것으로 보아야 함(대판 2002.3.29. 2000두6084)

15 × 지침통보는 성질상 정부의 정부투자기관에 대한 관리, 감독작용에 해당할 뿐 국민의 권리 의무에 직접적인 변동을 가져오는 것이 아니므로 행정처분이 아님(대결 1993.4.12. 93두2)

16 ○ 건축주명의변경신고수리거부행위는 그 건축물의 공사를 계속하려는 또는 자신 명의로 소유권보존등기 하려는 양수인의 권리의무에 직접 영향을 미치는 것이므로 처분에 해당함(대판 1992.3.31. 91누4911)

17 × 과다하게 지급된 급여의 환수를 위한 행정청의 환수통지는 당사자에게 새로운 의무를 과하거나 권익을 제한하는 것으로서 행정처분에 해당(대판 2000.5.14. 2007두16202)

18 ○ 이 사건 고시는 다른 집행행위의 매개 없이 그 자체로서 국민의 법률관계를 직접 규율한다 할 것이므로, 행정처분에 해당(대판 2006.12.21. 2005두16161)

19 × 이 사건 고시는 다른 집행행위의 매개 없이 그 자체로서 국민의 법률관계를 직접 규율한다 할 것이므로, 행정처분에 해당(대판 2006.12.21. 2005두16161)

20 × 제1차 계고만이 처분성을 가지며 제2차, 제3차의 계고는 대집행기한의 연기통지에 불과하여 행정처분이 아님(대판 2000.2.22. 98두4665)

Ⅱ 당사자 1 - 원고적격

062 ☐☐☐

행정소송의 당사자에 대한 설명으로 가장 옳지 않은 것은? (다툼이 있는 경우 판례에 의함)

① 견책의 징계처분을 받은 甲이 사단장에게 징계위원회에 참여한 징계위원의 성명과 직위에 대한 정보공개청구를 하였으나 위 정보가 「공공기관의 정보공개에 관한 법률」 제9조 제1항 제1호, 제2호, 제5호, 제6호에 해당한다는 이유로 공개를 거부한 사안에서, 징계처분 취소사건에서 甲의 청구를 기각하는 판결이 확정되었다면, 甲으로서는 정보공개거부처분의 취소를 구할 법률상 이익이 존재하지 않는다.

② 지방법무사회의 사무원 채용승인 거부처분 또는 채용승인 취소처분에 대해서는 처분 상대방인 법무사뿐만 아니라 그 때문에 사무원이 될 수 없게 된 사람도 이를 다툴 원고적격이 인정되어야 한다.

③ 처분성이 인정되는 국민권익위원회의 조치요구에 불복하고자 하는 소방청장으로서는 조치요구의 취소를 구하는 항고소송을 제기하는 것이 유효·적절한 수단으로 볼 수 있으므로 소방청장은 예외적으로 당사자능력과 원고적격을 가진다고 보아야 한다.

④ 항고소송은 다른 법률에 특별한 규정이 없는 한 원칙적으로 소송의 대상인 행정처분을 외부적으로 행한 행정청을 피고로 하여야 하고, 다만 대리기관이 대리관계를 표시하고 피대리 행정청을 대리하여 행정처분을 한 때에는 피대리행정청이 피고로 되어야 한다.

2025년 군무원 9급

① (×)

[1] 국민의 정보공개청구권은 법률상 보호되는 구체적인 권리이므로, 공공기관에 대하여 정보공개를 청구하였다가 공개거부처분을 받은 청구인은 행정소송을 통해 공개거부처분의 취소를 구할 법률상 이익이 인정되고, 그 밖에 추가로 어떤 이익이 있어야 하는 것은 아니다.

[2] 견책의 징계처분을 받은 甲이 사단장에게 징계위원회에 참여한 징계위원의 성명과 직위에 대한 정보공개청구를 하였으나 위 정보가 공공기관의 정보공개에 관한 법률 제9조 제1항 제1호, 제2호, 제5호, 제6호에 해당한다는 이유로 공개를 거부한 사안에서, 비록 징계처분 취소사건에서 甲의 청구를 기각하는 판결이 확정되었더라도 이러한 사정만으로 위 처분의 취소를 구할 이익이 없어지지 않고, 사단장이 甲의 정보공개청구를 거부한 이상 甲으로서는 여전히 정보공개거부처분의 취소를 구할 법률상 이익이 있으므로, 이와 달리 본 원심판결에 법리오해의 잘못이 있다고 한 사례(대판 2022.5.26. 2022두33439)

② (○) 지방법무사회가 법무사의 사무원 채용승인 신청을 거부하거나 채용승인을 얻어 채용 중인 사람에 대한 채용승인을 취소하면, 상대방인 법무사로서도 그 사람을 사무원으로 채용할 수 없게 되는 불이익을 입게 될 뿐만 아니라, 그 사람도 법무사 사무원으로 채용되어 근무할 수 없게 되는 불이익을 입게 된다. 법무사규칙 제37조 제4항이 이의신청 절차를 규정한 것은 채용승인을 신청한 법무사뿐만 아니라 사무원이 되려는 사람의 이익도 보호하려는 취지로 볼 수 있다. 따라서 지방법무사회의 사무원 채용승인 거부처분 또는 채용승인 취소처분에 대해서는 처분 상대방인 법무사뿐만 아니라 그 때문에 사무원이 될 수 없게 된 사람도 이를 다툴 원고적격이 인정되어야 한다(대판 2020.4.9. 2015다34444).

③ (○)

[1] 국가기관 등 행정기관(이하 '행정기관 등'이라 한다) 사이에 그 권한의 존부와 범위에 관하여 다툼이 있는 경우에 이는 통상 내부적 분쟁이라는 성격을 띠고 있어 상급관청의 결정에 따라 해결되거나 법령이 정하는 바에 따라 '기관소송'이나 '권한쟁의심판'으로 다루어진다.

그런데 법령이 특정한 행정기관 등으로 하여금 다른 행정기관을 상대로 제재적 조치를 취할 수 있도록 하면서, 그에 따르지 않으면 그 행정기관에 대하여 과태료를 부과하거나 형사처벌을 할 수 있도록 정하는 경우가 있다. 이러한 경우에는 단순히 국가기관이나 행정기관의 내부적 문제라거나 권한 분장에 관한 분쟁으로만 볼 수 없다. 행정기관의 제재적 조치의 내용에 따라 '구체적 사실에 대한 법집행으로서 공권력의 행사'에 해당할 수 있고, 그러한 조치의 상대방인 행정기관이 입게 될 불이익도 명확하다. 그런데도 그러한 제재적 조치를 기관소송이나 권한쟁의심판을 통하여 다툴 수 없다면, 제재적 조치는 그 성격상 단순히 행정기관 등 내부의 권한 행사에 머무는 것이 아니라 상대방에 대한 공권력 행사로서 항고소송을 통한 주관적 구제대상이 될 수 있다고 보아야 한다. 기관소송 법정주의를 취하면서 제한적으로만 이를 인정하고 있는 현행 법령의 체계에 비추어 보면, 이 경우 항고소송을 통한 구제의 길을 열어주는 것이 법치국가 원리에도 부합한다. 따라서 이러한 권리구제나 권리보호의 필요성이 인정된다면 예외적으로 그 제재적 조치의 상대방인 행정기관 등에게 항고소송 원고로서의 당사자능력과 원고적격을 인정할 수 있다.

[2] 국민권익위원회가 소방청장에게 인사와 관련하여 부당한 지시를 한 사실이 인정된다며 이를 취소할 것을 요구하기로 의결하고 그 내용을 통지하자 소방청장이 국민권익위원회 조치요구의 취소를 구하는 소송을 제기한 사안에서, … 처분성이 인정되는 국민권익위원회의 조치요구에 불복하고자 하는 소방청장으로서는 조치요구의 취소를 구하는 항고소송을 제기하는 것이 유효·적절한 수단으로 볼 수 있으므로 소방청장은 예외적으로 당사자능력과 원고적격을 가진다고 한 사례(대판 2018.8.1. 2014두35379)

④ (○) 항고소송은 다른 법률에 특별한 규정이 없는 한 원칙적으로 소송의 대상인 행정처분을 외부적으로 행한 행정청을 피고로 하여야 하고(행정소송법 제13조 제1항 본문), 다만 대리기관이 대리관계를 표시하고 피대리 행정청을 대리하여 행정처분을 한 때에는 피대리 행정청이 피고로 되어야 한다(대판 2018.10.25. 2018두43095).

답 ①

063

항고소송의 원고적격과 소의 이익에 대한 설명으로 옳은 것(○)과 옳지 않은 것 (×)을 올바르게 조합한 것은? (다툼이 있는 경우 판례에 의함)

> ㄱ. 정보공개청구권은 법률상 보호되는 구체적인 권리이므로 청구인이 공공기관에 대하여 정보공개를 청구하였다가 거부처분을 받은 것 자체가 법률상 이익의 침해에 해당한다.
> ㄴ. 취소소송 계속 중 해당 처분이 기간의 경과로 그 효과가 소멸하여 그 처분이 취소되어도 원상회복이 불가능하다고 보이는 경우라도, '그 행정처분과 동일한 사유로 위법한 처분이 반복될 위험성이 있는 경우'에는 예외적으로 그 처분의 취소를 구할 소의 이익을 인정할 수 있다. 여기에서 '그 행정처분과 동일한 사유로 위법한 처분이 반복될 위험성이 있는 경우'란 반드시 '해당 사건의 동일한 소송 당사자 사이에서' 반복될 위험이 있는 경우만을 의미한다.
> ㄷ. 「법무사규칙」이 법무사 사무원 채용승인 거부처분에 대한 이의신청 절차를 규정한 것은 채용승인을 신청한 법무사 뿐만 아니라 사무원이 되려는 사람의 이익도 보호하려는 취지로 볼 수 있으므로, 지방법무사회의 사무원 채용승인 거부처분에 대해서는 처분 상대방인 법무사 뿐만 아니라 그 때문에 사무원이 될 수 없게 된 사람도 이를 다툴 원고적격이 인정된다.

① ㄱ(○), ㄴ(○), ㄷ(○)
② ㄱ(○), ㄴ(×), ㄷ(○)
③ ㄱ(×), ㄴ(○), ㄷ(×)
④ ㄱ(×), ㄴ(×), ㄷ(×)

함께 정리하기

항고소송의 원고적격과 소의 이익

정보공개를 청구하였다가 거부처분을 받은 것
▷ 법률상 이익의 침해 O

위법한 처분이 반복될 위험성
▷ 반드시 해당 사건의 동일 소송 당사자 사이에서 반복될 위험이 있는 경우만 의미 ✕

사무원이 될 수 없게 된 자
▷ 지방법무사회의 사무원 채용승인 거부처분취소의 원고적격 O

2025년 경찰간부

ㄱ. (O) 국민의 정보공개청구권은 법률상 보호되는 구체적인 권리이므로, 공공기관에 대하여 정보의 공개를 청구하였다가 공개거부처분을 받은 청구인은 행정소송을 통하여 그 공개거부처분의 취소를 구할 법률상의 이익이 있고, 공개청구의 대상이 되는 정보가 이미 공개되어 있다거나 다른 방법으로 손쉽게 알 수 있다는 사정만으로 소의 이익이 없다거나 비공개결정이 정당화될 수 없다. 또한, 청구인이 공공기관에 대하여 정보공개를 청구하였다가 거부처분을 받은 이상, 그 자체로 공개거부처분의 취소를 구할 법률상 이익이 인정되고, 그 외에 추가로 어떤 법률상 이익이 있을 것을 요하지 않는다(대판 2022.5.26. 2022두34562).

ㄴ. (✕) 행정처분의 무효 확인 또는 취소를 구하는 소가 제소 당시에는 소의 이익이 있어 적법하였는데, 소송계속 중 해당 행정처분이 기간의 경과 등으로 그 효과가 소멸한 때에 그 처분이 취소되어도 원상회복이 불가능하다고 보이는 경우라 하더라도, 무효 확인 또는 취소로써 회복할 수 있는 다른 권리나 이익이 남아 있거나 또는 그 행정처분과 동일한 사유로 위법한 처분이 반복될 위험성이 있어 행정처분의 위법성 확인 내지 불분명한 법률문제에 대한 해명이 필요한 경우에는 행정의 적법성 확보와 그에 대한 사법통제, 국민의 권리구제의 확대 등의 측면에서 예외적으로 그 처분의 취소를 구할 소의 이익을 인정할 수 있다. 여기에서 '그 행정처분과 동일한 사유로 위법한 처분이 반복될 위험성이 있는 경우'란 불분명한 법률문제에 대한 해명이 필요한 상황에 대한 대표적인 예시일 뿐이며, 반드시 '해당 사건의 동일한 소송 당사자 사이에서' 반복될 위험이 있는 경우만을 의미하는 것은 아니다(대판 2020.12.24. 2020두30450).

ㄷ. (O) 법무사의 사무원 채용승인 신청에 대하여 소속 지방법무사회가 '채용승인을 거부'하는 조치 또는 일단 채용승인을 하였으나 법무사규칙 제37조 제6항을 근거로 '채용승인을 취소'하는 조치는 공법인인 지방법무사회가 행하는 구체적 사실에 관한 법집행으로서 공권력의 행사 또는 그 거부에 해당하므로 항고소송의 대상인 '처분'이라고 보아야 한다. 구체적인 이유는 다음과 같다.

(1) 법무사가 사무원을 채용하기 위하여 지방법무사회의 승인을 받도록 한 것은, 그 사람이 법무사법 제23조 제2항 각 호에서 정한 결격사유에 해당하는지 여부를 미리 심사함으로써 법무사 사무원의 비리를 예방하고 법무사 직역에 대한 일반국민의 신뢰를 확보하기 위함이다. 법무사 사무원 채용승인은 본래 법무사에 대한 감독권한을 가지는 소관 지방법원장에 의한 국가사무였다가 지방법무사회로 이관되었으나, 이후에도 소관 지방법원장은 지방법무사회로부터 채용승인 사실의 보고를 받고 이의신청을 직접 처리하는 등 지방법무사회의 업무수행 적정성에 대한 감독을 하고 있다. 또한 법무사가 사무원 채용에 관하여 법무사법이나 법무사규칙을 위반하는 경우에는 소관 지방법원장으로부터 징계를 받을 수 있으므로, 법무사에 대하여 지방법무사회로부터 채용승인을 얻어 사무원을 채용할 의무는 법무사법에 의하여 강제되는 공법적 의무이다.
이러한 법무사 사무원 채용승인 제도의 법적 성질 및 연혁, 사무원 채용승인 거부에 대한 불복절차로서 소관 지방법원장에게 이의신청을 하도록 제도를 규정한 점 등에 비추어 보면, 지방법무사회의 법무사 사무원 채용승인은 단순히 지방법무사회와 소속 법무사 사이의 내부 법률문제라거나 지방법무사회의 고유사무라고 볼 수 없고, 법무사 감독이라는 국가사무를 위임받아 수행하는 것이라고 보아야 한다. 따라서 지방법무사회는 법무사 감독 사무를 수행하기 위하여 법률에 의하여 설립과 법무사의 회원 가입이 강제된 공법인으로서 법무사 사무원 채용승인에 관한 한 공권력 행사의 주체라고 보아야 한다.

(2) 지방법무사회가 법무사의 사무원 채용승인 신청을 거부하거나 채용승인을 얻어 채용 중인 사람에 대한 채용승인을 취소하면, 상대방인 법무사로서도 그 사람을 사무원으로 채용할 수 없게 되는 불이익을 입게 될 뿐만 아니라, 그 사람도 법무사 사무원으로 채용되어 근무할 수 없게 되는 불이익을 입게 된다. 법무사규칙 제37조 제4항이 이의신청 절차를 규정한 것은 채용승인을 신청한 법무사뿐만 아니라 사무원이 되려는 사람의 이익도 보호하려는 취지로 볼 수 있다. 따라서 지방법무사회의 사무원 채용승인 거부처분 또는 채용승인 취소처분에 대해서는 처분 상대방인 법무사뿐만 아니라 그 때문에 사무원이 될 수 없게 된 사람도 이를 다툴 원고적격이 인정되어야 한다(대판 2020.4.9. 2015다34444).

답 ②

064

경업자·경원자소송에 대한 설명으로 가장 옳지 않은 것은? (다툼이 있는 경우 판례에 의함)

① 한정면허를 받은 시외버스운송사업자가 일반면허를 받은 시외버스운송사업자에 대한 사업계획변경 인가처분으로 수익감소가 예상되는 경우, 일반면허 시외버스운송사업자에 대한 사업계획변경인가처분의 취소를 구할 법률상의 이익이 있다.

② 법학전문대학원 설치인가 신청을 하였으나 인가처분을 받지 못한 대학들은 2,000명이라는 총 입학정원을 두고 그 설치인가 여부 및 개별 입학정원의 배정에 관하여 서로 경쟁관계에 있으므로, 인가처분의 상대방이 아니라도 그 처분의 취소 등을 구할 당사자적격이 있다.

③ 당초에 상품매도점포로서의 근린생활시설로 되어 있던 용도를 치과의원을 개설할 수 있도록 의원으로서의 근린생활시설로 변경한 서울특별시장의 용도변경처분에 대하여 인근 치과의원 경영자에게는 취소소송의 원고적격이 인정된다.

④ 면허받은 장의자동차운송사업구역에 위반하였음을 이유로 한 행정청의 과징금부과 처분에 의하여 동종업자의 영업이 보호되는 결과는 사업구역제도의 반사적 이익에 불과하기 때문에 그 과징금부과처분을 취소한 재결에 대하여 처분의 상대방 아닌 제3자는 그 취소를 구할 법률상 이익이 없다.

2025년 군무원 7급

① (O) 일반적으로 면허나 인가 등의 수익적 행정처분의 근거가 되는 법률이 해당 업자들 사이의 과당경쟁으로 인한 경영의 불합리를 방지하는 것도 그 목적으로 하고 있는 경우, 다른 업자에 대한 면허나 인가 등의 수익적 행정처분에 대하여 미리 같은 종류의 면허나 인가 등의 수익적 행정처분을 받아 영업을 하고 있는 기존의 업자는 경업자에 대하여 이루어진 면허나 인가 등 행정처분의 상대방이 아니라 하더라도 당해 행정처분의 취소를 구할 당사자적격이 있다. 한정면허를 받은 시외버스운송사업자라고 하더라도 다 같이 운행계통을 정하고 여객을 운송하는 노선여객자동차운송사업을 한다는 점에서 일반면허를 받은 시외버스운송사업자와 본질적인 차이가 없으므로, 일반면허를 받은 시외버스운송사업자에 대한 사업계획변경 인가처분으로 인하여 기존에 한정면허를 받은 시외버스운송사업자의 노선 및 운행계통과 일반면허를 받은 시외버스운송사업자의 그것이 일부 중복되게 되고 기존업자의 수익감소가 예상된다면, 기존의 한정면허를 받은 시외버스운송사업자와 일반면허를 받은 시외버스운송사업자는 경업관계에 있는 것으로 봄이 상당하고, 따라서 기존의 한정면허를 받은 시외버스운송사업자는 일반면허 시외버스운송사업자에 대한 사업계획변경인가처분의 취소를 구할 법률상의 이익이 있다(대판 2018.4.26. 2015두53824).

② (O) 인, 허가 등의 수익적 행정처분을 신청한 수인이 서로 경쟁관계에 있어서 일방에 대한 허가 등의 처분이 타방에 대한 불허가 등으로 귀결될 수밖에 없는 때 허가 등의 처분을 받지 못한 자는 비록 경원자에 대하여 이루어진 허가 등 처분의 상대방이 아니라 하더라도 당해 처분의 취소를 구할 원고 적격이 있다고 할 것이고, 다만 명백한 법적 장애로 인하여 원고 자신의 신청이 인용될 가능성이 처음부터 배제되어 있는 경우에는 당해 처분의 취소를 구할 정당한 이익이 없다고 할 것이다. 원고를 포함하여 법학전문대학원 설치인가 신청을 한 41개 대학들은 2,000명이라는 총 입학정원을 두고 그 설치인가 여부 및 개별 입학정원의 배정에 관하여 서로 경쟁관계에 있고 이 사건 각 처분이 취소될 경우 원고의 신청이 인용될 가능성도 배제할 수 없으므로, 원고가 이 사건 각 처분의 상대방이 아니라도 그 처분의 취소 등을 구할 당사자적격이 있다(대판 2009.12.10. 2009두8359).

문제 DATA

출제가능 지수 ▶▶Σ
난이도 지수 ★★☆

함께 정리하기

경업자·경원자소송

일반면허 시외버스운송사업자에 대한 사업계획변경인가처분 취소소송
▷ 한정 면허를 받은 시외버스운송사업자의 법률상 이익 O

경원자
▷ 타방에 대한 수익적 행정처분의 취소를 구할 이익 有

인근 치과의원 경영자
▷ 그와 경합관계에 있는 의원개설을 위해 근린생활시설로 용도를 변경한 처분의 취소를 구할 원고적격 ×

장의자동차운송 사업구역 위반 과징금부과처분 취소재결
▷ 제3자 원고적격 ×

③ (×) 행정처분의 취소를 구하는 항고소송은 그 처분의 직접 상대방이 아닌 제3자라고 하더라도 처분 등의 취소를 구할 법률상 이익이 있는 자는 제기할 수 있는 것이나, 여기서 말하는 법률상의 이익이란 직접적이고 구체적인 이익을 말하고, 간접적이거나 사실적, 경제적 이해관계를 가지는 데 불과한 경우는 여기에 해당하지 아니한다고 할 것인바, <u>의료법상 의료인은 신고만으로 의원이나 치과의원을 개설할 수 있고 건축법 기타 건축관계법령상 의원 상호간의 거리나 개소에 아무런 제한을 두고 있지 아니하므로 치과의원을 경영하는 원고로서는</u> 그 치과의원과 같은 아파트단지내에서 30미터 정도의 거리에 있는 건물에 대하여 당초에 상품매도점포로서의 근린생활시설로 되어 있던 용도를 원고와 경합관계에 있는 치과의원을 개설할 수 있도록 의원으로서의 근린생활시설로 변경한 서울특별시장의 용도변경처분으로 인하여 받게 될 불이익은 간접적이거나 사실적, 경제적인 불이익에 지나지 아니하여 그것만으로는 원고에게 위 용도변경처분의 취소를 구할 소익이 있다고 할 수 없다(대판 1990.5.22. 90누813).

④ (○) 면허받은 장의자동차운송사업구역에 위반하였음을 이유로 한 행정청의 과징금부과처분에 의하여 동종업자의 영업이 보호되는 결과는 사업구역제도의 반사적 이익에 불과하기 때문에 그 과징금부과처분을 취소한 재결에 대하여 처분의 상대방 아닌 제3자는 그 취소를 구할 법률상 이익이 없다(대판 1992.12.8. 91누13700).

답 ③

065

「행정소송법」 제12조의 법률상 이익에 대한 설명 중 옳은 것(○)과 옳지 않은 것(×)을 올바르게 조합한 것은? (다툼이 있는 경우 판례에 의함)

> ㄱ. 처분의 직접 상대방이 아닌 제3자가 해당 처분과 간접적·사실적·경제적인 이해관계를 가지는 데 불과한 경우에는 처분의 취소를 구할 원고적격이 인정되지 않는다.
> ㄴ. 개발제한구역 안에서의 공장설립을 승인한 처분이 위법하다는 이유로 쟁송취소되었지만 그 승인처분에 기초한 공장건축허가처분이 잔존하는 경우, 인근 주민들은 여전히 공장건축허가처분의 취소를 구할 법률상 이익이 있다.
> ㄷ. 재단법인 A 연구재단이 B 대학교 총장에게 연구개발비의 부당집행을 이유로 국가연구개발사업인 BK21 사업 협약을 해지하고 연구팀장 甲에 대한 국가연구개발사업의 3년간 참여제한 등을 명하는 통보를 한 경우, 甲은 위 협약 해지 통보의 효력을 다툴 법률상 이익이 있다.
> ㄹ. 개발제한구역 중 일부 취락을 개발제한구역에서 해제하는 내용으로 도시관리계획변경의 결정·고시가 있는 사안에서, 해제대상에서 누락된 개발제한구역 내 토지의 소유자는 위 결정·고시의 취소를 구할 법률상 이익이 있다.

① ㄱ(○), ㄴ(○), ㄷ(○), ㄹ(×)
② ㄱ(○), ㄴ(○), ㄷ(×), ㄹ(○)
③ ㄱ(○), ㄴ(×), ㄷ(○), ㄹ(○)
④ ㄱ(○), ㄴ(×), ㄷ(×), ㄹ(○)
⑤ ㄱ(×), ㄴ(×), ㄷ(×), ㄹ(×)

2025년 변호사

ㄱ. (○) 행정처분의 직접 상대방이 아닌 제3자라 하더라도 당해 행정처분으로 인하여 법률상 보호되는 이익을 침해당한 경우에는 취소소송을 제기하여 그 당부의 판단을 받을 자격이 있는 것이지만, 여기에서 말하는 법률상 보호되는 이익이란 당해 행정처분의 근거 법률에 의하여 보호되는 직접적이고 구체적인 이익을 말하고, 제3자가 당해 행정처분과 관련하여 간접적이거나 사실적·경제적인 이해관계를 가지는 데 불과한 경우는 여기에 포함되지 아니한다(대판 1999.10.12. 99두6026).

ㄴ. (○) 처분이 유효하게 존속하는 경우에는 특별한 사정이 없는 한 그 처분의 존재로 인하여 실제로 침해되고 있거나 침해될 수 있는 현실적인 위험을 제거하기 위해 취소소송을 제기할 권리보호의 필요성이 인정된다고 보아야 한다. 구 산업집적활성화 및 공장설립에 관한 법률(2009. 2.6. 법률 제9426호로 개정되기 전의 것) 제13조 제1항, 제13조의2 제1항 제16호, 제14조, 제50조, 제13조의5 제4호의 규정을 종합하면, 공장설립승인처분이 있고 난 뒤에 또는 그와 동시에 공장건축허가처분을 하는 것이 허용되므로, 공장설립승인처분이 취소된 경우에는 그 승인처분을 기초로 한 공장건축허가처분 역시 취소되어야 하고, 공장설립승인처분에 근거하여 토지의 형질변경이 이루어진 경우에는 원상회복을 해야 함이 원칙이다. 따라서 개발제한구역 안에서의 공장설립을 승인한 처분이 위법하다는 이유로 쟁송취소되었다고 하더라도 그 승인처분에 기초한 공장건축허가처분이 잔존하는 이상, 공장설립승인처분이 취소되었다는 사정만으로 인근 주민들의 환경상 이익이 침해되는 상태나 침해될 위험이 종료되었다거나 이를 시정할 수 있는 단계가 지나버렸다고 단정할 수는 없고, 인근 주민들은 여전히 공장건축허가처분의 취소를 구할 법률상 이익이 있다고 보아야 한다(대판 2018.7.12. 2015두3485).

ㄷ. (○)

> [1] 재단법인 △△연구재단이 甲 대학교 총장에게 연구개발비의 부당집행을 이유로 '해양생물유래 고부가식품·향장·한약 기초소재 개발 인력양성사업에 대한 2단계 두뇌한국(BK)21 사업' 협약을 해지하고 연구팀장 乙에 대한 국가연구개발사업의 3년간 참여제한 등을 명하는 통보를 하자 乙이 통보의 취소를 청구한 사안에서, 학술진흥 및 학자금대출 신용보증 등에 관한 법률 등의 입법 취지 및 규정 내용 등과 아울러 위 법 등 해석상 국가가 두뇌한국(BK)21 사업의 주관연구기관인 대학에 연구개발비를 출연하는 것은 '연구 중심 대학'의 육성은 물론 그와 별도로 대학에 소속된 연구인력의 역량 강화에도 목적이 있다고 보이는 점, 기본적으로 국가연구개발사업에 대한 연구개발비의 지원은 대학에 소속된 일정한 연구단위별로 신청한 연구개발과제에 대한 것이지, 그 소속 대학을 기준으로 한 것은 아닌 점 등 제반 사정에 비추어 보면, 연구팀장 乙은 위 사업에 관한 협약의 해지 통보의 효력을 다툴 법률상 이익이 있다고 한 사례
>
> [2] 재단법인 △△연구재단이 甲 대학교 총장에게 연구개발비의 부당집행을 이유로 '해양생물유래 고부가식품·향장·한약 기초소재 개발 인력양성사업에 대한 2단계 두뇌한국(BK)21 사업' 협약을 해지하고 연구팀장 乙에 대한 대학자체 징계 요구 등을 통보한 사안에서, 재단법인 △△연구재단이 甲 대학교 총장에게 乙에 대한 대학 자체징계를 요구한 것은 법률상 구속력이 없는 권유 또는 사실상의 통지로서 乙의 권리, 의무 등 법률상 지위에 직접적인 법률적 변동을 일으키지 않는 행위에 해당하므로, 항고소송의 대상인 행정처분에 해당하지 않는다고 본 원심판단은 정당하다고 한 사례(대판 2014.12.11. 2012두28704)

ㄹ. (×) 개발제한구역 중 일부 취락을 개발제한구역에서 해제하는 내용의 도시관리계획변경결정에 대하여, 개발제한구역 해제대상에서 누락된 토지의 소유자는 위 결정의 취소를 구할 법률상 이익이 없다(대판 2008.7.10. 2007두10242).

답 ①

함께 정리하기

「행정소송법」제12조의 법률상 이익

처분의 제3자
▷ 해당 처분과 간접적·사실적·경제적인 이해관계: 원고적격×

공장설립승인취소
▷ 공장건축허가가 잔존하면 법률상 이익 有

연구개발비 부당집행을 이유로 한 BK21 사업 협약의 해지통보
▷ 연구팀장: 원고적격○

개발제한구역해제대상에서 누락된 토지 소유자
▷ 도시관리계획변경결정의 취소를 구할 법률상 이익×

066

항고소송의 원고적격과 소의 이익에 대한 설명으로 옳지 않은 것은? (다툼이 있는 경우 판례에 의함)

① 대한민국 영토 밖에 거주하는 외국인에게는 사증발급 거부처분의 상대방이라고 하더라도 그 처분의 취소를 구할 법률상 이익이 인정되지 않는다.
② 교육부장관이 사학분쟁조정위원회의 심의를 거쳐 학교법인의 이사를 선임한 처분의 취소를 구하는 사안에서, 해당 학교법인 소속 대학교 교수협의회와 총학생회는 원고적격이 없다.
③ 재단법인 甲 수녀원은 매립목적을 택지조성에서 조선시설용지로 변경하는 내용의 공유수면매립목적변경승인처분으로 인하여 법률상 보호되는 환경상 이익을 침해받았다면서 처분청을 상대로 처분의 무효확인을 구할 원고적격이 없다.
④ 고등학교 퇴학처분을 받은 후 고등학교 졸업학력 검정고시에 합격하였다 하여 고등학교 학생으로서의 신분과 명예가 회복될 수 없는 것이므로, 퇴학처분을 받은 자로서는 퇴학처분의 위법성을 주장하여 그 취소를 구할 소송상의 이익이 있다.

문제 DATA
출제가능 지수 ▶▶▷
난이도 지수 ★★☆

함께 정리하기
항고소송의 원고적격과 소의 이익

사증발급 거부처분 취소소송
▷ 외국인 원고적격 ✕

교육부장관의 학교법인 이사선임처분 취소소송
▷ 교수협의회·총학생회 원고적격 ○

공유수면매립목적 변경승인처분 무효확인소송
▷ 재단법인인 수녀원 원고적격 ✕

대입검정고시에 합격한 자의 고등학교 퇴학처분취소소송
▷ 소의 이익 ○

2024년 경찰간부

① (○) 사증발급 거부처분을 다투는 외국인은, 아직 대한민국에 입국하지 않은 상태에서 대한민국에 입국하게 해달라고 주장하는 것으로, 대한민국과의 실질적 관련성 내지 대한민국에서 법적으로 보호가치 있는 이해관계를 형성한 경우는 아니어서, 해당 처분의 취소를 구할 법률상 이익을 인정하여야 할 법정책적 필요성도 크지 않다. … 사증발급의 법적 성질, 출입국관리법의 입법 목적, 사증발급 신청인의 대한민국과의 실질적 관련성, 상호주의원칙 등을 고려하면, 우리 출입국관리법의 해석상 외국인에게는 사증발급 거부처분의 취소를 구할 법률상 이익이 인정되지 않는다고 봄이 타당하다(대판 2018.5.15. 2014두42506).

② (✕) 교육부장관이 사학분쟁조정위원회의 심의를 거쳐 甲 대학교를 설치·운영하는 乙 학교법인의 이사 8인과 임시이사 1인을 선임한 데 대하여 甲 대학교 교수협의회와 총학생회 등이 이사선임처분의 취소를 구하는 소송을 제기한 사안에서, 구 사립학교법과 구 사립학교법 시행령 및 乙 법인 정관 규정은 헌법 제31조 제4항에 정한 교육의 자주성과 대학의 자율성에 근거한 甲 대학교 교수협의회와 총학생회의 학교운영참여권을 구체화하여 이를 보호하고 있다고 해석되므로 甲 대학교 교수협의회와 총학생회는 이사선임처분을 다툴 법률상 이익을 가지지만, 고등교육법령은 교육받을 권리나 학문의 자유를 실현하는 수단으로서 학생회와 교수회와는 달리 학교의 직원으로 구성된 노동조합의 성립을 예정하고 있지 아니하고, 노동조합은 근로자가 주체가 되어 자주적으로 단결하여 근로조건의 유지·개선 기타 근로자의 경제적·사회적 지위의 향상을 도모하기 위하여 조직된 단체인 점 등을 고려할 때, 학교의 직원으로 구성된 노동조합이 교육받을 권리나 학문의 자유를 실현하는 수단으로서 직접 기능한다고 볼 수는 없으므로, 개방이사에 관한 구 사립학교법과 구 사립학교법 시행령 및 乙 법인 정관 규정이 학교직원들로 구성된 전국대학노동조합 甲 대학교지부의 법률상 이익까지 보호하고 있는 것으로 해석할 수는 없다(대판 2015.7.23. 2012두19496).

③ (○) 재단법인 甲 수녀원이, 매립목적을 택지조성에서 조선시설용지로 변경하는 내용의 공유수면매립목적 변경 승인처분으로 인하여 법률상 보호되는 환경상 이익을 침해받았다면서 행정청을 상대로 처분의 무효확인을 구하는 소송을 제기한 사안에서, 공유수면매립목적 변경 승인처분으로 甲 수녀원에 소속된 수녀 등이 쾌적한 환경에서 생활할 수 있는 환경상 이익을 침해받는다고 하더라도 이를 가리켜 곧바로 甲 수녀원의 법률상 이익이 침해된다고 볼 수 없고, 자연인이 아닌 甲 수녀원은 쾌적한 환경에서 생활할 수 있는 이익을 향수할 수 있는 주체가 아니므로 위 처분으로 위와 같은 생활상의 이익이 직접적으로 침해되는 관계에 있다고 볼 수도 없으며, 위 처분으로 환경에 영향을 주어 甲 수녀원이 운영하는 쨈 공장에 직접적이고 구체적인 재산적 피해가 발생한다거나 甲 수녀원이 폐쇄되고 이전해야 하는 등의 피해를 받거나 받을 우려가 있다는 점 등에 관한 증명도 부족하다는 이유로, 甲 수녀원에는 처분의 무효확인을 구할 원고적격이 없다고 하였다(대판 2012.6.28. 2010두2005).

④ (○) 고등학교에서 퇴학처분을 받은 후 고등학교졸업학력검정고시에 합격하였다 하더라도 고등학교졸업이 대학입학자격이나 학력인정으로서의 의미밖에 없다고 할 수 없으므로 <u>고등학교졸업학력검정고시에 합격하였다</u> 하여 <u>고등학교 학생으로서의 신분과 명예가 회복될 수 없는 것이니 퇴학처분을 받은 자로서는 퇴학처분의 위법을 주장하여 그 취소를 구할 소송상의 이익이 있다</u>(대판 1992.7.14. 91누4737).

답 ②

067

「행정소송법」상 법률상 이익에 대한 설명 중 옳은 것을 모두 고른 것은? (다툼이 있는 경우 판례에 의함)

> ㄱ. 관할 행정청이 A에 대하여 A 소유 건물의 4, 5층에 객실을 설비할 수 있도록 숙박업구조변경허가를 하였는데 그곳으로부터 700m 정도의 거리에서 여관을 경영하는 甲이 주거안녕과 생활환경 침해를 이유로 A에 대한 숙박업구조변경허가처분의 무효확인소송을 제기한 경우, 무효확인을 구할 소익이 있다.
> ㄴ. 乙은 해임처분 취소소송 계속 중 임기가 만료되었으나 해임처분이 취소되면 해임처분일부터 임기만료일까지의 기간에 대하여 보수 지급을 구할 수 있는 경우, 해임처분의 취소를 구할 법률상 이익이 있다.
> ㄷ. 폐기물처리시설 설치촉진 및 주변지역지원 등에 관한 법령 상 폐기물매립시설 부지경계선으로부터 2km 이내, 폐기물소각시설 부지경계선으로부터 300m 이내에 거주하는 주민으로 주민지원협의체를 구성하여 주변영향지역결정에 관해 협의하도록 정하고 있는 상황에서 그 구역 내 지역주민인 丙이 주변영향지역결정처분의 취소소송을 제기한 경우, 원고적격이 인정된다.
> ㄹ. 丁이 영업정지처분을 받았고 그 정지기간이 지났으나 시행규칙의 형식으로 정한 처분기준에서 제재적 행정처분을 받은 것을 가중사유로 삼아 장래의 제재적 행정처분을 하도록 정하고 있고 이러한 시행규칙이 법령에 근거를 두고 있으며 가중된 제재처분을 받을 우려가 있는 상황에서, 정지기간이 이미 경과한 영업정지처분에 대하여 취소소송을 제기한 경우, 취소를 구할 법률상 이익이 있다.

① ㄱ, ㄴ
② ㄱ, ㄹ
③ ㄴ, ㄷ
④ ㄴ, ㄹ
⑤ ㄴ, ㄷ, ㄹ

2024년 변호사

ㄱ. (×) 이 사건 건물의 4, 5층 일부에 객실을 설비할 수 있도록 <u>숙박업구조변경허가</u>를 함으로써 그곳으로부터 50미터 내지 700미터 정도의 거리에서 <u>여관을 경영하는 원고들이 받게 될 불이익은 간접적이거나 사실적, 경제적인 불이익에 지나지 아니하므로</u> 그것만으로는 원고들에게 위 숙박업구조변경허가처분의 무효확인 또는 취소를 구할 소익이 있다고 할 수 없다(대판 1990.8.14. 89누7900).
ㄴ. (○) <u>해임처분 무효확인 또는 취소소송 계속 중 임기가 만료되어 해임처분의 무효확인 또는 취소로 지위를 회복할 수는 없다고 할지라도, 그 무효확인 또는 취소로 해임처분일부터 임기만료일까지 기간에 대한 보수 지급을 구할 수 있는 경우에는 해임처분의 무효확인 또는 취소를 구할 법률상 이익이 있다.</u> 해임권자와 보수지급의무자가 다른 경우에도 마찬가지이다(대판 2012.2.23. 2011두5001).

문제 DATA

출제가능 지수 ▶▶Σ
난이도 지수 ★★★

함께 정리하기

「행정소송법」상 법률상 이익

여관을 경영하는 기존업자
▷ 경업자에 대한 숙박업구조변경허가분 다툴 원고적격×

임기만료
▷ 해임처분 다툴 소의 이익○(보수)

폐기물매립시설 2km 내, 폐기물소각시설 300m 내 주민
▷ 주변영향지역결정처분 다툴 원고적격○

가중요건 시행규칙에 규정
▷ 제재기간이 경과해도 소의 이익 有

ㄷ. (○) 폐기물처리시설 설치촉진 및 주변지역지원 등에 관한 법률 시행령 제18조 제1항 [별표 2] 제2호 (나)목은 '주변영향지역이 결정·고시되지 아니한 경우'에 '폐기물매립시설의 부지 경계선으로부터 2km 이내, 폐기물소각시설의 부지 경계선으로부터 300m 이내에 거주하는 지역주민으로서 해당 특별자치도·시·군·구의회에서 추천한 읍·면·동별 주민대표'로 지원협의체를 구성하도록 규정하고 있다. 위와 같은 규정의 취지는, 폐기물매립시설의 부지 경계선으로부터 2km 이내, 폐기물소각시설의 부지 경계선으로부터 300m 이내에는 폐기물처리시설의 설치·운영으로 환경상 영향을 미칠 가능성이 있으므로, 그 범위 안에서 거주하는 주민들 중에서 선정한 주민대표로 하여금 지원협의체의 구성원이 되어 환경상 영향조사, 주변영향지역 결정, 주민지원사업의 결정에 참여할 수 있도록 함으로써, 그 주민들이 폐기물처리시설 설치·운영으로 인한 환경상 불이익을 보상받을 수 있도록 하려는 데 있다. <u>위 범위 안에서 거주하는 주민들이 폐기물처리시설의 주변영향지역 결정과 관련하여 갖는 이익은 주민 개개인에 대하여 개별적으로 보호되는 직접적·구체적 이익으로서 그들에 대하여는 특단의 사정이 없는 한 환경상 이익에 대한 침해 또는 침해 우려가 있는 것으로 사실상 추정되어 원고적격이 인정된다</u>(대판 2018. 8.1. 2014두42520).

ㄹ. (○) 제재적 행정처분이 그 처분에서 정한 제재기간의 경과로 인하여 그 효과가 소멸되었으나, 부령인 시행규칙 또는 지방자치단체의 규칙(이하 이들을 '규칙'이라고 한다)의 형식으로 정한 처분기준에서 제재적 행정처분(이하 '선행처분'이라고 한다)을 받은 것을 가중사유나 전제요건으로 삼아 장래의 제재적 행정처분(이하 '후행처분'이라고 한다)을 하도록 정하고 있는 경우, 제재적 행정처분의 가중사유나 전제요건에 관한 규정이 법령이 아니라 규칙의 형식으로 되어 있다고 하더라도, <u>그러한 규칙이 법령에 근거를 두고 있는 이상 그 법적 성질이 대외적·일반적 구속력을 갖는 법규명령인지 여부와는 상관없이, 관할 행정청이나 담당공무원은 이를 준수할 의무가 있으므로 이들이 그 규칙에 정해진 바에 따라 행정작용을 할 것이 당연히 예견되고, 그 결과 행정작용의 상대방인 국민으로서는 그 규칙의 영향을 받을 수밖에 없다.</u> 따라서 그러한 규칙이 정한 바에 따라 선행처분을 받은 상대방이 그 처분의 존재로 인하여 장래에 받을 불이익, 즉 후행처분의 위험은 구체적이고 현실적인 것이므로, 상대방에게는 선행처분의 취소소송을 통하여 그 불이익을 제거할 필요가 있다. … <u>규칙이 정한 바에 따라 선행처분을 가중사유 또는 전제요건으로 하는 후행처분을 받을 우려가 현실적으로 존재하는 경우에는, 선행처분을 받은 상대방은 비록 그 처분에서 정한 제재기간이 경과하였다 하더라도 그 처분의 취소소송을 통하여 그러한 불이익을 제거할 권리보호의 필요성이 충분히 인정된다고 할 것이므로, 선행처분의 취소를 구할 법률상 이익이 있다고 보아야 한다</u>(대판 2006.6.22. 2003두1684 전합).

답 ⑤

068 ☐☐☐

행정소송에 대한 설명으로 옳지 않은 것은?

① 해당 처분을 다툴 법률상 이익이 있는지 여부는 직권조사사항으로 이에 관한 당사자의 주장은 직권발동을 촉구하는 의미밖에 없으므로, 원심법원이 이에 관하여 판단하지 않았다고 하여 판단유탈의 상고이유로 삼을 수 없다.

② 행정청은 「민사소송법」상의 보조참가를 할 수 있을 뿐만 아니라 「행정소송법」에 의한 소송참가를 할 수 있고 공법상 당사자소송의 원고가 된다.

③ 부작위위법확인의 소에 있어 당사자가 행정청에 대하여 어떠한 행정행위를 하여 줄 것을 요구할 수 있는 법규상 또는 조리상 권리를 갖고 있지 아니한 경우에는 원고적격이 없거나 항고소송의 대상인 위법한 부작위가 있다고 볼 수 없어 그 부작위위법확인의 소는 부적법하다.

④ 국가가 국토이용계획과 관련한 지방자치단체의 장의 기관위임사무의 처리에 관하여 지방자치단체의 장을 상대로 취소소송을 제기하는 것은 허용되지 않는다.

2024년 지방직 9급

① (○) 해당 처분을 다툴 법률상 이익이 있는지 여부는 직권조사사항으로 이에 관한 당사자의 주장은 직권발동을 촉구하는 의미밖에 없으므로, 원심법원이 이에 관하여 판단하지 않았다고 하여 판단유탈의 상고이유로 삼을 수 없다(대판 2017.3.9. 2013두16852).
② (×) 타인 사이의 항고소송에서 소송의 결과에 관하여 이해관계가 있다고 주장하면서 민사소송법 제71조에 의한 보조참가를 할 수 있는 제3자는 민사소송법상의 당사자능력 및 소송능력을 갖춘 자이어야 하므로 그러한 당사자능력 및 소송능력이 없는 행정청으로서는 민사소송법상의 보조참가를 할 수는 없고 다만 행정소송법 제17조 제1항에 의한 소송참가를 할 수 있을 뿐이다(행정청에 불과한 서울특별시장의 보조참가신청을 부적법하다고 한 사례)(대판 2002.9.24. 99두1519).
③ (○) 부작위위법확인의 소에 있어 당사자가 행정청에 대하여 어떠한 행정행위를 하여 줄 것을 요구할 수 있는 법규상 또는 조리상 권리를 갖고 있지 아니한 경우에는 원고적격이 없거나 항고소송의 대상인 위법한 부작위가 있다고 볼 수 없어 그 부작위위법확인의 소는 부적법하다(대판 1999.12.7. 97누17568).
④ (○) 건설교통부장관은 지방자치단체의 장이 기관위임사무인 국토이용계획 사무를 처리함에 있어 자신과 의견이 다를 경우 행정협의조정위원회에 협의·조정 신청을 하여 그 협의·조정 결정에 따라 의견불일치를 해소할 수 있고, 법원에 의한 판결을 받지 않고서도 행정권한의 위임 및 위탁에 관한 규정이나 구 지방자치법에서 정하고 있는 지도·감독을 통하여 직접 지방자치단체의 장의 사무처리에 대하여 시정명령을 발하고 그 사무처리를 취소 또는 정지할 수 있으며, 지방자치단체의 장에게 기간을 정하여 직무이행명령을 하고 지방자치단체의 장이 이를 이행하지 아니할 때에는 직접 필요한 조치를 할 수도 있으므로, 국가가 국토이용계획과 관련한 지방자치단체의 장의 기관위임사무의 처리에 관하여 지방자치단체의 장을 상대로 취소소송을 제기하는 것은 허용되지 않는다(대판 2007.9.20. 2005두6935).

답 ②

함께 정리하기

행정소송

법률상 이익
▷ 직권조사사항(판단유탈 상고이유×)

행정청: 당사자능력×
▷ 민사소송법상 보조참가×
▷ 행정소송법상 행정청의 소송참가○ (보조참가의 성질○)
▷ 당사자소송×

부작위위법확인 소에서 신청권 존부
▷ 부작위의 개념요소·원고적격요소

국가
▷ 기관위임사무에 관하여 지자체장 상대로 취소소송 제기 불가

069

판례의 입장으로 옳지 않은 것만을 모두 고르면?

ㄱ. 정보의 부분 공개가 허용되는 경우란 당해 정보에서 비공개대상정보에 관련된 기술 등을 제외 혹은 삭제하고 나머지 정보만 공개하는 것이 가능하고 나머지 부분의 정보만으로도 공개의 가치가 있는 경우를 의미한다.
ㄴ. 음주운전으로 적발된 주취운전자가 도로 밖으로 차량을 이동하겠다며 단속경찰관으로부터 보관중이던 차량열쇠를 반환받아 몰래 차량을 운전하여 가던 중 사고를 일으킨 경우, 국가배상책임이 인정되지 않는다.
ㄷ. 원고적격의 요건으로서 법률상 이익에는 당해 처분의 근거 법률에 의하여 보호되는 직접적이고 구체적인 이익뿐만 아니라 간접적이거나 사실적·경제적 이해관계를 가지는 경우도 여기에 포함된다.
ㄹ. 영어 과목의 2종 교과용 도서에 대하여 검정신청을 하였다가 불합격결정처분을 받은 자는 자신들이 검정신청한 교과서의 과목과 전혀 관계가 없는 수학 과목의 교과용 도서에 대한 합격결정처분에 대하여 그 취소를 구할 법률상 이익이 없다.

① ㄱ, ㄴ
② ㄱ, ㄹ
③ ㄴ, ㄷ
④ ㄷ, ㄹ

문제 DATA

출제가능 지수 ▶▶▷
난이도 지수 ★★☆

함께 정리하기

판례

분리 가능의 의미
▷ 나머지 부분만 공개가능 & 공개가치가 있는 경우를 의미

주취운전을 막기위한 권한불행사
▷ 직무상 의무 위배

법률상 이익
▷ 처분의 근거 법률에 의하여 보호되는 직접적이고 구체적인 이익

처분의 제3자
▷ 자신과 무관한 처분: 원고적격 無

2024년 국가직 9급

ㄱ. (○) 법원이 행정기관의 정보공개거부처분의 위법 여부를 심리한 결과 공개를 거부한 정보에 비공개 대상 정보에 해당하는 부분과 공개가 가능한 부분이 혼합되어 있고 공개청구의 취지에 어긋나지 아니하는 범위 안에서 두 부분을 분리할 수 있음을 인정할 수 있을 때에는 청구취지의 변경이 없더라도 공개가 가능한 정보에 관한 부분만의 일부취소를 명할 수 있다 할 것이고, 공개청구의 취지에 어긋나지 아니하는 범위 안에서 비공개 대상 정보에 해당하는 부분과 공개가 가능한 부분을 분리할 수 있다고 함은, 이 두 부분이 물리적으로 분리가능한 경우를 의미하는 것이 아니고 당해 정보의 공개방법 및 절차에 비추어 당해 정보에서 비공개 대상 정보에 관련된 기술 등을 제외 내지 삭제하고 그 나머지 정보만을 공개하는 것이 가능하고 나머지 부분의 정보만으로도 공개의 가치가 있는 경우를 의미한다고 해석하여야 한다 (대판 2004.12.9. 2003두12707).

ㄴ. (×) 음주운전으로 적발된 주취운전자가 도로 밖으로 차량을 이동하겠다며 단속경찰관으로부터 보관중이던 차량열쇠를 반환받아 몰래 차량을 운전하여 가던 중 사고를 일으킨 경우, 국가배상책임을 인정한 사례

> 주취운전을 적발한 경찰관이 주취운전의 계속을 막기 위하여 취할 수 있는 조치로는, 단순히 주취운전의 계속을 금지하는 명령 이외에 다른 사람으로 하여금 대신하여 운전하게 하거나 당해 주취운전자가 임의로 제출한 차량열쇠를 일시 보관하면서 가족에게 연락하여 주취운전자와 자동차를 인수하게 하거나 또는 주취 상태에서 벗어난 후 다시 운전하게 하며 그 주취 정도가 심한 경우에 경찰서에 일시 보호하는 것 등을 들 수 있고, 한편 주취운전이라는 범죄행위로 당해 음주운전자를 구속·체포하지 아니한 경우에도 필요하다면 그 차량열쇠는 범행 중 또는 범행 직후의 범죄장소에서의 압수로서 형사소송법 제216조 제3항에 의하여 영장 없이 이를 압수할 수 있다 할 것이다. 이와 같은 경찰관의 주취운전자에 대한 권한 행사가 관계 법률의 규정 형식상 경찰관의 재량에 맡겨져 있다고 하더라도, 그러한 권한을 행사하지 아니한 것이 구체적인 상황에서 현저하게 합리성을 잃어 사회적 타당성이 없는 경우에는 경찰관의 직무상 의무를 위배한 것으로서 위법하게 된다고 할 것이다(대판 1998.5.8. 97다54482).

ㄷ. (×) 행정처분의 직접 상대방이 아닌 제3자라도 당해 행정처분의 취소를 구할 법률상의 이익이 있는 경우에는 원고적격이 인정되는데, 여기서 말하는 법률상의 이익은 당해 처분의 근거 법률에 의하여 보호되는 직접적이고 구체적인 이익이 있는 경우를 말하고, 다만 공익보호의 결과로 국민 일반이 공통적으로 가지는 추상적, 평균적, 일반적인 이익과 같이 간접적이나 사실적, 경제적, 이해관계를 가지는데 불과한 경우는 여기에 포함되지 않는다(대판 1995.9.26. 94누14544).

ㄹ. (○)

> [1] 행정처분의 상대방이 아닌 제3자라 하더라도 그 처분 등으로 인하여 법률상 보호되는 이익을 침해당한 경우에는 취소소송을 제기하여 그 당부의 판단을 받을 자격이 있는 것이나 자신의 이익과 전혀 관계가 없는 처분 등에 관하여는 취소를 구할 수 없는 것이다.
> [2] 2종 교과용 도서에 대하여 검정신청을 하였다가 불합격결정처분을 받은 뒤 그 처분이 위법하다 하여 이의 취소를 구하면서 위 처분 당시 시행중이던 구 교과용 도서에 관한 규정(1988.8.22. 대통령령 제12508호로 개정되기 전의 것) 제19조에 "2종 도서의 합격종수는 교과목 당 5종류 이내로 한다."고 규정되어 있음을 들어 위 처분과 같은 때에 행하여진 수학, 음악, 미술, 한문, 영어과목의 교과용 도서에 대한 합격결정처분의 취소를 구하고 있으나 원고들은 각 한문, 영어, 음악과목에 관한 교과용 도서에 대하여 검정신청을 하였던 자들이므로 자신들이 검정신청한 교과서의 과목과 전혀 관계가 없는 수학, 미술과목의 교과용 도서에 대한 합격결정처분에 대하여는 그 취소를 구할 법률상의 이익이 없다 할 것이다(대판 1992.4.24. 91누6634).

답 ③

070

「행정소송법」상 취소소송에 대한 설명으로 옳지 않은 것은? (다툼이 있는 경우 판례에 의함)

① 대한민국에서 출생하여 오랜 기간 대한민국 국적을 보유하면서 거주한 재외동포는 사증발급 거부처분의 취소를 구할 법률상 이익이 있다.
② 국민권익위원회가 소방청장에게 일정한 의무를 부과하는 내용의 조치요구를 한 경우 소방청장은 조치요구의 취소를 구할 당사자능력 및 원고적격이 인정되지 않는다.
③ 임용지원자가 특별채용대상자로서 자격을 갖추고 있고 유사한 지위에 있는 자에 대하여 정규교사로 특별채용한 전례가 있다 하더라도, 교사로의 특별채용을 요구할 법규상 또는 조리상의 권리가 있다고 할 수 없다.
④ 피해자의 의사와 무관하게 주민등록번호가 유출된 경우, 조리상 주민등록번호의 변경을 요구할 신청권을 인정함이 타당하다.

2022년 국가직 9급

① (○) 행정처분에 대한 취소소송에서 원고적격이 있는지는, 처분의 상대방인지 여부에 따라 결정되는 것이 아니라 그 취소를 구할 법률상 이익이 있는지 여부에 따라 결정된다. 여기에서 법률상 이익이란 처분의 근거 법률에 따라 보호되는 직접적이고 구체적인 이익이 있는 경우를 말하고, 간접적이거나 사실적·경제적 이해관계를 가지는 데 불과한 경우는 포함되지 않는다(대판 2001.9.28. 99두8565 등). 원고는 대한민국에서 출생하여 오랜 기간 대한민국 국적을 보유하면서 거주한 사람이므로 이미 대한민국과 실질적 관련성이 있거나 대한민국에서 법적으로 보호가치 있는 이해관계를 형성하였다고 볼 수 있다. 또한 재외동포의 대한민국 출입국과 대한민국 안에서의 법적 지위를 보장함을 목적으로 재외동포의 출입국과 법적 지위에 관한 법률(이하 '재외동포법'이라 한다)이 특별히 제정되어 시행 중이다. 따라서 원고는 이 사건 사증발급 거부처분의 취소를 구할 법률상 이익이 인정되므로, 원고적격 또는 소의 이익이 없어 이 사건 소가 부적법하다는 피고의 주장은 이유 없다(대판 2019.7.11. 2017두38874).
② (×) 국민권익위원회가 소방청장에게 인사와 관련하여 부당한 지시를 한 사실이 인정된다며 이를 취소할 것을 요구하기로 의결하고 그 내용을 통지하자 소방청장이 국민권익위원회 조치요구의 취소를 구하는 소송을 제기한 사안에서, 처분성이 인정되는 국민권익위원회의 조치요구에 불복하고자 하는 소방청장으로서는 조치요구의 취소를 구하는 항고소송을 제기하는 것이 유효·적절한 수단으로 볼 수 있으므로 소방청장이 예외적으로 당사자능력과 원고적격을 가진다(대판 2018.8.1. 2014두35379).
③ (○) 교사에 대한 임용권자가 교육공무원법 제12조에 따라 임용지원자를 특별채용할 것인지 여부는 임용권자의 판단에 따른 재량에 속하는 것이고, 임용권자가 임용지원자의 임용 신청에 기속을 받아 그를 특별채용하여야 할 의무는 없으며 임용지원자로서도 자신의 임용을 요구할 법규상 또는 조리상 권리가 있다고 할 수 없다. 이 사건에 있어, 원고 및 선정자들(이하 '원고 등'이라 한다)이 피고가 관할하는 경기도의 각 초등학교 병설유치원에 임시강사로 채용되어 3년 이상 근무하여 온 자들로서 정교사 자격증을 가지고 있어 교육공무원법 제12조 및 교육공무원임용령 제9조의2 제2호의 규정에 의한 특별채용 대상자로서의 자격을 갖추고 있고, 원고 등과 유사한 지위에 있는 전임강사에 대하여는 피고가 정규교사로 특별채용한 전례가 있다 하더라도 그러한 사정만으로 임용지원자에 불과한 원고 등에게 피고에 대하여 교사로의 특별채용을 요구할 법규상 또는 조리상의 권리가 있다고 할 수는 없으므로, 피고가 원고 등의 특별채용 신청을 거부하였다고 하여도 그 거부로 인하여 원고 등의 권리나 법적 이익에 어떤 영향을 주는 것이 아니어서 그 거부행위가 항고소송의 대상이 되는 행정처분에 해당한다고 할 수 없다(대판 2005.4.15. 2004두11626).
④ (○) 피해자의 의사와 무관하게 주민등록번호가 유출된 경우에는 조리상 주민등록번호의 변경을 요구할 신청권을 인정함이 타당하고, 구청장의 주민등록번호 변경신청 거부행위는 항고소송의 대상이 되는 행정처분에 해당한다고 한 사례(대판 2017.6.15. 2013두2945)

답 ②

함께 정리하기

취소소송

대한민국에서 출생 후 오랜 기간 대한민국 국적을 보유하며 거주한 재외동포
▷ 사증발급거부 취소를 구할 법률상 이익○

국민권익위원회의 소방청장에 대한 조치요구
▷ 소방청장 당사자능력·원고적격○

교사임용지원자 특별채용신청 거부행위
▷ 행정처분×(신청권 無)

주민등록번호 불법유출된 자
▷ 주민등록번호 변경신청권○

문제 DATA

출제가능 지수 ▶▶▷
난이도 지수 ★★☆

071 □□□

판례상 항고소송의 원고적격이 인정되는 경우만을 모두 고르면?

> ㄱ. 중국 국적자인 외국인이 사증발급 거부처분의 취소를 구하는 경우
> ㄴ. 소방청장이 처분성이 인정되는 국민권익위원회의 조치요구에 불복하여 조치요구의 취소를 구하는 경우
> ㄷ. 지방법무사회가 법무사의 사무원 채용승인 신청을 거부하여 사무원이 될 수 없게 된 자가 지방 법무사회를 상대로 거부처분의 취소를 구하는 경우
> ㄹ. 개발제한구역 중 일부 취락을 개발제한구역에서 해제하는 내용의 도시관리계획변경결정에 대하여 개발제한구역 해제대상에서 누락된 토지의 소유자가 위 결정의 취소를 구하는 경우

① ㄱ, ㄴ
② ㄴ, ㄷ
③ ㄷ, ㄹ
④ ㄱ, ㄷ, ㄹ

2021년 국가직 9급

ㄱ. (✕) 사증발급 거부처분을 다투는 외국인은, 아직 대한민국에 입국하지 않은 상태에서 대한민국에 입국하게 해달라고 주장하는 것으로, 대한민국과의 실질적 관련성 내지 대한민국에서 법적으로 보호가치 있는 이해관계를 형성한 경우는 아니어서, 해당 처분의 취소를 구할 법률상 이익을 인정하여야 할 법정책적 필요성도 크지 않다. 반면, 국적법상 귀화불허가처분이나 출입국관리법상 체류자격변경 불허가처분, 강제퇴거명령 등을 다투는 외국인은 대한민국에 적법하게 입국하여 상당한 기간을 체류한 사람이므로, 이미 대한민국과의 실질적 관련성 내지 대한민국에서 법적으로 보호가치 있는 이해관계를 형성한 경우이어서, 해당 처분의 취소를 구할 법률상 이익이 인정된다고 보아야 한다(대판 2018.5.15. 2014두42506).

ㄴ. (○) 국민권익위원회가 소방청장에게 인사와 관련하여 부당한 지시를 한 사실이 인정된다며 이를 취소할 것을 요구하기로 의결하고 그 내용을 통지하자 소방청장이 국민권익위원회 조치요구의 취소를 구하는 소송을 제기한 사안에서, 처분성이 인정되는 국민권익위원회의 조치요구에 불복하고자 하는 소방청장으로서는 조치요구의 취소를 구하는 항고소송을 제기하는 것이 유효·적절한 수단으로 볼 수 있으므로 소방청장이 예외적으로 당사자능력과 원고적격을 가진다고 한 사례(대판 2018.8.1. 2014두35379).

ㄷ. (○) 지방법무사회가 법무사의 사무원 채용승인 신청을 거부하거나 채용승인을 얻어 채용 중인 사람에 대한 채용승인을 취소하면, 상대방인 법무사로서도 그 사람을 사무원으로 채용할 수 없게 되는 불이익을 입게 될 뿐만 아니라, 그 사람도 법무사 사무원으로 채용되어 근무할 수 없게 되는 불이익을 입게 된다. 법무사규칙 제37조 제4항이 이의신청 절차를 규정한 것은 채용승인을 신청한 법무사뿐만 아니라 사무원이 되려는 사람의 이익도 보호하려는 취지로 볼 수 있다. 따라서 지방법무사회의 사무원 채용승인 거부처분 또는 채용승인 취소처분에 대해서는 처분 상대방인 법무사뿐만 아니라 그 때문에 사무원이 될 수 없게 된 사람도 이를 다툴 원고적격이 인정되어야 한다(대판 2020.4.9. 2015다34444).

ㄹ. (✕) 개발제한구역을 해제하는 내용의 도시관리계획변경결정에 대하여 특정 토지의 소유자는 자신의 토지가 그 해제대상에 포함되어야 한다고 주장하면서 위 계획변경결정의 취소를 구할 법률상 이익이 없다(대판 2008.7.10. 2007두10242).

답 ②

함께 정리하기

원고적격 인정 여부

외국인
▷ 사증발급 거부처분취소의 원고적격✕

소방청장
▷ 국민권익위원회의 조치요구취소의 원고적격○

사무원이 될 수 없게 된 자
▷ 지방법무사회의 사무원 채용승인 거부처분취소의 원고적격○

개발제한구역해제대상에서 누락된 토지 소유자
▷ 도시관리계획변경결정취소의 원고적격✕

072

항고소송의 원고적격에 대한 설명으로 옳은 것을 <보기>에서 모두 고르면? (다툼이 있는 경우 판례에 의함)

<보기>
ㄱ. 「행정소송법」 제12조 전단의 '법률상 이익'의 개념과 관련하여서는 '권리구제설', '법률상 보호된 이익구제설', '보호가치 있는 이익구제설', '적법성 보장설' 등으로 나누어지며 이 중에서 '보호가치 있는 이익구제설'이 통설·판례의 입장이다.
ㄴ. '법률상 보호되는 이익'이라 함은 당해 처분의 근거법규에 의하여 보호되는 개별적·구체적 이익을 의미하며 관련 법규에 의하여 보호되는 개별적·구체적 이익까지 포함하는 것은 아니라는 것이 판례의 입장이다.
ㄷ. 기존업자가 특허기업인 경우에는 그 특허로 인하여 받는 영업상이익은 반사적 이익 내지 사실상 이익에 불과한 것으로 보는 것이 일반적이나, 허가기업인 경우에는 기존업자가 그 허가로 인하여 받은 영업상 이익은 법률상 이익으로 본다.
ㄹ. 인·허가 등의 수익적 행정처분을 신청한 수인이 서로 경쟁관계에 있어서 일방에 대한 허가 등의 처분이 타방에 대한 불허가등으로 귀결될 수밖에 없는 때 허가 등의 처분을 받지 못한 자는 비록 경원자에 대하여 이루어진 허가 등 처분의 상대방이 아니라 하더라도 당해 처분의 취소를 구할 원고적격이 있다. 다만, 명백한 법적장애로 인하여 원고자신의 신청이 인용될 가능성이 처음부터 배제되어 있는 경우에는 법률상 보호되는 이익이 인정되지 않는다.
ㅁ. 환경영향평가대상지역 밖의 주민들은 공유수면매립면허처분으로 인하여 그 처분 전과 비교하여 수인한도를 넘는 환경피해를 받거나 받을 우려가 있다는 점을 입증할 경우 법률상 보호되는 이익이 인정된다.

① ㄷ, ㅁ
② ㄹ, ㅁ
③ ㄱ, ㄴ, ㄷ
④ ㄴ, ㄹ, ㅁ
⑤ ㄷ, ㄹ, ㅁ

2017년 국회직 8급

ㄱ. (×) '법률상 보호된 이익구제설'이 통설과 판례의 입장이다.

관련이론 원고적격에 대한 학설 비교

권리구제설	위법한 처분으로 인해 권리를 침해당한 자가 원고적격을 가진다는 견해
법률상 보호이익설	권리뿐 아니라 법률상 보호이익을 침해받은 자도 원고적격을 가진다는 견해
보호가치 있는 이익설	소송법적 관점에서 재판에 의하여 보호할 만한 가치, 즉 법률상의 이익, 사실상의 이익 여부를 불문하고 이익이 침해된 자는 항고소송의 원고적격이 있다는 견해
적법성보장설	당해 처분을 다툴 가장 적합한 이익상태에 있는 자에게 원고적격을 인정한다는 견해

ㄴ. (×) 법률상 보호되는 이익에서 '법률'에는 근거법규와 관련법규가 모두 포함된다는 것이 판례의 입장이다.

> 법률상 보호되는 이익은 당해 처분의 근거 법규 및 관련 법규에 의하여 보호되는 개별적·직접적·구체적 이익을 말한다(대판 2006.7.28. 2004두6716).

유제 13. 세무사 판례는 원고적격의 요건으로 당해 처분의 근거법규 및 관련법규에 의하여 보호되는 개별적·직접적·구체적 이익의 침해를 요구하고 있다. (○)
10. 세무사 처분의 직접적 근거법규는 물론 관련법규에 의해서도 원고적격의 근거인 법률상 이익이 도출될 수 있다. (○)

ㄷ. (×) 판례는 일반적으로 기존업자가 특허기업인 경우에는 그 기존업자가 그 특허로 인하여 받은 이익은 법률상 이익이라고 보아 원고적격을 인정하고, 기존업자가 허가를 받아 영업하는 경우에 그 기존업자가 그 허가로 인하여 받는 이익은 반사적 이익에 불과한 것으로 원고적격을 부정하는 경향이 있다. 특허는 공익을 위하여 특정인에게 새로운 권리를 설정하여 주는 것이므로 기존업자의 독점적 이익을 법으로 보호할 필요가 있기 때문인 것으로 해석한다. 다만, 허가의 경우에도 허가의 요건 규정이 공익뿐만 아니라 개인의 이익도 보호하는 것으로 해석되는 경우에는 기존 허가권자의 원고적격을 인정할 수 있다고 본다.

ㄹ. (○) 경원자는 타방에 대한 수익적 처분의 취소를 구할 이익이 있다.

> 인·허가 등의 수익적 행정처분을 신청한 수인이 서로 경쟁관계에 있어서 일방에 대한 허가 등의 처분이 타방에 대한 불허가 등으로 귀결될 수밖에 없는 때(이른바 경원관계에 있는 경우) 허가 등의 처분을 받지 못한 자는 비록 경원자에 대하여 이루어진 허가 등 처분의 상대방이 아니라 하더라도 당해 처분의 취소를 구할 당사자적격이 있다. 다만, 명백한 법적 장애로 인하여 원고 자신의 신청이 인용될 가능성이 처음부터 배제되어 있는 경우에는 당해 처분의 취소를 구할 정당한 이익이 없다(대판 2009.12.10. 2009두8359).

ㅁ. (○) 환경영향평가 밖의 주민은 피해 또는 피해우려 입증하면 원고적격이 인정된다.

> 환경영향평가 대상지역 밖의 주민이라 할지라도 공유수면매립면허처분 등으로 인하여 환경상 이익에 대한 침해 또는 침해우려가 있다는 것을 입증함으로써 그 처분 등의 무효확인을 구할 원고적격을 인정받을 수 있다(대판 2006.3.16. 2006두330 전합).

답 ②

073

행정소송의 원고적격을 가지는 자에 해당하지 않는 것은? (다툼이 있는 경우 판례에 의함)

① 지방자치단체가 건축물 소재지 관할 허가권자인 지방자치단체의 장을 상대로 건축협의 취소의 취소를 구하는 사안에서의 지방자치단체
② 제3자의 접견허가신청에 대한 교도소장의 거부처분에 있어서 접견권이 침해되었다고 주장하는 구속된 피고인
③ 미얀마 국적의 甲이 위명(僞名)인 乙 명의의 여권으로 대한민국에 입국한 뒤 乙 명의로 난민신청을 하였으나 법무부장관이 乙 명의를 사용한 甲을 직접 면담하여 조사한 후 甲에 대하여 난민불인정 처분을 한 사안에서의 그 처분의 취소를 구하는 甲
④ 국민권익위원회가 소방청장에게 인사와 관련하여 부당한 지시를 한 사실이 인정된다며 이를 취소할 것을 요구하기로 의결하고 내용을 통지하자 그 국민권익위원회 조치요구의 취소를 구하는 사안에서의 소방청장
⑤ 하자있는 건축물에 대한 사용검사처분의 무효확인 및 취소를 구하는 구 「주택법」상 입주자

2019년 국회직 8급

① (○) 다른 지자체장의 건축협의 취소에 대해 지자체는 원고적격이 인정된다.

지방자치단체의 장이 다른 지방자치단체를 상대로 한 건축협의 취소에 관하여 다툼이 있는 경우에 법적 분쟁을 실효적으로 해결할 구제수단을 찾기도 어렵다. 따라서 건축협의 취소는 상대방이 다른 지방자치단체 등 행정주체라 하더라도 '행정청이 행하는 구체적 사실에 관한 법집행으로서의 공권력 행사'로서 처분에 해당한다고 볼 수 있고, 지방자치단체인 원고가 이를 다툴 실효적 해결 수단이 없는 이상, 원고는 건축물 소재지 관할 허가권자인 지방자치단체의 장을 상대로 항고소송을 통해 건축협의 취소의 취소를 구할 수 있다(대판 2014.2.27. 2012두22980).

② (○) 교도소장의 접견허가신청 거부에 대해 구속된 피고인은 원고적격이 인정된다.

교도소에 미결수용된 자는 소장의 허가를 받아 타인과 접견할 수 있으므로(이와 같은 접견권은 헌법상 기본권의 범주에 속하는 것이다) 구속된 피고인이 사전에 접견신청한 자와의 접견을 원하지 않는다는 의사표시를 하였다는 등의 특별한 사정이 없는 한 구속된 피고인은 교도소장의 접견허가거부처분으로 인하여 자신의 접견권이 침해되었음을 주장하여 위 거부처분의 취소를 구할 원고적격을 가진다(대판 1992.5.8. 91누7552).

③ (○) 위명으로 난민신청을 한 경우 위명을 사용한자가 원고적격을 가진다.

미얀마 국적의 甲이 위명(僞名)인 乙 명의의 여권으로 대한민국에 입국한 뒤 乙 명의로 난민 신청을 하였으나 법무부장관이 乙 명의를 사용한 甲을 직접 면담하여 조사한 후 甲에 대하여 난민불인정 처분을 한 사안에서, 처분의 상대방은 허무인이 아니라 '乙'이라는 위명을 사용한 甲이라는 이유로, 甲이 처분의 취소를 구할 법률상 이익이 있다고 한 사례(대판 2017.3.9. 2013두16852)

④ (○) 국민권익위원회의 조치요구에 대해 소방청장은 원고적격이 인정된다.

부패방지 및 국민권익위원회의 설치와 운영에 관한 법률은 소방청장에게 국민권익위원회의 조치요구에 따라야 할 의무를 부담시키는 외에 별도로 그 의무를 이행하지 않을 경우 과태료나 형사처벌까지 정하고 있으므로 위와 같은 조치요구에 불복하고자 하는 '소속기관 등의 장'에게는 조치요구를 다툴 수 있는 소송상의 지위를 인정할 필요가 있는 점에 비추어, 처분성이 인정되는 국민권익위원회의 조치요구에 불복하고자 하는 소방청장으로서는 조치요구의 취소를 구하는 항고소송을 제기하는 것이 유효·적절한 수단으로 볼 수 있으므로 소방청장은 예외적으로 당사자능력과 원고적격을 가진다(대판 2018.8.1. 2014두35379).

⑤ (×) 하자있는 건축물 사용검사처분의 항고소송에서 입주자는 원고적격이 없다.

건축물에 대한 사용검사처분의 무효확인을 받거나 처분이 취소된다고 하더라도 사용검사 전의 상태로 돌아가 건축물을 사용할 수 없게 되는 것에 그칠 뿐 곧바로 건축물의 하자 상태 등이 제거되거나 보완되는 것도 아니다. 그리고 입주자나 입주예정자들은 사용검사처분의 무효확인을 받거나 처분을 취소하지 않고도 민사소송 등을 통하여 분양계약에 따른 법률관계 및 하자 등을 주장·증명함으로써 사업주체 등으로부터 하자의 제거·보완 등에 관한 권리구제를 받을 수 있으므로, 사용검사처분의 무효확인 또는 취소 여부에 의하여 법률적인 지위가 달라진다고 할 수 없다(대판 2015.1.29. 2013두24976).

답 ⑤

함께 정리하기

원고적격

다른 지자체장의 건축협의 취소
▷ 지자체 원고적격○

교도소장의 접견허가신청 거부
▷ 구속된 피고인 원고적격○

위명으로 난민인정신청
▷ 위명을 사용한 자가 원고적격○

국민권익위원회의 조치요구
▷ 소방청장 원고적격○

하자있는 건축물 사용검사처분 항고소송
▷ 입주자 원고적격×

문제 DATA

출제가능 지수 ▶▶▷
난이도 지수 ★★☆

074 □□□

항고소송의 원고적격에 대한 판례의 입장으로 옳지 않은 것은?

① 법령이 특정한 행정기관으로 하여금 다른 행정기관에 제재적 조치를 취할 수 있도록 하면서, 그에 따르지 않으면 그 행정기관에 과태료 등을 과할 수 있도록 정하는 경우, 권리구제나 권리보호의 필요성이 인정된다면 예외적으로 그 제재적 조치의 상대방인 행정기관에게 항고소송의 원고적격을 인정할 수 있다.

② 「출입국관리법」상의 체류자격 및 사증발급의 기준과 절차에 관한 규정들은 대한민국의 출입국 질서와 국경관리라는 공익을 보호하려는 취지로 해석될 뿐이므로, 동법상 체류자격변경 불허가처분, 강제퇴거명령 등을 다투는 외국인에게는 해당 처분의 취소를 구할 법률상 이익이 인정되지 않는다.

③ 처분의 근거 법규 또는 관련 법규에 그 처분으로써 이루어지는 행위 등 사업으로 인하여 환경상 침해를 받으리라고 예상되는 영향권의 범위가 구체적으로 규정되어 있는 경우, 그 영향권 내의 주민들에 대하여는 특단의 사정이 없는 한 환경상 이익에 대한 침해 또는 침해 우려가 있는 것으로 사실상 추정된다.

④ 일반면허를 받은 시외버스운송사업자에 대한 사업계획변경인가처분으로 인하여 노선 및 운행계통의 일부 중복으로 기존에 한정면허를 받은 시외버스운송사업자의 수익감소가 예상된다면, 기존의 한정면허를 받은 시외버스운송사업자는 일반면허 시외버스운송사업자에 대한 사업계획변경 인가처분의 취소를 구할 법률상의 이익이 있다.

함께 정리하기

항고소송의 원고적격

다른 행정기관에 대한 제재조치
▷ 상대방 행정기관 당사자능력·원고적격 인정 可

귀화불허가처분, 체류자격변경불허가 처분, 강제퇴거명령 취소소송
▷ 외국인의 법률상 이익○

환경상 침해영향권 범위 구체적 규정시 영향권 내 주민들의 환경상 이익에 대한 침해 또는 침해 우려
▷ 사실상 추정

일반면허 시외버스운송사업자에 대한 사업계획변경인가처분 취소소송
▷ 한정 면허를 받은 시외버스운송사업자의 법률상 이익○

2019년 국가직 7급

① (○) 행정기관이라도 다른 행정기관의 조치요구를 다툴 별다른 방법이 없는 경우 당사자능력과 원고적격이 인정된다.

> 법령이 특정한 행정기관 등으로 하여금 다른 행정기관을 상대로 제재적 조치를 취할 수 있도록 하면서, 그에 따르지 않으면 그 행정기관에 대하여 과태료를 부과하거나 형사처벌을 할 수 있도록 정하는 경우가 있다. 이러한 경우에는 단순히 국가기관이나 행정기관의 내부적 문제라거나 권한 분장에 관한 분쟁으로만 볼 수 없다. 기관소송 법정주의를 취하면서 제한적으로만 이를 인정하고 있는 현행 법령의 체계에 비추어 보면, 이 경우 항고소송을 통한 구제의 길을 열어주는 것이 법치국가 원리에도 부합한다. 따라서 이러한 권리구제나 권리보호의 필요성이 인정된다면 예외적으로 그 제재적 조치의 상대방인 행정기관 등에게 항고소송 원고로서의 당사자능력과 원고적격을 인정할 수 있다(대판 2018.8.1. 2014두35379).

② (✕) 귀화불허가처분 또는 체류자격변경불허가처분, 강제퇴거명령을 다투는 외국인은 해당 처분의 취소를 구할 법률상 이익이 인정된다.

> 사증발급 거부처분을 다투는 외국인은, 아직 대한민국에 입국하지 않은 상태에서 대한민국에 입국하게 해달라고 주장하는 것으로, 대한민국과의 실질적 관련성 내지 대한민국에서 법적으로 보호가치 있는 이해관계를 형성한 경우는 아니어서, 해당 처분의 취소를 구할 법률상 이익을 인정하여야 할 법정책적 필요성도 크지 않다. 반면, 국적법상 귀화불허가처분이나 출입국관리법상 체류자격변경 불허가처분, 강제퇴거명령 등을 다투는 외국인은 대한민국에 적법하게 입국하여 상당한 기간을 체류한 사람이므로, 이미 대한민국과의 실질적 관련성 내지 대한민국에서 법적으로 보호가치 있는 이해관계를 형성한 경우이어서, 해당 처분의 취소를 구할 법률상 이익이 인정된다고 보아야 한다(대판 2018.5.15. 2014두42506).

③ (○) 사업으로 인한 환경상 침해의 영향권 범위가 구체적으로 규정된 경우, 영향권 내의 주민들의 환경상 이익에 대한 침해 또는 침해 우려가 있는 것으로 사실상 추정된다.

> 행정처분의 근거 법규 또는 관련 법규에 그 처분으로써 이루어지는 행위 등 사업으로 인하여 환경상 침해를 받으리라고 예상되는 영향권의 범위가 구체적으로 규정되어 있는 경우에는, 그 영향권 내의 주민들에 대하여는 당해 처분으로 인하여 직접적이고 중대한 환경피해를 입으리라고 예상할 수 있고, 이와 같은 환경상의 이익은 주민 개개인에 대하여 개별적으로 보호되는 직접적·구체적 이익으로서 그들에 대하여는 특단의 사정이 없는 한 환경상 이익에 대한 침해 또는 침해 우려가 있는 것으로 사실상 추정되어 법률상

보호되는 이익으로 인정됨으로써 원고적격이 인정되며, 그 영향권 밖의 주민들은 당해 처분으로 인하여 그 처분 전과 비교하여 수인한도를 넘는 환경피해를 받거나 받을 우려가 있다는 자신의 환경상 이익에 대한 침해 또는 침해 우려가 있음을 입증하여야만 법률상 보호되는 이익으로 인정되어 원고적격이 인정된다(대판 2009.9.24. 2009두2825).

④ (○) 한정면허를 받은 시외버스운송사업자도 일반면허 시외버스운송사업자에 대한 사업계획변경인가 처분의 취소를 구할 법률상 이익이 있다.

> 한정면허를 받은 시외버스운송사업자라고 하더라도 다 같이 운행계통을 정하고 여객을 운송하는 노선여객자동차 운송사업을 한다는 점에서 일반면허를 받은 시외버스운송사업자와 본질적인 차이가 없으므로, 일반면허를 받은 시외버스운송사업자에 대한 사업계획변경 인가처분으로 인하여 기존에 한정면허를 받은 시외버스운송사업자의 노선 및 운행계통과 일반면허를 받은 시외버스운송사업자의 그것이 일부 중복되게 되고 기존업자의 수익감소가 예상된다면, 기존의 한정면허를 받은 시외버스운송사업자와 일반면허를 받은 시외버스운송사업자는 경업관계에 있는 것으로 보는 것이 타당하고, 따라서 기존의 한정면허를 받은 시외버스운송사업자는 일반면허 시외버스운송사업자에 대한 사업계획변경인가처분의 취소를 구할 법률상의 이익이 있다(대판 2018.4.26. 2015두53824).

답 ②

075 □□□

「행정소송법」상 법률상 이익에 대한 설명으로 옳지 않은 것은? (다툼이 있는 경우 판례에 의함)

① 사업의 양도행위가 무효라고 주장하는 자가 민사쟁송으로 양도·양수행위의 무효를 구함이 없이 사업양도·양수에 따른 허가관청의 지위승계 신고수리처분의 무효확인을 구할 경우, 그 법률상 이익이 있다.
② 채석허가를 받은 자로부터 영업양수 후 명의변경신고 이전에 양도인의 법위반사유를 이유로 채석허가가 취소된 경우, 양수인은 수허가자의 지위를 사실상 양수받았다고 하더라도 그 처분의 취소를 구할 법률상 이익을 가지지 않는다.
③ 교육부장관이 사학분쟁조정위원회의 심의를 거쳐 학교법인의 이사와 임시이사를 선임한 데 대하여 그 대학교의 교수협의회와 총학생회는 이사선임처분을 다툴 법률상 이익을 가지지만, 직원으로 구성된 노동조합은 법률상 이익을 가지지 않는다.
④ 원천징수의무자에 대한 소득금액변동통지는 원천납세의무의 존부나 범위와 같은 원천납세의무자의 권리나 법률상 지위에 어떠한 영향을 준다고 할 수 없으므로 소득처분에 따른 소득의 귀속자는 법인에 대한 소득금액변동통지의 취소를 구할 법률상 이익이 없다.

2017년 국가직 7급

① (○) 사업양도의 무효를 다투는 자는 막바로 수리처분의 무효확인을 구할 수 있다.

> 사업양도·양수에 따른 허가관청의 지위승계신고의 수리는 적법한 사업의 양도·양수가 있었음을 전제로 하는 것이므로 그 수리대상인 사업양도·양수가 존재하지 아니하거나 무효인 때에는 수리를 하였다 하더라도 그 수리는 유효한 대상이 없는 것으로서 당연히 무효라 할 것이고, 사업의 양도행위가 무효라고 주장하는 양도자는 민사쟁송으로 양도·양수행위의 무효를 구함이 없이 막바로 허가관청을 상대로 하여 행정소송으로 위 신고수리처분의 무효확인을 구할 법률상 이익이 있다(대판 2005.12.23. 2005두3554).

유제 20. 국회직 8급 사업의 양도행위가 무효임을 주장하는 양도자는 양도·양수행위의 무효를 구함이 없이 사업양도·양수에 따른 허가관청의 지위승계 신고수리처분의 무효확인을 구할 법률상 이익은 없다. (×)

② (×) 채석허가 수허가자 지위의 양수인은 채석허가 취소처분을 다툴 수 있다.

> 수허가자의 지위를 양수받아 명의변경신고를 할 수 있는 양수인의 지위는 단순한 반사적 이익이나 사실상의 이익이 아니라 산림법령에 의하여 보호되는 직접적이고 구체적인 이익으로서 법률상 이익이라고 할 것이고, 채석허가가 유효하게 존속하고 있다는 것이 양수인의 명의변경신고의 전제가 된다는 의미에서 관할 행정청이 양도인에 대하여 채석허가를 취소하는 처분을 하였다면 이는 양수인의 지위에 대한 직접적 침해가 된다고 할 것이므로 양수인은 채석허가를 취소하는 처분의 취소를 구할 법률상 이익을 가진다 (대판 2003.7.11. 2001두6289).

③ (○) 교육부장관의 이사선임에 대해 노동조합은 이를 다툴 수 없다.

> 교육부장관이 사학분쟁조정위원회의 심의를 거쳐 甲 대학교를 설치·운영하는 乙 학교법인의 이사 8인과 임시이사 1인을 선임한 데 대하여 甲 대학교 교수협의회와 총학생회 등이 이사선임처분의 취소를 구하는 소송을 제기한 사안에서, 甲 대학교 교수협의회와 총학생회는 이사선임처분을 다툴 법률상 이익을 가지지만, 전국대학노동조합 甲 대학교지부는 법률상 이익이 없다(대판 2015.7.23. 2012두19496).

④ (○) 원천징수의무자에 대한 소득금액변동통지를 원천납세의무자가 다툴 수 없다.

> 원천징수의무자에 대한 소득금액변동통지는 원천납세의무의 존부나 범위와 같은 원천납세의무자의 권리나 법률상 지위에 어떠한 영향을 준다고 할 수 없으므로 소득처분에 따른 소득의 귀속자는 법인에 대한 소득금액변동통지의 취소를 구할 법률상 이익이 없다(대판 2015.3.26. 2013두9267).

답 ②

076

행정소송의 당사자에 대한 설명으로 옳지 않은 것은? (다툼이 있는 경우 판례에 의함)

① 대리기관이 대리관계를 표시하고 피대리 행정청을 대리하여 행정처분을 한 때에는 피대리 행정청이 피고로 되어야 한다.
② 「국가공무원법」에 따른 처분, 그 밖에 본인의 의사에 반한 불리한 처분이나 부작위에 관한 행정소송을 제기할 때에 대통령의 처분 또는 부작위의 경우에는 소속 장관을 피고로 한다.
③ 약제를 제조·공급하는 제약회사는 보건복지부 고시인 「약제급여·비급여 목록 및 급여상한금액표」 중 약제의 상한금액 인하 부분에 대하여 그 취소를 구할 원고적격이 있다.
④ 개발제한구역 안에서의 공장설립을 승인한 처분이 위법하다는 이유로 쟁송취소되었다면, 설령 그 승인처분에 기초한 공장건축허가처분이 잔존하는 경우에도 인근 주민들에게는 공장건축허가처분의 취소를 구할 법률상 이익이 없다.

| 2019년 지방직 9급

① (○) 대리관계 표시 후 처분시 피고적격은 피대리행정청에게 있다.

> 항고소송은 다른 법률에 특별한 규정이 없는 한 원칙적으로 소송의 대상인 행정처분을 외부적으로 행한 행정청을 피고로 하여야 하는 것이고, 다만 대리기관이 대리관계를 표시하고 피대리 행정청을 대리하여 행정처분을 한 때에는 피대리 행정청이 피고로 되어야 할 것이다(대결 2006.2.23. 2005부4).

② (○)

> 「국가공무원법」 제16조【행정소송과의 관계】① 제75조에 따른 처분, 그 밖에 본인의 의사에 반한 불리한 처분이나 부작위에 관한 행정소송은 소청심사위원회의 심사·결정을 거치지 아니하면 제기할 수 없다.
> ② 제1항에 따른 행정소송을 제기할 때에는 대통령의 처분 또는 부작위의 경우에는 소속 장관(대통령령으로 정하는 기관의 장을 포함한다. 이하 같다)을, 중앙선거관리위원회위원장의 처분 또는 부작위의 경우에는 중앙선거관리위원회사무총장을 각각 피고로 한다.

③ (○) 약제상한금액 인하고시에 대해 제약회사는 원고적격이 인정된다.

이 사건 고시로 인하여 이 사건 약제의 상한금액이 인하됨에 따라 위와 같이 근거 법령에 의하여 보호되는 법률상 이익을 침해당하였다고 할 것이므로, 이 사건 고시 중 이 사건 약제의 상한금액 인하 부분에 대하여 그 취소를 구할 원고적격이 있다고 할 것이다(대판 2006.12.21. 2005두16161).

④ (✕) 공장설립승인이 취소되어도 공장건축허가 취소를 구할 법률상 이익이 있다.

개발제한구역 안에서의 공장설립을 승인한 처분이 위법하다는 이유로 쟁송취소되었다고 하더라도 그 승인처분에 기초한 공장건축허가처분이 잔존하는 이상, 인근 주민들은 여전히 공장건축허가처분의 취소를 구할 법률상 이익이 있다고 보아야 한다(대판 2018.7.12. 2015두3485).

답 ④

077

「담배사업법」은 일반소매인 사이에서는 그 영업소 간에 100m 이상의 거리를 유지하도록 하는 '일반 소매인의 영업소 간에 거리제한' 규정을 두어 일반소매인 간의 과당경쟁으로 인한 불합리한 경영을 방지하고 있다. 한편 동법은 일반소매인과 구내소매인의 영업소 간에는 거리제한 규정을 두지 않고, 동일 시설물 내 2개소 이상의 장소에 구내소매인을 지정할 수 있도록 규정하고 있다. 甲은 A시 시장으로부터 「담배사업법」상 담배 일반소매인으로서 지정을 받아 영업을 하고 있다. 이에 대한 설명으로 옳은 것만을 <보기>에서 모두 고른 것은? (주어진 조건 이외의 다른 조건은 고려하지 않으며, 다툼이 있는 경우 판례에 의함)

<보기>
ㄱ. 甲의 영업소에서 70m 떨어진 장소에 乙이 담배 일반소매인으로 지정을 받은 경우, 甲은 乙의 일반소매인 지정의 취소를 구할 원고적격이 있다.
ㄴ. 甲의 영업소에서 30m 떨어진 장소에 丙이 담배 구내소매인으로 지정을 받은 경우 甲이 원고로서 제기한 丙의 구내소매인 지정에 대한 취소를 구하는 소는 적법하고, 甲은 수소법원에 丙의 구내소매인 지정에 대한 집행정지신청을 할 수 있다.
ㄷ. 丁이 담배 일반소매인으로 지정을 받은 장소가 甲영업소에서 120m 떨어진 곳이자 丙이 담배 구내소매인으로 지정을 받은 곳에서 50m 떨어져 있다면, 甲과 丙이 공동소송으로 제기한 丁의 일반 소매인 지정에 대한 취소소송에서 甲과 丙은 각각 원고적격이 있다.

① ㄱ
② ㄴ
③ ㄷ
④ ㄱ, ㄴ
⑤ ㄱ, ㄷ

2020년 국회직 8급

ㄱ. (○) 「담배사업법」에 따르면 일반소매인의 경우 영업소 간 100m 거리제한이 있고 甲과 乙의 영업소는 70m 떨어져 있으므로 거리제한 규정의 적용을 받는다. 따라서 일반소매인 甲은 乙에 대한 신규 일반소매인 지정처분을 다툴 법률상 이익이 있다.

ㄴ. (✕) 「담배사업법」에 따르면 일반소매인과 구내소매인 간에는 거리제한 규정이 적용되지 않으므로 甲은 담배 일반소매인으로서 구내소매인 丙에 대한 신규 구내소매인 지정처분을 다툴 법률상 이익이 없다. 따라서 甲의 소는 원고적격이 흠결되어 부적법하다. 또한 신청인의 본안청구가 적법한 것이어야 한다는 것을 집행정지의 요건에 포함시키는 것이 판례의 태도에 따르면 甲의 소는 본안청구가 부적법하여 집행정지신청도 부적법하다.

ㄷ. (×)「담배사업법」에 따르면 일반소매인의 경우 영업소 간 100m 거리제한이 있고 甲과 丁의 영업소는 120m 떨어져 있으므로 거리제한 규정의 적용을 받지 않는다. 따라서 일반소매인 甲은 丁에 대한 신규 일반소매인 지정처분을 다툴 법률상 이익이 없다. 또한「담배사업법」에 따르면 일반소매인과 구내소매인 간에는 거리제한 규정이 적용되지 않으므로 기존 구내소매인 丙도 丁에 대한 신규 일반소매인 지정처분을 다툴 법률상 이익이 없다. 따라서 공동소송인 甲과 丙 모두 원고적격이 없다.

기존 담배 일반소매인은 신규 일반소매인의 지정을 다툴 원고적격이 있다.
담배 일반소매인의 지정기준으로서 일반소매인의 영업소 간에 일정한 거리제한을 두고 있는 것은 공익목적을 달성하고자 함과 동시에 일반소매인 간의 과당경쟁으로 인한 불합리한 경영을 방지함으로써 일반소매인의 경영상 이익을 보호하는 데에도 그 목적이 있다고 보이므로, 일반소매인으로 지정되어 영업을 하고 있는 기존업자의 신규 일반소매인에 대한 이익은 단순한 사실상의 반사적 이익이 아니라 법률상 보호되는 이익이라고 해석함이 상당하다(대판 2008.3.27. 2007두23811).

[비교판례] 기존 담배 일반소매인은 신규 구내소매인의 지정을 다툴 원고적격이 없다.
한편 일반소매인으로 지정되어 영업을 하고 있는 기존업자의 신규 구내소매인에 대한 이익은 법률상 보호되는 이익이 아니라 단순한 사실상의 반사적 이익이라고 해석함이 상당하므로, 기존 일반소매인은 신규 구내소매인 지정처분의 취소를 구할 원고적격이 없다(대판 2008.4.10. 2008두402).

유제 12. 국회직 8급 영업소간 거리제한규정을 위배하여 한 담배 일반소매인 지정처분에 대한 취소소송에서 기존의 일반소매인은 원고적격이 있다. (○)

답 ①

078

국토교통부장관은 몰디브 직항 항공노선 1개의 면허를 국내항공사에 발급하기로 결정하고, 이 사실을 공고하였다. 이에 따라 A항공사와 B항공사는 각각 노선면허취득을 위한 신청을 하였는데, 국토교통부장관은 심사를 거쳐 A항공사에게 노선면허를 발급(이하 '이사건 노선면허발급처분'이라 한다)하였다. 다음 사례에 대한 설명으로 옳은 것은? (다툼이 있는 경우 판례에 의함)

① B항공사는 이 사건 노선면허발급처분에 대해 취소소송을 제기할 원고적격이 인정되지 않는다.
② B항공사가 자신에 대한 노선면허발급거부처분에 대해 취소소송을 제기하여 인용판결을 받더라도 이 사건 노선면허발급처분이 취소되지 않는 이상 자신이 노선면허를 발급받을 수는 없으므로 B항공사에게는 자신에 대한 노선면허발급거부처분의 취소를 구할 소의 이익이 인정되지 않는다.
③ 만약 B항공사가 이 사건 노선면허발급처분에 대한 행정심판을 청구하여 인용재결을 받는다면, A항공사는 그 인용재결의 취소를 구하는 소송을 제기할 수 있다.
④ 만약 위 사례와 달리 C항공사가 몰디브 직항 항공노선에 관하여 이미 노선면허를 가지고 있었는데, A항공사가 국토교통부장관에게 몰디브 직항 항공노선면허를 신청하였고 이에 대해 국토교통부장관이 A항공사에게도 신규로 노선면허를 발급한 것이라면, C항공사는 A항공사에 대한 노선면허발급처분에 대해 취소소송을 제기할 원고적격이 없다.

2017년 국가직 9급

① (×) A와 B는 1인에 대한 노선면허발급이 타인에 대한 거부가 되는 경원자관계에 있다. 경원자소송이란 수인의 신청을 받아 일부에 대하여만 인·허가 등의 수익적 행정처분을 할 수 있는 경우에 인·허가 등을 받지 못한 자가 타인이 받은 인·허가처분을 대상으로 제기하는 소송을 말한다. 이 경우 발급거부당한 제3자 B는 면허처분에 대해 이를 다툴 법률상 이익을 가지고 있다.

> 인·허가 등의 수익적 행정처분을 신청한 수인이 서로 경쟁관계에 있어서 일방에 대한 허가 등의 처분이 타방에 대한 불허가 등으로 귀결될 수밖에 없는 때 허가 등의 처분을 받지 못한 자는 비록 경원자에 대하여 이루어진 허가 등 처분의 상대방이 아니라 하더라도 당해 처분의 취소를 구할 원고 적격이 있다. 다만, 명백한 법적 장애로 인하여 원고 자신의 신청이 인용될 가능성이 처음부터 배제되어 있는 경우에는 당해 처분의 취소를 구할 정당한 이익이 없다(대판 2009.12.10. 2009두8359).

② (×) 최근 판례는 경원관계에서 경원자에 대한 수익적 처분의 취소를 구하지 않고 자신에 대한 거부처분의 취소를 구하는 것도 허용된다고 보았다. 따라서 B는 자신에 대한 면허발급거부에 대해 취소소송으로 이를 다툴 수 있다.

> 취소판결이 확정되는 경우 판결의 직접적인 효과로 경원자에 대한 허가 등 처분이 취소되거나 효력이 소멸되는 것은 아니더라도 행정청은 취소판결의 기속력에 따라 판결에서 확인된 위법사유를 배제한 상태에서 취소판결의 원고와 경원자의 각 신청에 관하여 처분요건의 구비 여부와 우열을 다시 심사하여야 할 의무가 있으며, 재심사 결과 경원자에 대한 수익적 처분이 직권취소되고 취소판결의 원고에게 수익적 처분이 이루어질 가능성을 완전히 배제할 수는 없으므로, 특별한 사정이 없는 한 경원관계에서 허가 등 처분을 받지 못한 사람은 자신에 대한 거부처분의 취소를 구할 소의 이익이 있다(대판 2015.10.29. 2013두27517).

③ (○) 제3자의 행정심판청구에 의한 인용재결이 있게 되면, 수익적 처분을 받은 자는 그 재결에 의해 불이익을 입게 된다. 판례는 이 경우 재결자체의 고유의 위법이 있다고 보아 재결이 취소소송의 대상이 된다고 한다.

> 이른바 복효적 행정행위, 특히 제3자효를 수반하는 행정행위에 대한 행정심판청구에 있어서 그 청구를 인용하는 내용의 재결로 인하여 비로소 권리이익을 침해받게 되는 자는 그 인용재결에 대하여 다툴 필요가 있고, 그 인용재결은 원처분과 내용을 달리하는 것이므로 그 인용재결의 취소를 구하는 것은 원처분에는 없는 재결에 고유한 하자를 주장하는 셈이어서 당연히 항고소송의 대상이 된다(대판 2001.5.29. 99두10292).

④ (×) 동종의 여러 영업자가 경쟁관계에 있는 경우, 기존업자C가 신규업자A의 신규허가에 대하여 제기하는 소송을 경업자소송이라고 한다. 판례는 이 경우 면허나 인·허가 등의 수익적 행정처분의 근거가 되는 법률이 해당 업자들 사이의 과당경쟁으로 인한 경영의 불합리를 방지하는 것도 그 목적으로 하고 있는 경우, 다른 업자에 대한 면허나 인·허가 등의 수익적 행정처분의 상대방이 아니라 하더라도 당해 행정처분의 취소를 구할 원고적격이 있다고 판시하고 있다. 판례는 일반적으로 기존업자가 특허기업인 경우에는 그 기존업자가 그 특허로 인하여 받은 이익은 법률상 이익이라고 보아 원고적격을 인정하고, 기존업자가 허가를 받아 영업하는 경우에 그 기존업자가 그 허가로 인하여 받는 이익은 반사적 이익에 불과한 것으로 원고적격을 부정하고 있다. 사안의 노선면허는 강학상 특허로서 기존업자의 이익도 보호하고 있는 것으로 보이는 바, 기존업자C는 신규업자A에 대한 노선면허 발급에 대해 취소소송을 제기할 원고적격이 있다.

> 일반적으로 면허나 인·허가 등의 수익적 행정처분의 근거가 되는 법률이 해당 업자들 사이의 과당경쟁으로 인한 경영의 불합리를 방지하는 것도 그 목적으로 하고 있는 경우, 다른 업자에 대한 면허나 인·허가 등의 수익적 행정처분에 대하여 미리 같은 종류의 면허나 인·허가 등의 수익적 행정처분을 받아 영업을 하고 있는 기존의 업자는 경업자에 대하여 이루어진 면허나 인·허가 등 행정처분의 상대방이 아니라 하더라도 당해 행정처분의 취소를 구할 당사자적격이 있다(대판 2002.10.25. 2001두4450).

답 ③

함께 정리하기

경원자소송

처분을 받지 못한 자
▷ 원고적격 有

자신에 대한 거부처분 취소소송 可

수익적 처분에 대한 인용재결
▷ 수익적 처분의 상대방은 인용재결 취소소송 可

경업자소송에서 기존 특허업자
▷ 원고적격 有

문제 DATA

출제가능 지수 ▶▶▷
난이도 지수 ★★☆

함께 정리하기

취소소송의 적법요건

국민권익위원회의 소방청장에 대한 취소 조치요구
▷ 소방청장 당사자능력·원고적격 有

사증발급 거부처분 취소소송
▷ 외국인 원고적격 ✕

거부처분의 취소재결
▷ 재결자체 취소 구할 소의 이익 ✕

병무청장의 병역의무 기피자의 인적사항 공개 결정
▷ 처분 ○

079 ☐☐☐

취소소송에 대한 설명으로 옳지 않은 것은? (다툼이 있는 경우 판례에 의함)

① 처분성이 인정되는 국민권익위원회의 조치요구에 대해 소방청장은 취소소송을 제기할 당사자 능력과 원고적격을 갖는다.
② 사증 발급의 법적 성질과 「출입국관리법」의 입법목적을 고려할 때 외국인은 사증발급 거부처분의 취소를 구할 법률상 이익이 있다.
③ 거부처분이 행정심판의 재결을 통해 취소된 경우 재결에 따른 후속처분이 아니라 그 재결의 취소를 구하는 것은 분쟁해결의 유효적절한 수단이라고 할 수 없어 소의 이익이 없다.
④ 병무청장의 병역의무 기피자의 인적사항 공개 결정은 취소소송의 대상이 되는 처분에 해당한다.

2020년 군무원 7급

① (○) 국민권익위원회의 취소조치요구에 대한 취소소송에서 소방청장은 당사자능력·원고적격이 있다.

> 국민권익위원회가 소방청장에게 인사와 관련하여 부당한 지시를 한 사실이 인정된다며 이를 취소할 것을 요구하기로 의결하고 그 내용을 통지하자 소방청장이 국민권익위원회 조치요구의 취소를 구하는 소송을 제기한 사안에서, 소방청장은 예외적으로 당사자능력과 원고적격을 가진다고 한 사례(대판 2018.8.1. 2014두35379)

유제 19. 국가직 7급 법령이 특정한 행정기관으로 하여금 다른 행정기관에 제재적 조치를 취할 수 있도록 하면서, 그에 따르지 않으면 그 행정기관에 과태료 등을 과할 수 있도록 정하는 경우, 권리구제나 권리보호의 필요성이 인정된다면 예외적으로 그 제재적 조치의 상대방인 행정기관에게 항고소송의 원고적격을 인정할 수 있다. (○)

② (✕) 사증발급 거부처분에 대한 취소소송에서 외국인은 취소 구할 법률상 이익이 없다.

> 우리 출입국관리법의 해석상 외국인에게는 사증발급 거부처분의 취소를 구할 법률상 이익이 인정되지 않는다(대판 2018.5.15. 2014두42506).

유제 19. 국가직 7급 「출입국관리법」상의 체류자격 및 사증발급의 기준과 절차에 관한 규정들은 대한민국의 출입국 질서와 국경관리라는 공익을 보호하려는 취지로 해석될 뿐이므로, 동법상 체류자격변경 불허가처분, 강제퇴거명령 등을 다투는 외국인에게는 해당 처분의 취소를 구할 법률상 이익이 인정되지 않는다. (✕)

③ (○) 거부처분이 재결에서 취소되면 재결의 취소는 법률상 이익이 없다.

> 거부처분이 재결에서 취소된 경우 재결에 따른 후속처분이 아니라 그 재결의 취소를 구하는 것은 실효적이고 직접적인 권리구제수단이 될 수 없어 분쟁해결의 유효적절한 수단이라고 할 수 없으므로 법률상 이익이 없다(대판 2017.10.31. 2015두45045).

④ (○) 병무청장의 병역의무 기피자의 인적사항 공개 결정은 취소소송의 대상이 되는 처분에 해당한다.

> 병무청장이 병역법 제81조의2 제1항에 따라 병역의무 기피자의 인적사항 등을 인터넷 홈페이지에 게시하는 등의 방법으로 공개한 경우 병무청장의 공개결정을 항고소송의 대상이 되는 행정처분으로 보아야 한다(대판 2019.6.27. 2018두49130).

답 ②

III 당사자 2 – 협의의 소의 이익(권리보호의 필요성)

080 □□□

소의 이익에 대한 설명으로 옳지 않은 것은?

① 지방의회 의원에 대한 제명의결 취소소송 계속 중 의원의 임기가 만료된 경우라도 그 제명의결의 취소를 구할 법률상 이익이 인정된다.
② 특별한 사정이 없는 한 경원관계에서 허가 등 수익적 처분을 받지 못한 사람은 자신에 대한 거부처분의 취소를 구할 소의 이익이 있다.
③ 항고소송의 일종인 무효확인소송에서는 행정처분의 근거 법률에 의해 보호되는 직접적이고 구체적인 이익이 있는 경우에 '무효확인을 구할 법률상 이익'이 있고, 별도로 무효확인소송의 보충성이 요구되지 않는다.
④ 고등학교에서 퇴학처분을 당한 후 고등학교졸업학력검정고시에 합격하였다면 퇴학처분을 받은 자는 퇴학처분의 위법을 주장하여 그 취소를 구할 소송상의 이익이 없다.

문제 DATA
출제가능 지수 ▶▶▷
난이도 지수 ★★☆

2025년 지방직 9급

① (○) 지방의회의원이 제명의결 취소소송 계속 중 임기가 만료되어 제명의결의 취소로 지방의회의원으로서의 지위를 회복할 수는 없다 할지라도, 그 취소로 인하여 취소한 제명의결 시부터 임기만료일까지의 기간에 대해 월정수당의 지급을 구할 수 있는 등 여전히 그 제명의결의 취소를 구할 법률상 이익은 남아 있다(대판 2009.1.30. 2007두13487).
② (○) 인가·허가 등 수익적 행정처분을 신청한 여러 사람이 서로 경원 관계에 있어서 한 사람에 대한 허가 등 처분이 다른 사람에 대한 불허가 등으로 귀결될 수밖에 없을 때 허가 등 처분을 받지 못한 사람은 신청에 대한 거부처분의 직접 상대방으로서 원칙적으로 자신에 대한 거부 처분의 취소를 구할 원고적격이 있고, 재심사 결과 경원자에 대한 수익적 처분이 직권취소되고 취소판결의 원고에게 수익적 처분이 이루어질 가능성을 완전히 배제할 수는 없으므로, 특별한 사정이 없는 한 경원관계에서 허가 등 처분을 받지 못한 사람은 자신에 대한 거부처분의 취소를 구할 소의 이익이 있다(대판 2015.10.29. 2013두27517).
③ (○) 행정처분의 근거 법률에 의하여 보호되는 직접적이고 구체적인 이익이 있는 경우에는 행정소송법 제35조에 규정된 '무효확인을 구할 법률상 이익'이 있다고 보아야 하고, 이와 별도로 무효확인소송의 보충성이 요구되는 것은 아니므로 행정처분의 무효를 전제로 한 이행소송 등과 같은 직접적인 구제수단이 있는지 여부를 따질 필요가 없다고 해석함이 상당하다(대판 2008.3.20. 2007두6342 전합).
④ (✕) 고등학교에서 퇴학처분을 당한 후 고등학교졸업학력검정고시에 합격한 경우, 고등학교졸업학력검정고시에 합격하였다 하여 고등학교 학생으로서의 신분과 명예가 회복될 수 없는 것이니 퇴학처분을 받은 자로서는 퇴학처분의 위법을 주장하여 그 취소를 구할 소송상의 이익이 있다(대판 1992.7.14. 91누4737).

답 ④

함께 정리하기

소의 이익

지방의회의원 제명의결 취소소송 중 임기 만료
▷ 소의 이익○(월정수당)

경원관계에서 거부처분 받은 자의 자신에 대한 거부처분취소
▷ 소의 이익○

무효확인소송의 소의 이익
▷ 직접적 구제수단 유무 불문(보충성 불요설)
▷ 법률상 이익으로 족함

대입검정고시에 합격한 자의 퇴학처분취소
▷ 소의 이익○

081

대법원 판례의 내용으로 가장 옳지 않은 것은?

① 교원소청심사제도에 관한 「교원의 지위 향상 및 교육 활동 보호를 위한 특별법」의 규정 내용과 목적 및 취지 등을 종합적으로 고려하면, 사립학교 교원이 소청심사청구를 하여 해임처분의 효력을 다투던 중 형사판결 확정 등 당연퇴직사유가 발생하여 교원의 지위를 회복할 수 없는 경우, 해임처분이 취소되거나 변경되면 해임처분일부터 당연퇴직사유 발생일까지의 기간에 대한 보수 지급을 구할 수 있는 경우라도 소청심사청구를 기각한 교원소청심사위원회 결정의 취소를 구할 법률상 이익이 없다.

② 국민의 정보공개청구권은 법률상 보호되는 구체적인 권리이므로, 공공기관에 대하여 정보공개를 청구하였다가 공개거부처분을 받은 청구인은 행정소송을 통해 공개거부처분의 취소를 구할 법률상 이익이 인정되고, 그 밖에 추가로 어떤 이익이 있어야 하는 것은 아니다.

③ 집합건물 공용부분의 대수선과 관련한 행정청의 허가, 사용승인 등 일련의 처분에 관하여는 처분의 직접 상대방 외에 해당 집합건물의 구분소유자에게도 취소를 구할 원고적격이 인정된다고 보는 것이 타당하다.

④ 행정처분이 취소되면 그 처분은 효력을 상실하여 더 이상 존재하지 않으며, 존재하지 않는 행정처분을 대상으로 한 취소소송은 소의 이익이 없어 부적법하다.

2025년 군무원 9급

① (×) 교원소청심사제도에 관한 '교원의 지위 향상 및 교육활동 보호를 위한 특별법'의 규정 내용과 목적 및 취지 등을 종합적으로 고려하면, 사립학교 교원이 소청심사청구를 하여 해임처분의 효력을 다투던 중 형사판결 확정 등 당연퇴직사유가 발생하여 교원의 지위를 회복할 수 없더라도, 해임처분이 취소되거나 변경되면 해임처분일부터 당연퇴직사유 발생일까지의 기간에 대한 보수 지급을 구할 수 있는 경우에는 소청심사청구를 기각한 교원소청심사위원회 결정의 취소를 구할 법률상 이익이 있다(대판 2024. 2.8. 2022두50571).

② (○) 정보공개청구권은 법률상 보호되는 구체적인 권리이므로 청구인이 공공기관에 대하여 정보공개를 청구하였다가 거부처분을 받은 것 자체가 법률상 이익의 침해에 해당한다고 할 것이고 거부처분을 받은 것 이외에 추가로 어떤 법률상의 이익을 가질 것을 요구하는 것은 아니다(대판 2004.9.23. 2003두1370).

③ (○) 집합건물의 소유 및 관리에 관한 법률(이하 '집합건물법'이라 한다)상 집합건물의 공용부분은 구분소유자 전원 또는 일부의 공용에 제공되는 것으로 구분소유자 전원의 각 전유부분 면적비율에 따른 공유에 속하고(집합건물법 제3조, 제10조, 제12조), 각 공유자는 공용부분을 그 용도에 따라 사용할 수 있다(집합건물법 제11조). 건축법은 집합건물의 공용부분을 대수선하려는 자로 하여금 구분소유자 전원을 구성원으로 하는 관리단집회에서 구분소유자 2/3 이상 및 의결권 2/3 이상의 결의로써 그 대수선에 동의하였다는 사정을 증명해야 대수선에 관한 허가를 받을 수 있도록 규정하고 있다(건축법 제11조 제11항 제5호, 집합건물법 제15조 제1항). 이와 같은 건축법 규정은 구분소유자들이 공유하고 각자 그 용도에 따라 사용할 수 있는 공용부분의 대수선으로 인하여 공용부분의 소유·사용에 제한을 받을 수 있는 구분소유자의 개별적 이익을 구체적이고 직접적으로 보호하는 규정으로 볼 수 있다. 따라서 집합건물 공용부분의 대수선과 관련한 행정청의 허가, 사용승인 등 일련의 처분에 관하여는 처분의 직접 상대방 외에 해당 집합건물의 구분소유자에게도 취소를 구할 원고적격이 인정된다고 보는 것이 타당하다(대판 2024.3.12. 2021두58998).

문제 DATA

출제가능 지수 ▶▶▷
난이도 지수 ★★★

함께 정리하기

판례

해임처분 효력을 다투던 중 형사판결확정 등 당연퇴직
▷ 소청심사 기각결정 취소 구할 소의 이익 ○
(해임처분일부터 당연퇴직시까지의 보수)

정보공개를 청구하였다가 거부처분을 받은 것
▷ 그 자체로 법률상 이익 침해 해당 ○

집합건물 공용부분 대수선 관련 처분
▷ 집합건물 구분소유자에게도 취소 구할 원고적격 ○

행정처분 취소
▷ 소의 이익 無

④ (○) 행정처분을 다툴 소의 이익은 개별·구체적 사정을 고려하여 판단하여야 한다. 행정처분의 무효확인 또는 취소를 구하는 소가 제소 당시에는 소의 이익이 있어 적법하였더라도, 소송 계속 중 처분청이 다툼의 대상이 되는 행정처분을 직권으로 취소하면 그 처분은 효력을 상실하여 더 이상 존재하지 않는 것이므로, 존재하지 않는 처분을 대상으로 한 항고소송은 원칙적으로 소의 이익이 소멸하여 부적법하다고 보아야 한다. 다만 처분청의 직권취소에도 완전한 원상회복이 이루어지지 않아 무효확인 또는 취소로써 회복할 수 있는 다른 권리나 이익이 남아 있거나 또는 동일한 소송 당사자 사이에서 그 행정처분과 동일한 사유로 위법한 처분이 반복될 위험성이 있어 행정처분의 위법성 확인 내지 불분명한 법률문제에 대한 해명이 필요한 경우 행정의 적법성 확보와 그에 대한 사법통제, 국민의 권리구제의 확대 등의 측면에서 예외적으로 그 처분의 취소를 구할 소의 이익을 인정할 수 있다(대판 2020.4.9. 2019두49953).

답 ①

082

취소소송의 소의 이익과 피고적격에 대한 설명으로 옳지 않은 것은? (다툼이 있는 경우 판례에 의함)

① 행정처분의 취소를 구하는 행정소송은 다른 법률에 특별한 규정이 없는 한 그 처분을 행한 행정청을 피고로 하여야 하며, 행정처분을 행할 적법한 권한 있는 상급행정청으로부터 내부위임을 받은 데 불과한 하급행정청이 권한 없이 행정처분을 한 경우에도 피고는 실제로 그 처분을 행한 하급행정청이다.

② 국립대학교 특별전형 불합격처분에 대한 취소소송에서 원고들이 불합격처분의 취소를 구하는 소송계속 중 당해 년도의 입학시기가 지났다면 원고들로서는 불합격처분의 적법여부를 다툴만한 법률상의 이익이 없다.

③ 사실심 변론종결일 현재 토석채취 허가기간이 경과하였다면 그 허가는 이미 실효되었다고 할 것이어서 새로 토석채취허가를 받지 아니하고는 채석을 계속할 수 없고, 나아가 토석채취허가 취소처분이 외형상 잔존함으로 말미암아 어떠한 법률상 불이익이 있다고 볼 만한 특별한 사정도 없다면 위 취소처분의 취소를 구하는 소는 소의 이익이 없다.

④ 행정처분의 취소를 구하는 소가 제소 당시에는 소의 이익이 있어 적법하였는데, 소송계속 중 해당 행정처분이 기간의 경과 등으로 그 효과가 소멸한 때에 처분이 취소되어도 원상회복이 불가능하다고 보이는 경우라도, 그 행정처분과 동일한 사유로 위법한 처분이 반복될 위험성이 있어 행정처분의 위법성 확인 내지 불분명한 법률문제에 대한 해명이 필요한 경우에는 예외적으로 그 처분의 취소를 구할 소의 이익을 인정할 수 있다.

2025년 소방직

① (○) 행정처분의 취소 또는 무효확인을 구하는 행정소송은 다른 법률에 특별한 규정이 없는 한 그 처분을 행한 행정청을 피고로 하여야 하며, 행정처분을 행할 적법한 권한있는 상급행정청으로부터 내부위임을 받은데 불과한 하급행정청이 권한없이 행정처분을 한 경우에도 실제로 그 처분을 행한 하급행정청을 피고로 할 것이지 그 상급행정청을 피고로 할 것은 아니다(대판 1989.11.14. 89누4765).

문제 DATA
출제가능 지수 ▶▶▷
난이도 지수 ★★★

함께 정리하기
취소소송의 소의 이익과 피고적격

권한의 내부위임
▷ 실제 처분명의자가 피고적격○

국립대학교 특별전형 불합격처분 취소소송 중 입학시기 도과
▷ 소의 이익○

토석채취허가취소처분 취소소송 중 토석채취 허가기간 경과
▷ 소의 이익×

동일한 사유로 위법한 처분이 반복될 구체적인 위험 有
▷ 예외적 소의 이익○

② (×) 교육법 시행령 제72조, 서울대학교학칙 제37조 제1항 소정의 학생의 입학시기에 관한 규정이나 대학학생정원령 제2조 소정의 입학정원에 관한 규정은 학사운영 등 교육행정을 원활하게 수행하기 위한 행정상의 필요에 의하여 정해놓은 것으로서 어느 학년도의 합격자는 반드시 당해 년도에만 입학하여야 한다고 볼 수 없으므로 원고들이 불합격처분의 취소를 구하는 이 사건 소송계속 중 당해년도의 입학시기가 지났더라도 당해 년도의 합격자로 인정되면 다음년도의 입학시기에 입학할 수도 있다고 할 것이고, 피고의 위법한 처분이 있게 됨에 따라 당연히 합격하였어야 할 원고들이 불합격처리되고 불합격되었어야 할 자들이 합격한 결과가 되었다면 원고들은 입학정원에 들어가는 자들이라고 하지 않을 수 없다고 할 것이므로 원고들로서는 피고의 불합격처분의 적법여부를 다툴만한 법률상의 이익이 있다고 할 것이다(대판 1990.8.28. 89누8255).

③ (○) 사실심 변론종결일 현재 토석채취 허가기간이 경과하였다면 그 허가는 이미 실효되었다고 할 것이어서 새로 토석채취허가를 받지 아니하고는 채석을 계속할 수 없고, 나아가 토석채취허가 취소처분이 외형상 잔존함으로 말미암아 어떠한 법률상 불이익이 있다고 볼 만한 특별한 사정도 없다면 위 취소처분의 취소를 구하는 소는 소의 이익이 없다(대판 1993.7.27. 93누3899).

④ (○) 행정처분의 무효 확인 또는 취소를 구하는 소가 제소 당시에는 소의 이익이 있어 적법하였는데, 소송계속 중 해당 행정처분이 기간의 경과 등으로 그 효과가 소멸한 때에 그 처분이 취소되어도 원상회복이 불가능하다고 보이는 경우라 하더라도, 무효 확인 또는 취소로써 회복할 수 있는 다른 권리나 이익이 남아 있거나 또는 그 행정처분과 동일한 사유로 위법한 처분이 반복될 위험성이 있어 행정처분의 위법성 확인 내지 불분명한 법률문제에 대한 해명이 필요한 경우에는 행정의 적법성 확보와 그에 대한 사법통제, 국민의 권리구제의 확대 등의 측면에서 예외적으로 그 처분의 취소를 구할 소의 이익을 인정할 수 있다. 여기에서 '그 행정처분과 동일한 사유로 위법한 처분이 반복될 위험성이 있는 경우'란 불분명한 법률문제에 대한 해명이 필요한 상황에 대한 대표적인 예시일 뿐이며, 반드시 '해당 사건의 동일한 소송당사자 사이에서' 반복될 위험이 있는 경우만을 의미하는 것은 아니다(대판 2020.12.24. 2020두30450).

답 ②

083

다음 중 항고소송의 소의 이익에 대한 판례의 설명으로 가장 옳지 않은 것은?

① 부령인 시행규칙 형식으로 정한 처분기준에서 제재적 행정처분을 받은 것을 가중사유나 전제 요건으로 삼아 장래의 제재적 행정처분을 하도록 정하고 있는 경우, 선행처분인 제재적 행정처분을 받은 상대방이 그 처분에서 정한 제재기간이 경과하였다 하더라도 그 처분의 취소를 구할 법률상 이익이 있다.

② 권리보호의 필요성 유무를 판단할 때에는 국민의 재판청구권을 보장한 헌법 제27조 제1항의 취지와 행정처분으로 인한 권익침해를 효과적으로 구제하려는 「행정소송법」의 목적 등에 비추어 행정처분의 존재로 인하여 국민의 권익이 실제로 침해되고 있는 경우는 물론이고 권익침해의 구체적·현실적 위험이 있는 경우에도 이를 구제하는 소송이 허용되어야 한다는 요청을 고려하여야 한다.

③ 행정처분과 동일한 사유로 위법한 처분이 반복될 위험성이 있어 행정처분의 위법성 확인 내지 불분명한 법률문제에 대한 해명이 필요한 경우에는 취소를 구할 소의 이익을 인정할 수 있는데, 그 행정처분과 동일한 사유로 위법한 처분이 반복될 위험성이 있는 경우란 해당 사건의 동일한 소송당사자 사이에서 반복될 위험이 있는 경우만을 의미한다.

④ 행정처분의 무효확인 또는 취소를 구하는 소가 제소 당시에는 소의 이익이 있어 적법하였더라도, 소송 계속 중 처분청이 다툼의 대상이 되는 행정처분을 직권으로 취소하면 그 처분은 효력을 상실하여 더 이상 존재하지 않는 것이므로, 존재하지 않는 그 처분을 대상으로 한 항고소송은 원칙적으로 소의 이익이 소멸하여 부적법하다.

2024년 군무원 9급

① (○) 제재적 행정처분이 그 처분에서 정한 제재기간의 경과로 인하여 그 효과가 소멸되었으나, 부령인 시행규칙 또는 지방자치단체의 규칙(이하 이들을 '규칙'이라고 한다)의 형식으로 정한 처분기준에서 제재적 행정처분(이하 '선행처분'이라고 한다)을 받은 것을 가중사유나 전제요건으로 삼아 장래의 제재적 행정처분(이하 '후행처분'이라고 한다)을 하도록 정하고 있는 경우, 제재적 행정처분의 가중사유나 전제요건에 관한 규정이 법령이 아니라 규칙의 형식으로 되어 있다고 하더라도, 그러한 규칙이 법령에 근거를 두고 있는 이상 그 법적 성질이 대외적·일반적 구속력을 갖는 법규명령인지 여부와는 상관없이, 관할 행정청이나 담당공무원은 이를 준수할 의무가 있으므로 이들이 그 규칙에 정해진 바에 따라 행정작용을 할 것이 당연히 예견되고, 그 결과 행정작용의 상대방인 국민으로서는 그 규칙의 영향을 받을 수밖에 없다. 따라서 규칙이 정한 바에 따라 선행처분을 가중사유 또는 전제요건으로 하는 후행처분을 받을 우려가 현실적으로 존재하는 경우에는, 선행처분을 받은 상대방은 비록 그 처분에서 정한 제재기간이 경과하였다 하더라도 그 처분의 취소소송을 통하여 그러한 불이익을 제거할 권리보호의 필요성이 충분히 인정된다고 할 것이므로, 선행처분의 취소를 구할 법률상 이익이 있다고 보아야 한다(대판 2006.6.22. 2003두1684).

② (○) 행정소송법 제12조 후문은 '처분 등의 효과가 기간의 경과, 처분 등의 집행 그 밖의 사유로 인하여 소멸된 뒤에도 그 처분 등의 취소로 인하여 회복되는 법률상 이익이 있는 자의 경우에는' 취소소송을 제기할 수 있다고 규정하여, 이미 효과가 소멸된 행정처분에 대해서도 권리보호의 필요성이 인정되는 경우에는 취소소송의 제기를 허용하고 있다. 구체적인 사안에서 권리보호의 필요성 유무를 판단할 때에는 국민의 재판청구권을 보장한 헌법 제27조 제1항의 취지와 행정처분으로 인한 권익침해를 효과적으로 구제하려는 행정소송법의 목적 등에 비추어 행정처분의 존재로 인하여 국민의 권익이 실제로 침해되고 있는 경우는 물론이고 권익침해의 구체적·현실적 위험이 있는 경우에도 이를 구제하는 소송이 허용되어야 한다는 요청을 고려하여야 한다. 따라서 처분이 유효하게 존속하는 경우에는 특별한 사정이 없는 한 그 처분의 존재로 인하여 실제로 침해되고 있거나 침해될 수 있는 현실적인 위험을 제거하기 위해 취소소송을 제기할 권리보호의 필요성이 인정된다고 보아야 한다(대판 2018.7.12. 2015두3485).

③ (×) 행정처분의 무효 확인 또는 취소를 구하는 소가 제소 당시에는 소의 이익이 있어 적법하였는데, 소송계속 중 해당 행정처분이 기간의 경과 등으로 그 효과가 소멸한 때에 처분이 취소되어도 원상회복이 불가능하다고 보이는 경우라도, 무효 확인 또는 취소로써 회복할 수 있는 다른 권리나 이익이 남아 있거나 또는 그 행정처분과 동일한 사유로 위법한 처분이 반복될 위험성이 있어 행정처분의 위법성 확인 내지 불분명한 법률문제에 대한 해명이 필요한 경우에는 행정의 적법성 확보와 그에 대한 사법통제, 국민의 권리구제 확대 등의 측면에서 예외적으로 그 처분의 취소를 구할 소의 이익을 인정할 수 있다. 여기에서 '그 행정처분과 동일한 사유로 위법한 처분이 반복될 위험성이 있는 경우'란 불분명한 법률문제에 대한 해명이 필요한 상황에 대한 대표적인 예시일 뿐이며, 반드시 '해당 사건의 동일한 소송 당사자 사이에서' 반복될 위험이 있는 경우만을 의미하는 것은 아니다(대판 2020.12.24. 2020두30450).

④ (○) 행정처분을 다툴 소의 이익은 개별·구체적 사정을 고려하여 판단하여야 한다. 행정처분의 무효확인 또는 취소를 구하는 소가 제소 당시에는 소의 이익이 있어 적법하였더라도, 소송 계속 중 처분청이 다툼의 대상이 되는 행정처분을 직권으로 취소하면 그 처분은 효력을 상실하여 더 이상 존재하지 않는 것이므로, 존재하지 않는 처분을 대상으로 한 항고소송은 원칙적으로 소의 이익이 소멸하여 부적법하다고 보아야 한다(대판 2020.4.9. 2019두49953).

답 ③

> [!NOTE] 함께 정리하기
>
> **항고소송의 소의 이익**
>
> **가중요건 시행규칙에 규정**
> ▷ 제재기간이 경과해도 소의 이익 有
>
> **권리보호필요성 판단**
> ▷ 실제 권익 침해 or 침해의 구체적·현실적 위험성 고려
>
> **위법한 처분이 반복될 위험성**
> ▷ 반드시 해당 사건의 동일 소송 당사자 사이에서 반복될 위험이 있는 경우만 의미 ×
>
> **소송 계속 중 행정처분 직권취소**
> ▷ 소의 이익 無

084

항고소송의 소송요건에 대한 설명으로 옳지 않은 것만을 <보기>에서 모두 고르면?

ㄱ. 처분청의 처분에 대한 행정심판위원회의 형성재결(수익적 처분의 취소재결)에 대해서는 그 재결 외에 그에 따른 별도의 처분이 있지 않기 때문에 재결 자체를 쟁송의 대상으로 할 수 있다.
ㄴ. 제재적 행정처분이 그 처분에서 정한 제재기간의 경과로 인하여 그 효과가 소멸되었으나 부령인 시행규칙의 형식으로 정한 처분기준에서 제재적 행정처분(이하 '선행처분'이라고 한다)을 받은 것을 가중사유나 전제요건으로 삼아 장래의 제재적 행정처분(이하 '후행처분'이라고 한다)을 하도록 정하고 있는 경우, 위 시행규칙이 정한 바에 따라 선행처분을 가중사유 또는 전제요건으로 하는 후행처분을 받을 우려가 현실적으로 존재하는 경우에도 선행처분을 받은 상대방은 그 처분에서 정한 제재기간이 경과한 선행처분의 취소를 구할 법률상 이익이 없다.
ㄷ. 국가보훈처장 등이 발행한 책자 등에서 독립운동가 등의 활동상을 잘못 기술하였다는 등의 이유로 그 사실관계의 확인을 구하거나, 국가보훈처장의 서훈추천서의 행사·불행사가 당연 무효 또는 위법임의 확인을 구하는 것은 항고소송의 대상이 될 수 없다.
ㄹ. 교육감이 학교법인에 대한 감사 실시 후 처리지시를 하고 그와 함께 그 시정조치에 대한 결과를 증빙서를 첨부한 문서로 보고하도록 한 것은, 단순히 권고적 효력만을 가지는 비권력적 사실행위인 행정지도에 불과하여 항고소송의 대상이 될 수 없다.
ㅁ. 행정규칙에 근거한 처분이라도 상대방의 권리·의무에 직접 영향을 미치는 행위라면 항고소송의 대상이 되는 행정처분에 해당한다.

① ㄴ, ㄹ
② ㄹ, ㅁ
③ ㄱ, ㄴ, ㄷ
④ ㄱ, ㄷ, ㅁ
⑤ ㄴ, ㄹ, ㅁ

2024년 국회직 8급

ㄱ. (○) 이른바 복효적 행정행위, 특히 제3자효를 수반하는 행정행위에 대한 행정심판청구에 있어서 그 청구를 인용하는 내용의 재결로 인하여 비로소 권리이익을 침해받게 되는 자는 그 인용재결에 대하여 다툴 필요가 있고, 그 인용재결은 원처분과 내용을 달리하는 것이므로 그 인용재결의 취소를 구하는 것은 원처분에는 없는 재결에 고유한 하자를 주장하는 셈이어서 당연히 항고소송의 대상이 된다(대판 1997. 12.23. 96누10911).
ㄴ. (×) 제재적 행정처분이 그 처분에서 정한 제재기간의 경과로 인하여 그 효과가 소멸되었으나, 부령인 시행규칙 또는 지방자치단체의 규칙(이하 이들을 '규칙'이라고 한다)의 형식으로 정한 처분기준에서 제재적 행정처분(이하 '선행처분'이라고 한다)을 받은 것을 가중사유나 전제요건으로 삼아 장래의 제재적 행정처분(이하 '후행처분'이라고 한다)을 하도록 정하고 있는 경우, 제재적 행정처분의 가중사유나 전제요건에 관한 규정이 법령이 아니라 규칙의 형식으로 되어 있다고 하더라도, 그러한 규칙이 법령에 근거를 두고 있는 이상 그 법적 성질이 대외적·일반적 구속력을 갖는 법규명령인지 여부와는 상관없이, 관할 행정청이나 담당공무원은 이를 준수할 의무가 있으므로 이들이 그 규칙에 정해진 바에 따라 행정작용을 할 것이 당연히 예견되고, 그 결과 행정작용의 상대방인 국민으로서는 그 규칙의 영향을 받을 수밖에 없다. 따라서 규칙이 정한 바에 따라 선행처분을 가중사유 또는 전제요건으로 하는 후행처분을 받을 우려가 현실적으로 존재하는 경우에는, 선행처분을 받은 상대방은 비록 그 처분에서 정한 제재기간이 경과하였다 하더라도 그 처분의 취소소송을 통하여 그러한 불이익을 제거할 권리보호의 필요성이 충분히 인정된다고 할 것이므로, 선행처분의 취소를 구할 법률상 이익이 있다고 보아야 한다(대판 2006. 6.22. 2003두1684).

ㄷ. (○)

> [1] 피고 국가보훈처장이 발행·보급한 독립운동사, 피고 문교부장관이 저작하여 보급한 국사교과서 등의 각종 책자와 피고 문화부장관이 관리하고 있는 독립기념관에서의 각종 문·전시물의 배치 및 전시 등에 있어서, 일제치하에서의 국내외의 각종 독립운동에 참가한 단체와 독립운동가의 활동상을 잘못 기술하거나, 전시·배치함으로써 그 역사적 의의가 그릇 평가되게 하였다는 이유로 그 사실관계의 확인을 구하고, 또 피고 국가보훈처장은 이들 독립운동가들의 활동상황을 잘못 알고 국가보훈상의 서훈추천권을 행사함으로써 서훈추천권의 행사가 적정하지 아니하였다는 이유로 이러한 서훈추천권의 행사, 불행사가 당연무효임의 확인, 또는 그 부작위가 위법함의 확인을 구하는 청구는 과거의 역사적 사실관계의 존부나 공법상의 구체적인 법률관계가 아닌 사실관계에 관한 것들을 확인의 대상으로 하는 것이거나 행정청의 단순한 부작위를 대상으로 하는 것으로서 항고소송의 대상이 되지 아니하는 것이다.
> [2] 피고 국가보훈처장 등에게, 독립운동가들에 대한 서훈추천권의 행사가 적정하지 아니하였으니 이를 바로잡아 다시 추천하고, 잘못 기술된 독립운동가의 활동상을 고쳐 독립운동사 등의 책자를 다시 편찬, 보급하고, 독립기념관 전시관의 문, 전시물 중 잘못된 부분을 고쳐 다시 전시 및 배치할 의무가 있음의 확인을 구하는 청구는 작위의무확인소송으로서 항고소송의 대상이 되지 아니한다(대판 1990. 11. 23. 90누3553).

ㄹ. (×) 피고는 원고에 대하여 이 사건 처리지시와 아울러 그 시정조치에 대한 결과를 증빙서를 첨부한 문서로써 보고하도록 명령함으로써 이 사건 처리지시의 시정조치 결과가 법 제48조에 근거한 보고명령 및 증빙서 첨부명령의 내용에 사실상 포함되어 있으므로 이 사건 처리지시에 따른 시정조치가 선행되지 않는 이상 피고의 위 보고명령 및 증빙서 첨부명령을 이행하기 어렵다고 할 것이다. 또한, 위 보고명령 및 증빙서 첨부명령을 이행하지 않는 경우 학교법인의 이사장이 형사상 처벌을 받거나 법 규정을 위반하였다는 사유로 임원 취임의 승인이 취소될 수도 있다. 이와 같은 사정에 비추어 보면, 원고로서는 위 보고명령 및 증빙서 첨부명령을 이행하기 위하여 이 사건 처리지시에 따른 제반 조치를 먼저 이행하는 것이 사실상 강제되어 있다고 할 것이므로, 이 사건 처리지시는 단순히 권고적 효력만을 가지는 비권력적 사실행위인 행정지도에 불과하다고 보기 어렵고, 원고에게 의무의 부담을 명하거나 기타 법률상 효과를 발생하게 하는 것으로서 항고소송의 대상이 되는 행정처분에 해당한다고 해석함이 상당하다(대판 2008. 9. 11. 2006두18362).

ㅁ. (○) 항고소송의 대상이 되는 행정처분이라 함은 원칙적으로 행정청의 공법상 행위로서 특정 사항에 대하여 법규에 의한 권리의 설정 또는 의무의 부담을 명하거나 기타 법률상 효과를 발생하게 하는 등으로 일반 국민의 권리 의무에 직접 영향을 미치는 행위를 가리키는 것이지만, 어떠한 처분의 근거나 법적인 효과가 행정규칙에 규정되어 있다고 하더라도, 그 처분이 행정규칙의 내부적 구속력에 의하여 상대방에게 권리의 설정 또는 의무의 부담을 명하거나 기타 법적인 효과를 발생하게 하는 등으로 그 상대방의 권리 의무에 직접 영향을 미치는 행위라면, 이 경우에도 항고소송의 대상이 되는 행정처분에 해당한다(대판 2002. 7. 26. 2001두3532).

답 ①

문제 DATA

출제가능 지수 ▶▶▷
난이도 지수 ★★☆

085 ☐☐☐

항고소송에서 수소법원의 판결에 대한 설명으로 옳지 않은 것은? (다툼이 있는 경우 판례에 의함)

① 행정처분의 취소를 구하는 소에서, 비록 행정처분의 위법을 이유로 취소판결을 받더라도 처분에 의하여 발생한 위법상태를 원상회복시키는 것이 불가능한 경우에는 원칙적으로 취소를 구할 법률상 이익이 없으므로, 수소법원은 소를 각하하여야 한다.

② 해임처분 취소소송 계속 중 임기가 만료되어 해임처분의 취소로 지위를 회복할 수는 없다고 할지라도, 그 취소로 해임처분일부터 임기만료일까지 기간에 대한 보수지급을 구할 수 있는 경우에는 해임처분의 취소를 구할 법률상 이익이 있으므로 수소법원은 본안에 대하여 판단하여야 한다.

③ 관할청이 「농지법」상의 이행강제금 부과처분을 하면서 재결청에 행정심판을 청구하거나 관할 행정법원에 행정소송을 할 수 있다고 잘못 안내한 경우 행정법원의 항고소송 재판관할이 생긴다.

④ 「행정소송법」 제19조에서 말하는 '재결 자체에 고유한 위법'이란 원처분에는 없고 재결에만 있는 재결청의 권한 또는 구성의 위법, 재결의 절차나 형식의 위법, 내용의 위법 등을 뜻한다.

| 2022년 국가직 9급

① (○) 행정처분의 취소를 구하는 소는 그 처분에 의하여 발생한 위법상태를 배제하여 원상으로 회복시키고 그 처분으로 침해되거나 방해받은 권리와 이익을 보호·구제하고자 하는 소송이므로, 비록 처분을 취소하더라도 원상회복이 불가능한 경우에는 처분의 취소를 구할 이익이 없는 것이 원칙이다. 그러나 원상회복이 불가능하게 보이는 경우라 하더라도, 동일한 소송 당사자 사이에서 그 행정처분과 동일한 사유로 위법한 처분이 반복될 위험성이 있어 행정처분의 위법성 확인 내지 불분명한 법률문제에 대한 해명이 필요하다고 판단되는 경우 등에는 행정의 적법성 확보와 그에 대한 사법통제, 국민의 권리구제 확대 등의 측면에서 여전히 그 처분의 취소를 구할 이익이 있다(대판 2019.5.10. 2015두46987).

② (○) 해임처분 무효확인 또는 취소소송 계속 중 임기가 만료되어 해임처분의 무효확인 또는 취소로 지위를 회복할 수는 없다고 할지라도, 그 무효확인 또는 취소로 해임처분일부터 임기만료일까지 기간에 대한 보수지급을 구할 수 있는 경우에는 해임처분의 무효확인 또는 취소를 구할 법률상 이익이 있다. 해임권자와 보수지급의무자가 다른 경우에도 마찬가지이다(대판 2012.2.23. 2011두5001).

③ (×) 농지법은 농지 처분명령에 대한 이행강제금 부과처분에 불복하는 자가 그 처분을 고지받은 날부터 30일 이내에 부과권자에게 이의를 제기할 수 있고, 이의를 받은 부과권자는 지체 없이 관할 법원에 그 사실을 통보하여야 하며, 그 통보를 받은 관할 법원은 비송사건절차법에 따른 과태료 재판에 준하여 재판을 하도록 정하고 있다(제62조 제1항·제6항·제7항). 따라서 농지법 제62조 제1항에 따른 이행강제금 부과처분에 불복하는 경우에는 비송사건절차법에 따른 재판절차가 적용되어야 하고, 행정소송법상 항고소송의 대상은 될 수 없다. 농지법 제62조 제6항·제7항이 위와 같이 이행강제금 부과처분에 대한 불복절차를 분명하게 규정하고 있으므로, 이와 다른 불복절차를 허용할 수는 없다. 설령 관할청이 이행강제금 부과처분을 하면서 재결청에 행정심판을 청구하거나 관할 행정법원에 행정소송을 할 수 있다고 잘못 안내하거나 관할 행정심판위원회가 각하재결이 아닌 기각재결을 하면서 관할 법원에 행정소송을 할 수 있다고 잘못 안내하였다고 하더라도, 그러한 잘못된 안내로 행정법원의 항고소송 재판관할이 생긴다고 볼 수도 없다(대판 2019.4.11. 2018두42955).

④ (○) 현행법상 행정쟁송수단으로 재결 자체에 고유한 하자가 있는 경우 예외적으로 재결취소소송이 인정된다. 재결 자체의 고유한 위법이란 원처분에는 없는 그 재결 자체의 주체·내용·형식 그리고 절차상의 위법이 있는 경우를 말한다.

> 항고소송은 원칙적으로 해당처분을 대상으로 하나, 해당 처분에 대한 재결 자체에 고유한 주체, 절차, 형식 또는 내용상의 위법이 있는 경우에 한하여 그 재결을 대상으로 할 수 있다고 해석되므로, 징계혐의자에 대한 감봉 1월의 징계처분을 견책으로 변경한 소청결정 중 그를 견책에 처한 조치는 재량권의 남용 또는 일탈로서 위법하다는 사유는 소청결정 자체에 고유한 위법을 주장하는 것으로 볼 수 없어 소청결정의 취소사유가 될 수 없다(대판 1993.8.24. 93누5673).

답 ③

함께 정리하기

항고소송에서 수소법원의 판결

처분을 취소하더라도 원상회복 불가능
▷ 원칙: 소의 이익× (소각하)

해임처분 취소소송 계속 中 임기만료
▷ 소의 이익○ (보수지급)

「농지법」상의 이행강제금 부과처분시 행정소송 가능하다고 잘못 안내
▷ 행정소송 제기 不可 (재판관할 발생×)

재결 자체에 고유한 위법
▷ 원처분에는 없고, 재결에만 있는 주체·절차·형식·내용의 위법

086

행정소송상 협의의 소익에 대한 설명으로 옳은 것만을 모두 고르면? (다툼이 있는 경우 판례에 의함)

ㄱ. 월정수당을 받는 지방의회의원에 대한 제명의결 취소소송 계속 중 의원의 임기가 만료된 경우 지방의회의원은 그 제명의결의 취소를 구할 법률상 이익이 있다.
ㄴ. 파면처분 취소소송의 사실심 변론종결 전에 금고 이상의 형을 선고받아 당연퇴직된 경우에도 해당 공무원은 파면처분의 취소를 구할 이익이 있다.
ㄷ. 공익근무요원 소집해제신청을 거부한 후에 원고가 계속하여 공익근무요원으로 복무함에 따라 복무기간 만료를 이유로 소집해제처분을 한 경우, 원고는 거부처분의 취소를 구할 소의 이익이 있다.

① ㄱ
② ㄴ
③ ㄱ, ㄴ
④ ㄴ, ㄷ

2021년 지방직 9급

ㄱ. (○) 지방의회의원이 제명의결 취소소송 계속 중 임기가 만료되어 제명의결의 취소로 지방의회의원으로서의 지위를 회복할 수는 없다 할지라도, 그 취소로 인하여 취소한 제명의결 시부터 임기만료일까지의 기간에 대해 월정수당의 지급을 구할 수 있는 등 여전히 그 제명의결의 취소를 구할 법률상 이익은 남아 있다(대판 2009.1.30. 2007두13487).
ㄴ. (○) 파면처분이 있은 후에 금고 이상의 형을 선고받아 당연퇴직된 경우 파면처분이 있은 때부터 당연퇴직일자까지의 기간에 있어서는 파면처분의 취소를 구하여 그로 인해 박탈당한 이익(급여청구권)의 회복을 구할 소의 이익이 있다(대판 1985.6.25. 85누39).
ㄷ. (✕) 공익근무요원의 소집해제신청이 거부되어 계속 근무하였고 복무기간 만료로 소집해제처분을 받았다면 위 거부처분의 취소를 구할 이익은 없다(대판 2005.5.13. 2004두4369).

답 ③

함께 정리하기

협의의 소의 이익

지방의회의원 제명의결 취소소송 중 임기 만료
▷ 소의 이익○(월정수당)

파면처분 취소소송 중 당연퇴직
▷ 소의 이익○(급여)

공익복무기간 만료
▷ 소집해제신청 거부처분 다툴 소의 이익✕

문제 DATA

출제가능 지수 ▶▶▷
난이도 지수 ★★★

087 ☐☐☐

甲은 식품위생법령상 적합한 시설을 갖추어 유흥주점 영업허가를 받아 업소를 경영하던 중 청소년을 출입시켜 주류를 제공하였음을 이유로 A시장으로부터 영업정지 2개월의 처분을 받았다. 이에 대해 甲은 해당 처분이 사실을 오인한 것임을 들어 다투고자 하였으나, 미처 취소소송을 제기하기 전에 영업정지기간이 도과되어 버렸다(「식품위생법 시행규칙」은 같은 이유로 2차 위반 시 영업정지 3개월의 제재처분을 하도록 규정하고 있다). 이에 대한 설명으로 옳은 것을 모두 고른 것은? (다툼이 있는 경우 판례에 의함)

> ㄱ. A시장은 유흥주점 영업허가를 하는 때에는 필요한 조건을 붙일 수 있다.
> ㄴ. A시장이 甲에 대하여 내린 영업정지처분의 적법 여부는 「식품위생법 시행규칙」의 행정처분기준에 적합한지의 여부만에 따라 판단할 것이 아니라 법의 규정 및 그 취지에 적합한 것인가의 여부에 따라 판단하여야 한다.
> ㄷ. 甲에 대한 2개월의 영업정지처분은 그 기간의 경과로 이미 효력이 상실되었으므로, 甲에게는 그 처분의 취소를 구할 법률상 이익이 인정되지 아니한다.
> ㄹ. 甲이 위 영업정지처분으로 인하여 재산적 손해를 입었다고 주장하며 국가배상소송을 제기하는 경우 수소법원은 위 처분에 대하여 「국가배상법」상 법령의 위반사유가 있는지 독자적으로 판단할 수 있다.

① ㄱ
② ㄷ
③ ㄴ, ㄹ
④ ㄱ, ㄴ, ㄹ
⑤ ㄴ, ㄷ, ㄹ

함께 정리하기

사례해결

「식품위생법」상 유흥주점영업허가
▷ 조건부가 可(명문규정O)

「식품위생법 시행규칙」의 행정처분기준
▷ 행정규칙

처분의 적법성
▷ 법규정에 따라 판단

제재적 처분기준이 시행규칙에 규정
▷ 영업정지기간이 경과해도 취소 구할 소의 이익O

국가배상소송
▷ 수소법원은 처분의 위법 여부 독자적 판단 可

2019년 변호사

ㄱ. (O) 행정행위에 부관을 붙일 수 있다는 것이 개별법령에 명문으로 규정되어 있는 경우에는 기속행위나 재량행위나 또는 법률행위적 행정행위나 준법률행위적 행정행위나 행정행위의 성질을 불문하고 부관을 붙일 수 있다.

> 「식품위생법」제37조【영업허가 등】① 제36조 제1항 각 호에 따른 영업 중 대통령령으로 정하는 영업을 하려는 자는 대통령령으로 정하는 바에 따라 영업 종류별 또는 영업소별로 식품의약품안전처장 또는 특별자치시장·특별자치도지사·시장·군수·구청장의 허가를 받아야 한다. 허가받은 사항 중 대통령령으로 정하는 중요한 사항을 변경할 때에도 또한 같다.
> ② 식품의약품안전처장 또는 특별자치시장·특별자치도지사·시장·군수·구청장은 제1항에 따른 영업허가를 하는 때에는 필요한 조건을 붙일 수 있다.

ㄴ. (O) 식품위생법 제58조 제1항에 의한 영업정지 등 행정처분의 적법 여부는 법 시행규칙(2008.6.20. 보건복지가족부령 제22호로 개정되기 전의 것) 제53조 [별표 15]의 행정처분기준에 적합한 것인가의 여부에 따라 판단할 것이 아니라 법의 규정 및 그 취지에 적합한 것인가의 여부에 따라 판단하여야 하는 것이고, 행정처분으로 인하여 달성하려는 공익상의 필요와 이로 인하여 상대방이 받는 불이익을 비교·형량하여 그 처분으로 인하여 공익상 필요보다 상대방이 받게 되는 불이익 등이 막대한 경우에는 재량권의 한계를 일탈한 것으로서 위법하다(대판 1997.11.28. 97누12952).

ㄷ. (×) 대법원은 부령인 시행규칙 또는 지방자치단체의 규칙의 형식으로 정한 처분기준에서 제재적 행정처분을 받은 것을 가중사유나 전제요건으로 삼아 장래의 제재적 행정처분을 하도록 정하고 있는 경우, 종전의 판례를 변경하여 제재적 행정처분의 제재기간 경과 후 그 취소를 구할 법률상 이익이 있다고 본다.

제재적 행정처분이 그 처분에서 정한 제재기간의 경과로 인하여 그 효과가 소멸되었으나, 부령인 시행규칙 또는 지방자치단체의 규칙(이하 이들을 '규칙'이라고 한다)의 형식으로 정한 처분기준에서 제재적 행정처분(이하 '선행처분'이라고 한다)을 받은 것을 가중사유나 전제요건으로 삼아 장래의 제재적 행정처분(이하 '후행처분'이라고 한다)을 하도록 정하고 있는 경우, 제재적 행정처분의 가중사유나 전제요건에 관한 규정이 법령이 아니라 규칙의 형식으로 되어 있다고 하더라도, 그러한 규칙이 법령에 근거를 두고 있는 이상 그 법적 성질이 대외적·일반적 구속력을 갖는 법규명령인지 여부와는 상관없이, 관할 행정청이나 담당공무원은 이를 준수할 의무가 있으므로 이들이 그 규칙에 정해진 바에 따라 행정작용을 할 것이 당연히 예견되고, 그 결과 행정작용의 상대방인 국민으로서는 그 규칙의 영향을 받을 수밖에 없다. … <u>규칙이 정한 바에 따라 선행처분을 가중사유 또는 전제요건으로 하는 후행처분을 받을 우려가 현실적으로 존재하는 경우에는, 선행처분을 받은 상대방은 비록 그 처분에서 정한 제재기간이 경과하였다 하더라도 그 처분의 취소소송을 통하여 그러한 불이익을 제거할 권리보호의 필요성이 충분히 인정된다고 할 것이므로, 선행처분의 취소를 구할 법률상 이익이 있다</u>고 보아야 한다(대판 2006.6.22. 2003두1684 전합).

ㄹ. (○) 행정행위의 위법 여부가 선결문제인 경우(국가배상청구소송의 경우), 위법한 행정행위에 대한 국가배상소송의 수소법원(민사법원)은 해당 행정행위의 취소 여부와 상관없이 그 위법 여부를 심리·판단하여 배상을 명할 수 있다는 것이 통설과 판례이다.

> 위법한 행정대집행이 완료되면 그 처분의 무효확인 또는 취소를 구할 소의 이익은 없다 하더라도, 미리 그 행정처분의 취소판결이 있어야만, 그 행정처분의 위법을 이유로 한 손해배상청구를 할 수 있는 것은 아니다(대판 1972.4.28. 72다337).

답 ④

088 □□□

항고소송의 소의 이익에 대한 판례의 입장으로 가장 옳지 않은 것은?

① 처분청이 당초의 운전면허 취소처분을 철회하고 정지처분을 하였다면, 당초의 처분인 운전면허 취소처분은 철회로 인하여 그 효력이 상실되어 더 이상 존재하지 않는 것이고 그 후의 운전면허 정지처분만이 남아 있는 것이라 할 것이며, 존재하지 않는 행정처분을 대상으로 한 취소소송은 소의 이익이 없어 부적법하다.
② 주택건설사업계획 사전결정반려처분 취소청구소송의 계속 중 구「주택건설촉진법」의 개정으로 주택건설사업계획 사전결정제도가 폐지된 경우 소의 이익이 없다.
③ 지방의회 의원에 대한 제명의결 취소소송 계속 중 의원의 임기가 만료된 사안에서, 제명의결의 취소로 의원의 지위를 회복할 수는 없다 하더라도 제명의결시부터 임기만료일까지의 기간에 대한 월정수당의 지급을 구할 수 있는 등 여전히 그 제명의결의 취소를 구할 법률상 이익이 있다.
④ 건축허가처분의 취소를 구하는 소를 제기하기 전에 건축공사가 완료된 경우에는 소의 이익이 없으나, 소를 제기한 후 사실심 변론종결일 전에 건축공사가 완료된 경우에는 소의 이익이 있다.

함께 정리하기

소의 이익

처분청이 운전면허 취소처분 철회 후 정지처분
▷ 취소처분 소의 이익 無

사전결정반려처분 후 사전결정제도폐지
▷ 반려처분 소의 이익 無

지방의회의원 제명의결 취소소송 중 임기만료
▷ 월정수당은 보수이므로 소의 이익 有

건축허가처분 취소소송 중 사실심 변론종결 전 공사완료
▷ 소의 이익 無

2018년 서울시 7급

① (O) 종전처분을 철회하고 새로운 처분을 하는 경우 종전처분의 효력은 확정적으로 소멸하여 존재하지 않는 것이므로 존재하지 않는 처분에 대한 소제기는 소의 이익이 없다. 따라서 운전면허 취소처분을 철회한 후 정지처분을 한 경우 종전 취소처분은 소의 이익이 없다.

> 처분청이 당초의 운전면허 취소처분을 신뢰보호의 원칙과 형평의 원칙에 반하는 너무 무거운 처분으로 보아 이를 철회하고 새로이 265일간의 운전면허 정지처분을 하였다면, 당초의 처분인 운전면허 취소처분은 철회로 인하여 그 효력이 상실되어 더 이상 존재하지 않는 것이고 존재하지 않는 행정처분을 대상으로 한 취소소송은 소의 이익이 없어 부적법하다(대판 1997.9.26. 96누1931).

② (O) 사전결정반려처분 후 사전결정제도가 폐지되면 반려처분은 소의 이익이 없다.

> 주택건설사업계획 사전결정반려처분의 취소를 구하는 소송에서 승소한다고 하더라도 위 반려처분이 취소됨으로써 사전결정신청을 한 상태로 돌아갈 뿐이므로, 개정 후 법이 시행된 1999.3.1. 이후에는 사전결정신청에 기하여 행정청으로부터 개정 전 법 제32조의4 소정의 사전결정을 받을 여지가 없게 되었다고 할 것이어서 더 이상 소를 유지할 법률상의 이익이 없게 되었다고 할 것이다(대판 1999.6.11. 97누379).

③ (O) 지방의회의원 제명의결 취소소송 중 임기가 만료되어도 소의 이익이 있다.

> 원고가 이 사건 제명의결 취소소송 계속중 임기가 만료되어 제명의결의 취소로 지방의회 의원으로서의 지위를 회복할 수는 없다 할지라도, 그 취소로 인하여 최소한 제명의결시부터 임기만료일까지의 기간에 대해 월정 수당의 지급을 구할 수 있는 등 여전히 그 제명의결의 취소를 구할 법률상 이익은 남아 있다고 보아야 한다(대판 2009.1.30. 2007두13487).

④ (×) 건축허가 취소소송 중 사실심변론종결 전 공사가 완료되면 소의 이익이 없다.

> 위법한 처분을 취소한다 하더라도 원상회복이 불가능한 경우에는 그 취소를 구할 이익이 없다 할 것인바, 건축허가에 기하여 이미 건축공사를 완료하였다면 그 건축허가처분의 취소를 구할 이익이 없다 할 것이고, 이와 같이 건축허가처분의 취소를 구할 이익이 없게 되는 것은 건축허가처분의 취소를 구하는 소를 제기하기 전에 건축공사가 완료된 경우 뿐 아니라 소를 제기한 후 사실심 변론종결일 전에 건축공사가 완료된 경우에도 마찬가지이다(대판 2007.4.26. 2006두18409).

답 ④

089

취소소송에서 협의의 소의 이익에 대한 설명으로 옳지 않은 것은? (다툼이 있는 경우 판례에 의함)

① 현역입영대상자가 현역병입영통지처분에 따라 현실적으로 입영을 한 후에는 처분의 집행이 종료되었고 입영으로 처분의 목적이 달성되어 실효되었으므로 입영통지처분을 다툴 법률상 이익이 인정되지 않는다.

② 가중요건이 법령에 규정되어 있는 경우, 업무정지처분을 받은 후 새로운 제재처분을 받음이 없이 법률이 정한 기간이 경과하여 실제로 가중된 제재처분을 받을 우려가 없어졌다면 특별한 사정이 없는 한 업무정지처분의 취소를 구할 법률상 이익이 인정되지 않는다.

③ 공장등록이 취소된 후 그 공장시설물이 철거되었고 다시 복구를 통하여 공장을 운영할 수 없는 상태라 하더라도 대도시 안의 공장을 지방으로 이전할 경우 조세감면 및 우선입주 등의 혜택이 관계법률에 보장되어 있다면, 공장등록취소처분의 취소를 구할 법률상 이익이 인정된다.

④ 지방의회 의원에 대한 제명의결 취소소송 계속 중 의원의 임기가 만료된 경우에도 여전히 제명의결의 취소를 구할 법률상 이익이 인정된다.

2019년 국가직 9급

① (×) 현역병으로 입영하더라도 현역병 입영통지처분의 소의 이익이 인정된다.

> 현역입영대상자로서는 현실적으로 입영을 하였다고 하더라도, 입영 이후의 법률관계에 영향을 미치고 있는 현역병입영통지처분 등을 한 관할 지방병무청장을 상대로 위법을 주장하여 그 취소를 구할 소송상의 이익이 있다(대판 2003.12.26. 2003두1875).

② (○) 가중적 제재처분을 받을 우려가 소멸하면 영업정지처분의 소의 이익이 없다.

> 업무정지처분을 받은 후 새로운 업무정지처분을 받음이 없이 1년이 경과하여 실제로 가중된 제재처분을 받을 우려가 없어졌다면 위 처분에서 정한 정지기간이 경과한 이상 특별한 사정이 없는 한 그 처분의 취소를 구할 법률상 이익이 없다(대판 2000.4.21. 98두10080).

③ (○) 공장등록 취소 후 철거되어도 이전 시 혜택이 있으면 소의 이익이 인정된다.

> 공장등록이 취소된 후 그 공장시설물이 철거되었다 하더라도 대도시 안의 공장을 지방으로 이전할 경우 조세특례제한법상의 세액공제 및 소득세 등의 감면혜택이 있고, 공업배치 및 공장설립에 관한 법률상의 간이한 이전절차 및 우선 입주의 혜택이 있는 경우, 그 공장등록취소처분의 취소를 구할 법률상의 이익이 있다(대판 2002.1.11. 2000두3306).

④ (○) 임기만료된 지방의원이라도 제명결의 취소의 소의 이익이 인정된다.

> 원고가 이 사건 제명의결 취소소송 계속중 임기가 만료되어 제명의결의 취소로 지방의회 의원으로서의 지위를 회복할 수는 없다 할지라도, 그 취소로 인하여 최소한 제명의결시부터 임기만료일까지의 기간에 대해 월정수당의 지급을 구할 수 있는 등 여전히 그 제명의결의 취소를 구할 법률상 이익은 남아 있다고 보아야 한다(대판 2009.1.30. 2007두13487).

답 ①

함께 정리하기

협의의 소 이익

현역병 입영
▷ 현역병입영통지처분 소의 이익 ○

가중적 제재처분 받을 우려 소멸
▷ 영업정지처분 소의 이익 ×

공장등록 취소 후 철거
▷ 이전 시 혜택 있으면 소의 이익 ○

임기만료된 지방의회의원
▷ 제명의결 취소 소의 이익 ○ (월정수당)

090

다음 중 협의의 소의 이익(권리보호의 필요)이 인정되지 않는 것은? (다툼이 있는 경우 판례에 의함)

① 현역입영대상자로서 현실적으로 입영을 한 자가 입영 이후의 법률관계에 영향을 미치고 있는 현역병입영통지처분 등을 한 관할 지방병무청장을 상대로 위법을 주장하여 그 취소를 구하는 경우
② 행정청이 영업허가신청 반려처분의 취소를 구하는 소의 계속 중 사정변경을 이유로 위 반려처분을 직권취소함과 동시에 위 신청을 재반려하는 내용의 재처분을 한 경우 당초의 반려처분의 취소를 구하는 경우
③ 도시개발사업의 공사 등이 완료되고 원상회복이 사회통념상 불가능하게 된 경우 도시개발사업의 시행에 따른 도시계획변경결정처분과 도시개발구역지정처분 및 도시개발사업 실시계획인가처분의 취소를 구하는 경우
④ 행정처분의 효력기간이 경과하였다고 하더라도 그 처분을 받은 전력이 장래에 불이익하게 취급되는 것으로 법정(법률)상 가중요건으로 되어 있고, 법정가중요건에 따라 새로운 제재적인 행정처분이 가해지고 있는 경우

2017년 서울시 9급

① (인정) 현역병으로 입영한 자는 현역병입영처분 취소를 구할 소의 이익이 인정된다.

> 현역입영대상자로서는 현역병입영통지처분이 위법하다 하더라도 법원에 의하여 그 처분의 집행이 정지되지 아니하는 이상 현실적으로 입영을 할 수밖에 없으므로 현역병입영통지처분에 대하여는 불복을 사실상 원천적으로 봉쇄하는 것이 되고 … 현역입영대상자로서는 현실적으로 입영을 하였다고 하더라도, 입영 이후의 법률관계에 영향을 미치고 있는 현역병입영통지처분 등을 한 관할지방병무청장을 상대로 위법을 주장하여 그 취소를 구할 소송상의 이익이 있다(대판 2003.12.26. 2003두1875).

유제 16. 국가직 9급 현역입영대상자가 입영한 후에도 현역입영통지처분이 취소되면 원상회복이 가능하므로 이미 처분이 집행된 후라고 할지라도 현역입영통지처분의 취소를 구할 소의 이익이 있다. (○)

② (부정) 반려처분 취소소송 중 반려처분 직권취소 후 재반려한 경우 당초처분은 소의 이익이 없다.

> 행정청이 당초의 분뇨 등 관련영업 허가신청 반려처분의 취소를 구하는 소의 계속 중, 사정변경을 이유로 위 반려 처분을 직권취소함과 동시에 위 신청을 재반려하는 내용의 재처분을 한 경우, 당초의 반려처분의 취소를 구하는 소는 더 이상 소의 이익이 없게 되었다(대판 2006.9.28. 2004두5317).

③ (인정) 공사가 완료되어도 도시계획변경결정처분 등은 소의 이익이 인정된다.

> 도시개발사업의 시행에 따른 도시계획변경결정처분과 도시개발구역지정처분 및 도시개발사업실시계획인가처분은 도시개발사업의 시행자에게 단순히 도시개발에 관련된 공사의 시공권한을 부여하는 데 그치지 않고 당해 도시개발사업을 시행할 수 있는 권한을 설정하여 주는 처분으로서 위 각 처분 자체로 그 처분의 목적이 종료되는 것이 아니고 위 각 처분이 유효하게 존재하는 것을 전제로 하여 당해 도시개발사업에 따른 일련의 절차 및 처분이 행해지기 때문에 위 각 처분이 취소된다면 그것이 유효하게 존재하는 것을 전제로 하여 이루어진 토지수용이나 환지 등에 따른 각종의 처분이나 공공시설의 귀속 등에 관한 법적 효력은 영향을 받게되므로, 도시개발사업의 공사 등이 완료되고 원상회복이 사회통념상 불가능하게 되었더라도 위 각 처분의 취소를 구할 법률상 이익은 소멸한다고 할 수 없다(대판 2005.9.9. 2003두5402).

④ (인정) 선행처분 효력 기간이 경과해도 가중요건으로 규정된 경우에는 소의 이익이 인정된다.

> 행정처분의 전력이 장래에 불이익하게 취급되는 것으로 법에 규정되어 있어 법정의 가중요건으로 되어 있고, 이후 그 법정가중요건에 따라 새로운 제재적인 행정처분이 가해지고 있다면, 선행 행정처분의 효력 기간이 경과하였다 하더라도 선행 행정처분의 잔존으로 인하여 법률상의 이익이 침해되고 있다고 볼 만한 특별한 사정이 있는 경우에 해당한다(대판 2005.3.25. 2004두14106).

답 ②

문제 DATA
출제가능 지수 ▶▶▷
난이도 지수 ★★☆

함께 정리하기

협의의 소익 인정 여부

현역병입영처분취소소송
▷ 현실 입영한 자 ○

반려처분 취소소송 中 반려처분 직권취소 & 재반려
▷ 당초 반려처분 ×

공사 완료
▷ 도시계획변경결정처분 등 ○

가중요건
▷ 기간 경과한 선행처분 ○

091

협의의 소의 이익에 대한 설명으로 옳은 것은? (다툼이 있는 경우 판례에 의함)

① 취임승인이 취소된 학교법인의 정식이사들에 대해 원래 정해져 있던 임기가 만료되면 그 임원취임승인취소처분의 취소를 구할 소의 이익이 없다.
② 지방의회의원의 제명의결 취소소송 계속 중 임기 만료로 지방의원으로서의 지위를 회복할 수 없는 자는 제명의결의 취소를 구할 소의 이익이 없다.
③ 수형자의 영치품에 대한 사용신청 불허처분 후 수형자가 다른 교도소로 이송된 경우 원래 교도소로의 재이송 가능성이 소멸되었으므로 그 불허처분의 취소를 구할 소의 이익이 없다.
④ 법인세 과세표준과 관련하여 과세관청이 법인의 소득처분 상대방에 대한 소득처분을 경정하면서 증액과 감액을 동시에 한 결과 전체로서 소득처분금액이 감소된 경우, 법인이 소득금액변동통지의 취소를 구할 소의 이익이 없다.

문제 DATA
출제가능 지수 ▶▶▶Σ
난이도 지수 ★★☆

2017년 지방직 9급

① (×) 취임승인이 취소된 학교법인 이사의 임기가 만료된 경우라 하더라도, 후임이사 선임시까지 긴급처리권을 가지게 되므로 임원취임승인취소처분의 취소를 구할 소의 이익이 있다.

> 비록 취임승인이 취소된 학교법인의 정식이사들에 대하여 원래 정해져 있던 임기가 만료되고 구 사립학교법 제22조 제2호 소정의 임원결격사유기간마저 경과하였다 하더라도, 그 임원취임승인취소처분이 위법하다고 판명되고 나아가 임시이사들의 지위가 부정되어 직무권한이 상실되면, 그 정식이사들은 후임이사 선임시까지 민법 제691조의 유추적용에 의하여 직무수행에 관한 긴급처리권을 가지게 되고 이에 터 잡아 후임 정식이사들을 선임할 수 있게 되는바, 이는 감사의 경우에도 마찬가지이다(대판 2007.7.19. 2006두1297 전합).

② (×) 지방의원 제명의결 취소소송 중 임기가 만료되어도 소의 이익이 있다.

> 지방의회 의원에 대한 제명의결 취소소송 계속중 의원의 임기가 만료된 사안에서, 제명의결의 취소로 의원의 지위를 회복할 수는 없다 하더라도 제명의결시부터 임기만료일까지의 기간에 대한 월정수당의 지급을 구할 수 있는 등 여전히 그 제명의결의 취소를 구할 법률상 이익이 있다(대판 2009.1.30. 2007두13487).

③ (×) 수형자의 영치품사용 불허처분 후 다른 교도소로 이송이 되어도 소의 이익이 있다.

> 수형자의 영치품에 대한 사용신청 불허처분 후 수형자가 다른 교도소로 이송되었다 하더라도 수형자의 권리와 이익의 침해 등이 해소되지 않은 점 등에 비추어, 위 영치품 사용신청 불허처분의 취소를 구할 이익이 있다(대판 2008.2.14. 2007두13203).

④ (○) 법인세 경정으로 소득처분금액이 감소되면 소득금액변동통지는 소의 이익이 없다.

> 법인이 법인세의 과세표준을 신고하면서 배당, 상여 또는 기타소득으로 소득처분한 금액은 당해 법인이 신고기일에 소득처분의 상대방에게 지급한 것으로 의제되어 그때 원천징수하는 소득세의 납세의무가 성립·확정되며, 그 후 과세관청이 직권으로 상대방에 대한 소득처분을 경정하면서 일부 항목에 대한 증액과 다른 항목에 대한 감액을 동시에 한 결과 전체로서 소득처분금액이 감소된 경우에는 그에 따른 소득금액변동통지가 납세자인 당해 법인에 불이익을 미치는 처분이 아니므로 당해 법인은 그 소득금액변동통지의 취소를 구할 이익이 없다(대판 2012.4.13. 2009두5510).

답 ④

함께 정리하기

협의의 소익 인정 여부

취임승인취소된 학교법인정식이사의 임기만료 ○

지방의회의원 제명의결 취소소송 중 임기만료 ○

수형자의 영치품사용신청 불허처분 후 이송 ○

법인세 경정으로 소득처분금액이 감소
▷ 소득금액변동통지취소 ×

문제 DATA

출제가능 지수 ▶▶▷
난이도 지수 ★★☆

092 □□□

협의의 소익에 대한 판례의 입장으로 옳은 것은?

① 학교법인 임원취임승인의 취소처분 후 그 임원의 임기가 만료되고 구 「사립학교법」 소정의 임원결격 사유기간마저 경과한 경우에 취임승인이 취소된 임원은 취임승인취소처분의 취소를 구할 소의 이익이 없다.
② 배출시설에 대한 설치허가가 취소된 후 그 배출시설이 철거되어 다시 가동할 수 없는 상태라도 그 취소처분이 위법하다는 판결을 받아 손해배상청구소송에서 이를 원용할 수 있다면 배출시설의 소유자는 당해 처분의 취소를 구할 법률상 이익이 있다.
③ 건축물에 대한 사용검사처분이 취소되면 사용검사 전의 상태로 돌아가 건축물을 사용할 수 없게 되므로 구 「주택법」상 입주자나 입주예정자가 사용검사처분의 무효확인 또는 취소를 구할 법률상 이익이 있다.
④ 구 「도시 및 주거환경정비법」상 조합설립추진위원회 구성승인처분을 다투는 소송 계속 중에 조합설립인가처분이 이루어졌다면 조합설립추진위원회 구성승인처분의 취소를 구할 법률상 이익은 없다.

2018년 지방직 9급

① (×) 임원취임승인취소 후 임기만료되고 결격기간 경과해도 소의 이익이 있다.

> 비록 취임승인이 취소된 학교법인의 정식이사들에 대하여 원래 정해져 있던 임기가 만료되고 구 사립학교법 제22조 제2호 소정의 임원결격사유기간마저 경과하였다 하더라도, 그 임원취임승인취소처분이 위법하다고 판명되고 나아가 임시이사들의 지위가 부정되어 직무권한이 상실되면, 그 정식이사들은 후임이사 선임시까지 민법 제691조의 유추적용에 의하여 직무수행에 관한 긴급처리권을 가지게 되고 이에 터잡아 후임 정식이사들을 선임할 수 있게 되는바, 이는 감사의 경우에도 마찬가지이다(대판 2007.7.19. 2006두19297 전합).

② (×) 배출시설 철거로 가동할 수 없는 경우 배출시설 설치허가 취소의 소의 이익이 없다.

> 소음·진동배출시설에 대한 설치허가가 취소된 후 그 배출시설이 어떠한 경위로든 철거되어 다시 복구 등을 통하여 배출시설을 가동할 수 없는 상태라면 이는 배출시설 설치허가의 대상이 되지 아니하므로 외형상 설치허가취소행위가 잔존하고 있다고 하여도 특단의 사정이 없는 한 이제 와서 굳이 위 처분의 취소를 구할 법률상의 이익이 없다(대판 2002.1.11. 2000두2457).

③ (×) 입주자나 입주예정자는 하자 있는 건축물의 사용검사처분의 취소를 구할 소의 이익이 없다.

> 입주자나 입주예정자들은 사용검사처분의 무효확인을 받거나 그 처분을 취소하지 않고도 민사소송 등을 통하여 분양계약에 따른 법률관계 및 하자 등을 주장·증명함으로써 사업주체 등으로부터 하자의 제거·보완 등에 관한 권리구제를 받을 수 있으므로, 입주자나 입주예정자는 사용검사처분의 무효확인 또는 취소를 구할 법률상 이익이 없다고 할 것이다(대판 2015.1.29. 2013두24976).

④ (○) 조합설립추진위 구성승인 취소소송 중 조합설립인가처분이 있으면 소의 이익이 없다.

> 추진위원회 구성승인처분을 다투는 소송 계속 중에 조합설립인가처분이 이루어진 경우에는, 추진위원회 구성승인처분에 위법이 존재하여 조합설립인가 신청행위가 무효라는 점 등을 들어 직접 조합설립인가처분을 다툼으로써 정비사업의 진행을 저지하여야 하고, 이와는 별도로 추진위원회 구성승인처분에 대하여 취소 또는 무효확인을 구할 법률상의 이익은 없다고 보아야 한다(대판 2013.1.31. 2011두11112).

답 ④

함께 정리하기

협의의 소의 이익

임원취임승인취소 후 임기만료·결격기간경과
▷ 소의 이익 有

배출시설 철거·가동불가
▷ 소의 이익 無

입주자·입주예정자
▷ 사용검사처분 무효·취소 법률상 이익 無

소송 중 조합설립인가 처분
▷ 조합설립추진위 구성승인처분 취소 법률상 이익 無

093 □□□

판례의 입장으로 옳지 않은 것은?

① 행정청이 관련 법령에 근거하여 행하는 조합설립인가처분은 그 설립행위에 대한 보충행위로서의 성질에 그치지 않고 법령상 요건을 갖출 경우 「도시 및 주거환경정비법」상 주택재건축사업을 시행할 수 있는 권한을 갖는 행정주체(공법인)로서의 지위를 부여하는 일종의 설권적 처분의 성격을 갖는다.
② 교육부장관이 사학분쟁조정위원회의 심의를 거쳐 이사와 임시이사를 선임한 데 대하여 대학 교수협의회와 총학생회는 제3자로서 취소소송을 제기할 자격이 있다.
③ 건축사 업무정지처분을 받은 후 새로운 업무정지처분을 받음이 없이 1년이 경과하여 실제로 가중된 제재처분을 받을 우려가 없게 된 경우, 그 처분에서 정한 정지기간이 경과한 이상 특별한 사정이 없는 한 업무정지처분의 취소를 구할 법률상 이익이 없다.
④ 가중요건이 부령인 시행규칙상 처분기준으로 규정되어 있는 경우(예 「식품위생법 시행규칙」 제89조 [별표 23] 행정처분기준), 처분에서 정한 제재기간이 경과하였다면 그에 따라 선행처분을 받은 상대방은 그 처분의 취소를 구할 법률상 이익이 없다.

문제 DATA
출제가능 지수 ▶▶▷
난이도 지수 ★★☆

2017년 지방직 9급

① (○) 조합설립인가처분은 설권적 처분에 해당한다.

> 조합설립인가처분은 단순히 사인들의 조합설립행위에 대한 보충행위로서의 성질을 갖는 것에 그치는 것이 아니라 법령상 요건을 갖출 경우 주택재건축사업을 시행할 수 있는 권한을 갖는 행정주체(공법인)로서의 지위를 부여하는 일종의 설권적 처분의 성격을 갖는다고 보아야 한다(대판 2009.9.24. 2008다60568).

② (○) 교수협의회와 총학생회는 교육부장관의 이사선임취소를 다툴 수 있다.

> 임시이사제도의 취지, 교직원·학생 등의 학교운영에 참여할 기회를 부여하기 위한 개방이사 제도에 관한 법령의 규 내용과 입법 취지 등을 종합하여 보면, 구 사립학교법과 구 사립학교법 시행령 및 乙법인 정관 규정은 헌법 제31조 제4항에 정한 교육의 자주성과 대학의 자율성에 근거한 甲대학교 교수협의회와 총학생회의 학교운영참여권을 구체화하여 이를 보호하고 있다고 해석되므로, 甲대학교 교수협의회와 총학생회는 이사선임처분을 다툴 법률상 이익을 가진다(대판 2015.7.23. 2012두19496·19502).

③ (○) 실제로 가중적 제재를 받을 우려가 없는 경우에는 소의 이익이 없다.

> 업무정지처분을 받은 후 새로운 업무정지처분을 받음이 없이 1년이 경과하여 실제로 가중된 제재처분을 받을 우려가 없어졌다면 위 처분에서 정한 정지기간이 경과한 이상 특별한 사정이 없는 한 그 처분의 취소를 구할 법률상 이익이 없다(대판 2000.4.21. 98두10080).

④ (×) 가중요건이 시행규칙에 규정되어 있더라도 소의 이익이 있다.

> 제재적 행정처분의 가중사유나 전제요건에 관한 규정이 법령이 아니라 규칙의 형식으로 되어 있다고 하더라도, 그러한 규칙이 법령에 근거를 두고 있는 이상 그 법적 성질이 대외적·일반적 구속력을 갖는 법규명령인지 여부와는 상관없이, 관할 행정청이나 담당공무원은 이를 준수할 의무가 있으므로 이들이 그 규칙에 정해진 바에 따라 행정작용을 할 것이 당연히 예견되고, 그 결과 행정작용의 상대방인 국민으로서는 그 규칙의 영향을 받을 수밖에 없다. … 규칙이 정한 바에 따라 선행처분을 가중사유 또는 전제요건으로 하는 후행처분을 받을 우려가 현실적으로 존재하는 경우에는, 선행처분을 받은 상대방은 비록 그 처분에서 정한 제재기간이 경과하였다 하더라도 그 처분의 취소소송을 통하여 그러한 불이익을 제거할 권리보호의 필요성이 충분히 인정된다고 할 것이므로, 선행처분의 취소를 구할 법률상 이익이 있다고 보아야 한다(대판 2006.6.22. 2003두1684 전합).

유제 16. 국가직 9급 장래의 제재적 가중처분 기준을 대통령령이 아닌 부령의 형식으로 정한 경우에는 이미 제재기간이 경과한 제재적 처분의 취소를 구할 법률상 이익이 인정되지 않는다. (×)
10. 지방직 9급 제재적 행정처분의 효력이 소멸한 경우에도 행정규칙에 의해 당해 처분의 존재가 가중처분의 전제가 되는 경우 처분의 취소를 구할 이익이 있다. (○)

답 ④

함께 정리하기

판례 정리

주택재건축조합설립인가처분
▷ 설권적 처분

교육부장관의 임시이사선임취소소송
▷ 대학교수협의회 & 총학생회 원고적격 有

가중제재받을 우려×
▷ 소의 이익 無

가중요건 시행규칙에 규정
▷ 소의 이익 有

문제 DATA

출제가능 지수 ▶▶▷
난이도 지수 ★★☆

094 □□□

소의 이익에 대한 판례의 입장으로 옳지 않은 것은? (다툼이 있는 경우 판례에 의함)

① 소음·진동배출시설에 대한 설치허가가 취소된 후 그 배출시설이 어떠한 경위로든 철거되어 다시 복구 등을 통하여 배출시설을 가동할 수 없는 상태라면 이는 배출시설 설치허가의 대상이 되지 아니하므로 외형상 설치허가 취소행위가 잔존하고 있다고 하여도 특단의 사정이 없는 한 이제 와서 굳이 위 처분의 취소를 구할 법률상의 이익이 없다.

② 원자로 및 관계시설의 부지사전승인처분은 나중에 건설허가처분이 있게 되더라도 그 건설허가처분에 흡수되어 독립된 존재가치를 상실하는 것이 아니하므로, 부지사전승인 처분의 취소를 구할 이익이 있다.

③ 법인세 과세표준과 관련하여 과세관청이 법인의 소득처분 상대방에 대한 소득처분을 경정하면서 증액과 감액을 동시에 한 결과 전체로서 소득처분금액이 감소된 경우, 법인이 소득금액변동통지의 취소를 구할 소의 이익이 없다.

④ 건물철거대집행계고처분취소 소송 계속 중 건물철거대집행의 계고처분에 이어 대집행의 실행으로 건물에 대한 철거가 이미 사실행위로서 완료된 경우에는 원고로서는 계고처분의 취소를 구할 소의 이익이 없게 된다.

2020년 군무원 9급

① (O) 철거된 소음·진동배출시설에 대한 설치허가취소처분의 취소를 구할 소의 이익이 없다.

> 소음·진동배출시설에 대한 설치허가가 취소된 후 그 배출시설이 어떠한 경위로든 철거되어 다시 복구 등을 통하여 배출시설을 가동할 수 없는 상태라면 이는 배출시설 설치허가의 대상이 되지 아니하므로 외형상 설치허가취소 행위가 잔존하고 있다고 하여도 특단의 사정이 없는 한 이제 와서 굳이 위 처분의 취소를 구할 법률상의 이익이 없다(대판 2002.1.11. 2000두2457).

유제 18. 지방직 9급 배출시설에 대한 설치허가가 취소된 후 그 배출시설이 철거되어 다시 가동할 수 없는 상태라도 그 취소처분이 위법하다는 판결을 받아 손해배상청구소송에서 이를 원용할 수 있다면 배출시설의 소유자는 당해 처분의 취소를 구할 법률상 이익이 있다. (×)

② (×) 부지사전승인처분에 대한 취소소송 중 건설허가처분(최종결정)이 있는 경우, 부지사전승인처분의 취소를 구하는 소는 소의 이익이 없다.

> 원자로 및 관계시설의 부지사전승인처분은 그 자체로서 건설부지를 확정하고 사전공사를 허용 하는 법률효과를 지닌 독립한 행정처분이기는 하지만, 건설허가 전에 신청자의 편의를 위하여 미리 그 건설허가의 일부 요건을 심사하여 행하는 사전적 부분 건설허가처분의 성격을 갖고 있는 것이어서 나중에 건설허가처분이 있게 되면 그 건설허가처분에 흡수되어 독립된 존재가치를 상실함으로써 그 건설허가처분만이 쟁송의 대상이 되는 것이므로, 부지사전승인처분의 취소를 구하는 소는 소의 이익을 잃게 되고, 따라서 부지사전승인처분의 위법성은 나중에 내려진 건설허가처분의 취소를 구하는 소송에서 이를 다투면 된다 (대판 1998.9.4. 97누19588).

③ (O) 과세관청이 직권으로 소득처분 증액 감액을 동시에 한 결과 전체로서 소득처분금액이 감소된 경우 소득금액변동통지의 취소를 구할 이익이 없다.

> 과세관청이 직권으로 상대방에 대한 소득처분을 경정하면서 일부 항목에 대한 증액과 다른 항목에 대한 감액을 동시에 한 결과 전체로서 소득처분금액이 감소된 경우에는 그에 따른 소득금액변동통지가 납세자인 당해 법인에 불이익을 미치는 처분이 아니므로 당해 법인은 그 소득금액변동통지의 취소를 구할 이익이 없다(대판 2012.4.13. 2009두5510).

유제 17. 지방직 9급 법인세 과세표준과 관련하여 과세관청이 법인세 소득처분 상대방에 대한 소득처분을 경정하면서 증액과 감액을 동시에 한 결과 전체로서 소득처분금액이 감소된 경우 법인이 소득금액변동통지의 취소를 구할 이익이 없다. (O)

함께 정리하기

소의 이익

소음·진동배출시설 철거
▷ 설치허가처분취소 다툴 소의 이익×

부지사전승인처분 취소소송 중 건설허가처분
▷ 부지사전승인처분 취소소송 소의 이익×

소득처분 증액·감액 경정처분 결과 전체로서 소득처분금액 감소 시
▷ 취소 구할 소의 이익×

대집행완료
▷ 대집행계고처분 다툴 소의 이익×

④ (○) 대집행실행이 완료된 경우에는 대집행계고처분의 취소를 구할 소의 이익을 인정할 수 없다.

> 대집행계고처분 취소소송의 변론종결 전에 대집행영장에 의한 통지절차를 거쳐 사실행위로서 대집행의 실행이 완료된 경우에는 행위가 위법한 것이라는 이유로 손해배상이나 원상회복 등을 청구하는 것은 별론으로 하고 처분의 취소를 구할 법률상 이익은 없다(대판 1993.6.8. 93누6164).

유제 11. 국가직 7급, 10. 지방직 7급·지방직 9급 판례에 의하면 계고처분에 기한 대집행의 실행이 완료되었다면, 대집행의 실행행위에 대해 취소를 구할 법률상 이익은 없다. (○)

답 ②

095 □□□

甲은 값싼 외국산 수입재료를 국내산 유기농 재료로 속여 상품을 제조·판매하였음을 이유로 식품위생 법령에 따라 관할 행정청으로부터 영업정지 3개월 처분을 받았다. 한편, 위 영업정지의 처분기준에는 1차 위반의 경우 영업정지 3개월, 2차 위반의 경우 영업정지 6개월, 3차 위반의 경우 영업허가취소처분을 하도록 규정되어 있다. 甲은 영업정지 3개월 처분의 취소를 구하는 소송을 제기하였다. 이에 대한 설명으로 옳지 않은 것은? (다툼이 있는 경우 판례에 의함)

① 위와 같은 처분기준이 없는 경우라면, 영업정지 처분에 정하여진 기간이 경과되어 효력이 소멸한 경우에는 그 영업정지 처분의 취소를 구할 법률상 이익은 부정된다.
② 위 처분기준이 「식품위생법」이나 동법 시행령에 규정되어 있는 경우에는 대외적 구속력이 인정되나, 동법 시행규칙에 규정되어 있는 경우에는 대외적 구속력은 부정된다.
③ 甲에 대하여 법령상 임의적 감경사유가 있음에도, 관할 행정청이 이를 전혀 고려하지 않았거나 감경사유에 해당하지 않는다고 오인하여 영업정지 3개월 처분을 한 경우에는 재량권을 일탈·남용한 위법한 처분이 된다.
④ 甲에 대한 영업정지 3개월의 기간이 경과되어 효력이 소멸한 경우에 위 처분기준이 「식품위생법」이나 동법 시행령에 규정되어 있다면 甲은 영업정지 3개월 처분의 취소를 구할 소의 이익이 있지만, 동법 시행규칙에 규정되어 있다면 소의 이익이 인정되지 않는다.

2017년 지방직 7급

① (○) 가중제재처분의 기준이 없는 경우 영업정지처분의 기간이 경과되면 처분의 효력이 소멸하므로 영업정지처분의 취소를 구할 법률상 이익이 없다.
② (○) 부령인 경우와는 달리, 제재처분기분이 대통령령의 형식이면 법규성이 인정된다. 판례는 제재적 처분기준이 대통령령(시행령)의 형식으로 규정된 경우에는 법규명령으로 보아 대외적 구속력이 있는 법규성을 인정하고, 제재적 처분기준이 부령(시행규칙)에 규정되어 있는 경우 행정규칙으로 보아 법규성을 부정한다.

1. "경찰공무원의 채용시험 또는 경찰간부후보생공개경쟁선발시험에서 부정행위를 한 응시자에 대하여는 당해 시험을 정지 또는 무효로 하고, 그로부터 5년간 이 영에 의한 시험에 응시할 수 없게 한다."라고 규정한 경찰공무원임용령 제46조 제1항은 그 수권형식과 내용에 비추어 이는 행정청 내부의 사무처리기준을 규정한 재량준칙이 아니라 일반국민이나 법원을 구속하는 법규명령에 해당하고 따라서 위 규정에 의한 처분은 재량행위가 아닌 기속행위라 할 것이다(대판 2008.5.29. 2007두18321).
2. 자동차운수사업법 제31조 제2항의 규정에 따라 제정된 자동차운수사업법 제31조등의 규정에 의한 사업면허의 취소 등의 처분에 관한 규칙은 형식은 부령으로 되어 있으나 그 규정의 성질과 내용은 자동차운수사업면허의 취소처분 등에 관한 사무처리기준과 처분절차 등 행정청 내의 사무처리준칙을 규정한 것에 불과하여 행정조직 내부에 있어서의 행정명령의 성질을 가지는 것이어서 행정조직 내부에서 관계 행정기관이나 직원을 구속함에 그치고 대외적으로 국민이나 법원을 구속하는 것은 아니다(대판 1991.11.8. 91누4973).

문제 DATA

출제가능 지수 ▶▶▷
난이도 지수 ★★☆

함께 정리하기

사례해결

영업정지처분기간 경과
▷ 영업정지처분취소 구할 법률상 이익×

제재처분기준 대통령령 형식
▷ 법규성○
▷ 부령 형식×

법령상 임의적 감경사유에 해당하지 않는다고 오인하여 감경×
▷ 위법

처분기준이 시행규칙에 규정
▷ 영업정지 기간이 경과해도 취소 구할 소의 이익○

③ (○) 감경사유에 해당하지 않는다고 오인하여 감경하지 않는 것은 재량의 불행사 및 해태가 존재하므로 재량권을 일탈·남용한 위법한 처분이 된다.

> 그 감경사유가 존재하더라도 과징금 부과관청이 감경사유까지 고려하고도 과징금을 감경하지 않은 채 과징금 전액을 부과하는 처분을 한 경우에는 이를 위법하다고 단정할 수는 없으나, 위 감경사유가 있음에도 이를 전혀 고려하지 않았거나 감경사유에 해당하지 않는다고 오인한 나머지 과징금을 감경하지 않았다면 그 과징금 부과처분은 재량권을 일탈·남용한 위법한 처분이라고 할 수밖에 없다(대판 2010.7.15. 2010두7031).

④ (×) 처분기준이 시행규칙에 규정되어 있더라도 영업정지 기간경과 후에도 소의 이익이 있다.

> 제재적 행정처분의 가중사유나 전제요건에 관한 규정이 법령이 아니라 규칙의 형식으로 되어 있다고 하더라도, 그러한 규칙이 법령에 근거를 두고 있는 이상 그 법적 성질이 대외적·일반적 구속력을 갖는 법규명령인지 여부와는 상관없이, 관할 행정청이나 담당공무원은 이를 준수할 의무가 있으므로 이들이 그 규칙에 정해진 바에 따라 행정작용을 할 것이 당연히 예견되고, 그 결과 행정작용의 상대방인 국민으로서는 그 규칙의 영향을 받을 수밖에 없다. … 규칙이 정한 바에 따라 선행처분을 가중사유 또는 전제요건으로 하는 후행처분을 받을 우려가 현실적으로 존재하는 경우에는, 선행처분을 받은 상대방은 비록 그 처분에서 정한 제재기간이 경과하였다 하더라도 그 처분의 취소소송을 통하여 그러한 불이익을 제거할 권리보호의 필요성이 충분히 인정된다고 할 것이므로, 선행처분의 취소를 구할 법률상 이익이 있다고 보아야 한다(대판 2006.6.22. 2003두1684 전합).

답 ④

Ⅳ 당사자 3 - 피고적격

096 □□□

항고소송의 피고적격에 대한 설명으로 옳은 것은?

① 조례에 대한 무효확인소송에서 피고적격이 있는 행정청은 지방의회이다.
② 합의제 행정기관의 처분에 대해서는 그 기관 자체가 피고가 되므로, 중앙노동위원회의 처분에 대한 소는 중앙노동위원회가 피고가 된다.
③ 국가공무원에 대한 징계처분의 처분청이 대통령인 경우에는 대통령이 피고가 된다.
④ 대리기관이 대리관계를 표시하고 피대리 행정청을 대리하여 행정처분을 한 때에는 피대리 행정청이 피고가 된다.

2025년 국가직 9급

① (×) 조례가 집행행위의 개입 없이도 그 자체로서 직접 국민의 구체적인 권리의무나 법적 이익에 영향을 미치는 등의 법률상 효과를 발생하는 경우 그 조례는 항고소송의 대상이 되는 행정처분에 해당하고, 이러한 조례에 대한 무효확인 소송을 제기함에 있어서 행정소송법 제38조 제1항, 제13조에 의하여 피고적격이 있는 처분 등을 행한 행정청은, 행정주체인 지방자치단체 또는 지방자치단체의 내부적 의결기관으로서 지방자치단체의 의사를 외부에 표시할 권한이 없는 지방의회가 아니라, 지방자치단체의 집행기관으로서 조례로서의 효력을 발생시키는 공포권이 있는 지방자치단체의 장이다(대판 1996.9.20. 95누8003).

② (×) 당사자가 지방노동위원회의 처분에 대하여 불복하기 위하여는 처분 송달일로부터 10일 이내에 중앙노동위원회에 재심을 신청하고 중앙노동위원회의 재심판정서 송달일로부터 15일 이내에 중앙노동위원회 위원장을 피고로 하여 재심판정취소의 소를 제기하여야 할 것이다(대판 1995.9.15. 95누6724).

③ (×) 대통령이 행하는 검사임용거부처분에 대한 취소소송의 피고는 소속 장관인 법무부장관이다(대결 1990.3.14. 90두4).

문제 DATA

출제가능 지수 ▶▶▷
난이도 지수 ★★☆

함께 정리하기

항고소송의 피고적격

조례무효확인소송
▷ 지방자치단체장

중앙노동위원회 재심불복
▷ 중앙노동위원회위원장

대통령의 공무원에 대한 징계 기타 불이익처분
▷ 소속장관

대리관계 표시 후 처분
▷ 피대리청

「국가공무원법」 제16조【행정소송과의 관계】② 제1항에 따른 행정소송을 제기할 때에는 대통령의 처분 또는 부작위의 경우에는 소속 장관을, 중앙선거관리위원회위원장의 처분 또는 부작위의 경우에는 중앙선거관리위원회사무총장을 각각 피고로 한다.

④ (O) 항고소송은 다른 법률에 특별한 규정이 없는 한 원칙적으로 소송의 대상인 행정처분을 외부적으로 행한 행정청을 피고로 하여야 하고(행정소송법 제13조 제1항 본문), 다만 대리기관이 대리관계를 표시하고 피대리 행정청을 대리하여 행정처분을 한 때에는 피대리 행정청이 피고로 되어야 한다(대판 2018.10.25. 2018두43095).

답 ④

097 □□□

취소소송의 피고에 대한 설명으로 옳지 않은 것은?

① 취소소송은 다른 법률에 특별한 규정이 없는 한 그 처분 등을 행한 행정청을 피고로 하므로, 대외적으로 의사를 표시할 수 있는 기관이 아닌 내부기관은 실질적인 의사가 그 기관에 의하여 결정되더라도 피고적격을 갖지 못한다.
② 권한의 위임이나 위탁을 받아 수임행정청이 자신의 명의로 한 처분에 관한 취소소송은 원칙적으로 수임행정청을 피고로 하여 제기하여야 한다.
③ 중앙노동위원회의 처분에 대한 소송은 중앙노동위원회 위원장을 피고로 한다.
④ 권한의 대리가 있는 경우, 대리 행정청이 대리관계를 표시하고 피대리 행정청을 대리하여 행정처분을 한 때에는 대리 행정청이 피고로 되어야 한다.

2024년 국가직 7급

① (O) 취소소송은 다른 법률에 특별한 규정이 없는 한 그 처분 등을 행한 행정청을 피고로 한다(행정소송법 제13조 제1항). 여기서 '행정청'이라 함은 국가 또는 공공단체의 기관으로서 국가나 공공단체의 의견을 결정하여 외부에 표시할 수 있는 권한, 즉 처분권한을 가진 기관을 말하고, 대외적으로 의사를 표시할 수 있는 기관이 아닌 내부기관은 실질적인 의사가 그 기관에 의하여 결정되더라도 피고적격을 갖지 못한다(대판 2014.5.16. 2014두274).
② (O) 항고소송은 원칙적으로 소송의 대상인 행정처분 등을 외부적으로 그의 명의로 행한 행정청을 피고로 하여야 하는 것으로서, 그 행정처분을 하게 된 연유가 상급행정청이나 타행정청의 지시나 통보에 의한 것이라 하여 다르지 않으며, 권한의 위임이나 위탁을 받아 수임행정청이 정당한 권한에 기하여 수임행정청 명의로 한 처분에 대하여는 말할 것도 없고, 내부위임이나 대리권을 수여받은 데 불과하여 원행정청 명의나 대리관계를 밝히지 아니하고는 그의 명의로 처분 등을 할 권한이 없는 행정청이 권한 없이 그의 명의로 한 처분에 대하여도 처분명의자인 행정청이 피고가 되어야 한다(대판 1994.6.14. 94누1197).
③ (O) 노동위원회의 처분에 대한 소 제기시 소의 대상은 중앙노동위원회의 재심판정이며, 피고는 중앙노동위원회 위원장이다.

당사자가 지방노동위원회의 처분에 대하여 불복하기 위하여는 처분 송달일로부터 10일 이내에 중앙노동위원회에 재심을 신청하고 중앙노동위원회의 재심판정서 송달일로부터 15일 이내에 중앙노동위원장을 피고로 하여 재심판정취소의 소를 제기하여야 할 것이다(대판 1995.9.15. 95누6724).

「노동위원회법」 제27조【중앙노동위원회의 처분에 대한 소송】① 중앙노동위원회의 처분에 대한 소송은 중앙노동위원회 위원장을 피고(被告)로 하여 처분의 송달을 받은 날부터 15일 이내에 제기하여야 한다.

문제 DATA
출제가능 지수 ▶▶▷
난이도 지수 ★★☆

함께 정리하기
취소소송의 피고

내부기관
▷ 실질적인 의사 결정하더라도 피고적격✕

수임행정청이 자신의 명의로 한 처분
▷ 수임행정청이 피고

중앙노동위원회의 처분
▷ 중앙노동위원회 위원장이 피고

대리청이 대리관계 표시하고 처분
▷ 피대리행정청이 피고

④ (×)

> [1] 항고소송은 다른 법률에 특별한 규정이 없는 한 원칙적으로 소송의 대상인 행정처분을 외부적으로 행한 행정청을 피고로 하여야 하는 것이고, 다만 대리기관이 대리관계를 표시하고 피대리행정청을 대리하여 행정처분을 한 때에는 피대리 행정청이 피고로 되어야 할 것이다.
> [2] 따라서 대리권을 수여받은 데 불과하여 그 자신의 명의로는 행정처분을 할 권한이 없는 행정청의 경우 대리관계를 밝힘이 없이 그 자신의 명의로 행정처분을 하였다면 그에 대하여는 처분명의자인 당해 행정청이 항고소송의 피고가 되어야 하는 것이 원칙이다.
> [3] 비록 대리관계를 명시적으로 밝히지는 아니하였다 하더라도 처분명의자가 피대리 행정청 산하의 행정기관으로서 실제로 피대리 행정청으로부터 대리권한을 수여받아 피대리행정청을 대리한다는 의사로 행정처분을 하였고 처분명의자는 물론 그 상대방도 그 행정처분이 피대리행정청을 대리하여 한 것임을 알고서 이를 받아들인 예외적인 경우에는 피대리행정청이 피고가 되어야 한다고 할 것이다 (대결 2006.2.23. 2005부4).

답 ④

098

행정소송의 피고에 대한 설명으로 옳지 않은 것은?

① 취소소송은 다른 법률에 특별한 규정이 없는 한 그 처분등을 행한 행정청을 피고로 하지만, 처분등이 있은 뒤에 그 처분등에 관계되는 권한이 다른 행정청에 승계된 때에는 이를 승계한 행정청을 피고로 한다.
② 조례가 집행행위의 개입 없이도 그 자체로서 직접 국민의 구체적인 권리 · 의무나 법적 이익에 영향을 미치는 등의 법률상 효과를 발생하는 경우 무효확인소송의 피고는 당해 조례를 통과시킨 지방의회가 된다.
③ 「행정소송법」상 원고가 피고를 잘못 지정한 때에는 법원은 원고의 신청에 의하여 결정으로써 피고의 경정을 허가할 수 있다.
④ 행정처분을 행할 적법한 권한 있는 상급행정청으로부터 내부위임을 받은 데 불과한 하급행정청이 권한 없이 행정처분을 한 경우 실제로 그 처분을 행한 하급행정청을 피고로 하여야 할 것이지 그 처분을 행할 적법한 권한 있는 상급행정청을 피고로 할 것은 아니다.

| 2024년 지방직 9급

① (○)

> 「행정소송법」 제13조【피고적격】① 취소소송은 다른 법률에 특별한 규정이 없는 한 그 처분등을 행한 행정청을 피고로 한다. 다만, 처분등이 있은 뒤에 그 처분등에 관계되는 권한이 다른 행정청에 승계된 때에는 이를 승계한 행정청을 피고로 한다.

② (×) 조례가 집행행위의 개입 없이도 그 자체로서 직접 국민의 구체적인 권리의무나 법적 이익에 영향을 미치는 등의 법률상 효과를 발생하는 경우 그 조례는 항고소송의 대상이 되는 행정처분에 해당하고, 이러한 조례에 대한 무효확인소송을 제기함에 있어서 행정소송법 제38조 제1항, 제13조에 의하여 피고적격이 있는 처분 등을 행한 행정청은, 행정주체인 지방자치단체 또는 지방자치단체의 내부적 의결기관으로서 지방자치단체의 의사를 외부에 표시한 권한이 없는 지방의회가 아니라, 구 지방자치법 (1994.3.16. 법률 제4741호로 개정되기 전의 것) 제19조 제2항, 제92조에 의하여 지방자치단체의 집행기관으로서 조례로서의 효력을 발생시키는 공포권이 있는 지방자치단체의 장이다(대판 1996.9.20. 95누8003).

③ (○)

> 「행정소송법」 제14조【피고경정】① 원고가 피고를 잘못 지정한 때에는 법원은 원고의 신청에 의하여 결정으로써 피고의 경정을 허가할 수 있다.

문제 DATA

출제가능 지수 ▶▶▷
난이도 지수 ★★☆

함께 정리하기

행정소송의 피고

취소소송
▷ 처분청

권한승계
▷ 권한 승계한 행정청

처분적 조례에 대한 무효확인소송
▷ 단체장

피고 잘못 지정 시 피고경정
▷ 원고 신청 要, 법원 석명 可

권한의 내부위임
▷ 실제 처분명의자

④ (○) 행정처분의 취소 또는 무효확인을 구하는 행정소송은 다른 법률에 특별한 규정이 없는 한 그 처분을 행한 행정청을 피고로 하여야 하며, 행정처분을 행할 적법한 권한 있는 상급행정청으로부터 내부위임을 받은 데 불과한 하급행정청이 권한 없이 행정처분을 한 경우에도 실제로 그 처분을 행한 하급행정청을 피고로 하여야 할 것이지 그 처분을 행할 적법한 권한 있는 상급행정청을 피고로 할 것은 아니다 (대판 1994.8.12. 94누2763).

답 ②

099

행정소송에 대한 설명으로 옳지 않은 것은? (다툼이 있는 경우 판례에 의함)

① 무효확인소송에서 '무효확인을 구할 법률상 이익'이 있는지를 판단할 때, 행정처분의 무효를 전제로 한 이행소송 등과 같은 직접적인 구제수단이 있는 지를 먼저 따질 필요는 없다.
② 「국토의 계획 및 이용에 관한 법률」상 토지소유자 등이 도시·군계획시설 사업시행자의 토지의 일시 사용에 대하여 정당한 사유 없이 동의를 거부한 경우, 사업시행자가 토지소유자를 상대로 동의의 의사표시를 구하는 소송은 당사자소송으로 보아야 한다.
③ 합의제 행정청의 처분에 대하여는 합의제 행정청이 피고가 되므로 부당노동행위에 대한 구제명령 등 중앙노동위원회의 처분에 대한 소송에서는 중앙노동위원회가 피고가 된다.
④ 권한의 내부위임이 있는 경우 내부수임기관이 착오 등으로 원처분청의 명의가 아닌 자기명의로 처분을 하였다면, 내부수임기관이 그 처분에 대한 항고소송의 피고가 된다.

문제 DATA
출제가능 지수 ▶▶▷
난이도 지수 ★★☆

2020년 국가직 7급

① (○) 행정소송은 행정청의 위법한 처분 등을 취소·변경하거나 그 효력 유무 또는 존재 여부를 확인함으로써 국민의 권리 또는 이익의 침해를 구제하고 공법상의 권리관계 또는 법 적용에 관한 다툼을 적정하게 해결함을 목적으로 하므로, 대등한 주체 사이의 사법상 생활관계에 관한 분쟁을 심판대상으로 하는 민사소송과는 목적, 취지 및 기능 등을 달리한다. 또한 행정소송법 제4조에서는 무효확인소송을 항고소송의 일종으로 규정하고 있고, 행정소송법 제38조 제1항에서는 처분 등을 취소하는 확정판결의 기속력 및 행정청의 재처분 의무에 관한 행정소송법 제30조를 무효확인소송에도 준용하고 있으므로 무효확인판결 자체만으로도 실효성을 확보할 수 있다. 그리고 무효확인소송의 보충성을 규정하고 있는 외국의 일부 입법례와는 달리 우리나라 행정소송법에는 명문의 규정이 없어 이로 인한 명시적 제한이 존재하지 않는다. 이와 같은 사정을 비롯하여 행정에 대한 사법통제, 권익구제의 확대와 같은 행정소송의 기능 등을 종합하여 보면, 행정처분의 근거 법률에 의하여 보호되는 직접적이고 구체적인 이익이 있는 경우에는 행정소송법 제35조에 규정된 '무효확인을 구할 법률상 이익'이 있다고 보아야 하고, 이와 별도로 무효확인소송의 보충성이 요구되는 것은 아니므로 행정처분의 무효를 전제로 한 이행소송 등과 같은 직접적인 구제수단이 있는지 여부를 따질 필요가 없다고 해석함이 상당하다(대판 2008.3.20. 2007두6342 전합).
② (○) 국토의 계획 및 이용에 관한 법률 제130조 제3항에서 정한 토지의 소유자·점유자 또는 관리인(이하 '소유자 등'이라 한다)이 사업시행자의 일시 사용에 대하여 정당한 사유 없이 동의를 거부하는 경우, 사업시행자는 해당 토지의 소유자 등을 상대로 동의의 의사표시를 구하는 소를 제기할 수 있다. 이와 같은 토지의 일시 사용에 대한 동의의 의사표시를 할 의무는 '국토의 계획 및 이용에 관한 법률'에서 특별히 인정한 공법상의 의무이므로, 그 의무의 존부를 다투는 소송은 '공법상의 법률관계에 관한 소송으로서 그 법률관계의 한쪽 당사자를 피고로 하는 소송', 즉 행정소송법 제3조 제2호에서 규정한 당사자소송이라고 보아야 한다. 행정소송법 제39조는, "당사자소송은 국가·공공단체 그 밖의 권리주체를 피고로 한다."라고 규정하고 있다. 이것은 당사자소송의 경우 항고소송과 달리 '행정청'이 아닌 '권리주체'에게 피고적격이 있음을 규정하는 것일 뿐, 피고적격이 인정되는 권리주체를 행정주체로 한정한다는 취지가 아니므로, 이 규정을 들어 사인을 피고로 하는 당사자소송을 제기할 수 없다고 볼 것은 아니다(대판 2019.9.9. 2016다262550).

함께 정리하기
행정소송

무효확인소송의 소의 이익
▷ 직접적 구제수단 유무 불문(보충성 불요설)
▷ 법률상 이익으로 족함

사업시행자가 토지소유자를 상대로 토지 일시 사용에 대한 동의의 의사표시를 구하는 소송
▷ 당사자소송

중앙노동위원회 처분에 대한 취소소송의 피고
▷ 중앙노동위원회 위원장

권한의 내부위임에서 피고
▷ 처분명의자인 내부수임기관

③ (×) 합의제 행정청이 한 처분에 대하여는 합의제 행정청 자체가 피고가 된다. 다만, 중앙노동위원회의 처분에 관한 소는 합의제 행정청인 중앙노동위원회가 아닌 중앙노동위원회 위원장을 피고로 제기하여야 한다.
④ (○) 행정처분의 취소 또는 무효확인을 구하는 행정소송은 다른 법률에 특별한 규정이 없는 한 그 처분을 행한 행정청을 피고로 하여야 하며, 행정처분을 행할 적법한 권한있는 상급행정청으로부터 내부위임을 받은데 불과한 하급행정청이 권한없이 행정처분을 한 경우에도 실제로 그 처분을 행한 하급행정청을 피고로 할 것이지 그 상급행정청을 피고로 할 것은 아니다(대판 1989.11.14. 89누4765).

답 ③

문제 DATA
출제가능 지수 ▶▶▷
난이도 지수 ★★☆

100

행정소송의 피고적격에 대한 설명으로 가장 옳지 않은 것은? (다툼이 있는 경우 판례에 의함)

① 조례가 항고소송의 대상이 되는 경우 피고는 지방자치단체의 의결기관으로서 조례를 제정한 지방의회이다.
② 대리권을 수여받은 데 불과하여 그 자신의 명의로는 행정처분을 할 권한이 없는 행정청의 경우 대리관계를 밝힘이 없이 그 자신의 명의로 행정처분을 하였다면 그에 대하여는 처분명의자인 당해 행정청이 항고소송의 피고가 되어야 하는 것이 원칙이다.
③ 취소소송은 다른 법률에 특별한 규정이 없는 한 그 처분 등을 행한 행정청을 피고로 하며, 당사자소송은 국가·공공단체 그 밖의 권리주체를 피고로 한다.
④ 「국가공무원법」에 의한 처분, 기타 본인의 의사에 반한 불리한 처분이나 부작위에 관한 행정소송을 제기할 때에 대통령의 처분 또는 부작위의 경우에는 소속 장관을 피고로 한다.

| 2018년 서울시 9급

① (×) 처분적 조례에 대한 항고소송의 피고는 지자체장이 된다.

> 조례가 집행행위의 개입 없이도 그 자체로서 직접 국민의 구체적인 권리의무나 법적 이익에 영향을 미치는 등의 법률상 효과를 발생하는 경우 그 조례는 항고소송의 대상이 되는 행정처분에 해당하고, 이러한 조례에 대한 무효확인소송을 제기함에 있어서 피고적격이 있는 처분 등을 행한 행정청은, 행정주체인 지방자치단체 또는 지방자치단체의 내부적 의결기관으로서 지방자치단체의 의사를 외부에 표시한 권한이 없는 지방의회가 아니라, 지방자치단체의 집행기관으로서 조례로서의 효력을 발생시키는 공포권이 있는 지방자치단체의 장이다(대판 1996.9.20. 95누8003).

② (○) 대리기관이 대리관계를 밝힘이 없이 자신의 명의로 처분을 하였다면 대리기관이 피고가 된다. 다만, 그 상대방이 그 행정처분이 피대리청을 대리하여 한 것임을 알고서 이를 받아들인 예외적인 경우에는 피대리청이 피고가 된다.

> [1] 항고소송은 다른 법률에 특별한 규정이 없는 한 원칙적으로 소송의 대상인 행정처분을 외부적으로 행한 행정청을 피고로 하여야 하는 것이고, 다만 대리기관이 대리관계를 표시하고 피대리행정청을 대리하여 행정처분을 한 때에는 피대리 행정청이 피고로 되어야 할 것이다.
> [2] 따라서 대리권을 수여받은 데 불과하여 그 자신의 명의로는 행정처분을 할 권한이 없는 행정청의 경우 대리관계를 밝힘이 없이 그 자신의 명의로 행정처분을 하였다면 그에 대하여는 처분명의자인 당해 행정청이 항고소송의 피고가 되어야 하는 것이 원칙이다.
> [3] 비록 대리관계를 명시적으로 밝히지는 아니하였다 하더라도 처분명의자가 피대리 행정청 산하의 행정기관으로서 실제로 피대리 행정청으로부터 대리권한을 수여받아 피대리행정청을 대리한다는 의사로 행정처분을 하였고 처분명의자는 물론 그 상대방도 그 행정처분이 피대리행정청을 대리하여 한 것임을 알고서 이를 받아들인 예외적인 경우에는 피대리행정청이 피고가 되어야 한다고 할 것이다(대결 2006.2.23. 2005부4).

함께 정리하기

피고적격

처분적 조례에 대한 항고소송
▷ 지방자치단체의 장(지방의회×)

대리관계 밝힘 없이 대리청이 자신명의로 처분
▷ 대리청

취소소송
▷ 처분청

당사자소송
▷ 국가·공공단체 그 밖의 권리주체

대통령의 공무원에 대한 불이익 처분·부작위
▷ 소속 장관

③ (○)

> 「행정소송법」 제13조【피고적격】① 취소소송은 다른 법률에 특별한 규정이 없는 한 그 처분등을 행한 행정청을 피고로 한다. 다만, 처분등이 있은 뒤에 그 처분등에 관계되는 권한이 다른 행정청에 승계된 때에는 이를 승계한 행정청을 피고로 한다.
> 제39조【피고적격】당사자소송은 국가·공공단체 그 밖의 권리주체를 피고로 한다.

④ (○) 「국가공무원법」에 의한 처분 기타 본인의 의사에 반한 불리한 처분으로 대통령이 행한 처분에 대한 행정소송의 피고는 소속장 관이 된다.

> 「국가공무원법」 제16조【행정소송과의 관계】② 제1항에 따른 행정소송을 제기할 때에는 대통령의 처분 또는 부작위의 경우에는 소속 장관(대통령령으로 정하는 기관의 장을 포함한다. 이하 같다)을, 중앙선거관리위원회위원장의 처분 또는 부작위의 경우에는 중앙선거관리위원회사무총장을 각각 피고로 한다.

답 ①

101

「행정소송법」상 피고 및 피고의 경정에 대한 설명으로 옳은 것은? (다툼이 있는 경우 판례에 의함)

① 취소소송에서 원고가 처분청 아닌 행정관청을 피고로 잘못 지정한 경우, 법원은 석명권의 행사 없이 소송요건의 불비를 이유로 소를 각하할 수 있다.
② 소의 종류의 변경에 따른 피고의 변경은 교환적 변경에 한 한다고 봄이 상당하므로 예비적 청구만이 있는 피고의 추가경정신청은 예외적 규정이 있는 경우를 제외하고는 원칙적으로 허용되지 않는다.
③ 상급행정청의 지시에 의해 하급행정청이 자신의 명의로 처분을 하였다면, 당해 처분에 대한 취소소송에서는 지시를 내린 상급행정청이 피고가 된다.
④ 취소소송에서 피고가 될 수 있는 행정청에는 대외적으로 의사를 표시할 수 있는 기관이 아니더라도 국가나 공공단체의 의사를 실질적으로 결정하는 기관이 포함된다.

| 2020년 국가직 9급

① (×) 피고를 잘못 지정하면 법원은 석명권을 행사하여 경정하게 하여야 한다.

> 원고가 피고를 잘못 지정하였다면 법원으로서는 당연히 석명권을 행사하여 원고로 하여금 피고를 경정하게 하여 소송을 진행케 하였어야 할 것이고 그렇지 않고 피고의 지정이 잘못되었다는 이유로 소를 각하한 것은 위법하다(대판 2004.7.8. 2002두7852).

② (○) 「행정소송법」상 소 종류의 변경에 따른 피고변경은 소의 교환적 변경에 한하고 피고의 추가경정신청은 허용되지 않는다.

> 소위 주관적, 예비적 병합은 행정소송법 제28조 제3항과 같은 예외적 규정이 있는 경우를 제외하고는 원칙적으로 허용되지 않는 것이고, 또 행정소송법상 소의 종류의 변경에 따른 당사자(피고)의 변경은 교환적 변경에 한한다고 봄이 상당하므로 예비적 청구만이 있는 피고의 추가경정신청은 허용되지 않는다(대판 1989.10.27. 89두1).

문제 DATA

출제가능 지수 ▶▶▷
난이도 지수 ★★☆

함께 정리하기

「행정소송법」상 피고 및 피고의 경정

피고 잘못 지정 시
▷ 법원의 적극적 석명의무 有

「행정소송법」상 소종류 변경에 따른 피고 변경
▷ 교환적 변경만 可

상급행정청의 지시에 따른 하급행정청의 처분
▷ 하급행정청이 피고적격○

내부기관
▷ 실질적인 의사 결정하더라도 피고적격×

③ (×) 상급행정청의 지시에 의해 하급행정청이 자신의 명의로 처분을 하였다면, 처분명의자인 하급 행정청이 피고가 된다.

> 항고소송은 원칙적으로 소송의 대상인 행정처분 등을 외부적으로 그의 명의로 행한 행정청을 피고로 하여야 하는 것으로서, 그 행정처분을 하게 된 연유가 상급행정청이나 타행정청의 지시나 통보에 의한 것이라 하여 다르지 않으며, 권한의 위임이나 위탁을 받아 수임행정청이 정당한 권한에 기하여 수임행정청 명의로 한 처분에 대하여는 말할 것도 없고, 내부위임이나 대리권을 수여받은 데 불과하여 원행정청 명의나 대리관계를 밝히지 아니하고는 그의 명의로 처분 등을 할 권한이 없는 행정청이 권한 없이 그의 명의로 한 처분에 대하여도 처분명의자인 행정청 이 피고가 되어야 한다(대판 1994.6.14. 94누1197).

④ (×) 대외적으로 의사표시를 할 수 없는 내부기관은 실질적인 의사를 결정하더라도 피고적격이 없다.

> 취소소송은 다른 법률에 특별한 규정이 없는 한 그 처분 등을 행한 행정청을 피고로 한다(행정소송법 제13조 제1항). 여기서 '행정청'이라 함은 국가 또는 공공단체의 기관으로서 국가나 공공단체의 의견을 결정하여 외부에 표시할 수 있는 권한, 즉 처분권한을 가진 기관을 말하고, 대외적으로 의사를 표시할 수 있는 기관이 아닌 내부기관은 실질적인 의사가 그 기관에 의하여 결정되더라도 피고적격을 갖지 못한다(대판 2014.5.16. 2014두274).

답 ②

102

상급행정청 X로부터 권한을 내부 위임받은 하급행정청 Y는 2017.1.10. Y의 명의로 甲에 대하여 2,000만원의 부담금부과처분을 하였다가, 같은 해 2.3. 부과금액의 과다를 이유로 위 부담금을 1,000만원으로 감액하는 처분을 하였다. 甲이 이에 대해 취소소송을 제기하는 경우, ㄱ. 소의 대상과 ㄴ. 피고적격을 바르게 연결한 것은? (다툼이 있는 경우 판례에 의함)

	ㄱ	ㄴ
①	1,000만원으로 감액된 1.10.자 부담금부과처분	X
②	1,000만원으로 감액된 1.10.자 부담금부과처분	Y
③	2.3.자 1,000만원의 부담금부과처분	X
④	2.3.자 1,000만원의 부담금부과처분	Y

2017년 지방직 9급

ㄱ. (감액되고 남은 당초처분) 처분청은 직권으로 당초처분을 변경할 수 있다. 변경처분 중 세금을 부과하는 원처분을 정정하는 변경 처분을 경정처분이라고 한다. 변경처분이 이루어진 경우, 처분의 상대방은 어떤 처분을 대상으로 행정소송을 제기해야 하는지가 문제되는데, 판례는 감액경정처분은 당초처분의 전부를 취소한 다음 새로이 처분을 한 것이 아니라, 당초처분의 일부취소에 불과하므로, 소송의 대상은 경정처분으로 인하여 감액되고 남은 당초처분이 된다고 한다(역흡수설).

> 과징금 부과처분에서 행정청이 납부의무자에 대하여 부과처분을 한 후 그 부과처분의 하자를 이유로 과징금의 액수를 감액하는 경우에 그 감액처분은 감액된 과징금 부분에 관하여만 법적 효과가 미치는 것으로서 처음의 부과처분과 별개 독립의 과징금 부과처분이 아니라 그 실질은 당초 부과처분의 변경이고, 그 감액처분으로도 아직 취소되지 않고 남아 있는 부분이 위법하다고 하여 다투는 경우 항고소송의 대상은 처음의 부과처분 중 감액처분에 의하여 취소되지 않고 남은 부분이고 감액처분이 항고소송의 대상이 되는 것은 아니다(대판 2008.2.15. 2006두3957).

유제 15. 국회직 8급 행정청이 금전부과처분을 한 후 감액처분을 한 경우에는 감액처분이 항고소송의 대상이 된다. (×)

문제 DATA

출제가능 지수 ▶▶▷
난이도 지수 ★★☆

함께 정리하기

사례정리

감액경정처분에 있어 소송대상
▷ 감액되고 남은 당초처분

내부위임이 있는 경우 피고적격자
▷ 처분을 실제로 행한 처분명의자

ㄴ. (수임청Y) 조직 내부에서 수임자가 위임자의 권한을 위임자의 명의와 책임으로 행사하는 내부위임의 경우에는 권한이 이양되는 것이 아니기 때문에 위임기관이 피고가 되나, 판례는 위임과 내부위임의 구별이 실제 어렵기 때문에 그 처분명의를 기준으로 피고를 정하고 있다. 즉 ⊙ 수임기관의 명의로 처분을 한 경우에는 수임기관이, ⓒ 위임기관의 명의로 한 경우에는 위임기관이 피고가 된다는 입장이다. 따라서 사안의 경우 Y의 명의로 처분하였으므로 Y가 피고가 된다.

> 행정처분의 취소 또는 무효확인을 구하는 행정소송은 다른 법률에 특별한 규정이 없는 한 소송의 대상인 행정처분 등을 외부적으로 그의 명의로 행한 행정청을 피고로 하여야 하는 것으로서 그 행정처분을 하게 된 연유가 상급행정청이나 타행정청의 지시나 통보에 의한 것이라 하여 다르지 않다고 할 것이며, 권한의 위임이나 위탁을 받아 수임행정청이 정당한 권한에 기하여 그 명의로 한 처분에 대하여는 말할 것도 없고, 내부위임이나 대리권을 수여받은 데 불과하여 원행정청 명의나 대리관계를 밝히지 아니하고는 그의 명의로 처분 등을 할 권한이 없는 행정청이 권한 없이 그의 명의로 한 처분에 대하여도 처분명의자인 행정청이 피고가 되어야 할 것이다(대판 1995.12.22. 95누14688).

유제 20. 국가직 9급 상급행정청의 지시에 의해 하급행정청이 자신의 명의로 처분을 하였다면, 당해 처분에 대한 취소소송에서는 지시를 내린 상급 행정청이 피고가 된다. (×)

답 ②

103

행정소송의 피고적격에 대한 설명으로 옳은 것을 모두 고른 것은?

> ㄱ. 헌법재판소장이 한 처분에 대한 행정소송의 피고는 헌법재판소 사무처장으로 한다.
> ㄴ. 대법원장이 한 처분에 대한 행정소송의 피고는 대법원장이다.
> ㄷ. 중앙노동위원회의 처분에 대한 행정소송은 중앙노동위원회 위원장을 피고로 한다.
> ㄹ. 국회의장이 행한 처분에 대한 행정소송의 피고는 국회부의장이 된다.

① ㄱ, ㄷ
② ㄱ, ㄴ
③ ㄴ, ㄷ
④ ㄷ, ㄹ

2017년 경찰

ㄱ. (○)
> 「헌법재판소법」 제17조 【사무처】 ⑤ 헌법재판소장이 한 처분에 대한 행정소송의 피고는 헌법재판소 사무처장으로 한다.

ㄴ. (×)
> 「법원조직법」 제70조 【행정소송의 피고】 대법원장이 한 처분에 대한 행정소송의 피고는 법원행정처장으로 한다.

ㄷ. (○)
> 「노동위원회법」 제27조 【중앙노동위원회의 처분에 대한 소송】 ① 중앙노동위원회의 처분에 대한 소송은 중앙노동위원회 위원장을 피고로 하여 처분의 송달을 받은 날부터 15일 이내에 제기하여야 한다.

ㄹ. (×)
> 「국회사무처법」 제4조 【사무총장】 ③ 의장이 한 처분에 대한 행정소송의 피고는 사무총장으로 한다.

답 ①

문제 DATA
출제가능 지수 ▶▶▷
난이도 지수 ★★☆

함께 정리하기

피고적격

헌법재판소장의 처분에 대한 행정소송의 피고
▷ 헌법재판소 사무처장

대법원장의 처분에 대한 행정소송의 피고
▷ 법원행정처장

중앙노동위원회의 처분에 대한 행정 소송의 피고
▷ 중앙노동위원회 위원장

국회의장의 처분에 대한 행정소송의 피고
▷ 국회사무총장

문제 DATA

출제가능 지수 ▶▶▷
난이도 지수 ★★☆

함께 정리하기

피고적격

행정권한 위탁받은 공공단체·사인
▷ 자신의 이름으로 처분 ○

납세의무부존재확인청구소송
▷ 과세처분청 ✕
▷ 권리주체 ○

내부위임받은 하급행정청
▷ 자신의 이름으로 처분 ○

대외적 의사표시하지 못하는 내부기관
▷ 피고적격 ✕

104 ☐☐☐

행정소송의 피고적격에 대한 설명으로 옳지 않은 것은? (다툼이 있는 경우 판례에 의함)

① 행정권한을 위탁받은 공공단체 또는 사인이 자신의 이름으로 처분을 한 경우에는 그 공공단체 또는 사인이 항고소송의 피고가 된다.
② 납세의무부존재확인청구소송은 공법상 법률관계 그 자체를 다투는 소송이므로 과세처분청이 아니라 그 법률관계의 한쪽 당사자인 국가·공공단체 그 밖의 권리주체에게 피고적격이 있다.
③ 행정처분을 행할 적법한 권한이 있는 상급행정청으로부터 내부위임을 받은 데 불과한 하급행정청이 권한 없이 자신의 이름으로 행정처분을 한 경우에는 하급행정청이 항고소송의 피고가 된다.
④ 대외적으로 의사를 표시할 수 없는 내부기관이라도 행정처분의 실질적인 의사가 그 기관에 의하여 결정되는 경우에는 그 내부기관에게 항고소송의 피고적격이 있다.

| 2017년 국가직 9급

① (○)

> 「행정소송법」 제2조 【정의】 ② 이 법을 적용함에 있어서 행정청에는 법령에 의하여 행정권한의 위임 또는 위탁을 받은 행정기관, 공공단체 및 그 기관 또는 사인이 포함된다.
> 제13조 【피고적격】 ① 취소소송은 다른 법률에 특별한 규정이 없는 한 그 처분등을 행한 행정청을 피고로 한다. 다만, 처분등이 있은 뒤에 그 처분등에 관계되는 권한이 다른 행정청에 승계된 때에는 이를 승계한 행정청을 피고로 한다.

② (○) 납세의무 부존재확인 청구소송은 권리주체를 피고로 하여야 한다.

> 납세의무부존재확인의 소는 공법상의 법률관계 그 자체를 다투는 소송으로서 당사자소송이라 할 것이므로 행정소송법 제3조 제2호, 제39조에 의하여 그 법률관계의 한쪽 당사자인 국가·공공단체 그 밖의 권리주체가 피고적격을 가진다(대판 2000.9.8. 99두2765).

③ (○) 내부위임이 있는 경우 수임청 명의 처분의 피고는 수임청이 된다.

> 행정처분의 취소 또는 무효확인을 구하는 행정소송은 다른 법률에 특별한 규정이 없는 한 그 처분을 행한 행정청을 피고로 하여야 하며, 행정처분을 행할 적법한 권한 있는 상급행정청으로부터 내부위임을 받은 데 불과한 하급행정청이 권한 없이 행정처분을 한 경우에도 실제로 그 처분을 행한 하급행정청을 피고로 하여야 할 것이지 그 처분을 행할 적법한 권한 있는 상급행정청을 피고로 할 것은 아니다(대판 1994.8.12. 94누2763).

④ (✕) 대외적 의사표시를 못하는 내부기관은 피고적격이 없다.

> 취소소송은 다른 법률에 특별한 규정이 없는 한 그 처분 등을 행한 행정청을 피고로 한다(행정소송법 제13조 제1항). 여기서 '행정청'이라 함은 국가 또는 공공단체의 기관으로서 국가나 공공단체의 의견을 결정하여 외부에 표시할 수 있는 권한, 즉 처분권한을 가진 기관을 말하고, 대외적으로 의사를 표시할 수 있는 기관이 아닌 내부 기관은 실질적인 의사가 그 기관에 의하여 결정되더라도 피고적격을 갖지 못한다(대판 2014.5.16. 2014두274).

답 ④

105

행정소송과 그 피고에 대한 연결이 옳은 것만을 모두 고르면?

> ㄱ. 대통령의 검사임용처분에 대한 취소소송 - 법무부장관
> ㄴ. 국토교통부장관으로부터 권한을 내부위임받은 국토교통부차관이 처분을 한 경우에 그에 대한 취소소송 - 국토교통부차관
> ㄷ. 헌법재판소장이 소속직원에게 내린 징계처분에 대한 취소소송 - 헌법재판소 사무처장
> ㄹ. 환경부장관의 권한을 위임받은 서울특별시장이 내린 처분에 대한 취소소송 - 서울특별시장

① ㄱ, ㄴ
② ㄷ, ㄹ
③ ㄱ, ㄷ, ㄹ
④ ㄱ, ㄴ, ㄷ, ㄹ

문제 DATA
출제가능 지수 ▶▶▷
난이도 지수 ★★☆

2018년 지방직 9급

ㄱ. (○)

> 「국가공무원법」 제16조 【행정소송과의 관계】 ② 제1항에 따른 행정소송을 제기할 때에는 대통령의 처분 또는 부작위의 경우에는 소속 장관(대통령령으로 정하는 기관의 장을 포함한다. 이하 같다)을, 중앙선거관리위원회위원장의 처분 또는 부작위의 경우에는 중앙선거관리위원회사무총장을 각각 피고로 한다.

ㄴ. (×) 조직 내부에서 수임자가 위임자의 권한을 위임자의 명의와 책임으로 행사하는 내부위임의 경우에는 권한이 이양되는 것이 아니기 때문에 위임기관이 피고가 된다. 따라서 국토교통부장관이 피고가 된다.

ㄷ. (○)

> 「헌법재판소법」 제17조 【사무처】 ⑤ 헌법재판소장이 한 처분에 대한 행정소송의 피고는 헌법재판소 사무처장으로 한다.

ㄹ. (○) 행정권한의 위임이나 위탁이 있는 경우에는 권한이 수임청 또는 수탁청에게 넘어가기 때문에 이들이 피고가 된다. 따라서 서울특별시장이 피고가 된다.

답 ③

함께 정리하기

피고적격

대통령의 공무원에 대한 처분·부작위
▷ 소속장관

내부위임
▷ 위임기관

헌법재판소장의 처분
▷ 헌법재판소사무처장

권한의 위임
▷ 수임청

106

행정소송에 대한 설명으로 옳지 않은 것은? (다툼이 있는 경우 판례에 의함)

① 지방자치단체가 건축물을 건축하기 위하여 구「건축법」에 따라 미리 건축물의 소재지를 관할하는 허가권자인 다른 지방자치단체의 장과 건축협의를 한 경우, 허가권자인 지방자치단체의 장이 건축협의를 취소하는 행위는 항고소송의 대상이 되는 처분에 해당한다.
② 불특정 다수인에 대한 행정처분을 고시 또는 공고에 의하여 하는 경우에는 그 행정처분에 이해관계를 갖는 사람이 고시 또는 공고가 있었다는 사실을 현실적으로 알았는지 여부에 관계없이 고시 또는 공고가 효력을 발생한 날에 행정처분이 있음을 알았다고 보아야 한다.
③ 취소소송이 제기된 후에 피고를 경정하는 경우 제소기간의 준수 여부는 피고를 경정한 때를 기준으로 판단한다.
④ 구「도시 및 주거환경정비법」상 조합설립추진위원회 구성승인처분을 다투는 소송 계속 중 조합설립인가처분이 이루어진 경우 조합설립추진위원회 구성승인처분에 대하여 취소 또는 무효확인을 구할 법률상 이익이 없다.

문제 DATA
출제가능 지수 ▶▶▷
난이도 지수 ★★☆

함께 정리하기

행정소송

건축협의취소
▷ 처분○

고시·공고에 의한 처분
▷ 효력발생일부터 90일 내 소 제기

피고경정
▷ 처음 소를 제기한 때 제기된 것

구성승인처분 다투는 소송 계속 중 조합설립인가처분
▷ 법률상 이익 無

2017년 지방직 9급

① (○) 건축협의의 취소는 처분에 해당한다.

> 허가권자인 지방자치단체의 장이 한 건축협의 거부행위는 비록 그 상대방이 국가 등 행정주체라 하더라도, 행정청이 행하는 구체적 사실에 관한 법집행으로서의 공권력 행사의 거부 내지 이에 준하는 행정작용으로서 행정소송법 제2조 제1항 제1호에서 정한 처분에 해당한다고 볼 수 있고, 이에 대한 법적 분쟁을 해결할 실효적인 다른 법적 수단이 없는 이상 국가 등은 허가권자를 상대로 항고소송을 통해 그 거부처분의 취소를 구할 수 있다고 해석 된다(대판 2014.3.13. 2013두15934).

② (○) 고시 또는 공고에 의한 처분은 효력발생일로부터 90일 내에 소를 제기해야 한다.

> 통상 고시 또는 공고에 의하여 행정처분을 하는 경우에는 그 처분의 상대방이 불특정 다수인이고, 그 처분의 효력이 불특정 다수인에게 일률적으로 적용되는 것이므로, 그 행정처분에 이해관계를 갖는 자는 고시 또는 공고가 있었다는 사실을 현실적으로 알았는지 여부에 관계없이 고시가 효력을 발생하는 날에 행정처분이 있음을 알았다고 보아야 하고, 따라서 그에 대한 취소소송은 그 날로부터 90일 이내에 제기하여야 한다(대판 2006.4.14. 2004두3847).

③ (×) 피고경정시 제소기간 준수여부는 처음 소를 제기한 때를 기준으로 판단한다.

> 「행정소송법」 제14조 【피고경정】 ④ 제1항의 규정에 의한 결정이 있은 때에는 새로운 피고에 대한 소송은 처음에 소를 제기한 때에 제기된 것으로 본다.

④ (○) 구성승인을 다투는 소송 중 조합설립인가처분이 있으면 법률상 이익이 없게 된다.

> 추진위원회 구성승인처분을 다투는 소송 계속 중에 조합설립인가처분이 이루어진 경우에는, 추진위원회 구성승인처분에 위법이 존재하여 조합설립인가 신청행위가 무효라는 점 등을 들어 직접 조합설립인가처분을 다툼으로써 정비사업의 진행을 저지하여야 하고, 이와는 별도로 추진위원회 구성승인처분에 대하여 취소 또는 무효확인을 구할 법률상의 이익은 없다고 보아야 한다(대판 2013.1.31. 2011두11112).

답 ③

Ⅴ 당사자 4 - 공동소송 및 소송참가

107 □□□

행정소송의 소송요건 등에 대한 설명으로 옳지 않은 것은? (다툼이 있는 경우 판례에 의함)

① 고시 또는 공고에 의하여 행정처분을 하는 경우 그 행정처분에 이해관계를 갖는 사람이 고시 또는 공고가 있었다는 사실을 현실적으로 알았는지 여부에 관계없이 고시 또는 공고가 효력을 발생한 날에 행정처분이 있음을 알았다고 보아야 한다.

② 「행정소송법」상 제3자 소송참가의 경우 참가인이 상소를 하였더라도, 소송당사자 본인인 피참가인은 참가인의 의사에 반하여 상소취하나 상소포기를 할 수 있다.

③ 무효인 과세처분에 근거하여 세금을 납부한 경우 부당이득반환청구의 소로써 직접 위법상태의 제거를 구할 수 있는지 여부와 관계없이 「행정소송법」 제35조에 규정된 '무효확인을 구할 법률상 이익'을 가진다.

④ 공법상 당사자소송으로서 납세의무부존재확인의 소는 과세처분을 한 과세관청이 아니라 「행정소송법」 제3조 제2호, 제39조에 의하여 그 법률관계의 한쪽 당사자인 국가·공공단체, 그 밖의 권리주체가 피고적격을 가진다.

문제 DATA
출제가능 지수 ▶▶▷
난이도 지수 ★★☆

2020년 서울시 · 지방직 · 교육행정직 9급

① (○) 일반처분은 효력발생일로부터 90일 내 제소를 요한다.

> 통상 고시 또는 공고에 의하여 행정처분을 하는 경우에는 그 처분의 상대방이 불특정 다수인이고, 그 처분의 효력이 불특정 다수인에게 일률적으로 적용되는 것이므로, 그에 대한 행정심판 청구기간도 그 행정처분에 이해관계를 갖는 자가 고시 또는 공고가 있었다는 사실을 현실적으로 알았는지 여부에 관계없이 고시가 효력을 발생하는 날인 고시 또는 공고가 있은 후 5일이 경과한 날에 행정처분이 있음을 알았다고 보아야 한다(대판 2000.9.8. 99두11257).

② (×) 「행정소송법」 제16조의 제3자 소송참가의 법적성질은 공동소송적 보조참가로서 참가인이나 피참가인의 소송행위는 모두의 이익을 위하여서만 효력을 가진다. 참가인의 상소에 대하여 피참가인이 상소취하 · 포기를 할 수 없다.

> 행정소송 사건에서 참가인이 한 보조참가가 행정소송법 제16조가 규정한 제3자의 소송참가에 해당하지 않는 경우에도, 판결의 효력이 참가인에게까지 미치는 점 등 행정소송의 성질에 비추어 보면 그 참가는 민사소송법 제78조에 규정된 공동소송적 보조참가라고 볼 수 있다. 민사소송법 제78조의 공동소송적 보조참가에는 필수적 공동소송에 관한 민사소송법 제67조 제1항, 즉 "소송목적이 공동소송인 모두에게 합일적으로 확정되어야 할 공동소송의 경우에 공동소송인 가운데 한 사람의 소송행위는 모두의 이익을 위하여서만 효력을 가진다."라고 한 규정이 준용되므로, 피참가인의 소송행위는 모두의 이익을 위하여서만 효력을 가지고, 공동소송적 보조참가인에게 불이익이 되는 것은 효력이 없으므로, 참가인이 상소를 할 경우에 피참가인이 상소취하나 상소포기를 할 수는 없다(대판 2017.10.12. 2015두36836).

③ (○) 무효확인소송에서는 보충성이 요구되지 않는다.

> 행정소송법 제4조에서는 무효확인소송을 항고소송의 일종으로 규정하고 있고, 행정소송법 제38조 제1항에서는 처분 등을 취소하는 확정판결의 기속력 및 행정청의 재처분 의무에 관한 행정소송법 제30조를 무효확인소송에도 준용하고 있으므로 무효확인판결 자체만으로도 실효성을 확보할 수 있다. 그리고 무효확인소송의 보충성을 규정하고 있는 외국의 일부 입법례와는 달리 우리나라 행정소송법에는 명문의 규정이 없어 이로 인한 명시적 제한이 존재하지 않는다. 행정처분의 근거 법률에 의하여 보호되는 직접적이고 구체적인 이익이 있는 경우에는 행정소송법 제35조에 규정된 '무효확인을 구할 법률상 이익'이 있다고 보아야 하고, 이와 별도로 무효확인소송의 보충성이 요구되는 것은 아니므로 행정처분의 무효를 전제로 한 이행소송 등과 같은 직접적인 구제수단이 있는지 여부를 따질 필요가 없다고 해석함이 상당하다. 따라서 부당이득반환청구의 소로써 직접 위와 같은 위법상태의 제거를 구할 수 있는지 여부에 관계없이 이 사건 처분의 근거 법률에 의하여 보호되는 직접적이고 구체적인 이익을 가지고 있어 행정소송법 제35조에 규정된 '무효확인을 구할 법률상 이익'을 가지는 자에 해당한다(대판 2008.3.20. 2007두6342 전합).

④ (○) 납세의무부존재확인의 소는 당사자소송으로 국가 등 권리주체가 피고적격을 가진다.

> 납세의무부존재확인의 소는 공법상의 법률관계 그 자체를 다투는 소송으로서 당사자소송이라 할 것이므로 행정소송법 제3조 제2호, 제39조에 의하여 그 법률관계의 한쪽 당사자인 국가 · 공공단체 그 밖의 권리주체가 피고적격을 가진다(대판 2000.9.8. 99두2765).

답 ②

함께 정리하기

행정소송의 소송요건

일반처분
▷ 효력발생일에 처분이 있음을 알았다고 간주하여 그때로부터 90일 내 제소 要

제3자의 소송참가
▷ 참가인이 상소제기 시 피참가인은 그 의사에 반하여 상소취하 · 상소포기 不可

무효확인소송의 소의 이익
▷ 직접적 구제수단 유무 불문(보충성 불요설)
▷ 법률상 이익으로 족함

납세의무부존재확인의 소
▷ 당사자소송
▷ 피고: 국가 · 공공단체 · 그 밖의 권리주체

108

「행정소송법」상 행정청의 소송참가에 대한 설명으로 옳지 않은 것은?

① 법원은 다른 행정청을 취소소송에 참가시킬 필요가 있다고 인정할 때에는 당사자 또는 당해 행정청의 신청 또는 직권에 의하여 결정으로써 그 행정청을 소송에 참가시킬 수 있다.
② 행정청의 소송참가는 당사자소송에서도 허용된다.
③ 소송참가할 수 있는 행정청이 자기에게 책임없는 사유로 소송에 참가하지 못함으로써 판결의 결과에 영향을 미칠 공격방어방법을 제출하지 못한 때에는 이를 이유로 확정된 종국판결에 대하여 재심을 청구할 수 있다.
④ 행정청의 소송참가는 처분의 효력 유무가 민사소송의 선결문제가 되어 당해 민사소송의 수소법원이 이를 심리·판단하는 경우에도 허용된다.

| 2018년 국가직 7급

① (○)

> 「행정소송법」 제17조【행정청의 소송참가】 ① 법원은 다른 행정청을 소송에 참가시킬 필요가 있다고 인정할 때에는 당사자 또는 당해 행정청의 신청 또는 직권에 의하여 결정으로써 그 행정청을 소송에 참가시킬 수 있다.

② (○)

> 「행정소송법」 제44조【준용규정】 ① 제14조 내지 제17조, 제22조, 제25조, 제26조, 제30조 제1항, 제32조 및 제33조의 규정은 당사자소송의 경우에 준용한다.

③ (✕) 제3자와 달리 행정청의 재심청구에 관한 규정은 존재하지 않는다.

> 「행정소송법」 제31조【제3자에 의한 재심청구】 ① 처분등을 취소하는 판결에 의하여 권리 또는 이익의 침해를 받은 제3자는 자기에게 책임없는 사유로 소송에 참가하지 못함으로써 판결의 결과에 영향을 미칠 공격 또는 방어방법을 제출하지 못한 때에는 이를 이유로 확정된 종국판결에 대하여 재심의 청구를 할 수 있다.

④ (○)

> 「행정소송법」 제11조【선결문제】 ① 처분등의 효력 유무 또는 존재 여부가 민사소송의 선결문제로 되어 당해 민사소송의 수소법원이 이를 심리·판단하는 경우에는 제17조, 제25조, 제26조 및 제33조의 규정을 준용한다.

답 ③

ALL KILL 기출
제2절 소송요건 〉 Ⅴ 당사자 4 - 공동소송 및 소송참가

01 자연물인 도롱뇽 또는 그를 포함한 자연 그 자체로서는 소송을 수행할 당사자능력을 인정할 수 없다.   15. 국가직 9급 ( )

02 판례는「행정소송법」제12조의 법률상 이익은 직접적이고 구체적·개인적 이익을 말하고 간접적이거나 사실적·경제적 이해관계를 가지는 데 불과한 경우 및 공익은 포함되지 않는다고 보고 있다.   13. 국회직 9급 ( )

03 법에 의해 보호되는 개별적 이익이 아닌 공익의 침해만으로는 원고적격이 인정될 수 없다.   13. 세무사 ( )

04 대법원은 대한의사협회는 「국민건강보험법」상 요양급여행위, 요양급여비용의 청구 및 지급과 관련하여 직접적인 법률관계를 갖지 않고 있으므로 보건복지부 고시인 '건강보험요양급여행위 및 그 상대가치점수' 개정으로 인하여 자신의 법률상 이익을 침해당하였다고 할 수 없다는 이유로 위 고시의 취소를 구할 원고적격이 없다고 보고 있다.   13. 국회직 8급 ( )

05 법인의 주주는 원칙적으로 법인에 대한 처분의 취소를 구할 원고적격이 있다.   13. 세무사 ( )

06 운수회사에 대한 과징금부과처분에 대한 취소소송에서 그 부과처분이 자신의 잘못으로 인한 것으로 사후 사실상 변상하여 줄 관계에 있는 운전기사는 원고적격이 있다.   12. 국회직 8급 ( )

07 협의의 소익은 상고심 계속 중에도 존속해야 한다.   14. 서울시 7급 ( )

08 건축공사 완료 후에는 건물준공처분의 취소를 구할 협의의 소익이 없다.   14. 서울시 7급 ( )

09 처분등의 효과가 소멸된 뒤에도 그 처분등의 취소로 인하여 회복되는 법률상의 이익이 있는 자는 소를 제기할 수 있다.   10. 지방직 9급 ( )

10 영업정지기간이 경과된 후에 제기된 영업정지처분의 취소소송이 인정되지 않는 이유는 권리보호의 필요의 결여 때문이다.   08. 세무사 ( )

11 조세심판원의 심판결정에 대해서 심판청구인은 행정소송을 제기할 수 없다.   10. 세무사 ( )

12 피고경정의 결정이 있는 때에는 새로운 피고에 대한 소송은 처음에 소를 제기한 때에 제기된 것으로 본다.   08. 지방직 7급 ( )

13 피고경정의 신청을 각하한 결정에 대하여는 불복할 수 없다.   08. 지방직 7급 ( )

14 헌법재판소장이 행한 처분의 경우 재판관이 피고가 된다.   08. 관세사 ( )

15 검사의 임용에 있어서 임용권자는 적어도 재량권의 일탈이나 남용이 없는 위법하지 않은 응답을 할 의무가 있고, 이에 대응하여 임용신청자는 적법한 응답을 요구할 수 있는 응답신청권을 가지며 나아가 이를 바탕으로 재량권 남용의 임용거부처분에 대하여 항고소송으로 그 취소를 구할 수 있다.   08. 국가직 7급 ( )

정답 및 해설

01 ○ 자연물인 도롱뇽 또는 그를 포함한 자연 그 자체로서는 소송을 수행할 당사자능력을 인정할 수 없음(대결 2006.6.2. 2004마1148)

02 ○ 법률상 이익은 당해 처분의 근거법률에 의하여 보호되는 직접적이고 구체적 이익이 있는 경우를 말하고, 간접적이거나 사실적, 경제적 이해는 포함되지 않음(대판 1993.4.23. 92누17099)

03 ○ 법률상 이익이 있는 자만이 원고적격이 인정되며, 법률상 이익과 관계없이 위법행위의 시정을 위해 제기하는 소위 민중소송은 특별규정 외에는 허용되지 않음

04 ○ 사단법인 대한의사협회는 요양급여비용의 청구 및 지급과 관련하여 직접적인 법률관계를 갖지 않고 있으므로 보건복지부 고시를 다툴 원고적격이 없음(대판 2006.5.25. 2003두11988)

05 × 일반적으로 법인의 주주는 당해 법인에 대한 행정처분에 관하여 사실상이나 간접적인 이해관계를 가질 뿐이어서 스스로 그 처분의 취소를 구할 원고적격이 없는 것이 원칙임(대판 2005.1.27. 2002두5313)

06 × 과징금부과처분의 직접 당사자 아닌 당해 운전기사로서는 그 처분의 취소를 구할 직접적이고 구체적인 이익이 있다고 볼 수 없음(대판 1994.4.12. 93누24247)

07 ○ 협의의 소익 역시 소송요건으로서 법원의 직권조사사항에 해당하고, 상고심 계속 중 적법하게 존속해야 함

08 ○ 취소소송의 인용판결을 받아 처분이 취소되더라도 건축공사 완료와 같이 원상회복이 불가능한 경우에는 원칙적으로 처분의 취소를 구할 소의 이익은 부정됨

09 ○ 처분등의 효과가 소멸된 뒤에도 그 처분등의 취소로 인하여 회복되는 법률상 이익이 있는 자의 경우에는 소제기 가능(「행정소송법」 제12조 제2문)

10 ○ 처분에 효력기간이 정해져 있는 경우 그 기간이 경과된 행정처분은 효력을 상실해 소의 이익이 부정되는게 원칙이나 가중적 제재규정과 같은 경우 예외가 인정됨

11 × 조세심판원의 심판결정은 재결에 해당하며 심판청구인은 재결서 송달받은 날로부터 90일 이내에 행정법원에 행정소송을 제기할 수 있음

12 ○ 원고의 피고경정신청에 대한 법원의 허가결정이 있는 경우 새로운 피고에 대한 소송은 처음에 소를 제기한 때에 제기된 것으로 봄(「행정소송법」 제14조 제4항)

13 × 원고의 피고경정신청을 각하한 법원의 결정에 대하여는 즉시항고할 수 있음(「행정소송법」 제14조 제3항)

14 × 헌법재판소장이 한 처분에 대한 행정소송의 피고는 헌법재판소 사무처장으로 함(「헌법재판소법」 제17조 제5항)

15 ○ 적어도 재량권의 한계 일탈이나 남용이 없는 위법하지 않은 응답을 할 의무가 임용권자에게 있고 이에 대응하여 임용신청자로서도 재량권의 한계 일탈이나 남용이 없는 적법한 응답을 요구할 권리가 있음

VI 제소기간

109 □□□

甲이 행정청으로부터 202×년 5월 13일에 처분을 받았고 그 처분이 있음을 안 날이 같은해 5월 16일인 경우, 甲이 그 처분에 대해 적법하게 취소소송을 제기할 수 있는 마지막 날은 202×년 8월 [ ]일이다. [ ]속에 들어갈 숫자는? (아래 달력에서 □로 표시된 날짜는 일요일 이외의 공휴일임)

```
         5월                        6월
 일 월 화 수 목 금 토        일 월 화 수 목 금 토
           1  2  3         1  2  3  4  5 [6] 7
  4 [5] 6  7  8  9 10       8  9 10 11 12 13 14
 11 12 13 14 15 16 17      15 16 17 18 19 20 21
 18 19 20 21 22 23 24      22 23 24 25 26 27 28
 25 26 27 28 29 30 31      29 30

         7월                        8월
 일 월 화 수 목 금 토        일 월 화 수 목 금 토
        1  2  3  4  5                        1  2
  6  7  8  9 10 11 12       3  4  5  6  7  8  9
 13 14 15 16 17 18 19      10 11 12 13 14 [15] 16
 20 21 22 23 24 25 26      17 18 19 20 21 22 23
 27 28 29 30 31            24 25 26 27 28 29 30
                           31
```

① 13
② 14
③ 16
④ 18

2025년 경찰간부

취소소송은 행정처분이 있음을 안 날로부터 90일 이내에 취소소송을 제기할 수 있다.

한편, 행정소송법 제8조 제2항에 따라 행정소송에 관하여 특별한 규정이 없는 사항에 대하여는 민사소송법의 규정이 준용되고 민사소송법 제170조는 기간의 계산은 민법에 따른다고 규정하고 있다. 또한 민법 제157조 본문에 따르면, "기간을 일, 주, 월 또는 연으로 정한 때에는 기간의 초일은 산입하지 아니한다."고 규정(초일불산입)하고 있고 민법 제161조에 따르면, "기간의 말일이 토요일 또는 공휴일에 해당한 때에는 기간은 그 익일로 만료한다."고 규정하고 있다.

사안에서 처분이 있음을 안 날은 202×년 5월 16일이고 민법 제157조에 따라(초일불산입) 기간의 초일인 5월 16일은 산입하지 않는다. 따라서 제소기간은 5월 17일 0시(5월 16일 24시)부터 계산한다.

5월 17일부터 90일을 계산하면, 5월 17일부터 5월 31일(24시)까지: 15일, 6월 1일부터 6월 30일(24시) 까지: 30일, 7월 1일부터 7월 31일(24시)까지: 31일, 8월 1일부터 8월 14일(24시)까지: 14일, 합계: 15 + 30 + 31 + 14 = 90일

따라서 90일째 되는 날은 8월 14일 24시(8월 15일 0시)이다.

8월 15일이 공휴일이라고 명시되어 있으나 8월 14일이 제소기간의 말일이 되는데, 이날은 공휴일이 아니므로 甲이 처분에 대해 적법하게 취소소송을 제기할 수 있는 마지막 날은 202×년 8월 14일이다.

답 ②

문제 DATA

출제가능 지수 ▶▶▷
난이도 지수 ★★☆

함께 정리하기

취소소송 제소기간 계산 방법

제소기간
▷ 처분이 있음을 안 날로부터 90일 內

기간계산시 적용법률
▷ 행정소송법 제8조 제2항, 민사소송법 제170조, 민법 제157조(초일불산입)

문제 DATA

출제가능 지수 ▶▶▷
난이도 지수 ★★☆

110 □□□

항고소송의 제소기간에 대한 설명으로 옳은 것은? (다툼이 있는 경우 판례에 의함)

① 항고소송으로 제기해야 할 사건을 민사소송으로 잘못 제기하였다가 이송결정에 따라 관할법원으로 이송된 뒤 항고소송으로 소 변경을 하였다면, 그 항고소송에 대한 제소기간의 준수 여부는 소 변경시를 기준으로 판단하여야 한다.

② 무효인 처분에 대해 무효선언을 구하는 의미의 취소소송을 제기하는 경우에는 제소기간의 제한이 없다.

③ 부작위위법확인소송을 제기하는 경우에는 행정심판을 거친 경우에도 제소기간의 제한이 없다.

④ 처분청이 처분을 하면서 행정심판 제기기간에 관하여 법정 심판청구기간보다 긴 기간으로 잘못 알렸다면 그 잘못 알린 기간 내에 제기된 항고소송은「행정소송법」상 법정 제소기간을 도과하였더라도 제소기간을 준수한 것으로 본다.

⑤ 불특정 다수인에 대해 고시에 의하여 행정처분을 하는 경우에는 그 행정처분의 이해관계인이 고시가 있었다는 사실을 현실적으로 알았는지 여부에 관계없이 고시가 효력을 발생하는 날에 행정처분이 있음을 알았다고 보아 제소기간을 기산한다.

2025년 소방간부

① (×) 행정소송법 제8조 제2항은 "행정소송에 관하여 이 법에 특별한 규정이 없는 사항에 대하여는 법원조직법과 민사소송법 및 민사집행법의 규정을 준용한다."라고 규정하고 있고, 민사소송법 제40조 제1항은 "이송결정이 확정된 때에는 소송은 처음부터 이송받은 법원에 계속된 것으로 본다."라고 규정하고 있다. 한편 행정소송법 제21조 제1항, 제4항, 제37조, 제42조, 제14조 제4항은 행정소송 사이의 소 변경이 있는 경우 처음 소를 제기한 때에 변경된 청구에 관한 소송이 제기된 것으로 보도록 규정하고 있다. 이러한 규정 내용 및 취지 등에 비추어 보면, <u>원고가 행정소송법상 항고소송으로 제기해야 할 사건을 민사소송으로 잘못 제기한 경우에 수소법원이 그 항고소송에 대한 관할을 가지고 있지 아니하여 관할법원에 이송하는 결정을 하였고, 그 이송결정이 확정된 후 원고가 항고소송으로 소 변경을 하였다면, 그 항고소송에 대한 제소기간의 준수 여부는 원칙적으로 처음에 소를 제기한 때를 기준으로 판단하여야 한다</u>(대판 2022.11.17. 2021두44425).

② (×) 행정처분의 당연무효를 선언하는 의미에서 취소를 구하는 행정소송을 제기한 경우에도 제소기간의 준수 등 취소소송의 제소요건을 갖추어야 한다(대판 1993.3.12. 92누11039).

③ (×) 부작위위법확인의 소는 부작위상태가 계속되는 한 그 위법의 확인을 구할 이익이 있다고 보아야 하므로 원칙적으로 제소기간의 제한을 받지 않는다. 그러나 행정소송법 제38조 제2항이 제소기간을 규정한 같은 법 제20조를 부작위위법확인소송에 준용하고 있는 점에 비추어 보면, <u>행정심판 등 전심절차를 거친 경우에는 행정소송법 제20조가 정한 제소기간 내에 부작위위법확인의 소를 제기하여야 한다</u>(대판 2009.7.23. 2008두10560).

④ (×) <u>행정청이 법정 심판청구기간보다 긴 기간으로 잘못 알린 경우에 그 잘못 알린 기간 내에 심판청구가 있으면 그 심판청구는 법정 심판청구기간 내에 제기된 것으로 본다는 취지의 행정심판법 제18조 제5항의 규정은 행정심판 제기에 관하여 적용되는 규정이지, 행정소송 제기에도 당연히 적용되는 규정이라고 할 수는 없다.</u> 행정심판과 행정소송은 그 성질, 불복사유, 제기기간, 판단기관 등에서 본질적인 차이점이 있고, 임의적 전치주의는 당사자가 행정심판과 행정소송의 유·불리를 스스로 판단하여 행정심판을 거칠지 여부를 선택할 수 있도록 한 취지에 불과하므로 어느 쟁송 형태를 취한 이상 그 쟁송에는 그에 관련된 법률 규정만이 적용될 것이지 두 쟁송 형태에 관련된 규정을 통틀어 당사자에게 유리한 규정만이 적용된다고 할 수는 없으며, 행정처분시나 그 이후 행정청으로부터 행정심판 제기기간에 관하여 법정 심판청구기간보다 긴 기간으로 잘못 통지받은 경우에 보호할 신뢰 이익은 그 통지받은 기간 내에 행정심판을 제기한 경우에 한하는 것이지 행정소송을 제기한 경우에까지 확대된다고 할 수 없으므로, 당사자가 행정처분시나 그 이후 행정청으로부터 행정심판 제기기간에 관하여 법정 심판청구기간보다 긴 기간으로 잘못 통지받아 행정소송법상 법정 제소기간을 도과하였다고 하더라도, 그것이 당사자가 책임질 수 없는 사유로 인한 것이라고 할 수는 없다(대판 2001.5.8. 2000두6916).

함께 정리하기

항고소송의 제소기간

항고소송을 민사소송으로 잘못 제기하여 이송 후 소변경
▷ 처음 소제기 시 제소기간 준수 要

무효선언을 구하는 취소소송
▷ 제소기간 준수 要

부작위위법확인소송
▷ 행정심판을 거친 경우 제소기간 적용O

청구기간 오고지의 효과
▷ 행정소송에 적용×

고시에 의한 행정처분
▷ 효력발생일부터 90일

⑤ (○) 통상 고시 또는 공고에 의하여 행정처분을 하는 경우에는 그 처분의 상대방이 불특정 다수인이고, 그 처분의 효력이 불특정 다수인에게 일률적으로 적용되는 것이므로, 그 행정처분에 이해관계를 갖는 자는 고시 또는 공고가 있었다는 사실을 현실적으로 알았는지 여부에 관계없이 고시가 효력을 발생하는 날에 행정처분이 있음을 알았다고 보아야 하고, 따라서 그에 대한 취소소송은 그 날로부터 90일 이내에 제기하여야 한다(대판 2006.4.14. 2004두3847).

답 ⑤

111 □□□

행정소송에 대한 설명으로 옳지 않은 것은? (다툼이 있는 경우 판례에 의함)

① 수익적 행정처분을 구하는 신청에 대한 거부처분이 있은 후 당사자가 다시 신청을 한 경우에는 신청의 제목 여하에 불구하고 그 내용이 새로운 신청을 하는 취지라면 관할 행정청이 이를 다시 거절하는 것은 새로운 거부처분이라고 보아야 한다.
② 행정청의 행위가 처분에 해당하는지가 불분명한 경우에는 그에 대한 불복방법 선택에 중대한 이해관계를 가지는 상대방의 인식가능성과 예측가능성을 중요하게 고려하여 규범적으로 판단하여야 한다.
③ 항고소송에서 해당 처분의 적법성에 대한 증명책임은 원칙적으로 처분의 적법을 주장하는 처분청에 있다.
④ 원고가 항고소송으로 제기해야 할 사건을 민사소송으로 잘못 제기한 경우, 수소법원이 관할 법원에 이송하는 결정을 하였고 그 이송 결정이 확정된 후 원고가 항고소송으로 소 변경을 하였다면, 그 항고소송에 대한 제소기간의 준수 여부는 원칙적으로 이송 결정이 있은 때를 기준으로 판단하여야 한다.

2024년 경찰간부

① (○) 수익적 행정행위 신청에 대한 거부처분이 있은 후 당사자가 다시 신청을 한 경우에는 신청의 제목 여하에 불구하고 그 내용이 새로운 신청을 하는 취지라면 관할 행정청이 이를 다시 거절하는 것은 새로운 거부처분으로 봄이 원칙이다(대판 2019.4.3. 2017두52764).
② (○) 행정청의 행위가 '처분'에 해당하는지가 불분명한 경우에는 그에 대한 불복방법 선택에 중대한 이해관계를 가지는 상대방의 인식가능성과 예측가능성을 중요하게 고려하여 규범적으로 판단하여야 한다(대판 2020.4.9. 2019두61137).
③ (○) 민사소송법이 준용되는 행정소송에서 증명책임은 원칙적으로 민사소송의 일반원칙에 따라 당사자 간에 분배되고, 항고소송은 그 특성에 따라 해당 처분의 적법성을 주장하는 피고에게 적법사유에 대한 증명책임이 있으나, 예외적으로 행정처분의 당연무효를 주장하여 무효 확인을 구하는 행정소송에서는 원고에게 행정처분이 무효인 사유를 주장·증명할 책임이 있고, 이는 무효 확인을 구하는 뜻에서 행정처분의 취소를 구하는 소송에 있어서도 마찬가지이다(대판 2023.6.29. 2020두46073).
④ (×) 행정소송법 제8조 제2항은 "행정소송에 관하여 이 법에 특별한 규정이 없는 사항에 대하여는 법원조직법과 민사소송법 및 민사집행법의 규정을 준용한다."라고 규정하고 있고, 민사소송법 제40조 제1항은 "이송결정이 확정된 때에는 소송은 처음부터 이송받은 법원에 계속된 것으로 본다."라고 규정하고 있다. 한편 행정소송법 제21조 제1항, 제4항, 제37조, 제42조, 제14조 제4항은 행정소송 사이의 소 변경이 있는 경우 처음 소를 제기한 때에 변경된 청구에 관한 소송이 제기된 것으로 보도록 규정하고 있다. 이러한 규정 내용 및 취지 등에 비추어 보면, 원고가 행정소송법상 항고소송으로 제기해야 할 사건을 민사소송으로 잘못 제기한 경우에 수소법원이 그 항고소송에 대한 관할을 가지고 있지 아니하여 관할법원에 이송하는 결정을 하였고, 그 이송결정이 확정된 후 원고가 항고소송으로 소 변경을 하였다면, 그 항고소송에 대한 제소기간의 준수 여부는 원칙적으로 처음에 소를 제기한 때를 기준으로 판단하여야 한다(대판 2022.11.17. 2021두44425).

답 ④

문제 DATA

출제가능 지수 ▶▶▷
난이도 지수 ★★☆

함께 정리하기

행정소송

2차 거부
▷ 새로운 행정처분 ○

처분인지가 불분명한 경우
▷ 상대방의 인식가능성과 예측가능성을 중요하게 고려

처분 적법성 주장·입증책임
▷ 처분청

항고소송을 민사소송으로 잘못 제기하여 이송 후 소 변경
▷ 처음 소 제기 시 제소기간 준수 要

112

취소소송의 제소기간에 대한 설명으로 옳은 것(○)과 옳지 않은 것(×)을 바르게 연결한 것은? (다툼이 있는 경우 판례에 의함)

> ㄱ. 행정청이 행정심판청구를 할 수 있다고 잘못 알려 행정심판을 청구한 경우에는 재결서 정본을 송달받은 날이 아닌 처분이 있음을 안 날로부터 제소기간이 기산된다.
> ㄴ. 행정심판을 청구하였으나 심판청구기간을 도과하여 각하된 후 제기하는 취소소송은 재결서를 송달받은 날부터 90일 이내에 제기하면 된다.
> ㄷ. '처분이 있음을 안 날'은 처분이 있었다는 사실을 현실적으로 안 날을 의미하므로, 처분서를 송달받기 전 정보공개청구를 통하여 처분을 하는 내용의 일체의 서류를 교부받았다면 그 서류를 교부받은 날부터 제소기간이 기산된다.
> ㄹ. 동일한 처분에 대하여 무효확인의 소가 적법한 제소기간 내에 제기되었다면 추가로 병합된 취소청구의 소도 적법하게 제기된 것으로 볼 수 있다.

	ㄱ	ㄴ	ㄷ	ㄹ
①	×	×	○	×
②	○	○	×	○
③	○	×	○	×
④	×	×	×	○

2021년 국가직 9급

ㄱ. (×) 행정청이 행정심판청구를 할 수 있다고 잘못 알려 행정심판청구를 한 경우 취소소송의 제소기간은 행정심판재결서의 정본을 송달받은 날부터 기산하여야 한다(대판 2006.9.8. 2004두947).

ㄴ. (×) 행정처분이 있음을 알고 처분에 대하여 곧바로 취소소송을 제기하는 방법을 선택한 때에는 처분이 있음을 안 날부터 90일 이내에 취소소송을 제기하여야 하고, 행정심판을 청구하는 방법을 선택한 때에는 처분이 있음을 안 날부터 90일 이내에 행정심판을 청구하고 행정심판의 재결서를 송달받은 날부터 90일 이내에 취소소송을 제기하여야 한다. 따라서 처분이 있음을 안 날부터 90일 이내에 행정심판을 청구하지도 않고 취소소송을 제기하지도 않은 경우에는 그 후 제기된 취소소송은 제소기간을 경과한 것으로서 부적법하고, 처분이 있음을 안 날부터 90일을 넘겨 청구한 부적법한 행정심판청구에 대한 재결이 있은 후 재결서를 송달받은 날부터 90일 이내에 원래의 처분에 대하여 취소소송을 제기하였다고 하여 취소소송이 다시 제소기간을 준수한 것으로 되는 것은 아니다(대판 2011.11.24. 2011두18786).

ㄷ. (×)

[1] 행정소송법 제20조 제1항이 정한 제소기간의 기산점인 '처분 등이 있음을 안 날'이란 통지, 공고 기타의 방법에 의하여 당해 처분 등이 있었다는 사실을 현실적으로 안 날을 의미한다. 상대방이 있는 행정처분의 경우에는 특별한 규정이 없는 한 의사표시의 일반적 법리에 따라 행정처분이 상대방에게 고지되어야 효력을 발생하게 되므로, 행정처분이 상대방에게 고지되어 상대방이 이러한 사실을 인식함으로써 행정처분이 있다는 사실을 현실적으로 알았을 때 행정소송법 제20조 제1항이 정한 제소기간이 진행한다고 보아야 한다.

[2] 지방보훈청장이 허혈성심장질환이 있는 甲에게 재심 서면판정 신체검사를 실시한 다음 종전과 동일하게 전(공)상군경 7급 국가유공자로 판정하는 '고엽제후유증전환 재심신체검사 무변동처분' 통보서를 송달하자 甲이 위 처분의 취소를 구한 사안에서, 위 처분이 甲에게 고지되어 처분이 있다는 사실을 현실적으로 알았을 때 행정소송법 제20조 제1항에서 정한 제소기간이 진행한다고 보아야 함에도, 甲이 통보서를 송달받기 전에 자신의 의무기록에 관한 정보공개를 청구하여 위 처분을 하는 내용의 통보서를 비롯한 일체의 서류를 교부받은 날부터 제소기간을 기산하여 위 소는 90일이 지난 후 제기한 것으로서 부적법하다고 본 원심판결에 법리를 오해한 위법이 있다고 한 사례(대판 2014.9.25. 2014두8254)

함께 정리하기

취소소송의 제소기간

행정심판청구 가능하다고 오고지
▷ 재결서본 송달일부터 기산

부적법한 행정심판
▷ 재결기준 제소기간 기산×(제소기간특례 적용×)

처분서 송달 전 정보공개청구 통해 처분 내용의 서류 수령
▷ 서류 수령시부터 기산×

동일처분에 대하여 무효확인의 소가 적법한 제소기간 내에 제기
▷ 추가 병합된 취소소송도 적법

ㄹ. (O) 하자 있는 행정처분을 놓고 이를 무효로 볼 것인지 아니면 단순히 취소할 수 있는 처분으로 볼 것인지는 동일한 사실관계를 토대로 한 법률적 평가의 문제에 불과하고, 행정처분의 무효확인을 구하는 소에는 특단의 사정이 없는 한 그 취소를 구하는 취지도 포함되어 있다고 보아야 하는 점 등에 비추어 볼 때, 동일한 행정처분에 대하여 무효확인의 소를 제기하였다가 그 후 그 처분의 취소를 구하는 소를 추가적으로 병합한 경우, 주된 청구인 무효확인의 소가 적법한 제소기간 내에 제기되었다면 추가로 병합된 취소청구의 소도 적법하게 제기된 것으로 봄이 상당하다 할 것이다(대판 2005.12.23. 2005두3554).

답 ④

113 □□□

다음 사례에 대한 설명으로 옳은 것은? (다툼이 있는 경우 판례에 의함)

> 관할 행정청은 2019.4.17. 「청소년보호법」의 규정에 따라 A주식회사가 운영하는 인터넷 사이트를 청소년유해매체물로 결정하는 내용, 일반 불특정 다수인을 상대방으로 하여 일률적으로 표시의무, 포장의무, 청소년에 대한 판매·대여 등의 금지의무 등 각종 의무를 발생시키는 내용, 그 결정·고시의 효력발생일을 2019.4.24.로 정하는 내용 등을 포함한 청소년유해매체물 결정·고시를 하였다.

① 위 결정·고시는 항고소송의 대상이 되는 행정처분에 해당하지 않는다.
② 관할 행정청이 위 결정·고시를 함에 있어서 A주식회사에게 이를 통지하지 않았다고 하여 결정·고시의 효력 자체가 발생하지 않는 것은 아니다.
③ A주식회사가 위 결정을 통지받지 못하였다는 것은 취소소송의 제소기간을 준수하지 못한 것에 대한 정당한 사유가 될 수 있다.
④ 위 결정·고시에 대한 취소소송의 제소기간을 계산함에 있어서는, A주식회사가 위 결정·고시가 있었다는 사실을 현실적으로 알았는지 여부에 관계없이 고시일인 2019.4.17에 위 결정·고시가 있음을 알았다고 보아야 한다.

문제 DATA

출제가능 지수 ▶▶⊃
난이도 지수 ★★☆

함께 정리하기

일반처분(청소년유해매체물 결정·고시)

행정처분 ○

통지 不要, 효력발생시기로 명시한 시점에 효력 발생

통지받지 못했다는 것
▷ 제소기간 불준수의 정당한 사유 ✕

효력발생일에 처분이 있음을 알았다고 간주하여 그때로부터 90일 내 제소 要

2021년 국가직 7급

① (✕) 구 청소년 보호법에 따른 청소년보호위원회의 청소년유해매체물의 결정·고시는 당해 유해매체물의 소유자 등 특정인만을 대상으로 한 행정처분이 아니라 일반 불특정 다수인을 상대방으로 하여 일률적으로 표시의무, 포장의무, 청소년에 대한 판매·대여 금지의무 등 각종 의무를 발생시키는 행정처분이다(대판 2007.6.14. 2004두619).
② (O) 청소년유해매체물 결정·고시는 일반 불특정 다수인을 상대방으로 하는 행정처분으로서, 청소년보호위원회가 효력발생 시기로 명시한 시점에 효력이 발생한다(대판 2007.6.14. 2004두619).
③ (✕) 불특정 다수인에 대한 처분으로서 관보·신문에의 고시 또는 게시판에의 공고의 방법으로 외부에 그 의사를 표시함으로써 그 효력이 발생하는 처분에 대하여는, 공고 등이 있음을 현실로 알았는지 여부를 불문하고, 고시가 효력을 발생하는 날(근거법규나 고시·공고에서 정한 처분의 효력발생일 또는 효력발생일을 정하지 아니한 경우에는 공고 후 5일이 경과한 날)에 처분이 있음을 알았다고 보고, 그때부터 제소기간을 기산한다(대판 1995.8.22. 94누5694 전합). 이와 같이 처분이 법령에 의해 공시된 경우에는 본인이 비록 알지 못했더라도 제소기간은 진행된다. 통지받지 못하였다는 것은 취소소송의 제소기간을 준수하지 못한 것에 대한 정당한 사유가 될 수 없다.

④ (×) 고시일인 2019.4.17.가 아니라, 효력발생일인 2019.4.24.에 알았다고 보아야 한다.

> 통상 고시 또는 공고에 의하여 행정처분을 하는 경우에는 그 처분의 상대방이 불특정 다수인이고 그 처분의 효력이 불특정 다수인에게 일률적으로 적용되는 것이므로, 그 행정처분에 이해관계를 갖는 자가 고시 또는 공고가 있었다는 사실을 현실적으로 알았는지 여부에 관계없이 고시가 효력을 발생하는 날 행정처분이 있음을 알았다고 보아야 한다(대판 2007.6.14. 2004두619).

답 ②

문제 DATA

출제가능 지수 ▶▶▷
난이도 지수 ★★☆

114

다음은 「행정소송법」상 제소기간에 대한 설명이다. ㄱ ~ ㅁ에 들어갈 내용은?

> 취소소송은 처분등이 (ㄱ)부터 (ㄴ) 이내에 제기하여야 한다. 다만, 행정심판청구를 할 수 있는 경우 또는 행정청이 행정심판청구를 할 수 있다고 잘못 알린 경우에 행정심판청구가 있은 때의 기간은 (ㄷ)을 (ㄹ)부터 기산한다. 한편 취소소송은 처분등이 있은 날부터 (ㅁ)을 경과하면 이를 제기하지 못한다. 다만, 정당한 사유가 있는 때에는 그러하지 아니하다.

	ㄱ	ㄴ	ㄷ	ㄹ	ㅁ
①	있은 날	30일	결정서의 정본	통지받은 날	180일
②	있음을 안 날	90일	재결서의 정본	송달받은 날	1년
③	있은 날	1년	결정서의 부본	통지받은 날	2년
④	있음을 안 날	1년	재결서의 부본	송달받은 날	3년

2020년 서울시 · 지방직 · 교육행정직 9급

ㄱ. 있음을 안 날, ㄴ. 90일, ㄷ. 재결서의 정본, ㄹ. 송달받은 날, ㅁ. 1년이다.

> 「행정소송법」 제20조【제소기간】 ① 취소소송은 처분등이 있음을 안 날부터 90일 이내에 제기하여야 한다. 다만, 제18조 제1항 단서에 규정한 경우와 그 밖에 행정심판청구를 할 수 있는 경우 또는 행정청이 행정심판청구를 할 수 있다고 잘못 알린 경우에 행정심판청구가 있은 때의 기간은 재결서의 정본을 송달받은 날부터 기산한다.
> ② 취소소송은 처분등이 있은 날부터 1년(제1항 단서의 경우는 재결이 있은 날부터 1년)을 경과하면 이를 제기하지 못한다. 다만, 정당한 사유가 있는 때에는 그러하지 아니하다.

함께 정리하기

취소소송의 제소기간
▷ 처분등이 있은 안 날부터 90일(행정심판을 거친 경우 재결서 정본 송달받은 날부터 기산)
▷ 처분등이 있은 날부터 1년

답 ②

115

「행정소송법」상 제소기간에 대한 판례의 입장으로 옳은 것은?

① 청구취지를 변경하여 종전의 소가 취하되고 새로운 소가 제기된 것으로 변경되었다면 새로운 소에 대한 제소기간 준수 여부는 원칙적으로 소의 변경이 있는 때를 기준으로 한다.
② 납세자의 이의신청에 의한 재조사결정에 따른 행정소송의 제소기간은 이의신청인 등이 재결청으로부터 재조사결정의 통지를 받은 날부터 기산한다.
③ 처분의 불가쟁력이 발생하였고 그 이후에 행정청이 당해 처분에 대해 행정심판청구를 할 수 있다고 잘못 알렸다면, 그 처분의 취소소송의 제소기간은 행정심판의 재결서를 받은 날부터 기산한다.
④ 「산업재해보상보험법」상 보험급여의 부당이득 징수결정의 하자를 이유로 징수금을 감액하는 경우 감액처분으로도 아직 취소되지 않고 남아 있는 부분이 위법하다 하여 다툴 때에는, 제소기간의 준수 여부는 감액처분을 기준으로 판단해야 한다.

2017년 지방직 9급

① (○) 청구취지의 변경이 있는 경우 소변경시를 기준으로 하여 제소기간을 판단한다.

> 청구취지를 변경하여 구소가 취하되고 새로운 소가 제기된 것으로 변경되었을 때에 새로운 소에 대한 제소기간의 준수 등은 원칙적으로 소의 변경이 있는 때를 기준으로 하여야 한다(대판 2004.11.25. 2004두7023).

유제 12. 교행 소의 종류의 변경이 있는 경우 새로운 소에 대한 제소기간은 변경된 처음의 소가 제기된 때를 기준으로 한다. (○)

② (×) 조세심판 재조사결정의 경우 후속처분 통지를 받은 날로부터 제소기간을 판단한다.

> 조세심판에서 재결청의 재조사결정은 처분청의 후속처분에 의하여 그 내용이 보완됨으로써 이의신청 등에 대한 결정으로서의 효력이 발생한다고 할 것이므로, 심사청구기간이나 심판청구기간 또는 행정소송의 제소기간은 이의신청인 등이 후속처분의 통지를 받은 날부터 기산된다(대판 2010.6.25. 2007두12514 전합).

③ (×) 불가쟁력 발생 후 심판청구기간을 잘못 알린 경우 제소는 불가능하다.

> 이미 제소기간이 지남으로써 불가쟁력이 발생하여 불복청구를 할 수 없었던 경우라면 그 이후에 행정청이 행정심판청구를 할 수 있다고 잘못 알렸다고 하더라도 그 때문에 처분 상대방이 적법한 제소기간 내에 취소소송을 제기할 수 있는 기회를 상실하게 된 것은 아니므로 이러한 경우에 잘못된 안내에 따라 청구된 행정심판 재결서 정본을 송달 받은 날부터 다시 취소소송의 제소기간이 기산되는 것은 아니다(대판 2012.9.27. 2011두27247).

④ (×) 보험급여징수 감액처분의 경우 원처분을 기준으로 제소기간을 판단한다.

> 행정청이 산업재해보상보험법에 의한 보험급여 수급자에 대하여 부당이득 징수결정을 한 후 징수결정의 하자를 이유로 징수금 액수를 감액하는 경우에 감액처분은 징수의무자에게 유리한 결과를 가져오는 처분이므로 징수의무자에게는 그 취소를 구할 소의 이익이 없다. 이에 따라 감액처분으로도 아직 취소되지 않고 남아 있는 부분이 위법하다 하여 다투고자 하는 경우, 감액처분을 항고소송의 대상으로 할 수는 없고, 당초 징수결정 중 감액처분에 의하여 취소되지 않고 남은 부분을 항고소송의 대상으로 할 수 있을 뿐이며, 그 결과 제소기간의 준수 여부도 감액처분이 아닌 당초 처분을 기준으로 판단해야 한다(대판 2012.9.27. 2011두27247).

답 ①

문제 DATA
출제가능 지수 ▶▶▷
난이도 지수 ★★☆

함께 정리하기

제소기간

소 변경 시를 기준으로 제소기간 판단

조세심판 재조사결정
▷ 후속처분 통지를 받은 날

불가쟁력 발생 후 심판청구기간 잘못 알린 경우
▷ 제소 불가

보험급여징수감액처분
▷ 당초처분 기준으로 제소기간 판단

문제 DATA

출제가능 지수 ▶▶▷
난이도 지수 ★★★

함께 정리하기

제소기간 적용 여부

제3자의 행정쟁송제기
▷ 적용○

전심절차를 거친 부작위법확인의 소
▷ 적용○

적법한 제소기간 내에 부작위법확인의 소를 제기한 후 처분취소소송으로 소를 교환적으로 변경한 후 부작위법확인의 소의 추가적 병합
▷ 제소기간준수○

부작위에 대한 의무이행심판
▷ 심판청구기간 제한×

당연무효를 선언하는 의미에서 취소를 구하는 행정소송 제기
▷ 적용○

116 □□□

행정쟁송의 제소기간에 대한 설명으로 옳지 않은 것은? (다툼이 있는 경우 판례에 의함)

① 제소기간의 요건은 처분의 상대방이 소송을 제기하는 경우는 물론이고 법률상 이익이 침해된 제3자가 소송을 제기하는 경우에도 적용된다.
② 부작위법확인의 소는 부작위상태가 계속되는 한 그 위법의 확인을 구할 이익이 있다고 보아야 하므로 제소기간의 제한이 없음이 원칙이나 행정심판 등 전심절차를 거친 경우에는 제소기간의 제한이 있다.
③ 당사자가 적법한 제소기간 내에 부작위법확인의 소를 제기한 후 동일한 신청에 대하여 소극적 처분이 있다고 보아 처분취소소송으로 소를 교환적으로 변경한 후 부작위법확인의 소를 추가적으로 병합한 경우 제소기간을 준수한 것으로 볼 수 있다.
④ 소극적 처분과 부작위에 대한 의무이행심판은 처분이 있음을 알게 된 날부터 90일 이내에 청구하여야 한다.
⑤ 행정처분의 당연무효를 선언하는 의미에서 그 취소를 구하는 행정소송을 제기하는 경우에는 취소소송의 제소기간을 준수하여야 한다.

2019년 국회직 8급

① (○) 제소기간의 제한은 처분의 상대방뿐만 아니라, 제3자가 자기의 법률상 이익의 침해되었음을 이유로 행정쟁송을 제기하는 경우에도 적용된다.
②, ③ (○) 전심절차를 거친 부작위법확인의 소에는 제소기간이 적용된다.

> 부작위법확인의 소는 부작위상태가 계속되는 한 그 위법의 확인을 구할 이익이 있다고 보아야 하므로 원칙적으로 제소기간의 제한을 받지 않는다. 그러나 행정소송법 제38조 제2항이 제소기간을 규정한 같은 법 제20조를 부작위법확인소송에 준용하고 있는 점에 비추어 보면, 행정심판 등 전심절차를 거친 경우에는 행정소송법 제20조가 정한 제소기간 내에 부작위법확인의 소를 제기하여야 한다. 당사자가 동일한 신청에 대하여 부작위법확인의 소를 제기하였으나 그 후 소극적 처분이 있다고 보아 처분취소소송으로 소를 교환적으로 변경한 후 여기에 부작위법확인의 소를 추가적으로 병합한 경우, 최초의 부작위법확인의 소가 적법한 제소기간 내에 제기된 이상 그 후 처분취소소송으로의 교환적 변경과 처분취소소송에의 추가적 변경 등의 과정을 거쳤다고 하더라도 여전히 제소기간을 준수한 것으로 봄이 상당하다(대판 2009.7.23. 2008두10560).

④ (×) 부작위에 대한 의무이행심판은 심판청구기간의 제한이 없다.
⑤ (○) 당연무효를 구하는 취소소송에는 제소기간이 적용된다.

> 행정처분의 당연무효를 선언하는 의미에서 그 취소를 청구하는 행정소송을 제기한 경우에도 전심절차와 제소기간의 준수 등 취소소송의 제소요건을 갖추어야 한다(대판 1990.12.26. 90누6279).

답 ④

117 ☐☐☐

취소소송의 소송요건을 충족하지 않은 경우에 해당하는 것만을 모두 고르면? (다툼이 있는 경우 판례에 의함)

> ㄱ. 기간제로 임용된 국·공립대학의 조교수에 대해 임용기간 만료로 한 재임용거부에 대하여 제기된 거부처분 취소소송
> ㄴ. 처분이 있음을 안 날부터 90일이 경과하였으나, 아직 처분이 있은 날부터 1년이 경과되지 않은 시 점에서 제기된 취소소송
> ㄷ. 사실심 변론종결시에는 원고적격이 있었으나, 상고심에서 원고적격이 흠결된 취소소송

① ㄱ
② ㄷ
③ ㄴ, ㄷ
④ ㄱ, ㄴ, ㄷ

문제 DATA
출제가능 지수 ▶▶▷
난이도 지수 ★★☆

2018년 지방직 7급

ㄱ. (○) 기간제 국공립대학조교수의 재임용거부는 처분에 해당한다.

> 기간제로 임용되어 임용기간이 만료된 국·공립대학의 조교수는 특별한 사정이 없는 한 재임용되리라는 기대를 가지고 재임용 여부에 관하여 합리적인 기준에 의한 공정한 심사를 요구할 법규상 또는 조리상 신청권을 가진다고 할 것이니, 임용권자가 임용기간이 만료된 조교수에 대하여 재임용을 거부하는 취지로 한 임용기간만료의 통지는 위와 같은 대학교원의 법률관계에 영향을 주는 것으로서 행정소송의 대상이 되는 처분에 해당한다(대판 2004.4.22. 2000두7735).

ㄴ. (×) 두 기간 중 어느 한 기간이라도 먼저 경과하면 취소소송을 제기할 수 없고, 제소기간이 경과한 소 제기는 부적법하여 각하된다.

> 「행정소송법」 제20조 【제소기간】 ① 취소소송은 처분등이 있음을 안 날부터 90일 이내에 제기하여야 한다. 다만, 제18조 제1항 단서에 규정한 경우와 그 밖에 행정심판청구를 할 수 있는 경우 또는 행정청이 행정심판청구를 할 수 있다고 잘못 알린 경우에 행정심판청구가 있은 때의 기간은 재결서의 정본을 송달받은 날부터 기산한다.
> ② 취소소송은 처분등이 있은 날부터 1년(제1항 단서의 경우는 재결이 있은 날부터 1년)을 경과하면 이를 제기하지 못한다. 다만, 정당한 사유가 있는 때에는 그러하지 아니하다.

ㄷ. (×) 소송요건의 구비 여부는 법원에 의한 직권조사사항으로 당사자의 주장에 구속되지 않으며, 사실심 변론종결시는 물론 상고심에서도 존속하여야 하고 이를 흠결하면 부적법한 소가 된다

답 ③

함께 정리하기
취소소송의 소송요건

기간제임용된 국공립대학 조교수 재임용 거부
▷ 대상적격○

90일 또는 1년
▷ 한 기간이라도 경과시 제소기간 도과

원고적격은 소송요건
▷ 상고심에서도 구비되어야

문제 DATA

출제가능 지수 ▶▶▷
난이도 지수 ★★☆

118 □□□

판례에 따를 경우 甲이 제기하는 소송이 적법하게 되기 위한 설명으로 옳은 것은?

> A시장은 2016.12.23. 「식품위생법」 위반을 이유로 甲에 대하여 3월의 영업정지처분을 하였고, 甲은 2016.12.26. 처분서를 송달받았다. 甲은 이에 대해 행정심판을 청구하였고, 행정심판위원회는 2017.6. "A시장은 甲에 대하여 한 3월의 영업정지처분을 2월의 영업정지에 갈음하는 과징금부과처분으로 변경하라."라는 일부인용의 재결을 하였으며, 그 재결서 정본은 2017.3.10. 甲에게 송달되었다. A시장은 재결취지에 따라 2017.3.13. 甲에 대하여 과징금부과처분을 하였다. 甲은 여전히 자신이 「식품위생법」 위반을 이유로 한 제재를 받을 이유가 없다고 생각하여 취소소송을 제기하려고 한다.

① 행정심판위원회를 피고로 하여 2016.12.23.자 영업정지처분을 대상으로 취소소송을 제기하여야 한다.
② 행정심판위원회를 피고로 하여 2017.3.13.자 과징금부과처분을 대상으로 취소소송을 제기하여야 한다.
③ 과징금부과처분으로 변경된 2016.12.23.자 원처분을 대상으로 2017.3.10.부터 90일 이내에 제기하여야 한다.
④ 2017.3.13.자 과징금부과처분을 대상으로 2017.3.6.부터 90일 이내에 제기하여야 한다.

| 2018년 국가직 9급

③ (○) 제재처분 후 유리한 변경이 있으면 변경된 원처분이 취소소송의 대상이 된다. 따라서 변경된 당초 처분(원처분)인 2016.12.23.자 변경된 과징금부과처분을 대상으로 취소소송을 제기하여야 하며, 재결을 거친 경우이므로 재결서 정본 송달시인 2017.3.10.부터 90일 이내에 제기하여야 한다.

> 행정청이 식품위생법령에 따라 영업자에게 행정제재처분을 한 후 그 처분을 영업자에게 유리하게 변경하는 처분을 한 경우, 변경처분에 의하여 유리하게 변경된 내용의 행정제재가 위법하다 하여 그 취소를 구하는 경우 그 취소소송의 대상은 변경된 당초 처분이지 변경처분은 아니고, 제소기간의 준수 여부도 변경처분이 아닌 변경된 내용의 당초 처분을 기준으로 판단하여야 한다(대판 2007.4.27. 2004두9302).

> 「행정소송법」 제20조 【제소기간】 ① 취소소송은 처분등이 있음을 안 날부터 90일 이내에 제기하여야 한다. 다만, 제18조 제1항 단서에 규정한 경우와 그 밖에 행정심판청구를 할 수 있는 경우 또는 행정청이 행정심판청구를 할 수 있다고 잘못 알린 경우에 행정심판청구가 있은 때의 기간은 재결서의 정본을 송달받은 날부터 기산한다.

답 ③

함께 정리하기

취소심판에 대한 일부인용재결시 취소소송의 대상과 제소기간의 기산점

행정제재처분 후 유리한 변경 시
▷ 변경된 당초처분이 취소소송대상

행정심판 거친 경우
▷ 재결서 정본 송달받은 날로부터 90일

119

행정소송에 대한 설명으로 옳지 않은 것은? (다툼이 있는 경우 판례에 의함)

① 무효확인소송을 제기하였는데 해당 사건에서의 위법이 취소사유에 불과한 때, 법원은 취소소송의 요건을 충족한 경우 취소판결을 내린다.
② 행정청이 금전부과처분을 한 후 감액처분을 한 경우에 감액되고 남은 부분이 위법하다고 다투고자 할 때에는 감액처분 자체를 항고소송의 대상으로 삼아야 한다.
③ 취소소송의 대상인 처분은 행정청이 행하는 구체적 사실에 관한 법집행행위이므로 불특정 다수인을 대상으로 하여 반복적으로 적용되는 일반적·추상적 규율은 원칙적으로 처분이 아니다.
④ 상대방이 있는 행정처분에 대하여 행정심판을 거치지 아니하고 바로 취소소송을 제기하는 경우 처분이 있음을 안 날이란 통지, 공고 기타의 방법에 의해 당해 행정처분이 있었다는 사실을 현실적으로 안 날을 의미한다.

문제 DATA
출제가능 지수 ▶▶▷
난이도 지수 ★★☆

2017년 국가직 7급

① (○) 취소사유에 대해 무효확인소송을 제기한 경우 요건 충족 시 취소판결이 가능하다.

> 일반적으로 행정처분의 무효확인을 구하는 소에는 원고가 그 처분의 취소를 구하지 아니한다고 밝히지 아니 한 이상 그 처분이 만약 당연무효가 아니라면 그 취소를 구하는 취지도 포함되어 있는 것으로 보아야 한다(대판 1994.12.23. 94누477).

② (×) 과징금의 감액처분이 있는 경우 감액된 부분은 소의 이익이 인정되지 않는다.

> 과징금 부과처분에 있어 행정청이 납부의무자에 대하여 부과처분을 한 후 그 부과처분의 하자를 이유로 과징금의 액수를 감액하는 경우에 그 감액처분은 감액된 과징금 부분에 관하여만 법적 효과가 미치는 것으로서 당초 부과처분과 별개 독립의 과징금 부과처분이 아니라 그 실질은 당초 부과처분의 변경이고, 그에 의하여 과징금의 일부취소라는 납부의무자에게 유리한 결과를 가져오는 처분이므로 당초 부과처분이 전부 실효되는 것은 아니다. 따라서 그 감액처분에 의하여 감액된 부분에 대한 부과처분 취소청구는 이미 소멸하고 없는 부분에 대한 것으로서 그 소의 이익이 없어 부적법하다고 할 것이다(대판 2006.5.12. 2004두12698).

③ (○) 일반적으로 일반적·추상적 규율은 사건의 성숙성이 없어 처분성이 부인된다. 다만 그것이 구체적 집행행위의 개입 없이 직접 국민에 대하여 구체적 효과를 발생하여 특정한 권리의무를 형성하게 하는 경우, 이른바 처분적 명령이나 처분규칙, 처분적 조례(두밀분교폐지조례 등)는 「행정소송법」상 처분에 해당한다.

④ (○) 처분이 있음을 안 날이란 처분이 있음을 현실적으로 안 날을 의미한다.

> 행정소송법 제20조 제1항이 정한 제소기간의 기산점인 '처분 등이 있음을 안 날'이란 통지, 공고 기타의 방법에 의하여 당해 처분 등이 있었다는 사실을 현실적으로 안 날을 의미하므로, 행정처분이 상대방에게 고지되어 상대방이 이러한 사실을 인식함으로써 행정처분이 있다는 사실을 현실적으로 알았을 때 행정소송법 제20조 제1항이 정한 제소기간이 진행한다(대판 2017.3.9. 2016두60577).

답 ②

함께 정리하기
취소소송의 요건

취소사유에 대해 무효확인소송 제기
▷ 취소소송 제기요건 충족 시 취소판결 可

과징금 감액처분은 과징금의 일부취소
▷ 감액된 부분 소의 이익 無

일반적·추상적 규율
▷ 처분성 없음이 원칙
▷ 예외: 처분적 명령, 처분규칙, 처분적 조례

처분 있음을 안 날
▷ 당해 처분이 있음을 현실적으로 안 날

120

항고소송의 제기요건에 대한 설명으로 옳지 않은 것은? (다툼이 있는 경우 판례에 의함)

① 체납자는 자신이 점유하는 제3자 소유의 동산에 대한 압류처분의 취소나 무효확인을 구할 원고적격이 있다.
② 원천징수의무자인 법인에 대한 소득금액변동통지는 법인의 납세의무에 직접 영향을 미치므로 항고소송의 대상이 되는 처분이다.
③ 사업의 양도행위가 무효임을 주장하는 양도자는 양도·양수행위의 무효를 구함이 없이 사업양도·양수에 따른 허가관청의 지위승계 신고수리처분의 무효확인을 구할 법률상 이익은 없다.
④ 검사의 공소제기가 적법절차에 따라 정당하게 이루어진 것인지 여부에 관계없이 검사의 공소에 대하여는 형사소송절차에 의하여서만 다툴 수 있고, 행정소송의 방법으로 공소의 취소를 구할 수 없다.
⑤ 공정거래위원회의 처분에 대하여 불복의 소를 제기하였다가 청구취지를 추가하는 경우, 추가된 청구취지에 대한 제소기간의 준수 등은 원칙적으로 청구취지의 추가·변경 신청이 있는 때를 기준으로 판단하여야 한다.

| 2020년 국회직 8급

① (O) 제3자 소유의 동산을 점유하는 체납자는 그 동산에 대한 압류처분을 다툴 원고적격이 있다.

> 동산의 압류는 세무공무원이 점유함으로써 행하되, 다만 일정한 경우 체납자로 하여금 보관하게 하고 그 사용 또는 수익을 허가할 수 있을 뿐이며, 여기서의 점유는 목적물에 대한 체납자의 점유를 전면적으로 배제하고 세무공무원이 이를 직접 지배, 보관하는 것을 뜻하므로, 과세관청이 조세의 징수를 위하여 체납자가 점유하고 있는 제3자의 소유 동산을 압류한 경우, 그 체납자는 그 압류처분에 의하여 당해 동산에 대한 점유권의 침해를 받은 자로서 그 압류처분에 대하여 법률상 직접적이고 구체적인 이익을 가지는 것이어서 그 압류처분의 취소나 무효확인을 구할 원고적격이 있다(대판 2006.4.13. 2005두15151).

② (O) 원천징수의무자에 대한 소득금액변동통지는 행정처분에 해당한다.

> 과세관청의 소득처분과 그에 따른 소득금액변동통지가 있는 경우 원천징수의무자인 법인은 소득금액변동통지서를 받은 날에 그 통지서에 기재된 소득의 귀속자에게 당해 소득금액을 지급한 것으로 의제되어 그 때 원천징수하는 소득세의 납세의무가 성립함과 동시에 확정되고, 원천징수의무자인 법인으로서는 소득금액변동통지서에 기재된 소득처분의 내용에 따라 원천징수세액을 그 다음달 10일까지 관할 세무서장 등에게 납부하여야 할 의무를 부담하며, 만일 이를 이행하지 아니하는 경우에는 가산세의 제재를 받게 됨은 물론이고 형사처벌까지 받도록 규정되어 있는 점에 비추어 보면, 소득금액변동통지는 원천징수의무자인 법인의 납세의무에 직접 영향을 미치는 과세관청의 행위로서, 항고소송의 대상이 되는 조세행정처분이라고 봄이 상당하다(대판 2006.4.20. 2002두1878 전합).

③ (X) 사업양도의 무효를 다투는 자는 막바로 수리처분의 무효확인을 구할 법률상 이익이 있다.

> 골재채취업 양도·양수신고 수리처분에서 그 수리 대상인 사업양도·양수가 존재하지 아니하거나 무효인 때에는 수리를 하였다 하더라도 그 수리는 유효한 대상이 없는 것으로서 당연히 무효라 할 것이고, 양도자는 민사쟁송으로 양도·양수행위의 무효를 구함이 없이 막바로 허가관청을 상대로 하여 행정소송으로 위 신고수리처분의 무효확인을 구할 법률상 이익이 있다(대판 2005.12.23. 2005두3554).

④ (O) 검사의 공소제기는 행정소송으로 다툴 수 없다.

> 형사소송법에 의하면 검사가 공소를 제기한 사건은 기본적으로 법원의 심리대상이 되고 피의자 및 피고인은 수사의 적법성 및 공소사실에 대하여 형사소송절차를 통하여 불복할 수 있는 절차와 방법이 따로 마련되어 있으므로 검사의 공소에 대하여는 형사소송절차에 의하여서만 이를 다툴 수 있고 행정소송의 방법으로 공소의 취소를 구할 수는 없다(대판 2000.3.28. 99두11264).

⑤ (○) 청구취지 추가 시 그 추가된 취지에 대한 제소기간 준수 여부는 추가신청이 있는 때를 기준으로 판단한다.

> 청구취지를 추가하는 경우, 청구취지가 추가된 때에 새로운 소를 제기한 것으로 보므로, 추가된 청구취지에 대한 제소기간 준수 등은 원칙적으로 청구취지의 추가·변경 신청이 있는 때를 기준으로 판단하여야 한다(대판 2018.11.15. 2016두48737).

답 ③

121 □□□

다음 사례에 대한 설명으로 옳은 것은? (다툼이 있는 경우 판례에 의함)

- 2020.1.6. 인기 아이돌 가수인 甲의 노래가 수록된 음반이 청소년 유해 매체물로 결정 및 고시되었는데, 여성가족부장관은 이 고시를 하면서 그 효력발생 시기를 구체적으로 밝히지 않았다.
- A시의 시장이 「식품위생법」 위반을 이유로 乙에 대해 영업허가를 취소하는 처분을 하고자 하나 송달이 불가능하다.

① 「행정 효율과 협업 촉진에 관한 규정」에 따르면 여성가족부장관의 고시의 효력은 2020.1.20.부터 발생한다.
② 甲의 노래가 수록된 음반을 청소년 유해 매체물로 지정하는 결정 및 고시는 항고소송의 대상이 될 수 없다.
③ A시의 시장이 영업허가취소처분을 송달하려면 乙이 알기 쉽도록 관보, 공보, 게시판, 일간신문 중 하나 이상에 공고하고 인터넷에도 공고하여야 한다.
④ 乙의 영업허가취소처분이 공보에 공고된 경우, 乙이 자신에 대한 영업허가취소처분이 있음을 알고 있지 못하더라도 영업허가취소처분에 대한 취소소송을 제기하려면 공고가 효력을 발생한 날부터 90일 안에 제기해야 한다.

| 2020년 국가직 9급

① (×)

> 「행정업무의 운영 및 혁신에 관한 규정」(구 「행정 효율과 협업 촉진에 관한 규정」) 제6조 【문서의 성립 및 효력 발생】 ① 문서는 결재권자가 해당 문서에 서명(전자이미지서명, 전자문자서명 및 행정전자서명을 포함한다. 이하 같다)의 방식으로 결재함으로써 성립한다.
> ② 문서는 수신자에게 도달(전자문서의 경우는 수신자가 관리하거나 지정한 전자적 시스템 등에 입력되는 것을 말한다)됨으로써 효력을 발생한다.
> ③ 제2항에도 불구하고 공고문서는 그 문서에서 효력발생 시기를 구체적으로 밝히고 있지 않으면 그 고시 또는 공고 등이 있은 날부터 5일이 경과한 때에 효력이 발생한다.

② (×) 청소년유해매체물 결정 및 고시처분은 불특정 다수인을 상대방으로 하여 각종 의무를 발생시키는 일반처분으로서, 항고소송의 대상이 되는 처분이다.

> 피고들의 이 사건 청소년유해매체물 결정 및 고시처분은 원고와 같은 당해 유해매체물의 소유자 등 특정인만을 대상으로 한 행정처분이 아니라, 일반 불특정 다수인을 상대방으로 하여 일률적으로 표시의무, 포장의무, 청소년에 대한 판매·대여 등의 금지의무 등 각종 의무를 발생시키는 행정처분으로서, 피고 정보통신윤리위원회가 원고 운영의 인터넷 웹사이트 'http://(상세 생략).com'을 청소년유해매체물로 결정하고 피고 청소년보호위원회가 효력발생시기를 명시하여 고시함으로써 그 명시된 시점에 효력이 발생하였다고 봄이 상당하고, 피고들이 위 처분이 있었음을 원고에게 제대로 통지하지 아니하였다고 하여 그 효력 자체가 발생하지 아니한 것으로 볼 수는 없다(대판 2007.6.14. 2004두619).

문제 DATA

출제가능 지수 ▶▶▷
난이도 지수 ★★☆

함께 정리하기

고시·공고 효력발생시기, 송달, 제소기간

고시·공고 효력발생시기
▷ 규정 有: 규정대로
▷ 규정 無: 고시·공고 후 5일 경과

일반처분의 제소기간 기산점
▷ 수범자의 현실적 인식 여부 불문하고 효력발생일

청소년유해매체물 결정 및 고시처분
▷ 각종 의무를 발생시키는 행정처분

특정인에 대한 송달불능으로 공고
▷ 관보·공보·게시판·일간신문 중 하나 이상과 인터넷에도 공고
▷ 현실적으로 안 날로부터 제소기간 기산

③ (○)

> 「행정절차법」 제14조【송달】 ④ 다음 각 호의 어느 하나에 해당하는 경우에는 송달받을 자가 알기 쉽도록 관보, 공보, 게시판, 일간신문 중 하나 이상에 공고하고 인터넷에도 공고하여야 한다.
> 1. 송달받을 자의 주소등을 통상적인 방법으로 확인할 수 없는 경우
> 2. 송달이 불가능한 경우

④ (×) 특정인에 대한 공고의 경우에는 처분을 현실적으로 안 날부터 기산한다. 사안은 특정인 乙에 대한 공고이므로 공고 또는 고시의 효력발생일로부터 90일 이내가 아닌 처분이 있음을 안 날로부터 90일 이내에 제소가 가능하다.

> 특정인에 대한 행정처분을 주소불명 등의 이유로 송달할 수 없어 관보·공보·게시판·일간신문 등에 공고한 경우에는, 공고가 효력을 발생하는 날에 상대방이 그 행정처분이 있었음을 알았다고 볼 수는 없고, 상대방이 당해 처분이 있었다는 사실을 현실적으로 안 날에 그 처분이 있음을 알았다고 보아야 한다(대판 2006.4.28. 2005두14851).

답 ③

Ⅶ 행정심판의 전치(행정심판과 행정소송의 관계)

122 □□□

현행법상 필요적 행정심판 전치주의가 적용되는 처분으로 옳지 않은 것은?

① 「국가공무원법」상 공무원에 대한 징계처분
② 「도로교통법」상 운전면허취소처분
③ 「노동위원회법」상 지방노동위원회의 부당해고 구제처분
④ 「국토의 계획 및 이용에 관한 법률」상 개발행위허가처분

2024년 경찰간부

① (○) 현행법상 필요적 행정심판전치주의를 규정하고 있는 예로는 ㉠ 공무원(국가·지방·교육공무원)에 대한 징계 및 기타 불이익처분(「국가공무원법」 제16조, 「지방공무원법」 제20조의2, 「교육공무원법」 제53조 제1항), ㉡ 국세·지방세·관세법상의 처분(「국세기본법」 제56조 제2항, 「지방세기본법」 제98조 제3항, 「관세법」 제120조 제2항), ㉢ 운전면허취소처분 등 「도로교통법」에 의한 각종 처분(「도로교통법」 제142조, 다만 과태료처분과 통고처분은 제외), ㉣ 재결주의에 속하는 경우(ⓐ 감사원의 변상판정에 대한 재심의판정, ⓑ 노동위원회의 처분에 대한 중앙노동위원회의 재심, ⓒ 특허심판원의 심결)가 있다.

> 「국가공무원법」 제9조【소청심사위원회의 설치】 ① 행정기관 소속 공무원의 징계처분, 그 밖에 그 의사에 반하는 불리한 처분이나 부작위에 대한 소청을 심사·결정하게 하기 위하여 인사혁신처에 소청심사위원회를 둔다.
> 제16조【행정소송과의 관계】 ① 제75조에 따른 처분, 그 밖에 본인의 의사에 반한 불리한 처분이나 부작위(不作爲)에 관한 행정소송은 소청심사위원회의 심사·결정을 거치지 아니하면 제기할 수 없다.

② (○)

> 「도로교통법」 제142조【행정소송과의 관계】 이 법에 따른 처분으로서 해당 처분에 대한 행정소송은 행정심판의 재결(裁決)을 거치지 아니하면 제기할 수 없다.

③ (○) 판례에 의하면 노동위원회의 처분에 대해 행정소송을 제기하는 경우, 중앙노동위원회에 대한 행정심판 전치주의가 적용되고, 중앙노동위원회의 재심판정에 불복하여 취소소송을 제기하는 경우 재결주의에 따라 중앙노동위원회의 재심판정을 대상으로 중앙노동위원장을 피고로 하여 재심판정취소의 소를 제기하여야 한다.

◎ 문제 DATA

출제가능 지수 ▶▷▷
난이도 지수 ★★☆

📝 함께 정리하기

필요적 행정심판 전치주의가 적용되는 처분
▷공무원에 대한 징계처분○
▷운전면허취소처분○
▷지방노동위원회의 부당해고 구제처분○
▷개발행위허가처분×

> 「노동위원회법」 제26조 【중앙노동위원회의 재심권】 ① 중앙노동위원회는 당사자의 신청이 있는 경우 지방노동위원회 또는 특별노동위원회의 처분을 재심하여 이를 인정·취소 또는 변경할 수 있다.
> 제27조 【중앙노동위원회의 처분에 대한 소송】 ① 중앙노동위원회의 처분에 대한 소송은 중앙노동위원회 위원장을 피고(被告)로 하여 처분의 송달을 받은 날부터 15일 이내에 제기하여야 한다.

구 노동위원회법 제19조의2 제1항의 규정은 행정처분의 성질을 가지는 지방노동위원회의 처분에 대하여 중앙노동위원장을 상대로 행정소송을 제기할 경우의 전치요건에 관한 규정이라 할 것이므로 당사자가 지방노동위원회의 처분에 대하여 불복하기 위하여는 처분 송달일로부터 10일 이내에 중앙노동위원회에 재심을 신청하고 중앙노동위원회의 재심판정서 송달일로부터 15일 이내에 중앙노동위원장을 피고로 하여 재심판정취소의 소를 제기하여야 할 것이다(대판 1995.9.15. 95누6724).

④ (×) 「국토의 계획 및 이용에 관한 법률」에는 개발행위허가처분에 대한 행정심판의 재결을 거치지 아니하면 취소소송을 제기할 수 없다는 규정이 없으므로 필요적 행정심판 전치주의가 적용되지 않는다.

> 「행정소송법」 제18조 【행정심판과의 관계】 ① 취소소송은 법령의 규정에 의하여 당해 처분에 대한 행정심판을 제기할 수 있는 경우에도 이를 거치지 아니하고 제기할 수 있다. 다만, 다른 법률에 당해 처분에 대한 행정심판의 재결을 거치지 아니하면 취소소송을 제기할 수 없다는 규정이 있는 때에는 그러하지 아니하다.

답 ④

123

「행정소송법」상 필요적 전치주의가 적용되는 사안에서, 행정심판을 청구하여야 하나 당해 처분에 대한 행정심판의 재결을 거치지 아니하고 취소소송을 제기할 수 있는 경우에 해당하는 것은?

① 동종사건에 관하여 이미 행정심판의 기각재결이 있는 경우
② 서로 내용상 관련되는 처분 또는 같은 목적을 위하여 단계적으로 진행되는 처분 중 어느 하나가 이미 행정심판의 재결을 거친 경우
③ 처분의 집행 또는 절차의 속행으로 생길 중대한 손해를 예방하여야 할 긴급한 필요가 있는 경우
④ 처분을 행한 행정청이 행정심판을 거칠 필요가 없다고 잘못 알린 경우

| 2017년 지방직 9급

③ (○)

> 「행정소송법」 제18조 【행정심판과의 관계】 ① 취소소송은 법령의 규정에 의하여 당해 처분에 대한 행정심판을 제기할 수 있는 경우에도 이를 거치지 아니하고 제기할 수 있다. 다만, 다른 법률에 당해 처분에 대한 행정심판의 재결을 거치지 아니하면 취소소송을 제기할 수 없다는 규정이 있는 때에는 그러하지 아니하다.
> ② 제1항 단서의 경우에도 다음 각 호의 1에 해당하는 사유가 있는 때에는 행정심판의 재결을 거치지 아니하고 취소소송을 제기할 수 있다.
> 1. 행정심판청구가 있은 날로부터 60일이 지나도 재결이 없는 때
> 2. 처분의 집행 또는 절차의 속행으로 생길 중대한 손해를 예방하여야 할 긴급한 필요가 있는 때
> 3. 법령의 규정에 의한 행정심판기관이 의결 또는 재결을 하지 못할 사유가 있는 때
> 4. 그 밖의 정당한 사유가 있는 때

유제 13. 세무사 변형 처분의 집행으로 생길 중대한 손해를 예방하여야 할 긴급한 필요가 있는 때는 필요적 행정심판전치가 적용됨에도 불구하고 행정심판을 제기하지 않고 바로 취소소송으로 다툴 수 있는 경우가 아니다. (○)
10. 세무사 취소소송을 제기하기 위해서는 행정심판을 거쳐야 하는 것이 원칙이다. (×)

답 ③

함께 정리하기

필요적 전치주의 중 행정심판의 재결 불요의 경우

▷ 행정심판청구 후 60일 내 재결이 없는 때
▷ 중대한 손해 예방할 긴급한 필요가 있는 때
▷ 법령의 규정에 의한 행정심판기관이 의결 또는 재결을 하지 못할 사유가 있는 때
▷ 그 밖의 정당한 사유가 있는 때

문제 DATA

출제가능 지수 ▶▶▷
난이도 지수 ★★☆

124 ☐☐☐

항고소송의 소송요건에 대한 설명으로 가장 옳지 않은 것은? (다툼이 있는 경우 판례에 의함)

① 지방의회 의장에 대한 불신임의결은 행정처분으로 볼 수 없으므로 항고소송의 대상이 되지 아니한다.
② 현역병입영대상자로 병역처분을 받은 자가 그 취소소송 도중에 모병에 응하여 현역병으로 자진 입대한 경우에는 권리보호의 필요가 없는 경우로서 소의 이익을 인정할 수 없다.
③ 검사의 공소에 대하여는 형사소송절차에 의하여서만 다툴 수 있고 행정소송의 방법으로 공소의 취소를 구할 수는 없다.
④ 행정심판전치주의의 요건을 충족하였는지의 여부는 사실심 변론종결시를 기준으로 한다.

> 2019년 서울시 9급

함께 정리하기

항고소송의 소송요건

지방의회 의장에 대한 불신임의결
▷ 행정처분○

병역처분을 받은 자가 소송 도중 자진 입대한 경우
▷ 소의 이익 부정되어 각하

검사의 공소제기
▷ 행정소송의 방법으로 취소×

행정심판전치주의 요건의 충족 여부 판단 시점
▷ 사실심 변론종결시

① (×) 지방의회 의장에 대한 불신임의결은 처분에 해당한다.

> 지방의회를 대표하고 의사를 정리하며 회의장 내의 질서를 유지하고 의회의 사무를 감독하며 위원회에 출석하여 발언할 수 있는 등의 직무권한을 가지는 지방의회 의장에 대한 불신임의결은 의장으로서의 권한을 박탈하는 행정처분의 일종으로서 항고소송의 대상이 된다(대판 1994.10.11. 94두23).

② (○) 병역처분을 받은 자가 소송 중 자진입대한 경우 소의 이익이 부정된다.

> 소송 도중 원고가 지원에 의하여 현역병으로 채용되었을 뿐만 아니라 이 사건 처분이 취소된다고 하더라도 현역병으로 채용된 효력이 상실되지 아니하여 계속 현역병으로 복무할 수밖에 없으므로 더 이상 재판으로 이 사건 처분의 위법을 다툴 실제적인 효용 내지 실익이 사라졌다고 할 것이어서 이 사건 소는 결국 소의 이익이 없는 부적법한 소라 할 것이다(대판 1998.9.8. 98두9165).

③ (○) 검사의 공소제기는 행정소송으로 다툴 수 없다.

> 형사소송법에 의하면 검사가 공소를 제기한 사건은 기본적으로 법원의 심리대상이 되고 피의자 및 피고인은 수사의 적법성 및 공소사실에 대하여 형사소송절차를 통하여 불복할 수 있는 절차와 방법이 따로 마련되어 있으므로 검사의 공소에 대하여는 형사소송절차에 의하여서만 이를 다툴 수 있고 행정소송의 방법으로 공소의 취소를 구할 수는 없다(대판 2000.3.28. 99두11264).

④ (○) 행정심판전치주의 요건의 충족 여부 판단시점은 사실심 변론종결시이다.

> 행정심판전치주의의 근본취지가 행정청에게 반성의 기회를 부여하고 행정청의 전문지식을 활용하는데 있는 것이므로 제소당시에 비록 전치요건을 구비하지 못한 위법이 있다 하여도 사실심 변론종결당시까지 그 전치요건을 갖추었다면 그 흠결의 하자는 치유되었다고 볼 것이다(대판 1987.9.22. 87누176).

답 ①

125

행정소송에서 소송이 각하되는 경우에 해당하는 것만을 모두 고른 것은? (다툼이 있는 경우 판례에 의함)

ㄱ. 신청권이 없는 신청에 대한 거부행위에 대하여 제기된 거부처분 취소소송
ㄴ. 재결자체에 고유한 위법이 없음에도 재결에 대해 제기된 재결취소소송
ㄷ. 행정심판의 필요적 전치주의가 적용되는 경우, 부적법한 취소심판의 청구가 있었음에도 행정심판위원회가 기각재결을 하자 원처분에 대하여 제기한 취소소송
ㄹ. 사실심단계에서는 원고적격을 구비하였으나 상고심에서 원고적격이 흠결된 취소소송

① ㄱ, ㄷ
② ㄴ, ㄷ
③ ㄱ, ㄴ, ㄹ
④ ㄱ, ㄷ, ㄹ

문제 DATA
출제가능 지수 ▶▶▷
난이도 지수 ★★☆

2017년 국가직 7급

ㄱ. (각하) 신청권이 없는 경우 거부행위는 처분성이 결여되어 취소소송의 적법요건을 갖추지 못하였으므로 각하된다.

ㄴ. (기각) 재결자체에 고유한 위법이 없음에도 불구하고 취소소송을 제기한 경우, 「행정소송법」제19조 단서를 소극적 소송요건으로 보아 각하해야 한다는 견해와 재결 자체의 위법 여부는 본안 판단사항이라고 보아 기각해야 한다는 견해가 있으나, 판례와 다수설은 기각설을 취하고 있다. 따라서 재결 자체의 고유한 위법이 없는 경우 재결취소소송은 기각된다.

> 행정소송법 제19조는 취소소송은 행정청의 원처분을 대상으로 하되(원처분주의), 다만 "재결 자체에 고유한 위법이 있음을 이유로 하는 경우"에 한하여 행정심판의 재결도 취소소송의 대상으로 삼을 수 있도록 규정하고 있으므로 재결취소소송의 경우 재결 자체에 고유한 위법이 있는지 여부를 심리할 것이고, 재결 자체에 고유한 위법이 없는 경우에는 원처분의 당부와는 상관없이 당해 재결취소소송은 이를 기각하여야 한다(대판 1994.1.25. 93누16901).

ㄷ. (각하) 판례에 따르면 행정심판을 청구하였더라도 부적법 각하되었다면 행정심판전치의 요건을 충족하지 못했다고 보며, 부적법한 심판청구가 각하되지 않고 그 부적법을 간과한 채 재결이 나온 경우에도 행정심판전치의 요건을 충족하지 못했다고 본다.

> 행정처분의 취소를 구하는 항고소송의 전심절차인 행정심판청구가 기간도과로 인하여 부적법한 경우에는 행정소송 역시 전치의 요건을 충족치 못한 것이 되어 부적법 각하를 면치 못하는 것이고, 이 점은 행정청이 행정심판의 제기기간을 도과한 부적법한 심판에 대하여 그 부적법을 간과한 채 실질적 재결을 하였다 하더라도 달라지는 것이 아니다(대판 1991.6.25. 90누8091).

ㄹ. (각하) 상고심에서 원고적격이 상실된 경우에는 각하판결이 나오게 된다. 원고적격은 소송요건으로 법원의 직권조사사항이다. 소 제기시부터 사실심 변론종결시는 물론 상고심까지도 존속하여야 하고 이를 흠결하면 부적법한 소로서 각하의 대상이 된다.

> 원고적격은 소송요건의 하나이므로 사실심 변론종결시는 물론 상고심에서도 존속하여야 하고 이를 흠결하면 부적법한 소가 된다(대판 2007.4.12. 2004두7924).

유제 13. 세무사 원고적격은 법원의 직권조사사항이다. (○)
13. 세무사 원고적격은 상고심에서도 존속하여야 한다. (○)

답 ④

함께 정리하기
소송이 각하되는 경우

신청권 없는 거부
▷ 각하

재결자체 고유위법 ×
▷ 재결취소소송 ×(기각)

필요적 전치주의 부적법한 심판청구
▷ 각하

상고심에서 원고적격 상실
▷ 각하

문제 DATA

출제가능 지수 ▶▶▷
난이도 지수 ★★★

126 □□□

甲은 국립대학교 교수로 재직하던 중 같은 대학 총장 乙로부터 감봉 3개월의 징계처분을 받았다. 甲은 A지방법원에 징계처분취소의 소를 제기하였으나, 위 법원은 교원소청심사위원회의 전심절차를 거치지 아니하였다는 이유로 이를 각하하였다. 이에 대한 설명으로 옳은 것을 모두 고른 것은? (다툼이 있는 경우 판례에 의함)

> ㄱ. 「국가공무원법」 및 「교육공무원법」에 따르면, 甲은 징계처분에 관하여 취소소송을 제기하기에 앞서 교원소청심사를 필요적으로 거쳐야 하므로, 그 심사절차에 사법절차가 준용되지 않는다면 이는 헌법에 위반된다.
> ㄴ. 교원에 대한 징계처분의 적법성을 판단함에 있어서는 교육의 자주성·전문성이 요구되므로 법원의 재판에 앞서 교육전문가들의 심사를 먼저 받아볼 필요가 있다.
> ㄷ. 만약 甲이 징계처분의 취소를 구하는 소를 제기하기 전에 소청심사를 먼저 청구하여 교원소청심사위원회에서 감봉 2개월로 변경하는 결정을 하였다면, 甲은 감경되고 남은 원처분을 대상으로 취소소송을 제기하여야 한다.
> ㄹ. 甲이 취소소송 제기 당시 교원소청심사위원회의 필요적 전심절차를 거치지 못하였다 하여도 사실심 변론종결시까지 그 전심절차를 거쳤다면 그 흠결의 하자는 치유된다.
> ㅁ. 「행정소송법」상 인정되는 행정심판전치주의의 다양한 예외는 필요적 전심절차인 교원소청심사에는 적용되지 아니한다.

① ㄱ, ㄹ
② ㄴ, ㄷ, ㅁ
③ ㄱ, ㄴ, ㄷ, ㄹ
④ ㄱ, ㄴ, ㄷ, ㅁ
⑤ ㄱ, ㄴ, ㄹ, ㅁ

함께 정리하기

사례해결

필요적 행정심판에서 사법절차 준용×
▷ 헌법위반(제107조, 제27조)

교원징계처분
▷ 재판 전 교육전문가들의 심사 要

소 제기 전 경한징계로 변경
▷ 소의 대상은 감경된 원처분

사실심 변론종결 전까지 전심절차 거친 경우
▷ 하자치유O

행정심판전치주의의 예외
▷ 교원소청심사에도 적용O

2018년 변호사

ㄱ. (O) 필요적 행정심판절차에서 사법절차를 준용하지 않는 것은 헌법에 위반된다.

> 헌법 제107조 제3항은 "재판의 전심절차로서 행정심판을 할 수 있다. 행정심판의 절차는 법률로 정하되, 사법절차가 준용되어야 한다."고 규정하고 있으므로, 입법자가 행정심판을 전심절차가 아니라 종심절차로 규정함으로써 정식재판의 기회를 배제하거나, 어떤 행정심판을 필요적 전심절차로 규정하면서도 그 절차에 사법절차가 준용되지 않는다면 이는 위 헌법조항, 나아가 재판청구권을 보장하고 있는 헌법 제27조에도 위반된다(헌재 2001.6.28. 2000헌바30).

ㄴ. (O) 교원의 징계처분은 재판 전 교육전문가들의 심사를 요한다.

> 헌법 제31조 제1항은 국민의 교육을 받을 권리를 규정하면서 이를 위하여 같은 조 제4항에서 교육의 자주성·전문성·정치적 중립성 등을 보장하고 있다. 이처럼 교원의 신분과 관련되는 징계처분에 대한 적법성을 판단함에 있어서는 교육의 자주성·전문성이 요구되므로 법원의 재판에 앞서 교육전문가들의 심사를 먼저 받아볼 필요가 있다(헌재 2007.1.17. 2005헌바86).

ㄷ. (O) 교원소청심사위원회의 감봉 2개월로의 변경결정은 일부인용재결에 해당한다. 따라서 원처분과 양적인 차이만 존재하게 되는바, 감경된 원처분을 대상으로 취소소송을 제기하여야 한다. 따라서 감봉 2개월로 감경된 감봉 3개월 처분이 대상적격이 인정된다.

ㄹ. (O) 사실심 변론종결시까지 전심절차를 거치면 하자는 치유된다.

> 행정심판전치주의의 근본취지가 행정청에게 반성의 기회를 부여하고 행정청의 전문지식을 활용하는데 있는 것이라 하겠으므로 제소당시에 비록 전치요건을 구비하지 못한 위법이 있다 하여도 사실심 변론종결당시까지 그 전치요건을 갖추었다면 그 흠결의 하자는 치유되었다(대판 1987.4.28. 86누29).

ㅁ. (×) 행정심판 전치주의의 예외는 교원소청심사에도 적용된다.

> 행정소송법 제18조 제2항과 제3항은 행정심판전치주의에 대한 다양한 예외를 인정하고 있는바, 이는 이 사건 필요적 전심절차조항에도 적용된다. 따라서 일정한 경우에는 행정심판을 제기함이 없이 행정소송을 바로 제기할 수 있고, 어떤 경우에는 행정심판의 재결 없이 행정소송을 제기할 수도 있다. 그러므로 위 필요적 전심절차조항에 의하여 무의미하거나 불필요한 행정심판을 거쳐야 하는 것은 아니다(헌재 2007.1.17. 2005헌바86).

답 ③

ALL KILL 기출 제2절 소송요건 〉 Ⅶ 행정심판의 전치(행정심판과 행정소송의 관계)

01 취소소송은 원칙적으로 임의적 행정심판전치주의를 취하고 있다. 16. 교행 (   )

02 취소소송은 법령의 규정에 의하여 행정심판을 제기할 수 있는 경우에도 이를 거치지 아니하고 제기할 수 있다. 10. 지방직 9급 (   )

03 운전면허취소처분에 대해서는 행정심판의 필요적 전치주의가 적용된다. 11. 국가직 7급 (   )

04 원고가 전심절차에서 주장하지 아니한 처분의 위법사유를 소송절차에서 새로이 주장한 경우 다시 그 처분에 대하여 별도의 전심 절차를 거쳐야 한다. 13. 국가직 9급 (   )

05 공무원은 자신에 대한 징계처분에 관하여 소청심사위원회의 심사·결정을 거치지 아니하고 행정소송을 바로 제기할 수 있다. 14. 국가직 9급 (   )

06 「도로교통법」에 따른 처분에 대해서는 행정심판의 재결을 거치지 아니하면 취소소송을 제기할 수 없다. 13. 국가직 7급 (   )

정답 및 해설

01 ○ 취소소송은 법령의 규정에 의하여 당해 처분에 대한 행정심판을 제기할 수 있는 경우에도 이를 거치지 아니하고 제기할 수 있음(「행정소송법」 제18조 제1항)

02 ○ 취소소송은 법령의 규정에 의하여 당해 처분에 대한 행정심판을 제기할 수 있는 경우에도 이를 거치지 아니하고 제기할 수 있음(「행정소송법」 제18조 제1항)

03 ○ 「도로교통법」 제142조는 필요적 행정심판 전치주의를 규정하고 있음

04 × 당사자는 전심절차에서 미처 주장하지 아니한 사유를 공격방어방법으로 제출할 수 있음(대판 1999.11.26. 99두9407)

05 × 공무원에 대한 징계처분이나 강임·휴직·직위해제 또는 면직처분, 그 밖에 본인의 의사에 반한 불리한 처분이나 부작위에 관한 행정소송은 소청심사위원회의 심사·결정을 거쳐야 함(「국가공무원법」 제16조 제1항).

06 ○ 「도로교통법」상 운전면허 정지·취소처분은 행정심판의 필요적 전치주의가 적용됨(「도로교통법」 제142조)

Ⅷ 관할법원

127

행정소송상 재판관할에 대한 설명으로 옳지 않은 것은?

① 토지의 수용 기타 부동산에 관계되는 처분등에 대한 취소소송은 그 부동산의 소재지를 관할하는 행정법원에 이를 제기할 수 있다.
② 수소법원의 재판관할권 유무는 법원의 직권조사사항이며, 소송당사자에게도 관할위반을 이유로 하는 이송신청권이 인정된다.
③ 원고가 고의 또는 중대한 과실 없이 행정소송으로 제기하여야 할 사건을 민사소송으로 잘못 제기한 경우, 수소법원으로서는 만약 그 행정소송에 대한 관할도 동시에 가지고 있다면 이를 행정소송으로 심리·판단하여야 한다.
④ 처분과 관련되는 손해배상청구소송이 계속된 법원에 당해 처분에 대한 취소소송을 병합할 수는 없다.

2025년 지방직 9급

① (○)

> 「행정소송법」 제9조 【재판관할】 ③ 토지의 수용 기타 부동산 또는 특정의 장소에 관계되는 처분등에 대한 취소소송은 그 부동산 또는 장소의 소재지를 관할하는 행정법원에 이를 제기할 수 있다.

② (×) 수소법원의 재판관할권 유무는 법원의 직권조사사항으로서 법원이 그 관할에 속하지 아니함을 인정한 때에는 민사소송법 제34조 제1항에 의하여 직권으로 이송결정을 하는 것이고, 소송당사자에게 관할위반을 이유로 하는 이송신청권이 있는 것은 아니다. 따라서 당사자가 관할위반을 이유로 한 이송신청을 한 경우에도 이는 단지 법원의 직권발동을 촉구하는 의미밖에 없다(대결 2018.1.19. 2017마1332).

③ (○) 원고가 고의 또는 중대한 과실 없이 행정소송으로 제기하여야 할 사건을 민사소송으로 잘못 제기한 경우, 수소법원으로서는 만약 행정소송에 대한 관할도 동시에 가지고 있다면 이를 행정소송으로 심리·판단하여야 하고, 행정소송에 대한 관할을 가지고 있지 아니하다면 당해 소송이 이미 행정소송으로서의 전심절차 및 제소기간을 도과하였거나 행정소송의 대상이 되는 처분 등이 존재하지도 아니한 상태에 있는 등 행정소송으로서의 소송요건을 결하고 있음이 명백하여 행정소송으로 제기되었더라도 어차피 부적법하게 되는 경우가 아닌 이상 이를 부적법한 소라고 하여 각하할 것이 아니라 관할법원에 이송하여야 한다(대판 2017.11.9. 2015다215526 ; 대판 2008.7.24. 2007다25261).

④ (○)

> 「행정소송법」 제10조 【관련청구소송의 이송 및 병합】 ① 취소소송과 다음 각 호의 1에 해당하는 소송(이하 "관련청구소송"이라 한다)이 각각 다른 법원에 계속되고 있는 경우에 관련청구소송이 계속된 법원이 상당하다고 인정하는 때에는 당사자의 신청 또는 직권에 의하여 이를 취소소송이 계속된 법원으로 이송할 수 있다.
> 1. 당해 처분등과 관련되는 손해배상·부당이득반환·원상회복등 청구소송
> 2. 당해 처분등과 관련되는 취소소송
> ② 취소소송에는 사실심의 변론종결시까지 관련청구소송을 병합하거나 피고외의 자를 상대로 한 관련청구소송을 취소소송이 계속된 법원에 병합하여 제기할 수 있다.

답 ②

문제 DATA

출제가능 지수 ▶▶▷
난이도 지수 ★★☆

함께 정리하기

행정소송상 재판관할

부동산·특정 장소 관련처분
▷ 부동산·장소 소재지 행정법원에 제기 可

재판관할: 소송요건
▷ 직권조사사항
▷ 당사자에게 이송신청권 無

고의 중과실 없이 행정소송을 민사소송으로 제기한 경우
▷ 수소법원이 행정소송 관할 동시 존재 시 행정소송으로 심리·판단

손해배상청구소송에 취소소송 병합 不可

128

서울지방국토관리청이 기획재정부장관으로부터 관할 행정재산 관리사무를 법률에 따라 위임받아 특정 행정재산의 사용허가를 한 경우에 대한 설명으로 가장 옳은 것은? (다툼이 있는 경우 판례에 의함)

① 서울지방국토관리청이 행하는 행정재산의 사용허가는 순전히 사경제주체로서 행하는 사법상의 행위가 아니라 국가행정기관이 공권력을 보유한 우월적 지위에서 행하는 행정처분이다.
② 서울지방국토관리청의 사용허가는 특정인에게 행정재산을 사용할 수 있는 권리를 설정해주는 강학상 특허에 해당하므로 그 취소나 철회에 대하여는 항고소송을 통해 다툴 수 있으며, 이때 피고는 해당 사무를 위임한 기획재정부장관이다.
③ 서울지방국토관리청의 행정재산 사용허가에 있어서 해당 행정청이 정한 사용허가 기간은 그 허가의 효력을 제한하기 위한 행정행위의 부관이므로 이는 독립하여 행정소송의 대상이 될 수 있다.
④ 서울지방국토관리청의 그 효력을 제한한 사용허가로 인하여 사용허가의 일부거부를 취소하는 소송을 제기할 때 그 소송의 제1심 관할법원은 피고의 소재지를 관할하는 행정법원이 아니라 해당 행정재산의 소재지를 관할하는 행정법원이다.

2016년 서울시 7급

① (O) 행정재산의 사용허가는 강학상 특허에 해당한다.

> 국유재산 등의 관리청이 하는 행정재산의 사용·수익에 대한 허가는 순전히 사경제 주체로서 행하는 사법상의 행위가 아니라 관리청이 공권력을 가진 우월적 지위에서 행하는 행정처분으로서 특정인에게 행정재산을 사용할 수 있는 권리를 설정하여 주는 강학상 특허에 해당한다(대판 2006.3.9. 2004다31074).

유제 18. 지방직 9급 행정재산의 사용·수익 허가에 따른 사용료를 미납한 경우에 부과된 가산금의 징수를 다투는 소송은 행정소송이다. (O)

② (×) 권한의 위임이 있는 경우 항고소송의 피고는 수임청이 된다. 권한의 위임이 있으면 위임청의 권한은 상실되고 수임청의 권한으로 이전되어 수임청이 자기의 이름으로 권한을 행사하게 되므로, 취소소송 등 항고소송의 피고도 수임청이 된다. 따라서 사안에서 피고는 수임청인 서울지방국토관리청이 된다.

> 에스에이치공사가 택지개발사업 시행자인 서울특별시장으로부터 이주대책 수립권한을 포함한 택지개발사업에 따른 권한을 위임 또는 위탁받은 경우, 이주대책 대상자들이 에스에이치공사 명의으로 이루어진 이주대책에 관한 처분에 대한 취소소송을 제기함에 있어 정당한 피고는 에스에이치공사가 된다(대판 2007.8.23. 2005두3776).

③ (×) 사용수익 허가의 기간은 독립적 행정쟁송의 대상이 되지 않는다.

> 행정행위의 부관은 부담인 경우를 제외하고는 독립하여 행정소송의 대상이 될 수 없는바, 이 사건 허가에서 피고가 정한 사용·수익허가의 기간은 이 사건 허가의 효력을 제한하기 위한 행정행위의 부관으로서 이러한 사용·수익 허가의 기간에 대해서는 독립하여 행정소송을 제기할 수 없는 것이고, … 결국 이 사건 주위적 청구는 부적법하여 각하를 면할 수 없다(대판 2001.6.15. 99두509).

④ (×) 「행정소송법」 제9조 제3항에서는 "토지의 수용 기타 부동산 또는 특정의 장소에 관계되는 처분 등에 대한 취소소송은 그 부동산 또는 장소의 소재지 행정법원에 제기할 수 있다."고 하여 특별관할에 관한 규정을 두고 있다. 이러한 특별관할은 보통관할과 경합하는 임의관할이기 때문에 당사자는 경합하는 관할 중 하나를 선택하여 소제기 할 수 있다. 사안에서 특정 행정재산의 사용 허가의 일부거부는 부동산 또는 특정의 장소에 관계되는 처분이므로 제1심 관할법원은 피고 서울지방국토관리청의 소재지를 관할하는 행정법원 또는 해당 행정재산의 소재지를 관할하는 행정법원이다.

답 ①

함께 정리하기

행정재산의 사용허가에 대한 쟁송

서울지방국토관리청의 행정재산 사용 허가
▷ 강학상 특허

서울지방국토관리청의 사용허가에 대한 항고소송 피고
▷ 수임청O
▷ 위임청×

사용·수익허가의 기간
▷ 독립적 행정소송대상×

사용허가거부취소소송
▷ 피고 소재지관할 행정법원 or 해당행정재산 소재지관할 행정법원

129

취소소송의 제1심 관할법원에 대한 설명으로 옳지 않은 것은?

① 세종특별자치시에 위치한 해양수산부의 장관이 한 처분에 대한 취소소송은 서울행정법원에 제기할 수 있다.
② 경상북도 김천시에 위치한 한국도로공사가 국토교통부장관의 국가사무의 위임을 받아 한 처분에 대한 취소소송은 서울행정법원에 제기할 수 없다.
③ 경기도 토지수용위원회가 수원시 소재 부동산을 수용하는 재결처분을 한 경우 이에 대한 취소소송은 수원지방법원본원에 제기할 수 있다.
④ 「식품위생법」에 따른 서울특별시 서초구청장의 음식점영업허가 취소처분에 대한 취소소송은 서울행정법원에 제기한다.

문제 DATA
출제가능 지수 ▶▶▷
난이도 지수 ★★☆

함께 정리하기
취소소송의 관할법원

해양수산부 장관의 처분
▷ 서울행정법원 가

국토교통부장관의 위임 한국도로공사의 처분
▷ 서울행정법원 가

수원시소재 부동산 수용재결
▷ 수원지방법원 가

서초구청장 음식점영업허가 취소처분
▷ 서울행정법원 가

2016년 서울시 7급

① (○) 해양수산부의 장관은 중앙행정기관의 장에 해당하므로 그가 한 처분에 대한 취소소송은 대법원의 소재지를 관할하는 행정법원인 서울행정법원에 제기할 수 있다(「행정소송법」 제9조 제2항 제1호).

> 「행정소송법」 제9조 【재판관할】 ① 취소소송의 제1심관할법원은 피고의 소재지를 관할하는 행정법원으로 한다.
> ② 제1항에도 불구하고 다음 각 호의 어느 하나에 해당하는 피고에 대하여 취소소송을 제기하는 경우에는 대법원소재지를 관할하는 행정법원에 제기할 수 있다.
> 1. 중앙행정기관, 중앙행정기관의 부속기관과 합의제행정기관 또는 그 장
> 2. 국가의 사무를 위임 또는 위탁받은 공공단체 또는 그 장
> ③ 토지의 수용 기타 부동산 또는 특정의 장소에 관계되는 처분등에 대한 취소소송은 그 부동산 또는 장소의 소재지를 관할하는 행정법원에 이를 제기할 수 있다.

유제 15. 서울시 7급 중앙행정기관의 부속기관과 합의제행정기관 또는 그 장에 대하여 취소소송을 제기하는 경우에는 대법원소재지를 관할하는 행정법원에 제기할 수 있다. (○)

② (×) 한국도로공사는 국가의 사무를 위임받은 공공단체이므로 대법원의 소재지를 관할하는 행정법원인 서울행정법원에 제기할 수 있다(「행정소송법」 제9조 제2항 제2호).

유제 15. 서울시 7급 국가의 사무를 위임 또는 위탁받은 공공단체 또는 그 장에 대하여 취소소송을 제기하는 경우에는 대법원소재지를 관할하는 행정법원에 제기할 수 있다. (○)

③ (○) 토지를 수용하는 재결처분에 대하여는 그 부동산의 소재지를 관할하는 행정법원에도 관할이 인정되는바, 수원시 소재 부동산을 수용하는 재결처분에 대하여는 수원지방법원본원에 취소소송의 제기가 가능하다(「행정소송법」 제9조 제3항).

유제 15. 서울시 7급 토지의 수용 기타 부동산 또는 특정의 장소에 관계되는 처분 등에 대한 취소소송은 그 부동산 또는 장소의 소재지를 관할하는 행정법원에 이를 제기할 수 있다. (○)

④ (○) 처분청인 서초구청장이 피고가 되고, 피고의 소재지를 관할하는 서울행정법원에 취소소송의 제기가 가능하다(「행정소송법」 제9조 제1항).

유제 15. 서울시 7급 소송의 제1심관할법원은 원고의 소재지를 관할하는 행정법원으로 한다. (×)

답 ②

130 ☐☐☐

행정청이 A처분을 하였고 甲은 이에 대하여 취소소송을 제기하였으며 취소소송에서 본안심리결과 A처분이 부당하거나 일부 위법한 것으로 판단될 경우에 대한 설명으로 가장 옳지 않은 것은? (다툼이 있는 경우 판례에 의함)

① A처분이 부당한 처분에 불과한 경우라면 甲은 승소할 수 없다.
② A처분이 기속적 조세부과처분에 해당하고 당사자가 제출한 자료에 의해 정당한 부과금액을 산정할 수 있다면, 법원은 정당한 부과금액을 초과한 부분만을 취소해야 한다.
③ A처분과 관련된 원상회복청구소송이 다른 법원에 계속되고 있는 경우, 甲은 당해 취소소송을 원상회복청구소송이 계속되는 법원으로 이송해 줄 것을 사실심의 변론종결 전까지 신청할 수 있다.
④ 甲이 자동차운수사업면허 조건을 위반하여 과징금부과처분인 A처분을 받았지만 그 과징금부과처분이 법이 정한 한도액을 초과하여 위법하다면 법원은 초과한 한도액만을 취소할 수는 없고 그 전부를 취소할 수밖에 없다.

2025년 군무원 9급

① (O) 행정청의 재량에 속하는 처분이라도 재량권의 한계를 넘거나 그 남용이 있는 때에는 법원은 이를 취소할 수 있지만(「행정소송법」 제27조), 단순히 부당하다는 이유만으로는 취소할 수 없다. 따라서 A처분이 부당하기만 할 뿐 위법하지 않다면 甲은 승소할 수 없다.
② (O) 과세처분취소소송의 처분의 적법 여부는 과세액이 정당한 세액을 초과하느냐의 여부에 따라 판단되는 것으로서 당사자는 사실심 변론종결시까지 객관적인 조세채무액을 뒷받침하는 주장과 자료를 제출할 수 있고 이러한 자료에 의하여 <u>적법하게 부과될 정당한 세액이 산출되는 때에는 그 정당한 세액을 초과하는 부분만 취소하여야 할 것이고 전부를 취소할 것이 아니다</u>(대판 2000.6.13. 98두5811).
③ (X) 원상회복청구소송을 취소소송이 계속된 법원으로 이송할 수 있고, 취소소송을 관련청구소송인 원상회복청구소송이 계속된 법원으로 이송할 수는 없다.

> 「행정소송법」 제10조 【관련청구소송의 이송 및 병합】 ① 취소소송과 다음 각 호의 1에 해당하는 소송(이하 "관련청구소송"이라 한다)이 각각 다른 법원에 계속되고 있는 경우에 관련청구소송이 계속된 법원이 상당하다고 인정하는 때에는 당사자의 신청 또는 직권에 의하여 이를 <u>취소소송이 계속된 법원으로 이송할 수 있다</u>.
> 1. 당해 처분등과 관련되는 손해배상·부당이득반환·<u>원상회복등</u> 청구소송
> 2. 당해 처분등과 관련되는 취소소송

④ (O) 자동차운수사업 면허조건 등에 위반한 사업자에 대하여 행정청이 행정제재수단으로서 사업정지를 명할 것인지, 과징금을 부과할 것인지, 과징금을 부과키로 하였다면 그 금액은 얼마로 할 것인지 등에 관하여 재량권이 부여되어 있다 할 것이고, 과징금 최고한도액 5,000,000원의 부과처분만으로는 적절치 않다고 여길 경우 사업정지쪽을 택할 수도 있다 할 것이므로 <u>과징금 부과처분이 법이 정한 한도액을 초과하여 위법할 경우 법원으로서는 그 전부를 취소할 수밖에 없고, 그 한도액을 초과한 부분이나 법원이 적정하다고 인정되는 부분을 초과한 부분만을 취소할 수는 없다</u>(대판 1993.7.27. 93누1077).

답 ③

문제 DATA
출제가능 지수 ▶▶▷
난이도 지수 ★★☆

함께 정리하기

사례

행정처분이 단순히 부당한 경우
▷ 승소 불가

정당한 부과금액을 산정할 수 있는 기속적 조세부과처분
▷ 법원은 정당한 부과금액을 초과한 부분만 일부 취소

원상회복청구소송(관련청구소송)
▷ 취소소송이 계속된 법원으로 이송

과징금 한도액 초과
▷ 일부취소 불가(전부취소 O)

문제 DATA
출제가능 지수 ▶▶▷
난이도 지수 ★★☆

131 □□□

「행정소송법」상 관련 청구소송의 병합에 대한 설명으로 옳지 않은 것은?

① 취소소송과 관련청구소송의 병합은 취소소송에 병합하여야 한다.
② 주된 청구가 사실심의 변론종결 전이어야 한다.
③ 주된 청구와 병합하는 관련청구는 각각 소송요건을 모두 적법하게 갖추어야 한다.
④ 주된 청구가 소송요건을 갖추지 못하여 부적법한 경우 그에 병합된 관련 민사상의 청구도 각하하여야 한다는 것이 판례의 입장이다.
⑤ 관련청구소송의 피고는 취소소송의 피고와 동일할 것을 요한다.

| 2015년 세무사

①, ② (○), ⑤ (×) 관련청구소송은 사실심 변론종결 전까지 취소소송에 병합할 수 있다. 피고 외의 자를 상대로 관련청구소송도 취소소송이 계속된 법원에 제기할 수 있다.

> 「행정소송법」 제10조【관련청구소송의 이송 및 병합】② 취소소송에는 사실심의 변론종결시까지 관련청구소송을 병합하거나 피고외의 자를 상대로 한 관련청구소송을 취소소송이 계속된 법원에 병합하여 제기할 수 있다.

유제 10. 세무사 국세부과처분과 관련되는 손해배상청구소송이 제기된 경우 손해배상청구소송이 계속된 법원에 취소소송을 병합하여 제기하여야 한다. (×)

③, ④ (○) 주된 청구와 관련청구는 각각 소송요건을 모두 갖추어야 하고 그렇지 않으면, 부적법 각하된다. 따라서 주된 청구가 부적법한 경우에는 관련청구도 부적법하게 된다.

> 행정소송법 제38조, 제10조에 의한 관련청구소송의 병합은 본래의 항고소송이 적법할 것을 요건으로 하는 것이어서 본래의 항고소송이 부적법하여 각하되면 그에 병합된 관련청구도 소송요건을 흠결한 부적합한 것으로 각하되어야 한다(대판 2001.11.27. 2000두697).

답 ⑤

함께 정리하기
관련청구소송의 병합

관련청구소송
▷ 취소소송에 병합

사실심 변론종결 전

주된 청구, 관련청구
▷ 각각 소송요건 충족 필요

주된 청구 부적법
▷ 관련청구 각하

관련청구소송과 취소소송의 피고 달라도 무방

문제 DATA
출제가능 지수 ▶▶▷
난이도 지수 ★★☆

132 □□□

관련청구소송의 병합에 대한 설명으로 옳은 것은?

① 처분과 관련되는 손해배상청구소송이 계속된 법원에 당해 처분에 대한 취소소송을 병합할 수는 없다.
② 취소소송의 사실심 변론종결 후라도 관련청구소송의 병합이 가능하다.
③ 병합이 허용되기 위해서는 관련청구소송의 피고가 주된 소송의 피고와 동일하여야 한다.
④ 취소소송이 소송요건을 갖추는 한 병합되는 관련청구소송은 소송요건을 흠결하여도 무방하다.
⑤ 취소소송과 취소소송 간에는 관련청구인 경우에도 병합이 허용되지 않는다.

| 2011년 세무사

① (○)

> 「행정소송법」 제10조【관련청구소송의 이송 및 병합】① 취소소송과 다음 각 호의 1에 해당하는 소송(이하 "관련청구소송"이라 한다)이 각각 다른 법원에 계속되고 있는 경우에 관련청구소송이 계속된 법원이 상당하다고 인정하는 때에는 당사자의 신청 또는 직권에 의하여 이를 취소소송이 계속된 법원으로 이송할 수 있다.

함께 정리하기
관련청구소송의 병합

손해배상청구소송에 취소소송 병합 불가

사실심 변론종결 전

관련청구소송과 취소소송의 피고 달라도 무방

주된 청구, 관련청구
▷ 각각 소송요건 충족 필요

취소소송 간 병합 可

1. 당해 처분등과 관련되는 손해배상·부당이득반환·원상회복등 청구소송
2. 당해 처분등과 관련되는 취소소송
② 취소소송에는 사실심의 변론종결시까지 관련청구소송을 병합하거나 피고외의 자를 상대로 한 관련청구소송을 취소소송이 계속된 법원에 병합하여 제기할 수 있다.

② (×) 관련청구소송의 병합은 사실심 변론종결 전까지 가능하다.
③ (×) 피고외의 자를 상대로 한 관련청구소송도 취소소송이 계속된 법원에 제기할 수 있다.
④ (×) 주된 청구와 관련청구는 각각 소송요건을 모두 갖추어야 한다.
⑤ (×) 취소소송과 취소소송간의 병합청구도 가능하다.

답 ①

133

관련청구소송의 이송에 대한 설명으로 옳지 않은 것은?

① 심리의 중복과 재판상의 모순을 방지하고 소송경제를 도모하기 위하여 인정되는 제도이다.
② 취소소송뿐만 아니라 무효등 확인소송과 부작위위법확인소송에도 허용된다.
③ 취소소송과 관련청구소송이 각각 다른 법원에 계속되고 있는 경우에 관련청구소송이 계속된 법원은 이를 취소소송이 계속된 법원으로 이송할 수 있다.
④ 관련청구소송은 이송결정이 확정된 때부터 이송 받은 법원에 계속된 것으로 본다.
⑤ 이송은 관련청구소송의 당사자의 신청 또는 직권에 의하여 법원의 결정으로 행한다.

2010년 세무사

① (○) 일정 처분에 대한 취소소송과 이와 관련된 다른 소송이 각각 다른 법원에 계속되고 있을 때에는, 사실심 변론종결시까지 관련청구소송을 병합하거나 피고 이외의 자를 상대로 한 관련청구소송을 취소소송이 계속된 법원에 이송하거나 병합하여 제기할 수 있다(관련청구의 이송 및 병합). 이는 상호관련성이 있는 여러 청구를 하나의 절차에서 심판함으로써 심리의 중복, 재판의 모순저촉을 방지하고 신속하게 재판을 진행시키기 위한 제도이다.
② (○) 「행정소송법」 제10조의 규정은 무효등 확인소송(제38조 제1항)과 부작위위법확인소송(제38조 제2항)에 준용된다.

「행정소송법」 제10조 【관련청구소송의 이송 및 병합】 ② 취소소송에는 사실심의 변론종결시까지 관련청구소송을 병합하거나 피고외의 자를 상대로 한 관련청구소송을 취소소송이 계속된 법원에 병합하여 제기할 수 있다.
제38조 【준용규정】 ① 제9조, 제10조, 제13조 내지 제17조, 제19조, 제22조 내지 제26조, 제29조 내지 제31조 및 제33조의 규정은 무효등 확인소송의 경우에 준용한다.
② 제9조, 제10조, 제13조 내지 제19조, 제20조, 제25조 내지 제27조, 제29조 내지 제31조, 제33조 및 제34조의 규정은 부작위위법확인소송의 경우에 준용한다.

③, ⑤ (○)

「행정소송법」 제10조 【관련청구소송의 이송 및 병합】 ① 취소소송과 다음 각 호의 1에 해당하는 소송(이하 "관련청구소송"이라 한다)이 각각 다른 법원에 계속되고 있는 경우에 관련청구소송이 계속된 법원이 상당하다고 인정하는 때에는 당사자의 신청 또는 직권에 의하여 이를 취소소송이 계속된 법원으로 이송할 수 있다.
1. 당해 처분등과 관련되는 손해배상·부당이득반환·원상회복등 청구소송
2. 당해 처분등과 관련되는 취소소송

문제 DATA
출제가능 지수 ▶▶▷
난이도 지수 ★★☆

함께 정리하기
관련청구소송의 이송
심리중복·재판모순저촉 방지 & 신속한 재판(소송경제도모)
무효등 확인소송·부작위위법확인소송 可
관련청구소송
▷ 취소소송으로 이송
이송 결정
▷ 처음부터 이송받은 법원에 계속
당사자의 신청 or 직권에 의하여 법원의 결정

④ (×)

> 「행정소송법」 제8조【법적용예】② 행정소송에 관하여 이 법에 특별한 규정이 없는 사항에 대하여는 「법원조직법」과 「민사소송법」 및 「민사집행법」의 규정을 준용한다.
> 「민사소송법」 제40조【이송의 효과】① <u>이송결정이 확정된 때에는 소송은 처음부터 이송받은 법원에 계속된 것으로 본다.</u>

답 ④

134 ☐☐☐

행정소송의 재판관할에 대한 설명으로 옳지 않은 것은?

① 국가 또는 공공단체가 당사자소송의 피고인 경우에는 관계행정청의 소재지를 피고의 소재지로 본다.
② 토지의 수용 기타 부동산 또는 특정의 장소에 관계되는 처분등에 대한 취소소송은 그 부동산 또는 장소의 소재지를 관할하는 행정법원에 제기해야 하므로, 「민사소송법」상의 합의관할 및 변론관할에 관한 규정은 적용되지 않는다.
③ 취소소송의 제1심 관할법원은 피고의 소재지를 관할하는 행정법원으로 한다. 다만, 중앙행정기관 또는 그 장이 피고인 경우의 관할법원은 대법원 소재지의 행정법원으로 한다.
④ 원고의 고의 또는 중대한 과실 없이 행정소송이 심급을 달리하는 법원에 잘못 제기된 경우에 수소법원은 관할법원에 이송한다.

| 2010년 국가직 7급

① (○)

> 「행정소송법」 제40조【재판관할】제9조의 규정은 당사자소송의 경우에 준용한다. 다만, 국가 또는 공공단체가 피고인 경우에는 관계행정청의 소재지를 피고의 소재지로 본다.

유제 09. 세무사 항고소송은 물론 당사자소송 등에도 준용된다. (○)

② (×) 「행정소송법」상 토지관할은 전속관할이 아니기 때문에 「민사소송법」상의 합의관할, 변론관할에 관한 규정이 준용된다.

> 「행정소송법」 제9조【재판관할】③ 토지의 수용 기타 부동산 또는 특정의 장소에 관계되는 처분등에 대한 취소소송은 그 부동산 또는 장소의 소재지를 관할하는 행정법원에 이를 제기할 수 있다.

유제 15. 세무사 관할의 결정에 대해서는 「민사소송법」상의 합의관할, 응소관할에 관한 규정이 준용될 수 있다. (○)

③ (×) 대법원 소재지 행정법원에 제기할 수 있다.

> 「행정소송법」 제9조【재판관할】① 취소소송의 제1심 관할법원은 피고의 소재지를 관할하는 행정법원으로 한다.
> ② 제1항에도 불구하고 다음 각 호의 어느 하나에 해당하는 피고에 대하여 취소소송을 제기하는 경우에는 대법원소재지를 관할하는 행정법원에 제기할 수 있다.
> 1. 중앙행정기관, 중앙행정기관의 부속기관과 합의제행정기관 또는 그 장

④ (○)

> 「행정소송법」 제7조【사건의 이송】「민사소송법」 제34조 제1항의 규정은 원고의 고의 또는 중대한 과실 없이 행정소송이 심급을 달리하는 법원에 잘못 제기된 경우에도 적용한다.
> 「민사소송법」 제34조【관할위반 또는 재량에 따른 이송】① 법원은 소송의 전부 또는 일부에 대하여 관할권이 없다고 인정하는 경우에는 결정으로 이를 관할법원에 이송한다.

답 ②, ③

● 문제 DATA
출제가능 지수 ▶▶▷
난이도 지수 ★★☆

☑ 함께 정리하기

행정소송의 재판관할

당사자소송의 피고가 국가 또는 공공단체
▷ 관계행정청 소재지 관할

임의관할
▷ 「민사소송법」상 합의관할, 변론관할 적용○

중앙행정기관 또는 그 장이 피고
▷ 대법원소재지 행정법원에 제기할 수 있음

고의·중대한 과실 없이 심급관할 위반
▷ 관할법원에 이송

135

「행정소송법」상 관련청구소송의 이송과 병합에 대한 설명으로 옳지 않은 것은? (다툼이 있는 경우 판례에 의함)

① 관련청구소송의 이송은 그 소송이 계속되어 있는 법원이 당해 소송을 취소소송이 계속되어 있는 법원에 이송하는 것이 상당하다고 인정하는 때에 당사자의 신청 또는 직권에 의하여 할 수 있다.
② 당해 처분의 취소를 선결문제로 하는 부당이득반환청구소송이 다른 법원에 계속되고 있는 경우에, 이를 당해 처분의 취소소송이 계속된 법원으로 이송할 수 있다.
③ 관련청구소송의 병합은 본래의 항고소송이 적법할 것을 요건으로 하는 것이어서 본래의 항고소송이 부적법하여 각하되면 그에 병합된 관련청구도 소송요건을 흠결한 부적합한 것으로 각하되어야 한다.
④ 당해 처분의 취소소송을 당해 처분이 원인이 되어 발생한 손해배상청구소송이 계속된 법원으로 이송할 수 있다.

| 2009년 지방직 7급

①, ② (○)

> 「행정소송법」제10조 【관련청구소송의 이송 및 병합】① 취소소송과 다음 각 호의 1에 해당하는 소송 (이하 "관련청구소송"이라 한다)이 각각 다른 법원에 계속되고 있는 경우에 관련청구소송이 계속된 법원이 상당하다고 인정하는 때에는 당사자의 신청 또는 직권에 의하여 이를 취소소송이 계속된 법원으로 이송할 수 있다.
> 1. 당해 처분등과 관련되는 손해배상·부당이득반환·원상회복등 청구소송

③ (○) 주된 청구가 부적법하면 관련청구도 각하된다.

> 행정소송법 제38조, 제10조에 의한 관련청구소송의 병합은 본래의 항고소송이 적법할 것을 요건으로 하는 것이어서 본래의 항고소송이 부적법하여 각하되면 그에 병합된 관련청구도 소송요건을 흠결한 부적합한 것으로 각하되어야 한다(대판 2001.11.27. 2000두697).

④ (×) 관련청구소송의 이송은 예컨대 조세과오납금환급청구소송 또는 손해배상청구소송을 조세부과처분취소소송 계속된 법원으로 이송할 수 있다는 것이지, 그 반대의 경우는 가능하지 않다.

답 ④

함께 정리하기

관련청구소송의 이송과 병합

당사자의 신청 또는 직권

부당이득반환청구소송
▷ 취소소송 계속 법원에 이송 가

주된 청구 부적법
▷ 관련 청구 각하

취소소송을 관련소송으로 이송✕

136

취소소송에 대한 관련청구소송의 이송과 병합에 대한 설명으로 옳지 않은 것은? (다툼이 있는 경우 판례에 의함)

① 관련청구소송은 당연히 이송하므로 심리의 필요성과 무관하다.
② 당사자의 신청 또는 법원의 직권으로 이송할 수 있다.
③ 이송결정은 이송받은 법원을 기속하며 다른 법원으로 다시 이송하지 못한다.
④ 병합될 취소소송은 그 자체로 소송요건을 구비하여 적법하여야 한다.
⑤ 관련청구소송의 병합은 사실심의 변론종결시까지 하여야 한다.

함께 정리하기

관련청구소송의 이송과 병합

관련청구소송 이송
▷ 당연이송✗

당사자의 신청·법원의 직권

이송결정의 기속력
▷ 재이송 금지

주된 청구·관련청구
▷ 각각 소송요건 충족 필요

사실심의 변론종결시까지

2009년 세무사

① (✗), ② (○)

> 「행정소송법」제10조【관련청구소송의 이송 및 병합】① 취소소송과 다음 각 호의 1에 해당하는 소송(이하 "관련청구소송"이라 한다)이 각각 다른 법원에 계속되고 있는 경우에 관련청구소송이 계속된 법원이 상당하다고 인정하는 때에는 당사자의 신청 또는 직권에 의하여 이를 취소소송이 계속된 법원으로 이송할 수 있다.
> 1. 당해 처분등과 관련되는 손해배상·부당이득반환·원상회복등 청구소송
> 2. 당해 처분등과 관련되는 취소소송

③ (○)

> 「행정소송법」제8조【법적용예】② 행정소송에 관하여 이 법에 특별한 규정이 없는 사항에 대하여는 「법원조직법」과 「민사소송법」 및 「민사집행법」의 규정을 준용한다.
> 「민사소송법」제38조【이송결정의 효력】① 소송을 이송받은 법원은 이송결정에 따라야 한다.
> ② 소송을 이송받은 법원은 사건을 다시 다른 법원에 이송하지 못한다.

④ (○) 주된 청구와 관련 청구는 각각 소송요건을 갖출 것이 요구된다.

> 행정소송법 제38조, 제10조에 의한 관련청구소송의 병합은 본래의 항고소송이 적법할 것을 요건으로 하는 것이어서 본래의 항고소송이 부적법하여 각하되면 그에 병합된 관련청구도 소송요건을 흠결한 부적합한 것으로 각하되어야 한다(대판 2001.11.27. 2000두697).

⑤ (○)

> 「행정소송법」제10조【관련청구소송의 이송 및 병합】② 취소소송에는 사실심의 변론종결시까지 관련청구소송을 병합하거나 피고외의 자를 상대로 한 관련청구소송을 취소소송이 계속된 법원에 병합하여 제기할 수 있다.

답 ①

문제 DATA

출제가능 지수 ▶▶∑
난이도 지수 ★★★

137 □□□

「행정소송법」상 관련청구소송의 이송 및 병합에 대한 설명으로 옳은 것(○)과 옳지 않은 것(✗)을 올바르게 조합한 것은? (다툼이 있는 경우 판례에 의함)

> ㄱ. 취소소송과 그와 관련되는 손해배상·부당이득반환·원상회복 등 청구소송(이하 '관련청구소송' 이라고 한다)이 각각 다른 법원에 계속되고 있는 경우에 관련청구소송이 계속된 법원이 상당하다고 인정하는 때에는 당사자의 신청 또는 직권에 의하여 이를 취소소송이 계속된 법원으로 이송할 수 있다.
> ㄴ. 관련청구소송이 취소소송과 병합되기 위해서는 그 청구의 내용 또는 발생원인이 취소소송의 대상인 처분등과 법률상 또는 사실상 공통되거나, 그 처분의 효력이나 존부가 선결문제로 되는 등의 관계에 있어야 하는 것이 원칙이다.
> ㄷ. 관련청구소송의 병합은 본래의 취소소송이 적법할 것을 요건으로 하는 것이어서 본래의 취소소송이 부적법하여 각하되면 그에 병합된 관련청구도 소송요건을 흠결한 부적법한 것으로 각하되어야 한다.
> ㄹ. 관련청구소송의 이송 및 병합은 항고소송과 민사소송의 관할법원이 다르다는 전제에서 공통되거나 관련되는 쟁점에 관한 심리의 효율을 위하여 인정되는 것으로 관련청구소송의 이송 및 병합에 관한 「행정소송법」제10조의 규정은 항고소송 이외에 당사자소송에는 준용되지 않는다.

① ㄱ(○), ㄴ(○), ㄷ(○), ㄹ(✗)
② ㄱ(○), ㄴ(○), ㄷ(✗), ㄹ(✗)
③ ㄱ(○), ㄴ(✗), ㄷ(✗), ㄹ(○)
④ ㄱ(✗), ㄴ(✗), ㄷ(○), ㄹ(○)
⑤ ㄱ(○), ㄴ(○), ㄷ(○), ㄹ(○)

2020년 변호사

ㄱ. (○), ㄹ. (×)

> 「행정소송법」제10조【관련청구소송의 이송 및 병합】① 취소소송과 다음 각 호의 1에 해당하는 소송(이하 "관련청구소송"이라 한다)이 각각 다른 법원에 계속되고 있는 경우에 관련청구소송이 계속된 법원이 상당하다고 인정하는 때에는 당사자의 신청 또는 직권에 의하여 이를 취소소송이 계속된 법원으로 이송할 수 있다.
> 1. 당해 처분등과 관련되는 손해배상·부당이득반환·원상회복등 청구소송
> 2. 당해 처분등과 관련되는 취소소송
> 제44조【준용규정】② 제10조의 규정은 당사자소송과 관련청구소송이 각각 다른 법원에 계속되고 있는 경우의 이송과 이들 소송의 병합의 경우에 준용한다.

ㄴ. (○) 관련민사소송은 청구의 내용·발생원인이 처분과 법률상·사실상 공통되거나 처분의 효력·존부가 선결문제로 되는 관계여야 한다.

> 행정소송법 제10조 제1항 제1호는 행정소송에 병합될 수 있는 관련청구에 관하여 '당해 처분 등과 관련되는 손해배상·부당이득반환·원상회복 등의 청구'라고 규정함으로써 그 병합요건으로 본래의 행정소송과의 관련성을 요구하고 있는바, 손해배상청구 등의 민사소송이 행정소송에 관련청구로 병합되기 위해서는 그 청구의 내용 또는 발생 원인이 행정소송의 대상인 처분 등과 법률상 또는 사실상 공통되거나, 그 처분의 효력이나 존부 유무가 선결문제로 되는 등의 관계에 있어야 함이 원칙이다(대판 2000.10.27. 99두561).

ㄷ. (○) 항고소송이 부적법하면 그에 병합된 관련청구도 각하된다.

> 행정소송법 제38조, 제10조에 의한 관련청구소송의 병합은 본래의 항고소송이 적법할 것을 요건으로 하는 것이어서 본래의 항고소송이 부적법하여 각하되면 그에 병합된 관련청구도 소송요건을 흠결한 부적합한 것으로 각하되어야 한다(대판 2001.11.27. 2000두697).

답 ①

함께 정리하기

관련청구소송의 이송 및 병합

관련청구소송의 이송
▷ 취소소송이 계속된 법원으로 이송(취소소송 중심주의)

관련민사소송의 범위
▷ 청구내용·발생원인이 처분과 법률상·사실상 공통 or 처분의 효력·존부가 선결문제로 되는 관계

항고소송 부적법
▷ 관련청구소송도 각하

당사자소송
▷ 관련청구이송·병합 可

◎ ALL KILL 기출

제2절 소송요건 〉 Ⅷ 관할법원

01 「행정소송법」은 항고소송이나 당사자소송의 토지관할에 대하여 전속관할로 규정하고 있다.
15. 세무사 ( )

02 취소소송의 제1심 관할법원은 피고의 소재지를 관할하는 행정법원으로 함을 원칙으로 한다.
10. 지방직 9급 ( )

정답 및 해설

01 × 전속관할이란 특정법원만이 오로지 배타적으로 관할권을 갖게 한 것을 말하는바, 「행정소송법」은 토지관할을 임의관할로 규정하고 있음

02 ○ 취소소송의 제1심관할법원은 피고의 소재지를 관할하는 행정법원으로 함(「행정소송법」 제9조 제1항)

제3절 | 소의 변경

001 □□□

「행정소송법」상 취소소송의 변경에 대한 설명으로 옳지 않은 것은?

① 취소소송이 계속되고 있을 것
② 1심 법원의 판결 시까지 원고의 신청이 있을 것
③ 청구의 기초에 변경이 없을 것
④ 법원이 상당하다고 인정하여 허가결정을 할 것
⑤ 취소소송과 취소소송 외의 항고소송간의 소의 변경은 물론, 취소소송과 당사자소송간의 변경도 가능 하다.

| 2014년 서울시 9급

② (×) 소의 변경은 1심 법원의 판결 시까지가 아닌 사실심의 변론종결시까지 신청을 하여야 한다.

> 「행정소송법」제21조【소의 변경】① 법원은 취소소송을 당해 처분등에 관계되는 사무가 귀속하는 국가 또는 공공단체에 대한 당사자소송 또는 취소소송외의 항고소송으로 변경하는 것이 상당하다고 인정할 때에는 청구의 기초에 변경이 없는 한 사실심의 변론종결시까지 원고의 신청에 의하여 결정으로써 소의 변경을 허가할 수 있다.
> 제42조【소의 변경】제21조의 규정은 당사자소송을 항고소송으로 변경하는 경우에 준용한다.

답 ②

문제 DATA
출제가능 지수 ▶▶▷
난이도 지수 ★☆☆

함께 정리하기
취소소송의 변경
취소소송의 계속
사실심 변론종결시/원고의 신청
청구기초에 변경×
법원이 상당하다고 인정하여 허가
소의 변경
▷ 취소소송을 취소소송 외 항고소송으로 可
▷ 취소소송을 당사자소송으로 可

---

002 □□□

「행정소송법」상 소의 종류의 변경에 대한 설명으로 옳은 것을 <보기>에서 모두 고른 것은?

<보기>
ㄱ. 소의 종류의 변경은 직권으로도 가능하다.
ㄴ. 항소심에서도 소의 종류의 변경은 가능하다.
ㄷ. 당사자소송을 항고소송으로 변경하는 것은 허용되지 않는다.
ㄹ. 소의 종류의 변경의 요건을 갖춘 경우 면직처분취소소송을 공무원보수지급청구소송으로 변경하는 것은 가능하다.

① ㄱ, ㄴ   ② ㄱ, ㄹ
③ ㄴ, ㄷ   ④ ㄴ, ㄹ

| 2018년 서울시 9급

ㄱ. (×), ㄴ. (○) 소 변경은 직권으로 행해질 수 없다. 반드시 당사자의 신청이 필요하다.

> 「행정소송법」제21조【소의 변경】① 법원은 취소소송을 당해 처분등에 관계되는 사무가 귀속하는 국가 또는 공공단체에 대한 당사자소송 또는 취소소송외의 항고소송으로 변경하는 것이 상당하다고 인정할 때에는 청구의 기초에 변경이 없는 한 사실심의 변론종결시까지 원고의 신청에 의하여 결정으로써 소의 변경을 허가할 수 있다.

문제 DATA
출제가능 지수 ▶▶▷
난이도 지수 ★★☆

함께 정리하기
소 종류의 변경
▷ 직권×(반드시 신청 要)
▷ 사실심 변론종결시까지 可
▷ 당사자소송에서 항고소송으로 소 변경 可(제42조에서 제21조 준용○)
▷ 취소소송에서 당사자소송(공무원보수 지급청구소송)으로 소 변경 可

ㄷ. (×)

> 「행정소송법」 제42조【소의 변경】 제21조의 규정은 당사자소송을 항고소송으로 변경하는 경우에 준용한다.

ㄹ. (○)

> 「행정소송법」 제21조【소의 변경】 ① 법원은 취소소송을 당해 처분등에 관계되는 사무가 귀속하는 국가 또는 공공단체에 대한 당사자소송 또는 취소소송외의 항고소송으로 변경하는 것이 상당하다고 인정할 때에는 청구의 기초에 변경이 없는 한 사실심의 변론종결시까지 원고의 신청에 의하여 결정으로써 소의 변경을 허가할 수 있다.

답 ④

003 □□□

「행정소송법」상의 소의 변경에 대한 설명으로 옳지 않은 것은?

① 법원은 소의 변경의 필요가 있다고 판단될 때에는 원고의 신청이 없더라도 사실심의 변론종결시까지 직권으로 소를 변경할 수 있다.
② 소의 종류의 변경은 소송경제 및 권리보호의 관점에서 인정된다.
③ 법원이 소의 종류의 변경을 허가함으로써 피고를 달리하게 될 때에는 새로이 피고가 될 자의 의견을 반드시 들어야 한다.
④ 소의 변경은 당사자소송을 항고소송으로 변경하는 경우에도 인정된다.

| 2008년 선관위 9급

① (×), ③ (○)

> 「행정소송법」 제21조【소의 변경】 ① 법원은 취소소송을 당해 처분등에 관계되는 사무가 귀속하는 국가 또는 공공단체에 대한 당사자소송 또는 취소소송외의 항고소송으로 변경하는 것이 상당하다고 인정할 때에는 청구의 기초에 변경이 없는 한 사실심의 변론종결시까지 원고의 신청에 의하여 결정으로써 소의 변경을 허가할 수 있다.
> ② 제1항의 규정에 의한 허가를 하는 경우 피고를 달리하게 될 때에는 법원은 새로이 피고로 될 자의 의견을 들어야 한다.

② (○) 소 종류의 변경은 취소소송과 취소소송 외의 항고소송 간의 소의 변경은 물론 취소소송과 당사자소송간의 변경도 가능하다. 이는 국민이 행정소송의 종류를 잘못 선택하는 위험으로부터 보호하며, 기존의 소송과정에서 얻은 자료를 새로운 소송에서 그대로 사용하게 하여 소송경제를 도모하고자 하는 제도이다.

④ (○)

> 「행정소송법」 제42조【소의 변경】 제21조의 규정은 당사자소송을 항고소송으로 변경하는 경우에 준용한다.

답 ①

문제 DATA

출제가능 지수 ▶▶▷
난이도 지수 ★★☆

004 □□□

행정소송상 소의 종류의 변경에 대한 설명으로 옳지 않은 것은?

① 상고심에서도 소의 종류의 변경은 가능하다.
② 신소(新訴)는 구소(舊訴)가 처음 제기된 때에 제기된 것으로 보고 구소는 취하된 것으로 본다.
③ 피고의 변경을 포함한 소의 종류의 변경도 가능하다.
④ 청구의 기초에 변경이 없어야 가능하다.
⑤ 소의 종류의 변경허가에 대해서는 독립하여 불복할 수 있다.

| 2011년 세무사

① (×)

> 「행정소송법」 제21조 【소의 변경】 ① 법원은 취소소송을 당해 처분등에 관계되는 사무가 귀속하는 국가 또는 공공단체에 대한 당사자소송 또는 취소소송외의 항고소송으로 변경하는 것이 상당하다고 인정할 때에는 청구의 기초에 변경이 없는 한 사실심의 변론종결시까지 원고의 신청에 의하여 결정으로써 소의 변경을 허가할 수 있다.
> ② 제1항의 규정에 의한 허가를 하는 경우 피고를 달리하게 될 때에는 법원은 새로이 피고로 될 자의 의견을 들어야 한다.
> ③ 제1항의 규정에 의한 허가결정에 대하여는 즉시항고할 수 있다.
> ④ 제1항의 규정에 의한 허가결정에 대하여는 제14조 제2항·제4항 및 제5항의 규정을 준용한다.
> 제14조 【피고경정】 ④ 제1항의 규정에 의한 결정이 있은 때에는 새로운 피고에 대한 소송은 처음에 소를 제기한 때에 제기된 것으로 본다.

답 ①

함께 정리하기

소의 종류의 변경

상고심×
구소취하/신소는 구소제기 시점 제기 간주
피고변경 포함 소의 종류 변경 可
청구기초의 변경×
허가결정
▷ 즉시항고○

문제 DATA

출제가능 지수 ▶▶▷
난이도 지수 ★★☆

005 □□□

처분변경으로 인한 소 변경의 요건이 아닌 것은?

① 소 제기 후 처분의 변경이 있을 것
② 원고가 처분의 변경이 있음을 안날로부터 60일 이내에 소변경신청을 할 것
③ 소송이 계속 중이고 사실심 변론종결 전 일 것
④ 법원의 변경허가결정이 있을 것
⑤ 변경되는 청구가 필요적 행정심판전치의 대상인 경우 행정심판을 거칠 것

| 2012년 세무사

⑤ (×)

> 「행정소송법」 제22조【처분변경으로 인한 소의 변경】① 법원은 행정청이 소송의 대상인 처분을 소가 제기된 후 변경한 때에는 원고의 신청에 의하여 결정으로써 청구의 취지 또는 원인의 변경을 허가할 수 있다.
> ② 제1항의 규정에 의한 신청은 처분의 변경이 있음을 안 날로부터 60일 이내에 하여야 한다.
> ③ 제1항의 규정에 의하여 변경되는 청구는 제18조 제1항 단서의 규정에 의한 요건을 갖춘 것으로 본다.
> 제18조【행정심판과의 관계】① 취소소송은 법령의 규정에 의하여 당해 처분에 대한 행정심판을 제기할 수 있는 경우에도 이를 거치지 아니하고 제기할 수 있다. 다만, 다른 법률에 당해 처분에 대한 행정심판의 재결을 거치지 아니하면 취소소송을 제기할 수 없다는 규정이 있는 때에는 그러하지 아니하다.
> 「민사소송법」 제262조【청구의 변경】① 원고는 청구의 기초가 바뀌지 아니하는 한도안에서 변론을 종결할 때(변론 없이 한 판결의 경우에는 판결을 선고할 때)까지 청구의 취지 또는 원인을 바꿀 수 있다. 다만, 소송절차를 현저히 지연시키는 경우에는 그러하지 아니하다.

답 ⑤

함께 정리하기

처분변경으로 인한 소 변경

소 제기 후 처분변경

사실심 변론종결전

처분변경 안 날로부터 60일 이내 원고의 신청

법원의 허가결정

필요적 행정심판전치
▷ 변경되는 청구 심판거칠 필요×

006 □□□

다음 중 ( ) 안에 들어갈 내용을 올바르게 고른 것은?

> • 행정소송에 관하여 「행정소송법」에 특별한 규정이 없는 사항에 대하여는 「법원조직법」과 「민사소송법」 및 (ㄱ)의 규정을 준용한다.
> • 처분변경으로 인한 소의 변경은 원고가 당해 처분의 변경이 있음을 안 날로부터 (ㄴ)일 이내에 소의 변경을 신청하여야 한다.

	ㄱ	ㄴ
①	「민사집행법」	60
②	「민사집행법」	90
③	「행정심판법」	60
④	「행정심판법」	90
⑤	「행정절차법」	60

| 2010년 세무사

ㄱ. 「민사집행법」

> 「행정소송법」 제8조【법적용예】② 행정소송에 관하여 이 법에 특별한 규정이 없는 사항에 대하여는 「법원조직법」과 「민사소송법」 및 「민사집행법」의 규정을 준용한다.

ㄴ. 60일

> 「행정소송법」 제22조【처분변경으로 인한 소의 변경】① 법원은 행정청이 소송의 대상인 처분을 소가 제기된 후 변경한 때에는 원고의 신청에 의하여 결정으로써 청구의 취지 또는 원인의 변경을 허가할 수 있다.
> ② 제1항의 규정에 의한 신청은 처분의 변경이 있음을 안 날로부터 60일 이내에 하여야 한다.

답 ①

문제 DATA

출제가능 지수 ▶▶▶∑
난이도 지수 ★☆☆

함께 정리하기

행정소송 준용규정/처분변경으로 인한 소 변경

▷ 「법원조직법」/「민사소송법」/「민사집행법」
▷ 처분변경이 있음을 안 날로부터 60일 이내

제4절 | 가구제

001

행정쟁송에 있어서 가구제에 대한 설명으로 옳지 않은 것은?

① 「행정소송법」상 집행정지의 결정 또는 기각의 결정에 대하여는 즉시항고할 수 있다.
② 행정처분의 효력이나 집행 혹은 절차속행 등의 정지를 구하는 신청은 「행정소송법」상 집행정지신청의 방법으로서만 가능할 뿐 「민사소송법」상 가처분의 방법으로는 허용될 수 없다.
③ 「행정심판법」상 임시처분은 집행정지로 목적을 달성할 수 없는 경우 관할 행정심판위원회가 직권으로 또는 당사자의 신청에 의하여 결정할 수 있다.
④ 집행정지결정 후 본안소송이 취하되어 소송이 계속되지 아니하더라도 집행정지결정의 효력이 당연히 소멸되는 것은 아니고 별도의 취소조치를 필요로 한다.

2025년 지방직 9급

① (O)

> 「**행정소송법**」 제23조 【**집행정지**】 ② 취소소송이 제기된 경우에 처분등이나 그 집행 또는 절차의 속행으로 인하여 생길 회복하기 어려운 손해를 예방하기 위하여 긴급한 필요가 있다고 인정할 때에는 본안이 계속되고 있는 법원은 당사자의 신청 또는 직권에 의하여 처분등의 효력이나 그 집행 또는 절차의 속행의 전부 또는 일부의 정지(이하 "집행정지"라 한다)를 결정할 수 있다. 다만, 처분의 효력정지는 처분등의 집행 또는 절차의 속행을 정지함으로써 목적을 달성할 수 있는 경우에는 허용되지 아니한다.
> ⑤ 제2항의 규정에 의한 집행정지의 결정 또는 기각의 결정에 대하여는 즉시항고할 수 있다. 이 경우 집행정지의 결정에 대한 즉시항고에는 결정의 집행을 정지하는 효력이 없다.

② (O) 민사소송법상의 보전처분은 민사판결절차에 의하여 보호받을 수 있는 권리에 관한 것이므로, <u>민사소송법상의 가처분으로써 행정청의 어떠한 행정행위의 금지를 구하는 것은 허용될 수 없다 할 것이다</u> (대결 1992.7.6. 92마54).

③ (O)

> 「**행정심판법**」 제31조 【**임시처분**】 ① 위원회는 처분 또는 부작위가 위법·부당하다고 상당히 의심되는 경우로서 처분 또는 부작위 때문에 당사자가 받을 우려가 있는 중대한 불이익이나 당사자에게 생길 급박한 위험을 막기 위하여 임시지위를 정하여야 할 필요가 있는 경우에는 직권으로 또는 당사자의 신청에 의하여 임시처분을 결정할 수 있다.
> ③ 제1항에 따른 임시처분은 제30조 제2항에 따른 집행정지로 목적을 달성할 수 있는 경우에는 허용되지 아니한다.

④ (×) 행정처분의 집행정지는 행정처분집행부정지의 원칙에 대한 예외로서 인정되는 일시적인 응급처분이라 할 것이므로 집행정지결정을 하려면 이에 대한 본안소송이 법원에 제기되어 계속중임을 요건으로 하는 것이므로 <u>집행정지결정을 한 후에라도 본안소송이 취하되어 소송이 계속하지 아니한 것으로 되면 집행정지결정은 당연히 그 효력이 소멸되는 것이고 별도의 취소조치를 필요로 하는 것이 아니다</u>(대판 1975.11.11. 75누97 ; 대결 2007.6.28. 2005무75).

답 ④

함께 정리하기

가구제

집행정지 결정 또는 기각결정
▷ 즉시항고 可

행정처분의 금지
▷ 가처분으로 구할 수 없음

「행정심판법」상 임시처분
▷ 집행정지로 목적을 달성할 수 없는 경우 可

본안소송 취하 시
▷ 집행정지 당연소멸
▷ 별도 취소조치 불요

002

「행정소송법」상 집행정지에 대한 설명으로 옳지 않은 것은? (다툼이 있는 경우 판례에 의함)

① 항고소송을 제기한 원고가 본안소송에서 패소확정판결을 받은 경우에는 집행정지결정의 효력이 소급적으로 소멸한다.
② 본안확정판결로 제재처분이 적법하다는 점이 확인되었다면 제재처분의 상대방이 잠정적 집행정지를 통해 집행정지가 이루어지지 않은 경우와 비교하여 제재를 덜 받게되는 결과가 초래 되도록 해서는 안 된다.
③ 처분의 효력을 정지하는 집행정지결정이 이루어지면 결정 주문에서 정한 정지기간 중에는 처분이 없었던 원래의 상태와 같은 상태가 되며 처분청이 처분을 실현하기 위한 조치를 할 수 없다.
④ 집행정지결정의 효력은 결정주문에서 정한 기간까지 존속하다가 그 기간의 만료와 동시에 당연히 소멸한다.

2025년 경찰간부

① (×) ②, ③ (○) 행정소송법 제23조에 따른 집행정지결정이 있으면 결정 주문에서 정한 정지기간 중에는 처분을 실현하기 위한 조치를 할 수 없다(③). 특히 처분의 효력을 정지하는 집행정지결정이 있으면 결정 주문에서 정한 정지기간 중에는 처분이 없었던 원래의 상태와 같은 상태가 된다.

집행정지결정의 효력은 결정 주문에서 정한 기간까지 존속하다가 그 기간이 만료되면 장래에 향하여 소멸한다(대판 2017.7.11. 2013두25498 참조). 집행정지결정은 처분의 집행으로 회복하기 어려운 손해를 예방하기 위하여 긴급한 필요가 있고 달리 공공복리에 중대한 영향을 미치지 않을 것을 요건으로 하여 본안판결이 있을 때까지 해당 처분의 집행을 잠정적으로 정지함으로써 위와 같은 손해를 예방하는데 그 취지가 있으므로, 항고소송을 제기한 원고가 본안소송에서 패소확정판결을 받았다고 하더라도 집행정지결정의 효력이 소급하여 소멸하지 않는다(①).

그러나 제재처분에 대한 행정쟁송절차에서 처분에 대해 집행정지결정이 이루어졌더라도 본안에서 해당 처분이 최종적으로 적법한 것으로 확정되어 집행정지결정이 실효되고 제재처분을 다시 집행할 수 있게 되면, 처분청으로서는 당초 집행정지결정이 없었던 경우와 동등한 수준으로 해당 제재처분이 집행되도록 필요한 조치를 취하여야 한다. 집행정지는 행정쟁송절차에서 실효적 권리구제를 확보하기 위한 잠정적 조치일 뿐이므로, 본안 확정판결로 해당 제재처분이 적법하다는 점이 확인되었다면 제재처분의 상대방이 잠정적 집행정지를 통해 집행정지가 이루어지지 않은 경우와 비교하여 제재를 덜 받게 되는 결과가 초래되도록 해서는 안 된다(②). 반대로, 처분상대방이 집행정지결정을 받지 못했으나 본안소송에서 해당 제재처분이 위법함이 확인되어 취소하는 판결이 확정되면, 처분청은 그 제재처분으로 처분상대방에게 초래된 불이익한 결과를 제거하기 위하여 필요한 조치를 취하여야 한다(대판 2020.9.3. 2020두34070).

④ (○) 행정소송법 제23조에 정해져 있는 처분에 대한 집행정지는 행정처분의 집행으로 인하여 회복하기 어려운 손해를 예방하기 위하여 긴급한 필요가 있고 달리 공공복리에 중대한 영향을 미치지 아니할 것을 요건으로 하여 본안판결이 있을 때까지 당해 행정처분의 집행을 잠정적으로 정지함으로써 위와 같은 손해를 예방하고자 함에 그 취지가 있고, 그 집행정지의 효력 또한 당해 결정의 주문에 표시된 시기까지 존속하다가 그 시기의 도래와 동시에 당연히 소멸한다(대판 2003.7.11. 2002다48023).

답 ①

문제 DATA
출제가능 지수 ▶▶▷
난이도 지수 ★★☆

함께 정리하기

「행정소송법」상 집행정지

본안소송에서 패소확정판결
▷ 장래를 향하여 결정의 효력 소멸

본안 기각확정후 제재처분 집행
▷ 집행정지결정이 없었던 경우와 동등한 수준으로 집행

처분의 효력정지
▷ 정지기간 중 처분이 없었던 원래의 상태와 같은 상태, 처분을 실현하기 위한 조치 불가

집행정지결정의 종기
▷ 주문에 정해진 시기까지 존속, 기간만료와 동시에 실효

003

「행정소송법」에 대한 설명으로 옳지 않은 것은?

① '처분등'이라 함은 행정청이 행하는 구체적 사실에 관한 법집행으로서의 공권력의 행사 또는 그 거부와 그 밖에 이에 준하는 행정작용 및 행정심판에 대한 재결을 말한다.
② '당사자소송'이란 행정청의 처분 등을 원인으로 하는 법률관계에 관한 소송 그 밖에 공법상의 법률관계에 관한 소송으로서 그 법률관계의 한쪽 당사자를 피고로 하는 소송을 말한다.
③ 취소소송은 처분등이 있음을 안 날부터 90일 이내에 제기하여야 하고, 처분 등이 있은 날부터 1년을 경과하면 이를 제기하지 못한다.
④ 취소소송이 제기된 경우에 처분 등이나 그 집행 또는 절차의 속행으로 인하여 생길 중대한 손해를 예방하기 위하여 긴급한 필요가 있다고 인정할 때에는 본안이 계속되고 있는 법원은 당사자의 신청 또는 직권에 의하여 처분 등의 효력이나 그 집행 또는 절차의 속행의 전부 또는 일부의 정지를 결정할 수 있다.
⑤ 처분 등을 취소하는 확정판결은 그 사건에 관하여 당사자인 행정청과 그 밖의 관계행정청을 기속한다.

2025년 국회직 8급

① (O)

> 「행정소송법」 제2조【정의】① 이 법에서 사용하는 용어의 정의는 다음과 같다.
> 1. "처분등"이라 함은 행정청이 행하는 구체적 사실에 관한 법집행으로서의 공권력의 행사 또는 그 거부와 그 밖에 이에 준하는 행정작용(이하 "처분"이라 한다) 및 행정심판에 대한 재결을 말한다.

② (O)

> 「행정소송법」 제3조【행정소송의 종류】행정소송은 다음의 네가지로 구분한다.
> 1. 항고소송: 행정청의 처분등이나 부작위에 대하여 제기하는 소송
> 2. 당사자소송: 행정청의 처분등을 원인으로 하는 법률관계에 관한 소송 그 밖에 공법상의 법률관계에 관한 소송으로서 그 법률관계의 한쪽 당사자를 피고로 하는 소송
> 3. 민중소송: 국가 또는 공공단체의 기관이 법률에 위반되는 행위를 한 때에 직접 자기의 법률상 이익과 관계없이 그 시정을 구하기 위하여 제기하는 소송
> 4. 기관소송: 국가 또는 공공단체의 기관상호간에 있어서의 권한의 존부 또는 그 행사에 관한 다툼이 있을 때에 이에 대하여 제기하는 소송. 다만, 헌법재판소법 제2조의 규정에 의하여 헌법재판소의 관장사항으로 되는 소송은 제외한다.

③ (O)

> 「행정소송법」 제20조【제소기간】① 취소소송은 처분등이 있음을 안 날부터 90일 이내에 제기하여야 한다. 다만, 제18조 제1항 단서에 규정한 경우와 그 밖에 행정심판청구를 할 수 있는 경우 또는 행정청이 행정심판청구를 할 수 있다고 잘못 알린 경우에 행정심판청구가 있은 때의 기간은 재결서의 정본을 송달받은 날부터 기산한다.
> ② 취소소송은 처분등이 있은 날부터 1년(第1項 但書의 경우는 裁決이 있은 날부터 1年)을 경과하면 이를 제기하지 못한다. 다만, 정당한 사유가 있는 때에는 그러하지 아니하다.
> ③ 제1항의 규정에 의한 기간은 불변기간으로 한다.

④ (×) 중대한 손해 예방이 아니라 회복하기 어려운 손해 예방이다.

> 「행정소송법」제23조【집행정지】① 취소소송의 제기는 처분등의 효력이나 그 집행 또는 절차의 속행에 영향을 주지 아니한다.
> ② 취소소송이 제기된 경우에 처분등이나 그 집행 또는 절차의 속행으로 인하여 생길 회복하기 어려운 손해를 예방하기 위하여 긴급한 필요가 있다고 인정할 때에는 본안이 계속되고 있는 법원은 당사자의 신청 또는 직권에 의하여 처분등의 효력이나 그 집행 또는 절차의 속행의 전부 또는 일부의 정지(이하 "집행정지"라 한다)를 결정할 수 있다. 다만, 처분의 효력정지는 처분등의 집행 또는 절차의 속행을 정지함으로써 목적을 달성할 수 있는 경우에는 허용되지 아니한다.

⑤ (○)

> 「행정소송법」제30조【취소판결등의 기속력】① 처분등을 취소하는 확정판결은 그 사건에 관하여 당사자인 행정청과 그 밖의 관계행정청을 기속한다.

답 ④

004

행정소송에서의 집행정지에 대한 설명 중 옳은 것을 모두 고른 것은? (다툼이 있는 경우 판례에 의함)

> ㄱ. 신청에 대한 거부처분의 효력을 정지하더라도 거부처분이 없었던 것과 같은 상태로 되돌아가는 데에 불과하고, 신청에 따른 처분을 하여야 할 행정청의 의무가 생기는 것은 아니므로, 거부처분의 효력정지는 이를 구할 이익이 없다.
> ㄴ. 제재처분에 대한 행정쟁송절차에서 집행정지결정이 이루어졌더라도 본안에서 해당 처분이 최종적으로 적법한 것으로 확정되어 집행정지결정이 실효되고 해당 처분을 다시 집행할 수 있게 되면, 처분청으로서는 당초 집행정지결정이 없었던 경우와 동등한 수준으로 해당 처분이 집행되도록 필요한 조치를 취하여야 한다.
> ㄷ. 효력기간이 정해져 있는 제재적 행정처분에 대한 취소소송에서 법원이 본안소송의 판결 선고 시까지 집행을 정지하는 결정을 한 경우, 해당 처분에서 정해 둔 효력기간의 시기와 종기가 집행정지기간 중에 모두 경과하면, 경과와 동시에 해당 처분은 실효된다.
> ㄹ. 사업자가 집행정지를 신청하면서 재산상의 손해 또는 기업 이미지 및 신용 훼손을 주장하는 경우 그 손해가 「행정소송법」제23조 제2항에서 정하고 있는 '회복하기 어려운 손해'에 해당한다고 하기 위해서는 그 경제적 손실이나 기업 이미지 및 신용의 훼손으로 인하여 사업자의 자금 사정이나 경영 전반에 미치는 파급효과가 매우 중대하여 사업 자체를 계속할 수 없거나 중대한 경영상의 위기를 맞게 될 것으로 보이는 등의 사정이 존재하여야 한다.

① ㄱ, ㄷ
② ㄴ, ㄹ
③ ㄱ, ㄴ, ㄷ
④ ㄱ, ㄴ, ㄹ
⑤ ㄱ, ㄴ, ㄷ, ㄹ

함께 정리하기

행정소송에서의 집행정지

거부처분
▷ 효력정지(집행정지) 구할 이익 無

본안 기각확정 후 제재처분 집행
▷ 집행정지결정이 없었던 경우와 동등한 수준으로 집행

집행정지 기간 중 제재기간 경과
▷ 판결선고 이후 처분의 효력이 부활하여 남은 효력기간 다시 진행(실효×)

회복하기 어려운 손해
▷ 사업자체를 계속할 수 없거나 중대한 경영상의 위기를 맞게 될 정도의 사정이 존재해야 함

2025년 변호사

ㄱ. (○) 신청에 대한 거부처분의 효력을 정지하더라도 거부처분이 없었던 것과 같은 상태, 즉 거부처분이 있기 전의 신청시의 상태로 되돌아가는 데에 불과하고 행정청에게 신청에 따른 처분을 하여야 할 의무가 생기는 것이 아니므로, 거부처분의 효력정지는 그 거부처분으로 인하여 신청인에게 생길 손해를 방지하는 데 아무런 보탬이 되지 아니하여 그 효력정지를 구할 이익이 없다(대결 1995.6.21. 95두26).

ㄴ. (○) 집행정지결정의 효력은 결정 주문에서 정한 기간까지 존속하다가 그 기간이 만료되면 장래에 향하여 소멸한다. 집행정지결정은 처분의 집행으로 회복하기 어려운 손해를 예방하기 위하여 긴급한 필요가 있고 달리 공공복리에 중대한 영향을 미치지 않을 것을 요건으로 하여 본안판결이 있을 때까지 해당 처분의 집행을 잠정적으로 정지함으로써 위와 같은 손해를 예방하는 데 취지가 있으므로, 항고소송을 제기한 원고가 본안소송에서 패소확정판결을 받았더라도 집행정지결정의 효력이 소급하여 소멸하지 않는다. 그러나 제재처분에 대한 행정쟁송절차에서 처분에 대해 집행정지결정이 이루어졌더라도 본안에서 해당 처분이 최종적으로 적법한 것으로 확정되어 집행정지결정이 실효되고 제재처분을 다시 집행할 수 있게 되면, 처분청으로서는 당초 집행정지결정이 없었던 경우와 동등한 수준으로 해당 제재처분이 집행되도록 필요한 조치를 취하여야 한다. 집행정지는 행정쟁송절차에서 실효적 권리구제를 확보하기 위한 잠정적 조치일 뿐이므로, 본안 확정판결로 해당 제재처분이 적법하다는 점이 확인되었다면 제재처분의 상대방이 잠정적 집행정지를 통해 집행정지가 이루어지지 않은 경우와 비교하여 제재를 덜 받게 되는 결과가 초래되도록 해서는 안 된다. 반대로, 처분상대방이 집행정지결정을 받지 못했으나 본안소송에서 해당 제재처분이 위법하다는 것이 확인되어 취소하는 판결이 확정되면, 처분청은 그 제재처분으로 처분상대방에게 초래된 불이익한 결과를 제거하기 위하여 필요한 조치를 취하여야 한다(대판 2020. 9.3. 2020두34070).

ㄷ. (×) 집행정지기간 중에 처분의 효력기간이 모두 경과했더라도, 집행정지결정의 종기 이후 처분이 실효되는 것이 아니라 처분의 효력이 부활하여 남은 효력기간이 다시 진행한다.

행정소송법 제23조에 따른 집행정지결정의 효력은 결정 주문에서 정한 종기까지 존속하고, 그 종기가 도래하면 당연히 소멸한다. 따라서 효력기간이 정해져 있는 제재적 행정처분에 대한 취소소송에서 법원이 본안소송의 판결 선고 시까지 집행정지결정을 하면, 처분에서 정해 둔 효력기간(집행정지결정 당시 이미 일부 집행되었다면 그 나머지 기간)은 판결 선고 시까지 진행하지 않다가 판결이 선고되면 그때 집행정지결정의 효력이 소멸함과 동시에 처분의 효력이 당연히 부활하여 처분에서 정한 효력기간이 다시 진행한다. 이는 처분에서 효력기간의 시기와 종기를 정해 두었는데, 그 시기와 종기가 집행정지기간 중에 모두 경과한 경우에도 특별한 사정이 없는 한 마찬가지이다(대판 2022.2.11. 2021두40720).

ㄹ. (○)

> [1] 행정소송법 제23조 제2항에 정하고 있는 행정처분 등의 집행정지 요건인 '회복하기 어려운 손해'라 함은 특별한 사정이 없는 한 금전으로 보상할 수 없는 손해로서 이는 금전보상이 불능인 경우 내지는 금전보상으로는 사회관념상 행정처분을 받은 당사자가 참고 견딜 수 없거나 또는 참고 견디기가 현저히 곤란한 경우의 유형, 무형의 손해를 일컫는다 할 것인바, 당사자가 처분 등이나 그 집행 또는 절차의 속행으로 인하여 재산상의 손해를 입거나 기업 이미지 및 신용이 훼손당하였다고 주장하는 경우에 그 손해가 금전으로 보상될 수 없어 '회복하기 어려운 손해'에 해당한다고 하기 위해서는 그 경제적 손실이나 기업 이미지 및 신용의 훼손으로 인하여 사업자의 자금사정이나 경영전반에 미치는 파급효과가 매우 중대하여 사업자체를 계속할 수 없거나 중대한 경영상의 위기를 맞게 될 것으로 보이는 등의 사정이 존재하여야 한다.
>
> [2] 항정신병 치료제의 요양급여 인정기준에 관한 보건복지부 고시의 효력이 계속 유지됨으로 인한 제약회사의 경제적 손실, 기업 이미지 및 신용의 훼손은 행정소송법 제23조 제2항 소정의 집행정지의 요건인 '회복하기 어려운 손해'에 해당하지 않는다고 한 사례(대결 2003.10.9. 2003무23)

답 ④

005 ☐☐☐

「행정소송법」상 잠정적 권리보호에 대한 설명으로 옳은 것은? (다툼이 있는 경우 판례에 의함)

① 행정처분의 집행정지를 구하는 신청사건에서 집행정지가 허용되기 위해서 집행정지사건 자체에 의하여도 본안청구가 적법한 것일 필요는 없다.
② 법원은 처분등이나 그 집행 또는 절차의 속행으로 인하여 생길 회복하기 어려운 손해를 예방하기 위하여 긴급한 필요가 있을 때 집행정지를 결정할 수 있다.
③ 법원은 처분 또는 부작위가 위법하다고 상당히 의심되는 경우로서 처분 또는 부작위 때문에 당사자가 받을 우려가 있는 중대한 불이익이나 당사자에게 생길 급박한 위험을 막기 위하여 임시지위를 정하여야 할 필요가 있는 경우에는 임시처분을 결정할 수 있다.
④ 신청에 대한 거부처분의 효력이 정지되어, 처분이 없었던 것과 같은 상태를 만드는 것에 지나지 않더라도, 특별한 이익의 존부와 관계없이 그 거부처분의 효력정지를 구할 수 있다.

문제 DATA
출제가능 지수 ▶▶▷
난이도 지수 ★★☆

2024년 경찰간부

① (×) 행정처분의 효력정지나 집행정지를 구하는 신청사건에서는 행정처분 자체의 적법 여부는 원칙적으로 판단의 대상이 아니고, 그 행정처분의 효력이나 집행을 정지할 것인가에 관한 행정소송법 제23조 제2항에서 정한 요건의 존부만이 판단의 대상이 되는 것이다. 다만, 집행정지는 행정처분의 집행부정지원칙의 예외로서 인정되는 것이고, 또 본안에서 원고가 승소할 수 있는 가능성을 전제로 한 권리보호수단이라는 점에 비추어 보면, 집행정지사건 자체에 의하여 신청인의 본안청구가 적법한 것이어야 한다는 것을 집행정지의 요건에 포함시키는 것이 옳다(대결 2010.11.26. 2010무137 등).

② (○)

> 「행정소송법」 제23조【집행정지】 ① 취소소송의 제기는 처분등의 효력이나 그 집행 또는 절차의 속행에 영향을 주지 아니한다.
> ② 취소소송이 제기된 경우에 처분등이나 그 집행 또는 절차의 속행으로 인하여 생길 회복하기 어려운 손해를 예방하기 위하여 긴급한 필요가 있다고 인정할 때에는 본안이 계속되고 있는 법원은 당사자의 신청 또는 직권에 의하여 처분등의 효력이나 그 집행 또는 절차의 속행의 전부 또는 일부의 정지(이하 "집행정지"라 한다)를 결정할 수 있다. 다만, 처분의 효력정지는 처분등의 집행 또는 절차의 속행을 정지함으로써 목적을 달성할 수 있는 경우에는 허용되지 아니한다.
> ③ 집행정지는 공공복리에 중대한 영향을 미칠 우려가 있을 때에는 허용되지 아니한다.

③ (×) 행정심판법과 달리 행정소송법에는 법원의 임시처분에 관한 규정이 없다.

> 「행정심판법」 제31조【임시처분】 ① 위원회는 처분 또는 부작위가 위법·부당하다고 상당히 의심되는 경우로서 처분 또는 부작위 때문에 당사자가 받을 우려가 있는 중대한 불이익이나 당사자에게 생길 급박한 위험을 막기 위하여 임시지위를 정하여야 할 필요가 있는 경우에는 직권으로 또는 당사자의 신청에 의하여 임시처분을 결정할 수 있다.

④ (×) 신청에 대한 거부처분의 효력을 정지하더라도 거부처분이 없었던 것과 같은 상태, 즉 거부처분이 있기 전의 신청시의 상태로 되돌아가는 데에 불과하고 행정청에게 신청에 따른 처분을 하여야 할 의무가 생기는 것이 아니므로, 거부처분의 효력정지는 그 거부처분으로 인하여 신청인에게 생길 손해를 방지하는 데에 아무런 소용이 없어 그 효력정지를 구할 이익이 없다(대결 1993.2.10. 91두47).

답 ②

함께 정리하기

「행정소송법」상 잠정적 권리보호

집행정지 요건
▷ 본안청구의 적법 要

회복하기 어려운 손해예방 긴급한 필요

행정소송법
▷ 임시처분규정 無

거부처분
▷ 효력정지(집행정지) 구할 이익 無

006

「행정소송법」상 집행정지에 대한 설명으로 옳지 않은 것은? (다툼이 있는 경우 판례에 의함)

① '처분등이나 그 집행 또는 절차의 속행으로 인한 손해 발생의 우려' 등 적극적 요건에 관한 주장·소명 책임은 원칙적으로 신청인 측에 있고, 이 요건을 결여하였다는 이유로 효력정지 신청을 기각한 결정에 대하여 행정처분 자체의 적법 여부를 가지고 불복사유로 삼을 수 없다.

② 집행정지결정을 하려면 이에 대한 본안소송이 법원에 제기되어 계속 중임을 요하고, 집행정지신청 기각결정 후 본안소송이 취하되었다면, 그 기각결정에 대한 재항고는 그 실익이 없어 각하될 수밖에 없다.

③ 제재처분에 대한 행정쟁송절차에서 처분에 대해 집행정지결정이 이루어졌더라도 본안에서 해당 처분이 최종적으로 적법한 것으로 확정되어 집행정지결정이 실효된 경우, 처분청은 당초 집행정지결정이 없었던 경우와 동등한 수준으로 해당 제재처분이 집행되도록 하여서는 아니 된다.

④ 효력기간이 정해져 있는 제재적 행정처분에 대한 취소소송에서 법원이 본안소송의 판결 선고 시까지 집행정지결정을 하면, 처분에서 정해 둔 효력기간은 판결 선고 시까지 진행하지 않다가 판결이 선고되면 그때 집행정지결정의 효력이 소멸함과 동시에 처분의 효력이 당연히 부활하여 처분에서 정한 효력기간이 다시 진행한다.

2024년 소방직

① (O) 행정처분의 효력정지나 집행정지를 구하는 신청사건에서는 행정처분 자체의 적법 여부를 판단할 것이 아니고 그 행정처분의 효력이나 집행 등을 정지시킬 필요가 있는지의 여부, 즉 행정소송법 제23조 제2항 소정 요건의 존부만이 판단대상이 되고, '처분 등이나 그 집행 또는 절차의 속행으로 인한 손해발생의 우려' 등 그 적극적 요건에 관한 주장·소명책임은 원칙적으로 신청인 측에 있으며, 이러한 요건을 결여하였다는 이유로 효력정지 신청을 기각한 결정에 대하여 행정처분 자체의 적법 여부를 가지고 불복사유로 삼을 수 없다(대결 2011.4.21. 2010무111 전합).

② (O) 행정처분의 집행정지는 행정처분집행 부정지의 원칙에 대한 예외로서 인정되는 일시적인 응급처분이라 할 것이므로 집행정지결정을 하려면 이에 대한 본안소송이 법원에 제기되어 계속 중임을 요하고, 따라서 집행정지신청 기각결정 후 본안소송이 취하되었다면 위 기각결정에 대한 재항고는 그 실익이 없어 각하될 수밖에 없다(대결 2019.6.27. 2019무622).

③ (X) 집행정지결정의 효력은 결정 주문에서 정한 기간까지 존속하다가 그 기간이 만료되면 장래에 향하여 소멸한다. 집행정지결정은 처분의 집행으로 회복하기 어려운 손해를 예방하기 위하여 긴급한 필요가 있고 달리 공공복리에 중대한 영향을 미치지 않을 것을 요건으로 하여 본안판결이 있을 때까지 해당 처분의 집행을 잠정적으로 정지함으로써 위와 같은 손해를 예방하는 데 취지가 있으므로, 항고소송을 제기한 원고가 본안소송에서 패소확정판결을 받았더라도 집행정지결정의 효력이 소급하여 소멸하지 않는다. 그러나 제재처분에 대한 행정쟁송절차에서 처분에 대해 집행정지결정이 이루어졌더라도 본안에서 해당 처분이 최종적으로 적법한 것으로 확정되어 집행정지결정이 실효되고 제재처분을 다시 집행할 수 있게 되면, 처분청으로서는 당초 집행정지결정이 없었던 경우와 동등한 수준으로 해당 제재처분이 집행되도록 필요한 조치를 취하여야 한다. 집행정지는 행정쟁송절차에서 실효적 권리구제를 확보하기 위한 잠정적 조치일 뿐이므로, 본안 확정판결로 해당 제재처분이 적법하다는 점이 확인되었다면 제재처분의 상대방이 잠정적 집행정지를 통해 집행정지가 이루어지지 않은 경우와 비교하여 제재를 덜 받게 되는 결과가 초래되도록 해서는 안 된다. 반대로, 처분상대방이 집행정지결정을 받지 못했으나 본안소송에서 해당 제재처분이 위법하다는 것이 확인되어 취소하는 판결이 확정되면, 처분청은 그 제재처분으로 처분상대방에게 초래된 불이익한 결과를 제거하기 위하여 필요한 조치를 취하여야 한다(대판 2020.9.3. 2020두34070).

④ (○) 행정소송법 제23조에 따른 집행정지결정의 효력은 결정 주문에서 정한 종기까지 존속하고, 그 종기가 도래하면 당연히 소멸한다. 따라서 효력기간이 정해져 있는 제재적 행정처분에 대한 취소소송에서 법원이 본안소송의 판결 선고 시까지 집행정지결정을 하면, 처분에서 정해 둔 효력기간(집행정지결정 당시 이미 일부 집행되었다면 그 나머지 기간)은 판결 선고 시까지 진행하지 않다가 판결이 선고되면 그때 집행정지결정의 효력이 소멸함과 동시에 처분의 효력이 당연히 부활하여 처분에서 정한 효력기간이 다시 진행한다. 이는 처분에서 효력기간의 시기와 종기를 정해 두었는데, 그 시기와 종기가 집행정지기간 중에 모두 경과한 경우에도 특별한 사정이 없는 한 마찬가지이다. 이러한 법리는 행정심판위원회가 행정심판법 제30조에 따라 집행정지결정을 한 경우에도 그대로 적용된다. 행정심판위원회가 행정심판 청구 사건의 재결이 있을 때까지 처분의 집행을 정지한다고 결정한 경우에는, 재결서 정본이 청구인에게 송달된 때 재결의 효력이 발생하므로(행정심판법 제48조 제2항, 제1항 참조) 그때 집행정지결정의 효력이 소멸함과 동시에 처분의 효력이 부활한다(대판 2022.2.11. 2021두40720).

답 ③

007 ☐☐☐

「행정소송법」상 집행정지에 대한 설명 중 옳지 않은 것을 모두 고른 것은? (다툼이 있는 경우 판례에 의함)

> ㄱ. 본안소송인 취소소송이 제기되었는데 그 소송의 대상인 행위가 처분이 아니라는 이유로 각하될 경우라도 긴급한 필요 등에 근거한 집행정지 제도의 취지에 비추어 집행정지는 허용된다.
> ㄴ. 집행정지의 요건 중 공공복리에 중대한 영향을 미칠 우려와 관련된 주장 및 소명책임은 집행정지결정 신청인에게 있다.
> ㄷ. 집행정지결정의 취소사유는 특별한 사정이 없는 한 집행정지결정이 확정된 이후에 발생한 것이어야 한다.
> ㄹ. 본안 확정판결로 제재처분이 적법하다는 점이 확인되었다면 제재처분의 상대방이 잠정적 집행정지를 통해 집행정지가 이루어지지 않은 경우와 비교하여 제재를 덜 받게 되는 결과가 초래되도록 해서는 안 된다.

① ㄱ, ㄴ
② ㄱ, ㄷ
③ ㄴ, ㄷ
④ ㄱ, ㄴ, ㄹ
⑤ ㄴ, ㄷ, ㄹ

2024년 변호사

ㄱ. (×) 행정처분에 대한 집행정지는 취소소송 또는 무효확인소송 등 본안소송이 제기되어 계속중에 있음을 그 요건으로 한다고 할 것이다(대결 2007.6.15. 2006무89).
ㄴ. (×) 행정소송법 제23조 제3항에서 규정하고 있는 집행정지의 장애사유로서의 '공공복리에 중대한 영향을 미칠 우려'라 함은 일반적·추상적인 공익에 대한 침해의 가능성이 아니라 당해 처분의 집행과 관련된 구체적·개별적인 공익에 중대한 해를 입힐 개연성을 말하는 것으로서 이러한 집행정지의 소극적 요건에 대한 주장·소명책임은 행정청에게 있다(대결 2004.5.12. 2003무41).
ㄷ. (○) 행정소송법 제24조 제1항에서 규정하고 있는 집행정지 결정의 취소사유는 특별한 사정이 없는 한 집행정지 결정이 확정된 이후에 발생한 것이어야 하고, 그 중 '집행정지가 공공복리에 중대한 영향을 미치는 때'라 함은 일반적·추상적인 공익에 대한 침해의 가능성이 아니라 당해 집행정지 결정과 관련된 구체적·개별적인 공익에 중대한 해를 입힐 개연성을 말하는 것이다(대결 2005.7.15. 2005무16).

문제 DATA
출제가능 지수 ▶▶▷
난이도 지수 ★★★

함께 정리하기

「행정소송법」상 집행정지

집행정지 요건
▷ 적법한 본안소송 계속

본안소송 각하
▷ 집행정지 不可

공공복리에 중대한 영향 미칠 우려
▷ 행정청이 주장·소명

집행정지결정의 취소사유
▷ 집행정지결정 확정 이후 발생 要

집행정지결정 후 본안판결에서 제재처분이 적법한 것으로 확정
▷ 처분청은 집행정지결정이 없었던 경우와 비교하여 제재를 덜 받게 되는 결과가 초래되도록 해선 안됨

ㄹ. (○) 집행정지는 행정쟁송절차에서 실효적 권리구제를 확보하기 위한 잠정적 조치일 뿐이므로, 본안 확정판결로 해당 제재처분이 적법하다는 점이 확인되었다면 제재처분의 상대방이 잠정적 집행정지를 통해 집행정지가 이루어지지 않은 경우와 비교하여 제재를 덜 받게 되는 결과가 초래되도록 해서는 안 된다. 반대로, 처분상대방이 집행정지결정을 받지 못했으나 본안소송에서 해당 제재처분이 위법하다는 것이 확인되어 취소하는 판결이 확정되면, 처분청은 그 제재처분으로 처분상대방에게 초래된 불이익한 결과를 제거하기 위하여 필요한 조치를 취하여야 한다(대판 2020.9.3. 2020두34070).

답 ①

008

「행정소송법」에 따른 집행정지에 대한 설명으로 옳지 않은 것은? (다툼이 있는 경우 판례에 의함)

① 처분의 효력정지결정을 하려면 그 효력정지를 구하는 당해 행정처분에 대한 본안소송이 법원에 제기되어 계속 중임을 요건으로 한다.
② 거부처분의 효력정지는 그 거부처분으로 인하여 신청인에게 생길 손해를 방지하는 데 필요하므로 신청인에게는 그 효력정지를 구할 이익이 있다.
③ 처분의 효력정지는 처분의 집행 또는 절차의 속행을 정지함으로써 목적을 달성할 수 있는 경우에는 허용되지 아니한다.
④ 신청인의 본안청구의 이유 없음이 명백할 때는 집행정지가 인정되지 않는다.

| 2021년 지방직 9급

① (○) 행정처분의 집행정지는 행정처분 집행부정지의 원칙에 대한 예외로서 인정되는 일시적인 응급처분이라 할 것이므로 집행정지결정을 하려면 이에 대한 본안소송이 법원에 제기되어 계속중임을 요건으로 하는 것이므로 집행정지결정을 한 후에라도 본안소송이 취하되어 소송이 계속하지 아니한 것으로 되면 집행정지결정은 당연히 그 효력이 소멸되는 것이고 별도의 취소조치를 필요로 하는 것이 아니다(대판 1975.11.11. 75누97).
② (×) 신청에 대한 거부처분의 효력을 정지하더라도 거부처분이 없었던 것과 같은 상태 즉 거부처분이 있기 전의 신청시의 상태로 되돌아가는 데에 불과하고 행정청에게 신청에 따른 처분을 하여야 할 의무가 생기는 것이 아니므로, 거부처분의 효력정지는 그 거부처분으로 인하여 신청인에게 생길 손해를 방지하는 데에 아무런 소용이 없어 그 효력정지를 구할 이익이 없다(대판 1992.2.13. 91두47).

유제 16. 국가직 9급·지방직 9급, 15. 국가직 9급 등 거부처분은 「행정소송법」상의 집행정지의 대상이 되지 아니한다. (○)
18. 서울시 7급, 12. 지방직 7급 거부처분의 효력정지는 그 거부처분으로 인하여 신청인에게 생길 손해를 방지하는 데 보탬이 되므로 효력정지를 구할 이익이 있다. (×)

③ (○) 효력정지란 처분의 효력이 존재하지 않는 상태에 놓는 것을 말한다. 처분의 효력 자체를 정지하는 것은 보다 신중한 판단이 요구된다. 따라서 처분의 집행정지나 절차의 속행정지를 통하여 그 목적을 달성할 수 있는 경우 처분의 효력정지는 허용되지 않는다(「행정소송법」 제23조 제2항).
④ (○) 본안소송에서 처분의 취소가능성이 없음에도 처분의 효력이나 집행의 정지를 인정한다는 것은 제도의 취지에 반하므로 행정처분의 효력정지나 집행정지사건에서 그 자체로 신청인의 본안청구가 이유 없음이 명백하지 않아야 한다는 점도 효력정지나 집행정지의 요건이다(대결 2007.7.13. 2005무85).

답 ②

문제 DATA
출제가능 지수 ▶▶▷
난이도 지수 ★★☆

함께 정리하기
집행정지
집행정지 신청 요건
▷ 본안소송의 계속 必要
거부처분
▷ 집행정지(효력정지) 불가
효력정지
▷ 집행·절차 속행정지로 목적달성 가능하면 불가
집행정지
▷ 본안청구 이유 없음이 명백하지 않아야 함

009

「행정소송법」상 집행정지에 대한 설명으로 가장 옳은 것은? (다툼이 있는 경우 판례에 의함)

① 본안소송이 무효확인소송인 경우에도 집행정지가 가능하다.
② 거부처분에 대해서도 그 효력정지를 구할 이익이 인정된다.
③ 집행정지의 결정에 대한 즉시항고에는 결정의 집행을 정지하는 효력이 있다.
④ 집행정지결정의 효력은 정지결정의 대상인 처분의 발령시점에 소급하는 것이 원칙이다.

문제 DATA
출제가능 지수 ▶▶▷
난이도 지수 ★★☆

| 2018년 서울시 7급

① (○)

> 「행정소송법」 제23조【집행정지】 ② 취소소송이 제기된 경우에 처분등이나 그 집행 또는 절차의 속행으로 인하여 생길 회복하기 어려운 손해를 예방하기 위하여 긴급한 필요가 있다고 인정할 때에는 본안이 계속되고 있는 법원은 당사자의 신청 또는 직권에 의하여 처분등의 효력이나 그 집행 또는 절차의 속행의 전부 또는 일부의 정지(이하 "집행정지"라 한다)를 결정할 수 있다. 다만, 처분의 효력정지는 처분등의 집행 또는 절차의 속행을 정지함으로써 목적을 달성할 수 있는 경우에는 허용되지 아니한다.
> 제38조【준용규정】 ① 제9조, 제10조, 제13조 내지 제17조, 제19조, 제22조 내지 제26조, 제29조 내지 제31조 및 제33조의 규정은 무효등 확인소송의 경우에 준용한다.

유제 18. 서울시 7급 「행정소송법」이 정하는 집행정지의 요건은 '중대한 손해'의 예방 필요성이다. (×)
18. 서울시 7급 집행정지는 본안이 계속되어 있는 법원이 당사자의 신청에 의하여 한다. 처분권주의가 적용되므로 당사자의 신청 없이 직권으로 하지 못한다. (×)

함께 정리하기
「행정소송법」상 집행정지

본안이 무효확인소송
▷ 집행정지 可

거부처분
▷ 효력정지 구할 이익 無

집행정지결정에 대한 즉시항고
▷ 집행정지효력 無

집행정지결정의 효력
▷ 장래를 향하여 발생

② (×) 거부처분의 경우에는 효력정지를 구할 이익이 없다.

> 신청에 대한 거부처분의 효력을 정지하더라도 거부처분이 없었던 것과 같은 상태 즉 거부처분이 있기 전의 신청 시의 상태로 되돌아가는 데에 불과하고 행정청에게 신청에 따른 처분을 하여야 할 의무가 생기는 것이 아니므로, 거부처분의 효력정지는 그 거부처분으로 인하여 신청인에게 생길 손해를 방지하는 데에 아무런 소용이 없어 그 효력정지를 구할 이익이 없다(대판 1992.2.13. 91두47).

③ (×)

> 「행정소송법」 제23조【집행정지】 ⑤ 제2항의 규정에 의한 집행정지의 결정 또는 기각의 결정에 대하여는 즉시항고 할 수 있다. 이 경우 집행정지의 결정에 대한 즉시항고에는 결정의 집행을 정지하는 효력이 없다.

④ (×) 집행정지결정의 효력은 결정의 대상인 처분의 발령시점으로 소급하는 것이 아니라, 집행정지결정 시부터 장래를 향하여 발생한다.

답 ①

010

「행정소송법」에 의한 임시의 권리구제에 대한 설명으로 가장 옳은 것은? (다툼이 있는 경우 판례에 의함)

① 본안청구의 이유없음이 명백한 때에는 집행정지를 하지 못한다.
② 무효등 확인소송에서는 집행정지가 준용되지 않으므로 「민사집행법」의 가처분이 적용된다.
③ 「행정소송법」이 정하는 집행정지의 요건은 '중대한 손해'의 예방 필요성이다.
④ 집행정지는 본안이 계속되어 있는 법원이 당사자의 신청에 의하여 한다. 처분권주의가 적용되므로 당사자의 신청 없이 직권으로 하지 못한다.

문제 DATA
출제가능 지수 ▶▶▷
난이도 지수 ★★☆

함께 정리하기

집행정지

집행정지
▷ 본안신청 이유 없음이 명백하지 않아야 함

무효등확인소송
▷ 집행정지 준용 ○

「민사집행법」상 가처분
▷ 행정소송에 준용 ×

「행정소송법」
▷ 회복하기 어려운 손해

「행정심판법」
▷ 중대한 손해

집행정지
▷ 신청 또는 직권으로 可

2018년 서울시 7급

① (○) 집행정지는 본안신청이 이유없음이 명백하지 않아야 한다. 명문의 규정은 없지만 판례가 설시하는 집행정지의 소극적 요건이다.

> 본안소송에서 처분의 취소가능성이 없음에도 처분의 효력이나 집행의 정지를 인정한다는 것은 제도의 취지에 반하므로 효력정지나 집행정지사건 자체에 의하여도 신청인의 본안청구가 이유 없음이 명백하지 않아야 한다는 것도 효력정지나 집행정지의 요건에 포함시켜야 한다(대판 1997.4.28. 95두75).

② (×) "행정소송에 관하여 이 법에 특별한 규정이 없는 사항에 대하여는 「법원조직법」과 「민사소송법」 및 「민사집행법」의 규정을 준용한다."는 「행정소송법」 제8조 제2항의 규정을 근거로 행정소송에 「민사집행법」상의 가처분규정을 준용할 수 있다는 견해(긍정설)도 존재하나, 통설·판례는 준용할 수 없다는 입장(부정설)이다. 또한, 무효등확인소송에는 집행정지가 준용된다.

③ (×) 「행정소송법」상 집행정지의 요건은 "회복하기 어려운 손해" 예방의 필요로 「행정심판법」상의 집행정지 요건인 "중대한 손해" 예방의 필요보다 좁은 개념에 해당한다.

> 「행정소송법」 제23조 【집행정지】 ② 취소소송이 제기된 경우에 처분등이나 그 집행 또는 절차의 속행으로 인하여 생길 회복하기 어려운 손해를 예방하기 위하여 긴급한 필요가 있다고 인정할 때에는 본안이 계속되고 있는 법원은 당사자의 신청 또는 직권에 의하여 처분등의 효력이나 그 집행 또는 절차의 속행의 전부 또는 일부의 정지(이하 "집행정지"라 한다)를 결정할 수 있다. 다만, 처분의 효력정지는 처분등의 집행 또는 절차의 속행을 정지함으로써 목적을 달성할 수 있는 경우에는 허용되지 아니한다.

④ (×) 당사자의 신청 또는 법원의 직권으로 가능하다(「행정소송법」 제23조 제2항).

답 ①

문제 DATA

출제가능 지수 ▶▶▷
난이도 지수 ★★☆

011 □□□

「행정소송법」상 집행정지에 대한 설명으로 가장 옳지 않은 것은? (다툼이 있는 경우 판례에 의함)

① 행정처분에 대한 효력정지 신청을 구함에 있어서도 이를 구할 법률상 이익이 있어야 한다.
② 집행정지결정을 한 후에라도 행정사건의 본안소송이 취하되어 그 소송이 계속하지 아니한 것으로 되면 이에 따라 집행정지결정은 당연히 그 효력이 소멸되며 별도의 취소조치가 필요한 것은 아니다.
③ 집행정지는 행정처분의 집행부정지원칙의 예외로 인정되는 것이므로 본안청구의 적법과는 상관이 없기 때문에 적법한 본안소송의 계속을 요건으로 하지 않는다.
④ 집행정지의 요건으로 규정하고 있는 '공공복리에 중대한 영향을 미칠 우려'가 없을 것이라고 할 때의 '공공복리'는 그 처분의 집행과 관련된 구체적이고 개별적인 공익을 말한다.

2018년 경찰

① (○) 집행정지의 신청에는 법률상 이익이 요구된다.

> 행정처분에 대한 효력정지신청을 구함에 있어서도 이를 구할 법률상 이익이 있어야 하는바, 이 경우 법률상 이익이라 함은 그 행정처분으로 인하여 발생하거나 확대되는 손해가 당해 처분의 근거 법률에 의하여 보호되는 직접적이고 구체적인 이익과 관련된 것을 말하는 것이고 단지 간접적이거나 사실적·경제적 이해관계를 가지는 데 불과한 경우는 여기에 포함되지 않는다(대결 2000.10.10. 2000무17).

함께 정리하기

집행정지

집행정지 신청
▷ 법률상 이익 必要

집행정지 결정 후 본안소송이 취하된 경우
▷ 집행정지결정의 효력 당연 소멸

집행정지 신청 요건
▷ 본안소송의 계속 必要

집행정지 시의 공공복리의 의의
▷ 처분의 집행과 관련한 구체적·개별적 공익

② (○) 본안소송이 취하된 경우 집행정지결정의 효력이 당연히 소멸한다.

> 집행정지결정을 하려면 이에 대한 본안소송이 법원에 제기되어 계속중임을 요건으로 하는 것이므로 집행정지결정을 한 후에라도 본안소송이 취하되어 소송이 계속하지 아니한 것으로 되면 집행정지결정은 당연히 그 효력이 소멸되는 것이고 별도의 취소조치를 필요로 하는 것이 아니다(대판 1975.11.11. 75누97).

③ (×) 적법한 본안소송의 계속은 집행정지의 신청요건이다.

> 행정처분의 집행정지는 행정처분집행 부정지의 원칙에 대한 예외로서 인정되는 일시적인 응급처분이라 할 것이므로 집행정지결정을 하려면 이에 대한 본안소송이 법원에 제기되어 계속중임을 요건으로 하는 것이므로 집행정지결정을 한 후에라도 본안소송이 취하되어 소송이 계속하지 아니한 것으로 되면 집행정지결정은 당연히 그 효력이 소멸되는 것이고 별도의 취소조치를 필요로 하는 것이 아니다(대판 1975.11.11. 75누97).

④ (○) 공공복리는 집행과 관련한 구체적·개별적 공익을 의미한다.

> 행정소송법 제23조 제3항에서 집행정지의 요건으로 규정하고 있는 '공공복리에 중대한 영향을 미칠 우려'가 없을 것이라고 할 때의 '공공복리'는 그 처분의 집행과 관련된 구체적이고도 개별적인 공익을 말하는 것으로서 이러한 집행정지의 소극적 요건에 대한 주장·소명책임은 행정청에게 있다(대결 1999.12.20. 99무42).

답 ③

012

「행정소송법」상 집행정지에 대한 설명으로 가장 옳지 않은 것은?

① 취소소송이 제기되면 처분의 효력이나 그 집행은 정지되지 않으나 절차의 속행은 정지된다.
② 처분의 효력정지는 처분 등의 집행 또는 절차의 속행을 정지함으로써 목적을 달성할 수 있는 경우에는 허용되지 아니한다.
③ 집행정지는 공공복리에 중대한 영향을 미칠 우려가 있을 때에는 허용되지 아니한다.
④ 집행정지의 결정 또는 기각의 결정에 대하여는 즉시 항고할 수 있다.

| 2019년 서울시 9급

① (×) 현행 「행정소송법」은 집행부정지의 원칙을 취하고 있으므로, 집행정지제도가 필요하다.

> 「행정소송법」 제23조【집행정지】① 취소소송의 제기는 처분등의 효력이나 그 집행 또는 절차의 속행에 영향을 주지 아니한다.

② (○)

> 「행정소송법」 제23조【집행정지】② 취소소송이 제기된 경우에 처분등이나 그 집행 또는 절차의 속행으로 인하여 생길 회복하기 어려운 손해를 예방하기 위하여 긴급한 필요가 있다고 인정할 때에는 본안이 계속되고 있는 법원은 당사자의 신청 또는 직권에 의하여 처분등의 효력이나 그 집행 또는 절차의 속행의 전부 또는 일부의 정지(이하 "집행정지"라 한다)를 결정할 수 있다. 다만, 처분의 효력정지는 처분등의 집행 또는 절차의 속행을 정지함으로써 목적을 달성할 수 있는 경우에는 허용되지 아니한다.

③ (○)

> 「행정소송법」 제23조【집행정지】③ 집행정지는 공공복리에 중대한 영향을 미칠 우려가 있을 때에는 허용되지 아니한다.

문제 DATA

출제가능 지수 ▶▶▷
난이도 지수 ★★☆

함께 정리하기

집행정지

행정소송법·행정심판법
▷ 집행부정지 원칙 채택

효력정지
▷ 집행·절차의 속행정지로 목적 달성 시 불가

공공복리에 중대영향 미칠 우려 시
▷ 집행정지 불허

집행정지 결정·기각결정
▷ 즉시항고 可

④ (○)

> 「행정소송법」 제23조【집행정지】⑤ 제2항의 규정에 의한 집행정지의 결정 또는 기각의 결정에 대하여는 즉시항고할 수 있다. 이 경우 집행정지의 결정에 대한 즉시항고에는 결정의 집행을 정지하는 효력이 없다.

답 ①

013 □□□

「행정소송법」상 집행정지에 대한 설명으로 옳은 것만을 모두 고르면? (다툼이 있는 경우 판례에 의함)

> ㄱ. 보조금 교부결정 취소처분에 대하여 법원이 효력정지결정을 하면서 주문에서 그 법원에 계속 중인 본안소송의 판결 선고 시까지 처분의 효력을 정지한다고 선언하였을 경우, 본안소송의 판결 선고에 의하여 정지결정의 효력은 소멸하고 이와 동시에 당초의 보조금 교부결정 취소처분의 효력이 당연히 되살아난다.
> ㄴ. 집행정지의 결정이 확정된 후 집행정지가 공공복리에 중대한 영향을 미치거나 그 정지사유가 없어진 때에는 당사자의 신청 또는 직권에 의하여 결정으로써 집행정지의 결정을 취소할 수 있다.
> ㄷ. 집행정지결정에 의하여 효력이 정지되는 처분이 당사자의 신청을 거부하는 것을 내용으로 하는 경우에는 그 처분을 행한 행정청은 집행정지결정의 취지에 따라 다시 이전의 신청에 대한 처분을 하여야 한다.
> ㄹ. 집행정지의 결정에 대하여는 즉시항고할 수 있으며, 이 경우 집행정지의 결정에 대한 즉시항고에는 결정의 집행을 정지하는 효력이 없다.

① ㄱ, ㄷ
② ㄴ, ㄹ
③ ㄱ, ㄴ, ㄹ
④ ㄴ, ㄷ, ㄹ

2018년 국가직 7급

ㄱ. (○) 판결선고시까지 보조금 교부결정 취소처분에 대한 효력정지가 선언되면 판결선고에 의해 처분의 효력이 살아난다.

> 보조금 교부결정의 일부를 취소한 행정청의 처분에 대하여 법원이 효력정지결정을 하면서 주문에서 그 법원에 계속 중인 본안소송의 판결선고 시까지 처분의 효력을 정지한다고 선언하였을 경우, 본안소송의 판결 선고에 의하여 정지결정의 효력은 소멸하고 이와 동시에 당초의 보조금 교부결정 취소처분의 효력이 당연히 되살아난다(대판 2017.7.11. 2013두25498).

ㄴ. (○)

> 「행정소송법」 제24조【집행정지의 취소】① 집행정지의 결정이 확정된 후 집행정지가 공공복리에 중대한 영향을 미치거나 그 정지사유가 없어진 때에는 당사자의 신청 또는 직권에 의하여 결정으로써 집행정지의 결정을 취소할 수 있다.

ㄷ. (×) 집행정지결정은 판결이 아님에도 기속력은 인정된다. 따라서 기속력에 반하는 처분은 무효의 처분이 된다. 다만, 확정판결과는 달리 재처분의무는 인정되지 않으므로 행정청은 집행정지결정의 취지에 따라 다시 이전의 신청에 대한 처분을 하여야 하는 것은 아니다.

문제 DATA
출제가능 지수 ▶▶▷
난이도 지수 ★★★

함께 정리하기
「행정소송법」상 집행정지
판결선고시까지 효력정지선언
▷ 판결선고에 의해 효력 당연히 살아남

공공복리 중대영향 or 정지사유소멸
▷ 신청·직권에 의해 집행정지결정 취소 可

집행정지결정
▷ 재처분의무 無

집행정지 결정
▷ 즉시항고可(집행정지효 無)

ㄹ. (○)

> 「행정소송법」 제23조【집행정지】 ⑤ 제2항의 규정에 의한 집행정지의 결정 또는 기각의 결정에 대하여는 즉시항고할 수 있다. 이 경우 집행정지의 결정에 대한 즉시항고에는 결정의 집행을 정지하는 효력이 없다.

답 ③

014

문제 DATA
출제가능 지수 ▶▶▷
난이도 지수 ★★☆

「행정소송법」상 집행정지에 대한 설명으로 옳지 않은 것은? (다툼이 있는 경우 판례에 의함)

① 집행정지결정을 한 후 본안소송이 취하되어 소송이 계속하지 아니한 것으로 되면 집행정지결정은 당연히 그 효력이 소멸되는 것이고 이에 대한 별도의 취소조치가 필요한 것은 아니다.
② 행정처분의 집행정지를 구하는 신청사건에서는 「행정소송법」 제23조에서 정한 요건의 존부만이 판단의 대상이 되므로 집행정지사건 자체에 의하여도 신청인의 본안청구가 적법한 것이어야 한다는 것을 집행정지의 요건에 포함시켜서는 아니 된다.
③ '처분 등이나 그 집행 또는 절차의 속행으로 인하여 생길 회복하기 어려운 손해를 예방하기 위하여 긴급한 필요'가 있는지는 처분의 성질과 태양 및 내용, 처분 상대방이 입게 될 손해의 성질·내용 및 정도, 원상회복·금전배상의 방법 및 난이 등은 물론 본안청구의 승소가능성 정도 등을 종합적으로 고려하여 구체적·개별적으로 판단하여야 한다.
④ 집행정지의 소극적 요건으로서 '공공복리에 중대한 영향을 미칠 우려가 없을 것'이라고 할 때의 공공복리는 그 처분의 집행과 관련된 구체적·개별적인 공익을 말하고, 피신청인인 행정청이 공공복리에 중대한 영향을 미칠 우려가 있다는 점을 주장·소명하여야 한다.
⑤ 행정처분의 집행정지를 구하는 사건 자체에 의하여도 신청인의 본안청구가 이유 없음이 명백할 때에는 행정처분의 집행정지를 명할 수 없다.

함께 정리하기

「행정소송법」상 집행정지

본안소송취하
▷ 집행정지 당연히 소멸(별도 취소조치 不要)

신청인의 본안청구의 적법
▷ 집행정지 요건에 포함○

회복하기 어려운 손해예방 긴급한 필요
▷ 구체적·개별적 판단

공공복리에 중대한 영향 미칠 우려
▷ 행정청이 주장·소명

효력정지·집행정지
▷ 본안청구 이유 없음이 명백하지 않아야 함

2018년 변호사

① (○) 본안소송이 취하되면 집행정지는 당연히 소멸한다.

> 집행정지결정을 하려면 이에 대한 본안소송이 법원에 제기되어 계속중임을 요건으로 하는 것이므로 집행정지결정을 한 후에라도 본안소송이 취하되어 소송이 계속하지 아니한 것으로 되면 집행정지결정은 당연히 그 효력이 소멸되는 것이고 별도의 취소조치를 필요로 하는 것이 아니다(대결 2007.6.28. 2005무75).

② (×) 본안청구의 적법성은 집행정지의 요건에 포함된다.

> 집행정지는 행정처분의 집행부정지원칙의 예외로서 인정되는 것이고, 또 본안에서 원고가 승소할 수 있는 가능성을 전제로 한 권리보호수단이라는 점에 비추어 보면, 집행정지사건 자체에 의하여도 신청인의 본안청구가 적법한 것이어야 한다는 것을 집행정지의 요건에 포함시킴이 상당하다(대결 2010.11.26. 2010무137).

③ (○) 회복하기 어려운 손해는 종합적으로 고려하여 판단한다.

> '처분 등이나 그 집행 또는 절차의 속행으로 인하여 생길 회복하기 어려운 손해를 예방하기 위하여 긴급한 필요'가 있는지 여부는 처분의 성질과 태양 및 내용, 처분상대방이 입는 손해의 성질·내용 및 정도, 원상회복·금전배상의 방법 및 난이 등은 물론 본안청구의 승소가능성의 정도 등을 종합적으로 고려하여 구체적·개별적으로 판단하여야 한다(대결 2010.05.14. 2010무48).

④ (○) 공공복리 요건의 소명책임은 행정청이 부담한다.

> 행정소송법 제23조 제3항에서 집행정지의 요건으로 규정하고 있는 '공공복리에 중대한 영향을 미칠 우려'가 없을 것이라고 할 때의 '공공복리'는 그 처분의 집행과 관련된 구체적이고도 개별적인 공익을 말하는 것으로서 이러한 집행정지의 소극적 요건에 대한 주장·소명책임은 행정청에게 있다(대결 1999.12.20. 99무42).

⑤ (○) 집행정지는 본안청구가 이유 없음이 명백하지 않아야 한다.

> 효력정지나 집행정지는 신청인이 본안소송에서 승소판결을 받을 때까지 그 지위를 보호함과 동시에 후에 받을 승소판결을 무의미하게 하는 것을 방지하려는 것이어서 본안소송에서 처분의 취소가능성이 없음에도 처분의 효력이나 집행의 정지를 인정한다는 것은 제도의 취지에 반하므로 효력정지나 집행정지사건 자체에 의하여도 신청인의 본안청구가 이유 없음이 명백하지 않아야 한다는 것도 효력정지나 집행정지의 요건에 포함시켜야 한다(대판 1997.4.28. 96두75).

답 ②

015

취소소송에 대한 설명으로 옳지 않은 것은? (다툼이 있는 경우 판례에 의함)

① 사정판결은 원고의 청구가 이유 있다고 인정되지만 처분을 취소하는 것이 현저히 공공복리에 적합하지 아니하다고 인정하는 때에 가능하며, 법원은 사정판결을 하는 경우 그 판결의 주문에서 그 처분이 위법함을 명시하여야 한다.
② 처분의 효과가 기간의 경과, 처분의 집행 그 밖의 사유로 인하여 소멸된 뒤에도 그 처분의 취소로 인하여 회복되는 법률상 이익이 있는 자는 취소소송을 제기할 수 있으며, 처분의 직접 상대방이 아닌 제3자도 이에 해당할 수 있다.
③ 처분의 집행정지결정은 처분이나 그 집행 또는 절차의 속행으로 인하여 생길 회복하기 어려운 손해를 예방하기 위하여 긴급한 필요가 있을 때 가능하며, 이 경우 본안청구에 이유가 있는지의 여부는 문제되지 아니한다.
④ 행정청이 소송의 대상인 처분을 소가 제기된 후 변경한 때에는 법원은 원고의 신청에 의하여 결정으로 써 청구의 취지 또는 원인의 변경을 허가할 수 있으며, 이 경우 원고의 신청은 처분의 변경이 있음을 안 날로부터 60일 이내에 하여야 한다.
⑤ 취소소송의 제1심 관할법원은 피고의 소재지를 관할하는 행정법원으로 하지만, 국가의 사무를 위임 또는 위탁받은 공공단체 또는 그 장을 피고로 하는 때에는 대법원소재지를 관할하는 행정법원에 제기하여도 무방하다.

| 2019년 5급 승진

① (○)

> 「행정소송법」 제28조 【사정판결】 ① 원고의 청구가 이유있다고 인정하는 경우에도 처분등을 취소하는 것이 현저히 공공복리에 적합하지 아니하다고 인정하는 때에는 법원은 원고의 청구를 기각할 수 있다. 이 경우 법원은 그 판결의 주문에서 그 처분등이 위법함을 명시하여야 한다.

② (○) 협의의 소의 이익은 제3자에게도 인정될 수 있다.

> 행정소송법 제12조 후문은 '처분 등의 효과가 기간의 경과, 처분 등의 집행 그 밖의 사유로 인하여 소멸된 뒤에도 그 처분 등의 취소로 인하여 회복되는 법률상 이익이 있는 자의 경우에는' 취소소송을 제기할 수 있다고 규정하여, 이미 효과가 소멸된 행정처분에 대해서도 권리보호의 필요성이 인정되는 경우에는 취소소송의 제기를 허용하고 있다(대판 2018.7.12. 2015두3458).

문제 DATA
출제가능 지수 ▶▶▷
난이도 지수 ★★☆

함께 정리하기
취소소송

사정판결
▷ 주문에 위법성 명시해야 함

협의의 소의 이익
▷ 처분의 상대방·제3자에게 인정 가

집행정지
▷ 본안청구가 이유 없음이 명백하지 않을 것도 요건에 해당

처분변경으로 인한 소 변경
▷ 안 날로부터 60일 내 신청
▷ 법원의 결정

국가사무 위임·위탁받은 공공단체·장이 피고
▷ 대법원소재지 관할 행정법원에 제기 가

③ (×) 본안청구가 이유없음이 명백하지 않을 것도 집행정지의 요건에 해당한다.

> 본안 소송에서 처분의 취소가능성이 없음에도 처분의 효력이나 집행의 정지를 인정한다는 것은 제도의 취지에 반하므로 효력정지나 집행정지사건 자체에 의하여도 신청인의 본안 청구가 이유 없음이 명백하지 않아야 한다는 것도 효력정지나 집행정지의 요건에 포함시켜야 한다(대결 2004.5.17. 2004무6).

④ (○)

> 「행정소송법」 제22조【처분변경으로 인한 소의 변경】① 법원은 행정청이 소송의 대상인 처분을 소가 제기된 후 변경한 때에는 원고의 신청에 의하여 결정으로써 청구의 취지 또는 원인의 변경을 허가할 수 있다.
> ② 제1항의 규정에 의한 신청은 처분의 변경이 있음을 안 날로부터 60일 이내에 하여야 한다.

⑤ (○)

> 「행정소송법」 제9조【재판관할】① 취소소송의 제1심관할법원은 피고의 소재지를 관할하는 행정법원으로 한다.
> ② 제1항에도 불구하고 다음 각 호의 어느 하나에 해당하는 피고에 대하여 취소소송을 제기하는 경우에는 대법원소재지를 관할하는 행정법원에 제기할 수 있다.
> 1. 중앙행정기관, 중앙행정기관의 부속기관과 합의제행정기관 또는 그 장
> 2. 국가의 사무를 위임 또는 위탁받은 공공단체 또는 그 장

답 ③

ALL KILL 기출 — 제4절 가구제

01 현행 「행정소송법」은 취소소송을 제기하면 처분의 효력이 정지되는 집행정지를 원칙으로 한다. 15. 교행 (   )

02 행정처분 자체의 적법 여부는 집행정지신청의 요건이 아니지만, 신청인의 본안청구 자체는 적법한 것이어야 한다. 19. 국회직 9급 (   )

정답 및 해설

01 × 집행부정지가 원칙(「행정소송법」 제23조 제1항)
02 ○ 처분의 적법은 집행정지의 요건이 아니지만 본안의 적법은 요건에 해당(대결 1999.11.26. 99부3)

제5절 | 취소소송의 심리

001 □□□

행정소송에 대한 설명으로 옳지 않은 것은? (다툼이 있는 경우 판례에 의함)

① 「행정소송법」상 행정청으로 하여금 일정한 행정처분을 하도록 명하는 이행판결을 구하는 소송이나 법원으로 하여금 행정청이 일정한 행정처분을 행한 것과 같은 효과가 있는 행정처분을 직접 행하도록 하는 형성판결을 구하는 소송은 허용되지 아니한다.
② 「행정소송법」은 취소소송이 계속된 법원으로 이송할 수 있는 '관련청구소송'의 범위를 당해 처분등과 관련되는 손해배상·부당이득반환·원상회복등 청구소송과 당해 처분 등과 관련되는 취소소송으로 규정하고 있다.
③ 행정처분에 있어서 불이익처분의 상대방은 직접 개인적 이익의 침해를 받은 자로서 원고적격이 인정되지만 수익처분의 상대방은 그의 권리나 법률상 보호되는 이익이 침해되었다고 볼 수 없으므로 달리 특별한 사정이 없는 한 취소를 구할 이익이 없다.
④ 과세처분취소소송의 소송물은 과세관청이 결정한 세액의 객관적 존부이므로 처분 당시의 자료만에 의하여 처분의 적법 여부를 판단하여야 하고 처분 당시의 처분사유만을 주장할 수 있기 때문에, 과세관청은 소송 도중 사실심 변론종결시까지 당해 처분에서 인정한 과세표준 또는 세액의 정당성을 뒷받침할 수 있는 새로운 자료를 제출할 수 없다.

> **2025년 소방직**

① (○) 현행 행정소송법상 행정청으로 하여금 일정한 행정처분을 하도록 명하는 이행판결을 구하는 소송이나 법원으로 하여금 행정청이 일정한 행정처분을 행한 것과 같은 효과가 있는 행정처분을 직접 행하도록 하는 형성판결을 구하는 소송은 허용되지 아니한다(대판 1997.9.30. 97누3200).
② (○)

> 「행정소송법」 제10조【관련청구소송의 이송 및 병합】① 취소소송과 다음 각 호의 1에 해당하는 소송(이하 "관련청구소송"이라 한다)이 각각 다른 법원에 계속되고 있는 경우에 관련청구소송이 계속된 법원이 상당하다고 인정하는 때에는 당사자의 신청 또는 직권에 의하여 이를 취소소송이 계속된 법원으로 이송할 수 있다.
> 1. 당해 처분등과 관련되는 손해배상·부당이득반환·원상회복등 청구소송
> 2. 당해 처분등과 관련되는 취소소송

③ (○) 행정처분에 있어서 불이익처분의 상대방은 직접 개인적 이익의 침해를 받은 자로서 원고적격이 인정되지만 수익처분의 상대방은 그의 권리나 법률상 보호되는 이익이 침해되었다고 볼 수 없으므로 달리 특별한 사정이 없는 한 취소를 구할 이익이 없다(대판 1995.8.22. 94누8129).
④ (×) 과세처분취소소송의 소송물은 정당한 세액의 객관적 존부이므로 과세관청으로서는 소송 도중이라도 사실심변론종결시까지는 당해 처분에서 인정한 과세표준 또는 세액의 정당성을 뒷받침할 수 있는 새로운 자료를 제출하거나 처분의 동일성이 유지되는 범위 내에서 그 사유를 교환·변경할 수 있는 것이고, 반드시 처분 당시의 자료만에 의하여 처분의 적법 여부를 판단하여야 하거나 처분사유만을 주장할 수 있는 것은 아니다(대판 1997.10.24. 97누2429).

답 ④

문제 DATA
출제가능 지수 ▶▶▷
난이도 지수 ★★★

함께 정리하기
행정소송
의무이행소송, 적극적 형성소송
▷ 부정(判)
관련청구소송의 범위
▷ 당해 처분등과 관련되는 손해배상·부당이득반환·원상회복등 청구소송과, 당해 처분 등과 관련되는 취소소송
수익적 처분 상대방
▷ 특별한 사정이 없는 한 원고적격×
과세처분취소소송의 소송물
▷ 과세관청이 결정한 세액의 객관적 존부
▷ 위법성판단시 사실심변론 종결까지 제출된 모든 자료로 판단

002

취소소송의 위법성판단의 기준시에 대한 설명으로 옳지 않은 것은? (다툼이 있는 경우 판례에 의함)

① 취소소송에서 행정처분의 위법 여부는 행정처분이 있을 때의 법령과 사실상태를 기준으로 판단한다.
② 난민인정거부처분취소소송에 있어서 거부처분을 한 후 국적국의 정치적 상황이 변화하였다고 하여 처분의 적법 여부가 달라지는 것은 아니다.
③ 법원은 사실심 변론종결 시까지 제출된 모든 자료를 종합하여 처분의 위법 여부를 판단할 수 있다.
④ 판결시기준설은 판결을 처분의 사후심사가 아니라 처분에 계속적으로 효력을 부여할 것인가의 문제로 본다.
⑤ 교원소청심사 결정 전의 사유라 하더라도 소청심사 단계에서 주장하지 아니한 사유에 대해서 법원은 심리·판단할 수 없다.

| 2019년 세무사

① (○) 행정소송에서 행정처분의 위법 여부는 행정처분이 있을 때의 법령과 사실상태를 기준으로 하여 판단하여야 하고, 처분 후 법령의 개폐나 사실상태의 변동에 의하여 영향을 받지는 않는다(대판 2002.7.9. 2001두10684).
② (○) 행정소송에서 행정처분의 위법 여부는 행정처분이 행하여졌을 때의 법령과 사실상태를 기준으로 하여 판단하여야 하고, 처분 후 법령의 개폐나 사실상태의 변동에 의하여 영향을 받지는 않으므로, 난민인정거부처분의 취소를 구하는 취소소송에서도 그 거부처분을 한 후 국적국의 정치적 상황이 변화하였다고 하여 처분의 적법 여부가 달라지는 것은 아니다(대판 2008.7.24. 2007두3930).
③ (○) 항고소송에서 행정처분의 위법 여부는 행정처분이 있을 때의 법령과 사실상태를 기준으로 판단하여야 하며, 법원은 행정처분 당시 행정청이 알고 있었던 자료뿐만 아니라 사실심 변론종결 당시까지 제출된 모든 자료를 종합하여 처분 당시 존재하였던 객관적 사실을 확정하고 그 사실에 기초하여 처분의 위법 여부를 판단할 수 있다(대판 2010.1.14. 2009두11843).
④ (○) 취소소송의 대상이 되는 처분의 위법성판단의 기준시점과 관련하여 학설은 나뉘고 있다. 처분시기준설이 통설이다. 판결시기준설은 항고소송은 구체적인 행정처분이 법규에 대하여 적합한가의 여부를 판단의 대상으로 하는 것이므로, 그 법규는 판결 시의 법규이어야 한다는 견해이다. 판결시기준설은 판결을 처분의 사후심사가 아니라 처분에 계속적으로 효력을 부여할 것인가의 문제로 본다.
⑤ (×) 교원소청심사위원회가 한 결정의 취소를 구하는 소송에서 그 결정의 적부는 결정이 이루어진 시점을 기준으로 판단하여야 하지만, 그렇다고 하여 소청심사 단계에서 이미 주장된 사유만을 행정소송의 판단대상으로 삼을 것은 아니다. 따라서 소청심사 결정 후에 생긴 사유가 아닌 이상 소청심사 단계에서 주장하지 아니한 사유도 행정소송에서 주장할 수 있고, 법원도 이에 대하여 심리·판단할 수 있다(대판 2018.7.12. 2017두65821).

답 ⑤

함께 정리하기

취소소송의 위법성판단 기준 시

처분시(∴처분 후 법령개폐나 사실상태의 변동에 영향×)

난민인정거부처분 후 국적국의 정치적 상황 변화
▷ 처분의 적법 여부 영향 無

사실심 변론종결까지 제출된 모든 자료로 위법 여부 판단

판결시기준설
▷ 판결시 처분에 계속적으로 효력을 부여할 것인가의 문제로 보는 견해

소청심사 단계에서 주장하지 않은 사유
▷ 행정소송에서 주장 可

문제 DATA
출제가능 지수 ▶▶▷
난이도 지수 ★★☆

함께 정리하기
취소소송의 심리절차
보충적 직권심리 可
원고가 청구하지 않은 처분에 대한 판결
▷ 처분권주의에 反
명의신탁등기 과징금에 대하여 장기미등기 사유를 들어 적법하다고 판단
▷ 변론주의원칙 위배
기록상 자료가 나타나 있다면 주장하지 않아도 판단 可
처분청의 처분권한 유무
▷ 본안심리(소송요건×)

003 □□□

취소소송의 심리절차상 원칙에 대한 설명으로 옳은 것은? (다툼이 있는 경우 판례에 의함)

① 법원은 필요하다고 인정할 때에는 직권으로 증거조사를 할 수 있으나, 당사자가 주장하지 아니한 사실에 대하여는 판단할 수 없다.
② 법원이 원고가 청구하지 아니한 개별토지가격결정처분에 대하여 판결하는 것은 처분권주의에 반한다.
③ 명의신탁등기 과징금 부과처분에 대하여 장기미등기 과징금 부과처분 사유가 존재한다는 이유로 적법하다고 판단하는 것은 직권심사주의 원칙상 허용된다.
④ 기록상 자료가 나타나 있다 하더라도 당사자가 주장하지 않으면 판단할 수 없다.
⑤ 처분청의 처분권한 유무는 직권조사사항이다.

2019년 세무사

① (×) 법원은 필요하다고 인정할 때에는 직권으로 증거조사를 할 수 있고, 당사자가 주장하지 아니한 사실에 대하여도 판단할 수 있다(「행정소송법」 제26조).
② (○) 원고가 청구하지 아니한 개별토지가격결정처분에 대하여 판결한 것은 민사소송법 제188조 소정의 처분권주의에 반하여 위법하다(대판 1993.6.8. 93누4526).
③ (×) 명의신탁등기 과징금과 장기미등기 과징금은 위반행위의 태양, 부과요건, 근거조항을 달리하므로, 각 과징금 부과처분의 사유는 상호간에 기본적 사실관계의 동일성이 있다고 할 수 없다. 그러므로 그중 어느 하나의 처분사유에 의한 과징금부과처분에 대하여 처분사유가 아닌 다른 처분사유가 존재한다는 이유로 적법하다고 판단하는 것은 특별한 사정이 없는 한 행정소송법상 직권심사주의의 한계를 넘는 것으로서 허용될 수 없다(대판 2017.5.17. 2016두53050).
④ (×) 행정소송에서 기록상 자료가 나타나 있다면 당사자가 주장하지 않았더라도 판단할 수 있고, 당사자가 제출한 소송자료에 의하여 법원이 처분의 적법 여부에 관한 합리적인 의심을 품을 수 있음에도 단지 구체적 사실에 관한 주장을 하지 아니하였다는 이유만으로 당사자에게 석명을 하거나 직권으로 심리·판단하지 아니함으로써 구체적 타당성이 없는 판결을 하는 것은 행정소송법 제26조의 규정과 행정소송의 특수성에 반하므로 허용될 수 없다(대판 2010.2.11. 2009두18035).
⑤ (×) 본안에서 심리한다.

  행정소송에 있어서 처분청의 처분권한 유무는 직권조사사항이 아니다(대판 1997.6.19. 95누8669 전합).

답 ②

004

행정소송상 주장책임과 증명책임(입증책임)에 대한 설명으로 옳은 것을 모두 고른 것은? (다툼이 있는 경우 판례에 의함)

> ㄱ. 취소소송에서 당사자의 명백한 주장이 없는 경우에도 법원은 기록에 나타난 여러 사정을 기초로 직권으로 사정판결을 할 수 있다.
> ㄴ. 정보공개거부처분 취소소송에서 비공개사유의 주장·입증책임은 피고인 공공기관에 있다.
> ㄷ. 행정처분의 당연무효를 주장하여 그 무효확인을 구하는 행정소송에서 그 행정처분이 무효인 사유를 주장·입증할 책임은 원고에게 있다.
> ㄹ. 국가유공자 인정과 관련하여, 공무수행으로 상이(傷痍)를 입었다는 점이나 그로 인한 신체장애의 정도가 법령에 정한 등급 이상에 해당한다는 점에 관한 증명책임은 국가유공자 등록신청인에게 있지만, 그 상이가 '불가피한 사유 없이 본인의 과실이나 본인의 과실이 경합된 사유로 입은 것'이라는 사정에 관한 증명책임은 피고인 처분청에게 있다.

① ㄱ, ㄴ, ㄷ
② ㄱ, ㄴ, ㄹ
③ ㄱ, ㄷ, ㄹ
④ ㄴ, ㄷ, ㄹ
⑤ ㄱ, ㄴ, ㄷ, ㄹ

2019년 변호사

ㄱ. (○) 사정판결은 직권으로도 가능하다.

> 사정판결은 당사자의 명백한 주장이 없는 경우에도 기록에 나타난 여러 사정을 기초로 직권으로 할 수 있다(대판 2006.9.22. 2005두2506).

ㄴ. (○) 비공개사유에 대한 주장·입증책임은 공공기관에 있다.

> 국민으로부터 보유·관리하는 정보에 대한 공개를 요구받은 공공기관으로서는 법 제7조 제1항 각 호에서 정하고 있는 비공개사유에 해당하지 않는 한 이를 공개하여야 하고, 이를 거부하는 경우라 할지라도 대상이 된 정보의 내용을 구체적으로 확인·검토하여 어느 부분이 어떠한 법익 또는 기본권과 충돌되어 법 제7조 제1항 몇 호에서 정하고 있는 비공개사유에 해당하는지를 주장·입증하여야만 하며, 그에 이르지 아니한 채 개괄적인 사유만을 들어 공개를 거부하는 것은 허용되지 아니한다(대판 2007.2.8. 2006두4899).

ㄷ. (○) 무효확인소송이 무효사유 주장·입증책임은 원고에 있다.

> 행정처분의 당연무효를 주장하여 그 무효확인을 구하는 행정소송에 있어서는 원고에게 그 행정처분이 무효인 사유를 주장, 입증할 책임이 있다(대판 1992.3.10. 91누6030).

ㄹ. (○) 국가유공자 인정요건에 대한 증명책임은 신청인에게, 본인의 과실이 있다는 점에 대한 증명책임은 처분청에게 있다.

> 국가유공자 인정요건, 즉 공무수행으로 상이를 입었다는 점이나 그로 인한 신체장애의 정도가 법령에 정한 등급 이상에 해당한다는 점은 국가유공자 등록신청인이 증명할 책임이 있지만, 그 상이가 '불가피한 사유 없이 본인의 과실이나 본인의 과실이 경합된 사유로 입은 것'이라는 사정, 즉 지원대상자 요건에 해당한다는 사정은 국가유공자 등록신청에 대하여 지원대상자로 등록하는 처분을 하는 처분청이 증명책임을 진다고 보아야 한다(대판 2013.8.22. 2011두26589).

답 ⑤

문제 DATA
출제가능 지수 ▶▶▷
난이도 지수 ★★☆

함께 정리하기

주장·증명책임

사정판결
▷ 당사자 주장 없이도 직권으로 可

정보공개법상 비공개사유 주장·입증책임
▷ 피고인 공공기관이 부담

무효확인소송에서 무효사유 주장·입증책임
▷ 원고가 부담

국가유공자 인정 요건
▷ 등록신청인이 증명

과실이 있다는 점
▷ 처분청이 증명

문제 DATA

출제가능 지수 ▶▶▷
난이도 지수 ★★☆

005 □□□

취소소송에 대한 설명으로 옳은 것은? (다툼이 있는 경우 판례에 의함)

① 과세처분취소소송에서 과세처분의 위법성 판단시점은 처분시이므로 과세행정청은 처분 당시의 자료만에 의하여 처분의 적법 여부를 판단하고 처분 당시의 처분사유만을 주장할 수 있다.
② 시행규칙에 법 위반 횟수에 따라 가중처분하게 되어 있는 제재적 처분 기준이 규정되어 있다 하더라도, 기간의 경과로 효력이 소멸한 제재적 처분을 취소소송으로 다툴 법률상 이익은 없다.
③ 상급행정청으로부터 내부위임을 받은 데 불과한 하급행정청이 권한 없이 행정처분을 한 경우에는 실제로 그 처분을 행한 하급행정청을 피고로 취소소송을 제기해야 한다.
④ 취소소송을 제기하기 위해서는 처분등이 존재하여야 하며, 거부처분이 성립하기 위해서는 개인의 신청권이 존재하여야 하고, 여기서 신청권이란 신청인이 신청의 인용이라는 만족적 결과를 얻을 권리를 의미하는 것이다.

| 2017년 사회복지직

① (×) 처분의 위법판단의 기준시는 처분시이며, 사실심 변론종결시까지 제출된 모든 자료로 판단한다.

> 항고소송에서 행정처분의 위법 여부는 행정처분이 있을 때의 법령과 사실 상태를 기준으로 판단하여야 하며, 법원은 행정처분 당시 행정청이 알고 있었던 자료뿐만 아니라 사실심 변론종결 당시까지 제출된 모든 자료를 종합하여 처분 당시 존재하였던 객관적 사실을 확정하고 그 사실에 기초하여 처분의 위법 여부를 판단할 수 있다(대판 2010.1.14. 2009두11843).

② (×) 가중적 제재처분기준이 시행규칙에 규정되어 있는 경우에도 법률상 이익이 인정된다.

> 선행처분을 받은 상대방은 비록 그 처분에서 정한 제재기간이 경과하였다 하더라도 그 처분의 취소소송을 통하여 그러한 불이익을 제거할 권리보호의 필요성이 충분히 인정된다고 할 것이므로, 선행처분의 취소를 구할 법률상 이익이 있다고 보아야 한다(대판 2006.6.22. 2003두1684 전합).

③ (○) 내부위임이 있는 경우 처분을 실제로 행한 하급행정청이 피고가 된다.

> 행정처분을 행할 적법한 권한있는 상급행정청으로부터 내부위임을 받은데 불과한 하급행정청이 권한 없이 행정처분을 한 경우에도 실제로 그 처분을 행한 하급행정청을 피고로 할 것이지 그 상급행정청을 피고로 할 것은 아니다(대판 1989.11.14. 89누4765).

④ (×) 거부처분이 성립하기 위해서는 응답요구권으로서의 신청권이 있어야 하고, 이는 신청의 인용이라는 만족적 결과를 얻을 권리를 의미하지 않는다.

> 거부처분의 처분성을 인정하기 위한 전제요건이 되는 신청권의 존부는 구체적 사건에서 신청인이 누구인가를 고려하지 않고 관계 법규의 해석에 의하여 일반 국민에게 그러한 신청권을 인정하고 있는가를 살펴 추상적으로 결정되는 것이고, 신청인이 그 신청에 따른 단순한 응답을 받을 권리를 넘어서 신청의 인용이라는 만족적 결과를 얻을 권리를 의미하는 것은 아니다(대판 2009.9.10. 2007두20638).

답 ③

함께 정리하기

과세처분 무효의 경우 권리구제

위법성판단 처분 시
▷ 사실심변론 종결까지 제출된 모든 자료로 판단

가중 제재적 처분기준 시행규칙 규정
▷ 취소소송 법률상 이익 有

내부위임 하급행정청의 처분
▷ 처분을 행한 하급행정청이 피고

거부처분
▷ 추상적 결정·단순한 응답요구권으로서 신청권 要
▷ 신청의 인용이라는 만족적 결과 얻을 권리×

006

처분사유의 추가·변경에 대한 설명으로 옳지 않은 것은?

① 항고소송에서 처분청은 당초 처분의 근거로 삼은 사유와 기본적 사실관계가 동일성이 있다고 인정되는 한도 내에서만 다른 사유를 추가·변경할 수 있다.

② 당초 처분의 근거로 삼은 사유와 사회적 사실관계의 기본적 동일성이 인정된다면 그에 대한 규범적 평가와 처분의 근거 법령 변경으로 당초 처분의 내용을 변경할 필요성이 제기되는 경우라도, 처분청은 당초 처분의 내용을 그대로 유지한 채 근거 법령만 추가·변경할 수 있다.

③ 처분청이 처분 당시에 적시한 구체적 사실을 변경하지 아니하는 범위 내에서 단지 그 처분의 근거 법령만을 추가·변경하는 것에 불과한 경우에는 새로운 처분사유의 추가라고 볼 수 없다.

④ 어떤 처분 내용의 적법성을 뒷받침하기 위하여 당초 처분사유와 기본적 사실관계의 동일성이 인정되는 다른 사유가 처분 당시에 이미 존재하고 있다면 처분청은 그 처분에 대한 취소소송의 사실심 변론종결 시까지 그 사유를 적극적으로 주장·증명하여 법원으로부터 그 처분이 적법하다는 판단을 받아야 한다.

2025년 지방직 9급

① (O) 행정처분의 취소를 구하는 항고소송에서 처분청은 당초 처분의 근거로 삼은 사유와 기본적 사실관계가 동일성이 있다고 인정되는 한도 내에서만 다른 사유를 추가 또는 변경할 수 있고, 이러한 법리는 행정심판 단계에서도 그대로 적용된다(대판 2014.5.16. 2013두26118).

② (×) 행정처분의 적법성과 효력을 다투는 항고소송에서는 처분청이 당초 처분의 근거로 삼은 사유와 기본적 사실관계의 동일성이 인정되지 않는 별개의 사유를 주장하는 것은 원칙적으로 허용되지 않는다(이를 '처분사유 추가·변경 제한 법리'라고 한다). 여기서 기본적 사실관계의 동일성 유무는 처분사유를 법률적으로 평가하기 이전의 구체적인 사실에 착안하여 그 기초가 되는 사회적 사실관계가 기본적인 점에서 동일한지에 따라 판단하는 것이 원칙이고, 행정청이 처분 당시에 제시한 구체적 사실을 변경하지 않는 범위 내에서 단지 그 처분의 근거 법령만을 추가·변경하거나 당초의 처분사유를 구체적으로 표시하는 것에 불과한 경우에는 새로운 처분사유를 추가하거나 변경하는 것이라고 볼 수 없다(③). 그러나 사회적 사실관계의 기본적 동일성이 인정되는 경우라고 하더라도 그에 대한 규범적 평가와 처분의 근거 법령의 변경으로, 예를 들어 기속행위가 재량행위로 변경되는 경우와 같이, 당초 처분의 내용을 변경할 필요성이 제기되는 경우에는 해당 처분을 취소한 후 처분청으로 하여금 다시 처분절차를 거쳐 새로운 처분을 하도록 하여야 할 것이지 당초 처분의 내용을 그대로 유지한 채 근거 법령만 추가·변경하는 것은 허용될 수 없다(②)(대판 2024.11.28. 2023두61349).

③ (O) 지방재정법 제87조 제1항에 의한 변상금부과처분이 당연무효인 경우에 이 변상금부과처분에 의하여 납부자가 납부하거나 징수당한 오납금은 지방자치단체가 법률상 원인 없이 취득한 부당이득에 해당하고, 이러한 오납금에 대한 납부자의 부당이득반환청구권은 처음부터 법률상 원인 없이 납부 또는 징수된 것이므로 납부 또는 징수시에 발생하여 확정되며, 그때부터 소멸시효가 진행한다(대판 2005.1.27. 2004다50143).

④ (O) 어떤 처분 내용의 적법성을 뒷받침하기 위하여 당초 처분사유와 기본적 사실관계의 동일성이 인정되는 다른 사유가 있다면 처분청은 그 처분에 대한 취소소송의 사실심 변론종결 시까지 그 사유를 적극적으로 주장·증명하여 법원으로부터 그 처분이 적법하다는 판단을 받아야 한다. 만약 소송에서 추가·변경할 수 있는 다른 사유가 있었음에도 처분청이 이를 적절하게 주장·증명하지 못하여 법원이 그 처분을 위법하다고 판단하여 취소하는 판결이 확정되면, 처분청이 그 다른 사유를 근거로 다시 종전과 같은 내용의 처분을 하는 것은 허용되지 않는다. 어떤 처분의 당초 처분사유와 기본적 사실관계의 동일성이 인정되지 않는 다른 사유가 있다면, 그 처분에 대한 취소소송에서 처분사유 추가·변경은 허용되지 않지만, 처분청이 그 처분에 대한 취소판결 확정 후 그 다른 사유를 근거로 별도의 처분을 하는 것은 허용된다(대판 2020.12.24. 2019두55675).

답 ②

문제 DATA

출제가능 지수 ▶▶▷
난이도 지수 ★★★

함께 정리하기

처분사유의 추가·변경

기본적 사실관계 동일성이 인정되는 처분사유 추가·변경
▷ 행정소송·행정심판 단계 모두 可

당초 처분 사유에 대한 규범적 평가와 근거 법령 변경으로 당초 처분내용을 변경할 필요
▷ 근거 법령만 추가·변경 不可

구체적 사실을 변경하지 않는 범위 내에서 단지 처분의 근거법령만 추가·변경
▷ 새로운 처분사유의 추가·변경×

당초 처분사유와 기본적 사실관계의 동일성 있는 다른 사유가 처분시에 이미 존재
▷ 처분청은 사실심 변론종결 시까지 그 사유를 적극적으로 주장·증명 要

007

행정소송에서 처분사유의 추가·변경에 대한 설명으로 가장 옳지 않은 것은? (다툼이 있는 경우 판례에 의함)

① 추가 또는 변경된 사유가 처분 당시에 이미 존재하고 있었다거나 당사자가 그 사실을 알고 있었다고 하여 당초의 처분사유와 동일성이 있다고 할 수 없다.

② 토지형질변경 불허가처분의 당초의 처분사유인 국립공원에 인접한 미개발지의 합리적인 이용대책 수립시까지 그 허가를 유보한다는 사유와 그 처분의 취소소송에서 추가하여 주장한 처분사유인 국립공원 주변의 환경·풍치·미관 등을 크게 손상시킬 우려가 있으므로 공공목적상 원형유지의 필요가 있는 곳으로서 형질변경허가 금지 대상이라는 사유는 기본적 사실관계에 있어서 동일성이 인정된다.

③ 처분청이 처분 당시에 적시한 구체적 사실을 변경하지 아니하는 범위 내에서 당초의 처분사유인 「국가를 당사자로 하는 계약에 관한 법률 시행령」 제76조 제1항 제12호 소정의 '담합을 주도하거나 담합하여 입찰을 방해하였다'는 것으로부터 같은 항 제7호 소정의 '특정인의 낙찰을 위하여 담합한 자'로 처분의 사유를 변경하는 것은 허용된다.

④ 외국인 甲이 법무부장관에게 귀화신청을 하였으나 법무부장관이 '품행 미단정'을 불허 사유로 「국적법」상의 요건을 갖추지 못하였다며 신청을 받아들이지 않는 처분을 한 경우, 법무부장관이 甲을 '품행 미단정'이라고 판단한 이유에 대하여 제1심 변론절차에서 「자동차관리법」 위반죄로 기소유예를 받은 전력 등을 고려하였다고 주장하고, 제2심 변론절차에서 불법 체류한 전력이 있다는 추가적인 사정까지 고려하였다고 주장하는 것은 허용되지 아니한다.

2025년 군무원 7급

① (○) 행정처분의 취소를 구하는 항고소송에서 처분청은 당초 처분의 근거로 삼은 사유와 기본적 사실관계가 동일성이 있다고 인정되는 한도 내에서만 다른 사유를 추가 또는 변경할 수 있고, 이러한 기본적 사실관계의 동일성 유무는 처분사유를 법률적으로 평가하기 이전의 구체적 사실에 착안하여 그 기초인 사회적 사실관계가 기본적인 점에서 동일한지에 따라 결정되므로, 추가 또는 변경된 사유가 처분 당시에 이미 존재하고 있었다거나 당사자가 그 사실을 알고 있었다고 하여 당초의 처분사유와 동일성이 있다고 할 수 없다. 그리고 이러한 법리는 행정심판 단계에서도 그대로 적용된다(대판 2014.5.16. 2013두26118).

② (○) 이 사건에 관하여 보건대, 피고가 당초 이 사건 처분의 근거로 삼은 사유나, 피고가 이 사건 소송에서 추가하여 주장하는 사유 즉, 이 사건 신청지 일대는 북한산국립공원과 인접하여 있고 자연경관이 수려한 지역으로서 도시환경보전을 위하여 개발이 억제되어야 할 공익상의 필요가 있는데, 이 사건 신청지에 대한 형질변경을 허가할 경우 주변의 환경·풍치·미관 등을 크게 손상시킬 우려가 있으므로 이 사건 신청지는 공공목적상 원형유지의 필요가 있는 곳으로서 형질변경허가 금지 대상이라는 사유는, 그 내용이 모두 이 사건 신청지가 북한산국립공원에 인접하여 있다는 점을 공통으로 하고 있을 뿐만 아니라, 그 취지도 도시환경의 보전 등 중대한 공익상의 필요가 있어 형질변경을 불허한다는 것으로서, 당초 이 사건 처분의 근거로 삼은 사유와 변경된 처분사유는 기본적 사실관계에 있어서 동일성이 인정된다고 판단된다(대판 2001.9.28. 2000두8684).

③ (○) 행정처분의 취소를 구하는 항고소송에서 처분청은 당초 처분의 근거로 삼은 사유와 기본적 사실관계가 동일성이 있다고 인정되는 한도 내에서는 다른 사유를 추가하거나 변경할 수도 있으나, 기본적 사실관계가 동일하다는 것은 처분사유를 법률적으로 평가하기 이전의 구체적인 사실에 착안하여 그 기초적인 사회적 사실관계가 기본적인 점에서 동일한 것을 말하며, 처분청이 처분 당시에 적시한 구체적 사실을 변경하지 아니하는 범위 내에서 단지 그 처분의 근거 법령만을 추가·변경하거나 당초의 처분사유를 구체적으로 표시하는 것에 불과한 경우에는 새로운 처분사유를 추가하거나 변경하는 것이라고 볼 수 없다. … 당초의 처분사유인 국가를 당사자로 하는 계약에 관한 법률 시행령 제76조 제1항 제12호 소정의 '담합을 주도하거나 담합하여 입찰을 방해하였다'는 것으로부터 같은 항 제7호 소정의 '특정인의 낙찰을 위하여 담합한 자'로 이 사건 처분의 사유를 변경한 것은, 그 변경 전후에 있어서 같은 행위에

문제 DATA
출제가능 지수 ▶▶▷
난이도 지수 ★★☆

함께 정리하기

행정소송에서 처분사유의 추가·변경

처분시 이미 존재하고 당사자도 알고 있는 추가·변경사유
▷ 동일성 ×

'국립공원 인접 미개발지 이용대책 수립시까지 허가를 유보한다는 사유'와 '국립공원주변 환경·풍치·미관등 손상손상시킬 우려가 있다'는 사유
▷ 동일성 ○

'담합을 주도하거나 담합하여 입찰을 방해하였다'는 사유와 '특정인의 낙찰을 위하여 담합한 자'에 해당한다는 사유
▷ 동일성 ○

처분사유의 근거가 되는 기초사실 내지 평가요소
▷ 추가 주장 가

대한 법률적 평가만 달리하는 것일 뿐 기본적 사실관계를 같이 하는 것이므로 허용된다(대판 2008.2. 28. 2007두13791·13807).

④ (×) 외국인 甲이 법무부장관에게 귀화신청을 하였으나 법무부장관이 심사를 거쳐 '품행 미단정'을 불허사유로 국적법상의 요건을 갖추지 못하였다며 신청을 받아들이지 않는 처분을 하였는데, 법무부장관이 甲을 '품행 미단정'이라고 판단한 이유에 대하여 제1심 변론절차에서 자동차관리법위반죄로 기소유예를 받은 전력 등을 고려하였다고 주장하였다가 원심(제2심) 변론절차에서 불법 체류한 전력이 있다는 추가적인 사정까지 고려하였다고 주장한 사안에서, 법무부장관이 처분 당시 甲의 전력 등을 고려하여 甲이 구 국적법 제5조 제3호의 '품행단정' 요건을 갖추지 못하였다고 판단하여 처분을 하였고, 그 처분서에 처분사유로 '품행 미단정'이라고 기재하였으므로, '품행 미단정'이라는 판단 결과를 위 처분의 처분사유로 보아야 하는데, 법무부장관이 원심(제2심)에서 추가로 제시한 불법 체류 전력 등의 제반 사정은 불허가처분의 처분사유 자체가 아니라 그 근거가 되는 기초 사실 내지 평가요소에 지나지 않으므로, 법무부장관이 이러한 사정을 추가로 주장할 수 있다(대판 2018.12.13. 2016두31616).

답 ④

008 □□□

취소소송에서 추가하려는 처분사유와 당초의 처분사유 사이에 기본적인 사실관계의 동일성이 인정되는 경우를 모두 고른 것은? (다툼이 있는 경우 판례에 의함)

> ㄱ. 건축신고수리 거부처분을 하면서 건축하려는 토지가 「건축법」상 도로에 해당하여 건축을 허용할 수 없다는 사유를 들었다가, 위 토지가 인근 주민들의 통행에 제공된 사실상의 도로여서 인근주민들의 통행을 막게 된다는 사유를 추가한 경우
> ㄴ. 주택신축을 위한 산림형질변경허가신청에 대하여 행정청이 거부처분을 하면서 당초 준농림지역에서의 행위제한이라는 사유를 들었다가, 자연경관 및 생태계의 교란, 국토 및 자연의 유지와 환경보전 등 중대한 공익상의 필요라는 처분사유를 추가한 경우
> ㄷ. 입찰참가자자격제한을 하면서 당초에는 정당한 이유 없이 계약을 이행하지 않았다는 사유를 들었다가, 계약의 이행과 관련하여 관계 공무원에게 뇌물을 주었다는 사유를 추가한 경우
> ㄹ. 액화석유가스판매사업불허가처분을 하면서 당초에는 허가기준에 따라 검토한 결과 허가기준에 맞지 않다는 사유를 들었다가, 이격거리 기준에 위배된다는 사유를 추가한 경우

① ㄱ, ㄴ
② ㄱ, ㄷ
③ ㄱ, ㄴ, ㄹ
④ ㄴ, ㄷ, ㄹ

문제 DATA
출제가능 지수 ▶▶▷
난이도 지수 ★★★

함께 정리하기

처분사유 추가·변경의 동일성 유무

'토지가 「건축법」상 도로에 해당하여 건축을 허용할 수 없다'는 사유와 '인근 주민들의 통행에 제공된 사실상의 도로여서 인근주민들의 통행을 막게 된다'는 사유
▷ 동일성○

'준농림지역에서의 행위제한'이라는 사유와 '자연경관 및 생태계의 교란, 국토 및 자연의 유지와 환경보전 등 중대한 공익상의 필요'라는 사유
▷ 동일성○

입찰참가자격제한을 하면서 당초에는 '정당한 이유 없이 계약을 이행하지 않았다'는 사유와 계약의 이행과 관련하여 '관계 공무원에게 뇌물을 주었다'는 사유
▷ 동일성×

액화석유가스판매사업불허가처분시 '허가기준에 맞지 않다'는 사유와 '이격거리 기준에 위배된다'는 사유
▷ 동일성○

2025년 경찰간부

ㄱ. (○) 甲이 '사실상의 도로'로서 인근 주민들의 통행로로 이용되고 있는 토지를 매수한 다음 2층 규모의 주택을 신축하겠다는 내용의 건축신고서를 제출하였으나, 구청장이 '위 토지가 건축법상 도로에 해당하여 건축을 허용할 수 없다'는 사유로 건축신고수리 거부처분을 하자 甲이 처분의 취소를 구하는 소송을 제기하였는데, 1심법원이 위 토지가 건축법상 도로에 해당하지 않는다는 이유로 甲의 청구를 인용하는 판결을 선고하자 구청장이 항소하여 '위 토지가 인근 주민들의 통행에 제공된 사실상의 도로인데, 주택을 건축하여 주민들의 통행을 막는 것은 사회공동체와 인근 주민들의 이익에 반하므로 甲의 주택 건축을 허용할 수 없다'는 주장을 추가한 사안에서, 구청장이 원심에서 추가한 처분사유는 당초 처분사유와 기본적 사실관계가 동일하고, 정당하여 결과적으로 위 처분이 적법한 것으로 볼 여지가 있다(대판 2019.10.31. 2017두74320).

ㄴ. (○) 주택신축을 위한 산림형질변경허가신청에 대하여 행정청이 거부처분을 하면서 당초 거부처분의 근거로 삼은 준농림지역에서의 행위제한이라는 사유와 나중에 거부처분의 근거로 추가한 자연경관 및 생태계의 교란, 국토 및 자연의 유지와 환경보전 등 중대한 공익상의 필요라는 사유는 기본적 사실관계에 있어서 동일성이 인정된다(대판 2004.11.26. 2004두4482).

ㄷ. (×) 행정처분의 취소를 구하는 항고소송에 있어서는 실질적 법치주의와 행정처분의 상대방인 국민에 대한 신뢰보호라는 견지에서 처분청은 당초처분의 근거로 삼은 사유와 기본적 사실관계가 동일성이 있다고 인정되는 한도 내에서만 다른 사유를 추가하거나 변경할 수 있을 뿐, 기본적 사실관계와 동일성이 인정되지 않는 별개의 사실을 들어 처분사유로 주장함은 허용되지 아니하고, 여기서 기본적 사실관계의 동일성 유무는 처분사유를 법률적으로 평가하기 이전의 구체적인 사실에 착안하여 그 기초가 되는 사회적 사실관계가 기본적인 점에서 동일한지 여부에 따라 결정된다. 입찰참가자격을 제한시킨 당초의 처분사유인 정당한 이유 없이 계약을 이행하지 않은 사실과 항고소송에서 새로 주장한 계약의 이행과 관련하여 관계 공무원에게 뇌물을 준 사실은 기본적 사실관계의 동일성이 없다(대판 1999.3.9. 98두18565).

ㄹ. (○) 동래구청장은 원고가 제출한 이 사건 허가신청에 대하여 관계법 및 부산시 고시 동래구 허가기준에 의거 검토한 결과 허가기준에 맞지 않아 허가신청을 반려한다고 하였는 바 그 취지는 다른 허가기준에는 들어맞으나 소론과 같은 액화석유가스판매업 허가기준 보완시행 안에 정하여진 허가기준에 맞지 아니하여 허가신청을 반려한다는 의미라고 할 수는 없고 위에서 본 모든 허가기준에 의거하여 검토한 결과 그 허가기준(원고에 대하여는 이격거리에 관한 허가기준을 나타내는 것이라 함은 위에서 본 바와 같다)에 맞지 아니하여 반려한다는 것으로 이해되는 바이니 피고가 이 사건에서 이격거리 기준위배를 반려사유로 주장하는 것은 그 처분의 사유를 구체적으로 표시하는 것이지 당초의 처분사유와 기본적 사실관계와 동일성이 없는 별개의 또는 새로운 처분사유를 추가하거나 변경하는 것이라고 할 수는 없다(대판 1989.7.25. 88누11926).

답 ③

009

취소소송에서 처분사유의 추가·변경에 대한 설명 중 옳지 않은 것은? (다툼이 있는 경우 판례에 의함)

① 처분사유의 추가·변경은 당초 처분의 근거로 삼은 사유와 기본적 사실관계의 동일성이 유지되는 한도 내에서 인정된다.
② 기본적 사실관계의 동일성 유무는 처분사유를 법률적으로 평가하기 이전의 구체적 사실에 착안하여 그 기초가 되는 사회적 사실관계가 기본적인 점에서 동일한지 여부에 따라 결정된다.
③ 처분 당시에 적시한 구체적 사실을 변경하지 아니하는 범위 내에서 단지 처분의 근거법령만을 추가·변경하는 것도 새로운 처분사유의 추가에 해당한다.
④ 처분사유의 추가·변경은 사실심 변론종결시까지 허용된다.

| 2024년 경찰간부

① (○) 행정처분의 취소를 구하는 항고소송에 있어서는 실질적 법치주의와 행정처분의 상대방인 국민에 대한 신뢰보호라는 견지에서 처분청은 당초 처분의 근거로 삼은 사유와 기본적 사실관계에 있어서 동일성이 인정되는 한도 내에서만 새로운 처분사유를 추가하거나 변경할 수 있을 뿐, 기본적 사실관계와 동일성이 인정되지 않는 별개의 사실을 들어 처분사유로 주장하는 것은 허용되지 아니하며, 법원으로서도 당초의 처분사유와 기본적 사실관계의 동일성이 없는 사실은 처분사유로 인정할 수 없는 것이다(대판 1992.8.18. 91누3659).
② (○) 행정처분의 취소를 구하는 항고소송에서, 처분청은 당초 처분의 근거로 삼은 사유와 기본적 사실관계가 동일성이 있다고 인정되는 한도 내에서만 다른 사유를 추가 혹은 변경할 수 있고, 여기서 기본적 사실관계의 동일성 유무는 처분사유를 법률적으로 평가하기 이전의 구체적인 사실에 착안하여 그 기초인 사회적 사실관계가 기본적인 점에서 동일한지 여부에 따라 결정되며, 추가 또는 변경된 사유가 처분 당시에 그 사유를 명기하지 않았을 뿐 이미 존재하고 있었고 당사자도 그 사실을 알고 있었다 하여 당초의 처분사유와 동일성이 있는 것이라고 할 수는 없다(대판 2009.11.26. 2009두15586 등).

문제 DATA
출제가능 지수 ▶▶▷
난이도 지수 ★★☆

함께 정리하기

처분사유의 추가·변경

기본적 사실관계의 동일성 내

동일성 유무
▷ 기초되는 사회적 사실관계가 기본적인 점에서 동일한지 여부에 따라 결정

구체적 사실을 변경하지 않는 범위 내에서 단지 처분의 근거법령만 추가·변경
▷ 새로운 처분사유의 추가·변경 ✕

사실심 변론종결시까지

③ (×) 법원은 추가·변경한 법령을 적용하여 처분의 적법 여부를 판단할 수 있다.

> 행정처분의 취소를 구하는 항고소송에서 처분청이 처분 당시에 적시한 구체적 사실을 변경하지 아니하는 범위 내에서 단지 그 처분의 근거법령만을 추가·변경하거나 당초의 처분사유를 구체적으로 표시하는 것에 불과한 경우에는 새로운 처분사유를 추가하거나 변경하는 것이라고 볼 수 없다(대판 2007.2.8. 2006두4899 등).

④ (○) 행정청은 기본적 사실관계의 동일성이 있다고 인정되는 한도 내에서만 다른 처분사유를 추가, 변경할 수 있다고 할 것이나 이는 사실심 변론종결시까지만 허용된다(대판 1999.8.20. 98두17043 ; 대판 1999.2.9. 98두16675).

「행정소송규칙」 제9조 【처분사유의 추가·변경】 행정청은 사실심 변론을 종결할 때까지 당초의 처분사유와 기본적 사실관계가 동일한 범위 내에서 처분사유를 추가 또는 변경할 수 있다.

답 ③

010 □□□

행정소송에서 처분사유의 추가·변경에 대한 설명으로 옳지 않은 것은? (다툼이 있는 경우 판례에 의함)

① 추가 또는 변경된 사유가 처분 당시에 이미 존재하고 있었다거나 당사자가 그 사실을 알고 있었다면 당초의 처분사유와 동일성이 있다고 할 수 있다.
② 소송에서 처분사유와 기본적 사실관계가 동일하여 추가·변경할 수 있는 다른 사유가 있었음에도 처분청이 이를 적절하게 주장·증명하지 못하여 법원이 그 처분을 위법하다고 판단하여 취소하는 판결이 확정되면, 처분청이 그 다른 사유를 근거로 다시 종전과 같은 내용의 처분을 하는 것은 허용되지 않는다.
③ 어떤 처분의 당초 처분사유와 기본적 사실관계의 동일성이 인정되지 않는 다른 사유가 있다면, 그 처분에 대한 취소소송에서 처분사유 추가·변경은 허용되지 않지만, 처분청이 그 처분에 대한 취소판결 확정 후 그 다른 사유를 근거로 별도의 처분을 하는 것은 허용된다.
④ 처분청이 처분 당시에 적시한 구체적 사실을 변경하지 아니하는 범위 내에서 단지 그 처분의 근거 법령만을 추가·변경하는 것에 불과한 경우에는 새로운 처분사유의 추가라고 볼 수 없으므로 행정청이 처분 당시에 적시한 구체적 사실에 대하여 처분 후에 추가·변경한 법령을 적용하여 그 처분의 적법 여부를 판단할 수 있다.

2024년 소방직

① (×) 행정처분의 취소를 구하는 항고소송에서 처분청은 당초 처분의 근거로 삼은 사유와 기본적 사실관계가 동일성이 있다고 인정되는 한도 내에서만 다른 사유를 추가 또는 변경할 수 있고, 이러한 기본적 사실관계의 동일성 유무는 처분사유를 법률적으로 평가하기 이전의 구체적 사실에 착안하여 그 기초인 사회적 사실관계가 기본적인 점에서 동일한지에 따라 결정되므로, 추가 또는 변경된 사유가 처분 당시에 이미 존재하고 있었다거나 당사자가 그 사실을 알고 있었다고 하여 당초의 처분사유와 동일성이 있다고 할 수 없다(대판 2014.5.16. 2013두26118).

문제 DATA
출제가능 지수 ▶▶▶
난이도 지수 ★★★

함께 정리하기

처분사유의 추가·변경

처분시 이미 존재하고 당사자도 알고 있는 추가·변경사유
▷ 동일성 인정×

취소판결 확정 후 기본적 사실관계가 동일한 사유로 종전과 같은 처분
▷ 기속력 저촉○

취소판결 확정 후 기본적 사실관계의 동일성 없는 사유로 처분
▷ 기속력 저촉×

구체적 사실을 변경하지 않는 범위 내에서 처분의 근거법령만 추가·변경
▷ 새로운 처분사유의 추가·변경×
▷ 법원은 추가·변경한 법령 적용하여 처분의 적법 여부 판단 可

②, ③ (○)

> [1] 처분을 취소하는 확정판결은 처분청과 그 밖의 관계행정청을 기속한다(행정소송법 제30조 제1항). 어떤 처분을 위법하다고 판단하여 취소하는 판결이 확정되면 행정청은 취소판결의 기속력에 따라 그 판결에서 확인된 위법사유를 배제한 상태에서 다시 처분을 하거나 그 밖에 위법한 결과를 제거하는 조치를 할 의무가 있다. 처분사유는 취소판결의 기속력이 미치는 객관적 범위를 결정한다. 처분청이 확정된 취소판결에서 위법한 것으로 판단된 처분사유와 기본적 사실관계에 동일성이 인정되는 사유를 내세워 다시 동일한 내용의 처분을 하는 것은 취소판결의 기속력에 반하는 것으로서 그 하자가 중대·명백하여 당연무효라고 보아야 한다.
> [2] 따라서 어떤 처분 내용의 적법성을 뒷받침하기 위하여 당초 처분사유와 기본적 사실관계의 동일성이 인정되는 다른 사유가 있다면 처분청은 그 처분에 대한 취소소송의 사실심 변론종결 시까지 그 사유를 적극적으로 주장·증명하여 법원으로부터 그 처분이 적법하다는 판단을 받아야 한다. 만약 소송에서 추가·변경할 수 있는 다른 사유가 있었음에도 처분청이 이를 적절하게 주장·증명하지 못하여 법원이 그 처분을 위법하다고 판단하여 취소하는 판결이 확정되면, 처분청이 그 다른 사유를 근거로 다시 종전과 같은 내용의 처분을 하는 것은 허용되지 않는다. 어떤 처분의 당초 처분사유와 기본적 사실관계의 동일성이 인정되지 않는 다른 사유가 있다면, 그 처분에 대한 취소소송에서 처분사유 추가·변경은 허용되지 않지만, 처분청이 그 처분에 대한 취소판결 확정 후 그 다른 사유를 근거로 별도의 처분을 하는 것은 허용된다(대판 2020.12.24. 2019두55675).

④ (○) 처분청이 처분 당시 적시한 구체적 사실을 변경하지 아니하는 범위 내에서 단지 처분의 근거 법령만을 추가·변경하는 것은 새로운 처분사유의 추가라고 볼 수 없으므로 이와 같은 경우에는 처분청이 처분 당시 적시한 구체적 사실에 대하여 처분 후 추가·변경한 법령을 적용하여 처분의 적법 여부를 판단하여도 무방하다. 그러나 처분의 근거 법령을 변경하는 것이 종전 처분과 동일성을 인정할 수 없는 별개의 처분을 하는 것과 다름 없는 경우에는 허용될 수 없다(대판 2011.5.26. 2010두28106).

답 ①

011

다음 사례에 대한 설명으로 옳지 않은 것은? (다툼이 있는 경우 판례에 의함)

> 甲은 토지 위에 컨테이너를 설치하여 사무실로 사용하였다. 관할 행정청인 乙은 甲에게 이 컨테이너는 「건축법」상 건축허가를 받아야 하는 건축물인데 건축허가를 받지 않고 건축하였다는 이유로 甲에게 원상복구명령을 하면서, 만약 기한 내에 원상복구를 하지 않을 경우에는 행정대집행을 통하여 컨테이너를 철거할 것임을 계고하였다. 이후 甲은 乙에게 이 컨테이너에 대하여 가설건축물 축조신고를 하였으나 乙은 이 컨테이너는 건축허가대상이라는 이유로 가설건축물 축조신고를 반려하였다.

① 「건축법」에 특별한 규정이 없더라도 「행정절차법」상 예외에 해당하지 않는 한 乙은 원상복구명령을 하면서 甲에게 원상복구명령을 사전통지하고 의견제출의 기회를 주어야 한다.
② 乙이 행한 원상복구명령과 대집행 계고가 계고서라는 1장의 문서로 이루어진 경우라도 원상복구명령과 계고처분은 독립하여 있는 것으로서 각 그 요건이 충족된 것으로 볼 수 있다.
③ 乙이 대집행영장을 통지한 경우, 원상복구명령이 당연무효라면 대집행영장통지도 당연무효이다.
④ 甲이 제기한 원상복구명령 및 계고처분에 대한 취소소송에서, 乙은 처분 시에 제시한 '甲의 건축물은 건축허가를 받지 않은 건축물'이라는 처분사유에 '甲의 건축물은 신고를 하지 않은 가설건축물'이라는 처분사유를 추가할 수 있다.

2023년 국가직 7급

① (○) 행정절차법 제21조 제1항·제3항·제4항, 제22조에 의하면, 행정청이 당사자에게 의무를 부과하거나 권익을 제한하는 처분을 하는 경우에는 미리 '처분의 제목', '처분하려는 원인이 되는 사실과 처분의 내용 및 법적 근거', '이에 대하여 의견을 제출할 수 있다는 뜻과 의견을 제출하지 아니하는 경우의 처리방법', '의견제출기관의 명칭과 주소', '의견제출기한' 등의 사항을 당사자 등에게 통지하여야 하고, 의견제출기한은 의견제출에 필요한 상당한 기간을 고려하여 정하여야 하며, 다른 법령 등에서 필수적으로 청문을 하거나 공청회를 개최하도록 규정하고 있지 아니한 경우에도 당사자 등에게 의견제출의 기회를 주어야 하며, 다만 '해당 처분의 성질상 의견청취가 현저히 곤란하거나 명백히 불필요하다고 인정될 만한 상당한 이유가 있는 경우' 등에 한하여 처분의 사전통지나 의견청취를 하지 아니할 수 있다. 따라서 행정청이 침해적 행정처분을 하면서 당사자에게 사전통지를 하거나 의견제출의 기회를 주지 아니하였다면, 사전통지나 의견제출의 예외적인 경우에 해당하지 아니하는 한, 처분은 위법하여 취소를 면할 수 없다(대판 2016.10.27. 2016두41811).

② (○) 계고서라는 명칭의 1장의 문서로서 일정기간 내에 위법건축물의 자진철거를 명함과 동시에 그 소정기한 내에 자진철거를 하지 아니할 때에는 대집행할 뜻을 미리 계고한 경우라도 건축법에 의한 철거명령과 행정대집행법에 의한 계고처분은 독립하여 있는 것으로서 각 그 요건이 충족되었다고 볼 것이다. 이 경우, 철거명령에서 주어진 일정기간이 자진철거에 필요한 상당한 기간이라면 그 기간 속에는 계고 시에 필요한 '상당한 이행기간'도 포함되어 있다고 보아야 할 것이다(대판 1992.6.12. 91누13564).

③ (○) 의무를 명하는 원상복구명령이 무효라면, 하자가 당연히 승계되어 그 후속행위인 대집행절차 역시 모두 무효가 된다.

적법한 건축물에 대한 철거명령은 그 하자가 중대하고 명백하여 당연무효라고 할 것이고, 그 후행행위인 건축물철거 대집행계고처분 역시 당연무효라고 할 것이다(대판 1999.4.27. 97누6780).

④ (×)

[1] 이 사건 처분의 당초 처분사유는 "이 사건 컨테이너가 건축법 제2조 제1항 제2호의 건축물에 해당함에도 건축법 제11조를 위반하여 건축하였다."라는 것이고, 추가된 처분사유는 "이 사건 컨테이너가 가설건축물에 해당함에도 건축법 제20조 제3항을 위반하여 축조신고를 하지 아니하고 축조하였다."라는 것이다. 건축법은 '건축물'의 건축허가(제11조 제1항)와 '가설건축물'의 축조신고(제20조 제3항)에 관하여 그 절차와 요건 등을 달리 정하고 있다. '건축물'은 토지에 정착하는 공작물 중 지붕과 기둥 또는 벽이 있는 것과 이에 딸린 고가의 공작물에 설치하는 사무소·공연장·점포·차고·창고, 그 밖에 대통령령으로 정하는 것을 말하는데(제2조 제1항 제2호), 이와 같은 건축물을 건축하려는 자는 건축법 제11조 제1항에 따른 허가를 받아야 한다. 반면 건축물의 요건 중 토지에 정착한다는 요소를 결하고 있어 건축법상 '건축물'에 해당하지 않는 가설건축물은 건축허가나 건축신고 없이 설치할 수 있는 것이 원칙이고, 다만 건축법 제20조 제3항은 건축물에 준하여 위험을 통제할 필요가 있는 일정한 가설건축물을 축조신고 대상으로 규율하고 있다. 건축허가의 경우 허가권자는 건축기본법 제25조에 따른 한국건축규성의 순수 여부를 확인하여야 하고(건축법 제11조 제4항), 해당 건축물이 건축법령이 정하고 있는 요건, 즉 건축물의 대지와 도로(제4장), 건축물의 구조 및 재료 등(제5장), 지역 및 지구의 건축물의 요건(제6장), 건축설비에 관한 기준(제7장) 등을 충족하는지 확인하여야 한다. 반면 축조신고 대상인 가설건축물에 대해서는 이와 같은 건축물의 요건에 관한 규정 중 대부분의 규정이 적용되지 아니한다[건축법 제20조 제5항, 구 건축법 시행령(2019.10.22. 대통령령 제30145호로 개정되기 전의 것) 제15조 제6항]. 그 밖에도 가설건축물은 축조신고 외에 착공신고나 사용승인을 별도로 받을 필요가 없고(건축법 제21조 제1항, 제22조 제1항), 축조신고를 하더라도 건축허가와 달리 관련 인·허가가 의제되지 않으며, 이에 따라 행정청은 가설건축물 축조신고에 대해서 관련 인·허가의 요건을 구비하지 못하였음을 이유로 그 수리를 거부할 수 없다는 점에서도 건축허가 대상인 건축물과 차이가 있다. 위와 같은 건축법상 건축물·가설건축물의 구별, 건축허가와 축조신고의 절차·요건 등에서의 차이를 고려하여 보면, 이 사건 처분에 관한 당초의 처분사유와 원심에서 피고가 추가한 처분사유는 그 위반행위의 내용이 다르고, 그에 따라 위법 상태를 해소하기 위하여 거쳐야 하는 절차, 건축기준 및 허용가능성이 달라지므로 결국 그 기초인 사회적 사실관계가 동일하다고 볼 수 없다.

[2] 컨테이너를 설치하여 사무실 등으로 사용하는 甲 등에게 관할 시장이 건축법 제2조 제1항 제2호의 건축물에 해당함에도 같은 법 제11조의 따른 건축허가를 받지 않고 건축하였다는 이유로 원상복구명령 및 계고처분을 하였다가 이에 대한 취소소송에서 같은 법 제20조 제3항 위반을 처분사유로 추가한 사안에서, 당초 처분사유인 '건축법 제11조 위반'과 추가한 추가사유인 '건축법 제20조 제3항 위반'은 위반행위의 내용이 다르고 위법상태를 해소하기 위하여 거쳐야 하는 절차, 건축기준 및 허용가능성이 달라지므로 그 기초인 사회적 사실관계가 동일하다고 볼 수 없어 처분사유의 추가·변경이 허용되지 않는다고 한 사례(대판 2021.7.29. 2021두34756)

답 ④

함께 정리하기

사례해결

원상복구명령
▷ 사전통지, 의견제출 기회부여 要

원상복구명령과 계고
▷ 1장의 문서로 可

원상복구명령 무효
▷ 대집행영장통지무효(하자승계○)

'건축허가를 받지 않은 건축물'이라는 사유와 '축조신고를 하지 않은 가설건축물'이라는 사유
▷ 처분사유 추가 불가(∵동일성×)

문제 DATA

출제가능 지수 ▶▶▷
난이도 지수 ★★☆

012 □□□

행정소송에 있어 처분사유의 추가·변경에 대한 설명으로 가장 옳은 것은? (다툼이 있는 경우 판례에 의함)

① 처분사유의 추가·변경은 사실심의 확정판결시까지만 허용된다.
② 추가 또는 변경된 사유가 처분 당시 이미 존재하고 있었거나 당사자가 그 사실을 알고 있었던 경우 이러한 사정만으로도 당초의 처분사유와 동일성이 인정된다.
③ 외국인 甲이 법무부장관에게 귀화신청을 하였으나 법무부장관이 '품행 미단정'을 불허사유로 「국적법」상의 요건을 갖추지 못하였다며 신청을 받아들이지 않는 처분을 하였는데, 법무부장관이 甲을 '품행미단정'이라고 판단한 이유에 대하여 제1심 변론절차에서 「자동차관리법」위반죄로 기소유예를 받은 전력 등을 고려하였다고 주장한 후 제2심 변론절차에서 불법 체류전력 등의 제반사정을 추가로 주장할 수 있다.
④ 이동통신요금 원가 관련 정보공개청구에 대해 행정청이 별다른 이유를 제시하지 아니한 채 통신요금과 관련한 총괄원가액수만을 공개한 후, 정보공개거부처분 취소소송에서 원가 관련 정보가 법인의 영업상 비밀에 해당한다는 비공개사유를 주장하는 것은 그 기본적 사실관계가 동일하다고 볼 수 있는 사유를 추가하는 것이다.

▌2019년 서울시 7급

함께 정리하기

처분사유의 추가·변경

처분사유 추가·변경
▷ 사실심 변론종결시까지

처분시 이미 존재하고 당사자도 알고 있는 추가·변경사유
▷ 동일성 인정×

처분사유의 근거가 되는 기초사실 내지 평가요소
▷ 추가 주장 可

기본적 사실관계가 동일하지 않은 사유의 추가
▷ 허용×

① (×) 처분사유의 추가변경은 사실심 변론종결시까지 가능하다.

> 행정청은 기본적 사실관계의 동일성이 있다고 인정되는 한도 내에서만 다른 처분사유를 추가, 변경할 수 있다고 할 것이나 이는 사실심 변론종결시까지만 허용된다(대판 1999.8.20. 98두17043).

② (×) 처분시 존재하였고 당사자가 알고 있던 사항이라고 하여 동일성이 인정되는 것은 아니다.

> 추가 또는 변경된 사유가 당초의 처분시 그 사유를 명기하지 않았을 뿐 처분시에 이미 존재하고 있었고 당사자도 그 사실을 알고 있었다 하여 당초의 처분사유와 동일성이 있는 것이라 할 수 없다(대판 1992.2.14. 91두3895).

③ (○) 귀화불허가 사유로 '품행 미단정'이라고 판단한 이유에 대하여 제1심 변론절차에서 기소유예전력을 주장한 후 제2심 변론절차에서 불법체류전력의 제반사정을 추가로 주장할 수 있다.

> 외국인 甲이 법무부장관에게 귀화신청을 하였으나 법무부장관이 심사를 거쳐 '품행 미단정'을 불허사유로 국적법상의 요건을 갖추지 못하였다며 신청을 받아들이지 않는 처분을 하였는데, 법무부장관이 甲을 '품행 미단정'이라고 판단한 이유에 대하여 제1심 변론절차에서 자동차관리법위반죄로 기소유예를 받은 전력 등을 고려하였다고 주장하였다가 원심 변론절차에서 불법 체류한 전력이 있다는 추가적인 사정까지 고려하였다고 주장한 경우, … 법무부장관이 원심에서 추가로 제시한 불법 체류 전력 등의 제반 사정은 불허가처분의 처분사유 자체가 아니라 그 근거가 되는 기초 사실 내지 평가요소에 지나지 않으므로 법무부장관이 이러한 사정을 추가로 주장할 수 있다(대판 2018.12.13. 2016두31616).

④ (×) 별다른 이유제시 없이 이동통신요금 총괄원가액수만 공개한 후 소송에서 비로소 영업상 비밀이라는 비공개 사유를 주장할 수 없다.

> 피고가 원고의 정보공개청구에 대하여 별다른 이유를 제시하지 않은 채 이동통신요금과 관련한 총괄원가액수만을 공개한 것은, 이 사건 원가 관련 정보에 대하여 비공개결정을 하면서 비공개이유를 명시하지 않은 경우에 해당하여 위법하다고 판단하면서, 피고가 이 사건 소송에서 비로소 이 사건 원가 관련 정보가 법인의 영업상 비밀에 해당한다는 비공개사유를 주장하는 것은, 그 기본적 사실관계가 동일하다고 볼 수 없는 사유를 추가하는 것이어서 허용될 수 없다(대판 2018.4.12. 2014두5477).

답 ③

013

취소소송에서의 처분사유의 추가·변경에 대한 설명으로 옳은 것은? (다툼이 있는 경우 판례에 의함)

① 처분청은 원고의 권리방어가 침해되지 않는 한도 내에서 당해 취소소송의 대법원 확정판결이 있기 전까지 처분사유의 추가·변경을 할 수 있다.
② 처분사유의 추가·변경이 인정되기 위한 요건으로서의 기본적 사실관계의 동일성 유무는, 처분사유를 법률적으로 평가하기 이전의 구체적인 사실에 착안하여 그 기초적인 사회적 사실관계가 기본적인 점에서 동일한지 여부에 따라 결정된다.
③ 추가 또는 변경된 사유가 당초의 처분시 그 사유를 명기하지 않았을 뿐 처분시에 이미 존재하고 있었고 당사자도 그 사실을 알고 있었다면 당초의 처분사유와 동일성이 인정된다.
④ 처분사유의 추가·변경이 절차적 위법성을 치유하는 것인데 반해, 처분이유의 사후제시는 처분의 실체법상의 적법성을 확보하기 위한 것이다.

문제 DATA
출제가능 지수 ▶▶▶
난이도 지수 ★★☆

2017년 국가직 9급

① (×) 처분사유의 추가변경은 사실심 변론종결시까지 가능하다.

> 행정청은 기본적 사실관계의 동일성이 있다고 인정되는 한도 내에서만 다른 처분사유를 추가, 변경할 수 있다고 할 것이나 이는 사실심 변론종결시까지만 허용된다(대판 1999.8.20. 98두17043).

② (○) 처분사유의 추가변경은 기본적 사실관계의 동일성 내에서 허용된다.

> 행정처분의 취소를 구하는 항고소송에 있어 처분청은 당초 처분의 근거로 삼은 사유와 기본적 사실관계가 동일성이 있다고 인정되는 한도 내에서는 다른 사유를 추가하거나 변경할 수도 있으나 기본적 사실관계가 동일하다는 것은 처분사유를 법률적으로 평가하기 이전의 구체적인 사실에 착안하여 그 기초인 사회적 사실관계가 기본적인 점에서 동일한 것을 말하며, 처분청이 처분 당시에 적시한 구체적 사실을 변경하지 아니하는 범위 내에서 단지 그 처분의 근거법령만을 추가·변경하거나 당초의 처분사유를 구체적으로 표시하는 것에 불과한 경우에는 새로운 처분사유를 추가하거나 변경하는 것이라고 볼 수 없다(대판 2007.2.28. 2006두4899).

유제 12. 세무사 행정청은 당초의 처분사유와 기본적 사실관계의 동일성이 인정되는 한도 내에서만 다른 처분사유를 추가·변경할 수 있다. (○)

③ (×) 처분시 존재하였고 당사자가 알고 있던 사항이라고 하여 동일성이 인정되는 것은 아니다.

> 추가 또는 변경된 사유가 당초의 처분시 그 사유를 명기하지 않았을 뿐 처분시에 이미 존재하고 있었고 당사자도 그 사실을 알고 있었다 하여 당초의 처분사유와 동일성이 있는 것이라 할 수 없다(대판 1992.2.14. 91누3895).

④ (×) 하자의 치유(처분이유의 사후제시)란 성립당시에 하자가 있는 행정행위가 사후에 하자의 원인이 되는 법률요건을 충족하였다든지 또는 그 하자가 취소를 요하지 않을 정도로 경미한 경우에 그 성립당시의 하자에도 불구하고 적법한 것으로 다루는 것으로서 절차의 하자에 관한 행정작용법상 문제이다. 이에 반하여 처분사유의 추가·변경은 실체법상 적법성의 주장에 관한 소송법상 문제이다.

답 ②

함께 정리하기

처분사유 추가·변경

처분사유 추가·변경
▷ 사실심 변론종결시까지
▷ 기본적 사실관계의 동일성 내

처분시 존재·당사자 인지
▷ 동일성×

하자의 치유
▷ 절차의 문제

처분사유의 추가·변경
▷ 실체법상 문제

문제 DATA
출제가능 지수 ▶▶▷
난이도 지수 ★★☆

014 ☐☐☐

처분사유의 추가·변경에 대한 설명으로 가장 옳지 않은 것은? (다툼이 있는 경우 판례에 의함)

① 추가 또는 변경된 사유가 당초의 처분 시 그 사유를 명기하지 않았을 뿐 처분 시에 이미 존재하고 있었고 당사자도 그 사실을 알고 있었다 하여 당초의 처분사유와 동일성이 있는 것이라 할 수 없다.
② 취소소송에서 행정청의 처분사유의 추가·변경은 사실심 변론종결시까지만 허용된다.
③ 당초의 처분사유인 중기취득세의 체납과 그 후 추가된 처분 사유인 자동차세의 체납은 기본적 사실관계의 동일성이 부정된다.
④ 주류면허 지정조건 중 제6호 무자료 주류판매 및 위장거래항목을 근거로 한 면허취소처분에 대한 항고소송에서, 지정조건 제2호 무면허판매업자에 대한 주류판매를 새로이 그 취소사유로 주장하는 것은 기본적 사실관계의 동일성이 인정된다.

함께 정리하기
처분사유 추가·변경
처분시존재·당사자 인지
▷ 동일성×

처분사유 추가·변경
▷ 사실심 변론종결시까지

중기취득세 체납≠자동차세의 체납

무자료 주류판매 및 위장거래항목≠무면허판매업자 주류판매

2017년 서울시 9급

① (○) 처분시 존재하였고 당사자가 알고 있던 사항이라도 동일성이 인정되는 것은 아니다.

> 추가 또는 변경된 사유가 당초의 처분시 그 사유를 명기하지 않았을 뿐 처분시에 이미 존재하고 있었고 당사자도 그 사실을 알고 있었다 하여 당초의 처분사유와 동일성이 있는 것이라 할 수 없다(대판 1992.2.14. 91누3895).

② (○) 처분사유의 추가변경은 사실심 변론종결시까지 허용된다.

> 행정청은 기본적 사실관계의 동일성이 있다고 인정되는 한도 내에서만 다른 처분사유를 추가, 변경할 수 있다고 할 것이나 이는 사실심 변론종결시까지만 허용된다(대판 1999.8.20. 98두17043).

유제 12. 세무사 행정청의 처분사유의 추가·변경은 상고심에서도 허용된다. (×)

③ (○) 중기취득세의 체납과 자동차세의 체납에는 동일성이 인정되지 않는다.

> 이 사건에서 당초의 처분사유인 중기취득세의 체납과 그 후 추가된 처분사유인 자동차세의 체납은 각 세목, 과세년도, 납세의무자의 지위(연대납세의무자와 직접의 납세의무) 및 체납액 등을 달리하고 있어 기본적 사실관계가 동일하다고 볼 수 없고, 중기취득세의 체납이나 자동차세의 체납이 다같이 지방세의 체납이고 그 과세대상도 다 같은 지입중기에 대한 것이라는 점만으로는 기본적 사실관계의 동일성을 인정하기에 미흡하다(대판 1989.6.27. 88누6160).

④ (×) 무자료 주류판매 및 위장거래와 무면허판매업자에게 주류판매는 동일성이 인정되지 않는다.

> 주류면허 지정조건 중 제6호 무자료 주류판매 및 위장거래 항목을 근거로 한 면허취소처분에 대한 항고소송에서, 지정조건 제2호 무면허판매업자에 대한 주류판매를 새로이 그 취소사유로 주장하는 것은 기본적 사실관계가 다른 사유를 내세우는 것으로서 허용될 수 없다(대판 1996.9.6. 96누7427).

답 ④

015

행정소송에 있어서 처분사유의 추가·변경에 대한 설명으로 옳지 않은 것은? (다툼이 있는 경우 판례에 의함)

① 위법판단의 기준시점을 처분시로 볼 경우, 처분 이후에 발생한 새로운 사실적·법적사유를 추가·변경하고자 하는 것은 허용될 수 없고 이러한 경우에는 계쟁처분을 직권취소하고 이를 대체하는 새로운 처분을 할 수 있다.
② 행정처분의 취소를 구하는 항고소송에서 처분청은 당초처분의 근거로 삼은 사유와 기본적사실관계가 동일성이 있다고 인정되는 한도 내에서만 다른 사유를 추가하거나 변경할 수 있다.
③ 처분청이 처분당시에 적시한 구체적 사실을 변경하지 아니하는 범위 내에서 단지 처분의 근거법령만을 추가·변경하는 것은 새로운 처분사유의 추가라고 볼 수 없다.
④ 처분사유의 변경으로 소송물이 변경되는 경우, 반드시 청구가 변경되는 것은 아니므로 처분사유의 추가·변경은 허용될 수 있다.

문제 DATA
출제가능 지수 ▶▶▷
난이도 지수 ★★☆

2017년 국가직 7급

① (○) 취소소송에 있어서 처분의 위법성 판단시점을 처분시로 보는 판례의 입장에 따르면, 처분시에 객관적으로 존재하였던 사유만이 처분사유의 추가·변경의 대상이 되고 처분 후에 발생한 사실관계나 법률관계는 대상이 되지 못한다.
② (○) 처분사유의 추가변경은 기본적 사실관계의 동일성을 요한다.

> 행정처분의 취소를 구하는 항고소송에 있어서는 실질적 법치주의와 행정처분의 상대방인 국민에 대한 신뢰보호라는 견지에서 처분청은 당초 처분의 근거로 삼은 사유와 기본적 사실관계에 있어서 동일성이 인정되는 한도 내에서만 새로운 처분사유를 추가하거나 변경할 수 있다(대판 1992.8.18. 91누3659).

③ (○) 처분 근거법령만 추가변경하는 것은 처분사유의 추가에 해당하지 않는다.

> 처분청이 처분 당시에 적시한 구체적 사실을 변경하지 아니하는 범위 내에서 단지 그 처분의 근거법령만을 추가·변경하거나 당초의 처분사유를 구체적으로 표시하는 것에 불과한 경우에는 새로운 처분사유를 추가하거나 변경하는 것이라고 볼 수 없다(대판 2007.2.28. 2006두4899).

④ (×) 처분사유의 추가·변경은 취소소송의 소송물의 범위 내, 즉 처분의 동일성을 해치지 않는 범위 내에서만 허용되므로 처분사유의 추가·변경은 처분의 변경을 초래하지 않는다.

답 ④

함께 정리하기

처분사유의 추가·변경

처분 이후 사유 추가·변경×

당초처분 사유와 기본적 사실관계 동일성 內

처분 근거법령만을 추가·변경
▷ 새로운 처분사유 추가×

소송물 변경
▷ 처분사유 추가·변경×

016

항고소송에 대한 판례의 입장으로 옳은 것은?

① 관할 행정법원에 원고가 당사자소송으로 제기하여야 할 것을 항고소송으로 잘못 제기한 경우에, 원고의 고의·과실 여부에 관계없이 법원은 각하판결을 내려야 한다.
② 특정인에 대한 행정처분을 주소불명 등의 이유로 송달할 수 없어 관보에 공고한 경우, 그에 관한 취소소송은 공고가 효력을 발생하는 날로부터 90일 이내에 제기해야 한다.
③ 「행정소송법」 제10조에 의해 취소소송에 관련청구소송이 병합된 경우 본래의 취소소송이 부적법하여 각하되더라도 그에 병합된 청구가 소송요건을 흠결한 부적합한 것이 되어 각하되는 것은 아니다.
④ 행정소송에서는 당사자가 주장하지 않은 사실이라도 그에 관한 자료가 기록에 나타나 있다면 법원은 그 사실에 대하여 판단할 수 있다.
⑤ 행정처분이 불복기간의 경과로 확정되었다면 누구도 당해 처분의 효력을 더 이상 다툴 수 없으므로, 당사자들과 법원은 당해처분에 모순되는 주장이나 판단을 할 수 없다.

2018년 5급 승진

① (×) 원고가 고의 또는 중대한 과실 없이 항고소송으로 잘못 제기한 경우 법원은 당사자소송으로 소변경을 하도록 한다.

> 원고가 고의 또는 중대한 과실 없이 당사자소송으로 제기하여야 할 것을 항고소송으로 잘못 제기한 경우에, 당사자소송으로서의 소송요건을 결하고 있음이 명백하여 당사자소송으로 제기되었더라도 어차피 부적법하게 되는 경우가 아닌 이상, 법원으로서는 원고가 당사자소송으로 소 변경을 하도록 하여 심리·판단하여야 한다(대판 2016.5.24. 2013두14863).
> [동지판례] 원고가 고의 또는 중대한 과실 없이 항고소송으로 제기해야 할 것을 당사자소송으로 잘못 제기한 경우에, 항고소송의 소송요건을 갖추지 못했음이 명백하여 항고소송으로 제기되었더라도 어차피 부적법하게 되는 경우가 아닌 이상, 법원으로서는 원고가 항고소송으로 소 변경을 하도록 석명권을 행사하여 행정청의 처분이나 부작위가 적법한지 여부를 심리·판단해야 한다(대판 2021.12.16. 2019두45944).

② (×) 주소불명을 이유로 특정인에 대한 처분을 공고한 경우 제소기간의 기산점은 처분이 있음을 현실적으로 안 날이다.

> 행정소송법 제20조 제1항 소정의 제소기간 기산점인 '처분이 있음을 안 날'이라 함은 당사자가 통지, 공고 기타의 방법에 의하여 당해 처분이 있었다는 사실을 현실적으로 안 날을 의미하는바, 특정인에 대한 행정처분을 주소불명 등의 이유로 송달할 수 없어 관보·공보·게시판·일간신문 등에 공고한 경우에는, 공고가 효력을 발생하는 날에 상대방이 그 행정처분이 있었다는 사실을 알았다고 볼 수는 없고, 상대방이 당해 처분이 있었다는 사실을 현실적으로 안 날에 그 처분이 있음을 알았다고 보아야 한다(대판 2006.4.28. 2005두14851).

③ (×) 본안소송이 부적법하여 각하된 경우 병합청구소송도 각하된다.

> 행정소송법 제10조에 의한 관련청구소송의 병합은 본래의 취소소송이 적법할 것을 요건으로 하는 것이므로, 본래의 취소소송이 부적법하여 각하되면 그에 병합된 청구도 소송요건을 흠결한 부적합한 것으로서 각하되어야 한다(대판 1997.3.14. 95누13708).

④ (○) 당사자가 주장하지 않은 사실이라도 관련 자료가 기록에 나타난 경우 법원의 판단이 가능하다.

> 한편, 행정소송에서 기록상 자료가 나타나 있다면 당사자가 주장하지 않았더라도 판단할 수 있고, 당사자가 제출한 소송자료에 의하여 법원이 처분의 적법 여부에 관한 합리적인 의심을 품을 수 있음에도 단지 구체적 사실에 관한 주장을 하지 아니하였다는 이유만으로 당사자에게 석명을 하거나 직권으로 심리 판단하지 아니함으로써 구체적 타당성이 없는 판결을 하는 것은 행정소송법 제26조의 규정과 행정소송의 특수성에 반하므로 허용될 수 없다(대판 2006.9.22. 2006두7430).

문제 DATA

출제가능 지수 ▶▶▶
난이도 지수 ★★☆

함께 정리하기

항고소송

원고가 고의·중과실 없이 당사자소송 대상을 항고소송으로 잘못 제기한 경우
▷ 소 변경을 하도록 하여 심리·판단

특정처분을 주소불명을 이유로 관보에 공고시 소의 기산점
▷ 처분이 있음을 현실적으로 안 날

취소소송에 관련청구소송 병합 후 본 안 소송이 부적법 각하된 경우
▷ 병합청구소송도 각하

당사자가 주장하지 않은 사실이라도 관련 자료가 기록에 나타난 경우
▷ 법원 판단 가

행정처분에 불가쟁력 발생한 경우
▷ 기판력 발생×

⑤ (×) 행정처분에 불가쟁력이 발생한 경우 기판력이 인정되는 것은 아니다.

> 행정처분이나 행정심판 재결이 불복기간의 경과로 인하여 확정될 경우 그 확정력은 그 처분으로 인하여 법률상 이익을 침해받은 자가 당해 처분이나 재결의 효력을 더 이상 다툴 수 없다는 의미일 뿐, 더 나아가 판결에서 인정되는 기판력과 같은 효력이 인정되는 것은 아니어서 그 처분의 기초가 된 사실관계나 법률적 판단이 확정되고, 당사자들이나 법원이 이에 기속되어 모순되는 주장이나 판단을 할 수 없게 되는 것은 아니다(대판 1993.8.27. 93누5437).

답 ④

017

「행정소송법」상 취소소송의 심리에 대한 설명으로 옳은 것을 모두 고른 것은? (다툼이 있는 경우 판례 에 의함)

> ㄱ. 당사자가 제출한 소송자료에 의하여 법원이 처분의 적법 여부에 관한 합리적인 의심을 품을 수 있음에도 단지 구체적 사실에 관한 주장을 하지 아니하였다는 이유만으로 당사자에게 석명 또는 직권에 의한 심리 · 판단을 하지 아니하는 것은 허용될 수 없다.
> ㄴ. 행정소송의 경우 직권심리주의에 따라 변론주의가 완화되므로 행정의 적법성 보장과 국민의 권리보호를 위하여 당사자가 주장하지 않은 법률효과에 관한 요건사실이나 공격방어방법이라도 이를 시사하고 그 제출을 권유하는 것이 민사소송과 달리 허용된다.
> ㄷ. 항고소송의 경우 피고가 당해 처분의 적법성에 관하여 합리적으로 수긍할 수 있는 일응의 입증을 하였다면 이와 상반되는 주장과 입증의 책임은 원고에게 돌아간다.
> ㄹ. 항고소송에서 원고는 전심절차에서 주장하지 아니한 공격방어방법이라도 이전의 주장과 전혀 별개의 것이 아닌 한 이를 소송절차에서 주장할 수 있고 법원은 이를 심리하여 행정처분의 적법 여부를 판단할 수 있다.

① ㄱ, ㄹ
② ㄴ, ㄷ
③ ㄱ, ㄴ, ㄹ
④ ㄱ, ㄷ, ㄹ
⑤ ㄴ, ㄷ, ㄹ

2018년 변호사

ㄱ. (○) 법원은 소송자료에 합리적 의심이 있다면 구체적 주장이 없어도 심리판단해야 한다.

> 행정소송에서 기록상 자료가 나타나 있다면 당사자가 주장하지 않았더라도 판단할 수 있고, 당사자가 제출한 소송자료에 의하여 법원이 처분의 적법 여부에 관한 합리적인 의심을 품을 수 있음에도 단지 구체적 사실에 관한 주장을 하지 아니하였다는 이유만으로 당사자에게 석명을 하거나 직권으로 심리 · 판단하지 아니함으로써 구체적 타당성이 없는 판결을 하는 것은 행정소송법 제26조의 규정과 행정소송의 특수성에 반하므로 허용될 수 없다(대판 2010.2.11. 2009두18035).

ㄴ. (×) 당사자가 주장하지 않은 사실을 시사하거나 그 제출을 권유하는 것은 허용되지 않는다.

> 행정소송에 있어서 특별한 사정이 있는 경우를 제외하면 당해 행정처분의 적법성에 관하여는 행정청이 이를 주장 · 입증하여야 할 것이나 행정소송에 있어서 직권주의가 가미되어 있다고 하더라도 여전히 변론주의를 기본구조로 하는 이상 행정처분의 위법을 들어 그 취소를 청구함에 있어서는 직권조사사항을 제외하고는 그 취소를 구하는 자가 위법사유에 해당하는 구체적 사실을 먼저 주장하여야 하고, … 당사자가 주장하지도 아니한 법률효과에 관한 요건사실이나 독립된 공격방어방법을 시사하여 그 제출을 권유함과 같은 행위를 하는 것은 변론주의의 원칙에 위배되는 것으로 석명권 행사의 한계를 일탈하는 것이 된다(대판 2001.10.23. 99두3423).

문제 DATA
출제가능 지수 ▶▶▷
난이도 지수 ★★★

함께 정리하기
취소소송의 심리

소송자료에 의해 합리적 의심
▷ 구체적 주장 없어도 심리 · 판단해야 함

기본구조는 변론주의
▷ 주장없는 사실 시사 · 제출권유 불가

처분적법성 수긍할 수 있는 피고의 입증
▷ 원고는 상반되는 주장 · 입증해야 함

전심절차에서 주장없던 공격방어방법
▷ 원고주장 可, 법원판단 可

ㄷ. (○) 처분의 적법성을 수긍할 정도로 피고가 입증하면, 원고는 그와 상반되는 주장을 입증해야 한다.

> 민사소송법의 규정이 준용되는 행정소송에 있어서 입증책임은 원칙적으로 민사소송의 일반원칙에 따라 당사자 간에 분배 되고 항고소송의 경우에는 그 특성에 따라 당해 처분의 적법을 주장하는 피고에게 그 적법사유에 대한 입증책임이 있다 할 것인바 피고가 주장하는 당해 처분의 적법성이 합리적으로 수긍할 수 있는 일응의 입증이 있는 경우에는 그 처분은 정당하 다할 것이며 이와 상반되는 주장과 입증은 그 상대방인 원고에게 그 책임이 돌아간다고 할 것이다(대판 1984.7.24. 84누124).

ㄹ. (○) 전심절차에서 주장하지 않은 공격방어방법도 원고는 주장할 수 있고 법원도 판단할 수 있다.

> 항고소송에 있어서 원고는 전심절차에서 주장하지 아니한 공격방어방법을 소송절차에서 주장할 수 있고 법원은 이를 심리하여 행정처분의 적법 여부를 판단할 수 있는 것이므로, 원고가 전심절차에서 주장하지 아니한 처분의 위법사유를 소송절차에서 새롭게 주장하였다고 하여 다시 그 처분에 대하여 별도의 전심절차를 거쳐야 하는 것은 아니다(대판 1996.6.14. 96누754).

답 ④

💡 ALL KILL 기출   제5절 취소소송의 심리

01 취소소송의 심리에는 법원은 법률문제뿐만 아니라 사실문제에 대하여도 심리할 수 있다.
10. 세무사 (　)

02 행정소송의 계속 중에 처분사유의 추가·변경을 허용할 것인가에 대하여「행정소송법」은 명문의 규정을 두고 있지 않다.
12. 세무사 (　)

03 취소소송의 심리에는 취소소송의 특성상 구술심리주의는 적용되지 않는다.
10. 세무사 (　)

정답 및 해설

01 ○ 법원은 행정사건을 심리함에 있어 법률문제·사실문제 모두 심리할 수 있음(상고심은 법률문제만 심리)

02 ○ 처분사유 추가·변경은 현행「행정소송법」에 근거규정이 없으며 인정 여부에 관한 견해의 대립이 존재함

03 × 「행정소송법」제8조에서는「민사소송법」의 준용에 관하여 규정하고 있는바, 변론주의를 규정한「민사소송법」제134조는 취소소송에 준용됨

제6절 | 취소소송의 판결

001 □□□

취소소송의 판결에 대한 설명으로 옳은 것은? (다툼이 있는 경우 판례에 의함)

① 원고의 청구가 이유 있다고 인정하는 경우에도 이를 인용하는 것이 현저히 공공복리에 적합하지 않다고 판단되면 법원은 피고 행정청의 주장이나 신청이 없더라도 사정판결을 할 수 있다.
② 영업정지처분에 대한 취소소송에서 취소판결이 확정되면 처분청은 영업정지처분의 효력을 소멸시키기 위하여 영업정지처분을 취소하는 처분을 하여야 할 의무를 진다.
③ 공사중지명령의 상대방이 제기한 공사중지명령취소소송에서 기각판결이 확정된 경우 특별한 사정변경이 없더라도 그 후 상대방이 제기한 공사중지명령해제신청 거부처분취소소송에서는 그 공사중지명령의 적법성을 다시 다툴 수 있다.
④ 행정청은 취소판결에서 위법하다고 판단된 처분사유와 기본적 사실관계의 동일성이 없는 사유이더라도 처분시에 존재한 사유를 들어 종전의 처분과 같은 처분을 다시 할 수 없다.

문제 DATA
출제가능 지수 ▶▶▷
난이도 지수 ★★☆

2022년 지방직 9급

① (○) 행정처분이 위법한 경우에는 이를 취소하는 것이 원칙이고, 예외적으로 그 위법한 처분을 취소·변경하는 것이 도리어 현저히 공공복리에 적합하지 아니하는 경우에는 그 취소를 허용하지 아니하는 사정판결을 할 수 있고, 이러한 <u>사정판결에 관하여는 당사자의 명백한 주장이 없는 경우에도 기록에 나타난 여러 사정을 기초로 직권으로 판단할 수 있는 것</u>이나, 그 요건인 현저히 공공복리에 적합하지 아니한지 여부는 위법한 행정처분을 취소·변경하여야 할 필요와 그 취소·변경으로 인하여 발생할 수 있는 공공복리에 반하는 사태 등을 비교·교량하여 판단하여야 한다(대판 2001.1.19. 99두9674).
② (×) 행정처분을 취소한다는 확정판결이 있으면 <u>그 취소판결의 형성력에 의하여 당해 행정처분의 취소나 취소통지 등의 별도의 절차를 요하지 아니하고</u> 당연히 취소의 효과가 발생한다고 할 것이고 별도로 취소의 절차를 취할 필요는 없을 것이다(대판 1991.10.11. 90누5443).
③ (×) 행정청이 관련 법령에 근거하여 행한 <u>공사중지명령의 상대방이 명령의 취소를 구하는 소송에서 패소</u>함으로써 그 명령이 적법한 것으로 이미 확정되었다면, 이후 이러한 공사중지명령의 상대방은 그 <u>명령의 해제신청을 거부한 처분의 취소를 구하는 소송에서 그 명령의 적법성을 다툴 수 없다</u>. 그와 같은 공사중지명령에 대하여 그 명령의 상대방이 해제를 구하기 위해서는 명령의 내용 자체로 또는 성질상으로 명령 이후에 원인사유가 해소되었음이 인정되어야 한다(대판 2014.11.27. 2014두37665).
④ (×) 행정처분의 적법 여부는 행정처분이 행하여진 때의 법령과 사실을 기준으로 판단하는 것이므로 확정판결의 당사자인 처분 행정청은 종전 처분 후에 발생한 새로운 사유를 내세워 다시 거부처분을 할 수 있고, 그러한 처분도 위 조항에 규정된 재처분에 해당한다. 여기에서 '새로운 사유'인지는 종전 처분에 관하여 위법한 것으로 판결에서 판단된 사유와 <u>기본적 사실관계의 동일성이 인정되는 사유인지</u>에 따라 판단되어야 하고, 기본적 사실관계의 동일성 유무는 처분사유를 법률적으로 평가하기 이전의 구체적인 사실에 착안하여 그 기초인 사회적 사실관계가 기본적인 점에서 동일한지에 따라 결정되며, 추가 또는 변경된 사유가 처분 당시에 그 사유를 명기하지 않았을 뿐 이미 존재하고 있었고 당사자도 그 사실을 알고 있었다고 하여 당초 처분사유와 동일성이 있는 것이라고 할 수는 없다(대판 2011.10.27. 2011두14401).

답 ①

함께 정리하기
취소소송의 판결

사정판결
▷ 직권으로도 可

취소소송 인용판결
▷ 형성력○

공사중지명령취소소송에서 기각판결 확정
▷ 원인사유 해소 없이 명령의 적법성 다시 다툴 수×

기본적 사실관계 동일성×
▷ 처분시 존재했어도 동일처분 可

문제 DATA

출제가능 지수 ▶▶▷
난이도 지수 ★★☆

002 □□□

사정판결에 대한 설명으로 옳지 않은 것은? (다툼이 있는 경우 판례에 의함)

① 사정판결은 본안심리 결과 원고의 청구가 이유 있다고 인정됨에도 불구하고 처분을 취소하는 것이 현저히 공공복리에 적합하지 아니하다고 인정하는 때 원고의 청구를 기각하는 판결을 말한다.
② 사정판결은 항고소송 중 취소소송 및 무효등 확인소송에서 인정되는 판결의 종류이다.
③ 법원이 사정판결을 함에 있어서는 미리 원고가 그로 인하여 입게 될 손해의 정도와 배상방법 그 밖의 사정을 조사하여야 한다.
④ 원고는 피고인 행정청이 속하는 국가 또는 공공단체를 상대로 손해배상, 제해시설의 설치 그 밖에 적당한 구제방법의 청구를 당해 취소소송 등이 계속된 법원에 병합하여 제기할 수 있다.

함께 정리하기

사정판결
청구이유 있어도 공공복리 위해 원고 청구 기각하는 판결
무효등 확인소송에서 不可
사정조사의무
▷ 원고의 손해정도·배상방법 등 조사해야 함
손해배상청구 병합제기 可

2021년 지방직 9급

① (O) 사정판결이라 함은 원고의 청구가 이유 있음에도 불구하고 공공필요에 의하여 원고의 청구를 기각하는 판결을 말한다.
② (X) 사정판결은 취소소송에만 인정되고 행정처분이 무효인 경우에는 존치시킬 효력이 있는 행정행위가 없기 때문에 <u>무효등 확인소송에는 인정되지 않는다</u>(대판 1987.3.10. 84누158).
③ (O) 법원이 사정판결을 함에 있어서는 공·사익 간의 이익형량을 위한 구체적 자료를 마련케 하기 위하여 원고가 입게 될 손해의 정도와 배상방법 그 밖의 사정을 조사하여야 한다(「행정소송법」제28조 제2항).
④ (O) 원고가 피고인 행정청이 속하는 국가 또는 공공단체를 상대로 손해배상, 제해시설의 설치 기타 적당한 구제의 청구를 용이하게 할 수 있도록 하기 위하여 이들 청구소송을 당해 취소소송이 제기된 법원에 병합하여 제기할 수 있도록 하였다(관련청구의 병합, 「행정소송법」제28조 제3항).

답 ②

003

시내버스 운수사업자 甲이 유류사용량을 실제보다 부풀려 유가보조금을 과다지급받은 데 대하여 관할 시장 乙이 「여객자동차 운수사업법」 제51조 제3항에 따라 부정수급기간 동안 지급된 유가보조금 전액을 회수하는 처분을 하자, 甲은 회수처분의 취소를 구하는 소송을 제기하였다. 이에 대한 설명으로 옳은 것을 모두 고른 것은? (다툼이 있는 경우 판례에 의함)

ㄱ. 乙이 회수처분의 근거법률을 적용함에 있어 그 법률관계나 사실관계에 대하여 그 법률의 규정을 적용할 수 없다는 법리가 명백히 밝혀지지 아니하여 그 해석에 다툼의 여지가 있었다면, 乙이 이를 잘못 해석하여 행정처분을 하였더라도 이는 그 처분 요건사실을 오인한 것에 불과하여 그 하자가 명백하다고 할 수 없다.

ㄴ. 甲이 위 회수처분에 대해 행정심판을 거쳐 취소소송을 제기한 경우, 행정심판절차에서 주장하지 아니한 공격방어방법을 취소소송절차에서 주장할 수 있으며, 법원은 이를 심리하여 처분의 적법 여부를 판단할 수 있다.

ㄷ. 甲의 취소청구를 기각하는 판결이 확정된 후 甲이 다시 위 회수처분에 대해 무효확인소송을 제기한 경우, 그 기각판결의 기판력은 무효확인소송에도 미친다.

ㄹ. 만약 乙이 甲의 취소소송 제기 전에 보조금 회수액을 감액하는 감액처분을 하였고, 甲이 감액처분으로도 아직 취소되지 않고 남은 부분에 대해 불복하여 취소소송을 제기하는 경우, 제소기간의 준수 여부는 당초처분이 아닌 감액처분을 기준으로 판단하여야 한다.

---

① ㄱ, ㄴ
② ㄴ, ㄹ
③ ㄷ, ㄹ
④ ㄱ, ㄴ, ㄷ
⑤ ㄱ, ㄷ, ㄹ

2017년 변호사

ㄱ. (○) 행정청이 어느 법률관계나 사실관계에 대하여 어느 법률의 규정을 적용하여 행정처분을 한 경우에 그 법률관계나 사실관계에 대하여는 그 법률의 규정을 적용할 수 없다는 법리가 명백히 밝혀져 그 해석에 다툼의 여지가 없음에도 행정청이 위 규정을 적용하여 처분을 한 때에는 그 하자가 중대하고도 명백하다고 할 것이나, 법률관계나 사실관계에 대하여 그 법률의 규정을 적용할 수 없다는 법리가 명백히 밝혀지지 아니하여 그 해석에 다툼의 여지가 있는 때에는 행정관청이 이를 잘못 해석하여 행정처분을 하였더라도 이는 그 처분 요건사실을 오인한 것에 불과하여 그 하자가 명백하다고 할 수 없다(대판 2012.11.29. 2012두3743).

ㄴ. (○) 행정심판을 거쳐 취소소송을 제기하는 경우, 행정심판절차에서 주장하지 아니한 공격방어방법을 취소소송절차에서 주장할 수도 있으며, 법원은 이를 심리하여 처분의 적법 여부를 판단할 수 있다.

> 항고소송에 있어서 원고는 전심절차에서 주장하지 아니한 공격방어방법을 소송절차에서 주장할 수 있고 법원은 이를 심리하여 행정처분의 적법 여부를 판단할 수 있는 것이므로, 원고가 전심절차에서 주장하지 아니한 처분의 위법사유를 소송절차에서 새롭게 주장하였다고 하여 다시 그 처분에 대하여 별도의 전심절차를 거쳐야 하는 것은 아니다(대판 1996.6.14. 96누754).

유제 13. 국가직 9급 판례에 의하면 원고가 전심절차에서 주장하지 아니한 처분의 위법사유를 소송절차에서 새로이 주장한 경우 다시 그 처분에 대하여 별도의 전심절차를 거쳐야 한다. (×)

ㄷ. (○) 행정처분취소청구를 기각하는 판결이 확정되면 그 처분이 적법하다는 점에 관하여 기판력이 생기고 그 소의 원고뿐만 아니라 관계 행정기관도 이에 기속된다 할 것이므로 면직처분이 위법하지 아니하다는 점이 판결에서 확정된 이상 원고가 다시 이를 무효라 하여 그 무효확인을 소구할 수는 없다(대판 1992.12.8. 92누6891).

ㄹ. (×) 감액처분으로도 아직 취소되지 않고 남아 있는 부분이 위법하다 하여 다투고자하는 경우, 감액처분을 항고소송의 대상으로 할 수는 없고, 당초 징수결정 중 감액처분에 의하여 취소되지 않고 남은 부분을 항고소송의 대상으로 할 수 있을 뿐이며, 그 결과 제소기간의 준수 여부도 감액처분이 아닌 당초 처분을 기준으로 판단해야 한다(대판 2012.9.2. 2011두27247).

답 ④

문제 DATA
출제가능 지수 ▶▶▷
난이도 지수 ★★★

함께 정리하기
사례해결

해석에 다툼의 여지가 있음
▷ 명백성 ×

전심절차에서 주장하지 않은 공격방어방법
▷ 행정소송에서 주장 可

취소소송 기각판결의 기판력
▷ 무효확인소송에 미침

감액경정처분시 제소기간 준수 여부
▷ 당초처분 기준으로 판단

004

「행정소송법」상 사정판결에 대한 설명으로 가장 옳지 않은 것은? (다툼이 있는 경우 판례에 의함)

① 법원은 당사자의 명백한 주장이 없는 경우에도 일건 기록에 나타난 사실을 기초로 하여 직권으로 사정판결을 할 수 있다.
② 법원이 사정판결을 함에 있어서는 미리 원고가 그로 인하여 입게 될 손해의 정도와 배상방법 그 밖의 사정을 조사하여야 한다.
③ 원고의 청구가 이유가 있다고 인정하는 경우에도 처분 등을 취소하는 것이 현저히 공공복리에 적합하지 아니하다고 인정하는 때에는 법원은 원고의 청구를 각하할 수 있다.
④ 사정판결 시 법원은 그 판결의 주문에서 그 처분 등이 위법함을 명시하여야 한다.

2017년 경찰

① (○) 원칙적으로 사정판결의 필요성에 대한 주장·입증 책임은 행정청이 부담하나, 법원이 직권으로 사정판결 하는 것도 가능하다.

> 행정소송에 있어서 법원이 행정소송법 제28조 소정의 사정판결을 할 필요가 있다고 인정하는 때에는 당사자의 명백한 주장이 없는 경우에도 일건 기록에 나타난 사실을 기초로 하여 직권으로 사정판결을 할 수 있다고 풀이함이 상당하다 할 것이다(대판 1992.02.14. 90누9032. 2005두2506).

② (○)

> 「행정소송법」제28조【사정판결】② 법원이 제1항의 규정에 의한 판결을 함에 있어서는 미리 원고가 그로 인하여 입게 될 손해의 정도와 배상방법 그 밖의 사정을 조사하여야 한다.

③ (✕), ④ (○)

> 「행정소송법」제28조【사정판결】① 원고의 청구가 이유있다고 인정하는 경우에도 처분등을 취소하는 것이 현저히 공공복리에 적합하지 아니하다고 인정하는 때에는 법원은 원고의 청구를 기각할 수 있다. 이 경우 법원은 그 판결의 주문에서 그 처분등이 위법함을 명시하여야 한다.

답 ③

문제 DATA
출제가능 지수 ▶▶▷
난이도 지수 ★★☆

함께 정리하기

사정판결
명백한 주장이 없는 경우에도 직권으로 可
미리 원고가 입게 될 손해정도·배상방법 등 조사
공공복리에 현저히 부적합
▷ 청구 이유 있어도 기각 可
판결주문
▷ 처분의 위법함 명시

005

「행정소송법」상 사정판결에 대한 설명으로 옳지 않은 것은? (다툼이 있는 경우 판례에 의함)

① 무효확인소송에서는 사정판결을 할 수 없다.
② 사정판결 시 법원은 그 판결의 주문에서 그 처분등이 위법함을 명시하여야 한다.
③ 당사자의 주장이 없더라도 법원은 직권으로 사정판결을 할 수 있다.
④ 사정판결이 있으면 취소소송의 대상인 처분은 당해 처분이 위법함에도 그 효력이 유지된다.
⑤ 사정판결은 기각판결이므로 소송비용은 원고가 부담한다.

2017년 5급 행정

① (O) 사정판결은 취소소송에서만 인정되고, 무효등 확인소송, 부작위위법확인소송, 당사자소송에는 준용되지 않아 인정되지 않는다.

> 당연무효의 행정처분을 소송목적물로 하는 무효확인소송에서는 존치시킬 효력이 있는 행정행위가 없기 때문에 사정판결을 할 수 없다(대판 1996.3.22. 95누5509).

② (O) 사정판결을 하는 경우 판결주문에 위법성을 명시하여야 하며 그에 따라 당해 처분이 위법하다는 것에 기판력이 발생한다.

> 「행정소송법」제28조【사정판결】① 원고의 청구가 이유있다고 인정하는 경우에도 처분등을 취소하는 것이 현저히 공공복리에 적합하지 아니하다고 인정하는 때에는 법원은 원고의 청구를 기각할 수 있다. 이 경우 법원은 그 판결의 주문에서 그 처분등이 위법함을 명시하여야 한다.

③ (O) 법원은 직권으로 사정판결을 할 수 있다.

> 행정소송에 있어서 법원이 행정소송법 제28조 소정의 사정판결을 할 필요가 있다고 인정하는 때에는 당사자의 명백한 주장이 없는 경우에도 일건 기록에 나타난 사실을 기초로 하여 직권으로 사정판결을 할 수 있다고 풀이함이 상당하다 할 것이다(대판 1992.02.14. 90누9032 ; 대판 2006.9.22. 2005두2506).

④ (O) 사정판결의 요건이 갖추어진 경우 법원은 청구기각할 수 있다. 따라서 당해 처분은 효력이 유지되는 것이다.

⑤ (X) 사정판결은 기각판결임에도 불구하고 소송비용은 피고가 부담한다.

> 「행정소송법」제32조【소송비용의 부담】취소청구가 제28조의 규정에 의하여 기각되거나 행정청이 처분등을 취소 또는 변경함으로 인하여 청구가 각하 또는 기각된 경우에는 소송비용은 피고의 부담으로 한다.

답 ⑤

문제 DATA
출제가능 지수 ▶▶▷
난이도 지수 ★★☆

함께 정리하기

사정판결

무효확인소송
▷ 사정판결×

판결의 주문에서 처분등이 위법함을 명시 要

법원의 직권 사정판결 可

취소소송의 대상인 처분
▷ 위법 불구 효력 유지○

사정판결시 소송비용
▷ 피고 부담

문제 DATA
출제가능 지수 ▶▶▷
난이도 지수 ★★☆

006 □□□

행정처분에 대한 설명으로 옳지 않은 것은?

① 과징금부과처분이 법이 정한 한도액을 초과하여 위법할 경우 법원으로서는 그 한도액을 초과한 부분이나 법원이 적정하다고 인정되는 부분을 초과한 부분만을 취소할 수 있다.
② 건축물대장의 용도는 건축물의 소유권을 제대로 행사하기 위한 전제요건으로서 건축물 소유자의 실체적 권리관계에 밀접하게 관련되어 있으므로, 건축물대장 소관청의 용도변경신청 거부행위는 국민의 권리관계에 영향을 미치는 것으로서 항고소송의 대상이 되는 행정처분에 해당한다.
③ 한국철도시설공단(현 국가철도공단)이 공사낙찰적격심사 감점처분의 근거로 내세운 규정은 공사낙찰적격심사세부기준이고, 이러한 규정은 공공기관이 사인과의 계약관계를 공정하고 합리적·효율적으로 처리할 수 있도록 관계 공무원이 지켜야 할 계약사무처리에 관한 필요한 사항을 규정한 것으로서 공공기관의 내부규정에 불과하여 대외적 구속력이 없다.
④ 「식품위생법」에 따른 식품접객업(일반음식점영업)의 영업신고의 요건을 갖춘 자라고 하더라도, 그 영업신고를 한 당해 건축물이 「건축법」 소정의 허가를 받지 아니한 무허가 건물이라면 적법한 신고를 할 수 없다.

2024년 국가직 9급

① (×) 자동차운수사업면허조건 등을 위반한 사업자에 대하여 행정청이 행정제재수단으로 사업 정지를 명할 것인지, 과징금을 부과할 것인지, 과징금을 부과키로 한다면 그 금액은 얼마로 할 것인지에 관하여 재량권이 부여되었다 할 것이므로 과징금부과처분이 법이 정한 한도액을 초과하여 위법할 경우 법원으로서는 그 전부를 취소할 수밖에 없고, 그 한도액을 초과한 부분이나 법원이 적정하다고 인정되는 부분을 초과한 부분만을 취소할 수 없다(대판 1998.4.10. 98두2270).
② (○) 건축물대장의 용도는 건축물의 소유권을 제대로 행사하기 위한 전제요건으로서 건축물 소유자의 실체적 권리관계에 밀접하게 관련되어 있으므로, 건축물대장 소관청의 용도변경신청 거부행위는 국민의 권리관계에 영향을 미치는 것으로서 항고소송의 대상이 되는 행정처분에 해당한다(대판 2009.1.30. 2007두7277).
③ (○) 피고(한국철도시설공단)가 2008.12.31. 원고에 대하여 한 공사낙찰적격심사 감점처분(이하 '이 사건 감점조치'라 한다)의 근거로 내세운 규정은 피고의 공사낙찰적격심사세부기준(이하 '이 사건 세부기준'이라 한다) 제4조 제2항인 사실, 이 사건 세부기준은 공공기관의 운영에 관한 법률 제39조 제1항, 제3항, 구 공기업·준정부기관 계약사무규칙 제12조에 근거하고 있으나, 이러한 규정은 공공기관이 사인과 사이의 계약관계를 공정하고 합리적·효율적으로 처리할 수 있도록 관계 공무원이 지켜야 할 계약사무처리에 관한 필요한 사항을 규정한 것으로서 공공기관의 내부규정에 불과하여 대외적 구속력이 없는 것임을 알 수 있다(대판 2014.12.24. 2010두6700).
④ (○) 식품위생법과 건축법은 그 입법 목적, 규정사항, 적용범위 등을 서로 달리하고 있어 식품접객업에 관하여 식품위생법이 건축법에 우선하여 배타적으로 적용되는 관계에 있다고는 해석되지 않는다. 그러므로 식품위생법에 따른 식품접객업(일반음식점영업)의 영업신고의 요건을 갖춘 자라고 하더라도, 그 영업신고를 한 당해 건축물이 건축법 소정의 허가를 받지 아니한 무허가 건물이라면 적법한 신고를 할 수 없다(대판 2009.4.23. 2008도6829).

답 ①

함께 정리하기

행정처분

과징금 한도액 초과
▷ 일부취소 불가

건축물대장상 용도변경신청거부
▷ 행정처분○

낙찰적격심사기준
▷ 행정규칙

식품접객업의 영업신고 요건에 적합하나 신고한 건물이 무허가건물
▷ 부적법 신고

007

행정소송에 있어서 일부취소판결의 허용 여부에 대한 판례의 입장으로 가장 옳은 것은?

① 재량행위의 성격을 갖는 과징금부과처분이 법이 정한 한도액을 초과하여 위법한 경우에는 법원으로서는 그 한도액을 초과한 부분만을 취소할 수 있다.
② 「독점규제 및 공정거래에 관한 법률」을 위반한 광고행위와 표시행위를 하였다는 이유로 공정거래위원회가 사업자에 대하여 법위반사실공표명령을 행한 경우, 표시행위에 대한 법위반사실이 인정되지 아니한다면 법원으로서는 그 부분에 대한 공표명령의 효력만을 취소할 수 있을 뿐, 공표명령 전부를 취소 할 수 있는 것은 아니다.
③ 개발부담금부과처분에 대한 취소소송에서 당사자가 제출한 자료에 의하여 정당한 부과금액을 산출할 수 없는 경우에도 법원은 증거조사를 통하여 정당한 부과금액을 산출한 후 정당한 부과금액을 초과하는 부분만을 취소하여야 한다.
④ 「독점규제 및 공정거래에 관한 법률」을 위반한 수개의 행위에 대하여 공정거래위원회가 하나의 과징금 부과처분을 하였으나 수개의 위반행위 중 일부의 위반행위에 대한 과징금부과만이 위법하고, 그 일부의 위반행위를 기초로 한 과징금액을 산정할 수 있는 자료가 있는 경우에도 법원은 과징금부과처분 전부를 취소하여야 한다.

문제 DATA
출제가능 지수 ▶▶▷
난이도 지수 ★★☆

2019년 서울시 9급

① (×) 재량행위인 과징금부과처분은 법원이 한도액을 초과하는 부분만 일부취소할 수 없다.

> 자동차운수사업면허조건 등을 위반한 사업자에 대하여 행정청이 행정제재수단으로 사업 정지를 명할 것인지, 과징금을 부과할 것인지, 과징금을 부과키로 한다면 그 금액은 얼마로 할 것인지에 관하여 재량권이 부여되었다 할 것이므로 과징금부과처분이 법이 정한 한도액을 초과하여 위법할 경우 법원으로서는 그 전부를 취소할 수밖에 없고, 그 한도액을 초과한 부분이나 법원이 적정하다고 인정되는 부분을 초과한 부분만을 취소할 수 없다(대판 1998.4.10. 98두2270).

② (○) 여러 위반행위에 대한 하나의 법위반사실공표명령은 각 법위반사실이 별개로 특정될 수 있어 일부취소가 가능하다.

> 공정거래위원회가 사업자에 대하여 행한 법위반사실공표명령은 비록 하나의 조항으로 이루어진 것이라고 하여도 그 대상이 된 사업자의 광고행위와 표시행위로 인한 각 법위반사실은 별개로 특정될 수 있어 위 각 법위반사실에 대한 독립적인 공표명령이 경합된 것으로 보아야 할 것이므로, 이 중 표시행위에 대한 법위반사실이 인정되지 아니하는 경우에 그 부분에 대한 공표명령의 효력만을 취소할 수 있을 뿐, 공표명령 전부를 취소할 수 있는 것은 아니다(대판 2000.12.12. 99두12243).

③ (×) 사실심 변론종결시까지 정당한 부과금액이 산출되면 일부취소를 할 수 있다.

> 일반적으로 금전 부과처분 취소소송에서 부과금액 산출과정의 잘못 때문에 부과처분이 위법한 것으로 판단되더라도 사실심 변론종결시까지 제출된 자료에 의하여 적법하게 부과될 정당한 부과금액이 산출되는 때에는 부과처분 전부를 취소할 것이 아니라 정당한 부과금액을 초과하는 부분만 취소하여야 한다(대판 2016.7.14. 2015두4167).

④ (×) 여러 위반행위에 대한 하나의 과징금납부명령은 일부 위반행위를 기초로 한 과징금액을 산정할 수 있다면 일부취소 할 수 있다.

> 공정거래위원회가 위반행위에 대한 과징금을 부과하면서 여러 개의 위반행위에 대하여 외형상 하나의 과징금 납부명령을 하였으나 여러 개의 위반행위 중 일부의 위반행위에 대한 과징금부과만이 위법하고 소송상 그 일부의 위반행위를 기초로 한 과징금액을 산정할 수 있는 자료가 있는 경우에는, 하나의 과징금 납부명령일지라도 그 일부의 위반행위에 대한 과징금액에 해당하는 부분만을 취소하여야 한다(대판 2019.1.31. 2013두14726).

답 ②

함께 정리하기
일부취소판결

과징금부과처분
▷ 일부취소 불가

여러 위반행위 법위반사실공표명령
▷ 일부취소 可

사실심 변종시까지 정당한 부과금액 산출
▷ 일부취소 可

여러 위반행위 과징금납부명령
▷ 일부 취소 可

문제 DATA

출제가능 지수 ▶▶▷
난이도 지수 ★★☆

008 □□□

취소소송 확정판결의 기판력에 대한 설명으로 옳지 않은 것은?

① 「행정소송법」은 기판력에 관한 명문의 규정을 두지 않아, 「행정소송법」 제8조 제2항에 따라 「민사소송법」상 기판력 규정이 준용된다.
② 취소판결의 기판력은 소송물로 된 행정처분의 위법성 존부에 관한 판단에 미치는 것이므로 전소와 후소가 그 소송물을 달리하는 경우에는 전소 확정판결의 기판력이 후소에 미치지 아니한다.
③ 과세처분의 취소소송에서 청구가 기각된 확정판결의 기판력은 그 과세처분의 무효확인을 구하는 소송에는 미치지 않는다.
④ 과세처분 취소소송의 피고는 처분청이지만 행정청을 피고로 하는 취소소송에 있어서의 기판력은 당해 처분이 귀속하는 국가 또는 공공단체에 미친다.

2025년 지방직 9급

① (○) 「행정소송법」에는 기판력에 관한 명문의 규정을 두고 있지 않지만, 「행정소송법」 제8조 제2항에 의하여 「민사소송법」이 준용되므로 기판력에 관한 규정인 「민사소송법」 제216조와 제218조가 준용된다.
② (○) 취소판결의 기판력은 소송물로 된 행정처분의 위법성 존부에 관한 판단 그 자체에만 미치는 것이므로 전소와 후소가 그 소송물을 달리하는 경우에는 전소 확정판결의 기판력이 후소에 미치지 아니한다(대판 1996.4.26. 95누5820 ; 대판 2009.1.15. 2006두14926).
③ (×) 과세처분취소 청구를 기각하는 판결이 확정되면 그 처분이 적법하다는 점에 관하여 기판력이 생기고 그 후 원고가 다시 이를 무효라 하여 그 무효확인을 소구할 수는 없는 것이어서, 과세처분의 취소소송에서 청구가 기각된 확정판결의 기판력은 그 과세처분의 무효확인을 구하는 소송에도 미친다(대판 1998.7.24. 98다10854).
④ (○) 취소소송의 피고는 처분의 효과가 귀속되는 국가 또는 공공단체이어야 하는데 소송수행의 편의상 처분청을 피고로 한 것이므로, 그 판결의 기판력은 피고 행정청이 속하는 국가나 공공단체에도 미친다(대판 1998.7.24. 98다10854).

답 ③

함께 정리하기

취소소송 확정판결의 기판력

행정소송법에 기판력에 관한 규정×
▷ 「민사소송법」 준용(동법 제8조 제2항)

전소와 후소가 그 소송물을 달리하는 경우
▷ 전소의 기판력이 후소에 미치지×

취소소송의 기판력
▷ 무효확인소송에 미침

주관적 범위
▷ 당사자·승계인·소송참가를 한 제3자·행정청의 처분이 귀속되는 국가 또는 공공단체

009

판결의 효력에 대한 설명으로 옳지 않은 것은?

① 확정판결의 기판력은 그 판결의 주문에 포함된 것, 즉 소송물로 주장된 법률관계의 존부에 관한 판단의 결론 그 자체에만 미치는 것이고, 판결의 이유에서 제시된 그 전제가 되는 구체적인 위법사유에 관한 판단에는 미치지 아니한다.
② 영업의 금지를 명한 영업허가취소처분 자체가 나중에 행정쟁송절차에 의하여 취소되었다면 그 영업허가취소처분 이후의 영업행위는 무허가영업이다.
③ 취소판결 자체의 효력으로써 그 행정처분을 기초로 하여 새로 형성된 제3자의 권리까지 당연히 그 행정처분 전의 상태로 환원되는 것이라고는 할 수 없고, 단지 취소판결의 존재와 취소판결에 의하여 형성되는 법률관계를 소송당사자가 아니었던 제3자라 할지라도 이를 용인하지 않으면 아니 된다는 것을 의미하는 것에 불과하다.
④ 행정청은 확정판결의 취지에 따라 절차·방법의 위법사유를 보완하여 다시 종전의 신청에 대한 거부처분을 할 수 있다.
⑤ 도시관리계획 입안제안거부처분에 대한 취소판결 확정 후 새로운 이익형량을 하여 입안제안된 내용과는 다른 도시관리계획을 수립한 경우, 새로운 도시관리계획은 취소판결의 기속력에 위반되지 않는다.

2025년 국회직 8급

① (○) 기판력의 객관적 범위는 그 판결의 주문에 포함된 것 즉 소송물로 주장된 법률관계의 존부에 관한 판단의 결론 그 자체에만 미치는 것이고 판결이유에 설시된 그 전제가 되는 법률관계의 존부에까지 미치는 것은 아니다(대판 1987.6.9. 86다카2756).
② (×) 영업의 금지를 명한 영업허가취소처분 자체가 나중에 행정쟁송절차에 의하여 취소되었다면 그 영업허가취소처분은 그 처분시에 소급하여 효력을 잃게 되며, 그 영업허가취소처분에 복종할 의무가 원래부터 없었음이 확정되었다고 봄이 타당하고, 영업허가취소처분이 장래에 향하여서만 효력을 잃게 된다고 볼 것은 아니므로 그 영업허가취소처분 이후의 영업행위를 무허가영업이라고 볼 수는 없다(대판 1993.6.25. 93도277).
③ (○)
> [1] 행정처분을 취소하는 확정판결이 제3자에 대하여도 효력이 있다고 하더라도 일반적으로 판결의 효력은 주문에 포함한 것에 한하여 미치는 것이니 그 취소판결 자체의 효력으로써 그 행정처분을 기초로 하여 새로 형성된 제3자의 권리까지 당연히 그 행정처분 전의 상태로 환원되는 것이라고는 할 수 없고, 단지 취소판결의 존재와 취소판결에 의하여 형성되는 법률관계를 소송당사자가 아니었던 제3자라 할지라도 이를 용인하지 않으면 아니된다는 것을 의미하는 것에 불과하다 할 것이며, 따라서 취소판결의 확정으로 인하여 당해 행정처분을 기초로 새로 형성된 제3자의 권리관계에 변동을 초래하는 경우가 있다 하더라도 이는 취소판결 자체의 형성력에 기한 것이 아니라 취소판결의 위와 같은 의미에서의 제3자에 대한 효력의 반사적 효과로서 그 취소판결이 제3자의 권리관계에 대하여 그 변동을 초래할 수 있는 새로운 법률요건이 되는 까닭이라 할 것이다.
> [2] 그러므로 이 사건에 있어서 위 환지계획변경처분을 취소하는 판결이 확정됨으로써 이 사건 토지들에 대한 원고들 명의의 소유권이전등기가 그 원인없는 것으로 환원되는 결과가 초래되었다 하더라도 동 소유권이전등기는 위 취소판결 자체의 효력에 의하여 당연히 말소되는 것이 아니라 소외 1이 위 취소판결의 존재를 법률요건으로 주장하여 원고들에게 그 말소를 구하는 소송을 제기하여 승소의 확정판결을 얻어야 비로소 말소될 수 있는 것이다(대판 1986.8.19. 83다카2022).

④ (○) 행정소송법 제30조 제2항의 규정에 의하면 행정청의 거부처분을 취소하는 판결이 확정된 경우에는 그 처분을 행한 행정청이 판결의 취지에 따라 이전의 신청에 대하여 재처분할 의무가 있다고 할 것이나, 그 취소사유가 행정처분의 절차, 방법의 위법으로 인한 것이라면 그 처분 행정청은 그 확정판결의 취지에 따라 그 위법사유를 보완하여 다시 종전의 신청에 대한 거부처분을 할 수 있고, 그러한 처분도 위 조항에 규정된 재처분에 해당한다(대판 2005.1.14. 2003두13045).

문제 DATA
출제가능 지수 ▶▶▷
난이도 지수 ★★★

함께 정리하기

판결의 효력

기판력의 객관적 범위
▷ 주문에 나타난 판단에만 ○
▷ 판결이유에서 제시된 그 전제가 되는 구체적인 위법사유에 관한 판단 ×

영업허가취소 후 영업
▷ 영업허가취소의 취소판결시 무허가영업 ×

취소판결의 제3자에 대한 효력
▷ 당연히 제3자의 권리가 처분 전 상태로 소급 ×(처분 전 상태를 용인 ○)

판결에 적시된 위법사유 보완 새로운 거부처분 可

취소판결 확정 후 다시 이익형량하여 다른 내용의 행정계획수립
▷ 기속력 위반 ×

⑤ (○) 취소 확정판결의 기속력의 범위에 관한 법리 및 도시관리계획의 입안·결정에 관하여 행정청에 부여된 재량을 고려하면, 주민 등의 도시관리계획 입안 제안을 거부한 처분을 이익형량에 하자가 있어 위법하다고 판단하여 취소하는 판결이 확정되었더라도 행정청에 그 입안 제안을 그대로 수용하는 내용의 도시관리계획을 수립할 의무가 있다고는 볼 수 없고, 행정청이 다시 새로운 이익형량을 하여 적극적으로 도시관리계획을 수립하였다면 취소판결의 기속력에 따른 재처분의무를 이행한 것이라고 보아야 한다. 다만 취소판결의 기속력 위배 여부와 계획재량의 한계 일탈 여부는 별개의 문제이므로, 행정청이 적극적으로 수립한 도시관리계획의 내용이 취소판결의 기속력에 위배되지는 않는다고 하더라도 계획재량의 한계를 일탈한 것인지의 여부는 별도로 심리·판단하여야 한다(대판 2020.6.25. 2019두57404).

답 ②

010

「행정소송법」상 취소판결의 기속력에 대한 설명으로 옳은 것은?

① 취소소송에서 청구를 기각하는 판결이 확정된 경우에도 기속력이 인정된다.
② 취소판결의 기속력은 판결의 주문에 대해서만 인정된다.
③ 행정청의 거부처분을 취소하는 판결이 확정된 경우, 취소사유가 행정처분의 절차의 위법으로 인한 것이라면 그 처분 행정청은 확정판결의 취지에 따라 그 위법사유를 보완하여 다시 종전의 신청에 대한 거부처분을 할 수 있다.
④ 취소판결의 기속력에 반하는 처분은 그 하자가 중대하지만 명백하다고 볼 수는 없다.

| 2025년 지방직 9급

① (×)

「행정소송법」제30조【취소판결등의 기속력】① 처분등을 취소하는 확정판결은 그 사건에 관하여 당사자인 행정청과 그 밖의 관계행정청을 기속한다.

② (×) 확정판결의 기속력은 주로 판결의 실효성 확보를 위하여 인정되는 효력으로서 판결의 주문뿐만 아니라 그 전제가 되는 처분 등의 구체적 위법사유에 관한 이유 중의 판단에 대하여도 인정된다(대판 2001.3.23. 99두5238).
③ (○) 그 취소사유가 행정처분의 절차, 방법의 위법으로 인한 것이라면 그 처분 행정청은 그 확정판결의 취지에 따라 그 위법사유를 보완하여 다시 종전의 신청에 대한 거부처분을 할 수 있고, 그러한 처분도 위 조항에 규정된 재처분에 해당한다(대판 2005.1.14. 2003두13045).
④ (×) 확정판결의 당사자인 처분행정청이 그 행정소송의 사실심 변론종결 이전의 사유를 내세워 다시 확정판결과 저촉되는 행정처분을 하는 것은 허용되지 않는 것으로서 이러한 행정처분은 그 하자가 중대하고도 명백한 것이어서 당연무효라 할 것이다(대판 1990.12.11. 90누3560).

답 ③

문제 DATA
출제가능 지수 ▶▶▷
난이도 지수 ★★☆

함께 정리하기
취소판결의 기속력
기각판결
▷ 기속력×
기속력 범위
▷ 주문·이유 중 판단
절차위법 취소확정
▷ 절차거쳐 동일처분 可
기속력에 반한 처분
▷ 당연무효

011

확정된 취소판결의 효력에 대한 설명으로 옳지 않은 것은? (다툼이 있는 경우 판례에 의함)

① 행정청으로부터 자동차 운전면허취소처분을 받았으나 나중에 그 취소처분이 행정쟁송절차에 의하여 취소되었다면, 위 운전면허취소처분은 그 처분시에 소급하여 효력을 잃는다.
② 제3자에 대하여도 효력이 있다.
③ 기속력에 위반한 행정청의 행위는 위법하지만 당연무효는 아니다.
④ 과세처분의 취소소송에서 청구가 기각된 확정판결의 기판력은 그 과세처분의 무효확인을 구하는 소송에도 미친다.

2025년 경찰간부

① (○) 피고인이 행정청으로부터 자동차 운전면허취소처분을 받았으나 나중에 그 행정처분 자체가 행정쟁송절차에 의하여 취소되었다면, 위 운전면허취소처분은 그 처분시에 소급하여 효력을 잃게 되고, 피고인은 위 운전면허취소처분에 복종할 의무가 원래부터 없었음이 후에 확정되었다고 봄이 타당할 것이고, 행정행위에 공정력의 효력이 인정된다고 하여 행정소송에 의하여 적법하게 취소된 운전면허취소처분이 단지 장래에 향하여서만 효력을 잃게 된다고 볼 수는 없다(대판 1999.2.5. 98도4239).
② (○)

> 「행정소송법」 제29조【취소판결등의 효력】① 처분등을 취소하는 확정판결은 제3자에 대하여도 효력이 있다.

③ (×) 처분사유는 취소판결의 기속력이 미치는 객관적 범위를 결정한다. 처분청이 확정된 취소판결에서 위법한 것으로 판단된 처분사유와 기본적 사실관계에 동일성이 인정되는 사유를 내세워 다시 동일한 내용의 처분을 하는 것은 취소판결의 기속력에 반하는 것으로서 그 하자가 중대·명백하여 당연무효라고 보아야 한다(대판 2020.12.24. 2019두55675).
④ (○) 과세처분의 취소소송은 과세처분의 실체적, 절차적 위법을 그 취소원인으로 하는 것으로서 그 심리의 대상은 과세관청의 과세처분에 의하여 인정된 조세채무인 과세표준 및 세액의 객관적 존부, 즉 당해 과세처분의 적부가 심리의 대상이 되는 것이며, 과세처분 취소청구를 기각하는 판결이 확정되면 그 처분이 적법하다는 점에 관하여 기판력이 생기고 그 후 원고가 이를 무효라 하여 무효확인을 소구할 수 없는 것이어서 과세처분의 취소소송에서 청구가 기각된 확정판결의 기판력은 그 과세처분의 무효확인을 구하는 소송에도 미친다(대판 1998.7.24. 98다10854).

답 ③

문제 DATA
출제가능 지수 ▶▶▷
난이도 지수 ★★☆

함께 정리하기
확정된 취소판결의 효력

운전면허취소처분에 대한 취소판결
▷ 소급효○

제3자효○

기속력에 위반한 행정청의 행위
▷ 무효

취소소송의 기판력
▷ 동일한 처분의 무효확인소송에 미침

012

취소소송의 판결에 관한 설명으로 옳지 않은 것은? (다툼이 있는 경우 판례에 의함)

① 공무원에 대한 징계처분을 취소하는 판결이 확정되면 처분청은 판결의 취지에 따라 다시 새로운 징계처분을 하여야 할 의무가 있다.
② 처분을 취소하는 확정판결은 소송에 관여하지 않은 제3자에 대해서도 효력이 있다.
③ 거부처분에 대한 취소의 확정판결이 있은 후 처분청이 재처분을 하였더라도 그것이 기속력에 반하는 것이라면 간접강제의 대상이 될 수 있다.
④ 처분의 취소소송에서 청구를 기각하는 확정판결의 기판력은 그 처분의 무효확인을 구하는 소송에도 미친다.
⑤ 법원은 당사자의 주장이 없더라도 직권으로 사정판결을 할 수 있다.

문제 DATA
출제가능 지수 ▶▶▷
난이도 지수 ★★☆

함께 정리하기

취소소송의 판결

징계처분 취소판결 확정
▷ 재징계처분을 해야할 의무×

취소판결의 제3자효
▷ 소송에 관여하지 않은 제3자에 대해서도 효력○

기속력에 반한 재처분
▷ 간접강제 대상○

취소소송의 기판력
▷ 동일한 처분의 무효확인소송에 미침

사정판결
▷ 당사자 주장 없이도 직권으로 可

2025년 소방간부

① (×) 적극적 처분인 징계처분이 거부처분이나 부작위가 아닌 이상 다시 처분을 해야할 (재)처분의무를 지는 것은 아니고,「행정소송법」제30조 제2항등), 취소판결의 사유에 따라 재처분의무의 존부가 달라진다. 즉 절차상 하자(징계위원회 구성 불법, 의견진술 기회 미부여 등)로 취소된 경우, 행정청은 적법한 절차를 거쳐 다시 징계처분을 할 수 있다. 또한 징계양정이 과다하여 재량권 일탈·남용으로 취소된 경우, 행정청은 판결의 취지에 따라 더 가벼운 징계처분을 할 수 있으나, 감봉·견책처분의 경우 재처분하지 않을 수도 있다(국가공무원법 제78조의3 제1항 제3호, 지방공무원법 제69조의3 제1항 제3호). 그러나 징계사유 자체가 인정되지 않아 취소된 경우에는, 행정청은 동일한 사유로 재처분을 할 수 없다.

징계처분의 취소를 구하는 소에서 징계사유가 될 수 없다고 판결한 사유와 동일한 사유를 내세워 행정청이 다시 징계처분을 한 것은 확정판결에 저촉되는 행정처분을 한 것으로서, 위 취소판결의 기속력이나 확정판결의 기판력에 저촉되어 허용될 수 없다(대판 1992.7.14. 92누2912).

「국가공무원법」제78조의3【재징계의결 등의 요구】① 처분권자(대통령이 처분권자인 경우에는 처분제청권자)는 다음 각 호에 해당하는 사유로 소청심사위원회 또는 법원에서 징계처분등의 무효 또는 취소(취소명령 포함)의 결정이나 판결을 받은 경우에는 다시 징계 의결 또는 징계부가금 부과 의결(이하 "징계의결등"이라 한다)을 요구하여야 한다. 다만, 제3호의 사유로 무효 또는 취소(취소명령 포함)의 결정이나 판결을 받은 감봉·견책처분에 대하여는 징계의결을 요구하지 아니할 수 있다.
1. 법령의 적용, 증거 및 사실 조사에 명백한 흠이 있는 경우
2. 징계위원회의 구성 또는 징계의결, 그 밖에 절차상의 흠이 있는 경우
3. 징계양정 및 징계부가금이 과다(過多)한 경우
② 처분권자는 제1항에 따른 징계의결등을 요구하는 경우에는 소청심사위원회의 결정 또는 법원의 판결이 확정된 날부터 3개월 이내에 관할 징계위원회에 징계의결등을 요구하여야 하며, 관할 징계위원회에서는 다른 징계사건에 우선하여 징계의결등을 하여야 한다.
「지방공무원법」제69조의3【재징계의결 등의 요구】① 처분권자는 다음 각 호에 해당하는 사유로 심사위원회 또는 법원에서 징계처분등의 무효 또는 취소(취소명령 포함)의 결정이나 판결을 받은 경우에는 다시 징계의결등을 요구하여야 한다. 다만, 제3호의 사유로 무효 또는 취소(취소명령포함)의 결정이나 판결을 받은 감봉·견책처분에 대하여는 징계의결을 요구하지 아니할 수 있다.
1. 법령의 적용, 증거 및 사실 조사에 명백한 흠이 있는 경우
2. 인사위원회의 구성 또는 징계의결등, 그 밖에 절차상의 흠이 있는 경우
3. 징계양정 또는 징계부가금이 과다(過多)한 경우

② (○)

「행정소송법」제29조【취소판결등의 효력】① 처분등을 취소하는 확정판결은 제3자에 대하여도 효력이 있다.

③ (○) 거부처분에 대한 취소의 확정판결이 있음에도 행정청이 아무런 재처분을 하지 아니하거나, 재처분을 하였다 하더라도 그것이 종전 거부처분에 대한 취소의 확정판결의 기속력에 반하는 등으로 당연무효라면 이는 아무런 재처분을 하지 아니한 때와 마찬가지라 할 것이므로 이러한 경우에는 행정소송법 제30조 제2항, 제34조 제1항 등에 의한 간접강제신청에 필요한 요건을 갖춘 것으로 보아야 한다(대결 2002.12.11. 2002무22).

④ (○)

1. 과세처분의 취소소송은 과세처분의 실체적, 절차적 위법을 그 취소원인으로 하는 것으로서 그 심리의 대상은 과세관청의 과세처분에 의하여 인정된 조세채무인 과세표준 및 세액의 객관적 존부, 즉 당해 과세처분의 적부가 심리의 대상이 되는 것이며, 과세처분 취소청구를 기각하는 판결이 확정되면 그 처분이 적법하다는 점에 관하여 기판력이 생기고 그 후 원고가 이를 무효라 하여 무효확인을 소구할 수 없는 것이어서 과세처분의 취소소송에서 청구가 기각된 확정판결의 기판력은 그 과세처분의 무효확인을 구하는 소송에도 미친다(대판 1998.7.24. 98다10854).
2. 행정처분취소청구를 기각하는 판결이 확정되면 그 처분이 적법하다는 점에 관하여 기판력이 생기고 그 소의 원고뿐만 아니라 관계 행정기관도 이에 기속된다 할 것이므로 면직처분이 위법하지 아니하다는 점이 판결에서 확정된 이상 원고가 다시 이를 무효라 하여 그 무효확인을 소구할 수는 없다(대판 1992.12.8. 92누6891).

⑤ (○) 행정처분이 위법한 경우에는 이를 취소하는 것이 원칙이고, 예외적으로 그 위법한 처분을 취소·변경하는 것이 도리어 현저히 공공복리에 적합하지 아니하는 경우에는 그 취소를 허용하지 아니하는 사정판결을 할 수 있고, 이러한 사정판결에 관하여는 당사자의 명백한 주장이 없는 경우에도 기록에 나타난 여러 사정을 기초로 직권으로 판단할 수 있는 것이나, 그 요건인 현저히 공공복리에 적합하지 아니한지 여부는 위법한 행정처분을 취소·변경하여야 할 필요와 그 취소·변경으로 인하여 발생할 수 있는 공공복리에 반하는 사태 등을 비교·교량하여 판단하여야 할 것이다(대판 2006.12.21. 2005두16161).

답 ①

013 □□□

취소판결의 기속력에 대한 설명으로 옳지 않은 것은?

① 취소판결에 의하여 취소되는 처분이 당사자의 신청을 거부하는 것을 내용으로 하는 경우에는 그 처분을 행한 행정청은 판결의 취지에 따라 다시 이전의 신청에 대한 처분을 하여야 한다.
② 취소 확정판결의 기속력은 판결의 주문 및 전제가 되는 처분 등의 구체적 위법사유에 관한 판단에 미친다.
③ 확정판결의 당사자인 처분 행정청은 그 행정소송의 사실심 변론종결 이후 발생한 새로운 사유를 내세워 다시 이전의 신청에 대하여 거부처분을 할 수 있다.
④ 임용기간이 만료된 교원의 재임용이 거부되었다가 그 재임용거부처분이 법원의 판결에 의하여 취소되었다면 이러한 취소판결로 인하여 당연히 그 교원은 재임용거부처분 당시로 소급하여 신분관계를 회복한다고 볼 수 있다.

| 2024년 지방직 7급

① (○)
> 「행정소송법」 제30조【취소판결등의 기속력】② 판결에 의하여 취소되는 처분이 당사자의 신청을 거부하는 것을 내용으로 하는 경우에는 그 처분을 행한 행정청은 판결의 취지에 따라 다시 이전의 신청에 대한 처분을 하여야 한다.

② (○) 취소 확정판결의 기속력은 판결의 주문 및 전제가 되는 처분 등의 구체적 위법사유에 관한 판단에도 미치나, 종전 처분이 판결에 의하여 취소되었더라도 종전 처분과 다른 사유를 들어서 새로이 처분을 하는 것은 기속력에 저촉되지 않는다(대판 2016.3.24. 2015두48235).
③ (○) 행정소송법 제30조 제2항의 규정에 의하면 행정청의 거부처분을 취소하는 판결이 확정된 경우에는 그 처분을 행한 행정청이 판결의 취지에 따라 이전의 신청에 대하여 재처분할 의무가 있으나, 이 때 확정판결의 당사자인 처분 행정청은 그 행정소송의 사실심 변론종결 이후 발생한 새로운 사유를 내세워 다시 이전의 신청에 대한 거부처분을 할 수 있고 그러한 처분도 위 조항에 규정된 재처분에 해당된다고 할 것이다(대결 2004.1.15. 2002무30).
④ (×) 기간을 정하여 임용된 국·공립대학의 교원은 특별한 사정이 없는 한 그 임용기간의 만료로 교원으로서의 신분관계가 종료되는 것이고, 임용기간이 만료된 교원의 재임용이 거부되었다가 그 재임용거부처분이 법원의 판결에 의하여 취소되었다고 하더라도 임용권자는 다시 재임용 심의를 하여 재임용 여부를 결정할 의무를 부담할 뿐, 위와 같은 취소 판결로 인하여 당연히 그 교원이 재임용거부처분 당시로 소급하여 신분관계를 회복한다고 볼 수는 없다. 그러므로 재임용거부처분 취소판결을 거쳐 재임용된 교원이라 하더라도 임용기간 만료로 교원으로서의 신분을 상실한 후 재임용되기 전까지의 기간은 공무원연금법 제23조 제1항에 정한 재직기간에 산입할 수 없다(대판 2009.3.26. 2009두416).

답 ④

문제 DATA
출제가능 지수 ▶▶▷
난이도 지수 ★★☆

함께 정리하기
취소판결의 기속력
거부처분취소판결
▷ 이전 신청에 대한 재처분의무○
기속력의 객관적 범위
▷ 판결의 주문과 이유 중에 설시된 구체적 위법사유에 관한 판단
취소판결 확정 후 사실심 변론종결 이후의 새로운 사유로 재거부처분
▷ 기속력 위반×
재임용거부처분 취소판결시
▷ 교원이 재임용거부처분 당시로 소급하여 신분관계를 회복×
▷ 임용권자는 다시 재임용심의를 하여 재임용여부를 결정할 의무 부담○

문제 DATA

출제가능 지수 ▶▶▷
난이도 지수 ★★★

014 ☐☐☐

간접강제에 대한 설명으로 옳은 것을 모두 고른 것은? (다툼이 있는 경우 판례에 의함)

ㄱ. 거부처분에 대한 취소의 확정판결이 있음에도 행정청이 아무런 재처분을 하지 아니하고 있다면 「행정소송법」에 의한 간접강제 신청에 필요한 요건을 갖춘 것으로 보아야 한다.
ㄴ. 간접강제규정은 부작위위법확인소송에는 준용되지 아니한다.
ㄷ. 거부처분에 대한 무효확인판결이 내려진 경우에는 그 행정처분이 거부처분인 경우에도 행정청에게 판결의 취지에 따른 재처분 의무가 인정될 뿐 그에 대한 간접강제까지 허용되는 것은 아니다.
ㄹ. 간접강제결정에서 결정한 의무이행 기한이 경과한 후에 확정판결의 취지에 따른 재처분의 이행이 이루어진 경우, 간접강제결정에 기한 배상금의 추심은 허용된다.
ㅁ. 「행정심판법」에 의한 간접강제는 사정의 변경이 있는 경우에 당사자의 신청에 의하여 간접강제 결정의 내용을 변경할 수 있다.

① ㄱ, ㄴ, ㄷ
② ㄱ, ㄷ, ㅁ
③ ㄴ, ㄷ, ㄹ
④ ㄷ, ㄹ, ㅁ

2025년 군무원 7급

함께 정리하기

간접강제

취소확정판결이 있음에도 행정청이 아무런 재처분을 하지 않는 경우
▷ 간접강제 신청 가

간접강제규정
▷ 부작위위법확인소송에 준용O

거부처분에 대한 무효확인판결
▷ 재처분의무O, but 간접강제 불가

의무이행기간 경과 후 재처분이행
▷ 배상금 추심X

「행정심판법」상 간접강제
▷ 사정변경 시 당사자의 신청에 의해 결정내용의 변경 가

ㄱ. (O)

「행정소송법」 제34조【거부처분취소판결의 간접강제】① 행정청이 제30조 제2항의 규정에 의한 처분을 하지 아니하는 때에는 제1심 수소법원은 당사자의 신청에 의하여 결정으로써 상당한 기간을 정하고 행정청이 그 기간내에 이행하지 아니하는 때에는 그 지연기간에 따라 일정한 배상을 할 것을 명하거나 즉시 손해배상을 할 것을 명할 수 있다.
제30조【취소판결등의 기속력】② 판결에 의하여 취소되는 처분이 당사자의 신청을 거부하는 것을 내용으로 하는 경우에는 그 처분을 행한 행정청은 판결의 취지에 따라 다시 이전의 신청에 대한 처분을 하여야 한다.

ㄴ. (X) 간접강제규정은 부작위위법확인소송에 준용되고 무효등확인소송에 준용되지 않는다.

「행정소송법」 제38조【준용규정】① 제9조, 제10조, 제13조 내지 제17조, 제19조, 제22조 내지 제26조, 제29조 내지 제31조 및 제33조의 규정은 무효등 확인소송의 경우에 준용한다.
② 제9조, 제10조, 제13조 내지 제19조, 제20조, 제25조 내지 제27조, 제29조 내지 제31조, 제33조 및 제34조의 규정은 부작위법확인소송의 경우에 준용한다.

ㄷ. (O) 행정소송법 제38조 제1항이 무효확인 판결에 관하여 취소판결에 관한 규정을 준용함에 있어서 같은 법 제30조 제2항을 준용한다고 규정하면서도 같은 법 제34조는 이를 준용한다는 규정을 두지 않고 있으므로, 행정처분에 대하여 무효확인 판결이 내려진 경우에는 그 행정처분이 거부처분인 경우에도 행정청에 판결의 취지에 따른 재처분의무가 인정될 뿐 그에 대하여 간접강제까지 허용되는 것은 아니라고 할 것이다(대결 1998.12.24. 98무37).

ㄹ. (X) 행정소송법 제34조 소정의 간접강제결정에 기한 배상금은 거부처분취소판결이 확정된 경우 그 처분을 행한 행정청으로 하여금 확정판결의 취지에 따른 재처분의무의 이행을 확실히 담보하기 위한 것으로서, 확정판결의 취지에 따른 재처분의무내용의 불확정성과 그에 따른 재처분에의 해당 여부에 관한 쟁송으로 인하여 간접강제결정에서 정한 재처분의무의 기한 경과에 따른 배상금이 증가될 가능성이 자칫 행정청으로 하여금 인용처분을 강제하여 행정청의 재량권을 박탈하는 결과를 초래할 위험성이 있는 점 등을 감안하면, 이는 확정판결의 취지에 따른 재처분의 지연에 대한 제재나 손해배상이 아니고 재처분의 이행에 관한 심리적 강제수단에 불과한 것으로 보아야 하므로, 특별한 사정이 없는 한 간접강제결정에서 정한 의무이행기한이 경과한 후에라도 확정판결의 취지에 따른 재처분의 이행이 있으면 배상금을 추심함으로써 심리적 강제를 꾀할 목적이 상실되어 처분상대방이 더 이상 배상금을 추심하는 것은 허용되지 않는다(대판 2004.1.15. 2002두2444).

ㅁ. (O) 「행정소송법」 제34조에 따른 간접강제는 사정변경에 따른 결정내용의 변경에 관한 명시적 규정이 없는 반면, 「행정심판법」상 간접강제는 사정변경에 따른 결정 내용의 변경을 명시적으로 규정하고 있다. 이는 「행정심판법」상 간접강제가 「행정소송법」상 간접강제와 구별되는 특징이다.

「행정심판법」제50조의2 【위원회의 간접강제】 ① 위원회는 피청구인이 제49조 제2항(제49조 제4항에서 준용하는 경우를 포함한다) 또는 제3항에 따른 처분을 하지 아니하면 청구인의 신청에 의하여 결정으로 상당한 기간을 정하고 피청구인이 그 기간 내에 이행하지 아니하는 경우에는 그 지연기간에 따라 일정한 배상을 하도록 명하거나 즉시 배상을 할 것을 명할 수 있다.
② 위원회는 사정의 변경이 있는 경우에는 당사자의 신청에 의하여 제1항에 따른 결정의 내용을 변경할 수 있다.

답 ②

015 □□□

취소판결의 효력 중 기속력에 대한 설명으로 옳지 않은 것은? (다툼이 있는 경우 판례에 의함)

① 처분 등을 취소하는 확정판결의 기속력은 판결의 주문뿐만 아니라 그 전제가 되는 처분 등의 구체적 위법사유에 관한 이유 중의 판단에 대하여도 미친다.
② 과세처분권자가 확정판결에 적시된 위법사유를 보완하여 행한 새로운 과세처분은 확정판결에 의해 취소된 종전의 과세처분과는 별개의 처분으로 기속력에 저촉되지 않는다.
③ 위법한 거부처분에 대해 법원이 원고의 청구를 인용한 후 법령이 변경되어 처분요건이 달라진 경우, 해당 법령에서 경과규정 등 예외사항을 두고 있지 않는 한, 원칙적으로 처분청은 변경된 법령을 근거로 하여 다시 거부처분을 할 수 있다.
④ 새로운 처분의 처분사유가 종전 처분의 처분사유와 기본적 사실관계에서 동일하지 않지만 이미 해당 사유가 처분 당시 존재하고 있었고, 당사자도 이를 알고 있었다면 이를 내세워 새로운 처분을 하는 것은 기속력에 저촉된다.

2024년 경찰간부

① (O) 확정판결의 기속력은 주로 판결의 실효성 확보를 위하여 인정되는 효력으로서 판결의 주문뿐만 아니라 그 전제가 되는 처분 등의 구체적 위법사유에 관한 이유 중의 판단에 대하여도 인정된다(대판 2001.3.23. 99두5238).
② (O) 과세처분권자가 그 확정판결에 적시된 위법사유를 보완하여 행한 새로운 과세처분은 확정판결에 의하여 취소된 종전의 과세처분과는 별개의 처분으로서 확정판결의 기판력(☞ 기속력을 의미함)에 저촉되는 것은 아니다(대판 1986.11.11. 85누231).
③ (O)

[1] 행정처분의 적법 여부는 그 행정처분이 행하여 진 때의 법령과 사실을 기준으로 하여 판단하는 것이므로 거부처분 후에 법령이 개정되어 시행된 경우에는 개정된 법령의 허가기준을 새로운 사유로 들어 다시 이전의 신청에 대한 거부처분을 할 수 있으며, 그러한 거부처분도 원칙적으로 행정소송법 제30조 제2항에 규정된 재처분에 해당된다(대결 1998.1.7. 97두22).
[2] 주택건설사업 승인신청 거부처분의 취소를 명하는 판결이 확정되었음에도 행정청이 그에 따른 재처분을 하지 않은 채 위 취소소송 계속중에 도시계획법령이 개정되었다는 이유를 들어 다시 거부처분을 한 사안에서, 개정된 도시계획법령에 그 시행 당시 이미 개발행위허가를 신청중인 경우에는 종전 규정에 따른다는 경과규정을 두고 있으므로 위 사업승인신청에 대하여는 종전 규정에 따른 재처분을 하여야 함에도 불구하고 개정 법령을 적용하여 새로운 거부처분을 한 것은 확정된 종전 거부처분 취소판결의 기속력에 저촉되어 당연무효라고 한 사례(대결 2002.12.11. 2002무22)

문제 DATA

출제가능 지수 ▶▶▷
난이도 지수 ★★☆

함께 정리하기

취소판결의 효력 중 기속력

기속력 범위
▷ 주문·이유 중 판단

취소확정판결의 위법사유 보완
▷ 기속력 저촉×

(경과규정이 없는 한) 개정법령을 근거로 다시 거부처분
▷ 적법한 재처분

기본적 사실관계 동일성 없는 사유로 새로이 처분
▷ 기속력 저촉×

④ (×) 취소 확정판결의 기속력은 판결의 주문 및 전제가 되는 처분 등의 구체적 위법사유에 관한 판단에도 미치나, 종전 처분이 판결에 의하여 취소되었더라도 종전 처분과 다른 사유를 들어서 새로이 처분을 하는 것은 기속력에 저촉되지 않는다. 여기에서 동일 사유인지 다른 사유인지는 확정판결에서 위법한 것으로 판단된 종전 처분사유와 기본적 사실관계에서 동일성이 인정되는지 여부에 따라 판단되어야 하고, 기본적 사실관계의 동일성 유무는 처분사유를 법률적으로 평가하기 이전의 구체적인 사실에 착안하여 그 기초인 사회적 사실관계가 기본적인 점에서 동일한지에 따라 결정된다. 또한 행정처분의 위법 여부는 행정처분이 행하여진 때의 법령과 사실을 기준으로 판단하므로, 확정판결의 당사자인 처분 행정청은 종전 처분 후에 발생한 새로운 사유를 내세워 다시 처분을 할 수 있고, 새로운 처분의 처분사유가 종전 처분의 처분사유와 기본적 사실관계에서 동일하지 않은 다른 사유에 해당하는 이상, 처분사유가 종전 처분 당시 이미 존재하고 있었고 당사자가 이를 알고 있었더라도 이를 내세워 새로이 처분을 하는 것은 확정판결의 기속력에 저촉되지 않는다(대판 2016.3.24. 2015두48235).

답 ④

문제 DATA

출제가능 지수 ▶▶▷
난이도 지수 ★★☆

016 □□□

다음 중 행정소송 판결의 형성력과 기속력에 대한 설명으로 가장 옳은 것은? (다툼이 있는 경우 판례에 의함)

① 구「도시 및 주거환경정비법」상 주택재개발사업조합의 조합설립인가처분이 법원의 재판에 의하여 취소된 경우 그 조합설립인가처분은 소급하여 효력을 상실하지 않는다.
② 취소소송에서 처분 등을 취소하는 확정판결의 기속력은 주로 판결의 실효성 확보를 위하여 인정되는 효력으로서 판결의 주문 외에 그 전제가 되는 처분 등의 구체적 위법사유에 관한 이유 중의 판단에 대하여는 인정되지 않는다.
③ 징계처분의 취소를 구하는 소에서 징계사유가 될 수 없다고 판결한 사유와 동일한 사유를 내세워 행정청이 다시 징계처분을 한 것은 확정판결에 저촉되지 않는 행정처분을 한 것으로서 허용될 수 있다.
④ 행정처분을 취소한다는 확정판결이 있으면 그 취소판결의 형성력에 의하여 당해 행정처분의 취소나 취소통지 등의 별도의 절차를 요하지 아니하고 당연히 취소의 효과가 발생한다.

2024년 군무원 9급

① (×) 도시 및 주거환경정비법(이하 '도시정비법'이라고 한다)상 주택재개발사업조합의 조합설립인가처분이 법원의 재판에 의하여 취소된 경우 그 조합설립인가처분은 소급하여 효력을 상실하고, 이에 따라 당해 주택재개발사업조합 역시 조합설립인가처분 당시로 소급하여 도시정비법상 주택재개발사업을 시행할 수 있는 행정주체인 공법인으로서의 지위를 상실하므로, 당해 주택재개발사업조합이 조합설립인가처분 취소 전에 도시정비법상 적법한 행정주체 또는 사업시행자로서 한 결의 등 처분은 달리 특별한 사정이 없는 한 소급하여 효력을 상실한다고 보아야 한다. 다만 그 효력 상실로 인한 잔존사무의 처리와 같은 업무는 여전히 수행되어야 하므로, 종전에 결의 등 처분의 법률효과를 다투는 소송에서의 당사자 지위까지 함께 소멸한다고 할 수는 없다(대판 2012.3.29. 2008다95885).
② (×) 행정소송법 제30조 제1항에 의하여 인정되는 취소소송에서 처분 등을 취소하는 확정판결의 기속력은 주로 판결의 실효성 확보를 위하여 인정되는 효력으로서 판결의 주문뿐만 아니라 그 전제가 되는 처분 등의 구체적 위법사유에 관한 이유 중의 판단에 대하여도 인정된다(대판 2001.3.23. 99두5238).
③ (×) 징계처분의 취소를 구하는 소에서 징계사유가 될 수 없다고 판결한 사유와 동일한 사유를 내세워 행정청이 다시 징계처분을 한 것은 확정판결에 저촉되는 행정처분을 한 것으로서, 위 취소판결의 기속력이나 확정판결의 기판력에 저촉되어 허용될 수 없다(대판 1992.7.14. 92누2912).
④ (○) 행정처분을 취소한다는 확정판결이 있으면 그 취소판결의 형성력에 의하여 당해 행정처분의 취소나 취소통지 등의 별도의 절차를 요하지 아니하고 당연히 취소의 효과가 발생한다고 할 것이고 별도로 취소의 절차를 취할 필요는 없을 것이다(대판 1991.10.11. 90누5443).

답 ④

함께 정리하기

판결의 형성력과 기속력

조합설립인가처분 취소판결
▷ 소급하여 효력 상실

기속력 범위
▷ 주문·이유 중 판단

징계사유 없다고 징계처분취소확정
▷ 동일한 사유로 다시 징계처분 ×

취소판결로 취소효과
▷ 별도의 조치 ×

017 ☐☐☐

「행정소송법」상 취소소송의 판결의 효력에 대한 설명으로 옳지 않은 것은?

① 전소의 판결이 확정된 경우 후소의 소송물이 전소의 소송물과 동일하지 않더라도 전소의 소송물에 관한 판단이 후소의 선결문제가 되는 경우에 후소에서 전소 판결의 판단과 다른 주장을 하는 것은 기판력에 반한다.
② 행정처분을 취소하는 확정판결이 있으면 그 취소판결 자체의 효력에 의해 그 행정처분을 기초로 하여 새로 형성된 제3자의 권리는 당연히 그 행정처분 전의 상태로 환원된다.
③ 처분의 취소판결이 확정된 후 새로운 처분을 하는 경우, 새로운 처분의 사유가 취소된 처분의 사유와 기본적 사실관계에서 동일하지 않다면 취소된 처분과 같은 내용의 처분을 하는 것은 기속력에 반하지 않는다.
④ 법원이 간접강제결정에서 정한 의무이행기한이 경과한 후에라도 확정판결의 취지에 따른 재처분이 행하여지면, 처분상대방이 더 이상 배상금을 추심하는 것은 허용되지 않는다.

2023년 국가직 7급

① (○) 행정소송법 제30조 제1항은 "처분 등을 취소하는 확정판결은 그 사건에 관하여 당사자인 행정청과 그 밖의 관계행정청을 기속한다."라고 규정하고 있다. 이러한 취소 확정판결의 '기속력'은 취소 청구가 인용된 판결에서 인정되는 것으로서 당사자인 행정청과 그 밖의 관계행정청에게 확정판결의 취지에 따라 행동하여야 할 의무를 지우는 작용을 한다. 이에 비하여 행정소송법 제8조 제2항에 의하여 행정소송에 준용되는 민사소송법 제216조, 제218조가 규정하고 있는 '기판력'이란 기판력 있는 전소 판결의 소송물과 동일한 후소를 허용하지 않음과 동시에, 후소의 소송물이 전소의 소송물과 동일하지는 않더라도 전소의 소송물에 관한 판단이 후소의 선결문제가 되거나 모순관계에 있을 때에는 후소에서 전소 판결의 판단과 다른 주장을 하는 것을 허용하지 않는 작용을 한다(대판 2016.3.24. 2015두48235).
② (×) 행정처분을 취소하는 확정판결이 제3자에 대하여도 효력이 있다고 하더라도 일반적으로 판결의 효력은 주문에 포함한 것에 한하여 미치는 것이니 그 취소판결 자체의 효력으로써 그 행정처분을 기초로 하여 새로 형성된 제3자의 권리까지 당연히 그 행정처분 전의 상태로 환원되는 것이라고는 할 수 없고, 단지 취소판결의 존재와 취소판결에 의하여 형성되는 법률관계를 소송당사자가 아니었던 제3자라 할지라도 이를 용인하지 않으면 아니된다는 것을 의미하는 것에 불과하다 할 것이며, 따라서 취소판결의 확정으로 인하여 당해 행정처분을 기초로 새로 형성된 제3자의 권리관계에 변동을 초래하는 경우가 있다 하더라도 이는 취소판결 자체의 형성력에 기한 것이 아니라 취소판결의 위와 같은 의미에서의 제3자에 대한 효력의 반사적 효과로서 그 취소판결이 제3자의 권리관계에 대하여 그 변동을 초래할 수 있는 새로운 법률요건이 되는 까닭이라 할 것이다. 그러므로 이 사건에 있어서 위 환지계획변경처분을 취소하는 판결이 확정됨으로써 이 사건 토지들에 대한 원고들 명의의 소유권이전등기가 그 원인없는 것으로 환원되는 결과가 초래되었다 하더라도 동 소유권이전등기는 위 취소판결 자체의 효력에 의하여 당연히 말소되는 것이 아니라 소외 1이 위 취소판결의 존재를 법률요건으로 주장하여 원고들에게 그 말소를 구하는 소송을 제기하여 승소의 확정판결을 얻어야 비로소 말소될 수 있는 것이다(대판 1986.8.19. 83다카2022).
③ (○) 취소 확정판결의 기속력은 판결의 주문 및 전제가 되는 처분 등의 구체적 위법사유에 관한 판단에도 미치나, 종전 처분이 판결에 의하여 취소되었더라도 종전 처분과 다른 사유를 들어서 새로이 처분을 하는 것은 기속력에 저촉되지 않는다. 여기에서 동일 사유인지 다른 사유인지는 확정판결에서 위법한 것으로 판단된 종전 처분사유와 기본적 사실관계에서 동일성이 인정되는지 여부에 따라 판단되어야 하고, 기본적 사실관계의 동일성 유무는 처분사유를 법률적으로 평가하기 이전의 구체적인 사실에 착안하여 그 기초인 사회적 사실관계가 기본적인 점에서 동일한지에 따라 결정된다. 또한 행정처분의 위법 여부는 행정처분이 행하여진 때의 법령과 사실을 기준으로 판단하므로, 확정판결의 당사자인 처분 행정청은 종전 처분 후에 발생한 새로운 사유를 내세워 다시 처분을 할 수 있고, 새로운 처분의 처분사유가 종전 처분의 처분사유와 기본적 사실관계에서 동일하지 않은 다른 사유에 해당하는 이상, 처분사유가 종전 처분 당시 이미 존재하고 있었고 당사자가 이를 알고 있었더라도 이를 내세워 새로이 처분을 하는 것은 확정판결의 기속력에 저촉되지 않는다(대판 2016.3.24. 2015두48235).

문제 DATA

출제가능 지수 ▶▶Σ
난이도 지수 ★★☆

함께 정리하기

취소소송의 판결의 효력

기판력의 작용 국면
▷ 동일/선결/모순

취소판결 제3자에 대한 효력
▷ 당연히 처분 전 상태로 소급×
▷ 처분 전 상태를 용인○

기본적 사실관계 동일성 없는 사유로 동일처분
▷ 기속력 위반×

의무이행 기간 도과 후 재처분이행
▷ 배상금 추심 불가

④ (○) 행정소송법 제34조 소정의 간접강제결정에 기한 배상금은 거부처분취소판결이 확정된 경우 그 처분을 행한 행정청으로 하여금 확정판결의 취지에 따른 재처분의무의 이행을 확실히 담보하기 위한 것으로서, 확정판결의 취지에 따른 재처분의무내용의 불확정성과 그에 따른 재처분에의 해당 여부에 관한 쟁송으로 인하여 간접강제결정에서 정한 재처분의무의 기한 경과에 따른 배상금이 증가될 가능성이 자칫 행정청으로 하여금 인용처분을 강제하여 행정청의 재량권을 박탈하는 결과를 초래할 위험성이 있는 점 등을 감안하면, 이는 확정판결의 취지에 따른 재처분의 지연에 대한 제재나 손해배상이 아니고 재처분의 이행에 관한 심리적 강제수단에 불과한 것으로 보아야 하므로, 특별한 사정이 없는 한 <u>간접강제결정에서 정한 의무이행기한이 경과한 후에라도 확정판결의 취지에 따른 재처분의 이행이 있으면 배상금을 추심함으로써 심리적 강제를 꾀할 목적이 상실되어 처분상대방이 더 이상 배상금을 추심하는 것은 허용되지 않는다</u>(대판 2004.1.15. 2002두2444).

답 ②

018 □□□

다음 각 사례에 대한 설명으로 옳은 것은? (다툼이 있는 경우 판례에 의함)

- A 시장으로부터 3월의 영업정지처분을 받은 숙박업자 甲은 이에 불복하여 행정쟁송을 제기하고자 한다.
- B 시장으로부터 건축허가거부처분을 받은 乙은 이에 불복하여 행정쟁송을 제기하고자 한다.

① 甲이 취소소송을 제기하면서 집행정지신청을 한 경우 법원이 집행정지결정을 하는데 있어 甲의 본안청구의 적법 여부는 집행정지의 요건에 포함되지 않는다.
② 甲이 2022.1.5. 영업정지처분을 통지받았고, 행정심판을 제기하여 2022.3.29. 1월의 영업정지처분으로 변경하는 재결이 있었고 그 재결서 정본을 2022.4.2. 송달받은 경우 취소소송의 기산점은 2022.1.5.이다.
③ 乙이 의무이행심판을 제기하여 처분명령재결이 있었음에도 B 시장이 허가를 하지 않는 경우 행정심판위원회는 직권으로 시정을 명하고 이를 이행하지 아니하면 직접 건축허가처분을 할 수 있다.
④ 乙이 건축허가거부처분에 대해 제기한 취소소송에서 인용판결이 확정되었으나 B 시장이 기속력에 위반하여 다시 거부처분을 한 경우 乙은 간접강제신청을 할 수 있다.

| 2022년 지방직 9급

① (×) 행정처분의 효력정지나 집행정지를 구하는 신청사건에 있어서는 행정처분 자체의 적법 여부는 궁극적으로 본안재판에서 심리를 거쳐 판단할 성질의 것이므로 원칙적으로 판단할 것이 아니고, 그 행정처분의 효력이나 집행을 정지할 것인가에 관한 행정소송법 제23조 제2항 소정의 요건의 존부만이 판단의 대상이 된다고 할 것이지만, 나아가 집행정지는 행정처분의 집행부정지원칙의 예외로서 인정되는 것이고 또 본안에서 원고가 승소할 수 있는 가능성을 전제로 한 권리보호수단이라는 점에 비추어 보면 <u>집행정지사건 자체에 의하여도 신청인의 본안청구가 적법한 것이어야 한다는 것을 집행정지의 요건에 포함시켜야 한다</u>(대결 1999.11.26. 99부3).
② (×) 행정심판을 거쳐 취소소송을 제기하는 경우에는 재결서의 정본을 송달받은 날부터 90일 이내에 제기하여야 한다(「행정소송법」 제20조 제1항). 따라서 재결서 정본을 송달받은 2022.4.2.이 기산점이다.
③ (×)

> 「행정심판법」 제49조 【재결의 기속력 등】 ③ 당사자의 신청을 거부하거나 부작위로 방치한 처분의 <u>이행을 명하는 재결이 있으면</u> 행정청은 지체 없이 이전의 신청에 대하여 재결의 취지에 따라 처분을 하여야 한다.

제50조 【위원회의 직접 처분】 ① 위원회는 피청구인이 제49조 제3항에도 불구하고 처분을 하지 아니하는 경우에는 당사자가 신청하면 기간을 정하여 서면으로 시정을 명하고 그 기간에 이행하지 아니하면 직접 처분을 할 수 있다. 다만, 그 처분의 성질이나 그 밖의 불가피한 사유로 위원회가 직접 처분을 할 수 없는 경우에는 그러하지 아니하다.

④ (○)

[1] 거부처분에 대한 취소의 확정판결이 있음에도 행정청이 아무런 재처분을 하지 아니하거나, 재처분을 하였다 하더라도 그것이 종전 거부처분에 대한 취소의 확정판결의 기속력에 반하는 등으로 당연무효라면 이는 아무런 재처분을 하지 아니한 때와 마찬가지라 할 것이므로 이러한 경우에는 행정소송법 제30조 제2항, 제34조 제1항 등에 의한 간접강제신청에 필요한 요건을 갖춘 것으로 보아야 한다.

[2] 주택건설사업 승인신청 거부처분의 취소를 명하는 판결이 확정되었음에도 행정청이 그에 따른 재처분을 하지 않은 채 위 취소소송 계속중에 도시계획법령이 개정되었다는 이유를 들어 다시 거부처분을 한 사안에서, 개정된 도시계획법령에 그 시행 당시 이미 개발행위허가를 신청중인 경우에는 종전 규정에 따른다는 경과규정을 두고 있으므로 위 사업승인신청에 대하여는 종전 규정에 따른 재처분을 하여야 함에도 불구하고 개정 법령을 적용하여 새로운 거부처분을 한 것은 확정된 종전 거부처분 취소판결의 기속력에 저촉되어 당연무효라고 한 사례(대결 2002.12.11. 2002무22)

답 ④

019 □□□

취소판결의 기속력에 대한 설명으로 옳은 것(○)과 옳지 않은 것(×)을 바르게 연결한 것은? (다툼이 있는 경우 판례에 의함)

ㄱ. 취소 확정판결의 기속력은 판결의 주문(主文)에 대해서만 발생하며, 처분의 구체적 위법사유에 대해서는 발생하지 않는다.
ㄴ. 처분청이 재처분을 하였는데 종전 거부처분에 대한 취소 확정판결의 기속력에 반하는 경우에는 간접강제의 대상이 될 수 있다.
ㄷ. 취소 확정판결의 기속력에 대한 규정은 무효확인판결에도 준용되므로 무효확인판결의 취지에 따른 처분을 하지 아니할 때에는 1심 수소법원은 간접강제결정을 할 수 있다.
ㄹ. 특별한 사정이 없는 한 간접강제결정에서 정한 의무이행기한이 경과한 후에라도 확정판결의 취지에 따른 재처분의 이행이 있으면 더 이상 배상금의 추심은 허용되지 않는다.

	ㄱ	ㄴ	ㄷ	ㄹ
①	○	×	○	○
②	×	○	×	○
③	×	○	×	×
④	×	×	○	○

2021년 국가직 7급

ㄱ. (×) 행정소송법 제30조 제1항에 의하여 인정되는 취소소송에서 처분 등을 취소하는 확정판결의 기속력은 주로 판결의 실효성 확보를 위하여 인정되는 효력으로서 판결의 주문뿐만 아니라 그 전제가 되는 처분 등의 구체적 위법사유에 관한 이유 중의 판단에 대하여도 인정된다(대판 2001.3.23. 99두5238).

ㄴ. (○) 거부처분에 대한 취소의 확정판결이 있음에도 행정청이 아무런 재처분을 하지 아니하거나, 재처분을 하였다 하더라도 그것이 종전 거부처분에 대한 취소의 확정판결의 기속력에 반하는 등으로 당연무효라면 이는 아무런 재처분을 하지 아니한 때와 마찬가지라 할 것이므로 이러한 경우에는 행정소송법 제30조 제2항, 제34조 제1항 등에 의한 간접강제신청에 필요한 요건을 갖춘 것으로 보아야 한다(대결 2002.12.11. 2002무22).

🎯 문제 DATA
출제가능 지수 ▶▶▷
난이도 지수 ★★☆

📋 함께 정리하기
취소판결의 기속력

기속력의 범위
▷ 판결주문, 판결이유 중 구체적 위법사유

기속력에 위배된 재처분
▷ 간접강제 신청 可

무효확인판결
▷ 재처분의무○
▷ 간접강제×

기간경과후 재처분이행
▷ 배상금 추심 불가

ㄷ. (×) 「행정소송법」 제34조의 간접강제규정은 무효등 확인소송에 준용규정이 없다.

> 행정처분에 대하여 무효확인판결이 내려진 경우에는 그 행정처분이 거부처분인 경우에도 행정청에 판결의 취지에 따른 재처분의무가 인정될 뿐 그에 대하여 간접강제까지 허용되는 것은 아니다(대결 1998.12.24. 98무37).

ㄹ. (○) 행정소송법 제34조 소정의 간접강제결정에 기한 배상금은 확정판결의 취지에 따른 재처분의 지연에 대한 제재나 손해배상이 아니고 재처분의 이행에 관한 심리적 강제수단에 불과한 것으로 보아야 하므로, 간접강제결정에서 정한 의무이행기한이 경과한 후에라도 확정판결의 취지에 따른 재처분이 행하여지면 배상금을 추심함으로써 심리적 강제를 꾀한다는 당초의 목적이 소멸하여 처분상대방이 더 이상 배상금을 추심하는 것이 허용되지 않는다(대판 2010.12.23. 2009다37725).

답 ②

020

취소소송의 판결 효력에 대한 설명으로 옳지 않은 것은? (다툼이 있는 경우 판례에 의함)

① 재량행위인 과징금 납부명령이 재량권을 일탈하였을 경우 법원이 적정하다고 인정하는 부분을 초과한 부분만 취소할 수 있다.
② 사정판결을 할 사정에 관한 주장·입증책임은 피고처분청에 있지만 처분청의 명백한 주장이 없는 경우에도 사건기록에 나타난 사실을 기초로 법원이 직권으로 석명권을 행사하거나 증거조사를 통해 사정판결을 할 수도 있다.
③ 취소 확정판결의 기판력은 판결에 적시된 위법사유에 한하여 미치므로 행정청이 그 확정판결에 적시된 위법사유를 보완하여 행한 새로운 행정처분은 확정판결에 의하여 취소된 종전처분과는 별개의 처분으로서 확정판결의 기판력에 저촉되지 않는다.
④ 징계처분의 취소를 구하는 소에서 징계사유가 될 수 없다고 취소 확정판결을 한 사유와 동일한 사유를 내세워 다시 징계처분을 하는 것은 확정판결에 저촉되는 행정처분으로 허용될 수 없다.
⑤ 취소소송에서 소송의 대상이 된 거부처분을 실체법상의 위법사유에 기초하여 취소하는 확정판결이 있는 경우에는 당해 거부처분을 한 행정청은 원칙적으로 신청을 인용하는 처분을 하여야 하고 사실심 변론종결이전의 사유를 내세워 다시 거부처분을 하는 것은 기속력에 반하여 허용되지 아니한다.

2017년 국회직 8급

① (×) 재량행위에 대하여는 일부취소가 허용되지 않는다.

> 처분을 할 것인지 여부와 처분의 정도에 관하여 재량이 인정되는 과징금 납부명령에 대하여 그 명령이 재량권을 일탈하였을 경우, 법원으로서는 재량권의 일탈 여부만 판단할 수 있을 뿐이지 재량권의 범위 내에서 어느 정도가 적정한 것인지에 관하여는 판단할 수 없어 그 전부를 취소할 수밖에 없고, 법원이 적정하다고 인정하는 부분을 초과한 부분만 취소할 수는 없다(대판 2009.6.23. 2007두18062).

② (○) 원칙적으로 사정판결의 필요성에 대한 주장·입증 책임은 행정청이 부담하나, 법원이 직권으로 사정판결 하는 것도 가능하다.

> 행정소송에 있어서 법원이 행정소송법 제28조 소정의 사정판결을 할 필요가 있다고 인정하는 때에는 당사자의 명백한 주장이 없는 경우에도 일건 기록에 나타난 사실을 기초로 하여 직권으로 사정판결을 할 수 있다고 풀이함이 상당하다 할 것이다(대판 1992.2.14. 90누9032).

③ (○) 위법사유를 보완한 과세처분은 기판력에 저촉되는 것이 아니다.

> 과세의 절차 내지 형식에 위법이 있어 과세처분을 취소하는 판결이 확정되었을 때는 그 확정판결의 기판력은 거기에 적시된 절차 내지 형식의 위법사유에 한하여 미치는 것이므로 과세관청은 그 위법사유를 보완하여 다시 새로운 과세처분을 할 수 있고, 그 새로운 과세처분은 확정판결에 의하여 취소된 종전의 과세처분과는 별개의 처분이라 할 것이어서 확정판결의 기판력에 저촉되는 것이 아니다(대판 1987.2.10. 86누91).

④ (○) 징계사유 없음을 이유로 취소판결이 확정되면, 동일 사유로 다시 징계처분을 할 수 없다.

> 징계처분의 취소를 구하는 소에서 징계사유가 될 수 없다고 판결한 사유와 동일한 사유를 내세워 행정청이 다시 징계처분을 한 것은 확정판결에 저촉되는 행정처분을 한 것으로서, 위 취소판결의 기속력이나 확정판결의 기판력에 저촉되어 허용될 수 없다(대판 1992.7.14. 92누2912).

⑤ (○) 거부처분이 실체법상의 위법사유로 취소된 경우 사실심변론종결 전의 사유로 다시 거부처분을 하면 기속력에 저촉된다.

> 행정소송법 제30조 제1항에 의하여 인정되는 취소소송에서 처분 등을 취소하는 확정판결의 기속력은 주로 판결의 실효성 확보를 위하여 인정되는 효력으로서 취소소송에서 소송의 대상이 된 거부처분을 실체법상의 위법사유에 기하여 취소하는 판결이 확정된 경우에는 당해 거부처분을 한 행정청은 원칙적으로 신청을 인용하는 처분을 하여야 하고, 사실심 변론종결 이전의 사유를 내세워 다시 거부처분을 하는 것은 확정판결의 기속력에 저촉되어 허용되지 아니한다(대판 2001.3.23. 99두5238).

답 ①

021 □□□

다음 사례에 대한 설명으로 옳지 않은 것은? (다툼이 있는 경우 판례에 의함)

> 「식품위생법」에 따르면 식품접객업자가 청소년에게 주류를 제공하는 행위는 금지되고, 이를 위반할 경우 관할 행정청이 영업허가 또는 등록을 취소하거나 6개월 이내의 기간을 정하여 그 영업의 전부 또는 일부를 정지할 수 있으며, 관할행정청이 영업허가 또는 등록의 취소를 하는 경우에는 청문을 실시하여야 한다. 식품접객업자인 甲은 영업장에서 청소년에게 술을 팔다 적발되었고, 관할 행정청인 乙은 청문절차를 거쳐 甲에게 영업허가취소처분을 하였다.

① 부령인 「식품위생법 시행규칙」에 위반행위의 종류 및 위반횟수에 따른 행정처분의 기준을 구체적으로 정하고 있는 경우에 이 행정처분기준은 행정기관 내부의 사무처리준칙을 규정한 것에 불과하여 법적 구속력이 인정되지 않는다.
② 甲이 청소년에게 주류를 제공한 것이 인정되더라도 영업허가취소처분으로 인하여 甲이 입게 되는 불이익이 공익상 필요보다 막대한 경우에는 영업허가취소처분이 위법하다고 인정될 수 있다.
③ 乙이 청문을 실시할 때 청문서 도달기간을 준수하지 않았는데 甲이 이에 대하여 이의를 제기하지 않고 청문일에 출석하여 그 의견을 진술하고 변명함으로써 방어의 기회를 충분히 가졌다면 청문서 도달기간을 준수하지 아니한 영업허가취소처분의 하자는 치유되었다고 볼 수 있다.
④ 甲이 영업허가취소처분 취소소송을 제기하여 인용판결이 확정되어도 영업허가취소처분의 효력이 바로 소멸하는 것은 아니고 그 판결의 기속력에 따라 영업허가취소처분이 乙에 의해 취소되면 비로소 영업허가취소처분의 효력이 소멸한다.

함께 정리하기

사례해결

제재처분 기준을 정한 시행규칙
▷ 법적 구속력×

영업허가취소
▷ 철회의 제한법리 적용

청문서 도달기간 다소 위반/이의 없이 방어 기회 충분
▷ 하자 치유○

취소소송인용판결
▷ 형성력○

2017년 국가직 9급

① (○) 제재처분기준을 정한 시행규칙에는 법적 구속력이 인정되지 않는다.

> 식품위생법 시행규칙 제53조에서 별표 15로 같은 법 제58조에 따른 행정처분의 기준을 정하였다 하더라도, 이는 형식은 부령으로 되어 있으나 성질은 행정기관 내부의 사무처리준칙을 규정한 것에 불과한 것으로서 보건사회부장관이 관계행정기관 및 직원에 대하여 직무권한행사의 지침을 정하여 주기 위하여 발한 행정명령의 성질을 가지는 것이지 같은 법 제58조 제1항의 규정에 의하여 보장된 재량권을 기속하는 것이라 할 수 없고, 대외적으로 국민이나 법원을 기속하는 힘이 있는 것은 아니다(대판 1993.6.29. 93누5635).

② (○) 「식품위생법」상 영업허가취소의 법적 성질은 강학상 철회, 재량행위에 해당한다. 따라서 철회의 제한법리에 따라 공익과 사인의 신뢰이익을 비교형량하여야 한다. 사안에서 영업허가취소사유인 청소년에게 주류제공사실이 인정된다고 하더라도 영업 허가취소처분으로 인하여 甲이 입게 되는 불이익이 공익상 필요보다 막대한 경우에는 영업허가취소처분이 위법하다고 인정될 수 있다.

③ (○) 청문서 도달기간을 다소 위반해도 이의없이 방어기회가 보장되면 하자는 치유된다.

> 행정청이 식품위생법상의 청문절차를 이행함에 있어 소정의 청문서 도달기간을 지키지 아니하였다면 이는 청문의 절차적 요건을 준수하지 아니한 것이므로 이를 바탕으로 한 행정처분은 일단 위법하다고 보아야 할 것이지만, 행정청이 청문서 도달기간을 다소 어겼다 하더라도 영업자가 이에 대하여 이의하지 아니한 채 스스로 청문일에 출석하여 그 의견을 진술하고 변명하는 등 방어의 기회를 충분히 가졌다면 청문서 도달기간을 준수하지 아니한 하자는 치유되었다고 봄이 상당하다(대판 1992.10.23. 92누2844).

④ (×) 취소소송 인용판결에는 형성력이 인정된다.

> 행정처분을 취소한다는 확정판결이 있으면 그 취소판결의 형성력에 의하여 당해 행정처분의 취소나 취소통지 등의 별도의 절차를 요하지 아니하고 당연히 취소의 효과가 발생한다(대판 1991.10.11. 90누5443).

답 ④

문제 DATA

출제가능 지수 ▶▶▷
난이도 지수 ★★☆

022 □□□

「행정소송법」상 취소소송에서 확정된 청구인용판결의 효력에 대한 설명으로 옳지 않은 것은? (다툼이 있는 경우 판례에 의함)

① 취소판결의 효력은 원칙적으로 소급적이므로, 취소판결에 의해 취소된 영업허가취소처분 이후의 영업행위는 무허가영업에 해당하지 않는다.
② 취소된 행정처분을 기초로 하여 새로 형성된 제3자의 권리가 취소판결 자체의 효력에 의해 당연히 그 행정처분 전의 상태로 환원되는 것은 아니다.
③ 취소판결의 기속력은 주로 판결의 실효성 확보를 위하여 인정되는 효력으로서 판결의 주문뿐만 아니라 그 전제가 되는 처분 등의 구체적 위법사유에 관한 이유 중의 판단에 대하여도 인정된다.
④ 행정처분이 판결에 의해 취소된 경우, 취소된 처분의 사유와 기본적 사실관계에서 동일성이 인정되지 않는 다른 사유를 들어 새로이 처분을 하는 것은 기속력에 반한다.

① (○) 쟁송취소는 원칙적으로 소급효가 인정된다.

> 영업의 금지를 명한 영업허가취소처분 자체가 나중에 행정쟁송절차에 의하여 취소되었다면 그 영업허가취소처분은 그 처분시에 소급하여 효력을 잃게 되며, 그 영업허가취소처분에 복종할 의무가 원래부터 없었음이 확정되었다고 봄이 타당하고, 영업허가취소처분이 장래에 향하여서만 효력을 잃게 된다고 볼 것은 아니므로 그 영업허가 취소처분 이후의 영업행위를 무허가영업이라고 볼 수는 없다(대판 1993.6.25. 93도277).

② (○) 취소판결 자체의 효력으로써 취소된 처분을 기초로 한 제3자의 권리가 당연히 처분 전으로 환원되는 것이 아니라, 제3자는 단지 판결을 용인해야 하는 관계인 것이다.

> 취소된 처분을 기초로 이해관계 있는 제3자는 취소판결 자체의 효력으로써가 아닌 판결을 용인해야 한다는 의미에서 행정처분을 취소하는 확정판결이 제3자에 대하여도 효력이 있다고 하더라도 일반적으로 판결의 효력은 주문에 포함한 것에 한하여 미치는 것이니 그 취소판결 자체의 효력으로써 그 행정처분을 기초로 하여 새로 형성된 제3자의 권리까지 당연히 그 행정처분 전의 상태로 환원되는 것이라고는 할 수 없고, 단지 취소판결의 존재와 취소판결에 의하여 형성되는 법률관계를 소송당사자가 아니었던 제3자라 할지라도 이를 용인하지 않으면 아니된다는 것을 의미하는 것에 불과하다 할 것이며, 따라서 취소판결의 확정으로 인하여 당해 행정처분을 기초로 새로 형성 된 제3자의 권리관계에 변동을 초래하는 경우가 있다 하더라도 이는 취소판결 자체의 형성력에 기한 것이 아니라 취소판결의 위와 같은 의미에서의 제3자에 대한 효력의 반사적 효과로서 그 취소판결이 제3자의 권리관계에 대하여 그 변동을 초래할 수 있는 새로운 법률요건이 되는 까닭이라 할 것이다(대판 1986.8.19. 83다카2022).

③ (○) 기속력은 주문 및 구체적 위법사유에 관한 이유 중 판단에 미친다.

> 확정판결의 기속력은 주로 판결의 실효성 확보를 위하여 인정되는 효력으로서 판결의 주문뿐만 아니라 그 전제가 되는 처분 등의 구체적 위법사유에 관한 이유 중의 판단에 대하여도 인정된다(대판 2001.3.23. 99두5238).

④ (×) 기본적 사실관계의 동일성이 인정되지 않는 다른 사유를 이유로 한 재처분은 기속력에 저촉되지 않는다.

> 종전 처분이 판결에 의하여 취소되었더라도 종전 처분과 다른 사유를 들어서 새로이 처분을 하는 것은 기속력에 저촉되지 않는다. 여기에서 동일 사유인지 다른 사유인지는 확정판결에서 위법한 것으로 판단된 종전 처분사유와 기본적 사실관계에서 동일성이 인정되는지 여부에 따라 판단되어야 하고, 기본적 사실관계의 동일성 유무는 처분사유를 법률적으로 평가하기 이전의 구체적인 사실에 착안하여 그 기초인 사회적 사실관계가 기본적인 점에서 동일한지에 따라 결정된다(대판 2016.3.24. 2015두48235).

유제 19. 국가직 9급 행정청이 거부처분 이전에 이미 존재하였던 사유 중 거부처분 사유와 기본적 사실관계의 동일성이 없는 사유를 근거로 다시 거부처분을 하는 것은 허용되지 않는다. (×)

답 ④

함께 정리하기

「행정소송법」상 취소소송에서 확정된 청구인용판결의 효력

쟁송취소
▷ 원칙적으로 소급효 인정

취소판결 제3자에 대한 효력
▷ 당연히 처분 전 상태로 소급×
▷ 처분 전 상태를 용인○

기속력 범위
▷ 주문·이유 중 판단

기본적 사실관계 동일성 없는 사유로 동일처분
▷ 기속력 위반×

023

행정소송의 판결의 효력에 대한 설명으로 가장 옳은 것은? (다툼이 있는 경우 판례에 의함)

① 기속력은 청구인용판결뿐만 아니라 청구기각판결에도 미친다.
② 처분 등의 무효를 확인하는 확정판결은 소송당사자 이외의 제3자에는 효력이 미치지 않는다.
③ 사정판결의 경우에는 처분의 적법성이 아닌 처분의 위법성에 대하여 기판력이 발생한다.
④ 세무서장을 피고로 하는 과세처분취소소송에서 패소하여 그 판결이 확정된 자가 국가를 피고로 하여 과세처분의 무효를 주장하여 과오납금반환청구소송을 제기하더라도 취소소송의 기판력에 반하는 것은 아니다.

문제 DATA
출제가능 지수 ▶▶▷
난이도 지수 ★★☆

함께 정리하기

판결의 효력

기속력
▷ 인용판결에만 인정

무효확인판결
▷ 제3자에게도 효력 미침

사정판결의 기판력
▷ 처분 위법하다는 것에 발생

취소소송 기각판결
▷ 과오납금반환청구소송에 기판력 미침

2019년 서울시 9급

① (×) 기속력은 당사자인 행정청과 그 밖의 관계행정청에게 확정판결의 취지에 따라 행동하도록 구속하는 효력을 의미하는 바, 인용판결에 한하여 인정된다.

② (×) 무효확인판결의 효력에 대하여는 취소판결의 효력에 관한 규정이 준용된다. 따라서 무효확인판결은 제3자에 대하여도 효력이 미친다.

> 행정처분의 무효확인판결은 비록 형식상은 확인판결이라 하여도 그 확인판결의 효력은 그 취소판결의 경우와 같이 소송의 당사자는 물론 제3자에게도 미친다(대판 1982.7.27. 82다173).

③ (○) 사정판결을 하는 경우 판결 주문에 위법성을 명시해야 하며 그에 따라 당해 처분이 위법하다는 것에 기판력이 발생한다.

> 「행정소송법」 제28조 【사정판결】 ① 원고의 청구가 이유있다고 인정하는 경우에도 처분등을 취소하는 것이 현저히 공공복리에 적합하지 아니하다고 인정하는 때에는 법원은 원고의 청구를 기각할 수 있다. 이 경우 법원은 그 판결의 주문에서 그 처분등이 위법함을 명시하여야 한다.

④ (×) 취소소송을 제기하였다가 기각판결을 받게 되면, 당해 처분이 적법하다는 점에 기판력이 발생한다. 따라서 그 처분의 무효확인소송뿐만 아니라 그 처분이 무효임을 전제로 한 과오납금반환청구소송에까지 기판력이 미친다.

답 ③

문제 DATA

출제가능 지수 ▶▶▷
난이도 지수 ★★★

024 □□□

취소소송의 판결의 효력에 대한 설명으로 옳지 않은 것은? (다툼이 있는 경우 판례에 의함)

① 거부처분의 취소판결이 확정되었더라고 그 거부처분 후에 법령이 개정·시행되었다면 처분청은 그 개정된 법령 및 허가기준을 새로운 사유로 들어 다시 이전 신청에 대하여 거부처분을 할 수 있다.

② 거부처분의 취소판결이 확정된 경우 그 판결의 당사자인 처분청은 그 소송의 사실심변론종결 이후 발생한 사유를 들어 다시 이전의 신청에 대하여 거부처분을 할 수 있다.

③ 취소판결의 기속력은 그 사건의 당사자인 행정청과 그 밖의 관계행정청에게 확정판결의 취지에 따라 행동하여야 할 의무를 지우는 것으로 이는 인용판결에 한하여 인정된다.

④ 취소판결의 기판력은 판결의 대상이 된 처분에 한하여 미치고 새로운 처분에 대해서는 미치지 않는다.

⑤ 취소판결의 기판력은 소송의 대상이 된 처분의 위법성존부에 관한 판단 그 자체에만 미치기 때문에 기각판결의 원고는 당해 소송에서 주장하지 아니한 다른 위법사유를 들어 다시 처분의 효력을 다툴 수 있다.

2018년 국회직 8급

① (○) 취소판결 확정 후 개정법에 따라 거부처분을 하여도 기속력에 위반되지 않는다.

> 행정처분의 적법 여부는 그 행정처분이 행하여 진 때의 법령과 사실을 기준으로 하여 판단하는 것이므로 거부처분 후에 법령이 개정·시행된 경우에는 개정된 법령 및 허가기준을 새로운 사유로 들어 다시 이전의 신청에 대한 거부처분을 할 수 있으며 그러한 처분도 행정소송법 제30조 제2항에 규정된 재처분에 해당된다(대판 1998.1.7. 97두22).

함께 정리하기

취소소송의 판결

취소판결 확정 후 개정법에 따라 거부처분
▷ 기속력 위반×

취소판결 확정 후 사실심변종 후 사유로 거부처분
▷ 기속력 위반×

기속력
▷ 인용판결에만 인정

기판력
▷ 판결의 대상이 된 처분에만 미침

기각판결의 기판력
▷ 다른 위법사유 들어 처분효력 다툴 수 없음

② (○) 취소판결 확정 후 사실심 변론종결 후의 사유로 거부처분을 하는 것은 기속력에 위배되지 않는다.

> 행정소송법 제30조 제2항의 규정에 의하면 행정청의 거부처분을 취소하는 판결이 확정된 경우에는 그 처분을 행한 행정청이 판결의 취지에 따라 이전의 신청에 대하여 재처분할 의무가 있으나, 이 때 확정판결의 당사자인 처분 행정청은 그 행정소송의 사실심 변론종결 이후 발생한 새로운 사유를 내세워 다시 이전의 신청에 대한 거부처분을 할 수 있고 그러한 처분도 위 조항에 규정된 재처분에 해당된다(대판 1997.2.4. 96두70).

③ (○) 기속력은 인용판결에 한하여 인정되고 기각판결에는 인정되지 않는다. 따라서 취소소송의 기각판결이 있은 후에도 처분청은 당해 처분을 직권으로 취소할 수 있다.
④ (○) 기판력은 법적 안정성의 요청에 따라 인정되는 효력이고, 판결의 주문에 포함된 것에만 생기므로 판결의 대상이 된 처분에만 미친다.
⑤ (×) 기각판결의 경우 당해 처분이 적법하다는 점에 기판력이 발생하므로, 원고는 다른 위법사유를 들어 다시 처분의 효력을 다툴 수 없다.

답 ⑤

025 □□□

거부처분취소판결에 따른 행정청의 재처분의무에 대한 설명으로 옳지 않은 것은? (다툼이 있는 경우 판례에 의함)

① 행정청의 재처분 내용은 판결의 취지를 존중하는 것이면 되고 반드시 원고가 신청한 내용대로 처분해야 하는 것은 아니다.
② 거부처분 후에 법령이 개정·시행된 경우, 거부처분 취소의 확정판결을 받은 행정청이 개정된 법령을 새로운 사유로 들어 다시 거부처분을 한 경우도 재처분에 해당한다.
③ 위법판단의 기준시에 관하여 판결시설을 취하면 사실심 변론종결시 이전의 사유를 내세워 다시 거부처분을 할 수 있다.
④ 행정처분에 대하여 무효확인 판결이 내려진 경우에는 그 행정처분이 거부처분인 경우에도 행정청에 판결의 취지에 따른 재처분의무가 인정될 뿐 그에 대하여 간접강제까지 허용되는 것은 아니다.

| 2019년 서울시 9급

① (○) 행정청은 판결의 취지를 존중하면 되는 것이지 반드시 신청한 내용대로 처분을 하여야 하는 것은 아니다.

> 「행정소송법」 제30조 【취소판결등의 기속력】 ② 판결에 의하여 취소되는 처분이 당사자의 신청을 거부하는 것을 내용으로 하는 경우에는 그 처분을 행한 행정청은 판결의 취지에 따라 다시 이전의 신청에 대한 처분을 하여야 한다.

② (○) 거부처분 후 법개정이 되면 그를 이유로 다시 거부처분이 가능하다.

> 행정처분의 적법 여부는 그 행정처분이 행하여 진 때의 법령과 사실을 기준으로 하여 판단하는 것이므로 거부처분 후에 법령이 개정·시행된 경우에는 개정된 법령 및 허가기준을 새로운 사유로 들어 다시 이전의 신청에 대한 거부 처분을 할 수 있으며 그러한 처분도 행정소송법 제30조 제2항에 규정된 재처분에 해당된다(대결 1998.1.7. 97두22).

③ (×) 판결시설을 따르는 경우 기속력은 판결시를 기준으로 그 당시까지 존재하였던 처분사유에 대하여만 미치고, 그 이후에 생긴 사유에는 미치지 않는다. 따라서 사실심 변론종결시 이전의 사유에는 기속력이 미치므로 다시 거부처분을 할 수 없다.

◈ 문제 DATA
출제가능 지수 ▶▶▷
난이도 지수 ★★☆

함께 정리하기
재처분의무

재처분 내용
▷ 판결취지 존중○
▷ 원고의 신청대로 처분×

거부처분 후 법령개정
▷ 법개정을 이유로 다시 거부처분 可

판결시설
▷ 판결 이전의 사유에 기속력 미침

무효등 확인소송
▷ 기속력 준용○
▷ 간접강제 준용×

④ (○) 「행정소송법」은 제38조에서 기속력 규정은 준용하나, 간접강제 규정은 준용하고 있지 않다.

> 「행정소송법」 제38조 【준용규정】 ① 제9조, 제10조, 제13조 내지 제17조, 제19조, 제22조 내지 제26조, 제29조 내지 제31조 및 제33조의 규정은 무효등 확인소송의 경우에 준용한다.
> 제30조 【취소판결등의 기속력】 ② 판결에 의하여 취소되는 처분이 당사자의 신청을 거부하는 것을 내용으로 하는 경우에는 그 처분을 행한 행정청은 판결의 취지에 따라 다시 이전의 신청에 대한 처분을 하여야 한다.
> 제34조 【거부처분취소판결의 간접강제】 ① 행정청이 제30조 제2항의 규정에 의한 처분을 하지 아니하는 때에는 제1심수소법원은 당사자의 신청에 의하여 결정으로써 상당한 기간을 정하고 행정청이 그 기간내에 이행하지 아니하는 때에는 그 지연기간에 따라 일정한 배상을 할 것을 명하거나 즉시 손해배상을 할 것을 명할 수 있다.

답 ③

026

甲은 관할 A행정청에 토지형질변경허가를 신청하였으나 A행정청은 허가를 거부하였다. 이에 甲은 거부처분취소소송을 제기하여 재량의 일탈·남용을 이유로 취소판결을 받았고, 그 판결은 확정되었다. 이에 대한 설명으로 옳은 것은? (다툼이 있는 경우 판례에 의함)

① A행정청이 거부처분 이전에 이미 존재하였던 사유 중 거부처분 사유와 기본적 사실관계의 동일성이 없는 사유를 근거로 다시 거부처분을 하는 것은 허용되지 않는다.
② A행정청이 재처분을 하였더라도 취소판결의 기속력에 저촉되는 경우에는 甲은 간접강제를 신청할 수 있다.
③ A행정청의 재처분이 취소판결의 기속력에 저촉되더라도 당연무효는 아니고 취소사유가 될 뿐이다.
④ A행정청이 간접강제결정에서 정한 의무이행 기한 내에 재처분을 이행하지 않아 배상금이 이미 발생한 경우에는 그 이후에 재처분을 이행하더라도 甲은 배상금을 추심할 수 있다.

| 2019년 국가직 9급

① (×) 행정처분의 위법 여부는 행정처분이 행하여진 때의 법령과 사실을 기준으로 판단하므로, 확정판결의 당사자인 처분 행정청은 종전 처분 후에 발생한 새로운 사유를 내세워 다시 처분을 할 수 있고, <u>새로운 처분의 처분사유가 종전 처분의 처분사유와 기본적 사실관계에서 동일하지 않은 다른 사유에 해당하는 이상, 처분사유가 종전 처분 당시 이미 존재하고 있었고 당사자가 이를 알고 있었더라도 이를 내세워 새로이 처분을 하는 것은 확정판결의 기속력에 저촉되지 않는다</u>(대판 2016.3.24. 2015두48235).
② (○) 기속력에 위배된 재처분에 대해 간접강제신청이 가능하다.

> 거부처분에 대한 취소의 확정판결이 있음에도 행정청이 아무런 재처분을 하지 아니하거나, 재처분을 하였다 하더라도 그것이 종전 거부처분에 대한 취소의 확정판결의 기속력에 반하는 등으로 당연무효라면 이는 아무런 재처분을 하지 아니한 때와 마찬가지라 할 것이므로 이러한 경우에는 행정소송법 제30조 제2항, 제34조 제1항 등에 의한 간접강제신청에 필요한 요건을 갖춘 것으로 보아야 한다(대결 2002.12.11. 2002무22).

③ (×) 기속력에 위반한 행정청의 처분은 위법한 것으로서 무효사유에 해당한다는 것이 판례이다. 따라서 기속력에 위배된 재처분의 효력은 당연무효에 해당한다.

> 재처분을 하였다 하더라도 그것이 종전 거부처분에 대한 취소의 확정판결의 기속력에 반하는 등으로 당연무효라면 이는 아무런 재처분을 하지 아니하는 때와 마찬가지라 할 것이다(대결 2002.12.11. 2002무22).

④ (×) 의무이행 기간 도과 후 재처분을 이행하면 배상금을 추심할 수 없다.

> 행정소송법 제34조 소정의 간접강제결정에 기한 배상금은 거부처분취소판결이 확정된 경우 그 처분을 행한 행정청으로 하여금 확정판결의 취지에 따른 재처분의무의 이행을 확실히 담보하기 위한 것으로서, 재처분의 이행에 관한 심리적 강제수단에 불과한 것으로 보아야 하므로, 특별한 사정이 없는 한 간접강제결정에서 정한 의무이행기한이 경과한 후에라도 확정판결의 취지에 따른 재처분의 이행이 있으면 배상금을 추심함으로써 심리적 강제를 꾀할 목적이 상실되어 처분상대방이 더 이상 배상금을 추심하는 것은 허용되지 않는다(대판 2004.1.15. 2002두2444).

답 ②

027 □□□

기속력 등에 대한 설명으로 옳지 않은 것은? (다툼이 있는 경우 판례에 의함)

① 절차상 하자로 인하여 무효인 행정처분이 있은 후 행정청이 관계법령에서 정한 절차를 갖추어 다시 동일한 행정처분을 하였다면 당해 행정처분은 종전의 무효인 행정처분과 관계없이 새로운 행정처분이라고 보아야 한다.
② 甲 시장이 A 주식회사의 공동주택 건립을 위한 주택건설사업계획승인 신청에 대하여 미디어밸리 조성을 위한 시가화 예정지역이라는 이유로 거부하자 A 주식회사가 거부처분 취소소송을 제기하여 승소확정판결을 받았고 이후 甲 시장이 해당 토지 일대가 개발행위허가 제한 지역으로 지정되었다는 이유로 다시 거부하는 처분을 한 사안에서 재거부처분은 종전 거부처분을 취소한 확정판결의 기속력에 반하는 것은 아니다.
③ 제3자효 행정처분의 취소소송에서 절차의 하자로 취소의 확정판결이 있은 경우 당해 행정청은 재처분의무가 있다.
④ 행정행위 중 신청에 의한 처분의 경우에는 신청에 대하여 일단 거부처분이 행하여지면 그 거부처분이 적법한 절차에 의하여 취소되지 않는 한 사유를 추가하여 거부처분을 반복하는 것은 취소의 흠이 있는 거부처분이 반복되는 것이 된다.
⑤ 행정청의 거부처분을 취소하는 판결이 확정된 경우 확정판결의 당사자인 처분 행정청은 그 행정소송의 사실심 변론종결 이후 발생한 새로운 사유를 내세워 다시 이전의 신청에 대하여 거부처분을 할 수 있다.

2019년 국회직 8급

① (○) 절차하자로 무효인 처분에 대해 절차를 거쳐 재처분하면 기속력에 위배되지 않는다.

> 절차상 또는 형식상 하자로 인하여 무효인 행정처분이 있은 후 행정청이 관계 법령에서 정한 절차 또는 형식을 갖추어 다시 동일한 행정처분을 하였다면 당해 행정처분은 종전의 무효인 행정처분과 관계없이 새로운 행정처분이라고 보아야 한다(대판 2014.3.13. 2012두1006).

② (○) 동일성이 없는 사유로 다시 거부처분을 하는 것은 기속력에 저촉되지 않는다. 따라서 개발행위허가 제한구역 지정을 이유로 한 재거부처분은 기속력에 위배되지 않는다.

> 고양시장이 甲 주식회사의 공동주택 건립을 위한 주택건설사업계획승인 신청에 대하여 미디어밸리 조성을 위한 시가화예정 지역이라는 이유로 거부하자, 甲 회사가 거부처분의 취소를 구하는 소송을 제기하여 승소판결을 받았고 위 판결이 그대로 확정되었는데, 이후 고양시장이 해당 토지 일대가 개발행위허가 제한지역으로 지정되었다는 이유로 다시 거부하는 처분을 한 경우, 종전 거부처분 사유와 내용상 기초가 되는 구체적인 사실관계가 달라 기본적 사실관계가 동일하다고 볼 수 없으므로 행정소송법 제30조 제2항에서 정한 재처분에 해당하고 종전 거부처분을 취소한 확정판결의 기속력에 반하는 것은 아니다(대판 2011.10.27. 2011두14401).

문제 DATA

출제가능 지수 ▶▶▷
난이도 지수 ★★★

함께 정리하기

기속력 위반 여부

절차하자로 무효인 행정처분 후 절차를 거쳐 재처분
▷ 위반×

시가화예정 지역임을 이유로한 거부처분 취소확정판결 후 개발행위허가가 제한지역으로 지정되었음을 이유로 한 재거부처분
▷ 위반×

제3자효 행정처분 취소소송에서 절차하자로 취소확정판결
▷ 재처분의무 有

신청에 의한 처분에 대해 사유추가하여 재거부처분
▷ 당연무효

사실심 변론종결 이후의 새로운 사유로 재거부처분
▷ 위반×

제5장 항고소송 1(취소소송) **1747**

③ (O) 제3자효 행정처분의 취소소송에서 절차의 하자로 취소의 확정판결이 있은 경우 적법한 절차에 따라 처분을 하면 다시 동일한 수익처분이 내려질 가능성이 있기 때문에 재처분 의무를 인정하고 있다.

> 「행정소송법」제30조 【취소판결등의 기속력】② 판결에 의하여 취소되는 처분이 당사자의 신청을 거부하는 것을 내용으로 하는 경우에는 그 처분을 행한 행정청은 판결의 취지에 따라 다시 이전의 신청에 대한 처분을 하여야 한다.
> ③ 제2항의 규정은 신청에 따른 처분이 절차의 위법을 이유로 취소되는 경우에 준용한다.

④ (×) 신청에 의한 거부처분에 대해 사유를 추가하여 재거부처분하면 이는 당연무효에 해당한다.

> 행정행위 중 당사자의 신청에 의하여 인·허가 또는 면허 등 이익을 주거나 그 신청을 거부하는 처분을 하는 것을 내용으로 하는 이른바 신청에 의한 처분의 경우에는 신청에 대하여 일단 거부처분이 행해지면 그 거부처분이 적법한 절차에 의하여 취소되지 않는 한, 사유를 추가하여 거부처분을 반복하는 것은 존재하지도 않는 신청에 대한 거부처분으로서 당연무효이다(대판 1999.12.28. 98두1895).

⑤ (O) 사실심 변론종결 이후의 새로운 사유로 재거부처분하면 기속력에 위배되지 않는다.

> 행정소송법 제30조 제2항에 의하면, 행정청의 거부처분을 취소하는 판결이 확정된 경우에는 그 처분을 행한 행정청은 판결의 취지에 따라 이전의 신청에 대하여 재처분할 의무가 있고, 이 경우 확정판결의 당사자인 처분 행정청은 그 행정소송의 사실심 변론종결 이후 발생한 새로운 사유를 내세워 다시 이전의 신청에 대하여 거부처분을 할 수 있으며, 그러한 처분도 이 조항에 규정된 재처분에 해당한다(대판 1999.12.28. 98두1895).

답 ④

028

취소판결의 형성력의 내용에 해당하는 것으로만 고른 것은?

> ㄱ. 처분의 효력상실 내지 배제(형성효)
> ㄴ. 처분효과의 처분시로의 소급(소급효)
> ㄷ. 판결에 저촉되는 동일한 행위의 반복금지(반복금지효)
> ㄹ. 제3자에게도 효력이 미침(대세효)

① ㄱ, ㄴ
② ㄱ, ㄹ
③ ㄱ, ㄴ, ㄷ
④ ㄱ, ㄴ, ㄹ
⑤ ㄱ, ㄴ, ㄷ, ㄹ

| 2009년 세무사

ㄱ, ㄴ, ㄹ. (O) 판결의 형성력이란 판결의 취지에 따라 기존의 법률관계의 발생·변경·소멸을 가져오는 효력으로서 인용판결의 경우에만 인정되는 효력이다. 취소판결의 형성력은 형성효, 소급효, 제3자효(대세효)를 그 내용으로 한다. 형성효란 처분을 취소하는 판결이 확정되면 처분청의 별도의 행위 없이도 처분 등의 효력이 상실(배제)되어 처분이 없었던 것과 같은 상태가 되는 것을 말한다. 취소판결의 취소의 효과는 처분시로 소급하는데, 이를 취소판결의 소급효라 한다. 따라서 취소판결이 확정되면 처분의 효력은 처분청의 별도의 행위를 기다릴 필요 없이 처분시로 소급하여 소멸되고, 취소된 처분을 전제로 형성된 법률관계도 역시 그 효력을 상실한다. 취소판결의 제3자효란 취소의 효력(형성효, 소급효)이 소송에 관여하지 않은 제3자에 대하여 미치는 것을 말한다.

ㄷ. (×) 기속력의 내용에 해당한다.

답 ④

029

항고소송에 대한 설명으로 옳은 것은? (다툼이 있는 경우 판례에 의함)

① 부작위위법확인소송에서 사인의 신청권 존재 여부는 부작위의 성립과 관련하므로 원고적격의 문제와는 관련이 없다.
② 취소소송의 심리에 있어서 주장책임은 직권탐지주의를 보충적으로 인정하고 있는 한도 내에서 그 의미가 완화된다.
③ 소송에서 있어서 처분권주의는 사적자치에 근거를 둔 법질서에 뿌리를 두고 있으므로 취소소송에는 적용되지 않는다.
④ 취소소송의 소송물을 처분의 위법성 일반으로 보게 되면, 어떠한 처분에 대한 청구기각의 확정판결이 있는 경우에도 후에 제기되는 취소소송에서 그 처분의 위법성을 주장할 수 있다.

2018년 지방직 9급

① (×) 부작위위법확인소송에서의 원고적격에도 신청권이 요구된다.

> 부작위위법확인소송은 처분의 신청을 한 자로서 부작위의 위법의 확인을 구할 법률상의 이익이 있는 자만이 제기할 수 있다 할 것이며, 당사자가 행정청에 대하여 그러한 행정행위를 하여 줄 것을 요구할 수 있는 법규상 또는 조리상의 권리를 갖고 있지 아니하든지 또는 행정청이 당사자의 신청에 대하여 거부처분을 한 경우에는 원고적격이 없거나 항고소송의 대상인 위법한 부작위가 있다고 볼 수 없어 그 부작위위법확인의 소는 부적법하다(대판 1995.9.15. 95누7345).

② (○) 행정소송에도 변론주의가 적용되므로 당사자는 주장책임이 있다. 다만, 변론주의는 당사자주의를 구현하기 위한 것으로서 무기평등의 원칙을 그 전제로 한다. 그러나 현실적으로 그렇지 못한 경우가 많으며 이는 사법정의에 배치되는 점에서 이러한 한계를 극복하기 위하여 직권심리주의가 부분적으로 도입이 된다. 따라서 주장책임은 직권탐지주의가 인정되는 한도에서 의미가 완화된다고 할 수 있다.

③ (×) 처분권주의란 절차의 개시, 심판의 대상, 절차의 종결에 관하여 당사자가 결정권을 가지는 원칙을 말하며, 행정소송에서도 처분권주의가 적용된다.

> 「행정소송법」 제8조【법적용예】② 행정소송에 관하여 이 법에 특별한 규정이 없는 사항에 대하여는 「법원조직법」과 「민사소송법」 및 「민사집행법」의 규정을 준용한다.
> 「민사소송법」 제203조【처분권주의】법원은 당사자가 신청하지 아니한 사항에 대하여는 판결하지 못한다.

④ (×) 취소소송의 소송물을 처분의 위법성 일반으로 보는 경우, 전소에서 확정된 청구기각판결의 경우 처분이 적법하다는 것에 대해 기판력이 발생하므로 후소에서 처분의 위법성을 주장할 수 없게 된다.

답 ②

문제 DATA
출제가능 지수 ▶▶▷
난이도 지수 ★★☆

함께 정리하기
항고소송

부작위위법확인소송 원고적격
▷ 신청권 요함

보충적 직권탐지주의
▷ 주장책임 의미 완화

처분권주의
▷ 취소소송에 적용

전소 기각 시
▷ 후소에서 처분위법성 주장 불가

문제 DATA
출제가능 지수 ▶▶▷
난이도 지수 ★★☆

030 □□□

처분을 취소하는 확정판결의 기속력에 대한 설명으로 옳지 않은 것은? (다툼이 있는 경우 판례에 의함)

① 임용기간이 만료된 국·공립대학 교원의 재임용거부처분이 법원의 판결에 의하여 취소되었다고 하더라도 임용권자는 다시 재임용 심의를 하여 재임용 여부를 결정할 의무를 부담할 뿐이다.
② 거부처분이 취소된 경우에 취소된 처분 이후에 발생한 새로운 사유로 다시 거부처분을 할 수 있고, 새로운 사유인지 여부는 그 사유가 종전 처분의 거부사유와 기본적 사실관계의 동일성의 범위 안에 있는지 여부에 달려있다.
③ 취소된 처분의 사유와 기본적 사실관계에서 동일하지 않다 하더라도, 종전 처분 당시에 이미 존재하고 있었고 당사자가 이를 알고 있었던 사유라면 그러한 사유로 동일한 재처분을 할 수 없다.
④ 취소된 처분의 사유와 기본적 사실관계가 동일하지 않으면 종전 처분 당시에 존재하였던 사유일지라도 그를 이유로 하여 동일한 재처분을 할 수 있다.
⑤ 기속력은 주로 판결의 실효성 확보를 위하여 인정되는 효력으로서 판결의 주문뿐만 아니라 그 전제가 되는 처분 등의 구체적 위법사유에 관한 이유 중의 판단에 대하여도 인정된다.

| 2018년 5급 승진

① (O) 국·공립대학교원 재임용거부 취소판결이 있으면 임용권자는 다시 재임용 여부를 결정할 의무가 있다.

> 임용기간이 만료된 교원의 재임용이 거부되었다가 그 재임용거부처분이 법원의 판결에 의하여 취소되었다고 하더라도 임용권자는 다시 재임용 심의를 하여 재임용 여부를 결정할 의무를 부담할 뿐, 위와 같은 취소 판결로 인하여 당연히 그 교원이 재임용거부처분 당시로 소급하여 신분관계를 회복한다고 볼 수는 없다(대판 2009.3.26. 2009두416).

② (O), ③ (X) 기속력 위배는 기본적 사실관계의 동일성을 기준으로 한다.

> 확정판결의 당사자인 처분 행정청은 종전 처분 후에 발생한 새로운 사유를 내세워 다시 거부처분을 할 수 있고, 그러한 처분도 위 조항에 규정된 재처분에 해당한다. 여기에서 '새로운 사유'인지는 종전 처분에 관하여 위법한 것으로 판결에서 판단된 사유와 기본적 사실관계의 동일성이 인정되는 사유인지에 따라 판단되어야 하고, 추가 또는 변경된 사유가 처분 당시에 그 사유를 명기하지 않았을 뿐 이미 존재하고 있었고 당사자도 그 사실을 알고 있었다고 하여 당초 처분사유와 동일성이 있는 것이라고 할 수는 없다(대판 2011.10.27. 2011두14401).

④ (O) 기본적 사실관계 동일성이 없으면 처분시 존재한 사유로도 동일처분이 가능하다.

> 새로운 처분의 처분사유가 종전 처분의 처분사유와 기본적 사실관계에서 동일하지 않은 다른 사유에 해당하는 이상, 처분사유가 종전 처분 당시 이미 존재하고 있었고 당사자가 이를 알고 있었더라도 이를 내세워 새로이 처분을 하는 것은 확정판결의 기속력에 저촉되지 않는다(대판 2016.3.24. 2015두48235).

⑤ (O) 기속력은 판결주문, 판결이유 중 구체적 위법사유에 미친다.

> 행정소송법 제30조 제1항에 의하여 인정되는 취소소송에서 처분 등을 취소하는 확정판결의 기속력은 주로 판결의 실효성 확보를 위하여 인정되는 효력으로서 판결의 주문뿐만 아니라 그 전제가 되는 처분 등의 구체적 위법사유 에 관한 이유 중의 판단에 대하여도 인정된다(대판 2001.3.23. 99두5238).

답 ③

함께 정리하기

기속력

국·공립대학교원 재임용거부 취소판결
▷ 임용권자 다시 재임용 여부 결정의무 有

취소판결 후 새로운 사유로 재거부처분 可
▷ 기본적 사실관계의 동일성 기준

기본적 사실관계 동일성×
▷ 처분시 존재했거나 당사자 알고 있어도 동일처분 可

기본적 사실관계 동일성×
▷ 처분시 존재했어도 동일처분 可

기속력의 범위
▷ 판결주문, 판결이유 중 구체적 위법사유

031

「행정소송법」상 취소판결의 효력 중 기속력에 대한 설명으로 가장 옳지 않은 것은? (다툼이 있는 경우 판례에 의함)

① 종전 확정판결의 행정소송 과정에서 한 주장 중 처분사유가 되지 아니하여 판결의 판단대상에서 제외된 부분을 행정청이 그 후 새로이 행한 처분의 적법성과 관련하여 새로운 소송에서 다시 주장하는 것은 확정판결의 기판력에 저촉된다.
② 여러 법규 위반을 이유로 한 영업허가취소처분이 처분의 이유로 된 법규 위반 중 일부가 인정되지 않고 나머지 법규 위반으로는 영업허가취소처분이 비례의 원칙에 위반된다고 취소된 경우에 판결에서 인정되지 않은 법규 위반사실을 포함하여 다시 영업정지처분을 내리는 것은 동일한 행위의 반복은 아니지만 판결의 취지에 반한다.
③ 파면처분에 대한 취소판결이 확정되면 파면되었던 원고를 복직시켜야 한다.
④ 법규 위반을 이유로 내린 영업허가취소처분이 비례의 원칙 위반으로 취소된 경우에 동일한 법규 위반을 이유로 영업정지처분을 내리는 것은 기속력에 반하지 않는다.

2017년 서울시 9급

① (×) 종전 소송과정에서 판단대상에서 제외된 사유는 후소에서 주장할 수 있다.

> 종전 확정판결의 행정소송 과정에서 한 주장 중 처분사유가 되지 아니하여 판결의 판단대상에서 제외된 부분을 행정청이 그 후 새로이 행한 처분의 적법성과 관련하여 새로운 소송에서 다시 주장하는 것이 위 확정판결의 기판력에 저촉되지 않는다(대판 1991.8.9. 90누7326).

②, ④ (○) 기속력은 판결의 이유에 제시된 위법사유에 대하여 미치므로 판결의 이유에서 제시된 위법사유를 다시 반복하는 것은 동일한 처분이 아닌 경우에도 동일한 과오를 반복하는 것으로서 기속력에 반한다. 예컨대 법규 위반을 이유로 내린 영업허가 취소처분이 비례의 원칙 위반으로 취소된 경우에 동일한 법규 위반을 이유로 영업정지처분을 내리는 것은 기속력에 반하지 않지만, 법규 위반사실이 없는 것을 이유로 영업허가취소처분이 취소된 경우에 동일한 법규 위반을 이유로 영업정지처분을 내리는 것은 기속력에 반한다. 따라서 판결에서 인정되지 않은 법규 위반을 포함하여 다시 영업정지처분을 내리는 것을 기속력에 반한다(반복금지효).
③ (○) 취소판결이 확정되면 행정청은 취소된 처분에 의해 초래된 위법상태를 제거하여 원상회복할 의무를 진다(원상회복의무). 따라서 파면처분에 대한 취소판결이 확정되면 파면되었던 원고를 복직시켜야 한다.

답 ①

문제 DATA

출제가능 지수 ▶▶▷
난이도 지수 ★★☆

032 □□□

다음 사례에 대한 설명으로 옳지 않은 것은?

> 유흥주점영업허가를 받아 주점을 운영하는 甲은 A시장으로부터 연령을 확인하지 않고 청소년을 주점에 출입시켜「청소년보호법」을 위반하였다는 사실을 이유로 한 영업허가취소처분을 받았다. 甲은 이에 불복하여 취소소송을 제기하였고 취소확정판결을 받았다.

① A시장은 甲이 청소년을 유흥접객원으로 고용하여 유흥행위를 하게 하였다는 이유로 다시 영업허가취소처분을 할 수는 있다.
② 영업허가취소처분은 지나치게 가혹하다는 이유로 취소확정판결이 내려졌다면, A시장은 甲에게 연령을 확인하지 않고 청소년을 출입시켰다는 이유로 영업허가정지처분을 할 수는 있다.
③ 청소년들을 주점에 출입시킨 사실이 없다는 이유로 취소확정판결이 내려졌다면, A시장은 甲에게 연령을 확인하지 않고 청소년을 출입시켰다는 이유로 영업허가취소처분을 할 수는 없다.
④ 청문절차를 거치지 않았다는 이유로 취소확정판결이 내려졌다면, A시장은 적법한 청문절차를 거치더라도 甲에게 연령을 확인하지 않고 청소년을 출입시켰다는 이유로 영업허가취소처분을 할 수는 없다.

2017년 국가직 9급

함께 정리하기

사례해결
다른 사유를 이유로 처분
▷ 기속력에 저촉×
비례원칙 위반으로 영업허가취소
▷ 영업허가정지 가
기속력
▷ 판결이유에 제시된 위법사유에도 미침
절차위법 취소확정
▷ 절차 거쳐 동일처분 가

① (○) 다른 사유를 이유로 한 재처분은 기속력에 저촉되지 않는다. 따라서 청소년을 주점에 출입시켰다는 사실과 청소년을 유흥접객원으로 고용하여 유흥행위를 하게 하였다는 사실은 기본적 사실관계가 달라 기속력이 미치지 않으므로 청소년을 유흥접객원으로 고용하여 유흥행위를 하게 하였다는 이유로 영업허가취소처분을 할 수 있다.

> 취소 확정판결의 기속력은 판결의 주문 및 전제가 되는 처분 등의 구체적 위법사유에 관한 판단에도 미치나, 종전 처분이 판결에 의하여 취소되었더라도 종전 처분과 다른 사유를 들어서 새로이 처분을 하는 것은 기속력에 저촉되지 않는다. 기본적 사실관계의 동일성 유무는 처분사유를 법률적으로 평가하기 이전의 구체적인 사실에 착안하여 그 기초인 사회적 사실관계가 기본적인 점에서 동일한지에 따라 결정된다(대판 2016.3.24. 2015두48235).

② (○) 취소판결이 확정되면, 처분청 및 관계행정청은 판결의 취지에 저촉되는 처분을 하여서는 안된다는 구속을 반복금지효라 한다. '동일한 처분'이란, 취소소송에서 인용판결이 확정된 뒤, 당사자인 행정청과 관계 행정청이 동일한 사실관계 아래서 동일 당사자에 대하여 동일한 내용의 처분을 반복하는 것을 말한다. 영업허가취소처분과 영업허가정지처분은 동일한 처분이 아니므로 A시장은 甲에게 연령을 확인하지 않고 청소년을 출입시켰다는 이유로 영업허가정지처분을 할 수는 있다.

③ (○) 기속력은 판결의 이유에 제시된 위법사유에 대하여도 미치므로 판결의 이유에서 제시된 위법사유를 다시 반복하는 것은 동일한 처분이 아닌 경우에도 동일한 과오를 반복하는 것으로서 기속력에 반한다. 따라서 청소년들을 주점에 출입시킨 사실이 없다는 이유로 취소확정판결이 내려졌다면, A시장은 甲에게 연령을 확인하지 않고 청소년을 출입시켰다는 이유로 영업허가취소처분을 할 수는 없다.

④ (×) 절차의 위법으로 취소판결이 확정되어도 적법한 절차를 거친 후 동일한 처분을 할 수 있다. 따라서 청문절차를 거치지 않았다는 이유로 취소확정판결이 내려졌다면, A시장은 적법한 청문절차를 거친 후 甲에게 연령을 확인하지 않고 청소년을 출입시켰다는 이유로 영업허가취소처분을 할 수 있다.

> 행정처분의 절차 또는 형식에 위법이 있어 행정처분을 취소하는 판결이 확정되었을 때는 그 확정판결의 기판력은 거기에 적시된 절차 및 형식의 위법사유에 한하여 미치는 것이므로 행정관청은 그 위법사유를 보완하여 다시 새로운 행정처분을 할 수 있고 그 새로운 행정처분은 확정판결에 의하여 취소된 종전의 행정처분과는 별개의 처분이라 할 것이어서 종전의 처분과 중복된 행정처분이 아니다(대판 1992.5.26. 91누5242).

답 ④

033

판결의 기속력에 대한 설명으로 옳지 않은 것은? (다툼이 있는 경우 판례에 의함)

① 거부처분이 있은 후 법령이 개정되어 시행된 경우에는 개정된 법령과 그에 따른 기준을 새로운 사유로 들어 다시 거부처분을 하더라도 기속력에 반하는 것은 아니다.
② 기속력의 주관적 범위는 그 사건에 관하여 당사자인 행정청과 그 밖의 관계행정청에 미친다.
③ 거부처분취소소송에서 재처분의무의 실효성을 확보하기 위한 간접강제제도는 부작위위법확인소송에도 준용된다.
④ 기속력의 객관적 범위는 판결의 주문과 판결이유 중에 설시된 개개의 위법사유 및 간접사실이다.
⑤ 기속력을 위반한 행정청의 행위는 당연무효이다.

문제 DATA
출제가능 지수 ▶▶▷
난이도 지수 ★★☆

2020년 국회직 8급

① (○) 거부처분 후 개정법령에 따라 다시 거부처분을 한 경우도 적법한 재처분에 해당한다.

> 거부처분 후에 법령이 개정되어 시행된 경우에는 개정된 법령의 허가기준을 새로운 사유로 들어 다시 이전의 신청에 대한 거부처분을 할 수 있으며, 그러한 거부처분도 원칙적으로 「행정소송법」 제30조 제2항에 규정된 재처분에 해당된다(대결 1998.1.7. 97두22).

② (○)

> 「행정소송법」 제30조 【취소판결등의 기속력】 ① 처분등을 취소하는 확정판결은 그 사건에 관하여 당사자인 행정청과 그 밖의 관계행정청을 기속한다.

③ (○)

> 「행정소송법」 제34조 【거부처분취소판결의 간접강제】 ① 행정청이 제30조 제2항의 규정에 의한 처분을 하지 아니하는 때에는 제1심 수소법원은 당사자의 신청에 의하여 결정으로써 상당한 기간을 정하고 행정청이 그 기간내에 이행하지 아니하는 때에는 그 지연기간에 따라 일정한 배상을 할 것을 명하거나 즉시 손해배상을 할 것을 명할 수 있다.
> 제38조 【준용규정】 ② 제9조, 제10조, 제13조 내지 제19조, 제20조, 제25조 내지 제27조, 제29조 내지 제31조, 제33조 및 제34조의 규정은 부작위위법확인소송의 경우에 준용한다.

④ (×) 기속력은 판결의 주문과 이유 중에 설시된 개개의 위법사유에만 미친다.

> 확정판결의 기속력은 판결주문 및 그 전제가 된 처분 등의 구체적 위법사유에 관한 이유 중의 판단에 대하여 인정되고, 이유 중에서 판단되지 않은 사정 즉, 판결의 결론과 직접 관계없는 방론이나 간접사실에는 미치지 아니한다 할 것이다(서울행법 2007.4.6. 2007아588).

⑤ (○) 기속력에 반하는 재처분은 당연무효이다.

> 재처분을 하였다 하더라도 그것이 종전 거부처분에 대한 취소의 확정판결의 기속력에 반하는 등으로 당연무효라면 이는 아무런 재처분을 하지 아니하는 때와 마찬가지라 할 것이다(대결 2002.12.11. 2002무22).

답 ④

함께 정리하기

판결의 기속력

거부처분이 있은 후 개정법령을 근거로 다시 거부처분
▷ 적법한 재처분 ○

기속력의 주관적 범위
▷ 행정청과 그 밖의 관계행정청

간접강제제도
▷ 부작위법확인소송에 준용 ○

기속력의 객관적 범위
▷ 판결의 주문과 이유 중에 설시된 개개의 위법사유

기속력을 위반한 행정청의 행위
▷ 무효

문제 DATA

출제가능 지수 ▶▶▷
난이도 지수 ★★☆

034 □□□

행정소송에 대한 설명으로 옳은 것은? (다툼이 있는 경우 판례에 의함)

① 국세부과처분 취소소송에는 임의적 행정심판전치주의가 적용된다.
② 당사자소송 계속 중 법원의 허가를 얻어도 취소소송으로 변경할 수 없다.
③ 취소소송에는 대세효(제3자효)가 있으나 당사자소송에는 인정되지 않는다.
④ 취소소송에서 행정처분의 위법 여부는 판결 선고당시의 법령과 사실상태를 기준으로 판단한다.

2017년 교육행정직

함께 정리하기

행정소송

국세부과처분 취소소송
▷ 필요적 행정심판전치주의

당사자소송 계속 중 법원의 허가
▷ 취소소송으로 변경 可

대세효(제3자효)
▷ 취소소송 O
▷ 당사자소송 ✕

취소소송에서 위법판단 기준시
▷ 처분시

① (✕) 「국세기본법」에서는 위법한 처분에 대한 행정소송은 「국세기본법」에 따른 심사청구 또는 심판청구와 그에 대한 결정을 거치지 아니하면 제기할 수 없도록 규정하고 있다.

> 「국세기본법」 제56조 【다른 법률과의 관계】 ② 제55조에 규정된 위법한 처분에 대한 행정소송은 「행정소송법」 제18조 제1항 본문, 제2항 및 제3항에도 불구하고 이 법에 따른 심사청구 또는 심판청구와 그에 대한 결정을 거치지 아니하면 제기할 수 없다. 다만, 심사청구 또는 심판청구에 대한 제65조 제1항 제3호 단서(제80조의2에서 준용하는 경우를 포함한다)의 재조사 결정에 따른 처분청의 처분에 대한 행정소송은 그러하지 아니하다.

유제 10. 세무사 국세부과처분에 대해 취소소송을 제기하기 위해서는 심사청구 및 심판청구절차를 모두 거쳐야 한다. (✕)

② (✕)

> 「행정소송법」 제21조 【소의 변경】 ① 법원은 취소소송을 당해 처분등에 관계되는 사무가 귀속하는 국가 또는 공공단체에 대한 당사자소송 또는 취소소송외의 항고소송으로 변경하는 것이 상당하다고 인정할 때에는 청구의 기초에 변경이 없는 한 사실심의 변론종결시까지 원고의 신청에 의하여 결정으로써 소의 변경을 허가할 수 있다.
> 제42조 【소의 변경】 제21조의 규정은 당사자소송을 항고소송으로 변경하는 경우에 준용한다.

③ (O) 당사자소송도 확정판결의 자박력, 확정력이 인정되고, 취소소송에 있어서 판결의 기속력은 당사자소송의 판결에도 준용된다(제44조 제1항, 제30조 제1항). 다만, 취소판결의 제3자효(제29조 제1항), 재처분의무(제30조 제2항), 간접강제(제34조) 등은 당사자소송에서는 준용되지 않는다.

> 「행정소송법」 제44조 【준용규정】 ① 제14조 내지 제17조, 제22조, 제25조, 제26조, 제30조 제1항, 제32조 및 제33조의 규정은 당사자소송의 경우에 준용한다.

④ (✕) 판례는 적극적 처분에 대한 취소소송과 소극적 처분(거부처분)에 대한 취소소송의 경우를 가리지 않고 위법판단의 기준시를 일률적으로 '처분시'로 보고 있다(대판 1996.12.20. 96누9799 참조). 단, 부작위위법확인소송의 경우 판결시를 기준으로 하고 있다.

> 항고소송에서 행정처분의 위법 여부는 행정처분이 있을 때의 법령과 사실 상태를 기준으로 판단하여야 하며, 법원은 행정처분 당시 행정청이 알고 있었던 자료뿐만 아니라 사실심 변론종결 당시까지 제출된 모든 자료를 종합하여 처분 당시 존재하였던 객관적 사실을 확정하고 그 사실에 기초하여 처분의 위법 여부를 판단할 수 있다(대판 2010.1.14. 2009두11843).

답 ③

035

「행정소송법」상 판결의 효력에 대한 설명으로 가장 옳지 않은 것은? (다툼이 있는 경우 판례에 의함)

① 기판력은 사실심 변론의 종결시를 기준으로 발생하므로, 처분청은 당해 사건의 사실심 변론종결 이전에 주장할 수 있었던 사유를 내세워 확정판결과 저촉되는 처분을 할 수 없다.
② 기속력은 판결의 취지에 따라 행정청을 구속하는바, 여기에는 판결의 주문과 판결이유 중에 설시된 개개의 위법사유가 포함된다.
③ 취소소송에서 소송의 대상이 된 거부처분을 실체법상의 위법사유에 기하여 취소하는 판결이 확정된 경우에는 당해 거부처분을 한 행정청은 원칙적으로 신청을 인용하는 처분을 하여야 한다.
④ 간접강제는 거부처분취소판결은 물론 부작위위법확인판결과 거부처분에 대한 무효등확인판결에서도 인정된다.

문제 DATA
출제가능 지수 ▶▶▷
난이도 지수 ★★☆

2017년 국가직 7급

① (O) 확정판결은 변론종결시까지 제출된 자료를 기초로 하여 이루어지는 것이기 때문에 기판력은 사실심의 변론종결시를 기준으로 하여 발생한다. 그러므로 행정처분을 취소하는 판결이 확정된 경우 행정청이 사실심변론종결 이전의 사유를 내세워 다시 확정판결에 저촉되는 행정처분을 하는 것은 확정판결의 기판력에 저촉된다.

②, ③ (O) 실체법상 이유로 취소판결이 확정되면 인용처분을 하여야 하는 것이 원칙이다.

> 행정소송법 제30조 제1항에 의하여 인정되는 취소소송에서 처분 등을 취소하는 확정판결의 기속력은 주로 판결의 실효성 확보를 위하여 인정되는 효력으로서 판결의 주문뿐만 아니라 그 전제가 되는 처분 등의 구체적 위법사유에 관한 이유 중의 판단에 대하여도 인정되고, 같은 조 제2항의 규정상 특히 거부처분에 대한 취소판결이 확정된 경우에는 그 처분을 행한 행정청은 판결의 취지에 따라 다시 처분을 하여야 할 의무를 부담하게 되므로, 취소소송에서 소송의 대상이 된 거부처분을 실체법상의 위법사유에 기하여 취소하는 판결이 확정된 경우에는 당해 거부처분을 한 행정청은 원칙적으로 신청을 인용하는 처분을 하여야 하고, 사실심 변론종결 이전의 사유를 내세워 다시 거부처분을 하는 것은 확정판결의 기속력에 저촉되어 허용되지 아니한다(대판 2001.3.23. 99두5238).

④ (✕) 간접강제는 부작위위법확인소송에만 준용규정이 있다.

> 「행정소송법」 제38조【준용규정】 ① 제9조, 제10조, 제13조 내지 제17조, 제19조, 제22조 내시 제26조, 제29조 내지 제31조 및 제33조의 규정은 무효등 확인소송의 경우에 준용한다.
> ② 제9조, 제10조, 제13조 내지 제19조, 제20조, 제25조 내지 제27조, 제29조 내지 제31조, 제33조 및 제34조의 규정은 부작위위법확인소송의 경우에 준용한다.

답 ④

함께 정리하기
판결의 효력

기판력 시적범위
▷ 사실심 변론종결시

기속력
▷ 주문 & 이유

실체법상 이유 거부처분취소확정
▷ 신청인용처분(원칙)

간접강제
▷ 부작위O
▷ 무효확인✕

ALL KILL 기출
제6절 취소소송의 판결

01 형성소송설에 따를 경우 취소판결이 확정되면 당해 처분의 효력은 행정청이 취소하지 않더라도 소급하여 효력을 상실한다. 　　12. 지방직 9급 ( )

02 사정판결이 있는 경우 원고는 피고인 행정청이 속하는 국가 또는 공공단체를 상대로 손해배상청구를 당해 취소소송 등이 계속된 법원에 병합하여 제기할 수 없다. 　　16. 서울시 9급 ( )

03 신뢰보호의 원칙과 비례의 원칙에 반하는 위법한 생활폐기물처리업허가의 거부처분이 취소될 경우 기존의 동종업체에게 경쟁 상대를 추가시킴으로써 일시적인 공급시설의 과잉현상이 나타나 업체의 난립 및 과당경쟁으로 인한 부작용이 예상되는 경우에 사정판결이 허용된다. 　　12. 국회직 8급 ( )

04 취소판결의 기판력은 소송의 대상이 된 처분의 위법성존부에 관한 판단 그 자체에만 미치기 때문에 기각판결의 원고는 당해 소송에서 주장하지 아니한 다른 위법사유를 들어 다시 처분의 효력을 다툴 수 있다. 　　18. 국회직 8급 ( )

05 인용판결이 확정되면 처분청은 당해 처분을 직권으로 취소하여야 한다. 　　10. 세무사 ( )

06 기속력은 취소소송의 인용판결은 물론 기각판결에 대하여서도 인정된다. 　　16. 국회직 8급 ( )

07 취소소송이 기각되어 처분의 적법성이 확정된 이후에도 처분청은 당해 처분이 위법함을 이유로 직권취소할 수 있다. 　　15. 국가직 7급 ( )

08 처분행정청은 기속력의 소극적 효력에 의하여 확정판결에 저촉되는 처분을 할 수 없다는 의미에서 동일처분의 반복금지의무를 진다. 　　08. 선관위 9급 ( )

09 거부처분취소판결이 확정되면 그 처분을 행한 행정청은 판결의 취지에 따라 다시 이전의 신청에 대한 처분을 하여야 한다. 　　16. 교행 ( )

10 거부처분이 실체적 위법을 이유로 취소된 경우에는 취소판결의 기속력에 의해 다시 거부처분을 할 수 없고 허가처분을 하여야 한다. 　　16. 서울시 9급 ( )

11 기속력은 취소판결 등의 실효성을 도모하기 위하여 인정된 효력이므로, 판결주문 및 그 전제가 된 요건사실의 인정과 효력의 판단에만 미친다. 　　10. 국가직 9급 ( )

정답 및 해설

01　○　행정처분을 취소한다는 확정판결이 있으면 형성력에 의하여 별도의 절차를 요하지 아니하고 당연히 취소의 효과가 발생함

02　×　사정판결이 있는 경우 취소소송 등이 계속된 법원에 손해배상청구 병합이 가능(「행정소송법」 제28조)

03　×　생활폐기물처리업 신규허가시 업체난립·과당경쟁부작용이 예상된다는 사유만으로 사정판결이 허용되지 않음(대판 1998.5.8. 98두4061)

04　×　기각판결의 기판력에 의해 다른 위법사유 들어 처분효력 다툴 수 없음

05　×　인용판결 확정되면 처분의 효력은 처분시로 소급하고 별도조치가 불필요

06　×　기속력은 기각판결에는 인정되지 않음(「행정소송법」 제30조)

07　○　기각판결에는 기속력이 없음(처분유지의무 없음)

08　○　기속력의 소극적 효력으로 반복금지의무가 생김

09　○　「행정소송법」 제30조 제2항

10　×　실체위법을 이유로 거부처분 취소확정된 경우 새로운 사유로 거부처분 할 수 있음(대판 2011.10.27. 2011두14401)

11　○　기속력의 객관적 범위는 주문과 요건사실의 인정·효력판단에만 미침(대판 2001.3.23. 99두5238)

제7절 | 취소소송의 불복절차[상소, 항고(재항고, 재심)]

001 □□□

제3자효 행정행위에 대한 설명으로 옳지 않은 것은? (다툼이 있는 경우 판례에 의함)

① 행정청은 제3자인 이해관계인이 요구하면, 해당 처분이 행정심판의 대상이 되는 처분인지와 행정심판의 대상이 되는 경우 소관 위원회 및 심판청구 기간을 지체 없이 알려 주어야 한다.
② 처분등을 취소하는 판결에 의하여 권리 또는 이익의 침해를 받은 제3자는 자기에게 책임없는 사유로 소송에 참가하지 못함으로써 판결의 결과에 영향을 미칠 공격 또는 방어방법을 제출하지 못한 때에는 이를 이유로 확정된 종국판결에 대하여 재심의 청구를 할 수 있다.
③ 제3자에 의한 재심청구는 제3자가 항고소송의 확정판결이 있음을 안 날로부터 90일 이내, 판결이 확정된 날로부터 1년 이내에 제기하여야 한다.
④ 법원은 소송의 결과에 따라 권리 또는 이익의 침해를 받을 제3자가 있는 경우에는 당사자 또는 제3자의 신청 또는 직권에 의하여 결정으로써 그 제3자를 소송에 참가시킬 수 있다.
⑤ 제3자효를 수반하는 행정행위에 대한 행정심판청구에 있어서 그 청구를 인용하는 내용의 재결로 인하여 비로소 권리이익을 침해받게 되는 자는 그 인용재결에 대하여 취소소송을 제기할 수 있다.

문제 DATA
출제가능 지수 ▶▶▷
난이도 지수 ★★☆

2024년 소방간부

① (○)

> 「행정심판법」 제58조 【행정심판의 고지】 ① 행정청이 처분을 할 때에는 처분의 상대방에게 다음 각 호의 사항을 알려야 한다.
> 1. 해당 처분에 대하여 행정심판을 청구할 수 있는지
> 2. 행정심판을 청구하는 경우의 심판청구 절차 및 심판청구 기간
> ② 행정청은 이해관계인이 요구하면 다음 각 호의 사항을 지체 없이 알려 주어야 한다. 이 경우 서면으로 알려 줄 것을 요구받으면 서면으로 알려 주어야 한다.
> 1. 해당 처분이 행정심판의 대상이 되는 처분인지
> 2. 행정심판의 대상이 되는 경우 소관 위원회 및 심판청구 기간

② (○), ③ (×) 확정판결이 있음을 안 날로부터 90일이 아니라 30일이다.

> 「행정소송법」 제31조 【제3자에 의한 재심청구】 ① 처분등을 취소하는 판결에 의하여 권리 또는 이익의 침해를 받은 제3자는 자기에게 책임없는 사유로 소송에 참가하지 못함으로써 판결의 결과에 영향을 미칠 공격 또는 방어방법을 제출하지 못한 때에는 이를 이유로 확정된 종국판결에 대하여 재심의 청구를 할 수 있다(②).
> ② 제1항의 규정에 의한 청구는 확정판결이 있음을 안 날로부터 30일 이내, 판결이 확정된 날로부터 1년 이내에 제기하여야 한다(③).
> ③ 제2항의 규정에 의한 기간은 불변기간으로 한다.

④ (○)

> 「행정소송법」 제16조 【제3자의 소송참가】 ① 법원은 소송의 결과에 따라 권리 또는 이익의 침해를 받을 제3자가 있는 경우에는 당사자 또는 제3자의 신청 또는 직권에 의하여 결정으로써 그 제3자를 소송에 참가시킬 수 있다.

함께 정리하기

제3자효 행정행위

신청고지
▷ 행정심판 대상여부, 위원회, 청구기간 등 고지 要

책임 없는 사유로 소송에 참가하지 못한 제3자
▷ 재심청구 可

제3자의 재심청구기간
▷ 확정판결 있음을 안 날 30일, 확정된 날 1년 이내(불변기간)

소송 결과에 따라 권익침해 받을 제3자
▷ 소송참가 可

제3자의 청구에 의한 인용재결
▷ 수익적 처분의 상대방은 인용재결 취소소송 可

⑤ (○) 이른바 복효적 행정행위, 특히 제3자효를 수반하는 행정행위에 대한 행정심판청구에 있어서 그 청구를 인용하는 내용의 재결로 인하여 비로소 권리이익을 침해받게 되는 자(예 제3자가 행정심판청구인인 경우의 행정처분 상대방 또는 행정처분 상대방이 행정심판청구인인 경우의 제3자)는 재결의 당사자가 아니라고 하더라도 그 인용재결의 취소를 구하는 소를 제기할 수 있으나, 그 인용재결로 인하여 새로이 어떠한 권리이익도 침해받지 아니하는 자인 경우에는 그 재결의 취소를 구할 소의 이익이 없다(대판 1995.6.13. 94누15592).

답 ③

문제 DATA

출제가능 지수 ▶▶▷
난이도 지수 ★★☆

002 □□□

「행정소송법」상 제3자에 의한 재심청구에 대한 설명으로 옳지 않은 것을 모두 고른 것은?

ㄱ. 제3자가 자기에게 책임 없는 사유로 소송에 참가하지 못한 경우이어야 한다.
ㄴ. 확정판결이 있음을 안 날로부터 30일 이내, 판결이 확정된 날로부터 90일 이내에 제기하여야 한다.
ㄷ. 제3자가 아닌 당사자에 의한 재심청구는 「민사소송법」의 규정에 따라야 한다.
ㄹ. 각하판결에 대하여도 제3자에 의한 재심청구가 인정된다.

① ㄱ, ㄴ
② ㄱ, ㄹ
③ ㄴ, ㄷ
④ ㄴ, ㄹ
⑤ ㄷ, ㄹ

2011년 세무사

ㄱ (○), ㄴ (×)

> 「행정소송법」 제31조 【제3자에 의한 재심청구】 ① 처분등을 취소하는 판결에 의하여 권리 또는 이익의 침해를 받은 제3자는 자기에게 책임없는 사유로 소송에 참가하지 못함으로써 판결의 결과에 영향을 미칠 공격 또는 방어방법을 제출하지 못한 때에는 이를 이유로 확정된 종국판결에 대하여 재심의 청구를 할 수 있다.
> ② 제1항의 규정에 의한 청구는 확정판결이 있음을 안 날로부터 30일 이내, 판결이 확정된 날로부터 1년 이내에 제기하여야 한다.

함께 정리하기

제3자에 의한 재심청구

책임 없는 사유로 소송에 참가하지 못한 경우일 것

청구기간
▷ 확정판결 있음을 안 날 30일 이내·확정된 날 1년 이내(불변기간)

당사자에 의한 재심청구
▷「민사소송법」 적용

각하판결
▷ 재심청구 불가

유제 20. 국회직 9급 제3자는 자기에게 책임 없는 사유로 소송에 참가하지 못함으로써 판결의 결과에 영향을 미칠 공격 또는 방어방법을 제출하지 못한 때에는 재심을 청구할 수 있다. (○)
15. 국회직 8급 처분 등을 취소하는 판결에 의하여 권리 또는 이익을 침해받은 제3자는 소송에 참가하지 못함으로써 판결의 결과에 영향을 미칠 공격 또는 방어방법을 제출하지 못한 때에는 그 귀책사유 여부와 관계없이 확정된 종국판결에 대하여 재심의 청구를 할 수 있다. (×)

ㄷ. (○) 「행정소송법」에는 제3자의 재심청구에 관하여 규정하고 있을 뿐이다. 당사자의 재심청구는 「행정소송법」 제8조에 의거 「민사소송법」 제451조 이하의 규정을 준용하여 청구하여야 한다.
ㄹ. (×) 제3자의 재심청구의 대상은 '처분 등을 취소하는 확정된 종국판결'이다. 각하판결은 취소하는 판결이 아니므로 재심청구의 대상이 아니다.

답 ④

♀ ALL KILL 기출   제7절 취소소송의 불복절차[상소, 항고(재항고, 재심)]

「행정소송법」은 제3자 보호를 위하여 제3자의 소송참가 외에 제3자의 재심청구를 인정하고 있다.
12. 국가직 9급 ( )

정답 및 해설

○ 제3자의 재심청구도 인정됨(「행정소송법」 제31조)

제6장 항고소송 2(무효등 확인소송)

001 □□□

항고소송 중 무효확인소송에 대한 설명으로 옳지 않은 것은? (다툼이 있는 경우 판례에 의함)

① 무효확인소송은 처분등의 효력 유무 또는 존재 여부의 확인을 구할 법률상 이익이 있는 자가 제기할 수 있다.
② 무효확인소송에는 행정심판전치주의가 적용되지 않는다.
③ 처분의 무효를 전제로 하는 이행소송과 같은 직접적인 구제수단이 있는 경우에는 무효확인소송을 제기할 수 없다.
④ 무효확인판결에는 취소판결의 기속력에 관한 규정이 준용된다.

> 2025년 경찰간부

① (○)

> 「행정소송법」제35조【무효등 확인소송의 원고적격】무효등 확인소송은 처분등의 효력 유무 또는 존재 여부의 확인을 구할 법률상 이익이 있는 자가 제기할 수 있다.

②, ④ (○)

> 「행정소송법」제38조【준용규정】① 제9조, 제10조, 제13조 내지 제17조, 제19조, 제22조 내지 제26조, 제29조 내지 제31조 및 제33조의 규정은 무효등 확인소송의 경우에 준용한다.
> 제18조【행정심판과의 관계】① 취소소송은 법령의 규정에 의하여 당해 처분에 대한 행정심판을 제기할 수 있는 경우에도 이를 거치지 아니하고 제기할 수 있다. 다만, 다른 법률에 당해 처분에 대한 행정심판의 재결을 거치지 아니하면 취소소송을 제기할 수 없다는 규정이 있는 때에는 그러하지 아니하다.

③ (×) 행정소송은 행정청의 위법한 처분 등을 취소·변경하거나 그 효력 유무 또는 존재 여부를 확인함으로써 국민의 권리 또는 이익의 침해를 구제하고 공법상의 권리관계 또는 법 적용에 관한 다툼을 적정하게 해결함을 목적으로 하므로, 대등한 주체 사이의 사법상 생활관계에 관한 분쟁을 심판대상으로 하는 민사소송과는 목적, 취지 및 기능 등을 달리한다. 또한 행정소송법 제4조에서는 무효확인소송을 항고소송의 일종으로 규정하고 있고, 행정소송법 제38조 제1항에서는 처분 등을 취소하는 확정판결의 기속력 및 행정청의 재처분 의무에 관한 행정소송법 제30조를 무효확인소송에도 준용하고 있으므로 무효확인판결 자체만으로도 실효성을 확보할 수 있다. 그리고 무효확인소송의 보충성을 규정하고 있는 외국의 일부 입법례와는 달리 우리나라 행정소송법에는 명문의 규정이 없어 이로 인한 명시적 제한이 존재하지 않는다. 이와 같은 사정을 비롯하여 행정에 대한 사법통제, 권익구제의 확대와 같은 행정소송의 기능 등을 종합하여 보면, 행정처분의 근거 법률에 의하여 보호되는 직접적이고 구체적인 이익이 있는 경우에는 행정소송법 제35조에 규정된 '무효확인을 구할 법률상 이익'이 있다고 보아야 하고, 이와 별도로 무효확인소송의 보충성이 요구되는 것은 아니므로 행정처분의 무효를 전제로 한 이행소송 등과 같은 직접적인 구제수단이 있는지 여부를 따질 필요가 없다고 해석함이 상당하다(대판 2008.3.20. 2007두6342 전합).

답 ③

문제 DATA
출제가능 지수 ▶▶▷
난이도 지수 ★★☆

함께 정리하기

항고소송 중 무효확인소송

원고적격
▷ 처분등의 효력유무 또는 존재여부의 확인을 구할 법률상 이익이 있는 자

행정심판전치주의 적용×

이행소송과 같은 직접적인 구제수단이 있는지 따질 필요×
▷ 무효확인소송 보충성 불요

취소판결의 기속력에 관한 규정 준용○

문제 DATA

출제가능 지수 ▶▶▷
난이도 지수 ★★★

002 ☐☐☐

무효확인의 소에 대한 설명으로 옳은 것은?

① 행정처분의 근거 법률에 의하여 보호되는 직접적이고 구체적인 이익이 있는 경우에는 「행정소송법」 제35조에 규정된 '무효확인을 구할 법률상 이익'이 인정되는 것과는 별개로 무효확인소송의 보충성이 요구되므로 행정처분의 무효를 전제로 한 이행소송 등과 같은 직접적인 구제수단이 있는지 여부를 따져 보아야 한다.

② 행정처분의 무효확인을 구하는 소에는 특단의 사정이 없는 한 그 취소를 구하는 취지도 포함되어 있다고 보아야 하는 점 등에 비추어 볼 때, 동일한 행정처분에 대하여 무효확인의 소를 제기하였다가 그 후 그 처분의 취소를 구하는 소를 추가적으로 병합한 경우, 주된 청구인 무효확인의 소가 적법한 제소기간 내에 제기되었더라도 추가로 병합된 취소청구의 소가 제소기간 도과 후에 병합되었다면 그 취소청구의 소는 제소기간을 도과하여 부적법하다.

③ 행정처분의 당연무효를 주장하여 무효확인을 구하는 행정소송에서는 원고에게 행정처분이 무효인 사유를 주장·증명할 책임이 있고, 무효확인을 구하는 뜻에서 행정처분의 취소를 구하는 소송에서는 처분이 적법함을 주장하는 피고에게 적법사유에 대한 증명책임이 있다.

④ 행정처분이 무효인 경우에도 처분이 무효임을 확인하는 것이 현저히 공공복리에 적합하지 아니하다고 인정하는 때에는 「행정소송법」 제28조에 따라 사정판결을 할 수 있다.

⑤ 상수도원인자부담금은 택지개발사업의 시행자가 납부의무를 지므로 택지개발사업으로 조성된 토지를 취득하여 택지개발계획에서 정해진 규모 및 용도에 따라 건축물의 건축행위를 한 자에 대하여 상수도원인자부담금을 부과한 처분은 그 하자가 중대·명백하여 당연무효에 해당한다.

함께 정리하기

무효확인의 소

이행소송과 같은 직접적인 구제수단이 있는지 따질 필요×
▷ 무효확인소송 보충성 不要

주된 무효확인소에 제소기간 도과한 취소소송 병합
▷ 무효확인소가 취소소송 제소기간 준수 시 적법

무효확인을 구하는 뜻에서 취소를 구하는 소송
▷ 원고에게 무효사유 주장·증명책임O

무효확인소송
▷ 사정판결×

택지개발사업의 시행자가 부담하는 상수도원인자부담금을 납부의무를 부담하지 않는 자에게 부과한 처분
▷ 무효

2025년 국회직 8급

① (×) 행정소송은 행정청의 위법한 처분 등을 취소·변경하거나 그 효력 유무 또는 존재 여부를 확인함으로써 국민의 권리 또는 이익의 침해를 구제하고 공법상의 권리관계 또는 법 적용에 관한 다툼을 적정하게 해결함을 목적으로 하므로, 대등한 주체 사이의 사법상 생활관계에 관한 분쟁을 심판대상으로 하는 민사소송과는 목적, 취지 및 기능 등을 달리한다. 또한 행정소송법 제4조에서는 무효확인소송을 항고소송의 일종으로 규정하고 있고, 행정소송법 제38조 제1항에서는 처분 등을 취소하는 확정판결의 기속력 및 행정청의 재처분 의무에 관한 행정소송법 제30조를 무효확인소송에도 준용하고 있으므로 무효확인판결 자체만으로도 실효성을 확보할 수 있다. 그리고 무효확인소송의 보충성을 규정하고 있는 외국의 일부 입법례와는 달리 우리나라 행정소송법에는 명문의 규정이 없어 이로 인한 명시적 제한이 존재하지 않는다. 이와 같은 사정을 비롯하여 행정에 대한 사법통제, 권익구제의 확대와 같은 행정소송의 기능 등을 종합하여 보면, 행정처분의 근거 법률에 의하여 보호되는 직접적이고 구체적인 이익이 있는 경우에는 행정소송법 제35조에 규정된 '무효확인을 구할 법률상 이익'이 있다고 보아야 하고, 이와 별도로 무효확인소송의 보충성이 요구되는 것은 아니므로 행정처분의 무효를 전제로 한 이행소송 등과 같은 직접적인 구제수단이 있는지 여부를 따질 필요가 없다고 해석함이 상당하다(대판 2008.3.20. 2007두6342 전합).

② (×) 하자 있는 행정처분을 놓고 이를 무효로 볼 것인지 아니면 단순히 취소할 수 있는 처분으로 볼 것인지는 동일한 사실관계를 토대로 한 법률적 평가의 문제에 불과하고, 행정처분의 무효확인을 구하는 소에는 특단의 사정이 없는 한 그 취소를 구하는 취지도 포함되어 있다고 보아야 하는 점 등에 비추어 볼 때, 동일한 행정처분에 대하여 무효확인의 소를 제기하였다가 그 후 그 처분의 취소를 구하는 소를 추가적으로 병합한 경우, 주된 청구인 무효확인의 소가 적법한 제소기간 내에 제기되었다면 추가로 병합된 취소청구의 소도 적법하게 제기된 것으로 봄이 상당하다(대판 2005.12.23. 2005두3554).

③ (×) 민사소송법이 준용되는 행정소송에서 증명책임은 원칙적으로 민사소송의 일반원칙에 따라 당사자 간에 분배되고, 항고소송은 그 특성에 따라 해당 처분의 적법성을 주장하는 피고에게 적법사유에 대한 증명책임이 있으나, 예외적으로 행정처분의 당연무효를 주장하여 무효 확인을 구하는 행정소송에서는 원고에게 행정처분이 무효인 사유를 주장·증명할 책임이 있고, 이는 무효 확인을 구하는 뜻에서 행정처분의 취소를 구하는 소송에 있어서도 마찬가지이다. 한편 행정처분의 무효 확인을 구하는 소에는 특단의 사정이 없는 한 취소를 구하는 취지도 포함되어 있다고 보아야 하므로, 해당 행정처분의 취소를 구할 수 있는 경우라면 무효사유가 증명되지 아니한 때에 법원으로서는 취소사유에 해당하는 위법이 있는지 여부까지 심리하여야 한다. 나아가 과세처분에 대한 취소소송과 무효확인소송은 모두 소송물이 객관적인 조세채무의 존부확인으로 동일하다. 결국 과세처분의 위법을 다투는 조세행정소송의 형식이 취소소송인지 아니면 무효확인소송인지에 따라 증명책임이 달리 분배되는 것이라기보다는 위법사유로 취소사유와 무효사유 중 무엇을 주장하는지 또는 무효사유의 주장에 취소사유를 주장하는 취지가 포함되어 있는지 여부에 따라 증명책임이 분배된다(대판 2023.6.29. 2020두46073).

④ (×) 무효확인소송과 부작위위법확인소송에는 사정판결(제28조)에 관한 규정이 준용되지 않는다.

> 「행정소송법」 제38조【준용규정】 ①제9조, 제10조, 제13조 내지 제17조, 제19조, 제22조 내지 제26조, 제29조 내지 제31조 및 제33조의 규정은 무효등 확인소송의 경우에 준용한다.

행정처분이 무효인 경우에는 존치시킬 효력이 있는 행정행위가 없기 때문에 행정소송법 제28조의 사정판결을 할 수 없다(대판 1992.11.10. 91누8227).

⑤ (○) 택지개발사업으로 조성된 택지에 그 개발계획에서 정해진 규모 및 용도에 따라 건축물이 건축된 경우 수도법령에 따른 상수도원인자부담금 납부의무는 택지개발사업의 사업시행자가 부담하는 것이 원칙이고, 해당 건축물이 원래 택지개발사업에서 예정된 범위를 초과하는 등의 특별한 사정이 없는 한 택지를 분양받아 건축물의 건축행위를 한 자는 별도로 상수도원인자부담금 납부의무를 부담하지 않는다고 보아야 한다. … 이 사건 사업지구에 관한 상수도원인자부담금의 납부의무자는 이 사건 택지개발사업의 시행자인 한국토지주택공사인데, 그 납부의무자가 아닌 원고에 대하여 상수도원인자부담금을 부과한 이 사건 처분은 그 하자가 중대·명백하여 당연무효이다(대판 2020.7.29. 2019두30140).

답 ⑤

003

무효등확인소송에 대한 설명으로 옳지 않은 것은?

① 행정처분의 당연무효를 선언하는 의미에서 그 취소를 구하는 행정소송을 제기하는 경우에는 무효등 확인소송과 같이 제소기간의 제한이 없는 것으로 본다.
② 행정처분의 근거 법률에 의하여 보호되는 직접적이고 구체적인 이익이 있는 경우에는 「행정소송법」상 '무효확인을 구할 법률상 이익'이 있다고 보아야 하고, 이와 별도로 무효확인소송의 보충성이 요구되는 것은 아니다.
③ 동일한 행정처분에 대하여 무효확인의 소를 제기하였다가 그 후 그 처분의 취소를 구하는 소를 추가적으로 병합한 경우, 주된 청구인 무효확인의 소가 적법한 제소기간 내에 제기되었다면 추가로 병합된 취소청구의 소도 적법하게 제기된 것으로 볼 수 있다.
④ 행정처분의 당연무효를 주장하여 그 무효확인을 구하는 행정소송에 있어서는 원고에게 그 행정처분이 무효인 사유를 주장·입증할 책임이 있다.

함께 정리하기

무효등 확인소송

무효선언 구하는 취소소송
▷ 취소소송 제기요건 갖추어야 함

보충성 폐지(이행소송과 같은 직접적인 구제수단이 있는지 따질 필요×)

동일처분에 대하여 무효확인의 소가 적법한 제기기간 내에 제기
▷ 추가 병합된 취소소송도 적법

원고 무효사유 입증책임

2024년 국가직 7급

① (×) 무효선언을 구하는 취소소송은 형식이 취소소송이므로 취소소송의 요건을 구비하여야 한다.

> 행정처분의 당연무효를 선언하는 의미에서 취소를 구하는 행정소송을 제기한 경우에도 제소기간의 준수 등 취소소송의 제소요건을 갖추어야 한다(대판 1993.3.12. 92누11039).

② (○) 행정처분의 근거 법률에 의하여 보호되는 직접적이고 구체적인 이익이 있는 경우에는 행정소송법 제35조에 규정된 '무효확인을 구할 법률상 이익'이 있다고 보아야 하고, 이와 별도로 무효확인소송의 보충성이 요구되는 것은 아니므로 행정처분의 무효를 전제로 한 이행소송 등과 같은 직접적인 구제수단이 있는지 여부를 따질 필요가 없다고 해석함이 상당하다(대판 2008.3.20. 2007두6342 전합).

③ (○) 하자 있는 행정처분을 놓고 이를 무효로 볼 것인지 아니면 단순히 취소할 수 있는 처분으로 볼 것인지는 동일한 사실관계를 토대로 한 법률적 평가의 문제에 불과하고, 행정처분의 무효확인을 구하는 소에는 특단의 사정이 없는 한 그 취소를 구하는 취지도 포함되어 있다고 보아야 하는 점 등에 비추어 볼 때, 동일한 행정처분에 대하여 무효확인의 소를 제기하였다가 그 후 그 처분의 취소를 구하는 소를 추가적으로 병합한 경우, 주된 청구인 무효확인의 소가 적법한 제기기간 내에 제기되었다면 추가로 병합된 취소청구의 소도 적법하게 제기된 것으로 봄이 상당하다 할 것이다(대판 2005.12.23. 2005두3554).

④ (○) 행정처분의 당연무효를 구하는 소송에 있어서 그 무효를 구하는 사람에게 그 행정처분에 존재하는 하자가 중대하고 명백하다는 것을 주장·입증할 책임이 있다(대판 1984.2.28. 82누154).

답 ①

문제 DATA

출제가능 지수 ▶▶▷
난이도 지수 ★★☆

004 □□□

무효등 확인소송에 대한 설명으로 옳은 것은?

① 무효확인판결에는 취소판결의 기속력에 관한 규정이 준용되지 않는다.
② 무효등 확인소송의 제기 당시에 원고적격을 갖추었다면 상고심 계속중에 원고적격을 상실하더라도 그 소는 적법하다.
③ 행정처분의 무효란 행정처분이 처음부터 아무런 효력도 발생하지 아니한다는 의미이므로 무효등 확인소송에 대해서는 집행정지가 인정되지 아니한다.
④ 행정처분의 당연무효를 주장하여 그 무효확인을 구하는 행정소송에 있어서는 원고에게 그 행정처분이 무효인 사유를 주장·입증할 책임이 있다.

2024년 지방직 9급

①, ③ (×) 무효등확인소송에는 취소소송의 기속력에 관한 규정과 집행정지 규정이 준용된다. 따라서 무효확인판결에는 기속력이 있고, 무효등확인소송이 제기된 경우 집행정지가 가능하다.

> 「행정소송법」 제38조 【준용규정】 ① 제9조, 제10조, 제13조 내지 제17조, 제19조, 제22조 내지 제26조, 제29조 내지 제31조 및 제33조의 규정은 무효등 확인소송의 경우에 준용한다.
> 제30조 【취소판결등의 기속력】 ① 처분등을 취소하는 확정판결은 그 사건에 관하여 당사자인 행정청과 그 밖의 관계행정청을 기속한다(①).
> 제23조 【집행정지】 ② 취소소송이 제기된 경우에 처분등이나 그 집행 또는 절차의 속행으로 인하여 생길 회복하기 어려운 손해를 예방하기 위하여 긴급한 필요가 있다고 인정할 때에는 본안이 계속되고 있는 법원은 당사자의 신청 또는 직권에 의하여 처분등의 효력이나 그 집행 또는 절차의 속행의 전부 또는 일부의 정지(이하 "집행정지"라 한다)를 결정할 수 있다. 다만, 처분의 효력정지는 처분등의 집행 또는 절차의 속행을 정지함으로써 목적을 달성할 수 있는 경우에는 허용되지 아니한다(③).

함께 정리하기

무효등 확인소송

취소판결 기속력 규정 준용○

상고심에서 원고적격 상실
▷ 각하

집행정지 가

무효사유 주장·입증책임
▷ 원고 부담

② (×) 행정처분의 직접 상대방이 아닌 제3자라 하더라도 당해 행정처분으로 인하여 법률상 보호되는 이익을 침해당한 경우에는 그 처분의 취소나 무효확인을 구하는 행정소송을 제기하여 그 당부의 판단을 받을 자격 즉 원고적격이 있고, 여기에서 말하는 법률상 보호되는 이익은 당해 처분의 근거 법규 및 관련 법규에 의하여 보호되는 개별적·직접적·구체적 이익을 말하며, 원고적격은 소송요건의 하나이므로 사실심 변론종결시는 물론 상고심에서도 존속하여야 하고 이를 흠결하면 부적법한 소가 된다(대판 2007.4.12. 2004두7924).

④ (○) 행정처분의 당연무효를 주장하여 그 무효확인을 구하는 행정소송에 있어서는 원고에게 그 행정처분이 무효인 사유를 주장, 입증할 책임이 있다(대판 1992.3.10. 91누6030).

답 ④

005 □□□

「행정소송법」상 취소소송에 대한 규정 중 무효등 확인소송에 준용되지 않는 것은?

① 사정판결
② 피고경정
③ 공동소송
④ 행정청의 소송참가
⑤ 처분변경으로 인한 소의 변경

2018년 5급 행정

① (×) 무효등 확인소송에는 사정판결 준용규정이 존재하지 않으며, 판례도 무효등 확인소송에서는 사정판결을 할 수 없다고 판시하였다.

> 당연무효의 행정처분을 소송목적물로 하는 무효확인소송에서는 존치시킬 효력이 있는 행정행위가 없기 때문에 사정판결을 할 수 없다(대판 1996.3.22. 95누5509).

②, ③, ④, ⑤ (○)

관련 이론 | 무효등 확인소송에 준용되는 취소소송 규정

준용○	준용×
제9조(재판의 관할), 제10조(관련청구 소송의 이송 및 병합), 제13조(피고적격), 제14조(피고경정), 제15조(공동소송), 제16조(제3자의 소송참가), 제17조(행정청의 소송참가), 제19조(취소소송의 대상), 제21조[원고가 소의 종류를 잘못 선택한 경우 소 종류의 변경(제37조)], 제22조(처분변경으로 인한 소의 변경), 제23조(집행정지), 제24조(집행정지의 취소), 제25조(행정심판기록의 제출명령), 제26조(직권심리), 제29조(취소판결등의 효력), 제30조[취소판결등의 기속력(반복금지, 원상회복, 재처분의무 등)], 제31조(제3자에 의한 재심청구)	제11조(선결문제), 제12조[원고적격(제35조에서 별도로 규정)], 제18조(행정심판과의 관계), 제20조(제소기간), 제27조(재량처분의 취소), 제28조(사정판결), 제34조(간접강제)

답 ①

문제 DATA

출제가능 지수 ▶▶▶
난이도 지수 ★☆☆

함께 정리하기

무효등 확인소송에 적용되는 규정

▷ 사정판결×
▷ 피고경정○
▷ 공동소송○
▷ 행정청의 소송참가○
▷ 처분변경으로 인한 소의 변경○

문제 DATA

출제가능 지수 ▶▷▷
난이도 지수 ★☆☆

함께 정리하기

무효등 확인소송에 적용되는 규정
▷ 행정심판전치주의 ✕
▷ 대상적격 ○
▷ 제소기간 ✕
▷ 사정판결 ✕

006 □□□

「행정소송법」상 취소소송에 대한 사항으로 무효등 확인소송의 경우에 준용되는 것은?

① 행정심판전치주의의 적용
② 취소소송의 대상
③ 제소기간
④ 사정판결

> 2016년 사회복지직

① (✕) 무효등 확인소송에는 행정심판전치주의가 적용되지 않으므로 행정심판을 거치지 아니하고 제기할 수 있다.

② (○)

> 「행정소송법」 제38조【준용규정】 ① 제9조, 제10조, 제13조 내지 제17조, 제19조, 제22조 내지 제26조, 제29조 내지 제31조 및 제33조의 규정은 무효등 확인소송의 경우에 준용한다.
> 제19조【취소소송의 대상】 취소소송은 처분등을 대상으로 한다. 다만, 재결취소소송의 경우에는 재결 자체에 고유한 위법이 있음을 이유로 하는 경우에 한한다.

③ (✕) 무효등 확인소송의 경우에는 제소기간의 제한이 없다. 다만, 무효선언을 구하는 취소소송의 경우에는 취소소송에서와 같이 제소기간의 제한이 있다(대판 1993.3.12. 92누11039).

유제 18. 교행 무효선언을 구하는 의미의 취소소송에서는 제소기간이 준수되어야 한다. (○)
10. 세무사 행정처분이 있은 후 2년이 지난 경우에도 무효확인소송을 제기할 수 있다. (○)

④ (✕) 무효등 확인소송에서는 사정판결을 할 수 없다.

> 당연무효의 행정처분을 소송목적물로 하는 무효확인소송에서는 존치시킬 효력이 있는 행정행위가 없기 때문에 사정판결을 할 수 없다(대판 1996.3.22. 95누5509).

답 ②

문제 DATA

출제가능 지수 ▶▷▷
난이도 지수 ★☆☆

함께 정리하기

무효등 확인소송에 적용되는 규정
▷ 관련청구소송의 이송·병합 ○
▷ 집행정지 ○
▷ 사정판결 ✕
▷ 재판관할 ○
▷ 피고적격 ○

007 □□□

「행정소송법」상 취소소송에 대한 규정 중 무효확인소송에 준용된다고 명시되어 있지 않은 것은?

① 관련청구소송의 이송·병합
② 집행정지
③ 사정판결
④ 재판관할
⑤ 피고적격

> 2013년 세무사

③ (✕) 사정판결(「행정소송법」 제28조)은 무효등 확인소송에 준용되지 아니한다(「행정소송법」 제38조 제1항 참조).

답 ③

008

무효확인소송에 대한 설명으로 옳지 않은 것은? (다툼이 있는 경우 판례에 의함)

① 무효확인소송에서 처분의 위법성 판단 기준시점은 처분시이다.
② 재결무효확인소송은 재결 자체에 고유한 위법이 있음을 이유로 하는 경우에 가능하다.
③ 무효확인소송은 처분등의 무효확인을 구할 법률상 이익이 있는 자가 제기할 수 있다.
④ 처분적 조례는 무효확인소송의 대상이 될 수 없다.
⑤ 무효확인소송에서도 제3자의 소송참가가 인정된다.

2013년 세무사

① (○) 무효등 확인소송에서의 위법성 판단의 기준시점은 취소소송과 마찬가지로 처분시를 기준으로 한다.
② (○)

> 「행정소송법」 제38조【준용규정】① 제9조, 제10조, 제13조 내지 제17조, 제19조, 제22조 내지 제26조, 제29조 내지 제31조 및 제33조의 규정은 무효등 확인소송의 경우에 준용한다.
> 제19조【취소소송의 대상】취소소송은 처분등을 대상으로 한다. 다만, 재결취소소송의 경우에는 재결 자체에 고유한 위법이 있음을 이유로 하는 경우에 한한다.

③ (○)

> 「행정소송법」 제35조【무효등 확인소송의 원고적격】무효등 확인소송은 처분등의 효력 유무 또는 존재 여부의 확인을 구할 법률상 이익이 있는 자가 제기할 수 있다.

④ (×) 처분적 조례는 항고소송의 대상이 된다.

> 조례가 집행행위의 개입 없이도 그 자체로서 직접 국민의 구체적인 권리의무나 법적 이익에 영향을 미치는 등의 법률상 효과를 발생하는 경우 그 조례는 항고소송의 대상이 되는 행정처분에 해당하고, 이러한 조례에 대한 무효확인소송을 제기함에 있어서 행정소송법 제38조 제1항, 제13조에 의하여 피고적격이 있는 처분 등을 행한 행정청은, 지방자치단체의 집행기관으로서 조례로서의 효력을 발생시키는 공포권이 있는 지방자치단체의 장이다(대판 1996.9.20. 95누8003).

⑤ (○)

> 「행정소송법」 제38조【준용규정】① 제9조, 제10조, 제13조 내지 제17조, 제19조, 제22조 내지 제26조, 제29조 내지 제31조 및 제33조의 규정은 무효등 확인소송의 경우에 준용한다.
> 제16조【제3자의 소송참가】① 법원은 소송의 결과에 따라 권리 또는 이익의 침해를 받을 제3자가 있는 경우에는 당사자 또는 제3자의 신청 또는 직권에 의하여 결정으로써 그 제3자를 소송에 참가시킬 수 있다.

답 ④

문제 DATA
출제가능 지수 ▶▷▷
난이도 지수 ★☆☆

함께 정리하기

무효확인소송

위법성 판단 기준시
▷ 처분시

재결무효확인소송
▷ 재결 고유 위법

원고적격
▷ 법률상 이익이 있는 자

처분적 조례
▷ 대상○

제3자 소송참가 可(제3자효)

문제 DATA

출제가능 지수 ▶▷▷
난이도 지수 ★☆☆

009 □□□

「행정소송법」상 집행정지가 인정되는 소송을 모두 고른 것은?

> ㄱ. 취소소송 ㄴ. 무효확인소송
> ㄷ. 부작위위법확인소송 ㄹ. 공법상 당사자소송

① ㄱ, ㄴ ② ㄱ, ㄷ
③ ㄴ, ㄷ ④ ㄴ, ㄹ
⑤ ㄷ, ㄹ

| 2015년 세무사

ㄱ. (인정), ㄴ. (인정), ㄷ. (부정), ㄹ. (부정)
「행정소송법」상 취소소송의 집행정지 규정(제23조)은 무효등 확인소송에는 준용되지만(제38조 제1항), 부작위법확인소송에는 준용되지 않는다(제38조 제2항). 당사자소송의 경우도 준용규정이 없다(제44조 제1항).

> 「행정소송법」 제23조【집행정지】 ① 취소소송의 제기는 처분등의 효력이나 그 집행 또는 절차의 속행에 영향을 주지 아니한다.
> 제38조【준용규정】 ① 제9조, 제10조, 제13조 내지 제17조, 제19조, 제22조 내지 제26조, 제29조 내지 제31조 및 제33조의 규정은 무효등 확인소송의 경우에 준용한다.
> ② 제9조, 제10조, 제13조 내지 제19조, 제20조, 제25조 내지 제27조, 제29조 내지 제31조, 제33조 및 제34조의 규정은 부작위법확인소송의 경우에 준용한다.
> 제44조【준용규정】 ① 제14조 내지 제17조, 제22조, 제25조, 제26조, 제30조 제1항, 제32조 및 제33조의 규정은 당사자소송의 경우에 준용한다.

답 ①

함께 정리하기

집행정지 인정 여부
▷ 취소소송 O
▷ 무효확인소송 O
▷ 부작위법확인 ✕
▷ 당사자소송 ✕

문제 DATA

출제가능 지수 ▶▶▷
난이도 지수 ★★☆

010 □□□

「행정소송법」상 항고소송에 대한 설명으로 옳은 것은? (다툼이 있는 경우 판례에 의함)

① 부작위법확인소송에서 부작위상태가 계속되는 한 그 위법의 확인을 구할 이익이 있다고 보아야 하므로 행정심판 등 전심절차를 거친 경우에도 제소기간에 관한 규정은 적용되지 않는다.

② 외국 국적의 甲이 위명(僞名)인 乙 명의의 여권으로 대한민국에 입국한 뒤 乙 명의로 난민 신청을 하였고 법무부장관이 乙 명의를 사용한 甲을 직접 면담하여 조사한 후에 甲에 대하여 난민불인정 처분을 한 경우, 甲은 난민불인정 처분의 취소를 구할 법률상 이익이 없다.

③ 주민 등의 도시관리계획의 입안 제안을 거부하는 처분에 대하여 이익형량의 하자를 이유로 취소판결이 확정된 후에 행정청이 다시 이익형량을 하여 주민 등이 제안한 것과는 다른 내용의 계획을 수립한다면 이는 재처분의무를 이행한 것으로 볼 수 없다.

④ 무효확인소송에서 '무효확인을 구할 법률상 이익'을 판단함에 있어 행정처분의 무효를 전제로 한 이행소송 등과 같은 직접적인 구제수단이 있는지 여부를 따질 필요가 없다.

2023년 국가직 7급

① (×) 부작위위법확인의 소는 부작위상태가 계속되는 한 그 위법의 확인을 구할 이익이 있다고 보아야 하므로 원칙적으로 제소기간의 제한을 받지 않는다. 그러나 행정소송법 제38조 제2항이 제소기간을 규정한 같은 법 제20조를 부작위위법확인소송에 준용하고 있는 점에 비추어 보면, 행정심판 등 전심절차를 거친 경우에는 행정소송법 제20조가 정한 제소기간 내에 부작위위법확인의 소를 제기하여야 한다(대판 2009.7.23. 2008두10560).

② (×) 미얀마 국적의 甲이 위명(僞名)인 '乙' 명의의 여권으로 대한민국에 입국한 뒤 乙 명의로 난민 신청을 하였으나 법무부장관이 乙 명의를 사용한 甲을 직접 면담하여 조사한 후 甲에 대하여 난민불인정처분을 한 사안에서, 처분의 상대방은 허무인이 아니라 '乙'이라는 위명을 사용한 甲이라는 이유로, 甲이 처분의 취소를 구할 법률상 이익이 있다고 한 사례(대판 2017.3.9. 2013두16852).

③ (×) 취소 확정판결의 기속력의 범위에 관한 법리 및 도시관리계획의 입안·결정에 관하여 행정청에 부여된 재량을 고려하면, 주민 등의 도시관리계획 입안 제안을 거부한 처분을 이익형량에 하자가 있어 위법하다고 판단하여 취소하는 판결이 확정되었더라도 행정청에 그 입안 제안을 그대로 수용하는 내용의 도시관리계획을 수립할 의무가 있다고는 볼 수 없고, 행정청이 다시 새로운 이익형량을 하여 적극적으로 도시관리계획을 수립하였다면 취소판결의 기속력에 따른 재처분의무를 이행한 것이라고 보아야 한다. 다만 취소판결의 기속력 위배 여부와 계획재량의 한계 일탈 여부는 별개의 문제이므로, 행정청이 적극적으로 수립한 도시관리계획의 내용이 취소판결의 기속력에 위배되지는 않는다고 하더라도 계획재량의 한계를 일탈한 것인지의 여부는 별도로 심리·판단하여야 한다(대판 2020.6.25. 2019두56135).

④ (○) 행정소송은 행정청의 위법한 처분 등을 취소·변경하거나 그 효력 유무 또는 존재 여부를 확인함으로써 국민의 권리 또는 이익의 침해를 구제하고 공법상의 권리관계 또는 법 적용에 관한 다툼을 적정하게 해결함을 목적으로 하므로, 대등한 주체 사이의 사법상 생활관계에 관한 분쟁을 심판대상으로 하는 민사소송과는 목적, 취지 및 기능 등을 달리한다. 또한 행정소송법 제4조에서는 무효확인소송을 항고소송의 일종으로 규정하고 있고, 행정소송법 제38조 제1항에서는 처분 등을 취소하는 확정판결의 기속력 및 행정청의 재처분 의무에 관한 행정소송법 제30조를 무효확인소송에도 준용하고 있으므로 무효확인판결 자체만으로도 실효성을 확보할 수 있다. 그리고 무효확인소송의 보충성을 규정하고 있는 외국의 일부 입법례와는 달리 우리나라 행정소송법에는 명문의 규정이 없어 이로 인한 명시적 제한이 존재하지 않는다. 이와 같은 사정을 비롯하여 행정에 대한 사법통제, 권익구제의 확대와 같은 행정소송의 기능 등을 종합하여 보면, 행정처분의 근거 법률에 의하여 보호되는 직접적이고 구체적인 이익이 있는 경우에는 행정소송법 제35조에 규정된 '무효확인을 구할 법률상 이익'이 있다고 보아야 하고, 이와 별도로 무효확인소송의 보충성이 요구되는 것은 아니므로 행정처분의 무효를 전제로 한 이행소송 등과 같은 직접적인 구제수단이 있는지 여부를 따질 필요가 없다고 해석함이 상당하다(대판 2008.3.20. 2007두6342 전합).

답 ④

> **함께 정리하기**
>
> **항고소송**
> 부작위위법확인소송
> ▷ 행정심판 거친 경우 제소기간 적용○
> 위명으로 난민인정신청
> ▷ 위명을 사용한자가 원고적격○
> 취소판결 확정 후 다시 이익형량하여 다른 내용의 행정계획수립
> ▷ 적법한 재처분○
> 무효확인소송 보충성 不要

011 □□□

「행정소송법」상 항고소송에 대한 설명으로 옳지 않은 것은? (다툼이 있는 경우 판례에 의함)

① 행정처분에 대한 무효확인과 취소청구는 서로 양립할 수 없는 청구로서 선택적 청구로서의 병합만이 가능하고 단순 병합은 허용되지 아니한다.
② 행정처분의 무효확인을 구하는 소에는 특단의 사정이 없는 한 그 취소를 구하는 취지도 포함되어 있다고 보아야 한다.
③ 행정소송에서 쟁송의 대상이 되는 행정처분의 존재를 당사자들이 다투지 아니한다 하더라도 그 존부에 관하여 의심이 있는 경우에 법원은 이를 직권으로 밝혀야 한다.
④ 「행정소송법」 제2조 소정의 행정처분이라고 하더라도 그 처분의 근거 법률에서 행정소송 이외의 다른 절차에 의하여 불복할 것을 예정하고 있는 처분은 항고소송의 대상이 될 수 없다.

> **문제 DATA**
>
> 출제가능 지수 ▶▶▷
> 난이도 지수 ★★☆

함께 정리하기

항고소송

취소청구와 무효확인청구
▷ 주위적·예비적 병합 可
▷ 선택적·단순병합 不可

행정처분의 무효확인을 구하는 소
▷ 취소를 구하는 취지도 포함 O

행정처분의 존부
▷ 직권조사사항

특별한 불복절차 존재
▷ 항고소송의 대상 ×

2019년 서울시 7급

① (×) 무효확인청구와 취소청구는 예비적 병합만이 허용된다.

> 무효확인청구와 취소청구는 양립할 수 없는 청구로서 주위적·예비적 청구로서만 병합이 가능하고 선택적 병합이나 단순 병합은 인정되지 않는다(대판 1999.8.20. 97누6889).

② (O) 무효확인청구에는 특단의 사정이 없는 한 취소청구의 취지도 포함된다.

> 일반적으로 행정처분의 무효확인을 구하는 소에는 원고가 그 처분의 취소를 구하지 아니한다고 밝히지 아니 한 이상 그 처분이 만약 당연무효가 아니라면 그 취소를 구하는 취지도 포함되어 있는 것으로 보아야 한다(대판 1994.12.23. 94누477).

③ (O) 처분의 존부는 직권조사사항이다.

> 행정소송에서 쟁송의 대상이 되는 행정처분의 존부는 소송요건으로서 직권조사사항이고, 자백의 대상이 될 수 없는 것이므로, 설사 그 존재를 당사자들이 다투지 아니한다 하더라도 그 존부에 관하여 의심이 있는 경우에는 이를 직권으로 밝혀 보아야 할 것이고 사실심에서 변론종결까지 당사자가 주장하지 않던 직권조사사항에 해당하는 사항을 상고심에서 비로소 주장하는 경우 그 직권조사사항에 해당하는 사항은 상고심의 심판범위에 해당한다(대판 2004.12.24. 2003두15195).

④ (O) 근거법률에서 특별한 불복절차를 예정한 처분은 항고소송의 대상이 될 수 없다.

> '처분'이란 행정소송법상 항고소송의 대상이 되는 처분을 의미하는 것으로서, 행정소송법 제2조의 처분의 개념 정의에는 해당한다고 하더라도 그 처분의 근거 법률에서 행정소송 이외의 다른 절차에 의하여 불복할 것을 예정하고 있는 처분은 항고소송의 대상이 될 수 없다. 검사의 불기소결정에 대해서는 검찰청법에 의한 항고와 재항고, 형사소송법에 의한 재정신청에 의해서만 불복할 수 있는 것이므로 이에 대해서는 행정소송법상 항고소송을 제기할 수 없다(대판 2018.9.28. 2017두47465).

답 ①

문제 DATA

출제가능 지수 ▶▶▷
난이도 지수 ★★☆

012 □□□

甲은 단순위법인 취소사유가 있는 A처분에 대하여 「행정소송법」상 무효확인소송을 제기하였다. 이에 대한 설명으로 옳은 것은? (다툼이 있는 경우 판례에 의함)

① 무효확인소송에 A처분의 취소를 구하는 취지도 포함되어 있고 무효확인소송이 「행정소송법」상 취소소송의 적법요건을 갖추었다 하더라도, 법원은 A처분에 대한 취소판결을 할 수 없다.

② 무효확인소송이 「행정소송법」상 취소소송의 적법한 제소기간 안에 제기되었더라도, 적법한 제소기간 이후에는 A처분의 취소를 구하는 소를 추가적·예비적으로 병합하여 제기할 수 없다.

③ 甲이 무효확인소송의 제기 전에 이미 A처분의 위법을 이유로 국가배상청구소송을 제기하였다면, 무효확인소송의 수소법원은 甲의 무효확인소송을 국가배상청구소송이 계속된 법원으로 이송·병합할 수 있다.

④ 甲이 무효확인소송의 제기 당시에 원고적격을 갖추었더라도 상고심 중에 원고적격을 상실하면 그 소는 부적법한 것이 된다.

2019년 지방직 7급

① (×) 무효확인청구에는 특단의 사정이 없는 한 취소청구의 취지도 포함된다.

일반적으로 행정처분의 무효확인을 구하는 소에는 원고가 그 처분의 취소를 구하지 아니한다고 밝히지 아니 한 이상 그 처분이 만약 당연무효가 아니라면 그 취소를 구하는 취지도 포함되어 있는 것으로 보아야 한다(대판 1994.12.23. 94누477).

② (×) 무효확인의 소가 취소소송 제소기간 내에 제기되었으면 제소기간을 도과하여 예비적 병합된 취소소송도 적법하다.

행정처분의 무효 확인을 구하는 소에는 특단의 사정이 없는 한 그 취소를 구하는 취지도 포함되어 있다고 보아야 하는 점 등에 비추어 볼 때, 동일한 행정처분에 대하여 무효확인의 소를 제기하였다가 그 후 그 처분의 취소를 구하는 소를 추가적으로 병합한 경우, 주된 청구인 무효확인의 소가 적법한 제소기간 내에 제기되었다면 추가로 병합된 취소청구의 소도 적법하게 제기된 것으로 봄이 상당하다(대판 2005.12.23. 2005두3554).

③ (×) 무효확인소송이 계속된 법원으로 이송·병합하여야 한다.

> 「행정소송법」제10조【관련청구소송의 이송 및 병합】① 취소소송과 다음 각 호의 1에 해당하는 소송(이하 "관련청구소송"이라 한다)이 각각 다른 법원에 계속되고 있는 경우에 관련청구소송이 계속된 법원이 상당하다고 인정하는 때에는 당사자의 신청 또는 직권에 의하여 이를 취소소송이 계속된 법원으로 이송할 수 있다.
> 1. 당해 처분등과 관련되는 손해배상·부당이득반환·원상회복등 청구소송
> 2. 당해 처분등과 관련되는 취소소송
> ② 취소소송에는 사실심의 변론종결시까지 관련청구소송을 병합하거나 피고외의 자를 상대로 한 관련청구소송을 취소소송이 계속된 법원에 병합하여 제기할 수 있다.
> 제38조【준용규정】① 제9조, 제10조, 제13조 내지 제17조, 제19조, 제22조 내지 제26조, 제29조 내지 제31조 및 제33조의 규정은 무효등 확인소송의 경우에 준용한다.

④ (○) 원고적격은 상고심에서도 요구된다.

행정처분의 직접 상대방이 아닌 제3자라 하더라도 당해 행정처분으로 인하여 법률상 보호되는 이익을 침해당한 경우에는 그 처분의 취소나 무효확인을 구하는 행정소송을 제기하여 그 당부의 판단을 받을 자격 즉 원고적격이 있고, 여기에서 말하는 법률상 보호되는 이익은 당해 처분의 근거 법규 및 관련 법규에 의하여 보호되는 개별적·직접적·구체적 이익을 말하며, 원고적격은 소송요건의 하나이므로 사실심 변론 종결시는 물론 상고심에서도 존속하여야 하고 이를 흠결하면 부적법한 소가 된다(대판 2007.4.12. 2004두7924).

답 ④

함께 정리하기

무효확인소송

행정처분의 무효확인을 구하는 소
▷ 취소를 구하는 취지도 포함○

주된 무효확인소에 제소기간 도과한 취소소송병합
▷ 무효확인소가 취소소송 제소기간 준수 시 적법

무효확인소송 제기 전 국가배상청구소송을 제기한 경우
▷ 무효확인소송 계속된 법원으로 이송·병합

원고적격
▷ 상고심에서도 존속할 것

013

「행정소송법」상 항고소송에 대한 설명으로 옳지 않은 것만을 모두 고른 것은? (다툼이 있는 경우 판례에 의함)

> ㄱ. 동일한 행정처분에 대하여 무효확인소송을 제기하였다가 그 후 그 처분에 대한 취소소송을 추가적으로 병합한 경우, 무효확인소송이 취소소송의 제소기간 내에 제기되었다면 제소기간 도과 후 병합된 취소소송도 적법하게 제기된 것으로 볼 수 있다.
> ㄴ. 무효확인소송의 제기는 처분의 효력이나 그 집행 또는 절차의 속행에 영향을 주지 아니한다.
> ㄷ. 행정처분의 당연무효를 주장하여 그 무효확인을 구하는 행정소송에 있어서는 원고에게 그 행정처분이 무효인 사유를 주장·입증할 책임이 있다.
> ㄹ. 원고의 청구가 이유 있다고 인정하는 경우에도 처분의 무효를 확인하는 것이 현저히 공공복리에 적합하지 아니하다고 인정하는 때에는 법원은 청구를 기각할 수 있다.
> ㅁ. 부작위법확인소송은 원칙적으로 제소기간의 제한을 받지 않지만, 행정심판을 거친 경우에는 「행정소송법」 제20조가 정한 제소기간 내에 부작위법확인의 소를 제기하여야 한다.

① ㄹ
② ㄹ, ㅁ
③ ㄱ, ㄴ, ㄷ
④ ㄱ, ㄹ, ㅁ

2017년 지방직 7급

ㄱ. (○) 무효확인소송이 제소기간 내에 제기되면 병합된 취소소송도 적법하다.

> 하자 있는 행정처분을 놓고 이를 무효로 볼 것인지 아니면 단순히 취소할 수 있는 처분으로 볼 것인지는 동일한 사실관계를 토대로 한 법률적 평가의 문제에 불과하고, 행정처분의 무효 확인을 구하는 소에는 특단의 사정이 없는 한 그 취소를 구하는 취지도 포함되어 있다고 보아야 하는 점 등에 비추어 볼 때, 동일한 행정처분에 대하여 무효확인의 소를 제기하였다가 그 후 그 처분의 취소를 구하는 소를 추가적으로 병합한 경우, 주된 청구인 무효확인의 소가 적법한 제소기간 내에 제기되었다면 추가로 병합된 취소청구의 소도 적법하게 제기된 것으로 봄이 상당하다(대판 2005.12.23. 2005두3554).

ㄴ. (○) 무효등 확인소송에서도 집행정지에 관한 규정이 준용되므로 무효확인소송의 제기는 처분의 효력이나 그 집행 또는 절차의 속행에 영향을 주지 아니한다.

> 「행정소송법」제23조【집행정지】① 취소소송의 제기는 처분등의 효력이나 그 집행 또는 절차의 속행에 영향을 주지 아니한다.
> 제38조【준용규정】① 제9조, 제10조, 제13조 내지 제17조, 제19조, 제22조 내지 제26조, 제29조 내지 제31조 및 제33조의 규정은 무효등 확인소송의 경우에 준용한다.

ㄷ. (○) 무효확인소송에서 무효사유에 대한 입증책임은 원고에게 있다.

> 행정처분의 당연무효를 구하는 소송에 있어서 그 무효를 구하는 사람에게 그 행정처분에 존재하는 하자가 중대하고 명백하다는 것을 주장·입증할 책임이 있다(대판 1984.2.28. 82누154).

ㄹ. (×) 사정판결은 「행정소송법」 제28조에 의해 취소소송에만 인정되고 무효확인소송에는 준용되지 않는다. 판례도 부정한다.

> 당연무효의 행정처분을 소송목적물로 하는 행정소송에서는 존치시킬 효력이 있는 행정행위가 없기 때문에 행정소송법 제28조 소정의 사정판결을 할 수 없다(대판 1996.3.22. 95누5509).

ㅁ. (○) 행정심판을 거친 경우에는 부작위위법확인소송에도 제소기간이 적용된다.

> 부작위법확인의 소는 원칙적으로 제소기간의 제한을 받지 않는다. 다만 제38조 제2항이 제소기간에 관한 제20조를 준용하고 있어, 행정심판 등 전심절차를 거친 경우에는 재결서의 정본을 송달받은 날부터 90일 이내에 부작위법확인의 소를 제기하여야 한다(대판 2009.7.23. 2008두10560).

유제 18. 국회직 8급 부작위법확인의 소는 부작위상태가 계속되는 한 그 위법의 확인을 구할 이익이 있다고 보아야 하므로 원칙적으로 제소기간의 제한을 받지 않으나, 행정심판 등 전심절차를 거친 경우에는 「행정소송법」 제20조가 정한 제소기간 내에 소를 제기해야 한다. (○)
13. 서울시 9급 취소소송의 제소기간에 관한 규정은 무효등 확인소송과 부작위법확인소송에서는 준용되지 않는다. (×)

답 ①

014 □□□

무효등 확인소송에 대한 설명으로 옳지 않은 것은? (다툼이 있는 경우 판례에 의함)

① 처분등을 취소하는 확정판결의 기속력 및 행정청의 재처분의무에 관한 「행정소송법」 제30조가 무효확인소송에도 준용되므로 무효확인판결 자체만으로도 실효성이 확보될 수 있다.
② 거부처분에 대해서 무효확인판결이 내려진 경우에는 당해 행정청에 판결의 취지에 따른 재처분의무가 인정됨은 물론 간접강제도 허용된다.
③ 행정처분의 근거법률에 의하여 보호되는 직접적·구체적인 이익이 있는 경우에는 「행정소송법」 제35조에 규정된 '무효확인을 구할 법률상 이익'이 있다고 보아야 하며, 이와 별도로 무효확인소송의 보충성이 요구되는 것은 아니므로 행정처분의 무효를 전제로 한 이행소송 등과 같은 직접적인 구제수단이 있는지 여부를 따질 필요가 없다.
④ 행정처분의 당연무효를 주장하여 그 무효확인을 구하는 행정소송에 있어서는 원고에게 그 행정처분이 무효인 사유를 주장·입증할 책임이 있다.
⑤ 압류등기가 말소된다고 하여도 압류처분이 외형적으로 효력이 있는 것처럼 존재하는 이상, 압류처분에 가한 압류등기가 경료되어 있는 경우에도 압류처분의 무효확인을 구할 이익이 있다.

2017년 국회직 8급

①, ③ (○) 무효확인소송에는 보충성이 요구되지 않는다.

> 행정소송법 제4조에서는 무효확인소송을 항고소송의 일종으로 규정하고 있고, 행정소송법 제38조 제1항에서는 처분 등을 취소하는 확정판결의 기속력 및 행정청의 재처분 의무에 관한 행정소송법 제30조를 무효확인소송에도 준용하고 있으므로 무효확인판결 자체만으로도 실효성을 확보할 수 있다. 그리고 무효확인소송의 보충성을 규정하고 있는 외국의 일부 입법례와는 달리 우리나라 행정소송법에는 명문의 규정이 없어 이로 인한 명시적 제한이 존재하지 않는다. 이와 같은 사정을 비롯하여 행정에 대한 사법통제, 권익구제의 확대와 같은 행정소송의 기능 등을 종합하여 보면, 행정처분의 근거 법률에 의하여 보호되는 직접적이고 구체적인 이익이 있는 경우에는 행정소송법 제35조에 규정된 '무효확인을 구할 법률상 이익'이 있다고 보아야 하고, 이와 별도로 무효확인소송의 보충성이 요구되는 것은 아니므로 행정처분의 무효를 전제로 한 이행소송 등과 같은 직접적인 구제수단이 있는지 여부를 따질 필요가 없다고 해석함이 상당하다(대판 2008.3.20. 2007두6342 전합).

유제 18. 교행 대법원은 종래 무효확인소송에서 요구해 왔던 보충성을 더 이상 요구하지 않는 것으로 판례 태도를 변경하였다. (○)

② (×) 제30조 취소판결등의 기속력은 제38조에 의해 무효등 확인소송에 준용되지만, 제34조 간접강제는 무효등 확인소송에 준용되지 않는다.

문제 DATA
출제가능 지수 ▶▶▷
난이도 지수 ★★★

함께 정리하기

무효등 확인소송

기속력, 재처분의무 준용

간접강제×

무효확인소송 보충성 不要

무효사유의 입증책임
▷ 원고

압류처분≠압류등기
▷ 압류처분 무효확인 이익○

④ (O) 무효사유의 입증책임은 원고가 부담한다.

> 행정처분의 당연무효를 구하는 소송에 있어서 그 무효를 구하는 사람에게 그 행정처분에 존재하는 하자가 중대하고 명백하다는 것을 주장 입증할 책임이 있다(대판 1984.2.28. 82누154).

⑤ (O) 압류등기가 말소되어도 외형이 존재하는 한 압류처분의 무효를 구할 수 있다.

> 체납처분에 기한 압류처분은 행정처분으로서 이에 기하여 이루어진 집행방법인 압류등기와는 구별되므로 압류등기의 말소를 구하는 것을 압류처분 자체의 무효를 구하는 것으로 볼 수 없고, 또한 압류등기가 말소된다고 하여도 압류처분이 외형적으로 효력이 있는 것처럼 존재하는 이상 그 불안과 위험을 제거할 필요가 있다고 할 것이므로, 압류처분에 기한 압류등기가 경료되어 있는 경우에도 압류처분의 무효확인을 구할 이익이 있다(대판 2003.5.16. 2002두3669).

답 ②

ALL KILL 기출   제6장 항고소송 2(무효등 확인소송)

01 무효등 확인소송은 행정청의 처분등의 효력 유무 또는 존재 여부를 확인하는 소송이다.
11. 세무사 ( )

02 무효등 확인소송은 행정행위의 부존재확인을 청구하는 것은 허용되지 않는다.
08. 선관위 9급 ( )

03 판례는 무효를 선언하는 의미의 취소판결을 인정하고 있다.   13. 국가직 7급 ( )

정답 및 해설

01 ○ 무효등 확인소송: 행정청의 처분등의 효력 유무 또는 존재 여부를 확인하는 소송(「행정소송법」제4조 제2호)

02 × 행정행위의 부존재확인을 무효등 확인소송으로 청구 가능함(대판 1967.3.28. 67누14)

03 ○ 행정처분의 무효선언 의미의 취소소송을 제기한 경우에도 전심절차와 제소기간의 준수 등 취소소송의 제소요건을 갖추어야 함(대판 1990.12.26. 90누6279)

제7장 항고소송 3(부작위위법확인소송)

001 ☐☐☐

행정소송의 제소기간과 행정심판의 청구기간에 대한 설명으로 옳지 않은 것은?

① 부작위위법확인의 소는 부작위상태가 계속되는 한 제소기간의 제한을 받지 않으므로, 행정심판 등 전심절차를 거친 경우에도 「행정소송법」상 제소기간이 적용되지 않는다.
② 당사자소송에 관하여 법령에 제소기간이 정하여져 있는 때에는 그 기간은 불변기간으로 한다.
③ 행정청이 법정 심판청구기간보다 긴 기간으로 잘못 알린 경우에 그 잘못 알린 기간 내에 심판청구가 있으면 그 심판청구는 법정 심판청구기간 내에 제기된 것으로 본다는 취지의 「행정심판법」의 규정은 행정소송 제기에도 당연히 적용되는 규정이라고 할 수는 없다.
④ 처분이 있음을 안 날부터 90일을 넘겨 청구한 부적법한 행정심판청구에 대한 재결이 있은 후 재결서를 송달받은 날부터 90일 이내에 원래의 처분에 대하여 취소소송을 제기하였다고 하여 취소소송이 다시 제소기간을 준수한 것으로 되는 것은 아니다.

2025년 국가직 9급

① (×) 부작위위법확인의 소는 부작위상태가 계속되는 한 그 위법의 확인을 구할 이익이 있다고 보아야 하므로 원칙적으로 제소기간의 제한을 받지 않는다. 그러나 행정소송법 제38조 제2항이 제소기간을 규정한 같은 법 제20조를 부작위위법확인소송에 준용하고 있는 점에 비추어 보면, 행정심판 등 전심절차를 거친 경우에는 행정소송법 제20조가 정한 제소기간 내에 부작위위법확인의 소를 제기하여야 한다 (대판 2009.7.23. 2008두10560).

② (○)

> 「행정소송법」 제41조 【제소기간】 당사자소송에 관하여 법령에 제소기간이 정하여져 있는 때에는 그 기간은 불변기간으로 한다.

③ (○) 행정청이 법정 심판청구기간보다 긴 기간으로 잘못 알린 경우에 그 잘못 알린 기간 내에 심판청구가 있으면 그 심판청구는 법정 심판청구기간 내에 제기된 것으로 본다는 취지의 행정심판법 제7주 제5항의 규정은 행정심판 제기에 관하여 적용되는 규정이지, 행정소송 제기에도 당연히 적용되는 규정이라고 할 수는 없다(대판 2001.5.8. 2000두6916).

④ (○) 처분이 있음을 안 날부터 90일 내에 행정심판을 청구하지 않고 취소소송을 제기하지도 않은 경우에는 그 후 제기된 취소소송은 제소기간을 경과한 것으로서 부적법하고, 처분이 있음을 안 날부터 90일을 넘겨 청구한 부적법한 행정심판청구에 대한 재결이 있은 후 재결서를 송달받은 날부터 90일 이내에 원래의 처분에 대하여 취소소송을 제기하였다고 하여 취소소송이 다시 제소기간을 준수한 것으로 되는 것은 아니다(대판 2011.11.24. 2011두18786).

답 ①

🔷 문제 DATA
출제가능 지수 ▶▶▷
난이도 지수 ★★☆

📋 함께 정리하기
제소기간과 심판청구기간

부작위위법확인의 소 제소기간
▷ 원칙 적용×
▷ 전심절차 거친 경우: 재결서 송달 후 90일 내

당사자소송에 관하여 법령에 제소기간 有
▷ 불변기간

「행정심판법」상 오고지 규정
▷ 행정소송에 적용×

부적법한 행정심판
▷ 제소기간특례 적용×

문제 DATA

출제가능 지수 ▶▶▷
난이도 지수 ★★★

002 □□□

다음 사례에 대한 설명 중 옳은 것(○)과 옳지 않은 것(×)을 올바르게 조합한 것은? (다툼이 있는 경우 판례에 의함)

> 甲은 A시에 흐르는 X하천에서 목초를 채취하려 한다. 이에 甲은 X하천의 관리청인 A시 시장 乙에게 하천법령에 따른 하천의 점용허가를 신청하였다. 그러나 乙은 甲의 신청을 받고도 상당한 기간이 지나도록 아무런 응답을 하지 않고 있다. 이에 甲은 乙을 상대로 부작위위법확인의 소를 제기하려 한다.

ㄱ. 甲이 乙에 대하여 하천점용허가를 할 의무의 이행이나 확인을 구하는 행정소송은 허용될 수 없다.
ㄴ. 甲이 제기한 부작위위법확인소송 계속 중 乙이 甲의 하천점용허가 신청을 거부하는 처분을 한 경우 그 부작위위법확인의 소는 소의 이익을 잃어 부적법하게 된다.
ㄷ. 甲이 전심절차를 거쳐 부작위위법확인의 소를 제기하였으나 그 후 乙의 거부처분이 있다고 보아 거부처분취소소송으로 소를 교환적으로 변경한 후 여기에 부작위위법확인의 소를 추가적으로 병합한 경우, 최초의 부작위위법확인의 소가 적법한 제소기간 내에 제기된 이상 그 후 거부처분취소소송으로의 교환적 변경과 거부처분취소소송에의 추가적 변경 등의 과정을 거쳤다고 하더라도 여전히 제소기간을 준수한 것으로 보아야 한다.
ㄹ. 甲의 부작위위법확인 청구가 인용되어 그 판결이 확정되는 경우 취소판결 등의 기속력을 정한 「행정소송법」 제30조가 준용되므로, 乙은 甲이 신청한 대로 하천점용허가를 하여야 한다.

① ㄱ(○), ㄴ(○), ㄷ(○), ㄹ(×)
② ㄱ(○), ㄴ(○), ㄷ(×), ㄹ(○)
③ ㄱ(○), ㄴ(×), ㄷ(○), ㄹ(○)
④ ㄱ(○), ㄴ(×), ㄷ(×), ㄹ(○)
⑤ ㄱ(×), ㄴ(×), ㄷ(○), ㄹ(×)

함께 정리하기

사례
의무이행소송
▷ 부정(判)

부작위위법확인소송 계속 중 하천점용허가거부처분
▷ 소의 이익 상실

적법한 제소기간 내에 부작위위법확인의 소를 제기한 후 처분취소소송으로 소를 교환적으로 변경한 후 부작위위법확인의 소의 추가적 병합
▷ 제소기간 준수○

부작위위법확인청구 인용
▷ 응답의무 有
▷ 신청대로 처분할 의무 無

2025년 변호사

ㄱ. (○) 현행 행정소송법상 의무이행소송이나 의무확인소송은 인정되지 않으며, 행정심판법이 의무이행심판청구를 할 수 있도록 규정하고 있다고 하여 행정소송에서 의무이행청구를 할 수 있는 근거가 되지 못한다(대판 1992.2.11. 91누4126).

ㄴ. (○) 부작위위법확인의 소는 행정청이 국민의 법규상 또는 조리상의 권리에 기한 신청에 대하여 상당한 기간내에 그 신청을 인용하는 적극적 처분 또는 각하하거나 기각하는 등의 소극적 처분을 하여야 할 법률상의 응답의무가 있음에도 불구하고 이를 하지 아니하는 경우, 판결(사실심의 구두변론 종결)시를 기준으로 그 부작위의 위법을 확인함으로써 행정청의 응답을 신속하게 하여 부작위 내지 무응답이라고 하는 소극적인 위법상태를 제거하는 것을 목적으로 하는 것이고, 나아가 당해 판결의 구속력에 의하여 행정청에게 처분 등을 하게 하고 다시 당해 처분 등에 대하여 불복이 있는 때에는 그 처분 등을 다투게 함으로써 최종적으로는 국민의 권리이익을 보호하려는 제도이므로, 소제기의 전후를 통하여 판결시까지 행정청이 그 신청에 대하여 적극 또는 소극의 처분을 함으로써 부작위상태가 해소된 때에는 소의 이익을 상실하게 되어 당해 소는 각하를 면할 수가 없는 것이다(대판 1990.9.25. 89누4758).

ㄷ. (○) 당사자의 법규상 또는 조리상의 권리에 기한 신청에 대하여 행정청이 부작위의 상태에 있는지 아니면 소극적 처분을 하였는지는 동일한 사실관계를 토대로 한 법률적 평가의 문제가 개입되어 분명하지 않은 경우가 있을 수 있고, 부작위위법확인소송의 계속중 소극적 처분이 있게 되면 부작위위법확인의 소는 소의 이익을 잃어 부적법하게 되고 이 경우 소극적 처분에 대한 취소소송을 제기하여야 하는 등 부작위위법확인의 소는 취소소송의 보충적 성격을 지니고 있으며, 부작위위법확인소송의 이러한 보충적 성격에 비추어 동일한 신청에 대한 거부처분의 취소를 구하는 취소소송에는 특단의 사정이 없는 한 그 신청에 대한 부작위위법의 확인을 구하는 취지도 포함되어 있다고 볼 수 있다. 이러한 사정을 종합하여 보면, 당사자가 동일한 신청에 대하여 부작위위법확인의 소를 제기하였으나 그 후 소극적 처분이 있다고 보아 처분취소소송으로 소를 교환적으로 변경한 후 여기에 부작위위법확인의 소를 추가적으로 병합한

경우 최초의 부작위법확인의 소가 적법한 제소기간 내에 제기된 이상 그 후 처분취소소송으로의 교환적 변경과 처분취소소송에의 추가적 변경 등의 과정을 거쳤다고 하더라도 여전히 제소기간을 준수한 것으로 봄이 상당하다(대판 2009.7.23. 2008두10560).

ㄹ. (×) 乙은 甲이 신청한 대로 하천점용허가를 하여야 하는 것은 아니다. 통설 및 판례는 절차적 심리설의 입장에서 부작위법확인판결의 기속력의 내용인 처분의무는 판결의 취지에 따라 단순히 신청에 대한 응답의무를 부담하는데 그치는 행정청의 응답의무라고 본다. 이에 따르면, 부작위법확인판결이 나온 경우 행정청은 어떠한 처분을 하기만 하면 되는 것이므로, 신청의 대상이 되는 처분이 기속행위인 경우에도 행정청이 거부처분을 하여도 판결의 기속력으로서 처분의무를 이행한 것이 된다. 따라서 부작위법확인판결 이후 행정청의 거부처분에 대하여 상대방은 기속력 위반을 이유로 간접강제를 신청할 수 없다.

신청인이 피신청인을 상대로 제기한 부작위법확인소송에서 신청인의 제2 예비적 청구를 받아들이는 내용의 확정판결을 받았다. 그 판결의 취지는 피신청인이 신청인의 광주광역시 지방부이사관 승진임용 신청에 대하여 아무런 조치를 취하지 아니하는 것 자체가 위법함을 확인하는 것일 뿐이다. 따라서 피신청인이 신청인을 승진임용하는 처분을 하는 경우는 물론이고, 승진임용을 거부하는 처분을 하는 경우에도 위 확정판결의 취지에 따른 처분을 하였다고 볼 것이다. 그런데 위 확정판결이 있은 후에 피신청인은 신청인의 승진임용을 거부하는 처분을 하였다. 따라서 결국 신청인의 이 사건 간접강제신청은 그에 필요한 요건을 갖추지 못하였다는 것이다(대결 2010.2.5. 2009무153).

답 ①

003

「행정소송법」상 취소소송에 대한 규정 중 부작위법확인소송에 준용되는 것을 모두 옳게 고른 것은?

ㄱ. 행정심판과의 관계
ㄴ. 제소기간
ㄷ. 집행정지
ㄹ. 사정판결
ㅁ. 거부처분취소판결의 간접강제

① ㄱ, ㄹ
② ㄱ, ㄴ, ㅁ
③ ㄱ, ㄴ, ㄷ, ㄹ
④ ㄱ, ㄴ, ㄷ, ㅁ

2013년 국가직 9급

ㄱ. (○) 제18조(행정심판과의 관계)
ㄴ. (○) 제20조(제소기간)
ㄷ. (×) 제23조(집행정지)
ㄹ. (×) 제28조(사정판결)
ㅁ. (○) 제34조(간접강제)

「행정소송법」 제38조【준용규정】② 제9조, 제10조, 제13조 내지 제19조, 제20조, 제25조 내지 제27조, 제29조 내지 제31조, 제33조 및 제34조의 규정은 부작위법확인소송의 경우에 준용한다.

문제 DATA
출제가능 지수 ▶▷▷
난이도 지수 ★☆☆

함께 정리하기
부작위법확인소송에 적용되는 규정
▷ 행정심판과의 관계 ○
▷ 제소기간 ○
▷ 집행정지 ×
▷ 사정판결 ×
▷ 간접강제 ○

> **관련 이론** 부작위위법확인소송에 준용되는 취소소송 규정

준용 ○	준용 ×
제9조(재판의 관할), 제10조(관련청구 소송의 이송 및 병합), 제13조(피고적격), 제14조(피고경정), 제15조(공동소송), 제16조(제3자의 소송참가), 제17조(행정청의 소송참가), 제18조(행정심판과의 관계), 제19조(취소소송의 대상), 제20조(제소기간), 제21조[원고가 소의 종류를 잘못 선택한 경우 소종류의 변경(제37조)], 제25조(행정심판기록의 제출명령), 제26조(직권심리), 제27조(재량처분의 취소), 제29조(취소판결등의 효력), 제30조(취소판결등의 기속력), 제31조(제3자에 의한 재심청구), 제33조(소송비용에 관한 재판의 효력), 제34조(거부처분취소판결의 간접강제)	제11조(선결문제), 제12조[원고적격(제36조에서 별도로 규정)], 제22조(처분변경으로 인한 소변경), 제23조(집행정지), 제24조(집행정지의 취소), 제28조(사정판결)

답 ②

004 □□□

「행정소송법」상 취소소송의 규정이 무효확인소송에는 준용되나 부작위위법확인소송에는 준용되지 않는 것은?

① 제3자에 의한 재심청구
② 행정심판기록의 제출명령
③ 처분변경으로 인한 소의 변경
④ 거부처분취소판결의 간접강제
⑤ 관련청구소송의 이송 및 병합

| 2014년 서울시 7급

①, ②, ⑤ (○) 「행정소송법」상 제3자에 의한 재심청구(제31조)와 행정심판기록의 제출명령(제25조), 관련청구소송의 이송 및 병합(제10조)은 무효확인소송과 부작위위법확인소송에 모두 준용된다.

③ (×) 처분변경으로 인한 소의 변경(제22조)는 무효확인소송에는 준용되나, 부작위위법확인소송에는 준용되지 않는다.

> 「행정소송법」 제22조 【처분변경으로 인한 소의 변경】 ① 법원은 행정청이 소송의 대상인 처분을 소가 제기된 후 변경한 때에는 원고의 신청에 의하여 결정으로써 청구의 취지 또는 원인의 변경을 허가할 수 있다.
> 제38조 【준용규정】 ① 제9조, 제10조, 제13조 내지 제17조, 제19조, 제22조 내지 제26조, 제29조 내지 제31조 및 제33조의 규정은 무효등 확인소송의 경우에 준용한다.
> ② 제9조, 제10조, 제13조 내지 제19조, 제20조, 제25조 내지 제27조, 제29조 내지 제31조, 제33조 및 제34조의 규정은 부작위위법확인소송의 경우에 준용한다.

④ (○) 거부처분취소판결의 간접강제(제34조)는 무효확인소송에는 준용되지 않으나, 부작위위법확인소송에는 준용된다.

답 ③

005

행정소송의 제소기간에 대한 설명으로 옳지 않은 것을 <보기>에서 모두 고르면? (다툼이 있는 경우 판례에 의함)

<보기>
ㄱ. 당사자소송은 취소소송의 제소기간이 적용되지 않으나, 법령에 제소기간이 정해져 있는 경우에 그 기간은 불변기간이다.
ㄴ. 행정심판 등 전심절차를 거친 경우에도 부작위위법확인소송은 부작위상태가 계속되는 한 그 위법의 확인을 구할 이익이 있으므로 제소기간의 제한을 받지 않는다.
ㄷ. 「행정소송법」 제20조(제소기간) 제2항의 규정상 소정의 '정당한 사유'란 「민사소송법」 제173조(소송행위의 추후보완)의 '당사자가 책임질 수 없는 사유'나 「행정심판법」 제27조(심판청구의 기간) 제2항의 '불가항력적인 사유'보다는 넓은 개념이다.
ㄹ. 조세심판에서 재결청의 재조사결정에 따른 행정소송의 기산점은 후속처분의 통지를 받은 날이다.

① ㄱ
② ㄴ
③ ㄱ, ㄴ
④ ㄴ, ㄷ
⑤ ㄱ, ㄴ, ㄹ

2016년 국회직 8급

ㄱ. (○) 「행정소송법」상 취소소송의 제소기간(제20조) 규정은 당사자소송에 준용되지 않는다(제44조). 그리고 법령에 제소기간이 정해져 있는 경우에 그 기간은 불변기간이다(제41조).

> 「행정소송법」 제44조 【준용규정】 ① 제14조 내지 제17조, 제22조, 제25조, 제26조, 제30조 제1항, 제32조 및 제33조의 규정은 당사자소송의 경우에 준용한다.
> 제41조 【제소기간】 당사자소송에 관하여 법령에 제소기간이 정하여져 있는 때에는 그 기간은 불변기간으로 한다.

ㄴ. (×) 부작위위법확인의 소는 부작위상태가 계속되는 한 그 위법의 확인을 구할 이익이 있다고 보아야 하므로 원칙적으로 제소기간의 제한을 받지 않는다. 다만, 제38조 제2항이 제소기간에 관한 제20조를 준용하고 있어, 행정심판 등 전심절차를 거친 경우에는 재결서의 정본을 송달받은 날부터 90일 이내에 부작위위법확인의 소를 제기하여야 한다(대판 2009.7.23. 2008두10560).

ㄷ. (○) 정당한 사유란 책임질 수 없는 사유나 불가항력적인 사유보다 넓은 개념이다.

> 행정소송법 제20조 제2항 소정의 "정당한 사유"란 불확정 개념으로서 그 존부는 사안에 따라 개별적, 구체적으로 판단하여야 하나 민사소송법 제173조의 "당사자가 그 책임을 질 수 없는 사유"나 행정심판법 제18조 제2항 소정의 "천재, 지변, 전쟁, 사변 그 밖에 불가항력적인 사유"보다는 넓은 개념이라고 풀이되므로, 제소기간 도과의 원인 등 여러 사정을 종합하여 지연된 제소를 허용하는 것이 사회통념상 상당하다고 할 수 있는가에 의하여 판단하여야 한다(대판 1991.6.28. 90누6521).

ㄹ. (○) 재조사결정이 있는 경우 제소기간은 후속처분의 통지를 받은 날로부터 기산한다.

> 조세심판에서 재결청의 재조사결정은 처분청의 후속처분에 의하여 그 내용이 보완됨으로써 이의신청 등에 대한 결정으로서의 효력이 발생한다고 할 것이므로, 재조사결정에 따른 심사청구기간이나 심판청구기간 또는 행정소송의 제소기간은 이의신청인 등이 후속처분의 통지를 받은 날부터 기산된다(대판 2010.6.25. 2007두12514 전합).

답 ②

문제 DATA
출제가능 지수 ▶▶▷
난이도 지수 ★★★

함께 정리하기
행정소송의 제소기간

취소소송 제소기간
▷ 당사자소송 준용×

법정제소기간
▷ 불변기간

부작위위법확인의 소
▷ 제소기간의 제한×
▷ But 전심절차를 거친 경우 90일 이내

정당한 사유 > 당사자가 책임질 수 없는 사유 or 불가항력적인 사유

재조사결정 행정소송 기산점
▷ 후속처분 통지 받은 날

문제 DATA

출제가능 지수 ▶▶▷
난이도 지수 ★★☆

006 □□□

부작위위법확인소송에 대한 설명으로 옳지 않은 것은? (다툼이 있는 경우 판례에 의함)

① 부작위위법확인소송의 확정판결은 제3자에 대하여도 효력이 있다.
② 부작위위법확인의 소는 부작위상태가 계속되는 한 그 위법의 확인을 구할 이익이 있다고 보아야 하므로 원칙적으로 제소기간의 제한을 받지 않는다.
③ 부작위위법확인의 소는 신청에 대한 부작위의 위법을 확인하여 소극적인 위법상태를 제거하는 동시에 신청의 실체적 내용이 이유 있는 것인가도 심리하는 것을 목적으로 한다.
④ 부작위위법확인소송에 있어서의 판결은 행정청의 특정 부작위의 위법 여부를 확인하는 데 그치고, 적극적으로 행정청에 대하여 일정한 처분을 할 의무를 직접 명하지는 않는다.

2020년 군무원 7급

① (○) 부작위위법확인소송은 형식상으로 확인판결이지만, 그 위법확인의 효과는 취소소송의 형성적 효과에 준하는 것으로 보아 부작위위법확인판결의 제3자에 대한 효력을 인정하고 있다(제38조 제2항, 제29조).
② (○) 부작위위법확인의 소는 원칙적으로 제소기간의 제한을 받지 않는다.

> 부작위위법확인의 소는 부작위상태가 계속되는 한 그 위법의 확인을 구할 이익이 있다고 보아야 하므로 원칙적으로 제소기간의 제한을 받지 않는다. 다만 제38조 제2항이 제소기간에 관한 제20조를 준용하고 있어, 행정심판 등 전심절차를 거친 경우에는 재결서의 정본을 송달받은 날부터 90일 이내에 부작위위법확인의 소를 제기하여야 한다(대판 2009.7.23. 2008두10560).

유제 19. 지방직 9급 행정의 부작위에 대하여 행정심판을 거치지 않고 부작위위법확인소송을 제기한 경우에는 제소기간의 제한을 받지 않는다. (○)

③ (×) 부작위위법확인소송은 소극적인 위법상태를 제거하는 것을 목적으로 하는 것이지 적극적으로 법원이 신청의 실체적 내용까지 심리할 수 없다.

> 부작위위법확인의 소는 행정청이 국민의 법규상 또는 조리상의 권리에 기한 신청에 대하여 상당한 기간 내에 그 신청을 인용하는 적극적 처분을 하거나 또는 각하 내지 기각하는 등의 소극적 처분을 하여야 할 법률상의 응답의무가 있음에도 불구하고 이를 하지 아니하는 경우 판결시를 기준으로 그 부작위의 위법함을 확인함으로써 행정청의 응답을 신속하게 하여 부작위 내지 무응답이라고 하는 소극적인 위법상태를 제거하는 것을 목적으로 하는 것이고, 나아가 당해 판결의 구속력에 의하여 행정청에게 처분등을 하게 하고, 다시 당해 처분등에 대하여 불복이 있는 때에는 그 처분등을 다투게 함으로써 최종적으로는 국민의 권리이익을 보호하려는 제도이다(대판 1992.7.28. 91누7361).

유제 16. 서울시 7급 부작위위법확인소송은 부작위의 위법함을 확인함으로써 행정청의 응답을 신속하게 하여 부작위 내지 무응답이라고 하는 소극적인 위법상태를 제거하는 것을 목적으로 한다. (○)

④ (○) 부작위위법확인소송은 행정청의 부작위가 위법하다는 것을 확인하는 소송을 말한다. 따라서 권력분립의 원칙상 사법부가 부작위한 행정청에 대하여 일정한 처분을 할 의무를 직접 명하지 않는다.

답 ③

함께 정리하기

부작위위법확인소송

판결의 제3자효 有

제소기간
▷ 원칙적 적용×(∵부작위 계속되는 한 확인의 이익이 있으므로)

부작위위법확인소송
▷ 소극적 위법상태 제거 목적
▷ 신청의 실체적 내용까지 심리×

행정청에게 일정한 처분을 할 의무를 명하는 소송
▷ 의무이행소송 인정×

007

행정소송의 심리의 범위에 대한 설명으로 옳지 않은 것은? (다툼이 있는 경우 판례에 의함)

① 무효확인소송에서 사정판결 여부는 심판의 대상이 되지 않는다.
② 법원은 원고의 청구범위를 초월하여 판결할 수 없다.
③ 행정청의 재량에 속하는 처분이라도 재량권의 일탈·남용이 있는 때에는 법원은 이를 취소할 수 있다.
④ 행정청이 신청권이 인정되는 상대방의 신청에 대하여 아무런 처분을 하지 않고 있는 이상 행정청의 부작위는 그 자체로 위법하다.
⑤ 부작위위법확인소송에서의 심리의 범위에 대하여 판례는 실체적 심리설을 취한다.

2019년 세무사

① (○) 당연무효의 행정처분을 소송목적물로 하는 행정소송에서는 존치시킬 효력이 있는 행정행위가 없기 때문에 행정소송법 제28조 소정의 사정판결을 할 수 없다(대판 1985.2.26. 84누380).

② (○) 행정소송법 제26조는 법원이 필요하다고 인정할 때에는 직권으로 증거조사를 할 수 있고 당사자가 주장하지 아니한 사실에 대하여 판단할 수 있다고 규정하고 있으나, 이는 행정소송에 있어서 원고의 청구범위를 초월하여 그 이상의 청구를 인용할 수 있다는 뜻이 아니라 원고의 청구범위를 유지하면서 그 범위 내에서 필요에 따라 주장 외의 사실에 관하여 판단할 수 있다는 뜻이고 또 법원의 석명권은 당사자의 진술에 모순, 흠결이 있거나 애매하여 그 진술의 취지를 알 수 없을 때 이를 보완하여 명료하게 하거나 입증책임 있는 당사자에게 입증을 촉구하기 위하여 행사하는 것이지 그 정도를 넘어 당사자에게 새로운 청구를 할 것을 권유하는 것은 석명권의 한계를 넘어서는 것이다(대판 1992.3.10. 91누6030).

③ (○) 행정청의 재량에 속하는 처분이라도 재량권의 한계를 넘거나 그 남용이 있는 때에는 법원은 이를 취소할 수 있다(「행정소송법」 제27조 참조).

④ (○) 행정청이 행한 공사중지명령의 상대방은 그 명령 이후에 그 원인사유가 소멸하였음을 들어 행정청에게 공사중지명령의 철회를 요구할 수 있는 조리상의 신청권이 있다 할 것이고, 상대방으로부터 그 신청을 받은 행정청으로서는 상당한 기간 내에 그 신청을 인용하는 적극적 처분을 하거나 각하 또는 기각하는 등의 소극적 처분을 하여야 할 법률상의 응답의무가 있다고 할 것이며, 행정청이 상대방의 신청에 대하여 아무런 적극적 또는 소극적 처분을 하지 않고 있는 이상 행정청의 부작위는 그 자체로 위법하다고 할 것이고, 구체적으로 그 신청이 인용될 수 있는지 여부는 소극적 처분에 대한 항고소송의 본안에서 판단하여야 할 사항이라고 할 것이다(대판 2005.4.14. 2003두7590).

⑤ (×) 부작위위법확인소송에서 법원의 심리권이 부작위의 위법 여부에만 그치는지 아니면 이를 넘어 신청의 실체적인 내용에까지도 미치는지에 대하여 판례는 절차적 심리설(소극설)을 취한다. 즉, 법원은 부작위가 위법임을 확인하는데 그쳐야 하고 그 이상으로 행정청이 발동하여야 할 실체적 처분의 내용까지 심리할 수 없다는 입장이다.

> 신청인이 피신청인을 상대로 제기한 부작위위법확인소송에서 신청인의 제2 예비적 청구를 받아들이는 내용의 확정판결을 받았다. 그 판결의 취지는 피신청인이 신청인의 광주광역시 지방부이사관 승진임용신청에 대하여 아무런 조치를 취하지 아니하는 것 자체가 위법함을 확인하는 것일 뿐이다. 따라서 피신청인이 신청인을 승진임용하는 처분을 하는 경우는 물론이고, 승진임용을 거부하는 처분을 하는 경우에도 위 확정판결의 취지에 따른 처분을 하였다고 볼 것이다. 그런데 위 확정판결이 있은 후에 피신청인은 신청인의 승진임용을 거부하는 처분을 하였다. 따라서 결국 신청인의 이 사건 간접강제신청은 그에 필요한 요건을 갖추지 못하였다는 것이다(대결 2010.2.5. 2009무153).

답 ⑤

문제 DATA

출제가능 지수 ▶▶▷
난이도 지수 ★★☆

함께 정리하기

행정소송의 심리

무효확인소송
▷ 사정판결 불가

재량권의 일탈·남용 있는 처분
▷ 취소판결 可

원고의 청구범위 초월한 판결 불가

신청에 대하여 아무런 처분을 하지 않는 행정청의 부작위
▷ 그 자체로 위법

부작위위법확인소송
▷ 절차적 심리설(判)

문제 DATA

출제가능 지수 ▶▶▷
난이도 지수 ★★☆

008 □□□

부작위위법확인소송에 대한 설명으로 가장 옳지 않은 것은?

① 집행정지결정은 부작위위법확인소송에 준용되지 않는다.
② 부작위위법확인소송에서 예외적으로 행정심판전치가 인정될 경우 그 전치되는 행정심판은 의무이행심판이다.
③ 당사자의 신청에 대한 행정청의 거부처분이 있는 경우에는 행정청이 당사자의 신청에 대하여 일정한 처분을 이행하지 아니함으로써 위법상태가 야기된 것이므로 이를 제거하기 위하여 부작위위법확인소송도 허용된다.
④ 부작위위법확인소송은 부작위의 위법함을 확인함으로써 행정청의 응답을 신속하게 하여 부작위 내지 무응답이라고 하는 소극적인 위법상태를 제거하는 것을 목적으로 한다.

함께 정리하기

부작위위법확인소송
집행정지 ✕
예외적 행정심판전치 적용
▷ 의무이행심판
거부처분
▷ 부작위위법확인소송 ✕
부작위·무응답 소극적 위법상태 제거 목적

| 2016년 서울시 7급

① (○) 「행정소송법」상 집행정지(제23조) 규정은 부작위위법확인소송에 준용되지 않는다(제38조 제2항).
② (○) 부작위위법확인소송에서도 필요적 전치주의가 요구되는 경우에 한해서 「행정소송법」 제18조, 제38조에 의해 행정심판을 거쳐야 한다. 이때 인정되는 행정심판의 유형은 부작위위법확인심판이 아니라 의무이행심판이다.
③ (✕) 거부처분에 대하여는 부작위위법확인소송을 제기할 수 없다.

> 행정청이 당사자의 신청에 대하여 거부처분을 한 경우에는 거부처분에 대하여 취소소송을 제기하여야 하는 것이지 행정처분의 부존재를 전제로 한 부작위위법확인소송을 제기할 수 없다(대판 1992.4.28. 91누8753).

④ (○) 부작위위법확인소송은 소극적인 위법상태를 제거함이 목적이다.

> 부작위위법확인의 소는 행정청이 당사자의 법규상 또는 조리상의 권리에 기한 신청에 대하여 상당한 기간 내에 그 신청을 인용하는 적극적 처분을 하거나 각하 또는 기각하는 등의 소극적 처분을 하여야 할 법률상의 응답의무가 있음에도 불구하고 이를 하지 아니하는 경우, 그 부작위의 위법을 확인함으로써 행정청의 응답을 신속하게 하여 부작위 내지 무응답이라고 하는 소극적인 위법상태를 제거하는 것을 목적으로 하는 것이다(대판 2002.6.28. 2000두4750).

유제 12. 국가직 7급 부작위위법확인소송의 변론종결시까지 행정청의 처분으로 부작위상태가 해소된 때에는 부작위위법확인소송은 소의 이익을 상실하게 된다. (○)

답 ③

009

「행정소송법」상 부작위위법확인소송에 대한 설명으로 옳지 않은 것은? (다툼이 있는 경우 판례에 의함)

① 어떠한 처분에 대하여 그 근거 법률에서 행정소송 이외의 다른 절차에 의하여 불복할 것을 예정하고 있는 경우, 그 처분이 「행정소송법」상 처분의 개념에 해당한다고 하더라도 그 처분의 부작위는 부작위위법확인소송의 대상이 될 수 없다.

② 어떠한 행정처분에 대한 법규상 또는 조리상의 신청권이 인정되지 않는 경우, 그 처분의 신청에 대한 행정청의 무응답이 위법하다고 하여 제기된 부작위위법확인소송은 적법하지 않다.

③ 취소소송의 제소기간에 관한 규정은 부작위위법확인소송에 준용되지 않으므로 행정심판 등 전심절차를 거친 경우에도 부작위위법확인소송에 있어서는 제소기간의 제한을 받지 않는다.

④ 처분의 신청 후에 원고에게 생긴 사정의 변화로 인하여, 그 처분에 대한 부작위가 위법하다는 확인을 받아도 종국적으로 침해되거나 방해받은 원고의 권리·이익을 보호·구제받는 것이 불가능하게 되었다면, 법원은 각하판결을 내려야 한다.

| 2020년 국가직 9급

① (○) 근거법률에서 특별한 불복절차를 예정한 처분은 항고소송의 대상이 될 수 없다.

'처분'이란 행정소송법상 항고소송의 대상이 되는 처분을 의미하는 것으로서, 행정소송법 제2조의 처분의 개념 정의에는 해당한다고 하더라도 그 처분의 근거 법률에서 행정소송 이외의 다른 절차에 의하여 불복할 것을 예정하고 있는 처분은 항고소송의 대상이 될 수 없다. 검사의 불기소결정에 대해서는 검찰청법에 의한 항고와 재항고, 형사소송법에 의한 재정신청에 의해서만 불복할 수 있는 것이므로, 이에 대해서는 행정소송법상 항고소송을 제기할 수 없다(대판 2018.9.28. 2017두47465).

② (○) 부작위위법확인소송은 법규상 또는 조리상의 신청권을 요한다.

부작위위법확인의 소에 있어 당사자가 행정청에 대하여 어떠한 행정행위를 하여 줄 것을 요구할 수 있는 법규상 또는 조리상 권리를 갖고 있지 아니한 경우에는 원고적격이 없거나 항고소송의 대상인 위법한 부작위가 있다고 볼 수 없어 그 부작위위법확인의 소는 부적법하다(대판 1999.12.7. 97누17568).

③ (×) 전심설차를 거친 부작위위법확인소송에는 제소기간이 적용된다.

부작위위법확인의 소는 부작위상태가 계속되는 한 그 위법의 확인을 구할 이익이 있다고 보아야 하므로 원칙적으로 제소기간의 제한을 받지 않는다. 다만 제38조 제2항이 제소기간에 관한 제20조를 준용하고 있어, 행정심판 등 전심절차를 거친 경우에는 재결서의 정본을 송달받은 날부터 90일 이내에 부작위위법확인의 소를 제기하여야 한다(대판 2009.7.23. 2008두10560).

④ (○) 부작위위법확인소송 중 권리·이익을 보호·구제받는 것이 불가능해졌다면 확인의 이익이 없다.

부작위위법확인의 소는 그 부작위의 위법을 확인함으로써 행정청의 응답을 신속하게 하여 부작위 내지 무응답이라고 하는 소극적인 위법상태를 제거하는 것을 목적으로 하는 것이고, 종국적으로 침해되거나 방해받은 권리와 이익을 보호·구제받는 것이 불가능하게 되었다면 그 부작위가 위법하다는 확인을 구할 이익은 없다(대판 2002.6.28. 2000두4750).

답 ③

문제 DATA

출제가능 지수 ▶▶▷
난이도 지수 ★★☆

함께 정리하기

부작위위법확인소송

특별한 불복절차 존재
▷ 항고소송의 대상 ×

신청권 존부
▷ 부작위개념요소·원고적격요소

제소기간
▷ 원칙적 적용 × (∵ 부작위 계속되는 한 확인의 이익 있으므로)
▷ 전심절차 거친 경우: 재결서 송달 후 90일 내

권리·이익보호·구제불가능
▷ 확인의 이익 無

문제 DATA

출제가능 지수 ▶▶▷
난이도 지수 ★★☆

010 □□□

부작위위법확인소송에 대한 설명으로 옳지 않은 것은? (다툼이 있는 경우 판례에 의함)

① 부작위위법확인의 소는 부작위상태가 계속되는 한 그 위법의 확인을 구할 이익이 있다고 보아야 하므로 원칙적으로 제소기간의 제한을 받지 않으나, 행정심판 등 전심절차를 거친 경우에는 「행정소송법」 제20조가 정한 제소기간 내에 소를 제기해야 한다.
② 소제기의 전후를 통하여 판결시까지 행정청이 그 신청에 대하여 적극 또는 소극의 처분을 함으로써 부작위상태가 해소된 때에는 소의 이익을 상실하게 되어 당해 소는 각하를 면할 수가 없다.
③ 행정청에 대하여 어떠한 행정처분을 하여 줄 것을 요청할 수 있는 법규상 또는 조리상의 권리를 갖는 자만이 제기할 수 있다.
④ 법원은 단순히 행정청의 방치행위의 적부에 관한 절차적 심리만 하는 게 아니라, 신청의 실체적 내용이 이유 있는지도 심리하며 그에 대한 적정한 처리방향에 관한 법률적 판단을 해야 한다.
⑤ 부작위위법확인소송에는 취소판결의 사정판결규정은 준용되지 않지만 제3자효, 기속력, 간접강제에 관한 규정은 준용된다.

2018년 국회직 8급

① (○) 부작위위법확인소송에서도 전심절차를 거친 경우에는 제소기간이 적용된다.

> 부작위위법확인의 소는 원칙적으로 제소기간의 제한을 받지 않는다. 그러나 행정소송법 제38조 제2항이 제소기간을 규정한 같은 법 제20조를 부작위위법확인소송에 준용하고 있는 점에 비추어 보면, 행정심판 등 전심절차를 거친 경우에는 행정소송법 제20조가 정한 제소기간 내에 부작위위법확인의 소를 제기하여야 한다(대판 2009.7.23. 2008두10560).

② (○) 판결시까지 부작위상태가 해소되면 소의 이익을 상실한다.

> 부작위위법확인의 소는 … 부작위 내지 무응답이라고 하는 소극적인 위법상태를 제거하는 것을 목적으로 하는 것이고, 소제기의 전후를 통하여 판결시까지 행정청이 그 신청에 대하여 적극 또는 소극의 처분을 함으로써 부작위상태가 해소된 때에는 소의 이익을 상실하게 되어 당해 소는 각하를 면할 수가 없는 것이다(대판 1990.9.25. 89누4758).

유제 18. 국회직 8급 소제기의 전후를 통하여 판결시까지 행정청이 그 신청에 대하여 적극 또는 소극의 처분을 함으로써 부작위상태가 해소된 때에는 소의 이익을 상실하게 되어 당해 소는 각하를 면할 수 없다. (○)

③ (○) 부작위위법확인소송은 법규상 또는 조리상의 신청권을 요한다.

> 부작위위법확인의 소에 있어 당사자가 행정청에 대하여 어떠한 행정행위를 하여 줄 것을 요구할 수 있는 법규상 또는 조리상 권리를 갖고 있지 아니한 경우에는 원고적격이 없거나 항고소송의 대상인 위법한 부작위가 있다고 볼 수 없어 그 부작위위법확인의 소는 부적법하다(대판 1999.12.7. 97누17568).

④ (✕) 실체적 심리설이 존재하나, 대법원은 절차적 심리설의 입장이다.

> 부작위위법확인의 소는 행정청이 국민의 법규상 또는 조리상의 권리에 기한 신청에 대하여 상당한 기간 내에 그 신청을 인용하는 적극적 처분을 하거나 또는 각하 내지 기각하는 등의 소극적 처분을 하여야 할 법률상의 응답의무가 있음에도 불구하고 이를 하지 아니하는 경우 판결시를 기준으로 그 부작위의 위법함을 확인함으로써 행정청의 응답을 신속하게 하여 부작위 내지 무응답이라고 하는 소극적인 위법상태를 제거하는 것을 목적으로 하는 것이다(대판 1992.7.28. 91누7361).

함께 정리하기

부작위위법확인소송

제소기간
▷ 원칙: 적용✕
▷ 예외: 전심절차 거친 경우 적용○

판결시까지 부작위상태의 해소
▷ 소의 이익상실(각하)

법규상·조리상 신청권 있어야 제기 可

대법원
▷ 절차적 심리설

제3자효·기속력·간접강제
▷ 준용○

사정판결
▷ 준용✕

⑤ (○) 부작위위법확인소송의 경우 사정판결은 인정되지 않는다.

> 「행정소송법」 제38조【준용규정】② 제9조, 제10조, 제13조 내지 제19조, 제20조, 제25조 내지 제27조, 제29조 내지 제31조, 제33조 및 제34조의 규정은 부작위위법확인소송의 경우에 준용한다.
> 제29조【취소판결등의 효력】① 처분등을 취소하는 확정판결은 제3자에 대하여도 효력이 있다.
> 제30조【취소판결등의 기속력】① 처분등을 취소하는 확정판결은 그 사건에 관하여 당사자인 행정청과 그 밖의 관계행정청을 기속한다.
> 제34조【거부처분취소판결의 간접강제】① 행정청이 제30조 제2항의 규정에 의한 처분을 하지 아니하는 때에는 제1심수소법원은 당사자의 신청에 의하여 결정으로써 상당한 기간을 정하고 행정청이 그 기간내에 이행하지 아니하는 때에는 그 지연기간에 따라 일정한 배상을 할 것을 명하거나 즉시 손해배상을 할 것을 명할 수 있다.

답 ④

011

「도로법」 제61조에서 "공작물·물건, 그 밖의 시설을 신설·개축·변경 또는 제거하거나 그 밖의 사유로 도로를 점용하려는 자는 도로관리청의 허가를 받아야 한다."고 규정하고 있다. 甲은 도로관리청 乙에게 도로점용허가를 신청하였으나, 상당한 기간이 지났음에도 아무런 응답이 없어 행정쟁송을 제기하여 권리구제를 강구하려고 한다. 이에 대한 설명으로 옳은 것은? (다툼이 있는 경우 판례에 의함)

① 甲이 의무이행심판을 제기한 경우, 도로점용허가는 기속행위이므로 의무이행심판의 인용재결이 있으면 乙은 甲에 대하여 도로점용허가를 발급해 주어야 한다.
② 甲이 부작위위법확인소송을 제기한 경우, 법원은 乙이 도로점용허가를 발급해 주어야 하는지의 여부를 심리할 수 있다.
③ 甲이 제기한 부작위위법확인소송에서 법원의 인용판결이 있는 경우, 乙은 甲에 대하여 도로점용허가 신청을 거부하는 처분을 할 수 있다.
④ 甲은 의무이행소송을 제기하여 권리구제가 가능하다.

2016년 지방직 9급

① (×) 도로점용허가는 강학상의 특허이므로 재량행위이다(대판 2002.10.25. 2002두5795). 따라서 의무이행심판의 인용재결이 있으면 재결의 취지에 따라 이전의 신청에 대해 하자 없는 재량을 행사하면 되는 것이지(「행정심판법」 제49조 제3항), 반드시 신청한 내용대로 도로점용허가를 발급해 주어야 하는 것은 아니다.
② (×) 판례는 부작위위법확인소송을 판결시를 기준으로 무응답이라는 소극적 위법상태를 제거하는 것을 목적으로 하는 소송이라는 점에서 절차적 심리설(대판 1992.7.28. 91누7361)의 입장에 있다. 따라서 법원은 乙이 도로점용허가를 발급해 주어야 하는지의 여부까지는 심리하지 않는다.

> 부작위위법확인의 소는 판결시를 기준으로 그 부작위의 위법함을 확인함으로써 행정청의 응답을 신속하게 하여 부작위 내지 무응답이라고 하는 소극적인 위법상태를 제거하는 것을 목적으로 하는 것이다(대판 1992.7.28. 91누7361).

유제 18. 국회직 8급 법원은 단순히 행정청의 방치행위의 적부에 관한 절차적 심리만 하는 게 아니라, 신청의 실체적 내용이 이유 있는지도 심리하며 그에 대한 적정한 처리방향에 관한 법률적 판단을 해야 한다. (×)

③ (○) 부작위위법확인소송이 인용되더라도 거부처분을 할 수 있다. 부작위위법확인소송의 인용판결에 의해 행정청은 재처분의무를 지게 되나(행정소송법 제38조 제2항, 제30조 제2항), 재처분의무의 내용에 대해 판례는 부작위위법확인소송에서 인용판결(확인판결)이 확정되면 행정청은 이전의 신청에 대한 거부처분을 포함한 어떠한 처분을 하면 족하다(대결 2010.2.5. 2009무153)고 보고 있다. 따라서 乙은 甲에 대하여 도로점용허가신청을 거부하는 처분을 할 수 있다.

문제 DATA
출제가능 지수 ▶▶∑
난이도 지수 ★★☆

함께 정리하기
도로점용허가 신청에 응답 無

도로점용허가
▷ 재량행위(∵특허)

의무이행심판인용
▷ 응답의무 有
▷ 신청대로 처분의무 無

부작위위법확인소송
▷ 절차적 심리설(判)

부작위위법확인소송 인용
▷ 거부처분 可

의무이행소송
▷ 부정(判)

신청인이 피신청인을 상대로 제기한 부작위법확인소송에서 신청인의 제2예비적 청구를 받아들이는 내용의 확정판결을 받았다. 그 판결의 취지는 피신청인이 신청인의 광주광역시 지방부이사관 승진임용신청에 대하여 아무런 조치를 취하지 아니하는 것 자체가 위법함을 확인하는 것일 뿐이다. 따라서 피신청인이 신청인을 승진임용하는 처분을 하는 경우는 물론이고, 승진임용을 거부하는 처분을 하는 경우에도 위 확정판결의 취지에 따른 처분을 하였다고 볼 것이다(대결 2010.2.5. 2009무153).

④ (×) 현행법상 의무이행소송은 부정된다. 의무이행소송이란 행정청에게 일정한 행정행위를 해줄 것을 청구하는 내용으로 하는 행정소송을 말한다. 현행 「행정소송법」은 의무이행소송에 대하여 명시적인 규정을 두고 있지 않고, 판례도 이를 인정하고 있지 않다.

현행 행정소송법상 행정청으로 하여금 일정한 행정처분을 하도록 명하는 이행판결을 구하는 소송이나 법원으로 하여금 행정청이 일정한 행정처분을 행한 것과 같은 효과가 있는 행정처분을 직접 행하도록 하는 형성판결을 구하는 소송은 허용되지 아니한다(대판 1997.9.30. 97누3200).

답 ③

012 □□□

甲은 자신의 영업소 인근 도로에 광고물을 설치하기 위해 관할 도로관리청인 A시장에게 도로점용허가를 신청하였으나 A시장은 신청 후 상당한 기간이 경과하였음에도 아무런 조치를 취하고 있지 않다. 이에 대한 설명으로 옳은 것은? (다툼이 있는 경우 판례에 의함)

① 甲은 의무이행심판 뿐만 아니라 부작위위법확인심판을 청구할 수 있으며, 이때 의무이행심판 인용재결의 기속력에 관한 「행정심판법」 규정은 부작위위법확인심판에 준용된다.
② 甲이 청구한 의무이행심판에 대하여 처분의 이행을 명하는 재결이 있음에도 불구하고 A시장이 재결의 취지에 따른 처분을 하지 않는 경우, 甲은 관할 행정심판위원회에 간접강제를 신청할 수 있다.
③ 행정심판을 거치지 않고 부작위위법확인소송을 제기하는 경우 甲은 도로점용허가 신청 후 상당한 기간이 경과한 때부터 1년 내에 제소해야 한다.
④ 甲은 A시장의 부작위에 대해 행정심판을 거친 후 부작위위법확인의 소를 제기하려면 행정심판 재결서의 정본을 송달받은 날부터 60일 이내에 제기하여야 한다.
⑤ 甲이 제기한 부작위위법확인소송에서 A시장의 부작위가 위법한지 여부는 甲의 허가신청시를 기준으로 판단되어야 한다.

| 2019년 변호사

① (×) 「행정심판법」에서 인정하는 심판은 취소심판, 무효등확인심판, 의무이행심판이므로, 부작위위법확인심판을 청구할 수는 없다.

「행정심판법」 제5조 【행정심판의 종류】 행정심판의 종류는 다음 각 호와 같다.
  1. 취소심판: 행정청의 위법 또는 부당한 처분을 취소하거나 변경하는 행정심판
  2. 무효등확인심판: 행정청의 처분의 효력 유무 또는 존재 여부를 확인하는 행정심판
  3. 의무이행심판: 당사자의 신청에 대한 행정청의 위법 또는 부당한 거부처분이나 부작위에 대하여 일정한 처분을 하도록 하는 행정심판

② (○)

「행정심판법」 제50조의2 【위원회의 간접강제】 ① 위원회는 피청구인이 제49조 제2항(제49조 제4항에서 준용하는 경우를 포함한다) 또는 제3항에 따른 처분을 하지 아니하면 청구인의 신청에 의하여 결정으로 상당한 기간을 정하고 피청구인이 그 기간 내에 이행하지 아니하는 경우에는 그 지연기간에 따라 일정한 배상을 하도록 명하거나 즉시 배상을 할 것을 명할 수 있다.

문제 DATA
출제가능 지수 ▶▶▷
난이도 지수 ★★★

함께 정리하기
행정청의 부작위 사례
부작위위법확인심판
▷ 존재 ×

처분명령재결 후 재처분 ×
▷ 간접강제 신청 가

부작위위법확인소송
▷ 제소기간 제한 ×(원칙)

부작위위법확인소송
▷ 재결서 송달 후 90일 내(행정심판 거친 경우)

부작위위법확인소송 위법판단 기준시
▷ 사실심 변론종결시(판결시)

③ (×) 부작위위법확인의 소는 부작위상태가 계속되는 한 그 위법의 확인을 구할 이익이 있다고 보아야 하므로 원칙적으로 제소기간의 제한을 받지 않는다. 다만, 제소기간에 관한 제20조를 준용하고 있는바, ④번 지문과 같이 행정심판을 거친 경우에는 제소기간의 적용이 있다.
④ (×) 재결서의 정본을 송달받은 날부터 90일 이내에 제기하여야 한다.

> 「행정소송법」 제38조 【준용규정】 ② 제9조, 제10조, 제13조 내지 제19조, 제20조, 제25조 내지 제27조, 제29조 내지 제31조, 제33조 및 제34조의 규정은 부작위위법확인소송의 경우에 준용한다.
> 제20조 【제소기간】 ① 취소소송은 처분등이 있음을 안 날부터 90일 이내에 제기하여야 한다. 다만, 제18조 제1항 단서에 규정한 경우와 그 밖에 행정심판청구를 할 수 있는 경우 또는 행정청이 행정심판청구를 할 수 있다고 잘못 알린 경우에 행정심판청구가 있은 때의 기간은 재결서의 정본을 송달받은 날부터 기산한다.
> ② 취소소송은 처분등이 있은 날부터 1년(제1항 단서의 경우는 재결이 있은 날부터 1년)을 경과하면 이를 제기하지 못한다. 다만, 정당한 사유가 있는 때에는 그러하지 아니하다.
> ③ 제1항의 규정에 의한 기간은 불변기간으로 한다.

⑤ (×) 부작위위법확인소송에서는 처분이 존재하지 않으므로 판결시(사실심의 변론종결시)를 기준으로 위법판단을 해야 한다. 이는 취소소송의 위법판단시점이 처분시인 것과 구별된다.

답 ②

013

부작위위법확인판결의 효력에 대한 설명으로 옳지 않은 것은? (다툼이 있는 경우 판례에 의함)

① 부작위위법확인판결에는 취소판결의 기속력에 관한 규정과 거부처분취소판결의 간접강제에 관한 규정이 준용된다.
② 실체적 심리설(특정처분의무설)에 의하면, 부작위위법확인소송의 인용판결에 실질적 기속력이 부인되게 된다.
③ 절차적 심리설(응답의무설)에 의하면, 부작위위법확인소송의 인용판결의 경우에 행정청이 신청에 대한 가부의 응답만 하여도 「행정소송법」 제2조 제1항 제2호의 '일정한 처분'을 취한 것이 된다.
④ 절차적 심리설(응답의무설)에 의하면, 신청의 대상이 기속행위인 경우에 행정청이 거부처분을 하여도 재처분의무를 이행한 것이 된다.

▎2015년 국가직 7급

① (○) 부작위위법확인판결이 확정된 경우, 행정청은 판결의 취지에 따라 이전의 신청에 대한 처분을 하지 않는 경우 상대방은 간접강제를 신청할 수 있다.

> 「행정소송법」 제38조 【준용규정】 ② 제9조, 제10조, 제13조 내지 제19조, 제20조, 제25조 내지 제27조, 제29조 내지 제31조, 제33조 및 제34조의 규정은 부작위위법확인소송의 경우에 준용한다.
> 제30조 【취소판결등의 기속력】 ① 처분등을 취소하는 확정판결은 그 사건에 관하여 당사자인 행정청과 그 밖의 관계행정청을 기속한다.
> 제34조 【거부처분취소판결의 간접강제】 ① 행정청이 제30조 제2항의 규정에 의한 처분을 하지 아니하는 때에는 제1심수소법원은 당사자의 신청에 의하여 결정으로써 상당한 기간을 정하고 행정청이 그 기간내에 이행하지 아니하는 때에는 그 지연기간에 따라 일정한 배상을 할 것을 명하거나 즉시 손해배상을 할 것을 명할 수 있다.

② (×) 실체적 심리설에 의하면, 부작위위법확인소송의 인용판결에 실질적 기속력을 긍정하게 된다.

문제 DATA
출제가능 지수 ▶▶▷
난이도 지수 ★★☆

함께 정리하기
부작위위법확인판결
취소판결의 기속력, 거부처분취소판결의 간접강제
▷ 준용○
실체적 심리설(특정처분의무설)
▷ 인용판결 실질적 기속력○
절차적 심리설(응답의무설)
▷ 인용시 응답의무이행으로 족함
▷ 인용시 거부처분 可

> **관련 이론** 부작위위법확인소송의 심리범위에 관한 학설 비교

절차심리설	법원은 단순히 소극적으로 부작위의 위법 여부만 심리하여야 한다. 절차심리설은 부작위위법확인소송의 목적은 그 내용이 어떠하던 것이든 응답의무를 지우는데 있다고 한다. 이에 따라 부작위위법확인소송의 판결은 부작위의 위법을 확인하는데 그치며 앞으로 행정청이 행할 처분의 내용까지 들어가 판단을 할 수는 없다고 본다.
실체심리설	부작위의 위법 여부만이 아니라 신청의 실체적인 내용도 심리하여 행정청의 처리방향까지도 제시하여야 한다. 실체심리설은 인용판결의 실질적 기속력을 인정하고 있으므로 기속행위의 경우에는 행정청은 판결의 취지에 따라 상대방의 신청을 인용하는 결정을 내려야 하고 재량행위의 경우는 행정청은 판결의 취지에 따라 재량의 하자 없는 처분을 하여야 한다고 본다.

③, ④ (○) 절차적 심리설에 의하는 경우 인용판결시에도 행정청은 거부처분이 가능하다. 판례는 절차심리설의 입장에서 "부작위위법확인소송은 판결시를 기준으로 무응답이라는 소극적 위법상태를 제거하는 것을 목적으로 하는 소송이다."라고 판시하고 있다(대판 1992.7.28. 91누7361). 부작위위법확인소송의 인용판결시 행정청이 신청에 대해 거부처분, 인용처분 등 처분을 하기만 하면 이러한 처분도 재처분에 포함된다.

> 신청인이 피신청인을 상대로 제기한 부작위위법확인소송에서 신청인의 제2예비적 청구를 받아들이는 내용의 확정판결을 받았다. 그 판결의 취지는 피신청인이 신청인의 광주광역시 지방부이사관 승진임용신청에 대하여 아무런 조치를 취하지 아니하는 것 자체가 위법함을 확인하는 것일 뿐이다. 따라서 피신청인이 신청인을 승진임용하는 처분을 하는 경우는 물론이고, 승진임용을 거부하는 처분을 하는 경우에도 위 확정판결의 취지에 따른 처분을 하였다고 볼 것이다(대결 2010.2.5. 2009무153).

답 ②

014

판례상 부작위위법확인소송(A)과 거부처분취소소송(B)에 있어서 부작위 또는 거부처분의 위법성판단의 기준시점을 각각 올바르게 연결한 것은?

	(A)	(B)
①	사실심 변론종결시	사실심 변론종결시
②	사실심 변론종결시	처분시
③	처분시	사실심 변론종결시
④	처분시	처분시

| 2008년 세무사

② (○) 부작위위법확인의 위법판단은 판결시를 기준으로 한다. 부작위위법확인소송에서는 처분이 존재하지 않으므로 '판결시(사실심의 변론종결시)'를 기준으로 위법판단을 해야 한다. 이와 달리 거부처분에 대한 취소소송의 경우 판례는 위법판단의 기준시를 '처분시'로 보고 있다.

> 1. 부작위위법확인의 소는 행정청이 국민의 법규상 또는 조리상의 권리에 기한 신청에 대하여 상당한 기간 내에 그 신청을 인용하는 적극적 처분을 하거나 또는 각하 내지 기각하는 등의 소극적 처분을 하여야 할 법률상의 응답의무가 있음에도 불구하고 이를 하지 아니하는 경우 판결시를 기준으로 그 부작위의 위법함을 확인함으로써 행정청의 응답을 신속하게 하여 부작위 내지 무응답이라고 하는 소극적인 위법상태를 제거하는 것을 목적으로 하는 것이다(대판 1992.7.28. 91누7361).
> 2. 행정소송에서 행정처분의 위법 여부는 행정처분이 행하여졌을 때의 법령과 사실상태를 기준으로 하여 판단하여야 하고, 처분 후 법령의 개폐나 사실상태의 변동에 의하여 영향을 받지는 않는다(대판 2007.5.11. 2007두1811).

답 ②

문제 DATA

출제가능 지수 ▶▶▷
난이도 지수 ★☆☆

함께 정리하기

부작위위법확인소송, 거부처분취소소송의 위법성판단 기준시

부작위위법확인소송
▷ 판결시

거부처분취소소송
▷ 처분시

ALL KILL 기출
제7장 항고소송 3(부작위위법확인소송)

01 압수가 해제된 것으로 간주된 물건에 대한 피압수자의 환부신청에 대하여 검사가 아무런 결정이나 통지를 하지 않았다고 하더라도 그와 같은 부작위는 부작위위법 확인소송의 대상이 되지 않는다.
10. 국회직 9급 (   )

02 국민이 행정청에 대하여 제3자에 대한 건축허가와 준공검사의 취소 및 제3자 소유의 건축물에 대한 철거명령을 요구할 수 있는 법규상 또는 조리상 권리는 인정되지 않는다.
08. 지방직 7급 (   )

03 취소소송의 피고적격에 관한 규정이 부작위위법확인소송에도 준용된다. 08. 관세사 (   )

정답 및 해설

01 ○ 「형사소송법」에 따라 무죄선고시 압수물환부의무가 당연히 발생하므로, 「행정소송법」상 부작위위법 확인소송의 대상은 될 수 없음(대판 1995.3.10. 94누14018)

02 ○ 「건축법」상 제3자에 대한 건축허가의 취소를 구할 수 있다는 취지 규정도 없고 조리상으로도 이러한 권리가 인정되지 아니함(대판 1999.12.7. 97누17568)

03 ○ 「행정소송법」상 피고적격에 관한 규정(제13조)은 부작위위법확인소송에도 준용됨(제38조 제2항)

제8장 당사자소송

001 □□□

당사자소송에 대한 설명으로 가장 옳지 않은 것은? (다툼이 있는 경우 판례에 의함)

① 납세의무자에 대한 국가의 부가가치세 환급세액 지급의무에 대응하는 국가에 대한 납세의무자의 부가가치세 환급세액 지급청구는 민사소송이 아니라 「행정소송법」 제3조 제2호에 규정된 당사자소송의 절차에 따라야 한다.

② 「행정소송법」 제8조 제2항에 의하면 행정소송에도 「민사소송법」의 규정이 일반적으로 준용되지만 법원이 공법상 당사자소송에서 재산권의 청구를 인용하는 판결을 하는 경우 가집행선고를 할 수는 없다.

③ 원고가 고의 또는 중대한 과실 없이 당사자소송으로 제기하여야 할 것을 항고소송으로 잘못 제기한 경우에, 당사자소송으로서의 소송요건을 결하고 있음이 명백하여 당사자소송으로 제기되었더라도 어차피 부적법하게 되는 경우가 아닌 이상, 법원으로서는 원고로 하여금 당사자소송으로 소 변경을 하도록 하여 심리·판단하여야 한다.

④ 명예퇴직한 법관이 미지급 명예퇴직수당액에 대하여 가지는 권리는 명예퇴직수당 지급대상자 결정절차를 거쳐 명예퇴직수당규칙에 의하여 확정된 공법상 법률관계에 관한 권리로서, 그 지급을 구하는 소송은 「행정소송법」의 당사자소송에 해당하며, 그 법률관계의 당사자인 국가를 상대로 제기하여야 한다.

2025년 군무원 9급

① (O) 부가가치세법령이 환급세액의 정의 규정, 그 지급시기와 산출방법에 관한 구체적인 규정과 함께 부가가치세 납세의무를 부담하는 사업자(이하 '납세의무자'라 한다)에 대한 국가의 환급세액 지급의무를 규정한 이유는, 입법자가 과세 및 징수의 편의를 도모하고 중복과세를 방지하는 등의 조세 정책적 목적을 달성하기 위한 입법적 결단을 통하여, 최종 소비자에 이르기 전의 각 거래단계에서 재화 또는 용역을 공급하는 사업자가 그 공급을 받는 사업자로부터 매출세액을 징수하여 국가에 납부하고, 그 세액을 징수당한 사업자는 이를 국가로부터 매입세액으로 공제·환급받는 과정을 통하여 그 세액의 부담을 다음 단계의 사업자에게 차례로 전가하여 궁극적으로 최종 소비자에게 이를 부담시키는 것을 근간으로 하는 전단계세액공제 제도를 채택한 결과, 어느 과세기간에 거래징수된 세액이 거래징수를 한 세액보다 많은 경우에는 그 납세의무자가 창출한 부가가치에 상응하는 세액보다 많은 세액이 거래징수되게 되므로 이를 조정하기 위한 과세기술상, 조세 정책적인 요청에 따라 특별히 인정한 것이라고 할 수 있다. 따라서 이와 같은 부가가치세법령의 내용, 형식 및 입법 취지 등에 비추어 보면, 납세의무자에 대한 국가의 부가가치세 환급세액 지급의무는 그 납세의무자로부터 어느 과세기간에 과다하게 거래징수된 세액 상당을 국가가 실제로 납부받았는지와 관계없이 부가가치세법령의 규정에 의하여 직접 발생하는 것으로서, 그 법적 성질은 정의와 공평의 관념에서 수익자와 손실자 사이의 재산상태 조정을 위해 인정되는 부당이득 반환의무가 아니라 부가가치세법령에 의하여 그 존부나 범위가 구체적으로 확정되고 조세 정책적 관점에서 특별히 인정되는 공법상 의무라고 봄이 타당하다. 그렇다면 <u>납세의무자에 대한 국가의 부가가치세 환급세액 지급의무에 대응하는 국가에 대한 납세의무자의 부가가치세 환급세액 지급청구는 민사소송이 아니라 행정소송법 제3조 제2호에 규정된 당사자소송의 절차에 따라야 한다</u>(대판 2013.3.21. 2011다95564 전합).

문제 DATA
출제가능 지수 ▶▶▷
난이도 지수 ★★☆

함께 정리하기

당사자소송

부가가치세 환급세액 지급청구
▷ 당사자소송

당사자소송 재산권청구 인용판결시
▷ 가집행선고 可

고의·중과실 없이 항고소송으로 잘못 제기
▷ 당사자소송으로 변경하도록 하여 심리·판단

명예퇴직한 법관의 명예퇴직수당청구
▷ 당사자소송

② (×)
1. 행정소송법 제8조 제2항에 의하면 행정소송에도 민사소송법의 규정이 일반적으로 준용되므로 법원으로서는 공법상 당사자소송에서 재산권의 청구를 인용하는 판결을 하는 경우 가집행선고를 할 수 있다(대판 2000.11.28. 99두3416).
2. 심판대상조항은 재산권의 청구에 관한 당사자소송 중에서도 피고가 공공단체 그 밖의 권리주체인 경우와 국가인 경우를 다르게 취급한다. 가집행의 선고는 불필요한 상소권의 남용을 억제하고 신속한 권리실행을 하게 함으로써 국민의 재산권과 신속한 재판을 받을 권리를 보장하기 위한 제도이고, 당사자소송 중에는 사실상 같은 법률조항에 의하여 형성된 공법상 법률관계라도 당사자를 달리 하는 경우가 있다. 동일한 성격인 공법상 금전지급 청구소송임에도 피고가 누구인지에 따라 가집행선고를 할 수 있는지 여부가 달라진다면 상대방 소송 당사자인 원고로 하여금 불합리한 차별을 받도록 하는 결과가 된다. 재산권의 청구가 공법상 법률관계를 전제로 한다는 점만으로 국가를 상대로 하는 당사자소송에서 국가를 우대할 합리적인 이유가 있다고 할 수 없고, 집행가능성 여부에 있어서도 국가와 지방자치단체 등이 실질적인 차이가 있다고 보기 어렵다는 점에서, 심판대상조항은 국가가 당사자소송의 피고인 경우 가집행의 선고를 제한하여, 국가가 아닌 공공단체 그 밖의 권리주체가 피고인 경우에 비하여 합리적인 이유 없이 차별하고 있으므로 평등원칙에 반한다(헌재 2022.2.24. 2020헌가12).

③ (○) 공법상의 법률관계에 관한 당사자소송에서는 그 법률관계의 한쪽 당사자를 피고로 하여 소송을 제기하여야 한다(행정소송법 제3조 제2호, 제39조). 다만 원고가 고의 또는 중대한 과실 없이 당사자소송으로 제기하여야 할 것을 항고소송으로 잘못 제기한 경우에, 당사자소송으로서의 소송요건을 결하고 있음이 명백하여 당사자소송으로 제기되었더라도 어차피 부적법하게 되는 경우가 아닌 이상, 법원으로서는 원고가 당사자소송으로 소 변경을 하도록 하여 심리·판단하여야 한다(대판 2016.5.24. 2013두14863).

④ (○) 명예퇴직수당 지급대상자의 결정과 수당액 산정 등에 관한 관계 법령의 내용과 그 취지 등에 비추어 보면, 명예퇴직수당은 명예퇴직수당 지급신청자 중에서 일정한 심사를 거쳐 피고가 명예퇴직수당 지급대상자로 결정한 경우에 비로소 지급될 수 있지만, 명예퇴직수당 지급대상자로 결정된 법관에 대하여 지급할 수당액은 명예퇴직수당규칙 제4조 [별표 1]에 그 산정 기준이 정해져 있으므로, 위 법관은 위 규정에서 정한 정당한 산정 기준에 따라 산정된 명예퇴직수당액을 수령할 구체적인 권리를 가진다. 따라서 위 법관이 이미 수령한 수당액이 위 규정에서 정한 정당한 명예퇴직수당액에 미치지 못한다고 주장하며 그 차액의 지급을 신청함에 대하여 피고가 거부하는 의사를 표시했다 하더라도, 그 의사표시는 명예퇴직수당액을 형성·확정하는 행정처분이 아니라 공법상의 법률관계의 한쪽 당사자로서 그 지급의무의 존부 및 범위에 관하여 자신의 의견을 밝힌 것에 불과하므로 이를 행정처분으로 볼 수 없다. 결국 명예퇴직한 법관이 미지급 명예퇴직수당액에 대하여 가지는 권리는 명예퇴직수당 지급대상자 결정 절차를 거쳐 명예퇴직수당규칙에 의하여 확정된 공법상 법률관계에 관한 권리로서, 그 지급을 구하는 소송은 행정소송법의 당사자소송에 해당하며, 그 법률관계의 당사자인 국가를 상대로 제기하여야 한다(대판 2016.5.24. 2013두14863).

답 ②

문제 DATA
출제가능 지수 ▶▶▷
난이도 지수 ★★★

002 ☐☐☐

당사자소송에 대한 설명으로 옳은 것을 모두 고른 것은? (다툼이 있는 경우 판례에 의함)

> ㄱ. 「도시 및 주거환경정비법」상 행정주체인 주택재건축정비사업조합을 상대로 관리처분계획안에 대한 조합 총회결의의 효력 등을 다투는 소송은 「행정소송법」상 당사자소송에 해당한다.
> ㄴ. 「도시정비법」상 시장·군수가 아닌 사업시행자가 분양받는 자를 상대로 공법상 당사자소송의 방법으로 청산금을 청구하는 것은 특별한 사정이 없는 한 허용할 수 없다.
> ㄷ. 명예퇴직수당지급거부의 의사표시는 명예퇴직수당액을 형성하는 행정처분으로 이를 다투기 위해서는 취소소송을 제기하여야 한다.
> ㄹ. 공중보건의사 채용계약 해지의 의사표시에 대해서는 항고소송의 대상이 되는 행정처분이라는 전제 하에서 그 취소를 구하는 항고소송을 제기할 수 없다.
> ㅁ. 납세의무자에 대한 국가의 부가가치세 환급세액 지급의무는 부당이득 반환의무이므로 민사소송의 절차에 따라야 한다.

① ㄱ, ㄴ, ㄹ
② ㄱ, ㄷ, ㄹ
③ ㄴ, ㄷ, ㅁ
④ ㄷ, ㄹ, ㅁ

함께 정리하기

당사자소송

인가 이전 관리처분계획안 총회결의 효력 다투는 소송
▷ 당사자소송

시장·군수 아닌 사업시행자가 분양받은 자를 상대로 당사자소송으로 청산금지급 청구
▷ 소의 이익✕
▷ 징수위탁과 같은 특별구제절차 有

명예퇴직수당지급거부의 의사표시
▷ 행정처분✕(당사자소송○)

공중보건의사의 채용계약해지
▷ 당사자소송

부가가치세 환급세액 지급청구
▷ 당사자소송

2025년 군무원 7급

ㄱ. (○) 도시 및 주거환경정비법(이하 '도시정비법'이라 한다)상 행정주체인 주택재건축정비사업조합을 상대로 관리처분계획안에 대한 조합 총회결의의 효력을 다투는 소송은 행정처분에 이르는 절차적 요건의 존부나 효력 유무에 관한 소송으로서 소송결과에 따라 행정처분의 위법 여부에 직접 영향을 미치는 공법상 법률관계에 관한 것이므로, 이는 행정소송법상 당사자소송에 해당한다. 그리고 이러한 당사자소송에 대하여는 행정소송법 제23조 제2항의 집행정지에 관한 규정이 준용되지 아니하므로(행정소송법 제44조 제1항 참조), 이를 본안으로 하는 가처분에 대하여는 행정소송법 제8조 제2항에 따라 민사집행법상 가처분에 관한 규정이 준용되어야 한다(대결 2015.8.21. 2015무26).

ㄴ. (○) 도시 및 주거환경정비법 제57조 제1항에 규정된 청산금의 징수에 관하여는 지방세체납처분의 예에 의한 징수 또는 징수 위탁과 같은 간이하고 경제적인 특별구제절차가 마련되어 있으므로, 시장·군수가 사업시행자의 청산금 징수 위탁에 응하지 아니하였다는 등의 특별한 사정이 없는 한 시장·군수가 아닌 사업시행자가 이와 별개로 공법상 당사자소송의 방법으로 청산금 청구를 할 수는 없다(대판 2017.4.28. 2016두39498).

ㄷ. (✕) 명예퇴직수당 지급대상자의 결정과 수당액 산정 등에 관한 구 국가공무원법(2012.10. 22. 법률 제11489호로 개정되기 전의 것) 제74조의2 제1항, 제4항, 구 법관 및 법원공무원 명예퇴직수당 등 지급규칙(2011.1.31. 대법원규칙 제2320호로 개정되기 전의 것, 이하 '명예퇴직수당규칙'이라 한다) 제3조 제1항, 제2항, 제7조, 제4조 [별표 1]의 내용과 취지 등에 비추어 보면, 명예퇴직수당은 명예퇴직수당 지급신청자 중에서 일정한 심사를 거쳐 피고가 명예퇴직수당 지급대상자로 결정한 경우에 비로소 지급될 수 있지만, 명예퇴직수당 지급대상자로 결정된 법관에 대하여 지급할 수당액은 명예퇴직수당규칙 제4조 [별표 1]에 산정 기준이 정해져 있으므로, 위 법관은 위 규정에서 정한 정당한 산정 기준에 따라 산정된 명예퇴직수당액을 수령할 구체적인 권리를 가진다. 따라서 위 법관이 이미 수령한 수당액이 위 규정에서 정한 정당한 명예퇴직수당액에 미치지 못한다고 주장하며 차액의 지급을 신청함에 대하여 법원행정처장이 거부하는 의사를 표시했더라도, 그 의사표시는 명예퇴직수당액을 형성·확정하는 행정처분이 아니라 공법상의 법률관계의 한쪽 당사자로서 지급의무의 존부 및 범위에 관하여 자신의 의견을 밝힌 것에 불과하므로 행정처분으로 볼 수 없다. 결국 명예퇴직한 법관이 미지급 명예퇴직수당액에 대하여 가지는 권리는 명예퇴직수당 지급대상자 결정 절차를 거쳐 명예퇴직수당규칙에 의하여 확정된 공법상 법률관계에 관한 권리로서, 그 지급을 구하는 소송은 행정소송법의 당사자소송에 해당하며, 그 법률관계의 당사자인 국가를 상대로 제기하여야 한다(대판 2016.5.24. 2013두14863).

ㄹ. (○) 전문직공무원인 공중보건의사의 채용계약의 해지가 관할 도지사의 일방적인 의사표시에 의하여 그 신분을 박탈하는 불이익처분이라고 하여 곧바로 그 의사표시가 관할 도지사가 행정청으로서 공권력을 행사하여 행하는 행정처분이라고 단정할 수는 없고, 공무원 및 공중보건의사에 관한 현행 실정법이 공중보건의사의 근무관계에 관하여 구체적으로 어떻게 규정하고 있는가에 따라 그 의사표시가 항고소송의 대상이 되는 처분 등에 해당하는 것인지의 여부를 개별적으로 판단하여야 할 것인바, 농어촌 등 보건의료를 위한 특별조치법 제2조, 제3조, 제5조, 제9조, 제26조와 같은 법 시행령 제3조, 제17조, 전문직공무원규정 제5조 제1항, 제7조 및 국가공무원법 제2조 제3항 제3호, 제4항 등 관계 법령의 규정내용에 미루어 보면 현행 실정법이 전문직공무원인 공중보건의사의 채용계약 해지의 의사표시는 일반공무원에 대한 징계처분과는 달라서 항고소송의 대상이 되는 처분 등의 성격을 가진 것으로 인정되지 아니하고, 일정한 사유가 있을 때에 관할 도지사가 채용계약 관계의 한쪽 당사자로서 대등한 지위에서 행하는 의사표시로 취급하고 있는 것으로 이해되므로, 공중보건의사 채용계약 해지의 의사표시에 대하여는 대등한 당사자간의 소송형식인 공법상의 당사자소송으로 그 의사표시의 무효확인을 청구할 수 있는 것이지, 이를 항고소송의 대상이 되는 행정처분이라는 전제하에서 그 취소를 구하는 항고소송을 제기할 수는 없다(대판 1996.5.31. 95누10617).

ㅁ. (×) 부가가치세법령이 환급세액의 정의 규정, 그 지급시기와 산출방법에 관한 구체적인 규정과 함께 부가가치세 납세의무를 부담하는 사업자(이하 '납세의무자'라 한다)에 대한 국가의 환급세액 지급의무를 규정한 이유는, 입법자가 과세 및 징수의 편의를 도모하고 중복과세를 방지하는 등의 조세 정책적 목적을 달성하기 위한 입법적 결단을 통하여, 최종 소비자에 이르기 전의 각 거래단계에서 재화 또는 용역을 공급하는 사업자가 그 공급을 받는 사업자로부터 매출세액을 징수하여 국가에 납부하고, 그 세액을 징수당한 사업자는 이를 국가로부터 매입세액으로 공제·환급받는 과정을 통하여 그 세액의 부담을 다음 단계의 사업자에게 차례로 전가하여 궁극적으로 최종 소비자에게 이를 부담시키는 것을 근간으로 하는 전단계세액공제 제도를 채택한 결과, 어느 과세기간에 거래징수된 세액이 거래징수를 한 세액보다 많은 경우에는 그 납세의무자가 창출한 부가가치에 상응하는 세액보다 많은 세액이 거래징수되게 되므로 이를 조정하기 위한 과세기술상, 조세 정책적인 요청에 따라 특별히 인정한 것이라고 할 수 있다. 따라서 이와 같은 부가가치세법령의 내용, 형식 및 입법 취지 등에 비추어 보면, 납세의무자에 대한 국가의 부가가치세 환급세액 지급의무는 그 납세의무자로부터 어느 과세기간에 과다하게 거래징수된 세액 상당을 국가가 실제로 납부받았는지와 관계없이 부가가치세법령의 규정에 의하여 직접 발생하는 것으로서, 그 법적 성질은 정의와 공평의 관념에서 수익자와 손실자 사이의 재산상태 조정을 위해 인정되는 부당이득 반환의무가 아니라 부가가치세법령에 의하여 그 존부나 범위가 구체적으로 확정되고 조세 정책적 관점에서 특별히 인정되는 공법상 의무라고 봄이 타당하다. 그렇다면 납세의무자에 대한 국가의 부가가치세 환급세액 지급의무에 대응하는 국가에 대한 납세의무자의 부가가치세 환급세액 지급청구는 민사소송이 아니라 행정소송법 제3조 제2호에 규정된 당사자소송의 절차에 따라야 한다(대판 2013.3.21. 2011다95564 전합).

답 ①

문제 DATA

출제가능 지수 ▶▶▷
난이도 지수 ★★☆

003 ☐☐☐

대법원 판례의 내용으로 가장 옳지 않은 것은?

① 「도시 및 주거환경정비법」상 재건축사업이나 재개발사업의 사업시행자가 조합인 경우 조합과 토지 등 소유자 사이에 조합원 지위에 관하여 분쟁이 발생하면 토지 등 소유자는 조합을 상대로 공법상의 당사자소송에 의하여 조합원 자격의 확인을 구할 수 있다.

② 지방의회 의결을 받아야 하는 중요 재산의 취득·처분에 해당함에도 지방의회의 의결을 받지 아니한 채 중요재산에 관한 매매계약을 체결하였다면 이는 강행규정인 지방자치법령에 위반된 계약으로서 무효가 된다.

③ 원고가 고의 또는 중대한 과실 없이 행정소송으로 제기하여야 할 사건을 민사소송으로 잘못 제기한 경우, 수소법원으로서는 만약 그 행정소송에 대한 관할도 동시에 가지고 있다면 이를 행정소송으로 심리·판단하여야 하고, 그 행정소송에 대한 관할을 가지고 있지 아니하다면 관할법원에 이송하여야 한다.

④ 국가 등 과세주체가 당해 확정된 조세채권의 소멸시효 중단을 위하여 납세의무자를 상대로 제기한 조세채권존재확인의 소는 민사소송에 해당한다.

| 2025년 군무원 9급

① (○) 구 도시재개발법에 의한 재개발조합은 조합원에 대한 법률관계에서 적어도 특수한 존립목적을 부여받은 특수한 행정주체로서 국가의 감독하에 그 존립 목적인 특정한 공공사무를 행하고 있다고 볼 수 있는 범위 내에서는 공법상의 권리의무관계에 서있다. 따라서 조합을 상대로 한 쟁송에 있어서 강제가입제를 특색으로 한 조합원의 자격 인정여부에 관하여 다툼이 있는 경우에는 그 단계에서는 아직 조합의 어떠한 처분 등이 개입될 여지는 없으므로 공법상의 당사자소송에 의하여 그 조합원 자격의 확인을 구할 수 있다(대판 1996.2.15. 94다31235).

② (○)

[1] 민법 제137조는 "법률행위의 일부분이 무효인 때에는 그 전부를 무효로 한다. 그러나 그 무효부분이 없더라도 법률행위를 하였을 것이라고 인정될 때에는 나머지 부분은 무효가 되지 아니한다."라고 규정한다. 위 조항은 일체로서 행하여진 법률행위의 일부분에만 무효사유가 존재하고 그 무효부분이 없더라도 나머지 부분이 독립된 법률행위로서 유효하게 존속할 수 있는 경우에 적용된다. 따라서 법률행위가 분할될 수 없거나 무효인 일부분을 제외한 나머지 목적물이 특정될 수 없다면 민법 제137조는 적용될 여지가 없다.

[2] 구 지방자치법(2021.1.12. 법률 제17893호로 전부 개정되기 전의 것, 이하 '구 지방자치법'이라 한다) 제39조 제1항 제6호에서는 지방의회의 의결사항으로 '대통령령으로 정하는 중요 재산의 취득·처분'을 규정하고, 구 지방자치법 시행령(2021.12.16. 대통령령 제32223호로 전부 개정되기 전의 것, 이하 '구 지방자치법 시행령'이라 한다) 제36조 제1항에서는 위 '중요 재산의 취득·처분이란 공유재산 및 물품 관리법 시행령 제7조 제1항에 따른 중요 재산의 취득·처분을 말한다.'고 규정한다.
구 공유재산 및 물품 관리법(2021.4. 20. 법률 제18086호로 개정되기 전의 것, 이하 '구 공유재산법'이라 한다) 제10조 제1항 전문은 "지방자치단체의 장은 예산을 지방의회에서 의결하기 전에 매년 공유재산의 취득과 처분에 관한 계획(이하 '관리계획'이라 한다)을 세워 그 지방의회의 의결을 받아야 한다."라고 규정하고, 같은 조 제4항은 "관리계획에 포함하여야 할 공유재산의 범위, 관리계획의 작성기준 및 변경기준은 대통령령으로 정한다."라고 규정하며, 같은 조 제5항에서는 "관리계획에 관하여 지방의회의 의결을 받았을 때에는 지방자치법 제47조 제1항 제6호(구 지방자치법 제39조 제1항 제6호와 같다)에 따른 중요 재산의 취득·처분에 관한 지방의회의 의결을 받은 것으로 본다."라고 규정한다.
구 공유재산 및 물품 관리법 시행령(2022.4. 20. 대통령령 제32601호로 개정되기 전의 것, 이하 '구 공유재산법 시행령'이라 한다) 제7조 제1항은 구 공유재산법 제10조 제1항에 따른 관리계획에 포함되어야 할 사항에 대해 규정하면서 제2호 (나)목으로 '토지 처분의 경우 1건당 토지 면적이 5천㎡(시·군·자치구의 경우에는 2천㎡) 이상인 토지'로 정하고 있다. 다만 구 지방자치법 시행령 제36조 제2항, 구 공유재산법 시행령 제7조 제3항 제4호에 따르면 토지수용법에 따른 취득[국토의 계획 및 이용에 관한 법률 제2조 제6호 (가)목·(나)목 또는 (마)목의 기반시설을 설치·정비 또는 개량하는 경우만 해당한다]·처분은 중요 재산의 취득·처분에 포함되지 아니하고, 관리계획의 대상에도 포함되지 아니한다.

함께 정리하기

판례

조합원 지위 확인소송
▷ 토지등소유자는 재개발조합을 상대로 당사자소송

지방의회 의결을 받지 않은 중요재산에 관한 매매계약
▷ 무효

행정소송을 민사소송으로 잘못 제기
▷ 관할 有: 심리·판단
▷ 관할 無: 이송

과세주체가 조세채권 소멸시효 중단을 위해 납세의무자를 상대로 제기한 조세채권 존재확인의 소
▷ 당사자소송

따라서 지방의회 의결을 받아야 하는 중요 재산의 취득·처분에 해당함에도 지방의회의 의결을 받지 아니한 채 중요 재산에 관한 매매계약을 체결하였다면 이는 강행규정인 지방자치법령에 위반된 계약으로서 무효가 된다(대판 2024.7.11. 2024다211762).

③ (○) 원고가 고의 또는 중대한 과실 없이 행정소송으로 제기하여야 할 사건을 민사소송으로 잘못 제기한 경우, 수소법원으로서는 만약 그 행정소송에 대한 관할도 동시에 가지고 있다면 이를 행정소송으로 심리·판단하여야 하고, 그 행정소송에 대한 관할을 가지고 있지 아니하다면 관할법원에 이송하여야 한다. 다만 해당 소송이 이미 행정소송으로서의 전심절차 및 제소기간을 도과하였거나 행정소송의 대상이 되는 처분 등이 존재하지도 아니한 상태에 있는 등 행정소송으로서의 소송요건을 결하고 있음이 명백하여 행정소송으로 제기되었더라도 어차피 부적법하게 되는 경우에는 이송할 것이 아니라 각하하여야 한다(대판 2020.10.15. 2020다222382).

④ (×) 국가 등 과세주체가 당해 확정된 조세채권의 소멸시효 중단을 위하여 납세의무자를 상대로 제기한 조세채권존재확인의 소는 공법상 당사자소송에 해당한다(대판 2020.3.2. 2017두41771).

답 ④

004 □□□

행정소송에 관한 설명 중 옳은 것을 모두 고른 것은? (다툼이 있는 경우 판례에 의함)

> ㄱ. 교육감이 사립학교법인의 이사장 및 학교장에게 소속 직원들의 유사경력 호봉환산이 과다하게 반영되었다는 이유로 호봉이 과다하게 산정된 직원들의 호봉정정에 따른 급여환수명령 및 미이행 시 해당 직원들에 대한 보조금 지원을 중단하겠다는 내용의 시정명령을 하고, 정정된 호봉으로 호봉 재획정 처리를 하고 조치결과를 제출하라는 명령을 한 사안에서, 이는 사립학교 직원들이 각 소속 사립학교법인들에 대한 위 각 명령으로 인하여 법률상 보호되는 이익을 침해당한 경우에 해당한다.
> ㄴ. 민사소송에서 항고소송으로의 소 변경이 허용되는 이상, 공법상 당사자소송과 민사소송이 서로 다른 소송절차에 해당한다는 이유만으로 청구기초의 동일성이 없다고 해석하여 양자 간의 소 변경을 허용하지 않을 이유가 없다.
> ㄷ. 거부처분을 취소하는 판결이 확정된 경우 그 취소사유가 행정처분의 절차, 방법의 위법으로 인한 것이라면 그 처분 행정청은 확정판결의 취지에 따라 위법사유를 보완하여 다시 종전의 신청에 대한 거부처분을 할 수 있다.
> ㄹ. 행정처분의 당연무효를 선언하는 의미에서 그 취소를 구하는 행정소송을 제기하는 경우 제소기간의 준수 등 취소소송의 제소요건을 갖추어야 하는 것은 아니다.

① ㄱ, ㄷ
② ㄴ, ㄹ
③ ㄱ, ㄴ, ㄷ
④ ㄴ, ㄷ, ㄹ
⑤ ㄱ, ㄴ, ㄷ, ㄹ

◈ 문제 DATA
출제가능 지수 ▶▶▷
난이도 지수 ★★★

함께 정리하기

행정소송

교육감이 사립학교법인의 이사장 및 학교장에게 소속 직원들의 호봉정정 및 급여 환수명령
▷ 사립학교 직원들: 원고적격○

당사자소송에서 민사소송으로의 소 변경
▷ 허용

절차·방법의 위법으로 거부처분취소판결
▷ 위법사유보완하여 재거부처분 可

무효선언 구하는 취소소송
▷ 취소소송 제기요건 갖추어야 함

2025년 변호사

ㄱ. (○) 구 사립학교법이 사립학교 직원들의 보수를 정관으로 정하도록 하고, 원고들이 소속된 각 학교법인의 정관이 그 직원들의 보수를 공무원의 예에 따르도록 한 것은, 사립학교 소속 사무직원들의 보수의 안정성 및 예측가능성을 담보하여 사립학교 교육이 공공의 목적에 부합하는 방향으로 원활하게 수행될 수 있도록 하는 한편, 그 사무직원의 경제적 생활안정과 복리향상을 보장하고자 함에 있으므로, 사립학교 사무직원의 이익을 개별적·직접적·구체적으로 보호하고 있는 규정으로 볼 수 있다. 나아가 이 사건 각 명령은 학교법인들에 대하여 그 사무직원들의 호봉을 재획정하고, 그에 따라 초과 지급된 급여를 5년 범위 내에서 환수하도록 명하고 있는데, 이로 인하여 원고들은 급여가 실질적으로 삭감되거나 기지급된 급여를 반환하여야 하는 직접적이고 구체적인 손해를 입게 되므로, 원고들은 이 사건 각 명령을 다툴 개별적·직접적·구체적 이해관계가 있다고 볼 수 있다(대판 2023.1.12. 2022두56630).

ㄴ. (○) 공법상 당사자소송의 소 변경에 관하여 행정소송법은, 공법상 당사자소송을 항고소송으로 변경하는 경우(행정소송법 제42조, 제21조) 또는 처분변경으로 인하여 소를 변경하는 경우(행정소송법 제44조 제1항, 제22조)에 관하여만 규정하고 있을 뿐, 공법상 당사자소송을 민사소송으로 변경할 수 있는지에 관하여 명문의 규정을 두고 있지 않다. 그러나 공법상 당사자소송에서 민사소송으로의 소 변경이 금지된다고 볼 수 없다. 이유는 다음과 같다.

(1) 행정소송법 제8조 제2항은 행정소송에 관하여 민사소송법을 준용하도록 하고 있으므로, 행정소송의 성질에 비추어 적절하지 않다고 인정되는 경우가 아닌 이상 공법상 당사자소송의 경우도 민사소송법 제262조에 따라 청구의 기초가 바뀌지 아니하는 한도 안에서 변론을 종결할 때까지 청구의 취지를 변경할 수 있다.

(2) 한편 대법원은 여러 차례에 걸쳐 행정소송법상 항고소송으로 제기해야 할 사건을 민사소송으로 잘못 제기한 경우 수소법원으로서는 원고로 하여금 항고소송으로 소 변경을 하도록 석명권을 행사하여 행정소송법이 정하는 절차에 따라 심리·판단해야 한다고 판시해 왔다. 이처럼 민사소송에서 항고소송으로의 소 변경이 허용되는 이상, 공법상 당사자소송과 민사소송이 서로 다른 소송절차에 해당한다는 이유만으로 청구기초의 동일성이 없다고 해석하여 양자 간의 소 변경을 허용하지 않을 이유가 없다.

(3) 일반 국민으로서는 공법상 당사자소송의 대상과 민사소송의 대상을 구분하기가 쉽지 않고 소송 진행 도중의 사정변경 등으로 인해 공법상 당사자소송으로 제기된 소를 민사소송으로 변경할 필요가 발생하는 경우도 있다. 소 변경 필요성이 인정됨에도, 단지 소 변경에 따라 소송절차가 달라진다는 이유만으로 이미 제기한 소를 취하하고 새로 민사상의 소를 제기하도록 하는 것은 당사자의 권리구제나 소송경제의 측면에서도 바람직하지 않다.
따라서 공법상 당사자소송에 대하여도 청구의 기초가 바뀌지 아니하는 한도 안에서 민사소송으로 소 변경이 가능하다고 해석하는 것이 타당하다(대판 2023.6.29. 2022두44262).

ㄷ. (○) 행정소송법 제30조 제2항의 규정에 의하면 행정청의 거부처분을 취소하는 판결이 확정된 경우에는 그 처분을 행한 행정청이 판결의 취지에 따라 이전의 신청에 대하여 재처분할 의무가 있다고 할 것이나, 그 취소사유가 행정처분의 절차, 방법의 위법으로 인한 것이라면 그 처분 행정청은 그 확정판결의 취지에 따라 그 위법사유를 보완하여 다시 종전의 신청에 대한 거부처분을 할 수 있고, 그러한 처분도 위 조항에 규정된 재처분에 해당한다고 할 것이다(대판 2005.1.14. 2003두13045).

ㄹ. (✕) 행정처분의 당연무효를 선언하는 의미에서 그 취소를 구하는 행정소송을 제기하는 경우에는 전치절차와 그 제소기간의 준수 등 취소소송의 제소요건을 갖추어야 한다(대판 1987.6.9. 87누219).

답 ③

005

당사자소송에 대한 설명으로 옳지 않은 것은?

① 「행정소송법」상 당사자소송의 피고적격에 관한 규정은 당사자소송의 경우 피고적격이 인정되는 권리주체를 행정주체로 한정한다는 취지이므로, 사인을 피고로 하는 당사자소송을 제기할 수는 없다.
② 명예퇴직한 법관이 미지급 명예퇴직수당액에 대하여 가지는 권리는 명예퇴직수당 지급대상자 결정 절차를 거쳐 「법관 및 법원공무원 명예퇴직수당 등 지급규칙」에 의하여 확정된 공법상 법률관계에 관한 권리로서, 그 지급을 구하는 소송은 「행정소송법」의 당사자소송에 해당한다.
③ 「도시 및 주거환경정비법」상 행정주체인 주택재건축정비사업조합을 상대로 관리처분계획안에 대한 조합 총회결의의 효력을 다투는 소송에 대하여는 「행정소송법」상 집행정지에 관한 규정이 준용되지 아니하므로, 이를 본안으로 하는 가처분에 대하여는 「민사집행법」상 가처분에 관한 규정이 준용되어야 한다.
④ 공법상 계약의 한쪽 당사자가 다른 당사자를 상대로 효력을 다투거나 이행을 청구하는 소송은 공법상의 법률관계에 관한 분쟁이므로 분쟁의 실질이 공법상 권리·의무의 존부·범위에 관한 다툼이 아니라 손해배상액의 구체적인 산정방법·금액에 국한되는 등의 특별한 사정이 없는 한 공법상 당사자소송으로 제기하여야 한다.

2024년 국가직 7급

① (×) 국토의 계획 및 이용에 관한 법률 제130조 제3항에서 정한 토지의 소유자·점유자 또는 관리인(이하 '소유자 등'이라 한다)이 사업시행자의 일시 사용에 대하여 정당한 사유 없이 동의를 거부하는 경우, 사업시행자는 해당 토지의 소유자 등을 상대로 동의의 의사표시를 구하는 소를 제기할 수 있다. 이와 같은 토지의 일시 사용에 대한 동의의 의사표시를 할 의무는 '국토의 계획 및 이용에 관한 법률'에서 특별히 인정한 공법상의 의무이므로, 그 의무의 존부를 다투는 소송은 '공법상의 법률관계에 관한 소송으로서 그 법률관계의 한쪽 당사자를 피고로 하는 소송', 즉 행정소송법 제3조 제2호에서 규정한 당사자소송이라고 보아야 한다. 행정소송법 제39조는, "당사자소송은 국가·공공단체 그 밖의 권리주체를 피고로 한다."라고 규정하고 있다. 이것은 당사자소송의 경우 항고소송과 달리 '행정청'이 아닌 '권리주체'에게 피고적격이 있음을 규정하는 것일 뿐, 피고적격이 인정되는 권리주체를 행정주체로 한정한다는 취지가 아니므로, 이 규정을 들어 사인을 피고로 하는 당사자소송을 제기할 수 없다고 볼 것은 아니다(대판 2019.9.9. 2016다262550).
② (○) 명예퇴직한 법관이 미지급 명예퇴직수당액에 대하여 가지는 권리는 명예퇴직수당 지급대상자 결정절차를 거쳐 명예퇴직수당규칙에 의하여 확정된 공법상 법률관계에 관한 권리로서, 그 지급을 구하는 소송은 행정소송법의 당사자소송에 해당하며, 그 법률관계의 당사자인 국가를 상대로 제기하여야 한다(대판 2016.5.24. 2013두14863).
③ (○) 도시 및 주거환경정비법(이하 '도시정비법'이라 한다)상 행정주체인 주택재건축정비사업조합을 상대로 관리처분계획안에 대한 조합 총회결의의 효력을 다투는 소송은 행정처분에 이르는 절차적 요건의 존부나 효력 유무에 관한 소송으로서 소송결과에 따라 행정처분의 위법 여부에 직접 영향을 미치는 공법상 법률관계에 관한 것이므로, 이는 행정소송법상 당사자소송에 해당한다. 그리고 이러한 당사자소송에 대하여는 행정소송법 제23조 제2항의 집행정지에 관한 규정이 준용되지 아니하므로(행정소송법 제44조 제1항 참조), 이를 본안으로 하는 가처분에 대하여는 행정소송법 제8조 제2항에 따라 민사집행법상 가처분에 관한 규정이 준용되어야 한다(대결 2015.8.21. 2015무26).
④ (○) 공법상 당사자소송이란 행정청의 처분 등을 원인으로 하는 법률관계에 관한 소송 그 밖에 공법상의 법률관계에 관한 소송으로서 그 법률관계의 한쪽 당사자를 피고로 하는 소송을 말한다(행정소송법 제3조 제2호). 공법상 계약이란 공법적 효과의 발생을 목적으로 하여 대등한 당사자 사이의 의사표시의 합치로 성립하는 공법행위를 말한다. 공법상 계약의 한쪽 당사자가 다른 당사자를 상대로 효력을 다투거나 이행을 청구하는 소송은 공법상의 법률관계에 관한 분쟁이므로 분쟁의 실질이 공법상 권리·의무의 존부·범위에 관한 다툼이 아니라 손해배상액의 구체적인 산정방법·금액에 국한되는 등의 특별한 사정이 없는 한 공법상 당사자소송으로 제기하여야 한다(대판 2021.2.4. 2019다277133).

답 ①

함께 정리하기

당사자소송

사업시행자가 토지소유자를 상대로 토지 일시 사용에 대한 동의의 의사표시를 구하는 소송
▷ 당사자소송

명예퇴직한 법관의 미지급 명예퇴직수당 청구
▷ 당사자소송

「민사집행법」상 가처분 준용○(집행정지 준용×)

공법상 계약의 효력을 다투거나 이행을 청구하는 소송
▷ 분쟁의 실질이 공법상 권리·의무의 존부·범위에 관한 다툼이라면 당사자소송

문제 DATA

출제가능 지수 ▶▶▷
난이도 지수 ★★☆

006 □□□

「행정소송법」상 당사자소송인 것을 모두 고른 것은? (다툼이 있는 경우 판례에 의함)

> 가. 명예퇴직한 법관이 미지급 명예수당액의 지급을 구하는 소송
> 나. 공무원연금관리공단에 대한 미지급 퇴직연금의 지급을 구하는 소송
> 다. 「도시 및 주거환경정비법」상 주택재건축정비사업조합을 상대로 인가 이전 관리처분계획에 대한 총회결의의 효력 등을 다투는 소송

① 가, 나
② 가, 다
③ 나, 다
④ 가, 나, 다

함께 정리하기

당사자소송
▷ 명예퇴직한 법관의 미지급 명예퇴직수당청구O
▷ 공무원퇴직자의 미지급 퇴직연금지급청구O
▷ 인가 이전 관리처분계획안 총회결의 효력 다투는 소송O

2024년 경찰간부

가. (O) 명예퇴직수당은 명예퇴직수당 지급신청자 중에서 일정한 심사를 거쳐 피고가 명예퇴직수당 지급대상자로 결정한 경우에 비로소 지급될 수 있지만, 명예퇴직수당 지급대상자로 결정된 법관에 대하여 지급할 수당액은 명예퇴직수당규칙 제4조 [별표 1]에 산정 기준이 정해져 있으므로, 위 법관은 위 규정에서 정한 정당한 산정기준에 따라 산정된 명예퇴직수당액을 수령할 구체적인 권리를 가진다. 따라서 법관이 이미 수령한 수당액이 위 규정에서 정한 정당한 명예퇴직수당액에 미치지 못한다고 주장하며 차액의 지급을 신청함에 대하여 법원행정처장이 거부하는 의사를 표시했더라도, 그 의사표시는 명예퇴직수당액을 형성·확정하는 행정처분이 아니라 공법상의 법률관계의 한쪽 당사자로서 지급의무의 존부 및 범위에 관하여 자신의 의견을 밝힌 것에 불과하므로 행정처분으로 볼 수 없다. 결국 명예퇴직한 법관이 미지급 명예퇴직수당액에 대하여 가지는 권리는 명예퇴직수당 지급대상자 결정절차를 거쳐 명예퇴직수당규칙에 의하여 확정된 공법상 법률관계에 관한 권리로서, 그 지급을 구하는 소송은 행정소송법의 당사자소송에 해당하며, 그 법률관계의 당사자인 국가를 상대로 제기하여야 한다(대판 2016.5.24. 2013두14863).

나. (O) 공무원연금관리공단의 인정에 의하여 퇴직연금을 지급받아 오던 중 구 공무원연금법령의 개정 등으로 퇴직연금 중 일부 금액의 지급이 정지된 경우에는 당연히 개정된 법령에 따라 퇴직연금이 확정되는 것이지 같은 법 제26조 제1항에 정해진 공무원연금관리공단의 퇴직연금 결정과 통지에 의하여 비로소 그 금액이 확정되는 것이 아니므로, 공무원연금관리공단이 퇴직연금 중 일부 금액에 대하여 지급거부의 의사표시를 하였다고 하더라도 그 의사표시는 퇴직연금 청구권을 형성·확정하는 행정처분이 아니라 공법상의 법률관계의 한쪽 당사자로서 그 지급의무의 존부 및 범위에 관하여 나름대로의 사실상·법률상 의견을 밝힌 것일 뿐이어서, 이를 행정처분이라고 볼 수는 없고, 이 경우 미지급퇴직연금에 대한 지급청구권은 공법상 권리로서 그의 지급을 구하는 소송은 공법상의 법률관계에 관한 소송인 공법상 당사자소송에 해당한다(대판 2004.7.8. 2004두244).

다. (O) 도시 및 주거환경정비법상 행정주체인 주택재건축정비사업조합을 상대로 관리처분계획안에 대한 조합 총회결의의 효력 등을 다투는 소송은 행정처분에 이르는 절차적 요건의 존부나 효력 유무에 관한 소송으로서 그 소송결과에 따라 행정처분의 위법 여부에 직접 영향을 미치는 공법상 법률관계에 관한 것이므로, 이는 행정소송법상의 당사자소송에 해당한다(대판 2009.9.17. 2007다2428 전합).

> 「행정소송규칙」제19조【당사자소송의 대상】당사자소송은 다음 각 호의 소송을 포함한다.
> 1. 다음 각 목의 손실보상금에 관한 소송
>   가. 「공익사업을 위한 토지 등의 취득 및 보상에 관한 법률」 제78조 제1항 및 제6항에 따른 이주정착금, 주거이전비 등에 관한 소송
>   나. 「공익사업을 위한 토지 등의 취득 및 보상에 관한 법률」 제85조 제2항에 따른 보상금의 증감(增減)에 관한 소송
>   다. 「하천편입토지 보상 등에 관한 특별조치법」 제2조에 따른 보상금에 관한 소송
> 2. 그 존부 또는 범위가 구체적으로 확정된 공법상 법률관계 그 자체에 관한 다음 각 목의 소송
>   가. 납세의무 존부의 확인
>   나. 「부가가치세법」 제59조에 따른 환급청구
>   다. 「석탄산업법」 제39조의3 제1항 및 같은 법 시행령 제41조 제4항 제5호에 따른 재해위로금 지급청구
>   라. 「5·18민주화운동 관련자 보상 등에 관한 법률」 제5조, 제6조 및 제7조에 따른 관련자 또는 유족의 보상금 등 지급청구

마. 공무원의 보수·퇴직금·연금 등 지급청구
바. 공법상 신분·지위의 확인
3. 처분에 이르는 절차적 요건의 존부나 효력 유무에 관한 다음 각 목의 소송
   가. 「도시 및 주거환경정비법」 제35조 제5항에 따른 인가 이전 조합설립변경에 대한 총회결의의 효력 등을 다투는 소송
   나. 「도시 및 주거환경정비법」 제50조 제1항에 따른 인가 이전 사업시행계획에 대한 총회결의의 효력 등을 다투는 소송
   다. 「도시 및 주거환경정비법」 제74조 제1항에 따른 인가 이전 관리처분계획에 대한 총회결의의 효력 등을 다투는 소송
4. 공법상 계약에 따른 권리·의무의 확인 또는 이행청구 소송

답 ④

007

다음 중 항고소송과 당사자소송에 대한 설명으로 가장 옳은 것은? (다툼이 있는 경우 판례에 의함)

① 국가 등 과세주체가 당해 확정된 조세채권의 소멸시효 중단을 위하여 납세의무자를 상대로 제기한 조세채권존재확인의 소는 공법상 당사자소송에 해당한다.
② 광주광역시립합창단원으로서 위촉기간이 만료되는 자들의 재위촉 신청에 대하여 광주광역시 문화예술회관장이 실기와 근무성적에 대한 평정을 실시하여 재위촉을 하지 아니한 것을 항고소송의 대상이 되는 불합격처분이라고 할 수는 있다.
③ 「민주화운동관련자 명예회복 및 보상 등에 관한 법률」에 따른 보상금 등의 지급을 구하는 소송은 공법상 당사자소송이다.
④ 공무원연금관리공단이 「공무원연금법령」의 개정사실과 퇴직연금 수급자가 퇴직연금 중 일부 금액의 지급정지대상자가 되었다는 사실을 통보한 경우, 위 통보는 항고소송의 대상이 되는 행정처분이다.

2024년 군무원 9급

문제 DATA
출제가능 지수 ▶▶▷
난이도 지수 ★★☆

함께 정리하기
항고소송과 당사자소송
조세채권존재확인의 소
▷ 당사자소송
광주시립합창단원 재위촉거부
▷ 처분×(당사자소송)
민주화운동보상금 지급결정
▷ 처분○(항고소송)
법령 개정에 의한 퇴직연금지급정지대상자 통보
▷ 처분×(당사자소송)

① (○)
[1] 조세는 국가존립의 기초인 재정의 근간으로서, 세법은 공권력 행사의 주체인 과세관청에 부과권이나 우선권 및 자력집행권 등 세액의 납부와 징수를 위한 상당한 권한을 부여하여 공익성과 공공성을 담보하고 있다. 따라서 조세채권자는 세법이 부여한 부과권 및 자력집행권 등에 기하여 조세채권을 실현할 수 있어 특별한 사정이 없는 한 납세자를 상대로 소를 제기할 이익을 인정하기 어렵다. 다만 납세의무자가 무자력이거나 소재불명이어서 체납처분 등의 자력집행권을 행사할 수 없는 등 구 국세기본법 제28조 제1항이 규정한 사유들에 의해서는 조세채권의 소멸시효 중단이 불가능하고 조세채권자가 조세채권의 징수를 위하여 가능한 모든 조치를 충실히 취하여 왔음에도 조세채권이 실현되지 않은 채 소멸시효기간의 경과가 임박하는 등의 특별한 사정이 있는 경우에는, 그 시효중단을 위한 재판상 청구는 예외적으로 소의 이익이 있다고 봄이 타당하다.
[2] 국가 등 과세주체가 당해 확정된 조세채권의 소멸시효 중단을 위하여 납세의무자를 상대로 제기한 조세채권존재확인의 소는 공법상 당사자소송에 해당한다(대판 2020.3.2. 2017두41771).

② (×) 광주광역시문화예술회관장의 단원 위촉은 광주광역시문화예술회관장이 행정청으로서 공권력을 행사하여 행하는 행정처분이 아니라 공법상의 근무관계의 설정을 목적으로 하여 광주광역시와 단원이 되고자 하는 자 사이에 대등한 지위에서 의사가 합치되어 성립하는 공법상 근로계약에 해당한다고 보아야 할 것이므로, 광주광역시립합창단원으로서 위촉기간이 만료되는 자들의 재위촉 신청에 대하여 광주광역시문화예술회관장이 실기와 근무성적에 대한 평정을 실시하여 재위촉을 하지 아니한 것을 항고소송의 대상이 되는 불합격처분이라고 할 수는 없다(대판 2001.12.11. 2001두7794).

③ (×)

> [1] '민주화운동관련자 명예회복 및 보상 등에 관한 법률' 제2조 제1호·제2호 본문, 제4조, 제10조, 제11조, 제13조 규정들의 취지와 내용에 비추어 보면, 같은 법 제2조 제2호 각 목은 민주화운동과 관련한 피해유형을 추상적으로 규정한 것에 불과하여 법 제2조 제1호에서 정의하고 있는 민주화운동의 내용을 함께 고려하더라도 그 규정들만으로는 바로 법상의 보상금 등의 지급 대상자가 확정된다고 볼 수 없고, 위원회에서 심의·결정을 받아야만 비로소 보상금 등의 지급 대상자로 확정될 수 있다고 할 것이다. 따라서 그와 같은 위원회의 결정은 국민의 권리의무에 직접 영향을 미치는 행정처분에 해당한다고 할 것이므로, 관련자 등으로서 보상금 등을 지급받고자 하는 신청에 대하여 위원회가 관련자 해당 요건의 전부 또는 일부를 인정하지 아니하여 보상금 등의 지급을 기각하는 결정을 한 경우에는 신청인은 위원회를 상대로 그 결정의 취소를 구하는 소송을 제기하여 보상금 등의 지급대상자가 될 수 있다고 할 것이다.
> [2] '민주화운동관련자 명예회복 및 보상 등에 관한 법률' 제17조는 보상금 등의 지급에 관한 소송의 형태를 규정하고 있지 않지만, 위 규정 전단에서 말하는 보상금 등의 지급에 관한 소송은 '민주화운동관련자 명예회복 및 보상 심의위원회'의 보상금 등의 지급신청에 관하여 전부 또는 일부를 기각하는 결정에 대한 불복을 구하는 소송이므로 취소소송을 의미한다고 보아야 한다(대판 2008.4.17. 2005두16185).

④ (×) 공무원연금관리공단의 인정에 의하여 퇴직연금을 지급받아 오던 중 구 공무원연금법령의 개정 등으로 퇴직연금 중 일부 금액의 지급이 정지된 경우에는 당연히 개정된 법령에 따라 퇴직연금이 확정되는 것이지 같은 법 제26조 제1항에 정해진 공무원연금관리공단의 퇴직연금 결정과 통지에 의하여 비로소 그 금액이 확정되는 것이 아니므로, 공무원연금관리공단이 퇴직연금 중 일부 금액에 대하여 지급거부의 의사표시를 하였다고 하더라도 그 의사표시는 퇴직연금 청구권을 형성·확정하는 행정처분이 아니라 공법상의 법률관계의 한쪽 당사자로서 그 지급의무의 존부 및 범위에 관하여 나름대로의 사실상·법률상 의견을 밝힌 것일 뿐이어서, 이를 행정처분이라고 볼 수는 없고, 이 경우 미지급퇴직연금에 대한 지급청구권은 공법상 권리로서 그의 지급을 구하는 소송은 공법상의 법률관계에 관한 소송인 공법상 당사자소송에 해당한다(대판 2004.7.8. 2004두244).

답 ①

008

다음 중 공법상의 당사자소송에 대한 설명으로 가장 옳지 않은 것은? (다툼이 있는 경우 판례에 의함)

① 공법상 당사자소송에 대하여 청구의 기초가 바뀌지 아니하는 한도 안에서 민사소송으로 소 변경은 금지된다.
② 대법원은 여러 차례에 걸쳐 「행정소송법」상 항고소송으로 제기해야 할 사건을 민사소송으로 잘못 제기한 경우 수소법원으로서는 원고로 하여금 항고소송으로 소 변경을 하도록 석명권을 행사하여 「행정소송법」이 정하는 절차에 따라 심리·판단해야 한다고 판시해 왔다.
③ 당사자소송에 대하여는 「행정소송법」에 따라 「민사집행법」상 가처분에 관한 규정이 준용된다.
④ 「도시 및 주거환경정비법」상의 주택재건축정비사업조합을 상대로 관리처분계획안 또는 사업시행계획안에 대한 조합 총회결의의 효력 등을 다투는 소송은 「행정소송법」상 당사자소송이다.

2024년 군무원 7급

① (×), ② (○) 공법상 당사자소송의 소 변경에 관하여 행정소송법은, 공법상 당사자소송을 항고소송으로 변경하는 경우(행정소송법 제42조, 제21조) 또는 처분변경으로 인하여 소를 변경하는 경우(행정소송법 제44조 제1항, 제22조)에 관하여만 규정하고 있을 뿐, 공법상 당사자소송을 민사소송으로 변경할 수 있는지에 관하여 명문의 규정을 두고 있지 않다. 그러나 공법상 당사자소송에서 민사소송으로의 소 변경이 금지된다고 볼 수 없다(①). 이유는 다음과 같다.

> [1] 행정소송법 제8조 제2항은 행정소송에 관하여 민사소송법을 준용하도록 하고 있으므로, 행정소송의 성질에 비추어 적절하지 않다고 인정되는 경우가 아닌 이상 공법상 당사자소송의 경우도 민사소송법 제262조에 따라 청구의 기초가 바뀌지 아니하는 한도 안에서 변론을 종결할 때까지 청구의 취지를 변경할 수 있다.
> [2] 한편 대법원은 여러 차례에 걸쳐 행정소송법상 항고소송으로 제기해야 할 사건을 민사소송으로 잘못 제기한 경우 수소법원으로서는 원고로 하여금 항고소송으로 소 변경을 하도록 석명권을 행사하여 행정소송법이 정하는 절차에 따라 심리·판단해야 한다고 판시해 왔다(②). 이처럼 민사소송에서 항고소송으로의 소 변경이 허용되는 이상, 공법상 당사자소송과 민사소송이 서로 다른 소송절차에 해당한다는 이유만으로 청구기초의 동일성이 없다고 해석하여 양자 간의 소 변경을 허용하지 않을 이유가 없다.
> [3] 일반 국민으로서는 공법상 당사자소송의 대상과 민사소송의 대상을 구분하기가 쉽지 않고 소송 진행 도중의 사정변경 등으로 인해 공법상 당사자소송으로 제기된 소를 민사소송으로 변경할 필요가 발생하는 경우도 있다. 소 변경 필요성이 인정됨에도, 단지 소 변경에 따라 소송절차가 달라진다는 이유만으로 이미 제기한 소를 취하하고 새로 민사상의 소를 제기하도록 하는 것은 당사자의 권리구제나 소송경제의 측면에서도 바람직하지 않다. 따라서 공법상 당사자소송에 대하여도 청구의 기초가 바뀌지 아니하는 한도 안에서 민사소송으로 소 변경이 가능하다고 해석하는 것이 타당하다(대판 2023. 6.29. 2022두44262).

③ (○) 당사자소송에 대하여는 행정소송법 제23조 제2항의 집행정지에 관한 규정이 준용되지 아니하므로, 이를 본안으로 하는 가처분에 대하여는 행정소송법 제8조 제2항에 따라 민사집행법상 가처분에 관한 규정이 준용되어야 한다(대결 2015.8.21. 2015무26).

④ (○) 도시 및 주거환경정비법(이하 '도시정비법'이라고 한다)에 따른 주택재건축정비사업조합(이하 '재건축조합'이라고 한다)은 관할 행정청의 감독 아래 도시정비법상의 주택재건축사업을 시행하는 공법인(도시정비법 제18조)으로서, 그 목적 범위 내에서 법령이 정하는 바에 따라 일정한 행정작용을 행하는 행정주체의 지위를 갖는다. 그리고 재건축조합이 행정주체의 지위에서 도시정비법 제48조에 따라 수립하는 관리처분계획은 정비사업의 시행 결과 조성되는 대지 또는 건축물의 권리귀속에 관한 사항과 조합원의 비용 분담에 관한 사항 등을 정함으로써 조합원의 재산상 권리·의무 등에 구체적이고 직접적인 영향을 미치게 되므로, 이는 구속적 행정계획으로서 재건축조합이 행하는 독립된 행정처분에 해당한다. 그런데 관리처분계획은 재건축조합이 조합원의 분양신청 현황을 기초로 관리처분계획안을 마련하여 그에 대한 조합 총회결의와 토지 등 소유자의 공람절차를 거친 후 관할 행정청의 인가·고시를 통해 비로소 그 효력이 발생하게 되므로(도시정비법 제24조 제3항 제10호, 제48조 제1항, 제49조), 관리처분계획안에 대한 조합 총회결의는 관리처분계획이라는 행정처분에 이르는 절차적 요건 중 하나로, 그것이 위법하여 효력이 없다면 관리처분계획은 하자가 있는 것으로 된다.
따라서 행정주체인 재건축조합을 상대로 관리처분계획안에 대한 조합 총회결의의 효력 등을 다투는 소송은 행정처분에 이르는 절차적 요건의 존부나 효력 유무에 관한 소송으로서 그 소송결과에 따라 행정처분의 위법 여부에 직접 영향을 미치는 공법상 법률관계에 관한 것이므로, 이는 행정소송법상의 당사자소송에 해당한다(대판 2009.10.29. 2008다97737).
또한 재건축조합을 상대로 사업시행계획안에 대한 조합 총회결의의 효력 등을 다투는 소송도 행정소송법상의 당사자소송에 해당한다(대판 2009.10.15. 2008다93001).

답 ①

함께 정리하기

공법상의 당사자소송

당사자소송에서 민사소송으로 소 변경
▷ 가능

항고소송을 민사소송으로 잘못 제기시
▷ 수소법원은 항고소송으로 소 변경 하도록 석명권 행사

당사자소송
▷ 「민사집행법」상 가처분 준용 ○

관리처분계획안 또는 사업시행계획안 총회결의 효력 다투는 소송
▷ 당사자소송

문제 DATA

출제가능 지수 ▶▶▷
난이도 지수 ★★☆

함께 정리하기

당사자소송의 대상
▷ 미지급된 퇴직연금 지급청구 ○
▷ 민주화운동보상금 기각결정 ✕
▷ 석탄가격안정지원금 지급청구 ○
▷ 공중보건의사의 채용계약해지 ○
▷ 시립무용단원해촉 ○

009 ☐☐☐

「행정소송법」상 당사자소송의 대상이 될 수 없는 것은? (다툼이 있는 경우 판례에 의함)

① 미지급 퇴직연금에 대한 지급
② 「민주화운동관련자 명예회복 및 보상 등에 관한 법률」에 의한 보상금지급신청의 기각결정
③ 석탄산업법령 및 '석탄가격안정지원금 지급요령'에 의한 석탄가격안정지원금의 지급
④ 전문직 공무원인 공중보건의사의 채용계약해지의 의사표시 무효확인
⑤ 서울특별시립무용단원의 해촉의 무효확인

> 2024년 소방간부

① (○) 공무원연금관리공단의 인정에 의하여 퇴직연금을 지급받아 오던 중 구 공무원연금법령의 개정 등으로 퇴직연금 중 일부 금액의 지급이 정지된 경우에는 당연히 개정된 법령에 따라 퇴직연금이 확정되는 것이지 구 공무원연금법 제26조 제1항에 정해진 공무원연금관리공단의 퇴직연금 결정과 통지에 의하여 비로소 그 금액이 확정되는 것이 아니므로, 공무원연금관리공단이 퇴직연금 중 일부 금액에 대하여 지급거부의 의사표시를 하였다고 하더라도 그 의사표시는 퇴직연금 청구권을 형성·확정하는 행정처분이 아니라 공법상의 법률관계의 한쪽 당사자로서 그 지급의무의 존부 및 범위에 관하여 나름대로의 사실상·법률상 의견을 밝힌 것일 뿐이어서, 이를 행정처분이라고 볼 수는 없다. 그리고 미지급퇴직연금에 대한 지급청구권은 공법상 권리로서 그의 지급을 구하는 소송은 공법상의 법률관계에 관한 소송인 공법상 당사자소송에 해당한다고 할 것이다(대판 2004.7.8. 2004두244).

② (✕) '민주화운동관련자 명예회복 및 보상 등에 관한 법률' 제2조 제1호, 제2호 본문, 제4조, 제10조, 제11조, 제13조 규정들의 취지와 내용에 비추어 보면, 같은 법 제2조 제2호 각 목은 민주화운동과 관련한 피해 유형을 추상적으로 규정한 것에 불과하여 제2조 제1호에서 정의하고 있는 민주화운동의 내용을 함께 고려하더라도 그 규정들만으로는 바로 법상의 보상금 등의 지급 대상자가 확정된다고 볼 수 없고, '민주화운동관련자 명예회복 및 보상 심의위원회'에서 심의·결정을 받아야만 비로소 보상금 등의 지급 대상자로 확정될 수 있다. 따라서 그와 같은 심의위원회의 결정은 국민의 권리의무에 직접 영향을 미치는 행정처분에 해당하므로, 관련자 등으로서 보상금 등을 지급받고자 하는 신청에 대하여 심의위원회가 관련자 해당 요건의 전부 또는 일부를 인정하지 아니하여 보상금 등의 지급을 기각하는 결정을 한 경우에는 신청인은 심의위원회를 상대로 그 결정의 취소를 구하는 소송을 제기하여 보상금 등의 지급대상자가 될 수 있다(대판 2008.4.17. 2005두16185 전합).

③ (○) 석탄가격안정지원금은 석탄의 수요 감소와 열악한 사업환경 등으로 점차 경영이 어려워지고 있는 석탄광업의 안정 및 육성을 위하여 국가정책적 차원에서 지급하는 지원비의 성격을 갖는 것이고, 석탄광업자가 석탄산업합리화사업단에 대하여 가지는 이와 같은 지원금지급청구권은 석탄사업법령에 의하여 정책적으로 당연히 부여되는 공법상의 권리이므로, 석탄광업자가 석탄산업합리화사업단을 상대로 석탄산업법령 및 석탄가격안정지원금 지급요령에 의하여 지원금의 지급을 구하는 소송은 공법상의 법률관계에 관한 소송인 공법상의 당사자소송에 해당한다(대판 1997.5.30. 95다28960).

④ (○) 전문직공무원인 공중보건의사의 채용계약의 해지가 관할 도지사의 일방적인 의사표시에 의하여 그 신분을 박탈하는 불이익처분이라고 하여 곧바로 그 의사표시가 관할 도지사가 행정청으로서 공권력을 행사하여 행하는 행정처분이라고 단정할 수는 없고, 공무원 및 공중보건의사에 관한 현행 실정법이 공중보건의사의 근무관계에 관하여 구체적으로 어떻게 규정하고 있는가에 따라 그 의사표시가 항고소송의 대상이 되는 처분 등에 해당하는 것인지의 여부를 개별적으로 판단하여야 할 것인바, 농어촌 등 보건의료를 위한 특별조치법 제2조, 제3조, 제5조, 제9조, 제26조와 같은 법 시행령 제3조, 제17조, 전문직공무원규정 제5조 제1항, 제7조 및 국가공무원법 제2조 제3항 제3호, 제4항 등 관계 법령의 규정내용에 미루어 보면 현행 실정법이 전문직공무원인 공중보건의사의 채용계약 해지의 의사표시는 일반공무원에 대한 징계처분과는 달라서 항고소송의 대상이 되는 처분 등의 성격을 가진 것으로 인정되지 아니하고, 일정한 사유가 있을 때에 관할 도지사가 채용계약 관계의 한쪽 당사자로서 대등한 지위에서 행하는 의사표시로 취급하고 있는 것으로 이해되므로, 공중보건의사 채용계약 해지의 의사표시에 대하여는 대등한 당사자간의 소송형식인 공법상의 당사자소송으로 그 의사표시의 무효확인을 청구할 수 있는 것이지, 이를 항고소송의 대상이 되는 행정처분이라는 전제하에서 그 취소를 구하는 항고소송을 제기할 수는 없다(대판 1996.5.31. 95누10617).

⑤ (○) 지방자치법 제9조 제2항 제5호 (라)목 및 (마)목 등의 규정에 의하면, 서울특별시립무용단원의 공연 등 활동은 지방문화 및 예술을 진흥시키고자 하는 서울특별시의 공공적 업무수행의 일환으로 이루어진다고 해석될 뿐 아니라, 단원으로 위촉되기 위하여는 일정한 능력요건과 자격요건을 요하고, 계속적인 재위촉이 사실상 보장되며, 공무원연금법에 따른 연금을 지급받고, 단원의 복무규율이 정해져 있으며, 정년제가 인정되고, 일정한 해촉사유가 있는 경우에만 해촉되는 등 서울특별시립무용단원이 가지는 지위가 공무원과 유사한 것이라면, 서울특별시립무용단 단원의 위촉은 공법상의 계약이라고 할 것이고, 따라서 그 단원의 해촉에 대하여는 공법상의 당사자소송으로 그 무효확인을 청구할 수 있다(대판 1995.12.22. 95누4636).

답 ②

010

아래 사례들 중 「행정소송법」상 당사자소송으로 다투어야 하는 경우를 모두 고른 것은? (다툼이 있는 경우 판례에 의함)

> ㄱ. 「민주화운동 관련자 명예회복 및 보상 등에 관한 법률」상 보상금의 지급을 신청한 사람이 심의위원회의 보상금 지급에 관한 결정을 다투는 경우
> ㄴ. 구 「소방공무원법」상 지방소방공무원이 자신이 소속된 지방자치단체를 상대로 법령의 규정에 의하여 직접 그 존부나 범위가 정해진 초과근무수당의 지급을 청구하는 경우
> ㄷ. 「도시 및 주거환경정비법」상 관리처분계획안에 대한 조합 총회결의의 효력을 다투려는 조합원이 관리처분계획 인가 전에 주택재건축정비사업조합을 상대로 소송을 제기하는 경우
> ㄹ. 부가가치세 납세의무를 부담하는 사업자가 국가를 상대로 부가가치세 환급세액의 지급을 청구하는 경우
> ㅁ. 조세부과처분이 당연무효임을 전제로 하여 이미 납부한 세금의 반환을 청구하는 경우

① ㄱ, ㄴ
② ㄷ, ㄹ
③ ㄴ, ㄷ, ㄹ
④ ㄴ, ㄹ, ㅁ
⑤ ㄷ, ㄹ, ㅁ

2024년 변호사

ㄱ. (×) '민주화운동관련자 명예회복 및 보상 등에 관한 법률' 제2조 제1호, 제2호 본문, 제4조, 제10조, 제11조, 제13조 규정들의 취지와 내용에 비추어 보면, 같은 법 제2조 제2호 각 목은 민주화운동과 관련한 피해 유형을 추상적으로 규정한 것에 불과하여 제2조 제1호에서 정의하고 있는 민주화운동의 내용을 함께 고려하더라도 그 규정들만으로는 바로 법상의 보상금 등의 지급 대상자가 확정된다고 볼 수 없고, '민주화운동관련자 명예회복 및 보상 심의위원회'에서 심의·결정을 받아야만 비로소 보상금 등의 지급 대상자로 확정될 수 있다. 따라서 그와 같은 심의위원회의 결정은 국민의 권리의무에 직접 영향을 미치는 행정처분에 해당하므로, 관련자 등으로서 보상금 등을 지급받고자 하는 신청에 대하여 심의위원회가 관련자 해당 요건의 전부 또는 일부를 인정하지 아니하여 보상금 등의 지급을 기각하는 결정을 한 경우에는 신청인은 심의위원회를 상대로 그 결정의 취소를 구하는 소송을 제기하여 보상금 등의 지급대상자가 될 수 있다(대판 2008.4.17. 2005두16185 전합).

문제 DATA
출제가능 지수 ▶▶▷
난이도 지수 ★★☆

함께 정리하기

당사자소송

민주화운동보상금 지급결정
▷ 처분O(항고소송)

지방소방공무원 초과근무수당지급청구
▷ 당사자소송

인가 이전 관리처분계획안 총회결의 효력 다투는 소송
▷ 당사자소송

부가가치세 환급세액 지급청구
▷ 당사자소송

무효인 조세부과처분에 기해 납부한 세금 반환청구
▷ 민사소송(부당이득반환청구)

ㄴ. (○) 지방자치단체와 그 소속 경력직 공무원인 지방소방공무원 사이의 관계, 즉 지방소방공무원의 근무관계는 사법상의 근로계약관계가 아닌 공법상의 근무관계에 해당하고, 그 근무관계의 주요한 내용 중 하나인 지방소방공무원의 보수에 관한 법률관계는 공법상의 법률관계라고 보아야 한다. 나아가 지방공무원법 제44조 제4항, 제45조 제1항이 지방공무원의 보수에 관하여 이른바 근무조건 법정주의를 채택하고 있고, 지방공무원 수당 등에 관한 규정 제15조 내지 제17조가 초과근무수당의 지급 대상, 시간당 지급 액수, 근무시간의 한도, 근무시간의 산정 방식에 관하여 구체적이고 직접적인 규정을 두고 있는 등 관계 법령의 내용, 형식 및 체제 등을 종합하여 보면, 지방소방공무원의 초과근무수당 지급청구권은 법령의 규정에 의하여 직접 그 존부나 범위가 정하여지고 법령에 규정된 수당의 지급요건에 해당하는 경우에는 곧바로 발생한다고 할 것이므로, 지방소방공무원이 자신이 소속된 지방자치단체를 상대로 초과근무수당의 지급을 구하는 청구에 관한 소송은 행정소송법 제3조 제2호에 규정된 당사자소송의 절차에 따라야 한다(대판 2013.3.28. 2012다102629).

ㄷ. (○) 도시 및 주거환경정비법에 따른 주택재건축정비사업조합은 관할 행정청의 감독 아래 위 법상의 주택재건축사업을 시행하는 공법인(위 법 제18조)으로서, 그 목적 범위 내에서 법령이 정하는 바에 따라 일정한 행정작용을 행하는 행정주체의 지위를 갖는다. 따라서 행정주체인 재건축조합을 상대로 관리처분계획안에 대한 조합 총회결의의 효력 등을 다투는 소송은 행정처분에 이르는 절차적 요건의 존부나 효력 유무에 관한 소송으로서 그 소송결과에 따라 행정처분의 위법 여부에 직접 영향을 미치는 공법상 법률관계에 관한 것이므로, 이는 행정소송법상의 당사자소송에 해당한다(대판 2009.10.15. 2008다93001).

ㄹ. (○) 부가가치세법령이 환급세액의 정의 규정, 그 지급시기와 산출방법에 관한 구체적인 규정과 함께 부가가치세 납세의무를 부담하는 사업자(이하 '납세의무자'라 한다)에 대한 국가의 환급세액 지급의무를 규정한 이유는, 입법자가 과세 및 징수의 편의를 도모하고 중복과세를 방지하는 등의 조세 정책적 목적을 달성하기 위한 입법적 결단을 통하여, 최종 소비자에 이르기 전의 각 거래단계에서 재화 또는 용역을 공급하는 사업자가 그 공급을 받는 사업자로부터 매출세액을 징수하여 국가에 납부하고, 그 세액을 징수당한 사업자는 이를 국가로부터 매입세액으로 공제·환급받는 과정을 통하여 그 세액의 부담을 다음 단계의 사업자에게 차례로 전가하여 궁극적으로 최종 소비자에게 이를 부담시키는 것을 근간으로 하는 전단계세액공제 제도를 채택한 결과, 어느 과세기간에 거래징수된 세액이 거래징수를 한 세액보다 많은 경우에는 그 납세의무자가 창출한 부가가치에 상응하는 세액보다 많은 세액이 거래징수되게 되므로 이를 조정하기 위한 과세기술상, 조세 정책적인 요청에 따라 특별히 인정한 것이라고 할 수 있다. 따라서 이와 같은 부가가치세법령의 내용, 형식 및 입법 취지 등에 비추어 보면, 납세의무자에 대한 국가의 부가가치세 환급세액 지급의무는 그 납세의무자로부터 어느 과세기간에 과다하게 거래징수된 세액 상당을 국가가 실제로 납부받았는지와 관계없이 부가가치세법령의 규정에 의하여 직접 발생하는 것으로서, 그 법적 성질은 정의와 공평의 관념에서 수익자와 손실자 사이의 재산상태 조정을 위해 인정되는 부당이득 반환의무가 아니라 부가가치세법령에 의하여 그 존부나 범위가 구체적으로 확정되고 조세 정책적 관점에서 특별히 인정되는 공법상 의무라고 봄이 타당하다. 그렇다면 납세의무자에 대한 국가의 부가가치세 환급세액 지급의무에 대응하는 국가에 대한 납세의무자의 부가가치세 환급세액 지급청구는 민사소송이 아니라 행정소송법 제3조 제2호에 규정된 당사자소송의 절차에 따라야 한다(대판 2013.3.21. 2011다95564 전합).

ㅁ. (×) 조세부과처분이 당연무효임을 전제로 하여 이미 납부한 세금의 반환을 청구하는 것은 민사상의 부당이득반환청구로서 민사소송절차에 따라야 한다(대판 1995.4.28. 94다55019).

답 ③

011

판례가 행정소송의 대상이 아니라 민사소송의 대상이라고 판단한 것만을 <보기>에서 모두 고른 것은?

<보기>
ㄱ. 개발부담금 부과처분 취소로 인한 그 과오납금의 반환을 청구하는 소송
ㄴ. 공립유치원 전임강사에 대한 해임처분의 시정 및 수령지체된 보수의 지급을 구하는 소송
ㄷ. 「도시 및 주거환경정비법」상 관리처분계획안에 대한 조합총회결의의 효력을 다투는 소송
ㄹ. 공무원의 직무상 불법행위로 손해를 받은 국민이 국가 또는 공공단체에 배상을 청구하는 소송
ㅁ. 「하천구역 편입토지 보상에 관한 특별조치법」 제2조 제1항의 규정에 의한 손실보상금의 지급을 구하거나 손실보상청구권의 확인을 구하는 소송

① ㄱ, ㄷ
② ㄱ, ㄹ
③ ㄴ, ㅁ
④ ㄱ, ㄹ, ㅁ

문제 DATA
출제가능 지수 ▶▶▷
난이도 지수 ★★☆

2018년 서울시 9급

ㄱ. (O) 개발부담금부과처분 취소 후 과오납금의 반환은 민사소송의 대상이다.

> 개발부담금 부과처분이 취소된 이상 그 후의 부당이득으로서의 과오납금 반환에 관한 법률관계는 단순한 민사 관계에 불과한 것이고, 행정소송 절차에 따라야 하는 관계로 볼 수 없다(대판 1995.12.22. 94다51253).

유제 18. 지방직 9급 「개발이익환수에 관한 법률」상 개발부담금부과처분이 취소된 경우 그 과오납금의 반환을 청구하는 소송은 행정소송이다. (×)

ㄴ. (×) 공립유치원강사 보수지급청구소송은 당사자소송의 대상이다.

> 교육부장관(당시 문교부장관)의 권한을 재위임 받은 공립교육기관의 장에 의하여 공립유치원의 임용기간을 정한 전임강사로 임용되어 지방자치단체로부터 보수를 지급받으면서 공무원복무규정을 적용받고 사실상 유치원 교사의 업무를 담당하여 온 유치원 교사의 자격이 있는 자는 교육공무원에 준하여 신분보장을 받는 정원 외의 임시직 공무원으로 봄이 상당하므로 그에 대한 해임처분의 시정 및 수령지체된 보수의 지급을 구하는 소송은 행정소송의 대상이지 민사소송의 대상이 아니다(대판 1991.5.10. 90다10766).

ㄷ. (×) 관리처분계획안에 대한 조합총회결의를 다투는 소송은 당사자소송의 대상이다.

> 행정주체인 재건축조합을 상대로 관리처분계획안에 대한 조합 총회결의의 효력 등을 다투는 소송은 행정처분에 이르는 절차적 요건의 존부나 효력 유무에 관한 소송으로서 그 소송결과에 따라 행정처분의 위법 여부에 직접 영향을 미치는 공법상 법률관계에 관한 것이므로, 이는 행정소송법상의 당사자소송에 해당하고, 재건축조합을 상대로 사업시행계획안에 대한 조합총회결의의 효력 등을 다투는 소송 또한 행정소송법상의 당사자소송에 해당한다(대판 2009.10.15. 2008다93001).

유제 20. 국회직 8급 주택재개발정비사업을 위한 관리처분계획이 조합원 총회에서 승인되었으나 아직 관할 행정청의 인가 전이라면 조합원은 해당 총회결의에 대해서 당사자소송으로 다툴 수 있다. (O)

ㄹ. (O) 공법상 계약의 체결·집행상의 불법행위로 인한 손해배상책임은 공법상 당사자소송에 의하도록 하는 것이 이론상 타당하나, 실무상으로는 국가배상청구소송을 민사소송으로 처리하고 있다.

ㅁ. (×) 하천구역 편입 토지의 손실보상은 당사자소송의 대상이다.

> 하천구역 편입토지보상에 관한 특별조치법에서는 소멸시효의 만료 등으로 보상청구권이 소멸되어 보상을 받지 못한 토지에 대하여 시·도지사가 그 손실을 보상하도록 규정하고 있는바, 위 손실보상청구권의 법적 성질은 공법상의 권리임이 분명하므로 그에 관한 쟁송은 민사소송이 아닌 행정소송절차에 의하여야 할 것이고, 위 손실보상 청구권은 개정 특조법 제2조 소정의 토지가 하천구역으로 된 경우에 당연히 발생되는 것이지, 관리청의 보상금지급결정에 의하여 비로소 발생하는 것이 아니므로, 위 손실보상금의 지급을 구하거나 손실보상청구권의 확인을 구하는 소송은 당사자소송에 의하여야 할 것이다(대판 2006.11.9. 2006다23503).

답 ②

함께 정리하기

민사소송의 대상

개발부담금부과처분 취소 후 과오납금반환
▷ 민사소송(사법관계)

공립유치원 강사 보수지급청구소송
▷ 당사자소송(공법관계)

관리처분계획안에 대한 조합총회결의를 다투는 소송
▷ 당사자소송(공법관계)

국가배상청구소송
▷ 민사소송(사법관계)

하천구역 편입토지 손실보상청구·손실보상청구권 확인소송
▷ 당사자소송(공법관계)

문제 DATA

출제가능 지수 ▶▶▷
난이도 지수 ★★☆

함께 정리하기

당사자소송의 대상
▷ 재개발조합원자격확인○
▷ 석탄가격안정지원금 지급청구○
▷ 부가가치세 환급세액 지급청구○
▷ 토지보상법상 환매금액 증감청구✕

012

당사자소송의 대상이 아닌 것은? (다툼이 있는 경우 판례에 의함)

① 구「도시재개발법」상 재개발조합의 조합원 자격 확인
② 구「석탄산업법」상 석탄가격안정지원금의 지급청구
③ 납세의무자의 부가가치세 환급세액 지급청구
④ 구「공익사업을 위한 토지 등의 취득 및 보상에 관한 법률」상 환매금액의 증감청구

| 2017년 사회복지직

① (○) 재개발조합의 조합원 자격확인은 당사자소송의 대상이다.

> 조합을 상대로 한 쟁송에 있어서 강제가입제를 특색으로 한 조합원의 자격 인정 여부에 관하여 다툼이 있는 경우에는 그 단계에서는 아직 조합의 어떠한 처분 등이 개입될 여지는 없으므로 공법상의 당사자소송에 의하여 그 조합원 자격의 확인을 구할 수 있다(대판 1996.2.15. 94다31235 전합).

② (○) 석탄가격안정지원금의 지급청구는 당사자소송의 대상이다.

> 석탄가격안정지원금은 석탄의 수요 감소와 열악한 사업환경 등으로 점차 경영이 어려워지고 있는 석탄광업의 안정 및 육성을 위하여 국가정책적 차원에서 지급하는 지원비의 성격을 갖는 것이고, 석탄광업자가 석탄산업합리화사업단에 대하여 가지는 이와 같은 지원금지급청구권은 석탄사업법령에 의하여 정책적으로 당연히 부여되는 공법상의 권리이므로, 지원금의 지급을 구하는 소송은 공법상의 법률관계에 관한 소송인 공법상의 당사자소송에 해당한다(대판 1997.5.30. 95다28960).

③ (○) 부가가치세 환급세액 청구는 당사자소송의 대상이다.

> 납세의무자에 대한 국가의 부가가치세 환급세액 지급의무는 그 납세의무자로부터 어느 과세기간에 과다하게 거래징수된 세액 상당을 국가가 실제로 납부받았는지와 관계없이 부가가치세법령의 규정에 의하여 직접 발생하는 것으로서, 그 법적 성질은 정의와 공평의 관념에서 수익자와 손실자 사이의 재산상태 조정을 위해 인정되는 부당이득 반환의무가 아니라 부가가치세법령에 의하여 그 존부나 범위가 구체적으로 확정되고 조세 정책적 관점에서 특별히 인정되는 공법상 의무라고 봄이 타당하다. 국가에 대한 납세의무자의 부가가치세 환급세액 지급청구는 민사소송이 아니라 행정소송법 제3조 제2호에 규정된 당사자소송의 절차에 따라야 한다(대판 2013.3.21. 2011다95564 전합).

유제 16. 변호사 국가의 부가가치세 환급세액 지급의무는 정의와 공평의 관념에서 수익자와 손실자 사이의 재산상태 조정을 위해 인정되는 부당이득 반환의무가 아니라 조세 정책적 관점에서 인정되는 공법상 의무이므로 국가에 대한 납세의무자의 부가가치세 환급세액 지급청구는 당사자소송에 의한다. (○)

④ (✕) 토지보상법상 환매금액 증감청구는 민사소송의 대상이다.

> 구 공익사업을 위한 토지 등의 취득 및 보상에 관한 법률 제91조에 규정된 환매권은 상대방에 대한 의사표시를 요하는 형성권의 일종으로서 재판상이든 재판 외이든 위 규정에 따른 기간 내에 행사하면 매매의 효력이 생기는 바, 이러한 환매권의 존부에 관한 확인을 구하는 소송 및 구 공익사업법 제91조 제4항에 따라 환매금액의 증감을 구하는 소송 역시 민사소송에 해당한다(대판 2013.2.28. 2010두22368).

유제 18. 서울시 7급 사업시행자가 환매권의 존부에 관한 확인을 구하는 소송은 민사소송이다. (○)
16. 변호사 「공익사업을 위한 토지 등의 취득 및 보상에 관한 법률」상 환매권의 존부에 관한 확인을 구하는 소송은 당사자소송이다. (✕)

답 ④

013

<보기>에서 당사자소송의 대상을 모두 고른 것은?

<보기>
ㄱ. 구 「공익사업을 위한 토지 등의 취득 및 보상에 관한 법률」에 의한 주거이전비 보상 청구
ㄴ. 재개발조합 조합원의 자격 인정 여부에 관한 다툼
ㄷ. 폐광대책비의 일종으로 폐광된 광산에서 업무상 재해를 입은 근로자에게 지급하는 재해위로금의 지급 청구
ㄹ. 부가가치세법령상 확정된 부가가치세의 환급세액의 지급 청구

① ㄱ
② ㄱ, ㄴ
③ ㄱ, ㄴ, ㄷ
④ ㄱ, ㄴ, ㄷ, ㄹ

문제 DATA
출제가능 지수 ▶▶▷
난이도 지수 ★★☆

2019년 서울시 7급

ㄱ. (○) 주거이전비 보상청구는 당사자소송의 대상이다.

> 주거이전비는 사회보장적인 차원에서 지급되는 금원의 성격을 가지므로, 적법하게 시행된 공익사업으로 인하여 이주하게 된 주거용 건축물 세입자의 주거이전비 보상청구권은 공법상의 권리이고, 따라서 그 보상을 둘러싼 쟁송은 민사소송이 아니라 공법상의 법률관계를 대상으로 하는 행정소송에 의하여야 한다(대판 2008.5.29. 2007다8129).

ㄴ. (○) 재개발조합 조합원자격 인정 여부에 관한 다툼은 당사자소송의 대상이다.

> 조합을 상대로 한 쟁송에 있어서 강제가입제를 특색으로 한 조합원의 자격 인정 여부에 관하여 다툼이 있는 경우에는 그 단계에서는 아직 조합의 어떠한 처분 등이 개입될 여지는 없으므로 공법상의 당사자소송에 의하여 그 조합원 자격의 확인을 구할 수 있다(대판 1996.2.15. 94다31235 전합).

ㄷ. (○) 폐광으로 인한 재해위로금 지급청구는 당사자소송의 대상이다.

> 경제성이 없는 석탄광산을 폐광함에 있어서 그 광산에서 입은 재해로 인하여 전업 등에 특별한 어려움을 겪게 될 퇴직근로자를 대상으로 사회보장적인 차원에서 통상적인 재해보상금에 추가하여 지급하는 위로금의 성격을 갖는 것이고, 이러한 재해위로금에 대한 지급청구권은 공법상의 권리로서 그 지급을 구하는 소송은 공법상의 법률관계에 관한 소송이 공법상 당사자소송에 해당한다(대판 1999.1.26. 98두12598).

ㄹ. (○) 부가가치세액 환급청구는 당사자소송의 대상이다.

> 납세의무자에 대한 국가의 부가가치세 환급세액 지급의무는 부가가치세법령의 규정에 의하여 직접 발생하는 것으로서, 그 법적 성질은 부가가치세법령에 의하여 그 존부나 범위가 구체적으로 확정되고 조세 정책적 관점에서 특별히 인정되는 공법상 의무라고 봄이 타당하다. 그렇다면 국가에 대한 납세의무자의 부가가치세 환급세액 지급청구는 민사소송이 아니라 행정소송법 제3조 제2호에 규정된 당사자소송의 절차에 따라야 한다(대판 2013.3.21. 2011다95564 전합).

답 ④

함께 정리하기

당사자소송 대상적격
▷ 주거이전비 보상청구○
▷ 재개발조합 조합원의 자격 인정 여부에 관한 다툼○
▷ 폐광으로 인한 재해위로금 지급청구○
▷ 확정된 부가가치세액 환급청구○

문제 DATA
출제가능 지수 ▶▶▷
난이도 지수 ★★☆

014 □□□

<보기>에서 공법상 당사자소송에 해당하는 것은 모두 몇 개인가? (다툼이 있는 경우 판례에 의함)

<보기>
ㄱ. 부가가치세 환급청구소송
ㄴ. 지방자치단체가 보조금 지급결정을 하면서 일정기한 내에 보조금을 반환하도록 하는 교부조건을 부가한 경우, 보조금을 교부받은 사업자에 대한 지방자치단체의 보조금반환청구소송
ㄷ. 「민주화운동 관련자 명예회복 및 보상 등에 관한 법률」에 따른 보상심의위원회의 보상금 등 지급 기각결정을 다투는 소송
ㄹ. 공무원연금법령 개정으로 퇴직연금 중 일부 금액의 지급이 정지되어 미지급된 퇴직연금의 지급을 구하는 소송

① 없음
② 1개
③ 2개
④ 3개
⑤ 4개

함께 정리하기

당사자소송

부가가치세 환급청구소송
▷ 당사자소송O

반환조건에 따른 지자체의 보조금반환청구소송
▷ 당사자소송O

보상심의위원회의 보상금 지급결정을 다투는 소송
▷ 항고소송

「공무원연금법」상 미지급된 퇴직연금의 지급을 구하는 소송
▷ 당사자소송O

| 2019년 소방간부

ㄱ. (O) 부가가치세 환급청구소송은 당사자소송이다.

> 납세의무자에 대한 국가의 부가가치세 환급세액 지급의무에 대응하는 국가에 대한 납세의무자의 부가가치세 환급세액 지급청구는 민사소송이 아니라 행정소송법 제3조 제2호에 규정된 당사자소송의 절차에 따라야 한다(대판 2013.3.21. 2011다95564 전합).

ㄴ. (O) 보조금지급결정시 부가된 부관에 의한 보조금반환청구소송은 당사자소송이다.

> 지방자치단체가 보조금 지급결정을 하면서 일정 기한 내에 보조금을 반환하도록 하는 교부조건을 부가한 사안에서, 보조사업자의 지방자치단체에 대한 보조금 반환의무는 행정처분인 위 보조금 지급결정에 부가된 부관상 의무이고, 이러한 부관상 의무는 보조사업자가 지방자치단체에 부담하는 공법상 의무이므로, 보조사업자에 대한 지방자치단체의 보조금반환청구는 공법상 권리관계의 일방 당사자를 상대로 하여 공법상 의무이행을 구하는 청구로서 행정소송법 제3조 제2호에 규정한 당사자소송의 대상이다(대판 2011.6.9. 2011다2951).

ㄷ. (×) 민주화운동관련자 보상금지급결정을 다투는 소송은 항고소송이다.

> '민주화운동관련자 명예회복 및 보상 심의위원회'에서 심의·결정을 받아야만 비로소 보상금 등의 지급대상자로 확정될 수 있다. 따라서 그와 같은 심의위원회의 결정은 국민의 권리의무에 직접 영향을 미치는 행정처분에 해당될 수 있다(대판 2008.4.17. 2005두16185 전합).

ㄹ. (O) 법령개정으로 퇴직연금 일부지급정지시 미지급 퇴직연금지급을 구하는 소송은 당사자소송이다.

> 공무원연금관리공단이 퇴직연금 중 일부 금액에 대하여 지급거부의 의사표시를 하였다고 하더라도 그 의사표시는 퇴직연금 청구권을 형성·확정하는 행정처분이 아니라 공법상의 법률관계의 한쪽 당사자로서 그 지급의무의 존부 및 범위에 관하여 나름대로의 사실상·법률상 의견을 밝힌 것에 불과하다고 할 것이어서, 이를 행정처분이라고 볼 수는 없고, 그리고 이러한 미지급 퇴직연금에 대한 지급청구권은 공법상 권리로서 그 지급을 구하는 소송은 공법상의 법률관계에 관한 소송인 공법상 당사자소송에 해당한다(대판 2004.12.24. 2003두15195).

답 ④

015

「행정소송법」상 당사자소송에 대한 설명으로 가장 옳은 것은?

① 부가가치세법령상 납세의무자에 대한 국가의 부가가치세 환급세액 지급의무는 부당이득반환의무이므로 그 지급청구는 당사자소송이 아니라 민사소송의 절차에 따라야 한다.
② 재개발조합은 공법인이므로 재개발조합과 조합장 사이의 선임·해임 등을 둘러싼 법률관계는 공법상 법률관계이고 그 조합장의 지위를 다투는 소송은 공법상 당사자소송이다.
③ 명예퇴직한 법관이 미지급 명예퇴직수당액에 대하여 가지는 권리는 공법상 법률관계에 관한 권리이므로 그 지급을 구하는 소송은 당사자소송에 해당한다.
④ 납세의무부존재확인의 소는 당사자소송이고 항고소송의 성격을 가지므로 해당 과세처분 관할 행정청이 피고가 된다.

2019년 서울시 7급

문제 DATA
출제가능 지수 ▶▶▶
난이도 지수 ★★☆

① (×) 부가가치세 환급청구는 당사자소송에 의한다.

> 납세의무자에 대한 국가의 부가가치세 환급세액 지급의무에 대응하는 국가에 대한 납세의무자의 부가가치세 환급세액 지급청구는 민사소송이 아니라 행정소송법 제3조 제2호에 규정된 당사자소송의 절차에 따라야 한다(대판 2013.3.21. 2011다95564 전합).

② (×) 재개발조합의 조합장·조합임원의 지위를 다투는 소송은 민사소송에 의한다.

> 재개발조합과 조합장 또는 조합임원 사이의 선임·해임 등을 둘러싼 법률관계는 사법상의 법률관계로서 그 조합장 또는 조합임원의 지위를 다투는 소송은 민사소송에 의하여야 할 것이다(대결 2009.9.24. 2009마168).

③ (○) 명예퇴직한 법관의 미지급수당 지급을 구하는 것은 당사자소송에 의한다.

> 명예퇴직한 법관이 미지급 명예퇴직수당액에 대하여 가지는 권리는 명예퇴직수당 지급대상자 결정절차를 거쳐 명예퇴직수당규칙에 의하여 확정된 공법상 법률관계에 관한 권리로서, 그 지급을 구하는 소송은 행정소송법의 당사자소송에 해당하며, 그 법률관계의 당사자인 국가를 상대로 제기하여야 한다(대판 2016.5.24. 2013두14863).

④ (×) 당사자소송인 납세의무부존재확인소송의 피고는 국가·공공단체 그 밖의 권리주체이다.

> 납세의무부존재확인의 소는 공법상의 법률관계 그 자체를 다투는 소송으로서 당사자소송이라 할 것이므로 행정소송법 제3조 제2호, 제39조에 의하여 그 법률관계의 한쪽 당사자인 국가·공공단체 그 밖의 권리주체가 피고적격을 가진다(대판 2000.9.8. 99두2765).

유제 20. 서울시·지방직·교행 9급, 17. 국가직 9급 납세의무부존재확인소송은 공법상 법률관계 그 자체를 다투는 소송이므로 과세처분청이 아니라 그 법률관계의 한쪽 당사자인 국가·공공단체 그 밖의 권리주체에게 피고적격이 있다. (○)

답 ③

함께 정리하기

당사자소송

부가가치세 환급세액 지급청구
▷ 당사자소송

조합장·조합임원지위 다툼
▷ 민사소송

명예퇴직한 법관의 명예퇴직수당청구
▷ 당사자소송

당사자소송 피고
▷ 국가·공공단체·그 밖의 권리주체

문제 DATA

출제가능 지수 ▶▶▷
난이도 지수 ★★☆

016 □□□

행정소송에 대한 판례의 입장으로 옳지 않은 것은?

① 구 「주택법」상 입주자나 입주예정자는 주택의 사용검사처분의 무효확인 또는 취소를 구할 법률상 이익이 있다.
② 명예퇴직한 법관이 미지급 명예퇴직수당액의 지급을 구하는 소송은 당사자소송에 해당한다.
③ 납세의무자에 대한 국가의 부가가치세 환급세액 지급의무에 대응하는 국가에 대한 납세의무자의 부가가치세 환급세액 지급청구는 민사소송이 아니라 당사자소송의 절차에 따라야 한다.
④ 지방전문직공무원 채용계약 해지의 의사표시에 대하여는 공법상 당사자소송으로 그 의사표시의 무효확인을 청구할 수 있다.

2017년 지방직 9급

함께 정리하기

행정소송

입주자 · 입주예정자
▷ 주택 사용검사처분의 취소 구할 법률상 이익 無

명예퇴직 법관의 미지급수당액지급을 구하는 소송
▷ 당사자소송

부가가치세 환급세액 지급청구
▷ 당사자소송

지방전문직공무원 채용계약해지
▷ 당사자소송

① (×) 입주자나 입주예정자는 사용검사처분의 취소를 구할 법률상 이익이 없다.

> 구 주택법에서 사용검사처분 신청의 경우와는 달리, 사업주체 또는 입주예정자 등의 신청에 따라 이루어진 사용 검사처분에 대하여 입주자나 입주예정자 등에게 취소를 구할 수 있는 규정을 별도로 두고 있지 않은 것 … 이러한 사정들을 종합해 보면, 구 주택법상 입주자나 입주예정자는 사용검사처분의 취소를 구할 법률상 이익이 없다(대판 2014.7.24. 2011두30465).

② (○) 명예퇴직한 법관의 미지급수당 지급을 구하는 것은 당사자소송의 대상이다.

> 명예퇴직수당 지급대상자로 결정된 법관에 대하여 지급할 수당액은 명예퇴직수당규칙 제4조 [별표 1]에 산정 기준이 정해져 있으므로, 명예퇴직한 법관이 미지급 명예퇴직수당액에 대하여 가지는 권리는 명예퇴직수당 지급 대상자 결정절차를 거쳐 명예퇴직수당규칙에 의하여 확정된 공법상 법률관계에 관한 권리로서, 그 지급을 구하는 소송은 행정소송법의 당사자소송에 해당하며, 그 법률관계의 당사자인 국가를 상대로 제기하여야 한다(대판 2016.5.24. 2013두14863).

유제 18. 국가직 9급 법관이 이미 수령한 명예퇴직수당액이 구 「법관 및 법원공무원 명예퇴직수당 등 지급규칙」에서 정한 정당한 명예퇴직수당액에 미치지 못한다고 주장하며 차액의 지급을 신청하였으나 법원행정처장이 이를 거부한 경우 제기해야 할 소송은 미지급명예퇴직 수당액지급을 구하는 당사자소송이다. (○)

③ (○) 부가가치세 환급세액 지급청구는 당사자소송의 대상이다.

> 납세의무자에 대한 국가의 부가가치세 환급세액 지급의무는 부가가치세법령에 의하여 그 존부나 범위가 구체적으로 확정되고 조세 정책적 관점에서 특별히 인정되는 공법상 의무라고 봄이 타당하다. 그렇다면 납세의무자에 대한 국가의 부가가치세 환급세액 지급의무에 대응하는 국가에 대한 납세의무자의 부가가치세 환급세액 지급 청구는 민사소송이 아니라 행정소송법 제3조 제2호에 규정된 당사자소송의 절차에 따라야 한다(대판 2013.3.21. 2011다95564 전합).

④ (○) 지방전문직공무원 채용계약 해지는 당사자소송의 대상이다.

> 현행 실정법이 지방전문직공무원 채용계약 해지의 의사표시를 일반공무원에 대한 징계처분과는 달리 항고소송의 대상이 되는 처분 등의 성격을 가진 것으로 인정하지 아니하고, 지방자치단체가 채용계약관계의 한쪽 당사자로서 대등한 지위에서 행하는 의사표시로 취급하고 있는 것으로 이해되므로, 지방전문직공무원 채용계약 해지의 의사표시에 대하여는 대등한 당사자간의 소송형식인 공법상 당사자소송으로 그 의사표시의 무효확인을 청구할 수 있다(대판 1993.9.14. 92누4611).

유제 16. 변호사 지방전문직공무원 채용계약 해지의 의사표시는 지방자치단체장의 처분에 해당하므로 지방자치단체를 상대로 당사자소송으로 해지 의사표시의 무효확인을 청구할 수 없다. (×)

답 ①

017

다음 중 「행정소송법」에 대한 내용으로 가장 옳지 않은 것은?

① 당사자소송은 원칙적으로 당해 처분을 행한 행정청을 피고로 한다.
② 민중소송은 법률이 정한 경우에 법률에 정한 자에 한하여 제기할 수 있다.
③ 기관소송은 법률이 정한 경우에 법률에 정한 자에 한하여 제기할 수 있다.
④ 국가의 사무를 위임 또는 위탁받은 공공단체 또는 그 장에 해당하는 피고에 대하여 취소소송을 제기하는 경우에는 대법원 소재지를 관할하는 행정법원에 제기할 수 있다.

| 2024년 군무원 9급

① (×)

> 「행정소송법」 제39조【피고적격】당사자소송은 국가·공공단체 그 밖의 권리주체를 피고로 한다.

② (○), ③ (○)

> 「행정소송법」 제45조【소의 제기】민중소송 및 기관소송은 법률이 정한 경우에 법률에 정한 자에 한하여 제기할 수 있다.

④ (○)

> 「행정소송법」 제9조【재판관할】① 취소소송의 제1심관할법원은 피고의 소재지를 관할하는 행정법원으로 한다.
> ② 제1항에도 불구하고 다음 각 호의 어느 하나에 해당하는 피고에 대하여 취소소송을 제기하는 경우에는 대법원소재지를 관할하는 행정법원에 제기할 수 있다.
> 1. 중앙행정기관, 중앙행정기관의 부속기관과 합의제행정기관 또는 그 장
> 2. 국가의 사무를 위임 또는 위탁받은 공공단체 또는 그 장

답 ①

문제 DATA
출제가능 지수 ▶▶▷
난이도 지수 ★★☆

함께 정리하기
행정소송법

당사자소송 피고
▷ 국가·공공단체 그 밖의 권리주체

민중소송 및 기관소송
▷ 객관소송 법정주의(열기주의)
▷ 법률이 정한 경우에, 법률이 정하는 자만 제기 可

국가사무를 위임·위탁받은 공공단체·장이 피고
▷ 대법원소재지 관할 행정법원에 제기 可

018

당사자소송에 대한 설명으로 옳지 않은 것은? (다툼이 있는 경우 판례에 의함)

① 당사자소송에는 항고소송에서의 집행정지규정은 적용되지 않고 「민사집행법」상의 가처분규정은 준용된다.
② 지방자치단체가 보조금 지급결정을 하면서 일정 기한 내에 보조금을 반환하도록 교부조건을 부가한 경우, 보조사업자에 대한 지방자치단체의 보조금반환청구는 당사자소송의 대상이 된다.
③ 국가에 대한 납세의무자의 부가가치세 환급세액 지급청구는 당사자소송이 아니라 민사소송의 절차에 따라야 한다.
④ 조세부과처분의 당연무효를 전제로 하여 이미 납부한 세금의 반환을 청구하는 것은 민사상 부당이득반환청구로서 당사자소송이 아니라 민사소송절차에 따른다.

문제 DATA
출제가능 지수 ▶▶▷
난이도 지수 ★★☆

함께 정리하기

당사자소송

당사자소송
▷ 집행정지 준용×
▷ 「민사집행법」상 가처분 준용○

반환조건에 따른 지자체의 보조금반환청구
▷ 당사자소송

부가가치세 환급세액 지급청구
▷ 당사자소송

무효인 조세부과처분에 기해 납부한 세금 반환청구
▷ 민사소송(부당이득반환청구)

2021년 국가직 7급

① (○)

> [1] 도시 및 주거환경정비법(이하 '도시정비법'이라 한다)상 행정주체인 주택재건축정비사업조합을 상대로 관리처분계획안에 대한 조합 총회결의의 효력을 다투는 소송은 행정처분에 이르는 절차적 요건의 존부나 효력 유무에 관한 소송으로서 소송결과에 따라 행정처분의 위법 여부에 직접 영향을 미치는 공법상 법률관계에 관한 것이므로, 이는 행정소송법상 당사자소송에 해당한다. 그리고 이러한 당사자소송에 대하여는 행정소송법 제23조 제2항의 집행정지에 관한 규정이 준용되지 아니하므로(행정소송법 제44조 제1항 참조), 이를 본안으로 하는 가처분에 대하여는 행정소송법 제8조 제2항에 따라 민사집행법상 가처분에 관한 규정이 준용되어야 한다.
>
> [2] 가처분결정에 대한 불복으로 채무자의 즉시항고가 허용되지 아니하고 이의신청만 허용되는 경우 채무자가 가처분결정에 불복하면서 제출한 서면의 제목이 '즉시항고장'이고 끝부분에 항고법원명이 기재되어 있더라도 이를 이의신청으로 보아 처리하여야 한다(대결 2015.8.21. 2015무26).

② (○) 지방자치단체가 보조금 지급결정을 하면서 일정 기한 내에 보조금을 반환하도록 하는 교부조건을 부가한 사안에서, 보조사업자의 지방자치단체에 대한 보조금 반환의무는 행정처분인 위 보조금 지급결정에 부가된 부관상 의무이고, 이러한 부관상 의무는 보조사업자가 지방자치단체에 부담하는 공법상 의무이므로, 보조사업자에 대한 지방자치단체의 보조금반환청구는 공법상 권리관계의 일방 당사자를 상대로 하여 공법상 의무이행을 구하는 청구로서 행정소송법 제3조 제2호에 규정한 당사자소송의 대상이라고 한 사례(대판 2011.6.9. 2011다2951)

③ (×) 납세의무자에 대한 국가의 부가가치세 환급세액 지급의무는 그 납세의무자로부터 어느 과세기간에 과다하게 거래징수된 세액 상당을 국가가 실제로 납부받는지 여부와 관계없이 부가가치세법령의 규정에 의하여 직접 발생하는 것으로서, 그 법적 성질은 정의와 공평의 관념에서 수익자와 손실자 사이의 재산상태 조정을 위해 인정되는 부당이득 반환의무가 아니라 부가가치세법령에 의하여 그 존부나 범위가 구체적으로 확정되고 조세 정책적 관점에서 특별히 인정되는 공법상 의무라고 봄이 타당하다(대판 2013.3.21. 2011다95564 전합).

④ (○) 조세부과처분이 당연무효임을 전제로 하여 이미 납부한 세금의 반환을 청구하는 것은 민사상의 부당이득반환청구로서 민사소송절차에 따라야 한다(대판 1995.4.28. 94다55019).

답 ③

문제 DATA

출제가능 지수 ▶▶▷
난이도 지수 ★★☆

019 □□□

「행정소송법」상 당사자소송에 대한 설명으로 옳은 것만을 모두 고르면? (다툼이 있는 경우 판례에 의함)

> ㄱ. 공법상 당사자소송에서 재산권의 청구를 인용하는 판결을 하는 경우 가집행선고를 할 수 있다.
> ㄴ. 소송형태는 당사자소송의 형식을 취하지만 실질적으로 처분 등의 효력을 다투는 항고소송의 성질을 가지는 소송은 현행법상 인정되지 아니한다.
> ㄷ. 「도시 및 주거환경정비법」상 행정주체인 주택재건축정비사업조합을 상대로 관리처분계획안에 대한조합 총회결의의 효력 등을 다투는 소송은 민사상 법률관계에 관한 것이므로 민사소송에 해당한다.
> ㄹ. 「석탄산업법」과 관련하여 피재근로자는 석탄산업합리화사업단이 한 재해위로금 지급 거부의 의사표시에 불복이 있는 경우 공법상의 당사자소송을 제기하여야 한다.

① ㄱ, ㄴ
② ㄱ, ㄹ
③ ㄴ, ㄷ
④ ㄷ, ㄹ

2020년 지방직 7급

ㄱ. (O) 행정소송법 제8조 제2항에 의하면 행정소송에도 민사소송법의 규정이 일반적으로 준용되므로 법원으로서는 공법상 당사자소송에서 재산권의 청구를 인용하는 판결을 하는 경우 가집행선고를 할 수 있다(대판 2000.11.28. 99두3416).

ㄴ. (X) 형식적 당사자소송이란 행정청의 처분 등을 원인으로 하는 법률관계에 관하여 실질적으로는 처분 등의 효력을 다투는 것이나 형식적으로는 그 법률관계의 일방 당사자를 피고로 하여 제기하는 소송을 말한다. 즉, 실질적으로는 항고소송, 형식적으로는 당사자소송인 형태를 형식적 당사자소송이라 한다. 개별법률에 이러한 소송유형이 인정되고 있다. 이와 같은 개별법률의 특별한 근거 규정이 없더라도 「행정소송법」제3조 제2호를 근거로 하여 형식적 당사자소송을 인정할 수 있을 것인가에 관하여 견해의 대립이 있다. 현행법상 인정되는 형식적 당사자소송의 예로는 「공익사업을 위한 토지 등의 취득 및 보상에 관한 법률」, 「특허법」(지식재산권에 관한 소송), 「전기통신기본법」등이 있다.

ㄷ. (X) 도시 및 주거환경정비법상 행정주체인 주택재건축정비사업조합을 상대로 관리처분계획안에 대한 조합 총회결의의 효력 등을 다투는 소송은 행정처분에 이르는 절차적 요건의 존부나 효력 유무에 관한 소송으로서 그 소송결과에 따라 행정처분의 위법 여부에 직접 영향을 미치는 공법상 법률관계에 관한 것이므로, 이는 행정소송법상의 당사자소송에 해당한다(대판 2009.9.17. 2007다2428 전합).

ㄹ. (O) 석탄산업법 제39조의3 제1항 제4호·제4항 및 같은 법 시행령 제41조 제4항 제5호의 각 규정에 의하여 폐광대책비의 일종으로 폐광된 광산에서 업무상 재해를 입은 근로자에게 지급하는 재해위로금은, 국내의 석탄수급상황을 감안하여 채탄을 계속하는 것이 국민경제의 균형발전을 위하여 바람직하지 못하다고 판단되는 경제성이 없는 석탄광산을 폐광함에 있어서 그 광산에서 입은 재해로 인하여 전업 등에 특별한 어려움을 겪게 될 퇴직근로자를 대상으로 사회보장적인 차원에서 통상적인 재해보상금에 추가하여 지급하는 위로금의 성격을 갖는 것이고, 이러한 재해위로금에 대한 지급청구권은 공법상의 권리로서 그 지급을 구하는 소송은 공법상의 법률관계에 관한 소송인 공법상 당사자소송에 해당한다(대판 1999.1.26. 98두12598).

답 ②

함께 정리하기

당사자소송

당사자소송 재산권청구 인용판결시
▷ 가집행선고 可

형식적 당사자소송
▷ 실질적: 처분에 대한 다툼

관리처분계획안 총회결의 효력 다투는 소송
▷ 당사자소송

폐광으로 인한 재해위로금 지급청구
▷ 당사자소송

020 □□□

당사자소송에 대한 설명으로 옳지 않은 것은? (다툼이 있는 경우 판례에 의함)

① 당사자소송에는 취소소송의 직권심리에 관한 규정이 준용된다.
② 당사자소송으로 제기해야 할 사건을 민사소송으로 잘못 제기한 경우, 수소법원이 행정소송에 대한 관할을 가지고 있지 않다면 당해 소송이 당사자소송으로서의 소송요건을 갖추지 못하였음이 명백하지 않는 한 당사자소송의 관할법원으로 이송하여야 한다.
③ 당사자소송에는 취소소송의 피고적격에 관한 규정이 준용된다.
④ 당사자소송에는 취소소송의 행정심판에 관한 규정이 준용되지 않는다.

2020년 군무원 7급

① (O)

> 「행정소송법」제44조【준용규정】① 제14조 내지 제17조, 제22조, 제25조, 제26조, 제30조 제1항, 제32조 및 제33조의 규정은 당사자소송의 경우에 준용한다.
> 제26조【직권심리】법원은 필요하다고 인정할 때에는 직권으로 증거조사를 할 수 있고, 당사자가 주장하지 아니한 사실에 대하여도 판단할 수 있다.

② (O) 행정소송을 민사소송으로 잘못 제기한 경우 관할이 없는 경우에는 이송으로 처리한다.

> 원고가 고의 또는 중대한 과실 없이 행정소송으로 제기하여야 할 사건을 민사소송으로 잘못 제기한 경우, 수소법원으로서는 만약 행정소송에 대한 관할도 동시에 가지고 있다면 이를 행정소송으로 심리·판단하여야 하고, 행정소송에 대한 관할을 가지고 있지 아니하다면 이를 부적법한 소라고 하여 각하할 것이 아니라 관할법원에 이송하여야 한다(대판 2017.11.9. 2015다221569).

문제 DATA

출제가능 지수 ▶▶▷
난이도 지수 ★★☆

함께 정리하기

당사자소송

직권심리 규정 준용 O

민사소송으로 잘못 제기
▷ 관할 有: 심리·판단
▷ 관할 無: 이송
▷ 피고적격 규정 준용 O
▷ 행정심판 규정 준용 X

③ (×), ④ (○)

| 관련 이론 | 당사자소송에 준용되는 취소소송 규정 |

준용○	준용×
제9조(재판의 관할), 제10조(관련청구소송의 이송 및 병합), 제14조(피고경정), 제15조(공동소송), 제16조(제3자의 소송참가), 제17조(행정청의 소송참가), 제21조(소의 변경), 제22조(처분변경으로 인한 소의 변경), 제25조(행정심판기록의 제출명령), 제26조(직권심리), 제30조 제1항(기속력), 제32조(소송비용의 부담), 제33조(소송비용에 관한 재판의 효력)	제11조(선결문제), 제12조(원고적격), 제13조(피고적격), 제18조(행정심판과의 관계), 제19조(취소소송의 대상), 제20조(제소기간), 제23조(집행정지), 제27조(재량처분의 취소), 제28조(사정판결), 제29조[취소판결등의 효력(제3자효)], 제30조 제2항·제3항(처분의무), 제31조(제3자에 의한 재심청구), 제34조(간접강제)

답 ③

021

판례에 의할 때 ㄱ과 ㄴ에서 甲과 乙이 적법하게 제기할 수 있는 소송의 종류를 바르게 연결한 것은?

ㄱ. 법관 甲이 이미 수령한 명예퇴직수당액이 구 「법관 및 법원공무원 명예퇴직수당 등 지급규칙」에서 정한 정당한 명예퇴직수당액에 미치지 못한다고 주장하며 차액의 지급을 신청하였으나 법원행정처장이 이를 거부한 경우
ㄴ. 乙이 군인연금법령에 따라 국방부장관의 인정을 받아 퇴역연금을 지급받아 오던 중 「군인보수법」 및 「공무원보수규정」에 의한 호봉이나 봉급액의 개정 등으로 퇴역연금액이 변경되어 국방부장관이 乙에게 법령의 개정에 따른 퇴역연금액 감액조치를 한 경우

	ㄱ	ㄴ
①	미지급명예퇴직수당액지급을 구하는 당사자소송	퇴역연금차액지급을 구하는 당사자소송
②	법원행정처장의 거부처분에 대한 취소소송	퇴역연금차액지급을 구하는 당사자소송
③	미지급명예퇴직수당액지급을 구하는 당사자소송	국방부장관의 퇴역연금감액처분에 대한 취소소송
④	법원행정처장의 거부처분에 대한 취소소송	국방부장관의 퇴역연금감액처분에 대한 취소소송

2018년 국가직 9급

ㄱ. (당사자소송) 명예퇴직한 법관의 명예퇴직수당에 관한 다툼은 당사자소송의 대상이다.

명예퇴직수당 지급대상자로 결정된 법관에 대하여 지급할 수당액은 명예퇴직수당규칙 제4조 [별표 1]에 그 산정 기준이 정해져 있으므로, 명예퇴직한 법관이 미지급 명예퇴직수당액에 대하여 가지는 권리는 명예퇴직수당 지급대상자 결정절차를 거쳐 명예퇴직수당규칙에 의하여 확정된 공법상 법률관계에 관한 권리로서, 그 지급을 구하는 소송은 행정소송법의 당사자소송에 해당하며, 그 법률관계의 당사자인 국가를 상대로 제기하여야 한다(대판 2016.5.24. 2013두14863).

ㄴ. (당사자소송) 법개정에 따른 퇴역연금 감액조치는 당사자소송의 대상이다.

국방부장관의 인정에 의하여 퇴역연금을 지급받아 오던 중 군인보수법 및 공무원보수규정에 의한 호봉이나 봉급액의 개정 등으로 퇴역연금액이 변경된 경우에는 법령의 개정에 따라 당연히 개정규정에 따른 퇴역연금액이 확정되는 것이지 구 군인연금법 제18조 제1항 및 제2항에 정해진 국방부장관의 퇴역연금액 결정과 통지에 의하여 비로소 그 금액이 확정되는 것이 아니므로, 법령의 개정에 따른 국방부장관의 퇴역연금액 감액조치에 대하여 이의가 있는 퇴역연금수급권자는 항고소송을 제기하는 방법으로 감액조치의 효력을 다툴 것이 아니라 직접 국가를 상대로 정당한 퇴역연금액과 결정, 통지된 퇴역연금액과의 차액의 지급을 구하는 공법상 당사자소송을 제기하는 방법으로 다툴 수 있다(대판 2003.9.5. 2002두3522).

답 ①

022

행정소송에 대한 설명으로 옳지 않은 것은? (다툼이 있는 경우 판례에 의함)

① 당사자소송에 대하여는 「행정소송법」의 집행정지에 관한 규정이 준용되지 아니하므로, 「민사집행법」상 가처분에 관한 규정 역시 준용되지 아니한다.
② 서훈은 서훈대상자의 특별한 공적에 의하여 수여되는 고도의 일신전속적 성격을 가지는 것이므로, 망인에게 수여된 서훈이 취소된 경우 그 유족은 서훈취소처분의 상대방이 되지 아니한다.
③ 「민사소송법」 규정이 준용되는 행정소송에서 증명책임은 원칙적으로 민사소송 일반원칙에 따라 당사자 사이에 분배되고, 항고소송의 경우에는 그 특성에 따라 처분의 적법성을 주장하는 피고에게 그 적법 사유에 대한 증명책임이 있다.
④ 행정처분의 무효확인을 구하는 청구에는 특별한 사정이 없는 한 그 처분의 취소를 구하는 취지까지도 포함되어 있다고 볼 수 있다.

문제 DATA
출제가능 지수 ▶▶▷
난이도 지수 ★★☆

2018년 지방직 7급

① (×) 당사자소송에는 민사집행법상 가처분이 준용된다.

당사자소송에 대하여는 행정소송법 제23조 제2항의 집행정지에 관한 규정이 준용되지 아니하므로, 이를 본안으로 하는 가처분에 대하여는 행정소송법 제8조 제2항에 따라 민사집행법상 가처분에 관한 규정이 준용되어야 한다(대결 2015.8.21. 2015무26).

② (○) 서훈은 일신전속적이므로 망인에 대한 서훈취소를 유족을 상대방으로 하는 처분으로 볼 수 없다.

서훈은 어디까지나 서훈대상자 본인의 공적과 영예를 기리기 위한 것이므로 비록 유족이라고 하더라도 제3자는 서훈수여 처분의 상대방이 될 수 없고, 이러한 서훈의 일신전속적 성격은 서훈취소의 경우에도 마찬가지라고 할 것이므로, 망인에게 수여된 서훈의 취소에서도 유족은 그 처분의 상대방이 되는 것이 아니다(대판 2014.9.26. 2013두2518).

③ (○) 처분의 적법사유는 피고가 증명해야 한다.

민사소송법 규정이 준용되는 행정소송에서 증명책임은 원칙적으로 민사소송 일반원칙에 따라 당사자 사이에 분배되고, 항고소송의 경우에는 그 특성에 따라 처분의 적법성을 주장하는 피고에게 그 적법사유에 대한 증명책임이 있다. 피고가 주장하는 일정한 처분의 적법성에 관하여 합리적으로 수긍할 만한 증명이 있는 경우에는 그 처분은 정당하다고 볼 수 있고, 이와 상반되는 예외적인 사정에 대한 주장과 증명은 그 상대방인 원고에게 그 책임이 있다(대판 2012.6.18. 2010두27639).

④ (○) 무효확인의 청구는 특별한 사정이 없는 한 취소를 구하는 취지를 포함한다.

행정처분의 무효확인을 구하는 청구에는 특별한 사정이 없는 한 그 처분의 취소를 구하는 취지까지도 포함되어 있다고 볼 수는 있으나 위와 같은 경우에 취소청구를 인용하려면 먼저 취소를 구하는 항고소송으로서의 제소요건을 구비한 경우에 한한다(대판 1986.9.23. 85누838).

답 ①

함께 정리하기
행정소송

당사자소송
▷ 집행정지 준용×
▷ 「민사집행법」상 가처분 준용○

서훈은 일신전속적 성격
▷ 서훈취소시 유족은 처분의 상대방×

처분의 적법사유 증명책임
▷ 피고가 부담

무효확인의 청구
▷ 특별한 사정없는 한 취소를 구하는 취지 포함

문제 DATA

출제가능 지수 ▶▶▷
난이도 지수 ★★☆

023 □□□

당사자소송에 대한 설명으로 옳지 않은 것은? (다툼이 있는 경우 판례에 의함)

① 형식적 당사자소송이란 실질적으로 행정청의 처분 등을 다투는 것이나 형식적으로는 처분 등의 효력을 다투지도 않고, 또한 처분청을 피고로 하지도 않고, 그 대신 처분 등으로 인해 형성된 법률관계를 다투기 위해 관련 법률관계의 일방 당사자를 피고로 하여 제기하는 소송을 말한다.
② 국가를 당사자 또는 참가인으로 하는 소송에서는 법무부장관이 국가를 대표하고, 지방자치단체를 당사자로 하는 소송에서는 지방자치단체의 장이 해당 지방자치단체를 대표한다.
③ 「행정소송법」 제8조 제2항에 의하면 행정소송에도 「민사소송법」의 규정이 일반적으로 준용되므로 법원으로서는 공법상 당사자소송에서 재산권의 청구를 인용하는 판결을 하는 경우 가집행선고를 할 수 있다.
④ 납세의무자에 대한 국가의 부가가치세 환급세액 지급의무에 대응하는 국가에 대한 납세의무자의 부가가치세 환급세액 지급청구는 당사자소송의 절차에 따르지 않아도 된다.

> 2017년 서울시 7급

① (○) 형식적 당사자소송이란 행정청의 처분이나 재결에 의하여 형성된 법률관계에 관하여 다툼이 있는 경우에 당해 처분 또는 재결을 다툼이 없이 직접 그 처분·재결에 의하여 형성된 법률관계에 대하여 그 일방 당사자를 피고로 하여 제기하는 소송으로서 실질적으로는 항고소송이나 그 형식은 당사자소송인 것을 말한다.

유제 10. 세무사 형식적 당사자소송은 소송형식상 당사자소송이지만 처분 등의 효력에 관한 다툼으로서의 실질을 가진다. (○)

② (○) 당사자소송의 경우 행정청이 피고가 되는 항고소송과 달리, 국가·공공단체 그 밖의 권리주체가 피고가 된다. 국가가 피고가 되는 때에는 법무부장관이 대표하며(「국가를 당사자로 하는 소송에 관한 법률」제2조), 지방자치단체가 피고가 되는 때에는 당해 지방자치단체의 장이 대표한다.

> 「행정소송법」제39조 【피고적격】 당사자소송은 국가·공공단체 그 밖의 권리주체를 피고로 한다.

③ (○) 최근 헌법재판소는 국가에 대한 가집행을 금지한 「행정소송법」 제43조는 평등의 원칙에 위배되어 위헌이라고 결정한 바 있다(헌재 2022.2.24. 2020헌가12). 따라서 이제는 국가를 포함한 모든 행정주체에 대하여, 당사자소송에서 인용판결선고시 가집행이 가능하다.

> 행정소송법 제8조 제2항에 의하면 행정소송에도 민사소송법의 규정이 일반적으로 준용되므로 법원으로서는 공법상 당사자소송에서 재산권의 청구를 인용하는 판결을 하는 경우 가집행선고를 할 수 있다(대판 2000.11.28. 99두3416).

④ (×) 부가가치세 환급세액 지급청구는 당사자소송의 대상이다.

> 납세의무자에 대한 국가의 부가가치세 환급세액 지급의무는 그 납세의무자로부터 어느 과세기간에 과다하게 거래징수된 세액 상당을 국가가 실제로 납부받았는지와 관계없이 부가가치세법령의 규정에 의하여 직접 발생하는 것으로서, 그 법적 성질은 정의와 공평의 관념에서 수익자와 손실자 사이의 재산상태 조정을 위해 인정되는 부당이득 반환의무가 아니라 부가가치세법령에 의하여 그 존부나 범위가 구체적으로 확정되고 조세 정책적 관점에서 특별히 인정되는 공법상 의무라고 봄이 타당하다. 국가에 대한 납세의무자의 부가가치세 환급세액 지급청구는 민사소송이 아니라 행정소송법 제3조 제2호에 규정된 당사자소송의 절차에 따라야 한다(대판 2013.3.21. 2011다95564 전합).

답 ④

함께 정리하기

당사자소송

형식적 당사자소송
▷ 실질: 처분에 대한 다툼

국가
▷ 법무부장관

지자체
▷ 지자체장

가집행선고 가

부가가치세 환급세액 지급청구 ○

024

「행정소송법」상 당사자소송에 대한 설명으로 옳지 않은 것은? (다툼이 있는 경우 판례에 의함)

① 당사자소송에 관련청구소송인 민사소송을 병합할 수 있지만, 민사소송에는 당사자소송을 병합할 수 없다.
② 원고가 고의 또는 중대한 과실 없이 당사자소송으로 제기하여야 할 것을 항고소송으로 잘못 제기한 경우에, 당사자소송으로서의 소송요건을 결하고 있음이 명백하여 당사자소송으로 제기되었더라도 어차피 부적법하게 되는 경우가 아닌 이상, 법원으로서는 원고로 하여금 당사자소송으로 소 변경을 하도록 하여 심리·판단하여야 한다.
③ 국가에 대한 납세의무자의 부가가치세 환급세액 지급청구는 민사소송이 아니라 당사자소송의 절차에 따라야 한다.
④ 「민주화운동 관련자 명예회복 및 보상 등에 관한 법률」에 따라 보상금 등의 지급신청을 한 자가 '민주화운동 관련자 명예회복 및 보상 심의위원회'의 보상금 등 지급에 관한 결정을 다투고자 하는 경우에는 곧바로 보상금 등의 지급을 구하는 소송을 당사자소송의 형식으로 제기할 수 있다.
⑤ 「행정소송법」상 취소소송에 관한 행정심판기록의 제출명령 규정은 당사자소송에 준용된다.

문제 DATA
출제가능 지수 ▶▶▷
난이도 지수 ★★★

2017년 변호사

① (○) 행정소송사건은 다른 종류의 소송절차에 의하므로 통상의 민사사건과의 병합은 원칙적으로 허용되지 않는다. 다만, 행정소송에서 민사상 관련사건을 병합하는 것은 예외적으로 허용된다.

> 「행정소송법」 제44조 【준용규정】 ② 제10조의 규정은 당사자소송과 관련청구소송이 각각 다른 법원에 계속되고 있는 경우의 이송과 이들 소송의 병합의 경우에 준용한다.
> 제10조 【관련청구소송의 이송 및 병합】 ① 취소소송과 다음 각 호의 1에 해당하는 소송(이하 "관련청구소송"이라 한다)이 각각 다른 법원에 계속되고 있는 경우에 관련청구소송이 계속된 법원이 상당하다고 인정하는 때에는 당사자의 신청 또는 직권에 의하여 이를 취소소송이 계속된 법원으로 이송할 수 있다.
> 「민사소송법」 제253조 【소의 객관적 병합】 여러 개의 청구는 같은 종류의 소송절차에 따르는 경우에만 하나의 소로 제기할 수 있다.

② (○) 고의 또는 중과실 없이 항고소송으로 잘못제기 시 당사자소송으로 변경하도록 해야 한다.

> 원고가 고의 또는 중대한 과실 없이 당사자소송으로 제기하여야 할 것을 항고소송으로 잘못 제기한 경우에, 당사자소송으로서의 소송요건을 결하고 있음이 명백하여 당사자소송으로 제기되었더라도 어차피 부적법하게 되는 경우가 아닌 이상, 법원으로서는 원고가 당사자소송으로 소 변경을 하도록 하여 심리·판단하여야 한다(대판 2016.5.24. 2013두14863).

③ (○) 부가가치세 환급세액 지급청구는 당사자소송의 대상이다.

> 납세의무자에 대한 국가의 부가가치세 환급세액 지급의무는 그 납세의무자로부터 어느 과세기간에 과다하게 거래징수된 세액 상당을 국가가 실제로 납부받았는지와 관계없이 부가가치세법령의 규정에 의하여 직접 발생하는 것으로서, 국가에 대한 납세의무자의 부가가치세 환급세액 지급청구는 민사소송이 아니라 행정소송법 제3조 제2호에 규정된 당사자소송의 절차에 따라야 한다(대판 2013.3.21. 2011다95564 전합).

④ (×) 민주화운동보상금 결정은 항고소송의 대상이다.

> '민주화운동관련자 명예회복 및 보상 등에 관한 법률' 제2조 제1호·제2호 본문, 제4조, 제10조, 제11조, 제13조 규정들의 취지와 내용에 비추어 보면, … '민주화운동관련자 명예회복 및 보상심의위원회'에서 심의·결정을 받아야만 비로소 보상금 등의 지급대상자로 확정될 수 있다. 따라서 그와 같은 심의위원회의 결정은 국민의 권리의무에 직접 영향을 미치는 행정처분에 해당하므로, 관련자 등으로서 보상금 등을 지급받고자 하는 신청에 대하여 심의위원회가 관련자 해당요건의 전부 또는 일부를 인정하지 아니하여 보상금 등의 지급을 기각하는 결정을 한 경우에는 신청인은 심의위원회를 상대로 그 결정의 취소를 구하는 소송을 제기하여 보상금 등의 지급대상자가 될 수 있다(대판 2008.4.17. 2005두16185).

함께 정리하기

당사자소송

당사자소송에 민사소송
▷ 병합 可

민사소송에 당사자소송
▷ 병합 不可

고의·중과실 없이 항고소송으로 잘못 제기
▷ 당사자소송으로 변경하도록 하여 심리·판단

부가가치세 환급세액 지급청구 ○

민주화운동보상금결정 당사자소송 ×

행정심판기록 제출명령 준용 ○

⑤ (○)

> 「행정소송법」제25조 【행정심판기록의 제출명령】 ① 법원은 당사자의 신청이 있는 때에는 결정으로써 재결을 행한 행정청에 대하여 행정심판에 관한 기록의 제출을 명할 수 있다.
> 제44조 【준용규정】 ① 제14조 내지 제17조, 제22조, 제25조, 제26조, 제30조 제1항, 제32조 및 제33조의 규정은 당사자소송의 경우에 준용한다.

답 ④

ALL KILL 기출   제8장 당사자소송

01 공중보건의사 채용계약 해지의사표시의 무효확인을 구하는 소송은 당사자소송이다.
19. 서울시 7급 ( )

02 「공익사업을 위한 토지 등의 취득 및 보상에 관한 법률」제85조 제2항에 의한 손실보상금의 증감에 관한 소송은 당사자소송이다.
12. 세무사 ( )

03 당사자소송에서 원고가 피고를 잘못 지정한때에는 법원은 원고의 신청에 의하여 결정으로써 피고의 경정을 허가할 수 있다.
10. 세무사 ( )

04 당사자소송에서 법원은 필요하다고 인정할 때에는 직권으로 증거조사를 할 수 있다.
10. 세무사 ( )

05 당사자소송은 본질상 민사소송이므로「행정소송법」상 직권증거조사 규정이 적용될 수 없다.
12. 지방직 7급 ( )

06 처분 등 이외의 공법상 법률관계를 소송의 대상으로 하므로 이행소송의 형태는 인정되지 않는다.
10. 세무사 ( )

07 공무수탁사인은 당사자소송의 피고가 될 수 있다.
08. 국가직 9급 ( )

08 당사자소송은 개인의 권익구제를 주된 목적으로 하는 주관적 소송이다.
13. 지방직 9급 ( )

정답 및 해설

01 ○ 공중보건의사 채용계약 해지의 의사표시에 대하여는 대등한 당사자 간의 소송형식인 공법상 당사자소송으로 그 무효확인을 구해야 함(대판 1996.5.31. 95누10617)

02 ○ 토지보상법 제85조 제2항의 보상금증감청구소송은 형식적 당사자소송임

03 ○ 「행정소송법」제14조의 피고경정에 관한 규정은 제44조에 의해 준용이 되므로, 법원은 피고경정을 허가하는 결정을 할 수 있음

04 ○ 「행정소송법」제26조의 직권심리에 관한 규정은 제44조에 의해 준용이 되므로, 법원은 직권으로 증거조사를 할 수 있음

05 × 당사자소송은 본질상 행정소송이므로 직권증거조사 등 취소소송의 심리에 관한 규정이 적용될 수 있음

06 × 당사자소송은 확인소송의 형태로 제기가 가능할 뿐만 아니라 금전지급청구소송과 같이 이행소송의 형태로도 제기가 가능함

07 ○ 공무수탁사인의 행위가 공법상 계약형식으로 이루어진 경우라면 권리구제수단은 당사자소송이 될 것이며 공무수탁사인이 피고가 됨

08 ○ 당사자소송은 대등한 당사자 간의 공법상 권리 또는 법률관계 그 자체를 다투는 주관적 소송임

제9장 객관소송

001 □□□

행정소송에 대한 설명으로 옳은 것은? (다툼이 있는 경우 판례에 의함)

① 행정입법부작위는 헌법소원심판청구로 다툴 수 없고 부작위위법확인소송으로 다투어야 한다.
② 조세부과처분이 당연무효임을 전제로 하여 이미 납부한 세금의 반환을 청구하는 경우는 공법상 당사자소송으로 다투어야 한다.
③ 주민소송에서도 사정판결을 내리는 것이 허용된다.
④ 공법상 당사자소송과 민사소송은 서로 다른 소송절차에 해당하여 청구기초의 동일성이 없다고 해석되므로 양자 간의 소 변경은 허용되지 아니한다.

문제 DATA
출제가능 지수 ▶▶▷
난이도 지수 ★★☆

> 2025년 경찰간부

① (×) 행정입법부작위는 부작위위법확인소송으로 다툴 수 없고 헌법소원심판청구 다투어야 한다.

1. 행정소송은 구체적 사건에 대한 법률상 분쟁을 법에 의하여 해결함으로써 법적 안정을 기하자는 것이므로 부작위위법확인소송의 대상이 될 수 있는 것은 구체적 권리의무에 관한 분쟁이어야 하고 추상적인 법령에 관하여 제정의 여부 등은 그 자체로서 국민의 구체적인 권리의무에 직접적 변동을 초래하는 것이 아니어서 그 소송의 대상이 될 수 없다(대판 1992.5.8. 91누11261).
2. 행정입법의 부작위에 대한 헌법소원은 공권력의 주체에게 헌법에서 유래하는 작위의무가 특별히 구체적으로 규정되어 이에 의거하여 기본권 주체가 행정행위를 청구할 수 있음에도 공권력의 주체가 그 의무를 해태하는 경우에 허용되고, 특히 행정명령의 제정 또는 개정의 지체가 위법으로 되어 그에 대한 법적 통제가 가능하기 위하여는 첫째, 행정청에게 시행명령을 제정(개정)할 법적 의무가 있어야 하고 둘째, 상당한 기간이 지났음에도 불구하고 셋째, 명령제정(개정)권이 행사되지 않아야 한다(헌재 2010.5.4. 2010헌마249).

② (×) 조세부과처분이 당연무효임을 전제로 하여 이미 납부한 세금의 반환을 청구하는 것은 민사상의 부당이득반환청구로서 민사소송절차에 따라야 한다(대판 1995.4.28. 94다55019).

③ (○) 지방자치법 제22조 제18항은 "제1항에 따른 소송에 관하여 이 법에 규정된 것 외에는 「행정소송법」에 따른다."고 규정하고 있는바, 행정소송법 제28조는 사정판결에 관한 규정을 두고 있으며, 이는 주민소송에도 적용된다. 이하 판결에서도 주민소송에서 사정판결의 적용 가능성을 인정하고 있다.

> 행정소송법 제28조 제1항에서 규정한 사정판결은 위법한 행정처분을 취소·변경하게 되면 그것이 도리어 현저히 공공의 복리에 적합하지 않은 경우에 극히 예외적으로만 인정되어야 하는데, 이 사건 도로점용허가는 그 효력을 존속시킬 공익적 필요성이 있다고 보이지 않고, 도로관리청인 피고의 보완조치로써 그 위법상태를 해소하기도 어려울 것이라는 등의 사정을 들어 이 사건 도로점용허가에 사정판결을 할 당위성이 인정되지 않는다고 판단하였다(대판 2019.10.17. 2018두104).

> 「지방자치법」제22조【주민소송】⑱ 제1항에 따른 소송에 관하여 이 법에 규정된 것 외에는 「행정소송법」에 따른다.

④ (×) 공법상 당사자소송의 소 변경에 관하여 행정소송법은, 공법상 당사자소송을 항고소송으로 변경하는 경우(행정소송법 제42조, 제21조) 또는 처분변경으로 인하여 소를 변경하는 경우(행정소송법 제44조 제1항, 제22조)에 관하여만 규정하고 있을 뿐, 공법상 당사자소송을 민사소송으로 변경할 수 있는지에 관하여 명문의 규정을 두고 있지 않다. 그러나 공법상 당사자소송에서 민사소송으로의 소 변경이 금지된다고 볼 수 없다. 이유는 다음과 같다.

함께 정리하기

행정소송

행정입법부작위
▷ 부작위위법확인소송×, 헌법소원○

조세부과처분이 무효임을 전제로 이미 납부한 세금반환청구
▷ 민사소송

주민소송
▷ 사정판결 可

당사자소송에서 민사소송으로의 소 변경
▷ 허용

(1) 행정소송법 제8조 제2항은 행정소송에 관하여 민사소송법을 준용하도록 하고 있으므로, 행정소송의 성질에 비추어 적절하지 않다고 인정되는 경우가 아닌 이상 공법상 당사자소송의 경우도 민사소송법 제262조에 따라 청구의 기초가 바뀌지 아니하는 한도 안에서 변론을 종결할 때까지 청구의 취지를 변경할 수 있다.

(2) 한편 대법원은 여러 차례에 걸쳐 행정소송법상 항고소송으로 제기해야 할 사건을 민사소송으로 잘못 제기한 경우 수소법원으로서는 원고로 하여금 항고소송으로 소 변경을 하도록 석명권을 행사하여 행정소송법이 정하는 절차에 따라 심리·판단해야 한다고 판시해 왔다. 이처럼 민사소송에서 항고소송으로의 소 변경이 허용되는 이상, 공법상 당사자소송과 민사소송이 서로 다른 소송절차에 해당한다는 이유만으로 청구기초의 동일성이 없다고 해석하여 양자 간의 소 변경을 허용하지 않을 이유가 없다.

(3) 일반 국민으로서는 공법상 당사자소송의 대상과 민사소송의 대상을 구분하기가 쉽지 않고 소송 진행 도중의 사정변경 등으로 인해 공법상 당사자소송으로 제기된 소를 민사소송으로 변경할 필요가 발생하는 경우도 있다. 소 변경 필요성이 인정됨에도, 단지 소 변경에 따라 소송절차가 달라진다는 이유만으로 이미 제기한 소를 취하하고 새로 민사상의 소를 제기하도록 하는 것은 당사자의 권리구제나 소송경제의 측면에서도 바람직하지 않다.
따라서 공법상 당사자소송에 대하여도 청구의 기초가 바뀌지 아니하는 한도 안에서 민사소송으로 소 변경이 가능하다고 해석하는 것이 타당하다(대판 2023.6.29. 2022두44262).

답 ③

002 ☐☐☐

공법상 객관적 권리구제의 성질이 가장 강한 것은?

① 취소소송
② 처분의 상대방에 의한 이의신청
③ 「지방자치법」상 주민소송
④ 민주화운동 관련 보상을 위한 당사자소송

| 2011년 지방직 9급

① (주관적 권리구제) 취소소송은 항고소송으로 개인의 권리구제를 직접적 목적으로 하는 주관적 소송에 해당한다.
② (주관적 권리구제) 설문의 '처분의 상대방에 의한 이의신청'을 행정심판절차와 구분되는 것으로 위법·부당한 행정작용으로 인해 권리가 침해된 자가 처분청에 대하여 시정을 구하는 절차로 보더라도 주관적 권리구제의 성질을 가진다고 볼 것이다.
③ (객관적 권리구제) 「지방자치법」상 주민소송은 민중소송으로 객관적인 적법성의 확보를 구하는 공익적 소송인 객관적 소송에 해당한다.
④ (주관적 권리구제) 당사자소송이라 함은 공법상 법률관계의 주체가 당사자가 되어 다투는 공법상 법률관계에 관한 주관적 소송을 말한다.

답 ③

◈ 문제 DATA

출제가능 지수 ▶▷▷
난이도 지수 ★☆☆

☑ 함께 정리하기

객관소송

▷ 취소소송 ✕
▷ 이의신청 ✕
▷ 주민소송 ○
▷ 당사자소송 ✕

003

민중소송에 대한 설명으로 옳지 않은 것은?

① 국가 또는 공공단체의 기관이 법률에 위반되는 행위를 한 때에 직접 자기의 법률상 이익과 관계없이 그 시정을 구하기 위하여 제기하는 소송이다.
② 민중소송은 객관적 소송이다.
③ 「주민투표법」상 주민투표소송은 민중소송에 해당한다.
④ 처분 등의 취소를 구하는 민중소송인 경우에는 그 성질에 반하지 아니하는 한 취소소송에 관한 규정을 준용한다.
⑤ 민중소송은 국민이면 누구나 제기할 수 있다.

| 2013년 세무사

① (O)

> 「행정소송법」제3조【행정소송의 종류】행정소송은 다음의 네가지로 구분한다.
> 3. 민중소송: 국가 또는 공공단체의 기관이 법률에 위반되는 행위를 한 때에 직접 자기의 법률상 이익과 관계없이 그 시정을 구하기 위하여 제기하는 소송

② (O) 민중소송은 국가 또는 공공단체의 기관의 위법행위를 시정하는 것을 목적으로 하는 공익소송이며 개인의 법적 이익의 구제를 목적으로 하는 소송이 아니다. 따라서 원고적격이 법률상 이익의 침해와 관계없이 국민, 주민 또는 선거인 등 일정 범위의 일반 국민에게 인정된다. 따라서 민중소송은 주관적 소송이 아니라 객관적 소송이다.

③ (O) 민중소송은 특별히 법률의 규정이 있을 때에 한하여 예외적으로 인정된다(「행정소송법」제45조, 민중소송법정주의). 주민투표소송은 민중소송에 해당한다.

> 「주민투표법」제25조【주민투표소송 등】① 주민투표의 효력에 관하여 이의가 있는 주민투표권자는 주민투표권자 총수의 100분의 1 이상의 서명으로 제24조 제3항에 따라 주민투표결과가 공표된 날부터 14일 이내에 관할선거관리위원회 위원장을 피소청인으로 하여 시·군·구의 경우에는 시·도선거관리위원회에, 시·도의 경우에는 중앙선거관리위원회에 소청할 수 있다.

유제 09. 세무사 「주민투표법」상 주민투표소송은 민중소송이다. (O)

④ (O)

> 「행정소송법」제46조【준용규정】① 민중소송 또는 기관소송으로서 처분등의 취소를 구하는 소송에는 그 성질에 반하지 아니하는 한 취소소송에 관한 규정을 준용한다.

⑤ (×)

> 「행정소송법」제45조【소의 제기】민중소송 및 기관소송은 법률이 정한 경우에 법률에 정한 자에 한하여 제기할 수 있다.

답 ⑤

문제 DATA

출제가능 지수 ▶▷▷
난이도 지수 ★☆☆

함께 정리하기

민중소송
자기의 법률상 이익과 무관
객관소송
주민투표소송 O
취소소송 준용
원고적격
▷ 법률이 정한 자

문제 DATA

출제가능 지수 ▶▷▷
난이도 지수 ★☆☆

004 □□□

다음 중 민중소송에 해당하는 것을 모두 고르면?

> ㄱ. 「지방자치법」에 따른 지방의회의원 징계의결에 대한 무효확인소송
> ㄴ. 「지방자치법」에 따른 주민소송의 유형으로서 부당이득반환청구소송
> ㄷ. 「지방자치법」에 따른 주민소송의 유형으로서 중지청구소송
> ㄹ. 「공직선거법」상의 당선소송
> ㅁ. 「공직선거법」상의 선거소송

① ㄷ, ㄹ, ㅁ ② ㄱ, ㄴ, ㄷ, ㄹ
③ ㄱ, ㄷ, ㄹ, ㅁ ④ ㄴ, ㄷ, ㄹ, ㅁ
⑤ ㄱ, ㄴ, ㄷ, ㄹ, ㅁ

2014년 서울시 7급

함께 정리하기

민중소송 해당 여부

▷ 지방의회의원 징계의결무효확인✕
▷ 주민소송의 유형으로서 부당이득반환 청구소송○
▷ 주민소송의 유형으로서 중지청구소송○
▷ 「공직선거법」상 당선소송○
▷ 「공직선거법」상 선거소송○

ㄱ. (✕) 지방의원 징계의결의 무효확인은 항고소송의 대상이다.

> 지방자치법 제78조 내지 제81조의 규정에 의거한 지방의회의 의원징계의결은 그로 인해 의원의 권리에 직접 법률효과를 미치는 행정처분의 일종으로서 행정소송의 대상이 되고, 그와 같은 의원징계의결의 당부를 다투는 소송의 관할 법원에 관하여는 동법에 특별한 규정이 없으므로 일반법인 행정소송법의 규정에 따라 지방의회의 소재지를 관할하는 고등법원이 그 소송의 제1심 관할법원이 된다(대판 1993.11.26. 93누7341).

ㄴ, ㄷ. (○) 민중소송이란 국가 또는 공공단체의 기관이 법률에 위반하는 행위를 한 때에 직접 자기의 법률상 이익과 관계없이 그 시정을 구하기 위하여 제기하는 소송을 말한다(「행정소송법」제3조 제3호). 이러한 민중소송은 법률의 명시적인 규정이 있는 경우에 법률에 정한 자에 한하여 제기할 수 있다(제45조). 현행법이 인정하고 있는 민중소송으로는 「공직선거법」상 선거·당선소송과 「국민투표법」상 국민투표무효소송, 그리고 「지방자치법」상 주민소송, 「주민투표법」상 주민투표소송, 「주민소환에 관한 법률」상의 주민소환투표소송 등을 들 수 있다.

> 「지방자치법」제22조【주민소송】① 제21조 제1항에 따라 공금의 지출에 관한 사항, 재산의 취득·관리·처분에 관한 사항, 해당 지방자치단체를 당사자로 하는 매매·임차·도급 계약이나 그 밖의 계약의 체결·이행에 관한 사항 또는 지방세·사용료·수수료·과태료 등 공금의 부과·징수를 게을리한 사항을 감사 청구한 주민은 다음 각 호의 어느 하나에 해당하는 경우에 그 감사 청구한 사항과 관련이 있는 위법한 행위나 업무를 게을리한 사실에 대하여 해당 지방자치단체의 장(해당 사항의 사무처리에 관한 권한을 소속 기관의 장에게 위임한 경우에는 그 소속 기관의 장을 말한다. 이하 이 조에서 같다)을 상대방으로 하여 소송을 제기할 수 있다.
> ② 제1항에 따라 주민이 제기할 수 있는 소송은 다음 각 호와 같다.
> 1. 해당 행위를 계속하면 회복하기 어려운 손해를 발생시킬 우려가 있는 경우에는 그 행위의 전부나 일부를 중지할 것을 요구하는 소송
> 2. 행정처분인 해당 행위의 취소 또는 변경을 요구하거나 그 행위의 효력 유무 또는 존재 여부의 확인을 요구하는 소송
> 3. 게을리한 사실의 위법 확인을 요구하는 소송
> 4. 해당 지방자치단체의 장 및 직원, 지방의회의원, 해당 행위와 관련이 있는 상대방에게 손해배상청구 또는 부당이득반환청구를 할 것을 요구하는 소송. 다만, 그 지방자치단체의 직원이 「회계관계직원 등의 책임에 관한 법률」제4조에 따른 변상책임을 져야 하는 경우에는 변상명령을 할 것을 요구하는 소송을 말한다.

유제 09. 세무 「지방자치법」상 주민소송은 민중소송이다. (○)

ㄹ, ㅁ. (○)

> 「공직선거법」 제222조【선거소송】 ① 대통령선거 및 국회의원선거에 있어서 선거의 효력에 관하여 이의가 있는 선거인·정당(후보자를 추천한 정당에 한한다) 또는 후보자는 선거일부터 30일 이내에 당해 선거구선거관리위원회위원장을 피고로 하여 대법원에 소를 제기할 수 있다.
> 제223조【당선소송】 ① 대통령선거 및 국회의원선거에 있어서 당선의 효력에 이의가 있는 정당(후보자를 추천한 정당에 한한다) 또는 후보자는 당선인결정일부터 30일 이내에 제52조 제1항·제3항 또는 제192조 제1항부터 제3항까지의 사유에 해당함을 이유로 하는 때에는 당선인을, 제187조(대통령당선인의 결정·공고·통지)제1항·제2항, 제188조(지역구국회의원당선인의 결정·공고·통지) 제1항 내지 제4항, 제189조(비례대표국회의원의석의 배분과 당선인의 결정·공고·통지) 또는 제194조(당선인의 재결정과 비례대표국회의원의석 및 비례대표지방의회의원의석의 재배분) 제4항의 규정에 의한 결정의 위법을 이유로 하는 때에는 대통령선거에 있어서는 그 당선인을 결정한 중앙선거관리위원회위원장 또는 국회의장을, 국회의원선거에 있어서는 당해 선거구선거관리위원회위원장을 각각 피고로 하여 대법원에 소를 제기할 수 있다.

유제 09. 세무 「공직선거법」상 선거소송은 민중소송이다. (○)

답 ④

005 □□□

지방자치단체인 A광역시가 부과하는 지방세의 징수를 담당하는 소속 공무원인 B는 납세의무자인 D의 허위신고를 묵인하고 해당 지방세를 징수하지 않았다. 이에 감사청구를 한 주민 C가 60일이 경과해도 감사가 종료되지 않았을 때 제기할 수 있는 소송의 유형은?

① 「민법」상 손해배상청구소송
② 공법상 당사자소송
③ 항고소송
④ 민중소송으로서의 주민소송

2011년 국가직 9급

④ (○) 지방세 부과를 게을리 한 사실에 대해 주민 C가 감사청구를 했음에도 감사청구일로부터 60일이 지나도록 감사를 종료하지 않았으므로 주민소송을 제기할 수 있다.

> 「지방자치법」 제22조【주민소송】 ① 제21조 제1항에 따라 공금의 지출에 관한 사항, 재산의 취득·관리·처분에 관한 사항, 해당 지방자치단체를 당사자로 하는 매매·임차·도급 계약이나 그 밖의 계약의 체결·이행에 관한 사항 또는 지방세·사용료·수수료·과태료 등 공금의 부과·징수를 게을리한 사항을 감사 청구한 주민은 다음 각 호의 어느 하나에 해당하는 경우에 그 감사 청구한 사항과 관련이 있는 위법한 행위나 업무를 게을리한 사실에 대하여 해당 지방자치단체의 장(해당 사항의 사무처리에 관한 권한을 소속 기관의 장에게 위임한 경우에는 그 소속 기관의 장을 말한다. 이하 이 조에서 같다)을 상대방으로 하여 소송을 제기할 수 있다.
> 1. 주무부장관이나 시·도지사가 감사 청구를 수리한 날부터 60일(제21조 제9항 단서에 따라 감사기간이 연장된 경우에는 연장된 기간이 끝난 날을 말한다)이 지나도 감사를 끝내지 아니한 경우

답 ④

문제 DATA
출제가능 지수 ▶▷▷
난이도 지수 ★☆☆

함께 정리하기
주민소송
감사청구일로부터 60일 경과해도 감사를 종료하지 않은 경우
▷ 제기 可

문제 DATA

출제가능 지수 ▶▷▷
난이도 지수 ★☆☆

함께 정리하기

기관소송

교육·학예에 관한 시·도의회 재의결에 대한 교육감의 제소
▷ 기관소송

자치사무에 관한 감독청의 취소·정지에 대한 단체장의 제소
▷ 특수한 항고소송 vs 기관소송

국가기관과 지방자치단체 간의 권한 다툼
▷ 권한쟁의○
▷ 기관소송✕

처분등 존재 여부 확인 구하는 기관소송
▷ 무효등 확인소송규정 준용

항고소송에 관한 규정을 준용하는 소송 외의 소송
▷ 당사자소송 규정 준용

---

006 ☐☐☐

기관소송에 대한 설명으로 옳지 않은 것은? (다툼이 있는 경우 판례에 의함)

① 교육·학예에 관한 시·도의회의 재의결에 대하여 교육감이 대법원에 제기하는 소송은 기관소송의 일종이다.
② 지방자치단체의 장이 자치사무에 관한 감독청의 명령이나 처분의 취소 또는 정지에 대하여 대법원에 제기하는 소송은 기관소송의 일종이다.
③ 기관소송은 국가기관과 지방자치단체 간에 권한의 유무 또는 범위에 관하여 다툼이 있을 때에 제기하는 소송이다.
④ 기관소송으로써 처분 등의 존재 여부의 확인을 구하는 소송에는 그 성질에 반하지 아니하는 한 무효등 확인소송에 관한 규정을 준용한다.
⑤ 기관소송으로서 항고소송에 관한 규정을 준용하는 소송 외의 소송에는 그 성질에 반하지 아니하는 한 당사자소송에 관한 규정을 준용한다.

2019년 세무사

① (○) 기관소송의 예로 지방의회의 의결 또는 재의결무효확인소송(「지방자치법」제120조), 교육위원회의 재의결무효소송(「지방교육자치에 관한 법률」제28조), 주무부장관이나 상급지방자치단체장의 감독처분에 대한 이의소송 및 위임청의 직무이행명령에 대한 이의소송(「지방자치법」제188조)이 있다.

> 「지방교육자치에 관한 법률」제28조【시·도의회 등의 의결에 대한 재의와 제소】① 교육감은 교육·학예에 관한 시·도의회의 의결이 법령에 위반되거나 공익을 현저히 저해한다고 판단될 때에는 그 의결사항을 이송받은 날부터 20일 이내에 이유를 붙여 재의를 요구할 수 있다. 교육감이 교육부장관으로부터 재의요구를 하도록 요청받은 경우에는 시·도의회에 재의를 요구하여야 한다.
> ② 제1항의 규정에 따른 재의요구가 있을 때에는 재의요구를 받은 시·도의회는 재의에 붙이고 시·도의회 재적의원 과반수의 출석과 시·도의회 출석의원 3분의 2 이상의 찬성으로 전과 같은 의결을 하면 그 의결사항은 확정된다.
> ③ 제2항의 규정에 따라 재의결된 사항이 법령에 위반된다고 판단될 때에는 교육감은 재의결된 날부터 20일 이내에 대법원에 제소할 수 있다.

② (○) 「지방자치법」제188조에 의해 대법원에 제기하는 소송은 기관소송으로 보는 견해와 법이 정하는 특수한 항고소송으로 보는 견해로 나뉜다. 기관소송으로 보는 견해에서 출제한 지문이다.

> 「지방자치법」제188조【위법·부당한 명령이나 처분의 시정】① 지방자치단체의 사무에 관한 지방자치단체의 장(제103조 제2항에 따른 사무의 경우에는 지방의회의 의장을 말한다. 이하 이 조에서 같다)의 명령이나 처분이 법령에 위반되거나 현저히 부당하여 공익을 해친다고 인정되면 시·도에 대해서는 주무부장관이, 시·군 및 자치구에 대해서는 시·도지사가 기간을 정하여 서면으로 시정할 것을 명하고, 그 기간에 이행하지 아니하면 이를 취소하거나 정지할 수 있다.
> ⑥ 지방자치단체의 장은 제1항, 제3항 또는 제4항에 따른 자치사무에 관한 명령이나 처분의 취소 또는 정지에 대하여 이의가 있으면 그 취소처분 또는 정지처분을 통보받은 날부터 15일 이내에 대법원에 소를 제기할 수 있다.

③ (✕) 기관소송은 헌법재판소의 관장사항을 제외한다. 권한쟁의는 기관소송이 아니라 헌법재판소 관할이다.

> 「행정소송법」제3조【행정소송의 종류】행정소송은 다음의 네가지로 구분한다.
>   4. 기관소송: 국가 또는 공공단체의 기관상호간에 있어서의 권한의 존부 또는 그 행사에 관한 다툼이 있을 때에 이에 대하여 제기하는 소송. 다만, 「헌법재판소법」제2조의 규정에 의하여 헌법재판소의 관장사항으로 되는 소송은 제외한다.
> 「헌법재판소법」제2조【관장사항】헌법재판소는 다음 각 호의 사항을 관장한다.
>   4. 국가기관 상호간, 국가기관과 지방자치단체 간 및 지방자치단체 상호간의 권한쟁의에 관한 심판

④, ⑤ (○) 기관소송의 심리에 관하여는 각 개별법의 규정에 따르되, 규정이 없는 경우에는 처분 등의 취소를 구하는 것이면 그 성질에 반하지 아니하는 한 취소소송에 관한 규정을, 처분 등의 무효·부존재 여부나 부작위의 위법확인을 구하는 것이면 그 성질에 반하지 아니하는 한 각각 무효등 확인소송 또는 부작위위법확인소송에 관한 규정을, 기타의 경우에는 그 성질에 반하지 아니하는 한 당사자소송에 관한 규정을 각각 준용한다(「행정소송법」제46조).

답 ③

007

기관소송에 대한 설명으로 옳지 않은 것은? (다툼이 있는 경우 판례에 의함)

① 국가 또는 공공단체의 기관 상호간에 있어서의 권한의 존부 또는 그 행사에 관하여 다툼이 있는 때에 이에 대하여 제기하는 소송이다.
② 기관소송은 법률적 쟁송이므로 당연히 사법권에 속하며 법령에 의해 비로소 인정되는 것이 아니다.
③ 기관소송으로서 처분등의 취소를 구하는 소송에는 그 성질에 반하지 아니하는 한 취소소송에 관한 규정을 준용한다.
④ 기관소송에는 당사자소송에 관한 규정이 준용되는 경우도 있다.
⑤ 헌법재판소의 관장사항으로 되어 있는 권한쟁의심판은 기관소송에서 제외된다.

2015년 세무사

문제 DATA
출제가능 지수 ▶▷▷
난이도 지수 ★☆☆

①, ⑤ (○)

> 「행정소송법」제3조 【행정소송의 종류】 행정소송은 다음의 네가지로 구분한다.
> 4. 기관소송: 국가 또는 공공단체의 기관상호간에 있어서의 권한의 존부 또는 그 행사에 관한 다툼이 있을 때에 이에 대하여 제기하는 소송. 다만, 「헌법재판소법」 제2조의 규정에 의하여 헌법재판소의 관장사항으로 되는 소송은 제외한다.

유제 20. 서울시·지방직·교행 9급 기관소송은 「행정소송법」에서 규정하고 있는 항고소송이 아니다. (○)

② (×) 현행 「행정소송법」은 기관소송을 법률이 정한 경우에 한하여 제기할 수 있는 것으로 규정하여 기관소송법정주의를 취하고 있다.

> 「행정소송법」제45조 【소의 제기】 민중소송 및 기관소송은 법률이 정한 경우에 법률에 정한 자에 한하여 제기할 수 있다.

③, ④ (○)

> 「행정소송법」제46조 【준용규정】 ① 민중소송 또는 기관소송으로서 처분등의 취소를 구하는 소송에는 그 성질에 반하지 아니하는 한 취소소송에 관한 규정을 준용한다.
> ② 민중소송 또는 기관소송으로서 처분등의 효력 유무 또는 존재 여부나 부작위의 위법의 확인을 구하는 소송에는 그 성질에 반하지 아니하는 한 각각 무효등 확인소송 또는 부작위위법확인소송에 관한 규정을 준용한다.
> ③ 민중소송 또는 기관소송으로서 제1항 및 제2항에 규정된 소송외의 소송에는 그 성질에 반하지 아니하는 한 당사자소송에 관한 규정을 준용한다.

답 ②

함께 정리하기

기관소송
▷ 기관상호간 권한존부·행사의 다툼
▷ 기관소송법정주의
▷ 취소소송 준용
▷ 당사자소송 준용
▷ 권한쟁의심판은 제외

008

민중소송과 기관소송에 대한 설명으로 옳지 않은 것은? (다툼이 있는 경우 판례에 의함)

① 「공직선거법」상 선거소송은 민중소송에 해당한다.
② 민중소송 또는 기관소송으로써 처분 등의 취소를 구하는 소송에는 그 성질에 반하지 아니하는 한 취소 소송에 관한 규정을 준용한다.
③ 「지방자치법」상 지방의회 재의결에 대해 지방자치단체장이 제기하는 소송은 기관소송에 해당한다.
④ 「행정소송법」은 민중소송에 대해서는 법률이 정한 경우에 법률이 정한 자에 한하여 제기하도록 하는 법정주의를 취하고 있으나, 기관소송에 대해서는 이러한 제한을 두지 않아 기관소송의 제기가능성은 일반적으로 인정된다.

2020년 군무원 7급

① (○) 「공직선거법」 제222조와 제224조에서 규정하고 있는 선거소송이 「행정소송법」 제3조 제3호에서 규정한 민중소송에 해당한다.

> 공직선거법 제222조와 제224조에서 규정하고 있는 선거소송은 집합적 행위로서의 선거에 관한 쟁송으로서 선거라는 일련의 과정에서 선거에 관한 규정을 위반한 사실이 있고, 그로써 선거의 결과에 영향을 미쳤다고 인정하는 때에 선거의 전부나 일부를 무효로 하는 소송이다. 이는 선거를 적법하게 시행하고 그 결과를 적정하게 결정하도록 함을 목적으로 하므로, 행정소송법 제3조 제3호에서 규정한 민중소송, 즉 국가 또는 공공단체의 기관이 법률을 위반한 행위를 한 때에 직접 자기의 법률상 이익과 관계없이 그 시정을 구하기 위하여 제기하는 소송에 해당한다(대판 2016.11.24. 2016수64).

② (○)

> 「행정소송법」 제46조 【준용규정】 ① 민중소송 또는 기관소송으로서 처분등의 취소를 구하는 소송에는 그 성질에 반하지 아니하는 한 취소소송에 관한 규정을 준용한다.

③ (○) 지방자치단체와 지방의회의 분쟁은 기관소송이다.

> 「지방자치법」 제120조 【지방의회의 의결에 대한 재의 요구와 제소】 ① 지방자치단체의 장은 지방의회의 의결이 월권이거나 법령에 위반되거나 공익을 현저히 해친다고 인정되면 그 의결사항을 이송받은 날부터 20일 이내에 이유를 붙여 재의를 요구할 수 있다.
> ② 제1항의 요구에 대하여 재의한 결과 재적의원 과반수의 출석과 출석의원 3분의 2 이상의 찬성으로 전과 같은 의결을 하면 그 의결사항은 확정된다.
> ③ 지방자치단체의 장은 제2항에 따라 재의결된 사항이 법령에 위반된다고 인정되면 대법원에 소(訴)를 제기할 수 있다. 이 경우에는 제192조 제4항을 준용한다.

④ (×)

> 「행정소송법」 제45조 【소의 제기】 민중소송 및 기관소송은 법률이 정한 경우에 법률에 정한 자에 한하여 제기할 수 있다.

답 ④

009

민중소송과 기관소송에 대한 설명으로 옳지 않은 것은?

① 지방의회의 재의결에 대하여 당해 지방자치단체의장이 대법원에 제기하는 소는 기관소송이다.
② 민중소송은 법률이 규정하고 있는 경우에 한하여 제기할 수 있으나 기관소송은 개별 법률에 특별한 규정이 없어도 제기할 수 있다.
③ 국회의원선거의 효력에 관하여 이의가 있는 선거인이 대법원에 제기하는 소는 민중소송이다.
④ 「지방자치법」에 의한 주민소송은 민중소송이다.
⑤ 기관소송으로서 처분 등의 취소를 구하는 소송에는 그 성질에 반하지 아니하는 한 취소소송에 관한 규정을 준용한다.

2012년 세무사

① (○) 지방의회의 재의결에 대하여 당해 지방자치단체의 장이 대법원에 제기하는 소는 「지방자치법」상 기관소송에 해당한다.

> 「지방자치법」 제120조【지방의회의 의결에 대한 재의 요구와 제소】 ① 지방자치단체의 장은 지방의회의 의결이 월권이거나 법령에 위반되거나 공익을 현저히 해친다고 인정되면 그 의결사항을 이송받은 날부터 20일 이내에 이유를 붙여 재의를 요구할 수 있다.
> ② 제1항의 요구에 대하여 재의한 결과 재적의원 과반수의 출석과 출석의원 3분의 2 이상의 찬성으로 전과 같은 의결을 하면 그 의결사항은 확정된다.
> ③ 지방자치단체의 장은 제2항에 따라 재의결된 사항이 법령에 위반된다고 인정되면 대법원에 소(訴)를 제기할 수 있다. 이 경우에는 제192조 제4항을 준용한다.

② (×)

> 「행정소송법」 제45조【소의 제기】 민중소송 및 기관소송은 법률이 정한 경우에 법률에 정한 자에 한하여 제기할 수 있다.

③ (○)

> 「공직선거법」 제222조【선거소송】 ① 대통령선거 및 국회의원선거에 있어서 선거의 효력에 관하여 이의가 있는 선거인·정당(후보자를 추천한 정당에 한한다) 또는 후보자는 선거일부터 30일 이내에 당해 선거구선거관리위원회위원장을 피고로 하여 대법원에 소를 제기할 수 있다.

④ (○) 주민소송은 국가 또는 공공단체의 기관이 법률에 위반되는 행위를 한 때에 직접 자기의 법률상 이익과 관계없이 그 시정을 구하기 위하여 제기하는 소송으로서 민중소송에 해당한다.

> 「지방자치법」 제22조【주민소송】 ① 제21조 제1항에 따라 공금의 지출에 관한 사항, 재산의 취득·관리·처분에 관한 사항, 해당 지방자치단체를 당사자로 하는 매매·임차·도급 계약이나 그 밖의 계약의 체결·이행에 관한 사항 또는 지방세·사용료·수수료·과태료 등 공금의 부과·징수를 게을리한 사항을 감사 청구한 주민은 다음 각 호의 어느 하나에 해당하는 경우에 그 감사 청구한 사항과 관련이 있는 위법한 행위나 업무를 게을리한 사실에 대하여 해당 지방자치단체의 장(해당 사항의 사무처리에 관한 권한을 소속 기관의 장에게 위임한 경우에는 그 소속 기관의 장을 말한다. 이하 이 조에서 같다)을 상대방으로 하여 소송을 제기할 수 있다.

⑤ (○)

> 「행정소송법」 제46조【준용규정】 ① 민중소송 또는 기관소송으로서 처분등의 취소를 구하는 소송에는 그 성질에 반하지 아니하는 한 취소소송에 관한 규정을 준용한다.

답 ②

문제 DATA
출제가능 지수 ▶▷▷
난이도 지수 ★☆☆

함께 정리하기
민중소송과 기관소송

지방의회재의결에 대한 제소
▷ 기관소송

객관소송(민중소송·기관소송)법정주의

선거소송
▷ 민중소송

주민소송
▷ 민중소송

처분의 취소 구하는 기관소송
▷ 취소소송 준용

ALL KILL 기출

제9장 객관소송

01 시·도의회의 재의결에 대해 교육감이 제기하는 소송은 기관소송이다. 13. 세무사 (   )

02 「행정소송법」 제46조는 법률에서 민중소송을 허용하고 있는 경우에 한하여 그 재판절차를 규정한 것에 불과하다. 10. 국회직 9급 (   )

03 「공공기관의 정보공개에 관한 법률」 제5조에 따른 일반적 정보공개청구권을 다투는 소송은 민중소송이라는 것이 다수설과 판례의 입장이다. 10. 국회직 9급 (   )

04 우리나라에서 객관소송은 당사자의 구체적인 권리·의무에 관한 분쟁해결이 아니라 행정 감독적 견지에서 행정법규의 정당한 적용을 확보하거나 선거 등의 공정의 확보를 위한 소송으로 이해된다. 10. 국회직 9급 (   )

05 「특허법」상의 특허관련소송은 민중소송이다. 09. 세무사 (   )

06 「국민투표법」상의 국민투표무효소송은 민중소송이다. 09. 세무사 (   )

07 주민이 지방자치단체장의 위법한 재무행위를 시정하기 위하여 제기하는 소송은 기관소송이다. 13. 세무사 (   )

정답 및 해설

01 ○ 「지방교육자치법」상에 근거하여 교육감이 제기하는 소송은 기관소송에 해당함

02 ○ 「행정소송법」 제46조는 법률에서 민중소송을 허용하고 있는 경우에 그 재판절차를 규정한 것에 불과함(대판 1996.1.23. 95누12736)

03 × 정보공개청구소송은 일반적 정보공개청구권이라는 법률상 보호되는 구체적 권리를 다투는 소송으로 주관적 소송에 해당함

04 ○ 우리나라의 객관소송은 「행정소송법」 제45조의 기관소송·민중소송 법정주의를 채택하여 주관소송과 구분됨

05 × 특허관련소송은 「특허법」 제186조 각 호에 해당하는 법률상 이익이 있는 자만이 제기할 수 있는 주관소송임

06 ○ 국민투표무효소송은 법률상 이익과 무관하게 제기가 가능하므로 민중소송에 해당함

07 × 「지방자치법」상 주민이 지방자치단체장의 위법한 재무행위를 시정하기 위해 제기하는 주민소송은 민중소송의 대표적인 예임

제10장 기타의 권리구제

제1절 | 헌법소송

001 □□□

시험을 준비하던 甲은 다음의 '2019년도 제56회 변리사 국가자격시험 시행계획 공고'를 보고 큰 혼란에 빠졌다. 제56회 변리사 국가자격시험 「상표법」 과목에 실무형 문제가 출제될 것을 예상하지 못했기 때문이다. 甲은 이와 같은 시험공고가 위법하다고 보고 이에 대해 다투려고 한다. 이에 대한 설명으로 옳지 않은 것은? (다툼이 있는 경우 판례에 의함)

> 2019년도 제56회 변리사 국가자격시험 시행계획 공고(한국산업인력공단 공고 제2018-151호)
> (생략)
> • 2019년 및 2020년 변경사항
> • 2019년 제2차 시험과목 중 「특허법」과 「상표법」 과목에 실무형 문제를 각 1개씩 출제
> - 다만, 2019년 제2차 시험에서의 실무형 문제 출제범위는 아래와 같고, 배점은 20점으로 함(이하 생략)

① 공고에 의해서 비로소 국민에게 영향을 미치는 규율사항이 정해지는 경우 이에 대해서는 어떤 형태로 든 법적으로 다툴 수 있는 기회를 주는 것이 타당하다.
② 헌법재판소는 공고에 의하여 비로소 응시자격이 확정되는 경우에는 공고에 대한 헌법소원을 인정하였으나 위와 같은 경우에는 헌법소원을 인정하지 않았다.
③ 공고가 분명히 위법하고 공무원에게 과실이 있어 이로 인한 손해를 입증한다면 甲은 국가배상을 청구할 수 있다.
④ 공고는 입법행위와 유사한 측면이 없지 않으나 침해의 직접성이 인정되는 경우 헌법소원의 대상이 될 수 있다.
⑤ 이미 법령에 규정된 내용을 그대로 공고한 경우 공고보다는 법령을 다툼의 대상으로 하여야 한다.

2020년 국회직 8급

① (○), ② (×) 변리사 국가자격시험 시행계획 '공고'에 의하여 비로소 변리사 제2차 시험에 실무형 문제가 출제되는 것이 확정되므로, '공고'는 헌법소원의 대상이 된다. 최근 헌법재판소는 위 변리사 국가자격시험 시행계획 공고사건에서 공고의 헌법소원 대상성을 인정하였다. 또한 지방고등고시 시행계획공고 사건에서도 '공고'에 따라 모집인원 및 응시자격 세부범위 등이 확정되므로, '공고'는 헌법소원의 대상이 된다고 하였다.

1. 이 사건 공고의 근거법령의 내용만으로는 변리사 제2차 시험에서 '실무형 문제'가 출제되는지 여부가 정해져 있다고 볼 수 없고, 이 사건 공고에 의하여 비로소 2019년 제56회 변리사 제2차 시험에 실무형 문제가 출제되는 것이 확정된다. 이 사건 공고는 법령의 내용을 구체적으로 보충하고 세부적인 사항을 확정함으로써 대외적 구속력을 가지므로, 헌법소원의 대상이 되는 공권력의 행사에 해당한다(헌재 2019.5.30. 2018헌마1208 등).
2. 공고가 어떠한 법률효과를 가지는지에 대해서는 일률적으로 말할 수 없고 개별 공고의 내용과 관련 법령의 규정에 따라 개별적·구체적으로 판단하여야 하는바, 지방고등고시 시행계획공고는 당해 지방고등고시의 직렬 및 지역별 모집인원과 응시연령의 기준일 등을 구체적으로 결정하여 알리는 것으로 이에 따라 해당 시험의 모집인원과 응시자격의 상한연령 및 하한연령의 세부적인 범위 등이 확정되므로 이는 공권력의 행사에 해당한다(헌재 2000.1.27. 99헌마123).

문제 DATA
출제가능 지수 ▶▷▷
난이도 지수 ★★★

함께 정리하기

공고

공고에 의하여 비로소 국민에 대한 규율사항이 정해지는 경우
▷ 쟁송의 기회 주는 것이 타당

공고에 의하여 비로소 응시자격이 확정
▷ 헌법소원 인정○

공고가 위법하고 공무원에게 과실이 있어야 손해 발생
▷ 국가배상청구○

침해의 직접성이 인정되는 경우
▷ 헌법소원의 대상○

이미 법령에 규정된 내용을 그대로 공고
▷ 법령이 다툼의 대상

③ (○)

> 「국가배상법」 제2조 【배상책임】 ① 국가나 지방자치단체는 공무원 또는 공무를 위탁받은 사인(이하 "공무원"이라 한다)이 직무를 집행하면서 고의 또는 과실로 법령을 위반하여 타인에게 손해를 입히거나, 「자동차손해배상 보장법」에 따라 손해배상의 책임이 있을 때에는 이 법에 따라 그 손해를 배상하여야 한다. 다만, 군인·군무원·경찰공무원 또는 예비군대원이 전투·훈련 등 직무 집행과 관련하여 전사·순직하거나 공상을 입은 경우에 본인이나 그 유족이 다른 법령에 따라 재해보상금·유족연금·상이연금 등의 보상을 지급받을 수 있을 때에는 이 법 및 「민법」에 따른 손해배상을 청구할 수 없다.

④, ⑤ (○) 공고가 법령의 내용을 보충하거나 세부사항을 확정할 때는 헌법소원의 대상이 되지만, 법령 등으로 정해진 사항을 단순히 알리는 때에는 헌법소원의 대상이 되지 않는다.

> 공고나 계획 등의 형식으로 이루어지는 공권력의 작용들은 그것이 헌법소원의 대상이 되는 공권력의 행사에 해당하는지를 일률적으로 말할 수 없고, 개별적인 내용과 관련 법령의 규정에 따라 구체적으로 판단하여야 한다. 즉, 공고 등이 법령에 근거하여 법령의 내용을 구체적으로 보충하거나 세부적인 사항을 확정하는 것일 때에는 이는 공권력의 행사에 해당하지만, 그것이 법령에 정해지거나 이미 다른 공권력 행사를 통하여 결정된 사항을 단순히 알리는 것 또는 대외적 구속력이 없는 행정관청 내부의 해석지침에 불과한 것인 때에는 공권력의 행사에 해당하지 아니한다(헌재 2001.2.22. 2000헌마29 ; 헌재 2019.5.30. 2018헌마1208 등).

답 ②

002

항고소송과 헌법소원의 대상에 대한 설명으로 옳은 것(○)과 옳지 않은 것(×)을 올바르게 조합한 것은? (다툼이 있는 경우 판례에 의함)

> ㄱ. 대법원은, 국회의원에 대한 징계처분에 대하여 법원에 제소할 수 없다고 규정하고 있는 헌법 제64조 제4항과 같은 특별규정이 없다 하더라도, 지방자치제도를 둔 헌법의 취지에 비추어 볼 때 지방의회의원에 대한 징계의결도 항고소송의 대상이 되지 않는다고 한다.
> ㄴ. 대법원은, 항정신병 치료제의 요양급여에 관한 보건복지부 고시가 구체적 집행행위의 개입 없이 그 자체로서 직접 국민에 대하여 구체적 효과를 발생하여 특정한 권리의무를 형성하게 하는 경우라 하더라도 항고소송의 대상이 될 수 없다고 한다.
> ㄷ. 헌법재판소는, 국가인권위원회가 법률상의 독립된 국가기관이고, 피해자인 진정인에게는 「국가인권위원회법」이 정하고 있는 구제조치를 신청할 법률상 신청권이 있어 그 진정이 각하 및 기각결정 된 경우 피해자인 진정인으로서는 자신의 인격권 등을 침해하는 인권침해 또는 차별행위 등이 시정되고 그에 따른 구제조치를 받을 권리를 박탈당하게 되므로, 국가인권위원회에의 진정에 대한 각하 및 기각결정은 항고소송의 대상이 되는 행정처분에 해당하므로 그에 대한 다툼은 우선 행정심판이나 행정소송에 의하여야 한다고 하였다.
> ㄹ. 헌법재판소는, 불공정거래혐의에 대한 공정거래위원회의 무혐의 조치는 혐의가 인정될 경우에 행하여지는 중지명령 등 시정조치에 대응되는 조치로서 공정거래위원회의 공권력 행사의 한 태양에 속하여 헌법소원의 대상이 되는 '공권력의 행사'에 해당한다고 하였다.

	ㄱ	ㄴ	ㄷ	ㄹ
①	○	×	×	○
②	○	○	×	×
③	×	×	○	○
④	○	×	○	×
⑤	×	○	○	×

2019년 변호사

ㄱ. (×) 지방자치법 제78조 내지 제81조의 규정에 의거한 지방의회의 의원징계의결은 그로 인해 의원의 권리에 직접 법률효과를 미치는 행정처분의 일종으로서 행정소송의 대상이 되고, 그와 같은 의원징계의결의 당부를 다투는 소송의 관할법원에 관하여는 동법에 특별한 규정이 없으므로 일반법인 행정소송법의 규정에 따라 지방의회의 소재지를 관할하는 고등법원이 그 소송의 제1심 관할법원이 된다(대판 1993.11.26. 93누7341).

ㄴ. (×) 어떠한 고시가 일반적·추상적 성격을 가질 때에는 법규명령 또는 행정규칙에 해당할 것이지만, 다른 집행행위의 매개 없이 그 자체로서 직접 국민의 구체적인 권리의무나 법률관계를 규율하는 성격을 가질 때에는 항고소송의 대상이 되는 행정처분에 해당한다. 항정신병 치료제의 요양급여 인정기준에 관한 보건복지부 고시가 다른 집행행위의 매개 없이 그 자체로서 제약회사, 요양기관, 환자 및 국민건강보험공단 사이의 법률관계를 직접 규율한다는 이유로 항고소송의 대상이 되는 행정처분에 해당한다고 한 사례(대결 2003.10.9. 2003무23)

ㄷ. (○) 국가인권위원회는 법률상의 독립된 국가기관이고, 피해자인 진정인에게는 국가인권위원회법이 정하고 있는 구제조치를 신청할 법률상 신청권이 있는데 국가인권위원회가 진정을 각하 및 기각결정을 할 경우 피해자인 진정인으로서는 자신의 인격권 등을 침해하는 인권침해 또는 차별행위 등이 시정되고 그에 따른 구제조치를 받을 권리를 박탈당하게 되므로, 진정에 대한 국가인권위원회의 각하 및 기각결정은 피해자인 진정인의 권리행사에 중대한 지장을 초래하는 것으로서 항고소송의 대상이 되는 행정처분에 해당하므로, 그에 대한 다툼은 우선 행정심판이나 행정소송에 의하여야 할 것이다. 따라서 이 사건 심판청구는 행정심판이나 행정소송 등의 사전 구제절차를 모두 거친 후 청구된 것이 아니므로 보충성 요건을 충족하지 못하였다(헌재 2015.3.26. 2013헌마214 등).

ㄹ. (○) 공정거래위원회의 무혐의 조치는 혐의가 인정될 경우에 행하여지는 시정조치에 대응되는 조치로서 공정거래위원회의 공권력 행사의 한 태양에 속하여 헌법재판소법 제68조 제1항 소정의 '공권력의 행사'에 해당하고, 따라서 공정거래위원회의 자의적인 조사 또는 판단에 의하여 결과된 무혐의 조치는 헌법 제11조의 법 앞에서의 평등권을 침해하게 되므로 헌법소원의 대상이 되며(헌재 2002.6.27. 2001헌마381 참조), 공정거래위원회의 심사불개시결정 및 심의절차종료결정 역시 공권력의 행사에 해당되고, 그것이 자의적일 경우 피해자(신고인)의 평등권을 침해할 수 있으므로, 헌법소원의 대상이 된다(헌재 2004.3.25. 2003헌마604 ; 헌재 2011.9.29. 2010헌마539 ; 헌재 2011.12.29. 2011헌마100).

답 ③

함께 정리하기

항고소송과 헌법소원의 대상

지방의회의원 징계의결
▷ 처분○

항정신병 치료제의 요양급여 인정기준
▷ 처분○(∵직접 규율)

국가인권위원회의 각하·기각결정
▷ 처분○
▷ 헌법소원 보충성 충족×

공정거래위원회의 무혐의조치
▷ 공권력 행사○
▷ 헌법소원 대상○

제2절 | 부패방지 및 국민권익위원회의 설치와 운영에 관한 법률

001 □□□

「부패방지 및 국민권익위원회의 설치와 운영에 관한 법률」의 내용으로 옳은 것은?

① 고충민원의 처리와 이에 관련된 불합리한 행정제도를 개선하고, 부패 발생을 예방하며 부패행위를 효율적으로 규제하도록 하기 위해 대통령 소속으로 국민권익위원회를 둔다.
② 19세 이상의 국민은 공공기관의 사무처리가 법령위반 또는 부패행위로 인하여 공익을 현저히 해하는 경우 대통령령으로 정하는 일정한 수 이상의 국민의 연서로 감사원에 감사를 청구할 수 있다.
③ 국민권익위원회 위원장과 위원의 임기는 각각 2년으로 하되 1차에 한해 연임할 수 있다.
④ 누구든지 국민권익위원회 또는 시민고충처리위원회에 고충민원을 신청할 수 있다. 이 경우 하나의 권익위원회에 대하여 고충민원을 제기한 신청인은 다른 권익위원회에 대하여도 고충민원을 신청할 수 있다.

문제 DATA

출제가능 지수 ▶▷▷
난이도 지수 ★☆☆

함께 정리하기

부패방지권익위법

국민권익위원회
▷ 국무총리 소속

18세 이상의 국민
▷ 연서받아 감사원에 감사청구 가

국민권익위원회의 위원장·위원
▷ 임기 3년 & 1차 연임 가

고충민원
▷ 누구든지 복수 신청 가

2009년 지방직 7급 변형

① (×)

「부패방지 및 국민권익위원회의 설치와 운영에 관한 법률」 제11조 【국민권익위원회의 설치】 ① 고충민원의 처리와 이에 관련된 불합리한 행정제도를 개선하고, 부패의 발생을 예방하며 부패행위를 효율적으로 규제하도록 하기 위하여 국무총리 소속으로 국민권익위원회(이하 "위원회"라 한다)를 둔다.
② 위원회는 「정부조직법」 제2조에 따른 중앙행정기관으로서 그 권한에 속하는 사무를 독립적으로 수행한다.

② (×)

「부패방지 및 국민권익위원회의 설치와 운영에 관한 법률」 제72조 【감사청구권】 ① 18세 이상의 국민은 공공기관의 사무처리가 법령위반 또는 부패행위로 인하여 공익을 현저히 해하는 경우 대통령령으로 정하는 일정한 수 이상의 국민의 연서로 감사원에 감사를 청구할 수 있다. 다만, 국회·법원·헌법재판소·선거관리위원회 또는 감사원의 사무에 대하여는 국회의장·대법원장·헌법재판소장·중앙선거관리위원회 위원장 또는 감사원장(이하 "당해 기관의 장"이라 한다)에게 감사를 청구하여야 한다.

③ (×)

「부패방지 및 국민권익위원회의 설치와 운영에 관한 법률」 제16조 【직무상 독립과 신분보장】 ② 위원장과 위원의 임기는 각각 3년으로 하되 1차에 한하여 연임할 수 있다.

④ (○)

「부패방지 및 국민권익위원회의 설치와 운영에 관한 법률」 제39조 【고충민원의 신청 및 접수】 ① 누구든지(국내에 거주하는 외국인을 포함한다) 위원회 또는 시민고충처리위원회(이하 이 장에서 "권익위원회"라 한다)에 고충민원을 신청할 수 있다. 이 경우 하나의 권익위원회에 대하여 고충민원을 제기한 신청인은 다른 권익위원회에 대하여도 고충민원을 신청할 수 있다.

답 ④

문제 DATA

출제가능 지수 ▶▷▷
난이도 지수 ★☆☆

002 □□□

보세공장의 운영자 B는 A세관장이 과도한 검사·단속·관세부과를 하고 있다고 판단하여 국민권익위원회에 고충민원을 신청하였다. 이에 대한 설명으로 옳지 않은 것은?

① 국민권익위원회는 B의 공장을 방문하여 현지에서 실지조사의 방법으로 고충민원을 조사할 수 있다.
② 국민권익위원회는 B의 고충민원신청의 내용에 대하여 감사원에 감사를 의뢰할 수 있다.
③ 국민권익위원회의 조사결과 A세관장의 조치가 위법하다고 판단하여 A세관장에게 시정을 요구한 경우에는 A세관장은 이를 따라야 한다.
④ 국민권익위원회는 고충민원을 처리함에 있어 A세관장에게 의견제출의 기회를 주어야 한다.
⑤ 국민권익위원회는 그 처리결과를 일반에 공표할 수 있다.

2009년 관세사

① (○)

> 「부패방지 및 국민권익위원회의 설치와 운영에 관한 법률」 제42조【조사의 방법】① 권익위원회는 제41조에 따라 조사를 함에 있어서 필요하다고 인정하는 경우에는 다음 각 호의 조치를 할 수 있다.
> 1. 관계 행정기관등에 대한 설명요구 또는 관련 자료·서류 등의 제출요구
> 2. 관계 행정기관등의 직원·신청인·이해관계인이나 참고인의 출석 및 의견진술 등의 요구
> 3. 조사사항과 관계있다고 인정되는 장소·시설 등에 대한 <u>실지조사</u>
> 4. 감정의 의뢰

② (○)

> 「부패방지 및 국민권익위원회의 설치와 운영에 관한 법률」 제51조【감사의 의뢰】① 고충민원의 조사·처리과정에서 관계 행정기관등의 직원이 고의 또는 중대한 과실로 위법·부당하게 업무를 처리한 사실을 발견한 경우 <u>위원회는 감사원</u> 또는 관계 행정기관등의 감독기관(감독기관이 없는 경우에는 해당 행정기관등을 말한다. 이하 같다)에, 시민고충처리위원회는 해당 지방자치단체에 감사를 <u>의뢰할 수 있다</u>.

③ (×) A세관장은 시정요구에 따라야 할 의무까지는 없고, 이를 존중하고, 그 처리결과를 통보하여야 한다.

> 「부패방지 및 국민권익위원회의 설치와 운영에 관한 법률」 제46조【시정의 권고 및 의견의 표명】① 권익위원회는 고충민원에 대한 조사결과 처분 등이 위법·부당하다고 인정할 만한 상당한 이유가 있는 경우에는 관계 행정기관등의 장에게 적절한 시정을 권고할 수 있다.
> 제50조【처리결과의 통보 등】① 제46조 또는 제47조에 따른 권고 또는 의견을 받은 관계 행정기관등의 장은 이를 존중하여야 하며, 그 권고 또는 의견을 받은 날부터 30일 이내에 그 <u>처리결과를 권익위원회에 통보하여야 한다</u>.

유제 09. 국가직 9급 국민권익위원회는 필요하다고 인정하는 경우 공공기관의 장에게 제도개선의 권고를 할 수 있으며, 제도개선 권고를 받은 공공기관의 장은 이를 제도개선에 반영하여야 하며 그 조치에 대한 결과를 국민권익위원회에 통보할 필요까지는 없다. (×)

④ (○)

> 「부패방지 및 국민권익위원회의 설치와 운영에 관한 법률」 제48조【의견제출 기회의 부여】① 권익위원회는 제46조 또는 제47조에 따라 관계 행정기관등의 장에게 권고 또는 의견표명을 하기 전에 그 행정기관등과 신청인 또는 이해관계인에게 미리 의견을 제출할 기회를 주어야 한다.

⑤ (○)

> 「부패방지 및 국민권익위원회의 설치와 운영에 관한 법률」 제53조【공표】권익위원회는 다음 각 호의 사항을 공표할 수 있다. 다만, 다른 법률의 규정에 따라 공표가 제한되거나 개인의 사생활이 비밀이 침해될 우려가 있는 경우에는 그러하지 아니하다.
> 1. 제46조 및 제47조에 따른 권고 또는 의견표명의 내용
> 2. 제50조 제1항에 따른 처리결과
> 3. 제50조 제2항에 따른 권고내용의 불이행사유

답 ③

함께 정리하기

고충민원 처리

조사방법으로 실지조사 可

고의 or 중과실로 위법·부당하게 업무 처리한 사실 발견
▷ 감사원에 감사 의뢰 可

시정권고
▷ 존중 & 처리결과 통보 要

고충민원 처리시 의견제출의 기회 要

처리결과 일반에 공표 可

ALL KILL 기출 제2절 부패방지 및 국민권익위원회의 설치와 운영에 관한 법률

지방자치단체 및 그 소속 기관에 관한 고충민원의 처리와 행정제도의 개선 등을 위하여 「부패방지 및 국민권익위원회의 설치와 운영에 관한 법률」에서 각 지방자치단체에 시민고충처리위원회를 설치할 수 있는 근거조항을 두고 있다. 09. 국가직 9급 ( )

정답 및 해설

○ 「부패방지 및 국민권익위원회의 설치와 운영에 관한 법률」 제39조(고충민원의 신청 및 접수) 제1항

MEMO

MEMO

MEMO

2026 대비 최신개정판

해커스공무원
함수민
행정법총론

단원별 기출문제집 | 3권

개정 3판 1쇄 발행 2025년 10월 31일

지은이	함수민 편저
펴낸곳	해커스패스
펴낸이	해커스공무원 출판팀
주소	서울특별시 강남구 강남대로 428 해커스공무원
고객센터	1588-4055
교재 관련 문의	gosi@hackerspass.com
	해커스공무원 사이트(gosi.Hackers.com) 교재 Q&A 게시판
	카카오톡 채널 [해커스공무원 노량진캠퍼스]
학원 강의 및 동영상강의	gosi.Hackers.com
ISBN	3권: 979-11-7404-590-4 (14360)
	세트: 979-11-7404-587-4 (14360)
Serial Number	03-01-01

저작권자 ⓒ 2025, 함수민

이 책의 모든 내용, 이미지, 디자인, 편집 형태는 저작권법에 의해 보호받고 있습니다.
서면에 의한 저자와 출판사의 허락 없이 내용의 일부 혹은 전부를 인용, 발췌하거나 복제, 배포할 수 없습니다.

공무원 교육 1위,
해커스공무원 gosi.Hackers.com

해커스공무원

- **해커스공무원 학원 및 인강**(교재 내 인강 할인쿠폰 수록)
- 해커스 스타강사의 **공무원 행정법 무료 특강**
- 다회독에 최적화된 **회독용 답안지**
- 정확한 성적 분석으로 약점 극복이 가능한 **합격예측 온라인 모의고사**(교재 내 응시권 및 해설강의 수강권 수록)

한경비즈니스 2024 한국품질만족도 교육(온·오프라인 공무원학원) 1위

공무원 교육 1위* 해커스공무원

* [공무원 교육 1위 해커스공무원] 한경비즈니스 2024 한국품질만족도 교육(온·오프라인 공무원학원) 1위

공무원 수강료 최대 200% 환급
합격할 때까지 평생 무제한 패스

영어 비비안 | 국어 신민숙 | 행정법 함수민 | 행정학 서현

9·7급 공무원 인강
합격할 때까지 평생수강

국어, 영어, 한국사
기본서 3권 제공

* 교재 포함형 패스 구매시 제공

해커스PSAT 합격패스
50% 할인쿠폰 제공

상황판단 길규범 | 언어논리 조은정 | 자료해석 김용훈

7급 응시자격 단기 달성
토익, 지텔프, 한능검 강좌 무료

G-TELP 비비안 | 한능검 안지영 | TOEIC 재키

실제 시험 유사성 100% 출제
합격예측 모의고사 무료 제공

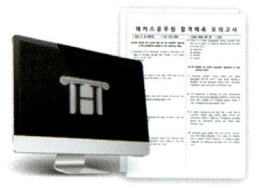

매일국어·기출보카
어플 무료 이용권 제공

---

* [최대 200% 환급] 미션 달성 시, 교재비 및 옵션가 제외, 제세공과금 본인 부담 / [평생] 불합격 인증 시 1년씩 연장

상담 및 문의전화
1588-4055

해커스공무원 gosi.Hackers.com
수강료 0원으로 공무원 전문강좌 무제한 수강하기 ▶